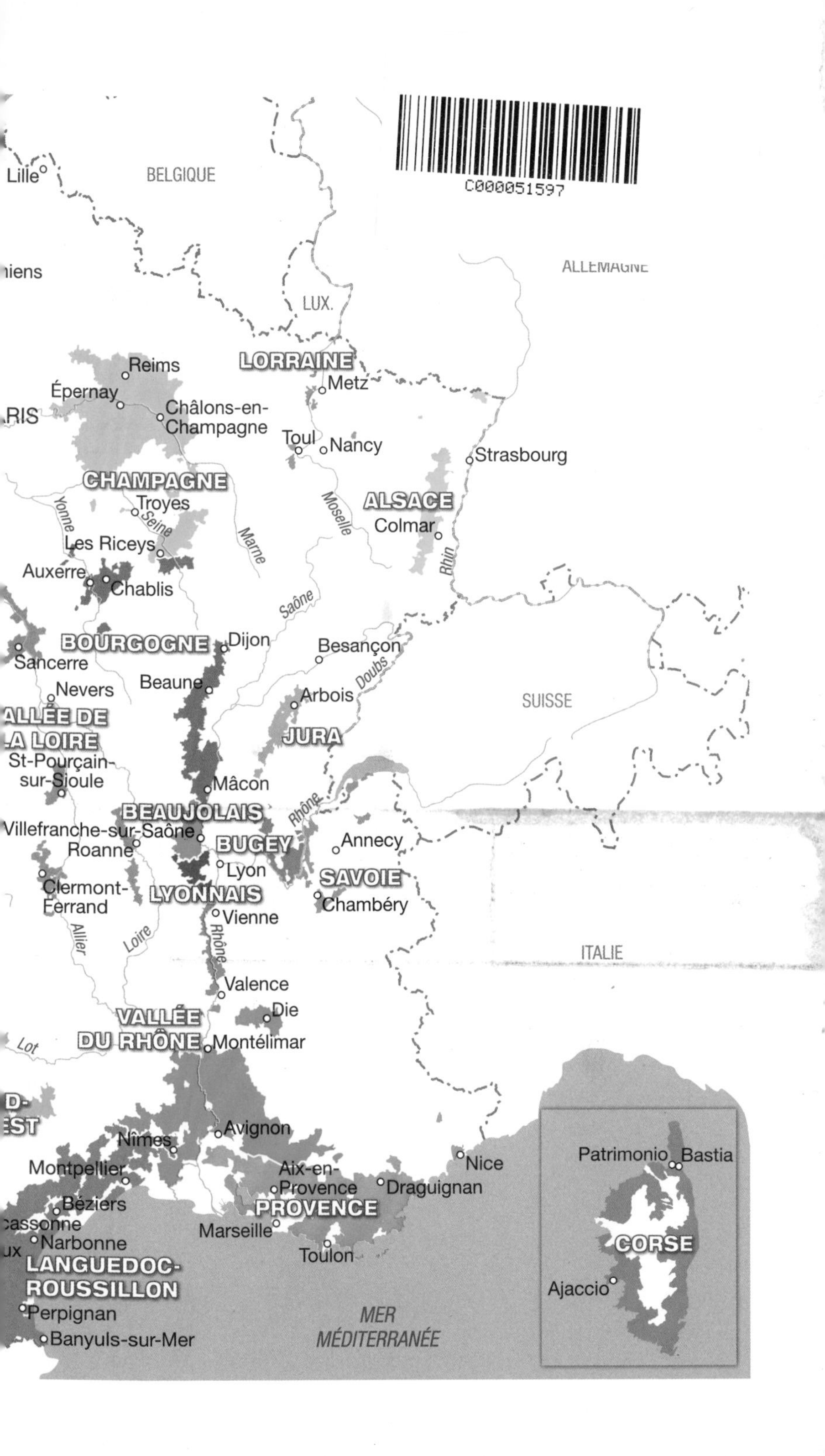

C000051597
Lille
BELGIQUE
iens
ALLEMAGNE
LUX.
LORRAINE
Reims
Metz
Épernay
RIS
Châlons-en-
Champagne
Toul
Nancy
Strasbourg
CHAMPAGNE
ALSACE
Troyes
Yonne
Seine
Moselle
Colmar
Marne
Les Riceys
Rhin
Auxerre
Chablis
Saône
BOURGOGNE
Dijon
Besançon
Sancerre
Doubs
Beaune
Nevers
Arbois
SUISSE
ALLÉE DE
LA LOIRE
JURA
St-Pourçain-
sur-Sioule
Mâcon
Rhône
BEAUJOLAIS
Villefranche-sur-Saône
BUGEY
Annecy
Roanne
Lyon
SAVOIE
Clermont-
Ferrand
LYONNAIS
Chambéry
Vienne
Allier
Loire
Rhône
ITALIE
Valence
Die
VALLÉE
DU RHÔNE
Montélimar
Lot
D-
EST
Avignon
Nîmes
Nice
Patrimonio
Bastia
Montpellier
Aix-en-
Provence
Draguignan
Béziers
PROVENCE
cassonne
Marseille
Narbonne
CORSE
ux
Toulon
LANGUEDOC-
ROUSSILLON
Ajaccio
Perpignan
MER
MÉDITERRANÉE
Banyuls-sur-Mer

LE GUIDE HACHETTE DES VINS

Sélection 2020

LE GUIDE HACHETTE DES VINS

Direction Hachette Pratique : Catherine Saunier-Talec.

Direction de l'ouvrage : Stéphane Rosa.

Responsable éditoriale : Anne Le Meur.

Ont collaboré : Guillaume Baroin; Claude Bérenguer; Richard Bertin, *œnologue*; Pierre Bichonnier; Anne Buchet, *chambre d'Agriculture du Loir-et-Cher*; Jean-Jacques Cabassy, *œnologue*; Philippe Cazali; Éric Champion; Pierre Carbonnier; Étienne Carre, *laboratoire de Touraine*; Béatrice de Chabert, *œnologue*; Jacques Conscience; François Constand; Christine Cuperly; Gérard Delorme; Sébastien Durand-Vieil; Régis d'Espinay; Michel Garat; Laurent Gotti; Melvin Knight; Robert Lala, *œnologue*; Évelyne Léard-Viboux; Antoine Lebègue; Cécile Marot; François Merveilleau; Paco Mouliet; Mariska Pezzutto, *œnologue*; Stéphane Pillias; Alex Schaeffer, *œnologue*; Anne Seguin; Pauline Vey; Yves Zier.

Lecture-correction : Stéphane Deschamps; Kathy Koch; Martine Lavergne; Hélène Nguyen.

Informatique éditoriale : Sébastien Lequime, Marie-Line Gros-Desormeaux, Anne Le Marois, Christianna Pappa, Marjorie Poitte.

Nous exprimons nos très vifs remerciements aux 1 500 membres des commissions de dégustation réunies spécialement pour l'élaboration de ce guide, lesquels, selon l'usage, demeurent anonymes, ainsi qu'aux organismes qui ont bien voulu apporter leur appui à l'ouvrage ou participer à sa documentation générale : l'Institut national de l'Origine et de la Qualité, INAO; l'Institut national de la Recherche agronomique, INRA; la direction de la Concurrence de la consommation et de la répression des fraudes; UBIFRANCE; la DGDDI; les Comités, Conseils, Fédérations et Unions interprofessionnels; FranceAgriMer; l'Institut des hautes études de la vigne de Montpellier et l'Agro-Montpellier; l'université Paul Sabatier de Toulouse et l'ENSAT; les Syndicats viticoles; les Chambres d'agriculture; les laboratoires départementaux d'analyse; les lycées agricoles d'Amboise, d'Avize, de Blanquefort, de Bommes, de Montagne-Saint-Émilion, de Montreuil-Bellay, d'Orange; le lycée hôtelier de Tain-l'Hermitage; le CFPPA d'Hyères; l'Institut rhodanien; l'Union française des œnologues et les Fédérations régionales d'œnologues; pour le Grand-Duché de Luxembourg, l'Institut viti-vinicole luxembourgeois, la Marque nationale du vin luxembourgeois, le Fonds de solidarité.

Responsable artistique : Nicolas Beaujouan.

Couverture : Nicole Dassonville, Pauline Ricco.

Conception graphique : Pauline Ricco.

Cartographie : Légendes Cartographie/Romuald Belzacq.

Production : Cécile Alexandre.

Composition et photogravure : Nord Compo (Villeneuve-d'Asq).

Impression, reliure : Rotolito Lombarda (Italie).

Crédits iconographiques : © Fotolia : p. 10 (Minerva Studio), © Scope Image : Jacques Guillard (p. 13, 16, 20), © Fotolia / Lafoudre (p. 26), © Getty : p. 28-29 (Dado Daniela), p. 354-355 (Nikitje), p. 536-537 (Matteo Colombo), p. 658-659 (Yann Guichaoua-Photos), p. 830-831 (Martial Colomb), p. 902-903 (Kévin Niglaut), p. 1128-1129 (Suraark), p. 1246-1247 (Hans-Peter Merten), © Istock : p. 92-93 (Gael_f), p. 134-135 (Esperanza33), p. 630-631 (VincentBidault), p. 820-821 (AM-C), p. 980-981 (Titoslack).

LE GUIDE HACHETTE DES VINS

Sélection 2020

LES VIGNERONS DE L'ANNÉE

Alsace
Mickaël et Stéphane Moltès (Dom. Moltès)

Lorraine
Isabelle Mangeot (Dom. Regina)

Beaujolais
Arnaud Aucœur

Bordelais
Giorgio Cavanna (Grand Enclos du Ch. de Cérons)
Isabelle et Stéphane Le May (Ch. Turcaud)

Bourgogne
François Berthenet (Dom. Berthenet)
Jean-Michel Guillon (Jean-Michel Guillon et Fils)

Champagne
Thierry Garnier (Philipponnat)
Frédéric Panaïotis (Ruinart)

Jura
Nathalie et Emmanuel Grand (Dom. Grand)

Savoie
Famille Barlet (La Cave du Prieuré)

Languedoc
Louis Fabre (Ch. de Luc)

Roussillon
Les Vignerons de Maury

Provence
Gilles Baude (Dom. La Rose des Vents)

Corse
Isabelle Courrèges (Dom. Pratavone)

Sud-Ouest
Méo Seriès (Cabidos)
La famille Deffarge (Ch. Moulin Caresse)

Vallée de la Loire
François Cazin (Le Petit Chambord)
Carine et Stéphane Sérol (Dom. Sérol)

Vallée du Rhône
Roland Terrasse (Ch. Rochecolombe)
Yann Chave

TABLE DES CARTES

TABLE DE TABLEAUX DES CLASSEMENTS

SOMMAIRE

Les vignerons de l'année à découvrir page 23

LE GUIDE HACHETTE DES VINS : MODE D'EMPLOI

Quels vins sont dégustés ?

Chaque édition est entièrement nouvelle : les vins sélectionnés ont été dégustés dans l'année. Le Guide remet ainsi tous les ans les compteurs à zéro pour déguster le dernier millésime mis en bouteilles. Le vin n'étant pas un produit industriel, chaque nouveau millésime possède des caractéristiques propres. Un producteur peut avoir très bien réussi une année et moins bien la suivante... ou l'inverse ! De plus, chaque année, de nouveaux producteurs s'installent ou arrivent aux commandes de domaines existants. Le Guide vous fait découvrir les meilleurs d'entre eux.

Comment les vins sont-ils dégustés ?

Les vins sont dégustés à l'aveugle. Les dégustateurs ne connaissent ni le nom du producteur, ni celui du vin ou de la cuvée qu'ils goûtent. Cela leur permet de s'affranchir de paramètres subjectifs, tels que la notoriété du domaine ou l'esthétique de l'étiquette. Les jurés connaissent seulement l'appellation et le millésime qu'ils jugent.

Qui déguste les vins ?

Les dégustateurs sont des professionnels du monde du vin (œnologues, négociants, courtiers, sommeliers...). Ils possèdent tous les repères pour juger de la qualité d'un vin et maîtrisent le vocabulaire de la dégustation, ce qui leur permet de bien décrire les vins et donc d'apporter au lecteur l'information la plus complète possible.

Comment sont notés les vins ?

Les vins sont décrits (couleur, qualités olfactives et gustatives) et notés par les jurés sur une échelle de 0 à 5.

Note du dégustateur	Qualité du vin	Note finale du vin
0	**vin à défaut**	**éliminé**
1	**petit vin ou vin moyen**	**éliminé**
2	**vin réussi**	**cité (sans étoile)**
3	**vin très réussi**	★
4	**vin remarquable**	★★
5	**vin exceptionnel**	★★★

Les notes doivent être comparées au sein d'une même appellation. Il est en effet impossible de juger des appellations différentes avec le même barème.

Pourquoi certaines étiquettes sont-elles reproduites et non les autres ?

L'étiquette signale un coup de cœur ♥ décerné à l'aveugle par les jurys à une cuvée. Elle est reproduite librement, sans qu'aucune participation financière directe ou indirecte ne soit demandée au producteur concerné. De même, la présentation des vins aux dégustations du Guide par les producteurs est entièrement gratuite.

Pourquoi certains vins ne sont-ils pas dans le Guide ?

Des vins connus, parfois même réputés, peuvent être absents de cette édition : soit parce que les producteurs ne les ont pas présentés, soit parce qu'ils ont été éliminés.

À quoi correspondent les durées de garde indiquées dans les notices ?

Ces temps de garde sont donnés par les dégustateurs, sous réserve de bonnes conditions de conservation, et sont indicatifs. Ils ne correspondent en aucune façon à une « date limite de consommation », mais au moment où l'on estime que le vin peut commencer à être bu pour être apprécié pleinement (apogée). Certains vins gardent en effet toutes leurs qualités des années après avoir atteint leur apogée (on parle alors de longévité).

Et le plaisir dans tout cela ?

Nous n'oublions pas que le vin est fait pour être bu à table, en bonne compagnie, et qu'une bouteille raconte une histoire qui dépasse le cadre strict de la dégustation technique. C'est pourquoi, une fois la dégustation terminée et l'anonymat levé par nos équipes, le Guide prend plaisir, pour chaque vin retenu, à parler des hommes et des femmes qui le font, des terroirs et des paysages, des meilleurs moments pour le découvrir et des plats pour le mettre en valeur.

• La dégustation à la propriété est bien souvent gratuite. On n'en abusera pas : elle représente un coût non négligeable pour le producteur qui ne peut ouvrir ses vieilles bouteilles.

• Les amateurs qui conduisent un véhicule n'oublieront pas qu'ils ne doivent pas boire le vin, mais le recracher comme le font les professionnels. Si des crachoirs ne sont pas spontanément proposés dans les caves, vous pouvez en demander.

• Les prix présentés sous forme de fourchette (pour les vins, gîtes ruraux et chambres d'hôtes) sont soumis à l'évolution des cours et donnés sous toutes réserves.

• Le pictogramme V signale les producteurs pratiquant la vente à la propriété. Toutefois, certains vins sélectionnés ont parfois une diffusion quasi confidentielle. S'ils ne sont pas disponibles au domaine, nous invitons le lecteur à les rechercher auprès des cavistes (en ville ou en ligne), des grandes surfaces et des négociants, ou sur les cartes des restaurants.

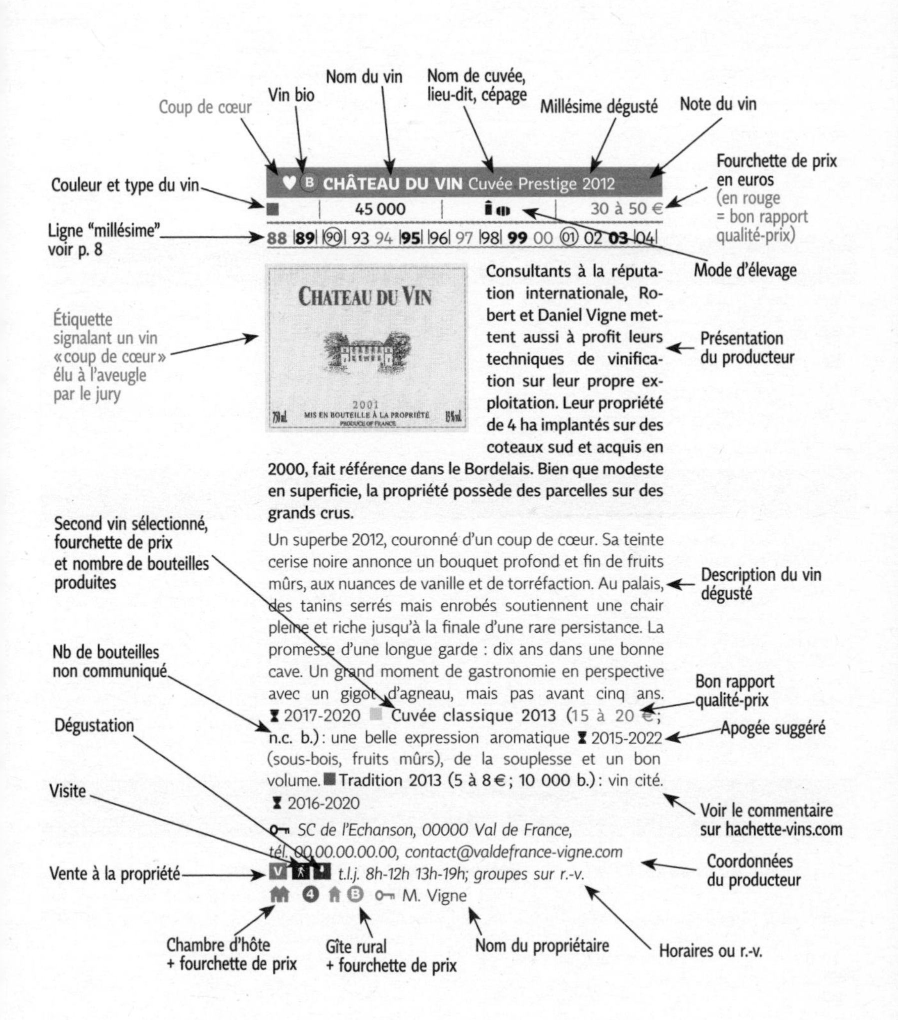

SYMBOLES UTILISÉS DANS LE GUIDE

LES VINS

La reproduction d'une étiquette et le symbole ♥ signalent un « coup de cœur » décerné à l'aveugle par les jurys.

★★★ vin exceptionnel

★★ vin remarquable

★ vin très réussi

vin réussi (cité sans étoile)

2009 millésime ou année du vin dégusté

- Ⓑ vin biologique
- ■ vin blanc sec tranquille
- ■ vin blanc doux tranquille
- ■ vin rouge tranquille
- ■ vin rosé tranquille
- ● vin blanc effervescent
- ● vin demi-sec effervescent
- ● vin rosé effervescent

50 000, 12 500... nombre moyen de bouteilles du vin présenté

- élevage en cuve
- élevage en fût
- ⧗ apogée suggéré

LES PRODUCTEURS

- V vente à la propriété
- dégustation à la propriété
- conditions de visite (r.-v. = sur rendez-vous)
- adresse du producteur
- nom du propriétaire, si différent de celui figurant dans l'adresse
- gîte rural
- chambres d'hôtes

n.c. information non communiquée

LES PRIX

• Les prix (prix moyen de la bouteille en France par carton de 12) sont donnés sous toutes réserves.
L'indication de la fourchette de prix en rouge signale un bon rapport qualité/prix.

- 5 €	5 à 8 €	8 à 11 €	11 à 15 €	15 à 20 €	20 à 30 €	30 à 50 €	50 à 75 €	75 à 100 €	+ 100 €

• Chambres d'hôtes
Prix moyen par nuit en haute saison

- ❶ = - de 50 €
- ❷ = 51 à 65 €
- ❸ = 66 à 80 €
- ❹ = 81 à 100 €
- ❺ = + de 100 €

• Gîte rural
Prix moyen par semaine en haute saison

- Ⓐ = - de 300 €
- Ⓑ = 301 à 400 €
- Ⓒ = 401 à 500 €
- Ⓓ = 501 à 600 €
- Ⓔ = + de 600 €

LES MILLÉSIMES

㉜ **83** **85** |**86**| **89** |90| 91 92 93 |**95**| |**96**| 97 **98** **99** **00** (01) 02 **03** 04 **05**

83 01	les millésimes en rouge sont prêts (01 = millésime 2001)
99 05	les millésimes en noir sont à garder (05 = millésime 2005)
|**95**|02	les millésimes en noir entre deux traits verticaux sont prêts pouvant attendre
83 95	les meilleurs millésimes sont en gras
(90)	les millésimes exceptionnels sont dans un cercle

Les millésimes indiqués n'impliquent pas une disponibilité à la vente chez le producteur. On pourra les trouver aussi chez les cavistes ou les restaurateurs.

COMMENT IDENTIFIER UN VIN ?

Les rayons des cavistes et des grandes surfaces offrent une large palette de vins français, voire étrangers. Cette variété, qui fait le charme du vin pour l'amateur averti, rend aussi le choix difficile et déroute le néophyte : la France produit à elle seule plusieurs dizaines de milliers de vins qui ont tous des caractères propres. Leur carte d'identité? L'étiquette. Les pouvoirs publics, français et désormais européens, et les instances professionnelles se sont attachés à la réglementer. Capsules et bouchons complètent l'identification.1

LES CATÉGORIES DE VIN

L'étiquette indique l'appartenance du vin à l'une des catégories réglementées en France : vin de France (ex-vin de table), indication géographique protégée IGP (ex-vin de pays), appellation d'origine contrôlée (AOC, AOP pour l'UE).

L'appellation d'origine protégée

La classe reine, celle de tous les grands vins. L'étiquette porte obligatoirement la mention « Appellation X protégée », parfois « X appellation protégée ». Si l'appellation porte le nom d'une entité géographique (région, ensemble de communes, commune, parfois lieu-dit), cette seule provenance ne suffit pas à la définir. Pour bénéficier de l'AOC, un vin doit provenir d'une aire délimitée, caractérisée par ses sols et son climat, plantée de cépages spécifiques cultivés et vinifiés selon les traditions régionales. C'est ce que l'on appelle les « usages locaux, loyaux et constants ».

L'appellation d'origine vin délimité de qualité supérieure

Une catégorie supprimée en 2011, naguère antichambre de l'appellation d'origine contrôlée, et soumise sensiblement aux mêmes règles. Nombreux il y a trente ans, les VDQS ont souvent accédé à l'AOC.

Du domaine et du terroir à l'étiquette.

LA RÉFORME DE LA CLASSIFICATION DES VINS

Mise en place en 2009, cette réforme a entraîné trois changements importants, concernant chaque étage de la pyramide qualitative. Les vins de table sont devenus vins de France, mais ils ont surtout gagné, au-delà du droit de porter comme étendard le nom de notre pays, ce qui n'est pas rien, la possibilité d'afficher cépage(s) et millésime. Deux mentions en général perçues comme qualitatives, ici autorisées pour les vins du bas de l'échelle : on peut légitimement s'interroger sur la pertinence de cette modification réglementaire. Les vins de pays (VDP) sont devenus des IGP, indications géographiques protégées. Un bouleversement majeur puisque auparavant les VDP faisaient partie de la même catégorie que les vins de table ; ils entrent dorénavant dans la famille des vins avec indication géographique, qui comprend également les AOC/AOP. Un changement qui leur donne des droits (protection juridique du nom comme les AOP, appellation d'origine protégée) mais aussi des devoirs : démonstration à faire de leur lien à l'origine et mise en place de procédures de contrôle renforcées. En 2011, les 150 VDP alors existants ont vu leur nombre se réduire à 75. Enfin, les AOP sont depuis cette réforme soumises à de nouveaux modes de contrôle, la tant décriée dégustation systématique d'agrément étant supprimée au profit de contrôles moins fréquents mais plus proches du produit commercialisé. On attendra pour voir l'efficacité de ces nouvelles mesures sur la qualité des vins.

Les IGP/vins de pays

Ils portent le nom de leur lieu de naissance, mais ne sont pas des AOC. La différence? Les vins de pays ne font pas l'objet d'une délimitation parcellaire, en fonction des types de sol ; ils sont issus de cépages dont la liste est définie réglementairement ; cette liste est plus large que pour les AOC. En un mot, leur rapport au terroir est moins fort. L'étiquette précise la provenance géographique du vin. On lira donc « Indication géographique protégée » (IGP) suivie du nom d'une région (ex : Val de Loire), d'un département (ex : Ardèche) ou d'une zone plus restreinte (ex : Cité de Carcassonne).

Les vins de France

Sans provenance géographique affichée, ils peuvent être issus de coupages, c'est-à-dire de mélanges de vins de plusieurs régions. Cela en fait en général des vins assez standard – sans surprise mais sans personnalité. Si les vins de France sont souvent des produits d'entrée de gamme commercialisés en gros volumes, il existe aussi des vins de table de propreté – souvent « vins d'auteurs » élaborés hors des canons de l'appellation. Depuis une récente réforme, ces vins sont autorisés à afficher millésime et nom des cépages.

COMMENT IDENTIFIER UN VIN ?

LE RESPONSABLE LÉGAL DU VIN

L'étiquette doit permettre d'identifier le vin et son responsable légal en cas de contestation. Le dernier intervenant dans l'élaboration du vin est celui qui le met en bouteilles ; ce sont obligatoirement son nom et son adresse qui figurent sur l'étiquette. Il peut s'agir d'un négociant, d'une coopérative ou d'un propriétaire-récoltant. Dans certains cas, ces renseignements sont confirmés par les mentions portées au sommet de la capsule de surbouchage.

LA MISE EN BOUTEILLES

L'étiquette mentionne si le vin a été mis en bouteilles à la propriété. L'amateur exigeant ne tolérera que les mises en bouteilles au domaine, à la propriété ou au château. Les formules « Mis en bouteilles dans la région de production, mis en bouteilles par nos soins, mis en bouteilles dans nos chais, mis en bouteilles par x (x étant un intermédiaire) », pour exactes qu'elles soient, n'apportent pas la garantie d'origine que procure la mise en bouteilles à la propriété où le vin a été vinifié.

LE MILLÉSIME

La mention du millésime, année de naissance du vin, c'est-à-dire de la vendange, n'est pas obligatoire. Elle est portée soit sur l'étiquette, soit sur une collerette collée au niveau de l'épaule de la bouteille. Les vins issus d'assemblage de différentes années ne sont pas millésimés. C'est le cas de certains champagnes et crémants, ou encore de certains vins de liqueur et vins doux naturels. À noter que l'Europe s'est alignée sur la règle en vigueur dans certains pays tiers, selon laquelle il suffit que 85 % du vin soit d'un millésime donné pour que l'étiquette puisse afficher le millésime.

LA CAPSULE

La plupart des bouteilles sont coiffées d'une capsule de surbouchage (capsule représentative de droits ou CRD) qui porte généralement une vignette fiscale, preuve que les droits de circulation auxquels toute boisson alcoolisée est soumise ont été acquittés. Cette vignette permet aussi de déterminer le statut du producteur (propriétaire ou négociant) et la région de production. Elle est verte pour les AOC, bleue pour les vins de pays. En l'absence de capsule fiscalisée, les bouteilles doivent être accompagnées d'un document délivré par le producteur.

LE BOUCHON

Les producteurs de vins de qualité ont éprouvé le besoin de marquer leurs bouchons, car si une étiquette peut être décollée et remplacée frauduleusement, le bouchon, lui, demeure ; l'origine du vin et le millésime y sont ainsi étampés.

LIRE L'ÉTIQUETTE

Sur les étiquettes, les indications foisonnent. Protection de l'origine géographique, de l'environnement, de la santé publique, exigence de traçabilité, souci de marketing : tous ces impératifs successifs les ont fait proliférer. Obligatoires ou facultatives, ces mentions donnent des indices sur le style du vin.

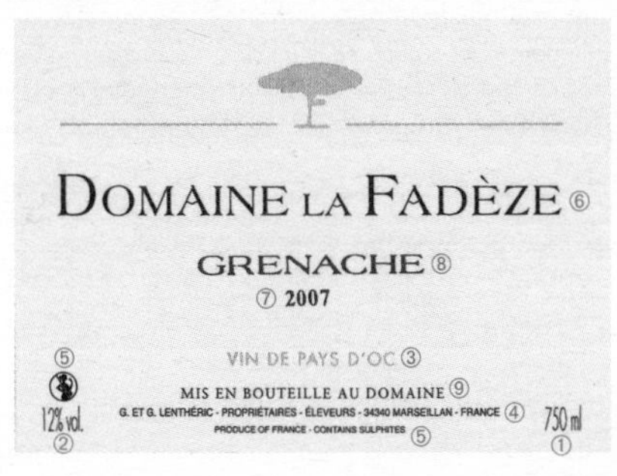

LES MENTIONS OBLIGATOIRES

Obligatoires pour toutes les catégories de vins, ces mentions suffisent à ce que le vin soit légalement mis en vente :

Volume

① La contenance standard d'une bouteille de vin est de 75 cl.

Degré alcoolique

② Cette mention contribue à apprécier le style du vin ; à 11 % vol. ou moins, c'est un vin léger ; à 13 % vol. ou plus, c'est un vin corsé et chaleureux.

Catégorie de vin

③ Elle indique la place du vin dans une hiérarchie réglementaire : vin de France, indication géographique protégée, vin d'appellation (AOC). Pour ces deux dernières catégories, elle informe aussi sur la provenance géographique du vin.

Embouteilleur

④ Le nom et l'adresse du responsable légal du vin permettent d'éventuelles réclamations.

Mentions sanitaires

⑤ La réglementation européenne a fait ajouter la mention « Contient des sulfites » lorsque le vin contient plus de 10 mg/l de SO2 (cas fréquent, le soufre étant un antiseptique et un antibactérien utile pour la bonne conservation du vin, et le seuil autorisé bien supérieur) ; les pouvoirs publics français imposent par ailleurs depuis 2007 une mise en garde à l'adresse des femmes enceintes.

LES MENTIONS FACULTATIVES

La marque et le domaine

⑥ Pour personnaliser le vin, nombre de producteurs lui donnent une marque : marque commerciale ou, notamment chez les récoltants, nom familial. Les termes de « château » ou « domaine » sont assimilés à des marques.

Le millésime

⑦ Souvent indiqué, il n'est pas pour autant obligatoire (*voir* p. précédente). Cette mention est fort utile, car elle permet d'évaluer les perspectives de garde en fonction de la cotation régionale des millésimes.

Le cépage

⑧ La mention du cépage est autorisée pour les vins de pays et certains vins d'appellation. Comme pour le millésime, l'Union européenne a adopté la règle des « 85/15 » : elle permet désormais d'indiquer le nom du cépage, même si 15 % du vin provient d'une autre variété.

Mise en bouteilles à la propriété

⑨ Un gage d'authenticité. Les caves coopératives, considérées comme le prolongement de la propriété, ont le droit d'utiliser cette mention. En Champagne, plusieurs sigles indiquent le statut du metteur en bouteilles, par exemple RM pour récoltant-manipulant (un vigneron), NM pour négociant-manipulant ou CM pour coopérative de manipulation (*voir* chapitre « Champagne »).

Classements

Dans certaines régions, il existe des classements officiels. En Bordelais (Médoc, Graves, Saint-Émilion, Sauternes), ce sont les propriétés et les châteaux qui sont classés. En Bourgogne, ce sont les terroirs : premiers ou grands crus, qui sont des lieux-dits (appelés localement *climats*). L'Alsace a également ses grands crus (terroirs classés), et la Champagne, ses premiers et grands crus (communes classées).

Bio

Jusqu'en 2012, faute d'accord à l'échelle européenne sur un cahier des charges en matière de vinification biologique, il n'y avait pas de « vin bio », seulement des « vins issus de raisins de l'agriculture biologique » (ou « de raisins biologiques » ou « cultivés en agriculture biologique »). Une telle mention, ainsi que le nom ou le numéro d'agrément de l'organisme certificateur qui vérifie le respect du cahier des charges, éventuellement accompagnée du logo AB, garantissaient une agriculture biologique (il faut cependant noter que certains domaines prestigieux pratiquent une viticulture bio sans le signaler). En 2012, un règlement européen a été publié. En conséquence, à partir de ce millésime, les mentions du type «vin issu de raisins de l'agriculture biologique» ne seront plus autorisées. Elles seront remplacées par le terme de «vin biologique» – à condition évidemment que les producteurs respectent la nouvelle réglementation pour l'élaboration de leurs vins –, accompagné du logo européen et du numéro de code de l'organisme certificateur. Le logo français AB reste facultatif.

Style de vins

D'autres mentions renseignent sur le style de vins, sur son élaboration. Certaines sont traditionnelles et ont un caractère officiel : «vendanges tardives» (vin blanc moelleux d'Alsace), «sélection de grains nobles» (liquoreux d'Alsace ou d'Anjou), «vin jaune», «vin de paille» (vins originaux du Jura), «méthode traditionnelle» (effervescent résultant d'une seconde fermentation en bouteille). Autres précisions réglementées, le dosage d'un champagne (extra-brut, brut, demi-sec, etc.), qui indique son caractère plus ou moins sec ; en blanc, la mention «sec» ou «doux», utile lorsque l'appellation produit les deux types de vins ; le terme «sur lie», appliqué au muscadet ; l'adjectif «ambré», pour un rivesaltes blanc, tandis que le «tuilé» est rouge. Non réglementées mais utiles, les mentions de l'élevage en fût de chêne, de l'absence de filtration, de soufre, etc. On se référera aux chapitres de chaque région pour une explication détaillée de ces mentions.

ÉTIQUETTE, CONTRE-ÉTIQUETTE, COLLERETTE

Si de nombreuses bouteilles comportent une étiquette unique, où figurent toutes les mentions obligatoires et facultatives, l'usage de la contre-étiquette se répand. Soit elle ne porte que des mentions facultatives (description du vin, conseils pour la température de service et les accords gourmands), soit elle affiche tout ou partie des mentions légales et obligatoires. Dans ce dernier cas, l'étiquette la plus visible a une fonction avant tout esthétique et porte des mentions succintes (marque, nom de cuvée, de commune). L'étiquette légale, placée «au dos» de la bouteille, ressemble à une contre-étiquette. Elle n'en comprend pas moins des précisions essentielles et mérite une lecture attentive. Certaines bouteilles portent une collerette, qui indique en général le millésime si celui-ci ne figure pas sur l'étiquette.

Nom de cuvée

⑩ On peut trouver sur l'étiquette des noms de lieux-dits, de communes ou de régions qui précisent la provenance : ce sont là des mentions réglementées. Cuvée Prestige, Vieilles Vignes, cuvée au nom des enfants du vigneron : ces mentions identifient un vin, mais elles ne garantissent pas une qualité supérieure. Si vous voulez acquérir une cuvée distinguée par le Guide, notez non seulement le nom du vin, mais aussi, s'il y a lieu, le nom de la cuvée et toutes les mentions qui figurent à côté du nom principal.

ACHETER : LES CIRCUITS D'ACHATS

En grande surface, chez le caviste, le producteur... Les circuits de distribution du vin sont multiples, chacun présentant ses avantages. À chaque consommateur de trouver la formule qui lui convient.

CHEZ LE PRODUCTEUR

La vente directe permet-elle de faire des économies ? Pas nécessairement, car les producteurs veillent à ne pas concurrencer leurs diffuseurs. Nombre de châteaux bordelais, quand ils vendent aux particuliers, proposent ainsi leurs crus à des prix supérieurs à ceux pratiqués par les détaillants. D'autant que les revendeurs obtiennent, grâce à des commandes massives, des prix plus intéressants que le particulier. En résumé, on achètera sur place les vins de producteurs dont la diffusion est limitée, et non les vins de grands châteaux, sauf millésimes rares ou cuvées spéciales.

L'achat à la propriété, un moyen de découvrir les secrets du vin.

La visite au producteur apporte bien d'autres satisfactions que celle d'une simple bonne affaire : on découvre un paysage, un terroir, des méthodes de travail ; on comprend les relations étroites qui existent entre un homme et son vin.
Sur les routes des Vins, on se souviendra du slogan : « Celui qui conduit est celui qui ne boit pas. » Les producteurs prévoient des crachoirs pour permettre aux conducteurs de goûter comme le font les professionnels.

EN CAVE COOPÉRATIVE

Les coopératives regroupent des producteurs d'une aire géographique donnée : une commune ou une zone plus large. Les adhérents apportent leur raisin et les responsables techniques se chargent du pressurage, de la vinification, de l'élevage et de la commercialisation. L'instauration de chartes de qualité avec les vignerons et la possibilité d'élaborer des cuvées selon la qualité spécifique de chaque livraison de raisin ou selon une sélection de terroirs ouvrent aux meilleures coopératives le secteur des vins de qualité, voire de garde.

CHEZ LE NÉGOCIANT

Le négociant, par définition, achète des vins pour les revendre, mais il est souvent lui-même propriétaire de vignobles : il peut donc agir en producteur et commercialiser sa production, ou bien vendre le vin de producteurs indépendants sans autre intervention que le transfert (cas des négociants bordelais qui ont à leur catalogue des vins mis en bouteilles au château), ou encore signer un contrat de monopole de vente avec une unité de production. Le négociant-éleveur assemble des vins de même appellation fournis par divers producteurs et les élève dans ses chais. Il est ainsi le créateur du produit à double titre : par le choix de ses achats et par l'assemblage qu'il exécute. Le propre d'un négociant est de diffuser, donc d'alimenter les réseaux de vente qu'il ne doit pas concurrencer en vendant chez lui ses vins à des prix très inférieurs.

CHEZ LE CAVISTE

Pour le citadin, c'est le mode d'achat le plus facile et le plus rapide, le plus sûr également lorsque le caviste est qualifié. Il existe nombre de boutiques spécialisées dans la vente de vins de qualité, indépendantes ou franchisées. Qu'est-ce qu'un bon caviste ? C'est celui qui est équipé pour entreposer les vins dans de bonnes conditions et qui sait choisir des vins originaux de producteurs amoureux de leur métier. En outre, le bon détaillant saura conseiller l'acheteur, lui faire découvrir des vins que celui-ci ignore et lui suggérer des accords gastronomiques.

EN GRANDE SURFACE

Aujourd'hui, nombre de grandes surfaces possèdent un rayon spécialisé bien équipé, où les bouteilles sont couchées et souvent classées par région. L'amateur y trouve – notamment en hypermarché – une large gamme, des vins de table aux crus prestigieux. Seuls les appellations confidentielles et les vins de petites propriétés sont moins représentés. Les foires aux vins des grandes surfaces proposent une offre élargie. Si celles de printemps misent plutôt sur les vins d'été à boire jeunes, celles d'automne présentent une importante sélection de crus renommés et de garde à des prix intéressants, même si les grands millésimes des domaines les plus prestigieux ne sont pas toujours disponibles. On consultera au préalable les catalogues, Guide en main, pour repérer cuvées et millésimes, et l'on viendra dès l'ouverture – voire en avant-première.

DANS LES CLUBS

Quantité de bouteilles, livrées en cartons ou en caisses, arrivent directement chez l'amateur grâce aux clubs qui offrent à leurs adhérents un certain nombre d'avantages. Le choix est assez vaste et comporte parfois des vins peu courants. Il faut toutefois noter que beaucoup de clubs sont des négociants.

DANS LES FOIRES ET SALONS

Organisés périodiquement dans les villes, foires et salons permettent aux amateurs de rencontrer un grand nombre de vignerons et de goûter certaines de leurs cuvées sans aller sur le lieu de production. L'offre est abondante, et l'atmosphère souvent conviviale – à condition d'éviter les heures d'affluence... Mieux vaut préparer sa visite, aidé du Guide.

LES VENTES AUX ENCHÈRES

Ces ventes sont organisées par des commissaires-priseurs assistés d'un expert. Il importe de connaître l'origine des bouteilles. Si elles proviennent d'un grand restaurant ou de la riche cave d'un amateur, leur conservation est probablement parfaite, ce qui n'est pas toujours le cas si elles constituent un regroupement de petits lots divers. Les bouteilles dont le niveau n'atteint plus que le bas de l'épaule, ou d'une teinte «usée» (bronze pour les blancs, brune pour les rouges) ont sûrement dépassé leur apogée.

ACHETER EN PRIMEUR

Le principe est simple : acquérir un vin avant qu'il ne soit élevé et mis en bouteilles, à un prix supposé inférieur à celui qu'il atteindra à sa sortie de la propriété. Les souscriptions sont ouvertes pour un volume contingenté et pour un temps limité, généralement au printemps et au début de l'été qui suivent les vendanges. Elles sont organisées par les propriétaires, par des sociétés de négoce et des clubs de vente de vins. L'acheteur s'acquitte de la moitié du prix convenu à la commande et s'engage à verser le solde à la livraison des bouteilles, c'est-à-dire de douze à quinze mois plus tard. Ainsi, le producteur s'assure des rentrées d'argent rapides, et l'acheteur réalise une bonne opération... lorsque le cours des vins augmente !

On réalise rarement de bonnes affaires dans les grandes appellations, qui intéressent des restaurateurs. En revanche, les appellations moins connues, moins recherchées par les professionnels, sont parfois très abordables.

SUR INTERNET

Les cavistes en ligne donnent souvent quelques informations sur les bouteilles qu'ils vendent, voire sur les vignobles ou sur la dégustation, sans aller jusqu'au conseil personnalisé dont on peut bénéficier chez les meilleurs détaillants. Comme les clubs, ils font des offres commerciales (dégustations, visites). On privilégiera les sites connus, qui proposent des dispositifs de paiement sécurisé. On s'assurera des délais de livraison et l'on vérifiera si les prix sont intéressants en prenant en compte le coût du transport.

LES GRANDES BOUTEILLES

NOM DE LA BOUTEILLE	EN CHAMPAGNE	EN BORDELAIS
Magnum	2 bouteilles (1,5 l)	2 bouteilles (1,5 l)
Double magnum		4 bouteilles (3 l)
Jéroboam	4 bouteilles (3 l)	6 bouteilles (4,5 l)
Mathusalem	8 bouteilles (6 l)	12 bouteilles (9 l)
Salmanazar	12 bouteilles (9 l)	
Balthazar	16 bouteilles (12 l)	
Nabuchodonosor	20 bouteilles (15 l)	20 bouteilles (15 l)

CONSERVER SON VIN

À l'inverse de la grappe de raisin avide de la lumière solaire, le vin recherche l'ombre. Il mûrit dans un lieu sombre et frais, protégé des vibrations et des odeurs. Il lui faut une atmosphère assez humide sans excès, suffisamment aérée mais à l'abri des courants d'air, et il redoute particulièrement les brusques changements de températures. Faute d'une cave enterrée idéale pour le stockage, ces exigences conduiront souvent à réaliser des aménagements divers, voire à opter pour une solution alternative.

AMÉNAGER SA CAVE

Une bonne cave est un lieu clos, sombre, à l'abri des trépidations et du bruit, exempt de toute odeur, protégé des courants d'air mais bien ventilé, d'un degré hygrométrique de 75 % et surtout d'une température stable, la plus proche possible de 11 ou 12 °C.
Les caves citadines présentent rarement de telles caractéristiques. Il faut donc, avant d'entreposer du vin, améliorer le local : établir une légère aération ou, au contraire, obstruer un soupirail trop ouvert ; humidifier l'atmosphère, en déposant une bassine d'eau contenant un peu de charbon de bois, ou l'assécher par du gravier tout en augmentant la ventilation ; tenter de stabiliser la température en posant des panneaux isolants ; éventuellement, monter les casiers sur des blocs en caoutchouc pour neutraliser les vibrations. Si toutefois une chaudière se trouve à proximité ou si des odeurs de mazout se répandent dans le local, celui-ci ne fera jamais une cave satisfaisante.

ÉQUIPER SA CAVE

L'expérience prouve qu'une cave est toujours trop petite. Le rangement des bouteilles doit donc être rationnel. Le casier à bouteilles classique, à un ou deux rangs, offre bien des avantages : il est peu coûteux et permet un accès facile à l'ensemble des flacons.
Malheureusement, ce casier à alvéoles est volumineux au regard du nombre de bouteilles logées. Si l'on possède une grande quantité de flacons, notamment lorsqu'on achète les mêmes références en quantités importantes, il faut empiler les bouteilles pour gagner de la place. Afin de séparer les piles pour avoir accès aux différents vins, on montera des casiers à compartiments pouvant contenir 24, 36 ou 48 bouteilles en pile, sur deux rangs. Si la cave n'est pas humide à l'excès, si le bois ne pourrit pas, il est possible d'élever des casiers en planches. Il sera nécessaire de les surveiller, car des insectes peuvent s'y installer, qui attaquent les bouchons et rendent les bouteilles couleuses. Les constructeurs proposent aujourd'hui nombre de casiers à compartiments, fixes, empilables et modulables, dans les matériaux les plus divers.
Deux instruments indispensables complètent l'aménagement de la cave : un thermomètre à maxima et minima, et un hygromètre.

RANGER SES BOUTEILLES

Dans la mesure du possible, on entreposera les vins blancs près du sol, les vins rouges au-dessus ; les vins de garde dans les rangées (ou casiers) du fond, les moins accessibles ; les bouteilles à boire, en situation frontale. Si les bouteilles achetées en cartons ne doivent pas demeurer dans leur emballage, celles livrées en caisses de bois peuvent y être conservées un temps, notamment si l'on envisage de revendre le vin. Néanmoins, les caisses prennent beaucoup de place et sont une proie aisée pour les pilleurs de caves. Il faut donc surveiller régulièrement leur état. On repérera casiers et bouteilles par un système de notation (alphanumérique par exemple), à reporter sur le livre de cave.

CONSTITUER SA CAVE

Constituer une cave demande de l'organisation. Au préalable, on évaluera le budget dont on dispose et la capacité de sa cave. Il est utile aussi d'estimer dans les grandes lignes sa consommation annuelle. Ensuite, il convient d'acquérir des vins n'évoluant pas pareil, afin qu'ils n'atteignent pas tous en même temps leur apogée. Et pour ne pas boire toujours les mêmes, fussent-ils les meilleurs, on a intérêt à élargir sa sélection afin de disposer de bouteilles adaptées à différentes occasions et préparations culinaires. Plus le nombre de bouteilles est restreint, plus il faut veiller à les renouveler.

VINS À BOIRE, VINS À ENCAVER

Souhaite-t-on consommer ses vins sur une courte période ou suivre leur évolution dans le temps? La démarche sera différente. Si l'on recherche une bouteille prête à boire, on privilégiera les bouteilles à boire jeunes ou de courte garde : vins primeurs (de type beaujolais nouveau), vins de pays ou d'appellation régionale. Faut-il écarter les appellations prestigieuses, les vins de garde? Non, mais on se tournera vers des millésimes à évolution rapide – ces « petits » millésimes qui ont l'avantage d'être prêts plus tôt. Il est difficile de trouver sur le marché de grands vins parvenus à leur apogée. Certains cavistes ou propriétaires en proposent, mais à un prix évidemment très élevé. Lorsqu'on souhaite conserver ses vins dans l'espoir de les voir se bonifier, mieux vaut être très sélectif dans le choix des producteurs et acquérir les meilleurs millésimes (*voir* tableau des millésimes pages suivantes).

PAS DE CAVE?

Si l'on ne dispose pas de cave ou que celle-ci est inutilisable, plusieurs solutions sont possibles :

– acheter une armoire à vin, dont la température et l'hygrométrie sont automatiquement maintenues ;

– construire de toutes pièces, en retrait dans son appartement, un lieu de stockage dont la température varie sans à-coups et ne dépasse pas 16 °C. Plus la température est élevée, plus le vin évolue rapidement. Or, un vin qui atteint rapidement son apogée dans de mauvaises conditions de garde ne sera jamais aussi bon que s'il avait vieilli lentement dans une cave fraîche ;

– acquérir une cave en kit, à installer dans son logement, ou faire aménager une cave préfabriquée que l'on dispose en général sous la maison. Ces espaces, qui pallient l'absence de cave enterrée, représentent un investissement plus lourd qu'une armoire à vins.

QUAND FAUT-IL BOIRE LE VIN ?

Les vins évoluent de manières très différentes. Ils atteignent leur apogée après une garde plus ou moins longue : de un à vingt ans. Quant à la phase d'apogée, elle varie de quelques mois pour les vins à boire jeunes, à plusieurs décennies pour quelques rares grandes bouteilles. Le temps de garde varie selon l'appellation – et donc selon le cépage, le terroir et de la vinification. La qualité du millésime influe aussi sur la conservation : un petit millésime peut évoluer deux ou trois fois plus rapidement qu'un autre millésime d'une même appellation. Néanmoins, il est possible d'évaluer le potentiel de garde des vins selon leur origine géographique. À chacun, ensuite, d'ajuster cette garde en fonction des conditions de conservation dans sa cave et de sa connaissance des millésimes.

LES MILLÉSIMES

Les vins de qualité sont millésimés à l'exception des vins de liqueur, de certains vins doux naturels et de nombreux effervescents élaborés par assemblage de plusieurs années. Dans ce cas, la qualité du produit dépend du talent de l'assembleur, mais ces vins ne gagnent pas à vieillir. Des conditions météorologiques au moment de la maturation et de la récolte, la qualité des millésimes varie selon les régions viticoles et selon les producteurs.

QU'EST-CE QU'UN GRAND MILLÉSIME ?

Il est généralement issu de faibles rendements, même si de bonnes conditions climatiques engendrent parfois l'abondance et la qualité, comme en 1989 et en 1990. Le grand millésime résulte souvent de vendanges précoces. Dans tous les cas, il a été élaboré à partir de raisins parfaitement sains, exempts de pourriture.
Peu importe les conditions météorologiques qui ont marqué le début du cycle végétatif : on peut même soutenir que des incidents tels que gel ou coulure (chute de jeunes baies avant maturation) ont des conséquences favorables puisqu'ils diminuent le nombre de grappes par pied. En revanche, la période qui s'étend du 15 août aux vendanges est capitale : un maximum de chaleur et de soleil est alors nécessaire. L'année 1961 demeure le grand millésime du XXe s. A contrario, les années 1963, 1965 et 1968 furent désastreuses, parce qu'elles cumulèrent froid et pluie, d'où une absence de maturité et un fort rendement en raisins gorgés d'eau. Pluie et chaleur ne valent guère mieux, car leur conjonction favorise la pourriture ; 1976 – le grand millésime potentiel du sud-ouest de la France – en a pâti. Quant à la canicule de 2003, elle a parfois grillé le raisin et produit des vins lourds.

COMMENT LIRE UN TABLEAU DE COTATION ?

Il est d'usage de résumer la qualité des millésimes dans des tableaux de cotation, mais il faut en connaître les limites. Ces notes, des moyennes, ne prennent pas en compte les microclimats, pas plus que les efforts de tris de raisins à la vendange ou les sélections des vins en cuve. On peut élaborer un excellent vin dans une année cotée zéro.

Propositions de cotation (de 0 à 20)

	Alsace	Beaujolais	Bordeaux rouge	Bordeaux liquoreux	Bordeaux sec	Bourgogne rouge	Bourgogne blanc	Champagne	Jura (vin jaune)	Languedoc-Roussillon	Provence rouge	Sud-Ouest rouge	Sud-Ouest blanc liquoreux	Loire rouge	Loire blanc liquoreux	Rhône (nord)	Rhône (sud)
1945	20		20	20	18	20	18	20					19				
1946	9		14	9	10	10	13	10					12				
1947	17		18	20	18	18	18	18					20				
1948	15		16	16	16	10	14	11					12				
1949	19		19	20	18	20	18	17					16				
1950	14		13	18	16	11	19	16					14				
1951	8		8	6	6	7	6	7					7				
1952	14		16	16	16	16	18	16					15				
1953	18		19	17	16	18	17	17					18				
1954	9	9	10			14	11	15					9				
1955	17	13	16	19	18	15	18	19					16				
1956	9	6	5										9				
1957	13	11	10	15		14	15						13				
1958	12	7	11	14		10	9						12				
1959	20	13	19	20	18	19	17	17					19				
1960	12	5	11	10	10	10	7	14					9				
1961	19	16	20	15	16	18	17	16					16				
1962	14	13	16	16	16	17	19	17					15				
1963		6					10										
1964	18	8	16	9	13	16	17	18					16				
1965					12								8				
1966	12	11	17	15	16	18	18	17					15				
1967	14	13	14	18	16	15	16						13				
1968																	

	Alsace	Beaujolais	Bordeaux rouge	Bordeaux liquoreux	Bordeaux sec	Bourgogne rouge	Bourgogne blanc	Champagne	Jura (vin jaune)	Languedoc-Roussillon	Provence rouge	Sud-Ouest rouge	Sud-Ouest blanc liquoreux	Loire rouge	Loire blanc liquoreux	Rhône (nord)	Rhône (sud)
1969	16	14	10	13	12	19	18	16					15				
1970	14	13	17	17	18	15	15	17					15				
1971	18	15	16	17	19	18	20	16					17				
1972	9	6	10		9	11	13						9				
1973	16	7	13	12		12	16	16					16				
1974	13	8	11	14		12	13	8					11				
1975	15	7	18	17	18		11	18					15				
1976	19	16	15	19	16	18	15	15					18				
1977	12	9	12	7	14	11	12	9					11				
1978	15	12	17	14	17	19	17	16					17				
1979	16	13	16	18	18	15	16	15					14				
1980	10	10	13	17	18	12	12	14					13			15	
1981	17	14	16	16	17	14	15	15					15				
1982	15	12	18	14	16	14	16	16			17	17	15	14		14	15
1983	20	17	17	17	16	15	16	15	16			16	18	12		16	16
1984	15	11	13	13	12	13	14	5		13		10		10		13	15
1985	19	16	18	15	14	17	17	17	17	18	17	17	17	16	16	17	16
1986	10	15	17	17	12	12	15	12	17	15	16	16	16	13	14	15	13
1987	13	14	13	11	16	12	11	10	16	14	14	14		13		16	12
1988	17	15	16	19	18	16	14	18	16	17	17	18	18	16	18	17	15
1989	16	16	18	19	18	16	18	16	17	16	16	17	17	20	19	18	16
1990	18	14	18	20	17	18	16	18	18	17	16	16	18	17	20	19	19
1991	13	15	13	14	13	14	15	11		14	13	14		12	9	15	13
1992	15	9	12	10	14	15	17	12		13	9	9		14		11	16
1993	13	11	13	8	15	14	13	12		14	11	14	14	13	12	11	14
1994	12	14	14	14	17	14	16	12		12	10	14	15	14	12	14	11
1995	12	16	16	18	17	14	16	16	17	15	15	15	16	17	17	15	16
1996	13	14	15	18	16	17	18	19	18	13	14	14	13	17	17	15	13
1997	16	13	14	18	14	14	17	15	16	13	13	13	16	16	16	14	13
1998	13	13	15	16	14	15	14	13	14	17	16	16	13	14		18	18
1999	10	11	14	17	13	13	12	15	17	15	16	14	10	12	10	16	14
2000	12	12	18	10	16	11	15	15	16	16	14	14	13	16	13	17	15
2001	13	11	15	17	16	13	16	9		16	14	16	18	13	16	17	11
2002	11	10	14	18	16	17	17	17	14	12	11	15	14	14	10	8	9
2003	12	15	15	18	13	17	18	14	17	15	13	14	17	15	17	16	14
2004	13	12	14	10	17	13	15	16	13	15	15	13	15	14	10	12	16
2005	15	18	18	17	18	19	18	14	17	15	12	16	17	16	18	16	18
2006	12	12	14	16	14	14	16	15	15	15	16	13	15	10	10	16	15
2007	16	14	14	17	15	12	13	13	14	16	14	12	14	12	13	15	18
2008	14	14	15	16	15	14	15	16		15	12	13	12	15	12	14	14
2009	15	18	18	18	19	17	16	15		15	14	18	17	17	14	18	16
2010	14	16	18	18	19	16	17	14		18	14	15	12	17	16	16	15
2011	15	15	16	17	15	14	15	13		15	16	14	13	15	15	14	14
2012	16	14	14	12	14	14	15	18		16	14	15	13	13	10	15	15
2013	15	15	11	17	13	14	15	14		17	13	13	15	15	13	15	15
2014	13	16	16	16	17	16	16	14		15	13	15	14	17	16	13	13
2015	16	17	18	18	17	18	16	17		17	15	16	17	16	15	19	19
2016	14	16	18	19	17	17	16	15		18	14	17	15	15	18	18	18
2017	15	17	15	17	16	15	16	13		17	14	15	16	17	15	17	17
2018	17	15	17	16	16	17	18	17		18	14	16	15	18	16	15	14

LA DÉGUSTATION

Pour l'amateur, savoir déguster, c'est découvrir toutes les facettes du vin en trois étapes : l'œil, le nez, la bouche. Simple exercice de frime, manifestation de snobisme? Parfois, mais surtout on comprend et on apprécie mieux tout ce que l'on parvient à traduire en mots, ses sensations par exemple. Cela demande un petit effort, mais le plaisir que l'on peut en retirer en vaut la peine. En tout état de cause, déguster doit rester un jeu, un moment de partage.

LES CONDITIONS IDÉALES

Le cadre

Pour une bonne dégustation, mieux vaut être dans une pièce bien éclairée (lumière naturelle ou éclairage ne modifiant pas les couleurs, dit lumière du jour), sans odeurs parasites telles que parfum, fumée (tabac ou cheminée), plat cuisiné ou fleurs. La température ne doit pas dépasser 18-20 °C. Si l'on déguste le vin pour lui-même, le meilleur moment est avant les repas (le matin vers 11 h, l'après-midi vers 18 h). À table, autour d'un plat, le vin révélera une facette de sa personnalité différente mais tout aussi – voire plus – intéressante.

Le verre

Le verre est comme un outil pour le dégustateur. Il est primordial qu'il soit le mieux adapté possible. Un vin ne s'exprimera pas aussi bien – voire pas du tout – dans un verre à moutarde que dans un verre à pied. Un verre incolore, afin que la robe du vin soit bien visible, et si possible fin. Sa forme sera celle d'une tulipe légèrement refermée pour mieux retenir les arômes. Son corps sera séparé du pied par une tige : ainsi, le vin ne se réchauffera pas lorsqu'on tiendra le verre par son pied et pourra facilement être agité pour s'oxygéner et révéler son bouquet. La forme du verre a une telle influence sur l'appréciation olfactive et gustative du vin que l'Association française de normalisation (Afnor) et les Instances internationales de normalisation (Iso) ont adopté, après étude, un type de verre qui offre de bonnes garanties d'efficacité, appelé verre INAO. L'Union des œnologues de France a également mis au point des verres à dégustation.

LES ÉTAPES DE LA DÉGUSTATION

La dégustation fait successivement appel à la vue, à l'odorat et au goût – et même au sens tactile, par l'entremise de la bouche, sensible à la température, à la consistance et à la présence de gaz.

L'œil

L'examen de la robe (ensemble des caractères visuels), marquée par le cépage d'origine et le mode d'élaboration, est riche d'enseignements. Il porte sur :

– La limpidité. Aujourd'hui, les vins mis sur le marché sont limpides. Tout au plus peut-on trouver de petits cristaux de bitartrates (insolubles), précipitation que connaissent les vins victimes d'un coup de froid ; leur qualité n'en est pas altérée. On détermine la transparence (vin rouge) en inclinant son verre sur un fond blanc, nappe ou feuille de papier.

– La nuance de la robe. Le mode d'élaboration a parfois une influence sur la teinte : les vins blancs élevés en fût ont souvent une teinte plus foncée. La couleur de la robe informe surtout sur l'âge du vin et sur son état de conservation. La teinte des vins blancs jeunes, jaune pâle, présente parfois des reflets

TEMPÉRATURES DE SERVICE

Grands vins rouges de Bordeaux à leur apogée	16-17 °C
Grands vins rouges de Bourgogne à leur apogée	15-16 °C
Grands vins rouges avant leur apogée, vins rouges de qualité	14-16 °C
Grands vins blancs secs	12-14 °C
Vins rouges légers, fruités, jeunes	11-12 °C
Vins primeurs et rosés	10 °C
Vins blancs secs vifs et légers	10-12 °C
Champagnes, crémants, vins effervescents	8-9 °C
Vins liquoreux	8-9 °C

verts. Avec l'âge, elle fonce, devient jaune d'or, puis cuivrée, voire bronzée. Ces teintes ambrées, normales pour un vin liquoreux, doivent alerter pour un vin sec : il a sans doute dépassé son apogée. Quant aux vins rouges, leur robe affiche des nuances violettes lorsqu'ils sont jeunes. Des reflets orangés ou brique annoncent un vin évolué, qu'il ne faut pas tarder à boire.

– L'intensité de la couleur. On ne confondra pas intensité et nuance (le ton) de la robe. Une couleur claire reflète parfois un vin dilué. Mais l'intensité de la couleur est aussi fonction du cépage : en rouge, par exemple, le cabernet-sauvignon, la syrah et le tannat donnent des robes plus profondes que le pinot noir. Elle peut aussi varier en fonction de la vinification : une macération courte donne des robes légères, une cuvaison longue, des robes foncées, signe d'une plus forte extraction. La robe légère n'est pas forcément un défaut pour un vin gouleyant à boire jeune : pour juger, on tiendra compte du type du vin.

DÉGUSTER POUR ACHETER

Lorsqu'on déguste un vin dans une perspective d'achat, il faut s'assurer qu'on l'apprécie dans de bonnes conditions. On évitera de le goûter au sortir d'un repas, après l'absorption d'eau-de-vie, de café, de chocolat ou de bonbons à la menthe, ou encore après avoir fumé. Attention aux aliments qui modifient la sensibilité du palais, comme le fromage ou les noix (ces dernières améliorent les vins).

Si l'on souhaite acquérir un vin pour le conserver, on se rappellera que ce sont l'alcool, l'acidité et, pour les rouges, la présence des tanins et la bonne qualité qui assurent la garde.

– Les larmes ou jambes. Il s'agit des écoulements que le vin forme sur la paroi du verre quand on l'anime d'un mouvement rotatif pour humer les arômes. Les larmes traduisent la présence de glycérol, un composé visqueux au goût sucré qui se forme pendant la fermentation et qui donne au vin son onctuosité (le « gras » du vin).

Le nez

Deuxième étape de la dégustation, l'examen olfactif permet aux dégustateurs professionnels de détecter certains défauts rédhibitoires, telles la piqûre acétique ou l'odeur du liège moisi (goût de bouchon). Pour les amateurs, heureusement, il ne s'agit la plupart du temps que de démêler des impressions plus agréables. Le nez du vin rassemble un faisceau de parfums en mouvance permanente, dont les effluves se présentent successivement selon la température et l'aération. On commencera par humer ce qui se dégage du verre immobile, puis on imprimera au vin un mouvement de rotation : l'air fait alors son effet et d'autres parfums apparaissent. Les composants aromatiques du vin s'expriment selon leur volatilité. Il s'agit en quelque sorte d'une évaporation du vin, ce qui explique que la température de service soit si importante : trop froide, les arômes ne s'expriment pas ; trop chaude, ils s'évaporent trop rapidement, s'oxydent, et les parfums très volatils disparaissent, tandis que ressortent des éléments aromatiques lourds. La qualité d'un vin est fonction de l'intensité et de la complexité du bouquet. Le vocabulaire relatif aux arômes est riche, car il procède par analogie. Divers systèmes de classification des arômes ont été proposés ; pour simplifier, retenons les familles florale, fruitée, végétale (ou herbacée), épicée, balsamique, animale, empyreumatique (en référence au feu), minérale, lactée et la pâtisserie.

QUALIFICATIFS SE RAPPORTANT À L'EXAMEN VISUEL DE LA ROBE

Nuances		Intensité	Limpidité
Blancs	jaune clair, paille, or, ambré	Légère Soutenue Intense Foncée Profonde	Opaque Louche Voilée Cristalline
Rosés	églantine, œil-de-perdrix, saumon, rose, framboise, grenadine		
Rouges	rubis, cerise, pivoine, pourpre, grenat, violet		

Les principales familles d'arômes	
Florale	Fleurs blanches (aubépine, jasmin, acacia...), tilleul, violette, iris, pivoine, rose
Fruitée	Fruits rouges (cerise, fraise, framboise, groseille), noirs (cassis, mûre, myrtille), jaunes (pêche, abricot, mirabelle), blancs (pomme, poire, pêche blanche), exotiques (fruit de la Passion, mangue, ananas, litchi), agrumes (citron, pamplemousse, orange, mandarine)
Végétale	Herbe, fougère, mousse, sous-bois, champignon, humus, garrigue
Épicée	Poivre, gingembre, cannelle, vanille, girofle, réglisse
Balsamique	Résine, pin, térébenthine, santal
Animale	Viande, gibier, musc, fourrure, cuir
Empyreumatique	Brûlé, fumé, grillé, toasté, torréfié (café, cacao), caramel, tabac, foin séché
Minérale	Pierre à fusil, graphite, pétrole, iode
Pâtisserie	Brioche, miel
Lactée	Beurre frais, crème

La bouche

Une faible quantité de vin est mise en bouche. Pour permettre sa diffusion dans l'ensemble de la cavité buccale, on aspire un filet d'air. À défaut, le vin est simplement mâché. Dans la bouche, il s'échauffe et diffuse de nouveaux éléments aromatiques, recueillis par la voie rétronasale qui utilise le passage reliant le palais aux fosses nasales – étant entendu que les papilles de la langue ne sont sensibles qu'aux quatre saveurs élémentaires : l'amer, l'acide, le sucré et le salé. Voilà pourquoi une personne enrhumée ne peut goûter un vin, la voie rétronasale étant inopérante.

Outre les quatre saveurs élémentaires, la bouche est sensible à la température du vin, à sa viscosité, à la présence ou à l'absence de gaz carbonique et à l'astringence (effet tactile : absence de lubrification par la salive et contraction des muqueuses sous l'action des tanins).

Les degrés de l'acidité

Manque	Satisfaisant			Excès
Plat Mou	Tendre	Frais Vif	Nerveux	Vert, mordant Agressif

Les degrés du sucré

Absence	Satisfaisant			Excès
Sec	Tendre Souple	Doux Moelleux	Liquoreux	Sirupeux, pommadé Lourd

Les degrés de la puissance alcoolique

Manque	Satisfaisant			Excès
Pauvre Mince	Léger	Généreux Vineux	Puissant Chaleureux Capiteux	Alcooleux Brûlant

Les tanins (vins rouges)

Absence	Présence harmonieuse			Présence excessive
Gouleyant, souple	Soyeux, velouté, fondu	Construit, structuré	Charpenté, tannique, solide, viril	Rustique, anguleux, grossier, astringent, âpre, séchant, dur, acerbe

S'EXERCER À LA DÉGUSTATION

Comment commencer? Il existe dans le commerce des flacons d'arômes qui aident à développer son nez. On peut organiser chez soi des séances d'entraînement, avec jeux de reconnaissance de parfums et dégustations de vins. On apprend beaucoup en comparant : on choisira pour commencer des couples de vins très différents, comme un bourgogne (cépage chardonnay) et un sancerre (cépage sauvignon) en blanc ; un pomerol (dominante de merlot) et un côte-rôtie (syrah) en rouge, ou encore un vin boisé et un autre non boisé. On s'intéressera au goût des aliments ainsi qu'à l'harmonie des vins et des mets. Les passionnés s'inscriront à des stages proposés par de multiples organismes.

C'est en bouche que se révèlent l'équilibre, l'harmonie, l'élégance ou, au contraire, le caractère de vins mal bâtis. L'harmonie des vins blancs et rosés s'apprécie à leur équilibre entre acidité et alcool pour les vins secs, acidité et moelleux (sucre) pour les vins doux. Pour les vins rouges, elle tient à l'équilibre entre l'acidité, l'alcool et les tanins. Ces éléments supportent sa richesse aromatique ; un grand vin se distingue par sa construction rigoureuse et puissante, quoique fondue, par son ampleur et par sa complexité aromatique.
Après cette analyse en bouche, le vin est avalé. Le dégustateur se concentre alors pour mesurer sa persistance aromatique, appelée aussi longueur en bouche. Plus le vin est riche en arômes, plus il est dense et séveux, plus il tapisse les muqueuses du palais et prolonge l'excitation des sens. En somme, plus un vin est long, plus il est estimable. Cette mesure (exprimée en secondes ou caudalies) ne porte que sur la longueur aromatique, à l'exclusion des éléments de structure du vin (acidité, amertume, sucre et alcool).

LA RECONNAISSANCE D'UN VIN

La dégustation consiste le plus souvent à apprécier un vin. Est-il grand, moyen ou petit? Si son origine est précisée, on cherche parfois à savoir s'il est conforme à son type.
Quant à la dégustation d'identification, ou de reconnaissance, c'est un jeu de société. Elle demande un minimum d'informations. On peut reconnaître un cépage, par exemple le cabernet-sauvignon. Mais de quel pays provient-il? L'identification des grandes régions françaises est possible, mais il est difficile d'être plus précis : si l'on propose six verres de vin en précisant qu'ils représentent les six appellations communales du Médoc (listrac, moulis, margaux, saint-julien, pauillac, saint-estèphe), combien y aura-t-il de sans-faute?
Une expérience classique prouve la difficulté de la dégustation de reconnaissance : le dégustateur, les yeux bandés, goûte en ordre dispersé des vins rouges peu tanniques et des vins blancs non aromatiques, de préférence élevés dans le bois. Il doit simplement distinguer le blanc du rouge : il est très rare qu'il ne se trompe pas !

LES ACCORDS METS ET VINS

En France, le vin se déguste le plus souvent à table. S'il n'y a pas de vérité absolue pour l'alliance des mets et des vins, il existe quelques règles simples qui permettent de mettre en valeur aussi bien le plat que le vin et d'éviter quelques rares incompatibilités. Pour choisir le vin d'accompagnement, on tiendra compte non seulement de l'ingrédient principal de la recette, de ses arômes et de sa texture, mais aussi de sa préparation (cru ou cuit), son mode de cuisson (grillé, rôti, bouilli ou mijoté), des assaisonnements, des sauces et des garnitures qui peuvent modifier son goût.

Les Vignerons de l'année

Chaque année, le Guide Hachette des Vins, avec l'appui de ses auteurs,
tous des spécialistes régionaux et fins connaisseurs des appellations,
élit les vignerons – au sens large : viticulteurs, négociants, coopératives – de l'année.

Des personnalités qui ont particulièrement brillé cette année avec leurs cuvées,
qui ont marqué de leur empreinte la sélection sévère du Guide
(40 000 vins dégustés, seulement 10 000 retenus). Et au-delà du millésime,
des vignerons qui affichent aussi une réelle constance dans la qualité,
des valeurs sûres.

Des talents qui nous content plusieurs histoires, la leur,
parfois celles des générations précédentes,
et toujours celle d'un terroir et d'une culture locale.
Alors bravo à eux, et qu'ils continuent à faire chanter la vigne
pour notre plus grand plaisir !

Retrouvez les portraits de ces vignerons sur notre site Internet : www.hachette-livre.fr **et dans le livre *Les coups de cœur du Guide Hachette des Vins 2020*, à paraître en octobre 2019.**

ALSACE

Mickaël et Stéphane Moltès (Dom. Moltès) pour l'alsace grand cru Zinnkoepflé Gewurztraminer 2017

Les Moltès peuvent être heureux : les parcelles en grand cru Zinnkoepflé dont ils ont acheté les raisins ont donné deux belles cuvées ; celle de gewurztraminer vaut au domaine son sixième coup de cœur. Un magnifique « vin de terroir », dense et expressif. Une valeur sûre du vignoble alsacien, toujours au sommet.

LORRAINE

Isabelle Mangeot (Dom. Regina) pour le côtes-de-toul blanc Auxerrois Cuvée Prestige 2018

À l'usine Kléber de Toul, Jean-Michel Mangeot était informaticien ; Isabelle concevait les moules de pneus. Ils se sont rencontrés. La viticulture a permis à ces vignerons autodidactes de réussir leur reconversion dans le cadre bucolique de Bruley, après la fermeture de leur site. Ténacité, goût de l'expérimentation, les résultats sont là : sept coups de cœur en côtes-de-toul, dont ce superbe auxerrois 2018. Malgré la disparition de Jean-Michel, le « Bâtisseur », Isabelle a bon espoir de transmettre le domaine à sa fille... Lorraine.

BEAUJOLAIS

Arnaud Aucœur pour le moulin-à-vent Tradition Vieilles Vignes 2018, le moulin-à-vent 2018 et le morgon 2018

Un morgon et deux moulin-à-vent, Arnaud Aucœur réalise un triplé époustouflant sur ses bases. Une rareté dans l'histoire du Guide Hachette. Trois coups de cœur qui récompensent une vingtaine d'années d'efforts de ce vigneron (et négociant) hors pair et qui hissent le domaine parmi les références incontournables du Beaujolais.

BORDELAIS

Giorgio Cavanna (Grand Enclos du Ch. de Cérons) pour le graves 2016 rouge et le cérons 2016

Installé dans la partie sud des Graves, là où le vignoble partage l'espace avec la forêt, Giorgio Cavanna élabore, dans son Grand Enclos du Ch. de Cérons, des vins d'une élégance rare, à l'image de son graves et de son cérons 2016. Heureux mariage d'amour entre l'esprit créatif d'un enfant d'Italie et l'enchantement de terroirs microclimatisés par le Ciron et ses fraîcheurs.

Isabelle et Stéphane Le May (Ch. Turcaud) pour le bordeaux supérieur Cuvée Majeure 2017

Comprendre la véritable saveur des terroirs, c'est ce à quoi Isabelle et Stéphane Le May, en charge du Ch. Turcaud et de ses 50 ha de vignes au cœur de l'Entre-deux-Mers, s'emploient avec passion et talent : on ne compte plus leurs coups de cœur Hachette en AOC régionales et en entre-deux-mers. Un palmarès complété cette année avec une magnifique Cuvée Majeure 2017 qui n'a jamais aussi bien porté son nom.

BOURGOGNE

François Berthenet (Dom. Berthenet) pour le montagny 1er cru Les Perrières 2017

François Berthenet a pris la suite de son père à la tête de la propriété familiale de Montagny, il y a quatre ans. Il collectionne les coups de cœur en mettant en valeur cette appellation du sud de la Côte chalonnaise entièrement vouée au chardonnay : avec ce 1er cru Les Perrières, il décroche le huitième coup de cœur du domaine, quasiment d'affilée...

Jean-Michel Guillon (Jean-Michel Guillon et Fils) pour le fixin Les Crais 2017 rouge et le côte-de-nuits-villages Queue de Hareng 2017 rouge

Installé à Gevrey-Chambertin depuis près de quarante ans, Jean-Michel Guillon a débuté son activité sur un petit domaine, dont il a porté la superficie à 15 hectares répartis dans de nombreuses appellations de la Côte de Nuits. Secondé (et bientôt relayé) par son fils Alexis, il s'illustre avec une régularité sans faille ; cette année, avec ses fixin Les Crais et côte-de-nuits-villages Queue de Hareng 2017.

CHAMPAGNE

Thierry Garnier (Philipponnat) pour le Clos des Goisses Extra-brut 2009

Un ancêtre de Charles Philipponnat détenait des vignes dans la vallée de la Marne dès 1522. Depuis 1935, la maison détient à Mareuil-sur-Aÿ le Clos des Goisses, l'un des rares clos de la Champagne, le plus ancien et le plus escarpé. Un terroir exceptionnel de 5,5 ha, complanté de pinot noir et de chardonnay, qui donne des cuvées puissantes, de garde, maintes fois saluées par le Guide Hachette, telle la version 2009, un condensé de caractère et d'élégance signé Thierry Garnier, chef de cave de cette vénérable maison.

Frédéric Panaïotis (Ruinart)
pour le Dom Ruinart blanc de blancs 2007 et le rosé R de Ruinart 2007

Un double coup de cœur pour la plus ancienne maison de champagne, fondée en 1729 et riche d'antiques crayères souterraines. Après le rosé non millésimé l'an dernier, sa cuvée de prestige, le Dom Ruinart blanc de blancs 2007, et le R de Ruinart du même millésime sont salués pour leur finesse et pour leur fraîcheur. Le chardonnay est au cœur du style de la maison, mis en valeur par le chef de caves Frédéric Panaïotis.

JURA

Nathalie et Emmanuel Grand (Dom. Grand)
pour le château-chalon En Beaumont 2011

Récompensés par un coup de cœur pour leur superbe château-chalon En Beaumont 2011, puissant et racé, Emmanuel Grand et son épouse Nathalie conduisent avec conviction (et en bio, ce qui va de pair) le domaine familial jurassien, d'une régularité sans faille dans la qualité. L'occasion aussi de mettre en lumière ce produit extraordinaire qu'est le vin jaune, et plus encore dans les mains expertes des Grand.

SAVOIE

Famille Barlet (La Cave du Prieuré)
pour la roussette-de-savoie Marestel 2018 et le vin-de-savoie Jongieux Mondeuse 2018

Située à Jongieux, la Cave du Prieuré est un domaine familial de 30 hectares (moitié blanc moitié rouge), conduit par les frères Barlet, Noël (61 ans) et Pascal (56 ans), ainsi que par leurs deux fils, Julien (36 ans), qui vinifie, et Simon (24 ans). Leurs roussettes de Marestel comme leurs mondeuses sont régulièrement plébiscitées : quatre coups de cœur en trois éditions du Guide, dont deux de suite pour la mondeuse. Barlet : un nom qui compte dans le vignoble savoyard et dont l'avenir semble radieux...

LANGUEDOC

Louis Fabre (Ch. de Luc)
pour le languedoc rouge L'Orangerie de Luc 2018

Louis Fabre est l'héritier d'une famille enracinée dans les Corbières depuis... 1605. Il conduit depuis 1982 un très vaste ensemble de 360 ha répartis sur quatre domaines – dont le Ch. de Luc présent acquis en 1876 – et sur les appellations corbières, corbières-boutenac et languedoc, sans compter les IGP. Des vignobles cultivés en bio dès 1991. Un précurseur donc, doublé d'un excellent technicien, a fortiori sur une aussi grande surface. Témoin ce languedoc plein de fruit, charmeur en diable.

ROUSSILLON

Les Vignerons de Maury
pour le côtes-du-roussillon-villages Lesquerde 2018 et le maury Grenat 2017

Double coup de cœur pour les Vignerons de Maury dans cette nouvelle édition du Guide ! Cette vénérable cave coopérative, la plus ancienne du département, fondée en 1910, enchaîne les coups de cœur édition après édition avec une constance déconcertante. Tout son savoir-faire, en sec comme en vin doux naturel, est concentré dans ces cuvées admirables.

PROVENCE

Gilles Baude (Dom. La Rose des Vents)
pour le coteaux-varois-en-provence blanc Seigneur de Broussan 2018

Figure indiquant les quatre points cardinaux, la rose des vents italienne, adoptée par les marins de la Méditerranée, permettait de trouver sa route. Celle des vins des coteaux-varois-en-provence a trouvé en Gilles Baude un fer de lance de talent. Cet œnologue signe avec force régularité des cuvées épatantes, à l'image de ce Seigneur de Broussan explosif.

CORSE

Isabelle Courrèges (Dom. Pratavone)
pour l'ajaccio rouge Cuvée Tradition 2017

Rapatrié d'Algérie, Jean Courrèges ne s'est pas installé dans la plaine orientale comme nombre de pied noirs, qui allaient y reconstituer une viticulture intensive, préférant établir son domaine dans l'arrière-pays montagneux d'Ajaccio, aux terroirs d'arènes granitiques. Forte d'un solide bagage œnologique, sa fille Isabelle l'a agrandi et modernisé. Elle obtient un nouveau coup de cœur dans la difficile et très solaire année 2017 avec un ajaccio rouge concentré et puissant.

SUD-OUEST

Méo Seriès (Cabidos)
pour l'IGP Comté tolosan blanc doux Petit Manseng Gaston Phoebus 2015

Relancé par la famille de Nazelle, Cabidos, dans le village béarnais du même nom, poursuit sa brillante trajectoire après sa reprise en 2015 par Robert Alday. Le domaine (9 ha) a obtenu de nombreux coups de cœur, dont deux consécutifs pour la cuvée Gaston Phoebus en doux. À la baguette des vinifications, la Thaïlandaise Méo Sakorn Seriès, maître de chai depuis douze ans, une femme qui murmure à l'oreille des vignes...

La famille Deffarge (Ch. Moulin Caresse) pour le montravel rouge Grande Cuvée 100 pour 100 2016

On a des traces écrites de la propriété en 1749. Géré maintenant à quatre mains, Moulin Caresse domine la vallée de la Dordogne, installé sur les terroirs qui prolongent dans le Bergeracois plateau et coteaux de Castillon et de Saint-Émilion. Un domaine de 52 ha qui s'est imposé de longue date par ses vins rouges de garde élevés en barrique. Sa Grande Cuvée 100 pour 100 collectionne les coups de cœur.

VALLÉE DE LA LOIRE

François Cazin (Le Petit Chambord) pour le cheverny rouge 2018

Niches ligériennes aux confins de la giboyeuse Sologne, les appellations cheverny et cour-cheverny méritent d'être mieux connues. Très attaché à des typicités qui mettent en avant le terroir, François Cazin fait partie des valeurs sûres de ces AOC, dont il extrait d'élégants vins de caractère, tel ce cheverny rouge riche et aromatique, son troisième coup de cœur en quatre éditions du Guide.

Carine et Stéphane Sérol (Dom. Sérol) pour le côte-roannaise rouge Perdrizière 2018

S'il vous prend le désir gourmand de faire halte à Roanne, chez Troigros, vous découvrirez d'incroyables menus en complicité avec des vins de renommée mondiale. Mais pas seulement : Michel Troigros ne craint pas d'afficher de séduisants nectars du voisinage. Comme ceux de Stéphane Sérol, qui incarne avec talent le renouveau du vignoble roannais.

VALLÉE DU RHÔNE

Roland Terrasse (Ch. Rochecolombe) pour le côtes-du-rhône rouge 2017 et le côtes-du-rhône-villages Saint-Andéol Élevé en fût de chêne 2017

Dans cette pittoresque Ardèche, la vigne a conquis ses lettres de noblesse. Elle ne court plus, sauvage, dans la forêt. Foin désormais des horribles piquettes dont Jean Ferrat se faisait le chantre. Bacchus a redonné vie à ses campagnes. À l'instar de Rochecolombe, propriété familiale travaillée en bio par Roland Terrasse. Un domaine très souvent en vue pour ses côtes-du-rhône et ses *villages*, cette année encore avec deux coups de cœur à la clé.

Yann Chave pour le crozes-hermitage Le Rouvre 2017 et l'hermitage 2017

Chave, un nom qui sonne agréablement aux oreilles des amateurs de vins rhodaniens du Nord. Ici, Yann, fils de Bernard et Nicole. Un vigneron établi en 1996 sur le domaine familial, conduit en bio, et qui s'illustre avec une grande régularité en hermitage et en crozes-hermitage. Cette année, pas de jaloux : un coup de cœur dans chacune de ces appellations. Incontournable.

Retrouvez les portraits des vignerons de l'année
sur www.hachette-vins.com
et dans Les Coups de cœur du Guide Hachette des Vins
2020 (à paraître en octobre 2019)

LE KAYSERSBERG
ERRASSE

L'Alsace et la Lorraine

• L'ALSACE

SUPERFICIE : 15 500 ha

PRODUCTION : 1 150 000 hl

TYPES DE VINS : blancs (secs majoritairement, moelleux et liquoreux), effervescents (25 %), rouges ou rosés (10 %)

CÉPAGES :

Blancs : riesling, pinot blanc, gewurztraminer, pinot gris, auxerrois, sylvaner, muscats, chasselas, klevener de Heiligenstein

Rouges : pinot noir

• LA LORRAINE

SUPERFICIE : 100 ha

PRODUCTION : 4 200 hl

TYPES DE VINS : blancs secs, rosés (vins gris) et rouges tranquilles

CÉPAGES :

Blancs : auxerrois, muller-thurgau, pinot blanc, pinot gris

Rouges et rosés : gamay, pinot noir

L'ALSACE

Vendus dans leur bouteille élancée appelée «flûte», les vins d'Alsace, blancs en majorité, s'identifient par leur cépage : la plupart d'entre eux sont aujourd'hui élaborés à partir d'une seule variété. La région fournit aussi de beaux vins de terroir, en particulier les grands crus, et des effervescents, les crémant-d'alsace.

À l'abri des Vosges. Le vignoble alsacien s'étire sur plus de 170 km, de Thann au sud à Marlenheim au nord, avec à l'extrême nord un îlot limitrophe de l'Allemagne, près de Wissembourg. Il a déserté la plaine pour se concentrer sur les collines qui bordent à l'est le massif vosgien. Les Vosges arrêtent l'humidité océanique, si bien que l'Alsace est l'une des régions les moins arrosées de France, malgré des orages estivaux.

Une mosaïque de sols. La géologie crée une grande diversité de terroirs. La présence d'un champ de failles à la limite du massif ancien et de la plaine du Rhin, fossé d'effondrement, explique que chaque village compte de nombreux types de sols : granites, gneiss, grès, calcaires, marnes, argiles, sables... Chaque cépage s'y exprime différemment.

Une histoire mouvementée. Ce n'est qu'au Moyen Âge que le vignoble alsacien prend son essor, sous l'influence des évêchés et des abbayes, puis des villes. Le XVIe s. est un âge d'or. Les riches maisons de style Renaissance, qui font l'attrait des communes viticoles, témoignent de la prospérité de ce temps où les vins d'Alsace étaient exportés dans toute l'Europe.

La guerre de Trente Ans (1618-1648), avec son cortège de pestes et de famines, ruine durablement la viticulture. La paix revient à la fin du Grand Siècle dans une Alsace devenue française; le vignoble s'étend, mais privilégie les cépages communs. Il couvre 30 000 ha en 1828, puis décline à la fin du XIXe s., concurrencé par les vins du Midi et ravagé par le phylloxéra. Vers 1948, sa surface est tombée à 9 500 ha.

Après 1945, il bénéficie de la croissance économique et adopte le cadre français des AOC. Les coopératives, apparues précocement en Alsace, représentent aujourd'hui 41 % du marché, à côté des négociants, souvent propriétaires de vignes (39 %), et des vignerons indépendants (20 %).

Des cépages aromatiques. En Alsace, l'expression des arômes est favorisée par la maturation lente des raisins sous des climats tempérés et frais. Le goût des vins dépend largement du cépage et l'une des particularités de la région est de nommer les siens d'après leur variété d'origine. Le seul cépage rouge, le pinot noir, couvre moins de 10 % des surfaces. Les autres variétés sont le riesling, le pinot blanc, l'auxerrois, le gewurztraminer, le pinot gris, le sylvaner et, plus rares, les muscats, le chasselas, le klevener de Heiligenstein et le chardonnay (pour les effervescents).

L'AOC alsace. Elle représente 72 % de la production. L'étiquette porte le nom du cépage, sauf pour les rares vins d'assemblage (edelzwicker). À côté des vins blancs secs, majoritaires, on trouve des vins plus ou moins tendres, des moelleux et des liquoreux. Le pinot noir est vinifié en rouge et en rosé.

L'AOC crémant-d'alsace. Elle désigne les vins effervescents de la région, issus de la méthode traditionnelle.

LA PREMIÈRE ROUTE DES VINS

La création dès 1953 de la route des Vins d'Alsace a fait de l'Alsace une pionnière en matière de tourisme viticole. Tout au long de l'année, de nombreuses manifestations se déroulent dans les localités qui la jalonnent : foires aux vins (Guebwiller, Ammerschwihr, Ribeauvillé, Barr, Molsheim, Colmar), fêtes des vendanges, marchés de Noël... On citera l'activité de la confrérie Saint-Étienne, née au XIVe s. et restaurée en 1947.

VENDANGES TARDIVES ET SÉLECTIONS DE GRAINS NOBLES

Les premières sont des moelleux issus de vendanges surmûries, les secondes des liquoreux issus de vendanges atteintes par la pourriture noble. Ces vins sont soumis à des conditions de production rigoureuses (et en particulier, pour les raisins, à une richesse en sucre minimale très élevée). Ils sont obligatoirement issus de «cépages nobles» : gewurztraminer, riesling, pinot gris et muscat.

Les 51 AOC alsace grand cru. Ce sont de rares vins de terroir (4 % de la production) portant l'empreinte de leur lieu de naissance. Officiellement délimités à partir de 1975, souvent de réputation très ancienne, ils bénéficient de sols, de pentes et d'expositions privilégiés. Ils sont essentiellement réservés aux cépages riesling, gewurztraminer, pinot gris et muscat.

Les dénominations communales et les lieux-dits. Apparus en 2011, ce sont des communes ou secteurs réputés : Blienschwiller et Côtes de Barr (pour le sylvaner), Ottrott, Rodern et Saint-Hippolyte (pour le pinot noir), Wolxheim et Scherwiller (pour le riesling), Heiligenstein (pour le klevener), Côte de Rouffach, Vallée Noble et Val Saint-Grégoire. Des noms de lieux-dits cadastrés, mais non classés en grand cru, peuvent aussi apparaître sur l'étiquette. Tous ces vins sont soumis à des conditions de production plus exigeantes.

L'Alsace

Nord
Strasbourg
Rhin
Steinklotz
Engelberg
1
Altenberg de Bergbieten
Altenberg de Wolxheim
Bruderthal
ALLEMAGNE
Wissembourg
2
2
3
Kirchberg de Barr
4
4
Zotzenberg
Kastelberg
Wiebelsberg
Moenchberg
Muenchberg
5
Winzenberg
Frankstein
6
Sélestat
Praelatenberg
8
7
Gloeckelberg
Kanzlerberg
Altenberg de Bergheim
Kirchberg de Ribeauvillé
Osterberg
Rosacker
Geisberg
Schoenenbourg
Froehn
Sonnenglanz
Sporen
Mandelberg
Furstentum
Schlossberg
Marckrain
Mambourg
Kaefferkopf
Wineck-Schlossberg
Florimont
Sommerberg
Colmar
Brand
9
Hengst
Steingrubler
Pfersigberg
Eichberg
Hatschbourg
10
Goldert
Steinert
10
11
Zinnkoepflé
Vorbourg
Pfingstberg
Kessler
Spiegel
Kitterlé
Saering
Ollwiller
Rangen
Mulhouse
ALLEMAGNE
Rhin
0
5
10 km
AOC Alsace
Dénominations de l'AOC Alsace
1 Wolxheim
2 Ottrott
3 Klevener de Heiligenstein
4 Côtes de Barr
5 Blienschwiller
6 Scherwiller
7 Saint-Hippolyte
8 Rodern
9 Val Saint-Grégoire
10 Côte de Rouffach
11 Vallée Noble
AOC Alsace grand cru
Brand Nom du grand cru
Villes principales
Route du vin

ALSACE EDELZWICKER

Production : 23 080 hl

Cette dénomination ancienne désigne les vins issus d'un assemblage (*Zwicker* en alsacien) de cépages. N'oublions pas qu'il y a un siècle, les parcelles du vignoble alsacien plantées d'une seule variété étaient rares. Aujourd'hui, on utilise le terme « edelzwicker » pour désigner tout assemblage de cépages blancs de l'AOC alsace, qui peuvent être vinifiés ensemble ou séparément. On a ajouté l'adjectif *Edel* (noble) pour marquer la présence plus fréquente aujourd'hui de cépages nobles, tels que le riesling, le gewurztraminer ou le pinot gris, dans sa composition. Particulièrement apprécié des Alsaciens, l'edelzwicker est servi en carafe dans la plupart des winstubs. Le terme de « gentil » désigne aussi traditionnellement des vins d'assemblage.

FLESCH 2017

| | 2600 | | - de 5 €

Établie à Pfaffenheim, village viticole situé à une quinzaine de kilomètres au sud de Colmar, près de Rouffach, cette famille se consacre à la viticulture depuis trois générations. Jean-Luc Flesch assure depuis 1998 la continuité du domaine qu'il conduit en culture raisonnée.

Construit sur le riesling (40 %) et le sylvaner (35 %), complétés par le muscat et par le pinot gris, cet edelzwicker d'un abord réservé est dominé par des impressions de fraîcheur : parfums discrets d'ananas et de citron vert, palais aérien et tonique de bout en bout, marqué en finale par une touche d'amertume. (Sucres résiduels : 2 g/l.) ⧗ 2019-2022

FRANÇOIS FLESCH ET FILS, 20, rue du Stade, 68250 Pfaffenheim, tél. 03 89 49 66 36, vins@flesch.fr V *t.l.j. 9h-18h; sam. dim. sur r.-v.*

KLEE FRÈRES Hola Trio 2017 ★

| | 1800 | | 5 à 8 €

Les trois frères Klee, Gérard, Laurent et Francis – l'œnologue –, perpétuent la micro-exploitation (moins de 2 ha) de leur père qui était vigneron-boulanger à Katzenthal, petit village proche de Colmar.

Trio? Sylvaner (40 %), riesling, pinot gris et muscat (20 % chacun). Trio comme les trois frères Klee, qui signent ce vin bien constitué, vif, aux délicats arômes floraux et fruités, un rien épicés. (Sucres résiduels : 4 g/l.) ⧗ 2019-2022

KLEE FRÈRES, 18, Grand-Rue, 68230 Katzenthal, tél. 07 83 68 19 69, info@klee-freres.com V *r.-v.*

CLÉMENT KLUR Voyou de Katz 2017 ★

| | 5900 | | 11 à 15 €

Les Klur sont vignerons depuis le XVIIes., mais c'est en 1999 que Clément Klur a créé le domaine, qui couvre 7 ha autour de Katzenthal, village enserré dans un vallon près de Colmar. Ici, tout est bio et « écolo » : la conduite de la vigne (biodynamie), la cave ronde, la vinification et jusqu'aux logements de vacances. En 2017, la famille s'est recentrée sur les activités d'accueil : elle a confié la gestion de l'exploitation viticole au domaine voisin Léon Heitzmann, exploité lui aussi en biodynamie, ainsi que la commercialisation de ses cuvées.

Complétés par le sylvaner, riesling et muscat à parité (40 %) contribuent à cette cuvée qui s'ouvre à l'aération sur de plaisants parfums de fleurs et de fruits exotiques. On retrouve cette expression aromatique dans un palais croquant et frais, stimulé par un petit perlant. Une jeunesse avenante. (Sucres résiduels : 2 g/l.) ⧗ 2019-2022

CLÉMENT KLUR, 2, Grand-Rue, 68770 Ammerschwihr, tél. 06 50 04 57 77, contact@vinsklur.com V *t.l.j. sf dim. 8h-12h 13h30-18h*

DOM. MULLER-KŒBERLÉ Clos des Aubépines 2015 ★★

| | 1623 | | 20 à 30 €

Deux frères Muller, originaires de Suisse, font souche du côté de Colmar en 1660. Au début des années 1960, Rose Muller épouse Jean Kœberlé, qui travaille avec son beau-père : le début du domaine actuel, établi autour de Saint-Hippolyte, au pied du Haut-Kœnigsbourg. Arrivé à la tête de l'exploitation en 2010, David Kœberlé dispose d'un vignoble d'une belle superficie : 28 ha. En conversion bio.

Découverte dans le millésime, une cuvée originale, née sur le coteau granitique du Langenberg. Le 2015 résulte d'un assemblage proche du 2014, avec du riesling encore plus présent (60 %), du pinot gris (30 %), du pinot noir et un soupçon de gewurztraminer. La vinification, elle aussi, sort du commun : le vin fait sa fermentation malolactique et séjourne dans des fûts de réemploi. Le résultat a encore convaincu : une robe dorée, un nez ouvert, entre fruit blanc (coing notamment) et notes boisées, une bouche ronde, gourmande, à la finale fumée et vanillée, soulignée d'un trait acidulé qui lui donne élégance et longueur. (Sucres résiduels : 11,4 g/l.) ⧗ 2019-2023

MULLER-KŒBERLÉ, 22, rte du Vin, 68590 Saint-Hippolyte, tél. 03 89 73 00 37, koeberle@muller-koeberle.fr V *t.l.j. sf dim. 9h-12h 14h-17h45* 2

JEAN RAPP Les Larmes de Thor 2017 ★

| | 5333 | | 5 à 8 €

Vignerons et éleveurs de père en fils depuis 1764, les Rapp sont installés à Dorlisheim, au sud-ouest de Strasbourg. L'exploitation s'est spécialisée à partir des années 1960 et une nouvelle cave, plus vaste, a été aménagée en 2004, à l'arrivée de Guillaume, qui exploite 10 ha. La plupart des vins du domaine sont élevés en foudres, dont certains sont plus que centenaires.

Cette cuvée a divisé les jurés, certains pointant une présence quelque peu envahissante de sucres résiduels. Tous n'en saluent pas moins la présence aromatique de ce vin, marqué par le fruité du muscat et par les notes d'épices et de litchi du gewurztraminer, cépages assemblés à parité. Du volume, de la rondeur, équilibrés en finale par une fine acidité : un ensemble flatteur. (Sucres résiduels : 14,5 g/l.) ⧗ 2019-2022

DOM. RAPP, 1, fg des Vosges, 67120 Dorlisheim, tél. 03 88 38 28 43, vins-rapp@wanadoo.fr V t.l.j. sf dim. 8h30-12h 13h30-18h30

SCHLEGEL-BOEGLIN Quatu'Or 2016 ★

	2000		5 à 8 €

Les parents de Jean-Luc Schlegel ont fondé le domaine en 1971 à Westhalten, à l'entrée de la Vallée Noble. Ce dernier, installé en 1991, exploite 13 ha de vignes, avec plusieurs parcelles dans les grands crus Zinnkoepflé et Vorbourg.

Ce quatuor est formé par les quatre «cépages nobles» d'Alsace : riesling (40 %), gewurztraminer, pinot gris et muscat. Il compose une pièce harmonieuse : robe dorée, nez séducteur, d'abord floral, puis fruité à souhait (agrumes, pêche, abricot et fruits exotiques), palais équilibré, entre vivacité de l'attaque et rondeur flatteuse. (Sucres résiduels : 6 g/l.) ⧗ 2019-2022

DOM. SCHLEGEL-BOEGLIN, 22 A, rue d'Orschwihr, 68250 Westhalten, tél. 03 89 47 00 93, schlegel-boeglin@wanadoo.fr V r.-v.

ALSACE CHASSELAS OU GUTEDEL

Il y a une quarantaine d'années, ce cépage occupait encore plus de 20 % du vignoble. Aujourd'hui, ce taux est tombé à 1 %. Le chasselas donne un vin aimable, léger et souple, en raison d'une acidité modérée. Il entre essentiellement dans la composition de l'edelzwicker et, de ce fait, cette appellation ne se trouve que très rarement sur le marché.

CAVE VINICOLE DE HUNAWIHR Calixte 2017

	15000		5 à 8 €

Fondée en 1954 au cœur de la route des Vins, la cave de Hunawihr regroupe majoritairement des viticulteurs de ce village. La coopérative vinifie le fruit de 200 ha et propose une large gamme de vins (dont cinq grands crus). Elle a quatre marques : Peter Weber, L'Unabelle, Armand Schreyer et Kuhlmann-Platz (ancienne maison de négoce rachetée en 1985).

La culture du chasselas est devenue marginale en Alsace. La cave vinicole de Hunawihr en propose une cuvée agréable. Dans le verre, un vin aux reflets dorés, bien ouvert sur des notes boisées traduisant un séjour de six mois dans le chêne. Le palais, à l'unisson, associe le beurre frais, des notes fruitées et des touches minérales. De belle tenue, il se montre sec et frais jusqu'en finale. À comparer avec un pouilly-sur-loire, qui se fait rare, lui aussi. ⧗ 2019-2020

CAVE VINICOLE DE HUNAWIHR, 48, rte de Ribeauvillé, 68150 Hunawihr, tél. 03 89 73 61 67, oenologue@cave-hunawihr.com V t.l.j. 9h-18h

ALSACE GEWURZTRAMINER

Superficie : 2 897 ha / Production : 172 116 hl

Le cépage qui est à l'origine de ce vin est une forme particulièrement aromatique de la famille des traminers. Un traité publié en 1551 le désigne déjà comme une variété typiquement alsacienne. Celle-ci atteint dans ce vignoble un optimum de qualité, ce qui lui a conféré une réputation unique dans la viticulture mondiale. Son vin est corsé, bien charpenté, sec ou moelleux, et caractérisé par un bouquet merveilleux, plus ou moins puissant selon les situations et les millésimes. Le gewurztraminer, qui a une production relativement faible et irrégulière, est un cépage précoce aux raisins très sucrés.

DOM. ANSEN Westhoffen 2017 ★

	2583		11 à 15 €

Ingénieur et œnologue formé à Bordeaux, Daniel Ansen, après avoir découvert les rieslings de la Clare Valley (Australie) et les pratiques du Nouveau Monde, a travaillé pour le compte d'un négociant alsacien, puis à la Chambre d'agriculture, et a repris en 2010 le domaine paternel (8,7 ha aujourd'hui), non loin de Strasbourg. Il l'a dédié à la vigne, conduite d'emblée en bio, et a quitté la coopérative pour élaborer ses propres vins.

Né sur des argiles noires, un gewurztraminer charmeur, tant par son nez intense et ciselé, épicé et un rien mentholé que par sa bouche dont la douceur est équilibrée par une acidité très droite. Un moelleux qui laisse une impression de fraîcheur. (Sucres résiduels : 41 g/l.) ⧗ 2019-2024

DOM. ANSEN, 2, pl. du Docteur-Nessmann, 67310 Westhoffen, tél. 06 52 60 99 90, daniel@ansen.fr V r.-v.

DOM. BADER Cuvée Romain 2017 ★

	600		11 à 15 €

Œnologue, Pierre Scharsch a racheté en 2004 cette ancienne exploitation (XVIIes.) et repris la mise en bouteilles à la propriété. Implanté dans la région de Barr, son vignoble couvre 11 ha. En conversion bio.

Une cuvée issue d'un terroir réputé d'Epfig. Confidentielle, et c'est dommage, car ses qualités sont réelles : une expression aromatique intense et typée (rose, litchi), du volume et du gras, équilibrés par ce qu'il faut de fraîcheur. (Sucres résiduels : 49 g/l.) ⧗ 2019-2025

DOM. BADER, 1, rue de l'Église, 67680 Epfig, tél. 03 88 85 51 61, vinsbader@gmail.com V r.-v.

CATTIN FRÈRES Vieilles Vignes 2017 ★★

	49300		11 à 15 €

Originaire de Suisse, établie à Vœgtlinshoffen en 1720, la famille Cattin se spécialise dans la viticulture dès 1850. L'exploitation prospère à partir de 1978, avec Jacques et son frère Jean-Marie : le domaine s'agrandit (70 ha aujourd'hui), tandis que se développe une structure de négoce. Ingénieur agronome, Jacques (du même prénom que son père) a rejoint l'affaire en 2007. Un bar à vins a ouvert en 2017. Autre étiquette : Jean Weingand.

La robe jaune d'or intense annonce un moelleux opulent. La suite de la dégustation confirme cette impression : un nez puissant, associant au litchi des notes de fruits surmûris, voire confits (ananas, fruits jaunes); une bouche à l'unisson, ample, généreuse, ronde et longue, dans le même registre confit, miellé et épicé. (Sucres résiduels : 29 g/l.) ⌛ 2019-2024

CATTIN FRÈRES, 19, rue Roger-Frémeaux, 68420 Vœgtlinshoffen, tél. 03 89 49 30 21, contact@cattin.fr t.l.j. 10h-19h

CAVE DE CLEEBOURG Oberberg 2017 ★★

| 6500 | | 8 à 11 € |

La cave de Cleebourg a été fondée en 1946 pour sauver le vignoble situé à l'extrémité nord de l'Alsace, à la limite de l'Allemagne et à 80 km du tronçon principal de la route des Vins. La coopérative vinifie les vendanges de près de 200 ha de vignes implantés dans les villages proches de Wissembourg.

Un gewurztraminer flatteur... et surprenant. La robe est d'un jaune soutenu; le nez intense et gourmand déploie des nuances de surmaturation, de mangue, de fruits jaunes confits, d'épices et de pain d'épice. Voilà qui semble annoncer un caractère opulent. La mise en bouche révèle de la richesse et du gras, certes, mais aussi une belle vivacité qui donne de l'allonge et du tonus à la finale. Avec sa douceur modérée, ce vin s'apparente à un moelleux léger ou à un demi-sec. Intense, il pourra accompagner un repas. (Sucres résiduels : 13,9 g/l.) ⌛ 2019-2024

CAVE VINICOLE DE CLEEBOURG, rte du Vin, 67160 Cléebourg, tél. 03 88 94 50 33, info@cave-cleebourg.com t.l.j. 8h-12h 14h-18h

♥ DOM. DOCK Vendanges tardives 2016 ★★

| 800 | | 15 à 20 € |

Conduite par Christian Dock, l'exploitation se transmet de père en fils depuis 1870 et couvre 12 ha. Elle est installée à Heiligenstein, village perché sur un coteau dominé par le mont Sainte-Odile. Le klevener-de-heiligenstein est la spécialité de la propriété.

Le millésime 2016 a produit peu de vendanges tardives et pourtant, cette cuvée obtient un coup de cœur. Le vigneron a attendu le 7 décembre pour récolter de petits volumes de raisin. Dans le verre, un jaune d'or éclatant moiré de légers reflets orangés annonce une belle richesse, confirmée au nez par des notes intenses et complexes d'abricot, de fruits confits et de gelée de coing. On retrouve ces accents de surmaturation dans un palais ample et gras, qui trouve son harmonie dans une finale longue et acidulée. (Sucres résiduels : 70 g/l.) ⌛ 2019-2030

DOM. CHRISTIAN DOCK, 20, rue Principale, 67140 Heiligenstein, tél. 03 88 08 02 69, cdock@wanadoo.fr r.-v.

LES FAÎTIÈRES 2017

| 38000 | | 5 à 8 € |

Rebaptisée Les Faîtières, la cave vinicole d'Orschwiller, fondée en 1957, s'approvisionne dans trois villages situés en contrebas du château du Haut-Kœnigsbourg : Orschwiller, Kintzheim et Saint-Hippolyte (130 ha au total). C'est aussi le nom de sa marque.

Un vin flatteur qui offre tous les caractères attendus du cépage : une robe jaune soutenu, des parfums intenses de rose, de fruits secs et d'épices, avec une nuance réglissée, un palais souple, suave et généreux, dans la continuité du nez. Son caractère sec et facile lui permettra d'être servi de l'apéritif au dessert. (Sucres résiduels : 17,5 g/l.) ⌛ 2019-2023

CAVE LES FAÎTIÈRES, 3, rte du Vin, 67600 Orschwiller, tél. 03 88 92 09 87, cave@cave-orschwiller.fr t.l.j. 10h-12h 13h-19h

ROBERT FREUDENREICH Vendanges tardives 2016 ★★

| 3580 | | 20 à 30 € |

Un domaine familial situé à 15 km au sud de Colmar, dont les origines remontent à 1730. Dirigé par Robert Freudenreich jusqu'en 1992, il est aujourd'hui conduit par son fils Christophe. Fidèle aux traditionnels foudres en bois, ce dernier a agrandi et modernisé les caves. Il cultive près de 8 ha.

Des vendanges tardives bien nommées : les raisins ont été récoltés le 5 décembre. D'un jaune doré intense, le vin offre au nez comme en bouche une remarquable expression de la surmaturation dans ses notes d'abricot, de fruits jaunes confits, de fruits secs, relevés d'épices. Souple en attaque, le palais, sans être un monstre de concentration, offre de la richesse, du gras et une longue finale teintée d'une noble amertume. Superbe pour le millésime. (Sucres résiduels : 77 g/l.) ⌛ 2019-2029

ROBERT FREUDENREICH ET FILS, 31, rue de l'Église, 68250 Pfaffenheim, tél. 03 89 49 60 88, robert.freudenreich@wanadoo.fr r.-v.

DOM. FRITZ Cuvée de l'Ami Fritz 2016

| 2600 | | 15 à 20 € |

Créé en 1958, ce domaine implanté à Sigolsheim, au nord-ouest de Colmar, est conduit par Thierry Fritz, qui a succédé en 2006 à son père Daniel. Il a son siège dans un ancien moulin, aménagé à la fin des années 1960 en cave à vins. Le vignoble de près de 8 ha comprend plusieurs parcelles en grand cru Mambourg.

Une cuvée élaborée à l'aide de raisins surmûris : ceux qui sont à l'origine de ce 2016 ont été vendangés le 4 novembre. Il en résulte un vin rappelant une vendange tardive, tant par sa robe bien dorée laissant des larmes sur les parois du verre que par sa palette associant au litchi typé du cépage des notes de fruits confits, de coing et de grillé. En bouche, une belle fraîcheur équilibre la rondeur du vin. (Sucres résiduels : 28 g/l.) ⌛ 2019-2023

DOM. FRITZ, 3, rue du Vieux-Moulin, 68240 Sigolsheim, tél. 03 89 47 11 15, contact@domaine-fritz.fr t.l.j. 8h-19h

DOM. GRESSER Kritt 2017

| 7000 | | 8 à 11 € |

Rémy Gresser fait remonter sa généalogie à 1525, époque où un Thiébaut Gresser était vigneron et prévôt d'Andlau. Comme son ancêtre attaché à la vie de son village, il s'est impliqué dans le monde professionnel. Il exploite un vignoble de 11 ha, fort de

parcelles dans les trois grands crus de sa commune. Soucieux de transmettre ses terres en bon état aux générations futures, il pratique la biodynamie (certification bio en 2007).

Une discrétion de jeunesse pour ce 2017 aux arômes encore réservés mais élégants de fruits exotiques (litchi, ananas). Alliant souplesse, fraîcheur et générosité, la bouche épicée devrait gagner en fondu et en expression avec le temps. (Sucres résiduels : 13 g/l.) ⌛ 2020-2024

⊶ DOM. GRESSER, 2, rue de l'École, 67140 Andlau, tél. 03 88 08 95 88, domaine@gresser.fr V ♿ ▪ *t.l.j. sf dim. 10h-12h 13h30-16h*

JEAN-CLAUDE GUETH Veilleur de nuit 2015 ★

■	1500	▮	15 à 20 €

Une famille établie depuis deux siècles à Gueberschwihr, au sud de Colmar. Installés en 1970, Jean-Claude et Bernadette Gueth ont commercialisé leurs vins à partir de 1982. Aujourd'hui, leur domaine couvre 8 ha et leur fille, Muriel Gueth-Biéchy, vinifie depuis 1996. L'exploitation s'est installée en 2018 dans des locaux modernes au milieu des vignes.

Née de raisins en surmaturation (ceux-ci, issus du solaire millésime 2015, ont été vendangés le 4 novembre) longuement fermentés avec des levures indigènes, cette cuvée jaune d'or fait une fois de plus une très bonne impression. Malgré sa richesse en sucres, ses arômes subtils évoquent les agrumes, le citron confit et sa bouche, tendue par une acidité bienvenue, saline en finale, laisse une impression de fraîcheur. (Sucres résiduels : 50 g/l.) ⌛ 2019-2025

⊶ DOM. JEAN-CLAUDE GUETH, 1, Brunnmattweg, 68420 Gueberschwihr, tél. 03 89 49 33 61, cave@vin-alsace-gueth.com V ♿ ▪ *t.l.j. 14h-18h* 🏠 ⑤

Ⓑ BERNARD HAEGELIN Cuvée Catherine 2017 ★★

■	9600	▮	11 à 15 €

Bernard Haegelin a commencé la mise en bouteilles en 1976. À partir de 1992, il a passé le relais à ses fils Christian et Michel. Ces derniers exploitent plus de 10 ha au sud de la route des Vins, notamment sur la colline sèche du Bollenberg et les pentes du Pfingsberg. Après des essais, ils ont adopté la démarche biodynamique.

D'un jaune intense, un moelleux au nez bien ouvert sur la rose et le litchi, un rien grillé. Rond et ample, il est tendu par une ligne de fraîcheur qui donne tonus et allonge à la finale. Ce vin d'une réelle harmonie s'est placé sur les rangs pour le coup de cœur. (Sucres résiduels : 58 g/l.) ⌛ 2019-2028

⊶ BERNARD HAEGELIN, 26, rue de l'Église, 68500 Orschwihr, tél. 03 89 76 14 62, bernard.haegelin@wanadoo.fr V ♿ ▪ *t.l.j. 8h-19h; sam. 9h-18h; dim. sur r.-v.*

BERNARD HUMBRECHT 2017

■	7200	▮	8 à 11 €

À Gueberschwihr, au sud de Colmar, le visiteur est impressionné par les maisons vigneronnes aussi anciennes que cossues, comme la demeure Renaissance à pignon de la famille Humbrecht. La lignée remonte à 1620, les mises en bouteilles à 1968. Jean Humbrecht, ingénieur en agriculture, et son frère Guillaume ont rejoint leur père Jean-Bernard en 2014 et 2016 respectivement. Le domaine couvre plus de 9 ha.

Or pâle, ce gewurztraminer séduit par la netteté et par la finesse de son nez de rose, de poivre et de fruits exotiques. Tout aussi floral et épicé au palais, d'une belle fraîcheur, il laisse une impression de légèreté. Il devrait gagner en fondu au cours des prochains mois. (Sucres résiduels : 25 g/l.) ⌛ 2020-2023

⊶ DOM. BERNARD HUMBRECHT, 10, pl. de la Mairie, 68420 Gueberschwihr, tél. 03 89 49 31 42, vins.bernard.humbrecht@orange.fr V ♿ ▪ *t.l.j. 9h-12h 13h-18h; dim. 10h-12h 14h-18h* 🏠 Ⓓ

KUENTZ Sélection 2017

■	2400	◍▮	8 à 11 €

Héritière d'une tradition viticole remontant au milieu du XVIIe s., la famille Kuentz est établie à Pfaffenheim, au sud de Colmar. Romain et son fils Michel exploitent 8 ha de vignes autour de leur village (avec des parcelles dans le grand cru Steinert), ainsi qu'à Rouffach, Gueberschwihr et Herrlisheim.

Ce gewurztraminer moelleux s'ouvre sur des parfums élégamment fruités – fruits exotiques, fruits confits – que l'on retrouve, avec des notes miellées et épicées, dans un palais puissant, marqué en finale par une touche d'amertume bienvenue. (Sucres résiduels : 31 g/l.) ⌛ 2019-2023

⊶ ROMAIN KUENTZ ET FILS, 22, rue du Fossé, 68250 Pfaffenheim, tél. 03 89 49 61 90, vinskuentz@yahoo.fr V ♿ ▪ *t.l.j. 9h-12h 14h-19h; dim. sur r.-v.* 🏠 Ⓑ

MARZOLF Rebgarten 2017 ★

■	1800	▮	8 à 11 €

Viticulteurs depuis 1730, les Marzolf se sont établis en 1904 à Gueberschwihr, village aussi connu pour son clocher roman de grès rose que pour l'ancienneté de son vignoble. Après Paul et René, Denis, installé en 1985, conduit l'exploitation, qui comprend des parcelles dans le grand cru local, le Goldert.

À Gueberschwihr, le Rebgarten (« jardin de vignes ») est situé à côté du domaine. Un lieu-dit argilo-calcaire à l'origine de ce gewurztraminer lumineux aux reflets or blanc, s'ouvrant sur des parfums délicats et typés : rose, litchi, poivre. Ces arômes complexes, floraux et épicés se retrouvent dans une bouche riche et généreuse, vivifiée par une longue finale fraîche et saline, marquée par une pointe agréable d'amertume. Demi-sec ou moelleux léger, ce vin se placera facilement à table. (Sucres résiduels : 25 g/l.) ⌛ 2019-2026

⊶ MARZOLF, 9, rte de Rouffach, 68420 Gueberschwihr, tél. 03 89 49 31 02, vins@marzolf.fr V ♿ ▪ *t.l.j. 9h-11h45 13h30-19h*

HUBERT MEYER 2017

■	3500	▮	5 à 8 €

Les Meyer se succèdent de père en fils depuis 1722. Hubert a développé la vente en bouteilles, Pierre l'a rejoint en 2009 avant de prendre la tête de l'exploitation en 2014. Les 11 ha du domaine sont répartis sur des terroirs variés, autour de Blienschwiller et des

communes voisines de Dambach-la-Ville, Nothalten et Epfig, au sud de Barr.

Or pâle, il s'ouvre à l'aération sur des notes de rose, de bergamote, de fruits secs et d'épices. Souple en attaque, frais dans son développement, il finit sur une agréable touche d'amertume. Un vin bien construit, qui trouvera sa place de l'apéritif au dessert. (Sucres résiduels : 13 g/l.) ⧗ 2019-2023

⊶ VINS D'ALSACE HUBERT MEYER, 34, rte des Vins, 67650 Blienschwiller, tél. 03 88 92 47 33, contact@vins-hubert-meyer.fr V t.l.j. sf dim. 8h-12h 13h-18h

♥ MEYER-FONNÉ 2017 ★★

■	3500	🍾	8 à 11 €

Héritier d'une longue lignée au service du vin, Félix Meyer, installé en 1992, a longtemps suivi la démarche bio, sans certification, avant d'engager la conversion de sa propriété. À la tête d'un vignoble, plus de 15 ha répartis sur sept communes proches de Colmar, complété par une petite structure de négoce, il peut jouer sur une large palette de terroirs, et notamment sur cinq grands crus.

Les dégustateurs ont été emballés par ce gewurztraminer dont la robe jaune d'or aux reflets ambrés annonce la richesse. Complexe au nez, ce vin mêle des notes de raisin frais à des arômes de surmaturité : pêche jaune, pâte de coings, rôti. En bouche, il suit la même ligne, gras, chaleureux et long. Une grande matière. (Sucres résiduels : 25 g/l.) ⧗ 2019-2024

⊶ FÉLIX MEYER, 24, Grand-Rue, 68230 Katzenthal, tél. 03 89 27 16 50, felix@meyer-fonne.com

CH. DE RIQUEWIHR
Les Sorcières 2017 ★

■	18500	🍾	15 à 20 €

Dès le XVIe s., les familles Dopff et Irion ont pignon sur rue à Riquewihr. La maison est installée dans l'ancien château (1549) des princes de Wurtemberg. En 1945, René Dopff prend en main sa destinée. Il partage le domaine du Ch. de Riquewihr en cinq vignobles spécialisés dans un cépage : les Murailles, les Sorcières, les Maquisards, les Amandiers et les Tonnelles. L'exploitation comprend 27 ha, dont un bon tiers en grands crus.

D'un jaune d'or engageant, ce gewurztraminer s'ouvre à l'aération et monte en puissance, dévoilant de nouveaux parfums d'une belle finesse : réglisse, épices, rose. Ces arômes se déploient avec complexité dans un palais harmonieux, tendu par une acidité ciselée. Un vin qui gagnera à être carafé. (Sucres résiduels : 21 g/l.) ⧗ 2019-2025

⊶ DOPFF ET IRION (CH. DE RIQUEWIHR), 1, cour du Château, 68340 Riquewihr, tél. 03 89 47 92 51, contact@dopff-irion.com V t.l.j. 10h-18h

DOM. SAINTE-MARGUERITE 2017

■	5719	🍾	8 à 11 €

Arthur Metz est une maison de négoce créée en 1904, dans le giron des Grands Chais de France depuis 1991. Elle regroupe trois sites dans le Bas-Rhin et se fournit auprès de quelque 650 viticulteurs cultivant environ 1 000 ha.

Le domaine Sainte-Marguerite est le vignoble historique de la famille Metz à Epfig, géré de façon indépendante. Son gewurztraminer a pour atouts une robe jaune d'or brillant et des arômes bien typés qui se révèlent à l'aération : rose, fruits exotiques (litchi), fruits jaunes et réglisse. Floral et poivré, ample et gras, de bonne longueur, le palais est un peu marqué par les sucres tout en restant équilibré. (Sucres résiduels : 21 g/l.) ⧗ 2019-2023

⊶ DOM. SAINTE-MARGUERITE, 2, rue du Stauffen, 68000 Colmar, tél. 03 89 79 11 87, nstrub@arthurmetz.fr V t.l.j. 9h30-12h30 14h-18h

Ⓑ EDMOND SCHUELLER
Réserve 2017 ★

■	3000	🍾	8 à 11 €

Au pied des trois donjons qui dominent le vignoble de Husseren-les-Châteaux, point culminant de la route des Vins au sud de Colmar, Damien Schueller, installé en 1999, triple la surface du domaine (6 ha) patiemment constitué par son père Edmond, ancien salarié viticole. La propriété est en bio certifié depuis 2013.

D'un jaune clair aux reflets verts, ce 2017, moelleux léger ou demi-sec, attire par la finesse de son nez de rose, de mangue et de réglisse. Souple et suave en attaque, il dévoile une matière corpulente et chaleureuse et une finale épicée et poivrée, de belle longueur. Encore dans sa jeunesse, ce vin bien structuré devrait gagner en harmonie au cours des prochains mois. (Sucres résiduels : 8 g/l.) ⧗ 2020-2024

⊶ VINS D'ALSACE EDMOND SCHUELLER, 26, rte du Vin, 68420 Husseren-les-Châteaux, tél. 03 89 49 32 60, info@alsace-schueller.com V r.-v. 3 Ⓑ

JEAN SIEGLER
Clos des Terres brunes Vieilles Vignes 2017 ★

■	1970	🍾	11 à 15 €

Balthazar Siegler naquit à Mittelwihr en 1643; quant au domaine, il remonte à 1784. Aujourd'hui, Marie-Josée, Hugues et Stève-Jean exploitent 11 ha autour de la même commune. Le cru précoce du Mandelberg, ou colline des Amandiers, est leur fleuron.

Plus d'une fois appréciées, ces Vieilles Vignes ont engendré un gewurztraminer au profil proche du millésime précédent : une robe jaune d'or à laquelle répond un nez au caractère surmûri – la pêche et l'abricot confits s'allient au litchi et se retrouvent dans un palais bien équilibré, à la fois riche et frais. (Sucres résiduels : 34 g/l.) ⧗ 2019-2023

⊶ CLOS DES TERRES BRUNES, 26, rue des Merles, 68630 Mittelwihr, tél. 03 89 47 90 70, jean.siegler@wanadoo.fr V t.l.j. 8h-12h 13h-19h 3 Ⓒ

PAUL SPANNAGEL
Steinbruchreben Vieilles Vignes 2016 ★

■	5000	🍾	15 à 20 €

Le premier de la lignée vivait en 1598 à Katzenthal, village lové dans un vallon à quelques kilomètres à l'ouest de Colmar. Paul Spannagel se lance dans la vente en bouteilles en 1960. Depuis 1988, ce sont Yves et Claudine Spannagel, rejoints en 2011 par Jérôme et Marie, qui perpétuent l'exploitation (7,5 ha avec des parcelles dans deux grands crus).

Ce moelleux provient d'un coteau aux sols calcaires bien drainés, qui permettent à la plante de résister à la sécheresse – laquelle a sévi en fin d'été. Nos dégustateurs ont particulièrement apprécié son nez sur les fruits exotiques bien mûrs, voire légèrement confits, agrémentés de notes de bergamote et d'épices. Riche, un peu sous l'emprise du sucre mais plaisante, la bouche est équilibrée par une finale acidulée. Une belle réussite pour le millésime. (Sucres résiduels : 18 g/l.) ⧗ 2020-2025

⊶ DOM. PAUL SPANNAGEL, 1, Grand-Rue, 68230 Katzenthal, tél. 03 89 27 01 70, paul.spannagel@gmail.com V 🚶 ■ *t.l.j. sf dim. 8h-12h 14h-18h*

DOM. DE LA VIEILLE FORGE
Vendanges tardives 2016

■	2500	🍾	20 à 30 €

Fort de son diplôme d'œnologue, Denis Wurtz fait revivre depuis 1998 le domaine de ses grands-parents, dont le nom évoque le métier de l'un de ses aïeuls. Installé dans une maison à colombages du XVIes., il exploite 10 ha de vignes répartis dans six communes, de Beblenheim à Riquewihr, avec un tiers des surfaces dans quatre grands crus.

D'un jaune doré, ce gewurztraminer demande un peu d'aération pour libérer ses parfums : de la rose et des notes de surmaturation (miel et fruits compotés). Assez discret lui aussi, le palais se montre souple en attaque, onctueux dans son développement, tonifié en finale par une pointe de fraîcheur et par une touche d'amertume. Une réussite dans un millésime peu favorable aux vendanges tardives. (Sucres résiduels : 50 g/l.) ⧗ 2020-2025

⊶ DOM. DE LA VIEILLE FORGE, 5, rue de Hoen, 68980 Beblenheim, tél. 03 89 86 01 58, domainevieilleforge68@orange.fr V 🚶 ■ *t.l.j. sf dim. 10h-12h 15h-18h30* 🏠 Ⓖ

CH. WAGENBOURG
Weingarten Sélection 2017 ★

■	5000	🍾	8 à 11 €

À 25 km au sud de Colmar, Soultzmatt s'étire le long de la Vallée Noble, ainsi désignée en raison des sept châteaux qui la gardaient. De ces forteresses, une seule est restée debout : Wagenbourg, acquise par la famille Klein, établie dans le village en 1605. Bien abritées par les plus hauts reliefs des Vosges, les vignes (11 ha) sont exploitées depuis 1987 par Jacky et Mireille Klein.

Les gewurztraminers du domaine sont souvent remarqués par nos dégustateurs. Celui-ci provient d'un lieu-dit voisin du Zinnkoepflé, le grand cru du secteur. Un moelleux qui offre tout ce que l'on attend de ce type de vin : une robe jaune d'or, un nez racé et typé, sur les fruits exotiques, une bouche aromatique, harmonieuse et longue, alliant ampleur, rondeur et vivacité. (Sucres résiduels : 39 g/l.) ⧗ 2019-2024

⊶ CH. WAGENBOURG, 25A, rue de la Vallée, 68570 Soultzmatt, tél. 03 89 47 01 41, chateauwagenbourg@orange.fr V 🚶 ■ *t.l.j. sf dim. 8h-12h 13h30-18h* 🏠 Ⓖ

Ⓑ **WELTY** Cuvée Aurélie 2017 ★★

■	1960	🍾	11 à 15 €

Rejoint par son fils Jérémy Welty, Jean-Michel Welty s'est installé en 1984 sur l'exploitation familiale, dont les lointaines origines remontent à 1738. Implanté à Orschwihr, à 25 km au sud de Colmar, au pied de la colline du Bollenberg, le vignoble (10 ha) bénéficie d'un climat très sec. Il s'est converti à la biodynamie (certification en 2018).

Moelleux ou liquoreux, les gewurztraminers de ce domaine sudiste sont souvent à l'honneur dans le Guide. C'est encore le cas de cette cuvée bien connue de nos lecteurs. D'un jaune d'or brillant, elle séduit par son bouquet aux subtils parfums de surmaturation (pêche et abricot confits). La bouche n'est pas en reste : gourmande et longue, dans le même registre fruité, suave et miellée, elle est équilibrée en finale par une pointe de noble amertume. (Sucres résiduels : 46,4 g/l.) ⧗ 2020-2025 ■ **Belenus 2017 (11 à 15 €; 5100 b.)** : vin cité.

⊶ DOM. JEAN-MICHEL WELTY, 24, Grand-Rue, 68500 Orschwihr, tél. 03 89 76 09 03, vinswelty@gmail.com V 🚶 ■ *t.l.j. 8h30-11h45 14h-18h30 ; dim. sur r.-v.* 🏠 ❸ 🏠 Ⓑ

Ⓑ **MAISON ZOELLER** Les Orchidées 2017

■	5000	🍾	11 à 15 €

Installé dans une maison à colombages du XVes., ce domaine perpétue une tradition remontant à 1600. Le vignoble est implanté à Wolxheim, village réputé pour son riesling, à l'ouest de Strasbourg; il compte 11 ha, avec des parcelles dans le grand cru local. Mathieu Zoeller, installé en 1990, est passé à la lutte raisonnée (1995), puis au bio (certification en 2013).

Une expression aromatique flatteuse et un bel équilibre pour ce moelleux d'un jaune soutenu, mêlant au nez rose, litchi et notes grillées. À la fois franc et suave en attaque, gourmand et persistant, il offre de la finesse et ce qu'il faut de fraîcheur pour réveiller la finale. (Sucres résiduels : 45 g/l.) ⧗ 2019-2024

⊶ MAISON ZOELLER, 14, rue de l'Église, 67120 Wolxheim, tél. 03 88 48 88 59, vins.zoeller@wanadoo.fr V 🚶 ■ *t.l.j. sf dim. 9h-12h 13h30-19h*

ALSACE KLEVENER-DE-HEILIGENSTEIN

Superficie : 42 ha / Production : 2 893 hl

Le klevener-de-heiligenstein n'est autre que le vieux traminer (ou savagnin rose) connu depuis des siècles en Alsace. Il a fait place progressivement à sa variante épicée ou gewurztraminer dans l'ensemble de la région, mais il est resté vivace à Heiligenstein

et dans cinq communes voisines. Ses vins sont originaux, à la fois très bien charpentés, élégants et discrètement aromatiques.

DOM. DOCK
Cuvée Prestige 2017

	10000		5 à 8 €

Conduite par Christian Dock, l'exploitation se transmet de père en fils depuis 1870 et couvre 12 ha. Elle est installée à Heiligenstein, village perché sur un coteau dominé par le mont Sainte-Odile. Le klevener-de-heiligenstein est la spécialité de la propriété.

D'un jaune doré, ce moelleux offre un premier nez minéral, un rien fumé, avant de s'ouvrir sur un fruit surmûri rappelant la pêche. Si son expression aromatique apparaît discrète en bouche, il plaît par son équilibre, une attaque vive et une acidité droite contrebalançant sa rondeur. (Sucres résiduels : 18 g/l.) 2019-2024

DOM. CHRISTIAN DOCK, 20, rue Principale, 67140 Heiligenstein, tél. 03 88 08 02 69, cdock@wanadoo.fr V r.-v.

PAUL DOCK
Cuvée Tradition 2017 ★

	5000		8 à 11 €

Héritier d'une lignée installée au XVIIIe s. à Heiligenstein, au pied du mont Sainte-Odile, Paul Dock a fondé son domaine en 1972. Le vignoble s'étend sur 9 ha et le klevener-de-heiligenstein représente 35 % de sa production. Patrick est venu rejoindre son père il y a plusieurs années.

Contrairement à la cuvée Prestige, très remarquée dans le millésime précédent, celle-ci est un vin sec. Elle n'en offre pas moins des parfums de surmaturation rappelant les fruits jaunes confits. Ces arômes délicats et suaves se prolongent dans un palais bien équilibré entre acidité et sucres, dont la finale persistante se teinte d'une touche d'amertume. (Sucres résiduels : 8,7 g/l.) 2019-2024

DOM. PAUL DOCK ET FILS, 55, rue Principale, 67140 Heiligenstein, tél. 03 88 08 02 49, vinsdock@orange.fr V *t.l.j. sf dim. 9h30-12h 14h-18h*

HABSIGER Opulence 2017

	2900		15 à 20 €

Paul et Simone Habsiger se sont établis en 1967 à Gertwiller, village proche de Barr réputé pour son pain d'épice. Ils ont abandonné la polyculture-élevage au milieu des années 1980. Installé en 1992, leur fils Alain dispose d'une exploitation à taille humaine (environ 10 ha) et d'une maison à colombage de 1733, coiffée d'un nid de cigognes.

Malgré son nom laissant présager une grande richesse, cette cuvée s'annonce par un nez plutôt frais, légèrement fumé. Sa douceur se révèle davantage en bouche où l'on perçoit des arômes de sucre cuit, voire de caramel; le vin échappe cependant à toute lourdeur grâce à une attaque vive et à une longue finale alerte, marquée par une légère amertume. (Sucres résiduels : 45 g/l.) 2019-2024

ALSACE HABSIGER, 15, rue Principale, 67140 Gertwiller, tél. 06 77 41 97 38, alsace-habsiger@gmail.com V *t.l.j. sf dim. 8h-12h 13h30-18h30*

DANIEL RUFF
L'Authentique 2017 ★★

	3500		11 à 15 €

Un domaine de 15 ha situé au pied du mont Sainte-Odile, dans le pays de Barr. Si son savoir-faire s'étend à d'autres variétés, Daniel Ruff y cultive avec ferveur le klevener, cépage fétiche de Heiligenstein qui a valu au village une dénomination communale.

Déjà distingué dans des millésimes précédents, un moelleux aux reflets dorés, loué pour son nez d'abord vif et minéral, libérant à l'aération des notes suaves de pêche. On retrouve ce côté légèrement surmûri dans les notes de fruits d'été du palais, en harmonie avec une agréable douceur. Une belle acidité allège l'ensemble et donne tension et longueur à la finale. Une réelle finesse. (Sucres résiduels : 33 g/l.) 2019-2028

DOM. DANIEL RUFF, 64, rue Principale, 67140 Heiligenstein, tél. 03 88 08 10 81, ruffvigneron@wanadoo.fr V *t.l.j. 8h-12h 14h-18h15*

ZEYSSOLFF
Cuvée Z Vieilles Vignes 2017 ★★

	5000		20 à 30 €

Fondée en 1778 à Gertwiller, cette maison abrite des foudres anciens dont l'un, sculpté, figura à l'Exposition universelle de Paris en 1900. Elle a développé dans la cité du pain d'épice un petit temple de la gastronomie : épicerie fine, caveau-musée et bar à manger ouvert en 2015. Elle complète la production de son vignoble de 10 ha (en conversion bio) par une affaire de négoce.

Élaborée les bonnes années, la cuvée haut de gamme de la maison, dont le 2015 avait décroché un coup de cœur. Moins riche en sucre, le 2017 tend vers le demi-sec. Après un séjour de six mois en foudre de chêne, il revêt une robe jaune pâle aux reflets dorés et offre un nez minéral et légèrement torréfié, qui monte en puissance sur des senteurs suaves de fruits jaunes surmûris. La fleur blanche s'ajoute à cette palette dans un palais ample, minéral et frais, marqué en finale par un retour du fruit. Un ensemble alerte et délicat. (Sucres résiduels : 15 g/l.) 2019-2025

G. ZEYSSOLFF, 156, rte de Strasbourg, 67140 Gertwiller, tél. 03 88 08 90 08, celine@zeyssolff.com V *t.l.j. 10h-12h 14h-18h; f. dim. janv.-Pâques*

ALSACE MUSCAT

Superficie : 351 ha / Production : 18 487 hl

Deux variétés de muscat servent à élaborer ce vin sec et aromatique qui donne l'impression de croquer du raisin frais. Le premier, dénommé de longue date muscat d'Alsace, n'est autre que celui que l'on connaît mieux sous le nom de muscat blanc à petits

grains (parfois dénommé muscat de Frontignan). Comme il est tardif, on le réserve aux meilleures expositions. Le second, plus précoce et de ce fait plus répandu, est le muscat ottonel.

DOM. BOEHLER
Schaefferstein Vendanges tardives 2016 ★

	954		30 à 50 €

Malgré l'héritage industriel des Bugatti, Molsheim reste attachée au vin – le vin, rêve séculaire des Bohler, tanneurs de père en fils sous l'Ancien Régime. Antoine (mort en 1827) lève les yeux vers le cru Bruderthal, y achète les premiers rangs de vigne. Création du domaine en 1892, première mise en bouteilles en 1970. Installés en 1989, René et Josiane spécialisent, agrandissent et modernisent la propriété (8 ha aujourd'hui) qu'ils transmettent en 2018 à leur fils Julien.

Le millésime 2016 a été avare en vendanges tardives. Celles-ci, nées sur un coteau au sous-sol marneux, montrent un potentiel intéressant. La robe est jaune d'or, le nez se déploie avec fraîcheur et une certaine richesse sur des notes de raisin mûr. Une richesse que l'on retrouve dans une bouche aromatique et longue, pour l'heure dominée par les sucres. Un vin encore jeune, qui gagnera en expression et en fondu avec le temps. (Sucres résiduels : 65 g/l.) ⧗ 2021-2027

DOM. BOEHLER, 4, pl. de la Liberté, 67120 Molsheim, tél. 03 88 38 53 16, rene.boehler@orange.fr V *t.l.j. sf dim. 8h-12h 13h-18h30*

DOM. FLECK 2017

	1270		8 à 11 €

En 1995, après ses études d'œnologie et un long stage aux États-Unis, Nathalie, la plus jeune des filles de René Fleck, reprend l'exploitation familiale. Elle vinifie, tandis que son mari, Stéphane Steinmetz, travaille à la vigne. Situé à Soultzmatt, au pied du grand cru Zinnkoepflé, le domaine compte 8 ha, dont 4 ha en grands crus.

Or pâle aux reflets blancs, la robe est typée du muscat sec, tout comme le nez, d'abord discret, qui s'affirme à l'aération sur des notes muscatées et sur des touches florales printanières (violette, primevère). La bouche garde ce côté floral, en harmonie avec une fraîcheur aérienne. Un vin fruité, léger et élégant. (Sucres résiduels : 14,6 g/l.) ⧗ 2019-2022

DOM. RENÉ FLECK ET FILLE, 27, rue d'Orschwihr, 68570 Soultzmatt, tél. 03 89 47 01 20, renefleck@orange.fr V *t.l.j. 8h30-12h 13h30-18h; dim. sur r.-v.* Ⓒ *EARL René Fleck*

DOM. LE FREUD Cuvée sélectionnée 2017 ★

	1810		8 à 11 €

Un domaine familial situé à 15 km au sud de Colmar, dont les origines remontent à 1730. Dirigé par Robert Freudenreich jusqu'en 1992, il est aujourd'hui conduit par son fils Christophe. Fidèle aux traditionnels foudres en bois, ce dernier a agrandi et modernisé les caves. Il cultive près de 8 ha.

La robe or pâle aux reflets verts montre un léger perlant. Discret au premier nez, ce 2017 s'ouvre sur des notes printanières et fraîches, florales et anisées. Les arômes du muscat, du raisin frais, associés à des notes gourmandes de mangue s'affirment dans un palais rond et charnu en attaque, à la finale alerte et dynamique. De l'élégance. (Sucres résiduels : 18 g/l.) ⧗ 2019-2022

ROBERT FREUDENREICH ET FILS, 31, rue de l'Église, 68250 Pfaffenheim, tél. 03 89 49 60 88, robert.freudenreich@wanadoo.fr V *r.-v.*

GOETZ 2017 ★★

	1500		5 à 8 €

Mathieu Goetz, rejoint en 2012 par son fils Louis, a agrandi l'exploitation familiale, située à 20 km de Strasbourg. Implanté à Wolxheim, village réputé pour son riesling, son vignoble compte 11 ha et comprend des parcelles dans le grand cru Altenberg de Wolxheim, au pied du rocher du Horn.

Croquant, expressif, sec et salin, voilà un 2017 bien dans le type du muscat d'Alsace. Ajoutez des qualités de complexité et de structure – des notes à la fois fraîches et suaves de raisin, de fruit de la Passion, de pâte de fruits d'agrumes, du gras, une texture soyeuse, de la longueur, et vous avez le portrait d'un remarquable représentant de l'appellation. (Sucres résiduels : 5 g/l.) ⧗ 2019-2023

VINS MATHIEU ET LOUIS GOETZ, 2, rue Jeanne-d'Arc, 67120 Wolxheim, tél. 03 88 38 10 47, mathieu.goetz@wanadoo.fr V *t.l.j. 8h-12h 13h30-18h30*

MATERNE HAEGELIN ET FILLES
Prestige 2017 ★

	2421		15 à 20 €

Depuis 1986, Régine Garnier est à la tête du domaine familial mis en valeur par son père Materne Haegelin. Situé dans le tronçon sud de la route des Vins, le vignoble (18 ha) est implanté principalement en coteaux, sur des terroirs différents.

Obtenu en partie avec des raisins surmûris, ce moelleux d'un or soutenu séduit par son nez intense et net, suave et raffiné, à dominante florale et épicée. La bouche, à l'unisson, se déploie avec ampleur et rondeur; d'une grande persistance, elle charme par sa palette complexe où l'on retrouve les épices, alliées à la violette; malgré sa richesse en sucre, elle reste élégante, relevée en finale par des touches fraîches d'anis étoilé. (Sucres résiduels : 60 g/l.) ⧗ 2019-2024

MATERNE HAEGELIN ET FILLES, 45-47, Grand-Rue, 68500 Orschwihr, tél. 03 89 76 95 17, vins@materne-haegelin.fr V *t.l.j. 8h30-12h 14h-18h30 ; dim. sur r.-v.* Ⓐ

HUBER ET BLÉGER
2017 ★★

	12000		5 à 8 €

Un domaine créé en 1967 par Marcel Huber et son cousin Robert Bléger autour de Saint-Hippolyte, à la limite des deux départements alsaciens. Après Claude et Marc Huber, Sébastien (fils de Marc) et Franck Bléger assurent la pérennité de l'exploitation qui couvre 30 ha. Des vignobles dominés par le Haut-Kœnigsbourg.

Du premier nez à la finale persistante, ce 2017 aux reflets dorés brille par son intensité. Bien typée, sa palette associe des senteurs florales et muscatées à des notes de fruits jaunes et de fruits confits. En bouche, ce vin puissant et fin, harmonieux et persistant dévoile un remarquable équilibre entre sucre et acidité. (Sucres résiduels : 6,7 g/l.) ⧗ 2019-2023

DOM. HUBER ET BLÉGER, 6, rte du Vin, 68590 Saint-Hippolyte, tél. 03 89 73 01 12, domaine@huber-bleger.fr V *t.l.j. sf dim. 9h-12h 14h-18h*

THIERRY SCHERRER Cuvée Bernard 2017

	1000		8 à 11 €

Les parents de Thierry Scherrer, apporteurs de raisins à la coopérative, ont constitué le vignoble au nord-ouest de Colmar, autour d'Ammerschwihr, important bourg viticole. Ce dernier, œnologue diplômé, a travaillé pour des négociants alsaciens et allemands avant de reprendre en 1993 l'exploitation familiale de 8,5 ha, qui comprend des parcelles dans le grand cru local, le Kaefferkopf.

Une robe dorée pour ce muscat sec qui s'ouvre sur des fragrances fraîches d'aubépine, puis sur des notes intenses de fruits confits. Le fruit se mêle à la violette dans un palais souple et rond, tonifié par une fine acidité. (Sucres résiduels : 5 g/l.) ⧗ 2019-2022

THIERRY SCHERRER, 1, rue de la Gare, 68770 Ammerschwihr, tél. 06 73 40 15 44, thierry.scherrer@wanadoo.fr V *r.-v.*

DOM. PAUL SCHNEIDER 2017

	4300		8 à 11 €

Héritier d'une lignée remontant à 1663, Luc Schneider est établi au cœur d'Eguisheim, dans l'ancienne cour dîmière du grand prévôt de la cathédrale de Strasbourg. Son vignoble couvre 13 ha au sud de Colmar, avec des parcelles dans plusieurs grands crus.

Il offre tout ce qu'on attend d'un muscat sec d'Alsace : un nez expressif, flatteur, croquant et frais, délicatement floral, bien prolongé par un palais vif et fruité à souhait, mêlant des arômes fins et printaniers de muguet à des notes plus gourmandes de pêche et d'abricot. (Sucres résiduels : 6 g/l.) ⧗ 2019-2023

DOM. PAUL SCHNEIDER, 1, rue de l'Hôpital, 68420 Eguisheim, tél. 03 89 41 50 07, contact@domainepaulschneider.fr V *t.l.j. 9h-12h 14h-18h30*

ALSACE PINOT BLANC OU KLEVNER

Superficie : 3 303 ha / Production : 267 672 hl

Sous ces deux dénominations (la seconde étant un vieux nom alsacien), le vin de cette appellation peut provenir de deux cépages : le pinot blanc vrai et l'auxerrois blanc. Ce sont des variétés assez peu exigeantes, capables de donner des résultats remarquables dans des situations moyennes, car leurs vins allient agréablement fraîcheur, corps et souplesse. Dans la gamme des vins d'Alsace, le pinot blanc représente le juste milieu et il n'est pas rare qu'il surclasse certains rieslings.

PIERRE ARNOLD Auxerrois 2017 ★★

	3000		5 à 8 €

Cette propriété familiale a pignon sur rue au cœur de la cité fortifiée de Dambach-la-Ville. Création en 1711, premières mises en bouteilles en 1926, certification bio en 2012. À la tête du domaine depuis 1986, Pierre Arnold cultive 8 ha, avec des parcelles sur le grand cru de sa commune, le Frankstein, aux sols granitiques. Formé en Côte-d'Or, il élève certains de ses vins dans des pièces bourguignonnes.

Élevé dix mois en fût, cet auxerrois s'ouvre avec discrétion sur d'élégantes notes briochées, vanillées et grillées. En bouche, c'est un vin bien sec qui s'impose par son gras et par sa finale minérale et persistante. Il pourra accompagner viandes blanches et poissons en sauce. ⧗ 2019-2022

EARL PIERRE ARNOLD, 16, rue de la Paix, 67650 Dambach-la-Ville, tél. 03 88 92 41 70, alsace.pierre.arnold@orange.fr V *t.l.j. 9h-18h; dim. sur r.-v.*

DOM. BROBECKER 2017

	2000		5 à 8 €

Pascal Joblot a repris en 1997 les rênes du domaine qui porte le nom de son beau-père. L'agriculture raisonnée a précédé la conversion bio, engagée en 2009. Bien que modeste en superficie (4 ha), la propriété possède des parcelles sur les deux grands crus d'Eguisheim.

Un nez expressif et frais, sur la fleur blanche et le bonbon anglais. En bouche, ce vin surprend par son ampleur et par son gras. La fraîcheur, la souplesse et la facilité du pinot blanc, avec une certaine corpulence. ⧗ 2019-2022

DOM. BROBECKER, 3, pl. de l'Église, 68420 Eguisheim, tél. 06 87 52 80 72, joblot.brobecker@gmail.com V *r.-v.*

BRUNO HERTZ Hospices de Strasbourg Élevé en fût de chêne 2017 ★★

	1300		5 à 8 €

La famille Hertz cultive la vigne depuis le XVIIIe s., vit du vin depuis le début du XXe s. et a pignon sur rue dans le centre historique de la cité médiévale d'Eguisheim, au sud de Colmar. Installé en 1979, Bruno Hertz, œnologue, exploite 6 ha, dont plusieurs parcelles en grand cru (Pfersigberg, Rangen).

Issu des cuves les plus prometteuses du vigneron, ce pinot blanc a été élevé dans les caves voûtées des Hospices de Strasbourg, qui remontent à la fin du XIVe s., où il est resté douze mois en foudre de chêne. Il a tiré de ce séjour une palette aromatique complexe (fleurs blanches, notes minérales et léger boisé vanillé) et un palais ample, d'une belle rondeur. À la fois gras et vif, il offre une longue finale où l'on retrouve ce subtil boisé. Une réelle élégance. ⧗ 2019-2022

DOM. BRUNO HERTZ, 9, pl. de l'Église, 68420 Eguisheim, tél. 03 89 41 81 61, contact.bruno@lesvinshertz.fr V *t.l.j. sf lun. 16h-19h; mar. 18h-19h*

KLIPFEL Cuvée Louis Klipfel 2017 ★★

| 8506 | | 5 à 8 € |

Créée en 1824 par Martin Klipfel, cette maison de Barr associe une structure de négoce et un important domaine (40 ha, dont 13 ha en grand cru). Elle commercialise ses vins sous deux étiquettes : Klipfel et André Lorentz, pour l'export et la grande distribution. Héritiers des fondateurs, Jean-Louis Lorentz et ses filles l'ont vendue en 2016 à la maison Arthur Metz, filiale des Grands Chais de France.

Une robe pâle et jeune pour ce pinot blanc au nez délicatement floral, sur l'acacia, et à la bouche étoffée, vive sans rien de mordant, harmonieuse et longue. Élégance, fraîcheur : une remarquable expression du cépage. ⧗ 2019-2022

MAISON KLIPFEL, 10, rue des Jardins, 67140 Barr, tél. 03 88 58 59 00, smtrub@arthurmetz.fr V *t.l.j. 10h-12h 14h-18h*

PAUL SPANNAGEL Tradition 2017 ★

| 2500 | | 5 à 8 € |

Le premier de la lignée vivait en 1598 à Katzenthal, village lové dans un vallon à quelques kilomètres à l'ouest de Colmar. Paul Spannagel se lance dans la vente en bouteilles en 1960. Depuis 1988, ce sont Yves et Claudine Spannagel, rejoints en 2011 par Jérôme et Marie, qui perpétuent l'exploitation (7,5 ha avec des parcelles dans deux grands crus).

Avec son nez complexe et élégant, marqué par des touches briochées, et son palais bien sec, gras et persistant, ce pinot blanc laisse le souvenir d'un blanc racé, proche de la deuxième étoile. ⧗ 2019-2022

DOM. PAUL SPANNAGEL, 1, Grand-Rue, 68230 Katzenthal, tél. 03 89 27 01 70, paul.spannagel@gmail.com V *t.l.j. sf dim. 8h-12h 14h-18h*

FERNAND ZIEGLER 2017

| 8500 | | 5 à 8 € |

Installée à Hunawihr, village emblématique de l'Alsace avec son église fortifiée, la famille cultive la vigne depuis 1634. C'est avec Fernand Ziegler, en 1961, qu'elle s'est lancée dans la vente en bouteilles. Daniel, qui a pris le relais en 1983, exploite 8 ha.

Issue d'auxerrois, cette cuvée en robe dorée séduit par son nez accueillant et riche, bien ouvert sur les fruits jaunes mûrs (pêche et mirabelle), nuancé d'un soupçon de brioche. Ample et ronde, elle possède suffisamment d'acidité pour laisser le souvenir d'un vin bien équilibré, et même plutôt élégant. ⧗ 2019-2022

FERNAND ZIEGLER ET FILS, 7, rue des Vosges, 68150 Hunawihr, tél. 03 89 73 64 42, fernand.ziegler@wanadoo.fr V *r.-v.* B

ALSACE PINOT GRIS

Superficie : 2 355 ha / Production : 165 954 hl

La dénomination locale tokay qui fut donnée au pinot gris pendant quatre siècles ne laisse pas d'étonner, puisque cette variété n'a jamais été utilisée en Hongrie orientale... Selon la légende, le tokay aurait été rapporté de ce pays par le général Lazare de Schwendi, grand propriétaire de vignobles en Alsace. Son aire d'origine semble être, comme celle de tous les pinots, le territoire de l'ancien duché de Bourgogne. Ce cépage a connu une expansion spectaculaire. Le pinot gris peut produire un vin capiteux, très corsé, plein de noblesse, susceptible de remplacer un vin rouge sur les plats de viande. Lorsqu'il est somptueux comme en 1989, 1990 ou 2000, années exceptionnelles, c'est l'un des meilleurs accompagnements du foie gras.

DOM. PIERRE ADAM
Katzenstegel Cuvée Théo 2017 ★★

| 7000 | | 11 à 15 € |

Une exploitation fondée en 1950 par Pierre Adam à Ammerschwihr, important bourg viticole au nord-ouest de Colmar. Elle s'est notablement agrandie : Rémy Adam, à la tête de la propriété depuis 1990, dispose de 16 ha de vignes, avec des parcelles dans deux grands crus : le Kaefferkopf d'Ammerschwihr et le Schlossberg, situé dans le village voisin de Kientzheim.

Souvent en très bonne place dans le Guide, cette cuvée est issue d'un coteau pentu, exposé au sud, à l'ouest d'Ammerschwihr. Le 2017 est de la même veine que son prédécesseur : sa robe intense, jaune d'or, annonce des parfums tout aussi intenses, dominés par la surmaturation : des fruits blancs et jaunes légèrement confits. On retrouve ces arômes dans un palais suave en attaque, concentré, long et frais. Un moelleux très équilibré, flatteur et complexe. (Sucres résiduels : 20 g/l.) ⧗ 2019-2025

DOM. PIERRE ADAM, 8, rue du Lt-Louis-Mourier, 68770 Ammerschwihr, tél. 03 89 78 23 07, info@domaine-adam.com V *t.l.j. 8h-12h 13h30-19h* 4 D

FRÉDÉRIC ARBOGAST Geierstein Cuvée Théo 2017

| 3000 | | 11 à 15 € |

Installé en 2003 à Westhoffen, dans la partie septentrionale du vignoble alsacien, à 25 km de Strasbourg, Frédéric Arbogast perpétue une lignée vigneronne remontant à 1601. Il est établi au centre du village, près de l'église Saint-Martin, et travaille 16 ha en lutte raisonnée. Il vinifie sans levurage.

Les Arbogast mettent en valeur depuis la nuit des temps les pentes du Geierstein, coteau dominant leur village, aux sols argilo-calcaires. Ce terroir bien exposé a engendré un moelleux aux arômes assez simples mais flatteurs de fruits exotiques (ananas) et de fruits jaunes, à la bouche tout aussi fruitée, puissante et suave, équilibrée par une juste acidité. (Sucres résiduels : 38 g/l.) ⧗ 2019-2024

VIGNOBLE FRÉDÉRIC ARBOGAST, 3, pl. de l'Église, 67310 Westhoffen, tél. 03 88 50 30 51, frederic@vignoble-arbogast.fr V *r.-v.*

DOM. BADER 2017

| 1800 | | 5 à 8 € |

Œnologue, Pierre Scharsch a racheté en 2004 cette ancienne exploitation (XVIIe s.) et repris la mise en bouteilles à la propriété. Implanté dans la région de Barr, son vignoble couvre 11 ha. En conversion bio.

Moelleux léger ou demi-sec, ce pinot gris aux reflets dorés, longuement fermenté sur lies en foudre de chêne, libère des parfums beurrés, briochés et toastés, avec une touche fumée et une note de bonbon anglais. Le fruit s'affirme en bouche, sur des arômes de coing, de poire et d'abricot frais. Un vin puissant, chaleureux et onctueux, tonifié par une finale fraîche. (Sucres résiduels : 11 g/l.) ⧗ 2019-2024

DOM. BADER, 1, rue de l'Église, 67680 Epfig, tél. 03 88 85 51 61, vinsbader@gmail.com r.-v.

ANDRÉ BLANCK ET SES FILS
Clos Schwendi 2017 ★

	9000		8 à 11 €

Établie dans le centre historique de Kientzheim, cette propriété a son siège dans l'ancienne cour des chevaliers de Malte, voisine du château Schwendi et du musée du Vin. Les Blanck cultivent la vigne depuis 1675 et Michel et Charles, fils d'André, perpétuent ce savoir-faire sur les 14 ha de l'exploitation.

Née sur les alluvions sableuses et graveleuses de la Weiss, au sud de Kientzheim, cette cuvée provient d'un vignoble qui appartint au Lazare de Schwendi, général au service de Charles Quint qui aurait, dit-on, rapporté de Hongrie le pinot gris – longtemps appelé tokay. De style demi-sec, ce vin affiche une robe doré soutenu et s'ouvre sur des notes grillées et toastées. Le fruit s'affirme dans un palais gras, chaleureux et long. Riche, encore jeune, ce 2017 devrait gagner en harmonie avec le temps. (Sucres résiduels : 11 g/l.) ⧗ 2019-2024

ANDRÉ BLANCK ET SES FILS, Ancienne-Cour-des-Chevaliers-de-Malte, Kientzheim, 68240 Kaysersberg-Vignoble, tél. 03 89 78 24 72, info@andreblanck.com t.l.j. 9h-12h 14h-18h

FRANÇOIS BLÉGER Vieilles Vignes 2017 ★

	6400		8 à 11 €

Originaires de Suisse, les Bléger sont arrivés en 1562 à Saint-Hippolyte, au pied du Haut-Kœnigsbourg. Alors que ses parents vendaient leur vin en vrac au négoce, François Bléger – qui avait étudié la sociologie avant de se former à la viticulture – s'est lancé dans la mise en bouteilles à son installation, en 1996. Il dispose de 8 ha répartis dans quatre communes.

Né sur un terroir granitique, ce pinot gris moelleux affiche une robe doré brillant et présente un nez bien ouvert sur la fleur blanche, puis sur des notes de fruits jaunes confits. Ce côté surmûri se confirme en bouche, en harmonie avec une matière suave et ronde à souhait. La finale persistante est teintée d'une touche de sous-bois caractéristique du cépage. (Sucres résiduels : 47,5 g/l.) ⧗ 2019-2024

FRANÇOIS BLÉGER, 63, rte du Vin, 68590 Saint-Hippolyte, tél. 03 89 73 06 06, domaine.bleger@wanadoo.fr r.-v.

DOM. LÉON BOESCH
L'Enchanteur 2017 ★★★

	2000		15 à 20 €

Matthieu Boesch a pris avec Marie la succession de son père Gérard. Le couple exploite environ 15 ha à l'entrée de la Vallée Noble, avec des vignes dans le grand cru Zinnkoepflé. Installée depuis le XVIIIe s. à Soultzmatt, la famille a déménagé dans le village voisin de Westhalten et construit en 2010 une cave enterrée bioclimatique qui cadre bien avec sa démarche biodynamique.

Bien connu des lecteurs du Guide pour ses vins liquoreux, Matthieu Boesch a tiré du pinot gris, planté sur les sols gréseux du secteur, un moelleux qui a fait d'emblée grande impression. La robe est d'un jaune doré intense. Le nez chaleureux allie les notes fumées et le sous-bois caractéristiques du cépage à des arômes de surmaturation (fruits confits), qui s'affirment en bouche. Une attaque vive ouvre sur un palais d'une belle longueur, à la fois doux et très acidulé, évocateur de bonbon. Une cuvée gourmande et harmonieuse, qui n'usurpe pas son nom. (Sucres résiduels : 82 g/l.) ⧗ 2019-2029

DOM. LÉON BOESCH, 6, rue Saint-Blaise, 68250 Westhalten, tél. 03 89 47 01 83, boesch@domaine-boesch.fr r.-v.

PAUL BUECHER Clos Gottestal 2017 ★★

	8000		11 à 15 €

D'origine suisse, la famille Buecher s'est établie près de Colmar après la guerre de Trente Ans. Après Paul Buecher, qui a vendu en 1959 les premiers vins en bouteilles, se sont succédé Henri, Jean-Marc, puis Jérôme, à la tête du domaine depuis 2004. L'exploitation, agrandie à chaque génération, est passée de 5 à 30 ha; elle s'est étendue dans les grands crus et convertie au bio.

Le Clos Gottestal (2,5 ha) a été planté il y a dix ans à Leimbach, au sud de Thann. Établi au milieu de la forêt sur des sols marno-gréseux, il est exposé au sud-est. Né dans le village le plus méridional de l'Alsace viticole, ce vin, de style demi-sec ou moelleux léger, n'est pas chaud pour autant. Au contraire, son ampleur en attaque est équilibrée par une belle tension et par une finale longue et saline particulièrement appréciées. Un caractère lié sans doute à l'altitude (400 m). Les arômes? Le fruité du cépage, accompagné d'un léger boisé vanillé dû à un élevage mené pour 20 % en barrique. (Sucres résiduels : 14,8 g/l.) ⧗ 2020-2023

PAUL BUECHER, 15, rue Sainte-Gertrude, 68920 Wettolsheim, tél. 03 89 80 64 73, vins@paul-buecher.com t.l.j. sf dim. 8h-12h 13h-17h

BURGHART-SPETTEL Cuvée Réserve 2017

	6500		8 à 11 €

Le domaine est implanté entre Colmar et Riquewihr, dans le village viticole de Mittelwihr, connu pour sa colline des Amandiers. Héritier d'une tradition remontant au XIXe s., Bertrand Spettel, rejoint par Jérôme en 2009, exploite 14 ha de vignes répartis sur sept communes, avec des parcelles dans trois grands crus.

Une robe jaune soutenu, un nez typé, partagé entre les fruits jaunes bien mûrs, voire confits, et des nuances de sous-bois caractéristiques du cépage. En bouche, ce vin laisse une impression de puissance et de richesse, équilibrées par une pointe d'acidité en finale. Moelleux léger ou demi-sec, il pourra être servi à table sur une viande blanche ou de la cuisine asiatique. (Sucres résiduels : 35 g/l.) ⧗ 2019-2023

DOM. BURGHART-SPETTEL, 9, rte du Vin, 68630 Mittelwihr, tél. 03 89 47 93 19, burghart-spettel@orange.fr V t.l.j. sf dim. 10h-18h

CAVE DE CLEEBOURG Himmrich 2017 ★

	10 800		8 à 11 €

La cave de Cleebourg a été fondée en 1946 pour sauver le vignoble situé à l'extrémité nord de l'Alsace, à la limite de l'Allemagne et à 80 km du tronçon principal de la route des Vins. La coopérative vinifie les vendanges de près de 200 ha de vignes implantés dans les villages proches de Wissembourg.

Une belle année pour la cave, qui signe avec ce 2017 un pinot blanc flatteur, issu d'un terroir argilo-limoneux, d'exposition sud. D'un jaune doré, ce vin séduit d'emblée par son expression aromatique complexe, alliant les fruits jaunes confits à des touches épicées et fumées. Le fruit confit s'épanouit dans un palais ample et gras, tendu par un trait d'acidité qui donne tonus et allonge à la finale. Son caractère sec permettra à cette bouteille de se placer facilement à table. (Sucres résiduels : 14 g/l.) 2019-2024

CAVE VINICOLE DE CLEEBOURG, rte du Vin, 67160 Cleebourg, tél. 03 88 94 50 33, info@cave-cleebourg.com V t.l.j. 8h-12h 14h-18h

HOSPICES DE COLMAR 2016

	3296		8 à 11 €

Géré depuis 1980 par Jean-Rémy Haeffelin, rejoint par son fils Nicolas, le domaine a été fondé en 1895 par Chrétien Oberlin, célèbre ampélographe, et a été repris en 2011 par Arthur Metz, filiale des Grands Chais de France. Il dispose en propre de près de 30 ha (dont le vignoble des Hospices, qui remonte à 1255), avec des parcelles dans plusieurs grands crus.

Moelleux très léger ou demi-sec, ce 2016 aux reflets dorés offre les caractères attendus du pinot gris : des arômes fumés et des notes de sous-bois – y compris de la truffe blanche –, un palais ample en attaque et tendu par une belle acidité qui permettra à cette bouteille d'accompagner une viande blanche. Un vin racé et typé. (Sucres résiduels : 13 g/l.) 2019-2023

DOM. VITICOLE DE LA VILLE DE COLMAR, 2, rue du Stauffen, 68000 Colmar, tél. 03 89 79 11 87, nhaeffelin@domaineviticolecolmar.fr V t.l.j. 9h30-12h30 14h-18h

DOM. DOCK Vendanges tardives 2016 ★

	800		15 à 20 €

Conduite par Christian Dock, l'exploitation se transmet de père en fils depuis 1870 et couvre 12 ha. Elle est installée à Heiligenstein, village perché sur un coteau dominé par le mont Sainte-Odile. Le klevener-de-heiligenstein est la spécialité de la propriété.

Ce domaine signe souvent de beaux vins doux. Comme ces vendanges tardives, produites dans un millésime chiche en liquoreux. Le vigneron a attendu le 7 décembre pour récolter les baies de pinot gris à l'origine de cette cuvée confidentielle. Nos dégustateurs saluent la délicatesse de son expression aromatique (pêche et orange confite, pâte de coings) et de sa bouche, qui concilie puissance, richesse et finesse. (Sucres résiduels : 75 g/l.) 2019-2025

DOM. CHRISTIAN DOCK, 20, rue Principale, 67140 Heiligenstein, tél. 03 88 08 02 69, cdock@wanadoo.fr V r.-v.

EBLIN-FUCHS Sélection de grains nobles 2015

	3000		30 à 50 €

Établis à Zellenberg, petit village perché voisin de Riquewihr, José, Henri et Christian Eblin sont les héritiers d'une lignée de vignerons remontant au XIIIe s. Ils ont adopté la biodynamie dès 1999. Leur domaine couvre environ 11 ha répartis dans six communes, avec des parcelles dans quatre grands crus.

D'un jaune doré, ce liquoreux apparaît encore jeune et fermé. Son nez discret, marqué par la note de sous-bois typée du cépage, laisse deviner une belle finesse. Tout aussi réservé, ample et puissant sans excès de concentration, le palais montre un bon équilibre. À oublier quelques années en cave. (Sucres résiduels : 99 g/l.) 2021-2027

EBLIN-FUCHS, 19, rte des Vins, 68340 Zellenberg, tél. 03 89 47 91 14, christian.eblin@orange.fr V r.-v.

DOM. DE L'ÉCOLE Côte de Rouffach 2017

	7656		8 à 11 €

Le Dom. de l'École n'est autre que le vignoble du lycée viticole de Rouffach : 5 ha à sa création en 1953, 14,5 ha aujourd'hui, avec plusieurs parcelles dans le Vorbourg, le grand cru qui s'étage au-dessus de la ville. Il constitue un support pour les travaux pratiques des futurs vignerons et professionnels formés dans l'établissement.

Produit sur le terroir marno-calcaire de la Côte de Rouffach – qui bénéficie d'une dénomination officielle – ce pinot gris du lycée viticole ne manque pas d'atouts : un nez qui s'ouvre sur les notes grillées, un rien fumées, caractéristiques du cépage; une bouche souple en attaque, portée par une belle ligne acide qui lui confère de l'élégance; des arômes flatteurs de fruits jaunes très mûrs et d'agrumes confits. Un moelleux léger fort agréable. (Sucres résiduels : 25 g/l.) 2019-2024

DOM. DE L' ÉCOLE, EPLEFPA Les Sillons de Haute Alsace, 8, aux Remparts, 68250 Rouffach, tél. 03 89 78 73 48, expl-viti.rouffach@educagri.fr V t.l.j. sf sam. dim. 9h30-12h 14h-17h

CHARLES FAHRER Cuvée Jeanne 2017

	7194		5 à 8 €

De vieille souche vigneronne, Charles Fahrer a lancé son étiquette en 1965 et transmis son exploitation à son fils en 1988. Aujourd'hui, Thierry et Nathalie Fahrer cultivent 9 ha de vignes disséminés sur une trentaine de parcelles en contrebas du Haut-Kœnigsbourg, y compris dans le grand cru Praelatenberg.

Nommée en hommage à l'arrière-grand-mère, une cuvée moelleuse issue de raisins récoltés à la mi-octobre. Or pâle, elle apparaît très réservée au nez comme en bouche, laissant poindre des senteurs discrètement fruitées. Elle inspire pourtant confiance par son attaque souple, relayée par une ligne acide qui porte loin la finale. Un vin bien construit, puissant et généreux. (Sucres résiduels : 47 g/l.) ⧗ 2021-2025

⊶ CHARLES FAHRER ET FILS, 5-7, Grand-Rue, 67600 Orschwiller, tél. 03 88 92 08 25, charles.fahrer@evc.net V *t.l.j. 8h30-12h 13h-19h*

LES FAÎTIÈRES
Le Puits du moine 2017 ★

30000 | 5 à 8 €

Rebaptisée Les Faîtières, la cave vinicole d'Orschwiller, fondée en 1957, s'approvisionne dans trois villages situés en contrebas du château du Haut-Kœnigsbourg : Orschwiller, Kintzheim et Saint-Hippolyte (130 ha au total). C'est aussi le nom de sa marque.

Demi-sec ou moelleux léger, ce pinot gris provient d'un terroir siliceux jadis mis en valeur par les moines. De couleur or aux reflets verts, discret au nez, il s'ouvre à l'aération sur des arômes de fruits blancs confits (poire et pêche) qui s'affirment en bouche, accompagnés de touches fumées. Suave en attaque, chaleureux en finale, il est équilibré par un trait d'acidité et par une légère amertume. (Sucres résiduels : 22 g/l.) ⧗ 2019-2023

⊶ CAVE LES FAÎTIÈRES, 3, rte du Vin, 67600 Orschwiller, tél. 03 88 92 09 87, cave@cave-orschwiller.fr V *t.l.j. 10h-12h 13h-19h*

DOM. FLECK Vendanges tardives 2016 ★★

1370 | 20 à 30 €

En 1995, après ses études d'œnologie et un long stage aux États-Unis, Nathalie, la plus jeune des filles de René Fleck, reprend l'exploitation familiale. Elle vinifie, tandis que son mari, Stéphane Steinmetz, travaille à la vigne. Situé à Soultzmatt, au pied du grand cru Zinnkoepflé, le domaine compte 8 ha, dont 4 ha en grands crus.

Bien abrité par les plus hauts sommets vosgiens, le vignoble de Soultzmatt est propice à l'élaboration de vendanges tardives. Ce domaine en signe régulièrement de très réussies, même dans les millésimes chiches en liquoreux comme 2016. Ce pinot gris aux reflets jaune doré a charmé nos dégustateurs par son expression aromatique intensément fruitée (pêche, abricot, agrumes confits) et surtout par sa fraîcheur qui lui confère une réelle harmonie. De la finesse. (Sucres résiduels : 93 g/l.) ⧗ 2019-2028

⊶ DOM. RENÉ FLECK ET FILLE, 27, rue d'Orschwihr, 68570 Soultzmatt, tél. 03 89 47 01 20, renefleck@orange.fr V *t.l.j. 8h30-12h 13h30-18h; dim. sur r.-v.*

DOM. MARCEL FREYBURGER
Cuvée Sébastien 2017

4000 | 8 à 11 €

Située dans le centre du village d'Ammerschwihr, important bourg viticole au nord-ouest de Colmar, l'exploitation est conduite depuis 1996 par Christophe Freyburger, fils de Marcel. Elle a doublé sa superficie depuis les origines et s'étend aujourd'hui sur plus de 7 ha, avec des parcelles dans le Kaefferkopf, le grand cru local. En conversion bio.

Dernière année de conversion bio pour le domaine, qui signe un pinot gris de bonne facture : robe or clair, arômes de fruits blancs bien mûrs, voire confits (poire, pêche, coing…), nuancés de notes fumées et épicées, bouche équilibrée, fraîche et longue. Sec ou moelleux? Disons demi-sec… Ce caractère permettra de le servir à de nombreuses occasions : apéritif, dessert aux fruits pas trop sucrés, plats sucrés-salés… (Sucres résiduels : 17 g/l.) ⧗ 2019-2023

⊶ DOM. MARCEL FREYBURGER, 13, Grand-Rue, 68770 Ammerschwihr, tél. 03 89 78 25 72, info@freyburger.fr V *t.l.j. 9h-12h 13h30-18h; dim. sur r.-v.*

FROEHLICH Cuvée sélectionnée 2017 ★

6100 | 5 à 8 €

Michel Froehlich a pris en 1992 la succession de son père Fernand, qui s'était lancé dans la mise en bouteilles. Si le siège du domaine est situé dans la plaine, au nord de Colmar, les 11 ha de vignes sont disséminés dans quatre villages réputés : Beblenheim, Zellenberg, Ribeauvillé et Riquewihr.

Une robe claire, or blanc. Au nez, de la discrétion, mais une certaine complexité, avec des notes grillées et miellées. En bouche, du fruit – pêche blanche et poire – et une franche acidité qui confère finesse, élégance et longueur à ce moelleux léger, presque un demi-sec. Pour l'apéritif comme pour la table – de beaux accords en perspective avec des viandes blanches ou des plats aigre-doux. (Sucres résiduels : 26,5 g/l.) ⧗ 2019-2024

⊶ DOM. FROEHLICH, 29, rte de Colmar, 68150 Ostheim, tél. 03 89 86 01 46, vins-alsace@domaine-froehlich.fr V *t.l.j. sf dim. 8h-11h30 13h30-18h30*

♥ JEAN GEILER
Vendanges tardives 2015 ★★★

34000 | 15 à 20 €

Fondée en 1926 par 36 vignerons, la coopérative d'Ingersheim, proche de Colmar, compte 175 adhérents et vinifie le fruit d'un vignoble de 390 ha dans le Haut-Rhin, avec des parcelles dans dix grands crus. Jean Geiler est sa marque. Son siège abrite un musée du Vigneron et une salle accueillant expositions et événements culturels.

Le millésime 2015 a engendré des volumes appréciables de sélections de grains nobles et de vendanges tardives. Parmi ces dernières, la coopérative signe un pinot gris plébiscité par nos dégustateurs – pour sa robe jaune d'or intense, bien dans le type, comme pour ses arômes de fruits jaunes confiturés et de pâte de coings qui s'épanouissent en bouche, nuancés de notes grillées. Et surtout pour sa remarquable structure : ample, gras et riche, ce vin est équilibré par une pointe d'acidité qui l'affine, l'allège et l'allonge. (Sucres résiduels : 80 g/l.) ⧗ 2019-2029

⊶ CAVE JEAN GEILER, 45, rue de la République, 68040 Ingersheim, tél. 03 89 27 90 27, vin@geiler.fr V *t.l.j. 9h-12h 14h-18h*

GOCKER
Vieilles Vignes 2017

■ | 4000 | 🍾 | 11 à 15 €

Philippe et Andrée Gocker, installés en 1978, perpétuent une tradition vigneronne remontant au XVIe s. Situé au cœur de la route des Vins, leur domaine de 8 ha est implanté à Mittelwihr et dans trois communes voisines : Hunawihr, Bennwihr et Riquewihr.

Né de vignes de quarante ans plantées sur sols argilo-calcaires et gréseux, ce pinot gris a été élaboré à partir de raisins récoltés à surmaturité. Ce caractère transparaît dans toute la dégustation de ce vin moelleux : intensité de la robe jaune d'or, intensité du nez, sur les fruits confits relevés d'épices douces, rondeur et suavité de la bouche, tonifiée par ce qu'il faut d'acidité. (Sucres résiduels : 30 g/l.) ⧗ 2019-2023

PHILIPPE GOCKER, 1, pl. des Cigognes, 68630 Mittelwihr, tél. 03 89 49 01 23, domaine.gocker@hotmail.fr V 🚶 ▪ *t.l.j. sf dim. 8h-12h 14h-19h; f. 15-30 août*

DOM. ROBERT HAAG ET FILS
Vieilles Vignes 2017 ★

■ | 3400 | 🛢 | 8 à 11 €

Perpétuant une lignée remontant au XVIIIe s., François Haag a succédé en 1999 à son père Robert, qui a spécialisé l'exploitation. La famille est installée dans une maison typique, avec vaste porche, cour et colombages. Son village, Scherwiller, est un haut lieu du riesling, et la moitié du vignoble (près de 9 ha) est dédiée à ce cépage.

D'un jaune pâle brillant aux reflets dorés, ce pinot gris, d'approche discrète, s'ouvre à l'aération sur la pêche blanche et sur les fruits secs. La mirabelle et une touche de sous-bois typée du cépage s'ajoutent à cette palette dans un palais souple et suave en attaque, tonifié par une pointe d'acidité. Un moelleux élégant. (Sucres résiduels : 20 g/l.) ⧗ 2019-2025

DOM. ROBERT HAAG ET FILS, 21, rue de la Mairie, 67750 Scherwiller, tél. 03 88 92 11 83, vins.haag.robert@estvideo.fr V 🚶 ▪ *t.l.j. sf dim. 9h-12h 13h30-18h*

HARTWEG Schloesselreben 2017 ★★

■ | 1565 | 🛢 | 11 à 15 €

Fondée au nord de Colmar en 1930, cette exploitation est conduite depuis 1972 par Jean-Paul Hartweg, rejoint par son fils Frank en 1996. Le tandem exploite autour du joli village de Beblenheim un vignoble de 10 ha dont les fleurons sont en grand cru (Sonnenglanz, Mandelberg).

Les pinot gris du domaine sont très souvent en très bonne place dans le Guide. Celui-ci, qui provient d'un lieu-dit argilo-calcaire, est un moelleux remarquable, tant par son expression aromatique (fruits exotiques, notes fumées et réglissées) que par son équilibre en bouche, où la puissance et la richesse se conjuguent à une belle élégance. Marquée par un retour des nuances fumées et réglissées, la finale persistante laisse le souvenir d'une réelle harmonie. (Sucres résiduels : 43 g/l.) ⧗ 2019-2029 ■ **2017 (8 à 11 €; 7600 b.)** : vin cité.

FRANK HARTWEG, 39, rue Jean-Macé, 68980 Beblenheim, tél. 03 89 47 94 79, frank.hartweg@free.fr V 🚶 ▪ *t.l.j. sf dim. 9h-11h45 14h-17h45 ; sam. sur r.-v.* 🏠 Ⓑ

Ⓑ **FAMILLE HEBINGER** Saint-Jacques 2017 ★

■ | 800 | 🛢 | 15 à 20 €

Le domaine s'est spécialisé après 1945. Aujourd'hui, Christian et Véronique Hebinger, établis à Eguisheim depuis 1985 et rejoints par Denis, cultivent leurs 11 ha autour de la petite cité médiévale et vers Wintzenheim – en biodynamie (certification bio en 2009). Leurs fleurons : des parcelles en grand cru (Hengst, Eichberg, Pfersigberg).

Ce pinot gris provient d'un coteau aux sols calcaro-gréseux, traversé par le chemin de Saint-Jacques de Compostelle. Vinifié en sec, il a séjourné douze mois en fût. L'élevage apporte au nez comme en bouche un léger boisé vanillé, bien marié aux arômes du cépage – du fruit blanc mûr, nuancé de notes de miel de forêt et d'un léger fumé. Chaleureux en attaque, tendu par une belle acidité, minéral et long, le palais laisse le souvenir d'un vin frais et élégant. (Sucres résiduels : 5 g/l.) ⧗ 2019-2023

FAMILLE HEBINGER, 14, Grand-Rue, 68420 Eguisheim, tél. 03 89 41 19 90, famille@vins-hebinger.fr V ▪ *r.-v.*

HINDERER ET WOLFF 2017 ★

■ | 5300 | 🍾 | 11 à 15 €

Bien connu des lecteurs du Guide, Pierre Reinhart, qui était depuis 1983 à la tête du domaine portant son nom, a passé la main et vendu le domaine familial en juillet 2018 à un frère et une sœur et à leurs conjoints : Arsène et Sophie Wolff, Éric et Marianne Hinderer. Implantée à Orschwihr, l'un des villages les plus méridionaux de la route des Vins, la propriété comprend 5,5 ha de vignes, avec des parcelles dans de beaux terroirs (grands crus Kitterlé et Saering, Bollenberg et Lippelsberg).

Une robe paille, un nez intense, riche et complexe, sur les fleurs et les fruits blancs bien mûrs, avec des touches minérales et grillées : l'approche est engageante. On retrouve ces arômes dans un palais puissant et généreux en attaque, équilibré par une fine acidité. Chaleureuse et persistante, marquée par un retour du grillé, la finale laisse le souvenir d'un vin structuré et corsé : un pinot gris bien typé. (Sucres résiduels : 4,7 g/l.) ⧗ 2019-2023

VIGNOBLE HINDERER ET WOLFF, 7, rue du Printemps, 68500 Orschwihr, tél. 07 78 12 18 75, sophie@hinderer-wolff.fr V 🚶 ▪ *t.l.j. 8h-12h 14h-18h; sam. dim. sur r.-v.*

HUEBER Vieilles Vignes 2017 ★★

■ | 10000 | 🍾 | 5 à 8 €

Fondé en 1936, ce domaine de 11 ha a son siège au milieu des vignes, à l'entrée de Riquewihr, la cité viticole la plus visitée de la région. Installé en 1996, Valentin Hueber a étudié la sommellerie et suivi les traces de son père et de cinq générations en développant l'œnotourisme sur la propriété.

Le nom de la cuvée n'est pas usurpé : ce pinot gris naît de vignes âgées de quarante-cinq ans. Demi-sec ou moelleux léger, ce vin séduit par sa palette bien fruitée, centrée sur les fruits jaunes surmûris, voire confits. Au palais, ce fruité se déploie sur des notes de pêche, de poire et de coing, agrémentées de minéralité et des touches fumées typées du cépage. Nos dégustateurs soulignent aussi l'ampleur, la concentration et la persistance du palais, ample et suave en attaque et servi en finale par une belle fraîcheur. (Sucres résiduels : 23 g/l.) ⌛ 2019-2025

HUEBER ET FILS, 6, rte de Colmar, 68340 Riquewihr, tél. 03 89 47 92 30, jeanpaul.hueber68@orange.fr V t.l.j. 9h-12h 13h-18h

CAVE VINICOLE DE HUNAWIHR
Vendanges tardives 2016 ★

| 16000 | 15 à 20 € |

Fondée en 1954 au cœur de la route des Vins, la cave de Hunawihr regroupe majoritairement des viticulteurs de ce village. La coopérative vinifie le fruit de 200 ha et propose une large gamme de vins (dont cinq grands crus). Elle a quatre marques : Peter Weber, L'Unabelle, Armand Schreyer et Kuhlmann-Platz (ancienne maison de négoce rachetée en 1985).

Une belle expression du millésime avec ces vendanges tardives alliant puissance et élégance. Flatteur et frais, le nez allie la pêche et les agrumes confits – mandarine et zeste d'orange. On retrouve le fruit jaune dans le palais intense, généreux, riche et persistant, tonifié en finale par une franche vivacité et par une pointe d'amertume. De la finesse et du caractère. (Sucres résiduels : 80 g/l.) ⌛ 2019-2029 ■ **Muehlfrost 2017 (8 à 11 €; 6000 b.)** : vin cité.

CAVE VINICOLE DE HUNAWIHR, 48, rte de Ribeauvillé, 68150 Hunawihr, tél. 03 89 73 61 67, oenologue@cave-hunawihr.com V *t.l.j. 9h-18h*

MARCEL IMMÉLÉ Vendanges tardives 2016 ★

| 1900 | 20 à 30 € |

Originaire de Suisse, la famille Immélé a fait souche en 1831 au sud de Colmar, à Voegtlinshoffen, un village perché qui offre une vue imprenable sur le vignoble et la plaine d'Alsace. Aujourd'hui, Marcel exploite près de 9 ha de vignes avec son fils Marc qui l'a rejoint en 1997.

Issues de ceps vénérables (soixante ans), ces vendanges tardives méritent bien leur nom : les raisins ont été vendangés le 6 décembre 2016. Paré de reflets jaune d'or, le vin libère des arômes intenses et flatteurs de pourriture noble : miel, grillé, fruits confits, avec une nuance fraîche de zeste d'agrumes. On retrouve ces tons d'orange confite dans un palais puissant, riche et onctueux, tonifié par de nobles amers et par une pointe de fraîcheur qui porte loin la finale. (Sucres résiduels : 78 g/l.) ⌛ 2019-2029

MARCEL IMMÉLÉ ET FILS, 8, rue Roger-Frémeaux, 68420 Voegtlinshoffen, tél. 06 80 03 72 48, immele@vins-immele.net V *t.l.j. 8h30-12h 14h-18h; dim. 8h30 12h*

B KAMM Vieilles Vignes 2017

| 1500 | 8 à 11 € |

Fondé en 1905, ce domaine compte aujourd'hui 7 ha autour de Dambach-la-Ville, important village viticole fortifié situé entre Bar et Sélestat. Comme de nombreux producteurs alsaciens, Jean-Louis Kamm et son fils Éric – qui conduit la propriété depuis 2005 – ont franchi le pas : ils ont engagé en 2010 la conversion bio de leur vignoble, jusqu'alors exploité en lutte raisonnée.

Des vignes de cinquante ans et des vendanges le 24 octobre pour ce pinot gris moelleux. Le vin en retire de séduisants parfums de surmaturation, qui s'élèvent après aération au-dessus du verre : de la mirabelle et de l'abricot sec, accompagnés de la touche fumée du cépage. Suave en attaque, le palais apparaît un peu simple, mais il fait preuve d'un bon équilibre. (Sucres résiduels : 20 g/l.) ⌛ 2019-2023

VINS JEAN-LOUIS ET ÉRIC KAMM, 59, rue du Mal-Foch, 67650 Dambach-la-Ville, tél. 06 75 79 01 09, jl.kamm@orange.fr V *r.-v.*

B MADER 2017

| 7000 | 8 à 11 € |

Installés sur le domaine familial en 1981, Jean-Luc et Anne Mader ont repris l'élaboration des vins à la propriété et la vente directe, qui s'était interrompue à la génération précédente. Couvrant 11 ha au cœur de la route des Vins, leur vignoble est disséminé sur quatre communes : Ribeauvillé, Hunawihr, Riquewihr et Kientzheim. Après l'arrivée de leur fils Jérôme en 2005, l'exploitation a adopté la démarche bio (certification en 2010).

Un beau pinot gris vinifié en sec. Bien typé du cépage, le nez mêle la fleur blanche, la pêche, des notes grillées et une touche de sous-bois. Dans le même registre, la bouche se montre ample, charnue et chaleureuse de bout en bout, équilibrée par une juste fraîcheur. (Sucres résiduels : 6,5 g/l.) ⌛ 2019-2023

DOM. JEAN-LUC MADER, 13, Grand-Rue, 68150 Hunawihr, tél. 03 89 73 80 32, vins.mader@laposte.net V *r.-v.*

DOM. DU MANOIR
Clos du Letzenberg Cuvée Victoria 2017 ★

| 1190 | 11 à 15 € |

En 1979, Jean-Francis Thomann, fils d'un petit viticulteur d'Ingersheim, a repris le Clos du Letzenberg, aménagé en 1852 sur un coteau escarpé dominant la vallée de la Fecht, puis laissé à l'abandon après 1914. Il a fini par lâcher son travail à la banque et a impliqué ses proches dans l'aventure. La famille a restauré les murs de soutènement en pierre sèche, défriché, planté et bichonne aujourd'hui 10 ha de vignes.

Un élevage « à la bourguignonne » pour ce pinot gris fermenté et élevé dix mois sur lies en barrique – avec 20 % de bois neuf, que nos dégustateurs ne manquent pas de détecter. Le nez libère un boisé vanillé marqué mais élégant, qui laisse poindre le fruité abricoté du raisin. Bien sec, charnu, étoffé et long, le palais possède la structure nécessaire pour assimiler le bois. (Sucres résiduels : 2,5 g/l.) ⌛ 2020-2024

DOM. DU MANOIR, 56, rue de la Promenade, 68040 Ingersheim, tél. 03 89 27 23 69, domainedumanoir@gmail.com V *t.l.j. 10h-12h 14h-18h; dim. sur r.-v.*

MARZOLF Vieilles Vignes 2017

| 2729 | | 8 à 11 € |

Viticulteurs depuis 1730, les Marzolf se sont établis en 1904 à Gueberschwihr, village aussi connu pour son clocher roman de grès rose que pour l'ancienneté de son vignoble. Après Paul et René, Denis, installé en 1985, conduit l'exploitation, qui comprend des parcelles dans le grand cru local, le Goldert.

Vinifié en sec, ce pinot gris offre plutôt les traits d'un demi-sec, car les sucres font sentir leur présence. Intéressant, son nez s'ouvre sur les fruits confits, accompagnés de notes fumées et réglissées. On retrouve les fruits confits dans un palais doux et suave en attaque, onctueux, puissant et long, équilibré par ce qu'il faut de fraîcheur. Du potentiel. (Sucres résiduels : 22 g/l.) ⧗ 2020-2025

MARZOLF, 9, rte de Rouffach, 68420 Gueberschwihr, tél. 03 89 49 31 02, vins@marzolf.fr V t.l.j. 9h-11h45 13h30-19h

LUCIEN MEYER ET FILS Vendanges tardives 2016 ★★

| 1400 | | 15 à 20 € |

Installé en 1982, Jean-Marc Meyer perpétue l'exploitation fondée par un de ses arrière-grands-pères un siècle plus tôt, et implantée à environ 10 km au sud de Colmar. Un hectare et demi, sur les neuf que compte sa propriété, est situé sur le Hatschbourg, le grand cru dominant son village.

Une approche très séduisante pour ces vendanges tardives à la robe jaune d'or et au nez confit, entre la pêche, l'abricot et des nuances plus fraîches d'orange et de mandarine, relevées de touches poivrées. Dans une belle continuité, le palais déploie une matière ample, aussi puissante qu'élégante, et offre une finale longue, vive et épicée, marquée par de nobles amers. On sent la pourriture noble dans ce vin intense, très riche et pourtant d'une réelle finesse. (Sucres résiduels : 114 g/l.) ⧗ 2019-2029

LUCIEN MEYER ET FILS, 57, rue du Mal-Leclerc, 68420 Hattstatt, tél. 03 89 49 31 74, info@earl-meyer.com V r.-v.

MEYER-FONNÉ 2017

| 2500 | | 8 à 11 € |

Héritier d'une longue lignée au service du vin, Félix Meyer, installé en 1992, a longtemps suivi la démarche bio, sans certification, avant d'engager la conversion de sa propriété. À la tête d'un vignoble, plus de 15 ha répartis sur sept communes proches de Colmar, complété par une petite structure de négoce, il peut jouer sur une large palette de terroirs, et notamment sur cinq grands crus.

Vinifié en sec, un pinot gris de belle facture, issu du négoce. Intéressant, bien ouvert, le nez déploie des arômes complexes et typés : fleurs blanches, fruits blancs surmûris, notes grillées, pâte d'amandes, pain d'épice. Un peu en retrait, plus simple, la bouche n'en offre pas moins un côté gourmand et le caractère étoffé et chaleureux que l'on recherche dans les pinots gris d'Alsace. (Sucres résiduels : 8 g/l.) ⧗ 2019-2022

FÉLIX MEYER, 24, Grand-Rue, 68230 Katzenthal, tél. 03 89 27 16 50, felix@meyer-fonne.com

ROLLY GASSMANN Rorschwihr Sélection de grains nobles 2015 ★

| 10000 | | + de 100 € |

Domaine né de l'union de Marie-Thérèse Rolly avec Louis Gassmann, établis à Rorschwihr, village dominé par le Haut-Kœnigsbourg. Héritiers de lignées remontant à 1611, ces vignerons ont constitué un vaste domaine de 53 ha. Pierre Gassmann élabore de multiples cuvées, vinifiées par lieux-dits et types de sol. Il a inauguré en 2018 un impressionnant bâtiment sur 6 niveaux qui regroupe ses sept anciens sites : un chai enterré et une salle de dégustation panoramique.

Du Silberberg, terroir marno-calcaire, Pierre Gassmann a tiré l'an dernier un remarquable riesling en sélection de grains nobles. Son pinot gris liquoreux du même terroir est pratiquement du même niveau : son expression aromatique flatteuse, entre fruits jaunes confits et notes grillées, s'affirme en bouche, agrémentée en finale de touches miellées. Au palais, ce vin dévoile une ampleur, une concentration et une richesse impressionnantes, équilibré par une arête acide qui lui confère une réelle harmonie tout en assurant son avenir. (Sucres résiduels : 192 g/l.) ⧗ 2020-2029

ROLLY GASSMANN, 2, rue de l'Église, 68590 Rorschwihr, tél. 03 89 73 63 28, rollygassmann@wanadoo.fr V r.-v.

JOSEPH RUDLOFF Vendanges tardives 2016 ★★

| 14000 | | 20 à 30 € |

Entre Kintzheim et Bergheim, au pied du Haut-Kœnigsbourg, pas moins de 65 ha répartis sur 150 parcelles, en bio certifié (biodynamie) depuis 2003. Fernand Engel débute les vinifications au domaine en 1949; son fils Bernard agrandit le vignoble et engage la conversion bio; la troisième génération, représentée par Sandrine et Xavier Baril (ce dernier œnologue) gère aujourd'hui la propriété, avec l'aide d'Amélie, l'arrière-petite-fille du fondateur. Un domaine très régulier en qualité. Deux étiquettes : Fernand Engel et Joseph Rudloff.

Xavier Baril sait tirer le meilleur du pinot gris et signe souvent de superbes liquoreux, comme les trois cuvées 2015 en vue l'an dernier. Dans un millésime moins faste pour ce type de vin, il propose de superbes vendanges tardives, issues de raisins botrytisés ou passerillés à 80 %, récoltés le 28 novembre. Au nez, ce 2016 annonce son caractère surmûri et alerte par de fines notes d'orange et de pamplemousse confits. Ce côté tonique se confirme au palais, où l'ampleur et la richesse se conjuguent avec une grande fraîcheur, qui confère à l'ensemble élégance et persistance. Un liquoreux raffiné et dynamique, adapté à la table. Autre fait à signaler : il est vinifié sans sulfites. (Sucres résiduels : 102 g/l.) ⧗ 2019-2029

DOM. FERNAND ENGEL, 1, rte du Vin, 68590 Rorschwihr, tél. 03 89 73 77 27, xb@fernand-engel.fr V t.l.j. sf dim. 8h-11h30 13h-18h

DOM. SCHEIDECKER ET FILS
Vendanges tardives 2016 ★

1700		20 à 30 €

Philippe Scheidecker, rejoint en 2013 par son fils Laurent, est établi à Mittelwihr, commune viticole située au nord-ouest de Colmar. Le vignoble familial, qui couvre plus de 11 ha, comporte des parcelles dans trois grands crus : Froehn, Sporen et Mandelberg.

Après un remarquable pinot gris liquoreux dans le millésime précédent, Philippe Scheidecker propose des vendanges tardives de très bonne facture. D'un jaune d'or brillant, ce 2016 s'ouvre à l'aération sur des senteurs intenses de surmaturation : pêche confite et abricot sec, nuancés de notes grillées. Dans le même registre, le palais déploie une matière riche et concentrée, tenue par une belle acidité, et offre une finale épicée. De la finesse. (Sucres résiduels : 70 g/l.) ⧗ 2019-2027

DOM. SCHEIDECKER ET FILS, 13, rue des Merles, 68630 Mittelwihr, tél. 03 89 49 01 29, contact@scheidecker-fils.com t.l.j. 9h-12h 14h-18h

SCHERB Sélection de grains nobles 2015

1931		20 à 30 €

L'Alsace est pionnière en matière d'œnotourisme. Vignerons depuis quatre générations, à la tête d'un domaine qui compte aujourd'hui 15,6 ha, les Scherb ont repris un restaurant familial en 1954, au lendemain de l'inauguration de la route des Vins. Ils y ont ajouté un hôtel. Au sous-sol, la cave de vinification. Les vignerons accueillent aussi les visiteurs dans leur cave du XIIIe s. située au cœur du pittoresque village de Gueberschwihr.

Au sud de Colmar, le village de Gueberschwihr bénéficie d'un microclimat sec, propice à la surmaturation. Ce domaine signe souvent des vins liquoreux. Celui-ci présente l'opulence d'un millésime solaire : robe ambrée aux reflets orangés, arômes de fruits confits, avec des notes évoluées de pruneau macéré dans l'alcool, bouche d'une concentration impressionnante, déployant avec prodigalité sa richesse. (Sucres résiduels : 231,6 g/l.) ⧗ 2019-2027

BERNARD SCHERB ET FILS, 3, rue Basse, 68420 Gueberschwihr, tél. 03 89 49 33 82, vins.scherb@orange.fr t.l.j. 8h30-12h 14h-18h

LOUIS SCHERB ET FILS 2017

5000		5 à 8 €

La famille est établie à Gueberschwihr depuis 1690. Louis Scherb vend son vin en tonneau avant-guerre, ses fils Joseph et André développent la vente en bouteilles dans les années 1970. Installée en 2002, la troisième génération, avec Agnès Burner et son mari, exploite 12 ha – en bio certifié depuis 2013.

Une robe jaune pâle aux reflets argentés pour ce pinot gris vinifié en sec. On aime son nez expressif et précis, entre fleurs du verger, pêche blanche, fruits secs et notes grillées, puis son palais souple, suave et rond, tenu par une juste fraîcheur, aux jolis arômes de fruits jaunes. (Sucres résiduels : 20 g/l.) ⧗ 2019-2023

LOUIS SCHERB ET FILS, 1, rte de Saint-Marc, 68420 Gueberschwihr, tél. 03 89 49 30 83, louis.scherb@wanadoo.fr t.l.j. sf dim. 9h-12h 13h30-18h30

DOM. SCHLUMBERGER
Sélection de grains nobles Cuvée Clarisse 2015 ★

1100		50 à 75 €

Sous l'Empire, Nicolas Schlumberger installe à Guebwiller une fabrique de machines textiles et achète 20 ha de vignes aux alentours. Prenant la suite des abbés de Murbach, qui avaient mis en valeur ces terroirs du sud de l'Alsace avant la Révolution, ses descendants agrandissent la propriété familiale. Sans doute le plus vaste domaine de la région : 120 ha plantés sur des coteaux escarpés – plus de la moitié en grand cru. Une partie du vignoble est conduite en biodynamie.

Ce domaine sudiste signe régulièrement des vendanges tardives et sélections de grains nobles fort appréciées. Ce liquoreux est de haute origine, puisqu'il provient du grand cru Spiegel. Sans être très foncée, encore jeune, la robe montre des reflets ambrés caractéristiques de ce type de vin. Intense, d'une grande finesse, le nez déploie de riches arômes de surmaturation : fruits jaunes confits, abricot sec, miel et pâte de coings. Ces arômes confits s'épanouissent dans une bouche ample, généreuse et concentrée, d'une rare longueur. (Sucres résiduels : 190 g/l.) ⧗ 2020-2030

LES DOMAINES SCHLUMBERGER, 100, rue Théodore-Deck, 68501 Guebwiller Cedex, tél. 03 89 74 27 00, mail@domaines-schlumberger.com t.l.j. sf sam. dim. 8h-18h (ven. 17h)

♥ ALINE ET RÉMY SIMON
Vieilles Vignes 2017 ★★★

2800		8 à 11 €

Installés dans la maison des grands-parents datant de 1772, Aline et Rémy Simon exploitent depuis 1996 le petit vignoble familial situé au pied du Haut-Kœnigsbourg, à la limite des deux départements alsaciens : 2 ha à l'origine, près de 8 ha aujourd'hui. Leurs fils Xavier et Grégory les ont rejoints sur l'exploitation.

Née de vignes âgées d'un demi-siècle, cette cuvée de pinot gris moelleux est souvent en bonne place dans le Guide. Son 2017 a enchanté nos dégustateurs. La robe jaune d'or annonce la richesse de ce vin, qui se confirme à toutes les étapes de la dégustation. Expressif et mûr, le nez mêle la fleur blanche, la pêche et la poire confite. Dès l'attaque, le palais affirme sa puissance, alliée à une douceur flatteuse et à une acidité policée qui, sans rien d'incisif ni de mordant, donne une belle allonge à la finale fumée. «Une grande élégance», «un équilibre parfait», «un vin tout en finesse», concluent les jurés. (Sucres résiduels : 37,6 g/l.) ⧗ 2019-2026

DOM. ALINE ET RÉMY SIMON, 12, rue Saint-Fulrade, 68590 Saint-Hippolyte, tél. 03 89 73 04 92, alineremy.simon@wanadoo.fr t.l.j. 9h-12h15 13h30-18h30

B ÉTIENNE SIMONIS Clos des Chats 2017 ★

■ | 1900 | | 15 à 20 €

Des Simonis cultivaient déjà la vigne au XVIIe s. Le domaine actuel a été constitué par René Simonis, qui a obtenu les premières distinctions dans le Guide et passé le relais en 1996 à Étienne. Ce dernier exploite les 7 ha de la propriété en biodynamie certifiée depuis 2011. En vue, ses grands crus Kaefferkopf et Marckrain.

Le nom de la cuvée est une traduction libre de Kazenstegel, coteau pentu d'Ammerschwihr, aux sols gréseux. Ce vin porte aussi la marque de son élaboration : il a fermenté puis séjourné onze mois en barrique. Un élevage qui lui lègue un léger boisé, bien marié au fruité gourmand et aux touches fumées typés du cépage. Dans le même registre aromatique, le palais se montre équilibré, souple en attaque, puissant sans lourdeur, d'une belle longueur. (Sucres résiduels : 4 g/l.) ⧗ 2019-2024

ÉTIENNE SIMONIS, 2, rue des Moulins, 68770 Ammerschwihr, tél. 03 89 47 30 79, simonis.etienne@gmail.com V *t.l.j. sf dim. 9h-12h 13h30-18h*

B DOM. LAURENT VOGT Vendanges tardives 2015 ★★

■ | 1800 | | 20 à 30 €

Une maison vigneronne du XVIIIe s. cossue et typique, dans la partie du vignoble proche de Strasbourg. Laurent et Marie-Anne Vogt ont spécialisé et agrandi le domaine. Thomas et Sylvie Vogt ont pris le relais en 1998 et engagé la conversion bio des 11 ha de vignes (certification en 2013).

Une remarquable élégance pour ces vendanges tardives aux reflets cuivrés, au nez aromatique, fin et précis, sur le coing, l'abricot et les agrumes confits. Les fruits jaunes et l'orange confite s'épanouissent avec persistance dans un palais puissant, mis en valeur par une fraîcheur qui confère à ce vin une rare finesse. (Sucres résiduels : 96 g/l.) ⧗ 2019-2029

DOM. LAURENT VOGT, 4, rue des Vignerons, 67120 Wolxheim, tél. 03 88 38 81 28, thomas@domaine-vogt.com V *t.l.j. 8h-12h 13h-18h30 ; dim. sur r.-v.*

B DOM. WEINBACH Cuvée Sainte-Catherine 2017

■ | 4000 | | 30 à 50 €

Ancien vignoble monastique, mentionné au IXe s. et acquis en 1898 par la famille Faller. Avec 30 ha, il dispose aujourd'hui d'une belle palette de terroirs (le Schlossberg et le Furstentum notamment). À partir de 1979, Colette Faller, puis ses filles Catherine et Laurence lui ont donné une notoriété internationale, adoptant la biodynamie (sur l'ensemble de la propriété depuis 2005). Après le décès en 2014 de Laurence, la vinificatrice, puis celui de Colette en 2015, Catherine et ses fils Eddy et Théo assurent la continuité du domaine.

On retrouve cette cuvée bien connue, issue d'une sélection parcellaire de vieilles vignes et élevée neuf mois en foudre de chêne. D'un or clair lumineux, le 2017 mêle les fleurs blanches et les fruits légèrement confits à des touches de noisette. Dans une belle continuité aromatique, la bouche séduit par son attaque ample, équilibrée par un trait de fraîcheur minérale et saline qui donne de l'allonge à la finale. Un vin sec harmonieux. (Sucres résiduels : 12,8 g/l.) ⧗ 2019-2024

DOM. WEINBACH, 25, rte du Vin, 68240 Kaysersberg, tél. 03 89 47 13 21, contact@domaineweinbach.com V *r.-v. SA Dom. Weinbach*

B WELTY Cuvée Jérémy 2017

■ | 6000 | | 8 à 11 €

Rejoint par son fils Jérémy Welty, Jean-Michel Welty s'est installé en 1984 sur l'exploitation familiale, dont les lointaines origines remontent à 1738. Implanté à Orschwihr, à 25 km au sud de Colmar, au pied de la colline du Bollenberg, le vignoble (10 ha) bénéficie d'un climat très sec. Il s'est converti à la biodynamie (certification en 2018).

D'un jaune clair aux reflets verts, ce pinot gris séduit par son nez bien ouvert, élégant et typé du cépage, entre pêche, fruits secs, notes grillées et fumées. Le fruit blanc prend des tons confits et se nuance de sous-bois dans une bouche chaleureuse et ronde. Marqué par les sucres résiduels, ce 2017 vinifié en sec offre les caractères d'un demi-sec. Il sera parfait à l'apéritif ou avec des viandes blanches. (Sucres résiduels : 21,7 g/l.) ⧗ 2019-2024

DOM. JEAN-MICHEL WELTY, 24, Grand-Rue, 68500 Orschwihr, tél. 03 89 76 09 03, vinswelty@gmail.com V *t.l.j. 8h30-11h45 14h-18h30 ; dim. sur r.-v.* 3 B

ALSACE PINOT NOIR

Superficie : 1 509 ha / Production : 108 326 hl

L'Alsace est surtout réputée pour ses vins blancs; mais sait-on qu'au Moyen Âge les rouges y occupaient une place considérable? Après avoir presque disparu, le pinot noir (le meilleur cépage rouge des régions septentrionales) a connu une notable expansion. On connaît bien le type rosé ou rouge léger, vin agréable, sec et fruité, susceptible d'accompagner une foule de mets comme d'autres rosés. Cependant, la tendance est à élaborer un véritable vin rouge de garde à partir de ce cépage.

♥ BARON KIRMANN Élevé en fût de chêne 2016 ★★★

■ | 1250 | | 15 à 20 €

Le premier de la lignée cultivait la vigne en 1630. Installé en 1993, son descendant, Philippe, exploite 11 ha sur les coteaux de Rosheim, cité du Bas-Rhin au riche patrimoine. Il dédie les meilleures cuvées du domaine à son glorieux ancêtre, officier sous la Révolution et l'Empire, qui fut fait baron par Napoléon Ier.

Après un gewurztraminer vendanges tardives, ce pinot noir reçoit la plus haute décoration du Guide. Les vins rouges du domaine trouvent souvent un bon accueil auprès de nos dégustateurs. Loin d'être écrasé par un élevage de quatorze mois en barrique neuve, le cépage affirme ici pleinement ses qualités aromatiques et joue avec finesse, au nez comme en bouche, la partition de la cerise et de la framboise, embelli par un boisé raffiné aux accents de vanille, de cacao et d'amande grillée. La robe montre des reflets violets de jeunesse, la bouche est charpentée avec élégance, fondue et fraîche. ⧗ 2020-2026 ■ **2017 ★★ (8 à 11 €; 4100 b.)** : une couleur profonde, un nez exubérant et fin, tout en cerise noire pour ce vin à la fois généreux et élégant, structuré et soyeux, de bonne longueur. Du potentiel. ⧗ 2020-2024

BARON KIRMANN, 2, rue du Gal-de-Gaulle, 67560 Rosheim, tél. 03 88 50 43 01, info@baronkirmann.com r.-v.

PIERRE ET FRÉDÉRIC BECHT
Cuvée Frédéric 2016 ★★

■ | 983 | | 8 à 11 €

Pierre Becht et son fils Frédéric sont établis à Dorlisheim, village viticole jouxtant Molsheim, à 25 km à l'ouest de Strasbourg. Ils exploitent 22 ha de vignes, pour moitié dans leur village et pour l'autre au lieu-dit Stierkopf, près de Mutzig.

Les vins rouges sont une des spécialités du domaine, en particulier cette cuvée déjà à l'honneur il y a vingt ans. Élevé neuf mois en fût, le 2016 montre encore des reflets violets et laisse des larmes sur les parois du verre. Intense et élégant au nez, il libère des notes de cerise noire, de fruits cuits, soulignées d'un léger boisé. Suivant la même ligne aromatique en bouche, il se distingue par sa puissance et son ampleur, soutenu par des tanins enrobés. De la finesse. ⧗ 2019-2025

DOM. PIERRE ET FRÉDÉRIC BECHT, 26, fg des Vosges, 67120 Dorlisheim, tél. 03 88 38 18 22, info@domaine-becht.com t.l.j. sf dim. 8h30-12h 14h-18h

BECK-DOM. DU REMPART
Clos du Sonnenbach 2015

■ | 2200 | | 11 à 15 €

À la tête du domaine familial depuis 1978, Gilbert Beck est l'héritier d'une lignée remontant à 1763, et sa maison de Dambach-la-Ville s'adosse au rempart de la cité médiévale. Il exploite 5 ha autour de la commune (dont une parcelle de grand cru Frankstein) et 5 autres dans le val de Villé, sur les pentes escarpées des terrasses d'Albé.

Issu d'un terroir d'altitude – 500 m – aux sols schisteux, ce 2015 n'a rien d'un monstre de concentration et a pourtant bien vieilli, comme en témoigne sa robe profonde, restée jeune. Il s'ouvre sur des fragrances florales, puis sur des notes de griotte compotée, avec une touche végétale. Ample, vif et fruité en bouche, il s'adosse à de petits tanins soyeux, encore pointus en finale. ⧗ 2019-2022

BECK-DOM. DU REMPART, 5, rue des Remparts, 67650 Dambach-la-Ville, tél. 03 88 92 42 43, beck.domaine@wanadoo.fr t.l.j. 9h-11h30 14h-18h; sam. et dim. sur r.-v.

BECKER
Zellenberg F 2017 ★

■ | 1972 | | 15 à 20 €

Établie à Zellenberg près de Riquewihr, une exploitation dont les origines remontent à 1610, aujourd'hui gérée par deux frères, Jean-Philippe et Jean-François Becker. Ces vignerons disposent en propre de 11 ha, en bio certifié depuis 2001.

Le millésime précédent, ainsi que le 2013 de cette cuvée, fleuron du domaine, avaient décroché un coup de cœur. Ce pinot noir est planté sur les pentes du grand cru Froehn, mais comme la réglementation réserve la mention «grand cru» à quatre cépages blancs, les vignerons alsaciens ont pris l'habitude de signaler ces terroirs de choix par leur initiale. Le 2017 n'est pas mal du tout, dans un style gourmand et fruité : robe rubis, premier nez dans la barrique, laissant s'exprimer le cassis à l'aération, bouche puissante et aromatique, sur le fruit noir un peu confit, finale assez tannique et boisée. ⧗ 2020-2024

JEAN-PHILIPPE ET FRANÇOIS BECKER, 2, pl. d'Ostheim, 68340 Zellenberg, tél. 06 07 39 59 06, jphilippebecker@aol.com r.-v.

BOECKEL Les Terres rouges 2016 ★

■ | 1600 | | 30 à 50 €

Occupant une maison Renaissance typique de Mittelbergheim, superbe village vigneron proche de Barr, la famille Boeckel est enracinée dans la région depuis quatre siècles. Frédéric Boeckel devient marchand de vins en 1853. Ses descendants, Jean-Daniel et Thomas, qui sont aussi négociants, exploitent en propre 24 ha de vignes entre Obernai et Andlau, dont plusieurs parcelles en grand cru. Une partie du vignoble est en bio certifié (depuis 2013).

Cette cuvée a pris le nom (traduit en français) d'un lieu-dit inclus dans le grand cru Zotzenberg. Ses sols marno-calcaires, qui retiennent l'humidité, ont certainement favorisé la maturation de ce pinot noir pendant les épisodes secs de l'été 2016. D'un rouge profond, le vin s'ouvre à l'aération sur des notes animales, sur du sous-bois, puis monte en puissance, dévoilant des notes chaleureuses de fruits cuits et de pruneau – le boisé des dix-huit mois de fût restant discret. On retrouve cette puissance dans une bouche chaleureuse et assez longue, soutenue par des tanins bien intégrés. ⧗ 2020-2025

DOM. BOECKEL, 2, rue de la Montagne, 67140 Mittelbergheim, tél. 03 88 08 91 02, boeckel@boeckel-alsace.com r.-v.

DOM. BROBECKER L'Exception 2017

■ | 2000 | | 8 à 11 €

Pascal Joblot a repris en 1997 les rênes du domaine qui porte le nom de son beau-père. L'agriculture raisonnée a précédé la conversion bio, engagée en 2009. Bien que modeste en superficie (4 ha), la propriété possède des parcelles sur les deux grands crus d'Eguisheim.

L'élevage de dix-huit mois en foudre n'a pas marqué la palette de ce 2017 qui allie les fruits des bois et la confiture de fraises, complétés en bouche par des notes de cuir. Ample, bien structuré et d'un bon équilibre, encore tannique, un vin représentatif de son cépage et de son millésime. ⧗ 2020-2022

DOM. BROBECKER, 3, pl. de l'Église, 68420 Eguisheim, tél. 06 87 52 80 72, joblot.brobecker@gmail.com V r.-v. E

B EBLIN-FUCHS
Cuvée Moréote Barrique 2016 ★★

■	2400		15 à 20 €

Établis à Zellenberg, petit village perché voisin de Riquewihr, José, Henri et Christian Eblin sont les héritiers d'une lignée de vignerons remontant au XIIIe s. Ils ont adopté la biodynamie dès 1999. Leur domaine couvre environ 11 ha répartis dans six communes, avec des parcelles dans quatre grands crus.

Moréote? Un des anciens noms du pinot noir. Élue coup de cœur pour son 2011, cette cuvée offre une remarquable image du millésime 2016. D'un rouge profond, elle s'ouvre sur d'intenses parfums de griotte et de cassis, sans guère révéler l'élevage de quatorze mois dans le bois. En bouche, elle reste sur le fruit et déploie une matière ample, dense et chaleureuse, soutenue par des tanins déjà fondus. ⧗ 2020-2025

EBLIN-FUCHS, 19, rte des Vins, 68340 Zellenberg, tél. 03 89 47 91 14, christian.eblin@orange.fr V *r.-v.* B

FRITZ-SCHMITT Ottrott S 2017 ★

■	2800		15 à 20 €

Établi au pied du mont Sainte-Odile et à l'ouest d'Obernai, Bernard Schmitt a repris en 1993 le domaine de René Fritz, qu'il exploite aujourd'hui avec son fils Antoine. S'il cultive tous les cépages d'Alsace sur ses 15 ha, il consacre la moitié de ses surfaces au pinot noir, variété introduite dans son village d'Ottrott au XIIe s. par des bénédictins venus de Bourgogne. Vignoble en conversion bio.

Ottrott bénéficie d'une dénomination communale pour ses vins rouges, si bien que les pinots noirs du domaine sont très présents dans le Guide. D'un rubis intense et jeune aux reflets violets, celui-ci a séjourné douze mois en barrique. Sa palette est pourtant centrée sur la griotte et la mûre, au nez comme en bouche. Ample, structuré, intense et long, un peu austère en finale, le palais dévoile un bon potentiel. ⧗ 2021-2026 ■ **Ottrott Réserve de l'ami Fritz 2017 ★ (11 à 15 €; 7200 b.)** : élevé six mois en foudre de chêne, un vin aux arômes de fruits noirs compotés et au palais puissant et tannique, qui appelle la garde. ⧗ 2021-2025

DOM. FRITZ-SCHMITT, 1, rue des Châteaux, 67530 Ottrott, tél. 03 88 95 98 06, contact@fritzschmitt.com V *t.l.j. 9h-12h 13h-18h* C

GRUSS Grand V 2017 ★★

■	3000		11 à 15 €

Fondée en 1947, une maison bien connue des lecteurs du Guide, notamment pour ses crémants. Le vigneron et négociant André Gruss a pris en 1997 la suite de son père Bernard. Il exploite plus de 16 ha de vignes sur quatre communes au sud de Colmar : Eguisheim, Wettolsheim, Herrlisheim et Rouffach.

Un pinot noir de haute origine : il provient du Vorbourg, terroir délimité à Rouffach et à Westhalten, classé en grand cru pour les cépages riesling, gewurztraminer, pinot gris et muscat. Sur ce coteau exposé au midi, le pinot noir engendre aussi des vins de caractère, comme celui-ci, élevé en demi-muid de 500 l. Avec sa robe intense, son nez entre cerise noire et cassis, sa bouche puissante, gourmande et épicée, soutenue par une belle charpente de tanins déjà soyeux, il est déjà agréable, mais certains jurés lui prédisent une longue vie. ⧗ 2020-2026

JOSEPH GRUSS ET FILS, 25, Grand-Rue, 68420 Eguisheim, tél. 03 89 41 28 78, domainegruss@hotmail.com V *t.l.j. 8h-12h 13h30-18h30 ; dim. sur r.-v.*

DOM. ROBERT HAAG ET FILS 2017

■	1350		5 à 8 €

Perpétuant une lignée remontant au XVIIIe s., François Haag a succédé en 1999 à son père Robert, qui a spécialisé l'exploitation. La famille est installée dans une maison typique, avec vaste porche, cour et colombages. Son village, Scherwiller, est un haut lieu du riesling, et la moitié du vignoble (près de 9 ha) est dédiée à ce cépage.

Les Alsaciens préfèrent aujourd'hui vinifier leur pinot noir en rouge. Voici une cuvée rappelant que le cépage permet d'élaborer de bons rosés, comme celui-ci, tout en fruits (cassis et griotte), franc, vif et fringant. Pour les repas en plein air. ⧗ 2019-2020

DOM. ROBERT HAAG ET FILS, 21, rue de la Mairie, 67750 Scherwiller, tél. 03 88 92 11 83, vins.haag.robert@estvideo.fr V *t.l.j. sf dim. 9h-12h 13h30-18h*

♥ B BERNARD HAEGELIN
Bollenberg 2017 ★★

■	1480		11 à 15 €

ALSACE
Bernard Haegelin
BOLLENBERG
Pinot Noir Rouge

Bernard Haegelin a commencé la mise en bouteilles en 1976. À partir de 1992, il a passé le relais à ses fils Christian et Michel. Ces derniers exploitent plus de 10 ha au sud de la route des Vins, notamment sur la colline sèche du Bollenberg et les pentes du Pfingsberg. Après des essais, ils ont adopté la démarche biodynamique.

Nos dégustateurs ont été enchantés par ce pinot noir originaire d'un terroir renommé, exposé au sud. Une cuvée vinifiée sans intrants – si l'on excepte le soufre, à dose réduite selon le cahier des charges de la biodynamie. Ses atouts : des arômes intenses de fruits rouges, soulignés d'un léger vanillé légué par un séjour de neuf mois en barrique; une matière ronde et soyeuse, tonifiée par une belle acidité. « Vin plaisir » ? Sans doute, mais il pourrait plaire assez longtemps. ⧗ 2020-2025

BERNARD HAEGELIN, 26, rue de l'Église, 68500 Orschwihr, tél. 03 89 76 14 62, bernard.haegelin@wanadoo.fr V *t.l.j. 8h-19h; sam. 9h-18h; dim. sur r.-v.*

MATERNE HAEGELIN ET FILLES
Vieilli en fût de chêne 2016 ★

■ | 7548 | | 11 à 15 €

Depuis 1986, Régine Garnier est à la tête du domaine familial mis en valeur par son père Materne Haegelin. Situé dans le tronçon sud de la route des Vins, le vignoble (18 ha) est implanté principalement en coteaux, sur des terroirs différents.

Né de vieilles vignes (quarante-cinq ans), ce 2016 été élevé douze mois en barrique (neuves à 20 %). Dans le verre, une couleur soutenue. Au nez, un boisé cacaoté harmonieux, avec un fruit rouge frais à l'arrière-plan. En bouche, le même registre fruité et boisé, de l'ampleur équilibrée par de la vivacité et une finale assez chaleureuse. ⧗ 2020-2025

MATERNE HAEGELIN ET FILLES, 45-47, Grand-Rue, 68500 Orschwihr, tél. 03 89 76 95 17, vins@materne-haegelin.fr V t.l.j. 8h30-12h 14h-18h30 ; dim. sur r.-v. A

KARCHER 2017

■ | 2600 | | 8 à 11 €

Fondée en 1956 et exploitée depuis 1991 par Georges et Nathalie Karcher, cette propriété a son siège au cœur du vieux Colmar, à deux pas de la zone piétonne, dans une ferme de 1602. Une grande partie des 10 ha de vignes est implantée sur des terroirs de graves de la Hardt, au nord-ouest de la ville.

On aime son nez à la fois intense et élégant, sur la cerise noire épicée, et sa bouche d'une belle finesse, souple en attaque, bien structurée, marquée en finale par de jeunes tanins un peu pointus. Un profil fruité et frais typique de l'Alsace. ⧗ 2019-2024

DOM. ROBERT KARCHER ET FILS, 11, rue de l'Ours, 68000 Colmar, tél. 03 89 41 14 42, info@vins-karcher.com V t.l.j. 8h-12h 14h-19h ; dim. 8h-12h B

KIRSCHNER
Cuvée Tradition 2017

■ | 3300 | | 5 à 8 €

Établie depuis 1820 à Dambach-la-Ville dans une maison à colombages du XVIIIe s., la famille Kirschner a conservé une étiquette de 1824. Laurent, installé en 2000, exploite 9,5 ha de vignes et cultive plusieurs cépages dans le grand cru Frankstein.

Les reflets violets de la robe annoncent un vin dans sa jeunesse. Le nez «pinote» sur des arômes de cerise noire au kirsch et de fruits confits, soulignés d'un boisé vanillé. Ronde en attaque, la bouche dévoile une trame tannique encore sévère, qui appelle une petite garde. À carafer. ⧗ 2021-2025

LAURENT KIRSCHNER, 26, rue Théophile-Bader, 67650 Dambach-la-Ville, tél. 06 89 94 54 05, kirschner.pierre@wanadoo.fr V t.l.j. sf dim. 9h-12h 13h30-19h C

RENÉ ET MICHEL KOCH
WH 2017 ★★

■ | 2500 | | 8 à 11 €

Georges Koch a inauguré la vente directe en 1958. René lui a succédé en 1970, rejoint en 1996 par Michel. Depuis 2006, ce dernier tient les rênes du domaine qui couvre 12 ha autour de Nothalten, village-rue du pays de Barr. Son fleuron : le riesling du grand cru local, le Muenchberg.

Le millésime 2015 de cette cuvée fut l'un des coups de cœur de la précédente édition. Né de deux terroirs granitiques réputés, le Winzenberg et le Heissenberg (d'où le nom du vin), ce pinot noir élevé six mois en cuve confirme sa qualité. D'entrée séducteur, il arbore une robe soutenue et laisse des larmes sur les parois du verre. Intense au nez, il associe les fruits rouges, griotte en tête, aux épices douces. Complexe et long en bouche, il déploie une très belle matière, ample, chaleureuse et structurée, soutenue par des tanins fondus. L'harmonie même. ⧗ 2019-2023

DOM. RENÉ ET MICHEL KOCH, 5, rue de la Fontaine, 67680 Nothalten, tél. 03 88 92 41 03, contact@vin-koch.fr V r.-v. C

B LEIPP-LEINIGER K 2017 ★★

■ | 1200 | | 15 à 20 €

Ce domaine familial est établi à Barr, petit centre viticole proche du mont Sainte-Odile, et a son siège depuis 1911 dans une maison vigneronne cossue du XVIIIe s. Luc Leininger le conduit depuis 1981. Il a achevé en 2013 la conversion bio de ses 10 ha de vignes.

Sur les étiquettes alsaciennes de vins rouges, les initiales signalent souvent un grand cru : en effet la mention de ces terroirs d'élite n'est admise que pour les riesling, gewurztraminer, pinot gris et muscat. Ici, K désigne le Kirchberg de Barr, coteau pentu exposé au sud-sud-est, qui surplombe le domaine. Ses sols argilo-calcaires conviennent à merveille au pinot noir. Voyez celui-ci : une robe profonde, un nez tout aussi intense, sur la griotte épicée et le fruit confit, avec les nuances épicées et chocolatées de la barrique, un palais ample, puissant et fondu, frais en finale. ⧗ 2020-2024

DOM. LEIPP-LEININGER, 11, rue du Dr-Sultzer, 67140 Barr, tél. 03 88 08 95 98, info@leipp-leininger.com V r.-v.

B GUSTAVE LORENTZ Évidence 2017 ★

■ | 20000 | | 11 à 15 €

Fondée en 1836, cette maison de négoce a son siège au cœur de Bergheim. Elle dispose en propre d'un important vignoble (33 ha) conduit en bio certifié depuis 2012. Elle a particulièrement investi dans le grand cru local, l'Altenberg de Bergheim, dont elle exploite 12 ha, et a obtenu le premier coup de cœur du Guide dans cette AOC : un riesling 1976.

Une très belle harmonie pour cette cuvée qui n'a rien de confidentiel. Après douze mois passés en fût, elle dévoile une robe profonde et un nez intense, mariant fruits rouges en confiture et un boisé vanillé subtil et élégant. Ronde en attaque, soutenue par une fine acidité, elle développe des notes fraîches de framboise et de groseille avant de finir sur un léger boisé. ⧗ 2020-2024

GUSTAVE LORENTZ, 91, rue des Vignerons, 68750 Bergheim, tél. 03 89 73 22 22, info@gustavelorentz.com V t.l.j. sf dim. 10h-12h 14h-18h

DOM. DU MANOIR
Clos du Letzenberg Barrique 2017 ★

■ | 1200 | 🍷 | 11 à 15 €

En 1979, Jean-Francis Thomann, fils d'un petit viticulteur d'Ingersheim, a repris le Clos du Letzenberg, aménagé en 1852 sur un coteau escarpé dominant la vallée de la Fecht, puis laissé à l'abandon après 1914. Il a fini par lâcher son travail à la banque et a impliqué ses proches dans l'aventure. La famille a restauré les murs de soutènement en pierre sèche, défriché, planté et bichonne aujourd'hui 10 ha de vignes.

Longuement fermenté sur lies et élevé dix mois en barrique, ce pinot noir plaira aux amateurs de vins boisés. D'un rubis profond, il libère de fines notes torréfiées évoquant le cacao. Si le chêne reste très présent au palais, le fruit commence à percer et le vin montre une structure prometteuse, alliant ampleur, puissance, fraîcheur et longueur : ce millésime devrait gagner sa deuxième étoile en cave. ⌛ 2021-2025

⊶ DOM. DU MANOIR, 56, rue de la Promenade, 68040 Ingersheim, tél. 03 89 27 23 69, domainedumanoir@gmail.com V *t.l.j. 10h-12h 14h-18h; dim. sur r.-v.*

DOM. HUBERT METZ
Élevé en barrique 2017 ★

■ | 1100 | 🍷 | 15 à 20 €

Couvrant aujourd'hui 10 ha autour de Blienschwiller, entre Barr et Sélestat, ce domaine a son siège dans une belle demeure avec oriel. La cave voûtée, où s'alignent des foudres de bois, accueillait avant la Révolution le produit de la dîme, impôt payé en vin au clergé. Hubert Metz, qui exploitait la propriété depuis 1971, l'a transmise en 2016 à sa fille Céline. En conversion bio depuis 2018.

Un pinot noir issu de vieilles vignes (quarante-cinq ans). Après une macération de trois semaines avec remontages et pigeage, suivie d'un élevage de douze mois en barrique, il est dominé par des impressions de puissance : intensité du nez sur la cerise, générosité et longueur de la bouche. Les arômes de fruits rouges et de cacao montrent une complexité naissante, la finesse est là, le côté soyeux aussi. Un vin prometteur, qui devrait gagner en expression avec le temps. ⌛ 2021-2027

⊶ DOM. HUBERT METZ, 3, rue du Winzenberg, 67650 Blienschwiller, tél. 03 88 92 64 94, contact@hubertmetz.com V *t.l.j. sf dim. 9h-12h 13h-19h*

Ⓑ JEAN-LUC MEYER Élevé en barrique 2017 ★

■ | 1660 | 🍷 | 11 à 15 €

Une exploitation implantée à Eguisheim, pittoresque cité médiévale au sud de Colmar. Fondée en 1960, elle a été conduite entre 1982 et 2013 par Jean-Luc Meyer. Ce dernier a cédé la place en 2014 à son fils Bruno qui travaillait à ses côtés depuis 2005. La même année, le vignoble a achevé sa conversion bio. Il couvre 10 ha avec des parcelles dans deux grands crus.

En dépit d'un séjour de dix mois en barrique, ce pinot noir né de vieilles vignes n'apparaît guère sous l'emprise du bois. Bien ouvert, il «pinote» agréablement sur les fruits rouges, griotte en tête. En bouche, les notes du fût, bien fondues, soulignent sans les écraser les arômes du raisin – cerise et nuances florales – dans une matière souple et chaleureuse. ⌛ 2020-2025

⊶ JEAN-LUC ET BRUNO MEYER, 4, rue des Trois-Châteaux, 68420 Eguisheim, tél. 03 89 24 53 66, info@vins-meyer-eguisheim.com V *t.l.j. sf dim. 9h-12h 14h-18h*

Ⓑ DOM. MOLTÈS Sonnenglaenzlé 2017

■ | 3400 | 🍷 | 11 à 15 €

Un domaine implanté à une dizaine de kilomètres au sud de Colmar. Antoine Moltès commercialise les premiers vins en 1925, son fils Roland explore les terroirs. Installés au tournant de ce siècle, Mickaël et Stéphane ont aménagé un nouveau chai, se sont orientés graduellement vers le bio, engageant la conversion du vignoble en 2012; ils ont aussi agrandi la propriété, passée de 17 à 25 ha en 2018.

Moins éclatante que la version 2015 saluée dans la précédente édition, cette cuvée issue de vieux pinots plantés sur un terroir calcaire n'en est pas moins de bonne tenue. Au nez comme en bouche, elle porte l'empreinte d'un séjour de quinze mois en barrique : un boisé vanillé, qui laisse à l'arrière-plan des notes de fruits rouges légèrement confiturés. Puissante, structurée, elle devrait évoluer dans le bon sens. ⌛ 2020-2024

⊶ DOM. MOLTÈS, 8-10, rue du Fossé, 68250 Pfaffenheim, tél. 03 89 49 60 85, domaine@vin-moltes.com V *t.l.j. sf dim. 9h-12h 14h-17h30*

♥ Ⓑ CHARLES MULLER ET FILS
Traenheim 2017 ★★

■ | 2200 | 🍷 | 11 à 15 €

Domaine de 11 ha établi dans un village de la Couronne d'Or de Strasbourg, groupement des communes viticoles les plus proches de la capitale régionale. Héritier d'une lignée remontant à 1580, Jean-Jacques Muller, installé en 1985, est passé de la viticulture raisonnée au bio (1998, certification en 2001). Ses enfants, Marjorie et Nathan, l'ont rejoint en 2014.

Nos dégustateurs ont plébiscité ce pinot noir issu de vieilles vignes plantées sur des marnes. Après un élevage de douze mois en barrique, le vin arbore une robe colorée, aux reflets violets de jeunesse, et laisse des larmes sur les parois du verre. Il s'ouvre sur un boisé épicé, torréfié et chocolaté, qui fait place à d'intenses notes de fruits rouges, de cerise noire et de cassis. Dans le même registre, le palais s'impose par son harmonie et par son potentiel : ampleur, puissance, fraîcheur, structure, longueur, tout est là ! Encore austères en finale, les tanins commencent à s'assouplir. ⌛ 2021-2027

⊶ CHARLES MULLER ET FILS, 89C, rte du Vin, 67310 Traenheim, tél. 03 88 50 38 04, earlmullercharles@hotmail.fr V *r.-v.*

DOM. MULLER-KŒBERLÉ
Langenberg Clos des Aubépines
Élevé en pièce de chêne 2015 ★

■ | 3468 | | 20 à 30 €

Deux frères Muller, originaires de Suisse, font souche du côté de Colmar en 1660. Au début des années 1960, Rose Muller épouse Jean Kœberlé, qui travaille avec son beau-père : le début du domaine actuel, établi autour de Saint-Hippolyte, au pied du Haut-Kœnigsbourg. Arrivé à la tête de l'exploitation en 2010, David Kœberlé dispose d'un vignoble d'une belle superficie : 28 ha. En conversion bio.

Propriété en monopole de la famille, le Clos des Aubépines est un vignoble de 10 ha cultivé en terrasses sur les pentes abruptes du Langenberg, coteau dominant Saint-Hippolyte. Les sols sont granitiques, l'exposition plein sud, et le vin a été élevé quinze mois en fût neuf. Un 2015 aux reflets ambrés d'évolution; au nez, les notes toastées et vanillées de la barrique sont bien intégrées et laissent parler les fruits rouges et noirs (mûre, myrtille); on retrouve ce fruité en bouche, agrémenté de touches de noisette. Un ensemble puissant et charpenté, aux tanins bien fondus. ⧗ 2019-2023 ■ **Saint-Hippolyte Vieilles Vignes 2017 (11 à 15 €; 6480 b.)** : vin cité.

MULLER-KŒBERLÉ, 22, rte du Vin, 68590 Saint-Hippolyte, tél. 03 89 73 00 37, koeberle@muller-koeberle.fr V *t.l.j. sf dim. 9h-12h 14h-17h45* ❷

ÉRIC ROMINGER Strangerberg 2016 ★

■ | 1100 | | 15 à 20 €

Situé dans la Vallée Noble, au sud de Colmar, le domaine a été créé en 1970 par le père d'Éric Rominger. Ce dernier en a pris les rênes en 1986 et s'est rapidement distingué dans le Guide. Après sa disparition prématurée en 2014, Claudine Rominger poursuit son œuvre. Exploité en biodynamie, le vignoble couvre 11 ha, dont plus du tiers en grand cru (Saering et surtout Zinnkoepflé, majestueux coteau plein sud culminant à plus de 400 m).

Élevé dix-huit mois en demi-muid, ce pinot noir est né sur une colline aux sols calcaires dominant Westhalten. « Les vins issus de ce terroir présentent une belle trame acide », écrit la vigneronne. De fait, nos dégustateurs soulignent la fraîcheur en bouche de ce 2016 aux arômes gourmands de cassis et aux tanins doux, un peu vifs et austères en finale. Sans être très charpenté, ce rouge est harmonieux. ⧗ 2019-2023

DOM. ÉRIC ROMINGER, 16, rue Saint-Blaise, 68250 Westhalten, tél. 03 89 47 68 60, vins-rominger.eric@orange.fr V *t.l.j. 9h-12h 14h-18h; dim. sur r.-v.*

RUHLMANN-DIRRINGER
À fleur de roche 2017

■ | 4500 | | 8 à 11 €

Au service du vin depuis plus de cinq générations, cette famille de vignerons est établie à Dambach-la-Ville, cité resserrée dans les vestiges de son enceinte; elle accueille les visiteurs dans une demeure de 1578. Rémy Dirringer exploite 15 ha sur les terres majoritairement granitiques des environs de sa commune. Domaine en conversion bio.

Le 2013 de cette cuvée avait obtenu un coup de cœur. Le 2017 apparaît jeune et plus austère. D'une couleur sombre et profonde, aux reflets violets, il s'ouvre avec discrétion sur un léger boisé qui fait place aux fruits rouges (fraise des bois). La cerise griotte pointe en bouche, mais des tanins vifs font rapidement sentir leur présence. Une petite garde est de mise. ⧗ 2021-2024

RUHLMANN-DIRRINGER, 3, imp. de Mullenheim, 67650 Dambach-la-Ville, tél. 03 88 92 40 28, ruhlmanndirringer@gmail.com V *t.l.j. sf dim. 10h-18h*

SCHOENHEITZ Herrenreben 2017 ★

■ | 4000 | | 15 à 20 €

Wihr-au-Val est le dernier village viticole quand on remonte la vallée de Munster. Ses coteaux, exposés plein sud, avaient périclité après 1945. Dans les années 1970, Henri Schoenheitz a commencé à les replanter. Prénommé également Henri, son fils continue son œuvre. Il a vendu ses premières bouteilles en 1980 et met en valeur aujourd'hui un coquet domaine de 17 ha.

Provenant d'un terroir de sables granitiques déjà mis en valeur au XVe s., ce pinot noir issu de vignes de quarante ans est souvent en bonne place dans le Guide. Fruit d'une longue macération (dix-huit jours) et d'un élevage de douze mois en barrique, le 2017 présente une robe colorée, un nez bien ouvert sur les fruits rouges et le cassis compotés. Cette expression aromatique intense où le bois reste en retrait se prolonge dans un palais puissant et équilibré. ⧗ 2020-2024

DOM. SCHOENHEITZ, 1, rue de Walbach, 68230 Wihr-au-Val, tél. 03 89 71 03 96, cave@vins-schoenheitz.fr V *t.l.j. sf dim. 9h-12h 14h-19h*

DOM. PHILIPPE SOHLER
Confidentielles Matéo 2016 ★★

■ | 2770 | | 11 à 15 €

Depuis 1997, Philippe Sohler – rejoint par ses filles en 2016 – exploite le domaine familial – 11 ha autour de Nothalten, au sud de Barr. Il propose plusieurs vins de terroir : lieux-dits Fronholz, Heissenberg, Zellberg, Clos Rebberg et grand cru Muenchberg.

Dédiée au petit-fils du vigneron, cette cuvée a été élevée six mois en cuve sur lies, puis douze mois en barrique, sans filtration. D'un pourpre profond, elle s'ouvre sur le cuir, avant de délivrer d'intenses parfums de fruits rouges confiturés et de cerise kirschée, teintés de boisé et d'une touche originale de garrigue. Souple en attaque, puissante, dense et longue, elle s'appuie sur des tanins fondus et sur une belle trame acide qui apporte de la fraîcheur. Une réelle harmonie. ⧗ 2020-2025

DOM. PHILIPPE SOHLER, 80A, rte des Vins, 67680 Nothalten, tél. 03 88 92 49 89, contact@sohler.fr V *r.-v.*

AIMÉ STENTZ Cuvée du Vicus romain 2017 ★★

■ | 1200 | | 11 à 15 €

Fondé en 1919, ce domaine de 14 ha (en bio depuis 2010), situé à la périphérie ouest de Colmar, est

dirigé depuis 2014 par Marc Stentz (petit-fils d'Aimé), secondé aux vinifications par son père Étienne. Le vignoble compte une soixantaine de parcelles sur cinq communes et cinq grands crus.

Le 2015 de cette cuvée a remporté un coup de cœur et trois étoiles. Le 2017 a des traits communs avec son brillant devancier. L'étiquette ne le dit pas, mais ce vin provient du Hengst, coteau aux sols marno-calcaires classé en grand cru pour les riesling, gewurztraminer, pinot gris et muscat. On y cultive aussi le pinot noir, à l'origine de cuvées ambitieuses comme celle-ci, aussi intense à l'œil qu'au nez, aux arômes de cerise noire – d'amarena –, soulignés d'un léger boisé rappelant la noisette. Puissant, rond et charpenté, ce millésime évoluera bien. ⧗ 2020-2026

⊸ AIMÉ STENTZ ET FILS, 37, rue Herzog, 68920 Wettolsheim, tél. 03 89 80 63 77, vins.stentz@calixo.net V ⚐ ▮ *t.l.j. 9h-12h 14h-18h*

STRAUB Élevé en barrique 2016 ★★

■ | 1800 | ◍ | 8 à 11 €

Installé en 1980 sur le domaine familial, entre Barr et Sélestat, Jean-Marie Straub cultive 7 ha de vignes autour de Blienschwiller, dont plusieurs parcelles dans le grand cru local, le Winzenberg. Dans sa cave voûtée de 1714 s'alignent les foudres traditionnels en bois.

Les pinots noirs du domaine ont été plus d'une fois remarqués. Né sur un terroir granitique, ce 2016 a bénéficié d'un élevage sur lies en barrique (quinze mois), qui s'est prolongé quinze mois sans écraser le vin. Il s'impose par la profondeur de sa robe, par l'élégance de son nez associant la mûre à un discret boisé. Son harmonie en bouche confirme ses bonnes dispositions : des arômes floraux et fruités, soulignés de légères notes de torréfaction s'épanouissent dans une matière fraîche et délicate, aux tanins fondus. ⧗ 2019-2024

⊸ JEAN-MARIE STRAUB, 61, rte des Vins, 67650 Blienschwiller, tél. 03 88 92 40 42, jean-marie.straub@wanadoo.fr V ⚐ ▮ *r.-v.*

DOM. DE LA TOUR Cuvée Xavière 2017

■ | 5500 | ◍ | 8 à 11 €

Installé en 1985, Jean-François Straub a pris la suite avec son épouse Anne-Marie d'une lignée de vignerons et de tonneliers remontant à 1510. Il a été rejoint en 2005 par son fils Jean-Sébastien. Fort de 15 ha de vignes, le domaine s'est équipé d'une cuverie moderne, tout en conservant ses foudres traditionnels.

L'élevage de dix mois en foudre n'a guère marqué cette cuvée rubis intense, qui s'ouvre sur des notes animales, puis libère de plaisants parfums de groseille et de cassis un rien vanillés. Après une attaque sur le fruit, le palais séduit par sa fraîcheur et par ses petits tanins serrés. Un pinot noir bien typé alsace, que la plupart des dégustateurs suggèrent de boire jeune, mais qui pourrait vieillir avec grâce. ⧗ 2019-2023

⊸ JOSEPH STRAUB FILS, 35, rte des Vins, 67650 Blienschwiller, tél. 03 88 92 48 72, contact@vins-straub.fr V ⚐ ▮ *t.l.j. sf dim. 9h-11h30 14h-17h* ⌂ ❷ ⌂ Ⓑ

♥ DOM. DE LA VIEILLE FORGE Les Amandiers 2017 ★★★

■ | 4000 | ◍ | 11 à 15 €

Fort de son diplôme d'œnologue, Denis Wurtz fait revivre depuis 1998 le domaine de ses grands-parents, dont le nom évoque le métier de l'un de ses aïeuls. Installé dans une maison à colombages du XVIe s., il exploite 10 ha de vignes répartis dans six communes, de Beblenheim à Riquewihr, avec un tiers des surfaces dans quatre grands crus.

Le nom de cette cuvée suggère qu'elle provient de la colline des Amandiers, en alsacien Mandelberg, qui n'est autre qu'un grand cru – un terroir situé à cheval sur Mittelwihr et Beblenheim et bien exposé au sud. Cependant, le pinot noir n'a pas droit à la mention «grand cru». Et pourtant, ce vin révèle deux années de suite sa noble origine : le 2015 a lui aussi reçu un coup de cœur l'an dernier. L'approche du 2017 est superbe : une robe profonde, de belles jambes sur les parois du verre, un nez concentré, sur la cerise et la vanille. La bouche confirme ces qualités, aussi puissante que fine, souple en attaque, structurée, persistante et fraîche. «Du bonheur», écrit un dégustateur. ⧗ 2020-2026

⊸ DOM. DE LA VIEILLE FORGE, 5, rue de Hoen, 68980 Beblenheim, tél. 03 89 86 01 58, domainevieilleforge68@orange.fr V ⚐ ▮ *t.l.j. sf dim. 10h-12h 15h-18h30* ⌂ Ⓒ

VONVILLE Rouge d'Ottrott Tradition 2016

■ | 10000 | ◍ | 11 à 15 €

En 2002, Stéphane Vonville a rejoint Jean-Charles sur ce domaine fondé en 1830 au pied du mont Sainte-Odile. Alors qu'en Alsace 90 % des vins sont blancs, le pinot noir représente 75 % de leurs 13 ha de vignes. Il faut dire que la propriété est implantée à Ottrott, village bas-rhinois connu depuis neuf cents ans pour ses vins rouges, qui bénéficie – depuis 2011 – d'une dénomination communale pour ce cépage. Après avoir suivi une démarche bio sans certification, Stéphane Vonville a engagé la conversion bio de son vignoble.

Sans doute le seul vigneron alsacien dont les vins retenus dans le Guide sont tous des rouges ! Pour ce 2016 élevé vingt mois en foudre de chêne, une robe rubis un rien évoluée, des parfums de griotte nuancés de touches torréfiées (cacao) et poivrées, un palais pas très long mais bien construit, avec une attaque ample et des tanins fondus, encore un peu sévères en finale. ⧗ 2020-2023

⊸ MAISON VONVILLE, 4, pl. des Tilleuls, 67530 Ottrott, tél. 06 87 32 47 04, info@vins-vonville.com V ⚐ ▮ *t.l.j. 9h-12h 13h30-18h30* ⌂ Ⓑ

ZEYSSOLFF Cuvée Z Élevé et mûri en barrique 2017

■ | 1900 | 15 à 20 €

Fondée en 1778 à Gertwiller, cette maison abrite des foudres anciens dont l'un, sculpté, figura à l'Exposition universelle de Paris en 1900. Elle a développé dans la

cité du pain d'épice un petit temple de la gastronomie : épicerie fine, caveau-musée et bar à manger ouvert en 2015. Elle complète la production de son vignoble de 10 ha (en conversion bio) par une affaire de négoce.

Ce pinot noir a intéressé une fois de plus nos dégustateurs. Après une macération de trois semaines, le 2017 est resté neuf mois en barrique. D'un rouge soutenu, il forme de belles jambes sur les parois du verre. On aime aussi ses parfums de cerise kirschée, de fruits rouges vanillés, son attaque fraîche, sur le fruit. Encore sévère en finale, sa charpente tannique appelle une petite garde. ⧗ 2021-2025

G. ZEYSSOLFF, 156, rte de Strasbourg, 67140 Gertwiller, tél. 03 88 08 90 08, celine@zeyssolff.com V t.l.j. 10h-12h 14h-18h; f. dim. janv.-Pâques

DOM. ZINCK Terroir 2017

	1200		20 à 30 €

Philippe Zinck, rejoint par Pascale, a repris en 1997 le vignoble fondé en 1964 par son père Paul autour de la vieille cité médiévale d'Eguisheim. L'ayant agrandi (20 ha, avec des parcelles dans quatre grands crus), il mise sur l'export. La lutte raisonnée a précédé la conversion progressive au bio (non certifié), engagée en 2011. Le domaine s'est lancé en 2018 dans la conversion biodynamique.

Une robe intense et jeune aux reflets violets pour cette cuvée charmeuse, élevée neuf mois en barrique, issue du grand cru Eichberg. Élégant et frais, le nez mêle la cerise et des fragrances florales, bien mariées à un léger boisé aux nuances de café torréfié. Dans une belle continuité aromatique, alliant souplesse et fraîcheur, la bouche fait preuve d'une bonne longueur. ⧗ 2019-2024

DOM. ZINCK, 18, rue des Trois-Châteaux, 68420 Eguisheim, tél. 03 89 41 19 11, info@zinck.fr V t.l.j. sf dim. 9h-12h 14h-18h

ALSACE RIESLING

Superficie : 3 376 ha / Production : 247 952 hl

Le riesling est le cépage rhénan par excellence, et la vallée du Rhin, son berceau. Il s'agit d'une variété tardive pour la région, dont la production est régulière et bonne. Le riesling alsacien est souvent sec, ce qui le différencie d'une façon générale de son homologue allemand. Ses atouts résident dans l'harmonie entre son bouquet délicat, son corps et son acidité assez prononcée mais extrêmement fine. Or, pour atteindre cette qualité, il doit provenir d'une bonne situation. Le riesling a essaimé dans de nombreux autres pays viticoles, où la dénomination riesling, sauf s'il est précisé « riesling rhénan », n'est pas totalement fiable : une dizaine d'autres cépages ont été ainsi baptisés dans le monde !

DOM. ALLIMANT-LAUGNER Sélection de grains nobles 2015 ★

	900		20 à 30 €

Établie dans le vignoble depuis le XVIIIe s., la famille Allimant a un ancêtre célèbre, Antoine, qui suivit Napoléon dans toutes ses campagnes, puis acheta des vignes sur les côtes du Haut-Kœnigsbourg. Agrandi par l'alliance entre les Allimant et les Laugner, le domaine (12 ha sur trois communes) est conduit depuis 1984 par Hubert Laugner, rejoint en 2013 par son fils Nicolas.

Année solaire, 2015 a bénéficié d'une arrière-saison propice aux vins liquoreux. Avec sa robe jaune d'or aux reflets orangés et ses parfums intenses de fruits confits, celui-ci est bien dans le type. La bouche, à l'unisson du nez, déploie des notes de confiture d'abricots et de mangue, en harmonie avec une ampleur, une concentration et un gras impressionnants, équilibrés par une fine acidité. Certains jurés auraient pris plus de vivacité, mais les « becs sucrés » sont sous le charme. (Sucres résiduels : 80 g/l.) ⧗ 2019-2029

ALLIMANT-LAUGNER, 10, Grand-Rue, 67600 Orschwiller, tél. 03 88 92 06 52, vins@allimantlaugner.fr V t.l.j. sf dim. 9h-12h 13h30-18h

ANSTOTZ ET FILS Glintzberg Vieilles Vignes 2017 ★

	4200		8 à 11 €

Un domaine implanté à 25 km à l'ouest de Strasbourg. Début de la mise en bouteilles en 1950; installation de Marc Anstotz en 1980; aujourd'hui, 15 ha en bio certifié (2012) et de beaux vins, notamment les rieslings de terroir. En 2014, les vignerons ont quitté leur ferme de 1580 pour s'établir dans des locaux plus vastes et fonctionnels. Ils ont bien sûr emporté sur le nouveau site les anciens foudres de bois aux verrous sculptés.

Des vignes de plus de quarante ans, un vin vinifié sur lies, avec des levures indigènes, dans un foudre centenaire : le résultat est convaincant. Reflet de son terroir argilo-marneux, ce 2017 reste discret dans son expression aromatique, surtout florale et fruitée : acacia, agrumes, fruits jaunes à peine mûrs. Avec sa bouche vive, racée, assez longue, il offre le profil d'un riesling de repas. Les millésimes 2013 et 2015 de cette cuvée avaient obtenu un coup de cœur. (Sucres résiduels : 2 g/l.) ⧗ 2020-2024

DOM. ANSTOTZ ET FILS, 11, rue des Hirondelles, 67310 Balbronn, tél. 03 88 50 30 55, christine.anstotz@wanadoo.fr V t.l.j. sf dim. 9h-12h 13h30-18h

FRÉDÉRIC ARBOGAST ET FILS Geierstein 2017

	6000		8 à 11 €

Installé en 2003 à Westhoffen, dans la partie septentrionale du vignoble alsacien, à 25 km de Strasbourg, Frédéric Arbogast perpétue une lignée vigneronne remontant à 1601. Il est établi au centre du village, près de l'église Saint-Martin, et travaille 16 ha en lutte raisonnée. Il vinifie sans levurage.

Après un coup de cœur pour un riesling Vieilles Vignes dans le millésime précédent, voici un riesling honnête et typé, vinifié sans levurage. Il provient d'un coteau pentu dominant Westhoffen, dont les sols argilo-calcaires engendrent des vins solides. Discret et fin au nez, ample en attaque, il apparaît tendu par une franche acidité citronnée, presque mordante. La finale nerveuse et saline traduit sa jeunesse. À attendre ou à déboucher sur des huîtres. (Sucres résiduels : 4 g/l.) ⧗ 2021-2025

VIGNOBLE FRÉDÉRIC ARBOGAST, 3, pl. de l'Église, 67310 Westhoffen, tél. 03 88 50 30 51, frederic@vignoble-arbogast.fr V *r.-v.*

BAUMANN-ZIRGEL
Streng 2017

	6200		11 à 15 €

Benjamin et Valérie Zirgel ont repris l'exploitation familiale en 2008 et engagé la conversion bio du vignoble (certification en 2016), qui se déploie sur les coteaux environnant le village de Mittelwihr, au cœur de la route des Vins. Le domaine, d'une superficie de 10 ha, comprend des parcelles dans quatre grands crus.

Originaire d'un lieu-dit renommé de Mittelwihr, bien exposé au sud-sud-est, ce riesling vinifié sans levurage naît d'un terroir marno-calcaire. Austère et fermé au premier abord, il libère à l'aération des notes complexes de fruits exotiques (ananas) et de fruits jaunes. Les fleurs blanches, des touches d'agrumes confits et d'épices s'ajoutent à cette palette dans un palais de belle tenue, vif et salin. (Sucres résiduels : 5,8 g/l.) ⧗ 2020-2025

BAUMANN-ZIRGEL, 5, rue du Vignoble, 68630 Mittelwihr, tél. 03 89 47 90 40, baumann-zirgel@wanadoo.fr V *t.l.j. sf dim. 9h-12h 14h-18h*

♥ PIERRE ET FRÉDÉRIC BECHT
Stierkopf Christine 2015 ★★★

	6500		8 à 11 €

Pierre Becht et son fils Frédéric sont établis à Dorlisheim, village viticole jouxtant Molsheim, à 25 km à l'ouest de Strasbourg. Ils exploitent 22 ha de vignes, pour moitié dans leur village et pour l'autre au lieu-dit Stierkopf, près de Mutzig.

Bien connus pour leurs vins rouges, ces vignerons montrent ici une autre facette de leur talent. Voyez ce riesling moelleux, né d'une année solaire et d'un coteau baigné de soleil dominant la vallée de la Bruche. Pour le décrire, nos dégustateurs ont noirci avec jubilation leurs fiches : intensité de la robe jaune doré; intensité et profondeur du nez, alliant la minéralité pétrolée typée du cépage à l'acacia et à la surmaturation – la pêche, l'agrume confit. En bouche, une superbe matière, de l'ampleur, de la puissance, des arômes flatteurs de marmelade de citrons et toujours cette minéralité... Sans oublier la fraîcheur, qui équilibre la douceur et souligne la longue finale. Un modèle de complexité et d'harmonie. (Sucres résiduels : 22,5 g/l.) ⧗ 2019-2029

DOM. PIERRE ET FRÉDÉRIC BECHT, 26, fg des Vosges, 67120 Dorlisheim, tél. 03 88 38 18 22, info@domaine-becht.com V *t.l.j. sf dim. 8h30-12h 14h-18h*

LÉON BLEESZ
Schieferberg Vieilles Vignes 2017 ★★

	6000		8 à 11 €

La lignée cultive la vigne depuis le XVIIIe s. Le domaine s'agrandit quand un ancêtre, en 1870, se fait payer pour remplacer un notable sur le champ de bataille et s'achète des vignes. Représentant la sixième génération, Christophe Bleesz s'est installé en 1987 à la tête de la propriété : 10 ha sur les coteaux environnant Reichsfeld, village niché dans un vallon dans l'arrière-pays de Barr.

Associés aux rieslings de la vallée de la Moselle, outre-Rhin, les terroirs de schistes sont très rares en Alsace. Celui du Schieferberg («montagne de schistes») se distingue aussi par son altitude. Autant de facteurs propices à ce riesling qui a mûri lentement avant d'être récolté le 25 octobre, malgré la réputation de précocité de l'année. Or pâle, ce vin séduit par la finesse de son nez mêlant les fruits blancs à des touches de surmaturation. En bouche, il allie ampleur, délicatesse florale à une fraîcheur qui lui donne une réelle élégance. (Sucres résiduels : 3 g/l.) ⧗ 2020-2026

DOM. BLEESZ, 1, pl. de l'Église, 67140 Reichsfeld, tél. 03 88 85 53 57, vin-location@bleesz.fr V *r.-v.*

BOECKEL Clos Eugénie 2017

	2000		20 à 30 €

Occupant une maison Renaissance typique de Mittelbergheim, superbe village vigneron proche de Barr, la famille Boeckel est enracinée dans la région depuis quatre siècles. Frédéric Boeckel devient marchand de vins en 1853. Ses descendants, Jean-Daniel et Thomas, qui sont aussi négociants, exploitent en propre 24 ha de vignes entre Obernai et Andlau, dont plusieurs parcelles en grand cru. Une partie du vignoble est en bio certifié (depuis 2013).

Il naît d'un vignoble clos de murs. La robe est jaune intense, tout comme le nez, franc, délicat et bien ouvert sur les fleurs blanches et le sureau, avec une touche plus évoluée d'eucalyptus. La bouche garde ce registre floral, harmonieuse, persistante, tout en finesse. (Sucres résiduels : 2,5 g/l.) ⧗ 2018-2023

DOM. BOECKEL, 2, rue de la Montagne, 67140 Mittelbergheim, tél. 03 88 08 91 02, boeckel@boeckel-alsace.com V *r.-v.*

♥ MARIE-CLAIRE ET PIERRE BORÈS
Schieferberg Rêve de pierre Figure de style 2017 ★★★

	2000		15 à 20 €

Au sud de Barr, le village de Reichsfeld est situé en pleine montagne, au fond d'un vallon encaissé abrité par l'Ungersberg, point culminant du Bas-Rhin : le cadre de vie de Marie-Claire et Pierre Borès, installés en 1988. Le couple exploite ses 10 ha de vignes sur les coteaux abrupts du Schieferberg – l'un des rares terroirs de schistes d'Alsace.

De leur vignoble d'altitude, aux sols de schistes, ces vignerons aiment à tirer des vins doux ou liquoreux. Comme ce moelleux or jaune, qui laisse de belles larmes sur les parois du verre. Intense et riche au nez, il mêle les fruits exotiques à des nuances de citron confit, de miel et de coing. Ce registre évoquant la pourriture noble se retrouve au palais, avec de la cire d'abeille pour compléter la palette. La texture, elle aussi, est superbe : ce vin brille par son onctuosité, son ampleur et sa douceur, sans la moindre lourdeur, car l'acidité du cépage est bien là pour donner fraîcheur et longueur. (Sucres résiduels : 33 g/l.) 2019-2029

DOM. BORÈS, 15, lieu-dit Leh, 67140 Reichsfeld, tél. 03 88 85 58 87, contact@domaine-bores.fr V r.-v.

CAVE DE CLEEBOURG
Rott Eselforch 2017 ★

| 130 000 | | 8 à 11 € |

La cave de Cleebourg a été fondée en 1946 pour sauver le vignoble situé à l'extrémité nord de l'Alsace, à la limite de l'Allemagne et à 80 km du tronçon principal de la route des Vins. La coopérative vinifie les vendanges de près de 200 ha de vignes implantés dans les villages proches de Wissembourg.

Rott est la commune (elle jouxte Wissembourg), Eselforch, le lieu-dit : un coteau plein sud, aux sols limono-sablo-argileux. Le lieu de naissance de cet agréable riesling à la robe dorée. Sa palette aromatique surmûrie, un peu évoluée (fruits secs ou confits) se complète au palais d'une minéralité naissante. Ample, puissante, expressive, la bouche finit sur une fraîcheur citronnée. Du caractère. 2019-2023

CAVE VINICOLE DE CLEEBOURG, rte du Vin, 67160 Cleebourg, tél. 03 88 94 50 33, info@cave-cleebourg.com V *t.l.j. 8h-12h 14h-18h* E

HENRI EHRHART
Réserve particulière 2017 ★★

| 45 000 | | 8 à 11 € |

Établie à Ammerschwihr, important bourg viticole proche de Colmar, la famille Ehrhart possède 7 ha en propre. Elle a créé en 1978 une structure de négoce et, forte de ses connaissances de producteur-récoltant, privilégie l'achat de raisins provenant des domaines environnants. Cyrille et Sophie Ehrhart ont pris les rênes de la maison en 2012.

Après un pinot gris élu coup de cœur dans le millésime précédent, ce riesling d'un jaune intense brille par sa complexité; d'abord discret, il déploie à l'aération de multiples arômes : agrumes, fruits secs, minéralité, fruits jaunes et une exquise note de bergamote confite que l'on retrouve en bouche. Ample, riche et chaleureux en attaque, il est tendu par une belle ligne acide qui donne de l'allonge à sa finale saline et citronnée. Un vin idéal pour viandes blanches et poissons en sauce. (Sucres résiduels : 6 g/l.) 2019-2025

HENRI EHRHART, quartier des Fleurs, 68770 Ammerschwihr, tél. 03 89 78 23 74, sophie@henri-ehrhart.com

B ENGEL Tradition 2017 ★

| 2870 | | 5 à 8 € |

Établie au cœur de l'Alsace viticole, au pied du château du Haut-Kœnigsbourg, la famille commercialise son vin depuis 1958. Les frères Engel exploitent aujourd'hui 20 ha de vignes, dont une bonne part est située dans le grand cru Praelatenberg. Hubert est aux vignes, Christian au chai, rejoint aujourd'hui par Pierre, qui représente la troisième génération. Domaine en bio certifié depuis 2014.

Avec ses reflets dorés, son nez mûr, teinté de miel et d'épices, et sa bouche ample et suave en attaque, d'une belle puissance, aux arômes de bergamote, ce riesling présente un côté riche et gourmand. Une fine amertume conclut plaisamment la dégustation. (Sucres résiduels : 4,5 g/l.) 2019-2025

DOM. ENGEL FRÈRES, 1, rue des Vignes, 67600 Orschwiller, tél. 03 88 92 01 83, vins-engel@wanadoo.fr V *t.l.j. sf dim. 9h-11h30 14h-18h* A

B DOM. FERNAND ENGEL
Weingarten de Rohrschwihr
Vendanges tardives 2015 ★

| 3800 | | 20 à 30 € |

Entre Kintzheim et Bergheim, au pied du Haut-Kœnigsbourg, pas moins de 65 ha répartis sur 150 parcelles, en bio certifié (biodynamie) depuis 2003. Fernand Engel débute les vinifications au domaine en 1949; son fils Bernard agrandit le vignoble et engage la conversion bio; la troisième génération, représentée par Sandrine et Xavier Baril (ce dernier œnologue) gère aujourd'hui la propriété, avec l'aide d'Amélie, l'arrière-petite-fille du fondateur. Un domaine très régulier en qualité. Deux étiquettes : Fernand Engel et Joseph Rudloff.

Le domaine a signé dans la précédente édition plusieurs moelleux ou liquoreux de 2015, millésime faste pour ce style de vins. Voici encore un riesling qui donne toute satisfaction avec sa robe or soutenu, son nez entre foin séché, miel, cire d'abeille et fruits confits. La bouche suit la même ligne, avec ses notes de raisins secs. Riche, suave et concentrée, elle est tenue par une belle acidité qui souligne sa longue finale. (Sucres résiduels : 103 g/l.) 2019-2026

DOM. FERNAND ENGEL, 1, rte du Vin, 68590 Rorschwihr, tél. 03 89 73 77 27, xb@fernand-engel.fr V *t.l.j. sf dim. 8h-11h30 13h-18h* B

FAHRER-ACKERMANN
Hofreben 2017

| 4300 | | 8 à 11 € |

En 1999, Vincent Ackermann, fils de vigneron et salarié viticole, rachète l'exploitation de son employeur, située au pied du Haut-Kœnigsbourg, et, cinq ans plus tard, une maison datée de 1709 sise à Rorschwihr, pour aménager des chambres d'hôtes. Son domaine couvre près de 10 ha.

Typé des rieslings nés sur terroir granitique, ce vin offre une expression intense et délicate au nez, très florale (fleurs blanches, jasmin), avec des touches minérales et un soupçon de fruits mûrs. Puissant en bouche, il conjugue une certaine rondeur avec une belle acidité. On le verrait bien avec une viande blanche. (Sucres résiduels : 10 g/l.) 2020-2024 **Terroir du Haut-Kœnigsbourg 2017 (8 à 11 €; 3500 b.)** : vin cité.

DOM. FAHRER-ACKERMANN, 10, rte du Vin, 68590 Rorschwihr, tél. 03 89 73 83 69, vincent.ackermann@wanadoo.fr V *r.-v.* 3 D

DOM. HENRI FLORENCE ET FILS 2017 ★

| 1400 | | 5 à 8 € |

Claude Florence travaille depuis 1988 sur le domaine familial créé en 1947, dont il a pris la tête en 2002. Il exploite près de 10 ha autour d'Ammerschwihr, gros bourg viticole au nord-ouest de Colmar, ainsi que dans les villages voisins. Dans sa cave, les foudres de bois traditionnels côtoient quelques cuves Inox.

Le nez pur s'ouvre sur l'acacia, puis sur les fruits jaunes; le palais séduit par son fruité (poire, agrumes), par son acidité bien fondue et par sa longueur. De la finesse. (Sucres résiduels : 2 g/l.) ⧗ 2019-2024

DOM. HENRI FLORENCE ET FILS, 1, rue des Merles, 68770 Ammerschwihr, tél. 03 89 47 35 69, claude.florence0210@orange.fr V t.l.j. sf dim. 9h-11h45 13h15-18h30

B DOM. HAEGI Stein 2017 ★★

| 2000 | | 11 à 15 € |

Boulangers de père en fils, les Haegi sont devenus vignerons en 1949 après le mariage de Charles avec la fille d'un viticulteur du village. Depuis 1985, c'est Daniel qui conduit les 9 ha de l'exploitation, à Mittelbergheim et dans le village voisin d'Eichhoffen. Il cultive trois cépages sur le Zotzenberg, grand cru local.

S'il n'est pas du style nerveux, ce riesling, issu de raisins récoltés en légère surmaturité, reste sec. Les jurés ont apprécié sa palette aromatique complexe mariant la fleur blanche, la pêche, la gelée de coing et loué son palais, suave, rond et gras, porté par une belle acidité. Surprenant et agréable, ce vin s'entendra avec du poisson ou des noix de saint-jacques en sauce ou encore avec une viande blanche. (Sucres résiduels : 11 g/l.) ⧗ 2019-2024

DOM. HAEGI, 33, rue de la Montagne, 67140 Mittelbergheim, tél. 03 88 08 95 80, info@haegi.fr V t.l.j. sf dim. 9h-12h 13h30-18h 1 B

ANDRÉ HARTMANN
Bildstoecklé Armoirie Hartmann 2017 ★

| 3200 | | 11 à 15 € |

La famille Hartmann est établie depuis 1640 au village de Voegtlinshoffen, « Balcon de l'Alsace » perché sur un coteau, à quelque 10 km au sud de Colmar. Depuis 1984, c'est Jean-Philippe qui conduit le domaine : 9 ha, avec plusieurs parcelles dans le grand cru Hatschbourg.

Terroir marno-calcaire caillouteux et bien drainé, exposé au sud-sud-est, le Bildstoecklé bénéficie d'un effet de foehn. Les vignerons qui l'exploitent espèrent obtenir pour ce lieu-dit réputé un classement en 1er cru – l'Alsace n'a pas officiellement de 1ers crus, comme en Bourgogne. En attendant l'aboutissement d'enquêtes minutieuses, on pourra déguster un riesling flatteur, au fruité mûr (agrumes, tilleul, pêche, citron confit, gelée de coing), ample et rond sans lourdeur, équilibré par une fraîcheur minérale. (Sucres résiduels : 10 g/l.) ⧗ 2019-2024

ANDRÉ HARTMANN, 11, rue Roger-Frémeaux, 68420 Voegtlinshoffen, tél. 03 89 49 38 34, contact@andre-hartmann.fr V t.l.j. sf dim. 9h-12h 14h-18h B

HIRTZ Stein 2017

| 3000 | | 5 à 8 € |

Établis dans l'un des plus pittoresques villages du Bas-Rhin, près de Barr, Edy et Élisabeth Hirtz conduisent depuis 1992 le domaine familial : 9 ha, avec des parcelles dans le grand cru local. Ici, pas de foudres de bois, mais des cuves Inox, plus à même de préserver le potentiel aromatique des cépages, selon le vigneron.

Originaire d'un terroir argilo-calcaire, ce riesling s'ouvre sur de délicates notes d'aubépine, puis libère des notes fruitées plus mûres (poire, pêche et même une touche de mangue) que l'on retrouve avec plaisir dans une bouche puissante et ronde, équilibrée par une fraîcheur acidulée et par un petit côté minéral et salin. (Sucres résiduels : 10,6 g/l.) ⧗ 2019-2023

DOM. HIRTZ, 13, rue Rotland, 67140 Mittelbergheim, tél. 03 88 08 47 90, edy.hirtz@orange.fr V r.-v.

♥ B HUMBRECHT 1619
Côté terre 2017 ★★

| 6826 | | 8 à 11 € |

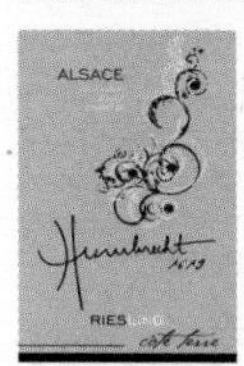

Une famille établie à Gueberschwihr, cité viticole dominée par un superbe clocher roman, au sud de Colmar. Les origines de la propriété se perdent dans la nuit des temps : en 1619, des ancêtres vignerons dans le village; plus récemment, Georges, installé en 1965, puis Claude, qui a pris la tête de l'exploitation en 1997. Un domaine de 8 ha cultivé en bio (certification en 2013); de beaux terroirs à dominante argilo-calcaire.

La gamme Côté terre, disent ces vignerons, privilégie la puissance et la richesse aromatique. Objectif atteint avec cette cuvée plébiscitée par nos jurés qui, tout blasés qu'ils soient, avouent leur plaisir à la déguster... et à la regoûter pour confirmer leur verdict. Tous louent à l'envi sa robe or jaune, son nez complexe et mûr, aux nuances de fruits jaunes et de fruits exotiques, son palais dans le même registre, riche et ample, aussi rond que long. (Sucres résiduels : 5 g/l.) ⧗ 2019-2024

DOM. HUMBRECHT 1619, 33, rue de Pfaffenheim, 68420 Gueberschwihr, tél. 03 89 49 31 51, claude.humbrecht@orange.fr V t.l.j. sf dim. 8h-12h 14h-18h 2 B

♥ CAVE VINICOLE DE HUNAWIHR
Silberberg Calixte 2017 ★★

| 3500 | | 8 à 11 € |

Fondée en 1954 au cœur de la route des Vins, la cave de Hunawihr regroupe majoritairement des viticulteurs de ce village. La coopérative vinifie le fruit de 200 ha et propose une large gamme de vins (dont cinq grands crus). Elle a quatre marques : Peter Weber, L'Unabelle, Armand Schreyer et Kuhlmann-Platz (ancienne maison de négoce rachetée en 1985).

Situé à Rorschwihr, au nord de Hunawihr, le terroir calcaire du Silberberg résiste à la sécheresse et jouit d'une bonne notoriété pour ses vins, construits sur une belle acidité. Encore discret dans son expression aromatique, celui-ci brille par sa finesse et par sa précision, ainsi que par sa fraîcheur citronnée, sa minéralité et sa longueur. Le riesling idéal pour les produits de la mer et la choucroute. (Sucres résiduels : 4 g/l.) ⧗ 2019-2024

CAVE VINICOLE DE HUNAWIHR, 48, rte de Ribeauvillé, 68150 Hunawihr, tél. 03 89 73 61 67, oenologue@cave-hunawihr.com V t.l.j. 9h-18h

KOEHLY Hahnenberg 2017 ★

	6000		5 à 8 €

Dans les années 1930, la famille Koehly pratiquait la polyculture-élevage et vendait le produit de ses 50 ares de vignes à la coopérative. Jean-Marie Koehly, installé en 1976, a spécialisé la propriété familiale et l'a transmise en 2016 à son fils Joseph. Le vignoble compte 23 ha répartis sur sept communes, à cheval sur les deux départements alsaciens.

Le Hahnenberg est un coteau pentu au substrat granitique, situé entre Kintzheim et Châtenois, où les Koehly cultivent plusieurs cépages. Ce riesling séduit par son nez précis, qui s'ouvre sur les fleurs blanches et les agrumes, avec un soupçon de minéralité. La pomme mûre s'ajoute aux agrumes dans un palais bien équilibré entre rondeur et acidité. La finale de belle longueur, aux accents de pamplemousse, laisse une impression de fraîcheur. (Sucres résiduels : 2 g/l.) ⧗ 2019-2025

DOM. KOEHLY, 64, rue du Gal-de-Gaulle, 67600 Kintzheim, tél. 03 88 82 09 77, jean-marie.koehly@wanadoo.fr V t.l.j. 8h-12h 13h-18h

B MADER Haguenau 2017

	1500		11 à 15 €

Installés sur le domaine familial en 1981, Jean-Luc et Anne Mader ont repris l'élaboration des vins à la propriété et la vente directe, qui s'était interrompue à la génération précédente. Couvrant 11 ha au cœur de la route des Vins, leur vignoble est disséminé sur quatre communes : Ribeauvillé, Hunawihr, Riquewihr et Kientzheim. Après l'arrivée de leur fils Jérôme en 2005, l'exploitation a adopté la démarche bio (certification en 2010).

À la carte de ces vignerons, trois rieslings de terroir (dont un grand cru) : les vins issus de ce cépage sont souvent appréciés par nos jurés. Né d'un lieu-dit argilo-marneux, ce 2017 séduit par l'intensité et par la finesse de ses parfums (fleurs blanches, fruits blancs mûrs, avec une touche minérale). D'une belle maturité, c'est un vin bien construit, ample, porté par un trait d'acidité qui lui donne de l'allonge. (Sucres résiduels : 3,8 g/l.) ⧗ 2019-2023

DOM. JEAN-LUC MADER, 13, Grand-Rue, 68150 Hunawihr, tél. 03 89 73 80 32, vins.mader@laposte.net V r.-v.

ANDRÉ MAULER Muhlforst 2017 ★★

	1500		8 à 11 €

Quatre générations se sont succédé sur ce domaine proche de Riquewihr, qui compte aujourd'hui quelque 9 ha répartis sur cinq communes, dont plusieurs en grand cru Sonnenglanz. Depuis 1999, c'est Christian Mauler, fils d'André, qui gère l'exploitation avec sa sœur Claudine.

Ces vignerons proposent trois rieslings de terroirs. Si le Muhlforst n'est pas classé en grand cru, ses sols marno-calcaires et son exposition au sud-est en font un coteau propice au riesling. Ce millésime a fait grande impression par sa puissance. Le nez, entre fleurs blanches et citron, montre déjà une touche «pétrolée». Intense, complexe (acacia, chèvrefeuille, verveine, agrumes), dense et généreuse, la bouche est tendue par un trait de vivacité qui donne élégance et allonge à la finale. Proche du coup de cœur. (Sucres résiduels : 10 g/l.) ⧗ 2019-2024

ANDRÉ MAULER, 3, rue Jean-Macé, 68980 Beblenheim, tél. 03 89 47 90 50, contact@domaine-mauler.fr V t.l.j. 8h-12h 14h-18h; *sam. dim. 8h-12h* 3

JEAN-PAUL MAULER Streng 2017

	1700		8 à 11 €

Si la propriété remonte à 1868, ce sont les grands-parents de l'actuel exploitant qui se sont lancés dans la viticulture en 1935; ses parents, Jean-Paul et Yvette, ont débuté la vente en bouteilles dans les années 1960. Installé en 2004, Julien Mauler conduit 7,5 ha de vignes dans cinq communes proches de Riquewihr, au cœur du vignoble, avec des parcelles dans deux grands crus.

Le vigneron signale que le lieu-dit argilo-calcaire du Streng, à l'ouest de Mittelwihr, engendre des rieslings floraux. De fait, à l'aveugle, nos dégustateurs soulignent la «belle expression florale de cette cuvée» (fleurs blanches, tilleul; ils respirent aussi dans le verre de la verveine, des agrumes, du fruit mûr. Ample, de bonne longueur, le palais laisse le souvenir d'un vin équilibré et typé. (Sucres résiduels : 9,5 g/l.) ⧗ 2019-2024

JEAN-PAUL MAULER, 3, pl. des Cigognes, 68630 Mittelwihr, tél. 03 89 47 93 23, vins.jpmauler@orange.fr V r.-v. C

JÉRÔME MEYER 2017

	3400		5 à 8 €

Héritier d'une lignée vigneronne remontant à 1708, Jérôme Meyer a repris en 2006 le domaine familial qui avait dû être loué après la disparition prématurée de son père. Il exploite 8 ha de vignes répartis sur cinq communes, de Dambach-la-Ville à Andlau, dans le sud du Bas-Rhin. En conversion bio depuis 2019.

Né de sols sablonneux, un riesling au nez engageant (fleurs blanches, agrumes, puis mangue). En bouche, il paraît plus linéaire, vif, voire nerveux. Il devrait gagner en expression et en harmonie au cours des prochains mois. (Sucres résiduels : 2 g/l.) ⧗ 2020-2022

DOM. JÉRÔME MEYER, 22, rte des Vins, 67650 Blienschwiller, tél. 06 25 78 37 17, jerome.meyer@vins-alsace-meyer.fr V r.-v. E

MEYER-FONNÉ 2017 ★

	4500		8 à 11 €

Héritier d'une longue lignée au service du vin, Félix Meyer, installé en 1992, a longtemps suivi la démarche

bio, sans certification, avant d'engager la conversion de sa propriété. À la tête d'un vignoble, plus de 15 ha répartis sur sept communes proches de Colmar, complété par une petite structure de négoce, il peut jouer sur une large palette de terroirs, et notamment sur cinq grands crus.

Issu d'une nouvelle petite activité de négoce, ce riesling provient d'un terroir argilo-calcaire; il a fermenté avec des levures indigènes. Expressif et typé, il s'ouvre à l'aération sur les agrumes mûrs, orange sanguine en tête. Dans le même registre mûr, le palais séduit par sa densité et par sa longue finale chaleureuse. De la présence. (Sucres résiduels : 5 g/l.) ⧗ 2019-2023

FÉLIX MEYER, 24, Grand-Rue, 68230 Katzenthal, tél. 03 89 27 16 50, felix@meyer-fonne.com

JOSEPH MOELLINGER ET FILS Sélection 2017

	5800		5 à 8 €

Joseph Moellinger s'est lancé dans la mise en bouteilles en 1945. Depuis 1997, son petit-fils Michel conduit l'exploitation, qui couvre 15 ha autour de Wettolsheim, grosse bourgade qui jouxte Colmar au sud-ouest. Il détient des parcelles dans plusieurs grands crus.

Souvent remarquée et en très bonne place dans le millésime précédent, cette cuvée née de sols sablo-limoneux penche cette année vers la richesse. Au nez, elle mêle les agrumes et les fruits blancs. En bouche, elle se montre ample, puissante et ronde, tonifiée par une finale citronnée. (Sucres résiduels : 6 g/l.) ⧗ 2019-2022

DOM. JOSEPH MOELLINGER ET FILS, 6, rue de la 5e-Division-Blindée, 68920 Wettolsheim, tél. 03 89 80 62 02, contact@vins-moellinger.com V t.l.j. 8h-12h 13h30-19h; dim. sur r.-v.

RENTZ ET FILS Les Comtes 2017 ★

	7711		8 à 11 €

Descendant d'une lignée vigneronne remontant au XVIIIe s., Edmond Rentz vend son vin en bouteilles dès 1936. Son fils Raymond étend la propriété et transmet en 1995 à Patrick un domaine couvrant aujourd'hui 27 ha, réparti sur cinq communes au cœur de la route des Vins : Bergheim, Ribeauvillé, Hunawihr, Zellenberg, Riquewihr.

Originaire d'un terroir argilo-calcaire, ce riesling présente un nez intense, élégamment floral. Les fleurs blanches, alliées aux fruits mûrs, s'épanouissent dans un palais souple et riche en attaque, tendu par une belle acidité et marqué en finale par une pointe délicate d'amertume. Un vin de caractère que l'on verrait bien marié avec poissons de rivière ou viandes blanches. (Sucres résiduels : 4 g/l.) ⧗ 2019-2024

DOM. EDMOND RENTZ, 7, rte du Vin, 68340 Zellenberg, tél. 03 89 47 90 17, info@edmondrentz.com V t.l.j. sf dim. 8h-12h 14h-18h

CHRISTOPHE RIEFLÉ 2017

	4000		5 à 8 €

De vieille souche vigneronne, Christophe Rieflé a créé son exploitation en 2003, avec chai et cuverie. Premier millésime vinifié en 2005 et de nombreuses sélections dans le Guide. Il exploite 17 ha autour de Pfaffenheim, à 15 km au sud de Colmar.

À une robe jaune doré répond un nez bien ouvert et flatteur, associant la verveine, la citronnelle et le zeste d'agrumes à des notes plus mûres de fruits jaunes et de mangue. La bouche, à l'unisson, montre sa rondeur dès l'attaque, équilibrée en finale par une pointe de fraîcheur et par un retour des agrumes. Parfait pour les plats en sauce ou des spécialités sucrées-salées. (Sucres résiduels : 8 g/l.) ⧗ 2019-2022

CHRISTOPHE RIEFLÉ, rue de la Lauch, 68250 Pfaffenheim, tél. 06 86 17 27 42, christopheriefle@aol.com V t.l.j. 8h-12h 13h-18h

RUHLMANN Granit S 2017 ★

	6690		8 à 11 €

Créée en 1688, cette maison a pignon sur rue dans la cité pittoresque de Dambach-la-Ville, entre Barr et Sélestat. Elle associe une activité de négoce à l'exploitation d'un important domaine (40 ha), complété en 2017 par l'achat du Ch. Valmont dans les Corbières.

Sans être très puissant, ce riesling issu de sols granitiques offre une belle matière et, au nez comme en bouche, une expression fruitée plaisante et typée, associant de délicates notes de fleurs blanches au citron et à la fleur de citronnier. Avec son attaque ample et sa finale acidulée, de belle longueur, encore légèrement marquée par les sucres résiduels, il laisse le souvenir d'un vin harmonieux. (Sucres résiduels : 4 g/l.) ⧗ 2020-2024

RUHLMANN, 34, rue du Mal-Foch, 67650 Dambach-la-Ville, tél. 03 88 92 41 86, vins@ruhlmann-schutz.fr V t.l.j. sf dim. 9h-12h 14h-19h 2

RUHLMANN-DIRRINGER Vieilles Vignes 2017

	8000		5 à 8 €

Au service du vin depuis plus de cinq générations, cette famille de vignerons est établie à Dambach-la-Ville, cité resserrée dans les vestiges de son enceinte; elle accueille les visiteurs dans une demeure de 1578. Rémy Dirringer exploite 15 ha sur les terres majoritairement granitiques des environs de sa commune. Domaine en conversion bio.

Le riesling donne des vins de belle expression sur ces terroirs granitiques. Celui-ci attire par son nez précis, qui monte en puissance et gagne en complexité à l'aération, passant des fleurs blanches et des agrumes à un fruité plus mûr. On retrouve les agrumes, alliés à l'abricot frais, dans une bouche tonique en attaque, équilibrée et persistante, un peu nerveuse en finale. (Sucres résiduels : 2 g/l.) ⧗ 2019-2024

RUHLMANN-DIRRINGER, 3, imp. de Mullenheim, 67650 Dambach-la-Ville, tél. 03 88 92 40 28, ruhlmanndirringer@gmail.com V t.l.j. sf dim. 10h-18h

B SCHIEFERKOPF Buehl 2017

	6250		30 à 50 €

Célèbre dans la vallée du Rhône, Michel Chapoutier s'intéresse particulièrement aux terroirs schisteux. En

2008, il a acquis avec quatre associés un domaine de 8 ha situé en altitude, sur le Felsberg, à Bernardvillé. Jadis cultivé par les Cisterciens et aujourd'hui exploité en bio, le vignoble pentu est implanté sur la seule veine de schistes bleus d'Alsace, des roches très anciennes, du Précambrien. Les premières cuvées ont été lancées en 2011 sous la marque Schieferkopf.

Lieu-dit de Bernardvillé, Buehl est un coteau dont les sols schisteux favorisent le riesling. Le cépage y a engendré un vin d'un jaune soutenu, au nez intense et précis, entre fleurs du verger, fruits blancs et agrumes. Équilibré en bouche, ce 2017 dévoile une belle matière, vive en attaque et chaleureuse en finale. De la puissance. (Sucres résiduels : 2,2 g/l.) ⧗ 2020-2025

SCHIEFERKOPF, 2, pl. de l'Église, 67140 Reichsfeld, tél. 04 75 08 28 65, chapoutier@chapoutier.com

DOM. SCHIRMER 2017

5000		5 à 8 €

Les Schirmer sont établis depuis le XIXe s. au sud de Colmar. Lucien Schirmer, qui a spécialisé le domaine dans les années 1970, a passé le relais en 1991 à Thierry. Ce dernier exploite 11 ha de vignes, dont une partie est située dans le grand cru du Zinnkoepflé.

Né de sols argilo-gréseux, voici un riesling typé, bien sec. Encore jeune et discret au nez, il s'ouvre sur des senteurs florales élégantes, nuancées de touches mentholées. Ce registre floral se teinte de minéralité dans un palais qui séduit par sa fraîcheur. (Sucres résiduels : 2,9 g/l.) ⧗ 2019-2023

DOM. SCHIRMER, 22, rue de la Vallée, 68570 Soultzmatt, tél. 03 89 47 03 82, vins.alsace.schirmer@orange.fr V t.l.j. 9h-12h 13h30-19h; dim. sur r.-v.

DOM. ROLAND SCHMITT Glintzberg 2017 ★★

7400		8 à 11 €

Roland Schmitt a œuvré pour promouvoir l'Altenberg de Bergbieten, grand cru proche de Strasbourg. Son épouse Anne-Marie, puis ses fils Julien (au chai, arrivé au domaine en 1999) et Bruno (2002) ont poursuivi son œuvre et réalisé la conversion bio des 10 ha du vignoble.

Les rieslings de terroir du domaine intéressent souvent nos dégustateurs, qu'il s'agisse du grand cru Altenberg de Bergbieten ou du coteau voisin du Glintzberg, qui bénéficie des mêmes sols argilo-calcaires et caillouteux, avec une exposition différente (au sud-ouest). Le second est à l'origine de ce vin de caractère, à la palette complexe (fruits blancs, léger grillé) et au palais intense, ample en attaque, frais et long. (Sucres résiduels : 3 g/l.) ⧗ 2019-2024

DOM. ROLAND SCHMITT, 35, rue des Vosges, 67310 Bergbieten, tél. 03 88 38 20 72, cave@roland-schmitt.fr V t.l.j. sf dim. 9h-12h 13h30-18h

JEAN SIPP
Hagel Les Terrasses du Clos HD 2015 ★

900		20 à 30 €

Établi dans une demeure Renaissance qui appartint jadis à la puissante famille des Ribeaupierre, seigneurs de Ribeauvillé, Jean-Guillaume Sipp perpétue depuis 2014 avec brio une tradition viticole inaugurée en 1654 par son ancêtre porteur du même prénom. Il dispose de 25 ha de vignes, avec des parcelles dans plusieurs crus renommés (Altenberg de Bergheim, Kirchberg de Ribeauvillé).

Déjà mentionné au XVIe s., le Hagel est un coteau escarpé aménagé en terrasses, planté il y a treize ans à très haute densité : 9 600 pieds/ha, alors qu'une densité minimale de 4 500 pieds/ha est inscrite dans le cahier des charges de l'AOC : l'art et la manière de réduire les rendements au cep. Déjà très réussi dans le millésime précédent, ce riesling élevé en foudre porte la marque de son année solaire dans les reflets dorés de sa robe, dans son expression aromatique intense et complexe – des fruits jaunes mûrs aux côtés des fleurs blanches et des agrumes – et dans sa bouche ample, puissante, de bonne longueur, soutenue par une acidité bien fondue. (Sucres résiduels : 1,8 g/l.) ⧗ 2019-2023

DOM. JEAN SIPP, 60, rue de la Fraternité, 68150 Ribeauvillé, tél. 03 89 73 60 02, domaine@jean-sipp.com V t.l.j. sf dim. 9h-12h 14h-17h30

STEINER Elsbourg 2017

3300		11 à 15 €

Domaine fondé en 1885 et exploité par Philippe Steiner, qui représente la quatrième génération. Son vignoble est implanté autour des villages d'Herrlisheim, de Hattstatt et de Riquewihr, avec des parcelles dans le grand cru Hatschbourg. Le propriétaire vient de s'équiper d'une nouvelle cave et d'une salle de dégustation panoramique.

Originaire d'un terroir calcaire limoneux et caillouteux, ce vin offre une expression typée du cépage : nez délicatement floral et fruité, avec une touche de minéralité, bouche dense et tendue, de bonne longueur. (Sucres résiduels : 0 g/l.) ⧗ 2020-2024

VINS STEINER, 13, rte du Vin, 68420 Herrlisheim-Vignoble, tél. 03 89 49 30 70, steiner.vins@wanadoo.fr V t.l.j. 9h-12h 14h-18h30

CAVE DE TURCKHEIM
Vieilles Vignes 2017 ★

50000		5 à 8 €

Fondée en 1955, cette coopérative d'importance propose des vins haut de gamme en volumes intéressants, tels les grands crus (neuf références, avec le Brand de Turckheim en vedette) ou les vendanges tardives, ainsi qu'une gamme de vins bio.

De très belle facture, cette cuvée issue de graves présente des traits communs avec sa devancière de 2014, élue coup de cœur : la finesse de sa palette (fleurs du verger, citron vert, fruits blancs et touches minérales), sa vivacité élégante et sa droiture au palais, à la finale sur le citron et la verveine. Net et plus qu'honnête, « fait pour les passionnés de riesling », selon un juré. (Sucres résiduels : 7 g/l.) ⧗ 2020-2027 **Terres de calcaire 2017 (8 à 11 €; 14000 b.)** : vin cité.

CAVE DE TURCKHEIM, 16, rue des Tuileries, 68230 Turckheim, tél. 03 89 30 23 60, info@cave-turckheim.com V t.l.j. 9h-19h

B DOM. LAURENT VOGT Rothstein 2017 ★★

| 2000 | | 11 à 15 € |

Une maison vigneronne du XVIIIes. cossue et typique, dans la partie du vignoble proche de Strasbourg. Laurent et Marie-Anne Vogt ont spécialisé et agrandi le domaine. Thomas et Sylvie Vogt ont pris le relais en 1998 et engagé la conversion bio des 11 ha de vignes (certification en 2013).

Wolxheim est renommé pour ses rieslings; avec les crémants, les vins nés de ce cépage constituent le cheval de bataille du domaine. Celui-ci vient du Rothstein, un lieu-dit de «pierre rouge» (grès rose) situé à l'emplacement des carrières royales d'où furent extraites les pierres destinées à la construction des fortifications de Strasbourg. Nez austère, jeune, pur et droit, s'ouvrant sur des notes complexes de zeste d'agrumes, de fruits blancs et de fruits secs; palais acidulé en attaque, dense, ample et gras, minéral et iodé, tendu par une fine acidité. Un vrai riesling de terroir, à servir sur viandes blanches ou poissons en sauce. (Sucres résiduels : 8,5 g/l.) ⌛ 2020-2026

DOM. LAURENT VOGT, 4, rue des Vignerons, 67120 Wolxheim, tél. 03 88 38 81 28, thomas@domaine-vogt.com V t.l.j. 8h-12h 13h-18h30 ; dim. sur r.-v.

♥ B VORBURGER 2017 ★★

| 3000 | | 5 à 8 € |

Vignerons à Voegtlinshoffen, village dominant la plaine d'Alsace au sud-ouest de Colmar, les Vorburger vendent leur vin en bouteilles depuis les années 1950. Aujourd'hui, Jean-Pierre et Philippe exploitent le vignoble en bio certifié.

Né d'un terroir argilo-calcaire, ce riesling a intéressé nos dégustateurs par son nez expressif et complexe, mêlant les fleurs blanches et les fruits mûrs à une nuance de tabac. Il s'est imposé en bouche, où le gras et l'ampleur se conjuguent à une belle acidité, en harmonie avec une palette aromatique mûre – citron, fruits frais, miel et touche de garrigue. La finale longue et fraîche est marquée par de nobles amers. Remarquable expression, excellente structure, le jury est conquis. (Sucres résiduels : 4 g/l.) ⌛ 2019-2024

JEAN-PIERRE VORBURGER ET FILS, 3, rue de la Source, 68420 Vœgtlinshoffen, tél. 03 89 49 35 52, jean.pierre.vorburger68@gmail.com V r.-v.

CH. WAGENBOURG Sélection 2017 ★

| 6500 | | 5 à 8 € |

À 25 km au sud de Colmar, Soultzmatt s'étire le long de la Vallée Noble, ainsi désignée en raison des sept châteaux qui la gardaient. De ces forteresses, une seule est restée debout : Wagenbourg, acquise par la famille Klein, établie dans le village en 1605. Bien abritées par les plus hauts reliefs des Vosges, les vignes (11 ha) sont exploitées depuis 1987 par Jacky et Mireille Klein.

Conforme à son origine argilo-calcaire, ce riesling apparaît encore assez discret au premier nez; à l'aération, il s'ouvre sur de délicates senteurs d'acacia et de citron, nuancées de touches mentholées et d'une note plus mûre de surmaturation. Vif, fringant et long au palais, avec du gras, il finit sur des notes de pamplemousse et de kumquat. Un vin dans sa jeunesse. (Sucres résiduels : 9 g/l.) ⌛ 2020-2024

CH. WAGENBOURG, 25A, rue de la Vallée, 68570 Soultzmatt, tél. 03 89 47 01 41, chateauwagenbourg@orange.fr V t.l.j. sf dim. 8h-12h 13h30-18h

B WUNSCH ET MANN Vendanges tardives 2015 ★★

| 2200 | | 20 à 30 € |

Les Mann cultivent la vigne depuis 1793. Créée en 1948 à Wettolsheim près de Colmar, la maison Wunsch et Mann exploite 20 ha de vignes qu'elle complète par une activité de négoce. Depuis 2008, elle travaille en bio (certification en 2011).

D'un jaune doré engageant, ces vendanges tardives marient au nez des senteurs de surmaturation bien typées (pêche, abricot, fruits confits, miel) et une minéralité naissante. Sans être un monstre de puissance, la bouche charme par son équilibre entre douceur, gras et acidité. Une fraîcheur minérale porte loin la finale. De l'élégance. (Sucres résiduels : 55 g/l.) ⌛ 2019-2029

WUNSCH ET MANN, 2, rue des Clefs, 68920 Wettolsheim, tél. 03 89 22 91 25, wunsch-mann@wanadoo.fr V t.l.j. sf dim. 8h-12h 13h30-18h30

FERNAND ZIEGLER Muhlforst Vieilles Vignes 2017

| 2600 | | 8 à 11 € |

Installée à Hunawihr, village emblématique de l'Alsace avec son église fortifiée, la famille cultive la vigne depuis 1634. C'est avec Fernand Ziegler, en 1961, qu'elle s'est lancée dans la vente en bouteilles. Daniel, qui a pris le relais en 1983, exploite 8 ha.

Voisin du grand cru Rosacker, le Muhlforst, aux sols argilo-calcaires, est un lieu-dit renommé. Moins éclatant que le millésime précédent, ce 2017 n'en offre pas moins tout ce que l'on attend du cépage : un nez précis, minéral et frais, aux nuances d'agrumes mûrs, un palais sur le fruit, vif et droit. Idéal pour les produits de la mer. (Sucres résiduels : 4,9 g/l.) ⌛ 2019-2024

FERNAND ZIEGLER ET FILS, 7, rue des Vosges, 68150 Hunawihr, tél. 03 89 73 64 42, fernand.ziegler@wanadoo.fr V r.-v.

ZINK Collection 2017

| 8400 | | 8 à 11 € |

Installés dans une maison de 1616 abritant des foudres deux fois centenaires, Pierre-Paul Zink et son fils Étienne (depuis 2004) sont les héritiers de onze générations de vignerons. Ils exploitent avec talent 8,5 ha sur les coteaux vosgiens au sud de Colmar, dont le grand cru Steinert.

Des reflets verts dans le verre, la discrétion de la jeunesse au nez, où l'on respire les agrumes, le pamplemousse.

Le prélude à une bouche ample en attaque, puis nerveuse, de bonne longueur. Ce côté incisif et net appelle les fruits de mer. (Sucres résiduels : 1 g/l.) ⌛ 2019-2022

⊶ *ZINK, 27, rue de la Lauch, 68250 Pfaffenheim, tél. 03 89 49 60 87, infos@vins-zink.fr* V ⚑ ▪ *r.-v.*

ALSACE SYLVANER

Superficie : 1 376 ha / Production : 108 268 hl

Les origines du sylvaner sont très incertaines, mais son aire de prédilection a toujours été limitée au vignoble allemand et à celui du Bas-Rhin en France. C'est un cépage extrêmement intéressant grâce à son rendement et à sa régularité de production. Son vin est d'une grande fraîcheur, assez acide, doté d'un fruité discret. On trouve en réalité deux types de sylvaner sur le marché. Le premier, de loin supérieur, provient de terroirs bien exposés et peu enclins à la surproduction. Le second est un vin sans prétention, agréable et frais.

RENÉ ET MICHEL KOCH
Zellberg 2017

	2000		5 à 8 €

Georges Koch a inauguré la vente directe en 1958. René lui a succédé en 1970, rejoint en 1996 par Michel. Depuis 2006, ce dernier tient les rênes du domaine qui couvre 12 ha autour de Nothalten, village-rue du pays de Barr. Son fleuron : le riesling du grand cru local, le Muenchberg.

Né sur un coteau aux sols marno-calcaires, ce sylvaner or pâle séduit par son nez intensément fruité. Vif, voire nerveux, marqué en finale par une petite touche d'amertume, il offre le profil idéal pour des fruits de mer. ⌛ 2019-2023

⊶ *DOM. RENÉ ET MICHEL KOCH, 5, rue de la Fontaine, 67680 Nothalten, tél. 03 88 92 41 03, contact@vin-koch.fr* V ⚑ ▪ *r.-v.* 🏠 G

DOM. LANDMANN
La Quintessence Vieilles Vignes 2017

	10000		8 à 11 €

Après avoir travaillé comme cadre dans une banque pendant une dizaine d'années, Armand Landmann revient sur ses terres en 1992. Il rénove l'ancienne demeure, regroupe les vignes de son père et de sa tante pour constituer un domaine de 12 ha, avec des parcelles dans deux grands crus. Le siège de la propriété est à Nothalten, près de Barr.

Les raisins à l'origine de cette cuvée ont été vendangés surmûris à la mi-octobre, ce qui explique sans doute le caractère atypique de ce sylvaner. Avec ses 10 g/l de sucres résiduels, il s'accordera plutôt avec une viande blanche qu'avec des coquillages crus. Son nez flatteur, floral et fruité, aux accents abricotés, annonce une bouche ample et ronde, réveillée par une pointe de fraîcheur en finale. ⌛ 2019-2022

⊶ *DOM. LANDMANN, 74, rte du Vin, 67680 Nothalten, tél. 06 08 61 29 14, armand-landmann@yahoo.fr* V ⚑ ▪ *r.-v.*

ALFRED MEYER 2017

	2000		5 à 8 €

Après avoir été cuisinier, Daniel Meyer a repris en 2004 l'exploitation créée en 1968 par son père Alfred, qui lui-même avait hérité des vignes paternelles. Il l'a agrandie et cultive aujourd'hui 7,5 ha autour de Katzenthal, village niché au fond d'un vallon bien abrité, au nord-ouest de Colmar. En 2017, il a inauguré sa nouvelle cave bioclimatique et son caveau de dégustation (1, rue du Tokay).

Au nez, des fleurs, nuancées de poire et de bonbon à la poire, de touches amyliques. Ce côté floral domine une bouche légère, aérienne, vive et svelte. ⌛ 2019-2021

⊶ *ALFRED MEYER ET FILS, 98, rue des Trois-Épis, 68230 Katzenthal, tél. 03 89 27 24 50, daniel.meyer0813@orange.fr* V ⚑ ▪ *r.-v.* 🏠 B

♥ DOM. SCHIRMER 2017 ★★

	1990		- de 5 €

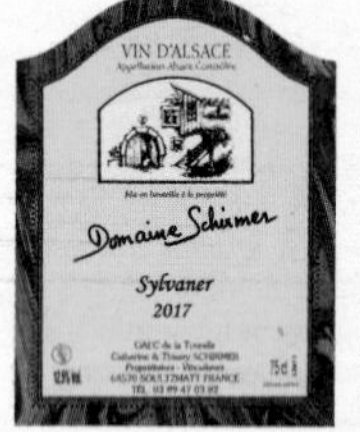

Les Schirmer sont établis depuis le XIX[e]s. au sud de Colmar. Lucien Schirmer, qui a spécialisé le domaine dans les années 1970, a passé le relais en 1991 à Thierry. Ce dernier exploite 11 ha de vignes, dont une partie est située dans le grand cru du Zinnkoepflé.

« Il a tout pour plaire », ce sylvaner sudiste, salué tant pour son nez intensément floral et fruité que pour son palais alerte, charnu, d'une réelle persistance. Les dégustateurs soulignent sa présence aromatique et la complexité de sa palette, qui laisse percevoir une touche de violette. Son potentiel semble supérieur à celui de nombreux vins issus de ce cépage. ⌛ 2019-2023

⊶ *DOM. SCHIRMER, 22, rue de la Vallée, 68570 Soultzmatt, tél. 03 89 47 03 82, vins.alsace.schirmer@orange.fr* V ⚑ ▪ *t.l.j. 9h-12h 13h30-19h; dim. sur r.-v.* 🏠 E

DOM. PHILIPPE SOHLER 2017 ★

	2000		5 à 8 €

Depuis 1997, Philippe Sohler – rejoint par ses filles en 2016 – exploite le domaine familial – 11 ha autour de Nothalten, au sud de Barr. Il propose plusieurs vins de terroir : lieux-dits Fronholz, Heissenberg, Zellberg, Clos Rebberg et grand cru Muenchberg.

Un nez intense et printanier, entre fleurs blanches, herbe fraîche et pomme verte. Une touche de plantes aromatiques s'ajoute à cette palette dans un palais harmonieux et persistant, à la fois ample et frais, qui monte en puissance au cours de la dégustation. Une belle expression du cépage. ⌛ 2019-2022

⊶ *DOM. PHILIPPE SOHLER, 80A, rte des Vins, 67680 Nothalten, tél. 03 88 92 49 89, contact@sohler.fr* V ⚑ ▪ *r.-v.*

ALSACE GRAND CRU

Superficie : 850 ha / Production : 43 278 hl

Dans le but de promouvoir les meilleures situations du vignoble, un décret de 1975 a institué l'appellation «alsace grand cru», liée à un certain nombre de contraintes plus rigoureuses en matière de rendement et de teneur en sucre. Une appellation réservée au gewurztraminer, au pinot gris, au riesling et au muscat, jusqu'au décret de mars 2005 qui autorise l'introduction du sylvaner, en assemblage avec le gewurztraminer, le pinot gris et le riesling dans le grand cru Altenberg de Bergheim et en remplacement du muscat dans le grand cru Zotzenberg. Les terroirs, délimités, produisent le nec plus ultra des vins d'Alsace. En 1983, un décret a défini un premier groupe de 25 lieux-dits admis dans cette appellation. Il a été complété par trois décrets en 1992, 2001 et 2007. Avec le Kaefferkopf, reconnu en 2007, le vignoble d'Alsace compte 51 grands crus, répartis sur 47 communes. Leurs surfaces sont comprises entre 3 ha et 80 ha et leur terroir présente une certaine homogénéité géologique.

DOM. PIERRE ADAM
Kaefferkopf Gewurztraminer 2017 ★

| 4000 | | 11 à 15 € |

Une exploitation fondée en 1950 par Pierre Adam à Ammerschwihr, important bourg viticole au nord-ouest de Colmar. Elle s'est notablement agrandie : Rémy Adam, à la tête de la propriété depuis 1990, dispose de 16 ha de vignes, avec des parcelles dans deux grands crus : le Kaefferkopf d'Ammerschwihr et le Schlossberg, situé dans le village voisin de Kientzheim.

Le gewurztraminer du Kaefferkopf signé par Pierre Adam manque rarement le rendez-vous du Guide. Il naît sur des sols argilo-calcaires qui confèrent à ce millésime richesse, ampleur et générosité. Sa palette mêle des notes florales bien typées (rose, touche de violette), la bergamote et la surmaturation (fruits jaunes très mûrs, voire confits, coing). La finale chaleureuse signe un vin puissant. (Sucres résiduels : 25 g/l.) ⧗ 2019-2027

DOM. PIERRE ADAM, 8, rue du Lt-Louis-Mourier, 68770 Ammerschwihr, tél. 03 89 78 23 07, info@domaine-adam.com V t.l.j. 8h-12h 13h30-19h

LUCIEN ALBRECHT
Spiegel Gewurztraminer 2017 ★★

| 21000 | | 11 à 15 € |

La coopérative d'Eguisheim, créée en 1902 près de Colmar, compte aujourd'hui 450 adhérents et vinifie 8 % de la superficie du vignoble alsacien, soit environ 1 200 ha, dont quinze grands crus. Parmi ses marques : Wolfberger et Lucien Albrecht.

Le Spiegel est un grand cru sudiste (Guebwiller et Bergholtz) aux sols marno-calcaires propices au gewurztraminer. Ce 2017 a tiré de ce terroir une matière riche, ample et puissante, tendue par un trait de fraîcheur qui lui donne relief, élégance et longueur. Ses arômes floraux (la rose et aussi la violette), sa finale marquée par de nobles amers contribuent à sa délicatesse. Un moelleux tout en finesse. (Sucres résiduels : 29 g/l.) ⧗ 2020-2025 Wolfberger Muenchberg Riesling 2017 (11 à 15 €; 5100 b.) : vin cité.

WOLFBERGER, 6, Grand-Rue, 68420 Eguisheim, tél. 03 89 22 20 20, contact@wolfberger.com V t.l.j. 8h-12h 14h-18h

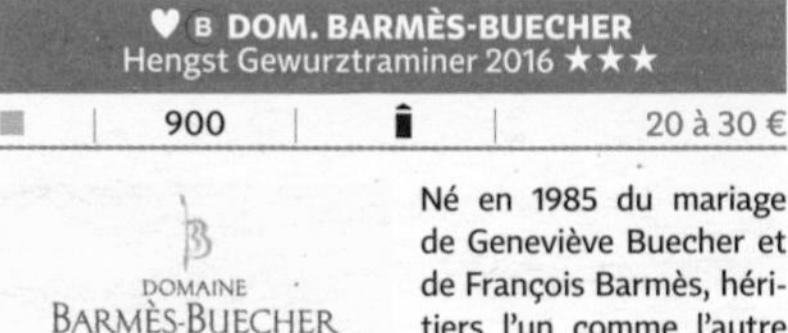

♥ B DOM. BARMÈS-BUECHER
Hengst Gewurztraminer 2016 ★★★

| 900 | | 20 à 30 € |

Né en 1985 du mariage de Geneviève Buecher et de François Barmès, héritiers l'un comme l'autre de familles de vignerons-propriétaires remontant au XVII^e^s., ce domaine est situé à 5 km au sud-ouest de Colmar. Conduit depuis 1998 en biodynamie (certification en 2001), il compte aujourd'hui sept terroirs, dont trois grands crus. Après la disparition de leur père en 2011, les deux enfants du couple fondateur, Sophie et Maxime (au chai), ont rejoint l'exploitation.

Le gewurztraminer est le cépage le plus cultivé sur ce grand cru marno-calcaire de Hengst, réputé pour ses vins riches et puissants. Pour décrire ce 2016, moelleux léger voire demi-sec, nos dégustateurs utilisent certes l'adjectif «riche», mais ils le complètent du terme «élégant». Une robe or pâle, un nez intense, fin et précis, sur la rose, une bouche tout aussi aromatique, complexe – les fleurs encore, les fruits mûrs, les épices –, servie par une longue finale minérale. Un vin tout en finesse, à déguster de l'apéritif au dessert. (Sucres résiduels : 21,6 g/l.) ⧗ 2019-2024

DOM. BARMÈS-BUECHER, 30, rue Sainte-Gertrude, 68920 Wettolsheim, tél. 03 89 80 62 92, info@barmes-buecher.com V r.-v.

B CHARLES BAUR
Brand Riesling 2014 ★★

| 4010 | | 15 à 20 € |

Les Baur sont établis à Eguisheim depuis le XVIII^e^s. Charles Baur débute la vente en bouteilles en 1948, son fils Armand, œnologue, prend le relais en 1978, rejoint en 2010 par Arnaud, ingénieur agronome. Le tandem a engagé en 2011 la conversion bio du vignoble, qui couvre 17 ha, avec des parcelles dans trois grands crus; il exploite en outre 1 ha de verger pour l'eau-de-vie.

Ces vignerons détiennent une belle parcelle (0,54 ha) sur le Brand, coteau escarpé aux sols granitiques, bien exposé au sud ou au sud-est. Très présent sur ses pentes, le riesling y engendre des vins de haute expression. Ce 2014 – année fraîche propice à cette variété – montre le potentiel de ce terroir solaire. Finesse et élégance, ces mots reviennent sur toutes les fiches de dégustation. Finesse du nez entre agrumes, fruits blancs et minéralité; élégance du palais tenu par une acidité mûre, noble amertume en finale : ce millésime a encore l'avenir devant lui. (Sucres résiduels : 5 g/l.) ⧗ 2019-2027

DOM. CHARLES BAUR, 29, Grand-Rue, 68420 Eguisheim, tél. 03 89 41 32 49, cave@vinscharlesbaur.fr V t.l.j. sf dim. 9h-12h 13h30-18h; dim. 8h-12h

LES CINQUANTE ET UN GRANDS CRUS ALSACIENS

Grands crus	Communes	Surface délimitée (ha)
Altenberg-de-bergbieten	Bergbieten (67)	30
Altenberg-de-bergheim	Bergheim (68)	35
Altenberg-de-wolxheim	Wolxheim (67)	31
Brand	Turckheim (68)	58
Bruderthal	Molsheim (67)	18
Eichberg	Eguisheim (68)	57
Engelberg	Dahlenheim, Scharrachbergheim (67)	14
Florimont	Ingersheim, Katzenthal (68)	21
Frankstein	Dambach-la-Ville (67)	56
Froehn	Zellenberg (68)	14
Furstentum	Kientzheim, Sigolsheim (68)	30
Geisberg	Ribeauvillé (68)	8
Gloeckelberg	Rodern, Saint-Hippolyte (68)	23
Goldert	Gueberschwihr (68)	45
Hatschbourg	Hattstatt, Vœgtlinshoffen (68)	47
Hengst	Wintzenheim (68)	76
Kaefferkopf	Ammerschwihr (68)	71
Kanzlerberg	Bergheim (68)	3
Kastelberg	Andlau (67)	6
Kessler	Guebwiller (68)	28
Kirchberg-de-barr	Barr (67)	40
Kirchberg-de-ribeauvillé	Ribeauvillé (68)	11
Kitterlé	Guebwiller (68)	25
Mambourg	Sigolsheim (68)	62
Mandelberg	Mittelwihr, Beblenheim (68)	22
Marckrain	Bennwihr, Sigolsheim (68)	53
Moenchberg	Andlau, Eichhoffen (67)	12
Muenchberg	Nothalten (67)	18
Ollwiller	Wuenheim (68)	36
Osterberg	Ribeauvillé (68)	24
Pfersigberg	Eguisheim, Wettolsheim (68)	74
Pfingstberg	Orschwihr (68)	28
Praelatenberg	Kintzheim (67)	18
Rangen	Thann, Vieux-Thann (68)	19
Rosacker	Hunawihr (68)	26
Saering	Guebwiller (68)	27
Schlossberg	Kientzheim (68)	80
Schœnenbourg	Riquewihr, Zellenberg (68)	53
Sommerberg	Niedermorschwihr, Katzenthal (68)	28
Sonnenglanz	Beblenheim (68)	33
Spiegel	Bergholtz, Guebwiller (68)	18
Sporen	Riquewihr (68)	23
Steinert	Pfaffenheim, Westhalten (68)	38
Steingrubler	Wettolsheim (68)	23
Steinklotz	Marlenheim (67)	40
Vorbourg	Rouffach, Westhalten (68)	72
Wiebelsberg	Andlau (67)	12
Wineck-schlossberg	Katzenthal, Ammerschwihr (68)	27
Winzenberg	Blienschwiller (67)	19
Zinnkoepflé	Soultzmatt, Westhalten (68)	68
Zotzenberg	Mittelbergheim (67)	36

Exposition	Sols	Cépages de prédilection
S.-E.	Marnes dolomitiques du keuper	Riesling, gewurztraminer
S.	Sols marno-calcaires caillouteux d'origine jurassique	Gewurztraminer
S.-S.-O.	Terroir du lias, marno-calcaires riches en cailloutis	Riesling
S.	Granite	Riesling, gewurztraminer
S.-E.	Marno-calcaires caillouteux du muschelkalk	Riesling, gewurztraminer
S.-E.	Marnes mêlées de cailloutis calcaires ou siliceux	Gewurztraminer, puis riesling, pinot gris
S.	Calcaires du muschelkalk	Gewurztraminer
S. et E.	Marno-calcaires recouverts d'éboulis calcaires du bathonien et du bajocien	Gewurztraminer, puis riesling
S.-E.	Arènes granitiques	Riesling
S.	Marnes schisteuses	Gewurztraminer
S.	Sols bruns calcaires caillouteux	Gewurztraminer, puis riesling
S.	Marnes dolomitiques du muschelkalk	Riesling
S.-E.	Sols bruns à dominante sableuse de grès vosgien	Gewurztraminer, pinot gris
E.	Marnes riches en cailloutis calcaires	Gewurztraminer
S.-E.	Marnes	Gewurztraminer, pinot gris, muscat
S.-E.	Marno-calcaires oligocènes	Gewurztraminer, pinot gris
E. et S.-E.	Sols bruns d'origine granitique, calcaire ou gréseuse	Gewurztraminer, assemblages
S. et S.-O.	Marno-calcaires	Riesling, gewurztraminer
S.	Schistes caillouteux	Riesling
S.-E.	Sable de grès rose et matrice argileuse	Gewurztraminer
S.	Calcaires du jurassique moyen	Gewurztraminer, riesling, pinot gris
S.-S.-O.	Marnes dolomitiques	Riesling
S.-O.	Grès	Riesling
S.	Marno-calcaires	Gewurztraminer
S.-S.-E.	Marno-calcaires oligocènes	Riesling, gewurztraminer
E.	Marno-calcaires	Gewurztraminer
S.	Sols limono-sableux du quaternaire	Riesling
S.	Terroirs sablonneux du permien	Riesling
S.-S.-E.	Marnes caillouteuses	Riesling
E.-S.-E.	Sols triasiques assez marneux	Gewurztraminer, puis riesling
S.-E.	Sols caillouteux calcaires de l'oligocène	Gewurztraminer, puis riesling
S.-E.	Grès et calcaires du buntsandstein et du muschelkalk	Riesling
E.-S.-E.	Sables gneissiques	Riesling
S.	Sols volcaniques	Pinot gris, riesling
E.-S.-E.	Marnes et calcaires du muschelkalk	Riesling
S.-E.	Sols marno-sableux avec cailloutis	Riesling
S.	Arènes granitiques	Riesling
S. et S.-E.	Marnes du keuper recouvertes de calcaires coquilliers	Riesling
S.	Arènes granitiques	Riesling
S.-E.	Conglomérats et marnes de l'oligocène	Gewurztraminer, pinot gris
E.	Marnes de l'oligocène et sables gréseux du trias	Gewurztraminer
S.-E.	Sols marneux du lias	Gewurztraminer
E.	Cailloutis calcaires oolithiques	Gewurztraminer, pinot gris
S.	Marnes oligocènes	Gewurztraminer, riesling, pinot gris
S.	Marnes recouvertes d'éboulis calcaires du muschelkalk	Riesling, gewurztraminer
S.-S.-E.	Marno-calcaires	Gewurztraminer, puis riesling, pinot gris
S.	Sables gréseux triasiques	Riesling
S. et S.-E.	Granite	Riesling
S.-S.-E.	Arènes granitiques	Riesling
S.	Terroir calcaro-gréseux	Gewurztraminer
S.	Calcaires jurassiques et conglomérats marno-calcaires de l'oligocène	Riesling, sylvaner

HUBERT BECK Frankstein Muscat 2017 ★★

	2010		11 à 15 €

Faisant remonter son arbre généalogique à 1596, la famille Beck est aussi ancienne que les maisons à pignons de la vieille cité fortifiée de Dambach-la-Ville où elle est établie. Sa maison s'appuie sur un vignoble en propre de 40 ha, avec des parcelles dans le grand cru local, le Frankstein. Depuis 2011, elle confie ses vendanges à la maison Ruhlmann-Schutz.

Le muscat est le cépage le moins répandu des quatre cépages dits « nobles », admis en grand cru et, comme ces grands crus représentent moins de 5 % de la production régionale, on le rencontre rarement. Celui-ci tire des sols granitiques du Frankstein sa délicatesse et sa fraîcheur. La robe est jaune pâle, le nez alerte et pimpant, sur la fleur blanche, la pêche et le raisin muscat, avec une touche de bonbon acidulé. Le litchi s'ajoute à cette palette dans un palais rond et souple, à la finale vive, minérale et longue. (Sucres résiduels : 15 g/l.) ⧗ 2019-2026 **Frankstein Riesling 2017 (11 à 15 €; 9290 b.)** : vin cité.

HUBERT BECK, 34, rue du Mal-Foch, 67650 Dambach-la-Ville, tél. 03 88 92 41 86, alsace.beck@free.fr r.-v.

BECKER Froehn Pinot gris 2017 ★★

	3800		20 à 30 €

Établie à Zellenberg près de Riquewihr, une exploitation dont les origines remontent à 1610, aujourd'hui gérée par deux frères, Jean-Philippe et Jean-François Becker. Ces vignerons disposent en propre de 11 ha, en bio certifié depuis 2001.

Les vignes dévalent les pentes du Froehn en contrebas du petit village perché de Zellenberg. Sur ce coteau aux sols marno-calcaires, bien exposé au sud-sud-est, les Becker cultivent tous les cépages – y compris le pinot noir. Le pinot gris a donné naissance à ce moelleux charmeur. Au nez, de la pêche jaune, de la nectarine, des agrumes confits, teintés d'une touche mentholée. En bouche, de la richesse, équilibrée dès l'attaque par une fraîcheur acidulée qui porte loin la finale. (Sucres résiduels : 39 g/l.) ⧗ 2019-2025

JEAN-PHILIPPE ET FRANÇOIS BECKER, 2, pl. d'Ostheim, 68340 Zellenberg, tél. 06 07 39 59 06, jphilippebecker@aol.com r.-v.

DOM. JEAN-MARC BERNHARD Mambourg Gewurztraminer 2016

	5000		15 à 20 €

Fondé en 1802, le domaine avait développé une activité de négoce à partir de 1850. En 1982, Jean-Marc Bernhard a préféré redevenir vigneron. Avec 11 ha répartis sur cinq communes, la famille dispose d'une belle palette de terroirs – avec des parcelles dans six grands crus. Aux commandes depuis 2000, Frédéric, œnologue, a engagé la conversion bio du vignoble.

Avec son exposition plein sud et ses sols marno-calcaires, le coteau du Mambourg favorise le gewurztraminer. Il a valu deux coups de cœur au domaine. Moins ambitieux, plus discret que certains millésimes antérieurs, le 2016 s'ouvre à l'aération sur des notes chaleureuses de fruits jaunes confiturés et de coing. C'est un vin tout en rondeur, riche et bien fondu. (Sucres résiduels : 40 g/l.) ⧗ 2019-2024

DOM. JEAN-MARC BERNHARD, 21, Grand-Rue, 68230 Katzenthal, tél. 03 89 27 05 34, vins@jeanmarcbernhard.fr r.-v. EARL Jean-Marc et Frédéric Bernhard

ANDRÉ BLANCK ET SES FILS Schlossberg Riesling 2017 ★

	10000		11 à 15 €

Établie dans le centre historique de Kientzheim, cette propriété a son siège dans l'ancienne cour des chevaliers de Malte, voisine du château Schwendi et du musée du Vin. Les Blanck cultivent la vigne depuis 1675 et Michel et Charles, fils d'André, perpétuent ce savoir-faire sur les 14 ha de l'exploitation.

Le Schlossberg est un coteau escarpé exposé plein sud, aux sols granitiques propices au riesling. Premier grand cru à être classé (1975), il a valu quatre coups de cœur à ces vignerons. Ce 2017 joue la discrétion, tout en faisant preuve d'une belle élégance avec ses arômes de fruits blancs bien mûrs, qui se prolongent dans une bouche à la fois ample et fraîche. De la finesse. (Sucres résiduels : 6 g/l.) ⧗ 2019-2025

ANDRÉ BLANCK ET SES FILS, Ancienne-Cour-des-Chevaliers-de-Malte, Kientzheim, 68240 Kaysersberg-Vignoble, tél. 03 89 78 24 72, info@andreblanck.com t.l.j. 9h-12h 14h-18h

RENÉ BOHN FILS Winzenberg Riesling 2015 ★

	1950		8 à 11 €

Cette famille vigneronne du pays de Barr se flatte d'être la plus ancienne de Blienschwiller, faisant remonter sa lignée au XVe s. Un ancêtre fut hussard de Napoléon, et René Bohn maire de la commune pendant vingt-quatre ans après 1945. Dirigée depuis 1988 par Rémy Bohn, la propriété couvre 7,5 ha.

Exposé au sud et au sud-est, le coteau granitique du Winzenberg est propice au riesling. En 2015, la belle arrière-saison a permis à Rémy Bohn d'y récolter le raisin début octobre. Après un élevage de trente mois, le vin apparaît très original, avec sa robe dorée, son nez intense et complexe, partagé entre minéralité, agrumes et abricot. La bouche, à l'unisson, concilie ampleur, rondeur et richesse avec la fraîcheur du cépage. Idéal pour les plats sucrés-salés. (Sucres résiduels : 40 g/l.) ⧗ 2019-2026

RENÉ BOHN FILS, 67, rte des Vins, 67650 Blienschwiller, tél. 03 88 92 41 33, r.bohn@ovh.fr r.-v.

♥ BOTT FRÈRES Gloeckelberg Pinot gris 2017 ★★

	4000		15 à 20 €

Maison fondée en 1835 à Ribeauvillé par un brasseur. La famille mena de front activités brassicole et viticole jusqu'au tournant du XXe s. Les Bott sont aujourd'hui vignerons et négociants. Après Pierre, ce sont Laurent et Nicole qui gèrent la maison avec leur fils Paul.

Ce coup de cœur montre une fois de plus l'affinité entre le pinot gris et le coteau granitique du Gloeckelberg, qui domine les villages de Rodern et de Saint-Hippolyte, à la limite des deux départements alsaciens. Ce cépage colonise d'ailleurs largement ses pentes. Récoltés à la mi-octobre, les raisins ont engendré un moelleux plein de personnalité. Une robe jaune d'or, un nez bien ouvert sur l'abricot confit, le coing, le miel et l'écorce d'orange : l'approche est engageante. En bouche, l'orange confite se lie au sous-bois dans une matière riche et onctueuse, vivifiée par une finale saline. Ce vin trouvera sa place de l'apéritif au dessert grâce à son équilibre parfait. (Sucres résiduels : 46,5 g/l.) ⧗ 2019-2029

⊶ DOM. BOTT FRÈRES, 13, av. du Gal-de-Gaulle, 68150 Ribeauvillé, tél. 03 89 73 22 50, vins@bott-freres.fr V r.-v.

BURGHART-SPETTEL
Schlossberg Pinot gris 2017 ★

	900		11 à 15 €

Le domaine est implanté entre Colmar et Riquewihr, dans le village viticole de Mittelwihr, connu pour sa colline des Amandiers. Héritier d'une tradition remontant au XIXᵉs., Bertrand Spettel, rejoint par Jérôme en 2009, exploite 14 ha de vignes répartis sur sept communes, avec des parcelles dans trois grands crus.

Dans une année précoce comme 2017, ce pinot gris a été vendangé le 27 octobre. Le vigneron a ainsi obtenu un vin d'une grande richesse, marqué par la surmaturation : robe jaune d'or, arômes de pêche jaune, de mangue, d'abricot sec, de fruits jaunes confits et de miel, nuancés de la touche fumée du cépage, palais rond et concentré, tonifié en finale par une pointe de fraîcheur et par une touche d'amertume. (Sucres résiduels : 45 g/l.) ⧗ 2019-2025

⊶ DOM. BURGHART-SPETTEL, 9, rte du Vin, 68630 Mittelwihr, tél. 03 89 47 93 19, burghart-spettel@orange.fr V *t.l.j. sf dim. 10h-18h*

DOM. DE LA VILLE DE COLMAR
Hengst Gewurztraminer 2016 ★

	3500		15 à 20 €

Géré depuis 1980 par Jean-Rémy Haeffelin, rejoint par son fils Nicolas, le domaine a été fondé en 1895 par Chrétien Oberlin, célèbre ampélographe et a été repris en 2011 par Arthur Metz, filiale des Grands Chais de France. Il dispose en propre de près de 30 ha (dont le vignoble des Hospices, qui remonte à 1255), avec des parcelles dans plusieurs grands crus.

Une robe or pâle aux reflets verts; une bonne structure, de la rondeur, une certaine richesse sans débauche de sucres; au nez comme en bouche, de l'intensité et une complexité très remarquée : des arômes floraux bien typés du cépage, du fruit mûr (poire, fruits exotiques), avec un côté minéral marqué et une touche de cire. Une belle expression de ce terroir marno-calcaire et gréseux du Hengst, où prospère le gewurztraminer. (Sucres résiduels : 11 g/l.) ⧗ 2019-2024

⊶ DOM. VITICOLE DE LA VILLE DE COLMAR, 2, rue du Stauffen, 68000 Colmar, tél. 03 89 79 11 87, nhaeffelin@domaineviticolecolmar.fr V *t.l.j. 9h30-12h30 14h-18h*

ANDRÉ DISCHLER
Altenberg de Wolxheim Riesling 2017

	1700		8 à 11 €

Une propriété de 11,5 ha implantée à Wolxheim, l'une des dix-neuf communes viticoles proches de la capitale régionale, qui constituent la «Couronne d'or» de Strasbourg. Née en 1860, l'exploitation est restée en polyculture jusque dans les années 1970. André Dischler en a pris la tête en 1999.

Sur ce terroir marno-calcaire, le riesling, très présent, a la réputation de donner des vins généreux. Celui-ci présente bien ce profil : le nez d'abord minéral, s'ouvre sur les fleurs blanches, les fruits jaunes et la réglisse; il annonce la puissance et l'ampleur de l'attaque, relayées par une aimable acidité. Parfait pour les viandes blanches et les poissons en sauce. (Sucres résiduels : 9 g/l.) ⧗ 2019-2026

⊶ DOM. ANDRÉ DISCHLER, 23, Le Canal, 67120 Wolxheim, tél. 03 88 38 22 55, domaine-dischler@gmail.com V *t.l.j. sf dim. 8h-12h 13h-19h*

♥ DOPFF AU MOULIN
Schoenenbourg Riesling 2016 ★★

	18450		15 à 20 €

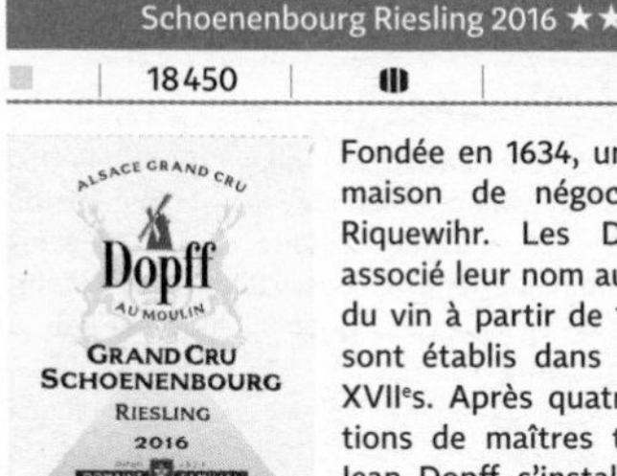

Fondée en 1634, une célèbre maison de négoce sise à Riquewihr. Les Dopff ont associé leur nom aux métiers du vin à partir de 1574 et se sont établis dans la cité au XVIIᵉs. Après quatre générations de maîtres tonneliers, Jean Dopff s'installe comme courtier en vins. La société détient en propre l'un des plus vastes domaines de la région : 65 ha (dont 12 ha en grand cru).

Schoenenbourg? Le terroir pentu qui domine Riquewihr au nord. Voltaire aurait possédé quelques arpents de ce terroir marno-gréseux propice au riesling. La vénérable maison de Riquewihr en a tiré plus d'une fois des vins qui se sont hissés au sommet – comme celui-ci, salué tant pour l'élégance de son nez, entre fleurs blanches et zeste d'agrumes, que pour la tension de son palais droit et pur, à la longue finale saline. (Sucres résiduels : 6 g/l.) ⧗ 2021-2029 ■ **Brand Gewurztraminer 2017 ★ (20 à 30 €; 12600 b.)** : né d'un grand cru solaire et précoce, aux sols granitiques, un moelleux généreux et long, floral (rose) et épicé, équilibré par une belle fraîcheur. (Sucres résiduels : 12 g/l.) ⧗ 2019-2024

⊶ DOM. DOPFF AU MOULIN, 2, av. Jacques-Preiss, 68340 Riquewihr, tél. 03 89 49 09 69, domaines@dopff-au-moulin.fr V *t.l.j. 10h-19h*

♥ B EBLIN-FUCHS
Rosacker Riesling 2017 ★★★

| 2017 | | 15 à 20 € |

Établis à Zellenberg, petit village perché voisin de Riquewihr, José, Henri et Christian Eblin sont les héritiers d'une lignée de vignerons remontant au XIIIes. Ils ont adopté la biodynamie dès 1999. Leur domaine couvre environ 11 ha répartis dans six communes, avec des parcelles dans quatre grands crus.

Le Rosacker est situé à Hunawihr, village voisin de Zellenberg. Sur ce terroir calcaire aux sols profonds, les raisins mûrissent lentement et sûrement. Le riesling y prédomine. Celui-ci offre une superbe expression du terroir comme du cépage. Nos dégustateurs saluent la finesse et la fraîcheur de ses parfums d'agrumes mûrs, nuancés d'une pointe de menthe; et plus encore son intensité fruitée au palais, sa minéralité et sa longue finale saline. (Sucres résiduels : 4,9 g/l.) ⧗ 2021-2029

⊶ EBLIN-FUCHS, 19, rte des Vins, 68340 Zellenberg, tél. 03 89 47 91 14, christian.eblin@orange.fr V r.-v. B

JEAN-PAUL ECKLÉ
Wineck-Schlossberg Riesling 2017 ★

| 3000 | | 8 à 11 € |

Établi près de Colmar, dans le village de Katzenthal blotti dans un vallon et dominé par le donjon du Wineck, Emmanuel Ecklé exploite depuis 1996 les 9,5 ha du domaine familial. Une valeur sûre, notamment pour ses rieslings du Wineck-Schlossberg et du lieu-dit Hinterburg.

Le riesling est majoritaire sur le coteau granitique du Wineck-Schlossberg, qui surplombe le village de Katzenthal. Les Ecklé en ont tiré une fois de plus une très belle cuvée. D'abord austère et fermé, ce 2017 s'ouvre à l'aération sur les fleurs blanches, puis sur les agrumes – kumquat, citron – et sur les fruits blancs (poire). Une minéralité saline perce au palais, où le vin se montre vif, élégant, teinté en finale d'une fraîche amertume évoquant le zeste de citron. (Sucres résiduels : 8 g/l.) ⧗ 2021-2027

⊶ JEAN-PAUL ECKLÉ ET FILS, 29, Grand-Rue, 68230 Katzenthal, tél. 03 89 27 09 41, eckle.jean-paul@wanadoo.fr V t.l.j. sf dim. 9h-12h 13h30-18h C

DOM. DE L'ÉCOLE Vorbourg Riesling 2017

| 1346 | | 11 à 15 € |

Le Dom. de l'École n'est autre que le vignoble du lycée viticole de Rouffach : 5 ha à sa création en 1953, 14,5 ha aujourd'hui, avec plusieurs parcelles dans le Vorbourg, le grand cru qui s'étage au-dessus de la ville. Il constitue un support pour les travaux pratiques des futurs vignerons et professionnels formés dans l'établissement.

Situé pour l'essentiel à Rouffach, le Vorbourg est un grand cru solaire, dont les sols argilo-calcaires donnent des vins puissants. Parfait pour les viandes blanches et les poissons en sauce, celui-ci apparaît corpulent, ample et riche. Il offre les caractères d'un demi-sec, allégé par une finale fraîche. Autre atout : une expression aromatique discrète mais agréable, sur le chèvrefeuille, l'orange sanguine et le zeste d'orange. (Sucres résiduels : 10 g/l.) ⧗ 2019-2029

⊶ DOM. DE L' ÉCOLE, EPLEFPA Les Sillons de Haute Alsace, 8, aux Remparts, 68250 Rouffach, tél. 03 89 78 73 48, expl-viti.rouffach@educagri.fr V t.l.j. sf sam. dim. 9h30-12h 14h-17h

B DOM. FERNAND ENGEL
Gloeckelberg Pinot gris 2017 ★

| 3000 | | 15 à 20 € |

Entre Kintzheim et Bergheim, au pied du Haut-Kœnigsbourg, pas moins de 65 ha répartis sur 150 parcelles, en bio certifié (biodynamie) depuis 2003. Fernand Engel débute les vinifications au domaine en 1949; son fils Bernard agrandit le vignoble et engage la conversion bio; la troisième génération, représentée par Sandrine et Xavier Baril (ce dernier œnologue) gère aujourd'hui la propriété, avec l'aide d'Amélie, l'arrière-petite-fille du fondateur. Un domaine très régulier en qualité. Deux étiquettes : Fernand Engel et Joseph Rudloff.

Propice au pinot gris, le terroir cristallin du Gloeckelberg a valu à ce domaine trois coups de cœur. Sans faire oublier quelques grands millésimes précédents, tel le 2015, ce 2017 ne manque pas d'arguments : un nez aussi intense que fin, fruité et floral, aux nuances de surmaturation (abricot et autres fruits secs); un palais dans le même registre, riche et long, tenu par une belle acidité. Un moelleux rappelant une vendange tardive. (Sucres résiduels : 64 g/l.) ⧗ 2019-2024

⊶ DOM. FERNAND ENGEL, 1, rte du Vin, 68590 Rorschwihr, tél. 03 89 73 77 27, xb@fernand-engel.fr V t.l.j. sf dim. 8h-11h30 13h-18h B

FAHRER-ACKERMANN
Altenberg de Bergheim Riesling 2017

| 1800 | | 11 à 15 € |

En 1999, Vincent Ackermann, fils de vigneron et salarié viticole, rachète l'exploitation de son employeur, située au pied du Haut-Kœnigsbourg, et, cinq ans plus tard, une maison datée de 1709 sise à Rorschwihr, pour aménager des chambres d'hôtes. Son domaine couvre près de 10 ha.

L'Altenberg de Bergheim se caractérise par des sols marno-calcaires caillouteux et par une exposition plein sud. Il donne des vins puissants, comme ce riesling, rond en attaque puis tendu par une acidité vigoureuse et saline. En bouche, ce vin se montre encore brut, voire rustique, mais quel nez! Discret, mais si complexe : mandarine confite, menthol, infusion, tilleul, pêche et poire, touche minérale... De quoi donner envie d'attendre cette bouteille. (Sucres résiduels : 9 g/l.) ⧗ 2021-2029

⊶ DOM. FAHRER-ACKERMANN, 10, rte du Vin, 68590 Rorschwihr, tél. 03 89 73 83 69, vincent.ackermann@wanadoo.fr V r.-v. 3 D

JOSEPH FREUDENREICH
Pfersigberg Pinot gris 2017 ★★

■	2100	▮		11 à 15 €

Des ancêtres se sont installés en 1737 à Eguisheim, cité médiévale où la famille reçoit les visiteurs dans une ancienne cour dîmière. Joseph Freudenreich vend son vin en bouteilles dès 1900 pour les ouvriers des mines de potasse. Son petit-fils Marc commence à vinifier en 1978 et prend la tête du domaine dix ans plus tard. Il a été rejoint par sa fille Amélie en 2015. Le vignoble familial est implanté autour d'Eguisheim et de Saint-Hippolyte.

Lieu de naissance de ce pinot gris, la «colline des Pêchers» (Pfersigberg), abritée de l'humidité et bien exposée, favorise la vigne qui prospère sur des galets calcaires. Le vin s'ouvre à l'aération sur une palette chaleureuse (fruits jaunes et notes grillées), teintée de minéralité. Les fruits confits s'affirment dans un palais généreux, charpenté et long, marqué en finale par une fine amertume. Puissance et élégance. (Sucres résiduels : 26 g/l.) ⧗ 2020-2025

JOSEPH FREUDENREICH ET FILS, 3, cour Unterlinden, 68420 Eguisheim, tél. 03 89 41 36 87, info@joseph-freudenreich.fr V ⚑ ▮ *t.l.j. 9h-12h 13h30 -18h30* ④

DOM. MARCEL FREYBURGER
Kaefferkopf Gewurztraminer 2017

■	3000	▮		15 à 20 €

Située dans le centre du village d'Ammerschwihr, important bourg viticole au nord-ouest de Colmar, l'exploitation est conduite depuis 1996 par Christophe Freyburger, fils de Marcel. Elle a doublé sa superficie depuis les origines et s'étend aujourd'hui sur plus de 7 ha, avec des parcelles dans le Kaefferkopf, le grand cru local. En conversion bio.

Issu d'un secteur granitique du Kaefferkopf, ce gewurztraminer moelleux libère à l'aération des parfums de rose fanée et d'épices d'une belle finesse. Une palette que l'on retrouve dans un palais ample et gras, tonifié en finale par une pointe de fraîcheur minérale et par de nobles amers. (Sucres résiduels : 48 g/l.) ⧗ 2020-2025

DOM. MARCEL FREYBURGER, 13, Grand-Rue, 68770 Ammerschwihr, tél. 03 89 78 25 72, info@freyburger.fr V ⚑ ▮ *t.l.j. 9h-12h 13h30-18h; dim. sur r.-v.*

J. FRITSCH Furstentum Gewurztraminer 2017 ★

■	1125	▮		11 à 15 €

Héritiers d'une lignée enracinée dans le petit bourg fortifié de Kientzheim, les Fritsch accueillent les visiteurs dans leur ancienne cave datant de 1703. Joseph, installé en 1977, a aménage une cuverie moderne et transmis en 2010 à son fils Pascal le domaine familial : 9,5 ha, pas moins de quarante parcelles disséminées dans quatre communes, avec des vignes dans deux grands crus.

Comme le millésime précédent, ce gewurztraminer issu du coteau pentu et abrité du Furstentum, dans la vallée de Kayserberg, a intéressé nos dégustateurs. Avec sa robe jaune clair aux reflets verts et son nez plutôt discret sur les fruits exotiques et les épices, il apparaît encore jeune. Souple et rond en attaque, il offre une finale acidulée qui laisse une impression de finesse. (Sucres résiduels : 53 g/l.) ⧗ 2019-2024

JOSEPH FRITSCH, 31, Grand-Rue, 68240 Kientzheim, tél. 03 89 78 24 27, contact@joseph-fritsch.com V ⚑ ▮ *t.l.j. 10h-12h 14h-18h; dim. sur r.-v.*

JEAN GEILER Florimont Riesling 2017

■	23587	▮		8 à 11 €

Fondée en 1926 par 36 vignerons, la coopérative d'Ingersheim, proche de Colmar, compte 175 adhérents et vinifie le fruit d'un vignoble de 390 ha dans le Haut-Rhin, avec des parcelles dans dix grands crus. Jean Geiler est sa marque. Son siège abrite un musée du Vigneron et une salle accueillant expositions et événements culturels.

Terroir argilo-calcaire, le Florimont se caractérise par sa précocité. Et dans une année précoce où les vendanges ont débuté le 30 août, ce riesling n'a été récolté qu'à la fin de septembre. Est-ce pour cette raison qu'il dévoile des arômes de surmaturation (fruits confits)? Riche et chaleureux, c'est un vin prometteur, à laisser en cave pour lui permettre de gagner en expression et en harmonie. (Sucres résiduels : 7,9 g/l.) ⧗ 2022-2029

CAVE JEAN GEILER, 45, rue de la République, 68040 Ingersheim, tél. 03 89 27 90 27, vin@geiler.fr V ⚑ ▮ *t.l.j. 9h-12h 14h-18h*

Ⓑ PIERRE-HENRI GINGLINGER
Pfersigberg Gewurztraminer 2017 ★

■	2100	▮		15 à 20 €

Établi dans la vieille cité d'Eguisheim, au sud de Colmar, ce domaine familial dont les origines remontent à 1610 a son siège dans une maison de 1684. Mathieu Ginglinger a succédé en 2003 à son père Pierre-Henri et conduit l'exploitation en bio (certification en 2004). Après avoir acquis des vignes à l'extrême sud de la route des Vins, il dispose aujourd'hui de 15 ha, avec des parcelles dans trois grands crus.

Le gewurztraminer trouve dans les sols argilo-calcaires et l'exposition est-sud-est du Pfersigberg des conditions idéales pour sa maturation. Il a engendré ce moelleux qui obtient une belle étoile, tant pour son nez discrètement floral et réglissé que pour son équilibre en bouche. Ample et gras, le palais est tenu par une fine acidité qui confère à ce vin une réelle élégance. (Sucres résiduels : 31,5 g/l.) ⧗ 2019-2024

DOM. PIERRE-HENRI GINGLINGER, 33, Grand-Rue, 68420 Eguisheim, tél. 03 89 41 32 55, contact@vins-ginglinger.fr V ▮ *t.l.j. 9h30-12h 13h30-18h30* ④ Ⓔ

Ⓑ DOM. GRESSER Kastelberg Riesling 2017

■	3000	▮▮		20 à 30 €

Rémy Gresser fait remonter sa généalogie à 1525, époque où un Thiébaut Gresser était vigneron et prévôt d'Andlau. Comme son ancêtre attaché à la vie de son village, il s'est impliqué dans le monde professionnel. Il exploite un vignoble de 11 ha, fort de parcelles dans les trois grands crus de sa commune. Soucieux de transmettre ses terres en bon état aux générations futures, il pratique la biodynamie (certification bio en 2007).

Un domaine en vue pour ses rieslings des trois grands crus d'Andlau. Uniquement planté de ce cépage, le Kastelberg a pour particularité ses sols schisteux, rares en Alsace. Bien typé de ce terroir, celui-ci offre un nez discrètement fruité, laissant poindre des notes de pierre à fusil, et un palais minéral, nerveux et long, tenu par une acidité tranchante. Un vin de garde. (Sucres résiduels : 3,6 g/l.) ⧗ 2023-2029

⊶ DOM. GRESSER, 2, rue de l'École, 67140 Andlau, tél. 03 88 08 95 88, domaine@gresser.fr V 🚶 ▪ *t.l.j. sf dim. 10h-12h 13h30-16h*

DOM. MAURICE GRISS
Kaefferkopf Gewurztraminer 2017

■	2200	🍾	11 à 15 €

En 2004, Josiane Griss, jusqu'alors responsable administrative et financière, décide de reprendre la propriété familiale : 8,5 ha autour d'Ammerschwihr, au nord-ouest de Colmar, avec une parcelle dans le grand cru Kaefferkopf. Elle espère que sa fille Marion suivra ses traces. Domaine en conversion bio.

Issu de sols argilo-calcaires, ce gewurztraminer moelleux affiche un robe jaune soutenu et s'ouvre sur des notes suaves de rose, de litchi, de mangue et de pêche au sirop. Les fruits exotiques s'épanouissent dans une bouche ample, riche et chaleureuse, tonifiée par une finale fraîche. (Sucres résiduels : 40 g/l.) ⧗ 2019-2024

⊶ DOM. MAURICE GRISS, 1, rte du Vin, 68770 Ammerschwihr, tél. 03 89 47 14 53, griss@free.fr V 🚶 ▪ *t.l.j. 8h-12h30 13h30-18h30 ; dim. sur r.-v.* 🏠 Ⓑ

Ⓑ DOM. GROSS
Goldert Gewurztraminer Vendanges tardives 2015 ★★

■	900	🍾	20 à 30 €

La famille Gross est établie à Gueberschwihr, village vigneron cossu au beau clocher roman, situé au sud de Colmar. Louis Gross fonde le domaine en 1956, son fils Henri l'exploite et le transmet en 1980 à Rémy, rejoint par son fils Vincent. Ces derniers tirent le meilleur du grand cru local. Ils exploitent leurs 9 ha de vignes en biodynamie (certification bio en 2014).

Sur le terroir marno-calcaire du Goldert, le gewurztraminer est majoritaire. Nées d'un millésime solaire, ces vendanges tardives affichent une robe d'un jaune profond aux reflets orangés : un signe extérieur de richesse ! Intense et complexe, le nez mêle les fruits jaunes confits, le miel et les épices. Ces arômes se déploient dans un palais riche, ample et onctueux à souhait, auquel une longue finale acidulée donne du relief. On se rappellera que Goldert pourrait se traduire par « Côte d'or ». (Sucres résiduels : 45 g/l ; bouteilles de 50 cl.) ⧗ 2019-2030

⊶ DOM. GROSS, 11, rue du Nord, 68420 Gueberschwihr, tél. 03 89 49 24 49, contact@domainegross.fr V 🚶 ▪ *r.-v.* 🏠 Ⓔ

Ⓑ HENRI GSELL
Eichberg Pinot gris 2017 ★

■	1800	🛢	15 à 20 €

Fondé en 1800, le domaine a son siège dans une petite maison à colombages sise dans l'une des rues circulaires qui font le charme de la cité d'Eguisheim, au sud de Colmar. Installé en 1984, Henri Gsell bichonne un vignoble peu étendu, mais bien situé : 5 ha, dont 2 implantés dans les deux grands crus du village. En bio certifié depuis 2014.

Il a l'opulence, la consistance et la présence des vins issus de ce terroir marno-calcaire au microclimat très sec, avec un surcroît de finesse. Au nez, du tilleul en fleur et du miel, des fruits secs ; en bouche, de la richesse et de la suavité, et une légère touche d'amertume en finale. (Sucres résiduels : 76 g/l.) ⧗ 2019-2024 ■ **Eichberg Riesling 2017 (15 à 20 € ; 1500 b.)** Ⓑ : vin cité.

⊶ HENRI GSELL, 22, rue du Rempart-Sud, 68420 Eguisheim, tél. 03 89 41 96 40, gsell.henri@orange.fr V 🚶 ▪ *r.-v.*

DOM. JEAN-MARIE HAAG
Zinnkoepflé Gewurztraminer Cuvée Marie 2017 ★

■	1770	🍾	15 à 20 €

À l'origine, un lopin entretenu le dimanche par le grand-père de Jean-Marie Haag, ouvrier des mines de potasse. Aujourd'hui, une propriété de 7,5 ha au cœur de la Vallée Noble, à 20 km au sud de Colmar, exploitée depuis 1988 par Jean-Marie Haag. De beaux vins de terroir, notamment les gewurztraminers nés sur le grand cru Zinnkoepflé, majestueux coteau abrité par le Grand et le Petit Ballon.

Bénéficiant d'un microclimat chaud et aride, le haut coteau du Zinnkoepflé favorise le gewurztraminer, cépage à l'origine de cette cuvée qui a trois coups de cœur à son actif. De couleur jaune clair, le 2017 séduit par sa pureté aromatique ; sa palette, très florale (rose épicée) se nuance de fruits exotiques (litchi, ananas) et, au palais, de bergamote et de gingembre. Attaque ronde, développement ample et chaleureux, finale fraîche et longue : une réelle harmonie. (Sucres résiduels : 59 g/l.) ⧗ 2019-2027 ■ **Zinnkoepflé Pinot gris Cuvée Théo 2017 (15 à 20 € ; 1670 b.)** : vin cité.

⊶ DOM. JEAN-MARIE HAAG, 17, rue des Chèvres, 68570 Soultzmatt, tél. 03 89 47 02 38, info@domaine-haag.fr V 🚶 ▪ *r.-v.*

VIGNOBLE HAEFFELIN-HEYBERGER
Eichberg Pinot gris 2016 ★

■	1200	🍾	8 à 11 €

Héritier d'une lignée remontant à 1770, Daniel Haeffelin s'est installé en 1987 sur le domaine familial. En 1993, il a transféré l'exploitation hors des murs d'Eguisheim, tout en maintenant le caveau de vente au cœur de la pittoresque cité médiévale. Il été rejoint en 2012 par ses fils Sébastien et Damien. Après la reprise en 2011 du domaine de Jean-Claude Heyberger, la famille dispose de 16 ha.

Reflétant son terroir marno-calcaire bien abrité et sec, ce pinot affiche une robe jaune d'or et laisse des larmes sur les parois du verre. Il s'ouvre sur les fruits jaunes confits, teintés de notes grillées et fumées. Riche, puissant et long, encore sous l'emprise des sucres, il devrait gagner une deuxième étoile en cave, après une petite garde qui permettra aux sucres de se fondre. (Sucres résiduels : 30 g/l.) ⧗ 2020-2024 ■ **Hengst Pinot gris 2017 (11 à 15 € ; 3000 b.)** : vin cité.

⊶ VIGNOBLE HAEFFELIN-HEYBERGER, 35, Grand-Rue, 68420 Eguisheim, tél. 03 89 41 77 85, vins.alsace.haeffelindaniel@wanadoo.fr V 🚶 ▪ *t.l.j. 10h-12h 14h-18h30 ; de janv. à mars sur r.-v.*

ANDRÉ HARTMANN
Hatschbourg Gewurztraminer Armoirie Hartmann 2017

3200		11 à 15 €

La famille Hartmann est établie depuis 1640 au village de Voegtlinshoffen, «Balcon de l'Alsace» perché sur un coteau, à quelque 10 km au sud de Colmar. Depuis 1984, c'est Jean-Philippe qui conduit le domaine : 9 ha, avec plusieurs parcelles dans le grand cru Hatschbourg.

Le gewurztraminer est à son aise sur le Hatschbourg, terroir marno-calcaire aux sols profonds et bien drainés, exposé au sud et au sud-est, comme en témoigne ce moelleux d'un jaune intense, aux parfums de rose séchée et d'épices. Encore pour l'heure sous l'emprise des sucres, c'est un vin consistant, rond, gras et très riche, servi par une pointe de fraîcheur en finale. (Sucres résiduels : 40 g/l.) ⧗ 2020-2024 ■ **Hatschbourg Pinot gris Armoirie Hartmann 2017 (11 à 15 €; 1700 b.)** : vin cité.

ANDRÉ HARTMANN, 11, rue Roger-Frémeaux, 68420 Voegtlinshoffen, tél. 03 89 49 38 34, contact@andre-hartmann.fr V t.l.j. sf dim. 9h-12h 14h-18h

ALBERT HERTZ
Eichberg Gewurztraminer 2017

1200		20 à 30 €

Fondé en 1843, ce domaine a son siège dans l'avenue circulaire qui ceinture la cité médiévale d'Eguisheim. Il est conduit en biodynamie depuis 2008 et mise particulièrement sur les grands crus, qui représentent 27 % de son vignoble. Albert Hertz, qui était à sa tête depuis 1977, l'a transmis en 2019 à son fils Frédéric.

Alors que le gewurztraminer donne souvent naissance à des vins moelleux, celui-ci, né d'un terroir au microclimat particulièrement abrité et solaire, a été vinifié en sec. Au palais, aucune sensation de douceur, mais un côté chaleureux, en harmonie avec des arômes puissants et complexes : rose, litchi, fruits mûrs, raisins secs. De la personnalité. (Sucres résiduels : 9 g/l.) ⧗ 2019-2023

ALBERT HERTZ, 3, rue du Riesling, 68420 Eguisheim, tél. 03 89 41 30 32, info@alberthertz.com V t.l.j. sf dim. 9h-12h 13h30-19h 3

HINDERER ET WOLFF
Saering Pinot gris 2016 ★

1300		15 à 20 €

Bien connu des lecteurs du Guide, Pierre Reinhart, qui était depuis 1983 à la tête du domaine portant son nom, a passé la main et vendu le domaine familial en juillet 2018 à un frère et une sœur et à leurs conjoints : Arsène et Sophie Wolff, Éric et Marianne Hinderer. Implantée à Orschwihr, l'un des villages les plus méridionaux de la route des Vins, la propriété comprend 5,5 ha de vignes, avec des parcelles dans de beaux terroirs (grands crus Kitterlé et Saering, Bollenberg et Lippelsberg).

Né d'un grand cru sudiste aux sols calcaro-gréseux, ce pinot gris aux reflets dorés et aux arômes intenses évoquant une vendange surmûrie (fruits jaunes, abricot sec, coing, pain d'épice) n'en est pas moins un vin sec; son attaque tout en rondeur est relayée par une fraîcheur saline bien typée qui l'allège et étire sa finale. (Sucres résiduels : 15 g/l.) ⧗ 2019-2027

VIGNOBLE HINDERER ET WOLFF, 7, rue du Printemps, 68500 Orschwihr, tél. 07 78 12 18 75, sophie@hinderer-wolff.fr V t.l.j. 8h-12h 14h-18h; sam. dim. sur r.-v.

HUMBRECHT 1619
Goldert Gewurztraminer 2017 ★

1077		15 à 20 €

Une famille établie à Gueberschwihr, cité viticole dominée par un superbe clocher roman, au sud de Colmar. Les origines de la propriété se perdent dans la nuit des temps : en 1619, des ancêtres vignerons dans le village; plus récemment, Georges, installé en 1965, puis Claude, qui a pris la tête de l'exploitation en 1997. Un domaine de 8 ha cultivé en bio (certification en 2013); de beaux terroirs à dominante argilo-calcaire.

Si le nom de ce grand cru évoque l'or, son exposition à l'est le préserve des excès de soleil estival, de même que les sols profonds, marno-calcaires. Le gewurztraminer, très cultivé, y donne naissance à des vins d'une belle expression, comme celui-ci, qui reflète le cépage avec une grande élégance. Nos dégustateurs saluent l'intensité et la pureté de ses arômes de rose, de fruits exotiques et d'épices, ainsi que sa fraîcheur et sa minéralité, qui équilibrent son ampleur. De la présence et de la finesse. (Sucres résiduels : 63 g/l.) ⧗ 2019-2026

DOM. HUMBRECHT 1619, 33, rue de Pfaffenheim, 68420 Gueberschwihr, tél. 03 89 49 31 51, claude.humbrecht@orange.fr V t.l.j. sf dim. 8h-12h 14h-18h 2

CAVE VINICOLE DE HUNAWIHR
Rosacker Gewurztraminer 2017 ★

8000		8 à 11 €

Fondée en 1954 au cœur de la route des Vins, la cave de Hunawihr regroupe majoritairement des viticulteurs de ce village. La coopérative vinifie le fruit de 200 ha et propose une large gamme de vins (dont cinq grands crus). Elle a quatre marques : Peter Weber, L'Unabelle, Armand Schreyer et Kuhlmann-Platz (ancienne maison de négoce rachetée en 1985).

À la carte de la cave, plusieurs cépages issus du grand cru local, terroir assez frais, aux sols calcaires. Comme ce gewurztraminer, au nez intense, complexe et élégant (rose, fruits exotiques, cire, pointe fumée), bien structuré et assez long, tout en montrant souplesse et rondeur. Sa teneur en sucres mesurée lui permettra de se placer facilement à table. (Sucres résiduels : 20 g/l.) ⧗ 2019-2024 ■ **Kuhlmann-Platz Froehn Gewurztraminer 2017 ★ (8 à 11 €; 2700 b.)** : moelleux léger ou demi-sec, un vin bien construit, au nez complexe, délicatement floral et fruité, et à la finale épicée, qui pourra s'apprécier en de nombreuses occasions. (Sucres résiduels : 14 g/l.) ⧗ 2019-2024 ■ **Kuhlmann-Platz Osterberg Gewurztraminer 2017 (8 à 11 €; 2800 b.)** : vin cité.

CAVE VINICOLE DE HUNAWIHR, 48, rte de Ribeauvillé, 68150 Hunawihr, tél. 03 89 73 61 67, oenologue@cave-hunawihr.com V t.l.j. 9h-18h

JACQUES ILTIS
Altenberg de Bergheim Riesling 2017 ★★

| 1400 | | 11 à 15 € |

Établis à la limite des deux départements alsaciens, au pied du château du Haut-Kœnigsbourg, Benoît et Christophe Iltis, les fils de Jacques, conduisent depuis 1999 le domaine familial : 12 ha de vignes et une cave recelant d'anciens foudres de chêne légués par des ancêtres tonneliers.

Portant l'empreinte d'une exposition plein sud et de sols marno-calcaires, ce riesling montre ampleur et puissance, avec la fraîcheur propre au cépage. D'une réelle finesse, sa palette, centrée sur les agrumes, se teinte de surmaturation (zeste d'agrumes confits) et de minéralité. À laisser vieillir. (Sucres résiduels : 8 g/l.) ⧗ 2020-2026

DOM. JACQUES ILTIS ET FILS, 1, rue Schlossreben, 68590 Saint-Hippolyte, tél. 03 89 73 00 67, jacques.iltis@iltis.fr V *t.l.j. 8h30-12h 14h-18h; sam. dim. sur r.-v.*

ALBERT KLÉE
Kaefferkopf Gewurztraminer 2017 ★★

| 1500 | | 11 à 15 € |

En 1624, Urbain Klée cultivait la vigne à Katzenthal, village proche de Colmar. Installés en 1978, Albert et Odile Klée ont passé le relais en 2014 à leur fils Jean-François, ingénieur agronome et œnologue, ancien directeur technique au Ch. Léoville Las Cases. Leur propriété couvre 5 ha, avec des parcelles dans les grands crus Wineck-Schlossberg et Kaefferkopf.

Issu de sables granitiques sur substrat argilo-calcaire, un gewurztraminer séducteur : robe dense, nez précis, complexe et frais, finement floral (rose, violette) et réglissé, palais gras et concentré, tendu par un belle acidité, longue finale alerte. (Sucres résiduels : 30 g/l.) ⧗ 2019-2026

VIGNOBLE ALBERT KLÉE, 13, Grand-Rue, 68230 Katzenthal, tél. 03 89 27 25 27, vinsklee@free.fr V *r.-v.*

DOM. HENRI KLÉE
Wineck-Schlossberg Riesling 2017 ★

| 4000 | | 8 à 11 € |

Urbain Klée, né au XVIe s., aurait acquis les premières vignes en 1624... Henri Klée se lance dans la vente directe au milieu du siècle dernier. Philippe lui succède en 1985, rejoint en 2016 par Martin qui prépare la relève. Fort d'un vignoble de 11 ha aux environs de Katzenthal, à l'ouest de Colmar, le domaine s'est équipé d'une nouvelle cuverie en 2013. Une propriété bien connue de nos lecteurs.

Un grand cru aux sols granitiques particulièrement propices au riesling. Les raisins à l'origine de ce millésime ont été vendangés fin octobre. Il en résulte un vin jaune d'or, aux arômes confits de surmaturation, qui laisse une impression d'élégance grâce à sa fraîcheur. (Sucres résiduels : 7 g/l.) ⧗ 2020-2029

DOM. HENRI KLÉE, 11, Grand-Rue, 68230 Katzenthal, tél. 03 89 27 03 81, contact@vins-klee-henri.com V *r.-v.*

CLÉMENT KLUR
Wineck-Schlossberg Riesling 2014 ★

| 1600 | | 15 à 20 € |

Les Klur sont vignerons depuis le XVIIe s., mais c'est en 1999 que Clément Klur a créé le domaine, qui couvre 7 ha autour de Katzenthal, village enserré dans un vallon près de Colmar. Ici, tout est bio et « écolo » : la conduite de la vigne (biodynamie), la cave ronde, la vinification et jusqu'aux logements de vacances. En 2017, la famille s'est recentrée sur les activités d'accueil : elle a confié la gestion de l'exploitation viticole au domaine voisin Léon Heitzmann, exploité lui aussi en biodynamie, ainsi que la commercialisation de ses cuvées.

Une cuvée vinifiée par l'équipe fondatrice. Année fraîche, le millésime 2014 a souvent été favorable au riesling. Celui-ci a bénéficié en outre d'un très beau terroir granitique. Cinq ans après la récolte, le vin séduit par la finesse minérale de son nez, enrichi de notes confites. La bouche harmonieuse suit la même ligne aromatique : il n'a manqué à cette bouteille qu'un peu de longueur pour obtenir une note supérieure. ⧗ 2019-2024

CLÉMENT KLUR, 2, Grand-Rue, 68770 Ammerschwihr, tél. 06 50 04 57 77, contact@vinsklur.com V *t.l.j. sf dim. 8h-12h 13h30-18h*

DOM. LANDMANN
Muenchberg Riesling Vieilles Vignes 2017 ★★

| 5000 | | 11 à 15 € |

Après avoir travaillé comme cadre dans une banque pendant une dizaine d'années, Armand Landmann revient sur ses terres en 1992. Il rénove l'ancienne demeure, regroupe les vignes de son père et de sa tante pour constituer un domaine de 12 ha, avec des parcelles dans deux grands crus. Le siège de la propriété est à Nothalten, près de Barr.

Le domaine détient une belle parcelle (1,5 ha) de vieilles vignes dans ce grand cru déjà mis en valeur au XIIe s. par les Cisterciens, d'où son nom de « mont des Moines ». Sur ces sols pauvres (cailloux volcaniques, grès) et bien drainés, le riesling est roi. Voyez ce 2017, vif, harmonieux et persistant, aux arômes subtils de fleurs blanches et d'agrumes : un vin prometteur qui sera vite très agréable. (Sucres résiduels : 7 g/l.) ⧗ 2020-2025

DOM. LANDMANN, 74, rte du Vin, 67680 Nothalten, tél. 06 08 61 29 14, armand-landmann@yahoo.fr V *r.-v.*

ANNE DE LAWEISS
Schlossberg Riesling 2017 ★

| 46000 | | 11 à 15 € |

Né en 1997 de la fusion des caves de Westhalten, d'Obernai et de Bennwihr et de la vénérable maison de négoce Heim, fondée en 1765, le groupe Bestheim est devenu, après d'autres fusions, un opérateur de premier plan en Alsace, vinifiant quelque 1 350 ha.

Anne de Laweiss est une marque de la cave de Kientzheim-Kaysersberg, entrée dans l'orbite de Bestheim en 2014. Ici, un grand cru de Kientzheim, le premier à avoir été délimité. Son terroir granitique est favorable au riesling, comme en témoigne ce vin vif, frais et persistant, aux arômes d'agrumes (pamplemousse) et de fruits exotiques d'une belle finesse. (Sucres résiduels : 7,3 g/l.) ⧗ 2021-2026

⊶ *ANNE DE LAWEISS, 3, rue du Gal-de-Gaulle, 68630 Bennwihr, tél. 03 89 49 09 29, vignobles@bestheim.com* V r.-v.

DOM. ANDRÉ LORENTZ
Kirchberg de Barr Clos Zisser Gewurztraminer Monopole 2017 ★★

■ | 4516 | | 15 à 20 €

Créée en 1824 par Martin Klipfel, cette maison de Barr associe une structure de négoce et un important domaine (40 ha, dont 13 ha en grand cru). Elle commercialise ses vins sous deux étiquettes : Klipfel et André Lorentz, pour l'export et la grande distribution. Héritier des fondateurs, Jean-Louis Lorentz et ses filles l'ont vendue en 2016 à la maison Arthur Metz, filiale des Grands Chais de France.

Situé au cœur du grand cru Kirchberg, le Clos Zisser a été acquis par le fondateur de la maison Klipfel en 1830. Ce gewurztraminer moelleux ne fera pas pâlir sa renommée. Reflet de son terroir marno-calcaire, il affiche une belle puissance au nez comme en bouche. Au nez, il déploie des arômes intenses et complexes : fruits exotiques, avec ces touches confites et ce soupçon de raisin sec évocateurs d'un début de pourriture noble, le tout relevé d'épices. La bouche suit la même ligne, remarquable par sa fraîcheur acidulée qui donne finesse et allonge à sa finale. (Sucres résiduels : 42 g/l.) ⧗ 2019-2025

⊶ *DOM. ANDRÉ LORENTZ, 10, rue des Jardins, 67140 Barr, tél. 03 88 58 59 00, nstrub@arthurmetz.fr* V *t.l.j. 10h-12h 14h-18h*

Ⓑ GUSTAVE LORENTZ
Altenberg de Bergheim Riesling Vieilles Vignes 2017 ★

■ | 25000 | | 20 à 30 €

Fondée en 1836, cette maison de négoce a son siège au cœur de Bergheim. Elle dispose en propre d'un important vignoble (33 ha) conduit en bio certifié depuis 2012. Elle a particulièrement investi dans le grand cru local, l'Altenberg de Bergheim, dont elle exploite 12 ha, et a obtenu le premier coup de cœur du Guide dans cette AOC : un riesling 1976.

La maison ne possède pas moins de 5,5 ha planté en riesling dans l'Altenberg de Bergheim, coteau pentu aux sols marno-calcaires. Elle propose de beaux volumes d'un vin pour l'heure réservé, partagé entre agrumes et minéralité. Rond et riche, le palais offre une finale longue et saline. Une bouteille à garder en cave. (Sucres résiduels : 4,4 g/l.) ⧗ 2021-2027

⊶ *GUSTAVE LORENTZ, 91, rue des Vignerons, 68750 Bergheim, tél. 03 89 73 22 22, info@gustavelorentz.com* V *t.l.j. sf dim. 10h-12h 14h-18h*

MEYER Hatschbourg Riesling 2015

■ | 2000 | | 8 à 11 €

Installé en 1982, Jean-Marc Meyer perpétue l'exploitation fondée par un de ses arrière-grands-pères un siècle plus tôt, et implantée à environ 10 km au sud de Colmar. Un hectare et demi, sur les neuf que compte sa propriété, est situé sur le Hatschbourg, le grand cru dominant son village.

L'année 2015 a bénéficié d'une arrière-saison optimale, qui a permis de récolter le 12 octobre le riesling à l'origine de ce vin plutôt moelleux. Robe jaune soutenu, arômes de surmaturation (fruits compotés) au nez comme en bouche, minéralité affirmée du cépage, bouche à la fois riche, onctueuse et fraîche : le reflet d'une belle évolution, d'un terroir de choix et d'un millésime solaire. (Sucres résiduels : 25 g/l.) ⧗ 2019-2024

⊶ *LUCIEN MEYER ET FILS, 57, rue du Mal-Leclerc, 68420 Hattstatt, tél. 03 89 49 31 74, info@earl-meyer.com* V *r.-v.*

MEYER-FONNÉ
Wineck-Schlossberg Gewurztraminer 2017 ★

■ | 1600 | | 15 à 20 €

Héritier d'une longue lignée au service du vin, Félix Meyer, installé en 1992, a longtemps suivi la démarche bio, sans certification, avant d'engager la conversion de sa propriété. À la tête d'un vignoble plus de 15 ha répartis sur sept communes proches de Colmar, complété par une petite structure de négoce, il peut jouer sur une large palette de terroirs, et notamment sur cinq grands crus.

Né sur un les pentes d'un coteau granitique marqué par la précocité, ce gewurztraminer offre un nez bien ouvert, flatteur et typé, partagé entre la mangue et la rose. Son ampleur et sa richesse sont équilibrées en finale par une pointe de fraîcheur. Un vin qui gagnera en harmonie et en fondu avec le temps. (Sucres résiduels : 35 g/l.) ⧗ 2020-2026 ■ **Wineck-Schlossberg Riesling 2017 (20 à 30 €; 3000 b.)** : vin cité.

⊶ *DOM. MEYER-FONNÉ, 24, Grand-Rue, 68230 Katzenthal, tél. 03 89 27 16 50, felix@meyer-fonne.com* V *t.l.j. sf dim. 9h-11h30 14h-17h30*

FRÉDÉRIC MOCHEL
Altenberg de Bergbieten Riesling Cuvée Henriette 2017

■ | 6100 | | 15 à 20 €

Une famille installée en 1669 à l'ouest de Strasbourg après la guerre de Trente Ans. Guillaume Mochel a pris en 2001 les rênes de la propriété après des stages qui l'ont mené jusqu'en Nouvelle-Zélande. Après avoir obtenu la certification Haute Valeur environnementale (2017), il a engagé en 2018 la conversion bio de l'exploitation. Sur les 10 ha du domaine, la moitié est implantée dans le grand cru Altenberg de Bergbieten.

Née d'un terroir marno-calcaro-gypseux propice au riesling, cette cuvée en robe dorée a intéressé nos dégustateurs, tant pour son nez intensément fruité, fin et frais que pour sa bouche chaleureuse et longue, teintée d'une légère amertume en finale. À garder. (Sucres résiduels : 4,7 g/l.) ⧗ 2021-2025 ■ **Altenberg de Bergbieten Muscat 2017 (15 à 20 €; 3000 b.)** : vin cité.

⊶ *DOM. FRÉDÉRIC MOCHEL, 56, rue Principale, 67310 Traenheim, tél. 03 88 50 38 67, info@mochel.alsace* V *r.-v.*

MOCHEL-LORENTZ
Altenberg de Bergbieten Gewurztraminer 2015 ★

■ | 2304 | | 11 à 15 €

Établi à Traenheim, gros village viticole situé à 25 km à l'ouest de Strasbourg, Philippe Lorentz a pris en 1980 la suite d'une lignée de vignerons remontant à

1634. À la tête de 14 ha de vignes, il exploite des parcelles dans le grand cru Altenberg de Bergbieten.

Resté sur pied jusqu'en octobre, le gewurztraminer a engendré ce joli moelleux doré, au nez complexe, partagé entre le litchi, la mangue et des arômes de surmaturation – l'abricot sec, la pâte de coings. Un 2015 qui conjugue la richesse de son millésime solaire, avec l'ampleur et la fraîcheur élégante de son terroir marno-calcaire. La finale alerte, marquée par une petite pointe d'amertume, laisse le souvenir d'un vin bien construit et harmonieux. (Sucres résiduels : 33 g/l.) ⧗ 2019-2024

⊶ DOM. MOCHEL-LORENTZ, 19, rue Principale, 67310 Traenheim, tél. 03 88 50 38 17, plorentz@mochel-lorentz.com V r.-v.

Ⓑ MOLTÈS Steinert Pinot gris 2017 ★

■ | 2500 | | 15 à 20 €

Un domaine implanté à une dizaine de kilomètres au sud de Colmar. Antoine Moltès commercialise les premiers vins en 1925, son fils Roland explore les terroirs. Installés au tournant de ce siècle, Mickaël et Stéphane ont aménagé un nouveau chai, se sont orientés graduellement vers le bio, engageant la conversion du vignoble en 2012; ils ont aussi agrandi la propriété, passée de 17 à 25 ha en 2018.

Un moelleux intense, gourmand et complexe (fleurs blanches, miel d'acacia, fruits jaunes, touches de sous-bois et de fumée), tout en rondeur suave, vivifié par une pointe de fraîcheur. (Sucres résiduels : 51 g/l.) ⧗ 2019-2024

⊶ DOM. MOLTÈS, 8-10, rue du Fossé, 68250 Pfaffenheim, tél. 03 89 49 60 85, domaine@vin-moltes.com V *t.l.j. sf dim. 9h-12h 14h-17h30*

♥ MOLTÈS
Zinnkoepflé Gewurztraminer 2017 ★★★

■ | 3500 | | 11 à 15 €

Pour compléter leur gamme, Mickaël et Stéphane Moltès ont créé une structure de négoce.

Ce gewurztraminer provient d'un achat de raisins : des vendanges bien choisies, puisque ce vin ajoute un sixième coup de cœur au palmarès de ces vignerons – après un 2016 du même cépage, mais du grand cru Steinert. Récoltés le 1er octobre d'une année précoce, les raisins de ce terroir sudiste ont donné naissance à un moelleux doré, au nez partagé entre minéralité et surmaturation (fruits jaunes confits). Relevés d'épices, ces arômes se prolongent avec exubérance dans un palais rond et très dense. Un « vin de terroir » par excellence, qui gagnera encore à vieillir. (Sucres résiduels : 39 g/l.) ⧗ 2020-2029 ■ **Zinnkoepflé Riesling 2017 ★ (15 à 20 €; 2800 b.)** : encore jeune et discret, un riesling de terroir, minéral, puissant et persistant, construit sur une belle trame acide. (Sucres résiduels : 3 g/l.) ⧗ 2020-2027

⊶ MOLTÈS, 8, rue du Fossé, 68250 Pfaffenheim, tél. 03 89 49 60 85, domaine@vin-moltes.com V *r.-v.*

DOM. DU MOULIN DE DUSENBACH
Kaefferkopf Gewurztraminer 2017 ★

■ | 2040 | 15 à 20 €

Une histoire multiséculaire pour cet ancien moulin à farine de Ribeauvillé, devenu tour à tour scierie et battoir de chanvre, puis exploitation viticole lorsque Bernard Schwach y crée son domaine en 1974. La famille Schwebel, qui était à sa tête depuis 2008, l'a revendu en 2017 aux Grands Chais de France. Gérée par le Domaine viticole de la Ville de Colmar, la propriété couvre 26 ha, avec des parcelles dans cinq grands crus.

Des épices à profusion, de la pêche blanche et de l'abricot en-veux-tu-en-voilà : toute l'expression aromatique du gewurztraminer bien mûr, avec la puissance, la fraîcheur, la finale vive et saline léguées par le terroir. Cette acidité fera bon ménage avec des plats sucrés-salés. (Sucres résiduels : 26 g/l.) ⧗ 2019-2026

⊶ DOM. DU MOULIN DE DUSENBACH, 2, rue du Stauffen, 68000 Colmar, tél. 03 89 79 11 87, nstrub@arthurmetz.fr V *t.l.j. 9h30-12h30 14h-18h*

Ⓑ CHARLES MULLER ET FILS
Altenberg de Bergbieten Riesling 2015

■ | 2000 | | 15 à 20 €

Domaine de 11 ha établi dans un village de la Couronne d'Or de Strasbourg, groupement des communes viticoles les plus proches de la capitale régionale. Héritier d'une lignée remontant à 1580, Jean-Jacques Muller, installé en 1985, est passé de la viticulture raisonnée à la bio (1998, certification en 2001). Ses enfants, Marjorie et Nathan, l'ont rejoint en 2014.

Un riesling né sur le terroir marneux de l'Altenberg et élevé dix-huit mois sur lies fines. Après quatre ans, il affiche une robe dorée et dévoile un nez subtil et frais, empreint de minéralité. La douceur et la rondeur suave de l'attaque sont relayées par une belle acidité qui étire la finale : ce 2015 n'a pas dit son dernier mot. (Sucres résiduels : 4 g/l.) ⧗ 2019-2027

⊶ CHARLES MULLER ET FILS, 89C, rte du Vin, 67310 Traenheim, tél. 03 88 50 38 04, earlmullercharles@hotmail.fr V *r.-v.*

Ⓑ DOM. NEUMEYER Bruderthal Riesling 2017

■ | 3510 | | 15 à 20 €

Créée en 1925 par un arrière-grand-père des exploitants actuels, ouvrier des célèbres usines Bugatti à Molsheim, non loin de Strasbourg, la propriété a longtemps fourni beaucoup de sylvaners destinés à la population de la cité bas-rhinoise. Gérard Neumeyer s'y installe en 1987, convertit au bio les 16 ha de vignes et mise sur le grand cru local, le Bruderthal. Marie Neumeyer-Tonner, employée sur le domaine depuis dix ans, et son frère, Jérôme Neumeyer, fort d'expériences à l'étranger, ont pris les rênes du domaine en 2016.

Ces vignerons cultivent plusieurs cépages sur le coteau du Bruderthal, aux sols marno-calcaires. Récolté début octobre, leur riesling affiche une robe bien dorée et déploie de subtils parfums d'agrumes qui se prolongent en bouche. D'une ampleur mesurée, il séduit par sa finesse et par sa fraîcheur élégante. (Sucres résiduels : 5,2 g/l.) ⧗ 2020-2025

DOM. NEUMEYER, 29, rue Ettore-Bugatti, 67120 Molsheim, tél. 03 88 38 12 45, contact@neumeyer.fr t.l.j. sf dim. 9h-12h 14h-18h

GÉRARD NICOLLET ET FILS
Zinnkoepflé Pinot gris 2017 ★★

| 3000 | | 8 à 11 €

Reconstitué en 1920 après le phylloxéra, ce domaine est situé dans la Vallée Noble, à environ 20 km au sud de Colmar. Gérard Nicollet commence la vente en bouteilles dans les années 1960. Installé en 2004, Marc exploite avec sa compagne Sara 14 ha de vignes, dont plusieurs parcelles en grand cru Zinnkoepflé.

Notes florales, fruits jaunes, mirabelle, amande, notes grillées, sous-bois, voilà un nez gourmand et complexe. Ronde et suave, confite, la bouche affiche son opulence, tonifiée par une longue finale vive et citronnée : l'ampleur et les arômes du cépage, la richesse et la fraîcheur de ce haut coteau sudiste. (Sucres résiduels : 50 g/l.) ⧗ 2020-2025 ■ **Zinnkoepflé Gewurztraminer 2017 (11 à 15 €; 2800 b.)** : vin cité.

NICOLLET, 33, rue de la Vallée, 68570 Soultzmatt, tél. 03 89 47 03 90, vinsnicollet@wanadoo.fr t.l.j. sf dim. 9h-12h 14h-18h

CH. D'ORSCHWIHR Zinnkoepflé Pinot gris 2017

| 1125 | | 15 à 20 €

Situé dans la partie sud de la route des Vins, un vrai château, dont certaines pierres remonteraient au pape Léon IX d'Eguisheim (XIes.). L'édifice est acquis au milieu du XIXes. par la famille Hartmann, qui développe la viticulture un siècle plus tard. Installé en 1986, Hubert Hartmann a agrandi le domaine (24 ha aujourd'hui, avec des parcelles dans cinq grands crus) et l'a transmis en 2011 à son fils Gautier.

Abrité par les plus hauts sommets vosgiens, le Zinnkoepflé bénéficie d'un climat très sec propice à la surmaturation. Un caractère que l'on décèle dans ce pinot gris de couleur vieil or aux reflets cuivrés, aux parfums chaleureux de fruits jaunes confits, nuancés de notes grillées. Riche et généreux, encore sous l'emprise des sucres, le palais est rafraîchi par une pointe d'amertume. Il gagnera en fondu avec le temps. (Sucres résiduels : 28 g/l.) ⧗ 2020-2024

CH. D' ORSCHWIHR, 1, rue du Centre, 68500 Orschwihr, tél. 03 89 74 25 00, contact@chateau-or.com r.-v.

EDMOND RENTZ
Sonnenglanz Pinot gris 2016 ★★

| 2617 | | 11 à 15 €

Descendant d'une lignée vigneronne remontant au XVIIIes., Edmond Rentz vend son vin en bouteilles dès 1936. Son fils Raymond étend la propriété et transmet en 1995 à Patrick un domaine couvrant aujourd'hui 27 ha, réparti sur cinq communes au cœur de la route des Vins : Bergheim, Ribeauvillé, Hunawihr, Zellenberg, Riquewihr.

Or pâle aux reflets verts, ce pinot gris 2016 a gardé un air de jeunesse. Expressif au nez, il s'ouvre sur des notes minérales, florales et sur un fruité exotique rappelant l'ananas confit. Le prélude à un palais très bien construit, gras et persistant, équilibré en finale par une fraîcheur teintée d'amertume. Un moelleux tonique qui se placera facilement à table. (Sucres résiduels : 32 g/l.) ⧗ 2019-2024

DOM. EDMOND RENTZ, 7, rte du Vin, 68340 Zellenberg, tél. 03 89 47 90 17, info@edmondrentz.com t.l.j. sf dim. 8h-12h 14h-18h

CH. DE RIQUEWIHR
Schoenenbourg Riesling 2017

| 26000 | | 15 à 20 €

Dès le XVIes., les familles Dopff et Irion ont pignon sur rue à Riquewihr. La maison est installée dans l'ancien château (1549) des princes de Wurtemberg. En 1945, René Dopff prend en main sa destinée. Il partage le domaine du Ch. de Riquewihr en cinq vignobles spécialisés dans un cépage : les Murailles, les Sorcières, les Maquisards, les Amandiers et les Tonnelles. L'exploitation comprend 27 ha, dont un bon tiers en grands crus.

Le château de Riquewihr se doit d'avoir des vignes sur le Schoenenbourg, dont les pentes exposées au sud et au sud-est dominent la célèbre cité viticole. Et surtout des rangs de riesling, variété particulièrement adaptée à ce terroir argilo-marneux. Ces raisins ont donné naissance à un vin au nez encore discret, entre agrumes et minéralité, et à la bouche fraîche et longue. Une belle expression du cépage et du cru. (Sucres résiduels : 12,8 g/l.) ⧗ 2021-2025

DOPFF ET IRION (CH. DE RIQUEWIHR), 1, cour du Château, 68340 Riquewihr, tél. 03 89 47 92 51, contact@dopff-irion.com t.l.j. 10h-18h

MARTIN SCHAETZEL BY KIRRENBOURG
Hengst Gewurztraminer 2016 ★★

| 2180 | | 20 à 30 €

Fondée en 1803, cette maison de vignerons-négociants s'est lancée dans la vente en bouteilles au début des années 1930, avec Martin Schaetzel. Son neveu Jean, œnologue, reprend l'affaire en 1979 et exploite en biodynamie ses vignes en propre (conversion en 1997). Elle est revendue en 2015 à la société Kirrenbourg, propriété de l'industriel Marc Rinaldi, qui fait construire de nouveaux chais à Kientzheim et acquiert des terroirs en grands crus. Aujourd'hui, 11 ha, en conversion bio, conduits depuis 2017 par Samuel Tottoli.

Le gewurztraminer à l'origine de ce 2016 n'a été vendangé que le 28 octobre. Il en retire une robe vieil or et une bouche structurée, opulente, ample, ronde et longue. Sans excès ni lourdeur : si le nez dévoile des notes confites de surmaturation, on respire aussi dans le verre la fleur blanche, le tilleul, la rose et les épices; quant à la bouche, elle est tendue par une belle acidité qui étire la finale. Un vrai grand cru, complexe, frais et bien construit. (Sucres résiduels : 20 g/l.) ⧗ 2019-2025 ■ **Schlossberg Riesling 2016 ★ (30 à 50 €; 6000 b.)** : choyé par le nouveau propriétaire, le grand cru granitique du Schlossberg donne des rieslings d'une rare finesse. C'est bien le cas de celui-ci, d'une fraîcheur saline, élégant et persistant. Un vin de garde, à carafer si l'on souhaite le boire jeune. (Sucres résiduels : 8 g/l.) ⧗ 2022-2030

⊶ *MARTIN SCHAETZEL BY KIRRENBOURG, 15 C, rte du Vin, 68240 Kaysersberg, tél. 03 89 47 11 39, martin-schaetzel@kirrenbourg.fr* V 🚶 ▪ *r.-v.*

JEAN-PAUL SCHAFFHAUSER
Steingrubler Gewurztraminer 2017 ★

■ | 5200 | ▮ | 8 à 11 €

Jean-Paul Schaffhauser a débuté la mise en bouteilles en 1984. Il a transmis sa propriété en 1996 à Catherine et Jean-Marc, qui ont passé la main en 2018 à leur fils Antoine. Ce dernier a engagé la conversion bio d'une partie du domaine. Les vignerons exploitent plus de 12 ha, répartis sur autant de villages autour de Wettolsheim, près de Colmar; ils achètent aussi du raisin à des viticulteurs de la commune. Dans leur gamme, des vins de terroir (grands crus Hengst et Steingrubler, notamment).

Le gewurztraminer représente plus de la moitié des superficies de ce grand cru aux sols marneux. Il a donné naissance à un vin ample, riche et épicé, à la finale généreuse et suave. Bien typés, ses arômes évoquent la rose fanée, le litchi et le poivre noir. Un moelleux flatteur et élégant. (Sucres résiduels : 36,5 g/l.) ⧗ 2019-2025

⊶ *JEAN-PAUL SCHAFFHAUSER, 8, rte du Vin, 68920 Wettolsheim, tél. 03 89 79 99 97, schaffhauser.jpaul@free.fr* V 🚶 ▪ *t.l.j. sf dim. 8h30-12h 14h-18h30*

♥ B DOM. JOSEPH SCHARSCH
Altenberg de Wolxheim Riesling Vendanges tardives 2015 ★★

■ | 770 | ▮ | 15 à 20 €

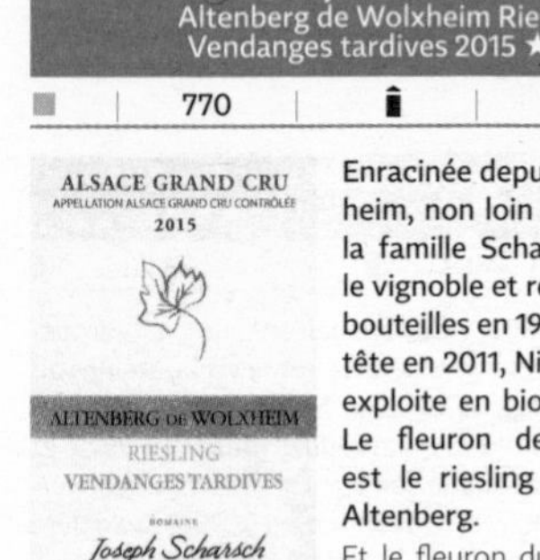

Enracinée depuis 1755 à Wolxheim, non loin de Strasbourg, la famille Scharsch a relancé le vignoble et repris la mise en bouteilles en 1976. Installé à sa tête en 2011, Nicolas Scharsch exploite en bio certifié 12 ha. Le fleuron de la propriété est le riesling du grand cru Altenberg.

Et le fleuron du fleuron, cette cuvée de vendanges tardives, qui a pour seul défaut sa rareté... Car ce moelleux, fruit d'un microclimat idéal (grâce à une exposition plein sud), et d'une année solaire, obtient la «couronne d'or»! Un terroir propice au riesling, mis en valeur par un amoureux de ce cépage, fort en vue l'an dernier. Doré à l'or fin, ce 2015 a enchanté nos dégustateurs : nez précis et mûr, déployant de nouveaux parfums à chaque coup de nez : fleur de cerisier, pêche blanche, agrumes, avec une touche de fruits exotiques et une pointe de silex; bouche ample et concentrée, marquée par la surmaturation, à la finale longue et fraîche. (Bouteilles de 50 cl, sucres résiduels : 78 g/l.) ⧗ 2019-2029

⊶ *DOM. JOSEPH SCHARSCH, 12, rue de l'Église, 67120 Wolxheim, tél. 03 88 38 30 61, cave@domaine-scharsch.com* V 🚶 ▪ *r.-v.*

SCHERB Vorbourg Gewurztraminer 2017 ★

■ | 1571 | ▮ | 8 à 11 €

L'Alsace est pionnière en matière d'œnotourisme. Vignerons depuis quatre générations, à la tête d'un domaine qui compte aujourd'hui 15,6 ha, les Scherb ont repris un restaurant familial en 1954, au lendemain de l'inauguration de la route des Vins. Ils y ont ajouté un hôtel. Au sous-sol, la cave de vinification. Les vignerons accueillent aussi les visiteurs dans leur cave du XIIIe s. située au cœur du pittoresque village de Gueberschwihr.

Le gewurztraminer représente plus de la moitié de la superficie de ce grand cru aux sols marno-calcaires, exposé au sud-sud-est, situé à Rouffach et à Westhalten, au sud de Gueberschwihr. Il a engendré un vin qui, sans être d'une extrême densité, séduit par son nez intense et complexe (rose, épices, fruits jaunes, mangue, ananas, touche fumée). Ces arômes s'épanouissent dans une bouche ample et ronde, servie par une finale fraîche. Un moelleux élégant. (Sucres résiduels : 48 g/l.) ⧗ 2019-2024

⊶ *BERNARD SCHERB ET FILS, 3, rue Basse, 68420 Gueberschwihr, tél. 03 89 49 33 82, vins.scherb@orange.fr* V 🚶 ▪ *t.l.j. 8h30-12h 14h-18h*

RAYMOND SCHILLINGER-RENCK
Sonnenglanz Gewurztraminer 2017 ★

■ | 1060 | ▮ | 11 à 15 €

Domaine créé en 1961 par Raymond Renck, et situé à Beblenheim, à 3 km de Riquewihr. Il est conduit depuis 1996 par Colette et Gérard Schillinger-Renck, qui disposent de plusieurs parcelles dans des grands crus voisins comme le Sonnenglanz. Après la fusion en 2017 avec le Dom. Émile Schillinger, la superficie de l'exploitation est passée de 5 à 10 ha.

«Éclat de soleil», voilà la traduction française du nom de ce grand cru de Beblenheim, exposé au sud-est, qui bénéficie d'un microclimat très sec. Un terroir marno-calcaire qui a légué à ce gewurztraminer moelleux sa puissance chaleureuse, sa rondeur et son ampleur. Le caractère solaire du grand cru lui vaut aussi ses arômes exubérants de mangue, de fruit de la Passion, de coing, avec la signature épicée du cépage. (Sucres résiduels : 38 g/l.) ⧗ 2019-2024

⊶ *SCHILLINGER-RENCK, 11, rue de Hoen, 68980 Beblenheim, tél. 03 89 47 91 59* V 🚶 ▪ *t.l.j. 9h-12h 13h30-18h30*

SCHLEGEL-BOEGLIN
Zinnkoepflé Gewurztraminer 2017 ★

■ | 4600 | ▮ | **11 à 15 €**

Les parents de Jean-Luc Schlegel ont fondé le domaine en 1971 à Westhalten, à l'entrée de la Vallée Noble. Ce dernier, installé en 1991, exploite 13 ha de vignes, avec plusieurs parcelles dans les grands crus Zinnkoepflé et Vorbourg.

Au nez, les effluves attendus de rose juste éclose et d'épices, qui s'allient en bouche à des notes fruitées et minérales. L'ampleur est bien là, ainsi qu'une certaine concentration, mais ce qui plaît encore davantage, c'est la longue finale fraîche, signature du terroir, et la plaisante touche d'amertume qui donne à ce moelleux relief et dynamisme. (Sucres résiduels : 45 g/l.) ⧗ 2019-2025

■ **Zinnkoepflé Riesling 2017 ★ (11 à 15 €; 2800 b.)** : après un 2015 élu coup de cœur l'an dernier, un millésime puissant et riche, entre surmaturation et minéralité. Encore sur le sucre, mais avec de l'acidité : du potentiel. (Sucres résiduels : 8 g/l.) ⧗ 2022-2029

⊶ DOM. SCHLEGEL-BOEGLIN, 22 A, rue d'Orschwihr, 68250 Westhalten, tél. 03 89 47 00 93, schlegel-boeglin@wanadoo.fr V 🚶 ■ *r.-v.*

DOM. PAUL SCHNEIDER Steinert Pinot gris 2017 ★

■	3700	🍾	11 à 15 €

Héritier d'une lignée remontant à 1663, Luc Schneider est établi au cœur d'Eguisheim, dans l'ancienne cour dîmière du grand prévôt de la cathédrale de Strasbourg. Son vignoble couvre 13 ha au sud de Colmar, avec des parcelles dans plusieurs grands crus.

Mûri sur les pentes calcaires et caillouteuses du «coteau pierreux» (Steinert), ce pinot gris offre une approche engageante : robe dorée, nez élégant et typé, sur les fleurs blanches, les fruits jaunes confits, la torréfaction, rafraîchi par des touches mentholées. Ces arômes et cette élégance se prolongent dans un palais onctueux, à la finale alerte. (Sucres résiduels : 20 g/l.) ⧗ 2019-2023

⊶ DOM. PAUL SCHNEIDER, 1, rue de l'Hôpital, 68420 Eguisheim, tél. 03 89 41 50 07, contact@domainepaulschneider.fr V 🚶 ■ *t.l.j. 9h-12h 14h-18h30* 🏠 Ⓒ

ALBERT SCHOECH
Wineck-Schlossberg Riesling 2017 ★

■	16914	🍾	8 à 11 €

Maison de négoce fondée en 1840 par Joseph Schoech, fils d'un tonnelier, et restée dans la même famille. Elle dispose de caves du XVIIes. et de foudres centenaires, ainsi que d'une cuverie moderne. À sa carte, cinq grands crus. La marque perpétue la mémoire d'Albert Schoech, qui fut maire d'Ammerschwihr et membre fondateur de la confrérie Saint-Étienne après 1945, tout en faisant prospérer l'entreprise viticole.

Mûri sur le coteau du Wineck-Schlossberg propice au cépage, ce riesling aux reflets dorés révèle la finesse de son terroir granitique dans ses effluves de verger au printemps, de fleur blanche miellée, nuancés d'une touche d'agrumes confits évoquant la surmaturation. Dans le même registre, la bouche équilibrée reste discrète, mais sa longueur et son acidité garantissent une belle évolution. (Sucres résiduels : 7,2 g/l.) ⧗ 2021-2029

⊶ DOM. ALBERT SCHOECH, pl. du Vieux-Marché, 68770 Ammerschwihr, tél. 03 89 78 23 17, vin@schoech.fr

DOM. MAURICE SCHOECH
Schlossberg Pinot gris 2017 ★

■	1200	🍾	15 à 20 €

Pépiniéristes, sommeliers, courtiers, vignerons, les Schoech sont au service du vin depuis 1650. Aujourd'hui, Sébastien et Jean-Léon Schoech exploitent 11 ha aux environs d'Ammerschwihr, importante cité viticole qui ouvre chaque année le cycle des foires aux vins en avril. Ils détiennent des parcelles dans deux grands crus et ont engagé en 2014 la conversion bio de leur vignoble.

Fruits blancs, abricot sec, notes grillées : les arômes du pinot gris, au nez comme en bouche, et la rondeur propre au cépage. Avec cette finesse, cette vivacité, cette subtile minéralité, cette longue finale saline qui signent ce terroir granitique de Kientzheim, l'un des plus connus du vignoble. Puissance et acidité, avenir assuré. (Sucres résiduels : 15 g/l.) ⧗ 2020-2025

⊶ DOM. MAURICE SCHOECH, 4, rte de Kientzheim, 68770 Ammerschwihr, tél. 03 89 78 25 78, domaine.schoech@free.fr V 🚶 ■ *t.l.j. sf dim. 8h-12h 13h30-18h* 🏠 Ⓓ

DOM. SCHOFFIT
Rangen Clos Saint-Théobald Pinot gris Vendanges tardives 2016 ★★

■	2200	🛢	30 à 50 €

À la tête d'un domaine de 17 ha, la famille Schoffit ne se contente pas de son vignoble autour de Colmar. Son fleuron – le Clos Saint-Théobald, qui lui a valu de nombreux coups de cœur – se trouve à l'extrémité méridionale de la route des Vins, dans le grand cru Rangen de Thann. Un terroir d'origine volcanique, aux sols pierreux, sombres et chauds, aux pentes vertigineuses, accueillantes aux gewurztraminer, riesling et pinot gris.

On ne compte plus les coups de cœur obtenus par ces vignerons pour leurs vins du Rangen. Pas moins de cinq pour leur pinot gris, cépage très présent sur ces pentes. Les vendanges tardives ont, elles aussi, un beau palmarès à leur actif : ce grand cru sudiste, qui surplombe une rivière, est propice à l'apparition de la pourriture noble, laquelle se manifeste même les années défavorables, comme 2016. Ce millésime apparaît très original par rapport à la série de ses devanciers du même type et du même cépage. Si l'on y retrouve jusqu'en finale la vivacité qui charme toujours, cette sensation est renforcée par l'expression aromatique de ce millésime : au nez comme en bouche, du citron, du zeste d'agrumes, de l'orange confite, plutôt que du coing. Quelle finesse, quelle fraîcheur, quelle longueur! (Sucres résiduels : 78 g/l.) ⧗ 2019-2028

⊶ DOM. SCHOFFIT, 68, Nonnenholzweg, 68000 Colmar, tél. 03 89 24 41 14, domaine.schoffit@free.fr V 🚶 ■ *r.-v.*

Ⓑ **DOM. FERNAND SELTZ**
Zotzenberg Pinot gris 2017

■	836	🛢	15 à 20 €

Michel Seltz est établi à Mittelbergheim, village aussi connu pour ses maisons vigneronnes d'époque Renaissance que pour son coteau du Zotzenberg, classé en grand cru. Sur ce terroir de choix, il cultive plusieurs cépages. Le domaine est exploité en bio certifié depuis 2010.

Plus modeste que certains millésimes antérieurs, comme le 2011, mémorable coup de cœur, ce pinot gris semble jeune. Après aération, il dévoile des arômes bien typés de fruits jaunes mûrs. Sans être un monstre de concentration, ce moelleux à la fois suave et minéral offre assez d'étoffe et de vivacité pour bien évoluer. (Sucres résiduels : 25 g/l.) ⧗ 2020-2024

⊶ FERNAND SELTZ ET FILS, 42, rue Principale, 67140 Mittelbergheim, tél. 03 88 08 93 92, seltz.michel@wanadoo.fr V 🚶 ■ *r.-v.*

JEAN SIPP Altenberg de Bergheim Riesling 2013 ★

| 1250 | | 20 à 30 € |

Établi dans une demeure Renaissance qui appartint jadis à la puissante famille des Ribeaupierre, seigneurs de Ribeauvillé, Jean-Guillaume Sipp perpétue depuis 2014 avec brio une tradition viticole inaugurée en 1654 par son ancêtre porteur du même prénom. Il dispose de 25 ha de vignes, avec des parcelles dans plusieurs crus renommés (Altenberg de Bergheim, Kirchberg de Ribeauvillé).

Le millésime 2013? Difficile, chaotique, tardif : pour le riesling, les vendanges n'ont commencé qu'en octobre, alors que les sécateurs sont entrés en action dès le 30 août en 2017. Pourtant, cette année a produit de très beaux rieslings, comme celui-ci. Ce vin tire de son terroir argilo-calcaire sa puissance et son gras, couplés à une acidité droite, incisive, exaltée par le cépage et sans doute par la fraîcheur de l'année. Après six ans, ses arômes d'agrumes (zeste de citron, citron vert) s'accompagnent d'une minéralité affirmée, de touches de silex. La longue finale teintée de nobles amers laisse deviner que cette cuvée n'a pas dit son dernier mot. (Sucres résiduels : 8,3 g/l.) ⧗ 2019-2028

DOM. JEAN SIPP, 60, rue de la Fraternité, 68150 Ribeauvillé, tél. 03 89 73 60 02, domaine@jean-sipp.com V t.l.j. sf dim. 9h-12h 14h-17h30 4

VINCENT SPANNAGEL
Wineck-Schlossberg Muscat
Vendanges tardives 2015 ★

| 1000 | | 20 à 30 € |

Une famille enracinée à Katzenthal depuis la fin du XVIᵉs. Le domaine (10,5 ha aujourd'hui) a été constitué en 1959 par André Spannagel, qui a passé le relais à son fils Vincent en 1982, rejoint en 2009 par Patrice. Emblème du village, le donjon du Wineck, entouré de vignes, a donné son nom au grand cru granitique où la famille cultive avec bonheur les quatre cépages nobles.

Or soutenu, ce muscat dévoile un nez précis, mûr, riche et complexe, à la fois fruité et miellé. La bouche, à l'unisson, allie richesse suave et fruit frais. Une finale alerte laisse le souvenir d'un vin bien construit, produit d'une belle matière première. Un beau vin d'apéritif. (Bouteilles de 50 cl; sucres résiduels : 66 g/l.) ⧗ 2020-2026 ■ **Wineck-Schlossberg Gewurztraminer 2017 ★ (11 à 15 €; 1500 b.)** : un moelleux riche, chaleureux et long, aux arômes intenses et typés – rose, litchi, mangue, pêche jaune confite. (Sucres résiduels : 38 g/l.) ⧗ 2019-2024 ■ **Wineck-Schlossberg Pinot gris 2017 (11 à 15 €; 1500 b.)** : vin cité.

DOM. VINCENT SPANNAGEL, 82, rue du Vignoble, 68230 Katzenthal, tél. 03 89 27 52 13, domainespannagel@gmail.com V t.l.j. sf dim. 9h-11h30 13h-18h

CHARLES SPARR
Scheonenbourg Riesling Collection 2016 ★★

| 6839 | | 15 à 20 € |

Vignerons et négociants, les Sparr sont au service du vin depuis 1634. Charles agrandit le vignoble au XXᵉs., son fils Pierre, œnologue, institue des cahiers des charges et développe les exportations. Depuis 2018, Charles, troisième du nom, perpétue la dynastie. Planté majoritairement en coteau, le vignoble familial couvre 30 ha (en conversion vers la biodynamie) à Sigolsheim, Riquewihr et Turckheim, avec des parcelles dans quatre grands crus.

Dans le verre, un jaune d'or brillant. Passé un premier nez sur la pierre à fusil, le vin s'ouvre sur les fruits acides bien mûrs – l'ananas, le fruit de la Passion – avant de s'orienter vers des notes plus suaves et gourmandes de coing et de poire compotée. Un vin moelleux? Pas du tout : si l'attaque se montre souple et chaleureuse, elle est relayée par une acidité vibrante, minérale et saline, aux accents d'agrumes, qui porte loin la finale. Un vin tout indiqué pour des poissons en sauce, viandes blanches et plats sucrés-salés. (Sucres résiduels : 10,5 g/l.) ⧗ 2021-2029

CHARLES SPARR, 2, rue de la Première-Armée-Française, Sigolsheim, 68240 Kaysersberg-Vignoble, tél. 03 89 47 92 14, vin@ac-sparr.fr V r.-v.

STEINER Hatschbourg Gewurztraminer 2015 ★★

| 2500 | | 15 à 20 € |

Domaine fondé en 1885 et exploité par Philippe Steiner, qui représente la quatrième génération. Son vignoble est implanté autour des villages d'Herrlisheim, de Hattstatt et de Riquewihr, avec des parcelles dans le grand cru Hatschbourg. Le propriétaire vient de s'équiper d'une nouvelle cave et d'une salle de dégustation panoramique.

Un terroir marno-calcaire, profond et bien drainé, exposé au sud et au sud-est, une année solaire, une récolte en octobre, de quoi donner un moelleux combinant « une expression aromatique proche d'une vendange tardive et la fraîcheur d'un grand cru ». Complexe, la palette de ce 2015 combine arômes variétaux (litchi, clou de girofle), surmaturation (fruits confits, figue, coing), réglisse et pointe mentholée. Ronde et riche, la bouche offre une longue finale chaleureuse. L'ensemble fait grande impression. (Sucres résiduels : 39 g/l.) ⧗ 2019-2025

VINS STEINER, 13, rte du Vin, 68420 Herrlisheim-Vignoble, tél. 03 89 49 30 70, steiner.vins@wanadoo.fr V t.l.j. 9h-12h 14h-18h30

B **AIMÉ STENTZ** Hengst Pinot gris 2017 ★

| 2270 | | 15 à 20 € |

Fondé en 1919, ce domaine de 14 ha (en bio depuis 2010), situé à la périphérie ouest de Colmar, est dirigé depuis 2014 par Marc Stentz (petit-fils d'Aimé), secondé aux vinifications par son père Étienne. Le vignoble compte une soixantaine de parcelles sur cinq communes et cinq grands crus.

Cultivé sur les marnes calcaires du Hengst, le pinot gris a profité du soleil du matin pour mûrir, et engendrer ce moelleux encore discret, qui dévoile à l'aération des notes de fleurs blanches miellées et de pêche, nuancées d'une touche grillée. Dans le même registre, la bouche se déploie avec suavité, ampleur et rondeur, équilibrée en finale par une vivacité minérale bien typée du terroir. La puissance alliée à la délicatesse. (Sucres résiduels : 18 g/l.) ⧗ 2020-2029

AIMÉ STENTZ ET FILS, 37, rue Herzog, 68920 Wettolsheim, tél. 03 89 80 63 77, vins.stentz@calixo.net V t.l.j. 9h-12h 14h-18h

DOM. STIRN Sonnenglanz Gewurztraminer 2017 ★

	2830		11 à 15 €

Odile et Fabien Stirn se sont installés en 1999 sur l'exploitation familiale créée au XIXᵉs. Œnologues, ils ont repris les vinifications au domaine. Leurs vignes (10 ha aujourd'hui) sont disséminées entre Beblenheim et Turckheim, si bien qu'ils disposent d'une belle mosaïque de terroirs, avec des parcelles dans cinq grands crus (Brand, Mambourg, Sonnenglanz, Schlossberg et Marckrain).

Le nom de ce grand cru signifie «éclat de soleil» : son exposition au sud-est favorise la maturation des raisins, et le gewurztraminer s'exprime fort bien sur ses sols argilo-calcaires. Reflet de ce terroir, ce moelleux s'annonce par un nez intense, complexe et riche, mêlant la rose et les fruits jaunes à une touche épicée. Les fruits prennent des tons compotés dans une bouche souple, ronde à souhait, tendue par une belle fraîcheur minérale. (Sucres résiduels : 55 g/l.) ⧗ 2019-2025 ■ **Sonnenglanz Pinot gris 2017 (11 à 15 €; 1000 b.)** : vin cité.

DOM. FABIEN STIRN, 3, rue du Château, 68240 Sigolsheim, tél. 03 89 47 30 58, domainestirn@free.fr V t.l.j. 9h-12h 13h30-17h30 ; dim. sur r.-v.

Ⓑ VINCENT STOEFFLER
Kirchberg de Barr Riesling 2017 ★

	3000		15 à 20 €

Vincent Stoeffler dirige depuis 1986 l'exploitation fondée par son père dans les années 1960. À la suite de son mariage, le domaine s'est agrandi, se répartissant dans dix communes autour de deux pôles : Ribeauvillé et Riquewihr dans le Haut-Rhin, Barr dans le Bas-Rhin. Il compte aujourd'hui 16 ha de vignes, conduites intégralement en bio depuis 2000, et propose nombre de vins de terroir.

Coteau pentu dominant la ville de Barr – où est établi ce vigneron –, le Kirchberg jouit d'une exposition au sud-est qui facilite la maturation des raisins. Bien typé du terroir, ce riesling dévoile un nez d'une belle finesse, sur les fleurs blanches et les agrumes, citron en tête. Frais en attaque, ample dans son développement, il offre une finale alerte, saline et persistante. Il possède assez d'étoffe et d'acidité pour bien évoluer. (Sucres résiduels : 6,5 g/l.) ⧗ 2021-2029

DOM. VINCENT STOEFFLER, 1, rue des Lièvres, 67140 Barr, tél. 03 88 08 52 50, info@vins-stoeffler.com V t.l.j. sf dim. 10h-12h 13h30-18h

ANTOINE STOFFEL Eichberg Pinot gris 2017 ★

	2050		11 à 15 €

Cité médiévale préservée au plan circulaire, Eguisheim se flatte d'être le berceau du vignoble alsacien. Établi à quelques pas du centre, le domaine est conduit depuis 2015 par Mathieu Kuehn, petit-fils d'Antoine Stoffel. Le vignoble de 8 ha est en conversion bio depuis 2017.

Au pied des trois châteaux d'Eguisheim, la vigne avait déjà colonisé la «colline aux Chênes» (Eichberg) dès le XIᵉs., grâce à son exposition au sud-est, et à son microclimat, le plus sec du vignoble alsacien. Le lieu de naissance de ce pinot gris encore discret au nez (minéralité, fruits mûrs, touche fumée typée du cépage), qui prend des tons confits en bouche, tout en affirmant la puissance généreuse de ce terroir marno-calcaire, équilibrée par une pointe de fraîcheur en finale. (Sucres résiduels : 29 g/l.) ⧗ 2020-2025

DOM. ANTOINE STOFFEL, 21, rue de Colmar, 68420 Eguisheim, tél. 03 89 41 32 03, domaine@antoinestoffel.com V t.l.j. sf dim. 9h-12h 14h-18h

DOM. DE LA VIEILLE FORGE
Sonnenglanz Pinot gris 2017 ★

	1000		11 à 15 €

Fort de son diplôme d'œnologue, Denis Wurtz fait revivre depuis 1998 le domaine de ses grands-parents, dont le nom évoque le métier de l'un de ses aïeuls. Installé dans une maison à colombages du XVIᵉs., il exploite 10 ha de vignes réparties dans six communes, de Beblenheim à Riquewihr, avec un tiers des surfaces dans quatre grands crus.

Ce pinot gris moelleux n'est pas sans rappeler le millésime précédent, très apprécié lui aussi : robe jaune d'or, nez bien ouvert sur les fruits jaunes surmûris et le miel, avec une touche épicée, bouche à l'unisson, suave en attaque, puissante, sur le fruit confit, tonifiée par une touche d'amertume en finale. Encore jeune, sous l'emprise des sucres résiduels, ce 2017 bénéficiera d'une petite garde. (Sucres résiduels : 32 g/l.) ⧗ 2021-2024

DOM. DE LA VIEILLE FORGE, 5, rue de Hoen, 68980 Beblenheim, tél. 03 89 86 01 58, domainevieilleforge68@orange.fr V t.l.j. sf dim. 10h-12h 15h-18h30

DOM. WACH Moenchberg Riesling 2015 ★★

	1700		15 à 20 €

Installé en 1976 à Andlau, ancienne commune viticole longeant une vallée resserrée, Guy Wach est l'héritier d'une lignée remontant à 1748 – des tonneliers, puis des vignerons. Il a transmis en 2017 à son fils Pierre le domaine familial (8 ha), qui comprend des parcelles dans les trois grands crus de la commune, favorables au riesling. La démarche, déjà largement bio, devrait permettre d'engager prochainement la conversion de la propriété.

Après un riesling 2014 du Wiebelsberg gréseux, élu coup de cœur, voici un 2015 issu du Moenchberg, moins escarpé, marno-calcaro-gréseux. Remarquable expression de ce terroir, il affiche une robe jaune d'or et un nez expansif, sur les agrumes (citron), l'ananas, les fruits blancs, avec une pointe minérale. Ce fruité s'épanouit dans un palais à la fois ample, riche, chaleureux et salin, traversé par une acidité cristalline qui porte loin la finale. Une acidité remarquable dans ce millésime, souligne une dégustatrice. Ce riesling sera parfait à l'apéritif, avec des viandes blanches ou des spécialités asiatiques. (Sucres résiduels : 11,2 g/l.) ⧗ 2021-2029 ■ **Kastelberg Riesling Vieilles Vignes 2015 ★ (20 à 30 €; 3000 b.)** : né sur un grand cru schisteux dédié au riesling, un vin de caractère intense, équilibré et long. L'opulence du millésime et la subtilité minérale du terroir. (Sucres résiduels : 16,5 g/l.) ⌛ 2021-2029

DOM. WACH, 5, rue de la Commanderie, 67140 Andlau, tél. 03 88 08 93 20, info@guy-wach.fr r.-v.

STÉPHANE WANTZ
Zotzenberg Sylvaner 2017 ★

	4000		11 à 15 €

D'origine autrichienne, les Wantz ont fait souche à Mittelbergheim en 1550. Nos lecteurs connaissent leurs vins sous le nom d'Alfred Wantz, qui a développé le domaine après la Seconde Guerre mondiale (11 ha aujourd'hui, en conversion bio depuis 2017). Ingénieur agronome et œnologue, Stéphane, son petit-fils, a pris la tête du domaine en 2008 et créé une gamme à son nom.

Les Wantz chérissent de longue date le sylvaner, cépage exclu des appellations grand cru, sauf s'il provient du Zotzenberg, coteau aux sols marno-calcaires situé dans leur village de Mittelbergheim. Discret au nez, leur 2017 s'impose en bouche. Intense, plein, minéral, élégant et long, il déploie des arômes flatteurs de pêche et de mirabelle. Assez étoffé et riche pour accompagner une volaille, il se gardera bien. (Sucres résiduels : 9 g/l.) ⌛ 2019-2024 ■ **Alfred Wantz Hospices de Strasbourg Zotzenberg Gewurztraminer Élevé en fût de chêne 2017 (15 à 20 €; 1500 b.)** : vin cité.

DOM. ALFRED WANTZ, 61, rue de la Montagne, 67140 Mittelbergheim, tél. 03 88 08 91 43, contact@alfredwantz.com t.l.j. sf dim. 10h-12h 14h-18h

ANNE ET MARC WASSLER
Frankstein Riesling 2017 ★

	700		11 à 15 €

Installé depuis 1990 à la tête du vignoble familial, Marc Wassler cultive 12 ha de vignes sur les terroirs de Blienschwiller, de Dambach-la-Ville et d'Epfig, et dispose de parcelles dans deux grands crus.

Issu du grand cru de Dambach-la-Ville aux sols granitiques, ce riesling séduit par l'intensité, la fraîcheur et la précision de ses parfums d'agrumes. Puissant et long en bouche, il suit la même ligne vive et fruitée, dévoilant des arômes de pamplemousse, de citron et d'ananas. La minéralité devrait se révéler avec le temps. (Sucres résiduels : 2 g/l.) ⌛ 2021-2027

ANNE ET MARC WASSLER, 1, rte d'Epfig, 67650 Blienschwiller, tél. 03 88 92 41 53, marc.wassler@wanadoo.fr r.-v.

W. WURTZ
Mandelberg Gewurztraminer 2017 ★

	1000		15 à 20 €

En 1990, Christian Wurtz a pris la succession de l'exploitation familiale créée en 1952 à Mittelwihr, au coeur du vignoble alsacien. La commune abrite le grand cru Mandelberg, terroir bien abrité et précoce où ce vigneron exploite plusieurs parcelles.

Très présent sur le terroir marno-calcaire du Mandelberg, le gewurztraminer a donné naissance à ce vin d'emblée séducteur, au nez intensément floral et fruité, sur la rose et le litchi, accompagnés d'une touche fraîche d'agrumes. Suave et rond, gourmand, le palais est marqué en finale par un retour de la rose, souligné par une pointe d'acidité. Bien construit, pas trop sucré, ce moelleux léger, presque demi-sec, trouvera facilement sa place. (Sucres résiduels : 15 g/l.) ⌛ 2019-2024 ■ **Mandelberg Riesling 2017 (11 à 15 €; 1600 b.)** : vin cité.

WILLY WURTZ ET FILS, 6, rue du Bouxhof, 68630 Mittelwihr, tél. 03 89 47 93 16, famille.wurtz@wanadoo.fr r.-v.

ZIEGLER-MAULER
Mandelberg Pinot gris Les Amandiers 2017 ★

	1000		11 à 15 €

Créé au début des années 1960, ce domaine situé au cœur de la route des Vins a commencé à vendre son vin en bouteilles au cours de la décennie suivante. À la tête de l'exploitation depuis 1996, Philippe Ziegler conduit ses 5 ha de vignes selon une démarche proche du bio, sans certification.

D'un jaune doré, ce pinot gris moelleux laisse sur les parois du verre des larmes qui annoncent sa puissance; au nez comme en bouche, il dévoile des arômes bien typés de fruits jaunes confits, de mirabelle, de fruits secs et de grillé; il montre l'ampleur caractéristique de son terroir marno-calcaire, équilibrée par une belle trame acide. Ce vin fermenté et élevé huit mois en barrique révèle en outre un caractère boisé, au nez (notes briochées, fumées et torréfiées) et surtout au palais. Un style diversement apprécié, qui trouvera ses amateurs. (Sucres résiduels : 25 g/l.) ⌛ 2019-2024

DOM. ZIEGLER-MAULER ET FILS, 2, rue des Merles, 68630 Mittelwihr, tél. 03 89 47 90 37, vins.zieglermauler@orange.fr r.-v.

ZIMMERMANN
Praelatenberg Riesling 2017 ★

	2250		15 à 20 €

Perpétuant une lignée de vignerons remontant à 1693, la famille Zimmermann – Vincent, depuis 1984 – est installée à Orschwiller, village veillé par le château du Haut-Kœnigsbourg, à la limite des deux départements alsaciens. Elle dispose d'un coquet domaine de 17 ha.

Le riesling est très cultivé sur le coteau escarpé Praelatenberg, situé sur le territoire de Kintzheim, voisin d'Orschwiller. Ses sols de gneiss engendrent des vins de haute expression, comme celui-ci, très apprécié pour son nez fruité intense et complexe, à la fois mûr et frais, entre pamplemousse, ananas, fruit de la Passion et abricot. Le fruit s'allie à une minéralité naissante dans une bouche tendue par une belle acidité. (Sucres résiduels : 24 g/l.) ⌛ 2020-2025

A. ZIMMERMANN ET FILS, 3, Grand-Rue, 67600 Orschwiller, tél. 03 88 92 08 49, zimmermann.jp@evc.net t.l.j. sf dim. 8h-12h 13h-18h; dim. sur r.-v.

MAISON ZOELLER
Altenberg de Wolxheim Riesling 2016 ★

	2500		11 à 15 €

Installé dans une maison à colombages du XVᵉs., ce domaine perpétue une tradition remontant à 1600. Le vignoble est implanté à Wolxheim, village réputé pour

son riesling, à l'ouest de Strasbourg; il compte 11 ha, avec des parcelles dans le grand cru local. Mathieu Zoeller, installé en 1990, est passé à la lutte raisonnée (1995), puis à la bio (certification en 2013).

Le fleuron du domaine, dédié au riesling, planté sur un terroir marno-calcaire. Harmonieux, racé et long, ce 2016 s'exprime encore avec discrétion, sur des notes élégantes de zeste d'agrumes. Son acidité mûre laisse augurer une belle évolution. (Sucres résiduels : 6 g/l.) ⧗ 2022-2029

MAISON ZOELLER, 14, rue de l'Église, 67120 Wolxheim, tél. 03 88 48 88 59, vins.zoeller@wanadoo.fr V t.l.j. sf dim. 9h-12h 13h30-19h

CRÉMANT-D'ALSACE

Superficie : 3 017 ha / Production : 235 705 hl

La reconnaissance de cette appellation, en 1976, a donné un nouvel essor à la production de vins effervescents élaborés selon la méthode traditionnelle, qui existait depuis longtemps à une échelle réduite. Les cépages qui peuvent entrer dans la composition du crémant-d'alsace sont le pinot blanc, l'auxerrois, le pinot gris, le pinot noir, le riesling et le chardonnay.

A.-L. BAUR Blanc de blancs 2015 ★★

● | 5500 | | 5 à 8 €

Balcon dominant sur la plaine d'Alsace, Voegtlinshoffen, au sud-est de Colmar, réunit de très beaux terroirs et concentre des talents, comme ceux de Régine Baur, qui exploite avec son beau-frère Dominique Pierrat (à la vigne) un domaine de 7 ha, avec des parcelles dans le grand cru Hatschbourg.

Issu d'auxerrois, ce crémant affiche une robe or vert parcourue de trains de bulles fines et abondantes, qui laissent monter des parfums fruités intenses et nets. Ces arômes se prolongent dans une bouche de belle tenue, vive et persistante. ⧗ 2019-2022

A.-L. BAUR, 4, rue Roger-Frémeaux, 68420 Voegtlinshoffen, tél. 03 89 49 30 97, albauralsace@orange.fr V t.l.j. 9h30-19h30 ; dim. sur r.-v. B

CAVE DE BEBLENHEIM Cuvée Prestige

● | 210000 | | 5 à 8 €

Créée en 1952 au cœur de la route des Vins, près de Riquewihr, la coopérative de Beblenheim vinifie aujourd'hui le fruit de plus de 400 ha répartis sur cinq communes et propose quatre grands crus de Beblenheim et des communes voisines. Baron de Hoen et Heimberger sont ses marques.

L'auxerrois est seul à l'origine de ce crémant à la robe jaune vert animée de fines bulles. Plutôt discret, le nez n'en est pas moins séduisant et complexe, floral, fruité, fumé et grillé. Rond et suave en attaque, de belle tenue, expressif, le palais offre une finale vive et citronnée. ⧗ 2019-2021

CAVE DE BEBLENHEIM, 14, rue de Hoen, 68980 Beblenheim, tél. 03 89 47 90 02, info@cave-beblenheim.com V t.l.j. sf sam. dim. 9h-12h 14h-18h

BESTHEIM Grand Prestige 2013 ★★

● | 69700 | | 11 à 15 €

Né en 1997 de la fusion des caves de Westhalten, d'Obernai et de Bennwihr, et de la vénérable maison de négoce Heim, fondée en 1765, le groupe Bestheim est devenu, après d'autres fusions, un opérateur de premier plan en Alsace, vinifiant quelque 1 350 ha.

Le pinot blanc est à l'origine de cette cuvée spéciale qui a bénéficié d'un élevage sur lattes de trente mois au minimum. La robe parcourue de fines bulles a gardé une couleur claire. Le nez a gagné en complexité et pris des tons évolués de miel d'acacia. Intense, équilibrée et longue, la bouche aux arômes d'agrumes et de réglisse, nuancés d'une touche mentholée, a conservé toute sa fraîcheur. ⧗ 2019-2022 ● **Grand Prestige 2016 ★ (11 à 15 €; 35000 b.)** : après un élevage de quinze mois sur lattes, cette cuvée séduit par sa robe d'un rose intense et par son caractère vineux, complexe et élégant, fruité et torréfié. ⧗ 2019-2022

BESTHEIM - CAVE DE WESTHALTEN, 52, rte de Soultzmatt, 68250 Westhalten, tél. 03 89 49 09 29, vignobles@bestheim.com V t.l.j. sf dim. lun. 9h30-12h 14h-18h

FRANÇOIS BRAUN ET SES FILS

● | 6000 | | 8 à 11 €

Une famille enracinée depuis le XVIes. à Orschwihr. En polyculture jusqu'au début du XXes., le domaine a débuté la mise en bouteilles avec François Braun, après la Seconde Guerre mondiale. Installés respectivement en 1980 et en 1991, Philippe et son frère Pascal exploitent aujourd'hui 21 ha de vignes (avec des parcelles dans deux grands crus) et des vergers.

Le chardonnay et le pinot blanc à parité (40 %), avec l'auxerrois en appoint composent ce crémant flatteur par la finesse de ses bulles et de son nez floral, beurré et miellé. La palette s'enrichit de notes grillées dans une bouche tout en fraîcheur. ⧗ 2019-2022

FRANÇOIS BRAUN ET SES FILS, 19, Grand-Rue, 68500 Orschwihr, tél. 03 89 76 95 13, francois-braun@orange.fr V t.l.j. sf dim. 8h-11h30 14h-17h

DOM. DUSSOURT

● | 3350 | | 11 à 15 €

Officier des armées de Louis XIV, le premier Dussourt fait souche en Alsace à la fin du XVIIes. et ses descendants ne tardent pas à s'intéresser au vin. André débute la vente en bouteilles en 1964 avant de passer le relais à son fils Paul en 1987. Couvrant 12 ha, le vignoble est implanté à Scherwiller, village proche de Sélestat reconnu en dénomination communale pour son riesling.

Une robe élégante, saumon pâle, animée de bulles très fines pour ce rosé de caractère qui allie fraîcheur, vinosité et complexité. ⧗ 2019-2022

DOM. DUSSOURT, 2, rue de Dambach, 67750 Scherwiller, tél. 03 88 92 10 27, domaine.dussourt@orange.fr V t.l.j. sf dim. 9h-12h 14h-18h

JENA-PAUL ECKLÉ

| 14 000 | 5 à 8 € |

Établi près de Colmar, dans le village de Katzenthal blotti dans un vallon et dominé par le donjon du Wineck, Emmanuel Ecklé exploite depuis 1996 les 9,5 ha du domaine familial. Une valeur sûre, notamment pour ses rieslings du Wineck-Schlossberg et du lieu-dit Hinterburg.

Né de la vendange 2016, ce crémant issu de pinot blanc et d'un appoint de riesling se signale par les reflets dorés de sa robe et par le caractère mûr de sa palette, qui mêle les fruits jaunes un peu confits et des notes grillées. Après une attaque fraîche, la bouche montre un caractère riche, ample et gourmand, en harmonie avec des arômes de mirabelle et de brioche. Du corps, du fruit et un côté suave qui permettra d'associer ce brut à un dessert pas trop sucré. 2019-2022

JEAN-PAUL ECKLÉ ET FILS, 29, Grand-Rue, 68230 Katzenthal, tél. 03 89 27 09 41, eckle.jean-paul@wanadoo.fr V t.l.j. sf dim. 9h-12h 13h30-18h

JOSEPH FREUDENREICH Blanc de noirs ★

| 3400 | 8 à 11 € |

Des ancêtres se sont installés en 1737 à Eguisheim, cité médiévale où la famille reçoit les visiteurs dans une ancienne cour dîmière. Joseph Freudenreich vend son vin en bouteilles dès 1900 pour les ouvriers des mines de potasse. Son petit-fils Marc commence à vinifier en 1978 et prend la tête du domaine dix ans plus tard. Il a été rejoint par sa fille Amélie en 2015. Le vignoble familial est implanté autour d'Eguisheim et de Saint-Hippolyte.

Un crémant issu de pinot noir de la vendange 2016. Une robe jaune paille aux reflets rosés, animée de bulles fines et abondantes, un nez discret de fruits rouges (fraise et mûre) : l'approche est engageante. Des notes grillées apportent de la complexité à cette palette dans un palais frais, ciselé, de belle longueur. Un vin charmeur et élégant. 2019-2022

JOSEPH FREUDENREICH ET FILS, 3, cour Unterlinden, 68420 Eguisheim, tél. 03 89 41 36 87, info@joseph-freudenreich.fr V t.l.j. 9h-12h 13h30-18h30 4

FREY-SOHLER Riesling ★★

| 23 000 | 8 à 11 € |

Établis à Scherwiller, près de Sélestat, Damien et Nicolas Sohler – rejoints par leurs enfants respectifs, Aude et Baptiste – conduisent depuis 1998 un domaine d'une trentaine d'hectares dont ils complètent la production par une activité de négoce. Ils cultivent des vignes dans plusieurs lieux-dits, dont le grand cru Frankstein, terroir granitique autour du village voisin de Dambach-la-Ville.

Le village de Scherwiller a sa confrérie des Rieslinger, car le riesling fait sa fierté. Les Sohler élaborent à partir de ce cépage une cuvée de crémant. Avec succès, puisque celle-ci a obtenu un coup de cœur dans la précédente édition. Issue de la récolte 2016, cette version est pratiquement du même niveau. Un vin or vert, loué pour ses bulles fines et abondantes, pour la finesse fruitée de son nez et pour sa bouche nette, élégante et longue, aux arômes d'agrumes. 2019-2022

FREY-SOHLER, 72, rue de l'Ortenbourg, 67750 Scherwiller, tél. 03 88 92 10 13, contact@frey-sohler.fr V t.l.j. sf dim. 8h-12h 13h-19h

WILLY GISSELBRECHT ★

| 19 000 | 8 à 11 € |

Établis en Alsace depuis le XVII[e]s., les Gisselbrecht, aujourd'hui vignerons-négociants, disposent en propre d'un vignoble de plus de 17 ha. Ils chérissent le riesling, cépage qui prospère aux environs de Dambach-la-Ville.

Une robe saumonée parcourue de fines bulles, un nez délicatement fruité et complexe, alliant la fraise et le bonbon anglais, une bouche pas très longue, mais équilibrée, à la fois crémeuse et fraîche : le portrait d'un rosé flatteur. 2019-2022

WILLY GISSELBRECHT ET FILS, 5, rte du Vin, 67650 Dambach-la-Ville, tél. 03 88 92 41 02, info@vins-gisselbrecht.com V t.l.j. 8h-12h 13h-18h

GRUSS Grande Cuvée

| 9000 | 8 à 11 € |

Fondée en 1947, une maison bien connue des lecteurs du Guide, notamment pour ses crémants. Le vigneron et négociant André Gruss a pris en 1997 la suite de son père Bernard. Il exploite plus de 16 ha de vignes sur quatre communes au sud de Colmar : Eguisheim, Wettolsheim, Herrlisheim et Rouffach.

La Grande Cuvée assemble pinot blanc (60 %), chardonnay et pinot noir. Tous les jurés louent sa bulle fine et persistante, ainsi que la finesse et l'intensité de son nez sur les fruits blancs frais, nuancés d'une touche d'herbes aromatiques. Fraîche et longue, la bouche est agréable, malgré un dosage perceptible. 2019-2022

JOSEPH GRUSS ET FILS, 25, Grand-Rue, 68420 Eguisheim, tél. 03 89 41 28 78, domainegruss@hotmail.com V t.l.j. 8h-12h 13h30-18h30 ; dim. sur r.-v.

HANSMANN ★

| 3000 | 8 à 11 € |

Installés dans le superbe village de Mittelbergheim, les Hansmann se succèdent sur le domaine familial depuis 1732. En 1900, l'épouse de Karl Hansmann en hérite, en tirant à la courte paille avec ses frères. Son fils Carl est tonnelier et vigneron. Depuis 2006, Frédéric Hansmann est à la tête des 7 ha de l'exploitation.

Le pinot blanc (80 %) s'allie au pinot noir dans ce brut à la robe jaune doré, couronnée d'une fine mousse, et au nez fruité, un rien évolué. En bouche, ce crémant dévoile une belle matière, suave en attaque, fraîche et longue. 2019-2022

VINS HANSMANN, 66, rue Principale, 67140 Mittelbergheim, tél. 03 88 08 07 44, fred@vinhansmann.com V t.l.j. sf dim. 8h-12h 14h-18h

MARCEL IMMÉLÉ 2016 ★

| 11100 | | 8 à 11 € |

Originaire de Suisse, la famille Immélé a fait souche en 1831 au sud de Colmar, à Voegtlinshoffen, un village perché qui offre une vue imprenable sur le vignoble et la plaine d'Alsace. Aujourd'hui, Marcel exploite près de 9 ha de vignes avec son fils Marc qui l'a rejoint en 1997.

Une robe claire, animée d'un train de bulles fines et persistantes pour ce crémant qui ne manque pas d'autres d'atouts : un nez subtil, floral, légèrement miellé, un palais dans le même registre, épicé et un rien fumé, onctueux et tenu par une belle acidité. Puissance et finesse. ⧗ 2019-2022

MARCEL IMMÉLÉ ET FILS, 8, rue Roger-Frémeaux, 68420 Voegtlinshoffen, tél. 06 80 03 72 48, immele@vins-immele.net V t.l.j. 8h30-12h 14h-18h; dim. 8h30 12h

DOM. HENRI KLÉE Réserve ★

| 12000 | | 8 à 11 € |

Urbain Klée, né au XVIe s., aurait acquis les premières vignes en 1624... Henri Klée se lance dans la vente directe au milieu du siècle dernier. Philippe lui succède en 1985, rejoint en 2016 par Martin qui prépare la relève. Fort d'un vignoble de 11 ha aux environs de Katzenthal, à l'ouest de Colmar, le domaine s'est équipé d'une nouvelle cuverie en 2013. Une propriété bien connue de nos lecteurs.

À l'origine de ce crémant, de l'auxerrois (60 %) et, en appoint, du riesling, du pinot gris et du chardonnay. Après un long élevage de vingt-quatre mois sur lattes, le vin affiche une robe paille dorée et dévoile une heureuse évolution dans ses parfums beurrés, toastés et fumés. Le fruit mûr, entre poire et mirabelle, entre en scène dans une bouche crémeuse et vineuse, réveillée en finale par une pointe minérale et acidulée. Riche et structuré, un crémant de repas. ⧗ 2019-2022

DOM. HENRI KLÉE, 11, Grand-Rue, 68230 Katzenthal, tél. 03 89 27 03 81, contact@vins-klee-henri.com V *r.-v.* E

KOEHLY Saint-Urbain 2016 ★

| 8000 | | 8 à 11 € |

Dans les années 1930, la famille Koehly pratiquait la polyculture-élevage et vendait le produit de ses 50 ares de vignes à la coopérative. Jean-Marie Koehly, installé en 1976, a spécialisé la propriété familiale et l'a transmise en 2016 à son fils Joseph. Le vignoble compte 23 ha répartis sur sept communes, à cheval sur les deux départements alsaciens.

Longuement élevée sur lattes, cette cuvée paille dorée doit tout au riesling. Ce cépage transparaît au nez, intense, assez évolué, minéral, aux nuances d'agrumes confits, puis dans la fraîcheur et la vivacité aromatique de la bouche. On perçoit aussi dans ce crémant une mousse crémeuse, une maturité onctueuse et une certaine suavité. ⧗ 2019-2022

DOM. KOEHLY, 64, rue du Gal-de-Gaulle, 67600 Kintzheim, tél. 03 88 82 09 77, jean-marie.koehly@wanadoo.fr V *t.l.j. 8h-12h 13h-18h*

GUSTAVE LORENTZ ★★

| 100000 | | 11 à 15 € |

Fondée en 1836, cette maison de négoce a son siège au cœur de Bergheim. Elle dispose en propre d'un important vignoble (33 ha) conduit en bio certifié depuis 2012. Elle a particulièrement investi dans le grand cru local, l'Altenberg de Bergheim, dont elle exploite 12 ha, et a obtenu le premier coup de cœur du Guide dans cette AOC : un riesling 1976.

Élevé sur lattes dix-huit mois et né d'un assemblage de pinot blanc (40 %), de pinot noir et de chardonnay (30 %), un crémant salué tant pour son nez intense, finement floral et fruité, que pour sa belle matière expressive, équilibrée et longue. ⧗ 2019-2023

GUSTAVE LORENTZ, 91, rue des Vignerons, 68750 Bergheim, tél. 03 89 73 22 22, info@gustavelorentz.com V *t.l.j. sf dim. 10h-12h 14h-18h*

ARTHUR METZ Cuvée spéciale 1904

| 197046 | | 8 à 11 € |

Arthur Metz est une maison de négoce créée en 1904, dans le giron des Grands Chais de France depuis 1991. Elle regroupe trois sites dans le Bas-Rhin et se fournit auprès de quelque 650 viticulteurs cultivant environ 1 000 ha.

Le pinot noir et l'auxerrois (40 % chacun) sont assemblés au pinot gris et au chardonnay pour obtenir cette cuvée élevée quinze mois sur lattes. Si certains jurés relèvent un dosage un peu élevé, tous apprécient la complexité de sa palette heureusement évoluée (fruits jaunes, grillé, noisette) ainsi que sa bouche fraîche en attaque et d'une belle ampleur. ⧗ 2019-2022

ARTHUR METZ, 102, rue du Gal-de-Gaulle, 67520 Marlenheim, tél. 03 88 59 28 60, mstrub@arthurmetz.fr V *t.l.j. 10h-12h30 14h-18h*

FRANÇOIS MEYER L'Abeille

| 3300 | | 8 à 11 € |

Depuis le XVe s., on ne compte plus les générations de Meyer qui se sont succédé dans le village viticole de Blienschwiller, au sud du Bas-Rhin. La famille est attachée aux traditions, notamment aux foudres traditionnels, ce qui n'a pas empêché Pierre-Yves d'aller explorer les vignobles australiens avant de prendre la suite de François en 2001 sur l'exploitation (12 ha).

D'un rose saumon intense aux reflets frais, ce rosé séduit par son nez franc, bien ouvert sur la rose, la fraise, la framboise et la grenadine. Ces arômes gourmands de fruits rouges frais se prolongent dans une bouche crémeuse, puissante, riche et suave, équilibrée par une fine acidité. ⧗ 2019-2021

FRANÇOIS MEYER, 9, rue du Winzenberg, 67650 Blienschwiller, tél. 06 76 04 75 41, contact@vins-meyer.fr V *t.l.j. sf dim. 8h-11h30 14h-18h* A

JEAN RAPP

| 6600 | | 8 à 11 € |

Vignerons et éleveurs de père en fils depuis 1764, les Rapp sont installés à Dorlisheim, au sud-ouest de Strasbourg. L'exploitation s'est spécialisée à partir

des années 1960 et une nouvelle cave, plus vaste, a été aménagée en 2004, à l'arrivée de Guillaume, qui exploite 10 ha. La plupart des vins du domaine sont élevés en foudres, dont certains sont plus que centenaires.

Complété par un appoint de pinot blanc et par quelques gouttes de chardonnay et de pinot gris, l'auxerrois constitue la base de ce crémant expressif, aux parfums de fleurs blanches et d'agrumes confits, nuancés de touches fumées et de notes de noisette. Sa légèreté et sa fraîcheur élégante en font un beau crémant d'apéritif. ⧗ 2019-2022

⊶ *DOM. RAPP, 1, fg des Vosges, 67120 Dorlisheim, tél. 03 88 38 28 43, vins-rapp@wanadoo.fr* V ♿ ▪ *t.l.j. sf dim. 8h30-12h 13h30-18h30*

ANDRÉ REGIN ★

● | 1500 | ▮ | 5 à 8 €

À la tête du domaine familial depuis 1988, André Regin exploite un peu plus de 9 ha autour de Wolxheim. Ce village proche de Strasbourg est célèbre de longue date pour son riesling.

Le mot «élégance» revient sous la plume de tous les dégustateurs pour décrire cette cuvée restée dix-huit mois en cave : élégance de la robe saumon pâle parcourue d'une bulle régulière et fine, élégance d'un nez minéral et frais, élégance d'une bouche vive et puissante, à la finale tonique. ⧗ 2019-2023

⊶ *DOM. ANDRÉ REGIN, 4, rue de la Forge, 67120 Wolxheim, tél. 03 88 38 17 02, caveau@domaine-regin.fr* V ♿ ▪ *r.-v.*

RENTZ ET FILS Prestige

● | 6658 | ▮ | 8 à 11 €

Descendant d'une lignée vigneronne remontant au XVIIIes., Edmond Rentz vend son vin en bouteilles dès 1936. Son fils Raymond étend la propriété et transmet en 1995 à Patrick un domaine couvrant aujourd'hui 27 ha, réparti sur cinq communes au cœur de la route des Vins : Bergheim, Ribeauvillé, Hunawihr, Zellenberg, Riquewihr.

Ce crémant or blanc aux reflets verts associe pinot blanc et chardonnay. Le nez expressif et tout en finesse évoque les fruits blancs et les agrumes; un peu dosée pour certains, la bouche allie une mousse onctueuse et une agréable fraîcheur, soulignée en finale par une note de pamplemousse. ⧗ 2019-2022

⊶ *DOM. EDMOND RENTZ, 7, rte du Vin, 68340 Zellenberg, tél. 03 89 47 90 17, info@edmondrentz.com* V ♿ ▪ *t.l.j. sf dim. 8h-12h 14h-18h*

SIGNATURE JEAN-CHARLES RUHLMANN

● | 60130 | ▮ | 5 à 8 €

Créée en 1688, cette maison a pignon sur rue dans la cité pittoresque de Dambach-la-Ville, entre Barr et Sélestat. Elle associe une activité de négoce à l'exploitation d'un important domaine (40 ha), complété en 2017 par l'achat du Ch. Valmont dans les Corbières.

Deux tiers d'auxerrois et un appoint de riesling, de pinot blanc et de pinot gris composent cette cuvée d'un jaune doré au nez de fruits secs. Ample, souple, généreusement dosée pour certains, la bouche reste dans ce registre mûr, avec ses notes de fruits jaunes, de noisette grillée et de raisin de Corinthe. ⧗ 2019-2022

⊶ *RUHLMANN, 34, rue du Mal-Foch, 67650 Dambach-la-Ville, tél. 03 88 92 41 86, vins@ruhlmann-schutz.fr* V ♿ ▪ *t.l.j. sf dim. 9h-12h 14h-19h* 🏠 ❷

JEAN-LOUIS SCHOEPFER

● | 9000 | ▮ | 5 à 8 €

En 1656, Louis Schoepfer achète des vignes à Wettolsheim, près de Colmar. Installé en 1991, ses lointains descendants, Christophe et Gilles Schoepfer, conduisent un domaine de 9,5 ha. Ils restent attachés aux foudres de bois centenaires pour le vieillissement de certains de leurs vins.

Resté trois ans en cave sur ses lies, ce crémant issu de pinot blanc inspire confiance à nos dégustateurs qui louent la finesse de sa bulle, l'intensité fruitée et l'élégance de son nez puis la vivacité croquante de sa bouche, marquée en finale par une touche d'amertume. ⧗ 2019-2022

⊶ *JEAN-LOUIS SCHOEPFER, 35, rue Herzog, 68920 Wettolsheim, tél. 03 89 80 71 29, info@vinsjlschoepfer.fr* V ♿ ▪ *t.l.j. sf dim. 8h-12h 13h30-18h30 (sam. 17h30)*

Ⓑ DOM. SCHWARTZ
Extra-brut Chardonnay 2016 ★

● | 2500 | ▮ | 11 à 15 €

Créé en 1960, ce domaine installé à Itterswiller, petit village bas-rhinois très fleuri, est conduit par Jean-Luc Schwartz depuis 1982. Ses 9 ha de vignes sont disséminés dans neuf communes, sur des terroirs très variés. L'exploitation a obtenu sa certification bio en 2013.

Le chardonnay a droit de cité en Alsace où il est réservé aux effervescents. Ce crémant pratiquement non dosé porte la marque du cépage : une robe jaune pâle aux reflets verts, un nez délicat mêlant fleurs blanches, agrumes, notes briochées et grillées, une bouche vive en attaque, structurée et fraîche, aux arômes de zeste d'agrumes et de pêche. ⧗ 2019-2022

⊶ *DOM. J.-L. SCHWARTZ, 75, rte des Vins, 67140 Itterswiller, tél. 03 88 85 51 59, jean-luc@domaine-schwartz.com* V ♿ ▪ *t.l.j. 9h30-18h30 ; dim. 9h30-12h30* ⊶ *EARL Dom. J.-L. Schwartz*

Ⓑ DOM. SEILLY Désir ★

● | n.c. | ▮ | 30 à 50 €

Du fondateur, tonnelier sous le Second Empire, à l'exploitant actuel, l'œnologue Marc Seilly, installé depuis 1987, chaque génération a contribué à forger ce domaine. Aujourd'hui, 12 ha en bio (certifiés en 2012) autour de la petite cité bas-rhinoise d'Obernai.

Marc Seilly, qui a accompli une partie de sa formation en Champagne, a eu l'idée de lancer une cuvée de prestige à base de chardonnay. Les dégustateurs ont apprécié sa robe jaune doré à la bulle fine, son nez bien ouvert sur des notes évoluées de fruits secs et sa bouche dans le même registre, équilibrée, intense et longue. ⧗ 2019-2022

⊶ DOM. SEILLY, 18, rue du Gal-Gouraud, 67210 Obernai, tél. 03 88 95 55 80, contact@seilly.fr V *t.l.j. sf dim. 9h-12h 14h-17h*

Ⓑ DOM. LAURENT VOGT Chardonnay

● | 7500 | | 8 à 11 €

Une maison vigneronne du XVIIIe s. cossue et typique, dans la partie du vignoble proche de Strasbourg. Laurent et Marie-Anne Vogt ont spécialisé et agrandi le domaine. Thomas et Sylvie Vogt ont pris le relais en 1998 et engagé la conversion bio des 11 ha de vignes (certification en 2013).

D'une présence discrète, cette cuvée intéresse par la délicatesse de son nez associant pomme, pêche, fruits secs et notes fumées. Les fleurs blanches s'ajoutent à cette palette dans un palais à la finale un peu fugace et suave, mais frais et gourmand. De la finesse. ⧗ 2019-2022

⊶ DOM. LAURENT VOGT, 4, rue des Vignerons, 67120 Wolxheim, tél. 03 88 38 81 28, thomas@domaine-vogt.com V *t.l.j. 8h-12h 13h-18h30 ; dim. sur r.-v.*

JEAN WACH

● | 3000 | | 8 à 11 €

Une propriété bas-rhinoise située à Andlau, village niché dans la vallée du même nom et bien connu pour son abbatiale. La famille Wach y cultive 10 ha de vignes, avec des parcelles dans deux grands crus.

La robe saumon pâle est parcourue de trains de bulles fines. Le nez demande un peu d'aération pour se révéler. Floral, minéral, il montre aussi un côté vineux et des notes d'évolution que l'on retrouve dans un palais frais en attaque, crémeux et onctueux. ⧗ 2019-2021

⊶ JEAN WACH ET FILS, 16A, rue du Mal-Foch, 67140 Andlau, tél. 03 88 08 09 73, raph.wach@alsace.fr V *t.l.j. 10h-12h30 15h-19h; dim. 8h-12h* Ⓑ

CH. WAGENBOURG
Cuvée Jean Nicolas 2016

● | 17000 | 5 à 8 €

À 25 km au sud de Colmar, Soultzmatt s'étire le long de la Vallée Noble, ainsi désignée en raison des sept châteaux qui la gardaient. De ces forteresses, une seule est restée debout : Wagenbourg, acquise par la famille Klein, établie dans le village en 1605. Bien abritées par les plus hauts reliefs des Vosges, les vignes (11 ha) sont exploitées depuis 1987 par Jacky et Mireille Klein.

Quelques gouttes de chardonnay et de riesling viennent compléter le pinot blanc qui compose 90 % de l'assemblage de ce crémant dédié au fils du vigneron. Une cuvée au nez floral, fruité, un rien fumé et à la bouche expressive, fraîche et droite. ⧗ 2019-2022

⊶ CH. WAGENBOURG, 25A, rue de la Vallée, 68570 Soultzmatt, tél. 03 89 47 01 41, chateauwagenbourg@orange.fr V *t.l.j. sf dim. 8h-12h 13h30-18h* Ⓒ

LA LORRAINE

Les vignobles des Côtes de Toul et de la Moselle restent les deux seuls témoins d'une viticulture lorraine autrefois florissante par son étendue, supérieure à 30 000 ha en 1890. Elle l'était aussi par sa notoriété. Les deux vignobles connurent leur apogée à la fin du XIXᵉs.

Dès cette époque, plusieurs facteurs se conjuguèrent pour entraîner leur déclin : la crise phylloxérique, qui introduisit l'usage de cépages hybrides de moindre qualité; la crise économique viticole de 1907; la proximité des champs de bataille de la Première Guerre mondiale; l'industrialisation de la région, à l'origine d'un formidable exode rural. Ce n'est qu'en 1951 que les pouvoirs publics reconnurent l'originalité de ces vignobles. En 2011, les vins-de-moselle sont devenus AOC sous le nom de moselle.

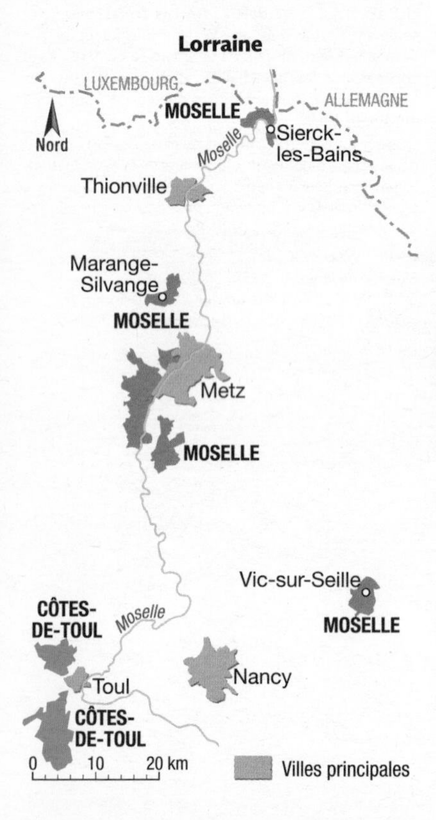

CÔTES-DE-TOUL

Superficie : 57 ha
Production : 2 544 hl (85 % rouge et rosé)

Situé à l'ouest de Toul et du coude caractéristique de la Moselle, le vignoble a accédé à l'AOC en 1998. Il couvre le territoire de huit communes qui s'échelonnent le long d'une côte résultant de l'érosion de couches sédimentaires du Bassin parisien. On y rencontre des sols de période jurassique composés d'argiles oxfordiennes, avec des éboulis calcaires en notable quantité, très bien drainés et exposés au sud ou au sud-est. Le climat semi-continental, qui renforce les températures estivales, est favorable à la vigne. Toutefois, les gelées de printemps sont fréquentes. Le gamay domine toujours, bien qu'il régresse sensiblement au profit du pinot noir. L'assemblage de ces deux cépages produit des vins gris caractéristiques, obtenus par pressurage direct. Le pinot noir seul, vinifié en rouge, donne des vins corsés et agréables; l'auxerrois d'origine locale, en progression constante, des vins blancs tendres.

FRANCIS DEMANGE
Auxerrois 2018 ★★

■ | 4300 | ▮ | 5 à 8 €

Lorsque l'on arrive de Toul, la maison de Francis Demange est l'une des premières du village de Bruley. Installé en 1994, il exploite un modeste vignoble de 2,5 ha qu'il tient de son père et de son grand-père.

La robe brillante, d'un jaune soutenu, annonce la couleur : voici un auxerrois de style opulent. De fait, à la faveur d'une aération, le nez monte en puissance, libérant des senteurs de poire et de fruits exotiques bien mûrs. Le fruit mûr se teinte d'un miel suave dans une attaque ronde et ample, qui ouvre sur un palais généreux, gras et épicé, tonifié par une pointe de fraîcheur en finale. Une belle expression du millésime. ⧗ 2019-2022 ■ **Pinot noir 2018 ★ (5 à 8 €; 4400 b.)** : une robe rubis pour ce rouge rond et frais, aux tanins fins, qui pinote sur une gamme de petits fruits rouges. Un « vin de copains ». ⧗ 2019-2024 ■ **Gris 2018 ★ (5 à 8 €; 6700 b.)** : né de gamay (60 %), de pinot noir (20 %) et d'auxerrois, un gris bien typé avec sa robe saumonée, son nez de fruits rouges tout en finesse et son palais à la fois riche et frais, aux arômes de petits fruits acidulés. ⧗ 2019-2020

FRANCIS DEMANGE, 93, rue des Triboulottes, 54200 Bruley, tél. 06 82 34 10 08, francisdemange@livre.fr V r.-v.

VINCENT LAROPPE
Auxerrois 2018 ★

■ | 13000 | ▮ | 8 à 11 €

Les descendants du vigneron du château de Bruley sont restés attachés aux productions locales, vins et eaux-de-vie. Depuis François Laroppe, au XVIIIᵉs., de

nombreuses générations se sont succédé. Plus près de nous, Marcel, artisan de la renaissance du vignoble toulois, et Michel, œnologue comme son fils Vincent. Ce dernier a repris la maison en 2003 : 22 ha de vignes (en conversion bio depuis 2017) et une structure de négoce. Une valeur sûre.

Puissant et gourmand, le nez semble un panier de pêches blanches et de fruits exotiques. L'annonce d'un caractère très mûr, qui se confirme dans un palais puissant, riche et suave, équilibré en finale par une pointe de fraîcheur bienvenue. ⧗ 2019-2022 ■ **2018 ★ (8 à 11 €; 18 000 b.)** : pinot noir (50 %), gamay (40 %) et auxerrois (10 %) au service d'un gris aux arômes intenses de fruits exotiques et de petits fruits rouges acidulés, et au palais rond, gras et suave, équilibré par une belle fraîcheur. ⧗ 2019-2020

VINCENT LAROPPE, 253, rue de la République, 54200 Bruley, tél. 03 83 43 11 04, contact@domaine-laroppe.fr V t.l.j. sf dim. 9h-12h 14h-18h ❷

LELIÈVRE Gris de Toul 2018 ★★★

■	13300		8 à 11 €

Si la propriété se transmet de père en fils depuis la Révolution, avant la dernière guerre, la vigne partageait ici l'espace avec le houblon et les vergers. Le domaine produit d'ailleurs toujours de la mirabelle de Lorraine. Première mise en bouteilles en 1971. Arrivée en 2008 sur l'exploitation de David (à la gestion) et Vincent (à la vigne et au chai), qui succèdent à leur père Roland après un tour de France et du monde viticoles. À côté de leur propriété (aujourd'hui 20 ha de vignes, en conversion bio depuis 2018), les Lelièvre mènent une activité de négoce.

La robe légère, églantine aux reflets roses, est typique, tout comme le nez, qui développe avec une rare finesse des arômes complexes de fruits rouges frais (groseille, griotte), avec une touche acidulée de bonbon. On retrouve la cerise dans un palais intense, riche et long, salué pour sa grande fraîcheur et pour sa pointe d'amertume tonique en finale. ⧗ 2019-2020

SARL LELIÈVRE V-D, 1, rue de la Gare, 54200 Lucey, tél. 03 83 63 81 36, info@vins-lelievre.com V t.l.j. 9h-12h 14h-18h ❶ Ⓐ

DOM. DE LA LINOTTE Auxerrois 2018 ★

■	4000		5 à 8 €

Après avoir travaillé à Sancerre et en Champagne, Marc Laroppe est revenu planter dans son village de Bruley, en 1993, un petit vignoble de quelque 2 ha, qui contribue à la renaissance discrète du Toulois viticole. S'appuyant sur l'œnotourisme, la propriété est devenue une valeur sûre de la région.

Il offre tout ce que l'on attend du cépage et de l'appellation : une robe jaune clair très brillante, un nez frais, sur les agrumes, un palais fruité et harmonieux, qui se déploie avec la rondeur de l'année, sur des notes de fruits exotiques. Une légère pointe d'amertume en finale lui donne du tonus. ⧗ 2019-2022

MARC LAROPPE, 90, rue Victor-Hugo, 54200 Bruley, tél. 06 89 53 61 90, domainedelalinotte@orange.fr V r.-v. ❷

♥ Ⓑ DOM. MIGOT Auxerrois 2018 ★★★

■	4000		5 à 8 €

Jeune agriculteur, Camille Migot a repris en 2013 les 2 ha de vignes de son père Alain, bien connu des lecteurs. Il les a convertis à l'agriculture biologique tout en agrandissant peu à peu son domaine (6 ha aujourd'hui) en louant des terres en bio certifié à un viticulteur à la retraite et en plantant.

Cet auxerrois offre une parfaite image de son millésime : robe bien dorée, nez intensément fruité, mariant les fleurs blanches et les fruits mûrs, bouche harmonieuse et persistante, qui conjugue richesse, rondeur et fraîcheur. Un blanc à déguster aussi bien à l'apéritif qu'au repas, avec une viande blanche ou un poisson en sauce. ⧗ 2019-2022 ■ **Pinot noir 2018 ★★★ (5 à 8 €; 2 500 b.)** Ⓑ : une robe soutenue aux reflets violets de jeunesse; un nez intense, complexe et élégant, sur la cerise fraîche et les petits fruits rouges bien mûrs; un palais dense, riche et long, aux tanins serrés et aimables; du potentiel : il a tout pour lui. Un « grand vin », conclut le jury. ⧗ 2019-2025

DOM. MIGOT, 108, Grande-Rue, 54200 Lucey, tél. 03 83 63 87 31, domaine-migot@orange.fr V ven. sam. 9h-12h 14h-18h30

♥ DOM. RÉGINA Auxerrois Cuvée Prestige 2018 ★★★

■	21300		5 à 8 €

Isabelle et Jean-Michel Mangeot (décédé en 2015) ont repris une vigne de 1,7 ha à Bruley en 1997, un an avant la promotion du côtes-de-toul en AOC. Leur domaine a connu une réelle extension (plus de 15 ha aujourd'hui) et acquis une belle notoriété.

Superbe expression d'un millésime solaire, cet auxerrois vaut au domaine un coup de cœur qui n'est pas le premier pour ce cépage. D'un jaune soutenu aux reflets dorés, la robe annonce sa richesse, tout comme le nez intense, sur les fruits exotiques (ananas) très mûrs, voire confits. La bouche n'est pas en reste : elle déploie des arômes suaves de poire dans une matière ample, ronde et onctueuse, qui n'oublie pas la fraîcheur. La finale fruitée, minérale et très longue laisse le souvenir d'un vin harmonieux, qui pourra accompagner viande blanche ou poisson en sauce. ⧗ 2018-2021 ■ **Pinot noir Tradition 2018 ★★★ (5 à 8 €; 5000 b.)** : une robe grenat soutenu; un nez intense et élégant, entre cerise et mûre; un palais concentré, suave, gras, ample et persistant, aux tanins serrés et veloutés; de la fraîcheur, de la précision. Toute la richesse du millésime, avec une rare finesse. ⧗ 2020-2025 ■ **Gris de Toul Vieilles Vignes 2018 ★★ (5 à 8 €; 10 000 b.)** : un soupçon d'auxerrois dans l'assemblage traditionnel de gamay (85 %) et de pinot noir. Couleur saumon classique de gris; nez expressif et suave, sur les fleurs blanches, la cerise, la framboise, la fraise et les fruits exotiques, avec une touche de miel; bouche riche, ample, fraîche et longue. ⧗ 2019-2020

⊶ DOM. RÉGINA, 350, rue de la République, 54200 Bruley, tél. 03 83 64 49 52, contact@domaineregina.com V ⚑ ▪ *t.l.j. sf dim. 13h30-18h30; ven. sam. 10h-12h 13h30-18h30*

LES VIGNERONS DU TOULOIS
Auxerrois 2018 ★

■	11000	▮	5 à 8 €

Fondée en 1989, cette coopérative se flatte d'être la plus petite de France : huit adhérents, 10 ha. Sa taille réduite ne l'a pas empêchée d'aménager, en 2003, un centre de pressurage et un chai.

Une robe jaune-vert aux reflets argentés, un nez intense, entre aubépine et fruits blancs, une bouche à la fois ronde et fraîche, aux arômes de pêche blanche : un auxerrois du Toulois agréable et typique. ⧗ 2019-2022

⊶ LES VIGNERONS DU TOULOIS, 43, pl. de la Mairie, 54113 Mont-le-Vignoble, tél. 03 83 62 59 93, vigneronsdutoulois@orange.fr V ⚑ ▪ *t.l.j. sf dim. lun. 14h-18h*

Ⓑ DOM. CLAUDE VOSGIEN
Pinot noir Grand Terroir 2018 ★★

■	5000	▮	11 à 15 €

Depuis 1640, la famille Vosgien cultive la vigne au sud des côtes-de-toul, aux environs de Blénod-lès-Toul. Ce village tirerait son nom de Bélénos, dieu gaulois du soleil, et l'astre du jour favorise toujours les ceps étagés sur le coteau. À partir de 1971, Claude et Renée Vosgien ont spécialisé le domaine familial en viticulture et l'ont développé (10 ha aujourd'hui). Arrivés en 2002, leurs fils Alexandre et Stéphane sont passés de la viticulture raisonnée au bio.

Une belle expression du pinot noir jeune et d'une vendange bien mûre : la robe profonde montre des reflets violets, le nez exprime des notes chaleureuses de cerise noire que l'on retrouve dans une bouche ample, généreuse, concentrée, à la charpente à la fois solide et soyeuse. Du potentiel. ⧗ 2020-2025 ■ **Vin gris Séduction 2018 ★★ (8 à 11 €; 9000 b.)** : une goutte d'auxerrois (5 %) dans ce gris qui a tout pour séduire, de la robe pétale de rose à la bouche ronde et suave aux arômes de fruits rouges, qui n'oublie pas la fraîcheur acidulée du gris, en passant par le nez puissant qui se teinte de fruits noirs. ⧗ 2019-2020 ■ **Auxerrois Cuvée Tradition 2018 ★ (8 à 11 €; 5000 b.)** : la puissance, la longueur et la maturité de l'année, en harmonie avec des arômes de fleurs blanches, de pêche mûre et de mangue. La fraîcheur du cépage est bien là, et une agréable pointe d'amertume en finale. ⧗ 2019-2021

⊶ DOM. CLAUDE VOSGIEN, 39, rte de Toul, 54113 Blénod-lès-Toul, tél. 03 83 62 50 50, claude@vosgien.com V ⚑ ▪ *t.l.j. sf sam. dim. 10h-12h 14h-18h*

MOSELLE

Superficie : 42 ha
Production : 1 648 hl (55 % blanc)

Le vignoble s'étend sur les coteaux qui bordent la vallée de la Moselle; ceux-ci ont pour origine les couches sédimentaires formant la bordure orientale du Bassin parisien. L'aire délimitée se concentre autour de trois pôles principaux : le premier au sud et à l'ouest de Metz, le deuxième dans la région de Sierck-les-Bains, le troisième dans la vallée de la Seille, autour de Vic-sur-Seille. La viticulture est influencée par celle du Luxembourg tout proche, avec ses vignes hautes et larges et sa dominante de vins blancs secs et fruités. En volume, cette appellation reste très modeste et son expansion est contrariée par l'extrême morcellement de la région.

DOM. LES BÉLIERS Triptyque 2018 ★★★

■	3000	▮	8 à 11 €

Créée en 1983 par Michel et Robert Maurice sur les coteaux oubliés d'Ancy, en amont de Metz, cette propriété (5 ha aujourd'hui) est gérée depuis 2008 par Alain et Ève Maurice, cette dernière étant l'œnologue. Une approche agro-forestière, à forte inspiration biologique et biodynamique, est ici privilégiée, et le domaine est en conversion bio.

Le nom de cette cuvée évoque les trois cépages qui la composent : auxerrois (56 %) et müller-thurgau surtout, complétés d'une goutte de pinot gris. Très limpide, le vin a enchanté d'emblée nos dégustateurs par son nez intense et précis, sur les fruits exotiques épicés, bien prolongé par une bouche harmonieuse, équilibrée entre rondeur et fraîcheur, aux arômes de fruits blancs bien mûrs et d'agrumes. Proche du coup de cœur. ⧗ 2019-2022 ■ **Auxerrois 2018 ★ (8 à 11 €; 3000 b.)** : un nez expressif, sur la pomme verte, les agrumes et les fruits jaunes; une bouche ronde, souple et suave, équilibrée en finale par une fraîcheur citronnée. ⧗ 2019-2022

⊶ DOM. LES BÉLIERS, 3, pl. Foch, 57130 Ancy-Dornot, tél. 03 87 30 90 07, domaine-beliers@orange.fr V ⚑ ▪ *r.-v.* 🏠 ④

DOM. SONTAG Müller-thurgau 2018 ★

■	1500	▮	5 à 8 €

La petite ville de Contz-les-Bains épouse le cours sinueux de la Moselle, aux confins du Luxembourg et de l'Allemagne. Les coteaux bordant la rivière sont couverts de vignes. Claude Sontag, aux commandes du domaine familial depuis 2007, y exploite 5 ha. En conversion bio.

Une robe très pâle et brillante; un nez intense et frais, mêlant les fleurs blanches, les agrumes et la pêche jaune. Une bouche riche, tout en rondeur, où l'on retrouve les fruits d'été à noyau, équilibrée par une longue finale fraîche et acidulée. Un auxerrois typé, complexe, fin et bien construit. ⧗ 2019-2022

⊶ DOM. SONTAG, 5, rue Saint-Jean, 57480 Contz-les-Bains, tél. 06 78 59 35 95, claude.sontag@gmail.com V ⚑ ▪ *r.-v.*

DOM. DU STROMBERG Auxerrois 2018 ★★★

	n.c.		5 à 8 €

Dans ce domaine du pays des Trois Frontières, aux confins du Luxembourg et de l'Allemagne, l'alambic fonctionne aux côtés du pressoir. La mirabelle de Lorraine est une des spécialités du domaine, qui couvre 9,5 ha sur le coteau du Stromberg à Sierck-les-Bains, au-dessus du château des ducs de Lorraine. Quant aux vins de Jean-Marie Leisen, qui gère l'exploitation depuis 2000 avec trois associés, ils figurent souvent en bonne place dans le Guide.

Une robe très pâle et brillante; un nez intense et frais, mêlant les fleurs blanches, les agrumes et la pêche jaune. Une bouche riche, tout en rondeur, où l'on retrouve les fruits d'été à noyau, équilibrée par une longue finale fraîche et acidulée. Un auxerrois typé, complexe, fin et bien construit. ⧗ 2019-2022 ■ **Pinot gris 2018 ★★ (8 à 11 €; n.c.)** : une robe aux reflets dorés; un nez entre acacia et bonbon; un palais onctueux, tout en rondeur et en suavité, aux arômes de poire et de sucre d'orge, tonifié par une pointe de fraîcheur en finale. ⧗ 2019-2022 ■ **Müller-thurgau 2018 ★★ (5 à 8 €; n.c.)** : des arômes élégants de poire, de rose et de litchi pour ce blanc d'une belle puissance, à la fois rond et tendu, marqué en finale par une agréable pointe d'amertume teintée d'agrumes. ⧗ 2019-2022

SCEA LE DOM. DE STROMBERG, 21, Grand-Rue, 57480 Petite-Hettange, tél. 03 82 50 10 15, j.marie.leisen@wanadoo.fr V t.l.j. sf dim. 10h-12h 14h-19h

♥ B CH. DE VAUX
Pinot noir Les Clos 2017 ★★★

	5300		15 à 20 €

Marie-Geneviève Molozay, descendante d'une lignée de négociants de Metz, est œnologue; Norbert Molozay a été « vinificateur volant », mettant son expertise en vinification au service de nombreux vignobles de France et du Nouveau Monde. Ils ont repris l'exploitation de ce vignoble où l'on produisait du Sekt (mousseux) à l'époque allemande. S'ils proposent des bulles, c'est surtout par leurs vins tranquilles ambitieux qu'ils ont assuré une belle notoriété à ce domaine du pays messin qui couvre aujourd'hui 14 ha (en bio certifié).

Issu des meilleurs terroirs du domaine, ce pinot noir est resté seize mois en fût neuf. Il tire de ce séjour une robe grenat dense et profond et un nez intense, associant à la cerise du cépage un boisé complexe, épicé (vanille, clou de girofle) et réglissé. Discrètes et bien intégrées, ces notes d'élevage se retrouvent dans une bouche puissante et ronde, dont les tanins enrobés soulignent des arômes persistants et frais de cerise et de cassis. Du potentiel. ⧗ 2020-2025 ■ **Pinot noir Les Hautes-Bassières 2018 ★★ (11 à 15 €; 27000 b.)** Ⓑ : « il rappelle une syrah », écrit un dégustateur en humant ses arômes de réglisse et de violette qu'il retrouve en bouche. On respire aussi au-dessus du verre de la cerise, du cassis, de la mûre et les notes discrètement fumées et torréfiées léguées par un séjour de douze mois en fût. Une attaque fraîche ouvre sur un palais riche et rond, aux tanins fondus. Une remarquable image du millésime. ⧗ 2019-2024 ■ **Les Gryphées 2018 ★★ (8 à 11 €; 20000 b.)** Ⓑ : bien connu des lecteurs du Guide, cet assemblage d'auxerrois (50 %), de müller-thurgau, de pinot gris et de gewurztraminer a pour atouts sa fraîcheur, son gras et son expression aromatique (fleurs blanches, fruits exotiques, épices). ⧗ 2019-2022 ■ **Les Boserés 2018 ★★ (8 à 11 €; 6200 b.)** Ⓑ : issu de pinot noir dominant (90 %) et d'une courte macération, il affiche une robe soutenue, loin des gris toulois. Son nez sur la grenadine et le bonbon, nuancés de touches délicates de rose, est bien prolongé par une bouche fraîche et fruitée. ⧗ 2019-2020

CH. DE VAUX, 4, pl. Saint-Rémi, 57130 Vaux, tél. 03 87 60 20 64, contact@chateaudevaux.com V *t.l.j. sf dim. lun. 14h30-18h*

IGP CÔTES DE MEUSE

DOM. DE LA GOULOTTE 2017 ★★★

	6700		- de 5 €

Un petit domaine de 6,5 ha transmis de père en fils depuis deux siècles, et conduit depuis 1979 par Philippe et Évelyne Antoine, qui sont aussi distillateurs.

Mi-gamay mi-pinot noir, mi-cuve mi-fût, ce 2017 s'habille d'une robe rubis foncé et libère des parfums attirants de petits fruits rouges poivrés. Ce fruité s'épanouit sur des tons de cerise et de cassis dans un palais puissant et consistant, aux tanins fondus. Du plaisir pour aujourd'hui et pour demain. ⧗ 2019-2023 ■ **2018 ★★ (- de 5 €; 2700 b.)** : issu d'auxerrois, un blanc très flatteur, tant par son expression aromatique (fleurs blanches, abricot, touche grillée) que par sa bouche riche, fraîche et longue, marquée en finale par une agréable pointe d'amertume. ⧗ 2019-2022

DOM. DE LA GOULOTTE, 6, rue de l'Église, 55210 Saint-Maurice-sous-les-Côtes, tél. 03 29 89 38 31, domainedelagoulotte@orange.fr V t.l.j. 9h-12h 13h30-17h30

DOM. DE GRUY Auxerrois 2018 ★★

	5300		- de 5 €

Situé à proximité du lac de Madine, aux pieds des vergers de mirabelles, ce petit domaine de 5 ha est conduit par Laurent Degenève depuis 1982. Il s'est également spécialisé dans les eaux-de-vie de mirabelle de Lorraine, de poire, de framboise et de quetsche, dans les marcs et crèmes de fruit.

Un auxerrois or pâle au nez généreux, entre fleurs blanches et fruits exotiques, et à la bouche harmonieuse, dont la rondeur et la puissance sont équilibrées par une belle fraîcheur et par une légère amertume. La finale acidulée marquée par un plaisant retour des fruits exotiques laisse un excellent souvenir. ⧗ 2019-2022

DOM. DE GRUY, 7, rue des Lavoirs, 55210 Creuë, tél. 03 29 89 30 67, laurent.degeneve@wanadoo.fr V r.-v.

♥ DOM. DE MONTGRIGNON Gris 2018 ★★★

■ | 11800 | | - de 5 €

Les Pierson sont les héritiers d'une lignée de vignerons établis en Lorraine depuis la Révolution. Régulièrement présent dans le Guide, leur domaine a participé à la relance du vignoble meusien dans les années 1970 et notamment des vins de Billy-sous-les-Côtes, renommés dès le début du XIVᵉs. Aujourd'hui, Daniel Pierson et son fils Renaud, œnologue, qui l'a rejoint en 2010, exploitent 8 ha de vignes, en conversion bio depuis 2017. Ils produisent des effervescents et des mirabelles (le fruit et l'eau-de-vie).

Saumon intense, la robe reflète la richesse du millésime. Bien ouvert et typé, le nez marie la pierre à fusil à un fruité acidulé, tout en finesse, aux nuances de groseille et de fraise. Ces notes pimpantes de fruits rouges, nuancées de touches de fruits exotiques, s'épanouissent dans un palais harmonieux et long, à la fois rond et frais. ⧗ 2019-2020 ■ **Pinot noir 2018** ★★ **(5 à 8 €; 10600 b.)** : la robe profonde, tirant sur le violet, annonce la richesse du millésime. Au nez, la cerise, plus noire que rouge, s'allie à la mûre, relevée de touches poivrées. Quant à la bouche, généreuse et ronde, elle s'appuie sur des tanins bien marqués mais enrobés. De la présence et du potentiel. ⧗ 2019-2025

⊸ DOM. DE MONTGRIGNON, 6, chem. des Vignes, 55210 Billy-sous-les-Côtes, tél. 03 29 89 58 02, info@domaine-montgrignon.com V r.-v.

Ⓑ DOM. DE MUZY Pinot noir La Côte 2017 ★★★

■ | 4000 | | 11 à 15 €

Jean-Marc Liénard a fait renaître à partir de 1982 le vignoble de son père et de son grand-père, planté sur les côtes meurtries par la Grande Guerre, au cœur du village de Combres-sous-les-Côtes : quelque 11 ha de vignes aujourd'hui, conduits en biodynamie, auxquels s'ajoutent pour l'eau-de-vie des vergers, notamment des mirabelliers. Une référence incontournable en IGP Côtes de Meuse, qui a vu revenir en 2011 la nouvelle génération avec Thibaud et Angélique, qui ont débuté comme *winemakers* en Nouvelle-Zélande.

Issu d'une sélection parcellaire, macéré quinze jours et élevé quinze mois en fûts (neufs à 30 %), ce 2017 brille par son potentiel. À l'intensité de la robe répond celle du nez, qui associe les fruits rouges frais à un boisé épicé. On retrouve au palais ce mariage heureux du fruit et du chêne dans des arômes de cerise et de mûre soulignés de vanille - avec une puissance, une charpente et une persistance qui garantissent à cette bouteille un bel avenir. ⧗ 2020-2026 ■ **Pinot noir 2018** ★★ **(8 à 11 €; 15000 b.)** Ⓑ : élevé huit mois en fût, il offre une image remarquable de ce millésime avec sa robe profonde aux reflets violets, son nez boisé, qui laisse percer la cerise et le fruit noir, et son palais généreux et charpenté, encore sous l'emprise de l'élevage. ⧗ 2021-2025 ■ **Gris Terre amoureuse 2018** ★★ **(5 à 8 €; 18600 b.)** Ⓑ : une couleur œil-de-perdrix pour ce gris gourmand, équilibré, frais et persistant, qui reflète son année de naissance par sa rondeur, son ampleur et son expression aromatique (outre la groseille et des touches minérales, de l'orange sanguine, des fruits exotiques, de la mûre et de la myrtille). ⧗ 2019-2021 ■ **Pinot gris L'Ossera 2018** ★★ **(8 à 11 €; 7200 b.)** Ⓑ : appelé localement l'ossera, ce pinot gris, élevé en fût, a donné naissance à un blanc généreux, aussi puissant au nez qu'en bouche, aux arômes fruités teintés d'un boisé beurré et vanillé, servi par une longue finale fraîche. ⧗ 2019-2022

⊸ DOM. DE MUZY, 3, rue de Muzy, 55160 Combres-sous-les-Côtes, tél. 03 29 87 37 81, info@domainedemuzy.fr V r.-v.

Le Beaujolais et le Lyonnais

• LE BEAUJOLAIS

SUPERFICIE : 16 000 ha

PRODUCTION : 679 000 hl

TYPES DE VINS : Rouges très majoritairement, quelques blancs secs et rosés.

SOUS-RÉGIONS : Aires des dix crus (au nord), des beaujolais-villages (autour des crus) et des beaujolais (au sud de Villefranche-sur-Saône principalement).

CÉPAGES :

Rouges : gamay noir à jus blanc
Blancs : chardonnay

• LE LYONNAIS

SUPERFICIE : 300 ha

PRODUCTION : 14 000 hl

TYPES DE VINS : Rouges (80 %), blancs secs et rosés.

CÉPAGES :

Rouges : gamay noir à jus blanc
Blancs : chardonnay, aligoté

LE BEAUJOLAIS ET LE LYONNAIS

À l'est de la Saône, entre Mâcon et Lyon, le Beaujolais est rattaché officiellement à la Bourgogne viticole. Il affirme pourtant sa personnalité par ses paysages vallonnés, par son habitat plus dispersé et par un cépage presque exclusif, le gamay, qui lègue aux vins un fruité pimpant. Si une promotion dynamique a rendu le beaujolais nouveau célèbre dans le monde entier, la région propose aussi des vins plus étoffés et complexes : les beaujolais, les beaujolais-villages et les dix crus.

Du vignoble de Lyon au beaujolais nouveau. Si le vignoble de Juliénas, selon la tradition, remonte aux légions de Jules César, les premières mentions écrites de vignobles ne sont pas antérieures au Xᵉs. Le Beaujolais ne trouve son nom et n'apparaît dans l'Histoire qu'avec les sires de Beaujeu, qui se taillent un fief à partir de cette époque. La viticulture prend son essor aux XVIIᵉs. et XVIIIᵉs. quand des nobles et notables lyonnais, notamment des soyeux, plantent des vignobles qu'ils confient à des métayers. Ces vins trouvent un débouché facile à Lyon, mais la plupart d'entre eux doivent attendre le développement du réseau ferré pour s'écouler à Paris. Dans les années 1930, ils ont suffisamment d'identité pour être reconnus en AOC, et pendant les deux guerres des journalistes parisiens repliés à Lyon les découvrent et contribuent à leur notoriété. Autorisée en 1951, la vente en primeur du beaujolais connaît un succès planétaire qui atteint son apogée dans les décennies 1980 et 1990.

Du beaujolais aux crus. À la base de la pyramide des appellations, l'AOC beaujolais fournit près de la moitié de la production du vignoble et presque les deux tiers des « nouveaux ». L'appellation beaujolais-villages forme un trait d'union entre le beaujolais et les crus. Comme les crus, les vins naissent sur des roches anciennes, notamment des arènes granitiques. Un peu plus d'un tiers s'écoule en vin primeur, mais l'AOC fournit aussi des vins plus étoffés. Les crus, qui constituent le sommet de la pyramide, sont au nombre de dix. On trouve du nord au sud : saint-amour ; juliénas ; moulin-à-vent ; chénas ; fleurie ; chiroubles ; morgon ; régnié ; côte-de-brouilly et brouilly.

Beaujolais nord, Beaujolais sud. Le climat du Beaujolais est semi-continental et très capricieux. Les monts du Beaujolais, auxquels s'adosse le vignoble, font écran à l'humidité océanique. Les hivers sont rudes et les étés chauds, ponctués d'orages et d'épisodes de grêle ; le couloir Saône-Rhône apporte des influences méditerranéennes. Le vignoble est planté entre 190 et 550 m d'altitude. Au nord, de Mâcon à Villefranche-sur-Saône, les reliefs, plutôt doux, présentent des formes arrondies. C'est la région des roches anciennes (granites, porphyre, schistes, diorites) et des sables (arènes granitiques), domaine des crus et des beaujolais-villages. Le sud, de Villefranche-sur-Saône à Lyon, est marqué par des reliefs plus accusés. Les terrains sont d'origine sédimentaire, argilo-calcaires – les « pierres dorées », qui donnent à l'habitat une belle couleur ocre. C'est la zone de l'AOC beaujolais.

LE BEAUJOLAIS NOUVEAU

L'arrivée du « nouveau », chaque troisième jeudi de novembre, reste un événement annuel, célébré jusqu'au Japon. Ce vin de primeur représente encore un petit tiers des volumes. Lorsqu'il est élaboré de façon naturelle, c'est un vin rouge tendre et gouleyant, résultat d'une macération semi-carbonique courte, de l'ordre de quatre jours, favorisant souplesse et fruité pimpant.

Le règne du gamay. L'encépagement du Beaujolais se réduit pratiquement au gamay noir à jus blanc (99 %), le chardonnay fournissant les rares blancs. La majorité des vins rouges de la région sont élaborés selon le principe de la vinification beaujolaise ou macération semi-carbonique, technique qui consiste en une courte macération des grappes de raisin entières, une partie de la fermentation s'accomplissant à l'intérieur de la baie. Il en résulte une structure peu tannique et une palette très fruitée. Les crus du Beaujolais, s'ils portent la marque du gamay, varient selon les terroirs. Certains d'entre eux, tels le morgon et le moulin-à-vent, peuvent vieillir quelques années. Les vignerons élaborent d'ailleurs certaines cuvées à la bourguignonne en éraflant les raisins, en les faisant macérer plus longtemps et en les élevant en fût.

LE MÉTAYAGE

L'une des caractéristiques du vignoble beaujolais, héritée du passé mais bien vivante, est le métayage : la récolte et certains frais sont partagés par moitié entre l'exploitant et le propriétaire, ce dernier devant fournir les terres, le logement, le cuvage avec le gros matériel de vinification, les produits de traitement, les plants. Le vigneron, ou métayer, possède l'outillage pour la culture, assure la main-d'œuvre, honore les dépenses dues aux récoltes, veille au parfait état des vignes. Aujourd'hui encore, une part non négligeable des surfaces est exploitée de cette façon.

Le Beaujolais

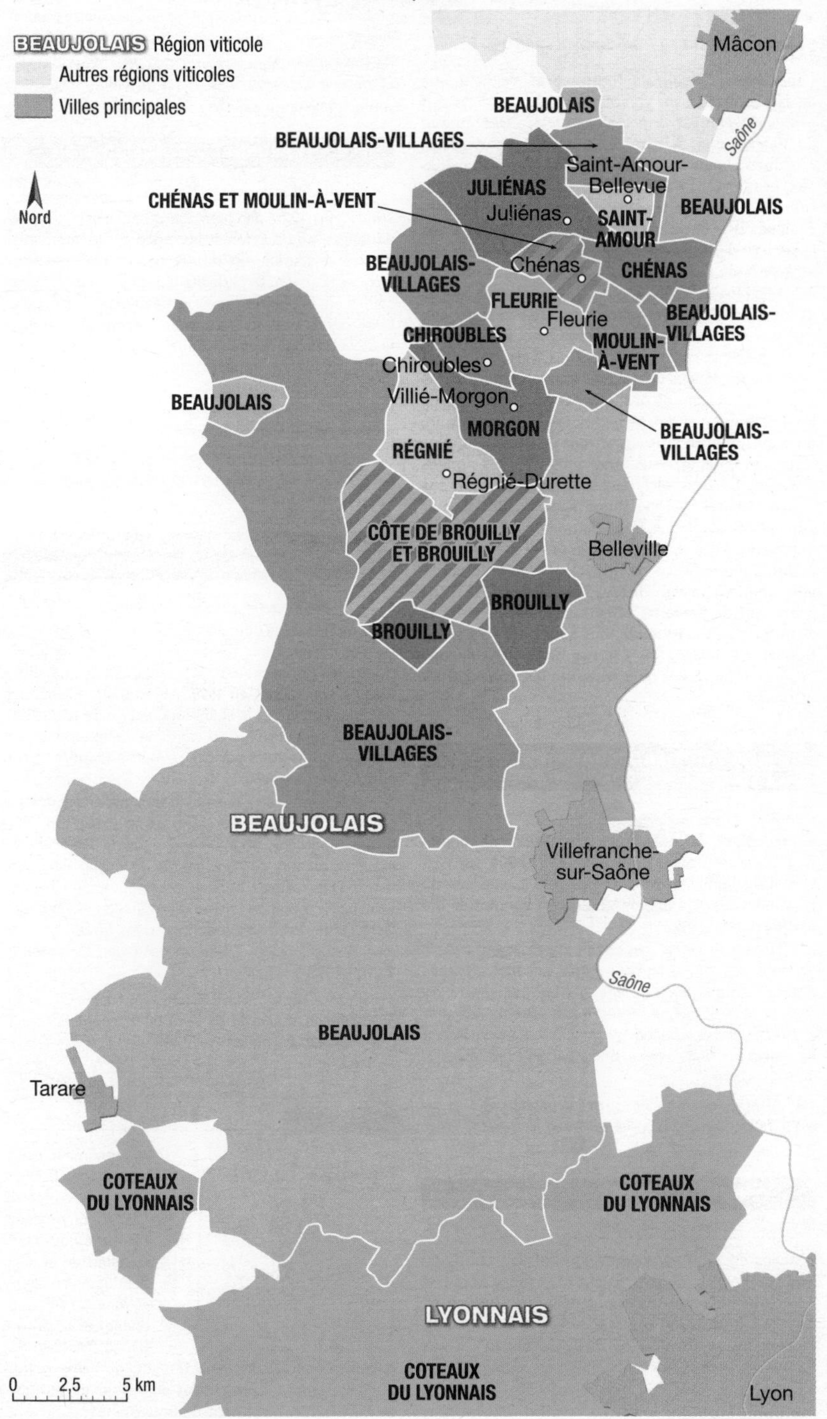

BEAUJOLAIS

Superficie : 5 972 ha / Production : 245 000 hl

L'appellation beaujolais fournit près de la moitié de la production du vignoble et près de 75 % des primeurs; elle est principalement localisée au sud de Villefranche. À côté des vins rouges et rosés, quelques blancs sont élaborés à partir du chardonnay, notamment dans le canton de La Chapelle-de-Guinchay, zone de transition entre les terrains siliceux des crus et ceux, calcaires, du Mâconnais. Dans le secteur des Pierres dorées, au sud de Villefranche et à l'est du Bois-d'Oingt, les vins rouges ont des arômes plus fruités que floraux, parfois nuancés de pointes végétales; colorés, charpentés, un peu rustiques, ils se conservent assez bien. Dans la partie haute de la vallée de l'Azergues, vers l'ouest, on retrouve les roches cristallines qui donnent des vins avec de la mâche et des accents minéraux, ce qui les fait apprécier un peu plus tardivement. Enfin, les zones plus en altitude offrent des vins vifs, plus légers en couleur, mais aussi plus frais les années chaudes. Le beaujolais supérieur ne provient pas d'un terroir délimité spécifique; il est surtout produit dans l'AOC beaujolais. L'appellation peut être revendiquée pour des vins dont les moûts présentent, à la récolte, une richesse en équivalent alcool de 0,5 % vol. supérieure à ceux de l'AOC beaujolais, les raisins provenant de parcelles sélectionnées et contrôlées avant la récolte. Tous ces vins sont dégustés traditionnellement dans les «pots» beaujolais, flacons de 46 cl à fond épais qui garnissent les «bouchons» lyonnais.

DOM. PATRICE ARNAUD
Les Fleurs Blanches 2017 ★★

■ | 1000 | [fût] | 8 à 11 €

Représentant la quatrième génération de vignerons, Patrice Arnaud s'est installé en 2004 sur l'exploitation familiale implantée dans la partie sud du Beaujolais. Le vignoble de 10,5 ha est conduit en bio certifié depuis 2012.

Le chardonnay sait se marier harmonieusement avec le fût de chêne. Une réalité qui n'a pas échappé à Patrice Arnaud. Cette cuvée a en effet été élevée pendant dix mois sous bois. Elle se montre expressive au nez, affichant des notes toastées et vanillées. La bouche est harmonieuse, riche, ample, étayé par un boisé élégant. ⧗ 2020-2024

⊶ *PATRICE ARNAUD, 99, rue des Vendangeurs, 69210 Saint-Germain-Nuelles, tél. 06 67 63 97 43, domainepatricearnaud@sfr.fr* [V] [icônes] *r.-v.*

DOM. DE BALUCE Clos Baluce 2017

■ | 3700 | [fût] | 8 à 11 €

Installés en 1986 sur le domaine familial, qui a son siège dans les bâtiments d'un ancien monastère aux caves voûtées, Jean-Yves et Annick Sonnery exploitent 13,5 ha au pays des Pierres dorées. Se définissant comme des «artisans-vignerons», ils sont fidèles aux hautes densités et aux vendanges manuelles.

Le petit clos Baluce, 50 ares, est entouré de pierres dorées typiques de la région. Le vin, lui, est bien représentatif du millésime avec un caractère rond, des tanins biens fondus, un boisé fondu (élevage en foudres) et une expression fruitée spontanée. ⧗ 2019-2022

⊶ *EARL JEAN-YVES ET ANNICK SONNERY, 41, rte du Plan, 69620 Bagnols, tél. 06 83 88 26 28, contact@baluce.fr* [V] [icônes] *r.-v.*

JEAN BARONNAT Le Bois de la Fée 2018

■ | n.c. | [cuve] | 5 à 8 €

Fondée en 1920 par Jean Baronnat, c'est l'une des dernières affaires familiales encore indépendantes du Beaujolais. Elle est dirigée depuis 1985 par Jean-Jacques Baronnat, petit-fils du fondateur. La maison, bien implantée dans le Beaujolais, ainsi qu'en Bourgogne, a étendu sa gamme de vins au sud de la France. Une habituée du Guide.

Un chardonnay à dominante d'agrumes au nez, agrémenté de nuances minérales. La bouche, qui s'exprime dans la souplesse, présente un caractère friand qui l'emporte sur la puissance. ⧗ 2019-2021

⊶ *SAS JEAN BARONNAT, 491, rte de Lacenas, 69400 Gleizé, tél. 04 74 68 59 20, info@baronnat.com* [V] *r.-v.*

DOM. BOSSE-PLATIÈRE
Vieilles Vignes de Chaleins 2017 ★★

■ | 4643 | [fût] | 5 à 8 €

Les origines de ce domaine établi au cœur du pays des Pierres dorées remontent à 1535. Celui-ci resta propriété des Rochechouart-Mortemart et des Laguiche jusqu'à son rachat en 1977. Aujourd'hui, 62 ha clos de murs entourent le château, qui date de 1810-1830, et 26 ha sont dévolus au vignoble. L'exploitation est dirigée depuis 2008 par Olivier Bosse-Platière et son épouse Véronique.

Olivier Bosse-Platière revendique son appartenance à la région de Pierres Dorées, avec ses sols calcaires, ainsi qu'une approche bourguignonne de la vinification : égrappage total, élevage en fût de chêne de douze mois… Une formule qui fait ses preuves. Au nez, ce beaujolais présente une dominante empyreumatique (torréfaction) et des notes chocolatées. En bouche, il se montre soyeux et gras, bâti sur des tanins bien fondus. ⧗ 2021-2025

⊶ *SCEV DOM. BOSSE-PLATIÈRE, 416, rue du Château, 69480 Lachassagne, tél. 04 74 67 00 57, contact@chateaudelachassagne.com* [V] [icônes] *r.-v.*

♥ DOM. J. BOULON Vieilles Vignes 2018 ★★

■ | 25000 | [cuve] | 5 à 8 €

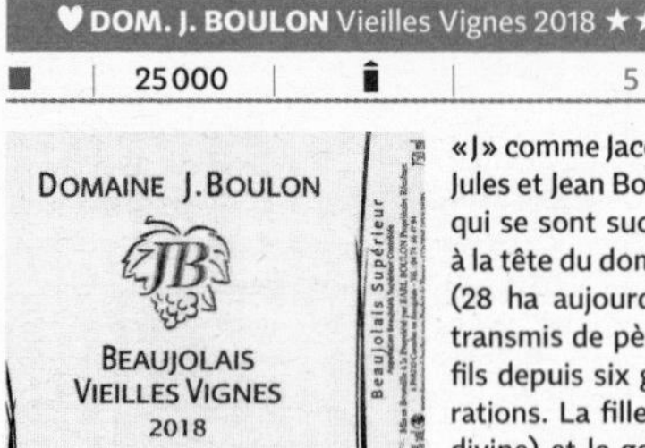

«J» comme Jacques, Jules et Jean Boulon, qui se sont succédé à la tête du domaine (28 ha aujourd'hui) transmis de père en fils depuis six générations. La fille (Ludivine) et le gendre (Hugo Matray) de Jacques Boulon sont à la tête du domaine depuis 2017. Ils élaborent des cuvées en beaujolais, morgon, moulin-à-vent et crémant-de-bourgogne.

Une cuvée issue d'une sélection de vieilles vignes (soixante-dix ans en moyenne), qui a connu un élevage de neuf mois en cuve. Ce coup de cœur récompense un beaujolais charnu, d'une grande densité et bâti sur des tanins harmonieux. Un bouquet expressif sur la framboise, la cerise, la pivoine lui apporte une complexité peu commune. Une finale ferme conclut la dégustation. ⧗ 2021-2025

EARL BOULON, 1331, rte des Mayets, 69220 Corcelles-en-Beaujolais, tél. 04 74 66 47 94, domaine.j.boulon@wanadoo.fr V *t.l.j. sf dim. 8h-12h 14h-18h*

DOM. BOURBON Charme d'Automne 2018 ★

■ | 9000 | | 5 à 8 €

À vingt-huit ans, Jean-Luc Bourbon a abandonné le transport routier pour rejoindre le village de son enfance, dans la partie sud du Beaujolais. Il s'est installé en 2002 sur le domaine fondé en 1939 par son grand-père, après s'être fait la main sur... le muscadet. Il exploite 16 ha de vignes plantées à forte densité, en coteaux : l'assurance de petits rendements.

Jean-Luc Bourbon a bien mené la cuvée principale du domaine. Ce vin séduit par sa volubilité aromatique autour de notes de cassis et de pêche des vignes. La bouche, ample et soyeuse, est soutenue par une bonne acidité et par des tanins fins. ⧗ 2020-2024

DOM. BOURBON, 10, chem. des Vignes, lieu-dit Le Marquison, 69620 Theizé, tél. 04 74 71 14 13, domaine-bourbon@orange.fr V *r.-v.*

DOM. DU CHAMP DE LA CROIX Malval 2017

■ | 900 | | 5 à 8 €

Représentant la cinquième génération de vignerons sur ce domaine familial, Benoît Roche a pris la suite de son père en 2017. Il cultive 13 ha dans le sud du Beaujolais, un vignoble planté en majorité de vieilles vignes, dont certaines centenaires.

Un beaujolais vinifié en grappes entières pendant dix jours, qui présente une petite fermeté tannique, tout en restant agréable et rond. Les fruits rouges s'expriment avec franchise au nez. Un bon représentant de l'appellation. ⧗ 2019-2022

BENOÎT ROCHE, 795, rte du Champ-de-la-Croix, 69640 Denicé, tél. 06 86 42 14 00, b.roche@domaineduchampdelacroix.fr V *r.-v.*

CH. DU CHATELARD Secret de Chardonnay 2018

■ | 14000 | | 8 à 11 €

Aurélie de Vermont, œnologue, a repris la direction de ce domaine en 2011. Ce dernier s'étend sur 25 ha morcelés en de nombreuses parcelles vinifiées séparément, à la « bourguignonne », pour mettre en valeur le terroir.

Un beaujolais blanc pour partie élevé en fût. Au nez, il dévoile des notes d'anis, de pamplemousse et une nuance florale. La bouche est bien équilibrée, dotée d'une fraîcheur agréable qui lui apporte de la droiture. ⧗ 2019-2021

SCEA CH. DU CHATELARD, 307, rue du Chatelard, 69220 Lancié, tél. 04 74 04 12 99, contact@chateauduchatelard.com V *t.l.j. sf sam. dim. 8h30-12h 13h30-17h30; f. août et déc.*

CH. DE CORCELLES Rosé d'une Nuit 2018

■ | 45000 | | 8 à 11 €

Ce château du XVe s., propriété depuis 1984 de la famille Richard, est le siège d'une importante exploitation viticole de 90 ha répartis sur quatre appellations : beaujolais, beaujolais-villages, brouilly et bourgogne.

Un rosé élaboré en pressurage direct à partir de gamays de quarante-cinq ans de moyenne d'âge. Le nez évolue dans la délicatesse davantage que dans l'exubérance. On y retrouve des notes végétales, florales et citronnées. Une texture assez suave s'installe en milieu de bouche après une attaque vive. ⧗ 2019-2020

SA CH. DE CORCELLES, 2330, rte de Villié-Morgon, 69220 Corcelles-en-Beaujolais, tél. 04 74 66 00 24, chateau@chateaudecorcelles.fr V *t.l.j. sf dim. 9h30-12h30 13h30-17h30*

CH. DE L'ÉCLAIR Pierres Dorées 2017

■ | 2800 | | 8 à 11 €

Ancienne propriété de Victor Vermorel, industriel, inventeur du pulvérisateur de bouillie bordelaise (appelé l'« Éclair ») et sénateur du Rhône au début du XXe s., le château et son vignoble d'une vingtaine d'hectares appartiennent aujourd'hui à la Sicarex, un organisme d'État dont le rôle est de poursuivre des recherches en matière de viticulture et de vinification.

Floral et fruité, ce beaujolais blanc met bien en valeur les qualités d'un chardonnay soigneusement vinifié. La bouche fait la part belle à la finesse et à l'élégance davantage qu'à la puissance. ⧗ 2019-2020

SICAREX BEAUJOLAIS, 905, rue du Ch. de l'Éclair, 69400 Liergues, tél. 04 74 02 22 40, vins@chateaudeleclair.com V *r.-v.*

DOM. GAGET Les Galets 2017

■ | 5000 | | 8 à 11 €

Maurice Gaget a constitué l'exploitation en 1980 en achetant 4 ha au Ch. de Pizay et en construisant l'année suivante un cuvage. Il l'a agrandie et transmise en 1999 à son fils Mikaël, qui dispose aujourd'hui de 9 ha de vignes en morgon, en beaujolais et en beaujolais-villages. Le domaine a son siège sur la Côte du Py, terroir réputé de Morgon.

Les galets font référence aux cailloux que l'on remarque sur cette parcelle d'un hectare. Un chardonnay élevé en fût pendant sept mois, plutôt charmeur au nez avec ses notes empyreumatiques. D'une envergure moyenne en bouche, il a pour lui l'équilibre entre le bois et le fruit, le gras et la fraîcheur. ⧗ 2019-2021

EARL DOM. GAGET, La Côte-du-Py, 374, rte de la Chaponne, 69910 Villié-Morgon, tél. 06 08 35 17 74, domainegaget@orange.fr V *r.-v.*

DOM. DU GRAND LIÈVRE Tradition 2018

■ | 40000 | | 5 à 8 €

Installés dans le pays des Pierres dorées depuis le début du XXe s., les Bouteille sont vignerons et pépiniéristes viticoles. Ils disposent aujourd'hui de 36 ha de vignes en Beaujolais et en Lyonnais. Philippe Bouteille a été rejoint récemment par son fils Roland.

D'un accès assez facile et ouvert au nez, ce beaujolais évolue vers des notes de cerise et de fruits cuits. La bouche dégage une certaine sucrosité, traduisant le caractère solaire du millésime. ⧗ 2019-2022

⊶ BOUTEILLE FRÈRES, 1480, rte des Pierres-dorées, 69380 Saint-Jean-des-Vignes, tél. 06 07 04 53 01, bouteillefreres@gmail.com V ⚐ ▮ *r.-v.*

CAVE DES GRANDS CRUS BLANCS Rosé 2018 ★★

■	4800	▮	5 à 8 €

Créée en 1929, la Cave des Grands Crus Blancs a scellé l'union des vignerons de deux villages voisins : Vinzelles et Loché. Surtout présente dans le Mâconnais, la coopérative propose aussi des crus du Beaujolais. Élaborés par un jeune œnologue, Jean-Michel Atlan, ses vins figurent régulièrement dans le Guide.

Un rosé qui assume parfaitement son caractère expressif et facile à boire, mais qui ne manque pas pour autant de fond ni de complexité. Le nez évoque le bonbon anglais et les épices (curry notamment) avec une certaine élégance. La bouche apparaît souple et gourmande dès l'attaque et ne dévie pas de son harmonieux équilibre autour d'un joli fruité. ⧗ 2019-2021

⊶ CAVE DES GRANDS CRUS BLANCS, 2367, rte des Allemands, 71680 Vinzelles, tél. 03 85 27 05 70, contact@lesgrandscrusblancs.com V ▮ *t.l.j. 8h30-12h30 13h30-18h30*

LOUIS TÊTE Les Sableux 2018 ★

■	60000	▮	5 à 8 €

Deux des plus grandes coopératives de la région, l'une à l'extrême sud du Beaujolais (Bully) et l'autre plus au nord (Quincié), dans la zone des beaujolais-villages et des crus, se sont unies en 2010, constituant Signé Vignerons : une entité forte de quelque 1 700 ha de vignes, qui vinifie plus de 10 % de la production de la région. Chaque cave continue néanmoins de vinifier séparément ses vins. Le négociant Louis Tête a rejoint le groupement en 2012. La structure de commercialisation, Agamy (anagramme de gamay), inclut même depuis 2015 les caves des Coteaux du Lyonnais et des Vignerons foréziens.

Fruité et épicé au nez, gourmand en bouche, ce beaujolais se montre spontanément généreux et intense. Un joli cadeau du millésime 2018, qui offre un gamay à belle maturité et qui n'a pas laissé la finesse en chemin. ⧗ 2019-2022

⊶ SCA AGAMY, La Martinière, 69210 Bully, tél. 04 37 55 50 10, contact@agamy.fr V ⚐ ▮ *t.l.j. sf dim. 9h-12h30 15h-18h30*

♥ CH. MOULIN FAVRE Cuvée Alexis 2018 ★★★

■	5000	▮	5 à 8 €

Campé au milieu des vignes sur le coteau de Combiaty, à 427 m d'altitude, ce domaine de 18 ha (dont 11 en brouilly) est travaillé par Armand et Céline Vernus, qui représentent la sixième génération de viticulteurs. Armand Vernus défend l'égrappage total de la vendange.

Alexis, dernier fils d'Armand et Céline Vernus, peut être fier de ses parents : ceux-ci proposent ici un remarquable chardonnay né de vieux ceps de soixante-cinq ans, un vin ouvert sans réserve sur des notes d'agrumes et de gingembre accompagnées d'une fine nuance minérale. La bouche est parfaitement équilibrée, ample, élégante, et sa finale citronnée lui assure une longueur admirable. Un beaujolais blanc particulièrement séducteur. ⧗ 2019-2022

⊶ ARMAND ET CÉLINE VERNUS, 310, rte de Saint-Vincent, 69460 Saint-Étienne-la-Varenne, tél. 06 70 16 12 68, moulin-favre@wanadoo.fr V ⚐ ▮ *r.-v.* 🏠 3 ⌂ B

ŒDORIA Instant Bon'œur 2018 ★

■	20000	▮	5 à 8 €

La cave du Beau Vallon de Theizé et celle des Vignerons de Liergues ont décidé de s'unir en 2009 : Œdoria est leur marque commune. Cette nouvelle entité dispose de 1 000 ha (pour 350 adhérents), essentiellement situés au sud du vignoble, à l'ouest de Villefranche-sur-Saône.

D'abord sur la réserve, ce vin révèle à l'aération des notes de fleurs blanches et de fruits jaunes. Une matière charnue prend place en bouche. La finale affiche une bonne persistance. Un beaujolais qui a besoin de prendre l'air pour se montrer. ⧗ 2019-2021 ■ **Vignerons des Terres d'Or 2018 (5 à 8 €; 100000 b.)** : vin cité. ■ **Vignerons des Terres d'Or Les Pierres dorées 2018 (5 à 8 €; 100000 b.)** : vin cité.

⊶ ŒDORIA, 25, rte de Cottet, 69620 Theizé, tél. 04 74 71 48 00, contact@oedoria.com V ⚐ ▮ *t.l.j. sf dim. 9h-12h 14h-18h30*

CH. D'OUILLY Vieilles Vignes 2017 ★

■	1000	▮	5 à 8 €

Valérie et Jean-Claude Pignard sont à la tête de ce vaste domaine (26 ha, dont 3 ha en conversion bio), dans la famille depuis trois générations. Le domaine a longtemps fait de la vente au négoce sa priorité. Aujourd'hui, il se tourne vers la vente aux particuliers.

Des vignes de soixante ans de moyenne d'âge, installées sur un terroir argilo-calcaire de 3 ha, ont donné naissance à un beaujolais d'une belle finesse. Une élégance aussi notable au nez, avec des notes de fruits rouges, qu'en bouche, où le vin se montre également fruité, bien équilibré et flatteur. ⧗ 2019-2021

⊶ SCEA DU DOM. D' OUILLY, 778, rte des Maisons-Neuves, 69400 Arnas, tél. 04 74 68 06 07, jcv.pignard@orange.fr V ⚐ ▮ *r.-v.*

DOM. DU PRESSOIR FLEURI 2018 ★★

■	4500	▮	5 à 8 €

Franck Brunel a repris en 2001 avec son épouse Sandrine le domaine de son beau-père, dont les origines remontent à 1789. Les 12,5 ha de vignes sont répartis dans trois crus : chiroubles, morgon et fleurie, auxquels s'ajoutent des parcelles en beaujolais blanc, en beaujolais-villages (dédiées au rosé) et en crémant-de-bourgogne.

Les notes citronnées, florales et minérales qui dominent le nez sont bien typées du chardonnay du Beaujolais.

Après une attaque souple, on découvre une bouche plaisante, fruitée, longue, bien équilibrée entre rondeur et fraîcheur. Bref, un vin complet. ⌛ 2019-2021

EARL BRUNEL-MÉZIAT, 95, rue de la Bascule, 69115 Chiroubles, tél. 04 74 04 23 12, dom.pressoirfleuri@numericable.fr V r.-v.

DOM. DE LA REVOL 2018 ★★

	8000		5 à 8 €

Installé en 1982, Bruno Debourg représente la troisième génération à la tête de cette propriété familiale située au sud du Beaujolais. Il exploite 20 ha de vignes sur des terroirs variés, argilo-calcaires ou granitiques.

Une remarquable cuvée de beaujolais blanc qui incite à penser que ce vignoble a une belle carte à jouer avec le chardonnay... À l'olfaction, elle évoque la brioche, le beurre et le citron. Mais ce sont surtout la concentration en bouche, le volume, l'équilibre et la persistance de la finale qui emportent l'adhésion du jury. ⌛ 2020-2023

EARL DOM. DE LA REVOL, 824, rte du Beaujolais, 69490 Dareizé, tél. 04 74 05 78 01, debourg.bruno@orange.fr V r.-v.

CH. DE LA RIGODIÈRE 2018 ★★

	33333		5 à 8 €

Ce château est l'ancienne propriété d'un chanoine sacré archevêque de Rouen au XIIᵉs., Odon Rigaud, qui expédiait les vins du domaine au chapitre de la cathédrale afin de stimuler l'ardeur des sonneurs de cloche, dont la plus grosse portait le nom de l'homme d'église, d'où peut-être l'expression « boire à tire la Rigaud »... La propriété a été achetée en 1821 par la famille d'Éric Roche de la Rigodière; ce dernier y exploitant 32 ha de vignes.

Ce beaujolais dispose de toutes les qualités que le millésime 2018 pouvait lui apporter : maturité du fruit, concentration et volupté des tanins. Le nez évoque le poivre et les fruits noirs avec intensité. La matière en bouche est à la fois soyeuse, équilibrée et longue. ⌛ 2020-2023

SCEA DES GRANDES TERRES, 431, chem. de la Croix-Marpaux, 69640 Saint-Julien-en-Beaujolais, tél. 06 79 22 03 38, larigodiere@gmail.com V r.-v.

DOM. J.P. RIVIÈRE Gamay Saint-Trys 2017 ★

	5000		5 à 8 €

Sous la conduite de la famille Rivière, ce domaine a grandi progressivement pour atteindre 27 ha, dont 7 au Ch. de Saint-Trys, sur des terroirs argilo-calcaires. Installé à Lachassagne, en plein cœur des Pierres dorées, il exploite notamment trois crus : chiroubles, chénas et moulin-à-vent.

Un lieu-dit du secteur des Pierres dorées sur lequel Jean-Pierre Rivière met en valeur 1,5 ha de gamays âgés de soixante ans. L'expression aromatique, sur les fruits rouges, est empreinte d'élégance. La matière en bouche se déploie avec ampleur et longueur. ⌛ 2020-2023

EARL JP RIVIÈRE, 520, chem. des Grands-Taillis, 69480 Lachassagne, tél. 04 74 67 00 67, domainejpriviere@orange.fr V r.-v.

DOM. DE LA ROCAILLÈRE 2018 ★

	3200		5 à 8 €

Installé en 1996, Vincent Fontaine conduit la totalité de l'exploitation familiale depuis 2004, année du départ à la retraite de son père. Si cette lignée de vignerons remonte à 1786, le cuvier n'a été construit qu'à partir de 1974. Le domaine couvre 20 ha, entièrement consacrés au beaujolais.

D'une expression généreuse au nez, sur les fruits jaunes, la minéralité et une subtile touche florale, ce beaujolais confirme ses bonnes dispositions en bouche. La matière est ronde, ample, et sa palette aromatique reste bien développée. ⌛ 2019-2022

VINCENT FONTAINE, 384, montée de Corbay, 69480 Pommiers, tél. 06 21 36 43 95, metv.fontaine@orange.fr V r.-v.

DOM. ROMY Les Pierres dorées Vieilles Vignes 2018 ★

	n.c.		8 à 11 €

Installé depuis 1976 et héritier d'une lignée vigneronne qui débute au XVIIIᵉs, Dominique Romy a passé la main à son fils Nicolas, qui exploite aujourd'hui 30 ha de vignes au pays des Pierres dorées, avec des pratiques à mi-chemin entre l'agriculture raisonnée et le bio.

Un beaujolais qui exprime une large gamme aromatique : les classiques fruits noirs de ce millésime de maturité sont accompagnés de notes épicées, mais aussi florales (pivoine, violette). En bouche, les tanins sont souples et soyeux, et laissent une agréable sensation de rondeur. ⌛ 2020-2023 ■ **Imperial Rosé 2018 ★ (8 à 11 €; n.c.)** : d'un rose pâle, ce 2018 a connu une macération très courte. Il se montre attirant dès la première approche olfactive, autour de notes de pêche, tandis qu'une belle vivacité anime la bouche. ⌛ 2019-2020

DOM. ROMY, 1090, rte de Saint-Pierre, 69480 Morancé, tél. 06 68 09 36 50, contact@domaineromy.fr

DOM. DE LA SIMONDE Fût de Chêne 2017 ★★

	2000		5 à 8 €

Installé en 2004, Bruno Monfray est à la tête d'un vignoble de 8 ha en appellation beaujolais. Jusqu'en 2013, la vendange était livrée à la cave coopérative. Il vinifie aujourd'hui les trois couleurs : blanc, rouge et rosé.

Un remarquable exemple de beaujolais à l'élevage en fût de chêne réussi. Les huit mois qu'il a passé sous bois lui ont permis de fondre ses tanins et d'atteindre un équilibre flatteur et élégant, et ses arômes s'expriment avec pureté sur des fruits rouges frais, typés d'un gamay bien né. ⌛ 2020-2023

BRUNO MONFRAY, 905, chem. de la Simonde, 69620 Theizé, tél. 06 60 61 80 38, bmonfray@orange.fr V r.-v.

TERRA ICONIA 2018

	80000		5 à 8 €

Créée en 1961, la Cave beaujolaise du Bois-d'Oingt est désormais nommée Vignerons des Pierres dorées.

Elle regroupe depuis 2011 trois coopératives (Le Bois-d'Oingt, Saint-Vérand et Saint-Laurent-d'Oingt) et dispose de 500 ha. Sa marque principale, Terra Iconia, rend hommage avec ses cuvées Terre d'Oingt à ce superbe village situé dans la partie sud du vignoble.

Belle pour les yeux et agréable pour le palais, cette Terra Iconia (on appelle Iconiens les habitants d'Oingt) nous offre un moment de plaisir sans esbroufe. Cette cuvée se distingue par son caractère gourmand et harmonieux en bouche; et les fruits noirs, plus précisément le cassis, se font sentir au nez. ⧗ 2019-2022

VIGNERONS DES PIERRES DORÉES, 439, rte Fleurie, Le Bady, 69620 Saint-Vérand, tél. 04 74 71 62 81, mlachaud@vigneronsdespierresdorees.com V t.l.j. sf dim. 8h-12h 14h-18h

CH. THIVIN Clos de Rochebonne 2017 ★

	5000		11 à 15 €

Le domaine est une ancienne possession des chanoines de Belleville. Il a été vendu comme bien national et acheté par M. Thivin, avocat au Parlement, qui lui légua son nom. En 1877, un fermier en acquit 2 ha : Zaccharie Geoffray, l'ancêtre de Claude, l'actuel propriétaire. Œuvrant pour la promotion des crus locaux, la famille reçut des personnalités des Arts et des Lettres, telles que Colette en 1947. Nichée à flanc de coteau au pied du mont Brouilly, l'exploitation compte aujourd'hui 27 ha.

À l'origine de ce blanc, un clos d'environ 1 ha dans le village de Theizé, où la famille Geoffray pratique la viticulture biologique (conversion en cours). Le vin qui en est issu se distingue par son équilibre. Les notes boisées (élevage de sept mois en fût) et de fruits frais se marient avec bonheur. En bouche, on apprécie sa richesse et sa rondeur bien contrebalancées par une fine acidité. ⧗ 2020-2024

FAMILLE GEOFFRAY, Ch. Thivin, 630, rte du Mont-Brouilly, 69460 Odenas, tél. 04 74 03 47 53, geoffray@chateau-thivin.com V r.-v.

DOM. DE LA TOUR DES BANS 2018

	30000		5 à 8 €

Le premier Ch. de Pizay, qui dépendait des sires de Beaujeu, a été construit vers 970. Remanié à la Renaissance et au XIXᵉ s., doté au XVIIᵉ s. de jardins dessinés par Le Nôtre et en 1818 d'une vaste cave voûtée. Transformé en hôtel 4 étoiles au siècle dernier, il a bien changé depuis l'époque féodale. Avec 75 ha de vignes, c'est l'un des grands domaines de la région, exploité pour une partie en faire-valoir direct, pour l'autre en métayage.

Le nez apparaît ouvert et puissant, sur des notes de myrtille, de mûre et une nuance florale. L'annonce d'une certaine concentration que l'on découvre dans une bouche dense et ample, construite sur des tanins soyeux. ⧗ 2020-2023

CH. DE PIZAY, Pizay, 69220 Saint-Jean-d'Ardières, tél. 04 74 66 26 10, contact@vins-chateaupizay.com V t.l.j. sf dim. 8h30-12h30 13h30-17h

ANTOINE VILAND 2018

	4500		5 à 8 €

Antoine Viland, établi à Létra, au cœur du pays des Pierres dorées, cultive environ 12 ha. Il vend désormais en bouteilles la majeure partie de sa production et propose aussi le cru chénas. Ce jeune vigneron installé en 2007 est un adepte des macérations longues en grappes entières.

Une vinification à basse température et un élevage en cuve pour ce vin riche, souple et gras, qui mérite d'être un peu attendu pour donner sa pleine mesure, même si le nez se montre déjà bien expressif, centré sur les fruits jaunes et les agrumes. ⧗ 2020-2023

ANTOINE VILAND, La Roche, 69620 Létra, tél. 04 74 71 54 46, vilandantoine@orange.fr V r.-v.

BEAUJOLAIS-VILLAGES

Superficie : 4 780 ha
Production : 177 000 hl (99 % rouge et rosé)

Le beaujolais-villages provient de 38 communes situées au nord du vignoble, dans une zone comprise dans sa quasi-totalité entre la zone des beaujolais et celle des crus. Le mot «villages» a été adopté en 1950 pour remplacer la multiplicité des noms de communes qui pouvaient être ajoutés à l'appellation beaujolais sur l'étiquette aux fins de distinguer des productions considérées comme supérieures. Une écrasante majorité de producteurs ont opté pour cette mention qui favorise la commercialisation, même si 30 communes – celles dont le nom ne correspond pas à celui d'un des crus – gardent le droit, pour éviter toute confusion, d'ajouter leur nom à celui de beaujolais. Les beaujolais-villages se rapprochent des crus et en ont les contraintes culturales (taille en gobelet ou en éventail, cordon simple ou double charmet, degré initial des moûts supérieur de 0,5 % vol. à celui des beaujolais). Originaires de sables granitiques, ils sont rouge vif, fruités, gouleyants : les têtes de cuvée des vins primeurs. Nés sur les terrains granitiques, plus en altitude, ils présentent une belle vivacité qui permet une consommation dans l'année, voire une petite garde. Entre ces deux extrêmes, toutes les nuances sont possibles, mais les vins allient toujours finesse, arômes et corps.

JEAN BARONNAT Le Bois de la Fée 2017 ★

	n.c.		5 à 8 €

Fondée en 1920 par Jean Baronnat, c'est l'une des dernières affaires familiales encore indépendantes du Beaujolais. Elle est dirigée depuis 1985 par Jean-Jacques Baronnat, petit-fils du fondateur. La maison, bien implantée dans le Beaujolais, ainsi qu'en Bourgogne, a étendu sa gamme de vins au sud de la France. Une habituée du Guide.

Spontanément expressif et généreux, sur des notes élégantes de framboise, ce beaujolais-villages sait se faire apprécier sans attendre. Il pourra aussi être conservé quelques années grâce à sa consistance en bouche. Un gamay issu de terroir argilo-siliceux vinifié selon la traditionnelle macération semi-carbonique beaujolaise. ⧗ 2019-2023

SAS JEAN BARONNAT, 491, rte de Lacenas, 69400 Gleizé, tél. 04 74 68 59 20, info@baronnat.com V r.-v.

DOM. DU BARVY 2018 ★

| 1800 | | 5 à 8 € |

Dominique Bouillard a pris en 1982 les rênes de l'exploitation familiale implantée au sud du mont Brouilly. Elle exploite seule 6 ha de vignes et élabore des vins en appellations brouilly, côte-de-brouilly et beaujolais-villages (dans les trois couleurs).

Des notes de fruits à chair blanche typiques d'un chardonnay à bonne maturité montent au nez. La bouche se distingue par sa fine acidité et donne un ensemble harmonieux et bien représentatif de l'appellation. ⧗ 2019-2020

DOM. DU BARVY, 289, rte de la Chaize, 69460 Odenas, tél. 06 08 23 01 42, domaine.du.barvy@gmail.com r.-v.

DOM. DU BREUIL 2018 ★★

| 3000 | | 5 à 8 € |

Des générations de métayers se sont succédé sur l'exploitation avant que Franck Large, d'abord vigneron sous ce même statut, ne devienne propriétaire du domaine. Établi à 100 m du superbe prieuré roman de Salles-Arbuissonnas, le domaine compte aujourd'hui 8 ha en beaujolais-villages, avec des parcelles en brouilly.

Couronnée d'un coup de cœur dans la précédente édition du Guide avec le millésime 2017, cette cuvée est très proche de se voir décerner une nouvelle fois la récompense ultime. Les arômes s'expriment avec beaucoup de maturité au nez (fruits rouges) et la bouche, ample, souple et fraîche, s'étire longuement sur le fruit. L'harmonie d'un vin bien né. ⧗ 2020-2023

FRANCK LARGE, 197, rue du Breuil, 69460 Salles-Arbuissonnas, tél. 06 82 14 18 91, francklarge@domainedubreuil.fr r.-v.

DOM. BURNICHON Le Burn' 2017 ★

| 4000 | | 5 à 8 € |

Représentant la troisième génération, Daniel et Marie-Claude Burnichon exploitent ce vignoble familial depuis 1976. Des vignes d'un âge respectable (cinquante ans), cultivées sur 2 ha de sols granitiques.

Le domaine propose ici une cuvée issue d'un hectare de gamays, des vignes âgées de soixante ans vinifiées en grappes entières pendant dix jours. Le résultat est un vin fruité qui réalise l'équilibre entre l'ampleur, la consistance et la fraîcheur. ⧗ 2020-2023

MARIE-CLAUDE ET DANIEL BURNICHON, 78, chem. du Marronnier, 69430 Quincié-en-Beaujolais, tél. 06 87 34 67 88, daniel.burnichon@orange.fr r.-v.

DOM. DE LA COMMANDERIE Fût de chêne 2017 ★

| 1150 | | 8 à 11 € |

Une petite exploitation familiale (1,7 ha) nichée en plein cœur du Beaujolais. Les vignes, plantées en coteaux et sur sol granitique, profitent d'un ensoleillement au sud, à quelques encablures du mont Brouilly. Marc Peria y est installé depuis 2015.

Des notes de cassis intenses dominent le nez. En bouche, les tanins se développent avec rondeur et souplesse. L'ensemble donne un beaujolais-villages (élevé en fût de chêne pendant neuf mois) immédiatement plaisant, mais non dénué de structure. ⧗ 2019-2023 ■ **2017 ★ (5 à 8 €; 800 b.)** : un ensemble souple et harmonieux où les fruits rouges frais s'expriment sans entrave. Une finale sur des nuances de framboise persiste en bouche. ⧗ 2019-2022

MARC PERIA, 679, montée du Perrin, La Commanderie, 69460 Le Perréon, tél. 06 08 70 77 53, domaine.lacommanderie@gmail.com r.-v.

♥ DOM. LE FAGOLET Granit Rouge 2017 ★★

| 8000 | | 8 à 11 € |

Paul Girard mène ce domaine de 16 ha présent sur les trois couleurs de l'appellation beaujolais-villages. La nouvelle génération s'apprête à prendre le relais.

«Aucun sulfite n'a été ajouté pendant la vinification», précise Paul à propos de cette cuvée issue de 2 ha de gamays d'une quarantaine d'années. Pour le reste, c'est la traditionnelle macération en grappes entières qui a été employée. Le nez déploie des notes complexes de fruits noirs (cassis, mûre) et de réglisse. La bouche conjugue équilibre, rondeur, souplesse et longueur. Un superbe classique. ⧗ 2020-2023 **Granit Blanc 2018 (8 à 11 €; 2000 b.)** : vin cité.

PAUL GIRARD, lieu-dit Le Fagolet, 2932, rte d'Arbuissonnas, 69460 Vaux-en-Beaujolais, tél. 06 71 95 83 12, contact@le-fagolet.com r.-v.

EMMANUEL FELLOT Cuvée Tradition 2017 ★★

| 11000 | | 8 à 11 € |

Emmanuel Fellot a pris la suite de son père en 1991 sur l'exploitation familiale, fondée en 1829. Il compte au nombre des rares vignerons à mener de front viticulture (20 ha de vignes) et élevage – il possède un troupeau de vaches rustiques élevées en plein air. Dans sa gamme, des beaujolais, beaujolais-villages, brouilly et côte-de-brouilly.

Cette cuvée issue de très vieilles vignes (plus de soixante-quinze ans) plantées sur un coteau très pentu explose de fruits : les fruits rouges (framboise) et noirs (cassis) s'en donnent à cœur joie. L'onctuosité des tanins et la longueur de la finale justifient pleinement cette note proche de la maximale. ⧗ 2020-2023

EMMANUEL FELLOT, Pierre-Filant, 69640 Rivolet, tél. 06 77 81 68 87, fellotmanu@gmail.com r.-v.

DOM. FORÉTAL 2018 ★

| 6000 | | 5 à 8 € |

Installé en 1998, Jean-Yves Perraud, issu d'une lignée enracinée à Vauxrenard depuis le XVIIe s., a auparavant exploré le vaste monde viticole et fait ses gammes en Alsace et aux États-Unis. Il a agrandi le

domaine (9 ha) et développé l'accueil (du gîte d'étape à la chambre d'hôtes).

Une cuvée qui se distingue par la finesse de ses tanins sans pour autant que la structure soit légère. Le nez évoque des notes florales (rose, pivoine), d'épices et de fruits rouges. Le résultat d'une vinification semi-carbonique bien maîtrisée, suivie d'un élevage en cuve de huit mois. ⧗ 2020-2023

JEAN-YVES PERRAUD, Forétal, 69820 Vauxrenard, tél. 04 74 69 97 48, jyperraud@wanadoo.fr V t.l.j. 9h-12h30 13h30-19h

DOM. GARDOT 2018 ★

	2000		5 à 8 €

Un tout récent domaine, créé en 2018 par Maxime et Amélie Gardot. L'ensemble des vignes (7 ha) est situé sur un coteau surplombant Fleurie face à la célèbre Madone du village.

Un chardonnay issu de sols sableux et argileux qui fait preuve d'une bonne puissance aromatique sur des notes de fruits secs et de fleurs blanches. Après une attaque en souplesse, la bouche se développe dans l'harmonie et la rondeur. ⧗ 2019-2021

GAEC DOM. GARDOT, 10, allée des Géraniums, 69115 Chiroubles, tél. 06 75 81 61 76, domaine.gardot@gmail.com V r.-v.

CH. GRAND'GRANGE La Cascade 2017 ★

	8000		5 à 8 €

En 1842, le fondateur du château nomma son domaine la Grand'Grange comme un pied de nez à son frère cadet qui, lui, avait hérité d'un domaine nommé La Petite Grange. Aujourd'hui, le vignoble compte 14 ha repris en 2009 par Per Hakon Schmidt et Marianne Philip, couple d'avocats danois.

« Qu'elle coule à flot ! », explique le domaine à propos du nom de cette cuvée. Elle propose en attendant une cascade d'arômes de fruits rouges et noirs (framboise, cassis, mûre). La trame acidulée de la bouche lui assure une bonne fraîcheur. ⧗ 2019-2023 **La Grange Masson 2017 (8 à 11 € ; 1000 b.)** : vin cité.

PER HAKON SCHMIDT, La Grand'Grange, 69460 Le Perréon, tél. 06 37 24 39 79, info@chateaugrandgrange.com V r.-v. 4

DOM. GRANGE MASSON 2018

	9000		5 à 8 €

Une exploitation familiale d'une superficie de 15 ha, qui produit essentiellement du beaujolais-villages, dans les trois couleurs ; elle propose aussi du morgon, du brouilly et du bourgogne blanc. Sylvie et Alain Deshayes, installés ici en 1984, mettent aujourd'hui l'accent sur le travail du sol.

Une parcelle de chardonnay plantée sur un sol argilo-granitique a donné un vin tout en souplesse. Le nez dévoile des notes de noix fraîche. Un aspect très suave et velouté marque la bouche. ⧗ 2019-2021

EARL GRANGE MASSON, 461, rte de la Grange-Masson, 69460 Saint-Étienne-des-Oullières, tél. 04 74 03 50 34, asdeshayes@aol.com V r.-v.

DOM. DES HAUTS BUYON Vieilles Vignes 2017 ★★

	3500		5 à 8 €

Depuis 1987, Christophe Paris est à la tête de ce domaine familial situé au pied du Mont Brouilly. Il exploite 13,5 ha et reçoit dans un gîte de groupe.

Une parcelle d'un demi-hectare sur un sol argilo-calcaire est à l'origine de ce beaujolais-villages d'un équilibre idéal. L'élevage sous bois pendant douze mois ne masque pas le fruit. Rondeur, amplitude, structure et longueur sont au rendez-vous en bouche ; le boisé vient là aussi en complément. ⧗ 2021-2024

CHRISTOPHE PARIS, 1377, rte de Buyon, 69460 Saint-Étienne-des-Oullières, tél. 06 75 37 60 91, christophe-paris@club-internet.fr V r.-v.

DOM. LONGÈRE En Verchères 2017 ★

	2780		8 à 11 €

Jean-Luc Longère représente la sixième génération de la famille à arpenter les coteaux de ce petit domaine (5 ha), qui abrite une belle cave voûtée de 1845.

Un lieu-dit dont le nom signifie « belle terre ». C'est là que s'épanouissent les ceps de chardonnay les plus âgés du domaine (trente-cinq ans). Ils ont donné en 2017 un vin expressif, dominé par des notes florales et un boisé bien fondu. Après une attaque sur la souplesse, une matière ronde qui ne manque pas de finesse se met en place. Jolie finale anisée. ⧗ 2019-2022 **Le Vin des Roches 2017 ★ (8 à 11 € ; 1880 b.)** : terroir granitique, faible rendement et vinification longue pour ce beaujolais-villages d'une grande harmonie. Les raisins ont visiblement été récoltés à belle maturité et le nez évoque des arômes de cerise à l'eau-de-vie et de mûre. La bouche se révèle elle aussi bien fruitée, ronde et longue. ⧗ 2020-2023

JEAN-LUC ET RÉGINE LONGÈRE, 157, bd Tachon-Paquet, Le Duchampt, 69460 Le Perréon, tél. 04 74 03 27 63, jean-luc.longere@wanadoo.fr V r.-v.

DOM. MERGEY La Combe 2017 ★

	2700		5 à 8 €

Amateurs de vin, Évelyne et Dominique Mergey ont acquis en 1994 ce petit domaine de 3,5 ha, cultivé de manière très raisonnée. Ils ont confié l'élaboration des vins à Gérard Descombes, ancien propriétaire des lieux, avant que ce dernier ne la confie à son fils Sylvain.

Un beaujolais-villages assez classique dans son élaboration : terroir granitique, macération en grappes entières et élevage en cuve. Le résultat donne un vin aux arômes expressifs de fruits noirs et d'épices. La bouche développe une texture souple et harmonieuse. ⧗ 2019-2022

ÉVELYNE ET DOMINIQUE MERGEY, chem. de la Vernette, Le Bouteau, 71570 Leynes, tél. 03 85 23 80 87, d.mergey@gmail.com V r.-v. E

MOMMESSIN Grandes Mises 2018 ★

	20000		8 à 11 €

Fondée en 1865 à Mâcon, la maison de négoce Mommessin a acquis un vaste patrimoine en Bourgogne et en Beaujolais et noué des partenariats

avec des domaines. Elle constitue aujourd'hui, une des marques les plus importantes du groupe Boisset.

Expressif sur le plan aromatique (des notes de pivoine et de cassis) et bien structuré en bouche, ce beaujolais-villages fait preuve d'une jolie intensité. Une cuvée élaborée en vendanges entières et élevée sur lies fines dans l'optique d'obtenir un vin de bonne garde. ⧗ 2020-2023

FGV BOISSET (SITE MOMMESSIN), 403, rte Saint-Vincent, 69430 Quincié-en-Beaujolais, tél. 04 74 69 09 61

MONT VERRIER 2017

■ | 4000 | 🍾 | 8 à 11 €

Un domaine fondé en 1697, riche d'une longue histoire : il appartint pendant deux siècles à la famille Aubry puis fut légué en 1890 aux Hospices de Villefranche et devint le lieu de villégiature des sœurs hospitalières de la Congrégation Sainte-Marthe de Beaune. Alors que planait une menace de démantèlement, il fut repris par Gérard Legrand en 2007. Ce dernier y exploite aujourd'hui un vignoble de 40 ha qui côtoie une collection ampélographique de 200 cépages et un vaste verger.

Une cuvée qui séduit par son nez de fruits rouges confits et son équilibre en bouche. Les tanins sont ronds et la finale de bonne longueur. Le fruit d'une vinification bien menée, pour un tiers en grappes entières, pendant huit à douze jours. ⧗ 2019-2022

EARL DOM. DU MONT VERRIER, 434, rte de Plantigny, 69640 Saint-Julien, tél. 04 74 67 42 84, contact@domainemontverrier.com r.-v. 5

DOMINIQUE MOREL 2018

■ | 10000 | 🍾 | 8 à 11 €

En 1900, M. Besson, l'arrière-grand-père, s'établit à Émeringes. Cet inventeur du premier filtre-presse cultivait 2 ha auxquels il adjoignit une distillerie et une tonnellerie. Installés en 1991, Dominique Morel, œnologue, et son épouse Christine exploitent aujourd'hui 18 ha, avec des parcelles dans six crus. Pour compléter leur gamme, ils ont créé en 2015 une activité de négoce sous le nom de Dominique Morel.

Dominique Morel insiste sur la nécessité de vinifier délicatement le gamay pour « exprimer ses arômes typiques de fruits rouges, avec cette rondeur en bouche unique ». Un objectif qu'il atteint avec cette cuvée aux notes de framboise et de groseille, et d'une bonne souplesse en bouche. Un vin issu de la partie négoce. ⧗ 2019-2022

SAS DOMINIQUE MOREL, Les Chavannes, 69840 Émeringes, tél. 06 86 87 87 19, vins.morel@orange.fr r.-v.

DOM. DES NUGUES 2017 ★★

□ | 20900 | 🍾 | 11 à 15 €

Acquise en 1976 par Gérard Gelin, cette propriété a été reprise en 2005 par son fils Gilles, qui avec son épouse Magali ont développé le domaine grâce à l'achat de vignes en AOC fleurie. À sa création, la propriété comptait 0,9 ha. Après achats successifs et locations, elle s'étend aujourd'hui sur 32 ha.

Au nez, des arômes intenses de fruits à chair jaune et de miel se déploient. En bouche, on découvre un beaujolais blanc qui développe une puissance tempérée par une belle trame acide, un ensemble rond, opulent, mais aussi parfaitement équilibré. ⧗ 2019-2022

SAS GILLES GELIN, 40, rue de la Serve, Les Pasquiers, 69220 Lancié, tél. 04 74 04 14 00, gilles@domainedesnugues.fr r.-v.

ŒDORIA 2018

■ | 6000 | 🍾 | 5 à 8 €

La cave du Beau Vallon de Theizé et celle des Vignerons de Liergues ont décidé de s'unir en 2009 : Œdoria est leur marque commune. Cette nouvelle entité dispose de 1 000 ha (pour 350 adhérents), essentiellement situés au sud du vignoble, à l'ouest de Villefranche-sur-Saône.

Le nez, marqué par des notes de fruits rouges, est bien typé de l'appellation. En bouche, le vin apparaît frais, tenu par une bonne acidité, mais sans manquer de puissance pour autant. ⧗ 2019-2022

ŒDORIA, 25, rte de Cottet, 69620 Theizé, tél. 04 74 71 48 00, contact@oedoria.com t.l.j. sf dim. 9h-12h 14h-18h30

DOM. DE LA PAILLARDIÈRE 2018 ★

□ | 12000 | 🍾 | 5 à 8 €

Richard Jambon représente la quatrième génération sur l'exploitation familiale créée en 1825, qui compte aujourd'hui 12 ha. Installé en 1997, il a élargi la palette des crus du domaine, qui propose désormais, outre le morgon, du moulin-à vent, du chénas et du brouilly. Beaujolais-villages et crémant-de-bourgogne sont aussi à la carte.

Un chardonnay fin, très frais, qui pourra se suffire à lui-même en apéritif. Le nez présente de belles notes citronnées. Après une attaque ronde, une texture légère et agréablement acidulée se distingue en bouche. ⧗ 2019-2021

SCEA RICHARD JAMBON, 190, rue de la Condemine, 69220 Corcelles-en-Beaujolais, tél. 06 08 36 83 45, richard.jambon1@numericable.com r.-v.

DOM. PARDON Cuvée de l'Ermitage 2018 ★

■ | 15000 | 🍾 | 5 à 8 €

Établis depuis 1820 dans la capitale historique du Beaujolais, les Pardon sont négociants et vignerons, à la tête de 12 ha en propre. La maison est dirigée par Éric Pardon, pour la partie technique, et par son frère Jean-Marc qui commercialise les vins de leurs deux propriétés (en beaujolais-villages, régnié et fleurie) et ceux qu'ils sélectionnent chez leurs partenaires.

Une cuvée issue de vignes cinquantenaires sur un terroir de 5 ha. Au nez, elle exprime des notes amyliques et de cassis. La bouche propose des tanins bien fondus, de l'équilibre et une finale persistante. Un vin complet. ⧗ 2019-2022

PARDON ET FILS, La Chevalière, 69430 Beaujeu, tél. 04 74 04 86 97, contact@pardonetfils.com t.l.j. sf sam. dim. 8h-12h 13h30-18h; f. août

DOM. CH. DE PIZAY Les Vieux Chastys 2018

■ | 10000 | 🍾 | 5 à 8 €

Un petit vignoble de 5 ha, ancienne propriété de la famille de l'Abbé Pierre acquise en 1988 par le Ch. de Pizay, l'un

des grands domaines de la région (75 ha de vignes). Jean-Pierre Joubert en est l'actuel métayer.

Un beaujolais-villages léger et équilibré, faisant preuve d'une bonne souplesse en bouche et ouvert sur des arômes de fruits rouges et noirs mûrs. 2019-2021

JEAN-PIERRE JOUBERT, Les Chastys, 69830 Régnié-Durette, tél. 04 74 66 26 10, contact@vins-chateaupizay.com V t.l.j. sf dim. 8h30-12h30 13h30-17h

CH. DE POUGELON 2018

■	84985		5 à 8 €

Propriété de la famille Descombe depuis 2017, le Ch. de Pougelon est à la tête de près de 12 ha, sur le terroir des beaujolais-villages, à l'ouest du mont Brouilly, mais aussi sur plusieurs crus (morgon, fleurie, juliénas, brouilly, chiroubles).

Une cuvée vinifiée à la beaujolaise avant un élevage de six mois en cuve. Dans le verre, un vin offrant au nez des arômes de fruits rouges mûrs, bien équilibré en bouche entre fraîcheur et tanins fins. 2019-2022

CH. DE POUGELON, 462, rue du Beaujolais, 69460 Saint-Étienne-des-Oullières, tél. 06 73 88 78 03, julien-robin@chateaupougelon.com

DOM. CHRISTOPHE RENARD 2018 ★

■	3000		5 à 8 €

Fils et petit-fils de vigneron, Christophe Renard exploite 12 ha au sein du vaste vignoble du Ch. de la Carelle (70 ha, dont 30 ha en bio), dirigé par Xavier Maraud des Grottes. Il y est métayer, c'est-à-dire qu'il donne la moitié de sa récole au château, à l'instar de onze autres collègues. Il commercialise le reste sous son nom.

Des vignes de soixante-dix ans plantées sur terroir sableux ont donné un vin gracieux, d'un équilibre irréprochable. Le fruit s'exprime avec élégance et fraîcheur. La bouche se caractérise par la rondeur et une belle longueur. 2020-2023 ■ **Cuvée Vieilles Vignes 2017 ★ (5 à 8 €; 1500 b.)** : un vin élevé en cuve prioritairement, expressif, sur des notes florales et fruitées, offrant une bonne matière en bouche autour de tanins bien présents mais sans agressivité. 2020-2023

CHRISTOPHE RENARD, 361, La Carelle, montée du Cimetière, 69460 Saint-Étienne-des-Oullières, tél. 06 88 56 69 49, renard-christophe@orange.fr V r.-v.

DOM. ROCHETTE 2018 ★

■	4000		5 à 8 €

Matthieu Rochette s'est installé avec son père Joël en 2009. Ce dernier est décédé en septembre 2015, mais son épouse Chantal et son fils Matthieu ont repris le flambeau de l'exploitation, qui compte près de 15 ha. Le domaine propose du beaujolais et du beaujolais-villages, ainsi que les crus brouilly, côte-de-brouilly, régnié et morgon.

Le domaine mobilise plus de 2 ha de vignes âgées de quarante-cinq ans pour obtenir cette cuvée. Son ampleur en bouche, sur des tanins fondus, a conquis le jury, tout comme le fruité puissant qui s'exprime avec spontanéité au nez. 2020-2023

EARL DOM. ROCHETTE, 460, rte du Chalet, 69430 Régnié-Durette, tél. 04 74 04 35 78, vinsdomainerochette@orange.fr V r.-v.

DOM. DE SAINT-ENNEMOND 2017

■	15000		5 à 8 €

Reprise en 1977 par Christian Béréziat, cette ancienne propriété viticole tire son nom de la chapelle du XIIe s. située à 50 m des bâtiments d'exploitation, qui datent, eux, du XIXe s. Le vignoble couvre 7 ha.

Un beaujolais-villages issu de terroirs argilo-calcaires et élaboré en fermentation semi-carbonique. Le résultat donne un gamay expressif au nez et d'un bel équilibre en bouche entre rondeur et fraîcheur. 2019-2021

CHRISTIAN BÉRÉZIAT, 1293, rte de Saint-Ennemond, 69220 Cercié, tél. 04 74 69 67 17, saint-ennemond@orange.fr V r.-v. 3

♥ CAVE DE SAINT-JULIEN Grumage 2017 ★★

■	7000		5 à 8 €

Créée en 1988, cette coopérative vinifie aujourd'hui près de 240 ha. Petite structure, comme il en existe de moins en moins, elle voit cependant augmenter les surfaces dont elle dispose. Une cave régulièrement en vue dans ces pages.

Puissant, ample, rond, concentré... Les adjectifs ne manquent pas pour qualifier la belle présence, ainsi que l'équilibre de ce vin qui bouscule les lignes de l'appellation. La grande onctuosité en fait un support idéal des notes de cerise confite. 2020-2024

CAVE BEAUJOLAISE DE SAINT-JULIEN, 45, rue du Cep, 69640 Saint-Julien, tél. 04 74 67 57 46, cave.stjulien@wanadoo.fr V r.-v.

DOM. DE LA TEPPE 2018 ★★

□	1600		5 à 8 €

Pierre Bouzereau s'est installé en 1988 à Romanèche-Thorins. Il exploite aujourd'hui une vingtaine d'hectares de vignes, principalement dans les crus moulin-à-vent (Dom. les Graves) et fleurie (Dom. de la Teppe).

Le seul défaut de ce vin est d'avoir été produit en toute petite quantité... C'est en effet un blanc offrant une palette aromatique fraîche autour des fleurs blanches printanières et des fruits à chair blanche, au palais ample, harmonieux, étiré dans une longue finale anisée. 2019-2021

EARL ROBERT ET PIERRE BOUZEREAU, 38, rte de la Mairie, 71570 Romanèche-Thorins, tél. 03 85 35 52 47, domainedelateppe@gmail.com V t.l.j. sf dim. 10h-12h 14h-18h

LOUIS TÊTE 2018 ★

■	80000		5 à 8 €

Deux des plus grandes coopératives de la région, l'une dans l'extrême sud du Beaujolais (Bully) et

l'autre plus au nord (Quincié), dans la zone des beaujolais-villages et des crus, se sont unies en 2010, constituant Signé Vignerons : une entité forte de quelque 1 700 ha de vignes, qui vinifie plus de 10 % de la production de la région. Chaque cave continue néanmoins de vinifier séparément ses vins. Le négociant Louis Tête a rejoint le groupement en 2012. La structure de commercialisation, Agamy (anagramme de gamay), inclut même depuis 2015 les caves des Coteaux du Lyonnais et des Vignerons foréziens.

Déjà créditée d'une étoile dans la précédente édition du Guide, cette cuvée reste fidèle au profil gustatif gourmand qu'on lui a connu avec le millésime 2017. Les petits fruits rouges et noirs s'expriment généreusement. La bouche, fraîche et souple, s'appuie sur des tanins fondus. Une vinification, dans la tradition beaujolaise, bien maîtrisée. ⧗ 2019-2023

SCA AGAMY, La Martinière, 69210 Bully, tél. 04 37 55 50 10, contact@agamy.fr
mer. à sam. 9h-12h30 15h-18h30

CH. DE VAUX Les Verseaux 2018 ★★

■ | 6000 | | 5 à 8 €

La famille de Vermont exploite depuis 1834 (Yannick depuis 2015) ce domaine dont le caveau et la cave datent du XIIe s. Le vignoble couvre aujourd'hui une superficie de 14 ha.

Situé sur une forte pente granitique, Les Verseaux est un lieu-dit de l'appellation où le château exploite un peu moins d'un hectare. Comme son nom l'indique (il signifie «versant sud»), ce vignoble est exposé plein soleil. Une situation que Yannick de Vermont a su parfaitement mettre en valeur avec ce vin intense et persistant, aux notes de poivre, de pivoine et de mûre, ample et rond en bouche, construit sur des tanins souples. ⧗ 2020-2023

YANNICK DE VERMONT, Le Bourg, 139, imp. du Clos, 69460 Vaux-en-Beaujolais, tél. 06 08 83 33 71, devermontyannick@orange.fr
r.-v.

▶ BROUILLY ET CÔTE-DE-BROUILLY

Superficie : 1 597 ha / Production : 71 188 hl

Deux appellations placées sous la protection de la colline de Brouilly où s'élève une chapelle construite sous le Second Empire et dédiée à la Vierge pour implorer sa protection des vignes contre l'oïdium. Le vignoble de l'AOC côte-de-brouilly, installé sur les pentes du mont, repose sur des granites et des schistes très durs, vert-bleu, dénommés «cornes-vertes» ou diorites. Cette montagne serait un reliquat de l'activité volcanique du primaire, à défaut d'être, selon la légende, le résultat du déchargement de la hotte d'un géant ayant creusé la Saône... La production est répartie sur quatre communes : Odenas, Saint-Lager, Cercié et Quincié. L'appellation brouilly, elle, ceinture la montagne en position de piémont. Elle s'étend sur les communes déjà citées et déborde sur Saint-Étienne-la-Varenne et Charentay; sur la commune de Cercié se trouve le terroir bien connu de la Pisse-Vieille.

BROUILLY

Superficie : 1 256 ha / Production : 56 000 hl

DOM. D'ARGENSON Cuvée Les Pierreux 2017

■ | 12000 | | 8 à 11 €

Ce domaine familial de 14 ha est situé au pied du mont Brouilly. Les pieds de vignes ont une cinquantaine d'années en moyenne. Certains datent même de 1930.

Portant le nom cadastral de la parcelle, cette cuvée présente des arômes expressifs évoquant le cassis mâtiné de notes florales. Un fruité soutenu que l'on retrouve dans une bouche vineuse et structurée. ⧗ 2021-2023

SCEV VINS DE TRADITION FAMILIALE, 1339, rte du Mont-Brouilly, 69460 Odenas, tél. 04 74 09 01 42, contact@domaine-argenson.com
r.-v.

JEAN BARONNAT 2017 ★

■ | n.c. | | 8 à 11 €

Fondée en 1920 par Jean Baronnat, c'est l'une des dernières affaires familiales encore indépendantes du Beaujolais. Elle est dirigée depuis 1985 par Jean-Jacques Baronnat, petit-fils du fondateur. La maison, bien implantée dans le Beaujolais, ainsi qu'en Bourgogne, a étendu sa gamme de vins au sud de la France. Une habituée du Guide.

La maison Baronnat signe ici un vin expressif, aux arômes de cassis et de myrtille. La bouche conjugue avec bonheur fraîcheur et rondeur, le tout accompagné de tanins fins. ⧗ 2020-2023

SAS JEAN BARONNAT, 491, rte de Lacenas, 69400 Gleizé, tél. 04 74 68 59 20, info@baronnat.com
r.-v.

DOM. NICOLAS BOUDEAU Grain de Sable 2017 ★

■ | 8500 | | 8 à 11 €

Nicolas Boudeau a repris en 2006, au sud du mont Brouilly, une exploitation de 6,5 ha qui lui permet un travail artisanal. Il produit deux cuvées de brouilly et du beaujolais-villages.

Un vin riche, rond et concentré, dont les tanins fondus assurent de l'harmonie en bouche. Un agrément qui prolonge celui constaté au nez, où des notes de framboise et de cassis s'expriment avec spontanéité et gourmandise. ⧗ 2020-2024

NICOLAS BOUDEAU, 375, rte des Jacquets, 69460 Odenas, tél. 04 74 03 13 85, nicolas-boudeau@orange.fr *r.-v.*

LE BOURLAY Terre de Combiaty 2018 ★★

■ | 8600 | | 8 à 11 €

Ce domaine de 10 ha se partage entre l'exploitation viticole (brouilly, juliénas, bourgogne blanc et rouge ainsi que des vins de marsanne et de gamaret, hors appellation) et l'accueil des touristes en maison d'hôtes. Ses vins sont élaborés à Vauxrenard, dans le cuvage du Ch. du Thil datant de 1850.

En provenance d'un coteau orienté plein sud et de vieux gamay (soixante ans), ce brouilly se distingue par sa belle complexité aromatique : framboise, groseille, fraise forment une palette significative des qualités que l'on retrouve dans un gamay bien né. Quant à la bouche, elle aussi tout en fruit, elle présente une structure élégante et fine. ⌛ 2020-2024

EARL PATRICK ET ODILE LE BOURLAY, 370, chem. de Forétal, 69820 Vauxrenard, tél. 04 74 69 90 44, le.bourlay@wanadoo.fr V r.-v.

LES CAPRÉOLES L'Hydrophobe 2017 ★

4200	11 à 15 €

Un jeune domaine né en juillet 2014 sous l'impulsion de Cédric Lecareux - arrivé du Languedoc-Roussillon où il a officié dans les domaines du groupe Gérard Bertrand - et de son épouse, originaire du Beaujolais. Il a racheté ce domaine vieux de 250 ans et cultive 6 ha de vignes. Implanté comme un jardin autour de la propriété, le vignoble bénéficie d'une vue exceptionnelle sur les deux clochers de Régnié-Durette.

« Je préfère le vin d'ici à l'au-delà », cette phrase de Pierre Dac pourrait être la devise de Cédric Lecareux, au vu du nom de cette cuvée... À partir de raisins achetés suite à la grêle de 2017 sur ses vignes de brouilly, le vigneron signe ici un vin ambitieux, élevé totalement en fût pendant neuf mois. L'ensemble est boisé certes, mais ne manque pas de structure pour le digérer. Le fruit se révèle en bouche et la matière est harmonieuse. On précisera tout de même que le vin est constitué à plus de 85 % d'eau... ⌛ 2021-2025

DOMAINES LES CAPRÉOLES, 108, imp. du Muguet, La Plaigne, 69430 Régnié-Durette, tél. 04 74 65 57 83, contact@capreoles.com V r.-v.

GILBERT CHETAILLE 2017 ★

2500	5 à 8 €

Établi à l'ouest du mont Brouilly, Gilbert Chetaille a repris en 2005 le domaine familial avec l'ambition de vendre du vin à la propriété. Il a agrandi en 2010 son exploitation, laquelle atteint 8 ha aujourd'hui. Quatre crus figurent à sa carte : brouilly, côte-de-brouilly, moulin-à-vent et morgon.

Pour cette cuvée, Gilbert Chetaille a égrappé ses raisins pour moitié. Il s'en est suivi une cuvaison de huit jours. Une formule qui a parfaitement fonctionné, donnant un vin charnu, ample, au nez intense et frais qui marie le cassis et la framboise. ⌛ 2020-2023

GILBERT CHETAILLE, 1041, rte des Hauts-de-Chavanne, 69430 Quincié-en-Beaujolais, tél. 06 73 58 86 17, gilbert.chetaille@orange.fr V r.-v.

DOM. CHEVALIER-MÉTRAT Les Mines 2017

5000	8 à 11 €

Exploité en métayage à partir de 1956 par Michel Chevalier, ce domaine a été acquis en 1987 par sa fille Marie-Noëlle et son époux Sylvain Métrat. Leurs 12 ha de vignes couvrent le versant sud de la colline de Brouilly.

Un terroir de 4 ha où s'épanouissent des vignes de soixante-dix ans a livré un brouilly au style souple, frais et gouleyant. Les fruits rouges sont dominants tout au long de la dégustation. À boire sur le fruit. ⌛ 2019-2022

SYLVAIN MÉTRAT, 374, chem. du Roux, Côte-de-Brouilly, 69460 Odenas, tél. 06 07 99 23 50, domainechevaliermetrat@wanadoo.fr V r.-v.

CLOS DE PONCHON Pisse-Vieille 2017 ★

n.c.	8 à 11 €

Florent Dufour s'est installé en 1998 sur le domaine familial qu'il n'a eu de cesse d'agrandir. Il dispose aujourd'hui d'une coquette exploitation de 18 ha avec plusieurs crus à sa carte (chiroubles, morgon, brouilly, moulin-à-vent).

Une cuvée très régulièrement présente dans le Guide avec une belle note (coup de cœur sur le millésime 2015). Le nez, tout en étant fermé à ce stade, montre une complexité naissante autour d'un boisé fin et des fruits rouges. La bouche apparaît ronde, exprimant une belle maturité du fruit et s'appuyant sur des tanins denses. Un peu de patience sera récompensée. ⌛ 2021-2024

DOM. DUFOUR PÈRE ET FILS, 602, rte de Ponchon, 69430 Régnié-Durette, tél. 04 74 04 35 46, florent-dufour@wanadoo.fr V r.-v.

DOM. DES CORINDONS Cuvée Dyo Astéria 2018 ★

11000	8 à 11 €

Un jeune domaine, constitué en 2012 par Vincent Denis et son fils Aurélien, qui ont acheté plusieurs parcelles (6,5 ha) sur la commune de Saint-Lager, à l'est du mont Brouilly. Celui-ci en confie l'exploitation au Dom. Jambon Père et Fils, implanté dans le même village.

Un vin solidement structuré qui demande un peu de patience pour que les tanins s'assouplissent. Les arômes se donnent sans retenue, mais dans la finesse : des notes florales accompagnent des nuances de fruits rouges. Un nom de cuvée qui salue la deuxième étoile obtenue en 2018 par l'équipe de France de football. ⌛ 2021-2024

GFR DVA, Le Ripan, 2, chem. de la Carrière, 69690 Bessenay, tél. 06 66 55 79 30, vincent.denis@gmail.com

CRÊT DES GARANCHES Préférences d'Olivier 2017 ★

25000	8 à 11 €

À Odenas, au sud du mont Brouilly, Sylvie Dufaitre-Genin produit du brouilly et côte-de-brouilly. Cette viticultrice, installée en 2003 et dont les ancêtres étaient déjà présents dans le village en 1752, cultive 11 ha en viticulture raisonnée.

Un vin puissant et fruité, ouvert au nez sur des notes de griotte et autres petits fruits rouges. Les tanins sont bien présents en bouche, mais la rondeur est aussi au rendez-vous. La finale s'exprime sur une nuance de fruits confiturés. ⌛ 2021-2024

SAS GENIN-DUFAITRE, Dom. Crêt des Garanches, 495, rte du Pavillon-de-Garanches, 69460 Odenas, tél. 06 80 00 69 18, sylvie.dufaitre-genin@wanadoo.fr V r.-v. *SAS Genin-Dufaitre*

LES ERONNES 2016

10000	8 à 11 €

Bien qu'étant d'une famille vigneronne, Romain Jambon crée un domaine plutôt que de prendre la

suite d'une exploitation existante : en 2010 (24 ans à l'époque), il reprend 7 ha de brouilly et cultive aujourd'hui 10 ha. Il s'attache à produire des cuvées parcellaires vinifiées en grande partie en vendanges entières.

Ce brouilly a été élaboré à 80 % en grappes entières et élevé en cuve durant six mois. Le nez s'exprime sur des notes fruitées (cerise, cassis). En bouche, on apprécie l'équilibre, la rondeur et la finesse des tanins. Un vin qui trouve sa place sur table dès aujourd'hui. ⧗ 2019-2022

ROMAIN JAMBON, Les Combes, 69460 Odenas, tél. 06 17 59 34 57, jambon_romain@hotmail.com V r.-v.

DOM. DES FOUDRES 2018 ★★★

■ | 11500 | | 8 à 11 €

Jean-Philippe Sanlaville a pris en 1991 les commandes du domaine familial situé à Vaux-en-Beaujolais, pittoresque village popularisé par Gabriel Chevallier sous le nom de Clochemerle. Établi dans l'aire du beaujolais-villages, il exploite un vignoble de 26 ha, avec des parcelles dans les crus brouilly, chénas, morgon et moulin-à-vent.

Pas si fréquent d'obtenir la note maximale. Elle récompense ici un vin particulièrement tendre et soyeux, aux tanins délicieusement fondus ; le support idéal à des arômes intenses et fins de fruits rouges. Une cuvée vinifiée en macération carbonique à basse température et élevée en cuve. Le terroir sablo-granitique est exposé plein sud. ⧗ 2020-2023

JEAN-PHILIPPE SANLAVILLE, allée Le Plagerêt, 69460 Vaux-en-Beaujolais, tél. 04 74 03 20 67, info@domainedesfoudres.com V *t.l.j. 10h-12h 14h-18h*

DOM. DU GRAND FOUDRE 2017 ★

■ | 40000 | | 8 à 11 €

La cave voûtée de ce domaine viticole remonte à 1796 ; elle abrite de vieux foudres des années 1920 (pour les plus anciens), soigneusement entretenus par la quatrième génération de viticulteurs à la tête de la propriété. Le vignoble couvre 34 ha en brouilly et côte-de-brouilly.

Cette cuvée a été élevée pendant neuf mois en foudre. C'est un vin riche, aux tanins bien présents, exprimant des notes de fruits noirs avec intensité. L'équilibre est aussi au rendez-vous et l'ensemble donne un brouilly bien représentatif de son appellation. ⧗ 2021-2023

SCP DOM. ROLLAND-SIGAUX (DOM. DU GRAND FOUDRE), 778, rte des Sigaux, 69460 Odenas, tél. 04 74 03 42 23, domrollandsigaux@orange.fr V *t.l.j. sf dim. 8h-19h*

♥ DOM. GRANGE MASSON Clos Chatard 2017 ★★

■ | 7000 | | 5 à 8 €

Une exploitation familiale d'une superficie de 15 ha, qui produit essentiellement du beaujolais-villages, dans les trois couleurs ; elle propose aussi du morgon, du brouilly et du bourgogne blanc. Sylvie et Alain Deshayes, installés ici en 1984, mettent aujourd'hui l'accent sur le travail du sol.

Le nez, intense et complexe, mêle des notes de cerise noire, de mûre, de violette et de réglisse. En bouche, on découvre un remarquable brouilly ample, structuré et long, doté d'une grande richesse. Un vin qu'il faudra « oublier » quelque temps en cave pour pouvoir l'apprécier à son apogée. ⧗ 2021-2024

EARL GRANGE MASSON, 461, rte de la Grange-Masson, 69460 Saint-Étienne-des-Oullières, tél. 04 74 03 50 34, asdeshayes@aol.com V r.-v.

DOM. LAFOREST 2018 ★

■ | 45000 | | 5 à 8 €

Vigneron comme son père et son grand-père, Jean-Marc Laforest a pris les rênes en 1973 d'un domaine qui compte aujourd'hui 20 ha. Ses deux fils Thomas et Pierre ont pris la relève en 2016. L'exploitation propose les crus brouilly, côte-de-brouilly et régnié ainsi que du beaujolais-villages.

Près de 8 ha ont été mobilisés pour réaliser cette cuvée riche et puissante en bouche. Un vin expressif aussi, ouvert sur des notes d'épices, de réglisse et de fruits noirs. Un peu de patience sera nécessaire pour que sa structure tannique massive gagne encore en harmonie. ⧗ 2021-2024

DOM. LAFOREST, 793, rte du Bois, 69430 Régnié-Durette, tél. 04 74 04 35 03, domaine.laforest@wanadoo.fr V *t.l.j. sf dim. 8h-20h*

CAVE DU CH. DES LOGES Prestige 2018

■ | 100000 | | 5 à 8 €

Née en 1958, cette petite coopérative, qui regroupe 150 viticulteurs exploitant 450 ha de vignes, est une valeur sûre du Guide. Elle a acheté dès ses débuts le Ch. des Loges, une belle propriété du XVIIIe s. dans le parc de laquelle elle a construit ses chais.

Paré d'une robe très soutenue, ce brouilly n'est pas une production anecdotique dans la gamme de la Cave : pas moins de 48 ha de gamays (âgés en moyenne de soixante ans) y ont contribué. Sa belle tenue dans un style fruité (cassis, myrtille), gourmand et gouleyant, est d'autant plus à saluer. ⧗ 2020-2023

CAVE DU CH. DES LOGES, 163, rue de Louveigne, 69460 Le Perréon, tél. 04 74 03 22 83, chais@caveduperreon.fr V *t.l.j. 8h30-12h 13h30-17h30*

JEAN LORON Les Thibaults 2018

■ | 29000 | | 11 à 15 €

Aux origines de la maison, Jean Loron, vigneron né dans le Beaujolais en 1711. Son petit-fils Jean-Marie fonda en 1821 un commerce d'expédition de vins. Aujourd'hui dirigée par la huitième génération, l'entreprise familiale est propriétaire de plusieurs domaines, comme le Ch. de la Pierre (régnié, brouilly), ceux de Fleurie, de Bellevue (morgon), les domaines des Billards (saint-amour) et de la Vieille Église (juliénas).

Un vin puissant, rond et long en bouche, qui ne dévoile pour l'heure qu'une partie de ses qualités. Une pointe de fermeté tannique incite en effet à le laisser vieillir quelques années en cave. ⧗ 2021-2024

MAISON JEAN LORON, Pontanevaux, 71570 La-Chapelle-de-Guinchay, tél. 03 85 36 81 20, vinloron@loron.fr V ✝ ▮ *t.l.j. sf sam. dim. 9h-12h 14h-17h*

DOM. ALAIN MERLE Vieilles Vignes 2018 ★★

■ | 5000 | ▮ | 8 à 11 €

Ce domaine de 11 ha, situé sur l'ancienne voie romaine menant de Lyon à Autun, est conduit depuis 1989 par Alain Merle. Ce dernier propose des morgon, régnié, beaujolais-villages et beaujolais (blancs).

Les très vieilles vignes (quatre-vingt-dix ans) de cette parcelle sont installées sur un terroir argilo-calcaire relativement peu commun dans l'appellation. Elles livrent un vin puissant, gras, bien représentatif du millésime. Une bonne fraîcheur, renforcée par une pointe de vivacité en finale, lui assure aussi un bel équilibre et de la longueur. Un vin des plus harmonieux. ⧗ 2021-2024

ALAIN MERLE, 389, voie romaine Les Bois, 69430 Régnié-Durette, tél. 06 89 85 27 46, al1-merle@orange.fr V ✝ ▮ *r.-v.*

A. PEGAZ 2017 ★

■ | 4200 | ▮ | 5 à 8 €

Propriété créée en 1830 au sud-est du mont Brouilly par l'aïeul Justin Dutraive, vigneron et historien local. Agrandie au fil des générations, elle compte aujourd'hui 9 ha. Après le départ à la retraite en 2009 de Pierre-Anthelme Pegaz, sa conjointe Agnès, biologiste médicale dans une première vie, conduit l'exploitation.

Une fermentation traditionnelle en grappes entières pendant une dizaine de jours a donné un brouilly à la matière riche et ronde, offrant une belle présence tannique dès l'attaque. Le nez, quant à lui, demande un peu de temps et d'aération pour livrer un bouquet complexe dominé par les fruits noirs. ⧗ 2021-2024

AGNÈS PEGAZ, 469, rte de Belleville, 69220 Charentay, tél. 04 74 66 82 34, vinspegaz@wanadoo.fr V ✝ ▮ *r.-v.*

DOM. DU PÈRE LATHUILIÈRE La Pente 2017 ★

■ | 4000 | ▮ | 8 à 11 €

Après s'être employé à cultiver ses vignes de Brouilly à ses débuts en 1995, Lionel Lathuilière s'est agrandi sur plusieurs autres crus du vignoble : non seulement en chiroubles, fleurie, morgon, mais aussi en beaujolais-villages. L'exploitation compte une dizaine d'hectares aujourd'hui.

Un nom de cuvée qui rappelle que le Beaujolais est l'un des vignobles français les plus pentus. Le nez évoque tour à tour la fraise de bois, la framboise, la réglisse et le poivre. Une belle complexité et une finesse mises en valeur par une bouche harmonieuse, ronde sans manquer ni de fraîcheur ni de structure. Un vin à potentiel. ⧗ 2021-2024

EARL MURIELLE ET LIONEL LATHUILIÈRE, lieu-dit Serrières, 69220 Cercié, tél. 06 08 86 20 07, lathuiliere.lionel@orange.fr V ✝ ▮ *r.-v.*

DOM. OLIVIER PÉZENNEAU Combiaty 2017

■ | 10000 | ▮ | 8 à 11 €

Olivier Pézenneau a repris ce domaine en 2015, après le départ à la retraite de son précédent propriétaire. Vigneron trentenaire, il a depuis agrandi l'exploitation pour atteindre 14 ha, dont le cœur se situe sur les flancs des coteaux de Brouilly.

C'est un lieu-dit de la commune de Saint-Étienne-la-Varenne qui est ici à l'honneur. Dans le verre, on découvre un vin au nez intense de fruits rouges et de fleurs, doté de tanins puissants, avec une pointe acidulée en finale. ⧗ 2021-2024

OLIVIER PÉZENNEAU, 1350, rte du Morgon, 69640 Lacenas, tél. 06 14 19 02 65, vins@olivier-pezenneau.com V ✝ ▮ *t.l.j. 8h-12h 14h-20h*

DOM. DE LA POYEBADE 2018 ★

■ | 6000 | ◍ | 8 à 11 €

Installé depuis 1987, Marc Duvernay représente la quatrième génération de vignerons à la tête de cette exploitation familiale de 6 ha située au pied du mont Brouilly et constituée de vieilles vignes. Il propose des brouilly et des côte-de-brouilly.

Cette cuvée a été saluée tout à la fois pour sa puissance, son équilibre, sa structure et sa petite pointe de fermeté tannique : des caractéristiques prometteuses qui incitent à la patience. D'autant que le nez, dominé par des notes d'épices, ne manque pas de fraîcheur. ⧗ 2021-2024

MARC ET FABIENNE DUVERNAY, 2231, rte de Beaujeu, La Poyebade, 69460 Odenas, tél. 06 30 16 42 87, marc.duvernay@orange.fr V ▮ *r.-v.*

DOM. DE LA ROCHE SAINT-MARTIN 2017 ★

■ | 5000 | ▮ | 5 à 8 €

Jean-Jacques Béréziat, bien connu des lecteurs du Guide, a pris en 1979 les commandes de ce domaine situé au pied du mont Brouilly. Il dispose de 9 ha de vignes, dont une partie importante (6,3 ha) sur sables et alluvions nourrit ses vins de Brouilly.

La cuvée la plus importante du domaine (7 ha) est une belle réussite. Le nez fait preuve de générosité autour de nuances fruitées et florales (violette). Sa structure puissante, portée par des tanins harmonieux, et sa vinosité lui assurent une belle présence en bouche. Un brouilly intense et bien typé. ⧗ 2021-2024

SCEA JEAN-JACQUES BÉRÉZIAT, 1079, rte de Briante, 69220 Saint-Lager, tél. 06 80 62 59 11, jjbereziat@wanadoo.fr V ✝ ▮

CAVE DE SAINT-JULIEN 2017 ★★

■ | 2000 | ◍ | 5 à 8 €

Créée en 1988, cette coopérative vinifie aujourd'hui près de 240 ha. Petite structure, comme il en existe de moins en moins, elle voit cependant augmenter les surfaces dont elle dispose. Une cave régulièrement en vue dans ces pages.

La robe, très intense, dénote une certaine concentration. Un premier contact qui se confirme au nez, avec des notes de cassis très mûr. On retrouve ce fruité dans une bouche riche et dense, aux tanins ronds et soyeux. Un beau brouilly expressif et harmonieux. ⧗ 2021-2024

CAVE BEAUJOLAISE DE SAINT-JULIEN, 45, rue du Cep, 69640 Saint-Julien, tél. 04 74 67 57 46, cave.stjulien@wanadoo.fr V r.-v.

FAMILLE SAMBARDIER Les Roches 2017 ★★

■ | 26000 | 8 à 11 €

Dans la famille depuis 1850, le domaine compte aujourd'hui 34 ha et propose du beaujolais-villages et des crus (fleurie, brouilly, moulin-à-vent, juliénas). Frédéric et Damien Sambardier ont pris le relais de Jean-Noël, leur père. Ils limitent le levurage, sulfitent en fonction du millésime, pratiquent des vinifications parcellaires.

Issu d'un sol de granite rose, peu fertile et sec, planté de vignes de soixante-dix ans, ce brouilly apporte beaucoup de plaisir du début à la fin de la dégustation. Des notes de fraise, de framboise et d'épices montent au nez avec finesse. La bouche ronde et gourmande est construite sur des tanins fins. ⧗ 2021-2024

FAMILLE SAMBARDIER, 90, imp. du Manoir, 69640 Denicé, tél. 04 74 67 38 24, jfsambardier@manoir-du-carra.com V r.-v. 4

DOM. DE SERMEZY Chapelle Saint Pierre 2018 ★★

■ | 15000 | | 8 à 11 €

Patrice Chevrier a succédé en 1984 à quatre générations de vignerons et construit un cuvage. Il a agrandi au fil des ans le domaine familial dans les appellations chiroubles, brouilly, morgon et fleurie, et planté syrah, viognier et pinot noir. Il exploite aujourd'hui 25 ha de vignes.

Une chapelle jouxtant l'une des parcelles du domaine sur l'appellation a donné son nom à cette cuvée. Un vin issu d'un terroir argilo-calcaire qui séduit par son bouquet d'épices et de fruits rouges, comme par sa structure en bouche associant fruité, élégance et tanins fins. L'équilibre est au rendez-vous. ⧗ 2021-2024

FAMILLE CHEVRIER, 62, rte du Manège, 69220 Charentay, tél. 04 74 66 86 55, pchevrier@free.fr V r.-v.

DOM. TANTE ALICE Perle 2017

■ | 1000 | | 11 à 15 €

Jean-Paul Peyrard a créé en 1988 son domaine à Saint-Lager, au pied de la colline de Brouilly. Après avoir doublé graduellement la surface de son vignoble, il exploite 13 ha, avec des parcelles dans trois crus (régnié, brouilly, côte-de-brouilly).

Égrappée à 80% pour une durée de cuvaison de quatorze jours, cette cuvée a vu le jour pour fêter les trente ans de l'installation de Jean-Paul Peyrard à la tête de ce domaine. Le résultat est un vin facile d'approche : fruité et élégant, qui ne manque pas pour autant de profondeur ni de longueur. ⧗ 2019-2022

DOM. TANTE ALICE, 96, rte de la Grand-Raie, 69220 Saint-Lager, tél. 04 74 66 89 33, peyrard.jean-paul@wanadoo.fr V r.-v. 3

♥ CH. DE LA TERRIÈRE 2018 ★★★

■ | 20000 | 11 à 15 €

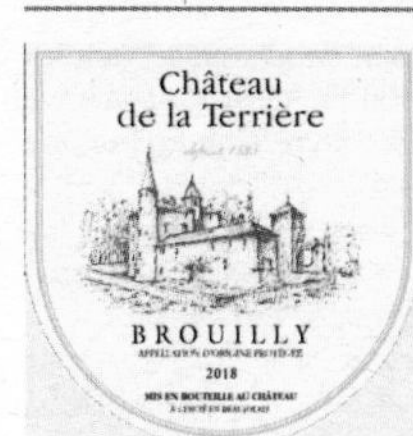

Un château du XVIe s. face au mont Brouilly et un vignoble sur un sous-sol de porphyre exposé plein sud. Le vigneron Henri Plasse, aidé de son œnologue conseil Frédéric Maignet, veille à la qualité des vins, et d'importants travaux de rénovation ont été menés en cuverie.

Une vinification à la bourguignonne pour des sols argilo-calcaires, une logique qui a fait des étincelles sur ce généreux millésime 2018. Ce brouilly développe au nez des notes intenses de cerise et une touche grillée et torréfiée. Après une attaque tout en rondeur, la bouche dévoile du gras, de la richesse, de la structure et beaucoup de longueur, sans jamais manquer de fraîcheur. Un vin aussi puissant qu'élégant et harmonieux, qui vieillira avec bonheur. ⧗ 2022-2029

SCEA DES DEUX CHÂTEAUX, La Terrière, 1083, rte du Château, 69220 Cercié, tél. 04 74 66 73 19, contact@chateaudelaterriere.fr V

LES TOURS DE PIERREUX 2018

■ | 106000 | | 8 à 11 €

Fondée en 1865 à Mâcon, la maison de négoce Mommessin a acquis un vaste patrimoine en Bourgogne et en Beaujolais et noué des partenariats avec des domaines. Elle constitue aujourd'hui, une des marques les plus importantes du groupe Boisset.

Un vin élaboré à la bourguignonne, avec un élevage pour 70% en foudres. Des notes de fruits rouges et de cassis se dévoilent au nez. Plutôt charmeur en attaque, le palais présente de la rondeur et un bel équilibre, et se voit rehaussé par une bonne acidité. ⧗ 2020-2023

FGV BOISSET (SITE MOMMESSIN), 403, rte Saint-Vincent, 69430 Quincié-en-Beaujolais, tél. 04 74 69 09 61

DOM. DU CH. DE LA VALETTE 2017 ★

■ | 20000 | | 8 à 11 €

Non loin de la voie verte beaujolaise, qui relie pour le plaisir des promeneurs Beaujeu à Saint-Jean-d'Ardières, le domaine, fondé en 1939, est conduit depuis 1983 par Robert Valette (la troisième génération). Ce dernier a développé la vente directe. Il exploite 13 ha de vignes et propose notamment du brouilly, du régnié et du morgon.

Une fois les quelques notes végétales du premier nez écartées, ce brouilly s'ouvre sur des arômes de fruits noirs et d'épices. La bouche, franche et fruitée, s'exprime sur un profil assez dense et puissant, qui semble en faire un bon candidat à la garde. ⧗ 2021-2025

EARL DOM. DU CH. DE LA VALETTE, 21, rte de Saint-Georges, 69220 Charentay, tél. 04 74 66 81 96, jp.crespin@wanadoo.fr V r.-v.

CH. DE VAUX 2017 ★

3000 | 8 à 11 €

La famille de Vermont exploite depuis 1834 (Yannick depuis 2015) ce domaine dont le caveau et la cave datent du XIIᵉs. Le vignoble couvre aujourd'hui une superficie de 14 ha.

Pour ce vin, la macération, longue, a été effectuée raisins égrappés. Le jury souligne unanimement la finesse et l'élégance des tanins développés en bouche par ce brouilly élevé six mois en cuve, et le fruit s'exprime avec une belle harmonie jusqu'à la finale persistante. ⧗ 2020-2023

YANNICK DE VERMONT, Le Bourg, 139, imp. du Clos, 69460 Vaux-en-Beaujolais, tél. 06 08 83 33 71, devermontyannick@orange.fr V *r.-v.*

CÔTE-DE-BROUILLY

Superficie : 310 ha / Production : 14 000 hl

♥ DOM. BARON DE L'ÉCLUSE
Les Garances 2017 ★★

4000 | 15 à 20 €

Cette propriété familiale de 6 ha de vignes d'un seul tenant couvre les pentes sud-est du mont Brouilly. Après avoir vinifié plusieurs années dans divers pays du Nouveau Monde, Jean-François Pegaz, œnologue, a succédé en 2011 à son oncle qui assurait la conduite de l'exploitation depuis 1971. Il vinifie à la bourguignonne avec égrappage.

Un superbe côte-de-brouilly né de la volonté de Jean-François Pégaz d'allier « la méthode beaujolaise traditionnelle et un élevage soigné à la bourguignonne ». Les raisins ont été égrappés à 80 % pour fermenter longuement (vingt jours) avant un vieillissement en fût de quatorze mois. Le résultat est un vin ouvert sur des notes de fruits rouges associées avec un parfait équilibre à des nuances boisées-vanillées. En bouche, les tanins sont très fins, harmonieux, le boisé bien inséré et fondu, et la finale persistante. ⧗ 2021-2025

JEAN-FRANÇOIS PEGAZ, montée de l'Écluse, 69460 Odenas, tél. 06 40 57 19 94, baron.delecluse2@orange.fr V *t.l.j. sf dim. 10h-12h 14h-18h* 3

♥ VIGNERONS DE BEL-AIR
Les Cornes Vertes 2018 ★★

40000 | 5 à 8 €

Créée en 1929, la cave coopérative de Bel-Air, installée non loin du secteur des crus, près de Belleville, a fusionné en 2008 avec celle de Chiroubles. Forte de 350 producteurs qui vinifient 1 200 ha, elle propose la plupart des AOC du Beaujolais ainsi que des AOC régionales bourguignonnes.

Quel meilleur compliment peut-on faire sur un vin que de conclure qu'il « a un goût de reviens-y... » C'est le cas de cette cuvée issue d'un terroir de 60 ares planté de vignes de quarante ans. Le nez est élégant, mêlant les petits fruits rouges (framboise) et noirs (myrtille). Une texture à la fois souple, ronde, onctueuse et fine se déploie dans une bouche longue et très équilibrée. Une vraie gourmandise. ⧗ 2020-2023

VINESCENCE, 131, rte Henri-Fessy, 69220 Saint-Jean-d'Ardières, tél. 04 74 06 16 08, com@vinescence.fr V *t.l.j. 9h-12h 14h-18h*

BELLE GRÂCE 2018 ★

21300 | 5 à 8 €

Rebaptisée Les Vins Aujoux, l'ancienne Société vinicole beaujolaise a étendu son rayon d'action au cours du siècle dernier en s'alliant avec d'autres sociétés (Jacques Depagneux, Joannès Chanut). Elle propose des vins du Mâconnais et du Beaujolais en provenance de domaines partenaires.

Un joli vin, agréable, construit sur des tanins fins, qui joue sur le registre de la légèreté plutôt que sur celui de la concentration. L'élevage en cuve pendant huit mois lui a permis de conserver un fruité expressif, à dominante de baies rouges. ⧗ 2020-2022

SAS LES VINS AUJOUX, 44, rue des Sarments, 69820 Fleurie, tél. 04 69 37 00 89, aujoux@aujoux.fr

DOM. BLAIN SŒUR ET FRÈRE
Pierre Bleue 2017 ★★

5600 | 11 à 15 €

Lucie Blain et son frère Marc-Antonin, vignerons en Côte de Beaune (Dom. Blain-Gagnard à Chassagne-Montrachet), ont repris 6 ha en brouilly et côte-de-brouilly depuis le millésime 2014. Des vignes de plus de cinquante ans qui donnent trois cuvées distinctes en fonction de leur altitude sur le mont.

Depuis leurs débuts dans le Beaujolais en 2014, Lucie et Marc-Antonin Blain se fixent pour objectif de produire des vins de garde. Cette cuvée a été élevée en mixant cuves bois et Inox pendant onze mois : c'est bien le cas ici. Le nez, intense, associe notes boisées de cacao et fruits mûrs. Après une attaque ronde, elle présente beaucoup de corps et de puissance, avant de s'étirer dans une longue finale fruitée. ⧗ 2021-2028 ■ **Les Jumeaux 2017 ★ (15 à 20 €; 3300 b.)** : un vin aux notes épicées (muscade, poivre) et fruitées, concentré et bien charpenté en bouche, dotée de tanins fermes mais sans agressivité. Son nom est un clin d'œil à deux parcelles jumelles et à la fratrie Blain. ⧗ 2022-2026

DOM. BLAIN SŒUR ET FRÈRE, 13, rte de Santenay, 21190 Chassagne-Montrachet, tél. 03 80 20 62 52, blainsoeuretfrere@gmail.com V *r.-v.*

GILBERT CHETAILLE 2017

3600 | 5 à 8 €

Établi à l'ouest du mont Brouilly, Gilbert Chetaille a repris en 2005 le domaine familial avec l'ambition de vendre du vin à la propriété. Il a agrandi en 2010 son exploitation, laquelle atteint 8 ha aujourd'hui. Quatre

crus figurent à sa carte : brouilly, côte-de-brouilly, moulin-à-vent et morgon.

En provenance de vignes âgées de près de soixante-dix ans, les raisins (égrappés à 50%) ont connu une cuvaison d'une douzaine de jours. Le résultat est un vin souple et d'un agréable équilibre, exprimant des notes de cerise noire et de mûre. ⌛ 2020-2023

GILBERT CHETAILLE, 1041, rte des Hauts-de-Chavanne, 69430 Quincié-en-Beaujolais, tél. 06 73 58 86 17, gilbert.chetaille@orange.fr r.-v.

DOM. CHEVALIER MÉTRAT
L'Héronde Demi-Muid 2016 ★

■ | 3000 | | 15 à 20 €

Exploité en métayage à partir de 1956 par Michel Chevalier, ce domaine a été acquis en 1987 par sa fille Marie-Noëlle et son époux Sylvain Métrat. Leurs 12 ha de vignes couvrent le versant sud de la colline de Brouilly.

Comme son nom l'indique, cette cuvée a été élevée en demi-muid (tonneau de 500 l), pendant douze mois; le tout après une vinification en grappes entières. Elle se présente avec une bonne complexité aromatique (poivre blanc, fruits rouges mûrs, pruneau) et des tanins fins en bouche. L'ensemble reste souple et aimable, et vieillira bien. ⌛ 2021-2024

SYLVAIN MÉTRAT, 374, chem. du Roux, Côte-de-Brouilly, 69460 Odenas, tél. 06 07 99 23 50, domainechevaliermetrat@wanadoo.fr r.-v.

OLIVIER COQUARD Diorite 2017 ★★

■ | 5000 | | 8 à 11 €

Venue du Lyonnais, la famille Coquard compte de nombreux vignerons. Olivier a repris le domaine familial (13 ha aujourd'hui) en 1998, après des études de viticulture et d'œnologie à Beaune. Il élabore du beaujolais dans les trois couleurs, du côte-de-brouilly et du crémant-de-bourgogne.

La parcelle de 77 ares à l'origine de ce vin a été acquise en 2013 pour diversifier la gamme du domaine. Olivier Coquard en a visiblement pris toute la mesure, livrant ici un côte-de-brouilly d'une remarquable finesse, d'une grande longueur, ainsi que d'une réelle fraîcheur. Bref, un vin complet qui ravira les amateurs de l'appellation. ⌛ 2021-2025

OLIVIER COQUARD, 285, chem. de la Cheville, 69480 Pommiers, tél. 06 75 06 39 72, ocoquard@orange.fr r.-v.

CRÊT DES GARANCHES 2017 ★

■ | 3000 | | 8 à 11 €

À Odenas, au sud du mont Brouilly, Sylvie Dufaitre-Genin produit du brouilly et côte-de-brouilly. Cette viticultrice, installée en 2003 et dont les ancêtres étaient déjà présents dans le village en 1752, cultive 11 ha en viticulture raisonnée.

Comme à son habitude, le domaine propose un côte-de-brouilly qui a bénéficié d'un long élevage mixte en cuve et en fût. Le nez mêle notes florales et fruits rouges. Les tanins ont eu le temps de se patiner et de gagner en harmonie. La matière est logiquement fondue, avec une agréable fraîcheur en soutien qui apporte de la longueur. ⌛ 2021-2023

SAS GENIN-DUFAITRE, Dom. Crêt des Garanches, 495, rte du Pavillon-de-Garanches, 69460 Odenas, tél. 06 80 00 69 18, sylvie.dufaitre-genin@wanadoo.fr r.-v. *SAS Genin-Dufaitre*

DOM. FOUR À PAIN 2018 ★

■ | 10266 | | 8 à 11 €

Implanté à Saint-Lager, à l'est du mont Brouilly, le domaine est détenu par la même famille depuis trois générations. Ayant servi dans la cavalerie en 1914, le grand-père de l'actuel propriétaire avait recours aux chevaux pour travailler les vignes.

Une cuvée issue d'un vignoble de près de 5 ha dont les raisins ont été partiellement égrappés. D'une expression aromatique intense, sur des notes de fruits rouges, elle affirme en bouche une certaine puissance, de la minéralité et de la longueur. ⌛ 2021-2023

EARL DUPRÉ-GOUJON, 404, montée de l'Écluse, 69220 Saint-Lager, tél. 06 31 48 49 73, earldupregoujon@gmail.com

DOM. LAGNEAU Cuvée Didier 2017 ★

■ | n.c. | 8 à 11 €

Les Lagneau vivent à la même adresse, mais le père, la mère et le fils signent chacun leurs bouteilles. Jeannine, Gérard et Didier exploitent ce domaine familial né de 4 ha de vignes transmis par le grand-père, Antoine Monney; le vignoble s'étend aujourd'hui sur 19 ha.

Gérard et Didier Lagneau revendiquent la production de vin à « identité forte ». Ils ont atteint leur objectif avec ce 2017 bien structuré et persistant en bouche. Les tanins, bien présents mais agréables, accompagnent une palette aromatique de fruits noirs confiturés. ⌛ 2021-2024

EARL DIDIER LAGNEAU, 941, rte d'Huire, 69430 Quincié-en-Beaujolais, tél. 04 74 69 20 70, dilagneau@wanadoo.fr r.-v. 3 B

DOM. DES MAISONS NEUVES
Les Fournelles 2018 ★

■ | 3466 | | 8 à 11 €

Installé depuis 2005, Emmanuel Jambon exploite 40 ha, dont cinq crus : brouilly, côte-de-brouilly, morgon, moulin-à-vent et régnié. Une structure de négoce est adossée au domaine.

En provenance d'une parcelle d'un demi-hectare établie sur un sol de pierres bleues typiques du mont Brouilly, ce vin offre une belle élégance tant dans son expression aromatique, sur la myrtille et le cassis, que dans son équilibre en bouche entre gras et fraîcheur. Une bonne longueur conclut la dégustation. ⌛ 2021-2023

SAS MAISON JAMBON, 166, chem. de Bergeron, 69220 Saint-Lager, tél. 06 22 77 63 29, jambon.domainedesmaisonsneuves@orange.fr r.-v.

DOM. MICKAËL NESME 2018 ★

■ | 11300 | | 5 à 8 €

Fils d'Alain Nesme (Dom. du Chizeaux), Mickaël Nesme s'est installé en 1998 sur cette propriété

achetée par le grand-père Émile dans les années 1950. Avant de s'établir au pied du mont Brouilly, il avait vinifié jusque dans l'Oregon. Il exploite aujourd'hui plus de 12 ha de vignes.

Une vinification en grappes entières pendant une dizaine de jours et un élevage en cuve ont donné naissance à une cuvée qui exhale de subtiles notes de fruits rouges au nez, et qui joue la carte de la finesse, de l'équilibre et de la longueur en bouche. ⧗ 2021-2023

⊶ MICKAËL NESME, 29, chem. de Montoux, 69430 Quincié-en-Beaujolais, tél. 06 08 80 55 75, mickael_nesme@yahoo.fr V r.-v.

DOM. DU PÈRE JEAN Tradition 2017 ★

■ | 6500 | | 8 à 11 €

Julien Matray a repris le domaine en 2018, succédant ainsi à son père Bernard. Une exploitation qui a été agrandi à différentes reprises par acquisitions et plantations, et qui s'étend aujourd'hui sur 11 ha, dont près de 7 ha en côte-de-brouilly.

Un vin qui ne fait pas dans la demi-mesure. La bouche montre une grande profondeur, de la puissance et même une certaine fermeté tannique en finale. Un profil un peu monolithique pour l'heure certes, mais qui ne laisse pas pour autant la gourmandise de côté et qui laisse envisager un bel avenir pour cette bouteille. ⧗ 2022-2026
■ **Les Berthaudières 2017 ★ (15 à 20 €; 2000 b.)** : un vin à attendre ou à carafer, élaboré sur un profil dense et massif, avec un élevage pour partie en foudre pendant douze mois. Un 2017 charpenté et complexe qui récompensera la patience. ⧗ 2022-2026

⊶ EARL DOM. DU PÈRE JEAN, 185, rte de la Glacière, 69220 Saint-Lager, tél. 04 74 66 85 59, domaineduperejean@gmail.com V r.-v.

CH. DES RAVATYS Cuvée Louis Pasteur 2017

■ | 5000 | | 11 à 15 €

Situés au pied de la colline de Brouilly, le château et son vignoble de 30 ha (en conversion bio) ont été achetés au milieu du XIXᵉs. par l'ingénieur Auguste Solet, entrepreneur de travaux publics en Algérie. Ce dernier en fit hériter sa nièce Mathilde Courbe qui les légua en 1937 à l'Institut Pasteur. Les bâtiments sont entourés d'un parc planté d'arbres centenaires.

Le château fait honneur à son histoire avec cette cuvée hommage au père de l'œnologie moderne. La traditionnelle vinification en grappes entières a donné un vin au fruité intense, complexifié par un boisé bien intégré. La bouche offre un bon volume, du gras et des tanins fins. ⧗ 2021-2024

⊶ CH. DES RAVATYS, 69220 Saint-Lager, tél. 04 74 66 80 35, contact@chateaudesravatys.com V *t.l.j. 8h-12h 14h-18h; sam. dim. sur r.-v.* E

LES ROCHES BLEUES L'Héronde 2016

■ | 3500 | | 15 à 20 €

Acheté en 1968 et rénové par les beaux-parents de Dominique Lacondemine, actuel exploitant, le domaine est implanté sur le granit bleu de la Côte de Brouilly. Sa cave voûtée servit naguère de salle des fêtes au village. Aujourd'hui, le vigneron conduit près de 9 ha partagés entre brouilly et côte-de-brouilly.

L'Héronde est un lieu-dit du mont Brouilly. Il donne naissance ici à un vin qui a connu un long élevage sous bois de dix-sept mois. Le nez s'exprime sur des nuances d'épices (poivre, clou de girofle) et de griotte. La bouche est bien structurée, mais encore un brin austère. ⧗ 2021-2024

⊶ DOMINIQUE LACONDEMINE, 961, rte du Mont-Brouilly, 69460 Odenas, tél. 04 74 03 43 11, beaujolais.les.roches.bleues@gmail.com V *t.l.j. 8h30-19h; dim. sur r.-v.*

DOM. DE LA ROCHE THULON 2018 ★

■ | 1500 | | 5 à 8 €

Pascal Nigay, installé en 1990, a cédé son domaine familial à Didier Lapalus, vigneron de Régnié, en 2017. Un domaine de 14 ha, habitué du Guide, qui produit trois crus (régnié, morgon et côte-de-brouilly), ainsi que du beaujolais-villages.

Déjà bien notée dans la dernière édition du Guide avec le millésime 2017, cette cuvée, petite en volume, est grande en qualité. Bâtie sur des tanins fins, elle s'exprime dans l'élégance et la concentration, mariant les notes de fruits rouges et une touche florale. ⧗ 2021-2023

⊶ DIDIER LAPALUS, 846, rte de Montmay, 69430 Quincié-en-Beaujolais, tél. 06 70 02 86 51, larochethulon@free.fr V r.-v.

DOM. RUET 2018 ★★

■ | 6000 | | 11 à 15 €

Fondé en 1926 au nord du mont Brouilly, ce domaine familial couvre 21 ha, avec des parcelles dans quatre crus : brouilly, côte-de-brouilly, régnié et morgon. Une valeur sûre du Beaujolais : le premier coup de cœur fut un 1984 et bien d'autres ont suivi. David Duthel a pris les rênes de l'exploitation en 2010, complétée par une activité de négoce.

L'élevage pour une moitié en cuve et pour moitié en foudre a visiblement parfaitement su mettre en évidence les qualités de ce vin complet et complexe. Le nez développe des notes de fruits rouges à belle maturité. La bouche a tout pour plaire : des tanins fins, du volume, du fruit, un boisé fondu à souhait, de l'équilibre et de la longueur. Un régal. ⧗ 2021-2026

⊶ SARL DOM. RUET, Voujon, 69220 Cercié, tél. 04 74 66 85 00, ruet.beaujolais@orange.fr V *t.l.j. sf sam. dim. 8h30-12h 14h-17h* B

SIGNÉ VIGNERONS
Les Pierres bleues L'Originel 2018

■ | 4000 | | 5 à 8 €

Deux des plus grandes coopératives de la région, l'une à l'extrême sud du Beaujolais (Bully) et l'autre plus au nord (Quincié), dans la zone des beaujolais-villages et des crus, se sont unies en 2010, constituant Signé Vignerons : une entité forte de quelque 1 700 ha de vignes, qui vinifie plus de 10 % de la production de la région. Chaque cave continue néanmoins de vinifier séparément ses vins. Le négociant Louis Tête a rejoint le groupement en 2012. La structure de commercialisation, Agamy (anagramme de gamay), inclut même depuis 2015 les caves des Coteaux du Lyonnais et des Vignerons foréziens.

Une cuvée qui porte le nom de la pierre volcanique qui fait la typicité du mont Brouilly. Au nez, ce vin développe des arômes concentrés de confiture de cassis. La bouche est équilibrée, malgré une pointe de fermeté en finale. 2020-2023

SCA AGAMY, La Martinière, 69210 Bully, tél. 04 37 55 50 10, contact@agamy.fr V t.l.j. sf dim. 9h-12h30 15h-18h30

TRENEL 2017

	7500		11 à 15 €

En 1928, Claude-Henri Trenel crée un commerce de liqueurs de fruit à Charnay-lès-Mâcon. Il se tourne ensuite vers l'achat de raisins. Son fils André lui succède à la tête de cette maison de négoce finalement rachetée en 2015 par Michel Chapoutier.

La cuvaison longue (vingt jours), l'éraflage à 60 % et un élevage pour petite partie en fût traduisent une certaine ambition de la maison pour l'appellation. L'équilibre, le fruit et l'intensité sont au rendez-vous, malgré une petite pointe d'astringence en finale. 2021-2023

SAS TRENEL, 33, chem. de Buery, 71850 Charnay-lès-Mâcon, tél. 03 85 34 48 20, export@trenel.fr V t.l.j. sf sam. dim. 8h-12h 14h-18h

CHÉNAS

Superficie : 244 ha / Production : 9 500 hl

D'après la légende, ce lieu était autrefois couvert d'une immense forêt de chênes. Un bûcheron, constatant le développement de la vigne plantée naturellement par quelque oiseau, se mit en devoir de défricher pour introduire la noble plante; celle-là même qui s'appelle aujourd'hui le «gamay noir». Situé aux confins du Rhône et de la Saône-et-Loire, dans les communes de Chénas et de La Chapelle-de-Guinchay, le chénas est l'une des plus petites AOC du Beaujolais. Nés à l'ouest, sur des terrains pentus et granitiques, ses vins sont colorés et puissants, avec des arômes floraux (rose et violette); ils rappellent les moulin-à-vent produits sur la plus grande partie des terroirs de la commune. Issus du secteur plus limoneux et moins accidenté de l'est, ils présentent une charpente plus ténue.

CH. DE CHÉNAS Cœur de Granit 2018 ★

	7466		8 à 11 €

Fondée en 1934, cette coopérative dispose des 210 ha de ses adhérents. La cave a su marier tradition et modernité : les caves voûtées du XVIIe s. voient vieillir en fût de chêne une partie des moulin-à-vent et chénas et cohabitent avec les cuves Inox thermorégulées de conception moderne. La cave propose de nombreux crus du Beaujolais.

Une cuvée qui récolte très régulièrement des étoiles dans le Guide. Parée d'une robe intense, elle s'exprime ici sur un profil aromatique frais et floral, agrémenté de notes d'humus. La bouche se montre bien équilibrée, souple et longue, offrant un fruité pulpeux. 2020-2024

CAVE DU CH. DE CHÉNAS, 910, rte de la Bruyère, 69840 Chénas, tél. 04 74 04 48 19, cave.chenas@wanadoo.fr V t.l.j. 8h-12h 14h-18h

♥ CAVE DES VIGNERONS RÉUNIS DE CHÉNAS En Nervat 2018 ★★

	7100		8 à 11 €

CHÉNAS
APPELLATION D'ORIGINE PROTÉGÉE
«EN NERVAT»
2018
MIS EN BOUTEILLE À LA PROPRIÉTÉ
Cave des Vignerons réunis de Chénas

Cette «superstructure», réorganisée en 2013, est le fruit de la réunion de cinq coopératives : Cave d'Azé, Cave de Viré, Cave du Ch. de Chénas, Cave du Ch. des Loges et la Cave des Vignerons des Pierres Dorées. Elle assure la commercialisation des vins de 900 producteurs du Beaujolais et du Mâconnais.

Une cuvée issue d'un lieu-dit situé à la Chapelle-de-Guinchay. Ce dernier tiendrait son nom de l'empereur romain ayant autorisé la plantation de vignes en Gaule. S'il pouvait déguster ce vin, on ne doute pas qu'il se féliciterait d'avoir pris cette décision tant ce chénas se montre élégant et très expressif dès l'olfaction (notes florales, fruits mûrs, épices), savoureux, fin et frais en bouche, étayé par des tanins délicats qui apportent une mâche des plus agréables. 2020-2025

ALLIANCE DES VIGNERONS BOURGOGNE-BEAUJOLAIS, Les Mouilles, 69840 Juliénas, tél. 04 74 60 64 56, contact@a-v-bourgogne.beaujolais.com V r.-v.

DOM. CÉLINE ET NICOLAS HIRSCH Les Brureaux 2017 ★

	6000		15 à 20 €

Après avoir bourlingué en France et à l'étranger, les jeunes œnologues Céline et Nicolas Hirsch se sont installés dans le Beaujolais, où ils ont racheté en 2011 un petit domaine de 5,5 ha proposant trois crus : chénas, moulin-à-vent et juliénas.

Avec une vinification à 70 % en raisins égrappés et un élevage de douze mois en fût, la volonté d'élaborer un vin de garde est notable. Elle ne se dément pas en dégustation : le vin est ample, profond, structuré par des tanins denses et enrobé par un boisé de belle qualité, séveux et épicé. 2022-2029

DOM. CÉLINE ET NICOLAS HIRSCH, Les Brureaux, 69840 Chénas, tél. 03 85 33 50 40, domainehirsch@yahoo.fr V r.-v.

CAVE DE JULIÉNAS-CHAINTRÉ Tradition du Bois de la Salle 2018 ★

	10000		5 à 8 €

La Cave des Grands Vins de Juliénas-Chaintré résulte de l'union, en 2013, des coopératives de Juliénas (Beaujolais) et de Chaintré (Mâconnais), fondées respectivement en 1961 et en 1928, et situées à 6 km l'une de l'autre. La nouvelle entité compte 290 ha de vignes, chaque cave gardant sa structure de vinification et son identité propres. Le siège social de la cave est établi au Ch. du Bois de la Salle, un ancien prieuré du XVIe s.

Le nez, expressif, évoque les épices douces, la réglisse et les fruits noirs. Après une attaque suave, la finesse et le soyeux des tanins donnent leur pleine mesure, le tout dans l'équilibre et soutenu par une bonne fraîcheur. Déjà plaisant, ce vin vieillira bien. ⧗ 2020-2024

CAVE GRANDS VINS JULIÉNAS-CHAINTRÉ, Ch. du Bois de la Salle, 69840 Juliénas, tél. 04 74 04 41 66, contact@julienaschaintre.fr V t.l.j. 9h-12h 14h-18h; f. 3e w-e de janv.

DOM. MATRAY Cuvée fût de chêne 2017 ★

■	4500		8 à 11 €

En 1998, Lilian Matray a pris la suite de quatre générations. Avec son épouse Sandrine et sa fille Célia, il exploite le domaine familial de près de 15 ha, sis à Juliénas, et propose à la dégustation, outre ses vins, de vieux rikikis, vins de liqueur locaux, et des saucissons traditionnels.

Un fruité mûr et un caractère fumé (âtre de cheminée) se mêlent pour composer un nez d'une bonne complexité. Les tanins sont serrés, un peu carrés en bouche, mais la longueur et le fruit sont là. Un caractère bien affirmé. ⧗ 2021-2025

EARL LSC MATRAY, rte des Paquelets, Les Paquelets, 69840 Juliénas, tél. 04 74 04 45 57, domaine.matray@wanadoo.fr V t.l.j. 8h-20h; dim. 8h-12h

DOM. DES MOUILLES 2018 ★

■	8000		8 à 11 €

Viticulteurs à Juliénas depuis le début du XVIIe s., les Perrachon ont acheté en 1877 le Ch. de la Bottière, puis le Dom. des Perelles à Romanèche-Thorins (moulin-à-vent). À son installation en 1989, Laurent Perrachon a acquis le Dom. des Mouilles, puis des parcelles en morgon, fleurie et saint-amour : en tout 34 ha, avec des vignes dans six crus. Avec Maxime et Adrien, la nouvelle génération a rejoint le domaine en 2016.

Égrappage de la récolte pour moitié et élevage long (douze mois) en cuve pour ce chénas qui dévoile un profil souple, frais, tout en finesse, offrant déjà beaucoup de plaisir autour de tanins fondus. Le nez évoque le sirop de fruit, avec des nuances vanillées et florales. Un vin harmonieux. ⧗ 2019-2023

SARL VINS PERRACHON ET FILS, La Bottière, 69840 Juliénas, tél. 04 74 04 40 44, sarl@vinsperrachon.com V t.l.j. sf dim. 8h-12h30 13h30-18h E

DOM. DOMINIQUE PIRON Quartz 2016 ★

■	18000		15 à 20 €

Les Piron exploitent la vigne depuis au moins... quatorze générations. Dominique Piron, aujourd'hui, met en valeur un vaste ensemble de 90 ha et si la spécialité du domaine est le morgon, il produit aussi dans les crus moulin-à-vent, régnié, fleurie et chénas.

Les choix de vinifications du domaine se confirment millésime après millésime : égrappage partiel, fermentation longue (18 à 20 jours) et élevage en fût. Une approche qui pourrait déboucher sur un vin extrait. Ce sont pourtant la finesse et la délicatesse qui prennent le dessus. Le nez évoque la pivoine et les fruits rouges. La bouche apparaît déliée, souple, dotée de tanins élégants et affinés. ⧗ 2020-2024

SAS VINS ET DOMAINES DOMINIQUE PIRON, 1216, rte du Cru, Morgon, 69910 Villié-Morgon, tél. 04 74 69 10 20, piron@domaines-piron.fr V t.l.j. 8h-12h 14h-17h30

DOM. DES PIVOINES
Sélection de Vieilles Vignes 2018 ★★

■	10900		8 à 11 €

Ce domaine familial de 6 ha, vinifié par la cave coopérative du Ch. de Chénas, est la propriété de Patrick Thévenet, qui a choisi la pivoine, arôme emblématique du chénas, pour baptiser son exploitation.

Issu de 1,5 ha de vignes établies sur des arènes (sable) granitiques, cette cuvée développe un nez complexe d'épices et de... pivoine, sur fond de minéralité. La bouche se montre charnue, veloutée, construite sur des tanins soyeux, étirée dans une finale longue et fraîche. Un ensemble harmonieux et complet. ⧗ 2020-2024

DOM. DES PIVOINES, 71570 La Chapelle-de-Guinchay

CHIROUBLES

Superficie : 334 ha / Production : 13 800 hl

Le plus haut des crus du Beaujolais s'étend sur une seule commune perchée à près de 400 m d'altitude, dans un site en forme de cirque aux sols constitués de sable granitique léger et maigre. Issu de gamay comme les autres crus, le chiroubles, considéré comme le plus « féminin » des crus du Beaujolais, est élégant, fin, peu chargé en tanins, charmeur, avec des arômes de violette. Rapidement prêt, il rappelle parfois le fleurie ou le morgon, crus limitrophes. Chiroubles est aussi la petite patrie du grand ampélographe Victor Pulliat, né en 1827, dont les travaux consacrés à l'échelle de précocité et au greffage des espèces de vigne ont contribué à mettre un terme à la crise phylloxérique; pour parfaire ses observations, le savant avait rassemblé dans son domaine de Tempéré plus de 2 000 variétés ! La fête des Crus, organisée en avril, rappelle son souvenir.

VIGNERONS DE BEL-AIR 2018 ★★

■	40000		5 à 8 €

Créée en 1929, la cave coopérative de Bel-Air, installée non loin du secteur des crus, près de Belleville, a fusionné en 2008 avec celle de Chiroubles. Forte de 350 producteurs, qui vinifient 1 200 ha, elle propose la plupart des appellations du Beaujolais (premier producteur de crus de la région), ainsi que des AOC régionales bourguignonnes.

La cave de Saint-Jean d'Ardières nous prouve une nouvelle fois que l'on peut produire des cuvées en quantité respectable (60 ha) sans sacrifier la qualité. Ce chiroubles se révèle d'une grande harmonie en bouche, ample, riche et ronde, dotée de tanins soyeux; et sa complexité aromatique, sur des notes de cerise noire et d'épices, n'est pas en reste. ⧗ 2020-2025

SCA VINESCENCE (VIGNERONS DE BEL-AIR), 131, rte Henri-Fessy, 69220 Saint-Jean-d'Ardières, tél. 04 74 06 16 08, com@vinescence.fr V t.l.j. 9h-12h 14h-18h

PATRICK BOULAND Vieilles Vignes 2018 ★

■ | 5000 | 🍾 | 5 à 8 €

Patrick Bouland dirige depuis 1982 ce domaine bien connu des habitués du Guide. Avec sa femme Claudie, il est installé sur 13,5 ha de vignes dans les appellations morgon, chiroubles, fleurie et beaujolais.

Une cuvée qui joue sur un registre structuré, avec une pointe de vivacité végétale en finale, tout en conservant de l'équilibre. Le nez se montre complexe, doté d'une agréable nuance florale. ⧗ 2020-2024

PATRICK BOULAND, 77, montée des Rochauds, 69910 Villié-Morgon, tél. 04 74 69 16 20, patrick.bouland@free.fr V *r.-v.*

JULIEN CHANTREAU Javernand 2017 ★

■ | 10 000 | 🍾 | 8 à 11 €

Julien Chantreau a repris le domaine familial en 2009 dédié au chiroubles. Depuis 2017, il exploite 4 ha supplémentaires en morgon et en chénas. Il propose également du beaujolais rosé. L'exploitation compte aujourd'hui 8 ha.

Cette cuvée vinifiée en grappes entières représente la moitié du domaine, soit 4 ha, et provien du lieu-dit Javernand. D'un profil plutôt friand sans toutefois manquer de structure, avec une petite pointe de vivacité, elle se montre parfaitement représentative de son appellation, et déploie un joli nez de fruits rouges et d'épices. ⧗ 2020-2024

JULIEN CHANTREAU, 227, rue des Écoles, 69115 Chiroubles, tél. 06 82 45 57 78, chantreau.julien@gmail.com V *r.-v.*

ANTHONY CHARVET Granite 2017 ★

■ | 8000 | 🍾 | 8 à 11 €

Anthony Charvet a travaillé plusieurs années chez Georges Boulon, tout en vinifiant à son compte : 73 ares à ses débuts, 3,6 ha aujourd'hui, en chiroubles, fleurie et morgon. Pas de levures aromatiques ici, ni de thermovinification, mais la recherche de « vins de terroir » non standardisés.

Des vignes de cinquante ans plantées sur 1,5 ha de terroir granitique (comme le laisse supposer le nom de la cuvée), voilà la formule gagnante pour ce chiroubles qui s'affirme dans le fruité (au nez comme en bouche), la longueur et la finesse, avec de bons tanins en soutien. ⧗ 2021-2024

ANTHONY CHARVET, 9, rte du Kiosque, 69115 Chiroubles, tél. 06 50 07 25 01, anthony.charvet@live.fr V *r.-v.*

DOM. CHEYSSON 2018 ★

■ | 80 000 | 🍾 | 8 à 11 €

Jean-Pierre Large exploite depuis 1988 un vaste vignoble de 26 ha sur Chiroubles : le Dom. Cheysson, ancienne dépendance de l'abbaye de Cluny achetée en 1870 par Émile Cheysson, ingénieur, administrateur et professeur d'économie. Il propose aussi des vins sous son propre nom.

La traditionnelle vinification semi-carbonique beaujolaise livre ici une cuvée aux notes d'épices, de chocolat et de fruits rouges. La bouche dévoile une structure dense et un beau volume. ⧗ 2021-2024

SC DOM. ÉMILE CHEYSSON, Clos les Farges, 24, rue des Écoles, 69115 Chiroubles, tél. 06 03 22 34 24, domainecheysson@orange.fr V *t.l.j. 9h-12h 14h-17h30*

DOM. DES COTEAUX DE ROMARAND Javernand 2017 ★

■ | 1000 | 🍾 | 8 à 11 €

Installée sur le lieu-dit Romarand depuis quatre générations, la famille Verchère s'est convertie à la lutte raisonnée en l'an 2000; elle exploite 5,5 ha de vignes.

D'un bel équilibre entre structure, complexité et longueur en bouche, ce chiroubles charme aussi par son expression aromatique florale (iris, pivoine) et fruitée (cassis). Un vin séducteur en provenance d'une toute petite parcelle (19 ares). ⧗ 2021-2024

CLAUDETTE VERCHÈRE, 598, rte de Romarand, 69430 Quincié-en-Beaujolais, tél. 04 74 04 33 22, paverchere@wanadoo.fr V *r.-v.* 2

♥ DOM. POULARD Petites Côtes 2017 ★★

■ | 2000 | 🍾 | 8 à 11 €

Chiroubles
PETITES CÔTES
DOMAINE POULARD
2017

Un domaine familial fondé en 1960, conduit aujourd'hui par Christophe et Jean-Louis Poulard, représentant la troisième génération vigneronne sur ces terres : 17 ha de vignes, principalement en morgon.

Une vinification en grappes entières, suivie d'un élevage d'une année en cuve, le tout parfaitement maîtrisé. Ce chiroubles dégage une grande intensité aussi bien en bouche que sur le plan aromatique. Le nez s'exprime avec complexité autour des fruits rouges et noirs légèrement confits, mâtinés d'épices et de nuances florales. Le palais se révèle ample, gras, structuré, puissant. Un vin au caractère affirmé, qui laisse deviner un avenir radieux. ⧗ 2022-2026

EARL POULARD, 6, imp. des Clos, Les Mulins, 69910 Villié-Morgon, tél. 06 25 89 35 48, domainepoulard@neuf.fr V *r.-v.*

DOM. RUET La Fontenelle 2018 ★★

■ | 10 000 | 🍾 | 8 à 11 €

Fondé en 1926 au nord du mont Brouilly, ce domaine familial couvre 21 ha, avec des parcelles dans quatre crus : brouilly, côte-de-brouilly, régnié et morgon. Une valeur sûre du Beaujolais : le premier coup de cœur fut un 1984 et bien d'autres ont suivi. David Duthel a pris les rênes de l'exploitation en 2010, complétée par une activité de négoce.

Sur un sol sablonneux de roche désagrégée, le vignoble de Chiroubles démontre qu'il peut livrer des vins d'une large amplitude. C'est bien le cas avec ce 2018 expressif, ouvert sur les fruits rouges, les épices et une touche chocolatée, dense en bouche, gras et frais à la fois. Un vin particulièrement harmonieux. ⧗ 2021-2024

SARL DOM. RUET, Voujon, 69220 Cercié, tél. 04 74 66 85 00, ruet.beaujolais@orange.fr V *t.l.j. sf sam. dim. 8h30-12h 14h-17h* B

DOM. CHRISTIAN ET MICHÈLE SAVOYE 2018 ★★

■ | 2000 | | 5 à 8 €

Christian et Michèle Savoye ont créé en 1991 cette exploitation, qui couvre aujourd'hui 7 ha sur les quatre communes de Vauxrenard, Villié-Morgon, Juliénas et Chiroubles, si bien qu'ils peuvent proposer une large gamme d'appellations du Beaujolais. Les vignes sont cultivées en gobelets sur des coteaux pentus.

Avec 2 000 bouteilles produites, cette cuvée n'a pas pour unique défaut que sa rareté. Elle se livre avec beaucoup d'intensité tout au long de la dégustation. Le nez mélange les épices, les fruits noirs et la violette. Une complexité qui se confirme dans une bouche ample, dense, équilibrée. ⧗ 2020-2024

DOM. CHRISTIAN ET MICHÈLE SAVOYE, Les Combiers, 69820 Vauxrenard, tél. 04 74 69 91 60, savoye.christian@wanadoo.fr V r.-v.

DOM. CHRISTOPHE SAVOYE Cuvée Loïc 2018 ★

■ | 40000 | | 11 à 15 €

Sophie et Christophe Savoye, installés à Chiroubles depuis 1991, ont pris la suite de cinq générations. Ils exploitent 16 ha répartis dans les AOC chiroubles, morgon et régnié.

Christophe Savoye vante volontiers la finesse de cette cuvée généralement bien représentative du terroir de Chiroubles. Le solaire millésime 2018 a fait son œuvre; et si ce vin s'apprécie pour son harmonie, il se montre aussi bien structuré et expressif, avec des notes de fruits rouges et d'épices intenses. ⧗ 2021-2024

CHRISTOPHE SAVOYE, 11, rte de la Grosse-Pierre, 69115 Chiroubles, tél. 04 74 69 11 24, christophe.savoye@laposte.net V *t.l.j. 10h-12h 14h-18h30* 4

DOM. DE THULON 2017

■ | 7000 | | 8 à 11 €

Métayers du Ch. de Thulon pendant vingt ans, René et Annie Jambon ont acheté en 1987 les terres qu'ils travaillaient. En 2002, leurs enfants les ont rejoints : Laurent, œnologue, et Carine, qui travaille à la commercialisation. Le domaine, agrandi, compte 16 ha en morgon, chiroubles, régnié et beaujolais-villages.

Une vinification en grappes entières et un élevage en cuve pendant six mois pour ce chiroubles, l'objectif étant de préserver la typicité de l'appellation. Objectif atteint avec ce vin au nez de petits fruits rouges et de fruits à noyau, et à la bouche franche et fraîche. ⧗ 2020-2023

ANNIE, RENÉ, CARINE ET LAURENT JAMBON, 2, chem. de Thulon, 69430 Lantignié, tél. 04 74 04 80 29, carine@thulon.com V *r.-v.*

FLEURIE

Superficie : 858 ha / Production : 35 500 hl

Posée au sommet d'un mamelon totalement planté de gamay, une chapelle semble veiller sur le vignoble : c'est la Madone de Fleurie, qui marque l'emplacement du troisième cru du Beaujolais par ordre d'importance, après le brouilly et le morgon. L'aire d'appellation ne s'échappe pas des limites communales, et sa géologie est assez homogène, avec des sols constitués de granites à grands cristaux qui donnent au vin finesse et élégance. Certains aiment le fleurie frais, d'autres le servent à 14-15 °C. Ce vin entre traditionnellement dans la préparation de l'andouillette à la beaujolaise. Printanier, il charme par ses arômes aux tonalités d'iris et de violette. Certains terroirs aux noms évocateurs figurent sur l'étiquette : La Rochette, La Chapelle-des-Bois, Les Roches, Grille-Midi, La Joie-du-Palais...

♥ DOM. DE BEL-AIR Granits Roses 2017 ★★★

■ | 8000 | | 11 à 15 €

Dans la famille Lafont depuis plusieurs générations, cette propriété perchée sur la colline de Bel-Air domine la vallée de l'Ardières : des bâtiments de granit bleu construits en 1849, des caves voûtées et un vignoble de 24 ha, avec des parcelles dans cinq crus. À sa tête depuis 1985, Jean-Marc Lafont a créé une structure de négoce à son nom pour compléter sa gamme.

Rien que du traditionnel avec cette cuvée vinifiée en grappes entières et élevée six mois en cuve. Du traditionnel qui fonctionne à merveille puisque cette cuvée se distingue par sa subtilité et sa finesse aromatique autour de notes fruitées intenses, aussi bien au nez qu'en bouche. De beaux et amples tanins lui assurent de la concentration. Une nouvelle preuve qu'un gamay sur terroir granitique peut donner de grands vins. ⧗ 2021-2025

BEL-AIR, Dom. de Bel-Air, 69430 Lantignié, tél. 04 74 04 82 08, info@dombelair.com V *r.-v.*

JULIEN ET RÉMI CLÉMENT 2017 ★★

■ | 3000 | | 8 à 11 €

Julien Clément a rejoint son père Rémi en 2006 sur le domaine familial qui couvre 8 ha autour de Fleurie. La nouvelle génération développe la vente directe à la propriété.

Un mixte de vendanges entières et égrappées, issu d'un terroir de 2 ha, a donné naissance à ce vin profond, au caractère affirmé. Le nez développe des notes de fruits à belle maturité. La bouche se montre ample, bien structurée, complexe, avec la longueur au rendez-vous. ⧗ 2021-2025

JULIEN CLÉMENT, rte du Haut-Poncié, 69820 Fleurie, tél. 06 33 37 46 37, clementjul@wanadoo.fr V *t.l.j. 10h-19h*

CYRIL COPÉRET La Madone 2017

■ | 5000 | | 8 à 11 €

Issu d'une longue lignée de vignerons de Fleurie, Cyril Copéret s'est installé en 2014 à la tête de 8,5 ha de vignes. Il vise à produire des vins de garde, vinifie ses gamays en grappes entières et privilégie l'élevage en cuve.

Des vignes de soixante-dix ans ont donné naissance à une cuvée au profil équilibré, tenue par des tanins solides et rehaussée par une bonne acidité. Une bouteille qui trouvera idéalement sa place à table. ⧗ 2021-2024

⊶ *CYRIL COPÉRET, 560, rue des Quatre-Vents, La Madone, 69820 Fleurie, tél. 06 73 66 16 77, coperet.cyril.vins@gmail.com* V 🚶 ▮ *t.l.j. 8h-20h*

FLORENT DESCOMBE 2018

■ | 20000 | ▮ | 8 à 11 €

L'entreprise familiale est née en 1905 et, cinq générations plus tard, elle continue son chemin. Florent Descombe sélectionne la gamme de plus de 150 références de la maison de négoce, qui propose des vins de marque ou de propriétés partenaires.

Une vinification à la bourguignonne et un élevage en cuve donne ici un fleurie aux nuances fruitées et végétales. Une attaque nette ouvre sur une bouche fraîche, aux tanins encore assez anguleux. Un peu de patience... ⧗ 2020-2023

⊶ *SAS VINS DESCOMBE, 462, rue du Beaujolais, 69460 Saint-Étienne-des-Oullières, tél. 04 74 03 41 73, info@vins-descombe.com* V 🚶 ▮ *t.l.j. sf sam. dim. 8h30-12h 14h-17h*

DOM. DES DEUX FONTAINES 2018

■ | 5000 | ▮ | 8 à 11 €

Un domaine familial créé en 1885 et conduit depuis 1978 par Michel Despres. Ce vigneron est un spécialiste du fleurie puisque ses 10,5 ha sont dédiés à ce cru.

Une cuvée issue d'un vignoble d'un hectare tout juste et de vignes âgées de cinquante ans. Le nez s'ouvre sur des arômes de fruits rouges et noirs confiturés. La bouche est structurée par des tanins présents mais sans agressivité. ⧗ 2021-2024

⊶ *SCEA MICHEL DESPRES, 776, rte des Raclets, 69820 Fleurie, tél. 04 74 69 80 03, 2fontaines@despres-michel.com* V 🚶 ▮ *t.l.j. 9h-12h30 14h-18h30* 🏠 B

♥ CH. DE FLEURIE 2018 ★★★

■ | 60000 | ▮▮ | 11 à 15 €

Une imposante maison de maître du XVIIIes. avec son cuvage et ses caves, où s'alignent les foudres, un parc et 13 ha de vignes implantées sur des arènes granitiques appelées localement «gore». Le domaine appartient à la maison Jean Loron.

Il faut l'association d'un bon vigneron et d'un excellent terroir pour donner une cuvée de ce niveau. Le nez, ouvert et complexe, fait une démonstration d'élégance autour des fruits rouges en confiture, de la cerise mûre notamment. En bouche, des tanins ronds et soyeux donnent un caractère gourmand à la bouche, longue, ample et riche sans jamais manquer de fraîcheur. Tous les atouts d'un vin qui, en prime, pourra évoluer sereinement. ⧗ 2021-2025

⊶ *SCEA CH. DE FLEURIE, Le Bourg, 69820 Fleurie, tél. 03 85 36 81 20, vinloron@loron.fr*

CAVE DE FLEURIE
Présidente Marguerite Subtil 2018 ★★

■ | 30000 | ▮ | 8 à 11 €

Fondée en 1927, cette cave a eu à sa tête pendant près de quarante ans la première femme présidente de coopérative : Marguerite Chabert. Aujourd'hui principal producteur de fleurie (un tiers du volume), elle vinifie les quelque 340 ha de vignes de ses 300 adhérents. Outre les fleurie, elle propose plusieurs crus du Beaujolais.

Une cuvée hommage à l'ancienne présidente de la Cave. Une dizaine d'hectares de gamay cinquantenaires lui a été consacrée. D'une grande complexité aromatique, elle évoque une corbeille de fruits à pleine maturité. Des tanins présents mais fins lui assurent une bonne structure en bouche et un potentiel de garde prometteur. ⧗ 2021-2024

⊶ *CAVE DES PRODUCTEURS DE FLEURIE, rue des Vendanges, 69820 Fleurie, tél. 04 74 04 11 70, commercial@cavefleurie.com* V 🚶 ▮ *t.l.j. 10h-12h30 14h30-19h*

DOM. DE GRILLE-MIDI 2017 ★★

■ | 4200 | ▮▮ | 8 à 11 €

Héritier de quatre générations vigneronnes, Thierry Thévenet exploite depuis 1989 des vignes dans les crus moulin-à-vent, chiroubles et fleurie. Son domaine de 13 ha doit son nom à l'un des terroirs les plus fameux de Fleurie.

Ce terroir de Grille-Midi justifie ici pleinement sa réputation avec cette cuvée élevée en foudre pendant huit mois. La palette aromatique fait preuve de beaucoup de complexité et d'intensité sur des notes de cassis et de mûre. La bouche est concentrée, dense, ferme et longue. Pour la garde. ⧗ 2021-2028

⊶ *SCEA DOM. DE GRILLE-MIDI, La Chapelle des Bois, 69820 Fleurie, tél. 04 74 04 10 18, domainedegrillemidi.thevenet@hotmail.fr* V 🚶 ▮ *r.-v.*

DOM. DE HAUTE-MOLIÈRE Horace 2018 ★

■ | 14000 | ▮ | 8 à 11 €

Cette propriété dispose de 10 ha de vignes implantés sur des coteaux pentus et disséminés dans trois communes. Elle propose deux crus : fleurie et morgon. Jean-François Patissier, qui représente la sixième génération, en a pris la tête en 1998.

Vinifiée en grappes entières, cette cuvée évoque spontanément le profil aromatique des vins de la région : petits fruits rouges, bonbon anglais, épices. Un caractère gourmand qui se confirme dans une bouche longue et équilibrée, étayée par des tanins fins. ⧗ 2020-2023

⊶ *JEAN-FRANÇOIS PATISSIER, Le Bourg, 69820 Vauxrenard, tél. 06 80 74 40 33, jfpatissier@gmail.com* V 🚶 ▮ *r.-v.*

DOM. LOÏC MARION
La Madone Cuvée Prestige 2016 ★

■ | 500 | ▮ | 11 à 15 €

Un domaine situé en plein cœur du village de Fleurie et conduit depuis 2011 par Loïc Marion, qui représente la troisième génération à la tête de cette

exploitation familiale. Les 9,5 ha qu'il cultive sont essentiellement situés dans le cru de la commune.

Les vignes mobilisées pour élaborer cette cuvée sont âgées en moyenne de quatre-vingts ans. Un vin qui réalise une belle association en bouche entre un fruité franc et intense et une belle fraîcheur. Une longue finale conclut la dégustation. ⧗ 2020-2023

DOM. LOÏC MARION, Les 4 Vents, 69820 Fleurie, tél. 06 73 73 40 60, loicmarion@orange.fr V *r.-v.*

CH. DE RAOUSSET Grille-Midi 2018 ★

■ | 30 000 | | 8 à 11 €

Les origines de ce domaine, dans la même famille depuis 1930, remontent à 1761. Le domaine actuel a été constitué par Gaston de Raousset qui réunit des parcelles en chiroubles, morgon et fleurie – 35 ha de vignes. La propriété, aujourd'hui aux mains de quatre de ses héritiers, est dirigée par Axel Joubert.

Le Château vante volontiers le caractère subtil et floral de cette cuvée vinifiée traditionnellement en grappes entières puis élevée en foudres pendant dix mois. À juste titre : les arômes de pivoine sont ici au rendez-vous; ils accompagnent des notes de framboise et de mûre. Une matière ronde et charnue se développe en bouche, autour de tanins soyeux et d'un fruité soutenu. Gourmand. ⧗ 2020-2023

CH. DE RAOUSSET, 21, rte de Verchère, Les Prés, 69115 Chiroubles, tél. 04 74 69 17 28, info@chateauderaousset.com V *t.l.j. 8h-12h 14h-18h; sam. dim. sur r.-v.*

DOM. DE ROBERT 2017

■ | 20 000 | | 8 à 11 €

Patrick Brunet, à la tête de l'exploitation familiale depuis 1983 (il représente la troisième génération), conduit 7 ha de vignes. Il effectue chaque année en moyenne huit passages pour travailler ses sols sans herbicides. Il vinifie à la bourguignonne ses vins d'AOC fleurie et morgon.

Un vin élaboré dans une logique de garde : la macération de vingts jours a été effectuée avec des raisins égrappés. Il s'en est suivi un élevage de treize mois. Une extraction poussée qui donne un vin aux tanins présents mais harmonieux, accompagnant une belle aromatique fruitée. ⧗ 2021-2025

PATRICK BRUNET, 143, côte de Champagne, 69820 Fleurie, tél. 06 81 97 25 55, patrickbrunet.vins@gmail.com V *r.-v.*

DOM. DE ROCHE-GUILLON 2017 ★★

■ | 15 000 | | 8 à 11 €

Valérie et Bruno Copéret se sont installés en 1984 sur le vignoble familial, rejoints en 2014 par leur fils Cyril. Le domaine, qui couvre 12 ha, propose trois crus : fleurie principalement, chénas et moulin-à-vent.

Vinification courte (neuf jours) en grappes entières et élevage de six mois en cuve, il n'en faut pas davantage pour toucher du doigt l'intensité fruitée, l'équilibre et la longueur d'un fleurie bien né. Un vin particulièrement harmonieux qui ravira les amateurs de gamay rigoureusement travaillé. ⧗ 2021-2024

BRUNO COPÉRET, 50, rte de Roche-Guillon, 69820 Fleurie, tél. 06 87 40 31 08, roche-guillon.coperet@wanadoo.fr V *t.l.j. 9h-18h* 2

VILLA PONCIAGO Les Granits roses 2017 ★★

■ | n.c. | | 8 à 11 €

La famille champenoise Henriot (aussi propriétaire de Bouchard Père et Fils) a racheté en 2008 le Ch. de Poncié (domaine historique fondé en 949) et l'a rebaptisé « Villa Ponciago ». Le vignoble compte 49 ha répartis sur quarante parcelles et une structure de négoce a été développée en complément.

Pour cette cuvée, le domaine passe une partie du vin (20 à 30 %) en fût de chêne « pour enrichir la texture de soie et le velouté sans perdre en finesse ». Un objectif largement atteint avec ce fleurie d'une grande intensité aromatique (autour des fruits noirs), ample, dense et long, doté de tanins fondus. ⧗ 2021-2024

SASU VILLA PONCIAGO, Fleurie, 69820 Fleurie, tél. 04 37 55 34 75, contact@villaponciago.fr
SASU Maisons et domaines Henriot

CH. DU VIVIER 2018 ★

■ | 28 000 | | 8 à 11 €

Sébastien Laroche est le gardien du vignoble de la famille Ligier Bel Air, mais le raisin lui-même, sous cette étiquette de château, est vinifié par la cave coopérative de Chénas.

Un fleurie qui s'exprime avec rondeur et dans l'équilibre. Il demande un peu d'aération à ce stade pour révéler tout son potentiel. L'attaque en bouche se montre charnue et les tanins sont bien présents. Patience. ⧗ 2021-2024

CH. DU VIVIER, 69820 Fleurie

JULIÉNAS

Superficie : 565 ha / Production : 24 000 hl

Un cru impérial d'après l'étymologie : Juliénas tiendrait en effet son nom de Jules César, de même que Jullié, l'une des quatre communes qui composent l'aire géographique de l'appellation (avec Émeringes et Pruzilly, cette dernière se trouvant en Saône-et-Loire). Implanté sur des terrains granitiques à l'ouest et sur des terrains sédimentaires avec alluvions anciennes à l'est, le gamay engendre des vins bien charpentés, riches en couleur, appréciés au printemps après quelques mois de conservation. Gaillards et espiègles, ceux-ci sont à l'image des fresques qui ornent le caveau de la vieille église, au centre du bourg. Dans cette chapelle désaffectée est remis, chaque année à la mi-novembre, le prix Victor-Peyret à l'artiste, peintre, écrivain ou journaliste, qui a le mieux « tasté » les vins du cru; celui-ci reçoit alors 104 bouteilles : 2 par week-end...

DOM. DE L'ANCIEN RELAIS Vieille Vigne 2017

■ | 10 500 | | 5 à 8 €

Bien connu pour ses saint-amour et ses juliénas, ce domaine est installé dans un ancien relais de poste doté d'une cave voûtée datant de 1399. Il a été fondé en 1946 par André Poitevin. En 1995, son gendre Jean-Yves

Midey, ancien cuisinier, l'a repris avec son épouse Marie-Hélène et en a porté la superficie de 4 à 8,5 ha.
Une cuvée, issue de vignes de soixante-dix ans, qui figure très régulièrement dans le Guide. Fidèle à la macération carbonique et à l'élevage en cuve, Jean-Yves Midey propose ici un juliénas au nez expressif et profond (centré sur les fruits noirs confits) puissant, solide, chaleureux et long en bouche. Un vin destiné à la garde. ⧗ 2022-2026

EARL ANDRÉ POITEVIN, 45, rte des Chamonards, 71570 Saint-Amour-Bellevue, tél. 06 14 76 98 05, contact@domaine-ancien-relais.com V r.-v.

ARNAUD AUCŒUR Vieilles Vignes 2018 ★

■ | 50000 | | 8 à 11 €

En 1825, Jean-Claude Aucœur plante les premiers ceps à Villié-Morgon. Œnologue, Arnaud, qui représente la dixième génération sur le domaine, s'est installé en 1998. Une activité de négoce complète la production de l'exploitation familiale (14 ha) et lui permet de proposer une belle palette de neuf crus.
En habitué du Guide, Arnaud Aucœur n'est pas passé à côté de ce millésime 2018. On retrouve son coup de patte avec ce juliénas issu de la partie négoce. Un vin épicé et fruité, d'une bonne densité, structuré, équilibré et promis à un bel avenir. ⧗ 2022-2025

EARL ARNAUD AUCŒUR, Le Colombier, 69910 Villié-Morgon, tél. 04 74 04 16 89, arnaudaucoeur@vignobleaucoeur.com V r.-v.

DOM. BEL AVENIR Les Capitans 2018 ★

■ | 2100 | | 11 à 15 €

Cécile et Alain Dardanelli ont pris en 1977 la suite des deux générations précédentes sur l'exploitation familiale, constituée à partir de 1920. Leur fille Laura les a rejoints en 2014 et signé sa première vinification la même année. Avec 19 ha, le domaine offre une large gamme de crus : moulin-à-vent, chénas, saint-amour, juliénas, fleurie, morgon, régnié et aussi des appellations régionales.
Une cuvée en provenance de vignes de cinquante ans dont les raisins ont macéré assez longuement (quinze jours) pour en extraire tout le potentiel. L'objectif est atteint tant ce juliénas séduit par son bouquet expressif de fruits rouges relevés d'épices, par son ampleur en bouche et par la qualité de sa matière. ⧗ 2021-2025

CÉCILE DARDANELLI, 1087, Bel Avenir, 71570 La-Chapelle-de-Guinchay, domaine.bel.avenir@wanadoo.fr V r.-v.

CH. DE BELLEVERNE Le Bois de Chat Vieilles Vignes 2017 ★★

■ | 10000 | | 8 à 11 €

Ancien monastère, ce domaine, propriété de la famille Bataillard depuis 1969, s'étend sur près de 37 ha et couvre quatre appellations du Beaujolais. Didier Bataillard dirige l'exploitation avec son frère Alain et sa sœur Sylvie.
Un vin particulièrement expressif, qui exhale des arômes de fruits noirs à grande maturité, de griotte et d'épices. Offrant un très bel équilibre, la bouche, ample, ronde et longue, déploie des tanins soyeux. Un juliénas agréable aujourd'hui, mais qui pourra aussi se garder. ⧗ 2020-2025

BATAILLARD PÈRE ET FILS, 515, rue Jules Chauvet, 71570 La Chapelle-de-Guinchay, tél. 03 85 36 71 06, cavesdebelleverne@orange.fr V r.-v.

DOM. BERGERON Vayolette 2018 ★

■ | 10000 | | 8 à 11 €

Représentant la quatrième génération de vignerons, les frères Jean-François et Pierre Bergeron se sont associés en 1996 et ont regroupé leurs deux exploitations pour constituer cet imposant domaine de 38,5 ha.
Vayolette est un lieu-dit situé au-dessus du village de Juliénas où le domaine dispose de trois parcelles à fortes pentes et bien exposées. Elles ont donné un 2018 ample, puissant, charnu, dont les tanins demandent à se fondre. Un vin de caractère. ⧗ 2021-2025

GAEC JEAN-FRANÇOIS ET PIERRE BERGERON, Les Rougelons, 69840 Émeringes-en-Beaujolais, tél. 06 80 13 20 12, domaine-bergeron@wanadoo.fr V *t.l.j. 7h30-12h30 13h30-19h*

♥ DOM. DU BOIS DE LA SALLE 2018 ★★

■ | 55000 | 5 à 8 €

Un domaine conduit par Stéphane Mahuet, partenaire de la maison Thorin, maison de négoce fondée en 1843 par une vieille famille du Beaujolais et aujourd'hui filiale du groupe Boisset.
Une remarquable réussite dans un millésime qui a donné des raisins riches et généreux en sucre. Ce juliénas se fait gourmand et charnu. Son fruit s'exprime sur des notes de cassis et de mûre relevées de poivre blanc. Une jolie complexité présente au nez comme en bouche. Les tanins sont doux, enrobés par une pointe de sucrosité en finale. ⧗ 2021-2025

STÉPHANE MAHUET, Les Berthets, 69840 Juliénas, tél. 06 74 06 76 99

DOM. BOULET ET FILS 2018 ★

■ | 5000 | | 5 à 8 €

D'ascendance vigneronne, David et Nadège Boulet exploitent en couple, depuis 1993, un domaine de 12 ha répartis sur trois appellations : juliénas (principalement), chénas et saint-amour.
Le nez, d'une bonne complexité, associe notes végétales et épicées. En bouche, on découvre un vin plus floral (violette), souple, aux tanins fondus et soyeux. Un profil harmonieux pour ce juliénas qui sera agréable à déguster dans sa jeunesse. ⧗ 2020-2024

DOM. BOULET ET FILS, imp. de la Croix-Rouge, Le Bourg, 69840 Juliénas, tél. 04 74 04 40 78, domaineboulet69@gmail.com V r.-v.

CH. DES CAPITANS 2017 ★

■ | 32084 | | 11 à 15 €

Rejoint par Franck, Georges Dubœuf est toujours à la tête de l'affaire de négoce-éleveur qu'il a créée en 1964 et qui a largement contribué à la notoriété du

Beaujolais. La société travaille avec de nombreux vignerons et coopératives et réalise 75 % de son chiffre d'affaires à l'international. Georges Dubœuf est aussi pionnier en matière d'œnotourisme avec son œnoparc (Hameau Georges Dubœuf) aménagé en 1993 dans l'ancienne gare de Romanèche-Thorins.

Un élevage pour 20 % en fût a suivi la traditionnelle macération semi-carbonique. Le résultat est un vin expressif, ouvert sur les épices, la cerise et les fruits noirs, rond, riche et soyeux en bouche. ⧗ 2021-2025

SA LES VINS GEORGES DUBŒUF, 208, rue de Lancié, 71570 Romanèche-Thorins, tél. 03 85 35 34 20, gduboeuf@duboeuf.com V r.-v.

DOM. CHÂTAIGNIER DURAND Vieilles Vignes 2018 ★

■ | 8000 | | 8 à 11 €

Jean-Marc Monnet s'est installé en 1981. À cheval sur le Mâconnais et le Beaujolais, son domaine propose en blanc du saint-véran et en rouge deux crus du Beaujolais : chiroubles et juliénas.

Un hectare et demi de gamays âgés de soixante ans a été mobilisé pour élaborer cette cuvée. Dans le verre, un juliénas dont le bouquet monte en puissance après aération, laissant percevoir des notes de cassis et de cerise. Le palais apparaît charpenté, doté de tanins solides, sans manquer ni d'harmonie ni d'onctuosité. ⧗ 2021-2024

JEAN-MARC MONNET, Les Bucherats, 69840 Juliénas, tél. 06 17 52 70 38, monnet.jm@free.fr V r.-v.

COLLECTION CHRISTOPHE COQUARD 2018 ★★

■ | 90000 | | 5 à 8 €

Issu d'une longue lignée de vignerons, Christophe Coquard a vinifié sur trois continents et travaillé pour plusieurs négociants du Beaujolais, avant de lancer en 2005 sa propre structure adossée au domaine familial situé dans le pays des Pierres dorées.

Très régulièrement mentionnée dans le Guide, cette cuvée promet une nouvelle fois bien du plaisir à ceux qui l'accueilleront dans leur verre. D'une bonne précision aromatique, sur le poivre et les fruits noirs confiturés, elle se montre étoffée en bouche, richement pourvue en tanins soyeux. ⧗ 2021-2025

SARL MAISON COQUARD, 86, rue Manon-Roland, Le Boitier, 69620 Theizé, tél. 04 74 71 11 59, contact@maison-coquard.com V r.-v.

DOM. DE CÔTES RÉMONT En Broussaud 2018 ★

■ | 5000 | | 5 à 8 €

À leur retraite, en 2011, Catherine et Dominique Olry ont décidé de reprendre le domaine familial de madame, fondé au XVIIIᵉ s., un vignoble de 60 ha d'un seul tenant planté sur des coteaux pentus, sous le pic de Rémont. Le couple s'appuie sur l'expérience de son maître de chai, M. Granchamp.

Une cuvée parcellaire que le domaine produit depuis 2015 à partir de vignes situées sur les hauteurs de l'appellation. Un vin dense et d'une bonne souplesse de tanins, qui s'exprime sur des notes de cassis et de mûre agrémentées de nuances végétales et épicées. ⧗ 2021-2025

CATHERINE ET DOMINIQUE OLRY, Rémont, 69840 Chénas, tél. 06 78 24 59 08, olryfamily@chenascotesremont.com V

DOM. LE COTOYON 2017 ★

■ | 4000 | | 5 à 8 €

Établi aux confins du Mâconnais dans le village haut perché de Pruzilly, à 400 m d'altitude, Frédéric Bénat conduit depuis 1979 un vignoble de 16 ha partagé entre les crus juliénas et saint-amour.

Le nez complexe de ce juliénas développe des arômes de fruits à bonne maturité. En bouche, on découvre une cuvée bien structurée, d'une bonne concentration et d'une longueur notable, qui semble tailler pour vieillir harmonieusement. ⧗ 2021-2025

EARL BÉNAT CHERVET, Les Ravinets, 71570 Pruzilly, tél. 03 85 35 12 90, frederic.benat@wanadoo.fr V r.-v.

♥ PIERRE DUPOND Les Capitans 2018 ★★

■ | 20000 | | 11 à 15 €

Terroirs et Talents? Une structure commerciale ombrelle créée en 2007 par Hervé Dupond et Xavier Barbet, issus de familles installées de longue date dans le Beaujolais. Elle regroupe une activité de négoce (marques Pierre Dupond et Paul Beaudet) et plusieurs domaines entre Beaujolais, Mâconnais et vallée du Rhône : Ch. de la Terrière, Dom. de Boischampt Dom. de La Renjardière, Dom. Romy, Dom des Trois Tilleuls, Dom. Auvigue, Dom. de la Pirolette.

Une vinification en grappes entières et un élevage en cuve, du traditionnel en matière d'élaboration donc. Sur ce sol alluvionnaire de piémont, les gamays semblent s'être admirablement comportés. Le nez fait preuve de puissance mais aussi d'élégance, avec des notes de violette et de cassis.La bouche apparaît charnue en diable, d'une grande densité, dotée de tanins solides. Pour la cave. ⧗ 2022-2026

TERROIRS ET TALENTS (PIERRE DUPOND), La Terrière, 69220 Cercie, tél. 04 74 66 77 80, info@terroirs-et-talents.fr V

CH. ENVAUX 2018 ★

■ | 13200 | 8 à 11 €

La famille Coligny est à la tête de ce domaine de 4 ha, dont les origines remontent au XVIᵉ s. Les vins sont vinifiés au Ch. de Chénas par la coopérative du village.

Des vignes d'une cinquantaine d'années plantées sur 2 ha sont à l'origine de ce juliénas complexe, qui mêle la myrtille, la violette et les épices à l'olfaction. La bouche se révèle charnue, étayée par des tanins fermes mais sans dureté et qui s'étire dans une finale persistante et élégante. ⧗ 2021-2024

CH. D'ENVAUX, Vaux, 69840 Juliénas

DOM. FERRAUD Les Ravinets 2018 ★

■ | 3750 | 🍾 | | 11 à 15 €

La maison Ferraud, créée en 1882, est une affaire familiale de négoce-éleveur, spécialisée en vins du Beaujolais et du Mâconnais, qui se transmet depuis cinq générations.

Un vin à la structure tannique affirmée, encore un peu ferme aujourd'hui, qu'il faudra donc oublier quelque temps en cave. La concentration se perçoit dès les premières notes aromatiques. L'attaque en bouche se montre chaleureuse et un fruité intense est perceptible. ⧗ 2021-2024

⊶ SARL ÉTS PIERRE FERRAUD ET FILS, 31, rue du Mal-Foch, 69220 Belleville-en-Beaujolais, tél. 04 74 06 47 60, ferraud@ferraud.com V 🚶 ▮ t.l.j. sf sam. dim. 8h-12h 14h-17h

CAVE DE JULIÉNAS-CHAINTRÉ
Tradition du Bois de la Salle 2018 ★★

■ | 44000 | 🍾 | | 5 à 8 €

La Cave des Grands Vins de Juliénas-Chaintré résulte de l'union, en 2013, des coopératives de Juliénas (Beaujolais) et de Chaintré (Mâconnais), fondées respectivement en 1961 et en 1928, et situées à 6 km l'une de l'autre. La nouvelle entité compte 290 ha de vignes, chaque cave gardant sa structure de vinification et son identité propres. Le siège social de la cave est établi au château du Bois de la Salle, un ancien prieuré du XVI[e]s.

Cette cuvée fait référence au lieu-dit sur lequel est établie la Cave. Un mixte de raisins égrappés et entiers a présidé à son élaboration. Une formule gagnante tant ce juliénas séduit par sa générosité et son élégance aromatique autour des fruits rouges et noirs, mais aussi par la finesse de sa matière et de ses tanins. ⧗ 2021-2025 ■ **Chevalier Saint-Vincent 2018** ★ (5 à 8 €; **31000 b.**) : le nez se fait charmeur sur des notes de fraise fraîche et une touche florale. La bouche joue dans le registre de la puissance et de la consistance. Un peu de patience devrait lui être profitable. ⧗ 2021-2025

⊶ CAVE DE JULIÉNAS CHAINTRÉ, Ch. du Bois de la Salle, 69840 Juliénas, tél. 04 74 04 41 66, contact@julienaschaintre.fr V 🚶 ▮ t.l.j. 9h-12h 14h-18h

DOMINIQUE MOREL 2018 ★

■ | 7000 | 🍾 | | 8 à 11 €

En 1900, M. Besson, l'arrière-grand-père, s'établit à Émeringes. Cet inventeur du premier filtre-presse cultivait 2 ha auxquels il adjoignit une distillerie et une tonnellerie. Installés en 1991, Dominique Morel, œnologue, et son épouse Christine exploitent aujourd'hui 18 ha, avec des parcelles dans six crus. Pour compléter leur gamme, ils ont créé en 2015 une activité de négoce sous le nom de Dominique Morel.

Un juliénas qui a été vinifié pour 80 % en vendanges égrappées. Il se distingue par son élégance. Une finesse notable au nez (des notes de myrtille et de petits fruits rouges) comme en bouche, avec des tanins présents mais bien fondus. ⧗ 2021-2024

⊶ SAS DOMINIQUE MOREL, Les Chavannes, 69840 Émeringes, tél. 06 86 87 87 19, vins.morel@orange.fr V 🚶 ▮ r.-v.

BERNARD SANTÉ
La Vieille Vigne des Mouilles 2017 ★

■ | 6000 | 🍾 | | 11 à 15 €

Bernard Santé s'est installé en 1980 à Juliénas, où son grand-père cultivait la vigne avant la Seconde guerre mondiale. Il exploite 11 ha aujourd'hui, avec des parcelles en chénas et moulin-à-vent.

Des vignes âgées de soixante ans et un coteau bien exposé pour ce juliénas harmonieux. Si le nez se fait discret à ce stade, la bouche montre beaucoup d'intensité, de la structure mais aussi de la rondeur, et une grande longueur. Autant de signes très encourageants pour son avenir. ⧗ 2021-2025

⊶ EARL BERNARD SANTÉ, 3521, rte de Juliénas, 71570 La Chapelle-de-Guinchay, tél. 03 85 33 82 81, earl.sante-bernard@wanadoo.fr V 🚶 ▮ r.-v.

MORGON

Superficie : 1 120 ha / Production : 48 600 hl

Le deuxième cru en importance après le brouilly est localisé sur une seule commune, celle de Villié-Morgon. Le gamay y engendre des vins robustes, généreux, fruités, évoquant la cerise, le kirsch et l'abricot. Ces caractéristiques sont dues aux sols issus de la désagrégation de schistes à prédominance basique, imprégnés d'oxyde de fer et de manganèse, que les vignerons désignent par les termes de « terre pourrie ». Des vins qui présentent ces qualités on dit qu'ils « morgonnent ». Non loin de l'ancienne voie romaine reliant Lyon à Autun, la colline du Py, croupe aux formes parfaites culminant à 300 m d'altitude, fournit l'archétype des vins de l'appellation. Cette Côte du Py est sans doute le plus connu des cinq *climats* de l'AOC. Vin de garde (jusqu'à dix ans les meilleures années), le morgon peut prendre des allures de bourgogne. La commune de Villié-Morgon se flatte d'avoir été la première à se préoccuper de l'accueil des amateurs de vins du Beaujolais : ouvert en 1953, son caveau, aménagé dans les caves du château de Fontcrenne, peut recevoir plusieurs centaines de personnes.

♥ **ARNAUD AUCŒUR** 2018 ★★★

■ | 50000 | 🍾 | | 8 à 11 €

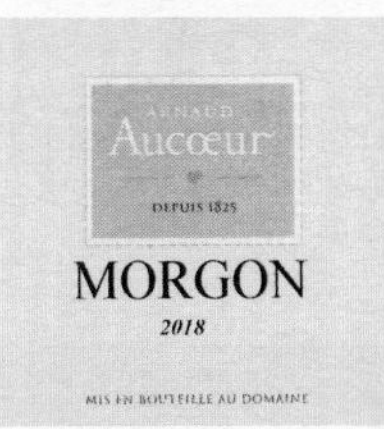

En 1825, Jean-Claude Aucœur plante les premiers ceps à Villié-Morgon. Œnologue, Arnaud, qui représente la dixième génération sur le domaine, s'est installé en 1998. Une activité de négoce complète la production de l'exploitation familiale (14 ha) et lui permet de proposer une belle palette de neuf crus.

Cette cuvée issue de la partie domaine est loin d'être anecdotique pour Arnaud Aucœur, elle mobilise 7 ha de vignoble plantés de gamays âgés d'environ soixante ans. Des terroirs de schistes granitiques qui ont donné un vin bien représentatif de son appellation, évoquant la cerise burlat, la violette et la pivoine. La bouche fait preuve d'une grande concentration, d'un volume imposant et d'une délicate suavité qui signe le solaire millésime 2018, le tout étayé par des tanins très fins. Un morgon riche et intense. ⧗ 2021-2024 ■ **Côte du Py Vieilles Vignes 2018 ★★ (8 à 11 €; 50000 b.)** : ce Côte du Py issu de la partie négoce donne dans la puissance. Au nez, d'intenses arômes de fruits noirs confiturés relevés d'épices (poivre, girofle); en bouche, de la force et de la générosité, celle du millésime, mais une générosité bien domptée qui donne un vin harmonieux et de bonne garde. ⧗ 2020-2025

EARL ARNAUD AUCŒUR, Le Colombier, 69910 Villié-Morgon, tél. 04 74 04 16 89, arnaudaucoeur@vignobleaucoeur.com V r.-v.

DOM. DE LA BÊCHE Côte du Py 2017 ★

■ | 18000 | | 8 à 11 €

Bien connu des lecteurs du Guide, un domaine constitué en 1848. À sa tête depuis 1985, Olivier Depardon (septième génération), aujourd'hui rejoint par son fils Alexis, propose, sur ses 27 ha, du morgon, du régnié et du beaujolais-villages.

Une cuvée qui a la particularité d'avoir connu un élevage de dix mois en foudres. Le contenant idéal, aux yeux de la famille Depardon, pour lui permettre de peaufiner la structure ronde et élégante de ce morgon complexe, ouvert sur des notes de cerise, d'épices et de chocolat. ⧗ 2021-2025

EARL OLIVIER DEPARDON, Dom. de la Bêche, BP_18, 69910 Villié-Morgon, tél. 04 74 69 15 89, depardon.olivier.morgon@wanadoo.fr V r.-v.

VIGNERONS DE BEL-AIR Climat Grands Cras 2018 ★★

■ | 35000 | | 8 à 11 €

Créée en 1929, la cave coopérative de Bel-Air, installée non loin du secteur des crus, près de Belleville, a fusionné en 2008 avec celle de Chiroubles. Forte de 350 producteurs, qui vinifient 1 200 ha, elle propose la plupart des appellations du Beaujolais (premier producteur de crus de la région), ainsi que des AOC régionales bourguignonnes.

La cave a opté pour une cuvaison longue de raisins partiellement égrappés (30 %). Une approche qui a permis d'extraire des tanins élégants et denses. Un morgon d'un équilibre idéal qui exprime des notes complexes où l'on trouve aussi bien la rose et la réglisse que les fruits noirs. ⧗ 2021-2024

SCA VINESCENCE (VIGNERONS DE BEL-AIR), 131, rte Henri-Fessy, 69220 Saint-Jean-d'Ardières, tél. 04 74 06 16 08, com@vinescence.fr V t.l.j. 9h-12h 14h-18h

CH. DE BEL-AIR La Comtesse noire 2016 ★

■ | 2500 | | 11 à 15 €

Créé en 1964, le lycée viticole de Saint-Jean-d'Ardières dispose d'une exploitation pédagogique, lieu d'apprentissage pour les élèves et support d'expérimentations pour les professionnels. Le château et son vignoble (13,5 ha) sont un legs d'Armelle de Manains, dite «La Comtesse noire».

Un morgon vinifié en grappes entières pendant quatorze jours, puis élevé dix mois en fût. Il s'exprime au nez sur des notes de fruits rouges et une touche boisée. En bouche, du volume, de la générosité compensée par une bonne fraîcheur et une petite sévérité de jeunesse en finale. ⧗ 2021-2024

EPLEFPA BEL-AIR, 394, rte Henry-Fessy, 69220 Belleville-en-Beaujolais, tél. 06 89 03 19 11, matthieu-boudenet@educagri.fr V r.-v.

DOM. DE LA CHAPONNE Côte du Py 2017 ★

■ | 180000 | | 8 à 11 €

Cette exploitation familiale dispose de 14 ha et d'une maison typiquement beaujolaise à Villié-Morgon. Installé en 1987, Laurent Guillet s'est agrandi et propose du chiroubles et du morgon.

Ce morgon n'y va pas par quatre chemins pour séduire. Il fait preuve d'une belle intensité aromatique et d'une grande complexité; on y retrouve les trois grandes familles olfactives d'un bon ambassadeur de cette appellation: les notes florales, les épices et les fruits noirs. Quant à la bouche, elle fait preuve d'élégance et de souplesse, construite sur des tanins fins. Une vinification en grappes entières particulièrement probante. ⧗ 2021-2024

LAURENT GUILLET, 70, montée des Gaudets, 69910 Villié-Morgon, tél. 04 74 69 15 73, domaine-chaponne@wanadoo.fr V t.l.j. sf dim. 8h-19h

ANTHONY CHARVET Fontriante 2017 ★

■ | 6000 | | 8 à 11 €

Anthony Charvet a travaillé plusieurs années chez Georges Boulon, tout en vinifiant à son compte : 73 ares à ses débuts, 3,6 ha aujourd'hui, en chiroubles, fleurie et morgon. Pas de levures aromatiques ici, ni de thermovinification, mais la recherche de «vins de terroir» non standardisés.

Le vigneron a mis ici en œuvre une cuvaison longue (20 à 25 jours) sans apport de soufre. Dans le verre, un morgon d'une grande intensité aromatique, exhalant des notes de groseille, de myrtille et d'épices. Une complexité qui se confirme dans une bouche à la fois fraîche et concentrée, dotée de tanins de qualité, mais encore un peu saillants pour l'heure. ⧗ 2022-2025

ANTHONY CHARVET, 9, rte du Kiosque, 69115 Chiroubles, tél. 06 50 07 25 01, anthony.charvet@live.fr V r.-v.

ARNAUD ET RICHARD CHATELET Côte du Py Vieilles Vignes 2017

■ | 2000 | | 8 à 11 €

Armand, le père, a pris sa retraite en 2006, laissant les commandes du domaine à son fils Richard. Le vignoble couvre 10 ha dans les appellations morgon, brouilly et côte-de-brouilly.

À peine 1 ha de vieux gamays (quatre-vingts ans) a donné un morgon fruité au nez comme en bouche (fruits noirs, kirsch), aux tanins souples, soutenus par une bonne acidité. Un vin d'une ampleur moyenne, mais bien équilibré. ⧗ 2021-2023

EARL ARMAND ET RICHARD CHATELET, 135, rue de la Grappe, Les Marcellins, 69910 Villié-Morgon, tél. 04 74 04 21 08, armand.richard.chatelet@wanadoo.fr V r.-v.

CYRILLE CHAVY Ma Terre 2017 ★

■	2500		11 à 15 €

Un domaine fondé en 1850. Le grand-père Antoine était vigneron et tonnelier. Dans le Guide, de nombreuses étoiles distinguent Henri (le père), puis ses fils. Cyrille, le frère de Franck, a souhaité voler de ses propres ailes en louant puis en achetant un vignoble. Il cultive aujourd'hui 8,20 ha dont il tire des beaujolais-villages, du régnié et du morgon.

Cyrille Chavy revendique avec cette cuvée son respect des sols et de la flore naturelle. Il a opté pour un élevage long de dix-huit mois, en fût. Le boisé ne masque pas pour autant une bonne maturité du fruit, des notes puissantes qui s'accompagnent de nuances épicées. La bouche est elle aussi puissante, dotée de bons tanins ronds, bien qu'encore un peu stricts en finale. ⧗ 2022-2026

CYRILLE CHAVY, 635, rte des Versauds, 69910 Villié-Morgon, tél. 04 37 55 05 78, cyrille.chavy@orange.fr V r.-v.

DOM. F. CHAVY Les Granites roses 2017 ★★

■	10000		8 à 11 €

Fils et petit-fils de vignerons, Franck Chavy s'est installé en 1991 sur quelques hectares de morgon. Par le biais de rachats et de métayages, il a agrandi son domaine, lequel compte aujourd'hui 10 ha, tout en prenant ses marques dans le Guide, dont il est une valeur sûre. Un palmarès auquel contribuent sans doute des vignes plantées à haute densité (10 000 pieds/ha) et des macérations longues.

« Pour faire un gamay de plaisir, sur le fruit, la puissance et la rondeur, chaque détail compte », explique Franck Chavy. Il n'en a visiblement oublié aucun avec ce morgon intense, ouvert sur les fruits noirs et rouges mûrs agrémentés d'une nuance chocolatée, ample, riche, concentré, persistant en bouche, structuré par des tanins solides mais sans dureté. ⧗ 2021-2026

EARL FRANCK CHAVY, 200, rte de Lachat, 69430 Régnié-Durette, tél. 06 07 16 18 85, franck.vinchavy@wanadoo.fr V r.-v.

DOM. DE COLONAT Les Charmes 2018 ★★

■	20000		8 à 11 €

Les Collonge cultivent la vigne depuis le XVIIe s. En 1828, un ancêtre, ancien maréchal ferrant, achète le domaine actuel, conduit depuis 1977 par Bernard et Christine Collonge, rejoints en 2008 par leur fils Thomas. Ce dernier vole de ses propres ailes depuis 2018, à la tête de 16 ha en morgon, fleurie, régnié, moulin-à-vent et brouilly.

Si le terroir des Charmes est réputé pour la finesse de ses vins, celui-ci fait surtout preuve d'une présence tannique affirmée et d'un volume conséquent. Mais il y a toutes les raisons de penser qu'il gagnera en rondeur au fil des mois. Il se montre en effet séducteur sur le plan aromatique, avec une belle palette florale et épicée. ⧗ 2022-2025

EARL COLONAT, 4505, voie Romaine, 69910 Villié-Morgon, tél. 04 74 69 91 43, thomas@domaine-de-colonat.fr V *t.l.j. sf sam. dim. 9h-12h 14h-17h30*

GEORGES DUBŒUF Côte du Py 2017 ★

■	8574		8 à 11 €

Rejoint par son fils Franck, Georges Dubœuf est toujours à la tête de l'affaire de négoce-éleveur qu'il a créée en 1964 et qui a largement contribué à la notoriété du Beaujolais. La société travaille avec de nombreux vignerons et coopératives et réalise 75 % de son chiffre d'affaires à l'international. Georges Dubœuf est aussi pionnier en matière d'œnotourisme avec son œnoparc (Hameau Georges Dubœuf) aménagé en 1993 dans l'ancienne gare de Romanèche-Thorins.

La macération semi-carbonique donne ici une expression d'une bonne intensité, traduction d'un fruit à belle maturité. Après une attaque gourmande, se dévoile une bouche tannique et concentrée, que le temps affinera. ⧗ 2022-2025

SA LES VINS GEORGES DUBŒUF, 208, rue de Lancié, 71570 Romanèche-Thorins, tél. 03 85 35 34 20, gduboeuf@duboeuf.com V r.-v.

DOM. FERRAUD Les Charmes 2018 ★

■	9000		15 à 20 €

La maison Ferraud, créée en 1882, est une affaire familiale de négoce-éleveur, spécialisée en vins du Beaujolais et du Mâconnais, qui se transmet depuis cinq générations.

Un morgon qui s'offre d'ores et déjà avec beaucoup d'intensité et de complexité. De la cerise, des épices et des notes florales montent au nez. Ample, souple, dotée de tanins fins et bien équilibrée, la bouche joue aussi la carte de la séduction. Une longue finale conclut la dégustation. Un 2018 que l'on pourra apprécier dans sa jeunesse ou un peu plus âgé. ⧗ 2020-2025

SARL ÉTS PIERRE FERRAUD ET FILS, 31, rue du Mal-Foch, 69220 Belleville-en-Beaujolais, tél. 04 74 06 47 60, ferraud@ferraud.com V *t.l.j. sf sam. dim. 8h-12h 14h-17h*

FABIEN FOREST Granitic 2017 ★

■	1000		15 à 20 €

Un domaine de 8 ha, actuellement en cours de conversion à la viticulture biologique. Fabien Forest, cinquième génération de viticulteurs, produit des morgons et des beaujolais-villages (rouges, blancs, rosés).

Fabien Forest propose ici un morgon issu de lieu-dit Corcelette et élevé en fût de chêne pendant un an. Un vin ample et structuré, qui dispose des atouts pour une garde prospère. Le boisé lui apporte un bon soutien. Un grand classique. ⧗ 2022-2025

FABIEN FOREST, 1018, rte d'Appagnié, 69430 Lantignié, forest.fab@outlook.fr V

DOM. DES GÉNÉRATIONS
Vieilles Vignes 2018 ★★

■ | 10000 | | 8 à 11 €

Fabien Collonge, qui a pris la suite de son père André en 1997, vit en hauteur, sur les contreforts des monts du Beaujolais (Le Truges, son hameau, culminant à 450 m). Fondé en 1892, le domaine familial, rebaptisé Dom. des Générations, compte 15 ha de vignes en morgon, chiroubles et beaujolais.

Égrappés à 60 %, les vieux gamays du domaine (soixante-cinq ans) livrent un vin d'une élégante complexité : l'iris, la pivoine et les épices se donnent généreusement. Des tanins souples et fondus apportent une touche de suavité au palais. Un morgon définitivement séducteur. ⧗ 2021-2024

FABIEN COLLONGE (DOM. DES GÉNÉRATIONS), Le Truges, 69910 Villié-Morgon, tél. 06 30 02 63 18, f.collonge@orange.fr V *r.-v.*

CH. GRANGE COCHARD Les Charmes 2016

■ | 2600 | | 15 à 20 €

James et Sarah Wilding, un couple de Britanniques amoureux de la région, ont racheté en 2008 ce château dont les lointaines origines remontent au Moyen Âge, héritant, avec les vieilles pierres, d'un domaine viticole de 8,5 ha. Ici, seulement du morgon.

Le domaine dispose de 4 ha sur le lieu-dit Les Charmes. Le vin a été longuement élevé en fût de chêne et il se montre un peu marqué par des notes de torréfaction aujourd'hui. L'harmonie en bouche ne lui fait toutefois pas défaut, avec un bon volume et une pointe de vivacité en soutien. ⧗ 2021-2023

SARL JAMES ET SARAH WILDING, La Grange-Cochard, 69910 Villié-Morgon, tél. 06 13 87 23 22, james@lagrangecochard.com V *r.-v.*

♥ GUÉNAËL JAMBON
Côte du Py Réserve 2017 ★★

■ | 30000 | | 8 à 11 €

Guénaël Jambon est à la tête de ce domaine implanté au cœur de la Côte du Py, le terroir le plus connu de l'AOC morgon. Il dispose d'une vingtaine d'hectares dans cette appellation, ainsi qu'en fleurie et en beaujolais-villages.

Un vin qui séduit le nez et flatte le palais tout au long de sa dégustation. Les notes de fruits noirs s'accompagnent de touches minérales et réglissées. En bouche, les tanins sont présents tout en restant souples. Une macération en grappes entières et un élevage de huit mois en cuve ont permis à Guénaël Jambon de mettre parfaitement en valeur le potentiel de son terroir. ⧗ 2021-2025 ■ **Dame de la Côte 2017 ★ (11 à 15 €; 4000 b.)** : la vendange a été ici partiellement égrappée et l'élevage mené pendant une année en fût de chêne. Le résultat est un morgon qui conserve beaucoup d'harmonie : les notes boisées et la puissance tannique ne lui ont rien retiré de sa finesse. ⧗ 2022-2026

EARL GUÉNAËL JAMBON, 597, rte de la Chaponne, Le Haut-Morgon, 69910 Villié-Morgon, tél. 06 03 49 73 06, guenael-jambon@wanadoo.fr V *r.-v.*

DOMINIQUE JAMBON 2018 ★★

■ | 10000 | | 5 à 8 €

Dominique Jambon, installé en 1983 sur un métayage en beaujolais-villages, a repris des vignes familiales en 1995, puis du morgon, et construit un cuvage (2003). Il exploite aujourd'hui 9,5 ha, dont 0,5 ha de chardonnay, et tient beaucoup à ses vignes anciennes plantées à haute densité (10 000 pieds/ha), même si elles exigent beaucoup de travail.

Un peu plus de 2 ha de vieux gamays de cinquante-cinq ans plantés sur des sols de schiste et de granite ont donné un morgon qui conjugue avec bonheur la suavité, la finesse et la consistance. Le nez s'ouvre avec complexité sur des notes de cerise, de pêche et une touche minérale. Une longue finale conclut la dégustation. ⧗ 2021-2025

DOMINIQUE JAMBON, 152, chem. de la Croix-d'Arnas, 69430 Lantignié, tél. 06 14 74 94 62, dominique.jambon@wanadoo.fr V *r.-v.*

PHILIPPE LABALME Côte du Py 2017 ★

■ | 4600 | | 5 à 8 €

Philippe Labalme s'est installé en 2006 après avoir acheté ce domaine, qui s'étend sur 9 ha aujourd'hui. Il s'est attaché à remettre en état ses vieilles vignes de cinquante ans et pratique des vinifications traditionnelles.

Franc et précis sur le plan aromatique, ce morgon ne se départit pas d'une certaine jovialité tout au long de la dégustation. Expressif, fruité et épicé, il dévoile une matière bien équilibrée, structurée par des tanins soyeux. Le plaisir ne se fait pas attendre. ⧗ 2020-2023

PHILIPPE LABALME, 512, rte des Trèches, 69220 Dracé, tél. 06 87 42 10 01, labalmedrace@hotmail.fr V

JOËL LACOQUE Côte du Py 2017 ★★

■ | 15000 | | 5 à 8 €

Basé à Villié-Morgon, le domaine dispose de parcelles de vieilles vignes sur la fameuse colline du Py à Morgon. Joël Lacoque, quatrième génération de viticulteur, produit également du beaujolais.

Un cru qui démontre qu'un gamay de belle origine peut être à la fois concentré et d'une bonne puissance tannique tout en faisant preuve d'harmonie et de subtilité. Celui-ci exprime par ailleurs une belle maturité de fruit et des nuances épicées. Une présence intense qui permet d'être optimiste sur son avenir. Le coup de cœur fut mis aux voix. ⧗ 2022-2026

JOËL LACOQUE, Morgon, 69910 Villié-Morgon, tél. 06 58 01 80 35, joel.lacoque@wanadoo.fr V

JEAN-PIERRE LARGE Les Délys 2017

■ | 10000 | | 8 à 11 €

Jean-Pierre Large exploite depuis 1988 un vaste vignoble de 27 ha sur Chiroubles : le Dom. Cheysson,

ancienne dépendance de l'abbaye de Cluny achetée en 1870 par Émile Cheysson, ingénieur, administrateur et professeur d'économie. Il propose aussi des vins sous son propre nom.

Les Délys est un lieu-dit de Villié-Morgon d'où est originaire la famille de Jean-Pierre Large. Un site prédestiné à donner des vins délectables comme ce morgon à l'expression aromatique complexe et plaisante (fruits rouges, compotés, note de truffe). Après une attaque en rondeur, les tanins s'affermissent en fin de bouche. ⧗ 2021-2025

JEAN-PIERRE LARGE, Bellevue, 1785, rte d'Avenas, 69910 Villié-Morgon, tél. 06 03 22 34 24, large.christin@hotmail.fr V t.l.j. 9h-12h 14h-17h30

DOM. PASSOT-COLLONGE Douby 2017

■	1325		8 à 11 €

Héritiers de lignées vigneronnes remontant au milieu du XIXe s., Bernard et Monique Passot se sont installés en 1990. Monique a repris seule l'exploitation en 2016 après le départ à la retraite de son mari. Un domaine de 6 ha doté d'une palette fournie de cuvées : six crus et plusieurs cuvées en morgon.

Un vin sur un profil flatteur, même s'il gagnera certainement à être attendu pour élargir davantage sa palette aromatique. En bouche, il joue la carte de la rondeur, avec toutefois une pointe de fermeté en finale. ⧗ 2021-2024

MONIQUE ET BERNARD PASSOT, 210, imp. du Colombier, 69910 Villié-Morgon, tél. 04 74 69 10 77, mbpassot@yahoo.fr V r.-v. 2

DOMINIQUE PIRON Grand cras 2017 ★

■	7000		11 à 15 €

Les Piron exploitent la vigne depuis au moins... quatorze générations. Dominique Piron, aujourd'hui, met en valeur un vaste ensemble de 90 ha et si la spécialité du domaine est le morgon, il produit aussi dans les crus moulin-à-vent, régnié, fleurie et chénas.

Une cuvée très harmonieuse, ample en bouche, avec une pointe de fermeté tannique qui s'assouplira avec la garde. Le nez développe des arômes complexes de fruits rouges, de framboise et de fraise notamment. Un morgon qui a connu pour partie le fût de chêne pendant dix mois, une autre partie ayant été élevée en cuve. ⧗ 2022-2025 ■ **Côte du Py 2017 ★ (15 à 20 €; 35000 b.)** : un Côte du Py très gourmand en bouche et élégant au nez, né d'un mixte fût de chêne et cuve. L'équilibre et la rondeur sont au rendez-vous et l'ensemble donne un vin rapidement accessible. ⧗ 2020-2023

SAS VINS ET DOMAINES DOMINIQUE PIRON, 1216, rte du Cru, Morgon, 69910 Villié-Morgon, tél. 04 74 69 10 20, piron@domaines-piron.fr V t.l.j. 8h-12h 14h-17h30

CH. DE PIZAY Les Sybarites 2017 ★★

■	110000		8 à 11 €

Le premier Ch. de Pizay, qui dépendait des sires de Beaujeu, a été construit vers 970. Remanié à la Renaissance et au XIXe s., doté au XVIIe s. de jardins dessinés par Le Nôtre et en 1818 d'une vaste cave voûtée, transformé en hôtel 4 étoiles au siècle dernier, il a bien changé depuis l'époque féodale. Avec 75 ha de vignes, c'est l'un des grands domaines de la région, exploité pour une partie en faire-valoir direct, pour l'autre en métayage. Une partie des vignes est conduite depuis 1998 en agriculture biologique, l'autre en culture raisonnée « haute valeur environnementale ».

Les Sybarites, peuple antique, avaient pour réputation de faire passer avant toutes choses plaisirs et voluptés en prenant bien soin d'exclure tous les tracas du quotidien. Voici un morgon souple et rond en bouche, expressif et long, centré sur des notes de fruits noirs et rouges, qu'ils auraient certainement appréciés... ⧗ 2021-2024

SCEA DOM. CH. DE PIZAY, Pizay, 69220 Saint-Jean-d'Ardières, tél. 04 74 66 26 10, contact@vins-chateaupizay.com V t.l.j. sf dim. 8h30-12h30 13h30-17h; f. du 24 déc. au 3 janv.

DOM. DE ROBERT Côte du Py Cuvée Tradition 2018

■	8000		8 à 11 €

Patrick Brunet, à la tête de l'exploitation familiale depuis 1983 (il représente la troisième génération), conduit 7 ha de vignes. Il effectue chaque année en moyenne huit passages pour travailler ses sols sans herbicides. Il vinifie à la bourguignonne ses vins d'AOC fleurie et morgon.

Patrick Brunet revendique une vinification à la bourguignonne : égrappage et macération longue (vingt jours). Un vin riche et concentré sur le plan aromatique (kirsch, pivoine, poivre noir), doté d'une matière souple et bien équilibrée en bouche. ⧗ 2021-2023

PATRICK BRUNET, 143, côte de Champagne, 69820 Fleurie, tél. 06 81 97 25 55, patrickbrunet.vins@gmail.com V r.-v.

AGNÈS ET FRANCK TAVIAN Les Grands Cras 2017

■	3300		8 à 11 €

Franck Tavian s'est installé en 1995 sur 2,5 ha en côte-de-brouilly : il cultive aujourd'hui 8,5 ha, qu'il vinifie avec un ancestral pressoir vertical. Les rouges sont macérés en levures indigènes grâce à la technique du grillage, qui consiste à faire descendre de force le chapeau dans le moût.

Le domaine exploite un peu moins d'un hectare de ce cru situé au sud de l'appellation. Les raisins ont été travaillés en grappes entières pour donner un vin gourmand, souple et rond, qui évoque les petits fruits rouges et les épices douces. La finale se montre plus sévère toutefois. ⧗ 2021-2023

AGNÈS ET FRANCK TAVIAN, 2301, rte des Crus, Les Bruyères, 69220 Cercié, tél. 04 74 69 02 26, franck.tavian@wanadoo.fr V r.-v.

THORIN Les Creusots 2018 ★

■	53000		8 à 11 €

Fondée en 1843 par une vieille famille du Beaujolais, cette maison de négoce, qui s'approvisionne auprès de 450 viticulteurs, est maintenant une filiale du groupe Boisset. Elle décline dans sa gamme les

différentes «terres» du Beaujolais, qui donnent leur nom à ses cuvées (silice, granite, schiste noir).

Les fruits rouges, notamment la griotte, et une touche florale montent au nez avec intensité. En bouche, les tanins montrent une grande solidité. Une puissance qui devrait se tempérer au fil des mois pour gagner en harmonie. ⧗ 2022-2025

⊶ SAS MAISON MOMMESSIN ET THORIN, 403, rte de Saint-Vincent, 69430 Quincié-en-Beaujolais, tél. 04 74 69 09 61, nesme.l@mommessin.fr
⊶ SAS Boisset

LA TOUR DES BANS 2018 ★

■ | 15 000 | | 5 à 8 €

Raphaël Blanco conduit depuis 1981 le Dom. de la Tour des Bans (9,5 ha), qui est une métairie du Ch. de Pizay, vaste propriété de 75 ha dans le Beaujolais.

Ce morgon né de ceps de quarante-cinq ans s'ouvre sur les fruits rouges et surtout sur le cassis. Arômes que prolonge une bouche d'une belle longueur, ample, suave et structurée. ⧗ 2021-2025

⊶ RAPHAËL BLANCO (LA TOUR DES BANS), Pizay, 69220 Saint-Jean-d'Ardières, tél. 04 74 66 26 10, contact@vins-chateaupizay.com V t.l.j. sf dim. 8h30-12h30 13h30-17h; f. du 24 déc. au 3 janv.
⊶ SCEA Dom. Ch. de Pizay

DOM. DE LA VOIE ROMAINE
Les Charmes 2018 ★

■ | 42 000 | | 5 à 8 €

La famille Dufour est à la tête de ce domaine familial de 11 ha qui produit du morgon et du brouilly. L'exploitation est située en bordure de l'ancienne voie romaine qui reliait autrefois Autun à Lyon via Morgon.

Un morgon qui s'ouvre peu à peu sur des notes de fraise et de pivoine. Ample et intense, la bouche s'affermit en finale sans pénaliser l'harmonie d'ensemble. Une cuvaison longue, d'une quinzaine de jours, qui a porté ses fruits. ⧗ 2021-2023

⊶ SCEA MICHEL ET SÉBASTIEN DUFOUR, 1520, voie Romaine, 69910 Villié-Morgon, tél. 06 81 50 91 87, familledufour2@wanadoo.fr V r.-v.

MOULIN-À-VENT

Superficie : 648 ha / Production : 25 700 hl

Le «seigneur» des crus du Beaujolais fut l'un des premiers, dès 1924, à avoir été délimité – par un jugement du tribunal civil de Mâcon qui lui donna aussi le droit d'utiliser le nom de moulin-à-vent. Il campe sur les coteaux de deux communes, Chénas, dans le Rhône, Romanèche-Thorins, en Saône-et-Loire. Le moulin qui symbolise l'appellation se dresse à une altitude de 240 m au sommet d'un mamelon, au lieu-dit Les Thorins. Le gamay noir s'enracine dans des sols peu profonds d'arènes granitiques. Riche en éléments minéraux tels que le manganèse, ce terroir apporte aux vins une couleur rouge profond, un arôme rappelant l'iris, un bouquet et un corps qui, quelquefois, font qu'on les compare à leurs cousins bourguignons de la Côte-d'Or. S'il peut être apprécié dans les premiers mois de sa naissance, le moulin-à-vent supporte une garde de quelques années (jusqu'à dix ans dans les grands millésimes). Selon un rite traditionnel, chaque millésime est porté aux fonts baptismaux, d'abord à Romanèche-Thorins (fin octobre), puis dans tous les villages et, début décembre, dans la «capitale».

♥ ARNAUD AUCŒUR
Tradition Vieilles Vignes 2018 ★★★

■ | 50 000 | | 8 à 11 €

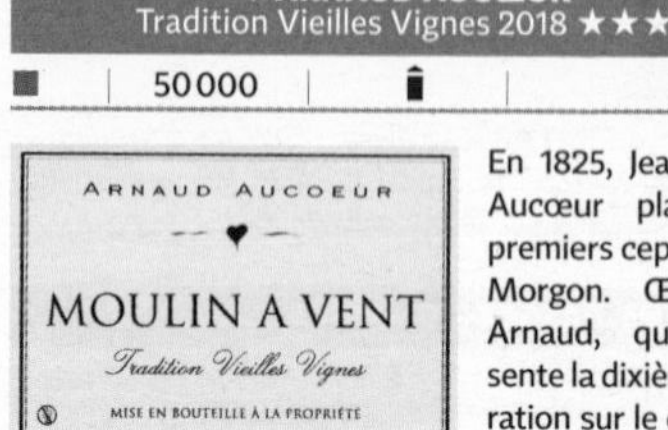

En 1825, Jean-Claude Aucœur plante les premiers ceps à Villié-Morgon. Œnologue, Arnaud, qui représente la dixième génération sur le domaine, s'est installé en 1998. Une activité de négoce complète la production de l'exploitation familiale (14 ha) et lui permet de proposer une belle palette de neuf crus.

2015, 2016 et donc 2018 : cette cuvée d'Arnaud Aucœur (partie négoce) fait preuve d'une belle régularité dans la qualité. À l'origine, des vignes d'une soixantaine d'années sur un terroir de schistes granitiques. Le vin respire la maturité, la gourmandise et la suavité tout au long de la dégustation. Le nez évoque la violette et les fruits noirs mûrs. La bouche, ample, riche et dense, est construite sur de beaux tanins soyeux. ⧗ 2021-2025 ■ **2018 ★★** (11 à 15 €; 25 000 b.) ♥ : doublé pour Arnaud Aucœur avec ici un vin issu du domaine, un moulin-à-vent remarquablement équilibré et intense. Le nez développe des notes de fruits noirs et de baies sauvages accompagnées d'une touche chocolatée. Un profil gourmand qui se confirme dans une bouche large et généreuse, soutenue par des tanins fins. Le caractère solaire du millésime 2018 s'exprime avec franchise et élégance. ⧗ 2020-2024

⊶ EARL ARNAUD AUCŒUR, Le Colombier, 69910 Villié-Morgon, tél. 04 74 04 16 89, arnaudaucoeur@vignobleaucoeur.com V r.-v.

XAVIER ET NICOLAS BARBET
Champ de Cour 2017 ★★

■ | 4 600 | | 11 à 15 €

Les deux frères Xavier et Nicolas Barbet sont propriétaires d'un vignoble au cœur de l'appellation moulin-à-vent depuis 2006. Les terroirs Champ de Cour, Le Moulin, La Roche et Les Perelles figurent dans leur gamme. Les vins sont distribués par la maison Loron, dirigée par Xavier Barbet.

Un vin complexe et déjà très agréable aujourd'hui. Le nez, intense, évoque le fruit bien mûr associé à une élégante touche florale et à un boisé bien fondu (élevage de neuf mois en fût). Appuyée sur des tanins soyeux, la bouche dégage beaucoup d'harmonie et une grande longueur. ⧗ 2020-2025

SCEA BARBET, Les Sauniers, 71570 Saint-Vérand, tél. 03 85 36 81 20, vinloron@loron.fr

DOM. BERTRAND Les Petits Bois 2017 ★

■ | 4000 | | 11 à 15 €

Domaine créé en 1956 et conduit depuis 1974 par Maryse et Jean-Pierre Bertrand, rejoints par leur fils Julien. Installés au sud-est du mont Brouilly, ils exploitent sur 15,5 ha une belle palette de crus : moulin-à-vent, régnié, fleurie et juliénas. De longue date en agriculture raisonnée, le domaine a engagé la conversion bio en 2017.

Raisins égrappés et cuvaison de quatorze jours, le domaine a trouvé la bonne formule pour mettre en valeur ce terroir limoneux du nord de l'appellation. Le nez s'ouvre sur des notes d'épices. La bouche fait preuve d'une agréable souplesse, de rondeur mais aussi de fraîcheur. Un ensemble équilibré. 2020-2023

EARL BERTRAND ET FILS, La Verpillère, 69220 Charentay, tél. 06 95 53 55 91, domainebertrand@outlook.fr V r.-v.

CH. BONNET Vin de Garde 2016 ★★

■ | 2300 | | 11 à 15 €

Aux confins de la Bourgogne et du Beaujolais, ce château tire son nom du sieur Bonnet, échevin de la ville de Mâcon, qui y fit bâtir en 1630 une gentilhommière où séjourna plus tard Lamartine. Acquis par les Perrachon en 1973, le domaine compte 20 ha de vignes. Pierre-Yves Perrachon, à sa tête depuis 1987, est épaulé par sa fille Charlotte, œnologue, et par son fils Julien, chef de culture. Il s'est associé en outre avec un vigneron du Mâconnais pour compléter son exploitation d'une structure de négoce, Bourgogne Sélect.

Une cuvaison de vingt jours et un élevage en fût d'un an, l'idée d'extraire tout le potentiel du terroir de moulin-à-vent a primé. Objectif atteint : la bouche est ample, ronde, généreuse, et un joli boisé accompagne l'expression aromatique fruitée. Un vin au caractère affirmé. 2021-2025

PIERRE-YVES PERRACHON, 2, les Paquelets, 71570 La-Chapelle-de-Guinchay, tél. 03 85 36 70 41, pierre-yves@chateau-bonnet.fr V r.-v.

DOM. DE CHÊNEPIERRE 2018 ★

■ | 20000 | | 8 à 11 €

Christophe Lapierre a pris en 2008 les rênes de l'exploitation familiale, le Dom. de Chênepierre (11 ha répartis entre chénas, moulin-à-vent, beaujolais-villages et crémant-de-bourgogne), après le départ à la retraite de ses parents. Une partie de sa surface est vinifiée par la coopérative de Chénas.

Un vin harmonieux et élégant qui dégage une sensation de plénitude. Le nez propose une belle diversité aromatique : florale, fruitée et épicée. Les tanins sont soyeux et confèrent une jolie finesse au palais. 2021-2024

CHRISTOPHE LAPIERRE, Les Deschamps, 69840 Chénas, tél. 03 85 36 70 74, lapierre-christophe@wanadoo.fr V *t.l.j. 8h-12h 14h-19h*

DOM. DE LA CHÈVRE BLEUE Réserve Philibert 2017 ★

■ | 4000 | | 11 à 15 €

C'est en 1999 que Michèle, d'une famille de vignerons, et son époux Gérard Kinsella, ancien informaticien natif de Londres, ont décidé d'investir dans ce domaine de 7 ha, principalement implanté dans les deux appellations voisines de chénas et de moulin-à-vent. Ils produisent également du mâcon blanc et du pouilly-fuissé.

Une cuvée élevée en fût de chêne pendant douze mois pour un vin généralement plus riche et plus dense que ne l'est l'autre moulin-à-vent du domaine. Un vieillissement sous bois qui n'a rien retiré à son élégance et à sa fraîcheur. Le nez développe des notes florales (pivoine, iris) et la bouche se montre flatteuse, longue et suave. 2021-2024

EARL DES CHASSIGNOLS, Les Deschamps, 69840 Chénas, tél. 09 75 46 74 10, gerard.a.kinsella@gmail.com V r.-v.

DOM. DE COLETTE Le Mont 2017 ★

■ | 4500 | | 8 à 11 €

Vigneron précoce, Jacky Gauthier s'est installé en 1980 à seulement dix-sept ans, en demandant à ses parents de l'émanciper. Son domaine, implanté sur des coteaux exposés au sud-est, s'étend sur 15 ha, avec des parcelles dans quatre crus (moulin-à-vent, régnié, morgon et fleurie).

Une cuvée parcellaire issue de vieilles vignes, soixante-dix ans en moyenne, plantées sur 2 ha. Elle s'exprime généreusement et avec équilibre. Après une attaque structurée, des arômes d'épices se manifestent. Une longue finale conclut la dégustation. 2020-2023

EARL JACKY GAUTHIER, 4245, rte de Saint-Joseph, 69430 Lantignié, tél. 04 74 69 25 73, domainedecolette@wanadoo.fr V r.-v.

DOM. DUFOUR 2017 ★★

■ | 3000 | | 8 à 11 €

Florent Dufour s'est installé en 1998 sur le domaine familial qu'il n'a eu de cesse d'agrandir. Il dispose aujourd'hui d'une coquette exploitation de 18 ha avec plusieurs crus à sa carte (chiroubles, morgon, brouilly, moulin-à-vent).

Situées sur de fortes pentes avoisinant 40 %, les vignes de moulin-à-vent du domaine sont travaillées manuellement. Elles livrent, sur ce millésime 2017, une cuvée d'une bonne présence tannique. Des tanins enveloppés dans une matière suave et équilibrée. Des notes grillées et de fruits noirs constituent sa palette aromatique. Un vin de grande garde. 2021-2029

DOM. DUFOUR PÈRE ET FILS, 602, rte de Ponchon, 69430 Régnié-Durette, tél. 04 74 04 35 46, florent-dufour@wanadoo.fr V r.-v.

CAVE DES GRANDS CRUS BLANCS Récolte 2018 ★

■ | 7400 | | 8 à 11 €

Créée en 1929, la Cave des Grands Crus Blancs a scellé l'union des vignerons de deux villages voisins : Vinzelles

et Loché. Surtout présente dans le Mâconnais, la coopérative propose aussi des crus du Beaujolais. Élaborés par un jeune œnologue, Jean-Michel Atlan, ses vins figurent régulièrement dans le Guide.

Une vinification bourguignonne a été mise en œuvre par Jean-Michel Atlan : raisins 100 % égrappés et élevage de douze mois en fût. Le résultat est un moulin-à-vent aux notes de fruits rouges bien mûres et d'épices douces. La bouche se montre intense, construite sur des tanins soyeux, avec une pointe de fermeté en finale. Pour la cave. ⧗ 2022-2026

⊶ CAVE DES GRANDS CRUS BLANCS, 2367, rte des Allemands, 71680 Vinzelles, tél. 03 85 27 05 70, contact@lesgrandscrusblancs.com V *t.l.j. 8h30-12h30 13h30-18h30*

♥ DOM. DU GUÉRET 2018 ★★

■	29400	🍾	8 à 11 €

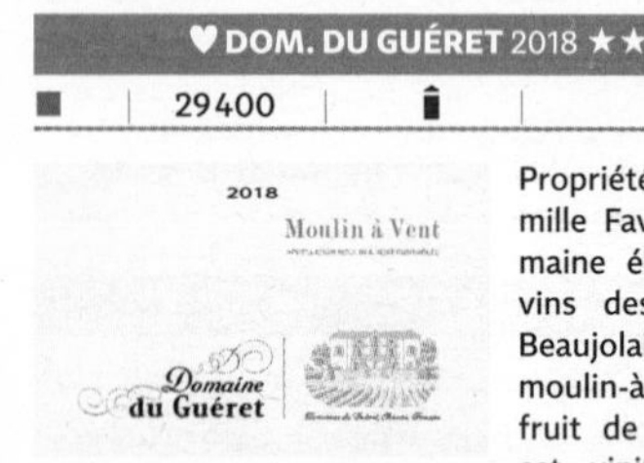

Propriété de la famille Favre, ce domaine élabore des vins des crus du Beaujolais (8 ha en moulin-à-vent). Le fruit de la récolte est vinifié par la cave de Chénas, dont Jean Favre a longtemps été le président. Ses quatre filles sont aujourd'hui aux commandes de la propriété.

Le gamay sur arènes granitiques (sable) est capable de produire de grands vins comme en témoigne ce moulin-à-vent issu d'un peu plus de 3,6 ha. Il parvient à marier à merveille la suavité et l'élégance. De belles notes de fruits rouges confits se déploient au nez. Les tanins sont soyeux et laissent une sensation d'harmonie en bouche. ⧗ 2021-2025

⊶ DOM. DU GUÉRET, La Bruyère, 69840 Chénas

DOM. CÉLINE ET NICOLAS HIRSCH 2017

■	4500	🛢	11 à 15 €

Après avoir bourlingué en France et à l'étranger, les jeunes œnologues Céline et Nicolas Hirsch se sont installés dans le Beaujolais, où ils ont racheté en 2011 un petit domaine de 5,5 ha proposant trois crus : chénas, moulin-à-vent et juliénas.

Environ 30 % de grappes entières ont été conservés pour élaborer cette cuvée, élevée en fût par la suite. Elle présente une bonne complexité aromatique sur une dominante épicée. En bouche, elle offre de l'équilibre et de la rondeur. ⧗ 2020-2023

⊶ DOM. CÉLINE ET NICOLAS HIRSCH, Les Brureaux, 69840 Chénas, tél. 03 85 33 50 40, domainehirsch@yahoo.fr V *r.-v.*

DOM. LABRUYÈRE Champ de Cour 2017 ★★

■	10000	🛢	20 à 30 €

Après avoir fait fortune dans la grande distribution, les Labruyère ont investi dans le vin, rachetant en 1988 des parts dans le Dom. Jacques Prieur, à Meursault. Depuis 2008, ils ont aussi renoué avec leurs racines beaujolaises : un ancêtre s'était installé en 1850 aux Thorins, exploitant notamment le monopole réputé du Clos du Moulin-à-Vent. Édouard Labruyère a repris la propriété en main, ne gardant toutefois que les plus belles parcelles. Le vignoble compte aujourd'hui 14 ha.

L'œnologue Nadine Gublin a procédé à une vinification en vendanges entières et un élevage de dix-huit mois en fût. La réussite est au rendez-vous avec ce vin intense tant sur le plan aromatique (fruits rouges, notes minérales) que dans sa constitution en bouche. Un moulin-à-vent expressif et dense qui dégage une harmonieuse douceur. ⧗ 2021-2026

⊶ SCEV HÉRITIERS LABRUYÈRE, 310, rue des Thorins, 71570 Romanèche-Thorins, tél. 03 85 20 38 13, info@labruyere.wine V *r.-v.*

JEAN LORON Au Beau Moulin 2017 ★★

■	4000	🛢🍾	11 à 15 €

Aux origines de la maison, Jean Loron, vigneron né dans le Beaujolais en 1711. Son petit-fils Jean-Marie fonda en 1821 un commerce d'expédition de vins. Aujourd'hui dirigée par la huitième génération, l'entreprise familiale est propriétaire de plusieurs domaines, comme le Ch. de la Pierre (régnié, brouilly), ceux de Fleurie, de Bellevue (morgon), les domaines des Billards (saint-amour) et de la Vieille Église (juliénas).

Égrappage et macération de vingt jours, la volonté d'obtenir un moulin-à-vent d'un belle consistance n'a pas échappé au jury. Après une belle attaque en bouche, se déploie une matière profonde et puissante. Un caractère réglissé, une touche de fruits confits et d'épices se fait sentir tout au long de la dégustation. ⧗ 2021-2025

⊶ MAISON JEAN LORON, Pontanevaux, 71570 La-Chapelle-de-Guinchay, tél. 03 85 36 81 20, vinloron@loron.fr V *t.l.j. sf sam. dim. 9h-12h 14h-17h*

DOM. DES MAISONS NEUVES Les Bois Combes 2018 ★

■	9800	🍾	11 à 15 €

Installé depuis 2005, Emmanuel Jambon exploite 40 ha, dont cinq crus : brouilly, côte-de-brouilly, morgon, moulin-à-vent et régnié. Une structure de négoce est adossée au domaine.

Un peu plus d'un hectare de gamays âgés de quatre-vingts ans plantés sur un sol où l'on retrouve du manganèse, voilà de quoi donner un moulin-à-vent d'une bonne typicité. Il se distingue effectivement par sa complexité sur une dominante de fruits rouges et de cassis. Les tanins sont présents mais assez fondus. ⧗ 2021-2024

⊶ SAS MAISON JAMBON, 166, chem. de Bergeron, 69220 Saint-Lager, tél. 06 22 77 63 29, jambon.domainedesmaisonsneuves@orange.fr V *r.-v.*

RICHARD MEYRAN En Brennay 2016

■	600	🛢🍾	11 à 15 €

Après douze années passées dans l'industrie, Richard Meyran reprend en 2007 – « par goût et par défi », dit-il –, l'exploitation familiale dont les vins étaient

jusqu'alors vinifiés en cave coopérative. Il conduit aujourd'hui 8 ha de vignes.

Dans la continuité des cuvées sélectionnées dans de précédentes éditions du Guide, Richard Meyran propose un moulin-à-vent issu de très vieilles vignes centenaires, élevé pour partie en fût. Un vin aux notes de fruits noirs et de cuir, doté d'une bonne structure en bouche sans manquer de rondeur. Jolie finale épicée. ⧗ 2021-2023

⊶ RICHARD MEYRAN, 11, rte de la Chapelle-des-Bois, 69820 Fleurie, tél. 06 81 21 05 89, richard.meyran@hotmail.fr V t.l.j. 8h-18h

DOM. JEAN-PIERRE MORTET Les Héritages 2016 ★

■	2000		8 à 11 €

La famille Mortet est présente à Romanèche-Thorins depuis près d'un siècle. Jean-Pierre Mortet est à la tête de 6,5 ha de vignes dont 4,5 ha de moulin-à-vent, le restant étant produit en beaujolais-villages.

Jean-Pierre Mortet a opté pour un élevage de douze mois en fût. Une pratique qu'il maîtrise manifestement bien tant le boisé se montre de qualité et n'écrase pas les nuances fruitées les plus fraîches (fraise, groseille). La bouche s'exprime dans la concentration et affiche une belle longueur épicée. ⧗ 2021-2025

⊶ DOM. JEAN-PIERRE MORTET, 1339, rte du Bourg, 71570 Romanèche-Thorins, tél. 03 85 35 55 51, jeanpierre.mortet@gmail.com V r.-v.

LE NID Cuvée Tradition 2017 ★

■	10000		15 à 20 €

Anciennement dénommé Dom. du Petit Chêne, ce vignoble en moulin-à-vent a été repris en 2012 par Paul Lardet, industriel à la tête d'une entreprise de métallurgie fabriquant du matériel de cuverie. Ce dernier l'a rebaptisé Le Nid en 2014 et le conduit avec ses trois enfants en agriculture raisonnée. Le domaine s'étend sur 6 ha.

Ce joli terroir de la partie haute de l'appellation est mis en valeur par la famille Lardet depuis 2012. La réussite se montre une nouvelle fois au rendez-vous avec un vin en puissance, structuré. Le nez évoque la cerise et la pivoine, agrémentées d'une nuance cacaotée. Les tanins demandent à s'assouplir mais l'équilibre est là. ⧗ 2021-2025 ■ **Rochegrès 2017 ★ (20 à 30 €; 2500 b.)** : issu d'un assemblage de plusieurs parcelles avec égrappage, ce vin a passé une dizaine de mois en fût après fermentation. Une cuvée bien structurée et d'un joli volume, comme le sont souvent les productions du domaine. Les fruits rouges et noirs se mêlent avec bonheur au nez. ⧗ 2021-2024

⊶ FAMILLE LARDET, 51, rue des Champs-de-Cour, Moulin-à-Vent, 71570 Romanèche-Thorins, tél. 06 82 88 61 01, contact@lenid.fr V r.-v.

CH. PORTIER Vieilles Vignes 2017 ★★

■	5700		15 à 20 €

Ingénieur et œnologue, Denis Chastel-Sauzet est le propriétaire du moulin emblématique du Dom. de Moulin-à-Vent et, depuis 2006, du Ch. Portier, une bâtisse au toit de tuiles vernissées construite au XIXᵉs. Avec ces deux vignobles, il est à la tête d'un domaine de 20 ha.

La cuvaison longue «apporte finesse, élégance et sucrosité à cette cuvée prestige», précise Denis Chastel-Sauzet. Le jury approuve la démarche et souligne la belle complexité aromatique de ce vin ouvert sur des notes de menthol et de fruits cuits. Les tanins demandent un peu de patience pour s'assouplir, mais la rondeur et l'équilibre sont déjà là. Du caractère. ⧗ 2022-2026

⊶ SCV CH. PORTIER, 1765, rte de Moulin-à-Vent, 71570 Romanèche-Thorins, tél. 06 84 84 71 01, moulinavent.com@gmail.com V t.l.j. 9h-12h30 13h30-19h; groupes sur r.-v.

DOM. DE ROCHE-GUILLON 2017 ★

■	2000		8 à 11 €

Valérie et Bruno Copéret se sont installés en 1984 sur le vignoble familial, rejoints en 2014 par leur fils Cyril. Le domaine, qui couvre 12 ha, propose trois crus : fleurie principalement, chénas et moulin-à-vent.

Vinifié essentiellement en grappes entières (70 %), ce moulin-à-vent fait preuve de rondeur et de complexité. Des notes de groseille et de fruits noirs flattent le nez. La bouche apparaît ample, suave, concentrée, persistante. Un beau classique. ⧗ 2021-2025

⊶ BRUNO COPÉRET, 50, rte de Roche-Guillon, 69820 Fleurie, tél. 06 87 40 31 08, roche-guillon.coperet@wanadoo.fr V t.l.j. 9h-18h ❷

DOM. DES ROSIERS Vieilles Vignes des Rosiers Tradition 2018 ★

■	15000		8 à 11 €

Un domaine de 23 ha repris en 2018 par Patrick Balvay et son fils Tanguy. Les vignes sont situées sur les crus moulin-à-vent, chénas, saint-amour et morgon, ainsi qu'en saint-véran.

Les vieilles vignes du domaine (soixante ans en moyenne) ont été vinifiées en vendanges entières. Elles livrent un vin dense et puissant, à l'aromatique franc mariant les épices à un fruité frais. ⧗ 2022-2026

⊶ EARL LE VIEUX BOURG, Les Rosiers, 69840 Chénas, tél. 06 80 98 97 91, patrickbalvay@orange.fr V t.l.j. 9h-12h30 14h-19h

RÉGNIÉ

Superficie : 313 ha / Production : 15 000 hl

Officiellement reconnu en 1988, le plus jeune des crus s'insère entre le morgon au nord et le brouilly au sud, confortant ainsi la continuité des limites entre les dix appellations locales beaujolaises. À l'exception de 5,9 ha sur la commune voisine de Lantignié, il est totalement inclus dans le territoire de la commune de Régnié-Durette, autour de la curieuse église aux clochers jumeaux qui symbolise l'appellation. Orienté nord-ouest/sud-est, le vignoble s'ouvre largement au soleil levant et à son zénith, ce qui lui a permis de s'implanter à une altitude entre 300 et 500 m. Le gamay s'enracine dans un sous-sol sablonneux et caillouteux – le terroir s'inscrit dans le massif granitique dit de Fleurie. On trouve aussi quelques secteurs à tendance argileuse. Aromatiques, fruités

et floraux, charnus et souples, les régnié sont souvent qualifiés de rieurs et de féminins.

♥ DOM. DES BRAVES 2017 ★★

■ | 10000 | | 5 à 8 €

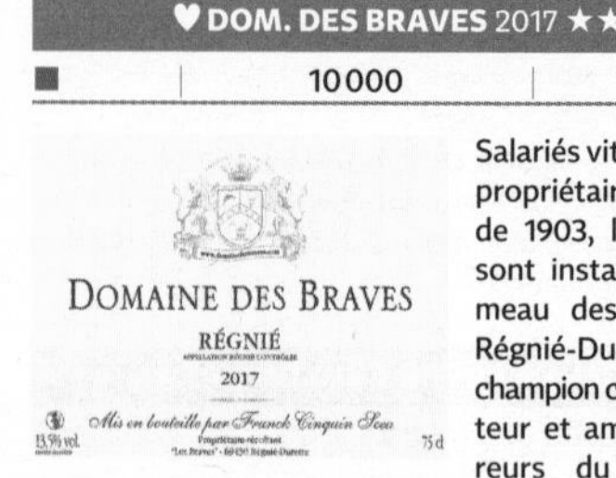

Salariés viticoles, puis propriétaires à partir de 1903, les Cinquin sont installés au hameau des Braves à Régnié-Durette. Paul, champion cycliste amateur et ami des coureurs du Tour de France, a laissé en 1988 le guidon à la sixième génération : Franck et Anne-Virginie. À leur carte, les crus régnié et morgon, des beaujolais-villages et des rosés, élaborés à partir de 16 ha de vignes.

Un vin qui dispose de tous les atouts pour séduire les amateurs les plus exigeants. Le nez fait preuve à la fois d'une bonne maturité de fruit, et de fraîcheur. Il évoque les épices, les fruits noirs, le cèdre. La bouche, construite sur des tanins soyeux, apparaît ample, veloutée, fondue à souhait, et persiste longuement en finale. ⌛ 2020-2023

⊶ DOM. DES BRAVES, 804, Les Braves, 69430 Régnié-Durette, tél. 06 10 99 98 30, franck.cinquin@wanadoo.fr V 🚶 🍷 *t.l.j. sf sam. dim. 8h-11h30 13h30-17h*

RÉGINE ET DIDIER COSTE-LAPALUS
Cœur des Bruyères 2017 ★

■ | 1200 | 🛢 🍾 | 8 à 11 €

En 1999, Régine et Didier Coste-Lapalus ont décidé de reprendre les vignes familiales louées jusqu'alors à un fermier. Les parcelles situées au sud de Régnié offrent une splendide vue sur les Alpes.

Implantées au cœur du hameau des Bruyères, les vignes centenaires du domaine ont livré un régnié bien équilibré, harmonieux. Les tanins sont veloutés et la palette aromatique marie les fruits noirs à une élégante touche boisée grillée (élevage pour un tiers en fût). ⌛ 2021-2023

⊶ RÉGINE ET DIDIER COSTE-LAPALUS, 280, chem. des Bruyères, 69430 Régnié-Durette, tél. 04 74 04 38 04, lapalus.rd@wanadoo.fr V 🚶 🍷 *r.-v.*

DOM. GAUDET Vieilles Vignes 2017 ★

■ | 1200 | 🍾 | 8 à 11 €

Jean-Michel Gaudet a pris en 1988 la tête d'une exploitation familiale créée en 1947. Il conduit 7,8 ha de vignes et propose du régnié, du beaujolais-villages rouge et rosé et du beaujolais blanc.

La petite parcelle de 60 ares, plantée de gamays de 70 ans, livre un régnié au nez délicat de pivoine et de fruits rouges. D'un profil concentré, le palais dévoile des tanins encore un peu fermes pour l'heure, mais qui devraient évoluer favorablement. ⌛ 2021-2024

⊶ JEAN-MICHEL GAUDET, 76, imp. des Sarments, La Haute-Plaigne, 69430 Régnié-Durette, tél. 04 74 69 21 66, jeanmichelgaudet@orange.fr V 🚶 🍷 *t.l.j.*

DOM. LAFOREST 2018

■ | 30000 | 🍾 | 5 à 8 €

Vigneron comme son père et son grand-père, Jean-Marc Laforest a pris les rênes en 1973 d'un domaine qui compte aujourd'hui 20 ha. Ses deux fils Thomas et Pierre ont pris la relève en 2016. L'exploitation propose les crus brouilly, côte-de-brouilly et régnié ainsi que du beaujolais-villages.

Une cuvée issue de 7 ha de gamays âgés de 40 ans en moyenne. Le nez présente une belle intensité autour de notes de cassis bien mûr. Une matière fine se déploie en bouche, avec une finale fraîche de bon aloi. ⌛ 2019-2023

⊶ DOM. LAFOREST, 793, rte du Bois, 69430 Régnié-Durette, tél. 04 74 04 35 03, domaine.laforest@wanadoo.fr V 🚶 🍷 *t.l.j. sf dim. 8h-20h*

FRÉDÉRIC LAISSUS 2017 ★★

■ | 4800 | 🛢 | 5 à 8 €

Le vignoble (13 ha) se transmet de père en fils depuis trois générations. Frédéric Laissus s'est installé en 2004, succédant à son père André. Sur la carte des vins du domaine, du morgon, du régnié et du côte-de-brouilly.

La palette aromatique témoigne d'une belle maturité de fruit : elle évoque avec intensité les fruits noirs et rouges. Les tanins élégants, délicatement fondus, sont également denses. Ils offrent une très plaisante sensation d'harmonie et de volume. ⌛ 2021-2024

⊶ FRÉDÉRIC LAISSUS, 237, rue du Four à Pain, Les Chastys, 69430 Régnié-Durette, tél. 06 81 59 37 64, laissus-fred@gmail.com V 🚶 🍷 *r.-v.* 🏠 Ⓑ

DOM. DE LA ROCHE THULON 2018

■ | 7000 | 🍾 | 5 à 8 €

Pascal Nigay, installé en 1990, a cédé son domaine familial à Didier Lapalus, vigneron de Régnié, en 2017. Un domaine de 14 ha, habitué du Guide, qui produit trois crus (régnié, morgon et côte-de-brouilly), ainsi que du beaujolais-villages.

Au nez, des fruits rouges et une touche végétale. D'une jolie texture veloutée en attaque, le palais se distingue aussi par une belle acidité. La finale est un peu plus ferme, sur une intensité aromatique discrète. ⌛ 2021-2023

⊶ DIDIER LAPALUS, 846, rte de Montmay, 69430 Quincié-en-Beaujolais, tél. 06 70 02 86 51, larochethulon@free.fr V 🚶 🍷 *r.-v.*

DOM. CHRISTOPHE SAVOYE
Cuvée Ma Confidence 2017

■ | 5000 | 🍾 | 11 à 15 €

Sophie et Christophe Savoye, installés à Chiroubles depuis 1991, ont pris la suite de cinq générations. Ils exploitent 16 ha répartis dans les AOC chiroubles, morgon et régnié.

Un vin dominé par les épices à l'olfaction, avant de s'ouvrir sur des nuances de fruits rouges. Les tanins sont bien présents en bouche, un peu fermes, mais plutôt agréables. Un régnié de garde. ⌛ 2022-2024

CHRISTOPHE SAVOYE, 11, rte de la Grosse-Pierre, 69115 Chiroubles, tél. 04 74 69 11 24, christophe.savoye@laposte.net V t.l.j. 10h-12h 14h-18h30 ④

DOM. STRIFFLING La Ronze 2017

■ | 1500 | | 15 à 20 €

Après des études d'œnologie, Guillaume Striffling, jeune viticulteur de vingt-trois ans, a repris en 2012 le domaine familial, autrefois propriété de la famille Marmonier, dont le nom évoque un pressoir vertical inventé par son aïeul. Il exploite près de 14 ha, notamment des parcelles dans les crus régnié et morgon.

Guillaume Striffling opte pour des macérations traditionnelles et un élevage en fût pour cette cuvée parcellaire (60 ares). Des notes épicées et grillées montent au nez. En bouche, on découvre un vin au profil assez viril et puissant, mais qui devrait gagner en harmonie avec le temps. ⧗ 2021-2024

EARL STRIFFLING, La Ronze, 94, Ch. des Lilas, 69430 Régnié, tél. 06 86 92 14 87, contact@domainestriffling.fr V r.-v.

DOM. TANO PÉCHARD Les Compagnons du Toine 2017

■ | n.c. | | 11 à 15 €

Patrick Péchard, installé en 1982, a donné à son exploitation le nom de son père Antoine – « Tano » pour les copains –, disparu en 1984. Implanté sur la colline de Durette, le domaine bénéficie d'un panorama à 360° et son vignoble couvre 11 ha. Un spécialiste du régnié.

Patrick Péchard est resté fidèle à son choix d'un élevage long en fût (douze mois) pour cette cuvée. Les notes boisées s'expriment sur une tonalité épicée et vanillée d'une bonne intensité. Le fruit s'exprime plus spontanément en bouche. On y retrouve également des tanins puissants qui donnent à ce régnié une belle structure. ⧗ 2021-2024 ■ **Ch. Tano Péchard Les Bruyères 2018 (8 à 11 €; 10 000 b.)** : vin cité.

PATRICK ET GHISLAINE PÉCHARD, Aux Bruyères, 210, rte du Bois, 69430 Régnié-Durette, tél. 04 74 04 38 89, tanopechard@wanadoo.fr V r.-v.

SAINT-AMOUR

Superficie : 313 ha / Production : 14 900 hl

Ce vin au nom séducteur a conquis de nombreux consommateurs étrangers, et une très grande part des volumes produits alimente le marché extérieur. Le visiteur pourra le découvrir dans le caveau créé en 1965 au lieu-dit Le Plâtre-Durand, avant de continuer sa route vers l'église et la mairie qui, au sommet d'un mamelon, dominent la région. À l'angle de l'église, une statuette rappelle la conversion du soldat romain qui donna son nom à la commune. Des peintures, aujourd'hui disparues, d'une maison du hameau des Thévenins, qui auraient témoigné de la joyeuse vie menée pendant la Révolution dans cet «hôtel des Vierges», expliqueraient, elles aussi, le nom du village... Incluse dans le département de Saône-et-Loire, l'appellation est délimitée sur des sols argilo-siliceux décalcifiés de grès et de cailloutis granitiques, faisant la transition entre les terrains purement primaires au sud et les terrains calcaires au nord, qui portent les AOC saint-véran et mâcon. Deux «tendances œnologiques» ici : l'une favorise une cuvaison longue dans le respect des traditions beaujolaises, qui confère aux vins nés sur les roches granitiques le corps nécessaire pour la garde; l'autre, de type primeur, donne des vins consommables plus tôt.

DOM. DE L'ANCIEN RELAIS Vieilles Vignes 2017 ★★

■ | 12 000 | | 8 à 11 €

Bien connu pour ses saint-amour et ses juliénas, ce domaine est installé dans un ancien relais de poste doté d'une cave voûtée datant de 1399. Il a été fondé en 1946 par André Poitevin. En 1995, son gendre Jean-Yves Midey, ancien cuisinier, l'a repris avec son épouse Marie-Hélène et en a porté la superficie de 4 à 8,5 ha.

Coup de cœur avec cette cuvée dans la dernière édition du Guide, Jean-Yves Midey poursuit sur sa lancée avec un saint-amour expressif, ouvert sur les fruits rouges, long et gourmand en bouche, soutenu par des tanins soyeux. La macération en grappes entières des gamays de quatre-vingts ans suivie d'un élevage en cuve a fait mouche. ⧗ 2022-2025

EARL ANDRÉ POITEVIN, 45, rte des Chamonards, 71570 Saint-Amour-Bellevue, tél. 06 14 76 98 05, contact@domaine-ancien-relais.com V r.-v.

DOM. BEL AVENIR La Gagère 2017

■ | 2200 | | 11 à 15 €

Laura Dardanelli, qui œuvre également sur l'exploitation de ses parents Cécile et Alain (même nom de domaine), a acquis ses premières vignes en propre, en 2017, en moulin-à-vent et en saint-amour.

Premier millésime vinifié par Laura Dardanelli avec ses vignes personnelles. Elle a opté pour une cuvaison en raisins éraflés qui a donné un vin expressif, floral (rose) et fruité. La bouche est construite sur de solides tanins qui lui donnent des atouts pour bien vieillir. ⧗ 2021-2024

LAURA DARDANELLI, 1087, Bel-Avenir, 71570 La Chapelle-de-Guinchay, tél. 06 31 35 10 78, laura.dardanelli@outlook.fr V r.-v.

DOM. BERGERON Clos du Chapître 2018 ★

■ | 5200 | | 8 à 11 €

Représentant la quatrième génération de vignerons, les frères Jean-François et Pierre Bergeron se sont associés en 1996 et ont regroupé leurs deux exploitations pour constituer cet imposant domaine de 38,5 ha.

Une cuvée parcellaire issue d'un lieu-dit de la commune de Saint-Amour. Le terroir argilo-limoneux de 70 ares a donné un cru d'un bel équilibre. Une harmonie d'autant plus notable que le vin fait aussi preuve d'une certaine puissance, le tout sur une dominante aromatique épicée. ⧗ 2021-2025

GAEC JEAN-FRANÇOIS ET PIERRE BERGERON, Les Rougelons, 69840 Émeringes-en-Beaujolais, tél. 06 80 13 20 12, domaine-bergeron@wanadoo.fr t.l.j. 7h30-12h30 13h30-19h

DOM. DE LA CAVE LAMARTINE
Vers l'Église 2018 ★

■ | 30000 | | 8 à 11 €

Madeleine et François Spay eurent... onze enfants! L'un d'entre eux, Paul, hérita du domaine (Dom. de la Cave Lamartine), et à la génération suivante, Christophe Spay et sa sœur Rachel Hamet constituèrent en 2005 leur exploitation (Dom. Hamet-Spay). La fusion des deux a eu lieu en 2016 : 18 ha de vignes aujourd'hui, en moulin-à-vent, juliénas, saint-amour et, en blanc, pouilly-fuissé, le Mâconnais étant voisin du cru saint-amour.

La traditionnelle vinification en grappes entières du Beaujolais donne ici sa pleine mesure avec un vin qui exhale la fraise, la framboise et la pivoine. La bouche, ronde et équilibrée, est soutenue par des tanins fins et élégants. ⧗ 2021-2024

SCEV DOM. HAMET-SPAY, pl. de l'Église, 71570 Saint-Amour-Bellevue, tél. 06 61 71 67 66, info@hamet-spay.fr t.l.j. 9h-12h 14h-19h; dim. sur r.-v.

JACQUES CHARLET La Victorine 2018

■ | 11000 | | 11 à 15 €

Au moment où la ligne de chemin de fer du Paris-Lyon-Marseille se construisait, les deux négociants Loron et Charlet ont eu l'idée de s'installer dans des bâtiments communs au bord de la voie ferrée. Ils ont fusionné et ont marié leurs enfants respectifs. Aujourd'hui encore, cette maison à taille humaine propose les terroirs historiques du Beaujolais.

Le nez s'exprime sur des notes de fraise, de griotte et d'épices. Une touche de réglisse vient agrémenter la bouche, dotée d'une structure souple et fine. ⧗ 2020-2023

SAS MAISON JACQUES CHARLET, Pontanevaux, 71570 La Chapelle-de-Guinchay, tél. 03 85 36 82 41, contact@jacques-charlet.fr

DOM. DES CHERS Vieilles Vignes 2018 ★★

■ | 11800 | | 8 à 11 €

Commandée par une maison du XVIIIes., cette propriété créée en 1956 par Henry Briday a ensuite été conduite par son fils Jacques, puis par son petit-fils Arnaud, qui en a pris la tête en 2009. Diplômé en viticulture et en gestion du secteur vitivinicole, ce dernier exploite 8,3 ha en culture raisonnée.

Un saint-amour qui respire son terroir. Le nez, élégant, évoque un bouquet de pivoine. Des notes florales que l'on retrouve en bouche, mises en valeur par une matière délicate et fraîche, dotée de tanins fins. La définition de l'harmonie... La macération en grappes entières a été remarquablement menée par Arnaud Briday. ⧗ 2020-2024

ARNAUD BRIDAY (DOM. DES CHERS), Les Chers, 69840 Juliénas, tél. 06 75 54 61 40, contact@domaine-des-chers.fr r.-v.

♥ DOM. LE COTOYON 2017 ★★

■ | 4000 | | 8 à 11 €

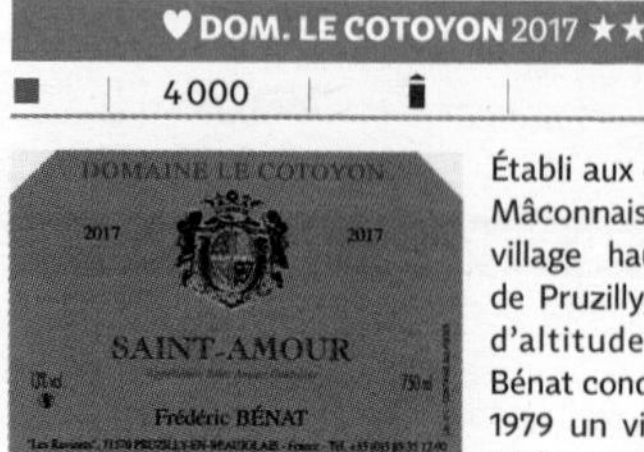

Établi aux confins du Mâconnais dans le village haut perché de Pruzilly, à 400 m d'altitude, Frédéric Bénat conduit depuis 1979 un vignoble de 16 ha partagé entre les crus juliénas et saint-amour.

Un millésime particulièrement réussi pour Frédéric Bénat : son juliénas a obtenu une étoile et sa cuvée de saint-amour se voit donc décerner l'unique coup de cœur de l'appellation. Un vin à la structure ample et fine à la fois. Des qualités qui lui assurent une grande gourmandise, d'autant que l'ensemble fait preuve d'une certaine fraîcheur également. Et pour apporter encore plus de plaisir, il se montre également très expressif, centré sur des notes de fruits noirs. ⧗ 2021-2025

EARL BÉNAT CHERVET, Les Ravinets, 71570 Pruzilly, tél. 03 85 35 12 90, frederic.benat@wanadoo.fr r.-v.

DOM. DES DARRÈZES Côte de Besset 2018 ★

■ | 1300 | | 8 à 11 €

Madeleine et Jacques Janin conduisent le vignoble familial depuis 1974; un domaine fondé par l'arrière-grand-père en 1923, qui n'a cessé de s'agrandir au fil des générations. Il recouvre aujourd'hui 9,5 ha sur les communes de Saint-Amour, Juliénas et Saint-Vérand.

Le domaine exploite un peu plus de 2 ha sur ce terroir constitué d'arènes granitiques, planté de vieux gamays à l'origine d'un saint-amour complexe, qui convoque la cerise noire, les épices et une touche florale. Le palais apparaît charnu, puissant, doté d'une trame tannique serrée. Un saint-amour en devenir. ⧗ 2021-2024 ■ **2018 (8 à 11 €; 20800 b.)** : vin cité.

MADELEINE ET JACQUES JANIN (DOM. DES DARRÈZES), 1440, rte de la Saint-Valentin, Les Darrèzes, 71570 Saint-Amour-Bellevue, tél. 03 85 37 12 96, domainedarrezes@free.fr t.l.j. 10h-19h; dim. sur r.-v.

DOM. DE L'ÉTOURNET 2018

■ | 8600 | | 11 à 15 €

Un domaine de 4,5 ha dans le giron de la maison Jean Loron. Cette dernière, fondée en 1821, élève et commercialise des vins du Mâconnais et du Beaujolais. Elle est propriétaire de plusieurs châteaux, comme le Ch. de la Pierre (régnié, brouilly), ceux de Fleurie, de Bellevue (morgon), les domaines des Billards (saint-amour) et de la Vieille Église (juliénas).

Un saint-amour encore dans ses langes, mais qui présente les mensurations d'une future belle bouteille. Très épicé au nez, il dévoile ensuite une bouche dense, structurée, encore assez austère. Un peu de patience... ⧗ 2022-2024

SCEA DOM. DE L'ÉTOURNET, Pontanevaux, 71570 La-Chapelle-de-Guinchay, tél. 03 85 36 81 20, vinloron@loron.fr

B CH. DE LAVERNETTE Le Châtelet 2016 ★★

■	5000		20 à 30 €

Ancienne propriété des moines de Tournus, le domaine, aux confins du Mâconnais et du Beaujolais, a été acquis par la famille en… 1596. Descendant des Lavernette, Bertrand de Boissieu quitte la coopérative en 1988; son fils Xavier prend le relais en 2007. Il pratique la biodynamie depuis 2005 (certifiée en 2010). Sur ses 13 ha de vignes, il produit des vins du Beaujolais, du bourgogne d'appellations régionales et des pouilly-fuissé.

Un élevage en fût de dix-huit mois a donné à ce saint-amour ambitieux des notes boisées et épicées d'une belle complexité. Sa structure imposante et charnue en bouche a bien domestiqué cet apport. L'ensemble constitue un vin plein, ferme, cossu, doté d'un indéniable potentiel de garde. Les flèches de Cupidon savent aussi agir dans la durée… ⧗ 2022-2025

EARL CH. DE LAVERNETTE, La Vernette, 71570 Leynes, tél. 03 85 35 63 21, chateau@lavernette.com V r.-v.

DOM. DU MAS DES TINES À la folie 2017 ★

■	3000		8 à 11 €

Jérémie Giloux est à la tête de ce domaine de 8 ha depuis 2003. Implanté sur Saint-Amour, il produit aussi du pouilly-fuissé, du bourgogne générique et du crémant-de-bourgogne.

Un peu, beaucoup, à la folie… Voilà un lieu-dit parfaitement adapté à cette cuvée plus qu'aimable. Un vin aux notes de fruits noirs (cassis) qui demande un peu d'aération pour s'affiner. En bouche, les tanins sont soyeux et la finale s'étire longuement. ⧗ 2022-2025

JÉRÉMIE GILOUX, Les Thévenins, 71570 Saint-Amour-Bellevue, tél. 06 72 79 50 26, j.giloux@sfr.fr V r.-v.

DOM. DES PINS Cuvée originelle La Folie 2017 ★

■	5200		11 à 15 €

L'ancien propriétaire étant parti à la retraite, son ami de longue date, Joseph de Sonis, a repris le domaine en 2011. Le vignoble couvre 9 ha.

Une vinification semi-carbonique, traditionnelle dans le Beaujolais, réalisée sans soufre ajouté, suivie d'un élevage de dix mois livre un vin fruité, ample et long, doté d'une bonne structure. ⧗ 2021-2024

SCEA DOM. DES PINS, 120, rue de La Piat, 71570 Saint-Amour, tél. 06 61 77 32 94, joseph.de-sonis@orange.fr V r.-v.

DOM. DE LA PIROLETTE 2018

■	n.c.		11 à 15 €

Remontant à 1600, ce domaine de 15 ha, implanté en saint-amour, tirerait son nom de la pirole, plante vivace à fleurettes blanches à laquelle on prête des vertus diurétiques. Voilà belle lurette que les propriétaires successifs ont préféré y faire pousser de la vigne. Les derniers en date, depuis 2013, sont les Barbet, bien connus en Beaujolais (maison Loron).

Un saint-amour qui joue sur la rondeur et l'harmonie pour se rendre charmeur. Il déploie une structure aux tanins souples qui lui confèrent de l'élégance. L'ensemble ne manque pas non plus de puissance aromatique autour de notes épicées et confiturées. ⧗ 2021-2025

GFA DOM. DE LA PIROLETTE, La Pirolette, 71750 Saint-Amour-Bellevue, tél. 06 47 47 59 86, domainedelapirolette@gmail.com V

DOM. DES PRÉAUX 2018

■	15000		5 à 8 €

Implanté en saint-amour, un des domaines commercialisés par Thorin. Fondée en 1843 par une vieille famille du Beaujolais, cette maison de négoce est maintenant une filiale du groupe Boisset.

Avec une forte proportion de vignes de plus de quarante ans et une orientation au sud, le domaine pouvait compter sur une certaine richesse de ses raisins. Le vin, ouvert sur des notes fruitées et épicées, se montre effectivement riche et suave. ⧗ 2021-2023

HERVÉ BUIS, Les Préaux, 71570 Saint-Amour

COTEAUX-DU-LYONNAIS

Superficie : 300 ha
Production : 14 000 hl (90 % rouge et rosé)

La vigne, qui s'étendait sur plus de 12 000 ha dans les monts du Lyonnais durant la seconde moitié du XIXes., a fortement décliné avec la crise phylloxérique et l'expansion de l'agglomération lyonnaise, pour ne plus couvrir que quelques îlots répartis sur quarante-neuf communes, dans une région de polyculture et d'arboriculture : aux confins du Beaujolais et au nord-ouest de Lyon, ainsi qu'au sud-ouest de la capitale du Rhône. La production est assurée par la coopérative de Sain-Bel et par plusieurs domaines particuliers. Dans ce paysage vallonné aux sols variés (granites, roches métamorphiques, roches sédimentaires, alluvions), les influences méditerranéennes sont plus prononcées que dans le Beaujolais ; pourtant, le relief, plus ouvert aux aléas climatiques des types océanique et continental, limite l'implantation de la vigne à moins de 500 m d'altitude et l'exclut des expositions au nord. Les meilleures situations se trouvent au niveau du plateau. Les coteaux-du-lyonnais ont été consacrés AOC en 1984. Les vins rouges et rosés, majoritaires, les fruités et gouleyants, proviennent du gamay vinifié selon la méthode beaujolaise; les vins blancs, du chardonnay et de l'aligoté.

♥ CLOS DE LA ROUE Conservatoire 2018 ★★

■	15000		5 à 8 €

En 1994, Franck Decrenisse a pris la suite d'André sur ce domaine implanté dans le secteur du mont d'Or, aux portes de Lyon. Du haut de ses vignes, on a une vue imprenable sur la basilique de Fourvière. L'exploitation compte près de 17 ha.

C'est ce qui s'appelle mêler l'utile à l'agréable. Ce vignoble a la particularité d'accueillir plus de mille types de gamays différents pour conserver la variabilité génétique de cépage en collaboration avec l'Inra et l'Institut français du vin. Dans le verre, une cuvée très expressive, ouverte sur les fruits noirs, construite sur des tanins soyeux et fondus, et qui dégage une grande fraîcheur. ⧗ 2020-2022

FRANCK DECRENISSE, 911, Le Petit-Fromentin, 69380 Chasselay, tél. 04 72 18 94 67, franck@vinsdecrenisse.com V t.l.j. sf dim. 17h-19h

DOM. MAZILLE DESCOTES Blanc Sélection 2017 ★

	1200		5 à 8 €

Situé à Millery, à 15 km au sud de Lyon, ce domaine de 7,5 ha dirigé par Anne Mazille est né du regroupement en 2009 de deux propriétés familiales anciennes.

Un chardonnay vinifié et élevé en fût de chêne, façon bourgogne blanc, avec réussite. Le nez évoque la vanille et la pêche blanche, tandis qu'une belle souplesse se dégage en bouche. Un vin d'ores et déjà plaisant. ⧗ 2019-2021

GAEC DOM. MAZILLE DESCOTES, 8 bis, rue du 8-Mai, 69390 Millery, tél. 04 26 65 91 17, mazille.descotes@gmail.com V *t.l.j. sf dim. 17h30-19h; sam. 10h-19h*

SIGNÉ VIGNERONS Vieilles Vignes 2018 ★

	25000		5 à 8 €

Deux des plus grandes coopératives de la région, l'une dans l'extrême sud du Beaujolais (Bully) et l'autre plus au nord (Quincié), dans la zone des beaujolais-villages et des crus, se sont unies en 2010, constituant Signé Vignerons : une entité forte de quelque 1 700 ha de vignes, qui vinifie plus de 10 % de la production de la région. Chaque cave continue néanmoins de vinifier séparément ses vins. Le négociant Louis Tête a rejoint le groupement en 2012. La structure de commercialisation, Agamy (anagramme de gamay), inclut même depuis 2015 les caves des Coteaux du Lyonnais et des Vignerons foréziens.

Égrappé à 80 % et élevé pour un quart en fût de chêne, ce coteaux-du-lyonnais affirme un solide caractère qu'un peu de vieillissement saura assagir. Les tanins sont en effet encore un brin accrocheurs mais assurent une bonne structure en bouche. Côté arômes, les fruits noirs bien mûrs dominent. ⧗ 2021-2023 **Vieilles Vignes 2018 (5 à 8 €; 28000 b.)** : vin cité.

SCA AGAMY, La Martinière, 69210 Bully, tél. 04 37 55 50 10, contact@agamy.fr V *mer. à sam. 9h-12h30 15h-18h30*

Le Bordelais

SUPERFICIE : 117 500 ha
PRODUCTION : 5 700 000 hl
TYPES DE VINS : Rouges majoritairement, puis blancs secs, moelleux et liquoreux, rosés et quelques effervescents.
SOUS-RÉGIONS : Blayais-Bourgeais, Libournais, Entre-deux-Mers, Graves, Médoc, Côtes.
CÉPAGES :

Rouges : merlot (plus de 60 %), suivi du cabernet-sauvignon (25 %), du cabernet franc (11 %) et dans une très faible proportion des malbec, petit verdot, carmenère.

Blancs : sémillon (53 %), suivi du sauvignon (38 %), de la muscadelle (6 %), du colombard, de l'ugni blanc.

LE BORDELAIS

Partout dans le monde, Bordeaux représente l'image même du vin. Pourtant, aujourd'hui, il faut des fêtes à grand spectacle, comme « Bordeaux fête le vin », ou des manifestations professionnelles de dimension mondiale, telle Vinexpo, pour le rappeler. Difficile de trouver l'empreinte de Bacchus dans une ville désertée par les alignements de barriques sur le port ou devant les grands chais du négoce, partis vers la périphérie. Toutefois, si le vin s'est effacé du paysage urbain, il demeure un pilier de l'économie aquitaine, et le Bordelais constitue le plus vaste vignoble d'appellation de France. Les crus classés et grands châteaux lui donnent son aura, mais l'amateur y trouvera à tous les prix une riche palette de vins de toutes couleurs et de tous les styles.

Le claret médiéval. Paradoxalement, le vin fut connu avant... la vigne : dans la première moitié du I^ers. av. J.-C. (avant même l'arrivée des légions romaines en Aquitaine), des négociants campaniens commençaient à vendre du vin aux Bordelais. D'une certaine façon, c'est par le vin que les Aquitains ont fait l'apprentissage de la romanité. Au I^ers. de notre ère, la vigne est apparue. Mais il fallut attendre la montée sur le trône d'Angleterre d'Henri Plantagenêt, marié à Aliénor d'Aquitaine, pour assister au développement du marché britannique. Le jour de la Saint-Martin (en novembre), une flotte considérable quittait le port de Bordeaux pour livrer en Angleterre le vin de l'année, le claret.

L'essor des châteaux et des crus. Affaiblis sur le marché anglais par le rattachement de la Guyenne à la France, puis par la concurrence des vins d'autres pays et d'autres boissons à la mode (thé, café, chocolat), les vins de Bordeaux retrouvent leur place au début du XVIIIes. par l'intermédiaire des *new french clarets*, des vins aptes au vieillissement grâce à de nouvelles techniques : utilisation du soufre comme antiseptique, clarification par collage, soutirage, mise en bouteilles.

Ces progrès au chai et la constitution des crus par une sélection rigoureuse des terroirs aboutit à l'apogée du XIXes. que symbolise, en 1855, le célèbre classement impérial des vins du Médoc et du Sauternais.

Surmonter les crises. Dans la seconde moitié du XIXes. et la première moitié du XXes., les maladies de la vigne (oïdium, mildiou et phylloxéra), puis les crises économiques et les guerres mondiales mettent à mal le monde du vin, le point d'orgue étant apporté par le gel de 1956.

Un nouvel âge d'or. D'abord timidement à partir des années 1960, puis de façon plus éclatante dans les années 1980, la prospérité est heureusement revenue, notamment grâce à une remarquable amélioration de la qualité et à l'intérêt porté, dans le monde entier, aux grands vins. Générale dans les années 1980-2000, la prospérité cède la place à une situation plus contrastée avec le changement de millénaire : si l'émergence des vins du Nouveau Monde accroît la concurrence, l'apparition de nouveaux marchés, notamment en Chine, ouvre d'intéressantes perspectives. Mais tous les crus pourront-ils en profiter ?

Un climat océanique tempéré. Le vignoble bordelais est organisé autour de la Garonne, la Dordogne et leur estuaire commun, la Gironde. Ces axes fluviaux créent des conditions favorables à la culture de la vigne : le climat de la région bordelaise est relativement tempéré (moyennes annuelles 7,5 °C minimum, 17 °C maximum), et le vignoble protégé de l'Océan par la forêt de pins des Landes. Les gelées d'hiver sont exceptionnelles (1956, 1958, 1985), mais une température inférieure à -2 °C sur les jeunes bourgeons (avril-mai) peut entraîner leur destruction, comme en 1991. Un temps froid et humide au moment de la floraison (juin) peut provoquer la coulure (avortement des grains). Ces deux accidents engendrent des pertes de récolte et expliquent la variation des volumes d'une année sur l'autre. En revanche, la qualité de la récolte suppose un temps chaud et sec de juillet à octobre, tout particulièrement pendant les quatre dernières semaines précédant les vendanges (globalement, 2 000 heures de soleil par an). Le climat bordelais est assez humide (900 mm de précipitations annuelles), particulièrement au printemps. Mais les automnes sont réputés, et de nombreux millésimes ont été sauvés par une arrière-saison exceptionnelle; les grands vins de Bordeaux n'auraient jamais pu exister sans cette circonstance heureuse.

Une géologie variée. La vigne est cultivée en Gironde sur des sols de natures très diverses. La plupart des grands crus de vin rouge sont établis sur des alluvions gravelo-sableuses siliceuses; des calcaires à astéries, des molasses et même des sédiments argileux. Les vins blancs secs sont produits indifféremment sur des nappes alluviales gravelo-sableuses, des calcaires à astéries et des limons ou molasses. Dans tous les cas, les mécanismes naturels ou artificiels (drainage) de régulation de l'alimentation en eau constituent des facteurs essentiels de qualité. S'il peut exister des crus de même réputation de haut niveau sur des roches-mères différentes, les caractères aromatiques et gustatifs des vins sont influencés par la nature des sols. La distribution des cépages, qui est souvent fonction des caractères du terroir, explique en partie ces variations.

Cépages et assemblages. Les vins de Bordeaux ont toujours été produits à partir de plusieurs cépages ayant des caractéristiques complémentaires. En rouge, le merlot et les cabernets sont les principales variétés. Les seconds donnent des vins d'une solide structure tannique, mais qui doivent attendre plusieurs années pour atteindre leur qualité optimale; en outre, si le cabernet-sauvignon résiste bien à la pourriture, c'est un cépage tardif qui connaît parfois des difficultés de maturation. Le merlot engendre des vins plus souples, d'évolution plus rapide; plus précoce, il mûrit bien, mais il est sensible à la coulure, à la gelée et à la pourriture. Pour les vins blancs, le cépage essentiel est le sémillon, qui apporte gras et rondeur. Cette variété est surtout complétée par le sauvignon, cépage prisé pour sa fraîcheur et sa puissance aromatique, parfois complété par la délicate muscadelle. On trouve encore parfois dans certaines zones le colombard, et l'ugni blanc, en retrait.

Une vigne bien soignée. La vigne est conduite en rangs palissés, avec une densité de ceps à l'hectare très variable. Elle atteint 10 000 pieds dans les grands crus du Médoc et des Graves; elle se situe à 4 000 pieds dans les plantations classiques de l'Entre-deux-Mers. Les densités élevées entraînent une diminution de la récolte par pied, ce qui est propice à la maturité; en revanche, elles augmentent les frais de plantation et de culture, et peuvent favoriser la propagation de la pourriture. La vigne est l'objet, tout au long de l'année, de soins attentifs.

Vins de propriété et vins de négoce. La mise en bouteilles à la propriété se fait depuis longtemps dans les grands crus. Depuis trois décennies, elle s'est développée dans tous les vignobles, notamment grâce à l'intervention des centres et laboratoires œnologiques. Actuellement, la grande majorité des vins est élevée, vieillie et stockée par la production. La vente directe par la propriété s'est largement répandue, parfois au détriment des caves coopératives qui continuent cependant à tenir un rôle important, notamment grâce à la constitution d'unions. Les quelque quarante-cinq coopératives regroupent 40% des récoltants girondins et assurent 25% de la production. Enfin, le négoce conserve toujours un rôle important (70% de la commercialisation bordelaise) dans la distribution, en particulier à l'exportation, grâce à ses réseaux bien implantés depuis longtemps.

Une dimension culturelle. L'importance de la viticulture dans la vie régionale est considérable, puisque l'on estime qu'un Girondin sur six dépend directement ou indirectement des activités viti-vinicoles. Mais dans ce pays gascon qu'est le Bordelais, le vin n'est pas seulement une ressource économique. C'est aussi et surtout un fait de culture. Derrière chaque étiquette se cachent tantôt des châteaux à l'architecture de rêve, tantôt de simples maisons paysannes, mais toujours des vignes et des chais où travaillent des hommes apportant, avec leur savoir-faire, leurs traditions et leurs souvenirs. Les confréries vineuses (Jurade de Saint-Émilion, Commanderie du Bontemps du Médoc et des Graves, Connétablie de Guyenne, etc.) organisent régulièrement des manifestations à caractère folklorique pour promouvoir les vins de Bordeaux; leur action est coordonnée au sein du Grand Conseil du vin de Bordeaux.

L'EFFET MILLÉSIME.

Les grands millésimes ne manquent pas à Bordeaux. Citons pour les rouges les 2005, 1995, 1990, 1982, 1975, 1961 ou 1959, et aussi les 2009, 2000, 1989, 1988, 1985, 1983, 1981, 1979, 1978, 1976, 1970 et 1966, sans oublier, dans les années antérieures, les superbes 1955, 1949, 1947, 1945, 1929 et 1928. La viticulture bordelaise dispose de terroirs exceptionnels, et elle sait les mettre en valeur par la technologie la plus raffinée qui puisse exister, désormais mise en œuvre aussi dans bien des pays du Nouveau Monde. Si la notion de qualité des millésimes est relativement moins marquée dans le cas des vins blancs secs, elle reprend toute son importance avec les vins liquoreux, pour lesquels les conditions du développement de la pourriture noble sont essentielles.

➜ LES APPELLATIONS RÉGIONALES DU BORDELAIS

Toute la Gironde viticole

Ont droit à l'appellation régionale bordeaux tous les vins produits dans les terroirs à vocation viticole du département de la Gironde (l'aire délimitée exclut la zone sablonneuse située à l'ouest et au sud – la lande, vouée depuis le XIXᵉs. à la forêt de pins). Moins célèbres que les appellations communales (pauillac, pomerol, sauternes...), tous ces bordeaux n'en constituent pas moins quantitativement la première appellation de la Gironde.

Variété des origines

L'impressionnante surface du vignoble entraîne une certaine diversité de caractères, même si tous les vins utilisent les mêmes cépages bordelais. Certains bordeaux proviennent de secteurs de la Gironde n'ayant droit qu'à la seule appellation bordeaux, comme les régions de palus proches des fleuves, ou quelques zones du Libournais (communes de Saint-André-de-Cubzac, de Guîtres, de Coutras...). D'autres naissent dans des régions ayant droit à une appellation plus spécifique, mais peu connue, et le producteur préfère alors commercialiser ses vins sous l'appellation régionale. D'autres au contraire sont issus de crus situés dans des appellations communales prestigieuses. L'explication réside alors dans le fait que l'appellation spécifique ne s'applique qu'à une seule couleur (rouge pour les médoc ou blanc pour les entre-deux-mers, par exemple), alors que beaucoup de propriétés en Gironde produisent plusieurs types de vins (notamment des rouges et des blancs); les autres productions sont donc commercialisées en appellation régionale.

Variété des types

La variété est surtout celle des types de vins, qui conduit à parler au pluriel des appellations bordeaux : celles-ci comportent des vins rouges (bordeaux et bordeaux supérieurs, ces derniers plus puissants), des rosés et des clairets, des vins blancs (bordeaux secs et bordeaux supérieurs, ces derniers moelleux) et des effervescents (crémant-de-bordeaux blancs ou rosés). Les vins de base à l'origine de ces productions élaborées selon la méthode traditionnelle sont obligatoirement issus de l'aire d'appellation bordeaux; de même, c'est dans la région de Bordeaux que doit être effectuée la deuxième fermentation en bouteille (prise de mousse).

BORDEAUX

Superficie : 39 415 ha / Production : 1 699 000 hl

DOMAINES BARON DE ROTHSCHILD
Légende 2017 ★★

■ | 3000000 | | 8 à 11 €

En complément de ses vins de prestige (Lafite-Rothschild, Duhart-Milon, Rieussec, L'Évangile), la maison Rothschild (Lafite) a développé une structure de négoce qui propose une gamme de vins plus accessible : la «Collection», déclinée en Saga, Légende et Réserve, dans les appellations bordeaux, médoc, pauillac et saint-émilion.

Le nez, net et intense, exprime avec superbe la confiture de framboise et la vanille. La bouche fait montre d'une gourmandise rare et se révèle onctueuse mais fraîche, à l'aromatique très flatteuse (fruits noirs, noix de coco, vanille) et aux tanins enrobés. Un bordeaux qui plaira au plus grand nombre. ⧗ 2019-2024

DOMAINES BARONS DE ROTHSCHILD LAFITE DISTRIBUTION, 40-50, cours du Médoc, 33300 Bordeaux, tél. 05 57 57 79 79, dbr@lafite.com

BARON LA ROSE 2017

■ | 13730 | | - de 5 €

Sovex GrandsChateaux est une maison de négoce créée en 1982 par Justin Onclin, qui commercialise aussi bien des grands crus classés et des crus bourgeois que ses propres marques.

Un pur malbec acidulé, épicé et vanillé : un bordeaux qui séduira l'amateur en quête d'originalité. ⧗ 2019-2022

SAS SOVEX GRANDSCHÂTEAUX, 2, rue André Marie Ampère, 33560 Carbon Blanc, tél. 05 56 77 81 00

BARRAIL DU PATIENT 2016

■ | 3200 | | - de 5 €

Une propriété familiale créée en 1930 au sud-ouest de Saint-Émilion : 5 ha d'un seul tenant sur sols sablo-graveleux, conduits depuis 1998 par Éric et Isabelle Veyssière. Deux étiquettes : Ch. Vieux Longa (5 ha en saint-émilion) et Ch. Barrail du Patient (1 ha en bordeaux).

Son nez de fruits noirs mûrs et d'épices s'associe à une bouche structurée aux tanins encore un peu stricts, mais bien équilibrée entre vivacité et rondeur. Du potentiel. ⧗ 2020-2024

SCEA CH. VIEUX LONGA, 192, Le Longa, 33330 Saint-Sulpice-de-Faleyrens, tél. 05 57 24 74 31, contact@chateau-vieux-longa.fr V t.l.j. 9h-12h 14h-19h

JULIEN BARTHAZAC 2017

■ | 21333 | | - de 5 €

Après sa fusion avec la cave de Saint-Christophe-de-Double, la coopérative de Saint-Pey-Génissac (première productrice de crémant-de-bordeaux avec plus d'un million de cols par an) change de nom en 2018 pour prendre celui de sa marque de crémant, Louis Vallon. Sous ce nouveau nom sont groupés 120 adhérents pour un vignoble de 1 200 ha.

Ce 2017 dévoile un joli nez qui s'ouvre sur des notes fraîches de fruits rouges et de réglisse. L'attaque, ample, précède un palais dense, gourmand et acidulé, aux tanins ronds et à la longueur honorable. Déjà délicieux, ce bordeaux gagnera à être encavé encore quelques mois pour gagner en souplesse. ⧗ 2020-2025

SCA CAVE LOUIS VALLON, 36, av. de la Mairie, 33350 Saint-Pey-de-Castets, tél. 05 57 40 52 07, p.mondin@ugbordeaux.fr V t.l.j. sf dim. 8h30-12h 14h-17h30

CH. BASTIAN Réserve 2017 ★

■ | 13000 | | 5 à 8 €

Brigitte et Stéphane Savigneux dirigent un ensemble de 35 ha de vignes répartis entre le Ch. d'Eyran (pessac-léognan) et le Ch. Bastian (bordeaux). Le premier est une ancienne maison forte dont le château a été reconstruit en 1629 et acquis par la famille de Brigitte (famille de Sèze) en 1796. Le second cru a été acheté en 1984 : une ancienne métairie de l'abbaye de Rivet, à Auros, qui étend son vignoble sur 10 ha.

Cette cuvée a d'emblée séduit le jury par sa robe profonde et son nez complexe dominé par des notes de fruits rouges et de pain grillé, qui offre également des nuances mentholées. La bouche, longue, chaleureuse et ample, s'achève sur des tanins vanillés. À attendre quelques mois afin que l'élevage se fonde. ⧗ 2019-2024

SCEA DU CH. D' EYRAN, 20, av. du Sable d'Expert, 33650 Saint-Médard-d'Eyrans, tél. 05 56 65 51 59, stephane@savigneux.com V *t.l.j. sf dim. lun. 10h-12h30 13h30-17h30*

CH. BEL AIR PERPONCHER Réserve 2017

■ | 31500 | | 8 à 11 €

Ancienne propriété de la famille Perponcher, qui dut fuir vers la Hollande après la révocation de l'édit de Nantes, acquise en 1990 par la maison Despagne. Un cru situé sur un plateau argilo-siliceux dominant la Dordogne, incontournable en bordeaux (dans les trois couleurs), bordeaux supérieur et entre-deux-mers.

Nez de fruits mûrs rehaussés de notes épicées, bouche équilibrée, à la fois ronde et fraîche... un vin consensuel, techniquement réussi. ⧗ 2019-2024

SCEA VIGNOBLES DESPAGNE (CH. BEL AIR PERPONCHER), 2, le Touyre, 33420 Naujan-et-Postiac, tél. 05 57 84 55 08, contact@despagne.fr V *t.l.j. sf sam. dim. 8h30-12h 13h30-16h30*

CH. BELLE-GARDE Élevé en fûts de chêne 2017 ★

■ | 33000 | | 5 à 8 €

Bordeaux ou bordeaux supérieur, rouge, blanc ou rosé, Éric Duffau vinifie avec brio les AOC régionales. Il a repris en 1979 le domaine familial situé dans l'Entre-deux-Mers, sur la rive gauche de la Dordogne. Son vignoble de 46 ha est situé pour l'essentiel sur des coteaux faisant face à Saint-Émilion.

Un 2017 accompli, à l'olfaction évoquant les fruits noirs et les épices, et à la bouche élégante, ronde, mûre et charnue. À attendre encore quelques mois afin que les tanins s'arrondissent. ⧗ 2021-2025

SC VIGNOBLES ÉRIC DUFFAU (CH. BELLE-GARDE), 2692, rte de Moulon, 33420 Génissac, tél. 05 57 24 49 12, duffau.eric@wanadoo.fr V *r.-v.*

PETIT VERDOT BY BELLE-VUE 2016 ★

■ | 10000 | | 20 à 30 €

L'homme d'affaires Vincent Mulliez, disparu en 2010, avait acheté en 2004 dans la partie sud du Médoc les châteaux Bolaire (bordeaux supérieur), Belle-Vue et Gironville (haut-médoc) devenus des valeurs sûres. Ses héritiers ont repris le flambeau.

Ce 2016 à la robe grenat sombre et aux reflets violets s'anime à l'olfaction autour de notes de cerise et de cassis, accompagnées de nuances épicées et florales. On découvre au palais un vin à la fois ample et rond, charnu, enveloppé de tanins présents mais enrobés. ⧗ 2020-2025

SC DE LA GIRONVILLE, 69, rte de Louens, 33460 Macau, tél. 05 57 88 19 79, contact@chateau-belle-vue.fr V *t.l.j. sf sam. dim. 9h-12h 14h-17h30*

CH. LE BONALGUET 2016 ★

■ | 85000 | | 5 à 8 €

Tout commence avec l'acquisition d'une petite vigne en 1995, « pour le dimanche, pour produire en famille le vin maison ». 5 ha viennent s'ajouter en 2002, un chai est créé, complété par 10 ha de plus et de nouveaux chais en 2004. Aujourd'hui, la viticulture est devenue une activité professionnelle sous la conduite d'Alexandre Sueur dans les vignes et d'Agnès Jouglet Sueur au chai.

Le bouquet de cette cuvée issue majoritairement du merlot est attrayant, avec des notes de fruits noirs et d'épices douces. La bouche est souple et suave, à la trame tannique presque totalement effacée. Un ensemble original pour l'appellation, et déjà plaisant. À boire jeune, sur le fruit. ⧗ 2019-2021

EARL BONALGUE SAINT-GERMAIN, 7, pl. de Fonvideau, 33750 Saint-Germain-du-Puch, tél. 06 81 91 08 12, bonalguestgermain@wanadoo.fr V *r.-v.*

MAISON BOUEY Les Parcelles 2017

■ | n.c. | | 5 à 8 €

Héritier d'une lignée de viticulteurs médocains remontant à 1821, Patrick Bouey est à la tête d'un négoce basé à Ambarès, l'une des dernières maisons familiales et indépendantes de la place de Bordeaux, qui diffuse des grands crus, détient des châteaux en propre et propose des vins de marque et de propriétés.

Un pur merlot au bouquet mêlant thym, cassis et nuances fumées, qui déploie une bouche ronde et tendre, aux saveurs de crème de mûre. ⧗ 2019-2022

SAS MAISON BOUEY, 1, rue de la Commanderie-des-Templiers, 33440 Ambarès-et-Lagrave, tél. 05 56 77 50 71, contact@maisonbouey.fr

B CH. DE BOUILLEROT Essentia 2016

■ | 4000 | | 8 à 11 €

Un domaine de 8 ha conduit en bio, dans la même famille depuis 1935 et quatre générations, régulièrement à l'honneur pour son Palais d'or liquoreux en côtes-de-bordeaux-saint-macaire et pour ses bordeaux rouges. Après dix ans comme préparateur en pharmacie, Thierry Bos a repris les commandes du cru familial en 1990.

D'une robe grenat soutenu, ce 2016 livre des senteurs intenses de crème de cassis et de groseille. La bouche se révèle ample, ronde, fruitée, soutenue par des tanins tendres. Un joli vin de fruit. ⧗ 2019-2023

THIERRY BOS, 8, Lacombe, 33190 Gironde-sur-Dropt, tél. 06 80 20 32 25, info@bouillerot.com V *r.-v.*

Le Bordelais

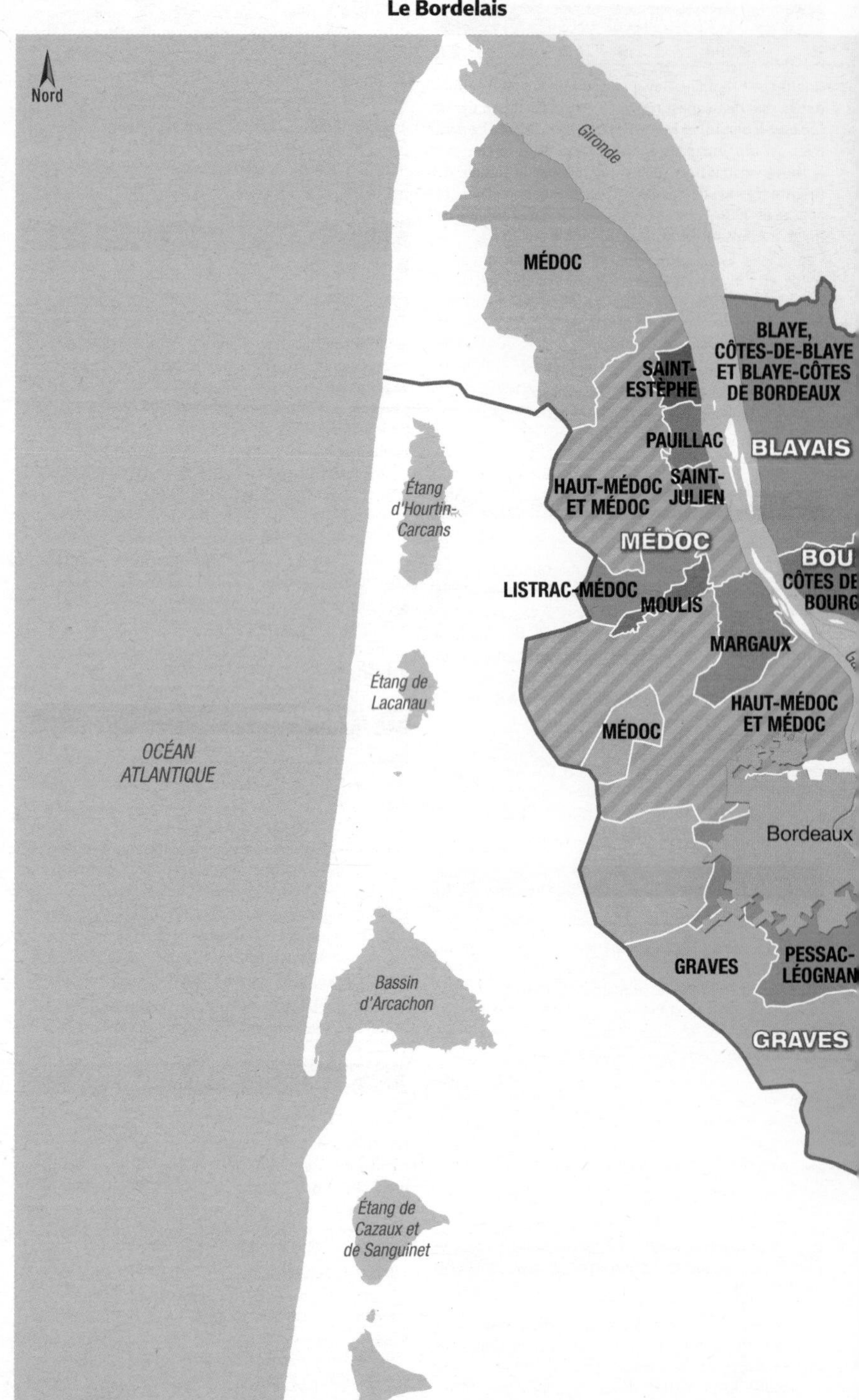

MÉDOC Sous-région viticole
AOC Bordeaux et Bordeaux supérieur
Autres régions viticoles
Villes principales
GEAIS
LIBOURNAIS
LALANDE-DE-POMEROL
FRONSAC
Dordogne
CANON-FRONSAC
Libourne
LUSSAC-SAINT-ÉMILION
POMEROL
MONTAGNE-SAINT-ÉMILION
FRANCS-CÔTES DE BORDEAUX
PUISSEGUIN-SAINT-ÉMILION
SAINT-GEORGES-SAINT-ÉMILION
SAINT-ÉMILION
CASTILLON-CÔTES DE BORDEAUX
GRAVES DE VAYRES
PREMIÈRES-CÔTES-DE-BORDEAUX ET CADILLAC-CÔTES DE BORDEAUX
Bergerac
Dordogne
ENTRE-DEUX-MERS
SAINTE-FOY-CÔTES DE BORDEAUX
ENTRE-DEUX-MERS
CADILLAC-CÔTES DE BORDEAUX ET CADILLAC
ENTRE-DEUX-MERS-HAUT-BENAUGE ET BORDEAUX-HAUT-BENAUGE
LOUPIAC
CÉRONS
CÔTES-DE-BORDEAUX-SAINT-MACAIRE
BARSAC
GRAVES
Langon
SAINTE-CROIX-DU-MONT
SAUTERNES
Marmande
Garonne
0 5 10 km
LE BORDELAIS

CH. BOUTILLOT 2016

■ | 66394 | | 5 à 8 €

Yvon Mau est l'une des plus importantes maison de négoce de la place de Bordeaux, fondée en 1897 et propriété depuis 2001 du géant catalan de la bulle, Freixenet. Elle propose des vins de marque et diffuse également des vins de crus bordelais mais aussi bourguignons.

Un bordeaux harmonieux, sans aspérité, doté d'une bouche fraîche aux saveurs de fraise et aux tanins enrobés. Simple mais efficace. ⧗ 2019-2022

SA YVON MAU (CH. BOUTILLOT), rue Sainte-Pétronille, 33190 Gironde-sur-Dropt, tél. 05 56 61 54 54

CH. BRANDA 2017 ★

■ | 109330 | | - de 5 €

La société Lamont Financière, aux mains d'un investisseur chinois, Jian Liu, a acquis depuis 2012 une vingtaine de propriétés bordelaises, notamment le Ch. l'Enclos (sainte-foy-bordeaux). Essentiellement présente sur la rive droite, elle possède également le Ch. d'Argan, cru bourgeois du Médoc.

Le bouquet de ce 2017 évoque le pruneau, les fruits rouges mûrs, ainsi que de discrètes notes herbacées. En bouche, on découvre un 2017 ample et puissant, gras et doté de tanins encore un peu anguleux. Un très bon bordeaux, qui brillera à table après quelques mois de cave. ⧗ 2020-2024

SAS LAMONT FINANCIÈRE (CH. BRANDA), lieu-dit Branda, 33240 Cadillac-en-Fronsadais, tél. 05 57 33 09 68, contact@lamontfinanciere.fr

CH. LA BRUNE 2016 ★

■ | 20000 | | 5 à 8 €

En 1952, Georges Bireaud achète le Dom. du Vieux Bourg en côtes-de-duras. Depuis lors, ses descendants – Bernard, puis aujourd'hui son fils Vincent – se sont attachés avec constance à mettre en valeur son vignoble, dont la surface a été portée à 52 ha répartis entre côtes-de-duras et bordeaux.

Le nez de ce 2016 est ouvert et fin : framboise, cerise au kirsch et groseille. En bouche, il montre une belle sucrosité, du volume, des tanins enrobés, avec une acidité bien intégrée qui lui procure un bel équilibre. Un ensemble gourmand et persistant, indéniablement réussi, qui sera particulièrement agréable à table. ⧗ 2019-2024

EARL DOM. DE LA BRUNE, Le Couat, 33790 Pellegrue, tél. 05 53 83 02 18, vieux.bourg@lgtel.fr

♥ CH. CABIRON 2017 ★★

■ | 117333 | | - de 5 €

Les Coteaux d'Albret, la cave coopérative de Mesterrieux, fondée en 1935, regroupe près de 80 vignerons dont la majorité a repris l'exploitation familiale.

Brillant comme un rubis, ce 2017 aux deux tiers merlot, un tiers cabernet-sauvignon, dégage de délicieuses notes de cassis et de framboise rehaussées d'épices douces. En bouche, on découvre une belle rondeur gourmande et du soyeux, qui contrebalancent parfaitement la fraîcheur de ce vin dont le palais évoque les fruits noirs et les épices. C'est franc, puissant et sacrément délicieux ! ⧗ 2020-2026

SCA LES COTEAUX D' ALBRET, Martinaud, 33540 Mesterrieux, tél. 05 56 71 41 07, coteauxdalbret@orange.fr V t.l.j. sf dim. 9h-12h 14h-17h30

♥ CADIOT Petit verdot 2017 ★★

■ | 18000 | | 5 à 8 €

Le Belge Émile de Schepper a investi dans le vignoble bordelais à partir de 1950. En plus de sa maison de négoce (De Mour), la famille exploite aussi aujourd'hui une cinquantaine d'hectares en propre : en Médoc, le Ch. Haut Breton Larigaudière (margaux), le Ch. Tayet et le Ch. Lacombe Cadiot (bordeaux supérieur); en saint-émilion, Tour Baladoz et Croizille.

Un coup de cœur à l'unanimité pour cette expression aboutie et gourmande du petit verdot ! La robe est très profonde, presque noire, aux reflets violacés. À l'aération, le nez libère d'intenses notes de fruits noirs et rouges accompagnées de nuances épicées. Tout aussi expressif, le palais se montre ample et équilibré, soutenu par des saveurs de fruits mûrs et doté de tanins très soyeux. Un bordeaux original, savoureux et attachant. ⧗ 2019-2023
■ **Voilà Petit verdot 2017 ★ (5 à 8 €; 18000 b.)** : un pur petit verdot équilibré, ample, soyeux et rond, aux tanins encore un peu fermes. À attendre quelques mois pour profiter de sa gourmandise. ⧗ 2020-2023

SCEA CH. HAUT BRETON LARIGAUDIÈRE, 3, rue des Anciens-Combattants, 33460 Soussans, tél. 05 57 88 94 17, contact@de-mour.com V *t.l.j. 10h-17h*

CH. LA COMMANDERIE DE QUEYRET 2017

■ | 40000 | | 5 à 8 €

En 1967, Claude et Simone Comin ont établi leur domaine à l'emplacement d'une ancienne commanderie des Templiers du XIIIe s. En 2013, leur fille Sylvie a pris seule les commandes du vignoble : 105 ha dans l'Entre-deux-Mers (85 ha en rouge, 20 ha en blanc) et des vins souvent en bonne place, dans les deux couleurs.

De couleur grenat soutenu, ce 2017 mêle au nez mûres, griottes et une pointe de moka. Dans le même registre généreux, la bouche, veloutée, offre des saveurs fraîches de mûre et des tanins soyeux, et déploie une finale à la persistance enviable. Du beau travail ! ⧗ 2020-2024
■ **Ch. Tour Chapoux 2017 (5 à 8 €; 40000 b.)** : vin cité.

EARL DES VIGNOBLES COMIN, 33790 Saint-Antoine-du-Queyret, tél. 05 56 61 31 98, vignoble.comin@wanadoo.fr V *r.-v.*

CÔTÉ BASSIN 2017

■ | 12000 | | 5 à 8 €

La maison de négoce Compagnie médocaine des Grands Crus est une filiale d'Axa Millésimes (l'entité

viticole du groupe d'assurances), qui propose des vins de marque et de domaines dans une soixantaine d'AOC bordelaises.

Un bordeaux charmant, généreux, au nez puissant de fruits rouges épicés. En bouche, on découvre un ensemble friand, souple et frais, aux tanins croquants. Un 2017 sans prétention mais qui plaira au plus grand nombre. ⧗ 2019-2022

SAS COMPAGNIE MÉDOCAINE DES GRANDS CRUS, 7, rue Descartes, 33290 Blanquefort, tél. 05 56 95 54 95, bru.c@medocaine.com

B CH. COURONNEAU Le Fougueux 2017 ★★

■ | 12000 | | 5 à 8 €

Situé aux confins de la Gironde et de la Dordogne, dans le pays foyen, ce vignoble (40 ha) est cultivé en biodynamie. Le cadre enchantera le promeneur : un vrai château, avec quatre tours aux toits coniques. Bénédicte Piat est aux commandes depuis 1994 et utilise au chai, outre des cuves Inox et des barriques bois, des foudres et des amphores en terre cuite.

Un pur merlot d'une grande qualité dans un millésime pourtant réputé difficile. Expressif, au caractère entier, il évoque un bouquet au fruité explosif, tandis que la bouche, alliant onctuosité, maturité et fraîcheur, impressionne par son harmonie et sa finale magistrale aux saveurs de petits fruits noirs. Sans conteste un des plus beaux vins de la dégustation. ⧗ 2020-2026

SARL CH. COURONNEAU, Ch. Couronneau, 33220 Ligueux, tél. 05 57 41 26 55, chateau-couronneau@wanadoo.fr V r.-v. E

B CH. COURTEY À Léon 2016

■ | 7700 | | 8 à 11 €

Norbert Depaire, vigneron exigeant au franc-parler réjouissant, cultive son vignoble de 10,50 ha en bio depuis 2002, associant purées de plantes, huiles essentielles et travail au cheval dans des vignes qui accueillent les cultures potagères familiales.

Un bordeaux très agréable, à la bouche tout en fruits noirs (mûre, cassis et myrtille), agrémentée de tanins enrobés et d'une élégante finale mentholée. Sa fraîcheur et son harmonie lui confèrent un caractère racé qui fera à coup sûr merveille à table.

EARL COURTEY, 2, Courtey, 33490 Saint-Martial, tél. 06 16 93 20 23, chateaucourtey@wanadoo.fr V r.-v.

DOURTHE La Grande Cuvée 2017 ★★

■ | 400000 | | 5 à 8 €

Célèbre négoce fondé en 1840 par Pierre Dourthe, propriétaire de plusieurs crus (Belgrave en haut-médoc, Le Boscq en saint-estèphe, Rahoul en graves, Grand Barrail Lamarzelle Figeac en saint-émilion grand cru) et élaborateur de vins de marque de qualité (Dourthe N° 1, La Grande Cuvée, Terroirs d'exception). Une valeur sûre restée étroitement liée au Médoc, intégrée depuis 2007 au groupe familial champenois Alain Thiénot.

Cette cuvée ambitieuse, élevée douze mois sous bois, tient parfaitement ses promesses : du verre jaillissent des notes vanillées et réglissées qui se fondent dans un fruité intense (fruits noirs). En bouche, les sensations de gras et de nervosité s'équilibrent harmonieusement. Structure riche et puissante, élégance et sapidité, longue finale... bravo ! ⧗ 2020-2025 ■ **Delor Réserve 2017 (5 à 8 €; 90000 b.)** : vin cité.

CVBG DOURTHE-KRESSMANN, 35, rue de Bordeaux-Parempuyre, CS_80004, 33295 Blanquefort Cedex, tél. 05 56 35 53 00, contact@dourthe.com

CH. DE FOUCAUD 2016 ★

■ | 28000 | | 5 à 8 €

Située au sommet d'un coteau dominant le vallon de Paillet, en appellation cadillac-côtes-de-bordeaux, cette propriété de 70 ha a succédé à l'ancien prieuré de Sainte-Catherine, fondé au Moyen Âge, dont il ne reste que d'humbles vestiges. Propriétaire du Ch. Gruaud-Larose, cru classé de Saint-Julien, ainsi que des Ch. Dudon et Malagar, Jean Merlaut l'a rachetée en 2013 à la famille Arjeau. Deux vins sont produits sur la propriété : Ch. de Foucaud et Ch. Sainte-Catherine.

Cette cuvée a séduit le jury avec sa robe rubis et son bouquet distingué qui distille des effluves de cassis, de cerise, ainsi que des notes grillées. Souple à l'attaque, la dégustation monte en puissance et la structure tannique s'impose en apportant de la profondeur, jusqu'à une belle finale évoquant les fruits rouges. Un 2016 gourmand offrant une belle allonge. ⧗ 2020-2025

SCEA CH. SAINTE-CATHERINE, chem. de la Chapelle, 33550 Paillet, tél. 05 56 72 11 64, sceasaintecatherine@orange.fr V r.-v.

FRENCH MONSIEUR 2017 ★

■ | 53333 | | 5 à 8 €

Univitis est une coopérative regroupant 230 adhérents et 2 000 ha dans le « grand Sud-Ouest » viticole. Elle propose une large gamme de vins de marques et de propriétés dans une quinzaine d'AOC, à laquelle s'ajoute le Ch. les Vergnes acquis en 1986 (130 ha près de Sainte-Foy).

Un bordeaux moderne, consensuel et gouleyant, qui s'appuie sur des arômes épicés et une légère sucrosité en bouche pour séduire. Mission accomplie, c'est à la fois réussi et savoureux. Simple, mais diablement efficace. ⧗ 2019-2023 ■ **Ch. Nerbesson 2017 (5 à 8 €; 34667 b.)** : vin cité.

SCA UNIVITIS, Le Bourg, 33220 Les Lèves-et-Thoumeyragues, tél. 05 57 56 02 02, univitis@univitis.fr V *t.l.j. sf lun. dim. 9h30-12h30 14h30-18h30*

LÉO DE LA GAFFELIÈRE Sélection d'excellence 2016 ★

■ | 250000 | 5 à 8 €

La maison de négoce fondée en 1995 par Léo de Malet-Roquefort et son fils Alexandre, héritiers d'une lignée saint-émilionnaise et propriétaires du Ch. la Gaffelière (1er grand cru classé B) a été cédée graduellement à Bertrand Ravache. Le négociant a acquis la totalité des parts de la société en 2015 et lui a donné son nom.

Du verre s'échappent des arômes subtils de fruits rouges et noirs, ainsi que quelques notes d'épices et de menthol. Cette aromatique se voit prolongée dans un palais souple et harmonieux, où la structure reste présente autour de tanins ronds. Un bordeaux suave et appétant. ⧗ 2019-2024

MAISON BERTRAND RAVACHE, BP_12, champs du Rivalon, 33330 Saint-Émilion, tél. 05 57 56 40 80, contact@bertrand-ravache.com

CH. GRAND RENOM 2017 ★

■	n.c.		5 à 8 €

Une propriété acquise en 1990 par la maison Antoine Moueix (groupe Advini depuis 2006). Couvrant 39 ha, le cru est implanté dans l'Entre-deux-Mers, sur les coteaux argilo-calcaires d'Eynesse qui bordent la Dordogne.

Par ses touches confiturées et de pruneau, le nez évoque maturité et concentration. Souples et fondus, les tanins sont agréables et soutiennent une bouche élégante et longue. Une belle harmonie. ⧗ 2020-2025

SAS ANTOINE MOUEIX (CH. GRAND RENOM), rte du Milieu, 33330 Saint-Émilion, tél. 05 57 55 37 95, chrystel.meunier@amoueix.fr

CH. LES GRANGES 2017 ★

■	26667		- de 5 €

En 1934, cent vingt-six vignerons s'unissent pour créer la coopérative de Sauveterre-de-Guyenne, à quelques hectomètres de la bastide fondée en 1281 par Édouard Ier, roi d'Angleterre. En 2012, elle s'est associée avec la cave de Blasimon et regroupe quelque 2 000 ha de vignes et 250 vignerons.

Ce 2017 séduit par son joli bouquet finement fruité et floral, mêlant groseille, framboise et violette, puis par sa bouche fruitée, gourmande, aux tanins fondus et harmonieux. Un ensemble très plaisant. ⧗ 2019-2024

CAVE DE SAUVETERRE BLASIMON ESPIET, 15, Bourrassat, 33540 Sauveterre-de-Guyenne, tél. 05 56 61 55 20, p.mondin@ugbordeaux.fr V *t.l.j. sf dim. lun. 9h-12h15 13h30-18h15*

B L'ÉPHÉMÈRE DE CH. GRENET 2016 ★★

■	2000		11 à 15 €

En 2015, Christophe Rebillou et Sylvain Destrieux se sont associés pour créer S&C Vignerons, autour d'une volonté commune de viticulture biologique, qu'ils développent sur leur vignoble de 15 ha.

Un pur malbec, issu d'une parcelle de 0,30 ha, qui a fortement enthousiasmé notre jury de dégustateurs. Après aération, le nez, franc et charmeur, s'ouvre sur les fruits rouges et noirs, et déploie aussi des nuances épicées et fumées. En bouche, c'est frais, expressif, harmonieux, les tanins se révèlent croquants et la finale persistante sur des saveurs réglissées. Un malbec bordelais à l'identité affirmée.

SARL DOM. S&C VIGNERONS, 1, lieu-dit Boulin, 33540 Saint-Félix-de-Foncaude, tél. 05 64 56 00 09, contact@sc-vignerons.fr

CH. HAUT-FOURAT 2016

■	40000		5 à 8 €

Héritier d'une longue lignée vigneronne, Robert Giraud a créé son négoce en 1975 et possède plusieurs crus en AOC régionales et en saint-émilion : un ensemble de 150 ha, dont près de 115 pour le Ch. Timberlay, berceau de la famille situé sur le sommet du coteau de Montalon, à Saint-André-de-Cubzac. Philippe Giraud et sa sœur Florence conduisent la maison depuis 1995.

La robe rubis est profonde et le nez évoque les fruits rouges frais. En bouche, on note une belle rondeur, des tanins encore jeunes et une finale fruitée de bonne longueur. Un pur merlot à attendre quelques mois. ⧗ 2020-2024

SAS ROBERT GIRAUD, Dom. de L'Oiseau, 33240 Saint-André-de-Cubzac, tél. 05 57 43 01 44, france@robertgiraud.com V *r.-v.*

CH. HAUT-MEYREAU Légende d'Automne 2016 ★

■	66666		8 à 11 €

Ce vaste domaine, passé de 2 ha en 1802, sa date de fondation, à 85 ha aujourd'hui, est établi aux portes de Libourne, sur la petite commune de Dardenac. La sixième génération de viticulteurs (Jean-Pierre Derouet) est actuellement aux commandes.

Une belle cuvée de bordeaux au nez très agréable où les notes boisées se mêlent aux fruits noirs et à la violette. Après une attaque ronde, on découvre un palais frais, harmonieux, aux tanins enrobés, qui déploie en finale des notes fruitées, florales et réglissées. Un 2016 complet et savoureux. ⧗ 2019-2024

SCEA CH. HAUT-MEYREAU, 1, lieu-dit Goumin, 33420 Dardenac, tél. 05 56 23 71 92, vignoblesinvinolia@inviniolia.fr V *r.-v.*

CH. HAUT-PRADOT 2016 ★

■	6000		5 à 8 €

Un domaine dans la famille Fazembat depuis 1817 et cinq générations. À la disposition de Benoît, installé en 1998, un vignoble de 13 ha dans l'Entre-deux-Mers.

Un beau 2016 à dominante de cabernet-sauvignon, à attendre encore quelques mois. Avec volume et richesse, la bouche présente de beaux tanins enrobés et une finale évoquant le cassis, la myrtille et les épices douces. ⧗ 2020-2024

EARL BENOÎT FAZEMBAT, 3, Patatin, 33190 Morizès, tél. 06 17 22 42 83, elabat@gmail.com V *r.-v.*

CH. L'INSOUMISE Chai 45 2016 ★

■	40000		5 à 8 €

Traversé par le 45e parallèle, le vignoble (27 ha) de ce domaine ancien (XVIIe s.) couvre les coteaux de la Dordogne. Il est conduit depuis 2007 par les œnologues Cécile Thirouin et Thierry de Taffin.

Cette propriété, bien connue des lecteurs du Guide, nous propose ce 2016 à la robe rubis soutenu, au bouquet intense de fruits noirs et à la bouche équilibrée, puissante et longue, structurée autour de tanins encore fermes mais prometteurs. Un joli bordeaux de garde. ⧗ 2021-2025

SCEA CH. L' INSOUMISE, 360, chem. de Peyrot, 33240 Saint-André-de-Cubzac, tél. 05 57 43 17 82, chateaulinsoumise@orange.fr V *r.-v.*

CH. JAMIN 2016 ★

■	80000		5 à 8 €

Après ses études d'œnologie, Jean-Christophe Lobre s'est installé en 1995 à la tête du vignoble créé en

1974 par ses parents Jean-Pierre et Paulette. Il conduit aujourd'hui, avec son épouse Andréa depuis 2010, un vaste domaine de 70 ha et poursuit ainsi une tradition familiale qui remonte à 1735.

Un 2016 chaleureux, ouvertement fruité (cassis, fruits rouges confiturés), qui conjugue en bouche ampleur et soyeux autour de tanins veloutés aux saveurs épicées. Du très bon travail pour ce bordeaux qui vieillira bien. ⧗ 2020-2025

EARL VIGNOBLES J.-C. LOBRE, lieu-dit Jamin, 33580 Rimons, tél. 05 56 71 55 10, vinslobre@free.fr V r.-v.

CH. JANDILLE 2016

■ | 61300 | | - de 5 €

Producta Vignobles est un négoce à actionnariat coopératif créé en 1949, qui regroupe 2 500 opérateurs et 2 000 ha de vignes dans une cinquantaine d'appellations du Bordelais et du Sud-Ouest. Dans son catalogue, une centaine de marques et 150 châteaux.

Un bordeaux expressif, au nez de fruits rouges, de réglisse et de menthol, et à la bouche très souple, délicate, aux tanins à peine suggérés. Pourquoi attendre? ⧗ 2019-2022

SA PRODUCTA VIGNOBLES, 13, av. de la Résistance, 33310 Lormont, tél. 05 57 81 18 18, producta@producta.com

CH. LAGARÈRE 2017 ★

■ | 100000 | | 5 à 8 €

Paul Gonfrier, rapatrié d'Algérie, rachète au début des années 1960 le Ch. de Marsan, terre noble fondée au XVIes. sur la rive droite de la Garonne : le berceau des domaines familiaux. Ses fils Philippe et Éric suivent ses traces après 1985. Aujourd'hui, pas moins de 400 ha et douze châteaux.

Bien équilibré, souple et gouleyant, ce 2017 fruité a séduit notre jury de dégustateurs par sa franchise et sa gourmandise. ⧗ 2019-2022 ■ **Ch. Barreyre 2017 (5 à 8 €; 60000 b.)** : vin cité.

SAS GONFRIER FRÈRES, Ch. de Marsan, BP_7, 33550 Lestiac-sur-Garonne, tél. 05 56 72 14 38, contact@vignobles-gonfrier.fr V *t.l.j. 9h-17h30*

CH. LAMOTHE 2017 ★

■ | n.c. | | 5 à 8 €

Un vaste cru de 92 ha dans l'Entre-deux-Mers, fondé en 1920 par les arrière-grands-parents. Ses atouts : un chai très moderne et les compétences complémentaires de Christophe Vincent (aux vignes) et de Fabien (au chai). Saint Vincent les inspire, dit-on, mais ce sont plutôt leur formation technique poussée et leur exigence qui font de ce domaine une référence en bordeaux et bordeaux supérieur.

Un vin à la robe grenat ornée de reflets violacés qui déploie au nez un puissant bouquet de fruits noirs et de pruneau agrémentés de discrètes notes de sous-bois. La bouche est d'une belle fraîcheur, mêlant suavité, tanins enrobés et longue finale fruitée. Un bordeaux de bel équilibre, à la fois complet et prometteur. ⧗ 2020-2026 ■ **Ch. Lamothe-Vincent 2017 (5 à 8 €; 200000 b.)** : vin cité.

SCEA VIGNOBLES VINCENT, 3, chem. Laurenceau, 33760 Montignac, tél. 05 56 23 97 72, info@lamothe-vincent.com V *r.-v.*

CH. LAUBÈS Élevé en fût de chêne 2016

■ | 32452 | | 8 à 11 €

La Société fermière des Grands Crus de France est la structure spécialisée dans le Bordelais du groupe Grands Chais de France. Son œnologue Vincent Cachau vinifie le fruit de quinze propriétés représentant quelque 500 ha dans les différentes AOC bordelaises.

Du verre s'échappent des senteurs de pruneau, d'épices douces et de vanille. En bouche, on note un beau volume, des arômes de pruneau et de vanille, alliés à des tanins encore fermes. Un style généreux. ⧗ 2020-2024

SCEA SOCIÉTÉ FERMIÈRE DES GRANDS CRUS DE FRANCE, Ch. du Cartillon, 33460 Lamarque, tél. 05 57 98 07 20, vcachau@lgcf.fr

CH. LAUSSAC 2017 ★★★

■ | 117141 | | 8 à 11 €

Éric et Sophie Meynaud conduisent depuis 1995 une vaste propriété de 120 ha dont le siège est situé à Landerrouat, à la limite du Lot-et-Garonne. Trois étiquettes à la carte des vins : Clos Moulin Pontet, Laussac et Franc Couplet.

Un bouquet aromatique complexe : après une première salve toastée et épicée viennent à l'aération la mûre, le cassis et les fruits rouges. L'attaque ronde s'efface devant une matière riche, presque grasse, à la fraîcheur magistralement dosée, aux tanins mûrs et au toucher de bouche velouté. Un superbe bordeaux aux saveurs de fruits noirs et de réglisse, long et profond, qui méritera d'être encavé quelque temps. ⧗ 2021-2027

CRUS ET DOMAINES DE FRANCE (CH. LAUSSAC), rte de Balizac, 33720 Landiras, tél. 05 57 98 07 20, mdesaintjau@lgcf.fr

CH. DES LÉOTINS Petit verdot 2016 ★★

■ | 6600 | | 5 à 8 €

Ce vignoble de 140 ha, appartenant à la famille Lumeau depuis huit générations, fait partie des plus grandes propriétés du Sauveterrois. Depuis 2008, c'est Xavier Lumeau qui a pris les rênes de l'exploitation, avec le souhait de diversifier les cépages en plantant des parcelles de petit verdot et de malbec.

Le cassis, la framboise et la violette, accompagnés de nuances épicées, composent un bouquet complexe et engageant. La bouche est à la fois très concentrée mais sans lourdeur aucune, harmonieuse et gourmande, bâtie sur des tanins racés et offrant des saveurs irrésistibles de cerise noire. Un vin qui tutoie les sommets de l'appellation. ⧗ 2020-2026 ■ **Cuvée Justin 2017 ★ (5 à 8 €; 6600 b.)** : un merlot vinifié sans soufre, à la bouche fruitée, souple et mûre. Un bordeaux attachant et gouleyant. ⧗ 2019-2024 ■ **Cuvée Capucine 2016 (- de 5 €; 12000 b.)** : vin cité.

SCEA DES LÉOTINS, Les Léotins, 33540 Sauveterre-de-Guyenne, tél. 05 56 71 50 25, chateau.leotins@orange.fr V *t.l.j. sf dim. 9h-12h 14h-17h*

L'ENVOLÉE DE LIONNE 2016

■ | 13000 | | 8 à 11 €

Belle unité d'une quarantaine d'hectares sur Illats, à l'est du Sauternais, ce cru a été repris en 2007 par Pierre Bodon, pépiniériste, et Véronique Smati.

Un pur merlot sur graves bien réalisé, équilibré et fin, à déguster jeune, sur le fruit. 2019-2022

GFA DU DOM. DE LIONNE, Lionne, 33720 Illats, tél. 06 67 73 83 37, chateaudelionne@orange.fr V r.-v.

CH. MALBAT Optimus 2017 ★

■ | 80000 | | 5 à 8 €

Dans la même famille depuis 1865, ce cru est conduit depuis 1997 par Fabienne, Daniel et Martine Rochet. Établi sur la rive droite de la Garonne, à l'extrémité sud-est du vignoble girondin, il s'étend aujourd'hui sur 100 ha.

Le nez, plaisant et ouvert, dévoile d'abord des notes de cassis suivies de senteurs d'épices douces. L'attaque en bouche est souple, puis le volume augmente autour de tanins d'une grande qualité. La finale, encore serrée, laisse entrevoir un beau potentiel pour ce 2017. Un vin très séduisant. 2020-2025

EARL ROCHET, 5, Malbat, 33190 La Réole, tél. 05 56 61 02 42, chateaumalbat@gmail.com V *t.l.j. sf sam. dim. 9h-12h 13h-17h*

CH. MARCHAND BELLEVUE 2017 ★

■ | 10000 | | 8 à 11 €

Alain Dufourg s'est installé en 2010 à la tête du Ch. Marchand Bellevue, étendu sur 33 ha dans l'Entre-deux-Mers, avec la particularité d'être planté majoritairement en rouge et d'accueillir, chose rare dans la région, un dolmen sur ses terres.

Une belle cuvée mi-merlot mi-cabernet-sauvignon déjà prête à être appréciée. Sucrosité, richesse et générosité, la bouche aux saveurs de cerise et de fraise présente de beaux tanins enrobés et une longue finale. 2019-2024

ALAIN DUFOURG, 11, rte de Sauveterre, 33760 Targon, tél. 06 81 82 04 76, alaindufourg@orange.fr V r.-v.

CH. MOULIN DE MALLET 2017 ★

■ | 263000 | | 5 à 8 €

Propriété familiale depuis 1898, le domaine a été agrandi petit à petit pour devenir l'activité principale de la famille Couderc en 1985. Situé sur le plateau argilo-calcaire de Pujols, le vignoble de 45 ha est conduit avec passion et rigueur par Julien Couderc.

Le jury de dégustateurs est unanime : voilà un 2017 prometteur ! Ample et structurée, marquée par les fruits noirs, l'amande douce et les épices, la bouche aux tanins mûrs mais encore un peu fermes nécessitera une garde de plusieurs mois afin de révéler tout son joli potentiel. 2020-2025

SCEA SERGE COUDERC ET FILS, Moulin de Mallet, 33350 Pujols, tél. 05 57 40 55 84, moulindemallet@hotmail.fr r.-v.

VIGNOBLES MOUTY Extrait de Rambaud 2017 ★

■ | 30000 | | 11 à 15 €

Descendant d'Auvergnats, comme nombre d'acteurs de la filière viticole en Libournais, Daniel Mouty, aujourd'hui associé avec ses enfants Sabine et Bertrand, exploite depuis 1973 un vignoble de 54 ha répartis sur plusieurs crus en pomerol (Grand Beauséjour, Saint-André), en saint-émilion grand cru (Du Barry, Tour Renaissance) et en AOC régionales (Rambaud, Grands Ormes). Tout le vignoble est en conversion bio.

D'un grenat soutenu, ce 2017 propose une expression aromatique flatteuse : les notes de fruits rouges et noirs cèdent la place à des nuances fumées, toastées puis à des senteurs évoquant les épices et le sous-bois. En bouche, on note une belle ampleur, de l'allonge et de la gourmandise. Un vin fort recommandable qui vieillira avec grâce. 2020-2025

SCEA VIGNOBLES DANIEL MOUTY, 33350 Sainte-Terre, tél. 05 57 84 55 88, contact@vignobles-mouty.com V r.-v. 4 B

CH. DE L'ORANGERIE Cuvée Excellence 2017 ★

■ | 66000 | | 5 à 8 €

Les ancêtres de Jean-Christophe Icard ont constitué à partir de 1790 un domaine qui s'est agrandi au fil des générations. Conduit depuis 1994 par l'actuel exploitant, le vignoble familial couvre quelque 130 ha, dont 75 ha de vignes, dans l'Entre-deux-Mers et la région de Cadillac. Plusieurs étiquettes ici : L'Orangerie, La Sablière Fongrave et même des « produits sous licence » signés par le célèbre dessinateur belge Philippe Geluck, créateur du personnage Le Chat.

Un vin franc, ouvertement fruité (fruits rouges, fruits à noyau), qui conjugue en bouche souplesse et équilibre autour de tanins élégants. Une cuvée aboutie. 2020-2024 ■ **Moulin de Bel-Air 2017 (5 à 8 €; 100000 b.)** : vin cité.

SCEA DES VIGNOBLES JEAN-CHRISTOPHE ICARD, lieu-dit le Jardinet, 33540 Saint-Félix-de-Foncaude, tél. 05 56 71 53 67, orangerie@chateau-orangerie.com

CH. PEY LA TOUR 2017

■ | 400000 | | 5 à 8 €

Ancienne maison noble, un vaste domaine (176 ha) de l'Entre-deux-Mers, à Salleboeuf, acquis par la maison Dourthe en 1990.

Un bordeaux classique et bien fait, qui allie fraîcheur, fruité (framboise, cerise et groseille) et persistance. À attendre encore quelques mois afin que les tanins s'arrondissent. 2020-2024

SC VIGNOBLE DOURTHE, 32, av. de la Tour, 33370 Sallebœuf, tél. 05 56 35 53 00, contact@dourthe.com V r.-v.

CH. PILET 2017 ★

■ | 150000 | | 5 à 8 €

Famille au service du vin depuis un siècle. En 1964, Jean et Yvette Queyrens acquièrent leur première vigne au lieu-dit Pilet, puis reprennent les domaines de leurs parents (Ch. du Pin-Franc et Ch. des Graves du

Tich) et débutent la vente en bouteilles. Aujourd'hui, leurs fils Patrick et Christophe, avec à leurs côtés Jean-Yves, le petit-fils, exploitent un vignoble de 70 ha dans l'Entre-deux-Mers.

Ce 2017 à la robe particulièrement intense évoque au nez la fraise, la framboise et la cerise, ainsi que les épices douces. La bouche est charnue, aux tanins enrobés et à la vivacité de bon aloi. Un sans-faute. ⧗ 2020-2024 ■ **Les Hauts de Massonne 2017 ★ (5 à 8 €; 60000 b.)** : de jolies notes de fruits rouges et d'amande s'imposent dès la première olfaction. En bouche, fraîcheur et puissance éclatent au fil de la dégustation, jusqu'à une finale persistante aux tanins encore austères. Patience. ⧗ 2021-2025

SC VIGNOBLES JEAN QUEYRENS ET FILS, 3, Grand-Village-Sud, 33410 Donzac, tél. 05 56 62 97 42, scvjqueyrens@orange.fr V r.-v.

CH. PINASSE 2017

■ | 76000 | | 5 à 8 €

Une propriété familiale de 68 ha, dans la famille Ciroli depuis quatre générations.

Portée par les fruits des bois et les notes épicées, la bouche se montre ample et dotée de tanins souples. Une cuvée à boire dans sa jeunesse. ⧗ 2019-2023

EARL CIROLI, lieu-dit Pinasse, 33890 Juillac, tél. 05 57 40 52 22, pierreciroli@orange.fr

CH. PONCHEMIN Emma et Alexia 2016 ★

■ | 40000 | | 5 à 8 €

Terre de Vignerons est l'union de production et de commercialisation d'une quinzaine de coopératives de l'Entre-deux-Mers et du Pays duraquois. Elle représente 15 000 ha de vignes et 1 500 coopérateurs, dont les raisins sont accueillis sur dix-neuf sites de production. Un acteur de poids de la coopération girondine.

Un vin puissant, riche et aromatique, boisé, à la bouche évoquant la myrtille et la vanille. Un style assumé et parfaitement réussi. ⧗ 2020-2026 ■ **Ch. Tarnas Belair 2016 (- de 5 €; 36000 b.)** : vin cité.

TERRE DE VIGNERONS, 17-19, rte des Vignerons, 33790 Landerrouat, tél. 05 56 61 33 73, a.mauro@terredevignerons.com

CH. RAUZAN DESPAGNE Réserve 2017

■ | 31500 | | 8 à 11 €

Les Despagne sont à la tête de 300 ha répartis sur plusieurs crus, conduits par les enfants de Jean-Louis (Thibault, Gabriel et Basaline) et par Joël Élissalde, directeur technique. Rauzan Despagne est un ancien relais de chasse du XVIIes. acquis en 1990, aujourd'hui lieu de résidence de Gabriel Despagne, graphiste et créateur des étiquettes de la maison.

Un bordeaux plaisant, fruité et acidulé, au caractère jovial et gourmand. ⧗ 2019-2023

SCEA VIGNOBLES DESPAGNE (CH. RAUZAN DESPAGNE), 2, Le Touyre, 33420 Naujan-et-Postiac, tél. 05 57 84 55 08, contact@despagne.fr V *t.l.j. sf sam. dim. 8h30-12h 13h30-16h30*

VIEUX CH. RENAISSANCE 2017 ★

■ | 10000 | | 5 à 8 €

À proximité du castrum de Pommiers et de la bastide de Sauveterre-de-Guyenne, cette propriété de 28 ha appartenant à la famille Turtaut est certifiée Haute Valeur Environnementale depuis 2018.

La robe dense et colorée, typique du cépage malbec, annonce la concentration de cette cuvée, qui brille aussi par sa complexité. Du verre montent des senteurs de fruits bien mûrs (fruits rouges, prune) et des notes épicées très raffinées. Cette richesse aromatique se prolonge dans une bouche généreuse à souhait, à la texture veloutée, bien que ciselée par des tanins encore un peu pointus. Un beau potentiel pour l'appellation. ⧗ 2020-2026 ■ **Élevé en fût de chêne 2016 (5 à 8 €; 10000 b.)** : vin cité.

EARL DES VIGNOBLES TURTAUT, Descombes, 33540 Saint-Sulpice-de-Pommiers, tél. 05 56 71 59 54, vignobles@turtaut.fr V *r.-v.*

CH. RIFFAUD Fût de chêne 2016 ★★

■ | 6000 | | 5 à 8 €

Une petite propriété familiale de 14 ha au cœur des coteaux argilo-calcaires de l'Entre-deux-Mers, conduit par Stefan Delarue.

Un 2016 au bouquet splendide mêlant cerise noire, groseille, vanille et nuances mentholées. La bouche ronde, équilibrée, au boisé ajusté, conjugue structure, expressivité et gourmandise. Un rapport qualité/prix imparable. ⧗ 2019-2024 ■ **2016 ★ (5 à 8 €; 3600 b.)** : l'archétype du bordeaux réussi : un nez élégant de griotte aux légères touches grillées devance un palais savoureux, souple, aux tanins enrobés. Un bon classique. ⧗ 2019-2023

SCEA VIGNOBLES STEFAN DELARUE, 9, Le Bourg, 33540 Castelviel, tél. 06 59 53 81 90, chateau.riffaud@gmail.com V *tlj*

CH. ROQUEFORT 2016 ★

■ | 180000 | | 5 à 8 €

Dans l'Entre-deux-Mers, le promontoire de Roquefort fut un ancien oppidum gaulois. Après le rachat de la propriété en 1976 par l'industriel Jean Bellanger, un chai très moderne, aménagé en partenariat avec la faculté d'œnologie de Bordeaux, a vu le jour. Premières vinifications en 1987. Aujourd'hui, un vaste domaine (240 ha, dont 100 ha de vigne) conduit depuis 1995 par Frédéric Bellanger. Ce dernier dirige également le Ch. Domi-Cours, acquis en 2002 : 20 ha sur la commune de Cours-les-Bains, en terres bazadaises.

Issue à 90 % de merlot, cette cuvée séduit par la finesse et la complexité de ses arômes de petits fruits noirs sauvages (airelle, prunelle). L'attaque est ronde, le corps long, harmonieux et expressif, soutenu par des tanins encore jeunes mais prometteurs. Un beau bordeaux, équilibré et droit, qu'il conviendra de faire vieillir en cave quelques mois. ⧗ 2020-2025

SC DU CH. ROQUEFORT, lieu-dit Roquefort, 33760 Lugasson, tél. 05 56 23 97 48, mscl@chateau-roquefort.com V *r.-v.* 5

CH. LA ROSE BOURDIEU 2016 ★

■	20800		5 à 8 €

Producta Vignobles est un négoce à actionnariat coopératif créé en 1949, qui regroupe 2 500 opérateurs et 2 000 ha de vignes dans une cinquantaine d'appellations du Bordelais et du Sud-Ouest. Dans son catalogue, une centaine de marques et 150 châteaux.

Un vin profond qui s'exprime sur la complexité et l'élégance. Le nez puissant convoque la confiture de framboise, la vanille et le tabac blond. Le prélude à une bouche à la fois grasse et expressive, gourmande, dotée de tanins encore jeunes. Belle finale dominée par l'élevage. Du potentiel. ⧗ 2021-2026

SA PRODUCTA VIGNOBLES, 13, av. de la Résistance, 33310 Lormont, tél. 05 57 81 18 18, producta@producta.com

CH. SAINTE-BARBE 2016

■	152000		5 à 8 €

Située à la pointe de l'Entre-deux-Mers, cette belle chartreuse construite au XVIIIes. par Jean-Baptiste Lynch (maire de Bordeaux de 1809 à 1815) commande un vignoble de 30 ha. Acheté par les Touton en 2000, le cru a été acquis en 2013 par la famille de Gaye, également à la tête du Ch. Grand Corbin Manuel (saint-émilion grand cru) et du Ch. la Création (pomerol).

La robe, presque noire, est d'une belle profondeur. Le nez monte en puissance et libère des parfums d'épices douces puis de fruits mûrs qui se développent à l'aération. Cette aromatique se retrouve dans une bouche longue et pleine où les tanins, encore fermes, donnent une certaine mâche à l'ensemble. ⧗ 2020-2025

SCEA CH. SAINTE-BARBE, rte du Burck, 33810 Ambès, tél. 05 56 77 49 57, commercial@chateausaintebarbe.fr V r.-v.

TERRES DE FILLES 2016

■	240000		5 à 8 €

La famille Cardarelli, propriétaire d'une exploitation familiale de 430 ha, a créé en 2010 la société Prodimas, une structure permettant l'achat de raisins. Aujourd'hui, Prodimas se compose de 70 apporteurs de raisin pour une superficie totale de 800 ha.

Un nez vif et fruité, évoquant les fruits rouges et noirs, le cacao et le kirsch, précède une bouche vineuse, mûre et superbement équilibrée entre fraîcheur et tanins enveloppants. Un bordeaux comme on les aime, structuré et harmonieux. ⧗ 2019-2025

SARL PRODIMAS, La Borne Nord, 33790 Massugas, tél. 05 56 61 48 13, qualite.vignoblescardarelli@gmail.com V *t.l.j. sf sam. dim. 9h-12h 14h-17h*

CH. THIEULEY 2017 ★

■	32000		8 à 11 €

L'histoire viticole des Courselle débute en 1949 avec l'achat du Ch. Thieuley, non loin de la Sauve-Majeure, par André Courselle. Sous l'impulsion de Francis et, depuis 2004, de ses filles Sylvie et Marie, le vignoble s'étend aujourd'hui sur 80 ha et trois crus : Thieuley, une référence en bordeaux, Ch. Saint-Genès, destiné à l'export, et Clos Sainte-Anne, 5 ha de graves à Capian.

Après un premier nez timide, le potentiel aromatique se révèle à l'aération et dévoile de subtiles notes de crème de cassis, de fruits rouges et d'épices. Franche, idéalement mûre et veloutée, la bouche séduit par sa rondeur et sa longueur. L'élevage d'un an en barriques est maîtrisé et apporte une jolie complexité à l'ensemble. ⧗ 2020-2024

SCEA VIGNOBLES COURSELLE, 560, rte de Grimard, 33670 La Sauve, tél. 05 56 23 00 01, contact@thieuley.com V *t.l.j. sf dim. 8h30-12h 13h30-17h30; sam. ; sur r.-v.*

CH. TOUR DE BONNET 2017 ★★

■	80000		- de 5 €

André Lurton conduit depuis 1953 le Ch. Bonnet (et sa déclinaison Tour de Bonnet), un fief historique qui est aussi son lieu de naissance et le premier cru acquis par son grand-père Léonce Récapet en 1897. Un domaine de 300 ha, valeur sûre en entre-deux-mers et bordeaux, qui entre dans un vaste «empire» de 600 ha, dont 260 en pessac-léognan, l'autre «patrie» d'André Lurton (Couhins-Lurton, La Louvière…), figure du vignoble bordelais disparue en mai 2019.

L'archétype du bordeaux réussi : un nez complexe et ouvert mêlant cassis, cerise et réglisse, prélude à une bouche veloutée, idéalement fraîche, appuyée sur des tanins présents mais fondus. Un vin qui a frôlé de très peu le coup de cœur. **■ Ch. Bonnet 2017 ★ (5 à 8 €; 266000 b.)** : le jury a loué l'équilibre et l'harmonie de ce bordeaux soyeux, ainsi que sa bouche ample et juteuse. Un modèle pour l'appellation. ⧗ 2019-2024

LES VIGNOBLES ANDRÉ LURTON, Ch. Bonnet, 33420 Grézillac, tél. 05 57 25 58 58, andrelurton@andrelurton.com V *r.-v.*

CH. TOUR DE MIRAMBEAU 2017

■	73000		8 à 11 €

Vigneronne depuis plus de deux siècles, la famille Despagne, établie au cœur de l'Entre-deux-Mers, est un acteur incontournable du vignoble bordelais, à la tête de 300 ha répartis sur plusieurs crus – Bel Air Perponcher, Tour de Mirambeau, Rauzan Despagne, Lion Beaulieu, Mont-Pérat – conduits par les enfants de Jean-Louis (Thibault, Gabriel et Basaline) et par Joël Elissalde, directeur technique. Leurs vins sont souvent en vue dans ces pages, dans les trois couleurs.

Portée par les fruits noirs, la cerise et la cannelle, la bouche se montre souple, acidulée et plaisante. Une cuvée qui ne manque ni de charme ni de gourmandise, et qui s'accordera à toute belle cuisine du quotidien.

SCEA DESPAGNE RIVE DROITE (CH. TOUR DE MIRAMBEAU), 2, Le Touyre, 33420 Naujan-et-Postiac, tél. 05 57 84 55 08, contact@despagne.fr V *t.l.j. sf sam. dim. 8h30-12h 13h30-16h30*

CH. TURCAUD 2017

■	35000		5 à 8 €

Un cru de 50 ha fondé en 1973 par Simone et Maurice Robert, conduit avec le même talent depuis 2009 par leur fille Isabelle et son époux Stéphane Le May. Abandon progressif du désherbage chimique, rendements limités, approche parcellaire pour chaque cuvée, certification Terra Vitis : un travail de précision au service des AOC régionales et des entre-deux-mers.

Complexe dès l'olfaction avec ses notes de fruits noirs épicés, de cerise et de cuir, ce bordeaux offre une belle attaque précédant un milieu de bouche concentré, long et chaleureux. Un 2017 intensément fruité au potentiel certain. ⧗ 2020-2025

EARL VIGNOBLES ROBERT, Ch. Turcaud, 1033, rte de Bonneau, 33670 La Sauve, tél. 05 56 23 04 41, chateau-turcaud@wanadoo.fr V t.l.j. sf dim. 8h30-12h30 14h30-18h

MAISON VALENTIN PIQUEREAUX 2017

■ | 2500 | | 5 à 8 €

Maison Valentin Piquereaux est le fruit du rapprochement de deux vignobles voisins et occupe 13 ha sur la rive droite du Dropt, près de Monségur, au cœur de l'aire d'appellation bordeaux.

Un vin frais, fruité et gourmand, à la finale agréable et persistante. Un joli bordeaux en somme. ⧗ 2019-2024

SARL MAISON VALENTIN PIQUEREAUX, lieu-dit Martineau, 33580 Dieulivol, tél. 06 30 17 65 29, maison.valentinpiquereaux@gmail.com V r.-v.

♥ CH. VALVIGNES 2017 ★★

■ | 60000 | | - de 5 €

Bernard Rivière a repris en 1975 le domaine de ses parents. Il agrandit le vignoble, qui couvre aujourd'hui 30 ha, plantés sur des collines et hauts coteaux argilo-calcaires dominant la vallée de la Garonne. La propriété est désormais dirigée par son fils Julien.

Une magnifique robe violine habille ce 2017. Expressive et complexe, s'ouvrant sur la griotte, la mûre, la myrtille et les épices douces, l'olfaction allie intensité et élégance. Tout aussi charmeuse, la bouche, à l'attaque souple, gagne progressivement en puissance, soutenue par des tanins mûrs et un généreux fruité. Une superbe bouteille qui fait honneur non seulement à l'appellation, mais aussi au millésime. ⧗ 2019-2025

JULIEN RIVIÈRE, 1, Viremolle, 33490 Saint-Martin-de-Sescas, tél. 06 50 53 60 35, julienriviere@wanadoo.fr V r.-v.

BORDEAUX CLAIRET

Superficie : 925 ha / Production : 52 000 hl

B CH. CAJUS 2018 ★

■ | 10000 | | 8 à 11 €

Convertie en bio dès 1998, lorsque Suzanne Veyron l'a reprise, cette propriété couvre 10 ha sur un terroir argilo-calcaire. Ici on tient compte du cycle lunaire dans le travail de la vigne comme du vin.

La fraise et la cerise, la groseille aussi : il n'en faut pas plus pour se croire en été. Le vin est rond, bien ample, d'une amabilité appréciable en toute occasion. ⧗ 2019-2021

SCEA CH. CAJUS, lieu-dit Cajus, 9, chem. de Jonqueyres, 33750 Saint-Germain-du-Puch, tél. 06 03 04 33 42, contact.cajus@gmail.com V r.-v. 3

CHAI DE BORDES 2018 ★★

■ | 2000 | | 5 à 8 €

Propriétaire de nombreux crus et acteur majeur du négoce bordelais à travers différentes marques (Chai de Bordes, Pierre Dumontet), Cheval Quancard a été fondé par Pierre Quancard en 1844, sous le nom de Quancard et Fils. La maison est toujours dirigée par ses descendants.

Il fait beau, la frondaison des arbres apporte une ombre agréable, la table de jardin est garnie. Il ne manque plus que ce rosé empreint de notes de groseille et de cassis attrayantes. L'alliance de la rondeur et de la fraîcheur se réalise remarquablement. ⧗ 2019-2021 ■ **Lise de Bordeaux 2018 (- de 5 €; 15000 b.)** : vin cité.

SA CHEVAL QUANCARD, ZI La Mouline, 4, rue du Carbouney, BP_36, 33565 Carbon-Blanc Cedex, tél. 05 57 77 88 88, chevalquancard@chevalquancard.com V r.-v. au Ch. de Bordes à Saint-Vincent-de-Paul

CH. DES CHAPELAINS 2018 ★

■ | 4200 | | 5 à 8 €

Pierre Charlot est un vigneron qui compte dans l'AOC sainte-foy. Depuis 1991, il redonne ses lettres de noblesse à ce domaine de 48 ha, dans sa famille depuis le XVIIe s., dont il tire des cuvées qui laissent rarement indifférent et visent avant tout l'expression du fruit. L'une de ses devises : *Life is too short to drink bad wine.*

Typé fruits rouges (framboise et cassis), ce clairet couleur grenadine offre une bonne matière persistante, tout en restant frais. ⧗ 2019-2021

SCEA CH. DES CHAPELAINS, 1, les Chapelains-Rambaux, 33220 Saint-André-et-Appelles, tél. 05 57 41 21 74, chateaudeschapelains@wanadoo.fr V t.l.j. sf sam. dim. 8h-12h 14h-18h

PIERRE-JEAN LARRAQUÉ 2018

■ | 40000 | | 5 à 8 €

Le vignoble Cardarelli a été créé en 1953 à Massugas, entre Castillon-la-Bataille et Sainte-Foy-la-Grande, par d'anciens métayers viticoles. Ce sont depuis 1990 leurs trois petits-fils, épaulés de leurs épouses, qui conduisent ce vaste ensemble de 500 ha répartis sur plusieurs crus.

Tout en discrétion dans ses arômes de fruits rouges légèrement confits, ce vin fait preuve de souplesse et de rondeur. ⧗ 2019-2021

SCEA HAUSSMANN CARDARELLI, La Borne-Nord, 33790 Massugas, tél. 05 56 61 48 13, qualite-vignoblescardarelli@gmail.com V t.l.j. sf sam. dim. 8h30-12h 14h-17h; f. août-sept.

CH. DE MARSAN 2018 ★★

■ | 15000 | | 5 à 8 €

Paul Gonfrier, rapatrié d'Algérie, rachète au début des années 1960 le Ch. de Marsan, terre noble fondée au

XVIᵉs. sur la rive droite de la Garonne : le berceau des domaines familiaux. Ses fils Philippe et Éric suivent ses traces après 1985. Aujourd'hui, pas moins de 400 ha et douze châteaux.

Des reflets grenat attirent le regard, puis c'est au tour des arômes de charmer les sens : violette, fruits rouges et épices. De la vinosité au palais, de la rondeur et toujours ce fruité attrayant. 2019-2021

SAS GONFRIER FRÈRES, Ch. de Marsan, BP_7, 33550 Lestiac-sur-Garonne, tél. 05 56 72 14 38, contact@vignobles-gonfrier.fr V t.l.j. 9h-17h30

♥ CH. PENIN 2018 ★★★

	45000		5 à 8 €

Château Penin – BORDEAUX CLAIRET – 2018

L'une des valeurs sûres des appellations régionales, avec plusieurs coups de cœur à son actif. Un cru de 45 ha établi sur un terroir de graves, sur la rive gauche de la Dordogne, face à Saint-Émilion. Fondé par la famille Carteyron en 1854, il est dirigé depuis 1982 par Patrick, œnologue.

Couleur œil-de-perdrix, ce clairet fait très bel effet dans le verre. Son expression aromatique en fait le charme également, tout en notes de grenadine, de fruit de la Passion et de fruits noirs mûrs. Au palais, il laisse cette impression de rondeur, de vinosité et de structure que l'on recherche dans un clairet. 2019-2021

SCEA P. CARTEYRON, 39, imp. Couponne, 33420 Génissac, tél. 05 57 24 46 98, vignoblescarteyron@orange.fr V

CH. VIGNOL 2018

	30000		5 à 8 €

Descendants de marins, les Doublet sont enracinés dans le vignoble bordelais depuis la fin du XVIIIᵉs. et depuis 1975 au Ch. Vignol, ancienne propriété de Montesquieu dans l'Entre-deux-Mers, passée entre les mains d'armateurs bordelais au XIXᵉs. En 1987, ils ont traversé la Garonne pour investir à Beautiran, dans les Graves du nord, avec le Ch. Tour de Calens, puis en saint-émilion grand cru avec le Ch. Saint-Ange en 2009.

Des reflets rubis brillent dans le verre, tandis que se libèrent des notes discrètes de fruits rouges. Dès l'attaque, la fraîcheur emplit le palais, favorisant l'expression des arômes. 2019-2021

SCEA BERNARD ET DOMINIQUE DOUBLET, Ch. Vignol, 33750 Saint-Quentin-de-Baron, tél. 05 57 24 12 93, info@famille-doublet.fr V *r.-v.*

BORDEAUX ROSÉ

ARSIUS 2018 ★

	31300		- de 5 €

Créée en 2007 dans l'Entre-deux-Mers, l'Union de Guyenne regroupe les coopératives de Saint-Pey-Génissac et de Sauveterre-Blasimon pour quelques 300 vignerons.

Dominé par le cabernet franc (80 %), complété de cépages blancs divers, ce rosé expressif conjugue vivacité et fruité persistant (agrumes, pêche blanche). Un très joli vin d'apéritif. 2019-2020

USCA UNION DE GUYENNE, 15, Bourrassat, 33540 Sauveterre-de-Guyenne, tél. 05 56 71 51 25, p.mondin@ugbordeaux.fr V *t.l.j. sf dim. lun. 9h-12h15 13h30-18h15*

HAUT D'AS 2018 ★★

	30000		5 à 8 €

Arrivé d'Algérie en 1961, Charles Yung a bâti un vaste ensemble de propriétés dans le Bordelais ainsi qu'un négoce : aujourd'hui, plus de 132 ha de vignes, principalement implantées sur les coteaux de Garonne, autour de Béguey. Son fils Jean-Christophe est aux commandes depuis 1993, rejoint en 2006 par son frère Rodolphe qui a pris en main la commercialisation.

Un rosé à la robe très pâle, au nez élégant de pétale de rose, de fleurs blanches et de petits fruits rouges. Au palais, il a séduit le jury en conjuguant délicatesse, fraîcheur acidulée et fruité généreux. Un ensemble fringant. 2019-2020

SARL LES HAUTS DE PALETTE, 4_bis, chem. de Palette, 33410 Béguey, tél. 05 56 62 94 85, h-d-p@wanadoo.fr V *t.l.j. sf sam. dim. 9h-12h 13h30-18h30; f. en août*

CH. DE BEAUREGARD-DUCOURT 2018 ★

	60300		5 à 8 €

En 1858, la famille Ducourt s'établit au Ch. des Combes, à Ladaux, petit village au sud-est de Bordeaux. C'est sous l'impulsion d'Henri Ducourt, installé en 1951 et relayé depuis par ses enfants et petits-enfants, que le vignoble familial prend son essor, pour atteindre aujourd'hui 450 ha répartis sur treize châteaux dans l'entre-deux-mers et le saint-émilionnais. Un ensemble dirigé par Philippe Ducourt depuis 1980.

Un vin droit, minéral et vif, qui mêle au nez comme en bouche des arômes d'agrumes et de buis. Un rosé espiègle. 2019-2020

SC VIGNOBLES DUCOURT, 18, rte de Montignac, 33760 Ladaux, tél. 05 57 34 54 00, ducourt@ducourt.com V *r.-v.*

LES HAUTS DE BEL-AIR 2018 ★

	500000	- de 5 €

Savas (Société d'approvisionnement de vins, d'alcools et de spiritueux) est une maison de négoce fondée en 1978, présidée par Evelyne Courriades, qui propose des vins de marque du Bordelais.

Un vin au bouquet exubérant de fruits rouges et noirs, de bonbon anglais, de noyau de cerise et de pain d'épice. En bouche, il est expressif et harmonieux grâce à une juste vivacité. La finale évoque les agrumes. 2019-2020

SA SAVAS, 110, rue Achard, 33300 Bordeaux, tél. 05 56 92 62 96, service.export.savas6@orange.fr

CH. BEL AIR PERPONCHER Réserve 2018 ★

	15000		8 à 11 €

Ancienne propriété de la famille Perponcher, qui dut fuir vers la Hollande après la révocation de l'édit de

Nantes, acquise en 1990 par la maison Despagne. Un cru situé sur un plateau argilo-siliceux dominant la Dordogne, incontournable en bordeaux (dans les trois couleurs), bordeaux supérieur et entre-deux-mers.

Le nez de ce rosé est flatteur : fleurs blanches, agrumes, cerise et myrtille. Mais la bouche l'est tout autant : acidulée, fraîche. Pour les belles soirées dans le jardin. ⧗ 2019-2020

SCEA VIGNOBLES DESPAGNE (CH. BEL AIR PERPONCHER), 2, le Touyre, 33420 Naujan-et-Postiac, tél. 05 57 84 55 08, contact@despagne.fr V t.l.j. sf sam. dim. 8h30-12h 13h30-16h30

CH. CASTENET 2018 ★

7000 | 5 à 8 €

Mylène et Guillaume Guennec, enfants de viticulteurs de la région, ont pris la suite en 2010 de François Greffier, vigneron réputé pour ses entre-deux-mers, désormais retiré des affaires. Ils conduisent aujourd'hui un vignoble de 35 ha, auxquels s'ajoutent les 8 ha du Ch. Valade pris en fermage auprès de la famille Hoffman.

Un rosé moderne, très pâle, au bouquet mêlant notes florales et nuances amyliques. La bouche est franche, équilibrée et acidulée en finale. Du beau travail pour ce rosé qui plaira au plus grand nombre. ⧗ 2019-2020

EARL CASTENET, 3, Castenet, 33790 Auriolles, tél. 05 56 61 40 67, vignoblescastenet@orange.fr V r.-v.

♥ B CH. DE CHAINCHON 2018 ★★

6500 | 5 à 8 €

Ancien maître de chai d'un cru classé de Saint-Émilion, Patrick Érésué exploite depuis 1996 en castillon-côtes-de-bordeaux le Ch. de Chainchon (24 ha), dans sa famille depuis 1846. En hommage à son arrière-grand-père, il a créé la cuvée Valmy Dubourdieu Lange, fleuron du domaine et l'une des valeurs sûres de l'appellation, et obtenu la certification bio du domaine en 2013.

Un rosé de saignée charmant et délicat, au nez de fraise écrasée, d'anis et de menthol, et à la bouche savoureuse, à la fois fraîche et gourmande, qui a conquis le jury à l'unanimité. Hautement recommandable. ⧗ 2019-2020

SCEA DES VIGNOBLES ÉRÉSUÉ, Ch. de Chainchon, 33350 Castillon-la-Bataille, tél. 06 08 85 19 58, chainchon@wanadoo.fr V r.-v.

CH. DU CLAOUSET 2018

n.c. | 5 à 8 €

Propriété familiale de 60 ha en Entre-deux-Mers, gérée par les frères jumeaux Laurent et David Siozard, sixième génération sur le domaine.

L'archétype du rosé simple, mais efficace : une robe pâle, à peine saumonée, un nez flatteur évoquant épices et citron confit, puis une bouche gouleyante et fraîche, au fruité évident. ⧗ 2019-2020

VIGNOBLES SIOZARD, Laubarède, 33420 Lugaignac, tél. 05 57 84 54 23, info@vignobles-siozard.com V r.-v.

CH. CLOS SÉRIC 2018 ★

6000 | 5 à 8 €

Une propriété de 13 ha se trouvant sur un terroir argilo-calcaire de la commune de Puch, appartenant à Gilles Nardou depuis 1994. L'exploitation est en conversion bio depuis deux ans.

Un rosé fringant, au bouquet de fruits rouges et de fruits secs (noisette), avec une légère note lactique. La bouche est fraîche et équilibrée. ⧗ 2019-2020

GILLES NARDOU, 1, le Grand-Mounicon, 33350 Ruch, closseric@gmail.com V r.-v.

DOM. DE LA CROIX 2018 ★★

10000 | - de 5 €

En parallèle de son activité de directeur d'exploitation dans un grand domaine bordelais, Jean-Yves Arnaud a repris en 1981 le cru familial Frappe-Peyrot, bonne référence en cadillac, produisant aussi en bordeaux et en loupiac avec les châteaux Massac, La Croix et Mazarin. Son fils Mathieu a pris en 2013 la direction des vignobles : 40 ha en tout, la moitié des surface étant dédiée aux liquoreux. Le domaine est en cours de conversion à l'agriculture biologique.

Au nez, les agrumes, les fruits exotiques et le bourgeon de cassis mènent la danse. En bouche, du fruit (pêche de vigne), de la fraîcheur et une longueur enviable. Un vin très abouti. ⧗ 2019-2020

SCEA VIGNOBLES JEAN-YVES ARNAUD, 16, la Croix, 33410 Gabarnac, tél. 06 09 14 05 93, mathieu.arnaud@vignoblesarnaud.fr V r.-v.

DELOR Réserve Rosé de pressée 2018 ★

n.c. | 5 à 8 €

Dans le giron du groupe CVBG (Alain Thiénot), cette maison de négoce fondée en 1864 par Alphonse Delor est l'une des plus anciennes sur la place de Bordeaux.

Le nez s'ouvre sur des notes amyliques et des senteurs d'anis et de fraise. Après une attaque vive, on découvre un palais assez gras et harmonieux, aux arômes de fraise et au léger perlant. Simple, mais efficace. ⧗ 2019-2020

MAISON DELOR, 35, rue de Bordeaux-Parempuyre, CS_80004, 33295 Blanquefort Cedex, tél. 05 56 35 53 00, contact@delor-bordeaux.com

DOURTHE La Grande Cuvée 2018 ★★

100000 | 5 à 8 €

Célèbre négoce fondé en 1840 par Pierre Dourthe, propriétaire de plusieurs crus (Belgrave en haut-médoc, Le Boscq en saint-estèphe, Rahoul en graves, Grand Barrail Lamarzelle Figeac en saint-émilion grand cru) et élaborateur de vins de marque de qualité (Dourthe N° 1, La Grande Cuvée, Terroirs d'exception). Une valeur sûre restée étroitement liée au Médoc, intégrée depuis 2007 au groupe familial champenois Alain Thiénot.

La robe est très pâle, brillante et limpide. On est séduit par le nez fin de petits fruits rouges, la bouche harmonieuse et persistante sur la fraise. Un rosé fin et élégant. ⧗ 2019-2020

CVBG DOURTHE-KRESSMANN, 35, rue de Bordeaux-Parempuyre, CS 80004, 33295 Blanquefort Cedex, tél. 05 56 35 53 00, contact@dourthe.com

CH. DUDON 2018 ★

■	6000	🍾	- de 5 €

En 1975, Jean Merlaut (Ch. Gruaud-Larose, à Saint-Julien) a repris en main le Ch. Dudon, dans sa famille depuis 1961 et commandé par une chartreuse construite au XVIIIes. par Jean-Baptiste Dudon. Il a assuré sa rénovation, à la vigne et aux chais, et étoffé sa surface en 2009 en achetant les vignes du Ch. Laroche. L'ensemble couvre aujourd'hui 72,4 ha.

Assemblage par moitié de merlot et de cabernet, vinifié par pressurage direct, ce rosé affiche une robe pâle et brillante. Il révèle des notes de fruits exotiques, de bourgeon de cassis, ainsi que de fines touches minérales. Bouche ample, au fruité affirmé, au développement acidulé et à la finale marqué par le pamplemousse. ⧗ 2019-2020

SARL DUDON, 45, rte de Dudon, 33880 Baurech, tél. 05 57 97 77 35, infos@chateau-dudon.com V 🚶 ■ *r.-v.*

PIERRE DUMONTET Cuvée Hortense 2018 ★

■	40000	🍾	- de 5 €

Propriétaire de nombreux crus et acteur majeur du négoce bordelais à travers différentes marques (Chai de Bordes, Pierre Dumontet), Cheval Quancard a été fondé par Pierre Quancard en 1844, sous le nom de Quancard et Fils. La maison est toujours dirigée par ses descendants.

Cette cuvée a tapé dans l'œil de notre jury avec sa charmante robe pâle à reflets bleutés et son bouquet expressif de fraise écrasée. Bouche ronde, à la finale vive et acidulée. Un vin bien dans son appellation. ⧗ 2019-2020

SA CHEVAL QUANCARD, ZI La Mouline, 4, rue du Carbouney, BP 36, 33565 Carbon-Blanc Cedex, tél. 05 57 77 88 88, chevalquancard@chevalquancard.com V 🚶 ■ *r.-v. au Ch. de Bordes à Saint-Vincent-de-Paul*

CH. GOUDICHAUD 2018 ★

■	18000	🍾	5 à 8 €

Un vaste domaine de 50 ha de vignes et 60 ha de forêts et prairies, commandé par un château du XVIIIes. construit selon les plans de Victor Louis et propriété des Glotin depuis 1930. Plusieurs étiquettes ici, en graves-de-vayres et entre-deux-mers : Goudichaud, Haut Bessac, Fage, Haut Beaumard et La Fleur des Graves

Dans une belle robe pétale de rose, ce vin a séduit notre jury par son fruité expressif, sa bouche acidulée et son équilibre général. Un rosé friand. ⧗ 2019-2020

CH. GOUDICHAUD, 17, chem. de Goudichaud, 33750 Saint-Germain-du-Puch, tél. 05 57 24 57 34, contact@chateaugoudichaud.fr V 🚶 ■ *t.l.j. sf sam. dim. 8h30-12h30 13h30-18h*

CH. HAUT-MOULEYRE 2018 ★

■	7998	🍾	5 à 8 €

Terres bordelaises est une filiale du groupe Les Grands Chais de France, qui diffuse une vaste gamme de domaines girondins, parmi lesquels Bastor-Lamontagne, Saint-Robert, Faizeau, Haut-Mouleyre, Laubès.

Un nez intense de fruits rouges et de fleurs blanches précède un palais élégant et friand, à la jolie finale épicée et très légèrement tannique. Du caractère. ⧗ 2019-2020

■ **Ch. Laubès 2018 ★ (5 à 8 €; 12635 b.)** : un rosé qui évoque tant au nez qu'en bouche la menthe, le noyau de cerise et les fruits rouges. Il est frais, intense et de bonne longueur. Un joli classique pour vos apéritifs. ⧗ 2019-2020

SCEA TERRES BORDELAISES, Ch. Laubès, 33760 Escoussans, tél. 05 57 98 07 20, vcachau@lgcf.fr

KRESSMANN Pink 2018 ★

■	n.c.	🍾	5 à 8 €

Négoce fondé en 1871 par Édouard Kressmann. Associé en 1967 avec Dourthe pour créer le CVGB, il entre dans le giron du Champenois Alain Thiénot en 2007. Outre ses vins de marque, dont l'historique Kressmann Monopole Dry lancé en 1897, il propose une vaste sélection de crus, dont Latour-Martillac, propriété de la famille.

L'archétype du rosé moderne et consensuel, au bouquet mêlant notes amyliques, fruits rouges et agrumes, et au palais fruité, ample et équilibré. Un sans-faute. ⧗ 2019-2020

KRESSMANN, 35, rue de Bordeaux-Parempuyre, CS 80004, 33295 Blanquefort Cedex, tél. 05 56 35 53 00, contact@kressmann.com

CH. LALANDE-LABATUT 2018 ★

■	20000	🍾	5 à 8 €

Régis Falxa et sa sœur Isabelle ont repris en 2005, à la suite de leur père, ce domaine familial de 44 ha, constitué du Ch. Lalande-Labatut, régulièrement sélectionné pour ses entre-deux-mers, et du Ch. les Gauthiers.

Élégant, fruité et harmonieux, ce rosé a séduit le jury par sa fraîcheur et son caractère gouleyant. Un beau classique de l'appellation. ⧗ 2019-2020

SCEA VIGNOBLES FALXA, 38, chem. de Labatut, 33370 Sallebœuf, tél. 05 56 21 23 18, info@lalande-labatut.fr V 🚶 ■ *t.l.j. 9h-12h30 15h-19h30*

CH. LAUDUC Classic 2018 ★★

■	50000	🍾	5 à 8 €

Conduit par les frères Régis et Hervé Grandeau, ce cru familial fondé en 1930, naguère dédié à la production de lait, de raisins de table et de fruits, étend son vignoble de 110 ha sur les plus hauts coteaux argilo-calcaires et graveleux de Tresses, à une dizaine de kilomètres de Bordeaux. Un domaine régulier en qualité.

Une cuvée incontournable de l'appellation, à la fois fruitée, vive, friande et dotée d'une belle finale. Un rosé harmonieux qui plaira au plus grand nombre. ⧗ 2019-2020

VIGNOBLES GRANDEAU, 5, chem. de Lauduc, 33370 Tresses, tél. 05 57 34 43 56, contact@lauduc.fr V t.l.j. sf dim. 10h-13h 14h-18h

CH. LECOURT CAILLET 2018 ★

| 10000 | | - de 5 € |

À l'ombre des tours crénelées de la forteresse de Génissac, aux portes de Libourne, cette propriété est dans la même famille depuis trois générations; un domaine de 53 ha conduit par Denis Lecourt depuis 1981.

Un rosé classique et bien réalisé, gourmand, fruité et acidulé. Que demande le peuple? 2019-2020

SCEA LECOURT ET FILLES, 70, chem. du Moulin-de-Taillade, 33420 Génissac, tél. 05 57 24 46 04, contact@chateaulecourtcaillet.fr V t.l.j. sf dim. 9h-20h

♥ B CH. DE LISENNES 7 Hectares 2018 ★★

| 17000 | 5 à 8 € |

Dans la famille Soubie depuis 1938 et quatre générations, ce domaine tirerait son nom du mot «lise» – terme de l'ancien français devenu «glaise», que l'on retrouve dans le verbe «enliser». Une allusion à la nature argilo-calcaire du terroir. Le vignoble, couvrant 53 ha d'un seul tenant, entoure une chartreuse du XVIIIes. À sa tête, Jean-Luc Soubie. Depuis 2010, 7 ha de merlot sont cultivés en agriculture biologique.

Une robe rose soutenu pour ce pur merlot. Des parfums de fruits rouges et d'agrumes composent un nez discret mais élégant. Vive en attaque, soyeuse et fruitée, la bouche ample et intense est semblable à celle d'un clairet. Un rosé de caractère. 2019-2020

SARL LES VINS DE LISENNES, chem. de Petrus, 33370 Tresses, tél. 05 57 34 13 03, contact@lisennes.fr V t.l.j. sf sam. dim. 9h-12h 13h30-17h30

CH. MALAGAR 2018 ★

| 3300 | | - de 5 € |

Est-il besoin de rappeler que ce domaine fut «la résidence secondaire principale» de François Mauriac, acquis par son arrière-grand-père en 1843? Classé Monument historique, il est aussi un lieu de culture vivante ouvert au public. Son vignoble (23,7 ha) que la maison Cordier avait acquis en 1990 appartient depuis 2004 à Jean Merlaut, propriétaire de Gruaud-Larose à Saint-Julien.

Un 2018 qui possède une robe brillante aux reflets saumonés. Le nez est fin, complexe, aux arômes de fleurs et d'agrumes. On découvre un palais équilibré et friand, aux délicates notes florales et fruitées. Un style indéniable. 2019-2020

SCEA CH. MALAGAR, 45, rte de Dudon, 33880 Baurech, tél. 05 56 21 37 24, infos@chateau-malagar.com r.-v.

CH. MOUSSEYRON 2018 ★★

| 12000 | - de 5 € |

Un domaine familial de 28 ha datant de 1880, juché sur les hauteurs de Saint-Pierre-d'Aurillac. Joris Larriaut, représentant la cinquième génération aux commandes du vignoble, a pris la suite de son père Jacques en 2014.

Des notes de bonbon anglais s'échappent généreusement du verre, accompagnées de nuances camphrées et anisées. Après une attaque vive, le palais apparaît très consensuel, ouvertement fruité. La finale minérale apporte un surplus de distinction à l'ensemble. 2019-2020

SCEA JORIS LARRIAUT, 31, rte de Gaillard, 33490 Saint-Pierre-d'Aurillac, tél. 05 56 76 44 53, larriautjacques@wanadoo.fr V t.l.j. sf sam. dim. 8h-12h 14h-18h

L'ORANGERIE 2018 ★

| 168000 | 5 à 8 € |

Les ancêtres de Jean-Christophe Icard ont constitué à partir de 1790 un domaine qui s'est agrandi au fil des générations. Conduit depuis 1994 par l'actuel exploitant, le vignoble familial couvre quelque 130 ha, dont 75 ha de vignes, dans l'Entre-deux-Mers et la région de Cadillac. Plusieurs étiquettes ici : L'Orangerie, La Sablière Fongrave et même des «produits sous licence» signés par le célèbre dessinateur belge Philippe Geluck, créateur du personnage Le Chat.

Un joli rosé de teinte soutenue et au nez net de fruits rouges (fraise et groseille). Il dévoile une matière à la fois vive et fruitée, à la finale élégante. Un bel équilibre. 2019-2020

SCEA DES VIGNOBLES JEAN-CHRISTOPHE ICARD, lieu-dit le Jardinet, 33540 Saint-Félix-de-Foncaude, tél. 05 56 71 53 67, orangerie@chateau-orangerie.com

CH. PANCHILLE 2018

| 3000 | | 5 à 8 € |

En 1981, trois ans après le décès de son père, Pascal Sirat reprenait à vingt-trois ans l'exploitation familiale : 5 ha, dont le produit était livré à la coopérative. Premier chai en 1985, sortie de la coopérative en 1992. Aujourd'hui, 18 ha sur la rive gauche de la Dordogne.

Un vin gouleyant, soyeux et fruité, au délicat bouquet de buis, d'œillet et de pêche. Avec ses arômes de litchi perceptibles au palais, il invite au voyage. 2019-2020

SCEA VIGNOBLES SIRAT, Ch. Panchille, 33500 Arveyres, tél. 06 17 49 77 63, info@chateaupanchille.com V r.-v.

CH. PENIN 2018 ★

| 25000 | | 5 à 8 € |

L'une des valeurs sûres des appellations régionales, avec plusieurs coups de cœur à son actif. Un cru de 45 ha établi sur un terroir de graves, sur la rive gauche de la Dordogne, face à Saint-Émilion. Fondé par la famille Carteyron en 1854, il est dirigé depuis 1982 par Patrick, œnologue.

Rose pâle, cette cuvée offre un nez intense : bonbon anglais, fruits exotiques. C'est surtout en bouche qu'elle a conquis le jury, en conjuguant remarquablement rondeur, fraîcheur et finale acidulée. Un joli rosé de gastronomie. 2019-2020

SCEA P. CARTEYRON, 39, imp. Couponne, 33420 Génissac, tél. 05 57 24 46 98, vignoblescarteyron@orange.fr V

♥ CH. PICONAT 2018 ★★★

	10 000	- de 5 €

Établi au cœur de l'Entre-deux-Mers, au pied de la butte de Launay, ce vignoble dans la même famille depuis quatre générations s'étend sur 50 ha. Il est dirigé depuis 2003 par Christophe Guicheney. Une partie de la production est cédée au négoce, au Ch. Grand Plantey, le reste est vendu en direct sur l'exploitation sous l'étiquette Piconat.

Déjà coup de cœur pour cette cuvée dans l'édition 2017 du Guide, cette propriété régulière réitère l'exploit avec ce 2018 en tout point exemplaire. Le bouquet, tout d'abord, mêle avec grâce et finesse fruits rouges, pamplemousse et épices. La bouche, ensuite et surtout, est l'archétype du rosé réussi : à la fois fraîche, friande et fruitée, longue et soyeuse. Une bouteille qui fait honneur à l'appellation. 2019-2020

EARL COMIN-GUICHENEY, Ch. Piconat, 3, Piconat, 33790 Soussac, tél. 05 56 61 33 97, christophe.guicheney@orange.fr V *r.-v.*

ROCHE BELFOND 2018

	33 333	- de 5 €

Terre de Vignerons est l'union de production et de commercialisation d'une quinzaine de coopératives de l'Entre-deux-Mers et du Pays duraquois. Elle représente 15 000 ha de vignes et 1 500 coopérateurs, dont les raisins sont accueillis sur dix-neuf sites de production. Un acteur de poids de la coopération girondine.

Un vin estival, mêlant saveurs citronnées et kirschées dans un ensemble frais, simple mais gourmand. 2019-2020

TERRE DE VIGNERONS, 17-19, rte des Vignerons, 33790 Landerrouat, tél. 05 56 61 33 73, a.mauro@terredevignerons.com

CH. SAINTE-CATHERINE 2018 ★

	65 000		- de 5 €

Située au sommet d'un coteau dominant le vallon de Paillet, en appellation cadillac-côtes-de-bordeaux, cette propriété de 70 ha a succédé à l'ancien prieuré de Sainte-Catherine, fondé au Moyen Âge, dont il ne reste que d'humbles vestiges. Propriétaire du Ch. Gruaud-Larose, cru classé de Saint-Julien, ainsi que des Ch. Dudon et Malagar, Jean Merlaut l'a rachetée en 2013 à la famille Arjeau. Deux vins sont produits sur la propriété : Ch de Foucaud et Ch. Sainte-Catherine.

Doté d'une belle robe saumon, presque œil-de-perdrix, ce rosé au bouquet intense de cassis, de framboise et de bonbon anglais se révèle friand, équilibré. Une agréable amertume le porte en finale. 2019-2020

SCEA CH. SAINTE-CATHERINE, chem. de la Chapelle, 33550 Paillet, tél. 05 56 72 11 64, sceasaintecatherine@orange.fr V *r.-v.*

CH. SAINT-FLORIN Irrésistible 2018 ★

	15 000		5 à 8 €

À la tête du domaine familial depuis 1980, Catherine et Jean-Marc Jolivet, épaulés par leurs filles Bénédicte et Marie, ont constitué un vignoble de 120 ha dans l'Entre-deux-Mers et proposent cinq étiquettes de bordeaux dans les trois couleurs.

Voilà un rosé moderne, à la palette exubérante (framboise, fraise, bonbon anglais). Il déploie une bouche fraîche en attaque, plus suave dans son développement. Un bel équilibre entre vivacité et gras, une finale des plus plaisantes : une cuvée fort bien nommée en somme. 2018-2020

SC VIGNOBLES JOLIVET, Ch. Saint-Florin, 33790 Soussac, tél. 05 56 61 31 61, benedicte.jolivet@gmail.com

CH. SISSAN 2018 ★★

	10 600		- de 5 €

La famille Yung possède plusieurs crus sur lesquels elle produit des vins depuis trois générations, en AOC régionales et en cadillac-côtes-de-bordeaux : Grimont, son domaine phare et historique (25 ha acquis en 1959), situé à Quinsac, Sissan, à Camblanes (23,5 ha), et Montjouan, à Bouliac (8 ha).

Rond, élégant et soyeux : un très joli rosé au nez floral, qui joue plus la carte de la sensualité que celle de la vivacité. Un vin typé qui accompagnera avec gourmandise la cuisine épicée. 2019-2020

SCEA PIERRE YUNG ET FILS, Ch. Grimont, Grimont-Sud, 33360 Quinsac, tél. 05 56 20 86 18, info@vignobles-yung.fr V *r.-v.; f. en août*

CH. TAUSSIN 2018 ★

	14 400		- de 5 €

Dans la même famille depuis 1865, ce cru est conduit depuis 1997 par Fabienne, Daniel et Martine Rochet. Établi sur la rive droite de la Garonne, à l'extrémité sud-est du vignoble girondin, il s'étend aujourd'hui sur 100 ha.

Un rosé typé par ses arômes de fruits rouges et noirs (cassis, framboise) agrémentés d'agrumes. Le palais vif, friand et aromatique tire profit d'une jolie amertume qui allonge la finale. 2019-2020

EARL ROCHET, 5, Malbat, 33190 La Réole, tél. 05 56 61 02 42, chateaumalbat@gmail.com V *t.l.j. sf sam. dim. 9h-12h 13h-17h*

CH. LE TROS 2018

	35 000	- de 5 €

Propriété de la famille Jabouin depuis 1974, ce domaine de 65 ha est situé au nord de l'Entre-deux-Mers.

La pâleur de la robe de ce 2018 évoque un rosé de Provence à un dégustateur. Au bouquet ouvertement fruité, finement réglissé et épicé répond une bouche relativement tendue, minérale, à la finale acidulée. De l'harmonie et du caractère. 2019-2020

GFA CH. LE TROS, Ch. le Tros, 1, le Broustera, 33420 Tizac-de-Curton, tél. 05 57 24 26 85, chateauletros@orange.fr t.l.j. sf dim. 8h-12h 13h30-18h

UN FRÈRE, UNE SŒUR La Roseur à Rosé 2018 ★

5600	5 à 8 €

Philippe et Martine Chéty ont été rejoints en 1999 par leur fils Christophe, puis, en 2012, par sa sœur Isabelle sur leurs terres de Saint-Trojan où la famille cultive la vigne depuis 1698. La propriété compte 26 ha en côtes-de-bourg.

Cette cuvée déploie des arômes mêlant fruits rouges frais (fraise) et délicates senteurs réglissées. On découvre une bouche fraîche, croquante et fruitée. Aucune hésitation. 2019-2020

SARL VINS CHÉTY, 5, Mercier, 33710 Saint-Trojan, tél. 05 57 42 66 99, info@chateau-mercier.fr t.l.j. sf sam. dim. 8h30-12h30 13h30-18h

CH. LES VERGNES 2018 ★★

53000	5 à 8 €

Univitis est une coopérative regroupant 230 adhérents et 2 000 ha dans le « grand Sud-Ouest » viticole. Elle propose une large gamme de vins de marques et de propriétés dans une quinzaine d'AOC, à laquelle s'ajoute le Ch. les Vergnes acquis en 1986 (130 ha près de Sainte-Foy).

Pur cabernet-sauvignon, ce 2018 se pare d'une robe œil-de-perdrix et offre des senteurs complexes de fruits rouges frais, d'amande douce, de fleurs blanches et d'épices. Gourmand par ses flaveurs d'agrumes, le palais a fortement séduit les dégustateurs par sa tonicité et sa persistance. Un modèle pour l'appellation. 2019-2020

SCA UNIVITIS, Le Bourg, 33220 Les Lèves-et-Thoumeyragues, tél. 05 57 56 02 02, univitis@univitis.fr t.l.j. sf lun. dim. 9h30-12h30 14h30-18h30

CH. LA VERRIÈRE 2018 ★★

20000	5 à 8 €

Les Bessette sont implantés depuis plusieurs générations à Landerrouat, où ils ont acquis le Ch. la Verrière, créé en 1900 aux confins du Lot-et-Garonne. Restructuré dans les années 1960 par André Bessette, relayé à partir de 1999 par son fils Alain, ce cru de 60 ha s'est imposé comme une référence en appellations régionales. Autre étiquette de la famille Bessette : le Ch. Bailloux-Rival, acquis en 2005.

Un bordeaux au nez flatteur et complexe. Jugez plutôt : pêche, fraise, épices douces, jasmin et agrumes. En bouche, de l'équilibre, de la gourmandise et de l'éclat. Un des plus beaux vins de l'appellation et du millésime. 2019-2020

EARL ANDRÉ BESSETTE, 8, La Verrière, 33790 Landerrouat, tél. 05 56 61 39 56, alainbessette@orange.fr r.-v.

BORDEAUX BLANC

Superficie : 6 740 ha / Production : 418 650 hl

LES JARDINS D'AGATHE 2018 ★★

133330	- de 5 €

La famille Cardarelli, propriétaire d'une exploitation familiale de 430 ha, a créé en 2010 la société Prodimas, une structure permettant l'achat de raisins. Aujourd'hui, Prodimas se compose de 70 apporteurs de raisin pour une superficie totale de 800 ha.

Un bordeaux blanc comme on les aime : tonique et savoureux, au nez mêlant agrumes (citron vert, mandarine) et léger caractère végétal (gazon fraîchement tondu). En bouche, de la vivacité, du fruit pur, de l'ampleur et une très belle persistance aromatique. 2019-2022 **Les Roses des Vignes 2018 ★ (- de 5 €; 133330 b.)** : un blanc sec énergique, au nez de fruits blancs et de pétale de rose, qui offre une bouche à la fois ronde et tonique. Bien dans son appellation. Du beau travail. 2019-2021

SARL PRODIMAS, La Borne Nord, 33790 Massugas, tél. 05 56 61 48 13, qualite.vignoblescardarelli@gmail.com t.l.j. sf sam. dim. 9h-12h 14h-17h

CH. BASTOR-LAMONTAGNE 2018 ★

11305	8 à 11 €

Bastor est déjà un domaine important au XVIIIᵉs. Orienté vers la polyculture, il se spécialise à partir de 1839 sous l'impulsion d'Amédée Larrieu, alors propriétaire de Haut-Brion. Aujourd'hui, une belle unité de 46 ha, plantée sur un terroir sablo-graveleux, l'une des plus vastes du Sauternais. Propriété du Crédit Foncier depuis 1987, le cru (converti à l'agriculture biologique) a été acheté en juillet 2014 par les familles Moulin (groupe Galeries Lafayette) et Cathiard (Smith Haut Lafitte), puis en 2018 par les Terres Bordelaises (groupe des Grands Chais de France). Autres étiquettes : Ch. Bordenave et Ch. du Haut Pick.

Ce pur sauvignon à la robe jaune soutenu déploie des arômes de fruits exotiques mûrs. En bouche, on découvre un ensemble à la fois gras et frais, expressif, doté d'une belle finale acidulée. Un joli classique. 2019-2022

SCEA TERRES BORDELAISES, Ch. Laubès, 33760 Escoussans, tél. 05 57 98 07 20, vcachau@lgcf.fr

CH. BELŒIL 2018

26400	5 à 8 €

La famille d'Amécourt fait remonter son arbre généalogique au XIIIᵉs. Parmi ses nombreuses branches, l'une s'est fixée dans le Sud-Ouest et possède de vastes vignobles dans l'Entre-deux-Mers et le Bergeracois. Chartreuse construite au XVIIᵉs., le Ch. Perrou-la-Baragoile domine à 120 m la vallée de la Dordogne. Fort de 150 ha de terres, dont près de 16 ha de vignes, le domaine propose des bergerac et des monbazillac.

Le nez de ce bordeaux blanc évoque les fleurs blanches et la pêche de vigne, tandis que le palais se révèle souple, friand, finement citronné. Un bel équilibre pour ce vin simple, mais efficace. 2019-2021

SCEA FAMILLE D'AMÉCOURT, 33540 Sauveterre-de-Guyenne, tél. 05 56 71 54 56, sceafamille.damecourt@neuf.fr r.-v.

CH. BENEYT 2018 ★

| 6000 | | - de 5 € |

Perpétuant le domaine familial, Joël Vrignaud (cinquième génération) est installé depuis 1994. Il exploite 11 ha de vignes sur les coteaux escarpés de la rive droite de la Garonne, dans l'aire des cadillac-côtes-de-bordeaux.

Équilibre, finesse et gourmandise : voilà les termes que choisissent les dégustateurs pour rendre compte de ce joli blanc au nez de fruits à chair blanche et de citron. Le palais est alerte et droit, à l'acidité finement dosée. 2019-2022

SCEA CH. BENEYT, 2, les Graves Ouest, 33410 Rions, tél. 06 30 56 06 06, chateau.beneyt@gmail.com V r.-v.

CHEVAL QUANCARD Réserve 2018 ★

| 35000 | | 5 à 8 € |

Propriétaire de nombreux crus et acteur majeur du négoce bordelais à travers différentes marques (Chai de Bordes, Pierre Dumontet), Cheval Quancard a été fondé par Pierre Quancard en 1844, sous le nom de Quancard et Fils. La maison est toujours dirigée par ses descendants.

Une belle réussite que cet assemblage sauvignon (80 %) et sémillon, qui offre un bouquet complexe de citronnelle et de fruits blancs, agrémentés de nuances minérales. La bouche, fortement marquée par les agrumes et les fruits exotiques, s'avère fraîche, harmonieuse et assez longue. 2019-2021

SA CHEVAL QUANCARD, ZI La Mouline, 4, rue du Carbouney, BP_36, 33565 Carbon-Blanc Cedex, tél. 05 57 77 88 88, chevalquancard@chevalquancard.com V r.-v. au Ch. de Bordes à Saint-Vincent-de-Paul

CH. CLOS CHAUMONT 2017

| 1500 | | 5 à 8 € |

Le Hollandais Pieter Verbeek a repris en 1990 ce domaine comptant alors 6 ha; le vignoble couvre aujourd'hui 13 ha. Une progression quantitative et qualitative à la vigne et au chai, Hubert de Boüard (Angelus) apportant sa touche «grand cru».

Un blanc sec mi-sémillon mi-sauvignon, au boisé flatteur et à la bouche fonde, ample et équilibrée. Un vin de gastronomie. 2019-2023

CH. CLOS CHAUMONT, 405, rte de Chaumont, lieu-dit Chomon, 33550 Haux, tél. 05 56 23 37 23, chateau-clos-chaumont@wanadoo.fr V r.-v.

CÔTÉ BASSIN ★

| 6200 | | 5 à 8 € |

La maison de négoce Compagnie médocaine des Grands Crus est une filiale d'Axa Millésimes (l'entité viticole du groupe d'assurances), qui propose des vins de marque et de domaines dans une soixantaine d'AOC bordelaises.

Une cuvée non millésimée, fraîche et fringante, qui déploie un nez délicat mêlant fruits exotiques, agrumes et notes fumées, prélude à une bouche ample, dynamique et sapide. Parfait pour l'apéritif. 2019-2021

SAS COMPAGNIE MÉDOCAINE DES GRANDS CRUS, 7, rue Descartes, 33290 Blanquefort, tél. 05 56 95 54 95, bru.c@medocaine.com

CH. LA CROIX DE QUEYNAC 2018 ★

| 15000 | | - de 5 € |

Stéphane Gabard a repris en 1999 avec son épouse Paola la propriété familiale établie dans la vallée de l'Isle, au nord de Fronsac. Son vignoble de 41 ha est dédié aux appellations régionales, qu'il propose sous les étiquettes Ch. la Gabarre, Ch. la Croix de Queynac et Ch. Queynac.

Un vin à la jolie robe jaune paille, au nez frais et complexe mêlant agrumes, fleurs blanches, buis et citronnelle. L'attaque en bouche est acidulée, puis se développe un palais harmonieux, floral et citronné. Bien dans son appellation. 2019-2021

EARL VIGNOBLES GABARD, 25, rte de Cavignac, 33133 Galgon, tél. 05 57 74 30 77, contact@vignoblesgabard.com V t.l.j. sf dim. 9h-12h30 14h-18h; sam. 9h-12h

DELOR Réserve 2018 ★

| 53000 | | - de 5 € |

Dans le giron du groupe CVBG (Alain Thiénot), cette maison de négoce fondée en 1864 par Alphonse Delor est l'une des plus anciennes sur la place de Bordeaux.

Ce pur sauvignon s'ouvre sur des senteurs de fleurs blanches, de résine et d'originales nuances muscatées. La bouche a ensuite charmé notre jury par son harmonie, son soyeux et sa belle et longue finale acidulée. Un vin délicat. 2019-2021

MAISON DELOR, 35, rue de Bordeaux-Parempuyre, CS_80004, 33295 Blanquefort Cedex, tél. 05 56 35 53 00, contact@delor-bordeaux.com

DOURTHE La Grande Cuvée 2018 ★★

| 400000 | | 5 à 8 € |

Célèbre négoce fondé en 1840 par Pierre Dourthe, propriétaire de plusieurs crus (Belgrave en haut-médoc, Le Boscq en saint-estèphe, Rahoul en graves, Grand Barrail Lamarzelle Figeac en saint-émilion grand cru) et élaborateur de vins de marque de qualité (Dourthe N° 1, La Grande Cuvée, Terroirs d'exception). Une valeur sûre restée étroitement liée au Médoc, intégrée depuis 2007 au groupe familial champenois Alain Thiénot.

Cette cuvée synthétise aux yeux du jury tout ce que l'on est en mesure d'attendre d'un bordeaux blanc : un nez frais, net et précis d'agrumes, de fleurs blanches et de pêche, une bouche franche et alerte, à la longue finale typée par les agrumes. Un travail superbe. 2019-2022 **Beau Mayne 2018 ★ (5 à 8 €; 200000 b.)** : Beau Mayne est la première marque de bordeaux créée par Dourthe, en 1979. Ce 2018, au nez flatteur de brugnon et de fleurs blanches, se distingue en bouche par son bel équilibre entre fraîcheur et rondeur, son fruité savoureux et sa persistance honorable. 2019-2021 **Dourthe N° 1 2018 (8 à 11 €; 500000 b.)** : vin cité.

CVBG DOURTHE-KRESSMANN, 35, rue de Bordeaux-Parempuyre, CS_80004, 33295 Blanquefort Cedex, tél. 05 56 35 53 00, contact@dourthe.com

CH. DE GARBES 2018 ★

| 24000 | | - de 5 €

La famille David est propriétaire du Ch. de Garbes depuis 1900 et six générations. Aujourd'hui, c'est une belle unité de 65 ha sur les coteaux de la Garonne, conduite par Jean-Luc et Annie David et leurs trois enfants. Autre étiquette : Dom. de la Gravette.

Un très joli bordeaux blanc né du seul sauvignon, expressif et suave, qui a surpris le jury par sa persistance aromatique et son élégance. Un classique indémodable. ⧗ 2019-2022

SARL VIGNOBLES DAVID GARBES, 1, Garbes, 33410 Gabarnac, tél. 05 56 62 92 23, contact@garbes.fr r.-v.

CH. GAYON 2018 ★

| 24000 | | 5 à 8 €

Un cru de 30 ha commandé par une gentilhommière du XVIIIes. aménagée en gîte, acquis en 1969 par les Crampes, dont les aïeux étaient auparavant métayers sur ces terres. Une bonne référence en saint-macaire et en bordeaux. La conversion bio est entamée.

Cet assemblage paritaire de sauvignon et de sémillon présente un nez intense, centré sur les arômes de citron et les nuances fumées. Le jury a ensuite loué une bouche à l'attaque fraîche, à la douceur présente, ample et persistante. Un blanc suave et flatteur. ⧗ 2019-2022

SCEA CRAMPES ET FILS, 6, Ch. Gayon, 33490 Caudrot, tél. 05 56 62 81 19, contact@chateau-gayon.com r.-v.

CH. DU GRAND PLANTIER 2018 ★

| 30000 | | - de 5 €

Issus d'une très ancienne famille de producteurs de Monprimblanc, les Albucher conduisent un bel ensemble de 45 ha répartis sur plusieurs appellations et proposent une large gamme de vins. Souvent en vue pour leurs liquoreux de Loupiac et leurs bordeaux secs.

Une cuvée fraîche et intense, au joli nez de fleurs blanches et d'agrumes, qui se distingue en bouche par un bel équilibre entre acidité et douceur. Du très beau travail. ⧗ 2019-2021

GAEC DES VIGNOBLES ALBUCHER, Ch. du Grand Plantier, 33410 Monprimblanc, tél. 05 56 62 99 03, chateaudugrandplantier@orange.fr r.-v.

GRAND THÉÂTRE 2018 ★★

| 106600 | | 5 à 8 €

Univitis est une coopérative regroupant 230 adhérents et 2 000 ha dans le « grand Sud-Ouest » viticole. Elle propose une large gamme de vins de marques et de propriétés dans une quinzaine d'AOC, à laquelle s'ajoute le Ch. les Vergnes acquis en 1986 (130 ha près de Sainte-Foy).

Du verre s'échappent des arômes flatteurs de pêche, de fleurs blanches et de chèvrefeuille. Après une attaque franche, le palais se révèle rond et souple, joliment acidulé, au fruité intense. Il a surpris le jury de dégustateurs par sa persistance aromatique. ⧗ 2019-2022 **Ch. les Vergnes 2018 ★ (5 à 8 €; 106600 b.)** : un beau blanc dans un style moderne et frais : nez intense évoquant le citron et le fruit de la Passion, bouche ample et acidulée. Très bien fait. ⧗ 2019-2021

SCA UNIVITIS, Le Bourg, 33220 Les Lèves-et-Thoumeyragues, tél. 05 57 56 02 02, univitis@univitis.fr t.l.j. sf lun. dim. 9h30-12h30 14h30-18h30

DOM. DES GRAVES D'ARDONNEAU 2018 ★★

| 40000 | | 5 à 8 €

Un domaine incontournable du Blayais, en rouge comme en blanc. La famille Rey écrit son histoire viticole depuis 1763 sur les terres du hameau d'Ardonneau. Installé en 1981 à la tête de 60 ha, Christian Rey a été rejoint en 2005 par son fils Laurent et par sa fille Fanny en 2008. De nouveaux chais sont sortis de terre en 2017.

Un 2018 au nez expressif de pêche, d'abricot, de fruits exotiques et de citron, souligné de notes torréfiées. Après une attaque fraîche, il se révèle ample, harmonieux et gourmand, étayé par un boisé discret et doté d'une longueur en bouche peu commune. ⧗ 2019-2021

EARL SIMON REY ET FILS, Ardonneau, 33620 Saint-Mariens, tél. 05 57 68 66 98, gravesdardonneau@wanadoo.fr t.l.j. sf dim. 8h30-12h30 14h30-19h

CH. HAUT-MEYREAU 2018 ★

| 33000 | 5 à 8 €

Ce vaste domaine, passé de 2 ha en 1802, sa date de fondation, à 85 ha aujourd'hui, est établi aux portes de Libourne, sur la petite commune de Dardenac. La sixième génération de viticulteurs (Jean-Pierre Derouet) est actuellement aux commandes.

Or vert brillant, un vin très frais dans ses évocations de fleurs blanches, de pêche et d'abricot, d'agrumes également. Il titille les papilles par sa vivacité et laisse un joli souvenir de ses arômes en finale. ⧗ 2019-2021

SCEA CH. HAUT-MEYREAU, 1, lieu-dit Goumin, 33420 Dardenac, tél. 05 56 23 71 92, vignoblesinvinolia@inviniolia.fr r.-v.

CH. HAUT-PEYRUGUET 2018 ★

| 180000 | | 5 à 8 €

À la tête du domaine familial depuis 1980, Catherine et Jean-Marc Jolivet, épaulés par leurs filles Bénédicte et Marie, ont constitué un vignoble de 120 ha dans l'Entre-deux-Mers, et proposent cinq étiquettes de bordeaux dans les trois couleurs.

Le domaine propose le même vin sous l'étiquette Ch. Saint-Florin. Un 2018 expressif et floral, avec une note citronnée qui apporte de la fraîcheur. Il fait preuve de dynamisme au palais grâce à une juste vivacité, bien équilibrée par ce qu'il faut de rondeur. ⧗ 2019-2021

SC VIGNOBLES JOLIVET, Ch. Saint-Florin, 33790 Soussac, tél. 05 56 61 31 61, benedicte.jolivet@gmail.com

CH. HAUT-RIAN 2018 ★

| 75000 | | 5 à 8 €

Isabelle, Champenoise d'origine, et Michel Dietrich, œnologue alsacien, tous deux enfants de vignerons, avaient envie d'ailleurs : à la fin de leurs études, ils

partent six ans en Australie s'occuper des vignobles de la maison Rémy Martin. En 1988, ils s'installent à Rions, petite cité fortifiée du XIVᵉs. pour créer leur propre structure. En 2017, leur fille Pauline Lapierre, œnologue, les a rejoints. Aujourd'hui à la tête d'un vignoble de 80 ha, ils se distinguent avant tout par leurs blancs secs.

Notes de fruits jaunes et de fleurs blanches se font écho dans ce vin ample et gras qui laisse une impression gourmande persistante. ⌛ 2019-2021

EARL MICHEL DIETRICH (CH. HAUT-RIAN), 10, Labastide, 33410 Rions, tél. 05 56 76 95 01, chateauhautrian@wanadoo.fr V t.l.j. sf sam. dim. 8h-12h 13h-17h

CH. HAUT-RIEUFLAGET
Fleur Grand Champs 2018 ★★

	13333		- de 5 €

Installé en 1969 dans l'Entre-deux-Mers comme jeune agriculteur, Jean-Dominique Petit a, au fil des ans, agrandi la propriété familiale, qui atteint aujourd'hui 70 ha. Ses bordeaux sont régulièrement présents dans le Guide.

Une cuvée qui porte bien son nom tant elle est florale et délicate. Franche en attaque, elle développe une agréable fraîcheur, avec mesure et persistance. L'équilibre est remarquable, la personnalité réelle. Un brochet au beurre blanc lui siérait très bien. ⌛ 2019-2021

SCEA JEAN-DOMINIQUE PETIT, Ch. Haut-Rieuflaget, 33790 Saint-Antoine-du-Queyret, tél. 05 56 61 33 78, haut-rieuflaget@wanadoo.fr V r.-v.

CH. LABATUT Cuvée Prestige 2018 ★★

	13000	- de 5 €

À l'époque où il a lancé les premières foires aux vins (1973), Édouard Leclerc a acheté des vignobles dans l'Entre-deux-Mers, développés par sa fille Hélène Levieux jusqu'en 2002 puis dirigés par son petit-fils Vincent et aujourd'hui par Sylvie, l'épouse de ce dernier. Trois châteaux : Labatut, Lagnet et Roques-Mauriac, 100 ha au total.

Des reflets verts animent la robe de ce vin à la fois fruité (fruits exotiques) et floral (jasmin) d'un bout à l'autre de la dégustation. Une fraîcheur harmonieuse en souligne encore le caractère aromatique jusqu'à la finale légèrement muscatée. L'élégance est indéniable. ⌛ 2019-2021

GFA LES 3 CHÂTEAUX, 1, Lagnet, 33350 Doulezon, tél. 05 57 40 51 84, contact@les3chateaux.com V r.-v.

CH. LABATUT-BOUCHARD 2018

	30000		5 à 8 €

Ancien architecte, Michel Pélissié a racheté en 2008, au sud des Graves, le Ch. de Landiras. Un domaine historique, ancienne terre épiscopale au XIIᵉs., qui a gardé le souvenir de Jeanne de Lestonnac, nièce de Montaigne et fondatrice de la Compagnie de Marie-Notre-Dame. Aujourd'hui, une belle unité (près de 60 ha), renforcée depuis 2013 par les châteaux La Ouarde et Peyron-Bouché : plus de 80 ha en tout, plantés à haute densité et conduits par le régisseur, François Puerta. Autre étiquette : Labatut-Bouchard.

Vivacité et rondeur s'équilibrent dans ce vin qui demande à être aéré pour se révéler. Le sauvignon s'exprime alors en fines notes florales. ⌛ 2019-2021

SCA DOM. LA GRAVE, 4, rte des Frères Bordes, 33720 Landiras, tél. 05 56 76 76 61, chateau.landiras@orange.fr V r.-v.

CH. LAMOTHE DE HAUX 2018

	200000		5 à 8 €

Établi au sommet d'un coteau argilo-calcaire, Lamothe de Haux étend ses vignes sur 77 ha, comprenant aussi le Ch. Manos, dédié aux cadillac, acquis en 1991. Depuis 1956 et quatre générations, le domaine se transmet par les femmes. À sa tête aujourd'hui, Maria et Damien Chombart.

Une touche de genièvre, un peu de cire d'abeille et des fleurs en bouquet : la palette est avenante. Un côté acidulé ouvre le palais, puis la rondeur l'emporte. ⌛ 2019-2021

EARL LES CAVES DU CH. LAMOTHE, 295, chem. de l'Église, 33550 Haux, tél. 05 57 34 53 00, info@chateau-lamothe.com V r.-v.

CH. LAMOTHE-VINCENT Intense 2018 ★

	24000		5 à 8 €

Un vaste cru de 92 ha dans l'Entre-deux-Mers, fondé en 1920 par les arrière-grands-parents. Ses atouts : un chai très moderne et les compétences complémentaires de Christophe Vincent (aux vignes) et de Fabien (au chai). Saint Vincent les inspire, dit-on, mais ce sont plutôt leur formation technique poussée et leur exigence qui font de ce domaine une référence en bordeaux et bordeaux supérieur.

Il se dit « intense » et il l'est bel et bien dans ses arômes de fruits blancs mûrs qui gagnent en puissance à l'aération. Souple en attaque, ce vin offre un bon volume et du gras, avant de s'achever par une pointe d'amertume. ⌛ 2019-2021

SCEA VIGNOBLES VINCENT, 3, chem. Laurenceau, 33760 Montignac, tél. 05 56 23 97 72, info@lamothe-vincent.com V r.-v.

♥ CH. LARROQUE 2018 ★★

	98050		5 à 8 €

En 1858, la famille Ducourt s'établit au Ch. des Combes, à Ladaux, petit village au sud-est de Bordeaux. C'est sous l'impulsion d'Henri Ducourt, installé en 1951 et relayé depuis par ses enfants et petits-enfants, que le vignoble familial prend son essor, pour atteindre aujourd'hui 450 ha répartis sur treize châteaux dans l'entre-deux-mers et le saint-émilionnais. Un ensemble dirigé par Philippe Ducourt depuis 1980.

Sauvignon et colombard (27 %) ont donné naissance à ce 2018 intensément aromatique : du fruit jaune, des notes florales et même des touches délicates de miel. Un même fruité emplit le palais élégamment équilibré entre fraîcheur et rondeur. Et demeure un long souvenir de nuances de litchi et de mangue. ⌛ 2019-2022 ■ **Ch. la Rose Saint-Germain 2018 ★ (5 à 8 €; 16325 b.)** : le sauvignon signe bel et bien ce vin par l'incomparable note de buis perceptible au nez. Mais là ne s'arrête pas la palette aromatique et ce sont les fruits exotiques (litchi, mangue) qui s'expriment au palais, soutenus par une belle fraîcheur. La petite note minérale finale est un plus. ⌛ 2019-2021 ■ **Ch. d'Haurets 2018 (5 à 8 €; 146144 b.)** : vin cité.

SC VIGNOBLES DUCOURT, 18, rte de Montignac, 33760 Ladaux, tél. 05 57 34 54 00, ducourt@ducourt.com V r.-v.

CH. LASCAUX Classique 2018

■ | 5000 | | 5 à 8 €

Cuisinier, Fabrice Lascaux s'est reconverti avec succès en reprenant en 1998 avec son épouse Sylvie la propriété familiale, qui couvre à présent 33 ha, en AOC régionale (les 23 ha du Ch. Lascaux) et en fronsac (les 10 ha du Ch. Tour Bel Air).

D'un jaune soutenu, cette cuvée évoque les agrumes et les fleurs avec discrétion. Souple, bien équilibrée, elle se veut simplement agréable. ⌛ 2019-2021

EARL VIGNOBLES LASCAUX, 1, La Caillebosse, 33910 Saint-Martin-du-Bois, tél. 05 57 85 72 16, contact@vignobles-lascaux.fr V r.-v.

CH. LESCURE 2018 ★

■ | 8000 | - de 5 €

Situé à Verdelais, jolie petite cité célèbre pour sa basilique, ce cru de 25 ha se singularise par l'originalité de son chai Art déco, ainsi que par sa vocation sociale : il tient lieu depuis 1993 de Centre d'aide par le travail pour personnes handicapées.

Agrumes et pêche blanche se partagent l'élégante palette aromatique de ce vin qui persiste agréablement. Un léger perlant et une pointe minérale soulignent la vivacité du palais. ⌛ 2019-2021

ADIAPH CH. LESCURE, Ch. Lescure, rte de Semens, 33490 Verdelais, tél. 05 57 98 04 60, chateaulescure@adiaph.com V r.-v.

CH. LOUDENNE 2017

■ | 34726 | | 20 à 30 €

Une chartreuse rose du XVIIe s., un chai et un petit port du XIXe s., une collection de roses anciennes, le « Pink Château », comme on le surnomme (il est recouvert de crépi rose), est un haut lieu touristique du Médoc. C'est aussi un beau terroir de 130 ha (dont 62 ha de vignes) établi sur une croupe de graves en bordure de l'estuaire. Passé en 2013 des Lafragette au groupe chinois de spiritueux Moutai.

Les notes de sauvignon (buis, agrumes) se distinguent d'emblée dans le verre, nuancées par l'apport du bois : touches d'épices vanillées et de menthol. Puis c'est une sensation de fraîcheur qui s'impose au palais. ⌛ 2019-2021

SAS CH. LOUDENNE, Ch. Loudenne, 33340 Saint-Yzans-de-Médoc, tél. 05 56 73 17 88, contact@chateau-loudenne.com V t.l.j. sf dim. lun. 10h-13h 14h-18h; nov.-mars sur r.-v.

CH. LYON-MEYRAND D'Elys 2018 ★

■ | 1330 | | - de 5 €

Un domaine familial de 35 ha créé en 1976 mais qui vinifie ses propres cuvées seulement depuis 2005. Aux commandes : Laurent Duval, depuis 2010.

Voici un bordeaux blanc qui change de la ligne classique par sa rondeur avenante. Les arômes persistants apportent un petit souffle de fraîcheur cependant : fruits exotiques et pomélo. Un dégustateur propose un accord avec une pièce de veau en sauce blanche. ⌛ 2019-2021

EARL CH. MEYRAUD, 1, lieu-dit Meyraud, 33540 Sauveterre-de-Guyenne, tél. 06 12 49 99 75, laurent.duval04@orange.fr V r.-v.

♥ MADAME ÉTIENNE J'ai deux amours... 2018 ★★

■ | 8000 | | 8 à 11 €

Les Vins choisis est la structure de négoce du Ch. Lamothe de Haux, créée en 2017. Elle propose du bordeaux rouge et blanc sous l'étiquete Madame Étienne, qui rend hommage à l'ancienne propriétaire du domaine dans les années 1920.

Sauvignon et sémillon convolent dans cette cuvée jaune pâle brillant aux jolis reflets émeraude. Ils offrent un bouquet persistant d'agrumes et de fruits exotiques, souligné de notes florales. Un léger perlant met en valeur la fraîcheur harmonieuse de ce vin très aromatique. ⌛ 2019-2022

SARL VINS CHOISIS, 159, Lamothe, 33550 Haux, tél. 05 57 34 53 00, vinschoisis33@gmail.com V r.-v.

CH. MAGONDEAU 2018 ★

■ | 9000 | | 5 à 8 €

Maître Puiffe de Magondeau, notaire à Libourne et ancien propriétaire, a donné son nom à ce cru de Saillans, entré en 1934 dans la famille d'Olivier Goujon. Ce dernier, représentant la troisième génération, s'est installé en 1989 à la tête d'un vignoble de 16 ha.

Typé sauvignon par ses arômes d'agrumes (pamplemousse et orange amère), ce vin présente une aimable rondeur fort plaisante. Un petit côté acidulé en finale lui donne du relief. ⌛ 2019-2021

SCEV VIGNOBLES GOUJON ET FILS, 1, Le Port, 33141 Saillans, tél. 05 57 84 32 02, vignoblegoujon@gmail.com V r.-v. E

CH. MAISON NOBLE Cuvée Maurice 2017 ★★

■ | 3500 | | 8 à 11 €

Appartenant à une ancienne famille de tonneliers cognaçais et de viticulteurs, Jean-Bertrand Marque a quitté à trente-cinq ans le monde de l'expertise comptable pour renouer en 2012 avec l'héritage familial et reprendre ce cru de 20 ha situé au nord de Pomerol.

Couleur épis de blé blond, cette cuvée joue la convivialité, tant par ses notes persistantes de fruits confits, de mangue, d'ananas et de vanille que par sa fraîcheur et son ampleur. ⌛ 2019-2022

SCEA CH. MAISON NOBLE, 1, Maison-Noble, 33230 Maransin, tél. 06 17 66 56 33, jmarque@chateau-maisonnoble.com V r.-v.

ESPRIT DE MALROMÉ 2018 ★

	10000		8 à 11 €

Un domaine ancien de l'Entre-deux-Mers, dont les premières traces remontent au XVIe s., avec la construction de la «maison noble de Taste» par Étienne de Rostéguy de Lancre. En 1780, il est cédé à Catherine de Forcade, veuve du baron de Malromé, qui rebaptise le château en mémoire de son époux. Le cru, entré dans la famille Henri de Toulouse-Lautrec en 1883, fut la dernière résidence du peintre, qui y mourut en 1901. Repris en 2013 par un riche entrepreneur cambodgien, Kim Huynh, il consacre une large partie de ses 40 ha à la vigne, sous la direction de Charles Estager.

L'étiquette illustrée d'une affiche de Toulouse-Lautrec pour Le Divan Japonais suffit à faire de cette bouteille un joli cadeau pour des amis venus de l'étranger. Et son contenu ne manque pas d'être représentatif du bordeaux blanc. Clair et limpide, riche d'arômes expressifs de fruits mûrs et de fleurs, ce vin offre un bel équilibre entre rondeur et fraîcheur. Un petit retour vif en finale mérite simplement de se fondre au fil des mois. ⧗ 2019-2021

SCEA VIGNOLES MALROMÉ, Ch. Malromé, 33490 Saint-André-du-Bois, tél. 05 56 76 25 42, contact@malrome.com V *t.l.j. sf lun. 8h30-12h30 13h30-17h30*

PAVILLON BLANC DE CH. MARGAUX 2016 ★★

	n.c.		+ de 100 €

Le blanc de Margaux existe depuis le XIXe s.; ce «vin blanc de sauvignon» est devenu «Pavillon Blanc» en 1920, et son étiquette n'a pas changé depuis. Un vin né du seul sauvignon, planté sur une douzaine d'hectares d'une ancienne parcelle de graves.

De l'or très fin emplit le verre, attirant le regard, puis mettant en éveil tous les sens pour apprécier ce bordeaux dans toutes ses dimensions. Et le charme d'opérer à la perception des arômes printaniers de chèvrefeuille, de fruits exotiques, de pêche et de citron. Une fraîcheur accueillante apparaît dès l'attaque, puis tout gagne en ampleur progressivement : du gras certes, mais souligné par une vivacité légèrement minérale qui porte loin la finale aux accents de muguet. ⧗ 2021-2030

SCA DU CH. MARGAUX (PAVILLON BLANC), BP_31, 33460 Margaux, tél. 05 57 88 83 83, chateau-margaux@chateau-margaux.com

CH. MONTAUNOIR 2018 ★

	7000		5 à 8 €

Avec son époux Philippe Durand, Geneviève Ricard-Durand est établie depuis 1999 sur le vignoble familial, acquis en 1966 par son grand-père : 27 ha de vignes et plusieurs étiquettes – les châteaux de Vertheuil, Montaunoir et Grand Pique-Caillou – en appellations régionales et en sainte-croix-du-mont.

Acacia et aubépine, fruits exotiques : voilà une jolie palette qui donne envie de découvrir le palais. Celui-ci se révèle tout aussi aromatique, élégant et souple, avec en finale une petite pointe d'amertume. ⧗ 2019-2021

SCEA DES VIGNOBLES RICARD, Ch. de Vertheuil, 1, Le Cros, 33410 Sainte-Croix-du-Mont, tél. 05 56 62 02 70, vignobles.ricard@free.fr V *r.-v.*

CH. MOUSSEYRON 2018

	15000		5 à 8 €

Un domaine familial de 28 ha datant de 1880, juché sur les hauteurs de Saint-Pierre-d'Aurillac. Joris Larriaut, représentant la cinquième génération aux commandes du vignoble, a pris la suite de son père Jacques en 2014.

Un 2018 qui a la couleur du blé mûr et les arômes des fruits de fin d'été (poire). Une certaine douceur le caractérise au palais. ⧗ 2019-2021

SCEA JORIS LARRIAUT, 31, rte de Gaillard, 33490 Saint-Pierre-d'Aurillac, tél. 05 56 76 44 53, larriautjacques@wanadoo.fr V *t.l.j. sf sam. dim. 8h-12h 14h-18h*

CH. NINON Cuvée Anna 2017

	800		5 à 8 €

Un domaine commandé par une girondine de la fin du XIXe s., qui étend ses 29,50 ha de vignes sur les communes de Grézillac, Lugaignac et Daignac, au cœur de l'Entre-deux-Mers. Installé en 2001, Frédéric Roubineau a pris la suite de son père Pierre en 2010.

Les douze mois d'élevage en fût ont légué à ce bordeaux blanc une ligne boisée manifeste (vanille, poivre et autres épices), puis c'est le fruit compoté qui se révèle bientôt, soulignant la douce rondeur du palais. ⧗ 2019-2021

FRÉDÉRIC ROUBINEAU (CH. NINON), 5, Tenot, 33420 Grézillac, tél. 05 57 84 62 41, chateau.ninon@aliceadsl.ffr V *r.-v.*

CH. PANCHILLE Blanc de Fernand 2018 ★

	3000		5 à 8 €

En 1981, trois ans après le décès de son père, Pascal Sirat reprenait à vingt-trois ans l'exploitation familiale : 5 ha, dont le produit était livré à la coopérative. Premier chai en 1985, sortie de la coopérative en 1992. Aujourd'hui, 18 ha sur la rive gauche de la Dordogne.

Notes florales, buis, citron et autres agrumes : le sauvignon parle haut et fort dans ce vin équilibré, finement acidulé. De bon volume, il prolonge son discours fort à propos en finale. ⧗ 2019-2021

SCEA VIGNOBLES SIRAT, Ch. Panchille, 33500 Arveyres, tél. 06 17 49 77 63, info@chateaupanchille.com V *r.-v.*

LE PETIT CHEVAL BLANC 2016 ★★

	n.c.		+ de 100 €

À l'origine simple métairie de Figeac, Cheval Blanc devient une propriété indépendante en 1832 quand le président du tribunal de Libourne, Jean-Jacques Ducasse, l'achète et fait construire le château actuel. Ses descendants entreprennent des travaux importants, notamment de drainage, et dès la fin du Second Empire, le cru atteint ses dimensions actuelles (39 ha) et se situe parmi les plus renommés de Saint-Émilion.

Son terroir, de type pomerolais avec des graves et des sables anciens sur argiles, explique l'originalité de son encépagement à dominante de cabernet franc, complété par le merlot. Les descendants du président Ducasse restent à la tête du cru jusqu'à son rachat en 1998 par Bernard Arnault (LVMH) et Albert Frère. Ces derniers placent Pierre Lurton à la direction générale et dotent le château en 2011 d'un nouveau chai, dessiné par Christian de Portzamparc.

De la délicatesse dans le bouquet de pêche, de citron et de fleurs blanches. Le sauvignon s'exprime avec une sobriété qui l'honore. De l'allant au palais. Tout est mesuré dans ce vin qui allie une belle fraîcheur au gras. Il trouve dans le sillage boisé un soutien subtil et se prolonge durablement sur une fine touche d'amertume. ⧗ 2020-2026

SC DE CHEVAL BLANC, Ch. Cheval Blanc, 33330 Saint-Émilion, tél. 05 57 55 55 55, contact@chateau-chevalblanc.com

CH. PEYCHAUD Le Sec 2018 ★

| 10000 | 5 à 8 € |

Cette propriété située sur les communes d'Ambarès et Montferrand est dans la même famille depuis sa construction en 1630 par le marquis de Fayet. C'est l'amiral de Dompierre d'Hornoy, ministre de la Marine au XIXᵉs., qui créera l'étiquette bleue ornant toujours les bouteilles du domaine. Étiquette reprise par son descendant Jacques de Pontac, installé en 1980 et décédé en 2012. Ce sont aujourd'hui ses filles, Slanie et Élisabeth, qui conduisent ce vignoble de 30 ha.

Un vin expressif qui libère volontiers ses arômes de fruits jaunes et d'agrumes. Franc, frais, équilibré et persistant, il a de la gaieté et cela fait du bien. ⧗ 2019-2021

MME JEANNE DE PONTAC, Ch. Peychaud, chem. de Peychaud, 33440 Ambarès-et-Lagrave, tél. 05 56 38 80 55, peychaud@chateau-peychaud.com V r.-v.

CH. PICONAT 2018 ★★

| 10000 | - de 5 € |

Établi au cœur de l'Entre-deux-Mers, au pied de la butte de Launay, ce vignoble dans la même famille depuis quatre générations s'étend sur 50 ha. Il est dirigé depuis 2003 par Christophe Guicheney. Une partie de la production est cédée au négoce, au Ch. Grand Plantey, le reste est vendu en direct sur l'exploitation sous l'étiquette Piconat.

Pâle dans le verre, mais expressif au nez : le fruit blanc (pêche) se manifeste clairement. Franc en attaque, le vin développe un bon caractère et n'est pas prompt à quitter le palais en finale. ⧗ 2019-2022

EARL COMIN-GUICHENEY, Ch. Piconat, 3, Piconat, 33790 Soussac, tél. 05 56 61 33 97, christophe.guicheney@orange.fr V r.-v.

CH. PIERRON 2018

| 68530 | - de 5 € |

Le vignoble Cardarelli a été créé en 1953 à Massugas, entre Castillon-la-Bataille et Sainte-Foy-la-Grande, par d'anciens métayers viticoles. Ce sont depuis 1990 leurs trois petits-fils, épaulés de leurs épouses, qui conduisent ce vaste ensemble de 500 ha répartis sur plusieurs crus.

Structure et souplesse sont les mots d'ordre de ce vin. Et, somme toute, cela lui réussit bien. ⧗ 2019-2021

SCEA HAUSSMANN CARDARELLI, La Borne-Nord, 33790 Massugas, tél. 05 56 61 48 13, qualite-vignoblescardarelli@gmail.com V t.l.j. sf sam. dim. 8h30-12h 14h-17h; f. août-sept.

CH. LA RAME 2018 ★

| 36000 | 5 à 8 € |

Implantée à Sainte-Croix depuis huit générations, la famille Armand fait partie des institutions locales pour ses liquoreux renommés. Elle y conduit deux crus (labellisés Haute Valeur Environnementale) : la Caussade et la Rame, son fleuron, dont les vins étaient déjà réputés au XIXᵉs. Angélique et Grégoire Armand ont pris la suite de leur père Yves en 2009.

Discrètement floral et citronné, c'est un vin très rond qui se développe au palais, laissant dans son sillage une impression persistante de douceur. Une touche d'agrumes bienvenue clôt la dégustation. ⧗ 2019-2021

GFA CH. LA RAME, La Rame, 33410 Sainte-Croix-du-Mont, tél. 05 56 62 01 50, chateau.larame@wanadoo.fr V t.l.j. 9h-12h 13h30-17h30; sam. dim. sur r.-v.

CH. REYNIER 2018 ★

| 40000 | 5 à 8 € |

Issu de la célèbre et nombreuse lignée vigneronne des Lurton, Marc Lurton (fils de Dominique), œnologue de l'université de Bordeaux et consultant international, conduit le Ch. Reynier et le Ch. de Bouchet, acquis en 1901 par son arrière-grand-père Léonce Récapet. Le vignoble couvre 40 ha à Grézillac, dans l'Entre-deux-Mers.

Nul doute, il sauvignonne bien : la petite note de buis attendue, les agrumes et les fleurs blanches sont au rendez-vous. Les fruits exotiques apparaissent au palais dans un ensemble souple et frais. Une pointe d'amertume en finale et la boucle est bouclée. ⧗ 2019-2021

VIGNOBLES MARC ET AGNÈS LURTON, Ch. Reynier, 1, lieu-dit Reynier, 33420 Grézillac, tél. 05 57 84 52 02, marc@lurton.fr V t.l.j. 9h30-11h30 14h30-16h30

CH. REYNON 2017 ★

| 36000 | 8 à 11 € |

Un cru de 33 ha établi près de Cadillac, sur un coteau exposé plein sud. Acquis en 1958 par Jacques David, il a été repris en 1976 par sa fille Florence et son gendre, l'éminent Denis Dubourdieu (œnologue de renom et professeur à l'université de Bordeaux, disparu en 2016), qui, après l'avoir entièrement restructuré, en ont fait l'une des valeurs sûres des cadillac-côtes-de-bordeaux.

C'est un 2017, et les arômes primaires du sauvignon ont laissé place à plus de complexité dans la palette. Si les arômes d'agrumes demeurent, ils se nuancent d'épices et d'une touche minérale. Ample et gras, le palais trouve un bel équilibre et laisse le souvenir d'une jolie personnalité aromatique. ⧗ 2019-2021

EARL DOMAINES DENIS DUBOURDIEU, Ch. Reynon, 15, Gravas, 33720 Barsac, tél. 05 56 62 96 51, contact@denisdubourdieu.fr r.-v.

CH. DE RICAUD 2018 ★★

	14400		5 à 8 €

Alain Thiénot (groupe CVGB, Canard-Duchêne) a repris en 1980 ce domaine commandé par un vrai château de conte de fées (tours crénelées, gargouilles) datant du XVᵉs. et restauré au XIXᵉs. par Viollet-le-Duc. Depuis 2007, les équipes de la maison Dourthe, intégrée au groupe Thiénot, sont en charge des vins. Un cru souvent en vue pour ses loupiac.

Un joli or prononcé habille ce vin qui mêle les arômes de fruits jaunes bien mûrs aux notes florales. Son expression gagne en intensité à l'aération. Après une attaque dynamique, la rondeur offre une sensation plaisante, bien équilibrée par une nouvelle pointe de fraîcheur en finale. 2019-2022

VIGNOBLES DOURTHE (CH. DE RICAUD), 5, Ricaud, rte de Sauveterre, 33410 Loupiac, tél. 05 56 35 53 00, contact@dourthe.com r.-v.
CVGB Dourthe-Kressmann

R DE RIEUSSEC 2018 ★

	36000		15 à 20 €

Ancien domaine du couvent des Carmes de Langon, le Ch. Rieussec est établi sur une position élevée à l'ouest de la commune de Fargues, dont il est le seul 1er cru. Sa tour carrée domine une croupe de graves située à la même hauteur que son voisin immédiat, Yquem. Sa renommée, solidement ancrée, lui vaut d'accéder au rang de 1er cru classé en 1855. De nombreux propriétaires se succèdent à sa tête jusqu'en 1984, date de son achat par les Domaines Barons de Rothschild (Lafite à Pauillac). Cette acquisition a apporté d'importants moyens techniques, financiers et humains à cette vaste unité de 90 ha, dont 72 de vignes.

Une note de noisette fraîche vient aiguiser la curiosité dans le bouquet de fruits mûrs. Est-ce là un indice du caractère charnu et rond du palais ? Il en est ainsi, en effet, et l'on apprécie la persistance de telles sensations. 2020-2024

SAS SOCIÉTÉ DU CH. RIEUSSEC, Ch. Rieussec, 34, rte de Villandraut, 33210 Fargues, tél. 05 57 98 14 14, rieussec@lafite.com r.-v.

CH. ROQUEFORT 2018

	38000	5 à 8 €

Dans l'Entre-deux-Mers, le promontoire de Roquefort fut un ancien oppidum gaulois. Après le rachat de la propriété en 1976 par l'industriel Jean Bellanger, un chai très moderne, aménagé en partenariat avec la faculté d'œnologie de Bordeaux, a vu le jour. Premières vinifications en 1987. Aujourd'hui, un vaste domaine (240 ha, dont 100 ha de vigne) conduit depuis 1995 par Frédéric Bellanger. Ce dernier dirige également le Ch. Domi-Cours, acquis en 2002 : 20 ha sur la commune de Cours-les-Bains, en terres bazadaises.

Encore timide, mais déjà avenant dans ses évocations de pêche blanche, ce vin révèle toute sa fraîcheur au palais, avec en finale une pointe d'amertume. 2019-2021

SC DU CH. ROQUEFORT, lieu-dit Roquefort, 33760 Lugasson, tél. 05 56 23 97 48, mscl@chateau-roquefort.com r.-v. 5

CH. SAINTONGEY 2018

	30000		- de 5 €

Arrivé d'Algérie en 1961, Charles Yung a bâti un vaste ensemble de propriétés dans le Bordelais ainsi qu'un négoce : aujourd'hui, plus de 132 ha de vignes, principalement implantées sur les coteaux de Garonne, autour de Béguey. Son fils Jean-Christophe est aux commandes depuis 1992, rejoint en 2006 par son frère Rodolphe, qui a pris en main la commercialisation.

Un peu floral, un peu fruité (pêche). Un peu perlant, un peu rond et un peu vif, un peu minéral aussi. Avec mesure, ce vin fait bel effet. 2019-2021

SCEA CHARLES YUNG ET FILS, 8, chem. de Palette, BP_38, 33410 Béguey, tél. 05 56 62 94 85, r.yung@wanadoo.fr t.l.j. sf sam. dim. 9h-12h30 13h30-18h30

SIRIUS 2018

	50000	5 à 8 €

Un négoce fondé en 1883, resté familial et conduit aujourd'hui par les cinq frères Sichel. La première maison (1967) a créé sa propre cave de vinification, sur le principe des wineries du Nouveau Monde. Elle possède aussi plusieurs crus bordelais : Palmer, avec d'autres négociants, Angludet, Argadens et Trillol, dans les Corbières.

D'un jaune-vert brillant, ce bordeaux joue sur les notes d'acacia et de pêche blanche, sur la fraîcheur et un léger perlant pour convaincre, en toute simplicité, de le servir à l'apéritif, avec des entrées froides ou un fromage de chèvre frais. 2019-2021

SA MAISON SICHEL, 19, quai de Bacalan, BP_12, 33028 Bordeaux Cédex, tél. 05 56 63 50 52, ventes-france@sichel.fr

B CH. SUAU 2018 ★★

	50000		5 à 8 €

Ancien pavillon de chasse du duc d'Épernon (1554-1642), ce domaine doit son nom à la famille Suau, propriétaire des lieux au XVIIᵉs. Après avoir souvent changé de mains au XXᵉs., il est entré en 1985 dans la famille Bonnet, avant d'être repris en 2014 par Bacchus Investments. Le vignoble couvre 66 ha, conduits en bio.

L'intensité est son credo. Intensité de la robe jaune citron, intensité des arômes typés sauvignon (genêt, buis, bourgeon de cassis) nuancés de notes d'abricot. Intensité de la matière enfin, qu'un léger perlant souligne avec fraîcheur avant le développement de longs arômes de fruits mûrs. 2019-2022

SCEA DU DOM. DU CH. SUAU, Ch. Suau, 600, Suau, 33550 Capian, tél. 05 56 72 19 06, contact@chateausuau.com t.l.j. sf sam. dim. 8h30-12h30 13h30-18h

Ⓑ CH. DE LA VIEILLE TOUR 2018 ★

	10000		5 à 8 €

Un domaine créé en 1839 par Pierre Boissonneau sur le plateau de l'Entre-deux-Mers, d'abord en polyculture, puis dédié à la vigne dans les années 1960. Aujourd'hui, les cinquième (Philippe) et sixième (Pascal) générations sont aux commandes d'un vignoble de 55 ha conduit en bio depuis 2011. Elles produisent des bordeaux et des côtes-du-marmandais.

La finesse du bouquet de fleurs et d'abricot frais trouve écho au palais. L'harmonie des saveurs se réalise, tandis qu'une légère touche d'amertume apporte du relief en finale. ⧗ 2019-2021

EARL VIGNOBLES BOISSONNEAU, lieu-dit Cathelicq, 33190 Saint-Michel-de-Lapujade, tél. 05 56 61 72 14, vignobles@boissonneau.fr V r.-v.

Y 2017 ★★★

	n.c.		+ de 100 €

Depuis 2004, ce vin est produit régulièrement par Yquem. Il est issu des mêmes parcelles que le grand vin, seules diffèrent les conditions de récolte car Y est un vin blanc sec provenant essentiellement de parcelles de sauvignon complétées par du sémillon bien mûr.

Le verre brille de tous les reflets de ce bordeaux or pâle cristallin, pailleté d'argent. Les arômes de fruits exotiques (mangue) et d'agrumes (mandarine) s'élèvent avec délicatesse, bientôt rejoints par des nuances florales et minérales, puis de douces évocations de vanille. D'attaque tendre et fraîche à la fois, la bouche déploie une texture soyeuse et suave certes, mais toujours dans un parfait équilibre. Une subtile amertume apporte de l'allonge en finale, soutenant les notes de gingembre et de poivre blanc. ⧗ 2020-2030

SA DU CH. D' YQUEM, 33210 Sauternes, tél. 05 57 98 07 07

YVECOURT 2018★

	100000		- de 5 €

Yvon Mau est l'une des plus importantes maisons de négoce de la place de Bordeaux, fondée en 1897 et propriété depuis 2001 du géant catalan de la bulle, Freixenet. Elle propose des vins de marque et diffuse également des vins de crus bordelais mais aussi bourguignons.

Très pâle et brillant dans le verre, ce bordeaux affiche un bouquet intense de pêche, d'abricots et de fruits exotiques. Il se montre souple en attaque, puis frais et persistant, avec une légère amertume en finale qui n'est pas pour déplaire. ⧗ 2019-2021

SA YVON MAU, rue Sainte-Petronille, 33190 Gironde-sur-Dropt, tél. 05 56 61 54 54, web@yvonmau.fr

BORDEAUX SUPÉRIEUR

CH. ASTRELUS 2016 ★

■	13500		8 à 11 €

Frances Dean, d'origine britannique, et sa famille se sont installées à Cazaugitat en 2013, à la tête d'un vignoble d'à peine 7 ha. La néo-vigneronne a dû tout apprendre, du travail de la vigne à la vinification.

Un grenat soutenu attire le regard vers ce vin de bonne intensité aromatique. Si les épices douces sont très perceptibles, les fruits noirs apparaissent aussi. Ample, le palais s'appuie sur des tanins serrés et laisse en finale des flaveurs persistantes de cassis, de mûre et de chocolat noir. ⧗ 2021-2026

FRANCES DEAN, 2, Font-de-Meillier, lieu-dit Meillier, 33790 Cazaugitat, tél. 06 43 83 88 61, info@chateauastrelus.com V r.-v.

CH. BELLEVUE PEYCHARNEAU 2016 ★★

■	36000		5 à 8 €

Un vignoble établi sur les hauteurs de Sainte-Foy-la-Grande, à l'est de l'Entre-deux-Mers : 14 ha sur un plateau rocheux dominant la vallée de la Dordogne et le reste sur des coteaux très pentus.

Quelle couleur ! Un grenat intense frangé de violet dans lequel le regard se plonge. La tentation est grande de s'attarder longuement sur les arômes chaleureux de fruits noirs légèrement réglissés, afin d'en lister les moindres nuances : mûre, myrtille... La même intensité fruitée est perceptible au palais jusqu'en finale. Et si les tanins semblent encore fermes, ils sont les garants d'une bonne garde. ⧗ 2021-2026

SCEA BELLEVUE PEYCHARNEAU, rue de la Commanderie, 33220 Pineuilh, tél. 06 82 28 44 50, info@bellevue-peycharneau.fr V r.-v.

CH. DU BOIS CHANTANT Cuvée Laurence H. 2017 ★

■	99333		8 à 11 €

La Société fermière des Grands Crus de France est la structure spécialisée dans le Bordelais du groupe Grands Chais de France. Son œnologue Vincent Cachau vinifie le fruit de quinze propriétés représentant quelque 500 ha dans les différentes AOC bordelaises.

Les arômes de fruits rouges, nuancés d'une pointe florale un peu sauvage de jacinthe, se libèrent de ce vin grenat dont le caractère ne manque pas d'intérêt. D'attaque franche et ample, le palais fait preuve de rondeur et de persistance. Quelques tanins encore austères se fondront à la faveur de la garde. ⧗ 2021-2026 ■ **Ch. le Peuy Saincrit 2017 ★ (8 à 11 €; 30402 b.)** : une belle matière structurée, empreinte de flaveurs de fruits noirs, avec quelques notes minérales. ⧗ 2021-2026

SCEA SOCIÉTÉ FERMIÈRE DES GRANDS CRUS DE FRANCE, Ch. du Cartillon, 33460 Lamarque, tél. 05 57 98 07 20, vcachau@lgcf.fr

CH. BOIS-MALOT Tradition 2016 ★★

■	25000		8 à 11 €

Les Meynard ont acquis leur domaine viticole en 1916, aux Valentons, sur la commune de Saint-Loubès, non loin de l'agglomération bordelaise. Nommé Clos des Valentons à l'origine, puis Ch. des Valentons-Canteloup, le vignoble s'agrandit en 1973 avec le Ch. Bois-Malot, contigu à la propriété familiale. Aux commandes depuis 1980, Jacques Meynard conduit aujourd'hui 30 ha de vignes et 3 ha de poiriers plantés après le grand gel de 1956. Une valeur sûre en bordeaux sec et en bordeaux supérieur.

Bel attrait du bouquet : viennent à l'esprit des souvenirs de confiture de mûres et de sous-bois printanier, de gâteau à la vanille tout juste sorti du four. Une structure solide soutient la matière ample, empreinte de flaveurs de fruits noirs. Un bordeaux supérieur déjà plaisant, mais qui saura aussi affronter quelques années de garde. ⧗ 2020-2024 ■ **Ch. des Valentons-Canteloup 2016** ★ **(5 à 8 €; 60000 b.)** : des reflets rubis animent la robe carmin de ce vin intensément parfumé de cerise, de mûre et d'épices (clou de girofle). Souple et persistant, il bénéficie d'une assise de tanins nobles et d'un volume appréciable. ⧗ 2020-2025

⊶ EARL MEYNARD, 133, rte des Valentons, 33450 Saint-Loubès, tél. 05 56 38 94 18, bois.malot@free.fr V t.l.j. sf dim. 8h-12h 13h30-18h30; sam. 8h-12h

CH. BOSSUET 2016 ★

■	40000		8 à 11 €

Yvon et Pâquerette Dubost, venus à la vigne par le biais de leurs pépinières viticoles, ont constitué à partir de 1958 un bel ensemble de crus, aujourd'hui conduit par leur fils Laurent : Lafleur du Roy à Pomerol, Bossuet en bordeaux supérieur, La Vallière à Lalande et Pâquerette en bordeaux sec.

De belle intensité, ce 2016 joue sur les fruits noirs très mûrs et les épices pour créer une ambiance chaleureuse. Tout aussi conviviale est la bouche souple et gourmande, qui se prolonge dans le même registre aromatique. Quelques tanins jouent les sérieux : ce n'est que passager. ⧗ 2020-2024

⊶ SARL LAURENT DUBOST, 13, chem. de Jean-Lande, Catusseau, 33500 Pomerol, tél. 05 57 51 74 57, sarl.dubost.l@wanadoo.fr V r.-v.; f. en août

Ⓑ CH. BOURDICOTTE Bio Full Malbec 2017 ★

■	10000		11 à 15 €

L'un des châteaux de la société Bordeaux Vineam, qui exploite en tout 270 ha dans plusieurs vignobles du Bordelais et en Bergeracois, en bio certifié ou en cours de conversion. Une affaire créée par les frères Yi Zhu et Hongtao You, l'un Chinois, l'autre Canadien, qui ont fait fortune dans la pharmacie. Bourdicotte est un cru établi dans l'Entre-deux-Mers, sur les contreforts de la Butte de Launey, point culminant de la Gironde.

Les dégustateurs ont été surpris par la couleur si intense de ce 2017 : cassis à reflets violets. Est-ce le signe d'une belle expression aromatique? Sans doute, car du nez s'exhale un bouquet de fruits noirs et rouges (groseille) nuancés d'épices. Ample dès l'attaque, la bouche possède suffisamment de gras et déploie ce même fruité mûr charmant. Bien sûr, les tanins sont encore jeunes, mais ils constituent une promesse de garde. ⧗ 2021-2026

⊶ SCEA CH. BOURDICOTTE ET GRAND FERRAND (BOURDICOTTE), lieu-dit Bourdicotte, 33790 Cazaugitat, tél. 05 57 40 40 99, marketing@bordeaux-vineam.fr

CH. BOUTILLON Luigi 2016 ★

■	5000		11 à 15 €

Une propriété commandée par une bâtisse du XVIIIe s., dans la famille Filippi-Gillet depuis trois générations. À sa tête depuis 2014, Anne-Sophie Gillet, avec un vignoble de 17 ha à sa disposition.

Un fruité mûr, finement boisé (vanille, café) revient comme un leitmotiv tout au long de la dégustation de ce vin souple et persistant. Il ne joue pas sur le volume, mais sur un caractère amène. La finale encore austère indique qu'il se bonifiera dans le temps. ⧗ 2020-2023

⊶ SCEA FILIPPI-GILLET, Ch. Boutillon, 1, Boutillon, 33540 Mesterrieux, tél. 07 81 31 64 95, contact@chateau-boutillon.fr V r.-v.

CH. BRASSAC 2016 ★

■	60000	5 à 8 €

Négoce fondé en 1871 par Édouard Kressmann. Associé en 1967 avec Dourthe pour créer le CVGB, il entre dans le giron du Champenois Alain Thiénot en 2007. Outre ses vins de marque, dont l'historique Kressmann Monopole Dry lancé en 1897, il propose une vaste sélection de crus, dont Latour-Martillac, propriété de la famille.

Profond, ce vin empreint d'arômes de fruits rouges mûrs présente un bon équilibre. Les tanins font acte de présence, mais respectent la matière. Ils seront garants d'un heureux vieillissement. ⧗ 2021-2025

⊶ KRESSMANN, 35, rue de Bordeaux-Parempuyre, CS_80004, 33295 Blanquefort Cedex, tél. 05 56 35 53 00, contact@kressmann.com

CH. CANTON LA BRILLETTE 2017 ★

■	129866		- de 5 €

Propriétaire de nombreux crus et acteur majeur du négoce bordelais à travers différentes marques (Chai de Bordes, Pierre Dumontet), Cheval Quancard a été fondé par Pierre Quancard en 1844, sous le nom de Quancard et Fils. La maison est toujours dirigée par ses descendants.

Une élégante fraîcheur caractérise ce 2017 tout en arômes de fruits noirs. Les tanins se font velours et la finale se prolonge joliment. ⧗ 2021-2024 ■ **Ch. Haut-Liloie 2017** ★ **(- de 5 €; 132533 b.)** : un bouquet de mûre et de myrtille, du gras et du volume : voici un vin gourmand qui peut être apprécié dès maintenant. ⧗ 2019-2023

⊶ SA CHEVAL QUANCARD, ZI La Mouline, 4, rue du Carbouney, BP_36, 33565 Carbon-Blanc Cedex, tél. 05 57 77 88 88, chevalquancard@chevalquancard.com V r.-v. au Ch. de Bordes à Saint-Vincent-de-Paul

CH. LA CAPELLE Cuvée spéciale 2016 ★

■	20000		8 à 11 €

Louis Feyzeau acquiert le vignoble en 1948 sur la rive gauche de la Dordogne. Son fils Jean-Raymond le restructure et son petit-fils Olivier le conduit depuis 2002. Un ensemble d'une trentaine d'hectares en AOC régionales.

Si le premier nez semble discret, l'aération favorise l'émergence d'un beau fruité (cassis, noyau de cerise) nuancé de vanille. Des tanins bien éduqués soutiennent la matière souple en attaque, puis suffisamment ample. Le bois prend alors le dessus sur le fruit, mais ce n'est que jeunesse. ⧗ 2021-2025

SCEA VIGNOBLES FEYZEAU, 1, la Capelle, 33500 Arveyres, tél. 05 57 51 09 35 r.-v.

CH. CAZAT-BEAUCHÊNE 2016 ★★

■	233000		8 à 11 €

Ce domaine créé en 2003 s'étend sur 125 ha, dont 52 ha de vignes et 73 ha de forêt et de prés, non loin de Lussac-Saint-Émilion. Le Ch. Saint-Sauveur est le second vin du Ch. Cazat-Beauchêne.

Une frange vive encore dans la robe grenat indique la belle jeunesse de ce vin. Mais la complexité se dessine déjà dans le bouquet de fruits noirs très mûrs, de fruits secs et d'épices (poivre). L'attaque est ronde et souple, puis une structure solide se manifeste, sans une once d'agressivité cependant. Le fruit est tenu en respect et l'harmonie se réalise. ⧗ 2021-2025 ■ **Ch. Saint-Sauveur 2016 ★ (5 à 8 €; 84000 b.)** : un fruité chaleureux, aux notes de mûre, de cassis et de framboise presque confits, s'exprime dans ce vin ample et gras. Les tanins semblent mûrs déjà et la finale se prolonge fort agréablement. ⧗ 2020-2023

SCEA CH. CAZAT-BEAUCHÊNE, 2808, rte de Puynormand, 33570 Petit-Palais-et-Cornemps, tél. 05 57 69 86 92, clementine.li@hy-camelia.fr r.-v.

CHARME D'ALIÉNOR 2017 ★

■	6600		5 à 8 €

Créée en 2007 dans l'Entre-deux-Mers, l'Union de Guyenne regroupe les coopératives de Saint-Pey-Génissac et de Sauveterre-Blasimon pour quelques 300 vignerons.

Un 2017 vermillon, aux effluves fruitées et florales, mêlées de notes mentholées et vanillées. C'est bien le fruit gourmand que l'on retrouve au palais, soulignant la rondeur de la matière. Les tanins soyeux ont des accents finement réglissés en finale. Un bordeaux supérieur abordable dès maintenant. ⧗ 2020-2024 ■ **Ch. la Motte Sicard 2016 ★ (5 à 8 €; 43799 b.)** : un joli équilibre se réalise entre la chair fruitée et les tanins tendus. Ce vin plein de fraîcheur a du caractère et une belle allonge. ⧗ 2020-2024

USCA UNION DE GUYENNE, 15, Bourrassat, 33540 Sauveterre-de-Guyenne, tél. 05 56 71 51 25, p.mondin@ugbordeaux.fr t.l.j. sf dim. lun. 9h-12h15 13h30-18h15

CH. DE LA COUR D'ARGENT 2017

■	26666		8 à 11 €

Denis Barraud, œnologue, s'est installé en 1971 à la tête du vignoble familial, constitué à la fin du XIXes. Un bel ensemble de 36 ha répartis sur les deux rives de la Dordogne et sur plusieurs crus – 7 ha en saint-émilion et saint-émilion grand cru (Les Gravières, Lynsolence) et 29 ha en AOC régionales (La Cour d'Argent) – et des vins qui retiennent régulièrement l'attention des dégustateurs.

La griotte et autres fruits rouges et noirs mûrs caractérisent ce vin chaleureux et assez ample, aux tanins déjà assagis. Simple et convivial. ⧗ 2019-2022

SCEA DES VIGNOBLES DENIS BARRAUD, 355, port de Branne, 33330 Saint-Sulpice-de-Faleyrens, tél. 06 08 32 26 04, denis.barraud@wanadoo.fr r.-v.

♥ B CH. COURONNEAU 2016 ★★

■	100000		5 à 8 €

Situé aux confins de la Gironde et de la Dordogne, dans le pays foyen, ce vignoble (40 ha) est cultivé en biodynamie. Le cadre enchantera le promeneur : un vrai château, avec quatre tours aux toits coniques. Bénédicte Piat est aux commandes depuis 1994 et utilise au chai, outre des cuves Inox et des barriques bois, des foudres et des amphores en terre cuite.

« Le vin à la petite robe noire », c'est ainsi que l'on pourrait surnommer ce vin qui fait de la sobriété une grande élégance. Noir aussi est le fruité du bouquet, évocateur de cerise Burlat et de figue mûre. Après une attaque tout en fruit, le charme d'une matière ample et harmonieusement structurée opère. Et les arômes de trouver un long écho en finale. ⧗ 2021-2026

SARL CH. COURONNEAU, Ch. Couronneau, 33220 Ligueux, tél. 05 57 41 26 55, chateau-couronneau@wanadoo.fr r.-v.

DOM. DE COURTEILLAC 2016 ★

■	110000	8 à 11 €

Fils de viticulteur saint-émilionnais (Ch. Larmande), Dominique Meneret fut négociant en vin pendant trente ans avant d'acquérir cette propriété en 1998, qu'il a restructuré à la vigne (28 ha) et au chai.

De la finesse dans ce bouquet de fruits rouges et noirs. De la souplesse au palais, d'une rondeur aimable tant les tanins apparaissent fondus. Un bordeaux supérieur qui ne demande qu'à figurer sur une table. ⧗ 2019-2022

SCA DOM. DE COURTEILLAC, Dom. de Courteillac, 2, Courteillac, 33350 Ruch, tél. 05 57 40 79 48, contact@domainedecourteillac.com

CH. DE CUGAT
Cuvée Francis Meyer 2016 ★

■	16530		8 à 11 €

À Blasimon, le château de Cugat avec sa porte fortifiée du XVes. est une curiosité. Dans un style radicalement différent, la cave ultramoderne mérite aussi une visite.

Sous une robe pourpre seyante, ce 2016 offre d'intenses arômes fruités et épicés. Il ne manque pas de puissance au palais, étayé par des tanins serrés. Une pointe de fraîcheur lui apporte de l'allonge en finale. ⧗ 2021-2025

SCEA VIGNOBLES BENOÎT MEYER, Ch. de Cugat, lieu-dit Cugat, 33540 Blasimon, tél. 05 56 71 52 08, chateaudecugat@orange.fr r.-v.

CH. DARTIGUES 2016 ★

■	25000	5 à 8 €

C'est une Indienne née à Singapour, Uscha Lavie-Teissier, qui préside depuis 1992 aux destinées de ce cru commandé par un château bâti au XIIes. et

transformé par la marquise d'Alphonse, propriétaire au XVIIIes. Le vignoble, à l'origine de deux étiquettes (Ch. Gamage et Ch. Dartigues), couvre 33 ha, à dominante de merlot.

De belle présentation dans une robe intense à reflets violacés, ce vin offre au premier nez des notes épicées, bientôt suivies par celles de fruits mûrs. Il fait preuve d'une certaine élégance en trouvant un juste équilibre entre le charnu et la tension de tanins encore jeunes. ⏳ 2021-2025

SARL CH. GAMAGE, 31, av. de la Mairie, 33350 Saint-Pey-de-Castets, tél. 05 57 40 52 02, gamage@wanadoo.fr V

CH. DOMS 2017 ★

■ | 20000 | | 5 à 8 €

Une chartreuse du XVIIes., des bâtiments monastiques transformés en chai, un vignoble transmis de mère en fille depuis cinq générations (28 ha aujourd'hui). Aux commandes, Hélène Durand (depuis 1998) et sa fille Amélie (depuis 2015). Ingénieur agronome et œnologue, la seconde fait le vin.

Avec des arômes de fruits confiturés pour amorce au nez comme en attaque du palais, une bonne matière encadrée par des tanins de qualité, une juste fraîcheur et une finale persistante, ce vin témoigne d'une vinification et d'un élevage fort bien menés. ⏳ 2021-2025

SCE VIGNOBLES PARAGE, 10, chem. de Lagaceye, 33640 Portets, tél. 05 56 67 20 12, chateau.doms@wanadoo.fr V r.-v.

♥ CH. DONJON DE BRUIGNAC Premium 2016 ★★

■ | 10600 | | 11 à 15 €

Situé au nord de l'Entre-deux-Mers, ce domaine de 30 ha (dont seulement 2,37 de vignes) doit son nom à un imposant donjon carré, construit en 1300. Il jouxte un manoir, construit en 1480 après la bataille de Castillon. Restée pendant plus de six siècles aux mains d'une même famille, la propriété a été reprise en 2007 par la Québécoise Louise-Aimée Dufour, qui a aménagé un chai, arraché les parcelles de cabernet-sauvignon (défaut de maturité) pour planter du cabernet franc. Premières vendanges et vinifications en 2008.

Couleur améthyste, signe de jeunesse, ce 2016 offre tous les arômes d'un merlot (70 % de l'assemblage) bien mûr : du fruit, net et puissant. S'y allient des notes toastées et épicées issues de l'élevage, fort bien mariées. Une matière ample, chaleureuse et riche de saveurs emplit le palais, laissant un long souvenir. Des tanins, on ne retient que leur densité favorable à une excellente tenue dans le temps. ⏳ 2022-2028

SARL LADIMEX, Bruignac, 33350 Bossugan, tél. 05 57 40 39 79, dufourla@ladimex.ca V r.-v.

Ⓑ DOM. L'ENTRE DEUX MONDES 2017 ★

■ | 6500 | | 11 à 15 €

Vétérinaire de son état, Jean-François Moniot a acheté en 2005 les quelques vignes (un peu plus de 3 ha) avoisinantes d'une ancienne ferme fortifiée du XIIes. Il a d'abord adopté une culture biologique avant de passer à la biodynamie, en 2015. Une démarche qu'il présente volontiers aux visiteurs de son gîte.

Le nom de cette cuvée fait référence à la philosophie de la biodynamie, évoquant la relation entre Terre et Ciel. Vanille, moka, café, autant de notes issues des douze mois d'élevage en fût. Le boisé est certes bien présent dans le bouquet, mais les arômes de fruits noirs tracent aussi leur chemin. Une matière souple et ronde emplit le palais et y laisse un joli sillage aromatique. ⏳ 2020-2024

JEAN MONIOT, 49, chem. de l'Escarderie, 33141 Villegouge, tél. 06 08 05 62 47, moniot@wanadoo.fr V r.-v. Ⓑ

Ⓑ CH. JEAN FAUX Sainte-Radegonde 2016 ★

■ | 50000 | | 15 à 20 €

L'une des plus anciennes propriétés du canton de Pujols (ferme fortifiée du XVIes., chartreuse du XVIIes., parc paysager du XVIIIes.) dans la vallée de la Dordogne; rachetée en 2002 par Pascal et Chrystel Collotte. Vignoble de 12 ha, en bio certifié depuis 2011 et en biodynamie depuis 2015.

La bonne extraction du raisin est perceptible dès le premier regard porté sur ce vin d'un rouge intense et brillant. Elle se traduit aussi au nez par des nuances fruitées, épicées et grillées, puis au palais par une matière ample et puissante, dotée de tanins très denses encore. Il suffira d'attendre un peu pour apprécier pleinement ce bon représentant de l'appellation. ⏳ 2022-2026 ■ **Les Sources 2016 ★ (15 à 20 €; 50000 b.)** Ⓑ : « Bien ! », écrit un dégustateur, quand un autre invite à attendre encore un peu que les petits tanins austères de la finale se fondent. Car ce vin est par ailleurs fort plaisant : attaque souple et rondeur, arômes fins entre le fruit et le boisé. ⏳ 2021-2024

SCE DU CH. JEAN FAUX, Ch. Jean-Faux, 33350 Sainte-Radegonde, tél. 05 57 40 03 85, jf@chateaujeanfaux.com V r.-v.

CH. FERREYRES Bellevue 2017 ★

■ | 23000 | | 8 à 11 €

Une propriété de 31 ha située au sud-est de Saint-Émilion. À sa tête, Florian Bouchon, œnologue, qui a repris le domaine en 2015.

De la concentration et du charnu, telles sont les qualités de ce vin grenat sombre. On aime aussi ses arômes de fruits mûrs accompagnés d'épices douces, ainsi que sa finale fraîche qui persiste gentiment. ⏳ 2020-2022

EARL VIGNOBLE FLORIAN BOUCHON, 1, Peyrouton, 33350 Pujols, tél. 06 11 19 25 00, contact@chateau-ferreyres.fr V r.-v.

CH. FLEUR HAUT GAUSSENS 2017 ★

■ | 160000 | | 5 à 8 €

Fondé en 1941, un domaine de 40 ha situé sur la rive droite de la Dordogne, au nord-ouest du Fronsadais,

propriété de la famille depuis quatre générations. Hervé Lhuillier en a pris les rênes en 1997.

Les dégustateurs ont apprécié la robe grenat, dense et soyeuse, de ce 2017. Belle introduction qui donne envie d'aller à sa découverte. À l'olfaction, ce sont les nuances délicates d'épices et de toasté, puis celles de fruits rouges et noirs qui intriguent. Le vin est-il sur la réserve encore? Nullement, car au palais, il dévoile une jolie étoffe, caractéristique d'un raisin cueilli à maturité. Les tanins font encore acte de présence, bien sûr, mais il leur faudra peu de temps pour s'intégrer. ⧗ 2020-2024

SCEA VIGNOBLES HERVÉ LHUILLIER, 11, les Gaussens, 33240 Vérac, tél. 05 57 84 48 01, herve.lhuillier@fleurhautgaussens.com t.l.j. 8h30-18h

CH. LA FLEUR HAUT MOULIN 2016 ★

■ | 6600 | | 5 à 8 €

Un vignoble de 15,5 ha planté autour d'un moulin à vent construit en 1984 par le père de Laurent Français. Ce dernier est aux commandes du domaine familial avec son épouse Karine depuis 1995.

Petits fruits noirs et épices douces jouent en duo dans ce vin bien structuré. Si les tanins ont acquis une certaine sagesse, la vivacité est encore bien perceptible. Une composante qui peut être favorable au vin dans le temps. ⧗ 2021-2024

GAEC DU DOM. DE LA CHATAIGNIÈRE, 1, Les Grandes-Terres, 33240 Périssac, tél. 06 85 52 26 88, laurent.francais@sfr.fr r.-v.

CH. FLORÉAL LAGUENS 2017 ★

■ | 89500 | | 8 à 11 €

La famille Bonhur a acquis en 2012 le Ch. Floréal Laguens, situé aux portes de Bordeaux sur le lieu-dit Lafitte, étendu sur 37 ha. Depuis 2017, elle exploite également le Ch. Tertre du Renard, en fermage; un petit cru de 3,6 ha.

Pourpre intense, un bordeaux supérieur gourmand dans ses évocations finement fruitées et épicées. Frais en attaque, puis ample et bien équilibré, il pourra compter sur des tanins de qualité pour poursuivre son développement au fil des années. ⧗ 2021-2024

SCEA CH. LAFITTE, chem. du Loup, 33370 Yvrac, tél. 05 56 06 68 50, contact@chateau-lafitte.fr r.-v.

CH. LA FRANCE Cuvée Gallus 2017 ★

■ | 42400 | | 8 à 11 €

Déjà bien établi au XVII^e^s., ce cru, détenu jusqu'en 2009 par une compagnie d'assurances, a été racheté par les Mottet, armateurs bordelais, propriétaires de quelque 200 ha en Gironde. Outre un vaste vignoble (79 ha d'un seul tenant), il comprend chambres d'hôtes et «gîte rural» dans le château du XIX^e^s.

Il est dense, grenat profond. Expressif, fruité et vanillé. Dynamique, charpenté et charnu. Voilà un vin harmonieux, bâti pour quelques années de garde. ⧗ 2021-2024

SCA CH. LA FRANCE, Ch. la France, 1, rte de Fosselongues, 33750 Beychac-et-Caillau, tél. 05 57 55 24 10, contact@chateaulafrance.com t.l.j. sf sam. dim. 9h-12h 14h-17h30

CH. LE GARDERA 2017 ★

■ | 90000 | | 5 à 8 €

Paul Gonfrier, rapatrié d'Algérie, rachète au début des années 1960 le Ch. de Marsan, terre noble fondée au XVI^e^s. sur la rive droite de la Garonne : le berceau des domaines familiaux. Ses fils Philippe et Éric suivent ses traces après 1985. Aujourd'hui, pas moins de 400 ha et douze châteaux.

Au bouquet bien ouvert sur des notes grillées, épicées et fruitées répond une bouche souple et harmonieuse. Une bonne fraîcheur est perceptible en attaque, et les tanins semblent disposés à se fondre. L'apogée sera atteinte dans la première moitié de la nouvelle décennie. ⧗ 2021-2024

SAS GONFRIER FRÈRES, Ch. de Marsan, BP_7, 33550 Lestiac-sur-Garonne, tél. 05 56 72 14 38, contact@vignobles-gonfrier.fr t.l.j. 9h-17h30

CH. GAURY BALETTE Comte Auguste 2017 ★

■ | 2500 | | 11 à 15 €

Une bâtisse datant de 1835 et 34 ha de vignes composent cette propriété familiale créée en 1976 au nord-est de l'Entre-deux-Mers. Bernard Yon s'est entouré de ses fils Guillaume et Quentin.

La framboise et autres fruits rouges compotés marquent le bouquet de ses notes charmantes. Le boisé se manifeste davantage au palais, dans la présence soutenue des tanins, mais la matière est suffisamment ample pour les intégrer. ⧗ 2021-2024

BERNARD YON, 2, Balette, 33540 Mauriac, tél. 05 57 40 52 82, bernard-yon@wanadoo.fr t.l.j. 8h30-12h30 14h-17h

CH. GRAND FERRAND 2017 ★

■ | 30000 | | 11 à 15 €

L'un des châteaux de la société Bordeaux Vineam, qui exploite en tout 270 ha dans plusieurs vignobles du Bordelais et en Bergeracois, en bio certifié ou en cours de conversion. Une affaire créée par les frères Yi Zhu et Hongtao You, l'un Chinois, l'autre Canadien, qui ont fait fortune dans la pharmacie. Grand Ferrand est un domaine de 76 ha certifié bio depuis le millésime 2014.

Un vin jeune, comme le révèlent d'emblée les reflets violines prononcés de la robe, mais un vin percutant déjà. Il y a de la pertinence, en effet, dans le bouquet de fruits confiturés, dans la matière chaleureuse et ample, toute fruitée, et dans les tanins denses qui assureront une bonne tenue dans le temps. ⧗ 2021-2025

SCEA CH. BOURDICOTTE ET GRAND FERRAND (GRAND FERRAND), lieu-dit Grand-Ferrand, 33540 Sauveterre-de-Guyenne, tél. 05 57 40 40 99, marketing@bordeaux-vineam.fr

CH. LE GRAND VERDUS Grande Réserve 2016 ★

■ | 12000 | | 20 à 30 €

Un manoir Renaissance acquis en 1810 par Claude Deschamps, architecte du pont de Pierre à Bordeaux, et transmis par mariage à la famille Le Grix de la Salle.

Ce sont aujourd'hui Antoine et son fils aîné Thomas qui conduisent le Grand Verdus, vaste unité de 110 ha implantée dans l'Entre-deux-Mers. Autre étiquette : le Ch. la Loubière.

Un bouquet délicat de fruits nuancés de boisé s'exprime à toutes les étapes de la dégustation de ce vin souple et rond. Les tanins se manifestent en finale, plus fermes, juste pour solliciter une petite garde. ⧗ 2021-2024

⊶ SCEA PHILIPPE ET ANTOINE LE GRIX DE LA SALLE, Ch. le Grand Verdus, 33670 Sadirac, tél. 05 56 30 50 90, chateau@legrandverdus.com V r.-v.

CH. GROMEL BEL AIR Cuvée Eva 2017

■ | 40 000 | | 8 à 11 €

Le cadre ? Une girondine du XIXᵉs. dominant un vaste parc de 10 ha avec deux étangs, dans la vallée de l'Isle. Le vignoble couvre 27 ha.

L'élevage de douze mois en fût a laissé son empreinte dans ce vin, à travers des notes boisées et des tanins serrés, aux accents toastés. Le fruit est cependant bien présent en arrière-plan et la matière assez ample pour intégrer cet héritage au fil du temps. ⧗ 2021-2024

⊶ SCEA GROMEL BEL AIR, Ch. Gromel Bel Air, 33910 Bonzac, tél. 05 56 92 62 96, e.guis@savas-sa.fr

CH. GUILLOT 2016 ★

■ | 45 000 | | 5 à 8 €

Situé dans l'Entre-deux-Mers, l'un des premiers domaines (83 ha) acquis par la famille Richard (en 1974), devenue l'un des plus gros distributeurs de cafés et de boissons de l'Île-de-France et détentrice de quatre châteaux en Gironde, de propriétés en Beaujolais et dans la vallée du Rhône méridionale.

Un léger fruité se libère du verre, puis c'est un beau volume qui se dessine au palais. Un ensemble harmonieux et de bonne longueur. ⧗ 2021-2024

⊶ SC CH. GANTONNET, moulin de Labordes, 33350 Sainte-Radegonde, tél. 05 57 40 53 83, chateau-gantonnet@orange.fr V r.-v.; f. en août

♥ CH. HAUT CLARIBÈS 2017 ★★

■ | 80 000 | | - de 5 €

Fondés en 1950 par Angelo Fontana, rejoint ensuite par ses quatre fils, les domaines Fontana sont une exploitation familiale vaste de plusieurs vignobles couvrant sur 270 ha, complétés par 100 ha d'arboriculture.

Aussi soutenu que la couleur, aussi élégant, le bouquet évoque les fruits mûrs, framboise et mûre en tête. Des tanins fins soutiennent une bouche parfaitement équilibrée et persistante. Le résultat d'une vinification et d'un élevage bien menés. ⧗ 2022-2028 ■ **Ch. Clou du Pin Premium 2017 ★ (- de 5 €; 67 000 b.)** : une bouteille pleine de fraîcheur et d'élégance, rubis étincelant. Le vin déroule ses arômes de fruits rouges à l'envi et s'appuie sur des tanins fins. La petite note austère en finale n'est que passagère. ⧗ 2021-2023

⊶ SCEA DES DOMAINES FONTANA, 14, rte de Sainte-Foy-la-Grande, 33890 Gensac, tél. 05 57 47 43 19, domainefontana@free.fr V t.l.j. sf sam. dim. 9h-12h 14h-18h

CH. HAUT MEYNARD 2016 ★★

■ | 65 900 | | 5 à 8 €

Le Ch. Plaisance, connu depuis 1881, est situé au bord de la route reliant Saint-Émilion à Branne, au sud de la juridiction. Le terroir mêle des graves aux sables et aux argiles. Derek Egan en est le propriétaire depuis 2006. Autre étiquette : Haut Meynard .

Présentation impeccable pour ce 2016 de couleur sombre aux reflets violacés. Si l'élevage de douze mois en fût a légué des notes vanillées prononcées au bouquet, le fruit noir ressort bien également, sous des accents de cassis et de mûre. Le charme opère au palais tant la matière est souple en attaque, puis ample et harmonieusement structurée. Un long retour fruité nuancé de notes empyreumatiques parfait le profil de ce vin. ⧗ 2022-2026

⊶ SCEA CH. PLAISANCE, 256, Plaisance, 33330 Saint-Sulpice-de-Faleyrens, tél. 05 57 24 78 85, sonia@chateauplaisance.info

CH. HAUT-PEYRAT 2016 ★★

■ | 39 000 | | 11 à 15 €

En 2014, Isabelle et Didier Gil ont fait l'acquisition de ce domaine sis sur une croupe : 40 ha d'un seul tenant, répartis équitablement entre vignes et bois ou prairies.

Un nez finement boisé et fruité, un palais souple en attaque qui va s'amplifiant jusqu'à une longue finale aux notes confites et réglissées. Un remarquable bordeaux supérieur, en somme. Le gras et les tanins de qualité autorisent une dégustation immédiate comme une garde de quelques années. ⧗ 2020-2026

⊶ SARL BM ET PARTENAIRES, Ch. Haut-Peyrat, lieu-dit Peyrat, 33880 Cambes, tél. 05 57 80 47 27, contact@chateau-haut-peyrat.com V t.l.j. 9h-17h; sam. dim. sur r.-v.

♥ CH. LABATUT Grande Réserve 2017 ★★

■ | 26 000 | | 5 à 8 €

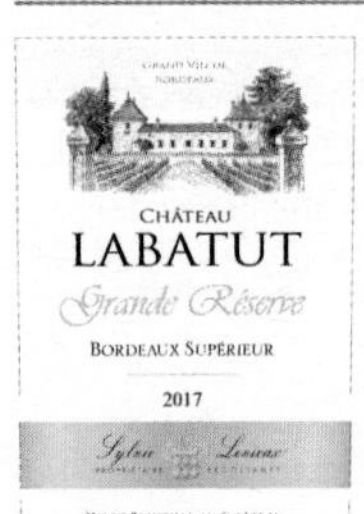

À l'époque où il a lancé les premières foires aux vins (1973), Édouard Leclerc a acheté des vignobles dans l'Entre-deux-Mers, développés par sa fille Hélène Levieux jusqu'en 2002 puis dirigés par son petit-fils Vincent et aujourd'hui par Sylvie, l'épouse de ce dernier. Trois châteaux : Labatut, Lagnet et Roques-Mauriac, 100 ha au total.

La belle maturité du raisin se révèle dans ce vin de teinte profonde, tout en fruits rouges et noirs épicés. La matière dense et ample qui monte en puissance jusqu'en finale en témoigne aussi. Les tanins de qualité apportent la charpente nécessaire pour assurer une bonne garde. ⧗ 2021-2026 ■ **Ch. Roques Mauriac 2017 ★ (8 à 11 €; n.c.)** : fruits noirs mûrs et notes boisées se partagent le bouquet de ce vin dense et persistant. Les tanins se manifestent, sans altérer cependant l'amabilité de l'ensemble. ⧗ 2021-2024 ■ **Ch. Roques Mauriac Cuvée Hélène 2017 ★ (5 à 8 €; 50000 b.)** : soyeuse en attaque, suave en milieu de bouche grâce à des tanins sans agressivité, cette cuvée charnue et persistante a de quoi séduire dès maintenant tout en conservant un bon potentiel de garde. Ses arômes de fruits mûrs nuancés de réglisse jouent aussi en sa faveur. ⧗ 2020-2024

GFA LES 3 CHÂTEAUX, 1, Lagnet, 33350 Doulezon, tél. 05 57 40 51 84, contact@les3chateaux.com V r.-v.

CH. LAMOTHE-VINCENT Héritage 2017 ★

■ | 80000 | | 8 à 11 €

Un vaste cru de 92 ha dans l'Entre-deux-Mers, fondé en 1920 par les arrière-grands-parents. Ses atouts : un chai très moderne et les compétences complémentaires de Christophe Vincent (aux vignes) et de Fabien (au chai). Saint Vincent les inspire, dit-on, mais ce sont plutôt leur formation technique poussée et leur exigence qui font de ce domaine une référence en bordeaux et bordeaux supérieur.

Un boisé frais, légèrement fumé et grillé, accompagne l'expression fruitée (cerise à l'eau-de-vie) de ce 2017. L'attaque est franche, la bouche chaleureuse, structurée autour de tanins assez mûrs. Le long retour du fruit et la fraîcheur perceptible en finale semblent de bon augure. ⧗ 2021-2024

SCEA VIGNOBLES VINCENT, 3, chem. Laurenceau, 33760 Montignac, tél. 05 56 23 97 72, info@lamothe-vincent.com V r.-v.

CH. LA LANDE DE TALEYRAN 2016 ★★

■ | 60000 | | 5 à 8 €

Après une expérience en tant que maître de chai aux États-Unis, Arnaud Burliga a rejoint son père Jacques en 2005. Ce dernier a constitué les domaines familiaux en reprenant en 1984 le Ch. la Lande de Taleyran, puis deux autres propriétés : aujourd'hui, 58 ha de vignes en AOC régionales et en entre-deux-mers.

D'un noir profond à reflets grenat, c'est un vin riche d'arômes de fruits noirs qui se révèle volontiers. Dense, soutenu par des tanins consistants, il évolue avec équilibre en gardant en filigrane ce fruité mûr. ⧗ 2020-2024

EARL VIGNOBLES BURLIGA, 6, rte de l'Église, 33750 Beychac-et-Caillau, tél. 05 56 72 98 93, contact@burliga.com V *t.l.j. sf sam. dim. 9h-12h 14h-18h*

CH. LANDEREAU Prestige 2017 ★

■ | 10000 | | 11 à 15 €

Henri Baylet et son fils Michel ont acquis le Ch. Landereau en 1959, puis le Ch. de l'Hoste Blanc en 1980. Installé en 1988, Bruno Baylet, troisième du nom, exploite aujourd'hui 80 ha dans l'Entre-deux-Mers.

Quelques notes balsamiques se glissent dans la palette de fruits rouges épicés. Certes, l'héritage du bois est perceptible, puisque ce vin a connu dix-sept mois d'élevage en barrique, mais il n'affecte en rien son caractère avenant. Les tanins souples soutiennent ainsi le palais d'un joli volume. ⧗ 2021-2024 ■ **2017 (5 à 8 €; 120000 b.)** : vin cité.

CH. LANDEREAU, RD_671, 33670 Sadirac, tél. 05 56 30 64 28, vignoblesbaylet@free.fr V *t.l.j. sf dim. 9h-12h 13h30-17h30*

CH. LAURENCE 2016 ★

■ | 13000 | | 11 à 15 €

Fils d'ouvrier viticole, directeur technique au Ch. la Fleur de Boüard (Hubert de Boüard, lalande-de-pomerol) et consultant avec ce même Hubert de Boüard auprès d'une soixantaine de châteaux dans le Bordelais et à l'étranger, Philippe Nunes a acheté en 2005 un microcru de 38 ares en montagne-saint-émilion, le Clos Bertineau puis, en 2012, le Ch. Laurence (8 ha) dans l'Entre-deux-Mers.

Au bouquet puissant de fruits mûrs, nuancé de notes grillées et fumées, répond une bouche souple en attaque, puis ample et structurée. Rien n'accroche dans ce vin aromatique et équilibré. ⧗ 2020-2024

SCEA VIGNOBLES LAURENCE, 5, rte des Mimosas, 33450 Montussan, tél. 06 81 99 37 32, contact@chateaulaurence.fr V r.-v.

CH. LAVERGNE DULONG 2017 ★

■ | 12900 | | 20 à 30 €

Un domaine de 20 ha d'un seul tenant, dont 14 ha de vignes conduites en biodynamie.

De bonne facture, ce 2017 grenat aux reflets violines dispense de légères notes de petits fruits noirs, de torréfaction et de cacao. Tanins mûrs et matière plutôt ample lui donnent un caractère sympathique déjà, mais le temps jouera encore en sa faveur. ⧗ 2021-2024

SCEA CH. LAVERGNE MONTUSSAN, Ch. Lavergne, 23, rte du Courneau, 33450 Montussan, tél. 05 56 72 19 52, yuxue.li@lavergne-dulong.fr V r.-v.

CH. LEROY-BEAUVAL 2016 ★

■ | 3300 | | 11 à 15 €

En 2012, les Leroy acquièrent le Ch. de Beauval afin de réhabiliter son histoire viticole, débutée au XVIII[e]s. puis abandonnée jusque dans les années 1970. Le vignoble s'étend aujourd'hui sur 52 ha.

Tout de noir vêtu, ce vin aux jolis arômes de fruits rouges frais plaît par son amabilité au palais. Souple, riche et rond, il montre de bonnes dispositions pour passer à table en tout début de décennie. ⧗ 2020-2022

SASU CH. LEROY-BEAUVAL, 102, rte de Beauval, 33450 Saint-Sulpice-et-Cameyrac, tél. 05 24 73 22 50, contact@chateauleroybeauval.com V *t.l.j. sf sam. dim. 8h30-12h 13h-16h*

CH. LESPARRE 2016 ★★

■ | 80000 | | 5 à 8 €

Originaire de Champagne (Côte des Blancs), la famille Gonet s'est aussi forgé une solide renommée dans le Bordelais : en graves-de-vayres avec les châteaux Lesparre (acquis en 1986), Lathibaude et Durand Bayle, valeurs sûres conduites en bio, ainsi qu'en

pessac-léognan (Haut-Bacalan, Eck, Haut l'Évêque, Saint-Eugène) et en AOC régionales (La Chapelle Bordes, La Rose Videau).

Un équilibre et un charme certains, car si ce vin a du corps, un fruité mûr l'enveloppe joliment, faisant presque oublier les tanins encore fermes en finale. Il possède cette expression généreuse qui témoigne tout autant d'une vendange de qualité que d'une vinification et d'un élevage bien menés. ⧗ 2021-2024

⊶ SCEV MICHEL GONET ET FILS, Ch. Lesparre, 33750 Beychac-et-Caillau, tél. 05 57 24 51 23, info@gonet.fr V t.l.j. sf dim. 8h30-12h30 13h30-17h30; f. à Noël

LE SECRET DE LESTRILLE 2016 ★

■	20 000		15 à 20 €

Fondé en 1901, ce domaine familial de 44 ha est une des valeurs sûres des AOC régionales. Il est conduit depuis 2006 par Estelle Roumage (revenue au domaine en 2001), qui a succédé, avec le même talent, à son père Jean-Louis et revendique des vins fruités nés d'une «viticulture durable» (sans certification bio).

Quel est donc le secret de ce 2016, caché sous une robe noire, d'une profondeur presque insondable? Un bouquet fin et typé, tout en fruits épicés, se libère peu à peu : cassis et framboise délicieux. D'attaque souple, le palais tire parti de tanins bien éduqués pour développer toute sa rondeur jusqu'en finale. L'alliance du charme et de la puissance, voilà peut-être son secret. ⧗ 2021-2022 ■ **Ch. Lestrille Capmartin 2016 ★ (8 à 11 €; 40 000 b.)** : une bonne extraction est perceptible dans ce vin expressif, sur le fruit, d'un bon volume. Les tanins demandent à se fondre à la faveur de la garde. ⧗ 2021-2025

⊶ CH. LESTRILLE, 15, rte de Créon, 33750 Saint-Germain-du-Puch, tél. 05 57 24 51 02, contact@lestrille.com V r.-v.

Ⓑ CH. LA LEVRETTE La Petite 2017

■	4 000		11 à 15 €

Laetitia Mauriac et son frère Arthur ont racheté une ancienne propriété viticole en 2004. Partis de rien, découvrant tout du métier de vigneron, ils recréent un domaine en faisant l'acquisition de deux parcelles de vignes en Blayais. Ce sont 7 ha aujourd'hui. Après la disparition de son frère, Laetitia dirige seule la destinée du Ch. la Levrette.

Des arômes de fruits rouges accueillants et un boisé délicat invitent à découvrir ce vin rond et souple. Nulle trace des tanins tant ils se sont fondus dans la matière élégamment fraîche. ⧗ 2020-2022

⊶ SCEA LES VINS MAURIAC-HOURTINAT (CH. LA LEVRETTE), 2, rte de Muchit, 33390 Saint-Seurin-de-Cursac, tél. 06 63 80 04 41, contact@chateau-la-levrette.com V r.-v.

CH. LÉZIN 2016 ★

■	60 000		5 à 8 €

Dans le giron du groupe CVBG (Alain Thiénot), cette maison de négoce fondée en 1864 par Alphonse Delor est l'une des plus anciennes sur la place de Bordeaux.

«Un vin de garde, style chasseur», écrit un dégustateur. Peut-être en raison des notes animales du bouquet ou bien de la touche de cuir qui accompagne les solides tanins. Toujours est-il que ce 2016 a de la ressource tant dans son expression aromatique que dans sa matière chaleureuse et corsée. Attendre et rester à l'affût pendant quelques années. ⧗ 2022-2025

⊶ MAISON DELOR, 35, rue de Bordeaux-Parempuyre, CS_80004, 33295 Blanquefort Cedex, tél. 05 56 35 53 00, contact@delor-bordeaux.com

CH. DE LISENNES Cuvée Tradition Élevé en barriques 2016 ★

■	36 734		5 à 8 €

Dans la famille Soubie depuis 1938 et quatre générations, ce domaine tirerait son nom du mot «lise» – terme de l'ancien français devenu «glaise», que l'on retrouve dans le verbe «enliser». Une allusion à la nature argilo-calcaire du terroir. Le vignoble, couvrant 53 ha d'un seul tenant, entoure une chartreuse du XVIIIes. À sa tête, Jean-Luc Soubie.

De son année d'élevage, cette cuvée a conservé un boisé vanillé bien fondu dans le bouquet expressif de groseille et de cassis. Les tanins ont aussi gagné en souplesse et se fondent volontiers dans la matière ample et ronde. La fraîcheur finale soutient le retour du fruité. ⧗ 2020-2024

⊶ SCEA VIGNOBLES SOUBIE, Ch. de Lisennes BP_19, chem. de Petrus, 33370 Tresses, tél. 05 57 34 13 03, contact@lisennes.fr V t.l.j. sf dim. 8h30-12h 13h30-17h30

CH. LE LUC REGULA 2017 ★

■	20 000		8 à 11 €

Un château datant du XIIIes., restauré au XIXes., commande un vignoble de 6 ha, propriété de Dominique et Valérie Destouches.

Le meilleur est encore à venir dans ce 2017 de teinte sombre. À cette heure, ce sont les notes de café, d'épices et de cacao qui se révèlent au fil de l'aération et les tanins apportent une certaine fermeté à la chair dense, mais la finale fraîche et persistante est de bon augure. ⧗ 2021-2024

⊶ SARL CH. REGULA, Ch. Regula, au Luc, 33190 La Réole, tél. 06 19 92 33 34, llanz@vpcf.fr V r.-v.

CH. MAISON NOBLE Cuvée Prestige 2017 ★★

■	8 300		5 à 8 €

Appartenant à une ancienne famille de tonneliers cognaçais et de viticulteurs, Jean-Bertrand Marque a quitté à trente-cinq ans le monde de l'expertise comptable pour renouer en 2012 avec l'héritage familial et reprendre ce cru de 20 ha situé au nord de Pomerol.

Ne vous y trompez pas. Cette cuvée a beau dévoiler un bouquet intense de fruits frais, elle possède un caractère affirmé. Très tôt, celui-ci se perçoit au palais : une matière dense, solidement structurée par des tanins de qualité. Le temps sera son allié. ⧗ 2021-2025

⊶ SCEA CH. MAISON NOBLE, 1, Maison-Noble, 33230 Maransin, tél. 06 17 66 56 33, jmarque@chateau-maisonnoble.com V r.-v.

CH. MAISON NOBLE SAINT-MARTIN 2017

■ | 100000 | | 5 à 8 €

Les origines de cette propriété de l'Entre-deux-Mers remontent au XIVes. Détruit pendant la Révolution, partiellement reconstruit au XIXes., le château a été restauré par l'architecte Michel Pelisse, propriétaire entre 1997 et 2013. Aujourd'hui aux mains d'un Ukrainien, le vignoble est passé de 75 à 115 ha. Une surface qui permet au directeur, Bertrand Gonzalez, de proposer des AOC régionales et de l'entre-deux-mers.

Un bouquet de fleurs se déploie dans le verre : jacinthe, iris, violette, garrigue... Une délicatesse que le palais reprend à son compte, grâce à un joli volume sans excès. Les dix-huit mois d'élevage en barrique n'auraient-ils donc laissé aucune trace? C'est la finale qui s'en fait le témoin, à travers des notes boisées encore très prononcées. ⧗ 2021-2024

SARL CH. MAISON NOBLE SAINT-MARTIN, 1, Maison-Noble, 33540 Saint-Martin-du-Puy, tél. 06 75 76 99 11, simon_maison.noble@orange.fr V r.-v.

B CH. MALFARD Grande Réserve 2016 ★

■ | 3500 | | 8 à 11 €

Jadis propriété d'Élie Decazes, ministre de Louis XVIII, ce domaine commandé par un imposant château (1850) est implanté dans la vallée de l'Isle, au nord du Libournais. Tombé à l'abandon, il a été racheté en 2000 et restructuré par Philippe Rivière, à la tête aujourd'hui de 40 ha cultivés en agriculture biologique.

Le boisé sert de ligne directrice à l'expression intense de ce vin : des arômes toastés, empyreumatiques et épicés devancent ainsi le fruité. Après une attaque souple, le palais développe un bon volume, soutenu par des tanins disciplinés, avant le retour du merrain en finale. ⧗ 2021-2023

SCA DE MALFARD, Ch. Malfard, 1, Malfard, 33910 Saint-Martin-de-Laye, tél. 05 57 84 74 88, info@chateau-malfard.com V r.-v.

CH. LA MAURINE 2016 ★★

■ | 53300 | | 5 à 8 €

Producta Vignobles est un négoce à actionnariat coopératif créé en 1949, qui regroupe 2 500 opérateurs et 2 000 ha de vignes dans une cinquantaine d'appellations du Bordelais et du Sud-Ouest. Dans son catalogue, une centaine de marques et 150 châteaux.

Un bordeaux supérieur corpulent et persistant qui saura affronter le temps et s'en faire un allié. Sombre dans le verre, mais brillant de reflets violacés, il livre sans ambages des arômes de fruits noirs frais. La richesse de la matière se perçoit dès l'attaque, puis le volume croît, soutenu par des tanins soyeux. Et le fruit de se prolonger durablement en finale. ⧗ 2022-2026

SA PRODUCTA VIGNOBLES, 13, av. de la Résistance, 33310 Lormont, tél. 05 57 81 18 18, producta@producta.com

CH. MIREFLEURS 2017 ★

■ | 135000 | | 8 à 11 €

Propriétés de Castel depuis 1970, les châteaux Mirefleurs et Techeney (AOC régionales) ont été vendus en 2015 au groupe chinois Changyu, spécialisé dans la production et la distribution de vin.

Une fraîcheur agréable soutient l'expression fruitée persistante de ce vin gourmand et élégant, qui n'attend que de passer à table et d'y rejoindre une volaille. ⧗ 2019-2021

SCA DU CH. MIREFLEURS, 23, chem. du Loup, 33370 Yvrac, tél. 05 56 06 70 10 V r.-v.

CH. MOUTTE BLANC Moisin 2016 ★

■ | 3500 | | 15 à 20 €

À la tête d'un petit domaine de 5,5 ha dans le haut Médoc, en amont de Margaux, Patrice de Bortoli a un faible pour le petit verdot, cépage exclusif de sa cuvée Moisin en bordeaux supérieur, bien présent également dans sa cuvée principale. On retrouve aussi régulièrement le domaine en haut-médoc. Depuis 2007, date du classement d'une petite parcelle de 40 ares de merlot, le vigneron propose aussi du margaux.

La sincérité est vertu, et ce vin peut s'en enorgueillir. Sincère dans son discours aromatique qui conjugue les fruits noirs à un délicat boisé vanillé. Sincère dans son abord au palais, grâce à une chair dense, bien soutenue par les tanins. Sincère enfin dans la finale suffisamment longue. ⧗ 2020-2024 ■ **2016 ★ (8 à 11 €; 15000 b.)** : après aération, les arômes de fruits noirs mûrs ne font aucun doute. D'attaque souple, le palais se révèle ample et charnu, empreint d'un fruité persistant. Quelques tanins de jeunesse apportent une petite amertume sans conséquence pour l'harmonie générale. ⧗ 2020-2022

CH. MOUTTE BLANC, 6, imp. de la Libération, 33460 Macau, tél. 06 03 55 83 38, moutteblanc@wanadoo.fr V r.-v.

CH. NAUDY Cuvée Thibault 2017 ★★

■ | 1500 | | 11 à 15 €

Proche de la Réole, aux confins sud-est du vignoble girondin, ce petit vignoble familial (2,5 ha) exposé plein sud offre un joli point de vue sur la Garonne. Professeur d'agronomie, de viticulture et d'œnologie, Bernard Vincent a abandonné l'enseignement pour mettre en pratique ses connaissances sur cette propriété reprise en 1990.

Torréfaction, café, cacao, vanille et autres épices : les douze mois d'élevage ont légué des notes complexes au bouquet de fruits noirs variétal. Ils ont aussi permis aux tanins de s'arrondir et de s'enrober dans la matière ample et riche. La puissance est ainsi contenue au profit de l'harmonie. ⧗ 2021-2025

BERNARD VINCENT, 1, Terrefort, 33190 Montagoudin, tél. 05 56 57 06 41, bernardvincent33@hotmail.com V r.-v.

CH. DE L'ORANGERIE Premier Vin 2016 ★

■ | 20000 | | 11 à 15 €

Les ancêtres de Jean-Christophe Icard ont constitué à partir de 1790 un domaine qui s'est agrandi au fil des générations. Conduit depuis 1994 par l'actuel exploitant, le vignoble familial couvre quelque 130 ha, dont

75 ha de vignes, dans l'Entre-deux-Mers et la région de Cadillac. Plusieurs étiquettes ici : L'Orangerie, La Sablière Fongrave et même des «produits sous licence» signés par le célèbre dessinateur belge Philippe Geluck, créateur du personnage Le Chat.

Fruits rouges confits et épices douces se marient en un bouquet intense qui se prolonge au palais. Rond en attaque, le vin prend du corps, structuré par des tanins souples. ⧗ 2020-2024 ■ **Ch. de la Sablière Fongrave 2016 (11 à 15 €; 20000 b.)** : vin cité.

SCEA DES VIGNOBLES JEAN-CHRISTOPHE ICARD, lieu-dit le Jardinet, 33540 Saint-Félix-de-Foncaude, tél. 05 56 71 53 67, orangerie@chateau-orangerie.com

♥ CH. DE PARENCHÈRE
Cuvée Raphaël 2016 ★★

■ | 58000 | | 11 à 15 €

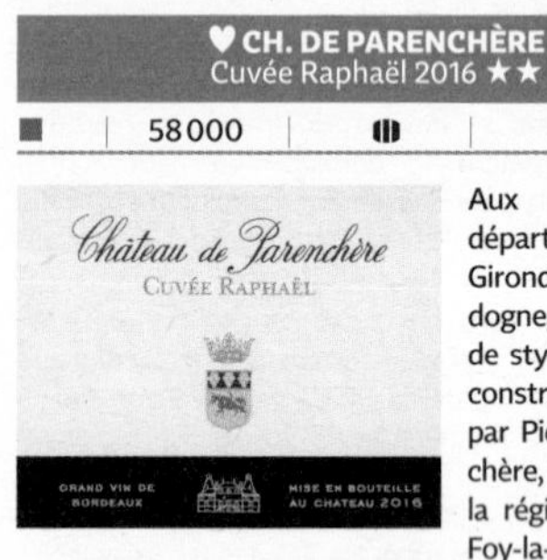

Aux confins des départements de la Gironde et de la Dordogne, un château de style périgourdin, construit en 1570 par Pierre de Parenchère, gouverneur de la région de Sainte-Foy-la-Grande, et un vaste cru (67 ha de vignes), régulier en qualité. Raphaël Gazaniol, viticulteur rapatrié du Maroc, l'a acquis en 1958, puis transmis à son fils Jean et sa petite-fille Julia. En 2005, un amateur de vins suédois, M. Landin, également propriétaire d'un vignoble à Montalcino en Toscane, a racheté le domaine.

Un disque violacé se dessine sur le bord de la robe sombre de ce 2016 qui livre sans ambages ses arômes de griotte et de mûre épicées. Souple et suave en attaque, le vin se développe avec ampleur et harmonie jusqu'à une longue finale fruitée. Les tanins concentrés, mais au grain fin, lui offrent la structure attendue pour affronter le temps. ⧗ 2021-2026

SAS CH. DE PARENCHÈRE, Ch. de Parenchère, BP_57, 33220 Ligueux, tél. 05 57 46 04 17, info@parenchere.com V *t.l.j. sf sam. dim. 9h-12h 14h-17h30*

CH. PENIN Les Cailloux 2016 ★

■ | 20000 | | 11 à 15 €

L'une des valeurs sûres des appellations régionales, avec plusieurs coups de cœur à son actif. Un cru de 45 ha établi sur un terroir de graves, sur la rive gauche de la Dordogne, face à Saint-Émilion. Fondé par la famille Carteyron en 1854, il est dirigé depuis 1982 par Patrick, œnologue.

Des arômes de fruits noirs apparaissent comme une évidence dans ce vin aux reflets carmins. La maturité du raisin se révèle ainsi. Du gras et des tanins ronds à souhaits caressent le palais. La qualité de l'élevage sous bois, douze mois durant, se distingue. En somme, c'est à livre ouvert que se lit ce bordeaux supérieur. ⧗ 2021-2025 ■ **Grande Sélection 2016 ★ (8 à 11 €; 75000 b.)** : un nez élégant de vanille et de fruits invite à découvrir le palais plein de tendresse par sa rondeur comme par ses arômes persistants de framboise et de fraise. ⧗ 2020-2024

SCEA P. CARTEYRON, 39, imp. Couponne, 33420 Génissac, tél. 05 57 24 46 98, vignoblescarteyron@orange.fr V

CH. LA PEYRE
Cuvée Burdigala Élevé en amphore 2017 ★

■ | 1700 | 11 à 15 €

Une propriété existant depuis 1879, dont les 45 ha de vignes sont conduits depuis 1989 par Francis Lapeyre, dans un esprit proche du bio.

«Un vin pas ordinaire», note un dégustateur à l'aveugle. Raison lui est donnée quand on découvre que ce bordeaux supérieur a été élevé pendant dix mois en amphore. Habillé de grenat, il choisit le fruit pour leitmotiv. La qualité des tanins et de la matière permet cette pleine expression. ⧗ 2021-2024

SCEA LAPEYRE ET FILS, Loyasson Nord, 33540 Saint-Hilaire-du-Bois, tél. 06 59 86 94 36, fabienlapeyre@yahoo.fr V *t.l.j. sf dim. 10h-12h 14h-17h*

CH. LA PEYRÈRE DU TERTRE
Cuvée Jean Catherine Lucas 2016

■ | 4000 | | 8 à 11 €

En 1752, Raymond de Lassus, négociant, armateur et trésorier du roi à Bordeaux, fait bâtir une chartreuse sur cette propriété, où ses ancêtres exploitaient un vignoble depuis le XVIᵉs. La Peyrère est également le nom d'un des bateaux affrétés à l'époque pour le transport des vins du domaine à travers le monde. Un nom qui signifie «petite pierre» en occitan : le cru de près de 11 ha est planté sur des graves. Il est la propriété de Catherine Lucas depuis 2003.

Un vin qui a du potentiel, mais qui semble bien jeune encore. Le boisé vanillé hérité de dix-huit mois d'élevage en fût prend le pas sur le fruité tant au nez qu'au palais. La matière est bien présente cependant, apte à intégrer cette empreinte à la faveur de la garde. ⧗ 2021-2024

SCEA LA PEYRÈRE-LUCAS, lieu-dit Ch. la Peyrère, 33124 Savignac, tél. 05 56 65 41 86, lapeyreredutertre@wanadoo.fr

Ⓑ CH. PICARON 2017 ★

■ | 2700 | | 8 à 11 €

Sébastien Verouil s'est installé en 2017 sur une exploitation de 16 ha qu'il a choisi de cultiver en bio. Il produit du crémant-de-bordeaux, du bordeaux rosé et du bordeaux supérieur.

Un 2017 concentré et joliment fruité, qui laisse une impression aussi fraîche que gourmande. Souple et rond en milieu de bouche, il se prolonge agréablement. ⧗ 2019-2024

EARL SCVE CH. PICARON, 1, lieu-dit Les Faures, 33420 Moulon, tél. 06 12 23 44 33, chateaupicaron@orange.fr V *r.-v.*

LE PIN BEAUSOLEIL 2016 ★★

■ | 10000 | | 15 à 20 €

Un manoir du XVᵉs. et un vignoble situé sur la rive gauche de la Garonne, face à Saint-Émilion. Ce dernier, important avant la crise phylloxérique, ne couvre plus

que 8 ha, mais ses vins sont remarqués depuis la fin des années 1990. La qualité perdure après le rachat du cru en 2004 par un médecin allemand, Michael Hallek, qui pratique une viticulture proche du bio.

Couleur vermillon dans le verre, éclosion progressive des arômes de cerise noire vanillée : la délicatesse caractérise la présentation de ce vin. Rien ne saurait altérer cette première impression : le gras apparaît dès l'attaque, puis une matière soyeuse et chaleureuse emplit le palais, avec de subtiles flaveurs de mûre et de pruneau. L'équilibre demeure, imperturbable. ⧗ 2021-2026

■ **Petit Soleil 2016 ★ (8 à 11 €; 29 000 b.)** : framboise, fraise des bois, cassis et violette : en voilà un joli bouquet printanier. Quelques notes mentholées subtiles y ajoutent un brin de fraîcheur. Au palais, tout est soyeux et il ne reste nulle trace des tanins. C'est bien le fruit qui règne ici en Petit Roi Soleil. ⧗ 2019-2023

SCEA MIVIDA, Ch. le Pin, 1, le Pin, 33420 Saint-Vincent-de-Pertignas, tél. 06 13 14 05 62, lepin.beausoleil@wanadoo.fr V r.-v.

B CH. DE PIOTE Cuvée Prestige 2016 ★

■ | 10 000 | | 8 à 11 €

Un domaine familial repris en 1998 par Virginie Aubrion, à la tête d'un vignoble de 14 ha qu'elle a rénové et agrandi et qu'elle conduit en bio et en biodynamie.

Un bel équilibre caractérise cette cuvée ouverte sur les fruits rouges bien mûrs, à peine vanillés et toastés. L'attaque est franche, le palais structuré et ample, sans excès, et la finale propose un bon retour du fruit épicé. Les tanins gagneront encore en finesse dans les douze mois à venir. ⧗ 2020-2024

VIRGINIE AUBRION, 26, rue de Piote, 33240 Aubie-Espessas, tél. 06 63 97 26 39, chateau.piote-aubrion@wanadoo.fr V r.-v.

CH. REIGNAC DE TIZAC 2017 ★

■ | 20 000 | | 5 à 8 €

Un domaine familial depuis déjà plusieurs générations, aujourd'hui dirigé par David Motut. Ce sont 80 ha en AOC bordeaux et bordeaux supérieur.

Dans le registre de la torréfaction, cacao et café sont sur la liste des arômes de ce vin. Les flaveurs de fruits bien mûrs apparaissent au palais, comme pour souligner le volume et la densité de la matière qui a complètement intégré les tanins. ⧗ 2020-2024

EARL VIGNOBLES STEPHAN MOTUT, 2, Ch. Reignac de Tizac, 33240 Saint-Gervais, tél. 06 62 95 60 80, stephan.motut@wanadoo.fr V t.l.j. 8h-12h 14h-19h 3 C

CH. LES REUILLES A.L. Héritage 2017 ★

■ | 13 000 | | 8 à 11 €

En 1992, Patrick Todesco succède à son père et à son oncle. Depuis lors, il ne cesse d'agrandir la propriété, qui est passée de 20 à 60 ha. Le siège de l'exploitation est dans le Lot-et-Garonne, mais le vignoble est implanté dans la toute proche Gironde, sur plusieurs communes.

Habillé d'une robe sombre et profonde, ce 2017 empreint d'arômes de fruits noirs légèrement toastés témoigne d'une belle concentration du raisin. Il a de la mâche et de la structure. Les tanins se laissent envelopper par cette matière fruitée persistante qui a tiré le meilleur parti de l'élevage sous bois. Seule la petite amertume finale invite à la garde. ⧗ 2021-2026

EARL PATRICK TODESCO, 904, rte de Piteau, 47120 Savignac-de-Duras, tél. 06 82 93 34 10, lesreuilles.chateau@gmail.com V r.-v. E

CH. DE REYNAUD 2017 ★

■ | 14 300 | | 5 à 8 €

Après avoir exercé le métier de journalistes en région parisienne, Sandrine et Bernard Capdevielle se sont établis en 1999 à Bourg, non loin de la rivière, sur une surface à taille humaine (5,5 ha) afin de tout maîtriser, élaboration et commercialisation. La reconversion est réussie.

Une partie du vignoble de cette propriété a souffert du gel en 2017, mais le vin de ce millésime répond à tous les espoirs. En témoignent les reflets rubis sur fond noir, ainsi que les arômes fins de fruits rouges et noirs qui se prolongent durablement au palais. La matière allie rondeur et fraîcheur, tout en bénéficiant du soutien de tanins serrés. Un boisé harmonieux souligne l'ensemble. Un bordeaux supérieur élégant. ⧗ 2021-2025

BERNARD CAPDEVIELLE, Ch. de Reynaud, 1, lieu-dit Reynaud, 33710 Bourg-sur-Gironde, tél. 05 57 68 44 13, chateau.reynaud@wanadoo.fr V r.-v.

B CH. LA ROBERTERIE 2016

■ | 26 000 | - de 5 €

En 1902, le Corrézien Antoine Moueix, amoureux des vins de Saint-Émilion et de Pomerol, fonde sa maison de négoce en 1902. Outre ses propriétés (Grand Renom, Capet Guillier), l'affaire propose côté négoce une large gamme de vins de la rive droite (Libournais, AOC régionales). Dans le giron du groupe Advini depuis 2006.

Rubis, encore subtil dans ses évocations de fruits rouges vanillés, ce vin présente une bonne structure et suffisamment de matière pour poursuivre son évolution dans le temps. ⧗ 2021-2025

SAS ANTOINE MOUEIX, 18, Mède, rte du Milieu, 33330 Saint-Émilion, tél. 05 57 55 58 00, contact@juleslebegue.com

CH. ROUSSET-CAILLAU 2017 ★

■ | 35 000 | | 5 à 8 €

Depuis 1929, quatre générations se succèdent à la tête du vignoble familial : 60 ha dans l'Entre-deux-Mers aujourd'hui, répartis entre le domaine historique, le Ch. Rousset-Caillau, et le Ch. Terre Blanque, acquis en 2010. L'ensemble est conduit depuis 2008 par Catherine Falgueyret et son mari Sébastien Léglise.

« Noir, c'est noir... », note spontanément un dégustateur auquel vient ce petit air en tête. Un liseré rouge en souligne la profondeur. Le bouquet aussi se dessine en noir, la couleur des petits fruits mûrs discrètement nuancés d'épices. Il se prolonge au palais avec des accents plus compotés, valorisant ainsi la rondeur de la chair avant que ne se manifestent quelques tanins en finale. ⧗ 2021-2024

⊶ EARL FALGUEYRET-LÉGLISE, 1, Rousset, 33540 Saint-Sulpice-de-Pommiers, tél. 05 56 71 60 69, sebastienleglise@gmail.com V r.-v.

CH. SAINTE-BARBE 2016 ★

■ | 49000 | | 8 à 11 €

Située à la pointe de l'Entre-deux-Mers, cette belle chartreuse construite au XVIIIes. par Jean-Baptiste Lynch (maire de Bordeaux de 1809 à 1815) commande un vignoble de 30 ha. Acheté par les Touton en 2000, le cru a été acquis en 2013 par la famille de Gaye, également à la tête du Ch. Grand Corbin Manuel (saint-émilion grand cru) et du Ch. la Création (pomerol).

Un nez de fruits mûrs et d'épices de bonne fraîcheur caractérise ce 2016. D'attaque souple, il bénéficie de tanins fermes, mais de bonne facture, et d'une matière bien concentrée. L'ensemble persiste agréablement. ⧗ 2020-2024

⊶ SCEA CH. SAINTE-BARBE, rte du Burck, 33810 Ambès, tél. 05 56 77 49 57, commercial@chateausaintebarbe.fr V r.-v.

CH. SARAIL LA GUILLAUMIÈRE 2016 ★

■ | 15000 | | 5 à 8 €

Domaine de 18 ha créé en 1906 au nord-est de Bordeaux, dans l'Entre-deux-Mers, sur la ligne de partage des eaux entre Dordogne et Garonne; géré depuis 2000 par Jean-Yves Faucheux.

Rubis profond, riche d'arômes de fruits rouges, voici un vin souple et gras à souhait, de bonne longueur qui plus est. Les tanins soyeux autorisent une dégustation immédiate comme une garde. Un beau standard de l'appellation. ⧗ 2020-2024

⊶ SCE MICHEL DEGUILLAUME ET SES ENFANTS, 1, pl. de Sarail, 33450 Saint-Loubès, tél. 05 56 20 40 14, faucheuxjyves@free.fr V r.-v.

CH. LA SAUVEGARDE
Champs de Beneyteau 2017 ★

■ | 10000 | | 5 à 8 €

Chasse, cèpes et vignes composent l'environnement de ce domaine de 30 ha isolé au milieu des bois et commandé par une bastide du XVIIIes. À sa tête depuis 1999, Sébastien Petit, souvent en vue pour ses vins d'appellations régionales.

Sous une robe profonde apparaît un bouquet de fruits rouges mûrs, puis une belle matière soutenue par de solides tanins. Ce vin est bien jeune encore, corpulent et fougueux. Il faudra lui laisser le temps de s'assagir. ⧗ 2021-2026

⊶ SCF DU CH. LA SAUVEGARDE, Ch. la Sauvegarde, 33790 Soussac, tél. 05 56 61 33 78, haut-rieuflaget@wanadoo.fr V r.-v.

CH. DE SAYE 2016 ★★

■ | 3000 | | 11 à 15 €

En 2017, Isabelle Dumas a racheté cette petite propriété de quelque 3 ha, dont les vignes sont âgées de trente-cinq à plus de cent ans.

Une belle matière aux tanins affirmés, mais sans agressivité, définissent ce 2016 apte à la garde. Les arômes fruités d'un merlot très mûr sont bien perceptibles, tandis que l'empreinte d'un élevage de vingt-trois mois sous bois semble parfaitement fondue. ⧗ 2021-2026 ■ **Ch. Larroque-Versaines 2016 ★ (8 à 11 €; 7000 b.)** : un vin qui joue la carte de la finesse et de la maturité dans ses accents de fruits rouges et noirs bien mûrs qui ponctuent toute la dégustation. Il déploie une agréable matière persistante au palais. ⧗ 2020-2022

⊶ ISABELLE DUMAS, 163, rue Larroque, 33910 Saint-Ciers-d'Abzac, tél. 06 61 75 95 39, isabelle-dumas@orange.fr V r.-v.

CH. TAUSSIN 2017 ★

■ | 50000 | | 5 à 8 €

Dans la même famille depuis 1865, ce cru est conduit depuis 1997 par Fabienne, Daniel et Martine Rochet. Établi sur la rive droite de la Garonne, à l'extrémité sud-est du vignoble girondin, il s'étend aujourd'hui sur 100 ha.

Les arômes de fruits frais se libèrent avec discrétion de ce vin souple, ample et rond. Non dénué d'élégance, il est déjà prêt à passer à table. ⧗ 2019-2022

⊶ EARL ROCHET, 5, Malbat, 33190 La Réole, tél. 05 56 61 02 42, chateaumalbat@gmail.com V *t.l.j. sf sam. dim. 9h-12h 13h-17h*

CH. DE TERREFORT-QUANCARD 2017

■ | 115049 | | 5 à 8 €

Le nom de ce cru ancien réunit celui de son propriétaire du XVIIIes., un seigneur de Terrefort, et le patronyme de ses actuels détenteurs. Dominant la vallée de la Dordogne, il est entré dans la famille en 1891, peu de temps après la construction par Gustave Eiffel du célèbre pont sur la Dordogne, à Cubzac. Le vignoble couvre 67 ha.

Fruité à souhait, frais et gourmand, voici un 2017 qui trouvera sa place aux côtés d'une viande rouge ou d'un fromage sans tarder. ⧗ 2019-2022

⊶ SCA DU CH. DE TERREFORT-QUANCARD, 2, av. de Paris, 33240 Cubzac-les-Ponts, tél. 05 57 43 00 53, terrefort.quancard@wanadoo.fr V r.-v.

♥ CH. THIEULEY 2017 ★★

■ | 24000 | | 5 à 8 €

L'histoire viticole des Courselle débute en 1949 avec l'achat du Ch. Thieuley, non loin de la Sauve-Majeure, par André Courselle. Sous l'impulsion de Francis et, depuis 2004, de ses filles Sylvie et Marie, le vignoble s'étend aujourd'hui sur 80 ha et trois crus : Thieuley, une référence en bordeaux, Ch. Saint-Genès, destiné à l'export, et Clos Sainte-Anne, 5 ha de graves à Capian.

Les petits fruits rouges et noirs se bousculent dans ce beau 2017 pleinement aromatique. Le fruit et le bois s'accordent parfaitement pour souligner une matière ample et dense, aux tanins bien enrobés. Le servir ou le garder est une question de choix personnel. ⧗ 2020-2025

SCEA VIGNOBLES COURSELLE, 560, rte de Grimard, 33670 La Sauve, tél. 05 56 23 00 01, contact@thieuley.com V t.l.j. sf dim. 8h30-12h 13h30-17h30; sam. ; sur r.-v.

CH. TIMBERLAY 2016 ★

■	45 000		5 à 8 €

Héritier d'une longue lignée vigneronne, Robert Giraud a créé son négoce en 1975 et possède plusieurs crus en AOC régionales et en saint-émilion : un ensemble de 150 ha, dont près de 115 pour le Ch. Timberlay, berceau de la famille situé sur le sommet du coteau de Montalon, à Saint-André-de-Cubzac. Philippe Giraud et sa sœur Florence conduisent la maison depuis 1995.

Un nez chaleureux de fruits mûrs et d'épices douces, puis une bouche souple, ample et largement structurée, qui laisse persister les arômes : bel équilibre en somme pour un vin bâti pour la garde. ⧗ 2021-2026

SAS ROBERT GIRAUD, Dom. de L'Oiseau, 33240 Saint-André-de-Cubzac, tél. 05 57 43 01 44, france@robertgiraud.com V r.-v.

CH. TROCARD Monrepos 2016 ★

■	20 000		8 à 11 €

Les Trocard sont établis dans le Libournais depuis 1628. Leurs domaines ont connu un formidable essor au lendemain de la Seconde Guerre mondiale. Aux commandes depuis 1976, Jean-Louis Trocard, épaulé par ses enfants Benoît et Marie, a porté le vignoble à près de 100 ha répartis dans plusieurs crus et appellations.

D'une bonne intensité aromatique, ce vin allie les notes de fruits rouges mûrs à celles d'un boisé vanillé fin. Ample et plein en bouche, il bénéficie de tanins bien enrobés et d'une bonne finale. Un style efficace. ⧗ 2020-2024

SCEA DES VIGNOBLES JEAN-LOUIS TROCARD, 1175, rue Jean-Trocard, 33570 Les Artigues-de-Lussac, tél. 05 57 55 57 90, bt@trocard.com V t.l.j. sf sam. dim. 9h-12h 14h-17h

♥ CH. TURCAUD Cuvée Majeure 2017 ★★

■	14 000		8 à 11 €

Un cru de 50 ha fondé en 1973 par Simone et Maurice Robert, conduit avec le même talent depuis 2009 par leur fille Isabelle et son époux Stéphane Le May. Abandon progressif du désherbage chimique, rendements limités, approche parcellaire pour chaque cuvée, certification Terra Vitis : un travail de précision au service des AOC régionales et des entre-deux-mers.

D'un rouge si sombre qu'il en paraît noir, ce vin s'exprime volontiers en notes fruitées (cerise, cassis) et épicées. Il ne manque pas de dynamisme, tant par la fraîcheur de l'attaque que par les tanins denses, mais soyeux, bien enveloppés par la matière. La finale laisse un long souvenir. Le temps satisfera les ambitions de cette bouteille. ⧗ 2021-2026

EARL VIGNOBLES ROBERT, Ch. Turcaud, 1033, rte de Bonneau, 33670 La Sauve, tél. 05 56 23 04 41, chateau-turcaud@wanadoo.fr V t.l.j. sf dim. 8h30-12h30 14h30-18h

CH. VERMONT Prestige 2017 ★

■	50 000		5 à 8 €

Commandée par un ravissant château du XIXe s. entouré de 40 ha de vignes, cette propriété de l'Entre-deux-Mers appartient à la même famille depuis les années 1880. La quatrième génération – Élisabeth et son mari David Labat – est aujourd'hui aux commandes.

Les épices et les herbes aromatiques comme le thym apportent une pointe d'originalité à ce bordeaux supérieur. Les arômes de fruits rouges (cerise) se manifestent au palais, en accompagnement d'une matière bien concentrée et de bonne allonge. ⧗ 2020-2024

SCEA CH. VERMONT, Ch. Vermont, 33760 Targon, tél. 05 56 23 90 16, chateauvermont@chateau-vermont.fr V t.l.j. 9h-12h 14h-18h; sam. dim. sur r.-v.

CH. AU VIGNOBLE 2016 ★★

■	53 334		5 à 8 €

La maison de négoce Yvon Mau s'est associée à Hubert de Boüard, co-propriétaire du Ch. Angélus, 1er grand cru classé A de saint-émilion, et œnologue-conseil de renommée internationale, pour signer des cuvées de terroir, au style fruité et accessible.

Un remarquable classique que ce 2016 vêtu d'une robe intense à reflets violacés. Le bouquet affiche d'emblée sa puissance dans des arômes de fruits mûrs épicés. On a envie d'en savoir plus, écrit un dégustateur. Raison lui est donnée lors de la mise en bouche : tout y est chaleureux, séveux, concentré. Les tanins de qualité structurent l'ensemble pour la garde. ⧗ 2021-2026

SA YVON MAU, rue Sainte-Petronille, 33190 Gironde-sur-Dropt, tél. 05 56 61 54 54, web@yvonmau.fr

CH. VRAI CAILLOU 2017 ★

■	150 000	5 à 8 €

Une propriété située au cœur de l'Entre-deux-Mers, sur le plus haut plateau entre la Dordogne et la Garonne. Un cru dans la famille de Philippe de Meillac depuis 1863, ce dernier étant aux commandes depuis 2012.

Un vin charnu et chaleureux qui peut compter sur des tanins de bonne densité pour affronter le temps. Encore discret sur le plan aromatique, il laisse cependant deviner la qualité de la vendange par des arômes fruités en arrière-plan. ⧗ 2020-2022

SARL VRAI CAILLOU, Ch. Vrai Caillou, 33790 Soussac, tél. 05 56 61 31 56, vraicaillou@orange.fr V t.l.j. sf sam. dim. 9h-12h 14h-17h

CRÉMANT-DE-BORDEAUX

Production : 19 560 hl (85 % blanc)

AOC depuis 1990, le crémant-de-bordeaux est élaboré selon les règles très strictes de la méthode traditionnelle - communes à toutes les appellations de crémant - à partir de cépages classiques du Bordelais, blancs comme noirs. Les crémants sont généralement blancs mais ils peuvent aussi être rosés.

Ⓑ CELENE Gaia ★

● | 30000 | 🍾 | | 11 à 15 €

Spécialisée depuis sa création en 1947 dans les effervescents, la société Ballarin, sise dans l'Entre-deux-Mers, a été rachetée en 2015 par les vignobles Lannoye (propriétaires de plusieurs domaines dans le Libournais) et rebaptisée Celene.

Pâle dans le verre, ce crémant laisse se former une couronne persistante tandis que les fines perles de bulles continuent de s'élever. Fruits jaunes, vanille et autres épices légères flattent les sens, puis la fraîcheur s'installe au palais. ⧗ 2019-2020

SAS CELENE, lieu-dit la Clotte, 33550 Haux, tél. 05 56 67 11 30, contact@celene-bordeaux.com V r.-v.

CHAPPUT ★★

● | 14000 | 🍾 | | 8 à 11 €

Famille au service du vin depuis un siècle. En 1964, Jean et Yvette Queyrens acquièrent leur première vigne au lieu-dit Pilet, puis reprennent les domaines de leurs parents (Ch. du Pin-Franc et Ch. des Graves du Tich) et débutent la vente en bouteilles. Aujourd'hui, leurs fils Patrick et Christophe, avec à leurs côtés Jean-Yves, le petit-fils, exploitent un vignoble de 70 ha dans l'Entre-deux-Mers.

Le sémillon règne en maître absolu dans ce vin ô combien harmonieux. Qu'aurait-il à attendre d'autres cépages finalement? À lui seul, il offre des arômes d'agrumes et des notes minérales de grande finesse, sous une mousse généreuse. Le palais lui doit cette rondeur bienveillante, en parfait équilibre avec la fraîcheur attendue d'un crémant-de-bordeaux. ⧗ 2019-2020

SC VIGNOBLES JEAN QUEYRENS ET FILS, 3, Grand-Village-Sud, 33410 Donzac, tél. 05 56 62 97 42, scvjqueyrens@orange.fr V r.-v.

LATEYRON ★

● | 30000 | 🍾 | | 8 à 11 €

Une vieille famille du Saint-Émilionnais. Établie au nord de Montagne sur le site des célèbres moulins de Calon, la maison s'est spécialisée, dès sa fondation en 1897 par l'avant-gardiste Jean-Abel, dans la prise de mousse, sans négliger ses rouges tranquilles. Depuis 2009, elle est conduite par Corinne Lateyron et son frère Lionel.

Jaune-vert, laissant poindre de discrètes bulles, ce crémant s'inscrit dans la délicatesse. Il en est ainsi des arômes de fruits blancs et de brioche qui persistent tout au long de la dégustation. Ainsi également de la bouche fraîche qui reste toujours dans la mesure. ⧗ 2019-2020

SARL JEAN ET PAUL LATEYRON, Ch. Tour-Calon, 18, rte de Bertin, 33570 Montagne-Saint-Émilion, tél. 05 57 74 62 05, lateyron@orange.fr V r.-v.

BULLES DE LISENNES ★★

● | 200000 | 🍾 | | 8 à 11 €

Dans la famille Soubie depuis 1938 et quatre générations, ce domaine tirerait son nom du mot « lise » - terme de l'ancien français devenu « glaise », que l'on retrouve dans le verbe « enliser ». Une allusion à la nature argilo-calcaire du terroir. Le vignoble, couvrant 53 ha d'un seul tenant, entoure une chartreuse du XVIIIe s. À sa tête, Jean-Luc Soubie. Depuis 2010, 7 ha de merlot sont cultivés en agriculture biologique.

Jovial par ses reflets verts sur fond jaune pâle, régulier par son fin cordon de bulles, printanier dans ses évocations de fleurs blanches, de fruits frais nuancés de brioche... un crémant distingué et aromatique, qui laisse le souvenir durable d'une fraîcheur parfaitement maîtrisée. ⧗ 2019-2020 ● ★ **(8 à 11 €; 10000 b.)** : rose orangé, parsemé de belles bulles prêtes à former une mousse crémeuse, ce crémant livre sans ambages d'agréables senteurs de petits fruits rouges mûrs (gelée de groseille). D'un bon volume, il persiste durablement au palais et laisse une impression d'équilibre. ⧗ 2019-2020

SARL LES VINS DE LISENNES, chem. de Petrus, 33370 Tresses, tél. 05 57 34 13 03, contact@lisennes.fr V *t.l.j. sf sam. dim. 9h-12h 13h30-17h30*

CH. LYON-MEYRAUD Cuvée d'Elys 2016 ★

● | 3330 | 🍾 | | 5 à 8 €

Un domaine familial de 35 ha créé en 1976 mais qui vinifie ses propres cuvées seulement depuis 2005. Aux commandes : Laurent Duval, depuis 2010.

Un fin cordon se dessine dans la robe jaune-vert. Arômes de mangue et d'ananas mûr reviennent en leitmotiv, faisant régner l'exotisme et contribuant à la belle présence du vin. ⧗ 2019-2020

EARL CH. MEYRAUD, 1, lieu-dit Meyraud, 33540 Sauveterre-de-Guyenne, tél. 06 12 49 99 75, laurent.duval04@orange.fr V r.-v.

♥ LOUIS VALLON ★★★

● | 1144900 | 🍾 | | 5 à 8 €

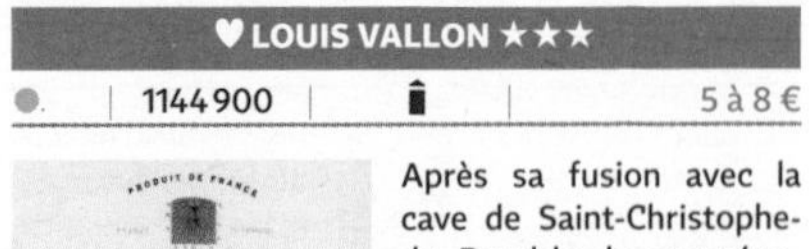

Après sa fusion avec la cave de Saint-Christophe-de-Double, la coopérative de Saint-Pey-Génissac (première productrice de crémant-de-bordeaux avec plus d'un million de cols par an) change de nom en 2018 pour prendre celui de sa marque de crémant, Louis Vallon. Sous ce nouveau nom sont groupés 120 adhérents pour un vignoble de 1 200 ha.

Il brille de toutes ses nuances de rose et d'orangé, animé de belles bulles persistantes. Puis il cède tout aux arômes de fruits blancs comme la poire et la pêche de vigne. Il n'en faut pas davantage pour charmer les dégustateurs et les inviter à découvrir son élégante fraîcheur qui persiste longtemps au palais. ⧗ 2019-2020

SCA CAVE LOUIS VALLON, 36, av. de la Mairie, 33350 Saint-Pey-de-Castets, tél. 05 57 40 52 07, p.mondin@ugbordeaux.fr *t.l.j. sf dim. 8h30-12h 14h-17h30*

YVON MAU Premius ★★

● | 70000 | | 5 à 8 €

Yvon Mau est l'une des plus importantes maisons de négoce de la place de Bordeaux, fondée en 1897 et propriété depuis 2001 du géant catalan de la bulle, Freixenet. Elle propose des vins de marque et diffuse également des vins de crus bordelais mais aussi bourguignons.

Des reflets orangés animent la robe rose pâle, empreinte d'un fin cordon de bulles, messagères d'arômes de petits fruits rouges bien mûrs. Du volume et de la persistance grâce à une belle fraîcheur : tout est réuni dans ce crémant d'une indéniable séduction.

SA YVON MAU, rue Sainte-Pétronille, 33190 Gironde-sur-Dropt, tél. 05 56 61 54 54, contact@yvonmau.fr

LE BLAYAIS ET LE BOURGEAIS

Blayais et Bourgeais, deux pays (plus de 9 000 ha) aux confins charentais de la Gironde que l'on découvre toujours avec plaisir. Peut-être en raison de leurs sites historiques, de la grotte de Pair-Non-Pair (avec ses fresques préhistoriques, presque dignes de celles de Lascaux), de la citadelle de Blaye (inscrite, avec d'autres fortifications, au patrimoine mondial par l'Unesco en 2008) ou de celle de Bourg, ou des châteaux et autres anciens pavillons de chasse. Mais plus encore parce que de cette région très vallonnée se dégage une atmosphère intimiste apportée par de nombreuses vallées, qui contraste avec l'horizon presque marin des bords de l'estuaire. Pays de l'esturgeon et du caviar, c'est aussi celui d'un vignoble qui, depuis les temps gallo-romains, contribue à son charme particulier. Pendant longtemps, la production de vins blancs a été importante; jusqu'au début du XXe s., ils étaient utilisés pour la distillation du cognac. Mais aujourd'hui, ils sont réservés à une production d'AOC bordelaises.

On distingue deux grands groupes : celui de Blaye, aux sols assez diversifiés (calcaires, sables, argilo-calcaires), et celui de Bourg, géologiquement plus homogène (argilo-calcaires et graves).

BLAYE

Superficie : 49 ha / Production : 2 100 hl

L'appellation, qui tire son nom de la fière citadelle construite par Vauban et qui s'étend dans trois cantons autour de la cité, connaît un regain d'intérêt depuis qu'en 2000 une nouvelle charte qualitative encourage la production de vins rouges charpentés et de garde, élevés dix-huit mois minimum.

CH. DUBRAUD Grand Vin 2016 ★★

■ | n.c. | | 20 à 30 €

Les Vidal – Alain le Provençal et Céline la Vendéenne – tombent sous le charme de ce domaine qui « vivotait » et qu'ils achètent en 1998 à des Britanniques. Leur vignoble couvre aujourd'hui 27 ha.

Quatorze mois d'élevage en fût confèrent à cette cuvée un beau nez ouvert sur les arômes de fruits noirs (mûre, cassis) et d'épices douces. Après une attaque ample et charnue, la bouche très aromatique trouve une bonne structure dans des tanins certes encore un peu jeunes, mais qui promettent de se fondre. ⧗ 2021-2025 ■ **Blaye-côtes-de-bordeaux Trousse 2016 ★ (8 à 11 €; 50000 b.)** : après quatre mois d'élevage en cuve et huit mois en fût, cet assemblage de merlot, cabernet-sauvignon et cabernet franc révèle un nez concentré de fruits rouges mûrs vanillés. L'attaque se fait en souplesse, puis la bouche ronde et ample s'appuie sur une belle trame tannique et un juste boisé. Une pointe d'austérité finale signale que la garde sera bénéfique. ⧗ 2021-2025

SAS DUBRAUD, 17, lieu-dit Dubraud, 33920 Saint-Christoly-de-Blaye, tél. 05 57 42 45 30, celine@chateaudubraud.com *r.-v.*

Ⓑ CH. MONDÉSIR-GAZIN 2016 ★

■ | 12000 | | 11 à 15 €

En 1990, Marc Pasquet, ancien photographe, et son épouse Laurence ont acquis des vignes à Plassac, dans le Blayais, ainsi qu'en côtes-de-bourg et en saint-émilion grand cru. Leur propriété totalise 14 ha. Deux étiquettes : Haut Mondésir (côtes-de-bourg) et Mondésir-Gazin (blaye).

Merlot et malbec (35 %) s'assemblent ici pour former un beau vin de garde, ouvert sur les fruits noirs et les épices. Vingt-deux mois d'élevage en fût ont façonné sa matière dense et pourtant non dénuée de fraîcheur. Les tanins se fondront au cours du temps. ⧗ 2022-2028

EARL DOM. MONDÉSIR-GAZIN, 77, rte de l'Estuaire, 33390 Plassac, tél. 05 57 42 29 80, mondesirgazin@gmail.com *r.-v.*

CH. DES TOURTES L'Attribut des Tourtes 2016 ★

■ | 12000 | | 11 à 15 €

Lise et Philippe Raguenot ont créé le Ch. des Tourtes en 1967, un cru régulier en qualité qui couvre 72 ha de vignes, auxquels s'ajoutent depuis 1998 les 26 ha du Ch. Haut Beyzac (haut-médoc). Aux commandes depuis 1997 : les filles des fondateurs, Emmanuelle et Marie-Pierre, accompagnées par Éric Lallez. À noter aussi la production de crémant.

De la profondeur dans le rouge de la robe. De l'harmonie dans l'alliance des fruits noirs aux touches de moka et de réglisse. Un joli volume au palais et de la persistance. Tout est dit. ⧗ 2022-2028

SARL VIGNOBLES RAGUENOT (CH. DES TOURTES), 65, rue Léonce-Planteur, 33820 Saint-Caprais-de-Blaye, tél. 05 57 32 65 15, contact@vignoblesraguenot.fr *t.l.j. sf dim. 9h-12h 14h-18h*

LE BORDELAIS

BLAYE-CÔTES-DE-BORDEAUX

Superficie : 6 490 ha
Production : 335 000 hl (95 % rouge)

L'appellation produit des vins rouges assemblant merlot, cabernet-sauvignon, cabernet franc et malbec ainsi que quelques blancs, qui associent sauvignon, sémillon et muscadelle. Les seconds sont en général secs, et on les sert en début de repas, alors que les rouges, puissants et fruités, de moyenne garde, accompagnent les viandes et les fromages.

CH. L'ABBAYE Opus de l'Abbaye 2016 ★

■ | 2000 | | 11 à 15 €

Ce vignoble de 21,5 ha entoure les vestiges d'une abbaye du XIIe s., qui abritait l'ordre des Prémontrés et servait de relais sur la route de Saint-Jacques-de-Compostelle. Dans la même famille depuis 1936, il est aujourd'hui exploité par Stéphane et Myriam Rossignol.

Issue du seul cépage merlot, cette cuvée dévoile un nez intense et complexe, centré sur les fruits rouges et noirs frais (fraise, myrtille). Dix-huit mois d'élevage en fût lui ont apporté des tanins nobles, qui portent une belle matière jusque dans une finale teintée d'une pointe de moka. ⧗ 2020-2024 ■ **2018 ★ (5 à 8 € ; 7200 b.)** : un sauvignon minéral, floral et fruité, dans lequel la poire et la pêche épousent le pamplemousse et les notes citronnées, avec pour témoins le buis et le genêt. L'attaque est franche, la bouche dotée d'une belle vivacité, la finale longue et aromatique. ⧗ 2020-2022

SCEA VIGNOBLES ROSSIGNOL-BOINARD, 2, L'Abbaye, 33820 Pleine-Selve, tél. 05 57 32 64 63, s.boinard.abbaye@orange.fr V r.-v.

Le Blayais et le Bourgeais

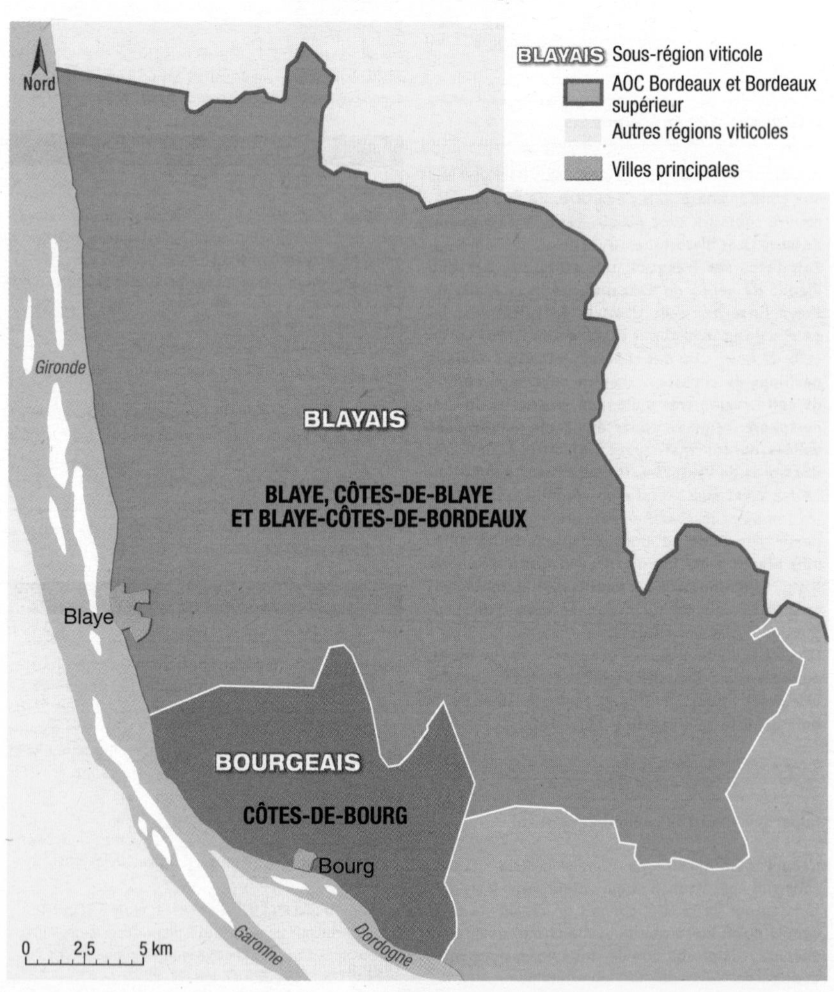

Ⓑ CH. AUBIERS 2017 ★

■ | 61466 | | 5 à 8 €

Jean-François Réaud a repris en 1983 le vignoble du grand-père, créé en 1904 sous le nom de Dom. du Grand Moulin; il l'a largement restructuré et modernisé, et lui a donné le nom plus flatteur de «château». Le vignoble couvre aujourd'hui 40 ha.

Bel exemple de concentration des arômes pour cette cuvée entièrement vouée aux fruits des bois. Après une attaque en rondeur, la bouche croquante et fraîche se développe sur une structure tannique affirmée, laissant une petite pointe d'amertume en finale. ⧗ 2020-2024

SCEA DU GRAND MOULIN, 1289, av. de la Liberté, 33820 Saint-Aubin-de-Blaye, tél. 05 57 58 70 37, contact@vignoblesgabriel.com

CH. BARBÉ 2017 ★★

■ | 110000 | | 5 à 8 €

La famille Bayle-Carreau exploite la vigne depuis la fin du XIXᵉs. et cinq générations. Elle dispose de cinq propriétés dans le Blayais (Pardaillan, Carelle, Barbé) et le Bourgeais (Carpena, Eyquem, Landreau), conduites aujourd'hui par Xavier Carreau, son beau-frère Alain Jourdan et Cyril, le fils de ce dernier.

Un assemblage de merlot, de cabernet-sauvignon (15 %) et de malbec (10 %), élevé six mois en cuve, puis le double en fût. Le nez explosif offre une belle expression du fruit : la mûre se mêle à la cerise noire, aux notes de sous-bois et à la noisette grillée. La matière dense, réglissée et étayée par des tanins bien fondus enveloppe le palais jusque dans une longue finale. ⧗ 2020-2024

SAS VIGNOBLES BAYLE-CARREAU, rte de l'Estuaire, 33710 Bayon-sur-Gironde, tél. 05 57 64 32 43, contact@bayle-carreau.com V t.l.j. sf dim. 9h-13h 14h-19h

CH. BEL AIR
Cuvée Prestige 2016

■ | 6800 | | 8 à 11 €

Dans la famille Mourlot depuis quatre générations, le domaine couvre une superficie de 11 ha. Exclusivement consacré aux rouges, l'encépagement d'une trentaine d'années en moyenne se partage entre le merlot, le malbec (5 %) et le cabernet franc (10 %).

Un merlot charpenté, tourné vers les arômes de fruits noirs. La souplesse perceptible à l'attaque annonce une bouche ronde, malgré la présence des tanins en finale. ⧗ 2020-2024

EARL JÉRÔME MOURLOT, 10, Les Davids, 33390 Saint-Paul-de-Blaye, tél. 06 67 64 02 71, j_mourlot@yahoo.fr V *r.-v.*

CÉDRIC BERGERON
Ode à l'Amóni 2017 ★★

■ | 300 | | 11 à 15 €

Fils de Jean-Michel Bergeron (Ch. Haut la Valette), Cédric a acquis en 2015 deux petits lopins de terre de 1,10 ha sur Cars.

Mention spéciale pour cette cuvée issue du seul merlot, élevée quatorze mois en fût. La voici drapée dans une robe presque noire qui dévoile un nez animal et boisé, avant de s'ouvrir sur la mûre et le cassis. Après une attaque franche, la bouche offre rondeur et volume, laissant les flaveurs de fruits noirs jusqu'à une finale longue et fraîche. ⧗ 2020-2025

CÉDRIC BERGERON, 3, Les Martins, 33390 Cars, tél. 06 21 83 05 90, cedricbergeron.vigneron@gmail.com V *r.-v.*

CH. DES BERTRANDS Nectar des Bertrands 2017 ★

■ | 50000 | | 15 à 20 €

À l'époque où Vauban faisait construire la citadelle de Blaye, un Dubois plantait ses premières vignes à Reignac. Aujourd'hui, trois générations œuvrent de concert sur une belle unité de 102 ha, valeur sûre du Blayais : Jean-Pierre et Nicole, leur fille Sophie, leur fils Laurent et leur belle-fille Isabelle, rejoints par les enfants de ces derniers, Margaux et Amaury.

Ce vin né du merlot, complété par 5 % de cabernet-sauvignon, a bénéficié de dix-sept mois d'élevage. Le boisé est déjà bien intégré dans la palette de fruits rouges et noirs confiturés. À l'attaque fraîche succède une bouche ronde et pleine de finesse, bien structurée et de bonne longueur. ⧗ 2020-2024

EARL VIGNOBLES DUBOIS ET FILS, 7, Les Bertrands, 33860 Reignac, tél. 05 57 32 40 27, chateau.ls.bertrands@wanadoo.fr V *t.l.j. sf sam. dim. 9h-12h30 14h-18h*

CH. BOIS-VERT
La Confidence de Bois-Vert 2016 ★★

■ | 3000 | | 15 à 20 €

L'une des belles références du Blayais. Un domaine de 28 ha dont les premières vignes furent plantées en 1956, conduit depuis quatre générations par la famille Penaud. Arrivé sur l'exploitation en 1978, Patrick Penaud était aux commandes depuis 1986. Aujourd'hui à la retraite, c'est son épouse Marie-Claude qui a repris le domaine.

Une cuvée confidentielle, assemblage classique de merlot, de cabernet-sauvignon (25 %) et de malbec (5 %). Le nez complexe monte en puissance à l'aération, dévoilant des arômes de fruits des bois et une large palette d'épices. Après une attaque suave, la bouche ronde offre un boisé finement intégré et des tanins bien fondus. Jolie finale soyeuse. ⧗ 2020-2025

MARIE-CLAUDE PENAUD, 647, rue Bois-Vert, 33820 Val-de-Livenne, tél. 05 57 32 98 10, p.penaud.boisvert@gmail.com V *r.-v.*

CH. LA BOTTE 2018

□ | 8000 | | 5 à 8 €

Franck Blanchard, après douze ans d'ingénierie dans l'aéronautique et le spatial, a pris en 1998 la direction de cette propriété familiale transmise de père en fils depuis la Révolution française, dont les vignes s'étendent sur 18 ha.

La palette décline des notes d'agrumes et de fleurs d'oranger, en plus d'une touche muscatée et de quelques épices. D'attaque acidulée, la bouche très fraîche et légère trouve dans une finale florale une note d'agrumes et de bourgeon de cassis. ⧗ 2020-2022

⊶ *SCEA VIGNOBLES BLANCHARD, 21, La Botte, 33390 Campugnan, tél. 05 57 64 71 45, blanchard@chateau-labotte.com* V *t.l.j. sf sam. dim. 9h-12h 14h-18h*

CH. BOURDIEU 2017 ★

■	250000		8 à 11 €

Les Schweitzer (Luc depuis 1994) cultivent la vigne depuis cinq générations au Ch. Bourdieu, l'un des plus anciens domaines du Blayais (1464), qui doit son nom aux « bourdieux », exploitations viticoles qui se développèrent après la guerre de Cent Ans.

Sous une teinte sombre apparaît un nez intense de fruits noirs mûrs et d'épices. Après une attaque charnue, c'est une matière ronde qui se développe, bien soutenue par une structure de qualité qui témoigne d'un bon travail d'extraction. La finale dévoile ce qu'il faut de fraîcheur. ⧗ 2020-2025

⊶ *SCEA VIGNOBLES LUC SCHWEITZER, Ch. Bourdieu, 33390 Berson, tél. 05 57 42 68 71, contact@chateau-bourdieu.com* V *t.l.j. sf sam. dim. 8h-12h 14h-17h*

♥ B CH. LA BRAULTERIE DE PEYRAUD Cuvée Prestige 2017 ★★

■	14400		8 à 11 €

Un domaine blayais de 38 ha converti au bio, conduit en famille par Marie-Hélène Lapouméroulie au chai et son frère Olivier David à la vigne.

Merlot, malbec (20 %) et cabernet-sauvignon (5 %) façonnent cette cuvée qui allie puissance et finesse, après douze mois d'élevage en fût. Les arômes de framboise, de cassis et de myrtille s'entremêlent avec des notes florales, agrémentées de touches vanillées et toastées. L'attaque est franche, la bouche soyeuse et bien construite, dotée d'un juste boisé et de tanins fondus. Puis la finale fruitée laisse une impression de fraîcheur. ⧗ 2022-2028

⊶ *SARL LA BRAULTERIE MORISSET, 1, Les Graves, 33390 Berson, tél. 05 57 64 39 51, braulterie@wanadoo.fr* V *t.l.j. sf sam. dim. 9h-12h 14h-18h30; sam. dim. sur r.-v.*

CH. CAILLETEAU BERGERON Tradition 2018

■	32000		- de 5 €

Marie-Pierre Dartier et son frère Pierre-Charles se sont installés en 1992 sur le domaine familial de Cailleteau Bergeron, créé par leurs grands-parents en 1933. Un vignoble qu'ils ont étendu à plus de 45 ha, comprenant deux autres crus : Ch. Clos Mansio et Ch. Perrin.

Une cuvée très typée, assemblage d'un tiers de sauvignon gris avec deux tiers de sauvignon blanc. Les agrumes dominent un nez intense, dans lequel s'invitent aussi des arômes de tilleul et de buis. L'attaque est souple, la bouche à la fois ronde et fraîche, délicatement épicée en finale. ⧗ 2020-2022

⊶ *EARL DARTIER, 24, Bergeron, 33390 Mazion, tél. 05 57 42 11 10, info@cailleteau-bergeron.com* V *t.l.j. 9h-12h 14h-18h; sam. dim. sur r.-v.*

CH. LE CAMPLAT 2016 ★

■	6000		8 à 11 €

Une propriété créée en 1979 par Jean-Louis Reculet, qui étend aujourd'hui son vignoble sur 17 ha. En 2008, Marion a rejoint son père au domaine et pris la relève en 2014, avec pour objectif de développer l'œnotourisme.

Merlot et cabernet franc (20 %) dessinent cette cuvée qui affiche une belle puissance, sans manquer pour autant de finesse. Le nez d'abord discret laisse échapper des arômes de griotte confiturée, rehaussés de nuances épicées et d'une touche vanillée. De la légèreté en attaque, puis une matière aux tanins soyeux et au boisé contenu. La finale distille de légères notes grillées. ⧗ 2020-2024

⊶ *VIGNOBLES RECULET, 2, Le Camplat, 33620 Saint-Mariens, tél. 06 23 40 36 96, marion.reculet@orange.fr* V *r.-v.*

CH. LES CHAUMES Vieilles Vignes 2016 ★

■	3000		8 à 11 €

Cette ancienne propriété est entrée dans la famille Parmentier en 1965. En 2014, après de nombreuses expériences en Californie, Australie, Bourgogne, Provence ou encore dans la vallée du Rhône, Anne Parmentier, œnologue, a repris le flambeau et dirige aujourd'hui d'un vignoble de plus de 22 ha.

Belle expression du fruit pour cet assemblage de merlot et de malbec (30 %), car le boisé hérité de vingt mois d'élevage en fût de chêne est bien fondu (nuances fumées et fine touche de moka). La bouche légère et gourmande bénéficie de la fraîcheur de notes mentholées et d'une pointe de clou de girofle, avant de revenir en finale sur le fruit. Une petite austérité dans les tanins? C'est normal : le vin demande à vieillir un tout petit peu. ⧗ 2020-2025 ■ **Malbec 2016 ★ (11 à 15 €; 2500 b.)** : une cuvée de malbec, complété par une micro-touche de merlot (1 %), élevée vingt mois en fût. Elle s'ouvre sur les arômes de fruits rouges mûrs, d'épices et de menthol. Ronde, légère, elle présente au palais un boisé appuyé, mais sans excès. Néanmoins, les tanins qui se manifestent en finale appellent la garde. ⧗ 2022-2025

⊶ *SCEA LES CHAUMES, 1, lieu-dit Les Chaumes, 33390 Fours, tél. 06 27 84 18 06, anne@chateauleschaumes.com* V *t.l.j. 10h-12h 14h-19h*

CH. LE CHAY Élevé en fût de chêne 2017 ★★

■	14000		5 à 8 €

Les Raboutet cultivent la vigne à Berson depuis cinq générations. Didier et Sylvie, installés en 1983, ont donné le relais à leur fille Aurélie en 2018, aujourd'hui à la tête d'un vignoble de 38 ha répartis entre les 20 ha argilo-calcaires du Ch. le Chay (Blayais) et les 18 ha argilo-graveleux du Ch. Groleau (Bourgeais).

Le cépage malbec joue ici la *guest star* aux côtés du merlot (85 %) pour mettre à l'affiche cette cuvée qui fleure bon les fruits noirs mûrs et les notes grillées. D'attaque franche, celle-ci emplit le palais de sa matière ample, aux accents boisés, et bien étayée par les tanins. Le retour fruité est un signe favorable, mais il faudra attendre que le tout se fonde bien. ⧗ 2022-2028

EARL VIGNOBLES RABOUTET, 1, Le Chay, 33390 Berson, tél. 05 57 64 39 50, lechay@wanadoo.fr
V t.l.j. sf dim. 9h-12h 14h-18h

CH. LE CHÊNE DE MARGOT 2017 ★

■ | 100000 | | 5 à 8 €

Dans la famille Dubois, Laurent exploite le Ch. le Chêne de Margot, un vignoble de 27 ha, tout en contribuant également au développement du domaine familial, le Ch. des Bertrands.

Une cuvée qui mise sur l'élégance discrète des arômes de cassis, de mûre et de myrtille jusqu'en finale. Ample et gourmande, elle peut compter sur des tanins de qualité pour bien évoluer dans le temps. ⧗ 2021-2025

LAURENT DUBOIS, Ch. les Bertrands Nord, 33860 Reignac, tél. 06 81 08 66 26, laurent@vignobles-dubois.com
V t.l.j. sf sam. dim. 9h-12h30 14h-18h

CH. LA CROIX SAINT-PIERRE 2017 ★

■ | n.c. | | 5 à 8 €

Les Carreau conduisent la vigne à Cars depuis 1832 et sept générations. Le vignoble s'étend sur 82 ha et plusieurs domaines – L'Escadre, Les Petits Arnauds, Croix Saint-Pierre et Clairac –, conduits aujourd'hui par les cousins Sébastien et Nicolas, qui se sont formés à l'étranger aux techniques modernes de vinification.

Belle concentration aromatique pour cette cuvée ouverte sur les fruits noirs confiturés et la réglisse, nuancés de notes toastées et vanillées. De la concentration également au palais, ample dès l'attaque. Le boisé s'impose d'abord, mais laisse bientôt place au fruit, puis les tanins se manifestent comme une promesse d'avenir. ⧗ 2021-2025

SARL VIGNOBLES CARREAU SÉLECTION, Ch. les Petits Arnauds, 33390 Cars, tél. 05 57 42 36 57, info@vignobles-carreau.com V r.-v.

CH. LES DONATS 2017 ★

■ | 12000 | | 5 à 8 €

Deux anciens cadres parisiens devenus vignerons en 1994 dans le Bourgeais et le Blayais. Stéphane Donze et Lucie Marsaux-Donze ont fait du Ch. Martinat (11 ha sur petites graves et argiles à Lansac) une référence des côtes-de-bourg. Autre étiquette dans la même appellation : le Ch. Bel Air l'Escudier (12 ha). Ils exploitent aussi 3,6 ha de vignes du côté du Blayais voisin, à Teuillac, avec le Ch. les Donats.

Issue du seul cépage merlot, cette cuvée se place sous le signe de la gourmandise. Elle libère un nez franc de fruits des bois et d'épices. En bouche, le boisé sonne juste. Des tanins tendres accompagnent le développement de la chair bien fruitée jusque dans une longue finale. ⧗ 2021-2025

SCEV MARSAUX-DONZE, Ch. Martinat, 33710 Lansac, tél. 06 11 17 08 28, s.donze@chateau-martinat.com V t.l.j. 8h-12h 14h- 19h

CH. FONTARABIE 2017 ★

■ | 50000 | | 5 à 8 €

Plaisance, Belair Courbet, Fontarabie, La Bardonne, Bois de Tau, Jansenant : Alain Faure s'est installé en 1977 à la tête des vignes familiales, étendues alors sur 17 ha. Sa fille Delphine en a pris la tête aujourd'hui et exploite un vaste vignoble d'une centaine d'hectares répartis sur plusieurs châteaux du Blayais et du Bourgeais.

Le nez libère des arômes de fruits noirs, agrémentés de notes toastées et d'une pointe mentholée conférant au vin une belle fraîcheur. D'attaque souple, la bouche apparaît riche et charnue. Le boisé est en passe de se fondre, de même que les tanins. ⧗ 2020-2024

VIGNOBLES ET FAURE, 2_bis, Bois de Tau, 33710 Saint-Ciers-de-Canesse, tél. 05 57 42 68 80, belair.coubet@wanadoo.fr
V t.l.j. sf sam. dim. 8h-12h 14h-18h

CH. GIGAULT Cuvée Viva 2016

■ | 63674 | | 11 à 15 €

Ancien négociant devenu vigneron, Christophe Reboul Salze a acquis les châteaux Les Grands Maréchaux en 1997 et Gigault en 1998, complétés en 2011 par le Ch. Belle Colline : trois domaines qui vendaient leurs vins en vrac, au négoce, et tous situés dans le Blayais.

Après aération, le nez s'ouvre sur les fruits rouges et noirs confiturés, soulignés par des notes de vanille et de cacao consécutives à douze mois d'élevage en fût. Une belle corpulence se distingue au palais, mais les tanins ont de l'élégance et la finale revient bien sur les fruits noirs cacaotés. ⧗ 2021-2025

SCEA CH. GIGAULT, 1, Gigault, 33390 Mazion, tél. 05 57 32 62 59, chateau.gigault@gmail.com V r.-v.

CH. LES GORCES 2017 ★

■ | 3248 | | 5 à 8 €

Depuis quatre générations, ce domaine de 31 ha domine la Gironde, face à Saint-Julien et Pauillac, à environ à 5 km de Blaye.

Couleur grenat, ce 2017 s'invitera volontiers à table dans quelques mois seulement, pour offrir ses arômes de fruits mûrs, à peine boisés, ainsi que sa matière légère et toute ronde, de bonne persistance. ⧗ 2020-2022

EARL CH. LES GORCES, 31, chem. des Senteurs, 33390 Fours, tél. 06 85 16 78 17, didiersicaud@orange.fr
V r.-v.

CH. LE GRAND MOULIN 2017 ★

■ | 478266 | | 5 à 8 €

Jean-François Réaud dirige depuis 1983 le Ch. le Grand Moulin, créé en 1904 par son grand-père et dont les 40 ha de vignes s'étendent au cœur de l'appellation blaye-côtes-de-bordeaux, complétés par une activité de négoce.

Sous une teinte rubis, les arômes de fruits noirs donnent le ton. C'est un 2017 séduisant qui s'annonce ainsi. L'attaque est souple, la bouche ample et charnue, et la finale laisse le souvenir du fruit. Des tanins, on sent un peu la présence bien sûr, mais il est encore jeune ce vin et il faut savoir attendre un peu. ⧗ 2021-2025

SCEA RÉAUD ET FILLES, 1289, av. de la Liberté, 33820 Saint-Aubin-de-Blaye, tél. 05 57 58 70 37, ludivine@vignoblesgabriel.com

CH. LA GRANGE D'ORLÉAN 2017 ★

■ | 79750 | | 5 à 8 €

Native de Blaye, Anne Venancy travaille un vignoble réparti entre Eyrans et Saint-Androny avec son mari Christian.

Un vin très représentatif de l'appellation, dont le nez expressif s'ouvre sur les fruits des bois confiturés. La complexité est aussi au rendez-vous, avec quelques notes d'épices et des nuances fumées. La bouche souple et croquante évolue sur des tanins soyeux, renforçant l'impression de rondeur ressentie dès l'attaque. ⧗ 2020-2024

SAS ROBIN, 1289, av. de la Liberté, 33820 Saint-Aubin-de-Blaye, tél. 05 57 58 70 37, ludivine@vignoblesgabriel.com

CH. LES GRAVES Élevé en fût de chêne 2017 ★

■ | 12000 | | 5 à 8 €

Un domaine de 18 ha planté sur des coteaux majoritairement argilo-graveleux, au sud du Blayais, exploité par quatre générations de Pauvif depuis 1930. Régulier en qualité, en rouge comme en blanc.

Un 2017 intense, ouvert sur le cassis, la mûre et les épices au premier nez. Nul doute, c'est un boisé élégant aux accents de réglisse qui apparaît à l'aération. Après une attaque pleine de fraîcheur, la bouche affiche sa puissance et sa structure : les tanins issus d'un élevage de douze mois se manifestent et font encore concurrence au fruité en finale. ⧗ 2022-2028

SCEA PAUVIF (CH. LES GRAVES), 15, lieu-dit Favereau, 33920 Saint-Vivien-de-Blaye, tél. 05 57 42 47 37, info@cht-les-graves.com V r.-v.

DOM. DES GRAVES D'ARDONNEAU Cuvée Prestige 2018 ★

■ | 13500 | | 5 à 8 €

Un domaine incontournable du Blayais, en rouge comme en blanc. La famille Rey écrit son histoire viticole depuis 1763 sur les terres du hameau d'Ardonneau. Installé en 1981 à la tête de 60 ha, Christian Rey a été rejoint en 2005 par son fils Laurent et par sa fille Fanny en 2008. De nouveaux chais sont sortis de terre en 2017.

Le sauvignon blanc s'associe au colombard (10 %) dans cette cuvée très marquée par le bois et d'intenses notes fumées, avant l'apparition d'arômes de buis et d'agrumes à l'aération. D'attaque fraîche, la bouche gagne ensuite en souplesse, puis la finale fait cohabiter les fruits exotiques et le boisé. ⧗ 2020-2024

EARL SIMON REY ET FILS, Ardonneau, 33620 Saint-Mariens, tél. 05 57 68 66 98, gravesdardonneau@wanadoo.fr V t.l.j. sf dim. 8h30-12h30 14h30-19h

CH. HAUT BOURCIER 2016 ★★

■ | 70000 | | 5 à 8 €

Un vignoble 100 % familial : Philippe Bourcier, le père, est aux commandes des vinifications, Anne-Marie, la mère, à la comptabilité, les fils Laurent et Thomas à la vigne, Caroline la fille à la communication et au commercial, et Yannick, la belle-fille, à la facturation. Ensemble, ils ont agrandi le domaine (38 ha aujourd'hui), créé leur chai en 1999 et quitté la coopérative la même année.

Un assemblage élégant et complexe, élaboré sur une base de merlot (80 %), rejoint par le cabernet-sauvignon (10 %), le malbec et le petit verdot en proportions égales. Le vin libère volontiers des arômes de cassis et de mûre, agrémentés d'intenses notes fumées et boisées. Après une attaque souple, c'est sa belle matière, aux tanins veloutés qui emplit le palais durablement. ⧗ 2020-2024

SCEA DES VIGNOBLES BOURCIER, 12, La Riade, 33390 Saint-Androny, tél. 05 57 64 43 74, sarl.bourcier@wanadoo.fr V t.l.j. sf sam. dim. 8h-12h 14h-17h30 ⑤

CH. HAUT CABUT 2017 ★

■ | 52000 | | 5 à 8 €

Le Ch. Haut Cabut est un domaine familial de 14 ha, propriété de la famille d'Alain Dop depuis un siècle et demi. Il fait partie de la coopérative de Cars (1937), rebaptisée en 2011 « Châteaux solidaires », qui vinifie séparément les vendanges d'une dizaine de châteaux adhérents, sélectionnés très rigoureusement.

Un vin bien équilibré, élevé douze mois en fût, dont le nez s'ouvre sur les fruits noirs, les notes toastées et fumées, avant l'apparition d'une touche de moka à l'aération. Suit une bouche gourmande, souple et charnue, conclue par une finale chaleureuse. ⧗ 2020-2024

ALAIN DOPP (CH. HAUT CABUT), 9, Le Piquet, 33390 Cars, tél. 05 57 42 13 15, d.raimond@chateaux-solidaires.com V t.l.j. sf sam. dim. 9h-12h 14h-18h Ⓔ

CH. HAUT-GRELOT Côteaux de Méthez 2017 ★

■ | 40000 | | 8 à 11 €

Un cru situé au nord du Blayais, aux confins de la Charente-Maritime. Aux origines (1920), une petite exploitation de 6 ha dédiée à la vigne et à l'élevage, spécialisée et agrandie (72 ha aujourd'hui) à partir de 1975 par Joël Bonneau, relayé par ses enfants Julien et Céline en 2011.

Après un élevage de douze mois en fût, ce merlot s'adresse aux amateurs de vins boisés : notes grillées et torréfiées se manifestent sans ambages, mêlées à des arômes de fruits noirs. Une attaque ample et charnue annonce la puissance d'un milieu de bouche bien étayé par des tanins de qualité, puis une longue finale vanillée signe la dégustation. ⧗ 2020-2024 ■ **La Belle de Blaye 2017 (8 à 11 €; 3000 b.)** : vin cité.

EARL JOËL BONNEAU, 28, Les Grelauds, 33820 Saint-Ciers-sur-Gironde, tél. 05 57 32 65 98, jbonneau@wanadoo.fr V r.-v. Ⓐ

CH. DU HAUT GUERIN 2017 ★

■ | 50078 | 8 à 11 €

Un domaine ancien, fondé en 1871, propriété de Jérôme et Stéphane Coureau, par ailleurs négociants sur la place de Bordeaux. Le vignoble couvre plus de 30 ha.

Quelques évocations fruitées, puis de la souplesse et du charnu. Ne vous fiez pas à la première approche, car ce vin se révèle ensuite de beau volume et chaleureux. C'est rond, c'est soyeux, mais il y a de la réserve en tanins et il faudra attendre un peu avant d'emporter cette bouteille pour un déjeuner entre amis. ⧗ 2021-2025

SARL CH. DU HAUT GUERIN, Ch. du Haut Guerin, 33920 Saint-Savin, tél. 05 57 58 40 47, l.darriet@cgmvins.com

CH. HAUT LALANDE 2017 ★

■ | 340 000 | | 5 à 8 €

Le Ch. Montfollet, l'un des fers de lance du Blayais et du Bourgeais, est conduit depuis 1991 par Dominique Raimond, président de la cave, également propriétaire des châteaux Haut Lalande, Graulet (120 ha de vignes au total) et Merigot. Dominique Raimond fait partie de la coopérative de Cars (1937), rebaptisée en 2011 « Châteaux solidaires », qui vinifie séparément les vendanges d'une dizaine de châteaux adhérents, sélectionnés très rigoureusement.

Un vin pourpre qui joue l'élégance dans ses évocations de fruits noirs frais, nuancées de notes épicées. Ample et velouté, il affiche une structure bien équilibrée, faite de tanins bien présents, mais déjà fondus. ⧗ 2020-2024 ■ **Ch. Montfollet Le Valentin 2017 ★ (8 à 11 €; 100 000 b.)** : boisé très affirmé (vanille), fruits rouges et noirs, fraîcheur des notes de sous-bois... Tout cela est bien aromatique. Il en va de même au palais, au sein d'une matière ronde et dense, aux tanins fins. ⧗ 2022-2026 ■ **Ch. Montfollet Le Valentin 2018 (5 à 8 €; 63 000 b.)** : vin cité.

SCEA RAIMOND, 9, Le Piquet, 33390 Cars, tél. 05 57 42 13 15, d.raimond@chateaux-solidaires.com
V t.l.j. sf sam. dim. 9h-12h 14h-18h

CH. HAUT PRIEUR 2017

■ | 62 400 | | 5 à 8 €

Le Ch. Haut Prieur, établi sur Saint-Genès, appartient à la famille Baudin depuis trois générations. À sa disposition, un vignoble de 10 ha. Il fait partie de la coopérative de Cars (1937), rebaptisée en 2011 « Châteaux solidaires », qui vinifie séparément les vendanges d'une dizaine de châteaux adhérents, sélectionnés très rigoureusement.

Une cuvée qui fait la part belle aux fruits noirs (cassis, mûres, myrtille) et aux épices (poivre), sans oublier une pointe de réglisse. L'attaque souple introduit une bouche équilibrée, même si quelques tanins jouent les sévères en finale. ⧗ 2021-2025

MONIQUE BAUDIN (CH. HAUT PRIEUR), 9, Le Piquet, 33390 Cars, tél. 05 57 42 13 15, d.raimond@chateaux-solidaires.com
V t.l.j. sf sam. dim. 9h-12h 14h-18h

CH. HAUT SOCIONDO Cuvée Prélude 2016

■ | 105 866 | | 11 à 15 €

Créée en 1950, cette petite exploitation familiale couvre aujourd'hui près de 16 ha. Dirigée par Jean-François Renaud, elle est située à Saint-Aubin de Blaye.

Avec discrétion, les arômes de cassis et de myrtille s'élèvent du verre, accompagnés de notes de café torréfié issues d'un boisé prononcé. Frais en attaque, le vin emplit bien le palais de sa matière, mais les tanins méritent de se fondre davantage. ⧗ 2021-2024

SCEA HAUT SOCIONDO, 1289, av. de la Liberté, 33820 Saint-Aubin-de-Blaye, tél. 05 57 58 70 37, ludivine@vignoblesgabriel.com

CH. LE JONCIEUX 2017 ★★

■ | 19 066 | | 5 à 8 €

Si le nom du domaine remonte au mariage, en 1929, des grands-parents de l'actuel propriétaire, les Jullion sont présents à Berson depuis au moins le XVIIe s. ; Franck Jullion, installé en 1991, conduit aujourd'hui une trentaine d'hectares répartis sur deux étiquettes : Grillet-Beauséjour et Le Joncieux.

Un séduisant merlot, complété par 20 % de cabernet-sauvignon. De la complexité, il en possède dans ses arômes de fruits rouges et noirs (fraise, cerise, myrtille, mûre), soulignés d'intenses notes épicées. Sa matière souple et ronde laisse le souvenir de tanins fondus à souhait et d'une ligne aromatique qui se prolonge durablement. ⧗ 2021-2026

EARL JULLION, Beauséjour, 33390 Berson, tél. 06 86 98 14 23, franck.jullion@wanadoo.fr
V t.l.j. sf sam. dim. 9h-12h 14h-19h

♥ CH. LACAUSSADE SAINT-MARTIN Trois Moulins 2017 ★★

■ | 77 000 | | 8 à 11 €

Œnologue diplômé de l'université de Bordeaux, Jacques Chardat a racheté en 1991 l'une des plus anciennes propriétés du Blayais (XIXe s.), autrefois dédiée à la vigne et à la culture céréalière (d'où la présence de moulins) : un domaine de 60 ha (dont 55 ha en rouge) adossé aux premiers coteaux ensoleillés bordant l'estuaire de la Gironde, face aux vignobles de Saint-Julien.

Un vin élevé neuf mois en fût, classique dans son assemblage de merlot, complétée de cabernet-sauvignon (10 %) et de malbec (5 %). D'une belle élégance, il libère des arômes de fruits rouges, avec une touche florale. Après une attaque sur le fruit, la bouche offre un parfait équilibre entre gras, volume et fraîcheur. Le boisé est contenu et les tanins tendent à se fondre en finale. ⧗ 2021-2028

SCEA CH. LABROUSSE, 8, rte de Labrousse, 33390 Saint-Martin-Lacaussade, tél. 05 57 32 51 61, j.chardat@corlianges.com
V t.l.j. sf sam. dim. 9h-12h 14h-17h

CH. LARRAT Cuvée Prestige 2016 ★

■ | 3 460 | | 5 à 8 €

Dans la famille Larrat depuis 1972, ce cru (autrefois nommé Dom. de Grillet) s'étend sur environ 16 ha dans le Bourgeais, non loin de l'église romane de Lafosse et du moulin de Lansac, et possède aussi des parcelles dans le Blayais.

Les dix-huit mois d'élevage en fût n'ont pas marqué à outrance le bouquet de ce vin, dont on apprécie les arômes de cassis tout juste cueilli et de petits fruits rouges acidulés. La bouche, à l'unisson, se distingue par ses tanins fondus et sa longue finale. ⧗ 2021-2026

EARL DU DOM. DE GRILLET, 205, rte de Lansac, 33710 Pugnac, tél. 06 16 60 91 17, info@domainedegrillet.fr V r.-v.

JEAN LISSAGUE Petit Secret 2018 ★

	6000		5 à 8 €

Après avoir œuvré dans le négoce bordelais puis défendu les intérêts des vins du Blayais, l'ancien directeur du syndicat viticole, Jean Lissague, est passé de «l'autre côté de la barrière» en 2012 pour signer ses propres cuvées, issues de 2 ha et vinifiées par les Châteaux solidaires. Autre casquette de cet homme dynamique : celle de restaurateur à Saint-André-de-Cubzac, avec son *Café de la Gare 1900* à l'esprit bistrotier.

Pur sauvignon, cette cuvée intègre 10 % de muscadelle. Dans le verre, le pamplemousse prend la tête du cortège, devant le buis et le tilleul. Une belle minéralité suit le mouvement, tandis qu'une fine touche fumée ferme la marche. La bouche s'annonce vive dès l'attaque, avec une forte persistance aromatique et une amertume bien dosée qui porte loin la finale. ⧗ 2020-2022

SARL JEAN LISSAGUE, BP_83, 33240 Saint-André-de-Cubzac, tél. 06 63 01 50 44, jean@lissague.fr V t.l.j. 10h-16h 18h-20h

CH. MAISON NEUVE 2016 ★

■	100000		5 à 8 €

Cette propriété, transmise de mère en fille depuis quatre générations, est conduite depuis 2006 par Alexia Eymas, à la tête aujourd'hui d'un vignoble de 42 ha sur lequel elle produit du blaye-côtes-de-bordeaux et du clairet.

Arômes de cassis et de mûre, relevés de poivre blanc, de menthol et de notes toastées. Fraîcheur et tanins souples au palais, fruité qui résiste au boisé. C'est bien fait, assurément. ⧗ 2020-2024

SCEA CH. MAISON NEUVE, 18, La Garenne, 33820 Saint-Palais, tél. 05 57 32 96 15, chateaumaisonneuve@hotmail.com V t.l.j. sf sam. dim. 8h30-12h30 13h30-18h

CH. MAYNE MAZEROLLES 2017 ★★

■	25000		8 à 11 €

En 1995, un trio de passionnés a repris les 30 ha sur argilo-calcaires du Ch. Mayne-Guyon, complété par le petit cru Mayne-Mazerolles. Depuis 2002, les clés du chai ont été confiées à Xavier Stoll.

Un vin grenat profond, nuancé de rubis, qui évoque les fruits rouges et noirs mûrs, agrémenté de notes épicées. L'attaque est fraîche, puis la bouche ample et concentrée s'appuie sur des tanins assez présents, certes, mais qui respectent bien le retour des flaveurs de cassis et de mûres en finale. ⧗ 2022-2028 ■ **2016 ★★ (8 à 11 €; 25000 b.)** : une cuvée séduisante dans sa robe sombre. Arômes de cassis, de mûre et de myrtille en compagnie de notes grillées, s'expriment volontiers. Puis c'est une matière riche et puissante qui se révèle, avec en finale un bon duo des flaveurs de fruits et de boisé. ⧗ 2022-2028 ■ **Ch. Mayne Guyon 2017 ★ (8 à 11 €; 197466 b.)** : presque noir, ce vin est ouvert sur le cassis et la mûre fraîche. Indéniablement rond, charnu, persistant, il a son charme, c'est certain. ⧗ 2020-2024

SARL DES VIGNOBLES DU CH. MAYNE-GUYON, 1, Maine-Guyon, 33390 Cars, tél. 05 57 42 09 59, mayne-guyon@wanadoo.fr V t.l.j. sf sam. dim. 8h-12h 14h-17h

Ⓑ CH. LA MÉTAIRIE DE MONCONSEIL Le Bateau ivre 2017 ★

■	4400		8 à 11 €

Un petit domaine de 3,5 ha cultivés en bio, repris en 2015 par Christian Gourgourio qui commence par faire vinifier ses raisins en coopérative, avant de se lancer en cave particulière l'année d'après.

Un pur merlot, complexe et très fruité. D'intenses arômes de mûre et de cassis côtoient ceux d'épices et de réglisse. La bouche tout aussi aromatique joue la carte de la souplesse et de la fraîcheur. ⧗ 2020-2024

CHRISTIAN GOURGOURIO, 10, rte de Compostelle, 33390 Plassac, tél. 06 03 67 23 35, contact@gourgourio.fr V r.-v.

CH. MONSEIGNEUR 2017

■	33700		5 à 8 €

Du château Laroche, château fort de la guerre de Cent Ans puis maison noble, rasé et reconstruit plusieurs fois, Roland de Onffroy, Varois d'origine, ingénieur agronome formé à Angers, conduit depuis 1994 un vignoble de 34 ha répartis entre le Bourgeais et le Blayais. Plusieurs étiquettes ici : Laroche et Bourg des Eyquems dans la commune de Tauriac, Monseigneur à Pugnac et Clos Bertin à Cézac.

Le boisé contenu et discrètement vanillé respecte les arômes fruités (mûre) de ce vin plaisant. Une attaque fraîche et souple, de la souplesse, un volume maîtrisé et une certaine longueur. En une paire d'années, les tanins se seront fondus. ⧗ 2021-2024

BARON ROLAND DE ONFFROY, 2, chem. des Augers, 33710 Tauriac, tél. 05 57 68 20 72, rolanddeonffroy@wanadoo.fr V r.-v.

Ⓑ CH. MORILLON 2017 ★

■	n.c.		8 à 11 €

Établi dans le Blayais, le Ch. Morillon, belle chartreuse du XVIII[e]s., a été construit sur les ruines d'un château féodal du XIII[e]s., dans lequel séjourna Saint Louis en 1242. Installés en 2004, Jean-Marie et Chantal Mado y conduisent, en bio certifié depuis 2007, un vignoble de 20 ha.

Une cuvée rouge vif qui s'épanouit en arômes de cassis, de myrtille et d'épices douces. L'attaque est ample, le milieu de bouche puissant et dense. Des tanins fermes et une longue finale corsée ajoutent encore au caractère de ce vin. ⧗ 2022-2027

SCEA CHANTAL ET JEAN-MARIE MADO, 1, Morillon, 33390 Campugnan, tél. 06 76 41 14 18, jmm@chateau-morillon.com V r.-v.

CH. PETIT BOYER Vieilles Vignes 2017 ★

■	160000		11 à 15 €

Des premières vinifications à Saint-Émilion et dans le Val de Loire, puis la reprise du domaine familial en 1997 :

Jean-Vincent Bideau (troisième génération) conduit aujourd'hui un coquet vignoble de 55 ha, implanté principalement sur Cars. Une valeur sûre du Blayais, complétée depuis 2012 par une structure de négoce.

Une cuvée tout en délicatesse, qui gagne en expression à l'aération. Les arômes de fruits noirs se mêlent alors aux notes de café torréfié. La bouche d'un beau volume laisse s'épanouir les flaveurs jusqu'en finale. Seuls les tanins encore marqués invitent à la patience. ⏳ 2021-2025

EARL DES VIGNOBLES BIDEAU PÈRE ET FILS, lieu-dit La Pistolette, 33390 Cars, tél. 05 57 42 19 40, bideau.jv@petit-boyer.com V t.l.j. sf dim. 8h30-12h 14h-17h30

CH. PINET LA ROQUETTE Le Bouquet 2016 ★

■ | 7888 | | 8 à 11 €

Un petit domaine de 9 ha d'un seul tenant, dominé par «La Roquette», un tertre rocheux occupé dès la préhistoire. À sa tête depuis 2001, Stéphane et Valérie Nativel, couple d'ingénieurs dans l'armement convertis à la vigne.

Un assemblage issu d'une large base de merlot complétée par une touche de cabernet-sauvignon (2,5 %) et autant de cabernet franc. Au nez frais et élégant de fruits rouges mûrs répond une bouche ronde, portée par des tanins lisses. Le fruit revient gentiment en finale. ⏳ 2020-2024

EARL NATIVEL, 4, lieu-dit Pinet, 33390 Berson, tél. 05 57 42 64 05, pinelroquette@orange.fr V t.l.j. 9h-12h 13h30-18h; sam. dim. sur r.-v.

CH. PUY DE LIGNAC 2016 ★

■ | n.c. | | 15 à 20 €

Alison, Albert et Nicolas Schweitzer conduisent la destinée du Ch. de Thau et de ses vignes. Ils sont aussi négociants en AOC côtes-de-bourg et blayes-côtes-de-bordeaux et possèdent d'autres domaines comme le Ch. Puy de Lignac et le Ch. Saint-Paul en Blayais.

Des arômes de fruits rouges mûrs, relevés de touches d'épices, de moka et de nuances fumées. Les tanins de qualité soutiennent le développement d'une matière à la fois souple, ronde et fraîche. Des tanins, on ne parle pas trop, du boisé on ne perçoit que le sillage. ⏳ 2020-2024

SCEA VIGNOBLES ALBERT SCHWEITZER, Ch. de Thau, 33710 Gauriac, tél. 05 57 43 19 59, conatct@schweitzer-albert.com V t.l.j. 8h-12h 14h-17h

CH. PUYNARD 2016 ★

■ | 1200 | | 15 à 20 €

Un domaine de 17 ha (en conversion bio) établi sur les hauteurs de Berson, commandé par un château dont les fondations remontent au XIII^e^s. Ancienne propriété, entre autres, du duc de Saint-Simon, gouverneur de Blaye au XVII^e^s., elle a été reprise en 2016 par un couple d'Irlandais, Andrew Eakin et Naomi Murtagh, propriétaire d'une enseigne de caviste indépendant à Londres.

Une corbeille de fruits noirs, des notes de café torréfié et de subtiles touches toastées. Ce 2016 se glisse au palais avec souplesse, avant de révéler du gras et des tanins serrés, denses même, qui lancent en finale un appel à la garde. ⏳ 2022-2028

SCEA CH. PUYNARD, 6, av. de la Libération, 33390 Berson, tél. 05 57 64 33 21, info@chateaupuynard.com V r.-v.

CH. LA RAZ CAMAN 2016 ★

■ | 72000 | | 8 à 11 €

Une ancienne terre noble, propriété au XVII^e^s. du chevalier seigneur de la Raz Caman, entrée en 1857 dans la famille de Jean-François Pommeraud. Ce dernier, installé en 1973, a donné une nouvelle vie à ce vignoble, qui s'étend aujourd'hui sur 51 ha.

On peut être puissant et élégant. En témoigne ce vin harmonieusement ouvert sur les fruits rouges mûrs et les notes vanillées apportées par douze mois d'élevage en fût. La bouche apporte des signes en faveur de la garde : matière ronde, tanins denses, boisé bien perceptible encore. ⏳ 2022-2028

SCEV VIGNOBLES POMMERAUD, 4, Ch. la Raz Caman, 33390 Anglade, tél. 05 57 64 41 82, raphael.pommeraud@larazcaman.com V t.l.j. sf sam. dim. 9h-12h 14h-17h

CH. LES RICARDS 2017 ★

■ | 26666 | | 11 à 15 €

Corinne Chevrier-Loriaud et son mari Xavier, originaires des Charentes, ont acquis en 1992 12 ha de vignes répartis sur plusieurs parcelles du plateau argilo-calcaire de Cars et à l'origine de trois étiquettes : Les Ricards, Bel-Air la Royère et Bourjaud. Depuis que son mari s'occupe du bien public (conseiller général), Corinne Chevrier-Loriaud conduit seule le domaine, devenu l'une des belles références du Blayais. Le vignoble est en conversion biologique.

Un vin généreux, prolixe même. Nul doute, le raisin était bien mûr; en témoignent les arômes de confiture de myrtilles et de mûres alliés à la vanille et même au cacao. La matière investit le palais, allant droit au but avec des tanins bien extraits, hérités à la fois de la vendange et de l'élevage de six mois en fût. Puis les fruits de revenir conquérir la longue finale. ⏳ 2022-2029

SARL CHEVRIER-LORIAUD, 1, Les Ricards, 33390 Cars, tél. 05 57 42 91 34, chateau.belair.la.royere@wanadoo.fr V r.-v.

CH. LA ROSE BELLEVUE Grappe Diem 2016 ★★

■ | 25000 | | 8 à 11 €

Jérôme Eymas a parcouru le vaste monde viticole avant de prendre la direction de cette propriété en 2000 : stage en Australie, puis vinification en Champagne, dans la vallée du Rhône et dans le Valais, en Suisse. Il exploite aujourd'hui dans le Blayais un vignoble de 57 ha.

Grenat profond, c'est un vin concentré qui se présente dans le verre. Le nez le confirme par des arômes de mûre, de prune et de cerise noire compotées, soulignés d'une touche de vanille. L'attaque est franche et riche, la bouche ample, dense et chaleureuse, portée par des tanins fondus. La finale toastée est de belle tenue. ⏳ 2022-2028 ■ **Wine in Black 2016 ★ (8 à 11 €; 15000 b.)** : robe foncée, très foncée... C'est bien un vin *in black* qui se veut concentré. On ne s'étonnera donc pas de la nature des arômes : fruits mûrs vanillés. La densité de la matière apparaît comme une évidence également : du gras, de la structure, de la persistance. ⧗ 2022-2029

⊶ *EARL VIGNOBLES EYMAS ET FILS, 5, Les Mouriers, 33820 Saint-Palais, tél. 05 57 32 66 54, service.commercial@chateau-larosebellevue.com* V 🚶 ▪ *r.-v.*

B CH. LES TOURS DE PEYRAT
Vieilles Vignes 2017 ★

■	33500	⦀	8 à 11 €

Le Ch. les Tours de Peyrat est un cru familial de 16 ha (en bio certifié) planté sur les sols argileux-calcaires de Saint-Paul-de-Blaye, conduit depuis 2000 par Christelle Sauboua. Il fait partie de la coopérative de Cars (1937), rebaptisée en 2011 «Châteaux solidaires», qui vinifie séparément les vendanges d'une dizaine de châteaux adhérents, sélectionnés très rigoureusement.

Fruits rouges (framboise) et noirs (mûre, prune), notes fumées, vanille, réglisse et menthol : ce vin a gardé le souvenir de ses douze mois d'élevage en fût. Autres signes patents : l'attaque ronde et généreuse, les tanins enrobés, la richesse de la matière et ces accents persistants de cacao et de réglisse en finale. ⧗ 2021-2026

⊶ *CHRISTELLE SAUBOUA (CH. LES TOURS DE PEYRAT), Ch. les Tours de Peyrat, 33390 Saint-Paul, tél. 05 57 42 13 15 , d.raimond@chateaux-solidaires.com* 🏠 E

TUTIAC SÉLECTION Excellence 2017 ★

□	27460	⦀	8 à 11 €

Créée en 1974, la coopérative de Tutiac dispose des vendanges de 4 000 ha cultivés par quelque 450 viticulteurs. Un acteur important de la Haute Gironde et aussi le premier producteur de vins d'appellations en France, qui propose des vins de côtes (blaye-côtes-de-bordeaux et côtes-de-bourg) et d'appellations régionales.

Jaune à reflets verts comme il se doit, ce sauvignon mêle les arômes de pamplemousse, de pêche blanche et d'acacia avec des nuances vanillées et fumées. Il y a du peps dans l'attaque fraîche, du volume et du gras en milieu de bouche. Et le retour aromatique est fort plaisant. ⧗ 2020-2022

⊶ *SAS VIGNERONS DE TUTIAC, La Cafourche, 33860 Marcillac, tél. 05 57 32 48 33, christelle.venancy@tutiac.com* V 🚶 ▪ *t.l.j. sf dim. 9h-12h30 14h-18h30*

B CH. LES VIEUX MOULINS Les Hélices 2016 ★

■	21000	⦀	11 à 15 €

Propriété familiale depuis trois générations, le domaine exploite 20 ha de vignes, toutes plantées avec des cépages rouges, en majorité du merlot. Certifié bio depuis 2013, il privilégie des vinifications peu interventionnistes.

Seize mois d'élevage ont été présidé à la naissance de cette cuvée toute disposée à dévoiler des arômes de cassis, de mûre, d'épices, de violette et même de cuir. La bouche dense et chaleureuse s'appuie sur des tanins serrés, encore perceptibles en finale. Attendre encore pour que l'ensemble se fonde. ⧗ 2022-2028

⊶ *EARL LORTEAU, 15, Les Martinettes, 33860 Reignac, tél. 05 57 64 72 29, contact@chateaulesvieuxmoulins.com* V 🚶 ▪ *t.l.j. sf dim. 9h30-12h30 14h-18h*

♥ CH. VIEUX PLANTY 2016 ★★

■	30000	⦀	8 à 11 €

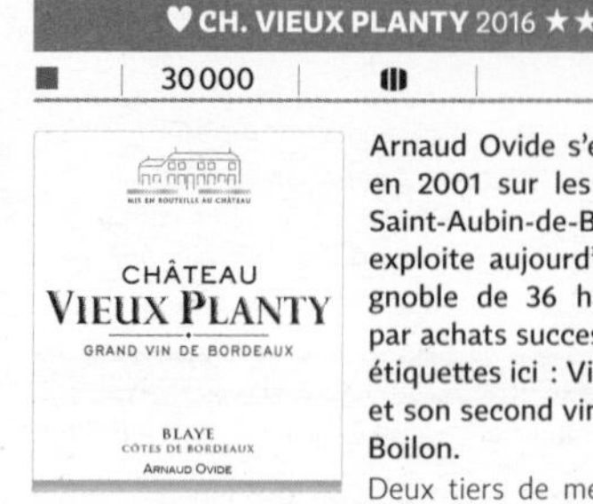

Arnaud Ovide s'est installé en 2001 sur les terres de Saint-Aubin-de-Blaye, où il exploite aujourd'hui un vignoble de 36 ha, atteints par achats successifs. Deux étiquettes ici : Vieux Planty et son second vin Tertre du Boilon.

Deux tiers de merlot et un tiers de cabernet-sauvignon élevés dix-huit mois en fût. Il en résulte un vin équilibré dans son expression aromatique : le bois est bien présent à travers les notes de grillé et de torréfaction, mais il respecte les senteurs de fruits noirs. Plein, dense et bien structuré, avec ce qu'il faut de fraîcheur pour résister au temps qui passe : un 2016 qui défend remarquablement l'appellation. ⧗ 2022-2029 ■ **Ch. Tertre du Boilon 2017 ★ (5 à 8 €; 50000 b.)** : merlot et cabernet-sauvignon (20 %) modèlent cette cuvée bien construite, élevée douze mois en fût. Au nez, le boisé (café et torréfaction, notes empyreumatiques) se fond délicatement dans les arômes de fruits noirs (cassis). Si la fraîcheur domine en attaque sous des accents mentholés, c'est une matière ronde et délicatement boisée qui prend ensuite place au palais. Le bois est ici au service du vin. ⧗ 2022-2027

⊶ *EARL DU VIEUX PLANTY, 569, rue de l'Église, 33820 Saint-Aubin-de-Blaye, tél. 05 57 64 50 88, arnaud@chateauvieuxplanty.com* V 🚶 ▪ *r.-v.*

♥ CH. LE VIROU Vieilles Vignes 2018 ★★

□	24000	⦀	5 à 8 €

Propriété de Pierre-Jean Larraqué, ce domaine entièrement clos par un mur de 4 km de long abrite une vaste surface de 98 ha, dont 74 de vignes, plantés exclusivement de merlot et des deux cabernets. Depuis 2002, David Caillaud en est le régisseur.

Une remarquable complexité émane de ce 2018 qui décline tout un univers aromatique : fruits jaunes (pêche, ananas), agrumes (pamplemousse, citron), nuances florales, notes toastées et empyreumatiques, touches minérales. À la fraîcheur de l'attaque succèdent une impression de volume et un caractère charnu très gourmand. Les flaveurs de fruits à chair jaune se prolongent, à peine nuancées d'un boisé fondu. Volupté! ⧗ 2020-2024 ■ **2017 ★ (5 à 8 €; 271000 b.)** : ce 2017 va droit au but. Bel aspect rubis brillant, arômes de fruits noirs confiturés, légèrement épicés, puissance de la matière et bon soutien tannique, fruité opulent et longue finale chocolatée. En somme, un beau vin de garde. ⌛ 2022-2028

SCEA CH. LE VIROU, 3, Le Virou, 33920 Saint-Girons-d'Aiguevives, tél. 05 57 42 44 40, simon.farraque@groupe-lvi.com V r.-v.

CÔTES-DE-BOURG

Superficie : 3 920 ha / Production : 210 600 hl

L'AOC est située au sud du Blayais, sur la rive droite de la Gironde puis de la Dordogne. Avec le merlot comme cépage dominant, les rouges se distinguent souvent par leur couleur et leurs arômes typés de fruits rouges. Plutôt tanniques mais agréables dans leur jeunesse, ils peuvent vieillir de trois à huit ans. Peu nombreux, les blancs sont en général secs.

CH. BEL AIR L'ESCUDIER 2016

■ | 40000 | | 8 à 11 €

Deux anciens cadres parisiens devenus vignerons en 1994 dans le Bourgeais et le Blayais. Stéphane Donze et Lucie Marsaux-Donze ont fait du Ch. Martinat (11 ha sur petites graves et argiles à Lansac) une référence des côtes-de-bourg. Autre étiquette dans la même appellation : le Ch. Bel Air l'Escudier (12 ha). Ils exploitent aussi 3,6 ha de vignes du côté du Blayais voisin, à Teuillac, avec le Ch. les Donats.

Sous une robe sombre se révèle un nez intense de fruits noirs mûrs nuancés de notes boisées, toastées et cacaotées. Souple en attaque, le vin montre ensuite de la mâche et des tanins présents. Cependant, un bon retour du fruit est perceptible en finale, ponctué de notes fumées. ⌛ 2022-2026

SCEV MARSAUX-DONZE, Ch. Martinat, 33710 Lansac, tél. 06 11 17 08 28, s.donze@chateau-martinat.com V *t.l.j. 8h-12h 14h- 19h*

CH. BIDOU 2017

■ | 40000 | 5 à 8 €

Agnès Faure-Havart mène une activité de négoce en plus de l'exploitation des domaines familiaux (Ch. Plaisance et Ch. le Ferreau Belair notamment).

Grenat, ce 2017 libère des arômes de fruits rouges et noirs fraîchement cueillis. Sous-bois et nuances fumées s'y ajoutent. La bouche s'inscrit dans la même ligne aromatique, mais sa structure de tanins encore très présents demande à se fondre. ⌛ 2022-2026

SARL A ET C SÉLECTION, 3, Coubet, 33710 Villeneuve, tél. 05 57 64 93 99, christophe.havart@orange.fr

CH. DE BROGLIE Figuier du Petit Puy 2017

■ | 12400 | | 5 à 8 €

Au XVIIIᵉs., un vaste domaine appartenant à de riches commerçants de Bordeaux, les Denis de Lansac. Une Lansac épouse un Piémontais du nom d'Elzéar Jean-Marie de Broglie. La propriété a été morcelée au XIXᵉs. en plusieurs exploitations. Celle-ci a de nouveaux propriétaires depuis 2009.

Des arômes de cassis rejoignent ceux de cerise. Une palette en rouge et noir qui se prolonge au palais en s'inscrivant dans une matière bien équilibrée. Les tanins signalent leur présence encore, mais l'harmonie pourra être atteinte après quelques années de garde. ⌛ 2022-2025

SCEA VIGNOBLE DU PUY, Ch. de Broglie, 1, Le Petit-Puy, 33710 Lansac, tél. 06 08 43 96 51, dominique.bonnet0578@orange.fr V r.-v.

B CH. DE LA BRUNETTE Chêne de Brunette 2016

■ | 8000 | | 11 à 15 €

Gil Lagarde a quitté l'enseignement en 1990 et repris avec Dorota l'exploitation cultivée par son père et son grand-père. La viticulture raisonnée a été pour lui une étape vers le bio (conversion en 1999). À la cave, du « vin bio » dès 2003, bien avant la publication du cahier des charges de l'UE.

Une moitié de merlot, un quart de côt et autant de cabernet-sauvignon s'unissent dans cette cuvée issue de vignes de 45 ans. Le nez intense évoque les fruits noirs (mûre, cassis), accompagnés de notes fumées et épicées. Il y a de la puissance dans les tanins, un caractère conquérant même, mais il y a aussi suffisamment de matière pour augurer favorablement de l'avenir. ⌛ 2022-2028

SCEA LAGARDE ET FILS, La Brunette, 1, chem. du Port d'Espeau, 33710 Prignac-et-Marcamps, tél. 05 57 43 58 23, chateau.de.labrunette@wanadoo.fr V *t.l.j. sf dim. 10h-12h30 14h30-18h* 2 B

CH. BUJAN 2017 ★

■ | 80000 | | 8 à 11 €

Séduit par cette propriété implantée en face de Margaux, à l'entrée de l'estuaire, déjà mentionnée en 1834, Pascal Méli, ingénieur et conseiller agricole, quitte le nord de la France et s'installe en 1987 avec sa femme Marielle, architecte, sur les coteaux de Gauriac : 17,5 ha, exposés au sud, sur des terroirs variés.

D'un rouge soutenu, ce 2017 est déjà très avenant. Sa finesse aromatique lui vient de ses arômes de fruits rouges mûrs aux accents de kirsch, que nuancent encore un boisé vanillé et épicé. Sa souplesse et sa rondeur tiennent à des tanins fins, bien fondus dans une matière plutôt légère et qui laissent le fruité s'exprimer gentiment en finale. ⌛ 2020-2024

PASCAL MÉLI (CH. BUJAN), 6, rte de la Crête, 33710 Gauriac, tél. 05 57 64 86 56, pmeli@alienor.fr V *r.-v.* E

CH. CASTEL LA ROSE Éclat 2017 ★

■ | 30000 | | 8 à 11 €

Ce domaine est une histoire de famille commencée en 1960. Gisèle et Rémy Castel décident de commercialiser leur vin en bouteilles dans les années 1970. Aujourd'hui, trois femmes perpétuent leur œuvre : leurs filles Catherine et Caroline et leur nièce Amélie. Réparti sur trois terroirs, le vignoble couvre 27 ha en côtes-de-bourg et en AOC régionales.

Pari réussi pour cette toute nouvelle cuvée imaginée par ces trois dames. Fine et assez intense, elle libère des arômes de fruits rouges et noirs, sur une trame boisée fondue. Suit une bouche de bon volume, bien soulignée par la fraîcheur jusqu'en finale. Quelques petits tanins restent à fondre malgré tout : c'est une question de temps. 2021-2024

GAEC RÉMY CASTEL ET FILS, 3, Laforêt, 33710 Villeneuve, tél. 06 81 94 54 62, contact@castel-la-rose.com t.l.j. sf sam. dim. 9h-12h 14h-17h

CH. LE CLOS DU NOTAIRE Notaris 2016 ★

	10000		11 à 15 €

Au milieu du XIXe s., un notaire charentais acheta cette ancienne propriété surplombant la confluence de la Dordogne et de la Garonne, en aval de Bourg; ses successeurs l'ont choyée et agrandie (21 ha aujourd'hui). En 1974, Roland et Sylvette Charbonnier reprennent le domaine, qu'ils vendent en 2015 à Amélie Osmond, commerçante, et Victor Mischler, charpentier, qui s'installent comme jeunes agriculteurs.

De beaux reflets violets animent la robe grenat de ce vin qui flatte aussi les sens par ses arômes de fruits noirs compotés et d'épices, sa touche vanillée et ses notes torréfiées. Souple en attaque, il poursuit son développement en s'appuyant sur des tanins serrés qui lui donnent un caractère un peu sérieux, mais le boisé harmonieux laisse le fruit s'exprimer heureusement. 2022-2026 **2016 (8 à 11 €; 60000 b.)** : vin cité.

SARL LE CLOS DU NOTAIRE, 26_bis, Camillac, 33710 Bourg-sur-Gironde, tél. 05 57 68 44 36, infos@clos-du-notaire.fr t.l.j. 9h-12h 14h-18h

CH. DE CÔTS Cuvée Tradition 2016 ★

	50000		8 à 11 €

Situé à une trentaine de kilomètres de Bordeaux, ce domaine familial exploite 20 ha de vignes en agriculture biologique. Merlot, cabernet et malbec profitent de coteaux orientés sud-ouest, sur un sol argilo-calcaire limoneux.

Après un élevage de douze mois, ce vin offre un bouquet puissant et complexe : cassis bien mûr, presque confituré, épices et réglisse. Ronde dès l'attaque, la bouche bénéficie de tanins élégants pour s'étirer agréablement sur des notes de pain grillé. Belle matière première, sans aucun doute. 2021-2026

EARL VIGNOBLES BERGON, 12, chem. de Côts, 33710 Bayon, tél. 06 83 83 86 24, info@chateau-de-cots.com t.l.j. sf sam. dim. 8h-12h 14h-18h

CH. COUBET 2016 ★

	4500		5 à 8 €

À mi-chemin entre Bourg et Blaye, sur les coteaux dominant la Gironde, un domaine de 15 ha acquis en 1937 par René Migné. Son petit-fils Michel est aux commandes depuis 1996.

Grenat soutenu, ce 2016 affiche un nez de petits fruits rouges et de violette, avec une touche kirschée. De la souplesse en attaque, puis de la rondeur grâce à des tanins qui tendent à se fondre. Des flaveurs de cassis accompagnent la finale. 2021-2024

MICHEL MIGNÉ, 1, lieu-dit Coubet, 33710 Villeneuve, tél. 05 57 64 91 04, coubet@orange.fr r.-v.

DAUVERGNE RANVIER Vin Rare 2017

	20000		8 à 11 €

Créée en 2004 par François Dauvergne et Jean-François Ranvier, professionnels du vin qui ont décidé d'élaborer leurs propres cuvées après avoir œuvré chez les autres, cette maison de négoce s'affirme d'année en année à travers des vins de qualité issus de sélections parcellaires. En 2013, les deux compères ont repris l'exploitation du Dom. des Muretins (tavel et lirac) et ont développé en 2014 une gamme de vins bordelais en collaboration avec Patrice Hateau.

N'attendez pas de ce vin une grande mâche et des tanins musclés. Son style, c'est une légèreté friande et le fruité. Sous une robe pourpre sombre se dévoilent ainsi des arômes de fruits de début d'été, comme la cerise. 2020-2023

DAUVERGNE RANVIER, Ch. Saint-Maurice, RN_580, 30290 Laudun, tél. 04 66 82 96 57, contact@dauvergne-ranvier.com

CH. EYQUEM 2017

	160000		5 à 8 €

La famille Bayle-Carreau exploite la vigne depuis la fin du XIXe s. et cinq générations. Elle dispose de cinq propriétés dans le Blayais (Pardaillan, Carelle, Barbé) et le Bourgeais (Carpena, Eyquem, Landreau), conduites aujourd'hui par Xavier Carreau, son beau-frère Alain Jourdan et Cyril, le fils de ce dernier.

Un joli vin aux arômes de petits fruits rouges et aux notes vanillées à l'aération. D'attaque fraîche, la bouche bénéficie d'une bonne structure et d'un boisé léger, mais la finale marquée par une petite amertume signale qu'une garde est souhaitable. 2021-2024 **Ch. Carpena 2017 (- de 5 €; 60000 b.)** : vin cité.

SAS VIGNOBLES BAYLE-CARREAU, rte de l'Estuaire, 33710 Bayon-sur-Gironde, tél. 05 57 64 32 43, contact@bayle-carreau.com t.l.j. sf dim. 9h-13h 14h-19h

CH. LE FERREAU-BELAIR 2017

	40000		8 à 11 €

Après avoir travaillé vingt ans aux côtés de son père Alain Faure, d'une vieille lignée vigneronne du Bourgeais, Agnès Faure-Havart, a repris en 2015 les propriétés (40 ha) que ce dernier avait achetées en 2004, notamment le Ch. Plaisance et le Ch. le Ferreau-Belair, en côtes-de-bourg, implantées non loin de la pittoresque «route verte», en corniche. La famille propose aussi des cuvées de négoce.

Un 2017 grenat avenant, qui joue sur les arômes de fruits rouges frais, d'épices, de tabac et de réglisse. Il possède de la matière, mais la structure domine encore au palais. 2021-2023

SCE VIGNOBLES PLAISANCE, 3, Coubet, 33710 Villeneuve, tél. 05 57 64 93 99, agnes.faure.havart@wanadoo.fr t.l.j. sf sam. dim. 9h-12h 14h-16h

CH. FOUGAS Maldoror 2017

	60000		11 à 15 €

Bien connu dès la fin du XVIIIe s., mentionné dans le premier guide Féret, un cru de référence de

l'appellation côtes-de-bourg, acquis en 1976 par Jean-Yves Béchet, fils de négociant. Ce dernier réserve 22 ha à la cuvée phare nommée Maldoror, hommage au poète Lautréamont. Vignoble cultivé en bio certifié et, depuis 2010, en biodynamie.

De teinte soutenue à reflets violines, ce vin a hérité de son élevage de douze mois sous bois des accents mentholés intenses. Le fruit apparaît en contrepoint. C'est encore le boisé qui domine au palais, mais la matière est bien présente, encore sur la fraîcheur. Attendre. ⧗ 2022-2028

⊶ JEAN BÉCHET, Fougas, 33710 Lansac, tél. 05 57 68 42 15, jybechet@fougas.com V

CH. GALAU 2017 ★

■	60000		8 à 11 €

Cru déjà connu avant la Révolution, Nodoz reconstitué au XIXᵉs. par un négociant amateur de Bordeaux et racheté en 1930 par la famille Magdeleine. Jean-Louis, installé en 1979, a conforté sa réputation avant de passer le relais en 1999 à sa fille Sandrine et à son gendre Jean-François Cénac, aujourd'hui à la tête de la propriété. Nodoz, valeur sûre du Bourgeais, couvre aujourd'hui 40 ha à Tauriac, Lansac et Bourg. Autre vin : Ch. Galau.

Élevée dix mois en fût, cette cuvée aux accents boisés affirmés n'en révèle pas moins un bon fond fruité (mûre et myrtille). La bouche s'inscrit dans la continuité, ronde et bien structurée, assez persistante. ⧗ 2021-2026 ■ **Ch. Nodoz 2017 ★ (8 à 11 €; 30000 b.)** : un vin de pur merlot, élevé quinze mois en barriques neuves. Le nez discret s'ouvre sur les fruits noirs mûrs, en compagnie de notes toastées et vanillées. Suit une bouche aimable, aux tanins bien enveloppés et au fruité mûr. ⧗ 2020-2024 ■ **Ch. Nodoz 2018 ★ (5 à 8 €; 10000 b.)** : le sauvignon se distingue bien dans ce 2018 jaune très pâle, qui livre des senteurs intenses de pamplemousse et de fruits exotiques. C'est un vin rond, souple, fruité au palais, et ses ambitions ne semblent pas aller au-delà du plaisir immédiat. Et c'est déjà très bien. ⧗ 2019-2022

⊶ EARL CH. NODOZ, 18, chem. de Nodoz, 33710 Tauriac, tél. 05 57 68 41 03, chateau.nodoz@wanadoo.fr V *t.l.j. sf dim. 8h30-12h30 14h-18h30* ⑧

CH. GRAND-MAISON Cuvée Sélection 2017

■	15000		8 à 11 €

Cette propriété de 6,5 ha d'un seul tenant implantée sur les hauteurs de Bourg a été acquise en 2004 par Jean Mallet, viticulteur, et par Hervé Romat, œnologue, qui l'exploitent en commun.

Sous une robe pourpre sommeille un nez délicat de fruits des bois, agrémentés de notes poivrées et d'un juste boisé issu de douze mois d'élevage en fût. On perçoit la bonne densité des tanins au palais, sans doute due au malbec qui entre pour 14 % dans l'assemblage (dominé par le merlot). Nul doute, l'extraction a été bien menée, mais il faudra attendre que l'ensemble se fonde. ⧗ 2022-2028

⊶ SCEA CH. GRAND-MAISON, Valades, 33710 Bourg, tél. 05 57 64 24 04, cht.grandmaison-bourg@wanadoo.fr V *r.-v.*

CH. DE LA GRAVE Grains Fins 2018

■	24000		11 à 15 €

Sur les hauteurs de Bourg, un domaine dans la famille depuis plus d'un siècle, commandé par un petit château du XVᵉs. revisité au XIXᵉs., avec des tours en poivrière. Valérie et Philippe Bassereau en ont pris les rênes en 1990. La surface du vignoble (45 ha) leur permet de proposer des vins qui n'ont rien de confidentiel.

Cet assemblage de sémillon et de colombard (40 %) présente un nez discret de fruits blancs mûrs et de chèvrefeuille, sur fond boisé et fumé. L'attaque vanillée laisse une impression suave, de même que la bouche très ronde, empreinte de flaveurs de fruits mûrs. ⧗ 2020-2022 ■ **Caractère 2017 (11 à 15 €; 70000 b.)** : vin cité.

⊶ SC PHILIPPE BASSEREAU, lieu-dit La Grave, 33710 Bourg, tél. 05 57 68 41 49, info@chateaudelagrave.com V *r.-v.* ④

CH. GRAVETTES-SAMONAC Élégance 2017 ★★

■	65000		5 à 8 €

Dans la famille Giresse depuis 1950, un domaine de 34 ha implanté sur les hauteurs de l'appellation côtes-de-bourg. Sylvie Giresse, qui était aux commandes depuis 1986, a transmis en 2014 l'exploitation à son fils Cyril qui représente la quatrième génération.

Un vin de teinte profonde à reflets pourpre, assemblage de merlot (60 %), malbec et cabernet-sauvignon (15 %). Expressif, il évoque une grande corbeille de fruits des bois, de laquelle s'échappent de fines notes toastées et vanillées. Sa matière est dense, puissante, persiste sur les fruits noirs et les épices. ⧗ 2022-2029 ■ **Prestige 2017 ★ (8 à 11 €; 4000 b.)** : mûre et framboise dominent la palette de ce vin, car le boisé s'est déjà bien intégré et ne laisse que des notes épicées bienvenues. Il en va de même au palais : la matière riche et souple se développe, étayée par des tanins élégants. Et les arômes de fruits noirs de persister en finale. ⧗ 2022-2026

⊶ EARL VIGNOBLES GIRESSE, 8, av. des Côtes-de-Bourg, 33710 Samonac, tél. 05 57 68 21 16, gravettes.samonac@orange.fr V *t.l.j. sf dim. 9h-12h 14h-18h*

♥ CH. LA GRAVIÈRE 2017 ★★

■	54000		8 à 11 €

Déjà connu sous le second Empire, le Ch. Brûlesécaille, l'une des références en côtes-de-bourg, a été acquis en 1924 par la famille de Guillaume Rodet, ancien ingénieur en télécommunications arrivé à sa tête en 2017. Le vignoble de 30 ha a été complété en 1996 par 2,3 ha de merlot en saint-émilion. Autre étiquette : Ch. la Gravière.

Un vin très bien travaillé et patiemment élevé douze mois en cuve, puis autant en fût. Le nez fleure bon le pruneau, les épices et les notes grillées. Arômes que l'on retrouve durablement au palais, inscrits dans la matière ronde et souple : les tanins sont remarquablement disciplinés, tant et si bien que c'est l'élégance qui reste en mémoire. ⧗ 2021-2026 ■ **Ch. Brûlesécaille 2017 ★ (8 à 11 €; 12000 b.)** : trois quarts de sauvignon doré, un quart de sauvignon gris, c'est l'ADN de cette cuvée ouverte sur les agrumes et les fruits exotiques, accompagnés de nuances florales, de notes vanillées et d'une touche de miel. Après une attaque franche, la bouche apparaît gourmande, mais non dénuée de fraîcheur, ce qui permet à la finale de s'étirer en accents épicés. ⧗ 2020-2022

GFA RODET-RÉCAPET, 29, rte des Châteaux, 33710 Tauriac, tél. 05 57 68 40 31, cht.brulesecaille@orange.fr r.-v.

♥ CH. GROLEAU Élevé en fût de chêne 2017 ★★★

■	12000		5 à 8 €

Les Raboutet cultivent la vigne à Berson depuis cinq générations. Didier et Sylvie, installés en 1983, ont donné le relais à leur fille Aurélie en 2018, aujourd'hui à la tête d'un vignoble de 38 ha répartis entre les 20 ha argilo-calcaires du Ch. le Chay (Blayais) et les 18 ha argilo-graveleux du Ch. Groleau (Bourgeais).

Cette cuvée à l'équilibre parfait est issue d'un assemblage de merlot et de malbec (15 %), élevé six mois en cuve, puis douze mois en fût. Elle offre une palette intense et complexe de fruits noirs aux accents torréfiés. Concentrée mais sans excès, la bouche ronde et épicée bénéficie de tanins bien fondus, d'un boisé parfaitement intégré et d'une fraîcheur préservée. ⧗ 2020-2025

EARL VIGNOBLES RABOUTET, 1, Le Chay, 33390 Berson, tél. 05 57 64 39 50, lechay@wanadoo.fr t.l.j. sf dim. 9h-12h 14h-18h

CH. GROS MOULIN Les Lys du Moulin 2018 ★

■	6000	5 à 8 €

Dominant la Dordogne, le domaine est dans la famille depuis 1757. À cette époque, un moulin et un seul petit hectare de vignes aux côtés de cultures diverses. Aujourd'hui, 32 ha de merlot, de malbec et de cabernet franc, sur un terroir argilo-calcaire. En 2010, la onzième génération – représentée par Rémy Eymas – s'est installée, perpétuant cette saga.

Issu du seul sauvignon blanc, ce vin présente un nez très aromatique, ouvert sur le pamplemousse et le buis, agrémenté de notes de fruit de la Passion et de litchi. Une attaque souple introduit une bouche grasse et chaleureuse, mâtinée de notes de bonbon anglais, achevée par une finale vive et fruitée. ⧗ 2020-2022 ■ **2017 (5 à 8 €; 54000 b.)** : vin cité.

SCEA DU CH. GROS MOULIN, 7, lieu-dit Gros-Moulin, 33710 Bourg, tél. 06 88 02 78 88, chateau.gros.moulin@wanadoo.fr r.-v.

Ⓑ HAUT MONDÉSIR 2016

■	6000		11 à 15 €

En 1990, Marc Pasquet, ancien photographe, et son épouse Laurence ont acquis des vignes à Plassac, dans le Blayais, ainsi qu'en côtes-de-bourg et en saint-émilion grand cru. Leur propriété totalise 14 ha. Deux étiquettes : Haut Mondésir (côtes-de-bourg) et Mondésir-Gazin (blaye).

Des arômes de fruits épicés caractérisent ce vin plutôt rond et bien en chair. Les tanins tendent à se fondre et une certaine fraîcheur apparaît en finale. De bonnes bases pour assurer la garde. ⧗ 2021-2025

EARL DOM. MONDÉSIR-GAZIN, 77, rte de l'Estuaire, 33390 Plassac, tél. 05 57 42 29 80, mondesirgazin@gmail.com r.-v.

CH. HAUT MOUSSEAU 2017 ★★

■	12000		8 à 11 €

Fils d'agriculteurs, Dominique Briolais a acquis en 1976 un vignoble de 3 ha en côtes-de-bourg. Épaulé par sa fille Aurore, il conduit aujourd'hui un vignoble de 35 ha (Ch. Haut Mousseau et Ch. Terrefort-Bellegrave) sur plusieurs communes de l'appellation. En 1991, il a traversé l'estuaire pour s'implanter sur la rive gauche, à Jau-Dignac-et-Loirac, en achetant le Ch. Pontac Gadet (11 ha) en AOC médoc.

Une belle couleur soutenue attire le regard vers ce vin qui allie parfaitement les arômes de fruits et ceux hérités de l'élevage de quatorze mois en fût. La matière bien structurée, aux accents persistants de réglisse, laisse une impression d'élégance. ⧗ 2022-2028 ■ **Ch. Terrefort-Bellegrave 2017 ★ (11 à 15 €; 4500 b.)** : le nez mêle d'intenses arômes de fruits rouges à des notes de moka et de cacao. Concentrée et bien ronde, la bouche développe le même registre avec persistance. ⧗ 2021-2025

SCEA VIGNOBLES BRIOLAIS, 220, rte des Vignobles, 33710 Teuillac, tél. 05 57 64 34 38, aurorebriolais@vignobles-briolais.com t.l.j. sf sam. dim. 8h-11h45 14h-18h

♥ CH. LACOUTURE Cuvée Andrien 2016 ★★

■	5585		15 à 20 €

Romain Sou s'est installé en 2002 sur la propriété familiale, achetée en 1930 par son aïeul Gervais Sou et commandée par une bâtisse en partie construite au XVIe s. par le chanoine Lacouture. Il conduit un vignoble de près de 12 ha en côtes-de-bourg. Ce passionné de bande dessinée organise sur son domaine, à chaque printemps, une manifestation « BD et vin ».

Malbec et merlot (40 %) s'unissent dans ce vin plein d'harmonie, élevé douze mois en fût. Les arômes de fruits rouges mûrs, rehaussés d'épices et de notes réglissées laissent une impression de fraîcheur. Et c'est bien cette qualité que l'on retrouve au palais pour équilibrer la matière ronde, aux tanins bien mûrs déjà. À nouveau, fruits et épices se font écho en finale. ⧗ 2022-2026

ROMAIN SOU, 3, rte du Fronton, 33710 Gauriac, tél. 06 62 10 82 31, chateaulacouture@orange.fr r.-v.

CH. LAROCHE 2017

■ | 135000 | | 5 à 8 €

Du château Laroche, château fort de la guerre de Cent Ans puis maison noble, rasé et reconstruit plusieurs fois, Roland de Onffroy, Varois d'origine, ingénieur agronome formé à Angers, conduit depuis 1994 un vignoble de 34 ha répartis entre le Bourgeais et le Blayais. Plusieurs étiquettes ici : Laroche et Bourg des Eyquems dans la commune de Tauriac, Monseigneur à Pugnac et Clos Bertin à Cézac.

Un panier de fruits rouges surmûris, dans lequel s'invitent des notes toastées et vanillées. Belle entrée en matière. Suivent une attaque souple, puis une bouche chaleureuse et une finale boisée. Un joli potentiel. ⧗ 2022-2026 ■ **Les Elfes 2017 (8 à 11 €; 8000 b.)** : vin cité.

BARON ROLAND DE ONFFROY, 2, chem. des Augers, 33710 Tauriac, tél. 05 57 68 20 72, rolanddeonffroy@wanadoo.fr V r.-v.

LEOPARDUS 2016 ★

■ | 3000 | | 20 à 30 €

Une maison de négoce créée en 2016 par Héléna Sabourin et son fils Alexis, issus d'une lignée vigneronne remontant au XVIIIe s.

Élevée dix-huit mois en fût, cette cuvée décline des arômes de mûre et de groseille confiturées, sur une trame épicée et légèrement toastée. Ronde et souple dès l'attaque, la bouche laisse parler le fruit. Des tanins, peu de trace finalement tant ils semblent enrobés. ⧗ 2020-2024

LA MAISON GIRONDINE, 49, Le Bourg, 33390 Cars, tél. 05 57 64 43 87, contact@lamaisongirondine.fr V *t.l.j. sf dim. 9h-12h 14h-18h*

MBM COLLECTION Vinification intégrale 2016 ★

■ | 600 | | 30 à 50 €

Venus de Strasbourg, Virginie et Christophe Bourgeois sont tombés sous le charme du Bourgeais et se sont reconvertis. Ces néo-vignerons se sont installés en 2013 au Clos de Château Sec (3 ha) à Mombrier, et ont engagé d'emblée la conversion bio de ce cru.

Vingt-quatre mois d'élevage en fût ont doucement arrondi cette cuvée. Elle décline ainsi des arômes de fruits noirs mûrs, soulignés de poivre et de tabac blond. L'attaque est pleine, la bouche puissante, mais bien équilibrée se prolonge longuement sur les fruits cuits et les épices. ⧗ 2022-2028 ■ **Clos de Château Sec 2016 (20 à 30 €; 600 b.)** : vin cité.

CHRISTOPHE ET VIRGINIE BOURGEOIS, 2, Château-Sec, 33710 Mombrier, tél. 06 17 33 13 49, mbm@closdechateausec.com V *r.-v.*

CH. MONTFOLLET Altus 2017 ★

■ | 58000 | | 8 à 11 €

Le Ch. Montfollet, l'un des fers de lance du Blayais et du Bourgeais, est conduit depuis 1991 par Dominique Raimond, président de la cave, également propriétaire des châteaux Haut Lalande, Graulet (120 ha de vignes au total) et Merigot. Dominique Raimond fait partie de la coopérative de Cars (1937), rebaptisée en 2011 «Châteaux solidaires», qui vinifie séparément les vendanges d'une dizaine de châteaux adhérents, sélectionnés très rigoureusement.

Le merlot a été assemblé avec une touche de malbec (5 %). Il en résulte un nez de fruits rouges compotés, accompagnés des notes toastées et d'une touche de menthol héritées d'un séjour de douze mois en fût. Franche et veloutée, la bouche offre un boisé bien fondu, avant une finale plus tannique. Le vin demande à s'attendrir encore un peu avec la garde. ⧗ 2022-2028 ■ **Ch. Merigot 2017 (8 à 11 €; 35000 b.)** : vin cité.

SCEA RAIMOND, 9, Le Piquet, 33390 Cars, tél. 05 57 42 13 15, d.raimond@chateaux-solidaires.com V *t.l.j. sf sam. dim. 9h-12h 14h-18h*

ORIGINES TER POINTE Malbec 2016

■ | 20000 | | 11 à 15 €

Créée en 1974, la coopérative de Tutiac dispose des vendanges de 4 000 ha cultivés par quelque 450 viticulteurs. Un acteur important de la Haute Gironde et aussi le premier producteur de vins d'appellations en France, qui propose des vins de côtes (blaye-côtes-de-bordeaux et côtes-de-bourg) et d'appellations régionales.

Le malbec signe ce vin au bouquet de petits fruits noirs. Ici, le boisé contenu (vanille, toasté) respecte les arômes. L'attaque est franche, la bouche chaleureuse, fruitée, ronde, avant que ne se manifestent quelques tanins en finale. ⧗ 2021-2024

SAS VIGNERONS DE TUTIAC, La Cafourche, 33860 Marcillac, tél. 05 57 32 48 33, christelle.venancy@tutiac.com V *t.l.j. sf dim. 9h-12h30 14h-18h30*

CH. PERTHUS 2017 ★

■ | 15478 | | 8 à 11 €

La Société fermière des Grands Crus de France est la structure spécialisée dans le Bordelais du groupe Grands Chais de France. Son œnologue Vincent Cachau vinifie le fruit de quinze propriétés représentant quelque 500 ha dans les différentes AOC bordelaises.

Un côtes-de-bourg d'abord discret, mais qui gagne en intensité à l'aération, dégageant des arômes de pruneau à l'eau-de-vie, de cassis et de mûre, agrémentés de notes épicées et d'une touche mentholée. L'attaque laisse une impression d'ampleur, puis la bouche présente de la structure, soutenue par des tanins en passe de se fondre. La finale, sur les épices douces, ne manque certes pas de séduction. ⧗ 2020-2024 ■ **Ch. Peychaud 2017 (8 à 11 €; 71724 b.)** : vin cité.

SCEA SOCIÉTÉ FERMIÈRE DES GRANDS CRUS DE FRANCE, Ch. du Cartillon, 33460 Lamarque, tél. 05 57 98 07 20, vcachau@lgcf.fr

CH. PUYBARBE Le Roc de Château Puybarbe 2016 ★★

■ | 10000 | | 8 à 11 €

Acquis par la famille Orlandi en 1952, un cru établi sur la troisième ligne de coteaux des côtes-de-bourg. À l'origine, 7 ha ; aujourd'hui, 35. Et, depuis 2001, un chai-cuvier qui permet de vinifier la récolte auparavant confiée à la coopérative.

Beaucoup de complexité et de profondeur dans les arômes de ce vin. D'abord discret, celui-ci gagne en puissance à l'aération, libérant des arômes de cassis et de griotte, des notes de vanille et des nuances torréfiées.

Équilibrée et très bien structurée, la bouche allie richesse et fraîcheur jusqu'à une longue finale. Quelques tanins perceptibles? Ce n'est que jeunesse. ⧗ 2022-2028 ■ **2016 ★★ (15 à 20 €; 32000 b.)** : un 2016 puissant et concentré, élevé vingt mois en fût. Les arômes de fruits noirs se mêlent ainsi aux nuances grillées et à de fines notes d'eucalyptus, mais le boisé est bien intégré. Ronde et riche, la bouche traduit une belle maturité du raisin, évoluant sur des tanins délicats qui laissent en finale des accents épicés. ⧗ 2022-2028

SAS CH. PUYBARBE, 6, Puybarbe, 33710 Mombrier, tél. 09 67 64 52 49, contact@chateaupuybarbe.com V r.-v.

CH. PUY DESCAZEAU Cuvée Cardinal 2017 ★

■	6600		8 à 11 €

En aval de Bourg, sur la corniche girondine, ce domaine d'environ 12 ha est commandé par une élégante chartreuse en pierre calcaire blonde de Bourg. Ses chais sont alimentés en eau par un ancien puits maçonné de 35 m de profondeur. Ingénieur des travaux publics, Jean-Marc Medio l'a acquis en 1998 et l'exploite avec sa famille.

Quatorze mois d'élevage en fût ont façonné cette cuvée qui fleure bon le cassis nuancé de subtiles notes de cacao. Aérienne et bien équilibrée, elle offre rondeur et persistance. ⧗ 2020-2023

SCEA VIGNOBLES MÉDIO, 23, rte des Vignobles, 33710 Gauriac, tél. 06 12 47 75 75, jmmedio@club-internet.fr V r.-v. 4 E

CH. RELAIS DE LA POSTE Cuvée Malbec 2017 ★

■	17333		8 à 11 €

Un domaine de 25 ha en Blayais et en Bourgeais, constitué autour d'un ancien relais de poste datant de 1750. Régulier en qualité, il est conduit par Bruno Drode depuis 1985.

Un côtes-de-bourg qui doit tout au malbec, élevé neuf mois en cuve et onze en fût. Un nez de pruneaux cuits et de cassis apparaît sous une robe foncée. S'y joignent quelques épices et une légère touche vanillée. L'attaque se fait sur le fruit, en délicatesse, puis c'est une matière ronde, aux tanins de velours, qui se développe jusqu'à une finale généreuse, un brin réglissée. ⧗ 2020-2024

VIGNOBLES DRODE, Relais de la Poste, 3, chem. des Blais, 33710 Teuillac, tél. 05 57 64 37 95, brunodrode@hotmail.fr V r.-v.

CH. DE REYNAUD La Volière 2017 ★★

■	3600		8 à 11 €

Après avoir exercé le métier de journalistes en région parisienne, Sandrine et Bernard Capdevielle se sont établis en 1999 à Bourg, non loin de la rivière, sur une surface à taille humaine (5,5 ha) afin de tout maîtriser, élaboration et commercialisation. La reconversion est réussie.

Une cuvée qui a séduit les dégustateurs par son équilibre et son élégante palette de fruits noirs que soulignent des notes d'épices et de moka parfaitement intégrées. La bouche est à l'unisson, offrant une attaque charnue, des tanins bien fondus et une finale soyeuse qui s'étire en longueur. Assurément un beau vin de garde. ⧗ 2022-2028 ■ **2017 ★ (5 à 8 €; 3800 b.)** : les petits fruits frais s'accompagnent d'un boisé prononcé dans ce 2017 ample et riche, mais dont les tanins apparaissent encore austères en finale. Le meilleur est à venir. ⧗ 2022-2028

BERNARD CAPDEVIELLE, Ch. de Reynaud, 1, lieu-dit Reynaud, 33710 Bourg-sur-Gironde, tél. 05 57 68 44 13, chateau.reynaud@wanadoo.fr V r.-v.

CH. DE RIVEREAU 2017 ★

■	64800		5 à 8 €

Infirmière jusqu'en 2000, Sabine Drode a repris l'exploitation familiale qui couvre 14 ha aux confins du Blayais. Des chais construits à son installation se sont ajoutés aux bâtiments Napoléon III.

Après vingt mois d'élevage en fût, ce 2017 offre un nez centré sur les fruits rouges (fraise), relevés de fines notes de tabac et de vanille à l'aération. L'attaque est fraîche, puis la bouche apparaît gourmande grâce à des tanins soyeux et persiste bien sur des flaveurs de fruits et de cacao. ⧗ 2021-2025

EARL CH. DE RIVEREAU, Rivereau, 1086, rte de Bourg, 33710 Pugnac, tél. 05 57 68 97 59, chateauderivereau@orange.fr V r.-v.

B **CH. ROC PLANTIER** Cuvée Prestige 2016

■	8000		8 à 11 €

Éric Eymas a racheté en 1996 à des vignerons retraités le Clos du Plantier Neuf, qu'il a rebaptisé Roc Plantier pour suggérer que la roche calcaire est près du sol. Il exploite 7 ha en bio.

Cette cuvée s'ouvre en grand sur les fruits noirs à peine confiturés, tandis que le boisé gagne en puissance à l'agitation. Chaleureuse, empreinte de flaveurs de fruits mûrs et de noyau de cerise qui indiquent une certaine évolution, la bouche surprend par sa structure encore ferme et sa ligne vive. ⧗ 2022-2026

ÉRIC EYMAS, 104, av. des Côtes-de-Bourg, 33710 Prignac-et-Marcamps, tél. 06 12 63 68 90, talarisplantier@aol.com V r.-v.

CH. ROUSSELLE Prestige 2016 ★

■	6400		20 à 30 €

Proche de la Gironde, une ancienne propriété achetée en 1636 par un chevalier et conseiller du roi, répertoriée comme «1er cru bourgeois» par le Féret de 1868. Une maison de maître d'une sobre élégance commande 23 ha de vignes en côtes-de-bourg (Ch. Rousselle) et 2,5 ha en blaye (Ch. Haut-Vigneau), acquis en 1999 par Vincent Lemaitre.

Le premier nez laisse échapper des arômes de fruits noirs, rejoints par des fruits rouges mûrs qui le rendent plus gourmand encore à l'agitation. Douze mois d'élevage en fût complètent le bouquet par des notes vanillées et fumées. Une impression de souplesse et de rondeur est perceptible au palais, mais bientôt les tanins se manifestent, appelant à la garde. ⧗ 2021-2024 ■ **2016 (11 à 15 €; 65000 b.)** : vin cité.

SARL ANTHOCYANE, Ch. Rousselle, 33710 Saint-Ciers-de-Canesse, tél. 05 57 42 16 62, chateau@chateaurousselle.com r.-v.

♥ CH. LE SABLARD Caractère Sauvage 2018 ★★

| 2600 | | 8 à 11 € |

Ce cru familial «à taille humaine» (10 ha) est conduit depuis 2001 par Catherine et Thomas Buratti-Berlinger, qui s'y sont installés comme jeunes viticulteurs.

Dans le verre se libèrent d'intenses arômes de pamplemousse et de fruit de la Passion, agrémentés de notes florales et de bonbon anglais. Au peps de l'attaque répond une bouche ronde, ample et suave qui offre beaucoup d'allonge. 2020-2022

SCEA JACQUES BURATTI, 7, Le Rioucreux, 33920 Saint-Christoly-de-Blaye, tél. 05 57 42 57 67, chateau.le.sablard@orange.fr t.l.j. sf sam. dim. 9h-12h 13h30-18h

CH. TALARIS Tess 2016

| 6000 | | 8 à 11 € |

Christelle Rios conduit ce vignoble de 6,5 ha, dans sa famille depuis 1936.

Cette cuvée doit son nom à la fille de Christelle, née en 2007. Elle est issue d'une parcelle sise sur un coteau argilo-calcaire, exposé au sud. La voici rubis dans le verre, qui s'ouvre à l'aération sur des arômes de fruits rouges et noirs. Après une attaque tannique, la bouche s'appuie sur une belle matière qui persiste en finale sur une fraîcheur épicée. 2022-2025

CHRISTELLE RIOS, Beurrier, 33710 Tauriac, tél. 06 03 52 63 75, talarisplantier@aol.com r.-v.

CH. TAYAC Cuvée Océane 2018 ★

| 10000 | | 5 à 8 € |

Cet imposant château de style Renaissance, construit en 1827 sur les ruines d'un ancien château féodal, assiste à la naissance de la Gironde, du haut de son coteau. Le vignoble de 30 ha est implanté sur la pente sud et conduit depuis 1959 par la famille Saturny : d'abord Pierre, enfant du pays, puis ses fils Loïc et Philippe.

Sauvignon, sémillon et muscadelle entrent à parts égales dans ce vin plein de vivacité, qui livre des arômes de fruits blancs mûrs (poire) et de discrètes nuances fumées. La bouche ronde et ample, légèrement beurrée, exprime le fruit avec légèreté, puis la finale se fait minérale, teintée d'une pointe d'amertume. 2020-2022 ■ **Prestige 2016 (15 à 20 €; 45000 b.)** : vin cité.

SC DU CH. TAYAC, Ch. Tayac, 33710 Saint-Seurin-de-Bourg, tél. 05 57 68 40 60, tayac-saturny@wanadoo.fr t.l.j. sf sam. dim. 9h-12h 14-18h

CH. TOUR DE GUIET Grand Vin 2016 ★

| 3000 | | 11 à 15 € |

Stéphane Heurlier est arrivé du Nord de la France en 1992. Ce fils de céréalier a acheté deux propriétés, le Ch. la Bretonnière et le Ch. Tour de Guiet, s'est entouré de spécialistes et, après vingt ans de restructuration du vignoble (15 ha) et la construction d'un nouveau chai, il produit aujourd'hui ses vins.

Une cuvée très équilibrée, droite sans être austère. La voici qui libère ses arômes de fruits rouges mûrs et les notes torréfiées héritées de seize mois d'élevage en fût. D'attaque fraîche, elle emplit le palais de sa matière ronde jusqu'à une finale épicée. Les tanins gagneront encore en fondu avec le temps. 2021-2025 ■ **Excellence 2016 (8 à 11 €; 16000 b.)** : vin cité.

EARL LA BRETONNIÈRE, 1, La Bretonnière, 33390 Mazion, tél. 05 57 64 59 23, sheurlier@cegetel.net t.l.j. sf dim.

CH. TOUR DES GRAVES Idylle Malbec 2016

| 6000 | | 15 à 20 € |

Conduite depuis 2009 par David Arnaud (cinquième génération), cette exploitation familiale de 32 ha, plantée sur graves, tire son nom d'un ancien moulin datant de la Révolution française, aujourd'hui «décapité», dont les ruines se dressent au milieu des vignes.

Une touche de merlot, de cabernet-sauvignon et autant de cabernet franc viennent ici épauler une base de malbec (85 %) pour offrir ce vin grenat, intensément aromatique : un boisé prononcé aux accents vanillés se manifeste d'emblée, rejoint à l'aération par la cerise confite. Au palais, c'est un caractère très sérieux qui s'impose en raison des tanins. 2022-2028

EARL VIGNOBLES ARNAUD, 100 av, de Royan, 33710 Teuillac, tél. 06 48 26 47 08, info@arnaudvignobles.fr t.l.j. sf sam. dim. 8h-12h30 14h-19h

CH. LES TOURS SEGUY Mirandole 2017 ★★

| 12000 | | 8 à 11 € |

Mentionné à la fin du XVIIIe s., puis dans le Féret de 1868, un domaine de 13,5 ha, entré dans la famille de Jean-François Breton en 1842. Ce dernier l'exploitait depuis 1998 et en a fait une valeur sûre des côtes-de-bourg, avant de le céder en 2015 à Frédéric Veron.

Un exemple d'élégance. Le nez mêle la griotte et la cerise noire en un bouquet complexe, escortées de cacao et de vanille. Mûrs et parfaitement fondus, les tanins structurent une matière de bonne concentration et le boisé bien intégré laisse pleinement s'exprimer toutes les nuances du fruit, avant une longue finale subtilement réglissée. 2021-2026 ■ **L'Esprit du Seguy 2017 ★★ (11 à 15 €; 2400 b.)** : une explosion de fruits rouges mûrs, qui s'accompagne de notes torréfiées et cacaotées. Séduisante par sa souplesse en attaque, la bouche offre ensuite beaucoup de mâche, un boisé affirmé et des tanins encore frais qui laissent augurer une belle évolution dans le temps. 2022-2026

SCEA CH. LES TOURS SEGUY, 1, Le Seguy, 33710 Saint-Ciers-de-Canesse, tél. 06 30 52 19 81, scea.tourseguy@gmail.com r.-v.

CH. VIEUX LANSAC 2017

■ | 24000 | | 5 à 8 €

Depuis quatre générations, ce domaine familial exploite un terroir de graves, d'argiles et de calcaire, sur des parcelles entourant les anciennes tours du Ch. de Lansac, édifié au XIII^{e}s. Majoritairement consacré au merlot, l'encépagement de 14 ha est complété par un peu de cabernet franc et de cabernet sauvignon.

Une cuvée pourpre, dont le nez discret laisse échapper des arômes de fruits rouges confiturés, des notes de cacao et de café à peine torréfié. La bouche offre une impression de fraîcheur, avec juste ce qu'il faut de rondeur pour garder l'équilibre. Le boisé mérite de se fondre encore. ⧗ 2020-2023

SARL VIGNOBLES DURAND, 3, rue des Tuileries, 33710 Lansac, tél. 05 57 68 42 16, les-vignobles-durand@orange.fr V r.-v.

CH. VIEUX PLANTIER Tradition 2017

■ | 100000 | | 5 à 8 €

Aujourd'hui rejoints par leurs enfants, Philippe et Micheline Pauvif se sont installés en 1973 sur ce domaine en côtes-de-bourg, qui couvre aujourd'hui pas moins de 42 ha sur argilo-calcaires. Ils ont restructuré le vignoble et modernisé les chais.

Un style printanier et pimpant. Rubis brillant, ce vin possède de la fraîcheur dans ses arômes de fruits rouges, puis au palais. Il ne cherche pas à être complexe, mais se veut friand. ⧗ 2020-2023

SCEA CH. VIEUX PLANTIER, La Loge, 58, rte des Côtes de Bourg, 33710 Teuillac, tél. 05 57 64 34 60, vieuxpantier@worldonline.fr V *t.l.j. sf sam. dim. 9h-12h 14h-18h*

LE LIBOURNAIS

Même s'il n'existe aucune appellation « Libourne », le Libournais est bien une réalité. Avec la ville filleule de Bordeaux comme centre et la Dordogne comme axe, il s'individualise fortement par rapport au reste de la Gironde en dépendant moins directement de la métropole régionale. Il n'est pas rare, d'ailleurs, que l'on oppose le Libournais au Bordelais proprement dit, en invoquant par exemple l'architecture moins ostentatoire des châteaux du vin ou la place des Corréziens dans le négoce de Libourne. Mais ce qui distingue le plus le Libournais, c'est sans doute la concentration du vignoble qui apparaît dès la sortie de la ville et recouvre presque intégralement plusieurs communes aux appellations renommées comme fronsac, pomerol ou saint-émilion, avec un morcellement en une multitude de petites ou moyennes propriétés; les grands domaines, du type médocain, ou les grands espaces caractéristiques de l'Aquitaine étant presque d'un autre monde.

Le vignoble se différencie également par son encépagement dans lequel domine le merlot, qui donne finesse et fruité aux vins et qui leur permet de bien vieillir, même s'ils sont de moins longue garde que ceux d'appellations à dominante de cabernet-sauvignon. En revanche, ils peuvent être bus un peu plus tôt et s'accommodent de beaucoup de mets (viandes rouges ou blanches, fromages, et aussi certains poissons, comme la lamproie).

▶ CANON-FRONSAC ET FRONSAC

Bordé par la Dordogne et l'Isle, le Fronsadais offre des paysages tourmentés, avec deux tertres atteignant 60 et 75 m, d'où la vue est magnifique. Point stratégique, cette région joua un rôle important, notamment au Moyen Âge – une puissante forteresse, aujourd'hui disparue, y fut construite à l'époque de Charlemagne – puis lors de la Fronde de Bordeaux. Le Fronsadais a gardé de belles églises et de nombreux châteaux. Très ancien, le vignoble produit sur six communes des vins de caractère, à la fois corsés, fins et distingués. Toutes ces localités peuvent revendiquer l'appellation fronsac, mais Fronsac et Saint-Michel-de-Fronsac sont les seules à avoir droit, pour les vins produits sur leurs coteaux (sols argilo-calcaires sur banc de calcaire à astéries), à l'appellation canon-fronsac.

CANON-FRONSAC

Superficie : 300 ha / Production : 16 200 hl

CH. BARRABAQUE Prestige 2016 ★

■ | 15000 | | 15 à 20 €

Les canon-fronsac de Barrabaque font référence; le cru se défend aussi en fronsac. Un domaine créé au XVIII^{e}s., dans la famille Noël depuis son acquisition en 1936 par le grand-père ch'ti, brasseur et négociant en vins. Sa fille Nicole a pris la suite jusqu'en 2004, année de l'arrivée aux commandes de Caroline Noël-Barroux, aujourd'hui à la tête de 9,2 ha de vignes. Incontournable.

Un beau vin charnu, très marqué par le merlot (80 % de l'assemblage), au nez intense et gourmand de fruits rouges et de moka. Il allie équilibre et intensité. Élégant et prometteur. ⧗ 2021-2028

SCEV NOËL, 4, lieu-dit Barrabaque, 33126 Fronsac, tél. 06 07 46 08 08, chateaubarrabaque@yahoo.fr V r.-v.

♥ CH. CANON 2016 ★★

■ | 15000 | | 11 à 15 €

GRAND VIN DE BORDEAUX
CHATEAU CANON
2016
Canon Fronsac
Appellation Canon Fronsac Contrôlée
MIS EN BOUTEILLE AU CHATEAU

Pharmacien et œnologue, auteur d'une thèse apportant sa contribution au *French Paradox*, Jean Galand est établi à... La Malatie. À la tête du vignoble familial depuis 1999, il soigne 8 ha de vignes répartis en deux crus : le Ch. Galand (en bordeaux supérieur) et le Ch. Canon (en canon-fronsac) établi sur les pentes plein sud du coteau du même nom, qui domine la Dordogne.

Le jury s'est montré enthousiaste à la dégustation de ce 2016 de haut vol. Ce pur merlot, issu de vieilles vignes d'une soixantaine d'années, délivre un nez élégant et fin de prune et de fruits rouges, accompagnés de nuances boisées dues à l'élevage en fût. Même approche flatteuse en bouche : ampleur, arômes de fruits rouges, de violette et de pêche de vigne, équilibre magistral et longue finale, finement poivrée. ⧗ 2020-2029

SCEA VIGNOBLES GALAND ET ENFANTS, La Malatie, 33126 Fronsac, tél. 06 27 05 05 38, pharmaciejeangaland@orange.fr V r.-v.

CH. CANON LA VALADE 2016 ★

■	12000		11 à 15 €

En 2005, Hervé Roux a pris la suite de son père à la tête de l'exploitation familiale dominant la vallée de l'Isle, sur le versant sud-est des coteaux de Fronsac. Son domaine compte 18 ha de vignes.

Le nez fin et intense délivre des arômes de fruits rouges et un boisé délicat. La bouche est ample, élégante, structurée par des tanins certes présents mais enrobés. La finale laisse une impression de fraîcheur épicée. Un ensemble charmeur. ⧗ 2020-2028

EARL VIGNOBLES J. B. ROUX ET FILS, 2, La Valade, 33126 Fronsac, tél. 06 98 89 30 08, chateaulavalade@orange.fr V *t.l.j. 9h-12h 14h-19h* 1

CH. CANON PÉCRESSE 2016 ★

■	11500		20 à 30 €

La famille Pécresse, ancienne propriétaire des châteaux Grand Corbin et Trotanoy, préside depuis quatre générations aux destinées de ce cru. Un domaine de 4,2 ha, connu jusqu'en 2003 sous le nom de Vray Canon Bodet-la-Tour, aujourd'hui dirigé par Francis et son fils Jean-Francis.

La robe profonde annonce un bouquet ouvertement fruité (cassis, cerise noire, fraise), ennobli par de subtiles notes épicées. La bouche, plaisante et fraîche, entretient ce caractère fruité jusqu'à la finale réglissée, tout en bénéficiant de tanins ronds et mûrs. L'ensemble est de bon augure pour la garde. Une harmonie classique. ⧗ 2020-2028

SC DES GRANDS CRUS DU LIBOURNAIS, 33126 Saint-Michel-de-Fronsac, tél. 05 57 24 98 67, canon@pecresse.fr V r.-v.

B CH. CANON SAINT-MICHEL 2016

■	25000		11 à 15 €

Un cru régulier en qualité, constitué dans les années 1950 par Jean Garnier, mis en fermage entre 1979 et 1998 jusqu'à l'arrivée du petit-fils Jean-Yves Millaire qui en a repris la gestion directe. Le vignoble (30 ha aujourd'hui) est conduit en bio et en biodynamie (certification en 2009 et en 2012 respectivement).

Un joli nez de fruits rouges mûrs, souligné par un boisé fin, annonce une bouche ronde, équilibrée et souple jusqu'à la finale épicée. La garde permettra au boisé de se fondre totalement. ⧗ 2021-2027

SCEA VIGNOBLE MILLAIRE, 33126 Fronsac, tél. 06 08 33 81 11, vignoblemillaire@orange.fr V *t.l.j. 9h-12h 14h-18h30*

CH. COUSTOLLE 2016

■	n.c.		8 à 11 €

Xavier Roux possède deux propriétés. Acquis en 1940, le Ch. Coustolle étend son vignoble en forme de

Le Libournais

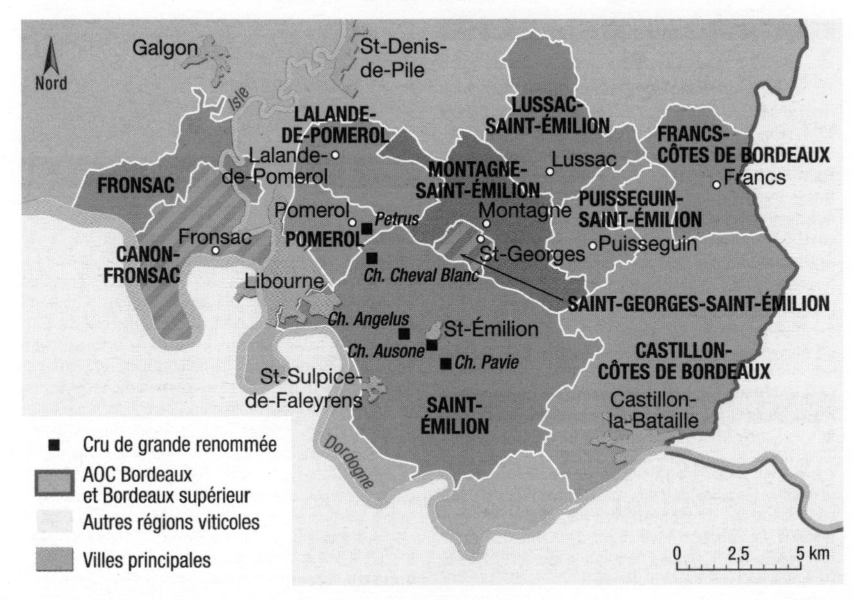

cirque sur 20 ha. Le merlot (70 % de l'encépagement) domine sur les plateaux argilo-calcaires, le cabernet franc (28 % du vignoble) sur le grès du vallon central, le malbec sur le plateau devant la bâtisse. Acquis en 1969, le Ch. Capet Bégaud (4 ha de l'appellation) est un ancien relais de poste sur la route de Saint-Jacques de Compostelle, qui fut un temps visité et occupé par Hugues Capet.

Une robe sombre et intense habille ce 2016 ouvert sur des arômes de fruits rouges, de pivoine et de vanille. En bouche, le boisé se fond agréablement dans une matière légère et plutôt vive. ⧗ 2019-2025 ■ **Ch. Capet Bégaud 2016 (11 à 15 €; n.c.)** : vin cité.

SCEA VIGNOBLES ALAIN ROUX ET FILS, 33126 Fronsac, tél. 05 57 51 31 25, coustolle.fronsac@wanadoo.fr t.l.j. 8h30-13h 13h30-18h

CH. GRAND RENOUIL 2016 ★

■ | 10000 | | 20 à 30 €

Les Ponty, d'origine corrézienne, sont établis à Fronsac depuis le début du XXᵉs. et propriétaires du Ch. Pavillon depuis 1925 et du Ch. Grand Renouil depuis 1938. Michel Ponty, installé en 1986, propose aussi des vins en AOC régionale avec le Clos Virolle et le blanc de Grand Renouil.

Le nez de ce pur merlot, intense et raffiné, débute sur des notes de fruits rouges et de boisé fin, puis gagne en complexité et en puissance à l'aération autour de nuances de réglisse et d'épices douces. De la volupté, des épices, de la structure, des tanins soyeux, tout est en place en bouche pour faire de ce 2016 un vin bâti pour durer. ⧗ 2022-2030 ■ **Ch. du Pavillon 2016 (11 à 15 €; 20000 b.)** : vin cité.

MICHEL PONTY, Ch. Grand Renouil, 3, rue du Port-de-Fronsac, 33126 Fronsac, tél. 05 57 51 29 57, info@vignoblesponty.com r.-v.

CH. MAZERIS 2016 ★

■ | 60000 | | 11 à 15 €

Un domaine fondé en 1769 par la famille de Cournuaud. Neuf générations s'y sont succédé, avec Patrick depuis 1994, rejoint par ses fils Jean et Matthieu. Le vignoble, d'un seul tenant, couvre 17 ha sur les hauteurs de Saint-Michel-de-Fronsac.

Un vin élégant et fin, aux arômes de cerise et de fruits noirs, nuancés de subtiles notes épicées. En bouche, le charme agit encore grâce à une matière harmonieuse, d'un équilibre sans faille. Les tanins se fondent et la finale laisse une impression gourmande. ⧗ 2022-2026

EARL DE COURNUAUD, 5, Ch. Mazeris, 33126 Saint-Michel-de-Fronsac, tél. 05 57 24 96 93, mazeris@wanadoo.fr r.-v.

CH. MOULIN PEY-LABRIE 2016 ★

■ | 20000 | | 20 à 30 €

Agriculteur dans l'Aisne, Grégoire Hubau a quitté les plaines céréalières du Nord pour s'installer en 1988 sur les coteaux de Fronsac avec Bénédicte, informaticienne. Le couple cultive aujourd'hui une quinzaine d'hectares, le Ch. Moulin Pey-Labrie couvrant 7,6 ha. Domaine en agriculture biologique.

Si le bois est encore présent, il laisse s'exprimer de charmants arômes de groseille, de cerise et d'épices. Il respecte la matière ronde et charnue. Un vin gourmand qui ne pourra que se bonifier avec le temps. ⧗ 2021-2025

SC CH. MOULIN PEY-LABRIE, Moulin Pey-Labrie, 33126 Fronsac, tél. 05 57 51 14 37, moulinpeylabrie@wanadoo.fr r.-v.

CH. PEY LABRIE Cœur Canon 2016 ★

■ | 13000 | | 8 à 11 €

Un cru aux origines anciennes (au moins XVIIIᵉs.), établi sur le site d'un ancien moulin. Un vignoble de 13 ha implanté sur l'un des plus hauts coteaux de l'AOC canon-fronsac, depuis cinquante ans transmis de père en fils, à Éric Vareille en 1988.

Sélection des plus belles parcelles de la propriété, ce 2016, bien ouvert sur les petits fruits rouges mûrs et les nuances vanillées, offre une bouche élégante et fraîche, structurée par des tanins soyeux. La finale, longue et épicée, achève de convaincre : un beau classique de l'appellation. ⧗ 2021-2026 ■ **Nectar 2016 (11 à 15 €; 6100 b.)** : vin cité.

ÉRIC VAREILLE, n°4, lieu-dit Pey-Labrie, 33126 Fronsac, tél. 05 57 25 35 87, vareille@pey-labrie.fr t.l.j. sf dim. 10h-12h 15h-19h

CH. ROULLET 2016 ★★

■ | 6500 | | 15 à 20 €

Fondés en 1870 dans le Fronsadais, les vignobles Dorneau couvrent 25 ha et trois crus : La Croix, le domaine d'origine (10 ha), Roullet, acquis en 1946 (2,8 ha), et Pontus (10 ha), acquis en 1960, ancienne propriété du peintre animalier Princeteau, auxquels s'ajoute un fermage sur le Château Haut Gros Bonnet. Patrick Dorneau est aux commandes depuis 1993.

Un canon-fronsac expressif et fin, évoquant au nez comme en bouche la cerise, les fruits noirs et les épices douces. Le palais est remarquable d'harmonie et de complexité, porté par des tanins veloutés. Un fruité frais et gourmand accompagne durablement l'expression de ce 2016 promis à un bel avenir. ⧗ 2022-2030

SCEA DORNEAU ET FILS, La Croix, 33126 Fronsac, tél. 05 57 51 31 28, scea-dorneau@wanadoo.fr r.-v.

CH. VRAI CANON BOUCHÉ 2016 ★

■ | 32000 | | 20 à 30 €

Ce cru réputé du Fronsadais couvre 13 ha sur le tertre de Canon, un très beau terroir de calcaire à astéries recouvert d'argiles; il avait été repris en 2005 par l'homme d'affaires hollandais Philip de Haseth-Möller, qui en avait confié la direction à Jean de Laitre, épaulé par Stéphane Derenoncourt. Une équipe maintenue après le rachat du cru en 2014 par La Française REM, société de gestion déjà très investie dans le vignoble français.

S'il offre un nez complexe et fin (cassis, griotte, mûre et épices), ce vin séduit plus encore au palais. Après une attaque fraîche se déploie une matière harmonieuse, ronde et ample, intensément fruitée. En finale, quelques tanins témoignent encore de sa jeunesse, mais ils s'assagiront à la faveur d'une garde de quelques années. ⧗ 2022-2029 ■ **Le Tertre de Canon 2016 (11 à 15 €; 9000 b.)** : vin cité.

SAS LES GRANDS VIGNOBLES DE BORDEAUX (CH. VRAI CANON BOUCHÉ), 1, le Tertre-de-Canon, 33126 Fronsac, tél. 06 23 30 37 50, contact@chateauvraicanonbouche.com

FRONSAC

Superficie : 830 ha / Production : 44 400 hl

CH. CARLMAGNUS 2016

	60 000		15 à 20 €

Petit-fils d'Ernest Roux, qui possédait de nombreux crus en Fronsadais, Arnaud Roux-Oulié, ancien champion de France d'escrime, exploite depuis 1998 plusieurs crus dans ce secteur : Lagüe, Montcanon, Vincent et Carlmagnus, domaine au nom inspiré par l'empereur Charlemagne, qui serait passé par Fronsac, où il aurait fait construire une forteresse.

Un vin de style moderne, au bouquet de fruits rouges vanillés et à la bouche souple, ouvertement fruitée, aux tanins bien intégrés. 2020-2025

SARL MAISON ROUX-OULIÉ, Maison Roux-Oulié, 33126 Fronsac, tél. 05 57 51 24 68, arnaud.rouxoulie@gmail.com t.l.j. sf sam. dim. 9h-12h 14h-17h

CLOS DU ROY 2016 ★

	600 000		15 à 20 €

En 1987, Philippe Hermouet s'est installé sur les terres familiales : 35 ha d'un seul tenant, répartis en deux crus, le Clos du Roy, cru de 4 ha à Saillans (fronsac), et Roc Meynard, 28 ha dans la commune voisine de Villegouge. Plantations et rachats de vignes ont porté l'ensemble à 50 ha, à l'origine de quatre étiquettes en fronsac, bordeaux supérieur et bordeaux.

Une pointe de cabernet-sauvignon et un soupçon de cabernet franc complètent le merlot dans ce vin presque noir. Le nez convoque la violette, les fruits rouges, le cacao et le poivre. Malgré quelques tanins encore un peu austères, le palais est équilibré, chaleureux et persistant. 2022-2028

SCEA VIGNOBLES HERMOUET, 1, Tessendey, 33141 Saillans, tél. 05 57 55 07 41, contact@vignobleshermouet.com t.l.j. sf sam. dim. 8h30-12h00 13h30-16h30

CH. LA CROIX 2016 ★

	10 000		11 à 15 €

Fondés en 1870 dans le Fronsadais, les vignobles Dorneau couvrent 25 ha et trois crus : La Croix, le domaine d'origine (10 ha), Roullet, acquis en 1946 (2,8 ha), et Pontus (10 ha), acquis en 1960, ancienne propriété du peintre animalier Princeteau, auxquels s'ajoute un fermage sur le Château Haut Gros Bonnet. Patrick Dorneau est aux commandes depuis 1993.

Un vin sombre qui, après agitation, s'épanouit sur les fruits noirs (cassis, mûre) et les nuances boisées. Des arômes parfaitement relayés par une bouche onctueuse, de beau volume, à la longue finale fraîche encore marquée par des tanins de jeunesse. Un 2016 au potentiel certain. 2022-2030

SCEA DORNEAU ET FILS, La Croix, 33126 Fronsac, tél. 05 57 51 31 28, scea-dorneau@wanadoo.fr r.-v.

♥ CH. DALEM 2016 ★★

	75 000		15 à 20 €

L'un des plus anciens crus du Fronsadais, créé en 1610, et sans doute l'un des plus qualitatifs. Dominant la vallée de l'Isle, le vignoble se répartit entre le Ch. Dalem (12 ha), l'étiquette phare, et le Ch. de la Huste (8 ha). Dans la même famille pendant trois siècles avant d'être vendu en 1955 à Michel Rullier, il est depuis 2020 dirigé par la fille de ce dernier, Brigitte Rullier-Loussert.

Un troisième coup de cœur consécutif pour ce domaine emblématique de Fronsac, fort d'un palmarès impressionnant. Une robe intense à reflets pourpres, un nez envoûtant mêlant cerise, framboise, mûre et prunelle précèdent un palais harmonieux, qui allie structure, rondeur et fraîcheur. Des tanins de grande classe et une finale superlative contribuent à la grandeur de ce vin. 2023-2030 ■ **Ch. de la Huste 2016 ★ (11 à 15 €; 65 000 b.)** : un 2016 élégant qui mise plus sur la finesse que sur la puissance, et dont l'expression de petits fruits rouges a conquis le jury. Si ce vin est très agréable dès aujourd'hui, sa trame tannique souple et sa belle persistance aromatique augurent un bon vieillissement. 2020-2026

SCEA VIGNOBLES BRIGITTE RULLIER, 1, Dalem, 33141 Saillans, tél. 05 57 74 39 85, contact@chateaudalem.fr r.-v.

CH. FAN CARNEY 2016 ★

	42 000		5 à 8 €

Le Ch. Fan Carney dépend du Ch. du Gazin, belle propriété remontant au XVIes. et reprise en 2004 par Georges Robert, Bourguignon d'origine. À force de travail et de patience, celui-ci a redonné tout son lustre à cette vaste unité de plus de 30 ha.

Ce 2016 présente un nez timide de prime abord, mais il s'ouvre à l'aération sur la framboise, la fraise et le sous-bois. La bouche, gourmande, au fruité éclatant, a séduit le jury de dégustateurs, l'un d'entre eux allant jusqu'à décrire ce vin comme étant « un peu sauvage mais parfait ». Une belle découverte. 2020-2025

EARL CH. DU GAZIN, 33126 Saint-Michel-de-Fronsac, tél. 06 62 76 61 98, chateaudugazin@hotmail.com r.-v.

CH. FONTAINE-SAINT-CRIC 2016 ★

	10 400		11 à 15 €

Un cru de poche (1,50 ha) implanté sur les coteaux de Saint-Aignan, acquis en 2002 par des associés et amis de différentes nationalités.

Ce pur merlot évoque la groseille, la fraise et le pain grillé. Le palais privilégie les fruits noirs, avec un beau volume, de l'équilibre et une finale persistante. Un fronsac complet, déjà bon, et pour longtemps. ⌛ 2020-2025

SA CH. FONTAINE-SAINT-CRIC, 13, Saint-Cric, 33126 Saint-Aignan, tél. 06 75 01 29 74, xavier.grassies@laposte.net V r.-v.

CH. FONTENIL 2016 ★

■	47 560		20 à 30 €

88 89 90 93 94 **95** 96 97 98 **99** 00 01 02 **03** 04 05 **06** |**08**| |09| |**10**| 11 12 13 **14 15** 16

Consultants de réputation internationale, Michel et Dany Rolland mettent aussi à profit leurs techniques de vinification sur leur propre exploitation. Acquise en 1986, leur propriété de Saillans, 9 ha implantés sur des coteaux exposés au sud, dans la vallée de l'Isle, fait référence en Fronsadais.

Au nez, les fruits noirs s'associent à la framboise, au poivre et aux notes grillées dues à un élevage déjà bien intégré. On retrouve cette palette aromatique, dans une bouche ronde, sensuelle, harmonieuse, structurée par des tanins soyeux et prolongée par une finale longue et savoureuse. ⌛ 2023-2030

SARL ROLLAND COLLECTION (CH. FONTENIL), Cardeneau-Nord, 33141 Saillans, tél. 05 57 51 52 43, contact@rollandcollection.com V r.-v. 5

CH. HAUCHAT La Rose 2016

■	15 000		11 à 15 €

Vignerons depuis le XVIIIe s. et neuf générations, les Saby – depuis 1997 les frères Jean-Christophe et Jean-Philippe, tous deux œnologues comme leur père Jean-Bernard – possèdent plusieurs crus dans le Libournais et exploitent un ensemble de 68 ha.

Souvent distinguée dans le Guide, cette cuvée de pur merlot présente en 2016 un profil aromatique évocateur de fraise, de cassis et de poivre. Arômes que l'on retrouve dans une bouche équilibrée, de demi-corps, aux tanins encore serrés, mais au potentiel certain. ⌛ 2021-2025

EARL VIGNOBLES JEAN-BERNARD SABY ET FILS, Ch. Rozier, 33330 Saint-Laurent-des-Combes, tél. 05 57 24 73 03, info@vignobles-saby.com V r.-v. E

♥ HAUT-CARLES 2016 ★★

■	25 000		30 à 50 €

Un domaine commandé par un château des XVe et XVIe s., construit sur le tertre de Fronsac par les Carles, puissante dynastie de la noblesse parlementaire de Bordeaux. Il est depuis 1900 dans la famille Chastenet de Castaing, dont descend Constance Droulers, installée en 1983 avec son mari Stéphane. Le couple a fait du vignoble (15 ha) un haut lieu des vins du Fronsadais. Haut-Carles, sélection parcellaire lancée en 1994, collectionne les étoiles et les coups de cœur dans le Guide.

Déjà auréolée d'un coup de cœur l'année dernière, cette propriété réitère l'exploit avec ce 2016 rubis profond qui révèle un nez intense, mêlant notes fruitées (cassis, fraise, myrtille), toastées et épicées (poivre, girofle). Mais c'est surtout en bouche qu'il a convaincu le jury. Gourmand et puissant, structuré par des tanins de velours, très persistant, il semble définir ce qu'est un grand bordeaux de garde : une émotion. ⌛ 2022-2030

SCEV CH. DE CARLES, 33141 Saillans, tél. 05 57 84 32 03, contact@hautcarles.com V r.-v.

CH. LAMBERT Cuvée spéciale barrique 2016

■	6 000		11 à 15 €

Après trois générations d'hommes, c'est depuis 2006 une femme, Emmanuelle Bordeille, qui est à la tête de cette propriété familiale de 20 ha située au cœur de l'appellation fronsac, à Saint-Aignan.

Ce 2016, encore un peu timide, développe à l'aération des notes de fraise, de vanille et de sous-bois. En bouche, il se révèle équilibré, élégant, aux tanins ronds.

SCEA BORDEILLE, 2, Forêt, 33126 Saint-Aignan, tél. 05 57 24 98 51, chateaulambert@hotmail.com V r.-v.

CH. MAYNE-VIEIL Cuvée Aliénor 2016 ★

■	20 000		11 à 15 €

Bertrand et Marie-Christine Sèze conduisent Mayne-Vieil depuis 1989. Un cru fronsadais de 47 ha régulier en qualité, dans leur famille depuis 1918 (la vente en bouteilles date du père, Roger, et des années 1960). Un hectare est dédié à l'AOC bordeaux et au Ch. Buisson-Redon.

S'il est encore marqué par le boisé, ce 2016 dévoile une expression aromatique charmeuse (fraise, confiture de framboise, sous-bois, vanille), ainsi qu'une belle structure tannique qui lui permettra de s'épanouir en cave. Un fronsac chaleureux, taillé pour la garde. ⌛ 2023-2028 ■ **2016 (8 à 11 €; 200 000 b.)** : vin cité.

SCEA DU MAYNE-VIEIL, 4, rte de Saillans, 33133 Galgon, tél. 05 57 74 30 06, maynevieil@aol.com V t.l.j. sf sam. dim. 9h-12h 14h-18h

CH. MOULIN HAUT-LAROQUE 2016 ★★

■	70 000		20 à 30 €

Moulin Haut-Laroque, aujourd'hui 16 ha, a été créé par la famille Hervé, dont l'ancêtre, marin breton, s'était installé à Saillans en 1607. La première mise en bouteilles remonte à 1890. Le domaine est l'un des porte-drapeaux de l'appellation fronsac, avec nombre d'étoiles et de coups de cœur à son actif. Il est conduit depuis 1977 par Jean-Noël Hervé, rejoint en 2012 par son fils Thomas.

Ce 2016 dévoile à l'aération un nez envoûtant de fruits noirs, d'épices douces, de pivoine et de violette nuancés d'un boisé délicat. En bouche, le jury a loué sa chair riche et puissante portée par des tanins veloutés, ainsi que sa longue finale. ⌛ 2023-2030 ■ **Ch. Hervé-Laroque 2016 (11 à 15 €; 40 000 b.)** : vin cité.

SARL JEAN-NOËL HERVÉ, 1, Le Moulin, 33141 Saillans, tél. 05 57 84 32 07, contact@moulinhautlaroque.com V r.-v.

CH. PLAIN-POINT 2016

■ | 140000 | | 20 à 30 €

Plain-Point est une altération de Plein Poing, signifiant «au sommet», ce château était jusqu'à la fin du XVᵉs. une place forte dominant les vallées de l'Isle et de la Dordogne, dont il ne reste aujourd'hui que la chapelle. Un domaine de 100 ha, dont 40 consacrés à la vigne.

Un 2016 sombre, presque noir. Le nez, d'abord discret, révèle à l'aération des notes de fruits noirs (cassis, mûre) et de violette. Des sensations que l'on retrouve dans une bouche équilibrée, ample, aux tanins fondus. 2021-2026

SAS CH. PLAIN-POINT, Plain-Point, 33126 Saint-Aignan, tél. 05 57 24 96 55, plainpoint.bertrand@hotmail.com V r.-v.

CH. RENARD MONDÉSIR 2016 ★

■ | 16000 | | 11 à 15 €

En 1955, le Corrézien Amédée Chassagnoux acquiert le Ch. Jean Voisin à Saint-Émilion. Son fils Pierre prend la suite, puis Xavier le petit-fils, qui s'installe en 1978 dans le Fronsadais, au Ch. Renard (7 ha), dont Renard Mondésir est le premier vin et le bordeaux supérieur Ch. Virecourt une sélection parcellaire.

Un beau potentiel de vieillissement pour ce pur merlot à la robe rubis intense et au nez exubérant mêlant fruits noirs bien mûrs, poivre et cacao. La bouche se révèle ample et puissante, structurée par des tanins serrés et dotée d'une belle finale gourmande. Patience. 2022-2030

XAVIER CHASSAGNOUX, 1, Renard, 33126 La Rivière, tél. 06 80 70 67 82, chateau.renard.mondesir@wanadoo.fr V r.-v.

CH. LES ROCHES DE FERRAND Grande sélection 2016 ★

■ | 20000 | | 11 à 15 €

Originaires du Fronsadais, ces producteurs ont étendu leur vignoble sur l'autre rive de l'Isle, en appellation lalande. Rémy Rousselot, installé en 1986 sur le domaine familial, exploite 21 ha et propose quatre vins : Châteaux Vray Houchat, Les Roches de Ferrand (fronsac), Pont de Guestres et au Pont de Guîtres (lalande).

Démontrant de la personnalité à travers ses arômes de cerise noire, de pivoine et ses nuances fumées, ce fronsac se révèle tout aussi séduisant en bouche grâce à son équilibre, ses tanins soyeux et son boisé bien intégré. Un vin bien dans son appellation et dans son millésime. 2021-2026 ■ **2016 (8 à 11 €; 44000 b.)** : vin cité.

RÉMY ROUSSELOT, 6, Signat, 33126 Saint-Aignan, tél. 05 57 24 95 16, vignobles.rousselot@outlook.com V t.l.j. sf sam. dim. 9h-12h30 14h-17h

♥ CH. SAINT-VINCENT Cuvée Flamboyante 2016 ★★★

■ | 3500 | | 20 à 30 €

Un domaine transmis de père en fils depuis quatre générations, situé sur le plus haut plateau de Fronsac, à 100 m d'altitude. Installé en 2001, Nicolas Chevalier y conduit 8 ha de vignes.

Arbre originaire de Madagascar, le flamboyant tient son nom de la couleur écarlate de ses fleurs. C'est précisément la couleur intense de la robe de ce 2016 qui a inspiré aux propriétaires du domaine le nom de cette cuvée. Un fronsac à la fois floral (violette, pivoine), fruité (cassis, myrtille), vanillé et épicé, qui déploie une matière riche et gourmande, soutenue par une trame tannique dense et portée par une fraîcheur bienvenue. La longue finale achève de convaincre : un grand vin. 2022-2030 ■ **2016 ★★ (8 à 11 €; 21000 b.)** : en attendant l'apogée de la Cuvée Flamboyante, l'amateur pourra patienter avec la cuvée «domaine» du Château, aussi gourmande et harmonieuse, mais déjà accessible grâce au caractère rond de ses tanins et à son fruité irrésistible. 2020-2028

CH. SAINT-VINCENT, lieu-dit Vincent, 33126 Saint-Aignan, tél. 05 57 24 02 21, sarl.odsv@gmail.com V r.-v.

CH. STEVAL 2016

■ | 12000 | | 11 à 15 €

Sébastien Gaucher a créé son vignoble en 1997 en reprenant les vignes de son grand-père et d'autres en fermage sur les communes de Fronsac et Saint-Michel-de-Fronsac : 8 ha répartis entre les châteaux Steval et Saint-Bernard, dont les vins fréquentent régulièrement ces pages.

Un fruité confituré intense, un boisé épicé flatteur (cannelle, vanille) et une grande rondeur caractérisent ce vin. Le résultat d'une vendange très mûre, sans doute. 2019-2025

VIGNOBLE GAUCHER, La Matheline, 33126 Saint-Michel-de-Fronsac, tél. 06 13 80 33 62, s.gaucher@free.fr V r.-v.

CH. TESSENDEY 2016 ★

■ | 40000 | | 11 à 15 €

La famile d'Arfeuille, présente depuis le XVIIIᵉs. dans le Libournais, a acquis le Ch. Tessendey en 1972. Depuis 2011, Arnaud d'Arfeuille gère la propriété de 8 ha située sur le plateau de Saillans, ainsi que le domaine familial du Ch. La Serre, en saint-émilion grand cru classé.

Le jury a salué un fronsac classique, au nez de petits fruits noirs, de framboise et de réglisse. En bouche, l'équilibre se réalise entre une chair ample, mûre, et une fraîcheur bienvenue. La finale, longue et savoureuse, révèle quelques tanins encore serrés, comme une invitation à la garde. 2021-2028

SCEP BERNARD D' ARFEUILLE, 33141 Saillans, tél. 05 57 84 32 26, chateau.tessendey@orange.fr V r.-v.

CH. LA VALADE L'intime 2016 ★

■ | 3000 | | 20 à 30 €

En 2005, Hervé Roux a pris la suite de son père à la tête de l'exploitation familiale dominant la vallée de l'Isle, sur le versant sud-est des coteaux de Fronsac. Son domaine compte 18 ha de vignes.

Cette cuvée tient son nom de son caractère confidentiel. Au nez encore marqué par le boisé répond une bouche ronde et harmonieuse, elle aussi sous l'emprise de l'élevage, mais dont l'harmonie et la trame tannique sont de bon augure pour l'évolution du vin. ⧗ 2022-2027 ■ **2016 (8 à 11 €; 26700 b.)** : vin cité.

EARL VIGNOBLES J. B. ROUX ET FILS,
2, La Valade, 33126 Fronsac, tél. 06 98 89 30 08,
chateaulavalade@orange.fr V *t.l.j. 9h-12h 14h-19h*

CH. LA VIEILLE CROIX 2016 ★

■ | 15700 | | 8 à 11 €

Situées dans le vallon de Charlemagne, les vignes du domaine La Vieille Croix, propriété de 9 ha, ont une moyenne d'âge de 40 ans et sont composées à 80 % de merlot et 20 % de cabernet franc. Deux vins sont produits sur la propriété : Ch. La Vieille Croix et Ch. Lormenat.

Sous une robe cerise à reflets pourpres, ce fronsac dévoile une grande complexité à travers des notes de fruits rouges, de cassis, de poivre et d'épices. Cette palette aromatique trouve un bel écho dans une bouche harmonieuse, charnue, aux tanins bien enrobés. Une agréable fraîcheur apparaît dans la longue finale. ⧗ 2021-2028 ■ **Ch. Lormenat 2016 (8 à 11 €; 15700 b.)** : vin cité.

SARL CH. LA VIEILLE CROIX,
1, La Croix, 33141 Saillans, tél. 05 56 23 71 92,
contact.scea.chm@gmail.com
V *r.-v.*

CH. LA VIEILLE CURE 2016 ★★

■ | 55000 | | 20 à 30 €

88 89 90 93 **94 95** 96 **97 98** 99 00 **01 02** 03 **04 05** 06 **07** 08 |09| |**10**| |11| 12 13 14 **15 16**

Acquis en 1986 par des amis américains, ce cru, indiqué sur la carte de Belleyme de 1780, couvre 20 ha d'un seul tenant. Les vignes sont implantées sur des coteaux argilo-calcaires à 65 m d'altitude, bien exposés et bien drainés, dans la vallée de l'Isle. Une valeur sûre de l'AOC fronsac.

Ce 2016 propose un nez intense de fruits noirs, de violette et de torréfaction. Après une attaque ronde, la bouche apparaît ample, élégante et séveuse, grâce à des tanins fondus. La finale, longue et finement vanillée, parachève l'harmonie. ⧗ 2021-2028 ■ **La Sacristie de la Vieille Cure 2016 ★ (11 à 15 €; 40000 b.)** : fruité, souple, tout en rondeur, ce second vin a séduit le jury. Déjà délicieux, il pourra également être oublié en cave ⧗ 2019-2025

SCEA CH. LA VIEILLE CURE,
Coutreau, 33141 Saillans, tél. 05 57 84 32 05,
vieillecure@wanadoo.fr
V *r.-v.*

♥ CH. VIEUX MOULEYRE Sagesses 2016 ★★★

■ | 1760 | | 15 à 20 €

Anna et Jacques Favier sont à la tête depuis 2000 de ce petit cru de Fronsac : 2 ha plantés sur le tertre argilo-calcaire de la Mouleyre (80 m d'altitude). Trois étiquettes ici : Ch. Vieux Mouleyre, le grand vin, Sagesses, une cuvée haut de gamme, et le Petit Âne.

Un pur merlot qui a tout d'un grand. Une robe rubis de grande profondeur, un nez intense de fruits noirs, de fruits rouges, de pivoine et de fumée, une matière enveloppée aux tanins veloutés et une finale fraîche portant loin les arômes. Une cuvée aussi rare qu'éclatante. ⧗ 2022-2030 ■ **Le Petit Âne de la Mouleyre 2016 ★ (11 à 15 €; 11000 b.)** : un rien réservé à l'ouverture, ce fronsac déploie ses arômes de fruits noirs et ses notes épicées jusqu'en finale. Quelques notes poivrées et un boisé bien intégré soulignent une chair harmonieuse. ⧗ 2020-2025

SCEA ANNA ET JACQUES FAVIER,
7, Peychez, 33126 Fronsac, tél. 06 80 58 42 10,
jacques-favier@vieux-mouleyre.com

POMEROL

Superficie : 785 ha / Production : 40 500 hl

Pomerol est l'une des plus petites appellations girondines et l'une des plus discrètes sur le plan architectural. Au XIXe s., la mode des châteaux du vin, d'architecture éclectique, ne semble pas avoir séduit les Pomerolais, qui sont restés fidèles à leurs habitations rurales ou bourgeoises. Néanmoins, l'aire d'appellation possède quelques demeures élégantes comme le Ch. de Sales (XVIIe s.), sans doute l'ancêtre de toutes les chartreuses girondines, ou le Ch. Beauregard, l'une des plus charmantes constructions du XVIIIe s., reproduite par les Guggenheim dans leur propriété new-yorkaise de Long Island.

Cette modestie du bâti sied à une AOC dont l'une des originalités est de constituer une sorte de petite république villageoise où chaque habitant cherche à conserver l'harmonie et la cohésion de la communauté; un souci qui explique pourquoi les producteurs sont toujours restés réservés quant au bien-fondé d'un classement des crus.

La qualité et la spécificité des terroirs auraient pourtant justifié une reconnaissance officielle du mérite des vins de l'appellation. Comme tous les grands terroirs, celui de Pomerol est issu du travail d'une rivière, l'Isle, née dans le Massif central. Le cours d'eau a commencé par démanteler la table calcaire pour y déposer des nappes de cailloux, travaillées ensuite par l'érosion. Il en résulte un enchevêtrement de graves ou de cailloux roulés. La complexité des terrains semble inextricable : toutefois, il est possible de distinguer quatre grands ensembles : au sud, vers Libourne, une zone sablonneuse; près de Saint-Émilion, des graves sur sables ou argiles (terroir proche de celui du plateau de Figeac); au centre

de l'AOC, des graves sur ou parfois sous des argiles (Petrus); enfin, au nord-est et au nord-ouest, des graves plus fines et plus sablonneuses.
Cette diversité n'empêche pas les pomerol de présenter une analogie de structure. Très bouquetés, ils allient la rondeur et la souplesse à une réelle puissance, ce qui leur permet d'être de longue garde tout en pouvant être bus assez jeunes. Ce caractère leur ouvre une large palette d'accords gourmands, aussi bien avec des mets sophistiqués qu'avec des plats très simples.

♥ B CH. BEAUREGARD 2016 ★★

■ | 34000 | | 50 à 75 €

75 78 81 (82) **83** 84 **85** 86 88 89 90 92 **93 94 95 96 97 98** 99 00 01 02 |**03**| 04 |05| 06 07 08 |09| |**10**| |11| |**12**| |13| 14 **15 16**

Commandé par une superbe chartreuse du XVIIe s., Beauregard compte 17,5 ha de vignes en bordure sud-est du plateau de Catusseau, complétés par 8 ha en lalande (Pavillon Beauregard). Un cru très régulier, dont la gestion est confiée à Vincent Priou. Propriété depuis 1991 du Crédit Foncier, il a été vendu en juillet 2014 aux familles Moulin (groupe Galeries Lafayette) et Cathiard (Ch. Smith Haut Lafitte). Un nouveau cuvier a été aménagé, l'agriculture biologique adoptée et le domaine est ouvert au tourisme.

Il a été impossible pour le jury de résister à ses charmes. Robe pourpre soutenu aux reflets violines pour cet assemblage de merlot (80 %) et de cabernet franc. Du verre montent des parfums intenses de fruits rouges, de moka et de tabac blond. Derrière une fraîcheur parfaitement ajustée, la bouche dévoile une structure dense et puissante, bâtie sur des tanins serrés; on y retrouve les fruits rouges très mûrs et les notes boisées jusque dans sa très longue finale. Un grand pomerol dans un grand millésime. ⧗ 2023-2030 ■ **Benjamin de Beauregard 2016 (20 à 30 €; 36000 b.)** B : vin cité.

SCEA CH. BEAUREGARD,
73, rue de Catusseau, 33500 Pomerol,
tél. 05 57 51 13 36, contact@chateau-beauregard.com
V r.-v. 5

CH. BEAU SOLEIL 2016

■ | 23000 | | 20 à 30 €

Un petit vignoble pomerolais de 4 ha, racheté en 2016 par Thibault Cruse (Ch. Mondorion à Saint-Émilion).

Un pomerol au nez fin et élégant de petits fruits rouges et noirs et au boisé discret. Après une attaque ample, on découvre un milieu de bouche intense et plein, et une finale encore très chaleureuse. Du potentiel. ⧗ 2022-2026

SC TCB THIBAULT CRUSE BEAU SOLEIL,
151_bis, Grand-Chemin, lieu-dit Mondou,
33330 Saint-Sulpice-de-Faleyrens,
tél. 05 57 24 76 11, chateau.beausoleil@orange.fr
V r.-v.

CH. BEL-AIR 2016 ★

■ | 34500 | | 20 à 30 €

Remontant à 1868, la propriété appartient à la famille Sudrat depuis 1914. Le vignoble est réparti entre les AOC pomerol (Ch. Bel-Air, 913 ha) et fronsac (Ch. Beauséjour, 23 ha).

Uniquement issu du merlot, ce 2016 déploie une palette expressive de fruits rouges mûrs et d'épices douces. Une aromatique que l'on retrouve avec intensité dans une bouche savoureuse, fraîche, longue et aux tanins doux : un vin de garde très abouti. ⧗ 2023-2027

SCEA VIGNOBLES SUDRAT-MELET,
5, chem. de la Cabanne, 33500 Pomerol, tél. 05 57 51 02 45, vignsudrat-melet@wanadoo.fr V r.-v.

LA BELLE CONNIVENCE 2016 ★

■ | 3000 | | 50 à 75 €

Le Ch. la Connivence, né en 2008, est le fruit d'une histoire d'amitié entre Alexandre de Malet Roquefort, propriétaire du Ch. la Gaffelière, 1er grand cru classé de Saint-Émilion, et deux anciens footballeurs des Girondins, dont Johan Micoud, ancien international, qui reste associé à l'entreprise. Le vin provient d'un mouchoir de poche (1,4 ha), planté en merlot.

Un deuxième vin ample et gras, qui distille à l'olfaction des arômes de fruits confits, de moka et d'épices, et qui dévoile une bouche ronde et longue, équilibrée entre maturité de la vendange, tanins fermes et fraîcheur bien dosée. Un joli vin de garde. ⧗ 2023-2028

SARL VIN'4 (CH. LA CONNIVENCE), 33500 Pomerol, contact@chateaulaconnivence.com

B CH. BELLEGRAVE 2016 ★

■ | 55000 | | 30 à 50 €

Vigneron-tonnelier à Arveyres, Jean Bouldy a traversé la Dordogne en 1951 pour s'établir sur les graves du secteur de René, dans la partie sud-ouest de l'appellation pomerol, au nord de Libourne. Son fils, Jean-Marie, a repris l'exploitation en 1980 (11 ha aujourd'hui) et l'a convertie à l'agriculture biologique (certification en 2012).

Un 2016 à la belle robe cerise qui délivre un élégant bouquet fait de framboise, de fraise et de prunelle. La bouche se révèle droite, harmonieuse, ample et offre une longue finale aux tanins enrobés, typique des meilleurs vins de l'appellation. Un pomerol classique, franc et expressif. ⧗ 2022-2028

EARL VIGNOBLES J.M. BOULDY, lieu-dit René, 33500 Pomerol, tél. 05 57 51 20 47, contact@bellegrave-pomerol.com V r.-v.

CH. BONALGUE 2016 ★

■ | 45000 | | 50 à 75 €

L'un des crus de la famille Bourotte, bien implantée dans le Libournais. Un domaine de 4,6 ha né en 1931 de la réunion de trois parcelles au cœur du plateau de Pomerol, près de l'église du village.

Un nez très mûr, mêlant pruneau, noyau de cerise, vanille, cuir et nuances camphrées devance une bouche riche, ample, structurée, trouvant l'équilibre entre sucrosité et vivacité. Les tanins puissants en finale nous rappellent que nous sommes en présence d'un vin de garde : patience. ⧗ 2023-2028

SAS PIERRE BOUROTTE, 62, quai du Priourat, BP_79, 33502 Libourne Cedex, tél. 05 57 51 62 17, contact@jbaudy.fr V r.-v.

♥ CH. LE BON PASTEUR 2016 ★★

■ | 30000 | | 75 à 100 €

78 79 81 (82) **83 85 86 88** 89 90 **92 93 94** (95) 96 **97** |(98)| **99 00 01** 02 03 04 |**05**| |06| 08 |09| **10** 11 12 |13| **14** 15 **16**

Michel Rolland possédait plusieurs crus dans le Libournais, avec pour fleuron Bon Pasteur, dans la famille depuis les années 1920 : 7 ha morcelés en 23 parcelles, aux confins nord-est de Pomerol. Bertineau Saint-Vincent (5,6 ha en lalande) et Rolland-Maillet (3,3 ha en saint-émilion) complètent la propriété, passée en 2013 sous pavillon chinois (le groupe Golding basé à Hong-Kong); l'équipe technique est restée en place.

Dix-huit mois d'élevage pour ce 2016 semblant aujourd'hui d'une jeunesse insolente. Le nez, racé et fin, convoque les fruits rouges et noirs légèrement compotés, le sous-bois et les épices douces. Le vin se montre charnu en bouche, riche et finement tannique : un grand pomerol, à l'immense finale évoquant la violette. Un coup de cœur d'autant plus méritoire que le niveau général était particulièrement élevé cette année dans l'appellation. ⧗ 2024-2030

SAS LE BON PASTEUR, 10, chem. Maillet, 33500 Pomerol, tél. 05 57 24 52 58, contact@chateaulebonpasteur.com V r.-v.

CH. BOURGNEUF 2016 ★

■ | 30500 | | 30 à 50 €

Une propriété de 9 ha d'un seul tenant, propriété de la famille Vayron depuis 1840 et huit générations. Frédérique Vayron, après un cursus universitaire en philosophie suivi d'un cycle «viti-oeno», en a pris les rênes en 2008.

Ce pomerol d'une grande finesse, à la belle robe rubis pourpre, propose un bouquet fin mêlant cerise noire, framboise, cuir et nuances torréfiées. Le palais, friand, croquant, à la fraîcheur mentholée, a séduit les dégustateurs par son expressivité, mais surtout par son équilibre entre richesse, structure affirmée (tanins ronds mais encore à fondre) et délicatesse de goût : l'apanage des grands terroirs. ⧗ 2023-2028

SCEA CH. BOURGNEUF VAYRON, 1, chem. de Bourgneuf, 33500 Pomerol, tél. 05 57 51 42 03, chateaubourgneufvayron@wanadoo.fr V r.-v.

CH. LA CABANNE 2016 ★

■ | 38000 | | 30 à 50 €

Les Estager, négociants et propriétaires d'origine corrézienne, sont établis depuis 1912 dans le Libournais. Côté vignobles, conduits par Michèle Estager et son fils François, quatre AOC : pomerol (La Cabanne, Plincette, Haut Maillet), saint-émilion (Gourdins), lalande (Gachet) et montagne (La Papeterie).

Le nez, complexe, associe des notes de fruits rouges confiturés, de violette et de crème fraîche. Harmonieux, long, aux saveurs fruitées intenses, le palais est épaulé par un boisé fondu et des tanins ciselés qu'une garde de quelques années ne pourra que bonifier. Un vin bien dans son appellation. ⧗ 2022-2027

VIGNOBLES JEAN-PIERRE ESTAGER, 35, rue de Montaudon, 33500 Libourne, tél. 05 57 51 04 09, estager@estager.com V r.-v.

CH. LA CLÉMENCE 2016 ★

■ | 15000 | | 50 à 75 €

Christian Dauriac conduit depuis 1971 le Ch. Destieux, grand cru classé de Saint-Émilion depuis 2006 : 8 ha d'un seul tenant en haut du coteau de Saint-Hippolyte, complétés par 7 ha sur les terres de Lisse (Ch. Montlisse) et 2,8 ha à Pomerol (La Clémence).

Un pomerol puissant, au bouquet de fruits rouges et de violette, et à la bouche de grande classe : du volume, du gras, des tanins présents mais idéalement mûrs, de la fraîcheur, une belle persistance aromatique... Que demander de plus ? ⧗ 2023-2028

SCEA DAURIAC, Ch. Destieux, 33330 Saint-Hippolyte, tél. 05 57 24 77 44, contact@vignoblesdauriac.com V r.-v.

CLOS BEAUREGARD 2016

■ | 45261 | | 30 à 50 €

La Société fermière des Grands Crus de France est la structure spécialisée dans le Bordelais du groupe Grands Chais de France. Son œnologue Vincent Cachau vinifie le fruit de quinze propriétés représentant quelque 500 ha dans les différentes AOC bordelaises.

Ce vin présente une belle expression aromatique autour des fruits rouges, de la réglisse et du tabac blond. Le palais s'impose par son fruité intense et sa chair dense, structurée par des tanins jeunes mais prometteurs. L'étoile viendra en cave. ⧗ 2022-2026

SCEA SOCIÉTÉ FERMIÈRE DES GRANDS CRUS DE FRANCE, Ch. du Cartillon, 33460 Lamarque, tél. 05 57 98 07 20, vcachau@lgcf.fr

CLOS DE LA VIEILLE ÉGLISE 2016 ★

■ | 10000 | | 50 à 75 €

92 93 94 95 96 99 **00** 01 02 03 |**04**| |05| |**06**| |07| 08 09 (10) **11** 13 **14 15** 16

Les Trocard sont établis dans le Libournais depuis 1628. Leurs domaines ont connu un formidable essor au lendemain de la Seconde Guerre mondiale. Aux commandes depuis 1976, Jean-Louis Trocard, épaulé par ses enfants Benoît et Marie, a porté le vignoble à près de 100 ha répartis dans plusieurs crus et appellations.

Un vin réussi provient d'une belle matière première, et ce 2016 semble parfaitement l'exprimer : à un nez de fraise mûre, de violette et de framboise répond un palais de grande harmonie, à la fois riche et frais, croquant et doté de tanins racés. Un pomerol expressif. ⧗ 2023-2028 ■ **Ch. Porte Chic 2016 ★ (30 à 50 €; 19000 b.)** : voilà un flacon qui plaira à tout amateur de l'appellation : nez de cerise, de cassis, de violette et de vanille légère, bouche à l'unisson, gourmande et veloutée, d'un bel équilibre, dotée de tanins volontaires qui ont besoin de se fondre. ⧗ 2022-2026

SCEA DES VIGNOBLES JEAN-LOUIS TROCARD, 1175, rue Jean-Trocard, 33570 Les Artigues-de-Lussac, tél. 05 57 55 57 90, bt@trocard.com V t.l.j. sf sam. dim. 9h-12h 14h-17h

CLOS DES LITANIES 2016 ★

■	12266		30 à 50 €

Négociants-éleveurs et producteurs d'origine corrézienne, les Janoueix sont propriétaires de nombreux crus dans le Libournais. Leur histoire débute en 1898 quand Jean Janoueix fonde son commerce de vin, aidé de ses quatre fils. Joseph acquiert son propre domaine (Haut Sarpe) en 1930 et crée sa maison de négoce en 1932. Jean-François est aujourd'hui aux commandes de ce vaste ensemble.

Ce pomerol dévoile un intense bouquet de fruits noirs et d'épices, au boisé encore dominant. Le prélude à une bouche riche et puissante, onctueuse et fraîche, qui déploie une longue finale vanillée. Un vin à attendre quelques années en cave afin que l'élevage se fonde. ⧗ 2022-2027

SC CH. LA CROIX, 37, rue Pline-Parmentier, BP_192, 33506 Libourne Cedex, tél. 05 57 51 41 86, info@j-janoueix-bordeaux.com

LE CLOS DU BEAU-PÈRE 2016 ★

■	20000		30 à 50 €

L'un des crus de Jean-Luc Thunevin, l'homme de Valandraud (aujourd'hui 1er grand cru classé de Saint-Émilion) : 4 ha de vignes acquis en 2006.

Le bouquet de ce 2016, puissant et racé, séduit par ses notes fruitées (cerise fraîche, prunelle) et son boisé fin. En bouche, on découvre un pomerol velouté, harmonieux et frais. Jamais le bois ne prend le dessus sur les arômes de fruits rouges, et cela jusqu'à la longue finale sertie de tanins soyeux. ⧗ 2021-2028

SAS THUNEVIN (CLOS DU BEAU-PÈRE), BP_88, 33330 Saint-Émilion, tél. 05 57 55 09 13, thunevin@thunevin.com V r.-v.

CLOS DU CLOCHER 2016 ★

■	21000		75 à 100 €

L'un des crus de la famille Bourotte, bien implantée dans le Libournais. Un domaine de 5,9 ha né en 1931 de la réunion de trois parcelles au cœur du plateau de Pomerol, près de l'église du village.

75 % de merlot complétés de cabernet franc pour ce pomerol au nez flatteur de fruits rouges confits, de fleurs (œillet, violette) et au boisé encore dominant (vanille, cacao). Ces arômes se prolongent dans une bouche ronde en attaque, à la fois riche, fraîche et persistante, appuyée sur des tanins pour l'heure très puissants. Un vin de longue garde, au caractère affirmé. ⧗ 2023-2030 ■ **Ch. Monregard la Croix 2016 (30 à 50 €; 14000 b.)** : vin cité.

SC CLOS DU CLOCHER, 35, quai du Priourat, BP_79, 33502 Libourne, tél. 05 57 51 62 17, contact@jbaudy.fr V r.-v.

CLOS DU PÈLERIN 2016 ★

■	10060		20 à 30 €

Laëtitia Bühler-Egreteau a repris en main cette petite propriété de 3,5 ha, depuis plus d'un siècle dans sa famille, en 2016.

La robe soutenue et profonde égaye par ses reflets pourpres. Mais c'est avant tout l'intensité du nez qui a conquis le jury : les arômes mentholés se mêlent aux fruits noirs, aux épices et au boisé grillé. La bouche présente une belle harmonie. Tout y est : attaque suave, tanins polis, aromatique soutenue et persistante... On se délectera longtemps de ce 2016. ⧗ 2022-2028

LAËTICIA BÜHLER-EGRETEAU, Clos du Pèlerin, 3, chem. de Sales, 33500 Pomerol, tél. 06 87 38 35 87, egreteau.norbert@orange.fr V r.-v.

CLOS L'ÉGLISE 2016 ★

■	20000		+ de 100 €

Sylviane Garcin, née Cathiard, est propriétaire de plusieurs crus en pessac-léognan (Haut-Bergey, Branon) et depuis 2000 du Ch. Barde-Haut, cru de Saint-Émilion, qui a été classé en 2012. Acquis par la famille en 1997, le Clos l'Église (un peu moins de 6 ha en pomerol), planté par les Hospitaliers, remonte au XIIes. et formait une unité de 14 ha au XVIIIes., scindée à une époque postérieure. C'est maintenant Hélène Garcin-Lévêque, fille de Sylviane, qui gère avec son époux ce cru.

La très belle robe sombre et brillante invite à la dégustation. Le nez, intense, est centré sur des arômes de fruits noirs (cassis en tête), de réglisse, de vanille et de tabac. La bouche est ronde, riche et fruitée, épaulée par des tanins encore vifs. L'acidité en finale participe à l'équilibre et à la longueur de ce 2016 de garde. ⧗ 2023-2030

CLOS L'ÉGLISE, 33500 Pomerol, tél. 05 57 25 72 55, helenegarcin@vignoblesgarcin.com V r.-v.

CLOS RENÉ 2016

■	n.c.		20 à 30 €

Jean-Marie Garde exploite deux crus limitrophes à Pomerol, au terroir et à l'encépagement similaires (avec une présence originale du malbec) : le Clos René – ancienne propriété familiale connue au XVIIIes. sous le nom de « Reney » – et Moulinet-Lasserre, complétés par une vigne en lalande (La Mission).

Avec ce millésime 2016, Jean-Michel Garde signe un vin à la robe grenat soutenu, au nez expressif (fruits rouges et noirs confiturés, amande, menthol, violette), à la bouche ample et de bonne longueur, soutenue par des tanins enrobés. ⧗ 2022-2026

SCEA GARDE-LASSERRE, 3, rue du Grand-Moulinet, 33500 Pomerol, tél. 05 57 51 10 41 V r.-v.

CLOS VIEUX TAILLEFER 2016

■ | 26750 | | 30 à 50 €

Un cru de 3,8 ha, propriété de la famille Robin (Ch. de Laussac en castillon, Rol Valentin en saint-émilion grand cru) depuis plusieurs générations, repris en 2008, à la suite du grand-père, par Alexandra et Nicolas Robin.
Un pomerol expressif, au nez de fruits rouges, de tilleul et de prunelle, qui offre une bouche souple et suave, harmonieusement structurée, aux saveurs fruitées et épicées et à la jolie finale portée par des tanins prometteurs. ⧗ 2022-2030

SAS VIGNOBLES ROBIN, 4, chem. de Laussac, 33350 Saint-Magne-de-Castillon, tél. 05 57 40 13 76, contact@vignoblesrobin.com V r.-v.

CH. LA COMMANDERIE 2016 ★★

■ | 15000 | | 50 à 75 €

Un vignoble de près de 6 ha en pomerol. Il a été acquis en 2013 par Andrew et Melody Kuk, un jeune couple de Chinois originaires de Singapour, passionnés par le vin et la culture française. Une activité prospère dans l'immobilier à Hong Kong leur a permis d'investir dans ce cru dont les chais ont été modernisés. Les vignes, du merlot (72 %) et du cabernet franc, sont implantées sur des terrains sablo-graveleux.
Ce 2016 brille d'un rouge grenat particulièrement intense. Le nez s'ouvre sur d'agréables notes de réglisse, de fruits confiturés, de vanille et sur des nuances fumées. Cette aromatique flatteuse se confirme dans un palais élégant, charnu, aux tanins fins. ⧗ 2022-2026 ■ **Esprit de la Commanderie 2016 ★★** (20 à 30 €; **10000 b.**) : un très beau deuxième vin, gourmand et onctueux, au nez de noyau de cerise, d'épices et de vanille, à la bouche ample, tendre, ouvertement fruitée, offrant une jolie finale et des tanins soyeux. Très recommandable. ⧗ 2021-2025

SAS CH. LA COMMANDERIE, 4, chem. de la Commanderie, 33500 Pomerol, tél. 05 57 51 79 03, contact@lcpomerol.com V r.-v.

COPEL 2016

■ | 1200 | | 30 à 50 €

Xavier Copel est un négociant-éleveur (notamment avec la marque Primo Palatum) ayant créé un partenariat avec un seul vigneron par appellation (bordeaux, sauternes, pauillac, haut-médoc, saint-émilion grand cru et pomerol), ce qui lui permet d'acheter des raisins, de vinifier puis d'élever (sa spécialité) des vins de chaque appellation sous sa marque Copel.
Un pomerol moderne, flatteur, au nez de fruits rouges et de cassis, savamment boisé, qui dévoile un palais souple et d'une légère sucrosité, avant de déployer une finale encore austère. À garder quelques mois en cave afin d'arrondir la vivacité des tanins. ⧗ 2021-2025

SARL XAVIER COPEL, 1, lieu-dit Roy, 33190 Pondaurat, tél. 05 56 71 39 39, contact@copelwines.com V r.-v.

CH. LA CRÉATION 2016 ★★

■ | 25000 | | 30 à 50 €

Implanté au sud-ouest de Pomerol, le Ch. Tour Robert, rebaptisé La Création, est un cru d'un seul tenant (5,5 ha aujourd'hui). L'une des acquisitions (2012) de Stéphane de Gaye, à la tête d'une compagnie d'assurances, qui a acheté en 2005 le Ch. Grand Corbin Manuel en saint-émilion grand cru, puis en 2013 le Ch. Sainte-Barbe en bordeaux supérieur. Sa fille Yseult dirige ces propriétés, auxquelles s'est ajouté en 2015 le Ch. Haut-Cadet en saint-émilion grand cru.
Ce 2016 semble encore être dans sa prime jeunesse. Derrière sa profonde robe rubis, on découvre un nez très concentré, marqué par les fruits noirs confiturés, la réglisse et la vanille. Le palais, rectiligne, plein, d'une grande harmonie, conjugue élégance et puissance, et s'appuie sur une trame tannique riche et racée. Superbe finale, persistante et prometteuse. Un grand vin de garde. ⧗ 2023-2030

SAS GRAND CORBIN MANUEL, chem. de Grangeneuve, 33500 Libourne, tél. 05 57 25 09 68, info@grandcorbinmanuel.fr V r.-v.

CH. LA CROIX DE GAY 2016 ★

■ | 25000 | | 30 à 50 €

Ce cru situé autour du hameau du Pignon est resté dans la même famille, par filiation directe, depuis le XVe s. C'est Chantal Raynaud-Lebreton qui le dirige depuis 1998 – son frère Alain ayant revendu ses parts en 2009. Le domaine ne couvre plus que 6 ha. Il s'est équipé en 2014 d'un nouveau cuvier aux cuves de béton tronco-cylindriques, en forme de tulipe.
Ce pomerol se pare d'une robe profonde, presque noire. Du verre s'échappent des notes de fruits rouges, d'œillet et de violette, ainsi que des nuances balsamiques. La bouche, bien construite et charpentée, conjugue arômes de fruits noirs, de vanille et déploie des tanins puissants mais mûrs. Un beau vin d'avenir. ⧗ 2023-2030

SCEV CH. LA CROIX DE GAY, 8, chem. de Saint-Jacques-de-Compostelle, lieu-dit Pignon, 33500 Pomerol, tél. 05 57 51 19 05, contact@chateau-lacroixdegay.com V r.-v.

CH. LA CROIX DU CASSE 2016 ★

■ | 27000 | | 20 à 30 €

Ce domaine, acquis en 2005 par la famille Castéja, très présente dans le Libournais, (maison Borie-Manux), étend son vignoble (9 ha) à la pointe Sud du plateau de Pomerol.
Issu d'un terroir sablo-graveleux, composé de merlot à 93 % et d'une pincée de cabernet franc, ce superbe 2016, à la robe profonde ornée de reflets violines, présente un nez intense de fruits confits, d'épices et de notes grillées. La bouche, ample et persistante, elle aussi centrée sur les fruits épicés, dévoile une chair enrobée, structurée par des tanins riches qui garantissent une heureuse évolution. ⧗ 2023-2028 ■ **Les Chemins de la Croix du Casse 2016 ★** (15 à 20 €; **9000 b.**) : un deuxième vin charmant, rond et sapide, qui plaira à tout amateur de pomerol par son naturel, ses arômes expressifs de fruits rouges, de cerise noire et de réglisse, et surtout par son bel équilibre entre tanins fondus, fraîcheur et sucrosité. Un 2016 des plus friands. ⧗ 2020-2024

SCEA CH. LA CROIX DU CASSE, 33500 Pomerol, tél. 05 56 00 00 70, domaines@borie-manoux.fr r.-v.

B CH. LA CROIX-TOULIFAUT 2016 ★

■ | 10 650 | ❚❚ | 30 à 50 €

Négociants-éleveurs et producteurs d'origine corrézienne, les Janoueix sont propriétaires de nombreux crus dans le Libournais. Leur histoire débute en 1898 quand Jean Janoueix fonde son commerce de vin, aidé de ses quatre fils. Joseph acquiert son propre domaine (Haut Sarpe) en 1930 et crée sa maison de négoce en 1932. Jean-François est aux commandes de ce vaste ensemble.

Après seize mois de fût de chêne, ce 2016 offre un nez racé de fruits rouges et noirs, de boisé fin et de violette. On retrouve cette aromatique flatteuse en bouche, où la rondeur du fruit épouse des tanins enrobés et élégants dans une belle harmonie gourmande. Très longue finale, encore dominée par les saveurs torréfiées de l'élevage. La patience est de mise. ⧗ 2023-2028

⊶ SCEA CHÂTEAUX J.F. JANOUEIX (CH. LA CROIX-TOULIFAUT), 37, rue Pline-Parmentier, 33500 Libourne, tél. 05 57 51 41 86, info@j-janoueix-bordeaux.com V r.-v.

CH. DU DOM. DE L'ÉGLISE 2016

■ | 32 000 | ❚❚ | 30 à 50 €

Philippe Castéja, qui dirige la maison Borie-Manoux, est très présent dans le Libournais. À l'ombre du clocher de Pomerol, ce cru de 9 ha, cité dès 1589, est un ancien bien ecclésiastique, acquis en 1973 par la famille Castéja. Ses sols de graves et d'argiles sont plantés à plus de 90 % de merlot.

Un pomerol au nez de réglisse, de fruits noirs et de vanille, qui offre une bouche ample, généreuse, aux saveurs de cerise à l'alcool, et une finale pour l'heure un peu sévère. À revoir après quelques années de cave. ⧗ 2022-2025

⊶ INDIVISION CASTÉJA-PREBEN-HANSEN, 33500 Pomerol, tél. 05 56 00 00 70, domaines@borie-manoux.fr r.-v.

♥ CH. L'ÉVANGILE 2016 ★★★

■ | n.c. | ❚❚ | + de 100 €

82 83 85 88 (89) **90** 95 **96 98** 99 01 02 |03| |04| |05| |**06**| |07| **08** 09 (10) 11 (12) **13 14** (16)

Né vers le milieu du XVIIIe s., époque où il porte le nom de Fazilleau, le cru est rebaptisé L'Évangile au début du XIXe s. Il s'étend alors sur 13 ha, une superficie proche de sa taille actuelle (16 ha). Le premier tournant de son histoire se situe sous le Second Empire avec son achat par Paul Chaperon, qui fait bâtir le château et contribue à asseoir rapidement sa renommée en exploitant les qualités d'un terroir à la fois fortement typé et bien équilibré avec des argiles, des sables et des graves très pures, sur un sous-sol riche en crasse de fer. L'Évangile est vendu aux Rothschild en 1990, second tournant majeur pour ce cru qui bénéficie alors d'investissements importants et des compétences de son directeur Charles Chevallier, qui a passé la main en 2015 à Éric Kohler.

Une grande sensualité émane de ce pomerol grenat profond, dont le bouquet évoque les fruits rouges et noirs très mûrs, ainsi que les épices. Le grain des tanins est si soyeux et la fraîcheur si pertinente qu'une impression de suavité l'emporte au palais. Pourtant, la matière est bel et bien dense et ample, puissante même en finale, architecturée pour affronter le temps. ⧗ 2023-2040

⊶ CH. L'ÉVANGILE, 33500 Pomerol, tél. 05 57 55 45 55, levangile@lafite.com

♥ CH. LA FLEUR-PÉTRUS 2016 ★★★

■ | n.c. | ❚❚ | + de 100 €

82 83 85 86 88 (89) **90** 95 **96 98** 99 01 02 03 04 |05| |**06**| |07| |**08**| |09| (10) **11** (12) **13 14** (15) (16)

Implanté sur le plateau de Pomerol, contigu à Lafleur à l'ouest et à Petrus au sud, c'est le plus vaste des crus pomerolais (18,7 ha) de la famille Moueix, acquis dès 1953; il a été agrandi en 1994 grâce à l'acquisition d'une butte graveleuse du Ch. le Gay. Un château réputé pour l'élégance de ses vins.

2014, 2015, 2016 : La Fleur-Pétrus livre une admirable série de millésimes, tous récompensés d'un coup de cœur. À la fois profonde et éclatante, la robe fait son effet. Rose, violette, fruits rouges mûrs, boisé sage : le nez affiche une élégance remarquable. La bouche est à l'unisson : ample, ronde tout en restant fraîche, dotée de tanins fins et veloutés, elle s'étire dans une longue finale tout en délicatesse. Comme à son habitude, un cru parfaitement typé, d'un équilibre exceptionnel. ⧗ 2024-2035

⊶ ÉTS JEAN-PIERRE MOUEIX (CH. LA FLEUR-PÉTRUS), 54, quai du Priourat, BP_129, 33502 Libourne Cedex, tél. 05 57 51 78 96, info@jpmoueix.com

CH. FRANC-MAILLET 2016

■ | 12 600 | ❚❚ | 20 à 30 €

98 **99** 00 **01** 02 03 **04** |05| 06 07 08 **09** 10 |11| 12 |13| **14 15** 16

À son retour de la Grande Guerre, Jean-Baptiste Arpin achète 1 ha à Pomerol, dans le secteur du Maillet. Aujourd'hui, ses petits-fils et arrière-petits-fils Gérard et Gaël exploitent 38 ha en pomerol (Franc-Maillet), saint-émilion (La Fleur Chantecaille), montagne (Gachon) et lalande (Vieux Château Gachet), et proposent régulièrement de très bons vins.

Un 2016 très extrait, au nez toasté de griotte et de confiture de fruits noirs, qui déploie une bouche puissante et riche, longue et structurée par des tanins massifs. Un pomerol démonstratif, à encaver plusieurs années. ⧗ 2023-2030

⊶ SCEA CHÂTEAUX G. ARPIN, Chantecaille, 33330 Saint-Émilion, tél. 09 71 58 23 49, contact@chateaux-g-arpin.fr V r.-v. 3

CH. LA GANNE 2016 ★

■ | 7900 | | 20 à 30 €

Situé au sud-ouest de l'appellation pomerol, près de Saint-Émilion, un domaine exploité par la même famille depuis cinq générations, dont Michel Dubois a pris les rênes en 1985. Les 7 ha du vignoble sont répartis dans les appellations pomerol (4 ha), saint-émilion grand cru et bordeaux.

Une olfaction intense, aux arômes de griotte, de fruits des bois bien mûrs, de poivre et de vanille, précède une bouche à la fois puissante et soyeuse, sans creux, au fruité tapissant et aux tanins de velours. Un pomerol qui conjugue équilibre et finesse. ⧗ 2022-2027

MICHEL DUBOIS, 224, av. Foch, 33500 Libourne, tél. 05 57 51 18 24, chateau.laganne@gmail.com r.-v.

CH. GAZIN 2016 ★★

■ | 85000 | | 75 à 100 €

(90) **91** 92 **93** 94 (95) (96) 97 **98** 99 **00** 01 **02** (03) **04** |05| |06| |07| |08| |09| **10** 11 12 |13| 14 15 **16**

L'un des domaines les plus réputés de Pomerol, ancienne propriété des Hospitaliers de Saint-Jean-de-Jérusalem, entré dans la famille Bailliencourt en 1918. L'un des plus étendus aussi, 26 ha d'un seul tenant sur un superbe terroir argilo-graveleux, où naissent des pomerol d'un grand classicisme.

Un vin à la hauteur de ce beau millésime : si le jury a été charmé par la magnifique robe rubis aux reflets violines, il a également été conquis par le bouquet élégant mêlant fruits noirs, cerise et vanille. Après une attaque énergique et vive, la bouche déroule un superbe fruit dans un ensemble croquant, harmonieux et long. Les tanins de jeunesse, mûrs et soyeux, augurent d'une belle évolution en cave. ⧗ 2024-2030

GFA CH. GAZIN, 33500 Pomerol, tél. 05 57 51 07 05, contact@gazin.com r.-v.

CH. GRAND MOULINET 2016 ★★

■ | 15000 | | 20 à 30 €

En cinq générations, la famille Ollet-Fourreau, de Néac (lalande), a constitué une belle unité de 35 ha, essentiellement en lalande (Haut-Surget, Lafleur Vauzelle), complétée par des vignes en pomerol (Grand Moulinet), en bordeaux (Fleur Saint-Espérit) et en saint-émilion grand cru (Grand Cardinal).

Ce pomerol semble encore être dans sa prime jeunesse. La robe est sombre et intense. Le nez, fin et expressif, est marqué par les fruits noirs confiturés et les notes torréfiées. La bouche affiche un équilibre abouti entre maturité du fruit, fraîcheur et élégance jusque dans sa longue finale; elle s'adosse à des tanins mûrs mais bien présents qui ne demandent qu'à s'estomper en cave. Un vin de garde remarquable. ⧗ 2023-2030

GFA CH. HAUT-SURGET, 18, av. de Chevrol, 33500 Néac, tél. 05 57 51 28 68, chateauhautsurget@wanadoo.fr r.-v.

CH. LA GRAVE 2016 ★

■ | n.c. | | 30 à 50 €

Longtemps appelé La Grave Trigant de Boisset (du nom d'un ancien propriétaire), ce domaine de 9 ha est établi sur le versant ouest du plateau de Pomerol, sur des terrains graveleux. Il est entré dans le giron des établissements Moueix en 1971.

D'un rouge vif aux reflets violines, ce pomerol livre un bouquet plaisant de fruits rouges sur fond de boisé discret et de nuances florales. En bouche, il apparaît souple et frais en attaque, plus serré dans son développement, avec en finale une touche poivrée du meilleur effet. Un ensemble bien construit. ⧗ 2022-2027

ÉTS JEAN-PIERRE MOUEIX (CH. LA GRAVE), 54, quai du Priourat, BP_129, 33502 Libourne Cedex, tél. 05 57 51 78 96, info@jpmoueix.com

CH. HAUT FERRAND 2016 ★

■ | 15000 | | 30 à 50 €

Les Gasparoux conduisent un vignoble de 16 ha répartis entre les Ch. Ferrand (acquis en 1934), 12 ha sur les pentes sud du plateau de Pomerol, et Haut Ferrand, 4 ha autour de l'église de Pomerol, acquis dans les années 1970.

Encore un peu fermé, ce 2016 offre un premier nez discret qui, à l'agitation, laisse poindre d'élégants arômes de fruits noirs, de kirsch et de boisé. La bouche, fine et racée, dotée d'une acidité bien dosée, décline une chair dense et une belle finale confiturée munie de tanins enrobés. ⧗ 2022-2026

SCE CH. FERRAND, chem. de la Commanderie, 33500 Libourne, tél. 05 57 51 21 67, contact@chateau-ferrand.com r.-v.

CH. HOSANNA 2016 ★★

■ | n.c. | | + de 100 €

Bordé par de prestigieux domaines – Petrus à l'est, Vieux Château Certan au sud, Lafleur au nord – ce cru de 4,5 ha est né du partage du Ch. Certan-Giraud. L'encépagement comprend 30 % de cabernet franc aux côtés du merlot. Acquis et rebaptisé par la famille Moueix en 1999, Hosanna est une valeur sûre de l'appellation.

Profondeur et densité caractérisent la robe de ce 2016 très bien né. L'olfaction, complexe et racée, mêle le boisé fumé, les fruits mûrs, la réglisse et le floral. La bouche affiche d'emblée un volume imposant, de la puissance et beaucoup de fraîcheur, sans manquer ni de rondeur ni de charme, la finale longue et suave renforçant ce caractère aimable. Un savant mariage de la force et de l'élégance. ⧗ 2024-2035

ÉTS JEAN-PIERRE MOUEIX (CH. HOSANNA), 54, quai du Priourat, BP_129, 33502 Libourne Cedex, tél. 05 57 51 78 96, info@jpmoueix.com

CH. LAFLEUR-GAZIN 2016 ★

■ | n.c. | | 30 à 50 €

Cette petite propriété de 8,5 ha établie sur les pentes douces qui regardent la Barbanne, dans la partie nord du plateau de Pomerol, s'inscrit entre les châteaux Lafleur et Gazin, comme son nom l'indique. Propriété

de Madame Delfour-Borderie, elle est exploitée en métayage par les établissements Moueix depuis 1976.

Net et brillant à l'œil, Lafleur-Gazin 2016 séduit aussi par son bouquet harmonieux et racé évoquant les fruits mûrs, les épices et le camphre. La bouche affiche une agréable énergie dès l'attaque et se voit portée par des tanins serrés qui lui confèrent une belle mâche. Une touche épicée conclut la dégustation de ce pomerol d'une puissance maîtrisée, bien équilibré entre fraîcheur et maturité. ⧗ 2023-2030

ÉTS JEAN-PIERRE MOUEIX (CH. LAFLEUR-GAZIN), 54, quai du Priourat, BP_129, 33502 Libourne Cedex, tél. 05 57 51 78 96, info@jpmoueix.com

CH. LAGRANGE 2016 ★

■ | n.c. | | 30 à 50 €

Acquis en 1953 par les Moueix, ce domaine de 9 ha, souvent appelé « Lagrange à Pomerol » pour le différencier de son homonyme médocain, est situé en bordure de la Barbanne, aux confins nord du plateau de Pomerol. Le merlot (95 % de l'encépagement) s'enracine ici dans un terroir lourd et argileux.

D'une jolie couleur aux reflets mauves, ce pomerol d'un abord plutôt réservé s'ouvre à l'aération sur des notes de petits fruits rouges et d'épices douces. En bouche, il se montre souple en attaque, rond et équilibré dans son développement, étayé par des tanins fondus et par une pointe de fraîcheur bien sentie. Un vin d'une aimable élégance. ⧗ 2022-2026

ÉTS JEAN-PIERRE MOUEIX (CH. LAGRANGE), 54, quai du Priourat, BP_129, 33502 Libourne Cedex, tél. 05 57 51 78 96, info@jpmoueix.com

CH. LATOUR À POMEROL 2016 ★

■ | n.c. | | 50 à 75 €

Un petit domaine de 7,9 ha entourant l'église de Pomerol, installé sur des terroirs variés, majoritairement argileux et graveleux. Acheté en 1917 par Edmonde Loubat (Petrus) et légué par sa nièce Mme Lacoste au Foyer de Charité de Châteauneuf-de-Galaure, il est exploité en fermage depuis 1963 par la société Jean-Pierre Moueix.

D'une belle profondeur, couleur rouge sang, ce pomerol propose un premier nez boisé, puis s'oriente vers les fruits rouges compotés et le pruneau, le tout rehaussé de notes poivrées. Une maturité que l'on retrouve dès l'attaque, tendre et ronde, le vin se raffermit ensuite quelque peu jusqu'à la finale, plus tannique et tendue. Un beau 2016 de caractère. ⧗ 2023-2028

ÉTS JEAN-PIERRE MOUEIX (CH. LATOUR À POMEROL), 54, quai du Priourat, BP_129, 33502 Libourne Cedex, tél. 05 57 51 78 96, info@jpmoueix.com

CH. LÉCUYER 2016

■ | 21000 | | 30 à 50 €

Agriculteur en Eure-et-Loire, François Petit acquiert Tournefeuille en 1998, pièce maîtresse (17,5 ha à Néac) d'un vignoble familial étendu aussi sur Pomerol (Lécuyer) et Saint-Émilion (La Révérence), aujourd'hui conduit par son fils Émeric.

Un vin charmant et flatteur, au nez de fruits rouges, d'épices et de vanille, qui offre une bouche ronde, à la sucrosité affirmée et au fruité persistant. De la gourmandise. ⧗ 2021-2025

SCEA PETIT LÉCUYER (CH. LÉCUYER), 24, rue de l'Église, 33500 Néac, tél. 05 57 51 18 61, info@chateau-tournefeuille.com V r.-v.

B CH. MAZEYRES 2016

■ | 74191 | | 30 à 50 €

Un cru régulier en qualité, situé aux portes de Libourne, commandé par un manoir de style Directoire. Installé en 1992, Alain Moueix conduit un vignoble de 25,5 ha qu'il a depuis converti à la biodynamie.

Le nez mêle des arômes de noyau de cerise, de pruneau et d'élégantes notes mentholées. La bouche, d'une belle finesse, elle aussi centrée sur le fruit et le boisé fin, dévoile une chair ronde portée par des tanins veloutés qui garantissent une heureuse évolution. ⧗ 2022-2027

SC CH. MAZEYRES POMEROL, 56, av. Georges-Pompidou, 33500 Libourne, tél. 05 57 51 00 48, communication@mazeyres.com V r.-v.

CH. MONTVIEL 2016 ★

■ | 24386 | | 50 à 75 €

Grande figure de Pomerol disparue en 2013, Catherine Péré-Vergé, héritière des cristalleries d'Arques, exploitait trois domaines pomerolais qu'elle a portés au sommet : Montviel, acquis en 1985, Le Gay et La Violette, complétés par La Gravière en lalande. Un ensemble conduit aujourd'hui par son fils Henri Parent.

Dès l'olfaction, les arômes de fraise et de fruits noirs confiturés de ce pomerol se mêlent à ceux de ses quinze mois d'élevage en barrique (vanille et pain frais). Les fruits reviennent, accompagnés de notes florales dans une bouche ronde, gourmande, typique des merlots bien nés. Les tanins, pour l'heure « athlétiques », se fondront sans aucun doute après quelques années de cave. Un vin de garde plein de noblesse. ⧗ 2023-2026 ■ **Ch. la Violette 2016** ★ **(+ de 100 €; 5095 b.)** : la robe est profonde aux reflets violines et le nez intense (fruits noirs, paprika et boisé fin). En bouche, on découvre une belle personnalité, celle d'un vin gourmand, suave et rond, mais aux tanins encore un peu saillants en finale. Un pomerol harmonieux qui vieillira bien. ⧗ 2023-2028 ■ **Ch. le Gay 2016 (+ de 100 €; 19460 b.)** : vin cité.

SCEA VIGNOBLES PÉRÉ-VERGÉ, 1, rue du Grand-Moulinet, 33500 Pomerol, tél. 05 57 25 34 34, communication@montviel.com V r.-v.

CH. LE MOULIN Basileus 2016 ★★

■ | 2000 | | 20 à 30 €

La famille Querre possède plusieurs vignobles en Libournais. Propriété de Michel Querre depuis 1997, Le Moulin (appelé autrefois Vieux Château Cloquet) est un petit domaine pomerolais de 2,5 ha situé au nord de l'appellation, au bord de la Barbanne, près du moulin de Lavaud (racheté aussi par la famille).

Deuxième vin du Ch. le Moulin, ce 2016 a frôlé le coup de cœur. Jugez plutôt : un nez expressif et racé mêlant fruits noirs confits, épices et notes fumées, une bouche généreuse et onctueuse, aux tanins de velours et à la longue finale soyeuse… Un deuxième vin majuscule. ⧗ 2022-2027 ■ **2016 ★ (50 à 75 €; 9000 b.)** : le nez mêle fines notes de mûre, de myrtille et effluves épicées. La bouche, très typique de son appellation, se révèle riche, structurée, aux tanins veloutés et propose une finale fort persistante. Un 2016 éclatant. ⧗ 2022-2026

SCEA LE MOULIN DE POMEROL, Moulin-de-Lavaud, 33500 Pomerol, tél. 05 57 55 19 60, contact@moulin-pomerol.com V r.-v.

CH. NÉNIN 2016 ★

■ | 25000 | | 50 à 75 €

Commandé par une belle demeure du XVIIIe s., ce cru de 32 ha, situé au sud de l'appellation, à l'entrée du village de Catusseau, est l'un des plus importants de Pomerol. Sa surface lui permet d'accéder à la plupart des terroirs de l'AOC. En 1997, Jean-Hubert Delon (Léoville Las Cases à Saint-Julien) et sa sœur Geneviève d'Alton l'ont acheté et ont entrepris d'importants travaux de restructuration; ils ont augmenté la part du cabernet franc par rapport au merlot, qui reste dominant.

La robe profonde, abyssale, se teinte de nuances violines soutenues. L'olfaction est complexe : des notes camphrées, anisées et vanillées rejoignent, après agitation, les arômes fruités (cassis, mûre, pruneau). Cette richesse aromatique se retrouve dans un palais rond, gras et équilibré, aux tanins encore juvéniles. À attendre patiemment. ⧗ 2023-2028

SC CH. NÉNIN, 66, rte de Montagne, 33500 Pomerol, tél. 05 56 73 25 26, contact@leoville-las-cases.com V r.-v.

CH. PETIT-VILLAGE 2016 ★★

■ | 29000 | | 75 à 100 €

Dans le giron d'Axa Millésimes depuis 1989, un cru réputé, qui doit son nom aux anciens bâtiments qui formaient un petit hameau. Bien situé sur la partie la plus haute du plateau de Pomerol, son vignoble compose un triangle de 10,5 ha d'un seul tenant sur graves profondes enrobées d'argiles.

Le coup de cœur fut mis aux voix pour ce pomerol. La robe très intense offre quelques reflets violets. Le nez, complexe et d'une grande finesse, dévoile de superbes notes de mûre, d'épices douces, de café et de boisé fin. En bouche, l'attaque est suave avec des arômes de mûre, de framboise fraîche et de poivre noir, puis se développe un palais structuré par des tanins racés, dont la richesse est contrebalancée par une acidité judicieusement dosée. Un des grands vins du millésime, assurément. ⧗ 2023-2030 ■ **Le Jardin de Petit-Village 2016 ★ (30 à 50 €; 11000 b.)** : un deuxième vin exemplaire, équilibré, gourmand et élégant, qui délivre aussi bien au nez qu'en bouche des arômes de crème de mûre et de nobles nuances mentholées. Un ensemble savoureux, très séduisant et déjà accessible. ⧗ 2020-2024

SNCE CH. PETIT-VILLAGE, 126, rte de Catusseau, 33500 Pomerol, tél. 05 57 51 21 08, contact@petit-village.com V r.-v.

♥ PETRUS 2016 ★★★

■ | n.c. | | + de 100 €

85 86 87 88 89 90 92 93 94 95 96 97 |98| 99 |00| |01| |02| |03| |04| 05 06 07 08 09 10 11 12 13 14 16

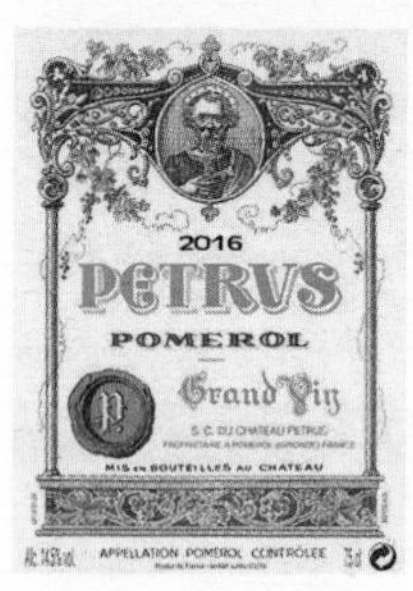

Presque une maison de poupée, un chai à peine plus grand et un vignoble modeste (11,5 ha), et pourtant un cru devenu mythe. Déjà réputé à la fin du XIXe s., sous la conduite de la famille Arnaud, il assoit sa notoriété grâce à Edmonde Loubat, dite «Tante Lou». Cette hôtelière libournaise débordante d'énergie, qui a acheté des parts en 1925 (seule propriétaire en 1945), va notamment conquérir Londres en envoyant du Petrus aux fiançailles d'Élisabeth d'Angleterre. Autre élément décisif, son association avec le négociant Jean-Pierre Moueix (propriétaire unique en 1964), qui va organiser la vente et créer le mythe : Petrus devient notamment le vin préféré des Kennedy. Un succès qui s'explique aussi – et surtout – par un terroir d'exception : la fameuse «boutonnière», une argile bleue en surface qui se gonfle aux premières pluies, devient totalement imperméable et assure une alimentation régulière de la plante. Un terroir magnifié pendant quarante-cinq ans par un vinificateur hors pair, Jean-Claude Berrouet, qui a laissé sa place en 2007 à son fils Olivier – la direction générale étant assurée depuis 2014 par Jean Moueix, petit-fils de Jean-Pierre; cette année 2014 est aussi celle de l'inauguration d'un chai refait à neuf et d'une grande sobriété, dessiné par Jean-Pierre Errath.

D'un somptueux rouge sombre et intense, la robe du Petrus 2016 trouve un écho tout aussi admirable dans la profondeur du bouquet. Un peu d'aération et se déploient des arômes complexes de myrtille, d'épices douces et de café crème, puis s'impose une dominante florale autour de la violette et de l'iris. Une attaque ample et particulièrement alerte ouvre sur une bouche d'une grande fraîcheur – c'est sa signature cette année –, structurée par des tanins à la fois bien serrés et très fins. Un goût de raisin frais anime la finale, aussi large que longue. Un pomerol majuscule, concentré d'élégance et de force contenue, d'un équilibre et d'un classicisme extraordinaires. Sans aucun doute l'un des plus beaux millésimes du XXIe s. pour l'illustre cru. ⧗ 2025-2040

SC DU CH. PETRUS, 3, rte de Lussac, 33500 Pomerol

CH. PLINCE 2016 ★

■ | 49200 | | 30 à 50 €

Situé à l'est de Libourne, vers Saint-Émilion, voisin de Nénin et de La Pointe, ce cru, entré dans la famille Moreau dans les années 1930, étend son vignoble sur 8,6 ha d'un seul tenant, sur sables et argiles à crasse de fer.

Voilà un vin qui a bien négocié sa rencontre avec le chêne, en offrant un bouquet intense de pruneau, de fruits rouges, de moka, de tabac et de vanille. Après une attaque souple, on découvre un palais rond, élégant et fin, modèle d'équilibre, aux tanins croquants et à la finale persistante sur un joli boisé. ⌛ 2022-2028

SCEV MOREAU, 33500 Libourne, tél. 05 57 51 68 77, plince@aliceadsl.fr V t.l.j. sf sam. dim. 8h-12h 12h30-16h

CH. LA POINTE 2016 ★★

■ | 65000 | | 30 à 50 €

Ce cru important (23 ha) doit son nom à sa situation dans la pointe formée par les routes du bourg et de Catusseau, à la sortie de Libourne. Régulier en qualité, il a été repris en 2007 par la compagnie Générali. Éric Monneret, originaire du Jura et passé par Sauternes, en assure l'exploitation.

Une participation à la finale du coup de cœur pour ce pomerol. Un vin doté d'une magnifique tenue grenat sombre, intense, prélude à une olfaction fruitée (cassis, mûre) et florale (tilleul, aubépine). Tout aussi distinguée, la bouche, conjuguant parfaitement équilibre, profondeur et structure, charme par ses arômes floraux et ses tanins de soie. Superbe finale, longue et caressante. Un pomerol de haut vol. ⌛ 2023-2030

SCE CH. LA POINTE, 18, chem. de Gardelle, BP_63, 33500 Libourne, tél. 05 57 51 02 11, contact@chateaulapointe.com r.-v.

Ⓑ POM'N'ROLL 2016 ★

■ | 6500 | | 30 à 50 €

Claire Laval a repris en 1983 avec son mari Dominique Techer Gombaude-Guillot, un vignoble familial d'environ 8 ha, créé en 1860 au cœur du plateau de Pomerol. Acquis en 1996, le Clos Plince (1 ha environ) s'est ajouté à ce cru. Le couple a engagé la conversion bio de l'ensemble dès 1997 (certification en 2000) et confié en 2015 à son fils Olivier la gestion de ces propriétés.

Un assemblage de merlot (70 %) et de cabernet franc, élevé en partie en amphore, au nez intense de fruits rouges et à la bouche expressive, à la fois fruitée, riche et munie de tanins enrobés. Un beau vin de terroir. ⌛ 2021-2025 ■ **Ch. Gombaude-Guillot 2016 (50 à 75 €; 20600 b.)** Ⓑ : vin cité.

SCEA FAMILLE LAVAL-POMEROL, 4, chem. les Grand'Vignes, 33500 Pomerol, tél. 05 57 51 17 40, gombaude@free.fr V r.-v.

CH. LA RENAISSANCE 2016 ★

■ | 22000 | | 30 à 50 €

La famille de Lavaux exploite plusieurs crus en Libournais : en saint-émilion grand cru, le Ch. Martinet (17 ha) et le Ch. Bellevue en copropriété avec les Boüard de Laforest; en pomerol, une dizaine d'hectares, avec les Ch. Haut-Cloquet, Saint-Pierre, Clos du Vieux Plateau Certan et la Renaissance (6 ha). S'y ajoutent des vignes en fronsac, lalande et bordeaux.

Cette propriété présente un 2016 de belle facture dont le caractère intense s'affirme dès l'olfaction, révélant des arômes de fruits noirs, de pain grillé, de fleurs et de menthol stimulés par des notes épicées. La bouche, charnue mais fraîche, encadrée de tanins suaves et généreux, déploie la même aromatique complexe jusque dans sa longue finale. ⌛ 2022-2027

SCEA LA RENAISSANCE, 64, av. du Gal-de-Gaulle, 33500 Libourne, tél. 05 57 74 05 89, contact@chateau-martinet.com V r.-v.

Ⓑ CH. LA ROSE FIGEAC 2016 ★

■ | 20000 | | 30 à 50 €

Les Despagne-Rapin, une lignée au service du vin présente depuis deux siècles à Saint-Émilion. En 1961, le grand-père maternel de l'actuelle propriétaire, Louis Rapin, à la tête de La Tour Figeac (grand cru classé de Saint-Émilion), achète le vignoble de son voisin, en pomerol. Il réunit d'autres parcelles pour constituer ce cru rebaptisé La Rose Figeac : 4,56 ha, en bio certifié depuis 2009. Nathalie Despagne en hérite et en prend la direction en 2013.

Harmonieux et racé, doté d'un bouquet flatteur (framboise, cassis, violette), ce pomerol, qui demande encore à mûrir (tanins vifs), se révèle très agréable tout au cours de la dégustation grâce à sa fraîcheur et sa rondeur. Le temps l'épanouira. ⌛ 2022-2026

SAS NATHALIE DESPAGNE, 54, chem. de la Lamberte, 33500 Libourne, tél. 06 82 12 13 34, nathaliedespagne@larosefigeac.com V r.-v.

CH. ROUGET 2016 ★

■ | 45000 | | 50 à 75 €

99 00 01 **02 03** 04 |05| |06| **07** |**08**| |09| **10 11** 12 |13| 14 **15** 16

En 1992, les Labruyère, originaires du Beaujolais (moulin-à-vent) et aujourd'hui propriétaires en Bourgogne (Jacques Prieur) et en Champagne, ont acquis ce domaine réputé dès le XVIII^e^s. Ils l'ont hissé parmi les grands de Pomerol, grâce à des vins d'une remarquable régularité, nés de 18 ha de vignes établies en pente douce sur le plateau de Pomerol.

Coup de cœur pour son 2015, la propriété signe un 2016 très abouti, au bouquet intense mêlant crème de cassis, mûre, épices et vanille. La bouche s'avère puissante et ample, fortement marquée par les saveurs de cassis; elle s'appuie sur des tanins solides, gage d'une belle évolution en cave. Un pomerol à oublier quelques années. ⌛ 2023-2030

SAS SGVP, 4-6, rte de Saint-Jacques-de-Compostelle, 33500 Pomerol, tél. 05 57 51 05 85, info@chateau-rouget.com V r.-v.

CH. DE SALES 2016 ★

■ | 173000 | | 30 à 50 €

Vincent Montigaud est depuis 2017 le directeur de l'exploitation, succédant à Bruno de Lambert qui a pris sa retraite. Disposant de 47,5 ha qui en font le plus grand domaine de l'appellation, le Ch. de Sales appartient à la famille de Lambert depuis 550 ans. La présidence de cette propriété est aujourd'hui assurée par un membre de la famille, Marine Treppoz. Deux vins y sont produits : Ch. de Sales et Ch. Chantalouette, le deuxième vin.

Le grand vin de la propriété s'avère suave et équilibré, au nez charmant de petits fruits rouges et à la bouche élégante, munie de tanins fins et d'une belle finale distinguée. Très recommandable. ⌛ 2022-2026 ■ **Ch. Chantalouette 2016 (20 à 30 €; 116700 b.)** : vin cité.

LE BORDELAIS

SCEA DU CH. DE SALES, 11, chem. de Sales, 33500 Libourne, tél. 05 57 51 04 92, chdesales@chateaudesales.fr V r.-v.

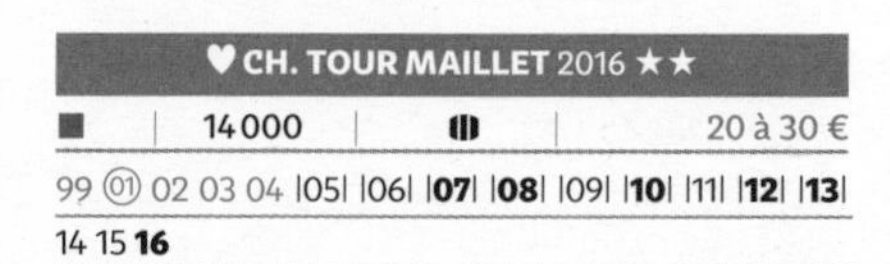

♥ CH. TOUR MAILLET 2016 ★★

■	14 000		20 à 30 €

99 ⓪① 02 03 04 |05| |06| **|07|** **|08|** |09| **|10|** |11| **|12|** **|13|** 14 15 **16**

Aux lendemains de la guerre de 1914, Pierre Lagardère acquiert 1 ha de vignes dans le secteur de Maillet, à Pomerol. Ses petits-fils et arrière-petits-fils, Jean-Claude et Gaël, conduisent aujourd'hui un vignoble de 17 ha à Montagne (Ch. Négrit et Ch. Rocher Calon) et de 2 ha à Pomerol (Ch. Tour Maillet).

Un pomerol issu du seul merlot, qui devrait plaire aux amateurs de vins de niche. Cette cuvée révèle à l'olfaction un profond bouquet mêlant tonalités fruitées, poivrées, empyreumatiques et florales. Doté d'une attaque tonique et savoureuse, le palais développe une chair dense, adossée à des tanins enrobés et déploie une superbe et très longue finale. Un pomerol complet, sans fausse note, d'une harmonie rare. ⧗ 2023-2030

SCEV LAGARDÈRE, Négrit, 33570 Montagne, tél. 05 57 74 61 63, vignobleslagardere@wanadoo.fr V r.-v.

CH. TROTANOY 2016 ★★★

■	n.c.		+ de 100 €

88 89 ⑨⓪ **92 94** ⑨⑤ ⑨⑥ 97 **98 99 00** ⓪① **|02|** |03| **|04|** |05| |⓪⑥| **|07|** |⓪⑧| |⓪⑨| ①⓪ **11 12 13 14** ①⑤ ①⑥

Difficile à cultiver, le sol riche en argiles (graves sur argiles et argiles noires profondes sur crasses de fer) a donné son nom à ce cru de 7,2 ha : «trop anoi» («trop ennuie» en vieux français). La maison Jean-Pierre Moueix en tire le meilleur depuis 1953. Un pilier de l'appellation.

Très dense, très profonde, la robe est bien dans le style du cru. Le nez, de prime abord fermé, s'ouvre peu à peu: on y perçoit une complexité naissante autour d'un beau boisé fumé, des fruits à l'alcool, de notes d'eucalyptus et d'une touche de violette. Le palais attaque fort: intense, gras, offrant d'emblée beaucoup de mâche. Les tanins sont fermes et serrés à souhait, portant loin la finale, avec en soutien une fine arête acide. Un pomerol d'une grande solidité, bâti pour une longue vie. ⧗ 2024-2035

ÉTS JEAN-PIERRE MOUEIX (CH. TROTANOY), 54, quai du Priourat, BP_129, 33502 Libourne Cedex, tél. 05 57 51 78 96, info@jpmoueix.com

Ⓑ L'ÉCLAT DE VALOIS 2016

■	2700		50 à 75 €

La famille Leydet, établie sur les terres libournaises depuis 1862, exploite près de 16 ha de vignes en saint-émilion grand cru (Ch. Leydet-Valentin) et en pomerol (Ch. de Valois). Aux commandes depuis 1996, Frédéric Leydet a engagé la conversion bio de ses domaines (certification acquise en 2015).

Ce 2016, issu de merlot et de cabernet franc pratiquement à parité, provient d'une petite parcelle de vieilles vignes âgées de plus de soixante ans. Le nez, frais et élégant, s'ouvre sur les fruits rouges, la réglisse et une pointe de végétal noble. La bouche est alerte, équilibrée, portée par une trame tannique soyeuse. ⧗ 2021-2025

EARL DES VIGNOBLES LEYDET, chem. de Rouilledinat, 33500 Libourne, tél. 05 57 51 19 77, frederic.leydet@wanadoo.fr V r.-v.

CH. VIEUX MAILLET 2016

■	22 400		30 à 50 €

Installés en 2000 au Ch. de Lussac, Griet Van Malderen, fille d'un industriel flamand, et son mari Hervé Laviale, ancien journaliste, ont investi dans plusieurs vignobles libournais, où ils associent viticulture et œnotourisme. Ils ont acquis Vieux Maillet (pomerol) en 2004, 8,65 ha dans le secteur du Maillet - complétés par une petite vigne en AOC lalande, vers le moulin de Lavaud - et, en 2005, Franc Mayne (cru classé de Saint-Émilion).

Un pomerol charmant, au bouquet de fruits noirs, de pruneau et de tabac, qui révèle un palais friand, croquant, d'un bel équilibre. ⧗ 2021-2026

SCEA CH. VIEUX MAILLET, 16, chem. de Maillet, 33500 Pomerol, tél. 05 57 74 56 80, info@chateaudelussac.com r.-v.

CH. VRAY CROIX DE GAY 2016

■	9000		75 à 100 €

La famille Guichard était propriétaire depuis 1832 de plusieurs crus en Libournais : son fief et fleuron, Ch. Siaurac en lalande, Vray Croix de Gay en pomerol et Le Prieuré en saint-émilion grand cru. Un ensemble dirigé depuis 2004 par Paul Goldschmidt, qui avait épousé Aline Guichard. En 2014, Artémis Domaines (groupe Pinault, détenteur par ailleurs de Ch. Latour) a pris une participation dans les châteaux familiaux, qui ont opté à partir de 2016 pour l'agriculture biologique, sous la houlette de Pénélope Godefroy, directrice technique formée à la biodynamie.

De la rondeur, un beau fruité en bouche, de la persistance, mais une finale encore austère due à des tanins jeunes. L'attente est de mise. ⧗ 2022-2026

SC CH. SIAURAC AND CO, Ch. Siaurac, Ciorac, 33500 Néac, tél. 05 57 51 64 58, info@siaurac.com V r.-v.

LALANDE-DE-POMEROL

Superficie : 1 130 ha / Production : 61 400 hl

Créé, comme celui de Pomerol qu'il jouxte au nord, par les Hospitaliers de Saint-Jean-de-Jérusalem (à qui l'on doit aussi l'église de Lalande qui date du XIIe s.), ce vignoble produit, à partir des cépages classiques du Bordelais, des vins rouges colorés, puissants et bouquetés qui jouissent d'une bonne réputation, les meilleurs pouvant rivaliser avec les pomerol et les saint-émilion.

CH. ALTIMAR 2016

■ | 10500 | 🍷 | 20 à 30 €

Altimar est l'anagramme du prénom de l'œnologue Martial Junquas, issu d'une famille de vignerons de Néac (Ch. Haut Chatain), qui a créé ce domaine en 2009 : 1,5 ha en AOC pomerol et 4,7 en lalande.

Très marqué au nez par les arômes torréfiés de la barrique, ce 2016 présente une bouche à la fois soyeuse et structurée, aux saveurs de fruits rouges et d'amande. À attendre afin que l'élevage s'estompe un peu. ⧗ 2022-2025

CH. ALTIMAR, 6, Châtain, 33500 Néac, tél. 06 88 34 77 96, contact@chateau-altimar.com V *r.-v.*

CH. ÂME DE VIAUD 2016 ★

■ | 3500 | 🍷 | 20 à 30 €

Un petit domaine de 2,78 ha entièrement dédié à l'appellation lalande-de-pomerol, acquis par Sébastien Godineau en 2016.

Ce lalande à la robe intense, presque noire, a séduit le jury par son bouquet mêlant fruits noirs et violette, par sa bouche dynamique et complexe aux tanins enrobés, et par sa longue finale expressive et intensément fruitée. ⧗ 2021-2026

CH. ÂME DE VIAUD, 23, rte de Viaud, 33500 Lalande-de-Pomerol, tél. 06 15 88 90 90, amedeviaud@orange.fr V *r.-v.*

♥ CH. ARNAUD DE GRAVETTE 2016 ★★

■ | n.c. | 🍷 | 8 à 11 €

Petit cru créé en 2003 au moment du partage de l'exploitation familiale, il porte le nom de son propriétaire, Éric Arnaud, complété d'une référence à la nature du sol, Gravette signifiant « petits cailloux ».

Cet assemblage ¾ merlot, ¼ cabernet franc dévoile dès l'olfaction sa nature racée à travers des arômes très frais de framboise et de belles notes de violette. Le palais, festif, aux saveurs explosives de groseille et de cerise, repose sur des tanins soyeux et d'une grande finesse. La longue finale, fraîche et finement minérale, renforce encore le caractère expressif de ce vin. Un grand lalande de garde. ⧗ 2022-2030

CH. ARNAUD DE GRAVETTE, 16, la Coutaude, 33910 Sablons, tél. 06 38 52 38 34, ericmh.arnaud@orange.fr

CH. BÉCHEREAU
Cuvée spéciale Élevé en fût de chêne 2016 ★

■ | 15000 | 🍷 | 15 à 20 €

Jean-Michel Bertrand a pris la suite de son père au début des années 1970 sur ce domaine de 25 ha, dans sa famille depuis le milieu du XIXᵉs., et a lancé la mise en bouteilles au château. Ce sont aujourd'hui sa fille Chantale et son gendre Joël Dupas qui sont aux commandes. Le vignoble se divise en trois terroirs et trois AOC : les sols argilo-graveleux des Artigues-de-Lussac en bordeaux supérieur (9 ha), ceux argilo-sableux de Néac en lalande (5,5 ha) et ceux argilo-calcaires de Montagne en montagne-saint-émilion (10,5 ha).

Un vin harmonieux, intensément fruité et expressif, à la bouche gourmande et aux tanins mûrs et ronds. Un lalande très abouti. ⧗ 2021-2024 ■ **Expression de Béchereau (20 à 30 € ; 2000 b.)** : vin cité.

CH. BÉCHEREAU, 96, rue des Vignerons, 33570 Les Artigues-de-Lussac, tél. 05 57 24 34 29, contact@chateaubechereau.com V *r.-v.*

CH. BERTINEAU SAINT-VINCENT 2016

■ | 20000 | 🍷 | 20 à 30 €

Michel Rolland possédait plusieurs crus dans le Libournais, avec pour fleuron Bon Pasteur, dans la famille depuis les années 1920 : 7 ha morcelés en 23 parcelles, aux confins nord-est de Pomerol. Bertineau Saint-Vincent (5,6 ha en lalande) et Rolland-Maillet (3,3 ha en saint-émilion) complètent la propriété, passée en 2013 sous pavillon chinois (le groupe Golding basé à Hong-Kong) ; l'équipe technique est restée en place.

Un nez frais, évoquant les fruits noirs et les fleurs, devance une bouche fraîche et équilibrée, encore assez serrée mais sans dureté, qui déploie une longue finale réglissée. ⧗ 2021-2026

SAS LE BON PASTEUR, 10, chem. Maillet, 33500 Pomerol, tél. 05 57 24 52 58, contact@chateaulebonpasteur.com V *r.-v.*

CH. DE CHAMBRUN 2016

■ | 34383 | 🍷 | 30 à 50 €

Un vignoble mis en valeur dans les années 1770, entré un siècle plus tard dans la famille du général de Moncets à qui l'on doit le château, le parc et le nom du cru. Un domaine de 20 ha en montagne-saint-émilion (la Bastidette, 1 ha) et surtout en lalande-de-pomerol (Ch. Moncets, Ch. de Chambrun), propriété aujourd'hui de la société Rhocube, l'ensemble étant dirigé par Antoine Bourseau.

Si l'olfaction de ce 2016 se révèle encore très timide, la bouche séduit par sa souplesse, sa belle matière et sa persistance. ⧗ 2021-2024 ■ **Ch. Moncets 2016 (15 à 20 € ; 54020 b.)** : vin cité.

VIGNOBLES MONCETS ET CHAMBRUN, chem. du Roussillon, 33500 Néac, tél. 05 57 51 19 33, contact@chambrun.fr V *t.l.j. sf sam. dim. 9h-14h 14h-18h*

CLOS DES TEMPLIERS 2016 ★★

■ | 9500 | 🍷 | 20 à 30 €

Venue du nord de la France et du milieu céréalier, la famille Delacour a acquis en 1994 en saint-émilion grand cru un domaine alors nommé « Ch. de la Rouchonne », rebaptisé du nom du chevalier de la Cour, au service de Charles IX et ancêtre de la famille. Un cru que Bruno Delacour conduit depuis 2010 et qui couvre 11,5 ha sur un sol de sable et de graves, au sud de l'appellation. En 2010, les Delacour ont acquis le Clos des Templiers, une petite vigne (2 ha) en lalande.

À la limite du coup de cœur, cet assemblage de merlot (75 %) et de cabernet franc a fortement impressionné nos dégustateurs par son élégance et son harmonie. Il revêt une belle robe grenat intense aux reflets pourpres. À l'olfaction, se mêlent fruits rouges bien mûrs (groseille, framboise), épices et arômes de torréfaction. La bouche se révèle franche, tout en rondeur, parfaitement équilibrée entre sucrosité suggérée et fraîcheur, et offre une longue finale aux tanins présents mais enrobés. Un vin à très fort potentiel. ⧗ 2023-2030

EARL DU CHATEL DELACOUR, 4, La Rouchonne, 33330 Vignonet, tél. 05 57 84 64 95, contact@chateaudelacour.com V r.-v.

CLOS L'HERMITAGE 2016

■ | n.c. | | 11 à 15 €

Les Bertin sont vignerons dans le Libournais depuis 1742. Leur vignoble – 42 ha répartis sur plusieurs appellations (bordeaux supérieur, lalande et montagne) – est conduit depuis 2008 par Sarah Vital, œnologue et petite-fille d'Yvette Bertin, l'actuelle propriétaire.

Un 2016 habilement vinifié, aux saveurs de fruits noirs et de vanille, et à la bouche bien équilibrée et persistante, dotée de tanins ronds. ⧗ 2021-2024

ROBERT BERTIN, 8, rte de Lamarche, 33910 Saint-Denis-de-Pile, tél. 05 57 84 21 17, contact@vignoblesbertin.com V r.-v.

LA CROIX DE CHENEVELLE 2016 ★

■ | 15 000 | | 11 à 15 €

On trouve de nombreuses croix dans cette région du Bordelais, lieu de passage des pèlerins de Saint-Jacques-de-Compostelle. Celle-ci devait d'après son nom se trouver près de vieux chênes. Monique Bedrenne y cultive les 14 ha de la vigne familiale depuis 2005, accompagnée de son fils Rémi.

Ce 2016 déploie des arômes intenses de fruits noirs, d'épices douces et des nuances toastées. Dans le même registre, le palais se montre ample, rond, de bel équilibre et offre une longue finale fruitée qui s'appuie sur des tanins épicés. Un vin bien dans son appellation. ⧗ 2022-2027

CH. LA CROIX DE LA CHENEVELLE, 3, rue du 8-Mai-1945, 33500 Lalande-de-Pomerol, tél. 05 57 51 46 75, vigobles.bedrenne@orange.fr V r.-v.

ENCLOS DE VIAUD 2016 ★★

■ | n.c. | | 8 à 11 €

Howard Kwok conduit un petit cru à Pomerol situé en bordure de la nationale 89, au lieu-dit La Patache (du nom des anciennes diligences qui passaient par là autrefois), auquel est rattaché l'Enclos de Viaud en AOC lalande, de l'autre côté de la Barbanne, petite rivière qui sépare les deux appellations.

Ce lalande offre un nez précis sur le fruit noir (mûre, cassis), ainsi que des notes de poivre et de noix muscade. La bouche, fraîche tout en étant dense et riche, dévoile de belles saveurs de fruits noirs et des tanins onctueux. La finale longue et racée achève de convaincre : un 2016 magistral. ⧗ 2021-2028

ENCLOS DE VIAUD, lieu-dit La Patache, 33500 Pomerol, tél. 05 57 24 77 15, contact@vignoblesk.com V r.-v.

LA FLEUR DE BOÜARD 2016

■ | n.c. | | 30 à 50 €

S'il veille précieusement sur Angelus, premier grand cru classé A à Saint-Émilion, Hubert de Boüard a aussi investi en 1998 en lalande-de-pomerol, où il possède cet important domaine de plus de 33 ha à Néac. Dans son nouveau chai, les cuves tronconiques suspendues étonnent toujours, à tel point qu'on les appelle les « ovnis ».

Un 2016 solide, structuré et tannique, qui devra patienter quelques années en cave afin de parfaire son harmonie. Du potentiel. ⧗ 2023-2027

CH. LA FLEUR SAINT-GEORGES, BP_7, 33500 Pomerol, tél. 05 57 25 25 13, contact@lafleurdebouard.com V r.-v. 4

CH. FLEUR D'EYMERITS 2016

■ | 7300 | | 11 à 15 €

Ancien rugbyman professionnel, Vincent Lagrave a repris cette micro-propriété en 2013 : 1 ha de vignes planté du seul merlot sur un sol argilo-graveleux. Elle s'ajoute à l'exploitation de 17 ha héritée de ses parents, en AOC bordeaux (La Rose Vimière).

Un pur merlot au nez encore timide, mais à la bouche pulpeuse, fruitée et dotée d'une trame tannique enrobée. Un joli vin de partage. ⧗ 2020-2025

CH. LA FLEUR D'EYMERITS, 1, rte de Rorbin, 33910 Saint-Denis-de-Pile, tél. 06 14 88 44 04, chateau.larosevimiere@wanadoo.fr V r.-v.

CH. LA FRÉROTTE 2016 ★

■ | 20 000 | | 8 à 11 €

Stéphane Tarendeau a repris en 2009 cette propriété dans sa famille depuis quatre générations et plantée en vignes par ses parents. Il exploite aujourd'hui une dizaine d'hectares en lalande-de-pomerol.

Si l'élégance du bouquet (fruits rouges et noirs, épices douces) a d'abord séduit le jury, c'est la bouche qui emporte l'adhésion : très fruitée, dotée d'une chair ample et fraîche et à l'harmonie sans faille, elle offre en finale de délicates notes de tapenade. Un 2016 complet, racé et attachant. ⧗ 2021-2026

CH. LA FRÉROTTE, 2, rue des Annereaux, 33500 Lalande-de-Pomerol, tél. 06 22 87 47 42, lafrerotte@orange.fr V r.-v.

DOM. DE GACHET 2016 ★

■ | 3700 | | 15 à 20 €

Les Estager, négociants et propriétaires d'origine corrézienne, sont établis depuis 1912 dans le Libournais. Côté vignobles, conduits par Michèle Estager et son fils François, quatre AOC : pomerol (La Cabanne,

Plincette, Haut Maillet), saint-émilion (Gourdins), lalande (Gachet) et montagne (La Papeterie).

Un assemblage mi-merlot mi-cabernet franc qui propose un bouquet encore discret et un palais impeccable d'harmonie, à la fois puissant et gourmand, riche et frais, porté par des saveurs intenses de groseille et muni de tanins très prometteurs. Un vin de garde accompli. ⌛ 2022-2028

VIGNOBLES JEAN-PIERRE ESTAGER, 35, rue de Montaudon, 33500 Libourne, tél. 05 57 51 04 09, estager@estager.com V r.-v.

DOM. DU GRAND ORMEAU 2016 ★

■	35600		11 à 15 €

Issu d'une longue lignée vigneronne, Jean-Paul Garde a conduit entre 1974 et 2014 les vignes familiales (31 ha aujourd'hui), réparties dans trois appellations libournaises : lalande, montagne et pomerol. Son fils Frédéric, qui travaillait à ses côtés depuis 1996, a pris les rênes de l'exploitation.

À l'olfaction friande de groseille fraîche succède une bouche ouvertement fruitée, gourmande, à l'équilibre accompli entre sucrosité et acidité, et aux tanins enrobés. Un 2016 espiègle et expressif. ⌛ 2020-2025

VIGNOBLES JEAN-PAUL GARDE, 1, Les Cruzelles, 33500 Néac, tél. 05 57 51 40 43, garde@domaine-grand-ormeau.com V r.-v.

CH. HAUT-CHAIGNEAU 2016

■	99000		15 à 20 €

Issu d'une famille enracinée à Saint-Émilion depuis le XVIIᵉs., André Chatonnet, disparu en 2007, s'était établi en 1967 au Ch. Haut-Chaigneau, où il avait fait construire un «temple du vin» dans le style néoclassique. Son fils Pascal, œnologue et biologiste, continue son œuvre. Il exploite 30 ha de vignes, en lalande essentiellement, ainsi qu'en saint-émilion. Une valeur sûre.

Un 2016 rond et fruité, au palais élégant malgré une finale encore légèrement stricte. À encaver quelques mois pour arrondir les angles. ⌛ 2021-2025

SCEV VIGNOBLES CHATONNET, chem. des Trois-Bois, 33500 Néac, tél. 05 57 51 31 31, contact@vignobleschatonnet.com V *t.l.j. 9h-12h 14h-17h30; sam. dim. sur r.-v.* 4

CH. HAUT CHATAIN 2016 ★

■	20000		15 à 20 €

Un domaine de 11 ha constitué à Néac en 1912 par Pierre Henri Lacoste, aujourd'hui conduit par sa petite-fille Martine Rivière, viticultrice-œnologue.

Ce 2016 est l'archétype d'un lalande abouti : les fruits noirs et les épices douces sont au rendez-vous dans une bouche éclatante, juteuse, harmonieuse et dotée de tanins présents mais idéalement mûrs. ⌛ 2021-2026

CH. HAUT CHATAIN, 6, Chatain, 33500 Néac, tél. 05 57 25 98 48, chateau.haut.chatain@wanadoo.fr V r.-v.

♥ CH. HAUT-GOUJON Cuvée Liberté 2016 ★★★

■	1200		30 à 50 €

Ce cru dispose d'un vignoble de 18 ha en lalande-de-pomerol et en montagne-saint-émilion. La famille Garde y est installée depuis quatre générations; la dernière est représentée par Corinne, Mickaël et Vincent, qui ont pris la suite de leur père Henri en 1995.

Cette cuvée, élevée sans soufre, aura été l'une des grandes révélations du Guide cette année. En effet, tous les membres du jury lui ont attribué la note maximale et, dans la foulée, un coup de cœur à l'unanimité lui a été décerné. Une parure profonde, presque noire, des parfums intenses de baies rouges et noires chaudement mûries, de vanille et d'épices : l'approche est diablement engageante. Après une attaque tonique, la bouche se révèle magistrale, conjuguant en parfaite harmonie saveurs gourmandes, richesse et tanins soyeux. La finale, très persistante, est d'une expressivité rare. Pour citer un juré : «On se régale immédiatement, tout en sachant que ce vin va très bien vieillir.» ⌛ 2021-2030

SCEA GARDE ET FILS (CH. HAUT-GOUJON), Ch. Haut-Goujon, 50, Goujon, 33570 Montagne, tél. 05 57 51 50 05, contact@chateauhautgoujon.fr V *t.l.j. 9h-18h*

CH. LES HAUTS-CONSEILLANTS 2016 ★★

■	60000		20 à 30 €

En 1906, le Corrézien Jean-Baptiste Audy crée son négoce puis investit dans plusieurs crus du Libournais. Son petit-fils Pierre Bourotte et, depuis 2003, son arrière-petit-fils Jean-Baptiste gèrent la maison et les vignobles familiaux : Courlat, ancien fief des Barons de Montagne (15 ha en lussac et en montagne), Bonalgue (9,5 ha) et Clos du Clocher (5,9 ha) en pomerol, Les Hauts-Conseillants (10 ha) en lalande.

Cette propriété bien connue des lecteurs du Guide présente un 2016 jugé remarquable d'élégance et d'harmonie : aromatique de fraise des bois, d'épices et de violette, bouche à la fois fraîche, longue et suave, au boisé fondu... Un modèle. ⌛ 2021-2028

SAS PIERRE BOUROTTE (CH. COURLAT/CH. LES HAUTS-CONSEILLANTS), 62, quai du Priourat, BP_79, 33502 Libourne Cedex, tél. 05 57 51 62 17, contact@jbaudy.fr V r.-v.

LUCANIACUS 2016 ★★

■	1200		20 à 30 €

Vignerons depuis le XVIIIᵉs. et neuf générations, les Saby – depuis 1997 les frères Jean-Christophe et Jean-Philippe, tous deux œnologues comme leur père Jean-Bernard – possèdent plusieurs crus dans le Libournais et exploitent un ensemble de 68 ha.

Une parcelle de vieux pieds de merlot (50 %), de cabernet franc (40 %) et de malbec, plantée en 1923, a donné ce 2016 au nez mêlant fruits rouges, fruits noirs et boisé noble. La structure est basée sur une charpente puissante et pleine, mais le palais reste frais, tendu, assis sur une base charnue aux tanins prometteurs. Un vin concentré, riche mais vif : une bonne définition du beau vin de garde. ⧗ 2022-2030

⊶ EARL VIGNOBLES JEAN-BERNARD SABY ET FILS, Ch. Rozier, 33330 Saint-Laurent-des-Combes, tél. 05 57 24 73 03, info@vignobles-saby.com V r.-v.

CH. PAVILLON BEAUREGARD 2016 ★★

■	38000		20 à 30 €

Commandé par une superbe chartreuse du XVIIe s., Beauregard compte 17,5 ha de vignes en bordure sud-est du plateau de Catusseau, complétés par 8 ha en lalande (Pavillon Beauregard). Un cru très régulier, dont la gestion est confiée à Vincent Priou. Propriété depuis 1991 du Crédit Foncier, il a été vendu en juillet 2014 aux familles Moulin (groupe Galeries Lafayette) et Cathiard (Ch. Smith Haut Lafitte). Un nouveau cuvier a été aménagé, l'agriculture biologique adoptée et le domaine est ouvert au tourisme.

Vincent Priou signe un 2016 à la sombre robe pourpre et aux arômes intenses de cassis, de mûre et de violette, nuancés par quelques notes vanillées. Le palais se révèle puissant, juteux et expressif, doté de tanins bien intégrés et d'une finale persistante. Un succulent lalande. ⧗ 2023-2030

⊶ SCEA CH. BEAUREGARD, 73, rue de Catusseau, 33500 Pomerol, tél. 05 57 51 13 36, contact@chateau-beauregard.com V r.-v.

CH. LA PENSÉE 2016

■	14000		15 à 20 €

La famille Mingot exploite depuis quatre générations un vignoble de 22 ha sur la commune de Savignac-de-l'Isle avec son Ch. Maréchaux. Vignoble complété en 2012 par le Ch. la Pensée, un petit cru de moins de 2 ha, connu jusqu'alors sous le nom de Ch. Coudreau.

Un beau lalande fruité et floral, à la bouche flatteuse et persistante, mais encore dominée par l'élevage. Patience. ⧗ 2022-2026

⊶ CH. LA PENSÉE, 1, Les Maréchaux, 33910 Savignac-de-l'Isle, tél. 05 57 84 22 29, julien@vignoblemingot.fr V r.-v.

CH. PERRON 2016 ★

■	100000		15 à 20 €

Situé à l'entrée de Lalande, près de l'église romane, un cru déjà mentionné en 1642, couvrant aujourd'hui 36 ha. Il a été acquis en 1958 par la famille Massonie, d'origine corrézienne. La troisième génération (Bertrand, Béatrice et Thibaut) est aux commandes depuis 2000.

Un lalande typique, au nez de fruits rouges, cerise en tête, et à la bouche fraîche, fruitée et élégante, qui déploie une longue finale harmonieuse. Un vin qui plaira à tout amateur de bordeaux. ⧗ 2020-2026

⊶ CH. PERRON, BP_88, 33503 Libourne Cedex, tél. 05 57 51 40 29, vignoblesmpmassonie@wanadoo.fr V r.-v.

CH. RÉAL-CAILLOU 2016

■	30740		15 à 20 €

Créé en 1969, le lycée viticole de Libourne-Montagne – qui forme quelques 300 élèves par an – exploite un domaine de 40 ha répartis sur deux crus : Grand Baril en montagne-saint-émilion et Réal-Caillou en lalande-de-pomerol.

Une olfaction évoquant les fruits noirs épicés devance une bouche fraîche et éclatante, aux saveurs de myrtille et à la trame tannique encore serrée. Du potentiel. ⧗ 2022-2026

⊶ CH. RÉAL-CAILLOU/GRAND BARIL, 38, rte de Goujon, 33570 Montagne, tél. 05 57 55 21 22, expl.legta.libourne@educagri.fr V t.l.j. sf sam. dim. 8h30-12h 14h-17h

CH. DE ROQUEBRUNE Cuvée Reine 2016 ★★

■	22000		15 à 20 €

Premières parcelles acquises en 1880, vignoble replanté après le gel de 1956; premières mises en bouteilles en 1970, avec Claude Guinjard. Dans la même famille depuis cinq générations, ce domaine, conduit depuis 2002 par Florent Guinjard, s'étend aujourd'hui sur 11,4 ha en lalande-de-pomerol.

Un vin non boisé qui a impressionné nos dégustateurs. Issu d'un terroir sablo-graveleux, le seul merlot s'exprime ici, de façon remarquable. Paré d'une jolie robe rubis, ce 2016 dévoile des arômes de griotte, de mûre et de groseille. Harmonieux, ample, structuré par des tanins fondus, le palais, aux saveurs de fruits noirs, fait montre d'une très grande élégance. Un 2016 déjà délicieux, mais qui saura vieillir harmonieusement. ⧗ 2020-2028

⊶ CH. DE ROQUEBRUNE, 6, rte des Galvesses, 33500 Lalande-de-Pomerol, tél. 05 57 74 08 92, chateauderoquebrune@lalande-pomerol.com V r.-v.

DOM. DES SABINES 2016

■	20000		20 à 30 €

Un petit cru acquis en 2006 par Jean-Luc Thunevin, l'homme de Valandraud (grand cru classé A de Saint-Émilion) : 4,3 ha de vignes plantés sur graves légères du côté de Pomerol, sur argiles du côté de Néac.

Paré d'une robe sombre, ce lalande de belle facture déploie un nez fruité et poivré, aux légères nuances végétales. En bouche, il se révèle rond, équilibré, soyeux et persistant. Classique et bien fait. ⧗ 2020-2025

⊶ DOM. DES SABINES, BP_88, 33330 Saint-Émilion, tél. 05 57 55 09 13, thunevin@thunevin.com V r.-v.

CH. TOURNEFEUILLE 2016

■	80000		20 à 30 €

Agriculteur en Eure-et-Loire, François Petit acquiert Tournefeuille en 1998, pièce maîtresse (17,5 ha à Néac) d'un vignoble familial étendu aussi sur Pomerol (Lécuyer) et Saint-Émilion (La Révérence), aujourd'hui conduit par son fils Émeric.

Un nez mêlant fruits noirs, cerise kirschée et épices douces devance une bouche franche, mûre et chaleureuse, au boisé fondu. Un 2016 solide et équilibré. ⌛ 2021-2025

CH. TOURNEFEUILLE, 24, rue de l'Église, 33500 Néac, tél. 05 57 51 18 61, info@chateau-tournefeuille.com V r.-v.

CH. VIEUX CARDINAL LAFAURIE 2016

■	36800		8 à 11 €

Propriétaire de nombreux crus et acteur majeur du négoce bordelais à travers différentes marques (Chai de Bordes, Pierre Dumontet), Cheval Quancard a été fondé par Pierre Quancard en 1844, sous le nom de Quancard et Fils. La maison est toujours dirigée par ses descendants.

On est ici devant un 2016 gourmand et expressif aux senteurs de fruits noirs. La bouche est fraîche, savoureuse, et les tanins se révèlent encore bien présents mais mûrs. Simple mais efficace. ⌛ 2020-2024

SA CHEVAL QUANCARD, ZI La Mouline, 4, rue du Carbouney, BP_36, 33565 Carbon-Blanc Cedex, tél. 05 57 77 88 88, chevalquancard@chevalquancard.com V *r.-v. au Ch. de Bordes à Saint-Vincent-de-Paul*

VIEUX CH. GACHET 2016 ★

■	16667		15 à 20 €

À son retour de la Grande Guerre, Jean-Baptiste Arpin achète 1 ha à Pomerol, dans le secteur du Maillet. Aujourd'hui, ses petits-fils et arrière-petits-fils Gérard et Gaël exploitent 38 ha en pomerol (Franc-Maillet), saint-émilion (La Fleur Chantecaille), montagne (Gachon) et lalande (Vieux Château Gachet), et proposent régulièrement de très bons vins.

Après un élevage de douze mois en fût de chêne, ce 2016 évoque les fruits noirs confiturés, la vanille et les épices douces tout au long de la dégustation. Sa bouche, fraîche et persistante, méritera quelques mois de garde afin d'assouplir des tanins juvéniles. ⌛ 2021-2025

SCEA CHÂTEAUX G. ARPIN, Chantecaille, 33330 Saint-Émilion, tél. 09 71 58 23 49, contact@chateaux-g-arpin.fr V *r.-v.*

VIEUX CLOS CHAMBRUN 2016 ★★

■	2454		30 à 50 €

Les vignerons normands existent : Jean-Jacques Chollet, ancien commercial dans une maison de négoce à Libourne, vit aujourd'hui dans le département de la Manche, mais il ne perd pas de vue son petit vignoble en lalande (moins de 3 ha), acquis avec son épouse Sylvie à Néac en 1986.

Cette cuvée mi-merlot mi-cabernet franc joue sur une aromatique très flatteuse, tant au nez qu'en bouche : cassis, myrtille, fruits confits et vanille. Le palais apparaît très volumineux, franc, bâti sur une belle structure tannique. Un 2016 d'ores et déjà délicieux, mais qui vieillira bien. ⌛ 2020-2028 ■ **Ch. Bouquet de Violette 2016 ★★ (20 à 30 €; 8930 b.)** : un second vin exemplaire, au bouquet de fruits noirs (mûre, cassis) et de poivre, et à la bouche expressive, longue, harmonieuse et réglissée. Pourquoi attendre ? ⌛ 2019-2025

JEAN-JACQUES CHOLLET, 15, La Chapelle, 50210 Camprond, tél. 02 33 45 19 61, cholletvin@gmail.com V *r.-v.*

▶ SAINT-ÉMILION ET SAINT-ÉMILION GRAND CRU

Établi sur les pentes d'une colline dominant la vallée de la Dordogne, Saint-Émilion (3 300 habitants) est une petite ville viticole charmante et paisible. C'est aussi une cité chargée d'histoire. Étape sur le chemin de Saint-Jacques-de-Compostelle, ville forte pendant la guerre de Cent Ans et refuge des députés girondins proscrits sous la Convention, elle possède de nombreux vestiges évoquant son passé. La légende fait remonter le vignoble à l'époque romaine et attribue sa plantation à des légionnaires. Mais il semble que sa véritable origine se situe au XIIIes. Quoi qu'il en soit, Saint-Émilion est aujourd'hui le centre de l'un des plus célèbres vignobles du monde qui, en 1999, a été incrit au patrimoine mondial par l'Unesco. L'aire d'appellation, répartie sur 9 communes, comporte une riche gamme de sols. Tout autour de la ville, le plateau calcaire et la côte argilo-calcaire (d'où proviennent de nombreux crus classés) donnent des vins d'une belle couleur, corsés et charpentés. Aux confins de Pomerol, les graves produisent des vins d'une très grande finesse (cette région possédant aussi de nombreux grands crus). Mais l'essentiel de l'appellation est représenté par les terrains d'alluvions sableuses descendant vers la Dordogne, qui produisent de bons vins. Pour les cépages, on note une nette domination du merlot, complété par le cabernet franc, appelé bouchet dans cette région, et, dans une moindre mesure, par le cabernet-sauvignon.

L'appellation saint-émilion peut être revendiquée par tous les vins produits dans la commune et dans huit autres villages environnants. La seconde appellation, saint-émilion grand cru, ne correspond pas à un terroir défini, mais à des critères d'élaboration plus exigeants : rendements plus faibles, élevage de dix-sept mois minimum, mise en bouteilles à la propriété obligatoire. C'est parmi les saint-émilion grand cru que sont choisis les châteaux qui font l'objet d'un classement. Ce dernier constitue l'une des originalités de la région de Saint-Émilion. Assez récent (il ne date que de 1955), il est régulièrement et systématiquement revu. La première révision a eu lieu en 1958; la dernière, en 2006, a été contestée devant les tribunaux pour être, à l'issue d'une longue procédure, annulée par le tribunal administratif de Bordeaux. Pour mettre fin au vide juridique, le Parlement a voté en mai 2009 un article de loi rétablissant l'ancien classement de 1996 auquel s'ajoutent les promus de 2006, classement valable jusqu'à la récolte 2011 incluse.

Pour les saint-émilion grand cru, la dégustation Hachette s'est faite en distinguant les classés (y compris les premiers) des non-classés. Les étoiles et commentaires correspondent donc à ces deux critères.

SAINT-ÉMILION

Superficie : 5 400 ha (grands crus inclus)
Production : 51 000 hl

CH. L'ANCIEN-MOULIN 2016 ★

■ | 4000 | | 8 à 11 €

Un ancien moulin à eau installé sur le Tailhas, ruisseau qui sépare les communes de Libourne et de Saint-Émilion, a donné son nom à ce cru de poche, la rocade de contournement de Libourne ayant amputé la propriété en 1989. Bernard Cany, qui produit aussi en pomerol (Petit Clos Taillefer), est aux commandes depuis 1991.

Un 2016 au nez expressif de fruits confiturés (pruneau, mûre), souligné de notes torréfiées. Après une attaque fraîche, il se révèle ample, charnu et persistant, étayé par des tanins soyeux qui lui assureront une bonne tenue dans le temps. ⧗ 2021-2028

BERNARD CANY (CH. L'ANCIEN MOULIN), 192, rte de Saint-Émilion, 33500 Libourne, tél. 06 30 59 95 51, bernardcany@sfr.fr V r.-v.

♥ L'ARCHANGE 2016 ★★

■ | 5500 | | 20 à 30 €

Issu d'une famille enracinée à Saint-Émilion depuis le XVIIe s., André Chatonnet, disparu en 2007, s'était établi en 1967 au Ch. Haut-Chaigneau, où il avait fait construire un « temple du vin » dans le style néoclassique. Son fils Pascal, œnologue et biologiste, continue son œuvre. Il exploite 30 ha de vignes, en lalande essentiellement, ainsi qu'en saint-émilion. Une valeur sûre.

Ce pur merlot, issu d'une parcelle d'à peine plus de 1 ha, est un habitué du Guide. Le 2016 a fait forte impression. Expressif, il libère d'intenses notes fruitées (prune, cerise et mûre), alliées à un boisé délicat évoquant le cèdre. Après une attaque souple, il déploie une chair dense et harmonieuse, soutenue par une trame tannique de grande classe. ⧗ 2021-2030

SCEV VIGNOBLES CHATONNET, chem. des Trois-Bois, 33500 Néac, tél. 05 57 51 31 31, contact@vignobleschatonnet.com V *t.l.j. 9h-12h 14h-17h30; sam. dim. sur r.-v.* 4

CLOS CASTELOT 2016 ★

■ | 13000 | | 8 à 11 €

Un vignoble de 21 ha, acquis par les Fompérier en 1956, à l'entrée sud de Saint-Émilion, au pied du coteau, dans le hameau de La Gaffelière. Deux étiquettes ici : le grand cru Guillemin La Gaffelière et son second le Clos Castelot.

Coup de cœur l'année dernière avec son 2015, cette propriété est loin de démériter avec son 2016. Au nez envoûtant de mûre, de cassis, de framboise et de vanille répond une bouche charnue et élégante, dotée de tanins mûrs. La finale portant loin les saveurs fruitées. Un très beau second vin. ⧗ 2020-2027

VIGNOBLES FOMPÉRIER, La Gaffelière, 33330 Saint-Émilion, tél. 05 57 74 46 92, lecellierdesgourmets@wanadoo.fr V *t.l.j. sf dim. 8h30-12h15 14h-17h45*

♥ CLOS LE BRÉGNET 2016 ★★

■ | 18000 | | 8 à 11 €

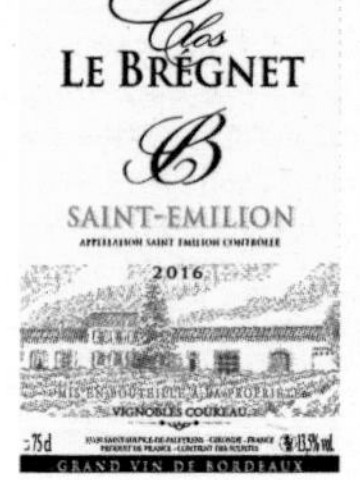

David Coureau exploite depuis 1970 un vignoble familial de 16 ha, dont il consacre la moitié au saint-émilion, 1 ha au grand cru La Perle du Brégnet et le reste au Ch. l'Ancien Orme en AOC bordeaux. La partie dédiée au grand cru est située à la limite sud de la juridiction, sur un terroir de sables et de graves.

Un saint-émilion de haut vol, tout de grenat vêtu. Il évoque des arômes gourmands de fruits rouges et noirs mêlés à des nuances toastées. Concentré et charnu, structuré mais sans excès d'extraction, il fait preuve d'élégance jusqu'en finale. ⧗ 2021-2030

EARL VIGNOBLES COUREAU, 204, Le Brégnet, 33330 Saint-Sulpice-de-Faleyrens, tél. 05 57 24 76 43, clos-le-bregnet@wanadoo.fr V *t.l.j. sf dim. 9h-18h30*

CH. CLOS TILLET 2016

■ | 2100 | | 11 à 15 €

Le domaine de Gaubert se trouve dans une admirable situation, sur les coteaux argilo-calcaires de la commune de Saint-Christophe-des-Bardes, juché sur les hauteurs du plateau à l'est de Saint-Émilion, dominant la vallée de la Dordogne. Les 8 ha de culture que compte le domaine sont composés à 95 % de merlot et à 5 % de cabernet franc. Deux vins y sont produits par Gérard Ménager et Juliette sa fille : Ch. Gaubert, en AOC saint-émilion grand gru, et le Ch. Clos Tillet.

Un saint-émilion riche en arômes de fruits noirs et de vanille. Certes souple à l'attaque, il porte cependant la marque de quelques tanins de jeunesse. Patience. ⧗ 2022-2025

SCEA FAMILLE MÉNAGER-GRANET, 1, lieu-dit Gaubert, 33330 Saint-Christophe-des-Bardes, tél. 06 17 23 56 79, chateaugaubert@gmail.com V *r.-v.*

CH. LA CROIX CAPEROT 2016 ★

■ | 8000 | | 11 à 15 €

Deux beaux-frères, Éric Duffau et Luc Merit conduisent cette propriété de 4 ha depuis 2014.

Une robe grenat profond habille ce 2016, dont les arômes traduisent un élevage conduit dans le respect de la vendange, avec d'intenses notes de fruits rouges (framboise et cerise). Voluptueux à l'attaque, il possède une belle matière, bâtie sur des tanins serrés. La longue finale encore austère invite à la garde. ⧗ 2021-2027

SCEA VIGNOBLES DUFFAU (CH. LA CROIX CAPEROT), 2692, rte de Moulon, 33420 Génissac, tél. 05 57 24 49 12, chateau.lacroixcaperot@gmail.com V r.-v.

♥ CH. LE DESTRIER Cuvée Prestige Élevé en fût de chêne 2016 ★★

■	10800		11 à 15 €

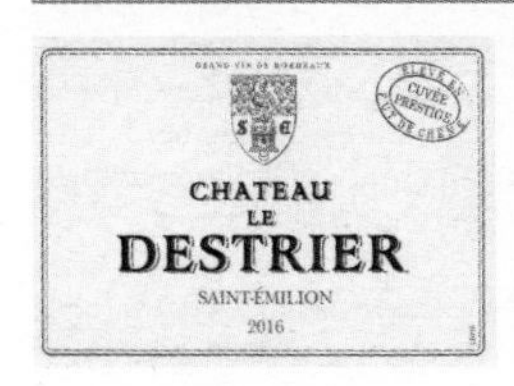

Olivier Cheminade est la quatrième génération de vignerons à travailler ce vignoble. Aidé de son frère, il partage son temps entre le chai et les rendez-vous pour faire découvrir les derniers millésimes. Formé à l'œnologie, il observe avec attention les méthodes de vinification et retient celles qui lui semblent adaptées à faire ressortir l'identité de son terroir de 2 ha de merlot.

Ce 2016 évoque les fruits noirs confiturés (cerise) et la vanille. Ample, il offre une belle matière en bouche, parfaitement soutenue par des tanins mûrs. Témoins d'un élevage maîtrisé, les notes épicées s'harmonisent jusqu'à la longue finale évocatrice de fruits noirs mûrs. Un vin taillé pour la garde. ⧗ 2022-2030

EARL CHEMINADE, 7, Peyrouquet, 33330 Saint-Pey-d'Armens, tél. 05 57 47 15 39, contact@vignobles-cheminade.com V r.-v.

LA FLEUR DU PRIEURÉ 2016 ★

■	5000		8 à 11 €

Au XIIIe s., les Cisterciens fondèrent ici un prieuré, aujourd'hui disparu, nommé À la grâce de Dieu. Acquis en 1946 par Pierre Dubreuilh, le domaine est désormais conduit par ses descendantes, les sœurs Christine et Valérie Pauty, à la tête de 13 ha plantés sur le versant ouest de Saint-Émilion.

Ce second vin du Ch. la Grâce Dieu offre un nez de fruits noirs mêlés de subtiles notes de sous-bois et de violette. Le jury a apprécié sa matière en bouche, ses arômes de cassis et de mûre, ainsi que ses tanins certes serrés, garants d'une bonne tenue dans le temps. ⧗ 2021-2026

SCEA LA GRÂCE DIEU, Vignobles Pauty, 33330 Saint-Émilion, tél. 05 57 24 71 10, contact@chateaulagracedieu.fr V

LES HAUTS DE LA GAFFELIÈRE 2016 ★

■	80000		11 à 15 €

La maison de négoce fondée en 1995 par Léo de Malet-Roquefort et son fils Alexandre, héritiers d'une lignée saint-émilionnaise et propriétaires du Ch. la Gaffelière (1er grand cru classé B) a été cédée graduellement à Bertrand Ravache. Le négociant a acquis la totalité des parts de la société en 2015 et lui a donné son nom.

Déjà étoilé l'année dernière pour le millésime 2015, cette cuvée déploie un nez intense alliant fruits rouges (fraise des bois, framboise), fruits noirs (mûre, myrtille) et réglisse. Après une attaque souple, la bouche se révèle harmonieuse et veloutée, idéalement fraîche, délivrant avec persistance les mêmes arômes que ceux perçus au nez. Des tanins enrobés confirment un bon potentiel de garde ⧗ 2021-2027

MAISON BERTRAND RAVACHE, BP_12, champs du Rivalon, 33330 Saint-Émilion, tél. 05 57 56 40 80, contact@bertrand-ravache.com

CH. JUPILLE CARILLON Cuvée Prestige 2016

■	18000		11 à 15 €

Acteur important de la place de Bordeaux, Cordier-Mestrezat Grands Crus est né en 2000 de la fusion de deux vénérables maisons de négoce bordelaises : la maison Cordier, fondée en 1886 par Désiré Cordier, et la maison Mestrezat, créée en 1815. En 2015, le groupe coopératif InVivo, géant de l'agroalimentaire, a pris le contrôle de cette entité et opéré une scission de Mestrezat (réservé aux grands crus) et de Cordier (dédié aux vins de marque et autres Châteaux).

Un vin qui joue résolument la carte du charme. Tour à tour se succèdent des notes de myrtille, de cassis et de vanille, puis d'épices. Les tanins soutiennent encore fermement la matière. Gageons qu'un ou deux ans de garde y remédieront. ⧗ 2021-2025

SAS CORDIER, 1, rue de la Seiglière, CS_91958, 33088 Bordeaux Cedex, tél. 05 56 11 29 00, contact@cordier-wines.com

CH. MOULIN DES GRAVES 2016

■	13333		11 à 15 €

À l'origine, deux propriétés familiales : le Ch. Moulin des Graves, appartenant au grand-oncle tonnelier de l'actuel propriétaire, et le Ch. Hautes Graves d'Arthus, domaine de son grand-père. Elles fusionnent dans les années 1950. Installé en 1987, Jean-Frédéric Musset, rejoint par son fils Lambert, œnologue, conduit 12 ha dans la partie sud de l'appellation saint-émilion.

Cette cuvée à dominante de merlot (90 %) et complétées des deux cabernets mêle les arômes de myrtille, de cassis et de cerise. La même gamme aromatique se décline au palais, soulignant une chair souple et ronde prête à intégrer les tanins qui s'expriment encore un peu en finale. ⧗ 2021-2024

EARL VIGNOBLES J.-F. MUSSET, 20, d'Arthus, 33330 Vignonet, tél. 05 57 84 53 15, jf.musset.darthus@wanadoo.fr V r.-v.

CH. LA RENOMMÉE La Maine 2016 ★★

■	5000		15 à 20 €

En 2014, cette propriété de 12 ha a changé de mains et a été agrandie. Elle est maintenant constituée en groupement foncier viticole et accueille de multiples associés amoureux du vin. La gérance est assurée par Jean-Noël Doublet.

Dès le premier regard, ce merlot largement majoritaire (95 %) en impose dans sa robe rubis à reflets mauves de jeunesse. Il envoûte par ses parfums intenses et concentrés de framboise, de brioche et d'épices. La bouche, persistante, tient toutes les promesses du nez : fruité généreux, matière dense et tanins idéalement mûrs. Du grand art. ⧗ 2021-2030

SCEA CH. LA RENOMMÉE, Au Bois de l'Or, BP_111, 33330 Saint-Émilion, tél. 05 57 24 65 93, info@larenommee.fr V r.-v.

CH. ROCHER-FIGEAC 2016 ★

	28000		11 à 15 €

Propriété des Vignobles Jean-Pierre Tournier, cette propriété créée vers 1880 par Bernard Rocher n'a acquis son nom de Ch. Rocher-Figeac qu'en 1968. Nés sur un terroir de graves et de crasse de fer, le merlot et le cabernet franc donnent ici un saint-émilion classique et typique, souvent loué pour sa régularité.

Un assemblage fortement dominé par le merlot (85 %), complété de cabernet franc, a donné naissance à ce vin élégant. L'élevage de douze mois en cuve et de six mois en barrique a bien respecté la vendange. En témoignent le nez de framboise, de cassis et de prune, ainsi que la bouche souple et bien structurée. ⧗ 2020-2027

SCEA VIGNOBLES J.-P. TOURNIER, Tailhas, 194, rte de Saint-Émilion, 33500 Libourne, tél. 05 57 51 36 49, jp.tournier2@wanadoo.fr V r.-v.

CH. ROLLAND-MAILLET 2016

	18000		20 à 30 €

Michel Rolland possédait plusieurs crus dans le Libournais, avec pour fleuron Bon Pasteur, dans la famille depuis les années 1920 : 7 ha morcelés en 23 parcelles, aux confins nord-est de Pomerol. Bertineau Saint-Vincent (5,6 ha en lalande) et Rolland-Maillet (3,3 ha en saint-émilion) complètent la propriété, passée en 2013 sous pavillon chinois (le groupe Golding basé à Hong-Kong); l'équipe technique est restée en place.

Ce 2016 mise sur l'équilibre et la finesse. Élevé un an en barrique, il affiche d'élégantes notes toastées et grillées, lesquelles ne prennent jamais le pas sur l'expression du fruit (fruits rouges épicés). Certes les tanins sont encore serrés, mais ils se fonderont dans la matière à la faveur d'un à deux ans de garde. ⧗ 2021-2026

SAS LE BON PASTEUR, 10, chem. Maillet, 33500 Pomerol, tél. 05 57 24 52 58, contact@chateaulebonpasteur.com V r.-v.

CH. LA ROSE MONTURON 2016 ★★

	12000		11 à 15 €

Avec son mari Stéphane, directeur technique viticole, Myriam Dubès a repris en 2005 une partie de l'exploitation familiale dans la jurade de Saint-Émilion. Les vinifications ont débuté dans un garage. En 2006, le couple a acquis 1 ha de vigne supplémentaire avec maison et chai. Les deux époux ont conservé leur activité professionnelle et travaillent leurs 3,5 ha sur leur temps de loisir.

Une longue aération favorise l'expression d'arômes fruités (pruneau, cassis) et de notes complexes de cuir et de café. Rond dès l'attaque, ce 2016 déploie une chair tout aussi fruitée, structurée par des tanins de velours. La finale persistante finit de convaincre. Un vin qui a frôlé le coup de cœur. ⧗ 2022-2030

MYRIAM DUBÈS, 1, Les Places, 33330 Saint-Étienne-de-Lisse, tél. 05 57 24 69 33, contact@chateau-larosemonturon.com V r.-v.

R DE CH. ROYLLAND 2016 ★

	3600		11 à 15 €

D'ancienne notoriété, apparu à l'époque d'Aliénor d'Aquitaine, ce petit cru de 5 ha est situé en pied de côte dans l'anse de Mazerat, à l'ouest de Saint-Émilion, au milieu de grands crus classés (Angelus, Canon, Berliquet, Tertre-Daugay). Il a plusieurs fois changé de mains : Oddo-Vuiton (1989 à 2007), Stephen Adams (Ch. Fonplégade) jusqu'en 2010 et désormais Martine et Jean-Bernard Chambard, issus du secteur de la santé, qui ont confié la direction à Thomas Thiou (Ch. la Couronne à Montagne).

Un saint-émilion franc et agréable, au nez de fraise et de groseille. Il bénéficie d'une trame tannique bien enrobée dans une chair persistante et gourmande. ⧗ 2020-2026

CH. ROYLLAND, 1, Roylland, 33330 Saint-Émilion, tél. 05 57 24 68 27, chateau.roylland@orange.fr V r.-v. E

CH. SAINT-VALÉRY 2016

	17700		8 à 11 €

Ce domaine, acquis en 1997 par la famille Moquet, tire son nom de l'un des saints protecteurs de Saint-Émilion. Il étend son vignoble de 13 ha d'un seul tenant sur les sols sablo-graveleux de Saint-Sulpice-de-Faleyrens, dans la partie sud de l'appellation.

Un 2016 plaisant, souple, velouté, aux saveurs gourmandes de cerise. Un joli vin de partage. ⧗ 2020-2023

GFA PEREY-CHEVREUIL, 283, Perey, 33330 Saint-Sulpice-de-Faleyrens, tél. 06 77 81 64 61, f.moquet33@gmail.com V *t.l.j. 8h-12h30 14h-19h*

LE TERTRE DE SARPE 2016 ★★

	22700		8 à 11 €

Implantée depuis le XIXᵉ en Libournais, la famille Magnaudeix possède deux petits domaines viticoles à Saint-Émilion : Vieux-Larmande (4,25 ha), créé en 1840, et Vieux Château Pelletan (6,9 ha), fondé en 1924. En 2008, Romain Magnaudeix a pris les commandes de la propriété.

La robe rubis profond et les arômes envoûtants de ce merlot (mûre, cerise, écorce de cèdre) ont d'emblée séduit le jury. Ample, d'une belle concentration en fruits et structurée par des tanins mûrs, la bouche confirme les premières impressions : un 2016 délicieux, et pour longtemps. ⧗ 2020-2028

SCEA VIGNOBLES MAGNAUDEIX, Ch. Vieux-Larmande, 33330 Saint-Émilion, tél. 05 57 24 60 49, vignobles-magnaudeix@orange.fr V *t.l.j. sf sam. dim. 9h-12h30 14h-17h30*

CH. VIEUX-GARROUILH 2016 ★

	41333		11 à 15 €

Créée en 1931, la coopérative de Saint-Émilion est un acteur incontournable du Libournais, et ses cuvées – vins de marque (Aurélius, Galius) ou de domaines (une cinquantaine de propriétés apportent leur vendange à la « coop ») – sont régulièrement au rendez-vous du Guide.

Si ses tanins sont encore un peu serrés, ce 2016 montre tout au long de la dégustation qu'il possède un solide potentiel. Le bouquet, élégant et complexe, aux notes toastées et aux arômes de petits fruits rouges, a beaucoup plu au jury, tout comme le palais harmonieusement structuré. Prometteur. ⧗ 2022-2030 ■ **Ch. Rastouillet Lescure 2016 ★ (11 à 15 €; 39266 b.)** : un vin évocateur de sureau, de fraise et de framboise confiturée, qui séduit par sa bouche franche et ample, élégante. Les tanins enrobés autorisent un service dans des délais raisonnables. ⧗ 2020-2026 ■ **Royal Saint-Émilion Cuvée Prestige 2016 ★ (11 à 15 €; 7200 b.)** : la marque la plus ancienne de l'Union des Producteurs a encore une fois convaincu les dégustateurs avec ce 2016 aussi flatteur au nez (vanille, petits fruits rouges, réglisse) que gourmand au palais (rondeur et fraîcheur savamment équilibrées). ⧗ 2021-2026 ■ **Royal Saint-Émilion 2016 ★ (11 à 15 €; 31866 b.)** : cette cuvée revêt un caractère friand au nez (griotte, framboise et pain grillé) comme en bouche tant sa chair est soyeuse et longuement fruitée. ⧗ 2020-2025

UNION DE PRODUCTEURS DE SAINT-ÉMILION, Lieu-dit Haut-Gravet, BP 27, 33330 Saint-Émilion, tél. 05 57 24 70 71, contact@udpse.com V r.-v.

CH. VIEUX LONGA 2016 ★

■	4000		8 à 11 €

Une propriété familiale créée en 1930 au sud-ouest de Saint-Émilion : 5 ha d'un seul tenant sur sols sablo-graveleux, conduits depuis 1998 par Éric et Isabelle Veyssière. Deux étiquettes : Ch. Vieux Longa (5 ha en saint-émilion) et Ch. Barrail du Patient (1 ha en bordeaux).

Un 2016 classique, qui charme par sa gourmandise et son harmonie aromatique : de fins arômes de violette, de réglisse et de petits fruits rouges se déclinent à l'envi. Certes, quelques tanins encore jeunes se manifestent en finale, mais comme une invitation à la patience. ⧗ 2021-2028

SCEA CH. VIEUX LONGA, 192, Le Longa, 33330 Saint-Sulpice-de-Faleyrens, tél. 05 57 24 74 31, contact@chateau-vieux-longa.fr V *t.l.j. 9h-12h 14h-19h*

CH. LE VIEUX PRESSOIR 2016 ★

■	9709		11 à 15 €

Ce petit vignoble de 8 ha est exploité par la même famille depuis quatre générations. Thierry et Anne Mallo travaillent leurs vignes situées au pied du coteau de Saint-Émilion depuis 1996.

Rubis profond, ce 2016 livre un bouquet complexe mêlant épices, fraise confite et cerise noire. Opulent en bouche, il tire profit d'une trame de tanins certes serrés, mais respectueux de la chair fruitée (cassis). Un vin de garde. ⧗ 2023-2030

SCEA MALLO PÈRE ET FILS, 3, lieu-dit Grand-Sable, 33330 Saint-Hippolyte, tél. 05 57 24 62 17, chateaulevieuxpressoir@orange.fr V *r.-v.*

SÉBASTIEN XANS Entre amis 2016 ★★

■	2000		8 à 11 €

En 2008, Sébastien Xans a racheté quelques arpents de vieux merlots plantés par son arrière-grand-père maternel sur la commune du Vignonet. Il les a complétés par une autre parcelle, plantée par son arrière-grand-père paternel sur les sables et les graves de Saint-Sulpice-de-Faleyrens.

Un pur merlot d'une remarquable complexité. Cassis, fraise des bois, pruneau et notes vanillées se développent au nez comme en bouche. Sa matière riche saura envelopper les élégants tanins qui se manifestent encore aujourd'hui, mais qui sont le gage d'un beau potentiel. ⧗ 2023-2030

SÉBASTIEN XANS, 335, Bois-Grouley, 33330 Saint-Sulpice-de-Faleyrens, tél. 06 87 93 92 29, sebastien.xans@orange.fr V *r.-v.* 3

CH. YON SAINT-CHRISTOPHE 2016

■	15000		11 à 15 €

La famille Rodet est également propriétaires à Bourg du Ch. Brûlesécaille. Lorsqu'elle a acquis ce domaine de 2 ha à Saint-Émilion en 1996, elle l'a replanté de merlot et de malbec.

Certes, il n'est pas le vin le plus puissant de la dégustation, mais c'est un joli saint-émilion qui se révèle frais et friand, doté de tanins soyeux. Pour profiter de l'instant présent, mais aussi pour la garde. ⧗ 2020-2025

GFA RODET-RÉCAPET, 29, rte des Châteaux, 33710 Tauriac, tél. 05 57 68 40 31, cht.brulesecaille@orange.fr V *r.-v.*

SAINT-ÉMILION GRAND CRU

Superficie : 5 400 ha / Production : 72 000 hl

CH. ABELYCE 2016

■	68000		11 à 15 €

Responsable technique du Ch. Haut-Gravet, propriété de son père Alain Aubert, Amélie Aubert a créé ce cru de 10,50 ha en 2004, dont le nom est la contraction des prénoms de ses enfants (Alice et Jean-Abel).

Un vin rond et ouvertement fruité, au nez charmant évoquant le cassis et le café, et à la bouche ample, charnue. Certes, les tanins semblent encore un peu fermes, mais ils signent un bon potentiel. ⧗ 2021-2026

EARL AMÉLIE AUBERT SÉLECTION, 57, av. de l'Europe, 33350 Saint-Magne-de-Castillon, tél. 06 85 21 59 60, chateau.abelyce@orange.fr V *r.-v.*

♥ B CH. AMBE TOUR POURRET 2016 ★★

■	30000		20 à 30 €

Après avoir investi dans les vignes alentour (Puisseguin, Castillon), Françoise et Philippe Lannoye ont mis un pied à Saint-Émilion en 2007 en acquérant ce petit cru de 9 ha, situé dans le hameau de Pourret. Le vignoble est certifié bio depuis 2015.

Ce 2016, qui a bénéficié de dix-huit mois d'élevage en fût, a emporté l'adhésion du jury dès le premier regard porté sur sa robe grenat soutenu, puis à la perception de son bouquet aussi

CLASSEMENT DES GRANDS CRUS DE SAINT-ÉMILION

Les 2015 dégustés cette année sont régis par ce classement révisé en 2012.

SAINT-ÉMILION PREMIERS GRANDS CRUS CLASSÉS

A

- Château Angelus
- Château Ausone
- Château Cheval Blanc
- Château Pavie

B

- Château Beauséjour (héritiers Duffau-Lagarrosse)
- Château Beau-Séjour-Bécot
- Château Bélair-Monange
- Château Canon
- Château Canon la Gaffelière
- Château Figeac
- Clos Fourtet
- Château la Gaffelière
- Château Larcis Ducasse
- La Mondotte
- Château Pavie Macquin
- Château Troplong Mondot
- Château Trottevieille
- Château Valandraud

SAINT-ÉMILION GRANDS CRUS CLASSÉS

- Château l'Arrosée
- Château Balestard la Tonnelle
- Château Barde-Haut
- Château Bellefont-Belcier
- Château Bellevue
- Château Berliquet
- Château Cadet-Bon
- Château Capdemourlin
- Château le Châtelet
- Château Chauvin
- Château Clos de Sarpe
- Château la Clotte
- Château la Commanderie
- Château Corbin
- Château Côte de Baleau
- Château la Couspaude
- Château Dassault
- Château Destieux
- Château la Dominique
- Château Faugères
- Château Faurie de Souchard
- Château de Ferrand
- Château Fleur Cardinale
- Château La Fleur Morange
- Château Fombrauge
- Château Fonplégade
- Château Fonroque
- Château Franc Mayne
- Château Grand Corbin
- Château Grand Corbin-Despagne
- Château Grand Mayne
- Château les Grandes Murailles
- Château Grand-Pontet
- Château Guadet
- Château Haut-Sarpe
- Clos des Jacobins
- Couvent des Jacobins
- Château Jean Faure
- Château Laniote
- Château Larmande
- Château Laroque
- Château Laroze
- Clos la Madeleine
- Château la Marzelle
- Château Monbousquet
- Château Moulin du Cadet
- Clos de l'Oratoire
- Château Pavie Decesse
- Château Peby Faugères
- Château Petit Faurie de Soutard
- Château de Pressac
- Château le Prieuré
- Château Quinault l'Enclos
- Château Ripeau
- Château Rochebelle
- Château Saint-Georges-Côte-Pavie
- Clos Saint-Martin
- Château Sansonnet
- Château la Serre
- Château Soutard
- Château Tertre Daugay
- Château la Tour Figeac
- Château Villemaurine
- Château Yon-Figeac

intense que complexe : petits fruits rouges mûrs, café et épices. D'attaque franche, il enveloppe le palais de sa matière volumineuse, parfaitement soutenue par des tanins soyeux. Le fruité demeure d'un bout à l'autre de la dégustation, garant de l'élégance. Ainsi de la finale particulièrement persistante, qui laisse le souvenir de la confiture de mûres et du pain grillé. Un modèle. ⧗ 2022-2028

SCEA TOUR POURRET, lieu-dit Pourret, D243, 33330 Saint-Émilion, tél. 05 57 55 23 28, visite@celene-bordeaux.com V t.l.j. 10h-18h

AURELIUS 2016 ★★

■ | 24 000 | | 20 à 30 €

Créée en 1931, la coopérative de Saint-Émilion est un acteur incontournable du Libournais, et ses cuvées – vins de marque (Aurélius, Galius) ou de domaines (une cinquantaine de propriétés apportent leur vendange à la «coop») – sont régulièrement au rendez-vous du Guide.

Rubis profond, ce 2016 exprime remarquablement des arômes de mûre, de cassis, de réglisse, nuancés de notes fumées. La bouche, d'une harmonie sans faille, se montre à la fois fraîche, gourmande et de belle intensité. La trame tannique, mûre et enrobée, donne du relief à la longue finale réglissée. Du très beau travail. ⧗ 2022-2028 ■ **Ch. d'Arcie 2016 ★ (15 à 20 €; 15 000 b.)** : un vin abouti et charmeur que ce 2016, au nez fin et complexe de myrtille, de cassis, d'épices douces et de réglisse. La bouche n'est pas en reste : expressive, élégante et très persistante. Les tanins sont certes présents, mais bien fondus. ⧗ 2021-2026 ■ **Côtes Rocheuses 2016 ★ (15 à 20 €; 20 400 b.)** : un saint-émilion grand cru typique, charnu, équilibré et au beau potentiel de garde; un classique indémodable. ⧗ 2021-2027 ■ **Ch. Fleur Lescure 2016 ★ (15 à 20 €; 23 733 b.)** : de la matière, une belle persistance en bouche, mais une finale encore austère en raison des tanins qui méritent de se fondre. ⧗ 2022-2025 ■ **Galius 2016 (15 à 20 €; 34 000 b.)** : vin cité.

UNION DE PRODUCTEURS DE SAINT-ÉMILION, Lieu-dit Haut-Gravet, BP 27, 33330 Saint-Émilion, tél. 05 57 24 70 71, contact@udpse.com V r.-v.

♥ CH. AUSONE 2016 ★★★

■ 1er gd cru clas. A | n.c. | | + de 100 €

85 86 88 (89) **90** 92 93 94 |**95**| |(96)| |**97**| |(98)| |**99**| |(00)| |**01**| |**02**| |**03**| (11) (12) (16)

Portant le nom du poète latin qui vécut à Saint-Émilion au IVe s., Ausone aurait été constitué au XIVe s. sur un vignoble remontant à l'époque romaine. Depuis le Moyen Âge, seulement trois familles s'y sont succédé, jusqu'à Alain Vauthier, actuel propriétaire, lointain héritier de Pierre Chatonnet établi ici en 1690. Un cru mythique resté au sommet (classé A dès 1959) grâce à cette continuité familiale. Grâce aussi à son terroir unique : 7 ha (dont une part élevée de cabernet franc) campés sur le rebord du plateau argilo-calcaire de Saint-Émilion entouré d'une ceinture de rochers qui l'abrite des vents. Dans ses deux nouveaux chais souterrains naît un vin d'une étonnante capacité de garde, élaboré depuis 2007 par Pauline Vauthier (fille d'Alain), avec l'aide à la vigne de Laurent Vallet et du maître de chai Philippe Baillarguet.

Mi-cabernet franc mi-merlot, ce millésime impressionne : d'emblée la robe, d'une profondeur rare, donne le ton. Une même intensité est perceptible dans le bouquet inimitable, qui mêle fraise, groseille fraîche, boisé fin et notes de graphite. Cette élégance aromatique se retrouve au palais : un équilibre parfait, de la richesse, de la puissance et des tanins de velours, jusqu'à la finale qui semble éternelle. Du très grand art. ⧗ 2026-2040 ■ **Chapelle d'Ausone 2016 ★★ (+ de 100 €; n.c.)** : cabernet franc (56 % de l'assemblage), merlot et cabernet-sauvignon ont joué de leur complémentarité naturelle, quoique rare dans l'appellation, pour donner naissance à ce second vin remarquable, au nez puissant de fruits noirs épicés, à la bouche soyeuse, à la fois puissante et de grande élégance. La finale persistante laisse augurer un excellent potentiel de garde. ⧗ 2023-2030

SCEA CH. AUSONE, 33330 Saint-Émilion, tél. 05 57 24 24 57, chateau.ausone@wanadoo.fr

CH. BADETTE 2016 ★★

■ | 30 000 | | 20 à 30 €

La propriété appartenait en 1770 au comte de Carle. Elle connut un âge d'or à la fin du XIXe s. À sa mort, en 2002, son propriétaire William Arreaud avait légué sa propriété viticole à la commune de Saint-Émilion. Le cru a été racheté en 2012 à l'entrepreneur belge Marc Vandenbogaerde, grand amateur de vin, qui a restructuré le vignoble (10 ha) et fait construire un nouveau cuvier et un chai à barriques.

Né sur un terroir argilo-graveleux, ce saint-émilion grand cru associe le merlot (85 %), le cabernet franc (10 %) et le petit verdot. Complexe, il séduit d'emblée par ses accents floraux (pivoine, rose) qui complètent idéalement les arômes de petits fruits noirs (mûre, cerise noire, cassis) et les notes boisées de l'élevage. Le charme continue d'opérer au palais, tant la chair est dense, structurée et longuement fruitée. Des tanins de grande classe et un boisé ajusté finissent de convaincre. Un remarquable 2016, taillé pour la garde. ⧗ 2023-2030

SCEA DU CH. BADETTE, Badette sud, 33330 Saint-Émilion, tél. 05 57 24 59 98, chateaubadette@orange.fr V r.-v.

CH. BALESTARD LA TONNELLE 2016 ★

■ Gd cru clas. | 55 000 | | 30 à 50 €

Issu d'une famille déjà établie à Saint-Émilion au XVIIe s., Jacques Capdemourlin est à la tête de deux crus classés saint-émilionnais, Cap de Mourlin (14 ha) et Balestard la Tonnelle (10 ha), ainsi que du Ch. Roudier (30 ha) en montagne-saint-émilion. Il a vendu en 2017 Petit-Faurie de Soutard à son voisin le Ch. Soutard.

Le nez, ouvert et séduisant, est très typé par le merlot (70 % de l'assemblage) dans ses notes de cassis et de framboise; arômes que l'on retrouve en bouche. Souple en attaque, savoureux et structuré dans son développement, ce vin bénéficie de tanins fins et serrés. Un ensemble harmonieux qui vieillira bien. ⧗ 2022-2028

SCEA CAPDEMOURLIN, 5, rte de Labatut, 33570 Montagne, tél. 05 57 74 62 06, info@vignoblescapdemourlin.com r.-v.

CH. DU BARRY 2016

■ | n.c. | | 20 à 30 €

Descendant d'Auvergnats, comme nombre d'acteurs de la filière viticole en Libournais, Daniel Mouty, aujourd'hui associé avec ses enfants Sabine et Bertrand, exploite depuis 1973 un vignoble de 54 ha répartis sur plusieurs crus en pomerol (Grand Beauséjour, Saint-André), en saint-émilion grand cru (Du Barry, Tour Renaissance) et en AOC régionales (Rambaud, Grands Ormes). Tout le vignoble est en conversion bio.

Un 2016 élégant, au nez de fruits rouges et de pivoine, et à la bouche équilibrée qui dévoile des flaveurs de cerise, avant d'être marquée par une finale serrée due à des tanins jeunes. Patience. ⧗ 2022-2026

SCEA VIGNOBLES DANIEL MOUTY, 33350 Sainte-Terre, tél. 05 57 84 55 88, contact@vignobles-mouty.com r.-v. 4 B

♥ CH. BEAU-SÉJOUR BÉCOT 2016 ★★

■ 1er gd cru clas. B | 90000 | | 75 à 100 €

82 83 85 (86) **87 88 89** 90 93 **94 95 96** 97 98 **99** 00 **01** 02 **03** |**04**| |**05**| |(06)| |07| |08| 09 10 **11** 12 13 15 **16**

Déjà planté de vigne à l'époque romaine, ce cru de 19 ha situé au sommet du plateau calcaire de Saint-Émilion conserve ses vins dans d'anciennes carrières de 7 ha creusées par les moines au Moyen Âge. Acquis en 1969 par Michel Bécot, il est aujourd'hui dirigé par ses fils Dominique (à la vigne) et Gérard (à la cave), épaulés par Juliette, la fille de ce dernier.

Un vin qui impressionne par sa concentration. Au nez de mûre, de cassis et de vanille répond une matière dense et ample, au fruité généreux, portée par une fraîcheur parfaitement équilibrée et des tanins au grain fin. La finale, d'une persistance remarquable, en parfait le profil. Voilà assurément un des grands vins du millésime. ⧗ 2024-2034

SCEA DE BEAU-SÉJOUR BÉCOT, Ch. Beau-Séjour Bécot, 33330 Saint-Émilion, tél. 05 57 74 46 87, contact@beausejour-becot.com r.-v.

CH. BELAIR-MONANGE 2016 ★★

■ 1er gd cru clas. B | n.c. | | + de 100 €

10 11 12 13 14 15 16

Acquis en 2008 par les établissements Jean-Pierre Moueix, ce cru de 12,5 ha fut alors rebaptisé Belair-Monange en l'honneur de l'épouse de Jean Moueix (grand-père de Christian, l'actuel dirigeant), Anne-Adèle Monange, première femme de la famille établie à Saint-Émilion en 1931. Un vaste programme de replantation sur vingt ans a été engagé depuis lors. À partir du millésime 2012, le domaine intègre les 11 ha du Ch. Magdelaine.

Le regard se perd dans la robe profonde de ce 2016 qui révèle au premier nez des arômes de bois frais. Suivent des senteurs de fruits mûrs nuancées de notes de cacao, puis des touches de fleurs et d'humus. Cette remarquable complexité aromatique est une invitation à poursuivre la dégustation. D'attaque fraîche, le vin se développe avec élégance et rondeur, soutenu par des tanins fins. Une petite touche d'amertume en finale apporte du dynamisme. ⧗ 2024-2034

ÉTS JEAN-PIERRE MOUEIX (CH. BELAIR-MONANGE), 54, quai du Priourat, 33502 Libourne Cedex, tél. 05 57 51 78 96, info@jpmoueix.com

CH. BELLEFONT-BELCIER 2016

■ Gd cru clas. | 35000 | | 50 à 75 €

96 97 98 99 00 01 02 04 05 06 |(07)| |**08**| 09 10 11 **12** 13 **15** 16

Propriété datant de la fin du XVIIIe s., ce grand cru de 13,5 ha (classé depuis 2006) est idéalement situé sur le coteau argilo-calcaire de Saint-Laurent-des-Combes, entre les Châteaux Larcis Ducasse et Tertre Rotebœuf. Acquis en 2012 par un industriel de la métallurgie, Songwei Wang, puis revendu en 2015 à un Chypriote, il a été acheté fin 2017 par le Chinois Peter Kwok, propriétaire en Libournais depuis 1997 avec Haut-Brisson déjà à la tête de sept propriétés. À la direction de ces Vignobles K, Jean-Christophe Meyrou.

Un 2016 à la robe intense et au nez de fruits noirs, dont la structure de tanins serrés et le boisé encore bien présent méritent de se fondre. La patience trouvera sa juste récompense. ⧗ 2023-2026 ■ **Les Tours de Belcier 2016 (20 à 30 €; 18000 b.)** : vin cité.

SARL VIGNOBLES K, Cassevert, 33330 Saint-Christophe-des-Bardes, tél. 05 57 24 77 15, contact@vignoblesk.com r.-v.

BELLEVUE MONDOTTE 2016 ★

■ | 35000 | | + de 100 €

Un petit cru de 2,5 ha en partie enclavé dans le vignoble de Pavie-Decesse, sur le haut de la côte Pavie. Le dernier en date des quatre grands crus saint-émilionnais, et le seul non classé, acquis par Gérard Perse (2001). Le merlot y tient le haut du pavé (90 % aux côtés des deux cabernets, 5 % chacun).

Un très joli 2016 au nez de fruits rouges, de cuir et de grillé, et à la bouche ample et charnue. Le caractère volumineux est équilibré par une juste fraîcheur qui parcourt le palais tout au long de la dégustation. Les tanins, mûrs mais denses, nous rappellent que nous avons affaire à un grand vin de garde… Patience, donc. ⧗ 2025-2035

SCA CH. PAVIE (CH. BELLEVUE MONDOTTE), Dom. de Pavie, 33330 Saint-Émilion, tél. 05 57 55 43 43, contact@vignoblesperse.com

CH. BERLIQUET 2016 ★

■ Gd cru clas. | 34000 | | 30 à 50 €

Classé depuis 1986, ce cru qui figurait déjà sur les cartes de Belleyme en 1768, est situé sur le plateau de la Magdeleine. Ses 7,5 ha de vignes couvrent des coteaux exposés au sud-sud-ouest, proches de la cité de Saint-Émilion. La maison Chanel, déjà propriétaire

des Ch. Rauzan-Ségla à Margaux et Ch. Canon à Saint-Émilion, acquiert le domaine en 2017.

Un 2016 classique qui respire son terroir. Le nez, net et noble, mêle petits fruits rouges (groseille, fraise) et nuances boisées. Après une attaque souple, la bouche développe une sensation de soyeux, à laquelle contribuent des tanins de grande classe. La finale, particulièrement longue, en souligne l'équilibre et la distinction. ⌛ 2022-2028

SCEA DU CH. BERLIQUET, 1, Berliquet, 33330 Saint-Émilion, tél. 05 57 55 23 45, contact@chateau-canon.com

CH. JACQUES BLANC 2016 ★

■ | 126680 | | 15 à 20 €

Acquis en 2012 par l'investisseur néerlandais Peter Wolter, ce cru de 27 ha en pied de coteau est l'une des plus vastes propriétés de l'appellation.

Ce vin ambitieux est encore marqué par son élevage sous bois et dévoile au nez des notes vanillées, grillées et de petits fruits rouges. En bouche, sa matière puissante garde une harmonieuse fraîcheur. Les tanins encore fougueux se fonderont sans mal avec le temps. ⌛ 2021-2025 ■ **Cuvée du Maître 2016 (20 à 30 €; 22666 b.)** : vin cité.

SCEA DU CH. JACQUES BLANC, Ch. Jacques Blanc, 33330 Saint-Étienne-de-Lisse, tél. 05 35 17 00 07, contact@jacques-blanc.wine

CH. BLANCHE HERMINE 2016 ★

■ | 4800 | | 30 à 50 €

Tout petit domaine de 1,18 ha, planté à plus de 70 % de cabernet franc, le Ch. Blanche Hermine est la propriété d'Emma Le Bail, gérante du Domaine de Courteillac en bordeaux supérieur, et de Christophe Le Bail, négociant.

Le jury est tombé sous le charme de ce 2016 délicat, au nez flatteur de fruits noirs et de sous-bois, et à la bouche ronde et d'un bel équilibre entre fraîcheur et rondeur. La finale, longue et savoureuse, confirme : un cas d'école. ⌛ 2021-2026

SCEA CH. BLANCHE HERMINE, 1, Badon nord, 33330 Saint-Émilion, tél. 06 20 55 49 25, ch.blanche.hermine@orange.fr V r.-v.

CH. LA BONNELLE 2016

■ | 50000 | | 15 à 20 €

La famille Sulzer œuvre dans plusieurs crus du Libournais. Son berceau est le Ch. La Bonnelle, 12,6 ha de vignes au sud-est de Saint-Émilion, conduits depuis 1996 par Olivier Sulzer, qui possède aussi 6 ha en castillon avec le Ch. Tertre de Belvès, créé en 2002, et 26 ha en bordeaux supérieur avec le Ch. Féret Lambert, en association avec son beau-frère Henri Féret.

Intense à l'œil, ce 2016 déploie un nez complexe mêlant petits fruits noirs, cannelle, vanille et notes grillées. On retrouve ces sensations dans une bouche fraîche, croquante et veloutée, aux tanins enrobés. Un style aimable.

SCEA DES VIGNOBLES SULZER, Ch. la Bonnelle, 33330 Saint-Pey-d'Armens, tél. 05 57 47 15 12, vignobles.sulzer@wanadoo.fr V r.-v.

CH. CADET-BON 2016 ★

■ Gd cru clas. | n.c. | | 30 à 50 €

Au XIVes., Jacques Bon, dit le Cadet, planta une vigne au nord-est de Saint-Émilion, sur un coteau nommé depuis Butte du Cadet. Célèbre au XVIIIes., ce cru de 6,5 ha a été acquis en 2001 par Michèle et Guy Richard, anciens producteurs de cognac, qui ont entrepris de nombreux travaux de rénovation à la vigne comme au chai.

D'un rubis profond, ce 2016 dévoile un bouquet de fraise écrasée et de framboise, nuancé de vanille. En bouche, il se révèle rond, structuré et persistant, même si la finale est encore marquée par des tanins de jeunesse. Un 2016 élégant et en devenir. ⌛ 2022-2028

SCEV CH. CADET-BON, 1, Le Cadet, 33330 Saint-Émilion, tél. 05 57 74 43 20, chateau.cadet.bon@orange.fr V r.-v.

CH. CANON 2016 ★

■ 1er gd cru clas. B | 80000 | | + de 100 €

89 90 96 97 **98** 99 |**00**| |01| 02 **03** |04| |**05**| |**06**| |07| |08| **09 10** 11 **12 13** 14 16

Grand cru fondé en 1760 par le capitaine de frégate et corsaire Jacques Kanon, qui y développa la monoculture de la vigne, élevé au rang de 1er cru classé dès 1954. La famille Fournier, installée ici en 1919, céda le domaine au groupe Chanel en 1996. Niché contre la cité médiévale, le cru est idéalement implanté au sud du plateau calcaire de Saint-Émilion. Il recèle en sous-sol d'immenses caves creusées pendant des siècles pour bâtir Libourne et Bordeaux. Après John Kolasa, parti à la retraite, c'est Nicolas Audebert (également aux commandes de Rauzan-Ségla en margaux, des mêmes propriétaires) qui dirige le vignoble : 34 ha, dont 12 provenant du grand cru classé Matras, acquis en 2011, qui alimente désormais le second vin, Croix Canon.

À un nez exubérant (mûre, cassis, violette et notes grillées) répond une bouche dense et gourmande, dont l'équilibre est assuré par une juste fraîcheur. La finale, persistante et légèrement poivrée, porte encore des tanins fermes, mais ils sont gage d'avenir. Un 2016 taillé pour la (longue) garde. ⌛ 2023-2030

SC CH. CANON, lieu-dit Saint-Martin, Rte du Milieu, 33330 Saint-Émilion, tél. 05 57 55 23 45, contact@chateau-canon.com

LE CARRÉ 2016 ★

■ | 1500 | | 75 à 100 €

Une des plus grandes propriétés de l'appellation avec 50 ha de vignes, ce cru a été acheté en 2005 par Jonathan Maltus, Anglais originaire d'Afrique. Arrivé à Saint-Émilion dans les années 1990 pendant la période des vins de garage, celui-ci y produit depuis le Ch. Le Dôme, Vieux Château Mazérat, les Astéries et Laforge, tous quatre en saint-émilion grand cru, ainsi qu'un bordeaux blanc sec : Le Nardian.

Le nez de ce 2016 mêle fruits noirs, tabac, nuances de cuir et boisé prononcé. Dès l'attaque, l'impression de gras est perceptible, puis le vin gagne en puissance sur des tanins serrés, sans jamais perdre de son équilibre. Belle finale persistante évoquant le tabac blond. ⌛ 2023-2030 ■ **Vieux Château Mazerat 2016 (+ de 100 €; 10000 b.)** : vin cité.

SCE CH. TEYSSIER, 1, lieu-dit Teyssier, Vignonet, 33330 Saint-Émilion, tél. 05 57 84 64 22, info@maltus.com V r.-v.

CH. CHAMPION Cuvée Excellence 2016

■ | 4800 | | 20 à 30 €

Huitième fils unique depuis le XVIIIes. à conduire les vignobles familiaux, Pascal Bourrigaud a pris la suite de son père Jean en 1994, à la tête de trois domaines : les Châteaux Champion (7 ha) et Vieux Grand Faurie (5 ha) en saint-émilion grand cru, complétés en 1999 par le Ch. haute Terrasse (4 ha en castillon-côtes-de-bordeaux). Il perpétue aussi la vieille tradition œnotouristique familiale, établie il y a plus de cinquante ans (déjeuner vigneron, sentier des vignes...).

Un saint-émilion typique et bien fait, mêlant au nez fruits rouges, réglisse et nuances torréfiées. La bouche franche et gourmande dévoile des saveurs de griotte et des tanins fondus. 2022-2025

SCEA BOURRIGAUD ET FILS, 33330 Saint-Émilion, tél. 05 57 74 43 98, info@chateau-champion.com V r.-v.

CH. LE CHÂTELET 2016 ★★

■ Gd cru clas. | 18000 | | 50 à 75 €

Un petit domaine de 3,1 ha idéalement situé sur le plateau de Saint-Émilion, au milieu de 1ers crus classés, Beau-Séjour Bécot, Canon et Clos Fourtet – d'où son titre de «châtelet» plutôt que de château. Julien Berjal, qui a côtoyé son père et son grand-père dans les vignes du cru, est à sa tête depuis 2002. Promu grand cru classé par le dernier classement de 2012.

Ce vin, fruit de vieilles vignes de merlot (80 %) et de cabernet franc, vinifié en partie en barrique, a impressionné le jury de dégustateurs. Le nez riche et centré sur la cerise noire confiturée, le poivre et les notes grillées affiche un juste équilibre entre «raisin et merrain». Structurée par des tanins élégants, charnue et expressive, la bouche déploie les mêmes arômes, mis en valeur par une belle fraîcheur. 2023-2030

SCEA BERJAL, 5, lieu-dit Le Châtelet, 33330 Saint-Émilion, tél. 06 72 91 09 29, chateaulechatelet@gmail.com V *t.l.j. 11h-18h; f. déc. à avr.*

♥ CH. CHAUVIN 2016 ★★

■ Gd cru clas. | n.c. | | 30 à 50 €

85 86 **88 89** 90 93 94 96 98 99 00 **01** 02 03 04 05 06 |07| |08| |09| |10| |**12**| |13| **14** 15 **16**

Acquis en 1881 par Victor Ondet, teinturier de son état, ce cru est resté dans la même famille jusqu'en 2014. C'est sous la direction du petit-fils, Henri, qu'il acquiert ses lettres de noblesse, intégrant le premier classement de Saint-Émilion en 1954. Une notoriété maintenue sous la direction des filles de ce dernier, Marie-France et Béatrice. En 2014, le domaine et ses 15 ha de vignes d'un seul tenant, au nord-ouest de Saint-Émilion, sont passés dans d'autres mains féminines, celles de Sylvie Cazes (co-propriétaire de Lynch-Bages) et de sa fille, qui ont entrepris un vaste programme de restructuration.

Le terroir parle dans ce 2016 au nez complexe de fruits rouges (framboise, groseille) nuancés de notes florales et d'évocations de fumé. Le vin s'appuie sur une trame tannique mûre pour se révéler ample et rond. La finale persistante promet une bouteille des plus harmonieuses. Un futur classique. 2024-2035

SCEA CH. CHAUVIN, 1, Les Cabanes-Nord, 33330 Saint-Émilion, tél. 05 57 24 76 25, contact@chateauchauvin.com r.-v.

♥ CH. CHEVAL BLANC 2016 ★★★

■ 1er gd cru clas. A | n.c. | | + de 100 €

(61) **64 66** 69 **70 71 75 76 78 79** 80 **81 82 83** 85 **86 88 89** |(90)| **92 93 94** |**95**| |**97**| |98| |**99**| |**00**| |**01**| |**02**| |**03**| |**04**| **05 06** |07| |08| **09 10 11 12** 13 **14** (15) (16)

À l'origine simple métairie de Figeac, Cheval Blanc devient une propriété indépendante en 1832 quand le président du tribunal de Libourne, Jean-Jacques Ducasse, l'achète et fait construire le château actuel. Ses descendants entreprennent des travaux importants, notamment de drainage, et dès la fin du Second Empire, le cru atteint ses dimensions actuelles (39 ha) et se situe parmi les plus renommés de Saint-Émilion. Son terroir, de type pomerolais avec des graves et des sables anciens sur argiles, explique l'originalité de son encépagement à dominante de cabernet franc, complété par le merlot. Les descendants du président Ducasse restent à la tête du cru jusqu'à son rachat en 1998 par Bernard Arnault (LVMH) et Albert Frère. Ces derniers placent Pierre Lurton à la direction générale et dotent le château en 2011 d'un nouveau chai, dessiné par Christian de Portzamparc.

Un millésime exceptionnel pour Cheval Blanc. Impressionnant dans sa sombre robe aux reflets violines de jeunesse, ce 2016 dévoile un bouquet intense mêlant petits fruits rouges, menthe, café et notes florales (pivoine, rose). Au palais, il monte longuement en puissance sur des tanins très fins et développe sa chair dense, à l'harmonie sans faille. Un retour aromatique frais évoquant la violette vient signer une finale longue, très longue. Un vin inoubliable, que les chanceux devront pourtant oublier plusieurs années en cave... 2025-2040 ■ **Le Petit Cheval 2016 ★★ (+ de 100 €; n.c.)** : après un millésime 2015 sans Petit Cheval, ce mythique second vin du Bordelais fait un retour gagnant avec un 2016 de grande classe, tout en finesse dans ses évocations de fraise, de réglisse et ses nuances anisées. Ample, structuré par des tanins d'une finesse remarquable, il se prolonge en finale sur une fraîcheur épicée et mentholée. Un vin d'esthète. 2022-2030

SC DE CHEVAL BLANC, Ch. Cheval Blanc, 33330 Saint-Émilion, tél. 05 57 55 55 55, contact@chateau-chevalblanc.com

CLOS DALMASSO Galaxies 2 Romanile 2016 ★★

■ | 2000 | | 20 à 30 €

En 2004, Rémi Dalmasso, maître de chai au Ch. Valandraud, plante en vigne le jardin situé devant sa maison à Saint-Émilion (environ 1 ha aujourd'hui, certifié bio depuis 2013) et signe son premier millésime en 2008.

Un second vin particulièrement expressif, qui s'ouvre sur les fruits compotés, la vanille et les épices douces. Le voici qui décline le même registre aromatique au palais, inscrit dans une chair ample, riche, d'un remarquable équilibre. Très belle finale, longue et gourmande : un vin déjà délicieux, et pour longtemps. 2020-2027

SCEA CLOS DALMASSO, 9, lieu-dit La Rose, 33330 Saint-Émilion, tél. 09 61 51 18 81, clos.dalmasso@orange.fr V r.-v.

CH. CLOS DE SARPE 2016 ★

■ Gd cru clas. | 10000 | | 50 à 75 €

Ce petit vignoble de 3,7 ha d'un seul tenant, bien situé sur le plateau argilo-calcaire de Saint-Christophe-des-Bardes, au nord-est de la juridiction de Saint-Émilion, a été acheté en 1923 par la famille Beyney au baron de Bogeron. Installé en 1983, Jean-Guy Beyney, incarnant la troisième génération, a vu son domaine accéder au rang de cru classé avec le classement de 2012. Il a engagé en 2017 la conversion bio du cru.

À un premier nez plutôt discret, évoquant à l'aération les fruits noirs confiturés, les épices et la vanille, répond une bouche riche, harmonieuse et fruitée, portée par des tanins serrés qui poussent loin la finale. Un 2016 intense, au potentiel certain. 2023-2029

SCA BEYNEY, Saint-Christophe-des-Bardes, 33330 Saint-Émilion, tél. 05 57 24 72 39, chateau@clos-de-sarpe.com V r.-v.

CLOS DES BAIES 2016 ★

■ | 3000 | | 30 à 50 €

Philippe Baillarguet dispense ses talents de maître de chai pour le compte de la famille Vauthier (Ch. Ausone). En 2006, il prend un petit fermage de 30 ares pour créer son propre vin, puis acquiert 92 ares en 2010, sur le coteau sud de Saint-Laurent-des-Combes.

Cette cuvée confidentielle offre une palette élégante, centrée sur les fruits noirs, les épices douces et la violette. En bouche, après une attaque fraîche, elle offre une chair riche, aux flaveurs de cerise noire, soutenue par des tanins mûrs. La finale est encore marquée par le bois, mais nul doute que ce 2016 vieillira avec grâce. 2022-2028

EARL CLOS DES BAIES, 3, Puyblanquet, 33330 Saint-Étienne-de-Lisse, philippe.baillarguet@orange.fr r.-v.

CLOS DES GRANDES VERSANNES 2016 ★

■ | 5860 | | 15 à 20 €

Jean-Luc Sylvain, tonnelier réputé du Libournais, exerce son talent non seulement sur le contenant mais aussi sur le contenu, à travers deux domaines : le Ch. la Perrière à Lussac, un cru de 14 ha d'origine monastique acquis en 2003, et le Clos les Grandes Versannes, grand cru de Saint-Émilion, une petite vigne (1 ha) plantée sur les sables et les graves de Saint-Sulpice-de-Faleyrens, dans sa famille depuis trois générations.

Un 2016 d'une étonnante jeunesse, qui conjugue des notes de pêche de vigne et de framboise. Concentré, puissant mais harmonieux, il possède la trame tannique nécessaire à un bon vieillissement. 2022-2027

VIGNOBLES J.L. SYLVAIN, lieu-dit la Perrière, 33570 Lussac, tél. 05 57 55 14 64, mail@vignoblesjlsylvain.com V r.-v.

CLOS DES JACOBINS 2016

■ Gd cru clas. | 45826 | | 30 à 50 €

Après plusieurs expériences dans le vignoble bordelais, Thibaut et Magali Decoster s'installent en 2004 à la tête de deux crus de Saint-Émilion : le Clos des Jacobins, 8,5 ha sur argilo-calcaires en pied de côte, classé depuis 1955, et le Ch. la Commanderie, 6 ha au sommet d'une croupe graveleuse, classé depuis 2012. En 2017, ils reprennent l'exploitation des Ch. Candale et Roc de Candale (8 ha sur argilo-calcaires), ouvrent un restaurant et une boutique, conjuguant leurs deux passions : vignoble et art de vivre.

Un saint-émilion grand cru classique, mêlant au nez baies rouges et toasté du merrain, à la bouche charnue, chaleureuse, dotés d'arômes de cerise et de tanins denses mais mûrs. Un 2016 charmeur, au boisé encore dominant, qui gagnera en élégance avec le temps. 2022-2026

SCEA CLOS DES JACOBINS, BP_67, 33330 Saint-Émilion, tél. 05 57 51 19 91, contact@mtdecoster.com V r.-v.

CLOS DUBREUIL 2016 ★

■ | 20000 | | + de 100 €

Les Trocard sont établis dans le Libournais depuis 1628. Leurs domaines ont connu un formidable essor au lendemain de la Seconde Guerre mondiale. Aux commandes depuis 1976, Jean-Louis Trocard, épaulé par ses enfants Benoît et Marie, a porté le vignoble à près de 100 ha répartis dans plusieurs crus et appellations.

Merlot (75 %) et cabernet franc entrent dans ce vin fruité (mûre, cassis), épicé et toasté au nez. La bouche apparaît complexe, puissante, aux arômes de fruits noirs confiturés et d'épices douces, puis elle dévoile une finale réglissée. Il faudra patienter pour que l'élevage se fonde. Un 2016 taillé pour la garde. 2023-2030 ■ **Anna 2016 ★ (30 à 50 €; n.c.)** : ce second vin libère des parfums de fruits confits, de cuir et de chocolat. On retrouve ces arômes dans une bouche harmonieuse et ronde. La finale revient sur les fruits rouges, participant au côté friand et fondu de ce vin élégant. 2021-2025

SAS CLOS DUBREUIL, 11, lieu-dit Jean-Guillot, Clos Dubreuil, 33330 Saint-Christophe-des-Bardes, tél. 05 57 55 57 90, bt@trocard.com V r.-v.

LE BORDELAIS

CLOS FOURTET 2016 ★

■ 1er gd cru clas. B | 55000 | ⬤ | + de 100 €

85 86 87 88 89 **90 91** 92 93 **94** (95) **96 97 98** 99 |**00**| 01 |**02**| |**03**| 04 |(05)| |**06**| |07| 08 09 **10 11 12** (13) 14 **15** 16

Cet illustre grand cru est un vrai clos ceint de murs (20 ha), établi à l'emplacement d'un fortin romain («un fourtet»), face à la collégiale de Saint-Émilion, sur le fameux plateau calcaire à astéries de la cité. Il a souvent changé de mains, toujours celles d'authentiques familles bordelaises, comme les Ginestet et les Lurton. Ces derniers l'ont considérablement amélioré, avant de le céder en 2001 à Philippe Cuvelier et son fils Matthieu (Ch. Poujeaux à Moulis), qui, avec l'appui de Stéphane Derenoncourt et de Jean-Claude Berrouet, maintiennent haut cette exigence de qualité et ont entrepris un travail de fond toujours en cours sur le vignoble. La biodynamie est pratiquée sur 15 ha.

Une belle densité à tous les niveaux pour ce 2016 d'un rubis profond, au nez expressif de fruits rouges et de fleurs, mêlés à de subtiles nuances minérales. Très puissante, la bouche allie rondeur, fraîcheur et trame tannique ciselée, donnant l'impression d'un vin de grande jeunesse. Un grand cru très structuré, à attendre patiemment. ⧗ 2025-2030 ■ **La Closerie de Fourtet 2016 ★ (20 à 30 €; 26000 b.)** : le second vin de la propriété joue la carte de l'élégance avec un nez centré sur le cassis, les fruits secs et les épices. Après une attaque puissante et fraîche, la bouche se révèle soyeuse et équilibrée, soutenue par des tanins enrobés et prolongée par une belle finale fruitée. Un vin déjà abordable, mais qui donnera le meilleur de lui dans quelques années. ⧗ 2023-2027

SCEA CLOS FOURTET, 1, Châtelet-Sud, 33330 Saint-Émilion, tél. 05 57 24 70 90, closfourtet@closfourtet.com V r.-v.

CLOS SAINT-JULIEN 2016 ★

■ | 5000 | ⬤ | 50 à 75 €

Le plus petit des trois crus saint-émilionnais (Gaillard, Petit Gravet Ainé) de Catherine Papon-Nouvel, installée en 1998 à la suite de son père à la tête des vignobles familiaux et par ailleurs propriétaire en castillon-côtes-de-bordeaux (Ch. Peyrou). La vigne couvre 1,4 ha (en bio certifié) sur un terroir de roche calcaire.

Le nez intense évoque les fruits noirs, puis s'ouvre sur le poivre et le graphite. La bouche se révèle ample, soyeuse, dotée de tanins lisses et mûrs qui portent loin la finale, veloutée et harmonieuse. Un ensemble des plus aboutis. ⧗ 2023-2030

SCEA VIGNOBLES NOUVEL (CLOS SAINT-JULIEN), Clos Saint-Julien, 33330 Saint-Émilion, tél. 05 57 24 72 44

CLOS SAINT-MARTIN 2016 ★

■ Gd cru clas. | 5000 | ⬤ | 50 à 75 €

Petit vignoble (1,3 ha) enclavé entre les premiers grands crus classés Angelus, Canon, Beauséjour Duffau et Beau-Séjour Bécot, le Clos Saint-Martin, ancienne «vigne du curé» de la paroisse, appartient à la famille Reiffers depuis 1850. En 2013, la famille Cuvelier (Clos Fourtet) a pris une participation dans la propriété, mais Sophie Fourcade (née Reiffers), aux commandes depuis 1998, reste l'actionnaire majoritaire. Les autres crus de la famille Reiffers (Les Grandes Murailles et Côte De Baleau) sont quant à eux passés entièrement dans le giron des Cuvelier.

Des raisins à la maturité parfaite ont donné le jour à ce 2016 complexe. Le nez puissant évoque le cassis, le pruneau et des nuances toastées, mais libère également des notes florales (genêt, acacia). En bouche, on retrouve cette sophistication aromatique dans une matière ample, puissante, aux tanins veloutés et à la longue finale encore serrée. Patience. ⧗ 2023-2030

SCEA CLOS SAINT-MARTIN, BP_20017, 33330 Saint-Émilion, tél. 05 57 24 71 09, clossaintmartin.saintemilion@gmail.com r.-v.

CH. LA CLOTTE 2016 ★★

■ Gd cru clas. | n.c. | ⬤ | 50 à 75 €

Si dans certaines régions, une «clotte» est un trou d'eau, ici, il s'agit d'une ancienne habitation troglodytique attenante à la cave du domaine. La vigne alentour est disposée en terrasses sur le coteau faisant face à la cité de Saint-Émilion. Élevé au rang de cru classé dès 1954, sous la direction de Georges Chailleau, ce cru a été mis en fermage dans les années 1960, puis de nouveau exploité directement par la famille en 1990, avant d'être acheté par la famille Vauthier (Ausone, Moulin Saint-Georges, Fonbel et Simard) en 2014.

Un 2016 presque exotique dans son expression intense de fruits rouges et noirs, de cacao et de réglisse. Après une attaque fraîche, le palais se déploie avec opulence sur les mêmes arômes, soutenu par des tanins enrobés jusqu'à la longue finale évocatrice de mûre. ⧗ 2024-2030

SCEA DU CH. LA CLOTTE, 33330 Saint-Émilion, tél. 05 57 24 24 57

CH. LA CONFESSION 2016

■ | 32000 | ⬤ | 30 à 50 €

Fils de Jean-François Janoueix, Jean-Philippe Janoueix s'est d'abord installé à Lalande (Ch. Chambrun, vendu à Silvio Denz) avant de créer en 2001 le Ch. la Confession en saint-émilion grand cru, réunion des châteaux Barreau et Haut-Pontet. Il produit aussi du bordeaux supérieur (Croix Mouton), du saint-georges-saint-émilion (Cap Saint-Georges) et du pomerol (Sacré Cœur, en fermage, La Croix Saint-Georges).

Des notes cacaotées ouvrent discrètement la dégustation, suivies de touches fruitées (cerise noire, cassis). La bouche, équilibrée, souple et gourmande, bénéficie de tanins sages et devrait gagner en complexité en cave. ⧗ 2020-2025

CH. LA CONFESSION, lieu-dit Haut-Pontet, 33330 Saint-Émilion, tél. 05 57 48 13 13, contact@jpjdomaines.com V r.-v.

CH. CORBIN 2016

■ Gd cru clas. | 70000 | ⬤ | 30 à 50 €

Tous deux issus d'anciennes familles bordelaises, Anabelle Cruse-Bardinet, épaulée par son mari

Sébastien, a repris en 1999 le vignoble familial acquis par ses arrière-grands-parents en 1924 et transmis par les femmes depuis quatre générations. Un cru fort ancien - les fondations du bâtiment principal remontent au XVes. - dont on dit qu'il fut l'un des fiefs du Prince noir (« corbin » pour la couleur corbeau de son armure). Le vignoble couvre 13 ha, implanté en partie sur des sables anciens, en partie sur des argiles.

Un premier vin élégant, au nez de fruits rouges et de vanille, agrémenté de subtiles nuances végétales. En bouche, il est harmonieux, frais et gourmand jusqu'à la jolie finale réglissée. À attendre pour plus de complexité. ⧗ 2021-2026

SC CH. CORBIN, Ch. Corbin, 33330 Saint-Émilion, tél. 05 57 25 20 30, contact@chateau-corbin.com r.-v.

CH. CORMEIL-FIGEAC 2016 ★

■	60000		20 à 30 €

Ce vignoble de 10 ha, appartenant à la famille Moreaud depuis 4 générations, se situe dans le secteur de Figeac, à l'ouest de Saint-Émilion. Depuis 2012, Victor et Coraline Moreaud, frère et sœur, sont respectivement responsables de la production et de la commercialisation de ce cru, ainsi que des deux autres propriétés familiales, Ch. Magnan-Figeac et Ch. Lamarzelle-Cormey.

Une robe grenat profonde et lumineuse pour ce vin au nez fin et délicat de petits fruits rouges frais, nuancés de réglisse (Zan). Bâti sur des tanins fins et mûrs, le palais laisse une impression gourmande et harmonieuse. La longue finale expressive et fruitée confirme : un 2016 éclatant. ⧗ 2022-2028

SCEA DOMAINES CORMEIL-FIGEAC-MAGNAN, Ch. Cormeil-Figeac, 33330 Saint-Émilion, tél. 05 57 24 70 53, moreaud@cormeil-figeac.com r.-v. 4

CH. COUDERT 2016 ★★

■	20000		15 à 20 €

Propriétaire en saint-émilion depuis 1880 (Ch. Panet, à Saint-Christophe-des-Bardes, au nord-est de l'appellation), la famille Carles a développé son vignoble après 1945 aux environs (Clos la Rose, Haut-Fonrazade, Coudert, Clos Jacquemeau). Elle a aussi hérité en 1994 d'une parcelle de 3,3 ha en pomerol qu'elle a baptisé Ch. Croix des Rouzes. À la tête de ces domaines depuis 1999, Jérôme Carles.

Après un 2015 jugé remarquable l'année dernière, le château signe un 2016 de haut vol, au nez de fruits rouges confits, de violette et de cannelle, et à la bouche ample et soyeuse, aux flaveurs gourmandes de griotte et de réglisse. La finale, fraîche et puissante, convoque des tanins volontaires, qu'une garde de quelques années affinera. ⧗ 2023-2030 ■ **Clos la Rose 2016** ★ **(15 à 20 €; 24000 b.)** : un vin au bouquet fin de cassis, de framboise et de poivre. Des arômes que l'on retrouve dans une bouche harmonieuse, aux tanins caressants et à la longue finale gourmande. ⧗ 2021-2026

SAS VIGNOBLES CARLES, Panet, 33330 Saint-Christophe-des-Bardes, tél. 05 57 24 78 92, contact@vignobles-carles.fr r.-v.

CH. DE LA COUR Le Joyau 2016 ★

■	5000		30 à 50 €

Venue du nord de la France et du milieu céréalier, la famille Delacour a acquis en 1994 en saint-émilion grand cru un domaine alors nommé « Ch. De la Rouchonne », rebaptisé du nom du chevalier de la Cour, au service de Charles IX et ancêtre de la famille. Un cru que Bruno Delacour conduit depuis 2010 et qui couvre 11 ha sur un sol de sable et de graves, au sud de l'appellation. En 2010, les Delacour ont acquis le Clos des Templiers, une petite vigne (2 ha) en lalande.

Cuvée confidentielle, issue des plus vieilles vignes de merlot de la propriété, Le Joyau déploie un nez délicat de fruits rouges, d'épices douces et de fleurs (rose, iris poivré). En bouche, il se révèle gras et rond, avec des tanins bien enrobés, harmonieux jusque dans la belle finale. Un 2016 déjà en place, mais qui vieillira aussi avec grâce. ⧗ 2021-2028 ■ **2016 (20 à 30 €; 35000 b.)** : vin cité.

EARL DU CHATEL DELACOUR, 4, La Rouchonne, 33330 Vignonet, tél. 06 87 23 17 18, contact@chateaudelacour.com r.-v.

CH. LA COUSPAUDE 2016

■ Gd cru clas.	38000		30 à 50 €

85 **86** 88 (89) 90 91 92 **93** 94 **95** 96 97 **98** 01 02 03 04 05 06 |07| **09** |10| |11| |12| **13** 15 16

Propriétaire de vignes depuis plus de deux siècles, la famille Aubert – aujourd'hui les frères Alain, Daniel et Jean-Claude, épaulés par leurs enfants – exploite 300 ha et de nombreux domaines du Bordelais, essentiellement en Libournais, avec pour fleuron le Ch. la Couspaude, grand cru classé de Saint-Émilion depuis 1996, acquis en 1908.

Pour l'heure, un 2016 austère qui possède pourtant une personnalité affirmée. Le nez, très marqué par les fruits noirs et le boisé, annonce une bouche franche, puissante, aux tanins de jeunesse encore austères. La garde s'impose. ⧗ 2024-2027

SCE VIGNOBLES AUBERT, Ch. la Couspaude, 33330 Saint-Émilion, tél. 05 57 40 15 76, vignobles.aubert@wanadoo.fr r.-v.

COUVENT DES JACOBINS 2016

■ Gd cru clas.	30000		30 à 50 €

Jusqu'à la Révolution française, le couvent des Jacobins abritait des moines dominicains, qui ont contribué à l'épanouissement du vignoble saint-émilionnais. Ce cru de 10,7 ha, établi au cœur de Saint-Émilion sur de très anciennes caves souterraines (XIIIe et XIVes.), appartient à la famille Joinaud-Borde depuis 1902. L'actuelle propriétaire, Rose-Noëlle Borde, associée depuis 2010 à Xavier Jean, a confié la direction technique à Denis Pomarède.

Archétype du vin de garde, ce 2016 arbore un bouquet boisé d'où s'échappent d'élégantes senteurs fruitées (cerise, fraise). Il déploie en bouche une chair ample, dense et charpentée, mais semble un peu sévère en finale en raison de ses jeunes tanins. À oublier en cave quelques années. ⧗ 2024-2027

⊶ SCEV JOINAUD-BORDE, 10, rue Guadet, 33330 Saint-Émilion, tél. 05 57 24 70 66, couventdesjacobins@dbmail.com

CH. LA CROIZILLE 2016 ★★

■ | 24000 | | 50 à 75 €

Le Belge Émile De Schepper a investi dans le vignoble bordelais à partir de 1950. En plus de sa maison de négoce (De Mour), la famille exploite aussi aujourd'hui une cinquantaine d'hectares en propre : en Médoc, le Ch. Haut-Breton Larigaudière (margaux), le Ch. Tayet et le Ch. Lacombe Cadiot (bordeaux supérieur); en saint-émilion, Tour Baladoz et La Croizille.

Mûre, cassis, violette, vanille : le nez intense est fort agréable. En bouche, ce vin dense et charnu prolonge cette expression aromatique grâce à une juste fraîcheur. Sa trame de tanins fins souligne son caractère soyeux. Un grand cru élégant. ⌛ 2023-2030

⊶ SCEA CH. TOUR BALADOZ, lieu-dit Tour Baladoz, 33330 Saint-Laurent-des-Combes, tél. 05 57 88 94 17, contact@demour.com V r.-v.

CH. CRUZEAU Fleur de Jaugue 2016 ★

■ | 16000 | | 20 à 30 €

Au XVIIIᵉs., sur la carte de Belleyme, Cruzeau était situé à la campagne, au milieu des vignes. Aujourd'hui, les ceps sont cernés par des résidences, entre la rocade est de Libourne et l'église de l'Épinette. Propriétaire depuis 1907, la famille Luquot résiste à l'urbanisation et c'est heureux, car les vignes (7 ha environ) mettent en valeur un joli petit château. À sa tête depuis 1996, Jean-Paul Luquot.

L'achat en 2014 de nouvelles parcelles sur un terroir de graves argileuses a permis l'élaboration de cette cuvée de merlot (70 %) complété de cabernet franc. Au nez, des notes subtiles d'épices douces, de vanille et de réglisse se mêlent aux arômes intenses de fruits rouges confiturés. Rond en attaque, le palais offre un beau volume, des tanins enrobés, puis une longue finale fraîche aux accents chocolatés. Du potentiel. ⌛ 2021-2027

⊶ GFA VIGNOBLES LUQUOT, 152, av. de l'Épinette, 33500 Libourne, tél. 05 57 51 18 95, vignoblesluquot@orange.fr V r.-v.

CH. DARIUS 2016 ★

■ | 43000 | | 15 à 20 €

La famille Pommier a acquis en 1991 ce cru de Saint-Laurent-des-Combes, où le merlot et le cabernet franc sont sensiblement à parité, plantés sur sol sablonneux et crasse de fer.

Si le nez, pour l'heure fort discret, de ce 2016 n'a pas marqué le jury de dégustateurs, la bouche les a en revanche conquis grâce à un fruité flatteur (fraise, myrtille), des tanins fondus et une grande persistance aromatique. Un vin charmeur et harmonieux. ⌛ 2021-2026

⊶ GFA DES POMMIERS, lieu-dit Ferrandat, 33330 Saint-Laurent-des-Combes, tél. 06 24 38 06 83, gfadespommier@orange.fr V r.-v.

CH. DAUGAY 2016

■ | 27000 | | 20 à 30 €

Créé au début du XIXᵉs. par Romain Chaperon, avoué à Libourne, qui construisit le petit château en 1816, ce cru entra dans la famille de Boüard en 1920. Rattaché à Angelus après la Seconde Guerre mondiale, il retrouva son autonomie en 1985, tout en restant propriété d'une des branches de la famille. Hélène Grenié de Boüard et son époux Jean-Bernard Grenié gèrent le domaine depuis 2005.

Un saint-émilion grand cru classique, de beau volume, encore timide dans son expression de fruits rouges, mais équilibré et persistant. ⌛ 2022-2026

⊶ SCEA CH. DAUGAY, 1, Daugay, 33330 Saint-Émilion, tél. 06 11 17 66 85, h.debouardgrenie@chateau-daugay.com V *r.-v.*

CH. LA DOMINIQUE 2016 ★★

■ Gd cru clas. | 75300 | | 30 à 50 €

(82) **86** 88 **89** 90 **93** 94 95 **96** 97 98 99 00 01 02 **03** 05 |06| |08| **09** 10 **11 12** 13 **15 16**

Un cru d'ancienne notoriété, auquel un riche marchand, propriétaire des lieux au XVIIIᵉs., aurait donné le nom d'une île des Caraïbes. La famille de Baillencourt, établie ici depuis 1933, le cède en 1969 au puissant capitaine d'industrie Clément Fayat, également propriétaire des Châteaux Fayat (pomerol) et Clément-Pichon (haut-médoc). Le vignoble de 26,5 ha, situé au nord-ouest de Saint-Émilion, au voisinage de Pomerol, est établi sur un beau terroir de sables anciens au sous-sol argileux. Un nouveau chai aux lignes contemporaines, signé Jean Nouvel, est sorti de terre avec le millésime 2013.

Ce 2016 a impressionné le jury par son élégance et sa complexité : petits fruits rouges, nuances poivrées, girofle, notes empyreumatiques. La bouche se montre tout aussi expressive, ample, ronde et structurée par des tanins soyeux. Le boisé apparaît fondu et la finale s'étire longuement. ⌛ 2023-2030

⊶ SAS VIGNOBLES CLÉMENT FAYAT, lieu-dit La Dominique, 33330 Saint-Émilion, tél. 05 57 51 31 36, contact@vignobles.fayat.com V r.-v.

CH. L'ÉTAMPE 2016 ★

■ | 7800 | | 20 à 30 €

C'est en 2016 que Patrick Teycheney acquiert Ch. Fleur de Lisse (8,7 ha) et Ch. L'Étampe (1,8 ha) en saint-émilion grand cru, qui viennent s'ajouter à la propriété historique de la famille, Ch. La Loubière en bordeaux supérieur. L'ensemble de ces trois propriétés est rassemblé sous le nom des « Vignobles Jade », en hommage au prénom de sa petite-fille.

Un nez élégant, mêlant framboise, cassis, notes de sous-bois et pointe fumée annonce une bouche harmonieuse, aux tanins savamment extraits et à la finale gourmande. Un vin qui plaira au plus grand nombre. ⌛ 2021-2026

⊶ SAS VIGNOBLES JADE, Clos Petit Montlabert, 33330 Saint-Émilion, tél. 09 72 53 40 69, benoit.vigoureux@jadewinepartners.com

♥ CH. L'ÉTOILE DE CLOTTE 2016 ★★

■ | 20 000 | | 15 à 20 €

Jean-François Meynard est un producteur bien connu de l'AOC castillon : 15 ha à Roque le Mayne, son fleuron, et 20 ha à La Bourrée, son domaine « historique » et son lieu d'habitation. Il s'est étendu en 2009 sur Saint-Émilion avec L'Étoile de Clotte, petit cru de 3,5 ha situé à Saint-Étienne-de-Lisse.

Décrocher un deuxième coup de cœur en trois millésimes consécutifs dans cette appellation prestigieuse indique le haut niveau de qualité auquel s'est hissée cette propriété. Les dégustateurs ont d'abord apprécié le bouquet intense de fruits noirs, de groseille, de moka et de noix muscade. Après une attaque légèrement fraîche, le vin déploie toute sa matière, étayée par des tanins fins issus d'un élevage remarquablement maîtrisé. La finale offre un beau retour aromatique sur la cerise noire. Un modèle du genre. ⧗ 2023-2030

SCEA VIGNOBLES MEYNARD, lieu-dit Barbey, 33330 Saint-Étienne-de-Lisse, tél. 06 89 87 82 99, contact@vignobles-meynard.com r.-v.

CH. FAUGÈRES 2016

■ Gd cru clas. | 70 000 | | 50 à 75 €

93 94 95 96 97 **98 99 00** 01 **02 03** 04 |**05**| 06 07 |09| |**10**| 11 |12| |13| 15 16

Fondé en 1823 par la famille de Pierre-Bernard (Péby) Guisez, qui lui donna dans les années 1980 ses premières lettres de noblesse, ce cru est depuis 2005 la propriété de Silvio Denz. Agrandissement du vignoble (37 ha aujourd'hui), nouveau chai-cathédrale réalisé en 2009 par Mario Botta, l'homme d'affaires suisse spécialisé dans le luxe qui a fait de Faugères un fleuron de Saint-Émilion, hissé au rang de cru classé en 2012, comme son « cousin » Péby-Faugères.

Un vin bien né et bien fait, au nez classique de fruits rouges agrémentés d'un boisé fin, à la bouche élégante, dont les tanins fondus favorisent la finesse plus que la puissance. ⧗ 2020-2024

SARL CH. FAUGÈRES, Ch. Faugères, 33330 Saint-Étienne-de-Lisse, tél. 05 57 40 34 99, info@vignobles-silvio-denz.com r.-v.

CH. FAURIE DE SOUCHARD 2016 ★

■ Gd cru clas. | 40 000 | | 50 à 75 €

La famille Jabiol exploitait depuis les années 1930 ce cru connu depuis le début du XIXe s., auquel elle a donné sa configuration actuelle : 12 ha de vignes sur le versant nord du plateau de Saint-Émilion, dans le secteur de Faurie. En 2013, elle a vendu son domaine à la famille Dassault, qui ajoute à son portefeuille un autre grand cru classé.

Le merlot (70 %) s'allie au cabernet-sauvignon (25 %) et à une touche de cabernet franc dans cette cuvée aux senteurs raffinées de mûre et de confiture de cerises noires, agrémentées de nuances toastées. De belle tenue grâce à son équilibre entre rondeur et fraîcheur, et grâce à des tanins fins, la bouche séduit par la persistance de sa puissante finale. ⧗ 2023-2030

STÉ D'EXPLOITATION DES VIGNOBLES DASSAULT (CH. FAURIE DE SOUCHARD), 33330 Saint-Émilion, tél. 05 57 55 10 00, contact@dassaultwineestates.com r.-v.

CH. FIGEAC 2016 ★★

■ 1er gd cru clas. B | 130 000 | | + de 100 €

62 **64 66** (70) **71** 74 **75 76** 77 **78** 79 80 **81 82 83 85 86** 87 **88 89** 90 **93** 94 |(95)| |96| 97 |**98**| |99| |00| |01| |02| |04| |05| |06| |07| 09 10 **11 12** (13) 14 **15 16**

Le plus vaste domaine de Saint-Émilion (40 ha de vignes plantées sur trois croupes de graves günziennes), situé à l'ouest de la cité, en bordure de Pomerol. Un vignoble atypique, à l'accent médocain – 70 % de cabernets, répartis à parts égales entre franc et sauvignon –, adapté à son terroir de graves. Un haut lieu de l'appellation façonné par la famille Manoncourt, propriétaire depuis 1892, et notamment par Thierry, décédé en 2010, à qui l'on doit le « style Figeac » et cet encépagement original. Son épouse et ses quatre filles en ont confié en 2013 la co-gérance à Jean-Valmy Nicolas (cogérant de La Conseillante à Pomerol) et la direction générale à Frédéric Faye, son ancien directeur technique. Depuis le millésime 2012, Michel Rolland est l'œnologue-conseil de ce 1er grand cru classé B depuis 1955.

Si le nez de ce 2016 est encore discret, évoquant les fruits rouges, quelques notes résineuses et une pointe de noix de coco, la bouche, elle, impressionne par sa puissance : après une attaque ample, presque grasse, le vin apparaît riche, concentré. Sa trame tannique est certes mûre, mais imposante. La finale longue et toastée confirme : l'élégance et la complexité viendront avec le temps. ⧗ 2025-2035

SCEA FAMILLE MANONCOURT, Ch. Figeac, 33330 Saint-Émilion, tél. 05 57 24 72 26, chateau-figeac@chateau-figeac.com

CH. LA FLEUR 2016 ★★

■ | 50 000 | | 50 à 75 €

Créé en 1862, le Ch. Couperie, à l'abandon, est racheté en 1955 par Marcel Dassault. Entièrement restructuré et rebaptisé Ch. Dassault, le cru est élevé au rang de cru classé en 1969. Présidé par Laurent Dassault, petit-fils de l'avionneur, et dirigé par Laurence Brun depuis 1995, il couvre 29 ha sur un glacis sableux au nord-est de Saint-Émilion. Voisin de Dassault, le Ch. La Fleur a été racheté en 2002. En 2013, la famille Dassault a acquis Faurie de Souchard, autre cru classé de Saint-Émilion.

Ce cru tutoie les sommets de l'appellation avec ce 2016 mêlant fruits rouges et noirs, épices douces et notes torréfiées. D'une harmonie remarquable, sa bouche à la fois mûre et fraîche, riche et complexe, s'appuie sur des tanins bien intégrés pour déployer une finale savoureuse (framboise, fraise des bois). ⧗ 2023-2030 ■ **Gd cru clas. Ch. Dassault 2016 ★ (50 à 75 €; 60 000 b.)** : ce 2016 mûr et généreux évoque au nez le cassis, les fruits rouges, le cuir, ainsi qu'un boisé fin. La bouche apparaît dense, structurée autour de tanins puissants, puis révèle une finale chaleureuse. Un vin qui appelle une garde de quelques années. ⧗ 2023-2027

STÉ D'EXPLOITATION DES VIGNOBLES DASSAULT (CH. DASSAULT), 33330 Saint-Émilion, tél. 05 57 55 10 00, contact@dassaultwineestates.com V r.-v.

CH. FLEUR BALESTRE 2016 ★★

■ | 5000 | | 15 à 20 €

Caroline Fleur est œnologue, Grégory Balestre est technicien viticole : c'est en 2009 qu'ils se marient et signent leur premier millésime. Dans cette propriété de 2,3 ha implantée sur le terroir sablo-graveleux de Saint-Pey-d'Armens, au sud de l'appellation, le merlot règne presque sans partage (95 % de l'encépagement au côté du cabernet franc).

Le nez intense de ce 2016 a impressionné le jury : fruits rouges, crème de cassis, pain d'épice, cèdre et notes fumées. Cette complexité aromatique se confirme dans une bouche longuement fruitée, ample et suave, qui intègre parfaitement les tanins. ⧗ 2022-2030

SARL CH. FLEUR BALESTRE, 9, lieu-dit Laglaye-Sud, 33330 Saint-Pey-d'Armens, tél. 06 99 23 18 27, fleurbalestre@gmail.com V *t.l.j. sf sam. dim. 10h-12h30 14h-17h*

CH. FLEUR CARDINAL 2016 ★

■ Gd cru clas. | 100000 | | 50 à 75 €

Dominique et Florence Decoster ont acquis en 2001 le Ch. Fleur Cardinale, domaine de 23,5 ha établi sur l'un des points hauts de l'AOC, à l'est de Saint-Émilion. Leurs investissements ont rapidement porté leurs fruits : le cru, en progression constante, est entré en 2006 dans le cercle des «classés», classement confirmé en 2012. La propriété s'est agrandie de 4 ha en 2011 avec le rachat du vignoble voisin de la Croix Cardinale. Ludovic Decoster a rejoint la propriété en 2015 et occupe le poste de directeur d'exploitation.

Au nez de myrtille, de cassis, de moka et de cacao répond une bouche franche dès l'attaque et de beau volume. Les tanins denses et le boisé encore perceptible en finale invitent à attendre ce vin prometteur. ⧗ 2023-2027 ■ **Ch. Croix Cardinal 2016 ★ (30 à 50 €; 16000 b.)** : le nez intense mêle mûre, violette et notes torréfiées (café, pain grillé). Après une attaque souple et ample, le palais monte progressivement en puissance, soutenu par une trame tannique serrée et une juste fraîcheur. La longue finale est chaleureuse. Un 2016 d'avenir. ⧗ 2023-2028

SCEA CH. FLEUR CARDINALE, 7, lieu-dit le Thibaud, 33330 Saint-Étienne-de-Lisse, tél. 05 57 40 14 05, contact@fleurcardinale.com *r.-v.*

♥ CH. LA FLEUR CHANTECAILLE 2016 ★★

■ | 7333 | | 20 à 30 €

À son retour de la Grande Guerre, Jean-Baptiste Arpin achète 1 ha à Pomerol, dans le secteur du Maillet. Aujourd'hui, ses petits-fils et arrière-petits-fils Gérard et Gaël exploitent 38 ha en pomerol (Franc-Maillet), saint-émilion (La Fleur Chantecaille), montagne (Gachon) et lalande (Vieux Château Gachet), et proposent régulièrement de très bons vins.

Hissé au rang de grand cru en 2016, ce vignoble de 3,6 ha, planté majoritairement de merlot (70 %) et complété de cabernet franc, aura cette même année donné le jour à un vin irrésistible. Intense et élégant, celui-ci évoque les fruits noirs compotés (myrtille et cassis en tête), le café et le pain grillé. En bouche, il fait preuve de richesse et de volume, avec des tanins puissants mais enrobés. Se déploient longuement des flaveurs de petits fruits rouges, ainsi que des nuances mentholées qui apportent en finale une fraîcheur harmonieuse. ⧗ 2023-2030

SCEA CHÂTEAUX G. ARPIN, Chantecaille, 33330 Saint-Émilion, tél. 09 71 58 23 49, contact@chateaux-g-arpin.fr V *r.-v.* 3

LA FLEUR D'ARTHUS 2016 ★

■ | 20000 | | 20 à 30 €

Jean-Denis Salvert a créé ce petit cru en 1999 : 5,5 ha sur le terroir de graves et de sables de Vignonet, au sud de l'appellation.

Un 2016 encore marqué par l'élevage, mais déployant des arômes classiques de fruits rouges et noirs relevés d'épices. Au palais, le volume comme les tanins riches et parfaitement mûrs témoignent d'une bonne extraction. ⧗ 2022-2027

SC SALVERT, 24, La Grave, 33330 Vignonet, tél. 06 08 49 18 11, fleurdarthus@orange.fr V *t.l.j. 9h-12h 13h30-17h*

CH. FLEUR DU CASSE 2016 ★

■ | 160000 | | 20 à 30 €

Sur les armoiries ornant l'étiquette figure un chêne, souvent appelé «casse» dans la région. La famille Garzaro, établie dans l'Entre-deux-Mers, a longtemps exercé dans les travaux publics; elle se consacre maintenant à l'exploitation de plusieurs vignobles libournais.

L'adjectif «élégant» est revenu plusieurs fois sous la plume des dégustateurs : d'abord pour décrire sa robe rubis profond, ensuite pour rendre compte de son nez subtil mêlant cerise, mûre, myrtille et boisé discret, enfin pour dépeindre sa bouche ample et longue. Un saint-émilion grand cru tout en équilibre. ⧗ 2021-2025

SCEA CH. LA FLEUR DU CASSE, 39, rte de Branne, 33750 Baron, tél. 05 56 30 16 16, contact@vignoblesgarzaro.com V *t.l.j. sf sam. dim. 8h-12h30 13h30-17h30*

CH. FLEUR LARTIGUE 2016 ★

■ | 16533 | | 15 à 20 €

Créée en 1931, la coopérative de Saint-Émilion est un acteur incontournable du Libournais, et ses cuvées – vins de marque (Aurélius, Galius) ou de domaines (une cinquantaine de propriétés apportent leur vendange à la «coop») – sont régulièrement au rendez-vous du Guide.

Grenat intense à reflets violines, ce 2016 s'affirme par son bouquet de confiture de fraises, de pruneau et de réglisse. Ces arômes se retrouvent dans une bouche riche et persistante. Seuls les tanins encore accrocheurs invitent à la patience. ⧗ 2022-2026

UNION DE PRODUCTEURS DE SAINT-ÉMILION, Lieu-dit Haut-Gravet, BP 27, 33330 Saint-Émilion, tél. 05 57 24 70 71, contact@udpse.com V r.-v.

CH. FLORET DELCOMBEL 2016

■ | 6200 | | 20 à 30 €

Cette propriété familiale de 1 ha appartient à la famille Fanon, également propriétaire du Ch. Despagnet en saint-émilion, et des Ch. L'Hermitage Mirande et Ch. Saint-Louis en montagne.

Issu à 90 % de merlot, ce 2016 séduit par son bouquet finement épicé et grillé, puis par sa bouche fruitée et charnue, charpentée par des tanins prometteurs. À attendre. ⧗ 2022-2025

EARL FANON-FLORET, 1, chem. du Caillou, 33570 Montagne, tél. 06 07 89 84 54, juliette.fanon@orange.fr V r.-v.

♥ B CH. FONPLÉGADE 2016 ★★

■ Gd cru clas. | 48000 | | 50 à 75 €

00 01 04 05 **06 07** 08 |09| |10| 12 **13** 14 **15 16**

De rachats en successions, l'histoire du cru débute réellement en 1852 avec Jean-Pierre Beylot, à l'origine de la maison de maître et des bâtiments d'exploitation. Un cru passé en 1863 dans les mains du duc de Morny, demi-frère de Napoléon III, et de sa sœur la comtesse de Gabard. Le négociant libournais Armand Moueix reprend le domaine en 1953, jusqu'à l'arrivée en 2004 des Américains Denise et Stephen Adams. Ces derniers ont entrepris une rénovation de fond des installations techniques et du vignoble : 18,5 ha sur le coteau sud du plateau de Saint-Émilion, en bio certifié depuis 2013.

Le domaine survole les débats sur le millésime 2016. Avec ce vin composé à 90 % de merlot, dont le nez intense évoque la cerise fraîche, la myrtille, la violette et des notes grillées. On retrouve cette palette aromatique flatteuse dans une bouche dense et puissante certes, mais aussi très harmonieuse grâce à des tanins veloutés et à une fraîcheur parfaitement équilibrée. La finale offre un supplément d'âme à un ensemble qui ne manque pas de charme. ⧗ 2023-2032

SAS CH. FONPLÉGADE, 1, Fonplégade, 33330 Saint-Émilion, tél. 05 57 74 43 11, chateaufonplegade@fonplegade.fr V r.-v.

CH. FRANC MAYNE 2016 ★★

■ Gd cru clas. | 29000 | | 30 à 50 €

Franc-Mayne, cru classé depuis l'origine (1959), au vignoble de 7 ha totalement renové et bien situé sur le plateau calcaire de Saint-Émilion, a été repris en 2018 par la famille Savare. L'œnotourisme, autre spécialité du domaine, demeure une priorité pour la nouvelle équipe menée par Martine Cazeneuve, avec l'ouverture de cinq chambres d'hôtes au printemps 2019.

Il a frôlé le coup de cœur, ce 2016 au nez intense de framboise, de kirsch et de myrtille, souligné de fines notes de noix de coco. En bouche, c'est un archétype tant il présente de chair et de densité. Ses tanins puissants sont enveloppés et la longue finale respecte le fruit. Un vin d'avenir qui allie puissance et élégance. ⧗ 2023-2030

CH. FRANC MAYNE, 14, la Gomerie, 33330 Saint-Émilion, tél. 05 57 24 62 61, info@chateaufrancmayne.com V r.-v. 5

B CH. GAILLARD 2016

■ | 100000 | | 15 à 20 €

Également propriétaire en castillon (Ch. Peyrou), Catherine Papon-Nouvel a pris en 1998 la suite de son père à la tête des trois crus familiaux de Saint-Émilion (Clos Saint-Julien, Petit Gravet Aîné). Ch. Gaillard est le plus vaste d'entre eux, couvrant 20 ha (en bio certifié) sur sables et argiles.

Un 2016 souple qui développe de charmants arômes de fruits rouges et de vanille, et qui offre la coquetterie d'une finale poivrée. ⧗ 2021-2025

SCEA VIGNOBLES NOUVEL (CH. GAILLARD), Ch. Gaillard, BP_84, 33330 Saint-Hippolyte, tél. 05 57 24 72 44, chateau-gaillard@wanadoo.fr

CH. GESSAN 2016 ★★

■ | 36500 | | 15 à 20 €

Originaire de Champagne, Yvette et Bernard Gonzales ont acheté en 1981 un petit vignoble sur le terroir sablo-graveleux de Saint-Sulpice-de-Faleyrens, au sud de la juridiction. Il a été repris en 2002 par leur fils Patrick qui exploite 25 ha de vignes (du merlot à 90 %).

Ce 2016 dévoile sa nature gourmande à travers des arômes de fruits noirs très mûrs, de raisin sec et de subtiles notes épicées. Rond et plein, d'une juste fraîcheur, il tire parti de tanins soyeux d'une grande finesse. Les épices douces perçues en finale ont renforcé l'enthousiasme du jury. Un pur merlot remarquable d'harmonie. ⧗ 2022-2028

SCEV GONZALES FRÈRES, Ch. Gessan, 201, Canton de Bert, 33330 Saint-Sulpice-de-Faleyrens, tél. 06 88 40 97 77, chateaugessan@gmail.com V r.-v.

CH. LA GRÂCE DIEU 2016

■ | 60300 | | 15 à 20 €

Au XIIIe s., les Cisterciens fondèrent ici un prieuré, aujourd'hui disparu, nommé À la grâce de Dieu. Acquis en 1946 par Pierre Dubreuilh, le domaine est désormais conduit par ses descendantes, les sœurs Christine et Valérie Pauty, à la tête de 13 ha plantés sur le versant ouest de Saint-Émilion.

Voilà un 2016 bien fait, au caractère boisé et à la chair gourmande, qui pourra s'apprécier jeune grâce à des tanins déjà fondus. ⧗ 2020-2025

SCEA LA GRÂCE DIEU, Vignobles Pauty, 33330 Saint-Émilion, tél. 05 57 24 71 10, contact@chateaulagracedieu.fr V

CH. LA GRÂCE DIEU DES PRIEURS
Friends Nikolaï Fechin 2016 ★

■ | 30000 | | + de 100 €

Cette propriété de 9 ha, à mi-chemin des clochers de Saint-Emilion et de Pomerol, a été rachetée en 2014 par l'homme d'affaires russe Andreï Filatov. Ce dernier, passionné d'art russe et d'art de vivre à la française, a confié la direction du domaine à Laurent Prosperi.

La dégustation débute par des parfums subtils de myrtille et de cassis, mêlés à des notes empyreumatiques, ainsi qu'à des nuances mentholées. Ces arômes complexes se prolongent dans une bouche à la fois ronde et fraîche, aux tanins mûrs et au boisé encore un peu marqué. La finale persistante laisse augurer une longue garde. ⧗ 2021-2026

SCEA LA GRÂCE DIEU DES PRIEURS, 1, la Grâce Dieu, 33330 Saint-Émilion, tél. 05 57 74 42 97, contact@lagracedieudesprieurs.com

CH. LA GRÂCE DIEU LES MENUTS 2016 ★

■ | 90000 | | 20 à 30 €

Odile Audier a pris en 1992 la succession de son père à la tête du vignoble familial à Saint-Émilion, réparti entre les 14 ha du Ch. la Grâce Dieu les Menuts (dans sa famille depuis 1860 et six générations) et, depuis 1997, les 2,8 ha du Ch. haut Troquart la Grâce Dieu.

Très typique de son appellation, au caractère affirmé, ce saint-émilion grand cru possède un bouquet flatteur. Des senteurs épicées et légèrement torréfiées s'associent aux perceptions fruitées en bouche (cerise, fraise). Sa matière ample et harmonieuse, alliée à des tanins mûrs, lui permettront de se bonifier en cave. ⧗ 2021-2026 ■ **Ch. Haut-Troquart la Grâce Dieu 2016 (20 à 30 €; 6000 b.)** : vin cité.

EARL VIGNOBLES PILOTTE-AUDIER, Ch. la Grâce Dieu les Menuts, 4, Gadete, 33330 Saint-Émilion, tél. 05 57 24 73 10, chateau@lagracedieulesmenuts.com V t.l.j. sf dim. 8h-12h 14h-18h

B CH. LA GRÂCE FONRAZADE 2016 ★

■ | 10000 | | 30 à 50 €

François-Thomas Bon et sa compagne ont acquis en 2010 le Ch. Gardegan, situé dans le village du même nom; un cru qui n'avait plus connu de vendange depuis les années 1980. Les chais ont été rénovés, le vignoble agrandi, pour atteindre aujourd'hui 11 ha (en conversion bio). Un domaine complété en 2012 par le Ch. la Grâce Fonrazade, lui aussi entièrement rénové à la vigne et au chai, et converti au bio.

Élevé ving-deux mois en fût de chêne, ce 2016 est issu d'un assemblage de merlot (85 %) et des deux cabernets. Au nez, des arômes de fruits noirs confiturés côtoient les senteurs de café, ainsi que de discrètes notes de chèvrefeuille. Une chair harmonieuse et ronde enveloppe les tanins et persiste agréablement au palais. Du potentiel. ⧗ 2021-2026 ■ **Persevero 2016 ★ (15 à 20 €; 16000 b.)** B : un second vin de très bon niveau, flatteur et mentholé, dont la matière harmonieuse déploie un fruité croquant. Une gourmandise. ⧗ 2020-2026

EARL PERSEVERO, Ch. la Grâce Fonrazade, 4, rte de Jaquemeau, 33330 Saint-Émilion, tél. 06 70 02 81 67, persevero@lagracefonrazade.com V r.-v. E

LES ANGELOTS DE GRACIA 2016 ★★

■ | 1500 | | 50 à 75 €

Gracia, Les Angelots de Gracia et de Nerville : trois étiquettes pour ce petit domaine familial constitué à partir d'une parcelle de vignes héritée en 1994, qui dispose d'un chai «lilliputien» au cœur de Saint-Émilion, dans une bâtisse du XIIIes. Le propriétaire, Michel Gracia, entrepreneur-tailleur de pierre, s'est converti à la vigne. Il est aujourd'hui aidé de ses filles Marina et Caroline.

Cette petite propriété se hisse cette année encore au niveau du gotha des vins de l'appellation. Ce 2016 arbore une magnifique tenue rubis sombre, prélude à une olfaction fruitée (mûre, cerise noire) enrichie de notes vanillées, chocolatées et poivrées. Tout aussi complexe, le palais charnu, structuré par des tanins enrobés dès l'attaque, se révèle des plus harmonieux. Un vin expressif, très bien architecturé. ⧗ 2021-2030

SARL CH. GRACIA, Rue du Thau, BP_8, 33330 Saint-Émilion, tél. 05 57 24 77 98, michelgracia@wanadoo.fr r.-v.

CH. DU GRAND CARDINAL 2016

■ | 18000 | | 15 à 20 €

En cinq générations, la famille Ollet-Fourreau, de Néac (lalande), a constitué une belle unité de 35 ha, essentiellement en lalande (Haut-Surget, Lafleur Vauzelle), complétée par des vignes en pomerol (Grand Moulinet), en bordeaux (Fleur Saint-Espérit) et en saint-émilion grand cru (Grand Cardinal).

Pour l'heure encore timide, ce vin libère des arômes de framboise et de vanille à l'aération. Bien bâti, il bénéficie d'un grain velouté, de rondeur et de jolies flaveurs de fruits rouges en finale. ⧗ 2020-2025

GFA CH. HAUT-SURGET, 18, av. de Chevrol, 33500 Néac, tél. 05 57 51 28 68, chateauhautsurget@wanadoo.fr V r.-v.

B CH. GRAND CORBIN-DESPAGNE 2016

■ Gd cru clas. | 94000 | | 30 à 50 €

97 98 99 00 01 **04** |05| |06| 07 |08| **09 10** 11 12 **13** 15 16

Les Despagne sont présents dans le Libournais depuis le XVIIes., avec notamment des ancêtres métayers à Cheval Blanc. Propriétaires à Corbin, au nord-ouest de l'appellation, depuis 1812, ils n'ont cessé d'agrandir leur domaine (28,8 ha aujourd'hui) et d'améliorer la qualité des vins. Sous la conduite depuis 1996 de François Despagne, septième du nom, le cru a été converti à l'agriculture biologique.

Ce 2016, encore marqué par le bois, révèle des notes de cerise à l'eau-de-vie, de torréfaction et de vanille. Avec ses tanins serrés mais fins, il joue la carte de la finesse plus que de la puissance au palais, mais laisse deviner un certain potentiel. À attendre. ⧗ 2022-2026

SCEV CONSORTS DESPAGNE, 3, Barraillot, 33330 Saint-Émilion, tél. 05 57 51 08 38, f-despagne@grand-corbin-despagne.com V r.-v.

CH. LES GRANDES MURAILLES 2016 ★

■ Gd cru clas. | 6000 | | 50 à 75 €

Les «grandes murailles», l'un des emblèmes de la cité médiévale de Saint-Émilion, sont les vestiges d'un cloître bénédictin du XIIᵉs. Le petit vignoble attenant (2 ha plantés du seul merlot) appartenait à la famille Reiffers depuis 1643, de même que La Côte de Baleau. Deux crus classés que Sophie Fourcade (née Reiffers), aux commandes depuis 1998, a hissé au rang de valeurs sûres de l'appellation, et qui ont été rachetés en 2013 par Philippe Cuvelier, propriétaire du Clos Fourtet.

Ce pur merlot se fait remarquer par une palette intense et flatteuse de fruits noirs, de vanille et de poivre. En bouche, il est charnu, puissant, mais doté d'une juste fraîcheur et de tanins veloutés. Les jolies notes de framboise sont un plus. Belles promesses. ⧗ 2022-2026

SCEA CH. CÔTE DE BALEAU, Ch. Côte de Baleau, 33330 Saint-Émilion, tél. 05 57 24 71 09, contact@cotedebaleau.com r.-v.

B CH. LA GRANGÈRE 2016

■ | 9300 | | 20 à 30 €

Implanté sur les argilo-calcaires de Saint-Christophe-des-Bardes, à l'est de l'AOC, un petit domaine de 6 ha, en bio, planté de merlot (87 %) et de cabernet-sauvignon. Patrice Bigou, à la tête d'une trentaine d'hectares, possède également les Châteaux Saint-Julian et Virecourt Conté en bordeaux supérieur, eux aussi en agriculture bio.

Le nez complexe conjugue des arômes de mûre, de cerise à l'eau-de-vie et de fines notes grillées. En bouche, on retrouve la même gamme aromatique, du volume et de la fraîcheur autour de tanins enrobés. Bon équilibre. ⧗ 2020-2025

SCEA LE BOUSQUET, 3, Tauzinat-Est, 33330 Saint-Christophe-des-Bardes, tél. 05 57 74 43 07, vdurand@scealebousquet.com V r.-v.

B CH. LA GRAVE FIGEAC 2016

■ | n.c. | | 20 à 30 €

Issus d'une vieille famille libournaise, Caroline et Laurent Clauzel exploitent en agriculture biologique (certification en 2012) ce cru de 6,5 ha implanté sur des sables graveleux entre Cheval Blanc et Figeac, non loin de Pomerol.

Un vin floral (violette, rose) et fruité (fruits rouges), aux nuances de cuir. En bouche, il se montre équilibré, souple, déjà accessible. ⧗ 2020-2025

SCEA DOMAINES DU GAST, 1, Cheval-Blanc-Ouest, 33330 Saint-Émilion, tél. 05 57 74 11 74, contact@chateau-lagravefigeac.com V t.l.j. 9h30-17h; r.-v. pour les groupes

GRAVES DE PEYROUTAS Cuvée de Ch. Quercy 2016 ★

■ | 18000 | | 20 à 30 €

Un cru de 6,5 ha établi sur les graves de Vignonet, dans le sud de l'AOC, commandé par un curieux manoir du début du XIXᵉs., autrefois entouré de vieux chênes, d'où son nom. Bâtiments et vignoble (en conversion bio) ont été entièrement rénovés par la famille Apelbaum, propriétaire de 1988 à 2014, date du rachat par le Chinois Li Chen.

Un saint-émilion grand cru des plus traditionnels que ce second vin du Ch. Quercy. Il évoque la framboise, le clou de girofle et le pain grillé au nez, avant de poursuivre dans le même registre au palais. Ce dernier apparaît franc, charnu, bien étayé par des tanins enrobés qui laissent en finale une impression de soyeux. ⧗ 2021-2026

SCEA CH. QUERCY, 3, lieu-dit Grave, 33330 Vignonet, tél. 05 57 84 56 07, chateauquercy@wanadoo.fr

CH. GRAVET 2016

■ | 5000 | | 15 à 20 €

Philippe Faure conduit depuis 1998 un vignoble de 17 ha dans le sud-ouest de l'appellation saint-émilion : 14 ha pour le Ch. Caze Bellevue, ancienne propriété des comtesses de Rochefort, et 3 ha pour le grand cru Ch. Gravet, dans sa famille depuis 1923.

Paré d'une jolie robe rubis à reflets violines, ce 2016 offre des arômes de cerise accompagnés de notes grillées. Au palais, il se révèle souple, bâti autour de tanins soyeux. Déjà plaisant, il ne demande pas à attendre trop longtemps. ⧗ 2020-2024

VIGNOBLES PHILIPPE FAURE, 7, rue de la Cité, 33330 Saint-Sulpice-de-Faleyrens, tél. 05 57 74 41 85, vignobles.philippe.faure@wanadoo.fr V r.-v.

CH. GUEYROT 2016

■ | 51000 | | 15 à 20 €

Établie à Saint-Émilion, la famille La Tour du Fayet exploite plusieurs crus en Libournais, autour de la cité médiévale et en Fronsadais : Ch. Canset de la Tour et son second vin Ch. Tour Lescours (12 ha en saint-émilion grand cru et saint-émilion), Ch. Gueyrot (8 ha en saint-émilion grand cru), Dom. du Fayet (3 ha en AOC régionales), Clos Lagüe et Ch. Beau Site de la Tour (respectivement 2 ha et 10 ha en fronsac).

Du verre s'échappe un bouquet subtil de fruits rouges, fraise en tête, ainsi que quelques notes empyreumatiques. Ces arômes se prolongent au palais, comme pour souligner la chair gourmande et suffisamment structurée. Jolie longueur. ⧗ 2020-2025

SCEV HÉRITIERS DE LA TOUR DU FAYET, 1, Gueyrot, 33330 Saint-Émilion, tél. 05 57 24 72 08, ets.delatourdufayet@orange.fr V t.l.j. sf dim. 9h-12h 14h-17h30

CH. GUILLEMIN LA GAFFELIÈRE 2016 ★

■ | 85000 | | 15 à 20 €

Un vignoble de 21 ha, acquis par les Fompérier en 1956, à l'entrée sud de Saint-Émilion, au pied du coteau, dans le hameau de La Gaffelière. Deux étiquettes ici : le grand cru Guillemin La Gaffelière et son second le Clos Castelot.

Arômes intenses de fruits confits, de pruneau et de sous-bois. Matière très extraite, riche, aux tanins encore fermes mais qui devraient s'assouplir à la faveur de la garde. Un 2016 charpenté et complexe, taillé pour affronter le temps. ⧗ 2023-2030

VIGNOBLES FOMPÉRIER, La Gaffelière, 33330 Saint-Émilion, tél. 05 57 74 46 92, lecellierdesgourmets@wanadoo.fr V t.l.j. sf dim. 8h30-12h15 14h-17h45

CH. HARMONIE 2016

■	21000		15 à 20 €

Un cru de 3,8 ha, proche de la cité médiévale, acquis en 2009 par la famille Lefévère (également propriétaire de Sansonnet, Moulin du Cadet et Soutard-Cadet, tous trois en saint-émilion grand cru). Le vignoble, argilo-sablonneux, est planté de merlot à 80 % complété de cabernet franc.

De l'expressivité dans cette cuvée au nez de fraise, de cannelle et d'épices. La chair fruitée qui enrobe les tanins rend la bouche particulièrement allègre et friande. Une bouteille prête à boire. ⧗ 2019-2024

SCEA CH. SANSONNET (CH. HARMONIE), lieu-dit Vinagrier, 33330 Saint-Émilion, tél. 09 60 12 95 17, contact@chateau-sansonnet.com

CH. HAUT-GRAVET 2016 ★★

■	18000		20 à 30 €

La famille Aubert exploite 300 ha et de nombreux domaines en Bordelais, avec pour fleuron le Ch. la Couspaude, grand cru classé de Saint-Émilion. Alain, l'un des trois frères à la tête du groupe familial, conduit plusieurs crus en son nom : Hyot et German (castillon), Haut-Gravet (saint-émilion grand cru), Ribebon et Macard (AOC régionales).

Un grand cru qui sublime les qualités du millésime 2016. D'un assemblage de merlot (50 %), de cabernet franc (40 %) et de cabernet-sauvignon, les équipes du château ont fait naître un vin puissant, aux arômes de fruits noirs, de cuir et aux nuances boisées. Le palais révèle une chair riche et mûre, soutenue par des tanins denses, jusqu'à la finale suave, impressionnante de longueur. Un grand vin de garde. ⧗ 2023-2035

ALAIN AUBERT, 57, av. de l'Europe, 33350 Saint-Magne-de-Castillon, tél. 05 57 40 04 30, domaines.a.aubert@wanadoo.fr r.-v.

CH. HAUT LA GRÂCE DIEU 2016 ★

■	7000		20 à 30 €

Vignerons depuis le XVIIIe s. et neuf générations, les Saby – depuis 1997 les frères Jean-Christophe et Jean-Philippe, tous deux œnologues comme leur père Jean-Bernard – possèdent plusieurs crus dans le Libournais et exploitent un ensemble de 68 ha.

Seize mois d'élevage en fût auront permis à ce pur merlot de commencer à s'arrondir et de dompter ses tanins serrés. Au nez, la framboise et la mûre dominent sur une trame de boisé fin. En bouche, la riche matière présente encore des signes de jeunesse. À garder. ⧗ 2023-2030

EARL VIGNOBLES JEAN-BERNARD SABY ET FILS, Ch. Rozier, 33330 Saint-Laurent-des-Combes, tél. 05 57 24 73 03, info@vignobles-saby.com V r.-v.

CH. HAUT-LAVIGNÈRE 2016

■	77000		11 à 15 €

Émilie Vallier a pris en 2015 les rênes du domaine que son arrière-grand-père avait acheté en 1930 : aujourd'hui, plus de 12 ha sur les sols sablo-limoneux de la plaine de Saint-Pey-d'Armens, au sud-est de l'appellation.

Ce 2016 arbore un bouquet expressif mariant petits fruits noirs et épices douces, prélude à une bouche dense, charpentée par des tanins fermes. À attendre. ⧗ 2022-2026

SCEA DU CH. LAVIGNÈRE, 1, lieu-dit Rivière, 33330 Saint-Pey-d'Armens, tél. 06 14 47 07 93, chateaulavignere@orange.fr V r.-v.

CH. HAUT-PEZAT 2016 ★

■	50000		11 à 15 €

Héritier de dix générations, Michel Dulon exploite aujourd'hui 140 ha de vignes, implantées essentiellement sur la rive droite de la Garonne et dans l'Entre-deux-Mers, et réparties sur quatre crus : Ch. Grand Jean, propriété la plus ancienne et la plus vaste avec ses 100 ha, située à Soulignac; Ch. Julian, acquis en 1998 à Targon; Ch. du Vallier, à Langoiran (20 ha); Ch. Haut-Pezat, 8 ha en saint-émilion grand cru, acquis en 2013 à Vignonet.

Grenat sombre, ce 2016 déploie un bouquet de fruits rouges bien mûrs (framboise et fraise). Il emplit le palais de sa chair veloutée, si ronde que les tanins en paraissent totalement enrobés. Le résultat d'un élevage parfaitement maîtrisé. ⧗ 2021-2026

EARL DULON, 133, Grand-Jean, 33760 Soulignac, tél. 05 56 23 69 16, info@vignobles-dulon.com V t.l.j. sf sam. dim. 8h30-12h30 14h-17h

CH. HAUT-SEGOTTES 2016 ★

■	50000		20 à 30 €

Propriété familiale depuis 1850, Danielle Meunier représente la quatrième génération et maintient la tradition. D'une superficie de 9 ha, le vignoble est situé sur le plateau de Saint-Émilion, sur des sols argilo-calcaires à proximité de Figeac et de Cheval Blanc avec lesquels il partage une forte proportion de cabernet franc (40 %) dans l'encépagement, aux côtés du merlot.

Voici une expression classique de saint-émilion grand cru : fruits rouges et noirs, épices (vanille). Ample et rond, le vin est porté par des tanins soyeux. Un 2016 abouti. ⧗ 2021-2026 ■ **La Dame 2016 ★ (30 à 50 €; 2900 b.)** : issu des plus vieilles vignes de la propriété, ce 2016 dévoile des arômes de compote de mûres, de cassis et de confiture de fraises qui témoignent d'une grande maturité. Structuré par de beaux tanins, encore marqué par l'élevage, mais suffisamment ample, il présente une persistance aromatique notable. Un vin qui devra patienter quelques années. ⧗ 2023-2028

SCEA DANIELLE MEUNIER, Ch. Haut-Segottes, 1, Gadette, 33330 Saint-Émilion, tél. 06 88 98 29 18, hautsegottes@wanadoo.fr V r.-v.

CH. HAUT-SIMARD 2016 ★

■	n.c.		20 à 30 €

Séparés mais indissociables : Simard et Haut-Simard sont nés de la scission en 1870 de la vaste propriété du comte de Simard par une ligne de chemin de fer; 40 ha pour le premier, 10 ha pour le second, acquis en 1954 par Claude Mazière et repris à son décès par son

neveu Alain Vauthier (Ausone). La famille Vauthier exploite aussi le Ch. de Fonbel non loin de Simard.

Merlot (65 %) et cabernet franc sont unis dans ce vin brillant aux reflets violines de jeunesse, ouvert sur des notes de fruits rouges mûrs, de café et de boisé fin. En bouche, on perçoit de la richesse et du gras, bien équilibrés par une fine fraîcheur et soutenus par des tanins «en place». ⧗ 2021-2026 ■ **Ch. Simard 2016 ★ (15 à 20 €; n.c.)** : avec ses arômes gourmands de réglisse et de fruits rouges (fraise, cerise), ce joli vin mise plus sur la finesse que sur la puissance. Mais quel style! ⧗ 2021-2025 ■ **Ch. de Fonbel 2016 ★ (20 à 30 €; n.c.)** : floral et épicé, complexe par ses notes de pierre à fusil, ce 2016 affiche un caractère soyeux et fondu et des tanins modérés. ⧗ 2020-2025

VIGNOBLES VAUTHIER-MAZIÈRE, 33330 Saint-Émilion, tél. 05 57 24 24 57, chateau.ausone@wanadoo.fr

CH. JUGUET Subjuguet 2016 ★★

■	4000		15 à 20 €

Depuis quatre générations, la famille Landrodie-Richet exploite cet important vignoble de 29 ha à l'est de la juridiction de Saint-Émilion.

Les fruits noirs compotés, suivis de confiture de cerises et de notes de torréfaction, séduisent indéniablement. Ce vin concentré et riche possède toute la fraîcheur favorable à une réelle persistance et à l'équilibre. Des tanins enrobés de grande classe, et les deux étoiles brillent instantanément dans l'esprit des dégustateurs. Aucun excès d'élevage : se distingue juste une subtile pointe de torréfaction dans la longue finale sur les fruits noirs. ⧗ 2022-2030

SCEA LANDRODIE PÈRE ET FILLE, Ch. Juguet, Gombaud, 33330 Saint-Pey-d'Armens, tél. 05 57 24 74 10, chateau.juguet@orange.fr
V t.l.j. sf dim. 8h-12h 13h30-18h

CH. LAGARDE BELLEVUE Folie des Anges 2016 ★

■	1056		20 à 30 €

Richard Bouvier a acquis en 1994 ce cru de 17,5 ha, établi sur les sables de Saint-Sulpice-de-Faleyrens, au sud de l'appellation, qu'il a restructuré à la vigne comme au chai. Il y produit du bordeaux, du saint-émilion et du saint-émilion grand cru.

Très intense tant à l'olfaction qu'en bouche, cette cuvée a bénéficié d'un élevage de quatorze mois en barrique. Elle en a hérité des notes de cèdre, de boîte à cigare, et une finale encore quelque peu marquée par le bois. Née de merlot et de cabernet franc à parts égales, elle offre une chair voluptueuse et ronde, ainsi que des tanins veloutés. Il suffira de l'attendre quelques années. ⧗ 2022-2028

SARL SOVIFA, 36 A, rue de la Dordogne, 33330 Saint-Sulpice-de-Faleyrens, tél. 05 57 24 68 83, so-vi-fa@wanadoo.fr V r.-v.

CH. LALANDE DE GRAVET 2016 ★★

■	37000		20 à 30 €

Propriétaire de vignes depuis plus de deux siècles, la famille Aubert – aujourd'hui les frères Alain, Daniel et Jean-Claude, épaulés par leurs enfants – exploite 300 ha et de nombreux domaines du Bordelais, essentiellement en Libournais, avec pour fleuron le Ch. la Couspaude, grand cru classé de Saint-Émilion depuis 1996, acquis en 1908. En 2015, Cécile Aubert-Macarez a acquis le Ch. Lalande de Gravet, une propriété de 5,7 ha située au sud-ouest du village de Saint-Émilion.

Cet assemblage de merlot (65 %), de cabernet franc (20 %) et de cabernet-sauvignon présente un bouquet naissant de fruits noirs, de torréfaction et de sous-bois. Il développe une matière concentrée et séveuse, intensément fruitée en milieu de bouche et persistante. Les tanins sont encore un peu austères, mais le temps fera son œuvre. ⧗ 2023-2030

EARL ALEA, 57 bis, av. de l'Europe, 33350 Saint-Magne-de-Castillon, contact@lalandedegravet.com
V r.-v.

CH. LANIOTE 2016 ★★

■ Gd cru clas.	28000		30 à 50 €

89 93 94 95 96 98 99 00 01 02 03 |05| |06| |07| |08| |**09**| |12| |13| 15 **16**

Nous sommes ici chez l'une des familles les plus saint-émilionnaises qui soit. Elle exploite hors les murs un cru classé de 5 ha d'un seul tenant sur le haut du plateau argilo-calcaire de Saint-Émilion. Le domaine, fondé en 1821 par Pierre Lacoste, marchand de vin de Libourne, s'est transmis en ligne directe sur huit générations jusqu'à Arnaud de la Filolie, l'actuel propriétaire, et son épouse Florence Ribéreau-Gayon, œnologue. La famille possède aussi, intra muros, trois monuments de la cité : la grotte de l'ermitage de Saint-Émilion, la chapelle de la Trinité (XIIIes.) et les catacombes.

Grenat intense, ce vin semble pour l'heure encore discret, mais il laisse percevoir des arômes prometteurs de coulis de fruits rouges et de vanille. Les dégustateurs ont apprécié la bouche ample, gourmande, ouvertement fruitée, qui se développe harmonieusement sur des tanins fins. Très belle finale fruitée. Un 2016 élégant et parfaitement dessiné. ⧗ 2021-2028

SCEA DU CH. LANIOTE, Ch. Laniote, 33330 Saint-Émilion, tél. 05 57 24 70 80, contact@laniote.com V r.-v.

CH. LARMANDE 2016

■ Gd cru clas.	70000		30 à 50 €

Ce cru classé, l'une des plus anciennes propriétés de Saint-Émilion, où tenaient séance les jurats de la cité, au XVIes., appartient depuis 1991 au groupe AG2R La Mondiale, également propriétaire du Ch. Soutard et est vinifié par les mêmes équipes, avec Véronique Corporandy aux commandes du chai. Le vignoble couvre 20 ha sur des sols argilo-calcaires et des sables anciens.

Avec ses notes de fruits rouges et de café, ainsi que ses tanins arrondis, ce vin équilibré et tout en finesse pourra être dégusté dans sa jeunesse, sans craindre pour autant la garde. ⧗ 2021-2025

SCEA DU CH. SOUTARD (CH. LARMANDE), BP4, 33330 Saint-Émilion, tél. 05 57 24 71 41, contact@soutard.com V r.-v.

CH. LAROZE 2016 ★★

■ Gd cru clas. | 125000 | ◖◗ | 30 à 50 €

98 99 **00 01 02 06 07** |**09**| |10| |11| |13| **15 16**

Héritier d'une lignée au service du vin remontant à 1610, Georges Gurchy a fondé le domaine en 1882. Ses descendants, les Meslin, sont toujours aux commandes : Guy a succédé à son père Georges en 1990 à la tête de la propriété. Classé depuis 1955, le cru dispose d'un important vignoble couvrant 30 ha sur des sables argileux, à l'ouest de Saint-Émilion.

Le nez de ce 2016, encore marqué par l'élevage, évoque la vanille et l'eucalyptus, agrémentés de notes fumées. Le fruit (framboise et fruits noirs) reprend ses droits dans une bouche ronde et élégante, structurée par des tanins mûrs. Incontestablement, une grande réussite. ⧗ 2022-2030

SCE CH. LAROZE, BP61, 33330 Saint-Émilion, tél. 05 57 24 79 79, info@laroze.com V r.-v.

Ⓑ CH. LEYDET-VALENTIN 2016 ★

■ | 30000 | ◖◗ | 15 à 20 €

La famille Leydet, établie sur les terres libournaises depuis 1862, exploite près de 16 ha de vignes en saint-émilion grand cru (Ch. Leydet-Valentin) et en pomerol (Ch. de Valois). Aux commandes depuis 1996, Frédéric Leydet a engagé la conversion bio de ses domaines (certification acquise en 2015).

Une robe rubis profond habille ce 2016 au nez franc de confiture de fraises et de vanille. La bouche offre une belle rondeur grâce à des tanins veloutés. Longue finale aux notes de tabac blond. ⧗ 2020-2026

EARL DES VIGNOBLES LEYDET, chem. de Rouilledinat, 33500 Libourne, tél. 05 57 51 19 77, frederic.leydet@wanadoo.fr V r.-v.

CH. LOUIS 2016

■ | 9000 | ◖◗ | 30 à 50 €

Le Ch. Louis est un domaine viticole de 10 ha situé sur la commune de Saint-Christophe-des-Bardes. En 2006, Thierry de la Brosse et ses associés firent l'acquisition du domaine, alors appelé Ch. Rol de Fombrauge, et le rebaptisèrent en hommage au restaurant parisien « L'Ami Louis » dont ils sont également propriétaires.

Ce vin issu à 90 % de cabernet franc, complété de merlot, élevé quatorze mois en fût, dévoile un bouquet discret mariant notes toastées et fruits rouges légèrement confiturés. En bouche, il offre suffisamment de chair, mais les tanins demeurent austères. À attendre. ⧗ 2022-2026 ■ **La Réserve de Louis 2016 (15 à 20 €; 9000 b.)** : vin cité.

SCEA CH. LOUIS, 3, Rol, 33330 Saint-Christophe-des-Bardes, tél. 06 59 87 49 72, info@chateaulouis.fr V r.-v.

LYNSOLENCE 2016 ★★

■ | 9400 | ◖◗ | 20 à 30 €

Denis Barraud, œnologue, s'est installé en 1971 à la tête du vignoble familial, constitué à la fin du XIXᵉs. Un bel ensemble de 36 ha répartis sur les deux rives de la Dordogne et sur plusieurs crus - 7 ha en saint-émilion et saint-émilion grand cru (Les Gravières, Lynsolence) et 29 ha en AOC régionales (La Cour d'Argent) - et des vins qui retiennent régulièrement l'attention des dégustateurs.

Un 2016 ouvert sur la mûre, la groseille, la violette et des notes torréfiées. Harmonieux au palais, ample, il trouve le parfait équilibre entre fraîcheur et rondeur. Le fruité est expressif et les tanins enrobés. Le voici paré pour un long séjour en cave. ⧗ 2022-2030 ■ **Ch. les Gravières 2016 ★ (15 à 20 €; 25000 b.)** : cette cuvée a séduit le jury avec sa robe pourpre intense et son nez généreux qui délivre sans retenue des effluves de fruits noirs (mûre, cassis) et d'épices douces (vanille, cannelle). Ample dès l'attaque, sa chair riche monte en puissance, soutenue par des tanins de qualité, jusqu'à une longue finale. Un 2016 gourmand au potentiel de garde certain. ⧗ 2021-2027

SCEA DES VIGNOBLES DENIS BARRAUD, 355, port de Branne, 33330 Saint-Sulpice-de-Faleyrens, tél. 06 08 32 26 04, denis.barraud@wanadoo.fr V r.-v.

CH. MALAURANE 2016

■ | 7500 | ◖◗ | 20 à 30 €

En 2012, Yves Broquin a vendu le Ch. Blanchet qu'il exploitait dans l'Entre-deux-Mers pour acheter l'année suivante 1,5 ha de vignes en saint-émilion, implantées sur les argilo-calcaires de Saint-Christophe-des-Bardes, à l'est de l'appellation.

Un 2016 charmant, prêt à boire dès la sortie du Guide, avec des arômes fruités légèrement mentholés, une bouche friande, aux tanins présents mais fins. Il appelle la côte de bœuf et la bonne compagnie. ⧗ 2019-2025

SCEA VIGNOBLES BROQUIN, Ch. Malaurane, lieu-dit Gouillard, 33330 Saint-Christophe-des-Bardes, tél. 06 73 60 06 98, yvesbroquin@orange.fr V *t.l.j. sf dim. 9h-13h 15h-19h*

CH. MARO DE SAINT-AMANT
Cuvée Léo 2016 ★★

■ | 6600 | ◖◗ | 15 à 20 €

Jusqu'alors spécialiste du matériel de chai, Stéphane Bedenc s'est installé en 2001 à partir d'une parcelle de 1 ha à proximité de Libourne (Ch. Villhardy), complétée en 2005 par les 4,5 ha de Maro de Saint-Amant, au sud de l'appellation.

Robe grenat profond aux reflets violines, arômes de framboise, de myrtille confiturée et fines notes de torréfaction. Le décor est planté. D'attaque fraîche, le vin tapisse le palais de sa chair empreinte de fruits rouges et noirs, étayée par des tanins soyeux. Il traduit ainsi un grand terroir, le savoir-faire nécessaire pour le révéler... et l'amour que portent les époux Bedenc pour leur fils Léo. ⧗ 2022-2030

VIGNOBLES BEDENC, 225, Destieu, 33330 Saint-Sulpice-de-Faleyrens, tél. 05 57 25 26 67, vignobles-bedenc@wanadoo.fr V *t.l.j. 8h-12h 13h30-19h*

CH. LA MARZELLE 2016 ★

■ Gd cru clas. | 60398 | | 50 à 75 €

99 00 01 **02** 04 05 07 |08| 10 11 |13| 14 15 16

Classé dès 1955, ce domaine ancien inscrit sur la carte de Belleyme de 1821 est la propriété des Sioen, industriels belges, depuis 1998. Entourant l'hôtel de luxe Grand Barrail, il couvre 17 ha sur la haute terrasse de Saint-Émilion. Un terroir d'argiles, de graves et de sables proche de celui de Figeac, qui engendre souvent des vins de longue garde.

Un 2016 aux arômes fruités (fruits rouges et noirs) et épicés, à la bouche ample, sans aspérité. Les tanins sont certes puissants, mais enrobés. Belle finale sur des notes de confiture de fruits noirs. Un joli potentiel. ⧗ 2022-2030

SCEA CH. LA MARZELLE, 9, La Marzelle, 33330 Saint-Émilion, tél. 05 57 55 10 55, info@lamarzelle.com V r.-v.

CH. MILENS 2016 ★

■ | 170000 | | 30 à 50 €

En 1998, Albert Bogé, alors dirigeant d'une société de négoce, a acquis 6 ha de vignes dans la partie sud-est de l'appellation saint-émilion (Milens et Tour de Sème), complétés en 2014 par 10 ha en castillon-côtes-de-bordeaux (La Comédie et Fleur de Sème). En 2006, il en a confié la direction à ses amis Valérie et Ludovic Martin.

Un assemblage de merlot à 80 %, complété par le cabernet franc. Le nez puissant décline les fruits noirs confiturés, la cerise burlat et les épices douces. Une attaque fraîche, de la structure, de la matière, un élevage parfaitement intégré, des tanins encore appuyés et une finale prometteuse : tout concourt à un indéniable potentiel de garde. ⧗ 2023-2031

SARL CH. MILENS, lieu-dit Le Sème, 33330 Saint-Hippolyte, tél. 05 57 55 24 45, chateau.milens@wanadoo.fr r.-v.

CH. MONBOUSQUET 2016 ★

■ Gd cru clas. | 100000 | | 30 à 50 €

95 96 **97** 98 99 00 **01** 02 03 04 05 07 |08| |**09**| |10| |11| 12 13 15 16

Acquis en 1993 par Gérard Perse (Pavie, Pavie-Decesse, Bellevue-Mondotte), ce cru, l'un des rares de la plaine à être classé (depuis 2006), étend ses 33 ha de vignes sur de belles graves sablonneuses propices aux cabernets, présents à 40 % dans le vin (dont 30 % de cabernet franc).

Le bouquet de ce 2016 mêle la griotte, la mûre, le raisin sec et le pain grillé. En bouche, le gras s'impose, de même que des tanins denses, mais le fruité demeure. Un vin chaleureux et puissant, à laisser vieillir. ⧗ 2024-2029

SAS MONBOUSQUET EXPLOITATION, 42, av. de Saint-Émilion, 33330 Saint-Sulpice-de-Faleyrens, tél. 05 57 24 67 19, contact@chateaumonbousquet.com

CH. MONDORION 2016 ★

■ | 22000 | | 20 à 30 €

Ce cru d'une douzaine d'hectares doit son nom au lieu-dit Mondou où il est situé, ainsi qu'à la constellation d'Orion et à ses quatre planètes centrales, qui rappellent les quatre amis ayant fait renaître la propriété en 2000 : Giorgio Cavanna (propriétaire du Grand Enclos de Cérons), Bertrand Léon, Xavier Dauba et Vincent Bonneau. En 2013, Thibault Cruse a racheté le domaine; Bertrand Léon, l'œnologue, et Frédéric Maule, le maître de chai, restent en place.

Ce 2016 déploie des arômes chaleureux de cerise confite et de framboise. Dans le même registre, la bouche apparaît ronde et fruitée, de bel équilibre, avec une finale de bon aloi sur des tanins encore austères. Un vin qui se révèlera à table après un séjour en cave. ⧗ 2021-2026

SCEA MONDORION, 151 bis, Grand-Chemin, lieu-dit Mondou, 33330 Saint-Sulpice-de-Faleyrens, tél. 05 57 24 76 11, mondorion@aol.com V r.-v.

CH. MONLOT 2016 ★

■ | 20000 | | + de 100 €

Connu au XVIIe s. sous le nom de « Maison noble de Capet », ce cru couvre 9 ha de vignes sur les coteaux de Saint-Hippolyte, à l'est de l'appellation. Il appartient depuis 2011 à l'actrice chinoise Zhao Wei, qui s'est adjoint les conseils avisés de Jean-Claude Berrouet et Philippe Bourguignon. Un nouveau chai a été inauguré pour le millésime 2016.

Deux tiers de merlot pour un tiers de cabernet franc, tel est l'assemblage de ce 2016. Le bouquet puissant et complexe s'ouvre sur la crème de fruits rouges, le poivre, la violette, puis développe des nuances vanillées et chocolatées. En bouche, la cerise confite et la framboise soulignent la chair gourmande, bâtie sur de beaux tanins qui assureront l'avenir. ⧗ 2022-2030

SC CH. MONLOT, Le Conte, 33330 Saint-Hippolyte, tél. 05 57 74 49 47, contact@chateaumonlot.com V r.-v.

CH. MONTLABERT 2016 ★

■ | 33300 | | 20 à 30 €

Ce domaine, propriété au XVIIIe s. du sieur Jean-Michel Descazes-Montlabert, est entré en 2008 dans le giron du puissant groupe Castel. Il est situé aux confins des secteurs de La Grâce Dieu et de Figeac, à l'ouest de Saint-Émilion. Le vignoble couvre 13 ha d'un seul tenant, sur des sables anciens, profonds et sablo-graveleux.

Le nez semble encore timide, mais il laisse poindre des arômes de confiture de mûres et de cerise à l'eau-de-vie. Belle puissance en bouche où se déploient des flaveurs de fruits mûrs et des tanins encore fermes. Longue finale capiteuse. Un vin qu'il faudra garder en cave pour en parfaire l'équilibre. ⧗ 2022-2027

SC CH. MONTLABERT, lieu-dit Montlabert, 33330 Saint-Émilion, tél. 06 99 19 51 33, chateau.montlabert@castel-freres.com

CH. MOULIN SAINT-GEORGES 2016 ★

■ | 22000 | | 30 à 50 €

Moulin Saint-Georges étend son vignoble sur 7 ha d'argilo-calcaire, plantés à 80 % de merlot. Situé face au Ch. Ausone, il appartient comme son illustre voisin à la famille Vauthier, depuis 1921.

LE BORDELAIS

Ce classique de l'appellation, au terroir reconnu, propose un 2016 au nez complexe et flatteur de groseille, de mûre, d'épices douces (vanille). Le boisé est perceptible au palais, dans une matière dense, étayée par de beaux tanins. Encore un peu austère, la finale vient rappeler que nous sommes face à une bouteille de garde. Patience. ⧗ 2023-2031

⊶ SCI MOULIN SAINT-GEORGES, 33330 Saint-Émilion, tél. 05 57 24 24 57, chateau.ausone@wanadoo.fr

CH. PAS DE L'ÂNE 2016 ★

■ | 12000 | ◍ | 30 à 50 €

Créé en 1999 à partir de 1 ha, ce cru au vignoble dispersé atteint aujourd'hui une dizaine d'hectares, propriété de Renaud Pereira qui en a confié la direction à Nicolas Baptiste. Merlot et cabernet franc sont pratiquement à parité, ce qui est une particularité de ce secteur de Saint-Émilion.

Élégant, aux notes de mûre, de cassis, de sous-bois et de torréfaction, le bouquet participe au charme de ce beau saint-émilion qui déploie un palais frais et élégant soutenu par des tanins issus d'une vendange idéalement mûre. Belle finale encore marquée par le boisé vanillé de l'élevage. Un ensemble très prometteur. ⧗ 2021-2028 ■ **Ch. Haut Saint-Brice 2016 (15 à 20 €; 18000 b.)** : vin cité.

⊶ SARL PAS DE L'ÂNE, Le Cros, 33330 Saint-Émilion, tél. 09 62 18 10 87, chateaupasdelane@orange.fr V ✝ ▮ *t.l.j. 11h-19h*

CH. PATRIS QUERRE 2016

■ | 20000 | ◍ | 20 à 30 €

La famille Querre possède plusieurs vignobles en Libournais (Aiguilhe-Querre en castillon-côtes-de-bordeaux, Le Moulin à Pomerol, Brun Despagne en bordeaux). Patris, créé en 1967 par Michel Querre, étend son vignoble de 11,3 ha sur le versant sud des coteaux de Saint-Émilion, dans le prolongement du Ch. Angelus.

Discret dans sa présentation, ce 2016 se montre élégant par son équilibre et sa fraîcheur que soulignent des arômes de fraise et de framboise. Jolie finale au boisé encore dominant : à attendre. ⧗ 2021-2025

⊶ SCEA CH. PATRIS, chem. du Moulin-de-Lavaud, 33500 Pomerol, tél. 05 57 55 19 60, contact@chateau-patris.com V ✝ ▮ *r.-v.*

CH. PAVIE 2016 ★★

■ 1er gd cru clas. A | 95000 | ◍ | + de 100 €

85 86 88 ⑨⓪ **91 92** 93 94 95 **96** |98| |99| **|00|** **|01|** |02| **|04|** **|06|** |07| **|08|** ⓪⑨ ①⓪ **11** ①② 13 **14** ①⑤ **16**

Véritablement constitué au XIXes., Pavie étend son vaste vignoble de 37 ha sur la côte éponyme, l'un des berceaux de la viticulture locale au IVes. Son terroir unique en trois parties – le plateau calcaire, sa côte d'argiles denses et profondes, son pied de côte sablo-argileux légèrement graveleux justifie son intégration en 2012 au gotha des 1ers grands crus classés A. Une élévation due aussi aux investissements considérables de son propriétaire depuis 1998, Gérard Perse, homme d'affaires ayant fait fortune dans la grande distribution. Inauguré en 2013, un nouveau chai signé Alberto Pinto, décorateur de palais et de palaces, consacre la montée au firmament du cru et permet des vinifications encore plus précises.

Sombre... la robe de ce 2016 ne laisse pas indifférent le dégustateur. Puis le voici qui tombe sous le charme d'un bouquet intense mariant les fruits noirs confiturés au boisé fin de l'élevage. Dense et ronde à souhait, la bouche garde cette ligne aromatique et la porte loin en finale. Les tanins encore autoritaires nous rappellent que nous sommes en présence d'un des plus grands vins de garde de la région. ⧗ 2024-2035

⊶ SCA CH. PAVIE, Dom. de Pavie, 33330 Saint-Émilion, tél. 05 57 55 43 43, contact@vignoblesperse.com V ✝ ▮ *r.-v.*

♥ CH. PAVIE DECESSE 2016 ★★★

■ Gd cru clas. | 65000 | ◍ | + de 100 €

85 86 88 ⑧⑨ **90 91** 92 **93** 94 95 96 **97** 98 99 **|00|** **|01|** **|02|** |04| |06| |07| **|08|** **09 10** 11 **12** 13 **14 15** ①⑥

Acquis par Gérard Perse en 1997, ce cru de 3,65 ha a été détaché de Pavie en 1885 par son propriétaire de l'époque, Ferdinand Bouffard. Il a depuis longtemps acquis une personnalité propre, née d'un terroir spécifique, intégralement situé sur le haut de la côte Pavie mêlé d'argiles, et d'un encépagement largement dominé par le merlot (90 %, pour 10 % de cabernet franc).

Frangée de violine, la robe presque noire a de quoi impressionner. Tout autant que le bouquet puissant et complexe : pruneau, cerise confite, grillé, torréfaction et cacao. Mais c'est au palais que le vin a conquis notre jury de dégustateurs : d'attaque dense et suave, il déroule des flaveurs épicées, puis offre toute la puissance de sa chair et de ses tanins mûrs. Une telle concentration n'ôte rien de son harmonie ni de son charme, mais ajoute à sa grande singularité. La finale, à la fois mûre et fraîche, d'une longueur remarquable, achève de convaincre. ⧗ 2024-2035

⊶ SCA CH. PAVIE (CH. PAVIE DECESSE), Dom. de Pavie, 33330 Saint-Émilion, tél. 05 57 55 43 43, contact@vignoblesperse.com

CH. PAVIE MACQUIN 2016 ★

■ 1er gd cru clas. B | 65000 | ◍ | 75 à 100 €

97 **|98|** |99| **|00|** |01| 16

Pavie-Macquin, Beauséjour-Duffau et Larcis-Ducasse en saint-émilion grand cru (1ers crus classés), Charmes-Godard, Puygueraud, La Prade en francs-côtes-de-bordeaux, Alcée en castillon-côtes-de-bordeaux, Nicolas Thienpont est un nom qui compte dans le Libournais. Le nom de la propriété vient d'Albert Macquin (1852-1911), grand-père des propriétaires actuels, à qui Saint-Émilion doit l'usage

du plant greffé qui devait sauver le vignoble ruiné par la crise phylloxérique. Vignoble de 15 ha d'un seul tenant, exceptionnellement situé sur le plateau argilo-calcaire, il est entouré des trois 1ers crus classés Troplong Mondot, Pavie et Trottevielle.

Complexe, le bouquet réunit intensité et distinction avec des accents fruités (mûre, myrtille), floraux (violette), boisés-toastés, poivrés et une touche de minéralité. Rond, ample et persistant, aux flaveurs de fraise fraîche et aux tanins enrobés, le palais laisse une sensation harmonieuse, même s'il est encore masqué par l'élevage. ⧗ 2024-2030

SCEA CH. PAVIE MACQUIN, 1, Peygenestau, 33330 Saint-Emilion, tél. 05 57 24 74 23, contact@pavie-macquin.com r.-v.

LA PERLE DU BRÉGNET 2016 ★

■	6000		11 à 15 €

David Coureau exploite depuis 1970 un vignoble familial de 16 ha, dont il consacre la moitié au saint-émilion, 1 ha au grand cru La Perle du Brégnet et le reste au Ch. l'Ancien Orme en AOC bordeaux. La partie dédiée au grand cru est située à la limite sud de la juridiction, sur un terroir de sables et de graves.

Assemblage classique de merlot (80 %) et de cabernet franc, élevé quatorze mois en fût, ce vin déploie un bouquet complexe et élégant de mûre, de framboise, de prune, de violette, avec une touche de badiane. Après une attaque fraîche, un bel équilibre s'installe au palais entre rondeur et structure. Grâce à un élevage soigné, les tanins sont à leur juste place et la finale se prolonge agréablement. Un vin indémodable. ⧗ 2022-2030

EARL VIGNOBLES COUREAU, 204, Le Brégnet, 33330 Saint-Sulpice-de-Faleyrens, tél. 05 57 24 76 43, clos-le-bregnet@wanadoo.fr V t.l.j. sf dim. 9h-18h30

CH. PETIT FAURIE DE SOUTARD 2016 ★

■ Gd cru clas.	40000		30 à 50 €

Situé sur les hauteurs de Saint-Émilion, près du lieu-dit Faurie qui fut le théâtre d'une célèbre bataille de la guerre de Cent Ans, ce cru classé de 8 ha avait été détaché du domaine de Soutard en 1851. La famille Capdemourlin, qui en était propriétaire, l'a vendu en 2017 à AG2R La Mondiale, qui détient le Ch. Soutard.

Ce 2016 se présente dans une robe presque noire. Noire comme les fruits qui animent le nez (cassis, myrtille), accompagnés de notes torréfiées. Expressive et équilibrée, la bouche affiche un joli velouté, même si la structure tannique est imposante. Un fruité frais s'exprime volontiers, avant un retour du bois en finale. Un beau potentiel. ⧗ 2022-2027

SCEA DES VIGNOBLES ABERLEN, BP 4, 33330 Saint-Émilion, tél. 05 57 24 71 41, contact@soutard.com

CH. PETIT FOMBRAUGE 2016

■	4200		20 à 30 €

Petit-fils de tonnelier et fils de vigneron, Pierre Lavau s'est installé en 2002 sur des vignes familiales en castillon-côtes-de-bordeaux (9 ha) avec La Tuque Bel-Air et Fourquet, et en saint-émilion grand cru (5 ha) avec Petit Fombrauge et La Rose Piney.

La robe, profonde et sombre, ainsi que le bouquet intense de fruits mûrs et de vanille suscitent l'intérêt. La bouche ne déçoit pas : soutenu par des tanins encore un peu vifs et offrant une belle finale fruitée, le vin promet une évolution harmonieuse en cave. ⧗ 2021-2026

SCEA CH. PETIT FOMBRAUGE, Fombrauge, 33330 Saint-Christophe-des-Bardes, tél. 05 57 24 77 30, contact@chateaupetitfombrauge.com V r.-v.

CH. PETIT-GRAVET 2016 ★★

■	11633		15 à 20 €

Claude Nouvel exploite la propriété familiale de 3,66 ha située en pied de côtes, sur des sables profonds, à 800 mètres de la cité. En conversion bio depuis 2016, le vignoble est planté de deux tiers de merlot et d'un tiers de cabernet franc.

Complexe, ce 2016 joue la carte de l'élégance. En témoigne la palette de fruits noirs frais (mûre, myrtille), de cerise, d'épices et de toasté. Ample et soyeuse, la chair empreinte d'arômes de mûre trouve le soutien de tanins encore fermes, mais mûrs. Une longue finale finement torréfiée conclut la dégustation. Du grand art. ⧗ 2022-2030 ■ **Marie-Louise 2016 ★★ (20 à 30 €; 2697 b.)** : cette cuvée rend hommage à la grand-mère du propriétaire qui a constitué le vignoble du domaine. Le nez intense et complexe évoque les fruits frais (framboise, cassis), la violette, le chocolat, avec des nuances épicées (poivre noir, cannelle). La bouche magistrale, longue, permet d'apprécier la qualité remarquable des tanins. Un vin de superlatifs, qui rend hommage aux merlots sur sables. ⧗ 2023-2035

SCEA DU CH. DE BECHAUD, lieu-dit Petit-Gravet, 33330 Saint-Émilion, tél. 06 82 10 64 75, claude.nouvel@club.fr V r.-v.

Ⓑ CH. PETIT GRAVET AÎNÉ 2016 ★

■	9000		30 à 50 €

L'un des trois crus saint-émilionnais (Gaillard, Clos Saint Julien) de Catherine Papon-Nouvel, également propriétaire sur Castillon (Ch. Peyrou). Elle conduit depuis 2000, à la suite de son père, ce petit domaine de 2,50 ha (en bio certifié) établi en pied de côtes, sur un terroir de sables profond, atypique par sa forte proportion (80 %) de cabernet franc.

Mariage chaleureux de fruits confits, de kirsch, de pruneau et de figue, avec une pointe boisée discrète : telle est la palette aromatique. Tout en rondeur mais jamais lourd, le vin flatte le palais, tout en s'appuyant sur une structure tannique étoffée. Un 2016 taillé pour la garde. ⧗ 2023-2028

SCEA VIGNOBLES NOUVEL (CH. PETIT GRAVET AÎNÉ), lieu-dit Gaillard, 33330 Saint-Hippolyte, tél. 05 57 24 72 44, chateau.gaillard@wanadoo.fr V r.-v.

CH. PEYRELONGUE L'Étoile 2016 ★

■	900		30 à 50 €

En gascon, « peyrelongue » signifie « pierre longue » : le nom de ce cru provient d'un menhir de l'époque gallo-romaine, dressé au cœur du domaine, sur lequel le moine Émilion se serait reposé si l'on en croit la

légende. Hugues et Christina Augarde ont repris ce vignoble de 10,27 ha en 2015 et produisent deux grands crus : Peyrelongue et Clos des Romains.

Grenat profond, ce 2016 libère d'intenses arômes de fruits, cassis et cerise en tête, accompagnés de subtiles notes boisées et d'une touche poivrée. Charnue et élégante, la bouche déploie des flaveurs gourmandes de fruits, tandis que des tanins encore jeunes annoncent un potentiel de garde certain. ⧗ 2022-2027

⊶ EARL AUGARDE PEYRELONGUE, Ch. Peyrelongue, 1, Marquey-Sud, 33330 Saint-Émilion, tél. 06 61 10 57 98, chateau.peyrelongue@gmail.com V t.l.j. sf dim. 9h-17h

CH. PIGANEAU 2016

■ | 21000 | | 15 à 20 €

D'origine corrézienne, la famille Brunot s'intéresse à la vigne depuis la fin du XIXᵉs. Elle exploite plusieurs crus dans le Libournais et l'Entre-deux-Mers : Piganeau en saint-émilion grand cru, Le Gravillot en lalande, Tour de Grenet en lussac et Maledan en bordeaux supérieur. Vincent Brunot, ingénieur agricole et œnologue, a succédé en 1998 à son père Jean-Baptiste à la tête des vignobles familiaux.

Un pur merlot aux arômes de fruits noirs, à la bouche équilibrée et tout en rondeur. Un 2016 accompli, qui, sans être très puissant, se montre élégant et structuré. ⧗ 2020-2026

⊶ SCEA J.-B. BRUNOT ET FILS, 1, lieu-dit Jean-Melin, 33330 Saint-Émilion, tél. 05 57 55 09 99, vignobles.brunot@wanadoo.fr V r.-v.

CH. PINDEFLEURS 2016 ★

■ | 79000 | | 20 à 30 €

Un vignoble de 17 ha entourant un petit manoir et des chais restaurés en 2010, au bord de la route Libourne-Bergerac. Issue d'une très ancienne famille de vignerons, Dominique Lauret-Mestreguilhem en est propriétaire depuis 2006, avec sa fille Audrey aux commandes de la production et son fils Pierre à la commercialisation.

Un beau vin de garde qui allie personnalité, gourmandise et structure. Intense et complexe, le nez offre une jolie succession de fruits rouges et noirs (cerise, cassis, mûre), de notes vanillées et torréfiées. La bouche, aux flaveurs intenses de cassis, révèle du volume et une structure puissante. Un ensemble harmonieux et maîtrisé, à conserver quelques années. ⧗ 2023-2030

⊶ EARL VIGNOBLES DOMINIQUE LAURET, 1, Pin-de-Fleur, 33330 Saint-Émilion, tél. 05 57 24 78 41, chateau@pindefleurs.fr V r.-v.

CH. PLAISANCE 2016 ★

■ | 73000 | | 15 à 20 €

Ce cru, connu depuis 1881, est situé au bord de la route reliant Saint-Émilion à Branne, au sud de la juridiction. Le terroir mêle des graves aux sables et aux argiles. Derek Egan en est le propriétaire depuis 2006.

Un 2016 grenat brillant qui mêle la mûre, les fruits cuits, le cassis et les épices douces. D'abord souple et ample, aux arômes intenses de cassis, le palais révèle ensuite une trame tannique serrée mais mûre, avec une note séduisante de poivre blanc en finale. ⧗ 2021-2027

⊶ SCEA CH. PLAISANCE, 256, Plaisance, 33330 Saint-Sulpice-de-Faleyrens, tél. 05 57 24 78 85, sonia@chateauplaisance.info

CH. PONTET-FUMET 2016

■ | 60000 | | 15 à 20 €

L'histoire débute au XVIIᵉs., au Vignonet, avec un aïeul gabarier et négociant en vin et en céréales. La famille Bardet conduit aujourd'hui un vaste ensemble de 60 ha de vignes dans le Libournais, répartis sur plusieurs crus en appellations saint-émilion grand cru (Val d'Or, Pontet-Fumet, Franc le Maine, Paradis) et castillon-côtes-de-bordeaux (Rocher Lideyre). Un ensemble dirigé par Philippe Bardet, accompagné de son épouse Sylvie et de ses quatre enfants.

Alors que le bouquet délicat évoque la framboise et la réglisse, la bouche ample et gourmande se prolonge agréablement sur la mûre. Quelques tanins encore austères ? Certes, mais c'est ici gage de potentiel. Car tout est bien équilibré. ⧗ 2021-2026

⊶ SCEA DES VIGNOBLES BARDET, 17, La Cale, 33330 Vignonet, tél. 05 57 84 53 16, vignobles@vignobles-bardet.fr V r.-v.

CH. DE PRESSAC 2016 ★★

■ Gd cru clas. | 114000 | | 30 à 50 €

97 98 **01** 02 04 05 06 07 08 |10| |11| |**12**| |**13**| **14 15 16**

Un cru classé (depuis 2012), vaste (36 ha) et historique à double titre : il fut le cadre en 1453 de la reddition des Anglais après la bataille de Castillon et, au XVIIIᵉs., le seigneur du lieu introduisit le cépage appelé auxerrois, puis noir de Pressac et finalement malbec. Il a été acquis en 1997 et entièrement rénové par Jean-François Quenin, ancien cadre du groupe Darty et ancien président du Conseil des vins de Saint-Émilion.

Après un 2015 remarquable, cette propriété propose un 2016 à l'avenant. Le bouquet de ce vin rubis intense se distingue par l'union parfaite des fruits rouges frais et d'un boisé discret. La fraîcheur de ces arômes trouve écho au palais. Les tanins denses se fondent dans une chair enveloppante qui laisse le souvenir durable des épices en finale. Élégant et expressif. ⧗ 2022-2030 ■ **Ch. Tour de Pressac 2016 ★★ (20 à 30 €; 96000 b.)** : un second vin à la hauteur du premier, ce qui en dit long sur la qualité des raisins vendangés sur la propriété en 2016. Après le bouquet frais de petits fruits rouges, de bourgeon de cassis, de cerise noire et de torréfaction, le jury est tombé sous le charme d'une bouche à la fois gourmande et de beau volume, friande et dense, aux tanins enrobés et à l'irrésistible finale réglissée. Déjà délicieux et pour longtemps. ⧗ 2020-2026

⊶ GFA CH. DE PRESSAC, 1, ch. de Pressac, 33330 Saint-Étienne-de-Lisse, tél. 05 57 40 18 02, contact@chateaudepressac.com V r.-v.

DÉLICE DU PRIEURÉ 2016 ★

■ | 15300 | | 20 à 30 €

La famille Guichard était propriétaire depuis 1832 de plusieurs crus en Libournais : son fief et fleuron, Ch. Siaurac en lalande, Vray Croix de Gay en pomerol et Le Prieuré en saint-émilion grand cru. Un ensemble

dirigé depuis 2004 par Paul Goldschmidt, qui avait épousé Aline Guichard. En 2014, Artémis Domaines (groupe Pinault, détenteur par ailleurs de Ch. Latour) a pris une participation dans les châteaux familiaux, qui ont opté à partir de 2016 pour l'agriculture biologique, sous la houlette de Pénélope Godefroy, directrice technique formée à la biodynamie.

Un second vin au bouquet fruité de framboise qui s'enrichit de notes florales (violette) et épicées. Après une attaque franche, le palais a séduit les dégustateurs en révélant une belle matière charnue, expressive et fraîche, qui donne l'impression de croquer dans le raisin. La finale, harmonieuse, conclut la dégustation sur de subtiles flaveurs de café. ⧗ 2020-2025

SC CH. SIAURAC AND CO, Ch. Siaurac, Ciorac, 33500 Néac, tél. 05 57 51 64 58, info@siaurac.com V r.-v.

CH. QUEYRON PINDEFLEURS 2016 ★

■	22000		15 à 20 €

Un cru de 14 ha situé au pied des coteaux sud de Saint-Émilion. Dans la famille Fillon depuis 1937, il est dirigé depuis 2010 par Chantal et Peter Watts.

D'une belle intensité, le nez de ce saint-émilion grand cru déploie une large palette de parfums fruités (groseille, fraise et prune). Cette palette se retrouve en bouche. L'harmonie entre les flaveurs de raisin, celles d'un élevage maîtrisé, la chair ronde et les tanins mesurés charme indéniablement. ⧗ 2021-2026

SCE VIGNOBLES FILLON (CH. QUEYRON PINDEFLEURS), 3, lieu-dit Queyron, 33330 Saint-Émilion, tél. 05 57 50 31 45, contact@queyronpindefleurs.com V r.-v.

CH. QUINAULT-L'ENCLOS 2016 ★

■ Gd cru clas.	n.c.		30 à 50 €

|**02**| 03 04 |**05**| |06| **07** 08 10 14 15 16

Cet important domaine (20 ha) peut à juste titre mentionner L'Enclos sur son étiquette : son vignoble clos de murs est enserré dans l'agglomération libournaise. En 2008, il a changé de mains : le Dr Alain Raynaud l'a cédé au baron Frère et à Bernard Arnault (LVMH). Il est conduit par les équipes de Pierre Lurton, qui suivent aussi le Ch. Cheval Blanc et ont engagé sa conversion à l'agriculture biologique en 2009. Les soins portés au cru se sont traduits par sa promotion lors du dernier classement des saint-émilion, en 2012.

Expressif, le bouquet libère des arômes fruités (cerise, mûre) et floraux (violette) que complète une touche d'épices douces. Ample, le palais séduit par son caractère soyeux et sa profondeur, tandis que la trame tannique vient rappeler en finale que ce vin est de grande garde. Patience, donc. ⧗ 2022-2030

SC DE CHEVAL BLANC (CH. QUINAULT L'ENCLOS), 30, rue Videlot, 33500 Libourne, tél. 05 57 55 55 55, chaiquinault@orange.fr

CH. QUINTUS 2016 ★

■	59376		+ de 100 €

Quintus, référence à la coutume gallo-romaine consistant à prénommer ainsi leur cinquième enfant, est le dernier-né des vignobles Clarence Dillon (Haut-Brion). Un bel ensemble de 28 ha associant un domaine acquis en 2011 à l'extrémité sud-ouest du plateau de Saint-Émilion et son voisin Ch. L'Arrosée, racheté en 2013.

Un 2016 moderne et flatteur, au nez de fruits rouges frais, de vanille et de réglisse. On retrouve en bouche ces arômes dans un ensemble ample et gras, à la fraîcheur bien ajustée et aux tanins solides. La finale sur le pain grillé se déploie longuement. ⧗ 2022-2026

SAS QUINTUS, 1, Larosé, 33330 Saint-Émilion, tél. 05 57 24 69 44, info@chateau-quintus.com r.-v.

CH. LA RENOMMÉE Reynaud 2016 ★

■	20000		20 à 30 €

En 2014, cette propriété de 12 ha a changé de mains et a été agrandie. Elle est maintenant constituée en groupement foncier viticole et accueille de multiples associés amoureux du vin. La gérance est assurée par Jean-Noël Doublet.

Typiquement saint-émilionnais par la profondeur de sa robe, ce 2016 a séduit les dégustateurs grâce à son bouquet élégant de fruits noirs frais légèrement toastés. Dense et harmonieux, le palais révèle une structure de tanins soyeux. ⧗ 2021-2025

SCEA CH. LA RENOMMÉE, Au Bois de l'Or, BP 111, 33330 Saint-Émilion, tél. 05 57 24 65 93, info@larenommee.fr V r.-v. E

CH. ROC DE CANDALE 2016 ★

■	23196		20 à 30 €

Cette propriété de 7 ha est située sur la combe argilo-calcaire de Saint Laurent. Magali et Thibault Decoster, installés depuis 2004 au Clos des Jacobins et au Ch. la Commanderie, reprennent les exploitations du Ch. Roc de Candale et Candale en février 2017. Avec ces deux nouveaux crus, un restaurant et une boutique, les nouveaux propriétaires conjuguent leurs deux passions : vignobles et art de vivre.

Encore discret, ce 2016 libère à l'aération des arômes de fruits rouges frais. Fraîcheur que l'on retrouve dans une bouche friande, de demi-corps, aux tanins croquants et à la finale harmonieuse. ⧗ 2021-2026

SCEA CH. DE CANDALE, BP 67, 33330 Saint-Émilion, tél. 05 57 51 19 91, contact@mtdecoster.com V r.-v.

CH. ROCHEBELLE 2016

■ Gd cru clas.	18000		30 à 50 €

Propriété des Faniest depuis 1847, Rochebelle doit son nom aux roches que l'on extrayait de ses carrières au XVIIIe s. Conduit aujourd'hui par Philippe Faniest et sa fille Émilie, œnologue, ce petit domaine de 2,7 ha est situé au-dessus du Château Pavie, face à la cité de Saint-Émilion. Petit train, caves monolithes, jeux de lumière : le concept d'œnotourisme est ici bien rodé et les visiteurs sont légion. Ses vins, réguliers en qualité, lui ont valu d'être promu en 2012 au rang de cru classé.

Si le nez est encore dominé par les arômes du merrain (cannelle, curry), la bouche équilibrée offre des flaveurs de fruits rouges et de la souplesse. Un vin classique bien interprété. ⧗ 2020-2025

SCEA FANIEST, 2, Le Bourg, 33330 Saint-Laurent-des-Combes, tél. 05 57 51 30 71, faniest@orange.fr V t.l.j. 10h-12h 14h-18h30

CH. DU ROCHER 2016 ★

■	50000		15 à 20 €

Ce très ancien domaine viticole est situé à flanc de coteaux, exposé au sud, sur le terroir argilo-calcaire de Saint-Étienne-de-Lisse, à l'est de Saint-Émilion. Il s'étend sur 15 ha.

Un vin généreux, dont le bouquet fait jouer à l'unisson les fruits noirs, cerise et mûre en tête, les épices et un boisé vanillé. Il emplit le palais de sa chair fruitée et harmonieuse, dans laquelle se fondent des tanins denses. Prometteur. ⧗ 2022-2027

SCEA BARON DE MONTFORT, Ch. du Rocher, 33330 Saint-Étienne-de-Lisse, tél. 05 57 40 18 20, contact@baron-de-montfort.com V r.-v.

CH. LA ROSE BRISSON 2016 ★

■	n.c.		15 à 20 €

Une famille de vieille souche saint-émilionnaise connue notamment grâce à Léon Galhaud, un aïeul pépiniériste, qui aménagea le manoir et les caves au cœur de la cité médiévale. Martine Galhaud conduit depuis 1996 le vignoble familial (6,4 ha) établi sur les graves et les sables de Vignonet, au sud de l'appellation.

D'emblée, ce 2016 développe un bouquet complexe mariant les notes de fruits rouges, de fruits secs (amande, abricot) et de figue aux notes vanillées de l'élevage. Rond, charnu et doté de tanins enrobés, il se bonifiera encore en cave. ⧗ 2021-2026

VIGNOBLES MOULIN-GALHAUD, Ch. la Rose Brisson, Le Manoir, 33330 Saint-Émilion, tél. 05 57 24 64 24, mgalhaud@galhaud.com V r.-v.

CH. LA ROSE MONTURON Amalgame 2016 ★

■	2500		15 à 20 €

Avec son mari Stéphane, directeur technique viticole, Myriam Dubès a repris en 2005 une partie de l'exploitation familiale dans la jurade de Saint-Émilion. Les vinifications ont débuté dans un garage. En 2006, le couple a acquis 1 ha de vigne supplémentaire avec maison et chai. Les deux époux ont conservé leur activité professionnelle et travaillent leurs 3,5 ha sur leur temps de loisir.

Une belle composition que ce 2016 grenat, au bouquet de cerise noire nuancé d'un boisé épicé et d'une pointe de menthol. Il développe une matière harmonieuse, bien soutenue par des tanins fins jusque dans la longue finale fruitée. Un vin paré pour la garde. ⧗ 2022-2026

MYRIAM DUBÈS, 1, Les Places, 33330 Saint-Étienne-de-Lisse, tél. 05 57 24 69 33, contact@chateau-larosemonturon.com V r.-v.

♥ CH. SAINT-GEORGES CÔTE PAVIE 2016 ★★

■ Gd cru clas.	25000		30 à 50 €

97 98 00 03 05 |08| |09| |10| |11| |**12**| |13| 14 **16**

Ce cru classé de 5,7 ha – 5 ha implantés sur la côte argilo-calcaire de Pavie et 50 ares attenants à Ausone – fut une dépendance de l'abbaye de la Sauve-Majeure au Moyen Âge (époque à laquelle il prit son nom de Saint-Georges), puis la propriété de la famille de Grailly à partir du XVIIe s. Entré en 1873 dans la famille Masson, d'origine corrézienne, il est aujourd'hui conduit par la cinquième génération.

Une nouvelle fois, cette propriété connaît un beau succès avec ce 2016 de grande classe, comme l'annonce sa robe rubis profond. Attrayant, frais et complexe, son bouquet évoque un plein panier de petits fruits rouges soulignés par un boisé discrètement vanillé. Après une attaque fraîche, le palais fait preuve d'une ampleur hors norme, avec une matière dense, étayée par des tanins soyeux, et une finale des plus persistantes. ⧗ 2022-2035

FAMILLE MASSON, Ch. Saint-Georges Côte Pavie, BP 66, 33330 Saint-Émilion, tél. 05 57 74 44 23, mariegabriellemasson@gmail.com V r.-v.

CH. SAINT-PEY 2016 ★★

■	102400		15 à 20 €

Ce cru de 18 ha situé à Saint-Pey-d'Armens fut pendant six générations le patrimoine des héritiers Musset. En 2011, il est racheté par Frédéric Stévenin et Clarence Grosdidier, qui ont entrepris une restructuration complète du vignoble.

Prétendant au coup de cœur, ce vin presque de pur merlot (90 % de l'assemblage) affiche un bouquet subtil entre fruits, épices et violette. La bouche est un modèle d'harmonie : volume, chair dense, flaveurs de fruits des bois, trame tannique enrobée signant un élevage parfaitement maîtrisé. Un dégustateur le décrit comme l'archétype de ce que l'on attend d'un saint-émilion grand cru. ⧗ 2022-2030

SCEA CG, Ch. de Saint-Pey, 33330 Saint-Pey-d'Armens, tél. 05 57 47 15 25, contact@chateau-saintpey.com V r.-v.

CH. SANCTUS 2016

■	17000		20 à 30 €

Né de la fusion de deux propriétés voisines, ce domaine de 15 ha, établi sur le plateau argilo-calcaire de Saint-Christophe-des-Bardes, au nord-est de Saint-Émilion, appartient depuis 1990 aux familles Duval-Fleury et Corneau. Anciennement Ch. la Bienfaisance, ce cru a changé de nom en 2015 pour devenir Ch. Sanctus – nom du premier vin issu des meilleures parcelles, La Bienfaisance de Sanctus devenant le deuxième vin. Aux commandes du chai depuis 2012, Caroline Gaullier.

L'élevage en barrique pendant seize mois se traduit pour l'instant par un côté austère. Ce vin paraît ainsi d'une étonnante jeunesse, conjuguant des nuances chaleureuses de liqueur de mûre, de fruits cuits et de kirsch. Il est dense, gras, campé sur des tanins encore serrés. ⧗ 2022-2026 ■ **La Bienfaisance du Ch. Sanctus 2016 (15 à 20 €; 58000 b.)** : vin cité.

SCEA CH. SANCTUS, 39, Le Bourg, 33330 Saint-Christophe-des-Bardes, tél. 05 57 24 65 83, contact@chateau-sanctus.fr

CH. SANSONNET 2016 ★★

■ Gd cru clas.	29000		30 à 50 €

98 99 00 01 02 03 04 **05** 06 07 **|08| |09|** 10 **|11|** ⑫ |13| ⑭ **15 16**

Ancienne propriété du duc Decazes, président du Conseil de Louis XVIII, ce cru classé régulier en qualité a été acquis en 2009 par Christophe Lefévère et son épouse Marie-Bénédicte. C'est cette dernière, docteur en pharmacie et fille d'un exploitant de la région, qui gère le domaine. Le vignoble, à l'encépagement classique (merlot à 85 % et cabernet franc), couvre près de 7 ha sur l'un des points hauts du plateau argilo-calcaire de Saint-Émilion. Déclassé en 1996, il a retrouvé son rang en 2012.

Si le nez se révèle pour l'heure réservé, la bouche a enthousiasmé les dégustateurs : riche et plein, étayé par une trame tannique aristocratique, le vin se déploie avec une longueur peu commune. Un 2016 de grande harmonie, à oublier en cave. ⧗ 2023-2031

SCEA CH. SANSONNET (CH. SANSONNET), 1, Sansonnet, 33330 Saint-Émilion, tél. 09 60 12 95 17, contact@chateau-sansonnet.com

CH. SOUTARD 2016

■ Gd cru clas.	65000		50 à 75 €

AG2R La Mondiale possède deux importants grands crus classés, situés à environ 1 km au nord de la cité médiévale : les châteaux Soutard et Larmande. Cru ancien (les premières mentions remontent à 1513), Soutard a été acquis en 2006 par le groupe d'assurances, qui a entrepris d'importants travaux de rénovation. En 2012, le rachat (et la fusion) du cru classé Cadet Piola porte le vignoble à 30 ha d'un seul tenant, sur le plateau argilo-calcaire de Saint-Émilion, avec quelques hectares en pied de côte sableux et en coteaux argileux. Aux commandes du chai, Véronique Corporandy, conseillée par Michel Rolland.

Un 2016 au nez intense de mûre et de griotte, qui déploie en bouche son caractère charpenté, encore sévère. Un vin classique qui devrait s'arrondir et gagner en harmonie en cave. ⧗ 2023-2026

SC CH. SOUTARD, BP 4, 33330 Saint-Émilion, tél. 05 57 24 71 41, contact@soutard.com V r.-v. ⑤

CH. TEYSSIER Le Carré 2016 ★

■	1500		75 à 100 €

Une des plus grandes propriétés de l'appellation avec 50 ha de vignes, ce cru a été acheté en 2005 par Jonathan Maltus, Anglais originaire d'Afrique. Arrivé à Saint-Émilion dans les années 1990 pendant la période des vins de garage, il y produit depuis le Ch. le Dôme, Vieux Château Mazérat, les Astéries et Laforge, tous quatre en saint-émilion grand cru, ainsi qu'un bordeaux blanc sec : Le Nardian.

Le nez de ce 2016 mêle fruits noirs, tabac, nuances de cuir et boisé prononcé. Dès l'attaque, l'impression de gras est perceptible, puis le vin gagne en puissance sur des tanins serrés, sans jamais perdre de son équilibre. Belle finale persistante évoquant le tabac blond. ⧗ 2023-2030 ■ **Vieux Château Mazérat 2016 (+ de 100 €; 10000 b.)** : vin cité.

SCE CH. TEYSSIER, 1, lieu-dit Teyssier, Vignonet, 33330 Saint-Émilion, tél. 05 57 84 64 22, info@maltus.com V r.-v.

CH. TOUR PEREY 2016 ★★

■	n.c.		30 à 50 €

Domaine de 3,20 ha situé sur la commune de Saint Sulpice-de-Faleyrens, ce cru a été acheté par Jean-Luc Marteau en 2011.

Ce 2016 possède une personnalité originale, perceptible dès son bouquet de fruits rouges frais (groseille, framboise) nuancés de notes plus exotiques (litchi). Au palais, l'empreinte de l'élevage, présente mais non démonstrative, se marie avec celle d'un fruit irréprochable. La trame tannique est fondue, la chair dense et la finale persistante. ⧗ 2021-2030

SCEA CH. PEREY, 240, Perey Nord, 33330 Saint-Sulpice-de-Faleyrens, chateau.tour.perey@orange.fr V r.-v.

Ⓑ CH. TRAPAUD 2016

■	41776		20 à 30 €

Après avoir fait ses classes en Australie et en Californie, Béatrice Larribière a repris en 1997 ce cru de 14,9 ha, dans sa famille depuis 1923. Le vignoble, entourant une belle demeure à pignon hanséatique, est en agriculture biologique.

Un saint-émilion grand cru complexe, mêlant fruits noirs, pâte d'amande, mine de crayon et notes vanillées. Le charme agit également en bouche, grâce à une matière ample et riche, harmonieuse, structurée par des tanins serrés. La finale est à l'avenant. Du potentiel. ⧗ 2021-2028

SCEA LARRIBIÈRE, Ch. Trapaud, 33330 Saint-Étienne-de-Lisse, tél. 06 07 87 84 47, info@chateau-trapaud.com V r.-v.

CH. TRIANON 2016

■	48800		30 à 50 €

1983 : Dominique Hébrard crée son affaire de négoce. 1999 : sa famille vend Cheval Blanc, dont il était l'administrateur. 2000 : déjà copropriétaire du Ch. de Francs avec Hubert de Boüard, il acquiert ce cru de 10 ha déjà connu au XVIe s., situé au sud-ouest de Saint-Émilion. En 2017, la Financière immobilière bordelaise, propriétaire d'hôtels de luxe (dont l'InterContinental à Bordeaux et le Trianon Palace à Versailles) prend le contrôle du château.

Un 2016 moderne et chaleureux, évoquant les baies noires et le merrain toasté. La bouche offre du volume et des tanins encore sévères, signe qu'une garde est nécessaire. ⧗ 2022-2025

LE BORDELAIS

SAS CH. TRIANON, lieu-dit Trianon, 33330 Saint-Émilion, tél. 05 57 25 34 46, contact@chateau-trianon.fr V r.-v.

CH. TROPLONG MONDOT 2016 ★

1er gd cru clas. B | 120000 | | + de 100 €

82 83 85 86 88 89 (90) **92** 95 96 97 98 **01 02 05** |(06)| |07| |**08**| **09** |10| |**11**| **12** |13| 14 **15** 16

En 1745, l'abbé de Sèze édifie l'actuel château en haut de la côte de Pavie, dans le vignoble de Mondot. En 1850, Raymond Troplong, juriste et pair de France, y ajoute son nom. Au début du XXes., Alexandre Valette, négociant en vin, prend le relais, suivi par son fils Bernard, puis son petit-fils Claude. Ce dernier confie les rênes du domaine à sa fille Christine Valette (disparue en 2014) et son mari Xavier Pariente en 1981. En 2006, le domaine accède au rang de 1er grand cru classé B. Conseillés depuis longtemps par Claude et Lydia Bourguignon, éminents spécialistes de la valorisation durable des sols, les propriétaires ont restructuré le vignoble (33 ha d'un seul tenant), dont une partie est conduite en bio. En 2017, le groupe de réassurances français SCOR, présidé par Denis Kessler, acquiert le cru. Aymeric de Gironde devient directeur général. Le domaine s'ouvre à l'œnotourisme, avec notamment un restaurant étoilé.

Encore dominé par son élevage en fût, ce vin dévoile de discrètes notes de cassis et de mûre, de pain grillé et de foin coupé. En bouche, il apparaît dense et charnu, bâti sur des tanins solides mais enrobés. Belle persistance aromatique sur des notes fumées. Patience. ⧗ 2024-2030

SAS CH. MONDOT, 1, lieu-dit Mondot, 33330 Saint-Émilion, tél. 05 57 55 32 05, contact@troplong-mondot.com V r.-v. 5

CH. TROTTEVIEILLE 2016

1er gd cru clas. B | n.c. | | + de 100 €

82 **85 86** 88 **90** 95 96 97 98 99 **00** |**01**| 02 |**03**| 04 |**05**| |06| |**07**| **08** 10 11 12 13 15 16

L'un des fleurons de la maison Borie-Manoux. La légende raconte qu'une vieille dame habitant autrefois le domaine allait s'enquérir des nouvelles auprès de la diligence passant par là, en trottinant… Aujourd'hui administré par Philippe Castéja, ce cru de 12 ha, situé sur le coteau est du plateau de Saint-Émilion, offre un encépagement original, à parité entre le merlot et les cabernets.

Marqué par les notes toastées de la barrique, ce 2016 développe timidement, après aération, des senteurs de fruits noirs, de goudron et de bourgeon de cassis. Ample et doté de bons tanins, il gagnera à attendre. ⧗ 2022-2025

SCEA DU CH. TROTTEVIEILLE, 33330 Saint-Émilion, tél. 05 56 00 00 70, domaines@borie-manoux.fr r.-v.

CH. VALADE 2016

| 8000 | | 20 à 30 €

Les Valade sont établis dans le Castillonnais depuis 1878. Installé en 1979 et aujourd'hui épaulé par son fils Cédric, Paul Valade propose deux étiquettes – Brisson et Peyrat – bien connues des lecteurs. La famille a aussi mis un pied à Saint-Émilion, en 2007, avec le Ch. Valade, dirigé par Cédric. En 2015, le tandem a construit un chai à Saint-Christophe-des-Bardes.

Composé à 95 % de merlot complété d'une larme de cabernet franc, ce 2016 arbore un nez intense de mûre et de framboise, nuancé de boisé. Après une attaque souple, la bouche s'avère ronde, friande, encore marquée par le boisé, mais celui-ci finira par se fondre. ⧗ 2021-2025

EARL P.L. VALADE (CH. VALADE), 7, Le Barrail, 33330 Saint-Christophe-des-Bardes, tél. 06 84 80 03 37, paul.valade@orange.fr

♥ CH. VALANDRAUD 2016 ★★★

1er gd cru clas. B | 32000 | | + de 100 €

|**01**| 02 |**05**| |06| |07| |08| **10** |**11**| **12 14 15** (16)

Valandraud n'est plus le «vin de garage» qui a fait la réputation de Jean-Luc Thunevin dans les années 1990. Les 60 ares acquis en 1989 dans le vallon de Fongaban, entre Pavie-Macquin et La Clotte, sont devenus un cru à part entière : 10 ha aujourd'hui, essentiellement sur Saint-Étienne-de-Lisse. La consécration est arrivée en 2012 avec l'accession au rang de 1er grand cru classé B, sans passer par la case «classé».

Après les millésimes 2014 et 2015, c'est le troisième coup de cœur consécutif pour ce cru résolument à part et, à en lire les louanges des dégustateurs, certainement l'un des plus grands Valandraud jamais produits. De ce 2016 à la robe pratiquement noire se dégage un bouquet intense de mûre, de cerise noire, de cassis et de framboise nuancés de notes épicées, fumées et grillées. Cette complexité se retrouve dans une bouche magistrale d'ampleur, de richesse et de structure, qui allie avec naturel fraîcheur et maturité, profondeur et gourmandise. Superbe finale. Un très grand vin, au toucher de bouche inoubliable. ⧗ 2024-2035 ■ **Virginie de Valandraud 2016 ★ (50 à 75 €; 70000 b.)** : ce second vin à la robe grenat soutenu propose un bouquet appétant de fruits noirs mûrs et d'épices chaudes. L'attaque est franche, le milieu de bouche ample, marqué par les fruits noirs épicés et rehaussé d'une touche grillée persistante. De la finesse et du fond. ⧗ 2021-2026 ■ **Clos Badon-Thunevin 2016 (50 à 75 €; 9000 b.)** : vin cité.

SAS THUNEVIN (CH. VALANDRAUD), 6, rue Guadet, BP 88, 33330 Saint-Émilion, tél. 05 57 55 09 13, thunevin@thunevin.com V r.-v. 5

VIEUX CHÂTEAU PELLETAN 2016

| 11800 | | 11 à 15 €

Implantée depuis le XIXes. en Libournais, la famille Magnaudeix possède deux petits domaines viticoles à Saint-Émilion : Vieux-Larmande (4,25 ha), créé en 1840, et Vieux Château Pelletan (6,9 ha), fondé en 1924. En 2008, Romain Magnaudeix a pris les commandes de la propriété.

Si ce vin se montre encore timide au nez, il révèle à l'aération une jolie typicité : fruits noirs, boisé noble et cuir. Harmonieuse, charpentée et longue, la bouche révèle des tanins de jeunesse encore serrés. Du potentiel. ⧗ 2022-2028

SCEA VIGNOBLES MAGNAUDEIX, Ch. Vieux-Larmande, 33330 Saint-Émilion, tél. 05 57 24 60 49, vignobles-magnaudeix@orange.fr t.l.j. sf sam. dim. 9h-12h30 14h-17h30

CH. LE VIEUX PRESSOIR 2016

■	46666		15 à 20 €

Ce petit vignoble de 8 ha est exploité par la même famille depuis quatre générations. Thierry et Anne Mallo travaillent leurs vignes situées au pied du coteau de Saint-Émilion depuis 1996.

Un saint-émilion grand cru de garde, d'une belle typicité : au nez profond de fruits rouges nuancés de minéralité répond une bouche franche, ample et harmonieuse. Les tanins sauront se fondre à la faveur de la garde. ⧗ 2022-2026

SCEA MALLO PÈRE ET FILS, 3, lieu-dit Grand-Sable, 33330 Saint-Hippolyte, tél. 05 57 24 62 17, chateaulevieuxpressoir@orange.fr r.-v.

CH. VIEUX RIVALLON 2016 ★★

■	100000		15 à 20 €

Ce cru de 20 ha situé au pied du coteau, à l'ouest de la cité médiévale, appartient à la même famille depuis six générations. Après avoir été géré pendant près de soixante-dix ans par Charles Bouquey, c'est son petit-fils Alexandre Plocq qui en a repris la gestion en 2015.

D'un grenat intense, cette cuvée s'annonce par des arômes de fruits rouges et de réglisse ponctués de touches épicées. Ronde dès l'attaque, elle monte en puissance, soutenue par une trame tannique bien intégrée à sa chair dense, puis persiste élégamment. Le terroir s'exprime avec éloquence dans ce 2016 taillé pour la garde. ⧗ 2022-2028

SCEA BOUQUEY RIVALLON, 3, le Rivallon, 33330 Saint-Émilion, tél. 05 57 51 35 27, chateauvieuxrivallon@orange.fr r.-v.

LES ANGELOTS DE VILLEMAURINE 2016 ★

■	18000		20 à 30 €

Propriétaire dans le Médoc (Branas Grand Poujeaux en AOC moulis), Justin Onclin a investi en saint-émilion en faisant l'acquisition en 2007 de ce domaine de 11 ha adossé aux douves de la cité médiévale, qu'il a entièrement rénové à la vigne et au chai.

Un second vin harmonieux et attachant, au nez de fruits noirs épicés et à la bouche mûre mais idéalement fraîche, aux tanins déjà fondus. La longue finale finement poivrée confirme : un bien joli vin. ⧗ 2020-2026

CH. VILLEMAURINE, lieu-dit Villemaurine, 33330 Saint-Émilion, tél. 05 57 74 74 36, contact@villemaurine.com r.-v.

CH. VIRAMON 2016 ★

■	41078		20 à 30 €

Géré par la famille Lafaye depuis des générations, ce vignoble de 15 ha produit des vins sur deux appellations : saint-émilion grand cru (Ch. Viramon et Ch. Bagnols) et castillon-côtes-de-bordeaux (Ch. Haut Tuquet).

Un saint-émilion grand cru traditionnel, au nez classique de fruits rouges et noirs, de violette et d'épices douces. Ample et élégant au palais, doté de tanins mûrs, il déploie une longue finale. Une valeur sûre. ⧗ 2021-2026

SC CH. VIRAMON, 2, Guinot, 33330 Saint-Étienne-de-Lisse, tél. 05 57 40 18 28, contact@chateauviramon.com r.-v.

♥ CH. JEAN VOISIN 2016 ★★

■	21650		20 à 30 €

Ce cru de 15 ha en saint-émilion grand cru tire son nom de Jean Voysin, édile de Saint-Émilion, qui acheta ces terres en 1583. Acquis en 1955 par le Corrézien Amédée Chassagnoux, il a été exploité ensuite par son fils Pierre et par son petit-fils Xavier avant d'être vendu en 2016 à un trio réunissant un vigneron et deux anciens cadres venus du monde de l'automobile. Jean-Paul Vitrac, le gérant, s'appuie sur Laurence Chassagnoux au chai et a pris Hubert de Boüard comme consultant.

Sans tergiverser, les dégustateurs ont accordé un coup de cœur à ce pur merlot. Le bouquet intense mêle les fruits noirs (mûre, cassis), les fruits rouges (groseille, framboise cuite) et les épices douces. D'attaque ample, le palais développe une sensation veloutée et puissante, soutenu par des tanins enrobés jusqu'à la finale en « queue de paon ». ⧗ 2022-2030

SCEA CH. JEAN VOISIN, 1, lieu-dit Jean-Voisin, 33330 Saint-Émilion, tél. 05 57 24 70 40, contact@chateaujeanvoisin.fr r.-v.

CH. YON-FIGEAC 2016 ★★

■ Gd cru clas.	80000		30 à 50 €

99 **00** 03 05 07 09 10 11 |**12**| |13| **14** 15 **16**

L'un des plus vastes domaines de l'appellation : 24 ha d'un seul tenant entourant un parc ombragé et un château du XVIII[e]s., entre Libourne et Saint-Émilion. Un cru mentionné pour la première fois en 1886 et classé depuis 1955. L'industriel Alain Château, son cinquième propriétaire, arrivé en 2005, a rénové l'ensemble, vignoble et bâtiments.

Un 2016 au bouquet profond de fruits des bois, de cassis et de mûre, agrémenté de subtils arômes torréfiés. Au palais, tout est élégance, depuis l'expression fruitée d'une chair dense et puissante jusqu'à la trame de tanins ronds. La dégustation s'achève par une étonnante finale de petits fruits noirs. ⧗ 2023-2030

SAS YON-FIGEAC, 3, Yon, 33330 Saint-Émilion, tél. 05 57 84 82 98, info@vignobles-alainchateau.com r.-v.

▶ LES AUTRES APPELLATIONS DE LA RÉGION DE SAINT-ÉMILION

Plusieurs communes, limitrophes de Saint-Émilion et placées jadis sous l'autorité de sa jurade, sont autorisées à faire suivre leur nom de celui de leur célèbre voisine. Toutes sont situées au nord-est de la petite ville, dans une région pleine de charme, rythmée par des collines dominées par de prestigieuses demeures historiques et des églises romanes. Les sols sont très variés et l'encépagement est le même qu'à Saint-Émilion; aussi la qualité des vins est-elle proche de celle des saint-émilion.

LUSSAC-SAINT-ÉMILION

Superficie : 1 440 ha / Production : 85 000 hl

Lussac-saint-émilion est l'une des aires du Libournais les plus riches en vestiges gallo-romains. Au centre et au nord de l'AOC, le plateau est composé de sables du Périgord alors qu'au sud le coteau argilo-calcaire forme un arc de cercle bien exposé.

1938 2016

■ | n.c. | | 15 à 20 €

Créée en 1938, la très qualitative cave des producteurs réunis de Puisseguin-Lussac-Saint-Émilion s'illustre régulièrement dans ces pages. Elle représente aujourd'hui quelque 200 adhérents et 1 200 ha de vignes.

Cité chaque année dans le Guide, ce lussac rappelle la date de naissance de la cave coopérative des Vignerons de Puisseguin-Lussac-Saint-Émilion, autorité viticole du Libournais. Élevée une année en barrique, cette cuvée se présente dans une tenue pourpre marquée de quelques signes d'évolution. Des arômes de fruits mûrs et une belle allonge en bouche signent sa réussite. ⧗ 2020-2024

VIGNERONS DE PUISSEGUIN-LUSSAC-SAINT-ÉMILION, 1, Durand-D17, 33570 Puisseguin, tél. 05 57 55 50 40, contact@vplse.com V r.-v.

CH. BEL-AIR 2016 ★

■ | 120000 | | 8 à 11 €

Un domaine de 21 ha d'un seul tenant, dans la même famille depuis plus d'un siècle. Jean-Noël Roi est aux commandes depuis 1978.

Drapée dans une robe cerise, cette cuvée dévoile un nez de fruits noirs légèrement torréfiés par un élevage partiel en barrique (30 % du vin). Des arômes également présents dans une bouche agréable, ample, longue, dotée de tanins fondus. ⧗ 2022-2026 ■ **Jean et Gabriel 2016 ★ (11 à 15 €; 20000 b.)** : hommage filial aux père et grand-père, un lussac qui se distingue par sa lumineuse tenue grenat, par son olfaction délicate centrée sur les fruits mûrs et le cacao, et par sa bouche équilibrée, soyeuse, ronde et pulpeuse de bout en bout. ⧗ 2022-2026

SAS VIGNOBLES ROI (CH. BEL-AIR), 1, Bel-Air, 33570 Lussac, tél. 05 57 74 60 40, jean.roi@wanadoo.fr V r.-v.

CH. BERTIN 2016

■ | 5000 | | 8 à 11 €

Vignerons depuis le XVIIIe s. et neuf générations, les Saby – depuis 1997 les frères Jean-Christophe et Jean-Philippe, tous deux œnologues comme leur père Jean-Bernard – possèdent plusieurs crus dans le Libournais et exploitent un ensemble de 68 ha.

Bertin est un petit clos 100 % merlot de 1,2 ha situé dans le bourg de Lussac, à l'origine ici d'un lussac de bonne tenue, ouvert sur des arômes de fruits mûrs titillés de notes épicées, à la bouche souple et moyennement concentrée, aux tanins enrobés et aux notes toastées. ⧗ 2020-2023

EARL VIGNOBLES JEAN-BERNARD SABY ET FILS, Ch. Rozier, 33330 Saint-Laurent-des-Combes, tél. 05 57 24 73 03, info@vignobles-saby.com V r.-v.

CH. LA CLAYMORE 2016

■ | 80000 | | 11 à 15 €

François et Maria-Dolorès Linard, couple d'ingénieurs en agroalimentaire, ont acquis en 2001 le Ch. la Claymore, du celte ClaimhMhor, la grande épée des Highlanders : le domaine fut une zone de garnison des troupes écossaises lors de la bataille de Castillon. Le vignoble couvre aujourd'hui 43,8 ha répartis sur trois AOC : lussac (La Claymore, La Haute Claymore, Moulin de Fontmurée), montagne (Flaunys et Grand Barail) et bordeaux supérieur (Cilorn et Faise).

Un 2016 né sur les molasses du Fronsadais. Merlot (75 %), malbec (15 %) et les deux cabernets composent un assemblage vigoureux. Marqué par un pointe de sévérité dès l'attaque, ce vin tendu, bien élevé et de bonne longueur en bouche demeure un fier représentant de l'appellation. À attendre pour plus de souplesse. ⧗ 2022-2028

SCEA CLAYMORE, Ch. la Claymore, Maison-Neuve, 33570 Lussac, tél. 05 57 74 67 48, contact@laclaymore.fr V *t.l.j. sf sam. dim. 9h-12h 14h-16h*

♥ CH. CÔTES DE CHAMBEAU 2016 ★★

■ | 20000 | | 5 à 8 €

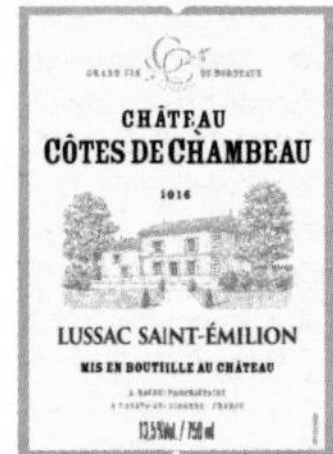

Un cru de 12 ha sur les AOC montagne-saint-émilion et lussac-saint-émilion, dans la famille Baudet depuis trois générations, conduit aujourd'hui par les frères Alain et Christophe.

Issu du seul merlot vinifié en cuves béton et Inox après une longue macération préfermentaire, ce lussac se présente dans une ravissante et lumineuse robe grenat. Il se révèle d'une grande gourmandise dès l'olfaction avec ses arômes de mûre, de fraise et d'épices. Le fruité abonde en bouche, où le vin se fait ample, rond et soyeux, sans la moindre raideur tannique, et déploie une très longue finale. ⧗ 2021-2029

ALAIN BAUDET, Cornuaud, 33570 Montagne, tél. 05 57 74 51 10, al.baudet@orange.fr

CH. DU COURLAT 2016

■	74 000	🛢	11 à 15 €

En 1906, le Corrézien Jean-Baptiste Audy crée son négoce puis investit dans plusieurs crus du Libournais. Son petit-fils Pierre Bourotte et, depuis 2003, son arrière-petit-fils Jean-Baptiste gèrent la maison et les vignobles familiaux : Courlat, ancien fief des Barons de Montagne (15 ha en lussac et en montagne), Bonalgue (9,5 ha) et Clos du Clocher (5,9 ha) en pomerol, Les Hauts-Conseillants (10 ha) en lalande.

Ce 2016 d'un brillant rubis livre une olfaction harmonieuse entre fruité, grillé et boisé. Arômes que l'on retrouve dans une bouche souple, fine et élégante, prolongée par une finale tout en fraîcheur. ⌛ 2020-2025

SAS PIERRE BOUROTTE (CH. COURLAT/CH. LES HAUTS-CONSEILLANTS), 62, quai du Priourat, BP 79, 33502 Libourne Cedex, tél. 05 57 51 62 17, contact@jbaudy.fr V 🚶 🍷 *r.-v.*

CH. CROIX DU RIVAL Le Rival 2016 ★

■	11 700	🛢	30 à 50 €

Créée par un groupe d'amis réunis autour de Stephan von Neipperg (Canon La Gaffelière à Saint-Émilion) et Didier Miqueu, la SCEA Winevest Saint-Émilion a acquis en 2005 le Ch. Soleil, 20 ha à Puisseguin, complétés en 2007 de 13,5 ha en lussac avec le Ch. Croix du Rival.

Ce vin élevé près de deux ans en barrique se présente dans une brillante robe grenat auréolée de violine. Il dévoile un nez expressif de cassis, de cacao et de pain grillé. Ronde et généreuse, la bouche apparaît équilibrée autour de tanins souples. ⌛ 2020-2025

SCEA WINEVEST SAINT-ÉMILION (CH. CROIX DU RIVAL), Girard, 33570 Lussac, tél. 09 75 69 65 75, info@chateausoleil.fr

CH. DUMON BOURSEAU MILON 2016 ★

■	16 000	🍾	5 à 8 €

Une exploitation familiale depuis quatre générations, qui étend son vignoble sur 35 ha et produit du lussac-saint-émilion et du bordeaux supérieur.

Issu de merlot et de cabernet franc (15 %), ce vin s'affiche dans une robe foncée et déploie des arômes gourmands de fruits noirs. Ronde et ample sans manquer de fraîcheur, la bouche propose un bel équilibre autour du fruit et de tanins croquants. ⌛ 2021-2026 ■ **Emilia 2016 ★ (8 à 11 €; 8000 b.)** : le seul merlot compose cette cuvée hommage à l'arrière-grand-mère ; un vin doté d'un fruité friand et de tanins tendres. ⌛ 2021-2026

SCEA VIGNOBLES DUMON, 9, Malydure-Bourseau, 33570 Lussac, tél. 06 86 52 37 74, info@vignobles-dumon.com V 🚶 🍷 *t.l.j. sf dim. 8h-12h 14h-18h*

CH. LA GRANDE CLOTTE L'Escapade 2016 ★★

■	3000	🛢🍾	11 à 15 €

Ce petit vignoble se situe au cœur de l'appellation lussac-saint-émilion. Confié en fermage à partir de 1992 à Michel Rolland par la famille Malaterre; il a été repris en 2016 par Julie et Mathieu Mercier. Originalité du domaine : outre ses 7,5 ha dédiés aux vins rouges, une micro-parcelle de 1 ha est réservée aux cépages blancs à l'origine d'un confidentiel bordeaux sec.

Finaliste du coup de cœur, cette cuvée confidentielle a bénéficié d'attentions particulières, au chai comme à la vigne : effeuillages, vendanges vertes, récoltes parcellaires, longues macérations en cuves thermorégulées, élevage d'un an en barrique... Autant de précautions vigneronnes qui aboutissent à ce vin rubis éclatant, au nez complexe de fruits mûrs, de cannelle et de biscotte grillée, à la fois puissant et soyeux en bouche. ⌛ 2021-2029 ■ **L'Envolée 2016 ★ (15 à 20 €; 3000 b.)** : un vin fruité et légèrement boisé, bien équilibré, à la fois frais et rond, bâti sur des tanins élégants. ⌛ 2021-2025

SCEA CH. LA GRANDE CLOTTE, lieu-dit La Clotte, 33570 Lussac, tél. 06 49 77 23 97, julie.ropet@lagrandeclotte.com V 🚶 🍷 *r.-v.*

CH. DE LA GRENIÈRE
Cuvée de la Chartreuse 2016 ★

■	15 000	🛢	11 à 15 €

Au XVII[e]s., les moines de la proche abbaye de Faize venaient s'approvisionner au Dom. de la Grenière, déjà réputé pour la qualité de ses vins. Depuis 1914, c'est la famille Dubreuil (aujourd'hui Jean-Pierre et son épouse Évelyne) qui gère ce cru de 15 ha régulier en qualité, implanté sur des terres argilo-graveleuses.

Après dix-huit mois de fût, ce vin d'un pourpre quasi opaque se révèle tonique et puissant. Un lussac massif et encore sous la dépendance du bois, qui, avec le temps, verra ses beaux arômes de cerise noire trouver leur juste place. ⌛ 2022-2029

EARL VIGNOBLES DUBREUIL (CH. LA GRENIÈRE), 14, La Grenière, 33570 Lussac, tél. 05 57 24 16 87, earl.dubreuil@wanadoo.fr V 🚶 🍷 *r.-v.*

CH. HAUT-GAZEAU 2016 ★

■	24 000	🛢	11 à 15 €

Situé sur le haut d'un plateau argilo-calcaire dénommé « Gazeau », ce cru de 12 ha couvre deux AOC : 8,5 ha en lussac-saint-émilion avec Haut-Gazeau et 3 ha en bordeaux supérieur avec La Gadette. Il a été repris en 2008 par Julien Juzan.

Interprètes d'un terroir argilo-sableux reposant sur socle argilo-calcaire, merlot (85 %) et cabernet franc composent un lussac sombre aux reflets violines, au nez fruité et délicatement toasté, élégant et bien équilibré en bouche malgré une petite sévérité de jeunesse en finale. ⌛ 2021-2025

EARL DOM. JUZAN, 10, lieu-dit Michel-de-Vert, 33570 Lussac, tél. 06 80 70 68 71, hautgazeau@gmail.com V 🚶 🍷 *r.-v.*

CH. LA JORINE 2016

■	25 000	🛢🍾	8 à 11 €

En 1964, Henri Fagard, maître de chai, crée à Petit-Palais, en Libournais, le Ch. de Cornemps, un vignoble dominé par une chapelle du XI[e]s., ancienne étape sur la route de Saint-Jacques. Il agrandit son exploitation qu'il transmet en 1983 à son fils Henri-Louis. Ce dernier achète en 1995 des vignes (3,5 ha) dans l'AOC voisine lussac-saint-émilion. Aujourd'hui, 31 ha et deux étiquettes : Ch. de Cornemps (AOC régionales) et Ch. la Jorine (lussac).

Il ne sera pas nécessaire d'attendre trop longtemps ce lussac pour en apprécier les qualités. La robe, tuilée, traduit un début d'évolution. Le nez associe les épices à un fruité très mûr. Souple et ronde, la bouche, équipée de tanins très fondus, reste dominée par le fruit. ⧗ 2020-2023

EARL VIGNOBLES FAGARD (CH. LA JORINE), 2419, rte de Puynormand-Cornemps, 33570 Petit-Palais, tél. 05 57 69 73 19, vignobles.fagard@wanadoo.fr V r.-v.

CH. LION PERRUCHON La Griffe 2016

■	5920		15 à 20 €

Patricia et Denis Munck ont repris en 2002 ce domaine régulier en qualité pour ses lussac-saint-émilion. Le vignoble couvre 10 ha.

À un nez discret mais élégant répond une bouche franche en attaque, bien structurée et encore un brin sévère en finale. ⧗ 2021-2024

SARL MUNCK-LUSSAC (CH. LION PERRUCHON), lieu-dit Perruchon, 33570 Lussac, tél. 05 57 74 58 21, lionperruchon@sfr.fr V *t.l.j. sf sam. dim. 9h-12h 13h-16h*

CH. LUCAS 2016

■	72000		8 à 11 €

Ce château tire son nom d'un lieu-dit situé sur le plateau de Lussac-Saint-Émilion. Ce sont les moines de l'abbaye de Faize qui, à la fin du XVI^e^s., le donnèrent à la famille Vauthier pour bons et loyaux services. Frédéric Vauthier, aux commandes depuis plus de vingt ans, y conduit aujourd'hui un vignoble de 20 ha.

D'une intensité mesurée, le nez de ce lussac évoque les fruits rouges. En bouche, le vin se montre souple, frais et bien équilibré. ⧗ 2020-2023

SCE CH. LUCAS, Ch. Lucas, 33570 Lussac, tél. 06 80 04 17 96, chateau.lucas.fred.vauthier@wanadoo.fr V *r.-v.*

CH. DE LUSSAC 2016

■	72409		11 à 15 €

Quitter la vie parisienne pour s'installer à Lussac afin de rendre au château éponyme (30 ha) son lustre passé, c'est le pari tenté – et tenu depuis 2000 – par Hervé Laviale et son épouse Griet Van Malderen, également propriétaires de Vieux Maillet (pomerol), de Saint Jean de Lavand (lalande-de-pomerol) et de Franc-Mayne (saint-émilion grand cru).

Ce vin dévoile un nez puissant de fruits rouges renforcé de fortes notes empyreumatiques. En bouche, il associe vivacité et bonne structure. ⧗ 2021-2024

SCEA DU CH. DE LUSSAC, 15, rue de Lincent, 33570 Lussac, tél. 05 57 74 56 58, info@chateaudelussac.com V *r.-v.* 5

CH. DU MOULIN NOIR 2016

■	26000		11 à 15 €

Propriétaire dans le Médoc depuis la fin du XIX^e^s. (Ch. Lescalle, Ch. Maucamps), la famille Tessandier a acheté en 1989 à un ancien coopérateur ce vignoble de 4,5 ha dont elle a porté la superficie à 17 ha, répartis entre les appellations montagne et lussac-saint-émilion.

Belle couleur pourpre, intense présence de fruits noirs au nez, de la mâche en bouche autour de tanins qui ne s'en laissent pas conter : une bouteille à oublier quelques années en cave, le temps que tout s'harmonise. ⧗ 2022-2026

SC CH. DU MOULIN NOIR, Lescalle, 33460 Macau, tél. 05 57 88 07 64, vitigestion@vitigestion.com V *r.-v.*

CH. MUNCH 2016 ★

■	8000		11 à 15 €

Patrick Munch et son épouse Sylvie quittent la région parisienne en 2008 pour s'installer dans le Bordelais, à la tête de ce petit vignoble de 4 ha situé au lieu-dit Bertineau, entre Lussac et Néac. Conseillés par Hubert de Boüard, ils se sont rapidement imposés comme une belle référence en lussac.

Au Ch. Munch, les sélections parcellaires sont érigées en principe viticole. S'ensuivent, après la vendange, des vinifications soignées en petites cuves thermorégulées, assorties de pigeages et remontages fréquents. Le but ? Extraire le maximum d'arômes. Né d'un assemblage de merlot, très majoritaire (90 %), et de cabernet franc, ce lussac de haute expression propose ainsi une olfaction complexe autour des fruits noirs et d'un boisé délicat. Franche dès l'attaque, charnue et dotée d'élégants tanins, la bouche affiche une belle maturité. ⧗ 2022-2029

EARL VIGNOBLES MUNCH, lieu-dit Bertineau, 33570 Montagne, tél. 06 08 89 36 32, patrickmunch@hotmail.com V *r.-v.*

MONTAGNE-SAINT-ÉMILION

Superficie : 1 600 ha / Production : 91 600 hl

Montagne dispose d'un riche patrimoine architectural et d'une église romane (Saint-Martin) qui constitue l'un des joyaux de la région. Ses terroirs sont variés : argilo-calcaires ou graves. Le visiteur pourra apprécier la vocation viticole du village dans l'écomusée du Libournais.

B CH. ANGE GABRIEL 2016 ★★

■	2500		20 à 30 €

Les Tapon sont enracinés en Libournais depuis des siècles. Nicole, fille de Raymond, et Jean-Christophe Renaut, y exploitent 30 ha (en bio certifié depuis le millésime 2012); l'essentiel (21,5 ha) se trouve en montagne-saint-émilion avec le Ch. des Moines, fondé au XVI^e^s. par les bénédictins de Cîteaux, et Gay Moulins, planté du seul bouchet (nom local du cabernet franc).

Tentateur cet Ange Gabriel, annonciateur de voluptés... Pourpre intense, il orchestre une séduisante partition : fruité mûr à point, épices fines, boisé subtil. La bouche est à l'unisson : structure irréprochable, matière volumineuse, riche de fruits rouges et noirs, tanins magnifiés par l'élevage de quinze mois en barrique. Rien d'anguleux, mais du rond, rien d'autre que du rond. ⧗ 2020-2025 ■ **Ch. des Moines 2016** ★ (11 à 15 €;

15000 b.) Ⓑ : un vin fruité aux légères notes toastées. Matière et structure équilibrées, joli volume : la bouche séduit elle aussi. ⧗ 2021-2025

⊶ EARL VIGNOBLES RAYMOND TAPON, 23, rue Guadet, BP 38, 33330 Saint-Émilion, tél. 05 57 74 61 20, information@tapon.net V 🚶 ▮ *r.-v.*

CH. ARBO 2016 ★

■	7200	🛢 ▮	11 à 15 €

Les jeunes Astrid et Dorian Arbo se sont lancés en 2015 dans la vigne, exploitant un petit domaine de 6,5 ha réparti sur douze parcelles.

Chaleureuse couleur rubis qui invite à faire plus ample connaissance avec ce 2016. On découvre alors l'intense fruité du merlot qui compose 88 % de l'assemblage. Charnu comme il se doit, le vin se prolonge en bouche sur des notes de bâton de réglisse héritée de quatorze mois d'élevage en barrique. ⧗ 2023-2030

⊶ EARL JORDA (CH. ARBO), 13, rte des Faucheries, 33570 Montagne, tél. 07 83 29 91 66, astrid@chateau-arbo.com V 🚶 ▮ *r.-v.*

CH. LA BASTIENNE 2016 ★★

■	50000	🛢 ▮	15 à 20 €

Jean Janoueix est l'un de ces nombreux Corréziens fondateurs de maisons en Libournais. Créée en 1898, la sienne s'est séparée en plusieurs branches. Pierre-Emmanuel, l'un de ses arrière-petits-fils, fort d'un diplôme d'ingénieur, a pris en main en 2000 les vignobles familiaux : les Ch. la Bastienne (15 ha en lalande), Pierhem (1,8 ha à Pomerol) et Vieux Doumayne (80 ares en saint-émilion grand cru).

Timide ce 2016? De prime abord peut-être, mais à l'aération, il développe longtemps ses arômes de fruits noirs, subtilement soulignés de touches mentholées et grillées. Encore jeune? Les reflets violacés de sa robe intense l'indiquent, certes. Mais le potentiel est indéniable : structure tannique de qualité, chair ample et flaveurs persistantes. Le temps jouera en sa faveur. ⧗ 2020-2030

⊶ SARL VIGNOBLES PIERRE-EMMANUEL JANOUEIX (CH. LA BASTIENNE), La Bastienne, BP 33, 33570 Montagne, tél. 05 57 74 53 18, pejx@pejanoueix.com V *r.-v.*

CH. CLOS DE BOÜARD Dame de Boüard 2016 ★

■	n.c.	🛢	15 à 20 €

Coralie de Boüard a passé son enfance au Ch. Angélus (saint-émilion premier grand cru classé A) et y a travaillé, aux côtés de son père, dans le domaine de la communication, du marketing et des ventes. En 2014, elle a pris la direction du Ch. la Fleur de Boüard (lalande-de-pomerol), puis a racheté en 2016 un vignoble de 30 ha en montagne-saint-émilion : le Ch. Clos de Boüard (anciennement Ch. Tour Musset).

Second vin du Ch. Clos de Boüard, ce 2016 sait jouer de ses charmes tant par sa robe pourpre à reflets violines que par ses arômes fruités (myrtille) agrémentés de notes de violette et d'un soupçon de vanille. Gourmand et chaleureux en bouche, il tire profit de tanins serrés. ⧗ 2022-2025

⊶ SAS CH. CLOS DE BOÜARD, 10, rte de Saint-Christophe, 33570 Montagne, tél. 06 86 24 11 22, o.courtois@lafleurdebouard.com V 🚶 ▮ *t.l.j. sf sam. dim.*

♥ CLOS LA CROIX D'ARRIAILH 2016 ★★

■	5870	🛢	15 à 20 €

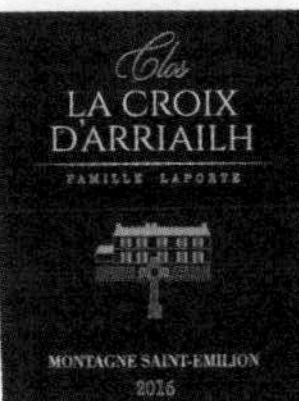

Les Laporte, aujourd'hui Clément et Rémi, sont établis depuis cinq générations sur cette exploitation de 9,5 ha située au lieu-dit Arriailh, à 3 km de Pomerol et de Saint-Émilion. Ils proposent deux étiquettes : Croix-Beauséjour et Clos La Croix d'Arriailh.

Quel doublé! Un coup de cœur, le Clos La Croix d'Arriailh, et, invitée à la finale, la cuvée Référence du Château Croix Beauséjour. Alliant le malbec (15 %) et le cabernet franc (5 %) au merlot, ce 2016 revêt une parure sombre à reflets grenat. Élégance remarquée! Le nez tout aussi distingué décline les fruits noirs (mûre, myrtille) nuancés de notes boisées, tandis qu'en bouche se dévoile une matière richement fruitée, aux tanins délicats. ⧗ 2023-2030 ■ **Ch. Croix Beauséjour Cuvée Référence 2016 ★★ (8 à 11 €; 11400 b.)** : un vin ample et long, gorgé de fruits noirs, remarquablement structuré par des tanins boisés. Un solide potentiel en somme. ⧗ 2022-2028

⊶ EARL CH. CROIX BEAUSÉJOUR, 5, rte d'Arriailh, 33570 Montagne, tél. 05 57 74 59 21, vigne@chateau-croix-beausejour.com V 🚶 ▮ *r.-v.* 🏠 ③

CH. COUCY 2016 ★★

■	120000	🛢 ▮	11 à 15 €

Implanté sur les coteaux argilo-calcaires de Montagne, ce domaine de 20 ha d'un seul tenant porte le nom d'une lignée anglaise installée en Aquitaine au XVᵉs. Il a été repris en 2017 par Florence Galande.

Les éloges ont fleuri, nombreux, sous la plume des dégustateurs : «belle bouteille sincère, qui ne peut décevoir, tanins fins, expressifs, boisé élégant…» Parfait assemblage de merlot (85 %) et de cabernet franc, ce vin ample, rond et fruité répond aux attentes des gourmets. ⧗ 2021-2027

⊶ SAS GALANDE ET ASSOCIÉS (CH. COUCY), 25, rte des Vallons, Lieu-dit Coucy, 33570 Montagne, tél. 05 57 24 16 08, sas.galande.associes@gmail.com V 🚶 ▮ *r.-v.* 🏠 Ⓔ

CH. DU COURLAT Cuvée Jean-Baptiste 2016 ★★

■	40000	🛢	15 à 20 €

En 1906, le Corrézien Jean-Baptiste Audy crée son négoce puis investit dans plusieurs crus du Libournais. Son petit-fils Pierre Bourotte et, depuis 2003, son arrière-petit-fils Jean-Baptiste gèrent la maison et les vignobles familiaux : Courlat, ancien fief des Barons de Montagne (15 ha en lussac et en montagne), Bonalgue (9,5 ha) et Clos du Clocher (5,9 ha) en pomerol, Les Hauts-Conseillants (10 ha) en lalande.

Un pur merlot bien conduit et vinifié avec tous les égards. Le voici qui parade dans une tenue rubis brillant. Au nez, les arômes de fruits noirs s'installent, intenses. Le prélude à une bouche ample, dotée d'élégants tanins et de notes épicées. «Très beau potentiel», note un dégustateur. 2023-2030

SAS PIERRE BOUROTTE (CH. COURLAT/CH. LES HAUTS-CONSEILLANTS), 62, quai du Priourat, BP 79, 33502 Libourne Cedex, tél. 05 57 51 62 17, contact@jbaudy.fr V r.-v.

CH. LA CROIX DE MOUCHET Cuvée sélectionnée Élevé en fût de chêne 2016

■	14 000		8 à 11 €

Trois générations de Grando se sont succédé sur cette exploitation depuis son achat en 1947 par le grand-père. Un ensemble viticole de 18 ha qui s'étend en puisseguin-saint-émilion (6 ha) et en montagne-saint-émilion (12 ha).

Bien travaillé au chai (macérations longues, contrôle des températures par thermorégulation), ce montagne-saint-émilion issu de merlot (80 %) et de cabernet franc s'inscrit bien dans le style libournais. Un long séjour en barrique est à l'origine de tanins structurants qui donnent du relief à un ensemble fruité, légèrement épicé. 2022-2025

SCEA CH. LA CROIX DE MOUCHET, 2, rte de Puisseguin, 33570 Montagne, tél. 05 57 74 62 83, croixdemouchet@gmail.com V r.-v.

CH. LA CROIX DE NAULT 2016 ★★

■	15 000		8 à 11 €

Une propriété dans la famille de Monique Bedrenne depuis cinq générations. Cette dernière, épaulée par son fils, y exploite un vignoble de 14 ha.

Vêtu de grenat très foncé, ce 2016 intensément fruité (cassis, cerise, groseille) s'épanouit plus encore en bouche. Dès l'attaque, on perçoit une belle matière souple que des tanins nobles étayent agréablement. En contrepoint, des notes épicées apportent de la fraîcheur. Un vin à déguster dès la sortie du Guide, mais qui peut être oublié quelques années en cave. 2019-2025

EARL VIGNOBLES BEDENNE (CH. LA CROIX DE NAULT), 3, rue du 8-mai-1945, 33500 Lalande-de-Pomerol, tél. 05 57 51 46 75, vignobles.bedrenne@orange.fr V *t.l.j. 10h-12h 13h-18h*

CH. LA CROIX-JURA 2016 ★

■	14 200		5 à 8 €

Les Berlureau exploitent depuis six générations un vignoble de 11,5 ha en montagne-saint-émilion (Croix-Jura) et en saint-émilion (Moulin du Jura). Les chais ont remplacé un ancien moulin et une boulangerie qui ont fait partie du décor jusqu'au XIXᵉ s.

Élevé dix-huit mois en cuve, ce vin dominé à 90 % par le merlot se présente dans une robe pourpre. La richesse du fruit, au nez comme en bouche, en fait un vin aimable dès à présent. Du classique dans le meilleur sens du terme. 2019-2025

SARL MOULIN DU JURA, 13, rte de Libourne, 33570 Montagne, tél. 06 22 89 78 81, contact@moulindujura.fr V r.-v.

CH. FAIZEAU 2016 ★★

■	78 000		15 à 20 €

Déjà recensé sur la carte de Belleyme (le géographe de Louis XV qui dressa la carte de la Guyenne) au XVIIIᵉ s., ce vignoble occupe les pentes du tertre de Calon, sur les hauteurs du Libournais. Son nom évoque l'abbaye bénédictine de Faize, qui possédait des terres viticoles dans le Saint-Émilionnais.

«De la recherche sur une matière noble», indique un dégustateur conquis par les attraits de ce 2016. Pourpre sombre, riche d'un fruité puissant, d'un boisé profond et notes de sureau étonnantes : cela commence très bien... La matière dense et volumineuse prolonge le plaisir jusqu'à une finale soyeuse. 2021-2025

SCEA TERRES BORDELAISES, Ch. Laubès, 33760 Escoussans, tél. 05 57 98 07 20, vcachau@lgcf.fr

CH. FRANC-BAUDRON Élevé en fût de chêne 2016 ★

■	24 400		8 à 11 €

Une propriété dans la famille Guimberteau depuis sept générations. Après une expérience en Alsace, Sophie et son compagnon savoyard Charles Foray ont repris en 2010 la conduite des 42 ha de vignes et opté pour la conversion bio.

Assemblage de merlot (80 %) et de cabernet franc, élevé en barrique pendant douze mois, ce vin vêtu de grenat est agréable au possible. On ne se lasse pas de découvrir ses senteurs fruitées relevées de vanille. La bouche franche et équilibrée bénéficie de tanins joliment intégrés. 2021-2025

EARL CH. FRANC-BAUDRON, 1, imp. Baudron, 33570 Montagne, tél. 05 57 74 62 65, contact@chateau-franc-baudron.com V r.-v.

CH. GRAND BARIL Cuvée Prestige 2016 ★

■	21 300		11 à 15 €

Créé en 1969, le lycée viticole de Libourne-Montagne – qui forme quelques 300 élèves par an – exploite un domaine de 40 ha répartis sur deux crus : Grand Baril en montagne-saint-émilion et Réal-Caillou en lalande-de-pomerol.

Le merlot, présent à 85 %, s'exprime pleinement dans ce vin rubis profond, au fruité éclatant. Le côté vanillé est hérité de l'élevage de douze mois en barrique. Plutôt sage au nez, le boisé apparaît plus assertif en finale, dans une bouche ample et ronde. 2020-2023

CH. RÉAL-CAILLOU/GRAND BARIL, 38, rte de Goujon, 33570 Montagne, tél. 05 57 55 21 22, expl.legta.libourne@educagri.fr V *t.l.j. sf sam. dim. 8h30-12h 14h-17h*

CH. GUILLOU 2016

■	35 000		8 à 11 €

Vignerons depuis le XVIIIᵉ s. et neuf générations, les Saby – depuis 1997 les frères Jean-Christophe et Jean-Philippe, tous deux œnologues comme leur père Jean-Bernard – possèdent plusieurs crus dans le Libournais et exploitent un ensemble de 68 ha.

Si quelques notes d'évolution apparaissent déjà dans ce 2016 et si le boisé est énergique, la structure est de qualité, de même que la matière. Une courte attente lui sera vraisemblablement bénéfique. ⧗ 2020-2025

EARL VIGNOBLES JEAN-BERNARD SABY ET FILS, Ch. Rozier, 33330 Saint-Laurent-des-Combes, tél. 05 57 24 73 03, info@vignobles-saby.com V r.-v. E

CH. HAUT-BONNEAU Vieilles Vignes 2016 ★★

■	18000		11 à 15 €

Développée au XIXᵉs. par Hubert David, ingénieur agronome, qui l'achète en 1822, cette propriété a changé plusieurs fois de mains. Maurice Marchand l'acquiert en 1969 et la transmet à son fils Bruno trente ans plus tard. Le domaine s'étend aujourd'hui sur 21 ha, essentiellement en AOC montagne-saint-émilion.

Cette cuvée issue de vieux merlots complétés de cabernet franc tire une bonne partie de ses richesses d'un terroir argilo-calcaire. Traditionnel, l'élevage a sublimé le travail de l'équipe vigneronne. Profond, le vin offre de pimpants arômes de fruits rouges qui contribuent à une agréable sensation de fraîcheur en bouche. Bel équilibre. ⧗ 2021-2025

SCEA CH. HAUT-BONNEAU, 17, rte des Vallons-Bonneau, 33570 Montagne, tél. 05 57 74 69 23, bm@chateau-haut-bonneau.com V r.-v.

CH. HAUT-GOUJON 2016 ★

■	15000		11 à 15 €

Ce cru dispose d'un vignoble de 18 ha en lalande-de-pomerol et en montagne-saint-émilion. La famille Garde y est installée depuis quatre générations; la dernière est représentée par Corinne, Mickaël et Vincent, qui ont pris la suite de leur père Henri en 1995.

Charmeur. C'est ainsi que ce vin est apparu aux dégustateurs, séduits d'emblée par les reflets brillants de sa robe rubis. Impression confirmée par le nez intense de fruits noirs, délicatement nuancé de notes boisées et mentholées. La bouche, ample et souple, est d'un équilibre impeccable. ⧗ 2020-2024

SCEA GARDE ET FILS (CH. HAUT-GOUJON), Ch. Haut-Goujon, 50, Goujon, 33570 Montagne, tél. 05 57 51 50 05, contact@chateauhautgoujon.fr V t.l.j. 9h-18h G

CH. L'HERMITAGE MIRANDE 2016 ★

■	5300		11 à 15 €

Cette propriété familiale de 1 ha appartient à la famille Fanon, également propriétaire du Ch. Despagnet en saint-émilion, et des Ch. l'Hermitage Mirande et Ch. Saint-Louis en montagne.

Robe pourpre comme il se doit, fruité léger après aération, bouche franche en parfaite cohérence aromatique, finale fraîche et équilibrée. Il suffira d'être un peu patient pour découvrir ce vin au meilleur de son potentiel. ⧗ 2021-2025

EARL FANON-FLORET, 1, chem. du Caillou, 33570 Montagne, tél. 06 07 89 84 54, juliette.fanon@orange.fr V r.-v.

CH. JURA-PLAISANCE 2016

■	37000		11 à 15 €

Cru familial acquis en 1938 par Robert Delol, aujourd'hui dirigé par son fils Bernard. Un vignoble de 8 ha, bénéficiant d'un beau point de vue sur Saint-Émilion, qui descend en pente douce vers la Barbanne, «ruisseau frontière» entre les AOC pomerol et saint-émilion.

Merlot et cabernet à parité dans l'assemblage ont donné naissance à un vin équilibré qui a tiré le juste parti d'un élevage en cuve pendant huit mois. Aérien au nez comme en bouche, il plaira à tous ceux qui veulent profiter de l'instant présent, sans «se prendre la tête». ⧗ 2019-2022

SCEA JURA-PLAISANCE (CH. JURA-PLAISANCE), Jura-Plaisance, 33570 Montagne, tél. 05 57 50 63 15, chateau@jura-plaisance.fr V t.l.j. 8h-12h 13h30-19h

CH. LABATTUT 2016

■	13800		8 à 11 €

Créée en 1931, la coopérative de Saint-Émilion est un acteur incontournable du Libournais, et ses cuvées – vins de marque (Aurélius, Galius) ou de domaines (une cinquantaine de propriétés apportent leur vendange à la «coop») – sont régulièrement au rendez-vous du Guide.

Sous une belle robe vermillon apparaissent d'agréables arômes de fruits rouges, d'abord timides puis plus expressifs. Dans la même lignée aromatique, la bouche fraîche porte encore la marque de tanins serrés. Il faut que jeunesse se passe… ⧗ 2021-2024

UNION DE PRODUCTEURS DE SAINT-ÉMILION, Lieu-dit Haut-Gravet, BP 27, 33330 Saint-Émilion, tél. 05 57 24 70 71, contact@udpse.com V r.-v.

B CH. LACANT 2016 ★

■	7000		11 à 15 €

On peut être de souche «cantalouse» – LACANT est l'anagramme de CANTAL – et aimer les terres émilionnaises. Depuis 2012, Martine et Francis Charbonnel en témoignent. Ils ont confié à Nicole Tapon le travail des vignes et la vinification.

Merlot et cabernet franc vendangés à la main composent un montagne-saint-émilion amical. La chair ronde et fruitée peut compter sur l'appui de tanins discrets et d'un boisé bien ajusté. ⧗ 2021-2025

SCEA VIGNOBLES CHARBONNEL, 29, av. Jean-Jaurès, 63540 Romagnat, tél. 06 79 93 31 46, jc@vignobles-charbonnel.com V r.-v.

LERVILLE DE PLAISANCE 2016

■	3000		11 à 15 €

Représentant de la septième génération sur ce domaine, Stéphane Érésué (du nom d'un village d'Aragon duquel est originaire sa famille) s'est installé en 1992 aux commandes de ce cru de 12 ha établi sur le terroir de Parsac, au nord de Saint-Émilion.

Du merlot et de 10 % de cabernet-sauvignon est né ce vin ouvert sur d'intenses notes fruitées. Bien bâti, il présente une attaque souple et se poursuit sur une bonne matière, mais les tanins demeurent encore sensibles. Laissons le temps au temps. ⧗ 2021-2024

SCEA ÉRÉSUÉ PÈRE ET FILS, 1, champ de Larue, 33570 Montagne, tél. 06 88 06 76 43, lerville@yahoo.fr r.-v.

TAGE DE LESTAGE 2016 ★★

■ | 19600 | | 11 à 15 €

Situé à Parsac, le cru aurait été donné par Louis XIII à un officier de ses armées en récompense de hauts faits au siège de la Rochelle. Il couvre aujourd'hui près de 19 ha en montagne-saint-émilion. Philippe Raoux (Ch. d'Arsac à Margaux) l'avait acquis en 2000. Cette valeur sûre de l'appellation a été vendue en décembre 2014 à Sergueï Belikov, industriel et négociant russe, qui, après avoir fait fortune dans la climatisation, s'est intéressé aux vins français.

Un second vin à la hauteur de nombre de premiers. C'est ce que confirment les dégustateurs, qui relèvent l'harmonie d'un montagne qui invite au partage. Vif et brillant, le rouge de sa tenue annonce bien la palette de fruits noirs agrémentés d'épices, perceptible au nez comme en bouche. Ampleur et longueur finissent de convaincre. ⧗ 2022-2027

SCEA IMPULSION VIN (CH. LESTAGE), 12, rte de Parsac, 33570 Montagne-Saint-Émilion, tél. 06 74 53 06 56, giraud@chateaulestage.com r.-v.

CH. LYS DE MAISONNEUVE Cuvée Prestige 2016

■ | 10000 | | 8 à 11 €

Ce vignoble appartint jusqu'en 1934 à la famille Lacoste, alors également propriétaire de Petrus. Installés en 1989, Alain et Nicole Rospars, rejoints en 2015 par Thomas, l'ont largement replanté et agrandi vers Saint-Christophe-des-Bardes. Ils exploitent quelque 20 ha en AOC montagne-saint-émilion (Lys de Maisonneuve) et en saint-émilion (Moulin de Laborde).

Ce vin doit sa réussite à une belle vendange de merlot, cépage très présent dans l'assemblage (85 %). Le chêne le marque encore, mais la matière est suffisante pour reprendre le dessus à la faveur de la garde. ⧗ 2021-2024

EARL ROSPARS (CH. LYS DE MAISONNEUVE), La Maisonneuve, 33570 Montagne, tél. 07 86 18 73 81, thomas@vignobles-rospars.com r.-v.

CH. DE MAISON NEUVE 2016 ★

■ | 145000 | | 5 à 8 €

Vinifiée en coopérative jusqu'en 1969, l'exploitation a été reprise à cette date par Michel Coudroy qui est graduellement sorti de la cave. Il exploite aujourd'hui un important vignoble de 80 ha répartis sur plusieurs crus, notamment Maison Neuve en montagne-saint-émilion, Haut-Tropchaud en pomerol et la Faurie Maison Neuve en lalande-de-pomerol.

Couleur grenat brillant, bouquet subtil de fruits noirs avec des notes boisées, bouche équilibrée entre fraîcheur et rondeur : l'ensemble est bien construit. ⧗ 2021-2025 ■ **Ch. Haut Langlade 2016** ★ (5 à 8 €; **70000 b.)** : un vin gourmand tant il est souple et fruité. Le boisé fondu en souligne la rondeur. Plaisir à ne pas bouder. ⧗ 2020-2023

SCEA VIGNOBLES MICHEL COUDROY, Maison-Neuve, 33570 Montagne, tél. 05 57 74 62 23, michel-coudroy@orange.fr t.l.j. 8h15-12h15 13h30-17h30

CH. DU MOULIN NOIR 2016 ★

■ | 20000 | | 11 à 15 €

Propriétaire dans le Médoc depuis la fin du XIXe s. (Ch. Lescalle, Ch. Maucamps), la famille Tessandier a acheté en 1989 à un ancien coopérateur ce vignoble de 4,5 ha dont elle a porté la superficie à 17 ha, répartis entre les appellations montagne et lussac-saint-émilion.

Vendangés à la main sur 3,5 ha, merlot et cabernet franc se sont partagés les faveurs d'un beau terroir argilo-calcaire. Une année d'élevage en fût a nuancé joliment le bouquet fruité de ce vin, dont la générosité s'affirme totalement en bouche : fraîcheur de l'attaque, équilibre entre puissance souplesse, tanins domestiqués. ⧗ 2021-2025

SC CH. DU MOULIN NOIR, Lescalle, 33460 Macau, tél. 05 57 88 07 64, vitigestion@vitigestion.com r.-v.

HÉRITAGE DE NÉGRIT
Lagardère 2016 ★★

■ | 5000 | | 8 à 11 €

Aux lendemains de la guerre de 1914, Pierre Lagardère acquiert 1 ha de vignes dans le secteur de Maillet, à Pomerol. Ses petits-fils et arrière-petits-fils, Jean-Claude et Gaël, conduisent aujourd'hui un vignoble de 17 ha à Montagne (Ch. Négrit et Ch. Rocher Calon) et de 2 ha à Pomerol (Ch. Tour Maillet).

Ce vin a hérité de toutes les qualités du seul merlot enraciné sur 1 ha de sols argilo-calcaires. Nul doute : il a du style et de l'élégance. La robe écarlate en est l'annonciatrice. Les parfums opulents de fruits rouges, rehaussés de délicates notes boisées, le confirment. Élancé en bouche, riche d'un fruité éclatant, c'est un 2016 d'une grande harmonie. ⧗ 2021-2025 ■ **Ch. Négrit 2016** ★ **(8 à 11 €; 110000 b.)** : arômes de fruits rouges écrasés, structure de qualité grâce à des tanins bien domptés, rondeur de la matière. Un joli vin issu d'un travail d'extraction bien maîtrisé. ⧗ 2021-2025

SCEV LAGARDÈRE, Négrit, 33570 Montagne, tél. 05 57 74 61 63, vignobleslagardere@wanadoo.fr r.-v.

CH. PLAISANCE Réserve de famille 2016 ★

■ | 3978 | | 20 à 30 €

En 1858, la famille Ducourt s'établit au château des Combes, à Ladaux, petit village au sud-est de Bordeaux. C'est sous l'impulsion d'Henri Ducourt, installé en 1951 et relayé par ses enfants et petits-enfants, que le vignoble familial prend son essor, pour atteindre aujourd'hui 440 ha répartis sur treize châteaux dans l'Entre-deux-Mers et le Saint-Émilionnais.

Issue du seul merlot enraciné sur de douces pentes argilo-limoneuses, cette Réserve de famille a bénéficié d'un an d'élevage en fût de chêne. La voici généreuse dans le verre, empreinte de fruits rouges épicés. La bouche, structurée et de bonne longueur, reste sous l'emprise du bois. Il faudra attendre, cela en vaut la peine. ⌛ 2021-2025

⊶ *SARL LES CELLIERS DE BORDEAUX BENAUGE, 18, rte de Montignac, 33760 Ladaux, tél. 05 57 34 54 00, ducourt@ducourt.com* V ♿ *r.-v.*

CH. PUYNORMOND 2016 ★

■	30000	🍾	8 à 11 €

Conduit depuis 2000 par Philippe Lamarque et sa sœur Catherine Barrat, ce domaine situé en montagne-saint-émilion a été acquis en 1923 par leur arrière-grand-père. Implantés sur argilo-calcaires avec crasse de fer, les 14,5 ha du vignoble sont disposés en amphithéâtre, orientés plein sud. Autodidacte, Philippe Lamarque a obtenu, à quarante ans, le BTS Viti-œno.

Belle robe grenat, intenses arômes de fruits noirs et rondeur avenante : un vin décidément bien courtois et qui sera bientôt prêt à être servi. ⌛ 2020-2023 ■ **Les Vieilles Vignes 2016 ★ (11 à 15 €; 8000 b.)** : c'est à partir de vignes de soixante à quatre-vingts ans qu'a été élaboré ce vin attrayant, aux accents de fruits mûrs. Doté de tanins fondus, il enrobe le palais. Un brin canaille, ce 2016. ⌛ 2020-2023

⊶ *EARL VIGNOBLES LAMARQUE, Ch. Puynormond, n° 3 Puynormond, 33570 Montagne, tél. 05 57 74 66 69, contact@chateau-puynormond.com* V ♿ ■ *t.l.j. sf dim. 9h-12h30 13h30-19h*

CH. ROC DE CALON 2016

■	50000	🛢	11 à 15 €

Deux propriétés réunies (l'une était le Ch. Barraud) ont formé Roc de Calon. Le vignoble de 21 ha s'étend sur la face sud-ouest du tertre de Calon. À la tête de ce cru régulier en qualité depuis 1998, Bernard Laydis et son épouse Sylvie, aujourd'hui épaulés par leurs enfants Thomas et Marie.

Un long élevage en fût a légué à ce montagne une empreinte boisée et des tanins structurants. Discret au nez, il se rattrape en bouche, en développant des arômes de mûre et de cassis. ⌛ 2021-2024

⊶ *SAS VIGNOBLES LAYDIS, Ch. Roc de Calon, 10, rte de Barreau, 33570 Montagne, tél. 05 57 74 63 99, s.laydis@rocdecalon.com* V ♿ ■ *r.-v.*

CH. ROCHER CORBIN 2016 ★★

■	40000	🛢🍾	11 à 15 €

Ancienne métairie du Ch. Corbin (saint-émilion grand cru), ce vignoble a été acquis en 1880 par Charles Durand. Installé en 1986, Philippe, son arrière-petit-fils, exploite 9,5 ha sur la pente ouest du Tertre de Calon, au cœur de l'appellation montagne-saint-émilion. Il limite les traitements au cuivre et au soufre.

Un assemblage de merlot (85 %) et de cabernet franc, une vinification sans soufre, un élevage de six mois en cuve et de six mois en fût, et voici un montagne-saint-émilion qui fait plaisir à voir et à déguster. Sous une robe rubis intense à reflets plus vifs se livrent sans ambages des senteurs de myrtille et de framboise soulignées par un élégant boisé aux tonalités de café. «De la classe», écrit un dégustateur, sous le charme de sa matière souple et veloutée, longuement aromatique. ⌛ 2023-2030

⊶ *SCE CH. ROCHER CORBIN, 2, rte de Barreau, 33570 Montagne, tél. 05 57 74 55 92, chateau-rocher-corbin@orange.fr* V ♿ ■ *r.-v.*

CH. TOUR BAYARD 2016 ★

■	60000	🛢	11 à 15 €

Julien Richard a pris la suite de Fanny en 2013 à la tête de ce cru de 24 ha acquis par la famille en 1956, sur lequel sont dispensés des soins raisonnés (compost naturel, vendanges manuelles) pour proposer des vins souvent en bonne place dans ces pages. Trois étiquettes ici : Ch. Tour Bayard (montagne-saint-émilion), Ch. Pontet Bayard et Ch. la Croix Guillotin (puisseguin-saint-émilion).

C'est sans peur et sans reproche que l'on abordera ce 2016 grenat à reflets violines. Il offre volontiers ses parfums de fruits noirs bien mûrs, assortis d'une touche de boisé. Concentrée et dense, la bouche bénéficie du soutien de tanins dociles, issus d'un passage de douze mois en fût. Bonne persistance aromatique en prime. ⌛ 2022-2025

⊶ *EARL VIGNOBLES RICHARD ET FILS, Bayard, 33570 Montagne, tél. 07 86 03 30 91, vignoblesrichard@gmail.com* V ♿ ■ *r.-v.*

CH. LE VIEUX CÈDRE 2016 ★★

■	24000	🛢	5 à 8 €

Depuis plus d'un siècle, Ginestet est l'une des principales maisons de négoce bordelaises, aujourd'hui intégrée au groupe Taillan. Pour l'une de ses marques phares, déclinée en cinq AOC, elle a choisi comme emblème le mascaron, masque sculpté décorant de nombreuses façades de Bordeaux. Elle vend 18 millions de bouteilles dans 70 pays.

Sous une robe rubis profond apparaissent de puissants arômes de fruits mûrs. Des notes épicées se précisent au palais, avec une agréable persistance. À la fois rond et charpenté par des tanins solides, ce vin affiche bel et bien sa complexité. ⌛ 2020-2023

⊶ *SA MAISON GINESTET, 19, av. de Fontenille, 33360 Carignan-de-Bordeaux, tél. 05 56 68 81 82, contact@ginestet.fr* V ♿ ■ *r.-v.*

VIEUX CHÂTEAU BAYARD
Réserve personnelle 2016 ★

■	25000	🍾	8 à 11 €

Les Latorre conduisent la vigne depuis 1806 en Libournais; des vignes transmises par les femmes depuis cette date et exploitées aujourd'hui par Marie-Laure, à la tête depuis 2011 d'un vignoble de 18 ha.

Bien dans son appellation, bien dans son millésime. Telle est la conclusion du jury après la dégustation de ce vin vermeil aux arômes de fruits rouges macérés. Il est friand à souhait au palais, rond et persistant. ⌛ 2020-2023

⊶ *SCEA VIEUX BAYARD, 7, imp. Bayard, 33570 Montagne, tél. 06 63 79 26 30, mllatorre@netcourrier.com*

VIEUX CHÂTEAU DES ROCHERS
Cuvée Prestige 2016 ★★

■	5900	🛢	11 à 15 €

Technicien d'élevage dans un organisme professionnel, Jean-Claude Rocher a repris en 1995 la propriété familiale fondée par son père Abel en 1964 ; un domaine qui s'étend sur 5 ha de vieilles vignes à dominante de merlot en appellation montagne-saint-émilion.

Cette cuvée rayonne dans une robe rubis frangée de violine. Elle garde un charme intact au nez, tant elle est volubile en arômes de fruits rouges (cerise) et noirs (cassis, myrtille), nuancés d'épices. Ample dès l'attaque, elle laisse ensuite s'épanouir une chair veloutée, rigoureusement structurée par les tanins. ⧗ 2023-2030 ■ **2016 (5 à 8 €; 23500 b.)** : vin cité.

SC VIGNOBLE ROCHER, 15, imp. de Mirande, 33570 Montagne, tél. 06 80 64 49 75, vieuxchateaudesrochers@orange.fr V r.-v.

♥ VIEUX CHÂTEAU PALON 2016 ★★★

■	35000	🛢	20 à 30 €

Grégory Naulet s'est installé comme jeune agriculteur en 2000 sur ce cru de 5,5 ha aux sols argilo-calcaires; il a restructuré le vignoble et créé une unité de vinification pour en faire une très bonne référence de l'appellation montagne-saint-émilion.

Coup de cœur à l'unanimité qui récompense un travail méticuleux accompli à la vigne (vendanges à la main avec tris sélectifs) comme au chai. Un 2016 impressionnant dès le premier regard porté sur sa teinte grenat profond. Au nez, une palette d'une rare complexité se décline : fruits noirs, vanille et bois patiné. Bien structurée pas des tanins encore juvéniles – en témoigne l'attaque –, c'est une matière volumineuse et riche qui se déploie, empreinte de fruit. La finale reprend tous les arômes perçus au nez, avec persistance. Un vin de gastronomie et de garde. ⧗ 2023-2030

EARL VIGNOBLES NAULET, Mondou, 33330 Saint-Sulpice-de-Faleyrens, tél. 06 89 10 90 01, vignobles.naulet@wanadoo.fr V r.-v.

PUISSEGUIN-SAINT-ÉMILION

Superficie : 745 ha / Production : 43 000 hl

La plus orientale des appellations voisines de Saint-Émilion est implantée sur des sols à dominante argilo-calcaire, avec quelques secteurs d'alluvions graveleux. Le vignoble est exposé au sud-sud-est.

CH. BEL-AIR 2016 ★

■	50000	🛢	11 à 15 €

Installés dans le Périgord depuis les années 1970, les Dubard conduisent un vaste ensemble viticole. Outre leur fleuron du Bergeracois, le Ch. Laulerie, ils exploitent aussi plusieurs crus dans le Libournais.

Installées au faîte d'une colline balayée en permanence par un vent-médecin, les vignes de Bel-Air, lieu-dit bien nommé, ont produit des raisins dont la qualité se manifeste dès l'olfaction de ce vin drapé de pourpre. « Notes fruitées bien homogènes », indique un dégustateur. Équilibrée, souple dès l'attaque, la bouche n'est pas en reste. Limitées au chai, les interventions n'ont pas entamé la souplesse des tanins, soutien allègre d'une matière empreinte de flaveurs de fruits noirs. Un puisseguin qui fait honneur à l'appellation. ⧗ 2020-2025

SCEA DUBARD-BEL-AIR, 1 bis, rue des Écoles, Bel-Air, 33570 Puisseguin, tél. 05 53 82 48 31, contact@vignoblesdubard.com r.-v.

CH. BERNON-BÉCOT 2016 ★

■	31000	🛢	11 à 15 €

En 2015, Caroline et Pierre Bécot, dernière génération de la famille Bécot (propriétaire du Ch. Beau-Séjour Bécot, premier grand cru classé de saint-émilion), ont acquis ces 9 ha de vignes plus que trentenaires.

Un élevage de quinze mois au contact du chêne est à l'origine de tanins athlétiques qui donnent en attaque une légère sensation de rusticité. Ce puisseguin, composé à 95 % de merlot, parade dans un bel habit sombre aux reflets plus vifs. Sa séduction, il la tient d'une chair intense et d'une belle longueur en bouche. Les fruits noirs mûrs à point, soulignés de nuances toastées se prolongent durablement, relayés en finale par des notes de fraîcheur. Une matière qui va s'affirmer encore avec le temps. ⧗ 2022-2026

SCEA BERNON-BÉCOT, Ch. Bernon-Bécot, lieu-dit Bernon-Ouest, 33570 Puisseguin, tél. 06 79 11 35 65, bernon.becot@gmail.com V r.-v.

CH. CLARISSE 2016

■	14689	🛢	30 à 50 €

Détenu pendant plus d'un siècle par la famille Estager, ce cru de 20 ha, établi sur les hauteurs argilo-calcaires du plateau de Puisseguin, est depuis 2009 la propriété d'Olivia et Didier Le Calvez (directeur de l'hôtel de luxe Le Bristol à Paris), qui l'ont renommé du prénom de leur fille et en ont confié la direction à Ludovic Nadal.

Issus de vignes de soixante-cinq ans, ce 2016 a tiré profit d'une vendange bien concentrée et d'un long élevage en barrique. Puissant, structuré par des tanins solides, il ne manque pas de relief. Laissons le temps faire son œuvre pour l'assouplir. ⧗ 2023-2030

SAS LE CALVEZ-MATHÉ, lieu-dit Croix-de-Justice, 33570 Puisseguin, tél. 05 46 67 83 74, contact@chateau-clarisse.com V *t.l.j. sf dim. 10h-17h 10h-13h 14h-17h*

CH. DE COURTADE 2016

■	5390	🛢	8 à 11 €

Créée en 1931, la coopérative de Saint-Émilion est un acteur incontournable du Libournais, et ses cuvées – vins de marque (Aurélius, Galius) ou de domaines (une cinquantaine de propriétés apportent leur

vendange à la «coop») – sont régulièrement au rendez-vous du Guide.

Grenat profond, ce pur merlot s'ouvre sur des arômes de fruits noirs compotés, agrémentés de notes boisées, résultat d'un élevage de dix-huit mois en barrique. Un vin qui, selon l'un des jurés, «va droit au but sans ambages». ⧗ 2021-2025

UNION DE PRODUCTEURS DE SAINT-ÉMILION, Lieu-dit Haut-Gravet, BP 27, 33330 Saint-Émilion, tél. 05 57 24 70 71, contact@udpse.com r.-v.

CH. LANBERSAC Cuvée Or Rouge 2016

■ | 20000 | | 15 à 20 €

Issue d'une famille d'agriculteurs du nord de la France, Françoise Lannoye a souhaité retourner à la terre, préférant les vins de Bordeaux aux céréales. La famille a acquis des vignes en Libournais. D'abord en puisseguin (Ch. Lanbersac), puis en castillon-côtes-de-bordeaux (Ch. Moulin de la Clotte et Ch. Lamour, 13 ha) et enfin en saint-émilion grand cru (Ch. Ambe Tour Pourret).

Hommage à une parcelle d'argile rouge, cette cuvée élevée une année en barrique déploie des arômes de fruits rouges et noirs, accompagnés de notes de vanille. L'attaque, très vive, est un brin sévère. Mais après aération, les saveurs de fruits réapparaissent en bouche et se prolongent. Les tanins vigoureux invitent à attendre. ⧗ 2023-2030

SCEV LANNOYE, 10, Le Chais, 33570 Puisseguin, tél. 05 56 67 11 30, contact@celene-bordeaux.com *t.l.j. sf sam. dim. 10h-17h*

CH. MOULIN DES LAURETS 2016 ★

■ | 19200 | | - de 5 €

Dirigé depuis 1976 par Lionel Mounet, issu d'une très vieille famille vigneronne, le Moulin des Laurets est implanté sur de beaux sols argilo-calcaires qui donnent tout naturellement la faveur au merlot.

Ce 100 % merlot élevé en cuve béton possède toutes les qualités attendues de ce royal cépage. Éclatante couleur rubis typique, palette ample de petits fruits rouges et noirs, bouche ronde et bien équilibrée par des tanins très soft : de l'élégance sans ostentation. ⧗ 2020-2023

LIONEL MOUNET, 3, Moulin des Laurets, 33570 Puisseguin, tél. 05 57 55 09 33, lionel.mounet@laposte.net r.-v.

CH. DE PUISSEGUIN CURAT Gemme Rouge 2016 ★

■ | 7000 | | 11 à 15 €

Jeanne d'Albret, mère du roi Henri IV, fut propriétaire de ce domaine, dans la famille Robin depuis 1958. Aujourd'hui, Jean-François et Jean-David Robin conduisent, en culture raisonnée, les 36 ha de vignes.

Cette cuvée ne manque pas d'éclat. Pourpre profond, elle s'impose d'emblée par des arômes complexes sur fond de fruits noirs. Le prélude à une bouche volumineuse, dominée en finale par des notes boisées encore marquées. Un vin prêt à affronter le temps. ⧗ 2022-2027

EARL CH. DE PUISSEGUIN CURAT, Curat, 33570 Puisseguin, tél. 05 57 74 51 06, arobin33350@gmail.com *t.l.j. sf dim 9h-12h 14h-17h*

CH. SOLEIL 2016 ★

■ | 74210 | | 15 à 20 €

Créée par un groupe d'amis réunis autour de Stephan von Neipperg (Canon La Gaffelière à Saint-Émilion) et Didier Miqueu, la SCEA Winevest Saint-Émilion a acquis en 2005 le Ch. Soleil, 20 ha à Puisseguin, complétés en 2007 de 13,5 ha en lussac avec le Ch. Croix du Rival.

Techniquement irréprochable, ce 2016 se présente dans une robe profonde à reflets pourpre. Le nez, assez complexe, déploie des notes fruitées (cassis, groseille), agrémentées de touches toastées. Le palais ne déçoit pas : attaque imposante, milieu de bouche frais, un brin mentholé («agreste», note un dégustateur poète...) et une présence tannique affirmée. ⧗ 2021-2025

SCEA WINEVEST SAINT-ÉMILION (CH. CROIX DU RIVAL), Girard, 33570 Lussac, tél. 09 75 69 65 75, info@chateausoleil.fr

CH. LA VAISINERIE 2016 ★

■ | 50000 | | 8 à 11 €

Ancienne dépendance du Ch. de Puisseguin et propriété viticole depuis 1718, acquise en 2004 par Bernard Bessede, associé d'une affaire de négoce, et par son épouse Dominique. Aujourd'hui, une maison girondine du XVIIIe s., restaurée grâce à la collaboration des Bâtiments de France, et un vignoble de 13 ha, exploité en agriculture raisonnée.

Quercus (chêne en latin) rappelle qu'une chênaie centenaire est présente sur les terres de La Vaisinerie. Serait-ce également un clin d'œil au long élevage de quartoze mois en barrique de chêne? Quelques reflets d'évolution sur fond grenat profond, nette présence du boisé au nez comme en bouche : tout est cohérent. Mais on apprécie aussi les arômes de fruits mûrs qui se manifestent à l'aération. La bouche est ample et équilibrée, structurée par des tanins qui soutiennent une plaisante fraîcheur en finale. ⧗ 2021-2025

SCEA CH. LA VAISINERIE, lieu-dit Vaisinerie, 33570 Puisseguin, tél. 05 57 24 61 43, bessede.vaisinerie@gmail.com r.-v.

SAINT-GEORGES-SAINT-ÉMILION

Superficie : 200 ha / Production : 11 500 hl

Séparé du plateau de Saint-Émilion par la rivière Barbanne, le terroir de l'appellation saint-georges présente une grande homogénéité avec des sols presque exclusivement argilo-calcaires.

CH. CAP D'OR 2016

■ | 80000 | | 11 à 15 €

Jean-Philippe Janoueix tient bon la barre de deux châteaux de l'appellation saint-georges-saint-émilion : Ch. Cap Saint-George et Ch. Cap d'Or.

Capdoro, c'est-à-dire «En direction du soleil», tel est le nom de cadastre de ce terroir de 19 ha exposé au sud. Issu de vieilles vignes vendangées manuellement, ce 2016 offre un fruité câlin, au nez comme en bouche. De fines notes boisées témoignent d'un élevage soigné en barriques bourguignonnes. 2023-2030 ■ **Ch. Cap Saint-George 2016 (20 à 30 €; 50000 b.)** : vin cité.

SCEA CH. CAP SAINT-GEORGES, Ch. la Confession, lieu-dit Haut-Pontet, 33330 Saint-Émilion, tél. 05 57 48 13 13, contact@jpjdomaines.com r.-v.

♥ CLOS ALBERTUS 2016 ★★

■ | 12000 | | 15 à 20 €

Dans le Saint-Émilionnais, le nom Corbin apparaît dès le Moyen Âge : il s'agit de l'ancienne seigneurie de Montagne, où la famille Rambeaud cultivait déjà la vigne avant la Révolution. Une propriété de 37 ha aujourd'hui, qui produit en saint-georges-saint-émilion (Clos Albertus) et en montagne-saint-émilion (Haut Musset), avec Jacques Rambeaud à sa tête depuis 2010.

Ce coup de cœur souligne une progression qualitative déjà signalée par une étoile dans le Guide 2019. Clos Albertus, c'est tout d'abord une petite parcelle (1,5 ha) plantée à égalité de vieux merlots et des deux cabernets. Assemblage inattendu d'un tiers de chaque cépage, voici un 2016 de grande classe. Les dégustateurs, sensibles à la teinte pourpre profond, ont souligné l'harmonie et l'intensité de la palette aromatique : les fruits noirs épousent un boisé fin, judicieusement dosé. Volumineux et suave, le vin s'étire longuement au palais, sans jamais se départir de son équilibre. Indubitablement, il est taillé pour la garde. 2023-2030

SCEA FRANÇOIS RAMBEAUD, 22, rte de Libourne, 33570 Montagne, tél. 05 57 74 62 41, info@chateaucorbin.fr t.l.j. sf dim

CH. HAUT-SAINT-GEORGES 2016 ★★

■ | 10000 | | 15 à 20 €

En 1995, le brasseur belge M. van der Kelen a acquis 15 ha dans deux appellations satellites de Saint-Émilion : le Ch. la Grande Barde, en montagne, et le Ch. Haut-Saint-Georges (6 ha), en saint-georges. Une grande partie des vins est exportée outre-Quiévrain. Entièrement modernisés, les chais de la propriété sont installés dans d'immenses cavités souterraines. Le Ch. Haut-Saint-Georges, avec plusieurs coups de cœur à son actif, est une valeur sûre.

Dans sa robe pourpre dense, ce 2016 a de l'allure, et ce n'est pas pour rien qu'il a frôlé le coup de cœur. Quinze mois d'élevage en barrique lui ont certes légué des tanins solides, mais le fruité sans pareil du merlot (90 % de l'assemblage) se manifeste pleinement. La matière longue et volumineuse décline des notes persistantes de moka et de réglisse. Et cette petite austérité finale? Elle nous rappelle que nous avons affaire à un vin très structuré, capable d'affronter le temps. 2023-2030

SCEA DE LA GRANDE BARDE, 2, rte de Puisseguin, 33570 Montagne, tél. 05 57 74 64 98, chateaulagrandebarde@wanadoo.fr r.-v.

CH. MOULIN LA BERGÈRE 2016 ★

■ | 12000 | | 11 à 15 €

André Benoist, ingénieur agronome, et son fils Camille ont acquis en 1998 cette propriété (6,6 ha) où l'on cultivait déjà la vigne en l'an 1650.

Des reflets parme indiquent un début d'évolution de ce 2016 par ailleurs très dense. D'un contact de dix-huit mois avec le merrain, il a hérité un boisé subtil qui respecte les arômes de fruits mûrs. La bouche est tout aussi avenante : notes fruitées rappelant la forte présence de merlot (95 % de l'assemblage), tanins assagis, rondeur et équilibre. 2020-2025

SCEV ANDRÉ ET CAMILLE BENOIST, La Bergère, 5, rue Messide, 33570 Montagne, tél. 06 03 69 53 15, camille@la-bergere.fr r.-v.

CH. SAINT-GEORGES 2016

■ | 28000 | | 20 à 30 €

Un décor de rêve pour ce domaine, propriété de la famille Desbois depuis 1891 : imposant château du XVIIIe s. flanqué de tours féodales.

Du classique, bien construit, pour un service immédiat. Les dégustateurs ont apprécié la palette fruitée issue d'assemblage dominé par le merlot (80 %). Modérément boisé, ce vin possède des qualités gourmandes. 2020-2023

SC DU CH. SAINT-GEORGES, 5, rte de Saint-Émilion, 33570 Montagne, tél. 05 57 74 62 11, contact@chateau-saint-georges.com t.l.j. sf sam. dim.

CH. TROQUART 2016

■ | 26700 | | 8 à 11 €

Créé dans les années 1950, ce domaine est acquis par Jean-Guy Grégoire en 1999. C'est son fils Étienne qui conduit cette propriété de près de 5,5 ha, dont les coteaux argilo-calcaires sont orientés au sud-ouest.

« Beau vin, bien travaillé », note un dégustateur, résumant ainsi les qualités de ce 2016 élevé un an en barrique. Le merlot (70 % de l'assemblage) est porteur de rondeurs fruitées, tandis que les deux cabernets, associés à un soupçon de malbec, se traduisent par d'élégantes notes de fraîcheur. 2020-2023

SCEA DU CH. TROQUART, 16, rte de Troquart, 33570 Montagne, tél. 05 57 74 62 45, chateautroquart@gmail.com r.-v.

CASTILLON-CÔTES-DE-BORDEAUX

Superficie : 3 000 ha / Production : 160 000 hl

Située à l'est du vignoble de Saint-Émilion et de ses satellites, l'appellation (anciennement bordeaux-côtes-de-castillon puis côtes-de-castillon) jouxte à l'ouest les vignobles périgourdins. Elle s'étend sur les neuf communes de Belvès-de-Castillon, Castillon-la-Bataille, Saint-Magne-de-Castillon, Gardegan-et-Tourtirac, Sainte-Colombe, Saint-Genès-de-Castillon, Saint-Philippe-d'Aiguilhe, Les Salles-de-Castillon et Monbadon. Les vins ont bénéficié en 1989 d'une appellation à part entière, les viticulteurs s'engageant

à respecter des normes de production plus sévères, notamment en ce qui concerne les densités de plantation, fixées à 5 000 pieds par hectare.

CH. D'AIGUILHE 2016 ★

■ | 220500 | | 20 à 30 €

Propriété depuis 1999 du comte Stephan von Neipperg, bien établi dans le Saint-Émilionnais avec entre autres le grand cru classé Canon la Gaffelière, ce vaste cru de 140 ha est commandé par un château fort du XIIIe s. qui joua un rôle actif pendant la guerre de Cent Ans.

Un bouquet élégant, mariant la violette aux fruits noirs et aux nuances réglissées, devance une bouche étonnante de jeunesse, à la sucrosité suggérée, à la texture onctueuse, mais aux tanins compacts et encore trop sévères. Un 2016 taillé pour la (très longue) garde. ⧗ 2023-2030

SCEA DU CH. D' AIGUILHE, 33350 Saint-Philippe-d'Aiguilhe, tél. 05 57 24 71 33, info@neipperg.com V r.-v.

CH. D'ANVICHAR 2016

■ | 25000 | | 11 à 15 €

Un petit cru créé en 2006 par Anne-Marie et Vincent Galineau à partir d'un vignoble de poche de 50 ares, complété en 2008 par des vignes voisines : la surface plantée atteint 5,2 ha. Anvichar ? Une anagramme des prénoms des enfants, Antoine, Victor et Charles.

Un rouge frais et fringant, au nez de petits fruits rouges et à la bouche élégante mais encore marquée en finale par des tanins un peu anguleux. Une harmonie à parfaire en cave. ⧗ 2021-2025

VINCENT GALINEAU, 6, lieu-dit Périgord, 33350 Saint-Genès-de-Castillon, tél. 06 88 15 61 94, vincent.galineau@orange.fr
V r.-v.

CH. DE BELCIER
Élevé en barrique de chêne 2016 ★★

■ | 99500 | | 11 à 15 €

Ce château de style classique, construit à la fin du XVIIIe s. par François de Belcier, contre-révolutionnaire guillotiné en 1793, est propriété de la MACIF depuis 2008. L'un des plus vastes crus de l'AOC (48 ha) et l'une des valeurs sûres.

De belle intensité, le bouquet complexe de cette cuvée mêle fruits noirs et rouges, chocolat, cuir et notes torréfiées. Le jury a été impressionné par la bouche veloutée et gourmande de fruits noirs, qui allie fraîcheur mentholée, grande persistance aromatique et tanins puissants. On ne se fait aucun souci pour son évolution, au contraire. ⧗ 2022-2030 ■ **Le Pin de Belcier 2016 ★ (20 à 30 €; 3169 b.)** : un vin élégant et complexe que ce 2016 au nez de fruits rouges, de cèdre, de coco et de vanille. La bouche, fruitée, ample et soyeuse, déploie une finale fraîche soutenue par des tanins prometteurs. ⧗ 2021-2026

SCA CH. DE BELCIER, 1, Belcier, 33350 Les Salles-de-Castillon, tél. 05 57 40 67 58, gironde-et-gascogne@wanadoo.fr
V r.-v.

CH. BEYNAT Cuvée des Lyres 2016 ★

■ | 1700 | | 20 à 30 €

Nathalie Boyer et Alain Tourenne ont repris en 2008 ce cru créé en 1917 par Léonard Nebout, quincaillier de son état; ils ont converti au bio, puis en biodynamie depuis 2015 les 17 ha de vignes dédiés aux castillon, saint-émilion et bordeaux dans les trois couleurs. Un domaine très régulier en qualité, désormais conduit en solo par Alain Tourenne.

Encore dominé par une acidité un peu vive et des tanins fermes, ce 2016 demandera à être attendu pour donner tout son potentiel. Toutefois, ses atouts sont indéniables, tant par son bouquet de fraise, de framboise et de poivre que par son palais expressif, persistant et gourmand, au fruité pur. Encore un peu de patience. ⧗ 2021-2026

SCEA CH. BEYNAT, 23 bis, rue de Beynat, 33350 Saint-Magne-de-Castillon, tél. 05 57 40 01 14, atourenne@gmail.com V *t.l.j. 9h-17h*

CH. BREHAT 2016

■ | 38100 | | 8 à 11 €

Propriété de la même famille depuis le XVIIIe s., conduite depuis 2010 par Jérôme et Béatrice de Monteil : 7 ha en saint-émilion grand cru (Haut Rocher) et saint-émilion (Pavillon), 5 ha en castillon (Bréhat).

Deux tiers de merlot complétés de 15 % de cabernet-sauvignon et autant de cabernet franc pour ce 2016 élégant, au bouquet fin de fruits rouges frais et à la bouche souple et ample, munie de tanins de jeunesse encore un peu sévères. Du potentiel. ⧗ 2021-2025

SCEA HAUT ROCHER, 1, Haut-Rocher, 33330 Saint-Étienne-de-Lisse, tél. 05 57 40 18 09, info@haut-rocher.com V r.-v.

CH. BRISSON 2016 ★

■ | 40000 | | 8 à 11 €

Les Valade sont établis dans le Castillonnais depuis 1878. Installé en 1979 et aujourd'hui épaulé par son fils Cédric, Paul Valade propose deux étiquettes – Brisson et Peyrat – bien connues des lecteurs. La famille a aussi mis un pied à Saint-Émilion, en 2007, avec le château... Valade, dirigé par Cédric. En 2015, le tandem a construit un chai à Saint-Christophe-des-Bardes.

De l'avis unanime des jurés, un très beau castillon. Ce 2016 à la robe profonde, presque noire, s'exprime à travers un bouquet flatteur de fruits noirs épicés et de boisé fondu. La bouche, harmonieuse, franche et soutenant un beau fruit mûr, suscite l'adhésion notamment grâce à une longue finale aux tanins ronds et aux saveurs de myrtille. ⧗ 2021-2026

EARL P. L. VALADE (CH. BRISSON), 1, Le Plantey, 33350 Belvès-de-Castillon, tél. 05 57 47 93 92, paul.valade@orange.fr V r.-v.

DOM. DU CAUFFOUR 2017 ★

■ | 4000 | | 5 à 8 €

Un petit cru (environ 2 ha aujourd'hui) en castillon, installé dans un ancien relais de diligence de Saint-Genès. Cadre agricole durant trente ans dans une

LE BORDELAIS

exploitation de Montagne, René Allard en a pris les commandes en 1982, puis l'a transmis à Laurent et à Isabelle en 2009.

Ce 2017 dévoile un nez profond qui s'ouvre sur des notes de cerise Napoléon, de cassis et de griotte. Une attaque ample précède un palais friand, aux tanins mûrs et toastés, et d'une très belle persistance aromatique. Une franche réussite. ⧗ 2020-2025

⊶ LAURENT ALLARD, 15, Le Cauffour, 33350 Saint-Genès-de-Castillon, tél. 06 22 08 81 16, domaineducauffour@orange.fr V t.l.j. 8h-20h

B CH. DE CHAINCHON Prestige 2016 ★

■	13000		8 à 11 €

Ancien maître de chai d'un cru classé de Saint-Émilion, Patrick Érésué exploite depuis 1996 en castillon-côtes-de-bordeaux le Ch. de Chainchon (24 ha), dans sa famille depuis 1846. En hommage à son arrière-grand-père, il a créé la cuvée Valmy Dubourdieu Lange, fleuron du domaine et l'une des valeurs sûres de l'appellation, et obtenu la certification bio du domaine en 2013.

Un vignoble conduit en mode biologique, une belle vendange de merlot, un élevage soigné d'un an en fût de chêne, et le résultat est là : un bouquet intense de fruits noirs, de vanille et des nuances mentholées devancent une bouche charnue et harmonieuse, qui affiche des saveurs de fruits noirs confiturés et une finale sertie de tanins encore jeunes. À encaver. ⧗ 2021-2026

⊶ SCEA DES VIGNOBLES ÉRÉSUÉ, Ch. de Chainchon, 33350 Castillon-la-Bataille, tél. 06 08 85 19 58, chainchon@wanadoo.fr V r.-v.

CH. CLARISSE 2016 ★★

■	4400		15 à 20 €

Détenu pendant plus d'un siècle par la famille Estager, ce cru de 20 ha, établi sur les hauteurs argilo-calcaires du plateau de Puisseguin, est depuis 2009 la propriété d'Olivia et Didier Le Calvez (directeur de l'hôtel de luxe Le Bristol à Paris), qui l'ont renommé du prénom de leur fille et en ont confié la direction à Ludovic Nadal.

Un vin très concentré, ouvertement fruité (pruneau, fruits noirs confits), qui conjugue en bouche richesse, élégance et équilibre autour d'une fraîcheur parfaitement dosée et de tanins enrobés. Un 2016 parfaitement maîtrisé, de grande garde. ⧗ 2023-2030

⊶ SAS LE CALVEZ-MATHÉ, lieu-dit Croix-de-Justice, 33570 Puisseguin, tél. 05 46 67 83 74, contact@chateau-clarisse.com V *t.l.j. sf dim. 10h-17h 10h-13h 14h-17h*

CH. LA CROIX LARTIGUE 2016 ★

■	21500		20 à 30 €

Cette propriété de 8 ha appartient depuis 2016 à la Maison Kavaklidere, la première entreprise privée et familiale de production de vins en Turquie, possédant plus de 650 hectares dans différentes régions de la Turquie. Autre acquisition : le Ch. Claud-Bellevue, cru de 10 ha en castillon.

Le bouquet, typique de l'appellation, évoque les fruits rouges, la cerise notamment, ainsi que le boisé fin. Des arômes que l'on retrouve dans un palais plein, très équilibré autour de tanins bien travaillés et doté d'une jolie persistance. Déjà agréable, ce vin se bonifiera en cave de nombreuses années. ⧗ 2020-2026 ■ **Ch. Claud-Bellevue 2016 ★ (20 à 30 €; 8000 b.)** : un castillon à la fois puissant et gourmand, fruité, aux tanins de velours. Un 2016 harmonieux et bien typé, qui vieillira bien. ⧗ 2021-2026

⊶ SCEA LACROIX LARTIGUE, 31, le Bourg, 33350 Belvès-de-Castillon, tél. 05 57 49 48 23, astrid.arbo@lacroixlartigue.com V r.-v. E

CH. DES DEMOISELLES Réserve de famille 2016 ★

■	4440		15 à 20 €

Depuis 1858, la famille Ducourt a constitué un vignoble de 450 ha autour de quatorze châteaux dans l'Entre-deux-Mers et le Libournais. Trois crus dans ce dernier : le Ch. Plaisance à Montagne (17,5 ha), le Ch. des Demoiselles (31 ha en castillon) et le Ch. Jacques Noir (5,6 ha en saint-émilion).

Une cuvée harmonieuse, au bouquet de fruits confits et de cassis frais, et à la bouche franche, riche et veloutée, dotée d'une très belle finale encore marquée par un boisé appuyé. Un 2016 qui méritera d'être oublié en cave quelques mois, le temps que son élevage se fonde. ⧗ 2021-2026

⊶ SCEA LES DEMOISELLES, 18, rte de Montignac, 33760 Ladaux, tél. 05 57 34 54 00, ducourt@ducourt.com V r.-v.

B CH. FONGABAN 2016 ★

■	148000		8 à 11 €

Propriété de la famille Taïx depuis 1932, ce cru est une valeur sûre en castillon et en puisseguin, son vignoble de 34 ha étant idéalement situé sur le plateau argilo-calcaire, couvrant les deux secteurs. Le vignoble est désormais certifié bio, sous l'impulsion de Pierre Taïx (Guadet-Plaisance, Rigaud, La Mauriane) aux commandes depuis 2009.

Cet assemblage de merlot (80 %) et de cabernet franc déploie une olfaction intense, centrée sur les fruits rouges, le cuir et les nuances boisées. En bouche, on découvre un ensemble onctueux, souple et harmonieux, aux saveurs de griotte et à la jolie persistance aromatique. Un vin très recommandable. ⧗ 2020-2025

⊶ SARL CH. FONGABAN, 9, voie Pompeianus, 33570 Puisseguin, tél. 05 57 74 54 07, fongaban@vignobles-taix.com V r.-v.

B CH. DE FONTBAUDE Sélection Vieilles Vignes 2017 ★

■	10000		11 à 15 €

Aux origines du domaine, 4 ha acquis en 1968 par François Sabaté, fils d'un réfugié espagnol. Ses fils, Christian (à la vigne) et son frère Yannick (au chai), qui l'a réjoint en 2000, ont porté le vignoble à une vingtaine d'hectares, certifiés bio depuis le millésime 2012, et en ont fait l'une des bonnes références de l'appellation.

D'une robe sombre aux reflets violet, ce castillon se montre flatteur par son nez de framboise, de cerise et de vanille. On découvre ensuite au palais un vin persistant, à la fois structuré, frais et charnu, étayé par des tanins ronds. Une cuvée harmonieuse qui vieillira bien. ⧗ 2021-2026

GAEC SABATÉ, 34, rue de l'Église,
33350 Saint-Magne-de-Castillon, tél. 06 86 00 68 79,
chateau.fontbaude@wanadoo.fr V r.-v.

CH. GERMAN 2016 ★

■	130 000		- de 5 €

La famille Aubert exploite 300 ha et de nombreux domaines en Bordelais, avec pour fleuron le Ch. la Couspaude, grand cru classé de Saint-Émilion. Alain, l'un des trois frères à la tête du groupe familial, conduit plusieurs crus en son nom : Hyot et German (castillon), Haut-Gravet (saint-émilion grand cru), Ribebon et Macard (AOC régionales).

Un 2016 harmonieux, qui n'a pas connu le bois, souple, léger et friand en bouche, au fruité éclatant tout au long de la dégustation. Pourquoi attendre ? ⧗ 2019-2022

ALAIN AUBERT, 57, av. de l'Europe,
33350 Saint-Magne-de-Castillon, tél. 05 57 40 04 30,
domaines.a.aubert@wanadoo.fr r.-v.

♥ CH. GRAND PEYROU Élevé en fût de chêne 2016 ★★

■	13 000		8 à 11 €

Propriété familiale depuis deux générations, ce cru, fondé en 1985, étend aujourd'hui son vignoble sur 23 ha en appellations castillon-côtes-de-bordeaux et saint-émilion grand cru.

Encore un peu austère, ce 2016 offre un nez discret qui, à l'agitation, laisse toutefois surgir d'élégants arômes de fruits noirs, de réglisse, ainsi que de subtiles notes fumées. La bouche, franche et sensuelle, au boisé parfaitement intégré, décline une chair onctueuse et se conclut en apothéose sur une finale aux tanins fermes. Un 2016 promis à un bel avenir. ⧗ 2022-2028 ■ **L'Aîné 2016 ★ (11 à 15 €; 3500 b.)** : un castillon d'école, à la fois rond, fruité, structuré et épicé, au boisé fondu, qui fera merveille à table dès à présent et pour longtemps. ⧗ 2019-2025

EARL VIGNOBLES LAGUILLON ET FILS, 2, rte de Liamet,
33330 Saint-Étienne-de-Lisse, tél. 06 81 03 15 77,
vignobles.laguillon@wanadoo.fr V r.-v.

CH. HAUTE TERRASSE 2016 ★

■	15 500		8 à 11 €

Pascal Bourrigaud, héritier de huit générations de vignerons saint-émilionnais, a acquis en 1999 le Ch. Haute Terrasse, domaine de 4 ha en castillon, et le Ch. Champion, d'une superficie de 7 ha en saint-émilion grand cru.

Avec sa robe d'un rouge intense, son olfaction expressive aux accents de fruits mûrs, de violette et d'épices douces, son palais aussi enrobé qu'empreint de finesse et son boisé parfaitement maîtrisé, ce 2016 séduira tout amateur de beaux vins de Bordeaux. ⧗ 2021-2025

SCEA BOURRIGAUD ET FILS
(CH. HAUTE TERRASSE), Ch. Champion,
33330 Saint-Émilion, tél. 05 57 74 43 98,
info@chateau-champion.com V r.-v.

CH. DE LAUSSAC 2016 ★

■	79 000		11 à 15 €

Une ancienne ferme construite au début du XXᵉs., progressivement constituée en exploitation viticole (28 ha aujourd'hui). Alexandra Robin (Rol Valentin, Clos Vieux Taillefer), qui l'a rachetée en 2004, n'a pas ménagé ses efforts à la vigne et au chai pour en faire une valeur sûre de l'appellation.

Le jury a noté une grande maîtrise de la vinification et de l'élevage pour cette cuvée au bouquet de fruits rouges. Le palais propose un toucher soyeux et des saveurs prononcées de mûre et de vanille, le tout soutenu par des tanins encore jeunes. La finale harmonieuse et longue achève de convaincre : un beau castillon de garde. ⧗ 2021-2026 ■ **Cuvée Sacha 2016 ★ (15 à 20 €; 13 300 b.)** : 60 % de merlot, complété de cabernet franc, tel est l'assemblage de cette cuvée au nez intense de petits fruits noirs, à la bouche ronde, riche et puissante, d'une jeunesse insolente. La persistance aromatique, alliée à des tanins de grande qualité, laisse présager une bonne évolution. ⧗ 2022-2028

SARL LA COMTESSE DE LAUSSAC,
4, chem. de Laussac, 33350 Saint-Magne-de-Castillon,
tél. 05 57 40 13 76, contact@vignoblesrobin.com
V r.-v.

CH. LUCAS 2016 ★

■	17 000		15 à 20 €

Située sur les hauteurs de Castillon-la-Bataille, cette propriété appartenait à la famille Deshors. Depuis 2015, ce domaine de 12 ha a été acquis par M. Yantong Chu, nouveau propriétaire chinois.

Ce 2016 séduit tout d'abord par son nez, alliant harmonieusement la framboise aux senteurs vanillées. En bouche, le jury a été sensible à sa structure équilibrée entre fraîcheur et sucrosité, à son ampleur et à sa persistance. La finale, encore dominée par des tanins jeunes et fougueux, nécessitera une garde d'une paire d'années pour parfaire l'équilibre. Un beau classique. ⧗ 2022-2026 ■ **Ch. la Fontaine Lucas 2016 (11 à 15 €; 49 000 b.)** : vin cité.

SCEA CH. LUCAS, lieu-dit Lucas,
33350 Castillon-la-Bataille, tél. 05 57 69 86 92,
contact@hy-camelia.fr V r.-v.

DOM. GONZAGUE MAURICE Victor 2016 ★

■	15 000		8 à 11 €

Après avoir œuvré dans plusieurs domaines bordelais, Gonzague Maurice s'est installé en 2006 à Montagne dans un domaine commandé par une folie du XVIIIᵉs., ancienne garçonnière du seigneur local. Travaillant dans l'esprit bio, il produit du vin dans les appellations montagne-saint-émilion, puisseguin et castillon.

Coup de cœur dans la dernière édition du Guide, cette cuvée de merlot revient en grande forme avec ce 2016 au nez franc de petits fruits noirs frais et au palais harmonieux, ample et bien structuré. Ce castillon méritera cependant une courte garde afin d'assagir quelque peu ses tanins de jeunesse. ⧗ 2021-2025

GONZAGUE MAURICE,
lieu-dit Larue, 33570 Montagne, tél. 06 61 77 77 33,
gonzaguemaurice@hotmail.com V r.-v.

♥ B CH. PEYROU 2016 ★★

■ | 25000 | | 11 à 15 €

Fille et petite-fille de viticulteurs, œnologue, Catherine Papon-Nouvel, bien connue pour ses saint-émilion grands crus souvent remarquables (Clos Saint-Julien, Petit Gravet Aîné, Gaillard), a acquis en 1989 ce domaine de 10 ha, l'a converti au bio et en a fait l'une des références en castillon.

Ce vin de pur merlot séduit d'emblée par sa palette olfactive très riche : fruits (griotte, mûre), cacao et nuances torréfiées. On retrouve cette aromatique dans une bouche ample, persistante, dense et épanouie, épaulée par des tanins fins et prolongée par une belle finale pleine de fraîcheur. Un ensemble harmonieux et de garde. ⧗ 2022-2030

CATHERINE PAPON, 6, chem. de Peyrou, 33350 Saint-Magne-de-Castillon, tél. 06 11 91 03 54, catherine.peyrou@wanadoo.fr V r.-v.

CH. LA PIERRIÈRE Cuvée du Fondateur 1607 2016

■ | 24000 | | 11 à 15 €

L'une des plus anciennes propriétés du Castillonnais, commandée par un «vrai» château, à l'origine une maison forte (XIIIe s.) dont il reste quelques vestiges. Elle est entrée dans la famille des actuels propriétaires en 1607, lorsque François de Lageard la reçut en dot. Ce dernier agrandit le château, qui fut de nouveau remanié en 1865. Arrivé en 2000 à la tête de la propriété, Olivier de Marcillac conduit un vignoble de 40 ha.

Au nez expressif évoquant la mûre, la griotte et les notes toastées de la barrique, répond une bouche persistante, savoureuse, riche et structurée, d'un bel équilibre. La finale dévoilant des tanins ajustés, même si elle est encore légèrement dominée par les notes vanillées de l'élevage, parfait le profil de ce castillon paré pour la garde. ⧗ 2022-2028

EARL CH. LA PIERRIÈRE, 144, La Pierrière, 33350 Gardegan-et-Tourtirac, tél. 05 57 47 99 77, contact@chateau-la-pierriere.com V r.-v.

CH. PILLEBOIS Vieilles Vignes 2016

■ | 8000 | | 8 à 11 €

Élisabeth et Jean-Pierre Toxé, fille et gendre de Marcel Petit, fondateur du vignoble en 1986, conduisent depuis 1997 un ensemble réparti entre les châteaux Pillebois, 12 ha en castillon, Franc Lartigue et Grande Rouchonne, respectivement 8 et 2 ha en saint-émilion grand cru.

Un castillon moderne et flatteur, au bouquet mêlant fruits noirs et boisé fin, au palais à la fois suave et frais, persistant et doté de tanins enrobés. ⧗ 2021-2025

SCEA DES VIGNOBLES MARCEL PETIT, 6, chem. de Pillebois, 33350 Saint-Magne-de-Castillon, tél. 05 57 40 33 03, contact@vignobles-petit.com V r.-v.

CH. ROQUEVIEILLE Excellence 2016

■ | 15000 | | 11 à 15 €

Bien connue à Saint-Émilion, la famille Palatin a acquis en 1972 ce cru en appellation castillon-côtes-de-bordeaux, situé sur les hauteurs de Saint-Philippe d'Aiguilhe, à plus de 100 m d'altitude. Le domaine est aujourd'hui géré par Nathalie et Thomas Guibert, fille et gendre de Jean-Pierre Palatin.

Issu d'une sélection parcellaire stricte et intégralement vinifié en barrique neuve, ce 2016 déploie une olfaction centrée sur les fruits noirs et les épices douces. Il intéresse aussi par sa rondeur, sa finale épicée et la qualité de ses tanins. Un castillon qui vieillira bien. ⧗ 2023-2026 ■ **2016 (8 à 11 €; 75000 b.)** : vin cité.

SAS VIGNOBLES PALATIN GUIBERT, 3, Roquevieille, 33350 Saint-Philippe-d'Aiguilhe, tél. 05 57 40 67 27, contact@chateauroquevieille.fr V r.-v.

CH. LA ROSE PONCET Ma part des anges 2016 ★

■ | 4000 | | 20 à 30 €

Élisabeth Rousseau-Rodriguez a repris en 1999 ce domaine de 10 ha, dans sa famille depuis deux siècles, qui avait été mis en fermage pendant vingt ans par son père; elle le restructure petit à petit à la vigne comme au chai.

Un castillon clivant : si certains dégustateurs louent son nez de fruits noirs (cassis, mûre), de tabac blond et sa bouche riche, fruitée et structurée, d'autres en revanche lui reprochent une certaine rusticité dans les tanins et un léger manque d'élégance. Tous s'accordent en revanche pour reconnaître un très beau travail tant à la vigne qu'au chai et une réelle aptitude à la garde. ⧗ 2022-2027

GFA DE PEY-ORIOL, 3, Peyoriolle, 33350 Gardegan-et-Tourtirac, tél. 05 57 40 25 99, peyoriol@gmail.com V r.-v.

FRANCS-CÔTES-DE-BORDEAUX

Superficie : 535 ha
Production : 28 125 hl (99 % rouge)

S'étendant à 12 km à l'est de Saint-Émilion, sur les communes de Francs, Saint-Cibard et Tayac, le vignoble de l'appellation (anciennement bordeaux-côtes-de-francs) bénéficie d'une situation privilégiée sur des coteaux argilo-calcaires et marneux parmi les plus élevés de la Gironde.

CLOS TAYAC 2016 ★

■ | 5000 | | 8 à 11 €

Situé à quelques kilomètres à l'est de Saint-Émilion, le vignoble de 9,58 ha du Ch. Pleyssac-Tayac appartient à Dominique Gallot depuis 2001. Clos Tayac, le second vin de la propriété depuis 2016, est une sélection de jeunes vignes de merlot.

Un 2016 généreux, au nez de fruits noirs (mûre, myrtille) et d'épices, qui déploie une bouche fruitée, souple et gourmande, aux tanins fondus. Un très joli vin de partage. ⧗ 2020-2024

DOMINIQUE GALLOT, 668, rte du Bois-de-la-Tour, 33570 Tayac, tél. 06 72 91 58 40, dgallot@wanadoo.fr V r.-v.

Ⓑ CH. CRU GODARD 2015 ★

■ | 1400 | 🍷 | 15 à 20 €

Franck et Carine Richard, installés en 1998, conduisent leur vignoble en bio. Sur cette terre de rouges qu'est l'AOC francs-côtes-de-bordeaux, ce cru s'illustre aussi régulièrement par ses blancs, secs et doux.

Un liquoreux issu de sémillon à 90 %, complété de sauvignon, qui a enthousiasmé notre jury : à un bouquet frais et minéral évoquant le citron, la pêche, l'amande et la menthe poivrée répond une bouche tendre mais traçante, superbement équilibrée, qui révèle une belle et longue finale acidulée. ⌛ 2020-2025

⊶ CARINE ET FRANCK RICHARD, lieu-dit Godard, 33570 Francs, tél. 05 57 40 65 94, cru.godard@wanadoo.fr V r.-v.

CH. DE FRANCS Les Cerisiers 2016 ★

■ | 145000 | 🍷 | 11 à 15 €

Une ancienne place forte tenue par les Anglais pendant la guerre de Cent Ans et un beau vignoble. Deux propriétaires de Saint-Émilion, Dominique Hébrard (un des anciens propriétaires de Cheval Blanc) et Hubert de Boüard (Angelus), ont repéré dès 1985 le potentiel viticole de cette appellation alors méconnue et ont acquis la même année le Ch. de Francs et ses 36 ha de vignes. Le Guide s'est fait le témoin de la qualité de leurs vins.

Ce très beau 2016 dévoile un nez complexe évoquant le noyau de cerise, le bourgeon de cassis, le poivre et la torréfaction. De l'ampleur, du fruit, des tanins mûrs, une finale gourmande : le palais affiche une harmonie sans faille. ⌛ 2022-2028 ■ **L'Infini de Ch. de Francs 2016 (30 à 50 €; 2800 b.)** : vin cité.

⊶ SCEA CH. DE FRANCS, 29, Le Bourg, 33570 Francs, tél. 05 57 40 65 91, chateaudefrancs@terre-net.fr V r.-v.

CH. GODARD BELLEVUE 2016 ★

■ | 45000 | 🍷 | 8 à 11 €

Un arrière-grand-père, Armand Puyanché, créa le domaine au début du siècle dernier, mais il fut tué au Chemin des Dames en 1917. Bernadette et Joseph Arbo ont repris les vignes familiales en 1988 et sont sortis de la coopérative. Ils cultivent aujourd'hui 30 ha en francs-côtes-de-bordeaux (Godard Bellevue, Puyanché) et 10 ha en castillon-côtes-de-bordeaux (Moulins de Coussillon), et signent des vins souvent en très bonne place dans le Guide.

Une cuvée née de merlot (70 %), de cabernet franc (20 %) et de cabernet-sauvignon dont le nez s'ouvre sur les fruits rouges, la myrtille, le cuir et les nuances fumées. En bouche, on découvre un vin ample et gourmand, aux tanins ronds et à la finale chaleureuse. Un 2016 généreux. ⌛ 2021-2026 ■ **Ch. Puyanché 2016 (5 à 8 €; 45000 b.)** : vin cité.

⊶ EARL ARBO, lieu-dit Godard, 33570 Francs, tél. 05 57 40 65 77, earl.arbo@orange.fr V r.-v.

CH. LAULAN 2016

■ | 47000 | 🍷 | 5 à 8 €

Bruno et Frédérique Citerne sont installés depuis 1997 dans un hameau de Francs, à l'orée d'un petit bois qui sépare la Gironde de la Dordogne. Ils proposent sous plusieurs étiquettes du francs-côtes-de-bordeaux, la principale étant le Ch. Laulan.

Un 2016 fruité et épicé au nez, souple, plaisant et long en bouche, qui trouvera sans mal sa place à table et qui pourra s'apprécier dans sa jeunesse. ⌛ 2019-2023

⊶ BRUNO CITERNE, Ch. Laulan, lieu-dit Seignade, 33570 Francs, tél. 06 86 38 51 93, chateau-laulan@orange.fr V r.-v. 3 Ⓖ

➜ ENTRE GARONNE ET DORDOGNE

La région géographique de l'Entre-deux-Mers forme un vaste triangle délimité par la Garonne, la Dordogne et la frontière sud-est du département de la Gironde; c'est sûrement l'une des plus riantes et des plus agréables de tout le Bordelais, avec ses vignes qui couvrent 23 000 ha, soit le quart de tout le vignoble. Très accidentée, elle permet de découvrir de vastes horizons comme de petits coins tranquilles qu'agrémentent de splendides monuments, souvent très caractéristiques (maisons fortes, petits châteaux nichés dans la verdure et, surtout, moulins fortifiés). C'est aussi un haut lieu de la Gironde de l'imaginaire, avec ses croyances et traditions venues de la nuit des temps.

ENTRE-DEUX-MERS

Superficie : 1 480 ha / Production : 59 050 hl

L'appellation entre-deux-mers ne correspond pas exactement à l'Entre-deux-Mers géographique, puisque, regroupant les communes situées entre Dordogne et Garonne, elle en exclut celles qui disposent d'une appellation spécifique. Il s'agit d'une appellation de vins blancs secs dont la réglementation n'est guère plus contraignante que pour l'appellation bordeaux. Mais, dans la pratique, les viticulteurs cherchent à réserver pour cette appellation leurs meilleurs vins blancs. Aussi la production est-elle volontairement limitée. Le cépage le plus important est le sauvignon qui communique aux entre-deux-mers un arôme particulier très apprécié, surtout lorsque le vin est jeune. Sémillon et muscadelle complètent l'encépagement.

CH. LES ARROMANS 2018

□ | n.c. | 🍷 | 5 à 8 €

À la retraite de ses parents, qui ont mis en bouteilles à partir de 1970, Joël Duffau a repris une partie de leur vignoble du Ch. les Arromans, venant compléter ainsi le Ch. la Mothe du Barry qu'il avait créé en 1985. Il commande aujourd'hui un ensemble de 40 ha converti au bio. Ses deux étiquettes sont incontournables en bordeaux et en entre-deux-mers.

Un assemblage de sauvignon blanc et autant de sauvignon gris, complété par 20 % de sémillon. Le nez expressif marie avec élégance les agrumes (pamplemousse), les fruits blancs (poire, pêche) et les fruits exotiques (ananas, litchi). Arômes que l'on retrouve au palais, soulignant la fraîcheur d'ensemble. ⌛ 2020-2022

⊶ JOËL DUFFAU, 2, les Arromans, 33420 Moulon, tél. 05 57 74 93 98, vignobles.jduffau@orange.fr V r.-v. 5

CH. DE L'AUBRADE 2018

| 80000 | 🍾 | 5 à 8 € |

Après ses études d'œnologie, Jean-Christophe Lobre s'est installé en 1995 à la tête du vignoble créé en 1974 par ses parents Jean-Pierre et Paulette. Il conduit aujourd'hui, avec son épouse Andréa depuis 2010, un vaste domaine de 70 ha et poursuit ainsi une tradition familiale qui remonte à 1735.

Une cuvée minérale, dont le nez feutré s'ouvre sur les fleurs blanches et les agrumes, rejoints par des notes de fruits exotiques à l'aération. L'attaque vive laisse place à une bouche ample et croquante, toute citronnée. ⧗ 2020-2022

EARL VIGNOBLES J.-C. LOBRE, lieu-dit Jamin, 33580 Rimons, tél. 05 56 71 55 10, vinslobre@free.fr V r.-v.

CH. DE BEAUREGARD-DUCOURT 2018

| 105300 | 🍾 | 5 à 8 € |

En 1858, la famille Ducourt s'établit au Ch. des Combes, à Ladaux, petit village au sud-est de Bordeaux. C'est sous l'impulsion d'Henri Ducourt, installé en 1951 et relayé depuis par ses enfants et petits-enfants, que le vignoble familial prend son essor, pour atteindre aujourd'hui 450 ha répartis sur treize châteaux dans l'entre-deux-mers et le saint-émilionnais. Un ensemble dirigé par Philippe Ducourt depuis 1980.

Cette cuvée à la fois minérale et fruitée (agrumes) sauvignonne légèrement à travers une touche végétale. L'attaque est franche, la bouche ample et citronnée, de bonne persistance. ⧗ 2020-2022

SC VIGNOBLES DUCOURT, 18, rte de Montignac, 33760 Ladaux, tél. 05 57 34 54 00, ducourt@ducourt.com V r.-v.

♥ CH. BEL AIR PERPONCHER Réserve 2018 ★★

| 35000 | 🍾 | 8 à 11 € |

Vigneronne depuis plus de deux siècles, la famille Despagne, établie au cœur de l'Entre-deux-Mers, est un acteur incontournable du vignoble bordelais, à la tête de 300 ha répartis sur plusieurs crus – Bel Air Perponcher, Tour de Mirambeau, Rauzan Despagne, Lion Beaulieu, Mont-Pérat – conduits par les enfants de Jean-Louis (Thibault, Gabriel et Basaline) et par Joël Elissalde, directeur technique. Leurs vins sont souvent en vue dans ces pages, dans les trois couleurs.

Des reflets argentés brillent dans ce vin remarquablement équilibré. Il livre une corbeille de fruits exotiques (fruit de la Passion, mangue et kiwi) et d'agrumes. De la vivacité juste comme il faut, de la souplesse et du gras : l'équilibre est réel. Et les arômes de trouver un long écho en finale. ⧗ 2020-2022 ■ **Ch. Rauzan Despagne 2018 ★ (8 à 11 €; 38000 b.)** : la poire Williams, la pêche blanche et le pamplemousse s'expriment, nuancés de notes d'aubépine et d'accents subtilement minéraux. Après une belle vivacité en attaque, le palais donne la faveur à la douceur et ce sont des

Entre Garonne et Dordogne

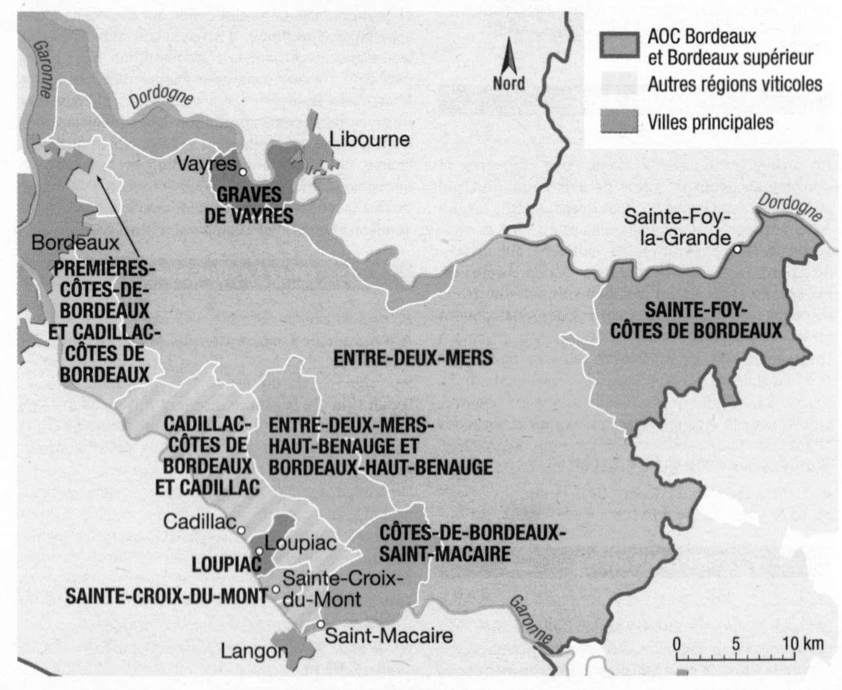

évocations de pêche blanche qui restent en mémoire. 2020-2021

SCEA VIGNOBLES DESPAGNE, 2, Le Touyre, 33420 Naujan-et-Postiac, tél. 05 57 84 55 08, contact@despagne.fr V t.l.j. sf sam. dim. 8h30-12h 13h30-16h30

CH. DE CASTELNEAU 2018 ★

| 56000 | | 5 à 8 € |

Autour d'une maison forte (XIVe et XVIes.), 100 ha d'un seul tenant : un tiers de céréales, un tiers de bois et un tiers de vignes (27 ha). Un lieu de travail et un cadre de vie pour Loïc et Diane de Roquefeuil qui ont repris en 1988 cette propriété familiale située dans l'Entre-deux-Mers.

Placé sous le signe de la fraîcheur et de la minéralité, cet entre-deux-mers dévoile un nez ouvert sur les arômes de pamplemousse, de mandarine et de pêche blanche, entremêlés de notes iodées à l'agitation. D'attaque souple, il développe ensuite une texture fraîche et équilibrée, avec en finale une dominante de citron et de poivre gris. 2020-2022

SCEA CH. DE CASTELNEAU, Ch. de Castelneau, 33670 Saint-Léon, tél. 05 56 23 47 01, castelneau-roquefeuil@wanadoo.fr V r.-v.

CH. CHANTELOUVE 2018

| 40000 | | - de 5 € |

Deux étiquettes, en entre-deux-mers et en bordeaux, sont produites sur ce domaine familial de 50 ha : Ch. Chantelouve et Ch. Roc de Lavergne.

Un brin beurré, ce 2018 distille aussi des arômes de fruits à chair jaune mûrs, de poire et de bourgeon de cassis, nuancés de fougère et de buis. Une attaque franche autour des nuances exotiques introduit une bouche légère. 2020-2021

EARL J.C. LESCOUTRAS ET FILS, 22, Le Bourg, 33760 Faleyras, tél. 05 56 23 90 87, laurent.lescoutras@wanadoo.fr V r.-v.

CHEVAL QUANCARD
Cuvée Clémence 2018 ★★

| 180000 | | 5 à 8 € |

Propriétaire de nombreux crus et acteur majeur du négoce bordelais à travers différentes marques (Chai de Bordes, Pierre Dumontet), Cheval Quancard a été fondé par Pierre Quancard en 1844, sous le nom de Quancard et Fils. La maison est toujours dirigée par ses descendants.

Assemblage de sauvignon (70 %), de sémillon et de muscadelle (10 %), cette cuvée a séduit le jury par son élégance. Toute dorée, elle libère volontiers ses arômes de fruits blancs bien mûrs, rafraîchis par des notes de pomme et de citron. Son volume et son gras, encore soulignés par un caractère vanillé hérité des six mois d'élevage sous bois, lui confèrent un indéniable charme. 2020-2022

SA CHEVAL QUANCARD, ZI La Mouline, 4, rue du Carbouney, BP36, 33565 Carbon-Blanc Cedex, tél. 05 57 77 88 88, chevalquancard@chevalquancard.com V r.-v. au Ch. de Bordes à Saint-Vincent-de-Paul

CH. CHRISMAR 2018 ★

| 10000 | | - de 5 € |

La famille Clissey-Fermis est établie sur les terres de Ladaux depuis sept générations. Depuis 1992, c'est Thierry Fermis qui est à la tête du vignoble, 45 ha sur lesquels sont produites trois étiquettes : les châteaux Haut-Terre-Fort, Maynard et Chrismar.

Un vin typé qui libère de puissants arômes d'agrumes (citron vert, zeste de pamplemousse), de fruits exotiques et de fruits jaunes (pêche, mirabelle), nuancés de buis. De la vivacité en attaque, puis une rondeur bien équilibrée par une pointe de fraîcheur. Enfin, une finale de belle longueur. 2020-2021 **Ch. Haut Terre Fort 2018 (- de 5 €; 20000 b.)** : vin cité.

CH. CHRISMAR, 24, rte de Cantois, 33760 Ladaux, clissey.fermis@wanadoo.fr V r.-v.

CH. DE CRAIN 2018 ★

| 60000 | | 5 à 8 € |

Bâti au XIIIe siècle par le roi Edouard IV d'Angleterre, c'est l'un des plus vieux châteaux d'Aquitaine. Depuis cinq générations, le domaine exploite 50 ha de vignes sur un sol argilo- calacaire.

Une cuvée au nez aussi expressif que complexe : agrumes (citron), pêche blanche et nuances exotiques, notes florales (acacia) aussi. Fraîche et fruitée, la bouche offre une belle matière, puis une finale tendre, évocatrice d'abricot sec. 2020-2021

CH. DE CRAIN, 3, rte de Crain, 33750 Baron, tél. 05 57 24 50 66, chateau.decrain@wanadoo.fr V r.-v.

CH. DARZAC 2018

| 50000 | | 5 à 8 € |

Aux origines du domaine, une dot acquise par un ancêtre grognard de l'armée napoléonienne, marié le même jour que l'Empereur. Aujourd'hui, 55 ha dans l'Entre-deux-Mers répartis entre les châteaux Fondarzac et Darzac, conduits depuis 1996 par Stéphane et Alain, fils de Claude Barthe.

Une cuvée gourmande, évocatrice de fruits exotiques et de pêche jaune. En bouche ronde et souple, elle bénéficie d'une pointe d'amertume rafraîchissante en finale. 2020-2022

SCA VIGNOBLES CLAUDE BARTHE, 22, rte de Bordeaux, 33420 Naujan-et-Postiac, tél. 06 08 01 08 77, alain@vignoblesclaudebarthe.com V r.-v.

CH. FONTOY 2018

| 45700 | | - de 5 € |

Fondée en 1933, la coopérative de Rauzan, dans l'Entre-deux-Mers, a fusionné en 2008 avec la cave de Grangeneuve (Romagne), puis en 2016 avec celle de Nérigean pour constituer les Caves de Rauzan : pas moins de 400 adhérents, de 65 châteaux et 3 500 ha de vignes. Des appellations régionales et de l'entre-deux-mers.

Une cuvée dorée qui offre au nez une douce alliance de pêche et d'abricot, de fruit de la Passion, de citron et de fleurs. Suivent une attaque fraîche, puis une bouche ample et ronde, avant une longue finale acidulée. ⧗ 2020-2022 ■ **Ch. Jean de Marceau 2018 (- de 5 €; 38 000 b.)** : vin cité. ■ **Ch. Canteloudette 2018 (- de 5 €; 33 000 b.)** : vin cité.

LES CAVES DE RAUZAN, L'Aiguilley, 33420 Rauzan, tél. 05 57 84 19 95, accueil@cavesderauzan.com V r.-v.

CH. LA GRANDE MÉTAIRIE 2019

■ | 79 000 | | 5 à 8 €

Jean-Luc Buffeteau, revenu en 1998 sur les terres familiales, conduit 29 ha de vignes sur les coteaux vallonnés de l'Entre-deux-Mers, au cœur du Sauveterrois, dans les communes de Castelviel et Gornac. Il y produit deux étiquettes, La Grande Métairie et Haut Dambert.

Une cuvée sur le fruit, élaborée à partir d'une large base de sauvignon et d'un peu de muscadelle (12 %). Elle évoque les fruits jaunes nuancés de touches minérales et de notes florales au nez. Les agrumes s'invitent ensuite dans une bouche légère, dont la fraîcheur porte bien la finale. ⧗ 2020-2021

VIGNOBLES BUFFETEAU, lieu-dit Dambert, 33540 Gornac, tél. 05 56 61 97 59, vignoblesbuffeteau@gmail.com V r.-v.

CH. HAUT-CAZEVERT Cuvée Prestige 2017 ★★

■ | 20 000 | | 5 à 8 €

Un vignoble de 25 ha d'un seul tenant, situé sur l'un des points culminants de l'Entre-deux-Mers, acquis en 1989 par un groupe d'amis, aujourd'hui propriété d'une centaine d'actionnaires, avec à la direction Emmanuel Jacob, qui a débuté en Espagne (Ribera del Dureo) avant de revenir dans le Bordelais en 1996. Deux étiquettes : Haut-Cazevert (entre-deux-mers) et Harandailh (bordeaux).

Vêtue d'une robe claire à reflets vert amande, c'est une cuvée élégante et flatteuse qui se présente dans le verre. Elle marie les fruits jaunes et blancs au citron confit et aux fleurs sur une belle trame minérale. Fraîche et ronde à la fois, elle parvient à un remarquable équilibre. ⧗ 2020-2022

CH. HAUT-CAZEVERT, 2, Harandailh, 33540 Blasimon, tél. 05 57 84 18 27, chateau.haut.cazevert@wanadoo.fr V r.-v.

CH. HAUT-GARRIGA 2018 ★

■ | 140 000 | | - de 5 €

La famille Barreau cultive la vigne depuis 1782 et la plantation des premiers pieds de vignes au lieu-dit Garriga. La cinquième génération (rejointe par la sixième en 2015) est aujourd'hui à la tête d'un coquet vignoble de 80 ha, répartis entre les châteaux Haut-Garriga, le fief historique et Courteau. Une famille qui s'invite avec une grande régularité dans les chapitres bordeaux rosé, bordeaux sec et entre-deux-mers du Guide.

Délicatesse et gourmandise sont au rendez-vous dans cette cuvée au nez intense : la pêche jaune et la mangue se mêlent aux arômes d'acacia et à de discrètes notes épicées. Suivent une attaque vive et une bouche florale, souple, pourvue d'un léger gras. Belle finale marquée par la pêche blanche. ⧗ 2020-2022

VIGNOBLES BARREAU ET FILS, 1, Garriga, 33420 Grézillac, tél. 05 57 74 90 06, chateau-haut-garriga@wanadoo.fr V r.-v.

CH. HAUT-MEYREAU 2018 ★

■ | 16 000 | 5 à 8 €

Ce vaste domaine, passé de 2 ha en 1802, sa date de fondation, à 85 ha aujourd'hui, est établi aux portes de Libourne, sur la petite commune de Dardenac. La sixième génération de viticulteurs (Jean-Pierre Derouet) est actuellement aux commandes.

Un 100 % sauvignon à la robe argentée. De légères évocations fumées accompagnent les arômes de fruits exotiques. Centrée sur les agrumes, la bouche apparaît tout en légèreté et en fraîcheur, avec un côté acidulé en finale. ⧗ 2020-2022

SCEA CH. HAUT-MEYREAU, 1, lieu-dit Goumin, 33420 Dardenac, tél. 05 56 23 71 92, vignoblesinvinolia@inviniolia.fr V r.-v.

CH. HAUT-RIAN 2018

■ | 80 000 | | 5 à 8 €

Isabelle, Champenoise d'origine, et Michel Dietrich, œnologue alsacien, tous deux enfants de vignerons, avaient envie d'ailleurs : à la fin de leurs études, ils partent six ans en Australie s'occuper des vignobles de la maison Rémy Martin. En 1988, ils s'installent à Rions, petite cité fortifiée du XIVe s. pour créer leur propre structure. En 2017, leur fille Pauline Lapierre, œnologue, les a rejoints. Aujourd'hui à la tête d'un vignoble de 80 ha, ils se distinguent avant tout par leurs blancs secs.

Les notes citronnées et l'écorce d'orange amère se distinguent avec subtilité dans le verre. Vif mais pas trop, souple juste comme il faut et suffisamment persistant, ce vin fait preuve d'harmonie. ⧗ 2020-2021

EARL MICHEL DIETRICH (CH. HAUT-RIAN), 10, Labastide, 33410 Rions, tél. 05 56 76 95 01, chateauhautrian@wanadoo.fr V t.l.j. sf sam. dim. 8h-12h 13h-17h

CH. HAUT-TELLAS 2017 ★

■ | 8 000 | | 5 à 8 €

Situé à équidistance de la Garonne, de la Dordogne et de l'estuaire de la Gironde, le domaine exploite 3,4 ha de vignes en conversion bio, exposées sud/sud-ouest, sur un sol à dominante argilo-calcaire avec présence de graves. L'encépagement se répartit entre le merlot (65 %), le cabernet-sauvignon (25 %) et le cabernet franc (10 %).

Un vin délicat dans lequel les arômes de pêche jaune à peine compotée se mêlent à ceux de fruits exotiques, d'agrumes, de buis et d'aubépine. Une palette que l'on retrouve dans une bouche ronde et fraîche à la fois, nuancée d'une pointe d'amertume en finale. ⧗ 2020-2022

CH. HAUT-TELLAS, 39, chem. de Bernes, 33450 Saint-Loubès, tél. 06 32 75 07 99, contact@haut-tellas.fr V r.-v.

CH. HOSTIN LE ROC 2018

| 2500 | 5 à 8 € |

Une famille originaire du Périgord, venue se fixer dans l'Entre-deux-Mers en 1910. En 1972, André et Renée Boutinon ont acquis ce domaine, qu'ils ont transmis en 2015 à la nouvelle génération représentée par Catherine et Jérôme, qui se sont lancés dans l'aventure après un début de carrière comme ingénieurs (chez Airbus et dans les télécommunications). Leur vignoble couvre 21 ha.

Une cuvée dont on apprécie le côté fruité (fruits exotiques) et minéral, nuancé d'une touche évocatrice de feuille froissée. En bouche, l'attaque acidulée donne le ton : les flaveurs de bonbon anglais s'installent et la fraîcheur laisse une impression aérienne. ⧗ 2020-2021

CH. HOSTIN LE ROC, Hostin, 33750 Saint-Quentin-de-Baron, tél. 05 57 24 14 26, info@vignobles-boutinon.com V t.l.j. sf dim. 9h-12h 13h30-18h

CH. LA LANDE DE TALEYRAN 2018 ★

| 500000 | 5 à 8 € |

Après une expérience en tant que maître de chai aux États-Unis, Arnaud Burliga a rejoint son père Jacques en 2005. Ce dernier a constitué les domaines familiaux en reprenant en 1984 le Ch. la Lande de Taleyran, puis deux autres propriétés : aujourd'hui, 58 ha de vignes en AOC régionales et en entre-deux-mers.

Bel équilibre pour cette cuvée aux arômes de pêche jaune, de fruits exotiques et de fleurs blanches. La bouche se développe en finesse, avec un léger gras et une vivacité bien dosée. Pourvue d'une agréable amertume, elle se conclut par une finale évocatrice de fleurs et de pêche blanche, tout en légèreté. ⧗ 2020-2022

EARL VIGNOBLES BURLIGA, 6, rte de l'Église, 33750 Beychac-et-Caillau, tél. 05 56 72 98 93, contact@burliga.com V t.l.j. sf sam. dim. 9h-12h 14h-18h

CH. LANDEREAU 2018 ★

| 200000 | 5 à 8 € |

Henri Baylet et son fils Michel ont acquis le Ch. Landereau en 1959, puis le Ch. de l'Hoste Blanc en 1980. Installé en 1988, Bruno Baylet, troisième du nom, exploite aujourd'hui 80 ha dans l'Entre-deux-Mers.

Le nez s'ouvre sur d'intenses arômes de pêche jaune, de kiwi et de litchi, de buis et de fleurs blanches. De bon volume et assez riche, la bouche parvient à un bel équilibre. ⧗ 2020-2022

CH. LANDEREAU, RD 671, 33670 Sadirac, tél. 05 56 30 64 28, vignoblesbaylet@free.fr V t.l.j. sf dim. 9h-12h 13h30-17h30

CH. LAUDUC 2018 ★

| 30000 | 5 à 8 € |

Conduit par les frères Régis et Hervé Grandeau, ce cru familial fondé en 1930, naguère dédié à la production de lait, de raisins de table et de fruits, étend son vignoble de 110 ha sur les plus hauts coteaux argilo-calcaires et graveleux de Tresses, à une dizaine de kilomètres de Bordeaux. Un domaine régulier en qualité.

Un nez ouvert sur les arômes d'agrumes (pamplemousse, citron vert) nuancés de notes de buis et d'une belle minéralité. L'attaque souple annonce une bouche ronde et légère, bien équilibrée, à laquelle la finale citronnée apporte une agréable fraîcheur. ⧗ 2020-2022

VIGNOBLES GRANDEAU, 5, chem. de Lauduc, 33370 Tresses, tél. 05 57 34 43 56, contact@lauduc.fr V *t.l.j. sf dim. 10h-13h 14h-18h*

CH. LESTRILLE 2018

| 66660 | 5 à 8 € |

Fondé en 1901, ce domaine familial de 44 ha est une des valeurs sûres des AOC régionales. Il est conduit depuis 2006 par Estelle Roumage (revenue au domaine en 2001), qui a succédé, avec le même talent, à son père Jean-Louis et revendique des vins fruités nés d'une «viticulture durable» (sans certification bio).

Le nez laisse échapper des arômes d'ananas et de pamplemousse, complétés par des notes de fleurs blanches. Suit une bouche toute douce, qui restitue le bouquet jusque dans la finale. ⧗ 2020-2021

CH. LESTRILLE, 15, rte de Créon, 33750 Saint-Germain-du-Puch, tél. 05 57 24 51 02, contact@lestrille.com V r.-v.

MICHEL LIESSI L 2018 ★

| 6600 | 8 à 11 € |

Michel Liessi, responsable d'exploitation sur diverses propriétés à Châteauneuf-du-Pape, Mercurey, Chablis ou encore Sauternes, a créé en parallèle son propre domaine à partir de 1991. Après avoir porté ses raisins à la coopérative, il a créé son chai en 2013 dans lequel il vinifie le fruit de 10 ha de vignes convertis au bio dès 2000 (certification en 2013) et aujourd'hui sur la voie de la biodynamie.

Un vin élevé en jarre, partagé à parts égales entre le sauvignon blanc et gris. Sous une robe brillante sommeille un nez discret qui monte en puissance à l'aération : fruits blancs et exotiques se mêlent alors au genêt et au buis. La bouche riche révèle une vivacité bienvenue en finale. ⧗ 2020-2022

MICHEL LIESSI, Ch. du Champ du Moulin, 33190 Fossés-et-Baleyssac, tél. 05 57 31 00 85, contact@liessi.com V r.-v.

CH. MARTINON 2018 ★★

| 100000 | 5 à 8 € |

Ce domaine se situe en plein cœur de l'Entre-deux-Mers Haut-Benauge, sur un coteau argilo-calcaire. Héritier d'une très ancienne lignée vigneronne, Jérôme Trolliet, artiste peintre, a posé ses pinceaux en 1980 pour prendre le relais de sa mère à la tête du vignoble familial, étendu aujourd'hui sur une cinquantaine d'hectares.

Une cuvée habillée d'or et de lumière, dont le bouquet puissant évoque la poire et la pêche de vigne, rejoints à l'agitation par la mangue, l'abricot, le citron et le bourgeon de cassis. Après une attaque ample, la bouche s'inscrit dans la continuité, dévoilant des flaveurs de raisin mûr. Volume et fraîcheur s'équilibrent remarquablement. Tendre, fruitée et florale (fleurs des champs), la longue finale laisse rêveur. ⧗ 2020-2022

CH. MARTINON,
Ch. Martinon, 33540 Gornac, tél. 05 56 61 97 09, chateaumartinon@wanadoo.fr
r.-v.

CH. NARDIQUE LA GRAVIÈRE 2018

| 80000 | 5 à 8 € |

Cette propriété établie au lieu-dit La Nardique appartient à la même famille depuis 1920. Philippe Thérèse, installé depuis 1987 et représentant la troisième génération, exploite aujourd'hui un vignoble de 38 ha, épaulé depuis 2014 par son fils Nicolas.

Du verre se libèrent des arômes de fleurs blanches et des notes d'amande amère. Puis de fines nuances exotiques s'invitent dans la bouche ronde et douce, à laquelle une finale citronnée apporte un soupçon de fraîcheur. ⧗ 2020-2021

CH. NARDIQUE LA GRAVIÈRE, Ch. Nardique la Gravière, 33670 Saint-Genès-de-Lombaud, tél. 05 56 23 01 37, lesvignoblestherese@gmail.com
r.-v.

CH. NINON Fleur de Ninon 2018 ★

| 21200 | - de 5 € |

Un domaine commandé par une girondine de la fin du XIXe s., qui étend ses 29,50 ha de vignes sur les communes de Grézillac, Lugaignac et Daignac, au cœur de l'Entre-deux-Mers. Installé en 2001, Frédéric Roubineau a pris la suite de son père Pierre en 2010.

Un vin de plaisir, très sauvignon par ses notes citronnées et florales. Il emplit le palais d'une sensation ronde et douce, puis trouve en finale du relief grâce à une pointe acidulée. ⧗ 2020-2022

FRÉDÉRIC ROUBINEAU (CH. NINON), 5, Tenot, 33420 Grézillac, tél. 05 57 84 62 41, chateau.ninon@aliceadsl.ffr *r.-v.*

♥ CH. DE L'ORANGERIE Grande Cuvée 2018 ★★

| n.c. | - de 5 € |

Les ancêtres de Jean-Christophe Icard ont constitué à partir de 1790 un domaine qui s'est agrandi au fil des générations. Conduit depuis 1994 par l'actuel exploitant, le vignoble familial couvre quelque 130 ha, dont 75 ha de vignes, dans l'Entre-deux-Mers et la région de Cadillac. Plusieurs étiquettes ici : L'Orangerie, La Sablière Fongrave et même des « produits sous licence » signés par le célèbre dessinateur belge Philippe Geluck, créateur du personnage Le Chat.

Une cuvée qui fait honneur à l'appellation, issue de sémillon et de sauvignon blanc à parts égales, complétés de 10 % de muscadelle. La robe a des reflets d'argents... Dans le verre, les fruits blancs donnent le ton, escortés par des notes d'agrumes, de buis et d'abricot confit, voire de miel d'acacia. C'est ce bel équilibre entre fraîcheur et douceur qui se réalise pleinement au palais. Un vin intense et persistant. ⧗ 2020-2022

SCEA DES VIGNOBLES JEAN-CHRISTOPHE ICARD, lieu-dit le Jardinet, 33540 Saint-Félix-de-Foncaude, tél. 05 56 71 53 67, orangerie@chateau-orangerie.com

CH. JEAN DE PEY 2018 ★

| 7500 | - de 5 € |

Dirigée depuis 1986 par Annie Merlet-Brunet, cette propriété étend ses 30 ha de vignes au cœur de l'Entre-deux-Mers, sur les coteaux argilo-calcaires qui entourent Sauveterre-de-Guyenne, célèbre pour sa bastide fondée en 1281 par Édouard Ier, roi d'Angleterre.

Élégante, cette cuvée dévoile des arômes frais de fruits exotiques, de buis et de fleur d'acacia, avant de libérer de délicates notes miellées à l'aération. C'est une impression de douceur qui enveloppe le palais, tant la matière est ample. ⧗ 2020-2021

CH. JEAN DE PEY, Le Puch, 33540 Sauveterre-de-Guyenne, tél. 06 80 95 09 49, amerletbrunet@orange.fr

CH. LA PEYRE 2018 ★

| 1200 | 5 à 8 € |

Une propriété existant depuis 1879, dont les 45 ha de vignes sont conduits depuis 1989 par Francis Lapeyre, dans un esprit proche du bio.

Ce vin discret s'ouvre à l'aération, dévoilant une palette gourmande de petits fruits jaunes (mirabelle, abricot), de fruits blancs (pomme verte, poire) et d'aubépine, sur une trame minérale (pierre à fusil). La bouche est au diapason, aromatique et dotée d'un beau volume. Longue, la finale revient sur la fraîcheur. ⧗ 2020-2022

SCEA LAPEYRE ET FILS, Loyasson Nord, 33540 Saint-Hilaire-du-Bois, tél. 06 59 86 94 36, fabienlapeyre@yahoo.fr *t.l.j. sf sam. dim. 9h30-12h 14h-18h*

DOM. DE RICAUD 2018 ★★

| 41400 | 5 à 8 € |

Issu d'une longue lignée de vignerons, Régis Chaigne, ingénieur agronome installé en 1992, exploite un bel ensemble viticole de 45 ha sur les communes de Saint-Laurent-du-Bois, Cantois, Saint-Martial, Saint-Pierre-de-Bat et Gornac.

Une cuvée exotique et florale, gourmande à souhait. Elle décline à l'envi des arômes d'agrumes et de fruits exotiques bien mûrs : la mangue, le litchi, l'écorce d'orange. La bouche allie douceur et vivacité, puis s'étire durablement en notes muscatées. ⧗ 2020-2022

DOM. DE RICAUD, Ch. Ballan-Larquette, 33540 Saint-Laurent-du-Bois, tél. 05 56 76 46 02, regis@chaigne.fr
r.-v.

♥ CH. SAINTE-MARIE
Vieilles Vignes Source de passion 2018 ★★

| 94000 | 🍾 | 5 à 8 € |

Ce domaine fut autrefois administré par les moines de la Sauve-Majeure. Depuis quatre générations, les Dupuch (Stéphane depuis 1997) sont aux commandes et en ont fait une propriété importante (80 ha) de l'Entre-deux-Mers. Ils exploitent aussi dans le Haut-Médoc le Ch. Peyredon Lagravette, petit cru d'à peine plus de 4 ha.

Le domaine signe ici une cuvée ciselée comme la dentelle de pierre des églises romanes de la région. Intensément aromatique, elle décline toute une palette fruitée (fruits exotiques, pêche blanche), florale et minérale. Une belle vivacité en attaque, puis une matière complexe, souple et fraîche qui enveloppe le palais avec élégance jusqu'à la finale florale. ⌛ 2020-2021 ■ **Les Hauts de Sainte-Marie 2018 (- de 5 €; 8933 b.)** : vin cité.

SCEA LES HAUTS DE SAINTE-MARIE, 51, rte de Bordeaux, 33760 Targon, tél. 05 56 23 64 30, contact@chateau-sainte-marie.com V r.-v.

CH. LE SÈPE 2017

| 5400 | 🛢 | 8 à 11 € |

En 2009, Dominique et Catherine Guffond ont choisi la reconversion professionnelle et opté pour la culture de la vigne. Un an de formation dans le Médoc, dans un château margalais, et l'acquisition de cette ancienne propriété templière (14 ha de vignes) située à une centaine de mètres au-dessus du lit de la Dordogne, sur des argilo-calcaires face à Saint-Émilion.

Destinée aux amateurs de vins boisés, cette cuvée présente un nez ouvert sur les arômes de pêche jaune, de noix de coco et de miel, accompagnés de notes toastées et vanillées. La bouche suit le mouvement, avec légèreté. ⌛ 2020-2022

CH. LE SÈPE, 1, le Sèpe, 33350 Sainte-Radegonde, tél. 06 86 90 88 18, chateaulesepe@orange.fr V r.-v. 5

CH. TOUR DE BONNET 2018

| 80000 | 🍾 | - de 5 € |

André Lurton conduit depuis 1953 le Ch. Bonnet (et sa déclinaison Tour de Bonnet), un fief historique qui est aussi son lieu de naissance et le premier cru acquis par son grand-père Léonce Récapet en 1897. Un domaine de 300 ha, valeur sûre en entre-deux-mers et bordeaux, qui entre dans un vaste «empire» de 600 ha, dont 260 en pessac-léognan, l'autre «patrie» d'André Lurton (Couhins-Lurton, La Louvière...).

Une cuvée d'une grande fraîcheur, très marquée par le sauvignon dans ses évocations de citron, de buis et de fougère. C'est bien sa vivacité conquérante qui impressionne au palais. ⌛ 2020-2022

LES VIGNOBLES ANDRÉ LURTON, Ch. Bonnet, 33420 Grézillac, tél. 05 57 25 58 58, andrelurton@andrelurton.com V r.-v.

ENTRE-DEUX-MERS HAUT-BENAUGE

Superficie : 105 ha / Production : 5 310 hl

Neuf communes situées autour de Targon, sur la même aire que le bordeaux-haut-benauge, peuvent ajouter le nom de haut-benauge.

Ⓑ DOM. DU BOURDIEU 2018

| 30000 | 🍾 | 5 à 8 € |

Les Boudon sont en bio de père en fils depuis 1963 : Patrick, installé sur le domaine familial depuis 1981, a été initié au respect du terroir par son père et son grand-père. Il conduit aujourd'hui un vignoble de 28 ha.

Sous une teinte jaune tendre apparaissent des notes de pomme et de poire légèrement miellées, ainsi que des touches d'agrumes rafraîchissantes. Un accent minéral souligne la bouche équilibrée. ⌛ 2019-2021

DOM. DU BOURDIEU, Le Bourdieu, 33760 Soulignac, tél. 05 56 23 65 60, contact@vignoble-boudon.fr V r.-v.

♥ CH. PEYRINES 2018 ★★

| 8000 | 🍾 | 5 à 8 € |

Du château médiéval, il ne reste que quelques pierres, dont celles qui portent le blason des comtes de Peyrines, devenu celui du domaine. Un domaine viticole fondé en 1825 autour d'un vignoble de 38 ha aujourd'hui, conduit depuis trois générations par la famille Behaghel.

Pâle, si pâle et pourtant expressif, tellement expressif dans ses arômes de fleurs, d'agrumes et de fruits exotiques. Ce vin allie ampleur et vivacité au palais, puis laisse ses flaveurs faire ricochet en finale. C'est si bon ! ⌛ 2019-2022

CH. PEYRINES, Ch. Peyrines, 33410 Mourens, tél. 05 56 61 98 05, contact@chateau-peyrine.com V *t.l.j. 10h-13h 14h-19h*

CH. VERMONT La Grande Cuvée 2017 ★

| 4000 | 🛢 | 11 à 15 € |

Commandée par un ravissant château du XIXe s. entouré de 40 ha de vignes, cette propriété de l'Entre-deux-Mers appartient à la même famille depuis les années 1880. La quatrième génération – Élisabeth et son mari David Labat – est aujourd'hui aux commandes.

Une belle allure fringante, jaune paille éclatant. Quelques reflets verts aussi. Une présentation bien tentante. Du fruit mûr, miellé, des notes de fougère. Puis un bon équilibre au palais, tout en fruité et en minéral jusqu'en finale. ⌛ 2019-2022

SCEA CH. VERMONT, Ch. Vermont, 33760 Targon, tél. 05 56 23 90 16, chateauvermont@chateau-vermont.fr V *t.l.j. 9h-12h 14h-18h; sam. dim. sur r.-v.*

GRAVES-DE-VAYRES

Superficie : 660 ha
Production : 35 300 hl (85 % rouge)

Malgré l'analogie du nom, cette région viticole, située sur la rive gauche de la Dordogne, non loin de Libourne, est sans rapport avec la zone viticole des Graves. Les graves-de-vayres correspondent à une enclave relativement restreinte de terrains graveleux, différents de ceux de l'Entre-deux-Mers. Cette dénomination a été utilisée dès le XIXᵉs., avant d'être officialisée en appellation en 1937. Initialement, elle correspondait à des vins blancs secs ou moelleux, mais la production des vins rouges, qui peuvent bénéficier de la même appellation, est devenue majoritaire. Une part importante des vins rouges est cependant commercialisée sous l'appellation régionale bordeaux.

CH. LES ARTIGAUX L'Art des Artigaux 2018

| ■ | 2000 | | 5 à 8 € |

Créé en 1901, le Ch. les Artigaux porte le nom d'une de ses parcelles de vignes. Le domaine s'étend sur 22 ha, une large part étant dédiée aux cépages rouges. Bruno Baudet est aux commandes depuis 1998. Une valeur sûre des graves-de-vayres.

«Vin de caractère», souligne l'un des jurés. Un caractère issu originellement de l'assemblage à parité de sauvignon, de sémillon et de muscadelle. Déjà perceptible dans la robe doré brillant, la fraîcheur se révèle aussi dans la palette aromatique : citron vert, fruits à chair blanche et arômes intenses encore de toasté et de vanille. Souple à l'attaque, le vin investit le palais, souligné d'une minéralité qui participe à l'équilibre. ⧗ 2020-2023

EARL BAUDET, Ch. les Artigaux, 12, rue du Sudre, 33870 Vayres, tél. 06 08 16 55 45, baudet.bruno@wanadoo.fr V *t.l.j. 8h30-18h*

CH. BARRE GENTILLOT Vieilles Vignes 2017

| ■ | 29000 | | 5 à 8 € |

Exploitées depuis sept générations par la même famille, les 48 ha de vignes de ce domaine s'étendent autour d'une bâtisse du XVIIᵉs., aux allures de cathédrale.

Assez soutenu, ce vin retient encore ses arômes de fruits mûrs pour donner la faveur aux notes empyreumatiques et réglissées issues de l'élevage de douze mois en fût. Des tanins fermes encadrent sa matière, indiquant qu'une garde serait bienvenue. ⧗ 2021-2024

CH. DE BARRE, Ch. de Barre, 33500 Arveyres, tél. 05 57 24 80 26

CH. BEL-AIR Élevé en fût de chêne 2016 ★

| ■ | 25000 | | 11 à 15 € |

La petite-fille de Gustave Eiffel était la propriétaire de ce château. Ses descendants sont aujourd'hui à la tête des 16 ha de vignoble, dominés par le merlot (près de 50 % de l'encépagement).

Des reflets carmin animent ce vin qui déclinent avec discrétion des arômes de fruits cuits, d'épices, puis de cacao. Le mariage entre rondeur et fraîcheur se réalise harmonieusement au palais et la finale persiste bien. ⧗ 2020-2024

CH. BEL-AIR, 1, av. de Bel-Air, 33870 Vayres, tél. 06 88 35 62 23, p.guillout@wanadoo.fr *t.l.j. sf sam. dim. 8h-12h 13h-16h*

CH. BROUSCAILLOU 2018 ★

| ■ | 1300 | | 5 à 8 € |

En 2015, après huit ans passés à se former au Ch. les Artigaux, Marie Bazin a pris en fermage un peu plus de 3 ha de vignes en graves-de-vayre. Son ancien « patron », Bruno Baudet, lui prête quelques cuves et un bout de son chai pour vinifier.

À Brouscaillou, on a fait le choix du sémillon (100 %) pour élaborer cette cuvée originale élevée neuf mois au contact du chêne. Au nez, se bousculent des notes de vanille fraîche, des arômes de pêche et de litchi. La bouche est généreuse et équilibrée, stimulée de fines touches minérales issues d'un terroir de graves crayeuses. Un vin «de classe, original et respectueux du raisin», note un dégustateur particulièrement sagace. ⧗ 2020-2022

MARIE BAZIN, 200, imp. des Combes, 33420 Génissac, tél. 06 66 79 08 96, marinette.bazin@hotmail.fr V *t.l.j. 8h30-18h*

CH. CANTELAUDETTE 2018 ★

| ■ | 40000 | | 5 à 8 € |

Longtemps exploité en polyculture, ce cru fondé en 1870 par l'aïeul de Jean-Michel Chatelier est désormais dédié à la vigne seule (55 ha), à l'origine de graves-de-vayres et de bordeaux très réguliers en qualité et proposés sous plusieurs étiquettes.

Dominé par le sémillon (90 % de l'assemblage), ce graves-de-vayres vêtu de jaune pâle à reflets émeraude allie la vivacité des agrumes aux notes épicées et minérales (silex, en rappel du terroir). ⧗ 2020-2022 ■ **2016 ★ (5 à 8 €; 12000 b.)** : la grande maturité du raisin se perçoit dans la robe carmin comme dans les arômes fruités (cerise mûre). La concentration de la matière est également très perceptible et les tanins dessinent une structure de qualité. Vieillissement et passage en carafe seront bénéfiques. ⧗ 2021-2024

CHATELIER, 1, Cantelaudette, 33500 Arveyres, tél. 05 57 24 84 71, jm.chatelier@orange.fr V *r.-v.*

♥ CH. LA FLEUR DES GRAVES 2018 ★★

| ■ | 6000 | | 8 à 11 € |

Un vaste domaine de 50 ha de vignes et 60 ha de forêts et prairies, commandé par un château du XVIIIᵉs. construit selon les plans de Victor Louis et propriété des Glotin depuis 1930. Plusieurs étiquettes ici, en graves-de-vayres et entre-deux-mers : Goudichaud, Haut Bessac, Fage, Haut Beaumard et La Fleur des Graves.

Dix mois de flirt avec la barrique ont transmis à ce vin de sauvignon (75 %) et de sémillon un petit air coquin. Sous une teinte or se déclinent des arômes d'agrumes, de fruits jaunes, d'épices (poivre blanc), de menthe poivrée, voire de camphre. Le palais est de la même veine, d'une belle vivacité, mais non dénué de rondeur. La minéralité, legs du terroir, est fort bienvenue en finale. ⧗ 2019-2022 ■ **2016 ★ (8 à 11 €; 50000 b.)** : un vin pourpre, finement vanillé en contrepoint des arômes de framboise et de groseille. De bonne longueur, il bénéficie d'une matière équilibrée, aux tanins certes présents, mais fondus. ⧗ 2020-2024 ■ **Ch. Goudichaud 2018 ★ (5 à 8 €; 12000 b.)** : issu de sauvignon, de sémillon et d'un apport (10 %) de muscadelle, ce 2018 exprime volontiers des arômes de poire confite, de fruits jaunes, de bois de rose et même de noix fraîche. Au palais, des flaveurs de brioche vanillée soulignent la rondeur délicate de la matière. Une touche de pierre à fusil se glisse alors dans la palette, comme la signature du terroir. ⧗ 2019-2022 ■ **Ch. Haut Beaumard 2018 ★ (5 à 8 €; 6000 b.)** : un vin harmonieux, fleurant le citron et le jasmin. Une petite pointe boisée en finale rappelle qu'il a séjourné trois mois en fût. ⧗ 2019-2022

CH. GOUDICHAUD, 17, chem. de Goudichaud, 33750 Saint-Germain-du-Puch, tél. 05 57 24 57 34, contact@chateaugoudichaud.fr V t.l.j. sf sam. dim. 8h30-12h30 13h30-18h*

CH. HAUT-GAYAT Quintessence 2016

■	5000		11 à 15 €

Les Degas dirigent un vaste vignoble familial de 100 ha qui doit beaucoup aux femmes, aux commandes depuis trois générations : après Marie-José Degas, installée en 1985, ce sont ses petites-filles Diane et Eugénie qui ont pris la relève.

Fruits noirs confiturés, pruneau, épices composent la palette de ce vin. Les tanins soyeux contribuent à son caractère rond et très souple. ⧗ 2020-2022 ■ **2016 (5 à 8 €; 70000 b.)** : vin cité.

CH. HAUT-GAYAT, 36-38, rte de Créon, 33750 Saint-Germain-du-Puch, tél. 05 57 24 02 44, contact@vignoblesdegas.fr V *r.-v.*

♥ CH. LESPARRE 2016 ★★

■	240000		8 à 11 €

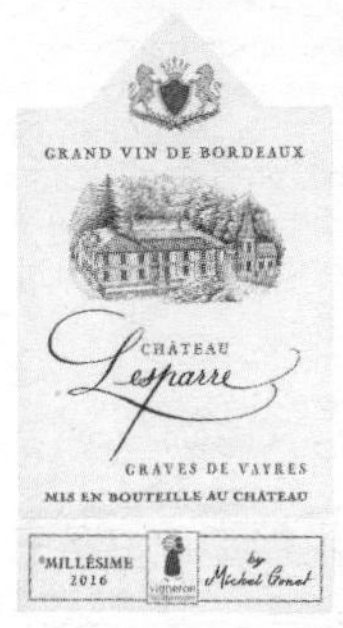

Originaire de Champagne (Côte des Blancs), la famille Gonet s'est aussi forgé une solide renommée dans le Bordelais : en graves-de-vayres avec les châteaux Lesparre (acquis en 1986), Lathibaude et Durand Bayle, valeurs sûres conduites en bio, ainsi qu'en pessac-léognan (Haut-Bacalan, Eck, Haut l'Évêque, Saint-Eugène) et en AOC régionales (La Chapelle Bordes, La Rose Videau).

Sombre, ce 2016 a décidément bien évolué. En témoigne le bouquet dans lequel les notes d'épices, de toasté et de chocolat épousent celles de fruits noirs mûrs. Puis c'est une matière ample et structurée par des tanins fondus qui se développe, empreinte de délicieuses flaveurs fruitées et réglissées. ⧗ 2020-2024 ■ **Ch. Durand-Bayle 2016 ★ (11 à 15 €; 53000 b.)** : des reflets violet intense brillent dans la robe rubis. Jeune encore dans sa présentation, ce 2016 montre cependant qu'il a tiré parti du temps pour marier harmonieusement les arômes de fruits à ceux du bois. Le tanins sont bien présents, mais le gras de la matière les intègre déjà. Bonne finale. ⧗ 2020-2024

SCEV MICHEL GONET ET FILS, Ch. Lesparre, 33750 Beychac-et-Caillau, tél. 05 57 24 51 23, info@gonet.fr V *t.l.j. sf dim. 8h30-12h30 13h30-17h30; f. à Noël*

CH. DU PETIT PUCH 2016 ★

■	55960		15 à 20 €

Une des plus anciennes propriétés du Bordelais (la construction du château date de 1337), entièrement rénovée en 2000 et acquise en 2004 par la famille de La Rivière. Le vignoble s'étend sur 14 ha en graves-de-vayres.

Sur le fruit de la griotte et du cassis, ce vin a assimilé les notes boisées (épices, goudron) dans son bouquet. Doté de tanins consistants, mais bien inscrits dans la généreuse matière, il laisse un sentiment de plénitude déjà. ⧗ 2019-2022

CH. DU PETIT PUCH, 3, chem. du Petit-Puch, 33750 Saint-Germain-du-Puch, tél. 05 57 24 52 36, chateaupetitpuch@yahoo.fr V *r.-v.* 4

SAINTE-FOY-BORDEAUX

Superficie : 370 ha
Production : 17 250 hl (90 % rouge)

À l'extrémité orientale de l'Entre-deux-Mers et aux portes du Périgord, sur les rives de la Dordogne, la bastide médiévale de Sainte-Foy-la-Grande a donné son nom à un vignoble qui propose des rouges marqués par le merlot ainsi que quelques blancs, surtout secs.

CH. BABY 2017 ★

■	60000		5 à 8 €

Un domaine entré en 2013 dans le giron du groupe chinois Lamont-Financière, propriétaire de plusieurs crus bordelais, dont le Ch. l'Enclos dans la même appellation sainte-foy-bordeaux.

Ce 2017 délicat et gourmand livre un bouquet de cassis, de mûre et de fleur d'acacia sur un léger fond boisé. Le palais est harmonieux, rond et fondu, étiré dans une belle finale poivrée. ⧗ 2020-2025

CH. BABY, Ch. Baby, 33220 Saint-André-et-Appelles, tél. 05 57 33 09 68, contact@lamontfinanciere.fr

CH. BELLEVUE PEYCHARNEAU 2016 ★

■	45000		5 à 8 €

Un vignoble établi sur les hauteurs de Sainte-Foy-la-Grande, à l'est de l'Entre-deux-Mers : 14 ha sur un plateau rocheux dominant la vallée de la Dordogne et le reste sur des coteaux très pentus.

Le jury a été séduit par ce vin qui témoigne d'une belle maturité des raisins et d'un soin tout particulier porté à la vinification. Dans le verre, un 2016 fruité, fin et harmonieux, serti de tanins enrobés. ⧗ 2020-2025

SCEA BELLEVUE PEYCHARNEAU, rue de la Commanderie, 33220 Pineuilh, tél. 06 82 28 44 50, info@bellevue-peycharneau.fr V r.-v.

CH. CARBONNEAU Séquoia 2017 ★

■	32400		8 à 11 €

Un élégant château du XIXes. avec parc et jardin commande ce cru de 20 ha, dans la même famille franco-néerlandaise depuis 1937 et conduit par Wilfrid Franc de Ferrière depuis 1992.

Un vin ouvertement fruité (mûre, cerise rouge), au boisé discret et à la bouche souple, ample et longue. Tout en harmonie : du très beau travail. ⧗ 2020-2026 ■ **Margot 2018 (5 à 8 €; 8000 b.)** : vin cité.

CH. CARBONNEAU, Ch. Carbonneau, 33890 Pessac-sur-Dordogne, tél. 06 75 86 58 10, carbonneau.wine@orange.fr V *t.l.j. 11h-18h*

CH. DES CHAPELAINS La Découverte 2017 ★★

■	5000		8 à 11 €

Pierre Charlot est un vigneron qui compte dans l'AOC sainte-foy. Depuis 1991, il redonne ses lettres de noblesse à ce domaine de 48 ha, dans sa famille depuis le XVIIes., dont il tire des cuvées qui laissent rarement indifférent et visent avant tout l'expression du fruit. L'une de ses devises : *Life is too short to drink bad wine.*

Issue d'un terroir argilo-calcaire, cette cuvée a beaucoup de caractère. Elle dévoile un bouquet complexe et intense de pêche de vigne, de mangue et d'orange confite. Une aromatique que l'on retrouve avec la même intensité dans une bouche harmonieuse et onctueuse, anoblie par un très léger vanillé témoignant d'une vinification en barrique. Un ensemble équilibré, élégant et long. ⧗ 2019-2024 ■ **Prélude 2016 ★ (5 à 8 €; 40000 b.)** : cette cuvée se révèle fruitée (cerise, pruneau), flatteuse, à la texture grasse et aux tanins enrobés. Un style affirmé, très «bombe de fruits», qui plaira au plus grand nombre. ⧗ 2019-2025

SCEA CH. DES CHAPELAINS, 1, Les Chapelains-Rambaux, 33220 Saint-André-et-Appelles, tél. 05 57 41 21 74, chateaudeschapelains@wanadoo.fr V *t.l.j. sf sam. dim. 8h-12h 14h-18h*

CH. DE CLARIBÈS Marpeau 2017 ★

■	3000		11 à 15 €

Ce petit vignoble de 10,5 ha, certifié bio depuis 2013, merveilleusement situé sur les coteaux de la Dordogne, a pour particularité d'être cultivé et vinifié par ses nouveaux propriétaires suivant le calendrier lunaire.

Un 2017 franc et net, mêlant au nez fruits rouges et noirs, notes de sous-bois et arômes truffés. En bouche, il se révèle plein et charnu, idéalement frais et doté d'une belle finale épicée et de tanins mûrs. Un vin harmonieux. ⧗ 2020-2025 ■ **Sauvignon Cent pour Cent 2018 ★ (11 à 15 €; 1800 b.)** : cette cuvée a retenu l'attention par son bouquet de fleurs (œillet, acacia) et d'agrumes (pamplemousse et citron vert). Fraîche à l'attaque, acidulée, elle offre ensuite un développement plus soyeux et gras, avant de s'étirer dans une longue finale fruitée. ⧗ 2019-2021

CH. DE CLARIBÈS, 7, lieu-dit Claribès, 33890 Gensac, tél. 05 57 47 16 62, helen.kelly@claribes.com V *r.-v.*

CH. L'ENCLOS Triple A 2017

■	15000		8 à 11 €

Ancienne propriété d'Éric Bonneville, aux commandes à partir de 2003, ce cru de 23 ha est passé sous pavillon asiatique en 2013. Une valeur sûre en sainte-foy, notamment avec sa cuvée Triple A.

Ce 2017 mêle au nez d'élégantes notes de réglisse, de fruits rouges et de vanille. En bouche, on découvre un vin consensuel et bien fait, souple et rond, aux tanins enrobés. Un ensemble plaisant. ⧗ 2020-2023

CH. L' ENCLOS, 3, rte de Bergerac, 33220 Pineuilh, tél. 05 57 33 09 68, contact@lamontfinanciere.fr

♥ CH. GALOUCHEY Cuvée Jean 2016 ★★

■	3500		11 à 15 €

Les vignobles Valpromy-Deffarge constituent un bel ensemble de 74 ha, conduit par la même famille depuis trois générations. Trois étiquettes ici : les châteaux Galouchey, Trois Fonds et Tour de Goupin.

Cette cuvée attire d'emblée par son nez puissant, qui associe les fruits noirs (mûre, cassis, myrtille) aux notes vanillées de l'élevage en barrique. Ces arômes s'épanouissent avec persistance dans une bouche fraîche à l'attaque, onctueuse en finale, dotée de tanins parfaitement ajustés. Beau retour aromatique sur les fruits noirs confiturés en fin de dégustation. Un sainte-foy superbe, aujourd'hui comme demain. ⧗ 2020-2026 ■ **2016 ★ (8 à 11 €; 8000 b.)** : un 2016 jouant plus sur l'élégance que sur la puissance, au bouquet charmant de fruits rouges et de torréfaction, et qui offre un palais harmonieux, frais et persistant. Un 2016 expressif et très abouti. ⧗ 2020-2024 ■ **Ch. Trois Fonds 2018 ★ (5 à 8 €; 15000 b.)** : un blanc vif et fringant, au nez floral et fruité (chèvrefeuille, agrumes), et à la bouche acidulée et légèrement mentholée. Une très jolie friandise. ⧗ 2019-2021

EARL VALPROMY-DEFFARGE, 1, Goupin, 33890 Gensac, tél. 05 57 47 40 76, earl.valpromy-deffarge@orange.fr V *r.-v.*

CH. HOSTENS-PICANT 2016 ★

■	53000		20 à 30 €

Rouge ou blanc, sec ou moelleux, ce domaine de 42 ha, régulièrement présent dans ces pages, joue pour toutes ses cuvées la carte de l'appellation sainte-foy-bordeaux. À sa tête, Yves et Nadine

Hostens-Picant, installés en 1986 (premières vinifications en 1990, date de la construction du chai), aujourd'hui épaulés par leur fille Valentine.

Un beau vin de garde, au nez de fruits noirs mêlés aux accents torréfiés du merrain, et à la bouche riche, fraîche, harmonieuse, qui déploie dans sa longue finale des tanins soyeux. À encaver. ⧗ 2022-2027 ■ **Cuvée des Demoiselles 2017 ★ (20 à 30 €; 9900 b.)** : ce blanc sec évoque à l'olfaction le coing, l'écorce d'orange et les fleurs blanches. Le prélude à un palais harmonieux, où l'acidité bien dosée amplifie la sensation de fraîcheur et où la longue finale, à la fois mentholée et poivrée, porte loin les saveurs perçues au nez. Un très beau vin de gastronomie. ⧗ 2019-2024

CH. HOSTENS-PICANT, Grangeneuve-Nord, 33220 Les Lèves-et-Thoumeyragues, tél. 05 57 46 38 11, chateauhp@gmail.com V ♿ ■ *r.-v.*

CH. MARTET Réserve de Famille 2016 ★

■ | 100000 | ◍ | 30 à 50 €

Propriétaire de l'une des plus anciennes et importantes maisons de négoce belge (1886), Patrick de Coninck conduit depuis 1991 ce cru de 25 ha, ancienne maison hospitalière sur le chemin de Compostelle. Après avoir entièrement restructuré le vignoble (90 % arrachés et replantés du seul merlot), il en a fait l'une des références incontournables de l'appellation sainte-foy.

Un 2016 riche et concentré, taillé pour la garde, dont le nez évoque la cerise noire, la mûre et la vanille de l'élevage. La bouche apparaît massive, chaleureuse et longue, puis déploie une finale capiteuse, tannique, encore très marquée par le bois. Une jolie réussite dans un style affirmé, à oublier en cave quelques années. ⧗ 2023-2028 ■ **Vignes de Compostelle 2017 (30 à 50 €; 35000 b.)** : vin cité.

CH. MARTET, 376, rte de Martet, 33220 Eynesse, tél. 05 57 41 00 49, chai.martet@gmail.com V ♿ ■ *r.-v.*

CH. PICHAUD SOLIGNAC 2016 ★

■ | 10500 | ▮ | 5 à 8 €

Située à une vingtaine de kilomètres de Sainte-Foy-la-Grande, cette ancienne ferme est entourée d'un vignoble de 13 ha. Depuis 1998, Régis Delbeuf est la tête de l'exploitation.

Le jury est tombé d'accord : cette cuvée est l'archétype d'un sainte-foy abouti. Rond, fruité mais structuré, frais, ce 2016 déjà délicieux gagnera encore en complexité à l'ombre d'une cave. ⧗ 2020-2025

CH. PICHAUD SOLIGNAC, La Niocaise, 33790 Pellegrue, tél. 05 56 61 43 55, contact@chateaupichaudsolignac.com V ♿ ■ *t.l.j. 9h-19h*

Ⓑ CH. PRÉ LA LANDE Cuvée Diane 2016 ★

■ | 30000 | ◍ | 11 à 15 €

Propriétaire depuis 2003, Michel Baucé est un ancien négociant en vins qui a réalisé son rêve de produire ses propres cuvées. Il a redonné vie à ce domaine fondé en 1860 et doté d'un vignoble de taille modeste (14 ha), qu'il a converti à l'agriculture biologique en 2007 et à la biodynamie en 2016.

Un sainte-foy épicé, harmonieux, souple et long en bouche, qui méritera un séjour en cave afin d'estomper quelque peu ses arômes boisés. ⧗ 2021-2024 ■ **Cuvée des Fontenelles 2017 (11 à 15 €; 6000 b.)** Ⓑ : vin cité.

CH. PRÉ LA LANDE, 2, lieu-dit La Rayre, 33220 Pineuilh, tél. 09 62 50 24 46, michel@prelalande.com V ♿ ■ *t.l.j. sf sam. dim. 9h-12h 14h-18h*

CH. DE VACQUES 2017 ★

■ | 5000 | ▮ | 5 à 8 €

Forge, four à pain, lavoir, puits, ce domaine commandé par une maison de maître du XVIIIes. est un petit aperçu de la vie rurale d'autrefois. À la tête du vignoble (12 ha), Christian Birac, depuis 1984.

Un moelleux tendre et élégant, au bouquet envoûtant de miel, de pêche et d'amande, et à la bouche confite mais traçante, qui déploie une belle finale acidulée. Une belle réussite. ⧗ 2020-2024

CH. DE VACQUES, 8, rue de la Commanderie, 33220 Pineuilh, tél. 05 57 46 15 01, cbirac@vacques.fr V ♿ ■ *t.l.j. 10h-12h30 16h-18h30*

CADILLAC-CÔTES-DE-BORDEAUX

Superficie : 2 975 ha / Production : 112 425 hl

L'appellation (anciennement premières-côtes-de-bordeaux rouges) s'étend sur une soixantaine de kilomètres le long de la rive droite de la Garonne, des portes de Bordeaux jusqu'à Verdelais. Les vignobles sont implantés sur des coteaux qui dominent le fleuve et offrent de magnifiques points de vue. Les sols y sont très variés : en bordure de la Garonne, ils sont constitués d'alluvions récentes; sur les coteaux, on trouve des sols graveleux ou calcaires; l'argile devient de plus en plus abondante au fur et à mesure que l'on s'éloigne du fleuve. Les vins ont acquis depuis longtemps une réelle notoriété. Ils sont colorés, corsés, puissants; produits sur les coteaux, ils ont en outre une certaine finesse. Les vins blancs de cette zone, moelleux ou liquoreux, continuent d'être revendiqués en appellation premières-côtes-de-bordeaux.

Ⓑ DOM. LES CARMELS Les Vendanges 2016 ★★

■ | 5012 | ◍ | 20 à 30 €

Sophie Lavaud et son mari Yorick ont acquis cette petite propriété en 2010 : 5 ha cultivés en bio sur un mamelon graveleux caractéristique des premières côtes et de sa « terre amoureuse » comme l'on dit ici, une terre qui « colle aux bottes ».

Le millésime 2016 marque une montée en puissance du cru et de son vin. Particulièrement réussi, celui-ci annonce son caractère par un rouge sombre et profond. Tout aussi expressif, le bouquet commence à s'ouvrir sur de belles notes de fruits rouges et noirs un peu confits. S'appuyant sur d'élégants tanins, la structure solide du palais témoigne de la jeunesse de cette bouteille. ⧗ 2022-2026

DOM. LES CARMELS, 1 ter, imp. Martindoit, 33550 Langoiran, tél. 06 32 24 35 79, info@lescarmels.com V r.-v.

CH. CLOS CHAUMONT 2016 ★★

■	43200		15 à 20 €

Le Hollandais Pieter Verbeek a repris en 1990 ce domaine comptant alors 6 ha; le vignoble couvre aujourd'hui 13 ha. Une progression quantitative et qualitative à la vigne et au chai, Hubert de Boüard (Angelus) apportant sa touche «grand cru».

Valeur sûre et largement reconnue, ce cru démontre une fois de plus que sa renommée est parfaitement justifiée avec ce vin au bouquet net et intense, où les notes épicées viennent renforcer les fruits mûrs. On apprécie tout autant le palais, tannique, ample, élégant et long. Un peu de patience sera nécessaire pour l'apprécier pleinement. 2024-2028

CH. CLOS CHAUMONT, 405, rte de Chaumont, lieu-dit Chomon, 33550 Haux, tél. 05 56 23 37 23, chateau-clos-chaumont@wanadoo.fr V r.-v.

CH. LES GUYONNETS Héritage 2017

■	60000		8 à 11 €

Sophie et Didier Tordeur, anciens agriculteurs dans l'Oise, sont venus s'établir en Gironde en 2000, conquis par la région et cette belle propriété de 24 ha commandée par une maison de maître girondine.

Intégralement issue de merlot, cette cuvée se montre harmonieuse par son développement au palais, où l'on découvre une bonne structure, quoique encore un peu austère en finale, comme par son bouquet d'une belle intensité (fruits noirs, clou de girofle). 2022-2025

TORDEUR, Les Guyonnets, 33490 Verdelais, tél. 05 56 62 09 89, chateaulesguyonnets@orange.fr V r.-v.

CH. LAMOTHE Première Cuvée 2017

■	30000		8 à 11 €

Établi au sommet d'un coteau argilo-calcaire, Lamothe de Haux étend ses vignes sur 77 ha, comprenant aussi le Ch. Manos, dédié aux cadillac, acquis en 1991. Depuis 1956 et quatre générations, le domaine se transmet par les femmes. À sa tête aujourd'hui, Maria et Damien Chombart.

Sans chercher à rivaliser avec certains millésimes antérieurs – notamment de bordeaux blanc –, ce 2017 séduit par son côté harmonieux qui accompagne toute la dégustation, du bouquet cacaoté aux tanins, élégants et bien enrobés. 2021-2024

EARL LES CAVES DU CH. LAMOTHE, 295, chem. de l'Église, 33550 Haux, tél. 05 57 34 53 00, info@chateau-lamothe.com V r.-v.

CH. DE MARSAN 2017 ★

■	120000		8 à 11 €

Paul Gonfrier, rapatrié d'Algérie, rachète au début des années 1960 le Ch. de Marsan, terre noble fondée au XVIᵉs. sur la rive droite de la Garonne : le berceau des domaines familiaux. Ses fils Philippe et Éric suivent ses traces après 1985. Aujourd'hui, pas moins de 400 ha et douze châteaux.

Bien typé côtes-de-bordeaux, ce vin dévoile une jolie bouche, ample, longue et généreuse, qui s'accorde avec le bouquet, complexe autour des fruits mûrs sur fond boisé, pour former un ensemble fort agréable. 2021-2024

SAS GONFRIER FRÈRES, Ch. de Marsan, BP 7, 33550 Lestiac-sur-Garonne, tél. 05 56 72 14 38, contact@vignobles-gonfrier.fr V *t.l.j. 9h-17h30*

CH. DES MILLE ANGES 2016

■	76000		11 à 15 €

Situé à l'emplacement d'un ancien couvent de religieuses assomptionnistes, ce domaine a connu très tôt une vocation viticole que perpétue depuis 1996 Heather van Ekris. Le vignoble couvre 27 ha sur des pentes argilo-calcaires et graveleuses bien exposées.

Fidèle à sa tradition, ce cru propose un vin bien armé pour évoluer sereinement, avec une bonne structure tannique et un bouquet ouvert sur les fruits rouges et quelques notes boisées. 2022-2025

CH. DES MILLE ANGES, lieu-dit Mille Anges, 33490 Saint-Germain-de-Graves, tél. 05 56 76 41 04, sarlmilleanges@gmail.com

CH. MONS LA GRAVEYRE 2016

■	5000		11 à 15 €

Une petite propriété située sur un joli terroir de coteaux de graves et argilo-calcaires orientés au sud. Œnologue, Aurélie Carreau a repris la propriété en 2016, réalisant ainsi un vieux rêve : élaborer son propre vin.

Nettement marqué par le merlot (70% de l'encépagement), ce premier millésime est encourageant. On apprécie le bouquet expressif de cuir et de fruits rouges, ainsi que la bouche bien structurée par de solides tanins. À attendre. 2022-2026

CH. MONS LA GRAVEYRE, lieu-dit La Taste, 33880 Cambes, tél. 06 08 35 76 59, monslagraveyre@gmail.com V r.-v.

CH. LA RAME La Charmille 2017 ★

■	20000		11 à 15 €

Implantée à Sainte-Croix depuis huit générations, la famille Armand fait partie des institutions locales pour ses liquoreux renommés. Elle y conduit deux crus (labellisés Haute Valeur Environnementale) : la Caussade et la Rame, son fleuron, dont les vins étaient déjà réputés au XIXᵉs. Angélique et Grégoire Armand ont pris la suite de leur père Yves en 2009.

S'il est surtout connu pour son sainte-croix-du-mont, ce cru nous rappelle qu'il offre une large gamme de vins de qualité avec ce cadillac-côtes-de-bordeaux aussi agréable que bien équilibré. D'une belle couleur vive et soutenue, ce 2017 développe un bouquet délicat (fruits rouges et fumée froide), avant de révéler au palais sa personnalité profonde : corsée, ronde et généreuse. 2021-2024

GFA CH. LA RAME, La Rame, 33410 Sainte-Croix-du-Mont, tél. 05 56 62 01 50, chateau.larame@wanadoo.fr V *t.l.j. 9h-12h 13h30-17h30; sam. dim. sur r.-v.*

CH. REYNON 2016 ★★

■	80 000		11 à 15 €

Un cru de 33 ha établi près de Cadillac, sur un coteau exposé plein sud. Acquis en 1958 par Jacques David, il a été repris en 1976 par sa fille Florence et son gendre, l'éminent Denis Dubourdieu (œnologue de renom et professeur à l'université de Bordeaux, disparu en 2016), qui, après l'avoir entièrement restructuré, en ont fait l'une des valeurs sûres des cadillac-côtes-de-bordeaux. Le domaine est aujourd'hui dirigé par Jean-Jacques Dubourdieu.

Passé tout près du coup de cœur, ce vin ne fait pas dans la demi-mesure. Comme le laisse supposer sa robe d'une couleur intense et soutenue, il possède une belle matière portée par des tanins aussi présents qu'élégants, tandis que le bouquet montre toute sa richesse à travers de fines notes de fruits noirs, de raisin mûr, de chocolat et de violette. ⧗ 2022-2026

EARL DOMAINES DENIS DUBOURDIEU (CH. REYNON), 15, Gravas, 33720 Barsac, tél. 05 56 62 96 51, contact@denisdubourdieu.fr V r.-v.

♥ GRAND VIN DE CH. DE RICAUD 2016 ★★

■	12 900		15 à 20 €

Alain Thiénot (groupe CVGB, Canard-Duchêne) a repris en 1980 ce domaine commandé par un vrai château de conte de fées (tours crénelées, gargouilles) datant du XVᵉs. et restauré au XIXᵉs. par Viollet-le-Duc. Depuis 2007, les équipes de la maison Dourthe, intégrée au groupe Thiénot, sont en charge des vins. Un cru souvent en vue pour ses loupiac.

Très abouti, ce vin a fait l'unanimité du grand jury. Le nez offre un mariage parfait des fruits noirs (mûre et myrtille) et du bois (cacao, café et grillé). La bouche dévoile une attaque charmeuse, puis se développe avec élégance et grand équilibre, soutenue par des tanins soyeux. Déjà fort plaisant, l'ensemble affiche aussi un beau potentiel. ⧗ 2022-2026

VIGNOBLES DOURTHE (CH. DE RICAUD), 5, Ricaud, rte de Sauveterre, 33410 Loupiac, tél. 05 56 35 53 00, contact@dourthe.com r.-v.

CÔTES-DE-BORDEAUX-SAINT-MACAIRE

Superficie : 53 ha / Production : 1 010 hl

Cette appellation, qui prolonge vers le sud-est celle des premières-côtes-de-bordeaux, produit des vins blancs secs et liquoreux.

CH. DE BOUILLEROT Le Palais d'or 2017 ★

■	1700		8 à 11 €

Un domaine de 8 ha conduit en bio, dans la même famille depuis 1935 et quatre générations, régulièrement à l'honneur pour son Palais d'or liquoreux en côtes-de-bordeaux-saint-macaire et pour ses bordeaux rouges. Après dix ans comme préparateur en pharmacie, Thierry Bos a repris les commandes du cru familial en 1990.

Habitué du Guide, ce cru propose un 2017 très abouti, au nez de pêche, de brioche et de miel, et à la bouche onctueuse et raffinée, dotée d'un superbe équilibre entre liqueur et vivacité. Un liquoreux à la hauteur de sa réputation. ⧗ 2020-2025

THIERRY BOS, 8, Lacombe, 33190 Gironde-sur-Dropt, tél. 06 80 20 32 25, info@bouillerot.com V r.-v.

Ⓑ CH. DE LAGARDE Cuvée Prestige 2018 ★

■	34 000		5 à 8 €

Établie de longue date à Saint-Laurent-du-Bois, la famille Raymond voit apparaître la première génération de vignerons au Ch. de Lagarde en 1850 avec 15 ha. Sept générations plus tard, Lionel Raymond, installé en 2000 à la suite de son père Jean-Pierre, conduit un vaste ensemble de 200 ha, entièrement convertis à l'agriculture biologique, soit la plus grande exploitation du genre en Bordelais, complété par une activité de négoce en 2010.

Ce blanc sec au bouquet mêlant pêche, pamplemousse et citron déploie une bouche ample, ronde et harmonieuse, dont la finale persistante et vive évoque les agrumes. Un blanc frais et espiègle. ⧗ 2019-2022

MAISON RAYMOND, lieu-dit Lagarde, 33540 Saint-Laurent-du-Bois, tél. 05 56 76 43 63, contact@maison-raymond.vin V r.-v.

CH. MAJOUREAU La Petite Dorée 2017 ★

■	1800		11 à 15 €

L'une des belles étiquettes en saint-macaire, également présente en AOC régionales. Un cru de 40 ha, propriété des Delong depuis cinq générations, en polyculture jusqu'en 1981, date de la première mise en bouteilles. Mathieu, désormais épaulé par sa sœur Émeline, est aux commandes depuis 2002.

Ce liquoreux plutôt confidentiel séduit par son olfaction mariant litchi, anis, miel et menthe poivrée, et davantage encore par sa bouche vanillée, épanouie, riche, mais sans mollesse aucune. Du beau travail. ⧗ 2020-2025 ■ **Cuvée Hyppos 2017 ★ (8 à 11 €; 2000 b.)** : une cuvée mentholée, minérale, voluptueuse. Un joli vin de gastronomie. ⧗ 2020-2023 ■ **Sec Sauvignon 2018 ★ (8 à 11 €; 2500 b.)** : un sec très aromatique qui évoque aussi bien au nez qu'en bouche le pamplemousse, l'amande, les fleurs blanches et la noisette. Un sauvignon finement boisé, consensuel et abouti. ⧗ 2019-2021 ■ **Doux 2018 ★ (5 à 8 €; 6000 b.)** : un blanc tendre, fruité et bien équilibré. Un joli vin de fête. ⧗ 2019-2022 ■ **Cuvée Hyppos Sec 2018 (- de 5 €; 7500 b.)** : vin cité.

CH. MAJOUREAU, 1, Majoureau, 33490 Caudrot, tél. 05 56 62 81 94, familledelong@hotmail.com V r.-v.

CH. TOUR DU MOULIN DU BRIC L'Or du Bric 2017 ★

■	1500		8 à 11 €

Voisine du château Malromé, où vécut le peintre Henri de Toulouse-Lautrec, cette propriété, dans la même famille depuis quatre générations, a pour emblème un moulin à vent en ruine qui se dresse

LE BORDELAIS

devant l'exploitation. Conduite depuis 2003 par Sylvie Thomasson, elle s'étend sur 17 ha couvrant les coteaux de Saint-André-des-Bois, en appellation saint-macaire.
Un liquoreux expressif, au bouquet mêlant la cire, le miel de châtaignier et l'abricot confit. En bouche, il dévoile une texture ronde, particulièrement enrobée, et une aromatique complexe allant de l'amande à la menthe, évoquant même en finale d'étonnantes notes de caramel au beurre salé. Atypique. ⧗ 2020-2025

CH. TOUR DU MOULIN DU BRIC, Moulin du Bric, 33490 Saint-André-du-Bois, tél. 05 56 76 40 20, vignoblesfaure@wanadoo.fr V r.-v.

CÔTES-DE-BORDEAUX

Définie en 2009, c'est l'appellation générique de tous les vins rouges de côtes (Bourg excepté), d'abord connus par leurs dénominations géographiques complémentaires : Blaye, Cadillac, Castillon et Francs. La superficie théorique de l'AOC couvre 13 500 ha, mais une grande partie des raisins est destinée aux « côtes » assortis d'une dénomination géographique complémentaire (castillon-côtes-de-bordeaux, par exemple). Tous ces vignobles occupent des pieds ou des pentes de coteaux, ou encore les proches plateaux. Les sols à dominante argilo-calcaire favorisent le merlot, qui domine les assemblages.

CH. CRABITAN-BELLEVUE Cuvée Spéciale 2016 ★

■ | 13300 | | | 5 à 8 €

Belle unité de 42 ha implantée sur les coteaux sud dominant la rive droite de la Garonne, ce domaine de la famille Solane (Nicolas depuis 1994) est présent dans plusieurs appellations avec différents types de vins, mais son cœur bat pour le sainte-croix-du-mont.
Toujours régulier en qualité, ce cru nous offre ici une fort belle cuvée spéciale. Dans une robe grenat animée d'élégants reflets rubis, elle développe un puissant bouquet de fruits rouges. Ample et souple, le palais est porté par des tanins bien enrobés. Encore un peu austère, la finale invite à une petite garde. ⧗ 2021-2024

GFA BERNARD SOLANE ET FILS, Crabitan, 33410 Sainte-Croix-du-Mont, tél. 05 56 62 01 53, crabitan.bellevue@orange.fr V *t.l.j. sf dim. 8h-12h 14h-18h*

CH. DE GARBES Cuvée Sélection 2016 ★★

■ | 9440 | | | 8 à 11 €

La famille David est propriétaire du Ch. de Garbes depuis 1900 et six générations. Aujourd'hui, c'est une belle unité de 65 ha sur les coteaux de la Garonne, conduite par Jean-Luc et Annie David et leurs trois enfants. Autre étiquette : Dom. de la Gravette.
Les habitués du cru ne seront pas surpris par la richesse et la complexité du bouquet puissant de fruits rouges et noirs mêlés de notes de torréfaction. Soutenu par des tanins soyeux, le palais révèle un bel équilibre et une bonne longueur. Un caractère harmonieux. ⧗ 2022-2026
■ Cuvée Fût de chêne 2017 (5 à 8 €; 35000 b.) : vin cité.

SARL VIGNOBLES DAVID GARBES, 1, Garbes, 33410 Gabarnac, tél. 05 56 62 92 23, contact@garbes.fr V r.-v.

CH. LES GUYONNETS Lion d'Or 2016 ★★

■ | 2000 | | | 15 à 20 €

Sophie et Didier Tordeur, anciens agriculteurs dans l'Oise, sont venus s'établir en Gironde en 2000, conquis par la région et cette belle propriété de 24 ha commandée par une maison de maître girondine.
Volontairement très limitée en volume, cette cuvée relève d'un travail hautement artisanal. Dès le premier regard, elle retient l'attention dans sa magnifique robe sombre. La puissance caractérise le bouquet de fruits noirs et de torréfaction. Au palais, si le bois est encore très présent, on devine une belle matière, longue et bien équilibrée, qui promet une remarquable bouteille après un petit séjour en cave. ⧗ 2022-2026

TORDEUR, Les Guyonnets, 33490 Verdelais, tél. 05 56 62 09 89, chateaulesguyonnets@orange.fr V r.-v.

CH. PILET Prestige 2016

■ | 5000 | | | 8 à 11 €

Famille au service du vin depuis un siècle. En 1964, Jean et Yvette Queyrens acquièrent leur première vigne au lieu-dit Pilet, puis reprennent les domaines de leurs parents (Ch. du Pin-Franc et Ch. des Graves du Tich) et débutent la vente en bouteilles. Aujourd'hui, leurs fils Patrick et Christophe, avec à leurs côtés Jean-Yves, le petit-fils, exploitent un vignoble de 70 ha dans l'Entre-deux-Mers.
Issue d'un petit vignoble de cabernet-sauvignon de 70 ares, cette cuvée élevée en fût joue résolument la carte de l'élégance, tant dans son expression aromatique aux fines notes de vanille qu'au palais, avec la présence de tanins soyeux. ⧗ 2020-2023

SC VIGNOBLES JEAN QUEYRENS ET FILS, 3, Grand-Village-Sud, 33410 Donzac, tél. 05 56 62 97 42, scvjqueyrens@orange.fr V r.-v.

CH. SAINTE-MARIE Alios 2017 ★

■ | 36000 | | | 8 à 11 €

Ce domaine fut autrefois administré par les moines de la Sauve-Majeure. Depuis quatre générations, les Dupuch (Stéphane depuis 1997) sont aux commandes et en ont fait une propriété importante (80 ha) de l'Entre-deux-Mers. Ils exploitent aussi dans le Haut-Médoc le Ch. Peyredon Lagravette, petit cru d'à peine plus de 4 ha.
La fraîcheur et l'élégance de la robe annoncent le caractère de ce 2017. Le bouquet aux notes fruitées et vanillées fait preuve d'une bonne complexité, tandis qu'après une attaque flatteuse le palais se montre équilibré, savoureux et de bonne longueur. ⧗ 2021-2024

SCEA LES HAUTS DE SAINTE-MARIE, 51, rte de Bordeaux, 33760 Targon, tél. 05 56 23 64 30, contact@chateau-sainte-marie.com V r.-v.

➡ LA RÉGION DES GRAVES

Vignoble bordelais par excellence, les graves n'ont plus à prouver leur antériorité : dès l'époque romaine, leurs rangs de vignes ont commencé à encercler la capitale de l'Aquitaine et à produire,

selon l'agronome Columelle, «un vin se gardant longtemps et se bonifiant au bout de quelques années». C'est au Moyen Âge qu'apparaît le nom de Graves. Il désigne alors tous les pays situés en amont de Bordeaux, entre la rive gauche de la Garonne et le plateau landais. Par la suite, le Sauternais s'individualise pour constituer une enclave, vouée aux liquoreux, dans la région des Graves.

GRAVES

Superficie : 3 420 ha
Production : 138 835 hl (75 % rouge)

CH. D'ARGUIN Vieilli en fût de chêne 2016

■ | 32080 | | 11 à 15 €

Basé à Bordeaux et spécialisé dans le service et le conseil aux entreprises, le groupe Pouey International a investi dans le vin. Il détient dans les Graves le Ch. d'Arguin et le Dom. du Reys, à Saint-Selve, près de la Brède.

S'annonçant par une jolie robe rouge pâle, ce 2016 marie les arômes fruités et boisés. Au palais, l'empreinte de l'élevage est encore très présente et la structure assez puissante, mais tout est en place pour une bonne évolution dans le temps. 2023-2026

SA POUEY INTERNATIONAL, 21, chem. de Gaillardas, BP 50, 33650 La Brède, tél. 05 56 78 49 10, blacampagne@pouey-international.fr V r.-v.

CH. DU BARRAILH
Cuvée Collection Prestige 2017 ★★

■ | 90000 | | 8 à 11 €

Le Ch. des Gravières, fondé en 1847, est dans la famille Labuzan depuis sept générations. La dernière, représentée par Denis (le viticulteur) et Thierry (l'œnologue), l'a beaucoup agrandi, le faisant passer de 18 à 60 ha. Deux autres étiquettes ici : Ch. du Barrailh et Ch. Pontet la Gravière.

La région des Graves

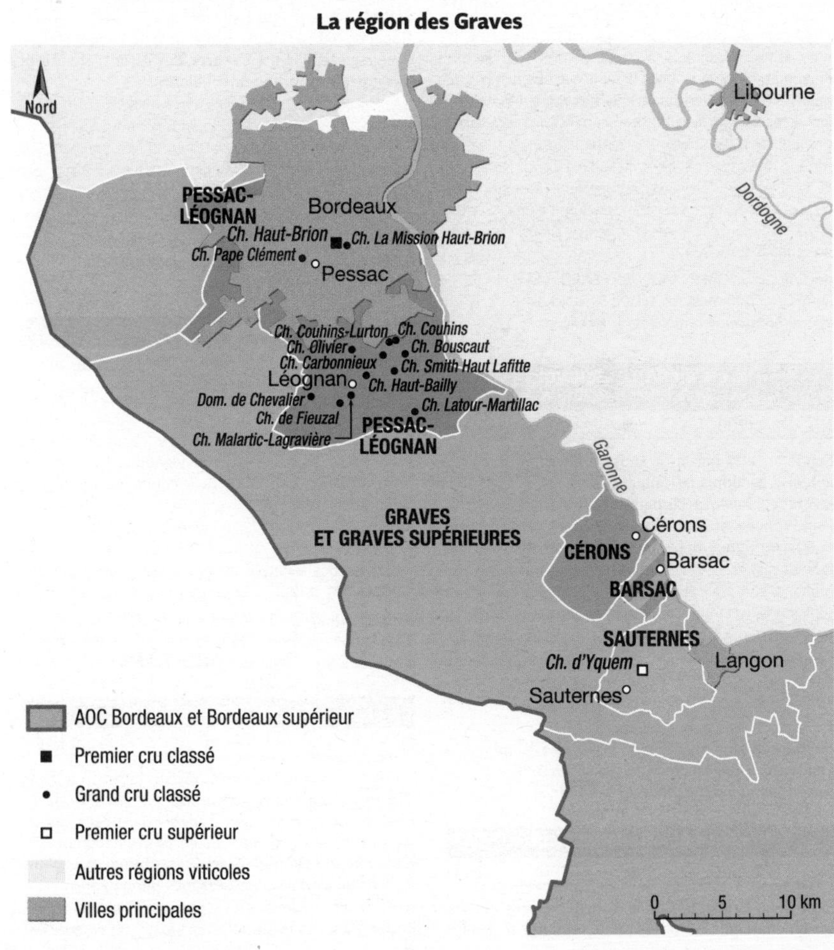

Portets possède de jolis terrains de graves, réputés pour leur aptitude à produire de beaux vins rouges. Ce 2017 le confirme dès l'examen de sa robe soutenue et profonde. Si le bouquet reste un peu discret, il séduit par la fraîcheur de ses notes fruitées (framboise). Composée de tanins serrés sans être agressifs, la structure s'accorde avec la longue finale pour garantir un excellent potentiel d'évolution. ⌛ 2022-2025 ■ **Cuvée Collection Prestige 2018 ★ (8 à 11 €; 10000 b.)** : un vin aux arômes frais et délicats (fleurs et poire) qui présente un beau volume et du gras. Belle longueur. ⌛ 2019-2023 ■ **Ch. des Gravières Grand Vin 2017 ★ (8 à 11 €; 90000 b.)** : souple et aromatique, un graves qui flatte les sens. ⌛ 2021-2023 ■ **Ch. des Gravières Grand Vin 2018 ★ (8 à 11 €; 10000 b.)** : un vin harmonieux, aux arômes fins, fruités et boisés. ⌛ 2019-2023

EARL VIGNOBLES LABUZAN, 6 C, rue du Mirail, 33640 Portets, tél. 05 56 67 15 70, vignobles-labuzan@wanadoo.fr V r.-v.

CH. BEAUREGARD DUCASSE
Albertine Peyri 2017 ★

■	6000		8 à 11 €

Situé près du château de Roquetaillade, ce cru a été reconstitué et agrandi à partir de 1981 par Jacques Perromat, œnologue, dont la famille est bien implantée dans les Graves et en Sauternais. Les vignes (44 ha) sont installées sur l'un des points culminants de l'appellation.

Complexe, le bouquet marie harmonieusement les parfums d'abricot, de pêche et d'ananas aux notes toastées et vanillées de l'élevage. Cette palette aromatique se retrouve au palais, en accompagnement d'une structure souple et bien équilibrée. La longue finale rappelle le bouquet. ⌛ 2019-2022

EARL VIGNOBLES JACQUES PERROMAT, Ducasse, 33210 Mazères, tél. 06 89 42 55 87, aperromat@mjperromat.com V r.-v.

CH. BICHON CASSIGNOLS
La Grande Réserve 2016 ★

■	1700		15 à 20 €

Fondé en 1919 par les grands-parents des vignerons actuels, ce domaine implanté sur les hauteurs de la Brède résiste à l'urbanisation. Installés en 1981, Jean-François et Marie Lespinasse ont converti leurs 12,5 ha de vignes au bio (certification en 2011).

Cuvée prestige, ce vin est un beau porte-drapeau du cru. Même si son bouquet n'est pas pleinement ouvert, on sent que sa structure, souple à l'attaque puis beaucoup plus tannique, lui offre de bonnes perspectives de garde, ce que confirme la longue finale. ⌛ 2024-2028 ■ **2017 ★ (11 à 15 €; 3250 b.)** : un vin frais et bien équilibré, avec une belle expression aromatique (jasmin, citron et poire). ⌛ 2019-2021

JEAN-FRANÇOIS LESPINASSE, 50, av. Edouard Capdeville, 33650 La Brède, tél. 05 56 20 28 20, bichon.cassignols@wanadoo.fr V r.-v.

CH. LA BLANCHERIE 2016 ★

■	20000		8 à 11 €

Situé à La Brède, le Ch. la Blancherie, presque voisin du château de Montesquieu, remonte au XVIIIᵉs. Son vignoble d'un seul tenant s'étend sur 22 ha en appellation graves. L'homme d'affaires Jean-Bernard Bonnac l'a acheté en 2013 à la famille Coussié-Braud, qui l'exploitait depuis un siècle. Autre étiquette : Ch. la Pagaute.

Riche et bien équilibré, ce vin annonce son caractère par une teinte presque noire. Le bouquet confirme cette première impression par l'intensité de ses notes fruitées et vanillées. Souple et ample, l'attaque conserve cette fraîcheur aromatique avec, en plus, des notes mentholées. Puis la matière se développe, ronde, pleine et structurée. Il reste le souvenir persistant d'un ensemble harmonieux. ⌛ 2020-2027

SCEA LA BLANCHERIE, 1, av. de la Blancherie, 33650 La Brède, tél. 05 56 20 20 39, contact@chateau-la-blancherie.com V *t.l.j. sf sam. dim. 9h-12h 13h-17h*

CAPRICE DE BOURGELAT 2017 ★★

■	5800		8 à 11 €

Un domaine remontant au XVIIIᵉs. Arrivé à sa tête en 1980, Dominique Lafosse a passé en 2013 le relais à son fils Antoine, qui représente la septième génération. Implanté à Cérons, le vignoble de 14 ha privilégie le cépage sémillon. À sa carte, des cérons, et surtout des graves, majoritairement blancs.

Issu du plateau des Moulins, ce 2017 se montre digne de son origine par son bouquet aux notes fraîches de pêche blanche comme par son développement au palais : l'on devine une vendange parvenue à parfaite maturité. Ample et persistante, la matière intègre un boisé très bien maîtrisé. ⌛ 2019-2024

EARL DOMINIQUE LAFOSSE, 4, Caulet-Sud, 33720 Cérons, tél. 05 56 27 01 73, domilafosse@wanadoo.fr V r.-v.

CH. DE LA BRÈDE 2016

■	6000		30 à 50 €

Fleuron culturel des Graves, le Ch. de la Brède est un manoir médiéval (XIIᵉ-XVᵉs.) où naquit le philosophe Montesquieu, qui aimait s'y retirer pour écrire son œuvre et surveiller son vignoble. Le domaine a été replanté en 2008, puis confié en fermage à Dominique Haverlan.

Si les tanins demandent encore à s'arrondir, ce 2016 expressif dans ses arômes de fruits mûrs et très charnu a tous les atouts pour évoluer encore en cave. ⌛ 2021-2024 ■ **2017 (20 à 30 €; n.c.)** : vin cité.

SCE DOMINIQUE HAVERLAN (CH. DE LA BRÈDE), 35, rue du 8-mai-1945, 33640 Portets, tél. 05 56 67 18 63, dominique.haverlan@libertysurf.fr V r.-v.

CH. BRONDELLE 2016 ★

■	n.c.		11 à 15 €

À la tête du Ch. Brondelle situé dans la partie sud des Graves et acquis par son grand-père en 1927, Jean-Noël Belloc a étendu son vignoble dans cette appellation (Ch. Andréa) ainsi qu'en pessac-léognan (Ch. d'Alix) et en AOC régionales. En sauternes, il a acquis les 4 ha du Ch. Fontaine à Fargues-de-Langon.

Brillante et limpide, la robe rubis met en confiance. Élégant avec de jolies notes de raisin mûr, le bouquet ne rompt pas le charme. Il en va de même au palais, qui révèle suffisamment de fraîcheur et une bonne présence tannique, notamment en finale. ⧗ 2022-2025 ■ **Ch. André 2017 (5 à 8 €; n.c.)** : vin cité.

⊶ EARL VIGNOBLES BELLOC, lieu-dit Brondelle, 33210 Langon, tél. 05 56 62 38 14, chateau.brondelle@wanadoo.fr V r.-v.

CH. DE CALLAC 2016 ★★

■	93600		8 à 11 €

Ancien consultant, Mathieu Gufflet a changé de vie en achetant en 2007 ce cru de 38 ha commandé par une demeure de 1775, non loin de Cérons et de Barsac. Le terroir argilo-calcaire et argilo-graveleux a dicté l'encépagement, qui privilégie le merlot.

Toujours fidèle au merlot (75% de l'encépagement), Mathieu Gufflet propose un vin encore jeune, dont le bouquet ne s'est pas complètement ouvert, mais qui laisse entrevoir son futur caractère à travers des notes de fruits rouges. Pleine et ample, la matière demande un peu de temps pour intégrer parfaitement sa large structure. ⧗ 2023-2028

⊶ SARL CALLAC MG, Callac, 33720 Illats, tél. 06 32 91 09 64, callac-mg@orange.fr V r.-v.

CH. DE CARDAILLAN 2016

■	49000		11 à 15 €

Un superbe château construit dans un style Renaissance au début du XVIIe s. par Jacques de Malle, président au parlement de Bordeaux. En 1702, un mariage l'a fait entrer dans le patrimoine des Lur-Saluces, dont les descendants, la comtesse de Bournazel et son fils Paul-Henry, perpétuent cet héritage familial. Le vignoble couvre une cinquantaine d'hectares, à cheval sur les AOC sauternes et graves.

Vêtu d'une robe légère, ce vin reste un peu discret dans son développement aromatique, mais sa structure ronde et d'une bonne puissance devrait lui permettre d'accroître sa personnalité avec le temps. ⧗ 2022-2025 ■ **Ch. Pessan 2016 (11 à 15 €; 13000 b.)** : vin cité.

⊶ SCEA DES VIGNOBLES DU CH. DE MALLE, Ch. de Malle, 33210 Preignac, tél. 05 56 62 36 86, accueil@chateau-de-malle.fr V r.-v.

CH. DE CÉRONS 2017 ★

■	8000		15 à 20 €

Le Ch. de Cérons est une superbe chartreuse bâtie à la fin du XVIIIe s. par le marquis de Calvimont. Son vignoble de 25 ha environ est implanté sur un plateau de graves dominant la Garonne. Aux commandes depuis 2012 de cette propriété familiale, Xavier et Caroline Perromat ont entrepris un important travail de rénovation (restructuration du vignoble, cuverie, nouveau chai à barriques). Autre étiquette : Ch. Calvimont (graves).

Issu du plateau de Cérons au sous-sol calcaire, ce 2017 porte la marque du terroir dans l'élégance de son développement tant aromatique que gustatif. Frais, fruité et toasté, le nez dévoile à l'aération une complexité prometteuse. S'appuyant sur des tanins bien enveloppés et se prolongeant durablement en finale, le palais fait preuve d'originalité par une note gourmande de café et de cacao. ⧗ 2021-2023 ■ **2018 (11 à 15 €; 10000 b.)** : vin cité. ■ **Ch. Calvimont 2017 (8 à 11 €; 25000 b.)** : vin cité.

⊶ SAS XC PERROMAT DOMAINES, Ch. de Cérons, 1, Latour, 33720 Cérons, tél. 05 56 27 01 13, perromat@chateaudecerons.com V *t.l.j. sf dim. 10h-17h*

CH. DE CHANTEGRIVE 2016 ★

■	230000		15 à 20 €

Constitué ex nihilo en 1967 par le courtier Henri Lévêque, ce cru qui couvrait 2 ha à l'origine est aujourd'hui une belle unité de près de 100 ha, qu'exploite toujours sa famille, conseillée depuis 2006 par Hubert de Boüard. Une valeur sûre des Graves, avec de nombreux coups de cœur à son actif.

Classique dans sa robe bordeaux aux reflets rubis, ce vin reste discret dans son expression, mais intéressant par la variété des arômes allant des fruits frais aux fruits compotés. Très bien équilibré, il présente du volume, sans jamais se départir de son caractère délicat. ⧗ 2022-2026 ■ **Caroline 2017 (15 à 20 €; 120000 b.)** : vin cité.

⊶ SAS VIGNOBLES LÉVÊQUE, 44, cours Georges-Clémenceau, 33720 Podensac, tél. 05 56 27 17 38, courrier@chateau-chantegrive.com V *t.l.j. 9h-12h30 13h30-16h30*

CH. CHERET-PITRES 2018 ★★

■	4600		8 à 11 €

Situé dans un méandre de la Garonne un peu à l'écart du bourg de Portets, ce domaine commandé par une belle maison de maître possède un vignoble établi sur un terroir mêlant des sables à des graves profondes. Il a été repris en 2017 par Aurore et Nicolas Deswarte, la première venant du monde de la santé, le second du commerce.

Ce vin bien typé sauvignon (60 % de l'encépagement) a rencontré un franc succès auprès des dégustateurs. Fin et expressif, le bouquet marie les fleurs blanches au citron. Puis au palais, c'est une matière ample qui se déploie, signe d'un remarquable potentiel. ⧗ 2019-2023

⊶ EARL DE CHERET PITRES, lieu-dit Pitres, 33640 Portets, tél. 06 13 15 60 63, contact@chateaucheretpitres.fr V *t.l.j. sf dim 9h-18h*

CH. LES CLAUZOTS 2016 ★

■	100000		8 à 11 €

Situé au sud des Graves, près de Langon, ce cru de 35 ha, dont Frédéric Tach a pris les commandes en 1993, est dans la même famille depuis plus d'un siècle. Il montre une belle régularité.

Contrastant avec l'intensité de la robe, encore jeune avec ses reflets violacés, le bouquet est assez discret, mais il présente un bon équilibre entre les fruits rouges et le bois (épices). Souple en attaque, la matière promet une bonne évolution dans le temps par sa présence tannique. ⧗ 2021-2026 ■ **2017 (5 à 8 €; 30000 b.)** : vin cité.

⊶ SARL VIGNOBLES FRÉDÉRIC TACH, 4, Camboutch, 33210 Saint-Pierre-de-Mons, tél. 05 56 63 15 32, chateaulesclauzots@wanadoo.fr V *r.-v.*

♥ CLOS FLORIDÈNE 2016 ★★

■ | 75 000 | | 20 à 30 €

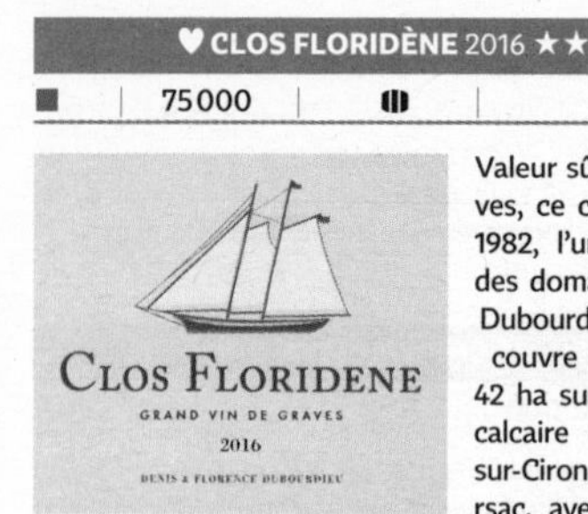

Valeur sûre des Graves, ce cru, créé en 1982, l'un des crus des domaines Denis Dubourdieu (135 ha), couvre aujourd'hui 42 ha sur le plateau calcaire de Pujols-sur-Ciron, près de Barsac, avec quelques parcelles sur les terrasses caillouteuses d'Illats. Son nom évoque les prénoms de ses fondateurs : Florence et Denis Dubourdieu, ce dernier professeur d'œnologie célèbre pour ses travaux sur les arômes, disparu en 2016. À sa tête, leurs fils Fabrice et Jean-Jacques.

Avec ce vin, premier millésime élaboré sans le regard de leur père, les frères Dubourdieu se montrent à la hauteur de leur héritage. Ample, bien structuré et long, ce 2016 charnu et goûteux se distingue avant tout par son élégance, tant dans son développement au palais que dans son bouquet aux notes de fruits mûrs. ⧗ 2023-2030 ■ **2017 (20 à 30 €; 40 000 b.)** : vin cité. ■ **Ch. Haura 2016 (11 à 15 €; 54 000 b.)** : vin cité.

⊶ EARL DOMAINES DENIS DUBOURDIEU, 15, Gravas, 33720 Barsac, tél. 05 56 62 96 51, contact@denisdubourdieu.fr V r.-v.

CH. DOMS 2017 ★

■ | 90 000 | | 8 à 11 €

Une chartreuse du XVIIe s., des bâtiments monastiques transformés en chai, un vignoble transmis de mère en fille depuis cinq générations (28 ha aujourd'hui). Aux commandes, Hélène Durand (depuis 1998) et sa fille Amélie (depuis 2015). Ingénieur agronome et œnologue, la seconde fait le vin.

Complexe et bien équilibré, ce 2017 ne manque pas d'atouts. Le premier est sa robe grenat aux reflets violets prometteurs. Le deuxième est sa palette aromatique fruitée et épicée. Et le troisième, sa solide matière qui s'accorde avec une longue finale pour garantir un bon potentiel. ⧗ 2021-2024 ■ **2018 (8 à 11 €; 26 000 b.)** : vin cité.

⊶ SCE VIGNOBLES PARAGE, 10, chem. de Lagaceye, 33640 Portets, tél. 05 56 67 20 12, chateau.doms@wanadoo.fr V r.-v.

BLANC D'EXPERT 2017 ★

■ | 22 400 | | 8 à 11 €

Depuis le début du XIXe s. les aïeux de Frédéric Expert exploitent ce domaine familial à taille humaine situé au sud du plateau des Moulins à Cérons.

La propriété fait une sympathique entrée dans le Guide avec ce joli graves blanc. Riche et équilibré, celui-ci sait se rendre agréable par son bouquet complexe et élégant de fruits mûrs et d'épices douces. Frais et soyeux à la fois, le palais est à l'unisson. ⧗ 2019-2021 ■ **Dom. de Pineau Cuvée Séduction 2017 ★ (11 à 15 €; 24 000 b.)** : une très jolie expression aromatique avec des notes confites et épicées. De la rondeur au palais et une finale aux accents boisés bien intégrés. Un graves à déguster dès à présent. ⧗ 2019-2020

⊶ EARL EXPERT ET FILS, 36, quartier Expert, 33720 Cérons, tél. 06 14 63 70 83, earl.expert@wanadoo.fr V r.-v.

CH. FERNON 2016

■ | 15 000 | | 15 à 20 €

En 1991, Frédéric Boudat et son épouse Françoise Cigana ont abandonné leur profession dans le secteur médical pour reprendre les vignes de la famille Cigana. Ils ont aménagé un chai (1998) et agrandi le vignoble. Aujourd'hui, les Vignobles Boudat-Cigana totalisent 120 ha. Ils ont leur siège dans l'Entre-deux-Mers, au Ch. de Viaut, et proposent du bordeaux supérieur, du sainte-croix-du-mont et des graves.

Les jambes qui s'écoulent le long du verre laissent deviner la générosité de ce vin. Très puissant dans son expression aromatique, celui-ci joue sur les fruits mûrs et la torréfaction, puis il révèle une bonne structure avec de solides tanins et du gras. ⧗ 2021-2024 ■ **Ch. Haut-Gramons 2016 (8 à 11 €; 180 000 b.)** : vin cité.

⊶ SARL VIGNOBLES BOUDAT-CIGANA, Ch. de Viaut, 33410 Mourens, tél. 05 56 61 31 31, fboudat@orange.fr V r.-v.

CH. DES FOUGÈRES Clos Montesquieu 2016 ★★

■ | 15 800 | | 15 à 20 €

Issu des domaines de Montesquieu et situé à La Brède, comme le château natal du philosophe, ce vignoble a été ressuscité en 1986 par son descendant le baron Henry de Montesquieu, qui l'a cédé en 2010 à Dominique Coutière, industriel landais spécialisé dans les matières premières destinées à la parfumerie. Il couvre 14,5 ha. En 2017, premiers essais de conduite en bio.

Une nouvelle fois, ce vin défend bien l'honneur du philosophe. D'une couleur intense à reflets violets, il révèle un bouquet naissant, mais élégant de fruits et de fleurs. Des tanins fins et persistants étayent sa matière bien typée graves par ses arômes d'amande grillée. ⧗ 2022-2026

⊶ SC CH. DES FOUGÈRES, BP 90009, 33650 La Brède, tél. 05 58 51 08 68, contact@chateaudesfougeres.fr V r.-v.

CH. GRAND ABORD 2016 ★★

■ | 40 000 | | 11 à 15 €

Très ancienne propriété familiale établie depuis 1720 au cœur des Graves, au beau bâti des XVIIe et XVIIIe s. entouré d'un parc. Géré par Philippe et Marie-France Dugoua, le vignoble couvre 26 ha.

Beau vin de garde, ce 2016 tient toutes les promesses de sa robe foncée, animée de reflets violets. Encore marqué par l'élevage (toasté), le bouquet est déjà profond, complexe et bien typé avec des notes de baies noires et une touche fumée. La bouche est tout aussi concentrée, étayée par les tanins du raisin et du bois. ⧗ 2024-2030

⊶ SARL VIGNOBLES DUGOUA, 56, rte des Graves, 33640 Portets, tél. 06 80 20 87 41, contact@vignobles-dugoua.fr V r.-v.

SENSATION DE CH. GRAND BOURDIEU 2018 ★

■ | 20000 | | 8 à 11 €

Dominique Haverlan, fils de viticulteurs, a su rassembler de beaux terroirs de graves sur une centaine d'hectares, à travers plusieurs domaines : Vieux Château Gaubert, son fer de lance (une quarantaine d'hectares constitué au cours des années 1980), Haut-Pommarède (33 ha acquis en 2010), et Ch. Grand Bourdieu (22 ha). Une valeur sûre.

Un joli vin au nez fort plaisant ouvert sur de délicates notes de fruits mûrs rehaussées d'une touche toastée. À l'image du bouquet, le palais fait preuve d'un bel équilibre. Son volume, sa longueur et son retour aromatique bien marqué lui donnent une belle personnalité. ⧗ 2019-2023 ■ **Ch. Haut-Pommarède 2017 ★ (8 à 11 €; 50000 b.)** : à un bouquet intense et complexe (fruits confiturés, cacao et toast) répond une structure bien structurée. Du potentiel. ⧗ 2022-2025 ■ **Benjamin de Vieux Château Gaubert 2018 ★ (8 à 11 €; 30000 b.)** : un vin bien équilibré offrant de jolis arômes (fleurs blanches, abricot, fruits exotiques). ⧗ 2019-2022 ■ **2017 (8 à 11 €; 50000 b.)** : vin cité. ■ **Ch. Haut-Pommarède 2018 (8 à 11 €; 25000 b.)** : vin cité.

GFA DOMINIQUE HAVERLAN, 35, rue du 8-Mai-1945, 33640 Portets, tél. 05 56 67 18 63, dominique.haverlan@libertysurf.fr

♥ GRAND ENCLOS DU CHÂTEAU DE CÉRONS 2016 ★★

■ | 36000 | | 20 à 30 €

GRAND VIN DE BORDEAUX
2016
GRAND ENCLOS
DU
Château de Cérons
GRAVES
MIS EN BOUTEILLE AU CHATEAU

Issu d'un très ancien domaine, propriété des marquis de Calvimont du XVIe au XVIIIe s., ce cru de Cérons (30 ha), qui a aussi droit à l'appellation graves, connaît depuis 2000 une seconde jeunesse grâce à Giorgio Cavanna, un ingénieur italien amoureux de la France, qui l'a racheté après avoir géré un domaine familial de grand renom en Toscane, le Castello di Ama.

Outre un exceptionnel liquoreux (voir cérons), Giorgio Cavanna signe un graves remarquable par sa générosité et la force qu'il dégage. Aussi expressif par sa robe rouge sombre à reflets violacés que par son bouquet, ce 2016 monte en puissance et en complexité tout au long de la dégustation. Myrtille et fleurs, puis chocolat et épices en finale, la gamme aromatique est vaste et s'harmonise heureusement avec des tanins soyeux pour former un ensemble des plus prometteurs. ⧗ 2022-2030

SCEA DU GRAND ENCLOS DE CÉRONS, 12, pl. Charles-de-Gaulle, 33720 Cérons, tél. 05 56 27 01 53, lea.grandenclos@orange.fr V r.-v.

CH. GRAVEYRON Cuvée Tradition 2016 ★

■ | 6000 | | 5 à 8 €

Œnologue de formation et issu d'une famille de viticulteurs, Pierre Cante, qui produit trois graves à Portets (les châteaux Graveyron, des Tourelles et Pingoy), est partisan de rendements peu élevés.

Cette méthode a bénéficié à ce vin qui sait se présenter : robe d'un rouge net et franc, bouquet de fruits noirs épicés. Le palais prolonge cette complexité et cette élégance. ⧗ 2022-2025

EARL VIGNOBLES CANTE, 67, rte des Graves, 33640 Portets, tél. 06 66 46 05 00, vignoblescarte@orange.fr V r.-v.

CH. HAUT-REYS 2017 ★

■ | 6000 | | 8 à 11 €

Créé en 1977 par regroupement de plusieurs petites propriétés, ce cru des Graves a été racheté en 1997 par Isabelle et Grégoire Gabin, enfants de viticulteurs et d'agriculteurs, qui l'ont restructuré et agrandi, construit un chai et élargi sa gamme de vins. Il compte aujourd'hui 20 ha.

Bien servi par son élevage en fût qui lui apporte un surplus d'élégance, ce 2018, souple et équilibré, séduit par sa finale longue et fraîche aux notes d'agrumes. ⧗ 2019-2023

EARL GABIN, 18, allée Perrucade, 33650 La Brède, tél. 05 56 20 38 29, gabin.earl@orange.fr V t.l.j. sf dim. 10h-12h 14h30-18h30; f. 1ère sem. de janv.

CH. DE L'HOSPITAL 2016 ★

■ | 50000 | | 11 à 15 €

Classé Monument historique, un château néoclassique élevé en 1787, où séjourna Lamartine. Acquis en 1998 par les domaines Lafragette, il a été racheté en 2012 par l'industriel Florent Battistella qui entreprend sa restauration.

À sa matière charnue, bien équilibrée et élégante, on saisit que ce vin est issu d'un travail de vinification très bien conduit. Ce que confirme le bouquet fin, riche et complexe (fruits rouges et épices avec une note animale). L'ensemble est prometteur. ⧗ 2023-2027 ■ **2017 (8 à 11 €; 12000 b.)** Ⓑ : vin cité.

SCEA CH. DE L' HOSPITAL, 3, rue de l'Hospital, 33640 Portets, tél. 05 56 67 54 73, contact@chateaudelhospital.fr V t.l.j. sf sam. dim. 8h-12h 13h-17h

CH. JOUVENTE 2016

■ | 24000 | | 11 à 15 €

Proche du Sauternais, cette petite propriété (8 ha) commandée par une belle demeure du XVIIIe s. appartint jadis à des juristes. À partir de 1990, des propriétaires champenois y ont replanté de la vigne. Robert Zyla et Françoise Mercadier l'ont rachetée en 2003, pour le revendre en 2016 à Benjamin Gutmann. Une originalité en Bordelais : la cave enterrée.

S'inscrivant dans la tradition par sa structure aux tanins un peu fermes, ce 2016 est encore marqué par le bois. Toutefois, il possède une matière suffisamment solide pour s'affiner à la faveur de la garde. ⧗ 2022-2024

SCEA CH. JOUVENTE, 93, le Bourg, 33720 Illats, tél. 05 56 62 49 69, chateaujouvente@wanadoo.fr V r.-v.

KRESSMANN Grande Réserve 2016 ★

■ | n.c. | 8 à 11 €

Célèbre négoce fondé en 1840 par Pierre Dourthe, propriétaire de plusieurs crus (Belgrave en haut-médoc, Le Boscq en saint-estèphe, Rahoul en graves, Grand Barrail Lamarzelle Figeac en saint-émilion grand cru) et élaborateur de vins de marque de qualité (Dourthe N° 1, La Grande Cuvée, Terroirs d'exception). Une valeur sûre restée étroitement liée au Médoc, intégrée depuis 2007 au groupe familial champenois Alain Thiénot.

Un joli graves grenat brillant qui exprime subtilement ses arômes de fruits rouges vanillés. Bien structuré, riche et persistant, il ne demande qu'à fondre ses tanins avec le temps. ⧗ 2022-2025

⊶ CVBG DOURTHE-KRESSMANN,
35, rue de Bordeaux-Parempuyre, CS_80004,
33295 Blanquefort Cedex, tél. 05 56 35 53 00,
contact@dourthe.com

CH. DE LANDIRAS 2016 ★

■ | 80000 | | 8 à 11 €

Ancien architecte, Michel Pélissié a racheté en 2008, au sud des Graves, le Ch. de Landiras. Un domaine historique, ancienne terre épiscopale au XIIes., qui a gardé le souvenir de Jeanne de Lestonnac, nièce de Montaigne et fondatrice de la Compagnie de Marie-Notre-Dame. Aujourd'hui, une belle unité (près de 60 ha), renforcée depuis 2013 par les châteaux La Ouarde et Peyron-Bouché : plus de 80 ha en tout, plantés à haute densité et conduits par le régisseur, François Puerta.

Si sa robe reste discrète, ce graves affiche fièrement son identité par la note fumée du bouquet, par ailleurs agréablement fruité. Souple, rond et long, il se montre aimable par ses tanins bien fondus qui permettront d'apprécier assez rapidement ses qualités aromatiques. ⧗ 2021-2024 ■ **2018 ★ (5 à 8 €; 6800 b.)** : un vin fin et bien équilibré, doté d'un bouquet très frais (fruits blancs et agrumes). ⧗ 2020-2022 ■ **Ch. Peyron Bouché 2017 ★ (8 à 11 €; 80000 b.)** : un vin souple, rond et joliment bouqueté, à boire dans sa jeunesse. ⧗ 2020-2022 ■ **Ch. la Ouarde 2017 (8 à 11 €; 80000 b.)** : vin cité.

⊶ SCA DOM. LA GRAVE, 4, rte des Frères Bordes, 33720 Landiras, tél. 05 56 76 76 61, chateau.landiras@orange.fr V r.-v.

CH. LANGLET 2016 ★

■ | 38500 | | 11 à 15 €

Si beaucoup de grands noms du négoce bordelais ont choisi de s'implanter dans le Médoc, les Kressmann ont opté pour les Graves et ce cru acquis en 1930, qui doit son nom à une tour ornant sa cour, vestige d'un château bâti au XIIes. par des ancêtres de Montesquieu. Une belle unité de 50 ha réputée autant pour ses blancs que pour ses rouges.

S'il tarde à s'exprimer, ce vin sait tenir les promesses de sa robe, encore très jeune. Peu à peu percent des arômes de fruits mûrs et d'épices, tandis que se développe une structure harmonieuse en bouche. ⧗ 2022-2024

⊶ SAS VIGNOBLES JEAN KRESSMANN,
8, chem. La Tour, 33650 Martillac, tél. 05 57 97 71 11,
chateau@latourmartillac.com V r.-v.

CH. LASSALLE Quintessence 2016 ★

■ | 2500 | | 15 à 20 €

Une propriété des Graves de 16,5 ha, où le château ressemble à une ferme. Mais elle ne manque pas de lettres d'ancienneté, car elle appartient depuis 1770 à la même famille. Fabien Lalanne, qui a succédé à son oncle en 2005, représente la huitième génération.

Cuvée prestige élaborée à partir d'une vieille parcelle de cabernet-sauvignon, ce 2016 se distingue par sa très jolie expression de fruits rouges et de kirsch. Puissants mais sans agressivité, les tanins contribuent à son harmonie. ⧗ 2023-2027 ■ **2016 ★ (11 à 15 €; 25000 b.)** : un nez ouvert de fruits rouges nuancés de boisé. Une juste fraîcheur souligne la rondeur et les tanins se fondent docilement. ⧗ 2022-2024 ■ **2017 (8 à 11 €; 9000 b.)** : un vin frais avec un joli bouquet dans lequel on retrouve le buis et la pierre à fusil caractéristique du cépage. ⧗ 2019-2021

⊶ SCEA LABRE LALANNE,
2, allée Lassalle, 33650 La Brède, tél. 05 56 78 49 65,
contact@chateaulassalle.com V *t.l.j. 9h-12h 14h-18h; sam. dim. sur r.-v.*

CH. LÉHOUL Grand Vin 2016 ★★

■ | 8000 | | 15 à 20 €

Le 9 ventôse an VI (1798), Georges Lehoult vend un vignoble à un aïeul. Le cru est établi sur une belle croupe de graves et de sables, à l'orée de la forêt, au sud de l'appellation. Éric Fonta connaît à fond son terroir de quelque 9 ha, où il plante de nombreux cépages qu'il vendange à la main. Une valeur sûre.

À l'intensité de la robe répond celle du bouquet. Complexe et gourmand, il associe les fruits noirs à la vanille et aux épices. On retrouve son harmonie au palais, tandis que la belle trame tannique est une promesse de bonne évolution dans les années à venir. De quoi laisser le temps au boisé de se fondre. ⧗ 2023-2029 ■ **2018 ★ (8 à 11 €; 6000 b.)** : un vin aimable et bien enveloppé, avec du gras et de frais arômes de fruits blancs. ⧗ 2019-2023 ■ **Cadet de Léhoul 2016 ★ (8 à 11 €; 2000 b.)** : un graves classique, doté de tanins corsés mais fins et d'un bouquet élégant. ⧗ 2022-2026 ■ **2016 (11 à 15 €; 28000 b.)** : vin cité.

⊶ EARL FONTA ET FILS,
rte d'Auros, 33210 Langon, tél. 06 81 20 28 76,
chateaulehoul@orange.fr V r.-v.

CH. DE LIONNE 2017

■ | 30000 | | 8 à 11 €

Belle unité d'une quarantaine d'hectares sur Illats, à l'est du Sauternais, ce cru a été repris en 2007 par Pierre Bodon, pépiniériste, et Véronique Smati.

L'élégance de la robe, d'un jaune brillant, se retrouve dans le bouquet qu'agrémente une fort jolie note de miel. Après une attaque ronde aux accents floraux, le développement au palais est plus simple mais toujours harmonieux. ⧗ 2019-2021

⊶ GFA DU DOM. DE LIONNE,
Lionne, 33720 Illats, tél. 06 67 73 83 37,
chateaudelionne@orange.fr
V r.-v.

Ⓑ CH. LUSSEAU 2016 ★

■ | 15000 | | 11 à 15 €

Commandé par un château construit en 1805 par un officier de la Grande Armée, un vignoble acquis en 1870 par l'arrière-grand-père de Bérengère Quellien. À son installation en 2001 comme jeune agricultrice, la vigneronne, ancienne juriste, a réduit la superficie de son exploitation à 7 ha pour convertir, en 2007, le domaine à l'agriculture biologique.

S'il est encore timide, ce 2016 sait se présenter avec une jolie robe rouge à reflets grenat et d'intéressantes notes de fruits noirs (cassis) et de fleurs. Agréable, plein et charnu, il s'appuie sur de tanins fins. ⧗ 2022-2026

⊶ BÉRENGÈRE QUELLIEN, Ch. Lusseau, 6, rte de Lusseau, 33640 Ayguemorte-les-Graves, tél. 05 56 32 43 21, berengere@chateaulusseau.com V t.l.j. 9h-18h; sam. dim. sur r.-v.

CH. MAGENCE 2016 ★

■ | 32000 | | 15 à 20 €

Situé au sud des Graves, sur des coteaux dominant la Garonne, ce vignoble est commandé par une chartreuse du XVIIIes. bâtie par Jean de Majence, conseiller au parlement de Bordeaux. Dès la fin de ce même siècle, les propriétaires prospectaient les États-Unis pour y vendre leurs vins. Leurs descendants, les Guillot de Suduiraut d'Antras, sont à la tête de 55 ha d'un seul tenant.

Iris, violette : le bouquet est résolument floral, mais il laisse une petite place à la griotte, à la mûre et aux épices douces. Les arômes de fleurs se retrouvent dans une bouche soyeuse, bien structurée par des tanins fondus. ⧗ 2023-2027 ■ **Clos Maragnac 2016 ★ (11 à 15 €; 16000 b.)** : un vin charnu et puissant, au bouquet élégant (fruits mûrs et toast). ⧗ 2023-2027 ■ **2017 (11 à 15 €; 16000 b.)** : vin cité.

⊶ SCEA CH. MAGENCE, Ch. Magence, 33210 Saint-Pierre-de-Mons, tél. 05 56 63 07 05, magence@magence.com V r.-v.

CH. MAGNEAU 2018 ★★

■ | 45000 | | 8 à 11 €

Vignerons paisibles travaillant sérieusement loin de l'agitation médiatique, Jean-Louis et Bruno Ardurats sont les héritiers d'une lignée de viticulteurs remontant au règne d'Henri IV. L'encépagement de leur vignoble de 40 ha privilégie les blancs (25 ha).

Animée de reflets vieil or, la robe de ce 2018 met en confiance par son aspect limpide et brillant. Genêt, chèvrefeuille, puis pêche blanche, citron et pamplemousse avec une note toastée, l'expression aromatique est très riche et s'harmonise parfaitement avec la bouche ample, fine et grasse, pour donner un vin très complet. ⧗ 2019-2022 ■ **2016 ★ (11 à 15 €; 13000 b.)** : un joli vin bien structuré, équilibré et élégant, avec une petite touche crémeuse fort plaisante. ⧗ 2022-2026

⊶ EARL LES CABANASSES ARDURATS ET FILS, 12, chem. Maxime-Ardurats, 33650 La Brède, tél. 05 56 20 20 57, ardurats@chateau-magneau.com V t.l.j. 8h30-12h 14h-18h; sam. dim. sur r.-v.

CH. MOURAS Grand Vin 2016 ★

■ | 35000 | | 8 à 11 €

Propriété très ancienne, le Ch. Laville fut dans les années 1900 l'un des pionniers de la mise en bouteilles au château. Aujourd'hui augmenté du Ch. Delmond, un vignoble voisin, ce domaine de 36 ha très régulier en qualité produit en sauternes et en graves (Ch. Mouras). Aux commandes depuis 1997, Jean-Christophe Barbe, œnologue et maître de conférences à Bordeaux Sciences Agro.

Même s'il ne jouit pas de la notoriété du sauternes, le graves n'est pas un laissé-pour-compte. Voyez l'intensité de cette robe et attardez-vous sur le bouquet qui commence à s'ouvrir sur des notes de fruits rouges et noirs. S'y ajoute une matière ronde et puissante, qui s'appuie sur des tanins bien fondus. ⧗ 2023-2027

⊶ SCEA CH. LAVILLE, Ch. Laville, 33210 Preignac, tél. 05 56 63 59 45, chateaulaville@hotmail.com V r.-v.

CH. DU MOURET 2017 ★

■ | 40000 | | 5 à 8 €

Établis depuis près de deux siècles à Cadillac, les Médeville, également négociants, sont à la tête d'un vaste ensemble de 160 ha répartis sur une quinzaine de crus au sud de Bordeaux. Ch. Fayau est le berceau de la famille, acquis en 1826 : un vignoble de 41 ha, en grande partie planté sur les coteaux entourant la cité des ducs d'Épernon.

Ample et gras, ce vin que l'on sent issu d'une vendange parvenue à pleine maturité réussit à surprendre par la forte présence des arômes de litchi, tant au nez qu'au palais. Le résultat est fort plaisant. ⧗ 2019-2023

⊶ SCEA JEAN MÉDEVILLE ET FILS (CH. DU MOURET), Ch. Fayau, 33410 Cadillac, tél. 05 57 98 08 08, medeville@medeville.com V t.l.j. sf dim. 9h-12h30 14h-17h30; sam. sur r.-v.

CH. PIERRIE SAINTE-MAXIME Cuvée Clémence 2016

■ | 20000 | | 8 à 11 €

Acquis par Valérie et Stéphane Dudon en 2000, les châteaux Pierrie Saint-Maxime et Lange comptent aujourd'hui 20 ha en appellation sauternes, 8 en graves et 2 en bordeaux, avec des vignes âgées d'une quarantaine d'années.

Sans être d'une grande puissance, ce vin se montre intéressant par ses arômes de violette, de cerise et de vanille comme par ses aimables tanins. La rondeur de la finale lui apporte un certain charme. ⧗ 2022-2024

⊶ EARL DUDON, 15, chem. rural n°37 de Couite, 33210 Preignac, tél. 06 07 37 01 43, psm.ddn@gmail.com V r.-v.

GRAND VIN DU CH. DES PLACES 2017

■ | 110000 | | 8 à 11 €

Domaine familial né au début du XXes. quand un tonnelier nommé Daniel Subervie acquit quelques parcelles dans les Graves. Premières mises en bouteilles en 1960. Aux commandes depuis 2006, Fabrice et Philippe Reynaud représentent la cinquième

génération. Ils ont restructuré et agrandi leur domaine (62 ha) tout en s'équipant d'un chai très moderne. Depuis 2018, ils sont en cours de conversion au bio (20 % du vignoble). Trois étiquettes ici : Ch. des Places, Ch. Lagrange et Ch. Pontet Reynaud.

S'il ne joue pas aux athlètes, ce vin au bouquet délicat sait se montrer intéressant par sa matière équilibrée, aux tanins souples, et par sa longue finale gouleyante. ⧗ 2022-2024 ■ **Grand Vin du Ch. Pontet Reynaud 2017 (8 à 11 €; 80000 b.)** : vin cité. ■ **Ch. Lagrange 2018 (8 à 11 €; 12000 b.)** : vin cité.

EARL VIGNOBLES REYNAUD, 46, av. Maurice-La-Châtre, 33640 Arbanats, tél. 05 56 67 20 13, contact@vignobles-reynaud.fr V t.l.j. 9h-12h 14h-17h30; sam. dim. sur r.-v.

CH. PONT DE BRION 2017 ★★

■ | 18000 | | 11 à 15 €

Exploitation créée par Paul Dauvin en 1931, dans le secteur méridional des Graves, à Langon. Pascal Molinari, arrière-petit-fils du fondateur installé en 1988, a passé en 2015 le relais à sa fille Charlotte. Fort de 23 ha, le domaine propose plusieurs étiquettes : Ludeman les Cèdres, Pont de Brion, Rivière Lacoste.

Jaune paille à reflets dorés, ce vin fait très belle impression avec un bouquet aux arômes fruités (agrumes et fruits exotiques) et floraux, que complètent des notes d'élevage : vanille, beurre et café grillé. Ample, rond, aromatique et long, le palais est bien équilibré. ⧗ 2019-2023 ■ **Ch. Ludeman les Cèdres 2018 (8 à 11 €; 9000 b.)** : vin cité.

SCEA VIGNOBLES MOLINARI, Ludeman, 33210 Langon, tél. 05 56 63 09 52, vignoblesmolinari@chateaupontdebrion.com V r.-v.

CH. PRIEURÉ-LES-TOURS 2016 ★★★

■ | 158000 | | 11 à 15 €

Ancienne propriété du comte de Ravez, garde des Sceaux de Louis-Philippe, cette vaste unité (80 ha aujourd'hui) a été achetée en 1962 par la famille Solorzano, d'origine espagnole (Rioja). Essentiellement située dans les Graves, elle regroupe plusieurs crus.

Superbe dans sa robe d'un rouge sombre et brillant, ce vin l'est aussi dans son développement aromatique frais et complexe : fruits noirs, cassis et épices avec quelques notes grillées. Porté par des tanins fins et serrés, le palais poursuit avec une même générosité et une même élégance. Une grande bouteille. ⧗ 2024-2030 ■ **Cuvée Clara 2018 ★ (11 à 15 €; 10500 b.)** : une jolie structure bien équilibrée et un bouquet frais de pêche blanche, de litchi et de kiwi. ⧗ 2019-2022 ■ **Ch. Martin 2017 ★ (11 à 15 €; 50000 b.)** : un vin tout en fruits rouges et bien équilibré. Mais les tanins encore jeunes invitent à la garde. ⧗ 2023-2026

SARL DOMAINES DE LA METTE, 17, rte de Mathas, 33640 Portets, tél. 05 56 67 18 18, domainesdelamette@wanadoo.fr V r.-v.

CH. RAHOUL 2016 ★★

■ | 133300 | | 15 à 20 €

Le chevalier Rahoul construisit dans les Graves une belle chartreuse en 1646. Devenu viticole dès le XVIIIe s., développé au siècle suivant par une famille d'armateurs, le cru couvre environ 40 ha. Il est passé entre plusieurs mains avant son acquisition en 1986 par le négociant champenois Alain Thiénot, devenu propriétaire en 2007 de la maison Dourthe, qui en assure la gestion. Une valeur sûre.

Même si son bouquet ne s'est pas encore complètement ouvert, ce vin ne fait pas dans la demi-mesure. L'intensité de la robe, la complexité et la fraîcheur du bouquet fruité et épicé, la belle trame tannique du palais... tout contribue à faire de ce 2016 une bouteille de garde, élégante et puissante. ⧗ 2023-2029

SARL CH. RAHOUL, 4, rte du Courneau, 33640 Portets, tél. 05 56 35 53 00, contact@dourthe.com r.-v.

CH. DE RESPIDE L'Inattendu 2016 ★

■ | 3000 | | 15 à 20 €

Au XVIIe s., ce cru était la propriété de La Reynie, lieutenant de police de Louis XIV. Le château actuel a été construit vers 1850 par un préfet de la Gironde marié à la tante de Toulouse-Lautrec. Pierre Bonnet l'acquiert en 1952. À sa mort, le château est vendu, mais non le vignoble (80 ha dans la partie méridionale des Graves), géré depuis 1985 par son petit-fils Franck. Depuis 2018, le domaine a entrepris une modernisation de son chai et un agrandissement du vignoble.

L'intensité de la couleur (bordeaux sombre) ne se retrouve pas dans le premier bouquet, encore un peu fermé. Mais à l'aération apparaissent de jolies notes fruitées, vanillées et épicées. Ample et frais, le palais poursuit sa progression en souplesse pour laisser le souvenir d'un ensemble plaisant et complet. ⧗ 2021-2025 ■ **Callipyge 2017 ★ (11 à 15 €; 18000 b.)** : ample, rond et goûteux, avec un joli bouquet boisé-fruité. ⧗ 2019-2023

SCEA VIGNOBLES PIERRE BONNET, 2, Pavillon, 33210 Roaillan, tél. 05 56 63 24 24, vignobles-bonnet@wanadoo.fr V t.l.j. sf sam. dim. 8h-17h

CH. RESPIDE-MÉDEVILLE 2016 ★

■ | 20000 | | 15 à 20 €

Situé sur une croupe argilo-graveleuse très bien exposée, au sud de l'appellation, ce cru de 12 ha a été gâté par la nature. Il a été évoqué par Mauriac, mais sa notoriété s'explique aussi par le sérieux de ses exploitants, héritiers d'une longue tradition familiale : le Champenois Xavier Gonet et la Bordelaise Julie Médeville, à la tête de plusieurs crus, notamment en Sauternais et en Champagne.

Vive et fraîche, la robe annonce le bouquet aux notes fruitées. Au palais, celles-ci sont complétées par l'apport du bois. Un boisé bien maîtrisé comme les tanins qui soutiennent l'ensemble. Une longue et agréable finale achève de convaincre que cette bouteille possède un bon potentiel. ⧗ 2022-2026

SCEA JULIE GONET-MÉDEVILLE (CH. RESPIDE-MÉDEVILLE), 4, rue du Port, 33210 Preignac, tél. 05 56 76 28 44, contact@gonet-medeville.com V r.-v.

AGAPES DE RIEUFRET 2016 ★

■ | 10000 | | 15 à 20 €

Propriétaire de vignes depuis 1814, la famille Dufour dispose aujourd'hui de 38 ha dans les Graves et en Sauternais. Deux étiquettes : Ch. Simon et Ch. de Rieufret.

Sans être très puissant, ce vin se développe harmonieusement tant sur le plan aromatique, avec une bonne complexité (cassis, cerise, poivre et muscade), que sur le plan gustatif. Ronde, pleine et bien équilibrée, la bouche révèle en finale une présence tannique de bon augure. ⧗ 2024-2028

SCEA DE VILLENEUVE, Ch. de Rieufret, 33720 Saint-Michel-de-Rieufret, tél. 06 80 25 74 03, contact@chateausimon.fr r.-v.

♥ CH. ROQUETAILLADE LA GRANGE 2016 ★★

■ | 100000 | | 15 à 20 €

Les frères Guignard, Bruno, œnologue, Dominique, ingénieur agronome, et Pascal, fort d'une expérience en Afrique du Sud, perpétuent l'œuvre des générations précédentes. Établis dans le sud des Graves à proximité de l'imposant château de Roquetaillade, construit pour un neveu du pape gascon Clément V, ils exploitent plusieurs crus.

«Un régal», cette expression d'un de nos jurés résume bien la dégustation de ce vin. Avec une profonde robe aux reflets violets et un bouquet aussi puissant qu'harmonieux, la présentation est plus que prometteuse. Et le développement au palais ne la dément pas : somptueux à l'attaque, le vin concilie une belle structure tannique avec ce qu'il faut de rondeur et de souplesse. La longue finale clôt magistralement la démonstration. ⧗ 2022-2026 ■ **Ch. Perron 2017 ★ (11 à 15 €; 120000 b.)** : simple, charnu et bien équilibré, ce vin met en valeur son jeune bouquet aux notes de fruits noirs un peu confiturés et d'épices. ⧗ 2022-2024 ■ **Ch. de Carolle 2017 (8 à 11 €; 150000 b.)** : vin cité.

GAEC GUIGNARD FRÈRES, La Grange, 33210 Mazères, tél. 05 56 76 14 23, contact@vignobles-guignard.com r.-v.

CH. LA ROSE SARRON 2018 ★

■ | 20000 | | 5 à 8 €

Située dans le sud des Graves, cette propriété remontant au XIXe s. possède un terroir diversifié : graves à gros galets, graves siliceuses et argiles et terres limoneuses. Entrée dans la famille en 1987, elle s'étend sur une quarantaine d'hectares et a été entièrement replantée par Philippe Rochet. Ce dernier a été rejoint en 2016 par son fils Damien, ingénieur de formation.

Une présentation discrète, mais élégante pour ce vin de couleur jaune paille, dont le bouquet évoque les fleurs blanches et les fruits jaunes. Rond et bien équilibré, le palais possède beaucoup de gras, notamment en finale. ⧗ 2019-2024

EARL VIGNOBLES ROCHET, Ch. la Rose Sarron, 33210 Saint-Pierre-de-Mons, tél. 05 56 76 29 42, contact@la-rose-sarron.com t.l.j. 8h-18h ③

CH. SAINT-ROBERT 2016 ★

■ | 60984 | | 11 à 15 €

Ancienne terre noble commandée par une belle chartreuse du XVIIIe s., le Ch. Saint-Robert s'est longtemps partagé entre l'exploitation de la forêt, l'élevage de moutons et la vigne. Celle-ci couvre aujourd'hui 35 ha et a retrouvé tous ses droits grâce à un beau terroir, limitrophe de Barsac. Propriété du Crédit Foncier depuis 1991, le cru a été vendu en juillet 2014 aux familles Moulin (groupe Galeries Lafayette) et Cathiard (Château Smith Haut Lafitte), puis en 2018 à la famille Helfrich (Les Grands Chais de France). Une valeur sûre des Graves, avec de nombreuses étoiles et coups de cœur du Guide à son actif.

Avec un bouquet encore un peu fermé mais déjà complexe (baies noires, cuir, gibier) et un palais puissant, charnu et corsé, ce vin de caractère peut sembler sévère, mais il saura s'affiner avec un peu de patience. ⧗ 2022-2026 ■ **Poncet-Deville 2017 ★ (11 à 15 €; 7430 b.)** Ⓑ : un vin souple et rond, avec un bouquet expressif et fin (fruits exotiques mûrs). ⧗ 2019-2022

FAMILLE HELFRICH, Ch. Saint-Robert, 33210 Pujols-sur-Ciron, tél. 05 57 98 07 20, vcachau@lgcf.fr

CH. DE SAUVAGE Manine 2016 ★★

■ | 2400 | | 15 à 20 €

Vincent Dubourg a acheté en 2004 cette propriété au milieu des bois, caractéristique des graves de clairière (d'où son nom, dérivé du latin *silvaticus*, « forestier »). En 2017, après des années de lutte très raisonnée, il a lancé la conversion bio de son petit vignoble (6 ha, dont 0,5 ha de petit verdot).

Au charme d'une robe rubis, ce graves ajoute celui d'un bouquet de fruits rouges mûrs. Bien constitué, le palais souple et gras fait preuve lui aussi d'élégance. Une belle réussite avec un excellent équilibre entre la finesse et la puissance. ⧗ 2024-2029 ■ **2016 ★ (8 à 11 €; 8000 b.)** : un joli vin, au nez de cassis, de myrtille et de framboise, souple et bien équilibré en bouche. ⧗ 2022-2025

CH. SAUVAGE, lieu-dit Manine, 33720 Landiras, tél. 05 56 27 13 44, info@chateaudesauvage.com r.-v.

Ⓑ CH. DU SEUIL 2017 ★

■ | 9210 | | 11 à 15 €

Situé à Cérons, le domaine remonte au XVIIIe s. Il a été racheté en 1988, par la famille Watts, d'origine galloise. Nicola Watts, médecin généraliste, et son époux Sean Allison, ancien analyste financier d'origine néo-zélandaise, en ont pris les rênes en 2001. Ils exploitent 15,84 ha qu'ils ont convertis à l'agriculture biologique et qui possèdent la certification Haute valeur environnementale. Deux étiquettes ici : le Ch. du Seuil et le Ch. l'Avocat.

Un graves très poétique dans ses évocations de jasmin et d'abricot, auxquelles se joignent les caractères aromatiques du sauvignon. De la fraîcheur et une bonne intensité en bouche finissent de convaincre. ⧗ 2019-2023 ■ **Ch. l'Avocat 2016 (11 à 15 €; 13674 b.)** Ⓑ : vin cité.

⊶ SCEA CH. DU SEUIL, 1, Le Seuil, 33720 Cérons, tél. 05 56 27 11 56, nicola@chateauduseuil.com V r.-v.

CH. SIMON 2017 ★★

	10000		8 à 11 €

La famille Dufour cultive la vigne depuis 1814 au Ch. Simon, qui tire son nom d'un hameau de Barsac. Trois générations – la dernière étant Anne-Laure Dufour, arrivée en 2011 – œuvrent aujourd'hui de concert sur les 38 ha du domaine.

Très harmonieux, ce vin montre son élégance dès l'examen visuel en déployant une robe brillante. Cette qualité se confirme ensuite dans le bouquet aux notes d'agrumes et dans la matière ronde mais dynamique. Tout témoigne d'une vendange à parfaite maturité. ⧗ 2019-2023

⊶ EARL DUFOUR, 7, Simon, 33720 Barsac, tél. 05 56 27 15 35, contact@chateausimon.fr V *t.l.j. 8h-12h 13h-17h30; sam. dim. sur r.-v.*

CH. DE TESTE Moléon Vieilli en fût de chêne 2016

■	12000		11 à 15 €

Basé à Monprimblanc, à cheval sur l'Entre-deux-Mers et les Côtes de Bordeaux, Laurent Réglat peut jouer sur plusieurs appellations et types de vins, ayant même un pied dans les Graves. Souvent en vue pour ses liquoreux (cadillac, sainte-croix-du-mont), il ne néglige pas pour autant les vins rouges (cadillac-côtes-de-bordeaux, graves).

S'il est encore marqué par l'élevage, ce vin laisse apparaître de plaisants arômes de fruits rouges. Souple, rond et élégant, le palais se fait plus tannique en finale, comme un petit appel à une garde mesurée. ⧗ 2022-2024

⊶ EARL VIGNOBLES LAURENT RÉGLAT, Ch. de Teste, 33410 Monprimblanc, tél. 05 56 62 92 76, vignobles.l.reglat@wanadoo.fr V *r.-v.*

CH. TOUMILON 2017 ★★

	1800		8 à 11 €

Un vignoble de 15 ha que Damien Rochet, ingénieur électricien de formation et fils de viticulteur, a repris en 2016. Il travaille main dans la main avec Marie-France Lateyron.

À la fois vif et rond, ce vin très équilibré porte la marque du sauvignon (60 %) dans son bouquet aux notes de buis. Citron, pamplemousse, menthol, pêche, mangue, fruit de la Passion : sa palette aromatique est particulièrement riche et complexe, avec même une petite note minérale. ⧗ 2019-2022

⊶ SARL TOUMILON WINES, Toumilon, 33210 Saint-Pierre-de-Mons, tél. 06 73 37 83 38, toumilon.wines@gmail.com V *r.-v.* ③

CH. DE TOUR DE CASTRES 2016

■	100000		8 à 11 €

Un pavillon du XVIIIᵉ s., un parc, un arboretum : avec le Ch. de Castres (graves), José Rodrigues-Lalande, ingénieur et œnologue, a acquis en 1996 un beau quartier général. Il s'est agrandi en 2012 dans cette même AOC en achetant le Ch. Beau-Site, après s'être implanté en pessac-léognan en 2004, avec l'acquisition des 18 ha du Ch. Roche-Lalande. En 2013, il a encore acquis en pessac-léognan le Ch. Pont Saint-Martin. Pas moins de 40 ha pour cette exploitation familiale.

Grenat sombre, la robe est prometteuse et si le bouquet semble un peu en retrait, il n'en est pas moins plaisant par ses notes de cuir et de toast. D'attaque franche, le palais fait preuve d'un bon équilibre entre puissance et rondeur. ⧗ 2021-2024

⊶ EARL VIGNOBLES RODRIGUES-LALANDE, Ch. de Castres, rte de Pommarède, 33640 Castres-sur-Gironde, tél. 05 56 67 51 51, contact@chateaudecastres.fr V *t.l.j. 9h-12h 14h-19h* ⑤

CH. TRÉBIAC 2016

■	102000		8 à 11 €

Ancien orphelinat et vignoble créés en 1872 par les franciscaines sur le plateau de Portets. En 1985, l'ordre fait appel à Jean-Ralph de Butler, ingénieur agronome, pour moderniser le domaine, et finit par le lui céder en 2008. Arnaud de Butler a pris le relais en 1999. Le cru compte 31 ha sur graves garonnaises.

Une belle présentation pour ce vin rubis, sur le fruit. Cette fraîcheur se retrouve au palais, avec des tanins ronds et élégants. ⧗ 2022-2025 **2018 (8 à 11 €; 24000 b.)** : vin cité. ■ **Ch. Crabitey 2016 (11 à 15 €; 99000 b.)** : vin cité.

⊶ SARL VIGNOBLES DE BUTLER, 63, rte du Courneau, 33640 Portets, tél. 05 56 67 18 64, contact@debutler.fr V *t.l.j. sf sam. dim. 9h-12h 13h30-16h30*

CH. DE VIMONT La Parcelle 1915 2016 ★

■	4000		15 à 20 €

Les Ateliers Saint-Joseph, créés en 1967 par Magdeleine de Vimont, sont devenus en 1986 un ESAT (établissement et service d'aide par le travail), structure destinée à l'insertion des personnes handicapées. Le centre est couplé avec un vignoble de 14 ha acquis en 2008.

Gourmand et élégant, ce vin est encore un peu discret au nez, mais il se révèle pleinement au palais avec de jolis arômes de fruits rouges, un bon volume et des tanins de qualité. ⧗ 2022-2025

⊶ ESAT MAGDELEINE DE VIMONT, 1, rue des Lilas, 33640 Castres-sur-Gironde, tél. 05 56 67 39 60, nraynaud@institut-don-bosco.fr V *t.l.j. sf sam. dim. 8h15-12h15 13h30-17h*

PESSAC-LÉOGNAN

Superficie : 1 610 ha
Production : 71 145 hl (80 % rouge)

Correspondant à la partie nord des Graves (appelée autrefois Hautes-Graves), la région de Pessac et de Léognan constitue depuis 1987 une appellation communale, inspirée de celles du Médoc. Sa création, qui aurait pu se justifier par son rôle historique (c'est l'ancien vignoble périurbain qui produisait les clarets médiévaux), s'explique par l'originalité de son sol. Les terrasses que l'on trouve plus au sud

cèdent la place à une topographie plus accidentée. Le secteur compris entre Martillac et Mérignac est constitué d'un archipel de croupes graveleuses qui présentent d'excellentes aptitudes vitivinicoles par leurs sols, composés de galets très mélangés, et par leurs fortes pentes garantissant un excellent drainage. L'originalité des pessac-léognan a été remarquée par les spécialistes bien avant la création de l'appellation. Ainsi, lors du classement impérial de 1855, Haut-Brion fut le seul château non médocain à être classé (1er cru). Puis, lorsqu'en 1959 seize crus de graves furent classés, tous se trouvaient dans l'aire de l'actuelle appellation communale.

Les vins rouges possèdent les caractéristiques générales des graves, tout en se distinguant par leur bouquet, leur velouté et leur charpente. Quant aux blancs secs, ils se prêtent à l'élevage en fût et au vieillissement qui leur permet d'acquérir une très grande richesse aromatique, avec de fines notes de genêt et de tilleul.

CH. BARET 2016 ★

■ | 120 000 | | 15 à 20 €

Aux portes de Bordeaux, cette ancienne maison noble des seigneurs de Baret a été acquise au début du XIXe s. par les Ballande, une famille de négociants et d'armateurs bordelais qui a entièrement restructuré les bâtiments d'exploitation et le vignoble (25 ha).

L'élégance de la robe, d'un grenat profond et brillant, se retrouve dans le bouquet où de délicates notes de fruits rouges s'allient à un discret apport du bois (grillé) pour composer un ensemble plaisant. Souple, charnu et bien équilibré, le palais est lui aussi harmonieux, avec une finale portée par la fraîcheur. ⧗ 2022-2027 □ **2017 ★ (15 à 20 €; 20 000 b.)** : buis, bourgeon de cassis, le bouquet est très marqué par le sauvignon (90 %). L'ensemble est bien équilibré, avec ce qu'il faut de fraîcheur en finale pour garantir une bonne évolution. ⧗ 2021-2022

SCEA CH. BARET, 43, av. des Pyrénées, 33140 Villenave-d'Ornon, tél. 07 60 38 26 71, direction@lechateaubaret.com r.-v.

CH. BOUSCAUT 2016 ★

■ Cru clas. | 90 125 | | 30 à 50 €

97 98 **99** 00 04 05 06 07 08 |09| |10| |11| |12| |13| 14 16

Disposant d'un vignoble de 50 ha d'un seul tenant bordant la route de Toulouse, ce cru est commandé par une superbe demeure du XVIIIe s. entourée d'un parc aux arbres centenaires. Acquis en 1979 par Lucien Lurton, propriétaire de nombreux crus, notamment dans le Médoc, il est conduit depuis 1992 par sa fille Sophie et son gendre Laurent Cogombles.

Si la robe de ce 2016 semble un peu hésitante entre jeunesse et évolution, le bouquet, lui, a choisi son camp avec d'intenses notes de fruits rouges et de confiture de mûres. Ample et bien équilibré, le palais s'appuie sur une solide trame tannique qui se porte garante du potentiel de garde. ⧗ 2022-2025 ■ **Les Chênes de Bouscaut 2016 ★ (20 à 30 €; 62 727 b.)** : rond, gras, bien équilibré et délicatement bouqueté, ce second vin est d'une belle tenue. ⧗ 2022-2025

SAS CH. BOUSCAUT, 1477, av. de Toulouse, 33140 Cadaujac, tél. 05 57 83 12 20, cb@chateau-bouscaut.com r.-v.

CH. BOUSCAUT 2017 ★★

□ Cru clas. | 15 815 | | 30 à 50 €

98 **99** 00 **01** 03 04 05 **06** 07 09 **11 12** |**13**| |14| **15** 16 **17**

Disposant d'un vignoble de 50 ha d'un seul tenant bordant la route de Toulouse, ce cru est commandé par une superbe demeure du XVIIIe s. entourée d'un parc aux arbres centenaires. Acquis en 1979 par Lucien Lurton, propriétaire de nombreux crus, notamment dans le Médoc, il est conduit depuis 1992 par sa fille Sophie et son gendre Laurent Cogombles.

Riche et alerte à la fois, bien équilibré et gourmand, ce vin séduit aussi par sa complexité aromatique : fleurs blanches, bonbon anglais, fruits mûrs et exotiques, ainsi que de jolies petites notes de pierre à fusil. Sa vivacité lui promet un bel avenir. ⧗ 2019-2025 □ **Les Chênes de Bouscaut 2017 ★ (20 à 30 €; 10 594 b.)** : un joli style bien équilibré, avec un bouquet expressif, encore marqué par le boisé. ⧗ 2019-2024

SAS CH. BOUSCAUT, 1477, av. de Toulouse, 33140 Cadaujac, tél. 05 57 83 12 20, cb@chateau-bouscaut.com r.-v.

CH. BRANON 2016

■ | 2298 | | + de 100 €

Pomerol, saint-émilion grand cru, pessac-léognan, Sylviane Garcin-Cathiard détient des vins dans des AOC prestigieuses du Bordelais. En pessac, elle exploite les châteaux Haut-Bergey, environ 40 ha acquis en 1991, et Branon, petit cru de notoriété ancienne acheté en 1996, 6 ha au cœur de Léognan. Son fils Paul est désormais aux commandes.

LES CRUS CLASSÉS DES GRAVES

NOM DU CRU CLASSÉ	VIN CLASSÉ	NOM DU CRU CLASSÉ	VIN CLASSÉ
Ch. Bouscaut	■ □	Ch. Latour-Martillac	■ □
Ch. Carbonnieux	■ □	Ch. Malartic-Lagravière	■ □
Dom. de Chevalier	■ □	Ch. La Mission Haut-Brion	■
Ch. Couhins	□	Ch. Olivier	■ □
Ch. Couhins-Lurton	□	Ch. Pape Clément	■
Ch. Fieuzal	■	Ch. Smith-Haut Lafitte	■
Ch. Haut-Bailly	■	Ch. La Tour-Haut-Brion	■
Ch. Haut-Brion	■		

S'il se présente timidement dans une discrète robe rubis et avec un petit bouquet aux notes de fruits et réglisse, ce vin s'exprime ensuite avec plus de caractère, en développant un bon volume. ⧗ 2022-2024

SAS CH. HAUT-BERGEY, 69, cours Gambetta, 33850 Léognan, tél. 05 56 64 05 22, info@haut-bergey.fr

♥ CH. BROWN 2016 ★★

■ | 79400 | | 30 à 50 €

Commandé par une élégante chartreuse et son pigeonnier du XVIIIe s., ce vaste cru (60 ha dont 35 ha en vignes) doit son nom à un marchand de biens écossais, John Lewis Brown, propriétaire au XIXe s. Après quelques années difficiles, le domaine revit à la suite de son rachat en 1994 par Bernard Barthe; efforts perpétués depuis fin 2004 par les familles Mau et Dirkzwager. Le cru est dirigé par Jean-Christophe Mau et le vignoble est certifié Haute Valeur Environnementale niveau 3 depuis 2018.

Brown enchaîne les années avec une aisance déconcertante : Jean-Christophe Mau a obtenu un coup de cœur pour chacun de ses millésimes depuis 2012, souvent en blanc. Cette année, il va encore un peu plus haut, faisant le doublé en rouge et en blanc... Tenant toutes les promesses d'une robe grenat profond, le bouquet de ce remarquable 2016 séduit par l'élégance et la complexité de ses arômes fruités et épicés, tandis que le palais charme par la richesse de la matière, aux tanins serrés. Une grande bouteille en perspective. ⧗ 2024-2032 ■ **2017 ★★ (30 à 50 €; n.c.)** ♥ : limpide et éclatant dans sa robe jaune pâle, ce vin présente une superbe fraîcheur aromatique autour d'arômes de verveine, d'agrumes et de litchi. En bouche, il se montre ample, gras et suave sans jamais céder à la lourdeur, une fine acidité venant l'épauler. Et quelle longueur ! Un pessac blanc complet et élégant. ⧗ 2020-2025

SCEA CH. BROWN, 5, allée John-Lewis-Brown, 33850 Léognan, tél. 05 56 87 08 10, contact@chateau-brown.com V r.-v.

CH. LE BRUILLEAU 2016

■ | 40000 | | 11 à 15 €

Dans la famille Bédicheau depuis quatre générations, ce petit cru étend son vignoble sur une dizaine d'hectares situés dans le sud de l'appellation, près de La Brède et du château de Montesquieu.

Naturel, ce vin est bien soutenu par l'apport de l'élevage qui respecte la fraîcheur du bouquet. Souple et rond, le palais révèle un joli volume et atteste d'un bon potentiel. ⧗ 2024-2027

SCEA BÉDICHEAU, 12, chem. du Bruilleau, 33650 Saint-Médard-d'Eyrans, tél. 05 56 72 70 45, chateau.lebruilleau@orange.fr V r.-v.

CH. CARBONNIEUX 2016

■ Cru clas. | 180000 | | 30 à 50 €

90 91 92 93 **94** 95 **96** 97 98 99 **00 01** 02 **03** 04 |**05**| |06| |07| |08| |09| 10 |11| |12| |13| 14 15 16

Un cru très ancien, déjà exploité au XIIIe s., ancienne dépendance du monastère de l'abbaye de Sainte-Croix au XVIIe s. Occupant sur les hauteurs de Léognan une belle croupe de graves garonnaises, son vaste vignoble couvre 92 ha. Anthony Perrin l'a acquis après le grand gel de 1956, replanté, réhabilité et transmis à ses fils Éric et Philibert.

Discret au début, le bouquet s'ouvre ensuite sur d'élégantes notes de fruits rouges et de bois, renforçant ainsi le sentiment d'harmonie laissé par la robe d'un grenat foncé, brillant et limpide. Franc, souple et rond, le palais poursuit dans le même esprit, avec un bon équilibre et une longue finale. ⧗ 2021-2024

SCEA A. PERRIN ET FILS, 33850 Léognan, tél. 05 57 96 56 20, info@chateau-carbonnieux.fr V r.-v.

CH. CARBONNIEUX 2017 ★★

■ Cru clas. | 50000 | | 30 à 50 €

00 01 **02 03** 04 05 06 07 **08** 09 10 12 13 |**14**| 15 16 **17**

Un cru très ancien, déjà exploité au XIIIe s., ancienne dépendance du monastère de l'abbaye de Sainte-Croix au XVIIe s. Occupant sur les hauteurs de Léognan une belle croupe de graves garonnaises, son vaste vignoble couvre 92 ha. Anthony Perrin l'a acquis après le grand gel de 1956, replanté, réhabilité et transmis à ses fils Éric et Philibert.

Fidèle à sa tradition, ce prestigieux cru classé s'illustre une fois de plus par la forte personnalité de son pessac-léognan blanc. Celle-ci s'exprime par la fraîcheur et la complexité aromatiques. Du citron au sous-bois, la palette est large. Élégant et racé, le vin est rehaussé d'une note minérale très sensible dans sa longue finale. ⧗ 2021-2025 ■ **La Croix de Carbonnieux 2017 (15 à 20 €; 15000 b.)** : vin cité.

SCEA A. PERRIN ET FILS, 33850 Léognan, tél. 05 57 96 56 20, info@chateau-carbonnieux.fr V r.-v.

CH. CIVRAC LAGRANGE 2016

■ | 50000 | | 15 à 20 €

Propriétaire bien connu des Graves (Vieux Château Gaubert) où il exploite une centaine d'hectares, Dominique Haverlan a acquis en 2004 le Ch. Civrac-Lagrange, domaine d'une quinzaine d'hectares en pessac-léognan, situé à Saint-Médard-d'Eyrans, près de la Brède, au sud de l'appellation. Sur un terroir de graves fines et de sables noirs, il a planté un vignoble.

Si sa robe reste discrète, ce 2016 encore sur le fruit se fait plus expressif par la suite. D'abord par son bouquet aux notes de fruits mûrs (fraise), de café et de cacao. Ensuite, par son développement au palais, avec de la rondeur et de la souplesse. ⧗ 2021-2024

SCE DOMINIQUE HAVERLAN (CH. CIVRAC LAGRANGE), 35, rue du 8-mai-1945, 33640 Portets, tél. 05 56 67 18 63, dominique.haverlan@libertysurf.fr

LE CLARENCE DE HAUT-BRION 2016 ★

	85752		+ de 100 €

Séparé du château Haut-Brion juste par la RN 250 et uni à lui depuis son acquisition en 1983 par les Domaines Clarence Dillon, ce cru s'individualise par son histoire. Celle-ci est liée à la puissante famille de Lestonnac jusqu'en 1682, puis, jusqu'à la Révolution, aux pères lazaristes de Saint-Vincent, qui identifièrent les qualités remarquables de son terroir graveleux aujourd'hui planté de 29 ha de vignes, dont 3,6 ha en blanc.

De la jeunesse dans ce 2016 aux reflets violines et aux arômes subtils de fruits compotés nuancés de rose et de fumée. La fraîcheur est perceptible dès l'attaque, puis les tanins serrés viennent également en soutien d'une matière de qualité, en devenir. ⧗ 2022-2030

DOM. CLARENCE DILLON, 135, av. Jean-Jaurès, 33608 Pessac Cedex, tél. 05 56 00 29 30, info@haut-brion.com r.-v.

CH. COUCHEROY 2017

	30000		8 à 11 €

«Couchiroy» ou «Couche Roi» en gascon : la légende raconte qu'un soir d'orage, le futur Roi Henri IV, revenant de la bataille de Coutras, fit halte en ces lieux pour se reposer... Un domaine faisant partie de la galaxie André Lurton, figure emblématique de l'appellation disparu en mai 2019.

Vif et bien équilibré, ce vin fait preuve d'un classicisme de bon aloi, tant par sa présentation avec une robe jaune à reflets verts et un bouquet floral que par sa présence structurée au palais. ⧗ 2019-2021

SAS LES VIGNOBLES ANDRÉ LURTON (CH. COUCHEROY), chem. du Carosse, 33650 Martillac, tél. 05 56 64 75 87, lalouviere@andrelurton.com

CH. COUHINS 2017 ★★

Cru clas.	22552		20 à 30 €

Classé en blanc, ce cru de 28 ha situé aux portes de Bordeaux appartint à la famille Gasqueton, longtemps propriétaire de Calon Ségur (saint-estèphe), avant d'être acquis par l'INRA en 1968, qui en a fait sa vitrine en matière de recherches viti-vinicoles.

D'emblée, ce 2017 porte la marque du sauvignon (100%) avec des arômes floraux d'une jolie complexité. Frais et friand en attaque, le palais se développe harmonieusement, grâce à une vivacité bien maîtrisée. ⧗ 2021-2025 ■ **2016 ★ (20 à 30 €; 57342 b.)** : nez fin évocateur de fruits rouges et de champignon, avec une touche minérale et un accent boisé. Les tanins sont encore fermes, mais la matière bien présente. La petite vivacité finale indique les ambitions de ce vin pour la garde. ⧗ 2022-2025

SAS CH. COUHINS, chem. de la Gravette, 33140 Villenave-d'Ornon, tél. 05 56 30 77 61, couhins@bordeaux.inra.fr V r.-v.

CH. COUHINS-LURTON 2017 ★

Cru clas.	12000		20 à 30 €

98 99 00 **01 02** 03 04 **05 06 08** 10 **11** |12| |13| |14| **15 16** 17

Un cru situé à Villenave d'Ornon, aux portes de Bordeaux, connu sous le nom de «Bourdieu de la Gravette» à la fin du XVIIes. André Lurton le reprit en fermage en 1967, avant d'acheter en 1972 une partie du domaine devenu entre-temps propriété de l'INRA (Ch. Couhins), puis le château et les bâtiments d'exploitation en 1992. Un vignoble – 6 ha plantés du seul sauvignon, complétés en 1988 de 17 ha en rouge – auquel il a redonné son lustre d'antan. Figure emblématique de l'appellation, André Lurton est décédé en mai 2019.

Une robe limpide et brillante habille ce vin encore un peu discret dans son expression aromatique, mais déjà séduisant par ses notes d'agrumes et de brioche. Rond, gras, ample et d'une bonne longueur, le palais confirme l'intérêt de cette bouteille. ⧗ 2021-2025

LES VIGNOBLES ANDRÉ LURTON (CH. COUHINS-LURTON), 48, chem. de Martillac, 33140 Villenave-d'Ornon, tél. 05 56 64 75 87, contact-val@andrelurton.com
V r.-v.

CH. DE CRUZEAU 2017 ★

	70000		11 à 15 €

Fondé au XVIIes. par l'avocat bordelais Jacques de Cruzeau, ce cru d'ancienne notoriété fut abandonné après le phylloxéra. Situé au sud de l'appellation pessac-léognan, il fut découvert en 1973 par André Lurton, par hasard, après une tempête qui avait déraciné les pins et révélé son beau terroir de graves. Entièrement reconstitué, le vignoble couvre aujourd'hui 97 ha.

Jaune paille à reflets verts, la robe met en confiance. Très sauvignon (cépage unique), le bouquet affiche la couleur par une note de buis, puis il se diversifie avec des arômes de fruits blancs (pêche) et de raisins mûrs, avant d'affirmer sa typicité graves par un côté fumé. Rond et bien équilibré, le palais se prolonge dans une finale d'une grande douceur. ⧗ 2020-2024

SAS LES VIGNOBLES ANDRÉ LURTON (CH. DE CRUZEAU), 1, allée de Cruzeau, 33650 Saint-Médard-d'Eyrans, tél. 05 57 25 58 58, andrelurton@andrelurton.com

CH. FERRAN 2017 ★

	8200		15 à 20 €

Ce cru de 20 ha, qui fit partie jadis des domaines de Montesquieu, est propriété depuis 1885 de la famille Béraud-Sudreau. Longtemps resté l'une des «belles endormies» du Bordelais, il est en plein renouveau depuis l'arrivée en 1999 de la cinquième génération incarnée par Philippe et Ghislaine Lacoste.

Très élégant dans sa robe d'or gris, ce 2017 se montre encore jeune par son bouquet aux délicates notes d'agrumes, de genêt, d'amande grillée. Le palais révèle une grande vivacité qui permettra au vin de bien vieillir. ⧗ 2021-2025 ■ **2016 (15 à 20 €; 73000 b.)** : vin cité.

SCEA CH. FERRAN, 15, rte de Lartigue, 33650 Martillac, tél. 06 64 88 16 17, ferran@chateauferran.com V r.-v.

CH. DE FIEUZAL 2016 ★

Cru clas.	80000		30 à 50 €

Ce cru très ancien (XIVe s.) doit son nom à la famille de Fieuzal, propriétaire jusqu'en 1851. Depuis 2001 et son rachat par les Irlandais Brenda et Lochlann Quinn, il connaît un véritable renouveau, matérialisé par la création d'un nouveau chai en 2011, où le fruit de 70 ha de vignes est vinifié par Stephen Carrier, champenois d'origine, directeur de l'exploitation depuis 2007.

D'une belle couleur grenat, ce vin réussit à faire preuve d'originalité par son bouquet aux délicates notes de fruits de la forêt et de chocolat. Puissante, savoureuse et même gourmande, la matière annonce un bon potentiel de garde, comme la longue et riche finale. 2023-2030

SC CH. DE FIEUZAL, 124, av. de Mont-de-Marsan, 33850 Léognan, tél. 05 56 64 77 86, infochato@fieuzal.com r.-v.

CH. DE FRANCE 2017 ★

	1600		20 à 30 €

Commandé par une belle maison de maître du XVIIIe s., ce cru a été acheté en 1971 par Bernard Thomassin, ancien distillateur venu de la région parisienne, qui l'a restauré. Son fils Arnaud est aux commandes depuis 1996. Son vignoble de 40 ha, entièrement restructuré, est situé sur une croupe de graves profondes, l'un des plus hauts coteaux de la terrasse de Léognan.

Accompagné du sémillon, le sauvignon (28 %) a donné naissance à un 2017 au bouquet plein de fraîcheur, dans lequel se mêlent des notes de fleurs, de miel, de citron et de fumée. Tout aussi expressif, le palais, que soutient une jolie structure, affiche une belle complexité et un style harmonieux. 2021-2024 ■ **2016 (20 à 30 €; 70000 b.)** : vin cité.

SAS THOMASSIN, 98, av. du Mont-de-Marsan, 33850 Léognan, tél. 05 56 64 75 39, contact@chateau-de-france.com V r.-v.

CH. LA GARDE 2017 ★★

	15300		30 à 50 €

À l'élégance très bordelaise de sa chartreuse du XVIIIe s., ce cru de 50 ha d'un seul tenant, propriété de la maison Dourthe depuis 1990, ajoute un bel environnement et une vue panoramique, avec trois croupes et un plateau de graves sur le point culminant de la commune de Martillac. Les sols se caractérisent par leur diversité : graves, calcaires, argiles.

Classique dans sa robe entre jaune et vert, ce vin se montre discret dans son expression aromatique, avant faire état de son punch par de belles notes végétales, très sauvignon. Au palais, sa puissante structure et sa vivacité indiquent clairement sa vocation à la garde. 2020-2026 ■ **2016 ★ (20 à 30 €; 205300 b.)** : un vin puissant, prometteur et élégant, avec une belle expression aromatique (fleurs, baies rouges, cassis et mûres). 2022-2029 ■ **La Terrasse de la Garde 2016** (8 à 11 €; **116000 b.)** : vin cité.

SC DU CH. LA GARDE, 1, chem. de la Tour, 33650 Martillac, tél. 05 56 35 53 00, contact@dourthe.com r.-v.

CH. GAZIN ROQUENCOURT 2016 ★

■	68000		20 à 30 €

Implanté depuis le XVIIe s. sur une belle croupe de graves argileuses, ce cru d'une vingtaine d'hectares a été acquis en 2006 par Alexandre Bonnie, propriétaire de Malartic-Lagravière. Il est suivi par les équipes techniques de ce cru classé qui ont restructuré le vignoble et l'ont doté de nouveaux équipements. Cultivé selon une démarche proche de l'agriculture biologique, il est entouré de prairies, de jachères fleuries, de bois et de haies.

Beau coup de cœur l'an dernier, ce cru propose à nouveau un joli vin. Rond et très souple en attaque, ce 2016 possède une structure tannique de qualité. Pleine et riche, la matière s'accorde avec le bouquet aux notes de violette, de fruits mûrs et d'épices pour former un ensemble puissant. 2023-2029

SC DU CH. MALARTIC-LAGRAVIÈRE, 59, chem. de Gazin, 33850 Léognan, tél. 05 56 64 75 08, malartic-lagraviere@malartic-lagraviere.com r.-v.

♥ **CH. HAUT-BAILLY** 2016 ★★

■ Cru clas.	70000		+ de 100 €

90 92 93 94 (95) 96 97 98 99 |00| |**01**| |**02**| |**03**| |**04**| |**05**| |**06**| |07| |08| **09 10 11** 12 |13| **14 16**

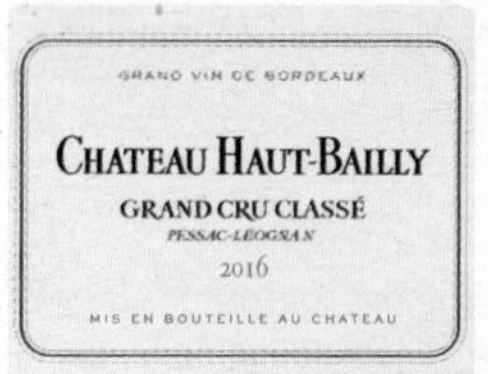

Créé en 1630 par un financier parisien, Firmin Le Bailly, ce cru situé aux portes de Bordeaux acquiert sa notoriété au XIXe s. sous l'impulsion d'Alcide Bellot des Minières. Un prestige renforcé à partir de 1955 par la famille Sanders, puis par le banquier américain Robert G. Wilmers. Son fils Chris Wilmers a repris la gouvernance, toujours avec Véronique Sanders aux commandes. Le vignoble, intégralement voué aux cépages rouges, couvre 33 ha d'un seul tenant.

S'annonçant dans une rutilante robe cerise qu'animent des reflets brillants, ce vin offre un bouquet majestueux de fruits rouges et noirs, de fumée et de réglisse. Dense et doté de tanins très mûrs et soyeux, le palais révèle beaucoup de puissance sans jamais se départir de son élégance. Un grand vin pour une bouteille de caractère. 2024-2035 ■ **Ch. le Pape 2016 ★ (20 à 30 €; 20000 b.)** : sans avoir autant d'élégance que le Haut-Bailly, un vin ample, riche, généreux et complexe. 2023-2028 ■ **La Parde Haut-Bailly 2016 ★ (30 à 50 €; 50000 b.)** : complexe et riche, avec des tanins bien extraits et de la persistance. Un vin accueillant. 2025-2030

SAS CH. HAUT-BAILLY, 103, av. de Cadaujac, 33850 Léognan, tél. 05 56 64 75 11, mail@haut-bailly.com r.-v.

♥ CH. HAUT-BRION 2016 ★★★

■ 1er cru clas. | 146748 | | + de 100 €

|82| 83 84 85 86 87 |88| |89| |90| 91 92 93 94 |95| |96| 97 |98| |99| |00| |01| |02| |03| |04| 05 06 07 08 09 10 11 12 13 14 15 16

Séparé du château Haut-Brion juste par la RN 250 et uni à lui depuis son acquisition en 1983 par les Domaines Clarence Dillon, ce cru s'individualise par son histoire. Celle-ci est liée à la puissante famille de Lestonnac jusqu'en 1682, puis, jusqu'à la Révolution, aux pères lazaristes de Saint-Vincent, qui identifièrent les qualités remarquables de son terroir graveleux aujourd'hui planté de 29 ha de vignes, dont 3,6 ha en blanc.

Un pessac-léognan majesteux dans son habit tellement profond et brillant. Tout en finesse, il dévoile ses senteurs de fleurs et des nuances fumées-épicées avant de dérouler une jolie gamme de fruits noirs et rouges mûrs, nuancés de cacao. L'attaque ample et soyeuse n'est que prémices d'un long développement : du volume, de la densité, des tanins fins et une fraîcheur bienvenue pour soutenir la finale. ⌛ 2024-2040

DOM. CLARENCE DILLON, 135, av. Jean-Jaurès, 33608 Pessac Cedex, tél. 05 56 00 29 30, info@haut-brion.com r.-v.

CH. HAUT-BRION 2017 ★★

| 6156 | | + de 100 €

82 83 85 87 88 89 90 94 95 96 97 98 99 00 |01| |02| |03| |04| |05| |06| |07| |08| |09| 10 11 12 13 14 15 16 17

Séparé du château Haut-Brion juste par la RN 250 et uni à lui depuis son acquisition en 1983 par les Domaines Clarence Dillon, ce cru s'individualise par son histoire. Celle-ci est liée à la puissante famille de Lestonnac jusqu'en 1682, puis, jusqu'à la Révolution, aux pères lazaristes de Saint-Vincent, qui identifièrent les qualités remarquables de son terroir graveleux aujourd'hui planté de 29 ha de vignes, dont 3,6 ha en blanc.

Le verre brille de tous les éclats de ce vin cristallin. Nul besoin d'une longue aération pour déceler ses arômes, car ils se libèrent volontiers, intenses et délicats à la fois : fleurs blanches, épices, citron, cédrat et pamplemousse. Une grande fraîcheur aromatique emplit le palais, mais le gras apparaît aussi, fort à propos, et la finale laisse le souvenir persistant de flaveurs fraîches et gourmandes, évoquant une tarte au citron. ⌛ 2024-2030 **La Clarté de Haut-Brion 2017 ★ (75 à 100 €; 22680 b.)**

DOM. CLARENCE DILLON, 135, av. Jean-Jaurès, 33608 Pessac Cedex, tél. 05 56 00 29 30, info@haut-brion.com r.-v.

CH. HAUT NOUCHET 2016

■ | 10000 | | 20 à 30 €

Propriété de la famille Briest depuis 2008, ce cru ancien dispose d'un vignoble de 37 ha. Des bosquets, des prés et un ruisseau qui le traverse et lui donne son nom : il bénéficie d'un environnement protégé. Son terroir est de qualité : de belles croupes de graves profondes sur un socle argilo-calcaire.

S'il reste un peu timide, ce vin met en confiance tant par sa jolie couleur rubis que par son bouquet aux notes de fraise et de cerise. Marque du cabernet-sauvignon (60 %), une note de poivron indique qu'une petite garde est souhaitable, mais ne retire en rien le caractère agréable de l'ensemble. ⌛ 2021-2024

SCEA DOM. HAUT-NOUCHET, 3, chem. La Tour, 33650 Martillac, contact@hautnouchet.com V r.-v.

CH. HAUT-PLANTADE 2017 ★

| 2800 | | 15 à 20 €

Un ancêtre était vigneron en Corrèze au XVIIIe s. La famille s'est consacrée au négoce des vins vers la Belgique, puis a acquis une vieille bergerie entourée de terres à vignes et de crus célèbres (Chevalier, Fieuzal, Malartic-Lagravière). Alain Plantade a créé dans les années 1970 ce domaine qui compte aujourd'hui une dizaine d'hectares. Vincent Plantade, qui en a pris la tête en 1989, exploite aujourd'hui 8,5 ha en AOC pessac-léognan.

Une matière souple, mais de bon volume, et une agréable expression aromatique : fruits blancs, fleur d'acacia, amande et agrumes, nuancés de l'apport bien dosé du bois. ⌛ 2019-2022

SCEA PLANTADE PÈRE ET FILS, allée de Gazin, 33850 Léognan, tél. 06 03 01 15 34, hautplantade@wanadoo.fr V r.-v.

CH. HAUT-VIGNEAU 2016

■ | 140000 | | 11 à 15 €

Planté à partir du milieu des années 1980 sur des terres graveleuses qui appartenaient au XVIIIe s. à Montesquieu, ce vignoble est conduit par Éric Perrin, qui gère également Carbonnieux.

Issu majoritairement de cabernet-sauvignon (60 %), ce vin est encore jeune et ses tanins restent sévères. Mais il est assez complet et bien bouqueté pour révéler bientôt son élégance. ⌛ 2022-2024

GFA DU CH. HAUT-VIGNEAU, 20, rue Jules-Guesde, 33850 Léognan, tél. 05 57 96 56 20, info@chateau-carbonnieux.fr

CH. LAFARGUE Prestige 2016 ★★★

■ | 16700 | | 20 à 30 €

Une propriété familiale conduite par les quatrième et cinquième générations : Jean-Pierre Leymarie, né sur la propriété, et sa fille Carole Peyrout, qui a rejoint le domaine en 2016. Maraîcher à ses débuts, Jean-Pierre Leymarie a succédé à son père en 1983 et agrandi la propriété, qui compte aujourd'hui 18 ha en pessac-léognan.

Cette cuvée prestige est issue de vignes âgées à forte majorité de cabernets. Si elle reste un peu timide dans ses arômes toastés et vanillés, elle se montre beaucoup plus expressive au palais. Un joli volume et un bon développement tant tannique qu'aromatique (fruits rouges) laissent augurer un réel potentiel de garde. ⌛ 2023-2028

SCEA CH. LAFARGUE, 9, imp. de Domy, 33650 Martillac, tél. 05 56 72 72 30, scea@chateau-lafargue.com V t.l.j. sf sam. dim. 8h-12h30 13h30-17h

CH. LAFONT MENAUT 2016 ★

■ | 95000 | | 11 à 15 €

Jouxtant le Ch. de Rochemorin, dont il faisait partie au XVIIIe s., ce cru de 20 ha comptait jadis parmi les vignobles de Montesquieu. Acquis en 1991 par Philibert Perrin (Ch. Carbonnieux), il bénéficie depuis les années 1990 d'un ambitieux programme de valorisation.

Vêtu d'une robe grenat foncé brillant, ce vin élégant se fait un peu discret dans ses évocations aromatiques : le bois domine encore les fruits. Mais au palais, il présente une matière ronde et bien équilibrée, dotée de jolis tanins et d'une finale pleine de fraîcheur. ⧗ 2021-2025 ■ **2017 ★ (11 à 15 €; 22000 b.)** : un vin très harmonieux, à la fois frais et charnu. Les notes florales et citronnées sont particulièrement seyantes. ⧗ 2020-2024

⊶ PHILIBERT PERRIN, Ch. Lafont Menaut, 33650 Martillac, tél. 05 57 96 56 20, info@chateau-carbonnieux.fr V r.-v.

CH. LATOUR-MARTILLAC 2017 ★★

■ Cru clas. | 14250 | | 30 à 50 €

90 91 92 93 **94 95 96** 97 **98 99** (00) 01 **02 03 04** (05) **06 07** 08 **09** 10 |11| |12| |13| 15 16 **17**

Si beaucoup de grands noms du négoce bordelais ont choisi de s'implanter dans le Médoc, les Kressmann ont opté pour les Graves et ce cru acquis en 1930, qui doit son nom à une tour ornant sa cour, vestige d'un château bâti au XIIe s. par des ancêtres de Montesquieu. Une belle unité de 50 ha réputée autant pour ses blancs que pour ses rouges.

Jaune paille à reflets verts, la couleur de ce 2017 s'accorde avec le bouquet pour lui donner de l'allure. Un bouquet complexe qui fait défiler les notes de fleurs, d'agrumes, de buis et de verveine. Ronde, ample, riche et dense, la matière possède la vivacité nécessaire pour bien évoluer dans le temps. ⧗ 2022-2026 ■ **Ch. Lagrave-Martillac 2017 (20 à 30 €; 8200 b.)** : vin cité.

⊶ SAS VIGNOBLES JEAN KRESSMANN, 8, chem. La Tour, 33650 Martillac, tél. 05 57 97 71 11, chateau@latourmartillac.com V r.-v.

CH. LATOUR-MARTILLAC 2016 ★

■ Cru clas. | 141500 | | 30 à 50 €

90 91 92 **94 95 96 97 98** 99 **00** 01 **02** 03 04 05 **|06| |07| |08| |09|** 10 **11** 12 14 16

Si beaucoup de grands noms du négoce bordelais ont choisi de s'implanter dans le Médoc, les Kressmann ont opté pour les Graves et ce cru acquis en 1930, qui doit son nom à une tour ornant sa cour, vestige d'un château bâti au XIIe s. par des ancêtres de Montesquieu. Une belle unité de 50 ha réputée autant pour ses blancs que pour ses rouges.

Entre grenat et violet, ce vin sait tenir ses promesses. Certes, le bouquet ne s'affirme pas encore complètement, mais il laisse déjà deviner sa future finesse avec de belles notes de fruits rouges. Rond et souple en attaque, le palais se développe en force, révélant une solide structure tannique. Un pessac bien carré, bâti pour durer. ⧗ 2023-2030

⊶ SAS VIGNOBLES JEAN KRESSMANN, 8, chem. La Tour, 33650 Martillac, tél. 05 57 97 71 11, chateau@latourmartillac.com V r.-v.

CH. LESPAULT-MARTILLAC 2016

■ | 40000 | | 20 à 30 €

En 2009, Jean-Claude Bolleau, propriétaire de cette charmante gentilhommière du XVIIIe s. et de son vignoble, a passé un bail de vingt-cinq ans avec Olivier Bernard, du Dom.de Chevalier, pour redonner de l'élan à la production vinicole. Ce sont 8 ha sis au sommet d'une croupe de graves, qui n'ont rien à craindre de la sécheresse grâce au drainage naturel. Les méthodes de culture ont été repensées et le chai entièrement rénové.

Un pessac-léognan tout en touches de fruits noirs subtiles. Il demande à ce l'on y revienne minute après minute pour l'apprivoiser. Alors des touches florales apparaissent. Plus expressif au palais (framboise, griotte), il se développe tout en rondeur, sur une trame de tanins veloutés. ⧗ 2022-2024

⊶ SC DOM. DE CHEVALIER (CH. LESPAULT-MARCILLAC), 10, rte de la Solitude, 33650 Martillac, tél. 05 56 72 74 74, olivierbernard@domainedelasolitude.com V r.-v.

CH. LA LOUVIÈRE 2017 ★

■ | 55000 | | 20 à 30 €

Non classé, Ch. la Louvière, limitrophe de Carbonnieux et Haut-Bailly, n'en est pas moins un cru emblématique de Pessac-Léognan – par l'élégance de son château classé monument historique, par l'ancienneté de son vignoble (XIVe s.), par le rôle de son propriétaire (André Lurton, décédé en mai 2019) dans la naissance de l'AOC et par la qualité constante de ses vins.

Brioche, fruits exotiques, pain grillé, le bouquet est à la fois gourmand et complexe, avec en agrément des notes minérales et des accents de fumée. Une même impression émane du palais, frais, ample, d'une belle longueur. ⧗ 2020-2024

⊶ SAS LES VIGNOBLES ANDRÉ LURTON (CH. LA LOUVIÈRE), 149, av. de Cadaujac, 33850 Léognan, tél. 05 56 64 75 87, lalouviere@andrelurton.com V r.-v.

CH. LA LOUVIÈRE 2016 ★★

■ | 100000 | | 20 à 30 €

(90) 92 **93 94** 95 96 97 98 **99** (00) **01 02** 03 04 **05** 06 07 08 09 **|10|** |11| **|12|** |13| 14 15 **16**

Non classé, Ch. la Louvière, limitrophe de Carbonnieux et Haut-Bailly, n'en est pas moins un cru emblématique de Pessac-Léognan – par l'élégance de son château classé monument historique, par l'ancienneté de son vignoble (XIVe s.), par le rôle de son propriétaire (André Lurton, décédé en mai 2019) dans la naissance de l'AOC et par la qualité constante de ses vins.

Impressionnant dans sa robe rouge sang, ce vin s'ouvre petit à petit sur de fines notes de fruits rouges et de fumée. L'élevage se fait sentir, mais sans être dominateur : il respecte le fruit et contribue à façonner un palais riche, complexe, élégant jusqu'à la finale soyeuse et longue. ⧗ 2023-2030 ■ **L de la Louvière 2016 (11 à 15 €; 120000 b.)** : vin cité.

⊶ SAS LES VIGNOBLES ANDRÉ LURTON (CH. LA LOUVIÈRE), 149, av. de Cadaujac, 33850 Léognan, tél. 05 56 64 75 87, lalouviere@andrelurton.com V r.-v.

CH. LUCHEY-HALDE 2017 ★

	2500		20 à 30 €

Ce domaine de 23 ha d'un seul tenant, enchâssé dans l'agglomération bordelaise, appartient depuis 1999 à Bordeaux Sciences Agro (anciennement Enita), qui a reconstitué le vignoble disparu lors de la Première Guerre mondiale.

Fortement marqué par le sauvignon (75 %), ce vin développe un joli bouquet aux notes d'amande fraîche, d'agrumes et de fleurs. Ronde, souple, bien équilibrée et de bonne longueur, sa matière le rend très plaisant. 2019-2021 **Les Haldes de Luchey-Halde 2017 ★ (15 à 20 €; 9500 b.)** : un vin frais et harmonieux, avec un joli bouquet de fleurs blanches. 2019-2022 ■ **2016 (20 à 30 €; 45000 b.)** : vin cité.

DOM. VITICOLE DU CH. LUCHEY-HALDE, 17, av. du Maréchal-Joffre, 33700 Mérignac, tél. 05 56 45 97 19, info@luchey-halde.com V r.-v.

CH. MALARTIC-LAGRAVIÈRE 2017 ★

Cru clas.	8450		50 à 75 €

Sur l'étiquette, trois mâts en l'honneur du comte de Malartic, amiral sous le règne de Louis XV, dont la famille fut propriétaire du cru au XVIII^e^s. Depuis son rachat en 1996 par les Bonnie, d'origine belge, ce vignoble de 53 ha implanté sur une belle croupe de graves a bénéficié d'un vaste plan de rénovation, à la vigne et au chai. Une valeur sûre de l'appellation, dans les deux couleurs, codirigée depuis 2013 par Jean-Jacques Bonnie et sa sœur Véronique.

Toujours fidèles à l'esprit du cru, les Bonnie proposent ici un vin d'une réelle élégance. Ainsi de la robe jaune paille et du bouquet mêlant les notes fruitées et florales à la vanille du bois. Au palais, les arômes de citron et de pamplemousse soulignent l'agréable sensation de fraîcheur. 2019-2023

SC MALARTIC-LAGRAVIÈRE, 43, av. de Mont-de-Marsan, 33850 Léognan, tél. 05 56 64 75 08, malartic-lagraviere@malartic-lagraviere.com V r.-v.

DOM. DE MERLET 2016 ★

■	20000		11 à 15 €

À côté de crus imposants commandés par de véritables châteaux, l'appellation pessac-léognan recèle de modestes propriétés familiales comme celle-ci, qui compte à peine plus de 4 ha. Resté un siècle en sommeil après le phylloxéra, le domaine a connu une renaissance après 1989 sous l'impulsion de trois frères et sœur, les Tauzin.

Aussi profonde que brillante, la robe d'un superbe rubis éveille la curiosité. Avec des notes de fumée et de tabac qui se mêlent aux fruits rouges et noirs, le bouquet maintient l'intérêt avant que la puissance des tanins ne vienne confirmer la force de cette bouteille de garde. 2023-2028

SCEA DOM. DE MERLET, 140, av. de Cadaujac, 33850 Léognan, tél. 06 82 85 31 40, domaine_de_merlet@hotmail.fr V t.l.j. sf dim. lun. 10h-12h30 14h-18h30; f. en août

CH. LA MISSION HAUT-BRION 2017 ★★

	5916		+ de 100 €

90 93 94 95 96 97 (98) 99 00 01 02 03 04 |(05)| |06| |07| |08| |09| |10| |11| |12| 13 14 |15| 16 17

Séparé du château Haut-Brion juste par la RN 250 et uni à lui depuis son acquisition en 1983 par les Domaines Clarence Dillon, ce cru s'individualise par son histoire. Celle-ci est liée à la puissante famille de Lestonnac jusqu'en 1682, puis, jusqu'à la Révolution, aux pères lazaristes de Saint-Vincent, qui identifièrent les qualités remarquables de son terroir graveleux aujourd'hui planté de 29 ha de vignes, dont 3,6 ha en blanc.

Or clair, délicatement floral et épicé, exotique dans ses accents fruités, le 2017 de la Mission compose une partition fort harmonieuse. Sa matière dense et riche bénéficie d'une fraîcheur bienvenue pour lui donner de l'allant et porter loin les arômes d'agrumes nuancés de gingembre. 2022-2030

DOM. CLARENCE DILLON, 135, av. Jean-Jaurès, 33608 Pessac Cedex, tél. 05 56 00 29 30, info@haut-brion.com r.-v.

CH. LA MISSION HAUT-BRION 2016 ★★

■ Cru clas.	91632		+ de 100 €

82 83 84 85 86 87 |88| |89| |(90)| 92 93 94 |95| |(96)| 97 |98| |99| |(00)| |01| |02| |03| |04| |(05)| |06| |07| 08 09 10 11 12 13 14 15 16

Séparé du château Haut-Brion juste par la RN 250 et uni à lui depuis son acquisition en 1983 par les Domaines Clarence Dillon, ce cru s'individualise par son histoire. Celle-ci est liée à la puissante famille de Lestonnac jusqu'en 1682, puis, jusqu'à la Révolution, aux pères lazaristes de Saint-Vincent, qui identifièrent les qualités remarquables de son terroir graveleux aujourd'hui planté de 29 ha de vignes, dont 3,6 ha en blanc.

Un pessac-léognan qui saura maîtriser le temps pour devenir plus grand encore : il n'est qu'à l'aube de sa longue destinée. Grenat brillant, il accorde l'héritage du bois (notes fumées, vanillé doux, bois de rose et camphre) à un fruité mûr (cerise) et à des nuances florales. Une ligne fraîche soutient le long développement en bouche, accompagnée d'une belle trame de tanins fins et serrés. 2024-2035 ■ **La Chapelle de la Mission Haut-Brion 2016 (+ de 100 €; 46128 b.)** : vin cité.

DOM. CLARENCE DILLON, 135, av. Jean-Jaurès, 33608 Pessac Cedex, tél. 05 56 00 29 30, info@haut-brion.com r.-v.

CH. OLIVIER 2016

■ Cru clas.	120000		30 à 50 €

95 96 97 98 99 00 01 03 05 06 07 08 |09| 12 |13| |14| 15 16

Relais de chasse du Prince Noir puis résidence de la grand-mère de Montesquieu, ce château aux allures de forteresse, édifié au XII^e^s. et transformé aux XIVe et XVIII^e^s., est la propriété de la famille de Bethmann depuis 1886. Son vignoble de 60 ha d'un seul tenant s'étend sur des terroirs variés comportant de belles graves sur socle argilo-calcaire.

Toujours sur le fruit, ce vin n'avait pas encore trouvé sa pleine expression lors de notre dégustation. Mais déjà son bouquet laissait deviner son élégance, avec un mariage de cacao et de fruits rouges. Sa chair, son volume et ses tanins fermes lui apportent un bon potentiel d'évolution. ⧗ 2024-2028

SAS CH. OLIVIER, 175, av. de Bordeaux, 33850 Léognan, tél. 05 56 64 73 31, mail@chateau-olivier.com V r.-v.

CH. OLIVIER 2017 ★

Cru clas.	26 000		30 à 50 €

05 06 07 08 09 **10 11** 12 |13| **16** 17

Relais de chasse du Prince Noir puis résidence de la grand-mère de Montesquieu, ce château aux allures de forteresse, édifié au XIIes. et transformé aux XIVe et XVIIIes., est la propriété de la famille de Bethmann depuis 1886. Son vignoble de 60 ha d'un seul tenant s'étend sur des terroirs variés comportant de belles graves sur socle argilo-calcaire.

Le sauvignon (75 %) apporte un léger côté sauvage à ce vin qui doit attendre un peu. Mais sa richesse aromatique (laurier et buis), sa fraîcheur, son équilibre, son gras et sa souplesse promettent une bouteille pleine de finesse. ⧗ 2021-2025

SAS CH. OLIVIER, 175, av. de Bordeaux, 33850 Léognan, tél. 05 56 64 73 31, mail@chateau-olivier.com V r.-v.

CH. PAPE CLÉMENT 2016 ★★

■ Cru clas.	180 000		75 à 100 €

92 ⑨③ **94** 96 **97 98** 99 00 **01 03 05 07** |**08**| |**09**| |10| 14 **15 16**

La première pièce et l'une des plus illustres de la collection de Bernard Magrez, « l'homme aux quarante châteaux », propriétaire des lieux depuis les années 1980. L'une des plus anciennes aussi : ce cru appartint à la fin du XIIIes. à Bertrand de Goth, noble d'Aquitaine qui devint pape d'Avignon sous le nom de Clément V. Le vignoble resta ensuite longtemps rattaché à l'archevêché de Bordeaux; classé en rouge, il s'étend aujourd'hui sur 63 ha.

Issu d'un assemblage où le merlot (60 %) et le cabernet-sauvignon (36 %) sont complétés par le petit verdot et le cabernet franc, ce 2016 affiche un bouquet diversifié : fruits rouges mûrs et confiture de fraises avec un apport bien dosé du bois (vanille). Après une attaque souple, le palais révèle une structure ample, profonde et puissante que soutient une solide présence tannique, gage d'un avenir serein. ⧗ 2023-2030

SASU CH. PAPE CLÉMENT, 216, av. du Dr-Nancel-Penard, 33600 Pessac, tél. 05 57 26 38 38, accueil@pape-clement.com V r.-v. ⑤

CH. PAPE CLÉMENT 2017 ★

	15 000		+ de 100 €

92 ⑨③ **94** 96 **97 98** 99 00 **01 03 05 07 08 09** |10| |14| 17

La première pièce et l'une des plus illustres de la collection de Bernard Magrez, « l'homme aux quarante châteaux », propriétaire des lieux depuis les années 1980. L'une des plus anciennes aussi : ce cru appartint à la fin du XIIIes. à Bertrand de Goth, noble d'Aquitaine qui devint pape d'Avignon sous le nom de Clément V. Le vignoble resta ensuite longtemps rattaché à l'archevêché de Bordeaux; classé en rouge, il s'étend aujourd'hui sur 63 ha.

Entre jaune paille et or gris, la robe retient l'attention. Fin et discret, le bouquet fait preuve d'une intéressante diversité : notes de laurier et de citron relevées d'une touche muscatée. Puis un bon équilibre entre le gras et l'acidité se révèle dans une bouche longue et finement boisée. ⧗ 2022-2026

SASU CH. PAPE CLÉMENT, 216, av. du Dr-Nancel-Penard, 33600 Pessac, tél. 05 57 26 38 38, accueil@pape-clement.com V r.-v. ⑤

CH. PICQUE CAILLOU 2016 ★

■	77 470		20 à 30 €

Situé au cœur de l'agglomération bordelaise, ce cru au nom évocateur de son terroir est conduit depuis 2007 par Paulin Calvet, de la célèbre lignée de négociants, propriétaire du domaine depuis 1947. Couvrant 22 ha, il figure parmi les derniers vignobles de Mérignac. La propriété est conduite en système de management environnemental.

Rond et souple à l'attaque, ce vin s'appuie sur la présence de tanins élégants qui se portent garants du potentiel de cette bouteille. Le temps permettra au bouquet, encore un peu timide, de s'affirmer et d'élargir une palette déjà assez originale, avec ses notes de tabac blond. ⧗ 2022-2027

GFA CH. PICQUE CAILLOU, 93, av. Pierre-Mendès-France, 33700 Mérignac, tél. 05 56 47 37 98, contact@picque-caillou.com V r.-v.

CH. ROCHE-LALANDE La Croix 2016 ★★

■	n.c.		15 à 20 €

Un pavillon du XVIIIes., un parc, un arboretum : avec le Ch. de Castres (graves), José Rodrigues-Lalande, ingénieur et œnologue, a acquis en 1996 un beau quartier général. Il s'est agrandi en 2012 dans cette même AOC en achetant le Ch. Beau-Site, après s'être implanté en pessac-léognan en 2004, avec l'acquisition des 18 ha du Ch. Roche-Lalande. En 2013, il a encore acquis en pessac-léognan le Ch. Pont Saint-Martin. Pas moins de 40 ha pour cette exploitation familiale.

Comme l'annonce sa robe grenat intense, ce vin ne fait pas dans la demi-mesure. À la puissance du bouquet de fruits rouges très mûrs et de bois répond celle de la bouche, tout aussi aromatique (griotte et tabac). Une bouche qui séduit par sa richesse, sa profondeur et ses tanins d'une qualité remarquable. ⧗ 2024-2030 ■ **Dom. la Roche 2016 ★ (11 à 15 €; 80 000 b.)** : un vin souple et bien équilibré, qui décline petits fruits rouges, notes toastées et vanillées. ⧗ 2022-2024 ■ **Ch. Pont-Saint-Martin 2016 ★ (20 à 30 €; 40 000 b.)** : un 2016 finement bouqueté (fruits, note florale et touches boisées) et doté d'une bonne structure. ⧗ 2023-2026

EARL VIGNOBLES RODRIGUES-LALANDE, Ch. de Castres, rte de Pommarède, 33640 Castres-sur-Gironde, tél. 05 56 67 51 51, contact@chateaudecastres.fr V t.l.j. 9h-12h 14h-19h ⑤

CH. DE ROCHEMORIN 2016 ★

■	140 000		15 à 20 €

Ancienne ferme fortifiée de style périgourdin ayant appartenu à Montesquieu, ce château a failli perdre

son vignoble au début du XXᵉs., les propriétaires de l'époque préférant la sylviculture à la viticulture. Racheté en 1973 par André Lurton (disparu en mai 2019), il dispose aujourd'hui d'un vaste vignoble et de chais ultramodernes.

De la robe grenat à la finale resserrée, tout indique que ce 2016 est bien bâti. Après une attaque vive, le palais révèle en effet la présence de solides tanins qui s'accordent avec les arômes de fruits noirs (cassis) et d'épices pour former un ensemble de qualité. ⧗ 2022-2025

ANDRÉ LURTON (CH. DE ROCHEMORIN), chem. du Carrosse, 33650 Martillac, tél. 05 56 64 75 87, lalouviere@andrelurton.com V r.-v.

CH. DE ROUILLAC 2017

	1200		20 à 30 €

Ancien footballeur devenu chef d'entreprise, Laurent Cisneros a vendu l'entreprise familiale et quitté la Charente pour acquérir en 2010 ce cru de 30 ha, ancienne propriété du baron Haussmann. Il a aussitôt entrepris d'importants travaux pour améliorer la qualité du vin (cuvier HQE), tout en raisonnant les pratiques viticoles.

Issu du sauvignon (blanc à 95% et gris pour le reste), ce vin développe un bouquet expressif et fin de fleurs blanches et de fruits à chair jaune. Il apparaît souple à l'attaque, puis ample, gras et long. ⧗ 2021-2024

SCEA CH. DE ROUILLAC, 12, chem. du 20-août-1949, 33610 Canéjan, tél. 05 57 12 84 63, info@chateauderouillac.com V r.-v.

CH. SEGUIN 2016 ★

■	93000		20 à 30 €

Bordé par le chemin de Saint-Jacques – les pèlerins passaient devant la croix de Seguin, toujours sur la propriété – ce domaine viticole ancien tombé dans l'oubli a été entièrement reconstitué depuis 1987 par les Darriet. Le vignoble, composé de deux belles croupes de graves, couvre aujourd'hui 31 ha.

Très jeune dans sa robe grenat à reflets violacés, ce vin s'exprime déjà bien : notes très élégantes de violette relevées d'un soupçon de vanille. Parfaitement équilibré, il se développe avec un bon volume, porté en finale par une légère amertume. Le signe d'un bon potentiel de garde. ⧗ 2024-2030

SC DOM. DE SEGUIN, chem. de la House, 33610 Canéjan, tél. 05 56 75 02 43, contact@chateauseguin.com V r.-v.

♥ CH. SMITH HAUT LAFITTE 2016 ★★

■ Cru clas.	n.c.		+ de 100 €

90 91 92 **93 94 95** 96 97 **98** 99 **00 01 02** 03 04 |(05)| |**06**| |07| |**08**| **09 10 11** 12 13 **14 15 16**

Ce cru ancien fondé en 1365 doit son nom au navigateur écossais George Smith, installé ici au XVIIIᵉs. Lui succéderont M. Duffour-Dubergier, maire de Bordeaux, puis Louis Eschenauer, grande figure du négoce bordelais. En 1990, Florence et Daniel Cathiard acquièrent le domaine et lancent de grands travaux : création de deux chais souterrains, reprise du travail du sol sans désherbant, intégration de leur propre tonnellerie, développement de l'œnotourisme avec Les Caudalies, complexe hôtelier et centre de vinothérapie. Le vignoble couvre aujourd'hui 78 ha sur une belle croupe de graves.

S'il ne s'est pas encore complètement ouvert et reste toujours marqué par l'élevage, ce remarquable vin montre déjà sa puissance. Tant dans son bouquet, qui fait la part belle aux fruits rouges et noirs, que dans son développement au palais. Il déploie une solide matière, qui monte en puissance pour s'affirmer complètement en finale. ⧗ 2024-2030 ■ **Les Hauts de Smith 2016 ★ (15 à 20 €; n.c.)** : une belle matière, ronde, ample, sans agressivité, porté par des tanins fins, avec une longue et agréable finale qui achève de convaincre. ⧗ 2024-2028 ■ **Le Petit Haut Lafitte 2016 ★ (20 à 30 €; n.c.)** : un vin de garde puissant et bien équilibré, qui joue actuellement sur de subtiles sensations de fruits noirs (cassis, mûre). ⧗ 2024-2028

SAS D. CATHIARD, chem. du Carosse, 33650 Martillac, tél. 05 57 83 11 22, f.cathiard@smith-haut-lafitte.com V r.-v. 5

CH. SMITH HAUT LAFITTE 2017 ★★

	2000		75 à 100 €

90 91 **92** 93 94 95 **96 97** (98) **99 00 01 02 03 04** 05 06 **07** 08 **09 10** 11 |**12**| |**13**| 14 15 **16 17**

Ce cru ancien fondé en 1365 doit son nom au navigateur écossais George Smith, installé ici au XVIIIᵉs. Lui succéderont M. Duffour-Dubergier, maire de Bordeaux, puis Louis Eschenauer, grande figure du négoce bordelais. En 1990, Florence et Daniel Cathiard acquièrent le domaine et lancent de grands travaux : création de deux chais souterrains, reprise du travail du sol sans désherbant, intégration de leur propre tonnellerie, développement de l'œnotourisme avec Les Caudalies, complexe hôtelier et centre de vinothérapie. Le vignoble couvre aujourd'hui 78 ha sur une belle croupe de graves.

Vieil or, ce 2017 laisse de belles jambes sur le verre, comme une invitation à le découvrir plus avant. Le bouquet d'agrumes est discret, mais élégant. Après une attaque en douceur, la matière monte en puissance et en densité pour se prolonger durablement autour d'une finale vive et tonique. ⧗ 2022-2026

SAS D. CATHIARD, chem. du Carosse, 33650 Martillac, tél. 05 57 83 11 22, f.cathiard@smith-haut-lafitte.com V r.-v. 5

DOM. DE LA SOLITUDE 2016

■	130000		15 à 20 €

La communauté de la Sainte Famille est propriétaire de ce domaine depuis 1831. C'est en 1993 que les sœurs ont sollicité Olivier Bernard, du Domaine de Chevalier, pour prendre en fermage le vignoble (actuellement 25 ha) pour une période de 40 ans.

Le 2016 développe une matière structurée et dense, parfaitement apte à affronter le temps. Le délicat bouquet de fruits noirs gagnera alors en complexité. ⧗ 2022-2025

SC DOM. DE CHEVALIER (DOM. DE LA SOLITUDE), 1, rte de la Solitude, 33650 Martillac, tél. 05 56 72 74 74, olivierbernard@domainedelasolitude.com V r.-v.

CH. TRIGANT 2016 ★

■ | 20000 | (ll) | 15 à 20 €

Philippe Trigant, avocat au Parlement de Bordeaux, est à l'origine de la construction de cette chartreuse à la fin du XVIIes. La propriété est entré dans la famille Sézé depuis 1860 et ce sont ses descendants qui conduisent ce vignoble de 3,65 ha aujourd'hui.

Un 2016 qui se distingue par son élégance. S'il semble humble dans sa robe rubis et dans ses parfums de fruits rouges, il se manifeste plus nettement au palais avec une bonne structure tannique, sans agressivité, et une matière persistante, aux accents de café. ⧗ 2023-2027

GFA DU CH. TRIGANT, 149, av. des Pyrénées, 33140 Villenave-d'Ornon, tél. 05 56 75 82 49, chateautrigant@orange.fr V r.-v.

➜ LE MÉDOC

Dans l'ensemble girondin, le Médoc occupe une place à part. À la fois enclavés dans leur presqu'île et largement ouverts sur le monde par un profond estuaire, le Médoc et les Médocains apparaissent comme une parfaite illustration du tempérament aquitain, oscillant entre le repli sur soi et la tendance à l'universel. Et il n'est pas étonnant d'y trouver aussi bien de petites exploitations familiales presque inconnues que de grands domaines prestigieux appartenant à de puissantes sociétés françaises ou étrangères.

S'en étonner serait oublier que le vignoble médocain (qui ne représente qu'une partie du Médoc historique et géographique) s'étend sur plus de 80 km de long et 10 km de large. Le visiteur peut donc admirer non seulement les grands châteaux du vin du siècle dernier, avec leurs splendides chais-monuments, mais aussi partir à la découverte approfondie du pays. Très varié, celui-ci offre aussi bien des horizons plats et uniformes (près de Margaux) que des croupes (vers Pauillac), ou l'univers tout à fait original du Médoc dans sa partie nord, à la fois terrestre et maritime. La superficie des AOC du Médoc représente environ 16 400 ha.

Pour qui sait quitter les sentiers battus, le Médoc réserve plus d'une heureuse surprise. Mais sa grande richesse, ce sont ses sols graveleux, descendant en pente douce vers l'estuaire de la Gironde. Pauvre en éléments fertilisants, ce terroir est particulièrement favorable à la production de vins de qualité, la topographie permettant un drainage parfait des eaux.

On a pris l'habitude de distinguer le Haut-Médoc, de Blanquefort à Saint-Seurin-de-Cadourne, et le nord Médoc, de Saint-Germain-d'Esteuil à Saint-Vivien. Au sein de la première zone, six appellations communales produisent les vins les plus réputés. Les soixante crus classés sont essentiellement implantés sur ces appellations communales; cependant, cinq d'entre eux portent exclusivement l'appellation haut-médoc. Les crus classés représentent approximativement 25 % de la surface totale des vignes du Médoc, 20 % de la production de vins et plus de 40 % du chiffre d'affaires. Plusieurs caves coopératives existent dans les appellations médoc et haut-médoc, mais aussi dans trois appellations communales (listrac, pauillac, saint-estèphe).

Le vignoble du Médoc est réparti entre huit appellations d'origine contrôlée. Il existe deux appellations sous-régionales, médoc et haut-médoc (60 % du vignoble médocain), et six appellations communales : saint-estèphe, pauillac, saint-julien, listrac-médoc, moulis-en-médoc et margaux – l'appellation régionale étant bordeaux comme dans le reste du vignoble du Bordelais.

Cépage traditionnel en Médoc, le cabernet-sauvignon est probablement moins important qu'autrefois, mais il couvre 52 % de la totalité du vignoble. Avec 34 %, le merlot vient en deuxième position; son vin, souple, est aussi d'excellente qualité et, d'évolution plus rapide, il peut être consommé plus jeune. Le cabernet franc, qui apporte de la finesse, représente 10 %. Enfin, le petit verdot et le malbec jouent le rôle de cépages d'appoint.

Les vins du Médoc jouissent d'une réputation exceptionnelle; ils sont parmi les plus prestigieux vins rouges de France et du monde. Ils se remarquent à leur couleur grenat, évoluant vers une teinte tuilée, ainsi qu'à leur bouquet fruité dans lequel les notes épicées du cabernet se mêlent souvent à celles, vanillées, qu'apporte le chêne neuf. Leur structure tannique, dense en même temps qu'élégante, et leur parfait équilibre contribuent à une bonne tenue dans le temps : ils s'assouplissent sans maigrir et gagnent en richesses olfactive et gustative.

MÉDOC

Superficie : 5 700 ha / Production : 300 000 hl

L'ensemble du vignoble médocain a droit à l'appellation médoc, mais en pratique celle-ci n'est utilisée que dans le nord de la presqu'île, à proximité de Lesparre, les communes situées entre Blanquefort et Saint-Seurin-de-Cadourne pouvant revendiquer celle de haut-médoc ou des communales, dans le cadre de leurs zones délimitées spécifiques. Malgré cela, l'appellation médoc est la plus importante en superficie et en volume.

Les médoc se distinguent par une couleur très soutenue. Avec un pourcentage de merlot plus important que dans les vins du haut-médoc et des appellations communales, ils possèdent souvent un bouquet fruité et beaucoup de rondeur en bouche. Certains, provenant de croupes graveleuses isolées, associent aussi une grande finesse et une certaine richesse tannique.

THOMAS BARTON Réserve privée 2016 ★

■ | 12000 | (ll) | 30 à 50 €

En 1725, le jeune Irlandais Thomas Barton crée son affaire à Bordeaux. En 1802, son petit-fils Hugh fonde avec l'armateur Daniel Guestier une firme de négoce,

qui propose aujourd'hui des vins de plusieurs régions viticoles françaises. Barton et Guestier est le plus ancien négoce du Bordelais, également propriétaire de crus.

Avec ce 2016, la célèbre maison de négoce blanquefortaise propose un vin bien typé et fait pour la garde. L'intensité de la robe, presque noire, l'annonce. Puis le bouquet, intense et élégant, avec de belles notes fruitées et épicées, le confirme, tout comme la solide structure du palais. ⧗ 2023-2028 ■ **Ch. le Grand Sigognac 2016 ★ (11 à 15 €; 25300 b.)** : un vin équilibré, expressif (fruits rouges frais, boisé bien dosé), persistant et bien construit autour de tanins fins. ⧗ 2023-2028

⊶ SASU BARTON ET GUESTIER, 87, rue du Dehez, 33290 Blanquefort, tél. 05 56 95 48 00, contact@barton-guestier.com

Le Médoc et le Haut-Médoc

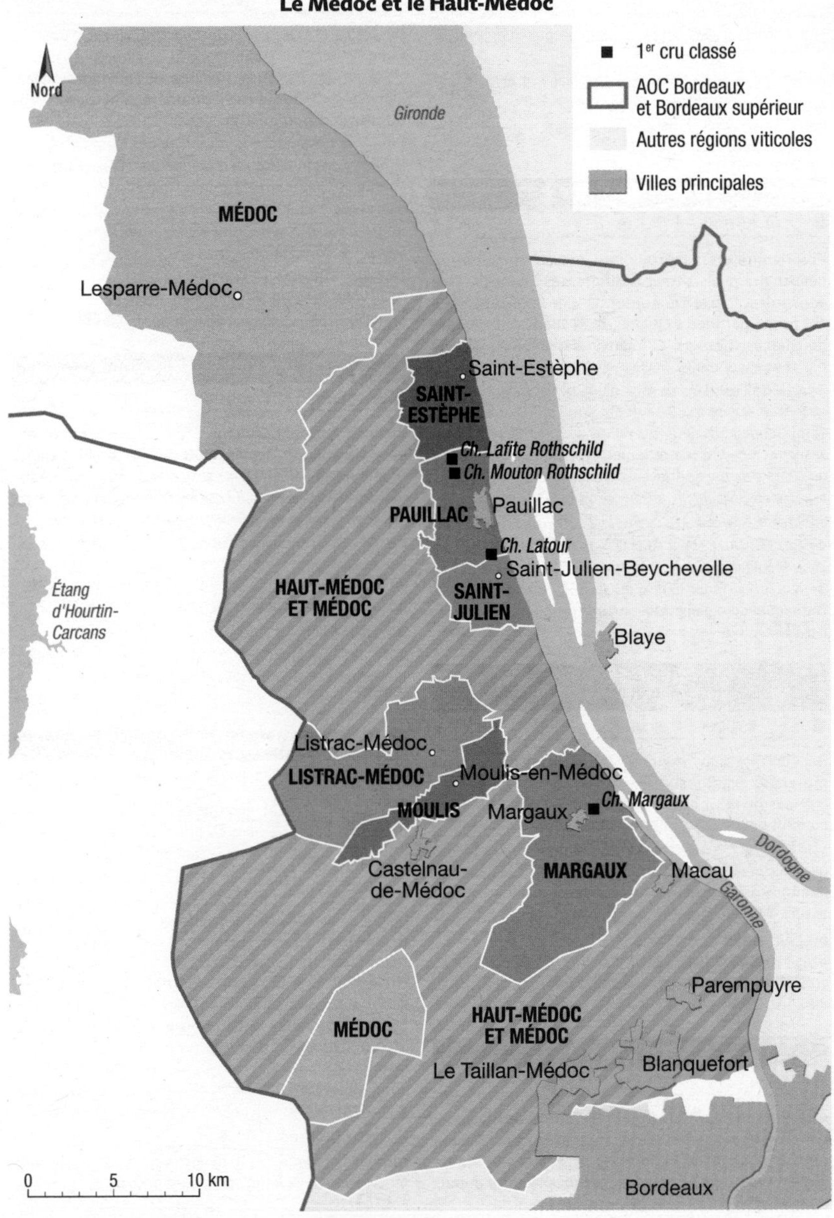

CH. BEAUVILLAGE 2016

■ Cru bourg. | 106 266 | | 11 à 15 €

Propriété familiale remontant à 1925, ce cru de 23 ha, constitué de plusieurs parcelles réparties sur trois communes, pratique la culture raisonnée. Ce cru est rattaché au Ch. la Croix du Breuil.

Paré d'une jolie robe rouge grenat à reflets brillants, ce vin développe un bouquet aux délicates notes de petits fruits rouges et une structure souple, ronde et élégante. Plus puissante, la finale laisse sur le souvenir d'un ensemble d'une agréable complexité. ⌛ 2023-2026

SCF DES CH. LA CROIX DU BREUIL ET BEAUVILLAGE, 6, rue du Hagnac, 33340 Couquèques, tél. 05 56 41 39 76, chateaubeauvillage@orange.fr V r.-v.

CH. BELLERIVE 2016 ★

■ | 30 000 | | 5 à 8 €

Propriétaire de nombreux crus et acteur majeur du négoce bordelais à travers différentes marques (Chai de Bordes, Pierre Dumontet...), Cheval Quancard a été fondé par Pierre Quancard en 1844, sous le nom de Quancard et Fils. La maison est toujours dirigée par ses descendants.

Agréable à l'œil dans sa robe d'une belle couleur grenat, ce joli vin sait se rendre sympathique par la subtilité de son bouquet. Un peu végétal au début, celui-ci trouve assez rapidement ses marques avec de beaux parfums de fruits rouges, de fraise notamment. À la fois fine et assez puissante, la structure se montre soyeuse et élégante. ⌛ 2021-2024

SA CHEVAL QUANCARD (CH. BELLERIVE), ZI La Mouline, 4, rue du Carbouney, BP 36, 33565 Carbon-Blanc Cedex, tél. 05 57 77 88 88, chevalquancard@chevalquancard.com V r.-v.

CH. BELLEVUE Élevé en fût de chêne 2016

■ | 95 000 | | 8 à 11 €

Bénéficiant d'un vignoble de trente-cinq ans en moyenne, planté sur les terres hétérogènes des croupes de la Gironde, ce cru familial de 27,5 ha est conduit depuis 1997 par Régis Lassalle.

Si le bois est encore très présent dans ce 2016, sa complexité aromatique, sa structure tannique et sa longueur montrent qu'il est bien armé pour s'arrondir avec le temps. ⌛ 2023-2026

EARL LASSALLE ET FILS (CH. BELLEVUE), 10, rue du 8-Mai-1945, 33340 Valeyrac, tél. 05 56 41 52 17, earl.lassalle@wanadoo.fr V t.l.j. sf sam. dim. 8h-12h30 13h30-17h

CH. BLAIGNAN 2016

■ Cru bourg. | 500 000 | | 11 à 15 €

Autrefois connue sous le nom de Taffard de Blaignan, cette vaste propriété située dans le nord du Médoc ne fait pas dans la demi-mesure avec ses 97 ha de vignes. Le Crédit Agricole en est propriétaire depuis 2004.

Un peu discret dans son expression aromatique, ce vin est prometteur par sa robe d'un grenat vif, soutenu et brillant. Ronds et souples, les tanins confèrent un caractère plaisant et bien équilibré au palais. ⌛ 2022-2025

SCEA CH. BLAIGNAN, 4, quai Antoine-Ferchaud, 33250 Pauillac, tél. 05 56 59 00 40, contact@cagrandscrus.fr

CH. LA BRANNE 2016 ★

■ Cru bourg. | 132 000 | | 11 à 15 €

Passer de 6 à 26 ha en un quart de siècle, c'est très bien; le faire en maintenant la qualité, c'est mieux. Voilà ce qu'ont réussi Philippe et Fabienne Videau, installés en 1986 sur cette propriété familiale et sortis de la cave coopérative en 1999.

Sans être très intense, la robe annonce sans ambages la jeunesse de ce 2016 qui a du répondant. Fin et complexe, le bouquet ajoute une jolie note épicée aux parfums de fruits rouges et noirs. Une élégance qui se retrouve dans un palais aussi complet qu'harmonieux, doté de tanins soyeux. ⌛ 2023-2028

EARL FABIENNE ET PHILIPPE VIDEAU (CH. LA BRANNE), 2, rte de Peyrere, 33340 Bégadan, tél. 05 56 41 55 24, labranne@wanadoo.fr V r.-v.

CH. DES BROUSTERAS 2016 ★

■ Cru bourg. | 14 000 | | 11 à 15 €

Rue de l'Ancienne Douane : l'adresse de ce petit cru de 4 ha conduit depuis 1960 par la famille Renouil rappelle que Saint-Yzans est une commune du Médoc maritime. Les vignes, à très forte dominante de merlot, regardent la « rivière », comprenez l'estuaire.

Paré d'une jolie couleur rubis, ce vin se distingue aussi par son bouquet puissant et complexe mêlant notes grillées et fruits mûrs. Rond et équilibré, le palais révèle une belle matière, fine et bien bâtie. ⌛ 2024-2027

SCF CH. DES BROUSTERAS, 2, rue de l'Ancienne-Douane, 33340 Saint-Yzans-de-Médoc, tél. 05 56 09 05 44, chateaudesbrousteras@gmail.com V r.-v.

CH. LA CARDONNE 2016 ★★

■ Cru bourg. | 170 000 | | 20 à 30 €

Les domaines CGR constituent un vaste ensemble de 125 ha et plusieurs crus dans l'appellation médoc, propriété depuis 2016 de la famille Huang.

Ce cru tient son rang de « navire amiral » des vignobles CGR. Tant par son bouquet, où les arômes de cuir du merlot se marient bien avec les notes de fruits noirs, de pain grillé et d'épices, que par sa bouche riche, concentrée et bien équilibrée. ⌛ 2023-2026 ■ **Cru bourg. Ch. Grivière 2016 ★ (20 à 30 €; 135 000 b.)** : un vin souple, suave, aux tanins enrobés, avec un joli bouquet fruité et boisé. ⌛ 2021-2025 ■ **Cru bourg. Ch. Ramafort 2016 ★ (20 à 30 €; 125 000 b.)** : un médoc très bien équilibré, dense, aux tanins fins, avec une belle expression aromatique autour du cassis, de la vanille et du toasté. ⌛ 2021-2025

DOMAINES CGR, rte de la Cardonne, 33340 Blaignan, tél. 05 56 73 31 51, cgr@domaines-cgr.com V r.-v.

CH. CASTERA 2016

■ Cru bourg.	160 000		15 à 20 €

Avec ses 63 hectares de vignes, répartis sur les communes de Saint-Germain d'Esteuil et d'Ordonnac, le Ch. Castera est la propriété de Thomas Press, deuxième génération de la famille à la tête du domaine. Autre propriété : Ch. Bois Mondont Saint-Germain.

D'un joli rouge grenat, la robe met en confiance et la suite montre qu'elle ne ment pas. Bien présent, le bouquet développe d'intenses parfums de fruits rouges; puis le palais, bâti sur des tanins fondus, révèle un bon équilibre qui met en valeur ses qualités aromatiques. ⧗ 2021-2023 ■ **Cru bourg. Ch. Bois-Mondont Saint-Germain 2016 (11 à 15 €; 110 000 b.)** : vin cité.

SARL PRESTOM, rue du Bourg, 33340 Saint-Germain-d'Esteuil, tél. 05 56 73 20 60, chateau@castera.fr V r.-v.

♥ CLÉMENT SAINT-JEAN Réserve 2016 ★★

■	5 924		20 à 30 €

Uni-Médoc est le premier producteur de vins de l'appellation médoc. La cave rassemble quelque 160 viticulteurs qui exploitent 1 000 ha, essentiellement sur les communes de Bégadan, Ordonnac, Prignac et Queyrac.

La «coop» emporte un beau succès avec cette cuvée entièrement issue du cabernet-sauvignon dont la dégustation réserve de belles surprises : intense, dense, presque exubérant dans sa présentation d'un grenat foncé à reflets violets, le vin, de prime abord fermé, distille avec raffinement d'élégantes notes fruitées et boisées qui annoncent sa future complexité. En bouche, il affiche de puissants et soyeux tanins qui tapissent progressivement le palais pour laisser le dégustateur sur une impression de plénitude. ⧗ 2022-2029 ■ **Cru bourg. Ch. de Bensse Élevé en fût de chêne 2016 ★★ (8 à 11 €; 164 666 b.)** : bien adapté au terroir argilo-calcaire, le merlot (75 %) a bien réussi à ce vin qui révèle un bon potentiel tout en se montrant déjà plaisant. Le mariage des arômes de fruits mûrs avec un fin boisé apporte un charme réel au bouquet, tandis qu'au palais se déploie un ensemble ample, gras et d'une solide constitution. ⧗ 2021-2026 ■ **Ch. Gaumaran 2016 ★★ (5 à 8 €; 84 666 b.)** : un excellent rapport qualité/prix pour ce médoc au nez gourmand de fruits mûrs, riche, long et savoureux en bouche, bien structuré par des tanins fins. ⧗ 2022-2026 ■ **Merrain rouge Élevé en fût de chêne 2016 ★ (5 à 8 €; 400 000 b.)** : un excellent prix doux pour ce vin puissant, expressif et bien équilibré. ⧗ 2023-2026 ■ **Ch. la Fleur des Aubiers 2016 ★ (5 à 8 €; 159 058 b.)** : un vin au nez complexe de fruits noirs mûrs et d'épices, agrémenté d'une touche minérale. La bouche est dense, très ronde tout en affichant beaucoup de fraîcheur, étayée par des tanins soyeux. ⧗ 2022-2026

LES VIGNERONS D' UNI-MÉDOC, 14, rte de Soulac, 33340 Gaillan-en-Médoc, tél. 05 56 41 03 12, cave@uni-medoc.com V *t.l.j. 8h30-12h30 14h-18h*

♥ CLOS MANOU 2016 ★★

■	60 000		20 à 30 €

En 1998, Stéphane Dief et son épouse Françoise louent 12 ares pour créer leur vignoble. D'achats de parcelles en acquisitions de petits crus soigneusement sélectionnés, leur propriété s'étend aujourd'hui sur 17 ha, avec quelques vignes très anciennes, notamment une petite parcelle de merlot pré-phylloxérique plantée en 1850. Elle est devenue une référence en médoc.

Stéphane Dief signe ici un 2016 qui se montre aussi complexe qu'harmonieux tout au long de la dégustation. D'abord en arborant une livrée d'un grenat intense qu'animent des reflets violets; ensuite, en offrant un bouquet aussi expressif que gourmand (myrtille, mûre, griotte, boisé fin); enfin, en développant une superbe bouche, ample, tannique et longue. ⧗ 2022-2028 ■ **Petit Manou 2016 ★ (11 à 15 €; 50 000 b.)** : un second vin harmonieux et charmeur, bien fruité et boisé sans excès, porté par de bons tanins. ⧗ 2022-2024

SARL SOGEVITI (CLOS MANOU), 7, rue du 19-Mars-1962, 33340 Saint-Christoly-Médoc, tél. 05 56 41 54 20, commerciale@clos-manou.com V r.-v.

LA CROIX DE GADET 2016 ★

■	10 000		8 à 11 €

Créée en 1921 par Guillaume Bernard, cette exploitation, qui comptait alors 4 ha de vignes, une trentaine de vaches et quelques cochons, possède aujourd'hui un vignoble de 30 ha plantés sur un sol argilo-calcaire. Elle possède des chambres d'hôtes au château Calmeyrac.

Encore un peu jeune, ce vin assez flatteur sait aussi montrer qu'il possède du répondant, tant par son bouquet complexe et intense, avec des notes fuitées, grillées et fumées, que par sa structure aux tanins bien enrobés. ⧗ 2022-2026

EARL CHRISTIAN BERNARD, 7, rte de Vendays, Coudessan, 33340 Gaillan-en-Médoc, tél. 05 56 41 70 88, anais.bernard@wanadoo.fr V *t.l.j. 9h-18h*

CH. CROIX DE MAI 2016 ★★

■	18 000		11 à 15 €

Un cru de poche (2,67 ha) créé en 2010 par Cécile Reich-Courrian. Se dressant devant le chai, la croix qui lui a donné son nom était autrefois ornée de fleurs, en mai, par les vignerons locaux qui venaient la vénérer lors de processions religieuses.

Une fois de plus, la protection du Ciel a joué à plein pour ce cru qui nous offre un 2016 des plus réussis. Tout en finesse, il se distingue par son expression aromatique élégante autour des fruits mûrs, des épices et de la violette, et par son équilibre en bouche, avec une solide trame tannique qui n'exclut pas une réelle souplesse, notamment en finale. ⧗ 2022-2028

EARL CÉCILE REICH-COURRIAN (CH. CROIX DE MAI), 33, rte de Courbian, 33340 Bégadan, tél. 06 88 82 99 16, chateau-croixdemai@dartybox.com V r.-v.

CH. D'ESCURAC 2016

■ Cru bourg. | 127200 | | 11 à 15 €

Jean Landureau acquiert la propriété en 1934, qu'il transforme en haras. Son fils Jean-Michel développe la culture de la vigne et porte ses raisins à la coopérative, jusqu'à l'arrivée de la troisième génération et de Jean-Marc, installé en 1990. Un domaine régulier en qualité.

L'équilibre parfait entre le merlot et le cabernet-sauvignon (45 % chacun) est complété par un peu de cabernet franc et de petit verdot. Le résultat ne manque pas d'intérêt avec une belle expression aromatique mariant des fruits rouges et noirs bien mûrs, et une bonne structure tannique. ⌛ 2021-2024

SCF DOM. LANDUREAU, Ch. d'Escurac, 17, rte d'Escurac, 33340 Civrac-en-Médoc, tél. 05 56 41 50 81, contact@chateaudescurac.com V r.-v.

♥ CH. FONTIS 2016 ★★

■ Cru bourg. | 36000 | | 11 à 15 €

Située sur le point culminant de l'appellation (38 m!), cette propriété de 10 ha jouit d'un beau point de vue sur l'estuaire. Vincent Boivert la conduit en agriculture raisonnée depuis qu'il en a pris les commandes en 1995.

Ce cru obtient un très joli succès avec ce vin qui ne se contente pas d'une belle couleur rubis pour séduire le dégustateur. Il est aussi difficile de résister au charme du bouquet, où les fruits rouges mûrs et la cerise noire prennent un côté confituré, comme à celui du palais, à la fois ample, frais, structuré et très élégant. ⌛ 2022-2028

VINCENT BOIVERT (CH. FONTIS), 2, rte de Hontemieux, 33340 Ordonnac, tél. 05 56 73 30 30, vincent.boivert@orange.fr V r.-v.

CH. LA FRANCE DELHOMME 2016 ★★

■ Cru bourg. | 53000 | | 15 à 20 €

Issu d'une lignée de viticulteurs médocains, Patrick Bouey, à la tête d'un négoce familial basé à Ambarès, acquiert en 1998 les châteaux La France Delhomme (28 ha), Maison Blanche (31 ha) et Lestruelle (27 ha aujourd'hui) sur le plateau de Saint-Yzans et d'Ordonnac, complétés en 2015 par le Ch. du Mont.

Le seul merlot est à l'œuvre dans ce vin offrant beaucoup d'intensité dans sa robe et un joli bouquet naissant où les fruits tiennent tête à la barrique. Sa jeunesse se confirme au palais avec de solides tanins, de la sève et du gras. Tout annonce un beau potentiel. ⌛ 2024-2030 ■ **Cru bourg. Ch. Lestruelle 2016 (8 à 11 €; 122000 b.)** : vin cité.

SARL FAMILLE BOUEY VIGNOBLES ET CHÂTEAUX, 3, rue de Lamena, 33340 Saint-Yzans-de-Médoc, tél. 05 56 09 05 01, contact@bouey-maisonblanche.fr V r.-v.

CH. LES GRANGES DE CIVRAC 2016 ★

■ Cru bourg. | 120000 | | 5 à 8 €

Bel ensemble de 50 ha, les vignobles de Jean-Paul Roland et de son épouse sont présents dans trois appellations (médoc, haut médoc et saint-estèphe).

Bien équilibré, ce 2016 se montre particulièrement agréable par son bouquet dans lequel les parfums de fruits se mêlent aux notes boisées. La bouche apparaît souple et fraîche en attaque, plus serrée dans son développement. Un ensemble fort harmonieux. ⌛ 2021-2025

EARL LES GRANGES DE CIVRAC, Ch. Beyzac, lieu-dit Le Parc, 33180 Vertheuil, tél. 05 56 41 58 73, contact@vignobles-roland.com V r.-v.

CH. LAUJAC 2016 ★

■ Cru bourg. | 100000 | | 15 à 20 €

Superbe édifice néoclassique acheté en 1852 par Herman Cruse, le Ch. Laujac commande un très vaste domaine de quelque 430 ha comprenant des prés, des forêts et des vignes. Il dispose également d'un vaste cheptel de bovins limousins et de chevaux de selle dont le fumier sert d'engrais depuis deux siècles. L'ensemble a été repris en 2012 par Vanessa Cruse et son mari René-Philippe Duboscq.

Si le bouquet reste discret, il commence à s'ouvrir sur de fines notes de fruits mûrs. Le palais tient les promesses d'une jolie présentation, d'un rubis intense. Très bien équilibré, long et ample, il s'appuie sur des tanins fins et élégants qui se portent garants de l'avenir de cette bouteille des plus intéressantes. ⌛ 2023-2030

SAS DOMAINES LAUJAC, 56, rte de Laujac, 33340 Bégadan, tél. 05 56 41 50 12, contact@chateaulaujac.com V r.-v.

LÉGENDE 2016 ★

■ | 840000 | | 11 à 15 €

En complément de ses vins de prestige (Lafite-Rothschild, Duhart-Milon, Rieussec, L'Évangile), la maison Rothschild (Lafite) a développé une structure de négoce qui propose une gamme de vins plus accessible : la «Collection», déclinée en Saga, Légende et Réserve, dans les appellations bordeaux, médoc, pauillac et saint-émilion.

Les parfums de raisins mûrs du bouquet naissant et les jeunes tanins proposés par une bouche corsée, charpentée et bien équilibrée se montrent aussi prometteurs qu'agréables. ⌛ 2021-2025

DOMAINES BARONS DE ROTHSCHILD LAFITE DISTRIBUTION, 40-50, cours du Médoc, 33300 Bordeaux, tél. 05 57 57 79 79, dbr@lafite.com

LOUDENNE Le Château 2016

■ Cru bourg. | 150000 | | 20 à 30 €

Une chartreuse rose du XVII[e]s., un chai et un petit port du XIX[e]s., une collection de roses anciennes, le «Pink Château», comme on le surnomme (il est recouvert de crépi rose), est un haut lieu touristique du Médoc. C'est aussi un beau terroir de 130 ha (dont 62 ha de vignes) établi sur une croupe de graves en bordure de l'estuaire. Passé en 2013 des Lafragette au groupe chinois de spiritueux Moutai.

Un peu fermé au premier nez, ce 2016 s'ouvre ensuite sur de fins arômes de fruits noirs et d'épices. En harmonie avec le bouquet, le palais révèle une structure ronde, souple et bien équilibrée. ⧗ 2020-2023

SAS CH. LOUDENNE, Ch. Loudenne, 33340 Saint-Yzans-de-Médoc, tél. 05 56 73 17 88, contact@chateau-loudenne.com V *t.l.j. sf dim. lun. 10h-13h 14h-18h; nov.-mars sur r.-v.*

CH. MAZAILS 2016 ★

■ Cru bourg. | 250800 | | 11 à 15 €

Commandé par une belle demeure de 1777, ce cru domine l'estuaire, particulièrement majestueux à cet endroit. Le vignoble de 41 ha est établi sur une jolie butte de graves à la matrice argileuse.

Bien dans l'esprit du cru, ce vin évolue dans le registre de la finesse, de l'équilibre et de la fraîcheur, mais sans sacrifier pour autant la structure. Bien fait et agréable, l'ensemble met en valeur de beaux arômes de fruits noirs et d'épices. ⧗ 2022-2025

PHILIPPE CHACUN (CH. MAZAILS), 16, rue Mazails, 33340 Saint-Yzans-de-Médoc, tél. 05 56 09 00 62, chateaumazails@wanadoo.fr V *r.-v.*

CH. LES MOURLANES 2016 ★

■ Cru bourg. | 177600 | | 8 à 11 €

Bessan Ségur (ancienne propriété des Ségur, 46 ha à Civrac-Médoc), Grange de Bessan (4 ha à Civrac), Gravette Lacombe (10,5 ha au cœur de Lesparre-Médoc), Tour Saint-Vincent (19 ha à Saint-Christoly-de-Médoc) sont les quatre crus médocains de Rémi Lacombe, complétés en 2012 par les châteaux Les Mourlanes et Haut-Canteloup.

Les Mourlanes est une belle unité de 25 ha qui propose ici un vin résolument séducteur, tant par son bouquet aux élégantes et généreuses notes de fruits rouges mûrs et de pruneaux que par son palais ample, rond et soyeux. ⧗ 2022-2025 ■ **Cru bourg. Ch. Haut-Canteloup 2016 ★ (8 à 11 €; 67860 b.)** : un bouquet élégant de fruits mûrs et de solides tanins compose un médoc de caractère qu'il faut attendre pour plus de fondu. ⧗ 2023-2026 ■ **Cru bourg. Ch. Bessan Ségur 2016 (8 à 11 €; 283200 b.)** : vin cité.

VIGNOBLES LACOMBE, 2, Bessan, 33340 Civrac-en-Médoc, tél. 05 56 41 56 91, contact@vignobles-lacombe.com V *r.-v.*

CH. LES ORMES SORBET 2016 ★

■ Cru bourg. | 66000 | | 15 à 20 €

Propriété des Boivert depuis 1764, ce cru de 18 ha est exploité par Hélène Boivert et ses fils Vincent et François. Il possède un terroir très particulier : un calcaire coquillier, dit de « Couquèques », où naissent des vins réguliers en qualité.

Si le nez reste un peu discret, le palais se fait beaucoup plus expressif en révélant une réelle puissance tannique, tout en faisant preuve d'une certaine rondeur avec du gras. Bien équilibré, l'ensemble possède un bon potentiel de garde. ⧗ 2022-2027

SARL VIGNOBLES HÉLÈNE BOIVERT (CH. LES ORMES SORBET), 20, rue du 3-Juillet-1895, 33340 Couquèques, tél. 05 56 73 30 30, ormes.sorbet@wanadoo.fr V *r.-v.*

CH. PEY DE PONT 2016 ★

■ Cru bourg. | 299000 | | 8 à 11 €

Au XIXe s., Pey de Pont était déjà une importante propriété viticole. Acquis en 1950 par Jean Reich, le domaine est sorti de la coopérative en 1997 avec l'installation des petits-fils Olivier et Laurent, à la tête aujourd'hui de près de 43 ha sur les communes de Bégadan et de Civrac.

La diversité de l'encépagement, avec un peu de cabernet franc et de petit verdot aux côtés du merlot et du cabernet-sauvignon, se retrouve dans le bouquet qui va des fruits frais (cassis et fraise) aux notes exotiques, en passant par les épices (poivre). Au palais se développent de fins tanins et une fraîcheur qui participe au bon équilibre général. ⧗ 2022-2025

SCEA HENRI REICH ET FILS (CH. PEY DE PONT), 3-5, rte Port-de-Goulée, lieu-dit Trembleaux, 33340 Civrac-en-Médoc, tél. 05 56 41 52 80, cht.pey-de-pont@wanadoo.fr V *r.-v.*

CH. PONTAC GADET Optimus 2016 ★

■ | 6000 | | 15 à 20 €

Fils d'agriculteurs, Dominique Briolais a acquis en 1976 un vignoble de 3 ha en côtes-de-bourg. Épaulé par sa fille Aurore, il conduit aujourd'hui un vignoble de 35 ha (Ch. Haut Mousseau et Ch. Terrefort-Bellegrave) sur plusieurs communes de l'appellation. En 1991, il a traversé l'estuaire pour s'implanter sur la rive gauche, à Jau-Dignac-et-Loirac, en achetant le Ch. Pontac Gadet (11 ha) en AOC médoc.

Comme le 2015, ce millésime se distingue par sa belle expression aromatique autour d'un boisé jeune mais fin, qui s'accorde avec les tanins pour former un ensemble charpenté, puissant et long. Une belle expression de médoc moderne. ⧗ 2024-2028

SCEA VIGNOBLES BRIOLAIS, 220, rte des Vignobles, 33710 Teuillac, tél. 05 57 64 34 38, aurorebriolais@vignobles-briolais.com V *t.l.j. sf sam. dim. 8h-11h45 14h-18h*

CH. POTENSAC 2016 ★

■ | 250000 | | 20 à 30 €

Belle unité située sur l'un des points culminants du nord du Médoc et transmise de génération en génération par les femmes, ce cru réputé conduit par Jean-Hubert Delon (Léoville Las Cases) étend l'essentiel de ses 84 ha sur des croupes argilo-graveleuses au sous-sol calcaire et à forte proportion de graves, un terroir proche de celui de Saint-Estèphe. Incontournable.

Porté par des tanins solides, ce 2016 corpulent et long demande d'être un peu attendu pour s'arrondir, ce qui permettra au bouquet, déjà complexe, de s'affirmer en fondant le fruit et le bois. Du potentiel et du caractère. ⧗ 2023-2030

SCEA CH. POTENSAC, 33340 Ordonnac, tél. 05 56 73 25 26, contact@leoville-las-cases.com V *r.-v.*

CH. LA TOUR DE BY 2016 ★

■ | 450000 | | 15 à 20 €

Un cru de 95 ha situé au bord de l'estuaire, célèbre par sa tour construite en 1825 sur les ruines d'un moulin qui servit de phare pour le port de Bordeaux. Un vignoble ancien (1500) acquis en 1961 par des rapatriés d'Afrique du Nord, dont Marc Pagès, unique propriétaire à partir de 1999 (disparu en 2007). Son petit-fils Frédéric Le Clerc lui a succédé en 2005 et est également à la tête du Ch. la Valière, acquis en 2011 : 15 ha sur Saint-Christoly.

Après un beau coup de cœur l'an dernier pour sa cuvée Héritage 2015, ce cru renommé nous offre un fort joli 2016, d'une belle couleur, entre pourpre et rubis. Le bouquet discret mais élégant associe les notes épicées aux parfums de fruits rouges. Bien équilibré, dense, généreux et persistant, le palais révèle une jolie structure. ⌛ 2022-2028

SC VIGNOBLES MARC PAGÈS (CH. LA TOUR DE BY), 5, rte de la Tour-de-By, 33340 Bégadan, tél. 05 56 41 50 03, info@latourdeby.fr V t.l.j. sf sam. dim. 9h-12h 13h30-18h30

CH. TOUR LESTAGE 2016 ★★

■ | 4800 | | 15 à 20 €

Ayant leur siège à Gaillan à une quinzaine de kilomètres de l'océan, les vignobles Cruchon comportent plusieurs crus, s'étendant au total sur quelque 130 ha.

Issue de parcelles soigneusement sélectionnées, cette cuvée se distingue par son élégance. Celle-ci imprime son style à toute la dégustation, de la belle robe classique au développement au palais, en passant par une expression aromatique savamment dosée entre boisé et fruité. La bouche, corsée, grasse et parfaitement équilibrée, s'appuie sur une belle structure tannique. ⌛ 2022-2028

SCEA VIGNOBLES CRUCHON ET FILS, 2, rte de Vendays, 33340 Gaillan-en-Médoc, tél. 05 56 41 69 71, frederic.cn@orange.fr V t.l.j. sf sam. dim. 9h-12h30 14h-17h30

CH. TOUR SERAN 2016

■ Cru bourg. | 69200 | | 20 à 30 €

Rollan de By, implanté sur les graves argileuses de Bégadan (2 ha lors de son acquisition en 1989, 52 ha aujourd'hui), est la première pièce du vaste ensemble de crus médocains constitué par Jean Guyon, ancien décorateur d'intérieur, complété depuis par les châteaux Haut Condissas (une valeur sûre de l'AOC), Tour Seran, La Clare, Greysac, de By et du Monthil. Au total, une belle unité de 180 ha singularisée par une forte proportion de merlot dans l'encépagement.

S'il est encore un peu austère en finale, ce vin sait concilier une solide structure tannique avec une jolie expression aromatique (cassis, gibier, violette) pour former un ensemble équilibré. ⌛ 2022-2025

SASU LA HAUTE COUTURE DU VIN BY JEAN GUYON, 18, rte de By, 33340 Bégadan, tél. 05 56 41 58 59, infos@rollandeby.com V r.-v.

CH. LES TUILERIES 2016 ★

■ Cru bourg. | 70000 | | 11 à 15 €

À la tête de 28 ha, les Dartiguenave ont de solides racines médocaines, leurs aïeux ayant été maîtres de chai et tonneliers au XIXᵉs. Sur ce terroir argilo-calcaire, le merlot est bien représenté. Trois étiquettes : Ch. les Tuileries, Ch. Moulin de Bel Air et Ch. Terre Blanche.

Le merlot fait jeu égal avec le cabernet-sauvignon dans ce 2016 dont la belle couleur grenat sombre annonce un solide potentiel que confirme son volume en bouche et sa solide structure tannique. Du caractère et un bon potentiel de garde en perspective. ⌛ 2024-2028

SCEA DARTIGUENAVE ET FILS, Ch. les Tuileries, 6, rue Lamena, 33340 Saint-Yzans-de-Médoc, tél. 05 56 09 05 31, contact@chateaulestuileries.com V t.l.j. 9h-12h 14h-18h

CH. VIEUX ROBIN 2016 ★

■ Cru bourg. | 70000 | | 15 à 20 €

Un vignoble de 19 ha situé au cœur de l'appellation, à l'orée d'un bois, conduit par la même famille depuis six générations, et depuis 1988, par Didier, Maryse et Olivier Roba sous deux étiquettes : Vieux Robin et Les Anguilleys. Le vignoble est certifié Haute Valeur Environnementale en 2018.

Toujours aussi régulier en qualité, ce cru reste fidèle à sa tradition avec ce 2016 rouge grenat d'une belle intensité. Tout aussi expressif, le bouquet met en avant les fruits rouges mûrs. Tannique, long et bien équilibré, le palais poursuit dans le même esprit avec une belle structure en soutien. ⌛ 2022-2025

SCE CH. VIEUX ROBIN, 3, rte des Anguilleys, 33340 Bégadan, tél. 05 56 41 50 64, contact@chateau-vieux-robin.com V r.-v. 4

CH. VILLA CARMIN 2016 ★

■ | 12000 | | 8 à 11 €

Antoine Médeville, Henri Boyer et Édouard Massie, œnologues-conseils associés depuis vingt ans, souhaitaient élaborer leur propre vin. En 2008, ils ont acquis Fleur La Mothe, classé cru bourgeois en 1932, 15 ha d'un joli terroir de graves et d'argilo-calcaires sur le plateau de Saint-Yzans. En 2012, ils achètent Villa Carmin, un vignoble voisin de 2 ha.

La conjonction d'un joli terroir et d'un réel savoir-faire s'est avéré payante avec une belle bouteille alliant un bouquet expressif (fruits mûrs et vanille) à un palais ample, élégant, frais et bien bâti. ⌛ 2021-2025

SCEA DES ŒNOLOGUES, 4, rue de l'Étoile, 33340 Saint-Yzans-de-Médoc, tél. 05 56 59 67 06, contact@chateaufleurlamothe.fr V r.-v.

HAUT-MÉDOC

Superficie : 4 600 ha / Production : 255 000 hl

Le territoire spécifique de l'appellation haut-médoc serpente autour des appellations communales. Cette AOC est la seconde en importance de la presqu'île médocaine. Ses vins jouissent d'une grande réputation, due en partie à la présence de cinq crus classés dans l'aire d'appellation, les autres se trouvant dans les appellations communales.

En Médoc, le classement des vins a été réalisé en 1855, soit près d'un siècle avant celui des graves.

Cette antériorité s'explique par l'avance prise par la viticulture médocaine à partir du XVIIIe s.; car c'est là que s'est en grande partie produit « l'avènement de la qualité », lié à la découverte des notions de terroir et de cru, c'est-à-dire à la prise de conscience de l'existence d'une relation entre le milieu naturel et la qualité du vin.
Les haut-médoc se caractérisent par leur générosité, mais sans excès de puissance. D'une réelle finesse au nez, ils présentent généralement une bonne aptitude au vieillissement. Ils devront être bus chambrés et iront très bien avec les viandes blanches, les volailles ou le gibier à plume. Bus plus jeunes et servis frais, ils pourront aussi accompagner certains poissons.

CH. D'AGASSAC 2016 ★

■ Cru bourg. | 100000 | | 20 à 30 €

Tours, douves aux dimensions d'un étang, cette ancienne maison forte médiévale est un vrai décor de roman de cape et d'épée. Elle commande aujourd'hui une belle unité de 100 ha (dont plus de 43 ha dédiés à la vigne), appartenant à Groupama.
Presque inquiétante par sa profondeur, la robe aussi sombre que les douves de la maison forte rassure par sa limpidité et son éclat. Un peu timide, le bouquet n'en revêt pas moins de l'élégance par des notes de fruits rouges, de vanille et de café. Une finesse qui se confirme au palais, à travers la maturité des flaveurs de fruits

LE CLASSEMENT DE 1855 REVU EN 1973

Classement	Nom du domaine	Appellation
Premiers crus	Ch. Haut-Brion	Pessac-Léognan
	Ch. Lafite-Rothschild	Pauillac
	Ch. Latour	Pauillac
	Ch. Margaux	Margaux
	Ch. Mouton-Rothschild	Pauillac
Deuxièmes crus	Ch. Brane-Cantenac	Margaux
	Ch. Cos-d'Estournel	Saint-Estèphe
	Ch. Ducru-Beaucaillou	Saint-Julien
	Ch. Durfort-Vivens	Margaux
	Ch. Gruaud-Larose	Saint-Julien
	Ch. Lascombes	Margaux
	Ch. Léoville-Barton	Saint-Julien
	Ch. Léoville-Las-Cases	Saint-Julien
	Ch. Léoville-Poyferré	Saint-Julien
	Ch. Montrose	Saint-Estèphe
	Ch. Pichon-Longueville-Baron	Pauillac
	Ch. Pichon-Longueville Comtesse-de-Lalande	Pauillac
	Ch. Rauzan-Gassies	Margaux
	Ch. Rauzan-Ségla	Margaux
Troisièmes crus	Ch. Boyd-Cantenac	Margaux
	Ch. Calon-Ségur	Saint-Estèphe
	Ch. Cantenac-Brown	Margaux
	Ch. Desmirail	Margaux
	Ch. Ferrière	Margaux
	Ch. Giscours	Margaux
	Ch. d'Issan	Margaux
	Ch. Kirwan	Margaux
	Ch. Lagrange	Saint-Julien
	Ch. La Lagune	Haut-Médoc
	Ch. Langoa Barton	Saint-Julien
	Ch. Malescot-Saint-Exupéry	Margaux
	Ch. Marquis d'Alesme-Becker	Margaux
	Ch. Palmer	Margaux
Quatrièmes crus	Ch. Beychevelle	Saint-Julien
	Ch. Branaire-Ducru	Saint-Julien
	Ch. Duhart-Milon-Rothschild	Pauillac
	Ch. Lafon-Rochet	Saint-Estèphe
	Ch. Marquis de Terme	Margaux
	Ch. Pouget	Margaux
	Ch. Prieuré-Lichine	Margaux
	Ch. Saint-Pierre	Saint-Julien
	Ch. Talbot	Saint-Julien
	Ch. La Tour-Carnet	Haut-Médoc
Cinquièmes crus	Ch. d'Armailhac	Pauillac
	Ch. Batailley	Pauillac
	Ch. Belgrave	Haut-Médoc
	Ch. Camensac	Haut-Médoc
	Ch. Cantemerle	Haut-Médoc
	Ch. Clerc-Milon	Pauillac
	Ch. Cos-Labory	Saint-Estèphe
	Ch. Croizet-Bages	Pauillac
	Ch. Dauzac	Margaux
	Ch. Grand-Puy-Ducasse	Pauillac
	Ch. Grand-Puy-Lacoste	Pauillac
	Ch. Haut-Bages-Libéral	Pauillac
	Ch. Haut-Batailley	Pauillac
	Ch. Lynch-Bages	Pauillac
	Ch. Lynch-Moussas	Pauillac
	Ch. Pédesclaux	Pauillac
	Ch. Pontet-Canet	Pauillac
	Ch. du Tertre	Margaux

noirs et le fondu du boisé. La belle persistance est un atout de plus. ⧗ 2023-2027 ■ **L'Agassant d'Agassac 2016 ★ (15 à 20 €; 20000 b.)** : un 2016 équilibré et de bonne structure, qui promet de bien vieillir. Les arômes de fruits rouges et noirs aux nuances toastées se développeront plus volontiers encore. ⧗ 2023-2026

SCA DU CH. D'AGASSAC,
15, rue du Château-d'Agassac, 33290 Ludon-Médoc,
tél. 05 57 88 15 47, contact@agassac.com
V *t.l.j. 10h-18h; oct.-mars sur r.-v.*

DOM. ANDRON 2016 ★

■ | 18448 | | 15 à 20 €

Remontant au XVIIIᵉs., ce cru longtemps propriété des Thorp, importante famille d'avocats parisiens, a reçu la visite de personnalités comme Pierre Mendès-France. Il a été acquis en 2013 par Mr Ming-Yang, producteur de légumes en Chine et aussi aux Pays-Bas qui n'a pas lésiné sur les moyens pour produire un bon vin sur les 7 ha de vignes implantées sur un beau terroir de graves regardant l'estuaire.

L'intensité de la robe rubis se retrouve dans les arômes de fruits rouges rehaussés de légères notes vanillées, grillées et beurrées. Ronde et délicate, la matière est néanmoins bien structurée, ce qui assure au vin un bon potentiel d'évolution. ⧗ 2023-2027

SCEA DOM. ANDRON,
24, rue Georges-Mandel, 33180 Saint-Seurin-de-Cadourne,
tél. 05 56 59 58 17, jm.dubos@dbmail.com V *t.l.j. 9h-12h 14h-18h*

CH. D'ARCINS 2016 ★

■ | 486000 | | 15 à 20 €

Cette vaste propriété (170 ha dont 100 de vignes) est située au cœur du bourg du même nom, entre les appellations margaux, moulis et l'estuaire. Elle appartient depuis 1971 à la famille Castel qui l'a dotée d'équipements performants, dont un chai circulaire.

S'il est assez jeune, ce 2016 se montre déjà fort plaisant. Tant par son bouquet fruité, concentré et profond que par son développement au palais. Les tanins frais, denses et serrés sont les garants d'une longue garde. ⧗ 2022-2027 ■ **Chevalier d'Arcins 2016 (11 à 15 €; 100000 b.)** : vin cité.

CHÂTEAUX ET DOMAINES CASTEL (CH. D'ARCINS),
1, pl. du Château, 33340 Arcins, tél. 05 56 58 91 29,
contact@chateaux-castel.com V *t.l.j. sf dim. 9h-12h 14h-17h*

CH. D'AURILHAC 2016 ★

■ Cru bourg. | 150000 | | 11 à 15 €

Situé au nord de Saint-Estèphe, un cru de 21 ha, propriété depuis 1983 du Néerlandais Erik Nieuwaal. De l'argilo-calcaire avec des nappes de graves : le terroir convient aussi bien au merlot (49 %) qu'aux deux cabernets. Le maître de chai Jan Nieuwaal les a complétés par un peu de petit verdot pour avoir un encépagement diversifié.

Bien mis dans une robe rubis, ce vin fait tout pour se montrer agréable : un bouquet aux notes de fruits mûrs, une matière élégante et structurée, avec ce qu'il faut de gras et de fraîcheur. ⧗ 2023-2028

EARL CHÂTEAUX D' AURILHAC ET LA FAGOTTE,
13, rte de Lesparre, 33180 Saint-Seurin-de-Cadourne,
tél. 06 89 84 72 80, erik-nieuwaal@wanadoo.fr
V *r.-v.*

CH. BALAC 2016

■ Cru bourg. | 100000 | | 11 à 15 €

Terre noble au XIVᵉs., ce cru de 20 ha est commandé par une élégante chartreuse construite par Victor Louis à la fin du XVIIIᵉs. Il a été acheté en 1964 par les Touchais, venus du vignoble angevin. Luc Touchais l'a replanté à partir de 1973 et transmis en 2005 à son fils Lionel, œnologue, fort d'une expérience dans différents domaines étrangers.

On sait que les Touchais ont à cœur de préserver le côté fuité et élégant de leur vin. L'objectif est incontestablement atteint dans ce millésime au bouquet vanillé, subtil et complexe, et aux tanins assez fins. ⧗ 2022-2026

SCEA CH. BALAC,
rte de Lesparre, 33112 Saint-Laurent-Médoc,
tél. 05 56 59 41 76, chateau.balac@wanadoo.fr
V *t.l.j. 10h-12h 14h-18h*

CH. BARREYRES 2016

■ | 650000 | | 8 à 11 €

La demeure du XIXᵉs. entièrement restaurée, avec son parc et son étang, est la propriété de Pierre Castel. Pas moins de 109 ha de vignes sur sols de graves pyrénéennes, argileux et gravelo-sableux sont cultivées et un chai cathédrale accueille les vins.

De la souplesse et de la tendresse dans ce vin au bouquet aérien. En bouche, les tanins se font velours, laissant toute la place au fruit. ⧗ 2020-2024

CHÂTEAUX ET DOMAINES CASTEL
(CH. BARREYRES), rte du Port, 33460 Arcins,
tél. 05 56 95 54 00, contact@chateaux-castel.com

CH. BEL AIR GLORIA 2016

■ Cru bourg. | 235000 | | 11 à 15 €

Implanté à Cussac-Fort-Médoc, le Ch. Bel Air Gloria est depuis 1980 la propriété de la famille Martin connue pour ses crus de Saint-Julien (Saint-Pierre et Gloria), appellation qui jouxte Cussac au nord. Il étend son vignoble de 34 ha sur des croupes de graves reposant sur des argiles.

Assez sobre dans sa robe rubis, ce 2016 se révèle ensuite grâce à un joli bouquet de fruits rouges et à une bouche ronde et fraîche à la fois, d'une bonne longueur. ⧗ 2022-2025

DOMAINES MARTIN, Ch. Gloria,
33250 Saint-Julien-Beychevelle, tél. 05 56 59 08 18,
contact@domaines-martin.com V *r.-v.*

CH. BELGRAVE 2016 ★★

■ 5ᵉ cru clas. | 225000 | | 20 à 30 €

83 85 86 89 (90) **94** 95 **96 97 98 99 00** 01 **02** 03 04 05 **06 07** |08| |09| 10 11 12 13 **14** 15 **16**

Un ancien pavillon de chasse au XVIIᵉs. Le nom de Bellegrave apparaît en 1845, lorsque Bruno Devès, négociant à Bordeaux, restructure la propriété et

bâtit la demeure, les chais et les cuviers. Classé en 1855, ce cru situé à la lisière de Saint-Julien étend ses 59 ha sur des croupes de graves et de galets au soubassement argileux. Propriété de la maison Dourthe depuis 1979.

Très classe dans sa puissante robe pourpre, ce 2016 développe un bouquet intense et complexe de groseille et de cassis nuancé de boisé. Sa matière ample et ronde s'appuie sur de tanins aussi fins que veloutés et se prolonge durablement sur une délicieuse note de fruits caramélisés. ⧗ 2023-2030

VIGNOBLES DOURTHE (CH. BELGRAVE), Ch. Belgrave, 33112 Saint-Laurent-Médoc, tél. 05 56 35 53 00, contact@dourthe.com r.-v.

CH. BELLEGRAVE DU POUJEAU 2016 ★

■ Cru bourg. | 25600 | | 11 à 15 €

Juchée sur une croupe de graves garonnaise cernée par la pinède et la banlieue, cette petite propriété réussit à résister à la pression de l'urbanisation.

Ce 2016 est un joli vin de garde. D'un rubis intense, il livre un puissant bouquet encore marqué par le bois, avant de montrer par ses tanins serrés et sa matière ample qu'il possède un bon potentiel d'évolution. ⧗ 2022-2026

EARL VIGNOBLE CANTELAUBE (CH. BELLEGRAVE DU POUJEAU), 433, chem. Duthil, 33290 Le Pian-Médoc, tél. 06 07 14 09 47, vignoble.cantelaube@laposte.net V r.-v.

CH. BERNADOTTE 2016 ★

■ Cru bourg. | 260000 | | 15 à 20 €

Une destinée peu commune pour ce cru. Il doit son nom à Germaine Bernadotte, qui épousa en 1615 un certain Jeandou du Pouey dont le fils garda le nom de Bernadotte (il est l'ancêtre du maréchal d'Empire et des actuels souverains de Suède). Proche de Pauillac, le domaine (55 ha) a appartenu au Ch. Pichon Comtesse à partir de 1997, pour être finalement vendu en 2012 au groupe asiatique King Power.

Élégant dans sa robe rubis, ce vin montre qu'il est doué pour l'art de l'éloquence : arômes fruités, puis floraux ainsi qu'une note fumée sont avancés comme autant d'arguments pertinents. Rond, souple et bien équilibré, il saura faire une gentille carrière en cave. ⧗ 2021-2024

SC CH. LE FOURNAS BERNADOTTE, 2, rte du Fournas, 33250 Saint-Sauveur, tél. 05 56 59 57 04, bernadotte@chateau-bernadotte.com V r.-v.

LES BRÛLIÈRES DE BEYCHEVELLE 2016 ★

■ | n.c. | | 15 à 20 €

Le Ch. de Beychevelle, célèbre cru classé de Saint-Julien, s'étend aussi sur de belles croupes de graves garonnaises situées dans la commune voisine de Cussac, en AOC haut-médoc. Un vignoble de 20 ha, dont certaines parcelles sont cultivées en bio sans certification depuis 2008.

Bien bâti sur des tanins fins et mûrs, ce vin se montre également fort intéressant par son bouquet associant l'eucalyptus aux fruits mûrs et au caramel. Il offre souplesse, rondeur et persistance au palais. ⧗ 2023-2027

SC CH. BEYCHEVELLE, 33250 Saint-Julien-Beychevelle, tél. 05 56 73 20 70, beychevelle@beychevelle.com V r.-v.

CH. BONNEAU 2016 ★

■ Cru bourg. | 80000 | | 8 à 11 €

Les Vignobles des Quatre Vents appartiennent depuis 2014 au groupe chinois Liaoning Wunushan Interwines, qui possède aussi des vignes en Chine. Leur nom provient de la situation des vignes au sommet d'une butte balayée par les vents.

Un authentique vin plaisir grâce à son délicat bouquet de fruits mûrs et de compote, avec juste ce qu'il faut de soutien du bois. Mais un vin plaisir qui a du répondant car il possède de la mâche et une longue finale. ⧗ 2021-2026

SCEA VIGNOBLES DES QUATRE VENTS, Bois de Campion, 33460 Margaux, tél. 05 56 58 97 90, contact@clos4vents.net V t.l.j. sf sam. dim. 8h-12h 13h-17h

CH. CAMBON LA PELOUSE 2016 ★

■ Cru bourg. | 230000 | | 15 à 20 €

Avec les châteaux Cambon la Pelouse (acquis en 1996) et Trois Moulins, Jean-Pierre Marie, après une longue première carrière dans la grande distribution, a acquis en 1996 deux beaux domaines en haut-médoc, disposant d'un terroir de graves de grande qualité. Deux crus aujourd'hui dotés d'équipements performants, complétés en 2001 par un petit vignoble en appellation margaux (L'Aura de Cambon la Pelouse).

Bien bâti et élégant, ce vin est un bon ambassadeur de l'appellation. Tant par sa robe d'un grenat soutenu à reflets violacés que par son bouquet aux notes de fruits rouges mûrs. De la matière, il en possède indéniablement, ample et finement boisée. ⧗ 2023-2026

SCEA CAMBON LA PELOUSE, 5, chem. de Canteloup, 33460 Macau, tél. 05 57 88 40 32, contact@cambon-la-pelouse.com V r.-v.

CH. DE CAMENSAC 2016 ★

■ 5e cru clas. | 150000 | | 20 à 30 €

(95) (96) **97 98 99 00** 01 **02** 03 **04** 05 06 07 |08| |09| |10| |11| **12 13 14** 15 16

Commandé par une chartreuse sobre et élégante du XVIIIe s., ce cru classé de 75 ha jouxte à l'ouest l'appellation saint-julien. Après avoir appartenu entre 1964 et 2005 à la famille Forner, qui en a rénové les chais, il a été acquis par Céline Villars-Foubet et Jean Merlaut, respectivement à la tête de Chasse-Spleen (moulis) et de Gruaud Larose (saint-julien).

Issu d'un vignoble où le merlot et le cabernet-sauvignon font jeu égal, ce 2016 se distingue par son équilibre. Dans son bouquet tout d'abord, le bois respectant les arômes de fruits noirs (mûre et cassis). Au palais ensuite, grâce à des tanins bien extraits. ⧗ 2023-2027

SOCIÉTÉ FERMIÈRE DU CH. DE CAMENSAC, rte de Saint-Julien, 33112 Saint-Laurent-Médoc, tél. 05 56 59 41 69, info@chateaucamensac.com V r.-v.

CH. CANTEMERLE 2016 ★

■ 5e cru clas. | 400000 | | 30 à 50 €

83 (85) **86** 87 **88** (89) **90 91 92 93 94** 95 **96 97 98 99** 00
01 04 05 **06** 07 08 |09| |10| |**11**| |12| 13 **14 15** 16

Ce cru tire son nom des seigneurs de Cantemerle, dont l'existence est attestée au XIIes. Si, selon un écrit de 1354, ces nobles payaient la dîme avec un tonneau de clairet, la production viticole n'a pris son essor qu'à partir du XVIes., sous l'égide des Villeneuve de Durfort. Classé en 1855, ce vaste domaine était tombé à une vingtaine d'hectares en 1981, année de son rachat par l'actuel propriétaire, une société d'assurances. Aujourd'hui, un magnifique parc de 28 ha et un vignoble de 92 ha implanté sur de belles graves.

À l'éclat de la robe rubis succède la discrétion d'un bouquet qui gagne en complexité au fil des secondes : notes de fleurs, de fruits rouges et d'épices se révèlent alors. Franc et souple à l'attaque, le palais est bien équilibré avec une bonne évolution tannique, puis une longue finale. ⧗ 2022-2028 ■ **Les Allées de Cantemerle 2016 (15 à 20 €; 200000 b.)** : vin cité.

SC CH. CANTEMERLE, Ch. Cantemerle, 33460 Macau, tél. 05 57 97 02 82, cantemerle@cantemerle.com V r.-v.

DOM. DE CARTUJAC 2016 ★

■ Cru bourg. | 32349 | | 11 à 15 €

Établis depuis deux siècles à Saint-Laurent où leurs aïeux élevaient des moutons dans la lande médocaine, les Saintout, également présents en saint-julien, sont très attachés à leurs origines paysannes. Ce cru aux sols argilo-graveleux compte 33 ha.

Riche et puissant avec une solide structure tannique, ce vin s'inscrit dans l'appellation et le millésime. Au nez, le bois vient souligner, sans les contrarier, les notes fruitées. L'avenir lui appartient. ⧗ 2024-2030

SCEA VIGNOBLES BRUNO SAINTOUT (CH. CARTUJAC), 20, Cartujac, 33112 Saint-Laurent-Médoc, tél. 05 56 59 90 71, contact@vignobles-saintout.fr V r.-v.

CLOS LA BOHÈME 2016

■ | 17000 | | 15 à 20 €

Œnologue issue d'une famille de tonneliers bien connus, Christine Nadalié exploite plusieurs vignobles médocains aux environs de Macau, en amont de Margaux. Elle a acquis le Dom. Beau-Rivage (bordeaux supérieur) en 1995. Elle produit aussi le Clos la Bohème après avoir planté des pieds de vignes sur des terres rachetées, en 2003, à sa grand-mère paternelle, Laurence Nadalié. Domaines en bio certifié depuis 2011.

Un vin tout en finesse, d'un rouge brillant, dont le bouquet discret privilégie le fruit. L'empreinte de l'élevage est plus prononcée au palais, mais elle respecte la matière ample et ronde. ⧗ 2022-2026 ■ **La Petite Bohème 2016 (11 à 15 €; 5000 b.)** : vin cité.

EARL VIGNOBLES CHRISTINE NADALIÉ, 7, chem. du Bord-de-l'Eau, 33460 Macau, tél. 05 57 10 03 70, closlaboheme@nadalie.fr V r.-v.

CLUB DES SOMMELIERS 2016

■ | 86100 | | 5 à 8 €

Propriétaire de nombreux crus et acteur majeur du négoce bordelais à travers différentes marques (Chai de Bordes, Pierre Dumontet), Cheval Quancard a été fondé par Pierre Quancard en 1844, sous le nom de Quancard et Fils. La maison est toujours dirigée par ses descendants.

Sans être un athlète de haut niveau, ce haut-médoc se montre digne de son appellation, tant par sa robe soutenue que par son bouquet frais et élégant. Au palais, la matière souple invite à profiter de sa jolie expression aromatique dans les cinq premières années de la nouvelle décennie. ⧗ 2020-2025

SA CHEVAL QUANCARD, ZI La Mouline, 4, rue du Carbouney, BP36, 33565 Carbon-Blanc Cedex, tél. 05 57 77 88 88, chevalquancard@chevalquancard.com V *r.-v. au Ch. de Bordes à Saint-Vincent-de-Paul*

CH. CORCONNAC 2016

■ Cru bourg. | 10000 | | 11 à 15 €

Au début des années 1990, Fabienne et Philippe Pairault ont abandonné leur entreprise de communication en région parisienne pour s'installer en Médoc, où ils ont acquis le Ch. Corconnac (haut-médoc) et les 13 ha des Ch. Teynac et Les Ormes en saint-julien.

Un rien gourmand, ce vin charme par la fraîcheur de ses parfums de fruits rouges que rehaussent quelques notes boisées bien fondues. Gras et porté par une bonne structure, le palais est marqué par les tanins en finale. La garde permettra d'y remédier. ⧗ 2022-2025

EARL T ET C, Grand-Rue, 33250 Saint-Julien-Beychevelle, tél. 05 56 59 93 04, philetfab3@wanadoo.fr r.-v.

CH. DE COUDOT 2016 ★

■ Cru artisan | 25000 | | 11 à 15 €

Le quartier (lieu-dit dans le Médoc) de Coudot, dans la commune de Cussac, au sud de Beychevelle, a longtemps été un bastion des crus artisans. On en comptait une dizaine au XIXes. Joël Blanchard s'attache à maintenir cette tradition en exploitant ce vignoble familial de près de 10 ha, dont il a pris les rênes en 1981.

D'emblée, l'intensité de la couleur annonce le potentiel de ce 2016. Concentré, riche et d'une bonne complexité, le bouquet le confirme. Puis c'est à une solide charpente tannique d'en apporter l'ultime preuve. Un vrai vin de garde. ⧗ 2024-2030

SC DU CH. DE COUDOT, 9, imp. de Coudot, 33460 Cussac-Fort-Médoc, tél. 05 56 58 90 71, ch.coudot@wanadoo.fr V *r.-v.*

CH. COUFRAN 2016 ★

■ | 448000 | | 11 à 15 €

Les Miailhe ont formé une lignée de courtiers remontant à la Révolution et ont possédé de nombreux crus en Médoc, dont Coufran, acquis en 1924 à Saint-Seurin-de-Cadourne, au nord de Saint-Estèphe. Avec 76 ha, c'est le plus vaste vignoble de la commune. Le

domaine se singularise par son encépagement à forte dominante de merlot.

En bon metteur en scène, ce haut-médoc développe un scénario haletant. Belle robe rouge bigarreau : la première scène est bien choisie. Zoom sur un bouquet fruité : la seconde pique la curiosité. Puis c'est un grand angle sur un corps charnu et chaleureux, bien structuré. Il faudra patienter un peu pour en découvrir le *happy end*. ⧗ 2022-2026 ■ **Ch. Verdignan 2016 (11 à 15 €; 246000 b.)** : vin cité.

SCA CH. COUFRAN, Cadourne, 33180 Saint-Seurin-de-Cadourne, tél. 05 56 59 31 02, emiailhe@coufran-verdignan.com r.-v.

CH. DILLON 2016

■ Cru bourg.	165000		11 à 15 €

Une destinée peu commune pour ce château qui doit son nom à un propriétaire irlandais du XVIII^e^s., Robert Dillon. Le cru appartint ensuite à François Seignouret, figure marquante de la Nouvelle-Orléans, avant de devenir en 1986 un important lycée agricole et viticole, qui s'appuie sur un domaine d'environ 35 ha.

S'il reste assez modeste dans sa présentation, ce vin monte en puissance à l'aération, libérant d'agréables notes de fruits et de bois de santal avant de révéler une puissante structure tannique. ⧗ 2022-2025

EXPLOITATION AGRICOLE DU CH. DILLON, rue Arlot-de-Saint-Saud, 33290 Blanquefort, tél. 05 56 95 39 94, chateau-dillon@chateau-dillon.com V r.-v.

DOM. GRAND-LAFONT 2016 ★★

■ Cru artisan	1850		8 à 11 €

Constitué en 1965, un petit cru de moins de 5 ha, mais dont les parcelles sont enclavées dans celles de deux crus classés (ou mitoyennes de ceux-ci) : La Lagune et Cantemerle. C'est dire si le terroir sablo-graveleux est de qualité. Philippe Lavanceau a pris en 2007 les commandes du vignoble.

D'un rubis étincelant à reflets violets, ce vin témoigne de la noblesse de ses origines par un bouquet et une structure élégantes. Les tanins soyeux et le boisé harmonieux respectent la matière dans son long développement. ⧗ 2022-2025

PHILIPPE LAVANCEAU (DOM. GRAND-LAFONT), 3, rue Lafont, 33290 Ludon-Médoc, tél. 06 84 36 10 86, contact@grandlafont.com V r.-v.

LE GRAND PAROISSIEN 2016 ★

■	40000		11 à 15 €

Jouxtant au nord Saint-Estèphe, Saint-Seurin-de-Cadourne a depuis 1935 sa cave coopérative, appelée La Paroisse, qui regroupe 27 viticulteurs et 50 ha. Elle a pour président un monsieur… Bordeau.

Encore un peu fermé en début de dégustation, ce 2016 devient vite un vin gourmand à mesure que ses arômes de petits fruits rouges se développent et s'harmonisent avec l'apport de l'élevage. Frais et toujours sur le fruit, le palais révèle une solide structure. La longue finale est un autre argument fort convaincant. ⧗ 2022-2026 ■ **La Paroisse 2016 (8 à 11 €; 40000 b.)** : vin cité.

SCV SAINT-SEURIN-DE-CADOURNE, 2, rue Clément-Lemaignan, 33180 Saint-Seurin-de-Cadourne, tél. 05 56 59 31 28, contact@cave-la-paroisse.fr V r.-v.

CH. D'HANTEILLAN 2016

■ Cru bourg.	165000		8 à 11 €

«Je fais tout très mal, mais je suis bien secondée», affirme Catherine Blasco, graphiste de formation, vigneronne autodidacte à la tête depuis 1984 du cru acheté par son père en 1973. Personne ne contestera la seconde partie de sa phrase, mais la première est sans doute loin d'être exacte. Hanteillan (82 ha) dépendait au Moyen Âge de l'abbaye de Vertheuil; sa vocation viticole s'est affirmée en 1809 avec la construction du château et des chais. Depuis 2012, le domaine est engagé dans une démarche environnementale et, en 2018, a obtenu la certification Haute Valeur Environnementale de niveau 3.

Drapé dans une robe entre rubis et grenat, ce 2016 reste un peu timide dans son expression aromatique, mais il se montre fort plaisant grâce à sa matière souple et ronde que soutiennent des tanins bien équilibrés. ⧗ 2021-2024

SAS CH. D' HANTEILLAN, 12, rte d'Hanteillan, 33250 Cissac-Médoc, tél. 05 56 59 35 31, chateau.hanteillan@wanadoo.fr V r.-v.

CH. HAUT BEYZAC 2016 ★

■ Cru bourg.	230000		11 à 15 €

Jouxtant le marais de Reysson, à l'ouest de Saint-Estèphe, ce cru de 34 ha environ est depuis 1998 la propriété des Raguenot qui exploitent une centaine d'hectares, notamment dans le Blayais, avec le réputé Ch. des Tourtes. Aux commandes : Emmanuelle et Marie-Pierre Raguenot, et leurs époux Daren Miller et Éric Lallez.

Intense et profonde, la couleur annonce la jeunesse de ce vin dont le bouquet délicat se distingue par de fraîches notes mentholées. Souple à l'attaque, le palais possède un joli volume, de bon augure. ⧗ 2023-2028 ■ **Classic 2016 (8 à 11 €; 27000 b.)** : vin cité.

EARL RAGUENOT-LALLEZ-MILLER (CH. HAUT BEYZAC), Le Parc, 33180 Vertheuil, contact@vignoblesraguenot.fr V r.-v.

B CH. LA LAGUNE 2016 ★★

■ 3e cru clas.	130000		50 à 75 €

81 82 83 85 86 88 (89) 90 91 93 94 |95| |96| 97 |98| 99 |(00)| |01| |02| |04| 05 06 |07| 08 09 10 11 12 13 14 15 16

Premier cru classé rencontré par le visiteur arrivant de Bordeaux par la route des vins du Médoc, ce château a été racheté en 2000 par Jean-Jacques Frey, homme d'affaires déjà détenteur de maisons prestigieuses en Champagne et dans la vallée du Rhône. De notoriété ancienne, La Lagune associe une élégante chartreuse du XVIII^e^s., de superbes chais, un vaste vignoble (110 ha dont 75 pour le grand vin) et un terroir de choix – de fines graves sablonneuses. Autant d'atouts mis en valeur par une équipe dynamique autour de Caroline Frey, fille du propriétaire et œnologue du domaine depuis 2004. Le domaine est certifié bio depuis le millésime 2016.

Un beau millésime de garde. Si l'élevage est encore très présent, on sent que ce vin possède le volume, la densité et le potentiel tannique qui lui permettront de s'épanouir à la garde et d'exprimer pleinement son élégance aromatique, pour l'heure centrée autour des fruits et des épices. ⧗ 2024-2030

SCA CH. LA LAGUNE, 33290 Ludon-Médoc, tél. 05 57 88 82 77, contact@chateau-lalagune.com r.-v.

CH. LAROSE PERGANSON 2016 ★

■ Cru bourg. | 167 200 | | 15 à 20 €

Avec plus de 200 ha, on sort du cadre de l'exploitation familiale. Constituant la plus vaste unité du Médoc, les vignobles de Larose Trintaudon et de Larose Perganson, jouxtant à l'ouest des crus de Saint-Julien, ont été mis en valeur à partir de 1838. Depuis 1986, ils appartiennent à un assureur, le groupe Allianz. Autre étiquette depuis 2007, le Ch. Arnauld.

D'un rubis intense et soutenu, ce vin se développe avec une belle cohérence. Les notes toastées et confites du bouquet préparent à la découverte de la complexité du palais. La souplesse de ce dernier autorise une dégustation après deux ans de garde seulement. ⧗ 2021-2025 ■ **Cru bourg. Ch. Larose-Trintaudon 2016 (11 à 15 €; 1009 600 b.)** : vin cité. ■ **Cru bourg. Ch. Arnauld 2016 (20 à 30 €; 59 500 b.)** : vin cité.

SA VIGNOBLES DE LAROSE, rte de Pauillac, CS_30200, 33112 Saint-Laurent-Médoc, tél. 05 56 59 41 72, info@vignoblesdelarose.com V *t.l.j. sf sam. dim. 9h-12h30 14h-17h30*

CH. LARRIVAUX 2016 ★

■ | 60 000 | | 15 à 20 €

Établi à l'ouest de Saint-Estèphe, ce domaine de 75 ha se transmet dans la même famille depuis... 1580. Il est dirigé depuis 2005 par Bérangère Tesseron, héritière d'une longue lignée de femmes. Son époux, Basile Tesseron, est le propriétaire de Lafon-Rochet, cru classé tout proche. Les deux vignobles sont toutefois autonomes.

Encore un peu fermé, ce 2016 se cherche sur le plan aromatique. En revanche, comme le laisse deviner l'intensité de la robe rubis, il montre par sa puissante structure tannique qu'il a tout pour tirer profit d'un séjour en cave. ⧗ 2024-2028

SARL DES DOMAINES CARLSBERG, Ch. Larrivaux, 23-25, rte de Larrivaux, 33250 Cissac-Médoc, tél. 05 56 59 58 15, contact@larrivaux.com V *r.-v.*

CH. DE LAUGA 2016 ★

■ Cru artisan | 40 000 | | 8 à 11 €

Installé en 2007, Charles Brun représente la septième génération de vignerons à la tête de ce cru artisan fondé en 1898, dont le vignoble couvre 9 ha sur un terroir de graves garonnaises.

Toujours fidèle à la diversité de l'encépagement avec un peu de petit verdot et de carménère, ce cru propose un vin résolument moderne avec beaucoup de finesse, tant dans les tanins denses et mûrs que dans les arômes de fruits mûrs. ⧗ 2022-2027

EARL C. BRUN (CH. DE LAUGA), 13, chem. de la Rue, 33460 Cussac-Fort-Médoc, tél. 05 56 58 92 83, chateau@lauga.com V *t.l.j. sf dim. 9h-12h30 13h30-18h*

CH. LESTAGE SIMON 2016 ★

■ Cru bourg. | 88 504 | | 15 à 20 €

La Société fermière des Grands Crus de France est la structure spécialisée dans le Bordelais du groupe Grands Chais de France. Son œnologue Vincent Cachau vinifie le fruit de quinze propriétés représentant quelque 500 ha dans les différentes AOC bordelaises.

Sans chercher à rivaliser avec le 2011, coup de cœur, ce 2016 est tout à fait à la hauteur de la solide réputation du cru. Tant par son bouquet de fruits mûrs mariés à un boisé certes présent, mais respectueux, que par sa matière dense, aux tanins soyeux. ⧗ 2022-2026 ■ **Ch. Troupian 2016 ★ (11 à 15 €; 169 441 b.)** : du fruit, celui du merlot, c'est-à-dire des notes de baies noires cueillies à maturité. Du boisé aussi, aux accents grillés. Décidément, ce vin commence à bouqueter. Il se fait soyeux au palais grâce à des tanins fins et laisse le souvenir durable des flaveurs fruitées. ⧗ 2022-2025

SCEA SOCIÉTÉ FERMIÈRE DES GRANDS CRUS DE FRANCE, Ch. du Cartillon, 33460 Lamarque, tél. 05 57 98 07 20, vcachau@lgcf.fr

♥ CH. MALESCASSE 2016 ★★

■ Cru bourg. | 67 122 | | 20 à 30 €

2016 CHÂTEAU MALESCASSE HAUT-MÉDOC

Huit fenêtres avec huit carreaux : le nombre huit régit l'architecture du château. Édifié en 1824 sur le point le plus élevé de Lamarque, il commande un vignoble de 40 ha implanté sur une croupe de graves blanches, entre Margaux et Saint-Julien-Beychevelle. Il a été racheté en 2012 à la famille Tesseron par l'entrepreneur Philippe Austruy et son groupe Gema Viticole.

Valeur sûre et reconnue, ce cru se distingue avec ce 2016 que tout destine à une belle garde et qui égale son devancier de 2015, lui aussi élu coup de cœur. Certes, on serait tenté de profiter sans attendre de son séduisant bouquet inscrit dans le registre floral. Mais ses tanins aussi puissants que veloutés invitent à la patience, comme le volume de sa matière ou sa complexité aromatique. Autant de promesses de superbes découvertes à venir. ⧗ 2023-2030 ■ **Le Moulin Rose de Malescasse 2016 ★ (11 à 15 €; 30 000 b.)** : à l'aération, c'est toute la palette d'un vin encore dans sa jeunesse qui se déploie : des fruits rouges et noirs à l'envi, soutenus par un boisé bien intégré. Du volume, ce vin en possède assurément. De la structure aussi. Le temps lui sera donc favorable. ⧗ 2023-2026 ■ **La Closerie de Malescasse 2016 (11 à 15 €; 30 000 b.)** : vin cité.

SARL CH. MALESCASSE, 6, chem. du Moulin-Rose, 33460 Lamarque, tél. 05 56 58 90 09, contact@chateau-malescasse.com V *r.-v.* 5

CH. DE MALLERET 2016 ★★

■ Cru bourg. | 94 600 | 🍷 | 15 à 20 €

Une très belle propriété familiale dont les origines remontent à la fin du XVIᵉs. Acquise en 1860 par les Classmann, importants négociants depuis le XVIIIᵉs., elle est toujours aux mains de leurs descendants. Elle s'offre le luxe de posséder aux portes de Bordeaux un immense parc (290 ha), de magnifiques écuries – son célèbre haras a été ressuscité – et un imposant château de la fin du XIXᵉs. Les vignes couvrent 57 ha.

Des sensations intenses, voilà ce que promet ce 2016. La robe grenat semble éclatante dans le verre, et les arômes de fruits rouges épicés y sont prolixes. Au palais, la matière se développe progressivement jusqu'à une longue finale, les tanins soyeux s'enveloppant d'un fruité mûr. ⧗ 2024-2030 ■ **Le Baron de Malleret 2016 ★ (8 à 11 €; 32 000 b.)** : un vin rond, charnu et bien construit, tout en arômes de fruits des bois et de vanille de Madagascar. Il fait imaginer à un dégustateur un accord avec une tarte fine fraises-basilic. ⧗ 2022-2026

SCEA MALLERET, 476, chem. de Malleret, 33290 Le Pian-Médoc, tél. 05 56 35 05 36, contact@chateau-malleret.fr V r.-v.

LE BENJAMIN DE MAROJALLIA 2016 ★

■ | n.c. | 🍷 | 8 à 11 €

Clos Margalaine et Marojallia à Margaux, Bouqueyran à Moulis, Rose Sainte-Croix à Listrac, Benjamin de Margalaine en haut-médoc, les domaines Philippe Porcheron regroupent plusieurs crus médocains (167 ha en production) qui offrent une belle collection de vins et d'étiquettes dans différentes appellations.

En 2016, Philippe Porcheron a eu l'idée d'un haut-médoc aux accents marjolliens (de «Margaux»). Lors de la séance à l'aveugle, les dégustateurs ont souligné la délicatesse des senteurs de fruits noirs, nuancées de vanille et d'eucalyptus. Puis ils ont relevé la souplesse et la persistance de la matière, avant de conclure sur la belle construction de l'ensemble. ⧗ 2022-2026

SARL DES GRANDS CRUS, 102, rte d'Avensan, Lioulet, 33480 Moulis-en-Médoc, tél. 05 56 58 35 77, chateau@marojallia.com V r.-v.

CH. MAUCAMPS 2016 ★★

■ Cru bourg. | 80 000 | 🍷 | 15 à 20 €

Giscours, Cantemerle, il suffit de nommer les voisins de ce cru macalais pour deviner qu'il possède un terroir de choix. De fait, celui-ci (33 ha) est composé de belles graves garonnaises. D'origine aristocratique, la propriété, constituée au XVIIIᵉs., appartient à la famille Tessandier depuis 1954.

Grenat, dense, brillante et limpide : la robe est un bon avant-propos de ce que sera la dégustation. Assez intense et complexe (fruits noirs, fraise des bois, framboise, épices et tabac), le bouquet ouvre un premier chapitre captivant. Nul n'aurait envie de passer les pages trop vite... Car ce vin dense mais soyeux, au bel épilogue, mérite d'être savouré. Nous vous laissons le soin d'en refaire la lecture dans quelques années. ⧗ 2023-2028 ■ **Cru bourg. Ch. Dasvin-Bel-Air 2016 ★ (11 à 15 €; 48 000 b.)** : un joli vin de garde, puissant et riche d'arômes (fruits rouges et noirs légèrement boisés). ⧗ 2023-2028

SARL CH. MAUCAMPS, 19, av. de la Libération, 33460 Macau, tél. 05 57 88 07 64, maucamps@wanadoo.fr V *t.l.j. sf sam. dim. 9h-12h 14h-17h*

♥ CH. MAURAC 2016 ★★

■ Cru bourg. | 60 000 | 🍷 | 11 à 15 €

Issu de la réunion de deux propriétés et de quelques parcelles avoisinantes, ce vignoble de 16 ha est établi à Saint-Seurin-de-Cadourne, non loin de Saint-Estèphe. Il a été repris en 1998 par MM Gaudin et Leroy.

Habillé d'une robe grenat profond, presque noir, ce vin intrigue autant qu'il promet. Mais il rassure bientôt par la fraîcheur et la complexité de son bouquet de fleurs et de fruits mûrs (framboise et cerise), aux délicates notes vanillées. Puissante, soyeuse et tellement persistante, la bouche se porte garante de l'avenir de cette superbe bouteille de garde. ⧗ 2024-2030

SCEA CH. MAURAC, Le Trale, 33180 Saint-Seurin-de-Cadourne, tél. 05 57 88 07 64, bureau.vitigestion@orange.fr V r.-v.

CH. DU MONT 2016 ★

■ | 10 832 | 🍷 | 15 à 20 €

Issu d'une lignée de viticulteurs médocains, Patrick Bouey, à la tête d'un négoce familial basé à Ambarès, acquiert en 1998 les châteaux La France Delhomme (28 ha), Maison Blanche (31 ha) et Lestruelle (27 ha aujourd'hui) sur le plateau de Saint-Yzans et d'Ordonnac, complétés en 2015 par le Ch. du Mont.

Un joli vin dont la robe, entre pourpre et rubis, est animée de reflets brillants. Les notes de fruits noirs (cassis) et de toast donnent un côté chaleureux au bouquet, tandis que le palais, à la fois souple et assez puissant, témoigne de bonnes dispositions pour la garde. ⧗ 2023-2027

SARL FAMILLE BOUEY VIGNOBLES ET CHÂTEAUX, 3, rue de Lamena, 33340 Saint-Yzans-de-Médoc, tél. 05 56 09 05 01, contact@bouey-maisonblanche.fr V r.-v.

CH. PEYRAT-FOURTHON 2016 ★★

■ Cru bourg. | 38 000 | 🍷 | 15 à 20 €

Relais de chasse à la fin du XVIIIᵉs., planté au XIXᵉs. par le maire de Saint-Laurent-Médoc, ce cru proche des AOC communales saint-julien et pauillac a été acheté en 2004 par Pierre Narboni, qui l'a agrandi. Aujourd'hui, 23 ha d'un seul tenant, sur des terrains argilo-calcaires et des graves, et un vin qui a pris ses marques dans le Guide.

Belle expression d'un terroir de qualité, ce vin annonce la couleur par la belle trame de sa robe grenat à liseré vif. Frais et jeune, son bouquet de cassis légèrement boisé révèle déjà de la complexité. De beaux tanins dessinent la structure d'une matière ample et ronde, qui ne se dépare pas de son élégance jusqu'à la longue finale. ⌛ 2023-2030

SARL DOM. CH. TOUR FOURTHON, 1, allée Fourthon, 33112 Saint-Laurent-Médoc, tél. 01 56 58 67 67, pn@peyrat-fourthon.com V r.-v.

CH. PONTAC-PHÉNIX 2016 ★

■	4100		15 à 20 €

À l'origine, un pavillon de chasse construit pour le comte de Lynch en 1720, d'où sa situation en bordure des palus. Le vignoble de 10 ha – dont 2 ha dédiés à l'appellation haut-médoc et au Ch. Pontac-Phénix – se trouve quant à lui sur des graves, voisinant avec les châteaux Margaux et Palmer. La famille Bondon en est propriétaire depuis 1952. Le vignoble est en conversion biologique depuis 2017.

Classique dans sa présentation, ce vin devient étonnant au palais : souple et discret dans son attaque, il se développe ensuite très promptement et explose en arômes de fruits rouges. Bien construit, il peut être apprécié dès à présent tout en présentant un bon potentiel. ⌛ 2020-2026

GFA DU CH. PONTAC-LYNCH, 28, rte du Port-d'Issan, 33460 Cantenac, tél. 05 57 88 30 04, chateau-pontac-lynch@orange.fr V r.-v.

CH. DU RAUX 2016 ★

■ Cru bourg.	90000		8 à 11 €

À l'écart des grandes routes, entre le village et la Gironde se dresse une bâtisse du XVIIIe s. entourée par un vignoble d'une vingtaine d'hectares planté sur un terroir de graves.

S'il est un peu sévère en finale, ce vin laisse le dégustateur sur le souvenir d'une réelle élégance : robe brillante, bouquet de fruits rouges légèrement toastés, palais harmonieux et bien construit. ⌛ 2022-2026

SCI DU RAUX, 1, lieu-dit Le Raux, 33460 Cussac-Fort-Médoc, tél. 05 56 58 91 07, chateau.du.raux@orange.fr V r.-v.

CH. DE SAINTE-GEMME 2016 ★

■	70000		8 à 11 €

«Pierre précieuse» (gemme), c'est ainsi que ce terroir de graves garonnaises est considéré. La famille Bouteiller, également propriétaire du Ch. Lanessan, a racheté ce domaine en 1962.

Assez soutenue, la robe met en confiance, tandis que le bouquet, encore un peu discret, reste sur les notes primaires. Au palais, le vin s'exprime pleinement : intense, suffisamment frais, bien équilibré, il s'appuie sur une belle structure tannique qui lui garantit un bon vieillissement. ⌛ 2023-2028

SCEA DELBOS BOUTEILLER (CH. DE SAINTE-GEMME), Lanessan, 33460 Cussac-Fort-Médoc, tél. 05 56 58 94 80, infos@lanessan.com V r.-v. E

♥ CH. SAINT-PAUL 2016 ★★

■ Cru bourg.	119000		11 à 15 €

Propriété d'une vingtaine d'hectares d'un seul tenant, les châteaux Saint-Paul (haut-médoc) et Saint-Pierre de Corbian (saint-estèphe) sont situés à cheval sur les communes de St-Seurin-de-Cadourne et Saint-Estèphe. Depuis 1979, ils appartiennent aux familles Beguerre et Lacaze.

Résolument traditionnel, ce 2016 ne fait pas dans la demi-mesure. Très expressif, son bouquet fait la part belle aux baies noires bien mûres. Puissante et longue, la structure témoigne elle aussi du très bon potentiel de cette bouteille des plus réussies. ⌛ 2023-2030

SC DU CH. SAINT-PAUL, Ch. Saint-Paul, 33180 Saint-Seurin-de-Cadourne, tél. 05 56 59 34 72, chateaustpaul@orange.fr V r.-v.

CH. SÉGUR 2016 ★

■	70000		11 à 15 €

Au début du XVIIe s. les Ségur ont fait bâtir un château sur l'île d'Arès, un îlot de la Garonne aujourd'hui rattaché à la rive gauche du fleuve. Le vignoble planté à l'époque forme une belle unité d'un seul tenant de 39 ha, conduit depuis 1959 par la famille Grazioli.

Le cru fait une belle entrée dans le Guide avec ce 2016 représentatif de l'appellation par son équilibre. Encore un peu fermé, le bouquet montre cependant une certaine complexité. La matière bien construite laisse une impression harmonieuse. ⌛ 2022-2025

SCEA DU CH. SÉGUR, rue de Ségur, 33290 Parempuyre, tél. 05 56 35 28 25, accueil.commercial@chateau-segur.fr V *t.l.j. sf sam. dim. 8h-12h 13h30-17h30* D

CH. SÉNÉJAC 2016 ★

■	194000		15 à 20 €

Commandé par une demeure du XVIIe s., ce cru aux portes de Bordeaux intéressera les passionnés d'histoire et de patrimoine, mais aussi ceux de mystérieux, car jadis ce château avait la réputation d'être hanté... Un domaine resté longtemps aux mains de la famille Comte de Guignié, de 1860 à 1999, date d'acquisition par les Cordier (Ch. Talbot), toujours aux commandes. Le vignoble couvre 40 ha.

Pas de mystère, en revanche, dans ce vin. Issu d'un joli terroir et d'un assemblage diversifié, il allie une bonne structure aux tanins soyeux à un bouquet assez complexe : fruits rouges, sous-bois et épices. ⌛ 2023-2026

SAS CH. SÉNÉJAC, allée Saint-Seurin, 33290 Le Pian-Médoc, tél. 05 56 70 20 11, chateau@senejac.com V *t.l.j. 8h30-12h 14h-16h30*

CH. SOCIANDO-MALLET 2016 ★★

■ | 342426 | | 30 à 50 €

(82) 85 86 88 89 90 91 93 (95) (96) 97 (98) 99 (00) 01 02 03 04 |05| |06| |07| |09| |10| |11| |12| |13| 14 15 16

Au XVIIe s., une terre noble appartenant à une famille basque, les Sossiando. Confisquée à la Révolution, elle a connu plusieurs propriétaires. À la fin du siècle dernier, Jean Gautreau a mis en lumière son potentiel. Courtier chez Miailhe, il crée sa société à la fin des années 1950 pour vendre des vins dans le Benelux. Un client le charge de trouver une propriété avec un beau terroir. Il découvre Sociando-Mallet : dominant l'estuaire, une superbe croupe de graves sur sous-sol argileux. Le client ne donnant pas suite, il l'achète pour lui en 1969, le restructure, l'agrandit (à l'origine 5 ha, aujourd'hui 83), bâtit un chai. Non classé, c'est un des crus qui compte dans l'appellation.

En 2016, les Gautreau et leur équipe n'ont pas hésité à étaler les vendanges sur tout un mois. Et le résultat est là avec un vin remarquable qui tient toutes les promesses d'une robe rubis profond. Aussi intense que complexe, le bouquet rehausse les parfums de fruits rouges mûrs de notes de fumée et de grillé. Imposant sans jamais se montrer agressif, le palais est aussi gourmand et prometteur que le bouquet. ⧗ 2024-2030

SCEA JEAN GAUTREAU, rte de Mapon, 33180 Saint-Seurin-de-Cadourne, tél. 05 56 73 38 80, contact@sociandomallet.com V r.-v.

CH. TOUR BEL AIR Passion 2016 ★

■ Cru artisan | 2000 | | 15 à 20 €

Ce petit cru artisan de 7,5 ha a été repris en 2006 par trois anciens camarades de classe, réunis vingt ans plus tôt plus tôt à Paris.

Une fois encore, ils nous prouvent leur passion pour la vigne et le vin en signant un 2016 expressif aux notes toastées qui renforcent les fruits rouges. La matière puissante et bien équilibrée repose sur de jolis tanins qui ne demandent qu'à se fondre. ⧗ 2023-2028 ■ **Cru artisan Prestige 2016 (8 à 11 €; 12000 b.)** : vin cité.

SCEA BDM, 28, rte de Lucrabey, 33250 Cissac-Médoc, tél. 06 31 83 06 90, c.tourbelair@orange.fr V r.-v.

CH. LA TOUR CARNET 2016 ★

■ 4e cru clas. | 600000 | | 20 à 30 €

83 85 86 (88) 89 90 93 94 (96) 97 98 99 00 01 02 03 04 05 06 07 |08| |09| |10| |11| 12 16

La rencontre d'une tour et de douves médiévales avec un logis du siècle des Lumières aurait pu aboutir à un mélange étrange. Bien au contraire, il en résulte un ensemble fort harmonieux. Depuis 2000, ce château et son vaste vignoble (112 ha) établi sur un splendide terroir de graves est l'un des quatre crus classés de Bernard Magrez, homme d'affaires collectionneur de vignobles.

S'il reste un peu dur en finale, ce vin présente une certaine originalité dans son expression aromatique avec des notes de chocolat en poudre qui s'ajoutent à celles, plus classiques, de fruits rouges et de vanille. D'une bonne longueur et s'appuyant sur une imposante charpente tannique, le palais témoigne du solide potentiel de cette bouteille. ⧗ 2023-2030

SC BERNARD MAGREZ (CH. LA TOUR CARNET), rte de Beychevelle, 33112 Saint-Laurent-Médoc, tél. 05 56 73 30 90, latour@latour-carnet.com V *t.l.j. 10h-16h*

CH. TOUR DU HAUT MOULIN 2016 ★

■ Cru bourg. | 58500 | | 15 à 20 €

Installé en 1987 à 500 m du Fort-Médoc à Cussac, Lionel Poitou a succédé à cinq générations sur ce domaine fondé en 1870. Il exploite 10 ha de vignes en haut-médoc, entre les AOC margaux et saint-julien.

Fidèle à sa tradition et à l'esprit du Médoc, Lionel Poitou cherche davantage la finesse que la puissance. Le résultat est un vin qui séduit par son intensité aromatique (fruits rouges et noisette), soulignée par un bois bien dosé, comme par l'harmonieux équilibre de son palais. ⧗ 2022-2026

SCEA CH. TOUR DU HAUT MOULIN, 24, av. du Fort-Médoc, 33460 Cussac-Fort-Médoc, tél. 05 56 58 91 10, contact@chateau-tour-du-haut-moulin.com V *t.l.j. sf sam. dim. 9h15-11h45 14h15-17h30*

CH. DE VILLEGEORGE 2016 ★

■ | 22400 | | 20 à 30 €

Œnologue, Marie-Laure Lurton a repris en 1992 la tête de trois domaines médocains de son père Lucien : La Tour de Bessan (margaux), Duplessis (moulis) et Villegeorge (haut-médoc). Ce dernier, réputé dès le XVIIIe s., a été acquis en 1973 par Lucien Lurton. Il couvre aujourd'hui 15 ha sur un terroir de graves profondes à Avensan, au sud de Moulis.

Rond et bien équilibré, ce 2016 aux tanins fondus développe une structure dont la finesse s'harmonise parfaitement avec la délicatesse du bouquet aux notes fruitées et grillées. ⧗ 2022-2026

SC DES GRANDS CRUS RÉUNIS, 1, chem. de la Tuilerie, 33480 Avensan, tél. 05 56 58 22 01, contact@marielaurelurton.com V r.-v.

CH. LES VIMIÈRES 2016 ★★

■ | 8600 | | 11 à 15 €

En 1984, Jacques Boissenot, œnologue à Lamarque, a acquis, à Soussans, une parcelle de moins de 46 ares de merlot fort bien située sur un plateau de graves d'appellation margaux. Un cru de poche aujourd'hui conduit par son fils Éric.

Comme le margaux l'an dernier, ce micro-cru fait une superbe entrée dans le Guide en appellation haut-médoc avec ce vin que nos dégustateurs ont qualifié d'exemplaire. La classe du bouquet (airelle, boisé fin, touche beurrée) se retrouve dans une bouche ample, dense et longue, alliant gras et fraîcheur. ⧗ 2023-2028

INDIVISION BOISSENOT (CH. LES VIMIÈRES), 47, rue Principale, 33460 Lamarque, tél. 06 83 51 72 72, ec.boissenot@wanadoo.fr V r.-v.

LISTRAC-MÉDOC

Superficie : 635 ha / Production : 25 205 hl

Correspondant exclusivement à la commune éponyme, listrac-médoc est l'appellation communale la plus éloignée de l'estuaire. Original, son terroir correspond au dôme évidé d'un anticlinal, où l'érosion a créé une inversion de relief. À l'ouest, à la lisière de la forêt, se développent trois croupes de graves pyrénéennes, dont les pentes et le sous-sol souvent calcaire favorisent le drainage naturel des sols. Le centre de l'AOC, le dôme évidé, est occupé par la plaine de Peyrelebade, aux sols argilo-calcaires. Enfin, à l'est s'étendent des croupes de graves garonnaises.

Le listrac est un vin vigoureux; toutefois, contrairement au style d'autrefois, sa robustesse n'implique plus aujourd'hui une certaine rudesse. Si certains vins restent un peu durs dans leur jeunesse, la plupart contrebalancent leur force tannique par leur rondeur. Tous offrent un bon potentiel de garde, jusqu'à quinze ans dans les grands millésimes.

CH. CAP LÉON VEYRIN 2016 ★

■ Cru bourg. | 96000 | | 15 à 20 €

Authentique famille médocaine enracinée dans la région depuis 1810, les Meyre figurent parmi les pionniers du tourisme viti-vinicole (on ne parlait pas encore d'œnotourisme à l'époque dans la presqu'île). En 2010, Nathalie et Julien Meyre ont repris les crus familiaux (55 ha) : le Ch. Cap Léon Veyrin, berceau familial en listrac-médoc, et les châteaux Julien et Bibian, en haut-médoc, acquis à la fin des années 1980.

À nouveau, les Meyre font honneur à leur appellation originelle avec ce beau listrac. Ample et harmonieux, celui-ci développe une matière bien structurée, qui met en valeur la jolie expression des arômes de fruits rouges très mûrs et de réglisse. 2021-2026

SCEA VIGNOBLES ALAIN MEYRE, 54, rte de Donissan, 33480 Listrac-Médoc, tél. 05 56 58 07 28, contact@vignobles-meyre.com V *t.l.j. sf sam. dim. 9h-17h*

CH. CLARKE 2016 ★★

■ | 200000 | | 30 à 50 €

86 **88** 89 **90 95 96** 97 **98 99 00 01 02 03 04 05 06 07 08** |**09**| |**10**| |11| |12| **13** 14 **16**

Plantée au Moyen Âge par des Cisterciens dépendant de l'abbaye de Vertheuil, la vigne est fort ancienne sur ce cru situé dans la plaine de Peyrelebade. Acquis en 1973 par le Baron Edmond de Rothschild, qui y a entrepris de très importants travaux de rénovation, il dispose d'un vignoble de 55 ha établi sur un terroir calcaire et argilo-calcaire, qui se distingue par son encépagement à forte proportion de merlot (70 %). Un pilier de l'appellation listrac.

Comme toujours, le Clarke revêt beaucoup d'élégance, tant dans sa robe entre rubis et grenat que dans son bouquet empreint de fruits rouges mûrs. Souple en attaque, ample, puissant et bien équilibré, il possède une solide structure tannique qui lui ouvre de belles perspectives de garde. 2023-2030

SAS EXPLOITATION VINICOLE BARON EDMOND DE ROTHSCHILD, Ch. Clarke, 33480 Listrac-Médoc, tél. 05 56 58 38 00, contact@edrh-wines.com V *t.l.j. sf sam. dim. 9h-12h 14h-17h*

CH. FONRÉAUD 2016 ★

■ | 150000 | | 15 à 20 €

«Fonréaud», autrefois «Font-réaux», signifie «fontaine royale» : la légende veut qu'au XIIe s., le roi d'Angleterre, époux d'Aliénor d'Aquitaine, Henri II Plantagenêt, se soit arrêté en ces lieux pour se désaltérer à une source. Le domaine a été acquis en 1962 par Léo Chanfreau, viticulteur rapatrié d'Algérie, dont le fils Jean et son épouse Marie-Hélène sont aux commandes depuis 1981. Le vignoble couvre 45 ha en listrac (Fonréaud), moulis (Chemin Royal, Clos des Demoiselles) et bordeaux blanc (Cygne de Fonréaud).

Dans ce millésime, ce cru réputé joue la carte de la finesse. Celle-ci s'exprime dans la robe rubis à reflets violets comme dans les arômes de fruits rouges. Souple et équilibré, le palais s'appuie sur des tanins bien fondus. 2021-2025

SC CH. FONRÉAUD, 33480 Listrac-Médoc, tél. 05 56 58 02 43, contact@vignobles-chanfreau.com V *t.l.j. 9h-12h 14h-17h; sam. dim. sur r.-v.*

CH. LESTAGE 2016 ★

■ Cru bourg. | 190000 | | 15 à 20 €

Les Chanfreau, viticulteurs rapatriées d'Algérie, possèdent plusieurs crus dans le Médoc, gérés aujourd'hui par Jean Chanfreau, ingénieur agronome, avec son épouse Marie-Hélène et sa sœur Caroline Chanfreau-Philippon. Encadrant la route de Soulac, un peu avant le bourg de Listrac en arrivant de Bordeaux, les domaines de Fonréaud et Lestage présentent la particularité de posséder deux châteaux de style Napoléon III (de l'architecte Garros pour le premier). Les deux crus, de même que le Clos des Demoiselles, acquis en 1962, possèdent un beau terroir de graves pyrénéennes avec des calcaires et argilo-calcaires pour Lestage. En 1981, les Chanfreau ont également acquis le Ch. Caroline en AOC moulis-en-médoc (6 ha).

Grenat assez soutenu, ce listrac joue les ténébreux, et cela lui va bien. Boisé dominant, toasté et grillé, volume de la matière et tanins bien campés, finale persistante : il affiche un caractère affirmé. 2022-2026

SC CH. LESTAGE, 33480 Listrac-Médoc, tél. 05 56 58 02 43, contact@vignobles-chanfreau.com V *t.l.j. 9h-12h 14h-17h; sam. dim. sur r.-v.*

CH. MARTINHO 2016 ★★

■ | 11471 | | 20 à 30 €

D'origine portugaise, Miguel Martinho Afonso a travaillé dans plusieurs grands crus médocains avant de créer en 2001 son entreprise de travaux viticoles et d'acquérir sept ans plus tard une petite vigne (1,5 ha) à Listrac qu'il exploite en parallèle de son activité de prestataire pour les grands crus médocains. Quelque peu agrandi (2,8 ha), le cru s'est doté en 2018 d'un nouveau chai.

Une robe aussi intense que brillante, un bouquet de fruits rouges et noirs (cassis), une chair ample et élégante, soutenue par des tanins fondus : un listrac qui permet de réviser ses classiques tout en se faisant plaisir. ⧗ 2022-2028

MIGUEL MARTINHO AFONSO (CH. MARTINHO), 13, rte du Port, 33460 Lamarque, tél. 05 56 58 95 81, contact@chateaumartinho.com V r.-v.

CH. MAYNE LALANDE 2016 ★

■ | 70000 | | 20 à 30 €

Issu d'une famille d'agriculteurs de Listrac, Bernard Lartigue a créé le Ch. Mayne Lalande en 1982; un domaine qui s'étend aujourd'hui sur 22 ha à l'ouest de la commune, à l'orée de la pinède, complété depuis par les 5 ha de vignes du Ch. Myon de l'Enclos dans l'appellation « sœur », moulis-en-médoc.

Fidèle à l'esprit médocain, Bernard Lartigue propose un vin privilégiant l'élégance. Celle-ci s'exprime notamment dans le bouquet de fruits rouges, nuancé de notes de cacao et de café grillé. Ronde et souple, la matière s'appuie sur des tanins bien fondus qui laissent une impression d'harmonie. ⧗ 2021-2026

SAS LES CINQ SENS DU CH. MAYNE LALANDE, 7, rte du Mayne, 33480 Listrac-Médoc, tél. 05 56 58 27 63, blartigue2@wanadoo.fr V t.l.j. sf sam. dim. 9h-12h30 14h-17h30 5

CH. REVERDI 2016 ★

■ Cru bourg. | 38000 | | 11 à 15 €

La famille Thomas est propriétaire en listrac depuis 1953 et trois générations. Installés en 2003, Mathieu et sa sœur Audrey conduisent le domaine. Leur vignoble de 30 ha se distingue par une proportion importante de petit verdot. Deux étiquettes : Reverdi et L'Ermitage.

Revêtu d'une robe rubis vif et intense, ce vin joue la carte de la délicatesse avec des notes de fruits rouges mûrs, accompagnées d'un discret boisé. Au palais, frais, rond et bien équilibré, il laisse apparaître une touche de noisette. Les tanins déjà fondus autorisent un service prochain. ⧗ 2021-2026 ■ **Cru bourg. Ch. l'Ermitage 2016 (11 à 15 €; 31600 b.)** : vin cité.

EARL VIGNOBLES THOMAS, 11, rte de Donissan, 33480 Listrac-Médoc, tél. 05 56 58 02 25, contact@chateaureverdi.fr V t.l.j. sf dim. 9h-12h 14h-18h

CH. ROSE SAINTE-CROIX 2016 ★

■ | 21000 | | 11 à 15 €

Clos Margalaine et Marojallia à Margaux, Bouqueyran à Moulis, Rose Sainte-Croix à Listrac, Benjamin de Margalaine en haut-médoc, les domaines Philippe Porcheron regroupent plusieurs crus médocains (167 ha en production) qui offrent une belle collection de vins et d'étiquettes dans différentes appellations.

Soutenu par une belle structure, ce vin rond et velouté s'ouvre sur une jolie finale. Il sait mettre en valeur ses arômes fruités tout au long de la dégustation. ⧗ 2020-2024

SARL DES GRANDS CRUS, 102, rte d'Avensan, Lioulet, 33480 Moulis-en-Médoc, tél. 05 56 58 35 77, chateau@marojallia.com V r.-v.

CH. SARANSOT-DUPRÉ 2016 ★

■ Cru bourg. | 60000 | | 15 à 20 €

Propriété des Raymond depuis 1875, un cru familial très régulier en qualité. Son vignoble de 17 ha est implanté sur des sols argilo-calcaires comparables à ceux de Saint-Émilion, ce qui explique la présence notable du merlot et du cabernet franc (accompagnés du cabernet-sauvignon et d'un soupçon de petit verdot et de carmenère). Deux étiquettes de listrac ici : Saransot-Dupré et Pérac.

Un élevage en barrique bien maîtrisé apporte sa contribution (notes d'épices) au bouquet élégant et complexe, dans un profond respect des arômes de fruits rouges mûrs. La matière ronde s'appuie sur des tanins fins, si bien que l'impression d'harmonie reste en mémoire. ⧗ 2022-2026

SC CH. SARANSOT-DUPRÉ, 4, Grande-Rue, 33480 Listrac-Médoc, tél. 05 56 58 03 02, y@saransot-dupre.com V t.l.j. sf sam. dim. 8h30-12h30 14h-18h

CH. VIEUX MOULIN 2016 ★★

■ Cru bourg. | 39912 | | 15 à 20 €

Pendant longtemps, la cave de Listrac, fondée en 1935, a été choisie par la prestigieuse Compagnie internationale des Wagons-Lits pour figurer sur la carte des vins des voitures-restaurants. Cela a valu une réelle célébrité à la coopérative qui, par sa production (40 adhérents, 160 ha) et par les crus indépendants qu'elle vinifie, joue encore son rôle de locomotive dans l'appellation. Elle propose aussi des moulis.

Fabienne et Christophe Duphil, viticulteurs au bord de Listrac, n'ont pas à regretter d'avoir confié leurs raisins à la « coop ». Frais, gourmand avec des arômes de fraise et de myrtille, bien structuré et équilibré, leur vin a tout ce qu'on attend d'un listrac. ⧗ 2023-2028 ■ **Cru bourg. Ch. Capdet 2016 ★ (15 à 20 €; 44543 b.)** : un joli vin, bien construit et aromatique (fruits noirs et rouges). ⧗ 2022-2026 ■ **Caravelle 2016 ★ (15 à 20 €; 6320 b.)** : de la gourmandise que ce vin rond et souple, qui flatte les sens par ses arômes de fruit, doucement soulignés de touches d'épices et de noix de coco. Les tanins fins se sont totalement fondus. Rien ne sert d'attendre. ⧗ 2019-2023

SCA VIGNERONS ASSOCIÉS MOULIS, LISTRAC ET CUSSAC-FORT-MÉDOC, 21, av. de Soulac, 33480 Listrac-Médoc, tél. 05 56 58 03 19, contact@vigneronsassocies.com V t.l.j. 8h30-12h 14h-18h

MARGAUX

Superficie : 1 490 ha / Production : 60 900 hl

Margaux est le seul nom d'appellation à être aussi un prénom féminin. Est-ce un hasard? Si les margaux présentent une excellente aptitude à la garde, ils se distinguent des autres grandes appellations communales médocaines par leur délicatesse que soulignent des arômes fruités d'une agréable finesse. Ils constituent l'exemple même des bouteilles tanniques généreuses et suaves.

Leur originalité tient à de nombreux facteurs. Les aspects humains ne sont pas à négliger. À l'écart de Saint-Julien, de Pauillac et de Saint-Estèphe, les viticulteurs margalais ont moins privilégié le

cabernet-sauvignon : tout en restant minoritaire, le merlot prend ici une importance accrue. Par ailleurs, l'appellation, la plus vaste des communales du Médoc, s'étend sur le territoire de cinq communes : Margaux et Cantenac, Soussans, Labarde et Arsac. Dans chacune d'elles, seuls les terrains présentant les meilleures aptitudes vitivinicoles font partie de l'AOC. Le résultat est un terroir homogène composé d'une série de croupes de graves. Celles-ci s'articulent en deux ensembles : à la périphérie se développe un système faisant penser à une sorte d'archipel continental, dont les «îles» sont séparées par des vallons, ruisseaux ou marais tourbeux; au cœur de l'appellation, dans les communes de Margaux et de Cantenac, s'étend un plateau de graves blanches, d'environ 6 km sur 2, découpé en croupes par l'érosion. C'est dans ce secteur que sont situés nombre des 21 grands crus classés de l'appellation.

CH. BELLEVUE DE TAYAC 2016 ★

■ Cru bourg. | 20000 | | 30 à 50 €

Héritier d'une lignée au service du vin, Vincent Fabre conduit plusieurs châteaux médocains (92 ha en tout), dont Bellevue de Tayac, 4 ha en margaux, depuis 2014. Ici, pas de château au sens classique du terme, mais une façade de chai composée d'une trame de lames de cuivre doré et d'Inox, d'un treillis à reflets multicolores qui évoluent au fil des heures, des nuages et de la végétation.

Bien équilibré, ce vin se montre plaisant par son bouquet intense et complexe, comme par sa matière à la fois fraîche et ronde. Il saura tirer profit de la garde pour exprimer tout son potentiel. ⧗ 2023-2027 ■ **Ch. Carreyre 2016 ★ (20 à 30 €; 14000 b.)** : un vin encore marqué par le bois, mais non dénué d'élégance dans son bouquet très élégant comme dans sa bonne charpente tannique. Quelques années de garde lui suffiront pour s'affiner. ⧗ 2021-2025

DOMAINES FABRE, rte de Pauillac, 33460 Soussans, tél. 05 56 59 58 16, info@domaines-fabre.com V r.-v.

♥ CH. BOYD-CANTENAC 2016 ★★★

■ 3e cru clas. | 36000 | | 50 à 75 €

(82) **83 85 86 88** 89 **90 95** 96 97 **98 99 00** 02 03 04 |**05**| |**06**| |07| |08| (09) **10** 11 **13 14** 15 (16)

Un beau terroir de graves siliceuses maigres (17 ha), un encépagement diversifié, intégrant le petit verdot, et une famille aux solides racines médocaines, les Guillemet (propriétaires depuis 1932). Ces derniers ne sacrifient pas aux modes et visent l'équilibre et la finesse dans leurs vins. Un grand cru authentique, créé en 1754 par un négociant de Belfast, conduit depuis 1996 par l'œnologue et agronome Lucien Guillemet.

Le terroir de graves siliceuses sur l'excellent plateau de Cantenac-Margaux, l'encépagement diversifié dans la tradition médocaine et l'enracinement cantenacais des Guillemet expliquent le caractère de ce margaux d'exception. Ample, puissant, concentré et d'une belle complexité aromatique (fruits rouges et noirs, réglisse), il saura faire du temps son meilleur allié pour intégrer l'apport du bois. ⧗ 2024-2035 ■ **La Croix de Boyd-Cantenac 2016 (20 à 30 €; 30000 b.)** : vin cité.

SCE CH. BOYD-CANTENAC, 11, rte de Jean-Fauré, 33460 Cantenac, tél. 09 61 62 55 63, administration@boyd-cantenac.fr V r.-v.

L'AURA DE CAMBON LA PELOUSE 2016

■ | 3000 | | 30 à 50 €

Avec les châteaux Cambon la Pelouse (acquis en 1996) et Trois Moulins, Jean-Pierre Marie, après une longue première carrière dans la grande distribution, a acquis en 1996 deux beaux domaines en haut-médoc, disposant d'un terroir de graves de grande qualité. Deux crus aujourd'hui dotés d'équipements performants, complétés en 2001 par un petit vignoble en appellation margaux (L'Aura de Cambon la Pelouse).

S'il est un peu dominé par le bois, ce vin à la puissante charpente laisse augurer une bonne évolution dans le temps : il développera ainsi les qualités naissantes de son bouquet, fin et élégant, et s'assouplira. ⧗ 2022-2027

SCEA CAMBON LA PELOUSE, 5, chem. de Canteloup, 33460 Macau, tél. 05 57 88 40 32, contact@cambon-la-pelouse.com V r.-v.

CH. CANTENAC BROWN 2016 ★★

■ 3e cru clas. | 100000 | | 50 à 75 €

82 83 85 86 88 89 (90) **91 92 93 94 95 96** 97 **98** 99 00 **02 03 04** |05| |06| |07| |08| **09 10 11 12** 13 **14 15 16**

Commandé par un imposant château de style néo-Tudor construit au XIXe s. par le peintre animalier écossais John Lewis Brown, ce domaine – 48 ha plantés sur de belles graves au cœur de l'appellation – a connu une seconde jeunesse d'abord grâce au groupe Axa, et, depuis 2006, sous l'impulsion de la famille Halabi, qui en a confié la direction à José Sanfins.

À Cantenac-Brown, comme un peu partout à Margaux, en 2016 on a pris son temps pour vendanger. Cette précaution a été payante. En témoigne ce vin qui annonce ses ambitions par l'intensité et la profondeur de sa robe. Rond et souple en attaque, ample et long, soutenu par une bonne structure tannique et un bois de qualité, il met en valeur son bouquet fruité très persistant. ⧗ 2022-2030

SAS CH. CANTENAC BROWN, 33460 Margaux, tél. 05 57 88 81 81, contact@cantenacbrown.com V r.-v.

♥ CH. CHANTELUNE 2016 ★★

■ | 9000 | | 20 à 30 €

José Sanfins, directeur et vinificateur du Ch. Cantenac Brown, cru classé de Margaux, a constitué un petit vignoble personnel : 1 ha en haut-médoc (Ch. du Moulin) et environ 2,50 ha en margaux (Ch. Chantelune).

Grâce à un méticuleux travail de jardinage et de véritable artisanat, José Sanfins nous confirme – si besoin était – son talent et son savoir-faire. Impeccable dans sa présentation, ce 2016 débute timidement, mais il explose bientôt en un feu d'artifice de fruits rouges, de cassis et de boisé grillé. Tout aussi tentateur, le palais révèle un beau volume porté par des tanins veloutés. Une grande bouteille en perspective. ⧗ 2022-2028

SCEA CH. CHANTELUNE, 14, chem. du Vieux-Chêne, 33460 Lamarque, sanfinsjose@gmail.com r.-v.

CLOS DES QUATRE VENTS 2016 ★

■	4200		30 à 50 €

Les Vignobles des Quatre Vents appartiennent depuis 2014 au groupe chinois Liaoning Wunushan Interwines, qui possède aussi des vignes en Chine. Leur nom provient de la situation des vignes au sommet d'une butte balayée par les vents.

Sous une robe rubis, limpide et brillante, ce vin fait preuve d'une réelle élégance dans son bouquet fruité plein de fraîcheur. Assez souple en attaque et bien typé margaux par ses tanins soyeux, il possède suffisamment de puissance pour attendre en cave; la finale achèvera alors de s'arrondir. ⧗ 2023-2026

SCEA VIGNOBLES DES QUATRE VENTS, Bois de Campion, 33460 Margaux, tél. 05 56 58 97 90, contact@clos4vents.net V t.l.j. sf sam. dim. 8h-12h 13h-17h

CH. DAUZAC 2016 ★★

■ 5ᵉ cru clas.	120000		50 à 75 €

82 83 85 86 88 89 (90) 92 93 **95 96 97 98 99 00** 01 **02** 03 |**04**| |**05**| |**06**| |07| |08| |09| 10 11 **12** 13 14 15 **16**

Après des heures glorieuses au XIXᵉs., ce cru a sombré dans la léthargie dans la première moitié du XXᵉs., avant de renaître grâce aux Miailhe, venus de Siran, aux Châtelier, arrivés de Champagne, et enfin, en 1989, à la MAIF qui a confié en 1992 la gestion à André Lurton. La fille de ce dernier, Christine Lurton Bazin de Caix, a dirigé le domaine entre 2005 et 2013. Laurent Fortin l'a remplacée et en 2014, André Lurton a cédé sa participation à la MAIF. Le vignoble compte 45 ha d'un seul tenant.

Intense et profonde, la robe cerise laisse espérer un vin riche. La puissance du bouquet aux notes de fruits mûrs, rouges et noirs, répond positivement à cette attente. Portée par des tanins soyeux, bien équilibrée, ample et d'une bonne complexité aromatique, la bouche se porte garante de l'avenir de ce 2016. ⧗ 2023-2030 ■ **Aurore de Dauzac 2016 (20 à 30 €; 110000 b.)** : vin cité.

SAS SE CH. DAUZAC, 1, av. Georges-Johnston, 33460 Labarde, tél. 05 57 88 32 10, contact@chateaudauzac.com V r.-v.

CH. DEYREM VALENTIN 2016 ★

■ Cru bourg.	71000		20 à 30 €

Si à Margaux beaucoup de petits crus ont disparu, rachetés par des classés, certains vignobles familiaux résistent, comme celui-ci, très ancien (1730), qui s'étend sur 15 ha à Soussans. Il est conduit depuis 1972 par Jean Sorge, épaulé par la cinquième génération (ses filles Sylvie et Christelle). Un domaine qui se singularise par un encépagement diversifié.

Sans être d'une grande puissance, ce vin possède un joli bouquet aux notes fruitées et boisées qui s'accorde heureusement à la souplesse et à la rondeur du palais. L'ensemble est très plaisant. ⧗ 2021-2024

SCEA DES VIGNOBLES JEAN SORGE, 1, rue Valentin-Deyrem, 33460 Soussans, tél. 05 57 88 35 70, contact@chateau-deyrem-valentin.com V r.-v.

CH. DES EYRINS 2016 ★

■	15000		30 à 50 €

En 2009, Éric Grangerou, héritier de trois générations de maîtres de chai à Ch. Margaux, a passé les rênes de cette petite exploitation de 3 ha aux Gonet-Médeville du Ch. les Justices, à Sauternes.

Si la finale de ce 2016 est encore austère, la couleur intense et brillante, les arômes de toast, de café, de chocolat et de fruits, ainsi que le palais à la fois frais, charnu et ample dessinent un bon potentiel d'évolution. ⧗ 2023-2027

SCEA JULIE GONET-MÉDEVILLE (CH. DES EYRINS), 26, rue du Gal-de-Gaulle, 33460 Margaux, tél. 05 56 76 28 44, contact@gonet-medeville.com r.-v.

CH. LA FORTUNE 2016 ★

■ Cru bourg.	19866		20 à 30 €

La Société fermière des Grands Crus de France est la structure spécialisée dans le Bordelais du groupe Grands Chais de France. Son œnologue Vincent Cachau vinifie le fruit de quinze propriétés, représentant 390 ha dans les différentes AOC bordelaises.

Complexe et élégant, ce vin se veut d'un discret classicisme dans sa présentation rubis et dans son bouquet mêlant les notes toastées aux fruits rouges. Son caractère s'affirme plus nettement au palais et en finale : apparaît alors une matière structurée, bien équilibrée et concentrée. ⧗ 2022-2026

SCEA SOCIÉTÉ FERMIÈRE DES GRANDS CRUS DE FRANCE (CH. LA FORTUNE), Ch. du Cartillon, 33460 Lamarque, tél. 05 57 98 07 20, vcachau@lgcf.fr

CH. GISCOURS 2016 ★★

■ 3ᵉ cru clas.	280000		50 à 75 €

82 83 85 (86) **88 89** 90 91 **93** 94 97 98 **99 00 01** 02 03 04 |**05**| |06| |07| |08| **09 10** 11 12 14 15 **16**

Giscours est l'un des plus vastes domaines du Médoc (100 ha), commandé par un château monumental, construit par la famille des comtes de Pescatore, des banquiers, pour accueillir l'impératrice Eugénie lorsqu'elle se rendait dans sa villégiature de Biarritz. Très représentatif du grand cru médocain par ses bâtiments, Giscours l'est aussi par son beau terroir de graves profondes, d'une grande homogénéité. Ce troisième cru classé de margaux possède également des parcelles en appellation haut-médoc pour deux étiquettes : Ch. Duthil et le Haut-Médoc de Giscours.

Animée par de beaux reflets brillants, la robe d'un rubis profond met en confiance. Plus timide de prime abord, le bouquet s'ouvre bien à l'aération, exprimant la maturité du raisin. Ample, riche et rond, le palais s'appuie sur de beaux tanins serrés mais fins et sur un boisé parfaitement maîtrisé. Un margaux sérieux, intense, bâti pour une longue garde. ⧗ 2023-2030

SAS SE CH. GISCOURS, 10, rte de Giscours, 33460 Labarde, tél. 05 57 97 09 09, giscours@chateau-giscours.fr V r.-v. 5

B QUINTESSENCE DU CH. DES GRAVIERS 2016

■	2000		30 à 50 €

Christophe Landry est le représentant de la cinquième génération sur ce domaine de 14 ha, qu'il a repris au milieu des années 1990. Depuis 2009, il s'est engagé dans la biodynamie.

Cuvée de prestige du cru, ce 2016 se montre plaisant par son bouquet aux fraîches notes fruitées comme par son palais ample, rond, charmeur et suffisamment bien bâti pour tirer profit de la garde. ⧗ 2022-2026

EARL CH. DES GRAVIERS, 52, rue du Gravier, 33460 Arsac, tél. 05 56 58 89 11, chateau.des.graviers@orange.fr V *r.-v.*

CH. HAUT BRETON LARIGAUDIÈRE Le Créateur 2016 ★

■	12000		75 à 100 €

Le Belge Émile de Schepper a investi dans le vignoble bordelais à partir de 1950. En plus de sa maison de négoce (De Mour), la famille exploite aussi aujourd'hui une cinquantaine d'hectares en propre : en Médoc, le Ch. Haut Breton Larigaudière (margaux), le Ch. Tayet et le Ch. Lacombe Cadiot (bordeaux supérieur); en saint-émilion, Tour Baladoz et Croizille.

Ce vin rubis associe un riche bouquet (petits fruits rouges, vanille et café torréfié) à un palais puissant qui témoigne d'une extraction bien menée. L'ensemble tiendra ses promesses dans le temps. ⧗ 2022-2027 ■ **Ch. du Courneau 2016** ★ (15 à 20 €; 18000 b.) : un bouquet encore un peu fermé, mais un palais bien constitué et souple grâce à des tanins fondus. ⧗ 2021-2024

SCEA CH. HAUT BRETON LARIGAUDIÈRE, 3, rue des Anciens-Combattants, 33460 Soussans, tél. 05 57 88 94 17, contact@de-mour.com V *t.l.j. 10h-17h*

CH. D'ISSAN 2016 ★

■ 3e cru clas.	100000		50 à 75 €

82 **83 85 86 88** 89 90 93 94 95 96 98 99 **00** 01 02 03 04 |05| |**06**| 07 |08| 09 10 11 **12** 13 **14 15** 16

Château fort médiéval d'un côté, manoir du XVIIe s. de l'autre, ce cru classé marie les styles et les époques avec une réelle harmonie, que l'on retrouve dans le chai et sa charpente en forme de carène de navire. Aux commandes depuis 1945, la famille Cruse – associée depuis 2013 à Jacky Lorenzetti, déjà solidement implanté en Médoc – conduit un vignoble de 55 ha planté sur un beau terroir argilo-graveleux au cœur de l'appellation.

Avançant avec élégance dans une belle robe rouge assez soutenu, ce vin développe un bouquet discret mais plaisant de fruits rouges. Arômes que l'on retrouve dans un palais frais, équilibré, soutenu par des tanins serrés encore assez sévères. ⧗ 2023-2028 ■ **Blason d'Issan 2016 (20 à 30 €; 120000 b.)** : vin cité.

SC CH. D' ISSAN, BP_5, 33460 Cantenac, tél. 05 57 88 35 91, issan@chateau-issan.com V *r.-v.*

CH. KIRWAN 2016

■ 3e cru clas.	95000		50 à 75 €

82 83 **85** (86) 88 **89 93** 94 **95 96** 97 98 **99** 00 01 **02 03** 04 |**05**| |**06**| |**07**| |08| (09) 10 **11** 12 **14** 15 16

Commandé par une belle demeure du XIXe s. entourée d'un parc de 2 ha aux arbres centenaires, le domaine dispose de 37 ha de vignes en haut du plateau de Cantenac, terroir de choix s'il en est, implantées pour les deux tiers sur une croupe de graves autour du château, et sur des terres plus argileuses, à l'ouest. Propriété depuis 1926 des Schÿler, l'une des plus anciennes familles du négoce bordelais (XVIIIe s.), Kirwan – du nom de son premier propriétaire irlandais – est aussi l'un des hauts lieux de l'œnotourisme médocain.

De jolis reflets mauves éclairent la robe sombre de ce 2016 tout en fraîcheur et en retenue. Au boisé épicé répondent quelques notes de fruits noirs (myrtille), tandis que le palais se développe en rondeur sur une trame de tanins fins. Un bon classique. ⧗ 2022-2028

SA SCHRÖDER ET SCHŸLER ET CIE (CH. KIRWAN), 33460 Cantenac, tél. 05 57 88 71 00, mail@chateau-kirwan.com V *r.-v.*

CH. LABÉGORCE 2016 ★

■	120000		20 à 30 €

Bel édifice néoclassique s'élevant au milieu de son vignoble, à la sortie de Margaux et en direction de Pauillac, ce cru a bénéficié d'importants investissements depuis son achat par la famille Perrodo en 1989, également propriétaire du Ch. Marquis d'Alesme. La fusion en 2009 avec le Ch. Labégorce Zédé lui a permis de retrouver son vignoble d'origine (70 ha), celui d'avant le partage de 1794. Nathalie Perrodo-Samani a pris les commandes des propriétés familiales en 2006, après le décès de son père Hubert.

Aux beaux reflets de la robe, entre pourpre et rubis, s'ajoute un bouquet sur le fruit, intense et complexe. Une présentation bien séduisante. Le palais se développe harmonieusement, frais, doté de tanins bien présents, mais élégants. ⧗ 2022-2027

SC CH. LABÉGORCE, rte de Labégorce, 33460 Margaux, tél. 05 57 88 71 32, contact@labegorce.com V *r.-v.*

CH. LASCOMBES 2016 ★★

■ 2e cru clas.	300000		50 à 75 €

82 83 **85** (86) **88 89 90 95 96** 97 98 00 **02** 03 **04** |**05**| |**06**| |**07**| |08| |**09**| (10) **11 12** 13 **14 15 16**

Fondé au XVe s. par le chevalier Antoine de Lascombes, acquis en 1952 par Alexis Lichine, puis par le négoce Bass & Charrington en 1971, ce cru s'est assoupi jusqu'à son rachat en 2001 par le fonds d'investissement américain Colony Capital. Un grand

programme a été mis en place sous la conduite de Dominique Befve, ancien des domaines Rothschild, pour rénover ce vaste vignoble de 130 ha très morcelé. Lascombes, racheté en 2011 par la MACSF, a aujourd'hui retrouvé son rang.

Après un coup de cœur l'an dernier, Lascombes nous offre un 2016 très expressif. Son bouquet joue sur les notes de fruits rouges et noirs qui s'accordent bien avec celles, grillées, du bois pour composer un ensemble séduisant. Riche et complexe, avec de solides tanins et quelques touches confites, la matière apporte un indice convaincant du potentiel de garde remarquable de ce margaux très racé. ⧗ 2024-2030 ■ **Chevalier de Lascombes 2016 ★ (30 à 50 €; 200000 b.)** : très rond et souple, un "second" bien fait qui permettra d'attendre son "grand frère". ⧗ 2021-2024

SA CH. LASCOMBES, 1, cours de Verdun, 33460 Margaux, tél. 05 57 88 70 66, contact@chateau-lascombes.fr V r.-v.

CH. MALESCOT SAINT-EXUPÉRY 2016

■ 3e cru clas.	119700		30 à 50 €

82 **83 85 86 88** 89 90 **94 95 96 98 99** |**00**| 02 **03** 04
|05| |06| |(07)| |**08**| (09) **10 11** 12 13 **15** 16

Un nom double et prestigieux pour ce cru, la première partie faisant référence à Simon Malescot, conseiller de Louis XIV et propriétaire du domaine à la fin du XVIIes., et la seconde à l'arrière-grand-père du célèbre aviateur. Doté d'un beau terroir de graves épaisses, jouxtant ceux des châteaux Margaux et Palmer, le vignoble (28 ha) est, depuis 1955, la propriété des Zuger, originaires de Suisse, qui lui ont redonné sa grandeur d'antan.

Une belle présentation pour ce vin dont la robe brille dans le verre et dont le bouquet est agrémenté de notes de fruits, de toasts et d'épices. Au palais se dégage une solide structure tannique qui laisse une petite impression austère en finale, comme pour rappeler que patience est vertu. ⧗ 2023-2030 ■ **La Dame de Malescot 2016 (20 à 30 €; 63500 b.)** : vin cité.

SCEA CH. MALESCOT SAINT-EXUPÉRY, 16, rue Georges-Mandel, 33460 Margaux, tél. 05 57 88 97 20, malescotsaintexupery@malescot.com V r.-v.

LE MARGAUX DU CH. DE MALLERET 2016 ★

■	12000		20 à 30 €

Une très belle propriété familiale dont les origines remontent à la fin du XVIes. Acquise en 1860 par les Classmann, importants négociants depuis le XVIIIes., elle est toujours aux mains de leurs descendants. Elle s'offre le luxe de posséder aux portes de Bordeaux un immense parc (290 ha), de magnifiques écuries – son célèbre haras a été ressuscité – et un imposant château de la fin du XIXes. Les vignes couvrent 57 ha.

L'équipe de Malleret a privilégié le côté élégant dans ce vin. À la complexité du bouquet, fruité, vanillé et floral, s'ajoutent la rondeur, le gras et le volume du palais pour former un ensemble représentatif de l'appellation. ⧗ 2023-2028

SCEA MALLERET, 476, chem. de Malleret, 33290 Le Pian-Médoc, tél. 05 56 35 05 36, contact@chateau-malleret.fr V r.-v.

♥ CH. MARGAUX 2016 ★★★

■ 1er cru clas.	n.c.	+ de 100 €

61 70 71 75 78 **79** 80 **81** |(82)| **83 84** |**85**| |**86**| **87** |**88**| |**89**|
|**90**| **91 92** |**93**| |**94**| |(95)| |(96)| |**97**| |(98)| |(99)| |(00)| |**01**| |**02**|
|**03**| |**04**| (05) (06) **07** (08) (09) (10) **11** (12) **13 14** (15) (16)

Un mythe dressé au bout d'une longue allée de platanes. La majesté de la demeure de style néo-palladien (bâtie en 1810), qui a succédé à une ancienne maison forte appartenant à de grandes familles de la région, a contribué à sa renommée. Le domaine est constitué à la fin du XVIes., et le vignoble créé à la fin du siècle suivant par un parent des Pontac. Passé entre plusieurs mains au fil des siècles, il est acquis en 1977 par André Mentzelopoulos (Felix Potin). Drainage, replantations, tonnellerie intégrée... une vaste rénovation du domaine est engagée, à la vigne, au chai et au château, et fait entrer le cru dans l'ère moderne. Le nouveau chai, œuvre de Norman Foster, a été inauguré en 2015. Le vignoble de 99 ha doit aussi sa qualité à son terroir d'exception, une vaste et superbe dalle calcaire recouverte de graves fines. Il est conduit depuis 1980 par Corinne Mentzelopoulos, fille d'André, qui a pu compter pendant plus de trente ans sur Paul Pontallier, entré en 1983 au château et devenu directeur en 1990 : une carrière qui s'est hélas achevée prématurément en mars 2016. Ingénieur agronome, Philippe Bascaules, qui a travaillé vingt ans au château avant de diriger un grand domaine californien, le remplace en 2017.

Un margaux d'anthologie, dont on pourra suivre l'évolution sur des décennies. À cette heure profond, complexe et élégant, il développe un bouquet aux fines notes de bois de santal, qui s'ouvre progressivement sur le fruit mâtiné de nuances florales. Une grande fraîcheur souligne une bouche encore contenue, ample, rigoureuse, mais déjà l'on perçoit la délicatesse des tanins et la persistance des flaveurs. ⧗ 2025-2040

SCA DU CH. MARGAUX, BP 31, 33460 Margaux, tél. 05 57 88 83 83, chateau-margaux@chateau-margaux.com

PAVILLON ROUGE DU CH. MARGAUX 2016 ★★

■	n.c.		+ de 100 €

82 83 84 85 86 88 89 90 93 95 96 97 98 99 00 01
|02| |**03**| |04| |**05**| |**06**| |07| |08| **09 10 11 12 13 14 15 16**

Le deuxième vin de Ch. Margaux. Apparu au XIXes., il prend son nom définitif en 1908 et n'est plus produit à partir des années 1930 jusqu'à l'arrivée d'André Mentzelopoulos en 1977. Il n'a cessé de croître afin d'améliorer la qualité du «premier» : il est issu des vins non retenus, lors des assemblages, pour le grand vin. Depuis quelques années, la sélection d'un troisième vin vient renforcer la qualité du Pavillon.

Un margaux à la fois structuré et élégant, qui trouve un parfait équilibre entre la matière ample, empreinte de générosité, et des tanins serrés, au grain fin, ainsi qu'une juste fraîcheur, deux composantes garantes de l'avenir.

Des arômes chaleureux de fruits mûrs, de bois de cèdre et de boîte à cigares, puis des nuances de rose et d'humus à l'aération apportent confirmation de la maturité remarquable du raisin. ⧗ 2024-2030

SCA DU CH. MARGAUX (PAVILLON ROUGE), BP 31, 33460 Margaux, tél. 05 57 88 83 83, chateau-margaux@chateau-margaux.com

CH. MARQUIS DE TERME 2016 ★

■ 4e cru clas.	130000		30 à 50 €

82 (83) **85 86 89** 90 93 **94 95** 96 97 **98** 99 (00) 01 02 03 04 **05** 06 |**08**| |**09**| **10 11 12 13** 14 15 16

À cheval sur les communes de Margaux et de Cantenac, ce cru fondé en 1762 est propriété de la famille Sénéclauze depuis 1935. Aux commandes du vignoble de 40 ha, un nouveau directeur depuis 2009, Ludovic David, ingénieur agronome qui a fait ses armes dans le Libournais, chez Bernard Magrez. En 2019, un restaurant s'est ouvert en complément des activités touristiques proposées.

Pourpre intense, ce vin se montre timide au nez, mais non dénué de complexité, car il joue sur des notes de fruits noirs et d'épices. Plus expressif, le palais possède une réelle classe grâce à l'élégance de ses tanins. ⧗ 2023-2028 ■ **La Couronne de Marquis de Terme 2016 (20 à 30 €; 40000 b.)** : vin cité.

SAS CH. MARQUIS DE TERME, 3, rte de Rauzan, 33460 Margaux, tél. 05 57 88 30 01, mdt@chateau-marquis-de-terme.com V r.-v.

GALLEN DE CH. MEYRE 2016

■	11000		30 à 50 €

Les Chinois ne sont pas les seuls à s'intéresser au bordeaux : cette ancienne propriété, commandée par un petit château typiquement médocain du XIXes. (devenu un hôtel trois étoiles), est depuis 1998 la propriété d'un homme d'affaires thaïlandais, Pracha Hetrakul. De nouveaux chais ont été aménagés en 2007, et le vignoble de près de 19 ha est conduit en bio certifié depuis 2011.

Paré d'une robe vive, limpide et brillante, ce vin est encore marqué par le bois dans son expression aromatique. Mais derrière, on sent pointer des notes de fruits mûrs qui pourront se développer. La matière puissante et bien équilibrée saura affronter le temps. ⧗ 2023-2027

SAS CH. MEYRE, 16, rte de Castelnau, 33480 Avensan, tél. 05 56 58 10 77, chateau.meyre@wanadoo.fr V r.-v.

CH. MONGRAVEY Cuvée Mongravey 2016 ★

■	3000		50 à 75 €

La famille Bernaleau est propriétaire de plusieurs crus dans la partie sud du Médoc, dont le plus connu est le Ch. Mongravey en margaux, constitué en 1981. Dernier-né (2011), le Ch. Galland est un microcru (à peine 1 ha) en moulis, situé sur l'un des plus hauts points du Médoc, au pied d'un ancien moulin médiéval.

La jeunesse de ce vin transparaît dans les beaux reflets rubis qui éclairent la robe sombre et dans le bouquet toujours sur le fruit, nuancé de quelques notes toastées. Puissant, équilibré et long, le palais confirme le potentiel de cette jolie bouteille, tout en se montrant déjà agréable grâce à ses tanins fondus. ⧗ 2021-2027

SARL MONGRAVEY, 8, av. Jean-Luc-Vonderheyden, 33460 Arsac, tél. 05 56 58 84 51, chateau.mongravey@wanadoo.fr V r.-v.

CH. MOUTTE BLANC 2016 ★

■ Cru artisan	2500		20 à 30 €

À la tête d'un petit domaine de 5,5 ha dans le haut Médoc, en amont de Margaux, Patrice de Bortoli a un faible pour le petit verdot, cépage exclusif de sa cuvée Moisin en bordeaux supérieur, bien présent également dans sa cuvée principale. On retrouve aussi régulièrement le domaine en haut-médoc. Depuis 2007, date du classement d'une petite parcelle de 50 ares de merlot, le vigneron propose aussi du margaux.

Patrice de Bortoli bichonne sa parcelle de merlot comme en témoigne ce fort joli vin. Au bouquet frais et expressif répond un palais rond, ample et charnu. Ainsi se dessine un ensemble équilibré, aussi complexe que persistant. ⧗ 2022-2026

CH. MOUTTE BLANC, 6, imp. de la Libération, 33460 Macau, tél. 06 03 55 83 38, moutteblanc@wanadoo.fr V r.-v.

CH. PALMER 2016 ★★

■ 3e cru clas.	100000		+ de 100 €

82 83 84 **85** (86) **88 89 90 91 92 93 94 95 96 97 98 99 00** |**01**| |**02**| |**03**| |04| |**05**| |**06**| |**07**| **08 09** (10) **11 12 13** 14 **15 16**

L'histoire veut que le général britannique Charles Palmer ait, lors d'un voyage en France en 1814, succombé au charme de Marie de Gascq, qui cherchait preneur pour son cru médocain. Palmer était né. Suivent en 1853 les frères Pereire, banquiers influents qui édifient le château actuel et développent le vignoble, puis, à partir de 1938, les familles Mähler-Besse, Sichel, Miailhe et Ginestet (ne restent plus que les deux premières). Géré depuis 2004 par Thomas Duroux, ce 3e cru classé, souvent considéré comme un « super-second », étend ses 66 ha sur les moutonnements de Cantenac.

Un bouquet intense et complexe qui se développe harmonieusement à l'aération; une structure ample et puissante s'appuyant sur des tanins fins et soyeux. Toutes les composantes habituelles du cru se retrouvent dans ce 2016 au potentiel remarquable, qui tient largement les promesses de sa superbe robe, intense et profonde. ⧗ 2024-2032

SC DU CH. PALMER, 33460 Cantenac, tél. 05 57 88 72 72, chateau-palmer@chateau-palmer.com r.-v.

CH. PAVEIL DE LUZE 2016

■ Cru bourg.	225000		20 à 30 €

Remontant au XVIIes., un vaste château possédant une roseraie et un vignoble de 32 ha d'un seul tenant, implanté sur les graves garonnaises du plateau de Soussans. Le baron Alfred de Luze a acquis en 1862

la propriété, gérée depuis 2016 par une de ses descendantes, Marguerite de Luze.

Tentateur dans sa jolie robe rouge cerise intense, ce vin développe un bouquet encore sur le fruit. Le bois fait son apparition au palais, lequel se fait plaisant par sa rondeur et intéressant par sa longueur. 2022-2026

SC DU CH. PAVEIL, 3, chem. du Paveil, 33460 Soussans, tél. 09 75 64 57 97, contact@chateaupaveildeluze.com V r.-v.

CH. POUGET 2016 ★★★

4e cru clas.	18000		30 à 50 €

85 86 88 89 90 92 94 95 96 97 98 99 00 **01** 02 03 04 05 06 |07| |08| |09| 10 11 12 13 14 **15** ⑯

Réputé de longue date pour ses vins – le maréchal-duc de Richelieu en vantait les vertus au XVIIIe s. (son blason est toujours apposé sur l'étiquette) –, ce cru de 10 ha, classé en 1855, est entré dans la famille Guillemet (Boyd-Cantenac) en 1906. Lucien Guillemet est aux commandes depuis 1996.

Très jeune dans sa robe à reflets violets, ce vin est très «margaux» par son bouquet aux fines notes fruitées que soutient un bois bien dosé. Tout aussi typé, le palais révèle beaucoup de volume, des tanins soyeux et une belle complexité aromatique. Le mariage fruits, tanins et bois est parfait, comme la finale, longue et puissante. 2024-2032

SCE CH. POUGET, 11, rte de Jean-Faure, 33460 Cantenac, tél. 05 57 88 90 82, guillemet.lucien@wanadoo.fr V r.-v.

CH. RAUZAN-SÉGLA 2016 ★

2e cru clas.	160000		50 à 75 €

82 **83 85** ㊱ **88 89 90** 91 **92 93 94 95** ㊾ **97** ㊿ **99** ⓪ |**01**| |**02**| **03 04 05** |**06**| |**07**| |**08**| **09 10 11 12** |13| **14 15** 16

L'un des crus les plus anciens de Margaux, créé en 1661 par Pierre de Rauzan. Cet ancien fief de la seigneurie de Ch. Margaux fut scindé en deux sous la Révolution, donnant Rauzan-Gassies et Rauzan-Ségla. Quelque peu endormi au cours du XXe s., le cru classé (une mosaïque de 70 ha aujourd'hui) s'est «réveillé» à partir de 1994, date de sa reprise par la famille Wertheimer (Chanel), qui a beaucoup investi, tant au château qu'à la vigne et au chai. Depuis, Rauzan-Ségla a retrouvé son rang, d'abord sous la direction de John Kolasa, aujourd'hui à la retraite, puis sous celle de Nicolas Audebert, revenu d'Argentine et du Cheval des Andes (LVMH) pour s'occuper des vignobles du groupe Chanel.

Encore un peu fermé lors de notre dégustation, le bouquet de fruits rouges et noirs laissait imaginer le profil aromatique futur de ce vin. Souple à l'attaque, sa bouche charnue, ronde et ample, s'adresse à des tanins fins et laisse un long souvenir. Un margaux de très grande garde. 2023-2030 ■ **Ségla 2016 ★ (30 à 50 €; 150000 b.)** : un vin rond et bien construit, avec beaucoup de finesse aromatique, notamment en finale. 2021-2026

SASU CH. RAUZAN-SÉGLA, rue Alexis-Millardet, 33460 Margaux, tél. 05 57 88 82 10, contact@rauzan-segla.com

S DE SIRAN 2016

■	30000		20 à 30 €

Ancienne propriété de l'arrière-grand-mère de Toulouse-Lautrec, le Ch. Siran est entré dans la famille Miailhe en 1859. Depuis 2007, c'est Édouard Miailhe qui en détient les clés. Le vignoble s'étend sur 36 ha : 9 ha en bordeaux supérieur, 2 ha en haut-médoc et 25 ha en margaux, au sud de l'aire d'appellation, sur le plateau de croupes graveleuses de Labarde; un terroir de grande qualité qui lui aurait sans doute valu d'intégrer le fameux classement de 1855 si les Miailhe étaient arrivés plus tôt.

Rubis soutenu, ce vin est un peu discret dans son premier bouquet, mais il prend de l'ampleur ensuite. Rond et souple, il s'appuie sur des tanins fondus et possède un bon équilibre. 2021-2023

SC CH. SIRAN, 13, av. du Comte-J.-B.-de-Lynch, 33460 Labarde, tél. 05 57 88 34 04, info@chateausiran.com V r.-v.

CH. TAYAC 2016 ★

■	100000		20 à 30 €

Anciennement rattaché au Ch. Desmirail, le cru date de 1891 et s'étend aujourd'hui sur 37 ha sur des croupes graveleuses à Soussans complantées classiquement de cabernet-sauvignon majoritaire, de merlot et de petit verdot. La quatrième génération est aux commandes.

Aussi agréable qu'expressif, le bouquet privilégie les fruits noirs mûrs. Le palais se fait plus complexe, progressant également en structure. Une bonne matière, ample et ronde, se développe ainsi. 2022-2026

SC CH. TAYAC, 5, rue des Chais, lieu-dit Tayac, 33460 Soussans, tél. 05 57 88 33 06, chateau.tayac@wanadoo.fr V *t.l.j. sf sam. dim. 8h30-12h30 14h-17h30*

CH. DU TERTRE 2016

5e cru clas.	100000		30 à 50 €

Unique cru classé de la commune d'Arsac, ce domaine, propriété d'Éric Albada-Jelgersma comme Giscours, s'étend sur 52 ha d'un seul tenant; il est situé, comme son nom l'indique, sur l'une des plus hautes croupes du Médoc.

Plus que la puissance, ce vin privilégie la finesse. Tant dans sa présentation que dans son développement au palais : il montre beaucoup de souplesse et une agréable rondeur. 2021-2025

SCEV CH. DU TERTRE, 14, allée du Tertre, 33460 Arsac, tél. 05 57 88 52 52, receptif@chateaudutertre.fr V r.-v. 5

CH. LES VIMIÈRES Le Tronquéra 2016 ★

■	2480		20 à 30 €

En 1984, Jacques Boissenot, œnologue à Lamarque, a acquis, à Soussans, une parcelle de moins de 46 ares de merlot fort bien située sur un plateau de graves d'appellation margaux. Un cru de poche aujourd'hui conduit par son fils Éric.

D'un grenat foncé, brillante, la couleur met en confiance. Si le bois est encore dominant, le bouquet se montre lui aussi prometteur par ses notes de fruits mûrs. Charnu et bien équilibré, le palais poursuit sur la même ligne, porté par des tanins fermes et élégants. ⧗ 2023-2028

INDIVISION BOISSENOT (CH. LES VIMIÈRES), 47, rue Principale, 33460 Lamarque, tél. 06 83 51 72 72, ec.boissenot@wanadoo.fr V r.-v.

MOULIS-EN-MÉDOC

Superficie : 630 ha / Production : 23 830 hl

Ruban de 12 km de long sur 300 à 400 m de large, moulis est la moins étendue des appellations communales du Médoc. Elle offre pourtant une large palette de terroirs.
Comme à Listrac, ceux-ci forment trois ensembles. À l'ouest, près de la route de Bordeaux à Soulac, le secteur de Bouqueyran présente une topographie variée, avec une crête calcaire et un versant de graves anciennes (pyrénéennes). Au centre, une plaine argilo-calcaire prolonge celle de Peyrelebade (voir listrac-médoc). Enfin, à l'est et au nord-est, près de la voie ferrée, se développent des croupes de graves du Günz (graves garonnaises) qui constituent un terroir de choix. C'est dans ce dernier secteur que se trouvent les buttes réputées de Grand-Poujeaux, Maucaillou et Médrac.
Charnus, les moulis se caractérisent par leur caractère suave et délicat. Tout en étant de garde (sept à huit ans), ils peuvent s'épanouir un peu plus rapidement que les vins des autres appellations communales.

CH. ANTHONIC 2016

■ | 141300 | | 15 à 20 €

Le cru s'est d'abord appelé Puy Minjon, puis Graves-Queytignan, avant de prendre, en 1922, son nom actuel. Une authentique propriété familiale, forte de 28 ha sur argilo-calcaires, dirigée depuis 1993 par Jean-Baptiste Cordonnier, ingénieur agronome, qui y a réalisé d'importants investissements à la vigne et au chai. Soucieux de biodiversité, ce dernier a planté des haies entre les parcelles et a engagé en 2016 la conversion bio de son domaine.

L'année 2016 s'inscrit dans la tradition du cru avec ce vin jouant la carte de l'amabilité et du charme. Souple et frais, avec même un côté acidulé, il se révèle équilibré et bien construit. ⧗ 2021-2024

SCEA PIERRE CORDONNIER (CH. ANTHONIC), rte du Maliney, 33480 Moulis-en-Médoc, tél. 05 56 58 34 60, contact@chateauanthonic.com V t.l.j. sf sam. dim. 9h-16h; mer. 11h-15h

CH. BISTON-BRILLETTE 2016 ★★

■ Cru bourg. | 123000 | | 15 à 20 €

Né en 1827, ce cru fut démembré pendant la crise des années 1930. En 1963, la marque et 5 ha de vignes sont achetés par la famille Lagarde, dont les héritiers, Christiane et Michel Barbarin, sont toujours aux commandes. La superficie du vignoble est aujourd'hui de 26,50 ha. Depuis 2015, le cru est certifié HVE3 et s'est engagé dans la démarche SME (système de management environnemental).

Intensité de la robe rubis, complexité du bouquet de fruits rouges mûrs, de moka et de vanille, puis volume et rondeur du palais jusqu'à une finale qui égrène les caudalies. Un remarquable ensemble qui allie potentiel et charme. ⧗ 2023-2029

EARL CH. BISTON-BRILLETTE, 91, rte de Tiquetorte, 33480 Moulis-en-Médoc, tél. 05 56 58 22 86, contact@chateaubistonbrillette.com V t.l.j. sf dim. 10h-12h 14h-18h; sam. 10h-12h

CH. CAROLINE 2016 ★

■ Cru bourg. | 39000 | | 11 à 15 €

Les Chanfreau, viticulteurs rapatriées d'Algérie, possèdent plusieurs crus dans le Médoc, gérés aujourd'hui par Jean Chanfreau, ingénieur agronome, avec son épouse Marie-Hélène et sa soeur Caroline Chanfreau-Philippon. Encadrant la route de Soulac, un peu avant le bourg de Listrac en arrivant de Bordeaux, les domaines de Fonréaud et Lestage présentent la particularité de posséder deux châteaux de style Napoléon III (de l'architecte Garros pour le premier). Les deux crus, de même que le Clos des Demoiselles, acquis en 1962, possèdent un beau terroir de graves pyrénéennes avec des calcaires et argilo-calcaires pour Lestage. En 1981, les Chanfreau ont également acquis le Ch. Caroline en AOC moulis-en-médoc (6 ha).

Ce vin joue joue la carte de la finesse. Il développe d'agréables arômes fruités après le premier bouquet encore boisé. Soutenu par une belle structure, le palais se développe avec ampleur et rondeur jusqu'à une longue finale. ⧗ 2024-2028

SC CH. LESTAGE, 33480 Listrac-Médoc, tél. 05 56 58 02 43, contact@vignobles-chanfreau.com V t.l.j. 9h-12h 14h-17h; sam. dim. sur r.-v.

CH. GALLAND 2016 ★★

■ | 5000 | | 15 à 20 €

La famille Bernaleau est propriétaire de plusieurs crus dans la partie sud du Médoc, dont le plus connu est le Ch. Mongravey en margaux, constitué en 1981. Dernier-né (2011), le Ch. Galland est un micro-cru (à peine 1 ha) en moulis, situé sur l'un des plus hauts points du Médoc, au pied d'un ancien moulin médiéval.

D'abord discret, ce vin ne tarde pas à révéler sa complexité aromatique avec des notes de fruits mûrs et d'épices. Riche, ample et bâtie sur des tanins de qualité, la matière témoigne d'une vinification bien maîtrisée à partir d'une vendange parfaitement mûre. ⧗ 2024-2029

SARL MONGRAVEY, 8, av. Jean-Luc-Vonderheyden, 33460 Arsac, tél. 05 56 58 84 51, chateau.mongravey@wanadoo.fr V r.-v.

CH. LA GARRICQ 2016

■ | 7500 | | 20 à 30 €

Un joli terroir sablo-graveleux entre les crus classés La Lagune et Cantemerle. Le Ch. Paloumey a connu des heures de gloire au XIXe s., avant de péricliter après la crise phylloxérique et de renaître au XXe s. À l'origine de sa résurrection, une femme, Martine Cazeneuve, viticultrice dans le Blayais ayant franchi

l'estuaire en 1990 pour acquérir ce cru qui avait perdu vignes et chai. Rejointe en 2014 par son fils Pierre, la vigneronne dispose aujourd'hui de 34 ha, en conversion bio. Autre étiquette : La Garricq en moulis.

Il flatte le regard ce 2016, puis les sens. Bouquet expressif (fruits noirs et bois), attaque souple, bouche bien équilibrée, offrant de la mâche et une longue finale. ⧗ 2023-2027

SA CH. PALOUMEY, 50, rue du Pouge-de-Beau, 33290 Ludon-Médoc, tél. 05 57 88 00 67, info@chateaupaloumey.com V r.-v.

CH. GRANINS GRAND POUJEAUX 2016

■ | 26000 | | 15 à 20 €

Créé par Édouard Batailley en 1922, le château est conduit par la troisième génération depuis 1993. Maryline et Pascal Bodin y exploitent plus de 13 ha de graves garonnaises caractéristiques du secteur de Poujeaux. En 1998, ils ont acquis au cœur du village de Moulis des bâtiments viticoles qu'ils ont rénovés.

Entre rubis et grenat, ce vin ne manque pas d'allure. Son bouquet aux fines notes de petites baies et de fleurs (lys) y contribue notablement. Du charme? Il en possède aussi grâce à son caractère frais et croquant au palais. ⧗ 2022-2025

SC CH. GRANINS GRAND POUJEAUX, 18, chem. de l'Ancienne-École, 33480 Moulis-en-Médoc, tél. 05 56 58 05 82, contact@chateau-granins.fr V *t.l.j. sf sam. dim. 10h-12h 14h-19h*

CH. GUITIGNAN 2016 ★

■ Cru bourg. | 47766 | | 15 à 20 €

Pendant longtemps, la cave de Listrac, fondée en 1935, a été choisie par la prestigieuse Compagnie internationale des Wagons-Lits pour figurer sur la carte des vins des voitures-restaurants. Cela a valu une réelle célébrité à la coopérative qui, par sa production (40 adhérents, 160 ha) et par les crus indépendants qu'elle vinifie, joue encore son rôle de locomotive dans l'appellation. Elle propose aussi des moulis.

S'il ne cherche pas à éblouir le dégustateur par sa puissance, ce vin se montre bien construit tant dans son expression aromatique que dans sa structure. Le palais révèle des tanins bien présents, mais trouve de la rondeur dans des notes de compote de fruits mûrs, relevés d'une touche chocolatée. ⧗ 2024-2027

SCA VIGNERONS ASSOCIÉS MOULIS, LISTRAC ET CUSSAC-FORT-MÉDOC, 21, av. de Soulac, 33480 Listrac-Médoc, tél. 05 56 58 03 19, contact@vigneronsassocies.com V *t.l.j. 8h30-12h 14h-18h*

HAUT BRILLETTE 2016 ★★

■ | 71986 | | 11 à 15 €

Dans la famille Flageul depuis 1976, ce vaste domaine étend ses terres sur 110 ha, dont 42 ha sont dédiés à la vigne et plantés sur la croupe de graves dominant le Tiquetorte, ruisseau séparant Moulis et Avensan.

Tout est harmonie dans ce moulis intensément rouge, tellement friand dans ses évocations de fruits rouges nuancés de boisé qui trouvent écho au palais, de l'attaque à la finale. Les tanins de qualité esquissent une structure élégante au service d'une matière ronde et friande. ⧗ 2024-2028 ■ **Cru bourg. Ch. Brillette Comte du Perier de Larsan 2016 ★ (15 à 20 €; 166191 b.)** : un vin encore un peu fermé, mais bien constitué grâce à des tanins fondus. ⧗ 2023-2027

SARL CH. BRILLETTE, rte de Peyvignau, 33480 Moulis-en-Médoc, tél. 05 56 58 22 09, contact@chateau-brillette.fr V r.-v.

CH. MAUCAILLOU 2016 ★

■ | 322000 | | 20 à 30 €

Un cru phare de Moulis, fondé en 1875 aux lieux-dits Caubet et Maucaillou – «mauvais caillou», une croupe de graves impropre à la culture céréalière pour les paysans du Moyen Âge, mais propice à la vigne. Fief de la famille Dourthe depuis 1929, ce domaine est passé de 3,5 ha à cette époque à 90 ha aujourd'hui. Philippe Dourthe, l'actuel propriétaire, en a confié la gestion à ses trois enfants.

Si elle ne semble pas avoir encore livré tous ses secrets, cette bouteille présente déjà un profil sympathique. Au joli bouquet de fruits rouges et d'épices fines répondent une attaque souple et fraîche, puis un palais séduisant, soutenu par de fins tanins. ⧗ 2022-2025

SAS CH. MAUCAILLOU, 33480 Moulis-en-Médoc, tél. 05 56 58 01 23, chateau@maucaillou.com V *t.l.j. 10h-12h30 14h-18h* 5

CH. MAUVESIN BARTON 2016

■ | 95000 | | 15 à 20 €

Commandé par un château néo-Louis XIII de 1853, ce cru constitue une belle unité de 220 ha d'un seul tenant dont 58 de vignes. En août 2011, le domaine a été acheté par Lilian et Michel Barton-Sartorius dont la famille possédait déjà les châteaux Lalande et Langoa à Saint-Julien.

Souple et élégant, ce vin met en valeur son bouquet aux délicates notes de petits fruits rouges que respecte un bois bien dosé. Il pourra être apprécié dans un délai raisonnable. ⧗ 2021-2024

SCEA DU CH. MAUVESIN BARTON, 33480 Moulis-en-Médoc, tél. 05 56 58 41 81, chateau@mauvesin-barton.com V r.-v.

CHARME LA MOULINE 2016 ★★

■ | 20000 | | 11 à 15 €

De 4,7 ha en 1920, année de l'achat du domaine au vicomte de Courcelles par Ismaël Lasserre (dont les descendants sont toujours aux commandes), le vignoble est passé aujourd'hui à 22 ha, répartis sur la pente sud de deux croupes, l'une argilo-calcaire, l'autre à base de graves pyrénéennes.

Le charme n'est pas une vaine promesse. À l'intensité de la robe rubis s'ajoute l'élégance du bouquet floral et fruité. Une belle expression aromatique qui se prolonge durablement au palais, en filigrane d'une structure de tanins fins. ⧗ 2023-2027

SAS JLC COUBRIS, chem. du Puy-de-Minjean, 33480 Moulis-en-Médoc, tél. 05 56 17 13 17, cedric.coubris@chateaulamouline.com V *t.l.j. sf sam. dim. 8h-12 14h-17h*

CH. MOULIS 2016 ★★

■	10000	🍷	20 à 30 €

La famille Guillot dirige deux crus en appellation moulis-en-médoc : le Ch. Graveyron Poujeaux (5 ha), acquis en 2013, et le Ch. Moulis, acheté en 2015 (3 ha).
Original par ses arômes d'amande qui enveloppent généreusement le palais et se mêlent aux notes de cassis, de fruits rouges confits, ce vin est frais et riche à la fois. Il pourra s'appuyer sur des tanins puissants et mûrs pour assister sereinement au défilement des années. ⌛ 2024-2030

SCEA CH. MOULIS, 19, av. de la Gironde, 33480 Moulis-en-Médoc, contact@chateaumoulis.com V *r.-v.*

CH. POUJEAUX 2016 ★★

■	320000	🍷	30 à 50 €

82 83 85 (86) **87 88 89 90 93 94 95 96 97 98 99 00**
01 02 03 04 |**05**| |**06**| 07 |**08**| |**09**| |**10**| 11 12 13 **14** 15 **16**

Oublié du classement de 1855, Moulis étant resté longtemps un pays de céréaliculture, ce cru figure néanmoins parmi les plus réputés du Médoc. Ancienne seigneurie dépendante de Latour Saint-Maubert, futur Ch. Latour, il connaît un essor dans les années 1920 avec la famille Theil, qui unifia le vignoble – aujourd'hui 68 ha d'un seul tenant sur le beau terroir de graves de Grand-Poujeaux – et porta le domaine au sommet de l'appellation. Depuis 2008, il appartient à Philippe Cuvelier, propriétaire du Clos Fourtet (1er grand cru classé de Saint-Émilion), qui maintient haut l'exigence de qualité.
Ce 2016 grenat brillant fait preuve d'élégance dans la déclinaison d'une multitude de petits fruits rouges et noirs bien mûrs, auxquels s'ajoutent des notes de fleurs (lys et lilas) et de café. Après une attaque fraîche, les tanins apparaissent bien en place dans une bouche ample, riche et persistante. ⌛ 2023-2030

SCEA CH. POUJEAUX, 450, av. de la Gironde, 33480 Moulis-en-Médoc, tél. 05 56 58 02 96, contact@chateaupoujeaux.com V *r.-v.*

CH. LA ROSE DES LYS 2016 ★

■	2800	🍷	11 à 15 €

Créé en 2016, ce petit cru s'étend sur un demi-hectare de vignes de cabernet sauvignon (57 %) et de merlot plantées il y a un quart de siècle sur le plateau de graves pyrénéennes de Bouqueyran, à l'ouest de l'appellation.
Le domaine fait une jolie entrée dans le Guide avec ce premier millésime qui fait preuve d'un subtil équilibre entre les arômes de fruits et de bois comme entre la structure tannique, la rondeur et la fraîcheur. Distinguée, la longue finale s'inscrit dans le même registre. ⌛ 2022-2027

RICHARD MARTIN, Ch. la Rose des Lys, Sémillan, 33480 Listrac-Médoc, tél. 06 85 57 29 54, chateau.la.rose.des.lys@gmail.com V *r.-v.*

PAUILLAC

Superficie : 1 215 ha / Production : 53 215 hl

À peine plus peuplé qu'un gros bourg rural, Pauillac est une vraie petite ville, agrémentée d'un port de plaisance sur la route du canal du Midi. C'est un endroit où il fait bon déguster, à la terrasse des cafés sur les quais, les crevettes fraîchement pêchées dans l'estuaire. C'est aussi, et surtout, la capitale du Médoc viticole, tant par sa situation géographique au centre du vignoble, que par la présence de trois 1ers crus classés (Lafite, Latour et Mouton) complétés par une liste assez impressionnante de quinze autres crus classés. La commune compte aussi une coopérative qui assure une production importante.
L'aire d'appellation est coupée en deux en son centre par le chenal du Gahet, petit ruisseau séparant les deux plateaux qui portent le vignoble. Celui du nord, qui doit son nom au hameau de Pouyalet, se distingue par une altitude légèrement plus élevée (une trentaine de mètres) et par des pentes plus marquées.
Détenant le privilège de posséder deux 1ers crus classés (Lafite et Mouton), il se caractérise par une parfaite adéquation entre sol et sous-sol, que l'on retrouve aussi dans le plateau de Saint-Lambert, au sud du Gahet. Ce dernier bénéficie de la proximité du vallon du Juillac, petit ruisseau marquant la limite méridionale de la commune, qui assure un bon drainage, et de ses graves de grosse taille, particulièrement remarquables sur le terroir du 1er cru de ce secteur, Château Latour.
Provenant de croupes graveleuses très pures, les pauillac allient la puissance et la charpente à l'élégance et à la délicatesse de leur bouquet. Comme ils évoluent très heureusement au vieillissement (jusqu'à vingt-cinq ans), il convient de les attendre.

CH. D'ARMAILHAC 2016 ★

■ 5e cru clas.	n.c.	🍷	30 à 50 €

82 83 84 85 (86) **87 88 89 90** 92 **93** 94 **95** 96 97 **98** 99
00 01 **02** 03 04 |**05**| |06| |07| |08| **09 10 11** 12 13 14 15 16

Ce cru ancien – on en trouve la trace dès le XVIIes. – dispose d'un vaste vignoble de 73 ha au nord de Pauillac, sur trois groupes de parcelles. Voisin de Mouton Rothschild, ce qui ne l'empêche pas d'affirmer sa propre personnalité, il appartient lui aussi à la baronnie depuis 1933, année de son acquisition par Philippe de Rothschild.
Un vin profond au regard, souligné des reflets violines de la jeunesse. Le bouquet contient tout un univers, celui de la Belle et la Bête... doux par son fruité, mais aussi animal avant de s'introduire dans le sous-bois. De l'ampleur, du gras et une pointe d'austérité finale font de ce pauillac une « Belle Bête ». ⌛ 2023-2030

SA BARON PHILIPPE DE ROTHSCHILD (CH. D'ARMAILHAC), 10, rue de Grassi, 33250 Pauillac, tél. 05 56 73 20 20, webmaster@bpdr.com

CH. BATAILLEY 2016 ★

■ 5e cru clas.	270000	🍷	50 à 75 €

82 **83 85 86 88** 89 90 **92 93 95** (96) **97 98** 99 00 **01** 02
03 04 |**05**| |06| |07| |08| 09 10 11 12 13 15 16

Le navire amiral de la maison Borie Manoux, vénérable maison de négoce fondée en 1870 par les Castéja, l'une des plus anciennes familles de Pauillac, propriétaire du cru depuis 1932. Une belle unité de 55 ha à l'extrémité sud-ouest de l'appellation, qui

devrait son nom à une bataille s'étant déroulée sur ces terres en 1453.

Quel élément apporte la teinte grenat intense au dossier de ce vin? Le bouquet expressif est une première indication par sa complexité (fruits noirs et toasté). Mais c'est au palais qu'est prononcé le verdict. Dès l'attaque, on comprend que la richesse des arômes comme des tanins contribuent à l'harmonie et qu'ils sont porteurs d'avenir. ⧗ 2024-2035 ■ **Lions de Batailley 2016 ★ (15 à 20 €; 50000 b.)** : un bouquet élégant et complexe, des tanins puissants et bien fondus, une longue finale : tout est réuni pour donner un vin de garde. ⧗ 2023-2030

SC CH. BATAILLEY, 33250 Pauillac, tél. 05 56 00 00 70, domaines@borie-manoux.fr V r.-v.

CH. BELLEGRAVE 2016 ★

■ | 32000 | | 20 à 30 €

Bien connus dans la vallée du Rhône, les Meffre ont pris pied en Médoc dans les années 1950. Jean-Paul Meffre a acquis en 1997 ce petit cru de 9 ha situé au sud de l'appellation, non loin des châteaux Latour, Pichon Comtesse et Pichon Baron. Ses fils Ludovic et Julien sont aujourd'hui aux commandes.

Souple et bien équilibré, ce 2016 se développe avec ampleur, en déclinant volontiers ses arômes de fruits noirs et de vanille, nuancés d'une touche balsamique, héritage d'un élevage d'un an en barriques de chêne français. ⧗ 2021-2025

EARL DU CH. BELLEGRAVE, 22, rte des Châteaux, 33250 Pauillac, tél. 05 56 59 05 53, contact@chateau-bellegrave.com V r.-v.

CH. CHANTECLER 2016

■ | 4500 | | 20 à 30 €

Un confetti viticole de 99 ares acquis par la famille Mirande en 2004, détaché de Fleur-Milon lors de la vente de ce cru aux domaines Philippe de Rothschild. Aux commandes, Yannick Mirande, qui vise à court terme la culture bio, avec ou sans certification.

D'un bout à l'autre de la dégustation, ce vin montre une grande puissance. D'abord dans sa présentation grenat, puis dans son bouquet expressif (fruits de la forêt), enfin dans sa structure de tanins denses aptes à le soutenir dans le temps. ⧗ 2023-2027

CH. CHANTECLER, 3, rte de Bordeaux, 33250 Pauillac, tél. 06 62 04 97 95, chateau.chantecler@gmail.com V *t.l.j. 9h-12h 14h-18h*

CH. CLERC MILON 2016 ★

■ 5e cru clas. | n.c. | | 50 à 75 €

82 83 85 86 87 88 89 90 92 93 94 (95) **96 97** 98 **99 00**

01 **02** 03 04 |05| |06| |07| **|08| 09 10** 11 12 13 14 15 16

Ancienne possession de Lafite, ce cru classé fut acquis à la Révolution par la famille Clerc, qui ajouta à son nom celui d'un hameau de Pauillac, puis par le baron Philippe de Rothschild en 1970. Situé entre Mouton et Lafite, dans la partie nord-est de l'appellation, il dispose d'un vignoble de 41 ha implanté sur un terroir de choix (pour l'essentiel, la croupe de Mousset qui surplombe la Gironde) et d'un nouveau chai depuis 2011.

Impeccable dans sa robe rubis brillant, ce 2016 affirme sa complexité déjà. Fruits noirs, cuir et écorce de cèdre se mêlent en un bouquet puissant. Ample et même opulent, le palais s'appuie sur des tanins denses qui parlent d'avenir. ⧗ 2024-2030

SA BARON PHILIPPE ROTHSCHILD (CH. CLERC MILON), lieu-dit Mousset, 33250 Pauillac, tél. 05 56 73 20 20, webmaster@bpdr.com V r.-v.

COPEL 2016

■ | 1800 | | 30 à 50 €

Xavier Copel est un négociant-éleveur (notamment avec la marque Primo Palatum) ayant créé un partenariat avec un seul vigneron par appellation (bordeaux, sauternes, pauillac, haut-médoc, saint-émilion grand cru et pomerol), ce qui lui permet d'acheter des raisins, de vinifier puis d'élever (sa spécialité) des vins de chaque appellation sous sa marque Copel.

Il a gardé toute sa jeunesse, ce pauillac brillant de reflets violets et tout en fruits des bois. Dès l'attaque, les tanins se manifestent et la fraîcheur accompagne le développement du palais. Nul doute, il faut attendre que ce vin bien constitué se fonde. ⧗ 2024-2028

SARL XAVIER COPEL, 1, lieu-dit Roy, 33190 Pondaurat, tél. 05 56 71 39 39, contact@copelwines.com V *r.-v.*

CH. DUHART-MILON 2016 ★★

■ 4e cru clas. | n.c. | | + de 100 €

81 82 83 85 86 87 88 89 90 91 92 93 94 **95 96 97 98**

|99| |00| **|01| |02| |03|** |04| **|05| |06|** |07| |08| **09 10 11**

12 13 14 15 16

Ces anciennes terres du « Prince des vignes », Nicolas-Alexandre de Ségur (XVIIIe s.), furent longtemps propriété des Castéja, qui donnèrent son nom au cru (celui d'un corsaire de Louis XV établi à Pauillac à sa retraite, dont la maison orne aujourd'hui l'étiquette). Vendu en 1937, morcelé et en déclin, le vignoble de Duhart-Milon a été racheté en 1962 par les Rothschild, qui l'ont restructuré, agrandi et lui ont redonné son lustre de 4e cru classé. Le vignoble couvre aujourd'hui 76 ha attenants au Ch. Lafite, sur le coteau de Milon qui prolonge le plateau des Carruades.

Les reflets violets animent la robe profonde de ce pauillac qui fait grand cas de l'élégance. De l'élevage ne demeure que de subtiles notes grillées parfaitement mariées aux arômes de fruits mûrs, ainsi que des tanins veloutés, parfaitement extraits. Une juste fraîcheur équilibre la matière ample et dense, tout en soutenant la finale. ⧗ 2025-2035

SC CH. DUHART-MILON, rue Étienne-Dieuzède, 33250 Pauillac, tél. 05 56 73 18 18, visites@lafite.com

CH. FONBADET 2016 ★

■ Cru bourg. | 20000 | | 30 à 50 €

Ce cru à la notoriété ancienne, déjà planté de vignes au XVIIIe s., couvre 20 ha au nord de Saint-Lambert ; le vignoble est assez morcelé, au milieu de grands crus classés (Mouton Rothschild, Latour, Lynch Bages...). La famille Peyronie (Pascale, aujourd'hui), établie à Pauillac depuis au moins 1700, l'a acquis dans les années 1970.

Ce vin demande encore à s'ouvrir : à n'en point douter, d'autres parfums rejoindront ceux de fruits noirs (griottes) avec le temps. D'une bonne puissance, il bénéficie de tanins serrés, aptes à le soutenir pendant la garde. ⧗ 2024-2030 ■ **L'Harmonie de Fonbadet 2016 ★ (20 à 30 €; 20000 b.)** : souple en attaque et bien équilibré, un 2016 qui gagne en ampleur tout au long de la dégustation pour terminer par une grande fraîcheur. ⧗ 2023-2027

⊶ SCEA DOMAINES PEYRONIE,
47, rte des Châteaux, 33250 Pauillac, tél. 05 56 59 02 11, contact@chateaufonbadet.com V *t.l.j. 9h-12h 14h-17h*

CH. GRAND-PUY DUCASSE 2016 ★

■ 5e cru clas. | 100000 | | 30 à 50 €

Constituée pour l'essentiel au XVIIIe s. par l'avocat Arnaud Ducasse, la propriété a pris son nom actuel en 1932. Le château regardant la Gironde date, lui, de 1820. Trois grandes parcelles de graves forment ce cru de 40 ha, propriété de CA Grands Crus (groupe Crédit Agricole) depuis 2004.

Une robe d'un rubis profond et un bouquet aux notes d'épices invitent à poursuivre la découverte de ce vin. Un beau volume se révèle alors, soutenu par des tanins certes encore austères, mais de bon augure. ⧗ 2024-2030

⊶ SC CH. GRAND-PUY DUCASSE,
4, quai Antoine-Ferchaud, 33250 Pauillac,
tél. 05 56 59 00 40, contact@cagrandscrus.fr

CH. HAUT-BATAILLEY 2016 ★

■ 5e cru clas. | n.c. | | 50 à 75 €

La famille Cazes, propriétaire du Ch. Lynch-Bages, a acquis en 2017 ce cru classé auprès de la famille Des Brest-Borie, qui en était propriétaire depuis 1932. Une belle unité d'une quarantaine d'hectares à l'extrémité sud-ouest de l'appellation, qui devrait son nom à une bataille s'étant déroulée sur ces terres en 1453. C'est au XVIIe s. que des vignes y ont été plantées, tandis que le parc du château est dû au paysagiste de Napoléon III, Barillet-Deschamps.

Le regard se perd dans la robe grenat de ce vin qui garde précieusement tous ses secrets. À peine perçoit-on quelques notes de fruits noirs et d'épices nobles, comme si le bouquet attendait humblement d'avoir parachevé son œuvre pour sortir de sa chrysalide. Il en va de même au palais, souple en attaque, puis élégamment structuré, sans aucune extravagance. Un pauillac qui fera du temps son allié pour éclore. ⧗ 2022-2030

⊶ SASU CH. HAUT-BATAILLEY,
Ch. Haut-Batailley, 33250 Pauillac,
tél. 05 56 73 24 00, contact@jmcazes.com

CARRUADES DE LAFITE 2016 ★

■ | n.c. | | + de 100 €

85 86 88 89 90 92 93 94 **95 96** 97 98 **99** 00 01 |02| |03| |04| |**05**| |**06**| |**07**| 08 **09 10** 11 12 13 14 **15** 16

Second vin de Lafite Rothschild, les Carruades offrent des caractéristiques proches du grand vin, avec une personnalité propre liée à une proportion supérieure de merlot et à des parcelles spécifiques destinées à sa production. Son nom provient du «plateau des Carruades», ensemble de parcelles jouxtant la croupe du château, acquises en 1845.

Quelques éclats mauves illuminent la robe profonde de ce vin comme un appel à prêter attention à ce pauillac de charme. Les arômes suaves sont prompts à se révéler : fruits rouges mûrs aux accents de kirsch, pain d'épice et cacao. Puis c'est la générosité qui se révèle à travers une chair dense et ronde, épaulée par des tanins soyeux qui laissent en finale une sensation de tendresse. ⧗ 2025-2035

⊶ SC CH. LAFITE ROTHSCHILD
(CARRUADES DE LAFITE), 33250 Pauillac,
tél. 05 56 73 18 18, visites@lafite.com

♥ CH. LAFITE-ROTHSCHILD 2016 ★★★

■ 1er cru clas. | n.c. | | + de 100 €

59 (61) **64** 66 69 70 73 **75 76** 77 **78** 79 80 **81** |**82**| |**83**| 84 **85** |**86**| **87** |**88**| |**89**| **90 92 93 94** |(95)| |(96)| **97** |(98)| **99** |(00)| |**01**| |(02)| |(03)| (04) (05) (06) (07) (08) (09) (10) (11) **12 13** (14) (15) (16)

Ancienne seigneurie, dont la juridiction s'étendait au nord de Pauillac, le domaine doit aux Ségur – parlementaires bordelais et grands propriétaires de vignes – son château et une vocation viticole établie dès le XVIIe s., qui lui a valu d'être élevé au rang de 1er cru classé en 1855. Mais il doit aux Rothschild, qui l'ont acquis en 1868, d'avoir été à l'abri des divisions et autres cessions qui ont affaibli tant de propriétés prestigieuses. Il doit aussi à l'équipe formée par Éric de Rothschild, aux commandes depuis 1974, et Charles Chevallier, son directeur technique jusqu'en 2016, sa modernisation et ses outils performants, tel son célèbre chai circulaire imaginé par Ricardo Bofill. Outils qui permettent de révéler pleinement la personnalité d'un terroir exceptionnel planté de 112 ha de vignes : une superbe croupe de graves fines et profondes sur un sous-sol calcaire. Éric Kohler a pris en 2016 la direction technique du Lafite, Charles Chevallier restant consultant et ambassadeur du château.

Si comme l'écrivait Spinoza, «la joie est le passage d'une moindre perfection à une perfection plus grande», c'est à un ravissement que nous prépare ce pauillac déjà si intense et profond. Quelque peu sur la réserve, il offre cependant des arômes de fruits noirs, de bois de santal et d'épices douces fort complexes. Puis il aborde le palais avec autant de fraîcheur que d'ampleur, avant de développer une matière dense, parfaitement architecturée autour de tanins fins et serrés. La longue finale sur le fruit et le boisé est un autre indice qu'une perfection plus grande encore est à venir. ⧗ 2025-2040

⊶ SC CH. LAFITE ROTHSCHILD
(CH. LAFITE ROTHSCHILD), 33250 Pauillac,
tél. 05 56 73 18 18, visites@lafite.com

LAGNEAUX À PAUILLAC 2016 ★

■ | n.c. | 🛢 | 50 à 75 €

La dernière création de Gaëtan Lagneaux, médecin belge devenu vigneron dans le Médoc en créant le Ch. Petit-Bocq en saint-estèphe et décédé prématurément à la fin de l'année 2012. Une cuvée confidentielle, née de 45 ares de merlot et de cabernet-sauvignon.

Souple et bien construit autour de fins tanins, ce vin trouve sa pleine expression au palais, où explosent des arômes de noix de coco qui se marient heureusement aux fruits noirs. ⧗ 2022-2026

SCEA LAGNEAUX-BLATON (LAGNEAUX À PAUILLAC), 3, rue de la Croix-de-Pez, 33180 Saint-Estèphe, tél. 05 56 59 35 69, contact@petitbocq.com V r.-v.

LES FORTS DE LATOUR 2016 ★

■ | n.c. | 🛢 | + de 100 €

82 83 85 86 87 88 89 90 92 94 95 96 97 **98 99 |00|**
|01| |02| |03| |04| **|05|** **|06|** |07| 08 09 **10 11 12** 13 **14 15** 16

Le second vin du Ch. Latour, élaboré généralement avec une plus forte proportion de merlot et à partir de parcelles extérieures à l'Enclos (et des jeunes vignes de celui-ci), cœur historique du vignoble réservé au grand vin.

Sombre, si sombre... et d'une densité envoûtante : un pauillac dans sa jeunesse qui peut prendre tout son temps pour se préparer dans sa chrysalide. Pour l'heure, il s'exprime avec retenue et nécessite un peu d'aération pour révéler ses arômes de fruits noirs et rouges mûrs, nuancés de touches florales. Dynamique dans son approche grâce à une juste fraîcheur, il possède une mâche toute fruitée, ample. Les tanins montent peu à peu en puissance, laissant une légère amertume en finale, ainsi que des notes de café. La rigueur et le sérieux d'un vin de haut potentiel. ⧗ 2024-2030 ■ **Le Pauillac de Ch. Latour 2016 (75 à 100 €; n.c.)** : vin cité.

SARL CH. LATOUR DIFFUSION (CH. LES FORTS DE LATOUR), Saint-Lambert, 33250 Pauillac, tél. 05 56 73 19 80, s.guerlou@chateau-latour.com

♥ CH. LATOUR 2016 ★★★

■ 1er cru clas. | n.c. | + de 100 €

(61) **67 71** 73 74 75 **76** 77 **78** 79 **80** 81 **|82|** **|83|** 84 **|85|** **|86|**
87 |88| |89| |90| |91| 92 93 94 (95) **|96| |97|** (98) **|99|** (00)
| **|01|** (02) (03) **04** (05) (06) **07** (08) (09) (10) (11) (12) **13** (14) (15) (16)

Maison forte, dite de Saint-Maubert, commandant une importante seigneurie au Moyen Âge et protégeant l'accès à Bordeaux, le site de Latour fit l'objet d'une bataille pendant la guerre de Cent Ans. Toutefois, l'événement marquant de son histoire fut l'unification du domaine par Arnauld de Mullet à la fin du XVIes. Elle a permis au cru de posséder très tôt un vignoble homogène (65 ha aujourd'hui), établi sur une belle croupe de grosses graves claires, dont le cœur – le terroir dit de l'Enclos (47 ha) – donne naissance au grand vin. Autre atout, la stabilité : la propriété est restée entre les mains des descendants des Ségur, illustre famille du vignoble médocain, jusqu'en 1962. Après un passage « sous pavillon britannique » (groupe Pearson), le cru a été acquis en 1993 par l'industriel François Pinault, qui a beaucoup investi à la vigne (arrachages et replantations) et à la cave (nouveau chai souterrain, rénovation du cuvier).

Pareil à l'encre violine des calligraphes, ce pauillac dessine de délicates arabesques aromatiques : au boisé frais du premier nez succèdent des nuances de rose et de violette, des touches de cassis et de myrtille, des accents de bois de cèdre et de boîte à cigares. Le tracé prend de la puissance au palais, tant la matière a de volume et de gras, mais l'élégance demeure car la trame tannique a été parfaitement assouplie par l'élevage et la fraîcheur a été préservée, laissant éclater le fruit et les épices (poivre noir) en finale. ⧗ 2025-2040

SARL CH. LATOUR DIFFUSION (CH. LATOUR), Saint-Lambert, 33250 Pauillac, tél. 05 56 73 19 80, s.guerlou@chateau-latour.com

♥ CH. LYNCH-BAGES 2016 ★★

■ 5e cru clas. | n.c. | 🛢 | + de 100 €

(82) **83** 84 **85 86 87 88 89 90** 91 92 93 94 95 **96** 97 (98) **99**
(00) **01 02 03 04 |05| |06| |07|** |08| **09** 10 **11** 12 13 (14) **15 16**

Le nom de ce cru associe celui des négociants irlandais propriétaires au XVIIIes. et celui d'un hameau situé aux portes sud de Pauillac. Son succès résulte, depuis les années 1930, du travail continu de trois générations de Cazes : Jean-Charles, André et Jean-Michel. La part de ce dernier, qui a passé la main à son fils Jean-Charles, est essentielle. Sa réussite est liée à la qualité des vins, nés d'un vaste vignoble de 100 ha, et aussi à une vraie stratégie de développement, incluant un négoce et des infrastructures touristiques (hôtel-restaurant, commerces).

Une fois encore, l'équipe de Jean-Charles Cazes et Daniel Llose, le directeur technique, a su jouer avec la météo pour obtenir une vendange parfaitement mûre et saine. Il en résulte puissance et élégance. Du noyau de cerise aux épices, en passant une collection de fruits noirs, l'expression aromatique est un exemple de complexité. Gras, ample et porté par des tanins soyeux, le palais prolonge remarquablement le bouquet. Un vrai pauillac de grande classe. ⧗ 2025-2035

SAS CH. LYNCH-BAGES, Ch. Lynch-Bages, 33250 Pauillac, tél. 05 56 73 24 00, contact@jmcazes.com

♥ CH. MOUTON ROTHSCHILD 2016 ★★

■ 1er cru clas. | n.c. | ◖◗ | + de 100 €

73 74 **75 76** 77 **78 79** 80 81 |**82**| |**83**| **84** |**85**| |(86)| **87** |**88**| |**89**| |**90**| **91 92 93 94** (95) |**96**| **97** |(98)| |**99**| |(00)| |**01**| |**02**| |**03**| |**04**| (05) (06) (07) (08) (09) (10) (11) **12 13** (14) (15) **16**

Voisin de Lafite et appartenant à une autre branche de la famille Rothschild (acquis en 1853 par Nathaniel), Mouton est fortement lié à la personnalité du baron Philippe. Arrivé à la tête du cru en 1922, ce dernier lui redonne ses lettres de noblesse en le modernisant (construction du célèbre «grand chai», notamment) – un travail qui aboutit en 1973 à la révision du classement de 1855 et à l'accession de Mouton au rang de 1er cru classé. Le baron Philippe a aussi fait du domaine le socle d'un petit empire comprenant d'autres vignobles et une maison de négoce. Il a également joué un rôle important dans l'histoire du vin en étant l'un des premiers à pratiquer la mise en bouteilles au château, dès 1926, et en faisant illustrer ses étiquettes par des artistes. À partir de 1988, sa fille Philippine, disparue en 2014, a poursuivi son œuvre. Le fils de cette dernière, Philippe Sereys de Rothschild, lui a succédé. Philippe Dhalluin est le directeur depuis 2003. À sa disposition, un vignoble de 84 ha situé pour l'essentiel sur une croupe de graves très profondes dite «Plateau de Mouton» et un tout nouveau cuvier sorti de terre en 2013.

Une première pour l'étiquette de ce millésime qui est illustrée par une œuvre d'un artiste originaire du continent africain, William Kentridge, né en 1955 à Johannesburg. Un choix d'autant plus heureux que 2016 est un millésime solaire, propice aux cabernets (83 % de cabernet-sauvignon), qui ont pu être récoltés un peu plus tôt que d'habitude. Le résultat est un très grand Mouton. Un vin au bouquet intense de fruits mûrs, d'épices et de parfums d'Orient, dont la grande élégance se déploie aussi au palais. Ample et diablement charmeur grâce à des tanins fins et soyeux, il fait alliance avec le temps. ⧗ 2025-2040

⊶ SA BARON PHILIPPE DE ROTHSCHILD (CH. MOUTON ROTHSCHILD), lieu-dit le Pouyalet, 33250 Pauillac, tél. 05 56 73 20 20, webmaster@bpdr.com V ⚑ ▪ *r.-v.*

LE PETIT MOUTON DE MOUTON ROTHSCHILD 2016 ★★

■ | n.c. | ◖◗ | + de 100 €

Petit Mouton était le nom de résistance de la baronne Philippine de Rothschild pendant la Seconde Guerre mondiale. En 1994, il est devenu celui du second vin du cru, réalisé à partir des vignes les plus jeunes.

Sans chercher à rivaliser avec le premier vin, cette seconde étiquette du grand cru pauillacais révèle une forte personnalité, tant par son puissant bouquet de fruits rouges mûrs que par sa matière souple et ample, qui s'ouvre sur une longue finale. L'austérité des tanins est un signe de noblesse pour un vrai vin de garde. ⧗ 2024-2030

⊶ SA BARON PHILIPPE DE ROTHSCHILD (LE PETIT MOUTON), lieu-dit le Pouyalet, 33250 Pauillac, tél. 05 56 73 20 20 , webmaster@bpdr.com V ⚑ ▪ *r.-v.*

CH. PAUILLAC 2016 ★★

■ | 4000 | ◖◗ | 50 à 75 €

Ce cru à la notoriété ancienne, déjà planté de vignes au XVIIIe s., couvre 20 ha au nord de Saint-Lambert ; le vignoble est assez morcelé, au milieu de grands crus classés (Mouton Rothschild, Latour, Lynch Bages...). La famille Peyronie (Pascale, aujourd'hui), établie à Pauillac depuis au moins 1700, l'a acquis dans les années 1970.

Rouge sombre, ce pauillac ne s'est pas encore complètement ouvert, mais déjà son bouquet laisse percer sa future complexité par des notes de fruits mûrs et de toasté. Ample et puissant, le palais confirme le grand potentiel de ce 2016 par une solide matière tannique. ⧗ 2024-2030

⊶ SCEA DOMAINES PEYRONIE, 47, rte des Châteaux, 33250 Pauillac, tél. 05 56 59 02 11, contact@chateaufonbadet.com V ⚑ ▪ *t.l.j. 9h-12h 14h-17h*

CH. PÉDESCLAUX 2016

■ 5e cru clas. | 182598 | ◖◗ | 50 à 75 €

98 99 00 **01 02** |07| |08| |09| **10** 11 **12** 13 14 16

Françoise et Jacky Lorenzetti ont vendu leur réseau d'agences immobilières (Foncia) et acheté ce château en 2009 à la famille Jugla. Ils ont entrepris de gros travaux à la vigne et à la cave (construction d'un nouveau chai par Jean-Michel Wilmotte) pour redorer le blason de ce cru fondé en 1810, dont le vignoble couvre environ 50 ha aujourd'hui après l'acquisition de nouvelles parcelles.

Se présentant dans une robe rubis à reflets violines, ce vin est certes discret, mais plaisant par son bouquet aux fraîches notes florales et fruitées. Après une belle attaque, le palais révèle une trame tannique de qualité, garante de l'avenir. ⧗ 2023-2028

⊶ SCEA CH. PÉDESCLAUX, rte de Pédesclaux, 33250 Pauillac, tél. 05 56 59 22 59, contact@chateau-pedesclaux.com V ⚑ ▪ *r.-v.*

CH. PIBRAN 2016 ★

■ | 22600 | ◖◗ | 30 à 50 €

Ce cru constitué au début du XXe s. est propriété d'Axa Millésimes depuis 1987. Entièrement restructuré après l'acquisition du voisin Tour Pibran en 2001 par la compagnie d'assurances, ce domaine se hisse maintenant au niveau des plus grands. À sa disposition, un vignoble de 17 ha établi sur la belle croupe de graves de Pontet Canet et d'Armailhac, au nord de l'appellation, et l'expertise de l'équipe de Pichon-Longueville Baron, également propriété d'Axa Millésimes.

Un pauillac encore un peu timide à l'olfaction, mais qui mêle agréablement les fruits rouges et noirs aux notes boisées. Bien équilibré, il bénéficie d'une matière suffisamment ample et fraîche, structurée par des tanins fins soyeux. ⧗ 2024-2030 ■ **Ch. Tour Pibran 2016 ★ (20 à 30 €; 14900 b.)** : un vin bien équilibré, offrant de délicats parfums de fruits et d'épices et une bonne matière au palais. ⧗ 2023-2027

SCI TOUR PIBRAN, Ch. Pibran, 33250 Pauillac, tél. 05 56 73 17 17, contact@pichonbaron.com

♥ CH. PICHON BARON 2016 ★★

■ 2e cru clas. | 162300 | | + de 100 €

82 83 84 **85 86 87 88 89** (90) **91 92 93 94 95** (96) **97 98 99** |**00**| **01** |**02**| **03** |**04**| |(05)| |**06**| |**07**| |**08**| (09) (10) **11 12 13 14** (15) **16**

Le vignoble originel fut constitué au XVIIe s. par Jacques de Pichon, baron de Longueville. Divisé en deux en 1850, le cru revient en partie à Raoul de Pichon-Longueville (l'autre devenant Pichon Comtesse), qui y fait édifier le château actuel. Inspiré de celui d'Azay-le-Rideau, le bâtiment contraste avec les lignes horizontales du chai construit après le rachat du domaine en 1987 par Axa Millésimes. L'assureur y a entrepris d'importants travaux de rénovation, sous la conduite de Jean-Michel Cazes, puis de Christian Seely, Jean-René Matignon assurant la direction technique. Depuis 2001, la politique de sélection a été intensifiée : ne sont désormais utilisés pour le grand vin que 40 ha sur les 73 que compte ce terroir d'exception, fait de belles graves garonnaises, voisin immédiat de Latour.

L'intensité du bouquet aux notes de fruits frais répondant à celle de la robe grenat profond, on comprend vite que ce vin ne fait pas de promesses à la légère. Parfaitement équilibré, volumineux, dense et puissant, il conserve une étonnante élégance et beaucoup de fraîcheur au palais. La finale encore austère invite à oublier précieusement cette très belle bouteille à la cave. ⧗ 2025-2035 ■ **Les Tourelles de Longueville 2016 ★ (30 à 50 €; 113500 b.)** : rond et bien construit, mariant agréablement les arômes de fruits et de grillé, ce second vin permettra d'attendre très agréablement son «grand frère». ⧗ 2022-2026 ■ **Les Griffons de Pichon Baron 2016 ★ (30 à 50 €; 92000 b.)** : de la structure, juste ce qu'il faut, au profit d'une chair ronde, et un bouquet plein de charme. ⧗ 2022-2026

SOCIÉTÉ D'EXPLOITATION PICHON-LONGUEVILLE, Ch. Pichon Baron, 33250 Pauillac, tél. 05 56 73 17 17, contact@pichonbaron.com V r.-v.

CH. PICHON-LONGUEVILLE COMTESSE DE LALANDE 2016 ★★

■ 2e cru clas. | n.c. | | + de 100 €

82 83 84 **85** (86) 87 (88) **89** 90 **91** 92 **93 94 95** 96 **97 98 99 00 01 02** |**03**| |**04**| **05 06** |07| |**08**| **09 10 11 12** 13 **14 15 16**

Fondé à la fin du XVIIe s., ce cru n'a connu en trois siècles que trois familles à sa tête. En 1850, Virginie de Pichon Longueville, comtesse de Lalande par son mariage, hérite avec ses deux sœurs des trois cinquièmes du vignoble de leur père, le reste allant aux fils (Pichon Baron). Le domaine restera dans la famille jusqu'à son rachat en 1925 par Édouard et Louis Miailhe. À partir de 1978, May-Éliane de Lencquesaing, fille du premier, donne une renommée internationale à ce cru de 90 ha, dont la singularité tient aux 11 ha situés sur la commune de Saint-Julien et à l'importance donnée au merlot (35 %) dans son encépagement. Une renommée et un esprit « féminin » (jusque dans le grand vin) perpétués depuis 2007 par une autre famille, les Rouzaud, propriétaires du champagne Roederer.

Prendre le temps nécessaire pour percer les mystères de la robe profonde et dense de ce pauillac, à peine nuancée de reflets violines. Prendre le temps d'en distinguer tous les arômes et, à la faveur de l'aération, laisser se révéler dans le verre les notes de mûre, de myrtille, de cerise, ainsi qu'un boisé évocateur d'épices et de café torréfié. Prendre conscience que le temps sera sans l'ombre d'un doute son allié à la perception de cette matière ample, structurée par des tanins serrés au grain fin. La fraîcheur de l'attaque et la persistance de la finale sont d'autres indices d'un potentiel remarquable. ⧗ 2024-2035 ■ **Réserve de la Comtesse 2016 (30 à 50 €; n.c.)** : vin cité.

SCI DU DOM. DE CH. PICHON-LONGUEVILLE COMTESSE DE LALANDE, 33250 Pauillac, tél. 05 56 59 19 40, pichon@pichon-comtese.com r.-v.

LA ROSE PAUILLAC Cuvée Bois de Rose 2016 ★

■ | 26623 | | 20 à 30 €

La Rose Pauillac est une petite coopérative fondée en 1933 par une trentaine de propriétaires. Elle propose quatre cuvées, avec pour fer de lance, le Ch. Haut de la Bécade, domaine personnel de Sylvie Rainaud, présidente de la cave : 7 ha encerclés de crus classés dans le hameau de Bages, au sud de l'appellation.

Encore assez fougueux en finale, ce vin demande à s'assagir. Et il possède de bonnes réserves en tanins pour tirer parti du temps qui passe. Son expression aromatique fruitée et épicée pour l'heure gagnera alors en complexité et l'harmonie des saveurs se réalisera pleinement. ⧗ 2022-2027

SCV LA ROSE PAUILLAC, 44, rue du Mal-Joffre, BP 14, 33250 Pauillac, tél. 05 56 59 26 00, larosepauillac@wanadoo.fr V *t.l.j. sf dim. 8h-12h 14h-18h*

CH. TOUR SIEUJEAN 2016 ★

■ | 18000 | | 20 à 30 €

Conduit depuis 2002 et sorti de la coopérative de Pauillac par Stéphane Chaumont et son épouse Catherine Lopez, ce cru se distingue par une tour carrée et trapue d'origine médiévale. Autre originalité, c'est l'un des derniers petits domaines familiaux de l'appellation, qui se transmet depuis quatre générations et qui dispose aujourd'hui de 9 ha en pauillac et en haut-médoc.

Toujours régulier en qualité, ce cru propose un 2016 tout en finesse, tant dans son expression aromatique que dans son développement au palais. Les tanins bien fondus permettent d'envisager un service dans les trois prochaines années ou bien une plus longue garde. ⧗ 2022-2027 ■ **Alchima 2016 ★ (50 à 75 €; 1200 b.)** : le bois est certes dominant encore, mais le fruit ne manque pas à l'appel. Seulement, ce vin est jeune encore (ses tanins en témoignent aussi). Accordons-lui du temps pour se fondre. ⧗ 2023-2027

EARL DES VIGNOBLES LOPEZ,
11, rte de Pauillac, 33112 Saint-Laurent-Médoc,
tél. 05 56 59 46 03, tour-sieujean@orange.fr
V r.-v.

SAINT-ESTÈPHE

Superficie : 1 230 ha / Production : 54 200 hl

À quelques encablures de Pauillac et de son port, Saint-Estèphe affirme un caractère terrien avec ses rustiques hameaux pleins de charme. Correspondant (à l'exception de quelques hectares compris dans l'appellation pauillac) à la commune elle-même, l'appellation est la plus septentrionale des six AOC communales médocaines. L'altitude moyenne est d'une quarantaine de mètres et les sols sont formés de graves légèrement plus argileuses que dans les appellations plus méridionales. L'appellation compte cinq crus classés, et les vins qui y sont produits portent la marque du terroir. Celui-ci renforce nettement leur caractère, avec, en général, une acidité des raisins plus élevée, une couleur plus intense et une richesse en tanins plus grande que pour les autres vins du Médoc. Très puissants, ce sont d'excellents vins de garde.

CH. BEAU-SITE HAUT-VIGNOBLE 2016

■ | 108 000 | | 20 à 30 €

Avec quarante-cinq parcelles réparties sur l'ensemble de la commune de Saint-Estèphe et un terroir de graves argileuses très représentatif de l'appellation, ce cru familial de quelque 16 ha possède de beaux atouts.

Sans être très puissant, ce vin séduit par son bouquet aux délicats parfums de fruits noirs relevés de notes toastées. Sa matière portée par des tanins souples prolonge bien son expression aromatique. 2021-2024

EARL BRAQUESSAC,
10, rte du Vieux-Moulin, 33180 Saint-Estèphe,
tél. 05 56 59 30 40, earl.braquessac@sfr.fr
V r.-v.

CH. BEL-AIR ORTET 2016 ★

■ | 13 300 | | 8 à 11 €

Propriétaire de nombreux crus et acteur majeur du négoce bordelais à travers différentes marques (Chai de Bordes, Pierre Dumontet), Cheval Quancard a été fondé par Pierre Quancard en 1844, sous le nom de Quancard et Fils. La maison est toujours dirigée par ses descendants.

Certes la finale austère vient rappeler que ce 2016 a besoin de se fondre, mais il ne fait aucun doute qu'il en a le potentiel, car la matière fait preuve de volume, les tanins d'élégance et les arômes d'intensité (fruits rouges et notes de cèdre). 2023-2027 ■ **Ch. Cossieu-Coutelin 2016** (11 à 15 € ; 38 400 b.) : vin cité.

SA CHEVAL QUANCARD,
ZI La Mouline, 4, rue du Carbouney, BP 36,
33565 Carbon-Blanc Cedex, tél. 05 57 77 88 88,
chevalquancard@chevalquancard.com
V *r.-v. au Ch. de Bordes à Saint-Vincent-de-Paul*

CH. LE BOSCQ 2016 ★

■ Cru bourg. | 78 000 | | 30 à 50 €

Commandé par une belle demeure de la fin du XIXe s., ce cru de 18 ha, appartenant à la maison Dourthe depuis 1995, possède un terroir intéressant : une croupe de graves garonnaises sur argile regardant l'estuaire. Il dispose d'un cuvier modèle équipé de cuves de petite capacité et sans pompes.

Assez puissant, ce vin annonce son caractère par un bouquet bien équilibré entre les fruits et le bois. Dès l'attaque, s'affirment sa mâche et ses tanins soyeux. 2023-2028 ■ **Héritage de le Boscq 2016 ★** (15 à 20 € ; **29 000 b.)** : un bouquet élégant et complexe, un beau volume et une solide présence tannique. 2022-2028

SC CH. LE BOSCQ,
33180 Saint-Estèphe, tél. 05 56 35 53 00,
contact@dourthe.com r.-v.

CH. CALON SÉGUR 2016 ★★

■ 3e cru clas. | n.c. | | 75 à 100 €

98 01 |**03**| |04| |06| |07| **09** 11 **12 13** 14 **15 16**

Maison noble portant le nom de la paroisse de Saint-Estèphe au Moyen Âge (Calones), ce cru est l'un des plus anciens de la région. Entre 1659 et 1681, il passe entre les mains des Ségur, qui développent ce vignoble auquel ils sont très attachés : « Je fais du vin à Lafite et à Latour, mais mon cœur est à Calon », disait Nicolas-Alexandre. Adossé au bourg de Saint-Estèphe, le vignoble, d'un seul tenant, entièrement clos par un mur, couvre 55 ha – la même surface que lors du classement de 1855 –, plantés sur une épaisse couche de graves reposant sur des argiles. Propriété de la famille Gasqueton de 1894 à 2012, Calon appartient aujourd'hui à la société Suravenir, filiale du groupe Crédit Mutuel, qui a engagé un vaste programme de rénovation, avec la construction d'un nouveau cuvier.

Encore marqué par l'élevage, ce 2016 demande de l'attention pour en percer tous les mystères. Dans un premier temps, son bouquet est dominé par les notes toastées et fumées. Puis à l'aération apparaissent les arômes de fruits, avec en tête ceux de cerise. L'harmonie se réalise au palais, autour d'une matière ample, riche et soyeuse, structurée par des tanins à la hauteur des ambitions de garde. 2024-2035 ■ **Ch. Capbern 2016 ★ (20 à 30 € ; n.c.)** : un vin encore empreint du boisé de l'élevage, mais dont les notes fruitées sous-jacentes et l'intensité de la matière ont convaincu les dégustateurs : la garde ne pourra lui être que favorable. 2024-2030 ■ **Le Marquis de Calon Ségur 2016 (20 à 30 € ; 148 000 b.)** : vin cité.

SCEA CH. CALON SÉGUR, Dom. de Calon,
33180 Saint-Estèphe, tél. 05 56 59 30 08,
calon-segur@calon-segur.fr r.-v.

CH. DE CÔME 2016 ★★

■ Cru bourg. | 20 000 | | 20 à 30 €

S'il n'est pas très connu, le Ch. de Côme n'en est pas moins fort ancien, sa création remontant à une demoiselle de Côme, en 1838. Il compte aujourd'hui 7 ha, en conversion bio. Il a été acquis en 1997 par Maurice Velge, homme d'affaires spécialisé dans les

affaires maritimes, en même temps que le Ch. Clauzet, cru de 23 ha fondé, lui, en 1890.

Encore jeune, ce vin reste dominé par l'élevage dans son expression aromatique. Il révèle une puissante charpente tannique et une chair ample, empreinte d'un fruité mûr. La longue finale confirme son potentiel de garde. ⧗ 2024-2030

SCEA CH. DE CÔME, lieu-dit Les Pradines, 33180 Saint-Estèphe, tél. 05 57 75 05 98, come@chateaudecome.com V r.-v.

CH. LA COMMANDERIE 2016

■ Cru bourg. | 74 000 | | 15 à 20 €

Gabriel Meffre, pépiniériste, fit l'acquisition du domaine en 1958, séduit par cette ancienne commanderie des Templiers reconstruite après la Révolution. Son fils Claude Meffre préside à la destinée du vignoble depuis 1996. Originalité du cru : le merlot est légèrement majoritaire (55 %) par rapport au cabernet-sauvignon, qui a coutume de s'imposer sur cette rive gauche.

Si son bouquet demeure sur la réserve, ce vin se montre plaisant dans son développement au palais : souple, il bénéficie de tanins soyeux. ⧗ 2022-2026

EARL DU CH. LA COMMANDERIE, 1, rte de Saint-Afrique, 33180 Saint-Estèphe, tél. 05 56 59 32 30, claude.j.meffre@wanadoo.fr V r.-v.

CH. COS LABORY 2016 ★★

■ 5e cru clas. | 108 000 | | 30 à 50 €

82 **83 85 86** 88 89 (90) 91 **92** 93 94 95 **96 97 98 99** 00 **01** 02 03 **04** |05| |**06**| 07 |**08**| **09 10** 11 **12** 13 **14 15 16**

Un authentique domaine familial, encore habité, fait rare, par ses propriétaires. Dans la même famille depuis 1922, Cos Labory est le lieu de résidence de Bernard Audoy, actuel président de l'appellation saint-estèphe. Le cru a été uni à Cos d'Estournel jusqu'en 1810, année de son achat par François Labory. D'une superficie assez modeste pour un classé (18 ha), son vignoble se répartit entre trois grands ensembles, dont un en forme de croissant, à l'ouest du château. Tous sont composés de graves, mais sur des socles plus ou moins argileux.

Après un 2015 de haut vol (coup de cœur), Cos Labory tient une nouvelle fois son rang avec ce 2016 grenat soutenu, dont les arômes de fruits noirs et de réglisse s'expriment intensément. De l'élégance, de la puissance, de la structure et cette rémanence qui augure du meilleur pour l'avenir. ⧗ 2024-2030 ■ **Charme de Cos Labory 2016 (15 à 20 €; 29 000 b.)** : vin cité. ■ **Ch. Andron Blanquet 2016 (15 à 20 €; 94 000 b.)** : vin cité.

SCE DOMAINES AUDOY, 33180 Saint-Estèphe, tél. 05 56 59 30 22, contact@cos-labory.com V r.-v.

CH. LE CROCK 2016 ★

■ Cru bourg. | 116 600 | | 30 à 50 €

Fait rare, ce château, construit à la fin du XVIIIes., agrémenté d'un parc de 6 ha et d'une pièce d'eau, est tourné vers le sud, et non vers le fleuve. Connu autrefois sous le nom de Bastérot-Ségur, son vignoble s'étend aujourd'hui sur 32 ha, sur le haut de la croupe de Marbuzet. Depuis 1903, il appartient à la famille Cuvelier (Léoville-Poyferré à Saint-Julien).

Très élégant dans sa robe rubis, ce 2016 a replié son bouquet comme un papillon ses ailes, afin de préserver ses délicats arômes de fruits noirs et d'épices pour plus tard. Encore un peu austère, il n'en développe pas moins une belle matière persistante, preuve qu'il saura redéployer ses ailes après des années de garde. ⧗ 2024-2028

SC DOMAINES CUVELIER, 1, rue Paul-Amilhat, 33180 Saint-Estèphe, tél. 05 56 59 73 05, chateaulecrock@orange.fr V r.-v.

CH. HAUT-MARBUZET 2016

■ | 300 000 | | 30 à 50 €

85 86 88 89 90 92 93 94 95 96 97 98 **99** |**00**| |**01**| |**02**| |**03**| |**04**| |05| |06| |**07**| **08 09 10** 11 12 13 14 **15** 16

Dans l'après-guerre, Hervé Duboscq était sous-chef de gare à Langon. Pour améliorer l'ordinaire, il s'est établi représentant en bouchons. De voies en vin, il s'installe marchand de vin. Puis, de vin en vignes, il acquiert en 1952 sept hectares de l'ancien cru des Mac Carthy, Irlandais émigrés à Saint-Estèphe, dont les héritiers avaient découpé le domaine pour le revendre. Cinquante ans durant, les Duboscq père et fils ont rassemblé les pièces éparses et reconstitué le puzzle (65 ha). Henri Duboscq a pris la suite de son père en 1973; ses fils Bruno et Hughes l'ont suivi. Le domaine est aujourd'hui l'une des références de l'appellation.

Encore marqué par l'élevage, ce vin possède suffisamment de matière et de charpente pour évoluer favorablement lors de la garde. Et à y regarder de plus près, la robe rouge sombre et le bouquet de fruits rouges vanillés ne sont-ils pas eux aussi de bon augure? ⧗ 2023-2028

SCEA H. DUBOSCQ ET FILS, Ch. Haut-Marbuzet, 33180 Saint-Estèphe, tél. 05 56 59 30 54 V r.-v.

CH. LAFFITTE CARCASSET 2016 ★

■ Cru bourg. | 140 000 | | 20 à 30 €

Commandé par une chartreuse du XVIIIes., ce cru de 35 ha a été créé à la même époque par Joseph Laffitte, procureur du roi à Bordeaux. Il appartenait à la famille de Padirac depuis 1958, juqu'à son rachat en 2017 par Pierre Rousseau.

Ce joli vin rubis séduit par la délicatesse de son bouquet fruité, relevé d'une note toastée. Charpenté mais sans agressivité, le palais laisse le dégustateur sur une agréable sensation d'harmonie. ⧗ 2023-2028

SC DOMEC, Ch. Laffitte Carcasset, 33180 Saint-Estèphe, tél. 05 56 59 34 32, contact@laffittecarcasset.com V r.-v.

CH. LILIAN LADOUYS 2016 ★★

■ Cru bourg. | 286 375 | | 20 à 30 €

Au XIVes., La Doys était une métairie de Lafite. Après avoir connu son heure de gloire à la charnière des XIXe et XXes., sous le nom de Ch. Ladouys, ce cru avait pratiquement disparu. Il a été ressuscité (et rebaptisé du nom de son épouse) par Christian Thiéblot dans

LE BORDELAIS

les années 1980, puis par la Natexis à partir de 1989. En 2008, nouveau changement de propriétaires avec Jacky et Françoise Lorenzetti (Pédesclaux à Pauillac), qui ont vendu leur réseau d'agences immobilières pour investir dans la vigne. Ils ont entrepris un vaste programme de restructuration des 45 ha de vignes.

La robe grenat à reflets rubis laisse deviner la jeunesse du vin. Encore un peu discret, le bouquet indique clairement que ses arômes de fruits noirs mûrs et d'épices privilégient l'élégance. La synthèse se réalise au palais : après une attaque d'une grande fraîcheur, se déploie une matière puissante mais bien équilibrée, soutenue par des tanins soyeux. ⧗ 2023-2030

SAS CH. LILIAN LADOUYS, Blanquet, 33180 Saint-Estèphe, tél. 05 56 59 22 59, contact@chateau-lilian-ladouys.com r.-v.

CH. MEYNEY 2016 ★★

■	204000		30 à 50 €

90 92 93 94 **95 96** 97 99 00 01 02 04 |05| |06| |**08**| 09 10 12 13 **14** 15 **16**

Ancien prieuré des Couleys, couvent de l'ordre des Feuillants au XVIIᵉ s., développé successivement par les familles Luetkens et Cordier, ce cru de 51 ha régulier en qualité, voisin de Montrose, serait l'un des berceaux de la viticulture stéphanoise. Il est depuis 2004 dans le giron de CA Grands Crus (groupe Crédit Agricole), propriétaire entre autres de Grand-Puy Ducasse (pauillac).

Complexe dans son expression aromatique et harmonieux dans son développement au palais, ce 2016 particulièrement typé a tout pour lui : un bouquet aux jolies notes de fruits noirs (cerise noire et cassis), une puissante matière portée par des tanins soyeux, une finale aussi longue que raffinée. ⧗ 2024-2030 ■ **Prieur de Meyney 2016 ★ (20 à 30 €; 100000 b.)** : moins puissant que le grand vin mais tout aussi élégant et charmeur par sa rondeur vanillée et son fruité mûr. ⧗ 2022-2025

SC CH. MEYNEY, 4, quai Antoine-Ferchaud, 33250 Pauillac, tél. 05 56 59 00 40, contact@cagrandscrus.fr

♥ CH. MONTROSE 2016 ★★

■ 2ᵉ cru clas.	n.c.		+ de 100 €

(82) **83 85 86** 87 **88 89 90** 91 **92 93 94 95 96 97 98** |**99**| |**00**| |**01**| 02 |**03**| |**04**| |**05**| |**06**| |**07**| **08 09 10** 11 **12 13** 14 **15 16**

Entouré de 95 ha de vignes d'un seul tenant, Montrose a pour seul horizon l'estuaire de la Gironde. Autrefois, ses sols très pauvres, essentiellement des graves sur argiles, étaient des pâturages couverts de bruyères, qui formaient d'immenses plaques roses lors de la floraison. Ce qui a valu son nom au domaine, transformé en vignoble à la fin du Premier Empire par Étienne-Théodore Dumoulin, développé par Mathieu Dolfuss à partir de 1866 et par les Charmolüe après 1896. Ces derniers ont maintenu intacts le prestige et la qualité de Montrose à travers tout le XXᵉ s., avant de céder le cru en 2006 à Martin et Olivier Bouygues, qui en ont confié en 2012 la direction à Hervé Berland et ont entrepris un vaste programme de rénovation.

Année du cabernet, le millésime 2016 aura été également celle de Montrose, peut-être grâce à l'assemblage composé à 75 % de cabernets (dont 68 % de sauvignon). De teinte sombre, le vin s'impose par l'élégance de son bouquet très expressif de fruits rouges mûrs, rafraîchi de notes de menthe et d'eucalyptus. Matière ample, puissance des tanins, belle longueur... : toutes les promesses d'une remarquable bouteille de garde. ⧗ 2024-2035

SCEA DU CH. MONTROSE, Ch. Montrose, 33180 Saint-Estèphe, tél. 05 56 59 30 12, chateau@chateau-montrose.com r.-v.

CH. ORMES DE PEZ 2016 ★★

■	n.c.		30 à 50 €

89 90 95 96 97 98 99 **00** 01 02 03 04 06 07 |**08**| **09** 10 **12** 13 15 **16**

Si Lynch-Bages, à Pauillac, est le navire amiral des Domaines Jean-Michel Cazes, ce n'est pas le premier cru acquis par la famille Cazes. Ce titre revient aux Ormes de Pez, situé au nord de l'appellation saint-estèphe, acheté par Jean-Charles Cazes en 1940. Le vignoble couvre 40 ha sur un terroir typique de graves garonnaises.

Remarqué dès le premier regard porté sur sa robe vive et brillante, c'est un 2016 d'une élégance classique qui a séduit les dégustateurs. Une ligne vanillée souligne délicatement le fruit, puis se glisse dans une matière suave, aux tanins denses et soyeux. La finale longue et chaleureuse apporte, si besoin était, un dernier argument en faveur des deux étoiles. ⧗ 2023-2030

SASU ORMES DE PEZ, rte des Ormes, Pez, 33180 Saint-Estèphe, tél. 05 56 73 24 00, contact@jmcazes.com r.-v. 5

CH. DE PEZ 2016

■	n.c.		30 à 50 €

Vignoble de 45 ha d'un seul tenant situé à l'ouest de Saint-Estèphe, le Ch. de Pez est l'un des plus anciens de l'appellation, ayant appartenu aux familles Pontac et Lawton. Il est depuis 1995 la propriété de la maison champenoise Louis Roederer, qui propose aussi une autre étiquette, le Ch. Haut-Beauséjour.

Classique dans sa robe rubis, ce vin offre un discret bouquet boisé. Agréable, il l'est par l'équilibre des saveurs et ses tanins bien fondus. ⧗ 2022-2026

SC LA SALLE SAINT-ESTÈPHE (CH. DE PEZ), 33180 Saint-Estèphe r.-v.

CH. PHÉLAN SÉGUR 2016 ★★

■	200000		30 à 50 €

88 89 **90 91 93 94 95 96** 97 **98 99 00 01** |**02**| **03** |(04)| |**05**| |06| 07 |**08**| **09 10** 11 **12** 13 **14 15 16**

Situé sur le plateau à côté du bourg de Saint-Estèphe, ce cru allie un impressionnant ensemble de bâtiments néo-classiques à un terroir de premier choix : 70 ha de graves argileuses. Et aussi des propriétaires de renom. Bernard Phélan, possédant déjà le domaine de Garamey, acheta en 1810 des terres venant de Joseph-Marie de Ségur, comte de Cabanac (qui n'avait qu'une

simple homonymie avec les Ségur de Lafite et Calon). Puis, pendant longtemps, les Delon, une référence en Médoc. Et depuis 1985, Xavier Gardinier.

S'il est encore un peu fermé, le bouquet se montre déjà attrayant par ses notes de fruits noirs. C'est une matière concentrée, au fruité mûr également, qui se révèle au palais, dotée de toute la structure nécessaire pour affronter le temps. Charme et potentiel. ⧗ 2023-2030

SCEA CH. PHÉLAN SÉGUR, rue des Écoles, 33180 Saint-Estèphe, tél. 05 56 59 74 00, phelan@phelansegur.com V r.-v.

CH. SAINT-PIERRE DE CORBIAN 2016 ★

Cru bourg.	22000		20 à 30 €

Propriété d'une vingtaine d'hectares d'un seul tenant, les châteaux Saint-Paul (haut-médoc) et Saint-Pierre de Corbian (saint-estèphe) sont situés à cheval sur les communes de Saint-Seurin-de-Cadourne et Saint-Estèphe. Depuis 1979, ils appartiennent aux familles Beguerre et Lacaze.

Issu à parts égales de cabernet-sauvignon et de merlot, ce vin se distingue par son équilibre et son élégance. En témoignent le bouquet aux délicates notes fruitées (cassis), ainsi que le généreux développement de la matière, porté par des tanins fondus. ⧗ 2022-2026

SCEA SAINT-PIERRE DE CORBIAN, Ch. Saint-Pierre de Corbian, 33180 Saint-Seurin-de-Cadourne, tél. 05 56 59 34 72, chateaustpaul@orange.fr V r.-v.

CH. SÉGUR DE CABANAC 2016 ★

	43000		20 à 30 €

De noble origine, ce cru de 7 ha est composé de différentes parcelles, dont certaines furent la propriété du comte Joseph-Marie Ségur de Cabanac, le « Prince des Vignes » ; des bornes de pierre gravées à son nom se dressent d'ailleurs toujours dans le vignoble. Les Delon ont reconstitué l'exploitation à partir de 1985 et en ont fait l'une des belles références de Saint-Estèphe.

Plus que la puissance, c'est l'élégance qui a été retenue dans ce 2016. Cette élégance qui émane du bouquet de fruits rouges nuancés d'une pointe de poivre. Celle d'une attaque fraîche, d'une matière ronde qui monte très progressivement en puissance. ⧗ 2022-2026

SCEA GUY DELON ET FILS, 9, rue du Littoral, 33180 Saint-Estèphe, tél. 05 56 59 70 10, sceadelon@wanadoo.fr V r.-v.

CH. TOUR DES TERMES 2016

Cru bourg.	90000		20 à 30 €

La famille Anney est propriétaire de deux crus dans le Médoc : le Ch. Tour des Termes, acquis en 1938 (36 ha en saint-estèphe), qui tire son nom d'une tour d'architecture féodale située sur la parcelle Les Termes et représentée sur l'étiquette ; le Ch. Comtesse du Parc (9 ha en haut-médoc), dans la famille deuis 1779. Christophe Anney dirige l'ensemble depuis 1983.

S'il n'est pas armé pour un long séjour en cave, ce vin se montre intéressant par son bouquet fruité, complété de quelques notes grillées, comme par son bon volume au palais. ⧗ 2022-2024

SCEA VIGNOBLES JEAN ANNEY, 2, rue du Pigeonnier, Saint-Corbian, 33180 Saint-Estèphe, tél. 05 56 59 32 89, contact@chateautourdestermes.com V *t.l.j. 8h30-12h 14h-16h30*

CH. TOUR SAINT-FORT 2016 ★★

Cru bourg.	42000		20 à 30 €

Sans abandonner son activité de promoteur immobilier, Jean-Louis Laffort s'est lancé par pure passion dans le vin en 1992, acquérant une petite vigne de 4,2 ha. Aujourd'hui, le domaine s'étend sur un peu plus de 14 ha.

Issu d'un assemblage diversifié, avec une petite majorité de cabernets, ce 2016 s'inscrit dans la tradition médocaine : entre puissance et élégance. Finesse d'un bouquet équilibré entre les fruits et le bois. Ampleur et richesse d'une matière parfaitement structurée. Un saint-estèphe accompli, qui a encore beaucoup à offrir au fil des années. ⧗ 2023-2030

SCA CH. TOUR SAINT-FORT, 1, rte de la Villotte, 33180 Saint-Estèphe, tél. 05 56 59 38 19, contact@chateautoursaintfort.com V *t.l.j. sf sam. dim. 9h-12h 14h-17h* 5

SAINT-JULIEN

Superficie : 920 ha / Production : 41 775 hl

Pour l'une saint-julien, pour l'autre Saint-Julien-Beychevelle, saint-julien est la seule appellation communale du Haut-Médoc à ne pas respecter scrupuleusement l'homonymie entre les dénominations viticole et municipale. La seconde, il est vrai, a le défaut d'être un peu longue, mais elle correspond parfaitement à l'identité humaine et au terroir de la commune et de l'aire d'appellation, à cheval sur deux plateaux aux sols caillouteux et graveleux.

Situé exactement au centre du Haut-Médoc, le vignoble de Saint-Julien constitue, sur une superficie assez réduite, une harmonieuse synthèse entre margaux et pauillac. Il n'est donc pas étonnant d'y trouver onze crus classés, dont cinq seconds. À l'image de leur terroir, les vins offrent un bon équilibre entre les qualités des margaux (notamment la finesse) et celles des pauillac (la puissance). D'une manière générale, ils possèdent une belle couleur, un bouquet fin et typé, du corps, une grande richesse et de la sève. Mais, bien entendu, les quelque 6 millions de bouteilles produites en moyenne chaque année en saint-julien sont loin de se ressembler toutes, et les dégustateurs les plus avertis noteront les différences qui existent entre les crus situés au sud – plus proches des margaux – et ceux du nord – plus près des pauillac –, ainsi qu'entre ceux qui sont à proximité de l'estuaire et ceux qui se trouvent plus à l'intérieur des terres, vers Saint-Laurent.

CH. BEYCHEVELLE 2016 ★

4ᵉ cru clas.	233000		75 à 100 €

82 **83 85 86 88** (89) 90 91 92 93 **94 95** 96 **97** |**98**| |99| |**00**|
|01| |02| |03| |**04**| 05 06 |**07**| 08 **09** 10 **11 12 13 14 15** 16

Le « Versailles bordelais ». Beychevelle est un petit bijou d'architecture classique. Son prestige lui vient

aussi des puissantes familles qui en furent propriétaires. Son nom viendrait d'ailleurs d'un grand amiral de France, duc d'Épernon sous Henri III, qui exigeait que les navires passant devant son château « baissent voiles » en signe d'allégeance. Né au XVIIe s. et développé au XVIIIe s., son vignoble (90 ha) a beaucoup évolué, ce qui explique sa dispersion actuelle sur toute l'AOC. Il s'est équipé en 2017 d'un nouveau chai sur les plans d'Arnaud Boulain. Appartenant depuis 2011 aux groupes Suntory et Castel, il est dirigé par Philippe Blanc.

Premier millésime vinifié dans le nouveau chai, ce 2016 pourpre profond et brillant se présente avec une majesté digne de l'architecture du château et de son histoire. Si le bouquet est encore un peu dominé par le bois, il se montre complexe avec des notes de fruits mûrs et d'épices. Après une attaque intense, le vin affiche sa vocation pour la garde par son volume et la puissance de ses tanins perceptible en finale. ⌛ 2024-2030

⊶ SC CH. BEYCHEVELLE, 33250 Saint-Julien-Beychevelle, tél. 05 56 73 20 70, beychevelle@beychevelle.com V 🚶 ■ *r.-v.*

CH. BRANAIRE-DUCRU 2016 ★★

■ **4e cru clas.** | **180000** | ◖◗ | **50 à 75 €**

82 **83 85 86 88 89** 90 93 **94 95** 96 97 **98 99** |**00**| |01| 02 |03| |04| |05| **06** |07| |**08**| 09 10 **11** 12 13 14 15 **16**

Château (Directoire) et orangerie (XVIIIe s.) aux lignes épurées, les amateurs d'architecture néo-classique seront comblés par la visite de ce bel ensemble qui s'élève sur le coteau au-dessus de Beychevelle. Composé de graves, celui-ci constitue un terroir de choix, dont l'intérêt viticole a été perçu dès la fin du XVIIe s. époque de l'achat du domaine par Jean-Baptiste Braneyre. Fort d'un vignoble de 60 ha, le cru appartient depuis 1988 à la famille Maroteaux, qui a réalisé d'importants investissements pour redonner à la propriété son lustre d'antan.

L'élégance n'attend pas le nombre des années dans les grands saint-julien. Il est ainsi de ce 2016 profond, nuancé de violine. Au premier nez de fruits rouges et de boisé noble succèdent des touches florales et mentholées très fraîches. La souplesse de l'attaque charme d'emblée, belle introduction d'un palais ample et rond, doté de tanins fins. Et les saveurs de fruits de se prolonger en finale, soutenues par une juste fraîcheur. ⌛ 2025-2035

⊶ SC CH. BRANAIRE-DUCRU, 1, chem. du Bourdieu, 33250 Saint-Julien-Beychevelle, tél. 05 56 59 25 86, branaire@branaire.com V 🚶 ■ *r.-v.*

CLOS DU MARQUIS 2016 ★

■ | **120000** | ◖◗ | **30 à 50 €**

Souvent considéré comme le second vin de Léoville Las Cases, le Clos du Marquis, créé en 1902, est en réalité un cru à part entière. Son vignoble, planté sur un terroir de graves du Mindel très homogène, est situé au nord-ouest du village de Saint-Julien, le grand clos étant quant à lui au nord-est.

S'il n'entend pas rivaliser avec Léoville, ce vin ne manque pas d'atouts. À un bouquet de fruits rouges que complètent des notes épicées, il ajoute un beau développement au palais. Bien structuré, il a toute la matière désirable pour bien évoluer dans le temps. ⌛ 2024-2030 ■ **La Petite Marquise du Clos du Marquis 2016 ★ (20 à 30 €; 15000 b.)** : second vin du Clos du Marquis, ce 2016 présente un charme réel actuellement, tout en conservant de solides réserves aromatiques et tanniques pour évoluer favorablement dans le temps. ⌛ 2022-2028

⊶ SC DU CH. LÉOVILLE LAS CASES (CLOS DU MARQUIS), 33250 Saint-Julien-Beychevelle, tél. 05 56 73 25 26, contact@leoville-las-cases.com 🚶 ■ *r.-v.*

CH. DU GLANA 2016 ★★

■ | **133000** | ◖◗ | **20 à 30 €**

Pierre et brique, la bichromie du château, construit en 1870, annonce l'architecture soulacaise et la Pointe du Médoc. Le vignoble (43 ha) est lui bien juliénois, planté sur des graves garonnaises. Installés en 1961, les Meffre y ont réalisé d'importants investissements, qu'ils poursuivent aujourd'hui (création d'un nouveau chai à barriques et d'un caveau souterrain).

Ce millésime récompense largement les efforts consentis par les Meffre. Bien typé par sa robe bordeaux à reflets brillants, il l'est aussi par la complexité du bouquet, qui s'étend des fruits noirs au cuir de Russie, en passant par les épices douces. Rond et souple à l'attaque, il développe une matière ample, étayée par des tanins très fins, parfaitement extraits. ⌛ 2023-2030

⊶ SCEA CH. DU GLANA, 5, Le Glana, 33250 Saint-Julien-Beychevelle, tél. 05 56 59 06 47, contact@chateau-du-glana.com V 🚶 ■ *r.-v.*

CH. GLORIA 2016 ★★

■ | **268000** | ◖◗ | **50 à 75 €**

82 **83** 84 85 86 87 **88 89** 90 **91** 93 94 **95** 96 97 98 99 00 **01 02** 03 04 |⑤| |06| |07| |08| 09 10 **11** 12 13 14 15 **16**

Ce cru, qui s'étend aujourd'hui sur 50 ha, a été constitué *ex nihilo* à partir de 1942 par l'une des grandes figures du vignoble, Henri Martin, qui pendant des années a acheté des parcelles provenant de grands crus classés, au centre de Beychevelle, ainsi qu'à l'ouest et au nord de l'appellation. Sa fille Françoise et son mari Jean-Louis Triaud, qui dirigeaient Gloria et l'ensemble des Domaines Martin, ont transmis en 2016 les commandes de leurs propriétés à leur fils Jean.

Très élégant dans son étincelante robe rubis, ce vin se montre charmeur par la fraîcheur de ses parfums de fruits rouges mûrs et de vanille. Le charme opère aussi au palais grâce à une très belle matière typique des saint-julien : mariage heureux des tanins avec les flaveurs de fruits cuits. Une bouteille de grande classe qui demande encore à s'assouplir. ⌛ 2024-2030 ■ **Ch. Haut-Beychevelle Gloria 2016 ★ (15 à 20 €; 36000 b.)** : un vin agréable par son bouquet de fruits noirs rehaussés de notes épicées comme par son palais, puissant, rond et bien équilibré. ⌛ 2023-2028

⊶ SC LES DOMAINES MARTIN, Ch. Gloria, 33250 Saint-Julien-Beychevelle, tél. 05 56 59 08 18, contact@domaines-martin.com V 🚶 ■ *r.-v.*

CH. GRUAUD LAROSE 2016 ★★

■ 2e cru clas. | 152 000 | | 50 à 75 €

82 83 84 85 (86) 87 88 89 90 91 92 93 94 |(95)| 96 97 98 |99| |(00)| |01| |02| |03| |04| 05 06 07 08 09 10 11 (12) 13 14 15 16

Créé au début du XVIIIe s. par la famille Gruaud, le domaine passe en 1771 dans les mains des Larose, qui ajoutent leur nom et font construire le château, de style néo-classique. En 1812, les Balguerie et Sarget achètent la propriété, puis se séparent, donnant naissance à Gruaud Larose-Bethmann et Gruaud Larose-Sarget. La réunification intervient en 1934, grâce à Désiré Cordier. Vendu en 1983 à des investisseurs institutionnels, Gruaud Larose est racheté en 1997 par le groupe familial Taillan (Merlaut), à la tête aujourd'hui d'un vaste vignoble de 82 ha, presque d'un seul tenant.

De l'opulence dans le bouquet de fruits mûrs nuancés de notes florales et de nuances boisées. De l'ampleur et du soyeux dès la première approche au palais. Si la matière apparaît dense et riche, bâtie sur des tanins serrés, une juste fraîcheur lui confère l'élégance attendue d'un saint-julien. ⧗ 2025-2035

SA CH. GRUAUD LAROSE, 33250 Saint-Julien-Beychevelle, tél. 05 56 73 15 20, gl@gruaud-larose.com V r.-v.

CH. LAGRANGE 2016 ★★

■ 3e cru clas. | 309 153 | | 50 à 75 €

82 83 85 86 88 89 (90) 91 92 93 94 95 96 97 98 99 |00| 01 02 03 04 |05| |06| 07 |08| 09 10 11 12 13 14 15 16

Un nom modeste pour une vaste propriété (280 ha, dont 118 de vignes) et un château néoclassique agrémenté d'un campanile aux allures toscanes. Le vignoble d'un seul tenant, établi sur deux buttes de graves, est l'héritier d'une longue histoire, la Grange désignant souvent au Moyen Âge un grand domaine avec église, habitations et bâtiments d'exploitation. Propriété du groupe japonais Suntory depuis 1983, le cru, longtemps dirigé par Marcel Ducasse, figure de la viticulture médocaine, puis par son ancien adjoint Bruno Eynard, a recruté Matthieu Bordes en 2013.

Toujours aussi régulier en qualité, Lagrange nous offre un 2016 à la fois charmeur et de garde. D'un rouge profond à reflets noirs, ce vin n'a sans doute pas encore trouvé sa pleine expression, mais l'on perçoit déjà sa complexité par l'étendue de la palette qui va des fruits rouges confits aux notes de moka. Rond et souple en attaque, il possède une belle structure tannique et beaucoup de matière. Tout indique un remarquable potentiel, que confirme la longue finale. ⧗ 2024-2030 ■ **Les Fiefs de Lagrange 2016 ★★** (20 à 30 €; **308 419 b.**) : très proche du grand vin mais avec juste un peu moins de potentiel de garde, cette seconde étiquette est une très belle réussite conciliant élégance et puissance. ⧗ 2023-2028

SAS CH. LAGRANGE, Beychevelle, 33250 Saint-Julien-Beychevelle, tél. 05 56 73 38 38, contact@chateau-lagrange.com r.-v. 5

CH. LALANDE 2016 ★

■ | 86 000 | | 15 à 20 €

Comme son nom l'indique, le terroir de ce cru détaché du Ch. Lagrange en 1964, situé à Saint-Julien-Beychevelle en bordure de la route « des grands vins » qui longe la Gironde, est assez pauvre. Un inconvénient pour toutes les autres cultures, mais un avantage pour la vigne de qualité. Acquis en 1982, l'un des domaines bordelais de la famille Meffre.

Issu d'un terroir sablo-graveleux (au lieu des graves garonnaises du Ch. Glana, autre propriété des Meffre), ce vin se montre très élégant dans sa présentation, avec une robe soutenue et un bouquet aussi délicat que complexe. Il se révèle aussi particulièrement aimable et soyeux au palais, ce jusqu'en finale. ⧗ 2023-2028

GFA VIGNOBLES MEFFRE (CH. LALANDE), 5, Le Glana, 33250 Saint-Julien-Beychevelle, contact@chateau-du-glana.com V r.-v.

♥ CH. LANGOA BARTON 2016 ★★

■ 3e cru clas. | 92 000 | | 50 à 75 €

82 83 85 86 88 (89) 90 93 94 95 96 97 98 99 |00| 01 02 |03| |04| |05| |06| |07| |08| 09 10 11 12 14 15 16

Commandé par une belle chartreuse du XVIIIe s., ce cru est depuis 1821 la propriété des Barton (Ch. Léoville Barton), famille d'origine irlandaise, l'un des rares domaines à être resté entre les mains de la même famille depuis le classement de 1855. Une tradition que perpétue Lilian Barton depuis 2006, à la tête d'un vignoble de 51 ha réparti en quatre grandes parcelles situées entre les villages de Saint-Julien et Beychevelle.

Impressionnant par la profondeur de sa robe grenat presque noire, ce saint-julien l'est aussi par la fraîcheur de son bouquet et par l'équilibre de son palais. Fin, élégant et complexe, le premier fait défiler de belles senteurs de fleurs, de bois de cèdre et d'épices. Après une attaque franche, la matière, portée par de beaux tanins, réussit la synthèse de la rondeur et de la puissance. Une très longue finale achève de convaincre des qualités et du potentiel de cette remarquable bouteille. ⧗ 2024-2035

SAS SOCIÉTÉ DES CHÂTEAUX LANGOA ET LÉOVILLE BARTON (CH. LANGOA), 33250 Saint-Julien-Beychevelle, tél. 05 56 59 06 05, chateau@barton-family-wines.com r.-v.

CH. LÉOVILLE BARTON 2016 ★

■ 2e cru clas. | 140 000 | | 75 à 100 €

82 83 85 86 88 |89| |(90)| 91 93 94 95 |96| 97 |98| |99| |00| 01 02 |03| 04 (05) |06| 07 |08| 09 10 |11| 12 |13| 14 15 16

Si l'Irlandais Thomas Barton a installé aux Chartrons son affaire de négoce en 1725, ce n'est qu'en 1821 que

son petit-fils Hugh acquiert le château Langoa, puis en 1826 une partie de l'ancien domaine de Léoville, propriété née au début du XVIIe s. et scindée en plusieurs parties à la Révolution. Un domaine resté depuis lors dans la famille Barton (Lilian Barton Sartorius depuis 2006), dont les quelque 50 ha de vignes s'étendent au sud du bourg de Saint-Julien. Pas de demeure ni de chai ici, vinifications et élevages se déroulent à Langoa.

S'il est actuellement un peu moins expressif que le Ch. Langoa, ce vin porte fièrement les couleurs de la famille Barton-Sartorius. Tant par son bouquet de fruits noirs, d'épices douces et de cèdre que par sa bouche ample, dense et puissante, avec un beau soutien tannique. ⌛ 2023-2030 ■ **La Réserve de Léoville Barton 2016 ★ (30 à 50 €; 51000 b.)** : complexité aromatique et bel équilibre entre la puissance et l'élégance : les traits majeurs de son «grand frère» se retrouvent dans ce vin hautement recommandable. ⌛ 2023-2028

SAS SOCIÉTÉ DE CHÂTEAUX LANGOA ET LÉOVILLE BARTON (CH. LÉOVILLE BARTON), 33250 Saint-Julien-Beychevelle, tél. 05 56 59 06 05, chateau@barton-family-wines.com
r.-v.

♥ CH. LÉOVILLE LAS CASES 2016 ★★

■ 2e cru clas. | n.c. | | + de 100 €

61 **62 64** 67 69 **70 71 75** 76 **78 79** 82 83 **85** 86 **88 89 90 91** 92 **93** 00 **01 02** 03 **04** 05 **06 07 08** 09 10 **11 12 13 14** 15 **16**

Las Cases ne se contente pas de posséder, avec 98 ha, les trois cinquièmes de l'ancien domaine de Léoville – divisé entre 1826 et 1846 pour aboutir aux trois Léoville connus aujourd'hui –, le cru possède le cœur historique du vignoble, le Grand Clos. Près de 60 ha plantés sur de belles graves reposant en profondeur sur des graves argilo-sableuses, au voisinage de Latour et de la Gironde, complétés par l'actuel Clos du Marquis. À cet avantage s'ajoute celui d'être géré depuis 1900 par la même famille, les Delon (aujourd'hui Jean-Hubert), qui l'ont doté, notamment depuis 2002, d'équipements à la pointe du progrès.

Comme tout le Médoc, Saint-Julien a bénéficié en 2016 de conditions climatiques quasi idéales. À Léoville Las Cases, elles ont été exploitées au mieux pour donner un saint-julien proche de la perfection. S'annonçant par une impériale robe pourpre, le grand vin déploie un bouquet d'une grande finesse et d'une très belle complexité. Aux parfums de fruits noirs du premier nez viennent s'ajouter à l'aération des notes de réglisse et d'épices. Le palais révèle une structure puissante, avec une belle complicité entre les tanins et la chair. Une très belle bouteille de garde. ⌛ 2025-2035 ■ **Le Petit Lion du Marquis de Las Cases 2016 ★★ (30 à 50 €; 60000 b.)** : fraîcheur et finesse du bouquet; équilibre et puissance de la structure; volume, complexité et longueur. Ce saint-julien n'a de petit que le nom... ⌛ 2022-2028

SC DU CH. LÉOVILLE LAS CASES, 33250 Saint-Julien-Beychevelle, tél. 05 56 73 25 26, contact@leoville-las-cases.com
r.-v.

♥ CH. LÉOVILLE POYFERRÉ 2016 ★★

■ 2e cru clas. | 206500 | | 75 à 100 €

79 80 **82** 83 **85 86 88 89** 90 **91** 93 **94** 95 **96 97 98 99 00** 01 02 **03 04 05 06** 07 **08 09 10 11 12 13** 14 **15 16**

Comme les deux autres crus nés de l'ancien domaine de Léoville, Poyferré – du nom du comte de Poyferré, issu d'une maison noble d'Armagnac, qui hérita du vignoble par son épouse lors de la scission – bénéficie d'un terroir de choix. Celui-ci, d'une superficie de 80 ha, se répartit sur toute la commune de Saint-Julien : à l'est, près de la Gironde, des graviers et galets bruns; à l'ouest, des sables noirs. Des atouts mis en valeur depuis 1979 par Didier Cuvelier, dont la famille, d'anciens négociants en vins à Lille, acquit la propriété en 1920.

Très flatteur dans son expression aromatique, avec un défilé de notes de cerise, de framboise, de cassis, de café, ce saint-julien va crescendo. Après une attaque aussi souple qu'élégante, c'est une matière de grande classe qui se déploie, imposante et parfaitement étayée par des tanins certes puissants, mais sans agressivité. Et les flaveurs de faire ricochet en finale. ⌛ 2024-2035 ■ **Pavillon de Léoville Poyferré 2016 (30 à 50 €; 109800 b.)** : vin cité. ■ **Ch. Moulin Riche 2016 (30 à 50 €; 68400 b.)** : vin cité.

SOCIÉTÉ FERMIÈRE DU CH. LÉOVILLE POYFERRÉ, 38, rue Saint-Julien, 33250 Saint-Julien, tél. 05 56 59 08 30, lp@leoville-poyferre.fr
V r.-v.

CH. SAINT-PIERRE 2016 ★

■ 4e cru clas. | 83000 | | 75 à 100 €

82 **83 85** 86 **88 89** 90 **93** 94 95 96 97 **98** 99 **01 02 03 04** 05 **06** 07 08 **09 10 11 12** 13 **14 15** 16

Ce cru ancien (XVIIe s.) a connu des heures sombres, ayant été totalement dispersé à la suite de plusieurs successions. Henri Martin le reconstitua à partir de 1982. Le vignoble couvre 17 ha, planté sur un beau terroir de graves reposant sur une couche argilo-sablonneuse. La fille d'Henri Martin, Françoise, et son mari Jean-Louis Triaud, qui le conduisaient, ont passé la main en 2016 à leur fils Jean.

Bien typé dans son appellation et dans son millésime, ce vin développe un bouquet de fruits noirs et de cèdre que complètent des notes de cuir, d'épices et de grillé pour composer un ensemble complexe. Équilibre et élégance caractérisent le palais. Un palais ample dès l'attaque, puissant, s'appuie sur des tanins soyeux, puis se prolonge durablement sur des notes épicées. ⌛ 2025-2030

SC LES DOMAINES MARTIN (CH. SAINT-PIERRE), 33250 Saint-Julien-Beychevelle, tél. 05 56 59 08 18, contact@domaines-martin.com V r.-v.

CH. TALBOT Grand Vin 2016 ★

4e cru clas.	332 000		50 à 75 €

82 83 (85) **86 88** 89 90 **93** 94 **95** 96 97 98 99 **00 01** 02 **03** 04 |**05**| 06 07 |08| |**09**| **10** 11 12 13 14 **15** 16

Portant le nom du connétable gouverneur de la Guyenne anglaise battu à Castillon-la-Bataille en 1453, ce château situé sur une croupe de graves, au centre de l'appellation saint-julien, se donne modestement des airs de grosse maison bourgeoise raffinée et confortable, sans souci ostentatoire. Tout autour, se déploie un vaste vignoble de 106 ha d'un seul tenant, à l'origine de saint-julien élégants et bien typés, d'une grande régularité dans la qualité. Un cru acquis par Désiré Cordier en 1917, conduit aujourd'hui par son arrière-petite-fille Nancy et son mari Jean-Paul Bignon, qui en ont confié la direction générale à Jean-Pierre Marty.

Un style sérieux mais fin caractérise ce saint-julien d'une belle richesse tannique. Les arômes de fruits noirs mûrs et un boisé fondu (café, épices) reviennent comme un leitmotiv tout au long de la dégustation, valorisant une matière ample et dense. ⧗ 2023-2030

SAS CH. TALBOT, 33250 Saint-Julien-Beychevelle, tél. 05 56 73 21 50, chateau-talbot@chateau-talbot.com r.-v.

LES VINS BLANCS LIQUOREUX

Quand on regarde une carte vinicole de la Gironde, on remarque aussitôt que toutes les appellations de liquoreux se trouvent dans une petite région située de part et d'autre de la Garonne, autour de son confluent avec le Ciron. Simple hasard? Assurément non, car c'est l'apport des eaux froides de la petite rivière landaise, au cours entièrement couvert d'une voûte de feuillages, qui donne naissance à un climat très particulier. Celui-ci favorise l'action du *Botrytis cinerea*, champignon de la pourriture noble. En effet, le type de temps que connaît la région en automne (humidité le matin, soleil chaud l'après-midi) permet au champignon de se développer sur un raisin parfaitement mûr sans le faire éclater : le grain se comporte comme une véritable éponge, et le jus se concentre par évaporation d'eau. On obtient ainsi des moûts très riches en sucre.

Mais, pour obtenir ce résultat, il faut accepter de nombreuses contraintes. Le développement de la pourriture noble étant irrégulier sur les différentes baies, il faut vendanger en plusieurs fois, par tries successives, en ne ramassant à chaque fois que les raisins dans l'état optimal. En outre, les rendements à l'hectare sont faibles (avec un maximum autorisé de 25 hl à Sauternes et à Barsac). Enfin, l'évolution de la surmaturation, très aléatoire, dépend des conditions climatiques et fait courir des risques aux viticulteurs.

CADILLAC

Superficie : 128 ha / Production : 6 000 hl

Ennoblie par son splendide château du XVIIes., surnommé le «Fontainebleau girondin», la bastide de Cadillac est souvent considérée comme la capitale des Premières-Côtes. Elle est aussi, depuis 1980, une appellation de vins liquoreux.

CLOS CARMELET Tabanac 2016 ★

	900		8 à 11 €

Un petit cru familial de 3 ha conduit depuis 2004 par Gilles Hébrard (troisième génération) : un ensemble de parcelles situées sur les coteaux de la rive droite de la Garonne, voisin du château Carmelet. Les vins sont élevés et conservés dans une ancienne carrière d'extraction de pierre de taille.

Classique dans sa robe jaune doré, ce 2016 ample, long et bien équilibré offre un bon potentiel tout en se montrant charmeur par son élégant bouquet, où les fruits confits (écorce d'orange) s'associent à de fraîches notes fleuries. ⧗ 2020-2024

GILLES HÉBRARD, 103, rte de Rouquey, 33550 Tabanac, tél. 06 64 38 03 00, closcarmelet@hotmail.fr V r.-v.

CLOS DU CH. DE CADILLAC 2016

	3000		11 à 15 €

Établis à Loupiac depuis huit générations, les Darriet exploitent plusieurs crus (64 ha en tout) sur les deux rives de la Garonne. Leurs rouges sont de qualité, mais ils possèdent aussi un réel savoir-faire en matière de vin blanc, doux comme sec – Philippe Darriet, l'œnologue, est chercheur à la faculté de Bordeaux et spécialiste du sauvignon.

Les vins blancs liquoreux

S'il demande un peu de patience, ce vin se montre intéressant par son bouquet frais et expressif (agrumes secs et note de menthe), et par son équilibre au palais que prolonge une longue finale. ⌛ 2021-2024

SC J. DARRIET, 8, rue Jean-Faux-Ouest, 33410 Loupiac, tél. 05 56 62 61 75, contact@vignoblesdarriet.fr t.l.j. sf sam. dim. 8h30-12h30 13h30-17h30

DOM. DE LA GRAVETTE 2017 ★

| | 25000 | | 5 à 8 € |

La famille David est propriétaire du Ch. de Garbes depuis 1900 et six générations. Aujourd'hui, c'est une belle unité de 65 ha sur les coteaux de la Garonne, conduite par Jean-Luc et Annie David et leurs trois enfants. Autre étiquette : Dom. de la Gravette.

D'un jaune doré aussi brillant que clair, ce vin sait se présenter. Et sa présentation n'est en rien trompeuse. Le bouquet révèle une belle complexité sur des notes d'agrumes confits. Ce côté confit se retrouve au palais, laissant le souvenir d'un ensemble expressif et élégant. ⌛ 2021-2024

SARL VIGNOBLES DAVID GARBES, 1, Garbes, 33410 Gabarnac, tél. 05 56 62 92 23, contact@garbes.fr r.-v.

CH. LA RAME 2017

| | 6000 | | 11 à 15 € |

Implantée à Sainte-Croix depuis huit générations, la famille Armand fait partie des institutions locales pour ses liquoreux renommés. Elle y conduit deux crus (labellisés Haute Valeur Environnementale) : la Caussade et la Rame, son fleuron, dont les vins étaient déjà réputés au XIXes. Angélique et Grégoire Armand ont pris la suite de leur père Yves en 2009.

S'il ne partage pas la richesse aromatique du sainte-croix du même producteur, ce cadillac se montre intéressant par son équilibre et sa progression tout au long de la dégustation, qui s'achève en finale par une liqueur bien dosée et un joli retour vanillé. ⌛ 2021-2024

GFA CH. LA RAME, La Rame, 33410 Sainte-Croix-du-Mont, tél. 05 56 62 01 50, chateau.larame@wanadoo.fr t.l.j. 9h-12h 13h30-17h30; sam. dim. sur r.-v.

CH. DE TESTE Les Premières Gelées 2016 ★★

| | 1800 | | 20 à 30 € |

Basé à Monprimblanc, à cheval sur l'Entre-deux-Mers et les Côtes de Bordeaux, Laurent Réglat peut jouer sur plusieurs appellations et types de vins, ayant même un pied dans les Graves. Souvent en vue pour ses liquoreux (cadillac, sainte-croix-du-mont), il ne néglige pas pour autant les vins rouges (cadillac-côtes-de-bordeaux, graves).

Un remarquable liquoreux de garde. Agréable à l'œil, il monte en puissance et en élégance tout au long de la dégustation. Bien marqué par les arômes de rôti et de fruits confits, son bouquet n'oublie ni le bois, très bien dosé, ni les notes de fruits exotiques. Ample, gras, très bien équilibré et long, le palais est tout aussi harmonieux. ⌛ 2021-2030 **Sélection de grains nobles 2016 ★ (11 à 15 €; 6000 b.)** : une expression aromatique agréable (pêche très mûre et notes grillées) et un équilibre sur la fraîcheur. Un style de liquoreux aérien. ⌛ 2021-2024

EARL VIGNOBLES LAURENT RÉGLAT, Ch. de Teste, 33410 Monprimblanc, tél. 05 56 62 92 76, vignobles.l.reglat@wanadoo.fr r.-v.

LOUPIAC

Superficie : 350 ha / Production : 12 550 hl

Entre Cadillac à l'ouest et Sainte-Croix-du-Mont à l'est, ce vignoble très ancien couvre les côtes de la rive droite de la Garonne, en face de Sauternes. Par son orientation, ses terroirs et son encépagement, il est très proche de celui de Sainte-Croix-du-Mont. Toutefois, comme sur la rive gauche, les vins produits vers le nord ont souvent un caractère plus moelleux que liquoreux.

CH. BERTRANON 2017

| | 3900 | | 11 à 15 € |

Établi sur la rive droite de la Garonne, à cheval sur les appellations loupiac et sainte-croix-du-mont, ce vignoble de plus de 10 ha commandé par un château construit en 1707 a été racheté en 2011 à Noella et Guillaume de la Tullaye par la société Lamont Financière, aux mains d'un investisseur chinois, Jian Liu. Cette société asiatique a aussi acquis en 2013 le Ch. l'Enclos (sainte-foy-bordeaux).

S'annonçant dans une jolie robe jaune paille limpide, ce 2017 se montre agréable par la fraîcheur de son bouquet aux notes fruitées et florales, comme par l'équilibre de son palais souple et rond. ⌛ 2021-2024

SAS LAMONT FINANCIÈRE (CH. BERTRANON), Ch. Bertranon, 108, rue Saint-Macaire, 33410 Loupiac, tél. 05 57 33 09 68, contact@lamontfinanciere.fr

PETIT CLOS JEAN 2017 ★

| | 9000 | | 8 à 11 € |

La famille Bord exploite la vigne depuis plus de six générations à Loupiac, à travers deux propriétés. Acquis en 1792, le Clos Jean étend son vignoble sur 20 ha; le Ch. Rondillon, l'un des plus anciens crus de la région, couvre quant à lui 10 ha.

Issu de vignes d'une soixantaine d'années, ce vin possède une réelle élégance : dans son bouquet aux parfums d'agrumes, de fruits exotiques, de miel et de cire d'abeille, comme dans son développement au palais, souple et bien équilibré, avec de jolies notes confites (abricot sec). ⌛ 2022-2028

SCEA VIGNOBLES BORD, Petit Clos Jean, Haut-Loupiac, 33410 Loupiac, tél. 06 07 41 11 97, lionelbord@orange.fr r.-v.

CH. DU CROS 2017 ★★

| | 22000 | | 15 à 20 € |

Établi sur les hauteurs de Loupiac, le Ch. du Cros est étroitement lié à l'histoire du duché anglo-gascon d'Aquitaine au Moyen Âge. Fief des Boyer depuis quatre générations, ils commandent un vignoble de 90 ha sur les deux rives de la Garonne, produisant

sous diverses étiquettes des vins de qualité, notamment en blanc.

Une fois encore, les Boyer confirment que leur cru est une valeur sûre de l'appellation avec un très joli vin. L'élégance apparaît dès le bouquet dans lequel naissent progressivement des notes d'abricot et de coing sur un fond de rôti et de vanille. Au palais, la liqueur s'affirme, riche et intense, mais sans lourdeur aucune. Un loupiac au potentiel solide. ⧗ 2022-2030 ■ **Prélude Gourmand 2016 ★ (11 à 15 €; 30000 b.)** : un vin riche et puissant qui parvient à trouver l'équilibre entre la liqueur et une pointe de vivacité. Les arômes évoquent l'abricot et le coing confits, enveloppés de notes de vanille. ⧗ 2021-2028

SA VIGNOBLES MICHEL BOYER, Ch. du Cros, 33410 Loupiac, tél. 05 56 62 99 31, info@chateauducros.com t.l.j. sf sam. dim. 8h30-12h30 13h30-18h

CH. MAZARIN 2017 ★

■ | 15000 | | 8 à 11 €

En parallèle de son activité de directeur d'exploitation dans un grand domaine bordelais, Jean-Yves Arnaud a repris en 1981 le cru familial Frappe-Peyrot, bonne référence en cadillac, produisant aussi en bordeaux et en loupiac avec les châteaux Massac et Mazarin. Son fils Mathieu a pris en 2013 la direction des vignobles : 40 ha en tout, la moitié des surfaces étant dédiée aux liquoreux. Le domaine est en cours de conversion à l'agriculture biologique.

Agrumes, fleurs, fruits exotiques, mangue et bacon, avec une petite note confite, le bouquet est plus que séduisant et s'accorde bien avec le palais équilibré pour former un ensemble plaisant. ⧗ 2022-2028

SCEA VIGNOBLES JEAN-YVES ARNAUD, 16, La Croix, 33410 Gabarnac, tél. 06 09 14 05 93, mathieu.arnaud@vignoblesarnaud.fr r.-v.

CH. LES ROQUES 2017 ★★

■ | 10000 | | 20 à 30 €

Héritier d'une famille de vignerons et de négociants en vin et cognac depuis quatre siècles, Olivier Fleury a repris en 2013 le Ch. du Pavillon et ses 11 ha de vignes établis sur les rives de la Garonne, face au Sauternais, ainsi que le Ch. les Roques en AOC loupiac.

Le sauvignon (18 %) et un zeste de muscadelle (2 %) complétant le sémillon, on obtient un vin au bouquet expressif et complexe : orange et abricot confits avec des notes florales. Au palais, on perçoit une vendange bien botryrisée. Gras et généreux, l'ensemble ravira les amateurs de liquoreux riches et puissants. ⧗ 2022-2030

SCEA VIGNOBLES OLIVIER FLEURY, Ch. du Pavillon, 33410 Sainte-Croix-du-Mont, tél. 05 57 98 31 38, contact@unionvinicole.com r.-v.

PREMIÈRES-CÔTES-DE-BORDEAUX

Superficie : 195 ha / Production : 8 865 hl

Depuis le millésime 2008, les rouges de cette zone sont produits sous le nom de cadillac-côtes-de-bordeaux. Cette appellation est donc aujourd'hui réservée aux vins blancs moelleux ou liquoreux.

CH. DE MARSAN 2017 ★

■ | 16000 | | 5 à 8 €

Paul Gonfrier, rapatrié d'Algérie, rachète au début des années 1960 le Ch. de Marsan, terre noble fondée au XVIe s. sur la rive droite de la Garonne : le berceau des domaines familiaux. Ses fils Philippe et Éric suivent ses traces après 1985. Aujourd'hui, pas moins de 400 ha et douze châteaux.

Souple et bien équilibré, ce 2017 met bien en valeur ses qualités aromatiques. Très frais, le bouquet joue une partition aux multiples notes : fleurs, fruits blancs, miel, ananas, abricot, coing, citron confit... ⧗ 2019-2023

SAS GONFRIER FRÈRES, Ch. de Marsan, BP_7, 33550 Lestiac-sur-Garonne, tél. 05 56 72 14 38, contact@vignobles-gonfrier.fr t.l.j. 9h-17h30

SAINTE-CROIX-DU-MONT

Superficie : 400 ha / Production : 15 000 hl

Un site de coteaux abrupts dominant la Garonne, trop peu connu en dépit de son charme, et un vin ayant trop longtemps souffert (à l'égal des autres appellations de liquoreux de la rive droite, loupiac et cadillac) d'une réputation de vin de noces ou de banquets.

Pourtant, cette aire d'appellation située en face de Sauternes mérite mieux : à de bons terroirs, en général calcaires, avec des zones graveleuses, elle ajoute un microclimat favorable au développement du botrytis. Quant aux cépages et aux méthodes de vinification, ils sont très proches de ceux du Sauternais. Les vins, autant moelleux que véritablement liquoreux, offrent une plaisante impression de fruité.

♥ CH. DES ARROUCATS
Sélection du Château 2017 ★★

■ | 24000 | | 8 à 11 €

Fondé en 1938 par Christian Labat, ce domaine familial dispose d'un coquet vignoble de 47 ha, dont 23 ha à Sainte-Croix-du-Mont, son berceau, complétés par des vignes dans les Graves (Ch. Dorléac), sur l'autre rive de la Garonne. L'ensemble est conduit depuis 2000 par Virginie Barbe, petite-fille du fondateur.

D'un jaune doré brillant et lumineux, la robe invite à poursuivre la découverte de ce 2017 et c'est avec gourmandise que l'on se laisse séduire par la puissance et l'élégance de son bouquet aux fins arômes de fleurs (genêt) et de fruits confits (coing et abricot) agrémentés de notes exotiques (ananas). Tout aussi expressif et harmonieux, le palais révèle un bel équilibre et un réel potentiel. ⧗ 2021-2030

SARL DES VIGNOBLES LABAT-LAPOUGE, Les Arroucats, 3, Vilate-Sud, 33410 Sainte-Croix-du-Mont, tél. 05 56 62 07 37, chateau_arroucats@hotmail.com t.l.j. 8h-12h 13h-17h; sam. dim. sur r.-v.

CH. BERTRANON 2017 ★★

	9700		8 à 11 €

Établi sur la rive droite de la Garonne, à cheval sur les appellations loupiac et sainte-croix-du-mont, ce vignoble de plus de 10 ha commandé par un château construit en 1707 a été racheté en 2011 à Noella et Guillaume de la Tullaye par la société Lamont Financière, aux mains d'un investisseur chinois, Jian Liu. Cette société asiatique a aussi acquis en 2013 le Ch. l'Enclos (sainte-foy-bordeaux).

Dans une robe bouton d'or, un vin parfaitement typé liquoreux. Par son expression aromatique naissante aux notes confites, d'abricot, de raisin mûr et de fruits exotiques, comme par son développement au palais, souple, rond, concentré et long. ⧗ 2021-2030

SAS LAMONT FINANCIÈRE (CH. BERTRANON), Ch. Bertranon, 108, rue Saint-Macaire, 33410 Loupiac, tél. 05 57 33 09 68, contact@lamontfinanciere.fr

CH. CRABITAN-BELLEVUE 2016 ★★

	36000		5 à 8 €

Belle unité de 42 ha implantée sur les coteaux sud dominant la rive droite de la Garonne, ce domaine de la famille Solane (Nicolas depuis 1994) est présent dans plusieurs appellations avec différents types de vins, mais son cœur bat pour le sainte-croix-du-mont.

Un liquoreux moderne jouant résolument la carte de la finesse. Relativement discret dans sa présentation qui laisse néanmoins apparaître la marque du botrytis, il affirme sa présence en bouche dès l'attaque, révélant sans réserve son caractère tendre, croquant, onctueux, riche et long. Une belle bouteille déjà plaisante et promise à un bel avenir. ⧗ 2020-2028 ■ **Ch. Grand Dousprat 2016** (5 à 8 €; **26600 b.**) : vin cité.

GFA BERNARD SOLANE ET FILS, Crabitan, 33410 Sainte-Croix-du-Mont, tél. 05 56 62 01 53, crabitan.bellevue@orange.fr V *t.l.j. sf dim. 8h-12h 14h-18h*

CRU DE GRAVÈRE
Quintessence de Gravère Cuvée Louis Élevé en fût de chêne 2016 ★

	1900		20 à 30 €

Basé à Monprimblanc, à cheval sur l'Entre-deux-Mers et les Côtes de Bordeaux, Laurent Réglat peut jouer sur plusieurs appellations et types de vins, ayant même un pied dans les Graves. Souvent en vue pour ses liquoreux (cadillac, sainte-croix-du-mont), il ne néglige pas pour autant les vins rouges (cadillac-côtes-de-bordeaux, graves).

Élevé quinze mois en fûts, ce vin se distingue par son bouquet de fruits confits, de miel, de pâte de coing et de truffes, sans oublier une touche de botrytis. On retrouve ces arômes dans un palais ample et riche. Une belle expression du terroir. ⧗ 2020-2028

EARL VIGNOBLES LAURENT RÉGLAT, Ch. de Teste, 33410 Monprimblanc, tél. 05 56 62 92 76, vignobles.l.reglat@wanadoo.fr V *r.-v.*

CH. LA GRAVE Sentiers d'automne 2016 ★

	n.c.		8 à 11 €

La famille Bridet-Tinon a acquis le cœur de La Grave en 1929, juste avant le krach boursier. Le vignoble s'est peu à peu agrandi à partir des années 1970, complété entre autres des 5 ha du Ch. Grand Peyrot acquis en 1977; il compte 25 ha aujourd'hui. Virginie Tinon, aux commandes depuis 1999, a converti les vignes rouges du cru à l'agriculture biologique (certification à partir du millésime 2014).

Cette cuvée doit son nom au sentier d'observation de la biodiversité que le domaine propose aux visiteurs. Jaune doré, elle se montre fort plaisante par son bouquet aux notes confites (abricot). Elle mêle harmonieusement le fruit bien mûr, la fleur d'acacia et un discret boisé. Très riche à l'attaque, savoureux et élégant, c'est un vin que l'on peut aussi bien apprécier dès maintenant qu'attendre quelques années. ⧗ 2020-2028 ■ **2016 (8 à 11 €; 24000 b.)** : vin cité.

EARL VIGNOBLE TINON, Ch. la Grave, 33410 Sainte-Croix-du-Mont, tél. 05 56 62 01 65, contact@vignobletinon.fr V *r.-v.*

CH. LA RAME 2017 ★

	30000		11 à 15 €

Implantée à Sainte-Croix depuis huit générations, la famille Armand fait partie des institutions locales pour ses liquoreux renommés. Elle y conduit deux crus (labellisés Haute Valeur Environnementale) : la Caussade et la Rame, son fleuron, dont les vins étaient déjà réputés au XIXes. Angélique et Grégoire Armand ont pris la suite de leur père Yves en 2009.

Souple, ronde, élégante et équilibrée avec une jolie liqueur et du nerf, la matière de ce vin met parfaitement en valeur son expression aromatique. Fraîche, de bonne complexité, celle-ci associe des arômes de fruits confits (citron) à des notes boisées (café, vanille et épices). La vivacité, sensible en finale, garantit un bon potentiel de garde. ⧗ 2020-2030 ■ **Ch. la Caussade 2017 (8 à 11 €; 36000 b.)** : vin cité.

GFA CH. LA RAME, La Rame, 33410 Sainte-Croix-du-Mont, tél. 05 56 62 01 50, chateau.larame@wanadoo.fr V *t.l.j. 9h-12h 13h30-17h30; sam. dim. sur r.-v.*

CH. VALENTIN 2017

	40000		5 à 8 €

Paul Chevassier a constitué le vignoble du Ch. du Mont au début du XXes., à Sainte-Croix-du-Mont. Son gendre Pierre Chouvac et, depuis 2000, son petit-fils Hervé l'ont développé sur les deux rives de la Garonne, dans les Graves et le Sauternais (25 ha aujourd'hui), mais Sainte-Croix est resté le cœur du domaine, dont il est l'un des porte-drapeaux. Autre étiquette : Ch. Valentin.

Ce liquoreux de style classique associe un agréable bouquet de fruits secs, de pain d'épice et de poivre à un palais souple, gras et charnu. ⧗ 2020-2025

EARL DU CH. DU MONT, Ch. du Mont, lieu-dit Pascaud, 33410 Sainte-Croix-du-Mont, tél. 06 89 96 54 73, chateau-du-mont@wanadoo.fr V *r.-v.*

CÉRONS

Superficie : 49 ha / Production : 1 335 hl

Enclavés dans les graves (appellation à laquelle ils peuvent aussi prétendre, à la différence des sauternes et des barsac), les cérons assurent une liaison entre les barsac et les graves supérieures, moelleuses. Là ne s'arrête pas leur originalité, qui réside aussi dans une sève particulière et une grande finesse.

♥ GRAND ENCLOS DU CH. DE CÉRONS 2016 ★★

■ | 2400 | | 30 à 50 €

Issu d'un très ancien domaine, propriété des marquis de Calvimont du XVIe au XVIII[e]s., ce cru de Cérons (30 ha), qui a aussi droit à l'appellation graves, connaît depuis 2000 une seconde jeunesse grâce à Giorgio Cavanna, un ingénieur italien amoureux de la France, qui l'a racheté après avoir géré un domaine familial de grand renom en Toscane, le Castello di Ama.

Aussi élégant que complexe, le bouquet de ce vin évoque une promenade dans un verger : les notes d'abricot succèdent à celles de raisins secs avant de laisser place à la vanille et autres épices. Le défilé d'arômes se poursuit au palais, en s'enrichissant de l'apport du bois avec une touche de caramel. Parfaitement équilibré, le tout s'ouvre sur une longue et somptueuse finale.
⧗ 2020-2030

SCEA DU GRAND ENCLOS DE CÉRONS, 12, pl. Charles-de-Gaulle, 33720 Cérons, tél. 05 56 27 01 53, lea.grandenclos@orange.fr V r.-v.

SAUTERNES

Superficie : 1 735 ha / Production : 34 260 hl

Si vous visitez un château à Sauternes, vous saurez tout sur ce propriétaire qui eut un jour l'idée géniale d'arriver en retard pour les vendanges et de décider, sans doute par entêtement, de faire ramasser les raisins surmûris malgré leur aspect peu engageant. Mais si vous en visitez cinq, vous n'y comprendrez plus rien, chacun ayant sa propre version, qui se passe évidemment chez lui. En fait, nul ne sait qui « inventa » le sauternes, ni quand ni où.

Si en Sauternais, l'histoire se cache toujours derrière la légende, la géographie, elle, n'a plus de secret. Chaque caillou des cinq communes constituant l'appellation (dont Barsac, qui possède sa propre appellation) est recensé et connu dans toutes ses composantes.

Il est vrai que c'est la diversité des sols (graveleux, argilo-calcaires ou calcaires) et des sous-sols qui donne un caractère à chaque cru, les plus renommés étant implantés sur des croupes graveleuses. Obtenus avec trois cépages – le sémillon (de 70 à 80 %), le sauvignon (de 20 à 30 %) et la muscadelle –, les sauternes sont dorés, à la fois onctueux et délicats. Leur bouquet « rôti » se développe et gagne en complexité avec le temps : miel, noisette et orange confite enrichissent sa palette. Les plus grandes bouteilles vivent des décennies. Il est à noter que les sauternes sont les seuls vins blancs à avoir été classés en 1855.

♥ CH. D'ANNA Cuvée Louis d'Or 2016 ★★

■ | 2400 | | 15 à 20 €

Marius Roux, batelier sur la Garonne, acheta ce domaine barsacais en 1932. Soixante-dix ans et quelques péripéties plus tard, lesquelles réduisirent la surface du vignoble de 10 à 1 ha, Sandrine, née Roux, et Xavier Dauba font revivre l'exploitation familiale.

Deuxième coup de cœur consécutif pour ce cru confidentiel (qui ne le restera sans doute pas longtemps). Cette cuvée Louis d'Or brille de mille feux et dévoile un bouquet intense de confiture de mirabelles et d'agrumes confits, souligné d'agréables notes boisées. Un caractère boisé que l'on retrouve dans une bouche ample et généreuse, imprégnée d'arômes d'amande grillée.
⧗ 2022-2035

SANDRINE ET XAVIER DAUBA (CH. D'ANNA), 16, rue Barrau, 33720 Barsac, tél. 05 56 27 20 12, chateaudanna@free.fr V r.-v.

CH. D'ARMAJAN DES ORMES 2016 ★

■ | 14000 | | 20 à 30 €

Issus d'une longue lignée vigneronne de l'Entre-deux-Mers et des Graves, les Perromat exploitent trois crus dans le Sauternais : Le Juge (5 ha), acquis en 1992 et commandé par un château du XVII[e]s. habité après la Révolution par un juge de paix ; son voisin Armajan des Ormes (10 ha), anobli en 1565 par la visite de Charles IX et Catherine de Médicis ; le Ch. Ladonne, petit enclos de 4 ha commandé par une élégante chartreuse du XVIII[e]s.

D'agréables notes florales (acacia, rose) égayent ce vin à la robe printanière. Le sauvignon et la muscadelle participent à ce bouquet élégant, prélude à des saveurs fraîches et élégantes. Bon sauternes d'apéritif.
⧗ 2020-2028

EARL JACQUES ET GUILLAUME PERROMAT, Ch. d'Armajan, 33210 Preignac, tél. 05 56 63 58 21, gperromat@mjperromat.com V r.-v.

Ⓑ CH. BASTOR-LAMONTAGNE 2017

■ | 15537 | 20 à 30 €

82 83 84 **85 86 88 89** (90) 94 95 **96 97** 98 99 **00** 01 02 |**03**| 04 |05| 06 |07| 08 |**09**| |10| |11| |12| 13 14 15 17

Bastor est déjà un domaine important au XVIII[e]s. Orienté vers la polyculture, il se spécialise à partir de 1839 sous l'impulsion d'Amédée Larrieu, alors propriétaire de Haut-Brion. Aujourd'hui, une belle unité de 46 ha, plantée sur un terroir sablo-graveleux, l'une

des plus vastes du Sauternais. Propriété du Crédit Foncier depuis 1987, le cru (converti à l'agriculture biologique) a été acheté en juillet 2014 par les familles Moulin (groupe Galeries Lafayette) et Cathiard (Smith Haut Lafitte), puis en 2018 par les Terres Bordelaises (groupe des Grands Chais de France). Autres étiquettes : Ch. Bordenave et Ch. du Haut Pick.

D'un or paille lumineux la robe traduit la jeunesse et la vivacité de ce vin. La fleur d'acacia domine un bouquet encore discret mais qui se révèle à l'aération sur des notes de miel et de mandarine. En bouche, c'est un sauternes frais, tonique et élégant aux flaveurs de fruit blanc (pêche) et à la finale agréablement épicée (gingembre). ⌛ 2022-2030 ■ **Ch. du Haut Pick 2016 (11 à 15 €; 6500 b.)** : vin cité. ■ **Ch. Bordenave 2016 (11 à 15 €; 6207 b.)** : vin cité.

SCEA TERRES BORDELAISES (CH. BASTOR-LAMONTAGNE), Ch. Laubès, 33760 Escoussans, tél. 05 57 98 07 20, vrachau@lgcf.fr

CH. LA BOUADE Cuvée Château 2015 ★

■ | 30000 | | 15 à 20 €

En 2009, Stéphane Wagrez et Olivier Fargues ont repris en gérance le Ch. la Bouade et le Clos Mercier. Ils produisent trois cuvées distinctes selon les terroirs et le taux de sucre : Ch. la Bouade et Coccinelle en AOC sauternes, ainsi que le Clos Mercier en barsac.

La robe or soutenu est déjà bien évoluée et le bouquet s'exprime en notes de fruits confiturés et miellés caractéristiques du millésime. Souple et ample, le palais décline des flaveurs d'abricot et de marmelade, tout en proposant une pointe de vivacité bienvenue en finale. ⌛ 2020-2028

SCEA CH. LA BOUADE, 4, imp. La Bouade, 33720 Barsac, tél. 05 56 27 30 53, chateaulabouade@orange.fr V r.-v.

CLOS DADY 2016 ★★

■ | 7400 | | 30 à 50 €

Ce cru de 5 ha dispersés sur une vingtaine de parcelles a changé de mains en 2011. Productrice en graves (Clos des Remparts) et en sauternes (Clos Dady, surnom donné à la grand-mère de la vigneronne), Catherine Gachet a cédé la propriété familiale à l'homme d'affaires russe Eli Ragimov.

Un jaune bouton d'or habille ce vin aux arômes d'agrumes, d'abricot et de miel délicatement rehaussés d'une touche boisée. Gras et ample, il n'en possède pas moins une belle fraîcheur qui contribue à son harmonie. Un sauternes réalisant une synthèse remarquable entre vivacité et richesse. ⌛ 2022-2025

SCEA DE BASTARD, Ch. les Remparts, 33210 Preignac, tél. 05 56 62 20 01, clos.dady@wanadoo.fr V r.-v.

CLOS DES PRINCES Maximus 2015 ★

■ | 2000 | | 20 à 30 €

Depuis le début du XIXe s. les aïeux de Frédéric Expert exploitent ce domaine familial à taille humaine situé au sud du plateau des Moulins à Cérons.

Cette cuvée Maximus (« le plus grand ») provient en fait d'une petite parcelle de 60 ares exclusivement plantée de sémillon. D'un or soutenu, la robe brillante est un premier témoignage de la richesse du millésime. Puis des notes d'abricot, de miel et d'amandes grillées se mêlent à des arômes de prune et de fruit jaune pour composer un bouquet opulent. Souple en attaque, le vin prend ensuite du volume et du gras tout en gardant une vivacité rafraîchissante. ⌛ 2022-2030

EARL EXPERT ET FILS, 36, quartier Expert, 33720 Cérons, tél. 06 14 63 70 83, earl.expert@wanadoo.fr V r.-v.

CLOS HAUT-PEYRAGUEY 2016

■ 1er cru clas. | 20000 | | 30 à 50 €

82 **83** 85 **86 88 89 90** 91 94 **95 96** 97 99 01 02 03 04 |**05**| 06 07 |**10**| |**11**| |12| **13** 15 16

Séparé d'Yquem par un petit val, ce cru est né en 1879 quand les propriétaires du Ch. Peyraguey vendirent la partie la plus élevée de leur propriété à un pharmacien parisien nommé Grillon. En 1914, le cru, devenu Clos Haut-Peyraguey, est acheté par les Pauly et les Ginestet. Seuls propriétaires à partir de 1937, les premiers l'ont gardé jusqu'en 2012, année de son acquisition par Benard Magrez. Le terroir (21 ha) est de premier choix, avec des graves sableuses bien drainées reposant sur des argiles.

Comme beaucoup de 2016, ce sauternes présente une robe claire qui annonce une jeunesse peu encline à nous livrer ses secrets : le bouquet laisse transparaître de délicates notes d'agrumes et de miel, mais le palais demeure sur la réserve. Charnu, gras et subtilement épicé (gingembre), il ne révèle pas moins un bon potentiel. Patience... cette bouteille mérite quelques années de garde pour être à la hauteur de la réputation du cru. ⌛ 2023-2035

SC BERNARD MAGREZ (CLOS HAUT-PEYRAGUEY), 33210 Bommes, tél. 05 56 76 61 53, closhautpeyraguey@pape-clement.com V r.-v.

CH. DELMOND 2017 ★

■ | 15000 | | 11 à 15 €

Propriété très ancienne, le Ch. Laville fut dans les années 1900 l'un des pionniers de la mise en bouteilles au château. Aujourd'hui augmenté du Ch. Delmond, un vignoble voisin, ce domaine de 36 ha très régulier en qualité produit en sauternes et en graves (Ch. Mouras). Aux commandes depuis 1997, Jean-Christophe Barbe, œnologue et maître de conférences à Bordeaux Sciences Agro.

Le bouquet de ce vin jeune, mêlant arômes de coing citronné et de miel, est déjà expressif et élégant. Ample et généreux, le palais déploie d'agréables notes de cire d'abeille et d'abricot confit. La finale harmonieuse est subtilement soulignée d'une fine amertume. ⌛ 2020-2030 ■ **Ch. Laville 2017 ★ (20 à 30 €; 6000 b.)** : l'or blanc fait scintiller la robe de ce 2017 qui en est encore au stade de la jeunesse. Et pourtant, les arômes fruités de prunelle et d'abricot, ponctués de zestes d'orange participent à un bouquet déjà bien ouvert. En bouche, le vin affiche richesse et gras. C'est un sauternes traditionnel qui mettra en valeur les fromages puissants et les desserts à base de fruits. ⌛ 2020-2030

SCEA CH. LAVILLE, Ch. Laville, 33210 Preignac, tél. 05 56 63 59 45, chateaulaville@hotmail.com V r.-v.

CH. DE FARGUES 2015 ★

■ | 20000 | | + de 100 €

Forteresse ruinée par un incendie en 1687, dont les solides murailles se dressent encore sur une hauteur, au milieu des ceps, Fargues est le berceau des Lur-Saluces depuis 1472, illustre famille propriétaire pendant plusieurs siècles du Château d'Yquem; un exemple sans doute unique en Bordelais de longévité patrimoniale. Le vignoble, 20 ha aujourd'hui, est complanté de sémillon (80 %) et de sauvignon. Il est dirigé depuis 1968 par Alexandre de Lur-Saluces.

Un vin élégant, tant par sa robe paille que par son bouquet frais et floral aux accents de coing et de miel. La bouche confirme cette impression, avec une approche tout en finesse sur des notes de pêche blanche d'une belle fraîcheur. Vin harmonieux et aérien. ⧗ 2022-2030

SCEA DU CH. DE FARGUES, Ch. de Fargues, 33210 Fargues, tél. 05 57 98 04 20, fargues@chateaudefargues.com V r.-v.

CH. GRAVAS 2016

■ | 25000 | | 20 à 30 €

Ce cru, jadis nommé Doisy Gravas, est la propriété de la famille Bernard depuis six générations. Bien situé entre Coutet et Climens, il s'étend sur 10 ha au point culminant de Barsac. Dédié exclusivement au sauternes jusqu'en 2007, il a multiplié les cuvées de graves. Un lieu réputé aussi pour son accueil et ses animations œnotouristiques.

La robe est pâle et brillante et le bouquet composé d'arômes de chèvrefeuille et de fleurs blanches. S'il n'affiche pas une grande concentration, ce vin présente une fraîcheur très appréciable avec ses notes de pamplemousse et d'abricot mûr. La finale acidulée et tonique laisse une belle impression. ⧗ 2020-2026

SCEA DU CH. GRAVAS, 6, lieu-dit Gravas, 33720 Barsac, tél. 05 56 27 06 91, chateau.gravas@orange.fr V r.-v.

CH. HAUT-BERGERON 2016 ★

■ | 20000 | | 20 à 30 €

Propriété de l'une des plus anciennes familles de viticulteurs du Sauternais, les Lamothe – présents ici depuis le XVIII[e]s. –, le Ch. Haut-Bergeron dispose d'un vignoble de 37 ha à cheval sur les communes de Sauternes (graves et argiles) et de Barsac (calcaires). De nombreuses parcelles sont contiguës à celles d'Yquem, de Lafaurie-Peyraguey et de Climens.

Ce cru produit chaque année un sauternes traditionnel qui ravit les amateurs de vins opulents et concentrés. Jaune d'or, ce 2016 exhale des arômes prononcés d'abricot confit et de vanille grillée, d'angélique et d'épices. En bouche, il se révèle riche, concentré et onctueux, avec une finale harmonieuse. Compagnon idéal du foie gras ou d'un fromage de caractère. ⧗ 2022-2035 ■ **Ch. Fontebride 2016 ★ (15 à 20 €; 20000 b.)** : ce 2016 aux arômes de fruits exotiques possède une très grande richesse. Il n'en est pas moins équilibré et l'on apprécie en finale une légère amertume rafraîchissante. ⧗ 2022-2030 ■ **L'Ilot de Haut-Bergeron 2016 (15 à 20 €; 12000 b.)** : vin cité.

SCE CH. HAUT-BERGERON, 3, Piquey, 33210 Preignac, tél. 05 56 63 24 76, info@chateaubergeron.com V *t.l.j. sf sam. dim. 9h-12h 14h-17h*

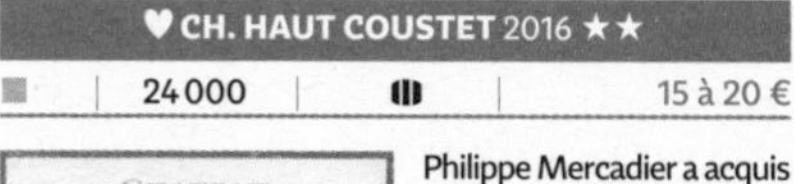

♥ CH. HAUT COUSTET 2016 ★★

■ | 24000 | | 15 à 20 €

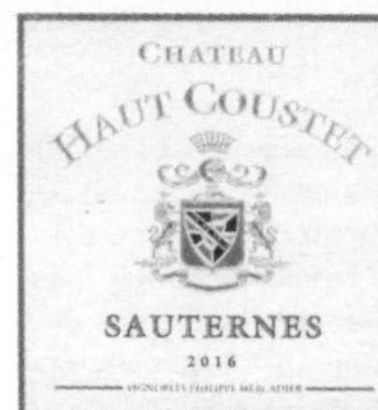

Philippe Mercadier a acquis pendant vingt-cinq ans son savoir-faire à la direction du Ch. Suduiraut. Une expérience qui profite aujourd'hui à ses trois crus sauternais, conduits avec l'aide de ses deux fils : les châteaux Haut Coustet, Pechon et Tuyttens.

Un sauternes traditionnel, dont la teinte jaune d'or légèrement ambré est révélatrice de la concentration du bouquet. Celui-ci mêle des arômes de coing, de fruits confits et de pain d'épice (clou de girofle). Malgré la générosité et l'opulence, l'harmonie est préservée au palais et l'on apprécie les flaveurs de fruits exotiques rehaussées de notes grillées. Réservez à ce vin les meilleurs fromages ou consommez-le comme un dessert à part entière. ⧗ 2022-2035 ■ **Ch. Tuyttens 2016 ★ (15 à 20 €; 16000 b.)** : la robe légère est le reflet de la jeunesse. Cependant, le bouquet est déjà intense : véritable explosion de fruits mûrs et confits (abricot, pêche) mêlés de notes de torréfaction dues à l'élevage en barrique. On retrouve en bouche les mêmes saveurs fruitées, croquantes et fraîches, donnant à ce vin un bel éclat final. ⧗ 2020-2030

SCEA DU CLOS DE LA VICAIRIE, Ch. Tuyttens, 8, rte de Villandraut, 33210 Fargues, tél. 06 24 03 90 18, emercadier@vignoblesmercadier.com V r.-v.

CH. HAUT-MAYNE 2015

■ | 15000 | | 20 à 30 €

Ancienne propriété du comte de Chalup, ce cru appartient à la famille Roumazeilles depuis 1929 (grand millésime de sauternes s'il en fut !). Implanté à Preignac, le vignoble s'étend sur 14,55 ha.

Belle robe à reflets cuivrés pour ce 2015, dont le bouquet de coing, d'abricot sec et de cire d'abeille est déjà très expressif. Un agréable caractère boisé est perceptible en attaque, puis se développe toute l'onctuosité attendue, ainsi que les flaveurs de fruits confits. ⧗ 2020-2025

EARL ROUMAZEILLES (CH. HAUT-MAYNE), 5, lieu-dit Le Mayne, 33210 Preignac, tél. 06 81 38 51 54, julien.roumazeilles@wanadoo.fr V *t.l.j. 8h30-12h 14h-18h*

CH. LAFON 2016 ★

■ | 35000 | | 15 à 20 €

Une partie du vignoble de ce cru de 12 ha est nichée au cœur des vignes d'Yquem. À sa tête depuis 1990, Olivier Fauthoux.

Au pied du château d'Yquem, ce domaine produit avec régularité des vins d'un grand classicisme : 2016 ne déroge pas à la règle. Un sauternes aux reflets dorés intenses et aux arômes d'agrumes confits, rehaussés d'une pointe d'épices. Au palais, il se révèle ample et charnu, d'une grande douceur finale. ⧗ 2022-2030

EARL FAUTHOUX (CH. LAFON), 1, Tretin, 33210 Sauternes, tél. 06 80 00 53 94, olivier.fauthoux@wanadoo.fr V r.-v.

CH. LAMOTHE GUIGNARD 2016

2e cru clas.	30000		20 à 30 €

(83) **85** 86 87 **88** 89 **90 94 95 96** 97 98 99 00 |**02**| |03| |04| |**05**| |06| |07| |08| |**09**| |11| |12| 13 14 15 16

Situé sur l'une des croupes argilo-graveleuses les plus élevées de la commune de Sauternes, ce cru (31 ha) est issu d'un partage du château de Lamothe d'Assault, à la suite de querelles familiales au XIXes. En 1981, il a été acquis par les Guignard, l'une des plus anciennes familles de viticulteurs du Sauternais, également producteurs dans les Graves avec le Clos du Hez à Pujols-sur-Ciron.

Belle robe «dorée à point», écrit un dégustateur. Nous voici dans la tradition du sauternes avec des arômes de coing et de pain d'épice, de cannelle et de miel. La bouche, en cohérence parfaite, déploie des saveurs de fruits compotés. un vin rond et opulent à réserver aux fins de repas. ⧗ 2022-2030

GAEC PHILIPPE ET JACQUES GUIGNARD, Ch. Lamothe Guignard, 33210 Sauternes, tél. 05 56 76 60 28, chateau.lamothe.guignard@orange.fr V *t.l.j. sf sam. dim. 8h-12h 14h-18h*

CH. LAMOURETTE 2015 ★

	6800		20 à 30 €

Une propriété transmise de mère en fille depuis 1860. Anne-Marie Léglise en conduit la destinée depuis 1980. La charmante demeure, dans le style des villas d'Arcachon du XIXes., illustre l'étiquette des vins.

Une couleur jonquille brillante habille ce vin encore discret dans ses notes florales délicatement miellées. Tonique en attaque, le palais développe bientôt toute sa richesse, déclinant volontiers des flaveurs d'agrumes confits et de fruits compotés, ponctuées d'épices douces. Un beau sauternes qui mérite de vieillir encore un peu pour atteindre sa pleine harmonie. ⧗ 2022-2030

EARL VIGNOBLES ANNE-MARIE LÉGLISE, 4, La Mourette, 33210 Bommes, tél. 05 56 76 63 58, chateaulamourette@orange.fr V *r.-v.*

CH. LANGE-RÉGLAT Cuvée spéciale 2016

	n.c.		20 à 30 €

Établis à Monprimblanc, sur la rive droite de la Garonne, Caroline et Guillaume Réglat sont producteurs en loupiac (Ch. Cousteau), en sauternes (Ch. Lange-Réglat, ancienne propriété de la famille de François Mauriac en 1900) et dans les Graves (Ch. de la Gravelière).

Malgré son jeune âge, ce vin possède déjà une robe vieil or annonciatrice d'un sauternes traditionnel. Fruits confits, vanille et miel composent un bouquet très présent. Le vin s'impose par sa corpulence et sa concentration heureusement rafraîchies par une juste vivacité finale. ⧗ 2022-2030

EARL VIGNOBLES BERNARD RÉGLAT, La Martingue, 33410 Monprimblanc, tél. 05 56 62 98 63, bernard.reglat@orange.fr V *r.-v.*

CH. DE MALLE 2016 ★

2e cru clas.	25000		20 à 30 €

83 85 86 87 **88 89 90 91 94 95 96** 97 **98** 99 00 02 03 **04** |05| |06| |**07**| |08| |**09**| |11| **12** 13 15 16

Un superbe château construit dans un style Renaissance au début du XVIIes. par Jacques de Malle, président au parlement de Bordeaux. En 1702, un mariage l'a fait entrer dans le patrimoine des Lur-Saluces, dont les descendants, la comtesse de Bournazel et son fils Paul-Henry, perpétuent cet héritage familial. Le vignoble couvre une cinquantaine d'hectares, à cheval sur les AOC sauternes et graves.

Un 2016 frais et élégant, parfait représentant des sauternes d'apéritif et de début de repas. Scintillante, la robe est légère, nuancée d'étonnantes nuances vertes. Le bouquet libère d'intenses notes de pâte de coing et de mangue, tandis que le palais, onctueux, est souligné d'agréables flaveurs épicées. ⧗ 2020-2030

SCEA DES VIGNOBLES DU CH. DE MALLE, Ch. de Malle, 33210 Preignac, tél. 05 56 62 36 86, accueil@chateau-de-malle.fr V *r.-v.*

CH. DU MONT Cuvée Jeanne 2016 ★

	5000		11 à 15 €

Paul Chevassier a constitué le vignoble du Ch. du Mont au début du XXes., à Sainte-Croix-du-Mont. Son gendre Pierre Chouvac et, depuis 2000, son petit-fils Hervé l'ont développé sur les deux rives de la Garonne, dans les Graves et le Sauternais (25 ha aujourd'hui), mais Sainte-Croix est resté le cœur du domaine, dont il est l'un des porte-drapeaux. Autre étiquette : Ch. Valentin.

Cette cuvée ne déçoit jamais les amateurs de sauternes classiques et opulents. Il en ira ainsi de ce 2016 d'un or prononcé, dont le bouquet intense mêle des notes de confiture de melon et de miel. De l'ampleur, des flaveurs d'agrumes confits et une finale fraîche bien persistante : le palais aussi remplit tous les critères. ⧗ 2022-2030

EARL DU CH. DU MONT, Ch. du Mont, lieu-dit Pascaud, 33410 Sainte-Croix-du-Mont, tél. 06 89 96 54 73, chateau-du-mont@wanadoo.fr V *r.-v.*

CH. DE MYRAT 2016

2e cru clas.	17500		30 à 50 €

Sans Jacques et Xavier de Pontac (de la même famille que Jean de Pontac, fondateur de Haut-Brion), ce cru classé aurait disparu, leur père Max ayant fait arracher le vignoble au milieu des années 1970 face aux difficultés qu'il rencontrait pour vendre ses sauternes. Ses fils ont tout replanté en 1988. Conduit aujourd'hui par les filles de Jacques et leur oncle Xavier, le domaine a retrouvé son lustre d'antan et sa vingtaine d'hectares de vignes.

La robe se pare d'un or pâle brillant, tandis que le bouquet, encore discret, égrène d'élégantes notes d'abricot confit. À l'attaque, le vin étonne par son caractère fringant, mais il ne tarde pas à déployer sa richesse, ainsi que des arômes de fruits confits finement vanillées. ⧗ 2022-2028

JEANNE DE PONTAC, 1, Myrat-Sud, 33720 Barsac, tél. 05 56 27 09 06, myrat@chateaudemyrat.fr V *r.-v.*

CH. PIADA 2016 ★

	7415		20 à 30 €

Situé sur le haut plateau de Barsac, le Ch. Piada, mentionné dans les archives d'Aquitaine dès 1274, est l'un des plus anciens vignobles barsacais : la ferme de « Piadez » était alors rattachée au Ch. Coutet, propriété de la famille Le Sauvage d'Yquem. Depuis 1941, la famille Lalande (Frédéric depuis 1999) est aux commandes de ce cru historique et produit aussi dans les AOC graves et cérons (Ch. Hauret-Lalande).

Au cœur du plateau de Barsac, au milieu des meilleurs crus classés, ce château ne déçoit pas. En témoigne ce 2016 à la fois concentré et frais. Au nez, les arômes de fruits confits et de miel sont soulignés par de vivantes notes citronnées, tandis qu'en bouche le vin se révèle riche et ample. Très belle harmonie finale. ⧗ 2022-2028

EARL LALANDE ET FILS, Ch. Piada, 33720 Barsac, tél. 05 56 27 16 13, chateau.piada@wanadoo.fr V *t.l.j. 8h-12h 13h30-19h30; sam. dim. sur r.-v.*

CH. RABAUD-PROMIS 2015

1er cru clas.	20000		30 à 50 €

Né en 1903 de la vente d'une partie de Sigalas-Rabaud à la famille Promis, Rabaud-Promis a connu une histoire mouvementée, de découpes en changements de propriétaires, jusqu'à son rachat par Raymond-Louis Lanneluc en 1950. Depuis, le cru connaît la stabilité. Il est aujourd'hui conduit par Michèle et Philippe Déjean et leur fils Thomas, à la tête de 33 ha sur le sommet de la colline de Rabaud, face au château d'Yquem.

Belle robe primesautière à reflets émeraude. L'orange confite domine le bouquet plein et opulent. S'il affiche une grande concentration, ce 2015 présente de la fraîcheur en attaque. Un boisé délicat le soutient, qui se fondra davantage encore à la faveur de la garde. ⧗ 2022-2030

GFA DU CH. RABAUD-PROMIS, 33210 Bommes, tél. 05 56 76 67 38, contact@rabaud-promis.com V *r.-v.*

CH. DE RAYNE VIGNEAU 2015 ★

1er cru clas.	35000		30 à 50 €

Célèbre pour les cailloux multicolores de son terroir de graves argileuses et surtout pour ses sauternes, ce cru classé de 84 ha fut propriété de la famille de Pontac – Catherine de Pontac devenue Madame de Rayne lui a donné son nom au XIXes. –, puis entra dans le giron du négoce Cordier-Mestrezat, avant d'être acquis en 2004 par le Crédit Agricole. Finalement, ce dernier a cédé en 2015 la majorité de ses participations au distributeur Trésor du patrimoine, spécialiste de la vente à distance.

Or pâle, ce vin dévoile un bouquet délicat de fleurs blanches et de pêche. En bouche, il se fait ample, suave et onctueux sur des notes de fruits compotés, mais trouve en finale une fraîcheur bienvenue. ⧗ 2022-2030 ■ **Madame de Rayne 2016 ★ (20 à 30 €; 40000 b.)** : abricot, fleur d'acacia et miel composent un puissant bouquet, souligné de notes citronnées fraîches. Le palais ample et souple laisse s'épanouir des flaveurs d'abricot confit vanillé. Encore quelques années de patience et ce sauternes aura atteint sa pleine dimension. ⧗ 2022-2030

SC DU CH. DE RAYNE VIGNEAU, 4, Le Vigneau, 33210 Bommes, tél. 05 56 76 61 63, chateau@raynevigneau.fr V *t.l.j. 10h-12h 14h-18h*

CH. RIEUSSEC 2016 ★★

1er cru clas.	72000		50 à 75 €

83 84 85 86 87 **88 89** (90) **92 94** |95| |(96)| |(97)| |98| |99| |00| |01| |02| |03| |04| |05| |06| |07| |09| **10 11 13 14 16**

Ancien domaine du couvent des Carmes de Langon, le Ch. Rieussec est établi sur une position élevée à l'ouest de la commune de Fargues, dont il est le seul 1er cru. Sa tour carrée domine une croupe de graves située à la même hauteur que son voisin immédiat, Yquem. Sa renommée, solidement ancrée, lui vaut d'accéder au rang de 1er cru classé en 1855. De nombreux propriétaires se succèdent à sa tête jusqu'en 1984, date de son achat par les Domaines Barons de Rothschild (Lafite à Pauillac). Cette acquisition a apporté d'importants moyens techniques, financiers et humains à cette vaste unité de 90 ha, dont 72 de vignes.

Expressif, remarquablement énergique par sa fraîcheur, densément fruité. Telle est la carte de visite présentée par ce sauternes or clair. Il livre sans ambages ses arômes d'agrumes et de pêche confits, ainsi qu'un boisé fondu et l'incomparable note rôtie. La vivacité perçue à l'attaque comme en finale équilibre une matière riche et suave, empreinte de flaveurs de fruits concentrés, de fleurs d'acacia et d'oranger. Des accents de gingembre, de safran et de citron confit forment un long cortège pour conclure la dégustation. ⧗ 2024-2040 ■ **Carmes de Rieussec 2017 (15 à 20 €; 72000 b.)** : vin cité.

SAS SOCIÉTÉ DU CH. RIEUSSEC, Ch. Rieussec, 34, rte de Villandraut, 33210 Fargues, tél. 05 57 98 14 14, rieussec@lafite.com V *r.-v.*

CH. DE ROLLAND 2016 ★

	8000		20 à 30 €

Ancienne possession des Chartreux, ce cru possède un grand pigeonnier du XVes., sauvé *in extremis* en 2008. Pendant trois siècles (de 1492 à 1797), il a appartenu à la famille Rolland qui lui a laissé son nom. En 1971, les Guignard ont pris les rênes du domaine, dont le vignoble couvre 18 ha en graves, sauternes et barsac.

Des notes florales exotiques composent le bouquet encore discret de ce vin jaune d'or. C'est un sauternes vif en bouche, dont on apprécie la fraîcheur en contrepoint d'une élégante concentration. La finale est épicée avec une touche d'amertume propre aux raisins botrytisés. ⧗ 2020-2030 ■ **Ch. de Supprimer 2015 (20 à 30 €; 10000 b.)** : vin cité.

SCA CH. DE ROLLAND, 3, Ch. de Rolland, 33720 Barsac, tél. 05 56 27 15 02, info@chateauderolland.com V *t.l.j. sf sam. dim. 9h-12h 14h-17h*

CH. ROUMIEU 2016 ★

	40000		20 à 30 €

Ce cru de 15 ha, établi sur le plateau du haut Barsac et contigu à Doisy-Védrines et Climens, est propriété des Craveia depuis le XVIIIes. À sa disposition, un superbe chai de style néo-basque, construit en 1896

par Fargeaudoux, l'un des architectes d'Arcachon, et un terroir argilo-calcaire, lui, bien barsacais, avec des sables rouges recouvrant du calcaire à astéries. Vincent Craveia est aux commandes depuis 2009.

La robe couleur paille semble printanière, de même que le bouquet floral, aux nuances exotiques. On retrouve au palais les qualités du terroir de Barsac : concentration et élégance réunies, ainsi que des accents de fruits exotiques confits et d'épices. ⧗ 2020-2030

o– VINCENT CRAVEIA (CH. ROUMIEU), Lapinesse, 33720 Barsac, tél. 05 56 27 21 01, contact@chateau-roumieu.fr V r.-v.

CH. SIGALAS-RABAUD 2016 ★

1er gd cru	16500		30 à 50 €

83 85 **86** 87 **88** **89** 90 91 92 94 (95) 96 **97** **98** **99** 00 |**01**| |02| |03| |04| |05| |**06**| |07| |**08**| |09| |10| |11| **13** 14 16

Constitué au XVIIes. par une famille de magistrats au parlement de Bordeaux, le Ch. Rabaud, acquis par Henri Sigalas, devient Sigalas-Rabaud en 1863. En 1903, son fils Pierre cède à la famille Promis 30 ha pour ne garder que «le bijou du terroir», soit les 14 ha actuels, plantés sur une croupe de graves sur argiles. L'histoire sera ensuite mouvementée (mise en fermage, regroupements, divisions), jusqu'à la reprise des terres familiales en 1951 par Marie-Antoinette de Lambert des Granges, née Sigalas, dont la petite-fille, Laure de Lambert Compeyrot, assure aujourd'hui la direction.

Discret dans sa robe claire comme dans son bouquet délicatement boisé, ce vin ne montre pas encore tous ses atouts. Des notes citronnées voisinent avec des saveurs confites au nez, tandis que l'équilibre est manifeste au palais. On décèle dans ce vin harmonieux un grand potentiel qui ne demande qu'à s'exprimer dans les prochaines années : patience. ⧗ 2022-2030 ■ **Lieutenant de Sigalas 2016 ★ (20 à 30 €; 7000 b.)** : voilà un fringant sauternes à la robe pâle juvénile et au bouquet frais, marqué par le citron et le cédrat confit. En bouche l'équilibre entre concentration et vivacité se réalise et la finale laisse le souvenir d'un vin élégant. ⧗ 2020-2028

o– SAS CH. SIGALAS-RABAUD, Ch. Sigalas-Rabaud, 33210 Bommes, tél. 05 57 31 07 45, contact@chateau-sigalas-rabaud.com V r.-v.

CH. SUAU 2016 ★

2e cru clas.	10000		15 à 20 €

«Une clairière au milieu de la forêt» : ainsi Olivier Bernard définit-il son domaine, aux origines anciennes, acquis en 1983 par sa famille – des négociants. Il a agrandi le vignoble (45 ha aujourd'hui), implanté sur un très beau terroir de graves, réalisé d'importants investissements et fait de Chevalier l'un des piliers de l'appellation pessac-léognan.

L'exploitation de ce deuxième cru classé a été reprise en 2015 par le Dom. de Chevalier (Pessac-Léognan) qui a mis ses équipes au service du renouveau de ce cru un peu oublié. Situé sur le joli terroir de Barsac, il déploie 6,50 ha de vignes exclusivement plantées de sémillon. Brillant d'une teinte pâle, ce sauternes libère d'abord un bouquet citronné, puis s'oriente vers des arômes de fruits blancs et d'agrumes confits au palais. Harmonieux et séveux, il trouvera sa place à l'apéritif et en début de repas. ⧗ 2020-2028

o– SC DOM. DE CHEVALIER, 102, chem. de Mignoy, 33850 Léognan, tél. 05 56 64 16 16, olivierbernard@domainedechevalier.com

CH. LA TOUR BLANCHE 2016 ★

1er cru clas.	28000		30 à 50 €

83 **85** **86** **88** 89 **90** 91 94 **95** **96** |**97**| **99** |01| |**02**| |03| |04| |05| 06 |**07**| 08 |10| |11| |12| **13** 14 15 16

On pourrait croire que le nom du cru vient de la tour blanche (en fait, un pigeonnier autrefois) se trouvant sur le domaine. En réalité, il dérive du nom d'un ancien propriétaire, monsieur de Latourblanche, trésorier général de Louis XVI. Légué à l'État en 1909 par le mécène Daniel Iffla, dit Osiris, ce cru classé est aussi un lycée viticole, où les futurs professionnels trouvent un beau terrain d'apprentissage (42 ha de vignes) pour s'initier aux subtilités du Botrytis cinerea. Aux commandes du chai, Philippe Pelicano.

Discret au premier abord, le bouquet se révèle après aération, dévoilant des notes d'élevage (boisées et vanillées), ainsi que des arômes d'abricot confit et de brioche. Riche et onctueux, ce vin s'inscrit dans le style classique du sauternes et l'on apprécie son parfait équilibre et sa grande élégance. Un peu de patience sera nécessaire pour apprécier toutes ses qualités. ⧗ 2022-2035

o– CH. LA TOUR BLANCHE, 1 ter, Tour Blanche, 33210 Bommes, tél. 05 57 98 02 73, tour-blanche@tour-blanche.com V r.-v.

CH. VALGUY 2016 ★

	8000		30 à 50 €

Très régulier en qualité, ce petit cru d'un peu plus de 8 ha a été créé en 2000 à partir des prénoms des exploitants (Valérie et Guy Loubrie). Les vignes sont anciennes : cinquante ans d'âge moyen.

Voici un sauternes tout indiqué pour l'apéritif dans séduisante robe jaune paille. Des notes de fleur d'acacia égayent son bouquet, puis contribuent à l'impression de fraîcheur au palais. Car c'est une juste vivacité qui fait la personnalité de ce 2016 et qui le soutient si joliment en finale. ⧗ 2020-2030

o– SCEA GRANDS VIGNOBLES LOUBRIE (CH. VALGUY), 4, chem. de Couitte, 33210 Preignac, tél. 05 56 63 58 25, grandsvignoblesloubrie@orange.fr V r.-v.

CH. VOIGNY 2017 ★

	24500		11 à 15 €

La famille Bon exploite la vigne à Preignac depuis 1948 et trois générations au Ch. Voigny (aujourd'hui Pierre-Antoine et Émilie). Commandé par une belle demeure du XVIIIes., qui reçut la visite du duc d'Anjou, petit-fils de Louis XIV, le vignoble couvre 25 ha jusqu'aux rives de la Garonne.

D'une belle couleur jaune paille soutenu, ce vin possède un bouquet ouvert, expressif aux arômes de fruits compotés (abricot) et de fleurs blanches. Franc et frais en bouche, il présente d'agréables saveurs citronnées et une délicate touche de zeste d'orange en fin de dégustation. ⧗ 2020-2030

SCEA VIGNOBLES BON,
70, rue de la République, 33210 Preignac,
tél. 05 56 63 28 29, a.j.vins@orange.fr
t.l.j. sf dim. 10h-12h 14h-19h

♥ CH. D'YQUEM 2016 ★★

1er cru clas. sup. | n.c. | | + de 100 €

21 29 37 |**45**| **55 59** (67) |**75**| **76 83 86 88** |**89**| **90** |(95)| (96) |(97)| **98 99** |(01)| |**02**| |(03)| |**04**| |(05)| **06** (07) (08) (09) (10) (11) (13) (14) (15) **16**

Superbe manoir fortifié du XVIIe s. entouré de vignes, établi au sommet des coteaux dominant la vallée de la Garonne, le château d'Yquem est, fait unique pour un grand cru, resté dans la même famille, les Sauvage puis les Lur-Saluces, pendant près de quatre cents ans. Un domaine devenu dès le XVIIIe s. le fleuron du Sauternais. Outre sa stabilité, il a pour atout de bénéficier d'un terroir d'une grande variété, tout en nuances, composé d'une multitude de petites collines, avec des vignes en haut de plateau et d'autres en milieu et bas de pente. Une diversité qui permet de s'adapter aux caprices du climat et qui fait la grande complexité du vin d'Yquem. Classé premier cru supérieur en 1855 – le seul dans sa catégorie, il appartient depuis 1999 au groupe LVMH, qui en a confié la direction en 2004 à Pierre Lurton.

Le verre brille d'un or lumineux, de cet or sans ostentation, finement travaillé, qui est celui de l'artisanat d'art. Telle une marqueterie, les arômes nombreux s'assemblent en une palette complexe, pour former un tableau : agrumes confits aux accents d'orange amère, abricot, coing, fruits exotiques, vanille. La note rôtie du botrytis apparaît à qui sait la rechercher comme la discrète signature du maître. Une texture ample et veloutée caresse le palais, rehaussée d'une remarquable fraîcheur qui participe de l'esthétisme de l'ensemble. Le relief est apporté par de longues flaveurs de fruits, de cardamome et de menthol. Un sauternes à inscrire au patrimoine. ⧗ 2025-2050

SA DU CH. D' YQUEM, 33210 Sauternes,
tél. 05 57 98 07 07, info@yquem.fr r.-v.

LES CRUS CLASSÉS DU SAUTERNAIS EN 1855

PREMIER CRU SUPÉRIEUR
Ch. d'Yquem
PREMIERS CRUS
Ch. Climens
Clos Haut-Peyraguey
Ch. Coutet
Ch. Guiraud
Ch. Lafaurie-Peyraguey
Ch. Rabaud-Promis
Ch. Rayne-Vigneau
Ch. Rieussec
Ch. Sigalas-Rabaud
Ch. Suduiraut
Ch. La Tour-Blanche

SECONDS CRUS
Ch. d'Arche
Ch. Broustet
Ch. Caillou
Ch. Doisy-Daëne
Ch. Doisy-Dubroca
Ch. Doisy-Védrines
Ch. Filhot
Ch. Lamothe (Despujols)
Ch. Lamothe (Guignard)
Ch. de Malle
Ch. Myrat
Ch. Nairac
Ch. Romer
Ch. Romer du Hayot
Ch. Suau

La Bourgogne

SUPERFICIE : 29 300 ha

PRODUCTION : 1 500 000 hl

TYPES DE VINS : Blancs secs (60 %), rouges (32 %), rosés (très rares), effervescents (crémant-de-bourgogne).

SOUS-RÉGIONS : Chablisien et Auxerrois, Côte de Nuits, Côte de Beaune, Côte chalonnaise, Mâconnais.

CÉPAGES :

Rouges : pinot noir principalement, gamay, césar (rare).

Blancs : chardonnay principalement, aligoté, sauvignon (à Saint-Bris), sacy, melon (très rares).

LA BOURGOGNE

Inscrit en 2015 au patrimoine mondial de l'Unesco, un vignoble historique, façonné au Moyen Âge par les moines, puis par les ducs de Bourgogne. S'il n'occupe guère que 3 % du vignoble planté en France, il ne compte pas moins d'une centaine d'appellations d'origine, un record. Ses deux cépages principaux, le pinot noir et le chardonnay, sont à l'origine de crus si célèbres qu'ils ont acquis une réputation mondiale. À la simplicité de l'encépagement s'oppose l'extrême variété des microterroirs, appelés localement *climats*, qui détermine l'immense variété des vins de ce vignoble. Plusieurs ensembles s'individualisent. Du nord au sud, les vignobles de l'Yonne, la Côte-d'Or, la Côte chalonnaise et le Mâconnais.

Les moines et les ducs.

La vigne et le vin ont, dès la plus haute Antiquité, fait vivre ici les hommes. Des témoignages écrits et des fouilles attestent sa présence à l'époque gallo-romaine. À Gevrey-Chambertin ont ainsi été retrouvés les vestiges d'une plantation datant du Ier s. Au Moyen Âge, les moines de Cluny, à partir du Xe s., puis ceux de Cîteaux ont joué un rôle capital dans la mise en valeur du vignoble, comme en témoigne encore aujourd'hui le Clos de Vougeot, héritage des cisterciens. Aux XIVe et XVe s., les ducs de Bourgogne (1342-1477) ont édicté des règles orientant la production vers la qualité. La plus connue est l'ordonnance de Philippe le Hardi qui bannit en 1395 le gamay de ses terres. Le rayonnement des vins de Bourgogne s'étendait alors jusque dans les Flandres. Les notables ont pris le relais des princes et des clercs. Très présent en Bourgogne, le négoce-éleveur, apparu dès le XVIIIe s., s'est développé au siècle suivant. De nombreux vignerons entreprenants ont acquis des terres à la suite des crises du XXe s., tandis que la coopération se développait, notamment dans l'Yonne et en Mâconnais. Aujourd'hui, la vigne occupe 3 949 domaines (1 300 d'entre eux mettent en bouteilles). La région compte 17 coopératives et 300 maisons de négoce. La notoriété de ses vins ne connaît pas d'éclipse, même si les volumes disponibles sont souvent faibles en raison des aléas climatiques. Le chiffre d'affaires à l'export dépasse les 740 millions d'euros.

Un « millefeuille » géologique.

Semi-continental dans l'ensemble, le climat bourguignon offre de multiples nuances dues à la topographie. Très morcelé, le vignoble est surtout implanté sur les pentes et le piémont de coteaux, sur des terrains à dominante calcaire. La structure géologique en « millefeuille » de la Côte-d'Or, cœur du vignoble, résulte d'une accumulation de sédiments suivis de fractures, de soulèvements et d'effondrements survenus lors de la surrection des Alpes. Une faille nord-sud, accompagnée de multiples fractures parallèles, est à l'origine de l'extrême diversité des terroirs (appelés ici *climats*), et donc de la variété des crus de Bourgogne.

Pinot noir et chardonnay.

La Bourgogne produit essentiellement des vins secs, blancs, rouges et, beaucoup plus rarement, rosés, ainsi que des effervescents, élaborés selon la méthode traditionnelle, les crémants-de-bourgogne. Ses vins sont, pour l'essentiel, issus de deux cépages : le chardonnay, en blanc (48 % de l'encépagement) et le pinot noir, en rouge (34 %).

Malgré la simplicité de l'encépagement, les vins prennent de multiples nuances non seulement selon l'appellation, les sols, les pentes et le microclimat, mais aussi selon le savoir-faire de chaque élaborateur. Dans la plupart des cas, un même cru est en effet exploité par plusieurs domaines, dont chacun ne détient qu'une surface réduite.

Des appellations hiérarchisées.

Riche d'une centaine d'appellations d'origine, la région classe ses vins selon une hiérarchie à quatre niveaux :

Les appellations régionales (49 % des volumes) occupent la base de la pyramide. Elles s'étendent à l'ensemble ou à une grande partie du territoire de la Bourgogne : coteaux bourguignons, bourgogne, bourgogne-aligoté, crémant-de-bourgogne, bourgogne-passetougrain.

La Bourgogne viticole correspond aux communes viticoles des départements de l'Yonne, de la Côte-d'Or, de la Saône-et-Loire et d'une partie du Rhône (canton de Villefranche-sur-Saône). Elles incluent donc le Beaujolais. Ce dernier vignoble, qui possède une personnalité propre grâce au cépage

LES *CLIMATS* BOURGUIGNONS.

Portant des noms particulièrement évocateurs (Les Amoureuses, Les Grèves, La Renarde, Les Cailles, Genévrières, Montrecul...) et consacrés depuis le XVIIIe s. au moins, les *climats* désignent en Bourgogne des surfaces officiellement délimitées, couvrant au plus quelques hectares, parfois même quelques « ouvrées » (4 ares, 28 centiares), qui s'identifient par leurs sols, leurs pentes, leur microclimat et par le caractère des vins, même si le talent du producteur entre aussi en ligne de compte. Chaque *climat* est souvent partagé entre plusieurs vignerons.

LES AUTRES CÉPAGES DE BOURGOGNE.

L'aligoté, cépage blanc produisant le bourgogne-aligoté, donne des vins vifs qui atteignent leur meilleur dans le village de Bouzeron, lequel possède sa propre AOC ; le césar, variété rouge, est assemblé au pinot noir dans l'irancy ; le gamay, cultivé en Beaujolais, peut être commercialisé comme bourgogne-gamay ; associé au pinot, il donne le bourgogne-passetoutgrain ; le sauvignon est cultivé à Saint-Bris-le-Vineux, dans l'Yonne, qui bénéficie de l'unique appellation bourguignonne dédiée à ce cépage. Pinot blanc, pinot gris (beurot), melon sont devenus très rares.

gamay, est juridiquement rattaché à la Bourgogne ; ses dix crus (brouilly, morgon, etc.) peuvent produire du bourgogne-gamay.

Compte tenu de la dispersion géographique de l'appellation régionale, le nom de bourgogne est souvent associé à une unité géographique plus petite, région ou commune, ce qui permet d'individualiser un terroir : bourgogne Côtes d'Auxerre, bourgogne Vézelay, par exemple. Implantées sur les hauteurs, en arrière de la Côte-d'Or, les bourgogne-hautes-côtes-de-nuits et bourgogne-hautes-côtes-de-beaune sont aussi considérées comme des appellations régionales, ainsi que la vaste aire des mâcon et mâcon-villages. Toutes ces appellations permettent de s'initier aux vins de Bourgogne.

Les appellations communales ou *villages* portent le nom d'une commune, comme Nuits-Saint-Georges ou Beaune. L'aire d'appellation peut s'étendre à plusieurs communes.

Les premiers crus proviennent de *climats* délimités au sein d'un village et distingués pour leur potentiel. L'étiquette indique à la fois le nom du village et celui du *climat* (souvent sur la même ligne). Par exemple, Volnay-Caillerets, Meursault-Charmes.

Les grands crus occupent le sommet de la pyramide (1 % de la production). Ils ont été sélectionnés parmi les meilleurs *climats*. Ils forment des appellations à part entière, dont le nom est en vedette sur l'étiquette. Par exemple, Chambertin, Montrachet.

Les régions de la Bourgogne.

Le Chablisien-Auxerrois. L'appellation la plus connue donne son nom aux vignobles de l'Yonne, au nord. Ce vignoble s'est beaucoup contracté après la crise phylloxérique et connaît une timide renaissance. Chablis a gardé sa notoriété. L'aire d'appellation couvre le village éponyme et seize communes voisines. Les vignes dévalent les fortes pentes des coteaux aux expositions multiples qui longent les deux rives du Serein, modeste affluent de l'Yonne. Les sols marneux ou marno-calcaires (le célèbre kimméridgien) conviennent parfaitement au chardonnay qui règne ici sans partage. Sous un climat plus rigoureux que celui de la Côte-d'Or, il donne naissance à des vins blancs secs et élégants, d'une grande fraîcheur minérale.

On retrouve à Chablis la pyramide des appellations bourguignonnes : petit-chablis, chablis, chablis 1er cru et chablis grand cru. Plus on monte dans la hiérarchie, plus les vins sont denses, complexes et de garde.

Plusieurs communes ou lieux-dits de l'Yonne produisent des vins en appellation régionale bourgogne, avec parfois une dénomination propre (vins blancs de Vézelay et de Chitry, rouges de Coulanges-la-Vineuse ou d'Épineuil). Au sud d'Auxerre, les irancy, en rouge, et les saint-bris, en blanc, bénéfient d'une AOC communale.

La Côte de Nuits. Au sud de Dijon, la Côte-d'Or est le cœur du vignoble bourguignon. Entre Marsannay et Corgoloin, la Côte de Nuits est linéaire. Elle s'étire en une bande étroite (quelques centaines de mètres), découpée de combes ; une trentaine d'appellations se succèdent, des villages aux noms souvent prestigieux (Gevrey-Chambertin, Chambolle-Musigny, Vougeot, Vosne-Romanée, Nuits-Saint-Georges...), riches de nombreux premiers crus et, pour certains, de grands crus. C'est le royaume du pinot noir, qui atteint des sommets dans 24 grands crus, comme chambertin, musigny, clos-de-vougeot et la mythique romanée-conti.. Les grands vins rouges de la Côte de Nuits ont comme dénominateurs communs densité, profondeur et potentiel de garde.

La Côte de Beaune. La Côte de Beaune prolonge celle de Nuits entre les communes de Ladoix-Serrigny, au nord, et de Chagny, au sud, et compte 24 appellations communales ou grands crus. Elle offre un profil différent : les vignes s'étalent davantage (1 à 2 km), les pentes sont un peu plus douces, les expositions plus variées. Le substrat, fait de calcaires divers et de terrains marneux, est souvent propice au chardonnay. La Côte de Beaune est le paradis des grands blancs. Sur ses sept grands crus, six sont dédiés au chardonnay : le corton-charlemagne, autour de la célèbre colline de Corton, au nord, et, à l'autre bout de la Côte, le montrachet, escorté de quatre crus associés. Sans oublier des appellations communales presque entièrement vouées aux blancs, comme meursault et puligny-montrachet.

La Côte de Beaune fournit également de superbes vins rouges, à commencer par le grand cru corton. Pommard et Volnay, s'ils n'ont pas de grands crus, recèlent de nombreux premiers crus d'un excellent niveau. Riche de nombreux premiers crus, la ville de Beaune abrite depuis le XVIIIe s. de nombreuses maisons de négoce : c'est la capitale du vignoble.

La Côte chalonnaise. Situé entre Chagny et Saint-Gengoux-le-National, au sud de la Côte de Beaune, le

LA VENTE AUX ENCHÈRES DES HOSPICES DE BEAUNE.

C'est la vente publique, le troisième dimanche de novembre, des cuvées de l'important domaine des hospices de Beaune, constitué au fil des siècles grâce à des donations. Son produit est destiné aux hospices (aujourd'hui à des investissements médicaux). Institutionnalisée en 1859, cette vente attire les foules. Variant en fonction des volumes produits, de la réputation du millésime et de la conjoncture, les montants atteints donnent la température du marché. Depuis 2005, c'est la maison Christie's qui organise la vente.

LA CONFRÉRIE DES CHEVALIERS DU TASTEVIN.

Née en 1934, dans une période de grave crise économique pour la viticulture, la confrérie des chevaliers du Tastevin, résurrection d'anciennes confréries des XVIIe et XVIIIe s., se donne pour objectif d'être l'ambassadrice des grands vins de Bourgogne. Elle célèbre ainsi la Bourgogne viticole à travers ses Chapitres, cérémonies organisées dans le château du Clos de Vougeot, où sont intronisés de nouveaux chevaliers. La Confrérie procède également deux fois par an au tastevinage : une dégustation qui donne l'estampille de la Confrérie aux vins jugés caractéristiques de leur appellation et de leur millésime.

vignoble de la Côte chalonnaise tire son nom de Chalon-sur-Saône. Resté longtemps à l'ombre de la Côte-d'Or, il a beaucoup progressé. L'appellation régionale bourgogne-côte-chalonnaise produit une majorité de rouges. Le secteur compte quatre appellations communales : du nord au sud, on trouve les villages de Bouzeron (la seule appellation communale dédiée au cépage aligoté), Rully, Mercurey, Givry et Montagny. On y trouve d'excellents vins rouges et blancs, plus abordables qu'en Côte-d'Or.

Le Mâconnais. Entre Tournus et Mâcon, le Mâconnais s'étend sur 50 km du nord au sud et sur une quinzaine d'est en ouest. La Bourgogne prend des airs méridionaux, tant par ses nuances climatiques que par l'habitat traditionnel. Des chaînons calcaires forment les monts du Mâconnais, surgissant en éperons spectaculaires sur les sites de Solutré et de Vergisson. Le vignoble, surtout exposé à l'est, couvre des terrains en majorité marneux, propices au chardonnay, tandis que quelques formations granitiques annoncent le Beaujolais limitrophe. En volume, le Mâconnais produit plus que la Côte-d'Or et le Chablisien. Des blancs, à 85 %. En rouge, le gamay, cultivé sur les terrains cristallins, côtoie le pinot noir. Le gros des volumes est produit en AOC régionales : mâcon (des rouges en majorité) et mâcon-villages, réservé aux blancs. La région possède cinq AOC communales, pouilly-fuissé, la plus connue, pouilly-loché, pouilly-vinzelles, viré-clessé et saint-véran. Le chardonnay y donne des blancs fruités et ronds, parfois opulents.

➧ LES APPELLATIONS RÉGIONALES DE BOURGOGNE

Les appellations régionales bourgogne couvrent l'aire de production la plus vaste de la Bourgogne viticole. Elles peuvent être produites dans les communes traditionnellement viticoles des départements de l'Yonne, de la Côte-d'Or, de la Saône-et-Loire, et dans le canton de Villefranche-sur-Saône, dans le Rhône.

Compte tenu de la dispersion géographique de l'appellation régionale, celle-ci est souvent associée au nom de la zone de production (Côtes d'Auxerre, Chitry, Côtes du Couchois...). La codification des usages et, plus particulièrement, la définition des terroirs par la délimitation parcellaire ont conduit à une hiérarchie au sein des appellations régionales. L'appellation bourgogne-grand-ordinaire, devenue coteaux bourguignons, est la plus générale, la plus extensive. Avec un encépagement plus spécifique, on récolte dans les mêmes lieux le bourgogne-aligoté, le bourgogne-passetoutgrain et le crémant-de-bourgogne.

COTEAUX BOURGUIGNONS

Superficie : 120 ha
Production : 5 000 hl (75 % rouge et rosé)

L'appellation bourgogne-grand-ordinaire, qui signifiait le « bourgogne du dimanche », tombée en désuétude en raison de son nom devenu peu commercial, a été remplacée par les coteaux bourguignons (mais les deux mentions coexistent toujours pour l'heure). À la base de la hiérarchie des AOC bourguignonnes, elle s'étend sur l'ensemble de la Bourgogne viticole et produit des rouges, des clairets, des rosés et des blancs. Elle peut faire appel à tous les cépages de la région, y compris à des variétés locales en voie de disparition, comme le tressot et le melon (le cépage du muscadet). En blanc, les principaux cépages sont le chardonnay et l'aligoté; en rouge et en rosé, le pinot noir et surtout le gamay.

JACQUES CHARLET Phalangère 2017 ★

■ | 50000 | 8 à 11 €

Au moment où la ligne de chemin de fer du Paris-Lyon-Marseille se construisait, les deux négociants Loron et Charlet ont eu l'idée de s'installer dans des bâtiments communs au bord de la voie ferrée. Ils ont fusionné et ont marié leurs enfants respectifs. Aujourd'hui encore, cette maison à taille humaine propose les terroirs historiques du Beaujolais et des vins du Mâconnais.

Une cuvée 100 % gamay à la robe rubis brillant et au nez de fruits rouges bien mûrs. En bouche, ample et gourmande, elle bénéficie de tanins fins et soyeux. ⧗ 2020-2022

SAS MAISON JACQUES CHARLET, Pontanevaux, 71570 La Chapelle-de-Guinchay, tél. 03 85 36 82 41, contact@jacques-charlet.fr

RAPHAËL DUBOIS 2017

■ | 2500 | 🍾 | 8 à 11 €

Raphaël Dubois a créé en 2000 une petite société de négoce qui permet d'étoffer la gamme présentée par le domaine familial (R. Dubois et Fils) où il officie avec sa sœur Béatrice. Au départ, seules les appellations chambolle-musigny et vosne-romanée étaient proposées. La société s'est ensuite diversifiée afin d'avoir une gamme plus représentative de la Bourgogne.

Ce 2017 s'ouvre sur un nez floral et citronné. La bouche est pleine, tout en fraîcheur et en flaveurs d'agrumes. ⧗ 2020-2022

RAPHAËL DUBOIS, 24, rue de la Courtavaux, 21700 Premeaux-Prissey, tél. 03 80 62 30 61, rdubois@wanadoo.fr V *t.l.j. 9h-11h30 14h-17h30; dim. sur r.-v.*

Ⓑ DOM. DE LA MONETTE Cuvée 1395 2017 ★

■ | 2040 | 🛢🍾 | 8 à 11 €

Roelof Ligtmans et Marlon Steine, couple de Néerlandais tombés sous le charme de la Bourgogne, ont repris le domaine en 2008. Ils conduisent aujourd'hui ce vignoble de 11 ha en agriculture biologique.

La Bourgogne

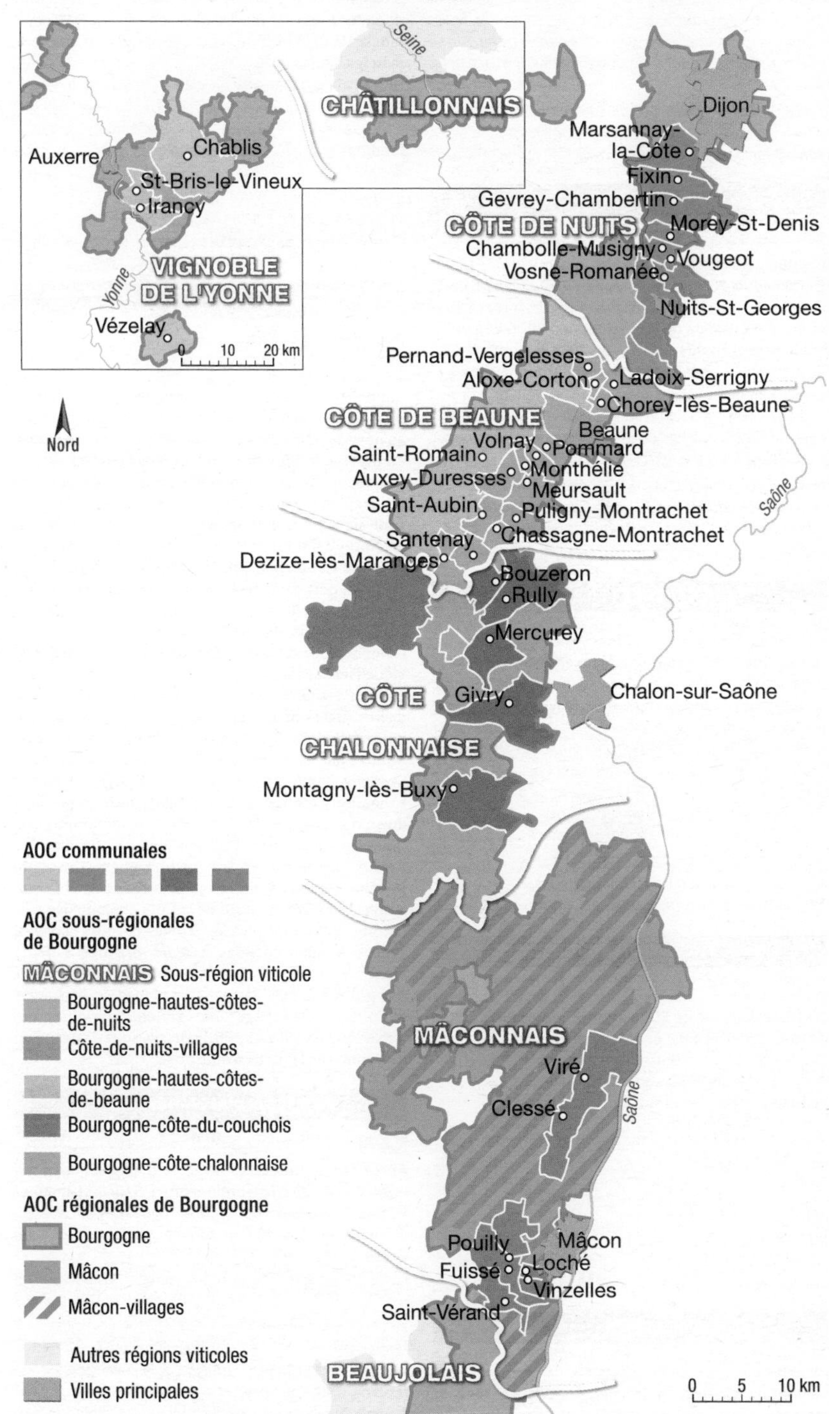

Issue d'un assemblage gamay-pinot noir, cette cuvée d'un pourpre soutenu dévoile un nez de petits fruits sauvages (mûre, cassis, griotte). La bouche est ample et gourmande, bien équilibrée entre fraîcheur et rondeur. ⧗ 2021-2023

DOM. DE LA MONETTE, 15, rue du Château, 71640 Mercurey, tél. 03 85 98 07 99, vigneron@domainedelamonette.fr V r.-v.

DOM. DES PAMPRES D'OR Sous la Croix 2017 ★

■	2000		8 à 11 €

Un domaine de 12 ha conduit en agriculture biologique depuis 2018, situé au sud du Beaujolais, dans la régions des Pierres dorées. Julien Perras a repris l'exploitation familiale de ses parents en 2006 et a vu sa sœur Bérengère le rejoindre en 2017. Il a notamment diversifié les cépages (pinot noir, chardonnay, etc.).

Un 100 % pinot noir couleur rubis, doté d'un joli nez fruité et épicé. La bouche souple et bien équilibrée s'appuie sur des tanins fins et se prolonge notablement sur les fruits rouges. ⧗ 2021-2023

EARL PERRAS (DOM. DES PAMPRES D'OR), 1710, rte de Châtillon, 69210 Saint-Germain-Nuelles, tél. 04 74 01 42 85, contact@vignoble-perras.fr V *r.-v.*

POULET PÈRE ET FILS 2017 ★

■	8000		11 à 15 €

Une maison fondée en 1747 à Beaune, désormais établie sur les hauteurs de Nuits-Saint-Georges, depuis 1982 dans le giron du négoce nuiton Louis Max. Elle propose une large gamme de vins de Bourgogne (des appellations régionales aux grands crus) et aussi du Beaujolais.

Discret en ouverture, ce gamay joue ensuite volontiers sur des notes de petits fruits rouges et d'épices douces. Bien équilibré sur la fraîcheur et le fruit, il affiche une bonne persistance aromatique au palais. ⧗ 2021-2023

SARL LOUIS MAX (POULET PÈRE ET FILS), 6, rue de Chaux, 21700 Nuits-Saint-Georges, tél. 03 80 62 43 00, n.lanier-garde@louis-max.fr *r.-v.*

DOM. THÉVENOT-LE BRUN 2017 ★

□	4600		15 à 20 €

Un vaste domaine de 28 ha au cœur des Hautes-Côtes de Nuits, créé en 1960 par Maurice Thévenot-Le Brun, l'un des pères fondateurs des hautes-côtes modernes. À sa tête depuis 2010, son petit-fils Nicolas, qui a succédé à son père Daniel et à son oncle Jean.

Une robe or brillant habille ce vin 100 % pinot beurot. Au nez, on retrouve des arômes de fruits compotés et des notes grillées. La bouche est ample, avec une belle concentration sur le fruit et une finale évocatrice de caramel et vanille. ⧗ 2020-2022

SCEV DOM. THÉVENOT-LE BRUN, 36, Grande-Rue, 21700 Marey-lès-Fussey, tél. 03 80 62 91 64, thevenot-le-brun@wanadoo.fr V *r.-v.*

L. TRAMIER ET FILS Taverdet 2017

■	15000		5 à 8 €

La maison de négoce Tramier, fondée en 1842 et installée à Mercurey, en Saône-et-Loire, est aussi propriétaire de vignes en Côte chalonnaise et en Côte de Nuits. Elle a été reprise dans les années 1960 par la famille de Laurent Dufouleur ; ce dernier est aux commandes depuis 2014.

Une cuvée à dominante de gamay qui exhale les petits fruits confits (griotte, myrtille). Les tanins semblent encore austères au palais, mais ils s'assoupliront et se fondront à la matière après quelques années en cave. ⧗ 2022-2024

TRAMIER ET FILS, rue de Chamerose, 71640 Mercurey, tél. 03 85 45 10 83, info@maison-tramier.com V *t.l.j. sf dim. 9h-12h 14h-18h*

BOURGOGNE

Superficie : 3 200 ha
Production : 154 500 hl (65 % rouge)

L'appellation s'étend sur presque toute la superficie du vignoble régional : de l'Yonne et du Châtillonnais, au nord, au Mâconnais, au sud. Elle comprend même, en théorie, la zone des crus du Beaujolais, la plupart des appellations communales beaujolaises pouvant se « replier » en AOC bourgogne (ces bourgognes sont alors issus de gamay). Ceux qui sont produits en Bourgogne au sens strict naissent en rouge du pinot noir et en blanc du chardonnay (appelé autrefois beaunois dans l'Yonne). À côté des rouges et des blancs, l'appellation fournit de petits volumes de rosés et de clairets.

L'étendue du vignoble et la tradition régionale d'individualiser la production des terroirs et de *climats* ont conduit à compléter le nom de « bourgogne » de ceux d'aires historiques beaucoup plus restreintes, toujours délimitées : lieux-dits (Le Chapitre à Chenôve, Montrecul à Dijon, La Chapelle Notre-Dame à Serrigny, La Côte Saint-Jacques à Joigny), villages ou zones plus étendues. Les coteaux de l'Yonne produisent ainsi le bourgogne Chitry, Épineuil, Tonnerre, Coulange-la-Vineuse, Côtes d'Auxerre, Vézelay (ce dernier en blanc). Quant au bourgogne Côtes du Couchois, c'est un vin rouge provenant de six communes à l'extrémité nord de la Côte chalonnaise.

Les bourgognes offrent les arômes de leurs cépages, avec des nuances liées à leurs origines : fleurs blanches, fruits secs, agrumes, notes beurrées, parfois grillées et miellées dans les blancs, fruits rouges et noirs dans les rouges. Plus souples et moins complexes que les *villages* et les crus, ils sont de petite ou moyenne garde (deux à cinq ans).

FRANÇOIS D'ALLAINES 2016 ★

■	8000		11 à 15 €

Après l'école hôtelière, François d'Allaines crée son négoce en 1990 à la frontière entre Saône-et-Loire et Côte-d'Or, puis son domaine en 2009. Cet adepte des élevages longs en fût est souvent au rendez-vous du Guide.

Cette cuvée à la robe pourpre soutenu s'ouvre sur un nez de fruits noirs (cassis), prolongé par une bouche vive, alerte, centrée sur le croquant du fruit, avec des tanins discrets et fondus en soutien. ⧗ 2019-2024

SARL FRANÇOIS D'ALLAINES, 2, imp. du Meix-du-Cray, 71150 Demigny, tél. 03 85 49 90 16, francois@dallaines.com V *r.-v.*

VIGNOBLE ANGST 2017

	1500		5 à 8 €

Un domaine de création récente (2014), installé dans l'Yonne à Pontigny, village célèbre pour son abbaye cistercienne. Le vignoble d'environ 8 ha est conduit par un jeune couple, Céline et Antoine Angst, qui ne sont pas issus du monde viticole.

Sous une robe rose pâle aux reflets orangés, ce 2017 exhale les fruits frais (fraise, framboise, pêche, brugnon). La bouche est souple et tonique sur une trame minérale. Un joli rosé plein de fraîcheur. 2019-2020

SARL VIGNOBLE ANGST, 1, rue Pasteur, 89230 Pontigny, tél. 06 68 36 27 75, vignobleangst@orange.fr V t.l.j. 9h-18h30

BAILLY-LAPIERRE Côtes d'Auxerre 2017 ★

	23500		5 à 8 €

Aujourd'hui, 430 vignerons apportent leurs raisins à la cave de Bailly-Lapierre, qui fut à l'origine du crémant-de-bourgogne. Principal élaborateur d'effervescents de la région, la coopérative propose une vaste gamme de crémants de qualité, qui reposent dans les immenses galeries souterraines d'une ancienne carrière calcaire. Elle fournit aussi des vins tranquilles. Une valeur sûre.

D'un beau jaune clair, cette cuvée dévoile au nez des arômes d'agrumes, d'amande et de légères notes boisées. La bouche est vive, bien équilibrée et enrobée par le bois. La finale sur de fins amers apporte de la longueur. 2019-2022

SCA CAVES BAILLY-LAPIERRE, quai de l'Yonne, 89530 Saint-Bris-le-Vineux, tél. 03 86 53 76 55, nathaliec@bailly-lapierre.fr V *r.-v.*

JACQUES BAVARD 2016

	5000		11 à 15 €

Après avoir été restaurateur à Paris pendant trente ans, Jacques Bavard a repris en 2003 le petit domaine familial fondé par son grand-père paternel, auquel il a adjoint une activité de négoce. Premier millésime en 2005.

Une robe or clair habille cette cuvée au nez de fleurs blanches, de pomme et de pêche. Un bel équilibre apparaît en bouche entre fraîcheur minérale et rondeur; on aime aussi sa souplesse et sa bonne persistance aromatique. 2019-2021

JACQUES BAVARD, 18, Grande-Rue, 21190 Puligny-Montrachet, tél. 03 80 21 33 06, jbvins@orange.fr V *r.-v.* 5

PIERRE-LOUIS ET JEAN-FRANÇOIS BERSAN
Côtes d'Auxerre Cuvée Marianne 2017 ★★

	7500		11 à 15 €

Ce domaine (20 ha de vignes), aussi maison de négoce, a été restructuré en 2010 par Pierre-Louis Bersan et son père Jean-François, issus d'une famille implantée à Saint-Bris depuis 1453 et vingt-deux générations. Depuis, leurs vins fréquentent régulièrement ces pages.

Lumineux et doré, ce 2017 révèle un nez délicat d'amande, de noisette, de fleurs blanches et de fines notes boisées et mentholées. La fraîcheur minérale et une belle matière se marient avec élégance en bouche. Un vin gourmand, d'une grande richesse aromatique jusque dans sa finale sur le croquant du fruit. 2020-2024

SCEA DOM. JEAN-FRANÇOIS ET PIERRE-LOUIS BERSAN, 5, rue du Dr-Tardieux, 89530 Saint-Bris-le-Vineux, tél. 03 86 53 07 22, domainejfetplbersan@orange.fr V *t.l.j. 8h30-12h 14h-17h30; dim. sur r.-v.*

♥ B DOM. BERSAN
Côtes d'Auxerre Cuvée Louis Bersan 2017 ★★★

	6700		11 à 15 €

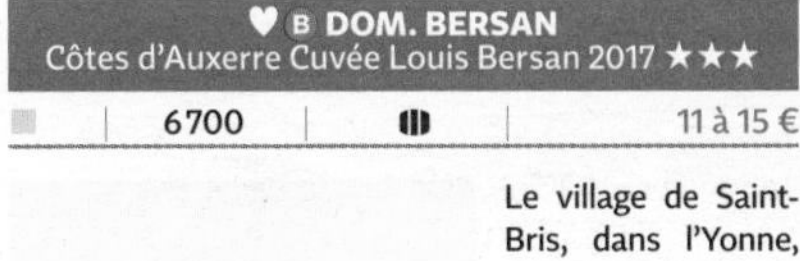

Le village de Saint-Bris, dans l'Yonne, compte plusieurs Bersan. Fondé en 2009 après une scission familiale, le domaine de Jean-Louis et Jean-Christophe compte 21 ha répartis sur les communes de Chablis, Irancy et Saint-Bris, exploités en bio (certifié depuis 2012).

Cette cuvée à la robe jaune clair brillant s'ouvre sur un nez complexe d'agrumes (pamplemousse), de fruits secs, de miel, de noisette et de brioche. La bouche se révèle d'une grande finesse, mêlant fraîcheur et rondeur dans une matière suave. La finale douce et d'une grande persistance sur le fruit achève de convaincre. 2019-2023 ■ **Côtes d'Auxerre Cuvée Louis Bersan 2016 ★ (15 à 20 €; 3000 b.)** B : un nez gourmand de fruits rouges bien mûrs (cerise, framboise) et de vanille s'exhale de cette cuvée couleur rouge profond. La bouche est ample, riche et complexe, associant fruité soutenu, tanins souples, boisé fondu et une jolie finale tonique. 2020-2023

SCEA JEAN-LOUIS ET JEAN-CHRISTOPHE BERSAN, 20, rue du Dr-Tardieux, 89530 Saint-Bris-le-Vineux, tél. 03 86 53 33 73, jean-louis.bersan@wanadoo.fr V *r.-v.*

CH. DES BOIS 2017 ★

■	10000		8 à 11 €

En 2013, Xavier Greuzard a rejoint ses parents Isabelle et Vincent à la tête du Ch. de la Greffière (37 ha), dans sa famille depuis 1924. Un vignoble qu'ils ont pu agrandir l'année d'après en reprenant les 7 ha d'un seul tenant du Ch. des Bois après le départ à la retraite de son propriétaire.

D'un beau rouge rubis, ce 2017 dévoile un nez de fruits rouges et noirs (cerise, cassis, myrtille). La bouche est dense, bien structurée, enrobée dans une belle matière aux tanins présents mais fins. Bonne persistance aromatique. 2019-2023

EARL DE LA GREFFIÈRE, 500, rte de Verzé, 71960 La Roche-Vineuse, tél. 03 85 37 79 11, info@chateaudelagreffiere.com V *t.l.j. sf dim. 9h-12h 14h-18h*

BOUCHARD PÈRE ET FILS 2017 ★

	n.c.		5 à 8 €

Fondée en 1731 et propriété du Champagne Joseph Henriot depuis 1995, cette maison de négoce est à la tête d'un vaste vignoble de 130 ha, dont 12 ha en

grands crus et 74 ha en 1ers crus. Elle propose une très large gamme de vins, des AOC les plus prestigieuses aux simples régionales, qui reposent dans les magnifiques caves enterrées de l'ancien château de Beaune (XVe s.), conservatoire unique de très vieux millésimes.

Sous sa robe dorée de vert, ce 2017 révèle au nez des arômes de fleurs blanches, de fruit de la Passion, de mangue et de pêche. Une belle attaque sur la vivacité introduit une bouche riche, ronde, dense et fruitée. Un vin gourmand. ⧗ 2019-2022

SAS MAISON BOUCHARD PÈRE ET FILS, 15, rue du Château, 21200 Beaune, tél. 03 80 24 80 24, contact@bouchard-pereetfils.com V r.-v.
Champagne Henriot

EDMOND CHALMEAU ET FILS
Chitry Vieille Vigne d'Aimé 2017 ★★

5300 | 8 à 11 €

Une ancienne famille vigneronne installée au cœur de Chitry : Franck Chalmeau a pris la suite de son père Edmond en 1991, avant d'être rejoint par son frère Sébastien. Un domaine passé peu à peu de la polyculture à la seule viticulture (17 ha) et devenu une référence pour ses bourgognes Chitry.

Cette cuvée à la robe doré brillant s'ouvre sur un nez complexe mêlant des arômes de fruits jaunes (pêche, brugnon) et de fleurs à des notes épicées (poivre blanc) et briochées. Un bel équilibre se déploie en bouche entre acidité, rondeur et sucrosité. La finale beurrée est rehaussée par une fine salinité qui apporte de la longueur. ⧗ 2019-2022

EARL EDMOND CHALMEAU ET FILS, 20, rue du Ruisseau, 89530 Chitry, tél. 03 86 41 42 09, domaine.chalmeau@wanadoo.fr V r.-v.

MAISON CHANZY
Clos Michaud Monopole 2017 ★★

6000 | 11 à 15 €

Implanté à Bouzeron, dont il possède à lui seul la moitié des vignes, ce domaine de 80 ha (en Côte chalonnaise, avec un pied en Côte de Beaune et en Côte de Nuits) est exploité depuis 2013 par Jean-Baptiste Jessiaume, son régisseur et maître de chai, issu d'une lignée vigneronne de Santenay. Une maison de négoce complète la propriété. Une originalité : les fermentations malolactiques se font en musique, la résonance harmonique étant censée favoriser l'épanouissement du raisin.

Cette cuvée ornée de beaux reflets violines évoque les fruits rouges (cerise, fraise). La bouche, ample et tout aussi fruitée, est étayée par des tanins souples et soyeux. Un vin expressif et très élégant, à consommer sur le fruit. ⧗ 2019-2021

SARL MAISON CHANZY, 6, rue de la Fontaine, 71150 Bouzeron, tél. 03 85 87 23 69, reception@chanzy.com V r.-v.

CLOSERIE DES ALISIERS 2018 ★

20000 | 8 à 11 €

Venu du Chablisien, Stéphane Brocard a quitté en 2007 le domaine familial fondé par son père pour créer son négoce, établi à Longvic, aux portes sud de Dijon. Il propose une jolie gamme de vins dans une dizaine d'appellations bourguignonnes.

Ce 2018 couleur or blanc dévoile au nez des parfums de fleurs jaunes et d'agrumes. La bouche est à la fois vive et onctueuse, portée par une fine trame minérale et par une belle finale zestée. ⧗ 2019-2022

SARL MAISON STÉPHANE BROCARD, 21 bis, rue de l'Ingénieur-Bertin, 21600 Longvic, tél. 03 80 52 07 71, s.brocard@orange.fr V r.-v.

DOM. DES CŒURIOTS Vézelay 2017

13000 | 8 à 11 €

Agriculteurs à 2 km de Vézelay, Claudette et Joël Defert ont planté en 1990 du chardonnay sur leurs parcelles classées en AOC. Ils livraient leur vendange à la coopérative jusqu'à l'installation en 2012 de leur fils Yoann, qui s'est orienté vers la vente directe. Le nom de leur domaine rappelle des fossiles en forme de cœur présents dans les sols argilo-calcaires de leur vignoble.

Ce bourgogne Vézelay se présente dans une belle robe jaune aux reflets ambrés. Le nez, intense, conjugue les agrumes, les fruits exotiques et les fleurs blanches. La bouche se montre bien équilibrée entre vivacité et sucrosité, et tient sur la longueur. ⧗ 2019-2022

SCEV DOM. DES CŒURIOTS, 37, rue du Pont, 89450 Saint-Père, tél. 06 72 34 65 12, defert.claudette@orange.fr V r.-v.

♥ DOM. COLBOIS Chitry Harmonie 2017 ★★

1900 | 11 à 15 €

Rejoint en 2009 par son fils Benjamin, Michel Colbois est établi depuis 1970 à Chitry-le-Fort. Ses blancs sont souvent en bonne place dans le Guide, qu'ils proviennent du chardonnay ou de l'aligoté. Son vignoble couvre 20 ha.

De l'harmonie en effet pour ce superbe 2017 à la robe grenat, qui dévoile un nez intense de fruits rouges, d'épices (poivre blanc) et de vanille. La bouche, à la fois fraîche et suave, s'appuie sur des tanins veloutés et déploie une longue finale délicatement épicée. Un vin élégant, d'ores et déjà très savoureux, mais qui vieillira bien. ⧗ 2019-2025 **Chitry 2017 ★ (5 à 8 €; 19000 b.)** : un nez délicat de poire, de pêche, de citron, de fleurs blanches et d'amande s'exhale de cette cuvée. L'attaque est fraîche, le milieu de bouche ample et la finale dynamisée par une fine amertume. ⧗ 2019-2022

EARL DOM. MICHEL COLBOIS, 69, Grande-Rue, 89530 Chitry, tél. 03 86 41 43 48, contact@colbois-chitry.com V t.l.j. sf dim. 8h30-12h 13h30-18h

DOM. LA CROIX MONTJOIE
Vézelay L'Élégante 2017 ★

10000 | 11 à 15 €

Tous deux ingénieurs agronomes et œnologues, Sophie et Matthieu Woillez sont installés depuis 2009 dans la commune de Tharoiseau. Leur vignoble de 10 ha, planté principalement de chardonnay, couvre un coteau face à Vézelay.

Une robe jaune doré habille cette cuvée au nez intense d'agrumes (citron, pamplemousse), de fleurs et de poivre blanc. La bouche est fraîche et minérale, centrée sur le croquant du fruit, avec une finale iodée très agréable. ⧗ 2019-2022

EARL DOM. LA CROIX MONTJOIE, 50, Grande-Rue, 89450 Tharoiseau, tél. 03 86 32 40 94, contact@lacroixmontjoie.com V *t.l.j. sf dim. 10h-19h*

PIERRE DAMOY 2016 ★★

■	2787		20 à 30 €

Établi sur les plus beaux terroirs de Gevrey, Pierre Damoy, très en vue pour ses grands crus (notamment ses chambertin, clos-de-bèze, chapelle-chambertin), est aux commandes depuis 1992 d'un domaine de 10,5 ha complété en 2007 par une affaire de négoce. Une valeur sûre.

Ce domaine bien connu pour ces grands crus de Chambertin nous propose ici un «simple» bourgogne qui n'a rien de simpliste. La robe est d'un seyant rouge sombre. Le nez convoque les fruits rouges et noirs (cerise, cassis). La bouche est ronde, souple, persistante sur le fruit et dotée de tanins soyeux. Un vin gourmand et d'une belle concentration. ⧗ 2019-2023 ■ **Les Ravry 2016 ★ (20 à 30 €; 691 b.)** : un nez intense de fleurs, de fruits jaunes (pêche), d'amande et de miel s'exhale de cette cuvée couleur or. La bouche, d'une bonne longueur, propose un bel équilibre entre une fine fraîcheur minérale et une matière souple et suave. ⧗ 2019-2022

SCEV DOM. PIERRE DAMOY, 11, rue du Mal-de-Lattre-de-Tassigny, 21220 Gevrey-Chambertin, tél. 03 80 34 30 47, info@domaine-pierre-damoy.com

DAMPT FRÈRES Tonnerre Chevalier d'Éon 2017

■	32133		8 à 11 €

Les frères Dampt (Éric, Emmanuel et Hervé), de Collan, signent la plupart de leurs vins sous l'étiquette de la fratrie. Mais cela n'empêche pas les productions individuelles. Celles d'Emmanuel Dampt sont souvent en bonne place dans le Guide.

Sous sa robe jaune pâle, ce 2017 s'ouvre sur un nez discret de pêche blanche, de nectarine et de tilleul. Une agréable fraîcheur minérale se déploie en bouche et une légère amertume vient souligner la finale. ⧗ 2019-2022

EARL EMMANUEL DAMPT, 3, rte de Tonnerre, 89700 Collan, tél. 03 86 55 29 55, emmanuel@dampt.com V *t.l.j. 9h-12h30 13h30-18h*

DOM. DEBREUILLE 2017

■	3100		5 à 8 €

Charles-Édouard Debreuille a repris en 2015 le domaine familial planté des quatre cépages bourguignons. Il produit du mâcon, du bourgogne et du crémant-de-bourgogne.

Cette cuvée d'un beau rouge rubis dévoile un nez de cassis, de mûre, de cerise et de kirsch. La bouche est un concentré de fruits rouges enrobé dans une matière aux tanins lisses. Un vin gourmand. ⧗ 2019-2023

EARL DOM. DEBREUILLE, pl. du Château, Le Bourg, 71700 Royer, tél. 06 73 81 83 79, contact@domaine-debreuille.com V *r.-v.*

PHILIPPE DEFRANCE 2017 ★★

■	850		5 à 8 €

Un domaine (18,5 ha) établi à Saint-Bris depuis plusieurs générations et conduit par Philippe Defrance depuis 1980. Ses caves voûtées des XIIe et XIIIe s. méritent le détour, ses vins, d'une réelle constance, aussi.

Ce rosé aux reflets couleur orange sanguine dévoile au nez de fins arômes de rose, de fraise, de pamplemousse et d'épices. La bouche est charnue, douce et généreuse, équilibrée par une finale zestée, persistante et tonique. ⧗ 2019-2020

PHILIPPE DEFRANCE, 5, rue du Four, 89530 Saint-Bris-le-Vineux, tél. 03 86 53 39 04, ph.defrance89@orange.fr V *r.-v.*

YVES ET DELPHINE DUPONT Vézelay Les Saulniers 2017 ★

■	5000		8 à 11 €

Un petit domaine familial de 5 ha fondé en 2009 par Yves Dupont et sa fille Delphine, au pied de la colline de Vézelay. Depuis 2017, Delphine est seule aux commandes, son père étant parti à la retraite.

Cette cuvée couleur jaune citron propose un nez intense de fruits exotiques, de fleurs blanches et de fruits secs. Arômes que l'on retrouve dans une bouche tout en rondeur. ⧗ 2019-2022

EARL YVES ET DELPHINE DUPONT, 19, rue de l'Abbé-Pissier, 89450 Saint-Père, tél. 03 86 33 31 43, delphinedupont@orange.fr V *r.-v.*

DOM. ELOY 2018 ★

■	32000		5 à 8 €

Installé depuis 1987 au cœur de Fuissé, à quelques encablures de Pierreclos, son village d'origine, Jean-Yves Eloy est à la tête d'un domaine de 28 ha.

De doux parfums de fleurs blanches s'échappent du verre. Le palais se montre gourmand en fruit, souple et harmonieux. ⧗ 2019-2022

JEAN-YVES ELOY, 200, chem. des Prés, 71960 Fuissé, tél. 03 85 35 67 03, domaine.eloy@outlook.fr V *r.-v.*

JEAN-CHARLES FAGOT Les Champs l'Huillier 2017 ★

■	3000		11 à 15 €

Installé entre Chagny et Puligny-Montrachet, Jean-Charles Fagot, propriétaire de 4 ha de vignes, s'est fait négociant pour étoffer sa carte des vins. Il est également devenu restaurateur en 1998 en ouvrant l'*Auberge du Vieux Vigneron*, où il propose une cuisine du terroir.

Une jolie robe cristalline dorée habille cette cuvée au nez discret d'agrumes (pamplemousse), d'amande et de notes briochées. La bouche est puissante et charnue, tenue par une belle vivacité et prolongée par une agréable finale sur les amandes grillées. ⧗ 2019-2022

SARL JEAN-CHARLES FAGOT, 5, rue de l'Église, 21190 Corpeau, tél. 03 80 21 30 24, jeancharlesfagot@free.fr V *r.-v.*

DOM. FOREY PÈRE ET FILS 2017 ★

■	6000		11 à 15 €

Cette famille voisine de la Romanée-Conti exploitait jadis en métayage La Romanée du chanoine Liger-Belair. Installé en 1983 avec son père et son frère, Régis Forey, aux commandes depuis 1989, conduit aujourd'hui un domaine de 8,5 ha régulièrement en vue dans le Guide.

Ce 2017 à la robe rouge cerise révèle au nez des arômes de fruits rouges et noirs (fraise, cassis, myrtille), de réglisse et d'épices. La bouche est tendre et fraîche, encore un peu marquée par un élevage soigné, qui a patiné les tanins. Bon potentiel de garde. ⌛ 2021-2025

SCEA DOM. FOREY PÈRE ET FILS, 2, rue Derrière-le-Four, 21700 Vosne-Romanée, tél. 03 80 61 09 68, domaineforey@orange.fr V r.-v.

DOM. FOURNILLON Épineuil 2017 ★

■	12000		8 à 11 €

Conduit depuis 2004 par Pascal Fournillon, ce domaine familial couvre 23 ha sur les coteaux du Chablisien, d'Épineuil et de Bernouil dans le Tonnerrois. Fierté des Fournillon, la «Vigne de l'Empereur», parcelle de chardonnay préphylloxérique, plantée en 1835, est toujours présente sur la propriété.

Paré d'une belle robe grenat, cet Épineuil présente un bouquet intense de fruits rouges prolongé par une bouche dense, aux tanins vifs et à la finale légèrement poivrée. Un passage en cave est recommandé. ⌛ 2021-2024 ■ **Tonnerre 2016 (5 à 8 €; 2500 b.)** : vin cité.

SCEA DOM. FOURNILLON, 34, Grande-Rue, 89360 Bernouil, tél. 03 86 55 50 96, contact@domaine-fournillon.com V *t.l.j. 8h-19h*

DOM. FOURREY 2017

■	2190		8 à 11 €

À Milly, la propriété est adossée au coteau des Lys et à la Côte de Léchet. Héritier de trois générations de vignerons, Jean-Luc Fourrey a repris le domaine familial et ses 24 ha de vignes en 1992. Il conduit son vignoble en Haute Valeur Environnementale et, pratiquant des élevages un peu plus longs chaque année, il cherche à faire des vins équilibrés et puissants.

Un nez intense de fruits bien mûrs (cassis, groseille) et d'épices ouvre la dégustation. La bouche, aérienne, souple et légère, est à l'unisson du bouquet. Un vin à boire sur le fruit. ⌛ 2019-2022

SCEA DOM. FOURREY, 6, rue du Château, Milly, 89800 Chablis, tél. 03 86 42 14 80, domaine.fourrey@orange.fr V *r.-v.*

MAISON GÉRALDINE LOUISE
Élégance 2017 ★

■	875		11 à 15 €

Après vingt ans au service de la vigne et du vin des autres (en Côte chalonnaise puis au sud de la Côte de Beaune), Géraldine Louise lance sa société de négoce en 2016. Sa cuverie est située à Rosey, petit village de la Côte chalonnaise entre Givry et Buxy.

Ce 2017 dévoile au nez les notes typiques du chardonnay (beurre, brioche, fruits jaunes mûrs). De la souplesse, du gras et de la matière, le tout soutenu par une bonne acidité et une légère amertume en finale : la bouche affiche une belle harmonie. ⌛ 2019-2022

SASU MAISON GÉRALDINE LOUISE (DE LA VIGNE À LA ROBE), 5, rue du Prieuré, 71390 Rosey, tél. 06 87 28 99 25, gl@geraldinelouise.com V *r.-v.*

♥ Ⓑ **GUILHEM ET JEAN-HUGUES GOISOT**
Côtes d'Auxerre Corps de Garde 2017 ★★★

■	17700		11 à 15 €

Une valeur sûre de l'Auxerrois que ce domaine, installé dans une ancienne place forte de Saint-Bris abritant un corps de garde. Jean-Hugues Goisot et son fils Guilhem exploitent en biodynamie un vignoble de 28 ha et élèvent leurs vins dans de vénérables caves des XIe et XIIes.

Une cuvée souvent en vue dans ces pages, dans les deux couleurs. La version blanche 2017 fait merveille. Un vin jaune pâle et brillant, au nez soutenu et complexe d'agrumes (pamplemousse, citron), de fleurs blanches, de réglisse et de cannelle. La bouche apparaît ample, suave et puissante, équilibrée par une fraîcheur minérale savamment dosée et par de fins amers en finale. Un petit bijou. ⌛ 2020-2025 ■ **Côtes d'Auxerre La Ronce 2017 ★★ (15 à 20 €; 6600 b.)** Ⓑ : ce 2017 révèle au nez des arômes de fruits rouges (framboise, cerise), d'amande fraîche, d'épices et de torréfaction. Puis une trame minérale d'une belle pureté vient soutenir la bouche, aussi large que longue, bâtie sur des tanins fins. Un bon potentiel de garde en perspective. ⌛ 2021-2026

SCEV GUILHEM ET JEAN-HUGUES GOISOT, 30, rue Bienvenu-Martin, 89530 Saint-Bris-le-Vineux, tél. 03 86 53 35 15, domaine.jhg@goisot.com V *r.-v.*

DOM. GRAND ROCHE Côtes d'Auxerre 2017 ★

■	20000		8 à 11 €

Érick Lavallée, comptable devenu céréalier, a planté en 1987 un vignoble de 10 ha à Saint-Bris. Il en a porté la superficie à 22 ha et produit du bourgogne Côtes d'Auxerre, du bourgogne-aligoté, du saint-bris et du chablis 1er cru.

Cette cuvée aux reflets jaune citron s'ouvre sur un nez de fleurs blanches et de fruits exotiques mâtiné de fines notes beurrées. La bouche est vive, aérienne, élégante. ⌛ 2019-2022

ÉRICK LAVALLÉE, 6, rte de Chitry, 89530 Saint-Bris-le-Vineux, tél. 03 86 53 84 07, domaine@grandroche.fr V *r.-v.*

DOM. CÉLINE ET FRÉDÉRIC GUEGUEN 2018 ★

■	30000		8 à 11 €

Frédéric Gueguen et son épouse Céline, fille de Jean-Marc Brocard, ont d'abord travaillé pour le compte

de ce dernier, notamment au Dom. des Chenevières, avant de décider de voler de leurs propres ailes en 2013. Ils conduisent aujourd'hui un vignoble de 24 ha dans le Chablisien et l'Auxerrois.

Une belle robe rose habille cette cuvée au nez de pamplemousse, de pêche blanche et de fraise. La bouche est ample et souple, dotée d'une belle vivacité sur le croquant des agrumes. Jolie finale sur des notes épicées qui prolongent le plaisir. ⧗ 2019-2020

SARL CÉLINE ET FRÉDÉRIC GUEGUEN, 31, Grande-Rue-de-Chablis, 89800 Préhy, tél. 06 08 74 63 85, contact@chablis-gueguen.fr V r.-v.

JAFFELIN
Cuvée des Chanoines de Notre-Dame 2016 ★

■	3400		11 à 15 €

Cette maison de négoce-éleveur implantée à Beaune depuis 1816 appartient à la galaxie des vins Boisset. Elle conserve son autonomie d'achat avec Marinette Garnier à sa tête, une jeune œnologue qui a pris la suite de Prune Amiot en 2011. En vue notamment pour ses pernand-vergelesses et ses auxey-duresses.

Sous sa robe rouge sombre aux reflets violets, ce 2016 dévoile un nez agréable de fruits frais (framboise, cassis, mûre) que l'on retrouve dans une bouche souple, d'une grande puissance aromatique. Les tanins sont présents mais soyeux et les notes boisées sont fondues. ⧗ 2019-2023

SAS BOISSET (MAISON JAFFELIN), 2, rue du Paradis, 21200 Beaune, tél. 03 80 22 12 49, jaffelin@maisonjaffelin.com V r.-v.

CH. DE JAVERNAND 2017

	2000		8 à 11 €

Arthur, le fils de Pierre Fourneau, a pris le relais de son père en 2011 en s'associant avec Pierre Prost. Complété par 3 ha dans le sud-Mâconnais, le domaine s'étend dans le Beaujolais sur 10 ha de vignes âgées de cinquante ans.

Ce 2017 s'ouvre sur un nez fin de fleurs blanches, d'agrumes et de miel. La bouche se révèle souple et bien équilibrée entre gras, fraîcheur, fruité et notes boisées. ⧗ 2019-2022

EARL CH. DE JAVERNAND, 421, imp. de Javernand, 69115 Chiroubles, tél. 09 63 29 82 13, chateau@javernand.com V r.-v.

♥ **CLOS DU CH. DE LACHASSAGNE**
Prestige Monopole 2017 ★★

	10600		11 à 15 €

Les origines de ce domaine établi au cœur du pays des Pierres dorées remontent à 1535. Celui-ci resta propriété des Rochechouart-Mortemart et des Laguiche jusqu'à son rachat en 1977. Aujourd'hui, 62 ha clos de murs entourent le château, qui date de 1810-1830, et 26 ha sont dévolus au vignoble. L'exploitation est dirigée depuis 2007 par Olivier Bosse-Platière et son épouse Véronique.

Une superbe robe brillante aux reflets argentés habille ce vin ouvert sur des arômes de fleurs blanches, de poire, de pêche, de citron, de caramel et de noix de coco. La bouche affiche beaucoup de volume et une rondeur des plus gourmandes, bien relevée par la minéralité des lieux. Une longue finale aux tonalités grillées conclut la dégustation. Un vin fin et harmonieux, d'une belle complexité aromatique. ⧗ 2019-2023 ■ **Prestige Monopole 2017 ★★ (11 à 15 €; 8530 b.)** : à un nez intense de fruits rouges et noirs (cerise, cassis) et de réglisse répond une bouche ronde, chaleureuse et suave, soutenue par des tanins fins et un boisé ajusté. Un vin puissant et bien structuré, à mettre en cave. ⧗ 2022-2026 ■ **Monopole 2017 ★★ (5 à 8 €; 9400 b.)** : les fruits rouges et noirs (myrtille, fraise, griotte) et de fines notes toastées composent un joli bouquet. La bouche est ample, généreuse et persistante, étayée par des tanins bien présents mais soyeux. ⧗ 2020-2023 ■ **Monopole 2017 (5 à 8 €; 6880 b.)** : vin cité.

SARL CH. DE LACHASSAGNE, 416, rue du Château, 69480 Lachassagne, tél. 04 74 67 00 57, contact@chateaudelachassagne.com V r.-v.

LAROZE DE DROUHIN Côte d'Or 2017

	6000		11 à 15 €

En 1850, Jean-Baptiste Drouhin fonde un domaine viticole à Gevrey. Six générations plus tard, son héritier Philippe Drouhin, installé en 2001, son épouse Christine et leurs enfants Caroline et Nicolas conduisent dans un esprit bio, mais sans certification, un vignoble de 11,5 ha – dont près de la moitié est dédiée aux grands crus –, complété en 2008 par un petit négoce (Laroze de Drouhin) dirigé par Caroline.

D'un beau jaune doré, cette cuvée s'ouvre sur un nez intense de fruits exotiques (fruit de la Passion, litchi) et de fleurs blanches. La bouche se montre fraîche, fluide et bien équilibrée. ⧗ 2019-2021

SARL DOM. DROUHIN-LAROZE, 20, rue du Gaizot, 21220 Gevrey-Chambertin, tél. 03 80 34 31 49, domaine@drouhin-laroze.com V r.-v.

DOM. LEJEUNE Les Grandes Carelles 2017 ★

■	12000		11 à 15 €

Domaine transmis par les femmes depuis 1850, mais administré et vinifié par les hommes : François Jullien de Pommerol, ancien professeur à la « Viti » de Beaune décédé en 2017, rejoint en 2005 par son gendre Aubert Lefas, qui en assure aujourd'hui la direction. Vinifications en grappes entières et longs élevages sous bois sont leur signature, notamment pour les pommard, le cœur de leurs 10 ha, complétés par une activité de négoce.

Une belle robe rouge aux reflets violets habille cette cuvée au nez gourmand de petits fruits rouges et de confiserie. La bouche, souple et persistante sur le fruit, s'appuie sur des tanins fins. ⧗ 2019-2022

SCEV DOM. LEJEUNE, 1, pl. de l'Église, 21630 Pommard, tél. 03 80 22 90 88, commercial@domaine-lejeune.fr V *t.l.j. sf dim. 9h-12h 14h-18h*

DOM. LEMOULE
Coulanges-la-Vineuse Cuvée Chanvan 2017 ★

■	5000	◍	11 à 15 €

Une exploitation familiale transmise de père en fils depuis 1950. Depuis 2002, c'est Steve Lemoule qui est à la tête de ce domaine qui compte 22 ha de vignes, mais aussi 20 ha de cerisiers, jadis nombreux dans cette région.

Le nez, bien ouvert, mêle des parfums de fruits rouges à des notes grillées et torréfiées. La bouche, ronde et soyeuse, est encore un peu marquée par l'élevage. Ce vin atteindra son apogée après quelques années en cave. ⧗ 2022-2026

⊶ EARL LEMOULE, chem. du Tuyau-des-Fontaines, 89580 Coulanges-la-Vineuse, tél. 03 86 42 26 43, domaine.lemoule@orange.fr V ▪ *t.l.j. 9h-12h 14h-18h; dim. sur r.-v.*

DOM. FABRICE MARTIN Les Bons Bâtons 2017

■	600	◍	11 à 15 €

Un petit domaine de 2,3 ha régulier en qualité, que Fabrice Martin a créé en 2000 et qu'il exploite dans trois appellations : gevrey-chambertin, nuits-saint-georges et vosne-romanée.

Ce domaine souvent en vue pour ses vosne-romanée ne néglige pas ses «simples» bourgognes. Ici, une cuvée rouge profond qui exhale les petits fruits rouges et noirs et le cacao, à la bouche charnue, mêlant les fruits à un boisé léger. Jolie finale sur des notes acidulées. ⧗ 2019-2022

⊶ DOM. FABRICE MARTIN, 42, rue Grand-Velle, 21700 Vosne-Romanée, tél. 03 80 61 27 84, fabrice.martin12@hotmail.fr V ▪ *r.-v.*

ÉVELYNE ET DOMINIQUE MERGEY 2017 ★

□	2700	▮	8 à 11 €

Amateurs de vin, Évelyne et Dominique Mergey ont acquis en 1994 ce petit domaine de 3,5 ha, cultivé de manière très raisonnée. Ils ont confié l'élaboration des vins à Gérard Descombes, ancien propriétaire des lieux, avant que ce dernier ne la confie à son fils Sylvain.

Un nez discret mais fin de fleurs blanches et de miel, une bouche ronde et riche, fraîche, minérale et fruitée : ce bourgogne ne manque de rien. ⧗ 2019-2022

⊶ ÉVELYNE ET DOMINIQUE MERGEY, chem. de la Vernette, Le Bouteau, 71570 Leynes, tél. 03 85 23 80 87, d.mergey@gmail.com V ▪ ▪ *r.-v.*
⌂ E

DOM. BERNARD MILLOT 2017 ★

■	2006	◍ ▮	11 à 15 €

Un domaine mentionné depuis 1888 et qui porte le nom de Millot depuis quatre générations. Le vignoble couvre 7,5 ha en meursault, puligny-montrachet et beaune, conduits depuis 2010 par Émilien Millot.

Un nez intense de fruits rouges bien mûrs (framboise, cerise, fraise, groseille) s'exhale de cette cuvée à la robe brillante et limpide. La bouche est tendre, enrobée par des tanins souples et la persistance aromatique est d'une bonne longueur. ⧗ 2019-2022

⊶ EARL BERNARD MILLOT, 27, rue de Mazeray, 21190 Meursault, tél. 03 80 21 20 91, domaine.millotb@wanadoo.fr V ▪ ▪ *r.-v.*

DOM. RENÉ MONNIER 2017 ★

□	12400	◍	11 à 15 €

Ce domaine murisaltien fondé en 1723, propriété de Xavier Monnot, répartit ses 17 ha entre plusieurs AOC beaunoises. Il est régulièrement distingué dans le Guide, notamment pour ses beaune et ses meursault.

D'un seyant jaune doré, ce 2017 s'ouvre sur un nez de fleurs blanches, d'amande, de noisette et de fines notes boisées. Arômes que l'on retrouve dans une bouche offrant un beau relief, du gras, mais aussi de la tension et une jolie finale sur l'amertume. Un bon potentiel de garde. ⧗ 2020-2024

⊶ SARL DOM. RENÉ MONNIER, 6, rue du Dr-Rolland, 21190 Meursault, tél. 03 80 21 29 32, xavier-monnot@orange.fr V ▪ ▪ *r.-v.*

DAVID MORET Les Femelottes 2017 ★★

□	1800	◍	11 à 15 €

David Moret a créé en 1999 sa maison de négoce, établie derrière les remparts de Beaune. Cet adepte des élevages longs s'est fait une spécialité de la vinification «haute couture» des blancs de la Côte de Beaune.

Ce 2017 se présente avec élégance, le nez bien ouvert sur les agrumes, les fruits exotiques, la poire et la vanille. La bouche est portée par une fine trame minérale et la vivacité des agrumes, mais l'élevage d'un an en fût lui confère aussi de la rondeur et de la matière. Un ensemble complet. ⧗ 2020-2023

⊶ SARL DAVID MORET (HSBDM), 1, rue Émile-Goussery, 21200 Beaune, tél. 06 75 01 15 85, davidmoret.vins@orange.fr V *r.-v.*

OLIVIER MORIN Chitry Olympe 2017 ★

□	20000	◍ ▮	11 à 15 €

Ici, on cultive la vigne depuis le XVIIIe s. et l'on récolte les étoiles avec une belle constance. Olivier Morin, après dix années dans les médias et la musique, est revenu au domaine familial en 1992, prenant la suite de son père Michel. Il exploite un vignoble de 13,5 ha dans l'Yonne.

Sous sa robe jaune paille brillant, cette cuvée dévoile des parfums discrets de fruits jaunes (pêche, abricot), d'agrumes (pamplemousse) et de miel. La bouche est vive et la finale sur de fins amers est agréable. ⧗ 2019-2022

⊶ SARL OLIVIER MORIN, 2, chem. de Vaudu, 89530 Chitry, tél. 03 86 41 47 20, chitry@olivier-morin.fr V ▪ ▪ *r.-v.*

DOM. MOUTARD Tonnerre Vaumorillon 2017 ★

□	1654	◍	20 à 30 €

Originaire de Champagne, où elle cultive la vigne depuis quatre siècles, la famille Moutard a acquis en 2004 un domaine proche de Tonnerre, dont le vignoble de 36 ha s'étend jusqu'à Chablis. L'exploitation est complétée par une structure de négoce.

Une cuvée qui s'ouvre sur un nez délicat de pêche et de noisette associé à des notes grillées. La bouche, d'un beau volume, conjugue une aimable rondeur et une fine fraîcheur : un vin équilibré en somme. 2019-2022

SARL DOM. MOUTARD-DILIGENT, 81, Grande-Rue, 89700 Molosmes, tél. 03 25 38 50 73, contact@famillemoutard.com

FRANÇOIS PARENT 2017 ★

■	3500		20 à 30 €

Vinificateur de talent des vins de son épouse Anne-Françoise Gros (Dom. A.-F. Gros à Pommard), François Parent a longtemps élaboré aussi ceux de son vignoble familial, complété par une structure de négoce à son nom. Les vins sont aujourd'hui vinifiés par Mathias Parent et distribués par sa sœur Caroline.

Ce 2017 aux doux reflets rubis exhale les fruits rouges (framboise, cerise), l'amande et les épices. La bouche est tendre, souple et longue; des tanins veloutés lui confèrent une mâche délicate et gourmande. Un vin à déguster sur la fraîcheur du fruit. 2019-2022

SAS FRANÇOIS PARENT, 1, pl. de l'Europe, 21630 Pommard, tél. 03 80 22 61 85, contact@af-gros.com V r.-v.

GÉRARD PERSENOT
Côtes d'Auxerre Vieilles Vignes 2017 ★★

■	10000		8 à 11 €

Un domaine familial icaunais conduit de père en fils depuis 1858. Gérard Persenot en a pris les commandes en 1978.

Coup de cœur l'an dernier pour un aligoté 2017, ce domaine signe ici un bourgogne rouge d'une belle profondeur, ouvert sur des parfums de fleurs (pivoine), de fruits rouges frais (cerise, framboise) et de petites épices. La bouche offre de la concentration et de la générosité autour de tanins soyeux. 2019-2023

SARL GÉRARD PERSENOT, 8, rte de Chitry, 89530 Saint-Bris-le-Vineux, tél. 03 86 53 61 46, gerard@persenot.com V r.-v.

DOM. PETITJEAN Côtes d'Auxerre 2017 ★

□	6000		5 à 8 €

Au cœur du village de Saint-Bris-le-Vineux, dans un dédale de rues étroites, cette cave a été créée en 1950. Romaric et Mathias Petitjean ont repris en 1999 l'exploitation familiale, qui compte aujourd'hui 20 ha de vignes.

Habillée d'une jolie robe dorée, cette cuvée dévoile au nez des arômes de pêche, de poire, de fleur d'acacia et de vanille. La bouche, souple, ronde et charnue, se voit rehaussée par une belle vivacité aux tonalités minérales. 2019-2022 ■ **Côtes d'Auxerre 2017 ★ (5 à 8 €; 4000 b.)** : à un nez de fruits rouges (fraise, framboise) et d'épices succède une bouche fraîche, fruitée et finement tannique, agrémentée d'agréables notes iodées en finale. 2019-2022

SCEA DOM. PETITJEAN, 16, rue Basse, 89530 Saint-Bris-le-Vineux, tél. 03 86 53 31 04, domainepetitjean@orange.fr V *t.l.j. sf dim. 9h-12h 14h-18h30* 2

DOM. PIGNERET FILS 2017 ★

■	19000	8 à 11 €

Installés du côté de Givry (en 2001), les frères Éric et Joseph Pigneret, quatrièmes du nom à conduire le domaine familial (30 ha), ont créé la marque de négoce Pigneret Fils pour enrichir leur gamme. Ils achètent ainsi des raisins et des moûts qu'ils vinifient et élèvent dans leur chai.

Cette cuvée s'ouvre sur un nez complexe mêlant des parfums de fleurs et de cerise à des notes de cuir. La bouche est souple, gourmande et bien concentrée, les tanins sont déjà agréables et la finale fruitée d'une bonne longueur. 2019-2023

EARL DOM. PIGNERET FILS, Vingelles, 71390 Moroges, tél. 03 85 47 15 10, domaine.pigneret@wanadoo.fr V *t.l.j. 9h-12h 14h-19h; dim. 9h-12h* D

DOM. THIERRY PINQUIER 2017

□	2700		8 à 11 €

En 1994, Thierry Pinquier a pris la relève de ses parents Colette et Maurice, ouvriers vignerons fondateurs du domaine en 1954. Aujourd'hui, le vignoble compte 6 ha.

Ce vin dévoile un nez flatteur d'agrumes (citron), de poire, de pomme et de fleurs blanches. Amertume, acidité et sucrosité s'équilibrent harmonieusement en bouche. 2019-2022

THIERRY PINQUIER, imp. des Belges, rue Pierre-Mouchoux, 21190 Meursault, tél. 03 80 21 24 87, domainepinquier@orange.fr V *t.l.j. 9h-12h 13h30-18h30; dim. 9h-12h* 3

ISABELLE ET DENIS POMMIER Grain de survie 2017

□	17000		8 à 11 €

Établis à Chablis, Isabelle et Denis Pommier exploitent un domaine de 18 ha créé en 1990 et très régulier en qualité. Après avoir conduit quinze ans leur vignoble en lutte raisonnée, ils ont engagé sa conversion à l'agriculture biologique (certification à partir du millésime 2014).

Un nez expressif d'agrumes (orange, citron), de fruits exotiques (litchi), de fruits jaunes (abricot, coing) et de miel s'exhale de cette cuvée. La bouche dévoile une fraîcheur et un fruité agréables. Une pointe de sucrosité marque la finale. 2019-2022

SARL MAISON POMMIER, 31, rue de Poinchy, 89800 Chablis, tél. 03 86 42 83 04, isabelle@denis-pommier.com V r.-v.

VINCENT PRUNIER 2017 ★

□	9200		8 à 11 €

Au départ, en 1988, 2,5 ha de vignes hérités des parents, non viticulteurs; le vignoble couvre 12,5 ha aujourd'hui, et Vincent Prunier s'est imposé comme l'une des valeurs sûres de la Côte de Beaune. En complément de son domaine, il a créé une petite structure de négoce en 2007.

Des parfums de fleurs blanches, d'agrumes, de brioche et de vanille s'expriment au nez. Une attaque franche introduit une bouche vive et minérale, dont la finale tonique réveille les papilles. 2019-2022

SARL VINCENT PRUNIER, 53, rte de Beaune, 21190 Auxey-Duresses, tél. 03 80 21 27 77, sarl.prunier.vincent@orange.fr r.-v.

GASTON ET PIERRE RAVAUT 2017 ★

	4000		11 à 15 €

Un domaine dans la même famille depuis cinq générations, conduit aujourd'hui par Vincent Ravaut, installé depuis 2009 à Ladoix, au pied du coteau de Corton. Son vignoble s'étend sur 12,5 ha dont 80 % pour les rouges et est conduit en agriculture raisonnée.

D'un beau jaune doré, cette cuvée révèle au nez des arômes de poire, de pamplemousse, de citron confit et de fleurs blanches. La bouche est marquée par une belle tension sur l'acidité des agrumes et la minéralité. Un vin tonique et d'une bonne persistance aromatique. ⧗ 2019-2022

EARL GASTON ET PIERRE RAVAUT, hameau Buisson, Cidex19, 21550 Ladoix-Serrigny, tél. 03 80 26 41 94, domaine.ravaut@orange.fr r.-v.

♥ DOM. REBOURGEON-MURE
Cuvée de Maison Dieu 2017 ★★

	10000		8 à 11 €

Un ancêtre s'installe à Pommard en 1552 et prend à bail pour quatre-vingt-dix-neuf ans des vignes de l'abbaye Sainte-Marguerite-de-Bouilland. Aujourd'hui, les Rebourgeon-Mure conduisent 7 ha et s'illustrent régulièrement avec leurs pommard et leurs volnay.

La version 2013 de cette cuvée fut coup de cœur; le 2017 fait aussi bien. Un beau vin rubis, au nez diablement gourmand de fruits rouges (framboise, cerise, groseille), d'épices et de vanille, à la bouche ronde, généreuse, intense et d'une grande richesse aromatique mêlant les fruits aux notes d'élevage. Un caractère affirmé. ⧗ 2020-2024

SCEA DOM. REBOURGEON-MURE, 6, Grande-Rue, 21630 Pommard, tél. 03 80 22 75 39, rebourgeon.mure@orange.fr r.-v.

DOM. DES REMPARTS
Côtes d'Auxerre 2017 ★

	20000		5 à 8 €

À Saint-Bris-le-Vineux, un Sorin peut en cacher un autre. Ici, nous sommes chez Lina et Thomas, issus d'une longue lignée de vignerons et à la tête d'une belle unité de 40 ha conduite en agriculture raisonnée.

Ce 2017 au nez discret de fleurs blanches, de pomme, d'amande et de noisette dévoile une bouche riche mais sans lourdeur, soulignée par une jolie minéralité. Belle allonge en finale. ⧗ 2019-2022

EARL DOM. DES REMPARTS, 6, rte de Champs, 89530 Saint-Bris-le-Vineux, tél. 03 86 53 33 59, contact@domaine-des-remparts.com r.-v.

ROSSIGNOL-CORNU ET FILS
Côte d'Or 2017 ★

	1500		8 à 11 €

Les Rossignol sont nombreux à Volnay. Ici, un domaine de poche (4,8 ha), qui propose pourtant de multiples cuvées en volnay, meursault, pommard et pernand-vergelesses. Héritier d'une longue lignée de vignerons remontant à 1840, Didier Rossignol gère l'exploitation depuis 1989.

Une belle robe rubis habille cette cuvée évoquant la fraise, la framboise et le pruneau. La bouche affiche des tanins soyeux et une finale tonique. Simple et efficace. ⧗ 2019-2022

SCE ROSSIGNOL-CORNU ET FILS, 6-12, rue de Mont, 21190 Volnay, tél. 03 80 21 61 48, info@domaine-rossignolcornu.fr r.-v.

DOM. ROYET Élevé en fût de chêne 2017 ★

	5500		5 à 8 €

Jean-Claude Royet a repris en 2005 le domaine familial créé par ses parents en 1964 et entièrement replanté entre 1984 et 2004. Le vignoble couvre aujourd'hui 13 ha sur les coteaux escarpés au pied du château de Couches.

Ce 2017 s'ouvre sur un nez complexe de fruits exotiques, de coing et d'agrumes (pamplemousse, orange). Une jolie palette aromatique à laquelle fait écho une bouche vive et alerte. ⧗ 2019-2021 **Authentique 2017 ★ (8 à 11 €; 2561 b.)** : au nez, des parfums d'agrumes (citron), de fleurs blanches et de fruits secs; en bouche, un bon équilibre entre vivacité, rondeur et amertume, et une finale légèrement boisée. ⧗ 2019-2023

SCEV ROYET, Combereau, 71490 Couches, tél. 03 85 49 64 01, scev.domaine.royet@wanadoo.fr *t.l.j. sf dim. 9h-12h 13h-19h*

CH. DE SASSANGY
Clos de la Bodienne Monopole 2017 ★

	1400		8 à 11 €

Situé dans l'arrière-pays vallonné de Chalon-sur-Saône, ce domaine est dans la famille Musso depuis plus de trois siècles : une vaste propriété de 300 ha commandée par un château édifié en 1740 sur les vestiges d'une place forte des Xe et XIIe s. Installés en 1979, Jean Musso et son épouse Geno ont redonné vie à ce vignoble endormi depuis la crise du phylloxéra (50 ares à leur arrivée !), qui s'étend aujourd'hui sur 45 ha, conduit en bio.

Un rosé soutenu en couleur, au nez intense de fruits rouges et de miel. La bouche allie harmonieusement fraîcheur et gourmandise jusqu'à la finale épicée qui apporte de l'amertume et de la longueur. ⧗ 2019-2020

JEAN ET CÉCILE MUSSO, Le Château, 71390 Sassangy, tél. 03 58 09 73 66, mussojean71@gmail.com r.-v.

DOM. STÉPHANE DE SOUSA
Côte d'Or Les Petits Prés 2016 ★

	1200		11 à 15 €

Après dix ans dans le médical et les biotechnologies, Stéphane de Sousa, fils de vignerons de Meursault,

est revenu à ses racines vigneronnes : il a créé son négoce en 2012 dans la cuverie de son grand-père maternel et acquis sa première vigne en 2013, avant de reprendre le domaine paternel en 2015 (sur Meursault, Volnay et Pommard).

Cette cuvée pourpre sombre dévoile des arômes de fruits rouges et noirs (cassis, cerise). La bouche est fraîche, fruitée et soyeuse, dotée de tanins discrets. Jolie finale sur des notes acidulées. 2019-2022

STÉPHANE DE SOUSA, 25, RD 974, 21190 Meursault, tél. 06 50 21 73 13, domaine.sds@gmail.com V r.-v.

DOM. TERNYNCK Les Brûlis 2017 ★★

■ | 10000 | | 5 à 8 €

Une structure de négoce fondée en 2014 par la famille Ternynck. Les vinifications se font avec des levures indigènes et un minimum d'intervention.

D'un élégant rouge cerise, cette cuvée s'ouvre sur d'intenses parfums fruités (fraise, cerise, cassis, myrtille) et épicés. En bouche, elle conjugue fraîcheur, rondeur, tanins souples et fins, et déploie une belle et longue finale sur les épices. 2019-2022

SAS FAMILLE TERNYNCK, 3, Grande-Rue-de-Chablis, 89800 Préhy, tél. 03 86 21 42 70, ternynck@hotmail.com V r.-v.

DOM. THOMAS-COLLARDOT
Les Petits Poiriers 2017

■ | 1580 | | 15 à 20 €

Une petite exploitation familiale reprise en 2011 par Jacqueline Collardot, qui a signé sa première vinification en 2015. Elle a été rejointe par son fils Matthieu en 2018. À leur carte, du puligny-montrachet, du blagny et du bourgogne générique.

Le millésime 2016 avait décroché un coup de cœur l'an dernier. Le 2017 n'atteint pas les mêmes sommets, mais s'illustre par un joli nez de fleurs blanches et d'amande sur fond de boisé grillé et par une bouche ronde, un brin chaleureuse en finale. 2019-2022

EARL DOM. THOMAS-COLLARDOT, 4, rue de Poiseul, 21190 Puligny-Montrachet, tél. 06 23 76 92 51, contact@domaine-thomas-collardot.com V r.-v.

DOM. CATHERINE ET DIDIER TRIPOZ
Vieilles Vignes 2017 ★

■ | 8200 | | 8 à 11 €

En 1988, la famille Tripoz succède à la famille Chevalier à la tête de cette exploitation de Charnay couvrant 12 ha. Situé sur un chemin de randonnée, à proximité de la voie verte, le domaine accueille aussi bien les marcheurs que les cyclotouristes.

Une belle robe dorée de vert habille cette cuvée au nez de fleurs blanches, de fruits jaunes, de fruits exotiques et de notes briochées. La bouche est ronde et tendre, dynamisée par une finale tonique et sapide aux accents de menthe poivrée. 2019-2023 ■ **Vieilles Vignes 2017 (8 à 11 €; 6600 b.)** : vin cité.

EARL CATHERINE ET DIDIER TRIPOZ, 450, chem. des Tournons, 71850 Charnay-lès-Mâcon, tél. 03 85 34 14 52, didier.tripoz@wanadoo.fr V r.-v.

CH. DU VAL DE MERCY
Coulanges-la-Vineuse 2016 ★

■ | 4200 | | 8 à 11 €

En 1680, les vins étaient produits par le Clos du Château du Val de Mercy. Établi à Chitry, le nouveau propriétaire du domaine (30 ha) perpétue la tradition viticole au-delà de ses terres pour fournir des vins du Chablisien, de l'Auxerrois et de la Côte de Beaune. Une activité de négoce complète la gamme de la propriété.

Cette cuvée dévoile un nez fin de petits fruits rouges frais, de groseille notamment. La bouche est tendre, aérienne, bâtie sur des tanins souples et un boisé fondu. Belle finale sur la vivacité des fruits. 2019-2022

EARL DOM. DU CH. DU VAL DE MERCY, 8, promenade du Tertre, 89530 Chitry-le-Fort, tél. 03 86 41 48 00, roy@valdemercy.com V r.-v.

DOM. JEAN VAUDOISEY 2016 ★

■ | 3880 | | 8 à 11 €

Un domaine familial conduit depuis 2015 par la septième génération vigneronne : Romain et Baptiste Vaudoisey, petits-fils de Jean, parti à la retraite à... 82 ans. À leur disposition, un vignoble de 7,5 ha.

Ce 2016 s'ouvre sur un nez soutenu de fruits rouges et noirs (cassis, groseille, cerise). Suivant la même ligne aromatique, la bouche se révèle souple et aimable. À boire sur le fruit de la jeunesse. 2019-2022

EARL DOM. JEAN VAUDOISEY, 8, rue du Pied-de-la-Vallée, 21190 Volnay, tél. 03 80 21 62 59, jeanvaudoisey@gmail.com V r.-v.

DOM. DES VAUX MARQUIS
Côtes d'Auxerre Vieilles Vignes 2017

■ | 2278 | | 8 à 11 €

En 2007, François Courtet a créé le domaine des Vaux Marquis avec son neveu Guillaume Ribeiro. Ils conduisent ensemble un vignoble de 20 ha en conversion à l'agriculture biologique.

D'un seyant jaune doré, cette cuvée révèle un nez discret de fleurs blanches et de fruits exotiques (mangue). La bouche présente un bel équilibre entre acidité et boisé fondu. 2019-2021

EARL DOM. DES VAUX MARQUIS, 9, rue de Tubie, 89290 Champs-sur-Yonne, tél. 03 86 53 38 17, courtet-francois@orange.fr V r.-v.

DOM. DES VERCHÈRES 2017 ★

■ | 24900 | | 5 à 8 €

Bourgogne de Vigne en Verre est le prolongement commercial de douze domaines du Mâconnais et de la Côte chalonnaise qui se sont regroupés pour faciliter la distribution de leur production et ainsi mieux se concentrer sur la partie technique.

Une cuvée à la robe rouge grenat et au nez de fleurs et de fruits rouges (fraise, cerise), qui présente un joli gras en bouche, de la rondeur, de la finesse et une finale sur la fraîcheur et le fruit. 2019-2022

SICA BOURGOGNE DE VIGNE EN VERRE, D 906, En Velnoux, BP 100, 71700 Tournus, tél. 03 85 51 00 83, martin.antoine@bourgogne-vigne-verre.com V t.l.j. 9h-12h 14h-18h

DOM. VERRET
Côtes d'Auxerre Les Gaudiers 2017 ★

	6000		11 à 15 €

La famille Verret cultive la vigne depuis deux siècles et demi dans l'Yonne. Pionnier dans le vignoble de l'Auxerrois pour la mise en bouteilles et la commercialisation directe pratiquées dès les années 1950, ce vaste domaine (60 ha) demeuré familial fréquente très régulièrement les pages du Guide, notamment pour ses irancy, saint-bris, bourgogne-côtes d'Auxerre et bourgogne-aligoté.

Sous sa robe dorée, ce 2017 dévoile un nez de fleurs (lys), d'agrumes (citron) et de miel. La bouche est onctueuse et gourmande, soulignée par une fine trame minérale et prolongée par une jolie finale acidulée. 2019-2022

GAEC DOM. VERRET, 14, rte de Champs, 89530 Saint-Bris-le-Vineux, tél. 03 86 53 31 81, dverret@domaineverret.com t.l.j. sf dim. 9h-12h 14h-18h

BOURGOGNE-PASSETOUTGRAIN

Superficie : 600 ha / Production : 31 650 hl

Cette appellation réservée aux rouges et rosés est produite dans l'aire du bourgogne-grand-ordinaire. Les vins assemblent obligatoirement pinot noir et gamay, le premier représentant au minimum un tiers de l'ensemble. Les meilleurs contiennent des quantités identiques de chacun des deux cépages, voire davantage de pinot noir. Confidentiels, les rosés sont obtenus par saignée, par opposition aux «gris». Tous ces vins sont légers et friands et doivent être consommés jeunes.

DOM. DES CHENEVIÈRES 2017

	2600		5 à 8 €

Ce domaine de 45 ha situé à l'ouest de Mâcon est exploité par la même famille depuis six générations. Il s'est forgé une solide réputation avec ses bourgognes d'appellations régionales et ses cuvées de mâcon, souvent en vue dans ces pages. Aujourd'hui, Vincent et Nicolas Lenoir, aidés de leurs épouses et de leurs enfants, sont aux commandes.

Couleur framboise et arômes de petits fruits rouges pour ce vin qui ne manque pas de mâche. 2019-2020

EARL LES CHENEVIÈRES, 230, rte d'Azé, 71260 Saint-Maurice-de-Satonnay, tél. 03 85 33 31 27, domaine.chenevieres@orange.fr t.l.j. sf dim. 9h-12h 14h-18h

BOURGOGNE-ALIGOTÉ

Superficie : 1 590 ha / Production : 96 000 hl

Le cépage aligoté donne des vins plus vifs et plus précoces que le chardonnay, mais le terroir influe sur lui autant que sur les autres cépages. Il y a ainsi autant de profils d'aligotés que de zones où on les élabore. Les aligotés de Pernand étaient connus pour leur souplesse et leur nez fruité (avant de céder la place au chardonnay); ceux des Hautes-Côtes sont recherchés pour leur fraîcheur et leur vivacité; ceux de Saint-Bris dans l'Yonne semblent emprunter au sauvignon quelques traces de sureau, sur des saveurs légères. Le bourgogne-aligoté constitue un excellent vin d'apéritif. Associé à de la liqueur de cassis, il devient alors le célèbre «kir». L'appellation a trouvé ses lettres de noblesse dans le petit village de Bouzeron près de Chagny (Saône-et-Loire), où elle est devenue en 2001 une appellation *village*.

CHRISTOPHE AUGUSTE 2018 ★

	40000		5 à 8 €

Installé en 1988 sur le domaine familial créé après 1945, Christophe Auguste se distingue régulièrement dans ces pages, notamment avec ses bourgognes Coulanges-la-Vineuse. Il conduit un vignoble de 34 ha.

Cette cuvée s'ouvre sur un nez de fleurs blanches et d'agrumes. Son bel équilibre sur la fraîcheur et sa bonne persistance aromatique font tout son charme. 2019-2021

SCEA CHRISTOPHE AUGUSTE, 55, rue André-Vildieu, 89580 Coulanges-la-Vineuse, tél. 03 86 42 35 04, scea.christophe.auguste@orange.fr r.-v.

DOM. BADER-MIMEUR Les Pierres 2016

	1100		11 à 15 €

En 1919, Charles Bader, négociant en vin à Paris, épouse Élise Mimeur, de Chassagne-Montrachet. Leurs héritiers exploitent près de 8 ha, et 98 % des vignes du Ch. de Chassagne. Ingénieur de formation, Alain Fossier veille depuis 1993 sur le domaine, notamment sur les 5 ha du clos du château.

Cette cuvée à la robe or pâle dévoile un nez de fleurs blanches et de noisette. En bouche, elle semble ronde à souhait, avant qu'une certaine vivacité ne se manifeste en finale. 2019-2021

SARL BADER-MIMEUR, 1, chem. du Château, 21190 Chassagne-Montrachet, tél. 03 80 21 30 22, info@bader-mimeur.com r.-v.

CAVES BIENVENU 2017 ★

	3100		5 à 8 €

Depuis plus de 400 ans, la famille Bienvenu exploite, de père en fils, une partie du vignoble d'Irancy. Dans la continuité de Léon et de Serge, c'est aujourd'hui Baptiste qui dirige le domaine. L'exploitation couvre environ 21 ha, sur lesquels sont produites les appellations irancy, bourgogne rosé et bourgogne-aligoté.

Un 2017 à la robe pâle et brillante, dont le nez frais développe des notes fruitées douces, comme la poire. Bel équilibre en bouche pour ce vin gourmand. 2019-2021

CAVES BIENVENU, 1, rue Soufflot, 89290 Irancy, tél. 03 86 42 22 51, serge.bienvenu@orange.fr t.l.j. 9h-12h 13h30-17h30

CAVE DE BISSEY 2017 ★

	9600		5 à 8 €

Fondée en 1928, la cave de Bissey est la plus ancienne coopérative de la Côte chalonnaise. Elle vinifie

aujourd'hui sur près de 90 ha de toutes les appellations régionales et communales, et même certains 1ers crus en AOC montagny.

Les arômes de fleurs (rose) se déclinent au nez comme en bouche dans ce vin tout en rondeur, avec juste ce qu'il faut de fraîcheur. Idéal pour l'apéritif. ⧗ 2019-2021

⊶ CAVE DE BISSEY, 14, rue des Millerands, 71390 Bissey-sous-Cruchaud, tél. 03 85 92 12 16, cave.bissey@wanadoo.fr V *t.l.j. sf dim. 9h-12h 14h-19h*

DOM. COLBOIS 2017 ★

	12000		5 à 8 €

Rejoint en 2009 par son fils Benjamin, Michel Colbois est établi depuis 1970 à Chitry-le-Fort. Ses blancs sont souvent en bonne place dans le Guide, qu'ils proviennent du chardonnay ou de l'aligoté. Son vignoble couvre 20 ha.

Or brillant, ce 2017 décline des notes minérales et fruitées (poire), ainsi que des touches de fleurs jaunes. Souple pour un aligoté, il charme par son côté charnu, relevé par une légère fraîcheur en finale. ⧗ 2019-2021

⊶ EARL DOM. MICHEL COLBOIS, 69, Grande-Rue, 89530 Chitry, tél. 03 86 41 43 48, contact@colbois-chitry.com V *t.l.j. sf dim. 8h30-12h 13h30-18h*

DOM. DE L'ÉCETTE
Raisins d'exception 2017

	3500		8 à 11 €

Auparavant viticulteur dans le Mâconnais, Jean Daux s'installe dans le Chalonnais (Rully) en 1983. Arrivé sur l'exploitation en 1997, son fils Vincent conduit aujourd'hui ce domaine de 17 ha souvent en vue dans ces pages. En 2019, le domaine s'est équipé d'une nouvelle cave et de nouvelles cuves pour vinifier les blancs. Les anciennes cuves servent à la vinification des vins rouges.

Cette cuvée aux reflets dorés présente des arômes de fruits jaunes et de fleurs blanches. En bouche, elle trouve un bon équilibre sur le fruit et la fraîcheur. ⧗ 2019-2021

⊶ EARL VINCENT DAUX, Dom. de l'Écette, 21, rue de Geley, 71150 Rully, tél. 03 85 91 21 52, daux.vincent@wanadoo.fr V *r.-v.*

DOM. NICOLAS FÈVRE 2017

	900		8 à 11 €

Si l'activité principale de Nicolas Fèvre est le conseil en œnologie, il a créé son propre petit domaine en reprenant fin 2013 une partie des vignes familiales jusqu'alors exploitées en fermage, en saint-romain et en bourgogne-aligoté.

Cette cuvée attire déjà l'œil par sa brillance, puis le nez avec des arômes de fruits et de fleurs, avec une touche de boisé. Au palais, des notes d'agrumes (pamplemousse) et des nuances minérales viennent souligner la juste vivacité. ⧗ 2019-2021

⊶ NICOLAS FÈVRE, 7, Petite-Rue, 21190 Saint-Romain, tél. 06 60 72 31 02, domaine.nicolas.fevre@orange.fr V *r.-v.*

GLANTENET PÈRE ET FILS 2017 ★

	4260		5 à 8 €

La famille Glantenet cultive la vigne depuis le XVIIIe s. et commercialise ses vins depuis 1997. À la frontière entre hautes-côtes-de-beaune et hautes-côtes-de-nuits, le domaine, conduit par Jean-François Glantenet, s'étend sur 25 ha répartis sur cinq communes autour de Magny-lès-Villers.

Des reflets or blanc brillent dans le verre. Buis, aubépine, tilleul accompagnés d'agrumes et de fleurs blanches composent un bouquet de printemps. Souple, la bouche mise tout sur la fraîcheur, avec de jolies flaveurs d'agrumes. ⧗ 2019-2021

⊶ SCE DOM. GLANTENET PÈRE ET FILS, 16, rue de l'Aye, 21700 Magny-lès-Villers, tél. 06 08 45 91 63, glantenet@orange.fr V *r.-v.*

BOURGOGNE

OLIVIER GUYOT Cuvée David 2017 ★

	2500		8 à 11 €

Olivier Guyot a repris le domaine familial en 1990. Il exploite 16 ha répartis en de nombreuses petites parcelles, dans la partie nord de la Côte de Nuits, entre Marsannay et Gevrey. Son fils David l'a rejoint en 2018.

Ce 2017 or pâle s'ouvre sur des arômes végétaux et floraux (chèvrefeuille, fleurs blanches). En bouche, il mise sur la fraîcheur des agrumes jusqu'en finale, sans rien perdre de son équilibre. ⧗ 2019-2021

⊶ EARL OLIVIER GUYOT, 39, rue de Mazy, 21160 Marsannay-la-Côte, tél. 03 80 52 39 71, contact@domaineguyot.fr V *r.-v.*

MAISON HENRY 2017

	8000		5 à 8 €

Le domaine Pascal Henry est né en 1986 à partir de quelques hectares seulement. Il s'étend sur 15 ha aujourd'hui. Pascal a tout appris en autodidacte. La grêle de 2016 ayant entraîné une perte totale de récolte, deux entités ont été créées : le domaine Pascal Henry cultive la vigne et vinifie le vin et la Maison Henry commercialise les bouteilles.

Cette cuvée or pâle dévoile un nez fruité (agrumes, fruits exotiques) et une bouche ronde, qu'une pointe de fraîcheur vient aiguiser en finale. ⧗ 2019-2021

⊶ PASCAL HENRY (MAISON HENRY), 30, chem. des Fossés, 89800 Saint-Cyr-les-Colons, tél. 03 86 41 44 87, maisonhenry@outloook.com V *t.l.j. 10h-12h 14h-18h*

Ⓑ LA LUOLLE 2017 ★

	1200		8 à 11 €

Sandrine et Olivier Dovergne exploitent depuis 2017 ce domaine de 8 ha conduit en culture biologique et biodynamique, ayant autrefois appartenu à Guy Chaumont. Ils proposent également un gîte et des visites sensorielles.

Pour un premier millésime, ce bourgogne-aligoté est une réussite. Un vin couleur or pâle, au nez intense de fleurs blanches et aux notes subtiles d'agrumes, équilibré et gouleyant. ⧗ 2019-2021

SARL MAISON DE LA LUOLLE, imp. de la Luolle, 71390 Moroges, tél. 06 21 86 05 27, domaine@laluolle.fr r.-v.

DOM. ÉRIC MONTCHOVET 2017 ★

	2500		5 à 8 €

Ouvrier à Pommard, le grand-père Lucien Montchovet achète quelques parcelles en friche et s'installe à Nantoux. Julien, son fils, devient vigneron en 1955. En 1987, c'est le petit-fils, Éric, qui rejoint et agrandit le domaine qui s'étend à présent sur 7 ha. En 2016, la quatrième génération entre en scène avec l'arrivée de Pierre, le fils d'Éric.

Cette cuvée au nez d'agrumes et de fleurs allie finesse et fraîcheur sur le fruit. Un aligoté typique et agréable. ⧗ 2019-2021

EARL ÉRIC MONTCHOVET, 7, rue Léonard, 21190 Nantoux, tél. 03 80 26 00 68, contact@bourgogne-montchovet.com r.-v.

PERRUCHOT-BOURRUD 2017 ★

	1392		8 à 11 €

Après vingt-deux ans en tant que cadre technique chez un négociant en vin, puis sept ans comme cadre commerciale dans une imprimerie, Murielle Dumont s'offre une reconversion dans la vigne. Elle reprend en 2008 les vignes familiales et la cuverie du grand-père, et crée sa structure viticole avec son frère. Ensemble, ils conduisent aujourd'hui un petit vignoble de 1,6 ha sur Chorey.

Des reflets vert pâle animent la robe de cette cuvée. Au nez de fleurs blanches et d'agrumes répond une bouche pleine de fraîcheur, mais bien équilibrée. ⧗ 2019-2021

SCEV LES BEAUPOIRS, 10, rue Pauline-Léger, 21200 Chorey-lès-Beaune, tél. 03 80 21 32 70, scev-les-beaupoirs@sfr.fr *t.l.j. 14h-18h30; sam. dim. sur r.-v.*

DOM. PETITJEAN 2017 ★

	3000		5 à 8 €

Au cœur du village de Saint-Bris-le-Vineux, dans un dédale de rues étroites, cette cave a été créée en 1950. Romaric et Mathias Petitjean ont repris en 1999 l'exploitation familiale, qui compte aujourd'hui 20 ha de vignes.

Un vin doré à reflets argentés qui dévoile au nez des arômes d'agrumes et de fleurs, typiques de l'aligoté. En bouche, c'est le terroir qui parle, avec une minéralité et une vivacité représentatives des sols de kimméridgien. ⧗ 2019-2021

SCEA DOM. PETITJEAN, 16, rue Basse, 89530 Saint-Bris-le-Vineux, tél. 03 86 53 31 04, domainepetitjean@orange.fr *t.l.j. sf dim. 9h-12h 14h-18h30* 2

CRÉMANT-DE-BOURGOGNE

Superficie : 1 935 ha / Production : 125 850 hl

Comme toutes les régions viticoles françaises, ou presque, la Bourgogne avait son appellation pour les vins mousseux élaborés sur l'ensemble de son aire géographique. La qualité n'était pas très homogène et ne correspondait pas, la plupart du temps, à la réputation de la région, sans doute parce que les mousseux se faisaient à partir de vins trop lourds. Reconnue en 1975, l'appellation crémant-de-bourgogne a remplacé l'AOC bourgogne mousseux en 1984. Elle impose des conditions de production aussi strictes que celles de la région champenoise et calquées sur celles-ci. Elle connaît actuellement un bon développement. Un crémant-de-bourgogne peut être un blanc de blancs élaboré généralement par un assemblage de chardonnay et d'aligoté, ou il peut assembler des cépages blancs avec le pinot noir et/ou le gamay vinifiés en blanc. Il existe aussi des rosés.

♥ BAILLY-LAPIERRE Pinot noir ★★

	500 000		8 à 11 €

Aujourd'hui, 430 vignerons apportent leurs raisins à la cave de Bailly-Lapierre, qui fut à l'origine du crémant-de-bourgogne. Principal élaborateur d'effervescents de la région, la coopérative propose une vaste gamme de crémants de qualité, qui reposent dans les immenses galeries souterraines d'une ancienne carrière calcaire. Elle fournit aussi des vins tranquilles. Une valeur sûre.

Une cuvée née sur les célèbres terroirs kimméridgiens. Lumineuse dans sa robe jaune pâle, elle laisse monter des bulles vigoureuses en un cordon persistant. Le nez ouvert pinote dans le registre floral et fruité. La bouche, après une attaque fine, révèle une puissante et volumineuse matière dans laquelle se prolongent les arômes. ⧗ 2019-2022 ● **★ (8 à 11 €; 480 000 b.)** : un rosé vif et goûtu, né d'un harmonieux assemblage de pinot noir et gamay. ⧗ 2019-2022 ● **Vive-la-Joie 2010 ★ (11 à 15 €; 65 000 b.)** : un brut friand et fruité, qui porte bien son nom. ⧗ 2019-2022 ● **Vive-la-Joie 2013 ★ (11 à 15 €; 35 000 b.)** : un rosé aux arômes de fruits confits, de framboise et de pêche de vigne. À la fois rond et acidulé, il laisse une impression crémeuse. ⧗ 2019-2022 ● **Égarade 2015 ★ (8 à 11 €; 21 200 b.)** Ⓑ : petits fruits et agrumes, notes florales; attaque vive puis bouche ronde... Une délicatesse plaisante. ⧗ 2019-2022

SCA CAVES BAILLY-LAPIERRE, quai de l'Yonne, 89530 Saint-Bris-le-Vineux, tél. 03 86 53 76 55, nathaliec@bailly-lapierre.fr r.-v.

DOM. BERTHENET Blanc de blancs ★

	12 600		8 à 11 €

Vigneron depuis 1974, Jean-Pierre Berthenet quitte la cave coopérative de Buxy en 2002 pour vinifier sa propre production, le fruit d'une vingtaine d'hectares. Son fils François l'a rejoint en 2009. L'une des valeurs sûres de l'appellation montagny.

Une robe or brillant et de fines bulles habillent ce vin composé à majorité de chardonnay et complété avec parcimonie d'aligoté. À la fois floral et fruité (pêche blanche), le nez est stimulé par une franche minéralité. La bouche, ample, vivifiée par des arômes de pomme verte, se prolonge bien. ⧗ 2019-2022 ● **Blanc de blancs**

Vintage Harmonie 2012 ★ (11 à 15 €; 3545 b.) : ce vin a bénéficié d'une longue attente de 30 mois dans le secret des caves. Il offre ainsi une palette aromatique opulente (noisette grillée, pomme, pâtisseries) et un bel équilibre entre une matière charnue et une juste vivacité. ⧗ 2019-2022

⊶ EARL DOM. BERTHENET, 2, rue du Lavoir, 71390 Montagny-lès-Buxy, tél. 03 85 92 17 06, domaine.berthenet@free.fr V ▪ *t.l.j. sf dim. 9h-12h 13h30-17h30; sam. sur r.-v.*

DOM. ALBERT BOILLOT Blanc de noirs ★

●	4200	▮	8 à 11 €

La famille Boillot, qui a donné naissance à l'un des fondateurs français du vignoble californien, Paul Masson, est établie à Volnay depuis la fin du XVIIes. Raymond Boillot, installé en 1988, conduit aujourd'hui un domaine de 4 ha dédié au pommard, au volnay et aux AOC régionales.

Une adéquation parfaite entre le terroir argilo-calcaire et le pinot noir, des vendanges manuelles calculées et un long repos sur lattes. Voilà ce qui a présidé à l'élaboration de ce tendre crémant au fin cordon de bulles. L'identité du pinot noir ressort à l'olfaction, avec une énergique présence des fruits rouges. Le fruité gagne en profondeur en bouche, souligné d'une agréable amertume en finale. Pour amateurs de crémants originaux. ⧗ 2019-2022

⊶ SCEA DOM. ALBERT BOILLOT, 2, ruelle Saint-Étienne, 21190 Volnay, tél. 03 80 21 61 21, dom.albert.boillot@wanadoo.fr V ⚐ ▪ *r.-v.*

JEAN-CHARLES BOISSET N° 21 ★★

●	31000	▮	15 à 20 €

Une maison de négoce développée par Jean-Charles Boisset, fils de Jean-Claude, négociant et propriétaire réputé de la Côte de Nuits.

La maison Jean-Charles Boisset numérote ses vins rares. Ce N° 21, or pâle à reflets vert tendre, est né d'un assemblage de chardonnay, de pinot noir, de gamay et d'aligoté. Les qualités organoleptiques de ces cépages se conjuguent au nez comme en bouche : arômes de fruits blancs et de pomme cuite sortie du four, fraîcheur avenante, équilibre et souplesse. Pas étonnant qu'il se soit invité à la finale des prétendants aux coups de cœur. ⧗ 2019-2022 ● **N° 69 ★ (15 à 20 €; 32000 b.)** : inutile d'imaginer une quelconque malice dans l'identité du N° 69, qui correspond à 1969, date à laquelle les Hommes se sont posés sur la Lune. Les dégustateurs ont salué ce crémant très… aérien, dont la bouche exquise révèle la finesse pimpante des fruits rouges : fraise, framboise. Du chic ! ⧗ 2019-2022

⊶ SASU BOISSET EFFERVESCENCE (JEAN-CHARLES BOISSET), 5, quai Dumorey, 21700 Nuits-Saint-Georges, tél. 03 80 62 61 00, info@imaginarium-bourgogne.com V ▪ *t.l.j. 10h-19h; lun. 14h-19h*

SYLVAIN BOUHÉLIER Cuvée Tradition ★

●	20000	▮	8 à 11 €

Sylvain Bouhélier s'est installé, hors du cadre familial, dans un petit village du Châtillonnais, aux portes de la Champagne, sur la route touristique des crémants, dont il se fait une spécialité. Il y a planté ses premiers pieds de vigne en 1988 et conduit aujourd'hui un vignoble de 6 ha.

Deux années de séjour sur lattes ont permis de parfaire cette cuvée or clair traversée de bulles persistantes. Printanière dans ses senteurs de fleurs jaunes miellées, elle se montre discrète au premier abord, puis s'épanouit volontiers, avec en prime des notes de pain grillé. La bouche est délicatement acidulée par l'expression des petits fruits rouges. ⧗ 2019-2022

⊶ SARL DOM. BOUHÉLIER, 1, pl. Saint-Martin, 21400 Chaumont-le-Bois, tél. 03 80 81 95 97, contact@bouhelier.com V ⚐ ▪ *r.-v.*

BOURGOGNE

LOUIS BOUILLOT Perle rare 2015 ★★

●	15000	▮	8 à 11 €

Une maison de négoce spécialiste des crémants fondée en 1877 à Nuits-Saint-Georges par Louis Bouillot, dans le giron du groupe Boisset depuis 1997. Une valeur sûre.

Quatre cépages (chardonnay, aligoté, pinot noir et gamay) sont à la base de ce crémant dont le nez pinote et révèle tour à tour nuances florales et arômes de fruits à chair blanche. La bouche fraîche, empreinte de notes anisées et mentholées, est un modèle de finesse et d'équilibre. ⧗ 2019-2022 ● **Perle de Molesme ★★ (8 à 11 €; 34000 b.)** : jaune pâle à reflets rose léger, un vin ample et puissant, avec de séduisants arômes de confiture de fraises. ⧗ 2019-2022 ● **Perle d'Aurore ★ (8 à 11 €; 35000 b.)** : couleur saumon, un rosé riche en arômes de fruits rouges, souple et rafraîchissant. ⧗ 2019-2022 ● **Extra-brut Blanc de blancs Les Grands Terroirs Les Trois Saints 2010 ★ (15 à 20 €; 1500 b.)** : issu de chardonnay, un extra-brut rafraîchissant et expressif : fruits jaunes, miel d'acacia, notes florales. ⧗ 2019-2022

⊶ SARL MAISON LOUIS BOUILLOT, passage Montgolfier, 21700 Nuits-Saint-Georges, tél. 03 80 62 61 61, info@louis-bouillot.com V ▪ *t.l.j. 10h-19h; lun. 14h-19h ⊶ SASU Boisset Effervescence*

PAUL CHOLLET Extra-brut Concerto 2013 ★★

●	3637	◫	11 à 15 €

Une maison de négoce fondée en 1955, spécialisée dans l'élaboration du crémant-de-bourgogne, reprise en 2002 par Gilles Rémy.

Cet extra-brut a tout d'un conquistador. Si la robe dorée traduit un brin d'évolution, le nez a gardé toute sa fraîcheur fruitée : coing et pêche de vigne discrètement miellés, amande et noisette. À l'attaque citronnée répond une bouche ample et fraîche, aux arômes d'agrumes confits persistants. ⧗ 2019-2022

⊶ SARL PAUL CHOLLET, 18, rue Gal-Leclerc, 21420 Savigny-lès-Beaune, tél. 03 80 21 53 89, manonremy@paulchollet.fr V ⚐ ▪ *r.-v.*

DOM. DE LA CROIX SAINT-JACQUES
Blanc de blancs ★

●	6000	▮	8 à 11 €

Derrière cette étiquette, le Clos Saint-Jacques fondé par le chef étoilé Michel Lorain qui décida au début des années 1990 de faire revivre le vignoble de Joigny. Un domaine de 14 ha aujourd'hui, repris en 2010 par Manuel Janisson (Champagne Janisson et Fils à Verzenay).

Le noble chardonnay a extrait les fines minéralités de 1 ha d'argiles à silex pour les transmettre à ce crémant couleur or blanc. Discrètes, les bulles entreprennent une longue ascension. Les arômes de pomme et de poire soulignés de notes de pain grillé s'élèvent du verre également, puis c'est une matière fraîche, à la fois fruitée et minérale, qui conquiert le palais. ⌛ 2019-2022

SC DOM. DE LA CROIX SAINT-JACQUES, 8, rue Marcel-Aymé, 89300 Joigny, tél. 06 64 45 68 44, contact@domainecsj.com V r.-v.

DOM. BRUNO DANGIN Confrérie 2015 ★★

● | 1500 | | 11 à 15 €

Après avoir travaillé quarante ans dans la maison Paul Dangin, créée avec ses frères, Bruno Dangin prend en 2010 la tête de ce domaine de quelque 3 ha qu'il cultive en bio (conversion en cours). Depuis 2015, c'est Matthieu, son fils, qui dirige l'exploitation.

Ce vin joue la carte du raffinement dans sa séduisante parure œil-de-perdrix illuminée de fines bulles. Fruits mûrs, épices, agrumes légers composent une palette complexe. Dès l'attaque, vivacité et onctuosité s'équilibrent, rehaussées par le caractère crémeux des bulles. Et la finale persistante d'accentuer l'harmonie. ⌛ 2019-2022

MATTHIEU DANGIN, rte de Mézières, 21330 Molesme, tél. 06 88 87 19 79, bruno-dangin@live.fr V r.-v.

DOM. DELIANCE PÈRE ET FILS Blanc de noirs Ruban mauve ★★

● | 4200 | | 8 à 11 €

Créée en 1947 par Marcel Deliance, cette maison a fondé sa réputation sur ses vins mousseux. Les générations suivantes ont prolongé l'aventure et agrandi le vignoble, qui compte 17 ha aujourd'hui.

Un crémant blanc de noirs, porté par une majorité de pinot noir (80 %) auquel s'est adjoint du chardonnay. Le voici, or pâle dans le verre, qui déploie ses arômes de fruits rouges et d'élégantes notes pâtissières de beurre frais. Ample et frais, le palais prolonge ce fruité (pulpe d'orange et abricot confit) à l'envi. ⌛ 2019-2022

SARL DOM. DELIANCE, 24, Le Buet, 71640 Dracy-le-Fort, tél. 03 85 44 40 59, domaine.deliance@wanadoo.fr V *t.l.j. sf dim. 8h-12h 14h-18h*

CH. DE LACHASSAGNE ★

● | 8000 | | 8 à 11 €

Les origines de ce domaine établi au cœur du pays des Pierres dorées remontent à 1535. Celui-ci resta propriété des Rochechouart-Mortemart et des Laguiche jusqu'à son rachat en 1977. Aujourd'hui, 62 ha clos de murs entourent le château, qui date de 1810-1830, et 26 ha sont dévolus au vignoble. L'exploitation est dirigée depuis 2007 par Olivier Bosse-Platière et son épouse Véronique.

Vêtu d'or soutenu et traversé de minibulles, ce vin libère des effluves de type marc de Bourgogne et de coing mûr. La bouche puissante tire parti d'une pointe de vivacité. ⌛ 2019-2022

SARL CH. DE LACHASSAGNE, 416, rue du Château, 69480 Lachassagne, tél. 04 74 67 00 57, contact@chateaudelachassagne.com V r.-v.

♥ HENRI LATOUR ET FILS ★★

● | 2700 | | 8 à 11 €

Les Latour cultivent la vigne depuis sept générations à Auxey-Duresses. Installé en 1992, François Latour exploite un domaine de 15 ha en lutte raisonnée, dont l'essentiel est implanté dans sa commune d'origine, le reste à Saint-Romain et à Meursault.

Un brut rosé tout en gourmandise et facile d'accès. D'abondantes bulles animent la robe saumon éclatant et semblent porter les intenses arômes de fruits rouges. Construit sur une fine acidité, le vin joue la carte de l'élégance au palais. Cerise et framboise se prolongent plaisamment. Quelle tendresse ! ⌛ 2019-2022

EARL HENRI LATOUR ET FILS, 51, rte de Beaune, 21190 Auxey-Duresses, tél. 03 80 21 65 49, h.latour.fils@wanadoo.fr V r.-v.

LOUIS LORON Blanc de blancs Prestige ★

● | 36000 | | 8 à 11 €

Maison de négoce familiale fondée à Fleurie en 1932 qui, outre ses vins tranquilles du Beaujolais et du Mâconnais, s'est fait une spécialité du crémant-de-bourgogne.

Un brut conquérant, dont la teneur en sucres résiduels (8 g/l) n'est pas passée inaperçue lors de la dégustation. Jaune pâle, intensément aromatique, il fait preuve d'équilibre et laisse l'agréable souvenir de ses flaveurs de pêche blanche. ⌛ 2019-2022

SAS LOUIS LORON ET FILS, Le Vivier, 69820 Fleurie, tél. 04 74 04 10 22, fernand.loron@wanadoo.fr V r.-v.

VIGNERONS DE MANCEY Réserve ★

● | 35800 | | 5 à 8 €

Fondée en 1929, la coopérative de Mancey est établie non loin de Tournus et de la Saône. Son terroir occupe la pointe des collines du Mâconnais, où elle mène un important travail de sélection parcellaire.

Une cuvée de gamay, de pinot noir, de chardonnay et d'aligoté. Or cuivré, parcourue de fines bulles, elle offre un nez fruité et floral. Les arômes de fruits mûrs et de notes pâtissières ont la faveur au palais, laissant une impression gourmande persistante. ⌛ 2019-2022 ● **Blanc de blancs ★ (8 à 11 €; 9269 b.)** : un vin démonstratif, aux arômes d'abricot et de pêche confite. Belle matière riche et mousse crémeuse au palais. ⌛ 2019-2022

SCA CAVE DES VIGNERONS DE MANCEY, D 906, En Velnoux, BP 100, 71700 Tournus, tél. 03 85 51 00 83, martin.antoine@bourgogne-vigne-verre.com V *t.l.j. 9h-12h 14h-18h*

DOM. PATRICK MIOLANE Les Genouvrées ★

● | 300 | | 11 à 15 €

En 2007, Barbara, la septième génération, a rejoint son père Patrick Miolane sur les 9 ha du domaine, répartis sur Saint-Aubin, Chassagne et Puligny-Montrachet.

Ce crémant est baptisé du nom d'un lieu-dit (les «jeunes ouvrées»). Issu de pinot noir, il s'habille d'un jaune doré et offre une mousse délicate. Au nez frais d'agrumes et de pêche blanche répond une bouche vive qui donne toute la faveur aux notes minérales et citronnées. ⌛ 2019-2022

EARL DOM. PATRICK MIOLANE, 2, rue des Perrières, 21190 Saint-Aubin, tél. 03 80 21 31 94, contact@miolane-vins.fr r.-v.

DOM. MOUTARD Trois Cépages ★

| 3471 | | 15 à 20 € |

Originaire de Champagne, où elle cultive la vigne depuis quatre siècles, la famille Moutard a acquis en 2004 un domaine proche de Tonnerre, dont le vignoble de 36 ha s'étend jusqu'à Chablis. L'exploitation est complétée par une structure de négoce.

Trois cépages – pinot noir, chardonnay et aligoté – vendangés à la main, assemblés à parité et élevés en fût, sont à l'origine de ce crémant venu du sud. Brillante tenue jaune d'or traversée de fines bulles qui s'étalent en corolle, nez explosif de fruits à chair jaune (pêche, abricot) agrémentés de notes miellées et de pain grillé. Autant de caractères qui préludent à une bouche ronde et fruitée. «Du charme, de la personnalité», conclut un dégustateur. ⌛ 2019-2022

SARL DOM. MOUTARD-DILIGENT, 81, Grande-Rue, 89700 Molosmes, tél. 03 25 38 50 73, contact@famillemoutard.com

♥ LOUIS PICAMELOT
Extra-brut Blanc de blancs Les Reipes 2014 ★★★

| 12768 | | 11 à 15 € |

Cette maison de négoce, propriétaire de 14 ha en Côte de Beaune et en Côte chalonnaise, a été fondée en 1926 par Louis Picamelot et reprise par son petit-fils Philippe Chautard en 1987. Dans sa cuverie installée en 2006 au creux de la roche à Rully naissent de beaux crémants de terroir ou d'assemblage et quelques vins tranquilles.

Vin de grande classe, ce blanc de blancs se présente dans une robe or à reflets émeraude. Ses fines bulles s'élèvent durablement dans le verre pour former une collerette de mousse crémeuse. Un bouquet printanier se libère alors : primevère, chèvrefeuille, puis à l'agitation se révèlent un fruité intense (pomme, poire, agrumes) et une minéralité de bon aloi. En bouche, tout l'équilibre repose sur un dosage minimaliste : du gras, certes, mais aussi de la fraîcheur et une finale «en queue de paon». ⌛ 2019-2022

SARL ÉTABLISSEMENTS LOUIS PICAMELOT, 11 bis, rue du Moulin-à-Vent, 71150 Rully, tél. 03 85 87 13 60, info@louispicamelot.com r.-v.

DOM. PIGNERET FILS ★★

| 5000 | | 8 à 11 € |

Installés du côté de Givry (en 2001), les frères Éric et Joseph Pigneret, quatrièmes du nom à conduire le domaine familial (30 ha), ont créé la marque de négoce Pigneret Fils pour enrichir leur gamme. Ils achètent ainsi des raisins et des moûts qu'ils vinifient et élèvent dans leur chai.

Un cordon généreux se dessine dans la robe or pâle. Des arômes expressifs d'agrumes tels que la bergamote et le pamplemousse s'élèvent également du verre. Ils annoncent une bouche équilibrée et séveuse, dotée d'une finale friande sur des notes de pomme au four. ⌛ 2019-2022

EARL DOM. PIGNERET FILS, Vingelles, 71390 Moroges, tél. 03 85 47 15 10, domaine.pigneret@wanadoo.fr t.l.j. 9h-12h 14h-19h; dim. 9h-12h

DOM. SAINT-PANCRACE
Blanc de blancs Pur chardonnay Julien-Dorard ★

| 2000 | | 8 à 11 € |

Xavier Julien, l'un des rares vignerons installés à Auxerre, a planté ses premiers ceps en 1997; il exploite aujourd'hui 5 ha de vignes. Le domaine tient son nom d'une tour fortifiée, propriété de la famille.

Vêtu d'or limpide orné de fines bulles, ce crémant brut raisonnablement dosé (8 g/l) affiche ses prétentions dès le premier nez : fruits jaunes, notes beurrées. Une attaque vineuse précède un milieu de bouche croquant, d'une fraîcheur tonique. ⌛ 2019-2022

XAVIER JULIEN, Dom. Saint-Pancrace, 17, rue Rantheaume, 89000 Auxerre, tél. 03 86 51 69 71, domaine.saintpancrace@wanadoo.fr r.-v.

CH. DE SASSANGY Extra-brut ★

| 12000 | | 8 à 11 € |

Situé dans l'arrière-pays vallonné de Chalon-sur-Saône, ce domaine est dans la famille Musso depuis plus de trois siècles : une vaste propriété de 300 ha commandée par un château édifié en 1740 sur les vestiges d'une place forte des Xe et XIIe s. Installés en 1979, Jean Musso et son épouse Geno ont redonné vie à ce vignoble endormi depuis la crise du phylloxéra (50 ares à leur arrivée !), qui s'étend aujourd'hui sur 45 ha, conduit en bio.

Ce crémant a bénéficié d'un séjour de deux ans sur lattes. La lente montée de fines bulles dans le verre invite à découvrir la palette d'arômes de fleurs printanières, de miel, d'épices et de pain grillé. La bouche vineuse s'agrémente de notes pâtissières sur fond d'agrumes. ⌛ 2019-2022

JEAN ET CÉCILE MUSSO, Le Château, 71390 Sassangy, tél. 03 58 09 73 66, mussojean71@gmail.com r.-v.

ALBERT SOUNIT Brut nature Zéro dosage ★★

| 5414 | | 11 à 15 € |

Fondée en 1851 par Flavien Jeunet, cette maison de négoce, qui possède aussi 16 ha de vignes en propre, a été reprise dans les années 1930 par la famille Sounit, qui l'a cédée à son importateur danois en 1993. L'une des valeurs sûres de la Côte chalonnaise, en vins tranquilles comme en effervescents.

Un Zéro dosage très tendance, «intéressant pour les connaisseurs», précise l'un des jurés. Il est fort séduisant dans sa tenue or pâle, aux bulles brillantes. Le premier bouquet d'agrumes laisse place au minéral et aux fleurs blanches à l'aération. Puis c'est une texture très fraîche et fruitée (pomme, kiwi) qui emplit le palais avec harmonie. Du plaisir à l'état pur. ⧗ 2019-2022 ● **Blanc de noirs ★ (8 à 11 €; 5414 b.)** : un vin riche en arômes de petits fruits rouges, d'une vivacité sympathique. ⧗ 2019-2022

SARL MAISON ALBERT SOUNIT, 5, pl. du Champ-de-Foire, 71150 Rully, tél. 03 85 87 20 71, albert.sounit@wanadoo.fr V r.-v.

DOM. ROLAND VAN HECKE Beauregard ★

●	2000		11 à 15 €

C'est sur les coteaux du Châtillonnais, non loin de la Champagne, qu'en 1991, Roland Van Hecke a planté ses premiers ceps sur les terres d'une exploitation agricole. Il dispose aujourd'hui d'un vignoble de 5 ha principalement consacré aux crémants.

Issu de chardonnay et pinot noir assemblés à parité, ce vin offre de fines bulles persistantes sur fond doré. Des arômes de noisette, de pain frais et des notes miellées se manifestent volontiers, comme une invitation à poursuivre la dégustation. La bouche ronde trouve en finale une fraîcheur bienvenue. ⧗ 2019-2022

EARL DE BEAUREGARD, 5, rue de l'Église, 21570 Grancey-sur-Ource, tél. 03 80 93 79 07, roland.van-hecke@wanadoo.fr V r.-v.

VEUVE AMBAL Blanc de blancs ★

●	200000		8 à 11 €

Vénérable négoce spécialisé en crémant, fondé en 1898 par Marie Ambal et conduit depuis 1988 par son descendant Éric Piffaut. Né à Rully, établi à Beaune depuis 2005, il est le plus important élaborateur de bulles bourguignonnes, issues pour une large part de son vaste vignoble de 250 ha.

Robe dorée illuminée de fines bulles. Nez d'une jolie finesse, puis bouche pleine d'allant, franche et tonique. Un vin «à croquer», mentionne un dégustateur conquis par tant de fraîcheur. ⧗ 2019-2022 ● **Blanc de noirs (8 à 11 €; 300000 b.)** : vin cité.

SAS LES PETITS-FILS DE VEUVE AMBAL, Le Pré-Neuf, 21200 Montagny-lès-Beaune, tél. 03 80 25 01 70, contact@veuve-ambal.com V *t.l.j. 10h-12h30 14h-18h*

VITTEAUT-ALBERTI Blanc de noirs ★

●	17529		8 à 11 €

L'une des belles références du crémant-de-bourgogne, fondée en 1951 par Lucien Vitteaut, reprise par son fils Gérard en 1969 et dirigée depuis 2010 par sa petite-fille Agnès. La maison possède en propre 23 ha de vignes en Côte chalonnaise et dans les Hautes-Côtes de Beaune.

Or cristallin, ce vin offre un nez discret, mais ses fines bulles mettent en valeur ses notes d'agrumes au palais et son caractère pimpant. ⧗ 2019-2022 ● **Blanc de blancs ★ (8 à 11 €; 32746 b.)** : un vin bien équilibré, riche d'arômes de fruits du verger et de notes beurrées. ⧗ 2019-2022 ● **★ (8 à 11 €; 16125 b.)** : un assemblage de pinot noir (40 %) et de chardonnay (40 %), complété par l'aligoté. Jolie couleur or vert, mousse de belle consistance, nez d'agrumes et de fleurs blanches. Un crémant tout en fraîcheur. ⧗ 2019-2022

SARL VITTEAUT-ALBERTI, 16, rue de la Buisserolle, 71150 Rully, tél. 03 85 87 23 97, contact@vitteaut-alberti.fr V *t.l.j. sf dim. 9h-12h 14h-18h*

LE CHABLISIEN

Malgré une célébrité séculaire qui lui a valu d'être imité de la façon la plus fantaisiste dans le monde entier, le vignoble de Chablis a bien failli disparaître. Deux gelées tardives, catastrophiques, en 1957 et en 1961, ajoutées aux difficultés du travail de la vigne sur des sols rocailleux et terriblement pentus, avaient conduit à l'abandon progressif de la culture de la vigne; le prix des terrains en grands crus atteignait un niveau dérisoire, et bien avisés furent les acheteurs du moment. L'apparition de nouveaux systèmes de protection contre le gel et le développement de la mécanisation ont rendu ce vignoble à la vie.

L'aire d'appellation couvre les territoires de la commune de Chablis et de dix-neuf communes voisines dans les quatre appellations chablis. Les vignes dévalent les fortes pentes des coteaux qui longent les deux rives du Serein, modeste affluent de l'Yonne. Une exposition sud-sud-est favorise à cette latitude une bonne maturation du raisin, mais on trouvera plantés en vigne des «envers» aussi bien que des «adroits» dans certains secteurs privilégiés. Le sol est constitué de marnes jurassiques (kimméridgien, portlandien). Il convient admirablement à la culture du chardonnay, comme s'en étaient déjà rendu compte au XIIe s. les moines cisterciens de la toute proche abbaye de Pontigny, qui y implantèrent sans doute ce cépage, appelé localement beaunois. Celui-ci exprime ici plus qu'ailleurs ses qualités de finesse et d'élégance, qui font merveille sur les fruits de mer, les escargots, la charcuterie. Premiers et grands crus méritent d'être associés aux mets de choix : poissons, charcuterie fine, volailles ou viandes blanches, qui pourront d'ailleurs être accommodés avec le vin lui-même.

PETIT-CHABLIS

Superficie : 780 ha / Production : 46 000 hl

Cette appellation constitue la base de la hiérarchie bourguignonne dans le Chablisien et provient des parcelles installées à la périphérie des appellations plus prestigieuses. Moins complexe que le chablis, le petit-chablis possède une acidité un peu plus élevée. Autrefois consommé en carafe, dans l'année, il est maintenant mis en bouteilles. Victime de son nom, il a eu de la peine à se développer, mais il semble qu'aujourd'hui le consommateur ne lui tienne plus rigueur de son adjectif dévalorisant.

DANIEL BOCQUET 2017

■	4000		5 à 8 €

À la limite du Tonnerrois, le petit village de Béru fait partie des vingt communes situées dans l'aire

d'appellation chablis. Daniel Bocquet y est installé depuis 1972, secondé par ses fils Jérôme et Bruno arrivés respectivement en 1995 et en 1998. Le vignoble couvre 20 ha.

Le nez frais s'ouvre sur des notes de fruits blancs. La bouche, souple et assez chaleureuse, présente des arômes citronnés en finale qui apportent une fraîcheur bienvenue. Un vin de plaisir immédiat. ⌛ 2019-2022

SCEA DANIEL BOCQUET, 11, Grande-Rue, 89700 Béru, tél. 03 86 75 92 25, bocquet.daniel2@wanadoo.fr V r.-v.

PASCAL BOUCHARD Blancs Cailloux 2017 ★★

| 13000 | 11 à 15 € |

Une maison de négoce établie à Chablis et spécialisée depuis le début du XXᵉs. dans les vins de l'Yonne. Elle est entrée dans le giron du groupe Albert Bichot en 2015.

Tout le terroir caillouteux du Chablisien s'exprime dans cette bouteille d'une rare élégance. La séduction commence avec le nez, qui s'épanouit sur des parfums de fleurs blanches et de fruits exotiques. La bouche est au diapason, ample et parfaitement équilibrée entre la matière et la minéralité. ⌛ 2020-2023

SAS PASCAL BOUCHARD, 3, rue du Pressoir, 89800 Chablis, tél. 03 86 42 18 64, info@pascalbouchard.com V *t.l.j. sf sam. dim. 8h30-12h 13h30-17h*

B JULIEN BROCARD Les Plantes 2017

| 7000 | 11 à 15 € |

Valeur sûre du vignoble chablisien, Jean-Marc Brocard a créé son domaine en 1974 à partir de 1 ha de vignes. Aujourd'hui, ce sont 200 ha qui sont exploités par sa famille. À l'arrivée de Julien, la propriété a engagé sa conversion progressive vers la biodynamie. Une activité de négoce complète l'ensemble.

Julien Brocard signe avec Les Plantes une cuvée très agréable. Un nez citronné et épicé, une bouche gourmande, fruitée et ronde, avec une minéralité qui reste un peu en retrait. ⌛ 2019-2022

SAS JEAN-MARC BROCARD, 3, rte de Chablis, 89800 Préhy, tél. 03 86 41 49 00, info@brocard.fr V r.-v.

CLOSERIE DES ALISIERS 2018 ★

| 20000 | 8 à 11 € |

Venu du Chablisien, Stéphane Brocard a quitté en 2007 le domaine familial fondé par son père pour créer son négoce, établi à Longvic, aux portes sud de Dijon. Il propose une jolie gamme de vins dans une dizaine d'appellations bourguignonnes.

Distingué d'un coup de cœur l'an dernier pour un bourgogne blanc 2016, Stéphane Brocard signe ici un beau petit-chablis 2018 porté par la fraîcheur et la minéralité. Au nez expressif, dominé par les agrumes, succède une bouche ample et vive, d'une jolie longueur. ⌛ 2019-2022

SARL MAISON STÉPHANE BROCARD, 21 bis, rue de l'Ingénieur-Bertin, 21600 Longvic, tél. 03 80 52 07 71, s.brocard@orange.fr V r.-v.

♥ AGNÈS ET DIDIER DAUVISSAT 2017 ★★★

| 8500 | 8 à 11 € |

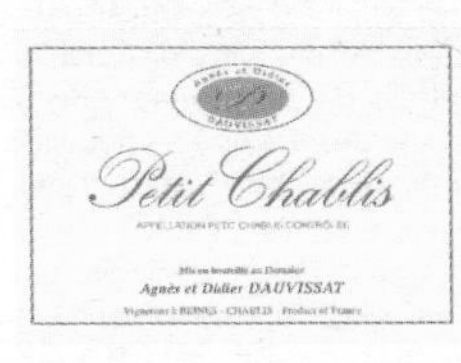

Installés à Beine, Agnès et Didier Dauvissat, qui ont créé leur domaine en 1987, ont compris que l'amélioration de la qualité passait aussi par le travail dans les vignes. C'est ainsi qu'ils sont revenus au labour de leurs 13 ha pour préserver le terroir. Leur fils Florent les a rejoints en 2012. À leur carte, du petit-chablis, chablis 1ᵉʳ cru, du bourgogne rouge et du crémant.

Un chef d'œuvre ! Équilibre, droiture, finesse, richesse… il ne manque rien à ce petit-chablis. Le nez élégant, marqué par son terroir, incite à la prise en bouche. Gras, puissant, ample, dense, épicé, souligné par un trait de minéralité, ce vin enchante les papilles et fait vibrer les sens. ⌛ 2020-2025

EARL AGNÈS ET DIDIER DAUVISSAT, chem. de Beauroy, 89800 Beine, tél. 03 86 42 46 40, agnes-didier.dauvissat@wanadoo.fr V r.-v.

B DOM. PHILIPPE GOULLEY 2017 ★★

| 10000 | 11 à 15 € |

Domaine en bio créé en 1991 par Philippe Goulley, exploitant alors en parallèle le Dom. Jean Goulley, converti à l'agriculture biologique plus tard et transmis à sa fille Maud en 2013. Le vignoble couvre 5 ha aux environs de la Chapelle-Vaupelteigne, au nord-ouest de Chablis.

Un vin de terroir comme aime les produire ce vigneron engagé dans l'agriculture biologique depuis bon nombre d'années. L'élevage en cuve pendant neuf mois laisse s'exprimer la nature. Minéralité et vivacité éveillent le nez, tandis que le gras de la matière assure l'équilibre en bouche. Très élégant. ⌛ 2020-2024

PHILIPPE GOULLEY, 11 bis, vallée des Rosiers, 89800 La Chapelle-Vaupelteigne, tél. 03 86 42 40 85, phil.goulley@orange.fr V r.-v.

DOM. JOLLY ET FILS 2017 ★

| 12000 | 8 à 11 € |

À la tête de 19,5 ha de vignes aujourd'hui, Denis Jolly a pris en 2005 la succession de trois générations de vignerons.

Ce petit-chablis est une ligne droite. Un vin tendu, franc, précis, sans détour, servi par une belle minéralité qui ajoute de la longueur en bouche. Le nez avait donné le tempo en jouant la carte de la fraîcheur florale et végétale. Un joli équilibre. ⌛ 2020-2024

SCEA DOM. JOLLY ET FILS, 2, rue Auxerroise, 89800 Maligny, tél. 03 86 47 42 31, dom-jolly-fils@wanadoo.fr V r.-v.

LAROCHE 2018 ★★

| 150000 | 15 à 20 € |

Négociant et producteur, Michel Laroche est l'une des figures du Chablisien. Fort d'un vignoble passé de

6 ha à la fin des années 1960 à 100 ha aujourd'hui, le domaine – fondé en 1850 – a son siège à l'Obédiencerie, un ancien monastère bâti au-dessus d'un caveau du IXes. ayant abrité les reliques de saint Martin. Une signature incontournable des vins de Chablis, entrée en 2009 dans le giron du groupe Advini. Michel Laroche se consacre désormais à sa nouvelle propriété créée à partir de vignes familiales, le Dom. d'Henri.

Jeune et déjà très expressif, ce 2018 a hérité de son terroir et fait honneur à la typicité de l'appellation : un nez d'agrumes vif et intense, une bouche fraîche et minérale qui épouse une matière gourmande, le tout dans une parfaite harmonie. ⧗ 2019-2024

SAS DOM. LAROCHE, 22, rue Louis-Bro, 89800 Chablis, tél. 03 86 42 89 00, marion.david-rogeat@larochewines.com V r.-v.

DOM. DE LA MOTTE 2018 ★

	27000		8 à 11 €

Henri Michaut a planté les premières vignes en 1946 et a été longtemps coopérateur à La Chablisienne. À sa suite, sa famille s'est lancée avec succès dans la vinification; aujourd'hui conduit par Adrien Michaut, le domaine couvre plus de 28 ha et s'est imposé comme une valeur sûre du Chablisien.

Voici une cuvée qui tire profit de sa jeunesse au terme de cinq mois d'élevage en cuve. À un nez à la fois floral et fruité, agrémenté de notes minérales, succède une bouche ample, dominée par les agrumes, avec un trait d'acidité qui soigne l'équilibre et apporte de la fraîcheur. Jolie finale « tendance bonbon acidulé ». ⧗ 2020-2024

SCEA DOM. DE LA MOTTE, 35, rue du Ruisseau, 89800 Beine, tél. 03 86 42 49 61, domainemotte@chablis-michaut.fr V *t.l.j. 10h30-18h30; mer. dim. sur r.-v.*

CHARLY NICOLLE 2017 ★

	12000		8 à 11 €

Les arrière-grands-parents de Charly Nicolle cultivaient déjà la vigne. À la suite des générations précédentes, le jeune vigneron s'est lancé dans l'aventure. Installé à Fleys, à l'est de Chablis, il a quitté le domaine familial de La Mandelière en 2001 pour voler de ses

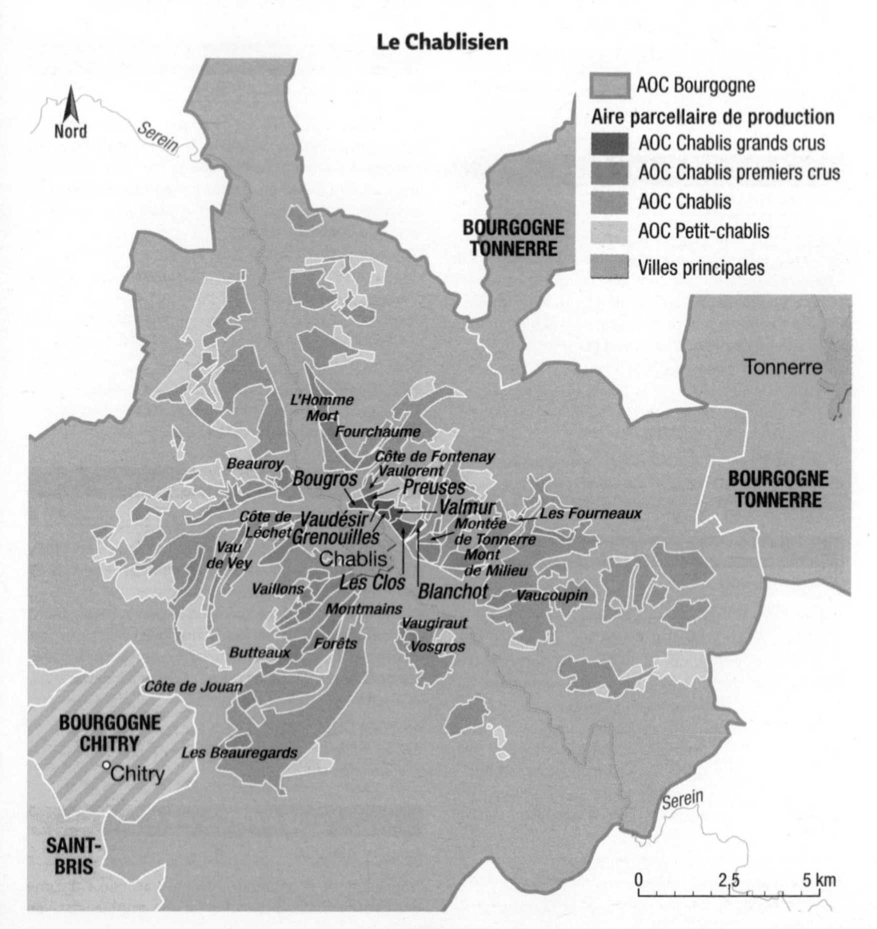

propres ailes, choyant ses 15 ha de chardonnay, et s'est imposé comme une valeur sûre du Chablisien.

Tous les ingrédients qui font d'un petit-chablis un vin de plaisir. Séduisant au nez avec ses arômes de pêche de vigne, il garde la même élégance en bouche. Gourmand à souhait, il est soutenu par une belle minéralité et relevé par des notes épicées. ⧗ 2020-2023

CHARLY NICOLLE, 17, rue des Prés-Girots, 89800 Fleys, tél. 09 54 94 40 83, charlynicolle@gmail.com r.-v.

DOM. DE OLIVEIRA LECESTRE 2018 ★★

	80000		8 à 11 €

Un domaine d'une cinquantaine d'hectares créé en 1955. Aujourd'hui, c'est la fille de Lucien de Oliveira qui est à la tête de cette exploitation familiale. Pour conduire le vignoble, elle a trouvé du renfort en la personne de sa propre fille.

Une cuvée printanière avec son nez très élégant de fleurs blanches, de fruits jaunes et d'agrumes. On retrouve le fruit, aux tonalités citronnées et agrémenté de nuances minérales, dans une bouche ample et tendue qui affiche un bel équilibre entre la matière et l'acidité. ⧗ 2020-2024

GAEC DE OLIVEIRA LECESTRE, 11, rue des Chenevières, 89800 Fontenay-près-Chablis, tél. 03 86 42 40 78, gaecdeoliveira@wanadoo.fr t.l.j. sf sam. dim. 8h-12h 14h-17h; f. août

FRANCINE ET OLIVIER SAVARY 2017 ★

	25000		5 à 8 €

Installés dans le Chablisien en 1984 sur un domaine de poche (1 ha), Francine et Olivier Savary conduisent aujourd'hui un coquet vignoble de 20 ha.

Une jolie robe à reflets verts habille ce petit-chablis typique de l'appellation. Le nez tout en finesse se concentre sur des notes florales. La bouche s'appuie sur une matière gourmande avec juste ce qu'il faut d'acidité pour apporter de la fraîcheur. ⧗ 2019-2022

SARL FRANCINE ET OLIVIER SAVARY, 4, chem. des Hâtes, 89800 Maligny, tél. 03 86 47 42 09, f.o.savary@orange.fr t.l.j. sf dim. 8h-12h 14h-17h30

VENON ET FILS Tout d'un grand 2017 ★

	2000		8 à 11 €

Un jeune domaine créé ex nihilo en 2014 par Jérémy Venon, qui exploite aujourd'hui un petit vignoble de 3 ha en chablis et petit-chablis.

C'est vrai qu'il a « tout d'un grand », ce petit-chablis de Jérémy Venon, ne serait-ce que par sa typicité. Un nez d'agrumes très frais mâtiné de fleurs blanches précède une bouche bien structurée avec de la vivacité et un bel équilibre entre la matière et la minéralité. ⧗ 2020-2023

SAS JÉRÉMY VENON (ET FILS), 10, rue des Prégirots, 89800 Fleys, tél. 06 60 38 87 08 r.-v.

DOM. VENTOURA 2017 ★

	3000		8 à 11 €

Ancien coopérateur, Thomas Ventoura a décidé de vinifier lui-même à partir du millésime 2014. À sa disposition, un vignoble de 11 ha qu'il conduit de manière bio mais sans certification.

Le chardonnay et le terroir s'expriment pleinement dans cette cuvée très harmonieuse. Au nez, la minéralité accompagne des arômes de fleurs blanches. Le fruité (agrumes) est très présent en bouche, avec un final acidulé. Un vin frais, souple, persistant et très séduisant. ⧗ 2019-2022

EARL VENTOURA, 3, rue des Puits, 89800 Fontenay-près-Chablis, tél. 06 08 92 40 00, contact@domaine-ventoura.com r.-v.

CHABLIS

Superficie : 3 150 ha / Production : 187 000 hl

Le chablis doit à son sol ses qualités inimitables de fraîcheur et de légèreté. Les années froides ou pluvieuses lui conviennent mal, son acidité devenant alors excessive. En revanche, il conserve lors des années chaudes une fraîcheur et une minéralité que n'ont pas les vins blancs de la Côte-d'Or, également issus du chardonnay. On le boit jeune, mais il peut vieillir jusqu'à dix ans et plus, gagnant ainsi en complexité.

DOM. GUY ET OLIVIER ALEXANDRE 2017

	33000		8 à 11 €

Une exploitation familiale qui se transmet depuis trois générations, dirigée depuis 2012 par Olivier Alexandre, fils de Guy. Le vignoble de 13 ha est réparti sur quatre communes.

Dans sa robe jaune aux reflets verts, cette cuvée s'ouvre sur des senteurs florales et minérales. Une minéralité encore très présente en bouche, accompagnée de saveurs citronnées et de notes acidulées en finale. Vivacité et souplesse sont les deux piliers de ce chablis. ⧗ 2020-2023

SCEA GUY ET OLIVIER ALEXANDRE, 36, rue du Serein, 89800 La Chapelle-Vaupelteigne, tél. 03 86 42 44 57, info@chablis-alexandre.com t.l.j. sf lun. dim. 9h-12h 14h-18h

DOM. BILLAUD-SIMON Tête d'or 2017 ★

	25000		20 à 30 €

Un domaine historique de Chablis, fondé en 1815, qui a connu un grand développement après 1945 (première mise en bouteilles à la propriété en 1954). Aujourd'hui, 17 ha et toute la hiérarchie des AOC du Chablisien, avec un bel éventail de 1ers crus et de grands crus prestigieux. En 2014, la propriété a été vendue à la maison nuitonne Faiveley. Une valeur sûre du Guide.

Une cuvée qui a bénéficié d'un élevage mixte (cuve et fût) pendant douze mois. Ce qui aboutit à un très joli vin, ample, fruité, porté par une minéralité subtile. Le fruit à chair blanche est déjà très présent au nez. Il s'exprime avec autant de bonheur dans une bouche gourmande à souhait. ⧗ 2020-2024

SARL DOM. BILLAUD-SIMON, 1, quai de Reugny, 89800 Chablis, tél. 03 86 42 10 33, contact@billaud-simon.com

YANNICK CADIOU 2017 ★

	3600		11 à 15 €

Une petite exploitation familiale de moins de 2 ha en chablis (en bio depuis le millésime 2018) et en petit-chablis, conduite depuis 2015 par Yannick Cadiou.

C'est le premier millésime commercialisé par Yannick Cadiou. Une petite quantité, nécessairement, vu la taille du domaine, mais déjà une belle qualité. La typicité de l'appellation est au rendez-vous avec un nez offrant un éventail de senteurs délicates allant de la fleur blanche au fruit. Le palais, frais, salin et long, se fait séducteur. 2020-2024

YANNICK CADIOU, 50, Grande-Rue, 89230 Bleigny-le-Carreau, tél. 06 42 94 47 84, yan.cadiou@orange.fr V r.-v.

LA CHABLISIENNE Les Vénérables 2016 ★

	158 297		15 à 20 €

Cave coopérative fondée en 1923 regroupant près de 300 vignerons et représentant un quart du vignoble de Chablis, La Chablisienne a fêté ses quatre-vingt-dix ans en 2013. Une structure moderne et performante qui contribue largement à la notoriété de l'appellation. Le grand cru Grenouilles est une de ses têtes d'affiche.

Ce chablis 2016 est issu d'une sélection de vignes d'âge vénérable (trente-cinq ans). Aussi le terroir est-il bien présent dans cette cuvée surfant sur la minéralité. Si le nez butine entre la fleur et le fruit, la bouche est plus rectiligne. Gourmande d'agrumes, élégante, elle est soutenue par un boisé bien fondu. Très plaisant. 2021-2024

SCA LA CHABLISIENNE, 8, bd Pasteur, 89800 Chablis, tél. 03 86 42 89 89, chab@chablisienne.fr V t.l.j. 9h-12h30 14h-19h

CHRISTINE, ÉLODIE ET PATRICK CHALMEAU 2017 ★

	15 000		8 à 11 €

Patrick Chalmeau a repris en 1977 avec sa femme Christine les quelques arpents plantés par son grand-père vers 1945, devenus 18 ha aujourd'hui. Leur fille Élodie les a rejoints en 2010 sur ce domaine souvent en vue pour ses blancs de Chitry.

Ce chardonnay s'exprime pleinement au nez à travers des arômes de petites fleurs blanches et de fruits mûrs (agrumes). La bouche se montre souple en attaque, puis elle devient généreuse et gourmande, offrant beaucoup de fruit et une vivacité soutenue. L'équilibre est assuré sur la longueur. 2021-2024

EARL CHRISTINE, ÉLODIE ET PATRICK CHALMEAU, 76, rue du Ruisseau, 89530 Chitry, tél. 03 86 41 43 71, contact@chalmeau-chitry.com V r.-v.

DOM. DU CHARDONNAY 2017

	140 000		11 à 15 €

Installés à partir de 1987 sur 35 ha, Étienne Boileau, William Nahan et Christian Simon ont fait de ce domaine une des valeurs sûres du vignoble chablisien. En 2019, ils ont passé la main à Arnaud Nahan, fils de William, et à son associé Thomas Labille.

Si une page s'est tournée au domaine, ce millésime 2017 est le dernier signé par les trois associés historiques. Un classique de l'appellation avec son nez minéral et vanillé, et sa bouche ronde et fruitée, plus fraîche en finale. Manque juste ce supplément de longueur qui le prive d'une étoile. 2020-2023

SCEV DOM. DU CHARDONNAY, rue Laffitte, 89800 Chablis, tél. 03 86 42 48 03, info@domaine-du-chardonnay.fr V t.l.j. sf sam. dim. 8h-12h 13h30-17h; f août et dernière sem. de déc.

DOM. DES CHAUMES 2017 ★

	9333		8 à 11 €

Né en 1976, Romain Poullet, après ses études au lycée viticole de Beaune, a créé son domaine en 2000 à Maligny, au nord de Chablis, tout en secondant ses parents sur leur propriété. En 2014, il a pris leur succession et dispose à présent de 11 ha de vignes, complétés par une activité de négoce depuis 2010.

Onze mois de cuve et un élevage sur lies fines pour ce chablis bien équilibré. Le nez est intense, très aromatique (agrumes, amande), avec quelques touches d'amertume. La bouche se révèle soyeuse, gourmande, ouverte sur les fruits jaunes et la fleur d'acacia, et trouve de la vivacité à travers des notes citronnées. 2020-2024

EARL DES CHAUMES (ROMAIN POULLET), 6, rue du Temple, 89800 Maligny, tél. 03 86 98 21 83, domainedeschaumes@wanadoo.fr V r.-v.

DOM. COLBOIS 2018

	35 000		8 à 11 €

Rejoint en 2009 par son fils Benjamin, Michel Colbois est établi depuis 1970 à Chitry-le-Fort. Ses blancs sont souvent en bonne place dans le Guide, qu'ils proviennent du chardonnay ou de l'aligoté. Son vignoble couvre 20 ha.

La jeunesse de ce 2018 ne lui permet pas de révéler encore pleinement son potentiel. Mais ce chablis a des atouts à faire valoir : un nez charmeur, à la fois floral et fruité, une bouche bien équilibrée entre la rondeur et l'acidité. Les premiers pas sont certes hésitants, mais l'avenir réserve de bonnes choses... 2021-2024

EARL DOM. MICHEL COLBOIS, 69, Grande-Rue, 89530 Chitry, tél. 03 86 41 43 48, contact@colbois-chitry.com V t.l.j. sf dim. 8h30-12h 13h30-18h

♥ DOM. JEAN COLLET ET FILS 2017 ★★

	47 000		15 à 20 €

La famille Collet piochait déjà le kimméridgien en 1792. Romain, le petit dernier d'une dynastie de vignerons chablisiens (fils de Gilles, petit-fils de Jean), est depuis 2009 aux commandes de l'exploitation familiale : 40 ha en conversion bio.

Si tous les goûts sont dans la nature, toute la typicité du terroir chablisien se résume dans cette cuvée. Un vin souple et tendu, très harmonieux, au nez puissant, acidulé, vanillé, légèrement grillé. La bouche, ronde et gourmande, offre une explosion de saveurs, soutenue par une belle acidité minérale (pierre à fusil), pour finir sur des notes épicées. L'équilibre est parfait. 2021-2025

SARL JEAN COLLET ET FILS, 15, av. de la Liberté, 89800 Chablis, tél. 03 86 42 11 93, collet.chablis@orange.fr V t.l.j. sf dim. 9h-12h 13h30-17h30; f. août

DOM. DU COLOMBIER 2017 ★

	180000		8 à 11 €

Cette exploitation familiale de 54 ha, qui se transmet de père en fils depuis 1887, est dirigée par trois frères, Jean-Louis, Thierry et Vincent Mothe. Le domaine fait partie des incontournables du vignoble de Chablis, quelle que soit l'appellation.

Une robe jaune pâle pour ce chablis d'une belle finesse. Le nez, ouvert sur les fleurs blanches et le citron, s'exprime avec élégance. Dans le même registre aromatique, la bouche se révèle onctueuse, profonde et longue, soulignée par une vivacité bien présente. 2021-2024

GAEC DU DOM. DU COLOMBIER, 42, Grand-Rue, 89800 Fontenay-près-Chablis, tél. 03 86 42 15 04, domaine@chabliscolombier.com V r.-v.

SÉBASTIEN DAMPT 2017 ★

	28000		11 à 15 €

Installé à Chablis, Sébastien Dampt, fils de Daniel Dampt, vigneron à Milly, conduit depuis 2007 son propre domaine de 8,5 ha. Sous l'enseigne « Maison Dampt », il a ouvert une maison de négoce qu'il dirige avec son frère Vincent.

Un vin singulier aux qualités plurielles ainsi qu'en témoignent les dégustateurs. Un nez très élégant, floral et minéral. Une bouche bien construite, à la fois ronde et vive par son attaque acidulée. Droit, tendu, fruité et bien équilibré, il offre une finale salivante. 2021-2024

SÉBASTIEN DAMPT, 23 C, rue du Château, 89800 Milly, tél. 03 86 18 96 50, sebastien@sebastien-dampt.com V r.-v.

DAMPT FRÈRES Vieilles Vignes 2017

	28028		8 à 11 €

Issu d'une longue lignée vigneronne, Bernard Dampt a constitué à partir de 1980 un vignoble dont il livrait le produit à la coopérative. Éric Dampt, l'aîné de ses trois fils, l'a rejoint en 1985, suivi d'Emmanuel, en 1990, et d'Hervé, en 1998. Les frères ont chacun leur propre exploitation mais mettent leurs moyens en commun; ils affichent sur leurs étiquettes tantôt le nom du domaine familial, tantôt leurs prénoms.

Ce vin est dominé par les fruits mûrs à l'olfaction : pêche, abricot, citron. La bouche, chaleureuse et ronde, est elle aussi très fruitée, très mûre, et l'acidité reste en arrière-plan. 2020-2022 **Bréchain 2017 (11 à 15 €; 11861 b.)** : vin cité.

EARL VIGNOBLE ÉRIC DAMPT, 16, rue de l'Ancien-Presbytère, 89700 Collan, tél. 03 58 16 90 31, eric@dampt.com V t.l.j. 9h-12h30 13h30-18h

DOM. DELALOYE 2017

	4666		8 à 11 €

La première vigne du domaine, créé de toutes pièces par Pierre et Murielle Delaloye (accompagnés de leur fils Julien), a été plantée en 1981; le vignoble s'étend aujourd'hui sur 14 ha. Si une partie du vin est vendu en vrac, le chablis, le chablis 1er cru et le bourgogne rouge sont mis en bouteilles.

La minéralité l'emporte, avec son côté silex, pierre à fusil, dans cette bouteille élevée en cuve pendant neuf mois. Au nez, où elle épouse des arômes de fleurs blanches, mais surtout en bouche, où elle apporte de la finesse et de l'énergie. Jolie finale acidulée. 2021-2024

EARL DOM. DELALOYE, 7, rue de la Fontaine, 89800 Préhy, tél. 03 86 41 42 16, murielle.delaloye@hotmail.fr V r.-v.

DURUP 2017

	51895		11 à 15 €

Les Durup sont établis à Maligny depuis... 1560. Jean Durup a repris en 1968 l'exploitation familiale qui comptait alors seulement 2 ha. Aujourd'hui, il conduit 198 ha de vignes sur différents terroirs de Chablis. C'est le domaine indépendant le plus vaste de Bourgogne.

Floral, brioché, minéral, le nez est complexe et d'une belle richesse aromatique. La bouche apparaît bien fruitée (pêche, abricot), concentrée, tout en rondeur, d'une jolie longueur. Un vin plaisant, même s'il manque un peu d'acidité. 2021-2024

SA JEAN DURUP PÈRE ET FILS, 4, Grande-Rue, 89800 Maligny, tél. 03 86 47 44 49, contact@domainesdurup.com V t.l.j. sf sam. dim. 8h-12h 13h30-16h45

JEAN-PIERRE ET ALEXANDRE ELLEVIN 2017 ★

	30000		8 à 11 €

Si la famille cultive la vigne depuis la nuit des temps, c'est Jean-Pierre Ellevin, à partir de 1975, qui a spécialisé l'exploitation en la dédiant au chardonnay. Son fils Alexandre, qui l'a rejoint en 2004, se charge des vinifications. Le domaine a son siège à Chichée, au sud-est de Chablis, et les 16 ha de vignes s'étendent sur les deux rives du Serein.

Ce vin expressif et bien typé libère de subtiles notes de fleurs blanches sur un fond iodé bien marqué. La bouche est à l'unisson, fraîche et fruitée, saline et minérale, avec une belle rondeur. Une jolie cuvée qui a trouvé son équilibre entre la matière et l'acidité. 2021-2024

SCEV DOM. ELLEVIN, 7, rue du Pont, 89800 Chichée, tél. 03 86 42 44 24, jean-pierre.ellevin@wanadoo.fr V t.l.j. sf dim. 8h-12h 14h-18h

CH. DE FLEYS 2017 ★

	20100		8 à 11 €

Le premier de la lignée, Julien Philippon, venu du Morvan, s'installe en 1868 comme bûcheron et constitue peu à peu le domaine familial. Son héritier André achète en 1988 le château de Fleys, un ancien pavillon de chasse. Une belle vitrine qu'il a transmise à ses enfants Béatrice, Benoît et Olivier avec un vignoble de

25 ha implanté à l'est de Chablis, sur la rive droite du Serein.

Un classique de l'appellation bien ancré dans son terroir. Le nez, intense, s'ouvre sur les fleurs blanches et les agrumes. La bouche est vive, nerveuse, persistante, centrée sur des arômes citronnés. Un vin harmonieux et dynamique. ⧗ 2020-2024

⊶ GAEC DOM. DU CH. DE FLEYS, 2, rue des Fourneaux, 89800 Fleys, tél. 03 86 42 47 70, philippon.beatrice@orange.fr V *r.-v.*

GARNIER ET FILS 2017 ★

46000 | 15 à 20 €

Ce domaine est né la même année que le Guide : 1985. Première cuverie en 1992. Aujourd'hui 24 ha, conduits par Xavier et Jérôme Garnier. Ici, la priorité est donnée au fruit et au terroir, et l'on a plutôt tendance à laisser faire la nature. Pas de levurage, mais des fermentations longues; pas de filtration non plus.

Si l'on ferme les yeux, le nez nous conduit en bord de mer avec des senteurs d'iodé et de coquilles d'huîtres : tout l'historique du terroir de Chablis dans cette bouteille qui se distingue aussi par son équilibre en bouche entre fruit, rondeur suave et fraîcheur saline. ⧗ 2021-2024

⊶ SARL GARNIER ET FILS, chem. de Méré, 89144 Ligny-le-Châtel, tél. 03 86 47 42 12, info@chablis-garnier.com

DOM. DES GENÈVES Racines 2017 ★

13000 | 8 à 11 €

La famille Aufrère cultive la vigne depuis cinq générations. Le domaine actuel a été constitué en 1986 par Dominique Aufrère à partir de vignes familiales et il couvre aujourd'hui 19 ha. Stéphane, l'un de ses deux fils, l'a rejoint en 1993, et conduit désormais la propriété.

Pourquoi Racines? Tout simplement parce que ce chardonnay provient de vignes de plus de cinquante-cinq ans. Des vieilles vignes qui ont donné un vin intense, au nez complexe ouvert sur les agrumes bien mûrs et au palais vif, minéral et long. ⧗ 2021-2024

⊶ SCEA DOM. DES GENÈVES, 3, rue des Fourneaux, 89800 Fleys, tél. 03 86 42 10 15, domainegeneves@wanadoo.fr V *r.-v.*

B DOM. PHILIPPE GOULLEY 2017 ★

5000 | 11 à 15 €

Domaine en bio créé en 1991 par Philippe Goulley, exploitant alors en parallèle le Dom. Jean Goulley, converti à l'agriculture biologique plus tard et transmis à sa fille Maud en 2013. Le vignoble couvre 5 ha aux environs de la Chapelle-Vaupelteigne, au nord-ouest de Chablis.

Un vin naturel, vivant, comme aime les façonner Philippe Goulley, apôtre du bio. Le nez, d'une belle pureté, se concentre sur la minéralité et un fond iodé. La bouche est à l'avenant, fraîche, énergique, centrée sur les agrumes (pamplemousse, citron) et la minéralité des lieux, étirée dans une longue finale dynamisée par de fins amers. ⧗ 2020-2024

⊶ PHILIPPE GOULLEY, 11 bis, vallée des Rosiers, 89800 La Chapelle-Vaupelteigne, tél. 03 86 42 40 85, phil.goulley@orange.fr V *r.-v.*

♥ CORINNE ET JEAN-PIERRE GROSSOT
Cuvée La Part des anges 2017 ★★★

4000 | 15 à 20 €

Fondée en 1920 par les grands-parents des actuels vignerons, cette exploitation familiale est conduite depuis 1980 par Jean-Pierre et Corinne Grossot, rejoints par leur fille Ève. Elle dispose d'une belle cave voûtée et de 18 ha de vignes conduites en bio depuis 2012, réparties dans plusieurs terroirs du Chablisien.

La part des anges est toute relative dans cette cuvée d'exception qui n'a rien perdu de sa fraîcheur ni de sa puissance au terme d'un élevage de quatorze mois en cuve. Séduisante dans sa robe jaune pâle aux reflets verts, aguichante avec son nez floral et minéral, étonnante de richesse, de volume et de longueur avec sa bouche en cœur, qui ne manque ni de finesse ni de vivacité : on en redemande, et les anges voudront leur part... ⧗ 2021-2027

⊶ EARL CORINNE ET JEAN-PIERRE GROSSOT, 4, rte de Mont-de-Milieu, 89800 Fleys, tél. 03 86 42 44 64, info@chablis-grossot.com V *r.-v.*

DOM. CÉLINE ET FRÉDÉRIC GUEGUEN 2017

n.c. | 11 à 15 €

Frédéric Gueguen et son épouse Céline, fille de Jean-Marc Brocard, ont d'abord travaillé pour le compte de ce dernier, notamment au Dom. des Chenevières, avant de décider de voler de leurs propres ailes en 2013. Ils conduisent aujourd'hui un vignoble de 24 ha dans le Chablisien et l'Auxerrois.

Le nez évoque les agrumes et les fleurs blanches sur un fond d'arômes iodés et végétaux. Arômes prolongés par une bouche fraîche, portée par une bonne tension minérale. ⧗ 2020-2023

⊶ SARL CÉLINE ET FRÉDÉRIC GUEGUEN, 31, Grande-Rue-de-Chablis, 89800 Préhy, tél. 06 08 74 63 85, contact@chablis-gueguen.fr V *r.-v.*

DOM. HAMELIN Vieilles Vignes 2017 ★★

14000 | 11 à 15 €

Héritier d'au moins sept générations de vignerons, Charles Hamelin et son père Thierry conduisent un vignoble de 37 ha sur les communes de Lignorelles, Beine et Poinchy.

Cette cuvée issue de vieilles vignes de soixante-cinq ans a bénéficié d'un élevage mixte en cuve et en fût, ce qui explique ces notes légèrement boisées qui n'enlèvent rien à son élégance et n'étouffent pas les nuances fraîches de coquille d'huître perçues au nez. Quant à la bouche, elle se fait ronde, ample et vive à la fois, avec le fruit qui épouse la minéralité. ⧗ 2021-2025

⊶ SCEA DOM. HAMELIN, 6, rte de Bleigny, 89800 Lignorelles, tél. 03 86 47 54 60, domaine.hamelin@orange.fr V *t.l.j. sf sam. dim. 9h-12h 14h-18h; f. août*

DOM. DES HÂTES 2017 ★

	40000		11 à 15 €

L'exploitation portait ses raisins à la cave coopérative. Les premières mises en bouteilles à la propriété, en 2009, coïncident avec l'arrivée sur le domaine du fils de la famille, Pierrick Laroche, diplômé d'œnologie, qui a vinifié en Nouvelle-Zélande. Le vignoble compte 25 ha et une activité de négoce complète le domaine en chablis 1er cru et chablis grand cru.

Un beau classique de l'appellation. Droit, tendu, énergique, il restitue avec élégance la minéralité de son terroir. Le nez s'ouvre sur les fleurs blanches, tandis que la bouche est dominée par sa puissance minérale et un côté salin persistant. 2020-2024

SARL DOM. DES HÂTES, 5, chem. des Hâtes, 89800 Maligny, tél. 03 86 18 03 23, contact@domainedeshates.fr V r.-v.

DOM. DES MALANDES
Cuvée Tour du Roy Vieilles Vignes 2017 ★★

	11000		11 à 15 €

Une valeur sûre du vignoble chablisien, qui collectionne les coups de cœur du Guide. Un domaine créé en 1949 par André Tremblay, couvrant aujourd'hui 29 ha. Lyne Marchive, fille du fondateur, l'a dirigé seule de 1972 à 2018, date de la reprise par ses enfants Richard Rottiers (à la direction) et Amandine Marchive (au commercial), qui entendent développer une viticulture plus respectueuse de l'environnement (désherbage mécanique, labour à cheval).

Une remarquable cuvée issue de vieilles vignes plantées par le grand-père André Tremblay, vinifiée en cuve Inox et en fût de chêne. Un vin très harmonieux, pur, précis, qui dégage beaucoup de fraîcheur. À un fort joli nez d'agrumes (pamplemousse) agrémenté de notes vanillées répond une bouche associant rondeur, souplesse, fine présence minérale et longue finale énergique et acidulée. 2022-2027

SCEA DOM. DES MALANDES, 11, rte d'Auxerre, 89800 Chablis, tél. 03 86 42 41 37, contact@domainedesmalandes.com V r.-v.

ÉLÉONORE MOREAU 2017

	10000		11 à 15 €

Le Dom. Moreau et Fille, jadis exploitation viticole puis ferme agricole et laitière, redevient viticole en 1982 avec l'arrivée de Laurent Moreau, qui replante des vignes. Sa fille Éléonore, arrivée sur l'exploitation (14 ha) en 2011 et aux commandes depuis 2016, commercialise désormais les bouteilles sous son propre nom.

Une cuvée élégante, jusqu'à l'étiquette. Élégance du nez avec ses parfums de fleurs blanches et de fruits frais. Quant à la bouche, elle s'exprime surtout sur la fraîcheur minérale, la matière restant en retrait. 2020-2023

SCEA DOM. MOREAU ET FILLE, 1, rte de Lichères, 89310 Poilly-sur-Serein, tél. 03 86 75 94 29, eleonoremoreau.chablis@gmail.com V r.-v.

DOM. LOUIS MOREAU 2017

	120000		11 à 15 €

Louis Moreau, installé en 1994, représente la sixième génération d'une famille de propriétaires et négociants dans le Chablisien depuis 1814. Il est à la tête de 50 ha répartis en deux domaines (Louis Moreau et Biéville) et dans toutes les appellations chablisiennes.

Le nez associe l'acidité du citron à la minéralité de la pierre à fusil du terroir. La bouche, ronde et souple, prend délibérément le parti du fruit, et plus particulièrement des agrumes, pour finir sur la salinité. Un vin bien équilibré. 2020-2023

SAS LOUIS MOREAU, 2-10, Grande-Rue, 89800 Beine, tél. 03 86 42 69 44, boutique@louismoreau.com V r.-v.

DOM. DE LA MOTTE
Cuvée Vieilles Vignes 2017 ★

	20000		8 à 11 €

Henri Michaut a planté les premières vignes en 1946 et a été longtemps coopérateur à La Chablisienne. À sa suite, sa famille s'est lancée avec succès dans la vinification; aujourd'hui conduit par Adrien Michaut, le domaine couvre plus de 28 ha et s'est imposé comme une valeur sûre du Chablisien.

Six mois d'élevage en cuve ont suffi à façonner ce chablis d'une belle pureté et très harmonieux. Un joli bouquet floral, stimulé par des notes citronnées et mentholées introduit une bouche riche, chaleureuse et longue, équilibrée par une juste acidité. 2021-2024

SCEA DOM. DE LA MOTTE, 35, rue du Ruisseau, 89800 Beine, tél. 03 86 42 49 61, domainemotte@chablis-michaut.fr V t.l.j. 10h30-18h30; mer. dim. sur r.-v.

♥ DOM. OUDIN 2017 ★★

	40608		11 à 15 €

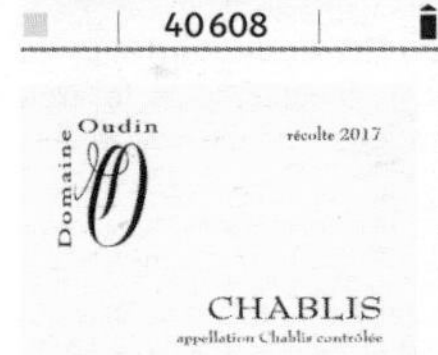

Dans cette exploitation familiale où les filles ont pris la mesure de l'héritage, Nathalie Oudin a été la première à s'investir en 2007. Sa sœur Isabelle l'a rejointe en 2012. Leur domaine couvre 10 ha.

«Un chablis pour déguster quelques instants de bonheur» : c'est le message que la famille Oudin fait passer dans sa communication. Message reçu et bonheur partagé par le jury de dégustation qui lui a décerné un coup de cœur. Un vin d'exception, élégant et parfaitement équilibré. Le nez se partage entre la fleur et le fruit sur un fond minéral. Autant d'arômes qui s'emparent d'une bouche ample, soyeuse, légèrement épicée, vive et tonique. 2021-2026

EARL DOM. OUDIN, 5, rue du Pont, 89800 Chichée, tél. 06 03 24 48 93, domaine.oudin@wanadoo.fr V r.-v.

DOM. JACQUES PICQ ET SES ENFANTS
2017 ★

	5818		8 à 11 €

Depuis trois générations, la famille Picq exploite un domaine viticole qui compte 15 ha autour de Chichée. Ce village au sud-est de Chablis comporte des 1ers crus intéressants sur les deux rives du Serein.

Une cuvée pleine d'énergie qui restitue bien son terroir. Le nez, à la fois intense et délicat, se partage entre le fruit et les fleurs blanches. La bouche interpelle par son attaque riche et ronde, puis elle laisse apparaître une tension vive portée par une minéralité qui se fond dans la matière. Jolie longueur et finale acidulée. ⧗ 2020-2024

⊶ EARL JACQUES PICQ ET SES ENFANTS, 8, rte de Chablis, 89800 Chichée, tél. 06 22 29 46 72, domaine.picqjacques@gmail.com V t.l.j. 8h-12h 13h30-18h; sam. dim. sur r.-v.

DOM. GUY ROBIN Cuvée Marie-Ange 2017

	10 000		11 à 15 €

Denise et Guy Robin, deux figures du vignoble chablisien, ont passé la main en 2007. Leur fille Marie-Ange a quitté les bureaux pour revenir à la terre. Celle de l'exploitation familiale, fondée en 1954, avec ses 20 ha et de nombreux grands crus dans une cave riche de quelque 120 fûts de chêne.

Le boisé est bien maîtrisé dans cet élevage mixte : dix mois de fût, trois mois de cuve. Et l'équilibre obtenu aboutit à un classique de l'appellation. Au nez floral et délicat succède une bouche ronde sans manquer de vivacité minérale. ⧗ 2020-2023

⊶ EARL DOM. GUY ROBIN ET FILS, 13, rue Berthelot, 89800 Chablis, tél. 03 86 42 12 63, contact@domaineguyrobin.com V r.-v.

DOM. ROY 2017

	14 000		8 à 11 €

Héritier d'une lignée de vignerons remontant à l'Empire, Fernand Roy crée ce domaine en 1920, sur la rive droite du Serein, au nord de Chablis. Aujourd'hui, l'exploitation compte 18 ha; elle est conduite par les troisième et quatrième générations : Claude Roy, épaulé par David et Karine.

Pêche jaune, amande douce, le nez évolue avec élégance. La bouche s'inscrit dans la continuité avec une attaque gourmande, sur le fruit. Le trait de minéralité qui souligne cet ensemble apporte une agréable fraîcheur et une bonne persistance aromatique. ⧗ 2020-2023

⊶ SCEA DOM. ROY, 71, Grand-Rue, 89800 Fontenay-près-Chablis, tél. 03 86 42 10 36, domaine.roy@orange.fr V t.l.j. 9h-12h 14h-17h; dim. sur r.-v.

DOM. SAINT-PANCRACE 2017 ★

	1700		8 à 11 €

Xavier Julien, l'un des rares vignerons installés à Auxerre, a planté ses premiers ceps en 1997; il exploite aujourd'hui 5 ha de vignes. Le domaine tient son nom d'une tour fortifiée, propriété de la famille.

Habitué au pinot noir, Xavier Julien a passé avec succès l'examen du chardonnay. Une production confidentielle mais une belle vinification. Le nez séduisant butine sur les fleurs blanches. La bouche est fraîche à souhait sans manquer de rondeur, l'acidité apportant la tension nécessaire et assurant l'équilibre. ⧗ 2020-2023

⊶ XAVIER JULIEN, Dom. Saint-Pancrace, 17, rue Rantheaume, 89000 Auxerre, tél. 03 86 51 69 71, domaine.saintpancrace@wanadoo.fr V r.-v.

FRANCINE ET OLIVIER SAVARY Sélection Vieilles Vignes 2017

	12 000		11 à 15 €

Installés dans le Chablisien en 1984 sur un domaine de poche (1 ha), Francine et Olivier Savary conduisent aujourd'hui un coquet vignoble de 20 ha.

Un nez de fleurs blanches d'une belle finesse, une bouche avec une minéralité très présente qui accompagne les agrumes et un final dominé par l'acidité : ce chablis est harmonieux et bien typé. ⧗ 2020-2023

⊶ SARL FRANCINE ET OLIVIER SAVARY, 4, chem. des Hâtes, 89800 Maligny, tél. 03 86 47 42 09, f.o.savary@orange.fr t.l.j. sf dim. 8h-12h 14h-17h30

CAMILLE ET LAURENT SCHALLER 2017 ★

	16 000		8 à 11 €

De 1980 à 2014, ce domaine vendait ses moûts à la coopérative. L'arrivée de Camille, fils de Laurent Schaller, change la donne et le premier vin élaboré à la propriété sort la même année de la toute nouvelle cuverie.

Tout en fraîcheur ce chablis porté par une acidité sans faille. Le nez, intense et pur, s'exprime sur la minéralité et les fruits frais. Un fruit qui apporte plus de rondeur en bouche, même si là aussi la fraîcheur reste de mise et crée une belle allonge. Un vin très équilibré. ⧗ 2020-2024

⊶ SCEV DOM. CAMILLE ET LAURENT SCHALLER, 20, Grande-Rue, 89800 Préhy, tél. 06 81 85 07 95, domaine@chablis-schaller.com V r.-v.

DOM. SÉGUINOT-BORDET 2017

	100 000		11 à 15 €

Une des plus anciennes familles du Chablisien, établie à Maligny sur la rive droite du Serein. Jean-François Bordet a repris en 1998 l'exploitation de son grand-père Roger Séguinot. Le domaine couvre aujourd'hui 15 ha, complété par une activité de négoce en 2002.

Un classique de l'appellation avec son nez qui navigue entre la fleur et le fruit. Un fruit frais (agrumes, litchi) qui alimente une bouche ronde soulignée par une fine minéralité qui assure l'équilibre. ⧗ 2020-2023

⊶ SARL JEAN-FRANÇOIS BORDET, 8, chem. des Hâtes, 89800 Maligny, tél. 03 86 47 44 42, contact@seguinot-bordet.fr V r.-v.

DOM. DANIEL SÉGUINOT ET FILLES 2017 ★

	50 000		8 à 11 €

Établi à Maligny, Daniel Séguinot a créé en 1971 un petit domaine à partir de vignes familiales, qu'il a progressivement développé. Aujourd'hui, ses filles, Émilie, depuis 2003, et Laurence, depuis 2008, assurent la continuité du vignoble, qui compte une vingtaine d'hectares.

Un an de cuve pour aboutir à cette cuvée très harmonieuse. Le nez élégant et printanier s'ouvre sur les fleurs blanches. Une élégance portée par les fruits jaunes frais et des notes citronnées dans une bouche où la minéralité souligne bien la rondeur. ⧗ 2021-2024 **Vieilles Vignes 2017 ★ (11 à 15 €; 5720 b.)** : un vin discret au nez, rond et soyeux en bouche, plus gourmand que vif. ⧗ 2021-2024

EARL DOM. DANIEL SÉGUINOT ET FILLES, rte de Tonnerre, 89800 Maligny, tél. 03 86 47 51 40, domaine.danielseguinot@wanadoo.fr V r.-v.

DOM. SERVIN
Sélection massale Vieilles Vignes 2017

	16000		11 à 15 €

Fondé au XVIIes., ce domaine de 37 ha conduit aujourd'hui par François Servin possède des parcelles dans quatre des sept grands crus de Chablis. Ses vins sont régulièrement mentionnés dans le Guide.

Contrairement aux clones, la sélection massale consiste à repérer et multiplier les meilleurs ceps d'une vigne, en l'occurrence une vigne de plus de cinquante ans pour cette cuvée au boisé très discret. Au nez, comme en bouche, des arômes de fruits jaunes frais répondent à la minéralité. Richesse et persistance caractérisent le palais, auquel il ne manque qu'un peu plus de tension pour décrocher l'étoile. 2020-2023

SCEV DOM. SERVIN, 20, av. d'Oberwesel, 89800 Chablis, tél. 03 86 18 90 00, contact@servin.fr V *t.l.j. sf sam. dim. 8h-12h 13h30-17h30*

VENON ET FILS L'Inattendue 2017 ★

	3600		11 à 15 €

Un jeune domaine créé ex nihilo en 2014 par Jérémy Venon, qui exploite aujourd'hui un petit vignoble de 3 ha en chablis et petit-chablis.

Cette cuvée a été élevée huit mois en cuve et autant en fût. Certes, le boisé se révèle au nez, mais il ne masque pas les arômes de fruits. La bouche, centrée sur les agrumes, apparaît ample, droite et pleine de fraîcheur. 2021-2024

SAS JÉRÉMY VENON (ET FILS), 10, rue des Prégirots, 89800 Fleys, tél. 06 60 38 87 08 V *r.-v.*

DOM. VENTOURA 2017 ★★

	12500		8 à 11 €

Ancien coopérateur, Thomas Ventoura a décidé de vinifier lui-même à partir du millésime 2014. À sa disposition, un vignoble de 11 ha qu'il conduit de manière bio mais sans certification.

Un très joli vin, soyeux et élégant, qui séduit déjà par sa robe jaune pâle et brillante. Le nez, tout en finesse, associe les fleurs blanches et les fruits exotiques. On retrouve les fruits frais dans une bouche onctueuse et ronde, à laquelle la minéralité des lieux apporte la tension nécessaire à l'équilibre et aussi une très belle allonge. 2021-2024

EARL VENTOURA, 3, rue des Puits, 89800 Fontenay-près-Chablis, tél. 06 08 92 40 00, contact@domaine-ventoura.com V *r.-v.*

GUILLAUME VRIGNAUD 2017 ★

	42544		11 à 15 €

Les Vrignaud ont planté leurs premières vignes en 1955. Ils ont débuté en 1999 la vente en bouteilles avec l'arrivée de Guillaume à la tête du domaine et de ses 27 ha de vignes.

Cette cuvée est à la fois élégante par ses arômes et généreuse par ses saveurs. Le nez s'exprime sur la fleur et le fruit. La bouche est ample, fraîche et fruitée, la tension minérale assurant la longueur et l'équilibre. 2021-2024

SARL GUILLAUME VRIGNAUD, 10, rue de Beauvoir, 89800 Fontenay-près-Chablis, tél. 03 86 42 15 69, guillaume@domaine-vrignaud.com V *r.-v.*

CHABLIS PREMIER CRU

Superficie : 770 ha / Production : 43 900 hl

Le chablis 1er cru provient d'une trentaine de lieux-dits sélectionnés pour leur situation et la qualité de leurs produits. Il diffère du précédent moins par une maturité supérieure du raisin que par un bouquet plus complexe et plus persistant, où se mêlent des arômes de miel d'acacia, un soupçon d'iode et des nuances végétales. Le rendement est limité à 50 hl à l'hectare. Tous les vignerons s'accordent à situer l'apogée du chablis 1er cru vers la cinquième année, lorsqu'il «noisette». Les *climats* les plus complets sont Montée de Tonnerre, Fourchaume, Mont de Milieu, Forêt ou Butteaux, et Côte de Léchet.

DOM. BEGUE-MATHIOT Vaucopins 2017 ★

	2300		11 à 15 €

Du chai situé sur les hauteurs de Chablis, on peut contempler les grands crus. Au domaine, le duo que forment Maryse Begue et sa fille Guylhaine est attaché à la vinification en cuve pour préserver l'authenticité du terroir.

Il y a de la vivacité dans ce 1er cru élevé en cuve pendant dix mois. Une vivacité liée à la minéralité qui restitue son terroir tant au nez qu'en bouche. Un nez élégant qui évoque aussi les fleurs blanches et une bouche bien fruitée (poire), équilibrée et d'une belle longueur. 2021-2024

GAEC DOM. BEGUE-MATHIOT, Les Épinottes, 89800 Chablis, tél. 06 70 89 89 73, contact@chablis-begue-mathiot.com V *r.-v.*

SAMUEL BILLAUD Montmains 2017 ★★

	5000		20 à 30 €

Après vingt années passées sur la propriété familiale (le réputé Dom. Billaud-Simon, vendu à Faiveley en 2014), Samuel Billaud a créé en 2010 sa propre maison de négociant-vinificateur, qui propose un éventail de cuvées à partir de sélections parcellaires.

Un vin remarquable, typique de l'appellation, avec beaucoup de fraîcheur, de matière et d'élégance. Une fraîcheur qui s'exprime déjà au nez entre les arômes de pamplemousse et une minéralité saline. On retrouve les agrumes dans une bouche ample, franche et intense, à laquelle une belle finale iodée apporte de la persistance. 2021-2026 **Les Vaillons Vieilles Vignes 2017 ★ (20 à 30 €; 6000 b.)** : à un nez crayeux succède une bouche fruitée vive, tendue, aux saveurs de pamplemousse. 2021-2024

SAMUEL BILLAUD, 8, bd Tacussel, 89800 Chablis, tél. 06 37 52 50 32, samuel.billaud@orange.fr V *r.-v.*

BOURGOGNE

DOM. BILLAUD-SIMON Montée de Tonnerre 2017 ★

| 6000 | | 30 à 50 € |

Un domaine historique de Chablis, fondé en 1815, qui a connu un grand développement après 1945 (première mise en bouteilles à la propriété en 1954). Aujourd'hui, 17 ha et toute la hiérarchie des AOC du Chablisien, avec un bel éventail de 1ers crus et de grands crus prestigieux. En 2014, la propriété a été vendue à la maison nuitonne Faiveley. Une valeur sûre du Guide.

«Un 1er cru profond et attachant», selon un dégustateur, il dévoile un nez séducteur de fleurs blanches, d'agrumes et de pomme. Le fruit prend aussi possession d'une bouche délicate, équilibrée, offrant de la rondeur et une fine acidité en soutien. ⧗ 2022-2025

SARL DOM. BILLAUD-SIMON, 1, quai de Reugny, 89800 Chablis, tél. 03 86 42 10 33, contact@billaud-simon.com

LA CHABLISIENNE Vaulorent 2016 ★

| 10000 | | 20 à 30 € |

Cave coopérative fondée en 1923 regroupant près de 300 vignerons et représentant un quart du vignoble de Chablis, La Chablisienne a fêté ses quatre-vingt-dix ans en 2013. Une structure moderne et performante qui contribue largement à la notoriété de l'appellation. Le grand cru Grenouilles est une de ses têtes d'affiche.

Un long élevage en cuve et en fût pour aboutir à cette cuvée très bien structurée. Discret mais fin, le nez de ce 2016 associe des arômes de fruits à des nuances minérales et iodées. Après une attaque gourmande sur des saveurs de fruits blancs, la bouche se tend, offrant une finale minérale avec beaucoup de fraîcheur. ⧗ 2022-2025

SCA LA CHABLISIENNE, 8, bd Pasteur, 89800 Chablis, tél. 03 86 42 89 89, chab@chablisienne.fr t.l.j. 9h-12h30 14h-19h

DOM. DU CHARDONNAY Vosgros 2017 ★★

| 7000 | | 15 à 20 € |

Installés à partir de 1987 sur 35 ha, Étienne Boileau, William Nahan et Christian Simon ont fait de ce domaine une des valeurs sûres du vignoble chablisien. En 2019, ils ont passé la main à Arnaud Nahan, fils de William, et à son associé Thomas Labille.

Ce 1er cru de la rive gauche du Serein est l'un des derniers produits par les trois associés historiques du domaine. Un vin élégant et typique du terroir, qui s'épanouit dans un palais frais et minéral, voire incisif. Une élégance qui se révèle dès l'examen olfactif associant les fleurs blanches à la pierre à fusil. Vif et harmonieux. ⧗ 2022-2030 **Vaillons 2017 ★ (15 à 20 €; 9000 b.)** : un joli nez floral et une bouche exotique, minérale, fraîche et tonique caractérisent ce vin. ⧗ 2022-2025

SCEV DOM. DU CHARDONNAY, rue Laffitte, 89800 Chablis, tél. 03 86 42 48 03, info@domaine-du-chardonnay.fr t.l.j. sf sam. dim. 8h-12h 13h30-17h; f août et dernière sem. de déc.

DOM. JEAN COLLET ET FILS Vaillons 2017 ★

| 35450 | | 20 à 30 € |

La famille Collet piochait déjà le kimméridgien en 1792. Romain, le petit dernier d'une dynastie de vignerons chablisiens (fils de Gilles, petit-fils de Jean), est depuis 2009 aux commandes de l'exploitation familiale : 40 ha en conversion bio.

Jolie gamme de 1ers crus 2017 présentés cette année par Romain Collet, au premier rang desquels cette cuvée Vaillons bien équilibrée et très expressive. Le nez, élégant, marqué par le fruit mûr, n'est pas trahi par la bouche, ample, grasse, où le fruit est transporté par une fine minéralité qui assure la fraîcheur. ⧗ 2022-2030 **Montmains 2017 ★ (20 à 30 €; 18000 b.)** : la minéralité comme fil conducteur dans ce vin fin ouvert sur le fruit au nez, intense et puissant en bouche, prolongé par une finale iodée. Du caractère. ⧗ 2022-2027 **Butteaux 2017 ★ (20 à 30 €; 5600 b.)** : un peu de fût dans cette cuvée bien structurée avec de la fraîcheur minérale, de la rondeur et une belle longueur en bouche. ⧗ 2022-2027

SARL JEAN COLLET ET FILS, 15, av. de la Liberté, 89800 Chablis, tél. 03 86 42 11 93, collet.chablis@orange.fr t.l.j. sf dim. 9h-12h 13h30-17h30; f. août

JEAN-CLAUDE COURTAULT Beauroy 2016 ★

| 5000 | | 15 à 20 € |

Originaire de Touraine, Jean-Claude Courtault arrive dans le Chablisien en 1984 et s'installe à Lignorelles pour fonder son domaine, qui couvre 21 ha aujourd'hui (dont 1 de bourgogne Épineuil), complété par une activité de négoce. Sa fille Stéphanie et son gendre Vincent Michelet ont créé en parallèle leur propre exploitation (Dom. Michelet) : les deux domaines travaillent en synergie, en mutualisant leurs moyens.

Ce Beauroy issu d'achat de raisins est un exemple d'équilibre avec son nez très expressif entre fruits jaunes et pierre à fusil, et sa bouche ample et ronde soutenue par une belle fraîcheur minérale et par une finale dynamique et longue. ⧗ 2022-2026

SAS COURTAULT-MICHELET, 1, rte de Montfort, 89800 Lignorelles, tél. 03 86 47 50 59, contact@chablis-courtault-michelet.com r.-v.

DOM. SÉBASTIEN DAMPT
Côte de Léchet 2017 ★

| 4500 | | 15 à 20 € |

Installé à Chablis, Sébastien Dampt, fils de Daniel Dampt, vigneron à Milly, conduit depuis 2007 son propre domaine de 8,5 ha. Sous l'enseigne «Maison Dampt», il a ouvert une maison de négoce qu'il dirige avec son frère Vincent.

Une petite parcelle de 70 ares façonnée à la main de Sébastien Dampt pour aboutir à ce vin très solaire et d'une grande générosité. Des parfums de fruits jaunes (pêche, abricot) et des notes florales (aubépine) se dévoilent au nez. Le palais se montre ample, riche, beurré et fruité (mandarine, pamplemousse). ⧗ 2022-2028

SÉBASTIEN DAMPT, 23 C, rue du Château, 89800 Milly, tél. 03 86 18 96 50, sebastien@sebastien-dampt.com r.-v.

DOM. VINCENT DAMPT Côte de Léchet 2017 ★★

| 2600 | | 15 à 20 € |

Fils de Daniel Dampt, Vincent Dampt s'est installé en 2004 à Milly, près de Chablis, sur une superficie

de 3,5 ha plantée par son grand-père, portée à 8 ha aujourd'hui. Les vinifications se font en cuves Inox « pour préserver l'identité de chaque terroir ».

De vieux ceps de cinquante ans sont à l'origine de cette cuvée d'une grande franchise, sans détour. Le nez, très séduisant, s'exprime sur les fleurs blanches et les agrumes. La bouche n'est pas en reste : ample, généreuse, longue, bien équilibrée entre la matière et l'acidité. ⌛ 2022-2030 ■ **Vaillons 2017 ★ (15 à 20 €; 2 600 b.)** : de l'élégance dans ce vin au nez flatteur de fruits mûrs prolongé par une bouche intense et chaleureuse, mais qui garde sa vivacité minérale. ⌛ 2021-2026

VINCENT DAMPT, 19, rue de Champlain, 89800 Chablis, tél. 03 86 42 47 23, vincent.dampt@sfr.fr V r.-v.

DANIEL DAMPT ET FILS
Côte de Léchet 2017 ★★

■ | 18 000 | | 15 à 20 €

Issu d'une lignée enracinée dans l'Yonne depuis un siècle et demi, Daniel Dampt a créé son domaine en 1985 conjointement avec Jean Defaix, son beau-père. Il l'a repris à son compte en 1992 avant de bénéficier du renfort de ses deux fils, Vincent en 2002 et Sébastien en 2005. Le vignoble couvre 35 ha.

Si Daniel Dampt a passé la main à ses deux fils, l'esprit maison se retrouve dans la qualité de ce 1er cru de la rive gauche. Un caractère minéral affirmé et une certaine rusticité qui fait son charme. Pour autant le nez, à la fois floral et fruité, ne manque pas de délicatesse. Quant à la bouche, elle est droite et parfaitement équilibrée. ⌛ 2022-2030 ■ **Les Lys 2017 ★ (15 à 20 €; 8 000 b.)** : une cuvée très élégante avec son nez légèrement beurré et son palais fin et frais, sous l'emprise de la minéralité. ⌛ 2021-2026 ■ **Beauroy 2017 (15 à 20 €; 3 300 b.)** : vin cité.

SCEV DANIEL DAMPT - JEAN DEFAIX, 1, chem. des Violettes, Milly, 89800 Chablis, tél. 03 86 42 47 23, domaine.dampt.defaix@wanadoo.fr V r.-v.

DAMPT FRÈRES Côte de Léchet 2017 ★★

■ | 9 056 | | 15 à 20 €

Un père, Bernard Dampt, vigneron à Collan de 1980 à 1998, comme trois générations avant lui; trois frères, Éric, Emmanuel et Hervé; plusieurs exploitations : une pour chaque frère, une pour la fratrie. Les frères sont indissociables, mais chacun a son rôle à jouer, et tous font leurs propres vins.

C'est sous l'identité Magarian-Minotte que les frères Dampt produisent ce vin casher, vinifié et élevé en cuve sous le contrôle des rabbins, en suivant les lois religieuses du judaïsme. Un 1er cru remarquable, vif et expressif. Son nez intense s'épanouit autour de senteurs florales et végétales. Sa bouche est un exemple d'équilibre entre la rondeur du fruit et la fraîcheur minérale. ⌛ 2022-2030 ■ **Vaucoupin 2017 ★ (11 à 15 €; 6 378 b.)** : un nez intense de fruits jaunes sur fond iodé et boisé; une bouche volumineuse et fraîche, avec un final salin et long. ⌛ 2022-2030 ■ **Mont de Milieu 2017 ★ (15 à 20 €; 1 794 b.)** : les senteurs florales, boisées et crayeuses embaument le nez; la bouche est vive, saline et persistante. Un bon classique. ⌛ 2022-2030

SARL VIGNOBLE DAMPT, rue de Fleys, 89700 Collan, tél. 03 86 55 29 55, vignoble@dampt.com V t.l.j. *9h-12h30 13h30-18h* B

AGNÈS ET DIDIER DAUVISSAT Beauroy 2017 ★

■ | 9 000 | | 11 à 15 €

Installés à Beine, Agnès et Didier Dauvissat, qui ont créé leur domaine en 1987, ont compris que l'amélioration de la qualité passait aussi par le travail dans les vignes. C'est ainsi qu'ils sont revenus au labour de leurs 13 ha pour préserver le terroir. Leur fils Florent les a rejoints en 2012. À leur carte, du petit-chablis, chablis, chablis 1er cru, du bourgogne rouge et du crémant.

Beaucoup d'élégance et de fraîcheur dans ce vin droit, tendu par une fine minéralité. Le nez, délicat, évolue entre senteurs florales et saveurs d'agrumes. En bouche, la fraîcheur du terroir s'harmonise avec la rondeur du fruité. La finale est longue et chaleureuse. ⌛ 2022-2028

EARL AGNÈS ET DIDIER DAUVISSAT, chem. de Beauroy, 89800 Beine, tél. 03 86 42 46 40, agnes-didier.dauvissat@wanadoo.fr V r.-v.

DOM. JEAN DAUVISSAT PÈRE ET FILS
Montmains 2016 ★★

■ | 2 600 | | 15 à 20 €

Cette exploitation familiale de 22 ha, qui propose des petit-chablis, des chablis et cinq 1ers crus, avait cessé de commercialiser sa production dans les années 1990. L'arrivée de Fabien Dauvissat à la tête de la propriété a remis ce domaine sur le devant de la scène chablisienne.

Un long élevage en cuve Inox (dix-huit mois) pour aboutir à ce vin qui rassemble tous les caractères de l'appellation : une belle acidité citronnée, des notes iodées et salines qui confèrent une fraîcheur de tous les instants. Autant d'arômes qui se révèlent au nez et s'épanouissent en bouche. Une bouche ample, vive, fruitée, racée et d'un équilibre parfait. ⌛ 2022-2030

EARL DOM. JEAN DAUVISSAT PÈRE ET FILS, 11, rue de Léchet, Milly, 89800 Chablis, tél. 03 86 42 12 23, scea.jeandauvissat@orange.fr V r.-v.

BERNARD DEFAIX Côte de Léchet 2017 ★★

■ | 20 000 | | 20 à 30 €

La maison Defaix est un domaine (en conversion bio) ayant pignon sur rue à Milly, repris par Sylvain et Didier Defaix, les fils de Bernard. C'est aussi une maison de négoce créée en parallèle, qui travaille dans le même esprit que le domaine.

Les vins de la rive gauche surfent sur le millésime 2017 à l'image de ce remarquable Côte de Léchet qui a bénéficié d'un élevage mixte (cuve et fût). Le nez s'ouvre sur une fine fraîcheur minérale. Plus expressive, la bouche est bien construite, droite, équilibrée entre les fruits frais et une acidité qui apporte longueur et dynamisme. ⌛ 2022-2030 ■ **Fourchaume 2017 ★ (20 à 30 €; 600 b.)** : un vin très fruité qui s'accommode d'un léger boisé surtout perceptible au nez. La bouche n'est que rondeur, soulignée par un trait d'acidité. ⌛ 2021-2026

DOM. BERNARD DEFAIX ET SES FILS, 17, rue du Château, Milly, 89800 Chablis, tél. 03 86 42 40 75, contact@bernard-defaix.com r.-v.

JEAN-PIERRE ET ALEXANDRE ELLEVIN
Vaucoupin 2017 ★

4000 | 11 à 15 €

Si la famille cultive la vigne depuis la nuit des temps, c'est Jean-Pierre Ellevin, à partir de 1975, qui a spécialisé l'exploitation en la dédiant au chardonnay. Son fils Alexandre, qui l'a rejoint en 2004, se charge des vinifications. Le domaine a son siège à Chichée, au sud-est de Chablis, et les 16 ha de vignes s'étendent sur les deux rives du Serein.

Une robe jaune très clair et un nez discret sur fond herbacé composent une approche engageante. Franche à l'attaque, plus expressive, la bouche est riche, généreuse, soutenue par une acidité bien présente sur toute la longueur. Une fine amertume et des nuances iodées animent la finale. Un vin atypique mais racé. ⧗ 2022-2027 ■ **Vosgros 2017 (11 à 15 €; 3500 b.)** : vin cité.

SCEV DOM. ELLEVIN, 7, rue du Pont, 89800 Chichée, tél. 03 86 42 44 24, jean-pierre.ellevin@wanadoo.fr *t.l.j. sf dim. 8h-12h 14h-18h*

DOM. NATHALIE ET GILLES FÈVRE
Vaulorent 2017 ★

7000 | 30 à 50 €

Dix générations de vignerons depuis le XVIIIe s. et des coopérateurs de père en fils depuis 1923. En 2004, Nathalie et Gilles Fèvre, tous deux œnologues, ont pris la décision de valoriser leur propre production en bouteilles. Ils sont désormais à la tête d'un domaine de 50 ha, dont une quinzaine est conduite en agriculture biologique.

L'élevage en partie en fût de ce 1er cru proche des Fourchaumes apporte la preuve que le boisé bien fondu est un facteur d'équilibre et d'élégance. Élégance au nez déjà, où les parfums de fleurs blanches sont associés aux arômes de fruit sur fond de boisé léger. Un boisé tout aussi discret qui soutient une bouche longue, fraîche et citronnée. Un vin friand et plaisant. ⧗ 2022-2027 ■ **Mont de Milieu 2017 (20 à 30 €; 2000 b.)** : vin cité.

SARL DOM. NATHALIE ET GILLES FÈVRE, rte de Chablis, 89800 Fontenay-près-Chablis, tél. 03 86 18 94 47, domaine@nathalieetgillesfevre.com *r.-v.*

CH. DE FLEYS Les Fourneaux 2017 ★★

3900 | 11 à 15 €

Le premier de la lignée, Julien Philippon, venu du Morvan, s'installe en 1868 comme bûcheron et constitue peu à peu le domaine familial. Son héritier André achète en 1988 le château de Fleys, un ancien pavillon de chasse. Une belle vitrine qu'il a transmise à ses enfants Béatrice, Benoît et Olivier avec un vignoble de 25 ha implanté à l'est de Chablis, sur la rive droite du Serein.

Les Fourneaux sont par excellence le 1er cru du village de Fleys et la famille Philippon contribue largement à sa renommée. Ce millésime 2017 est un régal, même si le premier contact avec le nez relève de la discrétion. Mais les arômes de fruits mûrs (abricot) se libèrent rapidement avant de s'épanouir en bouche. Une bouche ample, soutenue par une vivacité minérale qui donne de la tension et de la fraîcheur. Un vin droit et précis. ⧗ 2022-2027

GAEC DOM. DU CH. DE FLEYS, 2, rue des Fourneaux, 89800 Fleys, tél. 03 86 42 47 70, philippon.beatrice@orange.fr *r.-v.*

DOM. FOURREY Vaillons 2017 ★

9525 | 15 à 20 €

À Milly, la propriété est adossée au coteau des Lys et à la Côte de Léchet. Héritier de trois générations de vignerons, Jean-Luc Fourrey a repris le domaine familial et ses 24 ha de vignes en 1992. Il conduit son vignoble en Haute Valeur Environnementale et, pratiquant des élevages un peu plus longs chaque année, il cherche à faire des vins équilibrés et puissants.

Beaucoup de finesse et de vivacité dans ce 1er cru élevé en cuve pendant douze mois. Une vivacité déjà présente au nez à travers des notes minérales (silex) et florales. La tension minérale se confirme en bouche, où elle souligne un fruité délicat et apporte de la fraîcheur. ⧗ 2022-2026 ■ **Mont de Milieu 2017 ★ (15 à 20 €; 3520 b.)** : un vin au nez de fleurs blanches (acacia) et de fruits blancs agrémenté d'une touche miellée, à la bouche souple, ronde, soulignée par ce qu'il faut de fraîcheur. ⧗ 2021-2025

SCEA DOM. FOURREY, 6, rue du Château, Milly, 89800 Chablis, tél. 03 86 42 14 80, domaine.fourrey@orange.fr r.-v.

♥ GARNIER ET FILS Côte de Jouan 2016 ★★

3600 | 20 à 30 €

Ce domaine est né la même année que le Guide : 1985. Première cuverie en 1992. Aujourd'hui 24 ha, conduits par Xavier et Jérôme Garnier. Ici, la priorité est donnée au fruit et au terroir, et l'on a plutôt tendance à laisser faire la nature. Pas de levurage, mais des fermentations longues; pas de filtration non plus.

Ce n'est pas le plus connu des 1ers crus, mais les Garnier ont su en faire un lauréat dans sa catégorie, le jury unanime décernant un coup de cœur à ce vin d'une grande richesse et très élégant. Un long élevage en foudre et en cuve Inox a arrondi la matière tout en préservant la tension minérale. Le nez, très fin, dominé par les agrumes et les fruits jaunes, annonce une bouche souple et tendre, dont le léger boisé se nourrit de fruits. La vivacité minérale est aussi bien présente, elle apporte de la droiture et du relief à cette très belle cuvée. ⧗ 2022-2030 ■ **Fourchaume 2016 ★ (20 à 30 €; 3980 b.)** : beaucoup de persistance dans ce vin soutenu par un boisé bien maîtrisé, dense et plutôt corpulent en bouche, avec une fine acidité en appoint. ⧗ 2022-2030

SARL GARNIER ET FILS, chem. de Méré, 89144 Ligny-le-Châtel, tél. 03 86 47 42 12, info@chablis-garnier.com

♥ DOM. GAUTHERON Mont de Milieu 2017 ★★

| 5000 | | 15 à 20 € |

Vignerons de père en fils depuis 1809, les Gautheron sont établis à l'est de Chablis. Alain, installé en 1977, représente la sixième génération et Cyril, arrivé en 2001, la septième. Le père et le fils exploitent un domaine qui s'est agrandi (il est passé de 8 à 30 ha entre 1977 et aujourd'hui) et modernisé. Une belle régularité en chablis et en petit-chablis.

Quelle classe, ce chardonnay issu de vieux ceps et élevé pour une petite partie en fût ! Un vin précis, d'une grande finesse et d'une belle persistance aromatique. Le nez n'est qu'un bouquet de fleurs blanches. Dans un autre registre, le palais riche et fruité séduit par sa vivacité avec une superbe ligne minérale qui lui donne un surcroît de fraîcheur. Un vin très harmonieux, doté d'un joli potentiel de garde. ⧗ 2022-2030 ■ **Les Fourneaux 2017 ★ (15 à 20 €; 15 000 b.)** : élevé uniquement en cuve Inox, ce vin respire son terroir. Le nez, délicat et floral, précède une bouche gourmande en attaque, puis saline, citronnée, épicée, offrant beaucoup de fraîcheur. ⧗ 2021-2026

SCEV DOM. ALAIN ET CYRIL GAUTHERON, 18, rue des Prégirots, 89800 Fleys, tél. 03 86 42 44 34, vins@chablis-gautheron.com V *t.l.j. 8h-12h 13h30-18h*

DOM. DES GENÈVES Vaucoupin 2017 ★★

| 5300 | | 11 à 15 € |

La famille Aufrère cultive la vigne depuis cinq générations. Le domaine actuel a été constitué en 1986 par Dominique Aufrère à partir de vignes familiales et il couvre aujourd'hui 19 ha. Stéphane, l'un de ses deux fils, l'a rejoint en 1993, et conduit désormais la propriété.

Typé avec sa jolie robe dorée, élégant au nez, puissant en bouche, ce Vaucoupin est remarquable. Des senteurs florales et de fruits frais agrémentées de notes beurrées invitent à poursuivre. On découvre alors une bouche intense, où la rondeur du fruit est transportée par une belle tension minérale jusqu'à la longue finale saline. Un compromis réussi entre la force et la finesse. ⧗ 2022-2030 ■ **Les Fourneaux 2017 ★ (11 à 15 €; 4 500 b.)** : la fraîcheur du nez floral et mentholé précède une bouche bien équilibrée, qui allie rondeur, fruité et acidité soutenue. Séduisant. ⧗ 2022-2027 ■ **Mont de Milieu 2017 ★ (11 à 15 €; 5 400 b.)** : un vin tout en finesse avec son nez minéral et sa bouche d'une grande pureté, dominée par des nuances citronnées. Très délicat et persistant. ⧗ 2022-2027

SCEA DOM. DES GENÈVES, 3, rue des Fourneaux, 89800 Fleys, tél. 03 86 42 10 15, domainegeneves@wanadoo.fr V *r.-v.*

DOM. ALAIN GEOFFROY Vau-Ligneau 2017 ★★

| 10 000 | | 15 à 20 € |

Perpétuant une tradition viticole remontant à 1850, Alain Geoffroy, figure du vignoble chablisien, conduit un important domaine de 55 ha dont le siège est à Beine, village de la rive gauche du Serein, à l'ouest de Chablis. Pour la vinification, il privilégie l'élevage en cuve afin de préserver la fraîcheur des chablis.

Du caractère dans ce vin, à l'image du vigneron. Le nez iodé respire la coquille d'huître. La bouche est riche, concentrée, avec toujours ce fond iodé qui accompagne les agrumes sur toute la longueur. Une belle vivacité minérale au service d'une très grosse matière. ⧗ 2022-2030 ■ **Beauroy 2017 ★ (15 à 20 €; 30 000 b.)** : un 1er cru toujours aussi charmeur avec son nez de chèvrefeuille et de silex. Le palais, souple et soyeux, donne la priorité aux fruits jaunes bien mûrs, avec une juste acidité en soutien. Harmonieux. ⧗ 2021-2026

SARL DOM. ALAIN GEOFFROY, 4, rue de l'Équerre, 89800 Beine, tél. 03 86 42 43 76, info@chablis-geoffroy.com V *t.l.j. sf sam. dim. 8h-12h 13h30-17h30*

B DOM. JEAN GOULLEY Fourchaume 2016 ★★

| 8000 | | 20 à 30 € |

Le domaine a été créé en 1985 quand Philippe Goulley a rejoint son père Jean sur la structure familiale. Il s'est équipé d'une cuverie et s'est agrandi, passant de 6 à 14 ha aujourd'hui, entièrement conduit en bio certifié. Maud, fille de Philippe, a pris le relais en 2016.

Tous les ingrédients sont réunis pour obtenir un 1er cru typique de l'appellation : un nez intense, floral et fruité, la minéralité ajoutant de la finesse; une bouche ample, riche en fruits mûrs, parfaitement équilibrée avec une touche d'acidité qui donne de la longueur. Un vin très harmonieux, droit et bien ciselé. ⧗ 2022-2030

EARL JEAN GOULLEY ET FILS, vallée des Rosiers, 89800 La-Chapelle-Vaupelteigne, tél. 03 86 42 40 85, phil.goulley@orange.fr V *r.-v.*

CORINNE ET JEAN-PIERRE GROSSOT Vaucoupin 2017 ★

| 6500 | | 15 à 20 € |

Fondée en 1920 par les grands-parents des actuels vignerons, cette exploitation familiale est conduite depuis 1980 par Jean-Pierre et Corinne Grossot, rejoints par leur fille Ève. Elle dispose d'une belle cave voûtée et de 18 ha de vignes conduites en bio depuis 2012, réparties dans plusieurs terroirs du Chablisien.

Un élevage long sur lies fines en cuve Inox pour aboutir à ce vin délicat. Le nez, complexe, voyage entre les arômes d'agrumes et les nuances de silex. Le palais est frais, minéral, salin, bien équilibré. Un bon classique. ⧗ 2022-2027 ■ **Les Fourneaux 2017 (15 à 20 €; 4 000 b.)** : vin cité.

EARL CORINNE ET JEAN-PIERRE GROSSOT, 4, rte de Mont-de-Milieu, 89800 Fleys, tél. 03 86 42 44 64, info@chablis-grossot.com V *r.-v.*

DOM. CÉLINE ET FRÉDÉRIC GUEGUEN Vosgros 2017 ★

| n.c. | | 15 à 20 € |

Frédéric Gueguen et son épouse Céline, fille de Jean-Marc Brocard, ont d'abord travaillé pour le compte de ce dernier, notamment au Dom. des Chenevières,

BOURGOGNE

avant de décider de voler de leurs propres ailes en 2013. Ils conduisent aujourd'hui un vignoble de 24 ha dans le Chablisien et l'Auxerrois.

Un vin au nez discret mais élégant qui libère, après aération, des parfums de fleurs blanches. En bouche, c'est le fruit qui prend le pouvoir, sur des tonalités citronnées qui apportent une belle vivacité; vivacité renforcée par une finale saline. ⧗ 2022-2027

⊶ SARL CÉLINE ET FRÉDÉRIC GUEGUEN, 31, Grande-Rue-de-Chablis, 89800 Préhy, tél. 06 08 74 63 85, contact@chablis-gueguen.fr r.-v.

MAISON DES HÂTES Les Beauregards 2017 ★

	3000		15 à 20 €

L'exploitation portait ses raisins à la cave coopérative. Les premières mises en bouteilles à la propriété, en 2009, coïncident avec l'arrivée sur le domaine du fils de la famille, Pierrick Laroche, diplômé d'œnologie, qui a vinifié en Nouvelle-Zélande. Le vignoble compte 25 ha et une activité de négoce complète le domaine en chablis 1er cru et chablis grand cru.

C'est sous sa casquette de négociant que Pierrick Laroche propose ce 1er cru plutôt confidentiel. Un vin prometteur, élevé en partie en fût de chêne. À un joli nez floral et fruité succède une bouche qui s'exprime sur la rondeur avec des nuances briochées, une fine minéralité assurant l'équilibre et la fraîcheur. ⧗ 2022-2027 **Fourchaume L'Homme Mort 2017 ★ (20 à 30 €; 8000 b.)** : un nez de bonne complexité qui mêle les agrumes, le pain grillé et une pointe iodée. La bouche, fraîche et équilibrée, enchaîne les mêmes saveurs avec un final salin. Un ensemble cohérent. ⧗ 2021-2026

⊶ SARL DOM. DES HÂTES, 5, chem. des Hâtes, 89800 Maligny, tél. 03 86 18 03 23, contact@domainedeshates.fr r.-v.

DOM. JEAN JACQUIN ET FILS
Montée de Tonnerre 2017 ★

	950		15 à 20 €

Jean Jacquin est parti à la retraite en 2007 en laissant les clés de l'exploitation familiale à son fils Jean-Michel, associé avec sa mère. Le produit des 7,6 ha de vignes est désormais vendu en bouteilles.

Ce 1er cru de la rive droite réunit toutes les caractéristiques de son terroir. Le nez délicat voyage entre les notes florales, crayeuses et de la pierre à fusil. La bouche décline un large éventail de saveurs entre les agrumes bien mûrs et des nuances lactées, épicées, minérales, pour finir sur une fraîcheur énergique. ⧗ 2022-2027

⊶ EARL DOM. JEAN JACQUIN ET FILS, 32, rue de Chichée, 89800 Chablis, tél. 03 86 42 16 32, domainejacquin@gmail.com t.l.j. 8h-20h

LAMBLIN ET FILS Vaillon 2017 ★★

	5200		15 à 20 €

Le village de Maligny se situe au nord de l'aire d'appellation chablis. La famille Lamblin y est établie depuis plus de trois siècles et douze générations. Autant dire que cette maison de négoce fait partie des incontournables du vignoble chablisien.

Un Vaillon (sans « s ») des plus généreux. Le nez annonce la couleur avec ses arômes de fruits blancs mûrs et de fruits exotiques sur fond de minéralité. Le palais, d'un volume notable, tient le même langage : celui de la gourmandise et de l'expressivité, avec des saveurs d'agrumes et une fraîcheur vivifiante qui contribue à son équilibre. Un vin à la fois intense et élégant. ⧗ 2022-2030 **Fourchaumes 2017 ★ (15 à 20 €; 15600 b.)** : un classique avec son nez floral teinté de nuances calcaires et sa bouche opulente, riche, mais aussi fraîche et dynamique. ⧗ 2022-2026

⊶ SA LAMBLIN FILS, rue Marguerite-de-Bourgogne, 89800 Maligny, tél. 03 86 98 22 00, infovin@lamblin.com *t.l.j. sf dim. 8h-12h30 14h-17h; sam. 8h-12h30*

OLIVIER LEFLAIVE Montée de Tonnerre 2017 ★★

	3200		30 à 50 €

Négociant-éleveur établi à Puligny-Montrachet depuis 1984, Olivier Leflaive, l'une des références de la Côte de Beaune, collectionne les étoiles, côté cave (négoce et domaine) et côté hôtellerie : quatre pour son hôtel de Puligny. Au chai, l'œnologue Franck Grux et son complice Philippe Grillet.

Le vigneron de Puligny-Montrachet maîtrise bien le chardonnay, quel que soit le terroir. Pour preuve cette remarquable cuvée qui restitue parfaitement le sous-sol chablisien. L'élevage en fût est plutôt un atout dans la mesure où il est bien maîtrisé. Le nez flatteur, légèrement grillé, trouve son écho en bouche où des arômes toastés se fondent dans le fruit bien mûr. Un vin concentré, persistant, avec juste ce qu'il faut d'acidité pour assurer l'équilibre et la longueur. ⧗ 2022-2030

⊶ SA OLIVIER LEFLAIVE FRÈRES, pl. du Monument, 21190 Puligny-Montrachet, tél. 03 80 21 37 65, contact@olivier-leflaive.com r.-v.

DOM. DES MALANDES
Montmains Vieilles Vignes 2017 ★★

	7000		15 à 20 €

Une valeur sûre du vignoble chablisien, qui collectionne les coups de cœur du Guide. Un domaine créé en 1949 par André Tremblay, couvrant aujourd'hui 29 ha. Lyne Marchive, fille du fondateur, l'a dirigé seule de 1972 à 2018, date de la reprise par ses enfants Richard Rottiers (à la direction) et Amandine Marchive (au commercial), qui entendent développer une viticulture plus respectueuse de l'environnement (désherbage mécanique, labour à cheval).

Le changement dans la continuité. L'œnologue Guénolé Breteaudeau a assuré la transition entre Lyne Marchive et son fils Richard Rottiers, et la qualité est toujours au rendez-vous. À l'image de ce remarquable Montmains issu de vieilles vignes. Le nez associe la pêche mûre, l'ananas et les agrumes. Agrumes qui s'emparent de la bouche avec délicatesse, soutenus par un boisé bien maîtrisé et une minéralité qui apporte sa contribution à l'équilibre de cette cuvée au final acidulé. Un vin précis et complet. ⧗ 2022-2030 **Côte de Léchet 2017 ★ (15 à 20 €; 4800 b.)** : un vin intense et harmonieux avec son nez d'agrumes et de fleurs blanches, et sa bouche ample, mûre et fruitée, soulignée par un trait de minéralité. ⧗ 2021-2025

⊶ SCEA DOM. DES MALANDES, 11, rte d'Auxerre, 89800 Chablis, tél. 03 86 42 41 37, contact@domainedesmalandes.com r.-v.

LA MANUFACTURE Beauroy 2016 ★★

	6000		20 à 30 €

Issu d'une famille bien connue dans le Chablisien, enracinée dans la région depuis le XVIIe s., Benjamin Laroche, après avoir travaillé à la direction commerciale de plusieurs maisons, entre Bourgogne, Rhône et Languedoc, a créé en 2014 sa maison de négoce à Chablis.

Vinification en cuve puis passage en demi-muids pour 30 % de l'assemblage et on obtient cette cuvée bien structurée autour d'une subtile touche boisée. Le nez intense s'exprime sur le fruit et les fleurs blanches soulignés de fines notes grillées. La bouche est riche, puissante, dense, concentrée, mais cette richesse n'interdit pas une belle fraîcheur minérale qui apporte la tension nécessaire à l'équilibre. ⧗ 2022-2030

SAS BENJAMIN LAROCHE, 40, rte d'Auxerre, 89800 Chablis, tél. 03 86 32 19 50, contact@lamanufacture-vins.fr

DOM. DES MARRONNIERS Côte de Jouan 2017

	1800		11 à 15 €

Créé en 1976 par Marie-Claude et Bernard Légland, ce domaine (21 ha) a été repris en 2013 par un autre couple, Marie-Noëlle et Laurent Ternynck. Ce ne sont pas des inconnus puisqu'ils sont déjà à la tête du Dom. de Mauperthuis, à Massangis, avec lequel ils collectionnent les étoiles du Guide.

Une petite production pour ce bon classique. Un joli nez d'acacia, évoluant sur la noisette, précède une bouche vive, fruitée, portée par la minéralité, avant de finir sur une pointe d'amertume. ⧗ 2021-2024

SCEV DOM. DES MARRONNIERS, 3, Grande-Rue-de-Chablis, 89800 Préhy, tél. 03 86 41 42 70, contact@chablismarronniers.com V r.-v.

DOM. ALAIN MATHIAS Vau de Vey 2017 ★

	3000		20 à 30 €

En 1982, Alain Mathias, géomètre, devient vigneron, plante dans l'Yonne et participe à la renaissance du vignoble d'Épineuil. Il adopte graduellement la démarche bio et obtient la certification en 2015. Cette même année, son fils Bastien et sa belle-fille Carole, tous deux œnologues, ont pris les rênes de la propriété, qui couvre 13 ha à Épineuil et en Chablisien. Une petite structure de négoce complète l'activité depuis 2015.

C'est le premier millésime en 1er cru produit par le domaine avec cette parcelle acquise en 2016, et c'est une belle réussite. Le boisé se fait discret pour laisser place à la minéralité, alors que le fruit mûr est très présent aussi bien au nez qu'en bouche. Une bouche généreuse et riche, épaulée par une fine acidité bienvenue. ⧗ 2022-2027

SCEV DOM. ALAIN MATHIAS, rte de Troyes, 89700 Épineuil, tél. 03 86 54 43 90, mail@domainealainmathias.com V *t.l.j. sf dim. lun. 9h-12h 14h-18h*

DOM. MAUPA Adroit de Vaucopins 2017 ★★

	300		11 à 15 €

Consacré essentiellement à l'appellation chablis, ce domaine, transmis de père en fils depuis six générations, est situé dans le joli village de Chichée, au sud-est de Chablis. Bruno Maurice est aux commandes depuis 1996.

Acidité, acidulé : il y a un peu des deux dans ce vin surprenant par son allant et sa persistance aromatique. D'une grande finesse, le nez est étonnant avec ses notes citronnées et meringuées. C'est en bouche que la minéralité saline apporte sa contribution pour étirer la matière. Le final citronné ponctue ce bel ensemble bâti sur la fraîcheur. ⧗ 2022-2030

EARL DU MAUPA, 6, rte de Chablis, 89800 Chichée, tél. 06 35 55 02 74, domainemaupa@yahoo.com V *r.-v.*

LA MEULIÈRE Vaucoupin 2017 ★

	4600		15 à 20 €

Neuf générations de vignerons se sont succédé sur ce domaine dont l'origine remonte à 1774. C'est Ulysse qui débuta la mise en bouteilles au domaine, en 1926. Depuis 2000, ce sont les frères Laroche, Nicolas (au chai) et Vincent (à la vigne), qui gèrent l'exploitation située à Fleys, au sud-est de Chablis, et ses 27,3 ha de vignes.

Les Laroche goûtent à d'autres terroirs, à d'autres cépages (ils ont acquis récemment des vignes en irancy), mais ils trouvent toujours dans le sol argilo-calcaire du Chablisien matière à faire parler leurs vins. Celui-ci est typique et racé, franc et droit. Si le nez s'exprime sur la minéralité, la bouche est riche et onctueuse. Très plaisant. ⧗ 2022-2027

GAEC DOM. DE LA MEULIÈRE, 18, rte de Mont-de-Milieu, 89800 Fleys, tél. 03 86 42 13 56, contact@chablis-meuliere.com V *t.l.j. 10h-12h30 13h30-18h*

MICHAUT FRÈRES Beauroy 2017 ★★

	10000		15 à 20 €

Henri Michaut a planté les premières vignes en 1946 et a été longtemps coopérateur à La Chablisienne. À sa suite, sa famille s'est lancée avec succès dans la vinification; aujourd'hui conduit par Adrien Michaut, le domaine couvre plus de 21,6 ha, exclusivement sur la commune de Beine, et s'est imposé comme une valeur sûre du Chablisien.

Un élevage mixte pour ce Beauroy particulièrement réussi. Un vin précis, bien ciselé, qui montre une grande harmonie entre le nez et la bouche. Le premier séduit par sa fraîcheur minérale et ses parfums de fleurs blanches; la seconde par sa rondeur, sa densité et sa longueur, avec un boisé bien maîtrisé, vanillé, qui se fond dans le fruit mûr. ⧗ 2022-2030

SCEA MICHAUT FRÈRES, 35, rue du Ruisseau, 89800 Beine, tél. 03 86 42 49 61, michautfreres@chablis-michaut.com V *r.-v.*

DOM. LOUIS MOREAU Vaillons 2017 ★★

	13800		20 à 30 €

Louis Moreau, installé en 1994, représente la sixième génération d'une famille de propriétaires et négociants dans le Chablisien depuis 1814. Il est à la tête de 50 ha répartis en deux domaines (Louis Moreau et Biéville) et dans toutes les appellations chablisiennes.

On atteint les sommets en matière d'élégance, d'harmonie et de précision avec cette cuvée élevée en cuve pendant douze mois. Le nez, flatteur, respire son terroir à travers des senteurs minérales. La bouche est à l'unisson : tendue, vive, soulignée par une acidité subtile qui transporte la matière. Tout pour plaire, et pour longtemps... ⧗ 2022-2030

⊶ SAS LOUIS MOREAU, 2-10, Grande-Rue, 89800 Beine, tél. 03 86 42 69 44, boutique@louismoreau.com V r.-v.

J. MOREAU ET FILS Vaillons 2017

	11000		20 à 30 €

Difficile de s'y retrouver à Chablis entre toutes les familles Moreau. Fondé en 1814 par Jean-Joseph Moreau, ce négoce, le plus ancien du Chablisien et d'une régularité sans faille, est devenu propriété du groupe Boisset en 1997.

Un joli nez de fleurs blanches qui évolue sur des notes minérales. Il en va de même de la bouche vive qui y ajoute les agrumes. Un vin plaisant et bien équilibré. ⧗ 2021-2024

⊶ J. MOREAU ET FILS, rte d'Auxerre, 89800 Chablis, tél. 03 86 42 88 05, depuydt.l@jmoreau-fils.com V r.-v.

MOREAU-NAUDET Forêts 2016 ★

	6800		30 à 50 €

Des ancêtres vignerons au XVIIe s., un aïeul, Alfred Naudet, chargé des délimitations de l'appellation. Le domaine naît du mariage, en 1950, de Marie Naudet avec René Moreau. En 1991, Stéphane Moreau arrive sur l'exploitation. Il porte la superficie du vignoble de 7 à 25 ha. Après son décès (2016), c'est Virginie, sa femme, qui dirige l'exploitation.

Un long élevage (vingt-deux mois), un tiers en fût et deux tiers en cuve, pour aboutir à ce vin, certes discret au nez mais très harmonieux. La bouche, élégante et alerte, attaque sur une fraîcheur fruitée (agrumes) et iodée, et ne la lâche pas jusqu'en finale. ⧗ 2022-2026

⊶ SAS MOREAU-NAUDET, 4, chem. de la Vallée-de-Valvan, 89800 Chablis, tél. 03 86 42 14 83, moreau.naudet@wanadoo.fr

SYLVAIN MOSNIER Beauroy 2017 ★★

	5253		15 à 20 €

D'abord professeur de mécanique, Sylvain Mosnier, petit-fils de vignerons, a repris en 1978 les vignes de son grand-père et agrandi son domaine autour de Beine. Sa fille Stéphanie a quitté son métier d'ingénieure pour revenir en 2005 sur l'exploitation, qui compte aujourd'hui 19 ha. Elle vinifie depuis 2007 et dirige le domaine depuis 2013 et la retraite de son père.

Toute la délicatesse et l'élégance du chardonnay dans cette cuvée élevée dix mois en cuve Inox. Le nez évoque un bouquet fin de fleurs blanches. La bouche, encore plus expressive et parfaitement équilibrée, s'appuie sur une belle vivacité minérale qui souligne longuement le fruit. Un vin droit, bien ciselé, harmonieux. ⧗ 2022-2030

⊶ EARL SYLVAIN MOSNIER, 36, rte Nationale, 89800 Beine, tél. 03 86 42 43 96, s_mosnier@orange.fr V r.-v.

DOM. DE LA MOTTE Beauroy 2017 ★★

	14000		15 à 20 €

Henri Michaut a planté les premières vignes en 1946 et a été longtemps coopérateur à La Chablisienne. À sa suite, sa famille s'est lancée avec succès dans la vinification; aujourd'hui conduit par Adrien Michaut, le domaine couvre plus de 28 ha et s'est imposé comme une valeur sûre du Chablisien.

Il est passé tout près du coup de cœur, ce remarquable Beauroy en devenir. Des promesses nées de la richesse de la structure, de l'équilibre parfait entre le nez et la bouche. Un nez très frais qui s'ouvre sur des notes minérales et florales, et une bouche à la fois ronde et vive, rehaussée par un boisé bien fondu et une minéralité bien typée. Un vin droit, long et précis. ⧗ 2022-2030

⊶ SCEA DOM. DE LA MOTTE, 35, rue du Ruisseau, 89800 Beine, tél. 03 86 42 49 61, domainemotte@chablis-michaut.fr V *t.l.j. 10h30-18h30; mer. dim. sur r.-v.*

CHARLY NICOLLE Les Fourneaux Ante MCMLXXX 2017 ★

	5000		15 à 20 €

Les arrière-grands-parents de Charly Nicolle cultivaient déjà la vigne. À la suite des générations précédentes, le jeune vigneron s'est lancé dans l'aventure. Installé à Fleys, à l'est de Chablis, il a quitté le domaine familial de La Mandelière en 2001 pour voler de ses propres ailes, choyant ses 15 ha de chardonnay, et s'est imposé comme une valeur sûre du Chablisien.

La qualité d'un vin ne tient pas à un chiffre, fût-il romain. Pour autant, Charly Nicolle a signé à sa façon cette nouvelle cuvée issue de vignes plantées avant 1980, année de naissance dudit vigneron. Le nez floral n'est pas perturbé par un boisé discret. Quant à la bouche, elle est dominée par la minéralité qui en fait un vin droit mais encore un peu strict. ⧗ 2022-2027 **Mont de Milieu 2017 (15 à 20 €; 6000 b.)** : vin cité.

⊶ CHARLY NICOLLE, 17, rue des Prés-Girots, 89800 Fleys, tél. 09 54 94 40 83, charlynicolle@gmail.com V r.-v.

LAURENT ET CÉLINE NOTTON Vaucoupin 2017 ★

	2500		11 à 15 €

Laurent Notton et son épouse Céline se sont installés en 2005 sur les terres de Chichée, avec 2,5 ha de vignes. Ils se sont progressivement agrandis et conduisent aujourd'hui un vignoble de 16 ha.

Un nez à la fois puissant et très fin avec ses arômes de fruits presque confits ouvre la dégustation. La bouche confirme cette impression : elle est généreuse dès l'attaque, ronde et riche en fruits mûrs. Un vin plus gras que vif. ⧗ 2022-2026

⊶ EARL LAURENT ET CÉLINE NOTTON, 4, imp. Saint-Paul, 89800 Chichée, tél. 06 81 03 98 66, domaine.notton@gmail.com V r.-v.

B ISABELLE ET DENIS POMMIER Troesmes 2017 ★

	6500		20 à 30 €

Établis à Chablis, Isabelle et Denis Pommier exploitent un domaine de 18 ha créé en 1990 et très régulier en

qualité. Après avoir conduit quinze ans leur vignoble en lutte raisonnée, ils ont obtenu la certification bio en 2014.

Après deux coups de cœur avec le millésime 2016 (sur ce même 1er cru Troesmes et en Côte de Léchet), les Pommier signent un fort joli 2017. Un vin élégant avec son nez délicat de fleurs blanches et d'agrumes. La bouche est ronde, souple, toastée, épicée, soutenue par une belle minéralité, mais encore sous l'emprise du bois. Patience... ⧗ 2022-2027

⊶ SCEV POMMIER, 31, rue de Poinchy, 89800 Chablis, tél. 03 86 42 83 04, isabelle@denis-pommier.com V r.-v.

CÉLINE ET ROMAIN POULLET Vaillons 2017 ★

	2000		11 à 15 €

Né en 1976, Romain Poullet, après ses études au lycée viticole de Beaune, a créé son domaine en 2000 à Maligny, au nord de Chablis, tout en secondant ses parents sur leur propriété. En 2014, il a pris leur succession et dispose à présent de 11 ha de vignes, complétés par une activité de négoce depuis 2010.

Un air marin flotte sur cette cuvée d'une grande finesse minérale. Le nez est révélateur avec ses arômes citronnés et des nuances iodées. Cette fraîcheur se prolonge dans une bouche ample, briochée, soutenue par une belle finale saline. ⧗ 2021-2027

⊶ EARL DES CHAUMES (ROMAIN POULLET), 6, rue du Temple, 89800 Maligny, tél. 03 86 98 21 83, domainedeschaumes@wanadoo.fr V *r.-v.*

DOM. DENIS RACE Vaillons 2017 ★★

	6600		11 à 15 €

Régulièrement distingué dans le Guide, Denis Race exploite 18 ha en Chablisien. Sa fille Claire a rejoint le domaine familial en 2005. Ensemble, ils mettent autant de passion dans l'élaboration de leurs petit-chablis que dans celle de leurs 1ers crus et de leurs grands crus. Une valeur sûre.

Denis Race a changé de site à Chablis, mais ses vins n'ont rien perdu de leur spécificité, à l'image de ce remarquable Vaillons bien typé, racé. Le nez, très élégant, se promène entre la fleur et le fruit. La bouche est enjôleuse, riche en fruits, avec en soutien une fine acidité minérale qui apporte longueur et équilibre. ⧗ 2022-2027

⊶ EARL DOM. DENIS RACE, 15, rue de la Croix-Duché, 89800 Chablis, tél. 03 86 42 45 87, domaine@chablisrace.com V *t.l.j. sf dim. 9h-12h 14h-17h30*

RÉGNARD Montmains 2017

	28000		20 à 30 €

La maison Régnard (négoce et domaine) a pignon sur rue à Chablis depuis 1860. Elle a été rachetée en 1984 par Patrick de Ladoucette, bien connu dans le Centre-Loire, également présent dans d'autres vignobles, notamment bourguignons.

Cette cuvée élevée en cuve pendant douze mois s'exprime sur la minéralité et les fleurs blanches à l'olfaction. La bouche, plus centrée sur le fruit, se montre souple et de bonne longueur. ⧗ 2021-2024

⊶ RÉGNARD, 28, bd Tacussel, 89800 Chablis, tél. 03 86 42 10 45, regnard.chablis@wanadoo.fr V *t.l.j. 10h-12h30 13h30-18h*

DOM. GUY ROBIN Montée de Tonnerre 2017 ★

	10600		15 à 20 €

Denise et Guy Robin, deux figures du vignoble chablisien, ont passé la main en 2007. Leur fille Marie-Ange a quitté les bureaux pour revenir à la terre. Celle de l'exploitation familiale, fondée en 1954, avec ses 20 ha et de nombreux grands crus dans une cave riche de quelque 120 fûts de chêne.

Marie-Ange Robin a recours aux fûts de chêne pour ses élevages et ce 1er cru est marqué par le boisé, bien maîtrisé mais encore assez prononcé, notamment au nez. La bouche est structurée par une belle acidité aux tonalités salines et calcaires. ⧗ 2022-2027

⊶ EARL DOM. GUY ROBIN ET FILS, 13, rue Berthelot, 89800 Chablis, tél. 03 86 42 12 63, contact@domaineguyrobin.com V *r.-v.*

FRANCINE ET OLIVIER SAVARY Vaillons 2017 ★

	3000		15 à 20 €

Installés dans le Chablisien en 1984 sur un domaine de poche (1 ha), Francine et Olivier Savary conduisent aujourd'hui un coquet vignoble de 20 ha.

Les Vaillons sont réputés pour leur finesse et leur élégance. Celui-ci ne s'éloigne pas des standards, mais ajoute une belle complexité aromatique. Floral, fruité, beurré, minéral, le nez est une invitation au voyage. Autant d'arômes qui se développent dans une bouche souple, gourmande, soutenue par une acidité qui renforce son caractère. ⧗ 2022-2027

⊶ SARL FRANCINE ET OLIVIER SAVARY, 4, chem. des Hâtes, 89800 Maligny, tél. 03 86 47 42 09, f.o.savary@orange.fr t.l.j. sf dim. 8h-12h 14h-17h30

CAMILLE ET LAURENT SCHALLER Vaucoupin 2017 ★

	1800		11 à 15 €

De 1980 à 2014, ce domaine vendait ses moûts à la coopérative. L'arrivée de Camille, fils de Laurent Schaller, change la donne et le premier vin élaboré à la propriété sort la même année de la toute nouvelle cuverie.

Une cuvée très réussie qui est un condensé de toutes les caractéristiques de l'appellation : minéralité, vivacité, énergie. Le nez s'exprime à la fois sur la fleur et les agrumes, avec des nuances iodées. En bouche se dévoile un bel équilibre entre le fruit et l'acidité, avec une note finale saline. ⧗ 2021-2026

⊶ SCEV DOM. CAMILLE ET LAURENT SCHALLER, 20, Grande-Rue, 89800 Préhy, tél. 06 81 85 07 95, domaine@chablis-schaller.com V *r.-v.*

DOM. SERVIN Butteaux 2017 ★★

	2900		15 à 20 €

Fondé au XVIIe s., ce domaine de 37 ha conduit aujourd'hui par François Servin possède des parcelles dans quatre des sept grands crus de Chablis. Ses vins sont régulièrement mentionnés dans le Guide.

Ce *climat* de l'aire des Montmains ne manque pas de caractère. L'élevage en fût de chêne a forgé sa personnalité sans nuire à son élégance. Un nez très frais, sur la coquille d'huître, met en appétit. Le palais dévoile

BOURGOGNE

une matière riche, généreuse, fruitée, stimulée par l'acidité et soutenue par un boisé bien fondu. ⧗ 2022-2030 ■ **Montée de Tonnerre 2017 (15 à 20 €; 16500 b.)** : vin cité.

SCEV DOM. SERVIN, 20, av. d'Oberwesel, 89800 Chablis, tél. 03 86 18 90 00, contact@servin.fr V t.l.j. sf sam. dim. 8h-12h 13h30-17h30

SIMONNET-FEBVRE Montée de Tonnerre 2017 ★

■ | 2836 | | 20 à 30 €

Reprise en 2003 par Louis Latour, cette maison de négoce-éleveur, fondée en 1840 et dirigée aujourd'hui par Jean-Philippe Archambaud, est une référence en Chablisien. Une solide renommée qui dépasse largement les frontières de France, 85 % de la production partant à l'export.

Engageante dans sa robe jaune clair à reflets verts, cette cuvée se révèle à travers un joli bouquet de fleurs blanches évoluant sur la minéralité. Une attaque vive et franche ouvre sur un palais énergique, dominé par les agrumes et prolongé par une belle finale acidulée. ⧗ 2022-2027

SIMONNET-FEBVRE, 30, rte de Saint-Bris, 89530 Chitry-le-Fort, tél. 03 86 98 99 00, adv@simonnet-febvre.com V r.-v.

DOM. TIXIER Vieilles Vignes 2017 ★★

■ | 2029 | | 15 à 20 €

Un domaine fondé en 1988 par Martine Letessier à partir de 40 ares de vignes. Plantations et baux portent progressivement le vignoble à ses 7 ha actuels. Les raisins sont portés en cave coopérative jusqu'en 2003. En 2007, Thomas Tixier, le fils, arrive sur le domaine pour prendre en charge les vinifications.

Certes la quantité est confidentielle, mais quelle qualité ! Thomas Tixier ne s'est pas trompé en vinifiant ce raisin issu de vieux ceps de soixante ans et signe une cuvée remarquable d'élégance, de fraîcheur et d'équilibre. Un joli nez beurré, marqué par le fruit, prélude à une bouche délicate, à la fois ronde et vive, minérale et épicée, droite et précise. ⧗ 2022-2027

EARL DOM. LETESSIER-TIXIER, Dom. Tixier, 7, chem. des Sanguinots, 89800 Courgis, tél. 03 86 41 42 72, domaine-tixier@orange.fr V r.-v.

DOM. GÉRARD TREMBLAY Fourchaume 2017 ★

■ | 20000 | | 20 à 30 €

Gérard Tremblay s'est longtemps partagé entre les vignes héritées de ses parents et les voitures de rallye, son autre passion. Avec son épouse Hélène, ils ont passé le relais en 2014 à leurs enfants Éléonore et Vincent.

Chez les Tremblay, les générations passent mais les vins gardent leur typicité, à l'image de ce Fourchaume très plaisant. Le nez se résume à trois mots : fleurs, fraîcheur et finesse. Une délicate acidité s'empare de la bouche à travers des notes citronnées. Un vin dynamique et persistant. ⧗ 2022-2027

SAS GÉRARD TREMBLAY, 12, rue de Poinchy, 89800 Chablis, tél. 03 86 42 40 98, gerard.tremblay@wanadoo.fr V t.l.j. sf dim. 10h-12h 14h-17h30

MAISON OLIVIER TRICON Vaillons 2016 ★

■ | n.c. | | 15 à 20 €

Un négociant chablisien renommé en France comme à l'étranger. Après avoir travaillé dans différents vignobles français et comme maître de chai sur le domaine familial, il a créé son affaire et racheté à sa famille l'important Dom. de Vauroux (46 ha avec des parcelles dans des 1ers crus réputés et en grand cru).

Une expression discrète mais de la justesse dans ce vin élevé en cuve. Le nez est frais, tendu, marqué par des arômes de fruits secs. La bouche est vive, droite, l'acidité répondant à la rondeur du fruit. Un ensemble équilibré. ⧗ 2021-2024

SARL MAISON OLIVIER TRICON, rte d'Avallon, BP 56, 89800 Chablis, tél. 03 86 42 10 37, maison.tricon@gmail.com V r.-v.

DOM. VENTOURA Fourchaume 2017 ★

■ | 3000 | | 15 à 20 €

Ancien coopérateur, Thomas Ventoura a décidé de vinifier lui-même à partir du millésime 2014. À sa disposition, un vignoble de 11 ha qu'il conduit de manière bio mais sans certification.

Voici une cuvée qui ne manque ni d'arômes ni de saveurs. Le nez délicat, fruité (pêche blanche) et minéral, laisse une agréable sensation de légèreté. Le palais offre un bel équilibre entre un boisé très discret, la rondeur du fruit (citron confit) et une fine acidité. Un vin frais et gourmand. ⧗ 2021-2024

EARL VENTOURA, 3, rue des Puits, 89800 Fontenay-près-Chablis, tél. 06 08 92 40 00, contact@domaine-ventoura.com V r.-v.

♥ DOM. VERRET Beauroy 2017 ★★

■ | 14000 | | 15 à 20 €

La famille Verret cultive la vigne depuis deux siècles et demi dans l'Yonne. Pionnier dans le vignoble de l'Auxerrois pour la mise en bouteilles et la commercialisation directe pratiquées dès les années 1950, ce vaste domaine (60 ha) demeuré familial fréquente très régulièrement les pages du Guide, notamment pour ses irancy, saint-bris, bourgognes Côtes d'Auxerre et bourgogne-aligoté.

Bruno Verret est un habitué du Guide, surtout avec le pinot noir de ses irancy : il a d'ailleurs obtenu un coup de cœur cette année avec son Palotte 2016. Mais le vigneron s'y entend aussi en chardonnay, qui donne ici un vin puissant et très harmonieux. Un tiers de la cuvée vinifiée en fût a permis de renforcer une structure au demeurant très élégante. Le nez s'ouvre sur des arômes délicats de noisette et de miel. La bouche n'est que volume, richesse et intensité, avec les fruits mûrs en dominante et une longue finale minérale qui apporte du tonus et de la fraîcheur. Un vin généreux qui ne connait pas ses limites. ⧗ 2023-2030

SARL BRUNO VERRET,
13, rte de Champs, 89530 Saint-Bris-le-Vineux,
tél. 03 86 53 31 81, dverret@domaineverret.com
t.l.j. sf dim. 9h-12h 14h-18h

DOM. YVON ET LAURENT VOCORET
Fourchaume Homme Mort 2017 ★★

	4800		15 à 20 €

Héritier d'une lignée remontant à 1713, conteur patoisant, bon vivant et pilier chablisien, Yvon Vocoret est une figure du vignoble. Depuis 1980, il conduit le domaine familial (25 ha) situé à Maligny, rejoint par son fils Laurent.

Tout le terroir chablisien se retrouve dans cette remarquable bouteille. La fraîcheur minérale constitue la feuille de route de ce 1er cru droit et précis. À un nez élégant qui s'exprime sur l'acidité du pamplemousse répond ainsi une bouche ample et franche, qui souligne le fruit et assure la longueur. ⧗ 2023-2030

EARL DOM. YVON ET LAURENT VOCORET,
9, chem. de Beaune, 89800 Maligny, tél. 03 86 47 51 60,
domaine.yvon.vocoret@wanadoo.fr t.l.j. 8h-18h;
dim. sur r.-v.; f. août

GUILLAUME VRIGNAUD
Fourchaume 2017 ★★

	5311		20 à 30 €

Les Vrignaud ont planté leurs premières vignes en 1955. Ils ont débuté en 1999 la vente en bouteilles avec l'arrivée de Guillaume à la tête du domaine et de ses 27 ha de vignes.

Un très joli vin issu de quatorze mois d'élevage en cuve. Concentré sur l'essentiel, il restitue ce que son terroir lui a donné. Au nez, les fleurs blanches composent un bouquet délicat et frais. Ce vin s'impose en bouche : ample et gras en attaque, avec un bon volume autour des fruits mûrs, il offre une longue finale saline et pure. ⧗ 2023-2030

SARL GUILLAUME VRIGNAUD,
10, rue de Beauvoir, 89800 Fontenay-près-Chablis,
tél. 03 86 42 15 69, guillaume@domaine-vrignaud.com
r.-v.

CHABLIS GRAND CRU

Superficie : 103 ha / Production : 5 200 hl

Issu des coteaux les mieux exposés de la rive droite, divisés en sept lieux-dits – Blanchot, Bougros, Les Clos, Grenouilles, Les Preuses, Valmur, Vaudésir –, le chablis grand cru possède à un degré plus élevé toutes les qualités des précédents, la vigne se nourrissant d'un sol enrichi par des colluvions argilo-pierreuses. Quand la vinification est réussie, un chablis grand cru est un vin complet, à forte persistance aromatique, auquel le terroir confère un tranchant qui le distingue de ses rivaux de la Côte-d'Or. Sa capacité de vieillissement stupéfie, car il peut exiger huit à quinze ans pour s'apaiser, s'harmoniser et acquérir un inoubliable bouquet de pierre à fusil, voire, pour Les Clos, de poudre à canon !

DOM. BILLAUD-SIMON
Les Blanchots 2017 ★★

	800		75 à 100 €

Un domaine historique de Chablis, fondé en 1815, qui a connu un grand développement après 1945 (première mise en bouteilles à la propriété en 1954). Aujourd'hui, 17 ha et toute la hiérarchie des AOC du Chablisien, avec un bel éventail de 1ers crus et de grands crus prestigieux. En 2014, la propriété a été vendue à la maison nuitonne Faiveley. Une valeur sûre du Guide.

Toute la minéralité du chablis s'exprime dans ce Blanchots élevé uniquement en cuve Inox. Le nez apparaît floral (aubépine) et fruité (pamplemousse), frais et d'une grande pureté. La bouche, d'une grande finesse tout en étant agréablement charnue, est portée par une délicate trame minérale. Un vin droit, précis, bien ciselé. ⧗ 2022-2030 **Les Preuses 2017 ★★ (50 à 75 €; 800 b.)** : un bouquet élégant de fleurs blanches et d'agrumes au nez, une corbeille gourmande de fruits en bouche, soulignée par une fine acidité, une finale longue et acidulée pour ce vin d'une réelle harmonie. ⧗ 2022-2030

SARL DOM. BILLAUD-SIMON, 1, quai de Reugny,
89800 Chablis, tél. 03 86 42 10 33, contact@
billaud-simon.com

MAISON DAMPT Bougros 2017 ★

	2000		20 à 30 €

Installé à Chablis, Sébastien Dampt, fils de Daniel Dampt, vigneron à Milly, conduit depuis 2008 son propre domaine de 7 ha. Sous l'enseigne « Maison Dampt », il a ouvert une maison de négoce qu'il dirige avec son frère Vincent.

Douze mois de fût pour ce grand cru typique de l'appellation, avec au nez un boisé bien maîtrisé mais encore dominant. À ce bouquet fait écho une bouche puissante sur le bois, qui s'assouplit au fil de la dégustation autour d'une belle minéralité. ⧗ 2022-2027

SARL MAISON DAMPT,
1, chem. des Violettes, 89800 Chablis,
tél. 03 86 42 47 23, maisondampt@orange.fr
r.-v.

BERNARD DEFAIX Bougros 2017 ★★★

	2000		30 à 50 €

La maison Defaix est un domaine (converti au bio) ayant pignon sur rue à Milly, repris par Sylvain et Didier Defaix, les fils de Bernard. C'est aussi une maison de négoce créée en parallèle, qui travaille dans le même esprit que le domaine.

Une expression parfaite de ce qu'est l'équilibre dans ce vin élevé en fût pendant seize mois. Le nez, d'une grande élégance, est à la fois floral, iodé et beurré. La bouche possède du gras, de la puissance et du volume, avec en soutien un boisé bien fondu et une minéralité impeccablement ciselée qui apporte beaucoup d'énergie et de longueur. ⧗ 2023-2030

SAS BERNARD DEFAIX,
17, rue du Château, Milly, 89800 Chablis,
tél. 03 86 42 40 75, contact@bernard-defaix.com
r.-v.

BOURGOGNE

♥ JEAN-PAUL ET BENOÎT DROIN
Grenouilles 2017 ★★

2700 | 30 à 50 €

Chez les Droin, on est vigneron de père en fils depuis 1620. Si Jean-Paul Droin est devenu l'historien du vignoble de Chablis, son fils Benoît a apporté sa patte à cette exploitation de 26 ha à partir de 2002. Un domaine d'une admirable régularité, qui collectionne les coups de cœur, notamment dans les grands crus.

Un grand abonné aux coups de cœur, Benoît Droin ! Après les grands crus Valmur et Les Clos dans le millésime 2016, c'est un Grenouilles 2017 qui a plu au jury de dégustateurs. Et pour cause, ce vin est tout en séduction. Le nez, très fin et délicat, associe les fleurs blanches aux fruits jaunes et blancs mûrs. La bouche, au diapason, apparaît très élégante, portée par un boisé distingué et par une acidité parfaitement gainée qui l'étire longuement en finale. Un grand cru racé, tendu, d'une grande pureté, bâti pour durer longtemps... ⧗ 2023-2030 ■ **Valmur 2017 ★★ (30 à 50 €; 5700 b.)** : un vin remarquable par son élégance, sa fraîcheur et sa puissance. Le nez beurré et abricoté trouve son écho en bouche où la subtilité du fruit est soulignée par un joli boisé vanillé et un trait de minéralité savamment dosé. ⧗ 2023-2030 ■ **Vaudésir 2017 (30 à 50 €; 5000 b.)** : vin cité.

SC JEAN-PAUL ET BENOÎT DROIN,
14 bis, av. Jean-Jaurès, BP 19, 89800 Chablis,
tél. 03 86 42 16 78, benoit@jeanpaulbenoit-droin.fr
V r.-v.

DROUHIN-VAUDON
Les Clos 2017 ★★

53480 | 30 à 50 €

Créée en 1880, cette maison beaunoise travaille une large palette d'AOC bourguignonnes : de Chablis (38 ha sous l'étiquette Drouhin-Vaudon) à la Côte chalonnaise (3 ha), en passant par les Côtes de Beaune et de Nuits (32 ha). On peut y ajouter les vignes américaines du Dom. Drouhin en Oregon (90 ha) et de Roserock Vineyard (112 ha) dans la région des Eola-Amity Hills. Ce négoce d'envergure grâce à ce vaste domaine de 73 ha – développé par Robert Drouhin à partir de 1957 et désormais géré par ses quatre enfants – est aussi le plus important propriétaire de vignes cultivées en biodynamie. Incontournable.

Il va falloir s'armer de patience pour apprécier toutes les qualités de cette cuvée puissante. Un vin prometteur donc, très équilibré, qui offre un nez beurré, boisé et fruité, puis une bouche elle aussi boisée, ample, riche et longue, soulignée par la minéralité attendue d'un grand cru. ⧗ 2023-2030

SA MAISON JOSEPH DROUHIN,
7, rue d'Enfer, 21200 Beaune, tél. 03 80 24 68 88,
christellehenriot@drouhin.com
V r.-v.

DOM. NATHALIE ET GILLES FÈVRE
Les Preuses 2017 ★

4000 | 50 à 75 €

Dix générations de vignerons depuis le XVIIIe s. et des coopérateurs de père en fils depuis 1923. En 2004, Nathalie et Gilles Fèvre, tous deux œnologues, ont pris la décision de valoriser leur propre production en bouteilles. Ils sont désormais à la tête d'un domaine de 50 ha, dont une quinzaine est conduite en agriculture biologique.

Une cuvée très harmonieuse issue d'un élevage mixte (cuve Inox et fût). Son nez délicat associe les fruits frais, des parfums d'aubépine et une fine minéralité. Minéralité qui apporte de la tension à une bouche complexe et expressive, à la fois fruitée, beurrée, épicée, anisée, soulignée par un boisé bien maîtrisé et par beaucoup de fraîcheur. ⧗ 2023-2030

SARL DOM. NATHALIE ET GILLES FÈVRE,
rte de Chablis, 89800 Fontenay-près-Chablis,
tél. 03 86 18 94 47, domaine@nathalieetgillesfevre.com
V r.-v.

CH. GRENOUILLES 2015 ★

26701 | 50 à 75 €

Cave coopérative fondée en 1923 regroupant près de 300 vignerons et représentant un quart du vignoble de Chablis, La Chablisienne a fêté ses quatre-vingt-dix ans en 2013. Une structure moderne et performante qui contribue largement à la notoriété de l'appellation. Le grand cru Grenouilles est une de ses têtes d'affiche.

Généralement exubérant dans sa jeunesse, le grand cru Grenouilles gagne en sagesse avec l'âge. Cette cuvée, en phase d'adolescence, rassemble tous les ingrédients d'un vin en devenir. Le nez minéral et toasté ne manque pas d'élégance. Quant à la bouche, elle est bien structurée autour du fruit, soyeuse et tendue par une minéralité qui donne de la longueur. ⧗ 2023-2030

SCA LA CHABLISIENNE,
8, bd Pasteur, 89800 Chablis, tél. 03 86 42 89 89,
chab@chablisienne.fr V *t.l.j. 9h-12h30 14h-19h*

MAISON DES HÂTES
Bougros 2016 ★

1100 | 30 à 50 €

L'exploitation portait ses raisins à la cave coopérative. Les premières mises en bouteilles à la propriété, en 2009, coïncident avec l'arrivée sur le domaine du fils de la famille, Pierrick Laroche, diplômé d'œnologie, qui a vinifié en Nouvelle-Zélande. Le vignoble compte 25 ha et une activité de négoce complète le domaine en chablis 1er cru et chablis grand cru.

Une cuvée intense au nez comme en bouche. On y perçoit un fruité bien mûr (agrumes), des notes florales et vanillées qui apportent de la complexité à ce millésime 2016 puissant, rond, vineux, dynamisé par une finale plus vive et minérale. ⧗ 2023-2030

SARL DOM. DES HÂTES,
5, chem. des Hâtes, 89800 Maligny,
tél. 03 86 18 03 23, contact@domainedeshates.fr
V r.-v.

ROLAND LAVANTUREUX Vaudésir 2016 ★

	1800		30 à 50 €

Valeur sûre du Guide, cette exploitation est située à Lignorelles, aux confins nord du Chablisien. Après un stage au fameux Clos des Lambrays, Arnaud Lavantureux a rejoint son père Roland sur le domaine de 21 ha où il assure depuis 2010 les vinifications. Son frère David gère quant à lui le développement commercial. Une structure de négoce complète la production.

Petite quantité mais une belle qualité pour ce Vaudésir encore dominé par le boisé de l'élevage en fût. Pour autant, le nez est élégant avec ses notes vanillées. Quant à la bouche, elle est bien structurée autour des fruits jaunes confits qui résistent au fond boisé. Un potentiel à confirmer. ⧗ 2024-2030

SCEA DOM. ROLAND LAVANTUREUX, 4, rue Saint-Martin, 89800 Lignorelles, tél. 03 86 47 53 75, domaine.lavantureux@gmail.com V r.-v.

DOM. LONG-DEPAQUIT Les Clos 2017 ★

	4449		30 à 50 €

Propriété de la maison Albert Bichot depuis 1968, ce domaine de près de 44 ha abrite un château du XVIIIes., en plein cœur de Chablis : un cadre idéal pour valoriser ses vins et plus particulièrement ses grands crus.

La minéralité chablisienne est bien présente dès le premier nez. L'entrée se fait tout en séduction, avec beaucoup de finesse et de fraîcheur. En bouche, c'est la matière qui prend le dessus avec rondeur et gourmandise, laissant l'acidité au second plan. Un vin agréable, qui pourra s'apprécier jeune. ⧗ 2020-2024

SCEA DOM. LONG-DEPAQUIT, 45, rue Auxerroise, 89800 Chablis, tél. 03 86 42 11 13, chateau-long-depaquit@albert-bichot.com V *t.l.j. sf dim. 9h-13h 14h-18h*

♥ DOM. DES MALANDES Vaudésir 2017 ★★

	3000		30 à 50 €

Une valeur sûre du vignoble chablisien, qui collectionne les coups de cœur du Guide. Un domaine créé en 1949 par André Tremblay, couvrant aujourd'hui 29 ha. Lyne Marchive, fille du fondateur, l'a dirigé seule de 1972 à 2018, date de la reprise par ses enfants Richard Rottiers (à la direction) et Amandine Marchive (au commercial), qui entendent développer une viticulture plus respectueuse de l'environnement (désherbage mécanique, labour à cheval).

Une belle récompense pour la nouvelle génération, distinguée d'un coup de cœur pour son premier millésime à la tête du domaine familial : la relève semble être dans de bonnes mains... Ce Vaudésir épatant de bout en bout exprime toute la puissance et la richesse de son terroir. Certes, le boisé est présent mais bien intégré, et il ne nuit ni à l'élégance du nez, ni à la tension minérale qui anime la bouche, lui apportant beaucoup de fraîcheur, d'énergie et de longueur. ⧗ 2024-2030

SCEA DOM. DES MALANDES, 11, rte d'Auxerre, 89800 Chablis, tél. 03 86 42 41 37, contact@domainedesmalandes.com V *r.-v.*

LOUIS MICHEL ET FILS Vaudésir 2016 ★★

	3000		50 à 75 €

La famille Michel est établie à Chablis depuis 1850 et six générations. C'est aujourd'hui Guillaume qui est aux commandes, à la tête d'un vignoble de 25 ha établi sur les deux rives du Serein, avec des parcelles dans trois grands crus et cinq 1ers crus. Une tradition familiale depuis plusieurs décennies : l'élevage en cuve de tous les vins, pour favoriser la précision et la fraîcheur.

L'élevage long en cuve Inox afin de trouver toute la subtilité du terroir a eu son effet. Le nez, intense et gourmand, s'ouvre sur les fruits confits. Un fruité que l'on retrouve agrémenté de notes beurrées et épicées dans une bouche ample, riche et dense, avec en soutien une minéralité délicate qui se fond dans la matière et apporte un équilibre parfait. ⧗ 2023-2030

SCEV LOUIS MICHEL ET FILS, 9, bd de Ferrières, 89800 Chablis, tél. 03 86 42 88 55 V *r.-v.*

DOM. LOUIS MOREAU Les Clos 2016 ★

	7840		30 à 50 €

Louis Moreau, installé en 1994, représente la sixième génération d'une famille de propriétaires et négociants dans le Chablisien depuis 1814. Il est à la tête de 50 ha répartis en deux domaines (Louis Moreau et Biéville) et dans toutes les appellations chablisiennes.

Distingué d'un coup de cœur avec ce même grand cru version 2015, Louis Moreau signe un 2016 délicat, caressant, issu d'un élevage en cuve pour restituer le terroir et réaliser un vin frais et gourmand. Un côté pierre à fusil se partage le nez avec des arômes de fruits mûrs. Une belle rondeur suave ajoutée à la minéralité des lieux compose une bouche bien balancée, très plaisante. ⧗ 2023-2030 **Valmur 2016 ★ (30 à 50 €; 3500 b.)** : seize mois d'élevage en fût pour cette cuvée élégante et équilibrée, dotée d'un boisé bien fondu et d'une bouche ample et soyeuse, avec une fine minéralité crayeuse qui assure la vivacité et la longueur. ⧗ 2023-2030 **Vaudésir 2016 (30 à 50 €; 1570 b.)** : vin cité.

SAS LOUIS MOREAU, 2-10, Grande-Rue, 89800 Beine, tél. 03 86 42 69 44, boutique@louismoreau.com V *r.-v.*

MOREAU-NAUDET Valmur 2016 ★

	2200		50 à 75 €

Des ancêtres vignerons au XVIIes., un aïeul, Alfred Naudet, chargé des délimitations de l'appellation. Le domaine naît du mariage, en 1950, de Marie Naudet avec René Moreau. En 1991, Stéphane Moreau arrive sur l'exploitation. Il porte la superficie du vignoble de 7 à 25 ha. Après son décès (2016), c'est Virginie, sa femme, qui dirige l'exploitation.

Une minéralité pure, sans agressivité, c'est ce qui caractérise ce Valmur d'une élégance raffinée. Au nez, elle apporte de la finesse aux arômes de fruits. On retrouve les agrumes et quelques notes épicées et anisées dans une bouche d'une belle tension. Un ensemble équilibré et persistant. ⧗ 2023-2027

SAS MOREAU-NAUDET, 4, chem. de la Vallée-de-Valvan, 89800 Chablis, tél. 03 86 42 14 83, moreau.naudet@wanadoo.fr

DOM. PINSON FRÈRES Les Clos 2017 ★

	6828		30 à 50 €

Établis dans le Chablisien dès 1640, les Pinson exportaient du vin aux États-Unis en 1880. Louis Pinson constitue son domaine en 1983. Ses fils Laurent et Christophe portent sa superficie de 4 à 14 ha. Charlène Pinson, fille de Laurent, les rejoint en 2008. Complétés par une gamme de négoce depuis 2013, les vins de la propriété sont régulièrement mentionnés dans le Guide.

La version domaine du grand cru dont la famille Pinson exploite 2,42 ha. Le vin, après douze mois d'élevage en fût, présente un nez beurré, vanillé et fruité (pêche blanche, abricot). Un beau tour d'horizon olfactif qui s'exprime aussi dans une bouche ronde, dense et longue, soutenue par une acidité parfaitement ajustée. ⧗ 2023-2030 **Charlène et Laurent Pinson Les Clos 2017 ★ (30 à 50 €; 596 b.)** : la version négoce (et très confidentielle) de ce grand cru. Des notes d'agrumes et de fruits mûrs s'échappent du verre, agrémentées de nuances épicées et vanillées. Une belle attaque sur la rondeur du fruit ouvre sur une bouche ample, riche, chaleureuse, dynamisée par quelques touches d'épices et une fine minéralité. Un grand cru à la fois mûr et délicat.

SCEA DOM. PINSON, 5, quai Voltaire, 89800 Chablis, tél. 03 86 42 10 26, contact@domaine-pinson.com V t.l.j. sf dim. 8h-12h 13h30-17h

DOM. GUY ROBIN Blanchot 2016 ★★

	1200		20 à 30 €

Denise et Guy Robin, deux figures du vignoble chablisien, ont passé la main en 2007. Leur fille Marie-Ange a quitté les bureaux pour revenir à la terre. Celle de l'exploitation familiale, fondée en 1954, avec ses 20 ha et de nombreux grands crus dans une cave riche de quelque 120 fûts de chêne.

Le grand cru Blanchot présente la particularité d'être exposé au soleil levant et de bénéficier d'un ensoleillement intense, ce qui donne généralement des vins puissants et généreux comme cette cuvée. Le nez flatteur s'exprime sur des notes de fruits mûrs. La bouche se révèle ample, riche, soyeuse, boisée avec justesse, avec une finale minérale, sur la pierre à fusil, qui s'étire en pointe. Un vin racé et très harmonieux. ⧗ 2024-2030 **Vaudésir 2016 ★ (20 à 30 €; 1780 b.)** : délicat au nez avec ses senteurs de fleurs blanches et de fruits jaunes, ce grand cru est puissant et suave en bouche; la rondeur du fruit s'y affranchit du boisé, bien maîtrisé, et la minéralité souligne cet ensemble généreux. ⧗ 2023-2030 **Bougros 2016 (20 à 30 €; 1200 b.)** : vin cité.

EARL DOM. GUY ROBIN ET FILS, 13, rue Berthelot, 89800 Chablis, tél. 03 86 42 12 63, contact@domaineguyrobin.com V r.-v.

SÉGUINOT-BORDET Les Preuses 2017 ★

	1300		50 à 75 €

Une des plus anciennes familles du Chablisien, établie à Maligny sur la rive droite du Serein. Jean-François Bordet a repris en 1998 l'exploitation de son grand-père Roger Séguinot. Le domaine couvre aujourd'hui 15 ha, complété par une activité de négoce en 2002.

C'est sous sa casquette de négociant que Jean-François Bordet a présenté ce grand cru élevé en cuve Inox pendant quatorze mois. Un vin très agréable avec son nez floral qui évolue vers des arômes d'abricot et de pêche. L'attaque en bouche se fait sur le fruit mûr (abricot, mangue, pamplemousse). La tension minérale arrive ensuite avec une pointe d'acidité porteuse de vivacité. Un vin pur et fruité. ⧗ 2022-2027

SARL JEAN-FRANÇOIS BORDET, 8, chem. des Hâtes, 89800 Maligny, tél. 03 86 47 44 42, contact@seguinot-bordet.fr V r.-v.

DOM. SERVIN Bougros 2016 ★

	3300		30 à 50 €

Fondé au XVIIe s., ce domaine de 37 ha conduit aujourd'hui par François Servin possède des parcelles dans quatre des sept grands crus de Chablis. Ses vins sont régulièrement mentionnés dans le Guide.

Voici un vin complexe et prometteur. On retiendra sa richesse, sa puissance, sa franchise. Le nez, largement ouvert, se partage entre les fleurs blanches, les agrumes et des notes minérales. La bouche est ronde, soyeuse, gourmande de fruits, légèrement épicée et bien équilibrée. ⧗ 2022-2027

SCEV DOM. SERVIN, 20, av. d'Oberwesel, 89800 Chablis, tél. 03 86 18 90 00, contact@servin.fr V t.l.j. sf sam. dim. 8h-12h 13h30-17h30

DOM. GÉRARD TREMBLAY Vaudésir 2016 ★

	3000		30 à 50 €

Gérard Tremblay s'est longtemps partagé entre les vignes héritées de ses parents et les voitures de rallye, son autre passion. Avec son épouse Hélène, ils ont passé le relais en 2014 à leurs enfants Éléonore et Vincent.

Par ses notes florales et minérales, ce 2016 délivre une olfaction intense, renforcée par des nuances vanillées et épicées. La bouche, ample et ronde, offre une finale savoureuse, même si l'acidité reste en retrait. Un vin concentré et gourmand. ⧗ 2022-2027

SAS GÉRARD TREMBLAY, 12, rue de Poinchy, 89800 Chablis, tél. 03 86 42 40 98, gerard.tremblay@wanadoo.fr V t.l.j. sf dim. 10h-12h 14h-17h30

DOM. DE VAUROUX Bougros 2015

	1200		20 à 30 €

Ce domaine a été créé en 1960 par la famille Tricon, encore aux commandes aujourd'hui : c'est Oliver Tricon, par ailleurs négociant, qui le dirige. Exposé au sud, le vignoble couvre 46 ha de vignes et compte des parcelles dans des 1ers crus réputés et en grand cru.

Cette cuvée livre un bouquet qui marie les fleurs blanches, les agrumes et une touche de vanille. On retrouve les agrumes dans une bouche bien structurée, alliant la rondeur du fruit à la tension minérale. L'acidité finale apporte juste ce qu'il faut de vivacité. 2022-2027

SCEA DOM. DE VAUROUX, rte d'Avallon, BP 56, 89800 Chablis, tél. 03 86 42 10 37, maison.tricon@gmail.com V *r.-v.*

DOM. VOCORET ET FILS Les Clos 2017 ★

| 6592 | | 30 à 50 € |

Les Vocoret se succèdent depuis quatre générations. Installé dans les locaux de l'ancienne coopérative laitière de Chablis, leur domaine (38 ha) a pour originalité d'élever ses vins dans des foudres et des demi-muids. De grands contenants qui permettent d'arrondir le boisé.

«Une main de fer dans un gant de velours», note un dégustateur pour souligner la puissance et l'élégance de cette cuvée. Le nez, d'un abord fermé, libère des senteurs minérales et mentholées à l'aération. La bouche, ample et intense, s'ouvre sur le fruit mûr, soutenue par un boisé bien fondu et par une belle acidité. Longue garde assurée. 2023-2030

SCEA DOM. VOCORET ET FILS, 40, rte d'Auxerre, 89800 Chablis, tél. 03 86 42 12 53, contact@domainevocoret.com V *t.l.j. sf dim. 8h-12h 14h-18h; sam. 9h-12h30 14h-18h*

GUILLAUME VRIGNAUD Blanchot 2016 ★★

| 1060 | | 20 à 30 € |

Les Vrignaud ont planté leurs premières vignes en 1955. Ils ont débuté en 1999 la vente en bouteilles avec l'arrivée de Guillaume à la tête du domaine et de ses 27 ha de vignes.

Bien typé 2016, ce grand cru séduit d'emblée par ses senteurs complexes de fruits jaunes, relayées à l'aération par des nuances de beurre, d'épices et de caramel. Autant d'arômes qui imprègnent une bouche onctueuse et raffinée, avec une minéralité subtile qui donne la réplique à la matière. Un vin très harmonieux, élégant, droit et précis. 2023-2030

SARL GUILLAUME VRIGNAUD, 10, rue de Beauvoir, 89800 Fontenay-près-Chablis, tél. 03 86 42 15 69, guillaume@domaine-vrignaud.com V *r.-v.*

IRANCY

Superficie : 165 ha / Production : 6 800 hl

Ce petit vignoble situé à une quinzaine de kilomètres au sud d'Auxerre a vu sa notoriété confirmée, devenant AOC communale. Les vins d'Irancy ont acquis une réputation en rouge, grâce au césar (ou romain), cépage local datant peut-être du temps des Gaules. Ce dernier est assez capricieux; lorsqu'il a une production faible à normale, il imprime un caractère particulier au vin et, surtout, lui apporte un tanin permettant une très longue conservation. Lorsqu'il produit trop, il donne difficilement des vins de qualité; c'est la raison pour laquelle il n'a pas fait l'objet d'une obligation dans les cuvées. Le pinot noir, principal cépage de l'appellation, donne sur les coteaux d'Irancy un vin de qualité, très fruité, coloré. Les caractéristiques du terroir sont surtout liées à la situation topographique du vignoble, qui occupe essentiellement les pentes formant une cuvette au creux de laquelle se trouve le village. Le terroir déborde sur les deux communes voisines de Vincelotte et de Cravant, où les vins de la Côte de Palotte sont particulièrement réputés.

BARDET ET FILS 2017

| 2600 | | 8 à 11 € |

Les frères Bardet, Philippe et Michel, exploitent des vignes depuis 1991 à Préhy, mais leur caveau de dégustation est situé dans la petite cité de Noyers-sur-Serein. Leurs fils respectifs, Damien et Alexandre, ont rejoint le domaine familial de 9 ha, complété par une activité de négoce en 2009.

Habituée au chardonnay et au chablis, la famille Bardet a acheté du raisin pour vinifier sa première cuvée de pinot noir. Un élevage mixte (cuve et fût) pour obtenir ce vin charmeur mais encore un brin austère. Derrière le nez de fruits rouges et de réglisse, la bouche ne manque ni de matière ni de fraîcheur. Mieux vaut attendre que ce vin s'arrondisse. 2021-2024

SCEA DE LA BORDE, Ferme de la Borde, 89310 Noyers-sur-Serein, tél. 07 70 97 46 40, vins.bardet@free.fr V *r.-v.*

♥ B **DOM. J.-L. ET J.-C. BERSAN**
Cuvée Louis Bersan 2016 ★★★

| 2000 | | 15 à 20 € |

IRANCY
Cuvée Louis Bersan
DOMAINE BERSAN
Jean-Louis & Jean-Christophe

Le village de Saint-Bris, dans l'Yonne, compte plusieurs Bersan. Fondé en 2009 après une scission familiale, le domaine de Jean-Louis et Jean-Christophe compte 21 ha répartis sur les communes de Chablis, Irancy et Saint-Bris, exploités en bio (certifié depuis 2012).

Cette cuvée issue de vieilles vignes plantées par Louis Bersan, l'aïeul de la famille, est tout simplement exceptionnelle. Un vin élégant dans sa robe rubis, intense au nez, racé en bouche. À l'olfaction, la fraîcheur des fruits rouges est arrondie par un boisé bien fondu. Le palais offre un récital de saveurs (fruits noirs, réglisse, violette...) portées par des tanins fins et veloutés. Un irancy mêlant finesse et puissance : «irancy ou Côte de Nuits», s'interroge avec malice un dégustateur... 2021-2030

SCEA JEAN-LOUIS ET JEAN-CHRISTOPHE BERSAN, 20, rue du Dr-Tardieux, 89530 Saint-Bris-le-Vineux, tél. 03 86 53 33 73, jean-louis.bersan@wanadoo.fr V *r.-v.*

BENOÎT CANTIN
Cuvée Émeline Élevé en fût de chêne 2017 ★

| 13000 | | 11 à 15 € |

Établie depuis 1950 à Irancy, cette exploitation familiale est dédiée au pinot noir, en particulier à l'irancy. À sa tête depuis 1993, Benoît Cantin fait partie des valeurs sûres de l'appellation. Son domaine couvre 16 ha.

Coup de cœur avec une cuvée Palotte sur le millésime 2016, Benoît Cantin signe un bel irancy avec ce 2017. Un vin droit, tendu par l'acidité et bien équilibré. Le nez, fin, est dominé par le fruit (cerise) et titillé par les épices. La bouche apparaît ronde, ample, longue, étayée par des tanins fermes. ⧗ 2022-2027

⊶ *BENOÎT CANTIN, 35, chem. des Fossés, 89290 Irancy, tél. 03 86 42 21 96, cantin.benoit@orange.fr* V *r.-v.*

♥ MAISON DE LA CHAPELLE
Les Bâtardes 2017 ★★★

■ | 1040 | ◖◗ | 20 à 30 €

Un tout jeune négoce créé en 2015 par Delphine et Grégory Viennois. La première est issue d'une famille de vignerons et a travaillé dans de grandes maisons de Bourgogne. Le second, Bourguignon également et diplômé d'œnologie, présente un beau CV : il a appris le métier avec Nadine Gublin (Dom. Jacques Prieur) et Jean-Pierre de Smet (Dom. de l'Arlot), a vinifié au Ch. Smith-Haut-Lafitte, a été directeur technique de Michel Chapoutier et directeur général de Ferraton Père & Fils. Depuis 2011, il est directeur technique du Dom. Laroche à Chablis et suit comme consultant depuis 2006 la Quinta Do Monte d'Oiro au Portugal.

Cette jeune maison de négoce avait déjà obtenu un coup de cœur avec son premier millésime, un irancy 2014. Le plus dur est souvent de confirmer : c'est chose faite avec ces Bâtardes 2017, un vin de garde qui offre de la finesse et du caractère à tous les étages. À un très joli nez de fruits noirs agrémenté de notes épicées et végétales (bourgeon de cassis) fait écho une bouche ample et longue, tout en fruits, portée par une acidité et des tanins délicats. Quelle élégance! Quelle harmonie! ⧗ 2022-2030 ■ **Les Beaux Monts 2017 (20 à 30 €; 1200 b.)** : vin cité.

⊶ *SAS MAISON DE LA CHAPELLE, 24, rue du Serein, 89800 La Chapelle-Vaupelteigne, tél. 06 98 45 22 10, contact@vins-maisondelachapelle.fr* V *r.-v.*

DOM. COLINOT Cuvée Soufflot 2016 ★

■ | 3500 | ◖◗ | 15 à 20 €

Un domaine de référence à Irancy, étendu sur 14 ha en propre. Aux commandes, Anita Colinot et son chef de cave Thomas Carré, qui vinifie les lieux-dits les plus connus d'Irancy (Palotte, Les Mazelots, Côte du Moutier, Les Cailles, Boudardes...).

Une cuvée emblématique du domaine (coup de cœur avec les millésimes 2015, 2013 et 2012), référence à l'architecte Soufflot, créateur du Panthéon à Paris et aïeul des Colinot. La version 2016 est un vin bien charpenté, associant 10 % de césar au pinot noir. Explosive au nez avec ses fruits rouges teintés d'épices, elle se montre riche et puissante en bouche, tannique et très longue. ⧗ 2023-2030 ■ **Côte du Moutier 2016 ★ (15 à 20 €; 2000 b.)** : un vin puissant, au nez animal et fruité, à la bouche ample, vineuse, dense et tannique. Un irancy bâti pour la garde assurément. ⧗ 2024-2030 ■ **Les Mazelots 2016 ★ (15 à 20 €; n.c.)** : un nez élégant qui sent bon la violette et une bouche ronde, riche, bien équilibrée, d'une belle longueur pour cet irancy à oublier quelques années en cave. ⧗ 2022-2025 ■ **Palotte 2016 ★ (15 à 20 €; n.c.)** : un joli nez de fruits agrémenté de notes épicées et beaucoup de matière et de puissance en bouche. Un beau vin de garde, tout en force. ⧗ 2023-2030

⊶ *EARL ANITA ET JEAN-PIERRE COLINOT, 1, rue des Chariats, 89290 Irancy, tél. 03 86 42 33 25, earlcolinot@orange.fr* V *t.l.j. 8h30-19h; dim. sur r.-v.*

CLOTILDE DAVENNE 2016

■ | 1200 | ▮ | 15 à 20 €

Cette vigneronne œnologue a travaillé chez Jean-Marc Brocard avant de créer en 2005 son exploitation au sud de Chablis : une mosaïque de 24 ha plantés de tous les cépages bourguignons. Elle privilégie les élevages en cuve, quel que soit le cépage, pour préserver la subtilité du terroir. Une activité de négoce complète la gamme de vins issus de la Bourgogne septentrionale.

Cet irancy 2016 élevé en cuve est un classique de l'appellation avec son joli nez floral et fruité. Un fruit également bien présent dans une bouche aux tanins soyeux, prolongée par une finale acidulée. Agréable. ⧗ 2021-2024

⊶ *SARL CLOTILDE DAVENNE, 3, rue de Chantemerle, 89800 Préhy, tél. 03 86 41 46 05, serviceclient@clotildedavenne.fr* V *t.l.j. sf dim. 9h-12h 13h30-17h30* ❷

CHRISTOPHE FERRARI Plein sud 2016 ★★

■ | 9000 | ◖◗ | 20 à 30 €

À l'occasion des vendanges 1981, Christophe Ferrari a une révélation : il sera vigneron. Le temps de terminer ses études, il s'installe en 1987 à Irancy comme jeune viticulteur. Il exploite aujourd'hui 21 ha en irancy et en chablis, épaulé par ses fils James et Nicolas, arrivés respectivement en 2012 et 2013.

Une cuvée «miraculeuse», constituée d'un assemblage de toutes les vignes exposées plein sud ayant survécu aux gelées du printemps 2016. Miraculeuse mais aussi savoureuse : un vin très élégant avec son nez partagé entre les parfums de fleurs et de fruits rouges et avec sa bouche d'une belle longueur, alliant fraîcheur, finesse et rondeur, fruité et tanins soyeux. ⧗ 2021-2025

⊶ *EARL CHRISTOPHE FERRARI, 7, chem. des Fossés, 89290 Irancy, tél. 03 86 42 33 43, irancy.ferrari@orange.fr* V *t.l.j. sf dim. 8h-12h 14h-18h*

FRANCK GIVAUDIN La Bergère 2017 ★

■ | 4000 | ◖◗ | 15 à 20 €

Créé en 1963, ce domaine de 13 ha est installé à Irancy dans une maison vigneronne construite en 1783. Franck Givaudin a repris l'exploitation familiale en 1998. Il propose majoritairement des vins rouges de l'appellation communale au nom du village.

Une cuvée bien équilibrée qui ne manque ni d'élégance ni de caractère. Le nez se révèle très fin avec ses notes épicées et ses arômes de framboise et de violette. En bouche, l'attaque est ample et vive, les tanins sont fondus dans un ensemble bien structuré. Un vin soyeux et délicat. ⧗ 2021-2025

⊶ *EARL GIVAUDIN, sentier de la Bergère, 89290 Irancy,*
tél. 06 86 72 71 70, franck.givaudin@wanadoo.fr
t.l.j. sf dim. 8h-12h30 14h-19h

DOM. DE MAUPERTHUIS
Palotte 2017 ★★★

■ | 1000 | | 15 à 20 €

Installés en Tonnerrois depuis 1992, Laurent et Marie-Noëlle Ternynck conduisent un vignoble de 14 ha. Ils signent des vins très souvent en bonne place dans le Guide, notamment en appellations régionales.

Qu'il est beau, ce Palotte, avec sa robe pourpre aux reflets noirs. Qu'il est élégant avec son nez de fruits noirs (cassis, cerise noire) agrémentés de subtiles notes épicées. Qu'il est délicat en bouche avec ses tanins fins et arrondis qui soutiennent le fruit rouge jusqu'en finale. Puissant et gourmand à la fois, ce vin est un régal pour le palais. ⧗ 2022-2030

⊶ *EARL MAUPERTHUIS,*
3, Grande-Rue-de-Chablis, 89800 Préhy,
tél. 03 86 41 42 70, ternynck@hotmail.com
r.-v.

Ⓑ GABIN ET FÉLIX RICHOUX 2016 ★★

■ | 12000 | | 11 à 15 €

Cette famille de vignerons est établie à Irancy depuis le XVIe s. Elle a misé sur la viticulture dès le milieu des années 1970. Gabin et Félix, les deux enfants de Thierry et Corine Richoux, ont pris les rênes du domaine en 2015, avec à leur disposition un vignoble de 22,5 ha converti au bio (certifié) et à la biodynamie (non certifiée).

Une superbe cuvée qui est passée tout près du coup de cœur. Ample, généreuse, très longue, elle investit tout le palais. Le nez se fait séducteur à travers une large palette aromatique qui évoque les fruits rouges (griotte, framboise) et les épices. En bouche, on croque dans le fruit avec gourmandise et délicatesse. Un équilibre parfait et beaucoup de finesse. « Attention, c'est très bon », prévient un dégustateur... ⧗ 2022-2025

⊶ *EARL RICHOUX, 73, rue Soufflot, 89290 Irancy,*
tél. 03 86 42 21 60, irancy.richoux@orange.fr
t.l.j. sf dim. 9h-12h 14h-18h

♥ DOM. VERRET Palotte 2016 ★★★

■ | 3500 | | 20 à 30 €

La famille Verret cultive la vigne depuis deux siècles et demi dans l'Yonne. Pionnier dans le vignoble de l'Auxerrois pour la mise en bouteilles et la commercialisation directe pratiquées dès les années 1950, ce vaste domaine (60 ha) demeuré familial fréquente très régulièrement les pages du Guide, notamment pour ses irancy, saint-bris, bourgogne-côtes d'Auxerre et bourgogne-aligoté.

Le domaine Verret atteint les sommets avec ce Palotte 2016. « Un vin génial, tout y est : finesse, structure, élégance », note avec enthousiasme un dégustateur. Le nez, intense, mêle des parfums de fleurs (rose, violette) aux fruits rouges. Harmonieuse, très longue, ample et charnue, adossée à des tanins délicats et soyeux, la bouche associe finesse et richesse. On peut bien sûr garder cette bouteille précieusement en cave, mais aussi jouer les impatients... ⧗ 2021-2030 ■ **Les Mazelots 2017 ★★ (15 à 20 €; 4000 b.)** : une cuvée d'une grande finesse. Au nez, des nuances minérales accompagnent le fruit. La bouche, gourmande et généreuse à souhait, est riche en fruits mûrs, pour finir en beauté sur les épices. ⧗ 2021-2027

⊶ *GAEC DOM. VERRET,*
14, rte de Champs, 89530 Saint-Bris-le-Vineux,
tél. 03 86 53 31 81, dverret@domaineverret.com
t.l.j. sf dim. 9h-12h 14h-18h

SAINT-BRIS

Superficie : 133 ha / Production : 7 950 hl

VDQS (1974) puis AOC (2001), les saint-bris proviennent essentiellement de la commune du même nom. L'appellation est réservée au sauvignon. Ce cépage est surtout planté sur les plateaux calcaires, où il atteint toute sa puissance aromatique. Contrairement aux vins de sauvignon de la vallée de la Loire ou du Sancerrois, le saint-bris fait généralement sa fermentation malolactique, ce qui lui confère une certaine souplesse.

DOM. SORIN DE FRANCE 2018 ★

□ | 20000 | | 5 à 8 €

Les Sorin exploitent la vigne depuis 1577. Jean-Michel Sorin et son épouse Madeleine de France, installés depuis 1965 sur le domaine familial, ont passé le relais à leurs deux fils jusqu'en 2015 et la reprise par la troisième génération (Maude et son frère Sébastien), à la tête aujourd'hui de 45 ha de vignes.

Encore bien jeune mais très élégant, ce sauvignon « bercé » pendant sept mois en cuve. Les fruits exotiques (mangue, fruit de la Passion) envahissent le nez. À la fois fraîche et généreuse, la bouche confirme ce fruité délicieux et s'achève sur une belle acidité. Un vin harmonieux que l'on peut d'ores et déjà apprécier. ⧗ 2019-2022

⊶ *SCEV DOM. SORIN DE FRANCE,*
11 bis, rue de Paris, 89530 Saint-Bris-le-Vineux,
tél. 03 86 53 32 99, sorin@domainesorindefrance.com
t.l.j. 9h-12h 14h-18h

CAVE DE LA TOURELLE 2017 ★

□ | 2000 | | 8 à 11 €

Un domaine de 26 ha dans la même famille depuis cinq générations. Olivier Esclavy y est aux commandes depuis 2001. Il produit du saint-bris, du bourgogne-aligoté, du bourgogne-côtes d'Auxerre et du crémant.

Les agrumes constituent la trame gustative de cette cuvée très typée sauvignon. Au nez exotique assorti de notes florales succède une bouche bien équilibrée, fruitée, soulignée par une acidité stimulante. Une belle tension pour ce vin très plaisant. ⧗ 2019-2022

EARL CAVE DE LA TOURELLE, 27, rue de Gouaix, 89530 Saint-Bris-le-Vineux, tél. 03 86 53 32 56, contact@cavedelatourelle.com V r.-v.

DOM. VERRET 2017 ★

	25 000		8 à 11 €

La famille Verret cultive la vigne depuis deux siècles et demi dans l'Yonne. Pionnier dans le vignoble de l'Auxerrois pour la mise en bouteilles et la commercialisation directe pratiquées dès les années 1950, ce vaste domaine (60 ha) demeuré familial fréquente très régulièrement les pages du Guide, notamment pour ses irancy, saint-bris, bourgogne-côtes d'Auxerre et bourgogne-aligoté.

Un vin bien dans le ton de l'appellation avec ses senteurs exotiques et ses parfums délicats de fleurs blanches. Souple et fraîche en attaque, sur des notes minérales, la bouche s'arrondit autour du fruit (pamplemousse, litchi) et déploie, en finale, une belle acidité. Un vin franc et vif. 2019-2022

GAEC DOM. VERRET, 14, rte de Champs, 89530 Saint-Bris-le-Vineux, tél. 03 86 53 31 81, dverret@domaineverret.com V *t.l.j. sf dim. 9h-12h 14h-18h*

LA CÔTE DE NUITS

La Côte de Nuits s'allonge jusqu'au Clos des Langres, sur la commune de Corgoloin. C'est une côte étroite (quelques centaines de mètres seulement), coupée de combes de style alpestre avec des bois et des rochers, soumise aux vents froids et secs. Elle compte vingt-neuf appellations, avec des villages aux noms prestigieux : Gevrey-Chambertin, Chambolle-Musigny, Vosne-Romanée, Nuits-Saint-Georges... Les 1ers crus et les grands crus (chambertin, clos-de-la-roche, musigny, clos-de-vougeot) se situent à une altitude comprise entre 240 et 320 m. C'est dans ce secteur que l'on trouve les plus nombreux affleurements de marnes calcaires, au milieu d'éboulis variés; les vins rouges les plus structurés de toute la Bourgogne, aptes aux plus longues gardes, en sont issus.

BOURGOGNE-HAUTES-CÔTES-DE-NUITS

Superficie : 657 ha
Production : 28 750 hl (80 % rouge)

L'appellation s'applique à des vins rouges, rosés et blancs nés dans 16 communes de l'arrière-pays, ainsi que sur les parties de communes situées au-dessus des appellations communales et des crus de la Côte de Nuits. Cette production a augmenté notablement depuis 1970, date avant laquelle ce secteur proposait des vins plus régionaux, bourgogne-aligoté essentiellement. C'est à cette époque que des terrains, plantés avant le phylloxéra, ont été reconquis. La reconstitution du vignoble s'est accompagnée d'un effort touristique, avec en particulier la construction d'une Maison des Hautes-Côtes où l'on peut découvrir les productions locales – dont les liqueurs de cassis et de framboise.
Les coteaux les mieux exposés donnent certaines années des vins qui peuvent rivaliser avec des parcelles de la Côte, notamment en blanc : le chardonnay, d'un millésime à l'autre, donne des vins d'une meilleure régularité que le pinot noir.

YVES BAZIN Vieilli en fût de chêne 2016 ★

	6 500		11 à 15 €

Installé à Villars-Fontaine, au cœur des Hautes-Côtes de Nuits, Yves Bazin a repris en 1982 l'exploitation familiale alors dédiée à la culture des petits fruits et des céréales qu'il a planté entièrement en vigne : près de 12 ha aujourd'hui, exploités avec son épouse. Madeline, l'une de ses filles, travaille depuis 2013 au domaine.

Le domaine ne fait pas les choses à moitié : un élevage en fût de chêne à 60 % neuf pendant vingt-quatre mois. Des options dignes d'un grand cru. Le fruit n'en est pas pour autant masqué et fait même preuve d'une certaine fraîcheur. La bouche apparaît équilibrée, ample, serrée, profonde. À garder. 2023-2030

EARL DOM. YVES BAZIN PÈRE ET FILLE, 2, rte de la Côte-de-Nuits, 21700 Villars-Fontaine, tél. 03 80 61 35 25, contact@domaine-bazin.fr V *t.l.j. sf dim. 9h-12h 14h-18h30*

DOM. BONNARDOT 2017

	5 300		8 à 11 €

Un domaine de 21 ha situé à Villers-la-Faye, charmant petit village au cœur des Hautes-Côtes de Nuits. Quatre générations de vignerons s'y sont succédé. Danièle Bonnardot a pris la suite fin 2008.

De jeunes chardonnays et un peu de pinot beurot, un assemblage peu courant en Bourgogne qui donne ici une cuvée ouverte sur les fruits jaunes frais et la fleur d'acacia au nez, acidulée, minérale et de bonne longueur en bouche. 2020-2023

EARL DOM. BONNARDOT, 1, rue de l'Ancienne-Cure, 21700 Villers-la-Faye, tél. 03 80 62 91 27, domaine.bonnardot@wanadoo.fr V *t.l.j. 9h-12h 14h-18h; dim. sur r.-v.; f. 10-16 août*

ARNAUD BOUÉ 2017 ★

	1 100		11 à 15 €

Arnaud Boué a fondé son négoce en 2018 à partir d'un financement participatif. Il achète des raisins auprès d'un petit nombre de fournisseurs fidèles « incités à produire selon un cahier des charges bio et biodynamique ». Une activité qu'il mène sur la Côte de Nuits et le nord de la Côte de Beaune.

Vinification en cuve Inox puis élevage en fût pour ce hautes-côtes-de-nuits qui demande un peu d'aération pour s'ouvrir sur les agrumes et les fruits blancs. Après une attaque souple, la bouche se déploie avec persistance et équilibre entre rondeur et acidité. Jolie finale épicée. 2020-2023

SAS ARNAUD BOUÉ, 6, rue du Château, 21700 Villers-la-Faye, tél. 06 77 99 45 26, boue.arnaud@wanadoo.fr V r.-v.

La Côte de Nuits

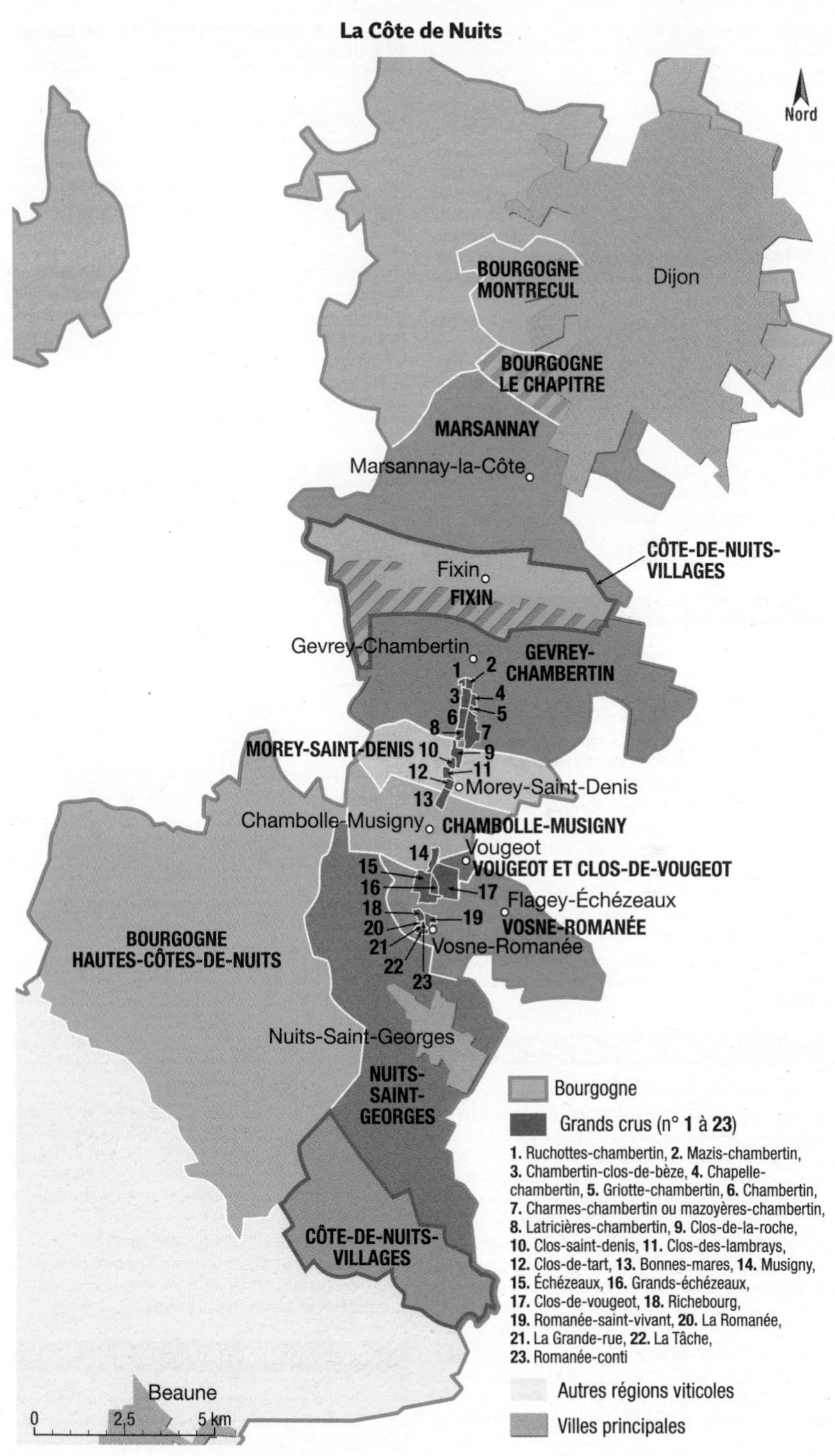

♥ DOM. CORNU-CAMUS 2017 ★★

■ | 9000 | | 8 à 11 €

Un domaine de 12 ha créé par Pierre Cornu et sa femme Bernadette Camus en 1981. Après un master en biologie et un BTS en viticulture-œnologie, leur fille Lydia est devenue cogérante en 2008. Christophe Pertuzot, le mari de cette dernière, a rejoint l'exploitation familiale en 2009.

Des pinots noirs de quarante ans plantés sur environ un hectare généreusement abreuvé de soleil au cours de ce millésime 2017 : de quoi obtenir un hautes-côtes-de-nuits intense et expressif au nez. On y trouve de la cerise et de la framboise avec netteté. Les tanins fondent en bouche au côté d'un fruité soutenu, relevé de notes empyreumatiques et d'épices. On apprécie aussi le volume et la longueur de ce vin bien sous tous les angles. ⧗ 2022-2027

EARL PIERRE CORNU-CAMUS, 2, rue Varlot, 21420 Échevronne, tél. 03 80 21 57 23, pierre@domainecornucamus.fr V *r.-v.*

DOM. CRUCHANDEAU Les Valançons 2017 ★

■ | 3000 | | 11 à 15 €

Julien Cruchandeau, originaire de Chenôve, a longtemps eu deux vies : viticulteur donc, et musicien jusqu'en 2010, avant de se consacrer pleinement à son domaine créé en 2003 : 7 ha répartis sur les trois Côtes (de Beaune, de Nuits et chalonnaise).

Un lieu-dit de la commune de Chevannes, qui domine l'appellation et que les lecteurs du Guide ont maintenant l'habitude de retrouver. Julien Cruchandeau a opté pour une vinification à 30 % en vendanges entières et des macérations longues. Le vin, fin, élégant, frais et long, est une belle réussite. Il évoque des arômes de graphite et de fleurs blanches. ⧗ 2020-2025 ■ **Les Cabottes 2017 (11 à 15 €; 8000 b.)** : vin cité.

JULIEN CRUCHANDEAU, 2, rue Robert, 21700 Chaux, tél. 06 74 85 79 62, contact@domaine-cruchandeau.com V *r.-v.*

RAPHAËL DUBOIS 2017 ★

■ | 5600 | | 11 à 15 €

Raphaël Dubois a créé en 2000 une petite société de négoce qui permet d'étoffer la gamme présentée par le domaine familial (R. Dubois et Fils) où il officie avec sa sœur Béatrice. Au départ, seules les appellations chambolle-musigny et vosne-romanée étaient proposées. La société s'est ensuite diversifiée afin d'avoir une gamme plus représentative de la Bourgogne.

Coup de cœur l'année dernière avec son blanc 2016, Raphaël Dubois ajoute une étoile à son palmarès avec un 2017 qui joue la carte de l'exotisme, de l'ampleur et de la longueur, et qui évoque l'ananas confit et la gelée de coing. Un ensemble agréable dès aujourd'hui. ⧗ 2019-2023

RAPHAËL DUBOIS, 24, rue de la Courtavaux, 21700 Premeaux-Prissey, tél. 03 80 62 30 61, rdubois@wanadoo.fr V *t.l.j. 9h-11h30 14h-17h30; dim. sur r.-v.*

DOM. GUY ET YVAN DUFOULEUR
La Réserve de Cyprien 2017 ★

■ | 5000 | | 15 à 20 €

Les Dufouleur perpétuent une tradition vigneronne qui remonte à la fin du XVIes. Le domaine actuel est né de la fusion en 2007 de deux domaines familiaux. Guy Dufouleur étant décédé, le vignoble (28 ha) est aujourd'hui dirigé par son fils aîné Yvan, épaulé à la gérance par Xavier, frère de Guy.

Une cuvaison longue (trois semaines) et un élevage d'un an en fût ont permis aux Dufouleur d'obtenir un vin fruité (framboise, mûre), finement boisé, ample, généreux et d'une belle longueur, étayé par des tanins fondus. ⧗ 2022-2025

SCEA DOM. GUY ET YVAN DUFOULEUR, 15, rue Thurot, BP 80138, 21700 Nuits-Saint-Georges, tél. 03 80 61 09 35, gaelle.dufouleur@21700-nuits.com V *t.l.j. sf dim. 9h30-12h30 14h-18h30*

DOM. DOMINIQUE GUYON
Les Dames de Vergy 2017 ★

■ | 25000 | | 15 à 20 €

Dominique Guyon a de la ressource dans les Hautes-Côtes. Cela remonte aux années 1970, alors qu'il cherche à compléter la gamme du domaine familial, il repère à Meuilley un coteau en friche exposé au plein sud. Après bien des efforts, il réussit à fusionner 350 parcelles pour créer un vignoble de 23 ha d'un seul tenant…

Un vin qui a connu un élevage mixte, cuve et fût, pendant douze mois. Un choix qui explique pour partie sa spontanéité aromatique sur le fruit (cerise et framboise notamment). La bouche est un peu plus austère, mais témoigne d'une bonne profondeur. ⧗ 2021-2024

EARL DOM. DOMINIQUE GUYON, 21420 Savigny-lès-Beaune, tél. 03 80 67 13 24, domaine@guyon-bourgogne.com V *r.-v.*

CH. DE LABORDE K 2017

■ | 2230 | | 11 à 15 €

Après avoir vécu au Canada, Hervé Kerlann a acheté le Ch. de Laborde aux Hospices de Beaune en 1998. Il y élève et vinifie patiemment ses vins, en bonne partie produits à partir d'un vignoble qu'il exploite directement. Le château, datant de plus de trois siècles, renoue ainsi avec son passé viticole.

La cuvée K, comme Kerlann bien sûr, est maintenant bien connue des lecteurs du Guide; elle fut même coup de cœur dans sa version 2013. Le millésime 2017 s'exprime sur des notes de pêche blanche, de menthol et de raisin de muscat. La bouche se montre gourmande tout en étant tenue par une bonne acidité. ⧗ 2020-2023

SAS DIRECT DOMAINES DISTRIBUTION (HERVÉ KERLANN), Ch. de Laborde, 1, rte de Géanges, 21200 Meursanges, tél. 03 80 26 59 68, contact@herve-kerlann.com V *r.-v.*

DOM. GUILLAUME LEGOU L'Hermitage 2017

■ | 3366 | | 11 à 15 €

Après plusieurs années passées en Côte de Nuits et en Côte de Beaune pour perfectionner ses connaissances

acquises au lycée viticole de Beaune, Guillaume Legou a racheté une première parcelle de vignes en 2012. Il est aujourd'hui à la tête de 8 ha.

Un vin qui se distingue par son harmonie et son équilibre. Sans faire preuve d'une concentration superlative, il montre des qualités de longueur et de complexité aromatique, sur les fruits sauvages, qui en font un hautes-côtes agréable à déguster dans les toutes prochaines années. ⧗ 2020-2023

GUILLAUME LEGOU, ZA La Petite-Champagne, 21640 Gilly-lès-Cîteaux, tél. 06 12 54 20 39, domaineguillaumelegou@gmail.com V r.-v.

MANUEL OLIVIER Vieilles Vignes 2017 ★

■ | 11406 | | 11 à 15 €

Installé en 1990, Manuel Olivier, fils d'agriculteurs, a commencé par cultiver les vignes et petits fruits dans les Hautes-Côtes de Nuits. Aujourd'hui spécialisé en viticulture, il exploite un vignoble de 11 ha, complété depuis 2007 par une structure de négoce qui lui a permis de mettre un pied en Côte de Beaune.

Le nez de ce joli hautes-côtes évoque la cerise, la fraise et le cassis relevés de nuances épicées. En bouche, on découvre un vin doté d'une structure dense, construite sur des tanins solides, une trame tannique sérieuse soutenue par une belle fraîcheur qui lui assure un bon potentiel de garde. ⧗ 2023-2025

SARL MANUEL OLIVIER, 7, rue des Grandes-Vignes, hameau de Corboin, 21700 Nuits-Saint-Georges, tél. 03 80 62 39 33, contact@domaine-olivier.com V *t.l.j. sf dim. 9h-12h 14h-19h*

DOM. GUY SIMON ET FILS Élevé en fût de chêne 2016 ★

■ | 3500 | | 5 à 8 €

Guy Simon fut l'un des pionniers de la renaissance des Hautes-Côtes vitivinicoles, avec l'âme chevillée au corps et une épouse partageant cette passion. Le domaine compte aujourd'hui 18 ha et la relève est assurée.

Un vin à la structure fine et délicate qui ravira les amateurs de pinot noir digeste, harmonieux. Il déploie une belle complexité aromatique, avec des nuances florales et de fruits rouges. Un vin accessible dès aujourd'hui mais qui pourra aussi se garder quelques années. ⧗ 2020-2023 ■ **2016 ★ (8 à 11 €; 1400 b.)** : issue d'un élevage en fûts, dont 10 % neufs, cette cuvée a conservé une belle pureté aromatique sur des notes de fleurs blanches, de pêche et de poire. La bouche, tonique et citronnée, s'inscrit dans cette fraîche harmonie. ⧗ 2021-2023 ■ **Les Dames Huguette 2016 (8 à 11 €; 1700 b.)** : vin cité.

SCEA GUY SIMON ET FILS, 41, Grande-Rue, 21700 Marey-lès-Fussey, tél. 03 80 62 91 85, guysimonetfils@orange.fr V r.-v.

DOM. THÉVENOT-LE BRUN 2017

■ | 11500 | | 8 à 11 €

Un vaste domaine de 28 ha au cœur des Hautes-Côtes de Nuits, créé en 1960 par Maurice Thévenot-Le Brun, l'un des pères fondateurs des hautes-côtes modernes. À sa tête depuis 2010, son petit-fils Nicolas, qui a succédé à son père Daniel et à son oncle Jean.

Rareté pour un blanc de Bourgogne, ce n'est pas ici le chardonnay ou même l'aligoté qui jouent les premiers rôles, mais le pinot blanc (à 70 % dans cette cuvée, aux côtés du chardonnay). Le nez s'exprime sur un mélange d'agrumes et de fruits blancs. Après une attaque en souplesse, la bouche fait preuve d'équilibre et de légèreté. ⧗ 2019-2022

SCEV DOM. THÉVENOT-LE BRUN, 36, Grande-Rue, 21700 Marey-lès-Fussey, tél. 03 80 62 91 64, thevenot-le-brun@wanadoo.fr V r.-v.

MARSANNAY

Superficie : 227 ha
Production : 9 650 hl (85 % rouge et rosé)

Les géographes discutent encore sur les limites nord de la Côte de Nuits car, au XIXᵉs., un vignoble couvrant les communes situées de part et d'autre de Dijon constituait la Côte dijonnaise. Aujourd'hui, à l'exception de quelques vestiges comme les Marcs d'Or et les Montreculs, l'urbanisation a chassé les ceps de Dijon et de la commune voisine de Chenôve. Marsannay, puis Couchey ont longtemps approvisionné la ville de grands ordinaires et manqué en 1935 le coche des AOC communales. Petit à petit, les viticulteurs ont replanté ces terroirs en pinot, et la tradition du rosé – vendu sous l'appellation « bourgogne rosé de Marsannay » – s'est développée. Puis ils ont de nouveau proposé des vins rouges et blancs comme avant le phylloxéra et, après plus de vingt-cinq ans d'efforts et d'enquêtes, l'AOC marsannay a été reconnue en 1987.

L'appellation se décline en « marsannay rosé » et « marsannay » (vins rouges et vins blancs). Le rosé peut être produit sur une aire plus extensive, dans le piémont sur les graves, tandis que rouges et blancs doivent provenir uniquement du coteau des trois communes de Chenôve, Marsannay-la-Côte et Couchey.

Les marsannay rouges sont charnus, un peu sévères dans leur jeunesse; il faut les attendre quelques années. Peu répandus dans la Côte de Nuits, les vins blancs sont ici particulièrement recherchés pour leur finesse et leur solidité. Il est vrai que le chardonnay, mais aussi le pinot blanc, trouvent dans des niveaux marneux propices leur terroir d'élection.

DOM. CHARLES AUDOIN Les Longeroies 2016

■ | 3800 | | 20 à 30 €

Cyril Audoin (cinquième génération) a repris en 2008 le domaine familial, après des stages à Petrus (Pomerol), puis en Californie. Le vignoble couvre 14 ha, dont 12 ha plantés dans le village d'élection du domaine : Marsannay. Il est en conversion à la viticulture biologique.

De vieux pinots noirs (soixante-cinq ans) sur 1,5 ha de ce beau terroir de Marsannay ont donné un 2016 équilibré, structuré, mais qui reste sur la réserve aujourd'hui, tout en exprimant des notes poivrées et fruitées. ⧗ 2023-2027

EARL DOM. CHARLES AUDOIN, 7, rue de la Boulotte, 21160 Marsannay-la-Côte, tél. 03 80 52 34 24, contact@domaine-audoin.fr V r.-v.

♥ DOM. RÉGIS BOUVIER Clos du Roy 2017 ★★

■	2000	◍	15 à 20 €

Régis Bouvier a fondé ce domaine en 1981 (2 ha au départ, 15 ha aujourd'hui), étendu de Marsannay, son fief, dont il défend les couleurs avec brio, à Morey, en passant par Fixin et Gevrey. Une activité de négoce lui permet de compléter sa gamme.

Un blanc en Côte de Nuits n'est pas chose courante. Sauf à Marsannay. Avec 20 % de la production environ, le chardonnay a acquis depuis quelques temps déjà ses lettres de noblesse dans le village. Cette cuvée d'une belle complexité florale et fruitée (fruits blancs) le confirme. La bouche se révèle intense, ample, ronde, persistante. ⧗ 2020-2025 ■ **Longeroies 2017 ★ (15 à 20 €; 2000 b.)** : cette cuvée a connu un élevage de douze mois en fût. Des notes grillées viennent s'ajouter à des arômes de fruits jaunes mûrs. Une matière riche emplit le palais. Une nouvelle illustration de la maîtrise de la famille Bouvier sur les blancs de l'appellation. ⧗ 2021-2025

RÉGIS BOUVIER, 52, rue de Mazy, 21160 Marsannay-la-Côte, tél. 03 80 51 33 93, dom.reg.bouvier@hotmail.fr V r.-v.

DOM. COLLOTTE 2017 ★

■	n.c.	◍	15 à 20 €

Depuis l'âge de seize ans, l'autodidacte Philippe Collotte insuffle son énergie au domaine familial, épaulé depuis 2014 par sa fille Isabelle. Une exploitation qui a bien grandi : les 3 ha d'origine (1981) sont passés à 14,5 aujourd'hui. Ses vins sont régulièrement au rendez-vous du Guide, notamment ceux de son fief d'origine, Marsannay, mais aussi ses fixin et ses chambolle-musigny.

Philippe Collotte a utilisé à parts égales le fût et la cuve pendant dix mois pour obtenir un vin fin sur le plan aromatique, qui mêle le fruité et le floral. La bouche est ample, expressive et mise en relief par une bonne acidité. ⧗ 2020-2023 ■ **Les Boivins 2017 ★ (15 à 20 €; n.c.)** : le pinot noir ne craint pas la comparaison avec le chardonnay au domaine. Il faut un peu d'aération à ce 2017 pour révéler de belles notes de fruits noirs et d'épices. Un matière enveloppante prend place au palais avant une finale plus serrée et tannique. Du potentiel. ⧗ 2025-2030 ■ **Le Clos de Jeu 2017 (15 à 20 €; n.c.)** : vin cité. ■ **Champsalomon 2017 (15 à 20 €; n.c.)** : vin cité.

EARL COLLOTTE, 44, rue de Mazy, 21160 Marsannay-la-Côte, tél. 03 80 52 24 34, domaine.collotte@orange.fr V r.-v.

DOM. FOUGERAY DE BEAUCLAIR Les Saints-Jacques 2017 ★

■	1500	▮	20 à 30 €

Jean-Louis Fougeray a créé en 1986 ce domaine, dont le nom associe celui de sa femme, née Beauvais, et celui de son ami vigneron Bernard Clair. Le vignoble, aujourd'hui 17 ha, a été repris avec talent par son gendre Patrice Ollivier en 1999.

Un terroir situé en haut de coteau, au-dessus du Clos de Jeu. Au nez, les fruits rouges à maturité sont agrémentés d'une touche boisée. Le palais présente une belle consistance, une bonne longueur et des tanins fins et soyeux. ⧗ 2023-2027

SARL DOM. FOUGERAY DE BEAUCLAIR, 44, rue de Mazy, 21160 Marsannay-la-Côte, tél. 03 80 52 21 12, fougeraydebeauclair@wanadoo.fr V t.l.j. sf. ven. sam. dim. 9h-11h30 14h-17h

ALAIN GUYARD Charme aux Prêtres 2016 ★

■	2975	◍	15 à 20 €

Un domaine familial créé en 1900 par les grands-parents pépiniéristes après la crise phylloxérique. Souvent en vue pour ses marsannay et ses fixin, Alain Guyard s'est installé en 1981 et conduit aujourd'hui un vignoble de 8,5 ha.

Élevé longuement en fût (vingt mois), ce marsannay issu d'un terroir situé juste au-dessus du village dévoile une solide charpente en bouche. Rien pour autant d'agressif, il conserve même une touche de suavité. Quant aux arômes, ils évoquent les fruits rouges mâtinés de notes boisées-vanillées. Un joli vin de garde. ⧗ 2024-2030 ■ **Les Étales 2017 (11 à 15 €; 3358 b.)** : vin cité.

DOM. ALAIN GUYARD, 10, rue du Puits-de-Têt, 21160 Marsannay-la-Côte, tél. 06 17 58 98 69, domaine.guyard@orange.fr V r.-v.

OLIVIER GUYOT La Montagne 2017

■	6000	◍	20 à 30 €

Olivier Guyot a repris le domaine familial en 1990. Il exploite 16 ha répartis en de nombreuses petites parcelles, dans la partie nord de la Côte de Nuits, entre Marsannay et Gevrey. Son fils David l'a rejoint en 2018.

Un vin un peu austère aujourd'hui, mais qui conserve un caractère agréable par son ampleur et sa longueur. Des notes de fruits rouges et noirs s'associent à une touche vanillée pour constituer une bonne complexité aromatique. ⧗ 2022-2025 ■ **Les Longeroies 2017 (20 à 30 €; 6000 b.)** : vin cité.

EARL OLIVIER GUYOT, 39, rue de Mazy, 21160 Marsannay-la-Côte, tél. 03 80 52 39 71, contact@domaineguyot.fr V r.-v.

HUGUENOT Champs-Perdrix 2017 ★

■	14000	◍	20 à 30 €

Depuis 1790, dix générations se sont succédé sur ce domaine de 21 ha, réputé pour ses marsannay, ses gevrey et ses fixin. Philippe Huguenot a pris la suite de son père Jean-Louis en 1996, et lancé la conversion bio de son vignoble.

Philippe Huguenot laisse volontiers le temps à ses vins de donner leur pleine mesure : des cuvaisons de trois à quatre semaines et un élevage de quinze mois. Une option qui réussit parfaitement à ce marsannay aux tanins ronds et d'une belle longueur, plus tannique dans sa finale. Quant au boisé présent au nez, il n'empêche pas les fruits rouges bien mûrs de se livrer. À encaver. ⧗ 2024-2030

SCEA HUGUENOT PÈRE ET FILS, 7, ruelle du Carron, 21160 Marsannay-la-Côte, tél. 03 80 52 11 56, contact@domainehuguenot.com V r.-v.

DOM. ALAIN JEANNIARD 2016

■ | n.c. | 20 à 30 €

Après une carrière dans l'industrie, Alain Jeanniard est revenu à ses racines vigneronnes (qui remontent au XVIII[e]s.) pour reprendre en 2000 le domaine de Morey : 0,5 ha à l'époque, 4,5 ha aujourd'hui. Il a également créé une affaire de négoce en 2003.

Un vin qui conjugue une belle finesse et une structure ample. Avec ses notes subtiles et vives de fruits rouges, le nez «pinote» bien. L'ensemble est équilibré et convaincra les amateurs de ce millésime aux proportions harmonieuses. ⧗ 2022-2025

DOM. ALAIN JEANNIARD, 4, rue aux Loups, 21220 Morey-Saint-Denis, tél. 03 80 58 53 49, domaine.ajeanniard@wanadoo.fr V r.-v.

CH. DE MARSANNAY Grasses Têtes 2017 ★★

■ | 1150 | | 20 à 30 €

Le domaine du Ch. de Marsannay s'étend sur près de 40 ha. Il est présent aussi bien en appellations *villages*, 1ers crus que grands crus de la Côte de Nuits. Il appartient depuis 2012 à la famille Halley, également propriétaire du Ch. de Meursault. De nombreux investissements qualitatifs ont été menés.

Le château a opté pour une vinification pour partie en vendanges entières. Un choix couronné de succès dans ce millésime qui a atteint de bons niveaux de maturité. Au nez, un boisé épicé vient soutenir un fruité flatteur sans le dénaturer. La bouche se montre ample, puissante sans excès, soutenue par des tanins soyeux. La longueur est aussi au rendez-vous. Une bouteille pour la garde. ⧗ 2023-2030 ■ **Longeroies 2017 ★ (20 à 30 €; 4000 b.)** : un hectare de pinots noirs âgés de trente-cinq ans, un joli terroir et une vinification soignée, il n'en faut pas davantage pour obtenir une belle cuvée de la Côte de Nuits. Un vin intense, sur des nuances épicées et des notes de cassis et de mûre, au palais bien équilibré entre bois et tanins. Il vieillira bien. ⧗ 2023-2030 ■ **Clos de Jeu 2017 (20 à 30 €; 8800 b.)** : vin cité. ■ **Échezots 2017 (20 à 30 €; 8700 b.)** : vin cité.

SC DOM. DU CH. DE MARSANNAY, 2, rue des Vignes, 21160 Marsannay-la-Côte, tél. 03 80 51 71 11, domaine@chateau-marsannay.com V *t.l.j. 10h-18h30; f. janv.*

Ⓑ DOM. DU VIEUX COLLÈGE Les Recilles 2017

■ | 30000 | | 15 à 20 €

Installé en 2006 sur le domaine familial, Éric Guyard exploite 25 ha en bio. Le domaine s'étend sur les communes de Marsannay, Fixin et Gevrey-Chambertin. Le respect de l'expression des terroirs a conduit le vigneron à multiplier les cuvées parcellaires afin d'illustrer leur grande diversité.

Un vin qui s'ouvre sur les fruits noirs, les épices et une touche de boisé fumé. Les tanins sont bien en place en bouche, d'autant qu'une pointe d'acidité les raffermit. L'ensemble ne manque pas de charme pour autant, ni de longueur. À attendre. ⧗ 2023-2030 ■ **Les Vignes Marie 2017 (15 à 20 €; 18000 b.)** Ⓑ : vin cité.

EARL DOM. DU VIEUX COLLÈGE, 4, rue du Vieux-Collège, 21160 Marsannay-la-Côte, tél. 03 80 52 12 43, contact@domaineduvieuxcollege.com V r.-v.

FIXIN

Superficie : 95 ha
Production : 3 960 hl (95 % rouge)

Après avoir admiré les pressoirs des ducs de Bourgogne à Chenôve et dégusté le marsannay, on rencontre Fixin, qui donne son nom à une AOC où l'on produit surtout des vins rouges. Les fixin sont solides, charpentés, souvent tanniques et de bonne garde. Ils peuvent également revendiquer, au choix, à la récolte, l'appellation côte-de-nuits-villages.
Les *climats* Hervelets, Arvelets, Clos du Chapitre et Clos Napoléon, tous classés en 1ers crus, sont parmi les plus réputés, mais c'est le Clos de la Perrière qui en est le chef de file puisqu'il a même été qualifié de «cuvée hors classe» par d'éminents écrivains bourguignons et comparé au chambertin; ce clos déborde un tout petit peu sur la commune de Brochon. Autre lieu-dit : Le Meix-Bas.

DOM. BERTHAUT-GERBET Les Arvelets 2017 ★

■ 1er cru | 2400 | | 30 à 50 €

En 2013, Amélie Berthaut a repris les vignes paternelles (Denis Berthaut à Fixin), complétées par une partie de celles de sa mère, Marie-Andrée Gerbet (Dom. François Gerbet à Vosne-Romanée). L'ensemble couvre 16 ha.

Amélie Berthaut dispose d'un hectare dans ce *climat* des hauteurs de l'appellation. Le vin se tient sur la retenue aujourd'hui, tout en laissant entrevoir de fines nuances de fruits noirs. La bouche se montre harmonieuse, bien soutenue par des tanins fermes et une fine acidité. L'élevage a été moins poussé qu'avec le millésime 2016 : 20 % en fûts neufs pendant quinze mois. ⧗ 2023-2027

EARL AMÉLIE BERTHAUT, 9, rue Noisot, 21220 Fixin, tél. 03 80 52 45 48, contact@berthaut-gerbet.com V r.-v.

DOM. CLÉMANCEY
Les Hervelets Vieilles Vignes 2017 ★★

■ 1er cru | 2400 | | 20 à 30 €

Marie-Odile Barçon-Clémancey a pris la tête de ce domaine familial en 1996. Un travail soigné à la vigne (labours, ébourgeonnage...) permet de tirer le meilleur parti de ses terroirs. Le domaine, basé à Couchey dans une maison datant des XVIIIe et XIX[e]s., exploite 8 ha de vignes, très majoritairement plantés en rouge.

Ce terroir d'un peu plus d'1,5 ha a visiblement bien profité du soleil de l'été 2017. Il a offert un beau fixin ample, élégant, intense et expressif (fruits noirs confiturés), doté de tanins racés qui structurent la bouche sans qu'ils ne viennent à aucun moment entamer l'équilibre général de la matière. Un bel ambassadeur de son appellation, voué à un vieillissement harmonieux. ⧗ 2023-2030

EARL DOM. CLÉMANCEY, 33, rue Jean-Jaurès, 21160 Couchey, tél. 03 80 59 87 41, domaine.clemancey@wanadoo.fr V r.-v.

CLOS SAINT-LOUIS
Clos Entre Deux Velles Monopole 2017

■ | 14000 | | 20 à 30 €

Succédant à ses parents, Philippe et Martine, Virginie Bernard a pris la tête du domaine en 2016. Elle mène un vignoble de 18 ha, répartis sur trois finages : Marsannay, Gevrey-Chambertin et Fixin. Un domaine créé en 1910 dont la vigneronne représente la cinquième génération.

Ce lieu-dit doit son nom à sa situation entre les villages de Fixin et de Fixey. Un monopole de 3,5 ha qui a donné un vin agréable, finement fruité et grillé, plus en souplesse qu'en puissance. Un fixin agréable à déguster dans sa jeunesse, pour sa fraîcheur aromatique et gustative. ⧗ 2020-2023

EARL DOM. DU CLOS SAINT-LOUIS, 4, rue des Rosiers, 21220 Fixin, tél. 03 80 52 45 51, closstlouis@orange.fr
V *r.-v.*

DOM. FOUGERAY DE BEAUCLAIR
Clos Marion 2017 ★

■ | 3000 | | 30 à 50 €

Jean-Louis Fougeray a créé en 1986 ce domaine, dont le nom associe celui de sa femme, née Beauvais, et celui de son ami vigneron Bernard Clair. Le vignoble, aujourd'hui 17 ha, a été repris avec talent par son gendre Patrice Ollivier en 1999.

Le nez de ce fixin évoque les fruits noirs à maturité. Des tanins à la fois serrés et soyeux construisent une trame délicate en bouche, sans pour autant sacrifier l'ampleur : les caractéristiques d'un vin complet. Une cohérence d'autant plus appréciable qu'elle s'accompagne d'une bonne longueur en bouche. ⧗ 2022-2025

SARL DOM. FOUGERAY DE BEAUCLAIR, 44, rue de Mazy, 21160 Marsannay-la-Côte, tél. 03 80 52 21 12, fougeraydebeauclair@wanadoo.fr
V *t.l.j. sf. ven. sam. dim. 9h-11h30 14h-17h*

DOM. PIERRE GELIN
Les Hervelets 2016 ★★

■ 1er cru | 1800 | | 30 à 50 €

Fondée en 1925 par Pierre Gelin, cette propriété familiale exploite un vignoble de 13 ha sur les communes de Fixin et de Gevrey-Chambertin. Elle est conduite aujourd'hui par Pierre-Emmanuel Gelin, qui porte un soin particulier à la méthode culturale : les vignes sont labourées, les désherbants bannis et la conversion à l'agriculture biologique est engagée.

Une petite proportion de vendanges entières (10 %) et un élevage long en fût (vingt mois) : Pierre-Emmanuel Gelin a trouvé la bonne formule pour livrer un vin à la fois consistant, long et harmonieux. Le nez évoque la griotte accompagnée d'une touche vanillée, et les tanins se montrent puissants mais jamais agressifs. ⧗ 2023-2030 ■ **La Cocarde 2016 ★ (20 à 30 €; 2000 b.)** : un fixin vanillé et fruité (pruneau, griotte) au nez, tendre et consistant en bouche, qui offre de la mâche et de la longueur. ⧗ 2021-2026

SAS DOM. PIERRE GELIN, 22, rue de la Croix-Blanche, 21220 Fixin, tél. 03 80 52 45 24, gelin.pierre@wanadoo.fr
V *r.-v.*

♥ JEAN-MICHEL GUILLON ET FILS
Les Crais 2017 ★★

■ | 1750 | | 20 à 30 €

Établi à Gevrey, Jean-Michel Guillon a débuté en 1980 sur un domaine de 2,3 ha, dont il a porté la superficie à plus de 15 ha répartis dans de nombreuses appellations (mazis, gevrey, morey, clos-de-vougeot...). Secondé par son fils Alexis depuis 2005, il s'illustre avec une grande régularité dans le Guide.

Les Crais, référence au calcaire, est un *climat* situé juste en dessous de la commune de Fixin. Un terroir parmi les plus réputés de l'appellation en *village*. Jean-Michel Guillon y cultive des vignes de soixante ans qu'il a parfaitement mises en valeur avec ce 2017 donnant dans l'intensité aromatique autour de la griotte, de la framboise et d'un boisé fumé bien intégré. Ample, longue, élégante, construite sur des tanins très fins, la bouche se montre elle aussi diablement flatteuse. ⧗ 2023-2030

SARL DOM. JEAN-MICHEL GUILLON ET FILS, 33, rte de Beaune, 21220 Gevrey-Chambertin, tél. 03 80 51 83 98, contact@domaineguillon.com
V *r.-v.*

JOLIET PÈRE ET FILS
Clos de la Perrière Monopole 2017 ★

■ 1er cru | n.c. | | 50 à 75 €

Le Clos de la Perrière fut créé au XIIe s. par les moines de Cîteaux et classé au XIXe s. à l'égal des « grands vins de Gevrey-Chambertin » par le docteur Lavalle, qui notait que M. le marquis de Montmort vendait son clos « au même prix que le Chambertin ». Cette parcelle de 5 ha (dont 50 ares en chardonnay) est exploitée en monopole par la famille Joliet depuis 1853 – par Bénigne Joliet aujourd'hui.

Le Clos de la Perrière peut se vanter d'être un bon ambassadeur de son village pour des raisons historiques, mais pas uniquement. Le vin se présente ici avec beaucoup d'élégance aromatique, sur une dominante de cassis. En bouche, l'équilibre entre des tanins soyeux et une fine acidité lui assure une belle présence. ⧗ 2022-2025 □ **1er cru Clos de la Perrière Monopole 2017 ★ (50 à 75 €; n.c.)** : environ un demi-hectare, sur les 5 que compte le Clos de la Perrière, est planté en chardonnay. Il donne en 2017 un vin aux notes florales, vanillées et exotiques. La bouche est franche, alerte, harmonieuse et longue. ⧗ 2020-2024

JOLIET PÈRE ET FILS, manoir de la Perrière, 21220 Fixin, tél. 03 80 52 47 85, benigne@wanadoo.fr
V *r.-v.*

PATRICK LAGRANGE Les Treuilles 2017 ★

□ | 600 | | 20 à 30 €

Patrick Lagrange, retraité de la restauration et de la commercialisation de caves à vins, s'est engagé en 2009 comme négociant-éleveur confidentiel à Fixin, vinifiant de petits lots de vendanges intéressants.

Nous retrouvons une nouvelle fois les chardonnays de la petite parcelle vinifiée par Patrick Lagrange. Le nez se livre avec franchise et netteté sur des notes florales et une nuance vanillée. La bouche, bien structurée, joue dans le registre de l'onctuosité sans négliger la finesse. ⌛ 2021-2025

⊶ *SARL BOURGOGNE CAVE PASSION, 22, rue Abbé-Chevalier, 21220 Fixin, tél. 06 63 71 15 15, palagrange@wanadoo.fr* V r.-v.

Ⓑ ARMELLE ET JEAN-MICHEL MOLIN
Vieilles Vignes 2017 ★

	3100		20 à 30 €

Armelle et Jean-Michel Molin ont créé en 1987 ce domaine, qui couvre aujourd'hui 7 ha. Après l'arrivée de leur fils Alexandre (en 2004) sur l'exploitation, la conversion bio a été engagée et la certification obtenue en 2010. La propriété est régulièrement sélectionnée pour ses fixin.

La parcelle à l'origine de ce vin est plantée de ceps de trente-cinq ans et s'étend sur 60 ares. Des notes de fleurs blanches d'une belle élégance montent au nez. Une expression aromatique fine, en cohérence avec une matière subtile et équilibrée en bouche. ⌛ 2021-2023

⊶ *EARL DOM. ARMELLE ET JEAN-MICHEL MOLIN, 54, rte des Grands-Crus, 21220 Fixin, tél. 03 80 52 21 28, domaine.molin@wanadoo.fr* V r.-v.

DOM. MONGEARD-MUGNERET
Vieilles Vignes 2017 ★

■	3600		20 à 30 €

Vieux cépage bourguignon, le pinot Mongeard était une variété très fine et peu productive, baptisé en l'honneur d'un aïeul de la famille. Vincent Mongeard a succédé à Jean, personnalité marquante du vignoble, et veille sur un beau domaine de 30 ha bien connu des lecteurs du Guide.

La parcelle de 50 ares à l'origine de ce vin ne compte pas parmi les plus prestigieuses du domaine Mongeard-Mugneret, pourtant le vin ne s'en laisse pas compter. Le nez se présente avec intensité sur un profil épicé et fruité, et sa texture en bouche se dévoile en souplesse et en longueur. ⌛ 2022-2025

⊶ *SAS DOM. MONGEARD-MUGNERET, 16, rue de la Fontaine, 21700 Vosne-Romanée, tél. 03 80 61 11 95, domaine@mongeard.com* V r.-v.

Ⓑ DOM. DU VIEUX COLLÈGE
Les Champs des Charmes 2017

■	15000		20 à 30 €

Installé en 2006 sur le domaine familial, Éric Guyard exploite 25 ha en bio. Le domaine s'étend sur les communes de Marsannay, Fixin et Gevrey-Chambertin. Le respect de l'expression des terroirs a conduit le vigneron à multiplier les cuvées parcellaires afin d'illustrer leur grande diversité.

La parcelle de 2,5 ha plantée sur ce *climat* du sud de l'appellation a donné un 2017 au nez vanillé et fruité (cassis), d'une belle longueur et d'une bonne concentration en bouche, avec des tanins offrant un toucher agréable, mais le boisé doit encore se fondre. ⌛ 2022-2025

⊶ *EARL DOM. DU VIEUX COLLÈGE, 4, rue du Vieux-Collège, 21160 Marsannay-la-Côte, tél. 03 80 52 12 43, contact@domaineduvieuxcollege.com* V r.-v.

GEVREY-CHAMBERTIN

Superficie : 410 ha / Production : 17 280 hl

Au nord de Gevrey, trois appellations communales sont produites sur la commune de Brochon : fixin sur une petite partie du Clos de la Perrière, côte-de-nuits-villages sur la partie nord (lieux-dits Préau et Queue-de-Hareng) et gevrey-chambertin sur la partie sud. En même temps qu'elle constitue l'appellation communale la plus importante en volume, la commune de Gevrey-Chambertin abrite des 1ers crus tous plus grands les uns que les autres. La combe de Lavaux sépare la commune en deux parties. Au nord, on trouve, entre autres *climats*, les Évocelles (sur Brochon), les Champeaux, la Combe aux Moines (où allaient en promenade les moines de l'abbaye de Cluny qui furent au XIIIes. les plus importants propriétaires de Gevrey), les Cazetiers, le Clos Saint-Jacques, les Varoilles, etc. Au sud, les crus sont moins nombreux, presque tout le coteau étant en grand cru; on peut citer les *climats* de Fonteny, Petite-Chapelle, Clos-Prieur, entre autres. Les vins de cette appellation sont solides et puissants dans le coteau, élégants et subtils dans le piémont. À ce propos, il y a lieu de réfuter une opinion erronée selon laquelle l'appellation gevrey-chambertin s'étendrait jusqu'à la ligne de chemin de fer Dijon-Beaune, dans des terrains qui ne le mériteraient pas. Cette information, qui fait fi de la sagesse des vignerons de Gevrey, nous donne l'occasion d'apporter une explication : la Côte a été le siège de nombreux phénomènes géologiques, et certains de ses sols sont constitués d'apports de couverture, dont une partie a pour origine les phénomènes glaciaires du quaternaire. La combe de Lavaux a servi de « canal », et à son pied s'est constitué un immense cône de déjection dont les matériaux sont semblables à ceux du coteau. Dans certaines situations, ils sont simplement plus épais, donc plus éloignés du substratum. Essentiellement constitués de graviers calcaires plus ou moins décarbonatés, ils donnent ces vins élégants et subtils dont nous parlions précédemment.

Ⓑ DOM. D'ARDHUY 2017

■	3872		30 à 50 €

Un domaine fondé en 1947 comprenant notamment six grands crus et quinze 1ers crus. Près de 40 ha de vignes, de Puligny-Montrachet à Gevrey-Chambertin, dans les Côtes de Beaune et de Nuits. Un vignoble certifié en biodynamie depuis 2012. L'œnologue Vincent Bottreau est aux commandes du chai depuis 2016.

Un vin pour un quart vinifié en vendanges entières, qui propose une palette aromatique complexe et intense sur une dominante épicée. Après une attaque souple, la matière en bouche fait preuve d'une bonne ampleur. ⌛ 2021-2025

⊶ *SARL GABRIEL D' ARDHUY, Clos des Langres, 21700 Corgoloin, tél. 03 80 62 98 73, domaine@ardhuy.com* V r.-v.

DOM. DES BEAUMONT Vieilles Vignes 2017 ★

■	6000		30 à 50 €

Thierry Beaumont a créé son domaine en 1991 en reprenant les vignes familiales et commercialise en bouteille,

BOURGOGNE

sous son patronyme, depuis 1999. Le vignoble couvre 5,5 ha à Morey, Chambolle et Gevrey. Les cuvées de ce vigneron peu interventionniste à la vigne et au chai, qui a investi dans un outil de travail moderne, sont chaque année au rendez-vous du Guide.

Les vieilles vignes en question sont âgées de soixante-dix ans et s'étendent sur 1,6 ha. Le nez mêle des notes acidulées de petits fruits (framboise, cassis) aux épices. La bouche est bien équilibrée, laissant percevoir spontanément une plaisante rondeur. ⏳ 2022-2025 ■ **1er cru Aux Combottes 2017 ★ (50 à 75 €; 1200 b.)** : la marque de fabrique du domaine est de n'extraire que les tanins les plus soyeux pour livrer des vins gourmands et accessibles relativement jeunes. Ce 1er cru le confirme, avec en prime une pointe de fraîcheur qui lui donne de l'allonge. ⏳ 2023-2030 ■ **1er cru Les Cherbaudes 2017 (50 à 75 €; 2100 b.)** : vin cité.

SASU DOM. DES BEAUMONT, 9, rue Ribordot, 21220 Morey-Saint-Denis, tél. 03 80 51 87 89, contact@domaine-des-beaumont.com V *r.-v.*

PIERRE BOURÉE FILS 2016

■ | 5149 | | 30 à 50 €

Pierre Bourée a repris un commerce de vins à Gevrey-Chambertin, fondé en 1864, et lui a donné son nom. Il a ensuite acquis des vignes, notamment le Clos de la Justice. Ce sont aujourd'hui des descendants de la famille, Bernard et Jean-Christophe Vallet, qui dirigent la maison et développent le négoce.

Un *village* vinifié en grande partie en vendanges entières et élevé assez longuement en fût (vingt mois). Le nez évoque la griotte, les fruits noirs et le café torréfié. La bouche est bâtie sur des tanins souples qui renforcent la rondeur de l'ensemble. ⏳ 2021-2025

SAS PIERRE BOURÉE FILS, 13, rte de Beaune, 21220 Gevrey-Chambertin, tél. 03 80 34 30 25, contact@pierre-bouree-fils.com V *r.-v.*

DOM. CASTAGNIER 2017 ★

■ | 1500 | | 30 à 50 €

Installé depuis 2004 sur le domaine familial de Morey-Saint-Denis, Jérôme Castagnier exploite (en biodynamie non certifiée) un vignoble de 4 ha en Côte de Nuits. Ses grands crus, notamment ses clos-de-vougeot, clos-de-la-roche et clos-saint-denis, lui permettent de s'illustrer avec une réelle constance. Il a également développé une activité de négoce à son nom pour compléter sa gamme, toujours en Côte de Nuits.

Les premières notes aromatiques, complexes, rendent ce gevrey spontanément attirant. Il s'ouvre sur la mûre, la framboise et une touche vanillée. Solide, puissante et fraîche, la bouche rappelle que nous sommes bien à Gevrey. Un vin à potentiel. ⏳ 2023-2030

SCEA DOM. CASTAGNIER, 20, rue des Jardins, 21220 Morey-Saint-Denis, tél. 03 80 34 31 62, jeromecastagnier@yahoo.fr V *r.-v.*

CHANSON Bastion de l'Oratoire 2016 ★

■ | 20000 | | 50 à 75 €

L'une des plus anciennes maisons de négoce de Bourgogne, fondée en 1750, reprise en 1999 par le Champagne Bollinger. En plus de ses achats de raisins, elle dispose d'un important vignoble de 45 ha et de l'expertise de Jean-Pierre Confuron, son œnologue-conseil. Un style reconnaissable grâce à ses vinifications en grappes entières. Son fief est situé autour de Beaune, mais Chanson propose aussi des appellations en Côte de Nuits.

Une cuvée qui fait référence au Bastion de Beaune dans lequel la maison élève ses vins. Un lieu historique qui a accueilli cette cuvée de gevrey dont le nez évoque un pinot noir bien né : petits fruits et épices. Le palais se révèle long et volumineux, étayé par des tanins bien présents mais harmonieux. ⏳ 2023-2027

SA CHANSON PÈRE ET FILS, 10, rue Paul-Chanson, 21200 Beaune, tél. 03 80 25 97 97, chanson@domaine-chanson.com V *r.-v.*
Champagne Bollinger

DOM. CLUNY Vieilles Vignes 2017

■ | 2000 | | 20 à 30 €

Un domaine familial basé au nord de Gevrey-Chambertin (à Brochon). La famille Cluny, représentée aujourd'hui par Camille et Léa cultive la vigne depuis le début du XXes. Les viticultrices sont à la tête de 7 ha à Gevrey mais aussi en appellations chambolle-musigny, côte-de-nuits village, etc.

La parcelle est petite, 30 ares, et les vignes sont âgées de quatre-vingts ans. Le vin se démarque par sa belle concentration, sa bonne puissance tannique et son agréable complexité aromatique (réglisse, cèdre) : autant d'éléments qui incitent à la patience. ⏳ 2024-2030

SARL HERVÉ CLUNY, 9, rue du Rapitot, 21220 Brochon, tél. 06 88 76 60 99, camille.cluny@domaine-cluny.com V *r.-v.*

DOM. DROUHIN-LAROZE En Champs 2017 ★★

■ | 1500 | | 30 à 50 €

En 1850, Jean-Baptiste Drouhin fonde un domaine viticole à Gevrey. Six générations plus tard, son héritier Philippe Drouhin, installé en 2001, son épouse Christine et leurs enfants Caroline et Nicolas conduisent dans un esprit bio, mais sans certification, un vignoble de 11,5 ha – dont près de la moitié est dédiée aux grands crus –, complété en 2008 par un petit négoce (Laroze de Drouhin) dirigé par Caroline.

Sur sa lancée des dernières éditions du Guide, le domaine propose un gevrey d'une grande complexité aromatique et d'une belle élégance. Avec ses arômes délicats de fruits noirs à bonne maturité, le raffinement est présent dès le nez. Certes encore dominée par l'élevage, la bouche se distingue par sa longueur et ses tanins soyeux. ⏳ 2023-2030 ■ **1er cru Lavaut Saint-Jacques 2017 ★ (30 à 50 €; 1700 b.)** : nous sommes ici sur l'un des plus beaux 1ers crus de l'appellation. La palette aromatique de ce 2017 est large, évoquant tour à tour la framboise, la cerise et des notes florales. La finesse et l'équilibre en bouche laissent présager un vieillissement prospère. ⏳ 2023-2030

SARL DOM. DROUHIN-LAROZE, 20, rue du Gaizot, 21220 Gevrey-Chambertin, tél. 03 80 34 31 49, domaine@drouhin-laroze.com V *r.-v.*

DUPONT-TISSERANDOT Vieilles Vignes 2017

■ | 8000 | 🍷 | 30 à 50 €

Ce domaine, passé en 2013 dans le giron de la famille Faiveley, est l'un des plus vastes vignobles de Gevrey-Chambertin avec plus de 20 ha répartis en 200 parcelles. Il dispose de beaux terroirs en 1ers et grands crus dont le mazis-chambertin et le charmes-chambertin.

Un vin qui montre un profil plus délicat que concentré, mais qui ne manque pas de complexité aromatique : le nez déploie des notes de framboise, de groseille et de cerise s'associant à une touche boisée. Les tanins sont bien fondus en bouche. ⧗ 2021-2024

SC DUPONT-TISSERANDOT, 8, rue du Tribourg, 21700 Nuits-Saint-Georges, tél. 03 80 61 04 55, contact@duponttisserandot.com

DOM. FAIVELEY Les Cazetiers 2017 ★★

■ 1er cru | 15000 | 🍷 | 75 à 100 €

Ce domaine fondé à Nuits-Saint-Georges en 1825 est un nom qui compte en Bourgogne, depuis sept générations. À sa tête depuis 2005, Erwan Faiveley, qui a succédé à son père François. Aujourd'hui, c'est l'un des plus importants propriétaires de vignes en Bourgogne : 120 ha du nord de la Côte de Nuits au sud de la Côte chalonnaise, dont 10 ha en grand cru et près de 25 ha en 1er cru.

Les Cazetiers est un très beau terroir du nord de l'appellation. Le domaine a la chance d'y disposer de plus de 4 ha, à l'origine d'un vin expressif (griotte, boisé racé), doté d'un très joli grain de tanins. Une trame à la fois solide et élégante qui soutient une matière bâtie pour une longue garde. ⧗ 2024-2030

SAS MAISON JOSEPH FAIVELEY (CVVB), 8, rue du Tribourg, 21700 Nuits-Saint-Georges, tél. 03 80 61 04 55, contact@domaine-faiveley.com

ANDRÉ GOICHOT 2016 ★

■ | 9000 | 🍷 | 20 à 30 €

Les enfants d'André Goichot, Noémie, Arnault, Adrien et Pierre-Alexandre, sont désormais à la tête de cette maison de négoce familiale fondée en 1947 près de Meursault. Elle a déménagé en 2001 pour occuper un site plus moderne à Beaune.

Un *village* qui a connu un élevage d'une année en fût de chêne mais qui a conservé un fruité expressif autour de fines notes de cerise et de fraise. Le boisé reste donc discret au nez, mais aussi en bouche où la matière se dévoile en rondeur et les tanins s'affirment sans aspérité ni dureté. ⧗ 2023-2030

SAS ANDRÉ GOICHOT ET FILS, av. Charles-de-Gaulle, 21200 Beaune, tél. 03 80 25 91 30, infos@goichotsa.com V *t.l.j. sf dim. 9h30-12h 14h-18h30*

JEAN-MICHEL GUILLON ET FILS Les Crais 2017 ★

■ | 4650 | 🍷 | 20 à 30 €

Établi à Gevrey, Jean-Michel Guillon a débuté en 1980 sur un domaine de 2,3 ha, dont il a porté la superficie à plus de 15 ha répartis dans de nombreuses appellations (mazis, gevrey, morey, clos-de-vougeot...). Secondé par son fils Alexis depuis 2005, il s'illustre avec une grande régularité dans le Guide.

Une parcelle d'un peu plus d'un hectare plantée de vignes de soixante ans a livré un vin complexe, ouvert sur des notes de fruits mûrs et de violette accompagnées d'un boisé qualitatif. La bouche fait preuve de consistance autour de tanins fins et élégants, et déploie une longue finale. ⧗ 2023-2030

SARL DOM. JEAN-MICHEL GUILLON ET FILS, 33, rte de Beaune, 21220 Gevrey-Chambertin, tél. 03 80 51 83 98, contact@domaineguillon.com V *r.-v.*

DOM. ANTONIN GUYON La Justice 2016 ★

■ | 7000 | 🍷 | 30 à 50 €

Ce domaine s'est constitué à partir des années 1960 un vaste vignoble de 48 ha, principalement en 1ers et grands crus, allant de Gevrey-Chambertin à Meursault. Une exploitation régulière en qualité, conduite par Dominique Guyon, fils d'Antonin.

Un *climat* situé sur les bas de Gevrey qui livre un vin souple et fruité, aux tanins soyeux. La délicatesse et la fraîcheur l'emportent sur la consistance, aboutissant à une bouteille spontanément attrayante. ⧗ 2021-2025

SC DOM. ANTONIN GUYON, 21420 Savigny-lès-Beaune, tél. 03 80 66 85 87, domaine@guyon-bourgogne.com V *r.-v.*

OLIVIER GUYOT Les Champeaux 2017

■ 1er cru | 4000 | 🍷 | 50 à 75 €

Olivier Guyot a repris le domaine familial en 1990. Il exploite 16 ha répartis en de nombreuses petites parcelles, dans la partie nord de la Côte de Nuits, entre Marsannay et Gevrey. Son fils David l'a rejoint en 2018.

Un terroir du nord de l'appellation sur lequel le domaine dispose d'un hectare de pinot noir. La cuvée peine aujourd'hui à livrer toute son ampleur aromatique, mais l'équilibre et la finesse sont au rendez-vous en bouche. Prometteur. ⧗ 2022-2025

EARL OLIVIER GUYOT, 39, rue de Mazy, 21160 Marsannay-la-Côte, tél. 03 80 52 39 71, contact@domaineguyot.fr V *r.-v.*

HUGUENOT Vieilles Vignes 2017 ★

■ | 2400 | 🍷 | 30 à 50 €

Depuis 1790, dix générations se sont succédé sur ce domaine de 21 ha, réputé pour ses marsannay, ses gevrey et ses fixin. Philippe Huguenot a pris la suite de son père Jean-Louis en 1996, et lancé la conversion bio de son vignoble.

Pas moins de quatre-vingt-cinq ans, un âge qui pourrait sonner l'heure de la retraite pour le demi-hectare de vignes qui entre dans la composition de cette cuvée. Ces pinots noirs n'ont pourtant pas dit leur dernier mot. Au contraire : ils nous offrent un vin d'une belle fraîcheur aromatique autour des fruits rouges mâtinés de boisé, à la fois généreux et élégant en bouche. ⧗ 2023-2027

SCEA HUGUENOT PÈRE ET FILS, 7, ruelle du Carron, 21160 Marsannay-la-Côte, tél. 03 80 52 11 56, contact@domainehuguenot.com V *r.-v.*

BOURGOGNE

JAFFELIN Vieilles Vignes 2016

■ | 2426 | | 30 à 50 €

Cette maison de négoce-éleveur implantée à Beaune depuis 1816 appartient à la galaxie des vins Boisset. Elle conserve son autonomie d'achat avec Marinette Garnier à sa tête, une jeune œnologue qui a pris la suite de Prune Amiot en 2011. En vue notamment pour ses pernand-vergelesses et ses auxey-duresses.

Un vin harmonieux qui a pris le temps, pendant un élevage de dix-huit mois en fût, d'adopter un toucher souple et charmeur. Le nez donne dans la subtilité, rappelant bien les qualités d'élégance d'un pinot noir bien né. Un gevrey que l'on pourra apprécier dans sa jeunesse. ⧗ 2021-2024

SAS BOISSET (MAISON JAFFELIN), 2, rue du Paradis, 21200 Beaune, tél. 03 80 22 12 49, jaffelin@maisonjaffelin.com r.-v.

RÉMI JEANNIARD Vieilles Vignes 2017 ★

■ | 1550 | | 20 à 30 €

Après avoir travaillé près de vingt ans avec son père, Rémi Jeanniard a repris une partie des vignes familiales en 2004 et s'est construit une nouvelle cuverie. Il exploite aujourd'hui 5,8 ha, à Morey-Saint-Denis principalement.

Rémi Jeanniard fait partie, depuis quelques années déjà, des habitués du Guide. Il ne semble pas vouloir résilier son abonnement avec ce gevrey aux notes complexes de fruits rouges. La bouche fine, élégante, fraîche et longue sans manquer de structure, présente tous les attributs d'un vin complet. ⧗ 2023-2027

RÉMI JEANNIARD, 19-21, rue de Cîteaux, 21220 Morey-Saint-Denis, tél. 03 80 58 52 42, remijeanniard@orange.fr r.-v.

PHILIPPE LECLERC En Champs 2016 ★★

■ | n.c. | | 20 à 30 €

Installé depuis 1974 sur le domaine familial, Philippe Leclerc exploite en culture très raisonnée 7,8 ha de vignes, très majoritairement sur Gevrey-Chambertin, son village natal, et sur Chambolle-Musigny. Il élève ses vins longuement en fût de chêne (vingt-deux mois en général) pour peaufiner et arrondir leurs structures.

Philippe Leclerc présente ici son millésime 2016 quand la plupart de ses collègues font déguster leurs 2017. Logique quand on élève ses vins deux ans... Une cuvée d'une grande ampleur, riche en bouche et dont le nez déjà annonçait son caractère charnu à travers des arômes de fruits rouges et noirs, de réglisse et de vanille. Une intensité notable qu'un peu de patience devrait rendre plus délectable encore. ⧗ 2023-2030

SARL PHILIPPE LECLERC, 9, rue des Halles, 21220 Gevrey-Chambertin, tél. 03 80 34 30 72, philippe.leclerc60@wanadoo.fr t.l.j. 9h30-18h (19h en été)

Ⓑ **DOM. MICHEL MAGNIEN**
Les Seuvrées Vieilles Vignes 2017 ★

■ | 5700 | | 50 à 75 €

Michel Magnien incarne la quatrième génération à la tête d'un vignoble familial qu'il a considérablement agrandi entre les années 1960 et 1990 (18 ha aujourd'hui, conduits en bio et biodynamie). Jusqu'en 1993, il porte sa récolte à la coopérative de Morey. L'arrivée de son fils Frédéric, en charge des vinifications depuis lors, change la donne : les vins sont désormais mis en bouteilles à la propriété et, depuis le millésime 2015, l'élevage se fait pour partie dans des jarres en terre cuite. Des vins d'une grande régularité, qui font du domaine l'une des valeurs sûres de la Côte de Nuits.

Dans la continuité des options innovantes prises par Frédéric Magnien depuis quelques millésimes, ce gevrey a été élevé à 40 % en jarres de terre cuite. Une approche qui lui réussit bien : des notes de fraise confiturée et d'épices montent au nez. La matière est bien présente en bouche, autour de tanins jeunes et fermes incitant à la patience. ⧗ 2023-2030 ■ **1er cru Les Goulots 2017 (+ de 100 €; 1000 b.)** Ⓑ : vin cité.

SCEV MICHEL MAGNIEN ET FILS, 4, rue Ribordot, 21220 Morey-Saint-Denis, tél. 03 80 51 82 98, domaine@michel-magnien.com r.-v.

DOM. MAREY La Justice 2017 ★

■ | 7000 | | 20 à 30 €

Initialement voué à la production de petits fruits, ce domaine familial couvre environ 20 ha de vignes aujourd'hui. Il a son siège dans les Hautes-Côtes de Nuits, non loin de Nuits-Saint-Georges. Une nouvelle cuverie a été inaugurée avec le millésime 2015.

Le nez, complexe, associe des notes torréfiées au cassis. La bouche attaque avec franchise, sur un profil plus élégant que puissant. Une souplesse qui accompagne toute la dégustation jusqu'à la finale, bien dans l'esprit du millésime. ⧗ 2021-2025

EARL DOM. MAREY, 12-14, rue Gabriel-Bachot, 21700 Meuilley, tél. 03 80 61 12 44, contact@domaine-marey.com r.-v.

DOM. THIERRY MORTET 2017

■ | 18000 | | 20 à 30 €

Thierry Mortet, dont les vins figurent souvent dans le Guide, s'est installé en 1992 sur une partie du domaine familial, qu'il a agrandi, portant sa superficie à 8,5 ha aujourd'hui, convertis à l'agriculture biologique à partir de 2007. Il est particulièrement à l'aise sur les terroirs de son village.

Un vin issu de pas moins d'une vingtaine de parcelles, qui se démarque par sa finesse aromatique (cerise, violette). Après une attaque souple, la bouche fait preuve d'une bonne ampleur et de fraîcheur, donnant à l'ensemble un caractère gourmand. ⧗ 2022-2025

SCEA DOM. THIERRY MORTET, 16, pl. des Marronniers, 21220 Gevrey-Chambertin, tél. 03 80 51 85 07, domainethierrymortet@gmail.com r.-v.

NUITON-BEAUNOY Clos du Chapitre 2016 ★

■ 1er cru | 1422 | | 30 à 50 €

Fondée en 1957, la Cave des Hautes-Côtes, rebaptisée en 2013 Nuiton-Beaunoy, est la dernière coopérative de Côte-d'Or. Un nom qui marie les deux Côtes dans lesquelles elle récolte les 470 ha de ses 115 adhérents.

Le Clos du Chapitre est un *climat* situé à la sortie de la combe Lavaux toute proche du village. Presque un hectare qui s'exprime spontanément en bouteille sur des notes de fruits rouges et des nuances boisées. La bouche, consistante, est tenue par une belle fraîcheur aux tonalités minérales et par des tanins au grain fin. ⧗ 2023-2030

SCA LA CAVE DES HAUTES-CÔTES, 95, rte de Pommard, 21200 Beaune, tél. 03 80 25 01 00, contact@cavesdeshautescotes.fr V *t.l.j. sf dim. 10h-12h 14h-18h*

MANUEL OLIVIER 2017 ★

■	4938		30 à 50 €

Installé en 1990, Manuel Olivier, fils d'agriculteurs, a commencé par cultiver les vignes et petits fruits dans les Hautes-Côtes de Nuits. Aujourd'hui spécialisé en viticulture, il exploite un vignoble de 11 ha, complété depuis 2007 par une structure de négoce qui lui a permis de mettre un pied en Côte de Beaune.

Une cuvée à dominante épicée (poivre gris), accompagnée de nuances florales et fruitées. Après une attaque sur la fraîcheur, la bouche atteint un bel équilibre et déploie des tanins soyeux. Une belle expression du pinot noir de la Côte de Nuits. ⧗ 2023-2027

SARL MANUEL OLIVIER, 7, rue des Grandes-Vignes, hameau de Corboin, 21700 Nuits-Saint-Georges, tél. 03 80 62 39 33, contact@domaine-olivier.com V *t.l.j. sf dim. 9h-12h 14h-19h*

FRANÇOIS PARENT 2017

■	1400		50 à 75 €

Vinificateur de talent des vins de son épouse Anne-Françoise Gros (Dom. A.-F. Gros à Pommard), François Parent a longtemps élaboré aussi ceux de son vignoble familial, complété par une structure de négoce à son nom. Les vins sont aujourd'hui vinifiés par Mathias Parent et distribués par sa sœur Caroline.

Un gevrey qui ne se présente pas comme un monstre de concentration, mais qui dévoile une matière franche et équilibrée en bouche. Les tanins s'expriment avec finesse, le rendant spontanément abordable. Des notes de petits fruits noirs se livrent au nez. ⧗ 2021-2024

SAS FRANÇOIS PARENT, 1, pl. de l'Europe, 21630 Pommard, tél. 03 80 22 61 85, contact@af-gros.com V *r.-v.*

DOM. QUIVY Les Corbeaux 2017 ★★

■ 1er cru	1100		75 à 100 €

Installé en 1981 dans une belle maison du XVIIIes. (inscrite aux Monuments historiques), Gérard Quivy conduit un petit vignoble de 7 ha et propose une gamme étendue de vins de Gevrey et de Brochon, des *villages*, 1ers et grands crus (chapelle et charmes) souvent en très bonne place dans le Guide.

Un *climat* qui peut se vanter d'avoir un voisin de prestige : le grand cru mazy-chambertin. Il s'en montre parfaitement digne ici. Le nez, franc et intense, évoque la violette, le cassis et la mûre sur fond de bon boisé. Le palais se révèle ample, rond et long. Une construction d'une grande harmonie qui dégage une évidente élégance. ⧗ 2023-2030 ■ **Les Journaux 2017 ★ (30 à 50 €; 2600 b.)** : enveloppée dans une matière ronde et équilibrée, cette cuvée dégage des notes de fruits rouges, de cassis et de boisé. Une nuance épicée se fait sentir en finale. Un gevrey complet et complexe que l'on pourra apprécier à table dans quelques mois. ⧗ 2021-2024

SCEA DOM. QUIVY, 7, rue Gaston-Roupnel, 21220 Gevrey-Chambertin, tél. 03 80 34 31 02, gerard.quivy@wanadoo.fr V *t.l.j. 9h-12h 14h-18h; f. janv.*

DOM. HENRI REBOURSEAU 2016

■	5000		50 à 75 €

Ce domaine a été créé en 1919 par le général Henri Rebourseau, qui regroupa les vignes de son père autour de la maison familiale, une belle bâtisse du XVIIIes. Son arrière-petit-fils Jean de Surrel est aujourd'hui aux commandes d'un vignoble de 13,4 ha, fort d'un joli patrimoine de grands crus et en conversion à la biodynamie.

Si le domaine propose une très belle gamme de grands crus, il est aussi largement présent dans l'appellation de son village d'élection. En témoigne cette cuvée, issue de plus de 5 ha, bien structurée, d'un bon volume, offrant une palette aromatique plaisante autour des petits fruits noirs et rouges. Elle gagnera son étoile en cave. ⧗ 2023-2027

SASU DOM. HENRI REBOURSEAU, 10, pl. du Monument, 21220 Gevrey-Chambertin, tél. 03 80 51 88 94, domaine@rebourseau.com

MAISON ROCHE DE BELLENE Champeaux 2016 ★

■ 1er cru	460		75 à 100 €

Nicolas Potel a créé cette maison en 2008 pour compléter la gamme du Dom. de Bellene qu'il a également fondé quelques années plus tôt. Un négoce installé à Beaune qui propose pas moins de 80 appellations différentes. Des vins exportés dans plus de 42 pays.

Une cuvaison en grappes entières et un élevage à 50 % en fût neuf pendant vingt-et-un mois ont donné un 1er cru d'une gourmande souplesse. Les tanins font preuve de finesse sans manquer de consistance. Quant aux arômes, ils évoquent la réglisse et la cerise bien mûre sans que le boisé ne domine. ⧗ 2023-2027

SAS MAISON ROCHE DE BELLENE, 39, rue du Fg-Saint-Nicolas, 21200 Beaune, tél. 03 80 20 67 64, contact@groupebellene.com V *r.-v.*

DOM. GÉRARD SEGUIN Craipillot 2017 ★

■ 1er cru	4300		30 à 50 €

Établi vers 1850, Alexis Seguin, petit propriétaire à Gevrey, fut l'un des premiers en Bourgogne à greffer avec des bois américains. Le domaine s'est peu à peu agrandi, pour atteindre 6,3 ha aujourd'hui, conduits par Gérard Seguin, son épouse Chantal et leur fils Jérôme. Régulièrement en vue pour ses gevrey.

Des vignes de quatre-vingts ans plantées sur un *climat* situé à la sortie de la combe Lavaux, à proximité immédiate du village, ont donné une cuvée exhalant avec concentration des notes de fruits rouges confiturés.

Une densité qui se confirme dans une bouche ample, riche et longue. ⧗ 2023-2030

EARL GÉRARD SEGUIN, 11-15, rue de l'Aumônerie, 21220 Gevrey-Chambertin, tél. 03 80 34 38 72, domaine.gerard.seguin@wanadoo.fr r.-v.

DOM. TORTOCHOT Les Corvées 2017 ★

■	2000		20 à 30 €

Fondé à Gevrey en 1865, ce domaine est régulièrement sélectionné pour ses gevrey et ses mazis-chambertin. En 1997, Chantal Michel-Tortochot (quatrième génération), ancienne contrôleuse de gestion dans l'industrie bourguignonne, a repris les vignes familiales, un beau parcellaire de 12 ha (dont 10 % de grands crus et autant de 1ers crus), certifiés bio depuis 2013.

Les Corvées : sans doute le nom de ce *climat* traduit-il la peine qu'il donne aux vignerons... Côté dégustateurs, ce n'est que du plaisir avec cette cuvée développant une aromatique expressive, fine et élégante (griotte, cacao). Les tanins sont ronds, soyeux, renforçant le caractère généreux du vin en bouche, et une longue finale conclut la dégustation. ⧗ 2023-2030 ■ **1er cru Lavaux Saint-Jacques 2017 (30 à 50 €; 3000 b.)** : vin cité.

SARL DOM. TORTOCHOT, 12, rue de l'Église, 21220 Gevrey-Chambertin, tél. 03 80 34 30 68, contact@tortochot.com r.-v.

DOM. TRAPET-ROCHELANDET Les Champs Chenys 2016

■	1500		30 à 50 €

Laurent Trapet-Rochelandet, sixième génération de viticulteur, a pris la tête du domaine familial en 2015. Il cultive près de 7 ha de vignes, avec notamment le grand cru ruchottes-chambertin à la gamme. Cette dernière compte aussi les *climats* Petite Chapelle, Champs-Chenys, ou encore Bel Air.

Un *climat* du sud de l'appellation situé sous le grand cru charmes-chambertin. Des tanins bien présents en bouche se manifestent avec une pointe d'austérité, mais l'ensemble reste agréable et développe une bonne complexité aromatique sur des notes de fruits noirs et d'épices. ⧗ 2023-2027

EARL DOM. TRAPET-ROCHELANDET, 9 bis, rue du Chambertin, 21220 Gevrey-Chambertin, tél. 06 62 12 99 26, domaine-trapet@bbox.fr r.-v.

DOM. DES VAROILLES La Romanée Vieilles Vignes Monopole 2016

■ 1er cru	3500		50 à 75 €

Bien connu pour ses gevrey et ses charmes, ce domaine conduit depuis 1990 par Gilbert Hammel dispose de 10 ha répartis dans de nombreux crus prestigieux de Gevrey, dont plusieurs en monopole (Clos des Varoilles, Clos du Meix, Clos du Couvent et La Romanée).

Une parcelle d'un hectare tout rond plantée de vignes de soixante ans dont on appréciera la production du millésime 2016 pour sa rondeur, sa souplesse et ses notes délicates de fruits rouges et d'épices. ⧗ 2023-2025

SC DOM. DES VAROILLES, rue de la Croix-des-Champs, 21220 Gevrey-Chambertin, tél. 03 80 34 30 30, contact@domaine-varoilles.com r.-v.

CHAMBERTIN-CLOS-DE-BÈZE

Superficie : 15 ha / Production : 510 hl

Les religieux de l'abbaye de Bèze plantèrent en 630 une vigne dans une parcelle de terre qui donna un vin particulièrement réputé : ce fut l'origine de l'appellation. Les vins de cette aire AOC peuvent également s'appeler chambertin.

DOM. DROUHIN-LAROZE 2017 ★

■ Gd cru	5100		+ de 100 €

En 1850, Jean-Baptiste Drouhin fonde un domaine viticole à Gevrey. Six générations plus tard, son héritier Philippe Drouhin, installé en 2001, son épouse Christine et leurs enfants Caroline et Nicolas conduisent dans un esprit bio, mais sans certification, un vignoble de 11,5 ha – dont près de la moitié est dédiée aux grands crus –, complété en 2008 par un petit négoce (Laroze de Drouhin) dirigé par Caroline.

D'abord sur la retenue et marquée par un boisé toasté (élevage pendant dix-huit mois en fût), son expression aromatique se développe au fil de l'aération sur la myrtille, la violette et la fraise. Après une attaque en bouche ample et gourmande, les tanins s'affermissent, mais sans pour autant devenir amères. Un grand cru d'une belle présence qui dispose de toutes les qualités propices à un vieillissement harmonieux. ⧗ 2024-2030

SARL DOM. DROUHIN-LAROZE, 20, rue du Gaizot, 21220 Gevrey-Chambertin, tél. 03 80 34 31 49, domaine@drouhin-laroze.com r.-v.

♥ DOM. PIERRE GELIN 2016 ★★

■ Gd cru	2000		+ de 100 €

Fondée en 1925 par Pierre Gelin, cette propriété familiale exploite un vignoble de 13 ha sur les communes de Fixin et de Gevrey-Chambertin. Elle est conduite aujourd'hui par Pierre-Emmanuel Gelin, qui porte un soin particulier à la méthode culturale : les vignes sont labourées, les désherbants bannis et la conversion à l'agriculture biologique est engagée.

Les raisins, en provenance des 60 ares dont dispose le domaine dans ce grand cru, n'ont pas tous été égrappés (10 % de vendanges entières). Pour le reste, c'est une vinification très classique qui a été menée par Pierre-Emmanuel Gelin. Il a obtenu un vin d'une grande élégance. Après avoir exprimé une touche de cuir frais, le nez s'ouvre sur des notes de fruits noirs à maturité et des nuances de boisé bien intégré. Le palais, ample, rond, velouté, est construit sur des tanins soyeux et déploie une longue finale pleine de fraîcheur. Une cuvée promise à un bel avenir. ⧗ 2024-2035

SAS DOM. PIERRE GELIN, 22, rue de la Croix-Blanche, 21220 Fixin, tél. 03 80 52 45 24, gelin.pierre@wanadoo.fr r.-v.

CHARMES-CHAMBERTIN

Superficie : 29 ha / Production : 1 115 hl

DOM. DES BEAUMONT 2017 ★

Gd cru	1700		+ de 100 €

Thierry Beaumont a créé son domaine en 1991 en reprenant les vignes familiales et commercialise en bouteille, sous son patronyme, depuis 1999. Le vignoble couvre 5,5 ha à Morey, Chambolle et Gevrey. Les cuvées de ce vigneron peu interventionniste à la vigne et au chai, qui a investi dans un outil de travail moderne, sont chaque année au rendez-vous du Guide.

Une cuvée qui s'inscrit bien dans son millésime, offrant spontanément du plaisir, mais qui retranscrit aussi son terroir. Le terroir du charmes-chambertin est réputé pour ses vins privilégiant l'élégance à la puissance. C'est ici bien le cas : les tanins sont très fins, tendres, mis en relief par une belle fraîcheur. Quant au nez, il s'ouvre sur des notes de cerise et de pivoine agrémentées d'une touche empyreumatique. ⧗ 2023-2030

SASU DOM. DES BEAUMONT, 9, rue Ribordot, 21220 Morey-Saint-Denis, tél. 03 80 51 87 89, contact@domaine-des-beaumont.com V *r.-v.*

♥ DOM. CASTAGNIER 2017 ★★

Gd cru	1300		75 à 100 €

Installé depuis 2004 sur le domaine familial de Morey-Saint-Denis, Jérôme Castagnier exploite (en biodynamie non certifiée) un vignoble de 4 ha en Côte de Nuits. Ses grands crus, notamment ses clos-de-vougeot, clos-de-la-roche et clos-saint-denis, lui permettent de s'illustrer avec une réelle constance. Il a également développé une activité de négoce à son nom pour compléter sa gamme, toujours en Côte de Nuits.

Un nouveau coup de cœur pour Jérôme Castagnier, qui enchaîne les millésimes avec une aisance admirable. Quelle régularité ! Cette cuvée issue de 40 ares plantée de vignes de soixante-cinq ans évoque au nez un panier de fruits frais (myrtille, cerise) mâtiné de nuances florales et d'un boisé bien intégré apportant un surcroît de noblesse. Un vieillissement de seize mois en fût (neuf pour près de 40 %) qui a également permis de patiner des tanins au toucher soyeux et déjà fort agréables, soutien d'une bouche ample et riche, étirée dans une longue finale fraîche, réglissée et mentholée. Un charme(s) fou. ⧗ 2023-2035

SCEA DOM. CASTAGNIER, 20, rue des Jardins, 21220 Morey-Saint-Denis, tél. 03 80 34 31 62, jeromecastagnier@yahoo.fr V *r.-v.*

DOM. PHILIPPE CHARLOPIN 2016

Gd cru	n.c.	+ de 100 €

Repris en 1977, ce domaine familial, passé de 1,5 ha à 25 ha aujourd'hui, est en bio. Avec son fils Yann, Philippe Charlopin fait partie des vignerons emblématiques de Gevrey-Chambertin. Il propose une large palette de vins, des *villages* aux grands crus du Chablisien, de la Côte de Beaune et de la Côte de Nuits. On ne compte plus ses étoiles et coups de cœur « vendangés » dans le Guide.

Un grand cru aux reflets violines qui expose généreusement la maturité des fruits dont il est né. L'aromatique évoque en effet les fruits rouges compotés agrémentés d'un boisé bien fondu lui apportant un supplément de complexité. La bouche se montre gourmande, d'une souple suavité. ⧗ 2023-2027

SARL DOM. PHILIPPE CHARLOPIN, 18, rte de Dijon, 21220 Gevrey-Chambertin, tél. 06 24 71 12 05, charlopin.philippe21@orange.fr

Ⓑ DOM. MICHEL MAGNIEN 2017 ★

Gd cru	1300		+ de 100 €

Michel Magnien incarne la quatrième génération à la tête d'un vignoble familial qu'il a considérablement agrandi entre les années 1960 et 1990 (18 ha aujourd'hui, conduits en bio et biodynamie). Jusqu'en 1993, il porte sa récolte à la coopérative de Morey. L'arrivée de son fils Frédéric, en charge des vinifications depuis lors, change la donne : les vins sont désormais mis en bouteilles à la propriété et, depuis le millésime 2015, l'élevage se fait pour partie dans des jarres en terre cuite. Des vins d'une grande régularité, qui font du domaine l'une des valeurs sûres de la Côte de Nuits.

Avec cette cuvée élevée pour environ 40 % en jarre de terre cuite, Frédéric Magnien assume ses choix, même au plus haut de sa gamme. Un grand cru qui développe des notes épicées et de fruits bien mûrs à l'olfaction. En bouche, il se montre d'abord suave et chaleureux, puis dévoile des tanins bien présents qui se raffermissent en finale. ⧗ 2024-2030

SCEV MICHEL MAGNIEN ET FILS, 4, rue Ribordot, 21220 Morey-Saint-Denis, tél. 03 80 51 82 98, domaine@michel-magnien.com V *r.-v.*

Ⓑ FRÉDÉRIC MAGNIEN Aux Charmes 2017

Gd cru	800		+ de 100 €

Frédéric Magnien est un fin vinificateur en chambolle et l'une des valeurs sûres de cette appellation, et plus largement des grands crus de la Côte de Nuits. Après avoir travaillé quatre ans sur le domaine de son père Michel, dont il vinifie toujours les vins, exercé un an dans des vignobles du Nouveau Monde (Californie, Australie) et obtenu un diplôme d'oenologie à Dijon, il a lancé en 1995 sa maison de négoce.

Une cuvée issue d'une petite parcelle située dans le lieu-dit Aux Charmes, en dessous du grand cru chambertin. Des vignes cultivées en bio et un élevage sans recours au fût de chêne (élevage 100 % en jarre). Le vin présente une bouche généreuse, ronde, charnue, dotée de tanins assez fondus, support d'arômes de fruits noirs et rouges à haute maturité. ⧗ 2024-2030

EURL FRÉDÉRIC MAGNIEN, 26, rte Nationale, 21220 Morey-Saint-Denis, tél. 03 80 58 54 20, frederic@fred-magnien.com V *r.-v.*

DOM. HENRI REBOURSEAU 2016 ★

Gd cru	1000		+ de 100 €

Ce domaine a été créé en 1919 par le général Henri Rebourseau, qui regroupa les vignes de son père autour de la maison familiale, une belle bâtisse

du XVIIIᵉs. Son arrière-petit-fils Jean de Surrel est aujourd'hui aux commandes d'un vignoble de 13,4 ha, fort d'un joli patrimoine de grands crus et en conversion à la biodynamie.

Le millésime a été propice à la production de vins d'une grande concentration, taillés pour la garde. Ce charmes-chambertin, aux notes de fruits noirs et de graphite, répond à ce descriptif. Il se montre sur la réserve aujourd'hui et campe sur une belle puissance tannique : son potentiel ne fait pas de doute. ⧗ 2024-2030

SASU DOM. HENRI REBOURSEAU, 10, pl. du Monument, 21220 Gevrey-Chambertin, tél. 03 80 51 88 94, domaine@rebourseau.com

DOM. TORTOCHOT 2017 ★

■ Gd cru	2500		75 à 100 €

Fondé à Gevrey en 1865, ce domaine est régulièrement sélectionné pour ses gevrey et ses mazis-chambertin. En 1997, Chantal Michel-Tortochot (quatrième génération), ancienne contrôleuse de gestion dans l'industrie bourguignonne, a repris les vignes familiales, un beau parcellaire de 12 ha (dont 10 % de grands crus et autant de 1ers crus), certifiés bio depuis 2013.

Le domaine vante volontiers l'équilibre de ce grand cru. Des qualités qui sont pour l'heure surtout perceptibles aromatiquement : le nez propose en effet de jolies nuances de fruits rouges (de framboise notamment) et d'épices. La bouche montre de l'ampleur et de la fraîcheur, mais demande à s'assouplir. Patience. ⧗ 2024-2030

SARL DOM. TORTOCHOT, 12, rue de l'Église, 21220 Gevrey-Chambertin, tél. 03 80 34 30 68, contact@tortochot.com V r.-v.

DOM. DES VAROILLES 2016 ★

■ Gd cru	9500		75 à 100 €

Bien connu pour ses gevrey et ses charmes, ce domaine conduit depuis 1990 par Gilbert Hammel dispose de 10 ha répartis dans de nombreux crus prestigieux de Gevrey, dont plusieurs en monopole (Clos des Varoilles, Clos du Meix, Clos du Couvent et La Romanée).

Gilbert Hammel est resté fidèle à ses principes d'élevage long en fût (dix-huit mois ici) et propose un charmes-chambertin au solide potentiel de garde. Les tanins sont présents mais agréables, apportant un bon volume et de la mâche. L'expression aromatique évoque la belle maturité de fruit du millésime 2016 et monte en puissance au fil de l'aération. ⧗ 2024-2030

SC DOM. DES VAROILLES, rue de la Croix-des-Champs, 21220 Gevrey-Chambertin, tél. 03 80 34 30 30, contact@domaine-varoilles.com V r.-v.

GRIOTTE-CHAMBERTIN

Superficie : 2,7 ha / Production : 105 hl

MAISON ROCHE DE BELLENE 2016 ★

■ Gd cru	444		+ de 100 €

Nicolas Potel a créé cette maison en 2008 pour compléter la gamme du Dom. de Bellene qu'il a également fondé quelques années plus tôt. Un négoce installé à Beaune qui propose pas moins de 80 appellations différentes. Des vins exportés dans plus de 42 pays.

Une cuvaison en grappes entières et un élevage long (vingt mois) pour cette toute petite cuvée en volume. Les rares amateurs qui auront la chance de la déguster apprécieront la classe de son expression aromatique, centrée sur la cerise, le cassis et la pivoine. Concentrée, ample, riche et longue en bouche, elle réunit les qualités d'une belle bouteille de garde. ⧗ 2024-2030

SAS MAISON ROCHE DE BELLENE, 39, rue du Fg-Saint-Nicolas, 21200 Beaune, tél. 03 80 20 67 64, contact@groupebellene.com V r.-v.

MAZIS-CHAMBERTIN

Superficie : 8,8 ha / Production : 275 hl

DOM. FAIVELEY 2017 ★

■ Gd cru	7500		+ de 100 €

Ce domaine fondé à Nuits-Saint-Georges en 1825 est un nom qui compte en Bourgogne, depuis sept générations. À sa tête depuis 2005, Erwan Faiveley, qui a succédé à son père François. Aujourd'hui, c'est l'un des plus importants propriétaires de vignes en Bourgogne : 120 ha du nord de la Côte de Nuits au sud de la Côte chalonnaise, dont 10 ha en grand cru et près de 25 ha en 1er cru.

Après dix-neuf jours de cuvaison et un élevage de près de dix-huit mois en fût (60 % neuf), le vinificateur du domaine, Jérôme Flous, a obtenu un grand cru d'un bon volume, structuré par des tanins fins, bien enrobés par une matière harmonieuse, aux saveurs de petits fruits rouges (griotte, framboise). ⧗ 2024-2030

SAS MAISON JOSEPH FAIVELEY (CVVB), 8, rue du Tribourg, 21700 Nuits-Saint-Georges, tél. 03 80 61 04 55, contact@domaine-faiveley.com

JEAN-MICHEL GUILLON ET FILS 2017

■ Gd cru	1200		+ de 100 €

Établi à Gevrey, Jean-Michel Guillon a débuté en 1980 sur un domaine de 2,3 ha, dont il a porté la superficie à plus de 15 ha répartis dans de nombreuses appellations (mazis, gevrey, morey, clos-de-vougeot...). Secondé par son fils Alexis depuis 2005, il s'illustre avec une grande régularité dans le Guide.

Les raisins, issus d'une petite parcelle de vignes de soixante ans, ont connu une macération préfermentaire à froid avant que les levures naturelles ne se mettent au travail. Le nez s'ouvre sur des notes de fruits noirs à grande maturité. Après une attaque en souplesse, la bouche se montre charnue et bien enrobée, étayée par des tanins d'une agréable finesse. ⧗ 2024-2030

SARL DOM. JEAN-MICHEL GUILLON ET FILS, 33, rte de Beaune, 21220 Gevrey-Chambertin, tél. 03 80 51 83 98, contact@domaineguillon.com V r.-v. D

MAZOYÈRES-CHAMBERTIN

Superficie : 1,7 ha / Production : 65 hl

DOM. DES BEAUMONT 2017

■ Gd cru | 1800 | | + de 100 €

Thierry Beaumont a créé son domaine en 1991 en reprenant les vignes familiales et commercialise en bouteille, sous son patronyme, depuis 1999. Le vignoble couvre 5,5 ha à Morey, Chambolle et Gevrey. Les cuvées de ce vigneron peu interventionniste à la vigne et au chai, qui a investi dans un outil de travail moderne, sont chaque année au rendez-vous du Guide.

Un vin dont la jeunesse le pénalise à ce stade, mais qui présente de beaux atouts pour l'avenir. Concentration, tanins élégants et une bonne longueur sont au rendez-vous. Le boisé doit se fondre pour que l'ensemble gagne en complexité. ⧗ 2024-2030

SASU DOM. DES BEAUMONT, 9, rue Ribordot, 21220 Morey-Saint-Denis, tél. 03 80 51 87 89, contact@domaine-des-beaumont.com V *r.-v.*

RUCHOTTES-CHAMBERTIN

Superficie : 3 ha / Production : 98 hl

♥ DOM. HENRI MAGNIEN 2017 ★★★

■ Gd cru | 900 | | + de 100 €

Si les origines du domaine remontent au XVIIᵉs., sa spécialisation en viticulture date du milieu du XIXᵉs. Le domaine «moderne» a été quant à lui créé en 1987 par Henri Magnien, repris par son fils François puis, en 2009, par son petit-fils Charles. Le vignoble couvre 6 ha dédiés très largement au gevrey-chambertin et cultivés dans une approche très raisonnée, avec un maximum de traitements à partir de produits homologués bio.

Situé au-dessus du grand cru mazis-chambertin, le *climat* des Ruchottes ne compte que 3,3 ha au total. Ce qui est en fait le plus petit des grands crus du village avec le griotte-chambertin. Charles Magnien y exploite quelques rangs de vignes d'une cinquantaine d'années. Son millésime 2017 marque les esprits par sa superbe complexité aromatique et le raffinement de sa matière en bouche. Le nez s'épanouit avec fraîcheur sur des notes florales, fruitées (cassis, myrtille), mentholées et torréfiées. La bouche est tenue par des tanins délicats, veloutés et par une fine acidité qui lui confère une longueur remarquable. ⧗ 2024-2035

SC DOM. HENRI MAGNIEN, 17, rue Haute, 21220 Gevrey-Chambertin, tél. 03 80 51 89 88, contact@henrimagnien.com V *r.-v.*

MOREY-SAINT-DENIS

Superficie : 96 ha
Production : 3 822 hl (95 % rouge)

Entre Gevrey-Chambertin et Chambolle-Musigny, Morey-Saint-Denis constitue l'une des plus petites appellations communales de la Côte de Nuits. Outre d'excellents 1ᵉʳˢ crus (en majorité rouges), la commune possède cinq grands crus ayant une appellation d'origine contrôlée particulière : clos-de-tart, clos-saint-denis, bonnes-mares (en partie), clos-de-la-roche et clos-des-lambrays. Les vins rouges de cette commune apparaissent comme intermédiaires entre les puissants gevrey et les délicats chambolle. Les vignerons présentent au public les morey-saint-denis, et uniquement ceux-ci, le vendredi précédant la vente des Hospices de Nuits (3ᵉ semaine de mars) lors d'un Carrefour de Dionysos à la salle des fêtes communale.

DOM. PIERRE AMIOT ET FILS Les Blanchards 2017 ★

■ 1ᵉʳ cru | 900 | | 30 à 50 €

Un domaine établi à Morey-Saint-Denis depuis cinq générations et conduit aujourd'hui par les fils de Pierre Amiot, Jean-Louis et Didier. Le vignoble couvre 7,9 ha à Morey, essentiellement, et à Gevrey, avec deux grands crus.

Évoquant une terre blanche, les Blanchards est un *climat* situé sous le village de Morey-Saint-Denis. Le domaine y dispose d'une petite parcelle de 15 ares qui a donné en 2017 un vin au nez discret (cassis, framboise, boisé intégré), au palais ample et frais, porté par des tanins soyeux. ⧗ 2022-2025

SCEA DOM. PIERRE AMIOT ET FILS, 27, Grande-Rue, 21220 Morey-Saint-Denis, tél. 03 80 34 34 28, contact@domainepierreamiot.fr V *r.-v.*

DOM. DES BEAUMONT Les Millandes 2017

■ 1ᵉʳ cru | 1300 | | 50 à 75 €

Thierry Beaumont a créé son domaine en 1991 en reprenant les vignes familiales et commercialise en bouteille, sous son patronyme, depuis 1999. Le vignoble couvre 5,5 ha à Morey, Chambolle et Gevrey. Les cuvées de ce vigneron peu interventionniste à la vigne et au chai, qui a investi dans un outil de travail moderne, sont chaque année au rendez-vous du Guide.

Plusieurs fois coup de cœur dans le Guide, cette cuvée fait partie des classiques de l'appellation. On l'a connue plus généreuse sur le plan aromatique, mais les notes de myrtille et de cassis sont là. La bouche est souple, chaleureuse et enrobée par un boisé discrètement présent. ⧗ 2022-2025 ■ **2017 (30 à 50 € ; 5 600 b.)** : vin cité.

SASU DOM. DES BEAUMONT, 9, rue Ribordot, 21220 Morey-Saint-Denis, tél. 03 80 51 87 89, contact@domaine-des-beaumont.com V *r.-v.*

RÉGIS BOUVIER En la Rue de Vergy 2017

■ | 2500 | | 30 à 50 €

Régis Bouvier a fondé ce domaine en 1981 (2 ha au départ, 15 ha aujourd'hui), étendu de Marsannay, son fief, dont il défend les couleurs avec brio, à Morey, en passant par Fixin et Gevrey. Une activité de négoce lui permet de compléter sa gamme.

Le domaine exploite un demi-hectare sur ce *climat* des hauteurs de l'appellation. Le nez associe des notes de fruits frais (groseille, griotte, framboise) aux nuances épicées apportées par l'élevage en fût (réglisse, vanille). La bouche affiche un profil en souplesse et en rondeur. ⧗ 2021-2024

*RÉGIS BOUVIER, 52, rue de Mazy,
21160 Marsannay-la-Côte, tél. 03 80 51 33 93,
dom.reg.bouvier@hotmail.fr* V *r.-v.*

DOM. CASTAGNIER
Aux Cheseaux 2017 ★★

■ 1er cru	800		30 à 50 €

Installé depuis 2004 sur le domaine familial de Morey-Saint-Denis, Jérôme Castagnier exploite (en biodynamie non certifiée) un vignoble de 4 ha en Côte de Nuits. Ses grands crus, notamment ses clos-de-vougeot, clos-de-la-roche et clos-saint-denis, lui permettent de s'illustrer avec une réelle constance. Il a également développé une activité de négoce à son nom pour compléter sa gamme, toujours en Côte de Nuits.

Habitué aux honneurs du Guide, Jérôme Castagnier obtient la meilleure notation de cette sélection de morey-saint-denis. Son vin s'ouvre doucement sur des notes de framboise, de muscade et de cannelle. L'équilibre est remarquable en bouche : l'ampleur de la matière est mise en relief par une belle trame de fraîcheur saline et par des tanins fermes. Pour la garde. ⧗ 2023-2030

*SCEA DOM. CASTAGNIER, 20, rue des Jardins,
21220 Morey-Saint-Denis, tél. 03 80 34 31 62,
jeromecastagnier@yahoo.fr* V *r.-v.*

DOM. FOREY PÈRE ET FILS 2017

■	3000		20 à 30 €

Cette famille voisine de la Romanée-Conti exploitait jadis en métayage La Romanée du chanoine Liger-Belair. Installé en 1983 avec son père et son frère, Régis Forey, aux commandes depuis 1989, conduit aujourd'hui un domaine de 8,5 ha régulièrement en vue dans le Guide.

Un vin issu d'une vinification pour 30 % en vendanges entières qui a la particularité d'avoir été élevé dans des fûts de 500 litres (contre 228 traditionnellement). Le nez s'ouvre sur le cassis, la myrtille et la violette, reléguant le boisé en second plan. Les tanins sont encore un peu stricts en bouche, mais rien de rédhibitoire pour la suite. ⧗ 2022-2025

*SCEA DOM. FOREY PÈRE ET FILS,
2, rue Derrière-le-Four, 21700 Vosne-Romanée,
tél. 03 80 61 09 68, domaineforey@orange.fr*
V *r.-v.*

ALAIN JEANNIARD 2017 ★

■	n.c.		30 à 50 €

Après une carrière dans l'industrie, Alain Jeanniard est revenu à ses racines vigneronnes (qui remontent au XVIIIes.) pour reprendre en 2000 le domaine de Morey : 0,5 ha à l'époque, 4,5 ha aujourd'hui. Il a également créé une affaire de négoce en 2003.

Un morey *village* d'une belle tenue, évoquant les fruits rouges compotés et les épices. La bouche, ample et dense, construite sur des tanins fermes, affiche une solide présence et gagnera certainement encore en finesse avec le temps. ⧗ 2023-2030

*DOM. ALAIN JEANNIARD, 4, rue aux Loups,
21220 Morey-Saint-Denis, tél. 03 80 58 53 49,
domaine.ajeanniard@wanadoo.fr* V *r.-v.*

RÉMI JEANNIARD Les Ruchots 2017 ★

■ 1er cru	1580		20 à 30 €

Après avoir travaillé près de vingt ans avec son père, Rémi Jeanniard a repris une partie des vignes familiales en 2004 et s'est construit une nouvelle cuverie. Il exploite aujourd'hui 5,8 ha, à Morey-Saint-Denis principalement.

Un *climat* du sud de Morey-Saint-Denis situé à proximité immédiate de Chambolle-Musigny. Le domaine y exploite 25 ares de pinot noir. Campant sur une matière dense et de solides tanins, le vin se montre un peu austère aujourd'hui. Sa complexité et sa persistance aromatiques, tout comme l'équilibre de l'ensemble, ne laissent pas de doute sur son potentiel. ⧗ 2023-2028 ■ **1er cru Clos des Ormes 2017 ★ (20 à 30 €; 2000 b.)** : nous sommes ici tout au nord de l'appellation, côté Gevrey-Chambertin. Le vin est raffiné, élégant, centré sur des notes de violette et de fruits noirs. La bouche, d'une agréable fraîcheur, propose des tanins fondus. ⧗ 2021-2025

*RÉMI JEANNIARD,
19-21, rue de Cîteaux, 21220 Morey-Saint-Denis,
tél. 03 80 58 52 42, remijeanniard@orange.fr*
V *r.-v.*

MANOIR MURISALTIEN
Les Parcellaires de Saulx 2016

■	600		30 à 50 €

Le Manoir Murisaltien a été acquis en 2017 par un couple d'Américains passionnés d'art de vivre à la française. Propriétaires également du Dom. de Belleville à Rully et du Ch. le Clos de la Commaraine à Pommard, ainsi que de la maison de champagne Leclerc Briant, ils ambitionnent de vinifier une gamme de vins très qualitative dans leur cave de Meursault.

L'activité négoce «haute couture» de la maison met ici en valeur un morey bien typé et équilibré. Les tanins et le fruit s'associent avec harmonie, même si une pointe de rugosité est aujourd'hui perceptible en finale. ⧗ 2022-2025

*SASU MANOIR MURISALTIEN,
4, rue du Clos-de-Mazeray, 21190 Meursault,
tél. 03 80 21 21 83, contact@de-saulx.com*
V *r.-v.*

MANUEL OLIVIER 2017

■	2505		30 à 50 €

Installé en 1990, Manuel Olivier, fils d'agriculteurs, a commencé par cultiver les vignes et petits fruits dans les Hautes-Côtes de Nuits. Aujourd'hui spécialisé en viticulture, il exploite un vignoble de 11 ha, complété depuis 2007 par une structure de négoce qui lui a permis de mettre un pied en Côte de Beaune.

Morey-Saint-Denis est un village qui donne généralement des vins dans lesquels dominent droiture et générosité, explique volontiers Manuel Olivier. Une définition fidèle de cette cuvée où la gourmandise n'empêche pas la présence de tanins assez solides. ⧗ 2022-2025

*SARL MANUEL OLIVIER, 7, rue des Grandes-Vignes,
hameau de Corboin, 21700 Nuits-Saint-Georges,
tél. 03 80 62 39 33, contact@domaine-olivier.com*
V *t.l.j. sf dim. 9h-12h 14h-19h*

HENRI PION
Racines croisées Très Vieilles Vignes 2016 ★

■ | 3000 | 🛢 | 30 à 50 €

Héritiers de leur père Henri, fondateur d'une maison de distribution de vins fins de Bourgogne dans les années 1950, les frères Olivier et Christian Pion se sont lancés dans l'activité de négociants-éleveurs en 2012, en partenariat avec plus de 300 domaines familiaux. Leur gamme Racines croisées a vu le jour avec le millésime 2013.

Un vin qui provient d'une parcelle plantée de vignes de soixante-quinze ans, élevé à 10 % en fût neuf pendant quinze mois. Le résultat se concrétise par un *village* charnu, gourmand et persistant en bouche, qui développe de fines notes de fruits rouges et noirs au nez, avec notamment de la griotte et du cassis. ⧗ 2021-2025

SAS HENRI PION, 4, imp. des Lamponnes, 21190 Meursault, tél. 03 80 20 80 55, info@henri-pion.com

DOM. CHANTAL RÉMY
Clos des Rosiers Monopole 2016

■ | 1200 | 🛢 | 50 à 75 €

Florian, le fils de Chantal Remy, est arrivé en 2011 dans cette jeune exploitation créée par sa mère en 2009. Ils sont à la tête de vignes héritées du domaine Louis Rémy. Le domaine exploite trois grands crus et le Clos des Rosiers, monopole de Morey-Saint-Denis.

Un vin qui campe sur une solide structure tannique et qui évoque le poivre et les fruits rouges. L'ensemble forme un morey bien typé et équilibré, issu d'une parcelle de 30 ares située en bas du Clos des Lambrays. ⧗ 2022-2025

DOM. CHANTAL RÉMY, 1, pl. du Monument, 21220 Morey-Saint-Denis, tél. 03 80 34 32 59, domaine.chantal.remy@orange.fr V r.-v. 5

CLOS-DE-LA-ROCHE

Superficie : 13,4 ha / Production : 450 hl

DOM. CASTAGNIER 2017

■ Gd cru | 2000 | 🛢 | 75 à 100 €

Installé depuis 2004 sur le domaine familial de Morey-Saint-Denis, Jérôme Castagnier exploite (en biodynamie non certifiée) un vignoble de 4 ha en Côte de Nuits. Ses grands crus, notamment ses clos-de-vougeot, clos-de-la-roche et clos-saint-denis, lui permettent de s'illustrer avec une réelle constance. Il a également développé une activité de négoce à son nom pour compléter sa gamme, toujours en Côte de Nuits.

Avec 60 ares en clos-de-la-roche, Jérôme Castagnier tient là son grand cru le plus conséquent en superficie. Un terroir de Morey-Saint-Denis doté d'une propension à livrer des vins solides et de bonne garde. Le nez évoque la cerise et les épices. Après une attaque veloutée, se développe une matière d'une belle densité, portée par des tanins qui s'affermissent en finale. ⧗ 2024-2030

SCEA DOM. CASTAGNIER, 20, rue des Jardins, 21220 Morey-Saint-Denis, tél. 03 80 34 31 62, jeromecastagnier@yahoo.fr V r.-v.

B DOM. MICHEL MAGNIEN 2017 ★

■ Gd cru | 2000 | 🛢 | + de 100 €

Michel Magnien incarne la quatrième génération à la tête d'un vignoble familial qu'il a considérablement agrandi entre les années 1960 et 1990 (18 ha aujourd'hui, conduits en bio et biodynamie). Jusqu'en 1993, il porte sa récolte à la coopérative de Morey. L'arrivée de son fils Frédéric, en charge des vinifications depuis lors, change la donne : les vins sont désormais mis en bouteilles à la propriété et, depuis le millésime 2015, l'élevage se fait pour partie dans des jarres en terre cuite. Des vins d'une grande régularité, qui font du domaine l'une des valeurs sûres de la Côte de Nuits.

L'aromatique présente une bonne complexité, sur des notes de cassis et d'épices. La bouche déploie d'abord des tanins tout en rondeur et en suavité, puis elle gagne en présence, sans pour autant se départir d'une certaine finesse. Une cuvée bien représentative de son terroir et du millésime. ⧗ 2024-2030

SCEV MICHEL MAGNIEN ET FILS, 4, rue Ribordot, 21220 Morey-Saint-Denis, tél. 03 80 51 82 98, domaine@michel-magnien.com V r.-v.

CLOS-SAINT-DENIS

Superficie : 6 ha / Production : 200 hl

DOM. BERTAGNA 2016 ★

■ Gd cru | 2341 | 🛢 | + de 100 €

Ce domaine de 17 ha rayonne sur un beau patrimoine de cinq grands crus. Il est dirigé depuis 1982 par la famille Reh, originaire de la Moselle allemande, et depuis 1988 par Eva Reh-Siddle. Une valeur sûre, notamment pour ses vougeot et son monopole le Clos de la Perrière.

Le domaine dispose de 53 ares dans ce grand cru emblématique de Morey-Saint-Denis. L'élevage à 100 % en fût neuf aurait pu masquer le fruit, il n'en est rien. Des notes élégantes de fruits rouges (cerise, framboise) sont perceptibles. Des tanins denses et de grande qualité soutiennent la bouche, ample, consistante et solide, et assurent un bel avenir à cette cuvée. ⧗ 2024-2030

SARL DOM. BERTAGNA, 16, rue du Vieux-Château, 21640 Vougeot, tél. 03 80 62 86 04, contact@domainebertagna.com V *t.l.j. sf jeu. dim. 10h-12h30 13h30-17h30*

DOM. CASTAGNIER 2017 ★

■ Gd cru | 1700 | 🛢 | 75 à 100 €

Installé depuis 2004 sur le domaine familial de Morey-Saint-Denis, Jérôme Castagnier exploite (en biodynamie non certifiée) un vignoble de 4 ha en Côte de Nuits. Ses grands crus, notamment ses clos-de-vougeot, clos-de-la-roche et clos-saint-denis, lui permettent de s'illustrer avec une réelle constance. Il a également développé une activité de négoce à son nom pour compléter sa gamme, toujours en Côte de Nuits.

Jérôme Castagnier démontre à nouveau qu'il n'est pas passé à côté du millésime 2017 et accroche une nouvelle étoile à son tableau d'honneur. Il propose ici un clos-saint-denis charnu et d'une bonne puissance, doté de tanins bien intégrés qui assurent un toucher soyeux. Une consistance qui se prolonge assez longuement en finale. ⧗ 2024-2030

SCEA DOM. CASTAGNIER, 20, rue des Jardins, 21220 Morey-Saint-Denis, tél. 03 80 34 31 62, jeromecastagnier@yahoo.fr V r.-v.

DOM. PHILIPPE CHARLOPIN 2016 ★★

■ Gd cru	n.c.		+ de 100 €

Repris en 1977, ce domaine familial, passé de 1,5 ha à 25 ha aujourd'hui, est en bio. Avec son fils Yann, Philippe Charlopin fait partie des vignerons emblématiques de Gevrey-Chambertin. Il propose une large palette de vins, des *villages* aux grands crus du Chablisien, de la Côte de Beaune et de la Côte de Nuits. On ne compte plus ses étoiles et coups de cœur «vendangés» dans le Guide.

Les vignes du domaine Charlopin sont situées dans la partie historique du Clos, sur une parcelle de 17 ares. Un grand cru de haut de coteau, réputé donner des vins frais et fins. Une définition répondant parfaitement au profil de ce vin qui présente de la pureté aromatique (cerise, framboise, mûre), de l'élégance, mais aussi une bonne consistance. Une finale vigoureuse conclut la dégustation. ⧗ 2024-2030

SARL DOM. PHILIPPE CHARLOPIN, 18, rte de Dijon, 21220 Gevrey-Chambertin, tél. 06 24 71 12 05, charlopin.philippe21@orange.fr

Ⓑ DOM. MICHEL MAGNIEN 2017 ★

■ Gd cru	600		+ de 100 €

Michel Magnien incarne la quatrième génération à la tête d'un vignoble familial qu'il a considérablement agrandi entre les années 1960 et 1990 (18 ha aujourd'hui, conduits en bio et biodynamie). Jusqu'en 1993, il porte sa récolte à la coopérative de Morey. L'arrivée de son fils Frédéric, en charge des vinifications depuis lors, change la donne : les vins sont désormais mis en bouteilles à la propriété et, depuis le millésime 2015, l'élevage se fait pour partie dans des jarres en terre cuite. Des vins d'une grande régularité, qui font du domaine l'une des valeurs sûres de la Côte de Nuits.

Issue de la partie haute du grand cru, sur seulement 14 ares, la production du domaine est confidentielle. Elle est aussi originale puisque les trois quarts de la cuvée ont été élevés en jarre. Un vin qui allie la force et l'élégance avec harmonie. Le nez se dévoile sur des notes de fruits noirs, de mûre notamment, et de cerise. Les tanins sont bien présents mais raffinés. ⧗ 2024-2030

SCEV MICHEL MAGNIEN ET FILS, 4, rue Ribordot, 21220 Morey-Saint-Denis, tél. 03 80 51 82 98, domaine@michel-magnien.com V r.-v.

CHAMBOLLE-MUSIGNY

Superficie : 152 ha / Production : 6 050 hl

Commune de grande renommée malgré sa petite étendue, Chambolle-Musigny doit sa réputation à la qualité de ses vins et à la notoriété de ses 1ers crus, dont le plus connu est le *climat* des Amoureuses. Tout un programme! Mais Chambolle a aussi ses Charmes, Chabiots, Cras, Fousselottes, Groseilles et autres Lavrottes... Le petit village aux rues étroites et aux arbres séculaires abrite des caves magnifiques (domaine des Musigny).

Toujours rouges, les chambolle sont élégants et subtils. Ils allient la force des bonnes-mares à la finesse des musigny, à l'image d'un pays de transition dans la Côte de Nuits.

DOM. RENÉ CACHEUX ET FILS Les Argillères 2016

■	1500		30 à 50 €

En 2005, après avoir travaillé sur d'autres exploitations viticoles, Gérald Cacheux a succédé à ses parents à la tête de ce petit domaine familial (3,26 ha), fondé en 1966. Il exploite des vignes sur Vosne-Romanée et Chambolle-Musigny.

Un chambolle expressif sur des nuances à la fois fruitées et florales. Un boisé fondu lui apporte un supplément de complexité (élevage en fût de dix-huit mois). Une générosité que l'on retrouve aussi dans une bouche dotée de tanins serrés et d'une bonne longueur. ⧗ 2023-2027

EARL DOM. RENÉ CACHEUX ET FILS, 28, rue de la Grand-Velle, 21700 Vosne-Romanée, tél. 03 80 61 28 72, contact@domaine-cacheux.com V r.-v.

DOM. CASTAGNIER Cuvée Jeanne 2017 ★★

■	2000		30 à 50 €

Installé depuis 2004 sur le domaine familial de Morey-Saint-Denis, Jérôme Castagnier exploite (en biodynamie non certifiée) un vignoble de 4 ha en Côte de Nuits. Ses grands crus, notamment ses clos-de-vougeot, clos-de-la-roche et clos-saint-denis, lui permettent de s'illustrer avec une réelle constance. Il a également développé une activité de négoce à son nom pour compléter sa gamme, toujours en Côte de Nuits.

Coup de cœur avec cette cuvée sur le millésime 2016, Jérôme Castagnier récolte deux nouvelles étoiles cette année. Son 2017 développe de fines notes de réglisse, de framboise et de violette : un nez bien typé de pinot noir de la Côte de Nuits vinifié et élevé avec soin. La bouche se révèle ample, onctueuse, dense, dotée de tanins bien enrobés et consistants. Quelques années de garde l'emmèneront plus loin encore. ⧗ 2023-2030 ■ **1er cru Les Amoureuses 2017 (+ de 100 €; n.c.)** : vin cité.

SCEA DOM. CASTAGNIER, 20, rue des Jardins, 21220 Morey-Saint-Denis, tél. 03 80 34 31 62, jeromecastagnier@yahoo.fr V r.-v.

DOM. PHILIPPE CHARLOPIN 2016 ★

■	n.c.		30 à 50 €

Repris en 1977, ce domaine familial, passé de 1,5 ha à 25 ha aujourd'hui, est en bio. Avec son fils Yann, Philippe Charlopin fait partie des vignerons emblématiques de Gevrey-Chambertin. Il propose une large palette de vins, des *villages* aux grands crus du Chablisien, de la Côte de Beaune et de la Côte de Nuits. On ne compte plus ses étoiles et coups de cœur «vendangés» dans le Guide.

Le nez, à dominante de cassis, montre une belle richesse et un certain raffinement. On y trouve aussi des nuances de groseille et de fraise. Les tanins se déploient avec finesse au palais et donnent un toucher rond et soyeux. ⧗ 2023-2027

SARL DOM. PHILIPPE CHARLOPIN, 18, rte de Dijon, 21220 Gevrey-Chambertin, tél. 06 24 71 12 05, charlopin.philippe21@orange.fr

JOSEPH DROUHIN 2016

■ 1er cru | 3700 | | 50 à 75 €

Créée en 1880, cette maison beaunoise travaille une large palette d'AOC bourguignonnes : de Chablis (38 ha sous l'étiquette Drouhin-Vaudon) à la Côte chalonnaise (3 ha), en passant par les Côtes de Beaune et de Nuits (32 ha). On peut y ajouter les vignes américaines du Dom. Drouhin en Oregon (90 ha) et de Roserock Vineyard, 112 ha dans la région des Eola-Amity Hills. Ce négoce d'envergure grâce à ce vaste domaine de 73 ha – développé par Robert Drouhin à partir de 1957 et désormais géré par ses quatre enfants – est aussi le plus important propriétaire de vignes cultivées en biodynamie. Incontournable.

Une cuvée issue d'un assemblage de plusieurs parcelles formant un total d'un peu plus d'un hectare. Sa palette aromatique se livre avec une bonne intensité sur des notes de cerise noire, de cassis, d'épices et une touche florale. Des tanins stricts et serrés marquent un peu la bouche à ce stade, mais l'ensemble reste harmonieux et prometteur. À attendre. ⌛ 2023-2027

SA MAISON JOSEPH DROUHIN, 7, rue d'Enfer, 21200 Beaune, tél. 03 80 24 68 88, christellehenriot@drouhin.com V r.-v.

DOM. ANTONIN GUYON
Clos du Village Monopole 2016 ★★

■ | 1200 | | 30 à 50 €

Ce domaine s'est constitué à partir des années 1960 un vaste vignoble de 48 ha, principalement en 1ers et grands crus, allant de Gevrey-Chambertin à Meursault. Une exploitation régulière en qualité, conduite par Dominique Guyon, fils d'Antonin.

Une cuvée régulièrement présente dans le Guide, qui comme son nom le laisse entendre est issue d'un petit clos (44 ares) situé à proximité immédiate du village de Chambolle-Musigny. Élevée pendant quatorze mois en fût, elle propose une expression florale et fraîche, agrémentée de notes de cerise. Après une attaque souple, la bouche se révèle ample, généreuse, étayée par des tanins soyeux et par une belle fraîcheur en finale qui lui donne de l'allonge. ⌛ 2023-2030

SC DOM. ANTONIN GUYON, 21420 Savigny-lès-Beaune, tél. 03 80 66 85 87, domaine@guyon-bourgogne.com V r.-v.

OLIVIER GUYOT Vieilles Vignes 2017

■ | 3000 | | 30 à 50 €

Olivier Guyot a repris le domaine familial en 1990. Il exploite 16 ha répartis en de nombreuses petites parcelles, dans la partie nord de la Côte de Nuits, entre Marsannay et Gevrey. Son fils David l'a rejoint en 2018.

Un vin qui se révèle progressivement sur des notes d'épices, de caramel, puis de fruits rouges frais. Si la bouche se montre elle aussi sur la retenue, elle présente une densité et des tanins serrés qui incitent à la patience. Un chambolle sérieux et austère pour l'heure. ⌛ 2024-2030

EARL OLIVIER GUYOT, 39, rue de Mazy, 21160 Marsannay-la-Côte, tél. 03 80 52 39 71, contact@domaineguyot.fr V r.-v.

DOM. ARMELLE ET BERNARD RION
Les Échézeaux Vieilles Vignes 2017 ★★

■ | 3000 | | 30 à 50 €

Un domaine fondé en 1896 et transmis de père en fils depuis cinq générations; de père en fille aujourd'hui, Alice avec son mari Louis ayant rejoint ses parents Armelle et Bernard Rion en 2008, pour vinifier (avec le moins d'interventions possibles à la vigne et au chai) le fruit de 7,5 ha de vignes, du simple bourgogne au grand cru. Revenue en 2018 sur ses terres natales, Mélissa, sœur d'Alice, a en charge le développement œnotouristique de la propriété.

Une parcelle de 78 ares située à l'extrême nord de l'appellation (côté Gevrey-Chambertin) est à l'origine de ce chambolle qui se livre avec beaucoup d'harmonie et de classe. Le nez s'ouvre spontanément sur des notes subtiles de fruits rouges flattées par un boisé aux nuances de vanille et de réglisse. En bouche, les tanins se montrent fins, fondus, élégants. ⌛ 2023-2030

EARL DOM. ARMELLE ET BERNARD RION, 8, rte Nationale, 21700 Vosne-Romanée, tél. 03 80 61 05 31, rion@domainerion.fr V *t.l.j. sf dim. 9h-18h*

DOM. ROUX PÈRE ET FILS
Les Borniques 2016 ★

■ 1er cru | 900 | | 75 à 100 €

Créée en 1855, cette maison associant domaine et négoce, gérée par Christian Roux et ses fils Sébastien et Matthieu, est à la tête d'un vaste ensemble de 70 ha répartis sur 13 villages de la Côte-d'Or et de la Côte chalonnaise. Elle propose une vaste gamme de vins, souvent en vue, notamment en saint-aubin, puligny, chassagne et meursault.

Nous sommes ici sur l'un des *climats* les plus séduisants de l'appellation : situé dans la continuité par le nord du grand cru musigny, les vignes sont idéalement installées à mi-coteau. Le nez de ce Borniques s'ouvre avec beaucoup de raffinement sur des notes de groseille, de framboise et d'épices. La bouche, ronde et savoureuse, développe des tanins veloutés et une belle fraîcheur qui apporte équilibre et longueur. ⌛ 2023-2030 ■ **1er cru Aux Combottes 2016 (75 à 100 €; 300 b.)** : vin cité.

SARL DOM. ROUX PÈRE ET FILS, 42, rue des Lavières, 21190 Saint-Aubin, tél. 03 80 21 32 92, france@domaines-roux.com V r.-v.

♥ DOM. ANNE ET HERVÉ SIGAUT
Les Sentiers Vieilles Vignes 2017 ★★

■ 1er cru | n.c. | | 50 à 75 €

Depuis le départ à la retraite d'Hervé Sigaut en 2008, son épouse Anne, qui assurait les vinifications depuis 2004, est seule aux commandes. Une valeur sûre en chambolle-musigny, fer de lance de ce domaine de 7 ha.

Une cuvée qui avait récolté deux étoiles déjà l'année dernière, une étoile l'année précédente... Ce coup de cœur n'est donc pas une surprise. Nous sommes ici dans le secteur nord de l'appellation, en dessous du grand cru bonnes-mares. Le domaine y exploite 70 ares à l'origine d'un vin présentant tous les attributs d'un chambolle de caractère, qui vieillira bien. La palette aromatique associe harmonieusement la framboise, les fruits noirs et les épices. La bouche est ample, dense et délicate à la fois, construite sur des tanins bien présents, mais fins et soyeux. Une finale longue et fraîche conclut la dégustation. ⌛ 2024-2030 ■ **1er cru Les Fuées 2017 ★ (30 à 50 €; n.c.)** : une bouche gourmande, riche, onctueuse, offrant une jolie persistance aromatique, voilà un 2017 particulièrement réussi. La bonne exposition de ce terroir se traduit par des notes aromatiques évoquant une grande maturité des raisins. ⌛ 2024-2030 ■ **1er cru Les Chatelots 2017 ★ (30 à 50 €; n.c.)** : un *climat* où le caractère minéral l'emporte le plus souvent. Cette situation donne ici chambolle-musigny très typé, fin et long en bouche, dont l'aromatique se distingue par ses notes de fraise, de mûre et de poivre. ⌛ 2024-2030

SCEA DOM. ANNE ET HERVÉ SIGAUT, 12, rue des Champs, 21220 Chambolle-Musigny, tél. 03 80 62 80 28, contact@domaine-sigaut.com V r.-v.

HENRI DE VILLAMONT 2017 ★

■	1848		30 à 50 €

Ce propriétaire (10 ha : 6 ha en savigny, 4 ha en Côte de Nuits) et négociant-éleveur, dans le giron du groupe suisse Schenk depuis 1964, élève ses vins dans une cuverie spectaculaire créée entre 1880 et 1888 à Savigny-lès-Beaune par Léonce Bocquet, alors unique propriétaire du Clos de Vougeot.

Une cuvée d'une bonne longueur et d'une agréable gourmandise. Une petite pointe de raideur relative à un boisé encore à fondre se fait certes sentir, mais la complexité et la richesse de l'ensemble l'emportent. ⌛ 2023-2027 ■ **1er cru Les Groseilles 2016 (50 à 75 €; 513 b.)** : vin cité.

HENRI DE VILLAMONT, rue du Dr-Guyot, 21420 Savigny-lès-Beaune, tél. 03 80 21 50 59, contact@hdv.fr V r.-v.

BONNES-MARES

Superficie : 16 ha / Production : 520 hl

Cette appellation déborde sur la commune de Morey, le long du mur du clos-de-tart, mais la plus grande partie est située sur Chambolle. C'est le grand cru par excellence. Les bonnes-mares, pleins, vineux, riches, ont une bonne aptitude à la garde et accompagnent volontiers le civet ou la bécasse après quelques années de vieillissement.

DOM. PHILIPPE CHARLOPIN 2016

■ Gd cru	n.c.		+ de 100 €

Repris en 1977, ce domaine familial, passé de 1,5 ha à 25 ha aujourd'hui, est en bio. Avec son fils Yann, Philippe Charlopin fait partie des vignerons emblématiques de Gevrey-Chambertin. Il propose une large palette de vins, des *villages* aux grands crus du Chablisien, de la Côte de Beaune et de la Côte de Nuits. On ne compte plus ses étoiles et coups de cœur « vendangés » dans le Guide.

Ce vin se dévoile doucement sur les fruits noirs (cassis, cerise), mais c'est le boisé, aux nuances empyreumatiques, qui impose son empreinte à ce stade. Grâce à des tanins charnus et une bonne générosité aromatique, la bouche se montre savoureuse. Un grand cru en devenir. ⌛ 2024-2030

SARL DOM. PHILIPPE CHARLOPIN, 18, rte de Dijon, 21220 Gevrey-Chambertin, tél. 06 24 71 12 05, charlopin.philippe21@orange.fr

VOUGEOT

Superficie : 16 ha
Production : 525 hl (70 % rouge)

C'est la plus petite commune de la côte viticole. Si l'on ôte de ses 80 ha les 50 ha 59 a 10 ca du Clos, les maisons et les routes, il ne reste que quelques hectares de vignes en vougeot, dont plusieurs 1ers crus, les plus connus étant le Clos Blanc (vins blancs) et le Clos de la Perrière.

♥ DOM. BERTAGNA
Clos de la Perrière Monopole 2016 ★★

■ 1er cru	10172		75 à 100 €

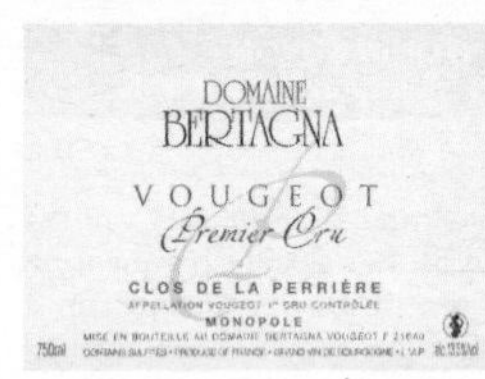

Ce domaine de 17 ha rayonne sur un beau patrimoine de cinq grands crus. Il est dirigé depuis 1982 par la famille Reh, originaire de la Moselle allemande, et depuis 1988 par Eva Reh-Siddle. Une valeur sûre, notamment pour ses vougeot et son monopole le Clos de la Perrière.

Impossible de manquer le Clos de la Perrière lorsque l'on se rend au Ch. du Clos de Vougeot : il est situé dans la continuité du chemin qui y mène. Un terroir d'un peu plus de 2 ha où l'on a extrait les pierres qui ont précisément servi à la construction du château. Le nez se montre élégant et expressif, évoquant un trio composé de nuances florales, épicées et fruitées. Une belle matière ample, soyeuse et concentrée prend place au palais, épaulée par des tanins fermes mais très fins. Une finale longue et généreuse conclut la dégustation de ce vougeot étoffé. ⌛ 2023-2030

SARL DOM. BERTAGNA, 16, rue du Vieux-Château, 21640 Vougeot, tél. 03 80 62 86 04, contact@domainebertagna.com V *t.l.j. sf jeu. dim. 10h-12h30 13h30-17h30*

CLOS-DE-VOUGEOT

Superficie : 50 ha / Production : 1 630 hl

Tout a été dit sur le Clos ! Comment ignorer que plus de soixante-dix propriétaires se partagent ses quelque 50 ha ? Un tel attrait n'est pas dû au hasard; c'est bien parce que le célèbre Clos produit du bon

vin et que tout le monde en veut ! Il faut faire la différence entre les vins « du dessus », ceux « du milieu » et ceux « du bas », mais les moines de Cîteaux, lorsqu'ils ont élevé le mur d'enceinte, avaient tout de même bien choisi leur lieu... Fondé au début du XIIe s., le Clos atteignit très rapidement sa dimension actuelle; l'enceinte d'aujourd'hui est antérieure au XVe s. Quant au château, construit aux XIIe et XVIe s., il mérite qu'on s'y attarde un peu. La partie la plus ancienne comprend le cellier, de nos jours utilisé pour les chapitres de la Confrérie des Chevaliers du Tastevin, actuelle propriétaire des lieux, et la cuverie, qui abrite à chaque angle quatre magnifiques pressoirs d'époque.

B DOM. D'ARDHUY
Petit Maupertuis 2017 ★

Gd cru	1792		+ de 100 €

Un domaine fondé en 1947 comprenant notamment six grands crus et quinze 1ers crus. Près de 40 ha de vignes, de Puligny-Montrachet à Gevrey-Chambertin, dans les Côtes de Beaune et de Nuits. Un vignoble certifié en biodynamie depuis 2012. L'œnologue Vincent Bottreau est aux commandes du chai depuis 2016.

Une cuvée vinifiée pour moitié en vendanges entières et élevée à 40 % en fût neuf. Au nez, elle exhale généreusement des notes de griotte, de cassis et d'épices. En bouche, elle se distingue par la finesse de sa matière et par sa persistance en finale. Un clos-de-vougeot qui déploie délicatement sa puissance. ⧗ 2023-2030

SARL GABRIEL D' ARDHUY, Clos des Langres, 21700 Corgoloin, tél. 03 80 62 98 73, domaine@ardhuy.com V r.-v.

DOM. BERTHAUT-GERBET 2017 ★

Gd cru	1500		+ de 100 €

En 2013, Amélie Berthaut a repris les vignes paternelles (Denis Berthaut à Fixin), complétées par une partie de celles de sa mère, Marie-Andrée Gerbet (Dom. François Gerbet à Vosne-Romanée). L'ensemble couvre 16 ha.

Un clos-de-vougeot du bas du coteau, issu de vignes de cinquante ans. Au nez, il présente des arômes élégants de fruits rouges (fraise, cerise) et de pivoine. D'une bonne concentration et équilibrée, la bouche est construite sur des tanins assez anguleux pour l'heure, mais qui ne manquent pas de finesse pour autant. ⧗ 2024-2030

EARL AMÉLIE BERTHAUT, 9, rue Noisot, 21220 Fixin, tél. 03 80 52 45 48, contact@berthaut-gerbet.com V r.-v.

DOM. CASTAGNIER 2017 ★

Gd cru	1800		75 à 100 €

Installé depuis 2004 sur le domaine familial de Morey-Saint-Denis, Jérôme Castagnier exploite (en biodynamie non certifiée) un vignoble de 4 ha en Côte de Nuits. Ses grands crus, notamment ses clos-de-vougeot, clos-de-la-roche et clos-saint-denis, lui permettent de s'illustrer avec une réelle constance. Il a également développé une activité de négoce à son nom pour compléter sa gamme, toujours en Côte de Nuits.

À l'instar des autres grands crus de sa gamme, Jérôme Castagnier élève son clos-de-vougeot à 40 % en fût neuf. Un compromis qui permet de préserver le fruit tout apportant de fines notes épicées-boisées. La bouche offre un beau volume, de la richesse, mais aussi beaucoup de fraîcheur. Un bel équilibre qui lui permettra de passer les années. ⧗ 2024-2030

SCEA DOM. CASTAGNIER, 20, rue des Jardins, 21220 Morey-Saint-Denis, tél. 03 80 34 31 62, jeromecastagnier@yahoo.fr V r.-v.

♥ DOM. DROUHIN-LAROZE 2017 ★★

Gd cru	4200		75 à 100 €

En 1850, Jean-Baptiste Drouhin fonde un domaine viticole à Gevrey. Six générations plus tard, son héritier Philippe Drouhin, installé en 2001, son épouse Christine et leurs enfants Caroline et Nicolas conduisent dans un esprit bio, mais sans certification, un vignoble de 11,5 ha – dont près de la moitié est dédiée aux grands crus –, complété en 2008 par un petit négoce (Laroze de Drouhin) dirigé par Caroline.

La famille Drouhin-Laroze dispose d'un hectare dans la partie supérieure du Clos, non loin du Château. Le vin a été élevé pendant dix-huit mois en fût et présente une belle fraîcheur aromatique. Le boisé est perceptible, mais déjà en harmonie avec le fruit et une fine touche mentholée. La bouche se montre puissante, ample, portée par des tanins fins mais qui demandent encore à se patiner. L'ensemble donne un clos-de-vougeot très élégant, racé, candidat pour une longue garde. ⧗ 2024-2030

SARL DOM. DROUHIN-LAROZE, 20, rue du Gaizot, 21220 Gevrey-Chambertin, tél. 03 80 34 31 49, domaine@drouhin-laroze.com V r.-v.

DOM. MICHEL NOËLLAT 2017

Gd cru	2000		+ de 100 €

Alain (au commercial) et Jean-Marc Noëllat (à la vigne et au chai) ont pris en 1990 la relève de leur père Michel sur ce vaste domaine de 25 ha. Ils ont été rejoints en 2012 et en 2015 par la sixième génération – Sophie et Sébastien ont repris l'exploitation en septembre 2018. Une valeur sûre de la Côte de Nuits, notamment pour ses vosne-romanée.

Le domaine cultive 47 ares sur deux parcelles dans le Clos, des vignes qui réalisent la synthèse entre le bas et le haut du grand cru. Le vin est équilibré, d'un bon volume et doté d'une trame tannique de qualité, encore un peu stricte en finale. Sa palette aromatique, quoique complexe, est réservée pour l'heure. À attendre. ⧗ 2024-2030

SCEA DOM. MICHEL NOËLLAT, 5, rue de la Fontaine, 21700 Vosne-Romanée, tél. 03 80 61 36 87, contact@domaine-michel-noellat.com V r.-v.

MANUEL OLIVIER 2017 ★★

Gd cru	495		+ de 100 €

Installé en 1990, Manuel Olivier, fils d'agriculteurs, a commencé par cultiver les vignes et petits fruits dans les Hautes-Côtes de Nuits. Aujourd'hui spécialisé en viticulture, il exploite un vignoble de 11 ha, complété depuis 2007 par une structure de négoce qui lui a permis de mettre un pied en Côte de Beaune.

Un clos-de-vougeot partiellement vinifié en vendanges entières et élevé dix-huit mois en fût de chêne. Il demande de l'aération pour livrer ses notes d'épices et de fines nuances de menthol. Une matière riche et ample prend place au palais, soutenue par des tanins fermes. Une agréable fraîcheur donne un relief original à l'ensemble. ⧗ 2024-2030

SARL MANUEL OLIVIER, 7, rue des Grandes-Vignes, hameau de Corboin, 21700 Nuits-Saint-Georges, tél. 03 80 62 39 33, contact@domaine-olivier.com V *t.l.j. sf dim. 9h-12h 14h-19h*

DOM. ARMELLE ET BERNARD RION
Vieilles Vignes 2017

Gd cru	900		75 à 100 €

Un domaine fondé en 1896 et transmis de père en fils depuis cinq générations; de père en fille aujourd'hui, Alice avec son mari Louis ayant rejoint ses parents Armelle et Bernard Rion en 2008, pour vinifier (avec le moins d'interventions possibles à la vigne et au chai) le fruit de 7,5 ha de vignes, du simple bourgogne au grand cru. Revenue en 2018 sur ses terres natales, Mélissa, sœur d'Alice, a en charge le développement œnotouristique de la propriété.

Des vignes de soixante ans plantées dans la partie sud du grand cru (côté échézeaux) ont donné un vin ouvert sur des notes de fruits et d'épices. Le palais apparaît bien équilibré, structuré et d'une bonne ampleur, avec en soutien un boisé de qualité, quoiqu'un peu dominant à ce stade. ⧗ 2024-2030

EARL DOM. ARMELLE ET BERNARD RION, 8, rte Nationale, 21700 Vosne-Romanée, tél. 03 80 61 05 31, rion@domainerion.fr V *t.l.j. sf dim. 9h-18h*

ÉCHÉZEAUX

Superficie : 35 ha / Production : 1 235 hl

DOM. NUDANT 2017 ★

Gd cru	1700		75 à 100 €

Un Guillaume Nudant d'Aloxe-Corton était déjà vigneron en 1453. Son descendant, Guillaume également, a rejoint en 2003 son père Jean-René sur le domaine familial de 16 ha, planté pour l'essentiel autour de la montagne de Corton.

Le domaine dispose de 66 ares dans ce grand cru qui figure parmi les plus vastes en Bourgogne (35 ha). Le vin est complexe, généreux et bien équilibré. Le nez évoque avec subtilité les fruits noirs bien mûrs. Une texture fondue enveloppe le palais et la finale fait preuve de longueur. Un échézeaux complet. ⧗ 2024-2030

EARL ANDRÉ NUDANT ET FILS, 11, rte de Dijon, 21550 Ladoix-Serrigny, tél. 03 80 26 40 48, domaine.nudant@wanadoo.fr V *t.l.j. sf dim. 8h30-12h 13h30-17h; sam. sur r.-v.*

DOM. DES PERDRIX 2016

Gd cru	4 000		+ de 100 €

Ce domaine incontournable de la Côte de Nuits (12 ha dont 6 en grands et 1ers crus) a été pris en main en 1995 par la famille Devillard (Ch. de Chamirey à Mercurey et Dom. de la Ferté à Givry). Il doit son nom au 1er cru Aux Perdrix, l'une des plus belles parcelles de Nuits-Saint-Georges possédée en quasi-monopole.

L'œnologue du domaine, Robert Vernizeau, a procédé à une cuvaison assez longue (une vingtaine de jours) pour extraire les composés des raisins. Le résultat se traduit par un vin qui entre en bouche avec franchise et même puissance. Une matière enveloppante tapisse le palais, laissant percevoir un bon équilibre. Une certaine austérité, signe de jeunesse, est également perceptible en finale. Elle incite à la patience. ⧗ 2024-2030

SC DOM. DES PERDRIX (B. ET C. DEVILLARD), rue des Écoles, Premeaux, 21700 Nuits-Saint-Georges, tél. 03 85 45 21 61, contact@domaines-devillard.com V *r.-v.*

DOM. DE LA ROMANÉE-CONTI 2017 ★★

Gd cru	n.c.		+ de 100 €

De ce grand cru parmi les plus vastes de Bourgogne (plus de 35 ha), La Romanée-Conti est l'un des plus importants propriétaires : elle en possède une belle parcelle de 4 ha 67 a 37 ca. Y naît le plus précoce des grands crus du domaine, réputé moins complexe que les grands-échézeaux – «glorieux aîné dont il brûle d'égaler la fortune», selon Aubert de Villaine.

Si le nez se montrait encore un peu réservé au moment de la dégustation, sur une association de boisé, de fruits frais, de nuances florales et de notes poivrées, la bouche est déjà bien en place : fraîche, profonde, complexe et longue, bâtie sur une trame tannique raffinée, avec plus de fermeté en finale. Un échézeaux énergique. ⧗ 2023-2030

SC DU DOM. DE LA ROMANÉE-CONTI (ÉCHÉZEAUX), 1, rue Derrière-le-Four, 21700 Vosne-Romanée, tél. 03 80 62 48 80

GRANDS-ÉCHÉZEAUX

Superficie : 7,5 ha / Production : 240 hl

DOM. DE LA ROMANÉE-CONTI 2017 ★★

Gd cru	n.c.		+ de 100 €

Le domaine de la Romanée-Conti est propriétaire de 3 ha 52 a et 63 ca des 7,5 ha de ce grand cru mitoyen du Clos de Vougeot, dont il est très proche aussi par son terroir. Comme le Clos de Vougeot, les Grands Échézeaux ont appartenu à l'abbaye de Cîteaux. Dans le verre, un vin souvent droit, d'une grande élégance, «aristocrate».

La robe intense et sombre traduit dès le visuel une concentration largement au-dessus de la norme de ce millésime 2017. Riche et corsé au nez, sur des notes de bois brûlé et des nuances florales à l'aération, ce grands-échézeaux propose une bouche à l'unisson, cossue, dense, portée par des tanins fermes et serrés. Un vin terrien, « racinaire », puissant, encore en devenir. Un marathonien bâti pour une longue garde. ⧗ 2024-2040

⊶ *SC DU DOM. DE LA ROMANÉE-CONTI (GRANDS-ÉCHÉZEAUX), 1, rue Derrière-le-Four, 21700 Vosne-Romanée, tél. 03 80 62 48 80*

HENRI DE VILLAMONT 2016 ★

■	1176	🛢	+ de 100 €

Ce propriétaire (10 ha : 6 ha en savigny, 4 ha en Côte de Nuits) et négociant-éleveur, dans le giron du groupe suisse Schenk depuis 1964, élève ses vins dans une cuverie spectaculaire créée entre 1880 et 1888 à Savigny-lès-Beaune par Léonce Bocquet, alors unique propriétaire du Clos de Vougeot.

D'un abord subtil, sur des notes fraîches et élégantes, le nez prend de l'intensité à l'aération et développe des arômes de cerise compotée. Généreuse et souple, la bouche se distingue par sa grande longueur. Les tanins sont habillés d'un boisé d'un beau raffinement. Quelques années de garde lui seront profitables. ⧗ 2024-2030

⊶ *HENRI DE VILLAMONT, rue du Dr-Guyot, 21420 Savigny-lès-Beaune, tél. 03 80 21 50 59, contact@hdv.fr* V ✗ ▪ *r.-v.*

VOSNE-ROMANÉE

Superficie : 150 ha / Production : 5 955 hl

Là aussi, la coutume bourguignonne est respectée : le nom de Romanée est plus connu que celui de Vosne. Quel beau tandem ! Comme Gevrey-Chambertin, cette commune est le siège d'une multitude de grands crus; mais il existe à proximité des *climats* réputés, tels les 1ers crus Suchots, Les Beaux-Monts, Les Malconsorts et bien d'autres.

DOM. BERTHAUT-GERBET
Les Petits Monts 2017 ★

■ 1er cru	2800	🛢	50 à 75 €

En 2013, Amélie Berthaut a repris les vignes paternelles (Denis Berthaut à Fixin), complétées par une partie de celles de sa mère, Marie-Andrée Gerbet (Dom. François Gerbet à Vosne-Romanée). L'ensemble couvre 16 ha.

Un vosne-romanée issu d'une vinification à 20 % de vendanges entières, à l'expression aromatique généreuse : le nez s'ouvre spontanément sur des notes de fruits noirs frais. Après une attaque franche, la structure se montre ample et les tanins bien enrobés. Les 40 % de fûts neufs sont bien intégrés. ⧗ 2023-2030 ■ **2017 (30 à 50 € ; 7000 b.)** : vin cité.

⊶ *EARL AMÉLIE BERTHAUT, 9, rue Noisot, 21220 Fixin, tél. 03 80 52 45 48, contact@berthaut-gerbet.com* V ▪ *r.-v.*

DOM. RENÉ CACHEUX ET FILS
Les Beaux-Monts 2016

■ 1er cru	1000	🛢	50 à 75 €

En 2005, après avoir travaillé sur d'autres exploitations viticoles, Gérald Cacheux a succédé à ses parents à la tête de ce petit domaine familial (3,26 ha), fondé en 1966. Il exploite des vignes sur Vosne-Romanée et Chambolle-Musigny.

La toute petite parcelle du domaine (18 ares) sur ce terroir de haut de coteau a donné un 2016 à la texture solide et bien équilibrée. Le nez évoque le cassis et la mûre agrémentés de notes fumées. Une cuvée qui gagnera à être attendue. ⧗ 2024-2030

⊶ *EARL DOM. RENÉ CACHEUX ET FILS, 28, rue de la Grand-Velle, 21700 Vosne-Romanée, tél. 03 80 61 28 72, contact@domaine-cacheux.com* V ✗ ▪ *r.-v.*

DOM. A.-F. GROS Aux Réas 2017 ★★

■	n.c.	🛢	50 à 75 €

Le domaine a été créé en 1988 par Anne-Françoise Gros et son mari François Parent à Pommard. Leurs enfants Caroline et Mathias conduisent aujourd'hui un vignoble de 14 ha dans les deux Côtes, mais aussi en Beaujolais (moulin-à-vent). Un domaine incontournable qui collectionne les coups de cœur.

Le *climat* aux Réas est situé au sud de l'appellation, en limite avec Nuits-Saint-Georges. Le domaine y dispose d'une belle superficie (1,63 ha) que la famille Gros sait manifestement bien mettre en valeur : ce vin se distingue par sa belle énergie et par une finesse typique de l'appellation. Le nez s'ouvre sur des notes de groseille, de fruits noirs et d'épices. La bouche est ample, longue et fraîche, étayée par des tanins soyeux. ⧗ 2021-2026

⊶ *SAS DOM. A.-F. GROS, 1, pl. de l'Europe, 21630 Pommard, tél. 03 80 22 61 85, contact@af-gros.com* V ▪ *r.-v.*

DOM. MICHEL GROS
Clos des Réas Monopole 2017

■ 1er cru	11000	🛢 🍾	50 à 75 €

Michel, l'aîné de la famille Gros, Anne-Françoise (A.-F. Gros), et Bernard (Gros Frère et Sœur) ont chacun leur domaine. Débutée en 1979 avec 2 ha en Hautes-Côtes, l'exploitation aujourd'hui 22 ha et s'illustre régulièrement avec ses vosne-romanée, ses nuits-saint-georges et ses hautes-côtes.

Un grand classique, et un monopole, du domaine Michel Gros. Des notes complexes de cerise, de mûre et de pivoine forment une plaisante palette aromatique. Le palais se montre généreux et velouté, la finale un peu plus fluide. ⧗ 2023-2030

⊶ *SARL DOM. MICHEL GROS, 7, rue des Communes, 21700 Vosne-Romanée, tél. 03 80 61 04 69, contact@domaine-michel-gros.com* V ▪ *r.-v.*

Ⓑ DOM. MICHEL MAGNIEN Vieilles Vignes 2017

■	2200	🛢	50 à 75 €

Michel Magnien incarne la quatrième génération à la tête d'un vignoble familial qu'il a considérablement agrandi entre les années 1960 et 1990 (18 ha aujourd'hui, conduits en bio et biodynamie). Jusqu'en 1993, il porte sa récolte à la coopérative de Morey. L'arrivée de son fils Frédéric, en charge des vinifications depuis lors, change la donne : les vins sont désormais mis en bouteilles à la propriété et, depuis le millésime

2015, l'élevage se fait pour partie dans des jarres en terre cuite. Des vins d'une grande régularité, qui font du domaine l'une des valeurs sûres de la Côte de Nuits.
Un 2017 qui se démarque par sa fraîcheur. Une vivacité que l'on retrouve en bouche, affermissant des tanins néanmoins élégants. Des notes de violette et de cassis montent au nez. Une cuvée élevée à plus de 40 % en jarre. ⧗ 2022-2026

SCEV MICHEL MAGNIEN ET FILS, 4, rue Ribordot, 21220 Morey-Saint-Denis, tél. 03 80 51 82 98, domaine@michel-magnien.com V r.-v.

DOM. FABRICE MARTIN 2017

■	1800		30 à 50 €

Un petit domaine de 2,3 ha régulier en qualité, que Fabrice Martin a créé en 2000 et qu'il exploite dans trois appellations : gevrey-chambertin, nuits-saint-georges et vosne-romanée.
Des fruits rouges et noirs à belle maturité, une pointe vanillée (élevage en fût de dix-huit mois), le nez exprime une bonne complexité. La bouche, à la fois vive et charnue, dévoile des tanins marqués par un boisé encore prononcé pour l'heure. ⧗ 2023-2026

DOM. FABRICE MARTIN, 42, rue Grand-Velle, 21700 Vosne-Romanée, tél. 03 80 61 27 84, fabrice.martin12@hotmail.fr V r.-v.

DOM. MICHEL NOËLLAT Les Beaux Monts 2017 ★

■ 1er cru	4000		50 à 75 €

Alain (au commercial) et Jean-Marc Noëllat (à la vigne et au chai) ont pris en 1990 la relève de leur père Michel sur ce vaste domaine de 25 ha. Ils ont été rejoints en 2012 et en 2015 par la sixième génération – Sophie et Sébastien ont repris l'exploitation en septembre 2018. Une valeur sûre de la Côte de Nuits, notamment pour ses vosne-romanée.
Dominant le village, le *climat* des Beaux Monts donne une vue imprenable sur les grands crus du secteur et sur le Clos Vougeot. Le domaine en exploite 1,7 ha à l'origine d'un 2017 aux tanins soyeux et au volume très appréciable, porté par une bonne vivacité en attaque. Le fruit est perceptible surtout en bouche. ⧗ 2023-2030 ■ **1er cru Les Suchots 2017 ★ (50 à 75 €; 4000 b.)** : un 1er cru expressif (cassis, épices, touche animale), ample, riche et consistant en bouche, doté de tanins soyeux et d'une belle finale persistante. ⧗ 2023-2030

SCEA DOM. MICHEL NOËLLAT, 5, rue de la Fontaine, 21700 Vosne-Romanée, tél. 03 80 61 36 87, contact@domaine-michel-noellat.com V r.-v.

MANUEL OLIVIER Les Damaudes 2017

■	1847		50 à 75 €

Installé en 1990, Manuel Olivier, fils d'agriculteurs, a commencé par cultiver les vignes et petits fruits dans les Hautes-Côtes de Nuits. Aujourd'hui spécialisé en viticulture, il exploite un vignoble de 11 ha, complété depuis 2007 par une structure de négoce qui lui a permis de mettre un pied en Côte de Beaune.
Un vosne-romanée accessible et expressif. Au nez, il évoque des notes de cerise, de fraise et de rose. La bouche est construite sur une trame fine de tanins, enrobés par un bon boisé vanillé. ⧗ 2022-2026

SARL MANUEL OLIVIER, 7, rue des Grandes-Vignes, hameau de Corboin, 21700 Nuits-Saint-Georges, tél. 03 80 62 39 33, contact@domaine-olivier.com V *t.l.j. sf dim. 9h-12h 14h-19h*

DOM. DES PERDRIX 2016

■	6300		50 à 75 €

Ce domaine incontournable de la Côte de Nuits (12 ha dont 6 en grands et 1ers crus) a été pris en main en 1995 par la famille Devillard (Ch. de Chamirey à Mercurey et Dom. de la Ferté à Givry). Il doit son nom au 1er cru Aux Perdrix, l'une des plus belles parcelles de Nuits-Saint-Georges possédée en quasi-monopole.
Une cuvée qui a connu un élevage à 30 % en fût de chêne neuf pendant dix-huit mois. Si des arômes boisés-épicés sont bien présents, ils ne masquent pas les notes de cerise noire et de fruits rouges. La bouche apparaît assez souple, dotée de tanins fins, et une finale fraîche conclut la dégustation. ⧗ 2022-2026

SC DOM. DES PERDRIX (B. ET C. DEVILLARD), rue des Écoles, Premeaux, 21700 Nuits-Saint-Georges, tél. 03 85 45 21 61, contact@domaines-devillard.com V r.-v. 4

RICHEBOURG

Superficie : 7,5 ha / Production : 200 hl

♥ DOM. A.-F. GROS 2017 ★★★

■ Gd cru	n.c.		+ de 100 €

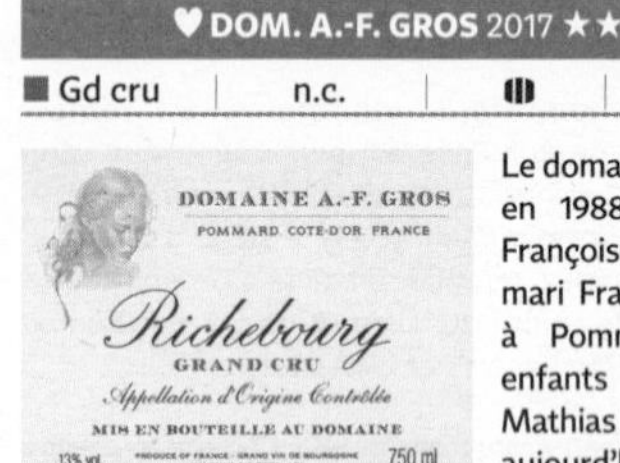

Le domaine a été créé en 1988 par Anne-Françoise Gros et son mari François Parent à Pommard. Leurs enfants Caroline et Mathias conduisent aujourd'hui un vignoble de 14 ha dans les deux Côtes, mais aussi en Beaujolais (moulin-à-vent). Un domaine incontournable qui collectionne les coups de cœur.
Ce grand cru de Vosne-Romanée est le fleuron du domaine, qui dispose d'une parcelle de 60 ares située dans la partie haute du *climat*. Le vin annonce sa grande élégance et sa complexité dès les premières notes aromatiques associant les nuances florales (rose), les fruits rouges (framboise) et noirs (cassis, mûre) et une pointe boisée bien intégrée. Une matière ample et charnue prend place en bouche, où les tanins se font velours. Une longueur exceptionnelle conclut la dégustation. ⧗ 2024-2035

SAS DOM. A.-F. GROS, 1, pl. de l'Europe, 21630 Pommard, tél. 03 80 22 61 85, contact@af-gros.com V r.-v.

DOM. DE LA ROMANÉE-CONTI 2017 ★★

■ Gd cru	n.c.		+ de 100 €

Avec 3,51 ha, le domaine possède près de la moitié de l'appellation (8 ha environ). Des vignes mitoyennes (au nord-est) de celles de la Romanée-Conti; on prête

d'ailleurs souvent au richebourg le même caractère soyeux que son prestigieux voisin. Ce que l'on sait moins, c'est qu'il s'agit d'une vigne de Cîteaux vinifiée jadis au château du Clos de Vougeot.

Un grand cru qui ne se fait pas prier pour se montrer sous ses plus beaux atours. Le nez s'ouvre spontanément sur de subtiles notes de fruits rouges et noirs, de violette et de menthol. Une suavité qui se confirme en bouche malgré une utilisation assez poussée de vendanges entières (75 à 80 %). On dit parfois du richebourg qu'il est une main de fer dans un gant de velours, c'est ici le velouté qui semble définitivement avoir pris l'ascendant tant la texture se montre immédiatement plaisante, fine, délicate, d'une aimable rondeur. ⧗ 2024-2040

SC DU DOM. DE LA ROMANÉE-CONTI (RICHEBOURG), 1, rue Derrière-le-Four, 21700 Vosne-Romanée, tél. 03 80 62 48 80

ROMANÉE-CONTI

Superficie : 1,63 ha / Production : 46 hl

DOM. DE LA ROMANÉE-CONTI 2017 ★★★

■ Gd cru | n.c. | | + de 100 €

84 |88| |89| |90| |91| |94| |95| ⑯ ⑰ 98 01 03 ⑤ ⑥ ⑧ ⑨ ⑩ 12 ⑬ ⑭ ⑮ ⑯ ⑰

Un domaine, le plus prestigieux de Bourgogne, dont les limites n'ont pratiquement pas varié depuis le XVIes. (1 ha 81 a 40 ca aujourd'hui), une appellation (en monopole) et un vin né d'une petite vigne d'exception plantée sur un carré presque parfait d'environ 150 m de côté. La quintessence du terroir bourguignon. Une histoire emblématique de la Bourgogne viticole également. Propriété jusqu'en 1584 du prieuré de Saint-Vivant, elle resta dans la famille Croonembourg jusqu'en 1760 et son acquisition par celui qui lui donna son nom définitif et son prestige, Louis-François de Bourbon, prince de Conti. En 1869, Jacques-Marie Duvault-Blochet fait entrer le cru dans la famille de Villaine, associée depuis 1942 aux Leroy. La gestion quotidienne du domaine était assurée depuis 1974 par Henry-Frédéric Roch (famille Leroy) et Aubert de Villaine, aujourd'hui épaulés par le neveu de ce dernier, Bertrand de Villaine, et par un chef de cave de talent, Bernard Noblet. Ce dernier, après quarante ans de (très) bons et loyaux services, a pris sa retraite en janvier 2018, remplacé par Alexandre Bernier, qui travaillait déjà à ses côtés depuis plusieurs années. Suite au décès prématuré, en novembre 2018, de Henry-Frédéric Roch, c'est Perrine Fenal, fille de Lalou Bize-Leroy, qui prend la suite aux côtés d'Aubert de Villaine.

L'équipe du domaine a eu très tôt confiance dans la qualité de raisins qui entraient en cave : la romanée-conti 2017 a été vinifiée intégralement en vendanges entières. Parée d'une superbe robe profonde et dense, elle dévoile un bouquet exceptionnel de complexité et d'une grande subtilité : on y devine de la cerise mûre, de la rose, de la pivoine, une note camphrée ou encore une touche saline... En bouche, elle se montre à la fois aérienne et généreusement étoffée, offrant beaucoup de fraîcheur et de douceur dans sa texture. Soutenue par des tanins très subtils, elle déploie une finale d'une magistrale longueur. Le mythe semble cette année ne pas vouloir attendre le nombre des années pour révéler sa valeur... ⧗ 2025-2040

SC DU DOM. DE LA ROMANÉE-CONTI (ROMANÉE-CONTI), 1, rue Derrière-le-Four, 21700 Vosne-Romanée, tél. 03 80 62 48 80

ROMANÉE-SAINT-VIVANT

Superficie : 9,3 ha / Production : 240 hl

DOM. POISOT PÈRE ET FILS
Les Quatre Journaux 2016

■ Gd cru | 2346 | | + de 100 €

Après vingt-cinq ans dans la Marine, Rémi Poisot a repris en 2010 le vignoble familial, 2 ha hérités en 1902 par Marie Poisot, fille de Louis Latour : un 1er cru en pernand et trois grands crus (corton, corton-charlemagne et romanée-saint-vivant).

Le demi-hectare de romanée-saint-vivant du domaine est planté de vignes cinquantenaires dont les raisins ont été égrappés à 100 %. Dans le verre, un vin solide, généreux, aux tanins bien présents, un peu austères en finale pour l'heure. L'ensemble est équilibré et fait preuve d'une bonne fraîcheur aromatique autour des fruits rouges. Il gagnera son étoile en cave. ⧗ 2024-2030

SARL DOM. POISOT PÈRE ET FILS, 8, rue des Corton, 21420 Aloxe-Corton, tél. 03 80 21 16 91, contact@domaine-poisot.fr
V r.-v.

♥ DOM. DE LA ROMANÉE-CONTI 2017 ★★★

■ Gd cru | n.c. | | + de 100 €

82 87 89 91 92 |95| |97| |98| 99 00 01 ③ ④ ⑤ ⑥ ⑧ ⑨ ⑩ ⑪ 12 13 ⑭ ⑮ ⑯ ⑰

Avec 5,28 ha, le domaine est le plus important propriétaire de ce grand cru historique (9,3 ha), qui doit sa naissance et son nom au prieuré de Saint-Vivant (fondé en 900), auquel le duc de Bourgogne céda en 1131 les terres de la future appellation dont une partie deviendra la Romanée-Conti. Exploitée en fermage par le domaine à partir de 1966, la parcelle a été rachetée aux Marey-Monge en 1988.

Une romanée-saint-vivant de haut lignage assurément. Le travail à la vigne mené par le domaine pour sélectionner les plants les plus fins de pinot noir semble ici s'illustrer à merveille. La précision aromatique, sur des notes de rose, de fruits rouges mûrs et d'épices, est admirable. La bouche apparaît à la fois fraîche et veloutée, dotée de tanins très fins, très serrés, portant loin la finale, un peu plus austère à ce stade. Un grand cru mêlant l'intensité à l'élégance avec une rare harmonie. ⧗ 2024-2040

SC DU DOM. DE LA ROMANÉE-CONTI (ROMANÉE-SAINT-VIVANT), 1, rue Derrière-le-Four, 21700 Vosne-Romanée, tél. 03 80 62 48 80

LA TÂCHE

Superficie : 6 ha / Production : 95 hl

DOM. DE LA ROMANÉE-CONTI 2017 ★★

■ Gd cru | n.c. | | + de 100 €

72 73 75 78 (79) 80 |81| |82| |85| |87| |89| |91| |92| |96|
|(97)| |(98)| (99) **00** (02) (04) (05) **06 08** (09) (11) **12** (13) (14) (15) (16) **17**

L'autre monopole du domaine, 6 ha 6 a 20 ca situés au sud de la Romanée-Conti. Son nom provient d'une ancienne expression bourguignonne : « faire une tâche », signifiant cultiver la vigne en échange d'une rémunération forfaitaire. Acquis par La Romanée-Conti en 1933, ce grand cru n'a connu que quatre propriétaires depuis le XVIIes. Des greffons de ses vignes ont permis de reconstituer le vignoble de La Romanée-Conti entre 1947 et 1948, créant ainsi un lien de parenté entre les deux vins.

D'une couleur étonnamment légère, La Tâche 2017 a semble-t-il décidé de faire valoir l'élégance, le raffinement, plutôt que la puissance. Au nez, se dévoilent des arômes racés de fruits mûrs mâtinés de nuances florales et minérales. Arômes que l'on retrouve dans une bouche associant avec harmonie le volume, la puissance suave et le velouté à un grain de tanin d'une somptueuse distinction. Une grande bouteille en devenir. ⧗ 2025-2040

⊶ SC DU DOM. DE LA ROMANÉE-CONTI (LA TÂCHE), 1, rue Derrière-le-Four, 21700 Vosne-Romanée, tél. 03 80 62 48 80

NUITS-SAINT-GEORGES

Superficie : 306 ha
Production : 12 030 hl (97 % rouge)

Cette bourgade de 5 500 habitants est l'une des plus petites capitales du vin de Bourgogne. Elle accueille le siège de nombreuses maisons de négoce et de liquoristes qui produisent le cassis de Bourgogne, ainsi que d'élaborateurs de vins mousseux qui furent à l'origine du crémant-de-bourgogne. Elle a également son vignoble des Hospices, avec vente aux enchères annuelle de la production le dimanche précédant les Rameaux, et abrite le siège administratif de la confrérie des Chevaliers du Tastevin.

La cité donne son nom à l'appellation communale la plus méridionale de la Côte de Nuits. Cette dernière, qui déborde au sud sur la commune de Premeaux, n'engendre pas de grands crus comme ses voisines du nord, mais elle compte de très nombreux 1ers crus réputés, aux caractères fort divers selon leur situation au nord ou au sud de Nuits. Tous ces vins ont en commun une grande richesse tannique qui leur confère un solide potentiel de garde (de cinq à quinze ans).

Parmi les 1ers crus, les plus connus sont les Saint-Georges, dont on dit qu'ils portaient déjà des vignes en l'an mil, les Vaucrains, les Cailles, les Champs-Perdrix, les Porrets, sur la commune de Nuits, et les Clos de la Maréchale, des Argillières, des Forêts-Saint-Georges, des Corvées, de l'Arlot, sur Premeaux.

(B) DOM. DE L'ARLOT
Clos de l'Arlot 2017 ★★

□ 1er cru | 2837 | | 75 à 100 €

Un domaine fondé au XVIIIes., réputé pour ses nuits-saint-georges et propriété d'Axa Millésimes depuis 1987. L'œnologue Géraldine Godot, ancienne régisseuse de la maison Alex Gambal, a pris en 2015 la relève de Jacques Devauges (ex-Vougeraie et Frédéric Magnien). Le domaine, sous la direction générale de Christian Seely, étend son vignoble sur 15 ha (aujourd'hui cultivé en biodynamie), dont deux monopoles en nuits-saint-georges 1er cru : le Clos des Forêts et le Clos de l'Arlot.

Très pentu, caillouteux et favorable à une bonne maturation des raisins, le Clos de l'Arlot a la particularité d'accueillir du chardonnay en son sein (un peu plus d'un hectare). Il donne un vin ample, riche, puissant, exhalant des notes de pêche et des touches florales (acacia, aubépine) mariées à de belles nuances boisées (noisette grillée). L'ensemble laisse une empreinte gourmande en bouche. ⧗ 2023-2030

⊶ SCEA DOM. DE L' ARLOT, 14, RD974, 21700 Premeaux-Prissey, tél. 03 80 61 01 92, contact@arlot.fr V r.-v.

ARNAUD BOUÉ 2017 ★

■ | 600 | | 20 à 30 €

Arnaud Boué a fondé son négoce en 2018 à partir d'un financement participatif. Il achète des raisins auprès d'un petit nombre de fournisseurs fidèles « incités à produire selon un cahier des charges bio et biodynamique ». Une activité qu'il mène sur la Côte de Nuits et le nord de la Côte de Beaune.

Le nez se fait d'abord assez discret, avant de s'ouvrir sur les fruits noirs. C'est surtout la bouche bien structurée, mais aussi bien équilibrée, qui a séduit le jury. Un grain minéral lui assure un relief supplémentaire. Une cuvée qui gagnera à être attendue. ⧗ 2023-2030 ■ **1er cru Les Chaboeufs 2017 ★ (30 à 50 € ; 300 b.)** : le nez développe des nuances de poivre et de fruits cuits. Une cuvée vinifiée à 30 % en grappes entières qui se dévoile sur un profil davantage en élégance qu'en puissance. Une longue finale conclut la dégustation. ⧗ 2023-2030

⊶ SAS ARNAUD BOUÉ, 6, rue du Château, 21700 Villers-la-Faye, tél. 06 77 99 45 26, boue.arnaud@wanadoo.fr V r.-v.

DOM. JEAN CHAUVENET 2017 ★

■ | 17385 | | 20 à 30 €

Christine et Christophe Drag ont repris la propriété familiale en 1994 à la suite du départ à la retraite de Jean Chauvenet, père de Christine et fondateur du domaine en 1969. Ils exploitent aujourd'hui un vignoble de 9,17 ha et s'imposent comme une valeur sûre de l'appellation nuits-saint-georges.

Un nuits construit sur une matière ample et bien équilibrée. Une bonne longueur vient ponctuer un ensemble harmonieux s'exprimant sur des notes de fruits frais (framboise, cassis, groseille) mâtinées d'un boisé discret. ⧗ 2023-2030 ■ **1er cru Les Vaucrains 2017 (50 à 75 € ; 2625 b.)** : vin cité.

SC DOM. JEAN CHAUVENET,
6, rue de Gilly, 21700 Nuits-Saint-Georges,
tél. 03 80 61 00 72, domaine-jean.chauvenet@orange.fr r.-v.

DOM. CHAUVENET-CHOPIN Charmottes 2017 ★

	1500		20 à 30 €

En 1985, Évelyne et Hubert Chauvenet reprennent la propriété familiale, qu'ils complètent en 2001 par le domaine Chopin-Groffier de Comblanchien. Ils exploitent aujourd'hui 14 ha de vignes en Côte de Nuits et proposent notamment un large éventail de *climats* en nuits-saint-georges.

Les Charmottes est un *climat* du nord de l'appellation, situé à proximité de la ville. Le domaine y dispose d'un demi-hectare à l'origine d'un vin soyeux, élégant et d'une belle longueur, qui exprime une palette aromatique de fruits noirs à maturité accompagnés de notes boisées. ⧗ 2022-2026 ■ **1er cru Les Chaignots 2017 (30 à 50 €; 1800 b.)** : vin cité.

SCEV DOM. CHAUVENET-CHOPIN,
97, rue Félix-Tisserand, 21700 Nuits-Saint-Georges,
tél. 03 80 61 28 11, chauvenet-chopin@wanadoo.fr r.-v.

DOM. DÉSERTAUX-FERRAND Les Saints-Georges 2017

1er cru	2960		50 à 75 €

Ce domaine familial de 19,5 ha implanté à Corgoloin, village-frontière entre les deux Côtes, celle de Nuits et celle de Beaune, est conduit depuis 1995 par Vincent Désertaux, son épouse Geneviève et sa sœur Christine. Souvent en vue pour ses côtes-de-nuits-villages.

Le *climat* qui a donné une partie de son nom à la commune. Il donne généralement des vins consistants destinés à une longue garde. Un trait de caractère présent dans ce vin concentré et serré, évoquant des arômes de truffe et de griotte. Patience. ⧗ 2024-2030

EARL DOM. DÉSERTAUX-FERRAND,
135, Grande-Rue, 21700 Corgoloin, tél. 03 80 62 98 40,
contact@desertaux-ferrand.com r.-v.

DOM. FAIVELEY 2017 ★

	16000		30 à 50 €

Ce domaine fondé à Nuits-Saint-Georges en 1825 est un nom qui compte en Bourgogne, depuis sept générations. À sa tête depuis 2005, Erwan Faiveley, qui a succédé à son père François. Aujourd'hui, c'est l'un des plus importants propriétaires de vignes en Bourgogne : 120 ha du nord de la Côte de Nuits au sud de la Côte chalonnaise, dont 10 ha en grand cru et près de 25 ha en 1er cru.

Dans son fief, le domaine nous apporte la démonstration de sa capacité à mettre en valeur les terroirs situés en appellation *village*. Ce 2017 déploie d'agréables et subtiles notes fruitées relevées d'épices douces. La bouche est dense, avec en finale une pointe d'austérité qui va se patiner avec le temps. ⧗ 2023-2030 ■ **1er cru Aux Chaignots 2017 (50 à 75 €; 4500 b.)** : vin cité.

SAS MAISON JOSEPH FAIVELEY (CVVB),
8, rue du Tribourg, 21700 Nuits-Saint-Georges,
tél. 03 80 61 04 55, contact@domaine-faiveley.com

♥ PHILIPPE GAVIGNET Les Pruliers 2017 ★★

1er cru	3300		30 à 50 €

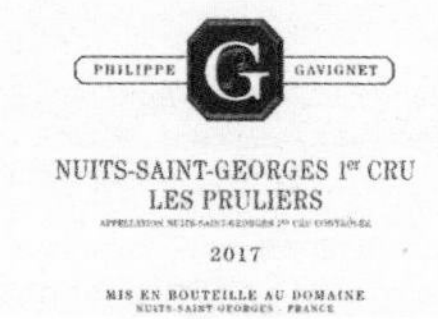

Installé en 1979 à la suite de son père Michel, Philippe Gavignet, qui incarne la quatrième génération à la tête du domaine familial, est le premier à se consacrer pleinement à la vigne. Son fils Benoît et sa fille Élodie travaillent dorénavant à ses côtés. Ce spécialiste des nuits-saint-georges exploite aujourd'hui 14 ha.

Déjà coup de cœur avec le millésime 2015, la cuvée Les Pruliers de Philippe Gavignet accumule les honneurs. Ce *climat* du sud de l'appellation a la réputation de donner des vins solides. Si cette bouteille ne manque pas d'ampleur et de structure, elle se distingue aussi par son intensité aromatique autour des fruits noirs et des épices douces, et surtout par la finesse de ses tanins qui donne un toucher de bouche des plus élégants et soyeux. Un nuits des grands jours. ⧗ 2023-2030 ■ **Vieilles Vignes 2017 ★ (20 à 30 €; 6000 b.)** : le nez développe des notes de vanille, de café (élevage en fût de dix-sept mois pour 25 % neufs) et de fruits rouges. La bouche apparaît riche et volumineuse, construite sur des tanins sans aspérité. ⧗ 2022-2026 ■ **Les Argillats 2017 ★ (20 à 30 €; 7000 b.)** : ce terroir situé à proximité du village et planté de vignes soixantenaires a donné un vin charnu et finement structuré, à l'image des autres nuits du domaine sélectionnés cette année. On apprécie aussi les arômes de fruits et d'épices. Une bouteille qui vieillira harmonieusement. ⧗ 2025-2030

EARL DOM. PHILIPPE GAVIGNET,
36, rue du Dr-Louis-Legrand, 21700 Nuits-Saint-Georges,
tél. 03 80 61 09 41, contact@domaine-gavignet.fr
t.l.j. 9h-12h 14h-17h30;
sam. dim. sur r.-v.

♥ DOM. MICHEL GROS 2017 ★★

	5000		20 à 30 €

Michel, l'aîné de la famille Gros, Anne-Françoise (A.-F. Gros), et Bernard (Gros Frère et Sœur) ont chacun leur domaine. Débutée en 1979 avec 2 ha en Hautes-Côtes, l'exploitation aujourd'hui 22 ha et s'illustre régulièrement avec ses vosne-romanée, ses nuits-saint-georges et ses hautes-côtes.

Un *village* de haute volée résultant de l'assemblage de quatre parcelles qui « donnent un vin élégant, aux tanins assez souples pour cette appellation. Un intermédiaire entre les vins de type vosne et ceux de type nuits », explique le domaine. De fait, cette cuvée ne manque pas de structure autour de tanins serrés, ni de concentration, mais la matière fait preuve aussi d'une belle finesse. Une aromatique sur le cassis, et plus généralement les fruits noirs à maturité, accompagne la dégustation de ce nuits de gala. ⧗ 2023-2030

BOURGOGNE

SARL DOM. MICHEL GROS, 7, rue des Communes, 21700 Vosne-Romanée, tél. 03 80 61 04 69, contact@domaine-michel-gros.com V r.-v.

FRÉDÉRIC MAGNIEN Les Damodes 2017

1er cru	1100		75 à 100 €

Frédéric Magnien est un fin vinificateur en chambolle et l'une des valeurs sûres de cette appellation, et plus largement des grands crus de la Côte de Nuits. Après avoir travaillé quatre ans sur le domaine de son père Michel, dont il vinifie toujours les vins, exercé un an dans des vignobles du Nouveau Monde (Californie, Australie) et obtenu un diplôme d'oenologie à Dijon, il a lancé en 1995 sa maison de négoce.

Un terroir du nord de l'appellation, côté Vosne-Romanée donc, qui se distingue par son nez gourmand de café et de fruits confiturés, ainsi que par son élégance et son côté tendre en bouche. Une construction en finesse qui peut dérouter les amateurs de nuits à forte carrure... 2022-2025

EURL FRÉDÉRIC MAGNIEN, 26, rte Nationale, 21220 Morey-Saint-Denis, tél. 03 80 58 54 20, frederic@fred-magnien.com V r.-v.

MANOIR MURISALTIEN Les Parcellaires de Saulx 2016 ★

	1200		50 à 75 €

Le Manoir Murisaltien a été acquis en 2017 par un couple d'Américains passionnés d'art de vivre à la française. Propriétaires également du Dom. de Belleville à Rully et du Ch. le Clos de la Commaraine à Pommard, ainsi que de la maison de champagne Leclerc Briant, ils ambitionnent de vinifier une gamme de vins très qualitative dans leur cave de Meursault.

La gamme Les Parcellaires de Saulx vise à mettre en avant l'activité négoce « haute couture » de la maison. Chaque vin provient d'un seul viticulteur et souvent d'une seule parcelle. Ce nuits *village* se distingue par son équilibre, ses tanins fondus et un fruit intense (griotte, cassis) assorti d'une touche vanillée. 2023-2028

SASU MANOIR MURISALTIEN, 4, rue du Clos-de-Mazeray, 21190 Meursault, tél. 03 80 21 21 83, contact@de-saulx.com V r.-v.

DOM. MAREY Les Poisets 2017

	1200		20 à 30 €

Initialement voué à la production de petits fruits, ce domaine familial couvre environ 20 ha de vignes aujourd'hui. Il a son siège dans les Hautes-Côtes de Nuits, non loin de Nuits-Saint-Georges. Une nouvelle cuverie a été inaugurée avec le millésime 2015.

Raisins égrappés en totalité et élevage en fût pendant un an, le domaine a obtenu un nuits aux notes de fruits rouges légèrement confiturés, accompagnées d'une nuance chocolatée. La matière en bouche est souple, épaulée par des tanins fondus. 2022-2025

EARL DOM. MAREY, 12-14, rue Gabriel-Bachot, 21700 Meuilley, tél. 03 80 61 12 44, contact@domaine-marey.com V r.-v.

FRANÇOIS PARENT 2017 ★

	n.c.		50 à 75 €

Vinificateur de talent des vins de son épouse Anne-Françoise Gros (Dom. A.-F. Gros à Pommard), François Parent a longtemps élaboré aussi ceux de son vignoble familial, complété par une structure de négoce à son nom. Les vins sont aujourd'hui vinifiés par Mathias Parent et distribués par sa sœur Caroline.

Une cuvée qui ravira les amateurs de nuits « classiques » : c'est-à-dire bien structurés, aux tanins présents mais sans agressivité. Le boisé s'intègre ici parfaitement à l'ensemble. La longueur est aussi au rendez-vous. Mathias Parent signe un vin ample, à attendre, qui fait montre d'une bonne typicité. 2023-2030

SAS FRANÇOIS PARENT, 1, pl. de l'Europe, 21630 Pommard, tél. 03 80 22 61 85, contact@af-gros.com V r.-v.

DOM. DES PERDRIX 2016 ★★

	5735		50 à 75 €

Ce domaine incontournable de la Côte de Nuits (12 ha dont 6 en grands et 1ers crus) a été pris en main en 1995 par la famille Devillard (Ch. de Chamirey à Mercurey et Dom. de la Ferté à Givry). Il doit son nom au 1er cru Aux Perdrix, l'une des plus belles parcelles de Nuits-Saint-Georges possédée en quasi-monopole.

Il semble que l'œnologue Robert Vernizeau ait trouvé ici une forme d'équilibre idéal et d'harmonie pour le nuits *village* du domaine. Un vin qui laisse percevoir de belles rondeurs dès l'attaque en bouche, puis qui dévoile une structure intense mais élégante, accompagnée par un fruité soutenu et par une belle fraîcheur. 2024-2030 **1er cru Terres Blanches 2016 (50 à 75 €; 2613 b.)** : vin cité.

SC DOM. DES PERDRIX (B. ET C. DEVILLARD), rue des Écoles, Premeaux, 21700 Nuits-Saint-Georges, tél. 03 85 45 21 61, contact@domaines-devillard.com V r.-v. 4

HENRI ET GILLES REMORIQUET Rue de Chaux 2017 ★

1er cru	1700		30 à 50 €

Les Remoriquet travaillaient déjà la vigne au XVIIes. pour les moines de l'abbaye de Cîteaux. Depuis quatre générations, ils ont constitué peu à peu leur propre parcellaire : 10 ha de vignes, sur Nuits-Saint-Georges et Vosne-Romanée notamment. Œnologue de formation, Gilles Remoriquet est aux commandes depuis 1979.

Nous sommes ici dans un secteur de l'appellation réputé donner naissance à des vins consistants et de bonne garde. Le millésime 2017, avec son profil friand, a tempéré cette prédisposition originelle pour donner un nuits déjà plaisant, sur des notes de cerise noire, mais qui pourra gagner en expression au cours du vieillissement. 2022-2025

SCE HENRI ET GILLES REMORIQUET, 25, rue de Charmois, 21700 Nuits-Saint-Georges, tél. 03 80 61 24 84, domaine.remoriquet@wanadoo.fr V r.-v.

MAISON ROCHE DE BELLENE Vieilles Vignes 2016

	6300		50 à 75 €

Nicolas Potel a créé cette maison en 2008 pour compléter la gamme du Dom. de Bellene qu'il a également

fondé quelques années plus tôt. Un négoce installé à Beaune qui propose pas moins de 80 appellations différentes. Des vins exportés dans plus de 42 pays.
Des vignes d'une cinquantaine d'années, une vinification en vendanges entières et un long élevage en fût, trois des points à souligner qui ont abouti à ce vin généreux, rond et charmeur, mais qui montre encore un peu de discrétion dans son expression aromatique et qui demande du temps pour faire découvrir sa complexité. ⧗ 2022-2025

⊶ SAS MAISON ROCHE DE BELLENE, 39, rue du Fg-Saint-Nicolas, 21200 Beaune, tél. 03 80 20 67 64, contact@groupebellene.com V ▮ *r.-v.*

CÔTE-DE-NUITS-VILLAGES

Superficie : 148 ha
Production : 6 345 hl (95 % rouge)

Cette appellation associe cinq communes situées aux deux extrémités de la Côte de Nuits : au nord, Fixin (qui a aussi sa propre appellation) et Brochon (dont une partie du vignoble est classée en gevrey-chambertin); au sud, aux portes de la Côte de Beaune, Premeaux, Prissey (commune fusionnée avec la précédente), Comblanchien, réputée pour son « marbre », une pierre calcaire extraite de son coteau, et enfin Corgoloin, qui marque la limite sud de l'appellation tout comme celle de la Côte de Nuits, au niveau du Clos des Langres. Dans ce dernier village, la « montagne » diminue d'altitude et le vignoble s'amenuise; sa largeur ne dépasse guère 200 m. Rouges le plus souvent, les côtes-de-nuits-villages sont d'un bon niveau qualitatif et assez abordables.

Ⓑ DOM. D'ARDHUY Clos des Langres 2017 ★★

■	12 000	◖◗ ▮	30 à 50 €

Un domaine fondé en 1947 comprenant notamment six grands crus et quinze 1ers crus. Près de 40 ha de vignes, de Puligny-Montrachet à Gevrey-Chambertin, dans les Côtes de Beaune et de Nuits. Un vignoble certifié en biodynamie depuis 2012. L'œnologue Vincent Bottreau est aux commandes du chai depuis 2016.
Le monopole du domaine, qui s'étend sur un peu plus de 3 ha, se montre particulièrement à son avantage avec ce millésime 2017. Il présente un très bel équilibre en bouche, beaucoup de volume, des tanins denses et une belle complexité aromatique (cassis, menthol, sous-bois). Une cuvée issue de raisins égrappés à 85 % et élevée pour un tiers environ en fût neuf. ⧗ 2023-2030

⊶ SARL GABRIEL D' ARDHUY, Clos des Langres, 21700 Corgoloin, tél. 03 80 62 98 73, domaine@ardhuy.com V 🚶 ▮ *r.-v.*

DOM. BONNARDOT 2016 ★

■	3050	◖◗ ▮	11 à 15 €

Un domaine de 21 ha situé à Villers-la-Faye, charmant petit village au cœur des Hautes-Côtes de Nuits. Quatre générations de vignerons s'y sont succédé. Danièle Bonnardot a pris la suite fin 2008.
Le nez développe des arômes de cassis, de réglisse et de cuir : une expression aromatique discrète mais élégante. Une finesse que l'on retrouve en bouche, dans laquelle la densité du vin est mise en valeur par une bonne fraîcheur. En 2016, des rendements faibles (gels printaniers) ont favorisé la concentration. ⧗ 2021-2025

⊶ EARL DOM. BONNARDOT, 1, rue de l'Ancienne-Cure, 21700 Villers-la-Faye, tél. 03 80 62 91 27, domaine.bonnardot@wanadoo.fr V 🚶 ▮ *t.l.j. 9h-12h 14h-18h; dim. sur r.-v.; f. 10-16 août*

DOM. A. CHOPIN ET FILS
Les Monts de Boncourt 2016

□	5000	◖◗	15 à 20 €

Installé à l'extrême sud de la Côte de Nuits, Arnaud Chopin a repris le domaine familial en 2010, à la retraite de ses parents. Avec l'aide de son jeune frère Alban, il cultive une dizaine d'hectares. Régulièrement, il s'illustre par ses nuits-saint-georges et ses côtes-de-nuits-villages. Des vins aujourd'hui vinifiés en vendanges entières et élevés longuement.
Au nord de Corgoloin, le *climat* des Monts de Boncourt occupe une large partie du coteau. Un secteur de la Côte de Nuits où le chardonnay semble à son aise. Ce vin présente des notes florales assez intenses accompagnant une touche vanillée. La bouche conjugue longueur et fraîcheur. L'ensemble est harmonieux. ⧗ 2021-2024

⊶ EARL CHOPIN ET FILS, D974, 21700 Comblanchien, tél. 03 80 62 92 60, domaine.chopin-fils@orange.fr V ▮ *r.-v.* 🏠 ③

DOM. DÉSERTAUX-FERRAND 2017

□	12 208	◖◗	11 à 15 €

Ce domaine familial de 19,5 ha implanté à Corgoloin, village-frontière entre les deux Côtes, celle de Nuits et celle de Beaune, est conduit depuis 1995 par Vincent Désertaux, son épouse Geneviève et sa sœur Christine. Souvent en vue pour ses côtes-de-nuits-villages.
Un assemblage de pinot blanc (30 %) et de chardonnay qui se distingue par ses notes de fleurs blanches et d'agrumes, accompagnées d'un boisé fin. Une fraîcheur minérale assure un bel équilibre en bouche. ⧗ 2020-2023

⊶ EARL DOM. DÉSERTAUX-FERRAND, 135, Grande-Rue, 21700 Corgoloin, tél. 03 80 62 98 40, contact@desertaux-ferrand.com V 🚶 ▮ *r.-v.* 🏠 Ⓔ

R. DUBOIS ET FILS Les Monts de Boncourt 2017

□	4300	◖◗	15 à 20 €

Béatrice Dubois et son frère Raphaël, installés depuis 1991, conduisent 21 ha de vignes dans les deux Côtes. La première vinifie, après avoir passé plusieurs années à l'étranger; le second s'occupe de la vente. Ils ont développé en 2000 une affaire de négoce pour étoffer leur gamme.
La Côte de Nuits montre régulièrement, à ceux qui sortent des sentiers battus, qu'elle sait produire de belles cuvées de blancs. C'est le cas avec ce chardonnay à la fois riche, fin et frais, qui propose à l'olfaction des notes d'acacia, de citron et de pamplemousse. Élevé avec une forte proportion de fûts neufs, ce vin présente un boisé qui reste toutefois bien fondu. ⧗ 2021-2024

⊶ EARL R. DUBOIS ET FILS, 7, rte de Nuits-Saint-Georges, 21700 Premeaux-Prissey, tél. 03 80 62 30 61, contact@domaine-dubois.com V 🚶 ▮ *t.l.j. 9h-11h30 14h-17h30; dim. sur r.-v.*

♥ DOM. JEAN-MICHEL GUILLON ET FILS
Queue de Hareng 2017 ★★

■ | 1920 | | 15 à 20 €

Établi à Gevrey, Jean-Michel Guillon a débuté en 1980 sur un domaine de 2,3 ha, dont il a porté la superficie à plus de 15 ha répartis dans de nombreuses appellations (mazis, gevrey, morey, clos-de-vougeot...). Secondé par son fils Alexis depuis 2005, il s'illustre avec une grande régularité dans le Guide.

Un *climat* de la commune de Brochon (au nord de Gevrey-Chambertin) au nom pour le moins original. Il serait la transformation de «queue de rangs» selon l'une des hypothèses sur son origine... Moins hypothétique est la qualité de la cuvée qui en est issue. Un vin expressif, au nez de framboise confiturée, d'épices douces et de réglisse, à la bouche ample et soyeuse, parfaitement équilibrée et persistante sur le fruit. Bref, une belle prise! ⧗ 2023-2030

SARL DOM. JEAN-MICHEL GUILLON ET FILS, 33, rte de Beaune, 21220 Gevrey-Chambertin, tél. 03 80 51 83 98, contact@domaineguillon.com V r.-v.

DOM. PETITOT Les Vignottes Vieilles Vignes 2017 ★

■ | 3900 | | 15 à 20 €

Installés à Corgoloin dans un bâtiment du XIIIe s., Nathalie (œnologue) et Hervé Petitot ont repris en 2002 le domaine familial. Adeptes d'une viticulture très raisonnée, ils recherchent l'équilibre dans leurs vins comme dans leurs vignes. Des vins qu'ils veulent élégants et fins, capables de bien vieillir également.

Le jury salue unanimement l'élégance, la finesse et l'harmonie de ce côte-de-nuits-villages ouvert sur des nuances de cassis et de fleurs. Les vignes octogénaires qui l'ont vu naître, voisines de l'appellation nuits-saint-georges, sont situées à Premeaux-Prissey. ⧗ 2021-2025

EARL DOM. JEAN PETITOT ET FILS, 26, pl. de la Mairie, 21700 Corgoloin, tél. 03 80 62 98 21, domaine.petitot@wanadoo.fr V r.-v.

DOM. TRUCHETET Les Bonnemaines 2017

■ | 2400 | | 20 à 30 €

Domaine établi à Premeaux-Prissey, le village aux deux églises, celle de Premeaux et celle de Prissey. Jean-Pierre Truchetet s'est installé en 1980 et exploite 5,3 ha. La sixième génération, les deux enfants du vigneron, Morgan et Julie, ont pris en main le domaine en 2019.

Le domaine est resté fidèle à ses principes, pratiquant un élevage long (dix-sept mois) pour un quart en fût neuf. Dans le verre, un vin aux arômes de fruits noirs sauvages, de cerise et de café, bâti sur des tanins fondus et qui fait preuve d'une bonne harmonie. ⧗ 2022-2025

EARL TRUCHETET, 5, rue des Masers, 21700 Premeaux-Prissey, tél. 06 25 85 03 39, morgantruchetet@gmail.com V r.-v.

➡ LA CÔTE DE BEAUNE

Plus large (un à deux kilomètres) que la Côte de Nuits, la Côte de Beaune est plus tempérée et soumise à des vents plus humides, ce qui entraîne une plus grande précocité dans la maturation. La vigne monte à une altitude plus élevée que dans la Côte de Nuits, à 400 m et parfois plus. Le coteau est coupé de larges combes, dont celle de Pernand-Vergelesses qui sépare la « montagne » de Corton du reste de la Côte. Géologiquement, la Côte de Beaune apparaît plus homogène que la Côte de Nuits : au bas, un plateau presque horizontal, formé par les couches du bathonien supérieur recouvertes de terres fortement colorées. C'est de ces sols assez profonds que proviennent les grands vins rouges (beaune Grèves, pommard Épenots...). Au sud de la Côte de Beaune, les bancs de calcaires oolithiques avec, sous les marnes du bathonien moyen recouvertes d'éboulis, des calcaires sus-jacents donnent des sols à vigne caillouteux, graveleux, sur lesquels sont récoltés les vins blancs parmi les plus prestigieux : premiers et grands crus des communes de Meursault, Puligny-Montrachet, Chassagne-Montrachet. Si l'on parle de «côte des rouges» et de «côte des blancs», il faut citer entre les deux le vignoble de Volnay, implanté sur des terrains pierreux argilo-calcaires et donnant des vins rouges d'une grande finesse.

BOURGOGNE-HAUTES-CÔTES-DE-BEAUNE

Superficie : 815 ha
Production : 39 500 hl (85 % rouge)

Cette appellation est située sur une aire géographique comprenant une vingtaine de communes et débordant sur le nord de la Saône-et-Loire. Comme celui des hautes-côtes-de-nuits, ce vignoble s'est développé depuis les années 1970-1975.

Le paysage est pittoresque et de nombreux sites méritent une visite, comme Orches, La Rochepot et son château, Nolay et ses halles. Enfin, les Hautes-Côtes, qui étaient autrefois une région de polyculture, sont restées productrices de petits fruits destinés à alimenter les liquoristes de Nuits-Saint-Georges et de Dijon. Cassis et framboise servent à élaborer des liqueurs et des eaux-de-vie d'excellente qualité. L'eau-de-vie de poire des Monts de Côte-d'Or trouve également ici son origine.

PAUL AEGERTER Les Belles Roches 2017

■ | 9500 | | 11 à 15 €

Jean-Luc Aegerter (ddisparu en 2017) fonde son négoce en 1988. Il achète ses premières vignes en 1994 (7 ha aujourd'hui) et son fils Paul le rejoint en 2001 et est aujourd'hui aux commandes. La maison propose une vaste gamme allant des AOC régionales aux grands crus, du Chablisien au Mâconnais en passant par les deux Côtes.

Cette cuvée propose à l'olfaction des parfums de fruits rouges et noirs mûrs mâtinés de nuances de cuir. Harmonieuse et bien structurée, la bouche est dominée par des saveurs d'épices. ⧗ 2021-2024

SA BPGA,
49, rue Henri-Challand, 21700 Nuits-Saint-Georges,
tél. 03 80 61 02 88, infos@aegerter.fr

FRANÇOIS D'ALLAINES 2016

| 4000 | | 11 à 15 € |

Après l'école hôtelière, François d'Allaines crée son négoce en 1990 à la frontière entre Saône-et-Loire et Côte-d'Or, puis son domaine en 2009. Cet adepte des élevages longs en fût est souvent au rendez-vous du Guide.

L'élevage 100 % fûts, dont 15 % de neufs, a marqué le nez d'arômes vanillés qui masquent pour l'heure les fruits noirs. La bouche est concentrée et charpentée pour la garde, avec une jolie finale épicée. 2022-2025

SARL FRANÇOIS D'ALLAINES,
2, imp. du Meix-du-Cray, 71150 Demigny,
tél. 03 85 49 90 16, francois@dallaines.com V *r.-v.*

JULES BELIN 2017

| 33 000 | | 20 à 30 € |

Cette vénérable maison de négoce, fondée en 1817 par Jules Belin et reprise en 2003 par la maison nuitonne Louis Max, vinifie une vingtaine d'appellations au travers d'achats de raisins dans la Côte de Nuits et la Côte de Beaune.

Cette importante cuvée en volume possède la particularité d'avoir été vinifiée en raisins entiers avant ses dix mois de cuve. Au nez, on distingue un parfum à la fois floral et fruité. Au palais, les tanins sont présents mais fondus, enrobés par un fruité mûr. 2020-2023

SA LOUIS MAX (JULES BELIN), 6, rue de Chaux,
21700 Nuits-Saint-Georges, tél. 03 80 62 43 00,
n.lanier-garde@louis-max.fr V

DOM. CHRISTOPHE BOUILLOT 2017 ★

| 1446 | | 11 à 15 € |

Christophe Bouillot s'est installé en 2004 avec 78 ares d'aligoté et tout le matériel à acquérir. Depuis, il s'est étendu par fermage en pommard et achat en savigny-lès-beaune et bourgogne-hautes-côtes-de-beaune. Son vignoble couvre aujourd'hui 3,6 ha.

Né d'une une vigne de tout juste six ans, cette cuvée propose un bouquet intense de fleurs blanches et de fruits jaunes agrémenté d'une touche de vanille. La bouche se révèle ample et équilibrée, portée par une belle tension et un boisé ajusté qui laissent augurer d'un bon potentiel de garde. 2021-2024

CHRISTOPHE BOUILLOT,
79, rte de Pommard, 21200 Beaune, tél. 06 25 51 24 17,
christophe.bouillot@orange.fr V *r.-v.*

DOM. BOURGOGNE-DEVAUX La Dalignère 2017 ★

| 3000 | | 11 à 15 € |

Sylvie Bourgogne a repris en 1986 le domaine créé en 1899 par son arrière-grand-père. Contrainte de vendre la production en raisin et de réduire le vignoble (2,35 ha aujourd'hui), elle a vinifié son premier hautes-côtes-de-beaune en 2012. En 2015, elle a transmis l'exploitation à ses deux fils, Luc, également chargé d'affaires dans la banque, et Fabrice, formé à la «viti-oeno» de Beaune.

De 38 ares de ce terroir de Meloisey planté de vignes de soixante ans, les Bourgogne extraient un vin au nez discret mais élégant de grenadine, de poivre et de fleurs. La bouche se montre souple et fraîche en attaque, avant de s'affirmer plus nettement autour de tanins fermes et d'un bon boisé. 2021-2024 **Le Clou 2017 (11 à 15 €; 5200 b.)** : vin cité.

SAS DOM. BOURGOGNE-DEVAUX,
2, chem. de Mavilly, 21190 Meloisey, tél. 06 03 11 65 40,
domaine.bourgogne@gmail.com V *r.-v.*

DOM. DENIS CARRÉ Le Clou 2017 ★

| n.c. | | 11 à 15 € |

À Meloisey, dans les Hautes-Côtes, Martial et Gaëtane Carré ont rejoint leur père Denis, fondateur en 1975 de ce domaine qui excelle dans plusieurs AOC, en hautes-côtes-de-beaune, saint-romain et pommard notamment.

Des vignes de quarante-huit ans sont à l'origine de cette cuvée ouverte sur des notes de fraise et de cassis mêlées de nuances empyreumatiques. Passée une attaque vive, la bouche, ample et généreuse, dévoile des tanins soyeux et une agréable suavité. 2021-2024

EARL DOM. DENIS CARRÉ,
1, rue du Puits-Bouret, 21190 Meloisey, tél. 03 80 26 02 21,
domainedeniscarre@wanadoo.fr V *r.-v.*

CARRÉ-REGAZZONI 2017 ★

| 1800 | | 8 à 11 € |

Installé depuis 2000 à Meloisey, petit village des Hautes-Côtes de Beaune, Bernard Carré est à la tête de 6 ha, tout en étant vigneron des Hospices de Beaune.

Produite à partir d'1,60 ha, cette cuvée délivre à l'olfaction des nuances agréables de griotte et de fraise sur fond de boisé discret. La bouche, ample et fraîche, s'appuie sur une belle trame tannique, ferme et élégante, gage d'une saine évolution. 2022-2025

EARL CARRÉ-REGAZZONI,
4, rue du Puits-Bouret, 21190 Meloisey,
tél. 03 80 26 07 76, bernard.carreregazzoni@sfr.fr
V *r.-v.*

JEAN CHARTRON En Bois Guillemain 2017 ★★

| 8722 | | 8 à 11 € |

Créé en 1859 par le tonnelier Jean-Édouard Dupard, ce domaine d'une grande constance, bien implanté dans les grands crus de Puligny, étend son vignoble sur 13 ha – dont 90 % de chardonnay et trois monopoles (Clos de la Pucelle et Clos du Cailleret en puligny, Clos des Chevaliers en chevalier-montrachet) –, conduits en bio non certifié. Jean-Michel Chartron est aux commandes depuis 2004 et épaulé depuis 2015 par sa sœur Anne-Laure; l'un de ses credo : «Du bois, oui, mais pas trop». Une valeur sûre.

Ce *climat* situé sur Meloisey offre au domaine des cuvées régulièrement de qualité, à l'image de ce 2017 tout proche du coup de cœur Un vin au nez élégant, floral, minéral et fruité, ample, frais, franc et fin en bouche. 2020-2023

SCEA DOM. JEAN CHARTRON,
8 bis, Grande-Rue, 21190 Puligny-Montrachet,
tél. 03 80 21 99 19, info@jeanchartron.com
V *r.-v.; f. de nov. à mars*

La Côte de Beaune

DOM. CHEVROT 2017 ★

	2500		11 à 15 €

Depuis sa création, l'exploitation est passée de 5 ha à 18 ha. Les fils de Fernand et Catherine Chevrot, Pablo et Vincent, tous deux œnologues, se sont installés au début de ce siècle et ont engagé en 2008 la conversion bio de la propriété. Le cheval est revenu labourer la vigne comme à l'époque de Paul et Henriette, fondateurs du domaine en 1930.

Si le gel a limité cette cuvée en volume, il n'a pas empêché d'obtenir une belle qualité. Au nez, les fruits jaunes (abricot et mirabelle) s'associent harmonieusement à un boisé torréfié. La bouche apparaît ample et ronde, tendue par une fine acidité en finale. 2020-2022

EARL DOM. CHEVROT ET FILS, 19, rte de Couches, 71150 Cheilly-lès-Maranges, tél. 03 85 91 10 55, contact@chevrot.fr V r.-v.

DOM. DE LA CONFRÉRIE 2016 ★

	1700		8 à 11 €

Depuis 1991, Christophe Pauchard est installé dans les Hautes-Côtes, à Cirey, au-dessus du village de Nolay; un secteur verdoyant, aux allures de hameau d'alpage. Son vignoble de 10 ha s'étend depuis 2005 jusqu'à Meursault où le vigneron a acquis une parcelle.

Un des rares blancs produit en 2016 suite au gel et encore à la vente. Tilleul et aubépine forment un nez intense. Une attaque franche et fraîche ouvre sur un palais ample, énergique et de bonne longueur. 2020-2023

EARL CHRISTOPHE PAUCHARD (DOM. DE LA CONFRÉRIE), 37, rue Perraudin, Cirey, 21340 Nolay, tél. 06 87 39 29 07, info@domaine-pauchard.fr V r.-v.

DOM. CORNU 2017 ★

	5000		11 à 15 €

Alexandre Cornu représente la quatrième génération à la tête de ce domaine familial de 20 ha, situé dans les Hautes Côtes.

À Magny-lès-Villers, on produit du hautes-côtes-de-beaune comme du hautes-côtes-de-nuits, ce village étant la frontière entre les deux appellations. Au nez, le vin dévoile des senteurs d'abricot et de fruits secs. Arômes prolongés par une bouche franche, minérale et tendue. De l'énergie et du relief. 2020-2023

SCEA DOM. CORNU, 6, rue du Meix-Grenot, 21700 Magny-lès-Villers, tél. 03 80 62 92 05, domaine.cornu@wanadoo.fr V r.-v.

♥ R. DUBOIS ET FILS Les Montbatois 2017 ★★

	7500		11 à 15 €

Bourgogne Hautes-Côtes de Beaune Les Montbatois R.Dubois & Fils

Béatrice Dubois et son frère Raphaël, installés depuis 1991, conduisent 21 ha de vignes dans les deux Côtes. La première vinifie, après avoir passé plusieurs années à l'étranger; le second s'occupe de la vente. Ils ont développé en 2000 une affaire de négoce pour étoffer leur gamme.

L'unique coup de cœur en blanc de cette appellation nous vient... d'un domaine de la Côte de Nuits. Une vigne de cinquante ans plantée sur les hauteurs de la colline de Beaune a donné un vin des plus harmonieux, aux parfums persistants de chèvrefeuille et d'amande, à la bouche souple, fine et fraîche, étirée dans une longue finale. Un hautes-côtes plein d'élégance. 2020-2023

EARL R. DUBOIS ET FILS, 7, rte de Nuits-Saint-Georges, 21700 Premeaux-Prissey, tél. 03 80 62 30 61, contact@domaine-dubois.com V t.l.j. 9h-11h30 14h-17h30; dim. sur r.-v.

DOM. LOÏC DURAND 2017 ★

	9000		8 à 11 €

Jeune viticulteur, Loïc Durand a repris en 2005 le domaine familial, situé à côté de l'église de Bouze, dans les Hautes-Côtes. Il a étendu progressivement l'exploitation et cultive 9 ha. Sa sœur Alix l'a rejoint et ils sont aujourd'hui en conversion bio.

Ce «régional de l'étape» signe un fort joli blanc ouvert sur les fruits secs et les fleurs blanches sur fond de minéralité. Minéralité qui anime aussi la bouche, lui apportant fraîcheur et persistance. 2020-2022

SC DOM. LOÏC DURAND, 6, rue de l'Église, 21200 Bouze-lès-Beaune, tél. 06 25 20 28 97, domainedurandloic@orange.fr V r.-v.

JEAN-LUC JOILLOT 2017 ★

	10500		11 à 15 €

Valeur sûre en pommard, Jean-Luc Joillot s'est installé en 1982 sur le domaine familial, aujourd'hui constitué de 15,6 ha, avec soixante parcelles dans son cru d'origine. Simon Goutard, le fils de son épouse, est depuis 2015 aux commandes des vinifications, qu'il a «assouplies».

Au nez, les douze mois d'élevage en fûts et leurs parfums torréfiés accompagnent bien les fruits rouges. Souple en attaque, ample et long, le palais se montre très équilibré entre le soyeux des tanins et la finesse du fruit. 2020-2024

EARL DOM. JEAN-LUC JOILLOT, 6, rue Marey-Monge, 21630 Pommard, tél. 03 80 24 20 26, contact@domaine-jaillot.com V r.-v.

DOM. FRANCK LAMARGUE 2017 ★

	470		8 à 11 €

En 2005, à l'issue de ses études à Beaune, Franck Lamargue s'est associé à son ancien maître de stage pour fonder un domaine qu'il dirige seul depuis 2011. Installé à La Rochepôt dans une ancienne tuilerie, il exploite 12 ha de vignes en hautes-côtes et dans cinq communes du sud de la Côte de Beaune, de Monthelie aux Maranges.

À l'origine de ce 2017, une parcelle de 1,35 ha. Limpidité et brillance caractérisent la robe. Au nez, les fruits jaunes et les fleurs blanches font bon ménage. La bouche se montre ample et fruitée, bien équilibrée entre gras et acidité. 2020-2023

EARL FRANCK LAMARGUE, 63, rte de Beaune, 21340 La Rochepot, tél. 06 60 25 57 88, domaineflamargue@outlook.fr V t.l.j. 9h-12h30 13h30-19h

DOM. SÉBASTIEN MAGNIEN Vieilles Vignes 2017

■ | 15000 | | 11 à 15 €

Sébastien Magnien, originaire des Hautes-Côtes, a créé en 2004 son domaine à partir des vignes maternelles – 12 ha aujourd'hui. Il se dit très interventionniste à la vigne pour les travaux manuels (ce qui permet de limiter les intrants), beaucoup moins au chai (macérations longues, pas de surextraction, usage modéré de fûts neufs).

Sébastien Magnien signe un hautes-côtes plaisant, au nez fruité et boisé, souple et soyeux en bouche, un brin plus sévère en finale toutefois. À attendre un peu. 2020-2023

EARL DOM. SÉBASTIEN MAGNIEN, 6, rue Pierre-Joigneaux, 21190 Meursault, tél. 03 80 21 28 57, domainesebastienmagnien@orange.fr V r.-v.

MANOIR DE MERCEY Au Paradis 2017

■ | 7000 | | 11 à 15 €

Gérard Berger-Rive a fondé ce domaine en 1943, au cœur des Maranges. Xavier, son fils, a pris la relève en 1977 et développé la surface du vignoble pour la porter à 22 ha, principalement situés dans le secteur des Hautes-Côtes. La troisième génération (Paul Berger) a rejoint le domaine en 2015.

La vénérable vigne à l'origine de cette cuvée (cinquante ans) est plantée à la pointe sud de l'appellation, dans le hameau de Mercey. Elle a donné un vin poivré et fruité (cassis, groseille) au nez, ferme et frais en bouche, étayé par des tanins encore un peu accrocheurs. À mettre en cave pour plus de souplesse. 2021-2024

SCE DOM. GÉRARD BERGER-RIVE ET FILS, Manoir de Mercey, 2, rue Saint-Louis, 71150 Cheilly-lès-Maranges, tél. 03 85 91 13 81, contact@berger-rive.fr V r.-v.

DOM. MAZILLY PÈRE ET FILS La Dalignère 2017 ★

■ | 3600 | | 11 à 15 €

Installés depuis 1980 à Meloisey, charmant village des Hautes-Côtes de Beaune, Frédéric Mazilly et son fils Aymeric exploitent, dans un esprit proche du bio, un coquet vignoble de 17 ha. En 2004, Aymeric a également créé sous son propre nom une maison de négoce dédiée aux seuls vins blancs.

Ce Dalignère livre un bouquet généreux de fruits rouges bien mûrs mâtinés de notes de cuir et de sous-bois. On retrouve cette générosité dans un palais suave, dense et long, soutenu par une bonne structure. Une belle évolution en perspective. 2022-2025 ■ **La Perrière 2017 ★ (11 à 15 €; 3000 b.)** : le nez, intense, convoque les fruits blancs bien mûrs agrémentés de nuances beurrées et boisées. Un caractère gourmand que l'on retrouve dans un palais rond et gras, soutenu par une fine acidité et un boisé bien dosé. 2021-2024

SCE DOM. MAZILLY PÈRE ET FILS, 1, rte de Pommard, 21190 Meloisey, tél. 03 80 26 02 00, bourgogne-domaine-mazilly@wanadoo.fr V r.-v.

DOM. ÉRIC MONTCHOVET 2017

■ | 3700 | | 11 à 15 €

Ouvrier à Pommard, le grand-père Lucien Montchovet achète quelques parcelles en friche et s'installe à Nantoux. Julien, son fils, devient vigneron en 1955. En 1987, c'est le petit-fils, Éric, qui rejoint et agrandit le domaine qui s'étend à présent sur 7 ha. En 2016, la quatrième génération entre en scène avec l'arrivée de Pierre, le fils d'Éric.

De vénérables chardonnays de soixante ans sont à l'origine de ce vin ouvert sur les fruits blancs, la fleur d'acacia et l'amande fraîche, frais et bien équilibré en bouche. 2020-2022

EARL ÉRIC MONTCHOVET, 7, rue Léonard, 21190 Nantoux, tél. 03 80 26 00 68, contact@bourgogne-montchovet.com V r.-v.

DOM. NICOLAS PÈRE ET FILS Vieilles Vignes 2017

■ | 3200 | | 8 à 11 €

Un domaine familial de 18 ha établi sur les hauteurs de Nolay, dans les Hautes-Côtes beaunoises, et conduit depuis 1987 par Alain Nicolas, représentant la cinquième génération. En 2019, ses enfants Mylène et Benoit l'ont rejoint sur l'exploitation.

Planté peu d'années après la création de l'appellation en 1961, cette vigne distille de douces senteurs de vanille venues d'une année passée entre les douelles de chêne. Sa structure souple et équilibrée en fait un vin déjà charmeur, mais qui ne craindra pas la garde. 2020-2024

EARL NICOLAS PÈRE ET FILS, 38, rte de Cirey, 21340 Nolay, tél. 03 80 21 82 92, contact@domaine-nicolas.fr V *t.l.j. sf dim. 9h-12h 14h-18h*

DOM. PARIGOT Clos de la Perrière 2017 ★★

■ | 40000 | | 15 à 20 €

Un domaine de 20 ha fondé en 1983 par Régis Parigot, qui valorise avec talent les terroirs bourguignons, témoins les nombreux coups de cœur obtenus pour ses vins de la Côte de Beaune et des Hautes-Côtes. En 2008, le fils Alexandre a pris les commandes avec la même réussite.

Plusieurs coups de cœur ont, par le passé, distingué cette cuvée « signature » du domaine. Elle tient son rang avec la version 2017. Un beau vin intense et profond, qui s'ouvre en finesse sur la fraise des bois et la vanille, et qui dévoile en bouche une texture souple et soyeuse soutenue par des tanins ronds et affinés. 2021-2024

SC DOM. ALEXANDRE PARIGOT, 8, rte de Pommard, 21190 Meloisey, tél. 03 80 26 01 70, domaine.parigot@orange.fr V r.-v.

POULET PÈRE ET FILS 2017 ★

■ | 33000 | | 20 à 30 €

Une maison fondée en 1747 à Beaune, désormais établie sur les hauteurs de Nuits-Saint-Georges, depuis 1982 dans le giron du négoce nuiton Louis Max. Elle propose une large gamme de vins de Bourgogne (des appellations régionales aux grands crus) et aussi du Beaujolais.

Ce hautes-côtes bien né développe des parfums intenses de cassis nuancés de notes poivrées et fumées. Une attaque fruitée ouvre sur une bouche fraîche et d'une belle finesse, mais néanmoins bien structurée pour la garde. 2021-2024

SARL LOUIS MAX (POULET PÈRE ET FILS), 6, rue de Chaux, 21700 Nuits-Saint-Georges, tél. 03 80 62 43 00, n.lanier-garde@louis-max.fr r.-v.

DOM. CHRISTIAN REGNARD 2017 ★

	6250		11 à 15 €

En 2010, Florian Regnard a rejoint son père Christian sur le domaine familial situé à Sampigny, l'un des trois villages de l'AOC maranges. Parcelle après parcelle, il agrandit le vignoble (aujourd'hui 12 ha dans la partie sud de la Côte de Beaune et dans les Hautes-Côtes) et fait bouger les lignes en matière de culture, de vinification et de commercialisation.

Coup de cœur l'an passé, cette cuvée version 2017 fait belle figure. Elle porte beau dans sa robe brillante. Au nez, elle évoque les fleurs blanches, le coing et le toast grillé. En bouche, elle offre du volume, un boisé bien ajusté et beaucoup de vivacité sur fond d'agrumes. Une bouteille appelée à bien vieillir. ⧗ 2022-2025

EARL CHRISTIAN REGNARD, 14, rte de Cheilly, 71150 Sampigny-lès-Maranges, tél. 03 85 45 51 29, regnardc@wanadoo.fr V *t.l.j. 10h-12h 14h-18h*

DOM. DE LA ROCHE AIGUË La Dalignère 2017 ★

■	5100		8 à 11 €

Florence et Éric Guillemard, établis à la sortie d'Auxey-Duresses depuis 1995, conduisent un vignoble de 14 ha en auxey-duresses, saint-romain, meursault, pommard et hautes-côtes.

Régulièrement distinguée, cette cuvée conserve son rang avec un 2017 complexe (notes fumées, vanille, chocolat, cerise), suave, dense et rond en bouche, d'une belle longueur. ⧗ 2022-2025 ■ **2017 ★ (8 à 11 €; 11 500 b.)** : fruits rouges, vanille, café, le nez compose un beau mariage entre le bois et le pinot noir. La bouche ne dit pas autre chose et plaît par sa rondeur et ses tanins affinés. ⧗ 2020-2024

EARL LA ROCHE AIGUË, 145, rte de Beaune, Melin, 21190 Auxey-Duresses, tél. 03 80 21 28 33, guillemarderic@wanadoo.fr V *r.-v.*

DOM. SAINT-MARC Sous Carrières 2017

	1100		11 à 15 €

Un domaine de 7,5 ha situé à la limite des Maranges, dans les Hautes-Côtes de Beaune. Il a été créé en 1980 à partir de 40 ares de vignes par Jean-Claude Mitanchey, rejoint en 2011 par son fils Arnaud. Ils ont agrandi et modernisé la cuverie et se sont offerts, en 2015, un nouveau chai de vieillissement.

Né de ceps de trente-cinq ans, ce hautes-côtes dévoile un nez discrètement floral, agrémenté de notes de noisette. En bouche, il affiche une agréable fraîcheur aux accents iodés et fruités (pêche). ⧗ 2020-2022

SARL DOM. SAINT-MARC, 1, rue de Nolay, 71150 Paris-L'Hôpital, tél. 03 85 91 13 14, domaine@saint-marc.fr V *r.-v.*

DAVID TROUSSELLE Cuvée Olympe 2017 ★

■	900		11 à 15 €

Après différentes expériences en Bourgogne et dans le Bordelais, David Trousselle a réalisé son rêve et créé son domaine en 2015 à partir de 1,6 ha d'aligoté appartenant à sa famille, complété par des achats de vignes dans les Hautes-Côtes et de locations de parcelles : au total, 5,2 ha aujourd'hui.

Dès le nez, cette cuvée confidentielle rend compte de la maturité du millésime avec ses notes de confiture de fruits rouges et de baies sauvages. Un fruité soutenu en bouche par des tanins soyeux et par un boisé juste. ⧗ 2020-2024

DAVID TROUSSELLE, 26, rue du Tilleul-de-la-Révolution, hameau Orches, 21340 Baubigny, tél. 06 73 04 38 77, davidtrousselle@gmail.com V *r.-v.*

LADOIX

Superficie : 94 ha
Production : 4 065 hl (75 % rouge)

Porte de la Côte de Beaune, cette appellation mériterait d'être mieux connue. Elle porte le nom d'un des trois hameaux de la commune de Ladoix-Serrigny, les deux autres étant Serrigny, près de la ligne de chemin de fer, et Buisson. Ce dernier est situé exactement à la frontière géographique des Côtes de Nuits et de Beaune, marquée par la combe de Magny. Au-delà commence la montagne de Corton, aux grandes pentes à intercalations marneuses, constituant avec toutes ses expositions, est, sud et ouest, l'une des plus belles unités viticoles de la Côte.
Ces différentes situations contribuent à la variété des ladoix rouges, auxquels s'ajoute une production de vins blancs mieux adaptés aux sols marneux de l'argovien; c'est le cas des Gréchons, par exemple, *climat* situé sur les mêmes niveaux géologiques que les corton-charlemagne, plus au sud, et qui donnent des vins très typés.
Autre particularité : bien que jouissant d'une classification favorable donnée par le Comité de viticulture de Beaune en 1860, Ladoix ne possédait pas de 1ers crus, omission qui a été réparée par l'INAO en 1978 : La Micaude, La Corvée et Le Clou d'Orge, aux vins de même caractère que ceux de la Côte de Nuits, Les Mourottes (basses et hautes), de tempérament sauvage, Le Bois-Roussot, Sur la Lave, sont les principaux de ces 1ers crus.

B DOM. D'ARDHUY
Clos des Chagnots 2017 ★★

■	9000		20 à 30 €

Un domaine fondé en 1947 comprenant notamment six grands crus et quinze 1ers crus. Près de 40 ha de vignes, de Puligny-Montrachet à Gevrey-Chambertin, dans les Côtes de Beaune et de Nuits. Un vignoble certifié en biodynamie depuis 2012. L'œnologue Vincent Bottreau est aux commandes du chai depuis 2016.

Une belle surface de 2,36 ha pour ce Clos des Chagnots, qui dévoile des arômes de fruits rouges (griotte, cerise) et un boisé discret à l'olfaction. On retrouve les fruits mâtinés de réglisse et d'épices dans une bouche riche, intense, aux tanins fermes mais fins. Un 2017 qui présente beaucoup de caractère et qui vieillira harmonieusement. ⧗ 2023-2030

SARL GABRIEL D'ARDHUY, Clos des Langres, 21700 Corgoloin, tél. 03 80 62 98 73, domaine@ardhuy.com V *r.-v.*

BOURGOGNE

DOM. CHEVALIER PÈRE ET FILS
Les Corvées 2016 ★★

1er cru	n.c.		20 à 30 €

Installé en 1994 sur ce domaine créé en 1850 par son arrière-grand-père Émile, Claude Chevalier exploite avec trois de ses filles - Chloé à la vigne et au chai, Julie au commercial et Anaïs à la comptabilité - un vignoble de 15 ha situé au pied et sur les pentes de la montagne de Corton. Une valeur sûre de la Côte de Beaune.

Un vin d'un rouge profond, au nez discret mais élégant de cassis et de griotte sur fond de boisé bien fondu. Le palais se révèle ample, rond, riche et soyeux, épaulé par des tanins délicats et prolongé par une jolie finale réglissée. ⌛ 2021-2026

SCEA CHEVALIER PÈRE ET FILS, 2, Grande-Rue-de-Buisson, Cidex 18, 21550 Ladoix-Serrigny, tél. 03 80 26 46 30, contact@domaine-chevalier.fr V r.-v.

EDMOND CORNU ET FILS 2017 ★

	4700		20 à 30 €

Edmond Cornu, à la retraite, a laissé en 1985 la conduite des 16 ha du domaine familial à son fils Pierre, épaulé par son épouse Édith et son cousin Emmanuel. Installée à Ladoix, la famille Cornu exploite ses vignes en Haute Valeur Environnementale, en adaptant ses pratiques viticoles et œnologiques dans le respect de la biodiversité, de la faune et de la flore.

Cette cuvée or pâle dévoile un nez épanoui de fleurs blanches, d'agrumes et de vanille. La bouche se montre ronde et fruitée, dotée d'une minéralité agréable en soutine. Un ensemble harmonieux. ⌛ 2020-2023

GAEC EDMOND CORNU ET FILS, Le Meix-Gobillon, 6, rue du Bief Cidex 34, 21550 Ladoix-Serrigny, tél. 03 80 26 40 79, domaine.cornuetfils@orange.fr V r.-v.

DOM. XAVIER DURAND 2017 ★

	2063		15 à 20 €

Xavier Durand a repris en 2009 l'exploitation familiale, vieille de quatre générations. Il conduit aujourd'hui un vignoble de 7,5 ha composé de vignes de 35 à 80 ans sur les communes de Ladoix, Aloxe-Corton, Comblanchien et Nuits-Saint-Georges, tout en agriculture raisonnée.

Ce vin couleur cerise, au nez de petits fruits rouges, légèrement boisé, s'avère très équilibré en bouche. Des tanins présents mais bien maîtrisés viennent en soutien d'une matière ronde et fruitée qui laisse deviner un bon potentiel de garde. ⌛ 2021-2026

XAVIER DURAND, 25, Grande-Rue, 21700 Comblanchien, tél. 06 73 50 63 95, domainedurandxavier@gmail.com V r.-v.

DOM. FAIVELEY 2017 ★

	17000		20 à 30 €

Ce domaine fondé à Nuits-Saint-Georges en 1825 est un nom qui compte en Bourgogne, depuis sept générations. À sa tête depuis 2005, Erwan Faiveley, qui a succédé à son père François. Aujourd'hui, c'est l'un des plus importants propriétaires de vignes en Bourgogne : 120 ha du nord de la Côte de Nuits au sud de la Côte chalonnaise, dont 10 ha en grand cru et près de 25 ha en 1er cru.

Ce 2017 or pâle arbore un nez légèrement boisé et épicé, avec des notes briochées, signature des beaux blancs de Bourgogne. La bouche est à l'avenant : élégance, équilibre, fruité, fraîcheur et cette jolie rondeur apportée par l'élevage. ⌛ 2021-2025

SAS MAISON JOSEPH FAIVELEY (CVVB), 8, rue du Tribourg, 21700 Nuits-Saint-Georges, tél. 03 80 61 04 55, contact@domaine-faiveley.com

DOM. JEAN GUITON La Corvée 2017 ★

1er cru	4200		30 à 50 €

Jean Guiton est installé depuis 1973 à Bligny, dans la plaine de Pommard. Les vignes (11,3 ha) sont quant à elles implantées sur la Côte, notamment à Savigny. Guillaume, le fils, est arrivé au début des années 2000.

Sous une robe rubis intense se libèrent des arômes de petits fruits noirs et d'épices. En bouche, le vin révèle une matière dense, une belle structure de tanins fermes et un fruité élégant. Du potentiel. ⌛ 2022-2026

SCEA DOM. JEAN GUITON, 4, rte de Pommard, 21200 Bligny-lès-Beaune, tél. 03 80 21 62 07, domaine.guiton@wanadoo.fr V r.-v.

DOM. MICHEL MALLARD ET FILS
La Corvée 2016 ★★

1er cru	4000		30 à 50 €

Michel Mallard agrandit dans les années 1950 le domaine familial, repris depuis par son fils Patrick et son petit-fils Michel. Un domaine de 12 ha aujourd'hui, qui se distingue régulièrement pour ses ladoix, aloxe et corton.

Cette cuvée à la robe aussi intense que ses arômes de fruits mûrs (cassis, mûre) et d'épices, nuancés d'un boisé bien intégré, se révèle très élégante en bouche. De la rondeur, du fruit, du volume, de la longueur, des tanins soyeux et un très bel équilibre pour ce ladoix de grande classe. ⌛ 2022-2030

EARL DOM. MICHEL MALLARD ET FILS, 43, rte de Dijon, 21550 Ladoix-Serrigny, tél. 03 80 26 40 64, domainemallard@hotmail.fr V r.-v.

DOM. MARATRAY-DUBREUIL
En Naget Monopole 2017 ★★

1er cru	3400		20 à 30 €

Domaine de Ladoix-Serrigny fondé en 1935 lorsque le père de Maurice Maratray préféra réinvestir ses gains dans l'achat de vignes plutôt que dans son entreprise de travaux publics. Maurice Maratray épousa la fille de Pierre Dubreuil, figure de Pernand. Aujourd'hui, l'exploitation couvre 19 ha; elle est dirigée depuis 1997 par François-Xavier Maratray et sa sœur Marie-Madeleine.

Un 1er cru des hauteurs (300 m) souvent en vue dans ces pages. Dorée à reflets verts, la version 2017 libère des arômes élégants de pêche, de citron, de vanille et de beurre : la promesse tenue d'un chardonnay de haute volée. Une attaque minérale ouvre sur une bouche ample, dense et très fraîche, soulignée par un élevage en fût parfaitement maîtrisé. Le coup de cœur fut mis aux voix. ⌛ 2021-2026 ■ **En Naget Monopole 2017 ★ (20 à 30 €; 6500 b.)** : un ladoix d'un beau rubis, au nez de framboise et de cerise légèrement épicé. Il offre une belle matière en bouche, de la puissance et de la fraîcheur. Très bon potentiel de garde. ⌛ 2022-2027 ■ **1er cru Les Gréchons 2017 ★ (20 à 30 €; 6500 b.)** : jaune citron nuancé de vert, ce 2017 dévoile avec finesse des arômes de fleurs blanches. L'élevage lui a apporté un boisé discret, bien intégré dans une matière ronde et tendre, équilibrée par une juste fraîcheur. ⌛ 2021-2024

EARL DOM. MARATRAY-DUBREUIL, 5, pl. du Souvenir, 21550 Ladoix-Serrigny, tél. 03 80 26 41 09, contact@domaine-maratray-dubreuil.com V t.l.j. sf sam. dim. 8h-12h 13h30-17h30

♥ DOM. NUDANT Les Gréchons 2017 ★★

1er cru	4500		20 à 30 €

Un Guillaume Nudant d'Aloxe-Corton était déjà vigneron en 1453. Son descendant, Guillaume également, a rejoint en 2003 son père Jean-René sur le domaine familial de 16 ha, planté pour l'essentiel autour de la montagne de Corton.

Situé sur les hauteurs prolongeant la colline de Corton, ce *climat*, l'un des plus vastes de l'appellation, n'est planté qu'en chardonnay. Les Nudant y cultivent 62 ares et ils font mouche avec leur 2017. Un 1er cru doré à l'or fin, qui libère des arômes élégants de fleurs blanches, d'herbes fraîches et de menthol sur fond de boisé léger. La bouche se révèle ample, riche sans lourdeur, tendre et ronde, vivifiée par une belle minéralité. Un vin très équilibré et bâti pour durer. ⌛ 2021-2030 ■ **2017 ★ (20 à 30 €; 3200 b.)** : ce vin rubis, au nez de petits fruits rouges (cerise), dévoile une bouche ronde et charnue, dotée de tanins souples et d'une belle finale épicée et réglissée. À déguster jeune sur le fruit ou à laisser vieillir pour développer toute sa complexité aromatique. ⌛ 2021-2025 ■ **2017 ★ (15 à 20 €; 1400 b.)** : un vin or pâle qui s'ouvre sur des arômes de fruits jaunes, d'agrumes et de fleurs blanches et qui présente en bouche une matière ronde non dénuée de fraîcheur. Un ensemble très équilibré. ⌛ 2020-2024

EARL ANDRÉ NUDANT ET FILS, 11, rte de Dijon, 21550 Ladoix-Serrigny, tél. 03 80 26 40 48, domaine.nudant@wanadoo.fr V t.l.j. sf dim. 8h30-12h 13h30-17h; sam. sur r.-v.

DOM. GASTON ET PIERRE RAVAUT Les Basses Mourottes 2016 ★

1er cru	4500		20 à 30 €

Un domaine dans la même famille depuis cinq générations, conduit aujourd'hui par Vincent Ravaut, installé depuis 2009 à Ladoix, au pied du coteau de Corton. Son vignoble s'étend sur 12,5 ha dont 80 % pour les rouges et est conduit en agriculture raisonnée.

Rubis intense, ce 2016 révèle des arômes de petits fruits (myrtille, framboise) et d'épices (poivre). En bouche, il bénéficie de tanins fondus et se prolonge agréablement sur une finale fraîche et réglissée. ⌛ 2022-2025

EARL GASTON ET PIERRE RAVAUT, hameau Buisson, Cidex 19, 21550 Ladoix-Serrigny, tél. 03 80 26 41 94, domaine.ravaut@orange.fr V r.-v.

ALOXE-CORTON

Superficie : 118 ha
Production : 4 380 hl (98 % rouge)

Encerclé par les vignes, Aloxe-Corton est l'un des trois villages établis au pied de la Montagne de Corton, à l'extrémité nord de la Côte de Beaune. Les terroirs les plus réputés sont situés sur la pente, en grand cru (corton et corton-charlemagne) et en 1er cru, sur des terrains marneux et calcaires. Parmi ces derniers, Les Maréchaudes, Les Valozières, Les Lolières (Grandes et Petites) sont les plus connus. Plusieurs châteaux aux tuiles vernissées méritent le coup d'œil.

CAPITAIN-GAGNEROT Les Moutottes Cuvée Charlotte 2017 ★

1er cru	6800		30 à 50 €

Vénérable domaine familial de 15 ha fondé en 1802 et implanté à Ladoix-Serrigny. Depuis le 1er janvier 2013, Pierre-François Capitain est seul maître à bord; son père Patrice et son oncle Michel restant à l'écoute. Propriété en vue notamment pour ses ladoix, aloxe et échézeaux.

Issue du plus petit des quatorze 1ers crus d'Aloxe, cette cuvée est régulièrement retenue dans ces pages. Sous sa robe couleur rubis, elle dévoile au nez des arômes de fruits rouges et noirs (cerise, cassis) et des notes boisées et épicées. La bouche est ronde, grasse et dense, dotée d'une belle matière. ⌛ 2021-2026 ■ **1er cru La Coutière 2017 ★ (30 à 50 €; 1600 b.)** : d'un beau jaune doré brillant, ce 1er cru s'ouvre sur un nez de fleurs blanches, de pomme et de miel. Une belle fraîcheur minérale anime la bouche et s'équilibre avec une texture ronde et charnue. ⌛ 2021-2024

SAS MAISON CAPITAIN-GAGNEROT, 38, rte de Dijon, 21550 Ladoix-Serrigny, tél. 03 80 26 41 36, contact@capitain-gagnerot.com V r.-v.

DOM. CHAPUIS 2016 ★

1er cru	4000		30 à 50 €

Un domaine familial fondé en 1872 par un ancêtre ouvrier viticole à Aloxe-Corton. Depuis 1985, Maurice Chapuis et son épouse Anne-Marie sont aux commandes d'un vignoble de 12 ha, complété en 1997 par une activité de négoce.

Il n'y a pas de nom de *climat* accolé à ce 1er cru car ce vin est issu de l'assemblage de quatre lieux-dits différents. La robe couleur grenat reflète le rubis, le nez évoque la cerise, le cassis et les épices; arômes que l'on retrouve dans une bouche ronde, puissante et racée, enrobée dans une belle matière. ⌛ 2022-2026

EARL DOM. MAURICE CHAPUIS, 3, rue de Boulmeau, 21420 Aloxe-Corton, tél. 03 80 26 40 99, info@domainechapuis.com V r.-v.

DOM. CHEVALIER PÈRE ET FILS 2016

■ | n.c. | | 20 à 30 €

Installé en 1994 sur ce domaine créé en 1850 par son arrière-grand-père Émile, Claude Chevalier exploite avec trois de ses filles - Chloé à la vigne et au chai, Julie au commercial et Anaïs à la comptabilité - un vignoble de 15 ha situé au pied et sur les pentes de la montagne de Corton. Une valeur sûre de la Côte de Beaune.

Une belle robe rubis habille cette cuvée au nez de framboise, de cassis et d'épices. La bouche est ronde et veloutée en attaque, mais les tanins se montrent encore un peu serrés en finale. La garde les assouplira. ⧗ 2022-2026

SCEA CHEVALIER PÈRE ET FILS, 2, Grande-Rue-de-Buisson, Cidex 18, 21550 Ladoix-Serrigny, tél. 03 80 26 46 30, contact@domaine-chevalier.fr r.-v.

EDMOND CORNU ET FILS 2017

■ | 12900 | | 20 à 30 €

Edmond Cornu, à la retraite, a laissé en 1985 la conduite des 16 ha du domaine familial à son fils Pierre, épaulé par son épouse Édith et son cousin Emmanuel. Installée à Ladoix, la famille Cornu exploite ses vignes en Haute Valeur Environnementale, en adaptant ses pratiques viticoles et œnologiques dans le respect de la biodiversité, de la faune et de la flore.

Cette cuvée rubis profond révèle au nez des arômes de mûre, de fraise, de groseille et des notes boisées. La bouche est tendre, fine et élégante, les tanins sont fondus et la finale tendue apporte de la fraîcheur. ⧗ 2022-2026

GAEC EDMOND CORNU ET FILS, Le Meix-Gobillon, 6, rue du Bief Cidex 34, 21550 Ladoix-Serrigny, tél. 03 80 26 40 79, domaine.cornuetfils@orange.fr r.-v.

♥ DOM. XAVIER DURAND Les Chaillots 2017 ★★

■ | 1344 | | 20 à 30 €

Xavier Durand a repris en 2009 l'exploitation familiale, vieille de quatre générations. Il conduit aujourd'hui un vignoble de 7,5 ha composé de vignes de 35 à 80 ans sur les communes de Ladoix, Aloxe-Corton, Comblanchien et Nuits-Saint-Georges, tout en agriculture raisonnée.

Situé au piémont de la colline de Corton, ce lieu-dit est en partie classé en 1er cru, en partie en *village*. Xavier Durand tire de la partie communale un 2017 épatant. La robe est d'un beau rubis intense. Le nez conjugue harmonieusement les petits fruits rouges et noirs (cassis, mûre, framboise) et de fines notes vanillées. La bouche, ample, ronde et charnue, révèle un boisé fondu et des tanins soyeux à souhait. Savoureux. ⧗ 2021-2026

XAVIER DURAND, 25, Grande-Rue, 21700 Comblanchien, tél. 06 73 50 63 95, domainedurandxavier@gmail.com r.-v.

DOM. ESCOFFIER Les Chaillots 2017 ★

■ 1er cru | 3951 | | 20 à 30 €

Fondé en 1996 par Franck Escoffier, ce domaine installé dans la plaine dispose d'un petit vignoble de 3,3 ha réparti sur six appellations de la Côte de Beaune.

Les chailles, ces cailloux de calcaire ou de silex, ont donné leur nom à ce *climat* réputé de l'appellation, situé sous le corton Grèves et le corton Perrières. Franck Escoffier en extrait un aloxe au nez intense de petits fruits rouges et à la bouche souple et veloutée, dotée de tanins fondus. Jolie finale gourmande sur des notes chocolatées. ⧗ 2020-2025

VÉRONIQUE ESCOFFIER, 16, rue du Parc, 71350 Saint-Loup-Géanges, tél. 06 11 55 80 67, domaine.escoffier@gmail.com r.-v.

DOM. DE LA GALOPIÈRE Les Valozières 2016

■ 1er cru | 1200 | | 20 à 30 €

Après avoir enseigné l'œnologie pendant quatre ans, Gabriel Fournier s'est installé en 1982 sur le domaine familial. Il exploite avec son fils Vincent 11,5 ha de vignes répartis dans plusieurs AOC de la Côte de Beaune, de Chassagne-Montrachet à la colline de Corton.

Ce terroir tire son nom de sa géographie creuse et humide où poussaient jadis des saules dont les rameaux servaient à attacher la vigne et tresser des paniers d'osier. Dans le verre, un 1er cru ouvert sur la cerise confite et le cacao, encadré par une bonne structure tannique. ⧗ 2022-2025

EARL DOM. DE LA GALOPIÈRE, 6, rue de l'Église, 21200 Bligny-lès-Beaune, tél. 03 80 21 46 50, cgfournier@wanadoo.fr r.-v.

DOM. JACOB 2017 ★★

■ 1er cru | 3600 | | 30 à 50 €

Quatre générations de Jacob se sont succédé sur ce domaine régulier en qualité, établi à Ladoix-Serrigny, au pied de la montagne de Corton. Raymond, épaulé par son frère Robert, son fils Damien et sa belle-fille Géraldine, gère ce vignoble de 13 ha.

Ce 1er cru à la robe rubis brillant dévoile un nez intense qui mêle la griotte et le poivre. La bouche se montre riche, concentrée, soulignée par des tanins bien présents mais délicats, et étirée dans une longue finale épicée et torréfiée qui donne beaucoup de relief à ce vin armé pour la garde. ⧗ 2022-2027

SCE DOM. JACOB, 15, Grande Rue de Buisson, Cidex 20 bis, 21550 Ladoix-Serrigny, tél. 03 80 26 40 42, domainejacob@orange.fr r.-v.

DOM. PIERRE ET JEAN-BAPTISTE LEBREUIL Les Boutières 2017

■ | 4500 | | 20 à 30 €

Un domaine fondé en 1935 à partir de 2 ha, développé au cours des années 1960 par Pierre Lebreuil, repris en 2000 par son fils Jean-Baptiste, aujourd'hui à la tête de 13,5 ha en Côte de Beaune. Régulièrement en vue pour ses savigny.

Un nez intense de fruits rouges et noirs (cassis, fraise des bois) et de cacao s'exhale de cette cuvée. La bouche, d'un bon volume, affiche une structure tannique puissante, encore un peu austère. À laisser vieillir en cave pour plus de rondeur. 2022-2027

EARL PIERRE ET JEAN-BAPTISTE LEBREUIL, 17, rue Chanson-Maldant, 21420 Savigny-lès-Beaune, tél. 03 80 21 52 95, domaine.lebreuil@wanadoo.fr V r.-v.

DOM. MAILLARD PÈRE ET FILS 2017

	n.c.		20 à 30 €

Représentant la dixième génération de viticulteurs sur le domaine (1766), Pascal Maillard (au chai) et son frère Alain (à la vigne) exploitent un vignoble constitué par leur père Daniel à partir de 1952. Aujourd'hui, pas moins de 19 ha répartis dans sept communes aux environs de la montagne de Corton, ainsi qu'à Pommard et à Volnay. Une valeur sûre, notamment en corton et en chorey.

Cette cuvée à la robe pourpre violine et au nez de framboise, de noyau de cerise et d'épices douces révèle un palais rond, souple et élégant. Un aloxe-corton qui pourra s'apprécier jeune. 2020-2023

SAS DOM. MAILLARD PÈRE ET FILS, 2, rue Joseph-Bard, 21200 Chorey-lès-Beaune, tél. 03 80 22 10 67, contact@domainemaillard.com V *t.l.j. sf dim. 8h30-12h30 14h-18h*

DOM. JEAN-PIERRE MALDANT Valozières 2017

1er cru	3500		20 à 30 €

Jean-Pierre Maldant est le dernier d'une lignée de vignerons aux Hospices de Beaune. Il a quitté cette fonction en 1998 pour se consacrer pleinement à son domaine de 8,5 ha. Son fils Pierre-François (cinquième génération), qui assurait les vinifications depuis 2010, a pris officiellement les rênes de l'exploitation en 2014. Il inaugurera sa nouvelle cuverie pour les vendanges 2019.

Ce 1er cru dévoile au nez des parfums de fruits rouges mûrs et confiturés (fraise, cerise). Une attaque souple introduit une bouche fraîche et bien structurée, d'une bonne persistance aromatique. 2021-2025

SCEA DOM. JEAN-PIERRE MALDANT, 30, rte de Beaune, Cidex 29 bis, 21550 Ladoix-Serrigny, tél. 03 80 26 44 50, jean.pierre.maldant@wanadoo.fr V *r.-v.*

♥ DOM. MICHEL MALLARD ET FILS La Toppe au vert 2016 ★★

1er cru	2200		30 à 50 €

Michel Mallard agrandit dans les années 1950 le domaine familial, repris depuis par son fils Patrick et son petit-fils Michel. Un domaine de 12 ha aujourd'hui, qui se distingue régulièrement pour ses ladoix, aloxe et corton.

La Toppe au vert? Aucun rapport avec un quelconque petit mammifère fouisseur qui peut rendre fou les jardiniers... Par «toppe», on entend «friche» et par «vert», un terrain en pente, ou encore la couleur du sol de ce lieu humide situé en bas de coteau... Un *climat* situé sur la commune de Ladoix-Serrigny mais classé en appellation aloxe-corton. Vous suivez ? Plus limpide est le vin, magnifique dans sa robe pourpre comme dans son olfaction gourmande (confiture de fruits rouges, vanille, fines notes grillées). D'une grande puissance aromatique, la bouche est impériale, mêlant une matière riche et suave à des tanins soyeux et fins. Un vin à la fois intense et élégant, qui promet beaucoup pour l'avenir. 2022-2030

EARL DOM. MICHEL MALLARD ET FILS, 43, rte de Dijon, 21550 Ladoix-Serrigny, tél. 03 80 26 40 64, domainemallard@hotmail.fr V *r.-v.*

DOM. MAREY Les Bruyères 2017

	2000		20 à 30 €

Initialement voué à la production de petits fruits, ce domaine familial couvre environ 20 ha de vignes aujourd'hui. Il a son siège dans les Hautes-Côtes de Nuits, non loin de Nuits-Saint-Georges. Une nouvelle cuverie a été inaugurée avec le millésime 2015.

Sous sa robe rouge tuilé, cette cuvée dévoile au nez des arômes de cassis, de groseille, de café et de vanille. Les tanins sont souples et s'harmonisent avec une agréable fraîcheur minérale et la puissance aromatique des fruits rouges. 2021-2025

EARL DOM. MAREY, 12-14, rue Gabriel-Bachot, 21700 Meuilley, tél. 03 80 61 12 44, contact@domaine-marey.com V *r.-v.*

DOM. MEUNEVEAUX 2017 ★

1er cru	1500		20 à 30 €

Un domaine familial fondé au début du XXe s. et conduit depuis 1990 par Didier et Yvonne Meuneveaux, rejoints en 2009 par leur fils Freddy et leur belle-fille Daisy, œnologue. Le vignoble s'étend sur 6 ha, essentiellement à Aloxe-Corton.

Paré d'une robe couleur grenat, cet aloxe s'ouvre sur un joli nez de framboise, de cerise et de fraise des bois. L'attaque est souple, le développement bien équilibré entre des tanins fondus, la fraîcheur du fruit et une belle matière. La finale propose de fins amers qui apportent de la longueur et un surcroît de dynamisme. 2020-2025 **2017 (20 à 30 €; 8000 b.)** : vin cité.

EARL DOM. MEUNEVEAUX, 9, jardin des Brunettes, 21420 Aloxe-Corton, tél. 06 27 95 42 25, freddy.meuneveaux@gmail.com V *t.l.j. sf dim. 8h-12h 14h-18h*

DOM. NUDANT La Coutière 2016 ★

1er cru	2000		30 à 50 €

Un Guillaume Nudant d'Aloxe-Corton était déjà vigneron en 1453. Son descendant, Guillaume également, a rejoint en 2003 son père Jean-René sur le domaine familial de 16 ha, planté pour l'essentiel autour de la montagne de Corton.

D'un beau rouge soutenu, ce 1er cru s'ouvre sur un nez de fruits noirs bien mûrs (cassis) que l'on retrouve dans une bouche ample et suave, aux tanins délicats. Jolie finale sur de fins amers qui tient sur la longueur. 2020-2025

EARL ANDRÉ NUDANT ET FILS, 11, rte de Dijon, 21550 Ladoix-Serrigny, tél. 03 80 26 40 48, domaine.nudant@wanadoo.fr V *t.l.j. sf dim. 8h30-12h 13h30-17h; sam. sur r.-v.*

MANUEL OLIVIER 2016 ★

■	2180	(I)	20 à 30 €

Installé en 1990, Manuel Olivier, fils d'agriculteurs, a commencé par cultiver les vignes et petits fruits dans les Hautes-Côtes de Nuits. Aujourd'hui spécialisé en viticulture, il exploite un vignoble de 11 ha, complété depuis 2007 par une structure de négoce qui lui a permis de mettre un pied en Côte de Beaune.

Ce 2016 dévoile un nez intense de fruits rouges et noirs. La bouche est dense et ample, d'une solide puissance tannique. Un vin charpenté et d'une bonne longueur qui appelle la garde. ⧗ 2022-2027

SARL MANUEL OLIVIER, 7, rue des Grandes-Vignes, hameau de Corboin, 21700 Nuits-Saint-Georges, tél. 03 80 62 39 33, contact@domaine-olivier.com V t.l.j. sf dim. 9h-12h 14h-19h

DOM. PETITOT La Coutière 2017

■ 1er cru	1400	(I)	30 à 50 €

Installés à Corgoloin dans un bâtiment du XIIIes., Nathalie (œnologue) et Hervé Petitot ont repris en 2002 le domaine familial. Adeptes d'une viticulture très raisonnée, ils recherchent l'équilibre dans leurs vins comme dans leurs vignes. Des vins qu'ils veulent élégants et fins, capables de bien vieillir également.

Un nez gourmand de fruits rouges (griotte, fraise), de vanille et de fines notes mentholées caractérise ce 1er cru. La bouche est légère et aérienne, sur une belle expression du fruit et une finale saline gouleyante. ⧗ 2020-2023

EARL DOM. JEAN PETITOT ET FILS, 26, pl. de la Mairie, 21700 Corgoloin, tél. 03 80 62 98 21, domaine.petitot@wanadoo.fr V r.-v.

DOM. POULLEAU PÈRE ET FILS 2017

■	1745	(I)	20 à 30 €

Depuis le départ à la retraite de son père Michel en 1996, Thierry Poulleau (à la technique) et son épouse Florence (au commercial) gèrent les 8,3 ha du domaine familial créé par le grand-père Gaston et signent des vins souvent en vue, notamment des volnay, des chorey et des côte-de-beaune.

Sous sa robe rouge rubis, cette cuvée déploie des arômes de cerise, de framboise, de poivre et de vanille. Bel équilibre en bouche entre le croquant du fruit et des tanins fondus. Un vin gourmand et souple. ⧗ 2020-2024

SCEA DOM. POULLEAU PÈRE ET FILS, 7, rue du Pied-de-la-Vallée, 21190 Volnay, tél. 03 80 21 26 52, domaine.poulleau@wanadoo.fr V r.-v.

DOM. PRIN 2016 ★

■	1555	(I)	20 à 30 €

Implanté à Ladoix-Serrigny, ce domaine de 6 ha est conduit par Jean-Luc Boudrot depuis 1994. Régulièrement en vue pour ses ladoix, aloxe, corton et savigny.

Cette cuvée d'un seyant rubis livre un nez complexe de fruits mûrs (cassis, cerise, fraise) sur fond de boisé grillé. Des tanins soyeux supportent une matière tendre et ronde, animée par une finale sur le croquant du fruit. ⧗ 2020-2024

SARL DOM. PRIN, 2, rue Saint-Marcel, Cidex 44, 21550 Ladoix-Serrigny, tél. 03 80 26 45 83, contact@domaineprin.com V r.-v.

DOM. RAPET PÈRE ET FILS 2016

■	9300	(I)	30 à 50 €

Ce domaine ancien (1765) et incontournable de Pernand-Vergelesses est conduit par Vincent Rapet depuis 1985. S'il se passionne pour sa commune natale, ce dernier travaille les appellations voisines avec le même soin, sur un vignoble de 20 ha. Une valeur sûre de la Côte de Beaune.

Cette cuvée aussi brillante que limpide révèle un nez flatteur de fruits rouges. La bouche, ronde en attaque, dévoile ensuite une trame de tanins encore un peu jeunes qui demandent à s'assouplir. ⧗ 2022-2027

SAS DOM. RAPET PÈRE ET FILS, 2, pl. de la Mairie, 21420 Pernand-Vergelesses, tél. 03 80 21 59 94, vincent@domaine-rapet.com V r.-v.

DOM. GASTON ET PIERRE RAVAUT 2016 ★

■	11000	(I)	20 à 30 €

Un domaine dans la même famille depuis cinq générations, conduit aujourd'hui par Vincent Ravaut, installé depuis 2009 à Ladoix, au pied du coteau de Corton. Son vignoble s'étend sur 12,5 ha dont 80 % pour les rouges et est conduit en agriculture raisonnée.

Ce domaine qui produit 80 % de rouge nous propose cet aloxe-corton à la robe pourpre et au nez de fruits rouges (groseille), de vanille, de café et d'épices. Bel équilibre en bouche entre la matière, les tanins fondus, la puissance aromatique et la finale acidulée très alerte. Bon potentiel de garde. ⧗ 2021-2026

EARL GASTON ET PIERRE RAVAUT, hameau Buisson, Cidex 19, 21550 Ladoix-Serrigny, tél. 03 80 26 41 94, domaine.ravaut@orange.fr V r.-v.

DOM. GEORGES ROY ET FILS Les Cras 2017

■	1500	(I)	15 à 20 €

Vincent Roy, le vinificateur, installé en 1998, et sa sœur Claire, arrivée quelques années plus tard, conduisent un domaine familial de 9 ha, établi dans la plaine de Chorey-lès-Beaune, en vue notamment pour ses chorey et ses aloxe-corton. Alors que la propriété vendait sa production au négoce, ils ont développé la vente directe.

Le duo Roy exploite 30 ares au sein de ce *climat* dont il a extrait une cuvée couleur rubis limpide, au nez boisé et fruité, chaleureuse et ronde en bouche, dotée de tanins fondus. ⧗ 2021-2024

EARL DOM. GEORGES ROY ET FILS, 20, rue des Moutots, 21200 Chorey-lès-Beaune, tél. 03 80 22 16 28, domaine.roy-fils@wanadoo.fr V r.-v.

PERNAND-VERGELESSES

Superficie : 135 ha
Production : 5 640 hl (52% rouge)

Situé à la jonction de deux vallées, exposé plein sud, le village de Pernand est sans doute le plus « vigneron »

de la Côte. Rues étroites, caves profondes, vignes de coteaux, hommes de grand cœur et vins subtils lui ont fait une solide réputation, à laquelle de vieilles familles bourguignonnes ont largement contribué. Il possède le bois de Corton, ainsi qu'une partie des terroirs en grand cru de la célèbre «montagne». Parmi les 1ers crus, le plus réputé est l'Île des Vergelesses, qui donne des vins tout en finesse.

B DOM. FRANÇOISE ANDRÉ Les Pins 2017 ★

	1300		20 à 30 €

Un domaine de 10 ha (en bio certifié depuis 2012), créé en 1983 par Françoise André, l'un des derniers à avoir ses caves derrière les remparts de Beaune. Auparavant confiée au comte Sénard, la gestion est assurée depuis 2009 par Lauriane André, belle-fille de la propriétaire.

Habillée d'une robe dorée à reflets verts, cette cuvée exhale un nez floral, nuancé de vanille. La bouche, ample, ronde et riche, bénéficie d'une agréable fraîcheur en finale qui lui donne de l'allonge. ⧗ 2020-2023

SC DOM. FRANÇOISE ANDRÉ, 7, rempart Saint-Jean, 21200 Beaune, tél. 03 80 24 21 65, andre.lauriane@yahoo.com V r.-v.

DOM. AURÉLIE BERTHOD Creux de la Net 2017 ★

1er cru	3400		20 à 30 €

Aurélie Berthod est la compagne de Vincent Berthod, propriétaire du Dom. de la Galopière. Elle a créé en 2017 sa propre exploitation de 5,5 ha, qu'elle conduit en lutte raisonnée sur Pernand-Vergelesses, Beaune et Chorey-lès-Beaune.

Un nom obscur pour ce *climat* : «net» serait un dérivé du mot gaulois «ana», qui désigne un terrain marécageux. Dans le verre, un vin or pâle qui décline des arômes de fruits à noyau bien mûrs, soulignés de miel et de nuances boisées. La bouche se montre dense, riche, généreuse, aiguillonnée par une juste fraîcheur. Bon potentiel de garde en perspective. ⧗ 2022-2027 ■ **1er cru Les Fichots 2017 (20 à 30 €; 2800 b.)** : vin cité.

SCEA DOM. AURÉLIE BERTHOD, 6, rue de l'Église, 21200 Bligny-lès-Beaune, tél. 03 80 21 46 50, aurelie.berthod@sfr.fr V r.-v.

JONATHAN BONVALOT Sous Frétille 2017 ★

1er cru	3300		20 à 30 €

En 2011, le jeune Jonathan Bonvalot a repris la petite vigne plantée «pour le plaisir» par son père Daniel en 1976 : 1 ha à l'origine, 3,4 ha aujourd'hui, sur six appellations.

Un peu timide ce pernand-vergelesses? Ce n'est qu'une première impression. Après aération, le nez se dévoile sur des notes fines de fleurs blanches et de pamplemousse. Élégance et fraîcheur caractérisent le palais, avec une jolie persistance sur les agrumes mûrs. ⧗ 2021-2025 **2017 (15 à 20 €; 1500 b.)** : vin cité.

JONATHAN BONVALOT, 35, rue de Bully, 21420 Pernand-Vergelesses, tél. 06 23 80 09 41, domainebonvalot@gmail.com V r.-v.

JEAN-BAPTISTE BOUDIER Les Fichots 2017

■ 1er cru	2500		20 à 30 €

Après des expériences viticoles en France, dans des domaines renommés (Haut-Brion, Gauby, Rossignol, Vieux Télégraphe) et en Nouvelle-Zélande, Jean-Baptiste Boudier s'est installé à Pernand-Vergelesses en 2015, sur 4 ha.

Ce 1er cru couleur cerise s'ouvre sur le cassis agrémenté d'un boisé léger. Le palais apparaît souple et rond en attaque, un peu plus ferme dans son développement, la fraîcheur du fruit laissant une agréable sensation en finale. ⧗ 2021-2024 **2017 (20 à 30 €; 4000 b.)** : vin cité.

JEAN-BAPTISTE BOUDIER, 1, rue de Pralot, 21420 Pernand-Vergelesses, tél. 06 19 37 81 48, jb.boudier@gmail.com V r.-v.

DOM. CHANSON Les Vergelesses 2016

■ 1er cru	5000		30 à 50 €

L'une des plus anciennes maisons de négoce de Bourgogne, fondée en 1750, reprise en 1999 par le Champagne Bollinger. En plus de ses achats de raisins, elle dispose d'un important vignoble de 45 ha et de l'expertise de Jean-Pierre Confuron, son œnologue-conseil. Un style reconnaissable grâce à ses vinifications en grappes entières. Son fief est situé autour de Beaune, mais Chanson propose aussi des appellations en Côte de Nuits.

Une robe pourpre aux reflets violacés habille ce 1er cru. Au nez se déclinent des arômes de fruits rouges (cassis, framboise), rejoints par des notes de vanille et d'épices. La bouche se révèle ample et riche, mais les tanins, encore un peu austères, méritent de s'assouplir à la faveur de la garde. ⧗ 2023-2028

SA CHANSON PÈRE ET FILS, 10, rue Paul-Chanson, 21200 Beaune, tél. 03 80 25 97 97, chanson@domaine-chanson.com V r.-v.
Champagne Bollinger

DOM. DENIS PÈRE ET FILS 2017

■	8000		15 à 20 €

En 1940, Raoul Denis, vigneron des Hospices de Beaune comme l'étaient son père et son grand-père, reprend le vignoble familial (13 ha aujourd'hui). Christophe tient le flambeau depuis 1992.

Fruits jaunes et agrumes se partagent la palette aromatique de ce vin franc et souple, qui trouve un juste équilibre en bouche entre rondeur et fraîcheur minérale. ⧗ 2020-2024 ■ **1er cru Île des Vergelesses 2016 (20 à 30 €; 2200 b.)** : vin cité. **1er cru Sous Frétille 2017 (20 à 30 €; 5700 b.)** : vin cité.

EARL DOM. DENIS PÈRE ET FILS, 4, chem. des Vignes-Blanches, 21420 Pernand-Vergelesses, tél. 03 80 21 50 91, contact@domaine-denis.com V r.-v.

DOM. DOUDET Les Pins 2017 ★

	n.c.		20 à 30 €

Fondée en 1849 par Albert Brenot et acquise par la famille Doudet en 1933, la maison de négoce Doudet-Naudin propose des cuvées issues de terroirs restreints. Elle est depuis 2014 la propriété de Christophe Rochet, épaulé à la direction technique

par François Lay. La maison Doudet possède aussi son propre domaine : 12 ha entre Beaune et Pernand, conduits en lutte raisonnée par Isabelle Doudet avec des expérimentations en bio.

En ouverture, un bouquet de fleurs et de fruits rehaussé des notes de noisette et de vanille. Sympathique invitation à découvrir la bouche, franche et équilibrée, tout en fraîcheur et en fruit. ⧗ 2020-2023

SAS DOUDET-NAUDIN ET CIE, 3, rue Henri-Cyrot, 21420 Savigny-lès-Beaune, tél. 03 80 21 51 74, contact@doudetnaudin.com V r.-v.

DUBREUIL-FONTAINE Île des Vergelesses 2017 ★

■ 1er cru | 3000 | | 30 à 50 €

La famille Dubreuil est installée à Pernand-Vergelesses depuis 1879. Incarnant la cinquième génération, Christine Dubreuil, œnologue, a pris la tête du domaine en 1991 (20 ha sur plus d'une dizaine d'AOC).

Regardez ce seyant rubis. Humez ces arômes intenses de fruits rouges (cerise) et de torréfaction. Un beau prélude à une bouche ample, riche, puissante, solide. Un très joli vin de garde. ⧗ 2023-2030 ■ **1er cru Clos Berthet 2017 ★ (20 à 30 €; 5000 b.)** : cette cuvée dévoile un nez fin d'aubépine et de fruits jaunes (pêche, abricot) sur fond de boisé vanillé et de minéralité. En bouche, elle dévoile une jolie matière, bien équilibrée entre vivacité et rondeur. ⧗ 2021-2024 ■ **2017 (15 à 20 €; 10000 b.)** : vin cité.

SC DOM. DUBREUIL-FONTAINE, 18, rue Rameau-Lamarosse, 21420 Pernand-Vergelesses, tél. 03 80 21 55 43, domaine@dubreuil-fontaine.com V r.-v.

♥ B JEAN FÉRY ET FILS Les Combottes 2017 ★★

■ | 2940 | | 20 à 30 €

Un domaine familial des Hautes-Côtes de Beaune créé en 1890 et développé dans les années 1990 par Jean-Louis Féry : aujourd'hui, 15 ha en bio certifié (depuis 2011) en Côte de Nuits et en Côte de Beaune. Depuis 2016, Frédéric Féry, fils de Jean-Louis, assure la gestion du domaine, avec notamment l'appui de Laurence Danel, œnologue.

Un *climat* bordant les 1ers crus dans une zone réputée pour le chardonnay. Réputation des plus justifiées à en juger par ce vin limpide et brillant, qui livre un bouquet tout en finesse de fleurs blanches nuancé de citron. La bouche se montre souple, croquante, d'une grande fraîcheur et très longue, encore dynamisée par une belle finale saline. ⧗ 2021-2024

SARL DOM. JEAN FÉRY ET FILS, 1, rte de Marey, 21420 Échevronne, tél. 03 80 21 59 60, fery.vin@orange.fr V r.-v.

MAISON LOÏC FORIN 2017

■ | 891 | | 20 à 30 €

Natif de Pernand et petit-fils de vigneron, Loïc Forin a monté en 2017 son micro-négoce. Installé au Ch. de Bligny, il travaille ses cuvées en étant le moins interventionniste possible, pour que le vin exprime naturellement la richesse son terroir.

Un nez minéral et fruité pour cette cuvée dorée de vert, qui offre un beau volume en bouche et une finale très aromatique sur la fraîcheur des agrumes. ⧗ 2020-2022

SARL LOÏC FORIN, Ch. de Bligny, 14, Grande-Rue, 21200 Bligny-lès-Beaune, tél. 06 82 40 36 67, maisonloicforin@outlook.fr r.-v.

DOM. FRANÇOISE JEANNIARD 2017 ★

■ | 2000 | | 20 à 30 €

Françoise Arpaillanges incarne la cinquième génération à la tête de ce vignoble familial de poche (2,88 ha) qu'elle conduit depuis 2002, sans désherbants, avec beaucoup de labours, en agriculture raisonnée et démarche HVE.

Un pernand d'un joli jaune pâle, ouvert sur les fruits blancs, l'ananas et le tilleul. Vive, tonique, la bouche fait la part belle aux agrumes et déploie une finale saline du meilleur effet. ⧗ 2020-2023 ■ **Vieilles Vignes 2017 (15 à 20 €; 3500 b.)** : vin cité.

FRANÇOISE ARPAILLANGES (DOM. FRANÇOISE JEANNIARD), 9, ruelle Curtil-des-Chambres, 21420 Pernand-Vergelesses, tél. 06 84 22 79 12, francoise.arpaillanges@wanadoo.fr V r.-v.

DOM. JOANNET 2017 ★

■ | 3000 | | 11 à 15 €

Les Joannet, Michel le père et Fabien le fils, sont installés en plein cœur des Hautes-Côtes de Nuits. Ils exploitent 21 ha de vignes répartis en un vaste éventail allant de Pernand-Vergelesses à Vosne-Romanée, dont près de la moitié est dédiée aux hautes-côtes.

Fruits (agrumes, pêche) et fleurs blanches se mêlent à des notes plus minérales, mentholées et boisées pour composer une palette complexe. La bouche trouve une belle harmonie sur la fraîcheur des agrumes et se prolonge agréablement en finale. ⧗ 2021-2024 ■ **2017 (11 à 15 €; 8000 b.)** : vin cité.

EARL DOM. MICHEL JOANNET, 76, Grande-Rue, 21700 Marey-lès-Fussey, tél. 03 80 62 90 58, domaine-michel.joannet@wanadoo.fr V r.-v.

♥ B DOM. PAVELOT Sous Frétille 2017 ★★

■ 1er cru | 5800 | | 20 à 30 €

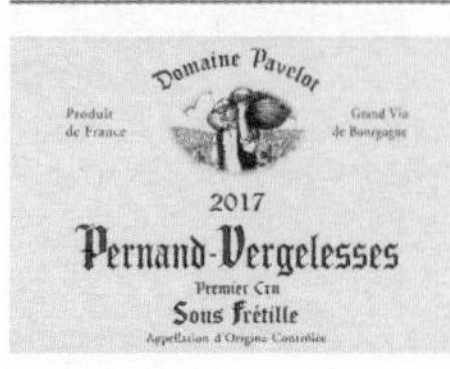

Un domaine de près de 9 ha implanté au pied d'une des pentes de la montagne de Corton, transmis de père en fils depuis le XIXe s. et conduit depuis 2002 par Luc Pavelot et sa sœur Lise.

Ce 1er cru s'étage autour de 350 m d'altitude, là où les sols de marnes jaunes et brunâtres sont dévolus au chardonnay. Frétille? Le nom du bois qui le domine. Les Pavelot y exploitent une jolie parcelle de 95 ares à l'origine d'un vin illuminé de vert sur fond doré. Un 2017 d'une remarquable délicatesse aromatique autour des fleurs blanches et des agrumes mâtinés de nuances mentholées. La bouche, ample et longue, conjugue parfaitement texture soyeuse, fraîcheur du fruit et minéralité du terroir. ⌛ 2021-2024 ■ **2017 (15 à 20 €; 8600 b.)** Ⓑ : vin cité. ■ **1er cru Les Vergelesses 2017 (20 à 30 €; 3500 b.)** Ⓑ : vin cité.

EARL DOM. PAVELOT, 6, rue du Paulant, 21420 Pernand-Vergelesses, tél. 03 80 26 13 65, domaine.pavelot@orange.fr V r.-v.

DOM. RAPET PÈRE ET FILS Les Vergelesses 2016 ★

■ 1er cru	3250		20 à 30 €

Ce domaine ancien (1765) et incontournable de Pernand-Vergelesses est conduit par Vincent Rapet depuis 1985. S'il se passionne pour sa commune natale, ce dernier travaille les appellations voisines avec le même soin, sur un vignoble de 20 ha. Une valeur sûre de la Côte de Beaune.

Cassis, violette et vanille composent un bouquet de charme et invitent à poursuivre la dégustation. En bouche, tout est fin et élégant : des tanins soyeux, la fraîcheur du fruit et une matière ronde et veloutée. Une bouteille qui s'appréciera aussi bien jeune que plus âgée. ⌛ 2021-2026

SAS DOM. RAPET PÈRE ET FILS, 2, pl. de la Mairie, 21420 Pernand-Vergelesses, tél. 03 80 21 59 94, vincent@domaine-rapet.com V r.-v.

♥ DOM. ROLLIN PÈRE ET FILS Les Cloux 2017 ★★

■	12000		20 à 30 €

Longtemps modestes vignerons au service d'autres exploitations, les Rollin (aujourd'hui Rémi et Simon) se sont mis peu à peu à leur compte; ils exploitent depuis 1932 et quatre générations un domaine de 14 ha à Pernand-Vergelesses, appellation dans laquelle leurs vins brillent régulièrement, dans les deux couleurs.

Depuis l'édition 2012 du Guide, les Rollin ont décroché six coups de cœur dans leur appellation fétiche : voici le septième ! Une robe or pâle nuancée de vert, des arômes frais d'agrumes joliment agrémentés de notes mentholées : la présentation est impeccable. La bouche tient les promesses du nez, tout en équilibre entre la rondeur, la fraîcheur des agrumes et une minéralité bien sentie qui signe le terroir. Le plaisir est déjà assuré, et pour longtemps. ⌛ 2020-2024

EARL ROLLIN PÈRE ET FILS, 49, rte des Vergelesses, 21420 Pernand-Vergelesses, tél. 03 80 21 57 31, contact@domaine-rollin.com V r.-v.

ROSSIGNOL-CORNU ET FILS 2017

■	900		15 à 20 €

Les Rossignol sont nombreux à Volnay. Ici, un domaine de poche (4,8 ha), qui propose pourtant de multiples cuvées en volnay, meursault, pommard et pernand-vergelesses. Héritier d'une longue lignée de vignerons remontant à 1840, Didier Rossignol gère l'exploitation depuis 1989.

Cette cuvée couleur or vert dévoile un nez floral de chèvrefeuille et d'acacia. La bouche apparaît bien fraîche (notes d'agrumes, finale saline), tout en offrant une juste rondeur et suffisamment de persistance aromatique. ⌛ 2020-2024

SCE ROSSIGNOL-CORNU ET FILS, 6-12, rue de Mont, 21190 Volnay, tél. 03 80 21 61 48, info@domaine-rossignolcornu.fr V r.-v.

CORTON

Superficie : 95 ha / Production : 2 985 (95 % rouge)

Au nord de la Côte de Beaune, la « montagne de Corton » est constituée, du point de vue géologique, de différents niveaux auxquels correspondent plusieurs types de vins. Couronnées par le bois qui pousse sur les calcaires durs du rauracien (oxfordien supérieur), les marnes argoviennes laissent apparaître sur plusieurs dizaines de mètres des terres blanches propices aux vins blancs. Elles recouvrent la « dalle nacrée », calcaire en plaquettes qui recèle de nombreuses coquilles d'huîtres de grande dimension; sur cette formation ont évolué des sols bruns propices au pinot noir.
L'appellation corton peut produire du vin blanc, mais elle est surtout connue en rouge. Les Bressandes naissent sur des terres rouges et allient la puissance à la finesse. En revanche, dans la partie haute des Renardes, des Languettes et du Clos du Roy, les terres blanches donnent en rouge des vins charpentés qui, en vieillissant, prennent des notes animales sauvages que l'on retrouve dans Les Mourottes de Ladoix. Le corton est le grand cru le plus important en volume.

Ⓑ DOM. D'ARDHUY Les Renardes 2017 ★

■ Gd cru	4500		75 à 100 €

Un domaine fondé en 1947 comprenant notamment 6 grands crus et 15 1ers crus. Près de 40 ha de vignes, de Puligny-Montrachet à Gevrey-Chambertin, dans les Côtes de Beaune et de Nuits. Un vignoble certifié en biodynamie depuis 2012. L'œnologue Vincent Bottreau est aux commandes du chai depuis 2016.

Cassis et cerise signent la palette aromatique intense de ce corton, qui se révèle tout aussi probant en bouche. Ample dès l'attaque, il développe tout son fruité et conserve un bon équilibre. La petite amertume finale due aux tanins n'est qu'un signe de jeunesse. Les corton Les Renardes sont connus pour leur potentiel de garde. ⌛ 2022-2030

SARL GABRIEL D'ARDHUY, Clos des Langres, 21700 Corgoloin, tél. 03 80 62 98 73, domaine@ardhuy.com V r.-v.

DOM. ARNOUX PÈRE ET FILS Le Rognet 2017 ★

■ Gd cru	1700		50 à 75 €

Créée en 1950, cette exploitation familiale, installée à Chorey-lès-Beaune, est dirigée depuis 2008 par Pascal Arnoux, troisième du nom à la tête du domaine. Au menu, une large gamme de vins de la Côte de Beaune (une vingtaine d'appellations sur plus de 20 ha entre Beaune et Corton), souvent en vue dans ces pages.

Cette cuvée née de vignes trentenaires revêt un charme certain. Au regard, elle offre une teinte soutenue de bon augure. La palette est complexe, évocatrice de fruits rouges et de pivoine, avec des notes toastées et animales (cuir). Au palais, le gras et le fruité sont immédiatement perceptibles, mais bientôt les tanins s'affirment. Nul reproche, ce n'est là qu'une invitation à patienter. ⧗ 2022-2030

⊶ *SCEA ARNOUX PÈRE ET FILS, 5, rue de Ley, 21200 Chorey-lès-Beaune, tél. 03 80 22 57 98, contact@arnoux-pereetfils.com* V *r.-v.*

DOM. VINCENT BOUZEREAU
Clos des Fiètres 2016 ★

Gd cru	750		50 à 75 €

Issu d'une ancienne famille de vignerons et installé dans l'ancien prieuré du château de Meursault, dont l'un de ses ancêtres était propriétaire, Vincent Bouzereau a pris la suite de son père en 1990 à la tête de ce domaine de 10 ha, souvent en vue pour ses meursault.

Un corton n'a pas toujours besoin d'un compagnon gastronomique pour être apprécié. Tel est le cas de ce Clos des Fiètres de belle brillance, qui s'ouvre avec générosité dans le verre. De discrètes notes vanillées ponctuent son expression florale (rose, aubépine) et fruitée (agrumes confits). Les arômes beurrés et briochés s'y ajoutent en bouche, soulignant la matière souple et élégante. Et si vous souhaitez prolonger le plaisir à table, une alliance avec un turbot sauce dijonnaise ou un carpaccio de coquilles Saint-Jacques n'est pas exclue. ⧗ 2022-2030

⊶ *EARL VINCENT BOUZEREAU, 25, rue de Mazeray, 21190 Meursault, tél. 03 80 21 61 08, vincent.bouzereau@wanadoo.fr* V *r.-v.*

CAPITAIN-GAGNEROT Les Grandes Lolières 2017

Gd cru	2400		50 à 75 €

Vénérable domaine familial de 15 ha fondé en 1802 et implanté à Ladoix-Serrigny. Depuis le 1er janvier 2013, Pierre-François Capitain est seul maître à bord; son père Patrice et son oncle Michel restant à l'écoute. Propriété en vue notamment pour ses ladoix, aloxe et échézeaux.

Couleur cerise bigarreau, ce corton garde encore le souvenir de son élevage de quinze mois sous bois. En témoignent le nez boisé qui laisse poindre des notes de fruits rouges, puis l'attaque épicée et les tanins bien présents. Cependant, la chair est suffisamment ample pour envelopper toutes ces composantes en quelques années. ⧗ 2022-2030

⊶ *SAS MAISON CAPITAIN-GAGNEROT, 38, rte de Dijon, 21550 Ladoix-Serrigny, tél. 03 80 26 41 36, contact@capitain-gagnerot.com* V *r.-v.*

DOM. CHEVALIER Le Rognet 2016 ★★

Gd cru	n.c.		50 à 75 €

Installé en 1994 sur ce domaine créé en 1850 par son arrière-grand-père Émile, Claude Chevalier exploite avec trois de ses filles – Chloé à la vigne et au chai, Julie au commercial et Anaïs à la comptabilité – un vignoble de 15 ha situé au pied et sur les pentes de la montagne de Corton. Une valeur sûre de la Côte de Beaune.

Situé à mi-pente de la Montagne, le *climat* Le Rognet bénéficie de sols riches en oxyde de fer. Ce 2016 en est un remarquable représentant tant par son expression aromatique complexe (griotte, cassis, violette, iris, toasté mesuré) que par la concentration de sa matière. Ample, rond, persistant, il bénéficie de tanins au grain fin qui lui confèrent une indéniable élégance. ⧗ 2022-2030

⊶ *SCEA CHEVALIER PÈRE ET FILS, 2, Grande-Rue-de-Buisson, Cidex 18, 21550 Ladoix-Serrigny, tél. 03 80 26 46 30, contact@domaine-chevalier.fr* V *r.-v.*

EDMOND CORNU ET FILS Bressandes 2016

Gd cru	2100		50 à 75 €

Edmond Cornu, à la retraite, a laissé en 1985 la conduite des 16 ha du domaine familial à son fils Pierre, épaulé par son épouse Édith et son cousin Emmanuel. Installée à Ladoix, la famille Cornu exploite ses vignes en Haute Valeur Environnementale, en adaptant ses pratiques viticoles et œnologiques dans le respect de la biodiversité, de la faune et de la flore.

Le nom de ce *climat* proviendrait des anciennes propriétaires du lieu, trois femmes célibataires originaires de Bresse, les Bressandes donc. Ces vins sont souvent qualifiés d'athlétiques. Il en est ainsi de ce 2016 doté d'une large structure tannique. S'il révèle un bon équilibre entre le fruité et le boisé, il doit encore fondre ses tanins et perdre ainsi de son austérité. ⧗ 2022-2030

⊶ *GAEC EDMOND CORNU ET FILS, Le Meix-Gobillon, 6, rue du Bief Cidex 34, 21550 Ladoix-Serrigny, tél. 03 80 26 40 79, domaine.cornuetfils@orange.fr* V *r.-v.*

DOM. FAIVELEY
Clos des Cortons Monopole 2017

Gd cru	13300		+ de 100 €

Ce domaine fondé à Nuits-Saint-Georges en 1825 est un nom qui compte en Bourgogne, depuis sept générations. À sa tête depuis 2005, Erwan Faiveley, qui a succédé à son père François. Aujourd'hui, c'est l'un des plus importants propriétaires de vignes en Bourgogne : 120 ha du nord de la Côte de Nuits au sud de la Côte chalonnaise, dont 10 ha en grand cru et près de 25 ha en 1er cru.

La Maison Faively commercialise depuis 1864 ses vins issus du *climat* Le Rognet sous la dénomination Clos des Cortons. Cette antériorité lui confère un monopole sur ce nom. Patience : tel est le mot d'ordre donné par ce 2017 grenat intense. Il ne manque pas d'expression pourtant, prolixe comme il est en arômes de petits fruits rouges et noirs. Sa complexité est déjà perceptible dans les notes animales et le boisé grillé. Alors, pourquoi attendre encore? Parce que les tanins demandent à se fondre dans cette matière concentrée. Patience est donc vertu. ⧗ 2022-2030

⊶ *SAS MAISON JOSEPH FAIVELEY (CVVB), 8, rue du Tribourg, 21700 Nuits-Saint-Georges, tél. 03 80 61 04 55, contact@domaine-faiveley.com*

DOM. JEAN-PIERRE MALDANT
Les Grandes Lolières 2017

Gd cru	1649		30 à 50 €

Jean-Pierre Maldant est le dernier d'une lignée de vignerons aux Hospices de Beaune. Il a quitté cette fonction

en 1998 pour se consacrer pleinement à son domaine de 8,5 ha. Son fils Pierre-François (cinquième génération), qui assurait les vinifications depuis 2010, a pris officiellement les rênes de l'exploitation en 2014. Il inaugurera sa nouvelle cuverie pour les vendanges 2019.

C'est en 1978 que ce *climat* devint grand cru. Il se situe à l'extrémité de l'appellation corton. Tout en légèreté dans sa robe rubis, ce 2017 a hérité de son élevage de douze mois en barrique des notes de vanille et de réglisse, mais les fruits rouges ne sont pas loin. La bouche est agréable, tout en souplesse, si bien qu'une dégustation prochaine est parfaitement envisageable. ⧗ 2022-2025

⊶ SCEA DOM. JEAN-PIERRE MALDANT, 30, rte de Beaune, Cidex 29 bis, 21550 Ladoix-Serrigny, tél. 03 80 26 44 50, jean.pierre.maldant@wanadoo.fr V r.-v.

DOM. MICHEL MALLARD ET FILS Le Rognet 2016

■ Gd cru | 3000 | | 75 à 100 €

Michel Mallard agrandit dans les années 1950 le domaine familial, repris depuis par son fils Patrick et son petit-fils Michel. Un domaine de 12 ha aujourd'hui, qui se distingue régulièrement pour ses ladoix, aloxe et corton.

Un beau fruit, mûr et intense, se manifeste dès le premier nez, à peine nuancé de notes boisées. Vif en attaque, le vin gagne bientôt en rondeur, même si les tanins le retiennent encore. ⧗ 2022-2030 ■ **Gd cru Les Renardes 2016 (75 à 100 €; 2500 b.)** : vin cité.

⊶ EARL DOM. MICHEL MALLARD ET FILS, 43, rte de Dijon, 21550 Ladoix-Serrigny, tél. 03 80 26 40 64, domainemallard@hotmail.fr V r.-v.

CH. DE MEURSAULT Vergennes 2017

□ Gd cru | 695 | | + de 100 €

L'emblématique Ch. de Meursault, haut-lieu du tourisme bourguignon et du folklore vineux – on y célèbre la fameuse Paulée le lendemain de la vente des Hospices de Beaune – a souvent changé de mains : famille de Pierre de Blancheton jusqu'à la Révolution; famille Serre au XIXe s.; famille du comte de Moucheron; famille Boisseaux (maison Patriarche) à partir de 1973. En décembre 2012, nouveau changement : la famille Halley achète le domaine. Ce sont aujourd'hui 65 ha de vignes. Aux commandes du chai : Emmanuel Escutenaire.

Le lieu-dit Vergennes se situe à une altitude relativement faible sur le coteau. Ce 2017 tout en arômes de fleurs vanillées laisse une impression très fraîche au palais et persiste bien. Sa bonne structure lui permettra de profiter de la garde. ⧗ 2022-2028

⊶ SCEV DOM. DU CH. DE MEURSAULT, rue du Moulin-Foulot, 21190 Meursault, tél. 03 80 26 22 75, domaine@chateau-meursault.com V *r.-v.; f. janv-fév.*

DOM. NUDANT Bressandes 2017

■ Gd cru | 2300 | | 50 à 75 €

Un Guillaume Nudant d'Aloxe-Corton était déjà vigneron en 1453. Son descendant, Guillaume également, a rejoint en 2003 son père Jean-René sur le domaine familial de 16 ha, planté pour l'essentiel autour de la montagne de Corton.

Grenat brillant, ce corton est encore timide dans ses évocations de fruits rouges et noirs (cerise, cassis) qu'un joli boisé souligne à peine. Souple, il laisse une impression d'harmonie et d'élégance, mais les tanins encore austères en finale méritent de se fondre. ⧗ 2022-2030

⊶ EARL ANDRÉ NUDANT ET FILS, 11, rte de Dijon, 21550 Ladoix-Serrigny, tél. 03 80 26 40 48, domaine.nudant@wanadoo.fr V *t.l.j. sf dim. 8h30-12h 13h30-17h; sam. sur r.-v.*

Ⓑ DOM. PARENT Les Renardes 2016

■ Gd cru | 1382 | | 75 à 100 €

Fondé en 1803, ce domaine historique de Pommard possède une belle collection de *villages* et de 1ers crus dans cette appellation, dont il est l'une des valeurs sûres. Il est dirigé depuis 1998 par Anne Parent et Catherine Pagès-Parent, filles de Jacques, qui disposent de 10 ha de vignes complétés par une activité de négoce.

Prendra-t-il cet arôme musqué qui fait dire aux dégustateurs chevronnés que le vin renarde? Nul ne le sait encore, car il faudra attendre pour apprécier pleinement ce vin encore jeune. Plutôt boisé au premier nez, il développe ensuite avec retenue des arômes de fruits rouges et noirs. Il apparaît austère mais bien construit au palais, doté de toute la matière nécessaire pour affronter le temps. ⧗ 2022-2030 □ **Gd cru 2016 (75 à 100 €; 1647 b.)** Ⓑ : vin cité.

⊶ SAS DOM. PARENT, 3, rue de la Métairie, 21630 Pommard, tél. 03 80 22 15 08, contact@domaine-parent.com V *r.-v.*

DOM. POISOT PÈRE ET FILS Bressandes 2016 ★

■ Gd cru | 1854 | | 50 à 75 €

Après vingt-cinq ans dans la Marine, Rémi Poisot a repris en 2010 le vignoble familial, 2 ha hérités en 1902 par Marie Poisot, fille de Louis Latour : un 1er cru en pernand et trois grands crus (corton, corton-charlemagne et romanée-saint-vivant).

Le temps sera le meilleur allié de ce corton dense et structuré. Une belle concentration est perceptible tant dans ses arômes de fruits noirs (mûre et cassis) légèrement toastés que dans sa matière ample et persistante. ⧗ 2022-2030

⊶ SARL DOM. POISOT PÈRE ET FILS, 8, rue des Corton, 21420 Aloxe-Corton, tél. 03 80 21 16 91, contact@domaine-poisot.fr V *r.-v.*

DOM. JACQUES PRIEUR Bressandes 2016

■ Gd cru | 3900 | | + de 100 €

Ce domaine de belle notoriété, établi de longue date à Meursault (fin du XVIIIe s.), dispose de 22 ha de vignes pour 22 appellations, exclusivement des 1ers et des grands crus (hormis son meursault Clos de Mazeray, conduit en monopole). Entré dans le capital en 1988, Jean-Pierre Labruyère en est devenu l'actionnaire principal en 2006 et son fils Édouard en est l'actuel directeur général. La famille Labruyère est également propriétaire à Pomerol (Ch. Rouget), dans le Beaujolais, son fief d'origine (Dom. Labruyère), et en Champagne. Elle peut s'appuyer sur le talent sans faille de Nadine Gublin, l'œnologue maison depuis 1990 en charge de la direction technique depuis 2009. Une structure de

négoce (Labruyère-Prieur Sélection) a été créée en 2013 pour étendre la gamme bourguignonne.

De la retenue, beaucoup de retenue encore, mais les dégustateurs font le pari que ce corton se révélera pleinement avec les années. Car il a suffisamment de caractère, de matière et de structure pour évoluer favorablement. ⧗ 2022-2030

SCEA DOM. JACQUES PRIEUR, 6, rue des Santenots, 21190 Meursault, tél. 03 80 21 23 85, info@prieur.com

DOM. GASTON ET PIERRE RAVAUT
Les Hautes Mourottes 2016

■ Gd cru | 3000 | | 30 à 50 €

Un domaine dans la même famille depuis cinq générations, conduit aujourd'hui par Vincent Ravaut, installé depuis 2009 à Ladoix, au pied du coteau de Corton. Son vignoble s'étend sur 12,5 ha dont 80 % pour les rouges et est conduit en agriculture raisonnée.

Sous-sol de marnes blanches, sol riche en argile, altitude de quelque 350 m : Les Hautes Mourottes constituent un *climat* frais. Ce 2016 est une expression tout en finesse et en élégance de ce terroir. Couleur rubis, il s'ouvre volontiers sur la violette, les fruits noirs et un léger vanillé. Si les tanins font acte de présence, le vin possède suffisamment de matière pour les intégrer et persister agréablement. ⧗ 2022-2030

EARL GASTON ET PIERRE RAVAUT, hameau Buisson, Cidex 19, 21550 Ladoix-Serrigny, tél. 03 80 26 41 94, domaine.ravaut@orange.fr V r.-v.

DOM. DE LA ROMANÉE-CONTI 2017 ★

■ Gd cru | n.c. | | + de 100 €

En 2008, le Dom. de la Romanée-Conti a étendu sa gamme prestigieuse vers Aloxe-Corton en prenant en fermage les vignes en corton du Dom. Prince Florent de Mérode : 2,27 ha répartis sur trois *climats* de renom, Le Clos du Roi (0,57 ha), Les Bressandes (1,19 ha) et Les Renardes (0,5 ha).

Un corton friand, bien à l'image de ce que peut donner ce millésime : le vin a de l'éclat aromatique et se déguste d'ores et déjà avec plaisir. Le nez, expressif et fin, tout en fruits rouges agrémentés d'une touche florale de pivoine, « pinote » à souhait. La bouche apparaît souple, soyeuse, fraîche, en finesse elle aussi, mais sans pour autant manquer de mâche. ⧗ 2022-2030

SC DU DOM. DE LA ROMANÉE-CONTI (CORTON), 1, rue Derrière-le-Four, 21700 Vosne-Romanée, tél. 03 80 62 48 80

CORTON-CHARLEMAGNE

Superficie : 52 ha / Production : 2 240 hl

Le grand cru corton-charlemagne provient de la partie haute de la « montagne de Corton », propice au chardonnay – cépage qui a aujourd'hui totalement remplacé l'aligoté, autorisé jusqu'en 1948. Il tire son nom de l'empereur carolingien qui, dit-on, aurait fait planter ici des vignes blanches pour ne pas tacher sa barbe. La plus grande partie de la production vient des communes de Pernand-Vergelesses et d'Aloxe-Corton. Vins de garde, les corton-charlemagne atteignent leur plénitude après cinq à dix ans.

B GABRIEL D'ARDHUY 2017

Gd cru | 6000 | | + de 100 €

Un domaine fondé en 1947 comprenant notamment 6 grands crus et 15 1ers crus. Près de 40 ha de vignes, de Puligny-Montrachet à Gevrey-Chambertin, dans les Côtes de Beaune et de Nuits. Un vignoble certifié en biodynamie depuis 2012. L'œnologue Vincent Bottreau est aux commandes du chai depuis 2016.

Produit à partir de 2 ha, ce corton-charlemagne or pâle exprime volontiers ses arômes de poire et d'agrumes, nuancés de notes vanillées et beurrées. Souple en attaque, il privilégie la fraîcheur et un équilibre tout en légèreté, avec une pointe d'amertume en finale. ⧗ 2022-2028

SARL GABRIEL D'ARDHUY, Clos des Langres, 21700 Corgoloin, tél. 03 80 62 98 73, domaine@ardhuy.com V r.-v.

DOM. CHEVALIER PÈRE ET FILS 2017

Gd cru | n.c. | | 50 à 75 €

Installé en 1994 sur ce domaine créé en 1850 par son arrière-grand-père Émile, Claude Chevalier exploite avec trois de ses filles – Chloé à la vigne et au chai, Julie au commercial et Anaïs à la comptabilité – un vignoble de 15 ha situé au pied et sur les pentes de la montagne de Corton. Une valeur sûre de la Côte de Beaune.

Des reflets verts jouent avec l'or pâle dans le verre. À quel jeu vont bien pouvoir jouer les arômes? Tour à tour entrent en scène l'acacia, les fruits et l'amande grillée. Puis une matière puissante, aux nuances boisées, investit le palais, laissant une impression de gras et de concentration. ⧗ 2022-2028

SCEA CHEVALIER PÈRE ET FILS, 2, Grande-Rue-de-Buisson, Cidex 18, 21550 Ladoix-Serrigny, tél. 03 80 26 46 30, contact@domaine-chevalier.fr V r.-v.

DOM. DENIS PÈRE ET FILS 2017

Gd cru | 3000 | | 50 à 75 €

En 1940, Raoul Denis, vigneron des Hospices de Beaune comme l'étaient son père et son grand-père, reprend le vignoble familial (13 ha aujourd'hui). Christophe tient le flambeau depuis 1992.

Il y a dans cet or jaune des reflets argentés élégants. De la finesse se dégage de la palette aromatique, faite d'agrumes, de pêche, de poire, d'abricot et de vanille. Le boisé hérité de douze mois d'élevage reste subtil. Le vin se révèle ample et souple au palais, avec une agréable fraîcheur fruitée qui prolonge le plaisir. ⧗ 2022-2028

EARL DOM. DENIS PÈRE ET FILS, 4, chem. des Vignes-Blanches, 21420 Pernand-Vergelesses, tél. 03 80 21 50 91, contact@domaine-denis.com V r.-v.

DOM. JACOB 2017 ★

Gd cru | 4000 | | 50 à 75 €

Quatre générations de Jacob se sont succédé sur ce domaine régulier en qualité, établi à Ladoix-Serrigny, au pied de la montagne de Corton. Raymond, épaulé par son frère Robert, son fils Damien et sa belle-fille Géraldine, gère ce vignoble de 13 ha.

L'élevage en fût de douze mois a certes marqué la palette de ce 2017, mais sans contrarier l'expression du cépage. Ainsi, les arômes de menthol accompagnent l'expression des fruits jaunes et des fleurs. La matière est bien présente au palais, avec en finale une pointe acidulée, signe de jeunesse. Qu'importe, ce vin est bien du niveau d'un grand cru et il pourra se parfaire dans le temps. ⧗ 2022-2030

SCE DOM. JACOB, 15, Grande Rue de Buisson, Cidex 20 bis, 21550 Ladoix-Serrigny, tél. 03 80 26 40 42, domainejacob@orange.fr r.-v.

LOUIS LATOUR 2016

Gd cru | 41000 | + de 100 €

Une maison familiale toujours indépendante, fondée en 1797 et conduite successivement par dix générations de Latour. Un acteur incontournable de la Bourgogne viticole et le plus important propriétaire de grands crus de la Côte-d'Or (28 ha sur les 48 que compte son vignoble). Les raisins sont vinifiés à Aloxe-Corton, berceau de la famille, et la maison possède sa propre tonnellerie.

De longues larmes se forment sur les parois du verre au versement de ce vin or foncé. Le nez décline aussi bien les fleurs que les fruits à chair blanche et les agrumes, nuancés d'épices. De la densité, du gras, une persistance satisfaisante sur des notes de vanille en bouche... Le vin a entamé son évolution. Suivons-le au fil des prochaines années. ⧗ 2021-2026

MAISON LOUIS LATOUR, 18, rue des Tonneliers, 21200 Beaune, tél. 03 80 24 81 00, contact@louislatour.com

DOM. NUDANT 2017 ★

Gd cru | 1500 | 75 à 100 €

Un Guillaume Nudant d'Aloxe-Corton était déjà vigneron en 1453. Son descendant, Guillaume également, a rejoint en 2003 son père Jean-René sur le domaine familial de 16 ha, planté pour l'essentiel autour de la montagne de Corton.

Un vin originaire des pentes raides (de 20 à 23 %) de la partie la plus élevée de la Montagne de Corton, sur des marnes blanches. Très frais, il évoque avec discrétion le pain grillé au nez, tandis qu'en bouche les agrumes prennent le relais. Il faudra attendre que la vivacité se fonde pour le redécouvrir. ⧗ 2024-2029

EARL ANDRÉ NUDANT ET FILS, 11, rte de Dijon, 21550 Ladoix-Serrigny, tél. 03 80 26 40 48, domaine.nudant@wanadoo.fr t.l.j. sf dim. 8h30-12h 13h30-17h; sam. sur r.-v.

STÉPHANE PIGUET 2017 ★

Gd cru | n.c. | 75 à 100 €

Ouvrier viticole depuis 2003 sur la propriété de ses parents, Max et Anne-Marye Piguet-Chouet, Stéphane Piguet a entrepris en 2012 de créer sa propre activité de négoce pour élargir la gamme du domaine, qui s'étend aujourd'hui aux appellations saint-romain, puligny-montrachet et corton-charlemagne.

Une vigne à la fleur de l'âge (45 ans) a donné naissance à ce corton-charlemagne or vert, ouvert sur des arômes de fleurs blanches et de citron vert, ponctués de tabac blond et de pain grillé. La bouche est élégante, légèrement acidulée, et si le bois semble encore marqué, il saura se fondre dans la matière à la faveur de la garde. ⧗ 2024-2029

PIGUET, 16, rte de Beaune, 21190 Auxey-Duresses, tél. 06 87 54 59 02, maisonstephanepiguet@yahoo.fr r.-v.

DOM. RAPET PÈRE ET FILS 2017 ★

Gd cru | 10000 | 75 à 100 €

Ce domaine ancien (1765) et incontournable de Pernand-Vergelesses est conduit par Vincent Rapet depuis 1985. S'il se passionne pour sa commune natale, ce dernier travaille les appellations voisines avec le même soin, sur un vignoble de 20 ha. Une valeur sûre de la Côte de Beaune.

Chez les Rapet, les 3 ha de Charlemagne sont sur Pernand. Dans ce 2017, les fragrances de fruits jaunes (mirabelle) flirtent avec le caractère brioché apporté par le fût. Minéral en attaque, le vin gagne en rondeur en milieu de bouche, puis il revient sur la vivacité. Une fraîcheur qui, aujourd'hui, lui permet de s'étirer en finale et qui, demain, lui assurera une bonne évolution dans le temps. ⧗ 2022-2028

SAS DOM. RAPET PÈRE ET FILS, 2, pl. de la Mairie, 21420 Pernand-Vergelesses, tél. 03 80 21 59 94, vincent@domaine-rapet.com r.-v.

SAVIGNY-LÈS-BEAUNE

Superficie : 350 ha
Production : 13 350 hl (85 % rouge)

Au nord de Beaune, Savigny est un village vigneron par excellence. L'esprit du terroir y est entretenu, et la confrérie de la Cousinerie de Bourgogne est le symbole de l'hospitalité bourguignonne. Les Cousins jurent d'accueillir leurs convives « bouteilles sur table et cœur sur la main ».
« Nourrissants, théologiques et morbifuges » selon la tradition, les savigny sont souples, tout en finesse, fruités, agréables jeunes tout en vieillissant bien. Parmi les 1ers crus, on citera Aux Clous, Aux Serpentières, Les Hauts Jarrons, Les Marconnets, Les Narbantons.

DOM. FRANÇOISE ANDRÉ
Les Vergelesses 2016 ★★

1er cru | 2550 | 30 à 50 €

Un domaine de 10 ha (en bio certifié depuis 2012), créé en 1983 par Françoise André, l'un des derniers à avoir ses caves derrière les remparts de Beaune. Auparavant confiée au comte Sénard, la gestion est assurée depuis 2009 par Lauriane André, belle-fille de la propriétaire.

Ce 1er cru a participé à la finale des coups de cœur. Drapé dans une robe dorée, il affiche un nez élégant de fleurs blanches et de miel. La bouche offre beaucoup de chair, de densité et de rondeur, épaulée par un boisé racé et par une fine acidité qui pousse loin la finale, ouverte sur les agrumes. Un beau potentiel en perspective. ⧗ 2021-2026

SC DOM. FRANÇOISE ANDRÉ, 7, rempart Saint-Jean, 21200 Beaune, tél. 03 80 24 21 65, andre.lauriane@yahoo.com r.-v.

♥ B DOM. D'ARDHUY Clos des Godeaux 2017 ★★

	3500		20 à 30 €

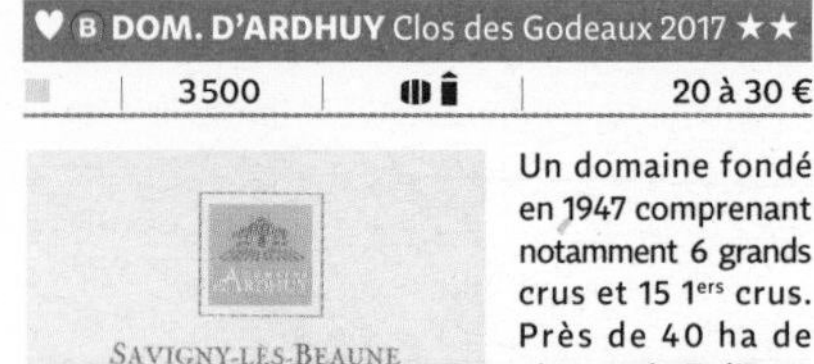

Un domaine fondé en 1947 comprenant notamment 6 grands crus et 15 1ers crus. Près de 40 ha de vignes, de Puligny-Montrachet à Gevrey-Chambertin, dans les Côtes de Beaune et de Nuits. Un vignoble certifié en biodynamie depuis 2012. L'œnologue Vincent Bottreau est aux commandes du chai depuis 2016.

Voisin du 1er cru Les Lavières, ce *climat* est exposé plein sud, situé à 360 m d'altitude, à la sortie de la combe d'Orange. Le domaine y cultive 57 ares de chardonnay qui ont donné un magnifique savigny couleur or pâle, ouvert sur des arômes élégants de fleurs blanches et d'agrumes, rehaussés d'une touche épicée. La bouche, à l'unisson du bouquet, se révèle parfaitement équilibrée entre le gras et l'acidité, entre un beau boisé vanillé et un fruité frais. ⧗ 2019-2024

SARL GABRIEL D'ARDHUY, Clos des Langres, 21700 Corgoloin, tél. 03 80 62 98 73, domaine@ardhuy.com V r.-v.

DOM. ARNOUX PÈRE ET FILS
Les Pimentiers 2017 ★★

	4800		15 à 20 €

Créée en 1950, cette exploitation familiale, installée à Chorey-lès-Beaune, est dirigée depuis 2008 par Pascal Arnoux, troisième du nom à la tête du domaine. Au menu, une large gamme de vins de la Côte de Beaune (une vingtaine d'appellations sur plus de 20 ha entre Beaune et Corton), souvent en vue dans ces pages.

Le coup de cœur fut mis aux voix pour ce savigny pourpre intense, qui dévoile un nez animal, épicé et mentholé. La bouche apparaît ronde, suave, gourmande, centrée sur les fruits rouges mûrs et soutenue par des tanins encore bien présents en finale. À carafer si le vin est servi dans sa jeunesse. ⧗ 2021-2026

SCEA ARNOUX PÈRE ET FILS, 5, rue de Ley, 21200 Chorey-lès-Beaune, tél. 03 80 22 57 98, contact@arnoux-pereetfils.com V r.-v.

DOM. DE BELLENE 2017 ★

	10870		30 à 50 €

Nicolas Potel s'est installé en 2007 au cœur de Beaune dans une splendide maison ancienne, rénovée selon des critères écologiques qui témoignent de l'authenticité de sa démarche bio. Le domaine couvre 23 ha répartis de Saint-Romain à Vosne-Romanée.

D'un bel or brillant, ce 2017 dévoile un nez discret mais fin de fleurs blanches et d'agrumes. En bouche, se révèlent une fraîcheur agréable et une bonne structure. Un vin élégant, à la finale avenante. ⧗ 2020-2023

SCEA DOM. DE BELLENE, 39, rue du Faubourg-Saint-Nicolas, 21200 Beaune, tél. 03 80 20 67 64, contact@groupebellene.com V r.-v.

DOM. JULIEN CRUCHANDEAU 2017 ★★

	2200		15 à 20 €

Julien Cruchandeau, originaire de Chenôve, a longtemps eu deux vies : viticulteur donc, et musicien jusqu'en 2010, avant de se consacrer pleinement à son domaine créé en 2003 : 7 ha répartis sur les trois Côtes (de Beaune, de Nuits et chalonnaise).

Un savigny superbe de limpidité, qui brille dans le verre. Passée une note animale, le nez, complexe, convoque les fruits rouges bien mûrs, le chocolat et des nuances camphrées. La bouche se révèle longue, soyeuse, ample, dense, étayée par des tanins très fins. Un vin des plus élégants, au bon potentiel de garde. ⧗ 2023-2030

JULIEN CRUCHANDEAU, 2, rue Robert, 21700 Chaux, tél. 06 74 85 79 62, contact@domaine-cruchandeau.com V r.-v.

ÉDOUARD DELAUNAY Le Village 2017 ★

	3190		20 à 30 €

Laurent et Catherine Delaunay, fondateurs de la maison de vins Badet-Clément à Nuits-Saint-Georges, ont fait renaître la maison de négoce Édouard Delaunay, fondée en 1893 par l'arrière-grand-père de Laurent. Elle propose une gamme de vins essentiellement issus de la Côte de Beaune et de la Côte de Nuits, allant de l'appellation régionale jusqu'au grand cru.

Rouge sombre, discrètement parfumé de fruits et d'épices, ce 2017 offre une belle matière, ample et dense. Certes, les tanins sont encore carrés, mais disposés à s'assagir avec le temps. Patience. ⧗ 2022-2030

ÉDOUARD DELAUNAY, 10, rue Lavoisier, 21700 Nuits-Saint-Georges, tél. 03 80 61 46 31

PHILIPPE ET ARNAUD DUBREUIL
Les Vergelesses 2017 ★

1er cru	3000		15 à 20 €

Anciennement Dubreuil-Cordier, ce domaine familial a été créé en 1950 par le grand-père d'Arnaud Dubreuil. Ce dernier a pris la suite de son père Philippe en 2010, à la tête d'un vignoble de 11 ha. Aujourd'hui, il cultive 12,35 ha avec l'acquisition d'un demi-hectare de hautes-côtes-de-beaune blanc, un demi-hectare de hautes-côtes-de-beaune rouge et l'arrivée d'un corton grand cru Les Grandes Lolières en blanc.

Très représentatif du pinot, ce 1er cru couleur rubis à reflets violines révèle des parfums agréables de fruits rouges nuancés de notes torréfiées. La bouche souple et soyeuse bénéficie de tanins fins. Un vin gourmand, qui vieillira bien. ⧗ 2022-2027 ■ **1er cru Les Narbantons 2017 (15 à 20 €; 2600 b.)** : vin cité. ■ **1er cru Les Talmettes 2017 (15 à 20 €; 3200 b.)** : vin cité.

EARL DOM. PHILIPPE ET ARNAUD DUBREUIL, 4, rue Pejot, 21420 Savigny-lès-Beaune, tél. 03 80 21 53 73, dubreuil.cordier@aliceadsl.fr V r.-v.

GUY ET YVAN DUFOULEUR Les Gollardes 2017 ★

	2000		20 à 30 €

Les Dufouleur perpétuent une tradition vigneronne qui remonte à la fin du XVIes. Le domaine actuel est né de la fusion en 2007 de deux domaines familiaux.

Guy Dufouleur étant décédé, le vignoble (28 ha) est aujourd'hui dirigé par son fils aîné Yvan, épaulé à la gérance par Xavier, frère de Guy.

Ce savigny à la robe dorée exhale des parfums d'agrumes et de fleurs blanches, associés à des notes de miel et de vanille. En bouche, il propose une belle vivacité et de l'ampleur, avec un boisé encore dominant toutefois. Une cuvée qui pourra être gardée en cave quelques années. ⧗ 2021-2024

SCEA DOM. GUY ET YVAN DUFOULEUR, 15, rue Thurot, BP80138, 21700 Nuits-Saint-Georges, tél. 03 80 61 09 35, gaelle.dufouleur@21700-nuits.com V t.l.j. sf dim. 9h30-12h30 14h-18h30

B JEAN FÉRY ET FILS Sous la Cabotte 2017 ★

■	10157		20 à 30 €

Un domaine familial des Hautes-Côtes de Beaune créé en 1890 et développé dans les années 1990 par Jean-Louis Féry : aujourd'hui, 15 ha en bio certifié (depuis 2011) en Côte de Nuits et en Côte de Beaune. Depuis 2016, Frédéric Féry, fils de Jean-Louis, assure la gestion du domaine, avec notamment l'appui de Laurence Danel, œnologue.

Cette cuvée rubis brillant aux reflets violines présente des arômes de fruits rouges et noirs arrondis par des notes de vanille et de boisé. On retrouve ces sensations dans une bouche fraîche et bien structurée par de solides tanins. Pour la cave. ⧗ 2022-2026 ■ **Ez Connardises 2017 (20 à 30 €; 3443 b.)** B : vin cité.

SARL DOM. JEAN FÉRY ET FILS, 1, rte de Marey, 21420 Échevronne, tél. 03 80 21 59 60, fery.vin@orange.fr V r.-v. G

B JEAN-MICHEL GIBOULOT Aux Gravains 2017 ★

■ 1er cru	3500		20 à 30 €

Un domaine familial créé en 1935, conduit depuis 1996 par Jean-Michel Giboulot, à la tête d'un vignoble de 12 ha. En agriculture biologique depuis 2010.

Un 1er cru d'une belle couleur pourpre, qui livre des arômes de mûre et de groseille soulignés par un boisé discret. Arômes que l'on retrouve dans la bouche ample et soyeuse, aux tanins fins. ⧗ 2022-2025 ■ **2017 ★ (15 à 20 €; 4100 b.)** : ce savigny offre un nez fin de fleurs blanches et d'agrumes. Promesse tenue en bouche avec un juste équilibre entre rondeur et fraîcheur, et une bonne persistance aromatique. ⧗ 2020-2023

EARL DOM. JEAN-MICHEL GIBOULOT, 27, rue du Gal-Leclerc, 21420 Savigny-lès-Beaune, tél. 03 80 21 52 30, jean-michel.giboulot@wanadoo.fr V r.-v.

DOM. PIERRE GUILLEMOT Aux Serpentières 2017 ★

■ 1er cru	8000		20 à 30 €

Les Guillemot œuvrent dans la viniculture depuis huit générations. La première déclaration de récolte de Pierre date de 1946. Le domaine (8,2 ha), conduit en lutte intégrée, est dirigé par son fils Jean-Pierre depuis 1988.

Une robe rubis brillant habille ce vin aux arômes de petits fruits des bois et de vanille. Soyeux et fruité en bouche, il fait preuve d'élégance et d'équilibre. ⧗ 2022-2025 ■ **Dessus les Gollardes 2017 (15 à 20 €; 6000 b.)** : vin cité.

DOM. PIERRE GUILLEMOT, 11, pl. Fournier, 21420 Savigny-lès-Beaune, tél. 03 80 21 50 40, domaine.pierre.guillemot@orange.fr V r.-v.

DOM. JEAN GUITON Les Peuillets 2017 ★★

■ 1er cru	3300		30 à 50 €

Jean Guiton est installé depuis 1973 à Bligny, dans la plaine de Pommard. Les vignes (11,3 ha) sont quant à elles implantées sur la Côte, notamment à Savigny. Guillaume, le fils, est arrivé au début des années 2000.

L'un des 1ers crus les plus réputés de Savigny. De 55 ares, les Guiton tirent un 2017 expressif et généreux au nez avec ses arômes de fruits rouges et noirs bien mûrs, voire confits. Le palais se révèle ample, riche, charpenté par de solides tanins. Un vin puissant, à garder en cave. ⧗ 2023-2030 ■ **1er cru Hauts Jarrons 2016 ★ (20 à 30 €; 2400 b.)** : ce 1er cru d'une belle profondeur de robe dévoile des arômes gourmands de petits fruits noirs. En bouche, l'équilibre est de mise : de la fraîcheur, de la matière, du fruit, de bons tanins pour la garde. ⧗ 2023-2030

SCEA DOM. JEAN GUITON, 4, rte de Pommard, 21200 Bligny-lès-Beaune, tél. 03 80 21 62 07, domaine.guiton@wanadoo.fr V r.-v.

DOM. MAILLARD PÈRE ET FILS 2017 ★

■	n.c.		15 à 20 €

Représentant la dixième génération de viticulteurs sur le domaine (1766), Pascal Maillard (au chai) et son frère Alain (à la vigne) exploitent un vignoble constitué par leur père Daniel à partir de 1952. Aujourd'hui, pas moins de 19 ha répartis dans sept communes aux environs de la montagne de Corton, ainsi qu'à Pommard et à Volnay. Une valeur sûre, notamment en corton et en chorey.

Habillé d'une robe rubis, ce savigny dévoile des arômes de fruits mûrs et d'épices. Arômes que l'on retrouve dans une bouche souple, fine, longue et très bien équilibrée. Un joli vin typique du millésime 2017. ⧗ 2021-2024

SAS DOM. MAILLARD PÈRE ET FILS, 2, rue Joseph-Bard, 21200 Chorey-lès-Beaune, tél. 03 80 22 10 67, contact@domainemaillard.com V t.l.j. sf dim. 8h30-12h30 14h-18h

ANTOINE OLIVIER Les Peuillets 2017 ★

■ 1er cru	1500		30 à 50 €

Ce domaine familial (10,3 ha en bio sans certification) créé en 1967 s'est spécialisé dans l'élaboration de vins blancs, sans négliger les rouges pour autant. Il a développé en 2005 une activité de négociant-éleveur pour compléter son offre. À la tête de l'ensemble depuis 2003, Antoine Olivier.

Une robe rubis nuancée de violine habille ce vin au nez de fruits rouges et noirs (cassis, griotte, framboise) agrémentés de nuances mentholées. La bouche, souple, soyeuse, centrée sur la fraîcheur du fruit, est bâtie sur des tanins fins. ⧗ 2022-2026

SARL ANTOINE OLIVIER, 5, rue Gaudin, 21590 Santenay, tél. 03 80 20 61 35, contact@antoineolivier.wine V r.-v.

DOM. JEAN-MARC ET HUGUES PAVELOT
Les Peuillets 2017 ★

■ 1er cru | 2000 | | 20 à 30 €

Installés à Savigny-lès-Beaune, Jean-Marc et Hugues Pavelot comptent parmi les fidèles du Guide et s'illustrent très régulièrement avec leurs savigny. En 2000, Hugues a rejoint son père sur l'exploitation familiale qui s'étend aujourd'hui sur 13 ha.

Ce 1er cru à la robe pourpre décline des arômes discrets de petits fruits noirs (cassis). La bouche est ample, riche, dense, structurée par des tanins bien présents offrant un bon potentiel de garde. ⧗ 2024-2028 ■ **1er cru Aux Gravains 2017 (20 à 30 €; n.c.)** : vin cité.

EARL JEAN-MARC ET HUGUES PAVELOT, 21, rue Chanson-Maldant, 21420 Savigny-lès-Beaune, tél. 03 80 21 55 21, hugues.pavelot@wanadoo.fr V *r.-v.*

DOM. DU PRIEURÉ Solaris 2017 ★

■ | 1500 | | 15 à 20 €

Établi sur les vestiges d'un prieuré cistercien acquis par sa famille dans les années 1960, ce domaine de 12,5 ha est conduit depuis 1981 par Jean-Michel Maurice, rejoint par son fils Stephen au début des années 1990. Ce dernier a pris la relève en 2015.

D'un beau doré à reflets verts, cette cuvée décline au nez des arômes de fruits blancs et de fleurs, ainsi que des notes boisées de caramel. La bouche affiche un réel équilibre entre fraîcheur minérale, richesse de la matière et boisé fondu. ⧗ 2020-2023

STEPHEN MAURICE (DOM. DU PRIEURÉ), 23, rte de Beaune, 21420 Savigny-lès-Beaune, tél. 03 80 21 54 27, contact@domaineduprieure-maurice.com V *r.-v.* ❸

DOM. PRIN 2016 ★★

■ | 1484 | | 15 à 20 €

Implanté à Ladoix-Serrigny, ce domaine de 6 ha est conduit par Jean-Luc Boudrot depuis 1994. Régulièrement en vue pour ses ladoix, aloxe, corton et savigny.

Ce 2016 se présente avec éclat dans sa robe rubis. Au nez, il associe les petits fruits mûrs aux épices et à la réglisse. La bouche, très équilibrée, bâtie sur des tanins fins, présente un caractère rond et suave. Une vraie gourmandise. ⧗ 2022-2025

SARL DOM. PRIN, 2, rue Saint-Marcel, Cidex 44, 21550 Ladoix-Serrigny, tél. 03 80 26 45 83, contact@domaineprin.com V *r.-v.*

DOM. ROLLIN PÈRE ET FILS
Aux Grands Liards 2016 ★

■ | 2000 | | 20 à 30 €

Longtemps modestes vignerons au service d'autres exploitations, les Rollin (aujourd'hui Rémi et Simon) se sont mis peu à peu à leur compte; ils exploitent depuis 1932 et quatre générations un domaine de 14 ha à Pernand-Vergelesses, appellation dans laquelle leurs vins brillent régulièrement, dans les deux couleurs.

Ce *village* rouge sombre dévoile à l'olfaction des arômes harmonieux de myrtille, de groseille, de réglisse et de vanille. La bouche se montre souple et fine, et les tanins, déjà bien patinés, renforcent son caractère gourmand. ⧗ 2021-2024

EARL ROLLIN PÈRE ET FILS, 49, rte des Vergelesses, 21420 Pernand-Vergelesses, tél. 03 80 21 57 31, contact@domaine-rollin.com V *r.-v.*

DOM. GEORGES ROY ET FILS Les Picotins 2017 ★★

■ | 5900 | | 11 à 15 €

Vincent Roy, le vinificateur, installé en 1998, et sa sœur Claire, arrivée quelques années plus tard, conduisent un domaine familial de 9 ha, établi dans la plaine de Chorey-lès-Beaune, en vue notamment pour ses chorey et ses aloxe-corton. Alors que la propriété vendait sa production au négoce, ils ont développé la vente directe.

Picotins? Des mesures d'avoine que l'on réservait autrefois aux chevaux vivant sur ce *climat* de l'entrée du village. Dans le verre, un vin intense en couleur, ouvert sur les fruits noirs et rouges rehaussés d'épices, ample, riche et rond en bouche, avec en soutien de bons tanins de garde et une fine acidité qui apporte de l'allonge et de l'équilibre. ⧗ 2022-2028

EARL DOM. GEORGES ROY ET FILS, 20, rue des Moutots, 21200 Chorey-lès-Beaune, tél. 03 80 22 16 28, domaine.roy-fils@wanadoo.fr V *r.-v.*

HENRI DE VILLAMONT Clos des Guettes 2017 ★

■ 1er cru | 10850 | | 20 à 30 €

Ce propriétaire (10 ha : 6 ha en savigny, 4 ha en Côte de Nuits) et négociant-éleveur, dans le giron du groupe suisse Schenk depuis 1964, élève ses vins dans une cuverie spectaculaire créée entre 1880 et 1888 à Savigny-lès-Beaune par Léonce Bocquet, alors unique propriétaire du Clos de Vougeot.

Ce 1er cru en robe pourpre soutenu libère des arômes de cassis confit sur un léger fond boisé. En bouche, il se montre puissant et solidement structuré. Un savigny de caractère, bâti pour la garde. ⧗ 2024-2030 ■ **Le Village 2017 ★ (20 à 30 €; 2933 b.)** : de la gourmandise dans les notes toastées et briochées du bouquet, comme au palais, où l'on découvre un vin riche et rond, dynamisé par une belle finale minérale. ⧗ 2021-2025

HENRI DE VILLAMONT, rue du Dr-Guyot, 21420 Savigny-lès-Beaune, tél. 03 80 21 50 59, contact@hdv.fr V *r.-v.*

CHOREY-LÈS-BEAUNE

Superficie : 134 ha
Production : 5 240 hl (95 % rouge)

Situé dans la plaine, près de Savigny-lès-Beaune et d'Aloxe-Corton, en face du cône de déjection de la combe de Bouilland, le village produit une majorité de vins rouges friands et faciles d'accès.

DOM. ARNOUX PÈRE ET FILS Les Beaumonts 2017

■ | 20000 | | 15 à 20 €

Créée en 1950, cette exploitation familiale, installée à Chorey-lès-Beaune, est dirigée depuis 2008 par Pascal Arnoux, troisième du nom à la tête du domaine. Au

menu, une large gamme de vins de la Côte de Beaune (une vingtaine d'appellations sur plus de 20 ha entre Beaune et Corton), souvent en vue dans ces pages.
Sous une robe rubis profond se révèlent des arômes généreux de fruits mûrs, de sous-bois et de réglisse, nuancés de torréfaction et de vanille. La bouche, d'un bon volume, laisse poindre un boisé discret. ⧗ 2020-2023

SCEA ARNOUX PÈRE ET FILS, 5, rue de Ley, 21200 Chorey-lès-Beaune, tél. 03 80 22 57 98, contact@arnoux-pereetfils.com V *r.-v.*

DOM. LOÏC DURAND 2017

25000 | 15 à 20 €

Jeune viticulteur, Loïc Durand a repris en 2005 le domaine familial, situé à côté de l'église de Bouze, dans les Hautes-Côtes. Il a étendu progressivement l'exploitation et cultive 9 ha. Sa sœur Alix l'a rejoint et ils sont aujourd'hui en conversion bio.
Tout d'or vêtu, ce 2017 s'ouvre sur un nez élégant de poire et de fleurs blanches. La bouche est légère et pleine de fraîcheur. Un chorey en légèreté. ⧗ 2019-2022

SC DOM. LOÏC DURAND, 6, rue de l'Église, 21200 Bouze-lès-Beaune, tél. 06 25 20 28 97, domainedurandloic@orange.fr V *r.-v.*

MICHEL GAY ET FILS 2017 ★

20000 | 15 à 20 €

Les Gay sont plusieurs à Chorey. Ici, c'est le domaine des fils de Michel : Sébastien, installé en 2000, et Laurent, l'œnologue, qui l'a rejoint en 2010. Incarnant la quatrième génération, ils disposent de 15 ha à Chorey et dans les communes voisines.
Ce vin rouge profond révèle un nez expressif mariant les petits fruits noirs et le bois (cacao). Un équilibre entre le fruité et le boisé que l'on retrouve dans une bouche ample et fermement structurée. Un chorey à garder en cave encore quelques années. ⧗ 2022-2025

EARL MICHEL GAY ET FILS, 1B, rue des Brenots, 21200 Chorey-lès-Beaune, tél. 03 80 22 22 73, michelgayetfils@orange.fr V *r.-v.*

DANIEL LARGEOT Les Beaumonts 2017

5000 | 15 à 20 €

Un domaine familial créé en 1925. Marie-France, fille de Daniel Largeot installée en 2000, et son mari Rémy Martin, arrivé en 2003, conduisent un vignoble de 13 ha; Marie-France est au chai, Rémy, à la vigne.
Ce vin rubis libère des arômes légers de fruits rouges, de réglisse et de bois. Une attaque franche introduit une bouche vive et ferme, étayée par des tanins encore un peu austères qui demandent à s'assouplir. ⧗ 2022-2026
■ **2017 (11 à 15 €; 5000 b.)** : vin cité.

EARL DANIEL LARGEOT, 5, rue des Brenots, 21200 Chorey-lès-Beaune, tél. 03 80 22 15 10, domainedaniellargeot@orange.fr V *r.-v.*

DOM. MARATRAY-DUBREUIL Clos Margot 2017

4500 | 15 à 20 €

Domaine de Ladoix-Serrigny fondé en 1935 lorsque le père de Maurice Maratray préféra réinvestir ses gains dans l'achat de vignes plutôt que dans son entreprise de travaux publics. Maurice Maratray épousa la fille de Pierre Dubreuil, figure de Pernand. Aujourd'hui, l'exploitation couvre 19 ha; elle est dirigée depuis 1997 par François-Xavier Maratray et sa sœur Marie-Madeleine.
Ce vin couleur cerise dévoile un nez fruité et surtout boisé (notes grillées-toastées). Un élevage qui marque aussi la bouche, de bonne bonne concentration et bien structurée. La garde jouera en sa faveur. ⧗ 2021-2024

EARL DOM. MARATRAY-DUBREUIL, 5, pl. du Souvenir, 21550 Ladoix-Serrigny, tél. 03 80 26 41 09, contact@domaine-maratray-dubreuil.com V *t.l.j. sf sam. dim. 8h-12h 13h30-17h30*

CATHERINE ET CLAUDE MARÉCHAL 2017 ★

11962 | 20 à 30 €

Installé dans la plaine de Pommard depuis 1981, le couple Maréchal fait partie des valeurs sûres de la Côte de Beaune. Il conduit, avec minutie et dans un esprit bio (pas de désherbants chimiques, levures indigènes, limitation du soufre), un vignoble de 12,5 ha offrant une large gamme d'appellations.
Une jolie teinte pourpre, un nez de fruits confits et de sous-bois, une bouche ample, solide mais sans agressivité, persistante sur le fruit : tout cela est de bon augure pour les années à venir. ⧗ 2022-2026

CATHERINE ET CLAUDE MARÉCHAL, 6, rte de Chalon, 21200 Bligny-lès-Beaune, tél. 03 80 21 44 37, marechalcc@orange.fr V *r.-v.*

HUGUES PAVELOT Clos Margot 2017 ★

2500 | 15 à 20 €

Parallèlement au domaine géré en famille (Dom. Jean-Marc et Hugues Pavelot), Hugues Pavelot a fondé en 2014 sa structure de négoce, à partir de laquelle il produit du chorey-les-beaune et du pernand-vergelesse.
Cette cuvée or pâle dévoile un joli nez de fleurs, d'agrumes et de fruits blancs. Arômes prolongés par une bouche bien équilibrée, fraîche, élégante et longue. ⧗ 2020-2023

MAISON HUGUES PAVELOT, 21, chem. des Guettottes, 21420 Savigny-lès-Beaune, tél. 03 80 21 55 21, hugues.pavelot@wanadoo.fr V *r.-v.*

♥ ROMAIN PERTUZOT Les Beaumonts 2017 ★★

3500 | 15 à 20 €

Fils de vignerons, le jeune Romain Pertuzot s'est installé en 2008 sur une petite vigne à Chorey (1 ha), qu'il agrandit petit à petit et qu'il complète par une activité de négociant lui permettant, comme à beaucoup de jeunes exploitants, de compléter sa gamme.
Encastré entre les premières vignes d'Aloxe-Corton, à l'ouest, et de Savigny, à l'est, le *climat* des Beaumonts couvre à lui seul un tiers de l'appellation. Romain Pertuzot en tire un magnifique vin rubis intense, au nez puissant et complexe de fruits rouges mûrs, d'épices, de cacao et de cuir. La bouche apparaît ample, riche,

structurée, persistante, avec en soutien un boisé fondu et racé qui contribue à son indéniable élégance. ⧗ 2022-2030

ROMAIN PERTUZOT, 9, rue de Ley, 21200 Chorey-lès-Beaune, tél. 03 80 22 73 67, rpertuzot@wanadoo.fr V r.-v.

DOM. POULLEAU PÈRE ET FILS 2017 ★

■	3263		15 à 20 €

Depuis le départ à la retraite de son père Michel en 1996, Thierry Poulleau (à la technique) et son épouse Florence (au commercial) gèrent les 8,3 ha du domaine familial créé par le grand-père Gaston et signent des vins souvent en vue, notamment des volnay, des chorey et des côte-de-beaune.

Sous une robe rouge profond se libèrent des arômes de petits fruits mûrs (cassis, groseille). L'équilibre en bouche est très réussi, sur la fraîcheur et le fruit, mais il y a aussi de la structure et de la chair. Bref, un chorey complet et plein de promesses. ⧗ 2022-2027

SCEA DOM. POULLEAU PÈRE ET FILS, 7, rue du Pied-de-la-Vallée, 21190 Volnay, tél. 03 80 21 26 52, domaine.poulleau@wanadoo.fr V r.-v.

DOM. JOËL REMY Le Grand Saussy 2017

	n.c.		15 à 20 €

Un domaine fondé en 1853 au sud-est de Beaune, repris en 1988 par Joël Remy (cinquième génération), qui met en valeur avec son épouse Florence et leur fils Maxime, arrivé en 2015, un vignoble de 12 ha répartis dans plusieurs appellations de la Côte de Beaune.

Un vin couleur or qui dévoile des arômes de fruits à chair jaune (abricot, prune) et de fleurs blanches. La bouche ample est très ronde. Certains dégustateurs auraient aimé un brin de fraîcheur en plus. ⧗ 2020-2023

SARL DOM. REMY, 64, rue du Paradis, 21200 Sainte-Marie-la-Blanche, tél. 03 80 26 60 80, domaine.remy@wanadoo.fr V r.-v.

♥ DOM. GEORGES ROY ET FILS 2017 ★★

■	11200		11 à 15 €

Vincent Roy, le vinificateur, installé en 1998, et sa sœur Claire, arrivée quelques années plus tard, conduisent un domaine familial de 9 ha, établi dans la plaine de Chorey-lès-Beaune, en vue notamment pour ses chorey et ses aloxe-corton. Alors que la propriété vendait sa production au négoce, ils ont développé la vente directe.

Un vin rouge profond qui s'ouvre sans réserve sur les fruits mûrs (framboise, cassis) rehaussés de notes torréfiées et grillées. Une belle trame de tanins fins soutient une bouche ample, riche, concentrée, étirée dans une longue finale vanillée. Bâti pour la garde. ⧗ 2023-2030 ■ **2017 ★ (11 à 15 €; n.c.)** : amande fraîche, fruits blancs, fleurs, le nez de ce 2017 donne envie de poursuivre. On découvre alors une bouche très équilibrée, fraîche, minérale et fruitée, offrant une belle tension en finale. ⧗ 2020-2023

EARL DOM. GEORGES ROY ET FILS, 20, rue des Moutots, 21200 Chorey-lès-Beaune, tél. 03 80 22 16 28, domaine.roy-fils@wanadoo.fr V r.-v.

BEAUNE

Superficie : 410 ha
Production : 15 650 hl (85 % rouge)

En termes de superficie, l'appellation beaune est l'une des plus importantes de la Côte. Beaune, ville d'environ 23 000 habitants, est aussi et surtout la capitale viti-vinicole de la Bourgogne. Siège d'un important négoce, centre d'un nœud autoroutier, la cité possède un patrimoine architectural qui attire de nombreux touristes. La vente des vins des Hospices est devenue un événement mondial et représente l'une des ventes de charité les plus illustres. Les vins, essentiellement rouges, sont pleins de force et de distinction. La situation géographique a permis le classement en 1er cru d'une grande partie du vignoble : Les Bressandes, Le Clos du Roy, Les Grèves, Les Teurons et Les Champimonts figurent parmi les plus prestigieux.

B DOM. FRANÇOISE ANDRÉ Les Reversés 2016

■ 1er cru	365		30 à 50 €

Un domaine de 10 ha (en bio certifié depuis 2012), créé en 1983 par Françoise André, l'un des derniers à avoir ses caves derrière les remparts de Beaune. Auparavant confiée au comte Sénard, la gestion est assurée depuis 2009 par Lauriane André, belle-fille de la propriétaire.

Conséquence du gel de printemps, la récolte du millésime 2016 a été faible. Ce beaune tire son épingle du jeu. Rubis intense, il livre un nez ouvert sur le cassis et la groseille. Après une attaque fraîche, un joli volume apparaît, soutenu par des tanins qui ne demandent qu'à se fondre. ⧗ 2022-2026

SC DOM. FRANÇOISE ANDRÉ, 7, rempart Saint-Jean, 21200 Beaune, tél. 03 80 24 21 65, andre.lauriane@yahoo.com V r.-v.

DOM. DE BELLENE Les Perrières 2017

1er cru	800		50 à 75 €

Nicolas Potel s'est installé en 2007 au cœur de Beaune dans une splendide maison ancienne, rénovée selon des critères écologiques qui témoignent de l'authenticité de sa démarche bio. Le domaine couvre 23 ha répartis de Saint-Romain à Vosne-Romanée.

Une carrière de pierres a donné son nom à ce *climat* situé à l'extrémité nord de Beaune. Âgés de cinq ans seulement, les pieds de chardonnay auront donné le meilleur d'eux-mêmes en 2017. Après un élevage de quatorze mois en fût de 600 l (demi-muids), ce vin tout doré offre un caractère floral d'acacia, d'aubépine et d'églantine fort engageant. Rond et léger au palais, il n'aura pas à attendre longtemps pour rejoindre la table. ⧗ 2022-2024

SCEA DOM. DE BELLENE, 39, rue du Faubourg-Saint-Nicolas, 21200 Beaune, tél. 03 80 20 67 64, contact@groupebellene.com V r.-v.

CHRISTIAN BERGERET ET FILLE
Les Levées et les Piroles 2017

	2000		11 à 15 €

Un domaine dans la même famille depuis plusieurs générations. Comptable de formation, professeure pendant quelques années, Clotilde Brousse-Bergeret en a pris la direction en 2001 à la suite de son père Christian. L'exploitation compte aujourd'hui 14 ha répartis sur plusieurs communes de la Côte de Beaune et des Hautes-Côtes.

Une vigne de quarante-huit ans a produit ce vin fleurant bon le raisin mûr, les fleurs blanches et la vanille. La bouche souple, équilibrée, laisse en finale une impression minérale bien fraîche. 2020-2022

SCEA DOM. CHRISTIAN BERGERET ET FILLE, 2, cour Michaud, 21340 Nolay, tél. 06 58 52 41 48, vins.bergeret@outlook.fr
r.-v.; f. 15-31 août

DOM. BERTHELEMOT
Clos des Mouches 2017

1er cru	4100		30 à 50 €

Un domaine créé par Brigitte Berthelemot en 2006 avec la reprise des vignes de Jean Garaudet et d'Yves Darviot : 15 ha aujourd'hui (certifiés Haute Valeur Environnementale) dans plusieurs communes de la Côte de Beaune et dans les Hautes-Côtes, administrés avec Marc Cugney. Un duo complémentaire, à en juger par sa régularité depuis son installation.

Si cette même cuvée en chardonnay a été régulièrement distinguée dans le Guide les années précédentes, c'est sa version pinot noir que nos dégustateurs ont retenue ici. Sous une robe grenat intense apparaît un nez de fruits rouges tout aussi profond. Après une attaque ronde, le vin fait preuve d'élégance grâce à une structure fine. 2022-2026

SCE DOM. BRIGITTE BERTHELEMOT, 24, rue des Forges, BP 30008, 21190 Meursault, tél. 03 80 21 68 61, contact@domaineberthelemot.com
r.-v.

DOM. CACHAT-OCQUIDANT
Les Monsnières 2017 ★

	3600		15 à 20 €

À la tête de 12 ha de vignes répartis tout autour de la montagne de Corton, Jean-Marc Cachat et son fils David figurent en bonne place dans le Guide, surtout pour leurs rouges, majoritaires dans leur carte des vins.

Les 6,14 ha de cette grande parcelle située en arc de cercle au sommet de la Montagne de Beaune furent déboisés dans les années 1960 pour y planter la vigne. De teinte pâle, ce vin développe volontiers ses arômes d'amande et de noisette grillées, avec une touche de miel. Il offre un bel équilibre entre fraîcheur et rondeur, si bien qu'il serait dommage de le faire attendre trop longtemps en cave. 2022-2024

EARL DOM. CACHAT-OCQUIDANT ET FILS, 3, pl. du Souvenir, Cidex 1, 21550 Ladoix-Serrigny, tél. 03 80 26 45 30, domaine.cachat@wanadoo.fr
r.-v.

♥ CAPUANO-FERRERI
Cuvée Jean-Marc Ferreri 2017 ★★

	n.c.		15 à 20 €

Associé à l'ancien footballeur Jean-Marc Ferreri, John Capuano – dont le père Gino a créé en 1987 ce domaine implanté à Santenay – exploite 8 ha de parcelles s'égrenant de Beaune à Mercurey. Très régulier en qualité.

Cette cuvée reçoit avec le millésime 2017 son premier coup de cœur. D'un grenat intense à reflets violines, elle exprime dès le premier nez des arômes de fruits noirs et de réglisse, puis la griotte se révèle, légèrement épicée. Une touche animale se glisse même dans la palette. Élégamment construite et soutenue par une trame de tanins fins qui contribuent à l'impression de rondeur, elle laisse toute la place à un fruité persistant au palais. 2022-2024

SARL CAPUANO-FERRERI, 14, rue Chauchien, 21590 Santenay, tél. 03 80 20 68 04, john.capuano@wanadoo.fr r.-v.

DOM. DENIS CARRÉ Les Tuvilains 2017 ★

1er cru	n.c.		20 à 30 €

À Meloisey, dans les Hautes-Côtes, Martial et Gaëtane Carré ont rejoint leur père Denis, fondateur en 1975 de ce domaine qui excelle dans plusieurs AOC, en hautes-côtes-de-beaune, saint-romain et pommard notamment.

À l'époque féodale, les redresseurs de torts étaient appelés les tuvilains. Ce vignoble de 8,93 ha situé à mi-coteau et à la sortie de la ville devait être leur repère. Aucun tort à redresser dans cette cuvée grenat brillant, tout en fruits rouges. Un léger boisé se manifeste, mais il saura se fondre avec le temps. On perçoit déjà une belle finesse en attaque, puis des tanins certes fermes, mais élégants, dans le parfait respect de la matière fruitée. 2024-2029

EARL DOM. DENIS CARRÉ, 1, rue du Puits-Bouret, 21190 Meloisey, tél. 03 80 26 02 21, domainedeniscarre@wanadoo.fr *r.-v.*

DOM. CHANSON Clos des Marconnets 2016 ★★

1er cru	12000		50 à 75 €

L'une des plus anciennes maisons de négoce de Bourgogne, fondée en 1750, reprise en 1999 par le Champagne Bollinger. En plus de ses achats de raisins, elle dispose d'un important vignoble de 45 ha et de l'expertise de Jean-Pierre Confuron, son œnologue-conseil. Un style reconnaissable grâce à ses vinifications en grappes entières. Son fief est situé autour de Beaune, mais Chanson propose aussi des appellations en Côte de Nuits.

Cette maison est propriétaire d'un clos de 3,80 ha sur les 9,39 ha de ce *climat* qui longe l'autoroute et part à l'assaut de la pente de la colline. Sous une robe grenat à reflets violets, les petits fruits (cassis, framboise) se mêlent au poivre de manière fort engageante. En bouche se révèle une matière ample et équilibrée, de bonne longueur. Les tanins peu marqués autorisent un service dans des délais raisonnables aussi bien que la garde. ⧗ 2022-2029

SA CHANSON PÈRE ET FILS,
10, rue Paul-Chanson, 21200 Beaune, tél. 03 80 25 97 97, chanson@domaine-chanson.com V r.-v.
Champagne Bollinger

JOSEPH DROUHIN Cras 2016 ★

1er cru	3200		50 à 75 €

Créée en 1880, cette maison beaunoise travaille une large palette d'AOC bourguignonnes : de Chablis (38 ha sous l'étiquette Drouhin-Vaudon) à la Côte chalonnaise (3 ha), en passant par les Côtes de Beaune et de Nuits (32 ha). On peut y ajouter les vignes américaines du Dom. Drouhin en Oregon (90 ha) et de Roserock Vineyard, 112 ha dans la région des Eola-Amity Hills. Ce négoce d'envergure grâce à ce vaste domaine de 73 ha - développé par Robert Drouhin à partir de 1957 et désormais géré par ses quatre enfants - est aussi le plus important propriétaire de vignes cultivées en biodynamie. Incontournable.

Les «cras» désignent étymologiquement un sol pierreux. C'est un joli terroir en coteau, à votre droite quand vous conduisez sur la route de Bouze-lès-Beaune. Ce 2016 est déjà fort avenant et offre tout ce que l'on attend d'un beaune : finesse et élégance (*dixit* un dégustateur, résolument séduit). Au nez de fruits rouges à peine boisés répond une bouche ronde à souhait, car les tanins ont beau être présents, ils font patte de velours. ⧗ 2020-2024

SA MAISON JOSEPH DROUHIN, 7, rue d'Enfer, 21200 Beaune, tél. 03 80 24 68 88, christellehenriot@drouhin.com V r.-v.

FRANÇOIS GAY ET FILS Les Teurons 2016

1er cru	550		20 à 30 €

Établies dans la plaine de Chorey, sept générations de vignerons ont porté ce nom depuis 1880. Pascal Gay, fils de François, a pris les commandes de l'exploitation familiale en 1998.

Des ceps de douze ans d'âge ont donné naissance à ce un vin de teinte profonde, dont les arômes varient des fruits rouges (cerise griotte) à un boisé chocolaté hérité de dix-huit mois d'élevage. La texture équilibrée entre fraîcheur et rondeur laisse une impression de légèreté. ⧗ 2020-2022

EARL FRANÇOIS GAY ET FILS,
9, rue des Fiètres, 21200 Chorey-lès-Beaune, tél. 03 80 22 69 58, dom.gay.francois.fils@orange.fr V r.-v.

B JEAN-MICHEL GIBOULOT Clos du Roi 2017

1er cru	3000		20 à 30 €

Un domaine familial créé en 1935, conduit depuis 1996 par Jean-Michel Giboulot, à la tête d'un vignoble de 12 ha. En agriculture biologique depuis 2010.

Quand Louis XI fit main basse sur les domaines des ducs de Bourgogne, quelques-uns des meilleurs arpents, dont cette vigne, prirent le nom du Roi. Dans ce vin, la cerise noire domine au nez, avant qu'une matière riche emplisse le palais. ⧗ 2022-2025

EARL DOM. JEAN-MICHEL GIBOULOT,
27, rue du Gal-Leclerc, 21420 Savigny-lès-Beaune, tél. 03 80 21 52 30, jean-michel.giboulot@wanadoo.fr V r.-v.

CHRISTOPHE JOLIVET Les Tuvilains 2017 ★

1er cru	2158		30 à 50 €

Christophe Jolivet s'est reconverti en 2016 dans la production de vin en achetant du raisin ou des moûts issus de l'agriculture biologique. Il a débuté dans ce qu'il est convenu d'appeler un "wine studio" (sur le concept californien) : un lieu où tout l'équipement est laissé à la disposition des vignerons ou négociants débutants.

Des raisins d'une vigne d'âge respectable (quatre-vingt-un printemps) ont permis à ce néo-négociant de composer une cuvée qui pinote bien dans son expression aromatique. Après une attaque franche, elle offre un beau volume aux accents de toasté et de café. Certes, les tanins de qualité structurent l'ensemble avec une certaine fermeté, mais ils sauront se fondre à la faveur du temps. ⧗ 2024-2029

SAS CHRISTOPHE JOLIVET,
14, Grande-Rue, 21200 Bligny-lès-Beaune, vins-christophe.jolivet@hotmail.com V r.-v.

LABOURÉ-ROI Belissand 2016

1er cru	2050		30 à 50 €

Situé à Nuits-Saint-Georges, la maison de négoce Labouré-Roi a été fondée en 1832. Elle s'est notamment fait connaître depuis de nombreuses années en fournissant des compagnies aériennes et de navires de croisières. Aux commandes techniques, Brigitte Putzu est en place depuis 2016.

Ce *climat* représente 4,88 ha posés en bas du coteau de la Montagne de Beaune. Récolté sur un tiers d'hectare, ce beaune 1er cru présente une parure sombre et un soupçon d'évolution à travers ses notes d'humus et de cuir. D'attaque franche, il dévoile une jolie matière fruitée, mais il doit encore parfaire son équilibre entre fraîcheur et tanins. ⧗ 2022-2029

SASU MAISON LABOURÉ-ROI (NICOLAS POTEL),
13, rue Lavoisier, 21700 Nuits-Saint-Georges, tél. 03 80 62 64 10, contact@laboure-roi.com V r.-v.

DANIEL LARGEOT Les Grèves 2017

1er cru	2500		20 à 30 €

Un domaine familial créé en 1925. Marie-France, fille de Daniel Largeot installée en 2000, et son mari Rémy Martin, arrivé en 2003, conduisent un vignoble de 13 ha; Marie-France est au chai, Rémy, à la vigne.

Ce *climat* des Grèves est le plus grand des quarante-deux 1ers crus beaunois et a souvent la préférence du pinot noir. Issu de 60 ares, ce vin pourpre violacé se distingue par des notes complexes de poivre et de cannelle. Après une attaque souple, de jeunes tanins encore denses soutiennent la matière. ⧗ 2024-2029

EARL DANIEL LARGEOT,
5, rue des Brenots, 21200 Chorey-lès-Beaune, tél. 03 80 22 15 10, domainedaniellargeot@orange.fr V r.-v.

DOM. GUILLAUME LEGOU La Montée Rouge 2017

■	3798	◖◗	15 à 20 €

Après plusieurs années passées en Côte de Nuits et en Côte de Beaune pour perfectionner ses connaissances acquises au lycée viticole de Beaune, Guillaume Legou a racheté une première parcelle de vignes en 2012. Il est aujourd'hui à la tête de 8 ha.

L'argile rouge et le calcaire d'un coteau pentu ont donné son nom à ce *climat* de 10,20 ha. Produit à partir d'une belle parcelle de 1,81 ha, ce beaune révèle un parfum séduisant de framboise et de violette. D'un abord plutôt souple, il développe ensuite des tanins encore jeunes que le temps affinera. ⧗ 2022-2029

⊶ GUILLAUME LEGOU, ZA La Petite-Champagne, 21640 Gilly-lès-Cîteaux, tél. 06 12 54 20 39, domaineguillaumelegou@gmail.com V 🚶 ⬛ *r.-v.*

Ⓑ DOM. DU LYCÉE VITICOLE Les Teurons 2017 ★

■ 1er cru	5200	◖◗	20 à 30 €

Créé en 1884 en pleine crise du phylloxéra, le « Viti » de Beaune a formé des générations de producteurs aux techniques de la vigne et du vin. Il conduit aujourd'hui un domaine de 20 ha qui sert d'outil pédagogique et expérimental.

Les terres rouges datant de l'oxfordien ont donné naissance à ce *climat* en forme de tertre, placé au milieu de la colline de Beaune. Fruits rouges et épices se bousculent comme pour mieux attirer le dégustateur. Un fruit bien mûr ainsi que de bons tanins accompagnent le développement du vin au palais, jusqu'à une finale soyeuse. ⧗ 2022-2024 ■ **2017 (15 à 20 € ; 15300 b.)** : vin cité.

⊶ DOM. DU LYCÉE VITICOLE DE BEAUNE, 16, av. Charles-Jaffelin, 21200 Beaune, tél. 03 80 26 35 81, expl.bujeon@educagri.fr V 🚶 ⬛ *t.l.j. sf dim. 8h30-12h 13h30-17h30; sam. sur r.-v.; f. 1er-15 août*

DOM. SÉBASTIEN MAGNIEN Les Aigrots 2017 ★

■ 1er cru	5000	◖◗	20 à 30 €

Sébastien Magnien, originaire des Hautes-Côtes, a créé en 2004 son domaine à partir des vignes maternelles – 12 ha aujourd'hui. Il se dit très interventionniste à la vigne pour les travaux manuels (ce qui permet de limiter les intrants), beaucoup moins au chai (macérations longues, pas de surextraction, usage modéré de fûts neufs).

L'aigre, ancien nom du houx, a donné son nom à ce *climat*. Ce 2017 aux nuances violines offre un nez expressif de fruits rouges. Fruité que l'on retrouve au palais avec persistance. La matière est à la fois fraîche et ronde, suffisamment structurée pour la garde. ⧗ 2022-2029 ■ **1er cru Les Aigrots 2017 (20 à 30 € ; 2000 b.)** : vin cité.

⊶ EARL DOM. SÉBASTIEN MAGNIEN, 6, rue Pierre-Joigneaux, 21190 Meursault, tél. 03 80 21 28 57, domainesebastienmagnien@orange.fr V 🚶 ⬛ *r.-v.*

DOM. MAILLARD PÈRE ET FILS 2017

■	n.c.	◖◗	15 à 20 €

Représentant la dixième génération de viticulteurs sur le domaine (1766), Pascal Maillard (au chai) et son frère Alain (à la vigne) exploitent un vignoble constitué par leur père Daniel à partir de 1952. Aujourd'hui, pas moins de 19 ha répartis dans sept communes aux environs de la montagne de Corton, ainsi qu'à Pommard et à Volnay. Une valeur sûre, notamment en corton et en chorey.

Dans une robe aussi concentrée en couleur que le nez l'est en petits fruits rouges et noirs, ce vin offre plus de mesure au palais. L'équilibre se réalise, mais la fraîcheur et les tanins prédominent encore. Laissons-le vieillir. ⧗ 2022-2024

⊶ SAS DOM. MAILLARD PÈRE ET FILS, 2, rue Joseph-Bard, 21200 Chorey-lès-Beaune, tél. 03 80 22 10 67, contact@domainemaillard.com V 🚶 ⬛ *t.l.j. sf dim. 8h30-12h30 14h-18h*

DOM. MOISSENET-BONNARD Montée Rouge 2017 ★

■	1500	◖◗	20 à 30 €

Souvent en vue pour ses pommard, Jean-Louis Moissenet, issu d'une longue lignée vigneronne, a débuté comme responsable du rayon fruits et légumes dans la grande distribution, avant de reprendre en 1988 les vignes familiales provenant de sa grand-mère, Madame Henri Lamarche. Depuis 2015, c'est sa fille Emmanuelle-Sophie qui conduit le domaine et ses 6 ha de vignes.

Un beaune tout doré qui libère des senteurs d'agrumes et de fleurs nuancées de boisé et de miel. En bouche, il se révèle avenant grâce à son gras et à la persistance de ses arômes d'amande grillée et de vanille. ⧗ 2022-2024

⊶ EARL MOISSENET-BONNARD, 4, rue des Jardins, 21630 Pommard, tél. 03 80 24 62 34, emmanuelle-sophie@moissenet-bonnard.com V 🚶 ⬛ *r.-v.*

DOM. RENÉ MONNIER Toussaints 2017

■ 1er cru	n.c.	◖◗	20 à 30 €

Ce domaine murisaltien fondé en 1723, propriété de Xavier Monnot, répartit ses 17 ha entre plusieurs AOC beaunoises. Il est régulièrement distingué dans le Guide, notamment pour ses beaune et ses meursault.

Le *climat* Toussaints, de 6,41 ha, classé en 1er cru est situé à l'étage des marnes argoviennes, entre les réputées Cents Vignes et Les Grèves. Dans ce vin, griotte et cassis animent la palette. D'abord souple, la matière se structure ensuite autour de tanins fermes qui invitent à laisser le temps au temps. ⧗ 2022-2029

⊶ SARL DOM. RENÉ MONNIER, 6, rue du Dr-Rolland, 21190 Meursault, tél. 03 80 21 29 32, xavier-monnot@orange.fr V 🚶 ⬛ *r.-v.*

Ⓑ ALBERT MOROT Bressandes 2016

■ 1er cru	6000	◖◗	30 à 50 €

Si le château de la Creusotte possède un parc magnifique, non loin de celui de la Bouzaise, il a d'autres atouts dans sa cave également. Régulier en qualité, ce domaine beaunois de 8 ha exploite une jolie collection de 1ers crus.

Ce 1er cru tient son nom de Jean Bressans, chanoine de Beaune qui vécut au XIIIes. Cette cuvée offre tout « ce qui fait » un beaune : une robe foncée, un nez mariant fruits rouges et noirs, du volume, des tanins fins et un fruité gourmand. ⧗ 2020-2026

SAS MAISON ALBERT MOROT, Ch. de la Creusotte, 20, av. Charles-Jaffelin, 21200 Beaune, tél. 06 11 48 93 24, geoffroy@albertmorot.fr V r.-v.

DOM. C. NEWMAN Les Grèves 2016 ★

1er cru	400		30 à 50 €

Un domaine créé par Christopher Newman, constitué de parcelles rachetées entre 1972 et 1974 à son père, l'un des premiers Américains à avoir investi dans la vigne en Bourgogne, et à Alexis Lichine; des parcelles replantées à la même période : 5,5 ha de vignes, avec un pied dans chaque Côte, dont trois grands crus nuitons.

Alors que le Clos des Avaux avait reçu un coup de cœur l'an passé, c'est la parcelle de Grèves qui est à l'honneur dans cette édition. Sombre, celle-ci arbore un nez complexe de petits fruits rouges et de pivoine, nuancé de poivre. D'abord ample et ronde, elle laisse au palais le souvenir d'une matière épicée et structurée. On devra la laisser vieillir. ⧗ 2024-2029

GFA DOM. C. NEWMAN, 29, bd Clemenceau, 21200 Beaune, tél. 03 80 22 80 96, info@domainenewman.com

♥ DOM. PARIGOT Grèves 2017 ★★

1er cru	2900		30 à 50 €

Un domaine de 20 ha fondé en 1983 par Régis Parigot, qui valorise avec talent les terroirs bourguignons, témoins les nombreux coups de cœur obtenus pour ses vins de la Côte de Beaune et des Hautes-Côtes. En 2008, le fils Alexandre a pris les commandes avec la même réussite.

Avec près de 32 ha, ce *climat* représente 10 % de la surface plantée en 1er cru. Les Grèves désignent un terrain sablonneux, propice à la viticulture. La preuve en est cette cuvée issue de ceps de cinquante ans. Grenat soutenu, elle n'est pas avare en arômes de petits fruits rouges très mûrs, soulignés de boisé. Dès la mise en bouche, elle se montre concentrée, bien structurée par des tanins fondus. La finale réglissée persistante est un autre de ses atouts. ⧗ 2022-2029

SC DOM. ALEXANDRE PARIGOT, 8, rte de Pommard, 21190 Meloisey, tél. 03 80 26 01 70, domaine.parigot@orange.fr V r.-v.

STÉPHANE PIGUET Les Épenottes 2017 ★

1er cru	900		20 à 30 €

Ouvrier viticole depuis 2003 sur la propriété de ses parents, Max et Anne-Marye Piguet-Chouet, Stéphane Piguet a entrepris en 2012 de créer sa propre activité de négoce pour élargir la gamme du domaine, qui s'étend aujourd'hui aux appellations saint-romain, puligny-montrachet et corton-charlemagne.

Les épineux qui poussaient jadis à cet endroit ont laissé leur nom à ce *climat* de 7,96 ha. Café et vanille apportés par douze mois passés en chêne agrémentent le fruité de ce vin grenat. Une juste fraîcheur fruitée, une certaine puissance et des tanins de qualité en font un bon candidat à la garde. ⧗ 2022-2026

PIGUET, 16, rte de Beaune, 21190 Auxey-Duresses, tél. 06 87 54 59 02, maisonstephanepiguet@yahoo.fr V r.-v.

DOM. PILLOT-HENRY 2017

	2400		15 à 20 €

Fils d'un vigneron propriétaire de quelques ares de pommard 1er cru Les Charmots, Thomas Henry, après avoir travaillé pendant dix ans comme technicien en viticulture, a repris un domaine à Comblanchien en 2008 (le caveau est à Comblanchien) et exploite aujourd'hui 8,5 ha de vignes entre Nuits-Saint-Georges et Pommard.

Cette cuvée respire la mûre, la framboise et le sous-bois. Ronde et puissante, sa matière enveloppe le palais d'arômes de fruits rouges (cerise en confiture) persistants. ⧗ 2022-2029

EARL PILLOT-HENRY, 7, rue Nouvelle, 21700 Comblanchien, tél. 06 28 29 73 97, earl.pillot-henry@orange.fr V r.-v.

DOM. POULLEAU PÈRE ET FILS Les Prévoles 2017

	4150		20 à 30 €

Depuis le départ à la retraite de son père Michel en 1996, Thierry Poulleau (à la technique) et son épouse Florence (au commercial) gèrent les 8,3 ha du domaine familial créé par le grand-père Gaston et signent des vins souvent en vue, notamment des volnay, des chorey et des côte-de-beaune.

Avec ses 15,77 ha situés à la sortie de Beaune, en direction de Pommard, c'est le plus grand *climat* de l'appellation. Mûre et cerise griotte sont le leitmotiv de la dégustation de ce vin très frais, doté de tanins fermes sans être agressifs. ⧗ 2022-2029

SCEA DOM. POULLEAU PÈRE ET FILS, 7, rue du Pied-de-la-Vallée, 21190 Volnay, tél. 03 80 21 26 52, domaine.poulleau@wanadoo.fr V r.-v.

DOM. JACQUES PRIEUR Clos de la Féguine Monopole 2016 ★

1er cru	9000		30 à 50 €

Ce domaine de belle notoriété, établi de longue date à Meursault (fin du XVIIIes.), dispose de 22 ha de vignes pour 22 appellations, exclusivement des 1ers et des grands crus (hormis son meursault Clos de Mazeray, conduit en monopole). Entré dans le capital en 1988, Jean-Pierre Labruyère en est devenu l'actionnaire principal en 2006 et son fils Édouard en est l'actuel directeur général. La famille Labruyère est également propriétaire à Pomerol (Ch. Rouget), dans le Beaujolais, son fief d'origine (Dom. Labruyère), et en Champagne. Elle peut s'appuyer sur le talent sans faille de Nadine Gublin, l'œnologue maison depuis 1990 en charge de la direction technique depuis 2009. Une structure de négoce (Labruyère-Prieur Sélection) a été créée en 2013 pour étendre la gamme bourguignonne.

Ce producteur exploite la totalité des 1,86 ha de ce *climat* qui appartient au lieu-dit des Coucherias. Ici, le pinot noir règne presque sans partage. Nul ne s'en plaindra après la dégustation de ce vin rubis brillant, ouvert sur des arômes de cerise noire, de mûre et de chocolat. La matière est suffisamment ample pour envelopper les tanins de qualité au fil du temps. ⧗ 2022-2029

⊶ *SCEA DOM. JACQUES PRIEUR, 6, rue des Santenots, 21190 Meursault, tél. 03 80 21 23 85, info@prieur.com*

VINCENT PRUNIER Les Chouacheux 2016

■ 1er cru | 600 | | 20 à 30 €

Au départ, en 1988, 2,5 ha de vignes hérités des parents, non viticulteurs; le vignoble couvre 12,5 ha aujourd'hui, et Vincent Prunier s'est imposé comme l'une des valeurs sûres de la Côte de Beaune. En complément de son domaine, il a créé une petite structure de négoce en 2007.

Un chouacheux serait un saule en patois. C'est en bas de coteau que se situe ce *climat* et que Vincent Prunier a vendangé ses vignes de cinquante ans. Le vin a entamé son évolution : une note de cuir en témoigne dans sa palette épicée. Mais au palais, il fait preuve d'une belle jeunesse encore dans sa chair fruitée, soutenue par des tanins bien présents. Rien n'est encore joué : laissons-le vieillir. ⧗ 2022-2029

⊶ *SARL VINCENT PRUNIER, 53, rte de Beaune, 21190 Auxey-Duresses, tél. 03 80 21 27 77, sarl.prunier.vincent@orange.fr* V *r.-v.*

DOM. RAPET PÈRE ET FILS Grèves 2016

■ 1er cru | 2100 | | 30 à 50 €

Ce domaine ancien (1765) et incontournable de Pernand-Vergelesses est conduit par Vincent Rapet depuis 1985. S'il se passionne pour sa commune natale, ce dernier travaille les appellations voisines avec le même soin, sur un vignoble de 20 ha. Une valeur sûre de la Côte de Beaune.

Le *climat* des Grèves est le plus grand des quarante-deux 1ers crus beaunois et est particulièrement favorable au pinot noir. En témoigne ce vin grenat qui mêle avec subtilité les fruits noirs aux épices. Au palais, une fraîcheur fruitée et des tanins encore bien jeunes se manifestent, mais la matière ne manque certes pas et le temps saura jouer son rôle. ⧗ 2022-2029

⊶ *SAS DOM. RAPET PÈRE ET FILS, 2, pl. de la Mairie, 21420 Pernand-Vergelesses, tél. 03 80 21 59 94, vincent@domaine-rapet.com* V *r.-v.*

DOM. GEORGES ROY ET FILS Les Champs Pimont 2017

■ 1er cru | 1300 | | 15 à 20 €

Vincent Roy, le vinificateur, installé en 1998, et sa sœur Claire, arrivée quelques années plus tard, conduisent un domaine familial de 9 ha, établi dans la plaine de Chorey-lès-Beaune, en vue notamment pour ses chorey et ses aloxe-corton. Alors que la propriété vendait sa production au négoce, ils ont développé la vente directe.

Pimont vient du mot piémont, là où le «pied du mont» est en pente douce. Pente qui s'accentue sur le *climat* «Montée Rouge», situé au-dessus. Ce domaine de Chorey en exploite 32 ares dont il tire un jus au grenat brillant. Si son nez se montre discret, c'est sa bouche, à l'attaque souple et aux tanins présents, qui marque nos dégustateurs. Avec sa persistance en finale, la cave lui est ouverte. ⧗ 2022-2024

⊶ *EARL DOM. GEORGES ROY ET FILS, 20, rue des Moutots, 21200 Chorey-lès-Beaune, tél. 03 80 22 16 28, domaine.roy-fils@wanadoo.fr* V *r.-v.*

CÔTE-DE-BEAUNE

Superficie : 35 ha
Production : 990 hl (70 % rouge)

À ne pas confondre avec le côte-de-beaune-villages, l'appellation côte-de-beaune ne peut être produite que sur quelques lieux-dits de la montagne de Beaune.

DOM. DUBOIS D'ORGEVAL 2017

| 3000 | | 11 à 15 €

Installée sur la commune de Chorey-lès-Beaune, la famille Dubois d'Orgeval met en valeur 13 ha de vignes en appellations de la Côte de Beaune.

Cette cuvée or pâle dévoile un nez de fruits frais (agrumes) et de fleurs, agrémenté de subtiles notes boisées, briochées et beurrées. La bouche associe souplesse et fraîcheur, bien soutenue par une trame minérale qui tient sur la longueur. ⧗ 2019-2022

⊶ *EARL DOM. DUBOIS D'ORGEVAL, 3, rue Joseph-Bard, 21200 Chorey-lès-Beaune, tél. 03 80 24 70 89, duboisdorgeval@aol.com* V *r.-v.* E

POMMARD

Superficie : 320 ha / Production : 12 900 hl

C'est l'appellation bourguignonne la plus connue à l'étranger, sans doute en raison de sa facilité de prononciation... Les formations de calcaires tendres sont particulièrement favorables au pinot noir qui produit des vins colorés, solides, tanniques et de garde (jusqu'à dix ans). Les meilleurs *climats* sont classés en 1ers crus, dont les plus connus sont Les Rugiens et Les Épenots.

DOM. DE L'ASTE Vieilles Vignes 2016

■ | 1300 | 30 à 50 €

David Moreau s'est installé en 2009 à la tête des 6 ha plantés par ses grands-parents. Ce jeune vigneron se flatte d'être plus interventionniste à la vigne qu'à la cave. Il a lui-même greffé les sélections massales de ses vignes où il pratique aussi labour et enherbement.

Cette cuvée à la robe rouge violine est issue de vignes de 65 ans. Charmeur et sous l'emprise de l'élevage, le nez décline la griotte et le cassis sur un fond généreusement vanillé. On retrouve cette déclinaison dans une bouche vive à l'attaque, de bon volume, cadrée par des tanins fermes qui laissent un sillon d'amertume en finale. On le laisse respirer en cave. ⧗ 2020-2026

⊶ *SARL DAVID MOREAU, 2, rue de la Bussière, 21590 Santenay, tél. 06 85 96 30 28, domaine.aste@gmail.com* V *r.-v.*

BOUCHARD PÈRE ET FILS Cuvée Les Corbins 2016

■ | n.c. | | 20 à 30 €

Fondée en 1731 et propriété du Champagne Joseph Henriot depuis 1995, cette maison de négoce est à la tête d'un vaste vignoble de 130 ha, dont 12 ha en grands crus et 74 ha en 1ers crus. Elle propose une très large gamme de vins, des AOC les plus prestigieuses aux simples régionales, qui reposent dans les magnifiques caves enterrées de l'ancien château de Beaune (XVes.), conservatoire unique de très vieux millésimes.

Habituée du guide, cette cuvée couleur rubis dévoile un nez harmonieux mêlant les fruits rouges, les épices douces et les notes discrètement boisées d'un élevage mesuré (dix mois en fût). Bien dans son appellation, la bouche, fraîche et ourlée de tanins joliment extraits, restitue la puissance et la structure d'un pommard classique. Jolie finale pour ce vin au bon potentiel de garde. ⧗ 2021-2026

SAS MAISON BOUCHARD PÈRE ET FILS, 15, rue du Château, 21200 Beaune, tél. 03 80 24 80 24, contact@bouchard-pereetfils.com r.-v.
Champagne Henriot

♥ DOM. MICHEL CAILLOT Les Grands Épenots 2016 ★★

■ 1er cru | 800 | | 30 à 50 €

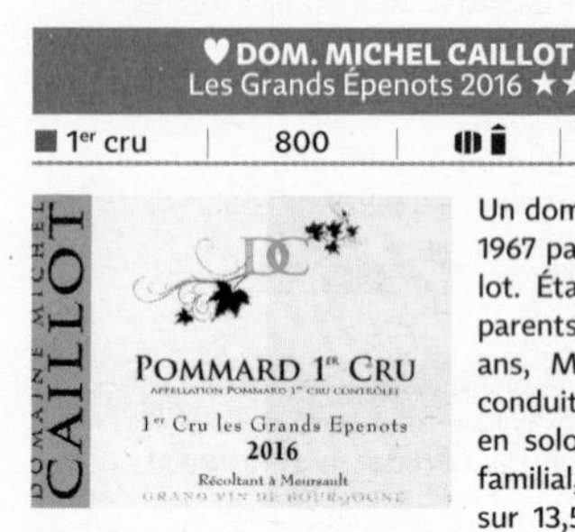

Un domaine créé en 1967 par Roger Caillot. Établi avec ses parents pendant dix ans, Michel Caillot conduit désormais en solo le vignoble familial, qui s'étend sur 13,5 ha. Sa devise : « Le moins d'interventions possible dans les vinifications. »

Un coup de cœur à l'unanimité du jury pour ce 1er cru de haute volée qui cultive l'harmonie et l'élégance. Ouvert et raffiné, le nez dévoile de francs arômes de fruits rouges bien mûrs et de cassis nuancés d'une subtile touche torréfiée. La bouche apparaît ample, ronde, structurée par des tanins à point, d'un soyeux et d'une finesse exemplaires, ouvrant sur une longue finale savoureuse entre fruits rouges, épices et sous-bois. Un 1er cru complet et déjà redoutable de gourmandise. ⧗ 2021-2026

EURL DOM. MICHEL CAILLOT, 14, rue du Cromin, 21190 Meursault, tél. 06 87 44 81 44, domaine.michel.caillot@orange.fr r.-v.

♥ CAPUANO-FERRERI Vieilles Vignes 2017 ★★

■ | n.c. | | 20 à 30 €

Associé à l'ancien footballeur Jean-Marc Ferreri, John Capuano – dont le père Gino a créé en 1987 ce domaine implanté à Santenay – exploite 8 ha de parcelles s'égrenant de Beaune à Mercurey. Très régulier en qualité.

Un domaine bien connu de nos lecteurs qui décroche le coup de cœur pour sa cuvée Vieilles Vignes (40 ans). D'un beau rouge profond, elle dévoile au nez des arômes épanouis et complexes de fruits rouges confiturés et de fruits secs soulignés d'un boisé intensément fumé. Le poivre, l'humus, la torréfaction et le sous-bois étirent encore cette palette dans une bouche ample et harmonieuse, de bonne concentration, épaulée par des tanins bien assouplis. Un vin flatteur, à l'élevage ambitieux et parfaitement maîtrisé. Bon potentiel de garde. ⧗ 2022-2027

SARL CAPUANO-FERRERI, 14, rue Chauchien, 21590 Santenay, tél. 03 80 20 68 04, john.capuano@wanadoo.fr r.-v.

MAISON CHANDESAIS 2017

■ | 11 000 | | 20 à 30 €

Un négoce familial fondé en 1933 par Émile Chandesais, sur la commune de Fontaine, au cœur de la Côte chalonnaise. Il prospère au fil des ans en assurant la vinification, l'élevage et la commercialisation de ses vins de Bourgogne. En 1993, Émile Chandesais cède sa société à la Compagnie Vinicole de Bourgogne, filiale du groupe Picard Vins et Spiritueux.

Encore réservé au nez, ce jeune pommard libère des touches discrètes de fruits rouges et de chêne. En bouche, une attaque souple et fraîche ouvre sur un palais dense, encore carré, cadré par des tanins fermes et serrés. Un pommard bien constitué qui demande à s'assouplir en cave. ⧗ 2021-2024

CVB (MAISON CHANDESAIS), rte, de Saint-Loup-de-la-Salle, 71150 Chagny, tél. 03 85 87 51 04, david.fernez@m-p.fr t.l.j. sf sam. dim. 9h-12h 14h-16h; f. août et Noël

♥ RODOLPHE DEMOUGEOT Charmots Le Cœur des Dames 2017 ★★

■ 1er cru | 2 000 | | 30 à 50 €

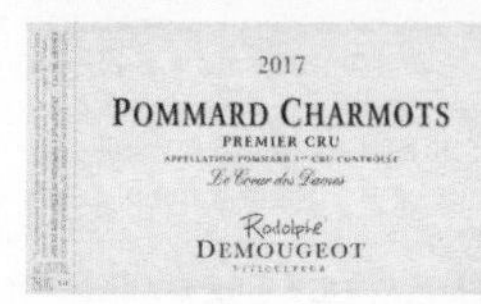

Établi à Meursault depuis 1992, Rodolphe Demougeot exploite aujourd'hui un vignoble de 7,8 ha, dont 6 ha de pinot noir, entre Savigny et Chassagne. Labours au cheval, refus des désherbants et des engrais chimiques, l'orientation est résolument biologique, et la vinification peu interventionniste.

Coup de cœur pour cette cuvée qui tire son nom, prédestiné, d'un clos en forme de cœur situé à l'intérieur du 1er cru Charmots. Sous sa robe rubis profond, le nez charme d'emblée par son harmonie entre intensité du fruit (rouges et noirs) et notes boisées. Souple, soyeuse et fraîche à l'attaque, la bouche monte lentement en puissance, dévoilant une structure sérieuse mais charmeuse, appuyée sur de beaux tanins fermes, sans une once de dureté. Un équilibre magistral pour ce vin de belle garde qui donne déjà bien du plaisir. ⧗ 2021-2024

EARL DOM. RODOLPHE DEMOUGEOT, 2, rue du Clos-de-Mazeray, 21190 Meursault, tél. 03 80 21 28 99, rodolphe.demougeot@orange.fr r.-v.

DOM. GERMAIN PÈRE ET FILS La Chanière 2016

■ | 4000 | | 20 à 30 €

Un domaine créé en 1955 par Bernard Germain, rejoint en 1976 par son fils Patrick, avec lequel il lance la mise en bouteilles. En 2010, Arnaud, le petit-fils, s'installe sur l'exploitation. Il conduit 16 ha en HVE niveau 3 depuis 2018, complétés par une activité de négoce à son nom.

Au bout de la combe de Pommard se situe cette «Chanière» (de l'ancien français du mot «chêne») qui donne naissance à cette cuvée en robe pourpre, au nez de fruits rouges et noirs (mûre, myrtille, groseille) et de réglisse. En bouche, des tanins fermes, un tantinet asséchants à ce stade, habillent un palais ample et de belle tenue, vivace et aromatique, sur la cerise fraîche et le poivre. Joliment construit et de bon augure pour la suite. ⧗ 2021-2026

SCEA DOM. GERMAIN PÈRE ET FILS, 34, rue de la Pierre-Ronde, 21190 Saint-Romain, tél. 03 80 21 60 15, contact@domaine-germain.com V t.l.j. sf dim. 8h30-12h 13h30-18h30

JEAN-MICHEL GIBOULOT En Brescul 2017

■ | 2000 | | 20 à 30 €

Un domaine familial créé en 1935, conduit depuis 1996 par Jean-Michel Giboulot, à la tête d'un vignoble de 12 ha. En agriculture biologique depuis 2010.

Un *climat* situé en haut de coteau, côté Beaune, d'où Jean-Michel Giboulot a extrait ce pinot de belle facture, au nez concentré de fruits noirs et rouges bien mûrs avec une touche grillée en appoint. Tout aussi parfumée et ample à l'attaque, la bouche se resserre sous l'effet d'une belle acidité et de tanins fermes qui demanderont un peu de patience, mais le potentiel est là. ⧗ 2020-2025

EARL DOM. JEAN-MICHEL GIBOULOT, 27, rue du Gal-Leclerc, 21420 Savigny-lès-Beaune, tél. 03 80 21 52 30, jean-michel.giboulot@wanadoo.fr V *r.-v.*

DOM. A.-F. GROS Les Pezerolles 2017

■ 1er cru | n.c. | | 50 à 75 €

Le domaine a été créé en 1988 par Anne-Françoise Gros et son mari François Parent à Pommard. Leurs enfants Caroline et Mathias conduisent aujourd'hui un vignoble de 14 ha dans les deux Côtes, mais aussi en Beaujolais (moulin-à-vent). Un domaine incontournable qui collectionne les coups de cœur.

D'une belle brillance, ce 1er cru dévoile un nez intense, gorgé de cerise noire, de fruits très mûrs et de torréfaction. Ces mêmes arômes imprègnent une bouche veloutée, très charnue, à la sucrosité affirmée, enrobée par un boisé séducteur qui attendrit les tanins et diffuse ses notes intensément fumées jusqu'en finale. Du volume et de la gourmandise pour ce joli vin de garde. ⧗ 2020-2025

SAS DOM. A.-F. GROS, 1, pl. de l'Europe, 21630 Pommard, tél. 03 80 22 61 85, contact@af-gros.com V *r.-v.*

HUBER-VERDEREAU Les Bertins 2017

■ 1er cru | 900 | | 30 à 50 €

Alsacien d'origine et formé à la sommellerie, Thiébaud Huber a repris en 1994 les terres familiales longtemps exploitées en fermage. Il cultive en bio depuis 2001 et en biodynamie depuis 2005 ses 9,2 ha de vignes, répartis sur sept communes de la Côte de Beaune, complétés en 2011 par un petit négoce.

Ce *climat* de 3,54 ha tient son nom d'une famille de Volnay. Fruits rouges et noirs frais, pâte de fruit, nuances végétales, touche de caramel, le nez ne manque pas de nuances. Une complexité que l'on retrouve dans une bouche aimable, ronde, de concentration moyenne, dotée de tanins fermes qui gagneront en souplesse avec un peu de garde. ⧗ 2022-2027

SAS DOM. HUBER-VERDEREAU, 23, RD 974, 21190 Meursault, tél. 03 80 21 64 37, contact@huber-verdereau.com V *r.-v.*

JEAN-LUC JOILLOT Les Petits Épenots 2017 ★

■ 1er cru | 2150 | | 50 à 75 €

Valeur sûre en pommard, Jean-Luc Joillot s'est installé en 1982 sur le domaine familial, aujourd'hui constitué de 15,6 ha, avec soixante parcelles dans son cru d'origine. Simon Goutard, le fils de son épouse, est depuis 2015 aux commandes des vinifications, qu'il a «assouplies».

Cet incontournable de l'appellation se distingue dans nos pages avec quatre cuvées. La première s'habille d'une robe pourpre soutenu et révèle au nez des arômes discrets de fruits noirs. Texture soyeuse, matière consistante, tanins domestiqués bien pris dans le fruit, fraîcheur acidulée, finale qui libère le fruit : «une très belle bouteille», conclut le jury, à laisser en cave. ⧗ 2022-2027 ■ **Les Noizons 2017 ★ (30 à 50 €; 6300 b.)** : derrière une robe pourpre soutenu, un nez intense de framboises bien mûres et de cuir, à peinte teinté de chêne. Très intensément parfumée, l'attaque ouvre sur un palais rond et fringant, soutenu par des tanins fermes et croquants, et prolongé par une belle acidité qui étire longuement le fruit en finale. Jeune et très prometteur. ⧗ 2022-2027 ■ **1er cru Les Charmots 2017 ★ (50 à 75 €; 2150 b.)** : le nez, discret mais plaisant, d'un beau classicisme, décline la griotte et les épices sur un fond finement torréfié. Une même retenue en bouche, mais de la rondeur, des tanins élégamment extraits, une belle fraîcheur et une longue finale sur les épices. Une juste composition à laquelle il ne manque qu'un peu de temps pour s'épanouir. ⧗ 2022-2027 ■ **En Brescul 2017 (30 à 50 €; 4600 b.)** : vin cité.

EARL DOM. JEAN-LUC JOILLOT, 6, rue Marey-Monge, 21630 Pommard, tél. 03 80 24 20 26, contact@domaine-jaillot.com V *r.-v.*

DOM. LEJEUNE Les Poutures 2017 ★

■ 1er cru | 5500 | | 30 à 50 €

Domaine transmis par les femmes depuis 1850, mais administré et vinifié par les hommes : François Jullien de Pommerol, ancien professeur à la «Viti» de Beaune décédé en 2017, rejoint en 2005 par son gendre Aubert Lefas, qui en assure aujourd'hui la direction. Vinifications en grappes entières et longs élevages sous bois sont leur signature, notamment pour les pommard, le cœur de leurs 10 ha, complétés par une activité de négoce.

Dix-huit mois de fût et une vinification en grappes entières pour ce 1er cru qui jouxte le village. Le nez en tire ses arômes épanouis, gorgés de cassis, de mûres et

BOURGOGNE

de fruits rouges qui laissent en retrait le chêne. À une attaque en souplesse succède un milieu de bouche bien serré, très pommard, cadré par des tanins puissants et la vivacité. Une structure affirmée qui verrouille provisoirement l'expression du fruit, mais qui est une belle promesse d'avenir. ⧗ 2021-2026 ■ **1er cru Les Grands Épenots 2017 ★ (50 à 75 €; 1200 b.)** : un nez intense qui fait la part belle à la mûre et à la framboise avec une touche de caramel qui apporte ce qu'il faut de complexité. La bouche, encore sous l'emprise de l'élevage, conjugue puissance, fraîcheur et assise tannique imposante. De quoi sereinement affronter les années. Un pommard bien typé. ⧗ 2023-2027

SCEV DOM. LEJEUNE, 1, pl. de l'Église, 21630 Pommard, tél. 03 80 22 90 88, commercial@domaine-lejeune.fr
t.l.j. sf dim. 9h-12h 14h-18h

CH. DE MEURSAULT Clos des Épenots 2016 ★

■ 1er cru	7636		50 à 75 €

L'emblématique Ch. de Meursault, haut-lieu du tourisme bourguignon et du folklore vineux – on y célèbre la fameuse Paulée le lendemain de la vente des Hospices de Beaune – a souvent changé de mains : famille de Pierre de Blancheton jusqu'à la Révolution; famille Serre au XIXes.; famille du comte de Moucheron; famille Boisseaux (maison Patriarche) à partir de 1973. En décembre 2012, nouveau changement : la famille Halley achète le domaine. Ce sont aujourd'hui 65 ha de vignes. Aux commandes du chai : Emmanuel Escutenaire.

Issu d'une seule parcelle de 3,60 ha attenante à Beaune, ce 1er cru aux doux reflets violets libère des senteurs délicates de cerise, de sous-bois, de camphre et de poivre. Une attaque fruitée (prune, cerise) introduit une bouche parfaitement composée, fermement tannique, fraîche, élégante. Il s'affinera un peu plus en cave. ⧗ 2019-2023

SCEV DOM. DU CH. DE MEURSAULT, rue du Moulin-Foulot, 21190 Meursault, tél. 03 80 26 22 75, domaine@chateau-meursault.com
r.-v.; f. janv-fév.

DOM. MOISSENET-BONNARD
Les Épenots 2017

■ 1er cru	3000		50 à 75 €

Souvent en vue pour ses pommard, Jean-Louis Moissenet, issu d'une longue lignée vigneronne, a débuté comme responsable du rayon fruits et légumes dans la grande distribution, avant de reprendre en 1988 les vignes familiales provenant de sa grand-mère, Madame Henri Lamarche. Depuis 2015, c'est sa fille Emmanuelle-Sophie qui conduit le domaine et ses 6 ha de vignes.

Dans le verre, des parfums qui se révèlent par touches successives : des fruits rouges mûrs, une note délicate de chêne puis la réglisse et le goudron. De la bouche, on retiendra son attaque intense, sa matière généreuse, d'abord souple, qui monte en tension sous l'effet d'une jolie acidité et de tanins plus fermes, un peu astringents en finale. Un pommard original qui aura surpris le jury, en bien. ⧗ 2020-2024 ■ **1er cru Les Charmots 2017 (30 à 50 €; 1200 b.)** : vin cité.

EARL MOISSENET-BONNARD, 4, rue des Jardins, 21630 Pommard, tél. 03 80 24 62 34, emmanuelle-sophie@moissenet-bonnard.com *r.-v.*

DOM. RENÉ MONNIER Les Vignots 2017 ★

■	4500		20 à 30 €

Ce domaine murisaltien fondé en 1723, propriété de Xavier Monnot, répartit ses 17 ha entre plusieurs AOC beaunoises. Il est régulièrement distingué dans le Guide, notamment pour ses beaune et ses meursault.

Abonné au Guide depuis de nombreuses années, ce domaine entretient sa bonne réputation avec ce 2017 déjà complexe dans sa déclinaison entre fruits (griotte, fruits rouges compotés), tabac, cèdre et encens. Les épices douces (muscade) étirent un peu plus ce nuancier dans une bouche ample, de bonne concentration, qui s'appuie sur des tanins fins et soyeux. Flatteur et harmonieux, un pommard bien en phase avec son millésime. ⧗ 2020-2026

SARL DOM. RENÉ MONNIER, 6, rue du Dr-Rolland, 21190 Meursault, tél. 03 80 21 29 32, xavier-monnot@orange.fr
r.-v.

DOM. ÉRIC MONTCHOVET 2016 ★

■	2700		20 à 30 €

Ouvrier à Pommard, le grand-père Lucien Montchovet achète quelques parcelles en friche et s'installe à Nantoux. Julien, son fils, devient vigneron en 1955. En 1987, c'est le petit-fils, Éric, qui rejoint et agrandit le domaine qui s'étend à présent sur 7 ha. En 2016, la quatrième génération entre en scène avec l'arrivée de Pierre, le fils d'Éric.

Éric Montchovet exploite 1 ha sur pommard et en tire un 2016 au nez réservé qui libère à l'aération un bouquet subtil de griotte, de fruits noirs et de vanille. Jeune et marquée par des tanins encore carrés, la bouche offre une matière généreuse qui saura domestiquer cette structure affirmée avec le temps. Un pommard de caractère. ⧗ 2021-2026

EARL ÉRIC MONTCHOVET, 7, rue Léonard, 21190 Nantoux, tél. 03 80 26 00 68, contact@bourgogne-montchovet.com
r.-v.

DOM. C. NEWMAN Vieilles Vignes 2016 ★

■	1200		30 à 50 €

Un domaine créé par Christopher Newman, constitué de parcelles rachetées entre 1972 et 1974 à son père, l'un des premiers Américains à avoir investi dans la vigne en Bourgogne, et à Alexis Lichine; des parcelles replantées à la même période : 5,5 ha de vignes, avec un pied dans chaque Côte, dont trois grands crus nuitons.

Très souvent en vue dans le Guide pour ses beaune, le domaine signe ce pommard au nez généreux, entre fruits noirs, végétal frais et notes fumées du chêne (seize mois d'élevage). La même générosité s'invite dans une bouche charnue, fraîche, aux tanins puissants mais enrobés par l'élevage, qui laissent s'exprimer le fruit (cassis frais, mûre) et le végétal en finale. Un pommard traditionnel qui profitera d'un bref séjour en cave. ⧗ 2020-2024

GFA DOM. C. NEWMAN, 29, bd Clemenceau, 21200 Beaune, tél. 03 80 22 80 96, info@domainenewman.com

MANUEL OLIVIER Les Arvelets 2016

■ 1er cru | 332 | | 30 à 50 €

Installé en 1990, Manuel Olivier, fils d'agriculteurs, a commencé par cultiver les vignes et les petits fruits dans les Hautes-Côtes de Nuits. Aujourd'hui spécialisé en viticulture, il exploite un vignoble de 11 ha, complété depuis 2007 par une structure de négoce qui lui a permis de mettre un pied en Côte de Beaune.

Du caractère et de la fermeté à revendre dans ce 1er cru à la robe rouge sombre qui exhale le fruit (mûre, cassis, cerise), le sous-bois et le chêne. Ample et riche à l'attaque, le palais déploie une structure solide et vigoureuse, marquée par des tanins puissants et astringents. Une belle constitution qui exige de la patience. ⧗ 2022-2027

SARL MANUEL OLIVIER, 7, rue des Grandes-Vignes, hameau de Corboin, 21700 Nuits-Saint-Georges, tél. 03 80 62 39 33, contact@domaine-olivier.com t.l.j. sf dim. 9h-12h 14h-19h

Ⓑ DOM. PARENT Les Épenots 2016

■ 1er cru | 3148 | | 50 à 75 €

Fondé en 1803, ce domaine historique de Pommard possède une belle collection de *villages* et de 1ers crus dans cette appellation, dont il est l'une des valeurs sûres. Il est dirigé depuis 1998 par Anne Parent et Catherine Pagès-Parent, filles de Jacques, qui disposent de 10 ha de vignes complétés par une activité de négoce.

Les seize mois de fût, dont un tiers de bois neuf, n'ont pas éteint le fruit de ce pommard délicat, au nez retenu, floral et vanillé. Concentrée, dense, d'une rondeur aimable à l'attaque, la bouche s'organise autour de tanins serrés mais bien extraits. L'ensemble laisse le souvenir d'un vin harmonieux, à fort potentiel. ⧗ 2021-2026 ■ **La Croix Blanche 2016 (30 à 50 €; 2066 b.)** Ⓑ : vin cité.

SAS DOM. PARENT, 3, rue de la Métairie, 21630 Pommard, tél. 03 80 22 15 08, contact@domaine-parent.com r.-v.

DOM. PARIGOT Les Riottes 2017 ★

■ | 5500 | | 30 à 50 €

Un domaine de 20 ha fondé en 1983 par Régis Parigot, qui valorise avec talent les terroirs bourguignons, témoins les nombreux coups de cœur obtenus pour ses vins de la Côte de Beaune et des Hautes-Côtes. En 2008, le fils Alexandre a pris les commandes avec la même réussite.

Déjà étoilée l'année passée, la cuvée n'a rien perdu de son charme dans le millésime 2017. Le nez, ouvert, «pinote» joyeusement : griotte, poivre noir, girofle et une touche de rafle. Enrobée par une belle matière, la bouche se montre ronde, fruitée, soutenue par des tanins croquants et prolongée par une finale acidulée très stimulante. ⧗ 2022-2027

SC DOM. ALEXANDRE PARIGOT, 8, rte de Pommard, 21190 Meloisey, tél. 03 80 26 01 70, domaine.parigot@orange.fr r.-v.

MICHEL REBOURGEON Cuvée William 2016 ★

■ | 858 | | 20 à 30 €

Ce domaine établi au cœur de Pommard a pris le nom de Dom. Michel Rebourgeon en 1964 avec les parents de Delphine Whitehead. Cette dernière est aux commandes depuis 1996 avec son mari Stephen et exploite un petit vignoble de 3,55 ha en AOC beaune, pommard et volnay. Leur fils William les rejoint en 2017.

Cette cuvée dédiée au fils aîné du couple respire le pinot et l'équilibre. Au nez, de la discrétion mais de la nuance : petits fruits rouges frais, sous-bois, touche de poivre, boisé subtil. En bouche, tout est au diapason : la matière plus tendre que concentrée, les tanins fins et fermes, la fraîcheur parfaitement dosée. Un pommard harmonieux qui gagnera sans doute en expression avec un peu de cave. ⧗ 2022-2026

EARL MICHEL REBOURGEON, 7, pl. de l'Europe, 21630 Pommard, tél. 06 03 52 42 32, michel.rebourgeon@wanadoo.fr r.-v.

DOM. REBOURGEON-MURE Grands Épenots 2017

■ | 1800 | | 30 à 50 €

Un ancêtre s'installe à Pommard en 1552 et prend à bail pour quatre-vingt-dix-neuf ans des vignes de l'abbaye Sainte-Marguerite-de-Bouilland. Aujourd'hui, les Rebourgeon-Mure conduisent 7 ha et s'illustrent régulièrement avec leurs pommard et leurs volnay.

Connu pour être largement à la hauteur d'un grand cru, ce *climat* est dignement représenté par cette cuvée, peu diserte au nez, mais charmeuse par sa bouche soyeuse, son grain de tanins velouté et sa finale acidulée qui donnent une sensation de puissance retenue. Un équilibre et une élégance qui ne sont pas sans rappeler un volnay, conclut un dégustateur. ⧗ 2022-2026

SCEA DOM. REBOURGEON-MURE, 6, Grande-Rue, 21630 Pommard, tél. 03 80 22 75 39, rebourgeon.mure@orange.fr r.-v.

DOM. JOËL REMY Les Vignots 2017

■ | n.c. | | 20 à 30 €

Un domaine fondé en 1853 au sud-est de Beaune, repris en 1988 par Joël Remy (cinquième génération), qui met en valeur avec son épouse Florence et leur fils Maxime, arrivé en 2015, un vignoble de 12 ha répartis dans plusieurs appellations de la Côte de Beaune.

Culminant à 330 m d'altitude, ce *climat* regroupe les «vignes en haut». De ce terroir naît ce 2017 à la robe violine et au nez friand de cassis et de groseille. Encore jeune, fine, étirée, la bouche privilégie la tension à la largeur et séduit par son profil résolument minéral. ⧗ 2022-2026

SARL DOM. REMY, 64, rue du Paradis, 21200 Sainte-Marie-la-Blanche, tél. 03 80 26 60 80, domaine.remy@wanadoo.fr r.-v.

DOM. SAINT-MARC Les Chanlins 2017

■ | 2000 | | 20 à 30 €

Un domaine de 7,5 ha situé à la limite des Maranges, dans les Hautes-Côtes de Beaune. Il a été créé en 1980 à partir de 40 ares de vignes par Jean-Claude

Mitanchey, rejoint en 2011 par son fils Arnaud. Ils ont agrandi et modernisé la cuverie et se sont offerts, en 2015, un nouveau chai de vieillissement.

Cerise, kirsch, cassis et réglisse, le nez ne manque ni de typicité, ni de séduction. Avec son attaque intense, son corps généreux, sa souplesse de tanins, sa belle fraîcheur et sa longueur, la bouche ne manque pas non plus d'atouts. Un pommard bien équilibré qui devrait bien évoluer en cave. ⧗ 2020-2024

SARL DOM. SAINT-MARC, 1, rue de Nolay, 71150 Paris-L'Hôpital, tél. 03 85 91 13 14, domaine@saint-marc.fr V r.-v.

VAUDOISEY-CREUSEFOND
La Croix Blanche 2017 ★

■ | 3000 | ◍ | 20 à 30 €

Héritiers d'une longue lignée vigneronne, Alexandre Vaudoisey, arrivé en 2011, a pris la suite de son père Henri en 2017. Il exploite 8 ha répartis entre Pommard, leur fief, Auxey-Duresses, Meursault et Volnay, pratique l'enherbement et vinifie avec des levures indigènes.

En face des «Grands Épenots» une croix en pierre blanche a donné son nom à ce petit *climat*. Ce 2017 dévoile un nez plaisant de griotte, de fruits noirs et d'épices. Des notes épanouies que l'on retrouve avec plaisir dans une bouche qui se révèle à la fois ronde et fringante, appuyée sur des tanins conséquents mais au grain fin qui augurent d'un bel avenir. Un bon ambassadeur de l'appellation. ⧗ 2022-2027

EARL VAUDOISEY-CREUSEFOND, 16, rte d'Autun, 21630 Pommard, tél. 03 80 22 48 63, vaudoisey-creusefond@wanadoo.fr V r.-v.

LES VIGNOTS 2016

■ | 1500 | 20 à 30 €

Petit domaine propriétaire d'une parcelle à Pommard, mené par Joëlle et Maurice Mégard qui en tire une seule cuvée, élevée à Beaune dans une jolie cave voûtée du XVIIIes.

Ce 2016 en robe pourpre sombre s'ouvre sur un nez gourmand de fruits compotés et de baies sauvages. En bouche, une jolie matière, de la mâche, un fruit épanoui tirant sur le végétal, une vivacité de bon aloi, des tanins serrés, de la finesse : le jury a apprécié. À oublier en cave une paire d'années. ⧗ 2021-2025

GFA LES VIGNOTS, 3C, rue du Tribunal, 21200 Beaune, tél. 06 09 46 61 47, maurice@megard.com V r.-v.

VOLNAY

Superficie : 207 ha / Production : 7 735 hl

Blotti au creux du coteau, le village de Volnay évoque une jolie carte postale bourguignonne. Moins connu que Pommard son voisin, le vignoble n'a rien à lui envier. Ses vins sont tout en finesse; ils vont de la légèreté des Santenots, situés sur la commune voisine de Meursault, à la solidité et à la vigueur du Clos des Chênes ou des Champans. Nous ne citerons pas tous ses trente 1ers crus, de peur d'en oublier... Le Clos des Soixante Ouvrées y est également très connu et donne l'occasion de définir cette mesure : 4 ares et 28 centiares, unité de base des terres viticoles, correspondant à la surface travaillée à la pioche par un ouvrier au Moyen Âge dans sa journée.

DOM. ALBERT BOILLOT Les Petits Poisots 2017

■ | 2700 | ◍ | 20 à 30 €

La famille Boillot, qui a donné naissance à l'un des fondateurs français du vignoble californien, Paul Masson, est établie à Volnay depuis la fin du XVIIes. Raymond Boillot, installé en 1988, conduit aujourd'hui un domaine de 4 ha dédié au pommard, au volnay et aux AOC régionales.

Longeant la route des vins, les 3,54 ha de ce domaine tirent leur nom d'une source proche. La robe cerise de ce vin annonce ce qui sera la ligne conductrice de la dégustation : la fraîcheur. Les fruits noirs se discernent à l'olfaction, puis c'est une texture fine et gourmande qui se révèle. Gageons que la petite austérité finale ne sera que passagère. ⧗ 2022-2025

SCEA DOM. ALBERT BOILLOT, 2, ruelle Saint-Étienne, 21190 Volnay, tél. 03 80 21 61 21, dom.albert.boillot@wanadoo.fr V r.-v.

PIERRICK BOULEY Champans 2017

■ 1er cru | 1500 | ◍ | 30 à 50 €

En 2016 Pierrick Bouley a créé une petite structure de négoce, en complément de son domaine, après les aléas climatiques qui ont marqué la région lors de plusieurs années successives. Depuis, il a privilégié des vinifications naturelles.

Troisième 1er cru par sa surface, Champans couvre 10 % de l'appellation 1er cru. Fruits rouges, vanille et café accompagnent le développement d'un 2017 très souple, qui joue la carte de la légèreté. ⧗ 2020-2022

SAS PIERRICK BOULEY, 5, pl. de l'Église, 21190 Volnay, tél. 06 82 94 39 61, pierrick.bouley@sfr.fr V r.-v.

♥ DOM. RÉYANE ET PASCAL BOULEY
Ronceret 2017 ★★

■ 1er cru | 600 | ◍ | 30 à 50 €

Succédant à quatre générations de vignerons, Réyane et Pascal Bouley exploitent un vignoble de 9 ha répartis sur une cinquantaine de parcelles, principalement à Volnay (dont six 1ers crus), mais aussi à Pommard et à Monthelie. Arrivé en 2005, leur fils Pierrick a pris la relève.

Un coup de cœur dans l'un des plus petits 1ers crus parmi les vingt-neuf que compte Volnay. Sur 3,60 ha, *ce climat* tient son nom des ronces qui poussaient là autrefois. Sous une teinte rubis soutenu, les arômes de petits fruits rouges et noirs (mûre, cassis, myrtille) s'égrènent subtilement, nuancés d'une touche de café héritée de l'élevage. Souple, le vin laisse une impression de rondeur fruitée, fort gourmande, car si les tanins se manifestent, ils demeurent élégants sous des accents de cacao et de réglisse. ⧗ 2022-2024 ■ **1er cru Clos des Chênes 2017 ★ (30 à 50 €; 1500 b.)** : un 1er cru aux arômes de fruits noirs et de sous-bois. Généreux et doté de tanins soyeux, il saura vieillir avec grâce. ⧗ 2022-2025

EARL DOM. RÉYANE ET PASCAL BOULEY, 5, pl. de l'Église, 21190 Volnay, tél. 03 80 21 61 69, bouleypascal@wanadoo.fr r.-v.

DOM. LAURENT ET KAREN BOUSSEY 2016

■ | 3600 | | 20 à 30 €

À la tête du domaine familial depuis 2003, Laurent et Karen Boussey exploitent 14 ha de vignes répartis dans de nombreuses appellations, d'Aloxe-Corton à Meursault.

À Volnay, avec 46 % d'occupation des sols, l'appellation communale est minoritaire par rapport aux 1ers crus. Un parfum intense de fruits rouges (cerise griotte) et de torréfaction émane de ce 2016. Au palais, l'équilibre se réalise entre corps et fraîcheur, mais les tanins méritent de s'assouplir. ⧗ 2022-2026

EARL DOM. LAURENT BOUSSEY, 1, rue du Pied-de-la-Vallée, 21190 Monthélie, tél. 03 80 20 02 33, laurent.boussey@sfr.fr r.-v.

DOM. VINCENT BOUZEREAU Les Champans 2016

■ 1er cru | 900 | | 30 à 50 €

Issu d'une ancienne famille de vignerons et installé dans l'ancien prieuré du château de Meursault, dont l'un de ses ancêtres était propriétaire, Vincent Bouzereau a pris la suite de son père en 1990 à la tête de ce domaine de 10 ha, souvent en vue pour ses meursault.

Placé un peu plus bas sur la pente, les Champans constitue le troisième 1er cru par sa surface. Issu de vignes de quarante ans et après un élevage de dix-huit mois en fût, ce 2016 est indéniablement boisé dans ses arômes. Une touche de cassis se distingue cependant. En bouche, les tanins de qualité structurent fermement la matière. Dans quelques années, tout sera rentré dans l'ordre. ⧗ 2022-2026

EARL VINCENT BOUZEREAU, 25, rue de Mazeray, 21190 Meursault, tél. 03 80 21 61 08, vincent.bouzereau@wanadoo.fr r.-v.

DOM. MICHEL CAILLOT Clos des Chênes 2016

■ 1er cru | 1400 | | 30 à 50 €

Un domaine créé en 1967 par Roger Caillot. Établi avec ses parents pendant dix ans, Michel Caillot conduit désormais en solo le vignoble familial, qui s'étend sur 13,5 ha. Sa devise : « Le moins d'interventions possible dans les vinifications. »

Ce clos de 15,40 ha comprend deux parties bien distinctes en termes géologiques, l'une composée de sols bruns et d'un sous-sol de calcaire du jurassique (le haut du coteau), l'autre plus marneuse et plus fraîche (le bas du coteau). Ce 2016 pourpre, qui allie les fruits noirs à un boisé discret, semble accessible. Au palais, il offre une matière plutôt ronde, toute empreinte de griotte, dans laquelle les tanins se fondent. ⧗ 2021-2026

EURL DOM. MICHEL CAILLOT, 14, rue du Cromin, 21190 Meursault, tél. 06 87 44 81 44, domaine.michel.caillot@orange.fr r.-v.

DOM. Y. CLERGET
Clos du Verseuil Monopole 2016 ★

■ 1er cru | 3800 | | 50 à 75 €

Les Clerget sont établis dans le vignoble bourguignon depuis le... XIIIes.! Thibaud, lui, s'est installé en 2015 à la tête du domaine, avec à sa disposition 6 ha de vignes de Meursault jusqu'au Clos Vougeot.

Ce monopole régulièrement distingué dans nos colonnes est contigu du réputé 1er cru Taille Pied. Une impression de concentration ressort de la teinte grenat profond de ce vin. Cependant, c'est la subtilité qui se révèle dans les arômes de fruits noirs et de baies sauvages. Les tanins souples soutiennent l'agréable développement d'une matière fruitée et épicée (griotte, framboise). ⧗ 2021-2026 ■ **1er cru Les Caillerets 2016 (50 à 75 €; 1500 b.)** : vin cité.

SCEV DOM. YVON CLERGET, 12, rue de la Combe, 21190 Volnay, tél. 03 80 21 61 56, thibaud@domaine-clerget.com r.-v.

DOM. DE LA CONFRÉRIE
Santenots 2016

■ 1er cru | 1200 | | 30 à 50 €

Depuis 1991, Christophe Pauchard est installé dans les Hautes-Côtes, à Cirey, au-dessus du village de Nolay; un secteur verdoyant, aux allures de hameau d'alpage. Son vignoble de 10 ha s'étend depuis 2005 jusqu'à Meursault où le vigneron a acquis une parcelle.

La vigne a connu 60 vendanges, ce qui « fait un bout » comme on dit en Bourgogne. Sous une robe rubis s'expriment des notes de boisé et de fruits rouges épicés. Les tanins denses se mettent en avant au palais, mais la matière est suffisante pour les intégrer au cours de la garde. ⧗ 2024-2030

EARL CHRISTOPHE PAUCHARD (DOM. DE LA CONFRÉRIE), 37, rue Perraudin, Cirey, 21340 Nolay, tél. 06 87 39 29 07, info@domaine-pauchard.fr r.-v.

DOM. HENRI DELAGRANGE
Clos des Chênes 2016 ★

■ 1er cru | 4000 | | 30 à 50 €

Valeur sûre de Volnay, Didier Delagrange a rejoint son père en 1990 sur le domaine familial, pour lui succéder en 2003. Il a porté la superficie du vignoble à 14,5 ha, répartis dans différentes AOC de la Côte de Beaune.

Ce *climat* situé sous la montagne du Chagnot à Volnay doit son nom aux chênes qui le surplombent. Le verre brille des reflets violines de ce vin bien ouvert sur des notes de framboise mûres, voire confiturées. Après une attaque souple, les tanins apparaissent, mais ils s'enveloppent sans tarder dans la matière généreuse. Et les flaveurs de fruits rouges très mûrs de se prolonger en finale. ⧗ 2020-2030

EARL DOM. HENRI DELAGRANGE ET FILS, 7, cours François-Blondeau, 21190 Volnay, tél. 03 80 21 64 12, didier@domaine-henri-delagrange.com r.-v.

MAXIME DUBUET-BOILLOT
Carelles sous la Chapelle 2017 ★

■ 1er cru | 1500 | | 30 à 50 €

Maxime Dubuet-Boillot a créé en 2016 une structure de négoce sur un terroir qui lui est familier. Son grand-père y possédait des vignes.

Une vigne de 65 ans a donné naissance à un volnay tout en petits fruits rouges. Une note de cacao se dessine discrètement. Les tanins soyeux et vanillés s'intègrent agréablement dans la matière chaleureuse. La gourmandise prévaut : rien ne sert d'attendre de longues années pour en profiter. ⧗ 2020-2024

SAS MAXIME DUBUET-BOILLOT, 2, rue de la Tour, 21190 Volnay, tél. 06 29 81 95 32, maxime.dubuet@hotmail.fr V r.-v.

VINCENT GIRARDIN Santenots 2016

■ 1er cru | 11000 | | 50 à 75 €

Une maison de grande qualité créée en 1984 par Véronique et Vincent Girardin, cédée en 2012 à leur partenaire historique la Compagnie des Vins d'Autrefois, dirigée par Jean-Pierre Nié. Les équipes techniques et commerciales sont restées les mêmes, et les vins sont toujours vinifiés à Meursault par Éric Germain, bras droit de Vincent Girardin pendant dix ans.

S'il existe des divergences sur l'origine du nom du *climat* des Santenots, il n'y pas de doute sur la qualité de ce 1er cru situé sur l'AOC meursault mais qui, quand il est planté en pinot noir, passe en volnay. Ici, fruits rouges et noirs mûrs se révèlent à l'aération, nuancés de boisé. La fraîcheur n'est pas absente de ce vin souple et les tanins se feraient presque oublier tant ils sont fins. ⧗ 2021-2028

SAS VINCENT GIRARDIN, 5, imp. des Lamponnes, 21190 Meursault, tél. 03 80 20 81 00, vincent.girardin@vincentgirardin.com

BAPTISTE GUYON Vieilles Vignes 2017

■ | 5000 | | 20 à 30 €

Baptiste Guyot a repris en 2010 le domaine familial qui avait cessé sa production en bouteilles au milieu des années 1990. Très vite, il en a augmenté la superficie cultivée jusqu'à atteindre 9 ha aujourd'hui.

Cassis et épices définissent le profil aromatique de ce volnay très frais, qui doit encore gagner en rondeur avec le temps. ⧗ 2022-2024

SARL BAPTISTE GUYOT, 48, rue du Faubourg-Saint-Martin, 21200 Beaune, tél. 06 69 08 76 62, baptiste.guyot@wanadoo.fr V r.-v. 4

DOM. HUBER-VERDEREAU Robardelles 2017

■ | 2100 | | 20 à 30 €

Alsacien d'origine et formé à la sommellerie, Thiébaud Huber a repris en 1994 les terres familiales longtemps exploitées en fermage. Il cultive en bio depuis 2001 et en biodynamie depuis 2005 ses 9,2 ha de vignes, répartis sur sept communes de la Côte de Beaune, complétés en 2011 par un petit négoce.

Ce lieu-dit situé en bas de coteau a la particularité d'être classé pour partie en 1er cru et pour l'autre, comme ici, en *village*. Dans le verre, un vin issu de vignes de 75 ans. Couleur rubis, il concède tout au fruit noir finement épicé. Les tanins bien présents et une belle fraîcheur assureront une évolution favorable dans le temps. ⧗ 2022-2028

SAS DOM. HUBER-VERDEREAU, 23, RD 974, 21190 Meursault, tél. 03 80 21 64 37, contact@huber-verdereau.com V r.-v.

AMERIC MAZILLY 2017

■ | 2100 | | 20 à 30 €

En 2004, Aymeric Mazilly a créé une maison de négoce, tout en continuant de travailler avec son père dans le vignoble familial.

Cette cuvée de *village* a revêtu un habit soutenu. Entre boisé et fruits rouges (cerise, groseille), le nez paraît discret, mais complexe. On perçoit du potentiel dans la matière à la fraîcheur soutenue et aux tanins de qualité. ⧗ 2022-2028

SARL MAISON AYMERIC MAZILLY, 3, pl. de l'Europe, 21190 Meursault, tél. 03 80 26 02 00, claudinemazilly@orange.fr V r.-v.

DOM. DU CH. DE MEURSAULT
Clos des Chênes 2016

■ 1er cru | 12784 | | 50 à 75 €

L'emblématique Ch. de Meursault, haut-lieu du tourisme bourguignon et du folklore vineux – on y célèbre la fameuse Paulée le lendemain de la vente des Hospices de Beaune – a souvent changé de mains : famille de Pierre de Blancheton jusqu'à la Révolution; famille Serre au XIXes.; famille du comte de Moucheron; famille Boisseaux (maison Patriarche) à partir de 1973. En décembre 2012, nouveau changement : la famille Halley achète le domaine. Ce sont aujourd'hui 65 ha de vignes. Aux commandes du chai : Emmanuel Escutenaire.

Né d'une vaste vigne (2,63 ha sur les 15,40 ha que comptent le *climat*), ce vin aux reflets violines libère sans ambages ses parfums de fruits rouges et noirs qu'accompagne le boisé (quinze mois d'élevage). Structurée, la matière est encore renforcée par le boisé. Sa persistance laisse entrevoir une belle garde. ⧗ 2022-2030

SCEV DOM. DU CH. DE MEURSAULT, rue du Moulin-Foulot, 21190 Meursault, tél. 03 80 26 22 75, domaine@chateau-meursault.com V r.-v.; *f. janv-fév.*

JEAN-RENÉ NUDANT Les Santenots 2016

■ 1er cru | 2000 | | 30 à 50 €

Un Guillaume Nudant d'Aloxe-Corton était déjà vigneron en 1453. Son descendant, Guillaume également, a rejoint en 2003 son père Jean-René sur le domaine familial de 16 ha, planté pour l'essentiel autour de la montagne de Corton, complété par une activité de négoce.

Entre les «Blancs» et «Ceux du milieu», les Santenots représentent 10,92 ha. De ce *climat* est né un 2016 aux accents légèrement fumés, qui allie le cassis au boisé de son élevage. Après une belle attaque, les tanins pactisent avec le fruit. ⧗ 2022-2028

SARL JEAN-RENÉ NUDANT, 11, rte de Dijon, 21550 Ladoix-Serrigny, tél. 03 80 26 40 48, domaine.nudant@wanadoo.fr V t.l.j. sf dim. 8h30-12h 13h30-17h30; sam. sur r.-v.

DOM. POULLEAU PÈRE ET FILS 2017 ★

■	3820		20 à 30 €

Depuis le départ à la retraite de son père Michel en 1996, Thierry Poulleau (à la technique) et son épouse Florence (au commercial) gèrent les 8,3 ha du domaine familial créé par le grand-père Gaston et signent des vins souvent en vue, notamment des volnay, des chorey et des côte-de-beaune.

Sous une robe rubis s'expriment des arômes fort engageants de boisé et de fruits rouges épicés. La matière met en avant des tanins denses, mais non dénués de soyeux, qui respectent le fruit. De la persistance, de l'équilibre et une certaine complexité. Un volnay représentatif de son millésime. ⧗ 2020-2025

SCEA DOM. POULLEAU PÈRE ET FILS, 7, rue du Pied-de-la-Vallée, 21190 Volnay, tél. 03 80 21 26 52, domaine.poulleau@wanadoo.fr V r.-v.

DOM. RÉGIS ROSSIGNOL-CHANGARNIER
Les Mitans 2016 ★

■ 1er cru	1700		20 à 30 €

Installé en 1966, Régis Rossignol exploite un domaine de 7,25 ha, dont le vignoble s'étend de Savigny-lès-Beaune à Meursault, en passant par Beaune, Pommard et Volnay, son fief. Un vignoble en grande partie issu des vignes ayant appartenu à sa famille (Dom. François Rossignol-Boillot et Dom. Pierre Changarnier), complété par des achats.

Ce mot du vieux français désignait le centre ou le milieu. Depuis de le bas de la colline, c'est justement sa position à mi-coteau et au milieu d'autres 1ers crus qui rend ce *climat* remarquable. Un vin aux reflets violines et au nez de fruits noirs mûrs se révèle volontiers dans le verre. Les tanins serrés soutiennent une matière tout aussi fruitée et fraîche, avec en finale quelques notes boisées. ⧗ 2022-2030 ■ **2016 (20 à 30 €; 5600 b.)** : vin cité.

SCE DOM. RÉGIS ROSSIGNOL-CHANGARNIER, 3, rue d'Amour, 21190 Volnay, tél. 03 80 21 61 59, regisrossignol@free.fr V t.l.j. sf sam. dim. 9h-12h 14h-18h30

DOM. DES TERRES DE VELLE Le Ronceret 2016

■ 1er cru	1200		30 à 50 €

Un domaine créé en 2009 par Fabrice Laronze, avec Sophie, son épouse, et Junji Hashimoto, leur bras droit japonais. Établis dans un ancien moulin au bord de la Velle, ces derniers exploitent une petite « mosaïque à la bourguignonne » de 6 ha répartis sur plusieurs AOC de la Côte de Beaune.

Sur 3,60 ha, ce climat tient son nom des ronces qui poussaient là autrefois. Grenat intense, ce volnay a ce petit plus qu'on appelle de l'élégance. Mais quel est-il ce petit plus? Tiendrait-il aux arômes de fruits rouges à peine nuancés de floral? Ou bien aux tanins jamais sévères, qui prennent le parti d'une agréable matière? On ne le gardera pas trop longtemps en cave. Qu'importe finalement! ⧗ 2021-2024

SARL DOM. DES TERRES DE VELLE, 2, chem. Sous-la-Velle, 21190 Auxey-Duresses, tél. 03 80 22 80 31, info@terresdevelle.fr V r.-v.

♥ CHRISTOPHE VAUDOISEY
Clos de Chênes 2017 ★★

■ 1er cru	n.c.		20 à 30 €

Fondé en 1804, ce domaine a vu passer huit générations de vignerons. Secondé par son fils Pierre, Christophe Vaudoisey, souvent en vue pour ses volnay, est installé depuis 1985 à la tête de 12 ha en volnay, pommard et meursault.

Habituée des coups de cœur, la famille Vaudoisey se distingue grâce à deux vins dans le charmeur millésime 2017. Ce Clos des Chênes livre d'amples arômes de fruits noirs et de poivre. Une ampleur qui caractérise aussi la matière empreinte d'un fruité mûr, de vanille et de réglisse. Les tanins lui offrent leur soutien avec délicatesse. ⧗ 2020-2025 ■ **2017 (20 à 30 €; n.c.)** : vin cité.

SCEV CHRISTOPHE VAUDOISEY, 1, rue de la Barre, 21190 Volnay, tél. 03 80 21 20 14, christophe.vaudoisey@wanadoo.fr V r.-v.

DOM. JEAN VAUDOISEY 2016 ★

■	1200		20 à 30 €

Un domaine familial conduit depuis 2015 par la septième génération vigneronne : Romain et Baptiste Vaudoisey, petits-fils de Jean, parti à la retraite à… 82 ans. À leur disposition, un vignoble de 7,5 ha.

Pas moins de 1,19 ha, et pourtant c'est un petit volume qui a été mis en bouteilles en raison sûrement de l'épisode gélif d'avril 2016. Un volnay sombre, au nez ouvert de petits fruits rouges et de sous-bois. Après une attaque souple, une agréable fraîcheur se révèle et les tanins accompagnent le développement des saveurs sans agressivité. La finale décline sur une bonne longueur des notes de grillé et de sous-bois. ⧗ 2020-2025

EARL DOM. JEAN VAUDOISEY, 8, rue du Pied-de-la-Vallée, 21190 Volnay, tél. 03 80 21 62 59, jeanvaudoisey@gmail.com V r.-v.

MONTHÉLIE

Superficie : 120 ha
Production : 4 745 hl (85 % en rouge)

Moins connu que ses voisins, Volnay au nord et Meursault au sud, le village de Monthelie est installé à l'entrée de la combe de Saint-Romain qui sépare les terroirs à rouges des terroirs à blancs; ses coteaux exposés au sud donnent des vins d'excellente qualité.

ARTHUR BAROLET 2017 ★

■	1176		20 à 30 €

Derrière cette étiquette se trouve la maison de négoce Henri de Villamont installée à Savigny-lès-Beaune depuis

1880. Ce propriétaire (10 ha) et négociant-éleveur est dans le giron du groupe suisse Schenk depuis 1964.

Une belle robe jaune aux reflets verts habille cette cuvée au nez élégant de cédrat, de bergamote et de fruits blancs. La bouche se montre franche et fraîche en attaque, puis évolue vers un profil plus rond et onctueux. ⧗ 2020-2023

SARL ARTHUR BAROLET ET FILS, rue du Dr-Guyot, 21420 Savigny-lès-Beaune, tél. 03 80 21 50 59, contact@hdv.fr V r.-v.

PIERRICK BOULEY Les Clous 2017 ★

■ 1er cru | 900 | | 20 à 30 €

En 2016 Pierrick Bouley a créé une petite structure de négoce, en complément de son domaine, après les aléas climatiques qui ont marqué la région lors de plusieurs années successives. Depuis, il a privilégié des vinifications naturelles.

Variante bourguignonne du mot « clos », les Clous est l'un des deux 1ers crus de l'appellation qui se situent côté Auxey-Duresses. Pierrick Bouley y cultive 60 ares à l'origine d'un vin ouvert sur les fruits rouges et noirs (cassis, groseille), les épices et de fines notes boisées. La bouche, tout aussi expressive, ronde en attaque, s'adosse à des tanins fermes qui s'assoupliront avec les années. ⧗ 2022-2027

SAS PIERRICK BOULEY, 5, pl. de l'Église, 21190 Volnay, tél. 06 82 94 39 61, pierrick.bouley@sfr.fr V r.-v.

DOM. ÉRIC BOUSSEY Les Riottes 2017 ★

■ 1er cru | 2500 | | 20 à 30 €

Grande famille de vignerons de Monthelie (Jean-Baptiste, le grand-père, fut l'un des précurseurs de la mise en bouteilles), les Boussey exploitent 5 ha répartis sur plusieurs AOC en Côte de Beaune. Éric, installé en 1981, a complété son activité en 2007 par une structure de négoce.

Ce 1er cru d'Éric Boussey est souvent en vue dans ces pages. Le 2017 fait belle impression avec son bouquet de cerise, de réglisse et d'épices. Il séduit aussi avec sa bouche charnue, veloutée et longue, étayée par des tanins soyeux. Sa longue finale lui confère de la fraîcheur et du relief. Une bouteille pour la cave. ⧗ 2022-2028 ■ **La Combe d'Anay 2017 (15 à 20 €; 3800 b.)** : vin cité.

EARL DOM. ÉRIC BOUSSEY, 21, Grande-Rue, 21190 Monthelie, tél. 03 80 21 60 70, ericboussey@orange.fr V r.-v.; f. 15-23 août

DOM. MICHEL CAILLOT Les Barbières 2016

■ 1er cru | 1100 | | 15 à 20 €

Un domaine créé en 1967 par Roger Caillot. Établi avec ses parents pendant dix ans, Michel Caillot conduit désormais en solo le vignoble familial, qui s'étend sur 13,5 ha. Sa devise : « Le moins d'interventions possible dans les vinifications. »

Issu de l'un des plus petits *climats* de l'appellation, situé au nord de Sur la Velle, ce 1er cru révèle un nez élégant de fruits rouges et d'épices, prolongé par une bouche tannique et encore austère. À attendre pour plus de fondu. ⧗ 2022-2026

EURL DOM. MICHEL CAILLOT, 14, rue du Cromin, 21190 Meursault, tél. 06 87 44 81 44, domaine.michel.caillot@orange.fr V r.-v.

DOM. CHANGARNIER 2017 ★

■ | 4000 | | 15 à 20 €

Complété par une activité de négoce, un domaine régulier en qualité, dans la famille Changarnier depuis le XVIIes., repris en 2004 par les frères Claude et Antoine, avec Fabrice Groussin aux commandes de la cave depuis 2012. Le vignoble couvre 5 ha, en conversion bio avec des pratiques biodynamiques.

Cet incontournable de l'appellation se fait remarquer cette année avec ces vins blancs. Ce *village* se présente dans une belle robe or pâle et dévoile un nez intense de lys, de pêche, d'agrumes et de fruits secs. La bouche apparaît franche et fraîche sans manquer de gras, et s'étire dans une longue finale minérale. ⧗ 2021-2024 ■ **Le Clos 2017 ★ (20 à 30 €; 1500 b.)** : cette cuvée s'ouvre sur un nez de pêche blanche, de fleurs d'acacia et de noisette. La bouche est fraîche, portée par une trame minérale et un boisé fondu. La finale citronnée apporte une bonne longueur. ⧗ 2021-2025 ■ **1er cru Champs Fulliot 2017 (20 à 30 €; 2800 b.)** : vin cité.

SCEA DOM. CHANGARNIER, pl. du Puits, 21190 Monthelie, tél. 03 80 21 22 18, contact@domainechangarnier.com V r.-v.

GÉRARD DOREAU Champs Fulliot 2017 ★

■ 1er cru | 3000 | | 15 à 20 €

À la fin du XIXes, Pierre Doreau, originaire de la région de Nolay, est venu replanter les vignes détruites par le phylloxéra en temps qu'ouvrier. En même temps, il acquit quelques parcelles. C'est Gérard, installé en 1978, qui développera la vente en bouteille. Ses enfants Jérôme et Émilie ont pris la relève en 2017 à la tête d'un domaine de 6 ha.

Le plus vaste et le plus connu des quinze 1ers crus de l'appellation. Les Doreau y exploitent 48 ares à l'origine d'un 2017 tout en fruit au nez comme en bouche, doté de tanins soyeux qui lui confèrent une belle matière. ⧗ 2022-2025

EARL DOM. GÉRARD DOREAU, 6, rue du Dessous, 21190 Monthélie, tél. 03 80 21 27 89, gerard-doreau@wanadoo.fr V r.-v.

♥ DOM. DUBUET-MONTHELIE Les Longènes 2017 ★★

■ | 3000 | | 11 à 15 €

L'essentiel des vignes de ce domaine de 8,5 ha, régulier en qualité, est à Monthelie. Guy Dubuet – Monthelie était le nom de sa mère – a cédé la place en 2004 à son fils David, qui perpétue les labours sur l'ensemble de la propriété.

Issue d'un lieu-dit situé à la sortie de la Combe Danay et qui étire ses vignes en direction des Hautes-Côtes, cette cuvée a fait forte impression. Un beau travail sur l'élevage se révèle à l'olfaction à travers un boisé fin qui laisse respirer les fruits rouges. La bouche, vive et énergique en attaque, déploie beaucoup de volume autour d'une matière dense et de tanins veloutés. La jolie finale épicée ne gâche rien. ⧗ 2022-2025 ■ **La Combe Danay 2017 (11 à 15 €; 1200 b.)** : vin cité.

EARL DOM. DUBUET-MONTHELIE, 1, rue Bonne-Femme, 21190 Monthelie, tél. 06 64 46 10 17, david.dubuet@orange.fr V r.-v.

DOM. DUJARDIN 2017

■	7000		15 à 20 €

À leur départ à la retraite en 2007, les Bouzerand ont confié les clés du domaine (7 ha) et de ses caves cisterciennes des XIIe et XVes. à Ulrich Dujardin, installé ici depuis 1990. Le vigneron a lancé sa maison de négoce en 2014.

Sous ses reflets dorés, cette cuvée exhale les fruits jaunes (mirabelle, pêche), le miel et de fines notes mentholées. La bouche, à l'unisson du bouquet, affiche un profil rond et riche, renforcé par une finale sur le caramel. ⧗ 2020-2023 ■ **1er cru Les Vignes Rondes 2017 (20 à 30 €; 3000 b.)** : vin cité.

SCEA DOM. DUJARDIN, 1, Grande-Rue, 21190 Monthelie, tél. 03 80 21 20 08, domaine-dujardin@orange.fr V r.-v.

DOM. DUPONT-FAHN
Les Vignes Rondes 2017

■ 1er cru	1500		15 à 20 €

Depuis le cœur de Monthelie, ce producteur installé en 1987 exploite 4 ha de vignes toutes situées en Côte de Beaune. Une originalité : il produit aussi en IGP Pays d'Oc.

Ce 2017, qui signe le trentième millésime du domaine, révèle au nez des notes de cassis, de groseille et de fleurs. La bouche apparaît ample et charnue, bâtie sur des tanins soyeux et patinés. Une pointe d'amertume marque la finale. ⧗ 2021-2024

MICHEL DUPONT-FAHN, Les Troisières, 21190 Monthelie, tél. 06 08 51 15 13, domaine.dupontfahn@gmail.com

GILBERT ET PHILIPPE GERMAIN 2017 ★

■	10000		11 à 15 €

Gilbert Germain a créé l'exploitation en 1962 avec son épouse Bernadette dans le pittoresque village de Nantoux, en Hautes-Côtes. Philippe, le fils, a repris le flambeau en 1995, débuté la vente en bouteilles et développé le parcellaire : son vignoble couvre aujourd'hui 20 ha.

Ce monthélie, d'un abord un peu sauvage, s'ouvre à l'aération sur la cerise et le cassis. Arômes que l'on retrouve dans une bouche ample, dense, bien structurée par des tanins sérieux, taillés pour la garde. ⧗ 2022-2027 ■ **2017 (15 à 20 €; 3700 b.)** : vin cité.

EARL GILBERT ET PHILIPPE GERMAIN, rue du Vignoble, 21190 Nantoux, tél. 03 80 26 05 63, germain.vins@wanadoo.fr V r.-v.

DOM. GEORGES GLANTENAY
Les Champs Fulliot 2017 ★★

■ 1er cru	600		30 à 50 €

Ce domaine de 8 ha est conduit depuis quatre siècles par la famille Glantenay, qui a accueilli en 2012 une nouvelle génération : Guillaume et sa sœur Fanny, enfants de Pierre. Les vignes sont situées sur Volnay, Pommard, Monthélie, Meursault et Chambolle-Musigny.

Ce 1er cru d'une belle limpidité dévoile des arômes soutenus de fruits mûrs, de fleurs blanches, d'épices douces et de menthol. La bouche, très agréable, mêle fraîcheur minérale, croquant du fruit, matière charnue et boisé fondu, avant de s'étirer dans une longue finale sur la menthe poivrée. Le coup de cœur fut mis aux voix. ⧗ 2021-2025

SCE DOM. GEORGES GLANTENAY ET FILS, chem. de la Cave, 21190 Volnay, tél. 03 80 21 61 82, contact@domaineglantenay.com V r.-v.
SCE Dom. Georges Glantenay et Fils

BOURGOGNE

B DOM. HUBER-VERDEREAU Combe Danay 2017 ★

■	1900		15 à 20 €

Alsacien d'origine et formé à la sommellerie, Thiébaud Huber a repris en 1994 les terres familiales longtemps exploitées en fermage. Il cultive en bio depuis 2001 et en biodynamie depuis 2005 ses 9,2 ha de vignes, répartis sur sept communes de la Côte de Beaune, complétés en 2011 par un petit négoce.

Des parfums intenses de framboise, de cassis, de cerise et de vanille s'exhalent de cette cuvée bien née. La bouche se montre souple, ronde, bien fruitée, avec en soutien juste ce qu'il faut de fraîcheur pour assurer l'équilibre et la longueur. ⧗ 2021-2024

SAS DOM. HUBER-VERDEREAU, 23, RD 974, 21190 Meursault, tél. 03 80 21 64 37, contact@huber-verdereau.com V r.-v.

DOM. C. NEWMAN 2016 ★

■	1700		20 à 30 €

Un domaine créé par Christopher Newman, constitué de parcelles rachetées entre 1972 et 1974 à son père, l'un des premiers Américains à avoir investi dans la vigne en Bourgogne, et à Alexis Lichine; des parcelles replantées à la même période : 5,5 ha de vignes, avec un pied dans chaque Côte, dont trois grands crus nuitons.

Ce domaine beaunois possède 1 ha en appellation monthélie. Il en tire une belle cuvée aromatique, ouverte sur les fruits rouges frais mâtinés de fines notes boisées et épicées. Une palette à laquelle fait écho une bouche ronde, bien concentrée, aux tanins fondus. ⧗ 2021-2024

GFA DOM. C. NEWMAN, 29, bd Clemenceau, 21200 Beaune, tél. 03 80 22 80 96, info@domainenewman.com

MAX ET ANNE-MARYE PIGUET-CHOUET
Cuvée Clara 2017 ★

■	3000		15 à 20 €

Un domaine de 10 ha, 100 % familial et 100 % beaunois, né en 1981 de l'union de Max Piguet-Chouet

(sixième génération de vignerons) avec Anne-Marye (issue de la plus ancienne famille vigneronne de Meursault), rejoints par leurs fils Stéphane et William en 2004. Souvent en vue pour ses auxey-duresses et ses meursault.

« Aux âmes bien nées, la valeur n'attend point le nombre des années »... Une vigne de douze ans a donné vie à cette cuvée au nez complexe de fleurs blanches et de fruits jaunes et blancs sur fond vanillé. La bouche s'équilibre entre tension minérale, gourmandise du fruit et bois bien dosé. ⧗ 2021-2024

EARL MAX ET ANNE-MARYE PIGUET-CHOUET, 16, rte de Beaune, 21190 Auxey-Duresses, tél. 03 80 21 25 78, piguet.chouet@wanadoo.fr V r.-v.

DOM. THIERRY PINQUIER 2017

	5500		11 à 15 €

En 1994, Thierry Pinquier a pris la relève de ses parents Colette et Maurice, ouvriers vignerons fondateurs du domaine en 1954. Aujourd'hui, le vignoble compte 6 ha.

Cette cuvée révèle au nez des arômes de cassis, de mûre et de cerise. Un fruité qui se prolonge dans un palais frais et encore assez tannique. Un séjour en cave s'impose. ⧗ 2022-2026

THIERRY PINQUIER, imp. des Belges, rue Pierre-Mouchoux, 21190 Meursault, tél. 03 80 21 24 87, domainepinquier@orange.fr V *t.l.j. 9h-12h 13h30-18h30; dim. 9h-12h* 3

DOM. JEAN-PIERRE ET LAURENT PRUNIER Les Champs Fulliot 2017 ★

1er cru	1800		15 à 20 €

Jean-Pierre Prunier a laissé son vignoble de 10,5 ha à ses deux fils : Pascal, établi à Meursault, et Laurent, installé depuis 1992. Une valeur sûre en auxey-duresses et en monthélie.

Habituée de nos pages, cette cuvée ne déçoit pas dans sa version 2017. Au nez, elle convoque les fruits rouges, la vanille et le café fraîchement torréfié. La bouche se révèle ample, charnue, d'une grande puissance aromatique sur les fruits mûrs, adossée à des tanins jeunes et prometteurs. Un 1er cru bâti pour la garde. ⧗ 2022-2027

EARL DOM. JEAN-PIERRE ET LAURENT PRUNIER, 1, rue Traversière, 21190 Auxey-Duresses, tél. 06 85 07 31 21, domaine.prunier@wanadoo.fr V *r.-v.*

DOM. SAINT-FIACRE 2017

	2300		15 à 20 €

Établis dans la plaine de Tailly et héritiers de plusieurs générations de vignerons, Aline et Joël Patriarche ont pris la tête de ce domaine familial de 5 ha de vignes en 1987.

Cette cuvée s'ouvre sur un joli nez de fruits rouges et noirs bien mûrs. Un fruité qui s'invite aussi en bouche, où l'on découvre un vin droit et structuré, qui mérite encore un peu d'attente pour se fondre pleinement. ⧗ 2021-2024

SCEA DOM. SAINT-FIACRE, Aline et Joël Patriarche, 21190 Tailly, tél. 03 80 26 84 38, domaine.stfiacre@orange.fr V *r.-v.*

♥ HENRI DE VILLAMONT 2017 ★★

	1176		20 à 30 €

Ce propriétaire (10 ha : 6 ha en savigny, 4 ha en Côte de Nuits) et négociant-éleveur, dans le giron du groupe suisse Schenk depuis 1964, élève ses vins dans une cuverie spectaculaire créée entre 1880 et 1888 à Savigny-lès-Beaune par Léonce Bocquet, alors unique propriétaire du Clos de Vougeot.

Après dix mois de barrique, ce monthélie se présente avec élégance dans une robe jaune clair, brillante et limpide. Le nez, aussi délicat que complexe, mêle l'abricot, le citron confit, l'amande et l'aubépine. La bouche se montre aérienne, fraîche, minérale, fruitée, très longue. Un vin que l'on appréciera aussi bien dans sa jeunesse qu'après quelques années de garde. ⧗ 2020-2025

HENRI DE VILLAMONT, rue du Dr-Guyot, 21420 Savigny-lès-Beaune, tél. 03 80 21 50 59, contact@hdv.fr V *r.-v.*

AUXEY-DURESSES

Superficie : 135 ha
Production : 5 840 hl (65 % rouge)

Le village d'Auxey-Duresses se niche dans un vallon qui conduit vers les Hautes-Côtes. Son vignoble couvre les deux versants de la combe et se répartit en trois îlots : sur la pente nord, il prolonge le terroir de Monthelie et porte des 1ers crus rouges exposés au midi, comme les Duresses ou le Val, fort réputés; au fond de la combe, il jouxte des parcelles de Saint-Romain; sur le versant de Meursault, au sud, il produit d'excellents vins blancs.

JACQUES BAVARD Les Clous 2015

	3000		20 à 30 €

Après avoir été restaurateur à Paris pendant trente ans, Jacques Bavard a repris en 2003 le petit domaine familial fondé par son grand-père paternel, auquel il a adjoint une activité de négoce. Premier millésime en 2005.

Un *climat* exposé au sud, qui descend en pente douce. Sous sa robe jaune doré brillant, ce 2015 au nez subtil de fruit frais, de vanille et de réglisse dévoile une belle matière. Un vin agréable, mêlant fraîcheur et gourmandise. ⧗ 2020-2022

JACQUES BAVARD, 18, Grande-Rue, 21190 Puligny-Montrachet, tél. 03 80 21 33 06, jbvins@orange.fr V *r.-v.* 5

PHILIPPE BOUZEREAU Les Duresses 2017

1er cru	9000		20 à 30 €

Héritier de neuf générations de vignerons, Philippe Bouzereau a pris en 2006 la direction du Ch. de Cîteaux, 18 ha de petites parcelles réparties sur six villages de la Côte de Beaune, qu'il exploite avec le

moins d'interventions possible à la vigne et au chai. Il a également développé une activité de négoce sous son nom propre et complète ainsi la belle gamme du domaine familial.

Idéalement situé sur une pente raide exposée sud-est, ce *climat* serait propice aux vins structurés et charnus. Il en est ainsi de ce 2017 rubis. Après un nez de fruits rouges mûrs légèrement boisés, il se montre franc dès l'attaque, puis offre une matière dense, largement soutenue par les tanins. ⧗ 2020-2028

⊸ SARL PHILIPPE BOUZEREAU, 7, pl. de la République, 21190 Meursault, tél. 03 80 21 20 32, caveau@chateau-de-citeaux.com V r.-v.; f. du 23 déc. au 7 janv.

CHRISTIAN CHOLET-PELLETIER 2017 ★

	1900		11 à 15 €

Christian Cholet a débuté avec le caniculaire millésime 1976. Établi dans la plaine, entre Meursault et Puligny-Montrachet, il conduit aujourd'hui, avec sa fille Florence, œnologue, un vignoble de 7 ha et s'illustre avec régularité dans ces pages, notamment par ses auxey-duresses.

Une robe jaune paille à reflets verts habille cette cuvée au nez de fleurs blanches et de fruits jaunes (coing, pêche). Bel équilibre en bouche entre la rondeur et la fraîcheur du fruit. La pointe de vivacité finale appelle une petite garde. ⧗ 2020-2022

⊸ CHRISTIAN CHOLET, 40, rue de la Citadelle, 21190 Corcelles-les-Arts, tél. 03 80 21 47 76 V r.-v.

RODOLPHE DEMOUGEOT Les Clous 2017

	2000		20 à 30 €

Établi à Meursault depuis 1992, Rodolphe Demougeot exploite aujourd'hui un vignoble de 7,8 ha, dont 6 ha de pinot noir, entre Savigny et Chassagne. Labours au cheval, refus des désherbants et des engrais chimiques, l'orientation est résolument biologique, et la vinification peu interventionniste.

Un 2017 bien ouvert sur les fruits rouges et les épices. La matière dense est soutenue par des tanins certes présents encore, mais fins. Jolie finale réglissée. ⧗ 2020-2028

⊸ EARL DOM. RODOLPHE DEMOUGEOT, 2, rue du Clos-de-Mazeray, 21190 Meursault, tél. 03 80 21 28 99, rodolphe.demougeot@orange.fr V r.-v.

DOM. DICONNE Les Bretterins 2016

1er cru	800		15 à 20 €

Christophe Diconne s'est installé en 2005 sur le domaine familial d'Auxey-Duresses (10,2 ha), succédant à son grand-père Paul et à son père Jean-Pierre. Souvent en vue pour ses auxey-duresses, dans les deux couleurs.

Exposition sud, voire sud-est pour ce *climat*. Cette cuvée de couleur pourpre révèle des parfums de fruits rouges (framboise) et de fleurs (violette). L'attaque est souple, le milieu de bouche rond, charnu, presque suave tant les tanins sont soyeux. ⧗ 2020-2025

⊸ EARL DOM. JEAN-PIERRE DICONNE, 5, rue de la Velle, 21190 Auxey-Duresses, tél. 03 80 21 25 60, contact@domaine-diconne.fr V r.-v.

DOM. DUBUET-MONTHELIE Les Grands Champs 2017 ★

1er cru	1800		20 à 30 €

L'essentiel des vignes de ce domaine de 8,5 ha, régulier en qualité, est à Monthelie. Guy Dubuet - Monthelie était le nom de sa mère - a cédé la place en 2004 à son fils David, qui perpétue les labours sur l'ensemble de la propriété.

On retrouve ce nom de *climat* en AOC gevrey, volnay et puligny. Ces champs situés le long des routes appartenaient aux seigneurs locaux. Un 2017 aux arômes de fleurs blanches et d'amande, qui trouve un bon équilibre autour de la vivacité et d'un fruit persistant. ⧗ 2020-2022

⊸ EARL DOM. DUBUET-MONTHELIE, 1, rue Bonne-Femme, 21190 Monthelie, tél. 06 64 46 10 17, david.dubuet@orange.fr V r.-v.

RAYMOND DUPONT-FAHN Les Vireux 2017

	1200		11 à 15 €

Établi à Tailly, petite localité pittoresque qui campe dans la plaine agricole de Meursault, Raymond Dupont-Fahn incarne la troisième génération de vignerons sur ce domaine de 6,5 ha régulier en qualité.

Ce *climat* de 3,85 ha niché sous la colline se situe dans le prolongement des Vireuils de Meursault. Voici un 2017 tout en fleurs (lys, acacia) et en agrumes. Vif et fruité, il a de l'allant et offre en finale de notes plus rondes de brioche et de vanille. ⧗ 2020-2024

⊸ RAYMOND DUPONT-FAHN, 70, rue des Eaux, 21190 Tailly, tél. 06 14 38 53 21, domaine.raymond.dupontfahn@orange.com V r.-v.

JEAN-CHARLES FAGOT Les Ruchottes 2017

	900		15 à 20 €

Installé entre Chagny et Puligny-Montrachet, Jean-Charles Fagot, propriétaire de 4 ha de vignes, s'est fait négociant pour étoffer sa carte des vins. Il est également devenu restaurateur en 1998 en ouvrant l'*Auberge du Vieux Vigneron*, où il propose une cuisine du terroir.

Ce petit lieu-dit situé sous la falaise de Saint-Romain tient son nom des éboulis calcaires de la roche. Un joli nez de fleur d'acacia, d'agrumes et de fines notes boisées caractérisent l'expression de ce 2017. Vif, de bonne texture, il tient sur la longueur. ⧗ 2020-2022

⊸ SARL JEAN-CHARLES FAGOT, 5, rue de l'Église, 21190 Corpeau, tél. 03 80 21 30 24, jeancharlesfagot@free.fr V r.-v.

FOURÉ-ROUMIER-DE FOSSEY Les Écusseaux 2017

1er cru	870		15 à 20 €

Une petite maison de négoce fondée en 2006 par trois amis en parallèle de leurs activités professionnelles : Bruno Mathieu de Fossey, qui œuvre en Côte de Nuits, « débusque » les cuvées de rouges et sélectionne les parcelles; Gaël Fouré, chef de cave à Meursault, gère la société et les vinifications; Denis Roumier, petit-fils de Georges Roumier, gère la commercialisation. Depuis 2016, Gaël et sa femme Élodie ont acheté 3 parcelles en aligoté, pinot noir et chardonnay.

Ce *climat* possède la particularité d'être planté pour moitié en appellation *village* et pour l'autre partie, comme ici, en 1er cru. Sous une robe cerise noire, le 2017 révèle des arômes de fruits noirs (myrtille) et de vanille. La bouche ample revêt encore ce brin d'austérité dû à des tanins serrés. Quelques années de garde s'imposent. ⌛ 2020-2024

SARL FOURÉ-ROUMIER-DE FOSSEY, 2, pl. de l'Europe, BP18, 21190 Meursault, tél. 06 12 23 87 42, foure.gaelodie@wanadoo.fr r.-v.

♥ ALAIN GRAS Très Vieilles Vignes 2017 ★★

■	5000		20 à 30 €

Le grand-père et le père vendaient leur vin au négoce. En reprenant le domaine (14 ha) en 1979, Alain Gras s'est lancé dans la mise en bouteilles. Il est aujourd'hui l'une des figures de proue de l'appellation saint-romain.

Une belle robe violine habille cette cuvée au nez délicat : mûre et fines notes boisées se mêlent. La bouche riche et puissante bénéficie de tanins soyeux, qui laissent le fruité s'exprimer en finale. Un vin élégant et harmonieux qui révélera toute sa complexité après quelques années en cave. ⌛ 2021-2026 ■ **Les Crais 2017 (20 à 30 €; 3000 b.)** : vin cité.

ALAIN GRAS, 7, rue Sous-la-Velle, 21190 Saint-Romain, tél. 03 80 21 27 83, gras.alain1@wanadoo.fr r.-v.

DOM. JESSIAUME Les Écussaux 2017 ★★

■ 1er cru	1300		20 à 30 €

Acheté en 2007 par Sir David Murray, ce domaine fondé en 1850 (9,50 ha, en grande partie à Santenay, et en conversion bio) fait figure de valeur sûre en Côte-d'Or. En 2008, une structure de négoce est venue compléter la production de la propriété. L'œnologue est William Waterkeyn.

Ce *climat* d'une superficie de 3,17 ha tire son nom du mot «écluse». En effet, un cours d'eau borde le bas de la parcelle. Un nez de fleurs blanches et de fruits jaunes, nuancé de notes grillées, invite à poursuivre la découverte de ce 2017. L'attaque est souple, la bouche bien équilibrée entre rondeur et vivacité. La légère amertume finale lui apporte du relief et une élégance certaine. ⌛ 2019-2022 ■ **2017 (15 à 20 €; 1500 b.)** : vin cité.

SCEA DOM. JESSIAUME, 10, rue de la Gare, 21590 Santenay, tél. 03 80 20 60 03, info@jessiaume.com r.-v.

LABOURÉ-ROI Climat du Val 2017 ★★

■ 1er cru	4628		20 à 30 €

Situé à Nuits-Saint-Georges, la maison de négoce Labouré-Roi a été fondée en 1832. Elle s'est notamment fait connaître depuis de nombreuses années en fournissant des compagnies aériennes et de navires de croisières. Aux commandes techniques, Brigitte Putzu est en place depuis 2016.

Avec ces 9,29 ha regroupés sur deux lieux-dits, le Val est le plus vaste des 1ers crus de cette appellation. Le 2017 a décidé de ne pas attendre le nombre des années pour nous charmer. La teinte rubis brille pour mieux nous attirer, puis les arômes suscitent la curiosité : des notes grillées et mentholées se dessinent derrière la cerise... ça pinote bien! Et le palais de se laisser conquérir par une matière ample et souple, dans laquelle les tanins se fondent agréablement. Belle persistance, qui plus est. ⌛ 2020-2025

SASU MAISON LABOURÉ-ROI (NICOLAS POTEL), 13, rue Lavoisier, 21700 Nuits-Saint-Georges, tél. 03 80 62 64 10, contact@laboure-roi.com r.-v.

DOM. FRANCK LAMARGUE Les Hautés 2017

■	1500		15 à 20 €

En 2005, à l'issue de ses études à Beaune, Franck Lamargue s'est associé à son ancien maître de stage pour fonder un domaine qu'il dirige seul depuis 2011. Installé à La Rochepôt dans une ancienne tuilerie, il exploite 12 ha de vignes en hautes-côtes et dans cinq communes du sud de la Côte de Beaune, de Monthelie aux Maranges.

Le nom de ce *climat* répandu autour de Beaune signifie «hauteur moyenne». Des reflets argentés animent ce 2017 parfumé de fleurs blanches. Il fait preuve de fraîcheur et se prolonge gentiment sur une note boisée. ⌛ 2020-2022

EARL FRANCK LAMARGUE, 63, rte de Beaune, 21340 La Rochepot, tél. 06 60 25 57 88, domaineflamargue@outlook.fr t.l.j. 9h-12h30 13h30-19h

DOM. MOISSENET-BONNARD L'Argillas 2017

■	900		15 à 20 €

Souvent en vue pour ses pommard, Jean-Louis Moissenet, issu d'une longue lignée vigneronne, a débuté comme responsable du rayon fruits et légumes dans la grande distribution, avant de reprendre en 1988 les vignes familiales provenant de sa grand-mère, Madame Henri Lamarche. Depuis 2015, c'est sa fille Emmanuelle-Sophie qui conduit le domaine et ses 6 ha de vignes.

La présence d'argile et d'éboulis calcaires explique le nom de ce *climat* de 2,89 ha, situé sous la montagne du Tillet. Un joli bouquet de fleurs blanches, d'agrumes, d'amande et de noisette grillée s'exprime sans retenue dans ce vin. L'élevage sous bois pendant onze mois a apporté beaucoup de rondeur en bouche, mais un petite fraîcheur apporte ce qu'il faut d'équilibre. Bonne longueur. ⌛ 2020-2022

EARL MOISSENET-BONNARD, 4, rue des Jardins, 21630 Pommard, tél. 03 80 24 62 34, emmanuelle-sophie@moissenet-bonnard.com r.-v.

DAVID MORET 2017

■	3000		15 à 20 €

David Moret a créé en 1999 sa maison de négoce, établie derrière les remparts de Beaune. Cet adepte des

élevages longs s'est fait une spécialité de la vinification «haute couture» des blancs de la Côte de Beaune.

Jaune pâle brillant, ce 2017 s'ouvre sur un nez de fruits frais (pêche, poire, citron) et de fleurs blanches (jasmin, muguet). D'attaque vive, la bouche offre tout le croquant du fruit. ⧗ 2020-2022

⊶ SARL DAVID MORET (HSBDM), 1, rue Émile-Goussery, 21200 Beaune, tél. 06 75 01 15 85, davidmoret.vins@orange.fr V *r.-v.*

AGNÈS PAQUET 2017

■ | n.c. | | 20 à 30 €

Agnès Paquet a créé son domaine en 2000 à partir d'une parcelle acquise par sa famille dans les années 1950. Installée dans les Hautes-Côtes de Beaune, elle exploite 9,5 ha de vignes, dont une grande partie à Melin, hameau d'Auxey-Duresses.

Petits fruits rouges et noirs, soulignés de notes grillées. Souplesse en première impression, puis quelques tanins encore rebelles dans une matière bien présente. Tous les éléments sont réunis pour que le temps fasse son œuvre utilement. ⧗ 2021-2026 ■ **2017 (20 à 30 €; n.c.)** : vin cité.

⊶ SARL AGNÈS PAQUET, 10, rue du Puits-Bouret, 21190 Meloisey, tél. 03 80 26 07 41, contact@vinpaquet.com V *r.-v.; f. en août* E

MAX ET ANNE-MARYE PIGUET-CHOUET
Cuvée Charly 2017 ★

■ | 3000 | | 15 à 20 €

Un domaine de 10 ha, 100 % familial et 100 % beaunois, né en 1981 de l'union de Max Piguet-Chouet (sixième génération de vignerons) avec Anne-Marye (issue de la plus ancienne famille vigneronne de Meursault), rejoints par leurs fils Stéphane et William en 2004. Souvent en vue pour ses auxey-duresses et ses meursault.

Fleurs blanches (lys), fruits jaunes (abricot), agrumes (pamplemousse, citron) et vanille se déclinent joliment dans ce vin charnu et de bon volume. Une juste fraîcheur lui apporte ce qu'il faut de relief, sous des accents fruités et minéraux. ⧗ 2020-2024

⊶ EARL MAX ET ANNE-MARYE PIGUET-CHOUET, 16, rte de Beaune, 21190 Auxey-Duresses, tél. 03 80 21 25 78, piguet.chouet@wanadoo.fr V *r.-v.*

DOM. JEAN-PIERRE ET LAURENT PRUNIER
La Coulée d'Or 2017

■ | 1600 | | 20 à 30 €

Jean-Pierre Prunier a laissé son vignoble de 10,5 ha à ses deux fils : Pascal, établi à Meursault, et Laurent, installé depuis 1992. Une valeur sûre en auxey-duresses et en monthélie.

Un 2017 qui s'ouvre sur les fruits exotiques (ananas), les fruits blancs (poire) et les fleurs. Souple en attaque, il offre une rondeur veloutée que soulignent encore les notes vanillées et beurrées. ⧗ 2020-2022 ■ **1er cru Le Val 2017 (15 à 20 €; 1600 b.)** : vin cité.

⊶ EARL DOM. JEAN-PIERRE ET LAURENT PRUNIER, 1, rue Traversière, 21190 Auxey-Duresses, tél. 06 85 07 31 21, domaine.prunier@wanadoo.fr V *r.-v.*

DOM. MICHEL PRUNIER ET FILLE 2016

■ 1er cru | 3400 | | 20 à 30 €

Les Prunier sont vignerons à Auxey depuis cinq générations. Michel, installé en 1968, transmet progressivement à sa fille Estelle un domaine de 12 ha souvent en vue pour ses auxey-duresses.

Un 2016 pourpre soutenu qui dévoile un nez de fruits compotés (framboise, cerise, cassis) et d'épices (cannelle, poivre). Les tanins de qualité le soutiennent avec mesure et le boisé vanillé commence à se fondre dans la matière. ⧗ 2020-2024 ■ **1er cru Clos du Val 2016 (20 à 30 €; 2600 b.)** : vin cité.

⊶ EARL DOM. MICHEL PRUNIER ET FILLE, 18, rte de Beaune, 21190 Auxey-Duresses, tél. 03 80 21 21 05, domainemichelprunier-fille@wanadoo.fr V *r.-v.*

BOURGOGNE

DOM. RAPET Les Hautés 2017

■ | 2000 | | 11 à 15 €

Natifs de Saint-Romain, où ils habitent l'ancien moulin, les Rapet exploitent l'ancienne propriété des Passerotte qui la confièrent à leur neveu François Rapet. Depuis 1995, c'est le fils de ce dernier, Jean-François, qui est aux commandes. Il a continué d'agrandir le vignoble, qui compte aujourd'hui 13 ha.

Un peu plus de 8 ha composent ce *climat* situé à la limite de Meursault. Ce vin a été élevé en majorité en cuve et pour 30 % en fût. Pourtant, le boisé domine dans le verre. Il s'accompagne de notes florales (acacia) qui ne demandent qu'à reprendre le dessus. L'équilibre se réalise au palais et la persistance est notable. Du temps, c'est ce que ce vin réclame pour se parfaire. ⧗ 2021-2023 ■ **2017 (11 à 15 €; 1770 b.)** : vin cité.

⊶ EARL DOM. FRANÇOIS RAPET ET FILS, 1, rue Sous-le-Château, 21190 Saint-Romain, tél. 03 80 21 22 08, domainerapetfrancois@orange.fr V *r.-v.*

VAUDOISEY-CREUSEFOND 2017

■ | 3000 | | 15 à 20 €

Héritiers d'une longue lignée vigneronne, Alexandre Vaudoisey, arrivé en 2011, a pris la suite de son père Henri en 2017. Il exploite 8 ha répartis entre Pommard, leur fief, Auxey-Duresses, Meursault et Volnay, pratique l'enherbement et vinifie avec des levures indigènes.

Plantée il y a un quart de siècle, cette parcelle a donné naissance à un 2017 ouvert sur les arômes d'agrumes, de fleurs et de fruits secs (amande). Bel équilibre en bouche, grâce à un boisé bien intégré et à une juste fraîcheur. La pointe d'amertume qui porte la finale invite à un peu de patience... mais point trop. ⧗ 2020-2024

⊶ EARL VAUDOISEY-CREUSEFOND, 16, rte d'Autun, 21630 Pommard, tél. 03 80 22 48 63, vaudoisey-creusefond@wanadoo.fr V *r.-v.*

SAINT-ROMAIN

Superficie : 96 ha
Production : 3 900 hl (55 % blanc)

À l'ouest de Meursault, le site mérite une excursion : le village de Saint-Romain se blottit au fond d'une

combe, adossé à de superbes falaises. Son vignoble est situé dans une position intermédiaire entre la Côte et les Hautes-Côtes. Les vins rouges sont fruités et gouleyants; les terrains argileux, avec des bancs marno-calcaires, conviennent bien au chardonnay.

JACQUES BAVARD
Sous le Château 2016 ★

■	1700		20 à 30 €

Après avoir été restaurateur à Paris pendant trente ans, Jacques Bavard a repris en 2003 le petit domaine familial fondé par son grand-père paternel, auquel il a adjoint une activité de négoce. Premier millésime en 2005.

Habillée d'une belle robe dorée, cette cuvée dévoile au nez des arômes de fruits exotiques, d'agrumes, de fleurs blanches et de subtiles notes boisées. L'attaque est franche, le milieu de bouche rond et aromatique, avec un boisé fondu en soutien, et la finale minérale apporte une agréable fraîcheur. ⧗ 2020-2023

⊶ JACQUES BAVARD,
18, Grande-Rue, 21190 Puligny-Montrachet,
tél. 03 80 21 33 06, jbvins@orange.fr
r.-v. ⑤

ÉRIC BOUSSEY 2017

■	550		20 à 30 €

Grande famille de vignerons de Monthelie (Jean-Baptiste, le grand-père, fut l'un des précurseurs de la mise en bouteilles), les Boussey exploitent 5 ha répartis sur plusieurs AOC en Côte de Beaune. Éric, installé en 1981, a complété son activité en 2007 par une structure de négoce.

Ce 2017 or pâle révèle un nez discret de fleurs blanches rehaussé de notes minérales. La bouche offre un bon équilibre entre fraîcheur et rondeur et déploie une agréable sucrosité en finale. ⧗ 2019-2022

⊶ SARL ÉRIC BOUSSEY,
21, Grande-Rue, 21190 Monthelie, tél. 03 80 21 60 70,
ericboussey@orange.fr t.l.j. 9h-12h 14h-19h;
f. 15-23 août

CHRISTOPHE BUISSON 2016

■	7300		20 à 30 €

Plutôt que maçon, comme son père, Christophe Buisson a choisi d'être vigneron. D'abord courtier, il crée son domaine à Saint-Romain en 1996 : 7 ha (en bio) complétés en 2007 par une petite activité de négoce, avec des vins souvent en vue en saint-romain et en auxey-duresses. En 2015, le domaine a fusionné avec le négoce Alex Gambal pour devenir le Dom. Gambal-Buisson. Les vins sont issus de raisins et de moûts vinifiés par Christophe.

Une cuvée en robe dorée qui s'ouvre sur un nez intense de fruits exotiques (litchi), d'agrumes (citron, pamplemousse) et de miel. La bouche est ample, souple, ronde, avec une bonne acidité en soutien. Harmonieux. ⧗ 2019-2022

⊶ SARL CHRISTOPHE BUISSON,
34, rue de la Tartebouille, 21190 Saint-Romain,
tél. 06 64 86 07 29, sarlchristophebuisson@
wanadoo.fr r.-v.

Ⓑ DOM. HENRI ET GILLES BUISSON
Sous Roche 2017 ★

■	12000		20 à 30 €

Franck et Frédérick ont reprit le domaine familial, certifié bio depuis 2009 et aujourd'hui en biodynamie. Les 19 ha du vignoble sont en AOP Saint Romain, Corton Grand Cru, Meursault, Auxey-Duresses, Pommard, Volnay 1er cru, Monthélie, Bourgogne Aligoté et Crémant de Bourgogne.

Une belle robe rouge carmin brillant habille cette cuvée ouverte sur les petits fruits rouges et sur de fines notes boisées. La bouche se révèle souple en attaque, puis monte en puissance, portée par des tanins fermes mais fins. La finale offre une fraîcheur fruitée très agréable. Un bon potentiel de garde en perspective. ⧗ 2022-2026

⊶ SCEA DU DOM. HENRI ET GILLES BUISSON,
imp. du Clou, 21190 Saint-Romain, tél. 03 80 21 22 22,
contact@domaine-buisson.com r.-v.

DIDIER DELAGRANGE 2017

■	n.c.		15 à 20 €

Didier Delagrange possède une petite activité de négoce en complément de son domaine familial. La production se répartit dans différentes AOC de la Côte de Beaune.

Un nez de fleurs blanches, de tilleul et de miel s'exhale de cette cuvée jaune doré. La bouche est souple, gourmande, tout en rondeur, sans toutefois céder à la lourdeur grâce à une bonne fraîcheur aux tonalités acidulées en finale. ⧗ 2019-2022

⊶ SARL DIDIER DELAGRANGE,
7, cours François-Blondeau,
21190 Volnay, tél. 03 80 21 64 12,
didier@domaine-henri-delagrange.com

FOURÉ-ROUMIER-DE FOSSEY 2017

■	1200		15 à 20 €

Une petite maison de négoce fondée en 2006 par trois amis en parallèle de leurs activités professionnelles : Bruno Mathieu de Fossey, qui œuvre en Côte de Nuits, « débusque » les cuvées de rouges et sélectionne les parcelles; Gaël Fouré, chef de cave à Meursault, gère la société et les vinifications; Denis Roumier, petit-fils de Georges Roumier, gère la commercialisation. Depuis 2016, Gaël et sa femme Élodie ont acheté 3 parcelles en aligoté, pinot noir et chardonnay.

Cette cuvée jaune pâle et brillante, aux doux parfums de fleurs blanches et de miel, présente une bouche souple et fraîche, avec en finale d'agréables notes minérales et acidulées. ⧗ 2019-2022

⊶ SARL FOURÉ-ROUMIER-DE FOSSEY, 2, pl. de l'Europe,
BP18, 21190 Meursault, tél. 06 12 23 87 42,
foure.gaelodie@wanadoo.fr r.-v.

DOM. GERMAIN PÈRE ET FILS Sous le Château 2017

■	5000		15 à 20 €

Un domaine créé en 1955 par Bernard Germain, rejoint en 1976 par son fils Patrick, avec lequel il lance la mise en bouteilles. En 2010, Arnaud, le petit-fils, s'installe sur l'exploitation. Il conduit 16 ha en HVE niveau 3 depuis 2018, complétés par une activité de négoce à son nom.

Une robe rouge rubis habille cette cuvée qui évoque au nez les fruits rouges mâtinés de nuances florales et mentholées. La bouche ne manque pas de droiture et s'appuie sur des tanins bien présents et un boisé fondu. Une bouteille qui gagnera son étoile en cave. ⧗ 2022-2026

SCEA DOM. GERMAIN PÈRE ET FILS, 34, rue de la Pierre-Ronde, 21190 Saint-Romain, tél. 03 80 21 60 15, contact@domaine-germain.com V t.l.j. sf dim. 8h30-12h 13h30-18h30

DOM. FRANCK LAMARGUE La Combe Bazin 2017

	1170		11 à 15 €

En 2005, à l'issue de ses études à Beaune, Franck Lamargue s'est associé à son ancien maître de stage pour fonder un domaine qu'il dirige seul depuis 2011. Installé à La Rochepôt dans une ancienne tuilerie, il exploite 12 ha de vignes en hautes-côtes et dans cinq communes du sud de la Côte de Beaune, de Monthelie aux Maranges.

Ce 2017 en robe dorée ornée de vert dévoile au nez des arômes discrets de miel, de fruits secs et de fleurs. La bouche est plutôt vive, centrée sur une trame minérale qui lui confère une bonne persistance aromatique. ⧗ 2019-2022

EARL FRANCK LAMARGUE, 63, rte de Beaune, 21340 La Rochepot, tél. 06 60 25 57 88, domaineflamargue@outlook.fr V t.l.j. 9h-12h30 13h30-19h

HENRI LATOUR ET FILS Le Jarron 2017

	3730		15 à 20 €

Les Latour cultivent la vigne depuis sept générations à Auxey-Duresses. Installé en 1992, François Latour exploite un domaine de 15 ha en lutte raisonnée, dont l'essentiel est implanté dans sa commune d'origine, le reste à Saint-Romain et à Meursault.

Cet habitué du Guide, notamment en saint-romain, signe un 2017 au nez plaisant de fleurs blanches agrémenté d'un boisé discret. La bouche est souple, fraîche, un peu fugace mais harmonieuse. ⧗ 2019-2022

EARL HENRI LATOUR ET FILS, 51, rte de Beaune, 21190 Auxey-Duresses, tél. 03 80 21 65 49, h.latour.fils@wanadoo.fr V r.-v.

♥ DOM. MARTENOT MALLARD Sous le Château Monopole 2017 ★★

	3040		15 à 20 €

À l'origine, le Dom. de la Perrière, créé par Bernard Martenot. La nouvelle génération a pris la relève en 2010 sur un vignoble de 16 ha et sous l'étiquette Martenot Mallard.

Avec 23,85 ha, ce *climat* est le plus grand de l'appellation. Situé, comme son nom l'indique, sous l'ancien château du village, il tourne autour de la colline, faisant varier son exposition de sud à est. Le domaine y exploite une parcelle de 36 ares 65 ca précisément. En découle un 2017 d'un jaune soutenu brillant, ouvert sur des arômes intenses d'agrumes, d'abricot, de fleurs blanches et de miel. Une attaque souple et franche introduit une bouche ample, longue, intense, parfaitement équilibrée entre douceur et vivacité. Une belle minéralité vient dynamiser la finale. ⧗ 2020-2024

EARL DOM. MARTENOT MALLARD, 11, rue de la Perrière, 21190 Saint-Romain, tél. 06 42 94 20 63, bernard.martenot@wanadoo.fr V r.-v.

DOM. NICOLAS PÈRE ET FILS En Chevrot 2017

	2000		15 à 20 €

Un domaine familial de 18 ha établi sur les hauteurs de Nolay, dans les Hautes-Côtes beaunoises, et conduit depuis 1987 par Alain Nicolas, représentant la cinquième génération. En 2019, ses enfants Mylène et Benoit l'ont rejoint sur l'exploitation.

Ce 2017 propose un nez encore dominé par le bois : les notes grillées et torréfiées s'imposent pour l'heure devant les fleurs blanches. Une attaque franche et vive ouvre sur une bouche elle aussi sous l'emprise de l'élevage, mais il y a suffisamment de matière pour l'absorber sans encombre. ⧗ 2020-2023

EARL NICOLAS PÈRE ET FILS, 38, rte de Cirey, 21340 Nolay, tél. 03 80 21 82 92, contact@domaine-nicolas.fr V t.l.j. sf dim. 9h-12h 14h-18h

♥ STÉPHANE PIGUET En Poillange 2017 ★★

	2000		15 à 20 €

SAINT-ROMAIN
EN POILLANGE
2017
Stéphane Piguet

Ouvrier viticole depuis 2003 sur la propriété de ses parents, Max et Anne-Marye Piguet-Chouet, Stéphane Piguet a entrepris en 2012 de créer sa propre activité de négoce pour élargir la gamme du domaine, qui s'étend aujourd'hui aux appellations saint-romain, puligny-montrachet et corton-charlemagne.

2013, 2014, 2015, 2016, 2017 : cette cuvée signée Stéphane Piguet fait preuve d'une régularité sans faille. Elle obtient également ici son second coup de cœur après la version 2014. Paré d'une robe limpide et brillante, ce 2017 révèle au nez des arômes intenses et complexes de pêche, de poire, de fruits secs et de fleurs blanches. La bouche est admirable : elle associe volume, puissance, rondeur et grande finesse de grain, le tout souligné par un boisé bien fondu et dynamisé par une finale longue et fraîche. ⧗ 2020-2023

PIGUET, 16, rte de Beaune, 21190 Auxey-Duresses, tél. 06 87 54 59 02, maisonstephanepiguet@yahoo.fr V r.-v.

♥ DOM. VINCENT PRUNIER 2016 ★★

	3100		11 à 15 €

Au départ, en 1988, 2,5 ha de vignes hérités des parents, non viticulteurs; le vignoble couvre 12,5 ha aujourd'hui, et Vincent

Prunier s'est imposé comme l'une des valeurs sûres de la Côte de Beaune. En complément de son domaine, il a créé une petite structure de négoce en 2007.

Ce 2016 d'un seyant grenat aux reflets violines séduit d'emblée par son nez intense et flatteur de fruits noirs bien mûrs (cassis notamment), de bois sauvage et de réglisse. Passée une attaque tout en souplesse et en fruit, la bouche se révèle bien structurée mais sans dureté aucune, étayée par des tanins fins et soyeux. Un vin de caractère à déguster jeune sur le fruit ou à laisser vieillir en cave. 2020-2026

EARL DOM. VINCENT PRUNIER, 53, rte de Beaune, 21190 Auxey-Duresses, tél. 03 80 21 27 77, domaine.prunier.vincent@wanadoo.fr V *r.-v.*

DOM. DE LA ROCHE AIGUË
Le Bas de Poillanges 2017 ★

| | 3000 | | 11 à 15 € |

Florence et Éric Guillemard, établis à la sortie d'Auxey-Duresses depuis 1995, conduisent un vignoble de 14 ha en auxey-duresses, saint-romain, meursault, pommard et hautes-côtes.

Cette cuvée jaune doré s'ouvre sur un nez intense de fleurs blanches et de pêche, mâtiné de fines notes boisées. De la rondeur, du gras, du volume, de la puissance aromatique jusqu'en finale, la bouche confirme les bonnes premières impressions. 2020-2023

EARL LA ROCHE AIGUË, 145, rte de Beaune, Melin, 21190 Auxey-Duresses, tél. 03 80 21 28 33, guillemarderic@wanadoo.fr V *r.-v.*

MEURSAULT

Superficie : 395 ha
Production : 18 540 hl (98 % blanc)

La commune chevauche une vallée qui prolonge celle d'Auxey-Duresses et marque une sorte de frontière : avec Meursault commence la véritable production de grands vins blancs. Certains de ses 1ers crus sont mondialement réputés : Les Perrières, Les Charmes, Les Poruzots, Les Genevrières, Les Gouttes d'Or... Ils allient la subtilité à la force, la fougère à l'amande grillée, l'aptitude à être consommés jeunes au potentiel de garde. Si Meursault est bien la « capitale des vins blancs de Bourgogne », elle n'en fournit pas moins quelques vins rouges, issus des terroirs voisins de Volnay, au nord. Ses « petits châteaux » attestent une opulence ancienne. La Paulée, qui a pour origine le nom du repas pris en commun à la fin des vendanges, est devenue une manifestation qui clôt en novembre les « Trois Glorieuses », journées au cours desquelles se déroule la vente des Hospices de Beaune.

BACHEY-LEGROS ET FILS Les Gands Charrons 2017

| | 1550 | | 30 à 50 € |

Christiane et ses fils Samuel et Lénaïc gèrent ce domaine de 18 ha. Les vignes, vieilles de 60 ans en moyenne, sont conduites en agriculture raisonnée. Depuis 2008, la famille Bachey-Legros s'est également lancée dans une activité de négoce. 70 % de la production est vendue à l'étranger.

C'est l'un des plus grands *climats* du village, qui descend jusqu'en bas de coteau. Des vignes de soixante ans ont donné naissance à ce meursault or pâle à reflets verts, dont le nez évoque le coing et les agrumes sur fond boisé. Il possède un bon équilibre et suffisamment de matière pour être déjà plaisant. 2020-2022

SAS BACHEY-LEGROS ET FILS, 12, rue de la Charrière, 21590 Santenay, christiane.bachey-legros@wanadoo.fr V *r.-v.*

DOM. JEAN-MARIE BOUZEREAU Charmes 2017

| 1er cru | 2400 | | 30 à 50 € |

Jean-Marie Bouzereau s'est établi en 1994 sur une partie du domaine familial et conduit un vignoble de 10 ha. Valeur sûre de l'appellation meursault, il vinifie aussi en puligny-montrachet, volnay, pommard et beaune.

Issu de vignes de cinquante ans, ce 2017 offre de jolies sensations aromatiques de fruits jaunes et de verveine. D'attaque souple, il gagne en richesse au fil de son développement, jusqu'à évoquer des arômes de brioche et de miel. Dix-huit mois d'élevage sous bois ont laissé également leur empreinte. 2020-2022 **1er cru Poruzot 2017 (30 à 50 € ; 1500 b.)** : vin cité.

EARL JEAN-MARIE BOUZEREAU, 5, rue de la Planche-Meunière, 21190 Meursault, tél. 03 80 21 62 41, jm.bouzereau@club-internet.fr V *r.-v.*

DOM. VINCENT BOUZEREAU
Les Charmes 2016 ★★

| 1er cru | 1500 | | 50 à 75 € |

Issu d'une ancienne famille de vignerons et installé dans l'ancien prieuré du château de Meursault, dont l'un de ses ancêtres était propriétaire, Vincent Bouzereau a pris la suite de son père en 1990 à la tête de ce domaine de 10 ha, souvent en vue pour ses meursault.

Coup de cœur l'an passé dans le millésime 2015, ce meursault demeure une valeur sûre en 2016. Du miel et des fleurs blanches, des agrumes aussi et une pointe anisée bien fraîche : tel est son discours aromatique. L'équilibre se réalise au palais entre rondeur et vivacité, sur une trame minérale plaisante. Et la finale de se prolonger fort dignement. 2020-2029 **2017 (30 à 50 € ; 5000 b.)** : vin cité.

EARL VINCENT BOUZEREAU, 25, rue de Mazeray, 21190 Meursault, tél. 03 80 21 61 08, vincent.bouzereau@wanadoo.fr V *r.-v.*

♥ HUBERT BOUZEREAU-GRUÈRE ET FILLES
Charmes 2017 ★★

| 1er cru | 2500 | | 30 à 50 € |

Installé en 1965, Hubert Bouzereau exploite avec ses filles Marie-Laure et Marie-Anne un vignoble de 10 ha réparti sur six villages de la Côte de Beaune. Un domaine souvent en vue pour ses meursault, puligny et chassagne. Anecdote bien connue des œnophiles bourguignons : le vigneron a figuré en tant que pompier de Meursault dans le

cultissime *La Grande Vadrouille* de Gérard Oury, un sujet de conversation savoureux au caveau…

Un soupçon de vert apparaît dans la robe jaune paille de ce meursault si brillant. Des reflets qui le mettent en valeur, comme une invitation à le découvrir plus avant. Et le vin flatte les sens, en effet, par ses subtils arômes de poire et de pêche blanche. Des notes vanillées se glissent dans la palette, héritage d'un an d'élevage sous bois. De la souplesse au palais, certes, du gras également, mais aussi une belle fraîcheur qui porte loin la finale. Il faudra simplement laisser le boisé se fondre à la faveur de la garde. ⧗ 2020-2029 ■ **Limozin 2017 (20 à 30 €; 2500 b.)** : vin cité.

EARL HUBERT BOUZEREAU-GRUÈRE ET FILLES, 22A, rue de la Velle, 21190 Meursault, tél. 03 80 21 20 05, contact@bouzereaugruere.com V r.-v. 3

CHAPELLE DE BLAGNY
Blagny La Pièce sous le Bois 2016

1er cru	880		30 à 50 €

Ancienne propriété cistercienne, le domaine est exploité depuis 1811 par la famille de Jean-Louis de Montlivault, qui a passé le relais à son gendre Étienne de Bréchard en 2013. Les 7 ha de la propriété sont labellisés Haute Valeur Environnementale depuis 2015.

Un nez de fleurs blanches et de bonbon anglais, un corps puissant et concentré, avec une juste fraîcheur en finale. Un meursault classique en somme. ⧗ 2021-2025 ■ **1er cru Blagny 2016 (30 à 50 €; 3000 b.)** : vin cité.

SCEV DOM. DE BLAGNY, 2bis, hameau de Blagny, 21190 Puligny-Montrachet, tél. 06 81 61 61 87, contact@chapelledeblagny.vin V *r.-v.; f. en août*

CHRISTIAN CHOLET-PELLETIER 2017

	1000		15 à 20 €

Christian Cholet a débuté avec le caniculaire millésime 1976. Établi dans la plaine, entre Meursault et Puligny-Montrachet, il conduit aujourd'hui, avec sa fille Florence, œnologue, un vignoble de 7 ha et s'illustre avec régularité dans ces pages, notamment par ses auxey-duresses.

Habitué du Guide, ce meursault est un vin très tactile (aux dires d'un dégustateur). D'un or léger, il privilégie les notes toastées et miellées au nez, puis il se révèle gras et opulent en bouche. L'élevage sous bois le tient encore sous influence. Il faudra patienter. ⧗ 2022-2026

CHRISTIAN CHOLET, 40, rue de la Citadelle, 21190 Corcelles-les-Arts, tél. 03 80 21 47 76 V *r.-v.*

♥ CH. DE CÎTEAUX
Vieux Clos du Ch. de Cîteaux Monopole 2017 ★★

	12000		20 à 30 €

Château de Cîteaux
2017
MEURSAULT
APPELLATION MEURSAULT CONTRÔLÉE
"VIEUX CLOS DU CHÂTEAU DE CÎTEAUX"
MONOPOLE
Philippe BOUZEREAU, Viticulteur

Héritier de neuf générations de vignerons, Philippe Bouzereau a pris en 2006 la direction du Ch. de Cîteaux, 18 ha de petites parcelles réparties sur six villages de la Côte de Beaune, qu'il exploite avec le moins d'interventions possible à la vigne et au chai. Il a également développé une activité de négoce sous son nom propre et complète ainsi la belle gamme du domaine familial.

De discrètes larmes s'écoulent sur les parois du verre au versement de ce vin. Signe de générosité. Et elle ne fait aucun doute, en effet, lorsque se révèlent les arômes vanillés, puis les notes de beurre frais, de chèvrefeuille et cette touche d'abricot sec. Le gras et la puissance restent équilibrés au palais, et c'est une longue finale évocatrice de fruits jaunes qui finit de rassembler les suffrages. ⧗ 2022-2029

EARL CH. DE CÎTEAUX, 7, pl. de la République, 21190 Meursault, tél. 03 80 21 20 32, caveau@chateau-de-citeaux.com V *r.-v.*

CLOSERIE DES ALISIERS Terroir de Meursault 2017

	12000		30 à 50 €

Venu du Chablisien, Stéphane Brocard a quitté en 2007 le domaine familial fondé par son père pour créer son négoce, établi à Longvic, aux portes sud de Dijon. Il propose une jolie gamme de vins dans une dizaine d'appellations bourguignonnes.

Un premier nez d'agrumes (orange et citron), puis un second de fleurs et de fruits blancs. L'invitation à la fraîcheur est lancée. Ce vin, franc dès l'attaque, est de demi-corps, avec une légère vivacité en finale. ⧗ 2020-2024

SARL MAISON STÉPHANE BROCARD, 21bis, rue de l'Ingénieur-Bertin, 21600 Longvic, tél. 03 80 52 07 71, s.brocard@orange.fr V *r.-v.*

DOM. DUPONT-FAHN Cuvée Vieilles Vignes 2017 ★

	3000		20 à 30 €

Depuis le cœur de Monthelie, ce producteur installé en 1987 exploite 4 ha de vignes toutes situées en Côte de Beaune. Une originalité : il produit aussi en IGP Pays d'Oc.

Michel Dupont-Fahn fête ses trentièmes vendanges avec ce 2017. Or intense à reflets verts, le vin offre un nez délicat : boisé, miel et fleurs en premières intentions, puis fruits à chair blanche, litchi et pêche. Son gras emplit bien le palais, et la sensation boisée issue de l'élevage demeure mesurée. ⧗ 2020-2024

MICHEL DUPONT-FAHN, Les Troisières, 21190 Monthelie, tél. 06 08 51 15 13, domaine.dupontfahn@gmail.com

RAYMOND DUPONT-FAHN Les Clous 2017 ★

	3300		20 à 30 €

Établi à Tailly, petite localité pittoresque qui campe dans la plaine agricole de Meursault, Raymond Dupont-Fahn incarne la troisième génération de vignerons sur ce domaine de 6,5 ha régulier en qualité.

Les Clous constituent, avec 18 ha, le plus grand *climat* communal. La noisette et les fleurs blanches prennent l'avantage dans la palette aromatique de ce vin or brillant. Mais au palais, ce sont les fruits mûrs qui contribuent à cette rondeur bien perceptible. ⧗ 2020-2022

RAYMOND DUPONT-FAHN, 70, rue des Eaux, 21190 Tailly, tél. 06 14 38 53 21, domaine.raymond.dupontfahn@orange.com V *r.-v.*

BOURGOGNE

JEAN FÉRY ET FILS Les Narvaux 2017 ★

| 935 | | 20 à 30 € |

Un domaine familial des Hautes-Côtes de Beaune créé en 1890 et développé dans les années 1990 par Jean-Louis Féry : aujourd'hui, 15 ha en bio certifié (depuis 2011) en Côte de Nuits et en Côte de Beaune. Depuis 2016, Frédéric Féry, fils de Jean-Louis, assure la gestion du domaine, avec notamment l'appui de Laurence Danel, œnologue.

Un sol bien caillouteux (en raison de l'affleurement d'une dalle de calcaire) et pentu caractérise ce *climat*. Ses vins en tireraient leur élégance. Ce 2017 ne fait pas exception. Attardez-vous sur ses arômes intenses de fleurs blanches (oranger et jasmin) et de fruits à chair blanche. Découvrez sa matière délicate et persistante, toute en fraîcheur minérale. Le temps lui permettra de concrétiser ses ambitions. ⧗ 2022-2025

SARL DOM. JEAN FÉRY ET FILS, 1, rte de Marey, 21420 Échevronne, tél. 03 80 21 59 60, fery.vin@orange.fr V r.-v.

VINCENT GIRARDIN Les Tessons 2016 ★★

| 800 | | 50 à 75 € |

Une maison de grande qualité créée en 1984 par Véronique et Vincent Girardin, cédée en 2012 à leur partenaire historique la Compagnie des Vins d'Autrefois, dirigée par Jean-Pierre Nié. Les équipes techniques et commerciales sont restées les mêmes, et les vins sont toujours vinifiés à Meursault par Éric Germain, bras droit de Vincent Girardin pendant dix ans.

Ce *climat* des hauteurs tire son nom du blaireau, ici appelé tasson. Il a beau avoir connu un long élevage de dix-huit mois, ce meursault cristallin n'en porte presque pas l'empreinte, si ce n'est quelques notes de pain grillé. Ce sont les arômes de fruits blancs et jaunes, les notes beurrées et florales (fleur d'oranger) qui s'imposent au nez. Un même fruité se manifeste au palais, soulignant le bon équilibre entre rondeur et fraîcheur. Bonne persistance. ⧗ 2022-2029 **1er cru Perrières 2016 (+ de 100 €; 4800 b.)** : vin cité. **Charmes Dessus 2016 (75 à 100 €; 6600 b.)** : vin cité.

SAS VINCENT GIRARDIN, 5, imp. des Lamponnes, 21190 Meursault, tél. 03 80 20 81 00, vincent.girardin@vincentgirardin.com

♥ **ALBERT GRIVAULT** Clos du Murger 2017 ★★

| 12774 | | 30 à 50 € |

MEURSAULT
APPELLATION MEURSAULT CONTRÔLÉE
CLOS DU MURGER
Albert Grivault
750 ML ALC. 13 % BY VOL. PRODUCE OF FRANCE

Un domaine créé en 1879 par Albert Grivault, ancien distillateur de Béziers devenu vigneron; un dégustateur expert également, qui représenta la Bourgogne au jury du Concours des vins de l'Exposition universelle de Paris en 1900. Ses héritiers – Claire Bardet à la gérance depuis 2004 – exploitent aujourd'hui un vignoble de 6 ha, essentiellement planté en chardonnay, dont le meursault 1er cru Clos des Perrières, un clos de 1 ha monopole du domaine.

Un *climat* situé dans le centre de Meursault. Camomille, chèvrefeuille et noisette forment un bouquet expressif. Équilibré entre volume et fraîcheur minérale, ce vin laisse une impression de complexité. Bonne longueur sur les fruits blancs et la vanille. ⧗ 2022-2026 **1er cru Clos des Perrières Monopole 2017 ★ (+ de 100 €; 6365 b.)** : une cuvée expressive, entre boisé, fruité et minéral. Elle offre un joli gras et une densité agréable en milieu et fin de bouche. ⧗ 2022-2024

SCE DOM. ALBERT GRIVAULT, 7, pl. du Murger, 21190 Meursault, tél. 03 80 21 23 12, albert.grivault@wanadoo.fr V *r.-v.*

DOM. HUBER-VERDEREAU En Dressoles 2017

| 900 | | 30 à 50 € |

Alsacien d'origine et formé à la sommellerie, Thiébaud Huber a repris en 1994 les terres familiales longtemps exploitées en fermage. Il cultive en bio depuis 2001 et en biodynamie depuis 2005 ses 9,2 ha de vignes, répartis sur sept communes de la Côte de Beaune, complétés en 2011 par un petit négoce.

Le nom de ce *climat* viendrait de l'ancien français « dresse » signifiant « raccourci ». Il est situé côté Monthélie. Couleur paille dorée, ce 2017 exprime volontiers ses arômes briochés et beurrés, puis des notes de pêche, de litchi et de fleurs. Au palais, il assume pleinement sa vivacité. ⧗ 2020-2022

SAS DOM. HUBER-VERDEREAU, 23, RD 974, 21190 Meursault, tél. 03 80 21 64 37, contact@huber-verdereau.com V *r.-v.*

PATRICK JAVILLIER Les Tillets 2017

| 10000 | | 30 à 50 € |

Après des études d'œnologie, Patrick Javillier a repris l'exploitation familiale de Meursault et vinifié ses premières cuvées en 1974. Il conduit aujourd'hui un vignoble de 10 ha répartis sur cinq communes de la Côte de Beaune, de Puligny-Montrachet à Pernand-Vergelesses.

Ce *climat* perché entre 300 et 350 m sur les hauteurs de la montagne Saint-Christophe domine Meursault. Il doit son nom aux tilleuls qui environnaient les vignes autrefois. Une touche de vert souligne la robe or délicate de ce vin. Jouant dans les registres des fleurs, des fruits à chair blanche et du minéral, celui-ci mise sur la fraîcheur pour se donner du relief et de la tenue en finale. ⧗ 2020-2022

DOM. PATRICK JAVILLIER, 9, rue des Forges, 21190 Meursault, tél. 03 80 21 27 87, contact@patrickjavillier.com V *r.-v.*

CHRISTOPHE JOLIVET Clos du Cromin 2017 ★

| 1232 | | 30 à 50 € |

Christophe Jolivet s'est reconverti en 2016 dans la production de vin en achetant du raisin ou des moûts issus de l'agriculture biologique. Il a débuté dans ce qu'il est convenu d'appeler un « wine studio » (sur le concept californien) : un lieu où tout l'équipement est laissé à la disposition des vignerons ou négociants débutants.

Au sein du Cromin, il y avait autrefois un clos construit avec les pierres de l'ancienne carrière du Cromey. Le meursault de Christophe Jolivet s'exprime avec aisance, sur les fleurs blanches (lys, jasmin), la noisette grillée, puis les fruits comme la pêche et la poire. Il se révèle concentré et persistant, avec une juste fraîcheur. ⧗ 2020-2024

SAS CHRISTOPHE JOLIVET, 14, Grande-Rue, 21200 Bligny-lès-Beaune, vins-christophe.jolivet@hotmail.com V r.-v.

HENRI LATOUR ET FILS Les Vireuils 2017 ★

	1950		20 à 30 €

Les Latour cultivent la vigne depuis sept générations à Auxey-Duresses. Installé en 1992, François Latour exploite un domaine de 15 ha en lutte raisonnée, dont l'essentiel est implanté dans sa commune d'origine, le reste à Saint-Romain et à Meursault.

Le lieu-dit Les Vireuils devient Les Vireux en continuant sa route sur la commune d'Auxey. En vigneron local, la famille Latour y a produit un vin or pâle qui s'ouvre sur les arômes de fruits jaunes et blancs (poire), de noisette et de fleurs blanches. L'archétype du meursault, en somme. Du gras, de l'ampleur, une ligne minérale aussi, puis une jolie finale. Meursault, nul doute. ⧗ 2020-2024

EARL HENRI LATOUR ET FILS, 51, rte de Beaune, 21190 Auxey-Duresses, tél. 03 80 21 65 49, h.latour.fils@wanadoo.fr V r.-v.

AYMERIC MAZILLY Les Charmes 2017 ★

1er cru	790		30 à 50 €

En 2004, Aymeric Mazilly a créé une maison de négoce, tout en continuant de travailler avec son père dans le vignoble familial.

Les Charmes représentent 31 ha soit 23 % de la surface de 1er cru de l'appellation. Sa qualité, comme sa disponibilité relative, explique son succès auprès des négociants. Ce 2017 a choisi le registre des fleurs et des agrumes. Quelques notes de beurre et de fruits secs viennent l'agrémenter. En bouche, c'est la fraîcheur et un léger boisé qui lui apportent du caractère. ⧗ 2020-2024

SARL MAISON AYMERIC MAZILLY, 3, pl. de l'Europe, 21190 Meursault, tél. 03 80 26 02 00, claudinemazilly@orange.fr V r.-v.

DOM. MAZILLY PÈRE ET FILS Les Meurgers 2017 ★

	5100		20 à 30 €

Installés depuis 1980 à Meloisey, charmant village des Hautes-Côtes de Beaune, Frédéric Mazilly et son fils Aymeric exploitent, dans un esprit proche du bio, un coquet vignoble de 17 ha. En 2004, Aymeric a également créé sous son propre nom une maison de négoce dédiée aux seuls vins blancs.

Quelques notes fumées, des fruits jaunes, un brin de tilleul et d'acacia : c'est charmant. Du gras et un léger boisé qui souligne encore la rondeur : c'est flatteur ! Certains dégustateurs auraient aimé plus de fraîcheur. Peut-être, mais ce 2017 n'en reste pas moins une belle découverte. ⧗ 2020-2024

SCE DOM. MAZILLY PÈRE ET FILS, 1, rte de Pommard, 21190 Meloisey, tél. 03 80 26 02 00, bourgogne-domaine-mazilly@wanadoo.fr V r.-v.

DOM. DU CH. DE MEURSAULT Perrières 2016 ★

1er cru	6968		75 à 100 €

L'emblématique Ch. de Meursault, haut-lieu du tourisme bourguignon et du folklore vineux – on y célèbre la fameuse Paulée le lendemain de la vente des Hospices de Beaune – a souvent changé de mains : famille de Pierre de Blancheton jusqu'à la Révolution; famille Serre au XIXe s.; famille du comte de Moucheron; famille Boisseaux (maison Patriarche) à partir de 1973. En décembre 2012, nouveau changement : la famille Halley achète le domaine. Ce sont aujourd'hui 65 ha de vignes. Aux commandes du chai : Emmanuel Escutenaire.

Un *climat* emblématique du meursault. Les arômes d'acacia, de vanille et de brioche toastée s'élèvent du verre comme une preuve évidente de la typicité de ce vin. L'équilibre entre rondeur légère et fraîcheur se réalise au palais, et c'est le millésime 2016 qui parle ainsi. ⧗ 2022-2025 **Clos des Grands Charrons 2016 (30 à 50 €; 4616 b.)** : vin cité.

SCEV DOM. DU CH. DE MEURSAULT, rue du Moulin-Foulot, 21190 Meursault, tél. 03 80 26 22 75, domaine@chateau-meursault.com V r.-v.; f. janv-fév.

♥ DOM. BERNARD MILLOT Les Gouttes d'Or 2017 ★★

1er cru	900		30 à 50 €

Un domaine mentionné depuis 1888 et qui porte le nom de Millot depuis quatre générations. Le vignoble couvre 7,5 ha en meursault, puligny-montrachet et beaune, conduits depuis 2010 par Émilien Millot.

Le nom poétique de ce lieu-dit rend compte de la tendance de ses vins à prendre une robe or profond. C'est bien de l'or qui emplit le verre et ce 2017 laisse de belles larmes sur les parois. Si le nez est discret, il n'en est pas moins complexe : acacia, notes de beurre, vanille et fruits confiturés. Après une attaque sur la vivacité, c'est une sensation de générosité qui s'impose jusqu'en finale. Un meursault de longue garde. ⧗ 2022-2029 **Le Buisson Certaut 2017 (20 à 30 €; 600 b.)** : vin cité. **Les Petits Charrons 2017 (20 à 30 €; 1500 b.)** : vin cité.

EARL BERNARD MILLOT, 27, rue de Mazeray, 21190 Meursault, tél. 03 80 21 20 91, domaine.millotb@wanadoo.fr V r.-v.

DOM. MOISSENET-BONNARD Les Vireuils 2017 ★

	2700		20 à 30 €

Souvent en vue pour ses pommard, Jean-Louis Moissenet, issu d'une longue lignée vigneronne, a débuté comme responsable du rayon fruits et légumes dans la grande distribution, avant de reprendre en 1988 les vignes familiales provenant de sa grand-mère, Madame Henri Lamarche. Depuis 2015, c'est sa fille Emmanuelle-Sophie qui conduit le domaine et ses 6 ha de vignes.

Entre 300 et 350 m, Les Vireuils forment un virage sous la colline. Le nom désigne d'ailleurs un sentier contournant le village. Ce 2017 distille ses arômes de fruits secs grillés, de vanille et d'agrumes confits, avant de développer au palais sa matière ronde et ample, encore empreinte du boisé de l'élevage. Une volaille à la crème l'accompagnera avantageusement après une petite garde. ⌛ 2022-2024

EARL MOISSENET-BONNARD, 4, rue des Jardins, 21630 Pommard, tél. 03 80 24 62 34, emmanuelle-sophie@moissenet-bonnard.com V r.-v.

DOM. RENÉ MONNIER Les Chevalières 2017

	16980		20 à 30 €

Ce domaine murisaltien fondé en 1723, propriété de Xavier Monnot, répartit ses 17 ha entre plusieurs AOC beaunoises. Il est régulièrement distingué dans le Guide, notamment pour ses beaune et ses meursault.

Le *climat* tient son nom des chevaux qui étaient gardés là, à une époque où les tracteurs n'existaient pas. Un duo d'agrumes et de fleurs pour signature aromatique, un équilibre rondeur-vivacité bien établi : il n'en faut pas plus à ce 2017 pour faire bonne impression. ⌛ 2022-2025

SARL DOM. RENÉ MONNIER, 6, rue du Dr-Rolland, 21190 Meursault, tél. 03 80 21 29 32, xavier-monnot@orange.fr V r.-v.

DOM. JEAN MONNIER ET FILS La Barre 2016

	3200		20 à 30 €

Issus d'une longue lignée de vignerons murisaltiens remontant à 1720, Jean-Claude Monnier et son fils Nicolas sont aujourd'hui à la tête d'une exploitation de 15 ha produisant à parts égales (ce qui n'est pas commun) des vins blancs et rouges de la Côte de Beaune.

Les anciennes carrières et les fronts de taille ont donné leur nom à ce *climat* de 2,76 ha. C'est un 2016 discret, mais aimable qui apparaît sous ce bel or à reflets verts. De la souplesse en attaque, beaucoup de rondeur en milieu de bouche : il ne cherche pas à s'imposer. ⌛ 2020-2022 **Clos du Cromin 2016 (20 à 30 €; 3790 b.)** : vin cité. **Les Rougeots 2017 (30 à 50 €; 1740 b.)** : vin cité.

SCEA DOM. JEAN MONNIER ET FILS, 20, rue du 11-Novembre, 21190 Meursault, tél. 03 45 63 17 43, contact@domaine-jeanmonnier.com V *t.l.j. 10h-12h30 14h-18h30 au caveau pl. de l'Hôtel-de-Ville; f. 15 nov.-1 avr.*

DAVID MORET Les Charmes 2017 ★★

1er cru	1200		50 à 75 €

David Moret a créé en 1999 sa maison de négoce, établie derrière les remparts de Beaune. Cet adepte des élevages longs s'est fait une spécialité de la vinification « haute couture » des blancs de la Côte de Beaune.

Des ceps de quarante ans ont donné naissance à ce vin aux arômes d'amande grillée, de fruits jaunes (pêche) et de fleurs blanches. Richesse et minéralité se conjuguent au palais pour assurer l'harmonie. ⌛ 2020-2022 **Narvaux 2017 (30 à 50 €; 1800 b.)** : vin cité. **1er cru Les Gouttes d'or 2017 (50 à 75 €; 900 b.)** : vin cité.

SARL DAVID MORET (HSBDM), 1, rue Émile-Goussery, 21200 Beaune, tél. 06 75 01 15 85, davidmoret.vins@orange.fr V *r.-v.*

MAX ET ANNE-MARYE PIGUET-CHOUET
Les Narvaux 2017

	3000		20 à 30 €

Un domaine de 10 ha, 100 % familial et 100 % beaunois, né en 1981 de l'union de Max Piguet-Chouet (sixième génération de vignerons) avec Anne-Marye (issue de la plus ancienne famille vigneronne de Meursault), rejoints par leurs fils Stéphane et William en 2004. Souvent en vue pour ses auxey-duresses et ses meursault.

Ce Narvaux affiche encore les reflets verts de la jeunesse, ainsi que les notes délicates d'amande et de fleur de vigne. Il a de la vivacité, mais une certaine rondeur le rend aimable dès à présent. ⌛ 2020-2022 **Cuvée Anne-Marye 2017 (20 à 30 €; 1200 b.)** : vin cité.

EARL MAX ET ANNE-MARYE PIGUET-CHOUET, 16, rte de Beaune, 21190 Auxey-Duresses, tél. 03 80 21 25 78, piguet.chouet@wanadoo.fr V *r.-v.*

VINCENT PRUNIER Les Clous 2016 ★

	2500		20 à 30 €

Au départ, en 1988, 2,5 ha de vignes hérités des parents, non viticulteurs; le vignoble couvre 12,5 ha aujourd'hui, et Vincent Prunier s'est imposé comme l'une des valeurs sûres de la Côte de Beaune. En complément de son domaine, il a créé une petite structure de négoce en 2007.

Un meursault doré à souhait, délicatement brioché. Son caractère gourmand et rond est relevé avec pertinence par une pointe de fraîcheur. ⌛ 2020-2022

EARL DOM. VINCENT PRUNIER, 53, rte de Beaune, 21190 Auxey-Duresses, tél. 03 80 21 27 77, domaine.prunier.vincent@wanadoo.fr V *r.-v.*

MAISON ROCHE DE BELLENE Charmes 2016 ★

1er cru	1200		+ de 100 €

Nicolas Potel a créé cette maison en 2008 pour compléter la gamme du Dom. de Bellene qu'il a également fondé quelques années plus tôt. Un négoce installé à Beaune qui propose pas moins de 80 appellations différentes. Des vins exportés dans plus de 42 pays.

Produit dans le cadre de l'activité de négoce, ce vin a bénéficié de quatorze mois d'élevage en fût. Il en porte l'empreinte dans ses premiers arômes de torréfaction (pain grillé), mais les notes d'agrumes, d'aubépine et d'acacia trouvent bientôt leur place. La bouche est fraîche, fruitée, avec un léger caractère d'amande grillée en finale. ⌛ 2022-2025

SAS MAISON ROCHE DE BELLENE, 39, rue du Fg-Saint-Nicolas, 21200 Beaune, tél. 03 80 20 67 64, contact@groupebellene.com V *r.-v.*

DOM. ROUX PÈRE ET FILS Clos des Poruzots 2017

1er cru	1600		75 à 100 €

Créée en 1855, cette maison associant domaine et négoce, gérée par Christian Roux et ses fils Sébastien

et Matthieu, est à la tête d'un vaste ensemble de 70 ha répartis sur 13 villages de la Côte-d'Or et de la Côte chalonnaise. Elle propose une vaste gamme de vins, souvent en vue, notamment en saint-aubin, puligny, chassagne et meursault.

Des vignes de quarante-cinq ans et un élevage de douze mois en fût ont présidé à la naissance de ce vin au potentiel certain. L'empreinte du bois est certes très présente encore, mais l'équilibre entre le gras et la vivacité laisse penser que le temps fera efficacement son œuvre. ⌛ 2022-2025

SARL DOM. ROUX PÈRE ET FILS, 42, rue des Lavières, 21190 Saint-Aubin, tél. 03 80 21 32 92, france@domaines-roux.com V r.-v.

DOM. SEGUIN-MANUEL Les Clous 2017

	1800		30 à 50 €

Thibaut Marion a repris en 2004 cette maison fondée à Savigny en 1824 et aujourd'hui basée à Beaune. En parallèle de son activité de négoce, il exploite un domaine (certifié bio en 2015) dont il a porté la superficie de 3,5 à 8,5 ha, essentiellement en Côte de Beaune. Une valeur sûre, notamment pour ses savigny.

L'élevage en fût de chêne de douze mois (dont 20 % de fûts neufs) a respecté l'expression du terroir. En témoigne le nez flatteur de fleurs blanches, nuancé de notes beurrées et toastées. La vivacité de l'attaque cède bientôt place à une certaine souplesse et la finale de bonne longueur semble de bon augure pour l'avenir. ⌛ 2022-2024

SARL SEGUIN-MANUEL, 2, rue de l'Arquebuse, 21200 Beaune, tél. 03 80 21 50 42, contact@seguin-manuel.com V r.-v.

CHRISTOPHE VAUDOISEY Les Vireuils 2017 ★

	2300		20 à 30 €

Fondé en 1804, ce domaine a vu passer huit générations de vignerons. Secondé par son fils Pierre, Christophe Vaudoisey, souvent en vue pour ses volnay, est installé depuis 1985 à la tête de 12 ha en volnay, pommard et meursault.

Coup de cœur dans le millésime 2015, cette cuvée trouve sa place dans le Guide avec ce 2017 doré à reflets verts. Des notes de fleurs et de fruits secs s'élèvent du verre avec élégance, puis une matière ronde emplit le palais. Une touche minérale bienvenue apparaît, avant que le caractère chaleureux ne revienne en finale. ⌛ 2022-2025

SCEV CHRISTOPHE VAUDOISEY, 1, rue de la Barre, 21190 Volnay, tél. 03 80 21 20 14, christophe.vaudoisey@wanadoo.fr V r.-v.

BLAGNY

Superficie : 4,8 ha
Production : 32 hl en *villages*; 183 hl en 1er cru

Situé à cheval sur les communes de Meursault et de Puligny-Montrachet, un vignoble homogène s'est développé autour du hameau de Blagny. On y produit des vins rouges remarquables portant l'appellation blagny, mais la plus grande superficie est plantée en chardonnay pour donner, selon la commune, du meursault 1er cru ou du puligny-montrachet 1er cru.

CHAPELLE DE BLAGNY Sous le Dos d'Âne 2016

1er cru	2500		20 à 30 €

Ancienne propriété cistercienne, le domaine est exploité depuis 1811 par la famille de Jean-Louis de Montlivault, qui a passé le relais à son gendre Étienne de Bréchard en 2013. Les 7 ha de la propriété sont labellisés Haute Valeur Environnementale depuis 2015.

Doté d'une robe pourpre soutenu, ce 1er cru révèle un nez intense de fruits rouges (cerise, framboise). La bouche se montre bien équilibrée, et la finale épicée et iodée apporte de la finesse. ⌛ 2021-2024

SCEV DOM. DE BLAGNY, 2 bis, hameau de Blagny, 21190 Puligny-Montrachet, tél. 06 81 61 61 87, contact@chapelledeblagny.vin V r.-v.; *f. en août*

DOM. LAMY-PILLOT La Pièce sous le Bois 2016 ★

1er cru	1500		30 à 50 €

René et Thérèse Lamy ont créé en 1973 ce domaine, valeur sûre en chassagne et en saint-aubin. Leurs filles Florence (depuis 1997) et Karine (depuis 2004) conduisent aujourd'hui les 15 ha de vignes avec leurs époux respectifs, Sébastien Caillat (à la vigne) et Daniel Cadot (au commercial).

D'un joli rouge sombre, ce 1er cru dévoile au nez des arômes de griotte, de poivre et de vanille. La bouche apparaît ample, riche et d'une bonne concentration aromatique. La finale plus sévère appelle la garde. ⌛ 2022-2026

SCEA DOM. LAMY-PILLOT, 31, rte de Santenay, 21190 Chassagne-Montrachet, tél. 03 80 21 30 52, contact@lamypillot.fr V r.-v.

PULIGNY-MONTRACHET

Superficie : 208 ha
Production : 10 850 hl (99 % blanc)

Centre de gravité des vins blancs de Côte-d'Or, serrée entre ses deux voisines Meursault et Chassagne, cette petite commune tranquille ne représente en surface de vignes que la moitié de Meursault, ou les deux tiers de Chassagne, mais se console en possédant les plus grands crus blancs de Bourgogne, dont le montrachet (en partage avec Chassagne). La position géographique de ces grands crus, selon les géologues de l'université de Dijon, correspond à une émergence de l'horizon bathonien, qui leur confère plus de finesse, plus d'harmonie et plus de subtilité aromatique qu'aux vins récoltés sur les marnes avoisinantes. Les autres *climats* et 1ers crus de la commune exhalent fréquemment des senteurs végétales à nuances résineuses ou terpéniques qui leur donnent beaucoup de distinction.

BACHEY-LEGROS ET FILS 2017 ★

	3350		30 à 50 €

Christiane et ses fils Samuel et Lénaïc gèrent ce domaine de 18 ha. Les vignes, vieilles de 60 ans en moyenne, sont conduites en agriculture raisonnée. Depuis 2008, la famille Bachey-Legros s'est également lancée dans une activité de négoce. 70 % de la production est vendue à l'étranger.

Une belle robe dorée aux reflets verts habille cette cuvée ouverte sur les fleurs (lys, jasmin), le litchi et de fines notes toastées. La bouche est à la fois charnue et fraîche, soutenue par une fine trame minérale et par un boisé bien intégré. Finale longue et gourmande sur la noisette et l'amande. ⧗ 2020-2025

SAS BACHEY-LEGROS ET FILS, 12, rue de la Charrière, 21590 Santenay, christiane.bachey-legros@wanadoo.fr V r.-v.

DOM. BELLEVILLE Les Boudrières 2016

	2621		50 à 75 €

Né à Rully au début du XXᵉs., ce domaine compte 18 ha de vignes, en conversion bio depuis 2017, année d'acquisition de la propriété par un couple d'Américains passionnés d'art de vivre à la française et leur associé, Jean-Luc Vitoux. Ensemble, ils ont également repris une petite maison de négoce à Meursault, Les Parcellaires de Saulx, ainsi que le Château et le Clos de la Commaraine à Pommard.

Un nez gourmand de fruits mûrs, de miel et de vanille se libère de cette cuvée couleur jaune citron. La bouche est souple, enrobée dans une belle matière, toute en rondeur et en finesse. Bonne longueur. ⧗ 2019-2022

SCEA DOM. BELLEVILLE, 6, ZA Les Champs-Rouges, 71150 Rully, tél. 03 85 91 06 00, contact@domainebelleville.com V r.-v.

DOM. BRIGITTE BERTHELEMOT La Garenne 2017 ★

1er cru	1680		30 à 50 €

Un domaine créé par Brigitte Berthelemot en 2006 avec la reprise des vignes de Jean Garaudet et d'Yves Darviot : 15 ha aujourd'hui (certifiés Haute Valeur Environnementale) dans plusieurs communes de la Côte de Beaune et dans les Hautes-Côtes, administrés avec Marc Cugney. Un duo complémentaire, à en juger par sa régularité depuis son installation.

Un *climat* situé au-dessus du grand cru montrachet, l'un des plus vastes 1ers crus de l'appellation, dont le nom renvoie à un lieu de chasse au Moyen Âge. Ce 2017 à la robe éclatante dévoile un nez complexe de fleurs blanches (lilas, lys), de poire, de citron et de notes mentholées. À la fois gras et frais, toasté et fruité en bouche, ce puligny se montre très équilibré et long. ⧗ 2020-2024

SCE DOM. BRIGITTE BERTHELEMOT, 24, rue des Forges, BP 30008, 21190 Meursault, tél. 03 80 21 68 61, contact@domaineberthelemot.com V r.-v.

DOM. BORGEOT Les Grands Champs 2017 ★

	4500		30 à 50 €

Ce domaine familial fondé en 1903 est conduit par les frères Borgeot, Pascal et Laurent. Son vignoble est morcelé sur 25 ha aux confins de la Saône-et-Loire et de la Côte-d'Or, complété par une activité de négoce.

Cette cuvée jaune aux reflets verts s'ouvre sur un nez d'agrumes (citron), d'acacia, d'aubépine et de vanille. La bouche apparaît riche et ample, tout en offrant une bonne fraîcheur aux tonalités minérales et un boisé bien intégré. La finale est agréable, portée par de fins amers. ⧗ 2020-2024

SARL DOM. BORGEOT, 10, rte de Chassagne, 71150 Remigny, tél. 03 85 87 19 92, borgeot.laurent@wanadoo.fr V r.-v.

HUBERT BOUZEREAU-GRUÈRE ET FILLES 2017

	2000		20 à 30 €

Installé en 1965, Hubert Bouzereau exploite avec ses filles Marie-Laure et Marie-Anne un vignoble de 10 ha réparti sur six villages de la Côte de Beaune. Un domaine souvent en vue pour ses meursault, puligny et chassagne. Anecdote bien connue des œnophiles bourguignons : le vigneron a figuré en tant que pompier de Meursault dans le cultissime *La Grande Vadrouille* de Gérard Oury, un sujet de conversation savoureux au caveau…

Sous sa robe couleur or clair, cette cuvée dévoile au nez des arômes de fleurs blanches (jasmin), de poire, de pêche et de noisette. La bouche se révèle fraîche et fruitée, fraîcheur renforcée par une jolie finale iodée. ⧗ 2020-2023

EARL HUBERT BOUZEREAU-GRUÈRE ET FILLES, 22A, rue de la Velle, 21190 Meursault, tél. 03 80 21 20 05, contact@bouzereaugruere.com V r.-v. 3

DOM. DU CELLIER AUX MOINES Les Pucelles 2016

1er cru	1000		75 à 100 €

Fondé en 1130 par les cisterciens, propriété d'une seule famille après la Révolution française, ce domaine classé Monument historique a été acquis et restauré à partir de 2004 par Philippe Pascal, ancien cadre dirigeant chez LVMH, avec son épouse Catherine et leurs trois enfants. Une cuverie en gravité totale a été inaugurée en 2016 avec une première vinification faite par Guillaume Marko. Le vignoble de 9 ha, en conversion biologique depuis 2015, est constitué des 4,7 ha de pinot noir du Clos du Cellier aux Moines, un des 1ers crus historiques de Givry, complétés par quelques hectares de chardonnay en Côte de Beaune.

Un 1er cru couleur dorée, qui révèle un nez de fleurs blanches, de pêche, d'abricot et de fines notes beurrées et briochées. Gras, rond et riche en bouche, il conserve toutefois une belle fraîcheur minérale. ⧗ 2020-2023

SARL CELLIER AUX MOINES, Clos du Cellier aux Moines, 71640 Givry, tél. 03 85 44 53 75, contact@cellierauxmoines.fr V r.-v.

JEAN CHARTRON Clos du Cailleret Monopole 2017 ★

1er cru	3539		50 à 75 €

Créé en 1859 par le tonnelier Jean-Édouard Dupard, ce domaine d'une grande constance, bien implanté dans les grands crus de Puligny, étend son vignoble sur 13 ha – dont 90 % de chardonnay et trois monopoles (Clos de la Pucelle et Clos du Cailleret en puligny, Clos des Chevaliers en chevalier-montrachet) –, conduits en bio non certifié. Jean-Michel Chartron est aux commandes depuis 2004 et épaulé depuis 2015 par sa sœur Anne-Laure; l'un de ses credo : « Du bois, oui, mais pas trop ». Une valeur sûre.

Un monopole familial depuis 1917 (1 ha), qui possède la particularité d'être planté à la fois en pinot noir et en chardonnay. D'un beau jaune pâle brillant, ce 1er cru s'ouvre sur un nez d'agrumes, d'ananas, de poire, de vanille et de brioche. La bouche, enrobée dans une belle matière, se montre bien équilibrée et dévoile une bonne expression aromatique autour du fruit et de la vanille. ⧗ 2020-2026 ■ **1er cru Clos de la Pucelle Monopole 2017 (50 à 75 €; 4400 b.)** : vin cité.

SCEA DOM. JEAN CHARTRON, 8 bis, Grande-Rue, 21190 Puligny-Montrachet, tél. 03 80 21 99 19, info@jeanchartron.com V r.-v.; f. de nov. à mars

CHRISTIAN CHOLET-PELLETIER 2017

■ | 1300 | | 20 à 30 €

Christian Cholet a débuté avec le caniculaire millésime 1976. Établi dans la plaine, entre Meursault et Puligny-Montrachet, il conduit aujourd'hui, avec sa fille Florence, œnologue, un vignoble de 7 ha et s'illustre avec régularité dans ces pages, notamment par ses auxey-duresses.

Cette cuvée jaune pâle aux reflets dorés révèle un nez flatteur de pêche blanche, de fleurs, d'amande et de noisette. La bouche est souple en attaque, vive et persistante dans son développement. ⧗ 2020-2023

CHRISTIAN CHOLET, 40, rue de la Citadelle, 21190 Corcelles-les-Arts, tél. 03 80 21 47 76 V r.-v.

♥ DOM. DE LA CHOUPETTE
Les Chalumaux 2017 ★★

■ 1er cru | n.c. | | n.c.

Les frères jumeaux Jean-Christophe (à la vigne) et Philippe Gutrin (au chai) ont créé leur domaine en 1992. Le vignoble couvre aujourd'hui environ 12 ha répartis en une quinzaine de *climats* dans les communes de Santenay, Chassagne et Puligny-Montrachet.

Issus d'un *climat* proche de Blagny, côté Meursault, ces Chalumaux tiennent avec fierté leur rang de 1er cru. Dans le verre, un vin à la robe éclatante de jaune, qui dévoile au nez des arômes complexes de fleurs, de pêche, d'amande et de fines notes boisées vanillées. La bouche offre un superbe équilibre entre rondeur, gourmandise du fruit et fraîcheur minérale et mentholée. Elle s'étire dans une longue finale saline qui renforce son élégance et son dynamisme. Un vin agréable dès aujourd'hui, mais qui vieillira très bien. ⧗ 2020-2026 ■ **2017 ★★ (20 à 30 €; 3000 b.)** : dans un style généreux, ce 2017 jaune pâle révèle un nez racé mêlant des parfums de fleurs à des notes de vanille, de noisette et de torréfaction. Beau volume en bouche et très belle expression aromatique qui tient sur la longueur. Vin très gourmand à la finale fraîche. ⧗ 2020-2023 ■ **1er cru La Garenne 2017 ★ (30 à 50 €; 1000 b.)** : un 1er cru au nez gourmand de fruits exotiques, de fleurs, de miel et de pâtisserie. La bouche est dense, riche, ample, bien structurée et d'une bonne persistance aromatique jusqu'à la finale, ouverte sur de fins amers. ⧗ 2020-2024

EARL DOM. DE LA CHOUPETTE (GUTRIN FILS), 2, pl. de la Mairie, 21590 Santenay, tél. 06 81 46 71 13, gutrinfils@orange.fr V r.-v.

DOM. DUPONT-FAHN
Les Grands Champs 2017

■ | 1000 | | 20 à 30 €

Depuis le cœur de Monthelie, ce producteur installé en 1987 exploite 4 ha de vignes toutes situées en Côte de Beaune. Une originalité : il produit aussi en IGP Pays d'Oc.

Sous sa robe jaune pâle, ce 2017 dévoile un nez discret de fruits confits (abricot), de miel, de café et de menthe. Rond, doté d'un boisé fondu, il présente un bel équilibre en bouche entre acidité et sucrosité. ⧗ 2019-2022

MICHEL DUPONT-FAHN, Les Troisières, 21190 Monthelie, tél. 06 08 51 15 13, domaine.dupontfahn@gmail.com

BOURGOGNE

RAYMOND DUPONT-FAHN Les Charmes 2017

■ | 1800 | | 20 à 30 €

Établi à Tailly, petite localité pittoresque qui campe dans la plaine agricole de Meursault, Raymond Dupont-Fahn incarne la troisième génération de vignerons sur ce domaine de 6,5 ha régulier en qualité.

Ce vin gourmand, jaune pâle aux reflets dorés, exhale les fruits mûrs, la cire d'abeille, la vanille et le miel. Opulent et rond en bouche, il est encore bien marqué par l'élevage, mais l'avenir lui appartient. ⧗ 2021-2026

RAYMOND DUPONT-FAHN, 70, rue des Eaux, 21190 Tailly, tél. 06 14 38 53 21, domaine.raymond.dupontfahn@orange.com V r.-v.

ARNAUD GERMAIN 2017

■ | 1200 | | 20 à 30 €

Un domaine créé en 1955 par Bernard Germain, rejoint en 1976 par son fils Patrick, avec lequel il lance la mise en bouteilles. En 2010, Arnaud, le petit-fils, s'installe sur l'exploitation. Il conduit 16 ha, complétés par une activité de négoce à son nom.

Une belle robe jaune paille lumineuse habille cette cuvée au nez de fruits secs agrémentés de notes beurrées et boisées. La bouche se révèle déliée, fraîche et fruitée, soutenue par une trame minérale et un boisé fondu. ⧗ 2020-2023

SARL ARNAUD GERMAIN, 34, rue de la Pierre-Ronde, 21190 Saint-Romain, tél. 03 80 21 60 15, contact@domaine-germain.com V t.l.j. sf dim. 8h30-12h 13h30-18h30

VINCENT GIRARDIN Les Combettes 2016

■ 1er cru | 4500 | | + de 100 €

Une maison de grande qualité créée en 1984 par Véronique et Vincent Girardin, cédée en 2012 à leur partenaire historique la Compagnie des Vins d'Autrefois, dirigée par Jean-Pierre Nié. Les équipes techniques et commerciales sont restées les mêmes, et les vins sont toujours vinifiés à Meursault par Éric Germain, bras droit de Vincent Girardin pendant dix ans.

Ce 2016 doré aux reflets verts s'ouvre sur un nez de fleur d'acacia, de miel et de vanille. Un bon gras s'offre en bouche, rehaussé par une fraîcheur minérale. Un vin souple et fruité. ⧗ 2020-2024

SAS VINCENT GIRARDIN, 5, imp. des Lamponnes, 21190 Meursault, tél. 03 80 20 81 00, vincent.girardin@vincentgirardin.com

OLIVIER LEFLAIVE
Champ Gain 2016

1er cru | 2880 | | 50 à 75 €

Négociant-éleveur établi à Puligny-Montrachet depuis 1984, Olivier Leflaive, l'une des références de la Côte de Beaune, collectionne les étoiles, côté cave (négoce et domaine) et côté hôtellerie : quatre pour son hôtel de Puligny. Au chai, l'œnologue Franck Grux et son complice Philippe Grillet.

Ce 1er cru couleur or blanc révèle un nez expressif de fruits mûrs, de poire et d'orange. En bouche, il se montre suave et riche sans manquer de vivacité. Un ensemble équilibré et d'ores et déjà accessible. 2019-2024

SA OLIVIER LEFLAIVE FRÈRES, pl. du Monument, 21190 Puligny-Montrachet, tél. 03 80 21 37 65, contact@olivier-leflaive.com V r.-v.

DOM. MOISSENET-BONNARD
Hameau de Blagny 2017 ★

1er cru | 900 | | 50 à 75 €

Souvent en vue pour ses pommard, Jean-Louis Moissenet, issu d'une longue lignée vigneronne, a débuté comme responsable du rayon fruits et légumes dans la grande distribution, avant de reprendre en 1988 les vignes familiales provenant de sa grand-mère, Madame Henri Lamarche. Depuis 2015, c'est sa fille Emmanuelle-Sophie qui conduit le domaine et ses 6 ha de vignes.

D'un beau jaune doré, ce 1er cru dévoile un nez complexe mêlant les fruits exotiques (litchi), la poire, la mandarine, la pâte d'amande et la vanille. Gras, suave et puissant en bouche, il ne perd jamais l'équilibre, bien soutenu par une belle minéralité et une finale fraîche et épicée, sur la menthe poivrée. 2020-2024

EARL MOISSENET-BONNARD, 4, rue des Jardins, 21630 Pommard, tél. 03 80 24 62 34, emmanuelle-sophie@moissenet-bonnard.com V r.-v.

JEAN-RENÉ NUDANT
Les Folatières 2017 ★

1er cru | 1400 | | 50 à 75 €

Un Guillaume Nudant d'Aloxe-Corton était déjà vigneron en 1453. Son descendant, Guillaume également, a rejoint en 2003 son père Jean-René sur le domaine familial de 16 ha, planté pour l'essentiel autour de la montagne de Corton, complété par une activité de négoce.

Ce 1er cru à la robe cristalline s'ouvre sur un nez intense de pêche blanche, de réglisse, de chèvrefeuille et de miel. La bouche est généreuse, ample et dense sans manquer de fraîcheur. Une finale gourmande, miellée, conclut la dégustation de ce vin au bon potentiel de garde. 2021-2027 **Les Charmes 2017 (30 à 50 €; 3600 b.)** : vin cité.

SARL JEAN-RENÉ NUDANT, 11, rte de Dijon, 21550 Ladoix-Serrigny, tél. 03 80 26 40 48, domaine.nudant@wanadoo.fr V t.l.j. sf dim. 8h30-12h 13h30-17h30; sam. sur r.-v.

♥ STÉPHANE PIGUET
Cuvée Prestige 2017 ★★

| 900 | | 30 à 50 €

Ouvrier viticole depuis 2003 sur la propriété de ses parents, Max et Anne-Marye Piguet-Chouet, Stéphane Piguet a entrepris en 2012 de créer sa propre activité de négoce pour élargir la gamme du domaine, qui s'étend aujourd'hui aux appellations saint-romain, puligny-montrachet et corton-charlemagne.

Ce 2017 n'a qu'un défaut : sa quantité confidentielle... Une robe dorée ornée de vert et un nez subtil de miel, de noisette, de chèvrefeuille et de toasté composent une entrée en matière des plus engageantes. La bouche se révèle parfaitement équilibrée entre gras, volume et fine minéralité. Un vin à la fois gourmand et très élégant, au grain fin et d'une réelle persistance. 2019-2024

PIGUET, 16, rte de Beaune, 21190 Auxey-Duresses, tél. 06 87 54 59 02, maisonstephanepiguet@yahoo.fr V r.-v.

DOM. THOMAS-COLLARDOT
Les Enseignères 2016

| 607 | | 30 à 50 €

Une petite exploitation familiale reprise en 2011 par Jacqueline Collardot, qui a signé sa première vinification en 2015. Elle a été rejointe par son fils Matthieu en 2018. À leur carte, du puligny-montrachet, du blagny et du bourgogne générique.

Un nez délicat d'agrumes, de fleurs blanches, de vanille et de miel se libère de cette cuvée à la robe dorée. La bouche se montre souple, charnue, encore un peu marquée par l'élevage. Belle amertume en finale. 2020-2023

EARL DOM. THOMAS-COLLARDOT, 4, rue de Poiseul, 21190 Puligny-Montrachet, tél. 06 23 76 92 51, contact@domaine-thomas-collardot.com V r.-v.

DOM. GÉRARD THOMAS ET FILLES
La Garenne 2017

1er cru | 4400 | | 20 à 30 €

Isabelle et Anne-Sophie sont désormais aux commandes du domaine créé par leur père Gérard Thomas dans les années 1990. Le vignoble couvre une douzaine d'hectares en saint-aubin (principalement) ainsi qu'en meursault, chassagne et puligny.

Parée d'une jolie robe aux reflets verts, cette cuvée s'ouvre sur un nez d'agrumes, d'abricot et de vanille. La bouche est souple et fraîche, soutenue par une bonne trame minérale et citronnée. 2020-2024

EARL DOM. GÉRARD THOMAS, 6, rue des Perrières, 21190 Saint-Aubin, tél. 03 80 21 32 57, domaine.gerard.thomas@orange.fr V r.-v.

CHEVALIER-MONTRACHET

Superficie : 7,5 ha / Production : 310 hl

JEAN CHARTRON
Clos des Chevaliers Monopole 2017 ★

Gd cru	n.c.		+ de 100 €

Créé en 1859 par le tonnelier Jean-Édouard Dupard, ce domaine d'une grande constance, bien implanté dans les grands crus de Puligny, étend son vignoble sur 13 ha – dont 90 % de chardonnay et trois monopoles (Clos de la Pucelle et Clos du Cailleret en puligny, Clos des Chevaliers en chevalier-montrachet) –, conduits en bio non certifié. Jean-Michel Chartron est aux commandes depuis 2004 et épaulé depuis 2015 par sa sœur Anne-Laure; l'un de ses credo : « Du bois, oui, mais pas trop ». Une valeur sûre.

Régulièrement distingué dans nos colonnes, ce monopole de 46 ares fait la fierté de la famille Chartron. Une belle robe dorée habille ce grand cru au nez subtil de fleurs blanches. La bouche est ronde et puissante, enrobée dans une belle matière au boisé marqué. Jolie finale sur de fins amers qui persistent. ⧗ 2023-2030

SCEA DOM. JEAN CHARTRON, 8 bis, Grande-Rue, 21190 Puligny-Montrachet, tél. 03 80 21 99 19, info@jeanchartron.com V r.-v.; f. de nov. à mars

BÂTARD-MONTRACHET

Superficie : 11,2 ha / Production : 475 hl

DOM. FAIVELEY 2017 ★

Gd cru	1500		+ de 100 €

Ce domaine fondé à Nuits-Saint-Georges en 1825 est un nom qui compte en Bourgogne, depuis sept générations. À sa tête depuis 2005, Erwan Faiveley, qui a succédé à son père François. Aujourd'hui, c'est l'un des plus importants propriétaires de vignes en Bourgogne : 120 ha du nord de la Côte de Nuits au sud de la Côte chalonnaise, dont 10 ha en grand cru et près de 25 ha en 1er cru.

Ce grand cru se présente dans une belle robe dorée lumineuse. Le nez, très parfumé, associe les fleurs d'acacia et de sureau, les fruits exotiques et la noisette grillée. Un équilibre très assuré apparaît en bouche entre rondeur, volume et fine acidité, avec un joli boisé fondu en soutien. La finale gourmande et sapide achève de convaincre. ⧗ 2022-2030

SAS MAISON JOSEPH FAIVELEY (CVVB), 8, rue du Tribourg, 21700 Nuits-Saint-Georges, tél. 03 80 61 04 55, contact@domaine-faiveley.com

CRIOTS-BÂTARD-MONTRACHET

Superficie : 1,6 ha / Production : 75 hl

DOM. ROGER BELLAND 2017 ★★

Gd cru	3000		+ de 100 €

Un domaine ancien, dont on trouve trace au XVIIIe s, couvrant aujourd'hui 24 ha. À sa tête, Roger Belland, installé en 1981, sa fille Julie, arrivée en 2003 et chargée des vinifications et leur nouveau collaborateur Martin Boyer. Pas de bio certifié ici, mais une viticulture raisonnée et maîtrisée (enherbement total du vignoble, pas de désherbants), et des vins d'une grande constance.

Le millésime 2016 a décroché le coup de cœur l'an dernier, le 2017 y prétendait. Sous sa robe dorée, ce grand cru s'ouvre sur un nez très élégant d'agrumes et de rose, agrémenté de légères notes grillées. La bouche se révèle d'une grande finesse et d'une persistance aromatique remarquable, portée par un élevage parfaitement maîtrisé qui apporte de la matière, de la rondeur et du gras. ⧗ 2022-2030

EARL ROGER BELLAND, 3, rue de la Chapelle, 21590 Santenay, tél. 03 80 20 60 95, belland.roger@wanadoo.fr V r.-v.

CHASSAGNE-MONTRACHET

Superficie : 300 ha
Production : 15 660 hl (65 % blanc)

Le village de Chassagne est situé au sud de la Côte de Beaune, entre Puligny, Montrachet et Santenay. Exposé est-sud-est, le vignoble se partage entre pinot noir et chardonnay. La combe de Saint-Aubin, parcourue par la RN 6, forme à peu près la limite méridionale de la zone des vins blancs. Les Clos Saint-Jean et Morgeot, qui donnent des vins solides et vigoureux, sont les 1ers crus les plus réputés de la commune.

VINCENT BACHELET Les Benoites 2017 ★

■	n.c.		15 à 20 €

Originaire d'une vieille famille vigneronne des Maranges (il est fils de Bernard Bachelet), Vincent Bachelet a travaillé avec ses frères avant de s'installer, en 2008, à Chassagne-Montrachet, dans les anciens chais du négociant de Marcilly. Il exploite 18 ha, essentiellement dans la Côte de Beaune.

Un vaste *climat* communal qui doit son nom à des terres « bénies », autrefois travaillées par les moines de l'abbaye voisine de Morgeot. Vincent Bachelet y cultive 70 ares de pinot noir, à l'origine de cette cuvée au nez intense de cerise, de bois de rose et d'épices. La bouche, enrobante et ronde, est soutenue par une fine acidité et des tanins soyeux. ⧗ 2022-2027 **2017 (20 à 30 €; 4 500 b.)** : vin cité.

EARL DOM. VINCENT BACHELET, 27, rte de Santenay, 21190 Chassagne-Montrachet, tél. 06 19 77 51 87, contact@vincent-bachelet.com V r.-v.

♥ DOM. BACHEY-LEGROS
Les Plantes Momières Vieilles Vignes 2016 ★★

■	3800		20 à 30 €

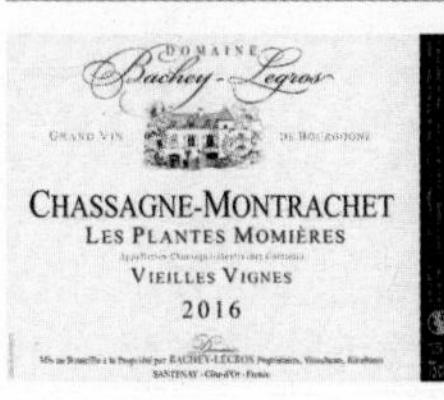

Régulièrement mentionnés dans le Guide, les Bachey-Legros – Christiane et ses fils Samuel et Lénaïc – sont les cinquième et sixième générations à œuvrer sur ce domaine de 19 ha auquel

s'est ajoutée une activité de négoce en 2008. En 2017, la propriété s'est équipée d'une nouvelle cuverie.

Une valeur sûre de l'appellation que cette cuvée des Bachey-Legros. Un chassagne né de vénérables vignes de plus de soixante-dix ans, ouvert sur un nez gourmand et complexe de fruits rouges cuits, de pivoine et de café. La bouche, bien fruitée, affiche beaucoup de volume et s'appuie sur des tanins fermes qui confèrent un caractère cistercien à ce très beau vin de garde. ⧗ 2023-2030 ■ **1er cru Morgeot Les Petits Clos Vieilles Vignes 2017 ★ (30 à 50 €; 7300 b.)** : l'une des nombreuses subdivisions du *climat* Morgeot, réputée donner des vins intenses et profonds. C'est bien le cas de ce 1er cru au nez soutenu d'agrumes, de fruits confits, de noisette et d'épices, ample et bien tendu en bouche par une arête minérale enrobée par un joli gras. ⧗ 2022-2026 ■ **2017 (30 à 50 €; 5100 b.)** : vin cité.

⊶ EARL DOM. BACHEY-LEGROS, 12, rue de la Charrière, 21590 Santenay, tél. 03 80 20 64 14, christiane.bachey-legros@wanadoo.fr V 🚶 🍷 *r.-v.*

DOM. ROGER BELLAND Morgeot Clos Pitois Monopole 2017 ★

■ 1er cru	9000	🛢	30 à 50 €

Un domaine ancien, dont on trouve trace au XVIIIe s., couvrant aujourd'hui 24 ha. À sa tête, Roger Belland, installé en 1981, sa fille Julie, arrivée en 2003 et chargée des vinifications et leur nouveau collaborateur Martin Boyer. Pas de bio certifié ici, mais une viticulture raisonnée et maîtrisée (enherbement total du vignoble, pas de désherbants), et des vins d'une grande constance.

La particularité de ce clos est de partager sa terre entre le chardonnay et le pinot noir, et d'offrir au domaine des sélections très régulières dans ces pages. La version rouge 2017 séduit par son caractère très aromatique, sur les fruits rouges frais (fraise, framboise), par la finesse de ses tanins et par sa fraîcheur. ⧗ 2022-2026

⊶ EARL ROGER BELLAND, 3, rue de la Chapelle, 21590 Santenay, tél. 03 80 20 60 95, belland.roger@wanadoo.fr V 🚶 🍷 *r.-v.*

CHRISTIAN BERGERET ET FILLE 2017 ★

■	3130	🛢	15 à 20 €

Un domaine dans la même famille depuis plusieurs générations. Comptable de formation, professeure pendant quelques années, Clotilde Brousse-Bergeret en a pris la direction en 2001 à la suite de son père Christian. L'exploitation compte aujourd'hui 14 ha répartis sur plusieurs communes de la Côte de Beaune et des Hautes-Côtes.

Des vignes de cinquante ans ont donné naissance à une jolie cuvée au nez discret mais élégant de bergamote, de fleurs blanches et de toasté. La bouche se révèle franche, fraîche, droite, avec ce qu'il faut de gras pour apporter de la rondeur. Belle finale tonique sur des notes citronnées. ⧗ 2021-2024

⊶ SCEA DOM. CHRISTIAN BERGERET ET FILLE, 2, cour Michaud, 21340 Nolay, tél. 06 58 52 41 48, vins.bergeret@outlook.fr V 🍷 *r.-v.; f. 15-31 août*

DOM. BERTHELEMOT Abbaye de Morgeot 2017

■ 1er cru	4060	🛢	30 à 50 €

Un domaine créé par Brigitte Berthelemot en 2006 avec la reprise des vignes de Jean Garaudet et d'Yves Darviot : 15 ha aujourd'hui (certifiés Haute Valeur Environnementale) dans plusieurs communes de la Côte de Beaune et dans les Hautes-Côtes, administrés avec Marc Cugney. Un duo complémentaire, à en juger par sa régularité depuis son installation.

Si l'abbaye (en réalité un ancien cellier de l'abbaye de Maizière) qui donne son nom à ce 1er cru date de 1150, la vigne à l'origine de ce vin, elle, n'a pas encore fêté ses quarante ans... Dans le verre, un chassagne au nez flatteur de fleurs blanches, d'agrumes bien mûrs et de noisette, à la bouche alerte, souple et bien fruitée. ⧗ 2021-2024

⊶ SCE DOM. BRIGITTE BERTHELEMOT, 24, rue des Forges, BP30008, 21190 Meursault, tél. 03 80 21 68 61, contact@domaineberthelemot.com V 🚶 🍷 *r.-v.*

DOM. BOUARD-BONNEFOY 2017 ★

■	1650	🛢	20 à 30 €

Les trois générations précédentes ont agrandi peu à peu le domaine qui couvre aujourd'hui 5 ha en saint-aubin, puligny et chassagne. Alors que la récolte était jusqu'alors vendue en moûts, Carine et Fabrice Bouard ont débuté la vente en bouteilles dès leur installation en 2006.

Fleurs blanches, agrumes, miel, pain grillé, le bouquet de ce chassagne donne envie d'aller plus loin. Et l'on n'est pas déçu : la bouche est fraîche, fine, aérienne, soulignée par un boisé bien fondu. La finale miellée apporte un surcroît de rondeur. ⧗ 2020-2024

⊶ EARL DOM. BOUARD-BONNEFOY, 12, rte de Santenay, 21190 Chassagne-Montrachet, tél. 03 80 21 28 46, domaine-bouard-bonnefoy@orange.fr V 🍷 *r.-v.*

HUBERT BOUZEREAU-GRUÈRE ET FILLES Les Blanchots Dessous 2017

■	1500	🛢	30 à 50 €

Installé en 1965, Hubert Bouzereau exploite avec ses filles Marie-Laure et Marie-Anne un vignoble de 10 ha réparti sur six villages de la Côte de Beaune. Un domaine souvent en vue pour ses meursault, puligny et chassagne. Anecdote bien connue des œnophiles bourguignons : le vigneron a figuré en tant que pompier de Meursault dans le cultissime *La Grande Vadrouille* de Gérard Oury, un sujet de conversation savoureux au caveau...

Ce *village* dévoile un nez complexe mêlant les agrumes, les fruits jaunes (pêche, mirabelle) et les fleurs. L'attaque un brin perlante laisse place à une bouche ronde et fruitée, encore un peu serrée en finale toutefois. ⧗ 2021-2024

⊶ EARL HUBERT BOUZEREAU-GRUÈRE ET FILLES, 22A, rue de la Velle, 21190 Meursault, tél. 03 80 21 20 05, contact@bouzereaugruere.com V 🚶 🍷 *r.-v.* 🏠 3

JEAN CHARTRON Les Benoites 2017

■	4138	🛢 🍾	30 à 50 €

Créé en 1859 par le tonnelier Jean-Édouard Dupard, ce domaine d'une grande constance, bien implanté dans

les grands crus de Puligny, étend son vignoble sur 13 ha – dont 90 % de chardonnay et trois monopoles (Clos de la Pucelle et Clos du Cailleret en puligny, Clos des Chevaliers en chevalier-montrachet) –, conduits en bio non certifié. Jean-Michel Chartron est aux commandes depuis 2004, épaulé depuis 2015 par sa sœur Anne-Laure; l'un de ses credo : «Du bois, oui, mais pas trop.» Une valeur sûre.

Ces terres, jadis travaillées par les moines de l'abbaye de Morgeot, étaient sous la protection divine de saint Benoît, d'où leur nom. Jean-Michel Chartron en extrait une cuvée régulièrement en vue. Ici, un 2017 au joli nez floral et citronné, et à la bouche souple et fraîche, arrondie par un côté beurré. ⧗ 2021-2024

⊶ EURL JEAN CHARTRON, 8 bis, Grande-Rue, 21190 Puligny-Montrachet, tél. 03 80 21 99 19, info@jeanchartron.com V r.-v.

CH. DE CHASSAGNE-MONTRACHET 2016

■	7000		30 à 50 €

En 1919, Charles Bader, négociant en vin à Paris, épouse Élise Mimeur, de Chassagne-Montrachet. Leurs héritiers exploitent près de 8 ha, et 98 % des vignes du Ch. de Chassagne. Ingénieur de formation, Alain Fossier veille depuis 1993 sur le domaine, notamment sur les 5 ha du clos du château.

Cet emblématique château nous propose une cuvée au nez plaisant de chèvrefeuille et d'agrumes. Arômes que l'on retrouve dans une bouche bien équilibrée, vive en attaque, plus ronde dans son développement. ⧗ 2021-2024

⊶ SARL BADER-MIMEUR, 1, chem. du Château, 21190 Chassagne-Montrachet, tél. 03 80 21 30 22, info@bader-mimeur.com V r.-v.

DOM. DE LA CHOUPETTE Morgeot 2017

■ 1er cru	1800		20 à 30 €

Les frères jumeaux Jean-Christophe (à la vigne) et Philippe Gutrin (au chai) ont créé leur domaine en 1992. Le vignoble couvre aujourd'hui environ 12 ha répartis en une quinzaine de *climats* dans les communes de Santenay, Chassagne et Puligny-Montrachet.

Après aération, ce 1er cru révèle au nez des parfums de fruits rouges et noirs mâtinés de notes de vanille et de tabac. En bouche, il se montre rond, suave et chaleureux, étayé par des tanins fondus. ⧗ 2021-2024

⊶ EARL DOM. DE LA CHOUPETTE (GUTRIN FILS), 2, pl. de la Mairie, 21590 Santenay, tél. 06 81 46 71 13, gutrinfils@orange.fr V r.-v.

♥ JOSEPH DROUHIN Morgeot Marquis de Laguiche 2017 ★★

■ 1er cru	15 900		50 à 75 €

Créée en 1880, cette maison beaunoise travaille une large palette d'AOC bourguignonnes : de Chablis (38 ha sous l'étiquette Drouhin-Vaudon) à la Côte chalonnaise (3 ha), en passant par les Côtes de Beaune et de Nuits (32 ha). On peut y ajouter les vignes américaines du Dom. Drouhin en Oregon (90 ha) et de Roserock Vineyard, 112 ha dans la région des Eola-Amity Hills. Ce négoce d'envergure grâce à ce vaste domaine de 73 ha – développé par Robert Drouhin à partir de 1957 et désormais géré par ses quatre enfants – est aussi le plus important propriétaire de vignes cultivées en biodynamie. Incontournable.

Le plus célèbre et le plus vaste 1er cru de Chassagne, situé autour des vestiges de l'abbaye de Morgeot. Les descendants du marquis de Laguiche y possèdent 2,26 ha dont ils ont confié la gestion à la maison Drouhin. Cette dernière en a extrait un blanc magnifique, brillant et lumineux, au nez gourmand de pêche, de citron et de vanille, à la bouche ample, riche, puissante, soyeuse, relevée par une longue finale sur la vivacité. Un vin bâti pour la garde. ⧗ 2022-2030

⊶ FRÉDÉRIC JOUSSET-DROUHIN, 7, rue d'Enfer, 21200 Beaune, tél. 03 80 24 68 88, christellehenriot@drouhin.com V r.-v.

JEAN-CHARLES FAGOT Vieilles Vignes 2017

■	1800		15 à 20 €

Installé entre Chagny et Puligny-Montrachet, Jean-Charles Fagot, propriétaire de 4 ha de vignes, s'est fait négociant pour étoffer sa carte des vins. Il est également devenu restaurateur en 1998 en ouvrant l'*Auberge du Vieux Vigneron*, où il propose une cuisine du terroir.

Cette vieille vigne accuse cinquante-cinq ans. Elle a donné vie à un vin sérieux, centré sur le noyau de cerise et le cassis mâtinés de notes pierreuses, généreux et puissant en bouche, doté de tanins solides qui appellent la garde. ⧗ 2022-2026

⊶ SARL JEAN-CHARLES FAGOT, 5, rue de l'Église, 21190 Corpeau, tél. 03 80 21 30 24, jeancharlesfagot@free.fr V r.-v.

DOM. FLEUROT-LAROSE Clos de la Rocquemaure Monopole 2017 ★

■ 1er cru	4000		30 à 50 €

Entreprise familiale créée en 1872, le Dom. Fleurot-Larose est établi à Santenay, au Ch. du Passe-Temps. Un château construit en 1843 par Jacques-Marie Duvault, figure de la viticulture bourguignonne au XIXe s. – propriétaire de la Romanée-Conti à partir de 1869 –, passé dans les mains de la famille Fleurot en 1912 et dans celles de Nicolas en 1991.

Au sein du *climat* La Boudriotte, dans le hameau de Morgeot, la famille Fleurot est la seule exploitante des 62 ares de ce clos planté en chardonnay. Elle signe un 2017 au nez discret mais élégant de fleurs blanches, de citron et de vanille, à la bouche ample, ronde, charnue, d'une belle longueur. ⧗ 2022-2026

⊶ EARL DOM. FLEUROT-LAROSE (RENÉ FLEUROT ET FILS), 7, rte de Chassagne, 21590 Santenay, tél. 03 80 20 61 15, fleurot.larose@wanadoo.fr V r.-v.

DOM. DE LA GALOPIÈRE 2017

■	1100		20 à 30 €

Après avoir enseigné l'œnologie pendant quatre ans, Gabriel Fournier s'est installé en 1982 sur le domaine

familial. Il exploite avec son fils Vincent 11,5 ha de vignes répartis dans plusieurs AOC de la Côte de Beaune, de Chassagne-Montrachet à la colline de Corton.

Cette cuvée s'ouvre sur les agrumes (citron, pamplemousse), les fleurs et les fruits blancs (pêche). Une attaque douce introduit une bouche fruitée et finement boisée, prolongée par une jolie finale saline. ⧗ 2021-2024

⊶ EARL DOM. DE LA GALOPIÈRE, 6, rue de l'Église, 21200 Bligny-lès-Beaune, tél. 03 80 21 46 50, cgfournier@wanadoo.fr V r.-v.

VINCENT ET FRANÇOIS JOUARD Les Chaumées 2017 ★★

1er cru	3300		30 à 50 €

Les frères Vincent et François Jouard (cinquième génération) se sont établis en 1990 sur le domaine familial de Chassagne, à la tête d'un vignoble de 11 ha.

Ce 1er cru situé côté Saint-Aubin tire son nom de friches (chaumes) qui ont fait place à la vigne. Les Jouard en ont extrait un 2017 remarquable. Le nez, élégant, associe les agrumes, les fruits secs et la verveine. Une attaque vive, acidulée, prélude à une bouche ronde et dense, dynamisée par une longue finale saline. Un chassagne complet et harmonieux. ⧗ 2022-2026 **1er cru Les Champs Gain 2017 (30 à 50 €; 2400 b.)** : vin cité.

⊶ EARL DOM. VINCENT ET FRANÇOIS JOUARD, 2, pl. de l'Église, 21190 Chassagne-Montrachet, tél. 03 80 21 30 25, domaine.jouardvf@orange.fr V r.-v.

DOM. LAMY-PILLOT 2017

	6000		30 à 50 €

René et Thérèse Lamy ont créé en 1973 ce domaine, valeur sûre en chassagne et en saint-aubin. Leurs filles Florence (depuis 1997) et Karine (depuis 2004) conduisent aujourd'hui les 15 ha de vignes avec leurs époux respectifs, Sébastien Caillat (à la vigne) et Daniel Cadot (au commercial).

Ce *village* 2017 dévoile un nez frais d'agrumes et de fruits exotiques. Une fraîcheur que l'on retrouve en bouche, avec intensité, sur des tonalités minérales, le tout enrobé par un bon boisé. Encore un peu ferme, cette bouteille doit vieillir. ⧗ 2021-2024

⊶ SCEA DOM. LAMY-PILLOT, 31, rte de Santenay, 21190 Chassagne-Montrachet, tél. 03 80 21 30 52, contact@lamypillot.fr V r.-v.

OLIVIER LEFLAIVE Abbaye de Morgeot 2016 ★

1er cru	3800		50 à 75 €

Négociant-éleveur établi à Puligny-Montrachet depuis 1984, Olivier Leflaive, l'une des références de la Côte de Beaune, collectionne les étoiles, côté cave (négoce et domaine) et côté hôtellerie : quatre pour son hôtel de Puligny. Au chai, l'œnologue Franck Grux et son complice Philippe Grillet.

Ce 1er cru s'affirme d'emblée, et avec élégance, à travers un bouquet complexe de fleurs blanches, d'agrumes et de vanille sur fond de minéralité. La bouche se montre soyeuse, profonde, intense, avec en point d'orgue une jolie finale saline et fruitée. ⧗ 2021-2025

⊶ SA OLIVIER LEFLAIVE FRÈRES, pl. du Monument, 21190 Puligny-Montrachet, tél. 03 80 21 37 65, contact@olivier-leflaive.com V r.-v. 5

DOM. LEJEUNE Abbaye de Morgeot 2017

1er cru	900		50 à 75 €

Domaine transmis par les femmes depuis 1850, mais administré et vinifié par les hommes : François Jullien de Pommerol, ancien professeur à la «Viti» de Beaune décédé en 2017, rejoint en 2005 par son gendre Aubert Lefas, qui en assure aujourd'hui la direction. Vinifications en grappes entières et longs élevages sous bois sont leur signature, notamment pour les pommard, le cœur de leurs 10 ha, complétés par une activité de négoce.

Cette cuvée dévoile au nez des parfums soutenus et harmonieux de pêche et d'agrumes. L'attaque est souple, le développement frais, sur la pierre à fusil et le citron. ⧗ 2021-2025

⊶ SCEV DOM. LEJEUNE, 1, pl. de l'Église, 21630 Pommard, tél. 03 80 22 90 88, commercial@domaine-lejeune.fr V *t.l.j. sf dim. 9h-12h 14h-18h*

MESTRE PÈRE ET FILS Élevé en fût de chêne 2017 ★

	2300		20 à 30 €

Cinq générations de viticulteurs se sont succédé ici depuis 1887. Des Maranges à Ladoix en passant par Chassagne et Aloxe, les frères Mestre (Gilbert, Gérard et Michel) exploitent un vignoble de 18 ha.

Issue de vignes âgées de vingt ans, cette cuvée déploie au nez des senteurs fraîches de poire et d'abricot. Souple en attaque, la bouche affiche un bel équilibre entre rondeur et acidité, et de fins amers viennent animer la finale. ⧗ 2021-2025

⊶ SCE MESTRE PÈRE ET FILS, 12, pl. du Jet-d'Eau, 21590 Santenay, tél. 03 80 20 60 11, gilbert.mestre@wanadoo.fr V *t.l.j. sf dim. 10h-12h30 14h30-18h*

DOM. PATRICK MIOLANE La Canière 2017 ★

	4000		20 à 30 €

En 2007, Barbara, la septième génération, a rejoint son père Patrick Miolane sur les 9 ha du domaine, répartis sur Saint-Aubin, Chassagne et Puligny-Montrachet.

Une cuvée souvent en vue, en rouge comme en blanc, née sur un lieu-dit qui, comme la Canée et la Canotte, doit son nom à d'anciennes plantations de cognassiers. Dans le verre, un 2017 très harmonieux, ouvert sur les fleurs (aubépine, violette), les agrumes (citron) et la vanille, ample, fin, frais, minéral et fruité en bouche. ⧗ 2022-2026

⊶ EARL DOM. PATRICK MIOLANE, 2, rue des Perrières, 21190 Saint-Aubin, tél. 03 80 21 31 94, contact@miolane-vins.fr V r.-v.

♥ DAVID MORET Vieilles Vignes 2017 ★★

	4000		30 à 50 €

David Moret a créé en 1999 sa maison de négoce, établie derrière les remparts de Beaune. Cet adepte des élevages longs s'est fait une spécialité de la vinification «haute couture» des blancs de la Côte de Beaune.

David Moret a extrait un magnifique *village* de vieilles vignes cinquantenaires. Au nez, la complexité est de mise : fleurs blanches, notes beurrées et vanillées, touche minérale. En bouche, le vin se montre vif, alerte, aérien, doté d'une texture fine et d'une longue finale saline qui laisse le souvenir persistant d'un chassagne très harmonieux et élégant. ⧗ 2021-2026

SARL DAVID MORET (HSBDM), 1, rue Émile-Goussery, 21200 Beaune, tél. 06 75 01 15 85, davidmoret.vins@orange.fr V *r.-v.*

FERNAND ET LAURENT PILLOT Morgeot 2017 ★

1er cru	3500		30 à 50 €

Installé en 1993, Laurent Pillot, fils de Fernand, représente la quatrième génération de vignerons sur cette propriété de Chassagne-Montrachet; la cinquième (Adrien) a rejoint le domaine en 2016 après avoir parcouru le monde de cave en cave et signe aujourd'hui les vinifications. L'exploitation, qui s'est étendue sur Pommard grâce à la reprise des vignes Pothier-Rieusset, approche aujourd'hui les 15 ha.

Premier millésime vinifié par Adrien Pillot et c'est une belle réussite. Ce Morgeot dévoile un nez ouvert et complexe d'agrumes, de poire, de pêche, de vanille et de jasmin. En bouche, il attaque sur la souplesse et la fraîcheur, puis s'arrondit autour d'un bon boisé vanillé et d'un fruité intense, sans jamais se départir de sa finesse. ⧗ 2022-2026

EARL FERNARD ET LAURENT PILLOT, 2, pl. des Noyers, 21190 Chassagne-Montrachet, tél. 03 80 21 99 83, contact@vinpillot.com V *r.-v.*

DOM. CHRISTIAN REGNARD Vieilles Vignes 2017 ★

■	3900		20 à 30 €

En 2010, Florian Regnard a rejoint son père Christian sur le domaine familial situé à Sampigny, l'un des trois villages de l'AOC maranges. Parcelle après parcelle, il agrandit le vignoble (aujourd'hui 12 ha dans la partie sud de la Côte de Beaune et dans les Hautes-Côtes) et fait bouger les lignes en matière de culture, de vinification et de commercialisation.

Ces vieilles vignes ont cinquante-cinq ans. Elles ont donné naissance à un vin bien bouqueté sur la framboise, la fraise des bois, le cassis et la pivoine, à la bouche ronde suave, généreuse en fruit, avec en soutien des tanins soyeux. Un chassagne au profil gourmand, qui s'appréciera très bien dans sa jeunesse. ⧗ 2019-2024

2017 (20 à 30 €; 900 b.) : vin cité.

EARL CHRISTIAN REGNARD, 14, rte de Cheilly, 71150 Sampigny-lès-Maranges, tél. 03 85 45 51 29, regnardc@wanadoo.fr V *t.l.j. 10h-12h 14h-18h*

MAISON ROCHE DE BELLÈNE
Très Vieilles Vignes 2016

1er cru	1961		75 à 100 €

Nicolas Potel a créé cette maison en 2008 pour compléter la gamme du Dom. de Bellene qu'il a également fondé quelques années plus tôt. Un négoce installé à Beaune qui propose pas moins de 80 appellations différentes. Des vins exportés dans plus de 42 pays.

Issue de vénérables vignes de quatre-vingts ans, cette cuvée porte bien son nom. Le nez est discret mais fin, centré sur des notes florales et boisées. La bouche est souple, généreuse, sans manquer de fraîcheur. ⧗ 2020-2024

SAS MAISON ROCHE DE BELLENE, 39, rue du Fg-Saint-Nicolas, 21200 Beaune, tél. 03 80 20 67 64, contact@groupebellene.com V *r.-v.*

LES HÉRITIERS SAINT-GENYS
Clos Saint-Jean 2016 ★

1er cru	600		50 à 75 €

Créée en 2012 à Chassagne-Montrachet sous l'impulsion de Patrice du Jeu associé à des proches et aux anciens propriétaires des vignes, cette structure exploite 13,5 ha entre Côte de Beaune et Côte chalonnaise complétés d'une activité de négoce. La société a restructuré le domaine et rénové la cuverie. Aux commandes des vinifications, Jean-Baptiste Alinc.

Un *climat* situé au cœur du village et doyen de tous les crus de Chassagne, ancienne propriété au VIes. de l'abbaye bénédictine féminine de Saint-Jean-le-Grand. Jean-Baptiste Alinc en a extrait un 1er cru à la fois exotique, minéral et mûr à l'olfaction, très équilibré en bouche entre la fraîcheur «terroitée», le croquant du fruit et la rondeur du boisé. ⧗ 2022-2027

SARL LES HÉRITIERS SAINT-GENYS, 1, pl. de l'Église, 21190 Chassagne-Montrachet, tél. 03 80 24 72 63, contact@saint-genys.fr V *r.-v.*

SAINT-AUBIN

Superficie : 162 ha
Production : 8 265 hl (75 % blanc)

Saint-Aubin est dans une position topographique voisine des Hautes-Côtes; mais une partie de la commune joint Chassagne au sud et Puligny et Blagny à l'est. Le 1er cru Les Murgers des Dents de Chien se trouve même à faible distance des Chevalier-Montrachet et des Caillerets. Le vignoble s'est un peu développé en rouge, mais c'est en blanc qu'il atteint le meilleur.

VINCENT BACHELET En Rémilly 2017

1er cru	3200		20 à 30 €

Originaire d'une vieille famille vigneronne des Maranges (il est fils de Bernard Bachelet), Vincent Bachelet a travaillé avec ses frères avant de s'installer, en 2008, à Chassagne-Montrachet, dans les anciens chais du négociant de Marcilly. Il exploite 18 ha, essentiellement dans la Côte de Beaune.

Ce 1er cru dévoile un nez de fleurs blanches, d'agrumes et d'abricot agrémenté de fines notes boisées. La bouche, d'un bon volume, allie fraîcheur et rondeur avec harmonie et propose une belle persistance aromatique. ⧗ 2019-2023

EARL DOM. VINCENT BACHELET, 27, rte de Santenay, 21190 Chassagne-Montrachet, tél. 06 19 77 51 87, contact@vincent-bachelet.com V *r.-v.*

CHRISTIAN BERGERET ET FILLE La Chatenière 2017

1er cru	1400		15 à 20 €

Un domaine dans la même famille depuis plusieurs générations. Comptable de formation, professeure

BOURGOGNE

pendant quelques années, Clotilde Brousse-Bergeret en a pris la direction en 2001 à la suite de son père Christian. L'exploitation compte aujourd'hui 14 ha répartis sur plusieurs communes de la Côte de Beaune et des Hautes-Côtes.

La Chatenière est située sur l'un des coteaux les plus pentus de l'appellation. Dans le verre, un vin or pâle et brillant, ouvert sur les agrumes, les fruits exotiques (ananas) et les fruits jaunes (pêche, abricot), rond et d'un bon volume en bouche, soutenu par une juste tension et de fins amers en finale. ⧗ 2019-2023

SCEA DOM. CHRISTIAN BERGERET ET FILLE, 2, cour Michaud, 21340 Nolay, tél. 06 58 52 41 48, vins.bergeret@outlook.fr V r.-v.; f. 15-31 août

GILLES BOUTON ET FILS Les Champlots 2017

1er cru | 10600 | | 15 à 20 €

Gilles Bouton a pris la suite de son grand-père Aimé Langoureau en 1977 sur le domaine familial : 4 ha à l'époque, 16 ha aujourd'hui, qu'il exploite depuis 2009 avec son fils Julien. Le vignoble est réparti sur quatre communes : Saint-Aubin, Chassagne, Puligny et Meursault. Une activité de négoce a été créée en 2015 pour compléter la gamme.

D'une belle couleur or soutenu, ce 1er cru s'ouvre sur un nez intense de fleurs blanches, d'agrumes et de fines notes boisées. La bouche est vive en attaque, puis souple et charnue, avec une agréable fraîcheur minérale en appoint. ⧗ 2019-2023

EARL DOM. GILLES BOUTON ET FILS, 24, rue de la Fontenotte, Gamay, 21190 Saint-Aubin, tél. 09 63 51 46 93, domaine.bouton-gilles@wanadoo.fr V r.-v.

HUBERT BOUZEREAU-GRUÈRE ET FILLES Les Cortons 2017

1er cru | 1500 | | 20 à 30 €

Installé en 1965, Hubert Bouzereau exploite avec ses filles Marie-Laure et Marie-Anne un vignoble de 10 ha réparti sur six villages de la Côte de Beaune. Un domaine souvent en vue pour ses meursault, puligny et chassagne. Anecdote bien connue des œnophiles bourguignons : le vigneron a figuré en tant que pompier de Meursault dans le cultissime *La Grande Vadrouille* de Gérard Oury, un sujet de conversation savoureux au caveau…

Un nez plaisant mêlant les fruits exotiques, les fleurs blanches, le coing, le miel et la noisette se libère de ce 1er cru. Une belle fraîcheur aux tonalités minérales et fruitées anime la bouche. Un ensemble harmonieux. ⧗ 2020-2024

EARL HUBERT BOUZEREAU-GRUÈRE ET FILLES, 22 A, rue de la Velle, 21190 Meursault, tél. 03 80 21 20 05, contact@bouzereaugruere.com V r.-v. 3

JEAN CHARTRON Murgers des Dents de Chien 2017

| 3200 | | 20 à 30 €

Créé en 1859 par le tonnelier Jean-Édouard Dupard, ce domaine d'une grande constance, bien implanté dans les grands crus de Puligny, étend son vignoble sur 13 ha – dont 90 % de chardonnay et trois monopoles (Clos de la Pucelle et Clos du Cailleret en puligny, Clos des Chevaliers en chevalier-montrachet) –, conduits en bio non certifié. Jean-Michel Chartron est aux commandes depuis 2004 et épaulé depuis 2015 par sa sœur Anne-Laure; l'un de ses credo : «Du bois, oui, mais pas trop». Une valeur sûre.

Les 16,08 ha de ce *climat* situé au-dessus du grand cru montrachet touchent le vignoble de Puligny-Montrachet. Leur nature calcaire aux cailloux pointus évoque les dents d'un chien. Dans le verre, un saint-aubin expressif (fleurs blanches, d'agrumes et de noisette), bien équilibré en bouche entre acidité et sucrosité, épaulé par un boisé fondu et dynamisé par une finale acidulée. ⧗ 2020-2024

SCEA DOM. JEAN CHARTRON, 8 bis, Grande-Rue, 21190 Puligny-Montrachet, tél. 03 80 21 99 19, info@jeanchartron.com V r.-v.; f. de nov. à mars

♥ FRANÇOISE ET DENIS CLAIR Sous Roche Dumay 2017 ★★

1er cru | 3600 | | 20 à 30 €

Créé par Françoise et Denis Clair en 1986 à partir de 5 ha, ce domaine souvent en vue pour ses saint-aubin et ses santenay couvre aujourd'hui 14 ha, avec une petite activité de négoce en complément. Le fils Jean-Baptiste, arrivé en 2000, assure les vinifications depuis 2011.

L'un des plus petits et méconnus 1ers crus de l'appellation, et aussi le plus haut (400 m). Jean-Baptiste Clair en a extrait un 2017 remarquable. Une seyante robe dorée aux reflets verts et un nez complexe et délicat de jasmin, de miel, de noisette et d'amande fraîche composent une approche engageante. La bouche apparaît alors très fraîche, intense, ample, concentrée sur le croquant du fruit, avec en soutien un boisé fin et une longue finale saline. ⧗ 2020-2024

SARL FRANÇOISE ET DENIS CLAIR, 14, rue de la Chapelle, 21590 Santenay, tél. 03 80 20 61 96, fdclair@orange.fr V r.-v.

BRUNO COLIN Le Charmois 2017 ★

| 1300 | | 20 à 30 €

Bruno Colin s'est installé en 2004 à la suite du partage du domaine familial avec son frère Philippe. Cet adepte des élevages longs exploite 9 ha de vignes allant des Maranges à Puligny en passant par Chassagne, son fief.

Ce *climat*, voisin des terroirs de Chassagne-Montrachet, nous donne ici un blanc couleur or pâle aux reflets argentés. Le nez convoque les fleurs, la pêche, la prune et la noisette grillée. La bouche est souple, suave, bien enrobée, avec une belle tension en soutien et une finale saline. ⧗ 2020-2024

SARL BRUNO COLIN, 3, imp. des Crêts, 21190 Chassagne-Montrachet, tél. 03 80 24 75 61, contact@domainebrunocolin.com V r.-v.

JEAN-CHARLES FAGOT 2017

1er cru | 1200 | | 20 à 30 €

Installé entre Chagny et Puligny-Montrachet, Jean-Charles Fagot, propriétaire de 4 ha de vignes, s'est fait négociant pour étoffer sa carte des vins. Il est également devenu restaurateur en 1998 en ouvrant l'*Auberge du Vieux Vigneron*, où il propose une cuisine du terroir.

Cette cuvée jaune pâle dévoile au nez des arômes complexes de poire, d'ananas, de fruit de la Passion, de mirabelle et de vanille. En bouche, elle offre du volume, de la structure et un bel équilibre entre gras et acidité. ⧗ 2020-2024

SARL JEAN-CHARLES FAGOT, 5, rue de l'Église, 21190 Corpeau, tél. 03 80 21 30 24, jeancharlesfagot@free.fr V *r.-v.*

GILLES LABRY Les Pucelles 2017

| 957 | | 11 à 15 €

Gilles Labry s'est installé en 1984 sur le domaine familial qui couvre 8 ha et qui a son siège dans une ferme fortifiée au sud des Hautes-Côtes de Beaune. À sa carte, des appellations régionales, des hautes-côtes et les AOC bourgogne-aligoté, crémant, saint-aubin, auxey-duresses et mercurey.

Ce *climat*, qui existe aussi en puligny-montrachet, nous offre ici une cuvée jaune pâle au nez de fleurs blanches, de fruits jaunes et de brioche. La bouche apparaît ample et riche, un peu marquée par l'élevage mais bien tenue par une finale plus vive et citronnée. ⧗ 2020-2025

EARL GILLES LABRY, ferme de la Tour-de-Sivry, 71360 Saisy, tél. 03 85 82 94 02, labrygilles@orange.fr V *r.-v.*

DOM. LAMY-PILLOT Le Charmois 2017

1er cru | 2500 | | 30 à 50 €

René et Thérèse Lamy ont créé en 1973 ce domaine, valeur sûre en chassagne et en saint-aubin. Leurs filles Florence (depuis 1997) et Karine (depuis 2004) conduisent aujourd'hui les 15 ha de vignes avec leurs époux respectifs, Sébastien Caillat (à la vigne) et Daniel Cadot (au commercial).

Un *climat* situé à la limite de l'appellation chassagne. Dans le verre, un 1er cru au nez plaisant de miel d'acacia, de pierre à fusil et de fruits frais, bien construit en bouche, frais et d'une bonne longueur. ⧗ 2020-2024

SCEA DOM. LAMY-PILLOT, 31, rte de Santenay, 21190 Chassagne-Montrachet, tél. 03 80 21 30 52, contact@lamypillot.fr V *r.-v.*

♥ DOM. SYLVAIN LANGOUREAU Sur le Sentier du Clou 2017 ★★

1er cru | 2700 | | 15 à 20 €

Représentant la cinquième génération, Sylvain Langoureau s'est installé en 1988 à la tête du domaine familial, dont les bâtiments datent de 1647. Fort de 10 ha, le vignoble est régulièrement en vue pour ses saint-aubin blancs.

Carton plein pour Sylvain Langoureau, qui place pas moins de cinq cuvées dans cette sélection, avec en prime un coup de cœur pour ce 1er cru né d'un vaste *climat* que de nombreux producteurs ont planté en blanc, bien que son sol d'argiles brunes favorise le pinot. Clou? Rien de pointu, simplement «clos» en vieux bourguignon. Dans le verre, rien de pointu non plus, mais un vin cristallin, au nez délicat de jasmin et de fruits mûrs (poire, agrumes), au palais consistant, charnu et fruité, avec une fraîcheur saline qui lui apporte du tonus, de l'équilibre et de la longueur. ⧗ 2020-2024 **1er cru Le Champlot 2017 ★ (15 à 20 €; 4200 b.)** : un 1er cru au nez discret mais fin d'agrumes, de fruits exotiques, de vanille et de menthol. Un bel équilibre se manifeste en bouche entre rondeur et tension, la finale fraîche sur les agrumes apportant un surcroît d'énergie. ⧗ 2020-2024 **1er cru Sur Gamay 2017 ★ (15 à 20 €; 3000 b.)** : un chardonnay qui vient de... Gamay, plus précisément d'un 1er cru situé sur les hauteurs du hameau éponyme. Le nez, complexe, mêle les fleurs blanches, les agrumes et les fruits exotiques. La bouche est ample, riche sans céder à la lourdeur, bien épaulée par ce qu'il faut de fraîcheur. ⧗ 2020-2024 **1er cru Bas de Vermarain à l'Est 2017 (15 à 20 €; 2200 b.)** : vin cité. **1er cru Les Frionnes 2017 (15 à 20 €; 1879 b.)** : vin cité.

DOM. SYLVAIN LANGOUREAU, 20, rue de la Fontenotte, 21190 Saint-Aubin, tél. 03 80 21 39 99, domainesylvainlangoureau@orange.fr V *r.-v.*

DOM. BERNARD PRUDHON Les Murgers des Dents de Chien 2017

1er cru | 1850 | | 20 à 30 €

Les Prudhon cultivent la vigne depuis 1860. Isabelle et Bernard, rejoints en 2011 par leur fille Élodie, sont installés depuis 1982 à la tête d'un vignoble de 8 ha.

Sous sa robe cristalline dorée, ce 1er cru révèle au nez des arômes de fruit de la Passion et de coing. La bouche apparaît souple, fraîche et légère, soulignée par une fine amertume en finale. ⧗ 2019-2023

BERNARD PRUDHON, 15, rue du Jeu-de-Quilles, 21190 Saint-Aubin, tél. 03 80 21 35 66, bernard.prudhon@orange.fr V *r.-v.*

♥ HENRI PRUDHON ET FILS La Chatenière 2017 ★★

1er cru | 850 | | 20 à 30 €

L'une des familles les plus anciennes de Saint-Aubin et une exploitation transmise depuis de nombreuses générations. Aujourd'hui, Vincent et Philippe Prudhon épaulent leur père Gérard à la tête d'un domaine de 14,5 ha très régulier en qualité.

Coteau pentu dans la combe menant à Saint-Aubin, côté Puligny, ce 1er cru réputé est souvent en vue dans ces pages. La version 2017 des Prudhon ne nuira pas à cette notoriété, bien au contraire. Un saint-aubin majestueux dans sa robe d'or pâle, élégant dans son bouquet de lys, de pêche et de pamplemousse, séducteur en diable avec sa bouche souple, aérienne et fraîche, dotée d'une fine tension minérale et d'une finale complexe mêlant les épices au zeste de citron. ⧗ 2020-2025 ■ **1er cru Les Perrières 2017 (20 à 30 €; 6100 b.)** : vin cité. ■ **1er cru Sur Gamay 2017 (20 à 30 €; 6000 b.)** : vin cité.

⊶ EARL HENRI PRUDHON ET FILS, 32, rue des Perrières, 21190 Saint-Aubin, tél. 03 80 21 36 70, henri-prudhon@wanadoo.fr V r.-v.

CH. DE SANTENAY En Vesvau 2017 ★

■	28000		20 à 30 €

Ce majestueux château aux tuiles vernissées, aussi appelé «château Philippe le Hardi», fut propriété du premier duc de la grande Bourgogne (1342-1404). Dans le giron du Crédit Agricole depuis 1997, il étend son vaste vignoble sur 90 ha répartis dans plusieurs AOC beaunoises et chalonnaises, sous la houlette de l'œnologue et directeur d'exploitation Gérard Fagnoni.

Une cuvée régulièrement en vue dans ces pages, issue d'un *climat* situé à la sortie d'une combe de Gamay, à flanc de coteau comme un 1er cru, mais à l'exposition plutôt froide. Une robe pâle aux reflets argentés, des parfums de fleurs blanches mâtinés de fines notes briochées et mentholées, une bouche ample et ronde soutenue par un élevage bien maîtrisé, une finale fraîche sur la menthe poivrée : ce saint-aubin a tout pour plaire. Le 2015 fut coup de cœur. ⧗ 2020-2024

⊶ SCEA CH. DE SANTENAY, 1, rue du Château, 21590 Santenay, tél. 03 80 20 61 87, contact@chateau-de-santenay.com V

DOM. GÉRARD THOMAS ET FILLES
Murgers des Dents de Chien 2017

■ 1er cru	14000		15 à 20 €

Isabelle et Anne-Sophie sont désormais aux commandes du domaine créé par leur père Gérard Thomas dans les années 1990. Le vignoble couvre une douzaine d'hectares en saint-aubin (principalement) ainsi qu'en meursault, chassagne et puligny.

Ce 1er cru aux reflets dorés exhale les fleurs blanches et les fruits bien mûrs. Un peu marqué par l'élevage en bouche, il se dévoile dans une belle matière toute en rondeur. La finale zestée est d'une bonne longueur. ⧗ 2020-2023 ■ **Champ Tirant 2017 (11 à 15 €; 7500 b.)** : vin cité.

⊶ EARL DOM. GÉRARD THOMAS, 6, rue des Perrières, 21190 Saint-Aubin, tél. 03 80 21 32 57, domaine.gerard.thomas@orange.fr V r.-v.

SANTENAY

Superficie : 330 ha
Production : 14 040 hl (85 % rouge)

Dominé par la montagne des Trois-Croix, le village de Santenay est devenu, grâce à sa «fontaine salée» aux eaux les plus lithinées d'Europe, une ville d'eau réputée... C'est donc un village polyvalent, puisque son terroir produit également d'excellents vins. Les Gravières, la Comme, Beauregard en sont les crus les plus connus. Comme à Chassagne, le vignoble présente la particularité d'être souvent conduit en cordon de Royat, élément qualitatif non négligeable.

DOM. ALEXANDRE PÈRE ET FILS
Vielles Vignes 2017

■	3000		11 à 15 €

Ce domaine s'appuie sur un vignoble de 12 ha. Il réunit caves et exploitation au centre du village de Remigny, dans la plaine qui fait face aux collines de Santenay.

Ces vieilles vignes ont cinquante ans. Elles ont donné vie à un santenay ouvert sans réserve sur les fruits rouges. La bouche se montre fraîche, étayée par des tanins tendres et prolongée par une finale bien tendue et encore un brin sévère. ⧗ 2022-2024

⊶ EARL DOM. ALEXANDRE PÈRE ET FILS, 1, pl. de la Mairie, 71150 Remigny, tél. 06 18 92 46 72, domalexandre@orange.fr V r.-v.

DOM. DE L'ASTE Beaurepaire 2017 ★★

■ 1er cru	800		20 à 30 €

David Moreau s'est installé en 2009 à la tête des 6 ha plantés par ses grands-parents. Ce jeune vigneron se flatte d'être plus interventionniste à la vigne qu'à la cave. Il a lui-même greffé les sélections massales de ses vignes où il pratique aussi labour et enherbement.

Un beau repaire pour la vigne en effet que ce *climat* sur lequel David Moreau exploite 90 ares de pinot à l'origine d'un fort joli santenay. Au nez, la cerise noire se mêle à la réglisse, au chocolat et à la vanille. En bouche, le vin attaque en souplesse, puis se densifie autour de tanins fins et soyeux qui portent loin la finale, ample et épicée. ⧗ 2022-2027 ■ **David Moreau Les Hâtes 2016 ★ (20 à 30 €; 1700 b.)** : griotte, prune, café, sous-bois, notes fumées, le nez de ce 2016 apparaît complexe. Complexité à laquelle fait écho une bouche ronde et généreuse, soutenue par des tanins et un boisé fins. ⧗ 2022-2026 ■ **2017 ★ (15 à 20 €; 2800 b.)** : à un bouquet bien ouvert d'épices et de fruits noirs compotés (mûre, myrtille) répond une bouche souple, fraîche, dotée de tanins affinés et d'un boisé ajusté. ⧗ 2021-2024 ■ **David Moreau Cuvée S 2016 (20 à 30 €; 5000 b.)** : vin cité.

⊶ SARL DAVID MOREAU, 2, rue de la Bussière, 21590 Santenay, tél. 06 85 96 30 28, domaine.aste@gmail.com V r.-v.

DOM. BACHEY-LEGROS
La Comme Vieilles Vignes 2016 ★★

■ 1er cru	3500		20 à 30 €

Régulièrement mentionnés dans le Guide, les Bachey-Legros – Christiane et ses fils Samuel et Lénaïc – sont les cinquième et sixième générations à œuvrer sur ce domaine de 19 ha auquel s'est ajoutée une activité de négoce en 2008. En 2017, la propriété s'est équipée d'une nouvelle cuverie.

La «Comme» désigne, en patois bourguignon, une combe, que l'on retrouve dans nombre de villages viticoles de la Côte. Les Bachey-Legros y cultivent 60 ares de pinot noir dont ils ont tiré un santenay de caractère, au nez généreux de fruits très mûrs mâtinés d'un bon boisé et à la bouche dense, concentrée, puissante. Pour la cave assurément. ⧗ 2023-2030 ■ **1er cru Clos Rousseau Vielles Vignes 2016 ★★ (20 à 30 €; 7800 b.)** : un très beau 1er cru que ce Clos Rousseau puissamment bouqueté autour des fruits mûrs et d'un boisé bien dosé. Une puissance qui ne se dément pas en bouche, où le vin se montre ample, concentré, ferme et frais. Une bouteille à encaver. ⌛ 2023-2030 ■ **Clos des Hâtes 2016 ★ (20 à 30 €; 6900 b.)** : de vénérables ceps de plus de quatre-vingts ans sont à l'origine de ce Clos des Hâtes au nez intense de mûre et de cerise sur fond boisé, à la bouche large et riche, aux tanins denses et de longue garde. ⌛ 2023-2030

EARL DOM. BACHEY-LEGROS, 12, rue de la Charrière, 21590 Santenay, tél. 03 80 20 64 14, christiane.bachey-legros@wanadoo.fr V r.-v.

DOM. ROGER BELLAND Gravières 2017 ★

■ 1er cru	5800		20 à 30 €

Un domaine ancien, dont on trouve trace au XVIIIes, couvrant aujourd'hui 24 ha. À sa tête, Roger Belland, installé en 1981, sa fille Julie, arrivée en 2003 et chargée des vinifications et leur nouveau collaborateur Martin Boyer. Pas de bio certifié ici, mais une viticulture raisonnée et maîtrisée (enherbement total du vignoble, pas de désherbants), et des vins d'une grande constance.

Ce n'est pas le 1er cru le plus connu des Belland, plus souvent en vue pour leurs Beauregard et leurs Charmes. Quoi qu'il en soit, ce santenay a des choses à dire, à commencer par des parfums gourmands et généreux de fruits rouges confits rehaussés de poivre. La bouche se montre souple en attaque, puis elle monte en puissance et en volume, portée par des tanins soyeux. ⌛ 2023-2027

EARL ROGER BELLAND, 3, rue de la Chapelle, 21590 Santenay, tél. 03 80 20 60 95, belland.roger@wanadoo.fr V r.-v.

DOM. BORGEOT La Comme 2017 ★

□ 1er cru	2500		20 à 30 €

Ce domaine familial fondé en 1903 est conduit par les frères Borgeot, Pascal et Laurent. Son vignoble est morcelé sur 25 ha aux confins de la Saône-et-Loire et de la Côte-d'Or, complété par une activité de négoce.

En frontière avec Chassagne, ce *climat* est l'un des plus grands des 1ers crus de la commune. Les frères Borgeot y possèdent une parcelle de 35 ares à l'origine d'un joli blanc au nez boisé et citronné, agrémenté de senteurs d'herbe sèche. La bouche se montre vive, alerte, mais aussi consistante, en adéquation avec les sensations olfactives. ⌛ 2021-2024

SARL DOM. BORGEOT, 10, rte de Chassagne, 71150 Remigny, tél. 03 85 87 19 92, borgeot.laurent@wanadoo.fr V r.-v.

BOUCHARD AÎNÉ ET FILS 2016

■	12530		20 à 30 €

Dans le groupe Boisset depuis 1992, ce négoce beaunois a été fondé en 1750 par Michel Bouchard et son fils aîné Joseph. C'est dans l'ancien hôtel du Conseiller du Roy (XVIIIes.) que sont entreposés les fûts d'élevage de cette maison historique proposant une large gamme de vins de toute la Bourgogne, ainsi que du Beaujolais et de la vallée du Rhône.

Fraise, framboise, raisin mûr, le nez de ce *village* se fait séducteur. On retrouve ce fruité, rehaussé d'épices, dans un palais ferme et charpenté, prolongé par une finale assez nerveuse. À attendre pour plus de fondu. ⌛ 2022-2025

SARL BOUCHARD AÎNÉ ET FILS, 4, bd du Marechal-Foch, 21200 Beaune, tél. 03 80 24 06 66, bouchard@bouchard-aine.fr V *t.l.j. 9h30-12h30 14h-18h30; f. lun. en janv.-fév.*
SAS Boisset

DOM. BOUTHENET-CLERC Clos Rousseau 2017 ★

■ 1er cru	1500		11 à 15 €

Marc Bouthenet exploite depuis 1988 ce domaine familial de 21 ha, ce qui est loin d'être négligeable à l'échelle bourguignonne. Son beau-fils Antoine Clerc, arrivé en 2009 et aujourd'hui co-gérant, compte développer la vente en bouteilles grâce à un nouveau caveau installé à Mercey, hameau de Cheilly-lès-Maranges.

Ce Clos Rousseau, né de vignes de cinquante-cinq ans, livre un bouquet subtil et frais de petits fruits rouges. La bouche, qui «pinote» bien elle aussi (cerise), affiche un beau volume, de la densité et une trame tannique extraite avec doigté. L'ensemble est harmonieux et vieillira bien. ⌛ 2022-2025

EARL DOM. BOUTHENET-CLERC, 11, rue Saint-Louis-Mercey, 71150 Cheilly-lès-Maranges, tél. 06 15 32 78 77, earlbouthenet-clerc@orange.fr V r.-v.

CAPUANO-FERRERI Vieilles Vignes 2017 ★

■	n.c.		15 à 20 €

Associé à l'ancien footballeur Jean-Marc Ferreri, John Capuano – dont le père Gino a créé en 1987 ce domaine implanté à Santenay – exploite 8 ha de parcelles s'égrenant de Beaune à Mercurey. Très régulier en qualité.

Quarante ans pour ces vieilles vignes. Au nez, une belle intensité autour des fruits rouges et noirs (cerise, mûre), du poivre et de la rose. En bouche, le vin se montre onctueux, délicat et souple, étayé par des tanins fondus et par une fraîcheur bien dosée. Un santenay qui pourra s'apprécier jeune. ⌛ 2020-2024 ■ **1er cru Comme 2017 ★ (15 à 20 €; n.c.)** : un 1er cru un brin animal au premier nez, floral et fruité à l'aération. En bouche, on découvre un vin solide, doté de tanins fermes et d'un boisé encore dominant. À attendre, le potentiel est là. ⌛ 2022-2027 ■ **1er cru Gravières 2017 (15 à 20 €; n.c.)** : vin cité.

SARL CAPUANO-FERRERI, 14, rue Chauchien, 21590 Santenay, tél. 03 80 20 68 04, john.capuano@wanadoo.fr r.-v.

DOM. DU CELLIER AUX MOINES Beauregard 2016 ★

□ 1er cru	1200		30 à 50 €

Fondé en 1130 par les cisterciens, propriété d'une seule famille après la Révolution française, ce domaine classé Monument historique a été acquis et restauré à partir de 2004 par Philippe Pascal, ancien cadre dirigeant chez LVMH, avec son épouse Catherine et leurs trois enfants. Une cuverie en gravité totale a été inaugurée en 2016 avec une première vinification faite par Guillaume Marko. Le vignoble de 9 ha, en conversion biologique depuis 2015, est constitué des 4,7 ha de pinot noir du Clos du Cellier aux Moines, un des 1ers crus historiques de Givry, complétés par quelques hectares de chardonnay en Côte de Beaune.

Ce *climat*, le plus haut des 1ers crus, étagé entre 350 et 400 m au-dessus des Gravières, voisin de La Comme, offre une vue unique sur le vignoble du sud de la Côte de Beaune, d'où son nom. Le Cellier aux Moines y cultive 25 ares de chardonnay, seule parcelle du domaine à avoir échappé au gel en 2016. Dans le verre, un santenay expressif (citron, fleurs blanches, amande), fin et frais en bouche, avec une jolie pointe de salinité en finale. 2021-2024

SARL CELLIER AUX MOINES, Clos du Cellier aux Moines, 71640 Givry, tél. 03 85 44 53 75, contact@cellierauxmoines.fr r.-v.

MAISON CHANZY Les Cormières 2017 ★

	5149		15 à 20 €

Implanté à Bouzeron, dont il possède à lui seul la moitié des vignes, ce domaine de 80 ha (en Côte chalonnaise, avec un pied en Côte de Beaune et en Côte de Nuits) est exploité depuis 2013 par Jean-Baptiste Jessiaume, son régisseur et maître de chai, issu d'une lignée vigneronne de Santenay. Une maison de négoce complète la propriété. Une originalité : les fermentations malolactiques se font en musique, la résonance harmonique étant censée favoriser l'épanouissement du raisin.

Bercé par Mozart, ce santenay est bien né. Il s'ouvre sur des notes fines de griotte agrémentées d'un bon boisé grillé. En bouche, il se montre souple et suave, on y retrouve le fruit et le bois bien mariés. 2021-2024

SARL MAISON CHANZY, 6, rue de la Fontaine, 71150 Bouzeron, tél. 03 85 87 23 69, reception@chanzy.com r.-v.

DOM. CHAPELLE ET FILS Saint-Jean 2017 ★

	3200		20 à 30 €

En 1989, Roger Chapelle et son fils Jean-François ont créé une structure de négoce qui commercialise en exclusivité les vins du domaine familial (17,75 ha en bio certifié), situé à l'extrémité sud de la Côte de Beaune. Il détient aussi des parcelles à l'autre bout de la Côte, autour de la montagne de Corton. En 2002, l'activité a été étendue à des vignerons partenaires pour élargir les gamme.

De bonne intensité, le nez de ce santenay convoque les agrumes, la poire et les fleurs blanches, agrémenté de senteurs de sous-bois. La bouche offre du volume, de la finesse et beaucoup de fraîcheur, le tout souligné par un boisé bien dosé. 2021-2024

SARL JEAN-FRANÇOIS CHAPELLE, Le Haut Village, 21590 Santenay, tél. 03 80 20 60 09 *t.l.j. 9h-12h 13h30-17h; sam. dim. sur r.-v.*

CH. DE LA CHARRIÈRE Beauregard 2017

1er cru	1800		15 à 20 €

Issu de la division en 1981 des vignes paternelles entre les quatre enfants Girardin, le Dom. Yves Girardin comptait 3 ha à ses débuts. L'acquisition en 2004 du Ch. de la Charrière a porté à 21 ha la superficie de cette propriété qui a son siège dans le hameau de Santenay-le-Haut.

Toasté, beurré, épicé, fleurs blanches, citron, le nez de ce Beauregard intéresse. La bouche séduit aussi : un bon volume, du gras mais aussi de la fraîcheur, un boisé bien ajusté, même si encore un peu trop présent. À attendre au moins une paire d'années. 2021-2024

EARL DOM. YVES GIRARDIN, 1, rte de Dezize-lès-Maranges, 21590 Santenay, tél. 03 80 20 64 36, yves.girardin-domaine@orange.fr r.-v.

JEAN CHARTRON Champ Perrier 2017 ★

	1180		15 à 20 €

Créé en 1859 par le tonnelier Jean-Édouard Dupard, ce domaine d'une grande constance, bien implanté dans les grands crus de Puligny, étend son vignoble sur 13 ha - dont 90 % de chardonnay et trois monopoles (Clos de la Pucelle et Clos du Cailleret en puligny, Clos des Chevaliers en chevalier-montrachet) -, conduits en bio non certifié. Jean-Michel Chartron est aux commandes depuis 2004, épaulé depuis 2015 par sa sœur Anne-Laure; l'un de ses credo : « Du bois, oui, mais pas trop. » Une valeur sûre.

C'est par un bouquet épanoui que débute la dégustation de ce santenay : fruits jaunes mûrs, boisé discret, note minérale de caillou. La bouche présente un beau volume, du gras, de la rondeur, mais aussi de la fraîcheur, tendance saline et citronnée. Une personnalité affirmée, et qui n'a pas dit son dernier mot. 2021-2025

EURL JEAN CHARTRON, 8 bis, Grande-Rue, 21190 Puligny-Montrachet, tél. 03 80 21 99 19, info@jeanchartron.com r.-v.

♥ FRANÇOISE ET DENIS CLAIR Clos Genet 2017 ★★

	6000		15 à 20 €

FRANÇOISE & DENIS CLAIR
SANTENAY
CLOS GENET

Créé par Françoise et Denis Clair en 1986 à partir de 5 ha, ce domaine souvent en vue pour ses saint-aubin et ses santenay couvre aujourd'hui 14 ha, avec une petite activité de négoce en complément. Le fils Jean-Baptiste, arrivé en 2000, assure les vinifications depuis 2011.

Coup de cœur pour ses versions 1999, 2000, 2005 et désormais 2017, le Clos Genet du domaine est une valeur sûre de l'appellation. Ici, un vin très expressif et racé, ouvert sur le cassis, le poivre, la vanille et l'herbe fraîche. Une attaque tout en souplesse introduit un palais aussi large que long, suave, structuré sans excès par des tanins soyeux, étiré dans une finale pleine de fraîcheur. Imparable. 2022-2027

SARL FRANÇOISE ET DENIS CLAIR, 14, rue de la Chapelle, 21590 Santenay, tél. 03 80 20 61 96, fdclair@orange.fr r.-v.

♥ DOM. BRUNO COLIN Les Gravières 2016 ★★

1er cru	1700		30 à 50 €

BRUNO COLIN
PREMIER CRU - LES GRAVIÈRES
SANTENAY
2016

Bruno Colin s'est installé en 2004 à la suite du partage du domaine familial avec son frère Philippe. Cet adepte des élevages longs

exploite 9 ha de vignes allant des Maranges à Puligny en passant par Chassagne, son fief.

Une cuvée née du plus vaste et plus réputé des *climats* de Santenay, régulièrement en vue dans ces pages. Le 2016 atteint les sommets. Drapé dans une robe très profonde, il dévoile un bouquet intense de fruits rouges mûrs à peine marqué par le bois. En bouche, il attaque avec franchise, se déploie avec force et élégance à la fois, bien ciselé autour de tanins fins et soyeux et d'une trame fruitée persistante. Un vin précis et racé. ⧗ 2022-2028

SARL BRUNO COLIN, 3, imp. des Crêts, 21190 Chassagne-Montrachet, tél. 03 80 24 75 61, contact@domainebrunocolin.com V r.-v.

VINCENT GIRARDIN Vieilles Vignes 2016

■ | 25000 | | 20 à 30 €

Une maison de grande qualité créée en 1984 par Véronique et Vincent Girardin, cédée en 2012 à leur partenaire historique la Compagnie des Vins d'Autrefois, dirigée par Jean-Pierre Nié. Les équipes techniques et commerciales sont restées les mêmes, et les vins sont toujours vinifiés à Meursault par Éric Germain, bras droit de Vincent Girardin pendant dix ans.

Au nez, des parfums de fruits rouges côtoient un boisé assez mesuré. En bouche, si l'attaque fait dans la souplesse, le vin se montre ensuite bien tannique, et même austère en finale. Patience... ⧗ 2022-2026 ■ **1er cru Beauregard 2016 (30 à 50 €; 10 000 b.)** : vin cité.

SAS VINCENT GIRARDIN, 5, imp. des Lamponnes, 21190 Meursault, tél. 03 80 20 81 00, vincent.girardin@vincentgirardin.com

JAFFELIN Les Gravières 2016

■ 1er cru | 2153 | | 30 à 50 €

Cette maison de négoce-éleveur implantée à Beaune depuis 1816 appartient à la galaxie des vins Boisset. Elle conserve son autonomie d'achat avec Marinette Garnier à sa tête, une jeune œnologue qui a pris la suite de Prune Amiot en 2011. En vue notamment pour ses pernand-vergelesses et ses auxey-duresses.

Au premier nez apparaissent des notes de cuir et de sous-bois, puis l'aération révèle des parfums fruités, poivrés et fumés. La bouche affiche un bon équilibre entre le fruit (bien présent), le bois (mesuré), les tanins (fermes sans dureté) et la fraîcheur (aux commandes de la finale). ⧗ 2022-2026

SAS BOISSET (MAISON JAFFELIN), 2, rue du Paradis, 21200 Beaune, tél. 03 80 22 12 49, jaffelin@maisonjaffelin.com V r.-v.

♥ DOM. JEANNOT Clos de La Comme Dessus 2017 ★★

■ | 3200 | | 11 à 15 €

Domaine fondé en 1996 par Valérie et Philippe Jeannot, rejoints en 2014 par leur fils Quentin. L'exploitation, qui a son siège dans le Couchois, compte 11 ha de vignes disséminés entre Pommard et les Maranges. Elle propose de nombreuses références en santenay et en maranges.

Comme son nom l'indique, ce *climat* est situé sur les hauteurs du 1er cru La Comme, vaste terroir dans le prolongement de Chassagne. Les Jeannot y cultivent 50 ares de pinot noir. Leur 2017 s'impose d'emblée par sa robe intense comme par son bouquet fin de fruits rouges mâtinés de nuances boisées. La bouche se montre suave dès l'attaque, ample, veloutée, épicée, avec en soutien des tanins bien présents mais délicats. Un *village* qui n'a rien à envier à ses voisins du dessous... ⧗ 2022-2026 ■ **Clos des Hâtes 2017 ★ (11 à 15 €; 1200 b.)** : discret mais élégant, le nez de ce Clos des Hâtes évoque les fruits à coque, les fleurs blanches et la brioche beurrée. La bouche apparaît souple et vive, centrée sur des notes minérales et citronnées. ⧗ 2021-2024

SARL JEANNOT, 21, rue de Saint-Léger, 71510 Saint-Sernin-du-Plain, tél. 06 21 60 51 73, domaine.jeannot@gmail.com V r.-v.

DOM. JESSIAUME Gravières 2017 ★

■ 1er cru | 450 | | 20 à 30 €

Acheté en 2007 par Sir David Murray, ce domaine fondé en 1850 (9,50 ha, en grande partie à Santenay, et en conversion bio) fait figure de valeur sûre en Côte-d'Or. En 2008, une structure de négoce est venue compléter la production de la propriété. L'œnologue est William Waterkeyn.

Ce Gravières de bonne intensité évoque les herbes sèches, le citron et les épices douces à l'olfaction. En bouche, il attaque en souplesse, affiche plus de fraîcheur dans son développement, et ce jusqu'à la finale, longue et légèrement boisée. Du potentiel. ⧗ 2022-2025

SCEA DOM. JESSIAUME, 10, rue de la Gare, 21590 Santenay, tél. 03 80 20 60 03, info@jessiaume.com V r.-v.

MAISON LABOURÉ-ROI Passetemps 2017

■ 1er cru | 1200 | | 30 à 50 €

Situé à Nuits-Saint-Georges, la maison de négoce Labouré-Roi a été fondée en 1832. Elle s'est notamment fait connaître depuis de nombreuses années en fournissant des compagnies aériennes et de navires de croisières. Aux commandes techniques, Brigitte Putzu est en place depuis 2016.

Après quelques notes levurées, ce Passetemps livre des parfums d'abricot, de pêche, de raisin sec et de fleurs blanches. En bouche, il affiche un profil riche et gras, avec en fond un bon boisé. Un santenay plutôt solaire. ⧗ 2021-2024

SASU MAISON LABOURÉ-ROI (NICOLAS POTEL), 13, rue Lavoisier, 21700 Nuits-Saint-Georges, tél. 03 80 62 64 10, contact@laboure-roi.com V r.-v.

♥ PROSPER MAUFOUX Beaurepaire 2015 ★★

■ 1er cru | 2266 | | 30 à 50 €

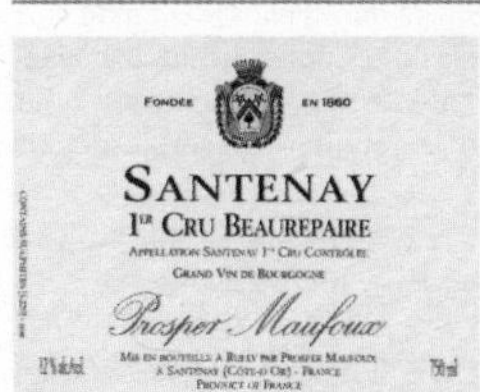

Constitué en 1860, le négoce Prosper Maufoux est une institution à Santenay, installé dans l'hôtel particulier bâti en 1838 pour Jacques-Marie Duvault, alors unique propriétaire

de la Romanée-Conti. Il a été repris en 2010 par Éric Piffaut et la maison André Delorme, spécialiste des vins de la Côte chalonnaise : la fusion des deux entités a donné la Maison des Grands crus.

Ce Beaurepaire porte beau dans sa robe dorée. Il présente un nez intense et gourmand d'amande grillée et de miel. Un profil que ne renie pas la bouche, riche, ample, ronde, briochée, mais jamais lourde, soulignée par une juste acidité aux accents salins en finale. ⧗ 2021-2026 ■ **2016 (20 à 30 €; 1190 b.)** : vin cité.

SASU PROSPER MAUFOUX, 1, pl. du Jet-d'Eau, 21590 Santenay, tél. 03 80 20 68 71, contact@prosper-maufoux.com V r.-v.; f. en janv.

LUCIEN MUZARD ET FILS Maladière 2017

1er cru	n.c.		20 à 30 €

Domaine de 18 ha fondé à partir de 1965 par le Santenois Lucien Muzard. Ses fils Hervé et Claude Muzard, vignerons et négociants, ont pris la relève dans les années 1990, avec brio : leurs vins, notamment leurs santenay, collectionnent les étoiles du Guide.

Toasté, beurré, floral et fruité (pêche, poire), le nez ce 1er cru ne se cache pas. La bouche, sur les fruits mûrs, se montre suave, riche et charnue, avec une fraîcheur un peu en retrait, même si la finale et ses tonalités minérales et citronnées apportent un surcroît de nervosité. L'ensemble reste harmonieux. ⧗ 2020-2024 ■ **1er cru Clos Faubard 2016 (20 à 30 €; n.c.)** : vin cité.

SARL LUCIEN MUZARD ET FILS, 1, rue de la Chapelle, 21590 Santenay, tél. 06 12 32 05 99, lucienmuzard71@gmail.com V r.-v.

DOM. CLAUDE NOUVEAU Le Chainey 2017 ★

	10300		15 à 20 €

Souvent en vue pour ses maranges et ses santenay, ce domaine établi dans le hameau de Marcheseuil, dans les Hautes-Côtes de Beaune, s'étend sur 14 ha. En 2010, Claude Nouveau en a confié les rênes à son gendre Stéphane Ponsard, rejoint en 2015 par son épouse Aline.

Complexe et élégant, le nez de ce Chainey évoque le silex, la pêche, la brioche beurrée et le merrain toasté. En bouche, il se révèle riche, ample, dense, charnu, égayé par une finale plus vive et épicée. ⧗ 2021-2024

EARL DOM. CLAUDE NOUVEAU, Marcheseuil, 21340 Change, tél. 03 85 91 13 34, domaine@claudenouveau.com V r.-v.

ANTOINE OLIVIER Le Temps des C(e)rises 2017 ★

■	4000		15 à 20 €

Ce domaine familial (10,3 ha en bio sans certification) créé en 1967 s'est spécialisé dans l'élaboration de vins blancs, sans négliger les rouges pour autant. Il a développé en 2005 une activité de négociant-éleveur pour compléter son offre. À la tête de l'ensemble depuis 2003, Antoine Olivier.

« Quand nous en serons au temps des cerises / Et gai rossignol et merle moqueur / Seront tous en fête / Les belles auront la folie en tête / Et les amoureux du soleil au cœur »... Dans le verre, un santenay tout en fruit qui évoque... la cerise griotte, mais aussi la groseille, la framboise et les épices douces d'un bon boisé. La bouche, elle aussi bien fruitée, s'appuie sur des tanins souples et soyeux qui renforcent le caractère gourmand et joyeux de ce vin bien nommé. ⧗ 2020-2024 ■ **Les Charmes 2017 (20 à 30 €; 1000 b.)** : vin cité. **Le Bievaux L'air de rien 2016 (20 à 30 €; 10000 b.)** : vin cité.

SARL ANTOINE OLIVIER, 5, rue Gaudin, 21590 Santenay, tél. 03 80 20 61 35, contact@antoineolivier.wine V r.-v.

VINCENT PRUNIER Clos Rousseau 2016

■ 1er cru	2700		20 à 30 €

Au départ, en 1988, 2,5 ha de vignes hérités des parents, non viticulteurs; le vignoble couvre 12,5 ha aujourd'hui, et Vincent Prunier s'est imposé comme l'une des valeurs sûres de la Côte de Beaune. En complément de son domaine, il a créé une petite structure de négoce en 2007.

Griotte et cassis se partagent l'olfaction de ce Clos Rousseau, sur fond de boisé grillé. Arômes prolongés par une bouche généreuse, voire chaleureuse, adossée à des tanins soyeux. Une pointe de fraîcheur bienvenue anime la finale. ⧗ 2022-2026

SARL VINCENT PRUNIER, 53, rte de Beaune, 21190 Auxey-Duresses, tél. 03 80 21 27 77, sarl.prunier.vincent@orange.fr V r.-v.

DOM. CHRISTIAN REGNARD 2017 ★★

■	2400		11 à 15 €

En 2010, Florian Regnard a rejoint son père Christian sur le domaine familial situé à Sampigny, l'un des trois villages de l'AOC maranges. Parcelle après parcelle, il agrandit le vignoble (aujourd'hui 12 ha dans la partie sud de la Côte de Beaune et dans les Hautes-Côtes) et fait bouger les lignes en matière de culture, de vinification et de commercialisation.

Ce santenay a concouru pour le coup de cœur. Ses atouts : une belle robe grenat profond, un nez expressif et complexe de fruits rouges, de tabac, d'épices (girofle, poivre) et de pivoine, une bouche tout aussi aromatique, ample, suave et dense, dotée de tanins veloutés, d'un boisé fondu et d'une longue finale. Que demander de plus ? ⧗ 2021-2025

EARL CHRISTIAN REGNARD, 14, rte de Cheilly, 71150 Sampigny-lès-Maranges, tél. 03 85 45 51 29, regnardc@wanadoo.fr V *t.l.j. 10h-12h 14h-18h*

DOM. J.-C. REGNAUDOT ET FILS Clos Rousseau 2017 ★

■ 1er cru	1200		15 à 20 €

Installés au cœur du village de Dezize, Jean-Claude et Didier Regnaudot cultivent avec talent 6,75 ha de vignes entre Maranges et Santenay. Leurs vins parlent pour eux : le domaine a plusieurs coups de cœur à son actif. Une valeur (très) sûre.

D'abord sur la retenue, le nez de ce Clos Rousseau perd de sa timidité à l'agitation du verre : on découvre alors des parfums de fruits noirs nuancés de notes florales et boisées. La bouche se révèle ferme, serrée et consistante, avec en finale une belle fraîcheur mentholée. ⧗ 2023-2027 ■ **2017 (11 à 15 €; 1500 b.)** : vin cité.

EARL JEAN-CLAUDE REGNAUDOT ET FILS, 6, Grande-Rue, 71150 Dezize-lès-Maranges, tél. 03 85 91 15 95, regnaudot.jc-et-fils@orange.fr r.-v.

LES HÉRITIERS SAINT-GENYS
La Maladière 2016 ★★

■ 1er cru | 3300 | | 20 à 30 €

Créée en 2012 à Chassagne-Montrachet sous l'impulsion de Patrice du Jeu associé à des proches et aux anciens propriétaires des vignes, cette structure exploite 13,5 ha entre Côte de Beaune et Côte chalonnaise complétés d'une activité de négoce. La société a restructuré le domaine et rénové la cuverie. Aux commandes des vinifications, Jean-Baptiste Alinc.

Le coup de cœur fut mis aux voix pour ce 1er cru issu d'un *climat* dont le nom évoque une ancienne «maladrerie» établie sur un terroir bien ensoleillé. Dans le verre, un santenay en pleine forme, bien ouvert sur des arômes de cassis, de cerise, de fleurs et sur un boisé torréfié et épicé. Dense, fraîche et solidement bâtie, la bouche bénéficie de tanins fermes qui poussent loin la finale. Un séjour en cave s'impose. ⧗ 2023-2030 ■ **Prarons Dessous 2016 (15 à 20 €; 1250 b.)** : vin cité.

SARL LES HÉRITIERS SAINT-GENYS, 1, pl. de l'Église, 21190 Chassagne-Montrachet, tél. 03 80 24 72 63, contact@saint-genys.fr r.-v.

DOM. SAINT-MARC Les Chainey 2017

■ | 1700 | | 15 à 20 €

Un domaine de 7,5 ha situé à la limite des Maranges, dans les Hautes-Côtes de Beaune. Il a été créé en 1980 à partir de 40 ares de vignes par Jean-Claude Mitanchey, rejoint en 2011 par son fils Arnaud. Ils ont agrandi et modernisé la cuverie et se sont offerts, en 2015, un nouveau chai de vieillissement.

Le nez, intense, «pinote» à souhait autour de la griotte mûre. La bouche se montre chaleureuse, riche et ronde, adossée à des tanins soyeux qui renforcent le caractère gourmand de ce santenay déjà goûteux. ⧗ 2020-2023

SARL DOM. SAINT-MARC, 1, rue de Nolay, 71150 Paris-L'Hôpital, tél. 03 85 91 13 14, domaine@saint-marc.fr r.-v.

DOM. SORINE Beaupaire 2017

■ 1er cru | 2800 | | 15 à 20 €

Originaires de Santenay, les Sorine font du vin depuis 1929. Christian s'est installé en 1990 à la tête des 12 ha familiaux, rejoint en 2009 par sa femme Emma, enseignante formée à l'œnologie. Ils ont aussi développé une petite activité de négoce pour élargir leur gamme.

D'un abord timide, le nez de ce Beaurepaire s'ouvre à l'aération sur le cassis, la cerise et le cacao. La bouche se montre souple et vive en attaque, puis se raffermit jusqu'en finale autour de tanins encore sévères mais de qualité. ⧗ 2022-2025 ■ **1er cru Clos Rousseau 2017 (15 à 20 €; 2000 b.)** : vin cité.

SARL CHRISTIAN SORINE, 1, pl. de la Poste, 71150 Cheilly-lès-Maranges, tél. 03 85 87 18 07, christian.sorine@orange.fr r.-v.

DOM. DU VIEUX PRESSOIR 2017

■ | 1800 | | 11 à 15 €

Éric Duchemin s'est installé en 1991 à Sampigny-lès-Maranges sur un domaine qui compte aujourd'hui 9,5 ha (en AOC maranges, santenay et hautes-côtes-de-beaune) et qui tire son nom d'un énorme pressoir du XVIIes. utilisé jusqu'en 1939.

Du verre s'échappent tout d'abord des notes de cuir, puis l'aération révèle des parfums plaisants de fruits rouges relevés d'épices. La bouche apparaît souple et fraîche, étayée par des tanins discrets. Un santenay que l'on pourra servir dans sa jeunesse. ⧗ 2020-2023

EARL ÉRIC DUCHEMIN, Dom. du Vieux Pressoir, 16, Grande-Rue, 71150 Sampigny-lès-Maranges, tél. 03 85 91 12 71, domaine.vieux.pressoir@wanadoo.fr r.-v.

BOURGOGNE

MARANGES

Superficie : 170 ha
Production : 7 450 hl (95 % rouge)

Situé en Saône-et-Loire, à l'extrémité sud de la Côte de Beaune, le vignoble des Maranges regroupe les trois communes de Chailly, Dezize et Sampigny-lès-Maranges qui avaient leur propre appellation jusqu'en 1989. Il comporte six 1ers crus. Les vins rouges ont droit également à l'AOC côte-de-beaune-villages. Fruités, corpulents et charpentés, ils peuvent vieillir de cinq à dix ans.

DOM. ALEXANDRE PÈRE ET FILS
Les Clos Roussots 2017 ★

■ 1er cru | 1500 | | 11 à 15 €

Ce domaine s'appuie sur un vignoble de 12 ha. Il réunit caves et exploitation au centre du village de Remigny, dans la plaine qui fait face aux collines de Santenay.

Une jolie robe rubis soutenu habille cette cuvée au nez discret de fruits rouges et de caramel. La bouche révèle des tanins bien fondus, de la rondeur et une belle persistance aromatique. ⧗ 2021-2025

EARL DOM. ALEXANDRE PÈRE ET FILS, 1, pl. de la Mairie, 71150 Remigny, tél. 06 18 92 46 72, domalexandre@orange.fr r.-v.

VINCENT BACHELET La Fussière 2017 ★

□ 1er cru | 2000 | | 15 à 20 €

Originaire d'une vieille famille vigneronne des Maranges (il est fils de Bernard Bachelet), Vincent Bachelet a travaillé avec ses frères avant de s'installer, en 2008, à Chassagne-Montrachet, dans les anciens chais du négociant de Marcilly. Il exploite 18 ha, essentiellement dans la Côte de Beaune.

Ce 1er cru en robe cristalline aux reflets dorés dévoile au nez des arômes de fruits secs, de fleurs et de légères notes boisées. Un bel équilibre apparaît en bouche entre volume et tension, l'élevage lui confère une jolie structure et la finale se montre minérale et longue. Un vin de bonne tenue qui vieillira bien. ⧗ 2021-2024

EARL DOM. VINCENT BACHELET, 27, rte de Santenay, 21190 Chassagne-Montrachet, tél. 06 19 77 51 87, contact@vincent-bachelet.com r.-v.

DOM. JEAN-FRANÇOIS BOUTHENET Sur le Chêne 2017

■ | 2786 | ◍ | 11 à 15 €

Jean-François Bouthenet est établi à Cheilly-lès-Maranges, dans le hameau de Mercey qui domine la vallée de la Dheune, vers le Couchois. À la tête de 11 ha de vignes, il fut l'un des premiers à proposer du maranges blanc. Sa fille Marie, l'a rejoint sur le domaine cette année.

D'un jaune doré et brillant, ce 2017 s'ouvre sur un nez fin de pêche, de fleurs blanches et de vanille. La bouche est bien équilibrée entre souplesse et fraîcheur du fruit. La finale est vive et tonique. ⧗ 2019-2022 ■ **1er cru Les Clos Roussots Vieilles Vignes 2016 (11 à 15 €; 2253 b.)** : vin cité.

SCEV DOM. JEAN-FRANÇOIS BOUTHENET, 4, rue du Four, 71150 Cheilly-lès-Maranges, tél. 03 85 91 14 29, bouthenetjf@free.fr r.-v.

DOM. BOUTHENET-CLERC Le Clos 2017

■ | 6500 | ◍ | 11 à 15 €

Marc Bouthenet exploite depuis 1988 ce domaine familial de 21 ha, ce qui est loin d'être négligeable à l'échelle bourguignonne. Son beau-fils Antoine Clerc, arrivé en 2009 et aujourd'hui co-gérant, compte développer la vente en bouteilles grâce à un nouveau caveau installé à Mercey, hameau de Cheilly-lès-Maranges.

Ce 2017 à la robe grenat clair aux reflets tuilés exhale les fruits rouges frais. Léger et souple en bouche, il présente un bel équilibre entre tanins et rondeur. Jolis amers en finale. ⧗ 2020-2022

EARL DOM. BOUTHENET-CLERC, 11, rue Saint-Louis-Mercey, 71150 Cheilly-lès-Maranges, tél. 06 15 32 78 77, earlbouthenet-clerc@orange.fr r.-v.

DOM. MAURICE CHARLEUX ET FILS Les Clos Roussots 2017

■ 1er cru | 10400 | ◍ | 11 à 15 €

Un domaine régulier en qualité; 60 ares au temps de Ferdinand Charleux, en 1894, 10 ha aujourd'hui, en maranges et en santenay. Maurice, figure des Maranges, ayant pris sa retraite en 2008, Vincent, l'aîné de ses trois fils, qui travaille depuis 1999 sur l'exploitation, l'a relayé.

Sous une robe couleur cerise, ce 1er cru dévoile un nez élégant de fruits rouges et de fines notes boisées. La bouche se montre soyeuse et fraîche, sans manquer de structure. ⧗ 2021-2024 ■ **1er cru La Fussière 2017 (15 à 20 €; 10500 b.)** : vin cité.

EARL DOM. MAURICE CHARLEUX ET FILS, 1, Petite-Rue, 71150 Dezize-lès-Maranges, tél. 03 85 91 15 15, domaine.charleux@wanadoo.fr r.-v.

DOM. CHEVROT La Fussière 2016 ★

■ 1er cru | 4000 | ◍ | 20 à 30 €

Depuis sa création, l'exploitation est passée de 5 ha à 18 ha. Les fils de Fernand et Catherine Chevrot, Pablo et Vincent, tous deux œnologues, se sont installés au début de ce siècle et ont engagé en 2008 la conversion bio de la propriété. Le cheval est revenu labourer la vigne comme à l'époque de Paul et Henriette, fondateurs du domaine en 1930.

Une robe cerise aux reflets violines habille ce 1er cru au nez de cassis, de mûre et de sous-bois. La bouche est souple en attaque, puis plus ferme et carrée, étayée par des tanins puissants. Un vin à laisser vieillir quelques années en cave. ⧗ 2022-2027 ■ **2017 (15 à 20 €; 5000 b.)** : vin cité.

EARL DOM. CHEVROT ET FILS, 19, rte de Couches, 71150 Cheilly-lès-Maranges, tél. 03 85 91 10 55, contact@chevrot.fr r.-v.

♥ BRUNO COLIN La Fussière 2016 ★★

■ 1er cru | 1770 | ◍ | 30 à 50 €

Bruno Colin s'est installé en 2004 à la suite du partage du domaine familial avec son frère Philippe. Cet adepte des élevages longs exploite 9 ha de vignes allant des Maranges à Puligny en passant par Chassagne, son fief.

Ce *climat* des hauteurs est de loin le plus vaste des 1ers crus des Maranges avec ses 41 ha. Bruno Colin y exploite près de 42 ares à l'origine d'un superbe maranges couleur rubis, qui dévoile au nez des arômes intenses de cerise, de groseille, de poivre et de fines notes boisées. La bouche, riche et bien structurée, s'adosse à des tanins fermes qui s'assoupliront encore avec les années. La finale intense et persistante confirme le caractère bien trempé de ce vin bâti pour la garde. ⧗ 2023-2030

SARL BRUNO COLIN, 3, imp. des Crêts, 21190 Chassagne-Montrachet, tél. 03 80 24 75 61, contact@domainebrunocolin.com r.-v.

JEAN-PHILIPPE MARCHAND Sous Loyères 2016 ★

■ | 4000 | ◍ | 20 à 30 €

Les vignobles Marchand ont été fondés en 1813 à Morey et agrandis en 1983 par l'achat d'une vigne à Gevrey-Chambertin. Héritier de six générations, Jean-Philippe Marchand gère, depuis 1984, le domaine familial – installé dans une ancienne fabrique de confitures de Gevrey, ainsi qu'une affaire de négoce.

Cette cuvée rouge sombre révèle après aération un nez gourmand de fruits rouges bien mûrs (cerise, framboise) et d'épices. La bouche est souple, les tanins soyeux lui apportent de la tenue et la finale réglissée est très agréable. ⧗ 2020-2023

SA JEAN-PHILIPPE MARCHAND, 4, rue Souvert, 21220 Gevrey-Chambertin, tél. 03 80 34 33 60, contact@marchand-jph.fr t.l.j. 10h30-12h30 13h30-18h

PROSPER MAUFOUX 2016

■ | 1339 | ◍ | 15 à 20 €

Constitué en 1860, le négoce Prosper Maufoux est une institution à Santenay, installé dans l'hôtel particulier bâti en 1838 pour Jacques-Marie Duvault, alors unique propriétaire de la Romanée-Conti. Il a été repris en 2010 par Éric Piffaut et la maison André Delorme, spécialiste des vins de la Côte chalonnaise : la fusion des deux entités a donné la Maison des Grands crus.

Un 2016 en robe pourpre soutenu qui exhale les fruits rouges et noirs. Bel équilibre en bouche entre sucrosité et fraîcheur. À déguster jeune, sur le croquant du fruit ou à laisser vieillir pour plus de complexité. ⌛ 2020-2024

SASU PROSPER MAUFOUX, 1, pl. du Jet-d'Eau, 21590 Santenay, tél. 03 80 20 68 71, contact@prosper-maufoux.com V r.-v.; *f. en janv.* 5

B CH. DE MELIN Clos Roussots 2017 ★★

1er cru	5000		15 à 20 €

La famille cultive la vigne depuis sept générations. Ingénieur dans le BTP, Arnaud Derats a repris le domaine de son grand-père Paul Dumay à Sampigny-lès-Maranges. En 2000, il a acquis le château de Melin (XVIes.) à Auxey-Duresses et y a transféré ses caves. Le vignoble (26 ha) a engagé graduellement sa conversion bio (certification en 2012 pour certaines appellations).

Ce 1er cru paré d'une belle robe rubis dévoile un nez gourmand de fruits noirs (mûre, cassis). Une attaque vive et souple prélude à une bouche intense et ronde, dotée de tanins fins enrobés dans une matière charnue. La finale sur des notes épicées tient sur la longueur. Un maranges bien typé, qui pourra se déguster aussi bien jeune que patiné par le temps. ⌛ 2020-2026

SCEA DOM. DU CH. DE MELIN, 120, rte de Beaune, 21190 Auxey-Duresses, tél. 03 80 21 21 19, derats@chateaudemelin.com V *t.l.j. sf dim. 9h-12h 14h-18h; f. du 15 oct. au 1er avr.* 5

DOM. RENÉ MONNIER Clos de la Fussière 2017

1er cru	5900		15 à 20 €

Ce domaine murisaltien fondé en 1723, propriété de Xavier Monnot, répartit ses 17 ha entre plusieurs AOC beaunoises. Il est régulièrement distingué dans le Guide, notamment pour ses beaune et ses meursault.

Sous sa robe rubis, ce 1er cru s'ouvre sur un nez discret de cerise. La bouche se révèle souple et ronde, portée par des tanins fondus. Un maranges qui «pinote» bien, à boire jeune. ⌛ 2019-2022

SARL DOM. RENÉ MONNIER, 6, rue du Dr-Rolland, 21190 Meursault, tél. 03 80 21 29 32, xavier-monnot@orange.fr V *r.-v.*

DOM. EDMOND MONNOT ET FILS Le Clos des Loyères 2016

1er cru	4500		15 à 20 €

Installé en 2000, Stéphane Monnot représente la troisième génération sur ce domaine créé en 1928 : 9 ha, principalement (7,5 %) en appellation maranges. L'installation d'une cuverie moderne permet un travail du raisin par gravité.

Ce 1er cru couleur grenat aux reflets violets dévoile un nez agréable de fruits rouges bien mûrs. Il s'exprime sur la puissance en bouche, offrant un bon équilibre entre sucrosité et vivacité, et une finale élégante sur les épices. ⌛ 2021-2024 ■ **1er cru Les Clos Roussots 2016 (15 à 20 €; 2500 b.)** : vin cité. ■ **Le Saugeot 2017 (11 à 15 €; 6000 b.)** : vin cité.

EARL DOM. EDMOND MONNOT ET FILS, 11, rue de Borgy, 71150 Dezize-lès-Maranges, tél. 03 85 91 16 12, domaineedmondmonnot@gmail.com V *r.-v.*

DOM. PONSARD-CHEVALIER La Fussière 2017

1er cru	2000		15 à 20 €

Reprise en 1977 par Michel Ponsard et Danielle Chevalier qui l'avaient cultivée en fermage pendant plusieurs années, et désormais dirigée par leur fille Coralie, cette exploitation familiale couvre 6,16 ha. Comme nombre de propriétés établies à Santenay, elle dispose aussi de vignes dans trois 1ers crus des Maranges.

Une belle robe rubis aux reflets cuivrés habille cette cuvée au nez discret de fruits rouges. La bouche se révèle souple et aérienne, les tanins sont fondus et la finale sur des notes de café et de vanille est gourmande. ⌛ 2020-2024

EARL DOM. PONSARD-CHEVALIER, 2, Les Tilles, 21590 Santenay, tél. 03 80 20 60 87, coralie.bernard@orange.fr V *r.-v.*

BERNARD ET FLORIAN REGNAUDOT Clos des Loyères 2017 ★

1er cru	2400		11 à 15 €

Installé en 1996, le discret mais talentueux Bernard Regnaudot, d'ascendance vigneronne (père et grand-père), a transmis le vignoble familial – 7 ha plantés de vieilles vignes – à son fils Florian en 2015. Un domaine qui s'illustre régulièrement dans son fief des Maranges et qui signe aussi de belles cuvées du village voisin de Santenay.

D'un beau rouge rubis, ce 1er cru dévoile un nez discret de fruits rouges et d'épices. Souple en attaque, il se révèle rond et persistant dans son développement, soutenu par des tanins déjà fins et soyeux. ⌛ 2020-2024 ■ **1er cru La Fussière 2017 (11 à 15 €; 2150 b.)** : vin cité. ■ **2017 (8 à 11 €; 1500 b.)** : vin cité.

EARL BERNARD ET FLORIAN REGNAUDOT, 14, rte de Nolay, 71150 Dezize-lès-Maranges, tél. 03 85 91 14 90, regnaudot.bernardetflorian@orange.fr V *r.-v.*

JEAN-CLAUDE REGNAUDOT ET FILS Les Clos Roussots 2017

1er cru	3300		15 à 20 €

Installés au cœur du village de Dezize, Jean-Claude et Didier Regnaudot cultivent avec talent 6,75 ha de vignes entre Maranges et Santenay. Leurs vins parlent pour eux : le domaine a plusieurs coups de cœur à son actif. Une valeur (très) sûre.

Sous sa robe rubis, ce 1er cru dévoile un nez fin de cassis, de framboise, de groseille et de fleurs. Puissant et rond en bouche, ses tanins lui confèrent une belle matière et soutiennent une finale épicée. ⌛ 2021-2024

EARL JEAN-CLAUDE REGNAUDOT ET FILS, 6, Grande-Rue, 71150 Dezize-lès-Maranges, tél. 03 85 91 15 95, regnaudot.jc-et-fils@orange.fr V *r.-v.*

➡ LA CÔTE CHALONNAISE

Le paysage s'épanouit quelque peu dans la Côte chalonnaise (4 500 ha); la structure linéaire du relief s'y élargit en collines de faible altitude s'éten-

dant plus à l'ouest de la vallée de la Saône. La structure géologique est beaucoup moins homogène que celle du vignoble de la Côte-d'Or; les sols reposent sur les calcaires du jurassique, mais aussi sur des marnes de même origine ou d'origine plus ancienne, lias ou trias. Des vins rouges d'AOC *village* et premier cru sont produits à partir du pinot noir à Mercurey, Givry et Rully, mais ces mêmes communes proposent aussi des blancs de chardonnay, cépage qui devient unique pour l'appellation montagny située un peu plus au sud; c'est aussi là que se trouve Bouzeron, à l'aligoté réputé. Il faut enfin signaler un bon vignoble aux abords de Couches, que domine le château médiéval. D'églises romanes en demeures anciennes, chaque itinéraire touristique peut d'ailleurs se confondre ici avec une route des Vins.

BOURGOGNE-CÔTE-CHALONNAISE

Superficie : 460 ha
Production : 24 150 hl (75 % rouge et rosé)

Située entre Chagny et Saint-Gengoux-le-National (Saône-et-Loire), la Côte chalonnaise possède une identité qui lui a permis d'être reconnue en AOC en

Le Chalonnais

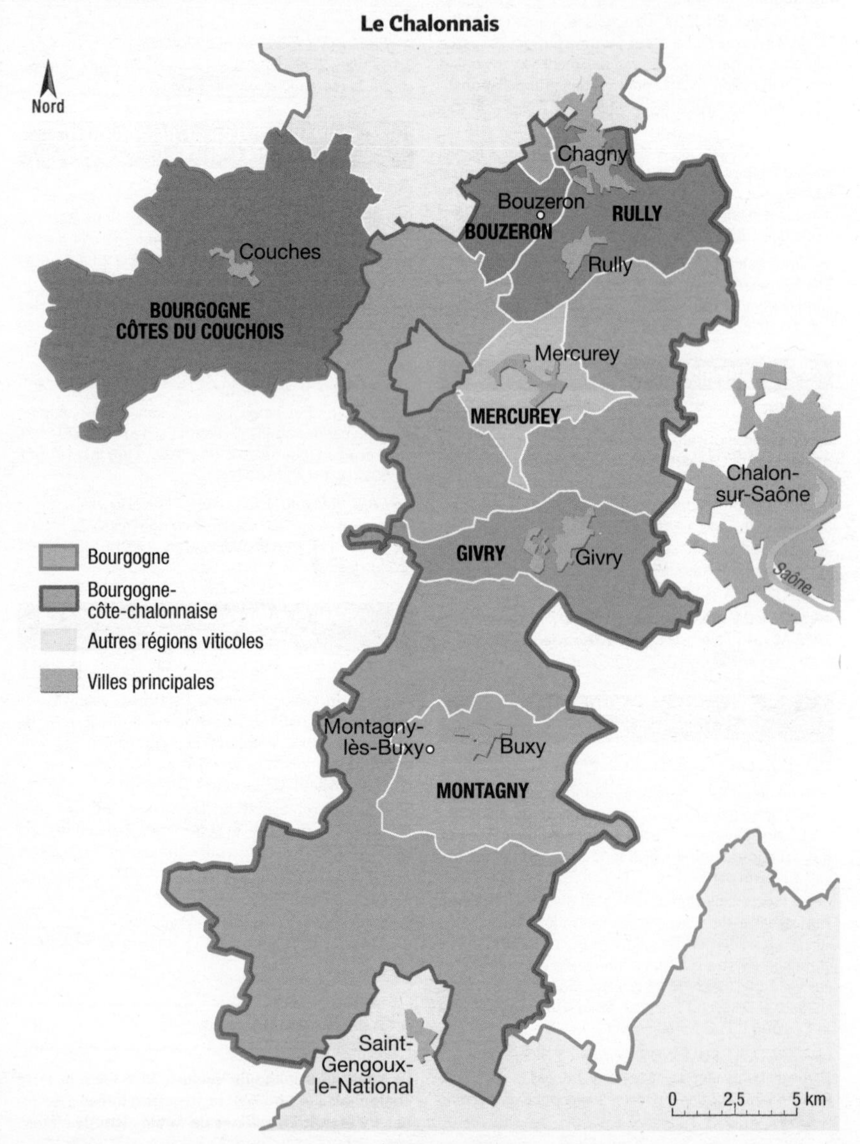

1990. L'appellation produit une majorité de rouges assez fermes dans leur jeunesse, quelques rosés et des blancs de style léger.

CAVE DE BISSEY Cuvée Prestige 2016

■ | 44 120 | | 5 à 8 €

Fondée en 1928, la cave de Bissey est la plus ancienne coopérative de la Côte chalonnaise. Elle vinifie aujourd'hui sur près de 90 ha de toutes les appellations régionales et communales, et même certains 1ers crus en AOC montagny.

Habillé de rubis aux reflets cuivrés, ce 2016 se montre aimable dès l'accueil au nez avec une multitude de senteurs : cerise, bourgeon de cassis et framboise. Il séduit en bouche par son attaque ronde, son équilibre peu tannique et sa finale gourmande et fruitée. 2020-2023

CAVE DE BISSEY, 14, rue des Millerands, 71390 Bissey-sous-Cruchaud, tél. 03 85 92 12 16, cave.bissey@wanadoo.fr V t.l.j. sf dim. 9h-12h 14h-19h

♥ JOCELYNE CHAUSSIN La Fortune 2017 ★★

■ | 1500 | | 5 à 8 €

Jocelyne Chaussin assure depuis 1988 la continuité de cette petite exploitation familiale (1,33 ha) ancrée depuis trois générations à Bouzeron. Respectueuse de la nature, elle travaille la vigne comme «dans l'ancien temps», sans produit chimique.

Une cuvée souvent en vue dans ces pages, qui obtient la récompense suprême avec un superbe 2017 à la robe dorée, ornée d'émeraude. Du verre s'élèvent des arômes élégants d'églantine, de mousse, de brioche, de fruit jaune et d'amande fraîche. Arômes que l'on retrouve dans une bouche charnue, mûre et ronde, épaulée par une vivacité minérale qui pousse loin la finale. 2019-2023 ■ **La Fortune 2017 ★★ (5 à 8 €; 2900 b.)** : rouge cerise à l'œil, parfumé de fruits des bois, ce vin se révèle équilibré, soutenu par des tanins soyeux et bien intégrés dans une enveloppe gourmande. Un joli flacon pour la fondue bourguignonne. 2019-2024

JOCELYNE CHAUSSIN, 3, rue des Dames, 71150 Bouzeron, tél. 06 82 85 38 46, jeanlouis.chaussin@orange.fr V r.-v.

DOM. DAVANTURE 2017 ★

■ | 2600 | | 8 à 11 €

Les trois frères Davanture (Xavier, Damien et Éric) sont issus d'une longue dynastie de vignerons (huit générations). Ils officient sur un domaine de 22 ha situé à Saint-Désert, village de la Côte chalonnaise connu pour son église fortifiée. Ce grand domaine est géré en viticulture raisonnée et les vendanges se font exclusivement à la main.

Or pâle léger, ce 2017 présente un nez expressif, avec un boisé encore imposant auquel s'ajoutent des notes de maturité : miel, abricot sec et citron confit. La bouche se révèle ample et gourmande dès l'attaque, dévoilant d'intenses notes fruitées. Un vin riche que l'on verrait bien sur une volaille de Bresse à la crème. 2020-2024 ■ **Clos Saint-Pierre 2016 (8 à 11 €; 5000 b.)** : vin cité.

GAEC DES MURGERS (DOM. DAVANTURE), 26, rue de la Messe, Cidex 1516, 71390 Saint-Désert, tél. 03 85 47 95 57, domaine.davanture@orange.fr V r.-v.

DOM. DE L'ÉVÊCHÉ Reviller 2017 ★

■ | 4000 | | 11 à 15 €

Sylvie et Vincent Joussier sont installés depuis 1985 sur ce domaine de 14 ha auparavant planté en fruitiers. En 2018, après des études à la "Viti" de Beaune et une expérience dans l'Oregon, leur fils Quentin les rejoint dans l'aventure et la cuverie est entièrement rénovée.

Élevé un an en barrique de 500 l, ce vin à la couleur claire révèle un boisé subtil qui s'harmonise avec les petits fruits secs (amande, noisette) et les fleurs blanches. Une matière ronde et fraîche à la fois constitue une bouche équilibrée, dynamisée par une finale minérale. 2020-2024

EARL VINCENT JOUSSIER (DOM. DE L'ÉVÊCHÉ), 6, rue de l'Évêché, 71640 Saint-Denis-de-Vaux, tél. 03 85 44 30 43, vincentjoussier@cegetel.net V t.l.j. sf dim. 8h-12h 13h30-18h

GOUFFIER Les Malpertuis 2017 ★

■ | 3000 | | 11 à 15 €

Ayant appartenu à la famille Gouffier pendant plus de deux cents ans, ce petit domaine de 5,5 ha a été repris en 2012 par Frédéric Gueugneau, qui a créé en parallèle une activité de négoce destinée à l'achat de vendanges sur pied.

Une année d'élevage en fût de chêne a donné une belle teinte or vert à ce vin. Le nez mêle intensément les fleurs blanches à la poire et au pomélo, le tout souligné d'un léger boisé. Tout en rondeur et en chair, la bouche confirme cette intensité aromatique en y ajoutant des notes de pêche de vigne. 2020-2023 ■ **Fort de Vaux 2017 ★ (11 à 15 €; 10200 b.)** : ample, riche, soulignée par des tanins fins et par une belle vivacité lui donnant de la longueur, une cuvée bien structurée pour vieillir, mais qui offre déjà beaucoup de plaisir. 2020-2024

SAS MAISON GOUFFIER, 11, Grande-Rue, 71150 Fontaines, tél. 06 47 00 01 04, contact@vinsgouffier.fr V r.-v.

B DOM. DE LA LUOLLE Les Daluz 2017 ★

■ | 1200 | | 11 à 15 €

Sandrine et Olivier Dovergne exploitent depuis 2017 ce domaine de 8 ha conduit en culture biologique et biodynamique, ayant autrefois appartenu à Guy Chaumont. Ils proposent également un gîte et des visites sensorielles.

Un premier millésime très réussi pour les Dovergne. Né sur un sol où se mêlent argile et calcaire, cueilli à la main puis élevé douze mois en fût de chêne, ce vin séduit d'emblée par sa robe jaune d'or brillante et par son nez discrètement boisé, accompagné de poire juteuse et de fleurs blanches. Caractérisée par sa franchise et son léger boisé, la bouche révèle de gourmandes saveurs fruitées.

Une cuvée expressive et élégante. 2020-2024 ■ **Les Oiseaux rares 2017 (11 à 15 €; 4000 b.)** Ⓑ : vin cité.

SARL MAISON DE LA LUOLLE, imp. de la Luolle, 71390 Moroges, tél. 06 21 86 05 27, domaine@laluolle.fr *r.-v.*

NATHALIE RICHEZ Petites Combes 2017 ★

■	800		8 à 11 €

À trente-sept ans, souhaitant réorienter sa vie professionnelle, Nathalie Richez a pris le chemin de la «viti» de Beaune, avant de s'installer en 2011 sur un domaine de 15 ha allant de la Côte chalonnaise aux hautes-côtes-de-beaune.

Ce vin séduit d'emblée par sa robe rubis aux reflets violets, brillante et limpide. Des arômes discrets de fruits rouges introduisent un palais frais en attaque, fruité et charnu. «Il remplit le contrat!», écrit un dégustateur enthousiasmé par ce vin gourmand qui pourra s'apprécier dans sa jeunesse. 2019-2023

NATHALIE RICHEZ, 15, rue du Nantil, 71150 Chagny, tél. 06 47 27 96 92, nathalierichez.vinsaufeminin@orange.fr *t.l.j. sf dim. 10h-12h30 14h30-18h30*

Ⓑ DOM. DE VILLAINE La Digoine Monopole 2017

■	10360		15 à 20 €

Ce domaine situé à Bouzeron exploite 36 ha de vignes en culture biologique, répartis dans les diverses appellations de la Côte chalonnaise. Aubert de Villaine (copropriétaire de la Romanée-Conti) et son épouse Pamela en ont confié la gestion à leur neveu Pierre de Benoist depuis 2001.

Ce 2017 couleur cerise dévoile un nez fin de fraise et de cassis, souligné de notes de havane. Un fruité puissant introduit une bouche tannique et serrée, qui demande encore un peu de temps pour s'arrondir et se fondre. Un vin très prometteur. 2022-2025

SAS DOM. DE VILLAINE, 2, rue de la Fontaine, 71150 Bouzeron, tél. 03 85 91 20 50, contact@de-villaine.com *r.-v.*

BOUZERON

Superficie : 47 ha / Production : 2 450 hl

Petit village situé entre Chagny et Rully, Bouzeron est de longue date réputé pour ses vins d'aligoté. Cette variété occupe la plus grande partie du vignoble communal. Planté sur des coteaux orientés est-sud-est, dans des sols à forte proportion calcaire, ce cépage à l'origine de vins blancs vifs s'exprime particulièrement bien, donnant naissance à des vins complexes et d'une «rondeur pointue». Les vignerons du lieu, après avoir obtenu l'appellation bourgogne-aligoté-bouzeron en 1979, ont réussi à hisser l'aire de production au rang d'AOC communale.

DOM. BORGEOT Les Tournelles 2017

■	5300		8 à 11 €

Ce domaine familial fondé en 1903 est conduit par les frères Borgeot, Pascal et Laurent. Son vignoble est morcelé sur 25 ha aux confins de la Saône-et-Loire et de la Côte-d'Or, complété par une activité de négoce.

Issu d'un achat de raisins, ce vin à la couleur blé d'or offre un nez fin et délicat de fleurs blanches et d'herbe fraîchement coupée. Perlant en attaque, le palais se montre rond dans son développement puis acidulé en finale. Idéal pour l'apéritif. 2019-2021

SARL DOM. BORGEOT, 10, rte de Chassagne, 71150 Remigny, tél. 03 85 87 19 92, borgeot.laurent@wanadoo.fr *r.-v.*

Ⓑ LES CHAMPS DE THÉMIS Les Corcelles 2017

■	2000		15 à 20 €

Xavier Moissenet était substitut du procureur de la République au Tribunal de Grande Instance de Chalon-sur-Saône avant de devenir néo-vigneron en 2014, en acquérant près de 6 ha de vignes sur la Côte chalonnaise, certifiées agriculture biologique.

Produit sur des sols marneux à partir d'aligotés plantés dans les années 1930, ce vin jaune vif est ourlé de reflets verts. Citronné au premier nez, il laisse, après aération, échapper de subtiles notes florales. Autant d'arômes flatteurs que l'on retrouve dans une bouche équilibrée entre rondeur et acidité. La bouteille idéale pour des escargots de bourgogne en beurre persillé. 2019-2021

EARL LES CHAMPS DE THÉMIS, rue des Dames, 71150 Bouzeron, tél. 06 80 28 79 96, xavier.moissenet@gmail.com *r.-v.*

♥ MAISON CHANZY Les Trois 2017 ★★

■	38344		11 à 15 €

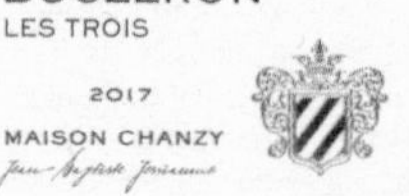

Implanté à Bouzeron, dont il possède à lui seul la moitié des vignes, ce domaine de 80 ha (en Côte chalonnaise, avec un pied en Côte de Beaune et en Côte de Nuits) est exploité depuis 2013 par Jean-Baptiste Jessiaume, son régisseur et maître de chai, issu d'une lignée vigneronne de Santenay. Une maison de négoce complète la propriété. Une originalité : les fermentations malolactiques se font en musique, la résonance harmonique étant censée favoriser l'épanouissement du raisin.

Des ceps d'aligotés âgés de trente-cinq ans ont donné un superbe vin or pâle à reflets argentés. Le nez, intense et frais, évoque les agrumes, la fougère et la menthe. La bouche, ample et ronde, est réveillée par une belle tonicité qui pousse loin la finale. «Un vrai bouzeron», s'exclame un juré séduit, qui conseille vivement l'accord avec des coquillages et des crustacés. 2019-2022 ■ **Clos de la Fortune Monopole 2017 ★ (15 à 20 €; 19000 b.)** : un bouzeron au nez expressif et fin, (chèvrefeuille, touche saline), précis, minéral et frais en bouche. 2019-2022

SARL MAISON CHANZY, 6, rue de la Fontaine, 71150 Bouzeron, tél. 03 85 87 23 69, reception@chanzy.com *r.-v.*

B JEAN FÉRY ET FILS Les Corcelles 2017 ★

| 826 | | 11 à 15 € |

Un domaine familial des Hautes-Côtes de Beaune créé en 1890 et développé dans les années 1990 par Jean-Louis Féry : aujourd'hui, 15 ha en bio certifié (depuis 2011) en Côte de Nuits et en Côte de Beaune. Depuis 2016, Frédéric Féry, fils de Jean-Louis, assure la gestion du domaine, avec notamment l'appui de Laurence Danel, œnologue.

Élevée douze mois en fût, cette cuvée confirme la réputation de ce domaine. Couleur or à reflets argent, ce vin élégant mêle la noisette grillée et la vanille à des notes plus mûres de poire et d'ananas. Sa bouche, ronde et bien équilibrée, affiche cependant un boisé encore un peu présent. À attendre deux ou trois ans. ⧗ 2021-2024

SARL DOM. JEAN FÉRY ET FILS, 1, rte de Marey, 21420 Échevronne, tél. 03 80 21 59 60, fery.vin@orange.fr V r.-v.

GOUFFIER Les Corcelles 2017

| 1500 | | 11 à 15 € |

Ayant appartenu à la famille Gouffier pendant plus de deux cents ans, ce petit domaine de 5,5 ha a été repris en 2012 par Frédéric Gueugneau, qui a créé en parallèle une activité de négoce destinée à l'achat de vendanges sur pied.

D'abord boisé, le nez de cette cuvée dorée s'ouvre ensuite sur des notes de tilleul et de craie. La bouche est agréable et gourmande, dans le prolongement de l'olfaction, soutenue par des saveurs de citron vert. À boire dans sa jeunesse. ⧗ 2019-2021

SAS MAISON GOUFFIER, 11, Grande-Rue, 71150 Fontaines, tél. 06 47 00 01 04, contact@vinsgouffier.fr V r.-v.

DOM. DES MOIROTS 2017

| 5600 | | 8 à 11 € |

Le domaine est une affaire de famille : celle des Denizot. En 1990, Christophe a rejoint son père Lucien à la tête de l'exploitation (15 ha), qu'il gère en compagnie de sa sœur Muriel et de son cousin Patrice.

D'une teinte légère aux reflets brillants, ce vin se donne timidement : il dévoile, après aération, de subtiles senteurs de miel d'acacia et de citron. La mise en bouche se passe tout en douceur, pour ensuite monter en puissance et finir sur des saveurs acidulées plus fermes. Un ensemble harmonieux. ⧗ 2020-2022

EARL DOM. DES MOIROTS, 14, rue des Moirots, 71390 Bissey-sous-Cruchaud, tél. 03 85 92 16 93, domainedesmoirots@orange.fr V r.-v.

B DOM. DE VILLAINE 2017 ★

| 69699 | | 15 à 20 € |

Ce domaine situé à Bouzeron exploite 36 ha de vignes en culture biologique, répartis dans les diverses appellations de la Côte chalonnaise. Aubert de Villaine (copropriétaire de la Romanée-Conti) et son épouse Pamela en ont confié la gestion à leur neveu Pierre de Benoist depuis 2001.

Un bouzeron bien typé et de belle tenue que ce 2017 jaune vif, à la fois intense et fin dans ses arômes complexes alliant le buis et la verveine aux notes plus fruitées de citron, le tout subtilement caressé par la minéralité du terroir. D'abord tendu, le palais gagne rapidement en volume et livre des saveurs minérales persistantes. Cette admirable palette aromatique fera merveille dans un ou deux ans sur un homard grillé. ⧗ 2020-2023

SAS DOM. DE VILLAINE, 2, rue de la Fontaine, 71150 Bouzeron, tél. 03 85 91 20 50, contact@de-villaine.com V r.-v.

RULLY

Superficie : 357 ha
Production : 16 050 hl (65 % blanc)

La Côte chalonnaise assure la transition entre le vignoble de Côte-d'Or et celui du Mâconnais. L'appellation rully déborde de sa commune d'origine sur celle de Chagny, petite capitale gastronomique. Nés sur le jurassique supérieur, les rully sont aimables et généralement de bonne garde. Certains lieux-dits classés en 1er cru ont déjà accédé à la notoriété.

DOM. BELLEVILLE La Crée 2017 ★★

| 16274 | | 20 à 30 € |

Né à Rully au début du XXe s., ce domaine compte 18 ha de vignes, en conversion bio depuis 2017, année d'acquisition de la propriété par un couple d'Américains passionnés d'art de vivre à la française et leur associé, Jean-Luc Vitoux. Ensemble, ils ont également repris une petite maison de négoce à Meursault, Les Parcellaires de Saulx, ainsi que le Château et le Clos de la Commaraine à Pommard.

Jaune doré couvrant bien le calice, ce nectar livre des parfums complexes alliant la fleur de genièvre et la noisette grillée. Dans la continuité, la bouche est constituée d'une texture riche et dense; elle libère en finale une trame minérale de grande intensité. Cette bouteille témoigne d'un excellent mariage entre le vin et le fût. À un souffle du coup de cœur... ⧗ 2021-2024 **1er cru Les Cloux 2017 ★ (20 à 30 €; 4627 b.)** : un 1er cru ouvert sur les agrumes, l'ananas confit et le beurre relevés d'une touche poivrée, bien construit en bouche, frais et persistant, à l'unisson du bouquet. ⧗ 2021-2024 ■ **Les Villeranges 2017 (20 à 30 €; 1197 b.)** : vin cité.

SCEA DOM. BELLEVILLE, 6, ZA Les Champs-Rouges, 71150 Rully, tél. 03 85 91 06 00, contact@domainebelleville.com V r.-v.

CAVE DE BISSEY 2017

| 9700 | | 8 à 11 € |

Fondée en 1928, la cave de Bissey est la plus ancienne coopérative de la Côte chalonnaise. Elle vinifie aujourd'hui sur près de 90 ha de toutes les appellations régionales et communales, et même certains 1ers crus en AOC montagny.

Cette cuvée attire l'œil par sa robe dorée à reflets verts. Expressive, elle offre un bouquet composé de fleurs blanches, mais dans lequel l'impact du boisé est encore un peu présent. Ronde, souple et dotée de saveurs de pain grillé, la bouche est harmonieuse. ⧗ 2021-2024

BOURGOGNE

CAVE DE BISSEY, 14, rue des Millerands, 71390 Bissey-sous-Cruchaud, tél. 03 85 92 12 16, cave.bissey@wanadoo.fr V ▪ *t.l.j. sf dim. 9h-12h 14h-19h*

DOM. DE LA BRESSANDE 2017 ★

■	8852		15 à 20 €

Fondée en 1875, la maison Antonin Rodet, négoce établi en Côte chalonnaise, propose une vaste gamme de vins de toute la Bourgogne. Elle possède aussi les châteaux de Mercey (45 ha au sud de la Côte de Beaune et en Côte chalonnaise) et de Rully (32 ha en rully), ainsi que le Dom. de la Bressande. Depuis 2010, elle appartient au groupe Boisset.

Cueillis à la main, ces pinots noirs d'une trentaine d'années ont donné un vin à l'étoffe rubis orné de violine. Le nez rappelle un panier de petits fruits : griotte, framboise, cerise, groseille et cassis. Tout en rondeur et en fruits, agréablement structurée, la bouche possède un dynamisme percutant, même si pour l'instant les tanins dominent. Un beau rully de garde. ⧗ 2023-2030 ■ **1er cru Préaux 2017 ★ (20 à 30 €; 8640 b.)** : un 1er cru expressif, ouvert sur les fruits rouges, ample et équilibré en bouche, étayé par des tanins soyeux et fondus. ⧗ 2021-2024

SC DOM. DE LA BRESSANDE (ANTONIN RODET), 55, Grande-Rue, 71640 Mercurey, tél. 03 85 98 12 12, contact@rodet.com V ▪ ▪ *t.l.j. sf dim. 10h-12h 14h-17h (18h en été)* *SAS Boisset*

DOM. MICHEL BRIDAY Grésigny 2017 ★★

■ 1er cru	7000		15 à 20 €

Les Briday sont vignerons de père en fils : Stéphane, le fils de Michel, est installé depuis 1989 à la tête de ce domaine qui s'étend sur 15 ha implantés au cœur du village de Rully. Une valeur sûre.

Ce remarquable 1er cru a séjourné un an en fût de chêne. Sa présentation brillante de blé d'or, son ampleur et sa complexité ont fait mouche et le coup de cœur fut mis aux voix. Un savant mélange de fines notes épicées du bois, de poire juteuse, de fleur d'acacia et de craie compose une palette aromatique intense et complexe. Le palais riche, ample et long signe un vin de grande classe, bel ambassadeur de l'appellation. ⧗ 2021-2025 ■ **Les 4 Vignes 2016 (15 à 20 €; 12000 b.)** : vin cité.

EARL STÉPHANE BRIDAY (DOM. MICHEL BRIDAY), 31, Grande-Rue, 71150 Rully, tél. 03 85 87 07 90, domainemichelbriday@orange.fr V ▪ *t.l.j. 9h-12h 14h-18h; sam. dim. sur r.-v.*

JEAN CHARTRON Montmorin 2017

■	16000		11 à 15 €

Créé en 1859 par le tonnelier Jean-Édouard Dupard, ce domaine d'une grande constance, bien implanté dans les grands crus de Puligny, étend son vignoble sur 13 ha – dont 90 % de chardonnay et trois monopoles (Clos de la Pucelle et Clos du Cailleret en puligny, Clos des Chevaliers en chevalier-montrachet) –, conduits en bio non certifié. Jean-Michel Chartron est aux commandes depuis 2004 et épaulé depuis 2015 par sa sœur Anne-Laure; l'un de ses credo : « Du bois, oui, mais pas trop ». Une valeur sûre.

Ce 2017 couleur or blanc a séduit le jury par son nez discret mais élégant de miel frais, de fleurs blanches et de zeste de citron, qui met l'eau à la bouche. Salin et construit autour d'une tension minérale, le palais se révèle équilibré et frais dans sa finale iodée. Tout indiqué pour un plateau de fruits de mer. ⧗ 2020-2023

SCEA DOM. JEAN CHARTRON, 8 bis, Grande-Rue, 21190 Puligny-Montrachet, tél. 03 80 21 99 19, info@jeanchartron.com V ▪ *r.-v.; f. de nov. à mars*

DUVERNAY PÈRE ET FILS Les Cloux 2017

■ 1er cru	3000		11 à 15 €

Propriété fondée par Georges Duvernay en 1973 avec un seul hectare de vigne. Elle compte aujourd'hui 11,5 ha et est dirigée depuis 2000 par ses enfants Dominique et Patricia.

D'un beau rouge carmin, on décèle de nombreux arômes de fruits rouges compotés, de cassis et de vanille. La bouche est dominée par des notes épicées et une structure tannique encore séveuse. Un ou deux ans de garde l'affineront. ⧗ 2019-2021 ■ **1er cru Rabourcé 2017 (11 à 15 €; 14000 b.)** : vin cité.

GFA DUVERNAY PÈRE ET FILS, 4, rue de l'Hôpital, 71150 Rully, tél. 03 85 87 04 69, gfaduvernay@wanadoo.fr V ▪ ▪ *t.l.j. 8h30-12h 14h-18h*

DOM. DE L'ÉCETTE La Gaudine 2017

■	1500		11 à 15 €

Auparavant viticulteur dans le Mâconnais, Jean Daux s'installe dans le Chalonnais (Rully) en 1983. Arrivé sur l'exploitation en 1997, son fils Vincent conduit aujourd'hui ce domaine de 17 ha souvent en vue dans ces pages. En 2019, le domaine s'est équipé d'une nouvelle cave et de nouvelles cuves pour vinifier les blancs. Les anciennes cuves servent à la vinification des vins rouges.

Qualifié de vin vif – une prouesse en ce millésime solaire –, ce 2017 à la robe jaune d'or intense laisse échapper d'intenses flaveurs de fruits d'été et de mangue. La bouche confirme le nez, avec un registre aromatique fruité mêlé à une minéralité crayeuse. Encore serrée, cette bouteille fera mouche dans un ou deux ans avec des asperges sauce hollandaise. ⧗ 2020-2023

EARL VINCENT DAUX, Dom. de l'Écette, 21, rue de Geley, 71150 Rully, tél. 03 85 91 21 52, daux.vincent@wanadoo.fr V ▪ ▪ *r.-v.*

JEAN-CHARLES FAGOT 2017

■	1500		15 à 20 €

Installé entre Chagny et Puligny-Montrachet, Jean-Charles Fagot, propriétaire de 4 ha de vignes, s'est fait négociant pour étoffer sa carte des vins. Il est également devenu restaurateur en 1998 en ouvrant l'*Auberge du Vieux Vigneron*, où il propose une cuisine du terroir.

La robe est légère, d'un rouge vif, et le nez offre des senteurs de griotte et de confiture de vieux garçon. S'il est encore ferme et austère, le palais propose un bon volume et un équilibre bien assuré. Patience. ⧗ 2021-2026

SARL JEAN-CHARLES FAGOT, 5, rue de l'Église, 21190 Corpeau, tél. 03 80 21 30 24, jeancharlesfagot@free.fr V ▪ ▪ *r.-v.*

DOM. DOMINGOS FERREIRA-CAMPOS
Plante Moraine 2017

| 2860 | 11 à 15 € |

Fils de salariés viticoles, Domingos décide de poursuivre ses études à la « Viti » de Beaune. Après quelques années d'apprentissage chez différents vignerons, il s'installe en 2005 sur 30 ares de vignes en location. Son domaine compte aujourd'hui 10 ha de vignes en mercurey, rully et bourgogne-côte-chalonnaise.

Vêtue d'or clair, cette cuvée se révèle fruitée et boisée à l'olfaction. Ronde et enveloppée, la bouche procure néanmoins une belle sensation de fraîcheur grâce à une minéralité bien présente. ⧗ 2020-2023 ■ **Plante Moraine 2017 (8 à 11 €; 3000 b.)** : vin cité.

DOMINGOS FERREIRA-CAMPOS, 18, rue de Geley, 71150 Rully, tél. 06 76 38 14 04, ferreira-campos@orange.fr V r.-v.

DOM. DE LA FOLIE Clos la Folie Monopole 2017

| 10950 | 11 à 15 € |

Le Dom. de la Folie jouit d'un panorama exceptionnel de toute la Côte chalonnaise jusqu'à Nuits-Saint-Georges. Il appartient depuis 1870 à la famille Noël-Bouton. La cinquième génération – Baptiste (ingénieur) et Clémence Dubrulle (ancienne attachée de presse) – a repris les commandes des 12 ha de vignes familiales en 2010.

D'un or clair et brillant, cette bouteille développe un nez discret de pêche de vigne mêlée à des notes lactées. La bouche, à la fois ronde et fraîche, se montre élégante et termine sur des notes d'agrumes et de poire Williams. ⧗ 2021-2024

SCV DOM. DE LA FOLIE, chem. de la Folie, 71150 Chagny, tél. 03 85 87 18 59, contact@domainedelafolie.fr V r.-v.

GOUFFIER Meix de Pellerey 2017 ★

| 900 | 15 à 20 € |

Ayant appartenu à la famille Gouffier pendant plus de deux cents ans, ce petit domaine de 5,5 ha a été repris en 2012 par Frédéric Gueugneau, qui a créé en parallèle une activité de négoce destinée à l'achat de vendanges sur pied.

Ce 2017 se montre élégant tout au long de la dégustation. Doté d'une robe nette et profonde de couleur grenat, il affiche au nez une belle complexité sur des notes empyreumatiques. Le palais, franc et de belle concentration, repose sur une structure tannique encore jeune, qui devrait s'estomper avec le temps. Un beau vin de garde. ⧗ 2022-2030 **1er cru Rabourcé 2017 (20 à 30 €; 3000 b.)** : vin cité.

SAS MAISON GOUFFIER, 11, Grande-Rue, 71150 Fontaines, tél. 06 47 00 01 04, contact@vinsgouffier.fr V r.-v.

DOM. JAEGER-DEFAIX Les Cloux 2017 ★

| 1er cru | 4000 | 20 à 30 € |

Épouse de Bernard Defaix, vigneron à Chablis, Hélène Jaeger a repris en 2005 l'exploitation de sa grande-tante Henriette Niepce. Elle a engagé la conversion bio dans la foulée.

Ce 2017 bien construit, d'un or éclatant, offre un bouquet de fleurs jaunes et blanches souligné de citron. Friand, rond et riche, tout en affichant beaucoup de fraîcheur, le palais évoque l'acacia, l'aubépine et l'églantine, avec une jolie finale sur l'amande grillée. ⧗ 2020-2024 **1er cru Rabourcé 2017 (20 à 30 €; 3800 b.)** : vin cité.

SARL DOM. DU CHAPITRE (DOM. JAEGER-DEFAIX), 20, rue des Buis, 71150 Rully, tél. 03 86 42 40 75, contact@jaeger-defaix.com V r.-v.

♥ JAFFELIN 2017 ★★

| 1er cru | 6080 | 15 à 20 € |

Cette maison de négoce-éleveur implantée à Beaune depuis 1816 appartient à la galaxie des vins Boisset. Elle conserve son autonomie d'achat avec Marinette Garnier à sa tête, une jeune œnologue qui a pris la suite de Prune Amiot en 2011. En vue notamment pour ses pernand-vergelesses et ses auxey-duresses.

Ce 2017 séduit d'emblée par sa robe dorée profonde ornée de reflets d'ambre. Le bouquet séduit par ses multiples senteurs mêlant les fruits mûrs (pêche, abricot) aux fleurs blanches (acacia, aubépine), le tout souligné d'une touche de miel. Une attaque ronde au fruité large ouvre sur une bouche minérale, à la finale saline. Un vin charmeur, ample et souple, à apprécier dans sa jeunesse ou patiné par le temps. ⧗ 2020-2024

SAS BOISSET (MAISON JAFFELIN), 2, rue du Paradis, 21200 Beaune, tél. 03 80 22 12 49, jaffelin@maisonjaffelin.com V r.-v.

♥ DOM. MICHEL JUILLOT
Les Thivaux 2017 ★★

| 9900 | 15 à 20 € |

Fondé par Louis Juillot, développé par son fils Michel et conduit depuis la fin des années 1990 par son petit-fils Laurent, ce domaine emblématique de la Côte chalonnaise couvre 31 ha essentiellement en AOC mercurey, avec des parcelles en Côte de Beaune.

D'une belle teinte or pâle ciselée de brillant, ce rully dévoile des fragrances de fruits jaunes compotés, d'ananas confit et de gingembre, nuancées de légères notes vanillées. Une attaque fruitée laisse la place à une bouche bien balancée entre gras et acidité, qui finit sur des notes boisées bien fondues. Très agréable ce jour, cette bouteille vieillira bien. ⧗ 2019-2024

SCEA DOM. MICHEL JUILLOT, 59-59A, Grande-Rue, 71640 Mercurey, tél. 03 85 98 99 89, infos@domaine-michel-juillot.fr V *t.l.j. sf dim. 9h30-12h 14h-18h*

DOM. LABORBE-JUILLOT Les Saint-Jacques 2017

| | 33733 | | 8 à 11 € |

Situé à Poncey (hameau de Givry), ce domaine de quelque 13 ha est entré dans le giron de la Cave des Vignerons de Buxy en 2007.

Agréablement bouqueté avec des arômes de confiture d'abricot et d'ananas confit, ce 2017 se drape d'un jaune clair légèrement doré. Très agréable, la bouche révèle une chair fruitée et une finale d'une longueur honorable rappelant le miel. 2019-2022

SCEA DOM. LABORBE-JUILLOT, 2, rte de Chalon, 71390 Buxy, tél. 03 85 92 03 03, accueil@vigneronsdebuxy.fr V t.l.j. 9h-12h 14h-18h30
SCA Cave des Vignerons de Buxy

DOM. MANIGLEY Rabourcé 2017 ★

| 1er cru | 2600 | | 15 à 20 € |

Le vignoble a été créé en 1920 par André Belleville. Aujourd'hui, son fils Christian et ses enfants gèrent la propriété et ses 20 ha de vignes.

Ce 2017 élevé dix mois en fût de chêne (40 % de fût neuf) présente une belle teinte rouge soutenu et une olfaction fruitée et boisée. Après une attaque tout en vivacité, le palais s'arrondit par la présence d'une chair fruitée et s'achève sur une longue finale veloutée. 2021-2025

SARL DOM. DES CHAUCHOUX, 5, rue des Bordes (caves), 7, rue de la Loppe (courrier), 71150 Rully, tél. 03 85 87 12 94, domainedeschauchoux@gmail.com V r.-v.

DAVID MORET 2017 ★

| | n.c. | | 15 à 20 € |

David Moret a créé en 1999 sa maison de négoce, établie derrière les remparts de Beaune. Cet adepte des élevages longs s'est fait une spécialité de la vinification « haute couture » des blancs de la Côte de Beaune.

Un élevage traditionnel en barrique durant un an pour garder la typicité de l'appellation a été opéré pour ce 2017 récolté à la main début septembre. D'un bel or blanc s'échappent des senteurs de fleur d'oranger, miel d'acacia et boisé fin. La bouche fondue et tendre s'inscrit dans la continuité du nez, avec un équilibre gras-acidité très assuré. 2020-2024

SARL DAVID MORET (HSBDM), 1, rue Émile-Goussery, 21200 Beaune, tél. 06 75 01 15 85, davidmoret.vins@orange.fr V r.-v.

PIGNERET FILS 2017

| | 4200 | | 11 à 15 € |

Installés du côté de Givry (en 2001), les frères Éric et Joseph Pigneret, quatrièmes du nom à conduire le domaine familial (30 ha), ont créé la marque de négoce Pigneret Fils pour enrichir leur gamme. Ils achètent ainsi des raisins et des moûts qu'ils vinifient et élèvent dans leur chai.

Doré à reflets verts, ce rully dévoile d'intenses parfums de chèvrefeuille, de lys en bouton, de coing et d'ananas frais. Une attaque ronde et gourmande ouvre sur une bouche d'un bon volume, aromatique, dynamisée par une touche acidulée. 2020-2023

EARL DOM. PIGNERET FILS, Vingelles, 71390 Moroges, tél. 03 85 47 15 10, domaine.pigneret@wanadoo.fr V t.l.j. 9h-12h 14h-19h; dim. 9h-12h

B POULET PÈRE ET FILS Les Plantenays 2017

| | 7500 | | 30 à 50 € |

Une maison fondée en 1747 à Beaune, désormais établie sur les hauteurs de Nuits-Saint-Georges, depuis 1982 dans le giron du négoce nuiton Louis Max. Elle propose une large gamme de vins de Bourgogne (des appellations régionales aux grands crus) et aussi du Beaujolais.

Une récolte manuelle, une vinification traditionnelle et un élevage en fût de dix mois ont donné un vin friand, prêt à boire. Son nez agréable de citron et de miel d'acacia précède une bouche charnue, équilibrée et élégante. 2019-2022

SARL LOUIS MAX (POULET PÈRE ET FILS), 6, rue de Chaux, 21700 Nuits-Saint-Georges, tél. 03 80 62 43 00, n.lanier-garde@louis-max.fr r.-v.

DOM. DE LA RENARDE Les Plantenays 2017

| | 4200 | | 11 à 15 € |

Créé dans les années 1970 par Paul Perret, alors coopérateur à la Cave de Buxy, ce domaine de 18 ha est aujourd'hui entre les mains de son gendre Grégory Peyre (en 2007) et de son fils Gaspard (en 2011). En 2016, ils vinifient pour la première fois dans leur chai flambant neuf.

Couleur lingot, ce vin exprime des notes de pêche jaune juteuse, d'abricot et de noyau. Après une attaque fine sur le fruit, le palais se révèle souple et agréable. Une petite finale sur la peau de pamplemousse lui apporte de la fraîcheur. Tout indiqué pour l'apéritif. 2019-2022

EARL DOM. LA RENARDE, 2 chem. de la Praye, 71390 Jully-les-Buxy, tél. 06 70 07 66 51, contact@domainelarenarde.com V r.-v.

DOM. ROIS MAGES Les Cailloux 2016

| | 10000 | | 15 à 20 € |

Anne-Sophie Debavelaere crée son domaine à Rully en 1984. Elle est rejointe plus tard par son fils Félix, alors jeune œnologue fraîchement diplômé. Ensemble, ils gèrent aujourd'hui 11 ha sur plusieurs appellations.

Ce 2016 se présente vêtu d'une parure d'or soutenu. Ses parfums typiques et expressifs évoquent les fruits blancs et jaunes et la vanille. En bouche, il affiche une agréable fraîcheur et une persistance aromatique sur le raisin mûr. 2020-2024

EARL DEBAVELAERE, 21, rue des Buis, 71150 Rully, tél. 03 85 48 65 64, as.debavelaere@gmail.com V r.-v.

ALBERT SOUNIT Les Raclots 2017 ★★

| 1er cru | 3952 | | 20 à 30 € |

Fondée en 1851 par Flavien Jeunet, cette maison de négoce, qui possède aussi 16 ha de vignes en propre, a

été reprise dans les années 1930 par la famille Sounit, qui l'a cédée à son importateur danois en 1993. L'une des valeurs sûres de la Côte chalonnaise, en vins tranquilles comme en effervescents.

Carton plein pour cette maison qui classe trois de ces vins dans cette nouvelle édition du Guide. Habillé d'or, brillant de mille feux, ce 1er cru, passé non loin du coup de cœur, offre un nez élégant et expressif qui mêle les notes vanillées de l'élevage, celles florales et fruitées du cépage et la touche minérale du terroir. Tout aussi complexe, le palais dévoile un volume dense, une texture délicate et une acidité énergique. De la personnalité et de l'élégance. ⧗ 2021-2024 ■ **1er cru La Pucelle 2017 ★ (20 à 30 €; 3648 b.)** : ce 1er cru dévoile un nez discret mais fin de zeste de citron sur fond boisé. La bouche se montre suave en attaque, plus vive et alerte dans son développement. ⧗ 2021-2024 ■ **Les Saint-Jacques 2017 (15 à 20 €; 5000 b.)** : vin cité.

SARL MAISON ALBERT SOUNIT, 5, pl. du Champ-de-Foire, 71150 Rully, tél. 03 85 87 20 71, albert.sounit@wanadoo.fr V r.-v.

DOM. DE VILLAINE
Grésigny 2016 ★★

1er cru	2560		20 à 30 €

Ce domaine situé à Bouzeron exploite 36 ha de vignes en culture biologique, répartis dans les diverses appellations de la Côte chalonnaise. Aubert de Villaine (copropriétaire de la Romanée-Conti) et son épouse Pamela en ont confié la gestion à leur neveu Pierre de Benoist depuis 2001.

Ce 2016 or bronze déploie un bouquet tout en finesse de petites fleurs des haies mariées à des notes de brioche au beurre frais. Arômes que l'on retrouve dans une bouche ronde, riche, puissante mais qui reste élégante et équilibrée. Un vin bien typé, bâti pour la garde. ⧗ 2021-2026 ■ **1er cru Les Margotés 2016 (20 à 30 €; 9290 b.)** : vin cité.

SAS DOM. DE VILLAINE, 2, rue de la Fontaine, 71150 Bouzeron, tél. 03 85 91 20 50, contact@de-villaine.com V r.-v.

DOM. HENRI DE VILLAMONT 2017 ★

	4107		15 à 20 €

Ce propriétaire (10 ha : 6 ha en savigny, 4 ha en Côte de Nuits) et négociant-éleveur, dans le giron du groupe suisse Schenk depuis 1964, élève ses vins dans une cuverie spectaculaire créée entre 1880 et 1888 à Savigny-lès-Beaune par Léonce Bocquet, alors unique propriétaire du Clos de Vougeot.

Des reflets brillants parcourent la robe dorée de ce 2017. Le nez s'exprime, d'abord timidement, sur des notes florales rappelant l'acacia et l'aubépine avant de dévoiler des nuances plus chaleureuses de mirabelle, d'ananas confit et de poivre. L'attaque se fait perlante, puis un déferlement fruité envahit le palais, rond et soyeux. Un beau vin racé et puissant. ⧗ 2021-2024

HENRI DE VILLAMONT, rue du Dr-Guyot, 21420 Savigny-lès-Beaune, tél. 03 80 21 50 59, contact@hdv.fr V r.-v.

MERCUREY

Superficie : 645 ha
Production : 27 700 hl (80 % rouge)

Situé à 12 km au nord-ouest de Chalon-sur-Saône, Mercurey jouxte au sud le vignoble de Rully. C'est l'appellation communale la plus importante en volume de la Côte chalonnaise. Le vignoble s'étage entre 250 et 300 m d'altitude autour de Mercurey (fusionnée avec Bourgneuf-Val-d'Or) et de Saint-Martin-sous-Montaigu. Plus charpentés sur marnes, plus fins sur sols caillouteux, les vins sont en général solides et aptes à la garde (jusqu'à six ans, voire davantage). Parmi trente-deux *climats* classés en 1ers crus, on citera Les Champs Martin, Clos des Barrault ou encore Clos l'Évêque.

DOM. DE LA BRESSANDE Sazenay 2017 ★

■	8359		20 à 30 €

Fondée en 1875, la maison Antonin Rodet, négoce établi en Côte chalonnaise, propose une vaste gamme de vins de toute la Bourgogne. Elle possède aussi les châteaux de Mercey (45 ha au sud de la Côte de Beaune et en Côte chalonnaise) et de Rully (32 ha en rully), ainsi que le Dom. de la Bressande. Depuis 2010, elle appartient au groupe Boisset.

Ce vin couleur cerise burlat au nez très expressif de petits fruits (framboise et mûre) sur fond boisé, propose un palais charnu, rond et équilibré, souligné par une trame tannique de belle facture qui demandera un peu de temps pour se fondre. Un mercurey digne de son terroir. ⧗ 2023-2027

SC DOM. DE LA BRESSANDE (ANTONIN RODET), 55, Grande-Rue, 71640 Mercurey, tél. 03 85 98 12 12, contact@rodet.com V *t.l.j. sf dim. 10h-12h 14h-17h (18h en été)* *SAS Boisset*

DOM. BRINTET Vieilles Vignes 2017 ★

	3000		20 à 30 €

Famille vigneronne depuis le XVIe s., les Brintet – Luc depuis 1984 – ont pris leurs quartiers dans une belle bâtisse à la sortie du village de Mercurey où ils conduisent 9 ha de vignes.

De vieilles vignes de soixante-cinq ans sont à l'origine de cette cuvée charmeuse et fringante tout au long de la dégustation. D'un or soutenu et brillant s'échappent des parfums d'herbe fraîchement coupée, de fruits mûrs et de fleurs blanches mêlés aux notes empyreumatiques de la barrique. La bouche, équilibrée et finement fruitée, offre du volume et une finale persistante. ⧗ 2020-2024

EARL DOM. BRINTET, 105, Grande-Rue, 71640 Mercurey, tél. 03 85 45 14 50, domaine.brintet@wanadoo.Fr V r.-v.

DOM. DU CELLIER AUX MOINES
Les Margotons 2016

	3000		20 à 30 €

Fondé en 1130 par les cisterciens, propriété d'une seule famille après la Révolution française, ce domaine classé Monument historique a été acquis et restauré à partir de 2004 par Philippe Pascal, ancien cadre

dirigeant chez LVMH, avec son épouse Catherine et leurs trois enfants. Une cuverie en gravité totale a été inaugurée en 2016 avec une première vinification faite par Guillaume Marko. Le vignoble de 9 ha, en conversion biologique depuis 2015, est constitué des 4,7 ha de pinot noir du Clos du Cellier aux Moines, un des 1ers crus historiques de Givry, complétés par quelques hectares de chardonnay en Côte de Beaune.

Paré d'une robe aux reflets dorés, ce 2016 dévoile un bouquet frais et complexe de chèvrefeuille, d'acacia, de pomme, de mousse et de pain d'épices. En bouche, il se montre là aussi frais et même tendu, avec une finale sur l'amande amère. ⧗ 2021-2024

SARL CELLIER AUX MOINES, Clos du Cellier aux Moines, 71640 Givry, tél. 03 85 44 53 75, contact@cellierauxmoines.fr V r.-v.

CH. DE CHAMIREY
Clos de la Maladière 2016 ★

■ 1er cru	3800		20 à 30 €

Propriété de la famille Devillard, ce domaine emblématique a développé son activité viticole dans les années 1930, sous l'impulsion du marquis de Jouennes. Les héritiers de ce dernier, Bertrand Devillard et ses enfants Amaury et Aurore, conduisent aujourd'hui un vaste vignoble de 37 ha.

Une robe rubis aux reflets violines habille ce vin aux arômes de cacao, d'épices douces et de petits fruits rouges et noirs. La bouche est franche et nette, avec une expression de fruits rouges bien mûrs et des tanins denses de belle origine. Un travail sérieux à partir de raisins mûrs et d'un élevage bien dosé pour permettre à ce mercurey de traverser le temps. ⧗ 2022-2026 ■ **1er cru La Mission 2016 (30 à 50 €; 12900 b.)** : vin cité.

SC DOM. DE CHAMIREY, Ch. de Chamirey, rue du Château, 71640 Mercurey, tél. 03 85 45 21 61, contact@domaines-devilland.com
V r.-v. 4

MAISON CHANSON 2016 ★

■	11000		20 à 30 €

L'une des plus anciennes maisons de négoce de Bourgogne, fondée en 1750, reprise en 1999 par le Champagne Bollinger. En plus de ses achats de raisins, elle dispose d'un important vignoble de 45 ha et de l'expertise de Jean-Pierre Confuron, son œnologue-conseil. Un style reconnaissable grâce à ses vinifications en grappes entières. Son fief est situé autour de Beaune, mais Chanson propose aussi des appellations en Côte de Nuits.

Cette vénérable maison beaunoise propose un joli *village* rubis orné d'éclats tuilés. Son léger parfum de griotte et d'épices douces se marie harmonieusement aux notes vanillées du fût (quatorze mois). La bouche, d'abord fraîche, puis ample et ronde, est soutenue par une tension acidulée typique de ce millésime qui rehausse le fruit, tandis que le bois se fond parfaitement dans l'ensemble. Une bouteille d'un bon potentiel, tout indiquée pour une belle pièce de bœuf grillée. ⧗ 2022-2025

SA CHANSON PÈRE ET FILS, 10, rue Paul-Chanson, 21200 Beaune, tél. 03 80 25 97 97, chanson@domaine-chanson.com V r.-v.
Champagne Bollinger

DANJEAN-BERTHOUX Les Chavances 2017

■	4570		11 à 15 €

Blotti au pied du célèbre mont Avril, le petit village bourguignon de Jambles développe sa vocation viticole ainsi que l'élevage de la célèbre race bovine charolaise. Pascal Danjean y élabore ses vins depuis 1993, à la tête aujourd'hui de 12 ha de vignes.

Vêtu de pourpre, ce 2017 fleure bon les petits fruits rouges mêlés aux notes d'élevage en pièce bourguignonne (vanille, épices et café). Plaisant et équilibré, il reste aromatique au palais. ⧗ 2021-2024

EARL DANJEAN-BERTHOUX, Le Moulin-Neuf, 45, rte de Saint-Désert, 71640 Jambles, tél. 03 85 44 54 74, danjean.berthoux@wanadoo.fr V r.-v.

DOM. P. ET F. DUVERNAY Floriane 2016

■	10000		15 à 20 €

Propriété fondée par Jean et Thérèse Duvernay en 1970 avec 7 ha de vigne. Aujourd'hui, elle en compte 20 et est dirigée par leur fils Jean-Luc. En 2014, Floriane, la fille de Jean-Luc obtient son diplôme d'œnologue et rejoint le domaine.

Cette cuvée brille comme un rubis. Le nez, de prime abord timide, s'ouvre ensuite sur des senteurs de baies rouges et noires et d'épices (cannelle et poivre noir). Fruits qui apportent une légère note suave à un palais qui reste néanmoins pour l'heure assez austère. ⧗ 2022-2025

EARL DOM. P. ET F. DUVERNAY, 20, rue du Clos-l'Évêque, 71640 Mercurey, tél. 03 85 45 12 56, domaine.duvernay@orange.fr
V *t.l.j. sf dim. 10h-12h 14h-18h*

DOM. DE L'EUROPE
Les Chazeaux Vieilles Vignes 2017 ★

■	4000		15 à 20 €

Chantal Côte et Guy Cinquin conduisent depuis 1994 un petit domaine de 3 ha à Mercurey. « Observer et écouter la nature, s'imprégner de la terre et de l'air, et devenir leurs humbles serviteurs », telle est leur devise.

De couleur rubis à reflets violets, ce mercurey s'ouvre sur des notes empyreumatiques (boisé, encens...) et fruitées qui se prolongent dans un palais franc et soyeux, vivifié par une touche acidulée rappelant la groseille. Des notes gourmandes de caramel au lait marquent la finale. ⧗ 2022-2025

GUY ET CHANTAL CINQUIN (DOM. DE L'EUROPE), 7, rue du Clos-Rond, 71640 Mercurey, tél. 06 08 04 28 12, cote.cinquin@wanadoo.fr V r.-v. C

DOM. DE L'ÉVÊCHÉ Les Murgers 2017 ★

■	7000		11 à 15 €

Sylvie et Vincent Joussier sont installés depuis 1985 sur ce domaine de 14 ha auparavant planté en fruitiers. En 2018, après des études à la « Viti » de Beaune et une expérience dans l'Oregon, leur fils Quentin les rejoint dans l'aventure et la cuverie est entièrement rénovée.

Nés sur un terroir argilo-calcaire, ces pinots noirs furent récoltés manuellement les premiers jours de septembre.

Une vinification classique et un élevage en fût de chêne d'une année ont donné de nombreux atouts à ce vin : une parure rubis à liserés violines, un nez de fruits noirs (mûres, cassis et cerises) dans un environnement subtilement boisé et une bouche soyeuse et gourmande, dotée de tanins fins. ⧗ 2022-2025

⊶ EARL VINCENT JOUSSIER (DOM. DE L'ÉVÊCHÉ), 6, rue de l'Évêché, 71640 Saint-Denis-de-Vaux, tél. 03 85 44 30 43, vincentjoussier@cegetel.net V ⚲ ▮ *t.l.j. sf dim. 8h-12h 13h30-18h*

DOM. DOMINGOS FERREIRA-CAMPOS
Clos d'Etroyes 2017

■	3140	◍	11 à 15 €

Fils de salariés viticoles, Domingos décide de poursuivre ses études à la « Viti » de Beaune. Après quelques années d'apprentissage chez différents vignerons, il s'installe en 2005 sur 30 ares de vignes en location. Son domaine compte aujourd'hui 10 ha de vignes en mercurey, rully et bourgogne-côte-chalonnaise.

Un panier de fruits rouges et noirs se manifeste d'emblée à l'olfaction, puis suivent des notes de pétale de rose. Une belle approche qui se concrétise dans une bouche souple, aux tanins fondus et soulignée par une vivacité finale qui lui apporte du punch. ⧗ 2021-2024

⊶ DOMINGOS FERREIRA-CAMPOS, 18, rue de Geley, 71150 Rully, tél. 06 76 38 14 04, ferreira-campos@orange.fr V ⚲ ▮ *r.-v.*

MAISON GOUFFIER La Charmée 2017 ★★

■	6000	◍	15 à 20 €

Ayant appartenu à la famille Gouffier pendant plus de deux cents ans, ce petit domaine de 5,5 ha a été repris en 2012 par Frédéric Gueugneau, qui a créé en parallèle une activité de négoce destinée à l'achat de vendanges sur pied.

Logé en fûts de chêne durant un an, ce *village* se présente dans une robe rubis profonde et éclatante. Le bouquet, engageant, mêle harmonieusement la cannelle, la feuille de cassis, le poivre noir et la confiture de mûres. Une attaque fruitée laisse place à une trame tannique de belle concentration mais soyeuse, et la finale sur la girofle apporte de la longueur et de la fraîcheur. Une belle bouteille pour la cave. ⧗ 2022-2027

⊶ SAS MAISON GOUFFIER, 11, Grande-Rue, 71150 Fontaines, tél. 06 47 00 01 04, contact@vinsgouffier.fr V ⚲ ▮ *r.-v.*

DOM. PATRICK GUILLOT
Clos des Montaigu 2017 ★★

■ 1er cru	7800	◍	15 à 20 €

Représentant la troisième génération à conduire la propriété familiale, fondée en 1942, Patrick Guillot, installé depuis 1988, exploite près de 6 ha de vignes situés principalement à Mercurey.

Cueillis à la main, de jeunes ceps de pinot noir (vingt-cinq ans) ont donné un jus puissant que Patrick Guillot a ensuite élevé quinze mois en fût de chêne. Dans le verre, un mercurey pourpre soutenu, qui offre un joli panier de petits fruits (fraise, framboise et cassis) soulignés d'une pincée de poivre noir. La souplesse, le gras et la douceur s'allient à une trame de tanins soyeux dans une bouche ample et élégante. Déjà harmonieux, ce vin a du potentiel. ⧗ 2022-2027 ■ **1er cru Les Veley 2017 (20 à 30 €; 958 b.)** : vin cité.

⊶ EARL DOM. PATRICK GUILLOT, 9 A, rue de Vaugeailles, Chamirey, 71640 Mercurey, tél. 03 85 45 27 40, domaine.pguillot@orange.fr V ▮ *r.-v.*

DOM. JEANNIN-NALTET 2017 ★

□	2500	◍	15 à 20 €

Après une carrière de dix ans en tant qu'ingénieur en optimisation industrielle et après une formation à la « Viti » de Beaune, Benoît Eschard, neveu de Thierry Jeannin-Naltet, a repris les rênes en 2013 de ce domaine familial de 8,6 ha créé en 1858.

Cette cuvée issue d'un sol argilo-calcaire respire la minéralité du terroir mariée aux notes plus moelleuses des fruits blancs et de la vanille. Une attaque fraîche et tendue introduit une bouche ample, affirmée et persistante. ⧗ 2020-2024

⊶ SCEV DOM. JEANNIN-NALTET, 4, rue de Jamproyes, 71640 Mercurey, tél. 03 85 45 13 83, domaine@jeannin-naltet.fr V ⚲ ▮ *r.-v.*

DOM. MICHEL JUILLOT
Les Vignes de Maillonge 2017

□	8400	◍	15 à 20 €

Fondé par Louis Juillot, développé par son fils Michel et conduit depuis la fin des années 1990 par son petit-fils Laurent, ce domaine emblématique de la Côte chalonnaise couvre 31 ha essentiellement en AOC mercurey, avec des parcelles en Côte de Beaune.

Ce mercurey or blanc à reflets verts dévoile un nez de fruits blancs, de miel d'acacia et de fleur d'oranger. Si l'attaque se révèle d'une belle vivacité, le milieu de bouche se fait rond et gras, et la finale est marquée par l'amande et la pomme. ⧗ 2020-2024 ■ **Les Vignes de Maillonge 2017 (15 à 20 €; 21000 b.)** : vin cité.

⊶ SCEA DOM. MICHEL JUILLOT, 59-59 A, Grande-Rue, 71640 Mercurey, tél. 03 85 98 99 89, infos@domaine-michel-juillot.fr V ▮ *t.l.j. sf dim. 9h30-12h 14h-18h*

Ⓑ **DOM. LOUIS MAX** Les Rochelles 2017

□	4960	◍	30 à 50 €

Maison de négoce fondée en 1859 par Evgueni-Louis Max, émigré de Géorgie. Depuis 2007, elle est la propriété de Philippe Bardet, un amateur de vin genevois qui a confié en 2014 à David Duband, célèbre vigneron de la Côte de Nuits, la responsabilité de la vinification et de l'élevage des vins de la maison. Elle dispose, en plus de ses achats de raisins, d'un vignoble en propre de 20 ha à Mercurey et de 165 ha dans les Corbières. Sur les flacons, des étiquettes reconnaissables entre toutes, dessinées par Pierre Le Tan.

Ce vin couleur vieil or possède un nez cordial d'épices douces et de fruits jaunes. Après une attaque souple, un bel équilibre entre le gras et l'acidité se met en place. Un mercurey de bon aloi. ⧗ 2020-2023

⊶ SARL LOUIS MAX, 6, rue de Chaux, 21700 Nuits-Saint-Georges, tél. 03 80 62 43 00, louismax@louis-max.fr ⚲ ▮ *r.-v.*

DOM. DU MEIX-FOULOT 2016

■ | 25 000 | | 20 à 30 €

En 1996, Agnès Dewé de Launay, après quatre années passées aux États-Unis, a repris ce domaine de 20 ha à la suite de son père Paul; un domaine dans sa famille depuis plus de deux siècles.

Ce 2016 aux légers reflets tuilés d'évolution exprime les fruits rouges et noirs ainsi que des notes boisées dans une palette aromatique harmonieuse. La bouche, fraîche et fruitée, séduit par ses tanins ronds. ⧗ 2020-2023

*EARL LE MEIX-FOULOT,
11, rue du Clos-du-Roi, Touches, 71640 Mercurey,
tél. 03 85 45 13 92, meixfoulo@club.fr
V r.-v.*

B DOM. MENAND Clos des Combins 2017 ★

■ 1er cru | 10 000 | | 20 à 30 €

Installé en 1997 sur le domaine familial, Philippe Menand oriente rapidement son vignoble vers la culture biologique, puis la vinification biologique sans intrants. La certification est acquise pour ses 6 ha de vignes.

Des ceps de quarante ans ont donné naissance à cette cuvée parée d'une robe pourpre très soutenue, qui développe un nez discret de petits fruits rouges et noirs. Une empreinte boisée se mêle aux notes fruitées dans une bouche solide, dotée de tanins puissants. Un vin de gros calibre, à mettre en cave. ⧗ 2023-2030

*DOM. MENAND, 8, rue des Combins,
71640 Mercurey, tél. 03 85 45 19 19,
domaine-menand@orange.fr V r.-v.*

♥ B DOM. DE LA MONETTE Les Obus 2017 ★★

■ | 1452 | | 15 à 20 €

Depuis sa reprise en 2008 par Roelof Ligtmans et Marlon Steine, couple de Néerlandais tombés sous le charme de la Bourgogne, ce vignoble de 11 ha est conduit en bio (certification en 2013).

Une vinification à la «bourguignonne» avec élevage en demi-muids de 500 litres durant neuf mois a donné une robe d'un or vert éclatant à ce mercurey. Des senteurs de pomme, de fleur d'acacia, de pain grillé et de vanille sur fond de minéralité composent une olfaction complexe. Une richesse aromatique que l'on retrouve dans un palais ample et généreux, soutenu par une belle tension acidulée. Un très beau vin de terroir, racé et pur. ⧗ 2022-2026 ■ **Les Chavances 2017 ★ (15 à 20 €; 1539 b.)** B : un vin ouvert sur des notes de sous-bois, de fruits rouges et de boisé grillé, structuré par des tanins frais et de belle longueur en bouche. ⧗ 2021-2025 ■ **Les Bourguignons 2017 ★ (15 à 20 €; 2050 b.)** B : le cassis et la griotte s'imposent à l'olfaction. La bouche apparaît fraîche et ferme mais sans dureté, bien épaulée par des tanins fins. ⧗ 2021-2024

*ROELOF LIGTMANS (DOM. DE LA MONETTE),
15, rue du Château, 71640 Mercurey, tél. 03 85 98 07 99,
vigneron@domainedelamonette.fr
V r.-v.*

DOM. NARJOUX-NORMAND 2017 ★

■ | 4 500 | | 15 à 20 €

Avant la reprise par Frantz Normand en 1999 de ce domaine familial de 13 ha, huit générations l'avaient précédé dans la culture de la vigne. Son fils cadet Antoine est en phase de reprendre le domaine.

Rubis clair, ce 2017 délivre un discret registre d'épices (poivre et cannelle) dans un environnement fruité et confituré. Après une attaque fraîche, il dévoile des tanins encore un peu accrocheurs, mais la richesse aromatique fruitée le tempère. Un vin fringant et croquant qui s'étire longuement en finale sur des saveurs à la fois fraîches et généreuses. ⧗ 2022-2025 ■ **Le Chatelet 2016 (11 à 15 €; 1800 b.)** : vin cité.

*EARL DOM. NARJOUX-NORMAND,
71640 Saint-Martin-sous-Montaigu, tél. 03 85 45 14 28,
narjoux-normand@orange.fr V r.-v.*

DOM. LAURENT ET ROMAIN PILLOT En Sazenay 2016 ★

■ 1er cru | 6 500 | | 15 à 20 €

Laurent Pillot et son fils Romain incarnent les cinquième et sixième générations de vignerons sur ce domaine de 17 ha, implanté à Mellecey, au sud de Mercurey.

Ce 1er cru habillé d'une étoffe rubis soutenu développe une olfaction intense de fruits rouges et noirs et de poivre. La bouche, franche et saline à l'attaque, se révèle ensuite généreuse, étoffée, dotée de tanins soyeux, mais toujours bien épaulée par une fraîcheur tonique. Une valeur sûre pour la cave. ⧗ 2022-2026 ■ **2017 (15 à 20 €; 2500 b.)** : vin cité.

*EARL DOM. LAURENT ET ROMAIN PILLOT, 47, rue des Vendangeurs, 71640 Mellecey, tél. 03 85 45 20 48,
domaine.pillot@club-internet.fr V r.-v.*

♥ FRANÇOIS RAQUILLET Vignes des Chazeaux Cuvée Suzanne 2017 ★★

■ | 2 000 | | 15 à 20 €

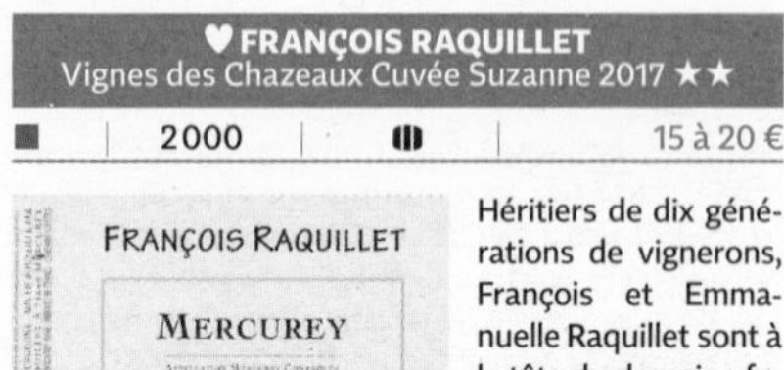

Héritiers de dix générations de vignerons, François et Emmanuelle Raquillet sont à la tête du domaine familial (12,5 ha) depuis 1990 et signent avec constance des cuvées de belle facture.

Les Raquillet nous gratifient une fois encore d'un superbe mercurey et décrochent leur troisième coup de cœur en quatre éditions du Guide, pour ne citer que les derniers... Drapé d'un velours pourpre, ce 2017 respire la griotte, la vanille, la verveine et le poivre noir. En bouche, c'est l'apothéose tant celle-ci est ample, riche, concentrée et longue, avec une structure tannique fondue et enveloppante. Enthousiasmant. ⧗ 2022-2027 ■ **1er cru Les Vasées 2017 ★ (20 à 30 €; 7600 b.)** : ce 1er cru présente d'intenses reflets grenat et des senteurs de fruits rouges et de caramel. Une attaque franche et épicée ouvre sur une bouche ample, élancée, très équilibrée, dotée de tanins fins. ⧗ 2022-2026 ■ **1er cru Les Veleys 2017 ★ (20 à 30 €; 5000 b.)** : un 1er cru dense, généreux, onctueux et élégant, aux saveurs d'amande grillée, de fleurs blanches et de poire juteuse. ⌛ 2021-2024

SARL FRANÇOIS RAQUILLET, 19, rue de Jamproyes, 71640 Mercurey, tél. 03 85 45 14 61, contact@domaine-raquillet.com V r.-v.

LES HÉRITIERS SAINT-GENYS
Clos Marcilly Monopole 2016 ★

■ 1er cru	2300		20 à 30 €

Créée en 2012 à Chassagne-Montrachet sous l'impulsion de Patrice du Jeu associé à des proches et aux anciens propriétaires des vignes, cette structure exploite 13,5 ha entre Côte de Beaune et Côte chalonnaise complétés d'une activité de négoce. La société a restructuré le domaine et rénové la cuverie. Aux commandes des vinifications, Jean-Baptiste Alinc.

Pourpre profond, ce vin exhale des parfums complexes entre fruits compotés et épices (cannelle, poivre et vanille), agrémentés de notes de feuilles fraîches. Une attaque vive et franche laisse la place à une bouche riche et puissante, dotée de tanins encore jeunes qui devraient bien se fondre avec le temps. ⌛ 2022-2027

SARL LES HÉRITIERS SAINT-GENYS, 1, pl. de l'Église, 21190 Chassagne-Montrachet, tél. 03 80 24 72 63, contact@saint-genys.fr V r.-v.

CH. DE SANTENAY Les Puillets 2017

■ 1er cru	39000		20 à 30 €

Ce majestueux château aux tuiles vernissées, aussi appelé « château Philippe le Hardi », fut propriété du premier duc de la grande Bourgogne (1342-1404). Dans le giron du Crédit Agricole depuis 1997, il étend son vaste vignoble sur 90 ha répartis dans plusieurs AOC beaunoises et chalonnaises, sous la houlette de l'œnologue et directeur d'exploitation Gérard Fagnoni.

Cerise limpide et brillante, ce 1er cru présente une palette aromatique boisée et élégante qui associe le cassis et la brioche au beurre. La bouche s'adosse à des tanins fermes, encore un peu austères, mais déploie un fruité bien présent qui assouplit l'ensemble. À encaver. ⌛ 2022-2025 ■ **2017 (15 à 20 €; 75000 b.)** : vin cité.

SCEA CH. DE SANTENAY, 1, rue du Château, 21590 Santenay, tél. 03 80 20 61 87, contact@chateau-de-santenay.com V

MAISON ALBERT SOUNIT Vieilles Vignes 2016

■	6688		20 à 30 €

Fondée en 1851 par Flavien Jeunet, cette maison de négoce, qui possède aussi 16 ha de vignes en propre, a été reprise dans les années 1930 par la famille Sounit, qui l'a cédée à son importateur danois en 1993. L'une des valeurs sûres de la Côte chalonnaise, en vins tranquilles comme en effervescents.

Habillé de carmin aux reflets ocre, ce mercurey dégage d'intenses parfums de bois de santal, de clou de girofle et de vanille agrémentés de framboise mûre. Bien équilibré entre le fruit et le bois, entre la fraîcheur et le gras, le palais est plaisant. ⌛ 2021-2024

SARL MAISON ALBERT SOUNIT, 5, pl. du Champ-de-Foire, 71150 Rully, tél. 03 85 87 20 71, albert.sounit@wanadoo.fr V r.-v.

DOM. DE SUREMAIN Les Croichots 2017

■ 1er cru	3000		20 à 30 €

Situé au cœur de Mercurey, le Ch. du Bourgneuf est le fief de la famille de Suremain depuis sept générations. Un domaine né en 1870 du regroupement de différentes métairies familiales. La mise en bouteilles date de 1947. Installés en 1979, Yves et Marie-Hélène de Suremain, rejoints en 2005 par leur fils aîné Loïc, exploitent aujourd'hui un vignoble de 19 ha.

Paré d'une crinoline rose tourmaline, ce vin offre des senteurs délicates de framboise et de pivoine avec une touche boisée. Une attaque fluide introduit une bouche bien soutenue et fraîche; le fruit en retour adoucit la trame tannique encore sévère. Si ce mercurey est à ce jour un peu austère, le jury parie sur une belle évolution. ⌛ 2022-2025

EARL DOM. DE SUREMAIN, Ch. du Bourgneuf, 71, Grande-Rue, 71640 Mercurey, tél. 03 85 98 04 92, contact@domaine-de-suremain.com V *t.l.j. 8h30-12h30 13h30-18h; sam. dim. sur r.-v.*

DOM. THEULOT JUILLOT
Lieu-dit Château Mipont 2017 ★

■	3300		15 à 20 €

Nathalie et Jean-Claude Theulot dirigent depuis 1986 le domaine créé par leurs grands-parents au début du siècle dernier. Ils ont progressivement étendu le vignoble de 5,5 ha à 12 ha aujourd'hui, comprenant le fameux 1er cru La Cailloute, en monopole.

Du terroir argilo-calcaire propice à la culture de la vigne, cette cuvée en a tiré de beaux attraits : une robe grenat étincelante, un nez fruité de griotte et de framboise, une bouche croquante, qui possède un côté « terroir », une belle plénitude et une charpente tannique élancée. Un mercurey très harmonieux. ⌛ 2022-2027 ■ **1er cru Les Croichots 2017 ★ (20 à 30 €; 5500 b.)** : un 1er cru velouté, long et élégant, mais qui reste toutefois sur la réserve à l'olfaction. On le laissera vieillir pour l'apprécier à sa juste valeur. ⌛ 2022-2030 ■ **1er cru La Cailloute Monopole 2017 (20 à 30 €; 7500 b.)** : vin cité.

EARL NATHALIE ET JEAN-CLAUDE THEULOT, 4, rue de Mercurey, 71640 Mercurey, tél. 03 85 45 13 87, contact@theulotjuillot.eu V *t.l.j. 8h-12h 13h30-18h; sam. dim. sur r.-v.*

♥ DOM. TUPINIER-BAUTISTA
Vieilles Vignes 2017 ★★

■	10000		11 à 15 €

TUPINIER-BAUTISTA
GRAND VIN DE BOURGOGNE
MERCUREY
VIEILLES VIGNES
2017
Bautista

Manuel Bautista exploite depuis 1997 la propriété (10 ha aujourd'hui) de sa belle-famille, les Tupinier, vignerons à Mercurey depuis 1770. Une affaire de négoce a été créée pour l'achat de raisins de la Côte chalonnaise et de la Côte de Beaune.

D'un rouge grenat à reflets rubis, ce magnifique *village* dévoile de nombreuses flaveurs rappelant la cerise et la mûre bien mêlées aux notes empyreumatiques de l'élevage en fût. La bouche, franche et nette en attaque, offre une texture veloutée, avec en soutien une charpente tannique bien présente mais élégante. Son volume et sa longueur fruitée achèvent de convaincre. ⧗ 2022-2030 ■ **1er cru En Sazenay 2017 (20 à 30 €; 6000 b.)** : vin cité.

⊶ EARL DOM. TUPINIER-BAUTISTA, 30 ter, rue du Liard, 71640 Mercurey, tél. 06 87 16 02 14, tupinier.bautista@wanadoo.fr V *r.-v.*

DOM. DE LA VIEILLE FONTAINE Les Crêts 2017

■ 1er cru	3300		20 à 30 €

Installé depuis 1996 à Bouzeron, David Déprés a repris en 2004 une partie du domaine de Jean-Pierre Meulien situé à Mercurey. Il s'appuie sur un vignoble de 5 ha et pratique une viticulture raisonnée.

Une parcelle de 55 ares plantée de pinot noir de soixante ans a donné un vin frais et gourmand, qui offre au nez de plaisants arômes fruités (cassis et griotte) et grillés. Le croquant du raisin mêlé à un léger boisé s'invite dans une bouche opulente à la finale épicée. ⧗ 2022-2025

⊶ DOM. DE LA VIEILLE FONTAINE, 3, rue du Clos-L'Évêque, 71640 Mercurey, tél. 03 85 87 02 29, david.depres@bbox.fr V *r.-v.*

Ⓑ DOM. VIROT Clos de Paradis 2017 ★★

■ 1er cru	1400		20 à 30 €

Enseignant dans une première vie, Pierre Virot décide de reprendre les vignes familiales en 2012 et les engagent dans une conversion biologique, qu'il obtient en 2018. Son vignoble couvre 4,6 ha.

Brillante avec des reflets violacés, la robe de ce 2017 attire l'œil. Le bouquet exhale des notes intenses et gourmandes de cassis et de mûre. Au palais, on découvre un vin ample, suave et rond, doté d'une structure tannique soyeuse et d'une longue finale généreuse et gourmande. Le coup de cœur fut mis aux voix. ⧗ 2023-2030 ■ **2017 (15 à 20 €; 2800 b.)** Ⓑ : vin cité.

⊶ EARL DOM. VIROT, 3, rue des Marronniers, 71640 Saint-Martin-sous-Montaigu, tél. 06 07 52 29 21, virot.pierre@orange.fr V *r.-v.*

GIVRY

Superficie : 270 hl
Production : 12 580 hl (80 % rouge)

À 6 km au sud de Mercurey, cette petite bourgade typiquement bourguignonne est riche en monuments historiques. Le givry rouge, la production principale, aurait été le vin préféré d'Henri IV. Mais le blanc intéresse aussi. L'appellation s'étend principalement sur la commune de Givry, mais « déborde » aussi légèrement sur Jambles et Dracy-le-Fort.

DOM. BESSON La Matrosse 2017

■	2400		15 à 20 €

Installés en 1989 sur le domaine familial fondé en 1938, Guillemette et Xavier Besson, producteurs renommés de la Côte chalonnaise, conduisent un vignoble de 8,5 ha. À leur disposition également, une magnifique cave du XVIIe s. classée Monument historique.

Ce 2017 à l'allure fringante propose un éventail aromatique complexe : fruits mûrs, nuances florales et minérales. Le palais gras et bien structuré bénéficie de notes de citron et de craie qui lui confèrent une persistance agréable. Pour un plaisir immédiat. ⧗ 2019-2022 ■ **1er cru Les Grands Prétans 2017 (15 à 20 €; 8000 b.)** : vin cité.

⊶ EARL GUILLEMETTE ET XAVIER BESSON, 9, rue des Bois-Chevaux, 71640 Givry, tél. 03 85 44 42 44 V *r.-v.* ③

RENÉ BOURGEON En Choué 2017 ★

■ 1er cru	n.c.		11 à 15 €

Jambles, où vous ne manquerez pas de visiter l'église Saint-Bénigne, compte de nombreuses belles maisons vigneronnes, telle celle de René Bourgeon. Ce dernier a été rejoint par son fils Jean-François qui s'apprête à prendre seul la relève.

Sa robe rouge grenat souligné de violine donne envie. Des petits fruits noirs mêlés à la pivoine et à la fraise fraîche constituent une palette aromatique alléchante. Ces promesses se confirment au palais : il est rond, ample, traversé d'une minéralité saline et de saveurs de fruits mûrs confiturés. Les tanins encore fermes sont néanmoins élégants. ⧗ 2021-2026 ■ **2017 (8 à 11 €; n.c.)** : vin cité.

⊶ SCEA RENÉ BOURGEON, 8, ru des Charnailles, 71640 Jambles, tél. 03 85 44 35 85, gaec.renebourgeon@wanadoo.fr V *t.l.j. sf dim. 8h-18h*

DOM. DU CELLIER AUX MOINES Clos du Cellier aux Moines 2016

■ 1er cru	9000		30 à 50 €

Fondé en 1130 par les cisterciens, propriété d'une seule famille après la Révolution française, ce domaine classé Monument historique a été acquis et restauré à partir de 2004 par Philippe Pascal, ancien cadre dirigeant chez LVMH, avec son épouse Catherine et leurs trois enfants. Une cuverie en gravité totale a été inaugurée en 2016 avec une première vinification faite par Guillaume Marko. Le vignoble de 9 ha, en conversion biologique depuis 2015, est constitué des 4,7 ha de pinot noir du Clos du Cellier aux Moines, un des 1ers crus historiques de Givry, complétés par quelques hectares de chardonnay en Côte de Beaune.

Le domaine propose un 1er cru très prometteur, doté d'une belle robe pourpre aux reflets améthystes de jeunesse. Les parfums évoquent la framboise, la grenade, le chocolat et le poivre noir. Franc à l'attaque, le palais montre de la fraîcheur et de l'équilibre, mais pour l'heure les tanins restent fermes. À attendre. ⧗ 2022-2025

⊶ SARL CELLIER AUX MOINES, Clos du Cellier aux Moines, 71640 Givry, tél. 03 85 44 53 75, contact@cellierauxmoines.fr V *r.-v.*

DOM. DAVANTURE 2017 ★

■	2600		11 à 15 €

Les trois frères Davanture (Xavier, Damien et Éric) sont issus d'une longue dynastie de vignerons (huit générations). Ils officient sur un domaine de 22 ha situé à Saint-Désert, village de la Côte chalonnaise connu pour son église fortifiée. Ce grand domaine est géré en viticulture raisonnée et les vendanges se font exclusivement à la main.

Ce givry à la robe d'or intense livre après quelques tours dans le verre des senteurs de chèvrefeuille, de thé vert et de chlorophylle. La bouche, vive en attaque, est vite arrondie par un gras bien dosé et par des saveurs de fruits mûrs, tandis qu'une fine salinité anime la finale. ⧗ 2021-2024 ■ **2017 ★ (11 à 15 €; 5600 b.)** : rouge violacé et finement boisé, ce givry a séduit le jury pour sa belle présence en bouche, sa plénitude assurée, sa matière bien maîtrisée et son astringence positive pour une évolution sereine. ⧗ 2022-2026

GAEC DES MURGERS (DOM. DAVANTURE), 26, rue de la Messe, Cidex 1516, 71390 Saint-Désert, tél. 03 85 47 95 57, domaine.davanture@orange.fr r.-v.

DOM. DELIANCE
Clos de la Servoisine 2016 ★

■ 1er cru | 8000 | | 15 à 20 €

Créée en 1947 par Marcel Deliance, cette maison a fondé sa réputation sur ses vins mousseux. Les générations suivantes ont prolongé l'aventure et agrandi le vignoble, qui compte 17 ha aujourd'hui.

Encore très jeune mais prometteur, ce 2016 aux légers accents de fruit et de confiture offre une bouche corpulente, dotée de tanins larges et parsemée d'arômes de griotte et de cassis. Un vin puissant à conserver en cave. ⧗ 2022-2030

SARL DOM. DELIANCE, 24, Le Buet, 71640 Dracy-le-Fort, tél. 03 85 44 40 59, domaine.deliance@wanadoo.fr t.l.j. sf dim. 8h-12h 14h-18h

DOM. DESVIGNES
Clos du Vernoy Monopole 2016

■ 1er cru | 3600 | | 15 à 20 €

Depuis 2016, Gautier Desvignes, épaulé par son père Éric, est à la tête de l'exploitation familiale et de ses 11 ha de vignes, exclusivement en appellation givry (*village* et 1er cru).

Gautier Desvignes signe un vin au caractère trempé, mais encore fermé. Le nez évoque le bourgeon de cassis et la fougère. Une attaque riche et ronde précède l'apparition d'une charpente tannique bien construite mais encore ferme. La garde devrait l'aider à s'affiner et à se donner avec plus de complaisance. ⧗ 2023-2030

EARL DOM. DESVIGNES, 36, rue de Jambles, Poncey, 71640 Givry, tél. 06 35 54 91 08, domainedesvignesgivry@orange.fr r.-v.

GOUFFIER Terroir de marnes 2017 ★

■ | 2400 | | 15 à 20 €

Ayant appartenu à la famille Gouffier pendant plus de deux cents ans, ce petit domaine de 5,5 ha a été repris en 2012 par Frédéric Gueugneau, qui a créé en parallèle une activité de négoce destinée à l'achat de vendanges sur pied.

D'un beau grenat profond, ce givry dévoile des arômes intenses de cerise, de cèdre, d'épices et de toast grillé. En bouche, il apparaît souple et rond en attaque, plus ferme dans son développement mais sans dureté, étayé par des tanins soyeux. Un vin équilibré, qui vieillira bien. ⧗ 2021-2025

SAS MAISON GOUFFIER, 11, Grande-Rue, 71150 Fontaines, tél. 06 47 00 01 04, contact@vinsgouffier.fr r.-v.

DOM. LABORBE-JUILLOT
Clos Vernoy Monopole 2016 ★

1er cru | 1866 | | 15 à 20 €

Situé à Poncey (hameau de Givry), ce domaine de quelque 13 ha est entré dans le giron de la Cave des Vignerons de Buxy en 2007.

Il se dégage de ce vin or brillant de nombreuses effluves boisées (brioche et cire d'abeille), mais aussi florales (chèvrefeuille). Une attaque onctueuse et dense, un bon développement autour d'une matière riche soulignée par une touche acidulée : ce givry savoureux et de belle longueur pourra être apprécié jeune ou après quelques années de garde. ⧗ 2020-2024 ■ **1er cru Clos Marceaux Monopole 2016 (15 à 20 €; 20133 b.)** : vin cité.

SCEA DOM. LABORBE-JUILLOT, 2, rte de Chalon, 71390 Buxy, tél. 03 85 92 03 03, accueil@vigneronsdebuxy.fr t.l.j. 9h-12h 14h-18h30 SCA Cave des Vignerons de Buxy

DOM. DE LA LUOLLE Champ Pourot 2017 ★

| 2000 | | 15 à 20 €

Sandrine et Olivier Dovergne exploitent depuis 2017 ce domaine de 8 ha conduit en culture biologique et biodynamique, ayant autrefois appartenu à Guy Chaumont. Ils proposent également un gîte et des visites sensorielles.

Dorée à l'or fin, cette cuvée possède un nez ouvert à dominante de noisette et de café torréfié. L'entrée en bouche se fait souple, fraîche, bien équilibrée, puis une explosion d'arômes de pêche de vigne et de poire juteuse parcourt les papilles pour finir sur une longueur saline. ⧗ 2020-2024

SARL MAISON DE LA LUOLLE, imp. de la Luolle, 71390 Moroges, tél. 06 21 86 05 27, domaine@laluolle.fr r.-v.

CAVE DE MAZENAY 2017

| 1170 | | 8 à 11 €

Cette maison de négoce familiale fondée en 1963 par deux amis, Louis Marinot et Adrien Verdun, est installée à Mazenay, à la lisière du vignoble du Couchois. Depuis 2017, c'est Aurélien Merle qui succède à Jacques Marinot, à la vinification d'une large gamme d'appellations (santenay, maranges, givry...).

Cette cuvée se pare d'une robe brillante à reflets verts. Elle affiche un nez de fruits secs et blancs, nuancé de menthol et de résine. La bouche franche et nette déploie une jolie finale citronnée. Tout indiqué pour accompagner un poisson grillé ou des fruits de mer. ⧗ 2019-2022

SAS ETS MARINOT ET VERDUN (CAVE DE MAZENAY), 12, Grande-Rue, Mazenay, 71510 Saint-Sernin-du-Plain, tél. 03 85 49 67 19, contact@cavedemazenay.com t.l.j. sf dim. 8h-12h 14h-18h

MILLEBUIS Clos Jus 2016 ★★

■ 1er cru | 6933 | | 15 à 20 €

Créée durant la crise de 1929, la cave des Vignerons de Buxy poursuit son développement. Cette coopérative a

BOURGOGNE

su rassembler et valoriser les producteurs d'un même terroir et les impliquer dans son fonctionnement.

Après un élevage de douze mois en fût, ce vin se présente dans une robe d'un pourpre léger. Des nuances empyreumatiques et de fruits rouges mûrs caractérisent le nez. La bouche attaque d'abord en suavité, sans domination du bois, puis elle évolue sur une note saline tonique et sur la framboise, pour s'achever sur des arômes croquants de raisin. L'archétype du rouge fruité et gouleyant. ⧗ 2019-2023

SCA CAVE DES VIGNERONS DE BUXY, Les Vignes-de-la-Croix, 71390 Buxy, tél. 03 85 92 03 03, accueil@vigneronsdebuxy.fr t.l.j. 9h-12h 14h-18h30

PARIZE PÈRE ET FILS
Clos de la Roche La Sauleraie 2017 ★

■	2732		11 à 15 €

L'histoire de la famille Parize en terre givrotine remonte à 1896, lorsque les aïeux de Laurent s'installent à Poncey, alors commune indépendante. Le domaine compte aujourd'hui 8 ha. Une valeur sûre de l'appellation givry.

Un hectare et demi de pinots noirs trentenaires récoltés à la main le premier jour de septembre a doté ce vin grenat d'une belle profondeur. Le nez dévoile des arômes fruités agrémentés d'une touche de fraîcheur minérale. La bouche se révèle également fruitée, mais aussi bien structurée. Un vin de terroir à laisser vieillir quelques années. ⧗ 2021-2024 ■ **1er cru Champ Nalot La Sauleraie 2017 (15 à 20 €; 8210 b.)** : vin cité.

EARL PARIZE PÈRE ET FILS, 18, rue des Faussillons, 71640 Givry, tél. 06 72 93 36 31, laurent.parize@wanadoo.fr t.l.j. 9h-18h

DOM. PELLETIER-HIBON
Vieilles Vignes 2017

■	17000		11 à 15 €

La propriété n'a cessé de se développer depuis qu'André Pelletier (1898-1953) a pu acquérir quelques parcelles de Givry. Son fils Henri a poursuivi son œuvre jusqu'à sa retraite en 2005, après s'être associé avec son gendre Luc Hibon en 2001. Ce dernier et son épouse exploitent désormais les 7,2 ha de vignes familiales.

Grenat à reflets carmin, ce vin offre un nez frais et végétal, avec un fruité sous-jacent. Sa bouche puissante s'appuie sur des tanins de qualité et déjà fondus, et déploie une finale persistante sur la cerise et le cassis. Un givry classique, de belle facture. ⧗ 2020-2023

EARL PELLETIER-HIBON, 6, rue de la Planchette, 71640 Givry, tél. 06 83 35 75 42, pelletier.hibon@sfr.fr r.-v.

PIGNERET FILS 2017 ★

■	8200		11 à 15 €

Installés du côté de Givry (en 2001), les frères Éric et Joseph Pigneret, quatrièmes du nom à conduire le domaine familial (30 ha), ont créé la marque de négoce Pigneret Fils pour enrichir leur gamme. Ils achètent ainsi des raisins et des moûts qu'ils vinifient et élèvent dans leur chai.

D'un bel or lumineux, ce 2017 dévoile un nez pur et fin, sur la poire et le chèvrefeuille. À l'image de l'olfaction, le palais est élégant; le fruit y est bien présent, ainsi qu'une trame minérale crayeuse qui le traverse jusqu'à la finale, nette et longue. Un beau vin harmonieux et racé, qui vieillira bien. ⧗ 2021-2025

EARL DOM. PIGNERET FILS, Vingelles, 71390 Moroges, tél. 03 85 47 15 10, domaine.pigneret@wanadoo.fr t.l.j. 9h-12h 14h-19h; dim. 9h-12h

DOM. RAGOT Clos Jus 2017 ★

■ 1er cru	5500		20 à 30 €

En 2003, Nicolas Ragot, incarnant la cinquième génération, vient épauler son père, Jean-Paul, à la tête de ce domaine familial de quelque 9 ha, établi au cœur de Givry. Il en reprend seul les commandes en 2008.

Une vendange manuelle, une macération de quinze jours en cuve ouverte thermo-régulée et un élevage d'un an en fût de chêne ont donné un vin teinté de grenat, aux arômes de feuille de cassis et de café torréfié. Ample et puissante en bouche, aux arômes fruités et boisés, mais encore sur la réserve, c'est une cuvée à suivre dans le temps. ⧗ 2022-2026 ■ **Teppes des Chenèves 2017 (15 à 20 €; 3500 b.)** : vin cité.

EARL DOM. RAGOT, 4, rue de l'École, 71640 Givry, tél. 03 85 44 35 67, vin@domaine-ragot.com t.l.j. sf dim. 8h-19h

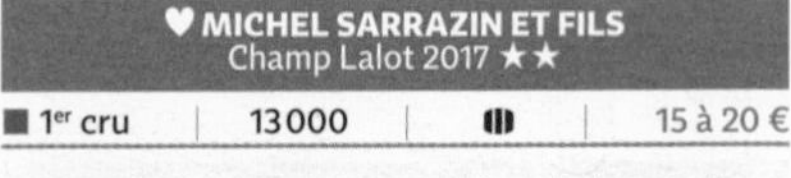

♥ MICHEL SARRAZIN ET FILS
Champ Lalot 2017 ★★

■ 1er cru	13000		15 à 20 €

La généalogie de ce domaine, toujours dans la même famille quelques siècles plus tard, remonte à 1671. Régulièrement distingués dans le Guide, les frères Sarrazin, Guy et Jean-Yves, savent tirer la quintessence des cépages bourguignons et des sols argilo-calcaires de Givry, leur fief d'origine. Incontournable.

Une fois de plus, c'est carton plein pour la famille Sarrazin qui classe trois vins dans cette édition du Guide. Ce Champ Lalot se présente vêtu d'une élégante robe grenat aux reflets violines. Son nez explosif et complexe réunit la cerise cherry, le bonbon acidulé, la groseille, le caramel et la vanille. La bouche, envoûtante, apparaît très fruitée, ronde et veloutée à souhait, étayée par des tanins soyeux. La version 2016 était elle aussi coup de cœur... Quelle régularité ! ⧗ 2021-2030 ■ **1er cru Champ Lalot 2017 ★ (15 à 20 €; 5000 b.)** : un vin bien constitué, frais au nez, sur des notes végétales, boisées et fruitées, ample et dense en bouche. Un joli blanc de garde. ⧗ 2021-2024 ■ **Clos de la Putin 2017 ★ (15 à 20 €; 3500 b.)** : ce 2017 aux notes complexes de myrtille, de café noir et de cannelle possède une charpente tannique solide et un caractère bien trempé que le jury a apprécié. Pour la cave assurément. ⧗ 2022-2027

SARL MICHEL SARRAZIN ET FILS, 26, rue de Charnailles, 71640 Jambles, tél. 03 85 44 30 57, sarrazin2@wanadoo.fr t.l.j. sf dim. 8h-12h 13h30-19h

DOM. JEAN TATRAUX ET FILS
Le Médenchot Monopole 2017

1er cru | 6500 | | 15 à 20 €

Sylvain Tatraux a pris en 1997 les rênes du domaine familial, fondé en 1763. À sa disposition, un vignoble de près de 9 ha en appellation givry.

Rouge vif léger, cette cuvée évoque les fruits rouges et les épices à l'olfaction. La bouche, après une attaque fraîche sur le bonbon acidulé, révèle des tanins encore un peu serrés. À attendre pour plus de fondu. 2022-2027 **1er cru La Grande Berge 2017 (15 à 20 €; 6200 b.)** : vin cité.

SCEA JEAN TATRAUX ET FILS, 20, rue de l'Orcène, 71640 Givry, tél. 03 85 44 36 89, sylvain.tatraux@wanadoo.fr r.-v.

MONTAGNY

Superficie : 310 ha / Production : 17 000 hl

Entièrement vouée aux blancs, montagny est l'appellation la plus méridionale de la Côte chalonnaise et annonce déjà le Mâconnais. Ses vins peuvent être produits sur quatre communes : Montagny, Buxy, Saint-Vallerin et Jully-lès-Buxy. Plusieurs 1ers crus (les Coères, les Burnins, les Platières...) sont délimités sur la commune de Montagny. Assez subtils, avec des arômes d'agrumes et une touche de minéralité, de bonne garde, les montagny mériteraient d'être mieux connus.

♥ FRANÇOIS BERTHENET Les Perrières 2017 ★★

1er cru | 1500 | | 15 à 20 €

Vigneron depuis 1974, Jean-Pierre Berthenet quitte la cave coopérative de Buxy en 2002 pour vinifier sa propre production, le fruit d'une vingtaine d'hectares. Son fils François l'a rejoint en 2009. L'une des valeurs sûres de l'appellation montagny.

Une fois de plus, Jean-Pierre et François Berthenet font mouche : c'est leur quatrième coup de cœur en autant d'éditions du Guide! Ils signent ici un montagny éclatant dans sa robe jaune d'or. Un 1er cru qui sent bon la fleur d'acacia, la poire juteuse et, dans un registre plus original, le safran et le pain d'épices. Élevé en fût de chêne, son boisé s'exprime avec subtilité sans effacer la minéralité du terroir. L'attaque fraîche et croquante est suivie d'une bouche volumineuse, dense, pleine de saveurs et parfaitement équilibrée. Sa finale énergique lui confère de la puissance et une grande persistance. Il n'attend plus qu'un homard breton pour vous régaler... 2022-2030 **1er cru Mont-Cuchot 2017 ★ (15 à 20 €; 4600 b.)** : dans un registre floral, fruité et épicé au nez, ce 1er cru dévoile un palais ample et bien tendu, encore un peu fermé certes, mais bâti pour la garde. 2022-2026 **1er cru Les Platières 2017 (11 à 15 €; 12000 b.)** : vin cité.

EARL DOM. BERTHENET, 2, rue du Lavoir, 71390 Montagny-lès-Buxy, tél. 03 85 92 17 06, domaine.berthenet@free.fr t.l.j. sf dim. 9h-12h 13h30-17h30; sam. sur r.-v.

LA BURGONDIE 2017 ★

| 15000 | | 8 à 11 €

En 2015, les Caves Bailly Lapierre de l'Yonne et les Vignerons de Buxy fondent la Compagnie de Burgondie, une union de coopératives regroupant leurs moyens commerciaux, marketing et logistique. En septembre 2016, l'Alliance des Vignerons Bourgogne Beaujolais (AVB) a rejoint cette entité.

Une cuvée sympathique, bien construite, mais encore sur la réserve à ce jour. Sous une teinte or pâle, on distingue un nez discret d'agrumes adouci par une pointe de miel. Le palais se révèle fin, frais, minéral et salin. Parfait pour les produits de la mer. 2020-2023

LA COMPAGNIE DE BURGONDIE, quai de l'Yonne, hameau de Bailly, 89530 Saint-Bris-le-Vineux, tél. 03 86 34 96 38, commercial@burgondie.info t.l.j. 9h-12h 14h-18h

CH. DE CHAMILLY Les Bassets 2017

| 23700 | | 11 à 15 €

Véronique Desfontaine est, depuis 1999 et le décès de son mari, à la tête de l'ancienne demeure du marquis de Chamilly. En 2007, ses deux fils, Xavier et Arnaud, l'ont rejointe et ils exploitent ensemble un vignoble de 30 ha, complété en 2008 par le rachat du Ch. de Carry-Potet à Buxy.

Cette bouteille à l'allure dorée bien brillante propose un nez fin de citron vert et de fougère. Derrière une attaque fraîche et croquante, on distingue une matière vineuse, bien équilibrée par une finale acidulée mais pas très longue. Un montagny aimable, que l'on pourra apprécier dans sa jeunesse. 2019-2022

SARL DESFONTAINE (CH. DE CHAMILLY), 7, allée du Château, 71510 Chamilly, tél. 03 85 87 22 24, contact@chateaudechamilly.com t.l.j. sf dim. 8h-12h 14h-18h

CH. DU CRAY Le Cornevent 2017

1er cru | 7200 | | 15 à 20 €

Ce château établi à Buxy depuis 1798, aux commandes d'un vignoble de 25 ha, a été repris en 2016 par la famille Goichot.

Ce 2017 élevé dix mois en fût de chêne garde quelques stigmates de ce passage sous bois : un bel or jaune, un bouquet à dominante empyreumatique (fumée) auquel s'ajoute des notes plus douces de pomme. La bouche est bien équilibrée entre rondeur et acidité, avec une finale rectiligne et minérale de belle typicité. 2021-2024

SCEA DU CH. DU CRAY, Le Cray, 71390 Buxy, tél. 07 76 80 64 20, adrien.goichot@goichotsa.com

CH. DE DAVENAY Clos Chaudron 2016 ★

1er cru | 20000 | | 20 à 30 €

Le premier domaine entré dans le giron de la famille Picard et sa maison de négoce-éleveur créée en 1951 par Louis-Félix Picard. Une structure conduite depuis 2006 par ses petits-enfants Francine et Gabriel, au même titre que le Ch. de Chassagne-Montrachet ou encore le Ch. Voarick.

Ce 2016 a séduit le jury par sa robe dorée soulignée de vert tendre et par son bouquet intense de noisette fraîche, de citron confit et de confiture de vieux garçon. La bouche s'affirme d'entrée tonique, racée et bien équilibrée. Une fraîcheur aromatique typique de 2016 la prolonge et lui donne une espérance de vie importante. ⧗ 2020-2024

⊶ SCEA CH. DE DAVENAY, 71390 Buxy, contact@domainesfamillepicard
⊶ Domaines et Maison Famille Picard

♥ DOM. FEUILLAT-JUILLOT Les Crêts 2017 ★★

	6000		11 à 15 €

Françoise Feuillat-Juillot, fille d'une illustre famille vigneronne de Mercurey, a posé ses valises en 1989 en s'associant avec un vigneron de Montagny à la tête alors de 8 ha de vignes. Après le décès de ce dernier, elle rachète l'intégralité du domaine, étendu aujourd'hui sur 14,5 ha, dont treize 1ers crus.

Ce *village* a recueilli tous les suffrages. La robe est traversée d'éclats brillants. Le nez, très aromatique, mêle la noisette fraîche aux petites fleurs blanches. La bouche, minérale, onctueuse et ample, se révèle subtile et racée. Un beau montagny à garder quelques années en cave. ⧗ 2021-2024 ■ **1er cru Cuvée Les Grappes d'Or 2017 ★★ (15 à 20 €; 20 000 b.)** : un 1er cru habillé d'or vert, au nez frais évoquant les fruits exotiques et le chèvrefeuille. On retrouve ces arômes dans une bouche fraîche, mentholée, fine, élégante et longue. ⧗ 2021-2026 ■ **1er cru Victor 2017 (20 à 30 €; 1200 b.)** : vin cité.

⊶ SC DOM. FEUILLAT-JUILLOT, 11, rte de Montorge, BP13, 71390 Montagny-lès-Buxy, tél. 06 80 22 73 61, domaine@feuillat-juillot.com V t.l.j. 9h-12h 14h-18h

GOUFFIER Les Jardins 2017

1er cru	600		20 à 30 €

Ayant appartenu à la famille Gouffier pendant plus de deux cents ans, ce petit domaine de 5,5 ha a été repris en 2012 par Frédéric Gueugneau, qui a créé en parallèle une activité de négoce destinée à l'achat de vendanges sur pied.

Autour d'un verre de ce 2017 à la robe citron et au nez d'agrumes et de fleurs jaunes, une complicité naîtra. Au palais, les saveurs sont d'abord fruitées (orange sanguine), puis boisées. Très agréable, ce vin fera sensation avec des coquillages. ⧗ 2020-2023

⊶ SAS MAISON GOUFFIER, 11, Grande-Rue, 71150 Fontaines, tél. 06 47 00 01 04, contact@vinsgouffier.fr V *r.-v.*

OLIVIER LEFLAIVE Bonneveaux 2017

1er cru	9200		20 à 30 €

Négociant-éleveur établi à Puligny-Montrachet depuis 1984, Olivier Leflaive, l'une des références de la Côte de Beaune, collectionne les étoiles, côté cave (négoce et domaine) et côté hôtellerie : quatre pour son hôtel de Puligny. Au chai, l'œnologue Franck Grux et son complice Philippe Grillet.

Dans sa robe d'or légère et éclatante, ce 2017 dévoile un bouquet empyreumatique intense. Les sensations en bouche sont plaisantes et originales (jus d'orange), même si une certaine présence boisée perdure en finale. Un vin de belle origine qui demande un peu de temps pour s'harmoniser. ⧗ 2022-2025

⊶ SA OLIVIER LEFLAIVE FRÈRES, pl. du Monument, 21190 Puligny-Montrachet, tél. 03 80 21 37 65, contact@olivier-leflaive.com V *r.-v.* 5

CAVE DE MAZENAY 2017

1er cru	2700		8 à 11 €

Cette maison de négoce familiale fondée en 1963 par deux amis, Louis Marinot et Adrien Verdun, est installée à Mazenay, à la lisière du vignoble du Couchois. Depuis 2017, c'est Aurélien Merle qui succède à Jacques Marinot, à la vinification d'une large gamme d'appellations (santenay, maranges, givry...).

Paré d'une robe or pâle, ce montagny livre une palette aromatique fruitée dans laquelle on retrouve le citron et le pamplemousse associés à des notes lactées. Après une attaque fraîche, l'onctuosité du vin tapisse la bouche jusqu'à la finale tendue et consistante. ⧗ 2020-2024

⊶ SAS ETS MARINOT ET VERDUN (CAVE DE MAZENAY), 12, Grande-Rue, Mazenay, 71510 Saint-Sernin-du-Plain, tél. 03 85 49 67 19, contact@cavedemazenay.com V *t.l.j. sf dim. 8h-12h 14h-18h*

MILLEBUIS 2017

	9200		8 à 11 €

Créée durant la crise de 1929, la cave des Vignerons de Buxy poursuit son développement. Cette coopérative a su rassembler et valoriser les producteurs d'un même terroir et les impliquer dans son fonctionnement.

Issue d'un sol de marnes du Domérien, cette cuvée d'un or blanc avenant offre un nez vif de citron et de pomme verte mêlés aux notes plus fines de miel d'acacia. Simple et facile, elle est déjà agréable à boire avec un fromage de chèvre local ou avec des produits de la mer. ⧗ 2018-2021

⊶ SCA CAVE DES VIGNERONS DE BUXY, Les Vignes-de-la-Croix, 71390 Buxy, tél. 03 85 92 03 03, accueil@vigneronsdebuxy.fr V *t.l.j. 9h-12h 14h-18h30*

DOM. DE MONTORGE Les Coères 2017

1er cru	n.c.		11 à 15 €

Entre Montagny-lès-Buxy et Saint-Vallerin, sur le hameau de Montorge, Charles et Jean-Joseph Flandre ont recréé en 1972 une exploitation familiale à partir de 12 ha de vignes classés exclusivement en montagny 1er cru. En 2014, Yann, le second fils de Jean-Joseph, a pris le relais.

Sous une robe or jaune à reflets verts, ce 2017 développe un bouquet allant de la petite fleur blanche à l'eucalyptus, en passant par le safran et la pêche jaune bien mûre. Enrobée et cristalline, la bouche est réveillée par une tension agréable ainsi que par des saveurs à tendance verte. Un bon moment de dégustation en perspective à l'apéritif. 2020-2022

SCEA DOM. DE MONTORGE, hameau de Montorge, 71390 Montagny-lès-Buxy, tél. 06 87 68 90 28, domainemontorge@yahoo.fr

DOM. LA RENARDE
Les Vignes Longues 2017 ★★

1er cru	4110		11 à 15 €

Créé dans les années 1970 par Paul Perret, alors coopérateur à la Cave de Buxy, ce domaine de 18 ha est aujourd'hui entre les mains de son gendre Grégory Peyre (en 2007) et de son fils Gaspard (en 2011). En 2016, ils vinifient pour la première fois dans leur chai flambant neuf.

Ce 2017 vinifié et élevé en cuve durant onze mois s'habille d'une robe claire aux reflets argentés. Le nez s'ouvre sur des notes minérales et florales typiques de l'appellation. La bouche, d'une grande finesse aromatique, se montre équilibrée et énergique, soutenue par une vivacité aux tonalités d'agrumes. Un vin très élégant, bel ambassadeur de son terroir. 2021-2024

EARL DOM. LA RENARDE, 2 chem. de la Praye, 71390 Jully-les-Buxy, tél. 06 70 07 66 51, contact@domainelarenarde.com V r.-v.

LE MÂCONNAIS

Jeu de collines découvrant souvent de vastes horizons, où les bœufs charolais ponctuent de blanc le vert des prairies, le Mâconnais (5 700 ha en production) cher à Lamartine – Milly, son village, est vinicole, et lui-même possédait des vignes – est géologiquement plus simple que le Chalonnais. Les terrains sédimentaires du triasique au jurassique y sont coupés de failles ouest-est. 20 % des appellations sont communales, 80 % régionales (mâcon blanc et mâcon rouge). Sur des sols bruns calcaires, les blancs les plus réputés, issus de chardonnay, naissent sur les versants particulièrement bien exposés et très ensoleillés de Pouilly, Solutré et Vergisson avec les AOC pouilly-fuissé, pouilly-vinzelles, pouilly-loché, saint-véran. Ils sont remarquables par leur aptitude à une longue garde. Les rouges et rosés proviennent du pinot noir pour les vins d'appellation bourgogne, et de gamay noir à jus blanc pour les mâcon issus de terrains à plus basse altitude et moins bien exposés, aux sols souvent limoneux où des rognons siliceux facilitent le drainage.

MÂCON ET MÂCON-VILLAGES

L'aire de production est assez vaste : du nord au sud, de la région de Tournus jusqu'aux environs de Mâcon, une cinquantaine de kilomètres sur une quinzaine de kilomètres d'est en ouest. À la diversité des situations répond celle des vins. Les appellations mâcon ou mâcon suivi de la commune d'origine sont utilisées pour les rouges, rosés et blancs. Les deux premiers sont le plus souvent issus de gamay, les troisièmes de chardonnay. Les vins blancs peuvent s'appeler aussi mâcon-villages.

FRANÇOIS D'ALLAINES
Solutré-Pouilly 2017

	2100		8 à 11 €

Après l'école hôtelière, François d'Allaines crée son négoce en 1990 à la frontière entre Saône-et-Loire et Côte-d'Or, puis son domaine en 2009. Cet adepte des élevages longs en fût est souvent au rendez-vous du Guide.

Un vin issu de chardonnays de trente ans, vinifié et élevé en fût de chêne pendant dix mois, avec une proportion d'environ 15 % de fût neuf. Habillé d'or pâle, il dégage d'intenses parfums pommadés mais sans lourdeur : vanille, café et orange confite. Bien équilibré entre le fruit sec (amande grillée) et la fraîcheur, ce vin saura vous séduire rapidement. 2020-2023

SARL FRANÇOIS D'ALLAINES, 2, imp. du Meix-du-Cray, 71150 Demigny, tél. 03 85 49 90 16, francois@dallaines.com V r.-v.

VINS AUVIGUE
Solutré Le Moulin du Pont 2017 ★★

	6000		11 à 15 €

C'est dans les pas de leur grand-père, Francis Auvigue, qui s'était installé dans un ancien moulin en 1946, que Jean-Pierre et Michel Auvigue ont transformé cette ancienne bâtisse en chai de vinification et pratiquent l'achat de raisins depuis 1982. Comme leur grand-père, ils s'attachent au respect des terroirs avec une vinification parcellaire. Aujourd'hui, l'histoire se poursuit en famille avec l'arrivée fin 2015 de Sylvain Brenas, neveu de Jean-Pierre et Michel, qui s'attache à préserver le style et l'esprit maison.

Fidèle au rendez-vous du Guide, la maison Auvigue signe un très beau mâcon Solutré, un modèle du genre, très représentatif de l'appellation : large palette aromatique florale et fruitée, palais gras, souple, bien équilibré et persistant. Un vin plaisir. 2020-2023 **Chaintré Le Moulin du Pont 2017 (11 à 15 €; 14 000 b.)** : vin cité.

VINS AUVIGUE, 3131, rte de Davayé, Le Moulin du Pont, 71850 Charnay-lès-Mâcon, tél. 03 85 34 17 36, vins.auvigue@wanadoo.fr V r.-v.

CAVE D'AZÉ Azé Fût de Chêne 2017

	6000		5 à 8 €

Fondée en 1927, la cave d'Azé vinifie aujourd'hui 275 ha de vignes sous la houlette de Denis Charlot. Elle s'est taillé une belle réputation pour ses vins blancs, sans négliger ses pinots noirs et ses effervescents, sans oublier non plus sa cuvée originale de liquoreux.

Cette cuvée rouge vif aux couleurs de la griotte est d'emblée séduisante. Des arômes de vanille, de grillé et de confiture de fraises embaument le verre. Une attaque puissante aux nuances séveuses et épicées laisse la place à une matière fruitée, mais la finale est encore dominée par la structure tannique. Il est nécessaire de lui accorder du temps. 2022-2025

SCA CAVE COOPÉRATIVE D'AZÉ, 153, rue Basse, 71260 Azé, tél. 03 85 33 30 92, contact@caveaze.com V *t.l.j. 9h-12h 14h-18h30*

CÉDRIC ET JEAN-MARC BALANDRAS
Les Tremblays 2017

	5000		5 à 8 €

Ce domaine familial de 10 ha a la particularité d'être situé dans un pittoresque hameau mâconnais à cheval sur deux villages (Cenves et Serrières), deux départements (Rhône et Saône-et-Loire) et, par conséquent, deux régions (Rhône-Alpes et Bourgogne). Cédric Balandras s'est installé avec son père Jean-Marc en 2000.

Ce mâcon-villages couleur jaune paille dévoile un nez flatteur de verveine, d'acacia, de coing et de pamplemousse. Sa bouche, à l'unisson du bouquet, plaît par sa rondeur et sa persistance. Un vin harmonieux. ⧗ 2020-2023

EAR CÉDRIC ET JEAN-MARC BALANDRAS, Les Guérins, 71960 Serrières, tél. 06 16 30 02 96, jmcbalandras@orange.fr V r.-v.

Le Mâconnais

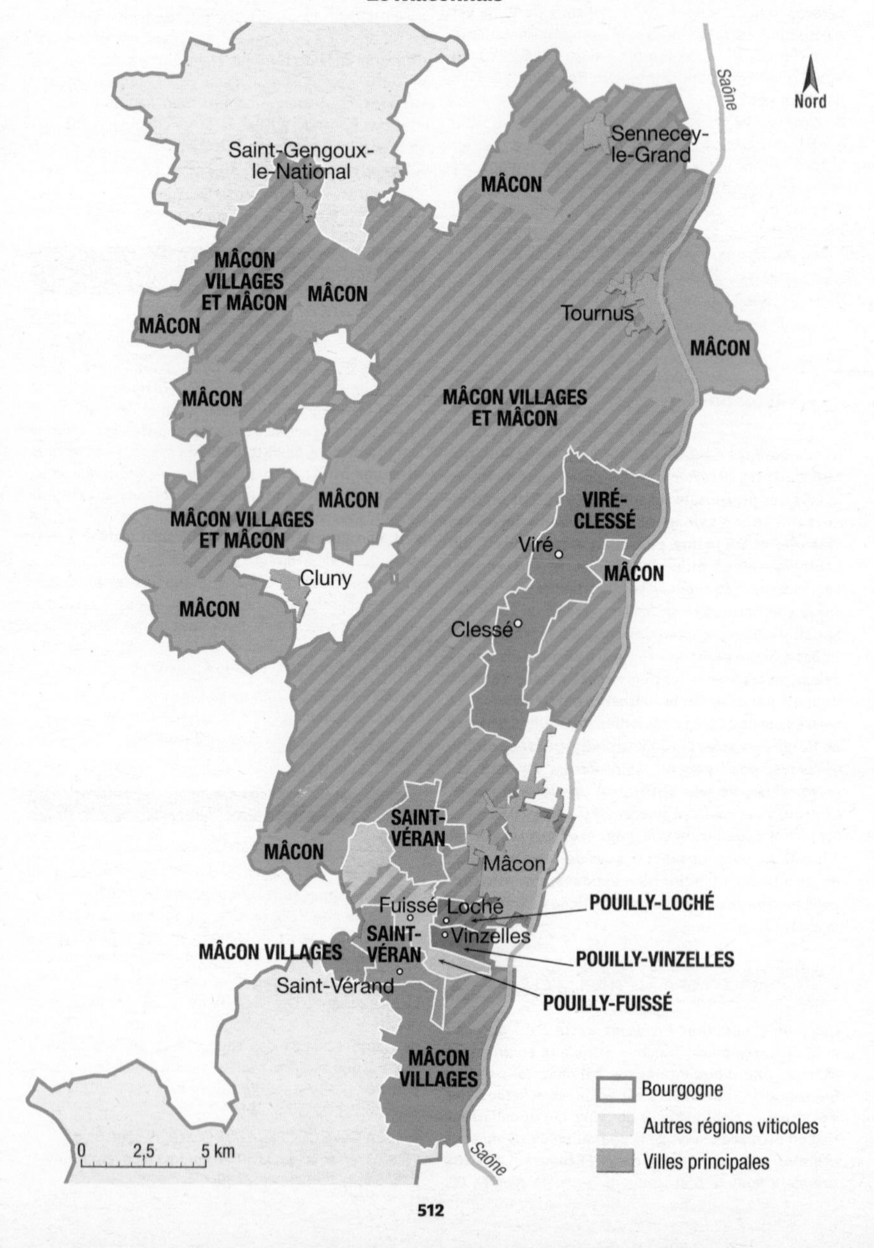

DOM. BAPTISTA Bussières Les Varennes 2017

■ | 2580 | | 8 à 11 €

Depuis 1989, Muriel et Jean-Philippe Baptista ont repris l'exploitation familiale et ses 14 ha de vignes (ancien Dom. René Dussauge). Ce domaine est situé à Bussières, joli village du val Lamartinien, en Bourgogne du sud, à une dizaine de kilomètres de Mâcon.

Ce coteau des Varennes possède un sol de silice et de granite, qui convient parfaitement au gamay. Élevé huit mois en cuve, ce vin couleur cerise égrène des notes fruitées, rappelant la burlat et la myrtille. Il présente une jolie bouche, ronde et gourmande, dotée d'une finale tendre et soyeuse, sans aspérité. ⌛ 2021-2024

EARL DOM. JEAN-PHILIPPE BAPTISTA, Le Petit Bussières, 71960 Bussières, tél. 06 13 23 71 63, dombaptista@sfr.fr V r.-v.

DOM. DU BICHERON Péronne 2017 ★

| 20000 | | 5 à 8 €

Créé en 1889 par Antoine Rousset sur 3 ha de vignes, non loin de Cluny et de la roche de Solutré, ce domaine, aujourd'hui conduit par ses arrière-petits-enfants Geneviève et Denis, compte 50 ha.

Or clair, ce vin offre un nez très fruité, aux arômes agréables de pêche et de poire, mais aussi de petites fleurs blanches. La bouche est centrée elle aussi sur le fruit, avec une fine tension acide qui lui apporte du peps. Une jolie bouteille à partager à l'apéritif. ⌛ 2020-2023 **Péronne Vieilles Vignes 2017 ★ (5 à 8 €; 20000 b.)** : équilibrée et intéressante par son acidité légèrement mordante, cette cuvée développe des saveurs très fruitées, presque muscatées. ⌛ 2020-2023

SAS ROUSSET-DELBECQ, 1033, rte de Lanques, 71260 Péronne, tél. 03 85 36 94 53, gene.delbecq@orange.fr V *t.l.j. sf dim. 10h-12h 13h30-18h*

DAVID BIENFAIT 2017

| 9500 | | 8 à 11 €

David Bienfait a grandi à Vergisson, fasciné par le métier de vigneron. Après un BTS «viti», il part pour la Nouvelle-Zélande puis rentre en Mâconnais fin 2009 pour s'installer sur 1,8 ha de pouilly-fuissé. Aujourd'hui, son domaine compte 6 ha de chardonnay.

D'un or soutenu s'échappent des parfums rappelant le fruit mûr et les fleurs blanches. L'onctuosité du palais, son équilibre et sa finale minérale en font un vin simple et frais, à boire dès aujourd'hui. ⌛ 2019-2022

DOM. DAVID BIENFAIT, 67, rue de l'Étang, 71960 Bussières, tél. 06 86 72 53 93, davidbienfait@hotmail.fr V *r.-v.*

BOUCHARD PÈRE ET FILS Lugny Saint-Pierre 2017 ★

| n.c. | | 11 à 15 €

Fondée en 1731 et propriété du Champagne Joseph Henriot depuis 1995, cette maison de négoce est à la tête d'un vaste vignoble de 130 ha, dont 12 ha en grands crus et 74 ha en 1ers crus. Elle propose une très large gamme de vins, des AOC les plus prestigieuses aux simples régionales, qui reposent dans les magnifiques caves enterrées de l'ancien château de Beaune (XVes.), conservatoire unique de très vieux millésimes.

D'une enveloppe or pâle limpide s'échappent des arômes de fruits à chair blanche et jaune comme la pêche et l'abricot, tandis que la bouche, croquante et pure, se révèle de belle facture. La finale fruitée à souhait persiste longuement. Un vin élégant, à boire dans sa jeunesse. ⌛ 2019-2022

SAS MAISON BOUCHARD PÈRE ET FILS, 15, rue du Château, 21200 Beaune, tél. 03 80 24 80 24, contact@bouchard-pereetfils.com V *r.-v.*

Champagne Henriot

DOM. BOURDON 2017 ★

| 9170 | | 8 à 11 €

Ce domaine de 17,5 ha possède deux caves : un chai moderne au cœur du hameau de Pouilly et une magnifique cave voûtée en pierre à Vergisson. À sa tête, Sylvie et François Bourdon représentent la cinquième génération.

Les Bourdon signent ici un vin or clair, brillant et limpide, doté d'une palette aromatique large et complexe qui marie harmonieusement les petites fleurs blanches, la citronnelle et les agrumes aux notes plus mûres de coing et de pêche de vigne. La bouche, puissante mais rectiligne, mêle souplesse et ressort minéral dans un environnement fruité qui perdure longuement en finale. Un vin friand et agréable. ⌛ 2020-2024

EARL BOURDON ET FILS, rue de la Chapelle, Pouilly, 71960 Solutré-Pouilly, tél. 03 85 35 81 44, francoisbourdon2@wanadoo.fr V *r.-v.*

LA BURGONDIE Azé 2017

| 30000 | | 5 à 8 €

En 2015, les Caves Bailly Lapierre de l'Yonne et les Vignerons de Buxy fondent la Compagnie de Burgondie, une union de coopératives regroupant leurs moyens commerciaux, marketing et logistique. En septembre 2016, l'Alliance des Vignerons Bourgogne Beaujolais (AVB) a rejoint cette entité.

Cette cuvée doré intense présente un nez très ouvert sur la poire, le litchi et le pamplemousse. La bouche se fait droite et franche, avec un développement sur les fruits exotiques, avant une finale plus chaleureuse. ⌛ 2019-2022

LA COMPAGNIE DE BURGONDIE, quai de l'Yonne, hameau de Bailly, 89530 Saint-Bris-le-Vineux, tél. 03 86 34 96 38, commercial@burgondie.info V *t.l.j. 9h-12h 14h-18h*

CH. DE CHAZOUX 2017

| 2053 | | 8 à 11 €

En plein cœur du Mâconnais, à Hurigny, le Ch. de Chazoux est dans la même famille depuis deux siècles. Autour du parc paysager qu'abrite le château s'étend un vaste vignoble de 17 ha d'un seul tenant. Depuis 2002, c'est Christophe de la Chapelle qui est aux commandes.

Une robe éclatante d'or sert d'écrin à des senteurs de fleurs et de fruits soulignées de minéral et de menthol.

La bouche est ample et chaleureuse, avec un trait acidulé qui lui confère de la légèreté. ⧗ 2019-2023

CHRISTOPHE DE LA CHAPELLE, 1828, rte de Macon, 77870 Hurigny, tél. 06 07 05 32 23, chdelachapelle@gmail.com V r.-v.

DOM. CHÊNE Milly Lamartine 2017 ★

	35000		8 à 11 €

Vigneronne depuis 1973, la famille Chêne quitte la cave coopérative de Prissé en 1999 pour vinifier et commercialiser sa propre production. Établi en plein cœur du Val Lamartinien, le domaine dispose d'un important vignoble : 45 ha répartis dans plusieurs appellations. Une valeur sûre du Mâconnais.

Vinifiés longuement à basse température, ces chardonnay ont donné un vin doré, éclatant, aux senteurs crayeuses bien mêlées aux notes de muscade, de poire et d'aubépine. Le fruit de la Passion fait son apparition en fanfare dans la bouche, apportant de l'exubérance et de la fraîcheur. Un vin flatteur et complexe à la fois. ⧗ 2019-2023

SCEV CHÊNE, Ch. Chardon, 71960 La Roche-Vineuse, tél. 03 85 37 65 90, domainechene@orange.fr V *t.l.j. 9h30-12h 14h30-19h*

DOM. DES CHENEVIÈRES Les Sillons Longs 2017 ★

	5300		5 à 8 €

Ce domaine de 45 ha situé à l'ouest de Mâcon est exploité par la même famille depuis six générations. Il s'est forgé une solide réputation avec ses bourgognes d'appellations régionales et ses cuvées de mâcon, souvent en vue dans ces pages. Aujourd'hui, Vincent et Nicolas Lenoir, aidés de leurs épouses et de leurs enfants, sont aux commandes.

Ce vin à l'étoffe sombre couleur grenat possède un bouquet discret mais complexe composé de cerise noire, de framboise et de prune cuite. Le palais se fait rond et gouleyant, tout à l'image de ce que l'on attend d'un Mâcon pour le mâchon (casse-croûte en patois local). Une bouche tendre et miellée, une olfaction complexe (orange confite, raisin sec et miel d'acacia) font de ce vin un candidat sérieux pour un mariage avec le poulet du dimanche.

EARL LES CHENEVIÈRES, 230, rte d'Azé, 71260 Saint-Maurice-de-Satonnay, tél. 03 85 33 31 27, domaine.chenevieres@orange.fr V *t.l.j. sf dim. 9h-12h 14h-18h*

DOM. LES CHENEVIÈRES 2017

	6376		8 à 11 €

Georges Dubœuf a créé en 1964 une affaire de négoce-éleveur qui a largement contribué à la notoriété du Beaujolais. Aujourd'hui dirigée par son fils Franck, la société travaille avec de nombreux vignerons et coopératives et réalise 75 % de son chiffre d'affaires à l'international. Georges Dubœuf est aussi pionnier en matière d'œnotourisme avec son œnoparc (Hameau Georges Dubœuf) aménagé en 1993 dans l'ancienne gare de Romanèche-Thorins.

Robe jaune paille à reflets verts; nuances odorantes de citron et de prune enrobées de miel d'acacia et d'épices douces; palais vif, linéaire, tendu. Cette bouteille, encore sur la réserve, devrait atteindre son apogée rapidement. ⧗ 2020-2022

SA LES VINS GEORGES DUBŒUF, 208, rue de Lancié, 71570 Romanèche-Thorins, tél. 03 85 35 34 20, gduboeuf@duboeuf.com V r.-v.

♥ DOM. CHEVEAU Solutré-Pouilly L' Exception 2017 ★★

	500		20 à 30 €

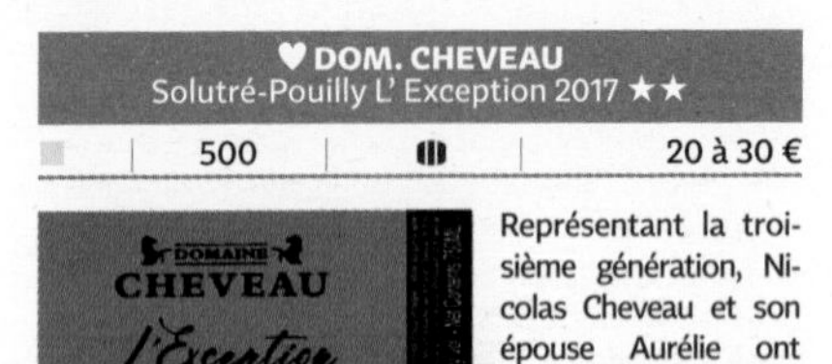

Représentant la troisième génération, Nicolas Cheveau et son épouse Aurélie ont développé le domaine en superficie (20 ha) et privilégié le commerce en bouteilles afin de valoriser leurs terroirs et leur savoir-faire.

Née d'une parcelle de 20 ares de chardonnay récolté manuellement en surmaturité en octobre 2017, cette Exception a grandi en fût de chêne pendant une année. D'un bronze superbe se dégagent d'intenses senteurs mêlant délicatement le fruit jaune mûr et le fumé. Le palais dévoile une matière ample, puissante, persistante et fraîche à la fois, et laisse en finale le souvenir du moka et du coing. ⧗ 2021-2025

EARL CHEVEAU ET FILS, rte des Concizes, 71960 Solutré-Pouilly, tél. 06 83 77 07 25, domaine@vins-cheveau.com V r.-v.

DOM. CORDIER Aux Bois d'Allier 2017 ★★

	20000		11 à 15 €

Basé à Fuissé, Christophe Cordier a pris la tête de ce vignoble de 30 ha à la suite de son père Roger. Il a élargi sa gamme en créant une affaire de négoce sous son nom. Une référence en Mâconnais, avec les deux casquettes, également présent en beaujolais.

Ce mâcon a séduit le jury par ses nombreux atouts. Sa robe, tout d'abord or pâle, se pare de reflets argentés. Sa palette aromatique oscille entre les agrumes et les fruits confits, tandis qu'en bouche, c'est le fût qui s'exprime. Plein et charnu, il est tendre sans être mou et possède une profondeur aromatique fruitée des plus persistantes. Cette longueur laisse présager un bel épanouissement. ⧗ 2020-2024

SARL CHRISTOPHE CORDIER, Les Molards, 71960 Fuissé, tél. 03 85 35 62 89, domaine.cordier@wanadoo.fr V r.-v.

Ⓑ DOM. DOMINIQUE CORNIN Chaintré 2017

	22000		11 à 15 €

À l'origine, les vignes du domaine (11 ha aujourd'hui) étaient récoltées à la machine et les raisins confiés à la coopérative de Chaintré. En 1995, Dominique Cornin se retire de la cave, opte pour la vendange manuelle et s'oriente peu à peu vers le bio, jusqu'à la certification obtenue en 2009. Son fils Romain l'a rejoint en 2012.

Or blanc à reflets argent, ce 2017 propose un nez de fruit sucré et délicat. En bouche, il exprime une fine minéralité et des notes acidulées et salines. Un vin droit que l'on verrait bien accompagner une mouclade. ⧗ 2019-2021

EARL DOMINIQUE CORNIN, 339, Savy-le-Haut, 71570 Chaintré, tél. 03 85 37 43 58, dominique@cornin.net V r.-v.

♥ MARCEL COUTURIER
Loché Les Longues Terres 2017 ★★

	20000		11 à 15 €

Installé en cave particulière depuis 2005 après avoir été apporteur à la cave coopérative des Grands Crus à Vinzelles, Marcel Couturier revendique une viticulture proche de l'agrobiologie. Son vignoble couvre 12 ha (en cours de conversion bio).

Ce très beau mâcon, issu de ceps de trente-cinq ans, vinifié et élevé en fût de chêne pendant dix mois se présente dans une brillante robe or pâle et dévoile d'intenses senteurs d'acacia, de chèvrefeuille, de vanille et de toast grillé. La bouche apparaît parfaitement équilibrée entre le gras et la fraîcheur. Sa finale d'abricot lui apporte de l'élégance et de la longueur. Déjà plaisant, ce vin pourra être conservé plusieurs années et tiendra tête à des mets de choix, comme une poularde de Bresse à la crème et aux morilles. ⧗ 2020-2025

EARL DOM. MARCEL COUTURIER, 730, rte de Fuissé, 71960 Fuissé, tél. 06 23 97 23 21, domainemarcelcouturier@orange.fr V r.-v.

DOM. DES CRÊTS En Bout 2017 ★

	2500		15 à 20 €

Le Dom. des Crêts est né de la rencontre entre François Lequin, vigneron réputé de la Côte de Beaune installé à Santenay, et Matthieu Ponson, entrepreneur passionné de vins et originaire de Cornas : une propriété de 4 ha rachetée en 2014 à Pascal Pauget.

Jaune pâle tirant sur le doré, ce vin exprime un bouquet de pêche et de poire délicatement boisé. Acidulée mais enrobée par un gras délicat, la bouche dévoile de subtiles saveurs d'écorces d'orange qui lui confèrent de la longueur et de la noblesse. ⧗ 2020-2024

SCEA DOM. DES CRÊTS, Les Crêts, 71700 Ozenay, tél. 06 31 12 43 07, info@domainedescrets.fr V r.-v.

DOM. DEBREUILLE 2017

	530		- de 5 €

Charles-Édouard Debreuille a repris en 2015 le domaine familial planté des quatre cépages bourguignons. Il produit du mâcon, du bourgogne et du crémant-de-bourgogne.

Ce rosé pâle évoque discrètement les fleurs et laisse au palais une sensation de rondeur et de souplesse. Les arômes de petits fruits rouges (groseille) apporte une once de fraîcheur bienvenue. ⧗ 2019-2020

EARL DOM. DEBREUILLE, pl. du Château, Le Bourg, 71700 Royer, tél. 06 73 81 83 79, contact@domaine-debreuille.com V r.-v.

DEUX ROCHES Plants du Carré 2017 ★★

	30000		11 à 15 €

L'aventure au domaine commence en 1928 avec les premières vignes que Joanny Collovray possède autour de Davayé, à l'ouest de Mâcon. Deux générations plus tard, les Collovray ont rencontré les Terrier et s'associent au sein du Dom. des Deux Roches qui naît en 1986. Aujourd'hui la quatrième génération est à l'œuvre... Une valeur sûre du Mâconnais.

Une robe pâle à reflets verts et un nez intense de fleurs blanches et de fruits jaunes mûrs introduisent une bouche vive et tonique en attaque, joliment construite autour d'une matière ronde et prolongée par une finale juteuse et exotique. ⧗ 2020-2024

SARL CHRISTIAN COLLOVRAY ET JEAN-LUC TERRIER (DEUX ROCHES), 181, rte de Mâcon, 71960 Davayé, tél. 03 85 35 86 51, info@collovrayterrier.com

LOUIS DORRY Milly-Lamartine Les Collonges 2017

	4187		15 à 20 €

Ce domaine a son siège dans un ancien prieuré des moines de Cluny, à proximité de l'église romane de Bussières. Louis Dorry a repris l'exploitation familiale en 2006, au départ à la retraite de son père. Cultivant un minuscule vignoble de 2 ha, il est par ailleurs commercial dans une société de vente de matériel vinicole.

Des reflets argentés habillent ce vin or clair. Austère à l'approche, il se dévoile à l'aération sur de subtils arômes toastés et grillés. L'attaque est franche, puis elle laisse place à une bouche onctueuse, dotée d'une patine boisée très légère signant un élevage bien réalisé. S'il est un peu atypique dans le monde des mâcon, il trouvera sans problème des adeptes après une garde de quelques années. ⧗ 2021-2025

LOUIS-PAUL DORRY, 15, rue des Biefs-Sandrin, 71960 Bussières, tél. 06 11 65 11 56, louis@louisdorry.com V r.-v.

DOM. THIERRY DROUIN
Bussières Le Vieux Puits 2017

	15000		8 à 11 €

Natif de Vergisson et issu d'une famille vigneronne depuis trois générations, Thierry Drouin a créé son domaine en 1984. Son fils, Charles-Edouard, l'a rejoint en 2012 après avoir travaillé dans la vallée du Rhône et le Val de Loire. Ils exploitent ensemble près de 11 ha entre les roches de Solutré et de Vergisson.

Ce vin à la robe dorée intense, fleure bon le chèvrefeuille et la craie de son lieu de naissance. Vif, tendu, le palais diffuse des saveurs citronnées et minérales qui ne laissent pas insensible. Sans prétention, il représente bien l'expression originelle d'un mâcon, vin de comptoir et d'amitié. ⧗ 2019-2022

EARL CHARLES ET THIERRY DROUIN, 800, rte des Charmes, 71960 Vergisson, tél. 03 85 35 84 36, contact@domaine-drouin.com V *mer. sam. dim. 9h30-12h 13h30-17h*

BOURGOGNE

DOM. DE LA FEUILLARDE Prissé 2017 ★

5000		5 à 8 €

Créé en 1934 par Jean-Marie Thomas, ce domaine familial est géré depuis 1988 par son petit-fils Lucien, actif défenseur de l'appellation saint-véran. Les 20 ha du vignoble entourent la propriété située à Prissé, ancien bourg fortifié du Mâconnais.

Pour accompagner un mâchon sous la tonnelle, ce joli vin rubis sera parfait. Il libère des senteurs de cerise noire bien mûre et de groseille. Caractérisée par un croquant et un fruit gourmand, la bouche se montre joyeuse, souple et vivante. Un vin plaisir à partager entre amis. 2019-2022 **Charnay 2017 (8 à 11 €; 8000 b.)** : vin cité.

EARL DOM. DE LA FEUILLARDE, La Feuillarde, 71960 Prissé, tél. 03 85 34 54 45, contact@domaine-feuillarde.com V t.l.j. 8h-12h30 13h30-18h30; sam. dim. sur r.-v.

DOM. FICHET Igé La Cra 2017 ★

12000		15 à 20 €

Domaine sorti de la cave coopérative par Francis Fichet en 1976. Ses fils, Pierre-Yves et Olivier Fichet, aux commandes depuis 1999, exploitent aujourd'hui 36 ha de vignes. Ils ne produisent pas moins de quinze cuvées différentes à partir des quatre cépages de la Bourgogne.

Revêtu d'une robe or blanc à reflets argentés, ce 2017 offre un nez expressif où se mêlent les senteurs de vanille, de toast grillé, de fruits frais et de fleurs des haies. D'une approche très agréable, il développe au palais une onctuosité bien balancée par une fraîcheur acidulée. Un joli flacon pour la table, avec des ris de veau aux girolles par exemple. 2020-2023

EARL PIERRE-YVES ET OLIVIER FICHET, 651, rte d'Azé, 71960 Igé, tél. 03 85 33 30 46, contact@domainefichet.fr V t.l.j. sf dim. 8h-12h 13h-18h30

DOM. DE LA GARENNE Azé 2017

29300		15 à 20 €

Implantés à Mercurey, Amaury Devillard et sa sœur Aurore ont fait le pari en 2005 de reprendre la totalité de la distribution des différents domaines de la famille : Ch. de Chamirey et Dom. de la Ferté (Côte Chalonnaise), Dom. des Perdrix (Côte de Nuits) et Dom. de la Garenne (Mâconnais).

Élevé dix mois en cuve, ce vin possède une franche et brillante couleur jaune clair. Fermé à l'approche, il laisse ensuite deviner des arômes de citron et de fruit de la Passion. Le palais est minéral, tendu, plutôt léger en matière mais de belle longueur. 2019-2022

SAS AMAURY ET AURORE DEVILLARD (DOM. DE LA GARENNE), 300, rte de Péronne, 71640 Mercurey, tél. 03 85 45 21 61, contact@domaines-devillard.com V r.-v. 4

DOM. DE GIROUD
Chardonnay Le Champ du Bief 2017

8400		8 à 11 €

Éric et Catherine Giroud ont créé en 1990 ce domaine de 16 ha implanté à Uchizy, petite bourgade du Tournugeois, au nord de l'appellation. Les premières vinifications datent de 2000.

C'est dans une robe intense et brillante à la couleur jaune d'or soutenu que se présente ce vin citronné et fruité. Une attaque franche annonce une belle sensation de fruits tels que la pêche jaune et la mangue. La finale est souple et feutrée. Un vin à boire dans sa jeunesse. 2019-2022 **Uchizy Vieilles Vignes 2017 (8 à 11 €; 7000 b.)** : vin cité.

EARL DES TILLES (DOM. GIROUD), 145, rue du Quart, 71700 Uchizy, tél. 03 85 40 52 24, domaine.giroud71@gmail.com V r.-v.

LES GRANDS CRUS BLANCS
Vinzelles Les Morandes 2017 ★★

14000		5 à 8 €

Créée en 1929, la Cave des Grands Crus Blancs a scellé l'union des vignerons de deux villages voisins : Vinzelles et Loché. Surtout présente dans le Mâconnais, la coopérative propose aussi des crus du Beaujolais. Élaborés par un jeune œnologue, Jean-Michel Atlan, ses vins figurent régulièrement dans le Guide.

Ce 2017 séduit d'emblée par sa robe or pâle cristalline et par ses parfums intenses de fruit de la Passion, d'ananas et de zeste d'orange. Une attaque souple et légère ouvre sur une bouche fraîche et bien structurée, qui monte en puissance jusqu'à la finale. Une belle bouteille, au tarif très compétitif. 2020-2024

SCA CAVE DES GRANDS CRUS BLANCS, 2367, rte des Allemands, 71680 Vinzelles, tél. 03 85 27 05 70, contact@lesgrandscrusblancs.com V t.l.j. 8h30-12h30 13h30-18h30

DOM. LUDOVIC GREFFET 2017

1060		5 à 8 €

Depuis son installation en 2000, Ludovic Greffet, quatrième du nom à la tête du domaine (6,5 ha), a modernisé l'exploitation familiale fondée par son arrière-grand-père Léon en 1929. Il s'est forgé un solide savoir-faire par un apprentissage dès son plus jeune âge dans les vignes avec son père et par de nombreuses expériences auprès de différents vignerons de la Côte de Beaune et de Châteauneuf-du-Pape.

Ce 2017 lumineux développe une large palette aromatique : fleurs blanches sur mousse fraîche, peau de pêche, coing, pamplemousse. En bouche, il se révèle plein, équilibré, animée par d'agréables saveurs minérales et fruitées. 2020-2023

LUDOVIC GREFFET, 3, imp. de la Patte-d'Oie, 71960 Davayé, tél. 06 23 75 35 22, domaine@ludovic-greffet.fr V r.-v.

CH. DE LA GREFFIÈRE
La Roche-Vineuse Les Ronzettes 2017 ★

1500		15 à 20 €

En 2013, Xavier Greuzard a rejoint ses parents Isabelle et Vincent à la tête du Ch. de la Greffière (37 ha), dans sa famille depuis 1924. Un vignoble qu'ils ont pu agrandir l'année d'après en reprenant les 7 ha d'un seul tenant du Ch. des Bois après le départ à la retraite de son propriétaire.

Ce 2017 joliment doré offre une palette aromatique complexe associant le grillé et le boisé à une fine minéralité et à des notes de pêche blanche et de poire. Le palais, ample et généreux à souhait, est bien construit et déploie une longue finale sur le citron et la bergamote. ⧗ 2021-2024

⊶ *EARL DE LA GREFFIÈRE, 500, rte de Verzé, 71960 La Roche-Vineuse, tél. 03 85 37 79 11, info@chateaudelagreffiere.com* V ✝ ■ *t.l.j. sf dim. 9h-12h 14h-18h*

DOM. GUERRIN ET FILS
Vergisson Les Rochers 2017 ★

■	13 000	■	8 à 11 €

En 1984, Maurice Guerrin a créé avec seulement 2,5 ha ce domaine qui compte aujourd'hui 15 ha de chardonnay. Son fils Bastien l'a rejoint fin 2011 afin de développer la commercialisation en bouteilles.

D'un or limpide, ce 2017 présente un nez puissant de fleurs blanches (aubépine et chèvrefeuille). On retrouve tout cela dans une bouche riche, charnue, légèrement chaleureuse. Ce vin porte les caractéristiques du millésime 2017 en Mâconnais, flatteur mais solaire. Il demeure toutefois équilibré, avec une finale plus fraîche sur les agrumes qui le porte bien. ⧗ 2020-2024

⊶ *EARL MAURICE GUERRIN ET FILS, 572, rte des Bruyères, 71960 Vergisson, tél. 03 85 35 80 25, guerrin.maurice@orange.fr* V ✝ ■ *r.-v.*

DOM. MARC JAMBON ET FILS
Pierreclos Le Carruge 2017 ★

■	930	⦶	11 à 15 €

Établi à Pierreclos depuis 1752, le Dom. Jambon est dirigé depuis 2017 et la retraite de Marc par son fils Pierre-Antoine et Michel Prudhon. Un domaine de 12 ha réparti sur Pierreclos et Vinzelles, qui signe de belles cuvées avec une réelle constance.

Ce 2017 semble bien fait pour la garde. Vêtu d'une belle robe dorée aux reflets caramel, il rappelle son élevage en fût à l'olfaction par des notes grillées, fumées et briochées, même si on y décèle aussi des notes fruitées. La bouche se montre étoffée, tendue et équilibrée, avec une jolie finale épicée. Un vin en devenir. ⧗ 2022-2025 ■ **Pierreclos Cuvée Classique 2017 (5 à 8 €; 2010 b.)** : vin cité.

⊶ *EARL DOM. MARC JAMBON ET FILS, 38, imp. de la Roche, 71960 Pierreclos, tél. 06 25 68 80 61, contact@domainemarcjambon* V ✝ ■ *r.-v.*

DOM. DE LA JOBELINE Verzé 2017 ★★

■	4 960	■	8 à 11 €

Ce domaine centenaire a été créé en 1915 par le grand-père de Pierre Maillet, l'actuel propriétaire. Ce dernier, qui apportait sa récolte à la cave coopérative de Verzé, la quitte en 2014 pour vinifier son premier millésime dans sa nouvelle cuverie.

Vinifié avec des levures indigènes et élevé huit mois sur lies avec bâtonnage, ce 2017 s'habille d'une parure dorée d'un bel éclat. Il associe au nez la poire Williams, la pêche blanche, la mirabelle et le chèvrefeuille. On retrouve ce registre fruité dans une bouche précise et ciselée, qui s'étire longuement sur des saveurs de pomélo en finale. ⧗ 2021-2025 ■ **Verzé En Prévisy 2017 ★★ (15 à 20 €; 3550 b.)** : ce vin issu de jeunes vignes, élevé onze mois en fût, propose une belle expression du fût dans un corps ample et rond, bien balancé par une certaine nervosité. ⧗ 2022-2026 ■ **Verzé 2017 ★ (8 à 11 €; 2900 b.)** : vêtu de grenat, laissant une impression fruitée au nez, du croquant, du charnu et de la gourmandise en bouche, ce mâcon Verzé est un beau séducteur. ⧗ 2021-2024

⊶ *RENÉ MAILLET (DOM. DE LA JOBELINE), 887, rte de la Roche-Vineuse, 71960 Verzé, tél. 03 85 22 98 03, contact@domainedelajobeline.com* V ✝ ■ *t.l.j. sf sam. dim. 8h-12h 13h30-18h*

JEAN LORON La Crochette 2017 ★

■	33 000	⦶	8 à 11 €

Aux origines de la maison, Jean Loron, vigneron né dans le Beaujolais en 1711. Son petit-fils Jean-Marie fonda en 1821 un commerce d'expédition de vins. Aujourd'hui dirigée par la huitième génération, l'entreprise familiale est propriétaire de plusieurs domaines, comme le Ch. de la Pierre (régnié, brouilly), ceux de Fleurie, de Bellevue (morgon), les domaines des Billards (saint-amour) et de la Vieille Église (juliénas).

Ce mâcon-villages ourlé d'or exhale des parfums fruités rappelant le coing, la pêche jaune et le citron sur fond de délicates nuances florales. La bouche est franche, très fraîche, fruitée, et s'achève sur une finale tendue qui lui donne du relief. ⧗ 2020-2023

⊶ *SAS MAISON JEAN LORON, Pontanevaux, 71570 La-Chapelle-de-Guinchay, tél. 03 85 36 81 20, vinloron@loron.fr* V ✝ ■ *t.l.j. sf sam. dim. 9h-12h 14h-17h*

JEAN MANCIAT Charnay Franclieu 2017

■	14 670	■	8 à 11 €

Jean Manciat représente la troisième génération de vignerons sur ses terres familiales de Charnay-les-Mâcon, banlieue proche de Mâcon. Autrefois destinés au négoce local, les vins issus du domaine (quelque 9 ha) sont aujourd'hui vendus directement, avec 50 % du volume exporté.

Cueillis à la main, les chardonnays à l'origine de ce 2017 ont été vinifiés en cuves thermo-régulées avec les levures indigènes du terroir. Vif et doré à l'or fin, ce mâcon Charnay possède une olfaction délicate rappelant la pomme verte et l'aubépine. En bouche, on retrouve une grande fraîcheur mêlée à une chair volumineuse et une mâche intéressante. Un bel ambassadeur de l'appellation, qui s'achève sur des saveurs nobles d'écorce d'orange. ⧗ 2020-2024

⊶ *JEAN MANCIAT, Dom. Jean Manciat, 557, chem. des Gérards, 71850 Charnay-lès-Mâcon, tél. 03 85 34 35 50, dom.jeanmanciat@orange.fr* V ✝ ■ *r.-v.*

♥ **DOM. ROBERT MARIN** 2016 ★★

■	5 000	■	5 à 8 €

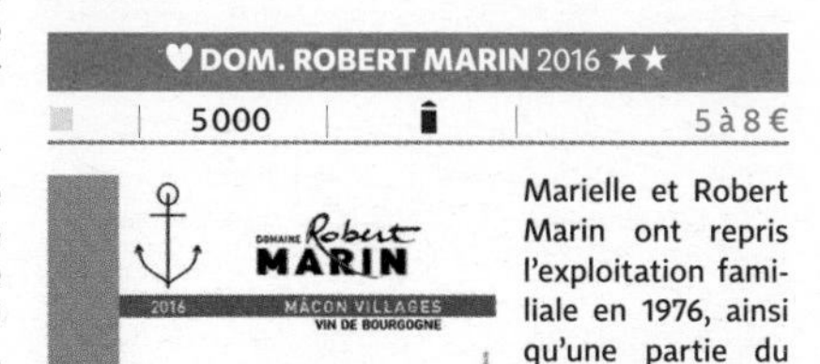

Marielle et Robert Marin ont repris l'exploitation familiale en 1976, ainsi qu'une partie du vignoble de Gilbert Mornand, l'illustre maire de Clessé de 1971 à 2014. L'ensemble couvre 22 ha.

Le jury a été conquis par ce mâcon-villages au prix très doux, or vert lumineux pailleté d'argent. Un caractère de fruits frais, rappelant le fruit de la Passion et le citron, se marie harmonieusement aux notes de fleurs (acacia et lys) et de fruits secs (raisin de Corinthe). Le palais enchante par sa gourmandise et sa friandise, ses saveurs de pâtisserie pralinée, de citron confit et de notes muscatées, mais également par l'équilibre parfait entre rondeur et acidité. ⌛ 2020-2024

EARL DOM. ROBERT MARIN, 256, rte de la Vigne-Blanche, 71260 Clessé, tél. 03 85 36 95 92, marin.robert71@orange.fr
V r.-v.

DOM. MATHIAS
Chaintré Vieilles Vignes 2017 ★★

■	2000		8 à 11 €

La famille Mathias produit des vins à Chaintré depuis 1894, Béatrice et Gilles depuis 1992, à partir de 10 ha de vignes conduits en bio depuis 2010.

Le plus joli mâcon rouge de la sélection. Vêtu de rouge vif à reflets violets, il délivre un ensemble olfactif des plus gourmands, qui mêle habilement les petits fruits rouges à la menthe fraîche. L'entrée en bouche se montre friande, le développement se fait autour d'une chair tendre et souple, dotée de tanins déjà bien fondus. ⌛ 2021-2024 **Chaintré Château de Chaintré 2017 (8 à 11 €; 5000 b.)** : vin cité.

EARL DOM. MATHIAS, 225, rue Saint-Vincent, 71570 Chaintré, tél. 03 85 27 00 50, contact@domaine-mathias.fr V *t.l.j. 10h-19h*

♥ CH. DE MESSEY
Cruzille Clos des Avoueries 2017 ★★

	5700		15 à 20 €

CLOS DES AVOUERIES

CHÂTEAU DE MESSEY

En 1988, Marc Dumont a repris le Ch. de Messey, propriété de 89 ha, dont 17 en AOC, dirigé aujourd'hui par son fils Patrick. Pour élargir sa gamme, il acquiert en 1992 le Manoir Murisaltien, maison de négoce de Meursault, puis le Ch. de Belleville à Rully, revendus en 2017 à un couple d'Américains passionnés d'art de vivre à la française.

Un magnifique clos de 5,5 ha, situé au milieu des bois de chênes, de buis et… du gibier. La nature règne ici en maître. Dans le verre, un vin qui a fière allure : jaune d'or éclatant, il offre un nez des plus complexes (mirabelle, pêche, poire, beurre frais et pain délicatement grillé). L'équilibre est atteint dans une bouche ample et généreuse, soulignée par une tension minérale qui pousse loin la finale. «Un vin avec une personnalité affirmée, vinifié avec intelligence et au solide potentiel», conclut le jury enthousiaste. ⌛ 2022-2027 **Chardonnay Les Crêts 2017 ★ (15 à 20 €; 10000 b.)** : minéral et frais au nez, ce 2017 dévoile une bouche droite et pure qui s'étire longuement sur des notes mentholées. ⌛ 2020-2023

GFA CH. DE MESSEY, Ch. de Messey, 71700 Ozenay, tél. 06 70 66 32 51, frederic.servais@demessey.com
V r.-v.

DOM. MICHEL 2017 ★

	28800		8 à 11 €

Ce domaine de 21,5 ha situé dans le pittoresque hameau de Cray est réputé tant pour son excellence que pour sa longévité (fondation en 1840) : les générations se succèdent, la qualité des vins demeure. Il faut dire qu'une attention très particulière est portée à la conduite de la vigne (pas d'engrais chimiques, travail du sol) et à l'élaboration des vins (récolte à maturité et tri manuels, pas de levurage, pas de chaptalisation).

Parée d'une robe lumineuse jaune à reflets argentés, cette cuvée présente un nez opulent, constitué de pêche mûre et d'abricot confit. La bouche, d'une richesse gourmande, convoque les fruits et les fleurs blanches. Un vin charmeur et de belle proportion, charnu et doux. ⌛ 2021-2024

SCEA DU DOM. MICHEL, 372, rte de Cray, Cidex 624, 71260 Clessé, tél. 03 85 36 94 27, domainemichelclesse@orange.fr
V *t.l.j. sf dim. 9h-12h 14h-18h30*

JEAN-PIERRE MICHEL Terroir de Quintaine 2017

	15000		11 à 15 €

Valeur sûre du Mâconnais, ce vigneron exploite 8,7 ha à Quintaine, au cœur de l'AOC viré-clessé, sur les premiers coteaux exposés au soleil levant surplombant la vallée de la Saône, à mi-chemin entre Mâcon et Tournus. Ses pratiques : labour des sols, récolte manuelle à maturité, vinifications longues et «naturelles» (sans chaptalisation ni levurage) conduites, selon la nature des terroirs, en cuve ou en fût, avec des élevages longs sur lies fines.

Ce vin jaune d'or offre un nez gourmand de fruits confits, de pêche de vigne et de fleurs blanches. Au palais, il se montre équilibré et frais, avec une finale fruitée d'orange, de pomme et de poire. Une belle expression de l'appellation. ⌛ 2019-2023

JEAN-PIERRE MICHEL, 955, rte de Quintaine, lieu-dit Quintaine, 71260 Clessé, tél. 03 85 23 04 82, vinsjpmichel@orange.fr V *r.-v.*

DOM. DU MONT ÉPIN Péronne 2017 ★

	12000		8 à 11 €

Le Dom. de la Croix Senaillet fut créé en 1969 par Maurice Martin, qui a progressivement abandonné la polyculture pour la vigne. En 1990, son fils Richard reprend le domaine familial, avant d'être rejoint par son frère Stéphane en 1992. La propriété de 6,5 ha au départ s'est agrandie pour atteindre 27 ha aujourd'hui, répartis sur 60 parcelles en bio certifié depuis 2010. Forts de leur expérience, ils font l'acquisition en 2015 du Dom. de Mont Épin à Clessé (13 ha).

«Un vin très plaisant, sympathique, à boire avec les copains» : ce Péronne couleur or blanc a séduit le jury. Il offre une olfaction très ouverte, rappelant l'abricot, le beurre et le miel, ainsi que les agrumes. Après une attaque franche, se développe une bouche gourmande aux saveurs de noisette et de citron. ⌛ 2019-2023

SARL RICHARD ET STÉPHANE MARTIN, 471, rue des Personnets, En-Coland, 71960 Davayé, tél. 03 85 35 82 83, contact@signaturesmartin.com
V *r.-v.*

DOM. DE MONTERRAIN 2017 ★

	7000		5 à 8 €

Dans ce hameau des Monterrains est né en 1891 Jean-Marie Combier, photographe et créateur de cartes postales. Martine et Patrick Ferret, ses descendants, y exploitent 12 ha de gamay, de pinot noir et de chardonnay sur les collines environnantes.

Une jolie robe or claire habille ce mâcon né sur un sol argilo-sablonneux et élevé de façon traditionnelle en cuve. Au nez, la poire et la pêche sont bien soutenues par des notes de fenouil et de citron. Vif dans son attaque, le palais se révèle frais, fruité, fin, équilibré et persistant. Un vin bien typé. ⧗ 2019-2023

EARL DOM. DE MONTERRAIN, Les Monterrains, 71960 Serrières, tél. 03 85 35 73 47, domaine.de.monterrain@wanadoo.fr V r.-v.

DOM. DE NAISSE Vieilles Vignes 2017 ★★

	5700		8 à 11 €

Né de parents agriculteurs à Laizé, Guy Béranger s'installe en 1975 à la ferme de Naisse. En 1982, il plante ses premières vignes et apporte sa vendange à la coopérative. Son gendre Christophe Brenot (en 2004) et sa fille Élodie (en 2017) se sont associés à l'aventure de ce vignoble qui compte désormais 20 ha.

Cette parcelle de 67 ares de gamay noir à jus blanc, berceau de ce vin, fut plantée en 1933. Un mâcon qui séduit d'emblée par sa robe couleur cerise frangée de framboise et par ses senteurs discrètes de fruits et de poivre noir. Le prélude à un palais gras et puissant, offrant de la mâche autour de tanins bien présents mais soyeux. ⧗ 2022-2027

EARL BRENOT-BÉRANGER, chem. de Naisse, 71870 Laizé, tél. 03 85 33 45 29, contact@brenotberanger-vins.fr V r.-v.

SYLVAINE ET ALAIN NORMAND
La Roche-Vineuse Vieilles Vignes 2017 ★

	10000		8 à 11 €

Alain Normand s'est installé en 1993 à la tête de 13 ha. En 2010, le domaine s'est agrandi considérablement avec le vignoble du père de Sylvaine. Aujourd'hui, 32 ha de vignes répartis sur Solutré, Chaintré, Prissé et La Roche-Vineuse.

Parée d'une jolie robe limpide bien dorée, cette cuvée n'a pas laissé insensible le jury. Elle mêle harmonieusement et avec complexité des senteurs d'anis, de pomme et de tilleul aux notes plus épicées de l'élevage sous bois. Des saveurs d'abricot accompagnent la bouche, onctueuse et persistante. ⧗ 2020-2023

SARL SYLVAINE ET ALAIN NORMAND, 10, allée en Darèze, 71960 La Roche-Vineuse, tél. 03 85 36 61 69, vins@domaine-normand.com V r.-v.

DOM. LA PASCERETTE DES VIGNES
Milly-Lamartine Cuvée Claude et Alphonsine 2017

	3400		8 à 11 €

Ce domaine de plus de 5 ha se situe entre Mâcon et Cluny, sur le village de Sologny, dans les hauteurs du Val Lamartinien. Le terme «pascerette» signifie «petite bergère» et désigne aussi la «cadole», l'abri du vigneron. Par ce nom, Céline Robergeot-Cienki, installée en 2013, tient à souligner la tradition d'élevage du Mâconnais et à indiquer sa double activité d'éleveuse de moutons et de vigneronne.

Paré d'une douce robe or vert à reflets brillants, ce vin développe de tendres senteurs fruitées comme la poire, l'abricot et la pêche agrémentées de notes florales. Vive, franche, acidulée, la bouche donne une impression de fraîcheur, tout en gardant la trame aromatique découverte au nez. ⧗ 2020-2024

CÉLINE ROBERGEOT-CIENKI, Les Bois, 71960 Sologny, tél. 06 87 28 32 07, robergeot.sologny71@orange.fr V r.-v.

DOM. PERRATON Chaintré Moulin à l'Or 2017 ★

	12000		8 à 11 €

Depuis le haut de la colline argilo-calcaire de Chaintré sur laquelle est implanté ce domaine de 12 ha en bio, on peut admirer la vallée de la Saône et, par temps clair, le massif du Mont-Blanc. Autrefois associé avec son frère Franck, Christophe Perraton est depuis 2018 le seul gérant de l'exploitation.

Ce mâcon aux reflets verts intenses offre de multiples arômes typiques du chardonnay comme les agrumes, la pêche blanche et le chèvrefeuille, le tout souligné par des notes de silex. Le palais équilibré, frais et aromatique perdure longuement sur des notes amyliques. ⧗ 2019-2023

EARL DOM. CHRISTOPHE PERRATON, 163, rue du Paradis, 71570 Chaintré, tél. 03 85 35 67 45, domaine@vinsperraton.fr V r.-v.

DOM. LES PERSERONS
Charnay-lès-Mâcon Vieilles Vignes 2017

	13230		8 à 11 €

Cette cave coopérative créée en 1929 regroupe aujourd'hui 70 adhérents pour 120 ha de vignes et propose une large gamme de vins du Mâconnais complétée par quelques cuvées beaujolaises.

Vêtu d'or jaune intense, ce vin exhale des senteurs agréables de madeleine, de fleur d'oranger et de pêche de vigne. La bouche est charmeuse avec ses saveurs de fruits jaunes bien mûrs, son volume intéressant et sa longueur fraîche et acidulée. ⧗ 2019-2022

SCA LES ORFÈVRES DU VIN, 54, chem. de la Cave, En Condemine, 71850 Charnay-lès-Mâcon, tél. 03 85 34 54 24, michaud.dafre@cave-charnay.com V r.-v.

DOM. DES PIERRES Chaintré 2017 ★

	8000		8 à 11 €

Jean-François Trichard a repris en 2005 l'exploitation de son oncle Georges, bien connu de nos premiers lecteurs. Installé à La Chapelle-de-Guinchay, en Saône-et-Loire, il a un pied en Beaujolais et un autre en Bourgogne, produisant sur 20 ha du chénas, du saint-amour, du mâcon Chaintré et du pouilly-fuissé.

Une belle étoile brille au-dessus de ce mâcon : d'allure dorée, il offre un nez fruité, délicat et alléchant. Plein, rond et équilibré en bouche, il fera merveille avec un poisson de la Saône, un sandre au beurre blanc par exemple. ⧗ 2019-2022

JEAN-FRANÇOIS TRICHARD, 2347, rte de Juliénas, 71570 La Chapelle-de-Guinchay, tél. 03 85 23 19 93, trichardjf@orange.fr V t.l.j. 8h-18h

DOM. DE QUINTEFEUILLE
Lugny Les Charmes 2017 ★

	6600		8 à 11 €

Si le Dom. de Quintefeuille est récent dans le paysage bourguignon, son viticulteur, Serge Lespinasse, dispose déjà d'une solide expérience. Natif du Beaujolais, fils de vigneron, il a commencé sa vie comme opticien. En 1999, l'envie de nature et de vigne ainsi que ses origines le rappellent. Il reprend alors un domaine à Lugny et livre son raisin à la cave coopérative. Pendant quinze ans, il réapprend son métier, se perfectionne, explore ses terroirs et les assimile, mais il ne fait toujours pas de vin. En 2013, c'est chose faite, il construit son propre chai et quitte la cave coopérative.

Ce Lugny ne manque pas de charme. Une belle couleur jaune d'une grande fraîcheur et un nez encore timide qui laisse poindre des senteurs fines et délicates de petites fleurs blanches : l'approche est engageante. Mais c'est au palais que le charme opère vraiment : tendre et souple à l'attaque, il développe ensuite une matière dense et riche avec ce qu'il faut de vivacité pour le rafraîchir. 2020-2024

SCEV ÉMILE BLANC, 33, rue de l'Écluse, 71260 Lugny, tél. 06 66 77 13 64, slespinasse@quintefeuille-lugny.fr V r.-v.

DOM. SAINT-DENIS
Lugny Calcaires de Mépilly 2017

	4500		15 à 20 €

Hubert Laferrère s'installe en 1986 à la tête de ce domaine, avec un objectif clair : être à l'écoute de la nature plutôt que vouloir la dominer. Pour cela, il utilise peu de moyens mécaniques à la vigne, afin de préserver la faune et la flore de ses parcelles. Il recherche des fermentations naturelles et lentes, rythmées par les saisons et les cycles lunaires pour obtenir un vin franc et «nature» façonné uniquement par son terroir (5 ha).

Issue d'une parcelle composée de sept calcaires différents, cette cuvée se révèle minérale et florale dans son olfaction, tandis que la bouche se montre acidulée et fraîche. Une osmose réussie entre le terroir et la main de l'homme. 2019-2022 **Chardonnay Terroirs Pluriels 2017 (11 à 15 €; 10000 b.)** : vin cité.

HUBERT LAFERRÈRE, Dom. Saint-Denis, 230, rue du 19-mars-1962, 71260 Lugny, tél. 06 71 60 25 67, domaine.saintdenis@wanadoo.fr V r.-v.

RAPHAËL SALLET
Chardonnay 2017 ★

	15000		5 à 8 €

Issu d'une famille vigneronne de plusieurs générations, Raphaël Sallet rejoint en 1983 son père qui livre alors ses raisins à la coopérative. Souhaitant produire son propre vin, il crée son domaine en 1986, étendu aujourd'hui sur 29 ha sur les coteaux argilo-calcaires d'Uchizy et de Chardonnay.

Or pâle à reflets verts, ce 2017 ne renie ni son terroir ni son millésime en affichant un bouquet subtil fait d'agrumes et de fleurs blanches. La bouche s'affirme par une matière fruitée dans laquelle domine le fruit de la Passion et la mangue. La finale saline ajoute à son dynamisme et à sa fraîcheur. 2020-2023

SARL RAPHAËL SALLET, 90, rte de Chardonnay, 71700 Uchizy, tél. 03 85 40 50 45, mrsallet@orange.fr V r.-v. 3

DOM. SANGOUARD-GUYOT
Clos de la Bressande 2017 ★

	5580		8 à 11 €

Pierre-Emmanuel Sangouard s'est installé en 1997 sur l'exploitation familiale alors tenue par son grand-père, et en 2000, a repris les vignes de ses beaux-parents (Dom. Guyot) : le Dom. Sangouard-Guyot est né (12 ha aujourd'hui). Ici, les traitements sont raisonnés et limités au strict nécessaire, les vignes labourées et les vendanges manuelles.

Ce 2017 de belle naissance brille dans sa robe pâle à reflets verts. D'intenses effluves de citron et de pamplemousse marquent l'olfaction, tandis que la bouche incisive et énergique égaye les papilles. Un vin énergique. 2019-2022

EARL PIERRE-EMMANUEL SANGOUARD, 83, rue du Repostère, 71960 Vergisson, tél. 03 85 35 89 45, domaine@sangouard-guyot.fr V r.-v.

DOM. SAUMAIZE-MICHELIN
Vergisson Sur la Roche 2017

	4900		11 à 15 €

Respect du terroir et de la plante, tel est le credo de Christine, Roger et Vivien Saumaize, qui exploitent un domaine de 10 ha sur la magnifique commune de Vergisson.

Élevé en fût pendant dix mois, ce 2017 d'un joli jaune orangé offre au nez des notes intenses et généreuses de fruits mûrs mêlées de grillé. En bouche, on perçoit de la puissance mais aussi un début d'évolution; la finale acidulée apporte une fraîcheur bienvenue. Une personnalité affirmée, à découvrir sans trop tarder. 2019-2022

ROGER SAUMAIZE (DOM. SAUMAIZE-MICHELIN), Le Martelet, 51, imp. du Puits, 71960 Vergisson, tél. 03 85 35 84 05, saumaize-michelin@wanadoo.fr V r.-v.

JEAN-PIERRE SÈVE Solutré 2017

	11000		8 à 11 €

Ce domaine de 7,5 ha (vingt parcelles) est situé sur les hauteurs du village de Solutré, au pied de la célèbre roche. En sortant du caveau de dégustation, on découvre un beau panorama allant du vignoble de Pouilly-Fuissé au massif du Mont-Blanc, en passant par la plaine de la Saône. Jean-Pierre Sève y est installé, à la suite de son père, depuis 1981. Ses enfants Mathilde et Antoine l'on rejoint en 2019.

Or vert limpide, ce 2017 dégage d'intenses arômes floraux, un brin miellés et une touche minérale de pierre à fusil. Si l'attaque se fait tranchante, le développement en bouche est, lui, caractérisé par une certaine rondeur. La finale revient sur la fraîcheur. 2019-2023

⊶ *EARL DOM. JEAN-PIERRE SÈVE, rue Adrien-Arcelin, 71960 Solutré-Pouilly, tél. 03 85 35 80 19, domaine@vins-seve.com* V r.-v.

VIGNOBLE DE SOMMÉRÉ
La Roche-Vineuse Les Noyerets 2017

	2000		8 à 11 €

Établi dans le hameau de Somméré, aux portes de Mâcon, Hervé Santé représente la cinquième génération de vignerons sur ce vignoble de 11 ha. Installé en 1996, il revient à la récolte manuelle dès les vendanges 2000.

Un mâcon de bon aloi, doré à l'or fin. Un vin délicatement fruité, qui possède une rondeur attrayante en bouche grâce à la maturité des raisins et qui se voit rafraîchi par une finale acidulée. ⧗ 2019-2022

⊶ *EARL HERVÉ SANTÉ, 32, montée de Monceau, 71960 La Roche-Vineuse, tél. 03 85 37 80 57, herve.sante@orange.fr* V r.-v.

♥ DOM. DES TERRES DE CHATENAY
La Cuvée de Béracius 2017 ★★

	9000		5 à 8 €

Jean-Claude et Marie-Odile Janin sont un couple de vignerons installé depuis 2006 à Péronne, village situé à l'ouest des coteaux de Viré et de Clessé. Leur vignoble couvre 10 ha.

Les Janin travaillent également les vignes de la famille Côte-Fellmann, propriétaire à Vérizet depuis 1858, dont est issue cette cuvée, hommage à Béracius, un Romain qui s'installa en ces lieux et donna son nom à Vérizet. Dans le verre, un vin joliment doré, au bouquet intense et complexe de citron mûr et de fleurs blanches. L'élégance se poursuit dans un palais ample et étoffé, parfaitement équilibré entre la fraîcheur et le gras, avec une persistance fruitée aux tonalités de pêche et d'abricot. Un vin très aromatique et harmonieux. ⧗ 2020-2023 **Péronne Vieilles Vignes 2017 ★★** (5 à 8 €; n.c.) : ce Péronne fait belle impression dans sa robe limpide. Il charme aussi avec ses arômes d'agrumes et de fleurs blanches, comme avec sa bouche pleine de fraîcheur et de fruit, longue et énergique. Un vin vivant. ⧗ 2020-2023

⊶ *EARL JEAN-CLAUDE ET MARIE-ODILE JANIN, rue du Four, 71260 Péronne, tél. 06 87 99 49 13, janinmojc@wanadoo.fr* V *t.l.j. 8h-12h30 13h30- 19h*

VIGNERONS DES TERRES SECRÈTES Verzé 2017

	29000		5 à 8 €

Les Vignerons des Terres secrètes sont les héritiers du mouvement coopératif qui s'est constitué au début du XXes. en Mâconnais. Cette association, née de la fusion des caves coopératives de Prissé, Sologny et Verzé, exploite aujourd'hui près de 950 ha de vignes (pour 120 coopérateurs), principalement de chardonnay.

D'une belle couleur rubis, ce Verzé déploie de puissants arômes de fruits noirs. La bouche, riche et bien structurée, se montre équilibrée, même si la finale est aujourd'hui encore un peu sévère. À attendre un peu donc. ⧗ 2021-2024

⊶ *SCA LES VIGNERONS DES TERRES SECRÈTES, Les Grandes Vignes, 71960 Prissé, tél. 03 85 37 88 06, contact@terres-secretes.fr* r.-v.

THÉVENET ET FILS 2018 ★

	3333		5 à 8 €

Le grand-père paternel créa l'exploitation en 1952. Installé en 1971, Jean-Claude, le père, fit prospérer le domaine pour porter sa surface de 3 à 30 ha en 2008 (année de son décès). Ses fils Benjamin, Jonathan et Aurélien sont désormais aux commandes.

Un bouton de rose, ce rosé : il en a la couleur et le caractère floral. Le fruit mûr apparaît en bouche, soulignant la souplesse et la juste fraîcheur. ⧗ 2019-2020

⊶ *EARL VIGNOBLES ET PÉPINIÈRES THÉVENET ET FILS, 123, chem. du Breu, 71960 Pierreclos, tél. 03 85 35 72 21, thevenetetfils@orange.fr* V *t.l.j. 7h30-12h 13h30-18h; sam. dim. sur r.-v.*

DOM. THIBERT PÈRE ET FILS
Fuissé Bois dela Croix 2017 ★★

	21208		15 à 20 €

Issus d'une dynastie de vignerons forte de huit générations, Andrée et René Thibert créent leur propre domaine en 1967, sur 2,5 ha. Aujourd'hui, leurs enfants Sandrine et Christophe sont cogérants d'un vignoble de 30 ha. Une valeur (très) sûre du Mâconnais.

Habillé d'une lumineuse robe paille ourlée de vert, ce vin livre un bouquet riche et intense d'abricot, de compote de poires et de petites fleurs des haies. L'attaque en bouche est saline, tandis que le développement se fait sur les épices douces et les fruits cuits. La finale acidulée porte loin les arômes fruités. Un vin complet et expressif. ⧗ 2020-2024

⊶ *SARL DOM. THIBERT PÈRE ET FILS, 20, rue Adrien-Arcelin, 71960 Fuissé, tél. 03 85 27 02 66, info@domaine-thibert.com* V r.-v.

DOM. DES TREMBLAYS
Élevé en fût de chêne 2017 ★

	2000		5 à 8 €

Fabrice Besson s'est installé en 2002 sur 4,5 ha avant de reprendre, à la retraite de son père en 2007, le vignoble familial qu'il a doté en 2013 d'un nouveau chai moderne et pratique. Le domaine couvre aujourd'hui 11 ha.

Derrière un habit d'or limpide, se dévoile un nez expressif d'abricot et de brioche doucement vanillé. On retrouve ces arômes dans une bouche fraîche, dotée d'une belle finale minérale et noisetée. ⧗ 2019-2023 **2017** (5 à 8 €; 2500 b.) : vin cité.

⊶ *FABRICE BESSON, Le Tremblay, 71960 Serrières, tél. 06 76 64 66 13, fabricebesson.serrieres@orange.fr* V r.-v.

DOM. CATHERINE ET DIDIER TRIPOZ
Charnay-lès-Mâcon Prestige des Tournons 2017 ★★

	4110		8 à 11 €

En 1988, la famille Tripoz succède à la famille Chevalier à la tête de cette exploitation de Charnay couvrant 12 ha. Situé sur un chemin de randonnée, à proximité

BOURGOGNE

de la voie verte, le domaine accueille aussi bien les marcheurs que les cyclotouristes.

En robe jaune paille, ce Prestige des Tournons distille de timides senteurs florales et fruitées. La bouche, en revanche, est plus diserte : elle se montre ample, puissante et bien équilibrée par une vivacité énergisante qui pousse loin la finale. ⧗ 2020-2024

EARL CATHERINE ET DIDIER TRIPOZ, 450, chem. des Tournons, 71850 Charnay-lès-Mâcon, tél. 03 85 34 14 52, didier.tripoz@wanadoo.fr V r.-v.

CH. D'UXELLES 2017

	10000		5 à 8 €

Installé depuis 1984 sur le domaine familial dédié aux céréales, Alfred de La Chapelle et son épouse Valérie ont planté la vigne à partir de 1990 : le vignoble couvre aujourd'hui 7,5 ha. Ils vendent leurs vins au monastère Notre-Dame de Grâce, acquis en 2005 à Savigny-sur-Grosne.

Ce 2017 jaune clair aux reflets verts évoque la brioche au beurre et les fruits blancs d'été à l'olfaction. Au palais, il se montre frais en attaque, puis développe une rondeur intéressante ponctuée de minéralité. ⧗ 2019-2022

EARL D'UXELLES, 12, rte de Notre-Dame, 71460 Savigny-sur-Grosne, tél. 06 21 33 27 58, alfreddelachapelle@wanadoo.fr V r.-v.

DOM. DES VERCHÈRES 2017 ★

	7475		5 à 8 €

Fondée en 1929, la coopérative de Mancey est établie non loin de Tournus et de la Saône. Son terroir occupe la pointe des collines du Mâconnais, où elle mène un important travail de sélection parcellaire.

Revêtu d'une robe grenat profond, ce vin libère d'intenses parfums de cerise noire et de fraise. Des tanins bien fondus, un fruité croquant et une jolie matière en font un vin gourmand à boire dès à présent, pourquoi pas sur un saucisson de Lyon à la lie de vin. ⧗ 2019-2022 **Les Vignerons de Mancey 2017 (5 à 8 €; 32700 b.)** : vin cité.

SCA CAVE DES VIGNERONS DE MANCEY, D906, En Velnoux, BP100, 71700 Tournus, tél. 03 85 51 00 83, martin.antoine@bourgogne-vigne-verre.com V *t.l.j. 9h-12h 14h-18h*

Ⓑ DOM. DE LA VERPAILLE Vieilles Vignes 2017 ★

	26700		11 à 15 €

Estelle et Baptiste Philippe s'installent sur l'exploitation familiale en 2004. Ils convertissent l'ensemble du vignoble (20 ha) à l'agriculture biologique et la certification est acquise en 2009.

Issue d'une vigne centenaire, cette cuvée revêt une robe aux légers reflets dorés. Le nez fleure bon l'acacia, la pêche et l'abricot, avec une touche minérale et un éclat de citron jaune en appoint. La bouche, ample et fraîche, se termine en beauté sur une finale douce et longue. ⧗ 2020-2023

EARL BAPTISTE ET ESTELLE PHILIPPE, 70, rue Marcel-Laurencin, 71260 Viré, tél. 03 85 33 14 47, domainedelaverpaille@gmail.com V r.-v.

PIERRE VESSIGAUD Fuissé Les Taches 2017 ★

	4000		15 à 20 €

Un domaine très régulier en qualité, établi au cœur du hameau de Pouilly, entre les villages de Fuissé et de Solutré. Pierre Vessigaud vendange manuellement, même son appellation régionale mâcon, et élève ses jus longuement.

Ce mâcon a passé dix-huit mois en fût de chêne. Il se présente dans une belle robe dorée aux légers reflets bronze, ouvert sur de délicates nuances florales (lys notamment), associées aux notes empyreumatiques de l'élevage. La bouche est fraîche, expressive, équilibrée et s'étire longuement sur des notes minérales et fruitées. ⧗ 2020-2024

EARL DOM. PIERRE VESSIGAUD, hameau de Pouilly, 71960 Solutré, tél. 03 85 35 81 18, contact@vins-pierrevessigaud.fr V *t.l.j. sf dim. 9h-12h 13h30-19h*

VIRÉ-CLESSÉ

Superficie : 390 ha / Production : 22 000 hl

Appellation communale récente née en 1998, viré-clessé a de solides ambitions en matière de vins blancs. Elle a fait disparaître les dénominations mâcon-viré et mâcon-clessé avec le millésime 2002.

Ⓑ DOM. ANDRÉ BONHOMME Le Coteau de l'Épinet 2016 ★★

	800		20 à 30 €

André Bonhomme et son épouse Gisèle ont créé ce domaine en 1956 et l'ont transmis en 2001 à leur gendre Éric Palthey, ancien architecte, et à leur fille Jacqueline, tous deux rejoints entre-temps par leurs enfants Aurélien et Johan. Le travail des vignes est biologique (conversion en cours), les vendanges sont manuelles et la vinification est traditionnelle avec des élevages longs. Une valeur sûre en viré-clessé.

Drapé dans une robe jaune d'or d'une belle profondeur, ce viré-clessé, qui a passé vingt-quatre mois en fût, livre un nez d'abord discret, qui s'ouvre ensuite sur le citron confit, le pomélo et l'orange sanguine. On retrouve cette complexité aromatique dans un palais souple et friand en attaque, puis d'une grande amplitude dans son développement. Un vin de gastronomie assurément. ⧗ 2022-2027 **Les Prêtres de Quintaine 2016 ★ (15 à 20 €; 2200 b.)** Ⓑ : un vin d'une belle intensité aromatique, centré sur les fruits exotiques, frais, élégant, dynamique en bouche, et même assez nerveux en finale. Il vieillira bien. ⧗ 2021-2025 **Les Hauts des Ménards 2016 ★ (20 à 30 €; 1800 b.)** Ⓑ : un viré-clessé au nez vanillé, ample, rond, suave, presque moelleux en bouche. Une jolie gourmandise. ⧗ 2022-2025

EARL GRANDS VINS ANDRÉ BONHOMME, 12, rue Jean-Large, 71260 Viré, tél. 03 85 27 93 93, contact@vireclessebonhomme.fr V r.-v.

CH. CHANEL 2017

	1630		11 à 15 €

Laurent Huet s'installe comme vigneron en 1987. D'abord apporteur à la cave coopérative de Clessé, il

vinifie pour la première fois «à la maison» le millésime 1994. En 2008, son épouse embrasse le métier et reprend 8 ha de vignes. Le couple conduit aujourd'hui un domaine de 23 ha.

Un vin jaune profond, au nez de surmaturité (litchi, mangue et coing). Dans le prolongement du bouquet, la bouche séduit par sa richesse aromatique et sa volupté qui pourraient vous amener à servir cette bouteille en dessert. ⧗ 2019-2023

SARL L. B. HUET, 12, rte de Germolles, 71260 Clessé, tél. 06 12 35 96 45, laurent.huet16@wanadoo.fr V t.l.j. sf dim. 8h-12h 13h30-17h30

LE CHAI DUCHET Clos du Virolis Quintessence 2016

	4200		11 à 15 €

Ce domaine est détenu par la famille d'Alexis Duchet depuis le XVIIIe s. Mais c'est ce dernier qui a débuté l'activité viticole (à partir de 11 ha), en 2013, selon les principes d'une agriculture responsable et respectueuse de la faune et la flore. Proche de la nature, Alexis a fait le choix de construire son chai avec des matériaux sains et écologiques, tels que la paille et la terre cuite.

Paré d'une robe or vert, ce viré-clessé dévoile un bouquet délicat de petites fleurs blanches et d'herbe fraîche. Saline, presque iodée, la bouche se révèle fraîche, soulignée d'une pointe finale d'amertume. ⧗ 2019-2022

SARL LE CHAI DUCHET, 42, rue des Routys, 71260 Viré, tél. 06 22 83 36 59, lechaiduchet@gmail.com V r.-v.

DOM. GONDARD-PÉRRIN Clos de Chapotin 2016 ★

	1200		11 à 15 €

Implanté au cœur de Viré, ce domaine s'illustre depuis peu dans le Guide : Pierre Gondard livrait auparavant la totalité de sa récolte à la cave coopérative du village. Depuis 2008, il vinifie les 22 ha de vignes dans son propre chai, et depuis 2015, son fils Franz-Ludwig est à ses côtés.

D'un or pâle s'échappent des arômes fruités (poire et pomme verte) soulignés d'une nuance de caramel. Puis les saveurs fruitées explosent dans une bouche ample, ronde et suave. ⧗ 2019-2023

EARL PIERRE GONDARD, 4, rue René Boudier, 71260 Viré, tél. 03 85 33 12 47, mylene.gondard@gmail.com V r.-v.

DOM. ROBERT MARIN Cuvée du Clos 2017

	5000		8 à 11 €

Marielle et Robert Marin ont repris l'exploitation familiale en 1976, ainsi qu'une partie du vignoble de Gilbert Mornand, l'illustre maire de Clessé de 1971 à 2014. L'ensemble couvre 22 ha.

Ce viré-clessé jaune pâle souligné de reflets dorés offre une belle palette aromatique mêlant agrumes et fleurs blanches, notes muscatées et touches épicées. Quant à la bouche, elle associe harmonieusement richesse et vivacité. Un vin agréable, à la texture avenante. ⧗ 2020-2023

EARL DOM. ROBERT MARIN, 256, rte de la Vigne-Blanche, 71260 Clessé, tél. 03 85 36 95 92, marin.robert71@orange.fr V r.-v.

MEURGEY-CROSES Vieilles Vignes 2017

	15000		11 à 15 €

Né en 1959 aux Hospices de Beaune, Pierre Meurgey est issu d'une longue lignée de régisseurs de domaines viticoles, œnologues et courtiers en vins bourguignons. Après avoir racheté la maison Champy en 1990, il a fondé en 2013 une activité de négoce sous son nom pour les vins de la Côte d'Or et lancé en 2014 la marque Meurgey-Croses, spécialisée en vins du Mâconnais - sa mère est originaire d'Uchizy.

Ce 2017, assez complexe, aux arômes gourmands de pêche de vigne et de mangue, se montre souple et frais en bouche, avec une bonne consistance et une agréable finale citronnée. ⧗ 2020-2022

SARL PIERRE MEURGEY, 25, bd Clemenceau, 21200 Beaune, tél. 09 81 83 29 04, contact@pierremeurgey.com V r.-v.

BOURGOGNE

DOM. MICHEL Sur le Chêne Vieilles Vignes 2016 ★★

	27000		15 à 20 €

Ce domaine de 21,5 ha situé dans le pittoresque hameau de Cray est réputé tant pour son excellence que pour sa longévité (fondation en 1840) : les générations se succèdent, la qualité des vins demeure. Il faut dire qu'une attention très particulière est portée à la conduite de la vigne (pas d'engrais chimiques, travail du sol) et à l'élaboration des vins (récolte à maturité et tri manuels, pas de levurage, pas de chaptalisation).

D'honorables vignes de soixante-dix ans ont donné un vin à l'allure jaune clair ornée de reflets argent. Doux dans son olfaction, sur les fruits mûrs et la vanille, il se montre ample, rond et riche en bouche. Un viré-clessé des plus onctueux et gourmand. ⧗ 2021-2024 **Quintaine 2016 ★ (15 à 20 €; 29000 b.)** : des notes d'orange et de mangue titillent les papilles lorsque l'on prend en bouche ce Quintaine, qui s'avère en outre bien équilibré, frais et gourmand. On le verrait bien sur un jambon persillé. ⧗ 2019-2023 **La Barre 2016 (15 à 20 €; 13000 b.)** : vin cité.

SCEA DU DOM. MICHEL, 372, rte de Cray, Cidex 624, 71260 Clessé, tél. 03 85 36 94 27, domainemichelclesse@orange.fr V t.l.j. sf dim. 9h-12h 14h-18h30

JEAN-PIERRE MICHEL Sur le Calcaire 2016 ★★

	15000		15 à 20 €

Valeur sûre du Mâconnais, ce vigneron exploite 8,7 ha à Quintaine, au cœur de l'AOC viré-clessé, sur les premiers coteaux exposés au soleil levant surplombant la vallée de la Saône, à mi-chemin entre Mâcon et Tournus. Ses pratiques : labour des sols, récolte manuelle à maturité, vinifications longues et «naturelles» (sans chaptalisation ni levurage) conduites, selon la nature des terroirs, en cuve ou en fût, avec des élevages longs sur lies fines.

Vêtu de jaune éclatant, ce 2016 offre un bouquet étoffé d'agrumes. Après une attaque vive et tonique, la bouche se révèle généreuse, ample et structurée, d'une grande persistance fruitée. Encore fougueux aujourd'hui, ce vin est promis à un bel avenir. ⧗ 2022-2026 **Terroirs de Quintaine 2016 ★ (15 à 20 €; 30000 b.)** : un 2016 agréable, flatteur par sa belle amplitude de fruits mûrs, sa souplesse et sa minéralité. ⧗ 2020-2023

⊶ *JEAN-PIERRE MICHEL, 955, rte de Quintaine, lieu-dit Quintaine, 71260 Clessé, tél. 03 85 23 04 82, vinsjpmichel@orange.fr* V r.-v.

DOM. MONTBARBON Les 3 Terroirs 2017 ★

	20800		8 à 11 €

Martine et Jacky Montbarbon, vignerons adhérents à la cave coopérative de Viré depuis 1981, s'installent en 2008 en cave particulière et commencent à vinifier leurs 13 ha de vignes. Ils privilégient désormais un entretien du sol le plus naturel possible (labours, sarclages, semis d'engrais vert).

Issu de chardonnays plantés sur un sol argilo-marneux et calcaire, ce 2017 couleur paille offre un nez de pêche blanche et de silex ponctué de miel d'acacia. La bouche, centrée sur les fruits mûrs, se montre généreuse, ronde et suave, plus fraîche en finale. Un vin aimable et gourmand. ⧗ 2020-2024

⊶ *SCEV DOM. MONTBARBON, 3, chem. des Vignes, 71260 Viré, tél. 03 85 33 16 98, jacky.montbarbon@orange.fr* V *t.l.j. sf dim. 14h-18h30*

DOM. DU MONT ÉPIN 2017 ★

	9800		11 à 15 €

Le Dom. de la Croix Senaillet fut créé en 1969 par Maurice Martin, qui a progressivement abandonné la polyculture pour la vigne. En 1990, son fils Richard reprend le domaine familial, avant d'être rejoint par son frère Stéphane en 1992. La propriété de 6,5 ha au départ s'est agrandie pour atteindre 27 ha aujourd'hui, répartis sur 60 parcelles en bio certifié depuis 2010. Forts de leur expérience, ils font l'acquisition en 2015 du Dom. de Mont Épin à Clessé (13 ha).

Robe limpide dorée à reflets verts, cette cuvée livre une olfaction intense et complexe : gâteau à la fraise, fleurs blanches, silex, abricot confit, réglisse, citron. Sa bouche bien équilibrée, parcourue d'une fine trame acide tout au long de la dégustation, propose un volume intéressant et une longue finale. ⧗ 2020-2023

⊶ *SARL RICHARD ET STÉPHANE MARTIN, 471, rue des Personnets, En-Coland, 71960 Davayé, tél. 03 85 35 82 83, contact@signaturesmartin.com* V *r.-v.*

RAPHAËL SALLET 2017

	4400		11 à 15 €

Issu d'une famille vigneronne de plusieurs générations, Raphaël Sallet rejoint en 1983 son père qui livre alors ses raisins à la coopérative. Souhaitant produire son propre vin, il crée son domaine en 1986, étendu aujourd'hui sur 29 ha sur les coteaux argilo-calcaires d'Uchizy et de Chardonnay.

Or paille d'un bel éclat, ce vin est construit autour d'une palette aromatique rappelant l'amande et la pêche blanche. Un fruité que l'on retrouve dans une bouche souple, fraîche, équilibrée, étirée dans une jolie finale sur les agrumes. Parfait pour l'apéritif. ⧗ 2019-2022

⊶ *SARL RAPHAËL SALLET, 90, rte de Chardonnay, 71700 Uchizy, tél. 03 85 40 50 45, mrsallet@orange.fr* V *r.-v.* ③

DOM. DES TERRES DE CHATENAY Terroir de Quintaine 2017

	8000		8 à 11 €

Jean-Claude et Marie-Odile Janin sont un couple de vignerons installé depuis 2006 à Péronne, village situé à l'ouest des coteaux de Viré et de Clessé. Leur vignoble couvre 10 ha.

Ce viré-clessé ourlé d'or vert laisse échapper d'élégants arômes de pierre à fusil et de mandarine. Une fine acidité prédomine en bouche, où le vin se montre fruité et d'un bon volume. ⧗ 2019-2022

⊶ *EARL JEAN-CLAUDE ET MARIE-ODILE JANIN, rue du Four, 71260 Péronne, tél. 06 87 99 49 13, janinmojc@wanadoo.fr* V *t.l.j. 8h-12h30 13h30- 19h*

TRENEL 2017

	10000		11 à 15 €

En 1928, Henri Claudius Trenel crée un commerce de liqueurs de fruit à Charnay-lès-Mâcon. Il se tourne ensuite vers l'achat de raisins. Son fils André lui succède à la tête de cette maison de négoce finalement rachetée en 2015 par Michel Chapoutier, célèbre négociant de la Vallée du Rhône.

Ce vin d'un bel éclat doré propose un nez fin rappelant la poire et la pêche, mais aussi les senteurs de sous-bois. Son palais offre un bel équilibre entre un fruité mûr et une fraîcheur mentholée. Une bouteille harmonieuse que l'on verrait bien sur des fromages de chèvre mâconnais un peu affinés. ⧗ 2019-2022

⊶ *SAS TRENEL, 33, chem. de Buery, 71850 Charnay-lès-Mâcon, tél. 03 85 34 48 20, export@trenel.fr* V *t.l.j. sf sam. dim. 8h-12h 14h-18h*

DOM. LA TROUPE 2017

	35000		8 à 11 €

La coopérative de Clessé, fondée en 1927 et aujourd'hui présidée par Olivier Desroches, regroupe un peu plus de 90 ha de vignes, de chardonnay principalement, pour une quinzaine d'adhérents.

Encore timide, ce vin s'ouvre doucement sur des notes de fruits blancs et de fleurs de printemps, puis d'agrumes. Au palais, il se livre plus franchement, dans un équilibre riche et fruité, jusqu'à la finale «coup de fouet». ⧗ 2019-2022

⊶ *SCA CAVE DE LA VIGNE BLANCHE, 793, rte de la Vigne-Blanche, 71260 Clessé, tél. 03 85 36 93 88, cavecooperative.vigneblanche@wanadoo.fr* V *t.l.j. sf dim. 9h-12h 14h-18h*

DOM. LE VIROLYS Terroir de Quintaine 2017 ★

	3500		8 à 11 €

Laurent Gondard a créé sa cave de vinification en 2008; auparavant, il avait longtemps livré ses raisins à la cave coopérative du village, comme l'avaient fait avant lui ses ancêtres. À la vigne (22 ha), seuls les engrais produits par l'exploitation sont utilisés et les sols sont labourés.

D'un superbe doré intense, ce vin présente un nez complexe et original d'ananas, de thym et de craie soulignés d'un brin de curry. Riche et large, le palais convoque les fruits mûrs, avant une finale épicée et mentholée. Un joli vin sur l'opulence, à apprécier sur un mets crémé. ⧗ 2019-2023

SCEA LAURENT GONDARD, 9, rue en Baclot, 71260 Viré, tél. 03 85 33 91 11, laurent.gondard071@orange.fr V r.-v.

POUILLY-FUISSÉ

Superficie : 760 ha / Production : 39 150 hl

Le profil des roches de Solutré et de Vergisson s'avance dans le ciel comme la proue de deux navires; à leur pied, le vignoble le plus prestigieux du Mâconnais, celui du pouilly-fuissé, se développe sur les communes de Fuissé, de Solutré-Pouilly, de Vergisson et de Chaintré. Les pouilly-fuissé ont acquis une très grande notoriété, notamment à l'exportation, et leurs prix ont toujours été en compétition avec ceux des chablis. Ils sont vifs, pleins de sève et complexes. Élevés en fût de chêne, ils acquièrent avec l'âge des arômes d'amande grillée ou de noisette.

B HÉRITIERS AUVIGUE 2017 ★

| 3856 | | 20 à 30 € |

La famille Auvigue travaille la vigne depuis au moins... 1629. Mais c'est plus directement dans les pas de leur grand-père, Francis Auvigue, qui s'était installé dans un ancien moulin en 1946, que Jean-Pierre et Michel Auvigue ont transformé cette ancienne bâtisse en chai de vinification et pratiquent l'achat de raisins depuis 1982. Comme leur grand-père, ils s'attachent au respect des terroirs avec une vinification parcellaire. Aujourd'hui, l'histoire se poursuit en famille avec l'arrivée fin 2015 de Sylvain Brenas, neveu de Jean-Pierre et Michel, qui s'attache à préserver le style et l'esprit maison.

Ce pouilly-fuissé doré à l'or fin offre un nez très vivant autour de senteurs minérales et florales (lilas et primevère). Un joli grain de fruit caractérise la bouche, dynamique et puissante. Un beau vin au caractère bien trempé. ⧗ 2021-2024

HÉRITIERS AUVIGUE, Le Moulin-du-Pont, 3131, rte de Davayé, 71850 Charnay-lès-Mâcon, tél. 03 85 34 17 36, heritiersauvigue@orange.fr V r.-v.

DOM. DAVID BIENFAIT 2017 ★★

| 1500 | | 15 à 20 € |

David Bienfait a grandi à Vergisson, fasciné par le métier de vigneron. Après un BTS «viti», il part pour la Nouvelle-Zélande puis rentre en Mâconnais fin 2009 pour s'installer sur 1,8 ha de pouilly-fuissé. Aujourd'hui, son domaine compte 6 ha de chardonnay.

Ce 2017 arbore une tenue or vif attirante. Le nez franc et complexe évoque la minéralité de son terroir et le boisé de son élevage (brioche beurrée et toast grillé), mêlés aux senteurs du cépage (acacia et chèvrefeuille). Dans la continuité, la bouche se révèle à la fois ronde et fraîche, évoquant la pêche de vigne et l'orange. Un vin harmonieux et élégant. ⧗ 2021-2025

DOM. DAVID BIENFAIT, 67, rue de l'Étang, 71960 Bussières, tél. 06 86 72 53 93, davidbienfait@hotmail.fr V r.-v.

DOM. BOURDON 2017

| 5300 | | 15 à 20 € |

Ce domaine de 17,5 ha possède deux caves : un chai moderne au cœur du hameau de Pouilly et une magnifique cave voûtée en pierre à Vergisson. À sa tête, Sylvie et François Bourdon représentent la cinquième génération.

Ce pouilly-fuissé apparaît drapé d'un or jaune et limpide. Le nez évoque les fruits blancs soulignés de menthe fraîche. Après une attaque puissante sur les fruits mûrs, une vivacité bienvenue souligne le palais et lui apporte de la longueur. ⧗ 2021-2024

EARL BOURDON ET FILS, rue de la Chapelle, Pouilly, 71960 Solutré-Pouilly, tél. 03 85 35 81 44, francoisbourdon2@wanadoo.fr V r.-v.

DOM. CARRETTE
Les Crays 2017 ★★

| 5085 | | 15 à 20 € |

Henri Carrette, issu d'une famille vigneronne, acquiert en 1980 une grande maison avec cave voûtée au pied de la roche de Vergisson. Il y débute alors la vente en bouteilles à la propriété. Depuis 2019, son petit-fils Hervé et sa femme Nathalie, œnologue, perpétuent la tradition.

Or blanc, brillant et étincelant, ce 2017 propose une palette aromatique large : fleurs blanches printanières, fruits exotiques, le tout rehaussé par des notes mentholées fraîches. Une attaque franche et juteuse ouvre sur une bouche dense et charnue, fraîche et longue. Un vin complet, à savourer aussi bien jeune que patiné par la garde. ⧗ 2021-2027 **Ronchevat 2017 ★ (11 à 15 €; 5225 b.)** : né de chardonnays de soixante ans, puis élevé douze mois en fût de chêne, ce vin évoque la vanille, la pêche blanche et le miel d'acacia. Une belle fraîcheur florale caractérise la mise en bouche, puis laisse place aux fruits et, en finale, à de belles saveurs minérales. ⧗ 2020-2025

EARL DOM. CARRETTE, 39, rte des Crays, 71960 Vergisson, tél. 03 85 59 02 74, contact@domaine-carrette.fr V r.-v.

DOM. DE LA CHAPELLE
Aux Bouthières 2017

| 6400 | | 15 à 20 € |

La marque «Dom. de la Chapelle» fut déposée en 1904, mais elle n'appartenait pas à l'époque à la famille Rollet. En 2005, Catherine et Pascal Rollet ont acquis les vignes (7,5 ha aujourd'hui) qu'ils travaillaient en métayage depuis 1982. La chapelle en question date du XVe s., elle est située au cœur de la propriété mais ne lui appartient pas.

Cette cuvée a connu un élevage de quatorze mois en fût de chêne. Revêtue d'une robe paille parcourue de reflets dorés, elle présente un nez frais et pulpeux de pêche blanche et de melon. La bouche, centrée sur l'ananas et les fruits confits, se révèle quant à elle ronde et chaleureuse. ⧗ 2020-2023

EARL PASCAL ROLLET, rue de la Chapelle, 71960 Solutré-Pouilly, tél. 03 85 35 81 51, rolletpouilly@wanadoo.fr V r.-v.

PHILIPPE CHARMOND
Aux Vignes Dessus 2017 ★

2340		15 à 20 €

Célèbre pour ses roches de Solutré et de Vergisson, ce joli petit coin du Mâconnais accueille également Philippe Charmond et ses 8 ha de vignes.

Derrière une robe d'or pâle aux reflets verts, on découvre un nez fin et discret de poire, de citron et de fleurs blanches. Après une attaque souple, le palais se révèle ample, fruité, un brin épicé et bien équilibré entre gras et acidité. ⧗ 2020-2025

PHILIPPE CHARMOND, 263, rue du Château de France, 71960 Vergisson, tél. 03 85 35 87 98, philippe.charmond@aol.com r.-v.

MICHEL CHAVET ET FILS 2017

12000		11 à 15 €

C'est en 1870 que tout commence par Jacques Léger, puis au fil du temps les générations se succèdent toujours à Davayé. Aujourd'hui, l'exploitation compte 17 ha de vignes en appellation saint-véran, pouilly-fuissé, mâcon blanc et rouge, crémant-de-bourgogne et même fleurie en Beaujolais.

Dotée d'une robe pâle à reflets argentés, ce vin offre un nez complexe de fruits blancs (poire) et de fleurs blanches (acacia) mêlé aux notes calcaires du terroir. Sa bouche, très acidulée par son attaque citronnée, met en avant une matière fraîche soulignée par de nobles amers. Un vin de plaisir à servir à l'apéritif. ⧗ 2020-2023

EARL MICHEL CHAVET ET FILS, 49, rue des Durandys, 71960 Davayé, tél. 06 70 54 63 13, gaec.chavetmichel@wanadoo.fr t.l.j. sf dim. 8h-12h 13h30-18h30

DOM. CHEVEAU Vers Cras 2016 ★

3200		20 à 30 €

Représentant la troisième génération, Nicolas Cheveau et son épouse Aurélie ont développé le domaine en superficie (20 ha) et privilégié le commerce en bouteilles afin de valoriser leurs terroirs et leur savoir-faire.

De ce vin doré aux légers reflets ocre, on apprécie d'emblée la belle expression aromatique, pure et nette, rappelant la pierre à fusil et le silex, avec en fond une légère note florale agréable. Dans la lignée du nez, agrémenté de notes d'abricot et de boisé, le palais est à l'image du millésime : frais, tendu et minéral. ⧗ 2021-2026

EARL CHEVEAU ET FILS, rte des Concizes, 71960 Solutré-Pouilly, tél. 06 83 77 07 25, domaine@vins-cheveau.com r.-v.

Ⓑ DOM. DOMINIQUE CORNIN 2017 ★

19000		15 à 20 €

À l'origine, les vignes du domaine (11 ha aujourd'hui) étaient récoltées à la machine et les raisins confiés à la coopérative de Chaintré. En 1995, Dominique Cornin se retire de la cave, opte pour la vendange manuelle et s'oriente peu à peu vers le bio, jusqu'à la certification obtenue en 2009. Son fils Romain l'a rejoint en 2012.

Ce vin, né de vénérables ceps de soixante-quinze ans, se présente vêtu d'une robe d'un or profond et brillant. Le fruité explosif, à dominante d'agrumes, perçu au nez se prolonge dans un palais riche et puissant. Un beau vin encore un peu «brut de décoffrage» qu'il convient d'assagir en cave. ⧗ 2022-2025 **Les Chevrières 2016 ★ (20 à 30 €; 4200 b.)** Ⓑ : un vin complexe (fruits confits et fleur d'oranger), intense et bien équilibré entre le gras et l'acidité en bouche. ⧗ 2021-2024

EARL DOMINIQUE CORNIN, 339, Savy-le-Haut, 71570 Chaintré, tél. 03 85 37 43 58, dominique@cornin.net r.-v.

DOM. CORSIN Vieilles Vignes 2016 ★

9600		15 à 20 €

Ce domaine prestigieux, et toujours familial, existe depuis plus d'un siècle. Précurseur dans la vente en bouteilles, il est aujourd'hui entre les mains expertes de Gilles Corsin et de son neveu Jérémy.

Jaune pâle à reflets d'or et d'émeraude, ce vin exhale des senteurs d'agrumes et de pêche jaune accompagnées de fines notes vanillées. La bouche riche et suave, imprégnée de saveurs de mangue, est équilibrée par une acidité franche qui lui procure de la longueur et un bon potentiel de garde. ⧗ 2022-2026

SCEA DOM. CORSIN, 404, rue des Plantes, 71960 Davayé, tél. 03 85 35 83 69, contact@domaine-corsin.com r.-v.

DOM. DE LA CREUZE NOIRE
Le Clos de Monsieur Noly 2016

2500		15 à 20 €

Loïc Martin, jeune vigneron installé en 2009, exploitait 4 ha de vignes dans la partie méridionale de l'appellation saint-véran. Depuis 2013, il a intégré le domaine familial de ses parents Christine et Dominique Martin, installés depuis 1985 à Leynes, village frontière entre Beaujolais et Mâconnais.

Habillé d'un velours mordoré, ce 2016 se révèle intensément boisé au nez (vanille, brioche et pain grillé). Le palais apparaît dense et concentré, avant une finale minérale qui lui confère une fraîcheur bienvenue. La cave lui apportera plus de fondu. ⧗ 2022-2025

EARL DOMINIQUE ET CHRISTINE MARTIN, La Creuze-Noire, 71570 Leynes, tél. 03 85 37 46 43, domainemartin.dcn@gmail.com t.l.j. sf dim. 8h-12h 14h-18h

DOM. DE LA CROIX SENAILLET 2017 ★

n.c.		20 à 30 €

Le Dom. de la Croix Senaillet fut créé en 1969 par Maurice Martin, qui a progressivement abandonné la polyculture pour la vigne. En 1990, son fils Richard reprend le domaine familial, avant d'être rejoint par son frère Stéphane en 1992. La propriété de 6,5 ha au départ s'est agrandie pour atteindre 27 ha aujourd'hui, répartis sur 60 parcelles en bio certifié depuis 2010. Forts de leur expérience, ils font l'acquisition en 2015 du Dom. de Mont Épin à Clessé (13 ha).

De ce vin brillant à la parure dorée s'échappent des notes fugaces de noisette torréfiée qui laissent place à des senteurs minérales et vanillées à l'aération. Riche et volumineux, fruité et floral, de bonne persistance, le palais a besoin d'encore un peu de temps pour s'harmoniser parfaitement. Le potentiel est là. ⌛ 2021-2024

SARL RICHARD ET STÉPHANE MARTIN, 471, rue des Personnets, En-Coland, 71960 Davayé, tél. 03 85 35 82 83, contact@signaturesmartin.com r.-v.

DOM. JOËL CURVEUX ET FILS En Recepey 2017 ★

	5500		11 à 15 €

Vignerons de père en fils depuis quatre générations, les Curveux conduisent une petite propriété familiale située sur la commune de Fuissé – 8 ha de vignes, principalement en pouilly-fuissé – aujourd'hui dirigée par Joël et son fils Guillaume.

Vêtue d'un drapé d'or pâle, cette cuvée offre une palette aromatique complexe mariant les fruits secs comme la noisette et l'amande à la vanille et la brioche au beurre, le tout couronné par des notes de petites fleurs blanches. Sa bouche, ronde et ample, est soutenue par un boisé élégant et par des saveurs minérales. Un joli vin bien typé. ⌛ 2021-2025 **Les Vignes Blanches 2017 (15 à 20 €; 2400 b.)** : vin cité.

EARL DOM. JOËL CURVEUX ET FILS, 100, rue Cache-Poupons, 71960 Fuissé, tél. 07 86 74 02 24, domaine.curveux@sfr.fr t.l.j. sf dim. 10h-12h 14h-18h

DOM. DENUZILLER Prestige 2017 ★

	2500		11 à 15 €

Situé au pied de la roche de Solutré, ce domaine familial de 13 ha fondé en 1919 est constitué de 63 parcelles de chardonnay, que Gilles et Joël Denuziller vinifient en petit contenant afin de respecter au mieux la typicité de chaque terroir.

Ce 2017 élevé dix mois en cuve livre des senteurs discrètes de poire, de gelée de coing et de fleurs blanches. En bouche, il se montre équilibré, aérien et élégant. Un vin léger et printanier, parfait pour l'apéritif. ⌛ 2019-2023

GAEC DENUZILLER, imp. de l'Église, 71960 Solutré-Pouilly, tél. 03 85 35 80 77, domaine.denuziller@orange.fr r.-v.

NADINE FERRAND Lise-Marie 2017

	5200		15 à 20 €

Incarnant la troisième génération de vignerons, Nadine Ferrand est, depuis l'année 1984, à la tête d'une exploitation dont elle a porté la superficie à plus de 11,5 ha. Sa fille Marine l'a rejointe en 2012. Un domaine régulier en qualité.

Ce pouilly-fuissé apparaît vêtu d'un drapé argenté. Le nez respire la finesse et l'élégance avec ses notes de fruits blancs. Le palais se révèle gras et rond. Un vin qui séduira toutes les bouches dans sa jeunesse. ⌛ 2019-2023

EARL NADINE FERRAND, 51, chem. du Voisinet, 71850 Charnay-lès-Mâcon, tél. 06 09 05 19 74, ferrand.nadine@wanadoo.fr t.l.j. 8h-19h

OLIVIER FICHET 2017 ★★

	7200		15 à 20 €

Domaine sorti de la cave coopérative d'Igé par Francis Fichet en 1976. Ses fils Pierre-Yves et Olivier, aux commandes depuis 1999, exploitent aujourd'hui 35 ha de vignes, à partir desquels ils produisent une quinzaine de cuvées différentes nées des quatre cépages de Bourgogne. Une valeur sûre du Mâconnais, complétée en 2006 par une petite structure de négoce.

Ce vin issu du négoce s'inscrit totalement dans son millésime avec sa robe serin clair à reflets d'or et avec ses arômes intenses de fleurs blanches, de pêche et d'abricot, le tout souligné par des notes boisées bien fondues. Le palais se révèle ample, charnu, d'une grande persistance sur les fruits jaunes. Une belle bouteille pour aujourd'hui et pour demain. ⌛ 2020-2024

SARL OLIVIER FICHET, 651, rte d'Azé, Le Martoret, 71960 Igé, tél. 03 85 33 30 46, olivier@domainefichet.fr t.l.j. sf dim. 8h-12h 13h-18h30

BOURGOGNE

CH. FUISSÉ Le Clos Monopole 2017 ★★

	n.c.		30 à 50 €

Ce domaine emblématique de Fuissé exploite aujourd'hui 40 ha de chardonnay sur les meilleurs terroirs de l'appellation. La famille Vincent en est propriétaire depuis 1862 et Antoine, ingénieur agronome et œnologue, depuis 2003. Des caves du XVe s. sortent des vins à la renommée internationale : 80 % sont vendus à l'export.

C'est la parcelle la plus ancienne du château, un véritable clos (entouré de quatre murs toujours debout) situé derrière le château, qui a donné naissance à ce vin doré à l'or blanc. Le nez évolue entre les fruits mûrs et confits et les notes toastées et vanillées de l'élevage en fût. La bouche, encore un peu sous l'emprise de son berceau boisé, offre cependant une mâche gourmande, dans laquelle on distingue des fruits mûrs comme la pêche blanche, des fruits secs (noix) et des épices. Un vin à fort potentiel que l'on servira de préférence sur un mets riche comme un foie gras ou un carré de veau aux morilles. ⌛ 2023-2030 **Les Brûlés 2017 ★ (30 à 50 €; 3000 b.)** : à un beau bouquet de fruits blancs bien mûrs, d'agrumes et de fleurs répond un palais ample et généreux, souligné par une fine minéralité qui lui apporte longueur et équilibre. ⌛ 2022-2027

SCEA DU CH. DE FUISSÉ, 419, rue du Plan, 71960 Fuissé, tél. 03 85 35 61 44, domaine@chateau-fuisse.fr r.-v.

DOM. DES GERBEAUX
Cuvée Jacques Charvet 2017 ★★

	1170		20 à 30 €

Ce vignoble familial fut créé en 1896 par Jacques Charvet, l'arrière-grand-père de Jean-Michel Drouin. Il compte aujourd'hui 16,5 ha de chardonnay répartis dans les appellations mâcon, saint-véran et pouilly-fuissé. Une valeur sûre, avec des coups de cœur réguliers dans cette dernière AOC. En 2016, Xavier a pris les commandes, épaulé par son père Jean-Michel.

Parée d'une robe pâle à reflets verts, cette cuvée élevée un an en fût de chêne présente un nez finement boisé, agrémenté de fruits blancs et de notes minérales (calcaire). La bouche, ample, ronde, longue et tout aussi aromatique, s'enrichit de notes épicées et citronnées. Encore sous l'emprise du boisé, elle appelle la garde. ⌛ 2021-2025 **Aux Chailloux 2017 (15 à 20 €; 580 b.)** : vin cité.

SCEV DOM. DES GERBEAUX, Les Gerbeaux, 71960 Solutré-Pouilly, tél. 03 85 35 80 17, j-michel.drouin.gerbeaux@wanadoo.fr V r.-v.

DOM. YVES GIROUX ET FILS Vieilles Vignes 2016 ★

| 2000 | 20 à 30 € |

Yves Giroux a créé ce domaine en 1973 à partir de vignes paternelles divisées. C'est depuis 2009 son fils Sébastien qui, après une carrière dans l'automobile, préside aux destinées de ce vignoble de 7 ha de chardonnay.

Élevé douze mois en cuve et six mois en fût, ce 2016 annonce la couleur par sa robe paille brillante et profonde. Expressif à souhait, il offre un bouquet puissant où se côtoient la pêche blanche légèrement citronnée, les fruits exotiques et les petites fleurs blanches. Minérale et croquante en attaque, ample, ronde et concentrée dans son développement, la bouche confirme l'expression aromatique du bouquet. Un vin harmonieux et complet, promis à un bel avenir. 2022-2027

EARL YVES GIROUX ET FILS, Les Molards, 71960 Fuissé, tél. 09 79 00 64 33, domainegiroux@wanadoo.fr V r.-v.

DOM. GONON Vieilles Vignes 2017 ★

| 10400 | 11 à 15 € |

Situé à Vergisson au pied de la célèbre roche de Solutré, ce domaine de 14 ha, propriété des Gonon depuis cinq générations, produit bon nombre des AOC du Mâconnais : pouilly-fuissé, saint-véran, bourgogne rouge… et même le très rare mâcon rosé.

Cette cuvée a été vinifiée traditionnellement pendant dix mois en fût de chêne. D'une robe jaune citron s'échappent d'intenses senteurs fraîches et originales de fraise des bois, de poivre blanc et d'abricot mûr. La bouche, à l'unisson, apparaît riche en arômes, souple et bien équilibrée. 2021-2024

EARL GONON, En Caremantrant, 1, chem. de la Renardière, 71960 Vergisson, tél. 06 11 42 61 04, vins.gonon@gmail.com V r.-v.

LUDOVIC GREFFET 2017 ★

| 1710 | 11 à 15 € |

Depuis son installation en 2000, Ludovic Greffet, quatrième du nom à la tête du domaine (6,5 ha), a modernisé l'exploitation familiale fondée par son arrière-grand-père Léon en 1929. Il s'est forgé un solide savoir-faire par un apprentissage dès son plus jeune âge dans les vignes avec son père et par de nombreuses expériences auprès de différents vignerons de la Côte de Beaune et de Châteauneuf-du-Pape.

Ce vin à la robe d'or jaune a séduit le jury par son bouquet de craie chaude, de fruits mûrs et de petites fleurs de printemps. Sa bouche ample et racée est dotée d'une texture soyeuse, le tout éclairé par le soleil de la Bourgogne du sud. Un vin à maturité que l'on verrait bien associé à un chapon de Bresse. 2020-2024

LUDOVIC GREFFET, 3, imp. de la Patte-d'Oie, 71960 Davayé, tél. 06 23 75 35 22, domaine@ludovic-greffet.fr V r.-v.

DOM. GUERRIN ET FILS La Maréchaude 2017 ★

| 2800 | 15 à 20 € |

En 1984, Maurice Guerrin a créé avec seulement 2,5 ha ce domaine qui compte aujourd'hui 15 ha de chardonnay. Son fils Bastien l'a rejoint fin 2011 afin de développer la commercialisation en bouteilles.

Ce vin, élevé durant une année en fût de chêne, affiche une robe d'or pâle tirant sur l'argent et un nez brioché et vanillé ponctué de fruits jaunes. La bouche, franche et nette en attaque, se développe sur un équilibre bien tenu entre volume, fraîcheur, rondeur et boisé. Une finale sur le poivre et la banane cuite en fait une bouteille originale. 2021-2025 **Les Crays 2017 (15 à 20 €; 2700 b.)** : vin cité.

EARL MAURICE GUERRIN ET FILS, 572, rte des Bruyères, 71960 Vergisson, tél. 03 85 35 80 25, guerrin.maurice@orange.fr V r.-v.

MAURICE LAPALUS ET FILS 2017 ★

| 1500 | 15 à 20 € |

La famille Lapalus cultive la vigne à Pierreclos depuis 1937. En 2000, à l'arrivée du fils Christophe, elle a entrepris de grands travaux, notamment la construction d'un nouveau chai spacieux, moderne et fonctionnel. Aujourd'hui, le domaine couvre 17 ha.

D'une grande clarté, ce vin souligné de reflets jaune paille offre un nez de fruits exotiques, de poire Williams et de craie, avec de légères touches briochées en appoint. La bouche, d'abord fraîche, devient ample et fruitée jusqu'à la finale, longue et citronnée. Un 2017 agréable pour l'apéritif sous la tonnelle. 2020-2024

SARL MAURICE LAPALUS ET FILS, 758, rte de Vergisson, 71960 Pierreclos, tél. 03 85 35 71 90, contact@vinslapalus.com V *t.l.j. 8h-12h 14h-18h*

BERNARD LAPIERRE 2017

| 3000 | 11 à 15 € |

Installé en 1979, Bernard Lapierre conduit un vignoble de 10 ha (essentiellement en pouilly-fuissé et un peu en saint-véran) qui vise aujourd'hui une viticulture raisonnée alliant labour, enherbement et vinification sans intrant. Son fils s'apprête à reprendre le flambeau après une expérience dans l'humanitaire.

Ce 2017 blond et étincelant est animé par des fragrances typés pouilly-fuissé : petites fleurs blanches des haies, pomme verte et miel d'acacia. Acidulé et frais, le palais est harmonieux et alerte. 2020-2024

BERNARD LAPIERRE, chem. de Pierre, 71960 Solutré-Pouilly, tél. 03 85 35 81 12, lapierre.bernard@hotmail.fr V r.-v.

B CH. DE LAVERNETTE
Cuvée Jean-Jacques de Boissieu 2016 ★

| 4500 | 20 à 30 € |

Ancienne propriété des moines de Tournus, le domaine, aux confins du Mâconnais et du Beaujolais, a été acquis par la famille en… 1596. Descendant des Lavernette, Bertrand de Boissieu quitte la coopérative en 1988; son fils Xavier prend le relais en 2007,

épaulé par son épouse Kerrie. Il pratique la biodynamie depuis 2005 (certifiée en 2010). Sur ses 13 ha de vignes, il produit des vins du Beaujolais, du bourgogne d'appellations régionales et des pouilly-fuissé.
Revêtu d'une robe jaune clair parcourue de reflets dorés, ce 2016 de très belle facture présente un nez puissant de noisette torréfiée, de fleurs blanches et d'agrumes. La bouche se parfume de craie et d'épices douces; équilibrée et persistante, elle s'étire dans une finale fraîche et minérale. Un excellent compagnon pour un poisson noble. ⌛ 2021-2025

⊶ *EARL CH. DE LAVERNETTE, La Vernette, 71570 Leynes, tél. 03 85 35 63 21, chateau@lavernette.com* V r.-v.

JEAN LORON
Les Vieux Murs Vieilles Vignes 2017 ★★

	25000		15 à 20 €

Aux origines de la maison, Jean Loron, vigneron né dans le Beaujolais en 1711. Son petit-fils Jean-Marie fonda en 1821 un commerce d'expédition de vins. Aujourd'hui dirigée par la huitième génération, l'entreprise familiale est propriétaire de plusieurs domaines, comme le Ch. de la Pierre (régnié, brouilly), ceux de Fleurie, de Bellevue (morgon), les domaines des Billards (saint-amour) et de la Vieille Église (juliénas).
Élevé pour partie en fût de chêne, ce vin porte un drapé jaune pâle à reflets d'argent. Il se dégage du verre d'intenses parfums de vanille et de pain grillé relevés de touches minérales. Le palais est construit autour de la trame boisée de l'élevage et des saveurs minérales du terroir. Un vin bien structuré, à attendre pour qu'il digère son bois. ⌛ 2022-2027

⊶ *SAS MAISON JEAN LORON, Pontanevaux, 71570 La-Chapelle-de-Guinchay, tél. 03 85 36 81 20, vinloron@loron.fr* V *t.l.j. sf sam. dim. 9h-12h 14h-17h*

MANOIR DU CAPUCIN Sensation 2017 ★

	8145		11 à 15 €

Le manoir aux colonnes toscanes, avec ses caves et son clos, fut la demeure de Capucin Luillier (auteur des *Noëls Mâconnais* au XVIIᵉs.) et entra dans la famille Bayon au début du XXᵉs. Chloé Bayon et son ami Guillaume Pichon, les actuels propriétaires, en ont entrepris la rénovation en 2002 et conduisent aujourd'hui un vignoble de 12,5 ha.
Une robe limpide et cristalline habille ce vin au bouquet fruité dans lequel on distingue l'ananas et la pomme, mais aussi des notes de fleur d'acacia. Une attaque puissante ouvre sur une bouche ample, ronde et même opulente en finale. ⌛ 2021-2024 **Aux Morlays 2017 ★ (15 à 20 €; 3380 b.)** : un joli vin complet, expressif (pêche, agrumes mûrs, boisé toasté), ample, intense et long, qui vieillira bien. ⌛ 2022-2026

⊶ *EARL BAYON-PICHON, 22, rue Cache-Poupons, 71960 Fuissé, tél. 03 85 35 87 74, manoirducapucin@yahoo.fr* V *r.-v.*

MEURGEY-CROSES Vieilles Vignes 2017 ★

	4800		15 à 20 €

Né en 1959 aux Hospices de Beaune, Pierre Meurgey est issu d'une longue lignée de régisseurs de domaines viticoles, œnologues et courtiers en vins bourguignons. Après avoir racheté la maison Champy en 1990, il a fondé en 2013 une activité de négoce sous son nom pour les vins de la Côte d'Or et lancé en 2014 la marque Meurgey-Croses, spécialisée en vins du Mâconnais – sa mère est originaire d'Uchizy.
Sous une robe or paille, cette cuvée dévoile un nez puissant d'agrumes et de pêche blanche souligné de fines notes boisées. Une attaque pimpante, à dominante citronnée, ouvre sur une bouche fruitée, charnue, enveloppante et suave. ⌛ 2020-2024

⊶ *SARL PIERRE MEURGEY, 25, bd Clemenceau, 21200 Beaune, tél. 09 81 83 29 04, contact@pierremeurgey.com* V *r.-v.*

DOM. GILLES NOBLET 2017 ★

	7640		11 à 15 €

Cette exploitation de plus de 11 ha, transmise de génération en génération depuis 1936, est située au cœur de Fuissé. En juillet 2017, Mylène Noblet Durand succède à ses parents.
Premier millésime de Mylène Noblet Durand. Ici, un vin fermenté en foudre et fût de chêne, teinté d'or foncé, qui s'ouvre sur des senteurs florales et fruitées (raisin, pêche jaune et poire). Souple et agréable dès l'attaque, le palais se fait rond, avec une acidité déjà fondue en soutien. ⌛ 2020-2024

⊶ *SCEV GILLES NOBLET, 135, rue En-Collonge, 71960 Fuissé, tél. 03 85 35 63 02, gillesnoblet@wanadoo.fr* V *r.-v.*

FAMILLE PAQUET Les Crays 2016 ★

	2300		20 à 30 €

Fervent défenseur de l'appellation saint-véran, Michel Paquet a toujours eu à cœur de produire des vins de qualité, à forte personnalité. En 2016, il a transmis à ses trois fils ce joli domaine de près de 12 ha. L'année 2018 marque un tournant important puisqu'une partie du vignoble est en conversion à l'agriculture biologique, et en 2019, le Dom. des Valanges devient Famille Paquet. Une valeur sûre.
Un pouilly-fuissé né de ceps de quarante ans, vinifié dix mois en cuve et douze mois en fût. Doré à l'or fin, il développe un nez plaisant d'agrumes (citron et pamplemousse) associés à des notes minérales et boisées. Pourvu d'une belle trame fraîche et fruitée, le palais est bien équilibré. ⌛ 2021-2024 **2017 (20 à 30 €; 5500 b.)** : vin cité.

⊶ *SARL PAQUET FRÈRES, 5, impasse du Grand-Prè, 71960 Solutré-Pouilly, tél. 03 85 35 85 03, contact@famillepaquet.fr* V *r.-v.*

DOM. PERRATON
Clos Reyssier La Cadole 2016 ★

	2300		20 à 30 €

Depuis le haut de la colline argilo-calcaire de Chaintré sur laquelle est implanté ce domaine de 12 ha en bio, on peut admirer la vallée de la Saône et, par temps clair, le massif du Mont-Blanc. Autrefois associé avec son frère Franck, Christophe Perraton est depuis 2018 le seul gérant de l'exploitation.
Issu de vieilles vignes de quatre-vingt-dix ans, ce 2016 livre au premier nez des senteurs minérales, florales et

citronnées. Après une légère aération, on distingue aussi des notes épicées et fumées. Cette palette aromatique complexe se prolonge dans une bouche équilibrée et boisée avec justesse. ⧗ 2021-2024

EARL DOM. CHRISTOPHE PERRATON, 163, rue du Paradis, 71570 Chaintré, tél. 03 85 35 67 45, domaine@vinsperraton.fr V r.-v.

DOM. ALEXIS POLLIER 2017 ★

	1914		15 à 20 €

Représentant la cinquième génération de vignerons, Alexis Pollier s'est installé en 2015 avec à sa disposition 6 ha de vignes.

Paré d'une étoffe d'or jaune brillante et lumineuse, ce 2017 offre un bouquet complexe de surmaturité : abricots et raisins secs, confiture de vieux garçon. Un fruité mûr qui anime aussi la bouche, puissante, ronde et chaleureuse. Un beau vin de maturité poussée, signature d'un élevage bien senti. ⧗ 2021-2025

DOM. ALEXIS POLLIER, chem. des Prouges, 71960 Fuissé, tél. 06 34 65 49 04, domainealexispollier@gmail.com V r.-v.

♥ CH. POUILLY Cuvée 1551 2016 ★★★

	14 000		20 à 30 €

GRAND VIN DE BOURGOGNE
2016
Château Pouilly
POUILLY-FUISSÉ
Cuvée 1551
FAMILLE CANAL DU COMET
MISE AU CHATEAU

Perché sur le mont Pouilly, à la sortie du hameau, ce château se dresse fièrement depuis 1551 au milieu de ses 7 ha de vignes. À sa tête depuis 1981, Mme Canal du Comet vise à redonner son prestige à ce domaine protagoniste des Expositions universelles entre 1862 et 1912. Les traditions sont ici respectées, de la vigne à la bouteille (vinification de douze mois, assemblage avant mise, élevage long en bouteilles).

En 1551 se déroulait la première vendange au château... Près de cinq siècles plus tard, la vendange 2016 fournit un vin admirable, drapé d'or fin aux reflets émeraude, qui déploie des arômes intenses mêlant avec distinction l'agrume mûr, le chèvrefeuille, la pêche blanche et la mangue. Le gras, la puissance et la richesse, mais aussi la finesse caractérisent la bouche qui persiste longuement sur la noisette et le citron confit. Une bouteille d'exception, qui se suffit à elle-même, mais qui pourra escorter magnifiquement un mets de choix. Que diriez-vous d'un brochet au beurre blanc ou d'une poularde de Bresse à la crème? ⧗ 2022-2030

GFA CH. POUILLY, rue du Château, 71960 Solutré-Pouilly, tél. 06 71 77 21 41, gerald.saunier@chateaupouilly.fr V r.-v.

PASCAL ET MIREILLE RENAUD Aux Bouthières 2015 ★

	3200		20 à 30 €

Depuis 1987 à la tête de l'ancienne propriété de la famille Balladur, Pascal et Mireille Renaud sont aujourd'hui secondés par leurs enfants Guillaume et Amandine pour cultiver les 18 ha du vignoble, principalement en appellation pouilly-fuissé. Les vins sont tous élevés en demi-muids ou en foudres.

Ce 2015 issu d'une vigne centenaire cueillie à la main, élevé trente-six mois en demi-muids, est habillé d'une robe « vieil or » intense. Le bouquet complexe et opulent est encore sous l'emprise du bois, mais laisse aussi deviner des notes de fruits exotiques (mangue et fruit de la Passion) et de fruits secs (noisette). Gras et rond, le palais livre des arômes d'évolution (mandarine confite, confiture de vieux garçon), qui lui confère de la persistance et du caractère. Un vin bâti pour la garde, mais déjà agréable aujourd'hui. Un joli travail d'élevage à encourager dans l'optique du classement des grands terroirs de l'appellation en 1er cru. ⧗ 2021-2030

EAR PASCAL RENAUD, imp. du Tonnelier, 71960 Solutré-Pouilly, tél. 03 85 35 84 62, domainerenaudpascal@wanadoo.fr V r.-v.

DOM. SAUMAIZE-MICHELIN Les Courtelongs 2017 ★

	1700		20 à 30 €

Respect du terroir et de la plante, tel est le credo de Christine, Roger et Vivien Saumaize, qui exploitent un domaine de 10 ha sur la magnifique commune de Vergisson.

Ce 2017 né de chardonnays de quarante-cinq ans plantés sur un éboulis calcaire de la Roche de Solutré est éclairé d'un or blanc à reflets verts. Il livre un bouquet dominé par les fruits (poire, raisin sec et mandarine) agrémentés de notes végétales. Dans le prolongement du nez, la bouche se révèle riche et suave, avec une amertume élégante en finale. ⧗ 2021-2025

ROGER SAUMAIZE (DOM. SAUMAIZE-MICHELIN), Le Martelet, 51, imp. du Puits, 71960 Vergisson, tél. 03 85 35 84 05, saumaize-michelin@wanadoo.fr V r.-v.

DOM. JEAN-PIERRE SÈVE Aux Chailloux 2017 ★

	8500		15 à 20 €

Ce domaine de 7,5 ha (vingt parcelles) est situé sur les hauteurs du village de Solutré, au pied de la célèbre roche. En sortant du caveau de dégustation, on découvre un beau panorama allant du vignoble de Pouilly-Fuissé au massif du Mont-Blanc, en passant par la plaine de la Saône. Jean-Pierre Sève y est installé, à la suite de son père, depuis 1981. Ses enfants Mathilde et Antoine l'on rejoint en 2019.

D'un or pâle luminescent s'échappent d'élégantes fragrances de fleurs blanches et de fruits blancs agrémentées d'une délicate note de vanille. La finesse et l'élégance caractérisent le palais, avec juste ce qu'il faut de vivacité pour porter le fruit, aux tonalités citronnées. ⧗ 2021-2025 **Terroir 2017 ★ (11 à 15 €; 10 000 b.)** : un beau vin au nez intense de boisé fumé et de fleurs blanches, harmonieux et riche en bouche, porté par un élevage en fût bien intégré et par une finale plus fraîche, minérale et mentholée. Il devrait bien vieillir. ⧗ 2021-2025

EARL DOM. JEAN-PIERRE SÈVE, rue Adrien-Arcelin, 71960 Solutré-Pouilly, tél. 03 85 35 80 19, domaine@vins-seve.com V r.-v.

LA SOUFRANDISE Vieilles Vignes 2017 ★

	24000		15 à 20 €

La maison de maître où sont logées les caves de ce domaine a été bâtie en 1831 par un lieutenant-colonel de la garde de Napoléon 1er. En 1853, le domaine est racheté par les ancêtres de Nicolas Melin, l'actuel propriétaire, des négociants en vins à Bercy originaires de la région. Le vignoble couvre aujourd'hui 7,5 ha répartis sur une vingtaine de parcelles au cœur de l'appellation pouilly-fuissé.

Doté d'une robe jaune d'or relevée d'un soupçon d'orangé, ce vin offre un nez plaisant de brioche au beurre, de café grillé et de fruits exotiques. L'attaque se révèle fraîche et souple, puis la bouche se fait plus ronde et soyeuse, imprégnée d'arômes d'agrumes et de fruits blancs. ⧗ 2021-2024

EARL DOM. LA SOUFRANDISE, 462, Rouette-du-Clos, 71960 Fuissé, tél. 03 85 35 64 04, la-soufrandise@wanadoo.fr V r.-v.

THÉVENET ET FILS 2017 ★

	1645		11 à 15 €

Le grand-père paternel créa l'exploitation en 1952. Installé en 1971, Jean-Claude, le père, fit prospérer le domaine pour porter sa surface de 3 à 30 ha en 2008 (année de son décès). Ses fils Benjamin, Jonathan et Aurélien sont désormais aux commandes.

Animé de reflets dorés chatoyants, ce pouilly-fuissé s'ouvre sur des notes marquées de fût, puis de fruits blancs et jaunes. La bouche, d'un beau volume et bien équilibrée, se révèle épicée et minérale en finale. Un vin de plaisir à marier à un plateau de fromages bourguignons : chèvre mâconnais, époisses, abbaye de Citeaux... ⧗ 2020-2023

EARL VIGNOBLES ET PÉPINIÈRES THÉVENET ET FILS, 123, chem. du Breu, 71960 Pierreclos, tél. 03 85 35 72 21, thevenetetfils@orange.fr V t.l.j. 7h30-12h 13h30-18h; sam. dim. sur r.-v.

DOM. DU CH. DE VERGISSON Clos en Charmont 2017 ★★

	1150		15 à 20 €

Stéphanie Saumaize et Pierre Desroches sont à la tête de ce domaine de 10 ha situé au pied de la roche de Vergisson. Depuis 2012, ils vinifient leur récolte dans les fameuses caves voûtées et superposées du château de Vergisson.

Or vif et lumineux, ce vin élevé douze mois en barrique dévoile au premier nez des parfums de tisane de fleurs blanches, puis s'intensifie sur des notes de fruits exotiques et de thé fumé. En bouche, «il respire l'air frais et la vendange mûre», indique le jury, comprenez qu'il associe une fine acidité bien dosée à un fruité suave et dense. Un pouilly-fuissé complet et éclatant. ⧗ 2021-2026 **En Servy 2017 ★ (15 à 20 €; 1400 b.)** : la minéralité rappelant sa terre de naissance et les senteurs vanillées et miellées évoquant son berceau en chêne font de ce 2017 un vin harmonieux, rond sans manquer de fraîcheur. ⧗ 2020-2024

SCEV DESROCHES-SAUMAIZE, 101, rue du Château-de-France, 71960 Vergisson, tél. 06 21 85 67 60, pierredesroches@hotmail.fr V r.-v.

PIERRE VESSIGAUD Pierres à Canards 2017 ★

	2000		20 à 30 €

Un domaine très régulier en qualité, établi au cœur du hameau de Pouilly, entre les villages de Fuissé et de Solutré. Pierre Vessigaud vendange manuellement, même son appellation régionale mâcon, et élève ses jus longuement.

D'un or vert animé de reflets étincelants, ce vin déploie des senteurs de fruits mûrs. La bouche, ample, riche, chaleureuse, dévoile des saveurs de pêche blanche et de citron agrémentées de notes boisées. Un vin solaire, à l'image de nos étés caniculaires... ⧗ 2021-2025

EARL DOM. PIERRE VESSIGAUD, hameau de Pouilly, 71960 Solutré, tél. 03 85 35 81 18, contact@vins-pierrevessigaud.fr V *t.l.j. sf dim. 9h-12h 13h30-19h*

POUILLY-LOCHÉ

Superficie : 32 ha / Production : 1 500 hl

DOM. CORDIER 2017 ★

	3000		15 à 20 €

Basé à Fuissé, Christophe Cordier a pris la tête de ce vignoble de 30 ha à la suite de son père Roger. Il a élargi sa gamme en créant une affaire de négoce sous son nom. Une référence en Mâconnais, avec les deux casquettes, également présent en beaujolais.

Or paille d'une limpidité parfaite, ce 2017 offre un nez très ouvert et original de mangue, de poire et de pétale de rose soulignées de notre beurrées. La bouche est ronde, avec une acidité bien fondue en appoint et une finale fruitée, élégante et ronde. ⧗ 2020-2024

SARL CHRISTOPHE CORDIER, Les Molards, 71960 Fuissé, tél. 03 85 35 62 89, domaine.cordier@wanadoo.fr V r.-v.

MARCEL COUTURIER Vieilles Vignes 2017 ★

	4000		20 à 30 €

Installé en cave particulière depuis 2005 après avoir été apporteur à la cave coopérative des Grands Crus à Vinzelles, Marcel Couturier revendique une viticulture proche de l'agrobiologie. Son vignoble couvre 12 ha (en cours de conversion bio).

Ce vin blanc brille de beaux reflets dorés. Élevé onze mois en fût de chêne, il n'en garde que d'infimes notes toastées, dans un environnement fruité et floral. Le mariage réussi du bois et du vin se poursuit tout au long de la dégustation pour donner naissance à un palais onctueux, équilibré et réglissé. Une jolie bouteille pour les amateurs de vins boisés avec justesse. ⧗ 2021-2025

EARL DOM. MARCEL COUTURIER, 730, rte de Fuissé, 71960 Fuissé, tél. 06 23 97 23 21, domainemarcelcouturier@orange.fr V r.-v.

DOM. GIROUX Au Bûcher 2017

	2500		15 à 20 €

Créé en 1973 par Yves Giroux, ce domaine situé sur les hauteurs de Fuissé a connu sa première succession

en 2009. C'est aujourd'hui le fils aîné Sébastien qui préside aux destinées de ce vignoble de près de 7 ha.
La finesse caractérise ce 2017 plaisant. D'un or léger à reflets brillants s'échappent de discrètes notes variétales et végétales, puis après aération arrivent les fruits mûrs et les fleurs blanches. Le palais affiche un bon rapport acidité-gras et révèle en finale un fond minéral typique. Un joli vin à savourer sur des hors-d'œuvre. ⧗ 2020-2023

EARL GIROUD YVES ET FILS, Les Molards, 71960 Fuissé, tél. 09 79 00 64 33, domainegiroux@wanadoo.fr V r.-v.

LES GRANDS CRUS BLANCS Vieilles Vignes 2017 ★

10000		8 à 11 €

Créée en 1929, la Cave des Grands Crus Blancs a scellé l'union des vignerons de deux villages voisins : Vinzelles et Loché. Surtout présente dans le Mâconnais, la coopérative propose aussi des crus du Beaujolais. Élaborés par un jeune œnologue, Jean-Michel Atlan, ses vins figurent régulièrement dans le Guide.
D'une belle couleur or pâle nuancé de gris, ce 2017 dispense une olfaction assez discrète, qui s'ouvre à l'aération sur l'aubépine et le tilleul soulignés de senteurs crayeuses. Le palais se révèle rond, joliment fruité (pêche de vigne) et friand, avec une salinité finale agréable. Un vin plaisant, tout indiqué pour l'apéritif. ⧗ 2020-2024
Les Mûres 2017 (8 à 11 €; 14000 b.) : vin cité.

SCA CAVE DES GRANDS CRUS BLANCS, 2367, rte des Allemands, 71680 Vinzelles, tél. 03 85 27 05 70, contact@lesgrandscrusblancs.com V *t.l.j. 8h30-12h30 13h30-18h30*

POUILLY-VINZELLES

Superficie : 52 ha / Production : 1 700 hl

JOSEPH DROUHIN 2017 ★

89300		15 à 20 €

Créée en 1880, cette maison beaunoise travaille une large palette d'AOC bourguignonnes : de Chablis (38 ha sous l'étiquette Drouhin-Vaudon) à la Côte chalonnaise (3 ha), en passant par les Côtes de Beaune et de Nuits (32 ha). On peut y ajouter les vignes américaines du Dom. Drouhin en Oregon (90 ha) et de Roserock Vineyard, 112 ha dans la région des Eola-Amity Hills. Ce négoce d'envergure grâce à ce vaste domaine de 73 ha – développé par Robert Drouhin à partir de 1957 et désormais géré par ses quatre enfants – est aussi le plus important propriétaire de vignes cultivées en biodynamie. Incontournable.
Issu de vendanges manuelles, ce vin blanc et or brille de mille feux. Élevé six mois en cuve, il sent bon la fleur d'acacia et le citron, tandis qu'en bouche les sensations de rondeur et de vivacité se marient harmonieusement jusqu'à la finale centrée sur la pomme verte et la minéralité. ⧗ 2020-2024

SA MAISON JOSEPH DROUHIN, 7, rue d'Enfer, 21200 Beaune, tél. 03 80 24 68 88, christellehenriot@drouhin.com V *r.-v.*

DOM. DE FUSSIACUS 2017 ★

2600		11 à 15 €

Jean-Paul Paquet est à la tête de cette propriété familiale depuis 1978. Ce domaine porte le nom du seigneur romain Fussiacus qui s'installa à Fuissé. Un domaine très régulier en qualité.
Ce blanc se pare d'un or soutenu et laisse échapper d'intenses parfums de fruits mûrs comme la mirabelle et l'abricot, mais aussi de caramel au beurre salé. En bouche, il se fait souple en attaque, puis plus consistant et structuré. Une finale fraîche est apportée par une acidité tranchante. Un vin bâti pour la garde. ⧗ 2022-2030

SAS JEAN-PAUL PAQUET ET FILS, Les Molards, 71960 Fuissé, tél. 03 85 27 01 06, domainespaquet@gmail.com V *r.-v.*

DOM. MARC JAMBON ET FILS Château de Vinzelles 2017

933		11 à 15 €

Établi à Pierreclos depuis 1752, le Dom. Jambon est dirigé depuis 2017 et la retraite de Marc par son fils Pierre-Antoine et Michel Prudhon. Un domaine de 12 ha réparti sur Pierreclos et Vinzelles, qui signe de belles cuvées avec une réelle constance.
Ce pouilly-vinzelles affiche une robe étincelante, jaune d'or intense. D'abord réservé, le nez dévoile peu à peu un fruité doux, agrémenté de nuances de confiture. Franchise et élégance caractérisent la bouche, qui finit sur une jolie note fruitée d'abricot, de pêche et de litchi. Un vin ample et fin, à boire aussi bien jeune que patiné par la garde. ⧗ 2020-2025

EARL DOM. MARC JAMBON ET FILS, 38, imp. de la Roche, 71960 Pierreclos, tél. 06 25 68 80 61, contact@domainemarcjambon V *r.-v.*

DOM. THIBERT PÈRE ET FILS Les Longeays 2016

14256		20 à 30 €

Issus d'une dynastie de vignerons forte de huit générations, Andrée et René Thibert créent leur propre domaine en 1967, sur 2,5 ha. Aujourd'hui, leurs enfants Sandrine et Christophe sont cogérants d'un vignoble de 30 ha. Une valeur (très) sûre du Mâconnais.
D'un bronze étincelant, ce 2016 dévoile un bouquet expressif et original de brioche au beurre, de pamplemousse, de sucre de canne et de pivoine. En bouche, l'acidité du millésime éclate, puis laisse la place à une chair ronde agrémentée d'une pointe d'amertume agréable. Sa finale tendue lui confère fraîcheur et longueur. ⧗ 2020-2024

SARL DOM. THIBERT PÈRE ET FILS, 20, rue Adrien-Arcelin, 71960 Fuissé, tél. 03 85 27 02 66, info@domaine-thibert.com V *r.-v.*

TRENEL Les Quarts 2017

3500		20 à 30 €

En 1928, Henri Claudius Trenel crée un commerce de liqueurs de fruit à Charnay-lès-Mâcon. Il se tourne ensuite vers l'achat de raisins. Son fils André lui succède à la tête de cette maison de négoce finalement rachetée en 2015 par Michel Chapoutier, célèbre négociant de la Vallée du Rhône.

Or jaune aux reflets patinés, il possède une intensité aromatique intéressante, dans laquelle on distingue des notes florales, de fruits jaunes et de beurre frais. Tendu à l'attaque, le palais décline d'intenses saveurs boisées. Un vin classique à apprécier dans un an ou deux sur une volaille à la crème. ⧗ 2019-2021

SAS TRENEL, 33, chem. de Buery, 71850 Charnay-lès-Mâcon, tél. 03 85 34 48 20, export@trenel.fr V ✶ ▪ *t.l.j. sf sam. dim. 8h-12h 14h-18h*

SAINT-VÉRAN

Superficie : 680 ha / Production : 37 500 hl

Implantée surtout sur des terroirs calcaires, l'appellation, reconnue en 1971, constitue la limite sud du Mâconnais, entre les AOC pouilly-fuissé, pouilly-vinzelles et beaujolais. Elle est réservée aux vins blancs produits dans huit communes de Saône-et-Loire. Légers, élégants et fruités, les saint-véran accompagnent bien les débuts de repas. Ils sont intermédiaires entre les pouilly-fuissé et les mâcon suivis d'un nom de village.

DOM. BOURDON 2017

| 10500 | | 8 à 11 € |

Ce domaine de 17,5 ha possède deux caves : un chai moderne au cœur du hameau de Pouilly et une magnifique cave voûtée en pierre à Vergisson. À sa tête, Sylvie et François Bourdon représentent la cinquième génération.

Cette cuvée se présente vêtue d'or clair et diffuse d'intenses parfums rappelant le zeste d'agrume, la pêche, le litchi et la mirabelle. La bouche se singularise par une chair souple et saline; l'acidité présente est bien intégrée dans la trame fruitée. La touche citronnée en finale lui confère une bonne tonicité. Un vin à boire dès maintenant avec une salade de chèvre chaud, mais qui saura également tenir le cap pendant un ou deux ans. ⧗ 2019-2021

EARL BOURDON ET FILS, rue de la Chapelle, Pouilly, 71960 Solutré-Pouilly, tél. 03 85 35 81 44, francoisbourdon2@wanadoo.fr V ✶ ▪ *r.-v.*

NATHALIE BRESSAND Aux Jean des Moitiers 2017

| 1200 | | 11 à 15 € |

À la tête depuis 1996 d'un petit domaine de 4,5 ha dans son village natal de Solutré-Pouilly, Nathalie Bressand travaille de façon traditionnelle : vendanges manuelles, vinification et élevage en fût de chêne. Elle reprend en 2013 une petite parcelle de 15 ares de Saint-Véran, située à 500 m de son cuvage.

Vinifié en fût et en cuve, ce vin à la robe dorée nuancée de reflets cuivrés a été mis en bouteille au printemps, puis élevé en bouteille quelques mois avant sa mise sur le marché. Il développe un nez de fruits mûrs rappelant la pêche jaune et l'ananas. Facile d'approche, il possède une belle tension minérale et les fruits persistent longuement au palais. Une cuvée confidentielle (1 200 bouteilles) à boire dans l'année ou à encaver. ⧗ 2019-2020

NATHALIE BRESSAND, Hameau de Chevigné, 324, rue Jean-des-Moitiers, 71960 Davayé, tél. 06 29 94 33 05, lesvinsdenathalie@sfr.fr V ✶ ▪ *r.-v.*

DOM. DE LA CHAPELLE Les Perriers 2017

| 5300 | | 11 à 15 € |

La marque «Dom. de la Chapelle» fut déposée en 1904, mais elle n'appartenait pas à l'époque à la famille Rollet. En 2005, Catherine et Pascal Rollet ont acquis les vignes (7,5 ha aujourd'hui) qu'ils travaillaient en métayage depuis 1982. La chapelle en question date du XVᵉs., elle est située au cœur de la propriété mais ne lui appartient pas.

Les Rollet proposent ici un vin de bonne intensité colorante, jaune d'or, duquel s'exhalent d'intenses parfums frais et fruités. On peut y reconnaître le pamplemousse, le citron et l'aubépine. L'entrée en bouche se fait agréable : l'acidité bien présente ne masque pas les arômes minéraux et la finale longue et vive lui donne un caractère «terroir». ⧗ 2019-2022

EARL PASCAL ROLLET, rue de la Chapelle, 71960 Solutré-Pouilly, tél. 03 85 35 81 51, rolletpouilly@wanadoo.fr V ✶ ▪ *r.-v.*

DOM. CHARDIGNY Vieilles Vignes 2017

| n.c. | | 11 à 15 € |

Ce domaine, dans la même famille depuis deux siècles, étend ses vignes sur 8 ha de saint-véran, mâcon, mâcon-villages et bourgogne rouge. En 2015, Pierre-Maxime et Victor-Emmanuel Chardigny ont pris la suite de leurs parents Catherine et Jean-Michel. La conversion bio a été engagée la même année.

Couleur bouton d'or brillant, ce vin développe un nez attirant de pêche et d'abricot mûr souligné de fines notes fleuries. La bouche confirme le nez, c'est rond, complexe et généreux. Parfait pour un poulet de Bresse à la crème. ⧗ 2019-2022

SARL VIGNOBLES CHARDIGNY, 90, rue du Creux-du-Vic, 71570 Leynes, tél. 06 26 37 81 24, info@domaine-chardigny.com V ✶ ▪ *r.-v.*

JACQUES CHARLET Les Sauniers 2017

| 80000 | | 11 à 15 € |

Au moment où la ligne de chemin de fer du Paris-Lyon-Marseille se construisait, les deux négociants Loron et Charlet ont eu l'idée de s'installer dans des bâtiments communs au bord de la voie ferrée. Ils ont fusionné et ont marié leurs enfants respectifs. Aujourd'hui encore, cette maison à taille humaine propose les terroirs historiques du Beaujolais et des vins du Mâconnais.

D'un jaune d'or vif, ce 2017 pourra être apprécié dès aujourd'hui à l'apéritif en accompagnement d'un jambon persillé, mais se bonifiera aussi avec un ou deux ans de garde. Son bouquet ouvert mêle harmonieusement les agrumes, la pêche de vigne, les fleurs blanches et la citronnelle. En bouche, le minéral éclate en attaque, puis laisse place à une chair gourmande et bien citronnée. Une cuvée représentative de son appellation et du millésime. ⧗ 2019-2022

SAS MAISON JACQUES CHARLET, Pontanevaux, 71570 La Chapelle-de-Guinchay, tél. 03 85 36 82 41, contact@jacques-charlet.fr

PHILIPPE CHARMOND
La Vieille Vigne de Saint-Claude 2017

| 1370 | | 8 à 11 € |

Célèbre pour ses roches de Solutré et de Vergisson, ce joli petit coin du Mâconnais accueille également Philippe Charmond et ses 8 ha de vignes.

Jaune paille brillant, ce vin propose un nez puissant et enchanteur de fleurs blanches, d'agrumes et d'ananas mêlé aux notes d'élevage sous-bois : épices douces et amandes grillées. Une attaque douce et suave fait place à une matière fruitée (pêche et abricot) pour finir sur des notes vanillées. Un vin gourmand à consommer dans l'année. 2019-2020

PHILIPPE CHARMOND, 263, rue du Château de France, 71960 Vergisson, tél. 03 85 35 87 98, philippe.charmond@aol.com V *r.-v.*

CAVE DE CHARNAY-LÈS-MACON
Grand Clos 2017 ★

| 6620 | | 8 à 11 € |

Cette cave coopérative créée en 1929 regroupe aujourd'hui 70 adhérents pour 120 ha de vignes et propose une large gamme de vins du Mâconnais complétée par quelques cuvées beaujolaises.

Un saint-véran récolté les derniers jours d'août et élevé une année en cuve. Vêtu d'une étoffe jaune poussin à reflets argentés, il se révèle à la fois floral et minéral dans une belle complexité aromatique. La bouche est construite autour d'une rondeur fruitée, avec une minéralité qui la rafraîchit. Un vin de plaisir à boire dans sa jeunesse. 2019-2021 **Dom. Rivet Vieilles Vignes 2017 (8 à 11 €; 13300 b.)** : vin cité.

SCA LES ORFÈVRES DU VIN, En Condemine, 71850 Charnay-lès-Mâcon, tél. 03 85 34 54 24, michael.dafre@cave-charnay.com V *r.-v.*

CH. CHASSELAS En Faux 2017

| 3000 | | 11 à 15 € |

Ce vénérable domaine viticole remontant au XIVᵉs., commandé par un château des XIVᵉ et XVIIIᵉs. flanqué de trois tours en poivrière, a été repris en 1999 par Jean-Marc Veyron La Croix et Jacky Martinon. Les 11 ha de vignes sont conduits dans une démarche raisonnée (labour, griffage, amendement naturel...).

Ce 2017 à la robe vermeil offre un nez encore discret de fleurs blanches et d'agrumes. Une mise en bouche accueillante et fraîche, une belle texture et des saveurs minérales en font un joli vin d'apéritif. 2019-2022

SARL CH. DE CHASSELAS, 161, rue du Château, 71570 Chasselas, tél. 03 85 35 12 01, contact@chateauchasselas.fr

DOM. MICHEL CHAVET ET FILS 2017 ★

| 60000 | | 5 à 8 € |

C'est en 1870 que tout commence par Jacques Léger, puis au fil du temps les générations se succèdent toujours à Davayé. Aujourd'hui, l'exploitation compte 17 ha de vignes en appellation saint-véran, pouilly-fuissé, mâcon blanc et rouge, crémant-de-bourgogne et même fleurie en Beaujolais.

D'une belle limpidité aux reflets verts, ce vin de bonne expression dévoile des parfums de fruits jaunes frais et de petites fleurs blanches des haies. Sa bouche est élégante, bien équilibrée entre la richesse et l'acidité, et la finale minérale laisse une impression de fraîcheur. Un joli vin typique à petit prix. 2019-2022

EARL MICHEL CHAVET ET FILS, 49, rue des Durandys, 71960 Davayé, tél. 06 70 54 63 13, gaec.chavetmichel@wanadoo.fr V *t.l.j. sf dim. 8h-12h 13h30-18h30*

DOM. CHÊNE
La Grande Vigne Cuvée Prestige 2017 ★

| 5800 | | 8 à 11 € |

Vigneronne depuis 1973, la famille Chêne quitte la cave coopérative de Prissé en 1999 pour vinifier et commercialiser sa propre production. Établi en plein cœur du Val Lamartinien, le domaine dispose d'un important vignoble : 45 ha répartis dans plusieurs appellations. Une valeur sûre du Mâconnais.

Issu de l'assemblage des jus élevés en cuve (70 %) et en fût de chêne (30 %), ce vin se révèle limpide et brillant. Il rappelle au nez le sol qui l'a vu grandir et le fruit mûr : arômes d'abricot frais et de pêche blanche mêlés à des notes crayeuses. Une attaque vive ouvre sur une bouche riche en fruit, sans pour autant oublier l'acidité qui fait office de fil conducteur tout au long de la dégustation. Une saveur légèrement vanillée en finale lui apporte de la gourmandise. Encore sur la réserve, laissez-lui deux ou trois années pour s'épanouir, il en a le potentiel. 2021-2024

SCEV CHÊNE, Ch. Chardon, 71960 La Roche-Vineuse, tél. 03 85 37 65 90, domainechene@orange.fr V *t.l.j. 9h30-12h 14h30-19h*

DOM. CORSIN Tirage précoce 2017

| 25200 | | 8 à 11 € |

Ce domaine prestigieux, et toujours familial, existe depuis plus d'un siècle. Précurseur dans la vente en bouteilles, il est aujourd'hui entre les mains expertes de Gilles Corsin et de son neveu Jérémy.

Vêtu de jaune citron, ce 2017 possède de jolis attraits : citron, pamplemousse, mangue et fruit de la Passion. La bouche est bien équilibrée : la fraîcheur s'associe à une matière enveloppante, riche en fruits confits. D'une belle texture, cette bouteille sera le compagnon idéal d'un poisson grillé. 2020-2022 **Vieilles Vignes 2017 (11 à 15 €; 40170 b.)** : vin cité.

SCEA DOM. CORSIN, 404, rue des Plantes, 71960 Davayé, tél. 03 85 35 83 69, contact@domaine-corsin.com V *r.-v.*

DOM. COTEAUX DES MARGOTS Aux Colas 2017

| 3000 | | 11 à 15 € |

Jean-Luc Duroussay s'installe en 1983 sur le domaine familial, 16 ha situés au cœur des collines du Mâconnais, essentiellement sur Pierreclos. Il y est rejoint en 1999 par son épouse Véronique; ensemble, ils entreprennent de valoriser la production en développant la vente en bouteilles aux particuliers.

Un saint-véran doré à souhait, au nez subtil de fleurs blanches souligné de notes citronnées. La bouche, à la minéralité dominante, est concentrée et bien équilibrée. Le jury conseille de l'associer dans deux ou trois ans à des escargots de Bourgogne. 2020-2024

SCV DOM. COTEAUX DES MARGOTS, 219, rue des Margots, 71960 Pierreclos, tél. 06 25 56 23 08, domainecoteauxdesmargots@wanadoo.fr r.-v.

DOM. MARCEL COUTURIER
La Cour des Bois 2017 ★★

2200 | 11 à 15 €

Installé en cave particulière depuis 2005 après avoir été apporteur à la cave coopérative des Grands Crus à Vinzelles, Marcel Couturier revendique une viticulture proche de l'agrobiologie. Son vignoble couvre 12 ha (en cours de conversion bio).

Issu de ceps de cinquante ans, ce vin a grandi dans le bois pendant presque une année. D'une couleur or à reflets pistache, il surprend par sa complexité : aubépine, citron, miel d'acacia, pêche de vigne, touches minérales. La bouche ne déçoit pas : acidulée en attaque, elle s'enrichit ensuite d'une chair fruitée. Il en résulte un vin fringant et racé, bien équilibré, aux saveurs finales de citron vert. ⧗ 2021-2025

EARL DOM. MARCEL COUTURIER, 730, rte de Fuissé, 71960 Fuissé, tél. 06 23 97 23 21, domainemarcelcouturier@orange.fr r.-v.

♥ DOM. DE LA CREUZE NOIRE
Les Carrales 2017 ★★

5000 | 11 à 15 €

Ce domaine familial de 17 ha est situé à Leynes, village frontière entre Beaujolais et Mâconnais. À sa tête depuis 1985, Christine et son époux Dominique Martin le conduisent en lutte raisonnée et pratiquent des vendanges manuelles. Leur vignoble est réparti entre les AOC bourguignonnes et beaujolaises.

Cette cuvée charme immédiatement avec sa robe jaune serin constellée de paillettes dorées. D'intenses arômes de litchi, de mangue et de vanille sur un fond de petites fleurs blanches composent une palette aromatique complexe. Légère à l'attaque, la bouche se fait ensuite riche et enveloppante, sans aucune aspérité, traversée d'une fine lame minérale et de notes de fruits exotiques persistantes. Un seigneur de l'appellation, à servir sur un mets de choix : que diriez-vous d'un homard grillé ? ⧗ 2021-2025 **Loïc Martin 2017 (8 à 11 €; 10 000 b.)** : vin cité.

EARL DOMINIQUE ET CHRISTINE MARTIN, La Creuze-Noire, 71570 Leynes, tél. 03 85 37 46 43, domainemartin.dcn@gmail.com t.l.j. sf dim. 8h-12h 14h-18h

Ⓑ DOM. DE LA CROIX SENAILLET
Sur La Carrière 2017 ★★

n.c. | 20 à 30 €

Le Dom. de la Croix Senaillet a été créé en 1969 par Maurice Martin, qui a progressivement abandonné la polyculture pour la vigne. En 1990, son fils Richard reprend le domaine familial, avant d'être rejoint par son frère Stéphane en 1992. La propriété de 6,5 ha au départ s'est agrandie pour atteindre 27 ha aujourd'hui, répartis sur 60 parcelles en bio certifié depuis 2010. Forts de leur expérience, ils font l'acquisition en 2015 du Dom. de Mont Épin à Clessé (13 ha).

Drapé dans une robe jaune citron lumineuse, ce vin offre un nez précis s'ouvrant sur des notes vanillées, puis exotiques et enfin florales (chèvrefeuille). Après une attaque crayeuse et fraîche, se développe une bouche expressive, sur la pêche et l'abricot, dynamisée par une pointe exotique, vive et tranchante. Un vin parfaitement équilibré et persistant, que l'on verrait bien avec un turbot sauce hollandaise. ⧗ 2020-2024 **2017 ★★ (11 à 15 €; n.c.)** Ⓑ : un saint-véran complexe au nez floral, fruité, grillé et salin, harmonieux en bouche, offrant du gras, du volume, de la densité et de la fraîcheur, avec cette même note saline qui vient dynamiser la finale. ⧗ 2020-2024 **La Grande Bruyère 2017 ★ (11 à 15 €; 4 400 b.)** Ⓑ : un vin au nez discret de fruits jaunes et de fruits exotiques, souple et frais en attaque, plus riche et miellé dans son développement. Une belle personnalité. ⧗ 2020-2023

SARL RICHARD ET STÉPHANE MARTIN, 471, rue des Personnets, En-Coland, 71960 Davayé, tél. 03 85 35 82 83, contact@signaturesmartin.com r.-v.

♥ DEUX ROCHES Les Cras 2017 ★★

4000 | 20 à 30 €

L'aventure au domaine commence en 1928 avec les premières vignes que Joanny Collovray possède autour de Davayé, à l'ouest de Mâcon. Deux générations plus tard, les Collovray ont rencontré les Terrier et s'associent au sein du Dom. des Deux Roches qui naît en 1986. Aujourd'hui la quatrième génération est à l'œuvre... Une valeur sûre du Mâconnais.

Drapée d'une étoffe d'or blanc aux reflets platine, cette cuvée laisse échapper des senteurs élégantes à la fois fruitées (pêche jaune et citron) et florales (chèvrefeuille et aubépine). Caractérisée par un équilibre parfait entre le gras et l'acidité, la bouche, à l'attaque vive, monte en puissance tout au long de la dégustation, déployant beaucoup d'onctuosité, mais aussi de la fraîcheur. Un vin de caractère, tonique et ample. ⧗ 2020-2026

SARL CHRISTIAN COLLOVRAY ET JEAN-LUC TERRIER (DEUX ROCHES), 181, rte de Mâcon, 71960 Davayé, tél. 03 85 35 86 51, info@collovrayterrier.com

DOM. THIERRY DROUIN 2017

4500 | 11 à 15 €

Natif de Vergisson et issu d'une famille vigneronne depuis trois générations, Thierry Drouin a créé son domaine en 1984. Son fils, Charles-Edouard, l'a rejoint en 2012 après avoir travaillé dans la vallée du Rhône et le Val de Loire. Ils exploitent ensemble près de 11 ha entre les roches de Solutré et de Vergisson.

Jaune pâle et limpide à l'œil, ce saint-véran présente un nez en demi-teinte qui laisse poindre après aération des notes boisées, florales et fruitées. La bouche, élégante et

BOURGOGNE

fraîche, se montre déjà agréable, mais gagnera en complexité après quelques années de garde. ⧗ 2020-2024

EARL CHARLES ET THIERRY DROUIN, 800, rte des Charmes, 71960 Vergisson, tél. 03 85 35 84 36, contact@domaine-drouin.com V mer. sam. dim. 9h30-12h 13h30-17h

CH. FUISSÉ 2017 ★

	40000		15 à 20 €

Ce domaine emblématique de Fuissé exploite aujourd'hui 40 ha de chardonnay sur les meilleurs terroirs de l'appellation. La famille Vincent en est propriétaire depuis 1862 et Antoine, ingénieur agronome et œnologue, depuis 2003. Des caves du XVe s. sortent des vins à la renommée internationale : 80 % sont vendus à l'export.

La robe d'or pur de ce 2017 affiche de jolies nuances vertes. Du verre s'exhalent de sympathiques notes de miel, de brioche, de citron confit et d'abricot. Même si la bouche possède tous les atouts nécessaires (amplitude, gras, vivacité et longueur), il faudra un peu de temps pour que ceux-ci s'harmonisent. Un joli vin de garde. ⧗ 2021-2025

SCEA DU CH. DE FUISSÉ, 419, rue du Plan, 71960 Fuissé, tél. 03 85 35 61 44, domaine@chateau-fuisse.fr V r.-v.

DOM. DE FUSSIACUS 2017

	9500		8 à 11 €

Jean-Paul Paquet est à la tête de cette propriété familiale depuis 1978. Ce domaine porte le nom du seigneur romain Fussiacus qui s'installa à Fuissé. Un domaine très régulier en qualité.

Brillante, la robe dorée de ce 2017 est ourlée de reflets verts. Exubérant, le nez s'ouvre sur d'intenses arômes d'ananas, de litchi et d'acacia. Après une attaque grasse et suave, apparaît une vivacité intense qui lui apporte de l'équilibre et du dynamisme. Un vin « punchy » qui s'appréciera aussi bien dans sa jeunesse qu'après quelques années de cave. ⧗ 2019-2023

SAS JEAN-PAUL PAQUET ET FILS, Les Molards, 71960 Fuissé, tél. 03 85 27 01 06, domainespaquet@gmail.com V r.-v.

DOM. GAILLARD La Grande Bruyère 2017

	2293		8 à 11 €

En 1981, Roger Gaillard s'installe avec 1 ha de pouilly-fuissé à Davayé. Sa femme Véronique le rejoint en 1988 et, au fil des années, ils développent l'exploitation, en ajoutant de nouvelles appellations (saint-véran, mâcon, crémant-de-bourgogne) à leur escarcelle. Ils ont été rejoints en 2015 par leur fils Romain et leur domaine compte désormais 11 ha.

Ce 2017 provient de chardonnays cueillis à la main, fermentés avec des levures indigènes et élevés en cuve (90 %) et en fût de chêne (10 %). Il revêt une belle couleur d'or blanc et déploie une palette aromatique fruitée (abricot, ananas et fruit de la Passion), nuancée de notes grillées. Sa bouche ronde et souple possède une finale fraîche bienvenue. ⧗ 2020-2024

EARL DOM. GAILLARD, 152, rue des Plantes, 71960 Davayé, tél. 03 85 35 83 31, domaine.gaillard@orange.fr V r.-v.

DOM. LUDOVIC GREFFET 2017 ★

	2140		8 à 11 €

Depuis son installation en 2000, Ludovic Greffet, quatrième du nom à la tête du domaine (6,5 ha), a modernisé l'exploitation familiale fondée par son arrière-grand-père Léon en 1929. Il s'est forgé un solide savoir-faire par un apprentissage dès son plus jeune âge dans les vignes avec son père et par de nombreuses expériences auprès de différents vignerons de la Côte de Beaune et de Châteauneuf-du-Pape.

Élevé sur lies fines en foudres de bois, ce vin se pare d'une couleur jaune d'or soutenue et offre un bouquet délicatement caramélisé, fruité (pamplemousse) et floral (acacia). En bouche, on décèle une pointe d'amertume bien intégrée et contrebalancée par le gras de la matière. Un vin fin, élégant, finement ciselé. ⧗ 2020-2024

LUDOVIC GREFFET, 3, imp. de la Patte-d'Oie, 71960 Davayé, tél. 06 23 75 35 22, domaine@ludovic-greffet.fr V r.-v.

DOM. GUEUGNON REMOND 2017

	11500		11 à 15 €

Établis à Charnay-lès-Mâcon, Véronique, la fille, et Jean-Christophe, le gendre, ont repris en 1997 ce domaine familial de 14 ha créé dans les années 1980 au bord de la voie Verte, très courue des Mâconnais et des touristes en quête de grand air, qui a obtenu la certification HVE en 2018.

Évoquant la couleur des blés par ses reflets blonds d'un bel éclat, ce 2017 également engageant au nez offre une palette aromatique mêlant les fruits blancs gorgés de soleil, les agrumes et les fruits secs. Sa bouche se révèle vive et citronnée, encore dynamisée par une finale anisée. Pour un plaisir immédiat. ⧗ 2019-2021

EARL V. ET J.-C. RÉMOND, 117, chem. de la Cave, 71850 Charnay-lès-Mâcon, tél. 03 85 29 23 88, vinsgueugnonremond@free.fr V r.-v.

GAËL MARTIN En Faux Cuvée Victor 2017

	2000		11 à 15 €

Installé en 2004 à l'âge de dix-neuf ans sur le domaine familial, Gaël Martin (quatrième génération) est établi en Mâconnais, aux confins du Beaujolais. Son vignoble de 20 ha est à cheval sur les deux régions, si bien qu'il propose aussi bien du bourgogne blanc et du saint-véran que du juliénas, du saint-amour, du chiroubles et du chénas.

Né sur un sol argilo-calcaire, ce vin issu de vendanges manuelles et élevé durant douze mois en barrique porte une jolie robe couleur paille à reflets cuivrés. Si le nez semble d'abord sur la réserve, il développe après aération d'intenses arômes de toast grillé, d'abricot juteux et de miel d'acacia. La bouche, généreuse et ample, imprégnée de noisette fraîche, laisse toutefois une sensation fortement boisée qui devrait se fondre avec le temps. ⧗ 2021-2025 **Clos la Planchette 2017 (11 à 15 €; 1000 b.)** : vin cité.

GAËL MARTIN, Les Truges, 71570 Saint-Vérand, tél. 03 85 40 64 22 V r.-v.

GILLES MORAT 2017

	8000		11 à 15 €

Après une carrière dans l'électronique, Gilles Morat décide de reprendre le domaine familial (6 ha au pied de la roche de Vergisson) en 1997. Ce vigneron consciencieux s'illustre avec une grande régularité par ses pouilly-fuissé.

Ce saint-véran élevé neuf mois en cuve Inox se pare d'une robe jaune pâle à reflets dorés et offre un joli bouquet de chèvrefeuille et de pamplemousse. En bouche, on découvre un vin bien constitué, fin et frais à la fois, avec juste ce qu'il faut de fruit pour le rendre attrayant. 2019-2021

EARL GILLES MORAT, Châtaigneraie Laborier, 595, rte des Bruyères, 71960 Vergisson, tél. 06 82 30 06 28, gil.morat@wanadoo.fr V r.-v.

FAMILLE PAQUET Les Cras 2017 ★

	9300		15 à 20 €

Fervent défenseur de l'appellation saint-véran, Michel Paquet a toujours eu à cœur de produire des vins de qualité, à forte personnalité. En 2016, il a transmis à ses trois fils ce joli domaine de près de 12 ha. L'année 2018 marque un tournant important puisqu'une partie du vignoble est en conversion à l'agriculture biologique. Une valeur sûre.

Ce vin couleur or clair présente, après aération, une palette aromatique discrète réunissant des senteurs délicates, boisées et poivrées, des notes florales et des fruits jaunes mûrs. Saveurs que l'on retrouve dans une bouche ample et concentrée, légèrement perlante et persistante. 2019-2022

SCEA DOM. DES VALANGES, 314, rue des Valanges, 71960 Davayé, tél. 03 85 35 85 03, contact@famillepaquet.fr V r.-v.

DOM. DES PÉRELLES Le Clos 2017

	1400		11 à 15 €

Jean-Yves Larochette a pris en 1990 les rênes du domaine familial. Son exploitation a son siège aux confins du Mâconnais et du Beaujolais, et couvre aujourd'hui 11 ha répartis dans ces deux régions.

Un 2017 d'un beau jaune vert aux reflets lumineux. Son nez exprime des senteurs agréables de melon confit, de pêche blanche et de bergamote mâtinées de notes vanillées. Franche, ample et ronde, la bouche s'avère plaisante, quoique un peu chaleureuse en finale. 2019-2024

EARL LAROCHETTE, 393, rue des Barbiers, 71570 Chânes, tél. 06 82 04 21 57, jy.larochette@orange.fr V r.-v.

ROMUALD PETIT Vieilles Vignes des Colas 2017 ★

	2000		11 à 15 €

Après des études de «viti-œno» qui l'ont conduit dans différents vignobles en France, Romuald Petit revient en 2005 sur ses terres du Mâconnais pour créer un domaine couvrant aujourd'hui 14 ha en saint-véran, en morgon, en saint-amour et en chiroubles.

D'une couleur or clair, transparente et brillante, ce vin offre un nez bien ouvert de fleur d'acacia, de poire, de pomme et de pierre à fusil. De la rondeur sans lourdeur en bouche, un fruité généreux avec de la fraîcheur en soutien, un boisé fondu, il s'avère bien représentatif de son appellation. 2020-2024 **2017 (8 à 11 €; 10000 b.)** : vin cité.

ROMUALD PETIT, Les Dîmes, 71570 Saint-Vérand, tél. 06 61 14 94 99, petitromuald@yahoo.fr V t.l.j. sf dim. 8h-19h

DOM. DES PONCETYS Le Clos des Poncetys 2017

	10000		15 à 20 €

Le lycée viticole de Mâcon-Davayé forme les vignerons de Bourgogne et d'ailleurs depuis de nombreuses générations. Le domaine attenant (16 ha) est cultivé en bio, et Frédéric Servais, le maître de chai, entend produire les vins les plus «naturels» possibles. Pour cela, il a renoncé à utiliser tous les intrants de l'œnologie moderne lors des vinifications, hormis le SO2.

Né d'un terroir argilo-calcaire, ce chardonnay mûr, vinifié avec des levures indigènes et élevé pendant onze mois en cuve, se présente dans une robe dorée aux reflets pistache. Il dévoile de fringantes senteurs florales et d'agréables nuances de fruits exotiques. Après une attaque nette et tranchante, il emplit la bouche d'arômes de pamplemousse. Un vin franc, sans fioriture. 2019-2023

LYCÉE AGRICOLE ET VITICOLE DE DAVAYÉ-MÂCON, Les Poncetys, 71960 Davayé, tél. 03 85 33 56 00, domaineponcetys@free.fr V mar.-ven. 8h-12h 14h-18h

DOM. SAINT-MARTIN Au Clos 2017 ★

	5610		11 à 15 €

Georges Dubœuf a créée en 1964 une affaire de négoce-éleveur qui a largement contribué à la notoriété du Beaujolais. Aujourd'hui dirigée par son fils Franck, la société travaille avec de nombreux vignerons et coopératives et réalise 75 % de son chiffre d'affaires à l'international. Georges Dubœuf est aussi pionnier en matière d'œnotourisme avec son œnoparc (Hameau Georges Dubœuf) aménagé en 1993 dans l'ancienne gare de Romanèche-Thorins.

Les atouts de ce vin? Une robe brillante et profonde, un bouquet subtil et plaisant de petites fleurs blanches et un palais de bonne tenue, à la fois gras et soutenu par une vivacité tranchante, qui finit sur des flaveurs de citronnelle. Un ensemble harmonieux et complet. 2019-2023

SA LES VINS GEORGES DUBŒUF, 208, rue de Lancié, 71570 Romanèche-Thorins, tél. 03 85 35 34 20, gduboeuf@duboeuf.com V r.-v.

DOM. SAINT-ROCH Fortune 2017 ★

	2500		8 à 11 €

Un domaine familial de poche (1,5 ha), repris en 1992 par Patrice Fortune à ses grands-parents. Il est situé à Crèches-sur-Saône, où la rivière Ardois définit la frontière géologique entre le Mâconnais et le Beaujolais.

Issus de la partie méridionale de l'appellation, ces chardonnays ont été ramassés à la main dans les premiers jours de septembre. Paré d'une étoffe or vert, ce vin offre un bouquet complexe d'aubépine, de mirabelle et de citron. Acidulé en attaque, l'ampleur gagne après quelques secondes : des arômes de chair de pêche et de miel laissent supposer que ce vin a été vendangé à belle maturité. Ce moelleux est cependant bien soutenu par une franche vivacité. ⧗ 2020-2023

⊶ PATRICE FORTUNE, 1059, rte de Dracé, Le Petit Dracé, 71680 Crèches-sur-Saône, tél. 03 85 37 47 27, pat.fortune@infonie.fr V r.-v.

DOM. THIBERT PÈRE ET FILS Champ Rond 2016

	10159		20 à 30 €

Issus d'une dynastie de vignerons forte de huit générations, Andrée et René Thibert créent leur propre domaine en 1967, sur 2,5 ha. Aujourd'hui, leurs enfants Sandrine et Christophe sont cogérants d'un vignoble de 30 ha. Une valeur (très) sûre du Mâconnais.

Né de chardonnays plantés sur calcaire à gryphées, ce vin a été vinifié et élevé en fût de chêne pendant onze mois, puis en cuve durant huit mois. Paré d'une robe dorée et brillante, il dévoile un nez solaire de pâte de fruit, d'abricot sec et de coing qui augure d'une bouche plaisante. On n'est pas déçu : après une attaque bien enveloppante, le palais offre une belle fraîcheur fruitée, ainsi qu'une finale mentholée qui l'allège. ⧗ 2019-2023

⊶ SARL DOM. THIBERT PÈRE ET FILS, 20, rue Adrien-Arcelin, 71960 Fuissé, tél. 03 85 27 02 66, info@domaine-thibert.com V r.-v.

DOM. DES TROIS DAMES 2017 ★

	5000		8 à 11 €

Un jeune domaine créé par Simon Ravaud en 2014, hors cadre familial, par la reprise d'un peu plus de 5 ha de différents propriétaires. Le vignoble est conduit de manière intégrée en limitant les applications de pesticides, en fonction de la pression parasitaire.

Pas extrêmement concentré mais bien équilibré, avec un élevage en fût qui préserve bien l'expression fruitée des arômes, ce 2017 limpide et clair est déjà agréable. Le nez, discret, évoque le citron et l'aubépine. La bouche est ronde et bien équilibrée. ⧗ 2019-2022

⊶ SIMON RAVAUD, pl. Antoine Ducrost, 71960 Solutré-Pouilly, tél. 06 15 30 41 82, domainedes3dames@gmail.com V r.-v.

IGP COTEAUX DE L'AUXOIS

DOM. DE FLAVIGNY-ALÉSIA Petit Atrium 2018 ★

	3944		8 à 11 €

Situé au pied de l'oppidum d'Alésia, ce domaine de 13,5 ha créé en 1994 a été entièrement replanté par Gérard Vermeere. Depuis 2004, il est conduit par Ida Nel, épaulée par Cyril Raveau, œnologue. Une valeur sûre et un acteur de la renaissance de ce vignoble des Coteaux de l'Auxois, ancienne place forte de la viticulture française au XIIIe s.

Teinte carmin, arômes de fruits rouges nuancés de rose... Tout s'annonce très bien pour ce vin. La bouche est souple et pleine, aromatique à souhait. Se glissent dans la palette des notes de verveine et de thym. ⧗ 2019-2020

⊶ SCEA VIGNOBLE DE FLAVIGNY-ALÉSIA, Pont-Laizan, 21150 Flavigny-sur-Ozerain, tél. 03 80 96 25 63, domaine@flavignyalesia.com V *t.l.j. 10h-18h*

La Champagne

SUPERFICIE : 33 800 ha
PRODUCTION : 268 000 000 bouteilles ou 2 010 000 hl

TYPES DE VINS : Blancs ou rosés effervescents pour l'essentiel. Quelques vins tranquilles rouges, blancs et rosés (AOC coteaux-champenois et rosé-des-riceys).

PRINCIPALES RÉGIONS :

Montagne de Reims, Côte des Blancs, vallée de la Marne, Aube.

CÉPAGES :

Blancs : chardonnay pour l'essentiel (pinot blanc, pinot gris, arbane, petit meslier très rarement).

Rouges : pinot noir, pinot meunier.

LA CHAMPAGNE

C'est dans le vignoble le plus septentrional du pays qu'a été mise au point la méthode champenoise, à l'origine d'un des vins les plus prestigieux du monde, le vin des rois devenu celui de toutes les fêtes. Un vin unique, nulle autre production ne pouvant usurper ce nom; mais pluriel, en raison de l'étendue de l'aire d'appellation et de la diversité des styles.

Naissance du champagne.

Apparu à l'époque gallo-romaine, le vignoble s'est d'abord développé grâce à des abbayes comme Hautvillers ou Saint-Thierry. Il a bénéficié de la proximité de la capitale et du sacre des rois à Reims. Cependant, les vins sont tranquilles jusqu'à la fin du XVIIes. S'ils ont tendance à pétiller dans les tonneaux – les frimas de cette région septentrionale arrêtant parfois les fermentations qui repartaient lorsque les températures remontaient –, la mousse apparaît longtemps comme un accident de vinification.

Ce fut sans doute en Angleterre que l'on commença à mettre systématiquement en bouteilles ces vins instables qui, jusque vers 1700, étaient livrés en fût; ce conditionnement permit au gaz carbonique de se dissoudre dans le vin pour se libérer au débouchage : le vin effervescent était né. La mode se répandit dans la haute société. Et dom Pérignon, auquel on attribue la paternité du champagne, ce moine bénédictin, contemporain de Louis XIV et procureur de l'abbaye de Hautvillers, produisait les meilleurs vins de la région. Il perfectionna l'art du pressurage et de l'assemblage – à la base des champagnes de qualité –, mais n'inventa sans doute pas la méthode champenoise.

En 1728, le conseil du roi autorise le transport du vin en bouteilles; un an plus tard, la première maison de vin de négoce est fondée : Ruinart. D'autres suivent (Moët en 1743), mais c'est au XIXes. que la plupart des grandes maisons se créent ou se développent. Au cours du même siècle, l'élaboration du champagne se perfectionne et différents styles de champagnes s'affirment. En 1804, Mme Clicquot lance ainsi le premier champagne rosé; à partir de 1860, Mme Pommery élabore des «bruts», à l'encontre du goût majoritaire de l'époque pour les doux; vers 1870 sont proposés les premiers champagnes millésimés. Raymond Abelé invente, en 1884, le banc de dégorgement à la glace.

La Champagne est tardivement frappée par le phylloxéra, puis la Grande Guerre ravage les vignobles. La crise conduit à la protection juridique de l'appellation contre les usurpations et à la délimitation de l'aire de production. Un long processus semé de contestations et de troubles, entre l'arrêt de 1887 réservant aux producteurs de la région le terme de champagne et la loi de 1927 fixant les limites de la région viticole.

Un vignoble septentrional.

La Champagne est la plus septentrionale des régions viticoles de France. Le vignoble s'étend dans les départements de la Marne, de l'Aisne et de l'Aube, avec de modestes extensions en Seine-et-Marne et en Haute-Marne. Il est soumis à une double influence climatique, océanique et continentale. La première apporte de l'eau en quantité régulière; la seconde, si elle favorise l'ensoleillement l'été, entraîne des risques de gel, notamment au printemps, qui fait obstacle à la régularité de la production. Les écarts climatiques sont cependant atténués par la présence d'importants massifs forestiers. L'absence d'excès de chaleur contribue à la finesse des vins.

Les régions du vignoble.

Un même paysage de coteaux se révèle dans tout le vignoble, où l'on distingue cependant plusieurs régions : la Montagne de Reims; la Côte des Blancs; la vallée de la Marne (la zone proche d'Épernay, sur la rive droite, étant appelée « Grande Vallée de la Marne »); enfin, à l'extrême sud-est, le vignoble de l'Aube.

De la craie, du calcaire et des marnes.

La mer, en se retirant il y a quelque 70 millions d'années, a laissé un socle crayeux dont la perméabilité et la richesse en principes minéraux apportent leur finesse aux vins de la Champagne; ce substrat crayeux a également facilité le percement des galeries où mûrissent longuement des millions de bouteilles. Une couche argilo-calcaire recouvre le socle crayeux sur près de 60% des terroirs actuellement plantés. Dans l'Aube, les sols marneux sont proches de ceux de la Bourgogne voisine.

Géologiquement, le vignoble correspond aux lignes de côtes concentriques de l'est du Bassin parisien : la côte d'Île-de-France regroupe la Montagne de Reims, la vallée de la Marne, la Côte des Blancs et celle du Sézannais. La côte de Champagne porte quelques vignes, autour de Vitry-le-François (Marne) et de Montgueux (Aube). Enfin, la Côte des Bar est occupée par la plus grande partie des vignobles de l'Aube (autour de Bar-sur-Seine et de Bar-sur-Aube). Les fronts de côte sont constitués de couches dures de calcaire ou de craie, les pentes des coteaux, où est installée la vigne, de formations plus tendres, crayeuses, marneuses ou sableuses.

L'ÉCHELLE DES CRUS CHAMPENOIS

Le prix du kilo de raisin payé aux viticulteurs, en Champagne, est fixé en fonction de la qualité des grappes, elle-même liée à leur provenance. Il a servi d'étalon pour le classement en crus : les communes viticoles ont été placées sur une échelle variant de 100 à 80% : 100% pour les 17 grands crus, 99 à 90% pour les 1ers crus et 89 à 80% pour les autres. Les crus champenois ne prennent donc pas en compte la parcelle, comme en Bourgogne, mais la commune. Les mentions «grand cru», «premier cru» indiquent que les raisins proviennent uniquement de communes classées respectivement en grand cru ou en premier cru. Si le nom d'une commune apparaît, la vendange en provient exclusivement.

Cépages : deux noirs et un blanc.
Le choix des cépages s'adapte aux variations pédologiques et climatiques. Pinot noir (38 %), pinot meunier (31 %), chardonnay (31 %) ainsi que d'autres variétés devenues très rares - pinot blanc, pinot gris, petit meslier, arbane - se partagent les surfaces plantées. Le pinot noir est surtout cultivé sur les coteaux de la Montagne de Reims et de l'Aube, le meunier sur ceux de la Marne, tandis que le chardonnay a donné son nom à la Côte des Blancs.

Une économie florissante.
Malgré les crises et aléas politiques, plus de 306 millions de bouteilles de champagne ont été écoulées en 2016. Poids lourd de l'agriculture française, ce vin représente plus de 4,5 milliards d'euros de chiffre d'affaires, dont la moitié à l'export. En valeur, il contribue à 33 % des exportations de vins. Son élaboration particulière sur plusieurs années (en moyenne trois ans) oblige à un stockage supérieur à 1,4 milliard de bouteilles. La viticulture et l'élaboration occupent environ 30 000 personnes, dont 15 800 vignerons exploitants, parmi lesquels seulement 4 720 sont des récoltants-manipulants. Les autres sont des « vendeurs au kilo » qui approvisionnent le négoce ou les coopératives. Parmi ces dernières, 43 vendent au public. Si les neuf dixièmes des superficies appartiennent à des viticulteurs, le négoce assure près des trois quarts du chiffre d'affaires et plus de 80 % des exportations. On compte 300 maisons de négoce, dont quelques dizaines de sociétés d'envergure remontant souvent au XIXe, voire au XVIIIe s.

Les étapes de l'élaboration.

Les vendanges : en Champagne, la machine à vendanger est interdite, car il est essentiel que les grains de raisin parviennent en parfait état au lieu de pressurage et que les peaux des raisins noirs ne tachent pas le moût. Les centres de pressurage sont disséminés au cœur du vignoble afin de raccourcir le temps de transport du raisin. Le pressurage est sévèrement réglementé. De 4 000 kg de raisins, on ne peut extraire que 25,5 hl de moût. Le pressurage est fractionné entre la cuvée (20,5 hl) et la taille (5 hl). Les moûts sont vinifiés très classiquement comme tous les vins blancs.

Style de champagne selon le dosage	Pourcentage de sucres
Brut zéro (brut nature)	Moins de 3 g/l (pas de sucres ajoutés)
Extra-brut	0 à 6 g/l
Brut	6 à 12 g/l
Extra-dry	12 à 17 g/l
Sec (dry)	17 à 32 g/l
Demi-sec	32 à 50 g/l
Doux (très rare)	Plus de 50 g/l

L'assemblage des cuvées : à la fin de l'hiver, le chef de cave goûte les vins disponibles et les mêle de façon à obtenir une cuvée harmonieuse, qui corresponde au goût suivi de la marque.

Le tirage : une liqueur de tirage, composée de levures, de vieux vins et de sucre, est ajoutée au vin au moment de la mise en bouteilles : c'est le tirage. Les levures vont transformer le sucre en alcool et il se dégage du gaz carbonique, prisonnier du flacon, qui se dissout dans le vin. Cette deuxième fermentation en bouteilles s'effectue lentement, à basse température (11 °C), dans les vastes caves champenoises.

Le repos sur lies : les levures forment des lies, qui influent sur le goût du vin. Un long vieillissement sur lies est indispensable à la finesse des bulles et à la qualité aromatique. La réglementation fixe un délai de quinze mois entre le tirage et l'expédition (dont douze mois sur lies) pour la plupart des champagnes, qui est porté à trois ans pour les millésimés. Ces durées sont supérieures dans la plupart des maisons. Le meilleur champagne, le plus complexe, est en effet celui qui a mûri le plus longtemps sur ses lies (cinq à dix ans).

Le remuage : il permet d'entraîner les lies vers le col du flacon en inclinant progressivement les bouteilles - à la main, sur les célèbres pupitres, et le plus souvent grâce aux gyropalettes, qui automatisent et raccourcissent le processus.

Le dégorgement : après deux ou trois mois de remuage, on gèle le col dans un bain réfrigérant et on ôte le bouchon; le dépôt est expulsé sous la pression du gaz carbonique.

Le dosage : on remplace le vide créé par l'expulsion du dépôt par une « liqueur de dosage » (ou « liqueur d'expédition ») : le plus souvent, celle-ci est composée de sucre de canne dissous dans du vin, pour arrondir le champagne qui a perdu tous ses sucres. Le mélange est ensuite homogénéisé et les bouteilles se reposent encore avant l'habillage pour laisser disparaître le goût de levure.

Tous les champagnes sont classés selon leur dosage en sept catégories (du brut zéro au rarissime doux). La catégorie figure obligatoirement sur l'étiquette. Une mention utile pour le consommateur, car le dosage conditionne le style du champagne, son usage et les accords avec les mets. Ainsi, les bruts ne conviennent pas pour les desserts sucrés. Ces derniers sont les plus nombreux.

Les styles de champagnes.
En dépit de l'appellation unique, il existe de nombreux styles de champagnes, qui tiennent au dosage (voir ci-dessus) et à l'assemblage. L'art du champagne repose en effet sur l'assemblage, avant la prise de mousse, de vins tranquilles différents (les vins de base). Les cuvées peuvent associer des cépages, des années de récolte, des communes (crus), des vins vinifiés différemment (en cuve ou en fût). On trouve ainsi :

Des blancs de blancs et des blancs de noirs : les premiers sont issus du seul cépage chardonnay, les seconds du pinot noir et/ou du pinot meunier vinifiés en blanc. Le blanc de blancs se caractérise par sa finesse et sa fraîcheur. Il dévoile des arômes de fleurs et de fruits blancs, d'agrumes. On peut le servir à l'apéritif ou avec poissons et volailles. Le blanc de noirs, plutôt puissant et vineux, avec des arômes de fruits rouges et d'épices, peut accompagner un repas. De nombreux champagnes associent des cépages blancs et noirs.

La Champagne

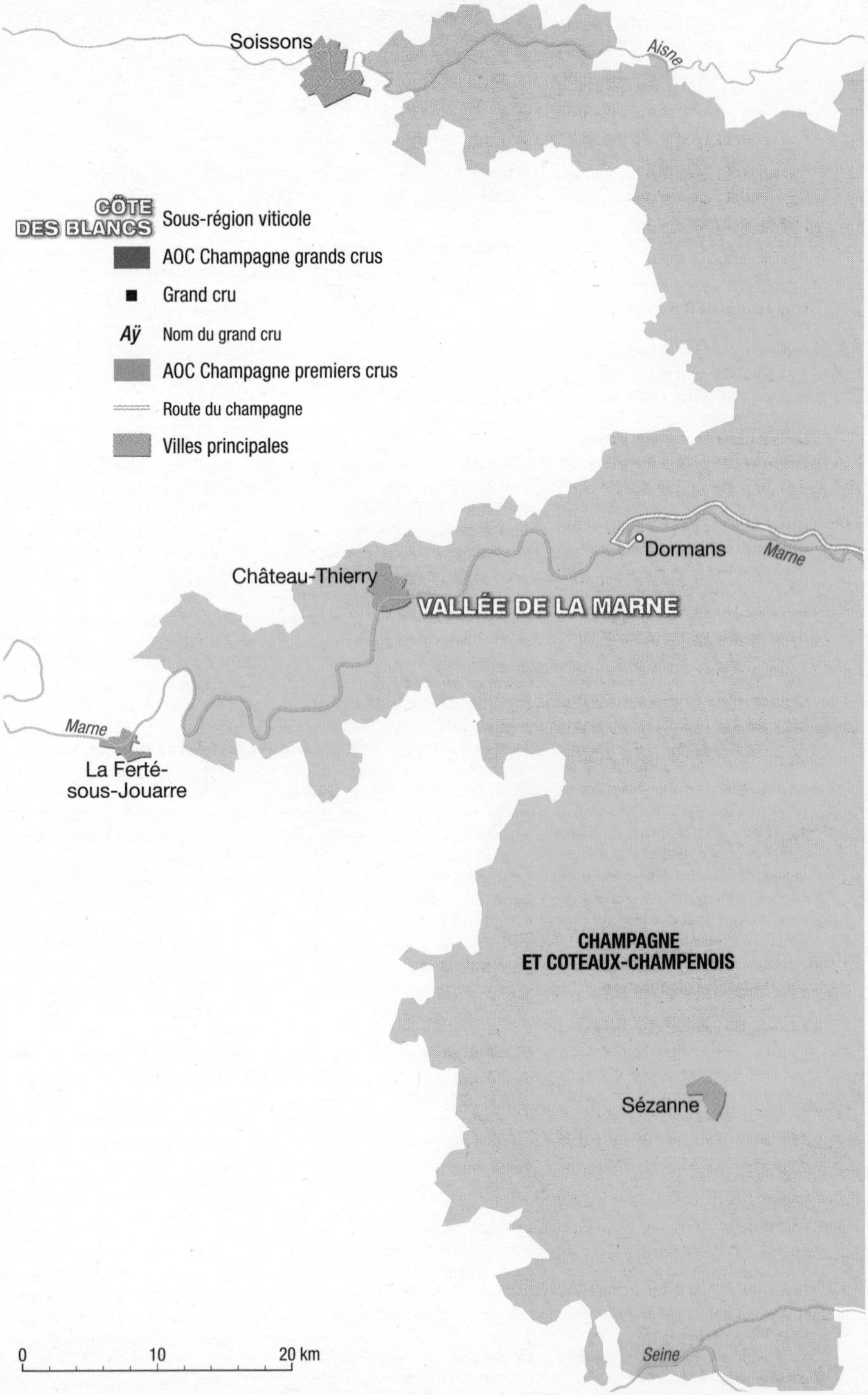

CÔTE DES BLANCS Sous-région viticole
AOC Champagne grands crus
Grand cru
Aÿ Nom du grand cru
AOC Champagne premiers crus
Route du champagne
Villes principales

Soissons
Aisne
Dormans
Marne
Château-Thierry
VALLÉE DE LA MARNE
Marne
La Ferté-sous-Jouarre
CHAMPAGNE ET COTEAUX-CHAMPENOIS
Sézanne
Seine
0 10 20 km

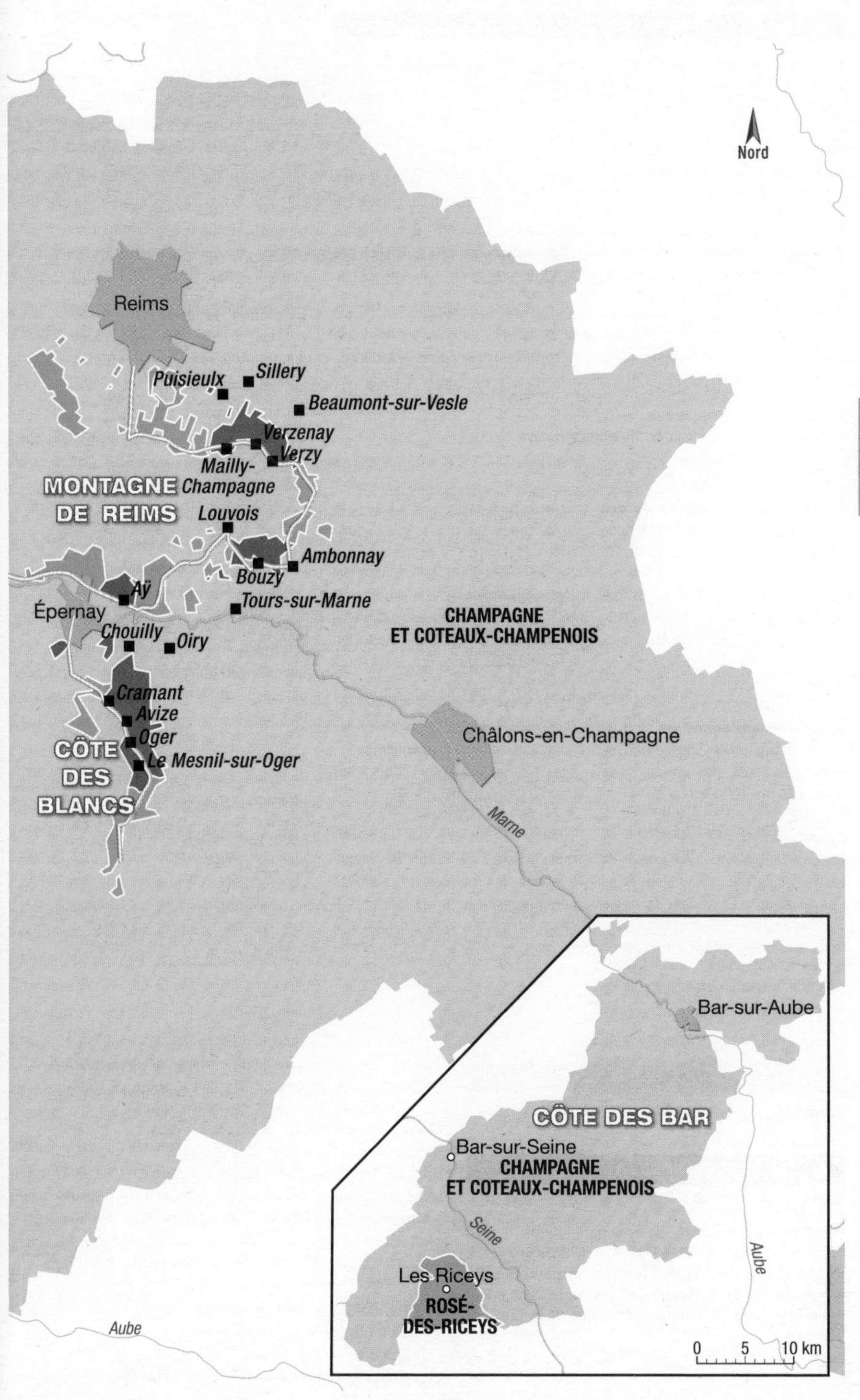
Nord
Reims
Sillery
Puisieulx
Beaumont-sur-Vesle
Verzenay
Verzy
Mailly-
Champagne
MONTAGNE
DE REIMS
Louvois
Ambonnay
Bouzy
Aÿ
Tours-sur-Marne
Épernay
Chouilly
Oiry
CHAMPAGNE
ET COTEAUX-CHAMPENOIS
Cramant
Avize
Oger
Le Mesnil-sur-Oger
CÔTE
DES
BLANCS
Châlons-en-Champagne
Marne
Bar-sur-Aube
CÔTE DES BAR
Bar-sur-Seine
CHAMPAGNE
ET COTEAUX-CHAMPENOIS
Seine
Aube
Les Riceys
ROSÉ-
DES-RICEYS
Aube
0 5 10 km

LE STATUT DE L'ÉLABORATEUR

Le statut professionnel du producteur est une mention obligatoire, portée en petits caractères sous forme codée :
RM : récoltant-manipulant
NM : négociant-manipulant
CM : coopérative de manipulation
RC : récoltant-coopérateur
SR : société de récoltants
CM : coopérative de manipulation
MA : marque d'acheteur
« Manipuler » signifie « élaborer ». La marque d'acheteur désigne un champagne acheté par une structure qui ne le fabrique pas (restaurant, enseigne de supermarché...). L'amateur a alors intérêt à se renseigner sur l'élaborateur. Les récoltants-manipulants sont des vignerons qui ne peuvent élaborer leurs cuvées qu'à partir du raisin de leur domaine, à la différence des coopératives et des négociants qui peuvent s'approvisionner dans tout le vignoble. Ces derniers ont souvent aussi des vignes en propre, mais celles-ci ne fournissent qu'une partie de leurs raisins. Le récoltant-coopérateur confie tout ou partie de l'élaboration à une coopérative.

Des champagnes blancs et des rosés : il est possible en Champagne d'ajouter un peu de vin rouge au vin blanc pour obtenir un rosé, ce qui est interdit ailleurs. À côté de ces rosés d'assemblage, il existe des rosés de saignée, plus colorés et plus structurés, issus d'une macération de cépages noirs.

Des bruts sans année : ils sont issus de vins d'années différentes. La grande majorité des champagnes n'est pas millésimée. La situation septentrionale du vignoble ne permet pas en effet de présenter chaque année un champagne de qualité né d'une seule vendange. Les Champenois ont donc créé une banque de vins – les vins de réserve, issus d'années antérieures – dans laquelle peut puiser le chef de cave pour composer des cuvées équilibrées. Certaines sont composées de vins jeunes, d'autres font appel à plus ou moins de vins de réserve. Nés d'un assemblage propre à chaque maison, parfois tenu secret, les bruts sans année représentent le style de la marque.

Des millésimés : ils proviennent des vendanges d'une seule année, précisée obligatoirement sur l'étiquette et le bouchon. Les millésimés ne sont élaborés que dans les meilleures années (la décision de millésimer une année est du ressort de chaque maison). Ils sont plus structurés et complexes que les bruts sans année, grâce à la qualité des vendanges et à un long repos sur lies. Les cuvées de prestige des grandes maisons sont souvent millésimées.

Politique de marque.

Que peut-on lire en effet sur une étiquette champenoise? La marque et le nom de l'élaborateur; le dosage (brut, sec, etc.); le millésime – ou son absence; la mention «blanc de blancs» lorsque seuls des raisins blancs participent à la cuvée; quand cela est possible – cas rare –, la commune d'origine des raisins; parfois, enfin, mais cela est peu fréquent, la cotation qualitative des raisins : «grand cru» pour les 17 communes qui ont droit à ce titre, ou «premier cru» pour les 41 autres. Le statut professionnel du producteur, lui, est une mention obligatoire, portée en petits caractères sous forme codée : NM, négociant-manipulant; RM, récoltant-manipulant; CM, coopérative de manipulation; MA, marque d'acheteur; RC, récoltant-coopérateur; SR, société de récoltants; ND, négociant-distributeur.

Que déduire de tout cela? Que les Champenois ont délibérément choisi une politique de marque; que l'acheteur commande du Moët et Chandon, du Bollinger, du Taittinger, parce qu'il préfère le goût suivi de telle ou telle marque. Cette conclusion est valable pour tous les champagnes de négociants-manipulants, de coopératives et de marques auxiliaires, mais ne concerne pas les récoltants-manipulants qui, par obligation, n'élaborent de champagne qu'à partir des raisins de leurs vignes, souvent groupées dans une seule commune. Ces champagnes sont dits monocrus et le nom de ce cru figure en général sur l'étiquette.

CHAMPAGNE

Production : 2 640 000 hl

XAVIER ALEXANDRE Zéro Dosage ★★

1er cru | 2000 | 20 à 30 €

Les Alexandre sont récoltants-manipulants depuis 1933. Xavier a pris en 1994 les rênes du domaine familial qui s'étend sur plus de 7 ha répartis dans dix communes – dont cinq 1ers crus – situés sur le flanc ouest de la Montagne de Reims, à deux pas de la Cité des Sacres. (RM)

Les trois cépages champenois – 40 % de chardonnay, 60 % de pinots. «Nerveux et harmonieux», «vif et fruité», «il a du peps!» Voilà ce que l'on demande à un brut nature, qui ne mobilise que le sucre du raisin. On trouve aussi dans cette cuvée une expression aromatique complexe : fleurs blanches, agrumes, effluves de fournil, touche de miel et, en bouche, tout un panier de fruits frais. Pour l'apéritif, les fruits de mer, les tartares de poisson... ⧗ 2019-2022 ● **1er cru Extra-brut Authentic'a ★ (20 à 30 €; 2 000 b.)** : un dosage minimal pour cette cuvée associant meunier (60 %) et chardonnay. Un champagne vif, de belle longueur, aux arômes de fleurs blanches et de pêche jaune. ⧗ 2019-2023

CHAMPAGNE XAVIER ALEXANDRE,
1, chem. de Marfaux, via rue Saint-Vincent,
51390 Courmas, tél. 06 26 07 04 08,
champagne.xavieralexandre@orange.fr V r.-v.

ALLOUCHERY-PERSEVAL Extra-brut 2009 ★★

1er cru | 6000 | | 20 à 30 €

De souche vigneronne, Émilien Allouchery s'est installé en 2006 après ses études à Avize et à Beaune, suivies d'expériences en Afrique du Sud et en Nouvelle-Zélande. Implanté sur la Montagne de Reims, aux portes de la Cité des Sacres, le domaine familial couvre 8 ha. Propriété certifiée Haute valeur environnementale. (RC)

Une année solaire et un dosage faible. Il en résulte une robe bien dorée, une palette aromatique complexe où perce la pâte de fruits, un palais souple à l'attaque, tendu par une belle vivacité. Pour l'apéritif comme pour la table. 2019-2022 **1er cru Épilogue 2012 ★ (30 à 50 €; 1070 b.)** : issu de chardonnay (40 %) et de pinot noir (60 %), il tire sa couleur œil-de-perdrix d'un apport de vin rouge et hérite d'un élevage partiel sous bois sa complexité (agrumes, citron confit, griotte, fraise, abricot, touches fumées et grillées). De la finesse. 2019-2023

CHAMPAGNE ALLOUCHERY-PERSEVAL, 11, rue de l'Église, 51500 Écueil, tél. 03 26 49 74 61, contact@alloucheryperseval.com r.-v.

JEAN-ANTOINE ARISTON Rosé de saignée 2013 ★★

| 2000 | | 30 à 50 €

Établi dans un minuscule village de la vallée de l'Ardre, à l'ouest de Reims, Bruno Ariston exploite le domaine familial (7,5 ha), épaulé à la cave par son fils Charles-Antoine. (RM)

Une macération de dix heures du pinot noir et du meunier (à parité) a donné à ce rosé une robe soutenue, saumon foncé, et une bouche intense, fraîche et longue, marquée en finale par quelques tanins épicés. Sa palette aromatique a captivé nos dégustateurs. Trouverez-vous comme eux, au-dessus du verre, de la rose, des fruits noirs, de la réglisse, de la pâte de coings, de la fleur séchée et même une touche de feuille de figuier froissée? Et en bouche, du jus de cerise, de la mandarine et du grillé? 2019-2022

SCEV CHAMPAGNE JEAN-ANTOINE ARISTON, 4, rue Haute, 51170 Brouillet, tél. 03 26 97 47 02, contact@champagnearistonja.com r.-v.

MICHEL ARNOULD ET FILS B.50 2008 ★★

Gd cru | 3700 | | 50 à 75 €

Famille établie depuis la fin du XIXes. à Verzenay, grand cru de la Montagne de Reims. Michel Arnould a lancé sa marque en 1961, mais ses aïeux ont commercialisé leurs premières bouteilles dès 1929. Aujourd'hui, les 12 ha de vignes sont conduits par le fils et le gendre de Michel Arnould. (RM)

B.50? Ce n'est pas un nom de missile, mais une formule œnologique : B comme boisé (neuf mois de fût) et 50/50 chardonnay/pinot noir. Ajoutons à la recette le blocage de la fermentation malolactique. Le résultat est probant : une robe dorée aux bulles encore très dynamiques, un nez entre noisette et moka, une bouche acidulée et longue ajoutant la fleur blanche à ce registre grillé. Ce beau millésime a encore du potentiel. 2019-2024 **Gd cru Carte d'or 2014 ★★ (20 à 30 €; 7080 b.)** : du pinot noir et du chardonnay à parité et deux mois de fût pour ce brut millésimé ample, harmonieux et long, à l'expression agréable : fleurs blanches, citron confit, léger boisé grillé et vanillé. 2019-2024

CHAMPAGNE MICHEL ARNOULD ET FILS, 28, rue de Mailly, 51360 Verzenay, tél. 03 26 49 40 06, contact@champagne-michel-arnould.com t.l.j. 9h-12h 14h-17h; dim. 9h-12h

ASPASIE ★★

| 10000 | | 20 à 30 €

À la tête de 12 ha de vignes dans la vallée de l'Ardre, Paul-Vincent Ariston a pris en 2011 la suite de son père Rémi sur l'exploitation, dont les origines remontent à 1794. Il commercialise ses champagnes sous la marque Aspasie, créée en hommage à une aïeule. (RM)

Pinot noir et meunier sont assemblés dans cette cuvée saumon aux reflets tuilés, mariant au nez la groseille et le cassis à des notes plus évoluées de coing. La fraise et les fruits rouges s'affirment dans un palais structuré, tendu et long, vivifié en finale par une touche d'agrumes. Un rosé assez étoffé pour accompagner un repas. 2019-2022 **Brut de fût (30 à 50 €; 5000 b.)** : vin cité.

CHAMPAGNE ASPASIE, 4, Grande-Rue, 51170 Brouillet, tél. 03 26 97 43 46, contact@champagneaspasie.com r.-v.

PAUL AUGUSTIN Grand Chardonnay ★★

| 5000 | | 20 à 30 €

Repris en 1990 par Éric Ammeux et son épouse Isabelle, ce vignoble familial d'environ 4 ha se partage entre Jonquery, dans un vallon entre Ardre et Marne, et Fontaine-sur-Aÿ, près d'Épernay. Les raisins de Jonquery donnent naissance au champagne Auguste Huiban, ceux de Fontaine-sur-Aÿ à la marque Paul Augustin, lancée en 2005 par Isabelle. (RM)

Un blanc de blancs ample, charnu, puissant, frais et long, mêlant les agrumes à des notes toastées d'évolution. Il ne se contentera pas d'ouvrir l'appétit mais il pourra accompagner tout un repas, poisson en sauce ou volaille. 2019-2023

CHAMPAGNE PAUL AUGUSTIN, 1, rue de la Barbe-aux-Cannes, 51700 Jonquery, tél. 03 26 58 10 55, info@champagne-maison-huiban.fr t.l.j. 9h-11h30 14h-18h; sam. dim. sur r.-v.

AUTRÉAU-LASNOT
Les Macottes Pinot noir 2014 ★★

| 1702 | | 20 à 30 €

À partir de 1932, la famille Autréau constitue son domaine aux environs de Venteuil, sur la rive droite de la Marne. Aujourd'hui, Fabrice Autréau met en valeur un coquet domaine de 16 ha. (RM)

Ce millésime tardif, peu coté dans de nombreux vignobles, a donné en Champagne quelques cuvées d'excellente tenue, comme celle-ci, assemblage de pinot noir et de chardonnay à parts égales. Un brut encore un peu fermé, qui s'ouvre sur de plaisants arômes de fruits blancs, mâtinés en bouche de notes toastées. Ample, frais et long, il offre un certain potentiel. 2019-2023

⊶ AUTRÉAU-LASNOT, 6, rue du Château, 51480 Venteuil, tél. 03 26 58 49 35, info@champagne-autreau-lasnot.com V t.l.j. 9h-12h 14h-17h30; dim. 10h-12h

AUTRÉAUT DE CHAMPILLON Réserve ★

Gd cru	30000		15 à 20 €

Sur leur coteau de Champillon dominant la Marne, les Autréau cultivaient la vigne du vivant de dom Pérignon. En 1953, ils ont élaboré leurs premiers champagnes à partir de 3 ha de vignes. Aujourd'hui, trois générations gèrent la maison, qui a pris le statut de négociant et s'appuie sur 32 ha en propre. Exploitation certifiée Haute valeur environnementale.

Chardonnay et pinot noir à parts égales composent cette cuvée au nez légèrement beurré, pâtissier, évoquant la tarte aux fruits ou encore le cocktail de fruits. On retrouve ces arômes gourmands dans une bouche à la fois ample et fraîche, de bonne longueur. ⧗ 2019-2022

⊶ CHAMPAGNE AUTRÉAU DE CHAMPILLON, 7, rue René-Baudet, 51160 Champillon, tél. 03 26 59 46 00, champagne.autreau@wanadoo.fr V r.-v.

AYALA Le Blanc de blancs 2012 ★★

	20000		50 à 75 €

Établie à Aÿ, la maison Ayala est née en 1860 de la rencontre de Raphaël-Edmond-Louis Gonzague de Ayala, fils d'un diplomate colombien, et de Berthe-Gabrielle d'Albrecht, nièce du vicomte de Mareuil. Depuis 2005 propriété du Champagne Bollinger, elle a pour chef de cave Caroline Latrive. (NM)

Pour être établie à Aÿ, grand cru célèbre pour son pinot noir, la maison, qui cultive un style frais, ne laisse pas la portion congrue au chardonnay dans les assemblages, bien au contraire. Toutefois, le blanc de blancs, millésimé, n'est produit qu'en quantités limitées. Celui-ci a vieilli six ans sur lies et n'a reçu qu'un dosage faible, à la limite de l'extra-brut. Paré d'une robe or pâle parcourue de bulles fines, il offre un nez tout en finesse, floral, légèrement pâtissier, beurré et grillé; il déploie des arômes de fruits blancs compotés dans une bouche dense, à la fois ample et très fraîche. Un superbe équilibre et du potentiel. ⧗ 2019-2025 ● **Rosé majeur (30 à 50 €; 60000 b.)** : vin cité.

⊶ CHAMPAGNE AYALA, 1, rue Edmond-de-Ayala, 51160 Aÿ, tél. 03 26 55 15 44, contact@champagne-ayala.fr V r.-v.

JEAN BAILLETTE-PRUDHOMME Cuvée Héritage Élevé en fût de chêne ★★

1er cru	1500		20 à 30 €

Un domaine familial de 5 ha situé aux portes sud-est de Reims. Depuis la disparition en 2005 de Jean Baillette, son épouse Marie-France et ses deux filles Laureen et Justine élaborent le champagne. Elles sont attachées au pressoir traditionnel et au remuage manuel. (RM)

Membre de l'association Les Fa'Bulleuses, qui promeut les femmes du champagne, ces récoltantes pourront se prévaloir de cette cuvée fort appréciée. Un blanc de blancs assemblant les années 2011, 2010 et 2009, qui a hérité d'un élevage de douze mois en fût de savoureux arômes de beurre et de toffee. Ces notes de caramel au lait s'allient au palais à des nuances grillées, à du sous-bois. Un champagne harmonieux que l'on pourra servir au repas. ⧗ 2019-2022

⊶ EARL JEAN BAILLETTE ET SES FILLES, 4, rue de la Gare, 51500 Trois-Puits, tél. 06 83 01 62 77, champagnejbp@yahoo.fr V r.-v.

ALAIN BAILLY Tradition ★★

	69624		11 à 15 €

Six générations de viticulteurs. Premières bouteilles vers 1940 (sous d'autres marques), création de l'actuel domaine en 1962 par Alain Bailly, installation de Franck en 1993. Avec ses deux sœurs, Nathalie et Patricia, ce dernier exploite un vignoble de 13 ha composé de 83 parcelles dans la vallée de l'Ardre, ainsi qu'à Sacy et Villedommange, près de Reims. Quelques parcelles sont exploitées en bio sans certification. (RM)

Cette cuvée doit presque tout au meunier, complété par un appoint de chardonnay. Les raisins noirs ont légué à ce brut au nez minéral et boisé des qualités de puissance, de souplesse et de persistance. Ce brut a suffisamment de corps pour accompagner un repas. ⧗ 2019-2022 ● **Fleur de vigne (20 à 30 €; 1850 b.)** : vin cité.

⊶ CHAMPAGNE ALAIN BAILLY, 3, rue du Tambour, 51170 Serzy-et-Prin, tél. 03 26 97 41 58, champagne.bailly@wanadoo.fr V r.-v.

PAUL BARA Extra-brut ★

Gd cru	n.c.		20 à 30 €

Domaine fondé en 1833 à Bouzy par un tonnelier. Disparu en 2015, Paul Bara fut le premier à commercialiser du champagne à son nom. Sa fille Chantale, qui lui avait succédé, a passé la main en 2018 à sa sœur Évelyne Dauvergne. Le chef de cave est Christian Forget. Le domaine est implanté dans l'un des grands crus de noirs de la Montagne de Reims. Les 11 ha sont exclusivement plantés de pinot noir et de chardonnay classés en grand cru. Ils fournissent champagnes et coteaux-champenois. (RM)

Issu de pinot noir majoritaire (80 %) complété par le chardonnay, un champagne vinifié sans fermentation malolactique et peu dosé. Or pâle, légèrement salin au nez, il dévoile des arômes gourmands de cerise, de fruits jaunes et de miel. On retrouve la cerise du pinot dans une bouche ronde en attaque, marquée en finale par une pointe vive aux accents d'agrumes. ⧗ 2019-2022 ● **Grand Rosé ★ (20 à 30 €; 20000 b.)** : assemblant 80 % de pinot noir et 20 % de chardonnay, il tire sa teinte saumon de 12 % de vin rouge. Élégant et gourmand, un rosé aux arômes de fruits rouges frais (fraise), servi par une finale fraîche. ⧗ 2019-2021

⊶ CHAMPAGNE PAUL BARA, 4, rue Yvonnet, 51150 Bouzy, tél. 03 26 57 00 50, info@champagnepaulbara.fr V r.-v.

BARBIER-LOUVET Blanc de blancs ★

1er cru	3000		15 à 20 €

Fondée en 1835 et conduite depuis 1992 par David Barbier, cette exploitation implantée sur le versant

sud de la Montagne de Reims couvre près de 7 ha, avec des parcelles dans plusieurs grands crus et 1ers crus. Propriété certifiée Haute valeur environnementale. (RM)

Du chardonnay, on en trouve dans la Montagne de Reims, par exemple à Tauxières et surtout dans le village voisin de Trépail. C'est de ces deux 1ers crus que provient cette cuvée contenant 30 % de vins de réserve. Un blanc de blancs au nez minéral et floral, nuancé de notes de café torréfié, et au palais très équilibré, ample et long. ⧗ 2019-2022 ● **Gd cru Cuvée d'ensemble ★ (15 à 20 €; 8000 b.)** : un brut issu de pinot noir (60 %) et de chardonnay, avec 40 % de vins de réserve. Nez sur les agrumes, l'abricot confituré, le beurre et le miel, palais équilibré et tonique. ⧗ 2019-2022 ● **1er cru Blanc de noirs L'Héritage de Serge (15 à 20 €; 28000 b.)** : vin cité.

CHAMPAGNE BARBIER-LOUVET, 8, rue de Louvois, 51150 Tauxières-Mutry, tél. 03 26 57 04 79, contact@champagne-barbier-louvet.com V r.-v.

BARDIAU Trait d'union ★

●	3000		15 à 20 €

Héritier de trois générations de viticulteurs dans la vallée de l'Ource, au sud de la Côte des Bar (Aube), Jérémy Bardiau a repris l'exploitation familiale en 2014 et s'est lancé l'année suivant dans l'élaboration du champagne. L'essentiel de ses 2,6 ha de vignes est implanté sur des formations du Portlandien, peu courantes en Champagne. (RM)

Issu de deux parcelles de pinot noir, ce brut assemble du vin blanc à 10 % de vin rouge. Un rosé engageant, à la robe saumon pastel, au nez d'une belle fraîcheur, tout en fruits rouges (fraise, framboise). On retrouve le fruit rouge dans une bouche suave en attaque, ronde et bien équilibrée. ⧗ 2019-2021

CHAMPAGNE BARDIAU, 2, rue des Cannes, 10360 Verpillières-sur-Ource, tél. 06 82 49 91 63, champagnebardiau@gmail.com V *t.l.j. sf dim. 9h-12h 14h-18h*

BARDOUX PÈRE ET FILS 2013 ★★

● 1er cru	3250		20 à 30 €

Pierre Bardoux était déjà vigneron à Villedommange en 1684. Prudent Bardoux, après avoir vendu son vin en tonneaux dans les bistrots locaux, a lancé son champagne en 1929. À la tête du domaine entre 1973 et 2017, Pascal Bardoux vient de transmettre les rênes à son fils Adrien. Le vignoble couvre environ 3,5 ha dans la Montagne de Reims, à deux pas de la Cité des Sacres. (RM)

Complété par le meunier (30 %) et par le pinot noir (10 %), le chardonnay est majoritaire (60 %) dans ce brut millésimé. Il a légué finesse et fraîcheur à cette cuvée or jaune animée de bulles fines et persistantes. Avenant et tonique, le nez associe l'aubépine, le citron et la vanille. Les fruits jaunes et la réglisse viennent compléter cette palette dans une bouche élégante et longue, à la finale saline. ⧗ 2019-2023

CHAMPAGNE BARDOUX PÈRE ET FILS, 5-7, rue Saint-Vincent, 51390 Villedommange, tél. 03 26 49 25 35, contact@champagne-bardoux.com V *r.-v.*

BARNAUT Blanc de blancs Éclat de chardonnay ★

●	n.c.		20 à 30 €

Courtier-pressureur pour les grandes maisons de Champagne, marié à la fille d'un propriétaire de vignes, Edmond Barnaut décide en 1874 d'élaborer et de commercialiser ses propres cuvées. Son descendant, Philippe Secondé, œnologue, continue son œuvre depuis 1986. Il dispose d'un important vignoble – près de 17 ha, à Bouzy, village classé en grand cru sur le flanc sud de la Montagne de Reims. (RM)

Si le grand cru Bouzy est réputé pour son pinot noir, on y cultive aussi le chardonnay. Les raisins blancs à l'origine de cette cuvée proviennent également de la vallée de la Marne. Un blanc de blancs discret mais d'une belle finesse, rond et suave en attaque, frais en finale, très apprécié pour ses arômes : noisette grillée, nuances toastées et briochées. ⧗ 2019-2021

CHAMPAGNE BARNAUT, 2, rue Gambetta, 51150 Bouzy, tél. 03 26 57 01 54, contact@champagne-barnaut.fr V *t.l.j. sf dim. 10h30-12h 14h-17h*

CHAMPAGNE

BARON-FUENTÉ Grande Réserve ★★

●	500000		15 à 20 €

Maison née en 1967 du mariage de Gabriel Baron, vigneron champenois, avec Dolorès Fuenté, originaire d'Andalousie. Elle est gérée depuis 1993 par leurs enfants, Sophie et Ignace, qui s'appuient sur un domaine de 38 ha à l'ouest de Château-Thierry. Deux étiquettes : Baron-Fuenté et Monthuys Père et Fils. (NM)

Le meunier (60 %) est très présent dans cette cuvée, complété par le chardonnay (30 %) et par le pinot noir. Un champagne plaisant d'emblée par sa robe paille dorée animée de fins cordons de bulles. D'abord discret, il monte en puissance sur des notes de pêche et d'abricot, nuancées de touches florales et briochées. Toujours fruitée, persistante, la bouche conjugue rondeur et fraîcheur. ⧗ 2019-2022 ● **Monthuys Père et Fils Réserve ★ (15 à 20 €; 100000 b.)** : un brut sans année construit sur le meunier (70 %), cépage roi du secteur, avec le pinot noir (10 %) et le chardonnay en appoint. Vieilli trois ans sur lattes, ce champagne jaune doré aux arômes intenses et persistants de pêche jaune reflète le cépage majoritaire. Cette plaisante expression fruitée est soulignée par une agréable fraîcheur et par un juste dosage. ⧗ 2019-2022 ● **Rosé Dolorès (20 à 30 €; 70000 b.)** : vin cité.

BARON-FUENTÉ, 21, av. Fernand-Drouet, 02310 Charly-sur-Marne, tél. 03 23 82 01 97, accueil@baronfuente.com V *t.l.j. sf dim. 8h-18h*

BAUDRY Révélation ★

●	n.c.		30 à 50 €

Héritier d'une lignée vigneronne remontant à 1660, Armel Baudry exploite un domaine de 20 ha dans la Côte des Bar. Représentatif de ce secteur aubois, l'encépagement fait une large place au pinot noir. (RM)

Construite sur le chardonnay assemblé au pinot noir, cette cuvée a séjourné en fût. Portant l'empreinte du cépage majoritaire, elle dévoile un nez à la fois tonique et vineux, beurré, citronné et miellé, légèrement minéral. Ces arômes et cette fraîcheur se prolongent dans un palais gourmand, bien dosé, à la finale persistante et vive. Pour l'apéritif et les produits de la mer. ⌛ 2019-2021

CHAMPAGNE BAUDRY, 72, Grande-Rue, 10250 Neuville-sur-Seine, tél. 03 25 38 20 59, info@champagne-baudry.fr V r.-v.

BENOÎT BEAUFORT Extra-brut ★★

Gd cru	3000		15 à 20 €

Installé en 1995, Benoît Beaufort représente la sixième génération sur l'exploitation familiale : il conduit 4 ha de vignes fort bien situées à Ambonnay, l'un des villages les plus anciens du flanc sud de la Montagne de Reims, classé en grand cru et réputé pour son pinot noir. (RC)

Trois quarts de pinot noir et un quart de chardonnay composent cette cuvée à peine dosée (2 g/l), assemblant la récolte 2012 aux trois années précédentes. Robe vieil or parcourue de bulles fines et persistantes; nez puissant, gourmand, légèrement évolué, entre fruits confits, brioche grillée et noisette; palais tout aussi complexe (fruits mûrs, pain d'épice, pâtisserie, tabac), à la fois ample et vif, structuré et long : un champagne remarquable, assez riche pour accompagner un repas. ⌛ 2019-2022

CHAMPAGNE BENOÎT BEAUFORT, 40, bd des Bermonts, 51150 Ambonnay, tél. 03 26 57 03 91, beaufort.benoit@wanadoo.fr V r.-v.

PHAL B. DE BEAUFORT 2012 ★★★

Gd cru	2000		20 à 30 €

Les Beaufort sont bien connus à Bouzy, village réputé de la Montagne de Reims. Cependant, Brigitte a travaillé pendant vingt-cinq ans comme chef de projet informatique avant de reprendre en 2008 des terres familiales bien situées dans trois grands crus : outre Bouzy, Ambonnay et Tours-sur-Marne. «Phal»? Les initiales de ses enfants Pierre-Herbert et Anne-Louise, qui se sont engagés à ses côtés.

Loin d'être absent de la Montagne de Reims, réputée pour ses noirs, le chardonnay constitue 86 % de ce rosé. Le pinot noir sert à élaborer le bouzy rouge qui lui donne ses nuances cuivrées. Après quatre ans de cave, le vin dévoile une palette originale, où le fruit rouge s'allie à des senteurs florales (rose, pivoine, iris) et à de multiples nuances découvertes à l'aération : agrumes (pamplemousse rose), noix de cajou, thé, réglisse et eucalyptus. La bouche, à l'unisson, trace une ligne fraîche, en harmonie avec des arômes de pamplemousse et finit sur une note de thé noir et de miel de châtaignier. ⌛ 2019-2022

CHAMPAGNE PHAL B. DE BEAUFORT, 25, rue de Tours-sur-Marne, 51150 Bouzy, tél. 03 26 52 12 49, contact@phal-de-beaufort.fr V r.-v.

HERBERT BEAUFORT ET FILS Cuvée Yllen ★★

	9200		20 à 30 €

Bien connue à Bouzy, la famille cultive la vigne depuis le XVI[e]s. En 1904, Marcellin Beaufort vend des «vins nature de Bouzy»; en 1929, il commercialise ses premiers champagnes. Son petit-fils Henri a transmis en 2016 à ses enfants Hugues et Ludovic la maison, qui s'appuie sur un vignoble en propre de 13 ha essentiellement implanté à Bouzy, à Ambonnay et à Tours-sur-Marne, grands crus de la Montagne de Reims. Deux étiquettes : Herbert Beaufort (RM) et Marcellin Beaufort (NM). (RM)

Un rosé obtenu par macération (6 h) de pinot noir. Comme nombre de rosés de saignée, celui-ci affiche une robe soutenue et offre un nez tout en petits fruits, griotte, framboise, cassis et fraise des bois, avec une touche de violette. Ce fruité se retrouve dans une bouche structurée et persistante, tonifiée en finale par une fraîcheur teintée d'agrumes. ⌛ 2019-2022 ● **Extra-brut Cuvée Âge d'or 2014 ★ (30 à 50 €; 5300 b.)** : un blanc de noirs issu de pinot noir vendangé en 2014; fruité et grillé, il a hérité de son cépage vinosité et puissance, avec pour l'équilibrer une fraîcheur soulignée par un très faible dosage. ⌛ 2019-2022

CHAMPAGNE HERBERT BEAUFORT ET FILS, 32, rue de Tours-sur-Marne, 51150 Bouzy, tél. 03 26 57 01 34, beaufort-herbert@wanadoo.fr V r.-v.

BEAUMONT DES CRAYÈRES Fleur de prestige 2009 ★

	22000		30 à 50 €

Fondée en 1955, la coopérative de Mardeuil vinifie 85 ha, principalement situés sur les coteaux proches d'Épernay. Elle apparaît avec régularité dans les sélections du Guide, sous différentes marques : Beaumont des Crayères, Comte Stanislas, Charles Leprince, Jacques Lorent. (CM)

Le chardonnay (50 %) fait jeu égal avec les raisins noirs (pinot noir surtout) dans ce millésime. Un brut structuré, qui laisse une expression d'élégance tant par sa fraîcheur conservée que par son expression aromatique complexe et mûre (fleurs blanches, mirabelle confite, noisette grillée et, en bouche, noyau, cerise kirschée, épices). La finale mêle suavité et douce amertume. ⌛ 2019-2023 ● **Grand Rosé ★ (20 à 30 €; 28000 b.)** : issu de trois cépages champenois, avec 75 % de noirs, un rosé saumon pastel, à la fois riche et acidulé, bien dosé, aux arômes gourmands de fruits rouges, fraise en tête. ⌛ 2019-2021 ● **Comte Stanislas 2006 ★ (20 à 30 €; n.c.)** : le successeur du superbe 2005 goûté l'an dernier, lui aussi mi-blancs mi-noirs (les deux pinots, pinot noir surtout). Sa palette aromatique, qui fait défiler le miel, la cire, la truffe, les fruits compotés, l'acacia et le tilleul reflète une heureuse évolution. Énergique, encore fraîche, ample, de bonne longueur, la bouche finit sur des notes grillées et toastées. Une belle maturité, qui conviendra au repas. ⌛ 2019-2021 ● **Comte Stanislas Cuvée Sélection ★ (15 à 20 €; 170000 b.)** : du meunier (55 %), du chardonnay (25 %) et un appoint de pinot noir au service d'un champagne élégant, ample, charnu et long, aux arômes délicats d'agrumes et de fruits blancs. ⌛ 2019-2021

SCV CHAMPAGNE BEAUMONT DES CRAYÈRES, 64, rue de la Liberté, 51530 Mardeuil, tél. 03 26 55 29 40, contact@champagne-beaumont.com V *t.l.j. sf sam. dim. 8h30-12h 13h30-17h*

ALBERT BEERENS Blanc de noirs ★

	25600		20 à 30 €

Les origines de ce domaine familial proche de Bar-sur-Aube remontent à 1862. À la tête de la propriété

depuis 2005, Anne-Laure Beerens, secondée par Olivier Desfosse, dispose d'un espace de travail modernisé et d'un vignoble de plus de 7 ha planté de cinq cépages : outre le pinot noir, le meunier et le chardonnay, le pinot blanc et le pinot gris. Elle élève ses vins de réserve en foudres de chêne tronconiques. (RM)

Le pinot noir (80 %) et le meunier composent ce brut, bien typé « blanc de noirs » par sa robe or rose intense, par sa puissance et par ses arômes de fruits jaunes, mirabelle en tête. Cette cuvée dévoile aussi des arômes briochés et légèrement boisés hérités d'un élevage en foudre de chêne et une fraîcheur teintée d'agrumes. Pour l'apéritif comme pour la table. ⧗ 2019-2022

CHAMPAGNE ALBERT BEERENS, 37, rue Blanche, 10200 Arrentières, tél. 03 25 27 11 88, contact@champagnebeerens.com V t.l.j. sf mer. dim. 10h-17h; sam. 15h-18h (avr. à sept.)

L. BÉNARD-PITOIS 2012 ★

1er cru | 3471 | | 20 à 30 €

Aux commandes depuis 1991, Laurent Bénard représente la troisième génération sur le domaine familial. Il exploite 11 ha de vignes répartis dans deux grands crus et un 1er cru de la Côte des Blancs et dans trois 1ers crus de la Grande Vallée de la Marne. Il vinifie ses vins de base en petite cuve ou en fût pour réaliser des assemblages précis. (RM)

Un brut millésimé d'une belle année, composé de pinot noir majoritaire (70 %) et de chardonnay. Paré d'une robe or rose animée de bulles dynamiques, il séduit par son expression aromatique à la fois fraîche et mûre, qui traduit aussi un apport maîtrisé du fût : la vanille, le clou de girofle côtoient les agrumes, la poire compotée, l'abricot et la pêche de vigne, avec une touche de fumée. Agrumes, fruits blancs et grillé se déploient dans une bouche étoffée, ample, fraîche et longue, au dosage mesuré. Du caractère. ⧗ 2019-2023 **1er cru Carte blanche ★ (15 à 20 €; 37506 b.)** : privilégiant les noirs (80 %, pinot noir pour l'essentiel), un brut consistant et frais, de bonne longueur, discrètement fruité au nez, plus expressif en bouche, sur les fruits rouges teintés en finale d'agrumes confits. ⧗ 2019-2022 **1er cru Réserve ★ (15 à 20 €; 20032 b.)** : né d'un assemblage de pinot noir (60 %) et de chardonnay, un brut harmonieux, expressif et frais, aux arômes de fleurs blanches, de rose, de bonbon et de fruits exotiques, assortis de notes plus évoluées. ⧗ 2019-2022

CHAMPAGNE L. BÉNARD-PITOIS, 23, rue Duval, 51160 Mareuil-sur-Aÿ, tél. 03 26 52 60 28, benard-pitois@wanadoo.fr V t.l.j. sf dim. 10h-12h 14h-17h; sam. sur r.-v.; f. 1er-15 août

VIRGINIE BERGERONNEAU
Blanc de blancs Cuvée Adèle ★

1er cru | n.c. | | 20 à 30 €

Les Bergeronneau sont bien connus à Villedommange. Fille de récoltants de vieille souche vigneronne, Virginie Bergeronneau a lancé son étiquette en 2012. Son vignoble est situé sur la Montagne de Reims, à deux pas de la cité des Sacres. (RM)

Construit sur la récolte 2014, un blanc de blancs très typé par son nez floral, vif et élégant, prélude à une bouche énergique, droite et longue, aux arômes frais de kiwi et d'agrumes. Pour l'apéritif et les produits de la mer. ⧗ 2019-2022

CHAMPAGNE VIRGINIE BERGERONNEAU, 22, rue de la Prévôté, 51390 Villedommange, tél. 06 44 26 30 50, virginie.bergeronneau@gmail.com V r.-v.

BERTHELOT-PIOT Cuvée Prestige ★

| 5500 | | 15 à 20 €

Installé en 2005, Eddy Berthelot représente la cinquième génération sur ce domaine de la vallée de la Marne. Il travaille de concert avec Chantal et Yves, ses parents. (RM)

Mi-chardonnay, mi-meunier, vieilli cinq ans en bouteilles, ce brut séduit par ses arômes de fournil, de brioche et de pâtisserie qui se prolongent dans une bouche ample, ronde et consistante, équilibrée par une belle vivacité teintée de minéralité. ⧗ 2019-2023

CHAMPAGNE BERTHELOT-PIOT, 7, rue du Moulin, Neuville, 51700 Festigny, tél. 03 26 58 08 42, contact@champagne-berthelot-piot.fr V r.-v.

BIARD-LOYAUX Cuvée de prestige ★★

| 3000 | | 15 à 20 €

Créé en 1947 et conduit depuis 2005 par Laurent Biard et sa sœur Dominique, ce domaine de 11 ha est implanté sur la rive droite de la Marne, à une vingtaine de kilomètres en amont de Château-Thierry. (RM)

Mi-blancs mi-noirs (pinot noir et meunier à parité), mi-cuve mi-fût (le chardonnay élevé en fût, les pinots en cuve), telle est la formule de cette cuvée mariant les récoltes 2014 et 2013. Un champagne évolué et boisé avec élégance, au nez vanillé, teinté d'une nuance de vieux rhum. Droit et long en bouche, il est marqué en finale par de jolies notes briochées et miellées. ⧗ 2019-2023

CHAMPAGNE BIARD-LOYAUX, 1, rue du Château, 02850 Passy-sur-Marne, tél. 03 23 70 35 66, jbiard@wanadoo.fr V t.l.j. 9h-12h 14h-17h; sam. dim. sur r.-v.; f. août

CHARLES BLIARD ET FILS ★

| 3500 | | 15 à 20 €

Charles Bliard, natif d'Hautvillers, devient viticulteur en 1884. D'abord chef de cave pour un négociant, son fils installe l'exploitation familiale à Dizy, en face d'Épernay, puis lance son champagne après 1945. En 2009, Bruno et Maxime prennent les rênes de la propriété (1,8 ha) située dans la Grande Vallée de la Marne. (RM)

Un brut construit sur le pinot noir (70 %), complété par le chardonnay, mariant la récolte 2016 avec les deux années précédentes. Nez discret mais plaisant, entre fleurs et fruits blancs, bouche étoffée, plutôt dosée mais équilibrée, marquée en finale par une agréable pointe d'amertume. ⧗ 2019-2022

CHAMPAGNE CHARLES BLIARD ET FILS, 595, av. du Général-Leclerc, 51530 Dizy, tél. 06 48 25 13 64, champagne.bliard@gmail.com V r.-v.

CH. DE BLIGNY Grande Réserve ★

	90000		20 à 30 €

Proche de Bar-sur-Aube, ce domaine de 30 ha est commandé par l'un des rares «châteaux du vin» en Champagne, construit à la fin du XVIIIᵉs par le marquis de Dampierre, propriétaire d'une verrerie à Bligny. Il appartient depuis 1999 à la famille Rapeneau. (RM)

Ce brut met en avant le pinot noir (75 %), complété par le chardonnay. Au nez, il mêle l'aubépine, les fruits blancs et la pâte d'amandes. Intense, riche, droit et long en bouche, il déploie des arômes de pomme légèrement compotée. Du corps et de la fraîcheur. ⧗ 2019-2022

CHAMPAGNE CH. DE BLIGNY,
Ch. de Bligny, 10200 Bligny, tél. 03 25 27 40 11,
vl@champagnemartel.com

MAXIME BLIN Extra-brut L'Onirique ★

	n.c.		20 à 30 €

Située dans le massif de Saint-Thierry, au nord-ouest de Reims, cette exploitation de 13 ha, fondée par Robert Blin en 1960, vinifie depuis 1988. Gilles Blin, rejoint par son fils Maxime en 2004, a passé la main à ce dernier en 2014. Deux marques : R. Blin et Fils et, depuis 2000, Maxime Blin. (RM)

Construite sur le pinot noir (90 %) complété par le chardonnay, cette cuvée très peu dosée (extra-brut) libère de fraîches senteurs de fleurs blanches, puis des notes plus mûres de fruits jaunes confits. On retrouve les fruits jaunes dans un palais suave en attaque, puissant, équilibré et long. Pour l'apéritif comme pour la table. ⧗ 2019-2022 ● **R. Blin et Fils Grande Tradition ★ (20 à 30 €; 20000 b.)** : cuvée privilégiant le chardonnay (90 %), avec un appoint de pinot noir. Arômes de beurre et de fruits secs, attaque ronde, finale tendue et persistante : un champagne bien construit et élégant. ⧗ 2019-2022 ● **R. Blin et Fils (20 à 30 €; 10000 b.)** : vin cité.

CHAMPAGNE R. BLIN ET FILS,
11, rue du Point-du-Jour, 51140 Trigny, tél. 03 26 03 10 97,
contact@blinetfils.com V *r.-v.*

A. BOATAS ET FILS Paradis 2008 ★★

Gd cru	5000		20 à 30 €

Héritier de quatre générations de viticulteurs à Avize, grand cru de la Côte des Blancs, Armand Boatas est devenu ingénieur, tout en reprenant en 2005 les vignes familiales (3,4 ha). En 2014, il a abandonné sa carrière dans l'industrie automobile pour se consacrer à plein temps à son domaine. Coopérateur comme les trois générations précédentes, il a commencé à vinifier ses cuvées, fort des connaissances acquises à l'université de Bourgogne. (RC)

Présenté après le 2009, un millésime choyé par son élaborateur, qui explique à l'acheteur, sur la contre-étiquette, qu'il l'a vinifié sans fermentation malolactique pour lui garder son fruit et sa fraîcheur. Le Paradis est un lieu-dit d'Avize, planté évidemment de chardonnay. Un blanc de blancs aux multiples atouts : une robe pâle, or vert, animée d'une belle effervescence; un nez minéral et iodé, s'ouvrant sur les fleurs blanches puis sur l'orange et les fruits jaunes; une bouche vive en attaque, saline elle aussi, puissante et longue, légèrement amère en finale. ⧗ 2019-2023 ● **Gd cru Blanc de blancs 2008 ★★ (20 à 30 €; 1500 b.)** : ce blanc de blancs illustre une fois de plus la qualité du millésime 2008. Nez précis, sur les fleurs blanches, la menthe, l'amande et un léger miel, bouche gourmande et élégante, sur les fruits blancs, à la finale longue et saline. ⧗ 2019-2023

CHAMPAGNE A. BOATAS ET FILS,
176, av. de Mazagran, 51190 Avize, tél. 06 62 69 42 52,
aboatas@free.fr V *r.-v.*

BOCHET-LEMOINE 2014 ★

	10290		15 à 20 €

Domaine constitué en 1992 à la suite du mariage de Jacky Bochet avec Valérie Lemoine : après la réunion de vignobles issus des deux familles, la propriété couvre plus de 8 ha sur la rive droite de la Marne. Pierre Bochet, le fils, a rejoint l'exploitation en 2015. (RM)

Mi-chardonnay, mi-pinot noir, ce brut millésimé or jaune séduit par son nez intense et gourmand, plutôt évolué, mêlant fruits jaunes confiturés, beurre, coing, pruneau et notes toastées. On retrouve la pêche et l'abricot compotés dans une bouche de bonne longueur, tonifiée par une fraîcheur acidulée. ⧗ 2019-2022 ● **Cuvée sélectionnée ★ (11 à 15 €; 51500 b.)** : une fois de plus apprécié, ce brut met en avant les noirs (80 %, dont 50 % de meunier). Fruité et floral, un champagne flatteur, intense et long. ⧗ 2019-2022

CHAMPAGNE BOCHET-LEMOINE,
3, rue Dom-Pérignon, 51480 Cormoyeux,
tél. 03 26 58 64 11, bochet.lemoine@wanadoo.fr
V *t.l.j. sf dim. 9h-12h 14h-18h* B

BOIZEL Extra-brut Ultime

	n.c.		30 à 50 €

Fondée en 1834, cette maison sparnacienne très régulière en qualité a vu se succéder six générations. Évelyne Roques-Boizel, qui la dirigeait depuis 1973 avec son mari Christophe Roques, a passé le relais en 2019 à ses fils Lionel et Florent. Tout en restant familiale, la société a rejoint en 1994 le groupe créé par Philippe Baijot et Bruno Paillard, devenu Lanson-BCC. (NM)

Mariant deux tiers de raisins noirs (pinot noir 50 %, meunier 13 %) et un tiers de chardonnay, cette cuvée pourrait s'appeler brut nature, car aucun sucre n'a été ajouté après le dégorgement. Elle brille moins par sa longueur que par l'agrément de sa palette fruitée dominée par la pêche et la mirabelle. ⧗ 2019-2022 ● **Joyau de France 2004 (75 à 100 €; n.c.)** : vin cité.

CHAMPAGNE BOIZEL, 46, av. de Champagne,
51200 Épernay, tél. 03 26 55 21 51, boizelinfo@boizel.fr
V *t.l.j. sf dim. lun. 10h-13h 14h30-17h30; f. janv.*

BOLLINGER Spécial Cuvée ★

	n.c.		30 à 50 €

Célèbre maison fondée en 1829 par Joseph Bollinger, négociant originaire du Wurtemberg. Elle est restée familiale, même si, depuis 2008, elle est présidée par une personne extérieure à la famille, Jérôme Philipon. Forte d'un vignoble de 174 ha à dominante de pinot noir (60 %) et d'un atelier de tonnellerie, elle veille

au maintien de son style, fondé sur des assemblages savants de vins vinifiés séparément en fût de chêne (de réemploi pour éviter un boisé dominateur) et en cuve de petite capacité. Quant aux vins de réserve, ils sont conservés en magnum sous «petite mousse». Le tirage se fait sous bouchage liège. (NM)

Le brut sans année de la maison assemble pinot noir (60 %), chardonnay (25 %) et meunier (15 %); il associe deux vendanges et 5 à 10 % de vins de réserve. Après un long repos de trois ans en cave, il affiche une robe dorée animée de bulles fines et foisonnantes, qui mettent en valeur un nez subtilement floral. Une attaque souple ouvre sur un palais d'une belle fraîcheur, aux arômes de fruits blancs (pêche), où le bois se fait discret. De la finesse. 2019-2022 ● **(50 à 75 €; n.c.)** : vin cité.

CHAMPAGNE BOLLINGER, 16, rue Jules-Lobet, 51160 Aÿ-Champagne, tél. 03 26 53 33 66, contact@champagne-bollinger.fr V *r.-v.*

BONNAIRE Prestige ★

Gd cru	8000		30 à 50 €

Comme plus d'un viticulteur champenois, l'arrière-grand-père des vignerons actuels a pris son indépendance vis-à-vis du négoce à la suite de la crise de 1929 et s'est lancé dans la manipulation en 1932. Aujourd'hui, le domaine s'étend sur 25 ha, principalement dans la Côte des Blancs. Il est conduit depuis 2012 par Jean-Emmanuel et Jean-Étienne Bonnaire, fils de Jean-Louis, disparu en 2015. (RM)

Une cuvée construite pour l'essentiel sur la vendange de 2012 – du chardonnay de Cramant : une matière première de qualité pour cette cuvée au dosage très mesuré pour un brut (6 g/l). Sa palette, mêlant fruits jaunes, beurre, brioche et noisette, avec un léger miel en bouche, traduit une heureuse évolution. Le palais, à l'unisson du nez, séduit par sa structure, sa fraîcheur et sa finale persistante, teintée d'une légère amertume. De l'intensité et du caractère. 2019-2023 ● **Gd cru Blanc de blancs (20 à 30 €; 35000 b.)** : vin cité.

CHAMPAGNE BONNAIRE, 120, rue d'Épernay, 51530 Cramant, tél. 03 26 57 50 85, contact@bonnaire.com V *r.-v.*

BONNET-LECONTE Sélection Vieilles Vignes ★

	2662		15 à 20 €

La marque Leconte-Agnus devient Bonnet-Leconte : un hommage de Florian et d'Enguerran Bonnet et de leur mère Martine, née Leconte, à Gérard Bonnet, disparu en 2014. Établie sur la rive gauche de la Marne, cette famille cultive la vigne depuis cinq générations, mais elle ne possédait que quelques ares dans les années 1950; elle en compte 9 aujourd'hui et a raffiné ses assemblages. (RM)

Mi-meunier mi-pinot noir, ce blanc de noirs au nez minéral s'ouvre sur le pain grillé et développe en bouche des notes de fruits à noyau, d'amande grillée et de pain d'épice. Il séduit par sa fraîcheur et par sa longueur. 2019-2022 ● **Prestige ★ (15 à 20 €; 6991 b.)** : mariant par tiers meunier, pinot noir et chardonnay, un brut discrètement citronné et floral au nez, plus expressif en bouche, plaisant par sa fraîcheur et par son fruité (agrumes, pêche blanche). 2019-2022 ● **(15 à 20 €; 3056 b.)** : vin cité.

CHAMPAGNE BONNET-LECONTE, 3, rue des Grèves-Bouquigny, 51700 Troissy, tél. 03 26 52 70 24, champagne.leconte.agnes@wanadoo.fr V *r.-v.*

BONNET-PONSON Seconde Nature ★★

1er cru	4000		30 à 50 €

Depuis Grégoire Bonnet en 1862, six générations de vignerons se sont succédé à Chamery, au sud-ouest de la cité des Sacres. Aujourd'hui, Thierry et son fils Cyril conduisent 10 ha sur le flanc nord de la Montagne de Reims : 70 parcelles en 1er cru et en grand cru. Domaine en bio certifié depuis 2016. (RM)

Non millésimée mais issue de la récolte 2016, voici la première cuvée certifiée bio de la propriété. Mariant pinot noir (45 %), chardonnay (40 %) et meunier (15 %), elle a été vinifiée avec des levures indigènes, sans soufre et sans sucre ajouté après le dégorgement (brut nature). Un élevage de dix mois en fût a donné de la complexité à sa palette qui mêle l'abricot sec à l'amande, à la vanille et à la crème pâtissière. Le pain d'épice s'ajoute à cette palette dans un palais puissant, structuré et frais, à la longue finale boisée. De la profondeur. 2019-2023

CHAMPAGNE BONNET-PONSON, 9, chem. du Peuplier, 51500 Chamery, tél. 03 26 97 65 40, champagne.bonnet.ponson@wanadoo.fr V *r.-v.*

FRANCK BONVILLE Extra-brut Blanc de blancs Pur Avize 2012 ★

Gd cru	2500		30 à 50 €

En 1900, Alfred Bonville achète près d'Oger des terres à vignes dévastées par le phylloxéra, puis une cave et un pressoir en 1936; Franck commercialise ses premières bouteilles après 1945, Gilles modernise la cuverie. Depuis 1996, Olivier Bonville, le petit-fils de Franck, s'installe. Fort de son diplôme d'œnologue, il met en valeur 18 ha, dont 15 dans trois grands crus de la Côte des Blancs : Avize, Cramant et Oger. (RM)

Née d'un beau millésime, une nouvelle cuvée issue de trois parcelles représentatives du terroir d'Avize. Elle a vieilli cinq ans sous bouchage liège avant un dégorgement manuel. Un blanc de blancs or pâle, d'une belle complexité. Au nez, des fruits exotiques puis, à l'aération, des notes plus évoluées de mirabelle, de fruits jaunes macérés, de figue sèche. On retrouve les fruits exotiques et les fruits secs dans une bouche soyeuse et minérale. La finale fraîche et longue sur l'agrume confit et le pamplemousse laisse un bon souvenir. 2019-2022

CHAMPAGNE FRANCK BONVILLE, 9, rue Pasteur, 51190 Avize, tél. 03 26 57 52 30, contact@champagnebonville.fr V *r.-v.*

BOREL-LUCAS Blanc de blancs Cuvée Sélection ★★

Gd cru	16000		15 à 20 €

Fondé par l'aïeul Marcel Lucas en 1929 et conduit aujourd'hui par la famille Crépaux, ce domaine couvre 13 ha entre vallée de la Marne, Côte des Blancs et secteur de Congy et d'Étoges – commune où l'exploitation est installée. Jean-Marie Crépaux est fidèle au pressoir traditionnel. (RM)

Assemblage de trois grands crus de la Côte des Blancs et des vendanges 2013 et 2012, ce blanc de blancs a enchanté nos dégustateurs par son nez tout en fleurs blanches et par sa bouche bien dosée, fraîche, nette et longue. De la finesse. ⧗ 2019-2022

CHAMPAGNE BOREL-LUCAS, 3, rue Richebourg, 51270 Étoges, tél. 03 26 59 30 46, contact@champagne-borel-lucas.com V t.l.j. 9h-12h 14h-19h; dim. 9h-12h

BOUCHÉ PÈRE ET FILS 2006 ★★

| 20000 | 20 à 30 € |

Créée en 1920, cette maison établie à la porte sud d'Épernay a commercialisé ses premières cuvées en 1945. Elle est dirigée par Nicolas Bouché, ingénieur agricole et œnologue, qui dispose d'un important vignoble de 30 ha disséminé sur onze crus différents. Tous les champagnes de la propriété restent au minimum quatre ans en cave. (NM)

Mariant pinot noir (70 %) et chardonnay, ce brut millésimé fait suite à un remarquable 2005. Après un séjour de dix ans sur lies, il affiche une robe or foncé, et déploie une palette agréablement évoluée : notes beurrées, pain d'épice, coing et pruneau s'élèvent au-dessus du verre, nuancés d'une touche mentholée. Brioche, abricot sec, noisette, agrumes et épices viennent compléter cette gamme dans un palais onctueux et gourmand, tonifié par une pointe d'amertume. Un champagne élégant pour un repas de fête. ⧗ 2019-2022 **Cuvée Saphir ★ (20 à 30 €; 10000 b.)** : né de très vieilles vignes, un brut associant chardonnay (75 %) et pinots des vendanges 2006 et des deux années précédentes. Avec ses arômes de fruits exotiques et d'agrumes, son palais à la fois rond et alerte, ce champagne vieilli dix ans montre une réelle fraîcheur. ⧗ 2019-2023

CHAMPAGNE BOUCHÉ PÈRE ET FILS, 10, rue du Général-de-Gaulle, 51530 Pierry, tél. 03 26 54 12 44, info@champagne-bouche.fr V *t.l.j. sf dim. 8h-13h 14h-17h; f. sam. en janv.-fév.*

BOULOGNE-DIOUY Blanc de blancs ★

| n.c. | 15 à 20 € |

Représentant la troisième génération de viticulteurs, Philippe Boulogne est coopérateur. Installé en 1986, il a lancé son champagne en 1999. Installé dans un vallon sur la rive gauche de la Marne, il met en valeur un vignoble de 8 ha implanté à Nesle-le-Repons, Festigny et au Mesnil-le-Hutier, trois villages des environs. (RC)

Ce chardonnay de la vallée de la Marne libère des arômes plutôt évolués de fruits confits et d'épices. Dans le même registre, la bouche montre de la puissance et une rondeur soulignée par un dosage généreux. Elle garde un bel équilibre grâce à une grande fraîcheur qui lui donne de l'allonge. ⧗ 2019-2022

CHAMPAGNE BOULOGNE-DIOUY, 28, rue de l'Église, 51700 Nesle-le-Repons, tél. 03 26 52 83 94, champagne.boulogne@wanadoo.fr V *r.-v.*

BOUQUET La Belle Notoire ★

| 1476 | 15 à 20 € |

Cinq générations se sont succédé sur ce domaine implanté dans la vallée de la Marne. Cécile Bouquet a repris l'exploitation en 2008 et développe l'accueil. (RM)

Ce brut privilégie le chardonnay (60 %), complété par 20 % de meunier et autant de pinot noir. Un champagne aux arômes de fruits mûrs, intense, ample et structuré, justement dosé, vivifié par des notes citronnées. Apéritif, poisson et autres produits de la mer, fromages : il fera l'usage d'un blanc de blancs. ⧗ 2019-2022

CHAMPAGNE BOUQUET, 3, rue du Coteau, 51700 Châtillon-sur-Marne, tél. 06 76 69 02 87, champ.cl.bouquet@wanadoo.fr V *t.l.j. 10h30-12h 13h30-17h30*

EDMOND BOURDELAT Cénote ★★

| 8000 | 20 à 30 € |

Les grands-parents de l'actuel propriétaire possédaient quelques pieds de vigne. Son père, Edmond, a lancé son champagne. Bruno, installé à ses côtés en 1990, a pris neuf ans plus tard la tête du domaine. Fort de 4 ha de vignes sur les coteaux sud d'Épernay (Brugny, Mancy, Vinay), il décide d'élaborer ses cuvées : des champagnes vinifiés en fût, qui restent au moins trois ans en cave. (RM)

«On sent que ce champagne a bénéficié d'un long vieillissement», écrit un dégustateur à propos de cette cuvée, assemblage de chardonnay (60 %) et de meunier élevé pour 30 % en fût. Un brut or blanc au nez subtil de poire et de pomme bien mûres, qui dévoile en bouche un léger boisé aux côtés d'un fruité frais aux nuances d'agrumes. La mousse est crémeuse, la finale vive et longue, délicatement citronnée. De la finesse. ⧗ 2019-2023 **Émersion ★ (15 à 20 €; 8000 b.)** : né d'un assemblage de meunier (60 %) et de chardonnay, élevé pour 30 % en fût, un brut intense, frais, élégant et long aux arômes de pain blanc, de pêche et de poire légèrement miellés. ⧗ 2019-2022

CHAMPAGNE EDMOND BOURDELAT, 3, rue des Limons, 51530 Brugny, tél. 06 07 80 31 03, contact@champagne-edmond-bourdelat.fr V *r.-v.*

BOURGEOIS-BOULONNAIS Tradition Vertus

| 1er cru | n.c. | 15 à 20 € |

Établie à Vertus, dans la partie sud de la Côte des Blancs, la famille Bourgeois dispose d'un vignoble de 5,6 ha implanté uniquement sur cette vaste commune classée en 1er cru. Le chardonnay est logiquement très présent dans ses cuvées. (RM)

À Vertus, le pinot noir, pratiquement absent des villages plus septentrionaux de la Côte des Blancs, s'insinue entre les parcelles de chardonnay. Né des récoltes 2013 et 2012, ce brut sans année comprend 20 % de raisins noirs aux côtés des blancs. Or léger, il se partage au nez entre un fruité frais et des notes évoluées de torréfaction évoquant le café. Équilibré, élégant, de bonne longueur, il laisse une impression de légèreté. ⧗ 2019-2022

CHAMPAGNE BOURGEOIS-BOULONNAIS, 8, rue de l'Abbaye, 51130 Vertus, tél. 03 26 52 26 73, bourgeoi@hexanet.fr V *r.-v.*

♥ CH. DE BOURSAULT Blanc de blancs 2004 ★★

	3500		30 à 50 €

Construit en 1843, un fastueux château néo-Renaissance dominant la vallée de la Marne, sur la rive gauche : le cadeau de mariage de Barbe-Nicole Clicquot (la «veuve Clicquot») à sa petite-fille. Cas presque unique en Champagne, le domaine, clos de murs, inclut les bâtiments d'exploitation et le vignoble. Acquis par la famille Fringhian en 1927, il couvre aujourd'hui 13 ha. (NM)

L'année 2004 a produit nombre de cuvées millésimées. On en voit beaucoup moins. Nos dégustateurs saluent la tenue de ce millésime, un chardonnay resté treize ans en cave. Sa robe dorée est parcourue de bulles encore denses. Son nez intense et complexe mêle les fruits blancs et l'aubépine à de belles notes d'évolution évoquant les fruits secs et la pâte d'amandes. Les fruits blancs s'épanouissent dans une bouche crémeuse et riche, tonifiée par une longue finale fraîche et iodée. Une réelle élégance. ⧗ 2019-2021 ● **Brut nature ★★ (20 à 30 €; 3000 b.)** : les trois cépages champenois contribuent à cette cuvée non dosée, expressive et ample, aussi ronde que longue, aux arômes de fruits blancs et de pêche jaune. Parfaite pour la table. ⧗ 2019-2023

CHAMPAGNE CH. DE BOURSAULT, 2, rue Maurice-Gilbert, 51480 Boursault, tél. 03 26 58 42 21, info@champagnechateau.com V *t.l.j. sf dim. lun. 9h-12h 14h-17h*

G. BOUTILLEZ-VIGNON Cuvée Prestige ★

1er cru	10500		15 à 20 €

Les Boutillez cultivaient déjà la vigne au XVIe s. à Villers-Marmery. Gérard et Colette ont créé leur domaine en 1964 et commercialisé leurs premières bouteilles en 1976. Colette, appuyée par ses trois filles depuis 2004, a passé les commandes à la nouvelle génération en 2014. Le vignoble familial couvre 5 ha dans cinq crus de la Montagne de Reims. À la cave, Armelle Boutillez-Gaudinat. (RM)

Pinot noir (60 %) et chardonnay composent cette cuvée qui comprend 30 % de vins de réserve élevés en fût. Gourmand au nez, floral et fruité, ce brut dévoile en bouche un fruité plus évolué aux nuances compotées, assorti de noisette, de pruneau et d'une touche de caramel. Rond et généreux, il est vivifié par un trait de fraîcheur acidulée qui donne beaucoup d'allonge à la finale. ⧗ 2019-2022 ● **1er cru (15 à 20 €; 1800 b.)** : vin cité.

CHAMPAGNE G. BOUTILLEZ-VIGNON, 26, rue Pasteur, 51380 Villers-Marmery, tél. 03 26 97 95 87, champagne.g.boutillez.vignon@orange.fr V *r.-v.*

OLIVIER ET BERTRAND BOUVRET Tradition ★★

	18000		11 à 15 €

Un jeune domaine aubois de 3 ha environ, implanté dans la région de Bar-sur-Seine. 1986, installation d'Olivier Bouvret et premières plantations. 2001, arrivée de son frère Bertrand, suivie de la construction de la cave. Premières vinifications en 2002. (RM)

Ce brut sans année qui doit presque tout au pinot noir (94 %, le solde en chardonnay) a séduit une fois de plus. Floral et franc au nez, il associe en bouche la fleur à la pêche et à l'abricot. Sa texture crémeuse se conjugue à une vivacité qui met en valeur des arômes d'agrumes en finale. Un champagne d'une belle tenue qui laisse une impression de légèreté. ⧗ 2019-2022

CHAMPAGNE OLIVIER ET BERTRAND BOUVRET, 39, rue de l'Église, 10110 Merrey-sur-Arce, tél. 06 30 60 81 93, champagnebouvret@gmail.com V *r.-v.*

SÉBASTIEN BRESSION Tradition ★

	17000		15 à 20 €

Sébastien Bression a repris en 2000 le petit domaine familial, qui a son siège à Étoges, entre Côte des Blancs et Sézannais. Il l'a agrandi, parcelle après parcelle : aujourd'hui, 4 ha sur les coteaux du Petit Morin. (RM)

Né d'un assemblage de chardonnay majoritaire (70 %) et de meunier, ce champagne marie la récolte 2016 aux deux vendanges précédentes. Charnu et soyeux, de bonne longueur, il offre les qualités de fruité et de fraîcheur attendues d'un brut sans année. ⧗ 2019-2022

CHAMPAGNE SÉBASTIEN BRESSION, La Haie-Carbon, 51270 Étoges, tél. 03 26 53 76 67, champagnebression.s@orange.fr V *r.-v.*

BRETON FILS Tradition ★★

	80000		15 à 20 €

Parti de 5 ares dans les années 1950, Ange Breton a développé son domaine pendant un demi-siècle. Établie à Congy, entre Côte des Blancs et Sézannais, l'exploitation, forte d'un vignoble de 16 ha réparti sur onze communes, est dirigée depuis 2009 par son fils Reynald, qui officie à la cave. (RM)

Assemblés par tiers, pinot noir, meunier et chardonnay composent ce brut sans année à la robe dorée, qui mêle au nez des notes de petits fruits rouges et des nuances plus évoluées de fruits secs. Onctueux, frais et persistant, le palais laisse une impression d'élégance. ⧗ 2019-2023

CHAMPAGNE BRETON FILS, 12, rue Courte-Pilate, 51270 Congy, tél. 03 26 59 31 03, contact@champagne-breton-fils.fr V *t.l.j. 9h-12h 14h-17h30*

BRICE Héritage ★

	80000		20 à 30 €

Le domaine tire son origine de l'achat par un ancêtre de vignes ecclésiastiques ou nobiliaires vendues à la Révolution. Fondée en 1994 par Jean-Paul Brice, la maison de négoce est gérée depuis 2009 par son fils Jean-René. Forte d'un vignoble en propre de 12 ha, dont le noyau de 8 ha sur le terroir de Bouzy, elle propose une gamme de champagnes issus de grands crus affichés sur l'étiquette. Les vins sont élaborés sans fermentation malolactique. (NM)

Composé de pinot noir majoritaire (70 %) et de chardonnay, ce brut sans année séduit d'emblée par son

CHAMPAGNE

expression aromatique intense, briochée, miellée et épicée. Persistant en bouche, il dévoile des arômes d'agrumes soulignés par une vivacité tonique. De la présence et de l'élégance. ⧗ 2019-2022 ● **Héritage ★ (20 à 30 €; 10000 b.)** : l'assemblage est celui du blanc (pinot noir 70 %, chardonnay 30 %), 10 % de vin rouge élevé en fût lui donnant sa robe saumon pastel. Assez discret et évolué par ses arômes, un rosé étoffé, frais et long. ⧗ 2019-2022

CHAMPAGNE BRICE, 22, rue Gambetta, 51150 Bouzy, tél. 03 26 52 06 60, je.brice@champagne-brice.com V *t.l.j. sf sam. dim. 9h-13h 14h-18h*

BRISSON-JONCHÈRE Rosé de saignée ★

●	690		20 à 30 €

Un petit domaine (3 ha) aubois récent. La famille vendait son raisin au négoce. Installés en 1998, Bénédicte et Claude Jonchère ont été coopérateurs jusqu'en 2005, puis se sont lancés dans l'élaboration de leurs cuvées. Bénédicte est à la cave. (RM)

Une curiosité : ce rosé qui tire sa couleur cuivrée de la macération de raisins noirs provient de meunier, cépage peu répandu dans la Côte des Bar. Le cépage et la vinification donnent un caractère très vineux à ce champagne mêlant les agrumes à des notes évoluées de brioche, de torréfaction et d'épices. Un rosé de repas. ⧗ 2019-2022 ● **Trois Cépages ★ (15 à 20 €; 14415 b.)** : pinot noir, meunier et chardonnay composent ce brut dominé par le premier (80 %). Un champagne aux arômes fruités et grillés, de bonne longueur, bien équilibré entre rondeur et fraîcheur. ⧗ 2019-2022 ● **Larme de rosé (15 à 20 €; 3373 b.)** : vin cité.

CHAMPAGNE BRISSON-JONCHÈRE, 6, chem. de l'Argillier, 10200 Bar-sur-Aube, tél. 06 66 61 27 07, champagnebrissonjonchere@orange.fr V *r.-v.*

LOUIS BROCHET HBH 2008 ★★

● 1er cru	3550		30 à 50 €

Les Brochet cultivent la vigne depuis 1674 à Écueil, 1er cru de la Montagne de Reims. Henri Brochet et Yvonne Hervieux ont lancé après la guerre la marque Brochet-Hervieux et créé le domaine géré pendant quarante-cinq ans par leur fils Alain, disparu en 2012. En 2011, nouvelle marque et nouvelle génération, avec Hélène et son frère Louis, œnologue comme son père. Le vignoble familial, à dominante de pinot noir, couvre 13 ha. Exploitation certifiée Haute valeur environnementale. (RM)

HBH? Les initiales d'Henri Brochet-Hervieux, le grand-père. Ce brut du beau millésime 2008 assemble à parité pinot noir et chardonnay d'Écueil et de trois villages voisins. Paré d'une robe or intense animée de trains de bulles dynamiques, il mêle au nez des senteurs très fraîches de citron et des notes évoluées (figue sèche, chocolat, pain d'épice). On retrouve ce registre dans les arômes d'agrumes confits et de torréfaction du palais, séduisant par sa structure, sa vivacité et sa minéralité. ⧗ 2019-2022 ● **Extra Noir ★ (30 à 50 €; 1500 b.)** : dosé en extra-brut, un blanc de noirs «pur Écueil» : les vieux ceps de pinot noir des récoltes 2011 et 2009 proviennent de deux parcelles du village et le vin a séjourné six mois en fût de chêne issu de la forêt locale. Un champagne structuré, harmonieux et frais, à la palette complexe (boisé vanillé, torréfaction, fruits secs, fruits confits, miel). ⧗ 2019-2022

HÉLÈNE ET LOUIS BROCHET, 12, rue de Villers-aux-Nœuds, 51500 Écueil, tél. 03 26 49 77 44, contact@champagne-brochet.com V *r.-v.*

VINCENT BROCHET Extra-brut

●	5000		15 à 20 €

D'origine ardennaise, les Brochet se sont fixés au XIXes. à Écueil, dans la Montagne de Reims. Agriculteurs, éleveurs et apporteurs de raisins au négoce, ils sont devenus récoltants-manipulants après 1945 avec Henri Brochet et Yvonne Hervieux (Champagne Brochet-Hervieux). Vincent, l'un des fils, installé en 1990, a racheté en 2010 le Dom. les Croix et lancé deux ans plus tard son champagne. Son fils Gaspard l'a rejoint. (RM)

Une cuvée construite sur le pinot noir (80 %), avec un petit appoint de meunier et de chardonnay. Son faible dosage souligne la vivacité de ce champagne aux arômes d'agrumes, nuancés d'une touche de violette. Pour l'apéritif et les produits de la mer. ⧗ 2019-2022

DOM. LES CROIX, 28, rue de Villers-aux-Nœuds, 51500 Écueil, tél. 03 26 49 24 06, contact@champagne-vincent-brochet.com V *t.l.j. sf dim. 8h-17h; f. 3eme sem. août* 5 A

ÉDOUARD BRUN ET CIE Brut nature ★

● Gd cru	4000		50 à 75 €

Fondée en 1898, cette structure de négoce familiale porte le nom de son créateur, un ancien tonnelier. Les fûts ou foudres sont toujours utilisés pour la vinification de certaines cuvées. La maison dispose en propre de 10 ha dans la Montagne de Reims et aux environs d'Aÿ. (NM)

Cette cuvée non dosée assemble 60 % de chardonnay et 40 % de pinot noir, les pinots étant élevés six mois en fût sans fermentation malolactique. Puissante au nez, elle libère des arômes d'abricot qui prennent à l'aération des tons de pain d'épice. Fruitée et boisée au palais, d'une belle vivacité, elle offre une finale acidulée teintée de notes d'élevage un rien fumées. ⧗ 2019-2022 ● **Cuvée spéciale ★ (20 à 30 €; 80000 b.)** : dominé par le meunier (60 %), complété par le pinot noir et le chardonnay à parts égales, un brut structuré, élégant et long, aux arômes de fruits blancs. ⧗ 2019-2022

CHAMPAGNE ÉDOUARD BRUN ET CIE, 14, rue Marcel-Mailly, 51160 Aÿ, tél. 03 26 55 20 11, contact@champagne-edouard-brun.fr V *r.-v.*

CHRISTIAN BUSIN Cuvée d'Uzès ★

● Gd cru	2000		20 à 30 €

Propriété implantée autour de Verzenay, grand cru de la Montagne de Reims réputé pour son pinot noir. Héritier d'une lignée de vignerons, Christian Busin a lancé sa marque en 1966 et transmis son domaine à son fils Luc en 1997. Ce dernier l'a cédé en 2012 à la famille Labruyère, propriétaire en Bourgogne (maison Jacques Prieur), à Pomerol (Ch. Rouget) et dans le Beaujolais, son fief d'origine, qui prend ainsi pied en Champagne. (RM)

Chardonnay et pinot noir composent à parité cette cuvée à la robe or soutenue parcourue de bulles fines et alertes. Ils contribuent à son expression aromatique très fruitée dominée par les fruits jaunes, mirabelle et tête, et à son harmonie en bouche : attaque vive, développement puissant et rond, finale minérale. ⧗ 2019-2022

CHAMPAGNE CHRISTIAN BUSIN, 1, pl. Carnot, 51360 Verzenay, tél. 03 26 49 40 94, info@champagne-labruyere.com V r.-v.

JACQUES BUSIN Vieilles Vignes ★★

Gd cru	2400		20 à 30 €

Ernest Busin commercialisait déjà son champagne en 1902. Après Pierre et Jacques, Emmanuel Busin a pris en 2006 les commandes de la propriété, forte de près de 11 ha répartis dans cinq grands crus prestigieux de la Montagne de Reims : Verzenay, Mailly-Champagne, Verzy, Sillery et Ambonnay. (RM)

Né de chardonnay et de pinot noir à parts égales, construit sur la récolte 2015, ce brut demande un peu d'aération avant de libérer des senteurs charmeuses et fraîches d'agrumes, nuancées de touches fumées. Des agrumes que l'on retrouve, associés à des notes plus évoluées, dans une bouche persistante et justement dosée, bien mis en valeur par une franche vivacité. ⧗ 2019-2023 **Gd cru 2012 ★ (15 à 20 €; 10 806 b.)** : du pinot noir (60 %) et du chardonnay au service d'un millésimé ample, frais, fondu et persistant, aux arômes de beurre, de brioche et de noisette. ⧗ 2019-2023 **Gd cru Marthe Deligny Extra-brut Cuvée Réserve (15 à 20 €; 3000 b.)** : vin cité.

CHAMPAGNE JACQUES BUSIN, 17, rue Thiers, 51360 Verzenay, tél. 03 26 49 40 36, jacques-busin@wanadoo.fr V r.-v.

CAILLEZ-LEMAIRE Brut nature Pur Meunier ★★

	1220		30 à 50 €

Héritiers d'une tradition vigneronne remontant au XVIIIᵉs., Raymond Caillez et Andrée Lemaire deviennent récoltants-manipulants, âgés d'une vingtaine d'années. Avec Virginie et son mari Laurent Vanpoperinghe, qui s'est reconverti pour travailler sur l'exploitation, c'est la troisième génération qui tient les rênes du domaine, fort d'un vignoble de 7 ha sur la rive droite de la Marne. (RM)

Une cuvée «pur terroir», écrivent fièrement les vignerons : du meunier de Damery, vieilli sept mois dans le chêne tiré des bois communaux – des fûts de réemploi. Pas de fermentation malolactique qui pourrait arrondir les angles à l'excès et aucun sucre ajouté susceptible de maquiller l'ensemble. Il en résulte un blanc de noirs aussi puissant qu'élégant, à la robe or jaune, au nez partagé entre les fruits rouges, la brioche et le pain grillé, à la mousse crémeuse et à la finale acidulée et longue. Pour l'apéritif comme pour la table. ⧗ 2019-2022 **Reflets ★ (20 à 30 €; 33 100 b.)** : issu des trois cépages champenois et élevé pour 25 % en fût, ce brut intense, franc et acidulé porte la marque des raisins noirs (85 %, pinot noir en tête) dans sa robe or et dans ses légers arômes de fruits rouges. Il pourra accompagner un repas. ⧗ 2019-2022 **Éclats ★ (20 à 30 €; 17 850 b.)** : mi-blancs mi-noirs (les deux pinots à 25 %), resté quatre ans sur lattes, un brut droit, frais et long, aux arômes délicats et complexes (acacia, pêche blanche, pamplemousse et touche de violette). L'élevage majoritaire sous bois se fait oublier. ⧗ 2019-2023

SARL CHAMPAGNE CAILLEZ-LEMAIRE, 14, rue Pierre-Curie, 51480 Damery, tél. 03 26 58 41 85, champ-caillez.lemaire@wanadoo.fr V r.-v.

PIERRE CALLOT
Extra-brut Blanc de blancs Avize Les Chênes ★★

Gd cru	n.c.		50 à 75 €

Prenant la suite d'une lignée de viticulteurs remontant au XVIIIᵉs., Pierre Callot a lancé son champagne en 1955. Son fils Thierry, œnologue, lui a succédé en 1996. Son domaine de 5 ha, implanté principalement dans la Côte des Blancs, fait la part belle au chardonnay qui compose la base des cuvées de la propriété. Exploitation certifiée Haute valeur environnementale. (RM)

Issue d'une vinification parcellaire, cette cuvée a été vinifiée en fût. Remarquablement équilibrée, de belle longueur, elle offre la vivacité d'un chardonnay faiblement dosé, sa minéralité iodée et ses arômes d'agrumes. L'élevage ajoute du gras et, au nez comme en bouche, un boisé vanillé délicat et bien fondu. De la personnalité. ⧗ 2019-2022

CHAMPAGNE PIERRE CALLOT ET FILS, 100, av Jean-Jaurès, 51190 Avize, tél. 03 26 57 51 57, thierry.callot@orange.fr V r.-v.

CAMIAT ET FILS Cuvée Réserve ★★

	2000		15 à 20 €

Domaine établi sur les coteaux du Petit Morin. Auguste plante les premiers ceps vers 1940; Paul élabore les premières cuvées dans les années 1950. Après une expérience dans le conseil viticole, Romuald Camiat s'installe en 2008 sur l'exploitation (4,5 ha) et succède à son père en 2014. Il a aménagé une cuverie et obtenu la certification Haute valeur environnementale. (RM)

Un blanc de noirs issu de pinot noir des récoltes 2014 et 2013. Les raisins noirs ont donné de la puissance à ce champagne juvénile et frais : robe or pâle à l'effervescence vive, nez d'une discrète élégance, entre minéralité, agrumes et ananas, bouche dans le même registre, équilibrée et longue. ⧗ 2019-2022

CHAMPAGNE CAMIAT ET FILS, 34, Grande-Rue, 51130 Loisy-en-Brie, tél. 06 10 78 56 63, contact@champagne-camiat.fr V r.-v.

B CANARD-DUCHÊNE Extra-brut P. 181 ★

	n.c.		20 à 30 €

Fondée en 1868 par Victor Canard, tonnelier, et Léonie Duchêne, vigneronne, cette maison est restée implantée à Ludes, dans la Montagne de Reims, où elle dispose de 6 km de caves. Elle a été reprise en 2003 par le groupe Thiénot. (NM)

Pour compléter sa gamme, la maison ludéenne propose une cuvée issue de 12 ha de vignes cultivées en bio, dont 7 ha, à Verneuil, dans la vallée de la Marne, correspondent à la parcelle 181. Les autres raisins proviennent de la Montagne de Reims (Villers-Marmery), des coteaux d'Épernay et de la Champagne méridionale (Villenauxe). Les trois cépages sont mis en œuvre

CHAMPAGNE

(chardonnay 40 %, meunier et pinot noir à 30 % chacun). Un champagne tout en finesse, léger et frais, aux arômes gourmands de tartelette. ⏳ 2019-2022

CHAMPAGNE CANARD-DUCHÊNE, 1, rue Edmond-Canard, 51500 Ludes, tél. 03 26 61 10 96, info@canard-duchene.fr t.l.j. sf dim. 10h30-18h

JEAN-YVES DE CARLINI Blanc de noirs ★

Gd cru | 13000 | | 15 à 20 €

Roger de Carlini commercialise les premiers champagnes en 1955. Jean-Yves s'installe en 1970, lance sa marque en 1984, devient vigneron indépendant en 1995 et passe le relais en 2009 à sa fille Aude Krantz. Le vignoble couvre 6,5 ha autour de Verzenay, grand cru de noirs dans la Montagne de Reims. (RM)

Ce brut demande de l'aération pour libérer les arômes de groseille et de framboise légués par le pinot noir. Les fruits exotiques viennent compléter cette palette dans une bouche ample, suave et généreuse, équilibrée par ce qu'il faut de fraîcheur. Un champagne gourmand. ⏳ 2019-2022

CHAMPAGNE JEAN-YVES DE CARLINI, 13, rue de Mailly, 51360 Verzenay, tél. 03 26 49 43 91, champagne.decarlini@orange.fr r.-v.

LIONEL CARREAU
Blanc de noirs Vieilles Vignes 2014

| 7000 | | 20 à 30 €

Si ce domaine aubois, constitué par Lionel Carreau dans la Côte des Bar, ne remonte qu'à 1991, au milieu du XVIe s., des ancêtres cultivaient déjà la vigne pour l'abbaye de Mores, à deux pas de Celles-sur-Ource. Trois générations se côtoient aujourd'hui sur la propriété (6 ha) : Henri Carreau, Lionel et sa fille Oriane, qui en a pris les rênes en 2013. Exploitation certifiée Haute valeur environnementale. (RM)

Âgés d'un demi-siècle, des ceps de pinot noir sont à l'origine de cette cuvée mêlant au nez les fleurs blanches, le beurre et l'orange confite. Des arômes de fruits blancs se déploient dans une bouche vineuse et ronde au dosage apparent – pourtant faible pour un brut. Une belle fraîcheur finale apporte de l'équilibre à l'ensemble. ⏳ 2019-2022

CHAMPAGNE LIONEL CARREAU, 10, rue du Ruisselot, 10110 Celles-sur-Ource, tél. 03 25 38 57 27, info@champagne-lionel-carreau.com r.-v.

GEORGES CARTIER Première Cuvée ★

| 50000 | | 30 à 50 €

Cette maison se trouve à deux pas de l'avenue de Champagne à Épernay. Elle consacre une partie de ses activités à l'accueil des touristes (salle de réception, bar à champagnes) et ouvre aux visiteurs ses caves creusées au XVIIIe s.

Né d'un assemblage de pinot noir (45 %), de chardonnay (30 %) et de meunier (25 %), ce brut demande de l'aération pour libérer ses arômes à dominante grillée et fumée. En bouche, il suit la même ligne, tout en montrant une belle fraîcheur qui lui donne une certaine allonge. ⏳ 2019-2022

CHAMPAGNE GEORGES CARTIER, 9, rue Jean-Chandon-Moët, 51200 Épernay, tél. 03 26 32 06 22, info@georgescartier.com t.l.j. 10h-13h 14h-18h

CASTELNAU Blanc de blancs 2005 ★

| 15000 | | 30 à 50 €

Marque lancée en 1916 en l'honneur d'un général de la Grande Guerre, reprise en 2003 par la Coopérative régionale des vins de Champagne. Fondée en 1962 par 24 vignerons, cette structure vinifie aujourd'hui la récolte de près de 900 ha. La commercialisation des bouteilles a bondi : environ 180 000 bouteilles en 2007, près de 900 000 en 2018. Chef de cave depuis 2013, Elisabeth Sarcelet enrichit la gamme et privilégie les longs vieillissements : au moins cinq ans. (CM)

Nouvelle identité visuelle pour la marque. Castelnau a perdu sa particule, mais pas ses étoiles ! Ce chardonnay du millésime 2005 offre une palette élégante et évoluée, associant le miel et les fruits cuits aux épices et à la torréfaction. Dans le même registre compoté et grillé, la bouche se déploie avec ampleur, richesse et rondeur, mais elle a gardé une belle fraîcheur pour un 2005. ⏳ 2019-2022 **Extra-brut (30 à 50 €; 6000 b.)** : vin cité.

CHAMPAGNE CASTELNAU, 5, rue Gosset, 51100 Reims, tél. 03 26 77 89 00, contact@champagne-castelnau.fr t.l.j. sf sam. dim. 8h30-12h 14h-17h30

CLAUDE CAZALS
Extra-brut Blanc de blancs Clos Cazals Vieilles Vignes 2008 ★★

Gd cru | 4000 | | 50 à 75 €

Un nom du Midi : Ernest Cazals, le fondateur du domaine, tonnelier de son état, quitta l'Hérault pour venir s'installer en 1897 au Mesnil-sur-Oger. Olivier lui succéda, puis Claude, inventeur du gyropalette. Depuis 1996, c'est sa fille Delphine qui dirige l'exploitation : 9 ha environ sur la Côte des Blancs. (RC)

Situé à Oger, un vrai clos (3,7 ha) entouré de murs : de vieux chardonnays âgés d'un demi-siècle permettent d'obtenir des cuvées millésimées comme celle-ci, née de l'année 2008, faste en Champagne. Ce blanc de blancs or pâle à la bulle active n'a pas dit son dernier mot. Encore discret au nez, il s'ouvre sur le beurre frais et les fruits secs. Plus expressif au palais, il déploie des arômes de mangue compotée en harmonie avec une belle rondeur. Une acidité préservée lui donne de l'équilibre, met en valeur sa finale miellée et garantit une heureuse évolution. ⏳ 2019-2025

CHAMPAGNE CLAUDE CAZALS, 28, rue du Grand-Mont, 51190 Le Mesnil-sur-Oger, tél. 03 26 57 52 26, cazals.delphine@wanadoo.fr r.-v.

CHARLES DE CAZANOVE
Brut nature Tradition Père et Fils ★

| 50000 | | 20 à 30 €

Fondée en 1811 par Charles Gabriel de Cazanove, héritier d'une lignée de maîtres verriers, cette maison de négoce rémoise est restée dans la famille jusqu'au milieu du XXe s. Depuis 2004, elle fait partie du groupe Rapeneau. Quant à la marque Vieille France, elle a été acquise par les Rapeneau l'année précédente. (NM)

Aucun dosage en fin de vinification pour cette cuvée associant pinot noir (50 %), meunier et chardonnay (25 % chacun); à lire les commentaires des jurés, ce champagne n'avait nul besoin de liqueur d'expédition chargée en sucre. Avec sa robe vieil or, son nez complexe mêlant abricot sec, fruits confits et café, son palais onctueux aux arômes de miel et de pâte de fruits, il laisse une impression de richesse. Une attaque fraîche et une finale acidulée aux accents de pamplemousse apportent un bel équilibre. ⧗ 2019-2022 ● **Blanc de blancs Vieille France ★ (30 à 50 €; 30000 b.)** : un blanc de blancs complexe et évolué (fleurs blanches, fruits mûrs, brioche, fruits secs et notes grillées). Rond, puissant et long, il montre une belle fraîcheur malgré un dosage perceptible. ⧗ 2019-2021

⊶ CHAMPAGNE CHARLES DE CAZANOVE, 8, pl. de la République, 51100 Reims, tél. 03 26 88 53 86, boutique@decazanove.com t.l.j. 10h-19h

CHANOINE FRÈRES Réserve privée ★

●	n.c.		20 à 30 €

Dès 1730, les frères Chanoine creusent leur cave à Épernay. Leur maison, la plus ancienne après Ruinart, a subi une éclipse après la guerre, avant de renaître grâce à son intégration dans le groupe Lanson-BCC. Elle a créé la marque Tsarine en souvenir de Catherine II, grande amatrice de champagne. Aujourd'hui, Isabelle Tellier officie à la cave. (NM)

Ce brut met en avant les raisins noirs (85 %), pinot noir en tête (70 %). Sa richesse se conjugue à une vivacité fringante, soulignée par des arômes de pomme verte et d'agrumes. Sa finale sur le pamplemousse destine ce champagne à l'apéritif, aux poissons et autres produits de la mer. ⧗ 2019-2022

⊶ CHAMPAGNE CHANOINE FRÈRES, allée du Vignoble, 51100 Reims, tél. 03 26 78 50 08, contact@champagnechanoine.com V r.-v.

CL DE LA CHAPELLE Audace ★

●	32000		15 à 20 €

Marque d'une coopérative créée en 1948 par cinq familles de vignerons de Villedommange. Issus des mêmes familles, les adhérents actuels vinifient le fruit de près de 30 ha. Leur ambition : faire naître de grands champagnes de la Petite Montagne de Reims, tous vieillis au moins trois ans. (CM)

Complété par le pinot noir (30 %) et par un appoint de chardonnay (15 %), le meunier est très présent dans cette cuvée, comme dans l'encépagement local. Les raisins noirs lèguent à ce brut une robe or cuivré, des arômes de fruits mûrs nuancés de notes de pâtisserie et d'amande et une bouche puissante et structurée, à la finale longue et fraîche. ⧗ 2019-2022

⊶ CHAMPAGNE CL DE LA CHAPELLE, 44, rue de Reims, 51390 Villedommange, tél. 03 26 49 26 76, infos@cldelachapelle.com V t.l.j. 9h-12h 13h30-18h

GEORGES DE LA CHAPELLE 2006 ★★

●	12000		20 à 30 €

Établis entre Côte des Blancs et Sézannais, au nord des marais de Saint-Gond, Yveline et Alain Prat ont constitué à partir de 1975 un coquet domaine d'environ 14 ha, avec du chardonnay à Congy et dans le Sézannais, du meunier dans la vallée de la Marne et du pinot noir dans la Côte des Bar. En 2015, leur fils Alexandre les a rejoints à la cave. Deux étiquettes : Yveline Prat et Georges de la Chapelle. (RM)

Plutôt difficile, l'année 2006 a vu pourtant beaucoup de cuvées millésimées. Composée de 60 % de chardonnay assemblé au pinot noir et au meunier (à parité), celle-ci a su vieillir avec grâce. Sa robe or foncé est parcourue d'un cordon délicat de bulles fines. Riche et évoluée, sa palette mêle la brioche, les fruits confits, les fruits secs, des notes toastées. La figue et le tilleul s'allient au pain grillé dans un palais suave, conjuguant puissance et finesse. ⧗ 2019-2022 ● **Blanc de blancs ★ (20 à 30 €; 25000 b.)** : un nez citronné et brioché, nuancé de notes plus évoluées (fruits confits, fruits secs et torréfaction), prélude à une bouche ample, riche, gourmande, entre pêche et notes grillées, au dosage plutôt généreux. ⧗ 2019-2022 ● **Yveline Prat 2012 (15 à 20 €; 12500 b.)** : vin cité. ● **Yveline Prat Tradition (11 à 15 €; 35000 b.)** : vin cité.

⊶ PRAT, 9, rue des Ruisselots, 51130 Vert-Toulon, tél. 03 26 52 12 16, info@champagneprat.com V t.l.j. sf dim. 8h-18h

CHAMPAGNE

DENIS CHAPUT Réserve L'Ombre d'Armand ★

●	5000		30 à 50 €

Implanté du côté de Bar-sur-Aube, un domaine familial fondé en 1862. Le premier champagne a été commercialisé en 1934. Aujourd'hui, Xavier et Nicolas Chaput cultivent leurs 26 parcelles en lutte intégrée. Équipés d'une cuverie moderne régulée par un système de géothermie, ils reçoivent les visiteurs dans une maison templière du XIVᵉs. (RM)

Baptisé en hommage à un arrière-grand-père, ce brut né de pinot noir majoritaire (70 %) et de chardonnay assemble la vendange 2009 avec 35 % de vins de réserve des trois récoltes antérieures. Évolué par ses arômes, c'est un champagne puissant et flatteur, de bonne longueur, marqué en finale par une agréable amertume. On le verrait bien avec du foie gras, des viandes blanches ou du poisson au four. ⧗ 2019-2022 ● **Blanc de blancs Promesse de l'aube (20 à 30 €; 1700 b.)** : vin cité.

⊶ CHAMPAGNE DENIS CHAPUT, 8, rue de la Souche, 10200 Arrentières, tél. 03 25 27 10 28, contact@champagne-denischaput.com V t.l.j. sf lun. 14h-19h; dim. sur r.-v.

J. CHARPENTIER Prestige ★★

●	15000		15 à 20 €

Dans les années 1920, Pierre Charpentier fournissait le négoce et produisait du vin rouge. Les mauvaises années, le tonneau valait plus cher que le vin. Son petit-fils Jacky a développé le domaine et vendu les premières bouteilles. Il est aujourd'hui épaulé par Jean-Marc, œnologue, également diplômé en droit et en marketing. Exploité en lutte raisonnée, le vignoble couvre 15 ha dans la vallée de la Marne. (RM)

Complété par 20 % de meunier et par autant de chardonnay, le pinot noir joue les premiers rôles (60 %) dans cette cuvée qui comprend des vins de réserve élevés en cuve et en foudre. Intense et fin, le nez pinote sur des arômes de fruits rouges. Ces notes fruitées, cerise en tête, se prolongent dans une bouche structurée, à la finale vive et longue. Du caractère et de la fraîcheur. ⧗ 2019-2022

CHAMPAGNE J. CHARPENTIER, 88, rue de Reuil, 51700 Villers-sous-Châtillon, tél. 03 26 58 05 78, info@jcharpentier.fr V t.l.j. sf dim. 9h-12h 14h-17h30 B

CHARPENTIER Terre d'émotion ★

	7000		30 à 50 €

Au milieu du XIXᵉs., des ancêtres abreuvaient les cochers qui hâlaient les péniches sur la Marne. Aujourd'hui, Jean-Marc Charpentier exporte 30 % de ses champagnes. Il exploite 24 ha aux environs de Château-Thierry. À signaler : la forte présence du chardonnay, rare dans le secteur, dans l'encépagement du domaine, et la conversion bio du domaine, cultivé depuis 1989 en biodynamie, sans certification. (NM)

Pas moins de 88 % de chardonnay entrent dans la composition de ce rosé qui tire sa couleur rose pastel d'un apport de meunier vinifié en rouge. Fin et frais, le nez évoque la marmelade d'oranges et les agrumes confits. Ces arômes se mêlent aux fruits rouges dans une bouche tonique et longue. ⏳ 2019-2021

CHAMPAGNE CHARPENTIER, 11, rte de Paris, 02310 Charly-sur-Marne, tél. 03 23 82 10 72, info@champagne-charpentier.com r.-v.

♥ CHASSENAY D'ARCE 2008 ★★

	42598		20 à 30 €

Cette coopérative auboise fondée en 1956 fédère aujourd'hui 130 adhérents qui cultivent 300 ha répartis dans dix villages de la vallée de l'Arce, près de Bar-sur-Seine. Cépage roi de la Côte des Bar, le pinot noir est majoritaire dans l'encépagement local. (CM)

La cave n'est pas passée à côté de ce beau millésime champenois. Elle a mis en œuvre quatre cépages, pour l'essentiel du pinot noir (58 %) et du chardonnay (34 %), complétés d'un soupçon de meunier et de pinot blanc. Une très petite fraction des vins de base a été vinifiée et élevée en fût. Nos dégustateurs à l'odorat affûté ont perçu au nez un très léger boisé bien marié à des nuances de fleurs blanches et d'agrumes d'une rare finesse. Ce boisé fondu aux accents de pain grillé se mêle au citron dans une bouche vive, minérale et persistante. Une réelle élégance. ⏳ 2019-2023

Confidences ★★ (50 à 75 €; 13969 b.) : élevé en fût, pour une petite partie, un blanc de noirs (pinot noir) mariant la récolte 2008 et de nombreuses années antérieures. Idéal pour un repas au champagne, ce brut charmeur, mûr, consistant et persistant, est remarquable de complexité (acacia, orange, pêche, mirabelle, miel, pâte de fruits, vanille et autres épices, café). ⏳ 2019-2022

CHAMPAGNE CHASSENAY D'ARCE, 11, rue du Pressoir, 10110 Ville-sur-Arce, tél. 03 25 38 30 70, champagne@chassenay.com V t.l.j. sf dim. lun. 9h-12h 14h-17h30

GUY DE CHASSEY ★

1er cru	3500		15 à 20 €

Sept générations se sont succédé sur cette propriété forte de 9,5 ha dans la Montagne de Reims (à Bouzy et Louvois, en grand cru, et à Tauxières-Mutry, en 1er cru). Aux commandes, Marie-Odile de Chassey et sa fille Ingrid Oudart, qui officie en cave. Attachée au pressoir traditionnel et au remuage manuel, cette dernière vinifie sans fermentation malolactique. Autre étiquette : Nicolas d'Olivet. (RM)

Composé de pinot noir majoritaire (70 %) et de chardonnay, un rosé bien construit, au nez gourmand, partagé entre fruits rouges et pomme confite. Sa vinosité est contrebalancée par une fraîcheur acidulée qui lui confère équilibre et longueur tout en mettant en valeur ses arômes de petits fruits. ⏳ 2019-2022

CHAMPAGNE GUY DE CHASSEY, 1, pl. de la Demi-Lune, Louvois, 51150 Val-de-Livre, tél. 03 26 57 04 45, info@champagne-guy-de-chassey.com V r.-v.

♥ CHAUDRON Extra-brut La Belle Hélène Vintage 2009 ★★

	1500		20 à 30 €

Les ancêtres de Luc Chaudron se sont établis en 1820 à Verzenay, grand cru de la Montagne de Reims. Depuis 2000, ce dernier est à la tête d'une affaire de négoce exportant 40 % de sa production. Il vend ses cuvées sous plusieurs étiquettes. (NM)

Le millésime 2005 de cette cuvée, dédiée non à l'épouse de Ménélas mais à une aïeule du vigneron, avait charmé les jurés du Guide. La version 2009, elle, suscite un coup de cœur. L'assemblage est différent : trois quarts de raisins noirs (pinot noir 50 %, meunier 25 %) pour un quart de raisins blancs. Le dosage, pour cette année solaire, est faible (extra-brut). La contre-étiquette vante le caractère, la finesse et l'élégance de cette cuvée. Nos dégustateurs, qui ont goûté un vin anonyme, servi au verre, soulignent eux aussi l'élégance de ce champagne or pâle, sa netteté et sa fraîcheur. Ils louent aussi la complexité de ses arômes floraux, mentholés et réglissés. ⏳ 2019-2023

CHAMPAGNE CHAUDRON, 2, rue de Beaumont, 51360 Verzenay, tél. 03 26 66 66 66, compte@champagnechaudron.com V t.l.j. sf dim. 9h-12h 13h30-17h30; sam. sur r.-v.

FRANÇOIS CHAUMONT Blanc de noirs Puisieulx ★★★

Gd cru	4000		15 à 20 €

En 1994, François Chaumont reprend un vignoble familial de 5 ha à Puisieulx, grand cru de la Montagne de Reims. Le savoir-faire et les installations de son épouse Marie-Hélène Littière, vigneronne à Œuilly (Champagne Michel Littière), lui permettent de quitter la coopérative en 2008. (RM)

Puisieulx est l'un des moins connus des dix-sept grands crus. C'est l'un des moins étendu, en raison de sa situation proche de l'agglomération rémoise : il ne compte que 17 ha de vignes implantées sur un terroir de graveluche, c'est-à-dire de graviers de craie. Le domaine a tiré du pinot noir un excellent brut auquel plusieurs jurés auraient bien donné un coup de cœur : « un champagne de grand terroir bien exprimé par un vinificateur délicat », écrit l'un d'entre eux. Animée d'une bulle généreuse, la robe jaune dorée montre des reflets rosés. Partagé entre notes beurrées et petits fruits rouges, le nez dévoile à l'aération des touches de sous-bois. Ce côté beurré s'allie à des arômes de pain d'épice dans un palais charnu et persistant, à la fois gras et vif. Du caractère et de la finesse. ⧗ 2019-2022

CHAMPAGNE FRANÇOIS CHAUMONT, rue des Murs-Chenots, 51480 Œuilly, tél. 06 17 96 20 33, contact@champagne-francois-chaumont.fr V r.-v.

A. CHAUVET Grand Rosé ★

●	16000		20 à 30 €

Fondée en 1848 et dirigée par la famille Paillard-Chauvet, cette maison de champagne établie à l'est d'Épernay, dans la Grande Vallée de la Marne, dispose de 10 ha de vignes répartis dans sept grands crus et 1ers crus, notamment dans la Montagne de Reims. (NM)

Pour élaborer ce rosé, Jean-François Paillard-Chauvet a assemblé 70 % de chardonnay, 16 % de pinot noir et 14 % de bouzy rouge qui donne à ce champagne sa teinte saumonée et ses arômes toniques de fruits rouges (fraise, framboise et groseille). Cette expression fruitée se retrouve dans un palais gourmand et équilibré, de bonne longueur, qui conjugue ampleur et fraîcheur. ⧗ 2019-2021 ● **Blanc de blancs Cachet vert ★ (20 à 30 €; 16000 b.)** : alliée à une belle ampleur, la fraîcheur du chardonnay met en valeur des arômes d'agrumes, d'ananas et de fruits mûrs et souligne la persistance de la finale. ⧗ 2019-2022

CHAMPAGNE A. CHAUVET, 41, av. de Champagne, 51150 Tours-sur-Marne, tél. 03 26 58 92 37, contact@champagnechauvet.fr V r.-v.

MARC CHAUVET ★★

●	6500		15 à 20 €

Une famille enracinée depuis le XVIes. à Rilly-la-Montagne, au sud de Reims. Aujourd'hui, Nicolas (à la vigne) et sa sœur Clotilde, œnologue (à la cave), installés en 1996, cultivent 13 ha de vignes, perpétuant le domaine créé en 1964 par leur père Marc. Leurs vins sont vinifiés sans fermentation malolactique. (RM)

Un rosé d'assemblage mariant pinot noir (45 %), meunier (25 %) et chardonnay. Rose saumon, animé de bulles fines, il s'ouvre à l'aération sur des notes de fruits rouges, cerise en tête. La fraise des bois, la grenadine et le noyau s'épanouissent dans une bouche puissante, alerte, de bonne longueur, un rien tannique. ⧗ 2019-2022

CHAMPAGNE MARC CHAUVET, 3, rue de la Liberté, 51500 Rilly-la-Montagne, tél. 03 26 03 42 71, champagnemarcchauvet@gmail.com V r.-v.

HENRI CHAUVET Extra-brut ★

●	n.c.		15 à 20 €

Le fondateur du domaine, Henri Chauvet, était un viticulteur et pépiniériste qui cultivait vers 1900 les plants greffés nécessaires à la reconstitution du vignoble dévasté par le phylloxéra. Depuis 1987, Damien, son arrière-petit-fils, exploite avec Mathilde 8 ha à deux pas de Reims. Propriété certifiée Haute valeur environnementale. (RM)

Cette cuvée pourrait s'appeler « brut nature », car aucun sucre n'a été ajouté au terme de la vinification; il s'agit d'un blanc de noirs, composé à 90 % de pinot noir complété par le meunier, des raisins des vendanges 2016 et 2015. Toute la dégustation dévoile la présence des noirs : la robe doré soutenu aux reflets œil-de-perdrix, la palette fruitée où perce le fruit rouge, le palais puissant, tendu par une belle fraîcheur qui souligne le fruité et confère à l'ensemble longueur et élégance. ⧗ 2019-2022 ● **Blanc de noirs (15 à 20 €; 29000 b.)** : vin cité.

CHAMPAGNE HENRI CHAUVET, 6, rue de la Liberté, 51500 Rilly-la-Montagne, tél. 03 26 03 42 69, contact@champagne-chauvet.com V r.-v.

PASCAL CHEMINON ★

● 1er cru	3000		15 à 20 €

À la suite de trois générations, Pascal Cheminon s'est installé en 1975 sur le domaine familial qui couvre un peu plus de 6 ha dans la Montagne de Reims. Son fils Sébastien officie à la cave. Leur village, Villers-Marmery, est l'un des rares de la Montagne où le chardonnay domine l'encépagement. (RM)

Un rosé caractéristique des « pays de chardonnay » : les raisins blancs entrent à hauteur de 83 % dans l'assemblage, le pinot noir étant, lui, vinifié en rouge. D'un rose tirant sur le rubis, ce brut offre un nez subtil et frais, sur la groseille, prolongé par une bouche juvénile et alerte, aux nuances de pomme, de poire et de cerise. ⧗ 2019-2022 ● **1er cru Prestige ★ (15 à 20 €; 8000 b.)** : né d'un assemblage de chardonnay (60 %) et de pinot noir des récoltes 2012 et 2011, un brut structuré et vif, fruité, brioché et vanillé. ⧗ 2019-2022

CHAMPAGNE PASCAL CHEMINON ET FILS, 5, rue des Sous-la-Ville, 51380 Villers-Marmery, tél. 03 26 97 95 34, cheminon.pascal@orange.fr V r.-v.

ÉTIENNE CHÉRÉ Tradition ★

●	20000		15 à 20 €

Au sud de la Côte des Blancs, la vigne, qui formait jusque-là un ruban continu, s'éparpille en petits îlots. C'est dans cette zone, sur les coteaux du Petit Morin, que Damien Chéré exploite depuis 2003 le domaine de 6 ha créé en 1975 par la génération précédente. (RM)

Complété par les deux pinots (30 % chacun), le chardonnay représente 40 % de l'assemblage de ce brut au nez élégant, intensément floral, et à la bouche tonique et énergique, marquée en finale d'une agréable amertume. ⧗ 2019-2022 ● **Extra-brut Blanc de blancs ★ (15 à 20 €; 4000 b.)** : non millésimé, il naît de la vendange 2014. Ses atouts : un nez partagé entre l'acacia et l'amande amère, un palais de belle tenue, ample et généreux, à la finale vive et citronnée. ⧗ 2019-2023

CHAMPAGNE ÉTIENNE CHÉRÉ, 2, rue des Vignes-Basses, 51270 Courjeonnet, tél. 06 14 15 24 84, champagnechere@yahoo.fr V r.-v.

CHAMPAGNE

CHEURLIN-DANGIN Blanc de blancs Florence ★★

14 000		20 à 30 €

Descendant d'une lignée de vignerons aubois remontant au XVIII^e^s. et fort d'un vignoble d'environ 20 ha implanté sur les coteaux de l'Ource, près de Bar-sur-Seine, Thomas Cheurlin, aux commandes depuis 2000, a créé en 2012 une maison de négoce. Sa propriété est certifiée Haute valeur environnementale. Deux étiquettes : Cheurlin-Dangin et Comte de Cheurlin. (NM)

D'une fraîcheur aérienne, un blanc de blancs tout en finesse. Au nez, des fleurs blanches légèrement miellées, une note tonique de citron, une pointe d'anis et une touche mentholée. Des arômes qui s'allient au tilleul dans une bouche élégante, alerte et persistante, au dosage parfait. ⧗ 2019-2022 ● **Christiane ★ (20 à 30 €; 10 000 b.)** : un blanc de noirs 100 % pinot noir, qui porte l'empreinte d'un élevage partiel sous bois dans sa palette et dans sa structure. Assez généreusement dosé, il se montre expressif (fruits blancs, vanille), assez long, bien équilibré entre vivacité et rondeur. ⧗ 2019-2022 ● **Spéciale ★ (15 à 20 €; 41 000 b.)** : mi-pinot noir, mi-chardonnay, un brut élégant, frais, ample et persistant, aux arômes subtils de pêche et de miel. ⧗ 2019-2022

SARL LE SUCHOT, 5, rue des Jardins, 10110 Celles-sur-Ource, tél. 03 25 38 50 26, contact@cheurlin-dangin.fr V t.l.j. *sf dim. 9h-12h 14h-17h30; f. 12-18 août*

J. CHOPIN Blanc de blancs Les Originelles

1er cru	n.c.		30 à 50 €

Les aïeux des Chopin cultivaient déjà la vigne au XVIII^e^s. à Monthelon. La famille commercialise son champagne depuis 1947. Installé en 2006, Emmanuel Chopin conduit un domaine de 7 ha entre coteaux sud d'Épernay et Côte des Blancs. (RC)

Issu d'un millésime coté et de bonne origine, ce blanc de blancs est resté cinq ans en cave. Il se signale par sa matière puissante, soutenue par une belle trame acide. Ses arômes intenses mêlent des notes végétales évoquant le foin coupé à des nuances plus évoluées de fruits compotés. Un champagne de caractère, idéal sur des poissons cuisinés. ⧗ 2019-2022 ● **Les Originelles Blancs et Meunier (20 à 30 €; n.c.)** : vin cité.

CHAMPAGNE JULIEN CHOPIN, 1-3, rue Gaston-Poittevin, 51530 Monthelon, tél. 03 10 15 36 41, info@champagnejulienchopin.com V *r.-v.*

J. CLÉMENT Blanc de blancs 2012 ★★

3000		20 à 30 €

Premières vignes en 1920, premières bouteilles en 1954. James Clément porte la surface du domaine de 4 à 9 ha et lance une étiquette à son nom. Il transmet en 2004 à son fils Fabien la propriété, implantée pour l'essentiel dans la vallée de la Marne. (RM)

Complexe, élégant, structuré, frais et persistant : nos dégustateurs ne tarissent pas d'éloges sur ce chardonnay d'un beau millésime. Des trains de bulles vives animent sa robe or pâle. Au-dessus du verre, on respire le beurre, la brioche, puis le miel, l'acacia et toute une gamme de fruits secs : figue, raisin, abricot, amande, noisette. Une attaque vive et acidulée, aux nuances de citron confit, est relayée par des sensations d'ampleur et de gras, sur des arômes mûrs de grillé et une touche évoluée rappelant l'encaustique. Une longue finale conclut la dégustation. ⧗ 2019-2022

CHAMPAGNE J. CLÉMENT, 16, rue des Vignes, 51480 Reuil, tél. 06 10 46 76 59, contact@champagne-clement.fr V *r.-v.*

CHARLES CLÉMENT Blanc de noirs ★

n.c.		15 à 20 €

Marque de la coopérative de Colombé-le-Sec, créée en 1956 près de Bar-sur-Aube, aux confins de la Haute-Marne. Elle rend hommage à Charles Clément, l'un des fondateurs. La cave compte une soixantaine d'adhérents et vinifie le produit de 120 ha de vignes. (CM)

Très cultivé dans la Côte des Bar, le pinot noir règne sans partage dans cette cuvée vieillie trois ans sur lies. Une robe aux reflets doré intense, un nez expressif et mûr, biscuité et toasté, une bouche ample, onctueuse et puissante, beurrée et réglissée : le profil d'un brut aussi adapté à l'apéritif qu'à la table, sans oublier le fromage. ⧗ 2019-2021 ● **Demi-sec Tradition ★ (15 à 20 €; n.c.)** : né de pinot noir majoritaire (69 %, avec un complément de meunier et de chardonnay), vieilli trois ans en cave, il est dosé à 35 g/l. Un champagne ample et équilibré, frais en attaque, suave et long, aux arômes de pomme mûre. Sa douceur le destine au foie gras et aux desserts. ⧗ 2019-2020

CHAMPAGNE CHARLES CLÉMENT, 33, rue Saint-Antoine, 10200 Colombé-le-Sec, tél. 03 25 92 50 71, champagne-charles-clement@fr.oleane.com V *t.l.j. sf dim. 9h-12h 14h-18h* 3

BENOÎT COCTEAUX Blanc de blancs Or blanc ★

12 000		20 à 30 €

Héritiers l'un comme l'autre de lignées vigneronnes remontant à un siècle, Hélène et Benoît Cocteaux sont établis à Montgenost, sur les coteaux du Sézannais, où Benoît a pris la suite de son père en 1998. Leur vignoble comprend de nombreuses parcelles dans ce secteur, ainsi que dans l'Aube. Propriété certifiée Haute valeur environnementale. (RM)

Il présente tous les caractères d'un champagne issu de chardonnay : une robe or pâle, un nez expressif, entre fleurs blanches et agrumes, une bouche fine et fraîche, où l'on retrouve les agrumes mêlés à des notes briochées. ⧗ 2019-2022

CHAMPAGNE BENOÎT COCTEAUX, 11, rue du Château, 51260 Montgenost, tél. 03 26 81 80 30, contact@champagnebenoitcocteaux.com V *r.-v.*

COLIN Alliance ★★

35 000		20 à 30 €

Le premier de la lignée cultivait la vigne en 1829. Dans les années 1990, les frères Colin, Richard et Romain, quittent la coopérative pour lancer leur champagne. Ils disposent de 10 ha de vignes implantées pour l'essentiel dans la Côte des Blancs, avec des parcelles dans le Sézannais et la vallée de la Marne. (RM)

Une alliance heureuse de deux tiers de chardonnay et d'un tiers de meunier; un assemblage de la vendange 2016 et de vins (60 %) puisés dans une «réserve perpétuelle», autrement dit solera, renouvelée en partie chaque année depuis 2004. Il en résulte un brut expressif, élégant et frais, à la palette aromatique aussi gourmande que délicate : poire, abricot, fruits exotiques, vanille, léger miel, beurre et noisette. 2019-2022

CHAMPAGNE COLIN, 101, av. du Gal-de-Gaulle, 51130 Vertus, tél. 03 26 58 86 32, info@champagne-colin.com V r.-v.

COLLARD-PICARD Blanc de blancs ★★

Gd cru | 14054 | | 30 à 50 €

En 1996, Caroline et Olivier ont uni leurs noms, Picard et Collard, à la ville et à la cave. Aujourd'hui, un domaine de 16 ha dans la vallée de la Marne (héritage Collard) et la Côte des Blancs (héritage Picard), dont les parcelles en 1er cru et en grand cru sont conduites en bio (non certifié) – et, depuis 2013, une adresse prestigieuse à Épernay. Selon la tradition Collard, les vins passent par le bois et ne font pas leur fermentation malolactique. (RM)

Un blanc de blancs non millésimé mais né d'une seule récolte, 2014. Vinifié en foudre, avec des levures indigènes, il a enchanté nos dégustateurs, tant par la finesse de son nez floral et minéral que par l'harmonie de son palais aussi rond que long. 2019-2023 **Cuvée Prestige (20 à 30 €; 44434 b.)** : vin cité.

CHAMPAGNE COLLARD-PICARD, 15, av. de Champagne, 51200 Épernay, tél. 03 26 52 36 93, collard-picard@wanadoo.fr V *t.l.j. 10h30-18h*

DOM. COLLET Chardonnay Empreinte de terroir ★

| 3500 | | 20 à 30 €

Au début du XXes., les Collet vendent leurs raisins au négoce. René Collet, coopérateur, lance son champagne en 1973. Ses trois fils, Thomas, Vincent et Florent, s'installent entre 2001 et 2011, et décident d'élaborer leurs cuvées. Ils disposent de 5 ha de vignes dans le Sézannais. (RM)

Ce brut doit tout au chardonnay, cépage très cultivé dans le Sézannais. Son nez discret, légèrement évolué, entre agrumes et minéralité, son palais onctueux et frais, de bonne longueur, dosé avec justesse, où l'on retrouve les agrumes alliés aux fruits blancs, laissent le souvenir d'un champagne bien construit. 2019-2022 **Empreinte de terroir ★ (20 à 30 €; 18000 b.)** : issu de deux tiers de chardonnay et d'un tiers de pinot noir, ce brut assemble quinze vins des récoltes 2015 et 2014 et a été élevé pour partie en foudre. Un champagne au nez d'agrumes, de pomme et de poire, au palais frais en attaque, puis vineux, vanillé et toasté, avec des nuances de ratafia. 2019-2022

DOM. COLLET, 6, ruelle de Louche, 51120 Fontaine-Denis, tél. 03 26 80 22 48, info@domaine-collet-champagne.fr V *r.-v.*

CHARLES COLLIN Blanc de noirs ★★

| n.c. | | 20 à 30 €

En 1952, une poignée de viticulteurs aubois se rassemble pour fonder la coopérative de Fontette, dans la région de Bar-sur-Seine. En 1993, la cave prend pour marque le nom de son principal fondateur, Charles Collin. Aujourd'hui, elle vinifie le produit des 290 ha de vignes cultivés par adhérents. (CM)

Issu de pinot noir, cépage dominant dans le secteur, ce brut offre avec éclat le profil attendu de ce type de champagne : une robe doré soutenu, un nez à la fois puissant et frais, sur les fruits rouges et l'abricot sec, un palais intense, vineux et long, équilibré par une finale fraîche à souhait. De la matière et de l'élégance. 2019-2021 **Cuvée Charles (20 à 30 €; n.c.)** : vin cité.

CHAMPAGNE CHARLES COLLIN, 27, rue des Pressoirs, 10360 Fontette, tél. 03 25 38 31 00, info@champagne-charles-collin.com V *t.l.j. sf sam. dim. 9h-12h 14h-17h*

COMTES DE DAMPIERRE Grand Vintage 2012 ★★

Gd cru | n.c. | | 75 à 100 €

Audoin de Dampierre est le descendant d'une dynastie champenoise sept fois séculaire. Son arrière-grand-père s'est intéressé au champagne en 1880. Lui-même a créé en 1986 une maison de négoce. Il s'est retiré en 2011, laissant la présidence de la société à l'homme d'affaires Philippe Rosy. Le siège du négoce a été transféré en 2014 à Bouzy, et la marque rebaptisée Comtes de Dampierre. Si l'habillage des bouteilles a été revu, le ficelage à l'ancienne des bouchons a été maintenu pour les cuvées de prestige. (NM)

Un millésime réputé, du pinot noir (80 %) d'Ambonnay et de Bouzy, du chardonnay de Cramant, d'Oger et d'Avize. Après un repos de sept ans sur lies, le vin affiche la puissance et l'ampleur du pinot noir et développe des arômes riches, fins et complexes de brioche, d'amande, de poire et de fruits rouges. Le dosage est discret et la finale persistante, marquée par une fine amertume. 2019-2025 **1er cru Cuvée des ambassadeurs ★ (30 à 50 €; n.c.)** : du chardonnay majoritaire (70 %) et du pinot noir en provenance de 1ers crus et de grands crus pour ce brut issu de la récolte 2012, avec des vins de réserve des deux années précédentes. Un champagne vif, de belle longueur, aux arômes de fleurs blanches et d'agrumes. 2019-2022

CHAMPAGNE COMTES DE DAMPIERRE, 22, rue Gambetta, 51150 Bouzy, tél. 03 26 53 16 67, champagne@dampierre.com V *r.-v.*

JACQUES COPIN Extra-brut Blanc de blancs ★

| n.c. | | 20 à 30 €

Enfants de viticulteurs, Jacques et Anne-Marie Copin ont fondé en 1963 ce domaine conduit depuis 1995 par leur fils Bruno et sa femme Marielle, épaulés par leurs enfants Lucile et Mathieu. L'exploitation couvre 10 ha dans la vallée de la Marne. (RM)

Une expression aromatique élégante pour ce blanc de blancs or pâle aux reflets verts : des fleurs blanches, du tilleul et du citron, qui prennent à l'aération des tons d'amande, de fruits exotiques, de mirabelle et d'abricot. Vif en attaque, ample et rond dans son développement, tendu et minéral en finale, c'est un blanc de blancs bien typé, servi par son faible dosage. 2019-2022 **Polyphénols 2006 ★ (30 à 50 €; 5328 b.)** : ce millésimé mi-pinot noir mi-chardonnay garde une belle tenue. Un champagne à la fois riche et fin, aux arômes délicats et persistants de fruits jaunes et de fruits secs. ⧗ 2019-2022

CHAMPAGNE JACQUES COPIN ET FILS, 23, rue de la Barre, 51700 Verneuil, tél. 03 26 52 92 47, contact@champagne-jacques-copin.com V t.l.j. 9h-18h; dim. 10h-12h

COPIN-CAUTEL ★

● | n.c. | | 15 à 20 €

Philippe Copin a pris en 1996 la suite de trois générations et lancé son champagne en 2010 en associant à son patronyme le nom de jeune fille de son épouse selon la tradition champenoise. Établi dans la vallée de la Marne, il exploite 4 ha, avec quelques parcelles dans la Côte des Blancs, à Mareuil et à Aÿ. (RC)

Pinot noir (75 %) et chardonnay de la récolte 2014 composent ce rosé d'un rose profond aux reflets vermillon. Sa palette gourmande mêle fraise, abricot sec, biscuit rose et notes réglissées. Le prélude à un palais puissant, vineux et long, équilibré par une belle fraîcheur. Ce champagne pourra accompagner tout un repas, de l'apéritif au dessert. ⧗ 2019-2023

CHAMPAGNE COPIN-CAUTEL, 21, rue Bailly, 51700 Vandières, tél. 03 26 52 67 29, champagne.copincautel@orange.fr V r.-v.

MARIE COPINET Blanc de noirs ★★

● | 10 000 | | 20 à 30 €

En 1975, Jacques Copinet vend ses premières bouteilles. Sa fille Marie-Laure et son mari Alexandre Kowal ont repris en 2008 la propriété et lancé leur étiquette en 2016. Leur vignoble de 8,5 ha s'étend principalement au sud du Sézannais, terre propice au chardonnay, ainsi que dans l'Aube, en Champagne méridionale. Le couple a installé des ruches dans les parcelles et, après des années d'agriculture raisonnée, a engagé la conversion bio du domaine. (RM)

Un blanc de noirs mariant meunier (60 %) et pinot noir. La robe jaune doré est animée de bulles alertes. Le nez mêle le fruit blanc, l'orgeat et la fougère. Le fruit blanc s'enrichit de notes beurrées et réglissées dans un palais généreux, à la fois gras et frais, de bonne longueur. Un brut pour toutes les occasions : apéritif, repas, fromages. ⧗ 2019-2022 ● **Extra-Quality ★ (20 à 30 €; 15 000 b.)** : né des trois cépages champenois assemblés par tiers, vinifié en cuve et en foudre, un brut expressif et net, floral et vanillé, d'une belle fraîcheur. ⧗ 2019-2022

CHAMPAGNE MARIE COPINET, 17, rue du Moulin, 51260 Montgenost, tél. 06 71 62 43 63, champagne@marie-copinet.com V r.-v.

STÉPHANE COQUILLETTE
Extra-brut Louis 2011 ★

● | 2368 | | 30 à 50 €

Installé en 1979 à Chouilly, grand cru de la Côte des Blancs, Stéphane Coquillette conduit plus de 6 ha de vignes implantées dans ce secteur, ainsi que dans la Grande Vallée de la Marne et la Montagne de Reims. Son père Christian est toujours actif sur son domaine et ses enfants Diane et Louis se préparent à prendre la relève. Exploitation certifiée Haute valeur environnementale. (RM)

La plus récente des cuvées de la propriété : un pur pinot noir non dosé (il pourrait s'appeler « brut nature ») élevé neuf mois en fût. Elle est millésimée : voici le 2011, caractérisé par sa précocité. On aime son nez légèrement évolué et boisé, d'une belle complexité (de la fleur séchée, du fruit mûr, du fruit sec, un léger miel et une touche de moka), bien prolongé par un palais élégant, à la fois gras et frais. Du potentiel. ⧗ 2019-2023

CHAMPAGNE STÉPHANE COQUILLETTE, 15, rue des Écoles, 51530 Chouilly, tél. 03 26 51 74 12, champagne.coquillette@orange.fr V r.-v.

CORDEUIL PÈRE ET FILLE
Cuvée Sensation ★★

● | 2000 | | 20 à 30 €

Domaine aubois fondé en 1950 dans la Côte des Bar. La première génération plante les vignes et élabore ses champagnes à partir de 1971. Gilbert Cordeuil s'installe peu après, prenant la tête de l'exploitation en 1985. En 2017, il transmet à sa fille les 4 ha de l'exploitation familiale. La certification bio de l'ensemble du domaine est prévue pour 2019. (RM)

Issue de pinot noir (60 %) et de chardonnay, cette cuvée met en œuvre deux belles années complémentaires, 2009 et 2008. Elle a été vinifiée sans fermentation malolactique. D'un or clair, elle libère de fraîches senteurs d'agrumes et de fleurs blanches, nuancées de notes miellées plus évoluées. On retrouve le miel, allié à la pomme verte, dans une bouche à l'attaque intense et vive, au dosage bien intégré et à la finale acidulée. Un champagne complexe et tonique. ⧗ 2019-2021

CHAMPAGNE CORDEUIL PÈRE ET FILLE, 2, rue de Fontette, 10360 Noé-Les-Mallets, tél. 07 86 56 38 17, contact@champagnecordeuil-perefille.com V r.-v.

FABRICE COURTILLIER Tradition ★★

● | 9000 | | 11 à 15 €

Fils et petit-fils de coopérateurs, Fabrice Courtillier, installé en 1997, a investi dans un pressoir pour devenir récoltant-manipulant. Il exploite 6,5 ha de vignes au nord-est de Bar-sur-Aube. (RM)

Les trois cépages champenois presque à parité (30 % de chardonnay) contribuent au remarquable équilibre de cette cuvée à la robe dorée et au nez intense et mûr, sur la brioche et la poire confite nuancées de sous-bois et de noix. On retrouve cette puissance et ce fruit dans une attaque énergique, prolongée par une belle fraîcheur qui donne finesse et persistance à la finale sur les agrumes. De quoi accompagner tout un repas. ⧗ 2019-2022

CHAMPAGNE FABRICE COURTILLIER, chem. des Écrières, 10200 Colombé-la-Fosse, tél. 03 25 92 62 86, lux.courtillier@orange.fr V r.-v.

PIERRE COURTOIS ★★

● | n.c. | | 11 à 15 €

Succédant à deux générations, Pierre Courtois a commencé à vinifier au début des années 1970. Son vignoble de 6 ha est implanté dans la vallée de la Marne, à l'ouest de Château-Thierry, dans l'un des premiers villages viticoles champenois que l'on rencontre en venant de Paris. (RM)

Cépage roi du secteur, le meunier représente les deux tiers de l'assemblage de ce brut, complété par le chardonnay et par un soupçon de pinot noir. Le nez discret se partage entre des notes toniques de fruits exotiques et des arômes plus mûrs de café torréfié. La bouche séduit par son équilibre entre ampleur, gras et vivacité. Sa finale fraîche incite à servir ce champagne à l'apéritif ou sur du poisson. 2019-2022

CHAMPAGNE PIERRE COURTOIS, 34, rue de l'Église, 02310 Crouttes-sur-Marne, tél. 03 23 82 15 49, champagnecourtois@orange.fr V r.-v.

A. D. COUTELAS Extra-brut Cuvée 1809 2014 ★

	5000		30 à 50 €

Héritier d'une lignée vigneronne remontant à 1809, Damien Coutelas représente la huitième génération. Installé en 2005, il exploite près de 7 ha dans la vallée de la Marne et a pris le statut de négociant. Selon la tradition familiale, il vinifie ses vins en foudre, sans fermentation malolactique. (NM)

Déjà appréciée dans le millésime précédent, cette cuvée «gagne» une étoile avec le 2014. Comme le 2013, elle privilégie le chardonnay (80 %), associé au pinot noir, et bénéficie d'un élevage des vins en petits fûts. Le dosage en extra-brut a renforcé la sensation de fraîcheur; le chêne lui a légué un boisé vanillé, plus perceptible au nez qu'en bouche; le chardonnay lui a donné des arômes de fleurs blanches, nuancés de notes plus évoluées de miel d'acacia. Un champagne assez étoffé pour accompagner un repas. 2019-2023

CHAMPAGNE A.D. COUTELAS, 557, av. du Gal-Leclerc, 51530 Dizy, tél. 06 89 42 23 76, contact@champagne-adcoutelas.com V t.l.j. sf dim. lun. 10h-12h 14h-19h 4 B

DAVID COUTELAS Tradition ★★

	15000		15 à 20 €

Héritier d'une lignée de viticulteurs remontant au XVIIIes., David Coutelas a pris les rênes en 1997 de l'exploitation familiale : 7,5 ha sur les coteaux bordant la rive droite de la Marne. Il est attaché aux vinifications en fût – sans fermentation malolactique, pour préserver la vivacité de ses cuvées. (RM)

Composée de meunier majoritaire (65 %), de chardonnay (25 %) et de pinot noir des récoltes 2013 et 2012, une cuvée bien élevée et bien construite. De couleur vieil or, discrète et florale au premier nez, elle s'enrichit à l'aération de notes de pêche jaune, d'amande et d'un discret boisé. La brioche complète cette palette dans un palais consistant, aussi rond que long, d'une belle fraîcheur acidulée en finale. De l'élégance. 2019-2022 **Prestige ★★ (20 à 30 €; 6000 b.)** : aussi puissante qu'élégante, d'une grande fraîcheur, elle porte la marque du chardonnay (51 %, complétés par 30 % de meunier et par 19 % de pinot noir) et de l'élevage en fût dans sa palette intense et complexe, qui dévoile toute sa richesse à l'aération (agrumes, abricot, pain grillé, boisé subtil). 2019-2023

CHAMPAGNE DAVID COUTELAS, 8, rue du Parc, 51700 Villers-sous-Châtillon, tél. 06 07 57 69 23, david.coutelas@wanadoo.fr V r.-v.

COUVENT FILS ★★

	1500		15 à 20 €

La grand-mère de Sylvie Monnin-Couvent a commercialisé les premiers champagnes en 1947. À la succession de son père en 1985, cette dernière a repris sa part de vignes (environ 3 ha), qu'elle exploite avec son mari Gérard Monnin, d'origine franc-comtoise. Le domaine est situé dans la vallée de la Marne. (RM)

Issu des trois cépages champenois, ce rosé privilégie les raisins noirs (85 %), meunier en tête (71 %). Un apport de vin rouge donne sa couleur rose bonbon à ce champagne au nez élégant et pimpant, tout en fruits rouges acidulés, bien prolongé par une bouche croquante, bien dosée, nette et vive. Parfait pour l'apéritif ou pour un dessert aux fruits rouges. 2019-2022 **2012 ★ (20 à 30 €; 2517 b.)** : un brut millésimé né des trois cépages champenois assemblés par tiers. Robe jeune, nez frais, entre citron vert et minéralité, bouche ample, plus évoluée, briochée et légèrement toastée, servie par une finale persistante et saline. 2019-2022

CHAMPAGNE COUVENT FILS, 4, rue Corneille, 02850 Trélou-sur-Marne, tél. 03 23 70 33 36, champagne-couventfils@orange.fr V r.-v. C

CHAMPAGNE

ALAIN COUVREUR Blanc de blancs L'Ambre de jade Cuvée réservée ★★

	8000		20 à 30 €

Créé en 1961 dans le massif de Saint-Thierry, à l'ouest de Reims, ce domaine de 3 ha est conduit depuis 2008 par David et Rémi Couvreur, les fils d'Alain, issus d'une vieille famille de tonneliers et de vignerons. Ces récoltants-manipulants élaborent aussi des cuvées sous leurs prénoms. (RM)

Issu de l'année 2014 associée à la récolte précédente, un blanc de blancs séduisant, tant par son expression minérale et grillée que par sa bouche fraîche et longue. 2019-2022

EARL ALAIN COUVREUR, 18, Grande-Rue, 51140 Prouilly, tél. 03 26 48 58 95, earl-alain.couvreur@laposte.net V r.-v.

DOMINIQUE CRÉTÉ Prestige Aromanessence 2011 ★★

	1300		20 à 30 €

Les Crété cultivent la vigne depuis 1887. En 1980, à dix-neuf ans, Dominique Crété achète une première parcelle, puis d'autres sur les coteaux sud d'Épernay. Il aide son père Roland, avant de lancer en 1994 la marque à son nom. Après avoir hérité du vignoble paternel en 1998, il dispose de près de 8 ha de vignes disséminés de l'Aisne à la Côte des Blancs. (RM)

Favorable aux raisins blancs, l'année 2011 se signale par sa précocité : le chardonnay à l'origine de cette cuvée a été récolté le 24 août. La palette aromatique de ce blanc de blancs associe l'acacia à de gourmandes notes beurrées, évocatrices de brioche et de crème pâtissière. Le prélude à un palais gras, riche et persistant, salué pour sa fraîcheur conservée. 2019-2022 **Cuvée Émeraude 2012 (15 à 20 €; 5200 b.)** : vin cité.

DOMINIQUE CRÉTÉ, 99, rue des Prieurés, 51530 Moussy, tél. 03 26 54 52 10, champagne@dominique-crete.com V r.-v.

CRUCIFIX PÈRE ET FILS
Extra-brut Signature 2011 ★★

1er cru | 1000 | | 30 à 50 €

Poursuivant l'œuvre des trois générations précédentes, Jean-Jacques Crucifix et son fils Sébastien, arrivé en 2002, conduisent un vignoble de 6 ha autour d'Avenay-Val-d'Or, 1er cru de la Grande Vallée de la Marne, près d'Aÿ. (RM)

Issue de chardonnay majoritaire (80 %) et de pinot noir vinifiés et élevés en barrique, cette cuvée est aussi remarquable dans sa version 2011 que dans le millésime précédent. Parée d'une robe or jaune animée de bulles alertes, elle libère au nez des fragrances suaves d'aubépine et de fleur d'oranger, nuancées à l'aération de notes d'ananas et d'abricot confits. Dans le même registre, agrémenté d'un léger boisé, le palais séduit par sa fraîcheur acidulée et par sa finale marquée d'une légère pointe d'amertume. ⧗ 2019-2023

CHAMPAGNE SÉBASTIEN CRUCIFIX PÈRE ET FILS, 3, allée de la Livre, 51160 Avenay-Val-d'Or, tél. 06 81 40 58 37, champagne.crucifix@wanadoo.fr V r.-v.

CUILLIER Grande Réserve Cuvée Rouge ★

| 15000 | | 20 à 30 €

Constitué en 1904 dans le massif de Saint-Thierry, au nord-ouest de Reims, ce vignoble couvre 6,5 ha à Pouillon, à Chenay et à Trigny, où des ancêtres cultivaient la terre au XVIIIes. Récoltant-coopérateur, Patrick Cuillier le gère depuis 1980. (RC)

Ce brut marie par tiers pinot noir, meunier et chardonnay, avec pour cette version les récoltes 2014, 2013 et 2012. Après un repos de plus de cinq ans, il affiche une robe or jaune et déploie une large palette aromatique : fleurs et fruits blancs frais et séchés, miel, pointe d'épices. On retrouve les fruits secs, alliés à des tons beurrés et compotés dans un palais persistant, à la fois riche, suave, gras et frais. Un très bel équilibre. ⧗ 2019-2022 **Originel ★ (15 à 20 €; 16000 b.)** : signature de la famille, une cuvée composée de meunier (50 %), de chardonnay (31 %) et de pinot noir (19 %). Les raisins noirs apportent une expression riche et fruitée (fruits blancs mûrs, reine-claude, miel et épices, avec une pointe d'agrumes) à ce brut bien équilibré, souple, ample et frais. ⧗ 2019-2022

CHAMPAGNE CUILLIER, 14, pl. d'Armes, 51220 Pouillon, tél. 03 26 03 18 74, contact@champagne-cuillier.fr V t.l.j. 8h30-12h 13h30-19h

PAUL DANGIN ET FILS Cuvée Carte or

| 60000 | | 15 à 20 €

Une famille enracinée à Celles-sur-Ource, village aubois proche de Bar-sur-Seine. Le champagne a été lancé par Paul Dangin en 1947. Aujourd'hui, la structure de négoce, forte de 50 ha de vignes, mobilise quinze membres de la famille. (NM)

Comme souvent dans la Côte des Bar, le pinot noir est en vedette dans cette cuvée (90 %, avec un soupçon de meunier et de chardonnay). Il lui lègue rondeur et ampleur, équilibrées par une belle vivacité, et de plaisants arômes de fruits jaunes. Simple et bon. ⧗ 2019-2022

CHAMPAGNE PAUL DANGIN ET FILS, 11, rue du Pont, 10110 Celles-sur-Ource, tél. 03 25 38 50 27, champagne-dangin@wanadoo.fr V t.l.j. sf sam. dim. 8h-12h 13h30-18h; f. août

DAUBY MÈRE ET FILLE ★

| 5000 | | 15 à 20 €

Francine Dauby (depuis 1990) et Flore (arrivée en 2007) : un tandem mère-fille conduit cette exploitation constituée au début du XXes., qui a commercialisé son champagne à partir de 1956. Le domaine couvre 8 ha autour d'Aÿ, célèbre grand cru de noirs. (RM)

Issu de pinot noir majoritaire (75 %) et de chardonnay, ce rosé à la robe saumonée séduit par la fraîcheur de son nez aux nuances de coulis de fraises, de rhubarbe et de citron. Le palais, à l'unisson, apparaît à la fois vineux, acidulé et droit; on y retrouve la suavité de la fraise, la tonicité des agrumes et une finale mentholée, de belle longueur. ⧗ 2019-2022

CHAMPAGNE DAUBY, 22, rue Jeanson, 51160 Aÿ, tél. 03 26 54 96 49, champagne.dauby@orange.fr V t.l.j. 9h-12h 13h30-17h30; f. août

SÉBASTIEN DAVIAUX Blanc de blancs ★

Gd cru | 5000 | | 15 à 20 €

Fils et petit-fils de récoltants de la Côte des Blancs (voir Champagne Ph. Daviaux-Quinet), Sébastien Daviaux a lancé son propre champagne en 2014. Il exploite des vignes familiales bien situées dans des grands crus de la Côte des Blancs, à Chouilly notamment. (RM)

Le nez, encore fermé, demande de l'aération pour livrer des senteurs élégantes de brioche, de réglisse et de fruits mûrs. Plus expressive, évoluée, la bouche déploie des arômes de pomme, de viennoiserie et de moka tout en brillant par sa fraîcheur. ⧗ 2019-2022

CHAMPAGNE SÉBASTIEN DAVIAUX, 4, rue de la Noue-Coutard, 51530 Chouilly, tél. 06 27 04 04 06, champagnedaviaux@gmail.com V r.-v.

PH. DAVIAUX-QUINET Blanc de blancs 2012 ★★

Gd cru | 5000 | | 20 à 30 €

Quatre générations se sont succédé sur ce domaine implanté à Chouilly, au cœur de la Côte des Blancs. Philippe et Josiane Daviaux ont agrandi l'exploitation et la cèdent progressivement à leur fils Sébastien qui a lancé un champagne à son nom en 2014. Situé dans plusieurs communes de la Côte des Blancs, le vignoble familial privilégie le chardonnay. (RM)

Une bulle active dans une robe dorée, un nez expressif et mûr mêlant fleurs blanches, fruits jaunes, amande douce, brioche et notes grillées; le prélude à un palais rond et ample, justement dosé, tendu par une belle vivacité donnant tonus et allonge. ⧗ 2019-2022

CHAMPAGNE PHILIPPE DAVIAUX-QUINET, 4, rue de la Noue-Coutard, 51530 Chouilly, tél. 03 26 54 44 03 V r.-v.

PHILIPPE DECHELLE Extra-brut Blanc de noirs ★

| 7200 | | 15 à 20 € |

Maître greffeur, le grand-père de ce vigneron travailla à la reconstitution du vignoble après la crise phylloxérique. Ses parents, coopérateurs, se partageaient entre la vigne et le maraîchage. Philippe Dechelle, installé en 1982 sur des parcelles familiales, quitte la coopérative en 1987 avec son frère, aménageant cuverie et pressoir. À la tête de plus de 9 ha en amont de Château-Thierry, il fait vieillir toutes ses cuvées au moins trois ans sur lies (RM)

Pur pinot noir, cet extra-brut est construit sur la récolte 2014. Un champagne harmonieux, ample et généreux, à la finale fraîche, plaisant par son expression aromatique intense, citronnée, beurrée et biscuitée («biscuit de Reims», écrit-on), nuancée de fruit blanc en bouche. ⧗ 2019-2022

CHAMPAGNE PHILIPPE DECHELLE,
20, rue Paul-Doumer, 02400 Brasles, tél. 03 23 69 95 95, champagnephilippedechelle@gmailcom V r.-v.

H. DEGUERNE ET FILS ★

| 1er cru | 4917 | | 15 à 20 € |

Sophie Lauwers-Deguerne est à la tête depuis 2007 du domaine familial créé en 1947. Elle exploite 4,6 ha de vignes autour d'Écueil, village de la Montagne de Reims situé à deux pas de la cité des Sacres.

Un rosé donnant le premier rôle au pinot noir (70 %), complété par le meunier et par le chardonnay à parité. Saumon intense aux reflets cuivrés, il séduit d'emblée par l'élégance de son nez floral (rose, fleurs blanches) et fruité (griotte, framboise). Dans le même registre, la bouche se montre gourmande, franche et longue, rafraîchie par une pointe d'agrumes. Le dosage est apparent mais bien fondu. ⧗ 2019-2022

CHAMPAGNE H. DEGUERNE ET FILS,
18, rue Saint-Vincent, 51500 Écueil, tél. 03 26 49 86 99, contact@champagne-deguerne.fr V r.-v.

DANIEL DEHEURLES ET FILLES Grande Cuvée ★★

| 12000 | | 11 à 15 € |

Établie dans la Côte des Bar, la famille Deheurles a vendu son raisin au kilo jusqu'en 1990, puis s'est lancée dans la manipulation, tout en agrandissant peu à peu son domaine (6,1 ha aujourd'hui). Daniel Deheurles, qui a commercialisé ses premières bouteilles en 2000, travaille désormais avec sa fille Émilie. (NM)

Pinot noir majoritaire (70 %) et chardonnay composent cette cuvée au nez d'une belle finesse, floral, minéral, fruité et brioché. Un champagne bien construit, ample et rond, aux arômes de fruits blancs, tonifié par un trait acidulé qui lui donne équilibre et longueur. ⧗ 2019-2022 **Prestige ★ (15 à 20 €; 21500 b.)** : issue de chardonnay majoritaire (60 %) et de pinot noir, une cuvée élégante, suave, marquée en finale par une touche d'amertume. ⧗ 2019-2022

CHAMPAGNE DANIEL DEHEURLES ET FILLES,
1, rue de l'École, 10110 Celles-sur-Ource, tél. 03 25 38 57 64, contact@champagne-daniel-deheurles.com V t.l.j. *8h-12h 14h-18h; sam. dim. sur r.-v.*

LOUIS DÉHU

| 7000 | | 15 à 20 € |

Conduit depuis 2011 par Thierry Niziolek, ce domaine familial implanté à Venteuil, sur la rive droite de la Marne, compte 11 ha répartis sur plusieurs communes des environs. (RM)

Ce rosé de noirs assemble du pinot noir vinifié en blanc et du vin rouge du même cépage, élevé en fût. Il tire de sa vinification une discrète note vanillée qui souligne sa palette bien fruitée : pêche, framboise, cassis. En bouche, le fruit est mis en valeur par un côté acidulé. ⧗ 2019-2022

CHAMPAGNE LOUIS DÉHU,
10, bd Saint-Michel, 51480 Venteuil, tél. 03 26 57 64 95, dehu-isabelle@wanadoo.fr V r.-v.

DÉHU PÈRE ET FILS Grande Réserve ★★

| 5000 | | 20 à 30 € |

Installé en 2000 en amont de Château-Thierry, dans l'Aisne, Benoît Déhu, huitième du nom, perpétue une tradition vigneronne remontant à la fin du XVIIIe s. Récoltant-coopérateur, il confie ses raisins à la Covama, mais commence à élaborer des cuvées parcellaires et convertit certaines vignes à la bio. Cépage roi du secteur, le pinot meunier est très présent dans ses cuvées. (RC)

Construit sur le meunier (75 %), avec les deux autres cépages en appoint, ce brut or jaune associe au nez brioche, fruits compoté et notes citronnées. Dans une belle continuité, il conjugue en bouche une fraîcheur tonique et une belle rondeur, des arômes de jeunesse et des notes plus évoluées. Sa finale longue et dynamique laisse le souvenir d'une belle harmonie. ⧗ 2019-2022 **Extra-brut Tradition ★ (15 à 20 €; 40000 b.)** : né des trois cépages champenois, avec le meunier en dominante, un champagne peu dosé, plaisant par sa palette délicate (fleurs blanches, frangipane) et par sa fraîcheur. ⧗ 2019-2022

CHAMPAGNE DÉHU PÈRE ET FILS,
3, rue Saint-Georges, 02650 Fossoy, tél. 03 23 71 90 47, contact@champagne-dehu.com V r.-v.

DELABARRE Cuvée Prestige

| 7000 | | 15 à 20 € |

Domaine familial implanté dans la vallée de la Marne depuis les années 1920; premiers champagnes en 1950. Christiane Delabarre, qui a pris les rênes du vignoble en 1979, l'a agrandi (6 ha aujourd'hui), tout en modernisant la cuverie. Sa fille Charline l'a rejointe en 2013. (RM)

La cuvée Prestige assemble à parité chardonnay et pinots (pinot noir et meunier à 25 % chacun). Construite sur la vendange 2015, cette version mêle au nez les fruits secs (amande, noix), les petits fruits et la brioche. Le fruit blanc (pomme verte, poire) s'affirme dans une bouche à la fois ronde et vive. ⧗ 2019-2022 **Cuvée Tradition (15 à 20 €; 5500 b.)** : vin cité.

CHAMPAGNE DELABARRE,
26, rue de Châtillon, 51700 Vandières, tél. 03 26 58 02 65, delabarre.christiane@orange.fr V r.-v.

♥ MAURICE DELABAYE ET FILS Prestige ★★

1er cru | 25000 | | 15 à 20 €

Victor Delabaye fonde l'exploitation en 1921 à Damery, non loin d'Épernay ; Maurice devient récoltant-manipulant à Cumières et lance sa marque en 1959. Germain, qui lui a succédé en 2001, est épaulé par son fils Victor depuis 2014. Il exploite environ 10 ha autour d'Aÿ, grand cru, et de Cumières, Hautvillers et Dizy, 1ers crus. (RM)

Souvent distinguée par nos dégustateurs, cette cuvée a fait l'unanimité avec cette version, qui réunit la récolte 2015 et la précédente, et qui assemble les trois cépages champenois (avec 30 % de chardonnay). On salue la fraîcheur printanière de son nez, où les fleurs blanches se nuancent d'arômes d'agrumes, de fruits jaunes et de pâte d'amandes, bien prolongée par une bouche élégante, acidulée et fraîche. ⧗ 2019-2022 **1er cru Rosé intense ★ (15 à 20 €; 10000 b.)** : faisant la part belle aux noirs (90 %, pinot noir majoritaire), il tire son caractère d'un apport de vin rouge vieilli en fût. Un rosé structuré et frais, légèrement boisé, adapté au repas. ⧗ 2019-2022

o– *CHAMPAGNE MAURICE DELABAYE ET FILS, 16, rue Anatole-France, 51480 Damery, tél. 03 26 51 94 91, champagne-delabaye@outlook.com* V *t.l.j. 8h-12h 14h-18h; dim. sur r.-v.*

V. DELAGARDE Cuvée Excellence ★

| 10000 | | 20 à 30 €

De vieille souche vigneronne, Valérie Delozanne et Vincent Delagarde ont repris en 2000 les vignes de leurs parents respectifs : 8 ha à dominante de meunier, cépage très cultivé dans le secteur des monts de Reims et dans la vallée de l'Ardre. Deux étiquettes : V. Delagarde et Yves Delozanne. (RM)

Pinot noir, meunier et chardonnay contribuent à parité à cette cuvée au nez délicat et charmeur, sur les fruits jaunes (pomme et mirabelle). On retrouve cette fraîcheur aromatique, ce fruit juste mûr dans une bouche ample et ronde, au dosage fondu, vivifiée par un trait acidulé et, en finale, par une agréable amertume. De l'étoffe et de la finesse. ⧗ 2019-2022

o– *CHAMPAGNE DELAGARDE-DELOZANNE, 67, rue de Savigny, 51170 Serzy-et-Prin, tél. 03 26 97 40 18, contact@champagne-delagarde-delozanne.fr* V *r.-v.*

DELAGNE ET FILS Tradition Grande Cuvée ★

| 144000 | | 20 à 30 €

Propriétaire de vignes autour de Cerseuil, dans la vallée de la Marne, et de caves à Épernay, la famille Mansard a cédé sa marque, Mansard-Baillet, qui fait désormais partie du groupe Rapeneau. Deux étiquettes : Mansard et Delagne et Fils. (NM)

Ce rosé comprend 50 % de chardonnay aux côtés des pinots (pinot noir surtout). D'une belle persistance, il conjugue la fraîcheur du premier et la générosité des seconds. Sa palette aromatique bien fruitée allie la vivacité des agrumes et de la groseille à la suavité de la pêche, de l'abricot et des fruits confits. ⧗ 2019-2022

o– *CHAMPAGNE MANSARD-BAILLET, 9, av. Paul-Chandon, 51200 Épernay, tél. 03 26 54 18 55, contact@champagnemansard.com*

DELAHAIE ★

| 11000 | | 20 à 30 €

Jacques Brochet a repris en 1991 la marque Delahaie et son vignoble, qui appartenaient à son oncle, et créé une gamme de champagnes. Ses cuvées sont souvent remarquées par les dégustateurs. (NM)

Un rosé de noirs mariant pinot noir (80 %) et meunier. La robe est orange pastel, tuilée; le nez décline des arômes agréablement évolués : fruits compotés ou confits, miel, brioche, pain d'épice, vanille. On retrouve ce caractère de maturité dans une bouche onctueuse et persistante, qui a gardé une belle fraîcheur. ⧗ 2019-2021

o– *CHAMPAGNE DELAHAYE, 16, allée de la Côte-des-Blancs, 51200 Épernay, tél. 03 26 54 08 74, champagne.delahaie@wanadoo.fr* V *r.-v.*

♥ DELAMOTTE Blanc de blancs 2008 ★★★

| 113000 | | 50 à 75 €

L'une des plus anciennes maisons de Champagne, née en 1760. Elle a conservé le nom de son fondateur, conseiller échevin de Reims marié à une riche propriétaire de vignes à Aÿ. Depuis 1988, elle est rattachée au groupe Laurent-Perrier. Société sœur du mythique Salon, elle est établie au Mesnil-sur-Oger, au cœur de la Côte des Blancs, et le chardonnay est très présent dans ses cuvées. (NM)

Après les beaux millésimes 2002 et 2004, coups de cœur eux aussi, Delamotte propose un superbe reflet de l'excellent millésime 2008. Récoltés à la mi-septembre, les chardonnays qui composent cette cuvée proviennent des six grands crus de la Côte des Blancs. Après un repos de neuf ans sur lies, ce blanc de blancs conjugue générosité et distinction tout au long de la dégustation. Sa robe or pâle est animée de bulles fines et alertes. Intense, riche, élégant et tonique, le nez associe minéralité et nuances traduisant une heureuse évolution : notes grillées, fumées, fruits secs, sous-bois. On retrouve cette minéralité, ces arômes toastés et vanillés dans un palais à la fois somptueux, crémeux et très droit, précis et subtil, à la finale fraîche et persistante. Turbot? Saint-jacques? Homard? Poularde? Pour un repas de fête. ⧗ 2019-2025

o– *CHAMPAGNE DELAMOTTE, 7, rue de la Brèche-d'Oger, 51190 Le Mesnil-sur-Oger, tél. 03 26 57 51 65, champagne@salondelamotte.com*

DELAVENNE PÈRE ET FILS Bouzy ★

Gd cru | 10000 | | 15 à 20 €

Domaine familial créé en 1920, conduit depuis 2008 par Maëlle et Jean-Christophe Delavenne : 9 ha entre les grands crus Bouzy, Ambonnay (Montagne de Reims) et Cramant (Côte des Blancs). Ces vignerons

ont renoncé aux herbicides. À la cave, ils vinifient avec des levures indigènes et sans fermentation malolactique. (RM)

Une bonne proportion de chardonnay (40 %) est assemblée au pinot noir, dont 17 % de bouzy rouge. De quoi donner un rosé coloré, saumon soutenu, au nez très frais, entre fruits rouges et agrumes, et à la bouche tonique, marquée en finale par une agréable touche d'amertume. Ce champagne conviendra aussi bien à l'apéritif qu'au dessert. ⧗ 2019-2022 ● **Gd cru Réserve ★ (15 à 20 €; 35000 b.)** : associant pinot noir (60 %) et chardonnay, un brut équilibré, frais, de bonne longueur, aux arômes intenses d'agrumes compotés, de coing et de pêche. ⧗ 2019-2022

CHAMPAGNE DELAVENNE PÈRE ET FILS, 6, rue de Tours-sur-Marne, 51150 Bouzy, tél. 03 26 57 02 04, champagnedelavenne@orange.fr V r.-v.

DELOT
Extra-brut Blanc de noirs 2008 ★★★

● | 8000 | | 20 à 30 €

En 2006, Vincent Delot, vigneron de Celles-sur-Ource (Aube), à la tête d'une maison créée en 1933, se retire et cède son domaine à la maison Paul Dangin, fondée en 1947 dans la même commune, charge à elle de perpétuer son nom et ses méthodes de travail. Jean-Baptiste Dangin est alors nommé, à vingt et un ans, responsable de la gestion de cette exploitation.

Pur pinot noir vinifié avec des levures indigènes et sans collage, cet extra-brut offre une version superbe d'un millésime coté. En quatre mots : complexité, élégance, fraîcheur, potentiel. Avec tous les détails offerts à profusion par nos dégustateurs comblés : une robe jaune paille aux reflets orangés; un nez franc, agréablement évolué, sur les fruits confits, la pâtisserie, avec un léger grillé; un palais ample, ajoutant à cette palette la fraise des bois acidulée, la brioche, le miel, les fleurs séchées, le moka... Des arômes soutenus par une belle acidité qui porte loin la finale. ⧗ 2019-2025 ● **Blanc de Noirs Réserve ★ (15 à 20 €; 40000 b.)** : un pinot noir des récoltes 2015 et 2014. Nez franc, sur la fraise des bois; palais équilibré, rond et frais, un rien minéral, aux arômes de fleurs, d'abricot et de figue. De l'élégance. ⧗ 2019-2022

CHAMPAGNE DELOT, 3, pl. de l'Église, 10110 Celles-sur-Ource, tél. 03 25 38 50 12, contact@champagne-delot.com V *t.l.j. 8h-18h; ven. sam. dim. sur r.-v.*

DELOUVIN-BAGNOST Cuvée Tradition ★

● | n.c. | | 11 à 15 €

Une famille enracinée à Vandières (vallée de la Marne) au XVIIᵉs., qui commercialise son vin depuis les années 1930. La marque est née en 1975 du mariage des parents de Jérôme Delouvin, installé en 2005. Ses quelque 10 ha de vignes font la part belle au meunier. (RM)

Le meunier majoritaire (70 %, avec les deux autres cépages en appoint, des raisins des récoltes 2011 et 2010) donne à ce brut une robe dorée, des arômes complexes, agréablement évolués (fruits confits, miel, épices douces) et une bouche à l'unisson du nez, ronde et puissante, vivifiée par une longue finale acidulée. ⧗ 2019-2021

CHAMPAGNE DELOUVIN-BAGNOST, 20, rue Bailly, 51700 Vandières, tél. 06 75 20 82 26, champagne.delouvin-bagnost@orange.fr V r.-v.

DEL'OZART Réserve ★

● | 5000 | | 15 à 20 €

Marcel Del'hozanne s'est lancé dans l'élaboration du champagne en 1928. Quatre-vingt-dix ans plus tard, sa petite-fille Lise David, à la tête de la propriété depuis 1982, a lancé sa marque, Del'OzArt. Installée dans la vallée de la Marne, elle exploite un vignoble de 8,6 ha en conversion bio et confie ses vendanges à la coopérative H. Blin.

Issu de meunier majoritaire (70 %) avec le chardonnay et le pinot noir en appoint, un brut séduisant par la complexité de son nez (fruits jaunes, miel, brioche), prolongé par un palais fruité, gourmand, gras et charnu, de bonne persistance, teinté en finale par une légère et agréable amertume. ⧗ 2019-2022

CHAMPAGNE DEL'OZART, 40, rue de Verdun, 51700 Vincelles, tél. 06 82 27 72 89, david-maison-rouge@sfr.fr V r.-v.

SERGE DEMIÈRE 2014

● Gd cru | 5000 | | 15 à 20 €

Ce vigneron s'est installé en 1976 sur le domaine familial de 7 ha, implanté sur le versant sud-est de la Montagne de Reims. Il tire parti de deux grands crus voisins célèbres pour leur pinot noir : Ambonnay et Bouzy, et d'un 1ᵉʳ cru, Trépail, riche en chardonnay. (RM)

Majoritaire dans l'assemblage (60 %, avec le pinot noir en complément), le chardonnay lègue à ce brut millésimé de délicats arômes d'agrumes et de fleurs blanches et une bouche d'une belle finesse, assez étoffée, acidulée et fraîche. ⧗ 2019-2022

VIGNOBLE SERGE DEMIÈRE, 7, rue de la Commanderie, 51150 Ambonnay, tél. 03 26 57 07 79, serge.demiere@wanadoo.fr V r.-v.

LAURENCE DEPLAINE Rosé de saignée ★

● | n.c. | | 15 à 20 €

Petite-fille et fille de vignerons, Laurence Deplaine a repris en 1994 l'exploitation familiale. Elle cultive près de 4 ha de vignes couvrant le coteau de Cuisles, sur la rive droite de la Marne. Elle a lancé son étiquette en 2012 et élabore ses cuvées en collaboration avec Philippe Lequien (Lequien et Fils), un ami vigneron de Chavot-Courcourt.

Ce rosé tire sa couleur soutenue de la macération de raisins noirs (pinot noir 80 %, meunier 20 %). Cette vinification lui a aussi légué un nez puissant et une bouche vineuse, légèrement tannique en finale, aux arômes de griotte. Sa charpente lui permettra d'accompagner un repas. ⧗ 2019-2022 ● **Blanc de noirs 2012 (15 à 20 €; 1000 b.)** : vin cité.

CHAMPAGNE LAURENCE DEPLAINE, 13, rue de Jonquery, 51700 Cuisles, tél. 06 87 92 66 93, champagnelaurencedeplaine@orange.fr V r.-v.

CHAMPAGNE

BERNARD DEPOIVRE Origin

	14100		11 à 15 €

Descendant de plusieurs générations de viticulteurs, Sébastien Depoivre a repris en 2000 le domaine constitué par ses parents en 1972. Il exploite près de 3 ha de vignes sur les coteaux du Sézannais, dans la partie sud-ouest du département de la Marne.

Très présent dans le Sézannais, le chardonnay compose 50 % de cette cuvée, complété par les deux pinots, avec 25 % de vins de réserve. Un brut franc et équilibré, aux arômes de fruits jaunes, qui trouvera sa place à l'apéritif et sur les entrées marines. 2019-2021

CHAMPAGNE BERNARD DEPOIVRE, 2, rue de la Tuilerie, 51120 Vindey, tél. 03 26 80 56 34, champagne.depoivrebernard@wanadoo.fr V r.-v.

E. DÉSAUTEZ ET FILS Tradition

Gd cru	25000		15 à 20 €

Fondé en 1905 par Émile Désautez, ce domaine est géré depuis 1975 par sa petite-fille et son gendre Patrick Deibener, qui a construit une nouvelle cave et développé l'élaboration du champagne. Il dispose de près de 4 ha dans les grands crus voisins de la Montagne de Reims : Verzenay, Verzy et Mailly-Champagne. (RM)

Dominé par le pinot noir (75 %) avec le chardonnay en appoint, ce brut a intéressé une fois de plus nos dégustateurs. Cette version à la robe bien dorée séduit avant tout par sa fraîcheur au nez comme en bouche, et par la justesse de son dosage. 2019-2021

CHAMPAGNE DÉSAUTEZ ET FILS, 22, rue de Mailly, 51360 Verzenay, tél. 03 26 49 40 59, desautezetfils@orange.fr V r.-v.

A. DESMOULINS ET CIE Cuvée Brut Royal ★

	3000		20 à 30 €

Fondée en 1908, cette maison de négoce sise à Épernay est gérée par Jean et Virginie Bouloré, petit-fils et arrière-petite-fille d'Albert Desmoulins. Les assemblages des trois cépages sont des secrets de famille. (NM)

Les raisins noirs marquent de leur empreinte cette cuvée or clair à la mousse légère, au nez vineux, franc, légèrement évolué, et au palais puissant et frais, teinté d'arômes de fruits jaunes. Un dégustateur la verrait bien accompagner un fromage à pâte dure comme le comté. 2019-2022 **Grande Cuvée du Centenaire ★ (20 à 30 €; 5000 b.)** : privilégiant le chardonnay, complété par le meunier, un brut au nez intensément floral, légèrement brioché, et à la bouche vive et gourmande, sur les agrumes, marquée en finale par le dosage. 2019-2022

CHAMPAGNE A. DESMOULINS ET CIE, 44, av. du Mal-Foch, 51200 Épernay, tél. 03 26 54 24 24, champagne.desmoulins@orange.fr V r.-v.

PAUL DÉTHUNE ★

Gd cru	4000		30 à 50 €

Lignée remontant à 1610, propriété constituée en 1840. Des caves du XVIIes. et 7 ha autour d'Ambonnay, grand cru de noirs de la Montagne de Reims. Vignoble conduit depuis 1995 par Pierre et Sophie Déthune, qui élèvent une partie de leurs vins en foudre. Domaine certifié Haute valeur environnementale. (RM)

L'assemblage de ce brut rosé privilégie le pinot noir (80 %), complété par le chardonnay. Il inclut aussi 50 % de vins de réserve élevés en foudre, de quarante années différentes. La robe est soutenue, saumon foncé. Intense et élégant, le nez joue sur la framboise et le cassis. La fraise des bois et un soupçon de vanille s'ajoutent à cette palette dans un palais gourmand, montrant une belle tension de l'attaque à la finale. 2019-2022

CHAMPAGNE PAUL DÉTHUNE, 2, rue du Moulin, 51150 Ambonnay, tél. 03 26 57 01 88, info@champagne-dethune.com V r.-v.

DEUTZ ★★

	130000		50 à 75 €

Originaires d'Aix-la-Chapelle, deux négociants en vins, William Deutz et Pierre-Hubert Geldermann, ont fondé en 1838 cette prestigieuse maison. Longtemps demeurée familiale, elle est entrée en 1993 dans le groupe Roederer. Réputée pour ses assemblages minutieux (30 à 40 crus différents pour son brut Classic), elle s'approvisionne dans un rayon restreint de 30 km autour du grand cru Aÿ, dans la Grande Vallée de la Marne. Michel Davesne est le chef de cave. (NM)

Majoritaire dans l'assemblage (90 %, avec le chardonnay en appoint), le pinot noir marque de son empreinte ce brut vieilli trois ans sur lattes. D'un rose tendre et lumineux, la robe est parcourue d'une bulle fine et légère. Le nez discret s'affirme à l'aération et pinote délicatement sur des notes de cerise. La cerise se lie au coing et aux fruits noirs dans un palais ample et long, qui monte en puissance pour finir sur une agréable touche d'amertume. 2019-2023 **Classic ★ (30 à 50 €; 2000000 b.)** : un « classique » du Guide, très souvent en bonne place. Issu des trois cépages champenois à parts égales, vieilli trois ans, il séduit par son équilibre entre souplesse et fraîcheur et par son expression élégante, discrètement fruitée, beurrée, briochée et mentholée. 2019-2022

SA CHAMPAGNE DEUTZ (AŸ), 16, rue Jeanson, 51160 Aÿ, tél. 03 26 56 94 00, france@champagne-deutz.fr V *t.l.j. sf sam. dim. 8h30-12h 13h30-18h*

VEUVE A. DEVAUX Sténopé 2010 ★★

	6556		+ de 100 €

Les frères Jules et Auguste Devaux fondent en 1846 une maison de champagne qui a pignon sur rue à Épernay et que la dernière génération, sans héritier, cède en 1987 à l'Union auboise, importante coopérative créée en 1967. Sous la marque Veuve Devaux (ou Devaux), la cave « habille » son haut de gamme, des champagnes vieillis au moins trois ans. (CM)

Élaborée avec le vigneron-négociant rhodanien Michel Chapoutier, cette cuvée de prestige assemble à parts égales chardonnay et pinot noir, des vins fermentés et élevés en fût de chêne de la région. Un champagne de caractère, aux nez d'agrumes et de pain blanc, qui évoquerait presque le riesling par son côté citronné et minéral. Il porte aussi la marque de l'élevage, au nez comme en bouche, et offre une finale persistante et saline. Du potentiel. ⏳ 2019-2026

CHAMPAGNE VEUVE A. DEVAUX, Dom. de Villeneuve, 10110 Bar-sur-Seine, tél. 03 25 38 30 65, elodiechevriot@champagne-devaux.fr V t.l.j. sf dim. 10h-18h

PIERRE DEVILLE Cuvée des Corbeaux ★

Gd cru	1000		15 à 20 €

Cette exploitation familiale a débuté l'élaboration du champagne en 1963. Depuis 2000, elle est mise en valeur par Christophe et Isabelle Corbeaux, rejoints par leur fils Alban. Ces vignerons disposent de 5 ha plantés en pinot noir et en chardonnay, sur le terroir de Verzy, grand cru de la Montagne de Reims. La marque rend hommage à un arrière-grand-père.

Les Corbeaux? Les élaborateurs, pas les freux qui volent bas sur la plaine! Composée à parts égales de pinot noir et de chardonnay, cette cuvée est construite sur la récolte 2014 et reste quatre ans sur lattes. Un brut harmonieux, partagé au nez entre fleurs blanches et brioche et en bouche entre fruits jaunes et amande. ⏳ 2019-2022

CHAMPAGNE PIERRE DEVILLE, 6, rue Saint-Basile, 51380 Verzy, tél. 06 86 81 69 71, sarl.corbeaux@orange.fr V *t.l.j. 8h-19h*

JACQUES DEVILLERS ET FILS Cuvée Élégance Vieilli en fût de chêne ★

	300		15 à 20 €

Les Devillers élaborent leurs champagnes depuis quatre générations. Aujourd'hui, Nadine Devillers et son fils Raphaël exploitent 3,5 ha à La Neuville-aux-Larris, à mi-chemin entre les vallées de la Marne et de l'Ardre. (RM)

Un pur meunier. Nos dégustateurs saluent l'intensité et la complexité de son expression aromatique : du citron vert, du zeste d'agrumes, des fruits exotiques et, à l'aération, des notes biscuitées, beurrées et vanillées. Les agrumes et le boisé s'affirment dans un palais équilibré, d'une belle finesse, marqué aussi par un côté suave. ⏳ 2019-2022

CHAMPAGNE JACQUES DEVILLERS ET FILS, 17, rue de Paradis, 51480 La Neuville-aux-Larris, tél. 06 85 51 29 71, devillers.raphael@orange.fr V *r.-v.*

BENOÎT DIOT Subtil Élevage en fût de chêne ★

Gd cru	1000		30 à 50 €

Viticulteur depuis 2005 sur l'exploitation familiale à Cramant, dans la Côte des Blancs, Benoît Diot exploite 1,3 ha et vend une bonne partie de sa récolte en raisins ou en vins clairs. Il n'élabore qu'une seule cuvée assemblant des raisins de trois grands crus : Le Mesnil-sur-Oger, Avize et Cramant.

Un blanc de blancs élevé pour les trois quarts en petits fûts dont le contenu est renouvelé en partie chaque année, selon le système de la solera. Il en résulte un nez complexe, évolué, alliant un boisé très présent mais agréable à des notes de fruits secs. Intense, onctueux, corpulent, le palais fait aussi preuve d'une belle vivacité qui porte loin la finale. Un champagne de repas qui devrait également s'entendre avec les fromages à pâte cuite bien affinés. ⏳ 2019-2021

BENOÎT DIOT, 26, rue du Moutier, Accueil 105, rue du Carrouge, 51530 Cramant, tél. 03 26 52 76 89, champagne.subtil@orange.fr V *r.-v.*

DISSAUX PÈRE ET FILS Prestige ★★

	13000		11 à 15 €

La famille Dissaux (Champagne Dissaux-Brochot) est établie dans la vallée de la Marne depuis de nombreuses générations. La dernière en date est représentée par Morgan qui a créé en 2010, avec l'aide de son père, la structure de négoce Dissaux Père et Fils. (NM)

Complété par le pinot noir, le chardonnay contribue pour moitié à cette cuvée. Une proportion suffisante pour imprimer sa marque : au nez, des arômes d'aubépine, de tilleul, de vanille et de torréfaction, complétés par des notes intenses de fruits exotiques que l'on retrouve en bouche; au palais, une fraîcheur tonique qui donne élégance et longueur. Apéritif, poisson, viandes blanches : on l'appréciera comme un blanc de blancs. ⏳ 2019-2022

CHAMPAGNE DISSAUX PÈRE ET FILS, 10, rue du Lubre, 51700 Binson-et-Orquigny, tél. 03 26 58 05 63, morgan-dissaux@wanadoo.fr V *r.-v.*

DISSAUX VERDOOLAEGHE ET FILS Tradition ★★

	8000		15 à 20 €

Carine Verdoolaeghe représente la quatrième génération sur l'exploitation familiale créée en 1946 sur la rive droite de la Marne. Son vignoble (2 ha) lui a été légué par ses grands-parents et par une tante. (RM)

Cépage principal de ce secteur, le meunier est seul à l'œuvre dans cette cuvée, des raisins de la vendange 2017. Un blanc de noirs aux arômes de quetsche et de mirabelle, qui a pour autres atouts son côté charnu, sa fraîcheur et sa longueur. ⏳ 2019-2021 ● **Grande Réserve ★ (15 à 20 €; 4000 b.)** : du meunier (75 %), complété par le pinot noir. Bien typé blanc de noirs, un brut harmonieux et puissant, aromatique (coing, fruits secs, avec un côté beurré et toasté), ample et long, servi par une belle fraîcheur et par un dosage maîtrisé. ⏳ 2019-2022

CHAMPAGNE DISSAUX VERDOOLAEGHE ET FILS, 11, rue du Lubre, 51700 Binson-et-Orquigny, tél. 06 83 68 16 56, earldissaux@orange.fr V *r.-v.*

DOM BACCHUS Cuvée antique 2012 ★

	980		30 à 50 €

En 1992, Arnaud Billard et son épouse Lydie ont pris la suite des trois générations précédentes sur le domaine familial dont ils ont porté la surface à plus de 8 ha, tout en développant l'accueil. Leur vignoble est implanté sur le coteau de Reuil qui domine la Marne, tourné vers le midi. Deux étiquettes : Billard Père et Filles et Dom Bacchus. (RM)

Le nom de la cuvée fait référence à la pratique ancestrale de l'élevage en fût. Le chardonnay (80 %) et le pinot noir à l'origine de ce brut millésimé y ont séjourné un an. Le champagne en ressort bien doré, structuré et long; sa palette s'est enrichie d'un léger boisé aux

CHAMPAGNE

nuances de tabac, allié aux arômes du raisin : tilleul, fleurs séchées et, en bouche, abricot. De la richesse et du potentiel. ⧗ 2019-2024

CHAMPAGNE ARNAUD BILLARD, Hameau de l'Échelle, 4, rue Bacchus, 51480 Reuil, tél. 03 26 58 66 60, info@domaine-bacchus.com V r.-v. 4

DOM CAUDRON Meunier Fascinante ★

●	10000		20 à 30 €

Cette marque de la coopérative de Passy-Grigny rend hommage au curé de ce village de la vallée de la Marne. Un bon vivant qui appuya, par un don de 1 000 F, la fondation de la cave en 1929. Cette dernière vinifie 130 ha cultivés par ses adhérents. (CM)

Un rosé issu pour l'essentiel de meunier (90 %, dont 10 % vinifiés en rouge et passés en fût), avec un appoint de chardonnay. Aussi élégant à l'œil qu'au nez, il affiche une robe saumon traversée de bulles fines et libère des arômes subtils et suaves de bonbon. La cerise s'affirme dans un palais franc et charnu, d'une rondeur soulignée par le dosage, à la finale longue et fraîche. ⧗ 2019-2022

CHAMPAGNE DOM CAUDRON, 22, rue Jean-York, 51700 Passy-Grigny, tél. 03 26 52 45 17, champagne@domcaudron.fr V r.-v.

PIERRE DOMI Blanc de blancs ★

●	12000		15 à 20 €

Créée en 1947, cette exploitation familiale, aujourd'hui conduite par Stéphane et Thierry Lutz, les petits-fils de Pierre Domi, a son siège à Grauves, village surplombé par des falaises, à l'ouest de la Côte des Blancs. Le vignoble de 8,5 ha s'éparpille sur les coteaux sud d'Épernay. Ici, on pratique encore le remuage sur pupitres et le dégorgement à la volée. (RM)

Il offre tous les traits attendus d'un blanc de blancs : une robe or pâle, des arômes frais d'agrumes au nez comme au palais, une bouche tonique et longue et surtout, de la finesse. ⧗ 2019-2022

CHAMPAGNE DOMI, 10, rue Bruyère, 51190 Grauves, tél. 03 26 59 71 03, contact@champagne-domi.com V r.-v.

♥ DOM PÉRIGNON Vintage 2006 ★★★

●	n.c.		+ de 100 €

Le champagne de prestige par excellence, nommé en hommage au « père du champagne ». Chargé du vignoble et de la cave de l'abbaye de Hautvillers, dom Pérignon, à qui la tradition attribue l'invention de la méthode champenoise, montra cette maîtrise de l'art de l'assemblage qui fait les grandes cuvées. Son lointain successeur, depuis les années 1990, est le Vertusien Richard Geoffroy. La composition du Dom Pérignon reste secrète et chaque millésime est une création. Tout au plus sait-on qu'il met en œuvre du chardonnay et du pinot noir des grands crus de la Côte des Blancs et de la Montagne de Reims, ainsi que de Hautvillers, en souvenir de dom Pérignon. (NM)

Le rosé 2006 rejoint au sommet ses prestigieux devanciers 2005, 2004 et 2002, pour ne citer que les plus récents. Un coup de cœur pour un champagne d'exception, magnifique dans sa robe orangée aux reflets roses, animée par un cordon de bulles très fines. Le nez interpelle d'emblée par son mélange de richesse et de délicatesse, de complexité et de finesse : pâte d'amandes, fruits rouges, fleurs séchées, notes grillées et mentholées. Le fruit rouge et l'amande reviennent en compagnie des fruits secs dans une bouche ample, longue et élégante, au toucher des plus soyeux. Un champagne aérien, d'une grande finesse, qui procure une réelle émotion. ⧗ 2019-2024 ● **Vintage 2008 ★★ (+ de 100 €; n.c.)** : des bulles délicates animent la robe dorée. Au nez, citron et pamplemousse ouvrent le bal, avant d'être rejoints par les fruits blancs, puis des notes de châtaigne, de menthol et de grillé. Une complexité qui se prolonge dans une bouche large et longue, à la fois dense et fraîche, offrant beaucoup de mâche et de dynamisme. Un grand champagne racé et encore plein de fougue. ⧗ 2021-2028

DOM PÉRIGNON, 9, av. de Champagne, 51200 Épernay, tél. 03 26 51 20 20, rhilaire@moethennessy.com

B DIDIER DOUÉ Cépage chardonnay 2007 ★★★

●	2000		20 à 30 €

Didier Doué s'est installé en 1975 sur le domaine familial et s'est équipé d'un pressoir cinq ans plus tard. Établi à 10 km à l'ouest de Troyes, il cultive 5 ha sur le coteau de Montgueux, dont les sols crayeux sont propices au chardonnay. Il a engagé en 2009 la conversion bio de son vignoble (aujourd'hui certifié) et travaille dans l'esprit de la biodynamie, produisant en outre son électricité. (RM)

Précoce mais chaotique, l'année 2007 a favorisé les blancs. Celui-ci, qui s'est placé sur les rangs au moment d'élire les coups de cœur, montre aussi l'excellence du terroir de Montgueux pour le chardonnay. Non dosé, il brille par sa fraîcheur. Certes, la robe montre des reflets dorés et sa palette des nuances d'évolution (fruits jaunes cuits, brioche, miel et épices), mais on respire aussi d'élégants parfums d'acacia au-dessus du verre. Et les agrumes, pamplemousse en tête, s'ajoutent à cette gamme dans un palais à la fois enrobé et droit, précis, salin et persistant. Quelle jeunesse pour un champagne resté onze ans en cave ! ⧗ 2019-2023 ● **Le Truchat Chardonnay de Montgueux (20 à 30 €; 3000 b.)** B : vin cité.

DIDIER DOUÉ, 3, voie des Vignes, 10300 Montgueux, tél. 03 25 79 44 33, doue.didier@wanadoo.fr V r.-v.

DOURDON-VIEILLARD Extra-brut ★

●	6000	20 à 30 €

Héritière d'une lignée de vignerons établie depuis 1812 à Reuil, sur la rive droite de la Marne, Fabienne Dourdon, après dix ans dans le marketing, a pris la relève en 2006 sur ce domaine qui commercialise son vin depuis 1958 et compte près de 10 ha. (RM)

Cette cuvée met en avant les raisins noirs (90 %), le meunier en particulier (55 %). Au nez, elle mêle agrumes, fleurs blanches, brioche, noisette et notes toastées. Les fruits jaunes, l'abricot confituré et l'amande se déploient dans une bouche qui conjugue la générosité des pinots et une belle fraîcheur due notamment au faible dosage. La finale longue et minérale laisse le souvenir d'un champagne très équilibré. ⧗ 2019-2022

⊶ CHAMPAGNE DOURDON-VIEILLARD, 8, rue des Vignes, 51480 Reuil, tél. 03 26 58 06 38, dourdonvieillard@aol.com V r.-v.

DOYARD-MAHÉ ★

● 1er cru	n.c.		20 à 30 €

Créé en 1927 par Maurice Doyard, cofondateur du Comité interprofessionnel du vin de Champagne, ce domaine de près de 6 ha situé à Vertus, dans la Côte des Blancs, a été géré entre 1988 et 2015 par Philippe Doyard, l'un de ses petits-fils. Sa fille Carole, qui l'avait rejoint en 2005, est maintenant aux commandes. Le chardonnay est à la base des cuvées de la propriété. (RM)

Un authentique rosé de la Côte des Blancs, composé à 88 % de chardonnay. Vinifié en rouge et élevé en fût, le pinot noir lui lègue sa teinte raffinée, rose pastel aux reflets rouges, ainsi que des notes discrètes de petits fruits (groseille, framboise, fraise et fruits noirs) légèrement vanillés, qui s'épanouissent en bouche. Les raisins blancs apportent des arômes de fleurs blanches, de fruits exotiques et surtout une belle fraîcheur à ce rosé précis, droit et long, à la finale épicée. ⧗ 2019-2021

⊶ CHAMPAGNE DOYARD-MAHÉ, 28, chem. des Sept-Moulins, Moulin d'Argensole, 51130 Vertus-Blanc-Coteau, tél. 03 26 52 23 85, champagne.doyard-mahe@wanadoo.fr V *r.-v.*

DRAPPIER Blanc de blancs 2012 ★

○	n.c.		50 à 75 €

Une maison auboise de renom fondée en 1808. Son actuel propriétaire, Michel Drappier, rejoint par ses enfants Charline, Hugo et Antoine, conduit un vignoble de 57 ha (dont un tiers en bio) aux environs de Bar-sur-Aube, mais il s'approvisionne aussi dans d'autres secteurs auprès de viticulteurs. À la cave, les sulfitages et les dosages sont mesurés. Les bouteilles de prestige, notamment les grands formats, vieillissent dans les vénérables caves creusées en 1152 par les moines de la proche abbaye de Clairvaux, les autres reposant à Reims dans des caves aménagées dans d'anciennes crayères. (NM)

Paré d'une robe or vert, ce blanc de blancs millésimé déploie un nez intense et complexe : on respire au-dessus du verre des effluves anisés, de légères nuances beurrées, des notes de fruits blancs mûrs et de grillé. Dans une belle continuité, la bouche, vive en attaque, joue sur les agrumes, la torréfaction, la brioche, le pain d'épice et le miel. La finale fraîche, saline et longue laisse envisager un potentiel intéressant. ⧗ 2019-2025 ○ **Carte d'or ★ (+ de 100 €; n.c.)** : représentatif du style de la maison, un brut construit sur le pinot noir (75 %, avec du chardonnay et un soupçon de meunier). Une robe dorée, un nez expressif, assez complexe, aux nuances de fruits secs, une bouche équilibrée, fraîche et longue, aux arômes d'agrumes, de fruits blancs bien mûrs et de brioche. ⧗ 2019-2022 ○ **2012 ★ (30 à 50 €; n.c.)** : issu de pinot noir (60 %) et de chardonnay, un beau millésime à la robe jaune doré, au nez intense et complexe, fruité et brioché; sa fraîcheur en bouche donne de l'allonge à la finale aux accents de pamplemousse. ⧗ 2019-2025

⊶ CHAMPAGNE DRAPPIER, 14, rue des Vignes, 10200 Urville, tél. 03 25 27 40 15, info@champagne-drappier.com V *r.-v.*

DROUILLY L. V. L

○	6540		30 à 50 €

Ce domaine de la Côte des Bar, exploité à l'origine en polyculture, dispose de 8 ha de vignes. L'œnologue Vincent Drouilly a pris la suite de ses grands-parents et parents en 1997 et quitté la coopérative pour se lancer dans la manipulation. (RM)

Cette cuvée doit tout au pinot noir. Faiblement dosée pour un brut, elle marie la récolte 2010 à la précédente et comprend 30 % de vin élevés en barrique. D'un jaune paille aux reflets dorés, elle mêle au nez des notes fraîches et des arômes plus évolués et boisés : fruits compotés, café torréfié. On retrouve la torréfaction dans une bouche vive, voire nerveuse, marquée en finale par l'amertume du zeste d'agrumes. ⧗ 2019-2022

⊶ CHAMPAGNE DROUILLY L. V., 5, Grande-Rue, 10360 Noé-les-Mallets, tél. 06 86 89 78 43, champagnedlv@wanadoo.fr V *r.-v.*

FRANÇOIS DUBOIS Pure Réserve ★

○	300000		20 à 30 €

Fils de vignerons de Faverolles-et-Coëmy, François Dubois vend du champagne dès le XVIIIes. Nicolas, son descendant, crée en 1999 une structure de négoce qui connaît une forte croissance (40 ha de vignes en propre, des pressoirs, puis une cuverie qui permet de vinifier 200 ha) et rachète la maison Jeeper. En 2013, il continue à la gérer, alors que Michel Reybier (propriétaire du Ch. Cos d'Estournel, cru classé de Saint-Estèphe) a pris le contrôle de la maison. (NM)

Le chardonnay (50 %) fait jeu égal avec les pinots (pinot noir 30 %, meunier 20 %) dans ce brut qui a connu le bois. Il en retire un nez complexe, assez évolué, mariant les fleurs blanches, le fruit compoté et des notes épicées. Plus marqués en bouche, la vanille et les épices de l'élevage sont bien intégrés dans une matière à la fois ample et fraîche. ⧗ 2019-2022

⊶ LES DOMAINES JEEPER, 3, rue de Savigny, 51170 Faverolles-et-Coëmy, tél. 03 26 05 08 98, info@champagne-jeeper.com V *t.l.j. sf sam. dim. 8h-12h 13h30-17h*

FRANÇOIS DUCHÊNE Cuvée Prestige ★

○	2000		15 à 20 €

Jérôme Duchêne a pris en 2006 les rênes de l'exploitation familiale fondée en 1969. Il élabore ses champagnes à partir d'environ 6 ha de vignes situés autour de Cumières, dans la Grande Vallée de la Marne. (RM)

Majoritaire (70 %), le chardonnay s'allie au pinot noir dans ce brut construit sur l'année 2014. À la fois riche et frais, le nez s'ouvre à l'aération sur la pêche jaune et sur les agrumes. Ce fruité prend des tons compotés dans un palais de belle tenue, acidulé et persistant. ⧗ 2019-2023

● ★ (15 à 20 €; 2000 b.) : vinifié par assemblage avec du vin rouge, un rosé de noirs (pinot noir 100 %) ample et gras, aux arômes gourmands de coulis de fraises, de quetsche et de fruits jaunes épicés, vivifié par une touche d'amertume en finale. ⧗ 2019-2021 ● **(11 à 15 €; 12000 b.)** : vin cité.

CHAMPAGNE FRANÇOIS DUCHÊNE, 105, rue des Fontaines, 51480 Cumières, tél. 03 26 51 70 75, duchenefrancois@neuf.fr t.l.j. sf dim. 9h-12h 14h-18h

DUMÉNIL By Jane Poret ★

● 1er cru	n.c.		15 à 20 €

Le fondateur Émile-Paul Duménil était vigneron et cafetier à Chigny-les-Roses. Frédérique Poret, son arrière-petite-fille, et son mari Hugues exploitent aujourd'hui 8 ha dans cette commune ainsi que dans les villages voisins de Ludes et de Rilly, autres 1ers crus de la Montagne de Reims. (RM)

Un assemblage privilégiant les noirs (meunier 60 %, pinot noir 30 %, chardonnay 10 %). Ce champagne aux frais arômes de fruits blancs teintés d'un léger grillé séduit par sa longueur et par son élégance, faite d'une rondeur avenante alliée à une vivacité tonique. ⧗ 2019-2022 ● **Les Pêcherines Vieilles Vignes (30 à 50 €; n.c.)** : vin cité.

CHAMPAGNE DUMÉNIL, 15, rue des Vignes, 51500 Chigny-les-Roses, tél. 03 26 03 44 48, info@champagne-dumenil.com r.-v.

R. DUMONT ET FILS Extra-brut Intense Élevé en fût de chêne ★★

●	n.c.		30 à 50 €

Installés dans un petit village des environs de Bar-sur-Aube, les Dumont perpétuent une tradition viticole qui remonte au XVIIIes. La dernière génération a constitué un coquet vignoble (24 ha) et fait construire un chai moderne inspiré de l'architecture locale avec ses parements de brique. (RM)

«Arômes intenses», écrit un dégustateur. Objectif atteint! Cette cuvée «Intense», assemblage de pinot noir (70 %) et de chardonnay, a séjourné six mois en fût de chêne de la proche forêt de Clairvaux, avec bâtonnage et sans filtration. Il en résulte un vin puissant et profond, mêlant arômes fruités et notes d'élevage épicées bien fondues. Riche, solide, cet extra-brut n'en offre pas moins une texture veloutée. Un champagne de repas. ⧗ 2019-2023

R. DUMONT ET FILS, 8, rue de Champagne, 10200 Champignol-lez-Mondeville, tél. 03 25 27 45 95, rdumontetfils@wanadoo.fr r.-v.

G. F. DUNTZE Réserve ★★

●	n.c.		20 à 30 €

Ancien responsable de Montaudon (marque familiale revendue en 2008), Victor Duntze, œnologue, devient ensuite courtier, avant de relancer en 2012 une ancienne marque fondée en 1913 par son arrière-grand-père Georges Frédéric Duntze, fils d'un Brêmois venu chercher fortune en Champagne comme de nombreux compatriotes. À chacune de ses cuvées Légende correspond un terroir de la Champagne. (NM)

Assemblage classique des trois cépages champenois (pinot noir 60 %, chardonnay 30 %, meunier 10 %), ce brut séduit par son nez partagé entre l'aubépine et la poire et plus encore par sa bouche équilibrée et longue, où l'on retrouve les fruits blancs alliés au pain grillé et au sous-bois. ⧗ 2019-2022 ● **Légende (20 à 30 €; n.c.)** : vin cité.

CHAMPAGNE G. F. DUNTZE, 109, rue Edmond-Rostand, 51726 Reims Cedex, tél. 03 26 86 00 10, champagne@duntze.com r.-v.

DURDON-BOUVAL Extra-brut Blanc de blancs 2013 ★★

●	1500		20 à 30 €

Ludovic et Sandie Durdon ont pris en 2005 la suite de trois générations de vignerons sur le domaine familial implanté dans la vallée de la Marne. Ils ont engagé la conversion bio de leurs 3 ha de vignes; la certification a été acquise en 2013 pour le chardonnay et en 2015 pour le meunier et le pinot noir. La coopérative locale (H. Blin) assure la vinification selon le cahier des charges bio. (RC)

Le chardonnay a bien tiré son épingle du jeu en cette année tardive. Celui-ci a été élevé en partie (30 %) sous bois. Il en résulte une robe dorée, un nez gourmand, d'une belle complexité, alliant le fruit jaune au grillé du fût et à des touches de pierre à fusil. Le fruit jaune prend des tons compotés dans une bouche gourmande, à la fois ronde et fraîche. ⧗ 2019-2022 ● **Zéro Dosage Blanc de blancs ★ (30 à 50 €; 3000 b.)** : mariant les récoltes 2014 et 2013, un brut nature au nez frais d'agrumes et au palais brioché, confit, minéral et long. Une belle vivacité sans rien de mordant. ⧗ 2019-2022

CHAMPAGNE DURDON-BOUVAL, 11, rue de Verdun, 51700 Vincelles, tél. 06 33 51 49 04, contact@champagne-durdonbouval.com r.-v.

ALBÉRIC DUVAT Tradition ★

●	5000		15 à 20 €

Aux origines du domaine, un viticulteur alsacien arrivé en 1870. Premiers champagnes en 1958 avec Albéric Duvat. Aujourd'hui, 10 ha, à mi-chemin entre Sézanne et Épernay, au carrefour de la Marne, de l'Aisne et de l'Aube, conduits depuis 1990 par Xavier Duvat, rejoint en 2010 par son fils Léonard. (RM)

Les trois cépages champenois, noirs en tête (pinot meunier 40 %, pinot noir et chardonnay 30 %) contribuent à ce rosé saumon aux reflets tuilés. Un champagne puissant, un peu évolué, de belle longueur, aux arômes de griotte et de noyau. ⧗ 2019-2021 ● **Xavier Duvat et Fils Tête de cuvée 2013 (20 à 30 €; 2500 b.)** : vin cité.

CHAMPAGNE ALBÉRIC ET XAVIER DUVAT, 20, Grande-Rue, 51270 Fèrebrianges, tél. 06 07 72 58 53, xduvat@orange.fr r.-v.

CHARLES ELLNER Grande Réserve ★

●	150000		15 à 20 €

Maison de négoce créée en 1905 par Charles-Émile Ellner, remueur devenu élaborateur. Les générations

successives ont agrandi peu à peu le vignoble, qui compte aujourd'hui 50 ha. Jean-Pierre Ellner, petit-fils du fondateur, est aux commandes, épaulé par ses deux filles et ses deux neveux. (NM)

Le chardonnay (60 %) et le pinot noir assemblés dans cette Grande Réserve ont été récoltés en 2011. La vinification malolactique a été bloquée et le champagne a reposé cinq ans sur ses lies. Il en résulte une expression aromatique complexe associant des notes fraîches de pêche blanche et de fruits acidulés à des nuances de vanille, de miel et de noisette grillée. Puissante et longue, briochée et toastée, la bouche conjugue rondeur suave et vivacité. ⧗ 2019-2022 ● **1er cru Charles de Floricourt ★ (15 à 20 €; 150000 b.)** : une autre marque de Charles Ellner. Chardonnay (60 %) et pinot noir de la vendange 2011 au service d'un brut équilibré et flatteur aux arômes d'agrumes, d'amande grillée, de pain toasté et de brioche. ⧗ 2019-2022

CHAMPAGNE ELLNER, rue Côte-Legris, 51200 Épernay, tél. 03 26 55 60 25, ellner@champagne-ellner.fr V r.-v.

ESTERLIN Blanc de blancs Éclat ★★

● | 10000 | | 20 à 30 €

En 1947, trois vignerons fondent à Mancy la coopérative des Coteaux d'Épernay, qui prend pour marque Esterlin. Aujourd'hui, 200 adhérents, cultivant 120 ha, et trois centres de pressurage. Le chardonnay est très présent dans les cuvées de la cave, vinifiées sans fermentation malolactique. (CM)

Non millésimée, cette cuvée met en œuvre la récolte 2014. Vieillie au moins quatre ans sur lies, elle affiche la robe or pâle aux reflets verts caractéristique d'un blanc de blancs, traversée de bulles fines et persistantes. Complexe et fraîche au nez, elle mêle le végétal noble (menthe), la pierre à fusil et des notes briochées. Structurée et riche en bouche, elle montre la même vivacité tonique qui étire la finale. ⧗ 2019-2023

CHAMPAGNE ESTERLIN, 25, av. de Champagne, 51200 Épernay, tél. 03 26 59 71 52, contact@champagne-esterlin.fr V r.-v.

CHRISTIAN ÉTIENNE Louange ★

● | 3000 | | 20 à 30 €

Installé en 1978, à dix-sept ans, non loin de Bar-sur-Aube, Christian Étienne et son épouse Anne mettent en valeur 10 ha de vignes. S'il dispose de vastes équipements modernes, Christian, formé à Beaune, apprécie les élevages en pièce de chêne. (RM)

Après sa 41e vendange en 2018, Christian Étienne a soumis à nos dégustateurs cette cuvée mariant le chardonnay (70 %) et le pinot noir des récoltes 2014 et 2013. Un champagne loué d'emblée pour la complexité et la finesse de sa palette aromatique mêlant fleurs blanches, fruits jaunes compotés et touche anisée. Cette complexité se retrouve dans une bouche équilibrée, ample et fraîche, de bonne longueur. ⧗ 2019-2022

CHAMPAGNE CHRISTIAN ÉTIENNE, 12, rue de la Fontaine, 10200 Meurville, tél. 03 25 27 46 66, champagnesperance@orange.fr V r.-v.

EUGÈNE III 2010 ★

● | 5000 | | 20 à 30 €

Voisine de l'abbaye cistercienne de Clairvaux, la coopérative de Baroville et des environs (Aube), fondée en 1962, a pris pour marque le nom d'un moine disciple de saint Bernard, devenu pape sous le nom d'Eugène III. La cave vinifie les récoltes de près de 130 ha. Le pinot noir, largement dominant dans le secteur de Bar-sur-Aube, est très présent dans les assemblages. (CM)

Né de pinot noir (60 %) et de chardonnay, ce brut millésimé s'ouvre à l'aération sur un florilège d'arômes : pain toasté, vanille, notes florales (pivoine, violette), miel, mûre et fruits jaunes compotés. Les fruits jaunes au sirop s'épanouissent dans une bouche généreuse, équilibrée par une finale minérale et fraîche et par un dosage juste. ⧗ 2019-2021 ● **Tradition ★ (15 à 20 €; 200000 b.)** : privilégiant le pinot noir (80 %, avec un appoint de chardonnay), un brut à la fois vineux et très frais, plaisant par son expression aromatique à dominante fruitée (fraise et framboise, fruits secs, fleurs et épices au nez, groseille, agrumes, poire et pêche en bouche). ⧗ 2019-2022 ● **(15 à 20 €; 25000 b.)** : vin cité.

CHAMPAGNE EUGÈNE III, 18, rue de Bar-sur-Aube, 10200 Baroville, tél. 03 25 27 55 06, champagne@barfontarc.com V r.-v. *Coopérative vinicole de la région de Baroville*

CHAMPAGNE

FRANÇOIS FAGOT Cuvée Virginie ★★

● | 4200 | | 15 à 20 €

Issu d'une lignée de vignerons remontant au milieu du XIXe s., François Fagot a créé sa marque en 1956. Toujours aux manettes, il a le statut de négociant. Il dispose d'un vignoble de 6 ha autour de Rilly-la-Montagne, 1er cru proche de la cité des Sacres, sur le flanc nord de la Montagne de Reims. (NM)

Baptisée en hommage à une ancêtre vigneronne, cette cuvée assemble 60 % de chardonnay au pinot noir, des vins passés en fût. Cette version, qui marie la récolte 2015 avec les deux vendanges précédentes, a d'emblée intéressé le jury par son nez intense et profond : rose, cerise, fruits blancs compotés, brioche, pain grillé se bousculent au-dessus du verre et se prolongent dans un palais puissant et structuré, bien soutenu par un trait de fraîcheur. Une heureuse maturité. ⧗ 2019-2022

CHAMPAGNE FRANÇOIS FAGOT ET FILS, 26, rue Gambetta, 51500 Rilly-la-Montagne, tél. 03 26 03 42 56, info@champagne-francois-fagot.com V r.-v.

FALMET-COLLOT Blanc de noirs

● | 3597 | | 20 à 30 €

Héritier de plusieurs générations d'apporteurs de raisins, Michel Falmet a spécialisé l'exploitation et développé la commercialisation du champagne à partir de 1970. Reprise par sa fille Corinne Falmet-Collot en 2004, la propriété couvre un peu plus de 3 ha tout près de Bar-sur-Aube. (RM)

Le pinot noir (85 %) contribue pour l'essentiel à ce blanc de noirs jaune doré, discret au nez mais agréable et franc en bouche. Sa vivacité met en valeur des arômes briochés et fruités (fruits rouges et mandarine). Une certaine élégance. ⧗ 2019-2022

CHAMPAGNE FALMET-COLLOT, 3, rue Louis-Desprez, 10200 Rouvres-les-Vignes, tél. 03 25 27 20 11, contact@falmet-collot.com r.-v.

FANIEL-FILAINE ★

	n.c.		15 à 20 €

Les Filaine cultivaient déjà la vigne à la fin du XVIIes., du vivant de dom Pérignon. Les premières bouteilles ont été élaborées trois siècles plus tard, en 1992, par Jean-Louis Faniel et Patricia Filaine, installés dans la vallée de la Marne. (NM)

Ce champagne saumon soutenu est un rosé de noirs, issu de l'assemblage du meunier (60 %) et du pinot noir récoltés en 2015. Il délivre à l'aération des senteurs fraîches de groseille, nuancées de délicates touches florales (pivoine, iris et lilas). La cerise et le noyau se déploient dans une bouche vive en attaque, ronde et longue, marquée en finale par une légère amertume. ⧗ 2019-2023

MAISON DE CHAMPAGNE FANIEL-FILAINE, 77, rue Paul-Douce, 51480 Damery, tél. 03 26 58 62 67, champagne.faniel.filaine@wanadoo.fr *t.l.j. sf dim. 9h-12h 14h-18h*

MICHEL FAŸ
Extra-brut Vieilli en fût de chêne Cuvée Alexandre 2011 ★★

	1025		20 à 30 €

Héritier d'une lignée vigneronne remontant à 1695, Stéphane Faÿ a pris en 1997 la succession de son père Michel, qui avait débuté en 1975 la vente à la propriété. Sa sœur Murielle, œnologue, a rejoint en 2007 l'exploitation. Le tandem dispose d'un vignoble de 9,5 ha dominant un méandre de la vallée de la Marne, aux confins de l'Aisne et de la Marne.

Une année précoce : le chardonnay et le pinot noir présents à parité dans l'assemblage ont été récoltés le 25 août. Et cette cuvée or jaune donne une image flatteuse du millésime 2011 : elle s'est placée sur les rangs au moment d'élire les coups de cœur. On loue sa structure, sa générosité, son gras, équilibrés par une fraîcheur dynamique qui étire sa finale. Autre atout, sa palette aromatique; un séjour de trois mois en fût lui a légué d'élégantes notes d'amande, de torréfaction et de pain grillé. ⧗ 2019-2022 **Blanc de blancs Cuvée spéciale ★ (15 à 20 €; 10000 b.)** : construit sur la vendange 2015, un champagne particulièrement ample et puissant, à l'expression aromatique intense et évoluée (moka, miel d'acacia, fruits blancs ou jaunes bien mûrs, viennoiserie). ⧗ 2019-2022

CHAMPAGNE MICHEL FAŸ, 21, rue Pasteur, 02850 Barzy-sur-Marne, contact@champagne-fay.fr r.-v.

SERGE FAŸE Réserve ★

1er cru	4000		15 à 20 €

Créé en 1960 par Robert Faÿe, le domaine a son siège rue Michel-Letellier, plus connu sous le nom de Louvois. Le ministre de la Guerre de Louis XIV avait fait construire un château dans le village du même nom, sur le flanc sud de la Montagne de Reims. Serge Faÿe a lancé son étiquette en 1983; il a transmis à sa fille Sophia Delor-Faÿe les 5 ha de vignes familiales. (RM)

Cépage roi du secteur, le pinot noir compose 80 % du brut Réserve, complété par le chardonnay. Vinifié sans fermentation malolactique, ce champagne séduit par sa finesse. Fleurs blanches, rose, le nez est délicat. Les agrumes et la brioche s'invitent dans un palais frais et long, à la finale minérale. ⧗ 2019-2022 **1er cru Tradition ★ (15 à 20 €; 14000 b.)** : issu de pinot noir majoritaire (80 %) et de chardonnay, un brut léger et frais, à l'expression aromatique plaisante (fleurs blanches, pêche, poire, agrumes, fruits exotiques...). ⧗ 2019-2022

SERGE FAŸE, 40, rue Michel-Le-Tellier, 51150 Louvois, tél. 03 26 57 81 66, sergefaye@orange.fr r.-v.

FENEUIL-COPPÉE
L'Éternelle Millésimée 2013 ★

1er cru	5500		20 à 30 €

Annabelle et Olivier Coppée, frère et sœur, ont repris en 2000 le domaine et la marque créés par leurs parents. Leur vignoble couvre un peu plus de 7 ha à Chamery et à Écueil, deux villages voisins de la Montagne de Reims, classés l'un comme l'autre en 1er cru. (RC)

Année tardive, 2013 n'est pas souvent millésimée, mais elle est honorable en Champagne, notamment pour le chardonnay, à l'origine de cette cuvée. Un blanc de blancs tout en finesse, au nez discret d'agrumes et de tisane, à la bouche élégante, vive et longue. ⧗ 2019-2023 **1er cru ★ (15 à 20 €; 4000 b.)** : une robe saumon pastel, un nez tout en finesse sur les petits fruits rouges, cerise en tête, une bouche fruitée, alerte et vive, une réelle élégance pour ce rosé à dominante de raisins noirs. ⧗ 2019-2022

CHAMPAGNE FENEUIL-COPPÉE, 9, rue des Prés-Éloys, 51500 Chamery, tél. 03 26 97 66 72, info@champagne-feneuilcoppee.com r.-v.

FENEUIL-POINTILLART Cuvée Louis 2009 ★★

1er cru	2000		20 à 30 €

Lancée en 1972, cette marque a consacré l'alliance de deux familles vigneronnes enracinées depuis le XVIIes. à Chamery, 1er cru de la Montagne de Reims. En 2011, la dernière génération, représentée par Astrid et Benjamin Feneuil, a pris les rênes du domaine, qui compte près de 7 ha. (RC)

Ce brut millésimé assemble à parts égales pinot noir et chardonnay. Né d'une année solaire, il a été vinifié sans fermentation malolactique et dosé avec mesure. La robe jaune doré est parcourue de bulles fines et persistantes. D'une réelle finesse, le nez mêle les agrumes, le beurre et le caramel au beurre salé. L'orange et des notes toastées s'épanouissent dans une bouche ample et ronde, tendue en finale par une vivacité citronnée. Un champagne élégant, fruit d'une heureuse évolution. ⧗ 2019-2022 **1er cru ★ (20 à 30 €; n.c.)** : issu des trois cépages champenois (avec 22 % de chardonnay), un rosé saumon intense, au nez léger, tout en fruits rouges. À la fois vineux et frais en bouche, il dévoile des arômes de fruits rouges acidulés et de bonbon anglais. ⧗ 2019-2021

CHAMPAGNE FENEUIL-POINTILLART, 21, rue du Jard, 51500 Chamery, tél. 03 26 97 62 35, champagne.fp@wanadoo.fr r.-v.

M. FÉRAT ET FILS 2008 ★

1er cru | n.c. | | 20 à 30 €

Héritier d'une tradition vigneronne remontant à Paul Férat, créateur du domaine au XVIIIe s., la propriété est aujourd'hui gérée par Pierre-Yves et Clémentine Férat. Elle est implantée à Vertus, 1er cru de la Côte des Blancs, et dispose de parcelles autour de Verzenay, grand cru de noirs de la Montagne de Reims. (ND)

Ce 1er cru d'un millésime coté en Champagne est un blanc de blancs : « il se maintient bien », écrit un dégustateur. Sa robe or vert est traversée de bulles fines et régulières. Si son nez intense évoque les fruits jaunes, abricot en tête, sa bouche acidulée séduit par sa fraîcheur minérale et par sa longueur. ⧗ 2019-2022

CHAMPAGNE M. FÉRAT ET FILS,
23, la Madeleine, 51130 Vertus, tél. 06 77 85 74 63,
champagne.ferat@gmail.com V r.-v.

NICOLAS FEUILLATTE Blanc de blancs Cuvée spéciale ★

| n.c. | | 20 à 30 €

Nicolas Feuillatte est depuis 1986 la marque du Centre vinicole de Chouilly. Fondée en 1972, cette union de producteurs regroupe 82 coopératives, 5 000 adhérents et plus de 2 100 ha répartis dans toute la Champagne. Ses caves stockent des dizaines de millions de bouteilles. (CM)

Un nez discret, entre fleurs blanches et agrumes; un palais ample en attaque, vif en finale, où les agrumes se nuancent de fruits jaunes et de miel. Un blanc de blancs bien construit, élégant et flatteur. ⧗ 2019-2022 **Sélection ★ (15 à 20 €; n.c.)** : issu des trois cépages champenois, avec une dominante de noirs (meunier 50 %, pinot noir 40 %), un brut équilibré et frais, aux arômes mûrs et élégants de miel, de cire d'abeille, de fleurs séchée, de pain d'épice et de torréfaction. ⧗ 2019-2022

CHAMPAGNE NICOLAS FEUILLATTE,
CD 40A, 51530 Chouilly, tél. 03 26 59 55 50,
service-visites@feuillatte.com V r.-v.

DANY FÈVRE Extra-brut Sauvage ★

| 1000 | | 11 à 15 €

Ce domaine fondé en 1880 dispose de près de 9 ha de vignes implantés sur les coteaux de l'Arce, à l'est de Bar-sur-Seine (Aube). Installé en 2012, Stéphane Fèvre a changé ses pratiques avant d'engager en 2017 la conversion bio de la propriété. (RM)

Pratiquement un blanc de noirs : le pinot noir laisse toutefois entrer 5 % de chardonnay. Il lui donne sa puissance en bouche, avec une grande fraîcheur qui étire la finale en laissant une impression de finesse. La palette aromatique décline des arômes flatteurs de brioche, de pain grillé et de fruits secs. Pour l'apéritif comme pour la table. ⧗ 2019-2022 **(15 à 20 €; 4500 b.)** : vin cité.

DANY FÈVRE, 8, rue Benoit,
10110 Ville-sur-Arce, tél. 03 25 38 76 63,
champagne.fevre@wanadoo.fr V r.-v.

FLEURY Blanc de noirs ★★

| 85000 | | 20 à 30 €

Célèbre maison de la Côte des Bar (Aube) fondée en 1895. Émile Fleury est le premier à greffer du pinot noir; Robert commercialise ses premières bouteilles en 1929 et Jean-Pierre est un pionnier de la biodynamie en Champagne : il convertit ses 15 ha dès 1989. Vingt ans plus tard, ses trois enfants entrent en scène : Morgane tient une cave à Paris, Jean-Sébastien se charge des vinifications et Benoît des vignes. (NM)

Nuancée par un léger apport boisé (des vins de réserve élevés en foudre de chêne), une remarquable expression du pinot noir : même la bulle est généreuse, jaillissant en fins cordons dans une robe dorée à souhait. Gourmand et mûr, le nez allie la noisette, les fruits confits, la pâte de coings, les petits fruits noirs et le moka. Les fruits confits prennent des tons d'abricot et de brugnon dans un palais ample et long, marqué en finale par une touche de crème de cassis. Richesse et élégance. ⧗ 2019-2022

CHAMPAGNE FLEURY,
43, Grande-Rue, 10250 Courteron, tél. 03 25 38 20 28,
champagne@champagne-fleury.fr V r.-v.

FLUTEAU Blanc de noirs ★

| 20000 | | 11 à 15 €

À l'origine, une maison de négoce créée en 1935 par Émile Hérard, vigneron, associé à son gendre Georges Fluteau, fils d'un courtier en vins. Installé en 1996, Thierry Fluteau, lui, a préféré le statut de récoltant. Avec son épouse américaine Jennifer et leur fils Jérémy, il conduit 9 ha de vignes à l'extrême sud de la Côte des Bar. Domaine certifié Haute valeur environnementale. (RM)

Souvent retenu, ce pur pinot noir offre bien les traits d'un blanc de noirs : une robe or rose, un nez aussi intense qu'élégant, sur les fruits rouges et la pêche, nuancés d'une touche de violette, une bouche dans le même registre, puissante, ronde et ample. De belle longueur, la finale se montre légèrement épicée. ⧗ 2019-2022

CHAMPAGNE FLUTEAU,
5, rue de la Nation, 10250 Gyé-sur-Seine,
tél. 03 25 38 20 02, champagne.fluteau@wanadoo.fr
V r.-v.

FOISSY-JOLY Grande Cuvée ★

| 10000 | | 11 à 15 €

Noé-les-Mallets : un village aubois au bord du ru Noé, entouré d'un amphithéâtre couvert de vignes, dans la région de Bar-sur-Seine. Installé en 2003 à la suite de trois générations, Frédéric Joly y conduit le domaine familial (8 ha). Il a lancé sa propre étiquette. (RM)

Finesse et fraîcheur, deux mots pour résumer ce champagne issu de pinot noir majoritaire (70 %) et de chardonnay. Sa robe pâle, or vert, est parcourue d'une bulle dynamique. Des senteurs de fleurs blanches, de poire et d'agrumes, nuancées d'une touche pâtissière, s'élèvent au-dessus du verre et se prolongent dans une bouche étoffée, alerte et longue, marquée en finale par une touche de zeste d'agrumes. ⧗ 2019-2022 **Réserve (11 à 15 €; 20000 b.)** : vin cité.

CHAMPAGNE

CHAMPAGNE FOISSY-JOLY, 4, rue de Chatet, 10360 Noé-les-Mallets, tél. 03 25 29 65 24, contact@champagne-foissy-joly.com V t.l.j. 9h-12h 14h-18h; sam. sur r.-v.

LOUIS FOREST Extra-brut Blanc de noirs ★

1er cru	2436		15 à 20 €

Un jeune domaine créé en 2011 par un descendant d'une vieille famille vigneronne, qui succède à neuf générations. Il dispose de douze parcelles à Écueil, 1er cru situé sur le flanc nord de la Montagne de Reims, à deux pas de la cité des Sacres. (RM)

Mise en bouteilles en 2016, la première cuvée de ce jeune vigneron a trouvé un très bon accueil auprès de nos dégustateurs. Elle met en œuvre les vendanges 2015 et 2014, assemble la parcelle des Blanches Vignes (plantée en... pinot noir) et celle des Pains blancs (plantée en... meunier). Le pinot noir a été élevé en foudre de chêne. Il en résulte une robe or aux reflets rosés, un nez partagé entre fruits jaunes confits et boisé et une bouche ferme, fraîche et longue, à la fois fruitée, florale et briochée. Un champagne adapté au repas. 2019-2022

LOUIS FOREST, 8, Grande-Rue, 51500 Écueil, tél. 06 75 41 00 99, louisforest@wanadoo.fr V r.-v.

FOREST-MARIÉ Extra-brut Brut de blancs ★

	7300		15 à 20 €

Thierry Forest, de Trigny (massif de Saint-Thierry, au nord-ouest de Reims), et Gracianne Marié, d'Écueil (1er cru de la Montagne de Reims au sud de la cité des Sacres), ont uni leur destinée et leurs vignes en 1992 et installé un pressoir dans le village du premier. Rejoints par leurs enfants Louis et Marthe, ils exploitent 86 parcelles réparties dans les deux secteurs. (RM)

Complexité des arômes d'un chardonnay élevé huit mois sous bois, montrant une certaine évolution, finesse, équilibre parfait entre rondeur et fraîcheur, longueur : ce blanc de blancs mariant la vendange 2014 à la récolte de l'année précédente a enchanté nos dégustateurs. 2019-2022 **★ (15 à 20 €; 3900 b.)** : issu d'un assemblage de pinot noir vinifié en blanc et de vin rouge, ce rosé de noirs tire son originalité d'un élevage partiel sous bois. Robe couleur melon, palette fraîche mêlant les agrumes à un léger boisé, attaque ample et finale vive. 2019-2022

FOREST-MARIÉ, 20, rue de la Chapelle, 51140 Trigny, tél. 03 26 03 13 23, champagne-forest-marie@orange.fr V r.-v.

MICHEL FORGET ★★

1er cru	40000		20 à 30 €

Perpétuant une tradition vigneronne transmise depuis six générations, Michel Forget crée la maison Forget-Brimont en 1978. Il s'associe en 2000 à Frédéric Jorez, fils d'un vigneron de son village. Le tandem exploite sur le flanc nord de la Montagne de Reims un vignoble de 19 ha classé en grand cru et en 1er cru. (NM)

Ce rosé met surtout en œuvre les raisins noirs (80 %, pinot noir et meunier à parité). Il tire sa couleur œil-de-perdrix de 6 % de vin rouge. Fin et frais, entre fleurs, tilleul, fruits exotiques, réglisse et tabac, son nez attire. Finement fruité, net, à la fois vif et suave, justement dosé, d'une rare longueur, le palais confirme avec éclat cette bonne impression. Une réelle élégance. 2019-2022 **1er cru Extra-brut ★ (20 à 30 €; 4000 b.)** : privilégiant les raisins noirs (pinot noir 50 %, meunier 30 %, chardonnay 20 %), un brut équilibré et tonique, de belle longueur, aux arômes d'aubépine, de rose et d'agrumes. 2019-2022

FORGET-BRIMONT, 11, rte de Louvois, 51500 Craon-de-Ludes, tél. 03 26 61 10 45, contact@champagne-forget-brimont.fr V r.-v.

JEAN FORGET Cuvée X 2007 ★

1er cru	n.c.		20 à 30 €

Installé en 2000 sur le vignoble familial, Christian Forget est établi à Ludes, dans la Montagne de Reims. Son vignoble, en 1er cru et en grand cru, se répartit entre ce secteur et la Côte des Blancs. (RM)

Mi-blancs mi-noirs (pinot noir), ce brut millésimé montre une heureuse évolution dans sa robe dorée animée d'une bulle fine, dans ses arômes de fruits jaunes et de miel. Souple et rond en attaque, il a conservé une belle fraîcheur qui donne de l'allonge à la finale. 2019-2022 **1er cru Cuvée Andréa ★ (15 à 20 €; n.c.)** : le meunier domine (70 %, avec un appoint des deux autres cépages) dans l'assemblage de ce rosé ample et puissant, aux arômes gourmands de prune, de coing et de fruits rouges. 2019-2022

JEAN FORGET, 2, rue Nationale, 51500 Ludes, tél. 06 52 03 14 18, champagnejforget@aol.com V r.-v.

FORGET-CHEMIN Spécial Club 2013 ★

	4800		20 à 30 €

Thierry Forget, œnologue, représente la quatrième génération sur l'exploitation familiale qui couvre 14 ha répartis sur onze crus et soixante parcelles de la Montagne de Reims, de la vallée de la Marne et de celle de l'Ardre. Domaine certifié Haute valeur environnementale. (RM)

Les cuvées Spécial Club sont des champagnes millésimés sélectionnés par une association d'une trentaine de récoltants-manipulants. Assemblage de pinot noir (62 %) et de chardonnay (38 %), ce brut 2013 se distingue par la délicatesse de son nez minéral, floral et biscuité, rehaussé de vanille et de clou de girofle. En bouche, il séduit par sa fraîcheur élégante et juvénile en harmonie avec des arômes de citron vert. 2019-2024 **Héritage ★ (15 à 20 €; 6000 b.)** : pour cette cuvée, dont l'assemblage varie chaque année, du pinot noir et du meunier à parité (40 %), avec un appoint de chardonnay. Fruité et floral, un champagne de caractère, intense, harmonieux et persistant. 2019-2022

CHAMPAGNE FORGET-CHEMIN, 15, rue Victor-Hugo, 51500 Ludes, tél. 06 80 13 15 18, champagne.forget.chemin@gmail.com V r.-v.

PHILIPPE FOURRIER Blanc de blancs Cuvée Prestige ★★

	30000		15 à 20 €

Fondée en 1847, cette structure familiale est présente depuis cinq générations dans la Côte des Bar (Aube)

et élabore ses champagnes depuis le début du XXᵉs. Elle a son siège à Baroville, le plus gros village viticole de la région de Bar-sur-Aube, et dispose de 18 ha en propre. Maison certifiée Haute valeur environnementale. (NM)

Or pâle à la bulle fine, ce blanc de blancs d'abord discret s'ouvre sur de délicates notes de fleurs blanches et de pomme, rehaussées de notes toastées d'évolution. Ce côté toasté ce mêle aux agrumes dans un palais à la fois rond et tonique, marqué en finale par de beaux amers. ⧗ 2019-2022 ● **Sélection ★ (11 à 15 €; 15000 b.)** : une couleur soutenue pour ce rosé né pour l'essentiel de pinot noir. Au nez, du fruit rouge (fraise) et une note de frangipane; en bouche, une matière ample et bien fondue, équilibrée par une finale alerte sur les agrumes. De l'élégance. ⧗ 2019-2022 ● **Bel'Vigne ★ (11 à 15 €; 15000 b.)** : une robe intense, un nez tout en fruits rouges et noirs, une rondeur soulignée par un dosage bien fondu et un fruité mis en valeur par une belle fraîcheur pour ce rosé gourmand et flatteur. ⧗ 2019-2022

CHAMPAGNE PHILIPPE FOURRIER, 39, rue de Bar-sur-Aube, 10200 Baroville, tél. 03 25 27 13 44, contact@champagne-fourrier.fr V t.l.j. sf dim. 9h-12h 14h-17h30

FRANÇOIS-BROSSOLETTE Tradition ★

●	43300		11 à 15 €

Six générations se sont succédé sur le domaine implanté à Polisy, village situé à la confluence de la Seine et de la Laigne, dans la Côte des Bar (Aube). La marque, lancée en 1991, réunit le nom du vigneron et le patronyme de son épouse, Sylvie François. Le vignoble s'étend sur 14,5 ha. (RM)

Largement majoritaire dans la Côte des Bar, le pinot noir joue les premiers rôles (88 %) dans cette cuvée, complété par un appoint de chardonnay. Expressif et flatteur, le nez associe les fruits frais, les fruits secs et des notes grillées. Ce côté toasté se mêle à la brioche et au fruit confit dans une bouche à la fois vineuse et fraîche, de bonne longueur. ⧗ 2019-2022

CHAMPAGNE FRANÇOIS-BROSSOLETTE, 42, Grande-Rue, 10110 Polisy, tél. 03 25 38 57 17, francois-brossolette@wanadoo.fr V r.-v.

FRÈREJEAN FRÈRES Extra-brut Cuvée des Hussards Sélection Vieilles Vignes 2012 ★★

● 1ᵉʳ cru	13000		+ de 100 €

Les frères Guillaume, Rodolphe et Richard Frèrejean-Taittinger ont créé en 2005 leur propre maison à Avize, en association avec Didier Pierson, héritier d'une vieille famille vigneronne de la Côte des Blancs. Leur objectif : élaborer des cuvées haut de gamme, exclusivement issues de vignes de 1ᵉʳˢ ou grands crus, et vieillies de cinq à douze ans.

Ce représentant accompli d'un beau millésime champenois assemble 85 % de chardonnay à 15 % de pinot noir. «Charmeur», «élégant», ces adjectifs reviennent sur toutes les fiches de dégustation. Servi par son faible dosage (extra-brut), un champagne remarquable, tant par sa palette briochée, toastée, aux accents d'amande grillée, que par son palais charnu, généreux et long. ⧗ 2019-2022

FRÈREJEAN FRÈRES, 66, rue Pasteur, 51190 Avize, tél. 01 80 50 20 03, aureliehermant@frerejeanfreres.com V r.-v.

LAURENT FRESNET ★★★

● Gd cru	5000		20 à 30 €

Œnologue, chef de cave de la maison Henriot, Laurent Fresnet veille aussi sur les 2,5 ha transmis par ses parents (Champagne Fresnet-Baudot), un petit vignoble situé sur les pentes de la Montagne de Reims (Mailly-Champagne, Sillery et Verzy). Il a lancé fin 2014 une marque à son nom. Il brille dans les concours internationaux, désigné deux fois de suite, en 2015 et 2016, Chef de cave de l'année par l'*International Wine Challenge*. (RM)

Sur son petit fief, Laurent Fresnet n'élabore que deux cuvée, le rosé grand cru et le blanc grand cru. On ne s'en plaindra pas, à en juger par la qualité exemplaire du second. Mariant pinot noir (60 %) et chardonnay de la récolte de 2011 complétée par les vendanges 2009 et 2008, il affiche une robe dorée à souhait et déploie des parfums intenses, d'une rare complexité : notes beurrées et briochées, fruits rouges et agrumes confits, pomme mûre, noisette... Cette richesse aromatique se retrouve dans une bouche gourmande et harmonieuse. ⧗ 2019-2024

CHAMPAGNE LAURENT FRESNET, 5, rue du 8-Mai, 51500 Mailly-Champagne, tél. 03 26 49 11 74, laurent.fresnet@orange.fr V r.-v.

FROMENT-GRIFFON Grande Réserve ★

● 1ᵉʳ cru	5000		15 à 20 €

Marie et Mathias Froment, tous deux œnologues diplômés, exploitent depuis 2002 les 6,6 ha du vignoble créé par l'arrière-grand-père de Mathias dans la Montagne de Reims. Mathias est aussi le vice-président de la coopérative de Sermiers, où il apporte ses raisins; le couple de récoltants intervient dans les assemblages. (RC)

Mi-blancs mi-noirs, cette cuvée met en œuvre les trois cépages champenois. Elle s'ouvre sur les fruits blancs, l'amande fraîche et les fruits secs. Les fruits exotiques s'ajoutent à cette palette dans un palais charnu, frais et long, marqué en finale par une légère amertume. De l'élégance. ⧗ 2019-2022

CHAMPAGNE FROMENT-GRIFFON, 2, rue du Clos-des-Moines, 51500 Sermiers, tél. 03 26 46 94 36, contact@champagne-froment-griffon.com V r.-v.

FROMENTIN-LECLAPART 2012 ★

● Gd cru	6500		20 à 30 €

Depuis 1925, quatre générations de viticulteurs se sont succédé sur ce domaine, dont Jean-Baptiste Fromentin a pris la tête en 2005. Le vignoble de 5 ha est fort bien situé à Bouzy et à Ambonnay, deux grands crus de noirs de la Montagne de Reims. (RC)

Mi-blancs mi-noirs (pinot noir), ce brut millésimé de la belle année 2012 séduit par son expression aromatique intensément fruitée, mûre et gourmande : fruits blancs ou jaunes, tarte aux mirabelles et fruits secs. Équilibrée et persistante, la bouche adopte le même registre confit, tonifiée en finale par une pointe de fraîcheur. 2019-2022

CHAMPAGNE FROMENTIN-LECLAPART, 1, rue Paul-Doumer, 51150 Bouzy, tél. 03 26 57 06 84, contact@champagne-fromentin-leclapart.fr V r.-v.

MICHEL FURDYNA Blanc de blancs La Désirée ★

	4951		15 à 20 €

Ouvriers agricoles d'origine polonaise, les parents de Michel Furdyna ont constitué peu à peu dans la Côte des Bar un vignoble de 9 ha repris par ce dernier en 1976. La première bouteille a été commercialisée deux ans plus tard. (RM)

La Désirée? Une cuvée de blanc de blancs attendue pendant vingt-cinq ans par Madame Furdyna. Il est vrai que dans la Côte des Bar, le pinot noir règne en maître. Originalité auboise, l'assemblage de ce brut comprend, outre le chardonnay, 25 % de pinot blanc. Légèrement épicé au premier nez, puis fruité, ce champagne aux arômes d'agrumes et de viennoiserie se montre bien équilibré, rond, frais et persistant. 2019-2022

CHAMPAGNE MICHEL FURDYNA, 13, rue du Trot, 10110 Celles-sur-Ource, tél. 03 25 38 54 20, contact@champagne-furdyna.com V r.-v.

GABRIEL-PAGIN FILS
Blanc de blancs Cuvée Roger Gabriel 2008 ★

1er cru	4102		20 à 30 €

Propriété fondée en 1946 dans la Grande Vallée de la Marne. Aurélien Gabriel, œnologue, qui représente la troisième génération, en a pris les commandes en 2012. Il dispose de 9,5 ha autour d'Avenay-Val-d'Or et dans la Côte des Blancs. Exploitation certifiée Haute valeur environnementale. (RM)

Ce chardonnay du réputé millésime 2008 séduit par son nez intense et riche, montrant une heureuse évolution : agrumes mûrs, zeste confit, pain d'épice, miel, notes briochées, beurrées, abricotées et toastées. Cette palette gourmande se prolonge dans un palais puissant et rond, aux accents compotés et épicés, teinté de sous-bois, servi par une belle acidité. Adapté au repas, ce blanc de blancs devrait aussi s'entendre avec un plateau de fromages. 2019-2022

CHAMPAGNE GABRIEL-PAGIN FILS, 4, rue des Remparts, 51160 Avenay-Val-d'Or, tél. 03 26 52 31 03, gabriel.pagin@wanadoo.fr V r.-v.

GALLIMARD PÈRE ET FILS
Blanc de noirs Cuvée de réserve ★

	100000		15 à 20 €

Des Gallimard qui rencontrent souvent les éditions Hachette. Cette famille des Riceys, important village viticole de la Côte des Bar (Aube), a élaboré ses premiers champagnes en 1930. Installé sur l'exploitation en 1989, Didier Gallimard conduit 12 ha plantés majoritairement de pinot noir. (NM)

Cépage roi des Riceys, le pinot noir règne sans partage sur cette cuvée et laisse son empreinte dans une robe or rose et dans une expression aromatique puissante, mêlant la cerise et les fruits blancs (poire). La bouche est équilibrée, de bonne longueur. 2019-2022

CHAMPAGNE GALLIMARD PÈRE ET FILS, 18, rue Gaston-Cheq, 10340 Les Riceys, tél. 03 25 29 32 44, champ-gallimard@wanadoo.fr V r.-v.

BERNARD GAUCHER Réserve ★

	60000		11 à 15 €

Le premier de la lignée, fils de forgeron, épouse à la fin du XIXes. une fille de vignerons d'Arconville, près de Bar-sur-Aube. La famille cultive aussi des céréales. Georges Gaucher développe l'exploitation viticole au sortir de la Seconde Guerre mondiale. Son fils Bernard lance son champagne en 1985. En 2017, Guillaume a rejoint l'exploitation, qui couvre 20 ha. Deux étiquettes : Bernard Gaucher et Michel Jacquot. (RM)

Cépage principal de la Côte des Bar, le pinot noir compose 90 % de cette cuvée, complété par le chardonnay. Montrant des reflets or rose dans sa robe dorée, ce brut dévoile une palette assez évoluée, entre fruits confits, vanille et grillé. Très équilibré, il conjugue vinosité et fraîcheur, servi par une finale acidulée, de belle longueur. 2019-2022

CHAMPAGNE GAUCHER, 27, rue de la Croix-de-l'Orme, 10200 Arconville, tél. 03 25 27 87 31, bernard.gaucher@wanadoo.fr V r.-v.

GAUDINAT-BOIVIN 2012 ★★

	3500		15 à 20 €

La famille cultive la vigne depuis cinq générations. Aujourd'hui, les frères Hervé et David Gaudinat sont installés sur la rive gauche de la Marne et exploitent près de 12 ha à Festigny, Leuvrigny, Nesles-le-Repons et Œuilly. La famille élabore ses champagnes depuis les années 1950 – sous la marque Gaudinat-Boivin depuis 1970. (RM)

Complétés par 20 % de meunier, chardonnay et pinot noir sont à parité (40 %) dans ce brut millésimé d'une belle année, élevé partiellement en foudre et resté au moins quatre ans sur lies. Paré d'une robe or jaune traversée de bulles fines et régulières, il séduit d'emblée par sa complexité : fruits blancs et agrumes mûrs, brioche, beurre et pain grillé se mêlent au nez et se retrouvent dans une bouche puissante, à la finale longue et fraîche. Une heureuse maturité. 2019-2023

CHAMPAGNE GAUDINAT-BOIVIN, 6, rue des Vignes, Le Mesnil-le-Huttier, 51700 Festigny, tél. 03 26 58 01 52, ch.gaudinat.boivin@wanadoo.fr V r.-v.

PIERRE GIMONNET ET FILS Blanc de blancs Cuis

1er cru	140000		20 à 30 €

La lignée des Gimonnet de Cuis remonte au XVIIIes. Le champagne naît dans les années 1920, avec Pierre. Arrivés sur l'exploitation dans les années 1980, ses petits-fils Didier et Olivier ont pris le relais en 1996. Ils conduisent dans la Côte des Blancs un vaste domaine (28 ha) planté pour l'essentiel de chardonnay, en grand cru et 1er cru. (RM)

Né dans le village même des vignerons, ce blanc de blancs met en œuvre la récolte 2015 complétée par un tiers de vins des cinq années précédentes. Des vins de réserve vieillis ici en bouteilles, sur lies fines, pour conserver leur fraîcheur. Le dosage est faible, à la limite de l'extra-brut. On obtient «l'archétype du style de la propriété» : un champagne à l'expression discrète, apprécié pour sa puissance, sa fraîcheur minérale et sa longueur. ⏳ 2019-2024

PIERRE GIMONNET ET FILS, 1, rue de la République, 51530 Cuis, tél. 03 26 59 78 70, info@champagne-gimonnet.com V r.-v.

GIMONNET-GONET
Blanc de blancs Cuvée Or ★★

Gd cru	30000		20 à 30 €

Tous deux issus de lignées bien connues de la Côte des Blancs, Philippe Gimonnet et son épouse Anne Gonet lancent leur champagne en 1986 et agrandissent leur domaine : 15 ha aujourd'hui, l'essentiel dans quatre grands crus de blancs, avec quelques vignes dans la vallée de la Marne. Leur fils Charles a pris les rênes de la propriété en 2012. (RM)

Plusieurs membres du jury auraient bien donné un coup de cœur à ce blanc de blancs de noble origine, dont ils saluent l'harmonie tout au long de la dégustation : fraîcheur et finesse du nez, panier d'agrumes, équilibre remarquable de la bouche ronde et onctueuse, justement dosée, vivifiée par une longue finale où l'on retrouve les agrumes. ⏳ 2019-2022 **Gd cru ★ (20 à 30 €; 4000 b.)** : typique de la Côte des Blancs, un rosé à 93 % de chardonnay, qui ne contient que 7 % de pinot noir de Bouzy. Peu de fruits rouges et beaucoup de fleurs blanches, donc, dans ce brut saumon pâle, offrant la vivacité d'un blanc de blancs. On y trouve aussi du sureau, du sirop d'orgeat, avec des notes évoluées de miel, de brioche, de tabac et de torréfaction. ⏳ 2019-2022 **Tradition ★ (15 à 20 €; 20000 b.)** : mi-chardonnay mi-pinot noir, un brut à la fois rond et très frais, à l'expression aromatique d'une belle finesse, entre fleurs et fruits blancs, nuancée d'une touche toastée. ⏳ 2019-2022

CHAMPAGNE GIMONNET-GONET, 39, Grande-Rue, 51190 Le Mesnil-sur-Oger, tél. 09 82 29 93 15, contact@champagne-gimonnet-gonet.com V r.-v.

LIONEL GIRARD ET FILS 2014 ★★

	1000		11 à 15 €

Quatre générations de viticulteurs se sont succédé sur ce domaine de la rive droite de la Marne. Coopérateur comme ses parents, Lionel Girard dispose d'un petit vignoble de 1,5 ha, qu'il exploite depuis 2007 avec son fils Joris. Il a lancé sa marque en 1983. (RC)

Un rosé de noirs 100 % meunier. Il ne tire cependant pas sa couleur d'une macération mais d'un apport de 13 % de vin rouge. Une robe très soutenue, «presque tavel», des parfums puissants de griotte macérée, avec une touche végétale. Le prélude à une bouche ample et généreuse, avec de la fraîcheur pour l'équilibrer. Un rosé adapté au repas, ou à un dessert aux fruits rouges. ⏳ 2019-2021 **Prestige ★ (15 à 20 €; 1000 b.)** : mi-blancs mi-noirs (pinot noir et meunier à parité), un brut construit sur la récolte 2013. D'une agréable fraîcheur, il dévoile des arômes de vanille, de fruits secs et de grillé. ⏳ 2019-2023

CHAMPAGNE LIONEL GIRARD ET FILS, 4, ruelle du Pot-d'Étain, 51480 La Neuville-aux-Larris, tél. 06 72 59 89 06, champagne@champagnelionelgirard.com V r.-v.

PIERRE GOBILLARD Réserve ★

1er cru	10000		15 à 20 €

Fondée en 1947, cette maison de négoce est établie dans la vallée de la Marne à l'entrée du village d'Hautvillers, le «berceau du champagne» où officia dom Pérignon. Hervé et Florence Gobillard, à sa tête depuis 1990, transmettent l'exploitation à leurs enfants Pierre-Alexis et Chloé. Le chardonnay est devenu très présent dans leurs cuvées. (NM)

Les raisins noirs (pinot noir et meunier) et les raisins blancs font jeu égal dans cette cuvée au nez raffiné, délicatement floral et fruité, et à la bouche élégante, fraîche et persistante, agrémentée en finale par des notes d'orange amère confite. ⏳ 2019-2022

CHAMPAGNE PIERRE GOBILLARD, 341, rue des Côtes-de-l'Héry, 51160 Hautvillers, tél. 03 26 59 45 66, info@champagne-gobillard-pierre.com V *t.l.j. 9h-12h 13h30-18h; dim. 10h-12h*

J.-M. GOBILLARD ET FILS Grande Réserve ★

1er cru	200000		15 à 20 €

Sandrine, Jean-François, Philippe et Thierry Gobillard sont les petits-enfants de Gervais et les enfants de Jean-Marie Gobillard. Le premier créa le vignoble en 1945, le second lança sa marque dix ans plus tard. Les vignes couvrent 25 ha autour d'Hautvillers, village de la vallée de la Marne où officia dom Pérignon. Deux étiquettes : Gervais et J.-M. Gobillard. (NM)

Cette cuvée mi-blancs mi-noirs (pinots noir et meunier) vieillit trois ans en cave. Elle assemble dans cette version la récolte 2015 et la précédente. D'un jaune soutenu, elle séduit par la richesse de son nez mûr, brioché, légèrement épicé et torréfié, puis par sa bouche généreuse, ample et structurée, sur les fruits jaunes compotés. La finale fraîche, minérale et persistante donne du tonus à l'ensemble. Pour l'apéritif comme pour la table. ⏳ 2019-2022

CHAMPAGNE J.-M. GOBILLARD ET FILS, 38, rue de l'Église, 51160 Hautvillers, tél. 03 26 51 00 24, caveau@champagne-gobillard.com V r.-v.

MICHEL GONET
Extra-brut Blanc de blancs Les 3 Terroirs 2010 ★★★

	80000		20 à 30 €

Maison créée en 1802, développée par Michel Gonet (né en 1935) et dirigée par sa fille Sophie Signolle et ses deux frères Charles-Henri et Frédéric. Aujourd'hui, un vignoble de 36 ha avec des parcelles bien situées dans la Côte des Blancs (Le Mesnil-sur-Oger, Oger, Vertus), dans l'Aube et le Sézannais. Par ailleurs, la famille possède six châteaux dans le Bordelais. (RM)

Les trois terroirs? Ici, Le Mesnil-sur-Oger, dans la Côte des Blancs, le Sézannais et Montgueux près de Troyes, deux autres secteurs où le chardonnay, d'implantation plus récente, prospère. L'année 2010, heureuse à

Bordeaux, n'a guère réjoui les Champenois, avec son lot de maladies et de pourriture. Le chardonnay, qui s'est mieux défendu dans l'ensemble, a donné ici un blanc de blancs qui résiste au temps. Resté sept ans sur lattes, il affiche une robe dorée traversée d'une bulle toujours alerte. D'une grande finesse, son nez allie le côté grillé du cépage et la brioche aux fruits jaunes compotés et aux fruits secs. On retrouve ces arômes pâtissiers gourmands et cette finesse dans un palais onctueux qui a gardé fraîcheur et minéralité. ⧗ 2019-2022 ● **Gd cru Blanc de blancs Cœur de Mesnil 2009 ★ (30 à 50 €; 30000 b.)** : un grand terroir, une année solaire, huit ans de cave et un dosage très mesuré (6 g/l) pour ce millésimé expressif et complexe (aubépine, poire, agrumes mûrs, citron confit, brioche, cire d'abeille). Riche et ample, équilibré par une finale longue et citronnée, il a gardé toute sa fraîcheur. ⧗ 2019-2024

CHAMPAGNE MICHEL GONET, 196, av. Jean-Jaurès, 51190 Avize, tél. 03 26 57 50 56, info@gonet.fr V ⚲ ▮ *r.-v.*

GONET-SULCOVA Extra-brut Cuvée Sakura ★

● | 9000 | ▮ | 20 à 30 €

Domaine créé au début du XXᵉs. par Charles Gonet et développé par son fils Jacques. Vincent Gonet et son épouse Davy Sulcova en prennent les rênes en 1985, lancent leur marque et s'installent à Épernay. Leurs enfants Yan-Alexandre et Karla ont pris le relais en 2006. Ils exploitent 14,5 ha dans la Côte des Blancs et à Montgueux, dans l'Aube. (RM)

Issu de pur pinot noir, un rosé d'assemblage qui doit sa couleur saumon très clair à un apport de vin rouge. Les raisins noirs donnent structure, ampleur et longueur à ce champagne floral et fruité (fraise, griotte); son dosage faible souligne sa vivacité. De l'élégance. ⧗ 2019-2022

CHAMPAGNE GONET-SULCOVA, 13, rue Henri-Martin, 51200 Épernay, tél. 03 26 54 37 63, jagonet@wanadoo.fr V ⚲ ▮ *r.-v.*

♥ GOSSET Grande Réserve ★★★

● | 420000 | ▮ | 30 à 50 €

«La plus ancienne maison de la Champagne» a été fondée en 1584 – avant que le vin de la région ne prît mousse – par Pierre Gosset, échevin d'Aÿ et propriétaire de vignes. À l'époque, les vins de cette ville, souvent rouges, rivalisaient à la cour avec ceux de Beaune. Après Pierre Gosset, treize générations se sont succédé. Implantée aujourd'hui à Épernay, la société est aujourd'hui dans le giron du groupe Renaud-Cointreau. Les champagnes Gosset ne font pas leur fermentation malolactique. En 2016, Odilon de Varine, directeur adjoint et œnologue, a succédé à Jean-Pierre Mareigner, disparu après avoir exercé trente-trois ans comme chef de cave. (NM)

Mariant à parts presque égales chardonnay (45 %) et pinots (pinot noir 45 %, meunier 10 %), cette cuvée a fait l'unanimité, et ce n'est pas la première fois. Construite sur la vendange 2013, elle affiche une robe or pâle parcourue de bulles fines et persistantes. Discrète au nez, elle laisse monter des arômes subtils : froment, pain blanc, beurre et brioche, mandarine et autres agrumes. Sa mousse donne une texture crémeuse et soyeuse au palais qui monte en puissance, offrant une finale d'une rare longueur. Élégant, suave et plein, un champagne tout en finesse qui ne manque pas pour autant d'étoffe. ⧗ 2019-2022 ● **Extra-brut Celebris Vintage 2007 ★ (+ de 100 €; 20000 b.)** : un assemblage donnant une courte majorité au chardonnay (57 %), complété par le pinot noir. Après un séjour en cave de dix ans, ce millésimé au dosage très faible (3 g/l) affiche une robe or cuivré et développe des arômes agréablement évolués (miel, fruits secs, frangipane); sa bouche généreuse, bien fondue et longue a gardé toute sa fraîcheur grâce à la vinification. Pour un repas de fête. ⧗ 2019-2022

CHAMPAGNE GOSSET, 12, rue Godart-Roger, 51200 Épernay, tél. 03 26 56 99 56, info@champagne-gosset.com V ▮ *t.l.j. sf sam. dim. 8h30-11h45 14h-17h*

PIERRE GOULARD Sélection ★★

● | 2500 | ▮ | 15 à 20 €

Trois générations se sont succédé sur ce domaine conduit depuis 2014 par Pierre Goulard. Son vignoble compte 6 ha de vignes répartis sur cinq villages du massif de Saint-Thierry et des monts de Reims. (RM)

Du meunier (50 %), du pinot noir (40 %) et un appoint de chardonnay composent ce rosé fort apprécié pour sa robe intense, saumonée, et plus encore pour son élégance au nez comme en bouche. Sa palette aromatique associe la cerise et la fraise; son palais conjugue la structure, la vinosité et l'ampleur des pinots avec une belle fraîcheur qui lui donne de l'allonge. ⧗ 2019-2022

CHAMPAGNE PIERRE GOULARD, 4, rue de la Couture, 51140 Trigny, tél. 06 78 89 43 94, champagnegoulard@orange.fr V ⚲ ▮ *r.-v.*

J.-M. GOULARD La Sereine ★★

● | 4000 | ▮ | 20 à 30 €

Implanté à Prouilly, dans le massif de Saint-Thierry, ce vignoble familial couvre 8 ha aujourd'hui. Paul Goulard plante les premières vignes. Jean-Marie Goulard commercialise les premières bouteilles en 1978, quitte la coopérative et monte la cuverie. Il a cédé les rênes du domaine en 2015 à son fils Damien, épaulé par ses frères Sylvain et Sébastien – l'œnologue de la maison. (RM)

Un assemblage des trois cépages champenois privilégiant les raisins noirs (70 %, dont 43 % de pinot noir), un vieillissement de plus de trois ans en cave, un dosage faible. Il en résulte une cuvée harmonieuse, au nez complexe (fleurs et fruits blancs, froment, noisette grillée, réglisse, teintés de fruits rouges au palais) et à la bouche charnue, fruitée, équilibrée et longue. ⧗ 2019-2021 ● **La Charme ★ (30 à 50 €; 2000 b.)** : toute la générosité fruitée du pinot meunier, seul à l'œuvre dans ce brut flatteur, avec un surcroît de complexité apporté par le fût. Une jolie palette, donc (orange mûre, coing, gelée de mûre, fruits exotiques, touches beurrées, biscuitées et toastées), pour ce champagne gourmand, ample, crémeux, aussi rond que long. ⧗ 2019-2021

CHAMPAGNE J.-M. GOULARD, 13, Grande-Rue, 51140 Prouilly, tél. 03 26 48 21 60, contact@champagne-goulard.com V ⚲ ▮ *r.-v.*

GOULIN-ROUALET Cuvée sous bois ★

1er cru	1500		20 à 30 €

Petit domaine familial issu du mariage d'une demoiselle Roualet avec un monsieur Goulin, qui furent apporteurs de raisins, puis coopérateurs. Installé en 1990, Christophe Goulin est devenu récoltant-manipulant. Rejoint en 2013 par sa fille Marine, il exploite 3,5 ha à Sacy et dans trois villages voisins de la « Petite Montagne de Reims », aux portes de la cité des Sacres. (RM)

Mi-chardonnay mi-pinot noir, cette cuvée non millésimée met en œuvre une seule année de vendange : 2014 pour cette version. L'élevage en fût se traduit au nez comme en bouche par un léger boisé aux nuances de torréfaction (pain grillé, cacao), qui laisse percer de jolies notes de fruits blancs. Un champagne frais et harmonieux. ⌛ 2019-2022

CHAMPAGNE GOULIN-ROUALET, 2, rue Saint-Vincent, 51500 Sacy, tél. 03 26 49 22 77, contact@goulin-roualet.fr V r.-v.

DIDIER GOUSSARD Terroir tentation ★

	7600		15 à 20 €

Héritier de deux générations de vignerons, Didier Goussard, diplômé de la faculté d'œnologie de Dijon, élabore des champagnes depuis une trentaine d'années. Après avoir travaillé avec sa sœur et son beau-frère, il a constitué en 2007 avec son épouse Marie-Hélène un domaine à son nom, dans le vaste village viticole des Riceys (Aube). Il est aussi à la tête du Champagne Gustave Goussard. (RM)

Donnant de légers reflets rosés à la robe, le pinot noir est seul à l'œuvre dans cette cuvée issue de la récolte 2015 et des deux précédentes. Un champagne très apprécié pour l'élégance et la fraîcheur de ses parfums de fleurs et d'agrumes, que l'on retrouve dans un palais harmonieux et délicat, de bonne longueur. Il a suffisamment d'étoffe pour accompagner un repas. ⌛ 2019-2022 **Blanc de noirs Hommage et héritage ★ (20 à 30 €; 1700 b.)** : issu de pinot noir des récoltes 2011 à 2009, un brut élégant, velouté et frais, de belle longueur, aux arômes d'agrumes, de beurre et de brioche. ⌛ 2019-2022

CHAMPAGNE DIDIER GOUSSARD, 69, rue du Gal-de-Gaulle, 10340 Les Riceys, tél. 03 25 38 65 25, champagne.didier.goussard@orange.fr V r.-v.

H. GOUTORBE 2009 ★

Gd cru	22000		20 à 30 €

Au début du XXe s., à l'époque où le vignoble champenois devait se reconstituer, Émile Goutorbe s'est fait pépiniériste viticole. Henri a agrandi peu à peu son domaine et s'est lancé dans la manipulation après la dernière guerre. Son fils René et ses enfants Élisabeth et Étienne exploitent aujourd'hui 22 ha et gèrent un hôtel à Aÿ, Étienne étant chargé du vignoble. Propriété certifiée Haute valeur environnementale. (RM)

Toute la générosité d'un millésime solaire et d'un pinot noir majoritaire (75 %, le chardonnay en complément) : une robe or intense, une palette riche et mûre, mêlant abricot sec, fruits compotés, pain d'épice, pruneau, figue, notes briochées, toastées, noix de muscade. Des arômes en harmonie avec la vinosité et l'ampleur du palais, agrémenté d'une touche de citron confit. Un champagne de repas. ⌛ 2019-2022 **Collection René 2004 ★ (30 à 50 €; 10000 b.)** : issu de pinot noir (75 %) et de chardonnay, ce millésimé aux arômes évolués (fruits secs, notes biscuitées, beurrées et briochées) garde une bonne tenue et de la fraîcheur. ⌛ 2019-2022

CHAMPAGNE GOUTORBE, 9_bis, rue Jeanson, 51160 Aÿ, tél. 03 26 55 21 70, info@champagne-henri-goutorbe.com V r.-v.

ANDRÉ GOUTORBE ET FILS Tradition

	36000		11 à 15 €

La famille Goutorbe, qui cultive la vigne depuis 1875, a lancé son champagne dès 1902. Après Victor, Armand et André, David s'est installé en 2000. Son vignoble de 12 ha est implanté dans la vallée de la Marne, non loin d'Épernay. Les cuvées de la propriété restent au moins trois ans sur lies. (RM)

Pinot noir, meunier et chardonnay assemblés par tiers composent ce brut sans année resté trois ans sur lies. Un champagne aux arômes discrets de pêche et de pâtisserie qui s'épanouissent dans une bouche ronde, crémeuse et équilibrée. Parfait pour l'apéritif. ⌛ 2019-2021 **Plaisir d'antan (20 à 30 €; 3000 b.)** : vin cité.

CHAMPAGNE ANDRÉ GOUTORBE ET FILS, 6, rue Georges-Clemenceau, 51480 Damery, tél. 03 26 58 43 47, champ.goutorbe-andre@wanadoo.fr V r.-v.

THIERRY GRANDIN Éclat noir 2014 ★

1er cru	1400		20 à 30 €

De vieille souche vigneronne, la famille commercialise son vin à la fin du XIXe s. Établi dans un village niché entre Marne et Ardre, Thierry Grandin, par ailleurs président de la coopérative de La Neuville-aux-Larris, a lancé sa marque en 1982. Ses vignes (4,2 ha) sont implantées dans la vallée de la Marne et à Villedommange, 1er cru de la Montagne de Reims. (RC)

Mariant meunier (60 %) et pinot noir, cette cuvée offre tous les traits d'un blanc de noirs : des reflets dorés, des arômes de fruits jaunes et de petits fruits alliés à des notes beurrées, des qualités d'ampleur et de rondeur soulignées par le dosage. Une finale légèrement citronnée apporte de la fraîcheur. ⌛ 2019-2022

CHAMPAGNE THIERRY GRANDIN, 10, rue de la Mairie, 51480 Champlat, tél. 03 26 58 11 71, grandinpier@gmail.com V r.-v.

♥ GRANZAMY PÈRE ET FILS Blanc de blancs ★★

	30000		15 à 20 €

Reprise par Béatrice et Raphaël Lamiraux au début des années 2000, cette structure familiale établie à Venteuil dans la vallée de la Marne a commercialisé ses premières bouteilles en 1907. La maison s'approvisionne dans la vallée de la Marne et en Côte des Blancs. Trois

étiquettes : Granzamy Père et Fils, R. Lamiraux et Georges Fremy. (NM)

Ce blanc de blancs libère à l'aération de frais parfums de fruits, agrumes en tête. Souple en attaque, il enchante par son caractère charnu, gourmand et alerte, en harmonie avec des arômes d'ananas, et par sa finale minérale. Nos dégustateurs lui prédisent un bel avenir et le verraient bien servi avec de la volaille. 2019-2024 **Prestige ★★ (15 à 20 €; 25000 b.)** : issu des trois cépages champenois (dont 40 % de chardonnay), un brut dans sa plénitude, puissant et équilibré, aussi rond que long, aux arômes agréablement évolués, beurrés, briochés, vanillés et grillés. 2019-2022 **Cuvée spéciale (15 à 20 €; 30000 b.)** : vin cité. **R. Lamiraux Blanc de blancs (15 à 20 €; 8000 b.)** : vin cité.

CHAMPAGNE GRANZAMY PÈRE ET FILS, 15, rue de Champagne, 51480 Venteuil, tél. 03 26 58 60 62, champ.granzamy@orange.fr V *r.-v.*

GRATIOT ET CIE
Brut nature Almanach n° 0 ★

6000 | 11 à 15 €

Maison fondée en 1868. Au tournant du XXᵉs., Désiré Gratiot remporte un concours agricole pour son vin blanc. Installés en 1997, ses descendants Sandrine et Rémy Gratiot exploitent 18 ha dans la vallée de la Marne, en aval de Château-Thierry. (NM)

Aucun sucre n'a été ajouté en fin de vinification (brut nature) à cette cuvée née de la récolte 2011, qui doit tout aux raisins noirs (meunier surtout, 77 %). Un blanc de noirs au nez floral, confit et brioché, avec une touche de boisé grillé léguée par très léger apport de vins élevés en fût. Le palais, à l'unisson, déploie de riches arômes de poire, de coing et de tarte Tatin, équilibré en finale par une pointe de fraîcheur. 2019-2022

CHAMPAGNE GRATIOT ET CIE, 27, av. Fernand-Drouet, 02310 Charly-sur-Marne, tél. 03 23 82 06 89, contact@champagne-gratiot.fr V *t.l.j. sf sam. dim. 9h-12h 14h-18h*

GREMILLET Cuvée Évidence ★★

6000 | 30 à 50 €

Si les Gremillet comptent des ancêtres vignerons dès le XVIIIᵉs., leur maison est récente : elle a été fondée en 1979 par Jean-Michel Gremillet et reprise par ses enfants, qui s'appuient sur un vignoble de 42 ha voisin des Riceys, dans l'Aube. Autre étiquette : Comtesse de Genlis. (NM)

Cette cuvée Évidence est un pur chardonnay. L'élevage de 30 % des vins en fût de chêne lui confère une réelle complexité : des parfums aussi puissants qu'élégants s'élèvent au-dessus du verre, un fruité mûr (fruits blancs, mirabelle) et les notes torréfiées d'un boisé bien fondu, évoquant le café et le cacao. Ces arômes s'épanouissent dans une bouche ample, généreuse et équilibrée dont la rondeur est soulignée par le dosage. La finale est marquée par un retour du boisé. Un champagne de repas. 2019-2022

CHAMPAGNE GREMILLET, Envers de Valeine, 10110 Balnot-sur-Laignes, tél. 03 25 29 37 91, info@champagnegremillet.fr V *r.-v.*

A. GRILLIAT ET FILS Carte d'or ★

1ᵉʳ cru | 8000 | 11 à 15 €

En 2014, Fabien Grilliat a succédé à son père Alain qui avait lancé sa marque en 1975. Le vignoble familial (5 ha) est bien situé, partagé entre la Grande Vallée de la Marne (notamment Aÿ, grand cru de noirs) et Avize, grand cru de la Côte des Blancs. (RM)

Privilégiant les raisins noirs (90 %, dont 60 % de pinot noir), une cuvée construite sur la récolte 2015, faiblement dosée pour un brut. Minérale et fraîche au nez, un rien iodée, elle s'ouvre sur les fleurs, les agrumes, l'abricot et les fruits secs. On retrouve ces arômes, cette fraîcheur et cette minéralité dans une bouche harmonieuse. Parfait pour l'apéritif et les entrées marines. 2019-2022

CHAMPAGNE A. GRILLIAT ET FILS, 27, rue Jules-Blondeau, 51160 Aÿ, tél. 03 26 55 17 65, champagne.a.grilliat@orange.fr V *r.-v.*

GRUET Pinot blanc 2014 ★

13608 | 20 à 30 €

Les Gruet cultivaient déjà la vigne sous Louis XIV dans la Côte des Bar, mais c'est Claude Gruet qui a constitué le domaine, se lançant dans l'élaboration du champagne en 1975. Il a transmis à son fils Pierre-Charles un vignoble de 20 ha complété par une structure de négoce. (NM)

Répandu en Alsace, le pinot blanc est autorisé pour le champagne, mais on ne le cultive guère que dans la Côte des Bar. Cette maison auboise en propose une version très agréable, issue de la récolte 2014. Un blanc de blancs d'autant plus original qu'il a connu (brièvement) le bois. Fruité, beurré et grillé au nez, miellé en bouche, il conjugue une rondeur suave et une fraîcheur minérale. 2019-2022

CHAMPAGNE GRUET, 48, Grande-Rue, 10110 Buxeuil, tél. 03 25 38 54 94, contact@champagne-gruet.com V *t.l.j. 8h-12h 13h30-17h30 ; sam. et dim. sur r.-v.; f. sem. du 15 août*

GUENIN Erubescence ★

2000 | 15 à 20 €

Établi à Essoyes, village aubois de la Côte des Bar où vécut le peintre Renoir, Sébastien Guenin a pris la suite de dix générations. Le domaine viticole (17 ha) s'est surtout développé à partir de 1952; le premier pressoir a été installé en 1987. Formé à Beaune, le vigneron a créé sa première cuvée en 2015. Propriété certifiée Haute valeur environnementale.

Issu de pur pinot noir, ce rosé tire sa teinte aux reflets rubis de l'apport de 8 % de vin rouge. Frais et précis, le nez associe les agrumes et la groseille à une note épicée qui provient peut-être des 20 % de vins élevés sous bois. On retrouve en bouche cette vivacité alerte qui met en valeur des arômes de fruits rouges teintés d'agrumes en finale. 2019-2022

CHAMPAGNE GUENIN, 14, rue de l'Extra, 10360 Essoyes, tél. 06 76 11 29 79, contact.champagneguenin@gmail.com V *r.-v.*

NICOLAS GUEUSQUIN Tradition ★★

	230000			15 à 20 €

Établi près d'Épernay, un négoce discret mais prospère, créé en 1993 par Nicolas Gueusquin, ingénieur agronome. Toujours dirigé par son fondateur, il s'appuie sur un vignoble en propre de 11 ha à Dizy et à Oiry. (NM)

Très majoritaires dans l'assemblage (80 %, dont 55 % de pinot noir), les raisins noirs lèguent une rondeur généreuse à ce champagne séduisant par ses arômes d'agrumes et de fruits exotiques (litchi, ananas, fruit de la Passion) soulignés par une belle fraîcheur. Pour l'apéritif comme pour la table. 2019-2022 **Cuvée Prestige ★ (15 à 20 €; 180000 b.)** : une part de chardonnay pour quatre de raisins noirs (pinot noir 60 %) dans cette cuvée corsée et alerte, à l'expression complexe (beurre, fleurs blanches, tilleul, agrumes, abricot et viennoiserie). 2019-2022

CHAMPAGNE NICOLAS GUEUSQUIN, 5, allée du Petit-Bois, 51530 Dizy, tél. 03 26 59 99 34, n.gueusquin@sa-lesrochesblanches.fr V r.-v.

CÉDRIC GUYOT Réserve 2011 ★★

	5600			15 à 20 €

Albert, l'arrière-grand-père, élève des moutons et produit du vin pour sa consommation. Gaston plante de la vigne en 1965. Premières bouteilles en 1970, nouvelles plantations avec Patrice. Après avoir vinifié dans la vallée du Rhône et la Napa Valley, Cédric Guyot prend en 2004 la tête du domaine : 5,6 ha dans le Sézannais. (RM)

Mi-chardonnay mi-pinot noir, ce brut millésimé affiche une robe or vert parcourue de trains de bulles dynamiques. Au nez, il mêle agrume, fleurs blanches, notes minérales et épicées. Ample et crémeux en bouche, il est équilibré par une vivacité juvénile et finit sur une touche miellée et suave. De l'élégance et du potentiel. 2019-2024 **Chardonnay Cuvée Séduction 2014 ★ (15 à 20 €; 2500 b.)** : plutôt favorable aux blancs, 2014 a donné ici un blanc de blancs à la fois vineux, charnu et alerte, intéressant par son expression aromatique (chèvrefeuille, fruits blancs, agrumes, fougère, amande, grillé). 2019-2024

CHAMPAGNE CÉDRIC GUYOT, 10, rue des Tessards, 51120 Fontaine-Denis-Nuisy, tél. 03 26 80 22 18, info@champagneguyot.com V *t.l.j. 8h-12h 13h-17h30*

GUYOT-GUILLAUME Blanc de blancs

	3000			20 à 30 €

Premiers champagnes Guyot en 1954, plantations entre 1960 et 1980 dans la vallée de l'Ardre. Installé en 1975, Dominique Guyot a ajouté le nom de son épouse sur l'étiquette. En 2016, il a transmis le domaine de 5 ha à Agathe et Thomas, ce dernier œnologue. Adhérents à la coopérative, les Guyot assurent l'élaboration après la prise de mousse. (RC)

Construit sur la récolte 2014 complétée par les deux vendanges précédentes, vieilli trois ans en cave, un blanc de blancs harmonieux, à la fois rond et frais, de bonne longueur, aux arômes élégants de fleurs et de fruits blancs. 2019-2022

CHAMPAGNE GUYOT-GUILLAUME, 9, rue des Sablons, 51390 Méry-Prémecy, tél. 03 26 03 65 25, contact@champagneguyot-guillaume.fr V *r.-v.*

HAMM 2009 ★★

	10000			20 à 30 €

Élaborateurs de champagne à Aÿ depuis 1910, les Hamm ont pris le statut de négociant en 1930. La troisième génération s'approvisionne en chardonnay et en pinot noir dans quinze crus différents. Les vins de la maison ne font pas leur fermentation malolactique. (NM)

Certains millésimés de 2009, année solaire, pêchent par une certaine lourdeur. Assemblage équilibré de pinot noir (58 %) et de chardonnay, celui-ci est au contraire salué pour son élégance. Sa robe pâle aux reflets verts est parcourue de nombreux cordons de bulles fines; son nez mêle la vanille, les fruits blancs (pêche) et le citron, complétés en bouche par les fleurs blanches. En bouche, ce vin conjugue rondeur et finesse et offre une longue finale minérale. 2019-2023

CHAMPAGNE HAMM ET FILS, 16, rue Nicolas-Philipponnat, 51160 Aÿ, tél. 03 26 54 44 19, contact@champagne-hamm-ay.com V *t.l.j. 9h-12h 14h-17h; sam. dim. sur r.-v.*

HARLIN Gouttes d'or

	6000			20 à 30 €

Descendant de viticulteurs, Guy Harlin plante sa première vigne en 1969 et étend son vignoble à Épernay et dans la vallée de la Marne (Tours-sur-Marne, notamment). Dominique, l'un de ses fils, s'installe en 1985, aménage pressoir et cuverie et se lance dans la vente directe. Maxime et Guillaume, les petits-fils, ont rejoint en 2012 l'exploitation, qui couvre 9,5 ha. Domaine certifié Haute valeur environnementale. (RM)

Un rosé mariant 45 % de chardonnay, autant de pinot noir et 10 % de meunier, avec 10 % de pinot noir vinifié en rouge. Autant sa robe est soutenue, presque grenadine, autant son nez est réservé. Ses arômes de cerise et de cassis s'affirment dans une bouche structurée, teintée d'amertume en finale. 2019-2022

CHAMPAGNE HARLIN PÈRE ET FILS, 8, rue de la Fontaine, Port-à-Binson, 51700 Mareuil-le-Port, tél. 03 26 58 34 38, contact@champagne-harlin.com V *r.-v.*

JEAN-NOËL HATON Extra ★

	15000			30 à 50 €

Fondé en 1928 par Octave Haton, l'un des pionniers de la manipulation à Damery, ce négoce est dirigé par Jean-Noël Haton depuis 1971; son fils Sébastien officie en cave. La famille s'approvisionne sur 110 ha et détient un vignoble de 20 ha. À la cuverie, plus de cent cuves, permettant de vinifier les crus séparément, et des fûts utilisés pour certains vins de réserve. (NM)

Pas moins de six ans de vieillissement en bouteilles pour cette cuvée qui marie à parts égales pinot noir et chardonnay et qui bénéficie d'un petit apport de vins passés sous bois. Elle en retire un nez complexe, fruité et beurré, et une bouche généreuse, ample et crémeuse, tonifiée par une finale vive et minérale. ⧗ 2019-2022 ● **Héritage (30 à 50 €; 15000 b.)** : vin cité.

CHAMPAGNE JEAN-NOËL HATON, 5, rue Jean-Mermoz, 51480 Damery, tél. 03 26 58 40 45, contact@champagne-haton.com V r.-v.

HATON ET FILLES Cuvée Prestige ★★

●	9000		15 à 20 €

À Damery, gros bourg viticole sur la rive droite de la Marne, on compte plusieurs branches de la famille Haton. Cette maison a été fondée en 1928 par Eugène Haton et son fils Octave. Elle est dirigée par l'un des petits-fils d'Eugène, Philippe Haton, épaulé par son épouse Isabelle. Avec l'installation de leurs filles Élodie et Ophélie en 2017, la marque Haton et Fils est devenue « Haton et Filles ». (NM)

Ce brut sans année or pâle tire d'un assemblage de meunier et de chardonnay à parts égales une expression finement florale et fruitée (fleurs blanches, rose et fruits exotiques, complétés d'une touche briochée en bouche) et une bouche crémeuse, fraîche et longue. Une réelle élégance. ⧗ 2019-2022 ● **1er cru Blanc de blancs Cuvée René Haton ★ (15 à 20 €; 28000 b.)** : d'une belle complexité au nez (acacia, brioche, agrumes puis fruits cuits), il déploie en bouche une matière étoffée et ronde sur des notes de miel et de pain d'épice, équilibrée en finale par une fraîcheur aux accents d'agrumes. ⧗ 2019-2022

CHAMPAGNE HATON ET FILLES, 28, rue Alphonse-Perrin, 51480 Damery, tél. 03 26 58 41 11, contact@champagnehatonetfilles.com V *t.l.j. 9h-12h 14h-18h; f. 1ère fév.*

CHARLES HEIDSIECK Blanc de blancs Blanc des millénaires 2004 ★★

●	n.c.	+ de 100 €

La saga des Heidsieck débute avec Florens Louis, originaire d'Allemagne, qui crée en 1785 une structure à l'origine de toutes les maisons Heidsieck. Celle-ci est fondée en 1851 par son petit-neveu Charles-Camille. Ce dernier achète 47 crayères remontant à l'Antiquité pour entreposer les nombreuses cuvées qu'il entend écouler et part à la conquête des États-Unis, où il se fait l'ambassadeur de la maison. Comme Piper Heidsieck, la marque appartient depuis 2011 au groupe EPI, détenteur de marques haut de gamme. Après Thierry Roset, disparu en 2014, Cyril Brun est le chef de cave. (NM)

Le 1983, premier millésime de ce blanc de blancs de prestige, issu de quatre grands crus et d'un 1er cru de la Côte des Blancs, avait été élu coup de cœur, ainsi que les 1985, 1900 et 1995. Le 2004 s'impose par la complexité de son nez, alliance de fruits jaunes mûrs, de beurre et de noisette, nuancés d'une touche de coquille d'huître. On retrouve la noisette, avec cette gamme grillée et torréfiée, dans une bouche intense, ample, dense, encore fraîche, d'une rare longueur. Ce millésime devrait bénéficier d'un service en carafe. ⧗ 2019-2021 ● **Réserve ★★ (30 à 50 €; n.c.)** : une belle signature que ce brut sans année; né des trois cépages champenois (pinot noir 40 %, chardonnay 40 %, meunier 20 %) récoltés dans soixante crus vinifiés séparément, il comprend 40 % de vins de réserve de dix ans d'âge moyen. Il en résulte une robe doré intense, animée d'une mousse fine, un nez agréablement évolué, aux nuances de grillé et de sous-bois, et une bouche ample, riche et longue, où l'on retrouve les arômes de l'olfaction, enrichis de notes de pâtisserie. ⧗ 2019-2022 ● **Réserve ★ (50 à 75 €; n.c.)** : plus de quatre ans de cave pour ce rosé d'assemblage mariant les trois cépages champenois (pinot noir 43 %, chardonnay 37 %, meunier 20 %). Paré d'une élégante robe cuivrée très claire, il associe les fruits rouges à des notes de mousse et de sous-bois, avec une touche mentholée très fraîche. Dans la même tonalité fruitée et évoluée, la bouche montre de l'ampleur et du corps, tonifiée par une longue finale acidulée. ⧗ 2019-2022

CHAMPAGNE CHARLES HEIDSIECK, 12, allée du Vignoble, 51100 Reims, tél. 03 26 84 43 00, contact.charlesheidsieck@champagnes-ph-ch.com

PASCAL HÉNIN Réserve

●	3000		15 à 20 €

Installés près d'Épernay à Aÿ, célèbre village classé en grand cru et fief du pinot noir, Delphine et Pascal Hénin, tous deux issus de lignées vigneronnes, exploitent 7,5 ha de vignes répartis entre Côte des Blancs, Montagne de Reims et vallée de la Marne. Ils ont lancé leur marque en 1990. (RM)

Né de l'assemblage de pinot noir (40 %), de chardonnay (40 %) et de meunier, ce brut sans année a vieilli quatre ans sur lattes. Un champagne plaisant tant par son nez bien ouvert, très floral, que par sa bouche équilibrée et fraîche, de bonne longueur. ⧗ 2019-2022

CHAMPAGNE PASCAL HÉNIN, 22, rue Jules-Lobet, 51160 Aÿ, tél. 03 26 54 61 50, pascal.henin@orange.fr V *r.-v.*

HENRIOT Extra-brut Hemera 2005 ★★

●	n.c.		+ de 100 €

Négociants en draps et en vins établis dans la région au XVIIes., les Henriot s'intéressent au champagne dès le XVIIIes. La marque remonte à 1808, lancée par une veuve champenoise, Apolline Henriot. Restée indépendante, la maison a connu un beau développement avec Joseph Henriot, disparu en 2015; elle s'est étendue à la Bourgogne (Bouchard Père et Fils, William Fèvre) et au Beaujolais (Villa Ponciago). Elle est aujourd'hui présidée par Gilles de Larouzière, dirigée par Guillaume Cocude et Laurent Fresnet est le chef de cave. Le chardonnay est très présent dans les champagnes Henriot. (NM)

La nouvelle cuvée de prestige de la maison, lancée avec le millésime 2005, a pris le nom de la déesse de la lumière. Elle assemble à parité des chardonnays et des pinots noirs de haute origine (grands crus Chouilly, Avize et Le Mesnil-sur-Oger pour les premiers, Mailly-Champagne, Verzy et Verzenay pour les seconds) et se signale par un faible dosage en extra-brut. Après un séjour de douze ans en cave, le champagne affiche une robe dorée parcourue de bulles fines. Sa belle expression intense et mûre, dominée par les fruits secs, la noisette et le moka se prolonge dans une bouche ample, aussi ronde que longue. ⧗ 2019-2022 ● **2008 (50 à 75 €; n.c.)** : vin cité.

CHAMPAGNE HENRIOT,
81, rue Coquebert, 51100 Reims, tél. 03 26 89 53 00,
contact@champagne-henriot.com V r.-v.

GÉRARD HENRY Réserve ★

	2500		15 à 20 €

Conduite par Gérard Henry depuis 1986, cette exploitation est implantée dans la vallée de la Marne. Le vigneron fait vieillir ses cuvées longuement sur lattes : il faut quatre à sept ans pour que le grain de raisin se retrouve dans la flûte. (RM)

Du meunier dominant (70 %, avec le chardonnay en complément) et un assemblage des récoltes 2009 et 2008 ont légué à ce brut une robe or jaune et un fruité complexe, aux nuances de fruits exotiques. Le fruité s'épanouit sur des notes de pêche et de cerise macérée dans une bouche vineuse et longue, rafraîchie en finale par une pointe d'acidité. 2019-2022 **Brut** ★ **(11 à 15 €; 7000 b.)** : issu de meunier majoritaire (75 %, avec un appoint de chardonnay et une goutte de pinot noir), un brut à la fois souple et frais. Sa rondeur et ses arômes de pêche et de fruits confits sont soulignés par un dosage généreux. 2019-2022

CHAMPAGNE GÉRARD HENRY,
8, rue de Reims, 51700 Verneuil, tél. 03 26 52 96 02,
champagnegerardhenry@wanadoo.fr
V r.-v.

PHILIPPE HENRY Cuvée Prestige ★

	2500		15 à 20 €

Installé en 1990 sur 3 ha, Philippe Henry a agrandi son vignoble qui couvre aujourd'hui plus de 5 ha sur les deux rives de la Marne, à Dormans et à Verneuil. Ses cuvées sont vinifiées à la coopérative de Verneuil. Propriété certifiée Haute valeur environnementale.

Issu de meunier et de chardonnay à parité, ce brut se partage au nez entre fruits blancs et pain grillé; il conjugue en bouche souplesse, ampleur et fraîcheur. Un champagne flatteur pour toutes les occasions. 2019-2021

CHAMPAGNE PHILIPPE HENRY,
26, rue du Bois-Lecomte, 51700 Verneuil,
tél. 03 26 52 94 57, champagne.philippehenry@orange.fr
V r.-v.

HERBELET Blanc de blancs

Gd cru	9960		15 à 20 €

Installés dans une maison champenoise typique avec ses parements de brique, Grégoire et Valérie Herbelet conduisent depuis 2005 ce domaine familial de 9 ha, très bien situé à Oger, grand cru de la Côte des Blancs. Les champagnes de la propriété reposent au moins trois ans en cave. Adresse du caveau : 15, rue du Gué à Oger. (RM)

Construit sur la récolte 2014 avec des vins de l'année précédente, ce blanc de blancs libère des arômes d'agrumes que l'on retrouve, associés à des notes beurrées, dans un palais vif, d'une belle longueur. 2019-2022

CHAMPAGNE HERBELET, 4, rue de Chastillon,
51190 Oger, tél. 03 26 52 24 75, gregoire.herbelet@
wanadoo.fr V r.-v.

♥ **STÉPHANE HERBERT** Véronèse ★★★

1er cru	3000		20 à 30 €

Héritier de plusieurs générations de vignerons, Stéphane Herbert a lancé sa marque en 2000, quatre ans après son installation. Il exploite 4,5 ha autour de Rilly-la-Montagne, 1er cru de la Montagne de Reims proche de la cité des Sacres. Ses vins de base sont vinifiés en fût. (RC)

«Du caractère, de la puissance et de l'élégance», trois mots pour résumer le profil de cette cuvée qui a enchanté nos dégustateurs. Mariant à parts égales pinot noir et chardonnay, faiblement dosé pour sa catégorie, ce brut est construit sur la récolte 2015, dont on vante la richesse. La robe or soutenu est animée de bulles vives. Le nez se partage entre le beurre frais et le fruit blanc. Un boisé bien fondu, hérité d'un séjour de dix mois en fût, se mêle à des notes de fruits confits dans un palais crémeux à souhait, bien structuré, à l'équilibre parfait. 2019-2022 **1er cru Voluptée** ★★★ **(20 à 30 €; 3000 b.)** : du chardonnay majoritaire (75 %) et du pinot noir de l'année 2015, un élevage de douze mois en fût pour ce rosé à la robe tuilée, aux arômes de beurre, de fraise et autres fruits rouges, qui conjugue puissance et fraîcheur. Sa générosité lui permettra d'accompagner un repas. 2019-2023 **Blanc de blancs Excellence** ★ **(20 à 30 €; 3000 b.)** : une expression aromatique riche et complexe (fruits blancs et jaunes, fruits confits, beurre, viennoiserie, réglisse, notes grillées et fumées); de la matière, du volume, une belle acidité, une longue finale un rien amère : un blanc de blancs de caractère. 2019-2022

CHAMPAGNE STÉPHANE HERBERT,
11, rue Roger-Salengro, 51500 Rilly-la-Montagne,
tél. 03 26 03 49 93, champagneherbert@wanadoo.fr
V r.-v.

CHARLES HESTON Extra-brut Vintage 2013 ★

	3000		20 à 30 €

Lancée en 2010, Charles Heston est la marque de la coopérative Les Six Coteaux, fondée en 1951 dans le massif de Saint-Thierry, au nord-ouest de Reims : plus de cent adhérents y apportent la récolte de leurs 120 ha. (CM)

Complété par le pinot noir, le chardonnay est majoritaire (70 %) dans ce brut millésimé issu d'une année tardive et fraîche plutôt favorable aux blancs. Un apport de vins élevés en fût a légué un très léger boisé à sa palette qui mêle les fruits secs, la torréfaction, la brioche et les fruits frais. Dans le même registre, la bouche se révèle ronde et soyeuse, tendue par une vivacité qui lui donne de l'allonge. De la matière et de la finesse. 2019-2023 **L'Ambassadrice** ★ **(15 à 20 €; 12000 b.)** : mariant à parts égales chardonnay et pinot noir, une cuvée consistante et fraîche, aux arômes de fruits mûrs et de brioche. 2019-2022

CHAMPAGNE CHARLES HESTON, 20, rte de Thil,
51220 Villers-Franqueux, tél. 03 26 03 08 78,
contact@champagne-charlesheston.com
V t.l.j. 9h-13h 14h-19h; sam. 10h-19h30;
dim. 10h-13h30

FRANÇOIS HEUCQ 2012 ★

| | 1700 | | 15 à 20 € |

François Heucq a pris en 1974 la suite de trois générations. Il a agrandi le domaine familial et a installé en 1978 un pressoir pour devenir récoltant-manipulant. Il exploite aujourd'hui avec son fils Guillaume un vignoble de 6 ha aux environs de Fleury-la-Rivière, village proche d'Épernay, situé sur la rive droite de la Marne. (RM)

Pinot noir et chardonnay contribuent à parité à ce beau millésime au nez beurré, marqué par des notes complexes d'évolution. Un peu marquée par le dosage pour certains jurés, la bouche offre une texture onctueuse, vivifiée de bout en bout par un trait d'acidité qui étire la finale. Parfait pour un poisson en sauce. 2019-2022

CHAMPAGNE FRANÇOIS HEUCQ, 3, imp. de l'École, 51480 Fleury-la-Rivière, tél. 03 26 58 60 20, champagne.francoisheucq@gmail.com V r.-v.

L'HOSTE PÈRE ET FILS
Extra-brut Blanc de blancs Les Loges ★

| | 3000 | | 20 à 30 € |

À l'écart des capitales du champagne que sont Reims et Épernay, le vignoble de Vitry-le-François ne s'est développé que récemment. Jean L'Hoste, qui a constitué son exploitation à partir de 1971, est un des pionniers de l'élaboration du champagne dans la région. Aujourd'hui, ses fils Pascal et Dominique, et son petit-fils Clément disposent d'un coquet domaine de 14 ha à dominante de chardonnay. (NM)

Nées d'une parcelle plantée des plus vieux chardonnays du domaine, des Loges bien placées dans le Guide. Cette version s'habille d'une robe or jaune et délivre des arômes élégants, plutôt évolués, de fleurs blanches, de vanille, de fruits secs et de biscuit. La pomme et le fruit cuit complètent cette palette dans une bouche ample et puissante, à la finale un rien saline. Une belle maturité pour ce champagne qui tiendra sa place à table. 2019-2022 **Tradition (11 à 15 €; 60000 b.)** : vin cité.

CHAMPAGNE L' HOSTE, 11, rue de Vavray, 51300 Bassuet, tél. 03 26 73 94 43, champagnelhoste@wanadoo.fr V *t.l.j. sf dim. 9h-12h 14h-19h*

AUGUSTE HUIBAN 2009 ★★

| | 2000 | | 20 à 30 € |

Repris en 1990 par Éric Ammeux et son épouse Isabelle, ce vignoble familial d'environ 4 ha se partage entre Jonquery, dans un vallon entre Ardre et Marne, et Fontaine-sur-Aÿ, près d'Épernay. Les raisins de Jonquery donnent naissance au champagne Auguste Huiban, ceux de Fontaine-sur-Aÿ à la marque Paul Augustin, lancée en 2005 par Isabelle. (RM)

Issu d'une année solaire et des trois cépages champenois à parts égales, ce brut millésimé a séduit par son expression aromatique complexe, entre agrumes mûrs, notes briochées et épicées, et par sa bouche consistante et ample, très équilibrée. 2019-2022

CHAMPAGNE AUGUSTE HUIBAN, 1, rue de la Barbe-aux-Cannes, 51700 Jonquery, tél. 03 26 58 10 55, info@champagne-maison-huiban.fr V *t.l.j. 9h-12h 14h-18h; sam. dim. sur r.-v.*

FERNAND HUTASSE ET FILS 2000 ★★

| | n.c. | | 20 à 30 € |

Les Hutasse se sont installés dans les années 1930 à Bouzy (grand cru de la Montagne de Reims réputé pour son pinot noir). Leur vignoble de 10 ha est aujourd'hui cultivé par Rudy et Nathalie. (RM)

Après vingt ans, ce millésime né de pinot noir et de chardonnay à parts égales, garde un nez floral, un rien mentholé. Nettement plus évoluée, la bouche dévoile des notes de prune macérée, de noisette et de caramel dans une matière ample et agréable. Pour les amateurs de vieux champagnes. 2019-2022

CHAMPAGNE TORNAY, rue du Haut-Petit-Chemin, 51150 Bouzy, tél. 03 26 57 08 58, info@champagne-tornay.fr V *r.-v.*

ÉRIC ISSELÉE
Blanc de blancs Cuvée Tradition 2009 ★

| Gd cru | 2000 | | 30 à 50 € |

Arrivé en 1986 sur le domaine familial, Éric Isselée a lancé sa marque en 1999. À la tête d'un vignoble implanté pour une bonne partie au cœur de la Côte des Blancs, il a aménagé des gîtes et chambres d'hôtes. (RM)

Un brut né d'un millésime solaire, peu dosé pour sa catégorie. Dès l'approche, on devine qu'il arrive à sa plénitude : la robe or soutenu est traversée de bulles très fines et le nez déploie un florilège d'arômes évolués (fruits mûrs, voire compotés, orange, fruits secs, pâtisserie, miel, tabac). À l'unisson du nez, la bouche affiche une belle richesse, nuancée d'une touche saline. Un blanc de blancs de repas. 2019-2022 **Gd cru Blanc de blancs (15 à 20 €; 12000 b.)** : vin cité.

CHAMPAGNE ÉRIC ISSELÉE, 350, rue des Grappes-d'Or, 51530 Cramant, tél. 03 26 57 54 96, champagneissele.e@wanadoo.fr V *r.-v.* 2 0

JACQUART Mosaïque ★

| | 150000 | | 20 à 30 € |

Créée en 1964, cette coopérative, installée depuis 2009 dans le somptueux hôtel de Brimont à Reims, est rattachée à Alliance Champagne, important groupement de caves (2 400 ha, plus de 7 % du vignoble champenois). Les vignes destinées à la marque Jacquart couvrent 300 ha répartis dans plus de 60 crus des quatre grands secteurs de la région. Floriane Eznack est chef de cave depuis 2011. (CM)

Pinot noir (45 %), chardonnay (34 %) et meunier (21 %) ont permis d'obtenir ce brut à la robe rose orangé parcourue d'une bulle élégante, aux parfums délicatement fruités et floraux. Le fruit rouge dans tous ses états, frais ou confit, s'épanouit dans une bouche équilibrée et flatteuse. 2019-2022 **Mosaïque (20 à 30 €; n.c.)** : vin cité.

CHAMPAGNE JACQUART, 34, bd Lundy, 51100 Reims, tél. 03 26 07 88 40, contact@jad.fr

YVES JACQUES ★

| | 21200 | | 11 à 15 € |

Originaires de la Brie, les Jacques s'établissent en 1932 à Baye, au nord de la vallée du Petit Morin et

se lancent dans la viticulture. Yves s'installe en 1955, agrandit le domaine et commercialise ses premiers champagnes en 1962. Son fils Rémy, qui a pris le relais en 1981, exploite avec son épouse Valérie et ses fils Quentin et Bastien 17 ha dans le Sézannais, la Côte des Blancs, la vallée de la Marne et l'Aube. (RM)

Les trois cépages champenois (pinot noir 50 %, meunier 30 %, chardonnay 20 %) composent ce rosé qui tire sa couleur d'un apport de 10 % de vin rouge. Élégant au nez, il mêle la framboise et le cassis à de légères touches de grillé. Le fruit rouge s'épanouit dans un palais bien construit, ample et frais, de bonne longueur. ⧗ 2019-2022

CHAMPAGNE YVES JACQUES,
1, rue de Montpertuis, 51270 Baye, tél. 03 26 52 80 77, champagne.yvesjacques@wanadoo.fr V r.-v.

GILBERT JACQUESSON Cuvée Sélection

	12050		15 à 20 €

Henri Michel s'est lancé dans l'élaboration du champagne en 1926. Installé en 2004, son descendant Jean-Baptiste Jacquesson représente la quatrième génération de récoltants-manipulants. Établi sur la rive gauche de la Marne, il exploite 6,8 ha de vignes. Exploitation certifiée Haute valeur environnementale. (RM)

Les trois cépages champenois (meunier 38 %, pinot noir 37 %, chardonnay 25 %) composent ce brut plaisant par son équilibre : nez floral et fruité, bouche ronde et gourmande, assez longue, aux arômes de fruits blancs et d'agrumes, tendue par une agréable fraîcheur citronnée. ⧗ 2019-2022

CHAMPAGNE GILBERT JACQUESSON,
6, rue de l'Avenir, 51700 Troissy, tél. 03 26 52 70 69, troissy@club-internet.fr V r.-v. 3

JACQUINET-DUMEZ Extra-brut Luministe ★★★

1er cru	7000		20 à 30 €

Domaine fondé en 1935. Installés en 1992, Olivier et Aline Jacquinet exploitent un vignoble de 7 ha autour des Mesneux, Sacy, Écueil et Ville-Dommange, 1ers crus de la Montagne de Reims situés à deux pas de la Cité des Sacres. (RM)

Le chardonnay et le pinot noir contribuent à parité à cette cuvée parée d'une robe dorée animée de bulles fines. Un élevage sous bois de 10 % des vins contribue à sa complexité : le nez associe au fruit compoté et confituré des notes beurrées, briochées, vanillées et toastées. La noisette s'ajoute à cette palette dans un palais persistant, qui conjugue ampleur, générosité et élégance. Cet excellent champagne, finaliste au moment d'élire les coups de cœur, accompagnera volontiers un repas de fête. ⧗ 2019-2021

CHAMPAGNE JACQUINET-DUMEZ,
26, rue de Reims, 51370 Les Mesneux, tél. 03 26 36 25 25, contact@champagne-jacquinet-dumez.com V r.-v.

MICHEL JACQUOT Réserve

	60000		11 à 15 €

Le premier de la lignée, fils de forgeron, épouse à la fin du XIXe s. une fille de vignerons d'Arconville, près de Bar-sur-Aube. La famille cultive aussi des céréales. Georges Gaucher développe l'exploitation viticole au sortir de la Seconde Guerre mondiale. Son fils Bernard lance son champagne en 1985. En 2017, Guillaume a rejoint l'exploitation, qui couvre 20 ha. Deux étiquettes : Bernard Gaucher et Michel Jacquot. (RM)

Issu de pinot noir (90 %) et d'un petit appoint de chardonnay, un brut ample, fruité et acidulé, aux arômes de pomme, de griotte, de zeste d'agrumes, d'abricot sec et d'amande. ⧗ 2019-2021

CHAMPAGNE MICHEL JACQUOT,
27, rue de la Croix-de-l'Orme, 10200 Arconville, tél. 03 25 27 87 31 V r.-v.

E. JAMART ET CIE Volupté ★★

	n.c.		15 à 20 €

En 1936, année de crise et de mévente, le jeune boulanger Émilien Jamart monte une affaire de négoce avec son beau-père, caviste. Dirigée aujourd'hui par son arrière-petit-fils Maxime Oudart, la maison, qui a son siège à Saint-Martin-d'Ablois, village des coteaux sud d'Épernay, dispose de près de 5 ha de vignes. (NM)

Cette cuvée doit tout au chardonnay, qui lui a légué un nez complexe, très floral et fruité, partagé entre l'acacia et le tilleul, le miel et la pêche jaune. Fraîche en attaque, crémeuse, justement dosée et persistante, la bouche déploie une plaisante gamme fruitée (poire, pêche, fruits exotiques, abricot sec) avant de finir sur une note suave de cire d'abeille. Un blanc de blancs gourmand. ⧗ 2019-2022

CHAMPAGNE E. JAMART ET CIE,
13, rue Marcel-Soyeux, 51530 Saint-Martin-d'Ablois, tél. 03 26 59 92 78, champagne.jamart@wanadoo.fr V r.-v.

HERVÉ JAMEIN Blanc de blancs 2011 ★

	1500		15 à 20 €

À 3 km au nord-est de Reims, le mont Berru culmine à 267 m au milieu de la plaine. Portant des vignes avant le phylloxéra, cette colline a été replantée à partir des années 1960. Rejoint par son fils Clément, Hervé Jamein cultive 2,65 ha sur ses flancs – des raisins vinifiés par la coopérative de Nogent-l'Abbesse. Il cultive aussi 70 ha de blé et de betterave. (RC)

L'année 2011 a été précoce : le chardonnay à l'origine de ce blanc de blancs millésimé a été vendangé le 28 août. Au nez comme en bouche, il dévoile une belle minéralité, associée à des arômes grillés et pâtissiers. Structuré, resté frais, il est marqué en finale par une note de silex. Une réussite pour ce millésime. ⧗ 2019-2022

CHAMPAGNE HERVÉ JAMEIN,
7, rue de Sillery, 51420 Cernay-les-Reims, tél. 06 15 64 15 49, champagne.herve.jamein@gmail.com V r.-v.

JANISSON-BARADON ET FILS Rosé de saignée ★★

	n.c.		30 à 50 €

Implanté sur les hauteurs d'Épernay, ce domaine fondé en 1922 par un remueur et un tonnelier est aujourd'hui conduit par leurs descendants, Maxence et Cyril Janisson, qui disposent de plus de 9 ha de

CHAMPAGNE

vignes. Propriété certifiée Haute valeur environnementale. (NM)

La macération du pinot noir a donné à cette cuvée une couleur intense et soutenue, saumon foncé. Le nez pinote sur des notes de griotte et de noyau, nuancées d'une agréable touche de fraise des bois. Ces arômes se prolongent dans un palais frais et persistant, teinté en finale d'une agréable amertume. Un rosé de caractère qui pourra accompagner des viandes. ⧗ 2019-2022 ● **Georges Baradon Blanc de noirs ★ (20 à 30 €; 1000 b.)** Ⓑ : issu à 90 % de meunier, un brut gourmand et très frais, aux arômes assez complexes (bonbon, miel, vanille, pâtisserie). ⧗ 2019-2022 ● **Grande Réserve ★ (20 à 30 €; 6000 b.)** : issue de pinot noir et de chardonnay à parts égales, cette cuvée comprend 30 % de vins de réserve élevés en fût. Elle a pour atouts son expression aromatique complexe, sa structure et sa fraîcheur. ⧗ 2019-2022

CHAMPAGNE JANISSON-BARADON, 9, pl. de la République, 51200 Épernay, tél. 03 26 54 45 85, info@champagne-janisson-baradon.com V 🚶 ■ *t.l.j. 10h-13h 15h-19h; f. fév.*

JEAN DE LA FONTAINE La Majestueuse 2010 ★★

●	10000		15 à 20 €

Fondé en 1947 par Albert Baron, repris en 1972 par son fils Claude, largement secondé aujourd'hui par ses trois filles, Claire, Aline et Lise (ces deux dernières œnologues), ce négoce dispose d'un important vignoble (55 ha) dans la vallée de la Marne, aux environs de Château-Thierry. Les champagnes élaborés par Lise Baron cultivent la fraîcheur. Trois marques : Baron Albert, Claude Baron et Jean de La Fontaine. (NM)

Le chardonnay s'offre la part du lion (80 %, avec le pinot noir et le meunier en appoint) dans cette cuvée qui comprend 15 % de vins élevés en fût. Nos dégustateurs ont beaucoup apprécié le côté vivifiant et vigoureux de ce brut aux arômes d'agrumes, pamplemousse en tête. Parfait à l'apéritif, sur les produits de la mer et les viandes blanches. ⧗ 2019-2022 ● **Claude Baron Saphir ★ (11 à 15 €; 80000 b.)** : né des trois cépages champenois, chardonnay en tête (46 %, avec 31 % de pinot noir et 23 % de meunier), un champagne aérien, finement fruité, de belle longueur. ⧗ 2019-2022 ● **L'Indisciplinée (15 à 20 €; 5000 b.)** : vin cité.

CHAMPAGNE BARON ALBERT, 1, rue des Chaillots, Le Grand-Porteron, 02310 Charly-sur-Marne, tél. 03 23 82 02 65, contact@champagnebaronalbert.fr V 🚶 ■ *t.l.j. sf dim. 8h-12h 13h30 17h45; sam. sur r.-v.*

JEAUNAUX-ROBIN Extra-brut Éclats de meulière ★

●	18000		20 à 30 €

Le grand-père, maréchal-ferrant, cultivait quelques vignes. Michel Jeaunaux et Marie-Claude Robin se lancent dans la manipulation dans les années 1970, à partir des vignes familiales. Cyril, le fils, installé en 1999, exploite en biodynamie près de 6 ha, situés pour l'essentiel à l'entrée de la vallée du Petit Morin, avec 1 ha près de Bar-sur-Aube. Première vendange certifiée bio en 2018. (RM)

En Champagne, le logo bio apparaît après l'année de certification des vendanges : les assemblages font appel à des vins de récoltes antérieures. Cette cuvée, issue d'un terroir original, marie ainsi les récoltes 2014 et 2013, du meunier (60 %), associé au pinot noir (30 %) et au chardonnay. Sa robe aux reflets roses traduit une forte présence des noirs, ainsi que son nez aux nuances de petits fruits rouges compotés, nuancés de notes grillées et d'une touche de sous-bois. Fruitée et acidulée, la bouche offre une finale vive. ⧗ 2019-2022

CHAMPAGNE JEAUNAUX-ROBIN, 1, rue de Bannay, 51270 Talus-Saint-Prix, tél. 03 26 52 80 73, cyril@champagne-jr.fr V 🚶 ■ *r.-v.*

RENÉ JOLLY Cuvée spéciale RJ ★

●	10000		20 à 30 €

Créé au XVIIIe s. dans la vallée de l'Ource (Aube), ce domaine familial de 14 ha est conduit depuis 2000 par Pierre-Éric Jolly. Ce dernier, s'il est fidèle aux traditions (pressoir Coquard, dégorgement à la volée, élevage en fût), est aussi soucieux d'innovation, et a mis au point un muselet à trois branches. Diplômé de commerce international, il développe l'export. Propriété certifiée Haute valeur environnementale. (RM)

Pinot noir et chardonnay (54 %) font presque jeu égal dans cette cuvée mariant les récoltes 2012 et 2010, élevée pour 20 % en fût. Un champagne plaisant par sa rondeur et par ses arômes évolués, marqué par un boisé qui sait rester discret. ⧗ 2019-2021 ● **Editio (50 à 75 €; 2500 b.)** : vin cité.

CHAMPAGNE RENÉ JOLLY, 10, rue de la Gare, 10110 Landreville, tél. 03 25 38 50 91, champagne@renejolly.com V 🚶 ■ *r.-v.*

JOLY-CHAMPAGNE ★★

●	18583		15 à 20 €

Rémy Joly et ses fils Aurélien et Maximilien représentent la troisième et la quatrième génération sur ce domaine fondé en 1880. Ils exploitent la marque lancée en 1954 par les grands-parents et sont devenus récoltants-manipulants. Leur vignoble, d'une douzaine d'hectares, est implanté sur cinq communes des deux rives de la Marne. (RM)

Puissant, de belle longueur, il offre la fraîcheur acidulée du chardonnay (65 % de l'assemblage, avec le meunier en complément) et déploie au nez comme en bouche des arômes finement évolués : miel, brioche, pomme mûre, ananas rôti. ⧗ 2019-2022 ● **★ (15 à 20 €; 11141 b.)** : une couleur soutenue, des arômes de cerise et de fraise fraîches, une bouche ample et vive pour ce rosé de noirs (meunier 80 %) intense, tout en fruits rouges. ⧗ 2019-2022 ● **Grand Brut de réserve ★ (15 à 20 €; 24134 b.)** : né d'un assemblage par tiers des trois cépages champenois, un brut fruité (agrumes, pomme verte) et alerte, de bonne longueur, qui laisse la bouche fraîche. ⧗ 2019-2022

JOLY-CHAMPAGNE, 16, rte de Paris, 51700 Troissy, tél. 03 26 52 73 48, info@champagne-joly-champagne.com V 🚶 ■ *r.-v.* Ⓔ

BERTRAND JOREZ Blanc de blancs

●	n.c.		15 à 20 €

Domaine familial de 5 ha établi depuis trois générations à Ludes, sur le versant nord de la Montagne de

Reims. Installé en 1980, Bertrand Jorez a lancé son champagne la même année. (RC)

Né de la récolte 2013, il offre tous les caractères attendus du blanc de blancs : un nez entre fleurs blanches, beurre frais, pomme verte et agrumes, une bouche vive et minérale, de belle longueur, à la finale grillée et briochée. ⧗ 2019-2022

CHAMPAGNE BERTRAND JOREZ, 13, rue de Reims, 51500 Ludes, tél. 06 19 64 92 34, bertrand.jorez@wanadoo.fr V *r.-v.; f. en août*

JEAN JOSSELIN Alliance ★

	9992		15 à 20 €

Autrefois point stratégique entre comté de Champagne et duché de Bourgogne, le village de Gyé-sur-Seine (Aube) est aujourd'hui bien ancré dans le vignoble champenois. À la tête d'un domaine de près de 12 ha, la famille Josselin y cultive la vigne depuis 1854. Jean a lancé sa marque en 1957. Son fils Jean-Pierre a pris le relais en 1980, rejoint à son tour en 2010 par Jean-Félix, œnologue. (RM)

Né de l'alliance du pinot noir (70 %) et du chardonnay, ce brut construit sur la récolte 2014 offre une approche juvénile, intense et fraîche, avec une robe or pâle aux reflets verts et un nez expressif et délicat, entre fleurs blanches, agrumes, fruits blancs et pâte d'amande. La bouche à l'unisson, dévoile une belle vinosité soutenue par une vivacité aérienne. Parfait pour l'apéritif et les produits de la mer. ⧗ 2019-2022

CHAMPAGNE JEAN JOSSELIN,
14, rue des Vannes, 10250 Gyé-sur-Seine,
tél. 03 25 38 21 48, champagne-josselin@orange.fr
V *t.l.j. 9h-12h 14h-18h; sam. dim. sur r.-v.*

♥ KRUG
Grande Cuvée 166ème édition ★★

	n.c.		+ de 100 €

Originaire de la vallée du Rhin, Joseph Krug, fondateur en 1843 de cette célèbre maison rémoise, fut un assembleur hors pair, qui réussit à magnifier terroirs, cépages et millésimes pour élaborer des cuvées de prestige à son goût qui racontent le meilleur de la Champagne. Il codifia sa méthode, transmise de génération en génération. Une obsession du détail qui fait de Krug une maison à part. Si l'affaire appartient depuis 1999 au groupe LVMH, elle est restée maîtresse de son savoir-faire, le style étant garanti par Olivier Krug, gardien du temple, et l'élaboration suivie par Éric Lebel, chef de cave. Elle ne propose que des cuvées haut de gamme, fruits d'assemblages minutieux et savants de vins vinifiés en fûts de 205 l identifiés par le cru. La cave conserve en petites cuves 150 vins de réserve, certains âgés de quinze ans. Le vieillissement sur pointe des champagnes dure six ans au minimum. Il en résulte des cuvées complexes, au fort potentiel de garde. (NM)

Par le terme d'édition, introduit sur les étiquettes, la maison souligne la singularité de chaque version de sa Grande Cuvée, alors qu'on parle parfois en Champagne du « goût constant » des cuvées non millésimées. Chez Krug, il y a bien un style lié à des pratiques et à un savoir-faire, mais la Grande Cuvée, recréée chaque année, est un assemblage unique de vins, choisis parmi 250 vins de l'année et 150 vins de réserve. Assemblée en 2011, la 166ème édition est construite autour de la vendange 2010 et comporte 42 % de vins de réserve; au total, 140 vins de dix années différentes, le plus ancien de 1996; 45 % de pinot noir, 39 % de chardonnay et 16 % de meunier. Après sept ans de cave, le vin revêt une robe paille animée d'une bulle très fine. Intense et subtil au nez, il s'ouvre sur les fruits jaunes mûrs, les agrumes confits et toute une palette d'arômes : cerise, fleurs, beurre, brioche, vanille et fruits secs (noisette, amande et pistache), minéralité. Les notes fruitées, vanillées et épicées s'épanouissent dans un palais dense, à la fois ample et vif. La finale tonique, d'une rare longueur, est marquée par une fine et noble amertume. Un air de jeunesse pour ce brut de caractère, bien dans le style de la maison. ⧗ 2019-2025

● **22e édition ★★ (+ de 100 €; n.c.)** ♥ : il a fallu attendre la cinquième génération pour voir apparaître un Krug rosé, lancé en 1983. La vingt-deuxième édition est issue d'une sélection de 22 vins issus de cinq années, de 2010, pour la plus récente, à 2005, pour la plus ancienne; 56 % de pinot noir, 28 % de meunier et 12 % de chardonnay, avec du pinot noir macéré sur ses peaux. Resté sept ans de cave, le vin s'habille d'une robe délicate, corail clair. Le nez intense et complexe, d'une rare subtilité, s'ouvre sur la griotte, puis explore un univers captivant de senteurs : nuances fraîches de fruits exotiques, fragrances florales, notes empyreumatiques (amande grillée), frangipane et brioche. En bouche, il réunit tous les atouts d'un grand rosé : attaque tendue et acidulée, volume, finesse de la texture, longue finale citronnée. Sa délicatesse florale s'allie à un boisé racé, aux accents de noisette grillée. L'élégance même. ⧗ 2019-2023

KRUG, 5, rue Coquebert, 51100 Reims, tél. 03 26 84 44 20, krug@krug.fr

♥ LABBE ET FILS Tradition ★★

1er cru	28000		11 à 15 €

Depuis la fin du XIXe s., les Labbe se succèdent de père en fils sur leurs terres de Chamery, 1er cru situé sur le flanc nord de la Montagne de Reims, qui mérite le détour pour la très haute flèche de son église. Ils élaborent leur champagne depuis l'arrivée en 1975 de Didier Labbe, aujourd'hui épaulé par ses fils Damien et Jérôme. À la tête de 10 ha, ces vignerons s'inspirent de la biodynamie (sans certification) et pratiquent des vinifications parcellaires. (RM)

Anciennement Carte blanche, la cuvée Tradition reflète l'encépagement du vignoble, qui met en avant le pinot noir (65 %); meunier (20 %) et chardonnay viennent en appoint. Assemblage de jeunes vins, construite sur la récolte 2016 et sur les deux vendanges antérieures, elle a été vinifiée sans fermentation malolactique. Nos dégustateurs saluent ce «vin de vigneron», ce «vin de terroir». Avec sa robe aux reflets œil-de-perdrix, son nez intense et franc, sur les fruits rouges confiturés et son palais très persistant, conjuguant ampleur, vinosité, droiture et nervosité, il offre une remarquable expression du pinot noir. On aime aussi son «dosage précis» et de fait, ce champagne est fort peu dosé pour un brut. Il trouvera sa place aussi bien à l'apéritif qu'au repas. ⧗ 2019-2024 ● **1er cru Réserve ★★ (15 à 20 €; 8000 b.)** : né d'un assemblage de meunier (45 %), de pinot noir (35 %) et de chardonnay comprenant 40 % de vins de réserve, un brut acidulé et frais, de belle longueur, au fruité gourmand et complexe (groseille, fraise, framboise, fruits exotiques). ⧗ 2019-2022

CHAMPAGNE LABBE ET FILS,
5, chem. du Hasat, 51500 Chamery, tél. 03 26 97 65 45,
contact@champagnelabbe.com V r.-v.

E. LACOUR Blanc de noirs ★

● 1er cru	1776		20 à 30 €

Installé à Rilly-la-Montagne, sur le flanc nord de la Montagne de Reims, Éric Lacour est à la tête depuis 1985 d'un vignoble d'environ 5 ha, avec des parcelles dans deux 1ers crus. Il élabore ses cuvées au sein d'un groupement de producteurs : les Vignerons d'Hautvillers. (RC)

Le pinot noir règne sans partage dans cette cuvée restée cinq ans en cave, très représentative de son cépage tant par ses arômes (fruits rouges, fruits à noyau agrémentés en bouche d'une note de raisins secs) que par son gras. On apprécie aussi ce champagne pour sa finesse et pour sa finale tendue, de bonne longueur. ⧗ 2019-2022

CHAMPAGNE E. LACOUR, 39, rue de Reims,
51500 Rilly-la-Montagne, tél. 03 26 03 45 13,
contact@champagne-lacour.com V r.-v.

LACOURTE-GODBILLON Terroirs d'Écueil

● 1er cru	40000		20 à 30 €

Domaine fondé en 1883 autour d'Écueil, 1er cru au sud-ouest de Reims. Premières bouteilles en 1947. Géraldine Lacourte et son conjoint Richard Desvignes abandonnent leur activité de cadres en ville pour reprendre en 2006 l'exploitation familiale (8 ha). Ils ont inauguré en 2014 un pressoir-cuverie moderne. En ligne de mire : l'agriculture biologique. (RM)

Une robe or rose; des arômes gourmands de fleurs, de fraise des bois, de fruits rouges compotés, légèrement épicés; un palais puissant et gourmand : autant de caractères suggérant une forte présence du pinot noir (85 %, avec le chardonnay en appoint), le cépage principal des «terroirs d'Écueil». Faiblement dosé, ce brut est également apprécié pour sa vivacité citronnée. ⧗ 2019-2022

CHAMPAGNE LACOURTE-GODBILLON,
16, rue des Aillys, 51500 Écueil, tél. 03 26 49 74 75,
contact@champagne-lacourte-godbillon.com V
r.-v.

LACROIX Grande Réserve ★

●	20000		15 à 20 €

Constituée de toutes pièces sur la rive droite de la Marne, à partir de 1968, cette propriété a commercialisé ses premières bouteilles en 1974. Installés en 2010, Anthony et Céline Lacroix disposent de 10 ha de vignes; ils ont aménagé une nouvelle cuverie et une salle de dégustation. (RM)

Complétés par le chardonnay, les raisins noirs (pinot noir 60 %) représentent les quatre cinquièmes de l'assemblage de ce brut, qui a pour atouts son intensité au nez comme en bouche, son équilibre et sa longueur. Sa palette mêle des notes fraîches et des arômes plus mûrs, comme le raisin sec. ⧗ 2019-2022 ● **Cuvée Tradition ★ (11 à 15 €; 40000 b.)** : un brut de belle tenue, dont les arômes de fruits jaunes, nuancés de notes de fruits secs, reflètent la forte présence du meunier (70 %, avec 20 % de pinot noir et 10 % de chardonnay en appoint). ⧗ 2019-2022

CHAMPAGNE LACROIX, 4, rue des Genêts,
51700 Montigny-sous-Châtillon, tél. 03 26 58 35 17,
champlacroix2@wanadoo.fr V r.-v.

LADY DOLAN

●	5632		15 à 20 €

Le mouvement coopératif n'est pas mort! Fondée en 2012, la coopérative de la Crolière a été créée par la Maison familiale rurale (structure associative dédiée à la formation des jeunes par alternance) de Gionges, près du Mesnil-sur-Oger. Elle élabore des cuvées grâce à son vignoble et à des raisins fournis par d'anciens élèves. Sa marque rend hommage à Rose Dolan, une Américaine bienfaitrice du village, arrivée en France en 1917 comme ambulancière et infirmière de l'armée américaine. (CM)

Composé de chardonnay (40 %) et des deux pinots à parité, ce brut aux arômes d'agrumes et de fruits mûrs séduit par sa finesse et par son élégance. ⧗ 2019-2022

COOP. DE LA CROLIÈRE, 12, rue de la Mairie,
Gionges, 51130 Blancs-Coteaux, tél. 03 26 51 69 11,
champagneladydolan@outlook.fr V r.-v.

LAGILLE ET FILS Grande Réserve ★

●	n.c.		15 à 20 €

Treslon n'est pas le village champenois le plus connu. Si l'autoroute et le TGV passent tout près, la localité se cache dans un vallon proche de l'Ardre, à l'ouest de Reims. La grand-mère avait cultivé ici les premiers plants et Bernard Lagille lancé sa marque (1975). Ses filles Claire et Maud, installées en 2005, puis Vincent, le fils, en 2012, l'ont rejoint. Propriété certifiée Haute valeur environnementale. (RM)

Pinot noir, meunier et chardonnay à parité composent cette cuvée intense, bien structurée et onctueuse, à l'expression beurrée et surtout très fruitée, mêlant la pomme et la poire compotée. Un champagne adapté à la table. ⧗ 2019-2022 ● **Carte blanche (15 à 20 €; n.c.)** : vin cité.

CHAMPAGNE LAGILLE, 49, rue de la Planchette,
51140 Treslon, tél. 03 26 97 43 99, contact@
champagne-lagille.com V r.-v.

PHILIPPE LAMARLIÈRE ★

1er cru | 20000 | | 15 à 20 €

Fondée en 1929 par les familles Tribaut et Schloesser, cette structure de négoce se niche dans un vallon tributaire de la Marne, à l'orée de la forêt d'Hautvillers. Valentin et Sébastien Tribaut, qui ont pris la suite de Jean-Marie à la tête de l'affaire, disposent de 20 ha de vignes. Deux étiquettes : Tribaut-Schloesser et Philippe Lamarlière – cette dernière créée en hommage à un ouvrier fin dégustateur qui travailla trente ans au service de la maison. (NM)

Privilégiant les raisins noirs (80 %, pinot noir et meunier à parité), un brut vieilli trois ans en cave. Discret au nez, frais en attaque, il se déploie avec une rondeur suave sur des arômes de fleurs et de fruits blancs, vivifié par une finale alerte, de belle longueur, aux accents d'agrumes. Un champagne flatteur. ⧗ 2019-2022

CHAMPAGNE PHILIPPE LAMARLIÈRE, 8, rue des Gais-Hordons, 51480 Romery, tél. 03 26 58 64 21, contact@svromery.fr

JEAN-JACQUES LAMOUREUX Réserve

| 633361 | | 15 à 20 €

René Lamoureux a planté ses premières vignes en 1947 aux Riceys, relayé en 1978 par Jean-Jacques qui a lancé son champagne en 1985. Son fils Vivien, œnologue, officie aujourd'hui en cave. Le domaine couvre 12 ha. (RM)

Cépage roi des Riceys, le pinot noir joue les premiers rôles dans cette cuvée (90 %, avec un appoint de chardonnay). Il lègue à ce brut une robe doré soutenu, des arômes gourmands de fruits confits, de fruits jaunes au sirop et une bouche ample, généreuse et crémeuse, de bonne longueur, équilibrée par ce qu'il faut de fraîcheur. ⧗ 2019-2022

CHAMPAGNE JEAN-JACQUES LAMOUREUX, 27 bis, rue du Gal-de-Gaulle, 10340 Les Riceys, tél. 03 25 29 11 55, champlamoureux@orange.fr t.l.j. sf dim. 10h-12h 14h-18h

LANCELOT-PIENNE Accord majeur ★

| 10000 | | 20 à 30 €

L'union d'Albert Lancelot avec Brigitte Pienne, suivie de la mise en commun de leurs vignobles de la Côte des Blancs, est à l'origine de la marque (1967). Leur fils Gilles, œnologue, a pris en 2006 la tête du domaine de 9 ha, essentiellement situé autour de Cramant. Il a réalisé en 2018 d'importants investissements (cuverie de petits volumes notamment). Ses vins sont très peu dosés. (RM)

Un brut composé à 70 % de meunier, complété par du pinot noir et du chardonnay à parité, des raisins récoltés sur les coteaux d'Épernay. Il comprend des vins de réserve conservés selon le principe de la solera (réserve perpétuelle enrichie chaque année de vins jeunes). Notes beurrées et toastées, fruits blancs compotés : son expression est agréable, tout comme son harmonie en bouche, faite de rondeur suave conjuguée à une belle fraîcheur. ⧗ 2019-2023 **Gd cru Extra-brut Blanc de blancs Table ronde ★ (30 à 50 €; 15000 b.)** : crémeux, vif, minéral et long, il dévoile des arômes complexes, plutôt évolués (acacia, pêche, coing, sirop de poire, mandarine, bois ciré...). ⧗ 2019-2023

CHAMPAGNE LANCELOT-PIENNE, 1, pl. Pierre-Rivière, 51530 Cramant, tél. 03 26 59 99 86, contact@champagne-lancelot-pienne.fr r.-v.

LANSON Demi-sec Ivory Label ★

| n.c. | | 30 à 50 €

Maison fondée en 1760 par François Delamotte, propriétaire de vignes à Cumières. Jean-Baptiste Lanson prend le contrôle de l'affaire en 1837, lui donne son nom et sa dimension internationale en commerçant vers l'Europe du Nord. La marque est depuis 2006 le fleuron du groupe BCC. Le style maison : une grande fraîcheur due à des vinifications sans fermentation malolactique. (NM)

Dosé à 35 g/l, ce demi-sec resté trois ans en cave marie deux tiers de raisins noirs (dont 50 % de pinot noir) et un tiers de chardonnay. Il est destiné à ceux qui souhaitent marier leur champagne à un foie gras, à un dessert ou à un plat sucré-salé. Il offre un côté suave, en harmonie avec des arômes de poire, de bonbon acidulé et de fruits secs. Sa rondeur est équilibrée par une belle acidité. ⧗ 2019-2021 **Rose Label ★ (30 à 50 €; n.c.)** : issue de dix années différentes, cette cuvée assemble 53 % de pinot noir, 32 % de chardonnay et 15 % de meunier. Saumon pâle, un rosé élégant aux arômes gourmands de fruits rouges et à la bouche acidulée et longue. ⧗ 2019-2022 **Black Label (30 à 50 €; n.c.)** : vin cité.

CHAMPAGNE LANSON, 66, rue de Courlancy, 51100 Reims, tél. 03 26 78 50 50, info@lanson.com r.-v.

GUY LARMANDIER Blanc de blancs Cramant ★

Gd cru | 28500 | | 20 à 30 €

Récoltants-manipulants depuis plusieurs générations, les Larmandier sont bien connus dans la Côte des Blancs. La marque a été lancée en 1961. Depuis le décès de Guy, Colette Larmandier, associée à ses enfants, Marie-Hélène et François, conduit le domaine : 9 ha à Vertus, Chouilly et Cramant. (RM)

Bien connu des lecteurs du Guide, ce blanc de blancs de haute origine est construit cette année sur la récolte 2015. Il associe finesse, fraîcheur et rondeur. Des qualités qui lui permettront de trouver sa place non seulement à l'apéritif, mais aussi sur des volailles et des poissons en sauce. ⧗ 2019-2023

CHAMPAGNE GUY LARMANDIER, 30, rue du Gal-Kœnig, Vertus, 51130 Blancs-Coteaux, tél. 03 26 52 12 41, guy.larmandier@wanadoo.fr r.-v.

GÉRARD LASSAIGNE Blanc de blancs ★

| 27105 | | 11 à 15 €

Gérard Lassaigne a créé en 1980 son domaine sur une butte crayeuse dominant à l'ouest la plaine troyenne : la colline de Montgueux. Le chardonnay y trouve un terrain favorable et bénéficie d'une très bonne réputation. Le vignoble couvre 4,5 ha. (RM)

Plutôt réservé au nez, ce blanc de blancs or pâle déploie en bouche des arômes flatteurs de fruits exotiques. Il séduit par sa fraîcheur et par sa longueur. ⧗ 2019-2022

CHAMPAGNE GÉRARD LASSAIGNE, 6, rue Valange, 10300 Montgueux, tél. 06 09 10 61 18, cedlas@free.fr r.-v.

CHAMPAGNE

PAUL LAURENT Cuvée du Fondateur

● | 48000 | | 15 à 20 €

Lorsque Gilbert Gruet et son épouse Danielle créent la maison Gruet en 1952, les coteaux du Sézannais, dans le sud-ouest de la Marne, ne portent que peu de ceps. Depuis, la viticulture s'est fortement développée dans ce secteur de Bethon, au sud de Sézanne. La société Gruet est devenue Champagne Paul Laurent en 1993. Tandis que deux enfants sont partis élaborer du sparkling dans l'Ouest américain, deux autres gèrent l'affaire. (NM)

Mariant 65 % de pinot noir, 16 % de meunier et 10 % de chardonnay, ce rosé tire sa teinte saumon pâle de l'apport de 9 % de vin rouge. Discret au nez, tout en finesse, il s'ouvre sur la pêche. L'abricot et une touche florale s'ajoutent à cette palette dans un palais acidulé, marqué en finale par une pointe d'amertume. ⧗ 2019-2022

CHAMPAGNE PAUL LAURENT,
4, rue des Pressoirs, 51260 Bethon, tél. 03 26 81 91 11, champagne.paul.laurent@wanadoo.fr V *r.-v.*

LAURENT-GABRIEL Grande Réserve ★

● 1er cru | 31000 | 15 à 20 €

Une marque créée par Daniel Laurent en 1982. Depuis 2007, Marie-Marjorie Laurent, sa fille, exploite les 3 ha du domaine répartis dans la Grande Vallée de la Marne et dans la Côte des Blancs. (RM)

Issue de pinot noir (75 %), complété par le meunier et le chardonnay, cette cuvée porte la marque des raisins noirs dans sa bouche intense, ronde et ample – sans la moindre lourdeur. Son expression allie les fruits frais et des notes plus évoluées, toastées et vanillées. Un champagne de repas. ⧗ 2019-2022

CHAMPAGNE LAURENT-GABRIEL,
2, rue des Remparts, 51160 Avenay-Val-d'Or, tél. 03 26 52 32 69, email@laurent-gabriel.com V *r.-v.*

LEBEAU-BATISTE Tradition ★

● | 11000 | | 15 à 20 €

Propriété familiale issue de l'alliance en 1981 de deux familles de récoltants, à la tête des Champagnes Pierre Batiste de Moussy et Robert Lebeau de Chavot-Courcourt. En 2009, Florent Lebeau reprend l'exploitation, qui compte 6 ha de vignes implantés sur les coteaux sud d'Épernay et dans la vallée de la Marne. Certifié Haute valeur environnementale, le domaine est en conversion bio. (RM)

Ce brut sans année met en avant les raisins noirs : meunier (45 %) et pinot noir (30 %). Il mêle au nez l'aubépine, les fruits jaunes, la noisette et la torréfaction. Alerte et persistant, il déploie en bouche des arômes de mirabelle confiturée et de fruits secs. Pour l'apéritif et le début du repas. ⧗ 2019-2022

CHAMPAGNE LEBEAU-BATISTE,
13 bis, rue du Gal-Leclerc, 51530 Chavot-Courcourt, tél. 03 26 55 39 14, lebeau.batiste@wanadoo.fr V *r.-v.*

NOËL LEBLOND-LENOIR Grande Réserve

● | 15000 | | 11 à 15 €

Les Leblond-Lenoir sont plusieurs à Buxeuil, village de la région de Bar-sur-Seine (Aube). Fils et petit-fils de vignerons, Noël y exploite depuis 1969 un vignoble de près de 14 ha; il est aujourd'hui secondé par ses filles Mélaine et Élise. (RM)

Construite sur la récolte 2015, cette cuvée met en œuvre du chardonnay et du pinot noir à parts égales. Si elle n'est pas des plus longues, elle séduit par sa fraîcheur et par sa palette aromatique mêlant l'aubépine, la pêche blanche, le citron, avec un côté miellé et une touche originale de genièvre. ⧗ 2019-2022 ● **Sublime de Frion (15 à 20 €; 2000 b.)** : vin cité.

NOËL LEBLOND-LENOIR,
3, rue de la Fontaine-Saint-Loup, 10110 Buxeuil, tél. 03 25 38 53 33, noel.leblond@wanadoo.fr V *r.-v.*

PAUL LEBRUN
Blanc de blancs Cuvée Prestige 2010 ★

● | 7500 | | 20 à 30 €

Établie au cœur de la Côte des Blancs, une famille dans la viticulture depuis plus de dix générations. Première marque en 1902. En 1931, Paul Lebrun lance son champagne. Aujourd'hui, ses petits-enfants Nathalie et Jean Vignier cultivent 16,3 ha de chardonnay autour de Cramant et dans le Sézannais. (RM)

Le chardonnay à l'origine de cette cuvée a été vinifié pour un tiers en fût. Ce séjour partiel dans le bois lui a légué une réelle complexité; aux côtés de l'orange sanguine, des notes d'élevage et d'évolution se bousculent au-dessus du verre : nuances beurrées et toastées, épices douces, chocolat blanc, café au lait, caramel au beurre salé... Généreuse avec élégance, la bouche, à l'unisson du nez, ne lésine pas sur les arômes de pâtisserie et d'amande. Destinée au repas, cette bouteille plaira aux amateurs de vieux champagnes. ⧗ 2019-2021 ● **Blanc de blancs Cuvée Prestige ★ (20 à 30 €; 11000 b.)** : construite sur la vendange 2011, cette cuvée fraîche et longue incorpore 20 % de vins vinifiés en fût. Sa palette s'enrichit de notes torréfiées. ⧗ 2019-2021

CHAMPAGNE PAUL LEBRUN,
65, rue Nestor-Gaunel, 51530 Cramant, tél. 03 26 57 54 88, champagne-vignier-lebrun@wanadoo.fr V *t.l.j. sf dim. 8h-12h 13h30-17h; f. août*

LE BRUN DE NEUVILLE
Blanc de Blancs Authentique ★

● | 14217 | | 30 à 50 €

Coopérative créée en 1963 par une vingtaine de producteurs des coteaux sud de Sézanne, alors peu plantés en vignes. La structure s'est développée au gré des plantations : aujourd'hui 150 ha, à dominante de chardonnay, pour 170 adhérents. Les cuvées restent au moins quatre ans en cave. (CM)

Authentique? Un blanc de blancs élevé quatre ans sur lies « à l'ancienne », sous bouchage liège, et dégorgé à la volée. Or pâle, il séduit par son nez mêlant la minéralité du silex, la fraîcheur du citron vert et du zeste d'agrumes et des notes plus évoluées de noisette. On retrouve cette alliance des agrumes et de nuances plus mûres (pomme compotée et fruits secs) dans une bouche structurée, crémeuse et longue, qui finit sur l'élégante amertume du zeste de pamplemousse. ⧗ 2019-2022 ● **Extra-brut Blanc de blancs 2012 ★ (30 à 50 €; 5334 b.)** : un nez délicat sur la fleur blanche et l'amande fraîche pour ce chardonnay à la fois étoffé et élégant, jeune, vif, fringant et long, qui laisse un sillage de zeste d'agrumes. Un représentant très réussi du beau millésime 2012. ⧗ 2019-2023

⊶ CHAMPAGNE LE BRUN DE NEUVILLE, rte de Chantemerle, 51260 Bethon, tél. 03 26 80 48 43, commercial@lebrundeneuville.fr V t.l.j. sf dim. 9h-12h 14h-18h

LE BRUN SERVENAY
Extra-brut Vieilles Vignes 2008 ★

Gd cru	6500		30 à 50 €

Patrick Le Brun, qui conduisait depuis 1996 le vignoble familial (près de 7 ha situés pour la majeure partie au cœur de la Côte des Blancs), l'a transmis en 2017 à son fils Gauthier, qui représente la cinquième génération sur le domaine. Les cuvées de la propriété ne font pas leur fermentation malolactique et sont faiblement dosées. (RM)

Vieilles vignes? L'adjectif n'est pas usurpé : elles sont âgées de près de quatre-vingts ans. Peu dosé (extra-brut), ce blanc de blancs est resté neuf ans en cave. D'une belle finesse, son nez mêle les agrumes et la vanille. On retrouve la vanille, alliée aux fruits secs et à la frangipane, dans une bouche équilibrée, de bonne longueur, qui laisse une impression de délicatesse. ⧗ 2019-2022

⊶ CHAMPAGNE LE BRUN SERVENAY, 14, pl. Léon-Bourgeois, 51190 Avize, tél. 03 26 57 52 75, contact@champagnelebrun.com V t.l.j. sf sam. dim. 9h30-12h30 14h-17h30; sam. matin sur r.-v.

DANIEL LECLERC ET FILS ★

	45000		11 à 15 €

Daniel Leclerc plante sa première vigne en 1975 à Polisot, au sud de Bar-sur-Seine, et se lance en 1990 dans l'élaboration du champagne, avec 2 ha. Ses enfants Alexandre et Raphaëlle le rejoignent en 1999 et prennent le relais en 2011; ils exploitent aujourd'hui 8 ha. (RM)

Ce brut sans année est un blanc de noirs de pur pinot noir, cépage roi de la Côte des Bar. Robe vieil or aux reflets roses, nez puissant, un rien poivré, entre fruits rouges, pivoine et cassis, bouche généreuse, ample et longue sur la cerise, la fraise écrasée, l'agrume confit et la pâte de fruits : le pinot ne se cache pas. Un champagne de repas. ⧗ 2019-2022

⊶ CHAMPAGNE DANIEL LECLERC, Maison-Rouge, 10110 Polisot, tél. 03 25 38 51 12, champagne.daniel.leclerc@orange.fr V r.-v.

LECLERC-MONDET Tradition ★★

	60000		11 à 15 €

Installés en 1952 à Trélou-sur-Marne sur la rive droite de la Marne, Henri Leclerc et son épouse Renée Mondet lancent leur première cuvée. Leur fils Christian reprend l'exploitation en 1976, disparaît en 1992; son épouse Jacqueline prend le relais, rejointe en 1998 par la troisième génération. Fabien, œnologue, est à la cave et son frère Cédric à la vigne. Le domaine couvre près de 10 ha. (RM)

Allié au pinot noir (25 %) et au chardonnay, le meunier (50 %) laisse son empreinte sur cette cuvée au nez bien ouvert et charmeur, fruité et légèrement miellé. Le petit fruit rouge un rien poivré s'épanouit dans un palais riche et rond avec élégance, stimulé par une belle fraîcheur qui étire la finale. L'harmonie même. ⧗ 2019-2022

⊶ CHAMPAGNE LECLERC-MONDET, 5, rue Beethoven, Chassins, 02850 Trélou-sur-Marne, tél. 03 23 70 23 39, leclerc-mondet@orange.fr V r.-v.

HERVÉ LECLÈRE Secret de millésime 2012 ★★

1er cru	2550		20 à 30 €

Installé en 1980 sur le domaine familial, Hervé Leclère cultive 4 ha à deux pas de la cité des Sacres, autour des villages d'Écueil, de Villers-aux-Nœuds, de Sermiers, 1ers crus, et de Verzenay, grand cru. (RC)

Issu de pinot noir et de chardonnay à parts égales, ce champagne ne montre aucune réticence à divulguer les secrets du beau millésime 2012, dévoilant des senteurs d'une réelle complexité : fleurs blanches, agrumes et silex, mêlés à des notes plus évoluées de fruits secs, de grillé et de coing. Ces arômes se lient au miel et à l'abricot sec dans un palais équilibré, frais et long. ⧗ 2019-2024

⊶ CHAMPAGNE HERVÉ LECLÈRE, 2, rue Saint-Vincent, 51500 Écueil, tél. 03 26 49 76 64, champagneherveleclere@orange.fr V r.-v.

ÉMILE LECLÈRE Cuvée du Bicentenaire

	8000		15 à 20 €

Situé à Mardeuil, village voisin d'Épernay, le domaine a son siège dans une imposante demeure, qui abritait au XVIIIes. une laiterie appartenant à l'abbaye d'Hautvillers. Émile Leclère l'a racheté en 1880. À la tête de 12 ha de vignes, son descendant Vincent Delouvin poursuit l'activité familiale depuis 1999. (RM)

Ce brut sans année met en avant le chardonnay (60 %), complété par le meunier (30 %) et par le pinot noir. Peu marqué par un séjour de six mois en foudre, il séduit par son fruité et par sa fraîcheur citronnée qui lui donne de l'allonge. ⧗ 2019-2022

⊶ ÉMILE LECLÈRE, 15, rue Victor-Hugo, 51530 Mardeuil, tél. 03 26 55 24 45, info@champagne-leclere.com V t.l.j. 9h-12h 13h30-17h30; sam. sur r.-v.

FRANÇOIS LECOMPTE Cuvée Blanc de blancs ★

1er cru	600		20 à 30 €

François Lecompte conduit depuis 1999 le domaine créé par ses ancêtres en 1876. Son vignoble s'étend sur plus de 9 ha autour de Rilly-la-Montagne, village proche de Reims. (RM)

Le chardonnay à l'origine de cette microcuvée a fermenté avec des levures indigènes en fûts de chêne où il est resté dix mois. Ce séjour dans le bois semble n'avoir guère marqué le vin qui a intéressé nos dégustateurs par ses arômes intenses et frais d'agrumes et par sa persistance. ⧗ 2019-2022 ● **1er cru (15 à 20 €; 7000 b.)** : vin cité.

⊶ CHAMPAGNE FRANÇOIS LECOMPTE, 9, rue Carnot, 51500 Rilly-la-Montagne, tél. 03 26 49 47 30, champagnelecompte@orange.fr V r.-v.

CHAMPAGNE

XAVIER LECONTE Signature du hameau ★★

| 16 670 | | 15 à 20 € |

À la suite de quatre générations de viticulteurs, Xavier Leconte exploite un vignoble sur la rive gauche de la Marne. Il est le premier de la lignée à vinifier : coopérateur lors de son installation en 1978, il est devenu récoltant-manipulant dans les années 1980 et a passé la main en 2013 à son fils Alexis, œnologue. Le domaine couvre 10 ha. (RM)

Reflétant l'encépagement du domaine, l'assemblage donne le premier rôle au meunier (80 %), avec un appoint de pinot noir et un soupçon de chardonnay. Une partie des vins fermente en fût et les vins de réserve sont conservés en foudre. Le vin tire de cette vinification des arômes de brioche, d'épices douces et de réglisse; il hérite du cépage principal un plaisant fruité compoté et confit, de l'étoffe, de l'ampleur et de la longueur. ⌛ 2019-2022 **L'Héritage de Xavier ★ (20 à 30 €; 14 580 b.)** : un blanc de noirs à dominante de pinot noir (70 %), partiellement vinifié en fût, flatteur par son expression complexe, florale et fruitée (pomme, poire, quetsche) et par sa finale longue et fraîche, sur les agrumes. ⌛ 2019-2022 **Cœur d'histoire (15 à 20 €; 10 519 b.)** : vin cité.

CHAMPAGNE XAVIER LECONTE, 7, rue des Berceaux, 51700 Troissy, tél. 03 26 52 73 59, contact@champagne-xavier-leconte.com r.-v.

FABRICE LECOURT Brut nature O de cépages ★

| 2000 | | 15 à 20 € |

L'un comme l'autre héritiers de trois générations de vignerons, Véronique et Fabrice Lecourt ont créé leur domaine en 1985, après leur mariage. Ils sont établis dans un petit village proche d'Hautvillers et conduisent 5,7 ha dans la vallée de la Marne. (RM)

Une robe or rose animée d'un fin cordon de bulles. Un nez plutôt vif, prélude à une bouche très fraîche et tout en fruits. « Très fruité, probablement une majorité de meunier », écrit un dégustateur. Bien vu, ce cépage compose 60 % de l'assemblage, complété par le pinot noir et par le chardonnay à parité. Laissant une impression de délicatesse, ce champagne non dosé a toutefois assez d'étoffe pour accompagner viandes blanches ou poissons cuisinés. ⌛ 2019-2023

CHAMPAGNE FABRICE LECOURT, 8, rue des Gouttes-d'Or, 51480 Cormoyeux, tél. 03 26 58 63 49, lecourt.fabrice@wanadoo.fr r.-v.

LE GALLAIS Brut nature Cuvée des Cèdres ★★

| 6000 | | 20 à 30 € |

1927 : l'arrière-grand-père de l'actuel récoltant achète des terres du célèbre château de Boursault, sur la rive gauche de la Marne. 1998 : Hervé Le Gallais commercialise ses premiers champagnes. En 2010, il transmet à sa fille Charlotte un petit vignoble de 4 ha, clos de murs. (RM)

Aucun sucre n'a été ajouté en fin de vinification (brut nature) dans cette cuvée qui met en avant les raisins noirs (90 %, pinot noir et meunier à parité). Le nez s'ouvre avec finesse sur les fleurs blanches, puis s'oriente vers les fruits jaunes compotés et la brioche. On retrouve cette expression à la fois fraîche et évoluée dans une bouche puissante, incisive et longue. ⌛ 2019-2022 **Cuvée du Manoir (20 à 30 €; 15 000 b.)** : vin cité.

CHAMPAGNE LE GALLAIS, 2, rue Maurice-Gilbert, 51480 Boursault, tél. 06 25 01 73 69, clg@champagnelegallais.com t.l.j. sf mer. dim. 10h-18h

LEGOUGE-COPIN Inspirations 2013

| 1500 | | 20 à 30 € |

Viticulteur comme les générations qui l'ont précédé, Serge Copin crée sa marque en 1962. Sa fille aînée, Jocelyne, épouse de Jean-Marie Legouge, reprend l'exploitation en 1992. À la tête d'un domaine de 5 ha dans la vallée de la Marne et l'Aube, ils sont coopérateurs. (RC)

Moins coté que le 2012, le millésime 2013, tardif et frais, a plutôt favorisé le chardonnay. Complété par le pinot noir, ce cépage représente 60 % de l'assemblage de cette cuvée or pâle au nez floral, fruité et brioché. On retrouve la brioche, alliée aux fruits blancs, dans un palais étoffé, frais et long, marqué en finale par une pointe d'amertume. ⌛ 2019-2023

CHAMPAGNE LEGOUGE-COPIN, 6, rue de l'Abbé-Bernard, 51700 Verneuil, tél. 03 26 52 96 89, boutique@champagne-legouge-copin.fr r.-v.

ÉRIC LEGRAND Réserve ★★

| 40 000 | | 11 à 15 € |

Rejoint par son fils Édouard en 2014, Éric Legrand cultive depuis 1982 la propriété familiale qui couvre 13 ha dans les vallées de l'Ource et de la Seine (Aube). En 2017, après quatre ans passés en Chine, son second fils, Valentin, est revenu sur l'exploitation pour développer l'export. Deux étiquettes : Éric Legrand et Legrand Frères. (RM)

Régulière en qualité, cette cuvée issue de pinot noir majoritaire (80 %, avec le chardonnay en appoint) a particulièrement séduit cette année. « Un très bel assemblage », concluent nos dégustateurs. Il a été réalisé avec des sommeliers confirmés, nous dit le vigneron. Salué pour son nez frais, intense et élégant, minéral et légèrement beurré, ce brut recueille autant d'éloges pour son palais gourmand, bien construit, vif et long, dont les arômes d'agrumes et de fruits blancs prennent en finale des tons d'abricot. ⌛ 2019-2022

CHAMPAGNE ÉRIC LEGRAND, 39, Grande-Rue, 10110 Celles-sur-Ource, tél. 03 25 38 55 07, champagne.legrand@wanadoo.fr t.l.j. 9h-12h 14h-18h; f. en août

PASCAL LEJEUNE Réserve

| 1er cru | 2000 | | 20 à 30 € |

Héritiers de trois générations de récoltants, Pascal et Sandrine Lejeune s'installent en 1995 comme récoltants-coopérateurs et lancent leur marque. En 2015, leur fils Thibaut les a rejoints. La famille met en valeur 4,5 ha de vignes implantés sur les coteaux sud d'Épernay. Propriété certifiée Haute valeur environnementale. (RC)

Chardonnay et meunier contribuent à parité à ce brut au nez charmeur, partagé entre fruits cuits, beurre et brioche. Des arômes que l'on retrouve dans un palais équilibré et frais, de bonne longueur. ⧗ 2019-2022

CHAMPAGNE PASCAL LEJEUNE, 12, rue Jean-Jaurès, 51530 Moussy, tél. 03 26 51 85 07, pascal.lejeune3@orange.fr V r.-v.

LEJEUNE PÈRE ET FILS Grande Réserve

1er cru | 6000 | | 15 à 20 €

Héritier d'une lignée vigneronne remontant au XVIIes., Luc Lejeune s'est installé en 1980 sur le domaine familial. Rejoint par ses deux fils Arnaud et Brice, il exploite 6 ha de vignes en 35 parcelles situées dans la Montagne de Reims à Villers-Marmery, 1er cru, à Verzy et Ambonnay, grands crus. (RM)

Ce brut sans année doit tout au chardonnay. Les fiches de dégustation décrivent un vin certes discret mais élégant et frais, aux arômes de citron et de pamplemousse : tout le portrait du blanc de blancs. ⧗ 2019-2022

CHAMPAGNE LEJEUNE PÈRE ET FILS, 67, av. de Champagne, 51380 Villers-Marmery, tél. 03 26 97 93 98, champagne.lejeunepf@orange.fr V *t.l.j. sf dim. 9h-12h 13h30-18h30; f. mi-août*

FERNAND LEMAIRE

1er cru | 4000 | | 15 à 20 €

Fernand Lemaire devient vigneron en 1903 à Hautvillers, berceau du champagne où officia dom Pérignon. Après Robert, Frédéric lui a succédé en 1984, en attendant Hélène. L'exploitation couvre 6,5 ha. (RM)

Le chardonnay (95 %) règne presque sans partage dans ce rosé ! Il a suffi d'un apport de 5 % de pinot noir vinifié en rouge pour donner à sa robe une nuance églantine, saumon pastel, et pour lui léguer des arômes de fraise et d'autres petits fruits rouges frais. Rond et ample, légèrement amer en finale, ce champagne possède aussi un côté incisif sans doute hérité des raisins blancs. ⧗ 2019-2022

CHAMPAGNE FERNAND LEMAIRE, 88, rue des Buttes, 51160 Hautvillers, tél. 03 26 59 40 44, champagne-lemaire@wanadoo.fr V r.-v.

♥ PATRICE LEMAIRE
Blanc de blancs Élevé en fût de chêne ★★

| 4000 | | 20 à 30 €

Louis Lemaire élabore les premiers champagnes dans les années 1920, avant d'être relayé par Claude en 1950. Patrice, installé en 1987 sur ce domaine situé rive gauche de la Marne est secondé par son fils Aurélien. Il commercialise ses bouteilles sous son nom ou sous celui de son père. Propriété certifiée Haute valeur environnementale. (RM)

Le chardonnay à l'origine de ce blanc de blancs a été vinifié et élevé sept mois en fût avec bâtonnage. Or pâle, le champagne a tiré de ce séjour dans le bois une rare complexité : le fruit blanc mûr s'allie à de belles notes d'évolution évoquant la pâtisserie et à un boisé subtil et bien fondu. Cette cuvée enchante aussi par son harmonie en bouche, liée à une juste acidité, à un dosage maîtrisé et à une longue finale teintée d'une noble amertume. Un blanc de blancs élégant et profond, qui pourra accompagner un repas. ⧗ 2019-2022 **2011 ★ (15 à 20 €; 2500 b.)** : un blanc de blancs d'une grande fraîcheur pour le millésime. Son expression aromatique séduisante mêle des notes florales, minérales et mentholées à des nuances plus mûres (pêche, abricot, coing et grillé). ⧗ 2019-2022 **Claude Lemaire Blanc de noirs Fût de chêne (15 à 20 €; 3000 b.)** : vin cité.

PATRICE LEMAIRE, 9, rue Croix-Saint-Jean, 51480 Boursault, tél. 06 72 45 93 14, champagne.lemaire@wanadoo.fr V r.-v.

MICHEL LENIQUE Les Trois Cépages ★

| 18000 | | 15 à 20 €

Un Alexandre Lenique, fils d'un chef de cave, fonde le domaine en 1768. Michel Lenique lance son champagne en 1960. Il travaille aujourd'hui avec son fils Alexandre et sa fille Corinne. La maison a son siège à Pierry, premier village viticole au sud d'Épernay, et le vignoble couvre 6,5 ha sur la Côte des Blancs et dans la vallée de la Marne. (NM)

Les trois cépages champenois – chardonnay, pinot noir et meunier – s'allient avec bonheur dans cette cuvée mi-noirs mi-blancs. «Élégance et caractère», ces deux mots reviennent sur toutes les fiches pour qualifier ce brut fruité et légèrement grillé, crémeux, riche et frais. ⧗ 2019-2021 **Noirs de réserve ★ (15 à 20 €; 5000 b.)** : un blanc de noirs (meunier et pinot noir à parité) délicatement floral et brioché, élégant, bien dosé et frais. ⧗ 2019-2021

CHAMPAGNE MICHEL LENIQUE, 20, rue du Gal-de-Gaulle, 51530 Pierry, tél. 03 26 54 03 65, salenique@wanadoo.fr V r.-v.

LAURENT LEQUART
Blanc de noirs Parfait de meunier ★★

| 4000 | | 20 à 30 €

Domaine transmis depuis quatre générations à Passy-Grigny, aux confins de la Marne et de l'Aisne. Installé en 1988, Laurent Lequart met en valeur plus de 11 ha et chérit le meunier, cépage très cultivé dans le secteur. Il confie sa récolte à la coopérative de son village. (RC)

Une partie des vins de meunier composant cette cuvée ont été vinifiés sans fermentation malolactique, ce qui a pour effet de préserver la fraîcheur des cuvées. Est-ce ce mode d'élaboration qui a donné son caractère à ce Parfait de meunier ? Toujours est-il que ce champagne ne montre nullement la lourdeur de certains blancs de noirs, exprimant avec finesse les petits fruits des bois teintés de menthe et dévoilant un palais vif, long et poivré. «Un champagne d'esprit.» ⧗ 2019-2023

CHAMPAGNE LAURENT LEQUART, 17, rue Bruslard, 51700 Passy-Grigny, tél. 03 26 58 97 48, l.lequart@champagnelaurentlequart.fr V r.-v.

LEQUEUX-MERCIER Réserve ★

| | 6000 | | | 15 à 20 € |

En aval de Dormans, le coteau de Passy-sur-Marne domine les premiers méandres de la rivière à son entrée dans le département de l'Aisne. Rémy Lequeux représente la quatrième génération sur le domaine familial qui couvre 7 ha. (RM)

Ce brut Réserve doit tout au chardonnay, récolté en 2013. Un blanc de blancs bien typé par sa robe or pâle aux reflet verts et par son profil minéral, net et frais. 2019-2022

CHAMPAGNE LEQUEUX-MERCIER, 13, rue de Champagne, 02850 Passy-sur-Marne, tél. 03 23 70 35 32, info@champagnelequeuxmercier.fr V r.-v.

LEQUIEN ET FILS Cuvée Tradition ★

| | n.c. | | | 11 à 15 € |

Philippe Lequien reprend en 1995 l'exploitation familiale, installe des pressoirs et quitte la coopérative. Il met en valeur 4 ha à Chavot-Courcourt, village des coteaux sud d'Épernay, célèbre pour son église romane au milieu des vignes. (RM)

Les raisins noirs (meunier 40 %, pinot noir 10 %) font jeu égal avec le chardonnay dans ce brut au nez frais, qui s'ouvre sur d'élégantes senteurs florales. On retrouve ce côté floral et cette finesse dans un palais de belle tenue, riche et frais, à la finale acidulée et longue. Pour l'apéritif comme pour la table. 2019-2022

CHAMPAGNE LEQUIEN ET FILS, 1, rue d'Ilbesheim, 51530 Chavot-Courcourt, tél. 03 26 54 95 84, champagnelequienetfils@orange.fr V r.-v.

LERICHE-TOURNANT Prestige

| | 10000 | | | 15 à 20 € |

Fondé en 1967 par une famille de vieille souche vigneronne, ce domaine s'étend sur 6 ha, couvrant les coteaux argilo-calcaires de la vallée de la Marne. En 2007, Isabelle Moulun-Leriche a repris avec son mari Benjamin l'exploitation créée par ses parents. Le couple a aménagé une nouvelle cuverie. (RM)

Dans cette version de la cuvée Prestige, le chardonnay (45 %) fait presque jeu égal avec le pinot noir. Vinifié sans fermentation malolactique, c'est un brut très frais, floral et citronné, de belle longueur, aux arômes d'agrumes légèrement épicés. Apéritif, poissons, crustacés... Il fera le même usage qu'un blanc de blancs. 2019-2022 **Tradition (11 à 15 €; 25000 b.)** : vin cité.

CHAMPAGNE LERICHE-TOURNANT, 8, rue Gamache, 51700 Vandières, tél. 06 83 29 50 84, champagne.leriche-tournant@orange.fr V r.-v.

LHEUREUX PLÉKHOFF 2008

| 1er cru | 8000 | | 20 à 30 € |

Née en 2002 de l'union de Georges Lheureux et de Stéphanie Plékhoff, cette maison a son siège à Mutigny, près d'Épernay, et s'appuie sur un vignoble en propre de 14 ha. (NM)

Le pinot noir (65 %) s'allie au chardonnay dans ce beau brut millésimé aux parfums de petits fruits rouges macérés, framboise en tête. Puissant, franc, équilibré, le palais, à l'unisson du nez, déploie des arômes persistants de fruits confits. 2019-2022

CHAMPAGNE LHEUREUX PLÉKHOFF, manoir de Montflambert, rte de Montflambert, 51160 Mutigny, tél. 03 26 52 33 21, contact@manoirdemontflambert.fr V r.-v. 5

LIÉBART-RÉGNIER
Chardonnay Blancs de Blanche ★

| | 5000 | | | 20 à 30 € |

Installé en 1987 sur la propriété familiale, Laurent Liébart exploite avec Valérie et leur fille Alexandra 10 ha de vignes autour des deux villages d'origine de ses parents : Baslieux-sous-Châtillon et Vauciennes, sur les deux rives de la Marne. Domaine certifié Haute valeur environnementale. (RM)

Blancs de Blanche ? La parcelle à l'origine de cette cuvée est située à Vauciennes, au pied de la tour de guet de Blanche de Castille. Blague à part, ce blanc de blancs à l'effervescence vive est de très belle facture. Expressif et fin au nez, il mêle les agrumes, les fruits blancs, la viennoiserie et des touches grillées. Les fleurs séchées et l'écorce de pamplemousse viennent compléter cette palette dans un palais tout en fraîcheur, à la finale persistante et saline. 2019-2022

CHAMPAGNE LIÉBART-RÉGNIER, 6, rue Saint-Vincent, 51700 Baslieux-sous-Châtillon, tél. 03 26 58 11 60, liebart-regnier@orange.fr V r.-v. B

GÉRARD LITTIÈRE Cuvée Prestige ★★

| | 6100 | | | 15 à 20 € |

Geoffray Littière a pris en 2006 la suite de son père Gérard à la tête du domaine familial, constitué par son grand-père dans les années 1950. Le vignoble couvre 5 ha autour d'Œuilly, village situé sur la rive gauche de la Marne. (RM)

Issu de chardonnay majoritaire (60 %), complété par le pinot noir et le meunier, ce brut or vert à la bulle fine et persistante présente un nez charmeur, à la fois riche et subtil, alliant des notes pâtissières, briochées et vanillées à des senteurs de fruits rouges compotés ou confits. De belle longueur, la bouche reste sur cette ligne gourmande, avec ses arômes de kouglof, de prune et de fruits rouges. Pour l'apéritif comme pour la table. 2019-2022 **Chardonnay 2012 ★ (20 à 30 €; 1560 b.)** : or intense, un blanc de blancs mûr et complexe, aux arômes intenses de fruits jaunes, de fruits exotiques, de noisette et d'épices. Généreux, ample et persistant, il accompagnera un repas. 2019-2022

CHAMPAGNE GÉRARD LITTIÈRE, 1, rue du Palais, 51480 Œuilly, tél. 03 26 58 31 76, littiere.gerard@wanadoo.fr V r.-v.

MICHEL LITTIÈRE Chorus ★★

| | 1200 | | | 20 à 30 € |

Marie-Hélène Chaumont a rejoint son père Michel Littière en 1991 avant de prendre en 2004 les rênes de l'exploitation familiale, qui couvre plus de 5 ha sur la rive gauche de la vallée de la Marne. (RM)

Panier d'agrumes, cette cuvée intense et longue est le reflet du savoir-faire de plusieurs générations. Elle assemble chardonnay et pinot noir à parts égales (41 %), avec 8 % de meunier en complément. Avec ses arômes d'orange et de zeste soulignés par une belle vivacité, elle fera merveille à l'apéritif comme avec des produits de la mer, ou encore avec des viandes blanches. ⧗ 2019-2022

⊶ MICHEL LITTIÈRE,
15, rue Saint-Vincent, 51480 Œuilly, tél. 03 26 58 30 25, champagne-michel-littiere@orange.fr V 🚶 ▪ *r.-v.*

CHARLES-LOUIS DES LIVRY
Cuvée Blanc de noirs ★

Gd cru	2000		20 à 30 €

Ludovic Hatté a repris en 1979 le vignoble familial constitué au début du siècle dernier : 10,5 ha dans quatre grands crus de la Montagne de Reims dédiés au pinot noir, ainsi que des parcelles de meunier dans la vallée de l'Ardre. (RM)

Nommée en hommage à un aïeul, une cuvée issue de pinot noir de Verzenay et restée quatre ans en cave. Avec sa robe dorée traversée de reflets roses, son nez puissant, évolué, aux nuances de fruits blancs, de fruits confits et de kirsch, son palais vineux, charnu et gras, dont l'ampleur est soulignée par un dosage plutôt généreux, elle offre les caractères d'un blanc de noirs dans sa plénitude. Un champagne de repas. ⧗ 2019-2022 ● **Ludovic Hatté Grande Réserve (15 à 20 €; 5000 b.)** : vin cité.

⊶ CHAMPAGNE LUDOVIC HATTÉ,
3, rue Thiers, 51360 Verzenay, tél. 03 26 49 43 94, champagneludovichatte@orange.fr V 🚶 ▪ *r.-v.*

LOCRET-LACHAUD Cuvée spéciale

● 1er cru	12218		15 à 20 €

La famille cultivait déjà la vigne en 1750 à Hautvillers, le village où officia dom Pérignon. En 1920, Gaston Locret se lance dans l'élaboration de ses champagnes. Après Jean-Émile et Philippe, Charlotte Locret a pris en 2016 les rênes de l'exploitation, qui compte 10 ha. (RM)

Chardonnay (42 %), meunier (34 %) et pinot noir, les trois cépages champenois contribuent à ce rosé d'assemblage à la robe tuilée et aux arômes frais de petits fruits rouges, fraise en tête. Sa vivacité tonique conviendra à l'apéritif et à certains poissons et crustacés. ⧗ 2019-2022

⊶ CHAMPAGNE LOCRET-LACHAUD,
40, rue Saint-Vincent, 51160 Hautvillers, tél. 03 26 59 40 20, champagne.locret.lachaud@wanadoo.fr V ▪ *t.l.j. 10h-12h 14h-17h; dim. sur r.-v.*

LOMBARD Brut nature ★

Gd cru	n.c.		30 à 50 €

Née en 1925, cette maison de négoce familiale a connu une belle croissance dans les années 1960 avec Philippe Lombard. Elle poursuit son développement depuis 1980 avec Thierry Lombard, petit-fils du fondateur. Sa spécialité : les 1ers crus et les grands crus, élevés au moins quatre ans en cave, aux dosages faibles. (NM)

Un vieillissement de cinq ans en cave et une vinification savante pour cette cuvée non dosée (brut nature), mariant à parité chardonnay et pinots noirs de haute origine. Les raisins blancs sont élevés en cuve sans fermentation malolactique et les pinots noirs connaissent le bois. Il en résulte un champagne élégant, acidulé et frais, à la finale tendue et minérale, mêlant fleurs blanches, beurre, agrumes et coing. ⧗ 2019-2022 ● **Brut Référence ★ (20 à 30 €; 200000 b.)** : pinot noir, meunier (40 % chacun) et chardonnay contribuent à ce brut harmonieux et structuré, à la fois rond et vif, aux arômes d'agrumes, de fruits confits, de beurre, de pâtisserie et de pain toasté. ⧗ 2019-2022

⊶ CHAMPAGNE LOMBARD,
1, rue des Cotelles, 51200 Épernay, tél. 03 26 59 57 40, thl@champagne-lombard.com

BERNARD LONCLAS
Blanc de blancs Grand Brut ★★

	12000		15 à 20 €

Bernard Lonclas a planté ses premiers ceps en 1974 dans le jeune vignoble de Vitry-le-François, à l'est du département de la Marne, et lancé sa marque en 1976. Avec sa fille Aurélie, qui l'a rejoint en 2002, il exploite 10 ha de vignes, essentiellement du chardonnay. (NM)

« Un grand cru ? », s'interroge un dégustateur. « Digne d'un millésime », conclut un autre. Un coup de cœur a même été proposé. En fait, ce blanc de blancs provient des confins orientaux de l'appellation, plantés dans les années 1970. Nos dégustateurs ont été enchantés par sa palette expressive et intense, mêlant agrumes (citron, pamplemousse), fleurs blanches, herbe fraîche et sous-bois; ils louent aussi son palais profond, conjuguant richesse et finesse, où les agrumes se teintent d'une touche de violette. ⧗ 2019-2023

⊶ BERNARD LONCLAS,
chem. de Travent, 51300 Bassuet, tél. 03 26 73 98 20, contact@champagne-lonclas.com V 🚶 ▪ *t.l.j. sf dim. 9h-12h30 14h-19h*

JACQUES LORENT Grande Réserve ★

	175000		15 à 20 €

Fondée en 1955, la coopérative de Mardeuil vinifie 85 ha, principalement situés sur les coteaux proches d'Épernay. Elle apparaît avec régularité dans les sélections du Guide, sous différentes marques : Beaumont des Crayères, Comte Stanislas, Charles Leprince, Jacques Lorent. (CM)

Issu des trois cépages champenois, meunier en tête (55 %, chardonnay 30 %, le solde en pinot noir), ce brut séduit par son nez intense, floral et fruité, bien prolongé par une bouche puissante, aromatique et fraîche, de belle longueur. Agréable à l'apéritif, il pourra aussi accompagner un repas. ⧗ 2019-2023 ● **★ (20 à 30 €; 20000 b.)** : mariant pinot noir (60 %), chardonnay (30 %) et meunier, un rosé à la robe tuilée, puissant, élégant et long, minéral et frais, aux arômes gourmands de fruits jaunes rôtis, de pomme et de fruits rouges. ⧗ 2019-2021

⊶ SCV CHAMPAGNE BEAUMONT DES CRAYÈRES,
64, rue de la Liberté, 51530 Mardeuil, tél. 03 26 55 29 40, contact@champagne-beaumont.com V ▪ *t.l.j. sf sam. dim. 8h30-12h 13h30-17h*

GÉRARD LORIOT Sélection ★

● | 12800 | 🍾 | 11 à 15 €

Issu d'une lignée vigneronne remontant à plus de quatre générations, Gérard Loriot s'est installé en 1981 et a porté le vignoble familial à 7,5 ha, répartis sur cinquante-deux parcelles dans la vallée de la Marne. En 2009, Florent Loriot, son fils, l'a rejoint. Le domaine s'est équipé d'une nouvelle cuverie en 2014. (RM)

Le chardonnay (55 %) fait pratiquement jeu égal avec le meunier dans cette cuvée souvent appréciée par nos dégustateurs. Cette version est composée à 66 % de la vendange 2015 et à 34 % de la récolte 2014. Discrète au nez mais complexe, fraîche et précise, elle mêle l'aubépine, les fruits blancs et les petits fruits. La bouche suit la même ligne, très florale et fruitée, tonique et longue. ⧗ 2019-2022

CHAMPAGNE GÉRARD LORIOT, 10, rue Saint-Vincent, Le Mesnil-le-Huttier, 51700 Festigny, tél. 03 26 58 35 32, champagne-gerard.loriot@wanadoo.fr V t.l.j. *8h-12h15 13h30-18h; f. 15-31 août*

MICHEL LORIOT Brut nature Apollonis Palmyre ★★

● | 3500 | 🍾 | 30 à 50 €

Des ancêtres de Michel Loriot cultivaient la vigne en 1675, du vivant de dom Pérignon. En 1903, les arrière-grands-parents Palmyre et Léopold ont été les premiers vignerons à installer leur pressoir au village de Festigny. Premières bouteilles en 1931, installation de Michel en 1977, rejoint en 2008 par sa fille Marie, œnologue, et par son gendre. Certifiée Haute valeur environnementale, l'exploitation compte 7 ha dans la vallée de la Marne. (RM)

Vigneron mélomane, Michel Loriot fait vieillir cette cuvée en musique. La contre-étiquette évoque aussi des «perceptions vibratoires». Une allusion à la technique de la génodique utilisée dans ses parcelles : un boîtier diffuse soir et matin une «musique», des ondes conçues pour stimuler les défenses naturelles de la vigne. À Festigny, la vigne, c'est surtout du meunier. Complété par le chardonnay, ce cépage représente 70 % de cette cuvée non dosée. Cette Palmyre a envoyé de bonnes ondes aux papilles de nos dégustateurs. On loue sa gamme aromatique qui joue sur les fleurs blanches, les fruits jaunes ou exotiques, le miel et les épices, puis son acidité vibrante, son équilibre et sa finale longue et épicée. L'harmonie même. ⧗ 2019-2023

CHAMPAGNE MICHEL LORIOT, 13, rue de Bel-Air, 51700 Festigny, tél. 03 26 58 34 01, contact@champagneapollonis.com V *r.-v.*

XAVIER LORIOT Insaisissable

● | 10000 | 🍾 | 20 à 30 €

Installé en 1981, Xavier Loriot représente la quatrième génération de vignerons sur l'exploitation, fondée en 1891. Il a depuis 2000 l'appui de sa fille Charlène qui se charge des vinifications et, avec Théo, la sixième génération se prépare à rejoindre la propriété. Le domaine compte 10,5 ha de vignes répartis dans trois villages de la rive droite de la Marne. (RM)

Dans ce secteur de la vallée de la Marne, le meunier est roi; le chardonnay, qui fait figure d'oiseau rare, est le péché mignon de Charlène Loriot, qui a proposé un blanc de blancs de bonne tenue. Discret au premier nez, ce brut s'ouvre sur des arômes de fruits exotiques, que l'on retrouve dans une bouche charnue et ronde, de belle longueur. ⧗ 2019-2022

CHAMPAGNE XAVIER LORIOT, 38, rue du Lubre, 51700 Binson-et-Orquigny, tél. 03 26 58 08 28, contact@champagneloriot.fr V *t.l.j. sf dim. 9h-12h 14h-17h*

JOSEPH LORIOT-PAGEL Cuvée de réserve 2010 ★

● | 5000 | 🍾 | 20 à 30 €

Son arrière-grand-père fut l'un des premiers Champenois à greffer son vignoble après le phylloxéra et à installer un pressoir dès 1910. En 1980, Joseph Loriot lance sa marque après son union avec Odile Pagel, fille d'un vigneron d'Avize. Son fils Jean-Philippe les a rejoints en 2006 sur la propriété : 9 ha dans la vallée de la Marne et sur la Côte des Blancs. (RM)

Composé de 40 % de meunier, de 30 % de pinot noir et d'autant de chardonnay, ce brut millésimé est resté plus de sept ans en bouteilles avant d'être dégorgé, en septembre 2018. Sa robe pâle est traversée d'une bulle fine et persistante. Son nez puissant mêle les fleurs blanches à des notes de torréfaction rappelant le café. Sa bouche séduit par sa finesse, son onctuosité et par ses arômes persistants de noix de cajou et de brioche beurrée. ⧗ 2019-2023

CHAMPAGNE JOSEPH LORIOT-PAGEL, 40, rue de la République, 51700 Festigny, tél. 03 26 58 33 53, contact@champagneloriotpagel.fr V *r.-v.*

LOUIS-BARTHÉLÉMY Saphir 2010

● | 50000 | 🍾 | 20 à 30 €

Fondée en 1923 par une princesse russe, la maison Louis Barthélémy est depuis 2002 la propriété de Jean Barthélémy Chancel, qui a œuvré pendant dix ans à l'élaboration des vins du Ch. Val Joanis dans le Luberon, longtemps propriété de sa famille. Installée à Aÿ au cœur du vignoble champenois, la maison s'approvisionne sur une large palette de crus. (NM)

Un brut millésimé issu de chardonnay très majoritaire (90 %), complété par du pinot noir. Après de longues années de repos en bouteilles, il affiche une robe dorée et déploie à l'aération des arômes complexes : citron confit, abricot sec, noisette, touche de silex. Puissant en bouche, de bonne longueur, il conjugue un beau volume et une grande droiture, soulignée par un côté crayeux et par des notes acidulées de zeste d'agrumes. ⧗ 2019-2024

LOUIS-BARTHÉLÉMY, 6, rue Jules-Lobet, 51160 Aÿ, tél. 03 10 15 15 49, info@louis-barthelemy.com

YVES LOUVET Réserve de Théophile ★

● 1er cru | 10000 | 🍾 | 15 à 20 €

Une lignée de vignerons qui remonte au XIXe s. Installé sur le flanc sud-est de la Montagne de Reims, Frédéric Louvet a succédé en 2004 à son père Yves. Il exploite 12 ha dans quatre villages des environs (dont les grands crus de noirs Bouzy et Louvois), ainsi que dans la Côte des Blancs. (RM)

Nommée en hommage à un aïeul, cette cuvée privilégie le pinot noir (75 %), complété par le chardonnay. On l'apprécie pour son nez précis, frais et floral, un brin réglissé, et pour son palais étoffé et persistant, au dosage juste, où la fleur blanche s'allie à des notes minérales, anisées et mentholées qui laissent une impression de fraîcheur. ⧗ 2019-2022 ● **1er cru Millésime d'Anaïse 2011 ★ (15 à 20 €; 2000 b.)** : une belle tenue pour ce brut millésimé, issu de pinot noir majoritaire (75 %) et de chardonnay. Sa robe dorée, ses notes biscuitées et miellées, ses arômes de fruits secs traduisent son évolution. ⧗ 2019-2022

CHAMPAGNE YVES LOUVET, 21, rue du Poncet, 51150 Tauxières, tél. 03 26 57 03 27, yves.louvet@orange.fr r.-v.

DE LOZEY 2008 ★

●	2579		20 à 30 €

Quatre générations de Cheurlin se sont succédé depuis qu'Edmond a acheté et planté les premières parcelles à la fin du XIXes. Après lui, Raymond (premiers champagnes), Daniel et Philippe. Ce dernier lance la marque De Lozey dans les années 1980. La maison possède 12 ha de vignes en propre dans la Côte des Bar (Aube). (NM)

Une expression aromatique complexe, entre fleurs blanches, fruits secs et réglisse; une bouche généreuse et gourmande, servie par un dosage mesuré : le séduisant reflet d'un millésime coté. ⧗ 2019-2023 ● **Tradition ★ (20 à 30 €; 35000 b.)** : du pinot noir majoritaire et du chardonnay pour ce brut resté trois ans en cave. Un champagne tout en finesse, frais et net, aux arômes de fleurs blanches, de pêche et d'abricot. ⧗ 2019-2021 ● **Rosé de saignée (20 à 30 €; 58000 b.)** : vin cité.

CHAMPAGNE DE LOZEY, 72, Grande-Rue, BP 14, 10110 Celles-sur-Ource, tél. 03 25 38 51 34, philippe@delozey.com r.-v.

LUTUN Invitation ★

●	2000		15 à 20 €

Au XVIIIes., on cultivait la vigne à Courtagnon, minuscule village niché près des sources de l'Ardre, dans la Montagne de Reims. En 1952, Fernand Lutun y achète des terres, y reconstitue un vignoble (6 ha aujourd'hui). Toujours la seule récoltante de la commune, sa petite-fille Aude, ingénieur agricole comme son mari Vincent, l'a repris en 2000. Elle confie sa récolte à la coopérative de Sermiers. (RC)

Complété par le meunier (30 %) et par le pinot noir, le chardonnay (60 %) est majoritaire dans ce brut sans année. Son nez discret s'ouvre sur les agrumes et les fruits secs, avec une note de raisin sec. Des touches briochées et fruitées se dévoilent dans une bouche légère, d'une fraîcheur juvénile. Un champagne consensuel. ⧗ 2019-2022

CHAMPAGNE LUTUN, Ferme du Château, 51480 Courtagnon, tél. 03 26 59 41 33, aude.lutun@wanadoo.fr r.-v.

PASCAL MACHET Vieilles Vignes 2010 ★

●	1500		20 à 30 €

Propriété familiale constituée à partir de 1840. Elle dispose d'un vignoble de 3,9 ha implanté à Vaudemange, village viticole situé sur une avant-butte de la Montagne de Reims, ainsi que dans le secteur de Vitry-le-François et dans l'Aube. Elle commercialise ses bouteilles depuis 1980. Après un parcours dans l'industrie, Landry Machet l'a reprise en 2012. (RC)

Né de vignes de quarante ans (pinot noir, meunier et chardonnay à parts égales), une cuvée millésimée vieillie sept ans en cave. Elle donne une belle image d'un millésime de modeste réputation en Champagne : robe or traversée de bulles alertes, nez brioché et grillé d'une grande finesse, bouche gourmande, vive et longue, parfaitement dosée. Accord idéal avec du poisson. ⧗ 2019-2025 ● **Marie-Louise d'Eu 2006 (20 à 30 €; 750 b.)** : vin cité.

CHAMPAGNE PASCAL MACHET, 2, rue de Micaillé, 51380 Vaudemange, tél. 03 26 67 96 10, contact@champagnepascalmachet.com r.-v.

MACQUART-LORETTE Cuvée Prestige ★

● 1er cru	5183		20 à 30 €

André Macquart a repris dans les années 1970 les vignes de son grand-père. Il a été rejoint en 2006 par son fils Clément, qui est depuis 2016 aux commandes de la propriété. Couvrant 4,5 ha, le domaine est situé à Écueil, à quelques kilomètres au sud de Reims. (RC)

Cette cuvée assemble 40 % de chardonnay et 60 % de pinot noir, cépage majoritaire à Écueil. Non millésimée, elle est construite sur la récolte 2012, qui a donné des pinots noirs mûrs et riches. Après un long vieillissement en cave (soixante mois minimum), elle ne manque pas d'arguments : une expression aromatique agréable (amande fraîche, frangipane, fruits rouges, touche florale), une bouche harmonieuse, à la fois ronde, fraîche et longue. Un champagne de caractère. ⧗ 2019-2022 ● **Réserve (15 à 20 €; 14867 b.)** : vin cité.

CHAMPAGNE MACQUART-LORETTE, 6, chem. des Glaises, 51500 Écueil, tél. 03 26 49 74 42, contact@champagne-macquart.fr r.-v.

MICHEL MAILLIARD Cuvée Prestige 2012 ★★

●	15000		20 à 30 €

Cette propriété, dont les origines remontent à la fin du XIXes., a été développée par Michel Mailliard. Son vignoble s'étend aujourd'hui sur 14 ha, implanté principalement aux environs de Vertus, le plus vaste 1er cru de la Côte des Blancs. (RM)

Cette cuvée de chardonnay avait obtenu une étoile pour des millésimes aussi différents que 2010 et 2009. Le 2012 réunit la maturité d'un beau millésime et une fraîcheur préservée (grâce, peut-être, à une vinification sans fermentation malolactique). Parcourue d'une bulle fine, la robe or vert est restée jeune; complexe, le nez libère des senteurs de citron vert et de fruits frais, qui prennent à l'aération des accents beurrés, briochés et grillés. L'écorce d'agrumes, la pêche et la reine-claude s'allient dans une bouche persistante qui conjugue ampleur, générosité et vivacité citronnée. Pour un repas de fête. ⧗ 2019-2025

CHAMPAGNE MICHEL MAILLIARD, 52, av. de Bammental, 51130 Vertus, tél. 03 26 52 15 18, info@champagne-michel-mailliard.com r.-v.

CHAMPAGNE

MAILLY GRAND CRU
Blanc de blancs Exception blanche 2007 ★★

Gd cru	11 607		50 à 75 €

Le terroir pour enseigne, telle est la démarche de cette coopérative fondée en 1929. Pour en être adhérent, on doit obéir à une exigence de taille : n'apporter que des raisins de l'aire de Mailly, grand cru du flanc nord de la Montagne de Reims, où prospère le pinot noir. La cave regroupe 80 viticulteurs qui cultivent 70 ha. (CM)

Exception? À deux titres : d'une part, alors que les cuvées de Mailly Grand Cru sont construites sur le pinot noir (majoritaire dans ce grand cru de noirs), ce 2007 doit tout au chardonnay; d'autre part, la coopérative a fait exception à sa règle en «important» des raisins de la Côte des Blancs – de grand cru tout de même. Il est vrai que le millésime a plutôt souri aux blancs. En 2019, ce champagne affiche une robe or soutenu à la bulle très fine; le nez, lui aussi, montre une plaisante évolution : l'acacia, la nectarine et l'abricot se mêlent à l'amande, au moka et à des notes grillées. La noisette, le sous-bois et la vanille s'ajoutent à cette palette dans une bouche ronde, à la finale fraîche et longue. Pour les amateurs de vieux champagnes. ⧗ 2019-2021 **Gd cru Réserve ★ (30 à 50 €; 300 000 b.)** : issu de pinot noir (75 %) et d'un appoint de chardonnay, un champagne consistant, droit et frais, aux arômes d'agrumes, de fleurs et de fruits blancs. ⧗ 2019-2023

CHAMPAGNE MAILLY GRAND CRU, 28, rue de la Libération, 51500 Mailly-Champagne, tél. 03 26 49 41 10, contact@champagne-mailly.com V *t.l.j. sf sam. dim. 9h-12h 14h-17h; sam. dim. mai-déc. 11h-17h*

ÉRIC MAÎTRE Sélection ★★

	20 000		15 à 20 €

Installé en 1985, Éric Maître perpétue une exploitation familiale qui remonte à 1869. Son vignoble s'étend sur 8,5 ha dans la Côte des Bar, secteur de l'Aube où le pinot noir est roi. (RM)

Né des plus vieux ceps de pinot noir de l'exploitation (quarante ans au moins), ce brut sans année n'en reste pas moins trois ans en cave. Cette version, qui associe les vendanges 2015, 2014 et 2013, s'est placée sur les rangs au moment d'élire les coups de cœur. Une effervescence généreuse anime sa robe dorée, faisant monter des arômes élégants et complexes : brioche, beurre, fruits secs, végétal noble. Ample, gras et bien équilibré, finissant sur une note épicée, le palais laisse le souvenir d'un champagne harmonieux et mûr, sans évolution excessive. Une bouteille de caractère qui pourra accompagner un repas. ⧗ 2019-2023 **Tradition ★★ (15 à 20 €; 60 000 b.)** : un blanc de noirs (100 % pinot noir), issu d'un assemblage un peu plus jeune que le brut Sélection, resté lui aussi trois ans en cave. Bulles fines, nez complexe, légèrement évolué, riche et subtil (pomme, ananas, fruits jaunes, miel, noisette), palais de belle tenue, vif, élégant, de bonne longueur. ⧗ 2019-2022 **Cuvée des Maître Vinifié et élevé en fût de chêne 2014 ★ (30 à 50 €; 2 000 b.)** : de la finesse et une très belle palette évoluée pour ce brut millésimé de pur pinot noir, qui a connu le bois : beurre, vanille, agrumes confits, coing. ⧗ 2019-2021

ÉRIC MAÎTRE, 32, Grande-Rue, 10110 Celles-sur-Ource, tél. 03 25 38 58 69, champagne.ericmaitre@orange.fr V *t.l.j. sf sam. dim. 9h-12h 13h30-17h*

MALARD Excellence ★

	25 000		30 à 50 €

Originaire d'Épernay, Jean-Louis Malard a créé sa maison à Aÿ en 1996. Le siège est à Aÿ, tandis que la vaste cuverie et les caves sont situées à Oiry, dans la Côte des Blancs. (NM)

Complété par le chardonnay, le pinot noir compose 90 % de cette cuvée construite sur la récolte 2015. La robe saumon clair aux reflets cuivrés est parcourue d'une bulle persistante. Les arômes délicats et suaves évoquent la fraise. On retrouve les fruits rouges dans une bouche ronde, à la finale acidulée, fraîche et longue. ⧗ 2019-2022 **Excellence (20 à 30 €; 150 000 b.)** : vin cité.

CHAMPAGNE MALARD, 23, rue Jeanson, 51160 Aÿ, tél. 03 26 32 40 11, commercial@champagnemalard.com V *r.-v.*

FRÉDÉRIC MALÉTREZ Sélection 2010 ★★

1er cru	3 030		20 à 30 €

Héritier d'une lignée vigneronne remontant au XVIIe s., Frédéric Malétrez reprend l'exploitation familiale en 1982 et commence la vinification deux ans plus tard. Il a porté de 5 à 10 ha la superficie de son vignoble qui s'étend autour de Chamery, un 1er cru de la Petite Montagne de Reims, au sud de la cité des Sacres. (RM)

La mention n'apparaît pas sur l'étiquette, mais ce brut millésimé est un blanc de blancs. Si l'année 2010 n'est guère cotée en Champagne, cette cuvée a fort bien vieilli : le nez légèrement beurré, avec des touches de cire, révèle une subtile évolution; quant à la bouche, si un dégustateur est sensible au dosage, tous louent son harmonie : finesse, complexité, ampleur, longueur, fraîcheur préservée. ⧗ 2019-2022 **1er cru Blanc de noirs 2013 ★★ (20 à 30 €; 3 014 b.)** : une année tardive et difficile à maîtriser, et pourtant cette cuvée de pur pinot noir a toute la puissance, la structure et la longueur attendue d'un blanc de noirs, avec un joli nez sur les fruits des bois et les fruits jaunes compotés. ⧗ 2018-2024

FRÉDÉRIC MALÉTREZ, 11, rue de la Bertrix, 51500 Chamery, tél. 03 26 97 63 92, champagne.maletrez.f@orange.fr V *r.-v.*

JEAN MALLET ★

	21 800		11 à 15 €

En 1974, Jean Mallet, modeste viticulteur de la région de Bar-sur-Aube, se lance dans la commercialisation de son champagne et devient récoltant-manipulant. Également courtier en vins, il étend par achats et locations le vignoble familial, qui passe de 3 à 16 ha entre 1970 et 1980, puis il équipe sa cave. Depuis 1999, la propriété est conduite par ses deux filles. (SR)

Issu de pinot noir majoritaire (70 %) et de chardonnay, ce brut s'ouvre sur de plaisantes senteurs de fleurs blanches et d'agrumes mûrs, complétées en bouche par des nuances briochées. Assez complexe, gourmand, étoffé et justement dosé, il est servi par une finale fraîche, de bonne longueur. ⧗ 2019-2022

JEAN MALLET, 7, rue des Pressoirs, 10200 Baroville, tél. 03 25 27 78 65, champagnemallet@orange.fr V r.-v.

MALLOL-GANTOIS

Gd cru	2500		15 à 20 €

En 2016, Grégory Mallol a pris la suite des trois générations précédentes, succédant à son père Bernard. Son vignoble de 7 ha est très bien situé, implanté pour l'essentiel à Cramant et à Chouilly, deux grands crus de la Côte des Blancs, et à Mareuil-sur-Aÿ, 1er cru, où il cultive du pinot noir. Deux étiquettes : Mallol-Gantois et Bernard Gantois. (RM)

Un rosé de la Côte des Blancs, qui fait la part belle au chardonnay (86 %); du vin rouge de Bouzy lui donne sa teinte saumonée. Un peu réservé, le nez libère des notes de bonbon acidulé aux fruits rouges que l'on retrouve dans une bouche consistante et équilibrée, marquée en finale par une petite touche d'amertume. ⧗ 2019-2022

MALLOL-GANTOIS, 290, rue du Gal-de-Gaulle, 51530 Cramant, tél. 03 26 57 96 14, champagne.mallol@wanadoo.fr V r.-v.

MANDOIS Victor Vieilles Vignes 2008 ★

	30000		30 à 50 €

En 1735, Jean Mandois devient propriétaire de vignes près d'Épernay. Victor, son arrière-petit-fils, fonde en 1860 la maison dirigée aujourd'hui par la neuvième génération. Les Mandois disposent en propre de 40 ha sur les coteaux d'Épernay, la Côte des Blancs et dans le Sézannais. Leurs caves ont été creusées à la fin du XVIIes. sous l'église de Pierry où repose le frère Jean Oudard, qui œuvra comme dom Pérignon dans le vignoble. (NM)

Né d'un millésime réputé et de vieux ceps de chardonnay, avec des vins de base élevés pour 30 % sous bois, un brut millésimé harmonieux et bien conservé. Le nez allie le fruit mûr à des sensations de fraîcheur avant de dévoiler des arômes plus évolués, beurrés et grillés. Malgré un dosage un peu marqué, la bouche reste agréable, avec son attaque ronde sur des nuances compotées et grillées et sa longue finale. ⧗ 2019-2022 **Grande Réserve (20 à 30 €; 30000 b.)** : vin cité. **Brut zéro (20 à 30 €; 20000 b.)** : vin cité.

CHAMPAGNE MANDOIS, 66, rue du Gal-de-Gaulle, 51530 Pierry, tél. 03 26 54 03 18, info@champagne-mandois.fr V r.-v.

♥ GILLES MANSARD Ancestral ★★★

	5000		20 à 30 €

En 1901, Benoni Mansard, installé à Cerseuil, dans la vallée de la Marne, élabore les premières cuvées. Arrivé à la tête de la maison en 1986, Gilles Mansard, son arrière-petit-fils, est aujourd'hui rejoint par ses fils, Vincent et Maxime. La famille dispose de 24 ha de vignes et de caves du XVIIIes. à Épernay. (RM)

Une sélection des plus vieilles vignes de la propriété : 65 % de chardonnay, complété par des vins de réserve de pinot noir et de meunier, dont 12 % vinifiés en rouge. Les vins sont restés six mois en fût et la fermentation malolactique a été bloquée pour préserver la fraîcheur. Une robe saumon aux reflets tuilés, une expression aromatique complexe (fruits à noyau, abricot, boisé vanillé, amande grillée), une bouche à la fois crémeuse et tonique : nos dégustateurs sont sous le charme. Ce rosé pourra accompagner un repas. ⧗ 2019-2022 **Achille Princier Grande Réserve ★★ (15 à 20 €; 5000 b.)** : issu des trois cépages champenois (80 % de noirs, dont 15 % de vin rouge), un rosé complexe et persistant, à la fois ample, vineux et frais. ⧗ 2019-2022 **Achille Princier Grand Art ★★ (15 à 20 €; 30000 b.)** : du chardonnay et du pinot noir à parité dans ce brut harmonieux et tendu, à l'expression aromatique délicate (fleurs et fruits blancs, moka). ⧗ 2019-2022 **Achille Princier 100 % Chardonnay ★ (20 à 30 €; 5000 b.)** : un blanc de blancs mûr et complexe (fruits blancs ou jaunes, ananas, miel, viennoiserie, boisé torréfié), de bonne longueur, alliant rondeur et tension. ⧗ 2019-2022

GILLES MANSARD, 48, rue de la Chapelle, Cerseuil, 51700 Mareuil-le-Port, tél. 06 86 04 26 99, contact@champagne-mansard-gilles.com V r.-v.

MICHEL MARCOULT Extra-brut Blanc de blancs Authentique Les Macrêts ★

	1000		30 à 50 €

Domaine fondé en 1967 par Michel Marcoult. En 2004, Julien, le petit-fils, a rejoint son père Francis. Leur exploitation couvre près de 10 ha : plus de la moitié dans le Sézannais où la propriété a son siège, le reste dans le secteur de Vitry-le-François et dans la Côte des Bar (Aube). Propriété certifiée Haute valeur environnementale. (RM)

L'élevage en fût des vins de base a apporté de la complexité à ce blanc de blancs issu d'une seule parcelle. Son nez puissant, évolué sans excès, a pris des tons beurrés que l'on retrouve dans une bouche ample et ronde en attaque, droite et longue, à la finale acidulée. ⧗ 2019-2022

MICHEL MARCOULT, 12, rte de Queudes, 51120 Barbonne-Fayel, tél. 03 26 80 20 19, contact@marcoult.com V r.-v.

JEAN MARNIQUET

1er cru	7200		15 à 20 €

Fondateur de la marque, Jean Marniquet fut dans les années 1920 l'un des pionniers de l'aviation, d'où les ailes dorées sur les étiquettes. Son petit-fils, Brice Marniquet, a pris le relais en 1995; il est à la tête de 6,5 ha dans la Montagne de Reims, la Grande Vallée de la Marne et la Côte des Blancs. (RM)

Du pinot noir de 2016 vinifié par saignée, complété par 30 % de vins de réserve de 2015. Il en résulte un nez d'une belle finesse, entre framboise et pâtisserie, et une bouche équilibrée, tonifiée par une pointe d'acidité aux accents de pamplemousse. ⧗ 2019-2022

CHAMPAGNE JEAN MARNIQUET, 12, rue Pasteur, 51160 Avenay-Val-d'Or, tél. 03 26 52 32 36, contact@marniquet.fr V r.-v.

OLIVIER ET LAËTITIA MARTEAUX 2012 ★

	8000		20 à 30 €

Petit-fils d'un viticulteur et pépiniériste viticole, fils d'un récoltant, Olivier Marteaux s'est installé sur une partie de la propriété familiale en 1998. À la tête de 7 ha de vignes réparties sur 8 communes à l'ouest de Château-Thierry, il a créé sa marque en 2009 avec son épouse. (RM)

Un beau brut millésimé dont le profil reflète la part majoritaire des pinots dans l'assemblage (70 %, meunier en tête) : robe soutenue, or paille, nez gourmand, entre fruits très mûrs, coing, fruits secs et nuances pâtissières (beurre, caramel, crème au café...), bouche à l'unisson, puissante et riche, aux accents de fruits compotés, de zeste d'agrumes et d'épices douces. Idéal pour le repas, ou même pour un dessert pas trop sucré. ⧗ 2019-2022 ● **Réserve (15 à 20 €; 30000 b.)** : vin cité.

CHAMPAGNE OLIVIER ET LAËTITIA MARTEAUX, 6, rte de Bonneil, 02400 Azy-sur-Marne, tél. 06 87 15 31 12, oliviermarteaux@hotmail.com V r.-v.

G.H. MARTEL & C° Prestige ★★

	200000		20 à 30 €

Ernest-Louis Rapeneau fonde en 1901 une société de négoce en vins. Ses descendants, notamment Bernard Rapeneau au cours de la seconde moitié du siècle dernier, en ont fait un groupe important en Champagne, avec les marques Ernest Rapeneau, G.-H. Martel et P. Louis Martin. (NM)

Un rosé d'assemblage mariant 30 % de chardonnay à 70 % de pinots (pinot noir surtout, dont 15 % de vin rouge). D'un rose attrayant aux reflets saumonés, il séduit par ses arômes de fruits rouges d'une belle fraîcheur et par sa bouche harmonieuse, à la fois vineuse et alerte. ⧗ 2019-2022 ● **Prestige ★ (20 à 30 €; 200000 b.)** : issu d'un assemblage classique (70 % de raisins noirs, les deux pinots à parité et 30 % de chardonnay), un brut minéral, intense et fin, aux arômes d'agrumes teintés de menthe. ⧗ 2019-2022

CHAMPAGNE G.H. MARTEL & C°, CS 31011, 51318 Épernay, tél. 03 26 51 06 33, vl@champagnemartel.com V t.l.j. 10h-19h

P. LOUIS MARTIN

1er cru	27000		20 à 30 €

Un domaine de 10 ha fondé à Bouzy en 1864 par Paul-Louis Martin, président fondateur de la coopérative de ce village. Si la marque appartient aujourd'hui à la famille Rapeneau, le siège de l'exploitation, où Francine Martin, descendante du fondateur, et son fils Vincent sont toujours actifs, est toujours dans ce grand cru de la Montagne de Reims. (RM)

Complété par le pinot noir, le chardonnay, présent à hauteur de 65 % dans l'assemblage, marque de sa vivacité ce champagne puissant, aux arômes de fruits frais (fruits jaunes) et à la finale nerveuse et longue. ⧗ 2019-2022

CHAMPAGNE PAUL LOUIS MARTIN, 3, rue d'Ambonnay, 51150 Bouzy, tél. 03 26 57 01 27, gd@champagneplmartin.com V t.l.j. sf dim. lun. 10h-13h 14h-18h

ALBIN MARTINOT Clin d'œil Finesse

	3000		20 à 30 €

Installé en 2000 sur 1,3 ha près de Bar-sur-Seine, Albin Martinot a quitté la coopérative cinq ans plus tard. Il a agrandi le vignoble familial, dont les premiers arpents furent achetés par son arrière-grand-père, qui était tonnelier, et dispose à présent de 4,5 ha. (RM)

Faiblement dosée, une cuvée dominée par le chardonnay (70 %), avec le pinot noir en appoint. Le cépage majoritaire lui lègue sa fraîcheur et son expression aromatique fruitée, beurrée et briochée. Un champagne intense, de bonne longueur. ⧗ 2019-2023

CHAMPAGNE ALBIN MARTINOT, Les Roussets, Faubourg-de-Champagne, 10110 Bar-sur-Seine, tél. 03 25 29 83 49, champagne.albin.martinot@gmail.com V r.-v.

MARY-SESSILE 100 % Chardonnay Révélation ★

	n.c.		20 à 30 €

Marque créée en 2013 par Claire, Maud et Vincent Lagille, enfants de Bernard Lagille (Champagne Lagille et Fils) devenus récoltants-manipulants en 2005. Ces vignerons sont installés à Treslon, village proche de la vallée de l'Ardre. (RM)

Sous cette marque, les Lagille proposent notamment des cuvées monocépage, comme ce blanc de blancs à la robe jaune pâle animée de trains de bulles fines. Bien ouvert et gourmand, brioché et toasté, le nez laisse percevoir une touche de noix. On retrouve ces nuances aromatiques dans un palais vif en attaque, puis rond et onctueux, marqué en finale par des nuances de fruit mûr. Du caractère. ⧗ 2019-2022

CHAMPAGNE MARY-SESSILE, 49, rue de la Planchette, 51140 Treslon, tél. 06 11 45 70 10, contact@champagne-mary-sessile.com V r.-v.

RÉMY MASSIN ET FILS Extra-brut L'Intégrale ★

	5400		20 à 30 €

Louis-Aristide Massin, né en 1865, plante les premiers ceps. Rémy lance son champagne en 1974. Son fils Sylvère élabore les cuvées. La troisième génération, avec Cédric arrivé en 2002, rejoint en 2017 par Marion, prend le relais et développe l'export. Le vignoble familial compte 20 ha dans les vallées de l'Arce et de l'Ource, dans l'Aube. (RM)

Cette cuvée est issue de pur pinot noir, récolté en 2014. Faiblement dosée (extra-brut), elle séduit tant par ses arômes de fleurs blanches et d'agrumes que par sa bouche à l'unisson du nez, équilibrée et fraîche : parfait pour l'apéritif. ⧗ 2019-2022

CHAMPAGNE RÉMY MASSIN ET FILS, 34, Grande-Rue, 10110 Ville-sur-Arce, tél. 03 25 38 74 09, contact@champagne-massin.com V t.l.j. 9h-12h 14h-18h; dim. et j. fériés 10h30-12h30

MATHELIN Extra-brut Nuit étoilée ★★

	4000		20 à 30 €

L'aventure viticole de la famille Mathelin a débuté en 1791 sur la rive gauche de la Marne. Aujourd'hui, Thierry, Coralie, Cédric et Aurélien gèrent en famille

une exploitation qui couvre 15 ha. Un domaine certifié Haute valeur environnementale. (RM)

Un champagne faiblement dosé (extra-brut), mi-blancs mi-noirs (avec du meunier majoritaire). Discret au nez, il s'ouvre sur les fleurs blanches un rien miellées et sur les fruits blancs. Surprise, il se montre intense en bouche; frais en attaque, rond dans son développement, il monte en puissance sur des notes épicées et grillées, tonifié en finale par une pointe d'acidité qui lui donne de l'allonge. ⧗ 2019-2023 ● **Tradition ★ (15 à 20 €; 50000 b.)** : un assemblage privilégiant les noirs (80 %, meunier surtout) au service d'un champagne intensément fruité et persistant, entre agrumes mûrs et fruits secs, aussi puissant qu'élégant. ⧗ 2019-2022

CHAMPAGNE MATHELIN, 4, rue des Gibarts, Cerseuil, 51700 Mareuil-le-Port, tél. 03 26 52 73 58, mathelin.champagne@orange.fr t.l.j. sf sam. dim. 9h-12h 13h30-17h30

HERVÉ MATHELIN Réserve

● | 30000 | | 15 à 20 €

En 1930, Gaëtan Mathelin constitue sur la rive gauche de la Marne un vignoble qui compte aujourd'hui 14 ha. Son fils Hervé devient récoltant-manipulant en 1961 et lance sa marque, valorisée par Nicolas à partir de 1999. Arrivé en 2012, Florian, qui élabore aujourd'hui les vins, représente la quatrième génération. (RM)

Une cuvée issue d'un assemblage à parts égales de pinot noir, de meunier et de chardonnay. D'abord florale et minérale au nez, elle s'ouvre sur les fruits mûrs. Équilibrée et fraîche, dosée avec justesse, elle laisse une agréable impression de légèreté. ⧗ 2019-2022

CHAMPAGNE HERVÉ MATHELIN, 2, rte de Paris, 51700 Troissy, tél. 03 26 52 74 42, herve.mathelin@wanadoo.fr r.-v.

MATHIEU-PRINCET ★

● 1er cru | 6000 | | 15 à 20 €

Grauves est situé entre la Côte des Blancs et les coteaux sud d'Épernay. C'est dans ce village que Michel Mathieu et Françoise Princet ont débuté en 1960 leur carrière vigneronne avec à peine 1 ha. En quarante ans, ils ont constitué un vignoble de 9 ha. Ils ont réalisé leur projet d'élaborer leurs champagnes et sont aujourd'hui épaulés par leurs filles Sylvie et Véronique, ainsi que par Patrick Lefebvre. (RM)

Mariant chardonnay et pinot noir, ce rosé tire d'un petit apport de vin rouge vieilli en fût sa teinte saumon intense et sa vinosité. Ses arômes puissants mêlent la cerise, le cassis et l'amande, légèrement citronnés. Ample et gourmande, sa bouche est tonifiée par une longue finale fraîche, saline et un rien amère. Un rosé de repas. ⧗ 2019-2022 ● **1er cru Réserve des Alice (15 à 20 €; 12000 b.)** : vin cité.

CHAMPAGNE MATHIEU-PRINCET, 21, rue Bruyère, 51190 Grauves, tél. 03 26 59 73 72, info@mathieuprincet.fr r.-v.

GUY MÉA Rosa Délice ★

● | n.c. | | 20 à 30 €

Implantée dans un village de la Montagne de Reims où le marquis de Louvois, ministre de Louis XIV, fit construire par Mansard un château aujourd'hui en grande partie détruit, cette propriété élabore du champagne depuis plus d'un demi-siècle. Évelyne Milesi, qui en avait pris les commandes en 1982, a passé le relais en 2012 à sa fille Sophie Moussié, qui officie en cave. Le domaine couvre 9 ha, notamment à Bouzy et à Louvois. (RM)

Le vin rouge de Bouzy (10 %) lui a légué sa couleur intense, presque grenadine; le pinot noir, ses arômes francs de framboise, de cerise et de fruits des bois, qui prennent en bouche des tons confits, ainsi que sa matière onctueuse; le chardonnay, majoritaire (60 %), ses parfums d'agrumes, sa finesse et sa fraîcheur. Un rosé élégant et long. ⧗ 2019-2022

LA VOIE DES LOUPS, 8, allée des Dames-de-France, 51150 Louvois, tél. 03 26 57 03 42, champagne.guy.mea@wanadoo.fr r.-v.

ALAIN MERCIER ET FILS Prestige ★

● | 5008 | | 15 à 20 €

Les Mercier se transmettent depuis quatre générations cette exploitation située dans le secteur ouest de la vallée de la Marne : Romain, fils d'Alain, s'est installé en 2010, cent ans après la fondation du domaine. Il cultive un vignoble de 9 ha, avec 3 ha pour chacun des cépages champenois, et commercialise ses cuvées sous plusieurs marques. (RM)

Ce brut Prestige naît de chardonnay, cépage le plus rare de ce secteur. Comme la variété est indiquée seulement sur la contre-étiquette, en petits caractères, ce blanc de blancs a été dégusté avec des bruts sans année issus d'assemblage. Nos dégustateurs ont pourtant bien identifié le cépage : «chardonnay bien structuré», ont-ils écrit. Ils ont apprécié sa large gamme d'arômes assez évolués : fruits blancs, fruits jaunes, miel d'acacia, notes grillées, minéralité; puis loué son palais généreux, frais et persistant, aux arômes de miel, de coing et de mandarine, à la finale torréfiée. Un blanc de blancs mûr et expressif. ⧗ 2019-2022

CHAMPAGNE ALAIN MERCIER ET FILS, 14, rte du Champagne, 02850 Passy-sur-Marne, tél. 03 23 70 35 48, alain.mercier.champ@wanadoo.fr r.-v.

JOËL MICHEL 2006 ★★

● | 5000 | | 30 à 50 €

Les ancêtres de Joël Michel cultivaient déjà la vigne en Champagne au milieu du XIXes. Ce dernier, suivant leur trace, a planté des vignes à partir de 1970, à Brasles, aux portes de Château-Thierry. Il exploite à présent un vignoble de 12 ha sur la rive droite de la Marne. L'exploitation, où, de longue date, on n'utilise plus d'engrais ni d'insecticides, est conduite en bio depuis 2017. (RM)

Pinot noir, meunier et chardonnay assemblés par tiers composent ce brut millésimé. Les vins de base ont fermenté sans levurage en fût, où ils ont séjourné neuf mois, sans collage ni filtration. Après treize ans, le champagne montre encore une belle effervescence. Évoluée et boisée, sa palette reflète son âge et l'élevage : fruits jaunes confits, fruits secs, notes beurrées et briochées. La noisette grillée et des notes fumées s'ajoutent à cette gamme dans un palais ample et gourmand, qui laisse une impression de finesse. ⧗ 2019-2022

JOËL MICHEL, 1, pl. Brigot, 02400 Brasles, tél. 03 23 69 01 10, domaine@champagnejoelmichel.com t.l.j. sf dim. 9h-12h 14h-19h

PAUL MICHEL Blanc de blancs ★

1er cru	100000		15 à 20 €

Dominé par une splendide église romane, le village de Cuis se voit de loin. C'est dans cette commune, 1er cru de la Côte des Blancs, que s'est installé Paul Michel, héritier d'une lignée de viticulteurs remontant à 1847. Il a élaboré ses premières cuvées en 1952. Ses fils Philippe et Denis ont pris le relais, rejoints en 2014 par Geoffroy, qui représente la troisième génération. La famille dispose d'un coquet vignoble de 20 ha. (RM)

Non millésimé, ce blanc de blancs n'en est pas moins resté trois ans en cave. Sa robe est soutenue; son nez expressif se partage entre agrumes et notes briochées et sa bouche aux arômes de pain grillé se montre puissante, intense, tendue et longue. ⧗ 2019-2022

PAUL MICHEL, 20, Grande-Rue, 51530 Cuis, tél. 03 26 59 79 77, champagne-p.michel@orange.fr t.l.j. sf sam. dim. 9h-12h 14h-17h; f. août

CLAUDE MICHEZ Cuvée Flore

	2000		20 à 30 €

Descendants d'apporteurs de raisins, les parents de Laurence Michez deviennent récoltants-coopérateurs en 1973. Installée en 1999, cette dernière décide avec son mari Cyrille Chenevotot de se lancer dans l'élaboration du champagne. Principalement situé autour de Boursault, sur la rive gauche de la Marne, leur vignoble (4,2 ha) est en conversion bio. (RM)

Cette cuvée met en avant les raisins noirs (pinot noir majoritaire et meunier) qui représentent 70 % de l'assemblage, le chardonnay faisant l'appoint. Mariant les récoltes 2012, 2011 et 2010, elle annonce sa maturité dans sa robe or jaune. Discrets au nez, ses arômes s'épanouissent au palais sur des notes de citron confit et de pêche jaune. Expressif, puissant, de bonne longueur, ce champagne de caractère pourra accompagner un repas. ⧗ 2019-2021

CHAMPAGNE CLAUDE MICHEZ, 3, rue du Chêne, 51480 Boursault, tél. 06 77 95 90 02, claude.michez@orange.fr r.-v.

♥ PIERRE MIGNON Prestige ★★★

	80000		15 à 20 €

Pierre et Yveline Mignon dirigent depuis 1970 le domaine familial implanté dans la vallée du Surmelin, affluent de la Marne, sur la rive gauche. Leur vignoble (pas moins de 17 ha dans la vallée de la Marne, sur les coteaux d'Épernay et la Côte des Blancs) ne suffit pas à leur dynamisme commercial. À l'arrivée de Jean-Charles et Céline, en 2000, la propriété a pris le statut de négociant. (NM)

Deux tiers de raisins noirs, meunier en tête (55 %) et un tiers de chardonnay composent cette cuvée qui a enchanté nos dégustateurs. Sa robe d'un bel or est traversée de trains de bulles fines et alertes qui font monter des parfums élégants et complexes, où ressortent la poire et d'autres fruits blancs. Dans une belle continuité, la bouche déploie avec persistance ce fruité délicat, souligné par une grande fraîcheur. ⧗ 2019-2022 **Gd cru Blanc de blancs ★ (20 à 30 €; 15000 b.)** : issu de chardonnay de Chouilly, de Cramant et d'Avize, un brut tendu, puissant et long, aux arômes élégants de fleurs et de fruits blancs, un rien briochés. Le charme de la jeunesse. ⧗ 2019-2023

CHAMPAGNE PIERRE MIGNON, 5, rue des Grappes-d'Or, 51210 Le Breuil, tél. 03 26 59 22 03, info@pierre-mignon.com t.l.j. sf sam. dim. 9h-12h 14h-17h

JEAN MILAN Blanc de blancs Grande Réserve ★

Gd cru	5000		30 à 50 €

Établis depuis 1864 à Oger, grand cru de la Côte des Blancs, les Milan élaboraient déjà leurs champagnes au XIXes. Caroline et Jean-Charles Milan ont rejoint en 2007 la maison, dont ce dernier a pris les rênes en 2015. (NM)

Un blanc de blancs généreux, gourmand et mûr de bout en bout : sa robe, parcourue de trains de bulles très fines et insistantes, tire sur l'or. D'abord discrètement floral, le nez s'ouvre sur la pêche et l'abricot, assortis d'arômes de fruits secs, de figue et d'un léger fumé. Les agrumes et les fruits jaunes, relayés par le miel et la cire, s'épanouissent dans une bouche crémeuse, tout en rondeur, où le boisé apparaît en filigrane sur des nuances de moka. Une pointe d'amertume apporte du relief à la finale. Complexité et élégance. ⧗ 2019-2022

CHAMPAGNE JEAN MILAN, 8, rue d'Avize, 51190 Oger, tél. 03 26 57 50 09, info@champagne-milan.com t.l.j. 10h-12h 14h-17h; dim. janv-mars

ÉRIC MILET-GOVIN Prestige

	1800		15 à 20 €

Installé en 2003 sur les vignes familiales, Éric Milet exploite 3,5 ha dans le massif de Saint-Thierry, au nord-ouest de Reims et du vignoble champenois. Il livre sa récolte à la coopérative de Pouillon. (RC)

Restée trois ans en cave, cette cuvée fait la part belle aux raisins noirs (85 %, meunier surtout). Épicée, légèrement évoluée au nez, elle développe des arômes d'agrumes dans une bouche équilibrée, riche et ample, de bonne longueur. ⧗ 2019-2022

CHAMPAGNE ÉRIC MILET-GOVIN, 25, rue Haute, 51220 Pouillon, tél. 03 26 03 18 26, champmiletgovin@hotmail.fr r.-v.

MILINAIRE ET FILS Blanc de blancs ★★

	n.c.		15 à 20 €

Après avoir travaillé huit ans sur l'exploitation familiale, Fabrice Milinaire s'installe en 1997 sur une partie du vignoble, s'équipe d'un pressoir et élabore ses champagnes à partir de 1999. Il dispose aujourd'hui de près de 5 ha dans le massif de Saint-Thierry, au nord-ouest de Reims. (RM)

Un blanc de blancs gourmand à souhait, au nez partagé entre les agrumes et les fruits exotiques. Ce plaisant fruité exotique se prolonge dans un palais d'une belle fraîcheur en attaque, dont la rondeur est soulignée par un dosage plutôt généreux. ⧗ 2019-2022 ● **Le Rosé (15 à 20 €; n.c.)** : vin cité.

⊶ CHAMPAGNE MILINAIRE ET FILS, 20, av. de Champagne, 51220 Hermonville, tél. 03 26 97 49 42, champagnemilinaire@sfr.fr V r.-v.

ALBERT DE MILLY ★

● | 6000 | 🍾 | 11 à 15 €

Fils d'Albert Demilly, petit viticulteur de Mareuil-sur-Aÿ, Alain Demilly crée une entreprise de services, dont les revenus lui permettent d'agrandir son vignoble (12 ha aujourd'hui) et de lancer son champagne en 1994. Il a transmis en 2012 à son fils Thomas sa maison installée à Bisseuil, à la croisée de la Montagne de Reims, de la vallée de la Marne et de la Côte des Blancs. (NM)

Le pinot noir (70 %) est assemblé au chardonnay pour obtenir ce rosé à la robe soutenue, puissant, de bonne longueur, aux arômes de fraise et de framboise bien mûres. De la personnalité. ⧗ 2019-2022 ● **Prestige 2009 (15 à 20 €; 40000 b.)** : vin cité.

⊶ ALBERT DE MILLY, La Maladrie, RD N° 1, 51150 Bisseuil, tél. 03 26 52 33 44, contact@demilly.com V r.-v.

MINARD ET FILLES Extra-brut Léanne ★

● | 3000 | 🍾 | 20 à 30 €

Les champagnes Minard ont été commercialisés à partir de 1922. En 2013, lorsque son père part à la retraite, Audrey Promsy, infirmière dans une première vie, reprend l'exploitation familiale. Elle crée sa marque, avec un «s» à Filles, pour associer sa sœur jumelle, ses deux nièces et ses deux filles à l'aventure. Elle cultive 4 ha autour de Courmas, village voisin de Villedommange, au sud-ouest de Reims. (RM)

Audrey Promsy baptise chacune de ses cuvées du nom de l'une de ses filles et nièces. Elle a dédié à Léanne, «nature, volontaire et douce», une cuvée faiblement dosée (extra-brut), associant trois quarts de pinot noir et un quart de chardonnay. Le vin? Discret au premier nez, il libère à l'aération des fragrances de fruits blancs, de poire fraîche, assortis d'une touche miellée. D'une belle tenue en bouche, il se montre gourmand avec subtilité, frais et long. ⧗ 2019-2022

⊶ CHAMPAGNE MINARD ET FILLES, 12, rue des Hauts-Murs, 51390 Courmas, tél. 06 83 42 80 46, champagne.minardetfilles@orange.fr V r.-v.

MOËT ET CHANDON Grand Vintage 2012 ★★

● | n.c. | 🍾 | 50 à 75 €

L'une des plus anciennes maisons de Champagne, fondée en 1743 par Claude Moët, propriétaire de vignes. Au début du XIXᵉs., son petit-fils Jean-Rémy donne à la société une dimension internationale, avec la complicité de son gendre Pierre-Gabriel Chandon de Briailles. Leurs héritiers ont conforté le succès de la marque, devenue la plus connue et la plus vendue au monde. Aujourd'hui, Moët et Chandon, riche de 1 190 ha de vignes (dont 50 % en grand cru) et de 28 km de caves, continue son expansion au sein du puissant groupe LVMH. Ses ambitions se sont concrétisées par l'inauguration en 2012, sur le site du Mont Aigu, à Oiry, au bas de la Côte des Blancs, d'une vaste cuverie de style contemporain, qui s'ajoute à ses installations historiques d'Épernay. (NM)

Honneur aux noirs ici avec aux côtés du chardonnay (41 %), 33 % de pinot noir et 26 % de pinot meunier. Dans le verre, un 2012 de très belle facture, dans une année pour le moins compliquée : gel d'hiver et gel de printemps, pluies diluviennes, orages, stress hydrique... mais rattrapé par un mois d'août chaud et sec. Au final, un millésime de haute tenue. La robe de ce Grand Vintage séduit par sa teinte jaune d'or. Les bulles sont très fines, le nez d'un abord discret mais élégant autour des fruits jaunes et des fruits secs mâtinés d'une touche torréfiée et d'une note crayeuse. La bouche offre de la vivacité de bout en bout, de la matière, du volume et de la longueur. Un champagne encore en devenir. ⧗ 2021-2029 ● **Rosé impérial (50 à 75 €; n.c.)** : vin cité. ● **Impérial (30 à 50 €; n.c.)** : vin cité.

⊶ MOËT ET CHANDON, 20, av. de Champagne, 51200 Épernay, tél. 03 26 51 20 00, rhilaire@moethennessy.com V r.-v.

PIERRE MONCUIT Blanc de blancs 2006

● Gd cru | 15000 | 🍾 | 30 à 50 €

Cette propriété fondée en 1889 choie les blancs de blancs provenant de son vaste vignoble (20 ha, dont 15 en grand cru) entre Côte des Blancs et Sézannais. Elle est conduite par Yves et Nicole Moncuit, laquelle se charge des vinifications et forme sa fille Valérie. (RM)

S'il a conservé une belle effervescence, ce blanc de blancs, après treize ans, dévoile une palette nettement évoluée : pomme mûre, voire compotée, fruits jaunes, écorce, tabac, noyau et, en bouche, une touche de marc. Un vin à son apogée, très patiné, à réserver aux amateurs de vieux champagnes qui pourront l'apprécier à table. ⧗ 2019-2020

⊶ CHAMPAGNE PIERRE MONCUIT, 11, rue Persault-Maheu, 51190 Le Mesnil-sur-Oger, tél. 03 26 57 52 65, contact@pierre-moncuit.fr V r.-v.

MONDET Grande Réserve

● | 47900 | 🍾 | 15 à 20 €

Jules Mondet commence à vinifier en 1926. La maison est aujourd'hui gérée par la quatrième génération. Elle dispose de 10 ha de vignes, principalement dans les villages de Romery et de Cormoyeux, blottis dans un vallon proche de la vallée de la Marne, non loin d'Hautvillers. (NM)

Les raisins noirs jouent les premiers rôles (85 %, dont meunier 65 %) dans cette cuvée, qui assemble les récoltes 2012, 2011 et 2010. Le nez expressif mêle l'agrume mûr, la figue et la brioche. Structuré, intense et chaleureux, le palais est vivifié en finale par une pointe citronnée. Un champagne à son apogée. ⧗ 2019-2021

⊶ CHAMPAGNE MONDET, 2, rue Dom-Pérignon, 51480 Cormoyeux, tél. 03 26 58 64 15, champagne.mondet@wanadoo.fr V *t.l.j. 9h-12h 14h-17h30; dim. sur r.-v.; f. 5-28 août*

MONMARTHE Blanc de blancs 2012 ★

1er cru	7800		20 à 30 €

Sous Louis XV, les Monmarthe étaient déjà propriétaires de vignes. En 1930, Ernest élabore les premières bouteilles de champagne. Son arrière-petit-fils, Jean-Guy Monmarthe, s'installe en 1989 à la tête du domaine (17 ha, pour l'essentiel situés dans la Montagne de Reims). En 2014, il prend en outre la succession de Gérard Doré (4 ha à Ludes), dont il conserve la marque. (RM)

Issu d'une parcelle de vieilles vignes et du beau millésime 2012, un blanc de blancs de la Montagne de Reims : dans ce secteur où les pinots prospèrent, le chardonnay se fait une petite place. Il a engendré ici un champagne dont l'expression aromatique reflète un séjour en fût des vins de base : des notes grillées, toastées s'allient aux fruits très mûrs, voire compotés, et à des notes pâtissières. Les agrumes, le pain brioché et le tabac se mêlent au boisé dans un palais à la fois ample, puissant et tendu, marqué en finale par une touche d'amertume. ⧗ 2019-2023

CHAMPAGNE MONMARTHE, 38, rue Victor-Hugo, 51500 Ludes, tél. 03 26 61 10 99, contact@champagne-monmarthe.com V *r.-v.*

MONTAUDON Grande Rose

●	100000		20 à 30 €

Créée en 1891 par un chef de cave d'Épernay, cette maison, dont Joséphine Baker raffolait, est restée dans la famille du fondateur jusqu'en 2008. Si la marque fait partie depuis 2010 du vaste groupe coopératif Alliance Champagne, elle a conservé le style de ses champagnes, qui fait une belle place au pinot noir. (CM)

Pinot noir (55 %), meunier (25 %) et chardonnay composent ce rosé saumon pâle aux reflets orangés. Discret, légèrement évolué, le nez laisse poindre des parfums de petits fruits des bois. C'est au palais que ce champagne se révèle : tonique et gourmand, il dévoile des arômes de fruits rouges, framboise en tête, soulignés par une finale acidulée. De la personnalité. ⧗ 2019-2021

CHAMPAGNE MONTAUDON, 1, rue Kellermann, 51061 Reims Cedex, tél. 03 26 79 01 01, info@champagnemontaudon.com

DE MONTENELLE ★★

	10000		11 à 15 €

Marié à Philippe Prié, viticulteur aubois héritier d'une tradition vigneronne remontant au XVIIIe s., Fabienne Prié a repris en 1999, après la disparition de son époux, l'exploitation familiale qui couvre près de 17 ha sur la rive droite de la Seine, dans la Côte des Bar. Elle signe ses cuvées depuis 2012. Autres étiquettes proposées par sa structure de négoce : Philippe Prié, de Montenelle. (NM)

Complété par le chardonnay, le pinot noir joue les premiers rôles (80 %) dans cette cuvée or pâle, qui s'ouvre à l'aération sur les fleurs et les fruits blancs, avec des nuances de fruits exotiques et des touches minérales. Les fruits exotiques se mêlent aux agrumes et à un léger brioché dans un palais de belle tenue, droit et frais, à la finale longue et citronnée. ⧗ 2019-2022 **Fabienne Prié Réserve ★★ (15 à 20 €; 12000 b.)** : pinot noir majoritaire (75 %) et chardonnay composent ce brut vineux et fruité, d'une belle complexité au nez comme en bouche, aux arômes de fruits blancs. Sa générosité et son ampleur sont équilibrées par une acidité mentholée qui donne de l'allonge à la finale. ⧗ 2019-2022 **Philippe Prié Extra-dry Chrysobulle ★ (15 à 20 €; 8000 b.)** : trois quarts de pinot noir et un quart de chardonnay composent cette cuvée qui tire sa rondeur suave d'un dosage en extra-dry (16 g/l). Florale et fruitée, avec un léger côté toasté, elle est équilibrée par une finale sur le petit fruit acidulé. De la finesse. ⧗ 2019-2022 ● **Fabienne Prié Hybris 2014 (50 à 75 €; 4000 b.)** : vin cité.

CHAMPAGNE PHILIPPE PRIÉ, 108, Grande-Rue, 10250 Neuville-sur-Seine, tél. 03 25 38 21 51, fprie@champagne-prie.com V *t.l.j. sf dim. 9h-12h 14h-18h; sam. 9h-12h; f. mi-août*

MONT-HAUBAN Blanc de blancs Prestige

	5000		20 à 30 €

Née en 1947, la coopérative de Monthelon-Morangis commercialise sous la marque Mont-Hauban des champagnes produits à partir des 73 ha de ses adhérents. Elle est située sur l'un des coteaux sud d'Épernay. (CM)

Ce blanc de blancs. Elle offre tout ce que l'on attend de ce type de champagne : une palette fraîche, florale et fruitée et une bouche vive et longue. Elle semble faite pour l'apéritif et pour les produits de la mer. ⧗ 2019-2022

CHAMPAGNE MONT-HAUBAN, 3, rte de Mancy, 51530 Monthelon, tél. 03 26 59 70 27, accueil@champagnemonthauban.com V *t.l.j. sf dim. lun. 9h-12h 13h30-17h30*

ODIL MORET Cuvée Prestige ★

	4259		15 à 20 €

Fils et petit-fils de viticulteurs, Odil Moret devient récoltant-manipulant en 1976 à Baye, village proche de la vallée du Petit Morin, entre Côte des Blancs et Sézannais. Son fils Julien l'a rejoint en 1999 et a pris les rênes dix ans plus tard des 5 ha de l'exploitation. (RM)

Quatre parts de raisins noirs (meunier à 56 %) et une part de blancs sont assemblés pour obtenir cette cuvée Prestige vieillie trois ans sur lattes. Un nez discret, sur les fleurs et les fruits blancs. Une bouche vive en attaque, sur la pomme verte, puis plus briochée, équilibrée et assez longue. Pas trop de complexité, mais une certaine élégance. ⧗ 2019-2021 **Tradition (11 à 15 €; 27557 b.)** : vin cité.

CHAMPAGNE ODIL MORET, 1, rte de Congy, 51270 Baye, tél. 03 26 52 81 65, odil.moret@wanadoo.fr V *r.-v.*

MORIZE PÈRE ET FILS Brut nature Expression ★★

	5000		15 à 20 €

Établis aux Riceys (Aube) en 1830, les Morize sont récoltants-manipulants depuis trois générations. Guy Morize, installé en 1970, dispose d'un vignoble de plus de 6 ha et de splendides caves voûtées bâties par les cisterciens au XIIe s. (RM)

Un brut nature, autrement dit un champagne non dosé (sans sucre ajouté au terme de la vinification), issu du seul pinot noir, cépage roi des Riceys. Or pâle, il laisse deviner une complexité naissante dans son expression aromatique mêlant les fleurs blanches et de jolies notes d'épices et de café torréfié. Les agrumes se dévoilent dans une bouche souple en attaque, équilibrée et longue. ⧗ 2019-2022 ● **Extra-brut Élégance (20 à 30 €; 6380 b.)** : vin cité.

CHAMPAGNE MORIZE PÈRE ET FILS, 122, rue du Gal-de-Gaulle, 10340 Les Riceys, tél. 03 25 29 30 02, champagnemorize@wanadoo.fr V t.l.j. 9h-12h 14h-17h30

MOUSSÉ-GALOTEAU ET FILS Prestige ★

● | 7000 | | 15 à 20 €

Des Galoteau cultivaient la vigne en 1810 à Binson-et-Orquigny, sur la rive droite de la Marne. Louis Galoteau achète le premier pressoir en 1880; la propriété s'agrandit après le second conflit mondial, se lance dans l'élaboration du champagne en 1958 (sous la marque actuelle en 1975). Le domaine est depuis 2014 aux mains de Jérémy et de Geoffroy Moussé. (RM)

«Un bon blanc de blancs», écrit un dégustateur. De fait, ce brut or pâle aux reflets verts, avec son expression aromatique dominée par les fleurs blanches et les agrumes et sa bouche équilibrée et tendue, un rien amère en finale, porte l'empreinte du chardonnay; il fera le même usage qu'un blanc de blancs. L'assemblage laisse toutefois une place (30 %) au pinot meunier, très cultivé dans la vallée de la Marne. ⧗ 2019-2022

CHAMPAGNE MOUSSÉ-GALOTEAU ET FILS, 19, rue Blanche, 51700 Binson-Orquigny, tél. 03 26 58 08 91, moussegaloteau@laposte.net V r.-v.

YVON MOUSSY Brut nature ★

● | 1000 | | 11 à 15 €

Constitué en 1947 par Yvon Moussy, ce domaine comptant aujourd'hui 5,3 ha est implanté à Congy, îlot viticole situé entre Côte des Blancs au nord et Sézannais au sud. Il est dirigé par Marylène Moussy, rejointe en 2008 par son fils Antonin Aubry, qui représente la troisième génération. (RM)

Un champagne non dosé, composé de chardonnay majoritaire (70 %) et des deux pinots. S'il montre la fraîcheur des raisins blancs, il dévoile aussi, au nez comme en bouche, un côté vineux et riche, en harmonie avec des arômes d'abricot confit et de mirabelle. Structuré et complexe, il pourra accompagner un repas ou du fromage. ⧗ 2019-2022

CHAMPAGNE YVON MOUSSY, 16, rue des Moulins, 51270 Congy, tél. 03 26 59 34 47, antonin-aubry51@gmail.com

CORINNE MOUTARD Extra-brut Cuvée Blanc de noirs

● | 2000 | | 15 à 20 €

Héritière d'une lignée de viticulteurs bien connue dans l'Aube, Corinne Moutard-Dangin s'est installée en 1985 et commercialise depuis 1998 sa propre marque. Ses champagnes sont élaborés dans l'exploitation familiale située non loin des Riceys. (NM)

Né de pur pinot noir, ce champagne faiblement dosé revêt une robe jeune, or pâle aux reflets verts. Plus évolué au nez, il dévoile des notes flatteuses de café grillé. Complexe en bouche, il conjugue une certaine vinosité et une vivacité citronnée. Un champagne aromatique et facile à boire. ⧗ 2019-2021

CHAMPAGNE CORINNE MOUTARD, 49, Grande-Rue, 10110 Polisy, tél. 03 25 38 52 47, champagnecorinnemoutard@wanadoo.fr V t.l.j. sf sam. dim. 9h-12h 14h-18h

MOUTAUX Carte blanche ★

● | 10382 | | 15 à 20 €

Installés à Bligny, village niché à mi-chemin entre Bar-sur-Aube et Bar-sur-Seine, Christine et Renaud Fischer ont pris la suite en 2007 de quatre générations de vignerons. Leur domaine couvre 13 ha. (RM)

Complété par le pinot noir, le chardonnay est en vedette dans cette cuvée de couleur paille aux reflets verts, au nez élégant partagé entre fleurs blanches, fruits frais et notes plus évoluées de coing, de pomme cuite et de grillé. On retrouve cette complexité dans une bouche charnue, souple et ronde, équilibrée par une finale acidulée et longue. Une belle harmonie. ⧗ 2019-2022

CHAMPAGNE MOUTAUX, 1, rue des Ponts, 10200 Bligny, tél. 03 25 27 40 25, champagne.moutaux@orange.fr V r.-v.

G.H. MUMM RSRV Blanc de noirs 2009 ★

● | n.c. | 50 à 75 €

Comme d'autres grands noms de la Champagne, la maison Mumm est d'origine allemande, fondée en 1827 par les trois frères Mumm, Jacobus, Gottlieb et Philipp, fils d'un négociant de Cologne. Georges-Hermann Mumm, petit-fils du fondateur, lègue ses initiales à l'entreprise et lance en 1875 le Cordon rouge, évocation de la Légion d'honneur. L'affaire est restée dans la famille jusqu'en 1914 : la guerre entraîne sa mise sous séquestre en raison de la nationalité allemande de ses propriétaires. Forte d'un vignoble en propre de 218 ha, la société constitue depuis 2005 le fleuron champenois du groupe Pernod-Ricard. (NM)

RSRV? Une nouvelle cuvée, «RéSeRVée» (aux initiés et aux amis de la maison). Ce blanc de noirs est issu de pinot noir et l'on sait combien l'année 2009, chaude et solaire, a favorisé ce cépage, surtout dans ses aires de prédilection, comme dans les grands crus de la Montagne de Reims où la maison possède des vignes. Or clair à la bulle fine et élégante, faiblement dosé (à la limite de l'extra-brut), ce champagne présente un nez intense, floral, minéral et évolué (sous-bois). Les agrumes confits et les fruits compotés s'épanouissent dans une bouche charnue, à la finale longue et vive, qui a gardé sa fraîcheur. Foie gras poêlé? Viande blanche? ⧗ 2019-2022 ● **RSRV Blanc de blancs 2013 ★ (50 à 75 €; n.c.)** : la version «blanc de blancs» de la nouvelle cuvée pour initiés, dans un millésime tardif qui a réservé de bonnes surprises en chardonnay. Une robe or pâle aux reflets verts, une expression aromatique complexe (aubépine, fruits blancs, notes pâtissières, vanillées et grillées), une bouche alliant richesse et finesse, suave avec élégance, sur les fruits blancs mentholés, vanillée

CHAMPAGNE

et grillée en finale. ⧗ 2019-2022 ● **Grand Cordon (30 à 50 €; n.c.)** : vin cité.

MAISON MUMM, 29, rue du Champ-de-Mars, 51053 Reims, tél. 01 53 23 41 95, elsa.sourice@pernod-ricard.com V r.-v.

BERNARD NAUDÉ Demi-sec Tradition ★

●	2000		15 à 20 €

Une tour surmontée d'une statue de Napoléon, érigée en 1830 par un ancien officier de la Grande Armée, signale ce domaine de Charly-sur-Marne, aux confins de l'Aisne et de la Seine-et-Marne. Bernard Naudé, récoltant depuis les années 1970, s'est lancé dans la manipulation en 1983; il cultive aujourd'hui avec son fils Vincent un vignoble de plus de 8 ha. Propriété certifiée Haute valeur environnementale. (RM)

Les champagnes étant souvent débouchés à l'apéritif, sur des mets salés, les demi-secs, au caractère suave et moelleux, sont moins demandés que les bruts ou extra-bruts. Pour ceux qui aiment les servir au dessert, en voici un de belle facture. Il s'agit d'un blanc de noirs, mariant 90 % de meunier au pinot noir. On aime son expression aromatique (acacia, fruits blancs, pain grillé) et sa bouche fraîche et minérale en attaque, ample et ronde dans son développement, de bonne longueur. ⧗ 2019-2020

CHAMPAGNE BERNARD NAUDÉ, 12, av. Fernand-Drouet, BP 61, 02310 Charly-sur-Marne, tél. 03 23 82 09 26, info@champagne-bernard-naude.com V r.-v.

NÉRET-VÉLY Blanc de blancs ★★

●	6000		15 à 20 €

Une exploitation familiale constituée en 1945 et transmise à Alain Néret en 1980. Son vignoble (un peu plus de 5 ha) est situé à environ 20 km en aval d'Épernay, à Festigny, sur la rive gauche de la Marne. (RM)

Un chardonnay de la vallée de la Marne vraiment flatteur, dans un style plutôt rond. Beurré et brioché au premier nez, il laisse poindre à l'aération des notes de fruits blancs. Gourmand, riche et vineux en bouche, il est tendu par une fraîcheur bienvenue qui donne de l'allonge à la finale. Sa matière étoffée lui permettra d'accompagner un repas. ⧗ 2019-2022

CHAMPAGNE NÉRET-VÉLY, 333, rue des Sources, Fontaine-au-Bron, 51210 Vauchamps, tél. 03 26 81 66 59, neretvelychamp@orange.fr V r.-v.

CAROLE NOIZET ★★

●	3500		15 à 20 €

En 500, saint Thierry fonda au nord-ouest de Reims une abbaye qui fut l'un des berceaux du vignoble champenois et qui donna son nom au village où Carole Noizet est aujourd'hui établie. La récoltante, installée en 2000, représente la troisième génération sur un domaine couvrant environ 7 ha. (RM)

Ce rosé d'assemblage issu des trois cépages champenois ne manque pas de couleur : il tire sur le rouge. Quant au nez, intense, c'est un panier de de cerises et de framboises. Ce fruité gourmand se prolonge dans un palais ample, onctueux, puissant et vineux à souhait, tendu par une belle vivacité qui étire la finale. Un rosé charmeur. ⧗ 2019-2022 ● **Sélection Fleur de vigne (15 à 20 €; 15000 b.)** : vin cité.

CAROLE NOIZET, 1, rte de Thil, D 330 bis, 51220 Saint-Thierry, tél. 03 26 97 77 45, champagnenoizetcarole@gmail.com V r.-v. 3

NOWACK Carte d'or ★

●	n.c.		15 à 20 €

À la fin du XVIIIe s., un Nowack originaire de Prague épouse une fille de Vandières, dans la vallée de la Marne. Baptiste naît de ce mariage, premier des Nowack vignerons. En 1919, Ferdinand Nowack et son fils Fernand décident de vendre eux-mêmes leur production : les champagnes Nowack sont nés, dirigés aujourd'hui par Frédéric et Flavien. (RM)

Pinot noir, meunier et chardonnay sont assemblés par tiers dans cette cuvée à la robe or pâle animée de bulles actives. Délicatement floral et fruité, le nez laisse une impression de finesse que l'on retrouve dans une bouche à la fois mûre et fraîche, justement dosée. Un brut tout indiqué pour l'apéritif. ⧗ 2019-2022

CHAMPAGNE NOWACK, 10, rue Bailly, 51700 Vandières, tél. 03 26 58 02 69, champagne@nowack.fr V r.-v. A

CHARLES ORBAN Carte noire

●	30000		15 à 20 €

Les Orban sont établis dans la vallée de la Marne depuis le XVIIIe s. Vers la fin des années 1950, Charles Orban quitte la coopérative et lance sa marque. L'exploitation (5 ha) est passée en 1997 dans le giron de la famille Rapeneau. (RM)

Mariant 40 % de meunier, 30 % de pinot noir et autant de chardonnay, ce champagne a divisé nos dégustateurs : certains auraient souhaité un peu plus de nerf. Tous apprécient son nez intense et vineux, aux nuances de fruits jaunes bien mûrs et de brioche, avec un léger miel. Sa mousse crémeuse met en valeur un palais ample et rond, dont la générosité est soulignée par un dosage marqué. La finale apporte une fraîcheur bienvenue. ⧗ 2019-2022

CHAMPAGNE CHARLES ORBAN, 44, rte de Paris, 51700 Troissy, tél. 03 26 52 70 05, contact@champagnecharlesorban.com

LUCIEN ORBAN Carte d'or ★★

●	5000		15 à 20 €

À la tête de plus de 6 ha de vignes dans la vallée de la Marne, Hervé Orban dirige depuis 1991 l'exploitation fondée par son grand-père; ses champagnes portent l'étiquette créée par son père Lucien. (RM)

Un rosé de noirs qui doit presque tout au meunier (90 %), complété par du pinot noir. Un apport de vin rouge lui a donné une couleur soutenue et un nez intense, panier de fruits rouges : griotte, fraise, fraise des bois. C'est la fraise qui s'affirme en bouche, la fraise dans tous ses états : le fruit, le bonbon, le sirop... Un fruit pimpant souligné par une franche vivacité. «Dommage de devoir recracher», écrit un dégustateur... ⧗ 2019-2022

CHAMPAGNE LUCIEN ORBAN, 11, rue du Gal-de-Gaulle, 51700 Cuisles, tél. 03 26 58 16 11, herve.orban@wanadoo.fr V r.-v.

BRUNO PAILLARD Extra-brut NPU 2004 ★

| n.c. | | + de 100 € |

L'une des plus jeunes maisons de négoce, créée en 1981 par Bruno Paillard. Alors âgé de vingt-sept ans, ce descendant de courtiers et de vignerons vend sa vieille Jaguar pour fonder son affaire. Misant sur des champagnes haut de gamme, il constitue patiemment un vignoble de 32 ha répartis dans 16 crus parmi les plus recherchés de la région (Le Mesnil-sur-Oger, Oger, Cumières, Verzenay...) et s'équipe d'une cuverie « hors sol » ultramoderne. Le style maison met l'accent sur le caractère septentrional et crayeux de la Champagne. Toutes les cuvées comptent au moins 20 % de vins vinifiés en fût, leur dosage est très mesuré, leur bulle très fine. La date de dégorgement est indiquée sur chaque bouteille. (NM)

Les millésimes champenois ne se ressemblent pas, mais cette cuvée Nec plus ultra, assemblage de pinot noir et de chardonnay de haute origine (grands crus), possède un style propre lié à son mode d'élaboration : elle fermente et séjourne en fût, repose plus de dix ans sur ses lies (douze pour ce 2004), puis trois ans après dégorgement. Il en résulte un champagne complexe et évolué, comme celui-ci. Sa robe or foncé est parcourue de bulles très fines, mais alertes. Son nez gourmand mêle le beurre, le miel, le coing et les fruits compotés, le caramel au lait, le pain grillé et le tabac. On retrouve ces arômes dans un palais généreux, à la fois vineux et frais. Les amateurs de vieux champagnes seront comblés. 2019-2021

CHAMPAGNE BRUNO PAILLARD, av. de Champagne, 51100 Reims, tél. 03 26 36 20 22, info@brunopaillard.com V *t.l.j. sf sam. dim. 8h30-12h30 14h-18h (17h ven.)*

PAILLETTE ★

| 30 800 | | 11 à 15 € |

Richard Paillette a pris la tête en 1997 de la propriété familiale constituée en 1922. Il exploite 7 ha de vignes en aval de Château-Thierry, sur le coteau d'Essômes-sur-Marne exposé au soleil levant. (RM)

Issu de meunier (50 %), de pinot noir (10 %) et de chardonnay, ce brut sans année séduit par sa vivacité tout au long de la dégustation : ses bulles sont alertes, son nez est frais à souhait, partagé entre les agrumes (pamplemousse) et les fruits blancs, son palais dynamique et long. Pour l'apéritif comme pour la table. 2019-2022 **(15 à 20 €; 3840 b.)** : vin cité.

CHAMPAGNE PAILLETTE, 4, Aulnois, 02400 Essômes-sur-Marne, tél. 03 23 70 82 63, champagne.paillette@orange.fr V r.-v.

PALMER & CO Réserve ★

| 50 000 | | 30 à 50 € |

Fondée à Avize en 1947 par sept vignerons, cette coopérative aujourd'hui installée à Reims a connu un bel essor dans les années 1980. Elle tire son approvisionnement de plus de 400 ha répartis dans une quarantaine de crus – pour l'essentiel situés dans la Montagne de Reims. Palmer est sa marque. (CM)

Un rosé d'assemblage mariant 50 % de chardonnay, 35 % de pinot noir et 15 % de meunier. Sa teinte rose pâle aux reflets pelure d'oignon lui vient de l'apport de 3 % de pinot noir vinifié en rouge selon le système de la solera (réserve perpétuelle dont on soutire du vin chaque année, remplacé par du vin plus jeune élevé en fût). Le nez mêle de fines senteurs florales à des touches plus évoluées de pomme compotée. On retrouve cette note aromatique dans une bouche fraîche, de bonne longueur. 2019-2022

CHAMPAGNE PALMER & CO, 67, rue Jacquart, 51100 Reims, tél. 03 26 07 35 07, contact@champagnepalmer.fr V *r.-v.* 5

PANNIER Extra-brut Exact ★★

| 10 000 | | 30 à 50 € |

En 1899, Louis-Eugène Pannier crée une maison de négoce qui s'installe à Château-Thierry, dans la vallée de la Marne. En 1974, ses héritiers cèdent la marque à la Covama (un groupement de producteurs), ainsi que d'impressionnantes galeries, anciennes carrières creusées au XIIes. Depuis 2010, la coopérative dispose de 730 ha de vignes. (CM)

Le chardonnay (40 %) se marie au meunier et au pinot noir (30 % chacun) dans cette cuvée faiblement dosée. Son nez expressif mêle les fleurs et les agrumes à des notes plus mûres d'épices et de torréfaction. Dans le même registre, la bouche jeune, vive et longue laisse une impression de légèreté et de finesse. 2019-2023 **Sélection ★ (20 à 30 €; 440 000 b.)** : issu de chardonnay (40 %), de meunier et de pinot noir, un brut frais et long, aux arômes de fleurs blanches, d'agrumes et de brioche. Parfait pour l'apéritif. 2019-2022

CHAMPAGNE PANNIER, 23, rue Roger-Catillon, 02400 Château-Thierry, tél. 03 23 69 51 30, info@champagnepannier.com V r.-v.

PAQUES ET FILS
Origine Élevé en fût de chêne 2011 ★★

| 1er cru | 3000 | | 20 à 30 € |

Les Paques font du vin depuis quatre générations. D'abord à Chigny-les-Roses, ensuite à Rilly-la-Montagne, village distant d'un saut de puce, sur le versant nord de la Montagne de Reims. Installé en 1995, Philippe Paques est à la tête d'un domaine qui couvre 12,5 ha en 1er cru. (RM)

Cette cuvée millésimée privilégie le chardonnay (80 %, avec le pinot noir en appoint); elle est vinifiée sans fermentation malolactique dans des fûts où elle reste six mois sur ses lies. Or jaune, discret au nez, le champagne laisse deviner une complexité naissante qui se confirme en bouche : les agrumes mûrs se mêlent à des notes pâtissières et briochées dans un palais harmonieux, frais et long, à la finale saline. 2019-2023

CHAMPAGNE PAQUES ET FILS, 1, rue Valmy, 51500 Rilly-la-Montagne, tél. 03 26 03 42 53, info@champagne-paques.com V r.-v.

ÉRIC PATOUR Cuvée de réserve ★

| 10 000 | | 11 à 15 € |

Éric Patour a rejoint son père Michel sur le domaine en 1994. Il élabore des champagnes sous son propre nom.

Le pinot noir et le chardonnay contribuent à parité à ce brut au nez discret, entre fruits mûrs, fruits exotiques et fruits secs, qui s'impose par son palais à la fois délicat et structuré, bien fondu, frais et long, où l'on retrouve les fruits exotiques. ⌛ 2019-2022 **Tradition ★ (11 à 15 €; 15 000 b.)** : une tradition auboise, la culture du pinot blanc, qui entre à hauteur de 40 % dans cette cuvée, associé au pinot noir. Un brut à la fois ample et tonique, aux arômes de fleurs blanches et de raisin frais. Idéal à l'apéritif. ⌛ 2019-2021

ÉRIC PATOUR, 11, rue du Vivier, 10110 Celles-sur-Ource, tél. 03 25 38 25 33, eric.patour@orange.fr r.-v.

MICHEL PATOUR

| 15 000 | | 11 à 15 € |

Ce vignoble familial est implanté à Celles-sur-Ource, en amont de Bar-sur-Seine, dans l'Aube. Maurice Patour s'est lancé dans l'élaboration du champagne dans les années 1940, il a passé le relais à Michel.

Du pinot noir (60 %) et du pinot blanc au service d'un brut délicatement fruité, aux arômes de fleurs blanches, de pomme, de poire et d'agrumes, qui laisse une impression de fraîcheur juvénile. ⌛ 2019-2021

MICHEL PATOUR, 1, rue des Huguenots, 10110 Celles-sur-Ource, tél. 03 25 38 25 33, michel.patour@orange.fr r.-v.

♥ GHISLAIN PAYER ET FILLE
Extra-brut 2008 ★★

| 2000 | | 20 à 30 € |

Viticulteurs depuis 1854, établis dans un vallon proche de la vallée de la Marne, les Payer se flattent de figurer parmi les vingt-quatre fondateurs de la Coopérative régionale des vins de Champagne en 1962 (voir Jacquart, de Castelnau), qui élabore encore deux de leurs cuvées, même s'ils sont devenus récoltants-manipulants. Ghislain Payer a transmis en 2014 le vignoble de 4 ha à sa fille Élise. (RM)

Chardonnay (50 %), pinot noir (38 %) et meunier s'allient dans cette cuvée faiblement dosée, saluée pour ses parfums flatteurs, légèrement évolués, de fleurs blanches, de fruits jaunes et de fruits secs. Ces arômes de pêche et de noisette se mêlent à la brioche dans un palais acidulé, qui laisse une impression de finesse. D'une rare harmonie, ce beau millésime pourra se déboucher à l'apéritif, mais il est assez étoffé pour accompagner une volaille de fête. ⌛ 2019-2023

CHAMPAGNE GHISLAIN PAYER ET FILLE, 18, rue des Longs-Champs, 51480 Fleury-la-Rivière, tél. 03 26 58 48 00, contact@champagne-ghislain-payer.com t.l.j. 9h30-16h30; sam. dim. sur r.-v.; f. août

CHRISTIAN PÉLIGRI

| 4500 | | 15 à 20 € |

Colombey-les-Deux-Églises, où séjourna et mourut le général de Gaulle, est un des lieux de mémoire du pays. On sait moins que cette commune de la Haute-Marne est incluse dans l'aire d'appellation champagne (il n'y en a que deux dans ce département). La famille Péligri s'est installée en 1988 dans l'ancienne coopérative laitière du village qu'elle a transformée en cave. Au fil des ans, son domaine s'est agrandi. Il compte aujourd'hui 8 ha. (RM)

Un rosé d'assemblage privilégiant le pinot noir (80 % avec un appoint de chardonnay et de meunier). Un apport de 10 % de vin rouge lui donne sa teinte rose orangé. Nez intense et gourmand sur la fraise compotée, la tartelette aux fraises, les fruits rouges très mûrs, rafraîchis par une touche citronnée; bouche ample, confite et suave, un peu tannique en finale. On verrait bien ce rosé sur un dessert aux fruits rouges. ⌛ 2019-2021 **Réserve (11 à 15 €; 15 000 b.)** : vin cité.

CHRISTIAN PÉLIGRI, 60, RD 619, 52330 Colombey-les-Deux-Églises, tél. 03 25 01 52 74, christian.peligri@wanadoo.fr t.l.j. 8h-19h; dim. sur r.-v.

ALEXANDRE PENET Brut nature ★★

| Gd cru | 4000 | | 30 à 50 € |

Ingénieur et œnologue descendant d'une lignée de vignerons remontant à quatre siècles, Alexandre Penet conduit depuis 2009 l'exploitation familiale : 6 ha de vignes implantées sur les coteaux de Verzy et de Verzenay, grands crus de la Montagne de Reims. Il a lancé en 2011 une activité de négoce. Toutes ses cuvées sont nature ou extra-brut. Deux étiquettes : Alexandre Penet et Penet-Chardonnet. (NM)

La robe or rose reflète la forte présence de pinot noir dans cette cuvée non dosée (80 %, avec le chardonnay en appoint). Le nez discret laisse percer des parfums de pomme, de poire et de coing. Ces arômes de fruits blancs se teintent d'agrumes et de fleurs blanches dans une bouche surprenante par sa vivacité et par sa longueur. Du potentiel. ⌛ 2019-2024 **Gd cru Penet-Chardonnet Extra-brut TerroirEscence ★★ (50 à 75 €; 8 000 b.)** : une dominante de pinot noir (70 %, le chardonnay en complément), une vinification en cuve et en fût, sans fermentation malolactique et un repos en bouteille de six ans au moins pour cette cuvée structurée, alliant puissance et élégance, à la palette complexe et évoluée (fruits jaunes confits, brioche, boisé toasté, fruit secs), servie par une finale longue et fraîche, sur les agrumes. ⌛ 2019-2022 **Gd cru Penet-Chardonnet Extra-brut Verzenay Cuvée Diane-Claire 2009 ★ (75 à 100 €; 5 000 b.)** : une belle étoile pour cet assemblage à parts égales de pinot noir et de chardonnay. De la chair, une rondeur suave équilibrée par une finale tonique et longue, des arômes évolués agréables (fruits jaunes, fruits secs, réglisse, notes toastées). ⌛ 2019-2022

CHAMPAGNE ALEXANDRE PENET, 12, rue Gambetta, 51380 Verzy, tél. 03 51 00 28 80, contact@lamaisonpenet.com r.-v.

JEAN PERNET Chardonnay Réserve

Gd cru | n.c. | 20 à 30 €

Un ancêtre de Christophe et de Frédéric Pernet cultivait la vigne au début du XVIIe s. Le tandem dirige aujourd'hui une petite maison de négoce forte d'un vignoble de 17 ha répartis entre Côte des Blancs, vallée de la Marne et coteaux d'Épernay. Deux étiquettes : Jean Pernet et Camille Jacquet. (NM)

Un blanc de blancs de la Côte des Blancs au nez complexe, vineux, brioché et grillé. Vif et long en bouche, il trouvera sa place à l'apéritif, sur des fruits de mer ou du poisson. 2019-2022

CHAMPAGNE JEAN PERNET, 6, rue de la Brèche-d'Oger, 51190 Le Mesnil-sur-Oger, tél. 03 26 57 54 24, champagne.pernet@orange.fr r.-v.

PERNET-LEBRUN ★

n.c. | 15 à 20 €

Les Pernet-Lebrun sont vignerons depuis cinq générations, et le champagne Pernet-Lebrun a été lancé au tournant des années 1960. Janick Pernet a repris en 1990 l'exploitation familiale qui couvre 11 ha situés pour l'essentiel sur les coteaux sud d'Épernay.

Ce rosé d'assemblage mobilise 44 % de chardonnay, autant de meunier et un appoint de pinot noir. Une robe intense, parcourue de trains de bulles vigoureux; des arômes puissants, entre griotte et cassis, plus compotés en bouche; un palais vineux, de belle longueur, teinté en finale d'une légère amertume : un champagne gourmand. **Cuvée de réserve ★ (15 à 20 €; n.c.)** : composé de meunier (60 %) et de chardonnay, un brut élégant, vif, aux arômes délicats de fruits confits, de torréfaction et d'épices, servi par une finale droite et persistante sur les agrumes confits. 2019-2022 **Cuvée Tradition (15 à 20 €; n.c.)** : vin cité.

PERNET-LEBRUN, Ancien-Moulin, 51530 Mancy, tél. 03 26 59 71 63, contact@champagne-pernetlebrun.com t.l.j. 10h-12h 14h-18h; sam. dim. sur r.-v.; f. 10-25 août

CLAUDE PERRARD Blanc de blancs ★

n.c. | 15 à 20 €

Jean-Pierre et Frédéric Perrard ont pris la suite en 2014 de trois générations de viticulteurs. Coopérateurs établi du côté de Bar-sur-Aube, aux confins de la Haute-Marne, ils confient le produit de ses vendanges à la coopérative Charles Clément, implantée à proximité. (RC)

Un blanc de blanc intense, structuré, de bonne longueur, dont l'expression aromatique (beurre, pain grillé, brioche et amande) témoigne d'une belle évolution. Il accompagnera volontiers viandes blanches et produits de la mer cuisinés. 2019-2022 **(15 à 20 €; n.c.)** : vin cité.

CHAMPAGNE CLAUDE PERRARD, 6, rue Saint-Maurice, 10200 Rouvres-les-Vignes, tél. 06 82 70 06 56, champagneclaudeperrard@gmail.com t.l.j. sf dim. 8h-19h

JOSEPH PERRIER Joséphine 2008 ★

n.c. | + de 100 €

À la fin du XIXe s., les vignes entourant Châlons-en-Champagne, qui ont aujourd'hui cédé la place à la ville, étaient réputées et la cité comptait une dizaine de maisons de champagne. Seule subsiste celle-ci, fondée en 1825 par Joseph Perrier, fils de négociant. Elle est présidée par Jean-Claude Fourmon, l'arrière-petit-fils de Paul Pithois qui avait pris le contrôle de l'affaire en 1888, rejoint à la direction générale par son fils Benjamin. L'entreprise possède un vignoble de 21 ha dans le cœur historique de la Champagne, aux alentours de Cumières et de Hautvillers. Nathalie Laplaige est chef de cave. (NM)

Déjà dégustée l'an dernier, la cuvée prestige de la maison confirme la belle tenue de ce millésime 2008. Le chardonnay l'emporte d'une courte tête (54 %) sur le pinot noir dans l'assemblage de ce champagne salué pour son équilibre. Le nez reste dominé par des arômes fruités : des fruits jaunes d'été, nuancés de légères touches de brioche et de noisette. La bouche est intense, ronde, fraîche et longue. On verrait bien ce champagne avec des saint-jacques ou un poisson noble au four. 2019-2023 **Cuvée royale (30 à 50 €; n.c.)** : vin cité.

JOSEPH PERRIER FILS ET CIE, 69, av. de Paris, 51000 Châlons-en-Champagne, tél. 03 26 68 29 51, contact@josephperrier.fr r.-v.

PERRIER-JOUËT Belle Époque 2011 ★

n.c. | + de 100 €

Maison fondée sous le Premier Empire (1811) par Pierre-Nicolas Perrier, bouchonnier d'Épernay propriétaire de vignes, et par Adèle Jouët. Leur fils, Charles, développa l'affaire, notamment vers l'Angleterre où elle devint fournisseur de la reine Victoria. La maison se flatte d'avoir élaboré le premier champagne brut (1854) et figure aussi parmi les précurseurs en matière de vins millésimés. Devenue en 2005 l'un des fleurons du géant Pernod-Ricard, elle s'appuie sur un vignoble de 65 ha (à Cramant et à Avize, en Côte des Blancs à Mailly dans la Montagne de Reims, à Aÿ et à Dizy dans la Grande Vallée de la Marne). Le chardonnay est très présent dans ses cuvées. Sérigraphiées sur la bouteille, les anémones Art nouveau dessinées en 1902 par Émile Gallé ornent depuis 1964 la cuvée millésimée Belle Époque. (NM)

Le chardonnay (50 %) s'allie au pinot noir et à un soupçon de meunier dans cette cuvée de prestige à la robe d'un or vert lumineux, animée d'une effervescence dynamique et persistante; le nez demande de l'aération avant de libérer de fraîches senteurs citronnées et minérales, puis des notes grillées; plus expressive, la bouche reste sur cette ligne aromatique alerte, sur les agrumes, la minéralité, les fruits secs et la torréfaction, marquée en finale par une certaine suavité. 2019-2022 **Blanc de blancs 2006 ★ (n.c.; n.c.)** : une robe claire traversée de fins cordons de bulles; au-dessus du verre, d'élégantes senteurs d'acacia et de fruits blancs; en bouche, une certaine suavité, contrebalancée par une fraîcheur conservée qui met en valeur des arômes persistants de fleurs blanches. 2019-2022

CHAMPAGNE PERRIER-JOUËT, 28, av. de Champagne, 51206 Épernay, tél. 01 53 23 41 95, elsa.sourice@pernod-ricard.com

DANIEL PERRIN Chardonnay ★

	6500		15 à 20 €

Daniel Perrin reprend en 1957 le vignoble familial et devient récoltant-manipulant. Aujourd'hui, son fils cadet Christian exploite 14 ha à Urville, près de Bar-sur-Aube. (RM)

Une belle étoile pour ce blanc de blancs au nez délicat et frais, mariant fleurs blanches, agrumes, fruits blancs, viennoiserie et minéralité. La bouche confirme l'olfaction : précise et élégante, elle offre une finale minérale et tonique. 2019-2022 **Prestige (15 à 20 €; 11500 b.)** : vin cité.

CHAMPAGNE DANIEL PERRIN, 40, rue des Vignes, 10200 Urville, tél. 03 25 27 40 36, info@champagne-perrin.fr V r.-v.

PERROT-BATTEUX ET FILLES
Extra-brut Blanc de blancs Vieilles Vignes ★★

1er cru	1000		20 à 30 €

En 1985, Gervais et Maryline Perrot-Batteux font l'acquisition d'un pressoir et commencent à commercialiser leur récolte. Après avoir travaillé pour plusieurs maisons, leur fille Cynthia Vigneron-Perrot les rejoint en 2006 et reprend le domaine en 2013; sa sœur Céline collabore à la promotion. La famille exploite 5 ha dans la partie sud de la Côte des Blancs. (RM)

Des ceps de chardonnay âgés d'un bon demi-siècle sont à l'origine de cette cuvée vinifiée pour un tiers en fût de chêne. Nez frais et délicatement toasté, bouche vive et longue, marquée en finale par une légère amertume aux accents d'agrumes : une réelle élégance. **1er cru Cuvée Hélixe (20 à 30 €; 2500 b.)** : vin cité.

CHAMPAGNE PERROT-BATTEUX ET FILLES, 62, av. des Comtes-de-Champagne, 51130 Bergères-lès-Vertus, tél. 09 66 91 96 75, perrot.batteux@orange.fr V r.-v.

BRUNO PERSEVAL Blanc de noirs ★★

	4500		15 à 20 €

Héritier d'une lignée remontant à 1625, Bruno Perseval a pris les rênes en 1988 du domaine familial. Il exploite avec son fils Grégoire un vignoble de 2,6 ha entièrement situé à Sacy, dans la partie ouest de la Montagne de Reims, à deux pas de la Cité des Sacres. (RM)

Issu de pinot noir et de meunier à parts égales, ce blanc de noirs livre à profusion tous les caractères attendus de ce type de champagne : une robe jaune doré; un nez généreux, gourmand et complexe, sur la poire et le coing compotés, le miel, le pain d'épice et le pain toasté; une bouche structurée et longue, aux accents de café grillé, dont la vivacité est mise en valeur par un dosage faible et une vinification sans fermentation malolactique. Un champagne de repas. 2019-2023

BRUNO PERSEVAL, 13, rue des Sources, 51500 Sacy, tél. 06 13 74 03 58, bruno.perseval@champagne-perseval.fr V r.-v.

PESSENET-LEGENDRE
Extra-brut Meunier Fût Les Retrouvailles ★★

	500		20 à 30 €

Cyrille Pessenet a repris en 1996 le domaine familial qui couvre 4,2 ha sur la rive droite de la Marne, entre Reuil et Hautvillers. Il a lancé sa propre marque en l'an 2000. (RM)

Les Retrouvailles? Un nom pour exprimer le retour en grâce du fût, souvent abandonné pour la cuve Inox, et du meunier, longtemps considéré comme moins noble que le pinot noir. Retrouvailles circonspectes, peut-être : il s'agit d'une microcuvée, élaborée à partir de vieilles vignes et construite sur la récolte 2015. Intensité, complexité aromatique (pêche, fruits jaunes, avec le côté confit et compoté du cépage, bien marié au boisé vanillé), rondeur, finale persistante et fraîche. Avec un nombre de cols moins confidentiel, ce sera parfait. 2019-2024

CHAMPAGNE PESSENET-LEGENDRE, 37, Grande-Rue, 51480 Reuil, tél. 03 26 57 87 19, champagne-pessenet-legendre@orange.fr V r.-v. 3 E

PETITJEAN-PIENNE
Blanc de blancs 2009 ★

Gd cru	2834		20 à 30 €

De vieille souche vigneronne, Denis Petitjean crée avec son épouse sa propre marque en 1981. Leur fille Marie les rejoint en 2004. La famille exploite 3,5 ha de vignes, implantées pour plus des deux tiers dans des grands crus de la Côte des Blancs. (RM)

Reflet de son millésime solaire, ce chardonnay or vert apparaît riche, suave et évolué au nez, associant les fruits à des notes de beurre, de caramel au lait, de noisette et de café. Puissante, encore bien fraîche, faiblement dosée, la bouche déploie des arômes plus fruités d'orange, mariés à des nuances épicées de muscade et de curry. La finale acidulée signe un beau champagne de repas qui pourrait s'accorder à des spécialités indiennes. 2019-2022

CHAMPAGNE PETITJEAN-PIENNE, 4, allée des Bouleaux, 51530 Cramant, tél. 03 26 57 58 26, petitjean.pienne@wanadoo.fr V r.-v. 3 D

PHILBERT ET FILS
100 % chardonnay Grand Répertoire 2012 ★

1er cru	2450		20 à 30 €

Six générations se sont succédé sur ce domaine. Les premières bouteilles, élaborées par la coopérative, sont commercialisées en 1923. Henri Philbert devient récoltant-manipulant en 1950. Depuis 1997, ses petits-enfants Jérôme et Frédérique exploitent la propriété : pas moins de 9,5 ha disséminés dans cinq 1ers crus de la Montagne de Reims. (RM)

Reflet d'un très beau millésime, ce blanc de blancs or vert animé de bulles alertes séduit par l'intensité et la richesse de ses parfums, qui traduisent une heureuse évolution : fruits secs grillés, vanille, touches miellées, citron et mandarine confits. Les fruits jaunes bien mûrs et des notes pâtissières viennent compléter cette palette dans un palais vif à souhait. Un champagne complexe et puissant.

CHAMPAGNE PHILBERT ET FILS, 7, rue de Chigny, 51500 Rilly-la-Montagne, tél. 03 26 03 42 58, contact@champagnephilbert.com V r.-v.

♥ PHILIPPONNAT
Extra-brut Clos des Goisses 2009 ★★

	19805		+ de 100 €

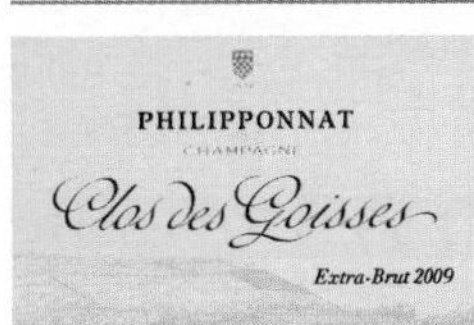

Les Philipponnat sont propriétaires de vignes à Aÿ depuis le début du XVIes. ; négociants et vinificateurs, ils ont un blason datant de la fin du XVIIes. et un château à Mareuil-sur-Aÿ, acquis en 1910. Ils ont acheté en 1935 le Clos des Goisses, l'un des rares clos champenois ceint de murs et le plus vaste aussi (5,5 ha), implanté sur un coteau aux pentes vertigineuses, en surplomb du canal latéral de la Marne et de cette rivière. (NM)

Solaire, l'année 2009 a été particulièrement favorable au pinot noir, majoritaire dans cette cuvée (61 %, avec le chardonnay en complément), issue qui plus est d'un clos exposé plein sud. Une vinification soignée, avec un élevage partiel sous bois et un repos de huit ans en cave a permis d'obtenir ce superbe millésimé élu coup de cœur, tout comme son devancier de 2008 aux caractères si différents (l'assemblage s'était adapté, faisant dominer le chardonnay). De ces conditions climatiques, ce champagne d'un or délicat au cordon très fin a tiré une belle présence dénuée de toute lourdeur; bien au contraire, il brille par sa finesse à toutes les étapes de la dégustation. Finesse d'un nez légèrement épicé (curry), aux nuances de noisette, de biscuit et de pomme au four, tonifié par une touche mentholée; finesse d'une bouche ample et longue, au boisé fondu, soutenue par une belle vivacité. Du caractère et de l'élégance. ⧗ 2019-2025 ● **Royale Réserve ★★ (30 à 50 €; 14664 b.)** : privilégiant le pinot noir (65 %, avec 30 % de chardonnay et un soupçon de pinot noir), il comprend 20 à 30 % de vins de réserve élevés sous bois que l'on ressent à la dégustation. Après un séjour en cave de trois ans, il montre des arômes complexes et évolués, d'où ressort le fruit confit; il séduit par sa fraîcheur acidulée et par sa longueur. ⧗ 2019-2022 ● **Extra-brut 1522 2008 ★ (50 à 75 €; 47997 b.)** : 48 % de pinot noir d'Aÿ pour 52 % de chardonnay du Mesnil-sur-Oger, une vinification partielle sous bois, sans fermentation malolactique. Un champagne complexe (agrumes, pêche, vanille, caramel au lait, pain grillé), généreux, onctueux et suave, équilibré par une finale longue et citronnée. Parfait pour la table. ⧗ 2019-2024

CHAMPAGNE PHILIPPONNAT, 13, rue du Pont, Mareuil-sur-Aÿ, 51160 Aÿ-Champagne, tél. 03 26 56 93 00, info@philipponnat.com V r.-v.

JACQUES PICARD
Extra-brut Blanc de blancs Les Champs Renard 2013

	5000		20 à 30 €

En 1950, Roger Picard plante des vignes sur les flancs du mont de Berru, qui s'élève dans la plaine, à l'est de Reims. Son fils Jacques lance son champagne. Sylvie et Corinne, filles de Jacques, et José Lievens, son gendre, conduisent aujourd'hui la propriété (17 ha, à Berru, Avenay-Val-d'Or et Montbré). Plusieurs étiquettes : Jacques Picard, Corinne Picard, Henri de Berr. (RM)

Issu d'une seule parcelle, ce chardonnay a été partiellement vinifié en fût. On aime son nez délicat, brioché et crémeux, prélude à une bouche un peu fugace mais équilibrée, justement dosée et bien typée chardonnay, aux arômes de fruits blancs et de pâtisserie. ⧗ 2019-2021

CHAMPAGNE JACQUES PICARD, 12, rue de Luxembourg, 51420 Berru, tél. 03 26 03 22 46, champagnepicard@aol.com V r.-v.

SERGE PIERLOT Extra-brut ★

Gd cru	3000		15 à 20 €

Créé dans les années 1930 dans la commune d'Ambonnay, grand cru situé sur le flanc sud de la Montagne de Reims, ce domaine est aujourd'hui conduit par Agnès Pierlot et ses filles Lucie et Marie, qui représentent les troisième et quatrième générations de récoltants-coopérateurs.

Ici, on propose de l'extra-brut depuis vingt-cinq ans. Construite sur la récolte 2013 assemblée à 40 % de vins de réserve, cette cuvée privilégie le pinot noir (plus de 80 %, avec le chardonnay en appoint). Les raisins noirs lui lèguent un fruité riche (fruits jaunes confits), le dosage pratiquement absent une vivacité qui donne de l'allonge à la finale. ⧗ 2019-2022

CHAMPAGNE SERGE PIERLOT, 10, rue Saint-Vincent, 51150 Ambonnay, tél. 03 26 57 01 11, champagne.serge.pierlot@wanadoo.fr V r.-v. 3 E

PIÉTREMENT-RENARD Blanc de blancs ★★

	n.c.		20 à 30 €

Domaine créé en 1919 par Fernand Renard sur les bords du Petit Morin, entre Côte des Blancs et Sézannais, repris en 1992 par son descendant Emmanuel Piétrement, également président de la coopérative locale. Le vignoble s'étend sur 10 ha à Villevenard et sur différents coteaux du Sézannais. (RC)

Une robe or clair à la bulle alerte; un nez aérien et frais, délicatement floral; une bouche droite, vive et persistante, mariant les agrumes et de légers arômes toastés : un blanc de blancs harmonieux et bien typé. ⧗ 2019-2022 ● **Vieilles Vignes 2012 (20 à 30 €; 6000 b.)** : vin cité.

CHAMPAGNE PIÉTREMENT-RENARD, 30, rue des Hauts-de-Saint-Loup, 51270 Villevenard, tél. 03 26 52 83 03, pietrement-renard@terre-net.fr V r.-v.

PINOT-CHEVAUCHET Blanc de blancs 2010 ★★

1er cru	5000		20 à 30 €

Comptable dans une première vie, Didier Chevauchet exploitait l'hectare et demi familial en parallèle. Au milieu des années 2000, il quitte son emploi salarié, achète des vignes, en loue d'autres et s'installe sur 4 ha, près d'Épernay. Sa récolte est vinifiée en coopérative et ses bouteilles sont commercialisées après un vieillissement de cinq ans minimum. Propriété certifiée Haute valeur environnementale. (RC)

Le millésime 2010 est peu coté en Champagne. En voici pourtant un représentant remarquable. Vinifié pour 15 % en fût et sans fermentation malolactique, il attire par son expression intense et complexe : fleur d'oranger, aubépine, ananas, poire compotée, agrumes mûrs, notes beurrées et pâtissières se libèrent peu à peu au-dessus du verre. Le miel, la brioche et le pain grillé s'épanouissent dans une bouche ronde, tendue par une acidité crayeuse et saline, qui finit sur une noble amertume. ⧗ 2019-2024 ● **Agathe de Ladutrie Brut nature ★ (20 à 30 €; 20000 b.)** : le meunier, présent à 90 %, lui lègue sa plaisante palette florale et fruitée, l'absence de sucre ajouté sa vivacité tonique. ⧗ 2019-2023

CHAMPAGNE PINOT-CHEVAUCHET,
2, rue Prelot, 51530 Moussy, tél. 06 88 33 52 32,
pinot.chevauchet@orange.fr r.-v.

PIPER-HEIDSIECK Vintage 2012 ★★

● | n.c. | | 30 à 50 €

À l'origine de cette marque, Florens Louis Heidsieck. Arrivant en Champagne en 1777 de sa Westphalie natale pour faire fortune dans le commerce de la laine, il s'intéresse bien vite à l'autre richesse locale, appelée à un avenir plus durable, et fonde son négoce de vins en 1785. La maison est à l'origine de toutes les maisons Heidsieck de Champagne, notamment Charles Heidsieck, la société sœur. Quant à la maison Piper-Heidsieck, elle résulte de l'association de Christian Heidsieck, neveu du fondateur, avec Henri-Guillaume Piper. Le groupe EPI, spécialisé dans le luxe, est aujourd'hui le propriétaire de ces négoces prestigieux. (NM)

Issu d'un assemblage de pinot noir (52 %) et de chardonnay, ce brut millésimé offre une image remarquable d'une année réputée. La robe jeune, or pâle aux reflets argentés, est animée de bulles alertes. Riche et complexe, le nez mêle les fleurs et les fruits blancs à des notes grillées et briochées. L'acacia s'allie à la vanille et à un léger fumé dans une bouche ample et généreuse, vivifiée par une finale incisive et citronnée. Du potentiel. ⧗ 2019-2025 ● **★ (30 à 50 €; n.c.)** : né des trois cépages champenois, avec une majorité de noirs (pinot noir 50 %, meunier 30 %), un brut généreux, aux arômes de fruits jaunes bien mûrs et à la finale minérale, de bonne longueur. ⧗ 2019-2022 ● **Rosé sauvage ★ (30 à 50 €; n.c.)** : assemblage de pinot noir (50 %), de meunier et de chardonnay, un rosé de couleur soutenue, aux arômes de griotte, de fruits blancs et d'amande. Intense, mûr, puissant et équilibré, il pourra accompagner un repas. ⧗ 2019-2022

CHAMPAGNE PIPER-HEIDSIECK,
12, allée du Vignoble, 51100 Reims, tél. 03 26 84 43 00,
reims.standard@champagnes-ph-ch.com

POINTILLART ET FILS
Extra-brut Blanc de blancs Crépuscule 2010 ★

● 1er cru | 2000 | | 15 à 20 €

Marque créée en 1946 par le grand-père d'Anthony Pointillart. Ce dernier, après avoir travaillé en Provence, a repris en 2006 l'exploitation familiale : 6 ha sur les coteaux d'Écueil, d'où l'on aperçoit la cathédrale de Reims. (RC)

L'élevage en barrique et l'évolution donne à ce blanc de blancs millésimé des arômes beurrés, briochés et des notes de café grillé. Dans le même registre, la bouche se déploie avec rondeur, tendue par une ligne acidulée en finale. Un champagne de repas, à marier avec une poularde, par exemple. ⧗ 2019-2021 ● **1er cru 2011 ★ (15 à 20 €; 6000 b.)** : associant pinot noir et chardonnay à parité, un millésime élégant et resté bien frais, aux arômes évolués de fruits secs. ⧗ 2019-2022 ● **1er cru Le Brut (15 à 20 €; 25000 b.)** : vin cité.

CHAMPAGNE POINTILLART ET FILS,
10, Grande-Rue, 51500 Écueil, tél. 03 26 49 74 95,
anthony@champagnepointillartetfils.com r.-v.

GASTON POITTEVIN ★

● 1er cru | 16018 | | 11 à 15 €

Entre les deux guerres, un Gaston Poittevin fut député de la Marne et président du Syndicat des vignerons. Son arrière-petit-fils, prénommé lui aussi Gaston, exploite 5,8 ha à Cumières, 1er cru de la Grande Vallée de la Marne. Dans sa cave, on pratique encore le remuage à la main. (RM)

Né d'un assemblage de pinot noir (72 %) et de meunier, cette cuvée est un blanc de noirs. Son nez élégant associe des senteurs beurrées et toastées à une pointe de minéralité. Plus fruitée, la bouche dévoile des notes de poire et de prune macérées. Sa souplesse est équilibrée par un trait d'acidité qui étire la finale. ⧗ 2019-2022

CHAMPAGNE GASTON POITTEVIN,
129, rue Louis-Dupont, 51480 Cumières,
tél. 03 26 55 38 37, gaston.poittevin@wanadoo.fr
r.-v.

POL ROGER Blanc de blancs 2012 ★★

● | n.c. | | 75 à 100 €

Cette maison de négoce d'Épernay expédia ses premières bouteilles en Angleterre dès sa création par le jeune Pol Roger en 1849. Devenue rapidement célèbre dans le royaume, elle a tissé des liens privilégiés avec les amateurs britanniques, et Winston Churchill ne manquait pas d'afficher sa préférence pour le champagne Pol Roger. L'affaire, restée familiale, s'appuie sur un vignoble de 92 ha. Au directoire, Hubert de Billy représente la cinquième génération de la famille; Laurent d'Harcourt, président du directoire, a succédé en 2013 à Patrice Noyelle après avoir coiffé la direction stratégique de l'export. Parti à la retraite, Dominique Petit, chef de cave, a laissé en avril 2018 sa cave à Damien Cambres, ancien directeur de la coopérative de la Goutte d'or de Vertus. (NM)

Un blanc de blancs issu de cinq grands crus de la Côte des Blancs. Après sept ans de cave, la robe or pâle aux reflets verts est encore jeune, traversée de bulles très fines. Complexe, à la fois évolué et frais, le nez mêle la crème, les agrumes, les fruits jaunes confits, le miel, la noisette et la torréfaction. Les fruits blancs et le pamplemousse s'épanouissent dans un palais riche et dense, tendu par une fraîcheur soulignée par un dosage juste. La longue finale saline est marquée par une note de pain grillé. Un grand blanc de blancs pour un repas fin. ⧗ 2019-2025 ● **Sir Winston Churchill 2008 ★ (+ de 100 €; n.c.)** : composée de vieux pinots noirs et chardonnays de grands crus, la cuvée de prestige de la maison. Le 2008 se distingue par un nez évolué et minéral, sur la pierre à fusil, par sa droiture et par sa vivacité tranchante. ⧗ 2019-2021 ● **Réserve ★ (30 à 50 €; n.c.)** : le brut sans année de la maison, né d'un assemblage par tiers de pinot noir, de meunier et de chardonnay, issus de trente crus différents et resté quatre ans en cave. Nez élégant, entre agrumes et fleurs blanches, palais rond, sur les fruits jaunes et la prune, équilibré par une finale acidulée, fraîche et saline. ⧗ 2019-2022

POL ROGER, 1, rue Winston-Churchill, 51200 Épernay, tél. 03 26 59 58 00, polroger@polroger.fr

CHRISTOPHE POMMELET

●	700	🍾	15 à 20 €

Installé en 1988 sur les 5,5 ha de l'exploitation familiale située dans la vallée de la Marne, Christophe Pommelet représente la quatrième génération sur le domaine. Son fils l'a rejoint en 2010. (RM)

Issu à 80 % de meunier complété par le chardonnay, ce rosé séduit par son nez gourmand, d'une belle finesse, mêlant le fruit rouge à la praline rose, arômes que l'on retrouve dans une bouche à la finale fraîche. Il conviendra aussi bien à l'apéritif qu'à un dessert fruité. ⧗ 2019-2020

CHAMPAGNE CHRISTOPHE POMMELET, 5, rue Cuirasse-Bretagne, 51480 Fleury-la-Rivière, tél. 03 26 58 62 34, champchristophe.pommelet@gmail.com V r.-v.

POMMERY Cuvée Louise 2004 ★★

●	n.c.	🍾	+ de 100 €

En 1976, l'homme d'affaires belge Paul-François Vranken a lancé un champagne à son nom, avant de créer la marque Demoiselle en 1985. Il s'est taillé un empire, grâce aux acquisitions successives de maisons comme Charles Lafitte, Heidsieck and Co Monopole, Pommery et de domaines viticoles en Languedoc, en Provence et au Portugal (Rozès). (NM)

L'année 2004 a donné de gros volumes de raisins de bonne qualité; elle a permis d'élaborer de nombreuses cuvées millésimées, moins mémorables que les 2002. Le 2004 de la cuvée de prestige de Pommery impressionne pourtant par sa longévité. Or pâle, sa robe montre encore une effervescence active. Le nez développe des arômes complexes qui traduisent une heureuse évolution : poire, pêche et abricot, noisette, beurre et brioche. La viennoiserie se prolonge dans une bouche complexe, soyeuse et persistante, remarquable de fraîcheur. Une bonne surprise que ce vieux millésime précis et élégant. ⧗ 2019-2023 ● **Vranken Demoiselle EO Tête de cuvée (20 à 30 €; n.c.)** : vin cité.

VRANKEN-POMMERY MONOPOLE, 5, pl. du Gal-Gouraud, 51100 Reims, tél. 03 26 61 62 63 V r.-v.

PRESTIGE DES SACRES Prestige ★

●	80000	🍾	20 à 30 €

Fondée en 1961, la coopérative de Germigny, Janvry et Rosnay commercialise ses champagnes depuis 1974. Elle propose deux marques : Prestige des Sacres et Ch. de l'Auche. L'approvisionnement couvre 110 ha aux environs de la cité des Sacres : massif de Saint-Thierry, vallée de l'Ardre, Montagne de Reims. L'encépagement du secteur privilégie le meunier.

Né des trois cépages champenois assemblés par tiers, cette cuvée séduit au nez comme en bouche par sa fraîcheur florale et minérale. Un champagne élégant, qui fera merveille à l'apéritif. ⧗ 2019-2021 ● **Cuvée Grenat 2012 (30 à 50 €; 6000 b.)** : vin cité.

CHAMPAGNE PRESTIGE DES SACRES, rue de Germigny, 51390 Janvry, tél. 03 26 03 63 40, contact@champagne-prestigedessacres.com V *r.-v.*

YANNICK PRÉVOTEAU Brut nature Marius ★★

●	6000	🍾	15 à 20 €

Transmise depuis cinq générations, une exploitation familiale établie à Damery, sur la rive droite de la Marne, non loin d'Épernay. Depuis 1996, deux frères, Yannick et Éric Prévoteau, conduisent le vignoble : 10 ha répartis dans douze communes. Propriété certifiée Haute valeur environnementale. (RM)

Pinot noir, meunier et chardonnay contribuent à parts presque égales à cette cuvée qui n'a reçu aucun apport de sucre en fin de vinification, après le dégorgement. En outre, le vigneron a évité la fermentation malolactique, ce qui renforce en général l'impression de fraîcheur. Le jury a été enchanté par la finesse florale de ce champagne. Sa délicatesse n'exclut pas une belle étoffe qui permettra de le servir au repas. ⧗ 2019-2024

CHAMPAGNE YANNICK PRÉVOTEAU, 4 bis, av. de Champagne, 51480 Damery, tél. 03 26 58 41 65, yannick.prevoteau@orange.fr V *t.l.j. sf dim. 9h-12h 14h-17h*

PRÉVOTEAU-PERRIER Extra-brut ★★

●	25000	🍾	15 à 20 €

Champenois d'adoption, le Breton Christophe Boudard et Delphine, née Prévoteau, sont installés à Damery, à l'ouest d'Épernay. Ils représentent la troisième génération à la tête de cette maison fondée en 1900, qui commercialise du champagne depuis 1946. Implanté en grande partie dans la vallée de la Marne, leur vignoble de 24 ha s'étend aussi sur les coteaux sud d'Épernay et la Côte des Blancs. (NM)

Pinot noir, meunier et chardonnay sont assemblés par tiers dans cette cuvée peu dosée. La robe or clair est parcourue de bulles fines et alertes qui mettent en valeur des parfums élégants et complexes : agrumes confits, puis brioche et amande grillée. La poire mûre, un léger fruit rouge et le pain grillé viennent compléter cette palette dans une bouche riche, ample et longue. ⧗ 2019-2022

CHAMPAGNE PRÉVOTEAU-PERRIER, 15, rue André-Maginot, 51480 Damery, tél. 03 26 58 41 56, champagneprevoteau-perrier@orange.fr V *r.-v.*

CLAUDE PRIEUR Tradition

●	8000	🍾	11 à 15 €

Trois générations se sont succédé sur ce domaine de plus de 9 ha situé au sud de Bar-sur-Aube, non loin de la Gironde, un petit ruisseau local ! Armand, l'ancêtre, était garde-champêtre et formateur au greffage. Rejoint en 2015 par son fils Pierre, Claude Prieur a repris l'exploitation familiale en 1975 et s'est lancé dans l'élaboration du champagne. (RM)

Né de pinot noir (60 %) et de chardonnay, ce brut présente la robe dorée, le nez puissant, la rondeur et la vinosité du cépage principal; il pourra accompagner un repas. Il ne manque pas non plus d'une fraîcheur bienvenue. Ses arômes ? Fruités, beurrés et briochés. Avec, selon un expert aubois, une minéralité évocatrice du calcaire gélif du Kimmeridgien. ⧗ 2019-2022

⊶ CHAMPAGNE CLAUDE PRIEUR, 2, rue Gaston-Cheq, 10200 Bergères, tél. 03 25 27 44 01, contact@champagneclaudeprieur.com V r.-v.

ROGER PRIOUX

●	1800		11 à 15 €

Commune de la Montagne de Reims dominant la Cité des Sacres, Villedommange fut pendant plusieurs siècles un lieu de pèlerinage grâce aux reliques de saint Lié, patron des bergers. C'est dans ce village que Cédric Prioux s'est installé en 2005, reprenant les 2,3 ha de vignes du domaine familial, fondé en 1947. (RM)

Un rosé de noirs, mariant meunier et pinot noir à parts égales. D'un rose soutenu, la robe tire sur le rouge; le nez mêle la framboise et la fraise, arômes que l'on retrouve dans une bouche puissante et ronde, équilibrée par une fraîcheur acidulée. ⧗ 2019-2022

⊶ CHAMPAGNE PRIOUX, 3, rue du Gré-d'Argent, 51390 Villedommange, tél. 06 77 79 07 19, champagneprioux@orange.fr V r.-v.

PROY-GOULARD Tentation

●	7000		15 à 20 €

Les grands-parents de Lucile Goulard commercialisaient déjà du champagne dans les années 1950. Cette dernière s'installe à Épernay avec Alexandre Proy, agriculteur. À la tête de 5 ha de vignes, le couple a créé sa marque en 2012. Il cultive ses raisins noirs au nord-ouest de Reims, dans le massif de Saint-Thierry, et ses chardonnays en Côte des Blancs. Il élève ses vins de réserve en fût, ses champagnes trois ans sur lies au minimum, et pratique des dosages très mesurés. (RM)

Meunier (40 %), pinot noir (20 %) et chardonnay composent ce brut de bonne tenue, élégant et frais, bien dosé et assez long, au nez délicatement floral, fruité et minéral. Parfait pour l'apéritif et le poisson. ⧗ 2019-2022

⊶ CHAMPAGNE PROY-GOULARD, 8, chem. Ferme-des-Forges, 51200 Épernay, tél. 03 26 32 44 69, champagne@proy-goulard.fr V r.-v.

SERGE RAFFLIN Belle Tradition ★

●	20000		15 à 20 €

Une lignée vigneronne remontant au règne de Louis XV. Premiers champagnes dans les années 1930. Après 1945, Serge Rafflin prend des cours d'œnologie et s'engage dans le mouvement coopératif. Depuis 1985, son fils Denis exploite 7,5 ha dans la Montagne de Reims et la vallée de l'Ardre. Il préside le conseil d'administration de la coopérative de Chigny-les-Roses qui vinifie ses cuvées. (RC)

Un brut dominé par les raisins noirs (80 %, dont 50 % de meunier). Intense et mûr au nez, avec ses notes de prune, de pruneau et de datte, il associe en bouche cette palette mûre à une agréable fraîcheur soulignée d'une touche mentholée. Il pourra accompagner un repas. ⧗ 2019-2022

⊶ CHAMPAGNE SERGE RAFFLIN, 1A, rue de Chigny, 51500 Ludes, tél. 03 26 61 12 84, contact@champagnesergerafflin.fr V r.-v.

DIDIER RAIMOND Grande Réserve

●	1500		15 à 20 €

Didier Raimond a travaillé comme œnologue, tout en constituant à partir de 1984 un domaine sur les hauteurs d'Épernay, en plantant des vignes sur d'anciens vergers. Disposant au bout d'une décennie de 7 ha (jusque dans l'Aube), il a lancé son champagne en 1994. (RM)

Née d'un assemblage de pinot noir et de chardonnay à parité, avec des vins de réserve élevés pour partie en fût, cette Grande Réserve séduit surtout pour son harmonie et pour son expression au palais : une attaque suave sur la pêche et l'abricot légèrement compotés, équilibrée par une finale fraîche et citronnée, de belle longueur. ⧗ 2019-2022

⊶ CHAMPAGNE DIDIER RAIMOND, 39, rue des Petits-Prés, 51200 Épernay, tél. 06 80 20 98 00, champagnedidier.raimond@wanadoo.fr V r.-v.

DE REKENEIRE-PETIT Blanc de blancs ★★

●	1500		15 à 20 €

Quatre générations se sont succédé sur cette propriété implantée dans la partie ouest de la vallée de la Marne. Les récoltants actuels, qui ont repris le domaine en 1989, ont porté la surface du vignoble de 7 à 12,5 ha et commencé les vinifications à la propriété en 2008. Exploitation certifiée Haute valeur environnementale. (RM)

Construite sur la récolte 2014 (une année fraîche plus favorable aux blancs), cette cuvée non millésimée aux traits juvéniles déploie une palette aromatique élégante, fraîche et complexe : fleurs blanches, poire, pêche, viennoiserie, pain grillé, tout le nuancier du blanc de blancs. En bouche, sa vinosité s'allie à une vivacité fringante qui donne de l'allonge à la finale teintée de l'amertume du pamplemousse. ⧗ 2019-2022

● ★ **(15 à 20 €; 2000 b.)** : né d'un assemblage des trois cépages champenois (avec 70 % de pinots), un rosé étoffé et frais, plaisant par son fruité pimpant (framboise, agrumes) et par sa longue finale citronnée. ⧗ 2019-2022

⊶ CHAMPAGNE DE REKENEIRE-PETIT, 41, rue Robert-Gerbaux, 02570 Chézy-sur-Marne, tél. 03 23 82 81 48, les-hautes-roches@wanadoo.fr V r.-v.

ERNEST REMY Extra-brut Oxymore ★

● Gd cru	3573		30 à 50 €

Isabey Remy et Zélia Dubois, enfants de vignerons, se marient et créent en 1883 leur domaine. Ils élaborent dès cette époque leur champagne, qui prend en 1927 le nom d'Ernest Remy à l'arrivée de leur petit-fils aux commandes. En 2008, Alice Thomine, arrière-petite-fille des fondateurs, et son époux Tarek Berrada ont relancé l'affaire, forte d'un vignoble de 15 ha dans des grands crus de la Montagne de Reims. (NM)

Oxymore? L'alliance des contraires : l'ampleur du pinot noir (60 %) et la fraîcheur du chardonnay, l'assemblage d'une année solaire (2009) et d'une autre plus fraîche (2008). Les vins de base ont été élevés sur lies dans des fûts de réemploi avant une maturation de sept ans en cave, sous bouchage liège. Le champagne affiche une robe dorée, animée de bulles alertes. Bien ouvert, complexe et charmeur, légèrement boisé, son nez joue une partition évoluée : brioche, tarte aux mirabelles, fruits macérés, vanille, noisette. Structurée sans excès, la bouche offre une finale tendue, acidulée, un rien tannique. Un champagne de caractère, pour le repas. ⧗ 2019-2022 ● **Gd cru Blanc de noirs (20 à 30 €; 17005 b.)** : vin cité.

CHAMPAGNE ERNEST REMY,
1, rue Aristide-Bouche, 51500 Mailly-Champagne,
tél. 03 26 97 63 55, contact@ernest-remy.fr V r.-v.

BERNARD REMY

Gd cru	20000		15 à 20 €

Installé dans le Sézannais, Bernard Remy plante ses premiers pieds de vigne en 1970, construit sa cave et lance son champagne en 1983. En 2009, son fils Rudy a pris la tête de la maison, qui a adopté le statut de négociant. Il exploite en propre 13,5 ha et exporte 80 % de sa production. (NM)

Né dans la prestigieuse Côte des Blancs, ce brut sans année assemble les années 2012 et 2011. Resté trois ans en cave, il affiche une robe dorée et un nez bien ouvert, floral, fruité et teinté d'évolution. Les fruits jaunes presque confits s'affirment dans un palais onctueux, d'une belle puissance, tendu par une acidité droite qui étire sa finale. ⧗ 2019-2020

CHAMPAGNE BERNARD REMY,
19, rue des Auges, 51120 Allemant, tél. 03 26 80 60 34,
info@champagnebernardremy.com V *t.l.j. sf sam. dim. 9h-17h*

F. REMY-COLLARD Prestige ★

	n.c.		20 à 30 €

Issus l'un comme l'autre de familles vigneronnes depuis quatre générations, Fabrice Rémy et Sophie Collard ont mis en commun leur nom et leur savoir-faire pour créer leur marque en 2006. Ils exploitent 11 ha répartis dans 13 villages, principalement dans la vallée de la Marne. Leurs vins sont vinifiés sans fermentation malolactique et vieillis en foudre de chêne. (RM)

Bien connue de nos lecteurs, cette cuvée or jaune à la bulle fine et alerte assemble à parité les raisins blancs et les noirs (meunier 30 %, pinot noir 20 %). Elle connaît le bois selon les usages du domaine. Si certains jurés pointent un dosage appuyé, tous saluent son expression aromatique à la fois mûre et fraîche, mêlant les fruits jaunes à un léger brioché; autre atout, sa bouche ronde sans lourdeur, tonifiée par une acidité droite qui étire sa finale. Un vin harmonieux de bout en bout. ⧗ 2019-2022 ● ★ **(15 à 20 €; n.c.)** : né des trois cépages champenois, ce rosé comprend 50 % de chardonnay et 13 % de vin rouge. Robe intense, orangé-cuivré; nez gourmand, entre boisé et agrumes confits; bouche structurée, à la fois ronde et fraîche, marquée par l'élevage. ⧗ 2019-2022

CHAMPAGNE F. RÉMY-COLLARD,
1, rue Aristide-Briand, 51700 Villers-sous-Châtillon,
tél. 06 75 72 07 13, remy-collard@orange.fr V *r.-v.*

CHAMPAGNE DE LA RENAISSANCE
Extra-brut 2008 ★★

Gd cru	2100		30 à 50 €

Située au cœur de la Côte des Blancs, cette propriété a été fondée en 1974 par Nelly Dhondt, fille d'apporteurs de raisins, qui l'a transmise en 2014 à son fils Michel Bernard. Fort de près de 10 ha de vignes dans plusieurs grands crus de la Côte des Blancs ainsi qu'à Aÿ, ce récoltant élabore des cuvées parcellaires. (RM)

Mi-septembre 2008 : pendant que l'économie mondiale s'effondrait, les raisins de Champagne profitaient à fond d'un automne à la fois ensoleillé et frais, pour donner l'un des meilleurs millésimes de la décennie. Maturité, acidité, voilà ce que l'on apprécie dans ce blanc de blancs riche, ample, gras et long, dont le faible dosage (extra-brut) met en valeur la vivacité préservée. Flatteuse et complexe, son expression aromatique (notes florales, grillées, brioche, fruits compotés, mangue) traduit une heureuse évolution. ⧗ 2019-2022

CHAMPAGNE DE LA RENAISSANCE,
2, rue d'Avize, 51190 Oger, tél. 03 26 57 53 90,
champagne.renaissance@orange.fr V *r.-v.*

R. RENAUDIN Réserve ★★

	12000		20 à 30 €

Ancienne terre noble exploitée par des seigneurs émigrés à la Révolution et acquise par la famille Renaudin. Antoine Tellier dirige depuis 1975 cette propriété créée en 1933 par son grand-père et forte aujourd'hui d'un vignoble de près de 12 ha sur les coteaux d'Épernay et la Côte des Blancs. (RM)

Le chardonnay, majoritaire (70 %), s'allie au pinot noir dans cette cuvée. Construite sur la récolte 2009, cette version a gardé de cette année solaire une robe paille aux reflets orangés et des arômes de fruits confits intenses, suaves et flatteurs, que l'on retrouve avec plaisir dans une bouche fraîche et longue, justement dosée. Un champagne très harmonieux qui s'est placé sur les rangs au moment d'élire les coups de cœur. ⧗ 2019-2022

SCEV DU DOM. DES CONARDINS,
35, rue de la Liberté, 51530 Moussy, tél. 06 14 04 21 36,
champagne@r-renaudin.com V *r.-v.*

BERNARD ROBERT ★

●	3870		11 à 15 €

En 1945, Marie-Madeleine Dosne, issue d'une famille de producteurs de vins rouges, et son mari Bernard Robert, ancien coiffeur, récoltent de quoi élaborer 300 bouteilles de champagne. Trois de leurs sept enfants suivent leurs traces et construisent des caves. Aujourd'hui, la troisième génération est arrivée sur le domaine, qui ne compte pas moins d'une trentaine d'hectares répartis sur sept communes de Champagne méridionale – de Bar-sur-Aube à Villenauxe-la-Grande. (NM)

Un rosé où le chardonnay (85 %) joue le premier rôle; le pinot noir, vinifié en rouge, lui donne une couleur soutenue, aux reflets rouges, et contribue à son expression flatteuse, sur les fruits rouges frais ou confits : fraise, pêche, grenadine, avec une nuance florale, une touche poivrée et une note fraîche d'agrumes. Les raisins blancs donnent à l'ensemble une belle tension, une vivacité juvénile. ⧗ 2019-2022 ● **Réserve ★ (11 à 15 €; 75 000 b.)** : privilégiant les raisins noirs (80 %, dont 60 % de pinot noir), un champagne charnu, frais et long, à la palette aromatique complexe et mûre (pêche et autres fruits blancs, fruits exotiques, mirabelle, brioche, notes toastées...). ⧗ 2019-2022

CHAMPAGNE BERNARD ROBERT, 22, rue de l'Orme, 10200 Voigny, tél. 03 25 27 11 53, contact@champagnebernardrobert.com V r.-v.

JACQUES ROBIN Cuvée Rubis ★

●	4 973		15 à 20 €

Établi dans la région de Bar-sur-Seine (Aube), Jacques Robin s'est installé en 1973. Il élabore son champagne depuis 1985 et exploite plus de 9 ha avec ses enfants Sébastien, Aude et Séverine. (RM)

Les «recettes» du champagne rosé sont diverses. Ici, une même parcelle de pinot noir a donné du vin blanc et un peu de vin rouge vinifié en macération carbonique, qui a légué à cette cuvée sa couleur saumon soutenue et ses arômes de fraise et de framboise. Ces petits fruits rouges s'expriment avec délicatesse au nez et s'affirment dans une bouche franche et vineuse, de bonne longueur. ⧗ 2019-2022 ● **Secret de Sorbée ★ (15 à 20 €; 7039 b.)** : issu d'une seule parcelle, un pur pinot noir à la fois rond et acidulé, plaisant par son expression fruitée intense (fruits rouges, pomme et poire bien mûres). ⧗ 2019-2020

CHAMPAGNE JACQUES ROBIN, 23, rue de la 2e Division-Blindée, 10110 Buxières-sur-Arce, tél. 03 25 38 76 25, ajrobin@orange.fr V r.-v.

B ELEMART ROBION Extra-brut VB02 ★

●	7000		30 à 50 €

Les Robion élaborent du champagne depuis le XXe s. Aujourd'hui, c'est Thierry et Catherine, épaulés par leur fils Éloi, qui sont à la tête du vignoble familial (4,5 ha) implanté dans la vallée de l'Ardre, aux sols principalement argilo-calcaires sur tuffeau. En 2011, ils ont engagé la conversion bio de leur exploitation – première vendange en bio certifiée en 2014. (RM)

VB02, après VB01 : un nom de prototype pour ce deuxième vin biologique du domaine qui pourrait s'installer dans ce chapitre. Encore un blanc de noirs dominé par le meunier (85 %). Les raisins noirs lui ont donné sa robe dorée et le cépage principal, son expression fruitée. Au nez, des agrumes, des notes iodées, grillées et épicées. En bouche, une tonalité plus miellée, de la poire cuite, de la noisette grillée et une texture assez fine. Un blanc de noirs qui laisse une agréable impression de légèreté. ⧗ 2019-2022

CHAMPAGNE ELEMART ROBION, 1, rue Principale, 51170 Lhéry, tél. 03 26 97 43 36, champagnerobion@gmail.com V r.-v.

LOUIS ROEDERER 2012 ★★

●	n.c.		50 à 75 €

Une maison née à Reims dès 1776. Louis Roederer en devient le patron en 1833, la développe, acquiert des vignes. Dans les années 1870, la maison, qui livre 2,5 millions de bouteilles, a pour principal client la Russie où le tsar Alexandre II demande à Louis Roederer de lui créer un champagne de prestige : la célèbre cuvée Cristal est lancée (1876). Riche d'un vignoble de 240 ha (en 1er cru ou en grand cru) représentant les deux tiers de ses approvisionnements, la société est toujours dirigée par les descendants des fondateurs. Le dernier, Frédéric Rouzaud, est aujourd'hui à la tête d'un groupe détenant les Champagnes Deutz et de nombreux crus de prestige, du Médoc à la Provence, du Portugal à la Californie. (NM)

À l'origine de ce brut millésimé, du pinot noir majoritaire (70 %), en provenance de Verzy et de Verzenay, et du chardonnay, élevés pour 8 % en fût. Le champagne reste quatre ans sur ses lies, puis six mois en cave après dégorgement. D'un or lumineux parcouru de trains de bulles très fines, il demande de l'aération pour libérer des parfums de coing, de noisette et de pain grillé. Vif en attaque, d'une belle ampleur au palais, il déploie des arômes de fleurs blanches, de fruits jaunes et d'agrumes (citron, pamplemousse) et offre une finale persistante et tonique. Pour un repas de fête. ⧗ 2019-2025 ● **Brut Premier ★★ (50 à 75 €; n.c.)** : composée de pinot noir et de chardonnay à parts égales (40 %) et d'un appoint de meunier vinifiés en foudre, la cuvée signature de la maison vieillit trois ans en cave. Une robe d'un or lumineux animée de bulles fines; un nez intense, complexe et délicat sur les fleurs blanches et les fruits exotiques bien mûrs, tonifié par une touche mentholée; le prélude à un palais charnu, à la fois gras et frais, où l'on retrouve les fruits exotiques alliés à des notes citronnées. Une réelle délicatesse. ⧗ 2019-2022 ● **(50 à 75 €; n.c.)** : vin cité.

CHAMPAGNE LOUIS ROEDERER, 21, bd Lundy, CS 40014, 51722 Reims, tél. 03 26 40 42 11, com@champagne-roederer.com r.-v.

ROGGE-CERESER Rosé de saignée

●	3000		15 à 20 €

Créée en 1982 sur la rive droite de la Marne, cette exploitation familiale a lancé son champagne en 1997. Le fils, Benjamin Rogge, a rejoint en 2000 le domaine, qui couvre 11 ha. (RM)

Un rosé de saignée provient de la macération de raisins noirs. Ici, pour l'essentiel, de meunier, cépage choyé dans la vallée de la Marne. Cette technique de vinification a donné à cette cuvée une robe soutenue, saumon aux reflets rouges, et des arômes frais de petits fruits rouges qui se prolongent dans une bouche franche, marquée en finale par une pointe d'amertume. ⧗ 2019-2022

CHAMPAGNE ROGGE-CERESER, 1, imp. des Bergeries, 51700 Passy-Grigny, tél. 03 26 52 96 05, info@rogge-cereser.fr V r.-v. 3

ALFRED ROTHSCHILD ET CIE
Cuvée Excellence ★★

●	n.c.		20 à 30 €

Marque créée dans les années 1930 par la maison Charles Alexandre Gauthier (1858), elle-même rachetée en 1958 par Gaston Burtin, dont la maison (ex Marne et Champagne) est passée en 2006 dans l'orbite du groupe Lanson-BCC dirigé par Philippe Baijot. Ses cuvées sont très présentes en grande distribution.

Issue de pinot noir majoritaire (78 %, avec le chardonnay en appoint), cette cuvée n'a sans doute rien de confidentiel, ce qui n'empêche pas nos dégustateurs d'en dresser un portrait flatteur : robe dorée, animée d'une bulle alerte, expression aromatique intense et complexe (de la noisette et de l'amande grillée, du fruit confit, avec des touches florales et fumées, complétés en bouche par du miel et des agrumes), palais à l'unisson du nez, justement dosé et très frais, teinté en finale d'une note de pamplemousse. De la matière et du charme. ⧗ 2019-2022

ALFRED ROTHSCHILD ET CIE, 22, rue Maurice-Cerveaux, 51200 Épernay, tél. 03 26 78 52 16 V r.-v.

OLIVIER ROUSSEAUX Tradition ★

Gd cru | 12959 | 15 à 20 €

Petit-fils d'un tonnelier viticulteur, Olivier Rousseaux a succédé à son père en 1985, à l'âge de dix-neuf ans. À la tête d'environ 5 ha de vignes, il est installé à Verzenay, grand cru de la Montagne de Reims, non loin du célèbre moulin. Exploitation certifiée Haute valeur environnementale. (RM)

Complété par le chardonnay, le pinot noir est en vedette (90 %) dans cette cuvée or pâle, au nez intense et flatteur, partagé entre noisette, notes biscuitées et fumées. D'une fraîcheur citronnée élégante, teinté en finale d'une note de pamplemousse, ce brut est tout indiqué pour l'apéritif. ⧗ 2019-2022

OLIVIER ROUSSEAUX, 21, rue de Mailly, 51360 Verzenay, tél. 03 26 49 40 50, orousseaux@orange.fr V r.-v.

PHILIPPE ROUYER Non dosé Tradition ★

3000 | 15 à 20 €

Domaine installé à Fleury-la-Rivière, village accroché aux coteaux de la rive droite de la Marne. Descendant de trois générations de récoltants, Philippe Rouyer en a pris les rênes en 1986. Le pinot meunier représente les trois quarts de ses 4,5 ha de vignes. (RM)

«Non dosé»? Aucun sucre n'a été ajouté en fin de vinification, après le dégorgement. Cette cuvée porte la marque des raisins noirs très majoritaires dans l'assemblage (85 %, dont 70 % de meunier) dans sa robe or rose, aux reflets œil-de-perdrix. Assez complexe, elle mêle des notes fraîches de pomme à des nuances mûres de figue et de fruits confits. Les fruits rouges s'allient aux fruits blancs dans une bouche structurée, fraîche et acidulée. ⧗ 2019-2022 **Pur White 2014 ★ (15 à 20 €; 3000 b.)** : un blanc de blancs à la fois ample, vigoureux et alerte, aux arômes de brioche et de noisette grillée. ⧗ 2019-2022

CHAMPAGNE PHILIPPE ROUYER, 10, rue du Chauffour, 51480 Fleury-la-Rivière, tél. 03 26 58 44 29, contact@champagne-philippe-rouyer.com V r.-v.

JEAN-JACQUES ET SÉBASTIEN ROYER Tradition ★

20000 | 11 à 15 €

Un domaine constitué en 1974 dans la Côte des Bar (Aube) par Jean-Jacques Royer, fils de viticulteurs. Après l'installation de la deuxième génération (Sébastien et sa sœur Carine), la famille s'est lancée dans l'élaboration du champagne, la commercialisation ayant débuté en 2005. (RM)

Né de pur pinot noir, cépage roi de la Côte des Bar, ce brut s'habille d'une robe dorée animée de bulles vives. Gourmand au nez comme en bouche, il mêle les fruits jaunes à des notes toastées et épicées, qui prennent des tons de pain d'épice en bouche. Le palais, aussi rond que long, est tonifié une belle fraîcheur. Un blanc de noirs expressif, harmonieux et fin. ⧗ 2019-2022 **Cuvée Catherine 2011 ★ (15 à 20 €; 8000 b.)** : un beau brut mi-blancs mi-noirs. La fraîcheur et les arômes d'agrumes du chardonnay, la structure et le fruité gourmand du pinot noir, dans des tonalités riches, compotées et confiturées peut-être liées à l'année. ⧗ 2019-2022

CHAMPAGNE JEAN-JACQUES ET SÉBASTIEN ROYER, 18, rue de Viviers, 10110 Landreville, tél. 03 25 38 52 62, champagne.royerjjs@orange.fr V t.l.j. sf sam. dim. 8h30-12h 14h-17h

RICHARD ROYER Blanc de noirs Caractère ★

6000 | 15 à 20 €

Ingénieur agronome et œnologue, Richard Royer a repris en 2007 un domaine cultivé par sa famille depuis au moins deux siècles dans la Côte des Bar (Aube), qui couvre aujourd'hui 13 ha. Il a lancé son étiquette en 2008. (RM)

Un pur pinot noir, cépage privilégié dans la Côte des Bar. La cuvée associe la récolte 2015 avec des vins des deux années précédentes. Son expression florale et fruitée d'une belle fraîcheur (acacia, agrumes, ananas) et son palais bien construit, ample en attaque, acidulé et mentholé en finale en font un champagne complet, qui trouvera sa place aussi bien à l'apéritif que sur des viandes blanches ou sur des produits de la mer. ⧗ 2019-2022 **Réserve ★ (11 à 15 €; 8000 b.)** : quatre parts de pinot noir et une part de chardonnay au service d'un brut équilibré et frais, discrètement floral au nez, brioché en bouche. ⧗ 2019-2022

CHAMPAGNE RICHARD ROYER, 14, Grande-Rue, 10110 Balnot-sur-Laignes, tél. 03 25 29 33 23, richard@champagne-richard-royer.com V r.-v.

ROYER PÈRE ET FILS Nature Brut zéro ★

6177 | 15 à 20 €

Les Royer sont plusieurs à Landreville, petit village aubois des bords de l'Ource, près de Bar-sur-Seine. Franck et Jean-Philippe sont les petits-fils de Georges Royer, le fondateur de l'exploitation en 1960. Dans leur vignoble de plus de 28 ha, le pinot noir trouve une large place. (RM)

Le chardonnay (85 %, avec le pinot noir en appoint) marque d'emblée de son empreinte ce champagne non dosé (nature). À la fois intense et délicat, le nez mêle fleurs blanches et minéralité. Le palais suit la même ligne aromatique, floral, fruité et légèrement beurré. Rond en attaque, il bénéficie d'une finale longue et acidulée. Finesse, fraîcheur, ce Brut zéro fera le même usage qu'un blanc de blancs. ⧗ 2019-2022

CHAMPAGNE ROYER PÈRE ET FILS, 120, Grande-Rue, 10110 Landreville, tél. 03 25 38 52 16, infos@champagne-royer-pf.com V t.l.j. sf sam. dim. 8h30-12h 13h30-17h; f. 5-31 août

♥ DOM RUINART Blanc de blancs 2007 ★★★

	n.c.		+ de 100 €

La doyenne des maisons de champagne. On pourrait la classer monument historique, comme le sont ses caves creusées dans la craie pendant la période gallo-romaine, inscrites depuis 2015 au patrimoine mondial de l'Unesco. Le fondateur de l'affaire, Nicolas Ruinart, ajouta le négoce en vin en 1729 à son activité de marchand drapier – une autre industrie florissante dans la région à l'époque, bientôt abandonnée. La société est restée familiale jusqu'à son absorption par Moët et Chandon en 1963. Son champagne de prestige tire son nom du moine dom Ruinart, érudit contemporain de dom Pérignon. Au cœur des cuvées Ruinart depuis 1947, le chardonnay, pour un style privilégiant la fraîcheur. (NM)

Frédéric Panaïotis est devenu chef de cave de Ruinart en mai 2007, et dans cette édition deux millésimes 2007 sont élus coups de cœur – ses premiers millésimes. Ce Champenois s'est intéressé précocement au chardonnay, car ses grands-parents le cultivaient à Villers-Marmery. Le premier millésime de Dom Ruinart est un 1959. Nettement moins solaire, l'année 2007 a favorisé le chardonnay. Les raisins proviennent pour l'essentiel de grands crus de la Côte des Blancs, complétés par des blancs en grand cru du flanc nord de la Montagne de Reims. Nos dégustateurs ont été captivés par ce champagne de caractère, faiblement dosé, remarquable de présence et de finesse de bout en bout. La robe or vert est parcourue de fines bulles qui montent sereinement; réducteur et minéral en première approche, le nez libère à l'aération des arômes intenses : acacia, miel de châtaignier, noisette grillée, fruits secs, moka, sous-bois et truffe. Tout aussi complexe, empyreumatique, évoluée, la bouche apparaît ample, riche et crémeuse, tout en gardant une belle acidité qui laisse une impression de délicatesse aérienne. Une superbe maturité. ⧗ 2019-2024 ● **R de Ruinart 2007 ★★★ (+ de 100 €; n.c.) ♥** : ici, le chardonnay (45 %) laisse une large place au pinot noir. La robe or, traversée de bulles fines, est restée pâle. Intense, réducteur, le nez libère des notes grillées, légèrement beurrées. D'intenses arômes de petits fruits et des nuances biscuitées viennent compléter cette palette dans une bouche consistante qui a conservé une rare fraîcheur. La finale saline achève de convaincre. ⧗ 2019-2024

CHAMPAGNE RUINART, 4, rue des Crayères, 51100 Reims, tél. 03 26 77 51 51, aaubry@ruinart.com r.-v.

RENÉ RUTAT Blanc de blancs ★

1er cru	15000		15 à 20 €

Les arrière-grands-parents de Flavien et de Baptiste Rutat apportaient leur récolte à la coopérative de Vertus, village situé dans la partie sud de la Côte des Blancs. Leur grand-père paternel, René, devint récoltant-manipulant. Chef d'exploitation depuis 1985, Michel a modernisé l'outil de travail. Après l'arrivée de la quatrième génération, la famille a engagé la conversion bio de l'exploitation, achevée en 2019. (RM)

D'approche discrète, ce blanc de blancs s'éveille à l'aération, libérant des effluves de petit déjeuner : beurre et pain grillé, nuancés d'agrumes. Dans le même registre, le palais rond et ample est tendu par une belle fraîcheur, soulignée en finale par une note de pamplemousse. ⧗ 2019-2022

CHAMPAGNE RENÉ RUTAT, 27, av. du Gal-de-Gaulle, Vertus, 51130 Blancs-Coteaux, tél. 03 26 52 14 79, champagne-rutat@wanadoo.fr V r.-v.

PAUL SADI Simone

1er cru	2818		20 à 30 €

Après avoir travaillé une quinzaine d'années comme salarié dans la maison Virgile Portier, l'entreprise familiale gérée par ses parents, Jérôme Portier a lancé en 2011 sa maison et son champagne, qui porte le nom de son grand-père. Il dispose en propre de près de 3 ha de vignes. (NM)

Cette cuvée provient de Villers-Marmery, un village de la Montagne de Reims dont les coteaux, orientés à l'est, sont propices au chardonnay. Son expression délicatement florale s'accompagne de notes vanillées traduisant une vinification partielle en fût. Souple en attaque, le palais est bien équilibré, légèrement évolué. ⧗ 2019-2021

CHAMPAGNE PAUL SADI, 21 bis, RN, 51360 Beaumont-sur-Vesle, tél. 03 26 40 25 18, paul.sadi@orange.fr V r.-v.

MADAME DE SAINTE-MAURE ★★

	10000		15 à 20 €

Gérard Demilly appartient à une famille établie à Bligny (Côte des Bar) depuis le XVIIe s. En 1978, il étudie la viticulture et achète avec son épouse Françoise un vignoble (8 ha aujourd'hui) dont le siège occupe une ancienne verrerie du XVIIIe s. Après avoir fait ses classes en Australie et en Californie, leur fils Vincent, œnologue, les a rejoints. Autre étiquette : Madame de Sainte-Maure. (NM)

Chardonnay et pinot noir s'allient dans cette cuvée au nez complexe, évolué, mêlant le pain grillé, l'amande et la vanille. Le fruit confit et la brioche s'ajoutent à cette gamme dans un palais riche et gourmand à souhait. On verrait bien ce champagne sur un pâté en croûte. ● **Demilly de Baere Fauchon Cuvée La Grande Histoire ★ (20 à 30 €; 15000 b.)** : un assemblage de quatre cépages (avec du pinot blanc en sus de la trilogie champenoise). Complexité (fleurs, fruits rouges, pâtisserie, pain grillé), structure, fraîcheur, il ne ternira pas la réputation de l'épicerie de luxe. ⧗ 2019-2022

CHAMPAGNE DEMILLY DE BAERE, Dom. de la Verrerie, 1, rue du Château, 10200 Bligny, tél. 03 25 27 44 81, champagne-demilly@wanadoo.fr V r.-v.

DE SAINT-GALL Blanc de blancs Orpale 2004 ★★

Gd cru | 44 800 | | 75 à 100 €

Marque commerciale de l'Union Champagne. Créé en 1966, ce groupement de coopératives a son siège à Avize dans la Côte des Blancs : plus de 2 300 adhérents apporteurs de raisins, 15 centres de production, 1 350 ha de vignes implantées essentiellement en grand cru et en 1er cru dans la Côte des Blancs et dans la Montagne de Reims. (CM)

Très bien conservée, la cuvée prestige 2004 de l'Union Champagne a fait grande impression par sa droiture, sa fraîcheur minérale, sa puissance et sa longueur. Complexe et élégante, sa palette mêle des senteurs évoluées et des arômes encore jeunes : fruits secs, notes grillées s'allient à des touches citronnées et mentholées que l'on retrouve en finale. ⌛ 2019-2021

CHAMPAGNE DE SAINT-GALL, 7, rue Pasteur, CS 80019, 51190 Avize, tél. 03 26 57 94 22, info@de-saint-gall.com V *r.-v.*

CHRISTELLE SALOMON Excellisime 2012

| 1800 | | 15 à 20 €

Christelle Salomon a pris en 1999 les rênes du domaine familial, qui couvre 3 ha à Vandières, sur la rive droite de la Marne. Elle a commencé la commercialisation de son champagne en 2004, construit pressoir et cuverie en 2006. (RM)

Chardonnay et meunier contribuent à parité à ce millésimé qui s'ouvre sur les fleurs blanches et les agrumes avant de prendre à l'aération des nuances de prune et de grillé. Le fruit à noyau s'affirme dans un palais à la fois acidulé et rond, au dosage un peu appuyé. Une cuvée somme toute équilibrée et expressive. ⌛ 2019-2022

CHAMPAGNE CHRISTELLE SALOMON, 7, rue Principale, 51700 Vandières, tél. 03 26 53 18 55, champ.c.salomon@orange.fr V *r.-v.*

DENIS SALOMON Extra-brut L'Inédite 2012 ★★

| 971 | | 20 à 30 €

Un domaine implanté sur la rive droite de la Marne, à Vandières, derrière les remparts du village. Créé en 1974 par Denis Salomon, il élabore ses champagnes depuis 1996. Il a été repris trente ans plus tard par son fils Nicolas, qui s'est équipé d'une cuverie adaptée à la vinification parcellaire et d'un pressoir Coquard. Le vignoble couvre aujourd'hui 4,8 ha. (RM)

Née de pur meunier, cette cuvée donne une excellente image du cépage; elle constitue aussi un reflet du millésime 2012 : maturité, acidité et... petits volumes. Au nez comme en bouche, elle offre une expression délicate, complexe et évoluée : fleurs séchées, pêche, mirabelle, abricot confit, coing, nuancés de touches d'amande, de pâtisserie, de moka et d'épices. Ample et généreuse, la bouche a conservé sa fraîcheur. ⌛ 2019-2023 ● **Extra-brut Vitalie Salomon 2013 ★ (30 à 50 €; 590 b.)** : issu des trois cépages champenois à parts égales et d'une vinification en fût, un millésimé intense, gourmand, ample et généreux, aux arômes de fruits compotés et de coing. ⌛ 2019-2023

CHAMPAGNE DENIS SALOMON, 5, rue Principale, 51700 Vandières, tél. 03 26 58 05 77, info@champagne-salomon.com V *r.-v.* E

♥ **SALON** Blanc de blancs Le Mesnil 2007 ★★

| 50 000 | | + de 100 €

Aimé Salon, fils de charron, naît en 1867 à Pocancy, village de la plaine, à quelques kilomètres de la Côte des Blancs. Ses parents veulent faire de lui un instituteur. Il choisit les affaires et commence sa carrière en ramassant, à bicyclette, des peaux de lapin pour une entreprise de fourrures de la capitale qu'il finit par diriger. Épicurien, il revient dans son pays natal pour créer un champagne de rêve. Avec l'aide de son beau-frère, chef de cave, il choisit le terroir : Le Mesnil-sur-Oger; les meilleures parcelles : celles du haut de l'église; son premier millésime, 1905, est réservé à sa consommation personnelle. La maison (dans l'orbite du groupe Laurent-Perrier depuis 1988) naît en 1920. Elle est célèbre pour ne proposer qu'une cuvée de blanc de blancs millésimé élaborée seulement les bonnes années et exclusivement issue du Mesnil-sur-Oger, grand cru de la Côte des Blancs. (NM)

2007 : un printemps précoce, un début d'été radieux, mais un mois d'août frisquet et une arrière-saison incertaine. Les chardonnays ont bien mûri, tout en conservant une franche acidité. Cela donne un champagne vif, au fort potentiel. La robe or pâle est parcourue de bulles très fines. D'approche discrète, floral, citronné et minéral, le nez dévoile une touche d'herbe fraîche très agréable. Le fruit blanc s'ajoute à cette palette dans une bouche structurée, à la fois ample et tendue, marquée en finale par une pointe d'amertume qui lui donne relief et longueur. Un champagne de caractère, qui n'est qu'au début de sa longue carrière. ⌛ 2019-2030

CHAMPAGNE SALON, 5, rue de la Brèche-d'Oger, 51190 Le Mesnil-sur-Oger, tél. 03 26 57 51 65, champagne@salondelamotte.com

SANGER Blanc de blancs Terroir natal ★

Gd cru | n.c. | | 20 à 30 €

L'École de viticulture d'Avize a vu le jour en 1919 grâce au legs des époux Puisard, riches négociants. Depuis 1927, c'est un établissement public (rebaptisé Viti Campus) qui forme la majorité des professionnels champenois. En 1952, d'anciens élèves ont créé la coopérative des Anciens. Aujourd'hui, ils sont plus de cent coopérateurs, et environ mille deux cents apprentis et stagiaires se forment à la vigne et à la cave en participant à l'élaboration des cuvées. (CM)

Terroir natal? Avize, village de la Côte des Blancs classé en grand cru où est implanté le lycée viticole. Le chardonnay, omniprésent, y a donné un blanc de blancs au nez d'une belle finesse, à la fois ample et frais, à la longue finale citronnée. ⌛ 2019-2022

CHAMPAGNE SANGER, rempart du Midi, 51190 Avize, tél. 03 26 57 79 79, contact@sanger.fr r.-v.

FRANÇOIS SECONDÉ
Blanc de noirs Sillery La Loge ★

Gd cru	2500		20 à 30 €

La production de Sillery, grand cru de la Montagne de Reims, approvisionne surtout les maisons de champagne. François Secondé était le seul récoltant à proposer du sillery grand cru. Ancien ouvrier viticole, il avait acheté sa première vigne en 1972 et constitué un domaine de 5,5 ha dans quatre grands crus. Après son décès accidentel en 2018, Jérôme Groslambert, qui travaillait à ses côtés, co-gère l'exploitation et élabore les cuvées. (RM)

Sillery est situé sur le flanc nord de la Montagne de Reims, aux portes de la cité des Sacres. Un grand cru réputé pour son pinot noir, cépage à l'origine de ce champagne gourmand, fruité à souhait. Au nez, de subtils arômes de fraise, de coulis de framboise et de mirabelle; en bouche, de la groseille, du beurre, de la noisette et, en finale, une note fraîche d'orange sanguine. Un blanc de noirs à la fois ample, riche et fin, de bonne longueur. 2019-2024 **Gd cru Blanc de blancs Sillery 2012 (30 à 50 €; 2500 b.)** : vin cité.

CHAMPAGNE FRANÇOIS SECONDÉ, 6, rue des Galipes, 51500 Sillery, tél. 03 26 49 16 67, francois.seconde@wanadoo.fr V *t.l.j. sf sam. dim. 8h-12h 13h30-17h*

SECONDÉ-SIMON Cuvée Nicolas ★

Gd cru	11000		15 à 20 €

Fils et petit-fils de vignerons, Jean-Luc Secondé s'installe en 1983 à Ambonnay, village de la Montagne de Reims classé en grand cru. Le domaine, qui s'étend sur 6 ha, est aujourd'hui dirigé par Jérôme Bôle, son gendre, tandis que son fils, Nicolas Secondé, œnologue, se charge des vinifications. (RM)

Deux tiers de pinot noir et un tiers de chardonnay composent ce brut qui ne manque pas d'atouts : une expression aromatique flatteuse (agrumes, viennoiserie, pain frais, complétés en bouche par de la prune, des fruits secs et des fruits confits) et un palais puissant, à la finale suave, de bonne longueur. 2019-2022

J.-L. SECONDÉ-SIMON, 14, rue de Trépail, 51150 Ambonnay, tél. 03 26 56 13 02, champagne@seconde-simon.fr V *r.-v.*

JEAN SÉLÈQUE Cuvée Tradition ★

	15000		15 à 20 €

Arrière-grand-père de l'actuelle récoltante, Jean Bagnost, fondateur de la coopérative de Pierry et maire de la commune, plante avec son gendre Henry Sélèque les premiers ceps à la fin des années 1960. Jean Sélèque commence à vendre du champagne. Sa fille Nathalie, installée en 2011, a lancé la marque au nom de son père deux ans plus tard. Son vignoble de 5,3 ha est implanté sur différents coteaux aux environs d'Épernay. (RC)

Le chardonnay (55 %) et les pinots (meunier surtout) font presque jeu égal dans cette cuvée au nez frais, bien ouvert sur la fleur blanche et sur la pêche. Des fruits frais acides comme l'ananas s'allient au fruit à noyau dans un palais à la fois rond et tonique, de bonne longueur : un bel équilibre. 2019-2022 **Vieilles Vignes (30 à 50 €; 1000 b.)** : vin cité.

CHAMPAGNE JEAN SÉLÈQUE, 12, rue de l'Égalité, 51530 Pierry, tél. 06 80 38 66 32, champagnejean.seleque@orange.fr V *t.l.j. 9h-18h*

SERVEAUX FILS Carte noire

	6300		15 à 20 €

Domaine familial créé en 1954 sur la rive droite de la Marne, entre Dormans et Château-Thierry. Installé en 1993, Pascal Serveaux, rejoint à partir de 2002 par ses fils Nicolas et Hugo et par sa fille Élodie, cultive 15 ha de vignes. (RM)

Meunier et pinot noir à parité composent ce blanc de noirs discrètement fruité au nez. Le pain grillé se dévoile dans un palais ferme, de bonne longueur, dont la fraîcheur est soulignée par d'intenses arômes d'agrumes. 2019-2022

CHAMPAGNE SERVEAUX FILS, 2, rue de Champagne, 02850 Passy-sur-Marne, tél. 03 23 70 35 65, serveaux.p@wanadoo.fr V *r.-v.*

JACQUES SONNETTE

	6600		11 à 15 €

Installé en 1973 sur l'exploitation familiale située dans un hameau de Charly-sur-Marne, sur la rive droite de la Marne, Jacques Sonnette élabore son champagne depuis 1976. Dans son vignoble de 8 ha, le meunier est très présent. (RM)

Les trois cépages champenois (dont 33 % de chardonnay) collaborent à ce rosé d'assemblage à la robe corail parcourue d'une bulle abondante. Le nez tonique, partagé entre agrumes (pamplemousse) et pomme granny, prélude à une bouche équilibrée, marquée en finale par une touche d'amertume. 2019-2021

CHAMPAGNE JACQUES SONNETTE, 2, rue du Port-Picard, Grand-Porteron, 02310 Charly-sur-Marne, tél. 03 23 82 05 71, contact@champagne-sonnette.fr V *r.-v.*

SORET-DEVAUX ★

	27392		11 à 15 €

Petit-fils d'agriculteurs et fils de viticulteurs, Loïc et Romaric Soret se sont perfectionnés dans leur métier, en Bourgogne pour le premier et à Avize pour le second. Ils élaborent leurs champagnes depuis 2000. Leur domaine s'étend sur plus de 8 ha dans la région de Bar-sur-Aube, dans la partie la plus méridionale du vignoble. (RM)

Les raisins noirs sont majoritaires (73 %, pinot noir surtout) dans l'assemblage de cette cuvée mariant la récolte 2014 avec les deux années antérieures. Floral, miellé et beurré au nez, ce brut offre une attaque ronde, sur des notes de cire d'abeille, puis de fruits blancs, avant de dévoiler une longue finale, fraîche et citronnée. De la présence et une certaine complexité. 2019-2022 **Réserve (15 à 20 €; 6000 b.)** : vin cité.

CHAMPAGNE SORET-DEVAUX, 1, rue de Rizaucourt, 10200 Colombé-le-Sec, tél. 03 25 27 12 55, champagne.soret-devaux@orange.fr V *t.l.j. sf dim. 9h-12h 13h-19h*

SOURDET-DIOT Cuvée Prestige ★

●	10000	🍾	20 à 30 €

Un vignoble familial situé sur la rive gauche de la Marne. Apporteur de raisins, Raymond Sourdet a planté là ses premiers ceps en 1962. Son fils Patrick, installé en 1975, devient récoltant-manipulant en 1980. Ludivine, sa fille, et son époux Damien ont rejoint en 2004 la propriété, forte de 11 ha et d'une nouvelle cuverie, aménagée en 2011. (RM)

Une belle étoile pour cette cuvée mariant 60 % de chardonnay au meunier. Les raisins blancs lui ont légué un nez frais, minéral et élégant, sur les agrumes, nuancés d'une note briochée. On retrouve les agrumes, associés aux fruits mûrs et aux fleurs blanches, dans un palais à la fois ample et vif, de bonne longueur. Ce brut d'une grande finesse trouvera sa place à l'apéritif. ⧗ 2019-2023 ● **Cuvée de réserve (20 à 30 €; 20000 b.)** : vin cité. ● **(20 à 30 €; 6000 b.)** : vin cité.

CHAMPAGNE SOURDET-DIOT, 1, hameau de Chézy, 02330 La Chapelle-Monthodon, tél. 03 23 82 46 18 V t.l.j. sf dim. 10h-12h 14h-17h

PATRICK SOUTIRAN Blanc de blancs ★

● 1er cru	4000	🍾	20 à 30 €

Vigneron bien connu, Gérard Soutiran a eu plusieurs fils. Patrick Soutiran, installé en 1970, cultive avec sa fille Estelle (depuis 2007) et son fils Fabrice (depuis 2013) un vignoble de 3 ha implanté à Ambonnay et à Trépail, deux villages voisins de la Montagne de Reims, classés respectivement en grand cru et en 1er cru. (RM)

Orientés à l'est, les coteaux de Trépail conviennent au chardonnay, cépage largement majoritaire dans ce village. Ce blanc de blancs témoigne de la qualité de ce terroir. Au nez, la brioche beurrée, le miel, et la pâte de coings s'allient à des notes de bergamote et d'agrumes confits. Puissante, charnue et suave, la bouche poursuit dans le même registre à la fois pâtissier et fruité, tonifiée en finale par des notes d'ananas et d'orange. Riche et gourmand, complexe et mûr, ample et frais à la fois, ce champagne pourra accompagner un repas. ⧗ 2019-2022

CHAMPAGNE PATRICK SOUTIRAN, 2, rue des Tonneliers, 51150 Ambonnay, tél. 03 26 57 08 18, contact@champagnesoutiran.fr V r.-v.

TAITTINGER
Blanc de blancs Comtes de Champagne 2007 ★★

● Gd cru	n.c.	🛢🍾	+ de 100 €

Alexandre Fourneaux produisait des vins tranquilles à Rilly-la-Montagne. Son fils créa une maison de négoce dès 1734. Deux siècles plus tard, Pierre Taittinger devint en 1936 l'actionnaire principal de la maison Forest-Fourneaux à laquelle il donna son nom. Passée en 2005 sous le contrôle d'un fonds de pension américain, rachetée un an plus tard par la famille, l'affaire est dirigée par Pierre-Emmanuel Taittinger. Avant de s'installer sur la butte Saint-Nicaise, site historique, elle avait son siège à l'hôtel des Comtes de Champagne, d'où le nom de sa cuvée de prestige. La maison dispose de crayères du IVes. et d'un vaste vignoble (288 ha). Le chardonnay est son cépage emblématique. (NM)

Lancée en 1952, la cuvée de prestige de la maison doit tout au chardonnay. Des blancs de haute origine, issus de cinq grands crus de la Côte des Blancs : Chouilly, Avize, Cramant, Le Mesnil-sur-Oger, Oger. Une petite partie (5 %) des vins vieillissent en fût de chêne neuf. Précoce mais marquée par un été frisquet et humide, l'année 2007 s'est révélée finalement favorable au chardonnay, vendangé pour cette cuvée un 30 août venteux et frais. Ce qui nous vaut ce superbe blanc de blancs qui fait d'emblée grande impression grâce à son nez intense, minéral et complexe, mêlant les fruits blancs compotés, les fruits secs et des notes de torréfaction aux accents de café. Une attaque tonique ouvre sur un palais très généreux, rond et biscuité, mais encore alerte. Proche du coup de cœur. ⧗ 2019-2025 ● **Comtes de Champagne 2007 ★ (+ de 100 €; n.c.)** : 30 % de chardonnays de la Côte des Blancs, 70 % de pinot noir de la Montagne de Reims, tous issus de grands crus, 5 % de vins élevés en barrique. Saumon pâle aux reflets orangés, c'est un rosé tout en finesse, au nez délicat, partagé entre petits fruits noirs, rose et violette, subtilement fumé, minéral et iodé. La fraise des bois et la gelée de pomme s'invitent dans une bouche étoffée et subtile, soyeuse, tendue et longue. ⧗ 2019-2025 ● **Réserve (30 à 50 €; n.c.)** : vin cité.

CHAMPAGNE TAITTINGER, 9, pl. Saint-Nicaise, 51100 Reims, tél. 03 26 85 45 35, communication@taittinger.fr V t.l.j. 9h30-17h30; f. sam. dim. nov.-mai

TANNEUX-MAHY Cuvée Prestige ★★

●	15000	🛢🍾	15 à 20 €

La famille élabore son champagne depuis 1927. Prenant la suite des trois générations précédentes, Christophe et Katia Tanneux se sont installés sur l'exploitation en 2009. Proche d'Épernay, leur vignoble couvre 8,5 ha sur les deux rives de la Marne. (RM)

De vieux ceps de chardonnay, un élevage partiel en fût, de quoi donner à cette cuvée finesse, intensité et complexité. Sa palette associe les agrumes et des notes plus mûres (cuir, sous-bois, mirabelle). Expressif et long, le palais laisse percevoir en finale une touche boisée. Un champagne harmonieux qui pourra accompagner un repas. ⧗ 2019-2023 ● **Le Mont de Bon 2012 ★ (20 à 30 €; 1165 b.)** : de vieilles vignes de chardonnay (75 %) et de pinot noir plantées sur une seule parcelle de Mardeuil, un élevage sous bois et une fermentation malolactique bloquée pour ce brut millésimé incisif et long, aux arômes d'agrumes et de pain d'épice. ⧗ 2019-2023

CHAMPAGNE TANNEUX-MAHY, 2, rue Jean-Jaurès, 51530 Mardeuil, tél. 03 26 55 24 57, champagne.tanneux@orange.fr V t.l.j. sf dim. 9h-12h 13h30-18h

SÉBASTIEN TAPRAY Prestige ★★

●	6000	🍾	15 à 20 €

Viticulteur depuis 2000 dans la région de Bar-sur-Aube, Sébastien Tapray représente la deuxième génération sur l'exploitation familiale. Il apporte la récolte de ses 2 ha à la coopérative de Colombé-le-Sec qui élabore ses cuvées. (RC)

Le chardonnay (80 %, avec un appoint de pinot noir) lègue à cette cuvée sa finesse et ses arômes de fleurs blanches et d'agrumes, au nez comme en bouche. Ample en attaque, soyeux et long, bien dosé, un champagne «consensuel» et charmeur. ⧗ 2019-2023

CHAMPAGNE SÉBASTIEN TAPRAY, 29, Grande-Rue, 10200 Colombé-la-Fosse, tél. 03 25 27 99 12, tapray.sebastien@orange.fr r.-v.

TARLANT Brut nature Zéro ★

	100000		30 à 50 €

Enracinés en Champagne, les Tarlant cultivaient déjà la vigne à l'époque de dom Pérignon. Constitution du domaine à partir de 1780 dans la vallée de la Marne, premier champagne livré en 1929. Aujourd'hui, un vignoble de 14 ha et un style reconnu. Aux commandes depuis 1999, Benoît et Mélanie, les enfants de Jean-Mary Tarlant, qui préside la maison. À la cave, Benoît vinifie en petite cuve ou en barrique par «climat», sans fermentation malolactique, élève sur lies les vins de réserve et privilégie les dosages faibles (extra-brut) ou absents (brut zéro). (RM)

Le grand classique de la maison. Élaboré sans dosage, il assemble à parts égales chardonnay, pinot noir et meunier et marie la récolte de 2012 avec des vins de réserve de 2010, 2009 et 2008 élevés en fût. Il en résulte une expression aromatique gourmande, florale et surtout fruitée, légèrement compotée, avec des nuances toastées peut-être héritées du bois. Équilibré, à la fois suave et frais, ce brut nature se passe très bien du sucre traditionnellement ajouté en fin de vinification. ⧗ 2019-2022

CHAMPAGNE TARLANT, 21, rue de la Coopérative, 51480 Œuilly, tél. 03 26 58 30 60, champagne@tarlant.com r.-v.

EMMANUEL TASSIN Cuvée ancestrale Élevé en fût de chêne 2014 ★

	2000		20 à 30 €

Installés dans la Côte des Bar (Aube), les Tassin sont vignerons de père en fils et se sont lancés dans l'élaboration du champagne dès 1930. Emmanuel Tassin a repris en 1987 l'exploitation familiale et lancé son étiquette. Rejoint par son fils Corentin, il exploite 9 ha dans la vallée de l'Ource. (RM)

Le 2012 de cette cuvée avait enchanté nos dégustateurs. Le 2014 possède bien des traits communs : l'assemblage est similaire, du pinot noir et du chardonnay à parts égales, ainsi que la vinification et l'élevage, en fûts (dont 25 % neufs). Une bulle dynamique exalte la fraîcheur nerveuse de ce brut aux arômes discrets de citron vert, à l'attaque vive et à la bouche minérale. Le boisé semble plus appuyé, avec ses notes fumées, un peu résinées; le dosage est perceptible, la finale légèrement tannique. Un champagne de caractère, qui pourra accompagner un repas. ⧗ 2019-2024

CHAMPAGNE EMMANUEL TASSIN, 104, Grande-Rue, 10110 Celles-sur-Ource, tél. 03 25 38 59 44, champagne.tassin.emmanuel@sfr.fr r.-v.

J. DE TELMONT La Folie 2012 ★★

	1000		50 à 75 €

Une maison de négoce sise à Damery, sur la rive droite de la Marne. Fondée en 1912 par Henry Lhopital, la société est restée familiale, gérée par Bertrand Lhopital et sa sœur Pascale Parinet qui représentent la quatrième génération. Elle dispose d'un approvisionnement de 106 ha, et d'un vignoble en propre de 32 ha, dont 10 ha sont exploités en biodynamie. À la cave, l'œnologue Charlotte Esbach. (NM)

Du chardonnay d'une seule parcelle de Damery. À une robe soutenue, animée de bulles fines et alertes, répond un nez complexe, légèrement évolué, sur les fruits blancs, les agrumes confits, l'abricot sec et la noisette grillée. Tout aussi complexe, citronnée et compotée, la bouche est structurée, tendue, minérale et longue : un brut remarquable, très représentatif de ce beau millésime à la fois mûr et frais. ⧗ 2019-2023 **Grande Réserve ★ (20 à 30 €; 400000 b.)** : issu des pinot noir, meunier et chardonnay à parts égales, un brut à l'expression aromatique fine, complexe et mûre (fruits confits, pâtisserie et miel). À la fois vineux et frais, de bonne longueur, il pourra accompagner un repas. ⧗ 2019-2022

CHAMPAGNE DE TELMONT, 1, av. de Champagne, 51480 Damery, tél. 03 26 58 40 33, commercial@champagne-de-telmont.com

ÉRIC THERREY Cuvée spéciale

	25000		15 à 20 €

La ville de Troyes est dominée à l'ouest par la butte calcaire de Montgueux où excelle le chardonnay. Jacky Therrey y a planté les premières vignes dans les années 1960 et lancé son champagne en 1978. Après vingt-cinq ans de collaboration familiale, son fils Éric a pris en 2006 la direction du domaine et rajeuni l'outil de production en 2011. Rejoint par sa fille Morgane, il cultive 8 ha à Montgueux et à Celles-sur-Ource. (RM)

Le chardonnay laisse une petite place (10 %) au pinot noir dans ce brut discrètement floral au nez, plus fruité en bouche. Rond en attaque, sur des notes de pêche jaune et d'abricot, vif et gourmand, il finit sur une touche d'amertume aux accents de pamplemousse. ⧗ 2019-2022

CHAMPAGNE ÉRIC THERREY, 6, rte de Montgueux, 10300 Montgueux, tél. 03 25 70 30 25, contact@champagne-therrey.fr *t.l.j. sf dim. 9h-12h 14h-18h30*

THÉVENET-DELOUVIN Réserve ★

	10000		15 à 20 €

Issus l'un comme l'autre de familles vigneronnes, Isabelle et Xavier Thévenet mettent leurs compétences agronomiques au service d'une viticulture durable depuis le début des années 1990 (exploitation certifiée Haute qualité environnementale depuis 2016). Leur vignoble s'étend sur les deux rives de la Marne. (RM)

Le meunier représente 65 % de cette cuvée, complété par le chardonnay et par une goutte de pinot noir. Alliant la récolte 2016 avec des vins de réserve, il apparaît assez discret mais séduit par sa fraîcheur. ⧗ 2019-2022 **Carte rosée (15 à 20 €; 4000 b.)** : vin cité. **Meunier Insolite (20 à 30 €; 1000 b.)** : vin cité.

CHAMPAGNE THÉVENET-DELOUVIN, 28, rue Bruslard, 51700 Passy-Grigny, tél. 03 26 52 91 64, xavier.thevenet@wanadoo.fr r.-v.

THIÉNOT Cuvée Garance 2010 ★

| n.c. | | 75 à 100 € |

Ancien banquier, Alain Thiénot est revenu à ses racines champenoises. Il a débuté par le courtage, acheté des vignes à partir de 1976, créé sa maison en 1985, acquis les marques Marie Stuart, Joseph Perrier et Canard-Duchêne, s'est diversifié dans le Bordelais et le Languedoc. Depuis 2003, il a pour appui ses enfants Stanislas et Garance. (NM)

Garance? Le nom de la fille du propriétaire, évocateur de la couleur rouge. De fait, cette cuvée millésimée est un blanc de noirs (100 % pinot noir de la Montagne de Reims). Le cépage lui a légué une robe or profond parcourue d'un élégant cordon de bulles, un nez à la fois intense et délicat, frais et subtilement minéral, sur les petits fruits des bois, et une bouche ronde et équilibrée, aux nuances d'agrumes confits. 2019-2022 **Blanc de blancs (30 à 50 €; n.c.)** : vin cité.

CHAMPAGNE THIÉNOT, 4, rue Joseph-Cugnot, 51500 Taissy, tél. 03 26 77 50 10, infos@thienot.com V r.-v.

J.M. TISSIER Reflet de terre

| 15000 | | 15 à 20 € |

Petit-fils de Diogène Tissier, vigneron à la nombreuse descendance, Jacques Tissier a travaillé dès l'âge de quatorze ans avec son père Jean-Marie et repris la propriété en 1993. Il exploite plus de 5 ha de vignes sur les coteaux d'Épernay et dans le Sézannais. (RM)

Un assemblage classique (60 % de noirs, dont 50 % de pinot noir, 40 % de chardonnay) pour cette cuvée séduisante et jeune, bien équilibrée entre rondeur et fraîcheur, de bonne longueur, mêlant au nez comme en bouche l'acacia, un léger miel, les fruits blancs et les agrumes. Parfait pour l'apéritif et le poisson. 2019-2022

J.M. TISSIER, 9, rue du Gal-Leclerc, 51530 Chavot-Courcourt, tél. 03 26 54 17 47, contact@champagne-jm-tissier.com V r.-v.

DIOGÈNE TISSIER ET FILS
Blanc de noirs Saveur de Juliette ★

| 14000 | | 15 à 20 € |

Diogène Tissier, le fondateur de la maison en 1931, eut neuf enfants, dont trois suivirent ses traces. Rejoint en 2016 par Margaux, Vincent Huber, son petit-fils, exploite 9 ha à Chavot-Courcourt, au sud d'Épernay. Exploitation certifiée Haute valeur environnementale. (NM)

Nommé en hommage à une grand-mère, ce blanc de noirs assemble le meunier (70 %) et le pinot noir. Les pinots lui ont légué un caractère vineux et un côté gourmand, au nez comme en bouche. Cependant, c'est «un blanc de noirs moderne», selon nos jurés. Entendez «tendu», «légèrement dosé», «d'une belle fraîcheur en finale». Un champagne de repas. 2019-2022

DIOGÈNE TISSIER ET FILS, 10, rue du Gal-Leclerc, 51530 Chavot-Courcourt, tél. 03 26 54 32 47, diogenetissier@hexanet.fr V r.-v.

GUY TIXIER Cuvée de réserve ★

| 17292 | | 15 à 20 € |

Guy Tixier hérite en 1960 du quart du vignoble paternel constitué par André à partir de 1920 et lance sa marque. Son fils Olivier lui succède en 1989. Le domaine couvre un peu plus de 5 ha, principalement dans la Montagne de Reims. (RC)

Les trois cépages champenois (dont deux tiers de raisins noirs) contribuent à cette cuvée mariant la récolte 2016 à des vins de réserve de l'année précédente. Le nez mêle le pain frais et la crème, tandis que la bouche, plus fruitée, dévoile des arômes de pomme mûre et d'agrumes. La finale acidulée et longue laisse le souvenir d'un brut dynamique. 2019-2022 **1er cru Cuvée Cœur de vignes (15 à 20 €; 7488 b.)** : vin cité.

CHAMPAGNE GUY TIXIER, 12, rue Jobert, BP 3, 51500 Chigny-les-Roses, tél. 03 26 03 42 51, champagneguytixier@wanadoo.fr V r.-v.

MICHEL TIXIER Cuvée réservée

| 18046 | | 15 à 20 € |

Le vignoble familial remonte aux années 1920. En 1963, Michel Tixier s'installe et lance sa marque. Benoît, son fils, prend le relais en 1998. Son domaine de 5 ha comprend trente-six parcelles réparties dans la Montagne de Reims, la Côte des Blancs et la vallée de la Marne. Domaine certifié Haute valeur environnementale. (RM)

Les raisins noirs sont en vedette dans cette cuvée (60 % de meunier, 20 % de pinot noir et autant de chardonnay) séduisante par sa large palette aromatique : les fleurs et les fruits frais, rouges ou blancs, se nuancent d'arômes évolués de fruits confits, de réglisse et d'amande, avec une touche mentholée. Dans le même registre, la bouche dévoile richesse et puissance, équilibrées par une grande fraîcheur. 2019-2022

CHAMPAGNE MICHEL TIXIER, 8, rue des Vignes, 51500 Chigny-les-Roses, tél. 03 26 03 42 61, champ.michel.tixier@wanadoo.fr V r.-v.

ANDRÉ TIXIER ET FILS
Extra-brut Blanc de noirs Les Chemins d'Amis ★

| 1er cru | 1676 | | 20 à 30 € |

André Tixier constitue son vignoble à l'aube des années 1920. À la naissance de son fils Robert en 1926, il débute l'élaboration et la commercialisation de son propre champagne. En 2011, son arrière-petit-fils Julien a pris la direction du domaine : 5 ha dans la Montagne de Reims. (RM)

Mi-cuve mi-fût, cette cuvée issue d'une vinification parcellaire doit tout au meunier. Flatteuse au nez, elle marie les fruits confits à des notes de beurre et de caramel héritées de l'élevage. Restant en bouche sur cette ligne aromatique, elle conjugue une agréable rondeur et une fraîcheur acidulée qui donne de l'allonge à sa finale. Elle pourra accompagner un repas. 2019-2022 **1er cru Extra-brut Blanc de blancs (20 à 30 €; 1880 b.)** : vin cité.

CHAMPAGNE ANDRÉ TIXIER ET FILS, 19, rue des Carrières, 51500 Chigny-les-Roses, tél. 06 77 67 37 89, julien@champagne-andre-tixier.fr V r.-v.

CHAMPAGNE

LOUIS TOLLET Grande Cuvée

	3000		30 à 50 €

Charles Mignon est une maison de négoce familiale créée à Épernay en 1995 par Bruno Mignon, arrière-petit-fils de vignerons, et par sa femme Laurence. Trois marques : Charles Mignon, Louis Tollet (destinée aux cavistes et aux restaurateurs) et Léon Launois. (NM)

Mi-blancs mi-noirs (pinot noir), ce champagne discret au nez s'ouvre sur des notes minérales, citronnées et briochées. Plus fruité en bouche avec ses arômes de fruits blancs, il montre une fraîcheur tonique soulignée par une effervescence vive. ⧗ 2019-2020 ● **Léon Launois Cuvée réservée (20 à 30 €; n.c.)** : vin cité.

CHARLES MIGNON, 7, rue Irène-Joliot-Curie, 51200 Épernay, tél. 03 26 58 33 33, bm@champagne-mignon.fr r.-v.

TORCHET Tradition

	15000		11 à 15 €

Henri Torchet, le fondateur du domaine, plante les premières vignes à Villenauxe-la-Grande, dans le Sézannais. Installé en 1985 et rejoint par ses enfants, son fils Frédéric Torchet exploite 6,3 ha : du chardonnay dans ce secteur et du pinot noir implanté à l'autre extrémité de l'Aube, près des Riceys. Ses vins ne font pas la fermentation malolactique. (RM)

Mi-pinot noir mi-chardonnay, associant la récolte 2016 et des vins de l'année précédente, cette cuvée attire par son nez délicat et frais, sur les agrumes, et par son palais alerte, tout en finesse, qui laisse une impression d'élégance. ⧗ 2019-2022

CHAMPAGNE TORCHET, 12-14, rue Saint-Vincent, 10370 Villenauxe-la-Grande, tél. 03 25 21 36 15, torchet.f@wanadoo.fr t.l.j. sf dim. 9h-12h 15h-18h30

BERNARD TORNAY Palais des dames ★★

Gd cru	6000		20 à 30 €

Les Hutasse se sont installés dans les années 1930 à Bouzy (grand cru de la Montagne de Reims réputé pour son pinot noir). Leur vignoble de 10 ha est aujourd'hui cultivé par Rudy et Nathalie. (RM)

Issu de pinot noir et de chardonnay à parts égales, ce brut marie la récolte 2007 aux deux années antérieures. Il tire de cet assemblage de remarquables caractères d'évolution : une robe doré profond parcourue de bulles fines et dynamiques; un nez intense, beurré et brioché, agrémenté de notes confites et compotées et de touches de noix de cajou; une bouche à l'unisson, puissante et encore fraîche, où cette palette s'enrichit de nuances de marron et de pomme au four. Un champagne de caractère, adapté au repas. ⧗ 2019-2022

CHAMPAGNE TORNAY, rue du Haut-Petit-Chemin, 51150 Bouzy, tél. 03 26 57 08 58, info@champagne-tornay.fr r.-v.

G. TRIBAUT Rosé de réserve ★

1er cru	30000		15 à 20 €

Gaston Tribaut s'est installé en 1935 à Hautvillers, «berceau du champagne», où officia dom Pérignon. Ses deux fils sont devenus récoltants-manipulants en 1975. Aux commandes depuis 1992, Vincent et Valérie, petits-enfants du fondateur, viennent de recevoir le renfort de Gauthier, la quatrième génération, et d'aménager une salle de dégustation panoramique. Leur vignoble couvre 13 ha. (NM)

Saumon pâle, ce rosé d'assemblage fait la part belle au chardonnay (80 %, le solde en pinot noir). Discret au nez, il s'ouvre à l'aération sur la mangue et sur les fruits rouges, nuancés de touches réglissées. Le fruit rouge s'affirme sur des tons compotés dans une bouche équilibrée, à la fois ample et fraîche. ⧗ 2019-2021

CHAMPAGNE G. TRIBAUT, 88, rue d'Eguisheim, 51160 Hautvillers, tél. 03 26 59 40 57, contact@champagne-tribaut-hautvillers.com *t.l.j. 9h-12h 14h-18h; f. dim. jan.-fév.*

♥ **TRIBAUT-SCHLOESSER** Origine ★★

	120000		15 à 20 €

Fondée en 1929 par les familles Tribaut et Schloesser, cette structure de négoce se niche dans un vallon tributaire de la Marne, à l'orée de la forêt d'Hautvillers. Valentin et Sébastien Tribaut, qui ont pris la suite de Jean-Marie à la tête de l'affaire, disposent de 20 ha de vignes. Deux étiquettes : Tribaut-Schloesser et Philippe Lamarlière – cette dernière créée en hommage à un ouvrier fin dégustateur qui travailla trente ans au service de la maison. (NM)

Mariant 40 % de pinot noir, 30 % de meunier et autant de chardonnay, avec 10 % de vins de réserve élevés en foudre, ce brut a fait grande impression, et ce n'est pas la première fois. Or pâle aux reflets verts, il séduit par la fraîcheur citronnée et minérale de son nez, agrémenté d'effluves de fournil au petit matin. Le fruit mûr, un léger miel et l'amande blanche se dévoilent dans une bouche subtile, droite, élégante et longue, au dosage parfait. Pour l'apéritif ou pour des mets délicats et raffinés, tels que les saint-jacques au beurre. ⧗ 2019-2022 ● **Rosé ★ (15 à 20 €; 20000 b.)** : issu des trois cépages champenois (70 % de raisins noirs) et partiellement élevé en foudre, un rosé à l'expression discrète (groseille, bonbon anglais, fruits rouges) et à la bouche élégante, à la fois ample et tendue. ⧗ 2019-2022

CHAMPAGNE TRIBAUT-SCHLOESSER, 21, rue Saint-Vincent, 51480 Romery, tél. 03 26 58 64 21, contact@champagne-tribaut.com r.-v.

PIERRE TRICHET Extra-brut L'Authentique

1er cru	3000		20 à 30 €

Antoinette Trichet plante les premiers pieds de vigne en 1947. Son fils, uni à une demoiselle Didier, plante des vignes et se lance dans la manipulation au détour des années 1970. Pierre Trichet, le petit-fils, a pris en 1986 la tête de la maison, qui dispose en propre de plus de 8 ha aux portes de Reims. Il appose depuis 2014 son nom sur les étiquettes et crée des cuvées originales. (NM)

Cette cuvée reflète l'encépagement du domaine : 53 % de meunier, 25 % de pinot noir et 22 % de chardonnay.

Expressive et fraîche au nez, elle mêle les fleurs, le citron vert et les fruits mûrs. Malgré son faible dosage (extra-brut), elle montre en bouche une rondeur suave, équilibrée par une franche acidité. ⧗ 2019-2022

CHAMPAGNE PIERRE TRICHET, 11, rue du Petit-Trois-Puits, 51500 Trois-Puits, tél. 03 26 82 64 10, contact@pierretrichet.com r.-v. 4

ALFRED TRITANT 2012 ★

Gd cru	8000		30 à 50 €

Installé sur le versant sud de la Montagne de Reims, Alfred Tritant devient récoltant-manipulant en 1929. Depuis 2000, Jean-Luc Weber-Tritant est aux commandes. Son vignoble a une superficie restreinte (2,7 ha), mais il est très bien situé à Bouzy et à Ambonnay, grands crus fiefs du pinot noir. (RM)

Le pinot noir entre à hauteur de 60 % dans ce beau millésime, complété par le chardonnay. La robe intensément dorée est parcourue d'une bulle dynamique. D'une belle finesse, le nez se partage entre fleurs blanches, brioche, figue et léger grillé. Bien construite, la bouche porte l'empreinte des raisins noirs par son ampleur et sa puissance, servie par un dosage juste. ⧗ 2019-2023

CHAMPAGNE ALFRED TRITANT, 23, rue de Tours, 51150 Bouzy, tél. 03 26 57 01 16, accueil@champagne-tritant.fr r.-v.

TRUDON Magnificence ★

	3000		20 à 30 €

Fondée en 1920 par l'arrière-grand-père de Jérôme Trudon, œnologue et dirigeant depuis 2010, cette exploitation s'étend sur 7,5 ha aux environs de Festigny, dans la vallée de la Marne. (RM)

Composé de meunier et de chardonnay à parts égales, ce brut a bénéficié d'une fermentation et d'un élevage partiels en fût et d'un vieillissement sur lies de cinq ans. Réservé, discrètement brioché, il s'impose par sa structure en bouche : à la fois onctueux et vineux, frais et long, il dévoile des notes toastées qui traduisent son séjour dans le bois. ⧗ 2019-2023 **Dyade (20 à 30 €; 4000 b.)** : vin cité.

CHAMPAGNE TRUDON, 1, rue du Flagot, 51700 Festigny, tél. 03 26 58 00 38, champagnetrudon@orange.fr r.-v.

TSARINE By Adriana ★★

	n.c.		75 à 100 €

Dès 1730, les frères Chanoine creusent leur cave à Épernay. Leur maison, la plus ancienne après Ruinart, a subi une éclipse après la guerre, avant de renaître grâce à son intégration dans le groupe Lanson-BCC. Elle a créé la marque Tsarine en souvenir de Catherine II, grande amatrice de champagne. Aujourd'hui, Isabelle Tellier officie à la cave. (NM)

By Adriana? Adriana Karembeu, associée par Isabelle Tellier à l'élaboration de cette cuvée assemblant par tiers pinot noir, meunier et chardonnay. Élégance du nez partagé entre fruits confits et amande; finesse, fraîcheur et longueur : remarquable. ⧗ 2019-2024 **(30 à 50 €; n.c.)** : vin cité.

CHAMPAGNE CHANOINE FRÈRES, allée du Vignoble, 51100 Reims, tél. 03 26 78 50 08, contact@champagnechanoine.com r.-v.

JEAN VALENTIN 2013 ★

	3000		15 à 20 €

Ancien ingénieur viticole au CIVC (Comité interprofessionnel des vins de Champagne), Gilles Valentin est établi aux portes de la cité des Sacres. Il dirige depuis 1995 le domaine fondé en 1922 par sa grand-mère. Le vignoble de 5 ha est situé dans la Montagne de Reims. (RM)

Ce millésimé mi-blancs mi-noirs (pinot noir surtout) s'habille d'une robe or clair. Ses bulles alertes font monter des arômes agréables : notes briochées et biscuitées, nuancées de touches de tilleul, de fougère et de sous-bois. Vif en attaque, ample dans son développement, frais et dosé avec justesse, un champagne expressif et harmonieux, au potentiel intéressant. ⧗ 2019-2024

CHAMPAGNE JEAN VALENTIN, 9, rue Saint-Rémi, 51500 Sacy, tél. 03 26 49 21 91, givalentin@wanadoo.fr r.-v.

JEAN-CLAUDE VALLOIS ★

	n.c.		15 à 20 €

Établi à Cuis, l'un des premiers villages de la Côte des Blancs, au nord, Jean-Guy Vallois représente la cinquième génération sur le domaine familial. Il s'est installé en 2011 et cultive un coquet vignoble de 11 ha. Propriété certifiée Haute valeur environnementale. (RM)

Ce rosé né dans un fief du chardonnay est composé à 90 % de ce cépage, le pinot noir vinifié en rouge lui donnant sa teinte rose orangé. Son expression aromatique mêle l'abricot et la pêche. L'ananas et les agrumes s'ajoutent à cette palette dans une bouche fraîche et longue. ⧗ 2019-2023 **Blanc de blancs Assemblage noble ★ (15 à 20 €; 12000 b.)** : un blanc de blancs typé et élégant, avec son nez tout en finesse, floral et citronné, et sa bouche fraîche et longue. ⧗ 2019-2023

CHAMPAGNE JEAN-CLAUDE VALLOIS, 4, rte des Caves, 51530 Cuis, tél. 06 07 69 22 88, vallois.jeanguy@orange.fr r.-v.

VAN GYSEL-LIÉBART Tradition ★

	n.c.		11 à 15 €

Succédant à trois générations de viticulteurs, Valérie et Benoît Van Gysel se sont installés en 1996 sur le domaine familial avant de commercialiser leurs cuvées trois ans plus tard. Ils cultivent 4 ha sur la rive gauche de la Marne. (RC)

Cette cuvée séduit par son fruité complexe et gourmand caractéristique du meunier, qui forme la base de l'assemblage (80 %, avec un appoint de chardonnay). Son fruité chaleureux prend des tons compotés et des nuances de noyau dans une bouche soyeuse, de bonne longueur. Malgré un dosage un peu marqué, l'ensemble est fort plaisant. ⧗ 2019-2022

CHAMPAGNE VAN GYSEL-LIÉBART, 3, rue des Bons-Vivants, Cerseuil, 51700 Mareuil-le-Port, tél. 03 26 51 78 46, champagne.vangysel-liebart@orange.fr r.-v.

VARNIER-FANNIÈRE Grand Vintage 2012 ★★★

| | 1560 | | 30 à 50 € |

Un domaine viticole fondé en 1860. Jean Fannière fut le premier récoltant-manipulant de la famille en 1950. Guy Varnier, son gendre, lui succéda en 1965. Installé en 1988, son petit-fils Denis, œnologue, a disparu prématurément en 2017, laissant à son épouse Valérie le soin de poursuivre son œuvre avec ses équipes. À la tête de 4 ha de vignes très bien situées dans la Côte des Blancs, la famille reste fidèle au petit pressoir Coquart carré, devenu rare dans le vignoble. (RM)

Le chardonnay règne sans partage dans ce millésime or vert à la bulle fine et persistante. Agrumes, citron en tête, fleurs blanches, beurre frais, noisette, touche de miel composent une palette d'une rare élégance. L'acacia se lie à la brioche dans une bouche vive de bout en bout, offrant une longue finale sur les agrumes mûrs. «Beaucoup de caractère»; «le terroir parle»; «équilibre parfait». Une superbe cuvée qui laisse espérer de prochains millésimes de cette envergure. 2019-2024 **Gd cru Cuvée Saint-Denis ★ (20 à 30 €; 10000 b.)** : généreux, frais et persistant, un blanc de blancs de caractère, aux arômes mûrs (pêche, acacia, réglisse, torréfaction, minéralité). Il s'accordera parfaitement avec des produits de la mer cuisinés. 2019-2021

CHAMPAGNE VARNIER-FANNIÈRE, 23, Rempart-du-Midi, 51190 Avize, tél. 03 26 57 53 36, varnier-fanniere@orange.fr r.-v.

VARRY-LEFÈVRE 2009 ★★

| 1er cru | 3500 | | 15 à 20 € |

Établie dans la Montagne de Reims, près de la cité des Sacres, cette propriété (4,6 ha) a commercialisé ses premières cuvées en 1948. À sa tête depuis 2009, Christophe Lefèvre confie les vinifications à la coopérative d'Écueil, mais il effectue les assemblages, la mise en bouteilles et le dégorgement. (RC)

De son millésime solaire et de son cépage majoritaire, le pinot noir (80 %, avec le chardonnay en appoint), cette cuvée a hérité sa générosité. La robe paille doré est parcourue d'une effervescence encore vive. Chaleureux et évolué, le nez mêle les fruits mûrs, voire confits, l'amande, la brioche et des notes grillées. Vive en attaque, la bouche s'impose par sa puissance et par son ampleur, équilibrée par une belle fraîcheur qui soutient sa longue finale toastée. 2019-2022 **1er cru ★★ (11 à 15 €; 16064 b.)** : un brut sans année frais, élégant et long, au nez précis, finement floral, et aux arômes de pêche blanche. Un dosage mesuré contribue à sa finesse, et le pinot noir (85 %) à sa charpente. 2019-2022

CHAMPAGNE VARRY-LEFÈVRE, 17, Grande-Rue, 51500 Écueil, tél. 03 26 49 74 47, champagnelefevre@wanadoo.fr r.-v.

MARCEL VAUTRAIN
Les Crohaut Vieilles Vignes ★★

| 1er cru | 6000 | | 20 à 30 € |

Implanté à Dizy, face à Épernay, le domaine remonte à 1900; le champagne Marcel Vautrain a été lancé en 1946. À la tête de la maison depuis 1980, Christian Vautrain exploite un peu plus de 3 ha bien situés dans la Grande Vallée de la Marne (à Aÿ, grand cru, Dizy, Hautvillers et Champillon, 1ers crus). (NM)

Un champagne issu d'une vinification parcellaire : il provient de vieux chardonnays plantés au lieu-dit Les Crohaut, sur un coteau de Dizy. Flatteur par son expression aromatique fraîche et complexe, ce blanc de blancs conjugue la richesse et une extrême finesse. L'harmonie même. 2019-2024

CHAMPAGNE MARCEL VAUTRAIN, 207, rte de Reims, 51530 Dizy, tél. 03 26 55 29 89, christianvautrain@yahoo.fr r.-v.

VAZART-COQUART ET FILS
Blanc de blancs Réserve ★★

| Gd cru | 35000 | | 20 à 30 € |

Établis dans la Côte des Blancs, les Vazart ont lancé en 1954 leur marque, qui s'est développée sous l'impulsion de Jacques Vazart. Son fils Jean-Pierre a rejoint la propriété en 1991, prenant le relais en 1995. Entièrement situé à Chouilly (grand cru), le vignoble familial couvre 11 ha. Certifiée Haute valeur environnementale, l'exploitation a engagé sa conversion bio. (RM)

Un blanc de blancs construit sur la récolte 2015 (65 %), complétée par de nombreuses années, puisque ces vignerons ont recours depuis 1982 à une réserve perpétuelle selon le système de la solera (le vin est partiellement renouvelé chaque année). Flatteur, droit et complexe, le bouquet mêle les fruits à des notes plus évoluées : brioche, pâtisserie, fruits secs. La bouche, à l'unisson du nez, s'impose par sa richesse, équilibrée par une belle tension qui porte loin la finale. Son dosage juste contribue à son élégance. 2019-2022

CHAMPAGNE VAZART-COQUART ET FILS, 6, rue des Partelaines, 51530 Chouilly, tél. 03 26 55 40 04, contact@vazart-coquart.com r.-v.

JEAN VELUT Témoignage 2009 ★

| | 3000 | | 20 à 30 € |

Avec ses sols argilo-calcaires propices au chardonnay, la colline de Montgueux, à l'ouest de Troyes, fait figure d'exception dans un vignoble aubois acquis au pinot noir. C'est sur ces pentes que Jean Velut, agriculteur des environs, a constitué son domaine (7,7 ha aujourd'hui) et réalisé sa première mise en bouteilles en 1976. Il l'a transmis en 1972 à Denis, qui a passé le relais en 2016 à son fils Benoît. (RM)

Le beau «témoignage» d'un millésime chaleureux. Le chardonnay s'est prélassé tout l'été sous la caresse du soleil pour donner un blanc de blancs ronronnant, tout doré, parcouru d'une bulle tranquille. Ses arômes flatteurs de primevère et d'acacia, un rien miellés, prennent des tons de fruits compotés dans une bouche ronde, réveillée en finale par une pointe de vivacité bienvenue. Un champagne adapté à l'apéritif comme au repas. 2019-2022

CHAMPAGNE JEAN VELUT, 9, rue du Moulin, 10300 Montgueux, tél. 03 25 74 83 31, champ.velut10@gmail.com r.-v.

VÉLY-PRODHOMME Blanc de blancs 2011 ★★

| 1er cru | 6300 | | 20 à 30 € |

À deux pas de Reims, Séverine Vély et son conjoint Jean-Marie Di Girolamo ont pris la suite en 2003 de

quatre générations. Ils confient pour le pressurage la récolte de leurs 4 ha de vignes à la coopérative d'Écueil. Ils se chargent ensuite des assemblages et de la commercialisation. (RC)

L'année 2011 fut précoce : le chardonnay à l'origine de cette cuvée a été vendangé le 24 août. Huit ans plus tard, le champagne déploie des senteurs riches et gourmandes témoignant d'une heureuse évolution : fleurs blanches, poire et fruits jaunes compotés, miel et notes pâtissières. Ces arômes se prolongent dans un palais puissant, à la finale tendue et persistante. ⧗ 2019-2022 ● **1er cru Tradition (15 à 20 €; 16000 b.)** : vin cité.

CHAMPAGNE VÉLY-PRODHOMME, 5, rue de Chamery, 51500 Écueil, tél. 03 26 49 74 52, contact@champagne-vely-prodhomme.fr V t.l.j. *9h-12h 13h-18h30*

DE VENOGE Blanc de blancs Princes ★

●	50000		50 à 75 €

Cette maison de champagne doit son existence à un citoyen helvète venu du canton de Vaud, région viticole de la Suisse. Henri-Marc de Venoge crée la société en 1837. Son fils la développe à l'international, lance des cuvées spéciales et introduit en 1851 sur les étiquettes le cordon bleu emblématique, qui rappelle une décoration du temps de la monarchie. L'affaire appartient depuis 1998 au groupe Lanson-BCC. (NM)

Servi dans sa bouteille raffinée en forme de carafe (et par conséquent au verre à nos dégustateurs, pour préserver l'anonymat), ce blanc de blancs assemble du chardonnay du Mesnil-sur-Oger (grand cru de la Côte des Blancs) et de Trépail (1er cru de la Montagne de Reims). Faiblement dosé, il séduit par l'élégance de son bouquet mêlant les agrumes à des notes plus mûres de fruits jaunes, de viennoiserie et de torréfaction, avec une touche minérale. La bouche, à l'unisson du nez, apparaît ample, ronde et longue, équilibrée par une belle fraîcheur minérale. ⧗ 2019-2022 ● **Cordon bleu (30 à 50 €; 600000 b.)** : vin cité.

CHAMPAGNE DE VENOGE, 33, av. de Champagne, 51200 Épernay, tél. 03 26 53 34 34, adv@champagnedevenoge.com V *r.-v.* 5

♥ J.-L. VERGNON
Brut nature Blanc de blancs Hautes Mottes 2011 ★★

● Gd cru	3850		50 à 75 €

Issu d'une famille de négociants du Mesnil-sur-Oger, Jean-Louis Vergnon reconstitue en 1950 le vignoble familial et commence à élaborer ses champagnes en 1985. Conduite aujourd'hui par Didier Vergnon et son fils Clément, appuyés par l'œnologue Julian Gout, l'exploitation dispose de 5 ha très bien situés dans la Côte des Blancs. La maison évite la fermentation malolactique et choie les cuvées peu ou non dosées. Propriété certifiée Haute valeur environnementale. (NM)

Il naît d'une seule parcelle du Mesnil-sur-Oger et d'une année précoce. Les vins de base sont restés dix mois en fût, la fermentation malolactique a été évitée et le champagne a reposé six ans en cave. Au terme de la vinification, après le dégorgement, le vigneron n'a ajouté aucun sucre («Brut nature») : les jus étaient suffisamment riches. Il a bien fait : le jury salue l'intensité, l'opulence et le volume de cette cuvée, en harmonie avec une palette d'une rare complexité : coing, pêche, abricot, nuances beurrées et notes d'élevage évoquant l'amande et la noisette grillées se dévoilent au nez et se retrouvent en bouche. Le boisé accompagne harmonieusement le vin jusqu'à la longue finale aux accents de moka. Un blanc de blancs intense, adapté au repas. ⧗ 2019-2022

CHAMPAGNE J.-L. VERGNON, 1, Grande-Rue, 51190 Le Mesnil-sur-Oger, tél. 03 26 57 53 86, contact@champagne-jl-vergnon.com V *r.-v.*

VERRIER ET FILS Tradition

●	10000		15 à 20 €

Auguste et Ismérie Verrier produisaient des vins tranquilles en 1860. Raymond Verrier élabore ses premiers champagnes en 1929. Installé en 2009, son petit-fils Emmanuel exploite 5 ha entre Sézanne et Épernay. Propriété certifiée Haute valeur environnementale. (NM)

Né sur les coteaux du Petit-Morin, ce brut sans année privilégie les raisins noirs (meunier surtout), qui composent 80 % de l'assemblage. Son expression florale et très fruitée, un peu évoluée, montre une complexité naissante; sa bouche consistante, pas encore tout à fait fondue, traduit la forte présence des pinots. ⧗ 2019-2022

CHAMPAGNE VERRIER ET FILS, rue des Rochelles, 51270 Étoges, tél. 03 26 59 32 42, champagne.verrier@orange.fr V *r.-v.*

LES VERTUS D'ÉLISE Blanc de blancs 2012 ★

● 1er cru	3000		15 à 20 €

Cédric Guyot obtient un diplôme de sommellerie, puis reprend en 2002 le domaine familial fondé en 1920 par son arrière-grand-mère Élise dans la Côte des Blancs. Hommage est rendu à l'aïeule avec la gamme «Les Vertus d'Élise». Autre marque : Guyot-Poutrieux. (RM)

Une belle image d'un millésime à la fois riche et frais. Après un vieillissement sur lattes de quatre à cinq ans, ce blanc de blancs affiche une robe or vert parcourue d'une effervescence dense et dynamique. Expressif au nez, il libère des effluves de fleurs blanches, puis d'agrumes mûrs et de fruits jaunes, teintés de notes grillées. Crémeux en bouche, riche et vineux, il est équilibré par une fraîcheur acidulée aux accents d'agrumes et par une finale minérale. Son ampleur et sa richesse lui permettront d'accompagner volailles et poissons en sauce. ⧗ 2019-2022 ● **Blanc de blancs Cuvée Élise-Ambre Vieilli en fût de chêne ★ (15 à 20 €; 3000 b.)** : né d'un assemblage de la vendange 2014 élevée en fût et de nombreuses années (2013 à 2004), un blanc de blancs à la fois riche et frais, complexe au nez comme en bouche (fleurs blanches, pêche, agrumes, léger boisé vanillé), à la finale boisée et citronnée. ⧗ 2019-2023 ● **1er cru Guyot-Poutrieux Cuvée Sélection ★ (11 à 15 €; 4000 b.)** : un assemblage chardonnay (60 %)-pinot noir d'un beau jaune soutenu, ouvert sur les fruits mûrs, à la fois ample, gras et souple en bouche, d'une bonne longueur. Un champagne mûr et gourmand pour la table. ⧗ 2019-2021

⊶ *SCEV LES VERTUS D'ÉLISE, 12, rue du Dr-Bonnet, Vertus, 51130 Blancs-Coteaux, tél. 06 70 72 84 87, guyot.poutrieux@gmail.com* V r.-v.

ALAIN VESSELLE
Blanc de noirs Cuvée Thibaud Vesselle ★

	5000		20 à 30 €

Une des branches de la famille Vesselle, établie depuis 1885 à Bouzy, village classé en grand cru sur le flanc sud et sud-est de la Montagne de Reims. Après Alain, puis Éloi, Guillaume Vesselle a repris en 2014 les rênes de l'exploitation, forte de 18 ha. (RM)

Ici, chacun des vignerons et des membres de la fratrie donne son nom à une cuvée. Thibaud, le frère de Guillaume, lègue le sien à ce blanc de noirs, né évidemment de pinot noir. Un brut à la robe or pâle animée d'un train de bulles fines, frais au nez comme en bouche. De bonne persistance, il développe des arômes de fleurs blanches, de poire, de pêche et d'agrumes. ⧗ 2019-2022

⊶ *CHAMPAGNE ALAIN VESSELLE, 15, rue de Louvois, 51150 Bouzy, tél. 03 26 57 00 88, contact@champagne-alainvesselle.fr* V r.-v.

♥ GEORGES VESSELLE 2012 ★★

Gd cru	15 000		20 à 30 €

La famille Vesselle est installée depuis plusieurs générations à Bouzy, célèbre grand cru de la Montagne de Reims. Georges, qui fut durant vingt-cinq ans maire du village, a créé la maison en 1954. Ses deux derniers fils, Éric et Bruno, se sont associés avec lui en 1993 avant de reprendre l'affaire, forte de 17 ha principalement dédiés au pinot noir. (NM)

Après un 2009 couronné il y a trois ans, un nouveau coup de cœur salue ce grand cru millésimé d'une année réputée. La composition, similaire au 2009, donne le premier rôle au pinot noir (90 %), complété par le chardonnay. Finesse de la bulle, intensité fruitée des arômes qui se dévoilent au fur et à mesure (agrumes, fraise, fruits des bois, rose...), ampleur et fraîcheur élégante de la bouche, dosage léger (6 g/l), longue finale : l'harmonie même. ⧗ 2019-2022 **Gd cru (20 à 30 €; 120 000 b.)** : vin cité.

⊶ *CHAMPAGNE GEORGES VESSELLE, 16, rue des Postes, 51150 Bouzy, tél. 03 26 57 00 15, contact@champagne-vesselle.fr* V *t.l.j. sf sam. dim. 9h-12h 14h-17h* 5

VEUVE MAURICE LEPITRE Extra Réserve ★★

1er cru	11 000		15 à 20 €

Créée en 1905 par Maurice Lepitre, gérée à partir de 1926 par sa veuve, la propriété dotée de celliers à colombages est conduite depuis 1981 par leur descendant, Bernard Milliex. Celui-ci exploite 7 ha dans la Montagne de Reims, non loin de la Cité des Sacres. (RM)

Chardonnay, meunier et pinot noir contribuent à cet excellent brut, au nez intense et complexe mêlant les agrumes à des notes plus mûres de fruits confits, de frangipane et de pain grillé. Les agrumes s'allient à la brioche dans une bouche alerte, servie par une finale persistante, minérale et fraîche. ⧗ 2019-2022

⊶ *VEUVE MAURICE LEPITRE, 26, rue de Reims, 51500 Rilly-la-Montagne, tél. 03 26 03 40 27, mlepitre@free.fr* V r.-v.

VEUVE OLIVIER ET FILS Grande Réserve ★

	20 000		15 à 20 €

Domaine constitué en 1922 sur la rive droite de la Marne par Edmond Olivier. La marque a été lancée en 1955 par sa fille. C'est aujourd'hui l'arrière-petite-fille du fondateur, Sandrine Charpentier-Olivier, qui met en valeur le coquet vignoble familial, qui compte 18 ha. (RM)

Mi-blancs mi-noirs (50 % de pinots, meunier surtout), ce brut sans année assemble la vendange 2012 avec 40 % de vin de réserve de 2011. Robe or clair parcourue de bulles fines, parfums élégants de fruits blancs, bouche vive en attaque, charnue et délicate, à la finale harmonieuse : un champagne d'apéritif raffiné. ⧗ 2019-2022

⊶ *CHAMPAGNE VEUVE OLIVIER ET FILS, 10, rte de Dormans, 02850 Trélou-sur-Marne, tél. 03 23 70 24 01, info@champagne-veuve-olivier.com* V r.-v.

VIGNON PÈRE ET FILS Réserve des marquises 2014

Gd cru	3000		30 à 50 €

Ce domaine familial a lancé sa marque en 1946. Il couvre 7 ha dans la Montagne de Reims. D'abord caviste, Stéphane Vignon s'est installé en 2013. Fidèle à la tradition familiale, il élève ses vins de base en fût; à l'instar de René Muré, vigneron d'Alsace chez qui il s'est formé, il intervient le moins possible en cave : pas de levurage ni de collage, pas de filtration ou de passage au froid... (RM)

Deux tiers de pinot noir se marient à un tiers de chardonnay dans cette cuvée millésimée de haute naissance : les raisins ont été récoltés sur les coteaux de Verzenay et de Verzy. Le vigneron a tiré d'une année plutôt compliquée un brut aux arômes de fleurs et de fruits blancs qui, sans être très complexe, séduit par sa fraîcheur citronnée et par son côté aérien, malgré un dosage perceptible. ⧗ 2019-2023

⊶ *CHAMPAGNE VIGNON PÈRE ET FILS, 10, rue Collet, 51360 Verzenay, tél. 06 83 05 43 90, vignon.marquises@orange.fr* V r.-v.

A. VIOT ET FILS Sélection

	13 434		11 à 15 €

Fondée au lendemain de la Première Guerre mondiale, cette propriété proche de Bar-sur-Aube a élaboré ses premiers champagnes en 1921. Julien Viot, qui représente la quatrième génération, la dirige depuis 2005. Il exploite 8 ha de vignes et commercialise ses bouteilles après au moins quatre ans de vieillissement en cave. (RM)

Une cuvée dominée par le chardonnay (70 %), complété par le pinot noir et par une goutte de meunier. Au nez, du fruit blanc, de la poire compotée, un soupçon de fruits rouges et une touche de biscotte. En bouche, une texture crémeuse, un bel équilibre entre rondeur et vivacité, une certaine longueur. ⧗ 2019-2022 ● **100% chardonnay Prestige (15 à 20 €; 10385 b.)** : vin cité.

CHAMPAGNE A. VIOT ET FILS, 67, Grande-Rue, 10200 Colombé-la-Fosse, tél. 03 25 27 02 07, champagneviot@wanadoo.fr V r.-v.

VOIRIN-DESMOULINS Blanc de blancs Chouilly

● Gd cru	2000		15 à 20 €

Aidée de son mari Sébastien pour le vignoble et de son cousin Laurent à la cave, Pascale Voirin exploite depuis 1997 le domaine et la marque créés en 1960 par ses parents, Bernard Voirin et Nicole Desmoulins. Le vignoble (9 ha) se partage entre la Côte des Blancs (Chouilly) et la vallée de la Marne, non loin de Château-Thierry. (RM)

Un nez discret mais complexe, mêlant la prune, le sous-bois, le pain d'épice et des notes empyreumatiques; une bouche puissante et droite. ⧗ 2019-2022 ● **Tradition (11 à 15 €; 44000 b.)** : vin cité.

VOIRIN-DESMOULINS, 24, rue des Partelaines, 51530 Chouilly, tél. 03 26 54 50 30, champagne.voirin-desmoulins@wanadoo.fr V r.-v.

VOIRIN-JUMEL Blanc de blancs ★

● Gd cru	45000		20 à 30 €

En 1945, les Voirin élaborent leurs premières cuvées et les Jumel achètent des vignes. La marque est lancée en 1967. Depuis 1980, Patrick et Alice Voirin, frère et sœur, exploitent le domaine (12 ha de vignes situées principalement dans la Côte des Blancs) et développent l'accueil : ils ont inauguré un bar à champagne avec terrasse panoramique. (NM)

Un blanc de blancs au nez bien ouvert, complexe et évolué, entre fruits mûrs, brioche et notes toastées. En bouche, il se montre étoffé, fondu, riche et élégant à la fois, tonifié par un trait de fraîcheur qui étire la finale. ⧗ 2019-2022 ● **Gd cru Brut zéro Blanc de blancs ★ (20 à 30 €; 5000 b.)** : non dosé (brut zéro), un chardonnay vif, minéral et long aux arômes d'agrumes et de pomme rehaussés d'un léger vanillé. ⧗ 2019-2022

DOM. CHAMPAGNE VOIRIN-JUMEL, 555, rue de la Libération, 51530 Cramant, tél. 03 26 57 55 82, info@champagne-voirin-jumel.com V t.l.j. sf dim. 9h-12h 14h-17h

VOLLEREAUX Rosé de saignée ★

●	24000		20 à 30 €

Établie aux portes sud d'Épernay, la famille Vollereaux cultive la vigne dès 1805 et commercialise ses premières bouteilles en 1923. Aujourd'hui, c'est une structure de négoce forte d'un important domaine (40 ha). Pierre Vollereaux a passé en 2012 le relais à son fils Franck qui commercialise ses cuvées sous deux marques : Vollereaux et H. de Choiseul. (NM)

Issu de la macération de pur pinot noir, ce rosé affiche une robe saumon soutenu, tout en montrant au nez comme en bouche une grande délicatesse. Ses légers arômes de fruits rouges se teintent de nuances d'évolution. À réserver à l'apéritif ou à un dessert fruité. ⧗ 2019-2022 ● **1er cru H. de Choiseul (15 à 20 €; 62000 b.)** : vin cité. ● **Gd cru H. de Choiseul (20 à 30 €; 36000 b.)** : vin cité.

CHAMPAGNE VOLLEREAUX, 48, rue Léon-Bourgeois, 51530 Pierry, tél. 03 26 54 03 05, contact@champagne-vollereaux.fr V r.-v.

♥ **WARIS ET FILLES** Rosé de saignée ★★

●	4500		15 à 20 €

Bertrand et Virginie Waris représentent la quatrième génération de Waris sur le domaine qui couvre 7 ha répartis entre Côte des Blancs, Sézannais, vallée de l'Ardre et Côte des Bar (Aube). Ils ont d'abord conduit un domaine en Provence, puis un autre en Languedoc (qu'ils régissent toujours), avant de lancer leur étiquette en 2002, peu après la reprise du vignoble familial. (NM)

«Rosé de saignée» : un champagne qui tire sa couleur de la macération de raisins noirs – comme c'est la règle pour les rosés tranquilles, tandis qu'en Champagne, la tradition admet un assemblage de vin blanc avec du vin rouge. Certains rosés de saignée semblent destinés à ceux qui rêvent de goûter des «champagnes rouges» : très colorés par les peaux, rubis foncé, ils sont vineux, tanniques et un tantinet rustiques. Tel n'est pas le cas de celui-ci, de pur pinot noir. Sa robe éclatante montre des reflets rubis, mais elle reste rose. Si le nez parle de fruits rouges mûrs, de framboise et de fraise, c'est avec subtilité; et si ce fruit persiste et signe en bouche, c'est avec élégance, souligné par une fraîcheur tonique et par un faible dosage. «Un rosé raffiné», conclut le jury. ⧗ 2019-2022

CHAMPAGNE WARIS ET FILLES, 6, rue d'Oger, 51190 Avize, tél. 06 07 26 04 96, contacts@champagnewarisetfilles.com V r.-v.

WARIS-HUBERT Extra-brut Annexä ★

● Gd cru	1300		75 à 100 €

Installés à Avize, grand cru de la Côte des Blancs, Olivier Waris et son épouse Stéphanie conduisent depuis 1997 un vignoble de 11,5 ha implanté dans ce secteur, ainsi que dans le Sézannais, la vallée de l'Ardre et la Côte des Bar. Succédant à trois générations de viticulteurs, le couple s'est lancé dans l'élaboration du champagne. Il privilégie les cuvées monocépage et les faibles dosages. (RM)

Annexä, sans oublier le tréma qui figure aussi sur le «ÿ» d'Aÿ, pour suggérer aux initiés que ce blanc de noirs 100 % pinot noir provient d'une «annexe» du vignoble, située dans ce grand cru. Construite sur la récolte 2013, cette cuvée a gardé une robe assez pâle. Elle s'ouvre sur des nuances élégantes de pêche et de mirabelle, puis sur des senteurs plus évoluées de pâtisserie et de brioche. Avec ses notes de cerise macérée et de pâte de coings, la bouche confirme cette évolution; son faible dosage et sa belle fraîcheur soulignent ces arômes flatteurs et confèrent à ce vin une réelle harmonie. ⧗ 2019-2024

CHAMPAGNE

CHAMPAGNE WARIS-HUBERT, 14, rue d'Oger, 51190 Avize, tél. 03 26 58 29 93, contact@champagne-waris-hubert.fr V t.l.j. 10h-12h 14h-17h

WARIS-LARMANDIER Particules crayeuses ★

	19 828		20 à 30 €

Marie-Hélène Waris-Larmandier, aujourd'hui associée avec ses trois enfants, exploite le domaine. Son frère François et son fils aîné Jean-Philippe, arrivé sur l'exploitation en 2010, se chargent de l'élaboration des cuvées, pour l'essentiel une gamme de blancs de blancs provenant d'un vignoble de 7 ha situé dans la Côte des Blancs. Avec l'arrivée de la nouvelle génération, le domaine a engagé sa conversion bio. (RM)

Construit sur la vendange 2014, un blanc de blancs issu de cinq grands crus de la Côte des Blancs. Animée de bulles abondantes, sa robe jaune intense annonce un vin vineux et gras, aux arômes puissants et gourmands de brioche, de beurre et de pain grillé. La rondeur de cette cuvée s'accommodera d'un foie gras poêlé ou d'un dessert pas trop sucré. 2019-2022 **Racine de trois ★ (20 à 30 €; 19 000 b.)** : du chardonnay (60 %), du pinot noir et du meunier de la récolte 2014, voilà les « trois », des raisins au service d'un champagne mûr, à la fois vineux, souple, frais et long, flatteur par son expression aromatique gourmande (brioche, beurre, vanille, fruits mûrs et fruits secs). 2019-2022

CHAMPAGNE WARIS-LARMANDIER, 608, rempart du Nord, 51190 Avize, tél. 03 26 57 79 05, earlwarislarmandier@wanadoo.fr V r.-v.

COTEAUX-CHAMPENOIS

Production : 550 hl

Appelés à l'origine vins nature de Champagne, ils devinrent AOC en 1974 et prirent le nom de coteaux-champenois. Tranquilles, souvent rouges, plus rarement blancs ou rosés, ils sont la survivance de temps antérieurs à la naissance du champagne. Comme ce dernier, ils peuvent naître de raisins noirs vinifiés en blanc (blanc de noirs), de raisins blancs (blanc de blancs) ou encore d'assemblages. Le coteaux-champenois rouge le plus connu porte le nom de la célèbre commune de Bouzy (grand cru de pinot noir). Dans cette commune, on peut découvrir l'un des deux vignobles les plus étranges au monde (l'autre est situé à Aÿ) : de « vieilles vignes françaises pré-phylloxériques », conduites en foule, selon une technique immémoriale abandonnée partout ailleurs. Tous les travaux sont exécutés artisanalement, à l'aide d'outils anciens. C'est la maison Bollinger qui entretient ce joyau destiné à l'élaboration d'un rare champagne. Les coteaux-champenois se boivent jeunes, à 7-8 °C pour les blancs, à 9-10 °C pour les rouges que l'on pourra, pour quelques années exceptionnelles, laisser vieillir.

PAUL BARA Bouzy 2012 ★

Gd cru	n.c.		20 à 30 €

Domaine fondé en 1833 à Bouzy par un tonnelier. Disparu en 2015, Paul Bara fut le premier à commercialiser du champagne à son nom. Sa fille Chantale, qui lui avait succédé, a passé la main en 2018 à sa sœur Évelyne Dauvergne. Le chef de cave est Christian Forget. Le domaine est implanté dans l'un des grands crus de noirs de la Montagne de Reims. Les 11 ha sont exclusivement plantés de pinot noir et de chardonnay classés en grand cru. Ils fournissent champagnes et coteaux-champenois. (RM)

Pas de bois pour ce pinot noir de noble origine. Encore soutenue pour le millésime, sa robe commence à prendre des nuances tuilées. Le nez animal, sur le cuir, a besoin d'aération, le fruit rouge s'affirmant en bouche. Souple en attaque, ample et rond, le palais offre une plaisante finale fruitée. Carafage conseillé. 2019-2021

CHAMPAGNE PAUL BARA, 4, rue Yvonnet, 51150 Bouzy, tél. 03 26 57 00 50, info@champagnepaulbara.fr V r.-v.

♥ **TARLANT** Œuilly 2016 ★★

	600		30 à 50 €

Enracinés en Champagne, les Tarlant cultivaient déjà la vigne à l'époque de dom Pérignon. Constitution du domaine à partir de 1780 dans la vallée de la Marne, premier champagne livré en 1929. Aujourd'hui, un vignoble de 14 ha et un style reconnu. Aux commandes depuis 1999, Benoît et Mélanie, les enfants de Jean-Mary Tarlant, qui préside la maison. À la cave, Benoît vinifie en petite cuve ou en barrique par « climat », sans fermentation malolactique, élève sur lies les vins de réserve et privilégie les dosages faibles (extra-brut) ou absents (brut zéro). (RM)

Avec le succès du champagne qui offre l'avantage de mettre les producteurs à l'abri des aléas des millésimes, les vins tranquilles se font rares dans le vignoble. Les heureux élus qui pourront déboucher une des 600 bouteilles de ce 2016 regretteront peut-être cette évolution. Issu de ceps de pinot noir âgés d'un demi-siècle, macéré vingt jours et élevé dix-huit mois en fût, ce vin à la robe cerise offre un nez minéral et grillé. Souple en attaque, ample et structurée, vanillée sans excès, la bouche dévoile un travail d'élevage accompli. 2020-2024

CHAMPAGNE TARLANT, 21, rue de la Coopérative, 51480 Œuilly, tél. 03 26 58 30 60, champagne@tarlant.com V r.-v.

EMMANUEL TASSIN Les Fioles 2016 ★

	300		11 à 15 €

Installés dans la Côte des Bar (Aube), les Tassin sont vignerons de père en fils et se sont lancés dans l'élaboration du champagne dès 1930. Emmanuel Tassin a repris en 1987 l'exploitation familiale et lancé son étiquette. Rejoint par son fils Corentin, il exploite 9 ha dans la vallée de l'Ource. (RM)

Confidentiel, ce coteaux blanc assemble par tiers pinot blanc, pinot noir et chardonnay. Après un séjour de neuf mois en fût, il affiche une robe dorée et dévoile des arômes de fruits jaunes confits, rehaussés d'un boisé bien maîtrisé. Gras et ample en bouche, d'une belle franchise, il finit sur une note saline. ⧗ 2020-2022

CHAMPAGNE EMMANUEL TASSIN, 104, Grande-Rue, 10110 Celles-sur-Ource, tél. 03 25 38 59 44, champagne.tassin.emmanuel@sfr.fr V r.-v.

ROSÉ-DES-RICEYS

Production : 360 hl

Les trois villages des Riceys (Haut, Haute-Rive et Bas) sont situés à l'extrême sud de l'Aube, non loin de Bar-sur-Seine. La commune accueille les trois appellations : champagne, coteaux-champenois et rosé-des-riceys. Ce dernier est un vin tranquille, l'un des meilleurs rosés de France. Déjà apprécié par Louis XIV, il aurait été apporté à Versailles par les canats, spécialistes réalisant les fondations du château, originaires des Riceys.
Ce rosé est issu de la vinification par macération courte de pinot noir, dont le degré alcoolique naturel ne peut être inférieur à 10 % vol. Il faut interrompre la macération – saigner la cuve – à l'instant précis où apparaît le « goût des Riceys » (un goût d'amande et de fruits rouges) qui, sinon, disparaît. Ne sont labellisés que les rosés marqués par ce goût spécial. Élevé en cuve, le rosé-des-riceys se boit jeune, à 8-9 °C, à l'apéritif ou en entrée ; élevé en pièce, il mérite d'attendre entre trois et cinq ans, et on le servira alors à 10-12 °C pendant le repas.

BAUSER 2017 ★

■ | 5000 | | 15 à 20 €

Après avoir constitué son vignoble dans les années 1960, René Bauser, ancien salarié viticole, a quitté la coopérative et lancé sa marque en 1970. La famille dispose aujourd'hui de 20 ha. Cépage roi des Riceys, le pinot noir est à l'honneur dans les cuvées du domaine, que ce soit en champagne ou en vins tranquilles (coteaux champenois et rosé-des-riceys). (RM)

Ce rosé-des-riceys est le fruit d'une courte macération semi-carbonique. La robe est jeune, couleur cerise. Puissant et franc, le nez est tout en fruits rouges. On retrouve avec plaisir ces fruits rouges dans une bouche d'une belle souplesse, légèrement tannique en finale. ⧗ 2019-2023

CHAMPAGNE BAUSER, 36, rue de la Voie-Pouche, 10340 Les Riceys, tél. 03 25 29 37 37, contact@champagne-bauser.com V r.-v.

MOREL 2015 ★

■ | 5000 | | 15 à 20 €

Prenant la suite de quatre générations, Pascal Morel s'est installé en 1973 à la tête du vignoble familial (8 ha aujourd'hui). C'est l'un des spécialistes du rosé-des-riceys, qu'il a vinifié avant le champagne. En 2016, Simon a rejoint son père au vignoble, et Émilie à la cave et à la commercialisation. Propriété certifiée Haute valeur environnementale. (RM)

Le pinot noir s'est bien comporté pendant l'heureuse année 2015. Après onze mois de fût, puis un repos de trois ans en bouteille, ce rosé-des-riceys montre des reflets d'évolution dans sa robe rubis. Portant l'empreinte de l'élevage, le nez élégant dévoile un boisé réglissé. La réglisse s'allie au grillé et au pruneau dans une bouche ample, veloutée et ronde, de belle longueur. ⧗ 2019-2022

CHAMPAGNE MOREL, 93, rue du Gal-de-Gaulle, 10340 Les Riceys, tél. 03 25 29 10 88, info@champagnemorel.com V r.-v.

IGP COTEAUX DE COIFFY

♥ LES COTEAUX DE COIFFY
Pinot noir Réserve du domaine 2018 ★★

■ | 20000 | | 5 à 8 €

Ce domaine de 16 ha, dont les vignes sont plantées en lyre, a été restructuré en 1982 par les prédécesseurs de Laurent Renaut, à la tête de l'exploitation depuis 1995.

D'un rouge soutenu et brillant, ce vin s'ouvre volontiers sur les fruits noirs tant au nez qu'en bouche. Des tanins lisses soutiennent sa chair concentrée, légèrement épicée, qui persiste longuement en finale. Quelques petites années de garde permettront à l'ensemble de se fondre parfaitement. ⧗ 2021-2023 ■ **Auxerrois 2018 ★★ (5 à 8 € ; 18600 b.)** : des reflets verts animent la robe paille de ce vin floral (fleurs blanches) nuancé de touches d'épices et d'agrumes. La fraîcheur du palais souligne le fruité. ⧗ 2020-2022 ■ **Pinot noir Cuvée Aristide 2018 ★ (5 à 8 € ; 10600 b.)** : tout est puissance dans ce pinot noir : les arômes de fruits, presque confits, la chair ample, les tanins bien campés, la finale. Il ne reste plus qu'à laisser le temps faire son œuvre pour dompter l'ensemble. ⧗ 2021-2023

SCEA LES COTEAUX DE COIFFY, 6, rue des Bourgeois, 52400 Coiffy-le-Haut, tél. 03 25 84 80 12, contact.coteauxdecoiffy@gmail.com V *t.l.j. sf dim. 14h30-18h*

RATAFIA CHAMPENOIS

BELIN ★★

■ | 500 | | 15 à 20 €

L'exploitation familiale s'est tournée vers la viticulture vers 1960, et la première cave date de 1975. Olivier, œnologue, rejoint par Katty dix ans plus tard, a repris en 1997 le domaine familial qui couvre 8 ha autour d'Essômes-sur-Marne, en aval de Château-Thierry. Les coteaux environnants sont plantés majoritairement de meunier. (RM)

Le mutage de jus des trois cépages champenois (noirs surtout) à la fine champenoise (eau-de-vie de vin de la Marne) a permis d'obtenir du ratafia après un élevage (ici, en cuve et en fût). Ce produit a été assemblé à d'autres ratafias provenant de récoltes plus anciennes. Il en résulte un vin de liqueur ambré, au nez subtil et au palais remarquable par son fondu, sa fraîcheur et sa finesse florale. ⌛ 2019-2022

SCEV CHAMPAGNE BELIN, 30 A, rue Jean-Moulin, Hameau l'Aulnois, 02400 Essômes-sur-Marne, tél. 03 23 70 88 43, info@champagne-belin.fr V r.-v.

CAILLEZ-LEMAIRE Solera en fûts de chêne

1000		15 à 20 €

Héritiers d'une tradition vigneronne remontant au XVIIIe s., Raymond Caillez et Andrée Lemaire deviennent récoltants-manipulants, âgés d'une vingtaine d'années. Avec Virginie et son mari Laurent Vanpoperinghe, qui s'est reconverti pour travailler sur l'exploitation, c'est la troisième génération qui tient les rênes du domaine, fort d'un vignoble de 7 ha sur la rive droite de la Marne. (RM)

Le nom et la pratique de la solera viennent de l'Espagne et des vastes chais du Jerez. Il s'agit de conserver des vins tout en renouvelant perpétuellement le contenu des fûts les plus anciens au fur et à mesure des soutirages. On aboutit à des produits au caractère homogène, à la fois évolués et rafraîchis par l'apport de vins jeunes. Les vignerons champenois, qui font appel à des vins de réserve, s'intéressent à cette pratique. Ici, la solera assemble trente ans de ratafias, élaborés à base de meunier. La robe ambrée rappelle celle du cognac. Au nez comme en bouche, la palette aromatique mêle un fruité évolué (pruneau, noyau, cerise cuite), des notes boisées (amande, noisette, vanille, caramel) et des évocations de vieux rhum. Le palais à la finale vanillée est puissant, voire chaleureux. ⌛ 2019-2029

SARL CHAMPAGNE CAILLEZ-LEMAIRE, 14, rue Pierre-Curie, 51480 Damery, tél. 03 26 58 41 85, champ-cailllez.lemaire@wanadoo.fr V r.-v.

J. DUMANGIN FILS
Aged 14 Years - Single Cask N° 31 2004

5590		+ de 100 €

Représentant la cinquième génération d'élaborateurs, Gilles Dumangin a repris en 2001 les vignes familiales implantées à Chigny-les-Roses, sur le flanc nord de la Montagne de Reims. Son vignoble compte aujourd'hui 10 ha. Il fait vieillir ses champagnes au moins trois ans, choie les rosés et propose des ratafias vieillis au moins huit ans. (NM)

Une rareté que ce ratafia : né de meunier (61 %) et de pinot noir de la vendange 2004, il a vieilli quatorze ans en fût. D'un ambre profond aux reflets sombres, il marie au nez des notes suaves de miel et de bonbon, de légères touches d'alcool et un boisé aux nuances de cacao et de tabac. Des évocations de prune et de caramel viennent compléter cette palette dans une bouche bien fondue, ronde et très douce. À déguster à l'apéritif ou avec certains fromages, bleus par exemple. ⌛ 2019-2029

CHAMPAGNE J. DUMANGIN FILS, 3, rue de Rilly, 51500 Chigny-les-Roses, tél. 03 26 03 46 34, info@champagne-dumangin.fr V r.-v.

FRESNE-DUCRET ★

462		20 à 30 €

Sept générations de viticulteurs, premiers champagnes en 1946. Après avoir vinifié en Bourgogne et en Nouvelle-Zélande, puis épaulé ses parents, Pierre Fresne a pris en 2007 les rênes du domaine : 6 ha autour de Villedommange, 1er cru au sud de Reims. (RM)

Ce ratafia met en œuvre du pinot noir de la récolte 2015. Il assemble deux lots : l'un muté au distillat de vin et l'autre à la fine champenoise (eau-de-vie de vin). De couleur ambrée, il libère des senteurs de miel de sapin des Vosges, nuancées de touches de sous-bois. Cette note miellée se prolonge dans un palais dense, puissant et persistant, qui conjugue fraîcheur et douceur. Le producteur suggère de confectionner avec ce vin de liqueur un cocktail local appelé rachamp : un volume de ratafia pour deux volumes de champagne. ⌛ 2019-2024

SCEV J.A. MILAUR, 10, rue Saint-Vincent, 51390 Villedommange, tél. 03 26 49 24 60, champagne@fresneducret.com V r.-v.

DENIS FRÉZIER

428		20 à 30 €

Le premier des Frézier vignerons naquit en 1799. Alfred Frézier commença la commercialisation des champagnes en 1935. Depuis 2001, c'est son petit-fils Sébastien, fils de Denis, qui gère l'exploitation : près de 6 ha, répartis dans six villages, entre coteaux d'Épernay, Côte des Blancs et Grande Vallée de la Marne. Propriété certifiée Haute valeur environnementale. (RM)

Ce ratafia à la robe ambrée met en œuvre du moût de meunier muté à la fine de la Marne, le tout gardé douze mois en fût. Intense au nez, il allie le fruit acidulé à un alcool et à un boisé marqués. Dans le même registre aromatique, entre fleurs et bonbon anglais, le palais laisse une impression de chaleur et de douceur. ⌛ 2019-2024

SCEV CHAMPAGNE DENIS FRÉZIER, 50, rue Gaston-Poittevin, 51530 Monthelon, tél. 03 26 59 70 16, contact@champagne-frezier.com V r.-v.

GEORGETON-RAFFLIN ★

400		11 à 15 €

Petite exploitation familiale (un peu plus de 3 ha) constituée par quatre générations au sein de la Montagne de Reims. Bruno Georgeton, installé en 1976, a été rejoint en 2006 par son fils Rémi. Exploitation certifiée Haute valeur environnementale. (RM)

Du pinot noir (75 %) et du meunier mutés à l'eau-de-vie, puis élevés onze mois en fût ont donné à ce ratafia une robe soutenue, tuilée, et des arômes de confiture de fraises, de fruits confits et de noyau, mâtinés d'une touche de sous-bois évoquant la truffe. Ces notes de fruits rouges cuits s'allient au miel dans un palais bien fondu, rond et équilibré. Un ratafia original par son expression, que nos dégustateurs verraient bien sur un crumble aux fruits rouges. ⌛ 2019-2022

EARL GEORGETON ET FILS, 25, rue Victor-Hugo, 51500 Ludes, tél. 03 26 61 13 14, champagne.georgeton.rafflin@wanadoo.fr V t.l.j. 8h-18h

CHARLES HESTON Traditionnel ★

10000 | 11 à 15 €

Lancée en 2010, Charles Heston est la marque de la coopérative Les Six Coteaux, fondée en 1951 dans le massif de Saint-Thierry, au nord-ouest de Reims : plus de cent adhérents y apportent la récolte de leurs 120 ha. (CM)

La coopérative propose plusieurs styles de ratafia. Le Traditionnel mobilise du meunier et mûrit dix mois en cuve. Paré d'une robe ambrée aux reflets orangés, il libère des parfums évocateurs de raisins : fruits rouges compotés, cerise et noyau de cerise, pruneau, relevés de touches épicées, avec des notes d'alcool bien intégrées. Le pruneau se prolonge dans une bouche fondue, ample, ronde et douce. ⧗ 2019-2022

CHAMPAGNE CHARLES HESTON, 20, rte de Thil, 51220 Villers-Franqueux, tél. 03 26 03 08 78, contact@champagne-charlesheston.com V t.l.j. 9h-13h 14h-19h; sam. 10h-19h30; dim. 10h-13h30

LEPREUX-PENET

600 | 20 à 30 €

Descendant d'une lignée remontant au règne de Louis XIV, Gilbert-Louis Penet est poussé par la crise des années 1930 à élaborer et commercialiser son champagne. En 2008, la quatrième génération, représentée par Virginie Lepreux et François Barbosa, a pris les rênes du domaine : 8 ha à Verzy et Verzenay, deux grands crus de la Montagne de Reims. (RM)

Issu de pinot noir vendangé en 2014 et muté à la fine champenoise, ce ratafia, après un séjour de trois ans en fût, affiche une robe ambrée aux reflets orangés. Au nez, il mêle les fleurs, la pêche au sirop, les fruits jaunes confiturés et le noyau à des notes d'élevage évoquant le foin séché et le café. On retrouve en bouche ces nuances compotées, avec de l'amande et de la noisette. L'ensemble montre une agréable acidité, relayée en finale par des impressions de douceur et de chaleur. ⧗ 2019-2022

EARL CHAMPAGNE LEPREUX-PENET, 18-20, rue de Villers, 51380 Verzy, tél. 03 26 97 95 52, champagne@lepreux-penet.com V r.-v.

MONDET

1460 | 20 à 30 €

Jules Mondet commence à vinifier en 1926. La maison est aujourd'hui gérée par la quatrième génération. Elle dispose de 10 ha de vignes, principalement dans les villages de Romery et de Cormoyeux, blottis dans un vallon proche de la vallée de la Marne, non loin d'Hautvillers. (NM)

Ce ratafia met en œuvre des moûts de meunier (60 %), de pinot noir et de chardonnay récoltés en 2016. D'un jaune doré intense, il libère des parfums suaves évoquant le raisin : fruits jaunes bien mûrs, fruits confits, miel, nuancés de touches d'herbes aromatiques (thym) de notes de fine. Les fruits blancs compotés et les fleurs séchées se dévoilent dans une bouche bien fondue, équilibrée entre rondeur, douceur et acidité, plus chaleureuse en finale. ⧗ 2019-2024

CHAMPAGNE MONDET, 2, rue Dom-Pérignon, 51480 Cormoyeux, tél. 03 26 58 64 15, champagne.mondet@wanadoo.fr V t.l.j. 9h-12h 14h-17h30; dim. sur r.-v.; f. 5-28 août

Le Jura la Savoie et le Bugey

• LE JURA

SUPERFICIE : 1 850 ha

PRODUCTION MOYENNE
80 000 hl

TYPES DE VINS : blancs pour les deux tiers, rouges et rosés (un tiers), effervescents.

Spécialités : vins jaunes (vins de voile) et liquoreux (vins de paille).

CÉPAGES :

Rouges : pinot noir, poulsard (ou ploussard), trousseau.

Blancs : chardonnay, savagnin.

• LA SAVOIE ET LE BUGEY

SUPERFICIE : 2 031 ha

PRODUCTION : 106 990 hl

TYPES DE VINS : blancs majoritairement (70 %), secs pour la plupart ; rouges et quelques rosés. Quelques blancs effervescents.

CÉPAGES :

Rouges : mondeuse, gamay, pinot noir.

Blancs : jacquère (majoritaire), altesse (roussette), bergeron (roussanne), chasselas, chardonnay, molette, gringet.

LE JURA

Faisant pendant à celui de la Bourgogne, le vignoble du Jura, soumis à un climat plus continental, est d'une superficie bien plus restreinte. S'il cultive largement le chardonnay et le pinot noir bourguignons, il choie des cépages autochtones, comme le savagnin en blanc et le trousseau et le poulsard en rouge. Les amateurs prisent ses productions aussi originales que confidentielles, telles que le vin de paille, le vin jaune et le macvin.

Face à la Côte-d'Or. Le vignoble, situé sur la rive gauche de la Saône, occupe les pentes qui descendent du premier plateau des monts du Jura vers la plaine, selon une bande nord-sud traversant tout le département, de la région de Salins-les-Bains à celle de Saint-Amour. Ces pentes, beaucoup plus dispersées et irrégulières que celles de la Côte-d'Or, se répartissent sous toutes les expositions, à une altitude se situant entre 250 et 400 m.

Nettement continental, le climat voit ses caractères accusés par l'orientation générale en façade ouest et par les traits spécifiques du relief jurassien, notamment l'existence des «reculées», ces profondes échancrures du plateau; les hivers sont très rudes et les étés très irréguliers, mais avec souvent beaucoup de journées chaudes. La vendange se prolonge parfois jusqu'à novembre en raison des différences de précocité entre les cépages. Les sols marneux et argileux sont en majorité issus du trias et du lias, surtout dans la partie nord, ainsi que des calcaires qui les surmontent, surtout dans le sud du département. Les cépages locaux sont parfaitement adaptés à ces terrains. Ils nécessitent toutefois un mode de conduite assez élevée au-dessus du sol, pour éloigner le raisin d'une humidité parfois néfaste à l'automne. C'est la taille dite «en courgées», longs bois arqués que l'on retrouve sur les sols semblables du Mâconnais. La culture de la vigne est ici très ancienne : elle remonte au moins au début de l'ère chrétienne si l'on en croit les textes de Pline; et il est sûr que le vin du Jura, qu'appréciait tout particulièrement Henri IV, était fort en vogue dès le Moyen Âge. La région compta jusqu'à 20 000 ha de vignes avant la crise phylloxérique.

Des vins originaux. Des cépages locaux voisinent avec d'autres, issus de la Bourgogne. Le poulsard (ou ploussard) est propre aux premières marches des monts du Jura; il n'a été cultivé, semble-t-il, que dans le Revermont, ensemble géographique incluant également le vignoble du Bugey, où il porte le nom de mècle. Ce raisin à gros grains oblongs, très parfumé et peu coloré, contient peu de tanin. C'est le cépage type des vins rosés, vinifiés ici le plus souvent comme des rouges. Le trousseau, autre cépage local, est en revanche riche en couleur et en tanin. Il donne naissance à des vins rouges caractéristiques des appellations d'origine du Jura. Le pinot noir, venu de la Bourgogne, est utilisé en assemblage ou vinifié seul. Il contribue aussi, avec le chardonnay, au crémant-du-jura, vin effervescent élaboré selon la méthode traditionnelle. Le chardonnay, comme en Bourgogne, réussit ici parfaitement sur les terres argileuses, où il apporte aux vins blancs leur bouquet inégalable. Le savagnin est le cépage blanc local. Il est cultivé sur les marnes les plus ingrates, et donne, après plus de six ans d'élevage spécial dans des fûts en vidange (non ouillés), le vin jaune, un vin de garde vif, riche et complexe, fruit d'une patiente vinification du savagnin sous voile de levures. Le vin de paille, un liquoreux, et le macvin, un vin de liqueur, sont deux autres productions réputées du Jura. Vins de paille et vins jaunes sont proposés dans trois appellations : arbois, côtes-du-jura et l'étoile. Château-chalon est réservée au vin jaune et le macvin-du-jura, un vin de liqueur, bénéficie de son AOC.

Les vins blancs ont parfois un caractère très évolué, presque oxydé : ils sont élevés longuement, sans ouillage, dans le style des vins jaunes. Ils sont souvent issus de savagnin, parfois assemblé au chardonnay. À côté de ces blancs « tradition », on trouve nombre de blancs classiques, les « floraux », vinifiés en cuve ou en fût. Au début du XXᵉs., on trouvait des vins rouges de plus de cent ans ; ce n'est plus le cas aujourd'hui.

Le rosé, quant à lui, est en réalité un vin rouge peu coloré et peu tannique, qui se rapproche souvent plus du rouge que du rosé des autres vignobles. De ce fait, il est apte à un certain vieillissement.

ARBOIS, CAPITALE DU VIGNOBLE

Pleine de charme, la vieille cité d'Arbois, si paisible, est la capitale de ce vignoble; on y évoque le souvenir de Pasteur qui, après y avoir passé sa jeunesse, y revint souvent. C'est là, de la vigne à la maison familiale, qu'il mena ses travaux sur les fermentations, si précieux pour la science œnologique; ils devaient, entre autres, aboutir à la découverte de la «pasteurisation». C'est à Arbois qu'a été fondée la plus ancienne coopérative de la région, en 1906.

ARBOIS

Superficie : 795 ha
Production : 30 000 hl (54 % rouge et rosé ; 45 % blanc et jaune ; 1 % vin de paille)

La plus connue des AOC du Jura s'applique à tous les types de vins produits sur douze communes de la région d'Arbois. Il faut rappeler l'importance des marnes triasiques dans cette zone, et la qualité toute particulière des « rosés » de poulsard qui sont issus des sols correspondants. Réputé justement pour ses vins de poulsard, le village de Pupillin peut faire figurer son nom sur les étiquettes à côté de celui d'Arbois.

FRUITIÈRE VINICOLE D'ARBOIS Savagnin 2015

■	20000	◍ ▮	11 à 15 €

Arbois, 1906 : après la crise phylloxérique, quelques vignerons décident de fonder cette coopérative, l'une des premières en France. La fruitière est toujours là, forte des apports de cent familles vigneronnes (pour 270 ha de vignes), de chais modernes au château Béthanie, acquis en 1969, et d'une gamme très complète. Ses vins figurent souvent en tête d'affiche dans le Guide.

Élevé sous voile comme un vin jaune mais seulement pendant trois ans, ce savagnin est tout d'or vêtu. Discret, le nez n'en est pas moins délicat et typique avec ses notes de noix fraîche, de fumé et de curry. La bouche équilibrée offre une jolie finale sur la noix. ⧗ 2019-2021 ■ **Trousseau 2017 (8 à 11 € ; n.c.)** : vin cité.

SCA FRUITIÈRE VINICOLE D' ARBOIS, 2, rue des Fossés, 39600 Arbois, tél. 03 84 66 11 67, dir@chateau-bethanie.com V ♿ ▮ *t.l.j. 10h-12h 14h-18h*

CAVEAU DE BACCHUS
Trousseau Cuvée des Géologues Réserve de caveau 2017 ★★

■	4300	◍	20 à 30 €

Le caveau de Bacchus, c'est le repaire original qu'a créé Lucien Aviet en 1961 dans le charmant village de Montigny-lès-Arsures. Son fils l'y a rejoint en 1999. Ils dirigent une exploitation de 5 ha et pratiquent la vinification et l'élevage en foudre pour toutes leurs cuvées, dont les bouteilles sont cirées.

Intense et expressif tant à l'œil qu'au nez, ce vin de trousseau affiche tout le fruit attendu. Ample, il se révèle tout aussi fruité au palais, une pointe de poivre apportant un petit supplément d'âme. Structurée, équilibrée, puissante, cette cuvée demeure décidément une référence. Le millésime 2015 avait eu un coup de cœur mais le 2017 l'a frôlé. ⧗ 2020-2025

EARL CAVEAU DE BACCHUS, 4, quartier de Boutière, 39600 Montigny-lès-Arsures, tél. 06 10 68 64 77, caveaubacchus39@gmail.com V ♿ ▮ *r.-v.*

PAUL BENOIT ET FILS Pinot 2017

■	3000	▮	11 à 15 €

Paul Benoit et son fils Christophe, installés au hameau La Chenevière, ancien lieu de culture du chanvre, exploitent un domaine de 8 ha sur le terroir de Pupillin, complété par une activité de négoce.

D'un rouge profond, ce pinot fruité, épicé et mentholé fait aussi la part belle à la fraise. Léger et presque gouleyant, il est plutôt vif, encore relevé par une petite pointe de gaz. Menthol, épices et fruits rouges continuent de s'épanouir agréablement. ⧗ 2019-2022

SARL PAUL BENOIT ET FILS, 2, rue du Chardonnay, La Chenevière, 39600 Pupillin, tél. 03 84 37 43 72, paul-benoit-et-fils@orange.fr V ♿ ▮ *t.l.j. 10h-16h*

♥ CELLIER SAINT-BENOIT
Pupillin Ploussard Vieilles Vignes 2017 ★★★

■	1000	▮	8 à 11 €

Denis Benoit s'est installé en 1989 et a d'abord livré en coopérative avant de créer sa cave sur la ferme de ses grands-parents (6,25 ha en lutte raisonnée) et vinifier lui-même ses raisins à partir de 2004. Une nouvelle génération arrive pour le millésime 2019.

Les vieilles vignes de ploussard qui ont donné naissance à ce vin grenat sont cinquantenaires. Après dix mois d'élevage en cuve Inox, voilà un ploussard gourmand, au nez expressif : la fraise écrasée rivalise avec la cerise. Toujours beaucoup de franchise en bouche : une matière solide mais fraîche, où le fruit est toujours très présent, nuancé de cacao en finale. ⧗ 2019-2022 ■ **Vin de paille 2014 ★★ (20 à 30 € ; 600 b.)** : ce vin de paille ambré est issu de 50 % de ploussard, de 25 % de chardonnay et de 25 % de savagnin. Puissant, le nez décline tour à tour le cédrat, l'orange amère et le caramel. Alcool, sucre et acidité sont bien équilibrés au palais. La matière concentrée est empreinte d'arômes de café et de chicorée, sur fond d'orange confite. Une originalité qui perdure jusqu'en finale. ⧗ 2022-2040 ■ **Pupillin Trousseau 2017 ★ (8 à 11 €; 1000 b.)** : dans sa robe rubis, ce trousseau épicé et fruité possède une solide structure. Les fruits rouges, dont la fraise écrasée, y ont toute leur place. ⧗ 2019-2022

CELLIER SAINT-BENOIT, 36, rue du Chardonnay, 39600 Pupillin, tél. 03 84 66 06 07, celliersaintbenoit@wanadoo.fr V r.-v.

♥ DOM. DANIEL DUGOIS
Vin jaune Reflet de roi 2011 ★★★

3000 | 30 à 50 €

Daniel Dugois s'installe en 1974 et commercialise sa production au négoce. En 1982, il décide d'élaborer lui-même ses vins. Son fils, Philippe, le rejoint en 2007 après avoir vinifié à l'étranger. Il conduit seul le domaine (10,3 ha) depuis 2013 à la retraite de son père.

Et si ce domaine, qui cite Henri IV écrivant à des compagnes de la cour : « Je vous baille en témoignage d'estime et d'amitié quatre bouteilles de mon vin d'Arbois », était en train de bâtir une dynastie de vins jaunes à coups de cœur? Le 2016, puis le 2017... Éclatant à l'œil, paré du plus bel or, celui-ci livre un nez subtil fait de noix verte, de foin mûr et d'épices. L'acidité toute naturelle pour un vin jaune apporte une agréable fraîcheur et en souligne l'harmonie totale. « Quel joli vin! » s'exclame un dégustateur, louant son élégance. ⧗ 2020-2050 ■ **Trousseau Grévillière 2016 (11 à 15 €; 6600 b.)** : vin cité. ■ **Trousseau Reflets de roi 2017 (8 à 11 €; 8000 b.)** : vin cité.

SARL DOM. DANIEL DUGOIS, 4, rue de la Mirode, 39600 Les Arsures, tél. 03 84 66 03 41, daniel.dugois@orange.fr V *t.l.j. sf dim. 10h-12h 14h-18h*

DOM. FORET
Les Corvées Vin jaune Savagnin 2006 ★

500 | 50 à 75 €

Sur les 7,5 ha cultivés dans ce domaine, 3,5 ha sont situés au lieu-dit Les Corvées, qui appartenait avant la Révolution à une abbaye d'Arbois où les paysans faisaient « la corvée ». La cave se trouve au pied de Curon, où Frédéric Foret exploite 1 ha de vignes. Vigneron, Frédéric Foret est aussi un artiste. Il sculpte et soude la ferraille pour donner naissance à des bouteilles, des verres et autres objets... qui ne laissent pas de marbre.

Un millésime déjà ancien pour ce vin jaune issu de vignes cultivées au lieu-dit Curon-les-Corvées. Rien d'étonnant donc à ce que sa robe soit déjà évoluée, d'un vieil or patiné. Plutôt sur des notes oxydatives, le nez évoque la pomme mûre et cuite, ainsi que les épices douces. Dans une matière puissante, propre à ce type de vin, se distinguent durablement le sous-bois, le champignon ou encore la pomme. ⧗ 2020-2030

EARL DOM. FORET, 13, rue de la Faïencerie, 39600 Arbois, tél. 06 20 48 27 80, domaineforet@gmail.com V *r.-v.*

DOM. LIGIER PÈRE ET FILS Vin jaune 2011 ★★

1500 | 30 à 50 €

Installée à Arbois, la famille Ligier a créé ce domaine de toutes pièces en 1986 – 10 ha aujourd'hui. Des investissements réguliers ont été faits, notamment la construction, en 2002, d'un chai adapté au vieillissement des vins jaunes. Une valeur sûre du vignoble jurassien, avec une femme de talent aux commandes de la vinification, Marie-Colette Vandelle.

Couleur citron à reflets dorés, ce vin n'attend pas pour délivrer de délicates notes de noix verte, de curry, de muscade et d'agrumes. Boisé et puissant, il est toutefois rond et frais. Un style qui ne laisse pas indifférent, même s'il s'éloigne de l'archétype. ⧗ 2020-2040 ■ **Dom. Ligier Cuvée des Poètes 2016 (11 à 15 €; 3000 b.)** : vin cité.

EARL DOM. LIGIER, 56, rue de Pupillin, 39600 Arbois, tél. 03 84 66 28 06, gaec.ligier@wanadoo.fr V *t.l.j. 10h-18h30*

FRÉDÉRIC LORNET Chardonnay 2017 ★

4000 | 8 à 11 €

Il est plutôt rare pour un viticulteur de travailler sur le site d'une abbaye cistercienne du XIIe s., et il n'est pas non plus souvent donné aux œnophiles de déguster dans une ancienne chapelle. Boire un vin de Frédéric Lornet, c'est un peu aller aux sources de l'abbaye de Gennes et du travail séculaire autour de la vigne et du vin. Une valeur sûre.

Fermentation et élevage de douze mois se sont déroulés en barriques. Le boisé est ainsi perceptible au nez sans occulter, cependant, un joli bouquet de fleurs blanches. Souple et ronde, la bouche se plaît à partager des tons de brioche et de fruits jaunes. Aucune agressivité dans ce vin déjà très ouvert. ⧗ 2019-2021

EARL FRÉDÉRIC LORNET, 7, quartier de l'Abbaye, 39600 Montigny-lès-Arsures, tél. 03 84 37 45 10, frederic.lornet@orange.fr V *t.l.j. 9h-12h 14h-18h*

DOM. MARTIN-FAUDOT
Les Corvées Trousseau Cuvée 89 2016 ★

2500 | 11 à 15 €

Louis Faudot obtint en 1896 de la part de la société de viticulture d'Arbois un diplôme d'honneur pour ses recherches concernant le greffage. Héritiers de ces savoir-faire, Michel Faudot et Jean-Pierre Martin sont à la tête d'un domaine familial de 12 ha.

« Cuvée 89 » pour quatre-vingt-neuf jours de macération. Les raisins de trousseau proviennent de vignes d'une quarantaine d'années plantées dans le lieu-dit réputé dénommé « Les Corvées ». Curieusement clair, il s'exprime agréablement au nez dans un registre fruité. La bouche, légèrement évoluée, est structurée. Les tanins sont présents, mais bien fondus. Sur le plan aromatique, la partie animale prend le pas sur le fruité dans une belle complexité. ⧗ 2019-2022

EARL DOM. MARTIN-FAUDOT, 19, rue Bardenet, 39600 Mesnay, tél. 03 84 66 29 97, info@domaine-martin.fr V *r.-v.*

DOM. DÉSIRÉ PETIT
Pupillin Chardonnay Cuvée Jules 2017 ★★

| 5000 | | 8 à 11 € |

Désiré Petit a bâti dès 1932 ce domaine, qui compte aujourd'hui 27 ha. Ses fils Gérard et Marcel l'ont fait prospérer à partir de 1970, et ce sont désormais les enfants de Marcel, Anne-Laure et Damien, qui en ont la responsabilité, confortant certains positionnements, comme les vendanges manuelles, mais explorant aussi de nouvelles voies, telle la cuvée sans soufre. Une valeur sûre du vignoble jurassien, qui a obtenu de nombreux coups de cœur.

Cette cuvée a été élevée en foudre, sur lies, pendant vingt-quatre mois. Un léger trouble voile la robe jaune pâle à reflets verts. D'abord discret, le nez développe ensuite les fleurs blanches et la pomme, qu'une touche de poivré vient souligner. Dans ce même élan, la bouche se montre équilibrée, fraîche et complexe, avec un fruité mûr et une touche de vanille. Une pointe de réduction en finale vient tout simplement confirmer la jeunesse d'un vin au fort potentiel. ⌛ 2020-2024 ■ **Pupillin Trousseau 2018 ★★ (8 à 11 €; 4000 b.)** : belle couleur rouge profond et quelques reflets bruns. Une intensité comparable se retrouve au nez où fruité et épices rivalisent. La bouche offre un fruité mûr avec un côté très gourmand, presque gouleyant. Aucune aspérité dans ce vin qui réussit à être agréable tout en ayant encore de beaux jours devant lui. ⌛ 2019-2022

GAEC DÉSIRÉ PETIT, 62, rue du Ploussard, 39600 Pupillin, tél. 03 84 66 01 20, contact@desirepetit.com V t.l.j. 8h-12h 14h-18h

FRUITIÈRE VINICOLE DE PUPILLIN
Pupillin Vin de paille 2015 ★★

| 2680 | | 20 à 30 € |

Fondée par quelques vignerons en 1909, cette coopérative couvre aujourd'hui 66 ha provenant d'une quarantaine de sociétaires, pour une production d'environ 3 500 hl. Située au cœur du village, dans un cadre régulièrement modernisé, elle allie les dernières techniques de vinification et le respect des usages traditionnels.

Composé de 45 % de ploussard, de 30 % de chardonnay et de 25 % de savagnin, ce vin de paille a une couleur œil-de-perdrix. Très flatteur, le nez évoque les fruits confits (raisin, orange) l'abricot et le coings. Assez douce, la bouche évoque la pâte de coing. ⌛ 2020-2040 ■ **Chardonnay Grande Réserve 2017 (8 à 11 €; 5435 b.)** : vin cité.

SCA FRUITIÈRE VINICOLE DE PUPILLIN, 35, rue du Ploussard, 39600 Pupillin, tél. 03 84 66 12 88, info@pupillin.com V t.l.j. 9h-12h 14h-18h

B DOM. DE LA RENARDIÈRE
Pupillin Les Vianderies 2016 ★

| 2500 | | 15 à 20 € |

Depuis son installation en 1990, Jean-Michel Petit n'a cessé d'investir : construction d'une cuverie en 1992, caveau de dégustation en 1996 et cave de vieillissement en rochers naturels en 2013 régulée par des puits canadiens. Son vignoble couvre 7,2 ha, en agriculture biologique.

La vinification et l'élevage (vingt-deux mois) de ce chardonnay jaune pâle se sont déroulés en fûts de 400 l. Après un premier nez un peu fermé, le vin s'ouvre sur des notes tant végétales qu'animales, avec un léger boisé. De structure équilibrée, il affiche ce même fond boisé au palais, que de la feuille de cassis vient détrôner en finale. ⌛ 2020-2024

EARL JEAN-MICHEL PETIT, Dom. de la Renardière, 24, rue du Chardonnay, 39600 Pupillin, tél. 03 84 66 25 10, domainedelarenardiere@gmail.com V r.-v.

DOM. ROLET Tradition 2012 ★★

| 15000 | | 15 à 20 € |

Un domaine crée par Désiré Rolet dans les années 1940, puis géré par ses enfants des années durant et cédé à la famille Devillard en 2018. Les bourguignons ont ainsi investi dans ce domaine de premier ordre, aujourd'hui encore une des plus importantes exploitations du Jura, dans les AOC arbois, côtes-du-jura, l'étoile et château-chalon.

Ce 2012 est encore l'œuvre des enfants Rolet. Assemblage à parts égales de chardonnay et de savagnin, il a été élevé en fût pendant quarante mois, le savagnin ayant vieilli sous voile pendant trois ans. L'arôme de noisette apparaît d'emblée, puis celui de noix, bientôt rejoints par quelques notes beurrées. La bouche, fidèle au nez, fait preuve d'équilibre et d'ampleur, avec ce qu'il faut de fraîcheur. Tout ce que l'on peut attendre d'un tel assemblage. ⌛ 2020-2024 ■ **Poulsard Vieilles Vignes 2016 (11 à 15 €; 27000 b.)** : vin cité. ■ **Chardonnay 2015 (11 à 15 €; 31000 b.)** : vin cité.

SCEA DOM. ROLET PÈRE ET FILS, rte de Dôle, 39600 Arbois, tél. 03 84 66 00 05, contact@domainerolet.com V t.l.j. 10h-12h30 13h30-19h

DOM. JACQUES TISSOT
Les Corvées sous Curon Chardonnay 2017 ★

| 3500 | | 15 à 20 € |

C'est en 1962 que Jacques Tissot crée son domaine avec une parcelle héritée de son père. La modernisation des chais est engagée en 1992 avec la création d'une surface de 2 000 m² au bord de la nationale 83. Aujourd'hui, la propriété, conduite désormais par les enfants, Philippe et Nathalie, compte 30 ha de vignes en culture raisonnée.

C'est cette cuvée qui avait été auréolée d'un coup de cœur dans le millésime 2016 et qui est toujours fermentée et élevée en pièces de 228 l (60 % de bois neuf). Tant au nez qu'en bouche, on ne peut ignorer ce passage en fût tant le boisé s'impose. Un peu de fleurs blanches et d'épices vient rompre avec élégance ce qui aurait pu être un monologue aromatique. La bouche se fait ample et enveloppante, persistante. ⌛ 2019-2022 ■ **Pinot noir Grande Réserve 2017 (11 à 15 €; 3500 b.)** : vin cité.

SARL DOM. JACQUES TISSOT, 39, rue de Courcelles, 39600 Arbois, tél. 03 84 66 24 54, courrierjt@yahoo.fr V r.-v.

DOM. DE LA TOURAIZE
Chardonnay Ammonites 2016 ★★

| 2000 | | 15 à 20 € |

Héritier de huit générations de vignerons (un acte de décès de 1704 mentionne un Morin vigneron de profession), André-Jean Morin a d'abord livré sa vendange à la «coop», comme son père et son

JURA

grand-père, avant de «reprendre ses raisins en mains» à partir de 2009. Pratiquant depuis longtemps une viticulture sans engrais, insecticides ni désherbants chimiques, il conduit désormais ses 12 ha en conversion à l'agriculture biologique.

La fermentation et l'élevage de deux ans de cette cuvée de chardonnay se sont déroulés en demi-muids et à partir de levures indigènes. D'une attention de tous les instants est né un vin très frais au nez, qu'on devine d'abord timide, puis qui se livre dans une très agréable minéralité. La bouche offre une synthèse entre rondeur de la matière et fraîcheur, ainsi qu'une belle complexité aromatique. Un vin complet. ⧗ 2020-2024

EARL DOM. DE LA TOURAIZE, 7, rte de la Villette, 39600 Arbois, tél. 06 83 41 74 60, aj.morin@wanadoo.fr V r.-v.

CHÂTEAU-CHALON

Superficie : 50 ha / Production : 1 620 hl

Le plus prestigieux des vins du Jura est exclusivement du vin jaune, le célèbre vin de voile élaboré en quantité limitée selon des règles strictes. Le raisin est récolté sur les marnes noires du lias, dans un site remarquable : un vieux village établi sur des falaises. La mise en vente s'effectue six ans et trois mois après la vendange. Il est à noter que, dans un souci de qualité, les producteurs eux-mêmes ont refusé l'agrément en AOC pour les récoltes de 1974, 1980, 1984 et 2001.

♥ PHILIPPE BUTIN Vin jaune 2010 ★★★

| 900 | | 30 à 50 € |

2010 CHATEAU CHALON Appellation Château-Chalon Contrôlée VENDANGES PB MANUELLES VIN JAUNE

Cette exploitation (5,5 ha aujourd'hui), dans la famille depuis trois générations, est fidèle aux vendanges manuelles. Philippe Butin produit surtout des vins à partir de cépages blancs qu'il cultive sur les coteaux de Lavigny. Sa production figure régulièrement en bonne place dans le Guide.

Philippe Butin n'est pas un homme pressé et son château-chalon le lui rend bien. Les huit ans d'élevage n'ont pas été vains : ils ont permis l'avènement d'un vin superbement «terrien», minéral et puissant. Or pâle, la robe est d'une clarté parfaite. Sans aucune déviance, le nez très expressif va très loin dans l'élégance : épices douces, citron confit, pomme, truffe, champignon, sous-bois... Une jeunesse prometteuse. La bouche dévoile une vivacité contenue par un joli gras, gage de décennies de vieillissement. Fruits secs, anis et mandarine égayent la finale. ⧗ 2020-2035

EARL PHILIPPE BUTIN, 21, rue de la Combe, 39210 Lavigny, tél. 06 22 44 17 25, ph.butin@wanadoo.fr V r.-v.

CAVEAU DES BYARDS 2012

| 500 | | 30 à 50 € |

Cette petite coopérative est relativement récente puisqu'elle a été créée en 1953. C'est une affaire à taille humaine : 42 ha de vignes seulement et 17 adhérents. Mais elle investit régulièrement et sa production figure souvent en bonne place dans le Guide, notamment en crémant, qui représente 50 % de sa production.

Légèrement levuré, le nez possède des tonalités juvéniles comme le citron, la pomme verte ou la mirabelle, laissant toutefois poindre des notes plus mûres comme l'amande, la noix ou les champignons. Vive et élégante, la bouche reste sur la fraîcheur des agrumes, avec quelques touches d'amande amère. ⧗ 2020-2024

CAVEAU DES BYARDS, rte de Voiteur, 39210 Le Vernois, tél. 03 84 25 33 52, info@caveau-des-byards.fr V t.l.j. sf dim. 9h-12h 14h-18h

♥ DOM. GRAND En Beaumont 2011 ★★

| 2000 | | 30 à 50 € |

EN BEAUMONT CHÂTEAU-CHALON APPELLATION D'ORIGINE PROTÉGÉE NATHALIE ET EMMANUEL GRAND PASSENANS - JURA

Chez les Grand, on est vigneron de père en fils depuis 1692. Après René Grand, Lothain et ses frères consacrent les années 1970 à 1990 à développer le domaine familial. Aujourd'hui, ce sont Emmanuel (fils de Lothain) et son épouse Nathalie qui conduisent les 11 ha de vignes, en AOC côtes-du-jura, château-chalon et arbois. Le vignoble est désormais en conversion à l'agriculture biologique. Une valeur sûre.

«En Beaumont» est un lieu-dit réputé situé sur la commune de Ménétru-le-Vignoble. Le soleil y dore les raisins de savagnin de l'aube jusqu'au coucher. Scintillante, la robe de ce vin jaune est déjà profonde. Puissant et racé, le nez signe un vin encore jeune, mais plein d'avenir. On y décèle des épices, des fruits exotiques ou encore du fenouil et bien sûr de la noix. La bouche est d'emblée musclée, dotée d'une vivacité qui la rend encore difficile d'accès à ce jour, mais le potentiel est certain. La matière est là, en devenir, et la typicité d'ores et déjà assurée. ⧗ 2020-2035

SCV GRAND, 139, rue du Savagnin, 39230 Passenans, tél. 03 84 85 28 88, domaine-grand@wanadoo.fr V r.-v.

JEAN-LUC MOUILLARD 2011

| 2000 | | 30 à 50 € |

Depuis 1991, Jean-Luc Mouillard élève dans ses belles caves voûtées de la fin du XVIes. des vins des AOC l'étoile, côtes-du-jura, macvin-du-jura, crémant-du-jura et château-chalon. Un vigneron multi-appellations et une valeur sûre du vignoble jurassien.

Franc et subtil, le nez décline les épices (cannelle, muscade), l'anis et le fenouil, le sous-bois et les champignons. Un joli voyage avant de découvrir une matière structurée, dans laquelle la noix revient discrètement mais élégamment. Du potentiel. ⧗ 2023-2030

JEAN-LUC MOUILLARD, 379, rue du Parron, 39230 Mantry, tél. 03 84 25 94 30, domainemouillard@hotmail.fr V t.l.j. 9h-12h 13h30-19h 2

♥ DOM. DÉSIRÉ PETIT
En Beaumont 2011 ★★

	848		30 à 50 €

CHATEAU CHALON
EN BEAUMONT
2011
DOMAINE
DÉSIRÉ PETIT

Désiré Petit a bâti dès 1932 ce domaine, qui compte aujourd'hui 27 ha. Ses fils Gérard et Marcel l'ont fait prospérer à partir de 1970, et ce sont désormais les enfants de Marcel, Anne-Laure et Damien, qui en ont la responsabilité, confortant certains positionnements, comme les vendanges manuelles, mais explorant aussi de nouvelles voies, telle la cuvée sans soufre. Une valeur sûre du vignoble jurassien, qui a obtenu de nombreux coups de cœur.

Une robe avenante dans les tons or. Délicat, le nez va du fruité (agrumes, noix) à l'épicé (poivre, muscade) en passant par le pain cuit. Avec tout autant d'élégance, la bouche présente un bel équilibre alcool/acidité et une remarquable matière. Elle évoque les épices, le sous-bois, les champignons, l'anis et, en finale, l'écorce d'orange amère et la peau de mandarine placée sur le fourneau de grand-mère. ⧗ 2020-2035

GAEC DÉSIRÉ PETIT,
62, rue du Ploussard, 39600 Pupillin, tél. 03 84 66 01 20, contact@desirepetit.com V t.l.j. 8h-12h 14h-18h

CÔTES-DU-JURA

Superficie : 512 ha
Production : 20 540 hl (70 % blanc et jaune ; 28 % rouge et rosé ; 2 % vin de paille)

L'appellation englobe toute la zone du vignoble de vins fins et produit tous les types de vins jurassiens, à l'exception des effervescents.

DOM. BAUD GÉNÉRATION 9
Les Prémices 2016

	6900		8 à 11 €

La neuvième génération Baud, formée de Clémentine et Bastien, a pris la suite d'Alain et Jean-Michel en 2016, perpétuant ainsi la tradition familiale depuis 1742. Acte de modernité symbolique, le domaine Baud Père et Fils est devenu le domaine Baud Génération 9. Berceau du domaine, le vignoble du Vernois fit l'objet d'un important remembrement dans les années 1960. Les 25 ha de l'exploitation sont implantés en côtes du-jura, l'étoile et château-chalon.

Jaune pâle à reflets dorés, ce pur chardonnay reste discret au nez, mais avec un coté floral très franc. De l'équilibre en bouche avec une certaine fraîcheur. Un vin harmonieux. ⧗ 2019-2023 **Tradition Deux grains de paradis 2015 (11 à 15 € ; 8 000 b.)** : vin cité.

SCV BAUD GÉNÉRATION 9,
222, rte de Voiteur, 39210 Le Vernois, tél. 03 84 25 31 41, clementine@domainebaud.fr V t.l.j sf dim. 8h-12h 14h-18h30

B DOM. BERTHET-BONDET
Tradition 2015 ★★

	13000		11 à 15 €

Domaine crée en 1985 par Jean Berthet-Bondet, ancien maire de Château-Chalon et ingénieur agronome, tout comme son épouse. Conduits selon les règles de l'agriculture biologique, les 14 ha de vignes et les caves voûtées sont désormais gérés par leur fille Hélène.

80 % de chardonnay et 20 % de savagnin ont été élevés sous voile pendant deux ans. Le nez intense d'amande, de noisette, de noix, de grillé et d'épices est bien révélateur de cette origine et de ce parcours. Du caractère dans ce vin équilibré, doté d'un joli gras et d'une agréable fraîcheur. Épices, amande et fumé traduisent une ascendance du savagnin marquée, mais le résultat est harmonieux. ⧗ 2019-2028

SCV DOM. BERTHET-BONDET, 7, rue de la Tour, 39210 Château-Chalon, tél. 03 84 44 60 48, domaine@berthet-bondet.com V r.-v.

MARCEL CABELIER Esprit 39 ★

	15000		11 à 15 €

Sous cette dénomination œuvre un négociant-vinificateur qui s'est installé en 1986 et s'est fortement développé depuis quelques années dans le Jura en vendant ses vins sous la marque Marcel Cabelier. Les apports de 70 vignerons concernent toutes les appellations jurassiennes.

La maison a souhaité un positionnement « premium » pour ce pur savagnin, non millésimé, élevé sous voile pendant quatre ans. C'est vrai qu'il a l'âme jurassienne cet « Esprit 39 » couleur or prononcée. Noix, épices, curry caractérisent un nez très soutenu. Structurée, avec une belle attaque et une vivacité bien dosée, la bouche traduit bien le savagnin et un élevage maîtrisé. Un tremplin vers le vin jaune. ⧗ 2019-2023

SAS MAISON DU VIGNERON,
22, rte de Champagnole, 39570 Hauteroche, tél. 03 84 87 66 71, enoel@maisonduvigneron.fr V *t.l.j. sf sam. dim. 10h-12h30 13h30-18h*

DOM. JEAN-CLAUDE CREDOZ Vin de paille 2015 ★

	1200		15 à 20 €

Issu d'une famille vigneronne depuis 1859, Jean-Claude Credoz a repris le domaine familial en 2002, après s'être associé avec ses frères. Les parents apportaient leur vendange à la coopérative, mais Jean-Claude a suivi la voie de ses plus lointains ancêtres et vinifie au domaine. Le vignoble couvre 8,7 ha, dont 4,5 en château-chalon acquis en 2014. L'exploitation est en conversion à l'agriculture biologique.

Un tiers de chardonnay, un tiers de savagnin et un tiers de poulsard pour ce beau vin de paille ambré à reflets rosés. Les fruits confits, l'abricot sec et le coing forment une agréable palette. Une belle concentration est perceptible en bouche, égayée par une juste vivacité. L'équilibre sucre/alcool/acidité est parfait et la finale laisse une impression de douceur. ⧗ 2019-2028

JEAN-CLAUDE CREDOZ, 3, rue des Chèvres, 39210 Château-Chalon, tél. 06 80 43 17 44, contact@domaine-credoz.fr V r.-v.

DOM. DURAND-PERRON Chardonnay 2015 ★

10000 | 5 à 8 €

Le domaine Durand-Perron a été fondé par la famille Perron, exploitée longtemps par Marius Perron puis par son gendre, Jacques Durand. La propriété a été reprise en 2010 par la Maison du Vigneron, pour laquelle Jacques Durand travaille désormais.

La fermentation alcoolique de ce chardonnay s'est déroulée en cuve, puis l'élevage a été conduit sous bois pendant un an. Subtil, le nez est d'abord vanillé avant d'évoluer vers le floral, le miel et les fruits mûrs. Fruitée et équilibrée, la bouche se révèle fraîche avec une finale mentholée et anisée. C'est ce que l'on appelle un vin droit. ⧗ 2019-2021

SCEA DOM. DE SAVAGNY, 22, rte de Champagnole, Crançot, 39570 Hauteroche, tél. 03 84 87 66 71, enoel@maisonduvigneron.fr V t.l.j. sf sam. dim. 10h-12h30 13h30-18h

DOM. GRAND Trousseau 2017 ★

3500 | 11 à 15 €

Chez les Grand, on est vigneron de père en fils depuis 1692. Après René Grand, Lothain et ses frères consacrent les années 1970 à 1990 à développer le domaine familial. Aujourd'hui, ce sont Emmanuel (fils de Lothain) et son épouse Nathalie qui conduisent les 11 ha de vignes, en AOC côtes-du-jura, château-chalon et arbois. Le vignoble est désormais en conversion à l'agriculture biologique. Une valeur sûre.

Ce sont des grappes de trousseau très mûres qui ont été récoltées le 30 septembre 2017 et méticuleusement triées. La macération a duré deux mois en cuve avec un élevage en fût d'un an. La robe se pare d'un rouge profond avec des reflets violacés, voire légèrement bruns. Chaleureux, le nez évoque les fruits mûrs et les épices. Dès l'attaque en bouche on sent la richesse, l'ampleur, les tanins et aussi une certaine force alcoolique, sans oublier un petit trait d'amertume en finale. Les fruits rouges (mûre, groseille) côtoient la réglisse dans un bel élan aromatique. ⧗ 2019-2023

SCV GRAND, 139, rue du Savagnin, 39230 Passenans, tél. 03 84 85 28 88, domaine-grand@wanadoo.fr V r.-v.

DOM. JOLY Les Varrons 2016 ★

2200 | 5 à 8 €

Cette société a été créée en 2000 à partir d'un domaine fondé à la fin des années 1960 par Claude Joly. Son fils Cédric en est aujourd'hui le gérant et conduit un vignoble de 7 ha.

Une fermentation en fût et un vieillissement de quinze mois pour ce chardonnay au nez certes discret, mais délicat et complexe : notes beurrées et vanillées, caractère floral et arômes de fruits à chair blanche. Fraîche, la bouche traduit bien l'élevage en fût à travers un boisé fondu. Un vin représentatif de l'appellation. ⧗ 2019-2023

EARL CLAUDE ET CÉDRIC JOLY, 1, chem. des Patarattes, 39190 Rotalier, tél. 03 84 25 04 14, contact@domainejoly.fr V r.-v.

DOM. DE LAHAYE Savagnin 2016 ★

1500 | 15 à 20 €

C'est en 2003 que Jean-Pierre (le père) et Guillaume (le fils) ont crée ce domaine aujourd'hui dirigé par ce dernier. Les vignes sont situées à Nevy-sur-Seille, Château-Chalon, Le Vernois et Lavigny, pour une surface totale de 6,80 ha.

Ce savagnin doré a été élevé sous voile pendant vingt mois, après un passage en cuve de six mois. Avec un côté levuré encore marqué, le nez offre toutefois une jolie palette de noix et d'épices. La jeunesse caractérise aussi la bouche, vive mais au beau potentiel. ⧗ 2019-2023

GUILLAUME TISSOT, 199, rte de Voiteur, 39210 Domblans, tél. 06 80 38 54 06, domainedelahaye@yahoo.fr V t.l.j. 8h-18h

♥ DOM. FRÉDÉRIC LAMBERT Tradition 2016 ★★

6000 | 8 à 11 €

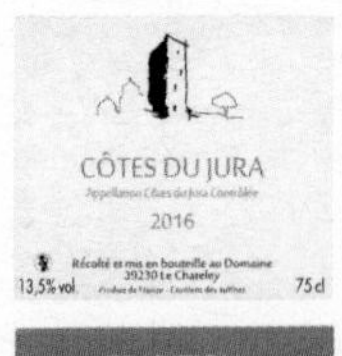

Œnologue de formation, Frédéric Lambert a commencé à acheter des vignes en production et des terrains dès 1993. L'installation s'est faite dix ans plus tard et l'exploitation compte désormais 10 ha, comprenant tous les cépages jurassiens, vendangés manuellement.

Chardonnay (70 %) et savagnin (30 %) ont vieilli en fût séparément pendant deux ans puis assemblés avant la mise en bouteilles. Il en résulte un vin or pâle, au nez complexe de pomme, de noix verte, de noisette, d'amande et de sous-bois. La bouche fraîche et équilibrée, persistante, témoigne de l'harmonie entre les cépages. ⧗ 2019-2023 ■ **Trousseau 2017 ★ (11 à 15 €; 2500 b.)** : les épices, et plus particulièrement le poivre, dominent au nez, complété par des notes de cuir. Une bonne charpente caractérise le palais, ainsi que des flaveurs de fruits rouges qui s'expriment agréablement jusque dans une longue finale. ⧗ 2019-2021

FRÉDÉRIC LAMBERT, 14, Pont-du-Bourg, 39230 Le Chateley, tél. 03 84 25 97 83, domainefredericlambert@orange.fr V r.-v.

♥ DOM. MAIRE ET FILS Savagnin blanc Grand Minéral 2018 ★★

21000 | 11 à 15 €

Né en 1917, Henri Maire fut le pionnier de la vente de vin grâce à laquelle il fit prospérer après-guerre sa petite maison de négoce. Également propriétaire de vignes, la société rebaptisée Dom. Maire et fils est depuis 2015 sous le contrôle de l'entreprise bourguignonne Boisset. Un acteur important du vignoble.

Vinifié et élevé en cuve juste six mois, ce savagnin n'a pas été conçu pour jouer dans la cour des vins dits «typés», mais dans cette version ouillée, il est tout simplement remarquable. Nez à dominante florale mais les agrumes, les fruits exotiques ou encore l'amande sont également perceptibles. La bouche est fruitée à souhait et sa fraîcheur ne passe pas inaperçue. Une pointe de gaz carbonique la souligne. Une belle expression du cépage dans ce type de vinification. ⧗ 2019-2021 ■ **Chardonnay Grand Minéral 2018 (11 à 15 €; 82000 b.)** : vin cité.

⊶ SCV DOM. MAIRE ET FILS, BP_106, 39600 Arbois, tél. 03 84 66 42 53, jhauller@henri-maire.fr V *t.l.j. 9h-19h*

JEAN-LUC MOUILLARD
Bas de la Chaux Chardonnay 2017 ★

■	6000		8 à 11 €

Depuis 1991, Jean-Luc Mouillard élève dans ses belles caves voûtées de la fin du XVIᵉs. des vins des AOC l'étoile, côtes-du-jura, macvin-du-jura, crémant-du-jura et château-chalon. Un vigneron multi-appellations et une valeur sûre du vignoble jurassien.

Si le début de fermentation s'est déroulé en cuve, la fin a été réalisée en fût, se poursuivant par un élevage d'un an dans ces mêmes contenants. Complexe, le nez rappelle les fleurs, mais aussi les fruits exotiques. La bouche fraîche en fait un vin droit, de bonne persistance. Si ce chardonnay peut être le compagnon d'un repas, il sera tout autant apprécié à l'apéritif. ⧗ 2019-2023

⊶ JEAN-LUC MOUILLARD, 379, rue du Parron, 39230 Mantry, tél. 03 84 25 94 30, domainemouillard@hotmail.fr V *t.l.j. 9h-12h 13h30-19h* 2

LA PETITE MARNE
Pinot noir Vieilles Vignes 2017 ★

■	4000		11 à 15 €

Jean-Yves et Philippe Noir ont pris la suite de leur père sur une propriété de 11 ha. Adhérents à la cave coopérative depuis 1976, ils ont décidé en 2003 de vinifier au domaine. Le nom de celui-ci fait référence à la nature des sols du terroir polinois. Un nouveau caveau a ouvert ses portes en 2016.

Quinze jours de cuvaison et deux ans d'élevage en fût pour ce pinot noir rouge sombre, issu de vignes de quarante-cinq ans. C'est par de discrètes notes poivrées que ce vin se présente au nez. La bouche est plus expressive, avec une attaque nette et une structure solide. Constituée de tanins fins et serrés, mais encore un peu durs. Le boisé est bien fondu et, sur le plan aromatique, on est plus sur l'amande amère que sur les fruits rouges. ⧗ 2019-2023 ■ **Tradition 2016 (11 à 15 €; 8000 b.)** : vin cité.

⊶ GAEC DE LA PETITE MARNE, Dom. Noir Frères, ZAC Grimont-Sud, 39800 Poligny, tél. 09 81 39 19 74, petitemarne.noir@wanadoo.fr V *t.l.j. sf mer. dim. 10h-12h 14h-18h30*

XAVIER REVERCHON Vin jaune 2011 ★

■	1250		30 à 50 €

Xavier représente la quatrième génération de Reverchon sur ce domaine créé en 1900. Il s'est installé en 1978, appliquant un principe qui lui est cher et qui est pratiqué sur le domaine depuis 1901 : le labour des vignes. Il se fait fort aussi de n'employer, depuis 30 ans sur ses 6 ha de vignes, ni engrais ou désherbant chimiques, ni insecticide ou acaricide. Les vendanges sont manuelles. Une belle régularité, notamment en côtes-du-jura et en crémant.

De couleur claire, ce vin jaune se révèle timidement au premier nez, puis s'ouvre plus franchement sur des arômes de pomme et d'épices légères. Plus du tout de réserve en bouche où, dès l'attaque, le vin s'ouvre complètement. De la puissance, une certaine rusticité, mais la noix verte est bien là, persistante.

⊶ EARL DE CHANTEMERLE, 2, rue du Clos, 39800 Poligny, tél. 03 84 37 02 58, reverchon.chantemerle@wanadoo.fr V *t.l.j. sf dim. 9h-12h 14h-18h*

♥ DOM. PIERRE RICHARD
Vin jaune 2011 ★★

■	1600		30 à 50 €

Pierre Richard s'est installé en 1976 à la suite de son père. Son fils Vincent est revenu sur l'exploitation en 2009 et a pris les rênes de la propriété en 2017. Les 10 ha de vignes sont cultivés principalement dans le village du Vernois, dont le vignoble a fait l'objet d'un vaste remembrement dans les années 1960. Une conversion vers l'agriculture biologique a été engagée en juillet 2018.

Il s'en passe des choses en sept ans. Tandis que Pierre Richard passait le flambeau à son fils, le savagnin prenait le voile. C'est par un nez subtil de noix verte et de caramel que ce vin jaune doré à reflets verts nous conte le début de son histoire. D'abord aérien en bouche, dans une expression fraîche, il devient ample, puis long. De l'élégance et de la finesse, sur une expression délicate de la noix. Un vin jaune d'accès facile, mais doté d'une belle typicité. ⧗ 2019-2028 ■ **Chardonnay typé en fût 2015 ★ (8 à 11 €; 3600 b.)** : il n'y a pas que le savagnin pour donner des vins «typés», au sens de la typologie jurassienne. Ce chardonnay élevé en fût et en foudre pendant trois ans en est un bel exemple. Associant la minéralité, le fruité et l'épicé au nez, il persiste dans cette expression au palais et se développe avec fraîcheur et équilibre.

⊶ VINCENT RICHARD (DOM. PIERRE RICHARD), 136, rte de Voiteur, 39210 Le Vernois, tél. 03 84 25 33 27, domainepierrerichard@wanadoo.fr V *r.-v.*

DOM. MICHEL THIBAUT
Trousseau 2017

■	3000		8 à 11 €

Natif de Poligny, Michel Thibaut a multiplié les expériences professionnelles dans différents vignobles en France. Il a été cogérant du Dom. Morel-Thibaut de 1989 à 2013, puis a créé son propre domaine en 2014 avec son épouse Catherine : 10 ha en côtes-du-jura, sur les coteaux de Poligny. Hubert, le fils, les a rejoints en 2018.

Rouge aux accents ocre, ce trousseau est expressif au nez : du floral, ainsi qu'un fruité léger que quelques notes d'épices agrémentent. Une bonne attaque en

JURA

bouche, avec de l'équilibre, de la matière, sans agressivité aucune. La finale est encore austère. ⧗ 2019-2021

EARL DOM. MICHEL THIBAUT, 2, rue des Petites-Marnes, 39800 Poligny, tél. 03 84 57 56 15, domaine.michel.thibaut@orange.fr V r.-v.

CRÉMANT-DU-JURA

Superficie : 331 ha
Production : 19 700 hl (93 % blanc)

Reconnue en 1995, l'AOC crémant-du-jura s'applique à des mousseux élaborés selon les règles strictes des crémants (la méthode traditionnelle), à partir de raisins récoltés à l'intérieur de l'aire de production de l'AOC côtes-du-jura. Les cépages rouges autorisés sont le poulsard (ou ploussard), le pinot noir (appelé localement gros noirien) et le trousseau ; les cépages blancs sont le chardonnay (appelé aussi melon d'Arbois ou gamay blanc), le savagnin (appelé localement naturé) et le pinot gris (rare).

JÉRÔME ARNOUX
Blanc de noir Black White 2016

6000	11 à 15 €

Déjà tout petit, Jérôme Arnoux occupait son temps libre chez son voisin viticulteur en se disant qu'il serait plus tard vigneron. Après avoir été salarié dans plusieurs domaines d'Arbois, il devient caviste au Cellier des Tiercelines, puis actionnaire. Il possède aussi des vignes exploitées dans les alentours d'Arbois et vendues à cette petite société de négoce, ce qui lui permet de vinifier ses propres cuvées.

« Black White » pour blanc de noir. Ce crémant doré a en effet été élaboré uniquement à partir de pinot noir. Les bulles sont dynamiques, le nez citronné. Si l'attaque est plutôt nerveuse, le vin modère ensuite ces ardeurs par un côté assez dosé. Bonne longueur. ⧗ 2019-2022

SARL CELLIER DES TIERCELINES, 23, rte de Villeneuve, 39600 Arbois, tél. 03 84 37 36 09, vin.ja@orange.fr V *jeu. ven. sam. 10h30-12h30 15h30-18h30; f. janv.*

DOM. BAUD GÉNÉRATION 9 Sauvage ★★

13000	11 à 15 €

La neuvième génération Baud, formée de Clémentine et Bastien, a pris la suite d'Alain et Jean-Michel en 2016, perpétuant ainsi la tradition familiale depuis 1742. Acte de modernité symbolique, le domaine Baud Père et Fils est devenu le domaine Baud Génération 9. Berceau du domaine, le vignoble du Vernois fit l'objet d'un important remembrement dans les années 1960. Les 25 ha de l'exploitation sont implantés en côtes du-jura, l'étoile et château-chalon.

70 % de chardonnay et 30 % de pinot noir composent cet assemblage jaune doré à reflets verts. « Sauvage est la proximité du sacré », disait Friedrich Hölderlin, poète allemand. Il est vrai que ce nez de fleurs, de fruits blancs et de citron n'a rien d'abrupt ni de rustique, bien au contraire. La bouche confirme un caractère riant et délicat, avec un beau volume, sans aucune lourdeur. ⧗ 2019-2022

SCV BAUD GÉNÉRATION 9, 222, rte de Voiteur, 39210 Le Vernois, tél. 03 84 25 31 41, clementine@domainebaud.fr V *t.l.j sf dim. 8h-12h 14h-18h30*

CAVEAU DES BYARDS 2016

18000	8 à 11 €

Cette petite coopérative est relativement récente puisqu'elle a été créée en 1953. C'est une affaire à taille humaine : 42 ha de vignes seulement et 17 adhérents. Mais elle investit régulièrement et sa production figure souvent en bonne place dans le Guide, notamment en crémant, qui représente 50 % de sa production.

Un crémant pur chardonnay, dans une robe jaune pâle aux reflets argentés. De la fraîcheur se dégage du nez intense, fait de fleurs blanches et d'une touche de miel. Avec 10 g/l de sucres résiduels, le dosage est perçu comme fort, mais cette douceur pourra plaire à certains. ⧗ 2019-2022

CAVEAU DES BYARDS, rte de Voiteur, 39210 Le Vernois, tél. 03 84 25 33 52, info@caveau-des-byards.fr V *t.l.j. sf dim. 9h-12h 14h-18h*

MARCEL CABELIER

70000	5 à 8 €

Sous cette dénomination œuvre un négociant-vinificateur qui s'est installé en 1986 et s'est fortement développé depuis quelques années dans le Jura en vendant ses vins sous la marque Marcel Cabelier. Les apports de 70 vignerons concernent toutes les appellations jurassiennes.

Des bulles dynamiques, persistantes. Une belle robe jaune aux reflets argentés. Un bon premier contact qui se poursuit par un nez mentholé aux nuances de citron, plutôt généreux. En bouche, le dosage est très perceptible. ⧗ 2019-2021

SAS MAISON DU VIGNERON, 22, rte de Champagnole, 39570 Hauteroche, tél. 03 84 87 66 71, enoel@maisonduvigneron.fr V *t.l.j. sf sam. dim. 10h-12h30 13h30-18h*

MARIE-PIERRE CHEVASSU-FASSENET ★

3300	8 à 11 €

Les vignes ont été plantées par les parents de la vigneronne, éleveurs. Nichée dans la verdure sur les hauts de Ménétru, la maison familiale, une ancienne tuilerie, abrite des caves du XVIIIe s. Marie-Pierre Chevassu a pris les rênes de ce domaine très régulier en qualité en 2008 (4,5 ha aujourd'hui), après avoir travaillé dans d'autres vignobles.

Elles sont vivantes ces bulles qui égayent la robe dorée à reflets verts. Le nez frais et expressif se livre non seulement dans des tons d'agrumes et de fleurs blanches, mais aussi dans des notes plus chaudes comme le brioché ou le beurré. Une belle attaque en bouche, sur la fraîcheur et la vivacité. La mousse est généreuse et les arômes d'écorce d'orange se prolongent agréablement. ⧗ 2019-2022

MARIE-PIERRE CHEVASSU-FASSENET, Les Granges-Bernard, 39210 Menétru-le-Vignoble, tél. 03 84 48 17 50, mpchevassu@yahoo.fr V *r.-v.*

CH. DE L'ÉTOILE 2016

	19000		8 à 11 €

Alexandre Vandelle dirige depuis une quinzaine d'années cette propriété qui offre, du haut du mont Muzard, une vue panoramique sur le vignoble, la plaine et le Revermont. C'est en 1883 que ses ancêtres sont venus s'y installer. Les cépages blancs (chardonnay, savagnin) dominent.

Pur chardonnay à la robe dorée, ce crémant inspire confiance. Net, le nez est très fruité, rassemblant citron et fruits blancs. Une effervescence agréable en bouche, avec quelques notes oxydatives au départ mais une belle rondeur qui participe à une expression générale de générosité. ⧗ 2019-2022

⊶ CH. DE L'ÉTOILE, 994, rue Bouillod, 39570 L'Étoile, tél. 03 84 47 33 07, info@chateau-etoile.com V r.-v.

CH. GRÉA 2016

	40000		8 à 11 €

Commandés depuis 1995 par Nicolas Caire et Alexandre Rousselot, les 21,5 ha du domaine sont situés dans la partie du vignoble dénommée sud Revermont. La vigne y domine la plaine de la Bresse et ses célèbres poulets qui se marient si bien avec le vin jaune.

Robe dorée et mousse généreuse au service. Légèrement évolué, le nez est intense. Il évoque les fruits jaunes, l'orange et la pomme, ainsi que le sous-bois. D'un volume important, la bouche apparaît vineuse. L'effervescence y est intense et la longueur honorable. ⧗ 2019-2022

⊶ EARL CH. GRÉA, 39190 Rotalier, tél. 06 81 83 67 80, nicolas.caire@aricia.fr

♥ DOM. DE MONTBOURGEAU
Brut zéro Réserve 2013 ★★

	2000		11 à 15 €

En 1920, Victor Gros, le grand-père de Nicole Deriaux, s'est installé à Montbourgeau. Le père, Jean Gros, conforta la renommée du domaine. À proximité des 11 ha de vignes se dévoile un lieu bucolique, bordé par une allée de tilleuls débouchant sur les chais qui entourent la maison familiale. Un domaine de référence de l'appellation l'étoile.

Cette tête de cuvée issue du chardonnay est restée en foudre cinq mois avant la prise de mousse, puis les vins ont mûri quatre ans sur lattes. Pour parfaire l'ouvrage, Nicole Deriaux a choisi de la signer en «brut zéro», soit un dosage en extra-brut. Ce n'est pas l'exubérance qui caractérise ce vin. L'effervescence est modeste, mais les bulles sont fines. Très expressif, le nez débute sur des tons citronnés, puis évolue vers un fruité plus mûr pour finir sur l'amande, le levuré et les épices. Beaucoup de fraîcheur en bouche. Tout se développe en harmonie, avec un caractère minéral et fruité persistant. Ces bulles s'enchaînent les unes derrière les autres et nous enchaînent avec elles pour notre plus grand plaisir. ⧗ 2019-2022

⊶ SCEA JEAN GROS (DOM. DE MONTBOURGEAU), 53, rue de Montbourgeau, 39570 L'Étoile, tél. 03 84 47 32 96, domaine@montbourgeau.com V r.-v.

DOM. MOUILLARD ★

	7800		8 à 11 €

Depuis 1991, Jean-Luc Mouillard élève dans ses belles caves voûtées de la fin du XVIes. des vins des AOC l'étoile, côtes-du-jura, macvin-du-jura, crémant-du-jura et château-chalon. Un vigneron multi-appellations et une valeur sûre du vignoble jurassien.

Ce blanc de blanc de pur chardonnay offre une belle mousse, fine et persistante. Le nez est légèrement évolué, dans le registre du floral mais aussi sur l'épicé et le grillé. Exubérante, la mousse souligne la fraîcheur en bouche. Long et complet, c'est un vin bien agréable. ⧗ 2019-2021

⊶ JEAN-LUC MOUILLARD, 379, rue du Parron, 39230 Mantry, tél. 03 84 25 94 30, domainemouillard@hotmail.fr V t.l.j. 9h-12h 13h30-19h 2

DOM. DÉSIRÉ PETIT 2017 ★

	5400		8 à 11 €

Désiré Petit a bâti dès 1932 ce domaine, qui compte aujourd'hui 27 ha. Ses fils Gérard et Marcel l'ont fait prospérer à partir de 1970, et ce sont désormais les enfants de Marcel, Anne-Laure et Damien, qui en ont la responsabilité, confortant certains positionnements, comme les vendanges manuelles, mais explorant aussi de nouvelles voies, telle la cuvée sans soufre. Une valeur sûre du vignoble jurassien, qui a obtenu de nombreux coups de cœur.

70 % de poulsard, 22 % de pinot noir et 8 % de trousseau composent la base de ce crémant rose saumon. Un joli cordon de bulles le traverse rapidement. Très fruité, le nez exprime la groseille, la fraise et les agrumes. Dans le même registre aromatique, la bouche est équilibrée, fraîche et franche. Un crémant pas compliqué du tout. ⧗ 2019-2021

⊶ GAEC DÉSIRÉ PETIT, 62, rue du Ploussard, 39600 Pupillin, tél. 03 84 66 01 20, contact@desirepetit.com V t.l.j. 8h-12h 14h-18h

FRUITIÈRE VINICOLE DE PUPILLIN
Papilliette ★

	11500		8 à 11 €

Fondée par quelques vignerons en 1909, cette coopérative couvre aujourd'hui 66 ha provenant d'une quarantaine de sociétaires, pour une production d'environ 3 500 hl. Située au cœur du village, dans un cadre régulièrement modernisé, elle allie les dernières techniques de vinification et le respect des usages traditionnels.

Cette cuvée est née du pinot noir pour 75 % et du poulsard pour 25 %. Elle a la couleur des roses anciennes et la bulle agile. Si le nez est discret, sa complexité est bien affirmée : cassis, pêche, abricot forment de jolies nuances. L'attaque est fraîche, avec un bon foisonnement, de la matière et de l'équilibre. La rondeur est ensuite appréciée, confinant presque au vineux en fin de bouche. ⧗ 2019-2021

SCA FRUITIÈRE VINICOLE DE PUPILLIN, 35, rue du Ploussard, 39600 Pupillin, tél. 03 84 66 12 88, info@pupillin.com V t.l.j. 9h-12h 14h-18h

XAVIER REVERCHON 2016 ★

	7475		8 à 11 €

Xavier représente la quatrième génération de Reverchon sur ce domaine créé en 1900. Il s'est installé en 1978, appliquant un principe qui lui est cher et qui est pratiqué sur le domaine depuis 1901 : le labour des vignes. Il se fait fort aussi de n'employer, depuis 30 ans sur ses 6 ha de vignes, ni engrais ou désherbant chimiques, ni insecticide ou acaricide. Les vendanges sont manuelles. Une belle régularité, notamment en côtes-du-jura et en crémant.

Principalement à base de chardonnay (80 %), le vin de base comprend aussi du pinot noir (15 %) et du savagnin (5 %). Peu nerveux dans son effervescence, ce crémant a un joli nez de fleurs blanches et d'agrumes. Finesse et netteté caractérisent la bouche fraîche et citronnée. ⧗ 2019-2021

EARL DE CHANTEMERLE, 2, rue du Clos, 39800 Poligny, tél. 03 84 37 02 58, reverchon.chantemerle@wanadoo.fr V *t.l.j. sf dim. 9h-12h 14h-18h*

DOM. PIERRE RICHARD 2013 ★

	6700		11 à 15 €

Pierre Richard s'est installé en 1976 à la suite de son père. Son fils Vincent est revenu sur l'exploitation en 2009 et a pris les rênes de la propriété en 2017. Les 10 ha de vignes sont cultivés principalement dans le village du Vernois, dont le vignoble a fait l'objet d'un vaste remembrement dans les années 1960. Une conversion vers l'agriculture biologique a été engagée en juillet 2018.

Du chardonnay (95 %) et une touche de pinot noir (5 %) pour ce vin élevé quatre ans sur lattes. Robe aux reflets dorés, jolie mousse, bulles discrètes mais fines. Le nez de fruits blancs citronnés revêt un caractère évolué. Équilibrée et riche, la bouche allie un côté minéral et des arômes liés à l'évolution. ⧗ 2019-2022

VINCENT RICHARD (DOM. PIERRE RICHARD), 136, rte de Voiteur, 39210 Le Vernois, tél. 03 84 25 33 27, domainepierrerichard@wanadoo.fr V *r.-v.*

DOM. DE SAVAGNY ★

	20500		8 à 11 €

Un domaine de 45 ha, créé en 1986 par Claude Rousselot-Pailley et acquis une quinzaine d'années plus tard par la Maison du Vigneron, affaire de négoce établie à Crançot, dans le giron des Grands Chais de France.

De jolies bulles parsèment une robe jaune pâle aux reflets argentés, formant une mousse persistante. C'est le côté amylique et agrumes qui ressort principalement au nez. Vive et fruitée, la bouche est en accord. Un vin facile d'accès. ⧗ 2019-2022 ● **★ (8 à 11 €; 2200 b.)** : deux cépages rouges (pinot noir et trousseau) sont à l'origine de ce crémant rosé, à la tendre couleur saumon. Si les bulles sont actives, elles sont aussi éphémères. Une belle intensité fruitée se distingue au nez, dans des nuances de fleurs et de petits fruits rouges (groseille). L'attaque en bouche est fraîche, sur une bonne effervescence. La finale est un peu chaleureuse. ⧗ 2019-2021

SCEA DOM. DE SAVAGNY, 22, rte de Champagnole, Crançot, 39570 Hauteroche, tél. 03 84 87 66 71, enoel@maisonduvigneron.fr V *t.l.j. sf sam. dim. 10h-12h30 13h30-18h*

DOM. JACQUES TISSOT

	22000		8 à 11 €

C'est en 1962 que Jacques Tissot crée son domaine avec une parcelle héritée de son père. La modernisation des chais est engagée en 1992 avec la création d'une surface de 2 000 m² au bord de la nationale 83. Aujourd'hui, la propriété, conduite désormais par les enfants, Philippe et Nathalie, compte 30 ha de vignes en culture raisonnée.

Un peu plus de pinot noir (60 %) que de chardonnay (40 %) dans cet assemblage finement effervescent. Essentiellement floral au nez, avec quelques rappels de pomme. C'est net et agréable. Beaucoup de mousse à l'attaque, puis on retrouve fraîcheur et vivacité au palais, mais l'effervescence est de courte durée. ⧗ 2019-2021

SARL DOM. JACQUES TISSOT, 39, rue de Courcelles, 39600 Arbois, tél. 03 84 66 24 54, courrierjt@yahoo.fr V *r.-v.*

L'ÉTOILE

Superficie : 66 ha / Production : 2 345 hl

Le village doit son nom à des fossiles, segments de tiges d'encrines (échinodermes en forme de fleurs), petites étoiles à cinq branches. Son vignoble produit des vins blancs, jaunes et de paille.

CH. DE L'ÉTOILE
Cuvée des Ceps d'or 2016 ★

	n.c.		11 à 15 €

Alexandre Vandelle dirige depuis une quinzaine d'années cette propriété qui offre, du haut du mont Muzard, une vue panoramique sur le vignoble, la plaine et le Revermont. C'est en 1883 que ses ancêtres sont venus s'y installer. Les cépages blancs (chardonnay, savagnin) dominent.

Il n'y a pas que le savagnin qui peut faire des vins «typés». Ainsi, le chardonnay a été élevé ici pendant deux ans sous voile et offre à l'œil averti un premier signe par sa robe jaune aux beaux reflets dorés. Le caractère oxydatif ne fait aucun doute dans ce nez intense aux tons de fruits secs et de noix verte que quelques nuances de pomme viennent rafraîchir. La bouche développe cette même trame aromatique très jurassienne; l'attaque vive laisse la place à un développement sur le gras et la puissance. Une cuvée fidèle à sa réputation. ⧗ 2019-2024

CH. DE L'ÉTOILE, 994, rue Bouillod, 39570 L'Étoile, tél. 03 84 47 33 07, info@chateau-etoile.com V *r.-v.*

♥ DOM. GENELETTI PÈRE ET FILS
Au Désaire 2017 ★★★

■ | 15000 | | 8 à 11 €

Le domaine, historiquement ancré dans l'appellation l'étoile, s'est agrandi dans les AOC château-chalon et arbois dont il est devenu l'une des belles références. Il compte désormais 15 ha, conduits depuis 1997 par David Geneletti, qui s'est installé à Château-Chalon, dans une ancienne maison d'Henri Maire.

Cette cuvée pur chardonnay, issue de lieu-dit éponyme, a été élevée en fût pendant un an. Il en résulte une teinte jaune pâle à reflets verts. Aux premières senteurs florales succèdent des tons boisés d'une belle intensité. Ces notes d'élevage se retrouvent au sein d'une matière ample et équilibrée, en accompagnement de flaveurs de fruits frais. Tout est là pour se faire plaisir, à condition d'attendre que le boisé se fonde un peu. ⧗ 2019-2024

SCEV DOM. GENELETTI, 14, rue Saint-Jean, 39210 Château-Chalon, tél. 03 84 44 95 06, contact@domaine-geneletti.net V *t.l.j. 9h-12h 14h-19h*

DOM. PHILIPPE VANDELLE
Vieilles Vignes 2016 ★

■ | 12000 | | 8 à 11 €

La famille Vandelle est arrivée à L'Étoile dans les années 1880. Philippe et Bernard sont installés depuis 2001, en bas du village, où ils exploitent 16 ha de vignes. Une valeur sûre de l'appellation l'étoile, très à l'aise aussi en crémant.

Essentiellement du chardonnay (80 %), mais aussi du savagnin (20 %) dans cette cuvée qui a été élevée deux ans en fût, sous voile. Brillante, la robe se pare d'un beau jaune à reflets dorés. De l'élégance, il y en a aussi dans la palette de fruits secs à laquelle s'ajoutent un peu d'agrumes. Après une attaque vive, la bouche révèle un bel équilibre, en accord total avec le nez. Les fruits secs y font merveille. ⧗ 2019-2024

EARL PHILIPPE VANDELLE, 186, rue Bouillod, 39570 L'Étoile, tél. 03 84 86 49 57, info@vinsphilippevandelle.com V *t.l.j. sf dim. 9h-12h 14h-19h*

MACVIN-DU-JURA

Superficie : 88 ha
Production : 4 095 hl (92 % blanc)

Tirant probablement son origine d'une recette des abbesses de l'abbaye de Château-Chalon, l'AOC macvin-du-jura – anciennement maquevin ou marc-vin-du-jura – a été reconnue en 1991. C'est en 1976 que la Société de Viticulture engagea pour la première fois une démarche de reconnaissance en AOC pour ce produit très original. L'enquête fut longue. En effet, au cours du temps, le macvin, d'abord vin cuit additionné d'aromates ou d'épices, est devenu mistelle, élaboré à partir du moût concentré par la chaleur (cuit), puis vin de liqueur muté soit au marc, soit à l'eau-de-vie de vin. C'est cette dernière méthode, la plus courante, qui a été finalement retenue pour l'AOC. Vin de liqueur, le macvin met en œuvre du moût ayant subi un léger départ en fermentation, muté avec une eau-de-vie de marc de Franche-Comté à appellation d'origine issue de la même exploitation que le moût. Ce dernier doit provenir des cépages et de l'aire de production ouvrant droit à l'AOC. L'eau-de-vie doit être « rassise », c'est-à-dire vieillie en fût de chêne pendant dix-huit mois au moins. Après cette association réalisée sans filtration, le macvin doit « reposer » pendant un an en fût de chêne, puisque sa commercialisation ne peut se faire avant le 1er octobre de l'année suivant la récolte. Apéritif d'amateur, il rappelle les produits jurassiens à forte influence du terroir.

CH. DE BELLEROCHE ★

■ | 1000 | | 15 à 20 €

Ce petit domaine de moins de 2 ha a été créé par Cédric Georgeon en 2014 sur les hauteurs de Molamboz. Les vignes se situent à Arbois et à Buvilly, en orientation plein sud. Le savagnin représente la moitié de l'encépagement, accompagné de chardonnay et d'un peu de poulsard.

C'est justement le savagnin, cépage du célèbre vin jaune, qui constitue l'essentiel (80 %) du moût qui a été muté par Cédric Georgeon. De belles nuances au nez, entre vanille et fruité sec. Puissante, la bouche n'en est pas moins ronde, avec un alcool bien fondu et toujours beaucoup de fruité (coing, prune, datte). ⧗ 2019-2024

CH. DE BELLEROCHE, 4_bis, rue du Coin-des-Côtes, 39600 Molamboz, tél. 06 86 43 10 30, cedric.georgeon0802@orange.fr V *r.-v.*

CAVEAU DES BYARDS 2017 ★

■ | 4000 | | 11 à 15 €

Cette petite coopérative est relativement récente puisqu'elle a été créée en 1953. C'est une affaire à taille humaine : 42 ha de vignes seulement et 17 adhérents. Mais elle investit régulièrement et sa production figure souvent en bonne place dans le Guide, notamment en crémant, qui représente 50 % de sa production.

Jaune d'or profond, ce macvin a un très joli nez (l'alcool est présent mais sans agressivité). Fruits confits, miel et figue y figurent en bonne place. Dès l'attaque, la bouche est moelleuse. Ce côté souple et doux persiste jusqu'en finale, une note d'alcool clôturant une dégustation intéressante sur le plan olfactif. ⧗ 2019-2024

CAVEAU DES BYARDS, rte de Voiteur, 39210 Le Vernois, tél. 03 84 25 33 52, info@caveau-des-byards.fr V *t.l.j. sf dim. 9h-12h 14h-18h*

DOM. JEAN-CLAUDE CREDOZ 2017 ★

■ | 3200 | | 15 à 20 €

Issu d'une famille vigneronne depuis 1859, Jean-Claude Credoz a repris le domaine familial en 2002, après s'être associé avec ses frères. Les parents apportaient leur vendange à la coopérative, mais Jean-Claude a suivi la voie de ses plus lointains ancêtres et vinifie au domaine. Le vignoble couvre 8,7 ha, dont 4,5 en château-chalon acquis en 2014. L'exploitation est en conversion à l'agriculture biologique.

De l'alliance entre un moût de savagnin et une eau-de-vie de marc de quatre ans est né un macvin jaune pâle, au nez floral, léger, mais fin. L'attaque en bouche est franche, mais il faut que jeunesse se passe. Déjà les notes d'agrumes, de raisin confit et de miel d'acacia pointent et la finale citronnée est des plus élégantes. ⧗ 2019-2024

JEAN-CLAUDE CREDOZ, 3, rue des Chèvres, 39210 Château-Chalon, tél. 06 80 43 17 44, contact@domaine-credoz.fr r.-v.

DOM. FRÉDÉRIC LAMBERT ★★★

	2500		11 à 15 €

Œnologue de formation, Frédéric Lambert a commencé à acheter des vignes en production et des terrains dès 1993. L'installation s'est faite dix ans plus tard et l'exploitation compte désormais 10 ha, comprenant tous les cépages jurassiens, vendangés manuellement.

On n'est pas passé loin du coup de cœur pour ce macvin jaune pâle aux reflets ambrés. C'est tout un monde fruité qui se dévoile intensément au nez. Sur un fond légèrement éthéré, les fruits secs, la pomme, le coing et les agrumes arrivent tour à tour. Après une attaque liquoreuse, la bouche témoigne d'un beau mariage entre le moût et le marc. Amande et vanille s'expriment avec force. La finale magnifie le marc. ⧗ 2022-2030

FRÉDÉRIC LAMBERT, 14, Pont-du-Bourg, 39230 Le Chateley, tél. 03 84 25 97 83, domainefredericlambert@orange.fr r.-v.

LIGIER PÈRE ET FILS ★

	3000		15 à 20 €

Installée à Arbois, la famille Ligier a créé ce domaine de toutes pièces en 1986 – 10 ha aujourd'hui. Des investissements réguliers ont été faits, notamment la construction, en 2002, d'un chai adapté au vieillissement des vins jaunes. Une valeur sûre du vignoble jurassien, avec une femme de talent aux commandes de la vinification, Marie-Colette Vandelle.

Le marc est dominant au nez, mais un soupçon de bergamote apporte un accent de fraîcheur. Ronde, la bouche fait la part belle au marc avec un joli déroulé d'agrumes confits et surtout de citron. C'est encore jeune, mais plein de promesses. ⧗ 2019-2024

EARL DOM. LIGIER, 56, rue de Pupillin, 39600 Arbois, tél. 03 84 66 28 06, gaec.ligier@wanadoo.fr t.l.j. 10h-18h30

DOM. MOUILLARD ★

	7000		15 à 20 €

Depuis 1991, Jean-Luc Mouillard élève dans ses belles caves voûtées de la fin du XVIᵉs. des vins des AOC l'étoile, côtes-du-jura, macvin-du-jura, crémant-du-jura et château-chalon. Un vigneron multi-appellations et une valeur sûre du vignoble jurassien.

Il y a dans ce nez un monde végétal complexe, puissant et attirant : du floral (acacia, fleurs blanches), des agrumes, du miel et aussi de l'alcool de gentiane. Après une attaque citronnée, le marc s'impose accompagné d'une touche liquoreuse. On sent que ce macvin aurait pu rester un peu plus longtemps dans son fût. ⧗ 2019-2029

JEAN-LUC MOUILLARD, 379, rue du Parron, 39230 Mantry, tél. 03 84 25 94 30, domainemouillard@hotmail.fr t.l.j. 9h-12h 13h30-19h 2

♥ XAVIER REVERCHON 2016 ★★

	1300		15 à 20 €

Xavier représente la quatrième génération de Reverchon sur ce domaine créé en 1900. Il s'est installé en 1978, appliquant un principe qui lui est cher et qui est pratiqué sur le domaine depuis 1901 : le labour des vignes. Il se fait fort aussi de n'employer, depuis 30 ans sur ses 6 ha de vignes, ni engrais ou désherbant chimiques, ni insecticide ou acaricide. Les vendanges sont manuelles. Une belle régularité, notamment en côtes-du-jura et en crémant.

Ce magnifique macvin pourrait trouver place dans un tableau de Van Gogh, lui qui savait si bien magnifier la couleur jaune. Sa robe d'or, limpide et brillante, est déjà un appel. À l'aveugle, on pourrait presque le confondre avec un vin de paille, en raison de sa palette de pruneau, de figue, de pain d'épice et de vanille. Très liquoreuse, la bouche offre un florilège de fruits : citron et pruneau, poire aussi. Puissance, richesse, complexité, ce macvin a tout pour plaire. ⧗ 2019-2030

EARL DE CHANTEMERLE, 2, rue du Clos, 39800 Poligny, tél. 03 84 37 02 58, reverchon.chantemerle@wanadoo.fr t.l.j. sf dim. 9h-12h 14h-18h

DOM. MICHEL THIBAUT ★★

	1500		11 à 15 €

Natif de Poligny, Michel Thibaut a multiplié les expériences professionnelles dans différents vignobles en France. Il a été cogérant du Dom. Morel-Thibaut de 1989 à 2013, puis a créé son propre domaine en 2014 avec son épouse Catherine : 10 ha en côtes-du-jura, sur les coteaux de Poligny. Hubert, le fils, les a rejoints en 2018.

Fondu, le nez se révèle discret et plutôt sur le marc. Un peu de boisé et d'amande le densifient. Nette et liquoreuse, la bouche est aussi marquée par l'alcool, donnant ainsi une impression de richesse. De jolies notes de raisins au marc, de vanille et d'amande remontent. Un macvin encore jeune, au beau potentiel. ⧗ 2022-2030

EARL DOM. MICHEL THIBAUT, 2, rue des Petites-Marnes, 39800 Poligny, tél. 03 84 57 56 15, domaine.michel.thibaut@orange.fr r.-v.

FRUITIÈRE VINICOLE DE VOITEUR Vin galant ★

	21858		11 à 15 €

Cette fruitière – une coopérative, au sens de la mise en commun du fruit du travail – a été créée assez récemment, en 1957, par rapport à de vénérables consœurs locales. Située au pied de Château-Chalon, elle offre un panorama intéressant sur le village et le vignoble. Elle regroupe 70 vignerons pour une surface plantée de 75 ha.

Dans cette coopérative, on l'appelle «le vin galant». C'est vrai qu'une certaine séduction opère dans ce macvin jaune d'or aux reflets ambrés. Boisé au nez, puissant, il se révèle assez alcooleux en bouche. ⧗ 2019-2024

SCA FRUITIÈRE VINICOLE DE VOITEUR, 60, rue de Nevy, 39210 Voiteur, tél. 03 84 85 21 29, voiteur@fvv.fr t.l.j. 8h30-12h 13h30-18h; dim. 10h-12h 14h-18h

IGP FRANCHE-COMTÉ

♥ VIGNOBLE GUILLAUME
Pinot noir Vieilles Vignes 2017 ★★★

■ | 13500 | | 11 à 15 €

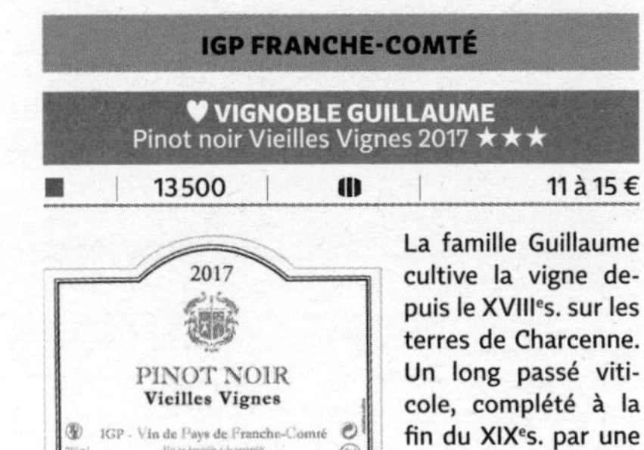

La famille Guillaume cultive la vigne depuis le XVIIIes. sur les terres de Charcenne. Un long passé viticole, complété à la fin du XIXes. par une activité de pépiniériste viticole. Autant dire que ce vaste domaine de 45 ha dispose d'un matériau de premier choix pour élaborer ses cuvées; cuvées signées depuis 1989 par Xavier Guillaume et très souvent remarquées, notamment celles issues de pinot noir.

Rubis à reflets violets, ce pinot noir évoque d'emblée les fruits noirs et la griotte à l'eau-de-vie. Tout est ampleur et souplesse au palais. L'élevage de onze mois en fût se traduit par de subtiles notes d'épices (cannelle) qui soulignent le fruit dans la longue finale.Décidément, ce vin a tout d'un grand. ⧗ 2020-2024 ■ **Pinot noir Collection réservée 2017 ★★ (15 à 20 €; 6900 b.)** : celui-ci a mis sa robe de soirée carmin. Suave, il mêle les arômes de fruits rouges et de fleurs aux nuances réglissées et torréfiées héritées de l'élevage sous bois. Soyeux, ample, il bénéficie de tanins de qualité qui le porteront dans le temps. ⧗ 2020-2024

SCEA VIGNOBLE GUILLAUME, 32, Grande-Rue, 70700 Charcenne, tél. 03 84 32 77 22, vignoble@guillaume.fr t.l.j. sf dim. 9h15-12h 14h-18h

JURA

LA SAVOIE ET LE BUGEY

Du lac Léman à la rive droite de l'Isère, dans les départements de la Haute-Savoie, de l'Ain, de l'Isère et surtout de la Savoie, le vignoble s'éparpille en îlots le long des vallées, borde les lacs ou s'accroche aux basses pentes les mieux exposées des Préalpes. Il fournit surtout des vins friands à boire jeunes, blancs secs pour les deux tiers, mais les sélections du Guide montrent l'existence de vins de caractère, voire de garde.

La vigne, la montagne et l'eau. Le vignoble savoyard est principalement situé à proximité du lac Léman ou de celui du Bourget, ou le long des rives du Rhône et de l'Isère. Les barrières rocheuses des Bauges et de la Chartreuse, les lacs et les cours d'eau tempèrent la rudesse du climat montagnard.

Des cépages typiques. Du fait de la grande dispersion du vignoble, ils sont assez nombreux. Les principales variétés sont au nombre de deux en rouge et de quatre en blanc. En rouge, le gamay, importé du Beaujolais voisin après la crise phylloxérique, donne des vins vifs et gouleyants, à consommer dans l'année. La mondeuse, cépage local, fournit des vins rouges bien charpentés, notamment à Arbin; c'était, avant le phylloxéra, le cépage le plus important de la Savoie; elle connaît un regain d'intérêt mérité, car ses vins ont de la personnalité et du potentiel. En blanc, la jacquère et le chasselas (ce dernier cultivé sur les rives du lac Léman) sont à l'origine de vins blancs frais et légers. L'altesse est un cépage très fin, typiquement savoyard, celui de l'appellation roussette-de-savoie. La roussanne, appelée localement bergeron, donne également des vins blancs de haute qualité, spécialement à Chignin (Chignin Bergeron). On trouve encore, sur des superficies restreintes, le pinot noir et le chardonnay, et des variétés locales comme le persan (rouge), la molette et le gringet (blancs).

L'altesse et la jacquère doivent représenter au moins 60 % de l'assemblage de la nouvelle appellation (2015) crémant-de-savoie qui s'applique à un effervescent élaboré selon la méthode traditionnelle dans l'aire d'appellation savoie.

VIN-DE-SAVOIE

Superficie : 1 744 ha
Production : 93 372 hl (70 % blanc)

Le vignoble donnant droit à l'appellation est installé le plus souvent sur les anciennes moraines glaciaires ou sur des éboulis. La dispersion géographique s'ajoute à ce facteur géologique pour expliquer la diversité des vins savoyards, souvent consacrée par l'adjonction d'une dénomination locale à celle de l'appellation régionale (ex. : vin-de-savoie Apremont). Au bord du Léman, à Marin, Ripaille, Marignan et Crépy (ex-AOC), comme sur la rive suisse, c'est le chasselas qui règne. Il donne des vins blancs légers, à boire jeunes, souvent perlants. Les autres zones ont des cépages différents et, selon la vocation des sols, produisent des vins blancs ou des vins rouges. On trouve ainsi, du nord au sud, Ayze, au bord de l'Arve, et ses vins blancs pétillants ou mousseux, puis, au bord du lac du Bourget (et au sud de l'appellation seyssel), la Chautagne et ses vins rouges au caractère affirmé. Au sud de Chambéry, les bords du mont Granier recèlent des vins blancs frais, comme le cru Apremont et celui des Abymes, vignoble établi sur le site d'un effondrement qui, en 1248, fit des milliers de victimes. En face, Monterminod, envahi par l'urbanisation, a malgré tout conservé un vignoble qui donne des vins remarquables; il est suivi de ceux de Saint-Jeoire-Prieuré, de l'autre côté de Challes-les-Eaux, puis de Chignin, dont le bergeron a une renommée justifiée. En remontant l'Isère par la rive droite, les pentes sud-est sont occupées par les crus de Montmélian, Arbin, Cruet et Saint-Jean-de-la-Porte.

DOM. DES ANGES Gamay 2018 ★

■ | 4600 | 🍾 | 5 à 8 €

Situé à la frontière de la Savoie et de l'Isère, ce domaine de 16 ha se trouve non loin du château des Marches. En 2016, Michel et Joseph Angelier ont transmis la propriété à Benjamin et Armand Caillet, sixième génération aux commandes d'une exploitation. Ces derniers continuent à être épaulés au caveau et au chai par les ex-propriétaires.

Un joli nez de fruits rouges et d'épices, une bouche à la fois fraîche et ronde, qui persiste sur des notes fumées et toastées : une belle expression du gamay en terre de Savoie. ⏳ 2020-2022 ■ **Le Rosé du Plaisir 2018 ★ (5 à 8 €; 3300 b.)** : une robe rubis clair déroutante, mais un nez intense de fruits (cerise et cassis), puis une bouche fraîche et gourmande. Voici un rosé plaisant et persistant. ⏳ 2019-2020

⊶ GAEC CAILLET, chem. de Mûrs, 73800 Les Marches, tél. 06 89 05 07 41, domainedesanges.vinsdesavoie@orange.fr V 🚶 ■ *r.-v.*

PHILIPPE BETEMPS Apremont 2018 ★

■ | 8000 | 🍾 | 5 à 8 €

Philippe Betemps s'est installé en 1990 à l'âge de dix-huit ans sur ce domaine établi sur le site d'une ancienne école communale. Ce spécialiste de l'Apremont conduit 10,5 ha de vignes sur les contreforts du mont Granier et sur les dalles calcaires de Saint-Baldoph.

Un nez accueillant de fleurs et de fruits blancs, puis une bouche vive qui renforce le caractère minéral. Persistance citronnée agréable. ⏳ 2020-2022

⊶ EARL PHILIPPE BETEMPS, Saint-Pierre, 73190 Apremont, tél. 06 09 05 24 95, philippebetemps@orange.fr V 🚶 ■ *r.-v.*

DOM. EUGÈNE CARREL ET FILS
Jongieux Mondeuse Les Murgers 2018 ★

■ | 6000 | 🍾 | 5 à 8 €

Les Carrel sont vignerons de père en fils et filles depuis 1830 et six générations. Spécialisé dans les

années 1970 par Eugène Carrel et conduit par son fils Olivier depuis 1994, le domaine couvre 24 ha implantés sur les fortes pentes du mont de la Charvaz et du mont du Chat. Une valeur sûre en blanc comme en rouge.

Beaucoup d'élégance dans cette mondeuse friande, aux arômes de violette et de fruits noirs qui se développent sur des tanins fins et harmonieux. ⧗ 2020-2024

⊶ *EARL DOM. EUGÈNE CARREL ET FILS, Le Haut, 73170 Jongieux, tél. 04 79 44 00 20, domaine.carrel.eugene@gmail.com* V 🚶 ▮ *t.l.j. 8h-12h 14h-18h*

FRANÇOIS CARREL ET FILS
Jongieux Vieilles Vignes 2018

	11000	▮	5 à 8 €

Créé en 1882, ce domaine familial se consacre à la viticulture depuis 1977. Éric Carrel, représentant la cinquième génération, conduit aujourd'hui un vignoble de 13,5 ha.

Une jacquère bien représentative du terroir avec son nez minéral et floral (violette). La bouche tendre et souple est rafraîchie par une fine amertume en finale. ⧗ 2020-2022

⊶ *EARL DE LA ROSIÈRE, Le Haut, 73170 Jongieux, tél. 04 79 33 18 48, gaec-la-rosiere@wanadoo.fr* V 🚶 ▮ *r.-v.*

PHILIPPE CHAPOT Apremont 2018

	50000	▮	5 à 8 €

Cette exploitation familiale a misé sur la viticulture à partir des années 1950. Elle a depuis triplé ses superficies pour atteindre 11,5 ha de vignes aujourd'hui, conduits depuis 1996 par Philippe Chapot (troisième génération), qui a introduit progressivement de nouveaux cépages savoyards, comme l'altesse et la mondeuse.

La Savoie et le Bugey

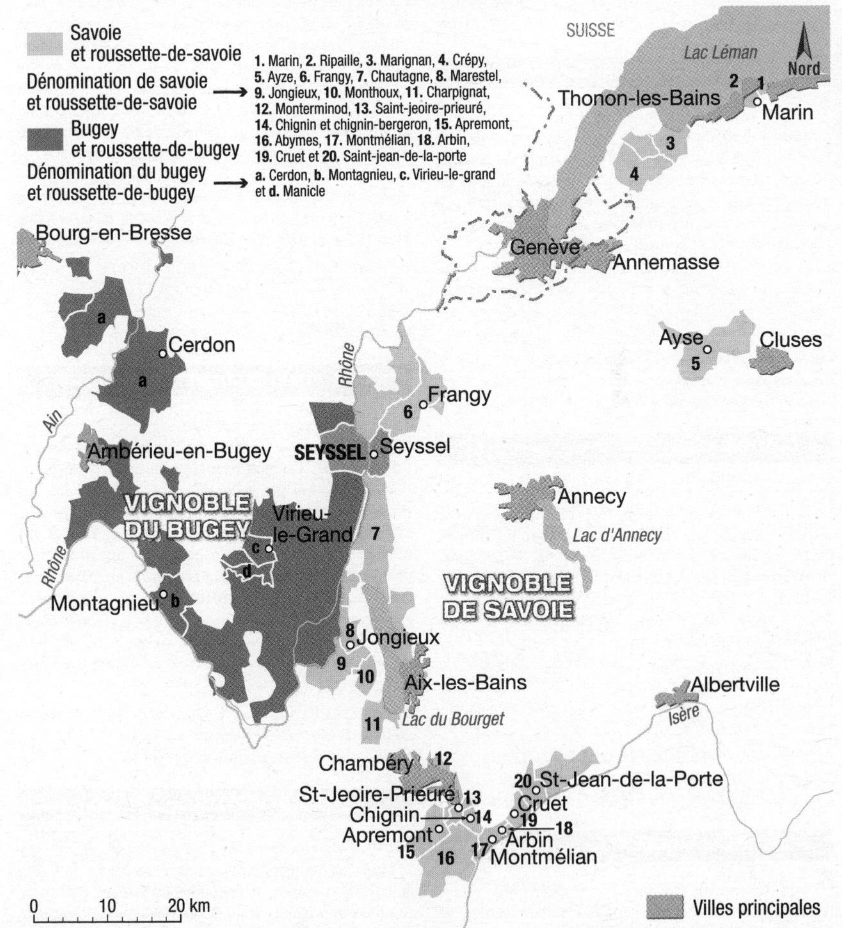

Des agrumes et des fruits exotiques apportent beaucoup de fraîcheur à cet Apremont harmonieux, rond et élégant qui s'achève sur une note citronnée. ⧗ 2020-2022

⊶ SCEA PHILIPPE CHAPOT, La Serraz, 73190 Apremont, tél. 06 09 05 29 87, p.chapot@orange.fr V ▪ *r.-v.*

CHEVALLIER-BERNARD Jongieux 2018 ★

■	20000	🍾	5 à 8 €

Jean-Pierre Bernard, épaulé par son épouse Chantal, a apporté du Beaujolais sa connaissance du gamay quand il s'est installé en 1996 à Jongieux sur la petite exploitation de son beau-père, étendue aujourd'hui sur 12,5 ha. Il maîtrise aussi la vinification des blancs, comme en témoignent les sélections régulières de sa roussette-de-savoie. Son fils Antoine l'a rejoint en 2016.

Un nez frais de fruits blancs, une bouche légèrement perlante bien équilibrée entre fraîcheur, minéralité et longueur pour cette jacquère de terroir. ⧗ 2020-2022

⊶ EARL CHEVALLIER-BERNARD, Le Haut, 73170 Jongieux, tél. 04 79 44 00 33, cjpbernard@orange.fr V 🚶 ▪ *r.-v.*

CAVE DES VINS FINS DE CRUET Mondeuse 2018

■	22000	🍾	5 à 8 €

La plus importante coopérative savoyarde (240 ha), fondée en 1939, située dans la Combe de Savoie, au sud du massif des Bauges, sur les communes de Saint-Jeoire-Prieuré jusqu'à Fréterive, en passant par Chignin, Francin, Montmélian, Arbin, Cruet, Saint-Jean-de-la-Porte et Saint-Pierre-d'Albigny.

Égrappée partiellement, la mondeuse a donné naissance à ce vin aux senteurs de griottes et de myrtille relevées par la cannelle. Bon équilibre malgré des tanins qui demandent à se fondre. ⧗ 2020-2022

⊶ SCA CAVE DES VINS FINS DE CRUET, 57, pl. de la Gare, 73800 Cruet, tél. 04 79 84 28 52, cavedecruet@wanadoo.fr V ▪ *t.l.j. 9h-12h30 14h-19h*

DOM. DELALEX Marin Clos de Pont 2018 ★

■	14000	🍾	5 à 8 €

Le cru Marin est un délicieux coteau d'une vingtaine d'hectares planté de chasselas, au bord du lac Léman. Une poignée de producteurs y vivent de la vigne, dont Samuel et Benoît Delalex, à la tête d'un domaine familial de 9 ha spécialisé dans la viticulture dans les années 1960; l'une des locomotives du cru, souvent présente dans le Guide.

Belle expression du chasselas dans ce vin dont les arômes de noisette, d'aubépine et de genêt se développent jusqu'en bouche, relevant des saveurs à la fois tendres et fraîches. ⧗ 2020-2022

⊶ EARL LA GRAPPE DORÉE (CAVE DELALEX), 108, chem. des Noyereaux, 74200 Marin, tél. 04 50 71 45 82, domainedelalex@hotmail.fr V 🚶 ▪ *t.l.j. sf dim. 15h-19h*

YVES GIRARD-MADOUX Mondeuse 2018 ★★

■	8500	🍾	5 à 8 €

René Girard-Madoux possédait 4 ha de vignes et 50 vaches allaitantes. En 1960, le vigneron s'attache à replanter certaines parcelles en friche du coteau de Torméry. À la suite de son père, Yves s'installe en 1988 et, après avoir été conducteur de travaux, il se consacre aux travaux de la vigne : il défriche d'autres parcelles pour les replanter et constituer un domaine qui couvre aujourd'hui 11 ha.

Une mondeuse aux arômes de violette et d'épices, très harmonieuse, charnue, structurée et persistante sur le fruit. D'un grand classique! ⧗ 2020-2022 ■ **Chignin 2018 ★ (5 à 8 €; 25000 b.)** : des arômes d'agrumes et une attaque légèrement perlante apportent de la fraîcheur à cette jacquère longue et à l'amertume délicate. ⧗ 2020-2022

⊶ EARL VIGNOBLE DE LA PIERRE, 1146, rte du Coteau-de-Torméry, 73800 Chignin, tél. 04 79 28 05 60, vignobledelapierre@gmail.com V 🚶 ▪ *r.-v.*

JEAN-CHARLES GIRARD-MADOUX Chignin 2018 ★

■	10000	🍾	5 à 8 €

La famille Girard-Madoux a longtemps été propriétaire d'un domaine viticole sur la commune de Chignin, jusqu'à sa vente en 1976. En 2006, Jean-Charles Girard-Madoux, BTS «viti-œno» en poche et formé en Bourgogne chez Bernard Rion, reprend les vignes familiales : 2,5 ha à l'époque, 6,5 ha aujourd'hui, plantés sur des coteaux argilo-calcaires exposés au sud-ouest, au pied de la Savoyarde.

À la fois florale et fruitée (ananas, pêche), cette jacquère légèrement perlante possède une belle matière tout en gardant finesse et fraîcheur. ⧗ 2020-2022 ■ **Mondeuse 2018 (5 à 8 €; 8000 b.)** : vin cité.

⊶ EARL JEAN-CHARLES GIRARD-MADOUX, 127, montée de l'Étoile-des-Alpes, Chef-Lieu, 73800 Chignin, tél. 06 19 50 43 35, jcgirardmadoux@hotmail.fr V 🚶 ▪ *t.l.j. sf dim 16h-19h*

DOM. CHARLES GONNET Chignin 2018 ★

■	45000	🍾	5 à 8 €

Charles Gonnet, ingénieur en agriculture de formation, a repris l'exploitation familiale en 1989, étendue aujourd'hui sur 14 ha de vignes. Ce domaine en progression constante, souvent en vue pour ses vins blancs (chignin, roussette) et qui n'hésite pas à faire évoluer ses pratiques pour permettre au raisin d'exprimer tout son potentiel, a été repris en 2018 par le Dom. du Château de la Violette.

Une jacquère équilibrée, d'une bonne intensité florale, avec un profil tendu et minéral. Arômes de pêche et de citron laissent place à une fine amertume en finale. ⧗ 2020-2022

⊶ SCE CH. DE LA VIOLETTE (DOM. CHARLES GONNET), 203, rte de Myans, 73800 Chignin, tél. 04 79 28 13 30, chateaudelaviolette@gmail.com V 🚶 ▪ *r.-v.*

DOM. DE L'IDYLLE Cruet 2018 ★

■	20000	🍾	8 à 11 €

Philippe et François Tiollier ont accueilli au domaine la jeune génération, en l'occurrence Sylvain, de retour pour les vendanges 2012 après des études d'œnologie sur cet important domaine de 22 ha. Depuis que

Philippe a pris sa retraite en 2017, ce sont Sylvain et son oncle François qui gèrent l'exploitation.

Cette jacquère aux arômes de pamplemousse et de fruit de la Passion combinés à des notes minérales est une séductrice : équilibrée et facile à boire. ⧗ 2020-2022 ■ **Gamay 1840 2018 ★ (8 à 11 €; 7000 b.)** : une belle complexité aromatique caractérise ce gamay dont le nom de cuvée rappelle la date de création du domaine : le cassis, la mûre, la pivoine et les épices se mêlent dans une bouche souple, longue et soyeuse. ⧗ 2020-2022

EARL TIOLLIER (DOM. DE L'IDYLLE), 345, rue Croix-de-l'Ormaie, 73800 Cruet, tél. 04 79 84 30 58, tiollier.idylle@wanadoo.fr V t.l.j. sf dim. 10h-12h15 15h-18h30

DOM. EDMOND JACQUIN ET FILS
Jongieux Gamay 2018 ★★

■	60000		5 à 8 €

Patrice Jacquin, aujourd'hui président de la Chambre d'agriculture de Savoie, conduit avec son frère Jean-François et son fils Steven un coquet domaine de 38 ha fondé en 1850, dont une grande partie est dédiée à la roussette-de-savoie, avec des vins souvent en vue dans le Guide.

Ce gamay présente des arômes de cassis et de mûre enveloppés de notes fumées typiques du terroir de Jongieux. Rond et long en bouche. Si plaisant que le jury l'a proposé en coup de cœur. ⧗ 2020-2022

EARL EDMOND JACQUIN ET FILS, Le Haut, 73170 Jongieux, tél. 04 79 44 02 35, jacquin4@wanadoo.fr V t.l.j. sf dim. 9h-12h 14h-18h 3

NATHALIE ET FRANCK MASSON
Apremont 2018 ★★

■	1800		- de 5 €

Représentant la troisième génération, Franck Masson exploite depuis 1987 avec son épouse Nathalie un domaine familial de 6 ha : ils cultivent sept cépages et proposent une gamme de neuf vins de Savoie.

Fleurs d'acacia et notes toastées garantissent une belle finesse à cette jacquère gourmande, fraîche et longue en bouche. Un vin blanc de plaisir qui était en lice pour le coup de cœur. ⧗ 2020-2022

FRANCK MASSON, chem. des Désertes, La Palud, 38530 Chapareillan, tél. 04 76 45 24 05, franck.nathalie.masson@gmail.com V r.-v.

B CH. DE MÉRANDE
Arbin Mondeuse 2017 ★

■	1500		30 à 50 €

En 2009, l'ensemble du domaine (12 ha) est passé en biodynamie et la certification est à présent acquise. Daniel Genoux et Yann Pernuit travaillent principalement la roussette (1,2 ha) et l'arbin (4 ha).

Les arômes de fruits noirs relevés de notes poivrées, empyreumatiques et vanillées font de cette mondeuse bien élevée un vin équilibré, friand, long et typé. Le boisé est bien intégré. ⧗ 2020-2024

EARL DOM. GENOUX, chem. de Mérande, 73800 Arbin, tél. 04 79 65 24 32, domaine.genoux@orange.fr V r.-v. D

MICHEL ET XAVIER MILLION-ROUSSEAU
Jongieux Jacquère 2018

■	14000		5 à 8 €

En 1920 déjà, Charles Million-Rousseau vendait sa production aux grands hôtels d'Aix-les-Bains. Ses héritiers, Michel et son fils Xavier, sont aujourd'hui à la tête d'un vignoble de 10 ha implanté sur le coteau de Monthoux. Situées à une altitude de 300 à 500 m, les vignes s'étagent en forte pente avec une exposition au sud-sud-ouest.

Cette jacquère aux arômes de violette et de bergamote, plus ronde que vive, porte la marque du millésime. ⧗ 2020-2022

EARL MICHEL ET XAVIER MILLION-ROUSSEAU, lieu-dit Monthoux, 73170 Saint-Jean-de-Chevelu, tél. 04 79 36 83 93, vinsmillionrousseau@orange.fr V t.l.j. sf dim. 8h30-12h 14h-19h

FAMILLE MONTESSUIT
Ayze Méthode traditionnelle 2017

●	10000		8 à 11 €

En 2007, Nicolas, Fabrice, Jacky et Gilles Montessuit se sont associés pour reprendre les vignes héritées du grand-père André.

Un effervescent à apprivoiser : le nez discret dévoile des notes de pomme acidulée. La bouche, longue et fraîche, fait preuve d'équilibre. ⧗ 2020-2022

EARL FAMILLE MONTESSUIT, 884, rte de Bonneville, 74130 Ayse, tél. 07 84 91 47 06, famille.montessuit@orange.fr V r.-v.

♥ VIGNOBLES PERCEVAL
Chignin Bergeron Cuvée Prestige 2018 ★★

■	5000		11 à 15 €

Créée en 1910 par Jean-Baptiste Perceval, ce domaine situé aux Marches, juste en-dessous du mont Granier, est conduit depuis 1990 par Pascal Perceval. En 2014, le vigneron reprend le Ch. de la Gentilhommière. Il exploite aujourd'hui un vignoble de 50 ha donnant naissance à une gamme d'une trentaine de vins en AOC et en IGP.

Voici une roussanne d'une grande complexité, qui allie richesse et finesse. L'acacia et le miel, puis la pêche blanche et l'abricot confit (si typique du bergeron) donnent un vin blanc harmonieux et persistant, avec beaucoup de gras mais sans sucrosité. Un modèle du genre dans un millésime chaleureux. ⧗ 2021-2024 ■ **Apremont La Pierre hachée 2018 (5 à 8 €; 5000 b.)** : vin cité.

SARL VIGNOBLES PERCEVAL, 709, chem. de Cresmont, 73800 Les Marches, tél. 04 79 28 13 13, laurie.vignoblesperceval@hotmail.com V t.l.j. sf dim. 8h-12h 14h-18h; sam. 9h-12h

JEAN PERRIER ET FILS
Chignin Bergeron Fleur de roussanne 2018 ★

■	30000		11 à 15 €

Les Perrier cultivent la vigne depuis 1853. Par la suite, l'entreprise (négoce et propriété) s'est largement

SAVOIE

développée, notamment sous la conduite de Gilbert Perrier dans les années 1960. Ce sont aujourd'hui ses fils Philippe, Christophe et Gilles qui conduisent le vignoble familial, lequel s'étend sur 60 ha, huit communes et plusieurs domaines.

Un très joli nez d'abricot et d'ananas confits se développent en bouche. Un léger perlant participe à l'équilibre du vin et en rehausse les arômes. Belle amplitude. ⏳ 2020-2022 ■ **Apremont Fleur de jacquère 2018 ★ (5 à 8 €; 40000 b.)** : avec ses arômes d'amande et de noisette, de pêche et de mirabelle au nez comme en bouche, cette jacquère ample et séduisante porte la marque du millésime. ⏳ 2020-2024 ■ **Mondeuse Pure 2018 (8 à 11 €; 25000 b.)** : vin cité.

SCEA DOM. PERRIER PÈRE ET FILS, Saint-André, 73800 Les Marches, tél. 04 79 28 11 45, info@vins-perrier.com V *r.-v.*

JEAN PERRIER ET FILS Chardonnay Pure 2018

■ | 15000 | | 5 à 8 €

Le domaine Jean Perrier et Fils a développé une structure de négoce depuis 1953.

Or pâle, ce chardonnay aux arômes de fruits à chair blanche (pêche) et d'agrumes (citron) plaît par son bon équilibre sur la fraîcheur. ⏳ 2020-2022

SAS JEAN PERRIER ET FILS, Saint-André, rue de la Jacquère, 73800 Les Marches, tél. 04 79 28 11 45, info@vins-perrier.com V *r.-v.*

DOM. PLANTIN Chignin Vieilles Vignes 2018 ★

■ | 9000 | | 5 à 8 €

Ce domaine familial de 6 ha est tenu par les frères Samuel et Fabien Girard-Madoux (quatrième génération). Le premier s'est destiné à la vigne dès ses quatorze ans, le second a fait un détour par la boulangerie avant de s'installer en 2001.

Des vignes de jacquère de cinquante ans ont donné naissance à ce vin animé de reflets vert soutenu. Minéral et fruité (agrumes), celui-ci laisse une impression de rondeur persistante, à peine rafraîchie d'une légère amertume en finale. ⏳ 2020-2022 ■ **Chignin Mondeuse 2018 ★ (5 à 8 €; 6400 b.)** : pourpre intense, une mondeuse discrète dans ses évocations de cassis. La matière est là, croquante, structurée par des tanins encore jeunes. ⏳ 2020-2022

EARL CAVE PLANTIN, 32, chem. de la Borne-Romaine, Torméry, 73800 Chignin, tél. 06 22 23 29 22, caveplantin@gmail.com V *r.-v.*

DOM. MARC PORTAZ
Abymes Tête de cuvée 2018 ★

■ | 17000 | | 5 à 8 €

Œnologue, Jean-Marc Portaz a vinifié en Nouvelle-Zélande et en Californie avant de revenir sur ses terres de Chapareillan en 2000, pour conduire le vignoble familial de 10 ha créé en 1993 au pied du mont Granier.

La pêche de vigne et le pamplemousse rose accompagnés de nuances finement mentholées caractérisent cette jacquère bien équilibrée entre fraîcheur et rondeur. ⏳ 2020-2022 ■ **Apremont Tête de cuvée 2018 (5 à 8 €; 7000 b.)** : vin cité.

EARL MARC PORTAZ, 94, allée du Colombier, 38530 Chapareillan, tél. 04 76 45 23 51, domainemarcportaz@wanadoo.fr V *r.-v.*

♥ LA CAVE DU PRIEURÉ
Jongieux Mondeuse 2018 ★★★

■ | 20000 | | 8 à 11 €

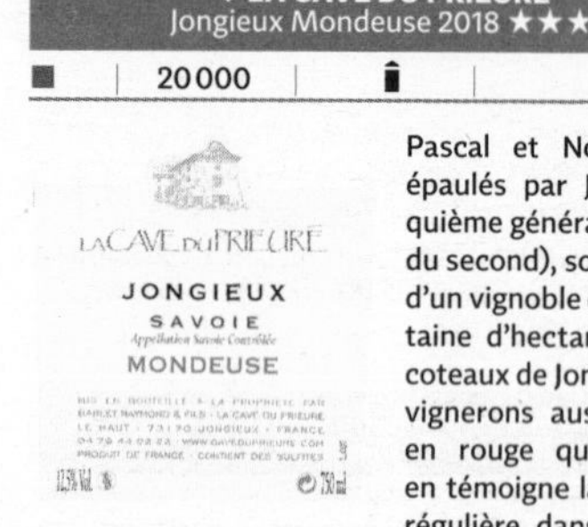

Pascal et Noël Barlet, épaulés par Julien (cinquième génération et fils du second), sont à la tête d'un vignoble d'une trentaine d'hectares sur les coteaux de Jongieux. Des vignerons aussi à l'aise en rouge qu'en blanc; en témoigne la présence régulière dans le Guide de leurs cuvées, désormais vinifiées par Julien.

L'élégance est au rendez-vous dans cette mondeuse au fruité croquant. Indéniablement structurée pour la garde, elle se montre puissante dès l'attaque, complexe dans son déroulement et persistante comme il se doit. Un vin taillé pour la garde. ⏳ 2024-2029

GAEC LA CAVE DU PRIEURÉ, Le Haut, 73170 Jongieux, tél. 04 79 44 02 22, contact@cavedupprieure.fr V *t.l.j. sf dim. 10h-12h 14h-18h*

LES FILS DE RENÉ QUÉNARD
Arbin Mondeuse Clos de la Galèze 2018 ★★

■ | 7182 | | 11 à 15 €

Philippe Viallet a racheté en 2008 ce domaine fondé dans les années 1930 avec Claire Taittinger, des champagnes éponymes. Depuis 2014, Philippe Viallet conduit seul cette propriété de 18 ha (dont 15 ha de bergeron).

Issu de vieux ceps de mondeuse, dont certains sont plus que centenaires, cet Arbin au nez de fruits rouges et noirs s'exprime en bouche par une belle matière charnue et tannique. Persistance sur les fruits rouges croquants. Il devrait s'affiner avec les ans. Proposé en coup de cœur. ⏳ 2022-2025 ■ **Chignin Mondeuse 2018 (8 à 11 €; 6666 b.)** : vin cité.

SCEA LES FILS DE RENÉ QUÉNARD, rte de Myans, 73190 Apremont, tél. 04 79 28 33 29, ccheze@vins-viallet.com V *t.l.j. sf sam. dim. 8h-12h 14h-16h*

ANDRÉ ET MICHEL QUÉNARD
Chignin Vieilles Vignes 2018 ★

■ | 30000 | | 5 à 8 €

Michel Quénard s'est installé en 1976 à la tête du domaine familial, fondé par ses grands-parents. Son fils Guillaume l'a rejoint en 2009, après des études au lycée viticole de Beaune, puis à l'école d'ingénieurs de Changins (Suisse). Il assure aujourd'hui les vinifications aux côtés de son frère Romain, arrivé en 2013 après des études de viticulture. Aujourd'hui l'un des domaines les plus réputés de Savoie, très régulier en qualité, aussi bien en rouge qu'en blanc.

Partagée entre fraîcheur, gras et minéralité, une jacquère à la belle intensité florale et fruitée. ⏳ 2020-2022 ■ **Chignin Mondeuse Vieilles Vignes 2018 ★ (8 à 11 €; 15000 b.)** : cette mondeuse, issue de raisin égrappé, doit sa complexité aromatique à son élevage en foudre, en demi-muid et en cuve : les fruits rouges et noirs bien mûrs sont associés à des notes finement grillées. La bouche charnue bénéficie de tanins élégants. ⧗ 2020-2024 ■ **Chignin Persan 2018 ★ (11 à 15 €; 1200 b.)** : tout est puissant dans ce persan de garde : le nez intense de fruits noirs, la bouche solidement constituée, mais bien équilibrée. ⧗ 2022-2025

⊶ EARL ANDRÉ ET MICHEL QUÉNARD, 1327, rte du Coteau-de-Torméry, Torméry CIDEX 210, 73800 Chignin, tél. 04 79 28 12 75, am.quenard@wanadoo.fr r.-v.

♥ PHILIPPE ET SYLVAIN RAVIER
Terroir des Abymes Electrik 2018 ★★

■	90000	🍾	5 à 8 €

Philippe Ravier conduit un domaine qui s'est considérablement agrandi, passant de 3 ha à ses débuts, en 1983, à 40 ha aujourd'hui. Son fils Sylvain l'a rejoint en 2007. L'une des belles références de la Savoie viticole.

Avec son nez de fruits mûrs, d'agrumes aux notes anisées, cet Abymes possède tous les atouts d'une grande jacquère : minéralité, vivacité, finesse et matière, finale longue et citronnée, légère amertume. Sa remarquable harmonie lui a valu un coup de cœur. ⧗ 2020-2022 ■ **Chignin Bergeron Les Amandiers 2018 ★ (8 à 11 €; 20000 b.)** : belle expression de roussanne aux arômes abricotés et briochés. La bouche ample, fruitée et persistante garde une bonne fraîcheur. ⧗ 2020-2022

⊶ EARL PHILIPPE ET SYLVAIN RAVIER, 68, chem. du Cellier, 73800 Myans, tél. 04 79 28 17 75, vinsdesavoie@wanadoo.fr r.-v.

JULIEN RENÉ Abymes 2018 ★

■	10000	🍾	- de 5 €

Cette exploitation a misé sur la viticulture à partir des années 1950. À sa tête depuis 2000, Julien René perpétue la tradition des trois générations précédentes sur 6 ha de vignes.

Nez complexe de fleurs des champs, d'agrumes et de pierre à fusil typique des éboulis du Granier. Avec une attaque perlante, de la fraîcheur et de la matière, c'est une jacquère bien identifiée. ⧗ 2020-2022 ■ **Mondeuse 2018 (5 à 8 €; 4000 b.)** : vin cité.

⊶ EARL JULIEN RENÉ, 9, chem. de Joyan, La Palud, 38530 Chapareillan, tél. 06 75 00 10 02, julien.rene@wanadoo.fr t.l.j. sf dim. 8h-12h 13h-18h30

CH. DE RIPAILLE Ripaille 2018 ★★

■	110000	🍾	8 à 11 €

Bénéficiant d'une situation privilégiée grâce à la proximité du lac Léman, les 21 ha de vignes du domaine entourent un château construit en 1434 par les ducs de Savoie, puis détenu par les chartreux au XVIIᵉs. Devenu bien national sous la Révolution, le domaine est vendu à plusieurs reprises, avant d'entrer dans la famille Necker en 1892, toujours propriétaire des lieux et unique exploitante du cru Ripaille.

Tout n'est que charme dans ce chasselas de cru aux arômes intenses de noisette, d'amande et de cire d'abeille. La même gamme se déploient dans une bouche ronde, onctueuse, nuancée de notes de miel et de fruits jaunes. Gourmandise et fraîcheur sont au rendez-vous. ⧗ 2021-2024

⊶ GFA RIPAILLE, 83, av. de Ripaille, 74200 Thonon-les-Bains, tél. 04 50 71 75 12, domaine@ripaille.fr t.l.j. 11h-17h; 10h-18h (été)

Ⓑ SARTO DE L'ABY
Abymes Kacquère 2018 ★

■	2000	🍾	5 à 8 €

Un minuscule vignoble sur les éboulis du mont Granier, planté de jacquère et de mondeuse. Bernard Brun le cultive depuis 2006 et y applique les méthodes de l'agriculture biologique.

Litchi et pêche sur une assise minérale de pierre à fusil font de cette jacquère un vin flatteur, plutôt rond et bien équilibré, qui traduit bien le terroir d'éboulis calcaires du mont Granier. ⧗ 2020-2022

⊶ BERNARD BRUN, Le Vernay, 73190 Curienne, tél. 04 79 84 79 67, bernard.brun@sartodelaby.fr r.-v.

FRUITIÈRE DES VIGNERONS DES TERROIRS DE SAVOIE
Mondeuse Cuvée Marcel Alexis Élevé en fût de chêne 2018 ★

■	8000	🛢	11 à 15 €

En 1998, Philippe Viallet reprend la cave de Montmélian et décide de créer la Fruitière des Vignerons des Terroirs de Savoie regroupant 60 vignerons (pour un total de 300 ha de vignes) et produisant des vins en AOC et IGP.

Issue d'une sélection parcellaire de plusieurs mondeuses, la cuvée « Marcel Alexis » a été élevée un an en fût de chêne. Si les notes boisées sont bien présentes au nez comme en bouche, elles s'intègrent avec bonheur aux notes de fruits rouges écrasés et aux tanins épicés (vanille et cannelle). ⧗ 2022-2024

⊶ FRUITIÈRE DES VIGNERONS DES TERROIRS DE SAVOIE, rte de Myans, 73190 Apremont, tél. 04 79 28 33 29, ccheze@vins-viallet.com

FABIEN TROSSET
Chignin Bergeron Les Cerisiers 2018 ★

■	10000	🍾	11 à 15 €

Fabien Trosset a repris en 2011 le domaine familial à la suite du décès de son père : à l'époque, 7 ha à Arbin – un des crus consacrés à la mondeuse – et une vendange intégralement livrée en coopérative. Aujourd'hui, le vigneron vinifie à la propriété et a porté la surface plantée à 17 ha, dont 13 ha de mondeuse.

Une belle expression de roussanne dans ce bergeron qui évoque l'abricot confit et la pêche de vigne bien mûre, enveloppés de notes toastées. Bouche ronde équilibrée par la fine amertume du noyau d'abricot en finale. ⧗ 2020-2022

⊶ FABIEN TROSSET, ZA d'Arbin, av. Gambetta, 73800 Arbin, tél. 06 23 58 11 80, trosset.fabien@orange.fr V r.-v.

LES FILS DE CHARLES TROSSET
Arbin Mondeuse Prestige des Arpentes 2018 ★

■	18 000	🍾	11 à 15 €

Vigneron n'est pas son métier officiel, puisque Louis Trosset est retraité de l'université de Savoie. Cet ancien professeur de biologie végétale, passionné de botanique et de géologie, exploite avec son frère une mosaïque de petites parcelles de 15 à 45 ares exposées plein sud. Une référence incontournable à Arbin, haut lieu de la mondeuse.

Une approche fruitée et empyreumatique : cassis et notes grillées. Bouche concentrée avec des tanins présents, mais soyeux, persistance sur le fruit mûr. Une mondeuse bien représentative du cru Arbin. ⧗ 2020-2024

⊶ SCEA LES FILS DE CHARLES TROSSET, 280, chem. des Moulins, 73800 Arbin, tél. 06 82 36 82 62, lechaidesmoulins@gmail.com V *r.-v.*

♥ ADRIEN VACHER
Mondeuse La Sasson Réserve gastronomique 2018 ★★

■	10 000	🍾	5 à 8 €

Charles-Henri Gayet, propriétaire du château de la Violette, est également négociant et dirigeant depuis 1989 de la maison familiale Adrien Vacher, fondée en 1950. Il est épaulé par ses filles Pauline et Charlotte.

La cuvée « Sasson » évoque la statue érigée sur une place de Chambéry pour célébrer le rattachement de la Savoie à la France. Égrappée à 100 %, macérée trois semaines et élevée six mois en cuve, la mondeuse a donné naissance à un vin très aromatique : fruits rouges confits et épices s'expriment volontiers, jusque dans la bouche ronde et harmonieuse. Une version moderne et gourmande de ce cépage. ⧗ 2020-2022

⊶ ADRIEN VACHER DISTRIBUTION, ZA Plan Cumin, 177, rue de la Mondeuse, 73800 Les Marches, tél. 04 79 28 11 48, contact@adrien-vacher.fr V *t.l.j. sf sam. dim. 8h-12h 13h30-17h30*

DOM. VENDANGE
Chardonnay Montée des Crémaillères 2018 ★

□	5000	🍾	5 à 8 €

Après des études de viticulture et d'œnologie à Beaune, Benjamin Vendange est revenu en 2015 sur la propriété familiale et son vignoble de 10 ha, dont les raisins étaient jusqu'alors portés à la coopérative de Cruet. Avec sa compagne Diane Gounel, œnologue, il élabore aujourd'hui ses propres vins.

Joli nom pour ce chardonnay vinifié en cuve (85 %) et en fût de trois vins (15 %). Un savant mélange d'agrumes, de fruits exotiques et de notes lactiques ainsi qu'une attaque perlante garantissent fraîcheur et longueur à ce vin bien constitué. ⧗ 2020-2022

⊶ EARL VENDANGE ET FILS, 132, rte du Clou, Miolanet, 73250 Saint-Pierre-d'Albigny, tél. 06 84 68 77 48, vendangeinfo@gmail.com V *r.-v.*

ADRIEN VEYRON
Apremont Révélation Vieilles Vignes 2017 ★

□	2500	🍾	5 à 8 €

Ce domaine familial fondé en 1950 est conduit depuis 1979 par Adrien Veyron (quatrième génération), à la tête aujourd'hui de 14 ha de vignes à Apremont.

Issue de vieilles vignes de jacquère (soixante-cinq ans), cet Apremont est tout en élégance : intensité aromatique, florale, fruitée et minérale; bouche consistante, citronnée, fraîche et persistante avec quelques notes beurrées. ⧗ 2020-2022 ■ **2018 (5 à 8 €; 6500 b.)** : vin cité.

⊶ SCEA ADRIEN VEYRON, lieu-dit La Ratte, rte d'Apremont, 73190 Apremont, tél. 04 79 28 20 20, veyron.vins.savoie@wanadoo.fr V *r.-v.; f. 15 août*

♥ DOM. DU CH. DE LA VIOLETTE
Mondeuse Sous les cèdres 2018 ★★

■	20 000	🛢🍾	5 à 8 €

Charles-Henri Gayet, négociant et patron de la maison Adrien Vacher, a repris en 2000 ce domaine créé en 1957 au pied du mont Granier, passé de 7 à 30 ha et dont les vins sont régulièrement au rendez-vous du Guide, en blanc comme en rouge.

Tout est intense dans cette mondeuse vinifiée en grappes entières, cuvée quatorze jours et élevée sous bois. De la robe profonde à reflets noirs à la bouche puissante, charnue, épicée et persistante, en passant par le nez de petits fruits noirs bien mûrs (cassis, mûre et myrtille). Coup de cœur à l'unanimité pour ce fleuron des vins rouges de Savoie. ⧗ 2020-2024

⊶ SCEA CH. DE LA VIOLETTE, 203, rte de Myans, 73800 Les Marches, tél. 04 79 28 13 30, chateaudelaviolette@gmail.com V *r.-v.*

DOM. JEAN VULLIEN ET FILS
Pinot noir Jeannine Élevé en fût de chêne 2018 ★

■	15 000	🛢	8 à 11 €

Olivier et David Vullien, les fils de Jean, sont, comme nombre de leurs collègues de Fréterive, à la fois vignerons et pépiniéristes. Ils exploitent 35 ha répartis sur les pentes de la combe de Savoie, de Fréterive à Montmélian.

Élégant à l'image de Jeannine Vullien, épouse de Jean. Tel est ce pinot noir. Il est issu d'une vendange éraflée à 100 %, préfermentée à froid et cuvée quinze jours, avant une fermentation en fût de chêne. Caractérisé par la cerise et la vanille, il affiche une belle rondeur, même si ses tanins boisés demandent à se fondre encore. ⧗ 2023-2025 □ **Chignin Bergeron Harmonie 2018 (11 à 15 €; 20 000 b.)** : vin cité.

EARL DOM. JEAN VULLIEN ET FILS, 60, rue de la Soierie, 73250 Fréterive, tél. 04 79 28 61 58, contact@jeanvullien.com V t.l.j. sf dim. 9h-12h 14h-18h30; sam. 9h-12h

ROUSSETTE-DE-SAVOIE

Superficie : 213 ha / Production : 10 600 hl

Issue aujourd'hui du seul cépage altesse, la roussette-de-savoie est produite à Frangy, le long de la rivière des Usses, à Monthoux et à Marestel, au bord du lac du Bourget. L'usage qui veut que l'on serve jeunes les roussettes de ce cru est regrettable, puisque, bien épanouies avec l'âge, elles font merveille sur du poisson, des viandes blanches ou encore avec le beaufort local.

DOM. EUGÈNE CARREL ET FILS Marestel 2017 ★

14000 | 8 à 11 €

Les Carrel sont vignerons de père en fils et filles depuis 1830 et six générations. Spécialisé dans les années 1970 par Eugène Carrel et conduit par son fils Olivier depuis 1994, le domaine couvre 24 ha implantés sur les fortes pentes du mont de la Charvaz et du mont du Chat. Une valeur sûre en blanc comme en rouge.

Fruits confits et secs enveloppés de notes miellées caractérisent cette roussette fine, équilibrée, ronde, qui laisse en finale le souvenir de la poire. ⧗ 2020-2022

EARL DOM. EUGÈNE CARREL ET FILS, Le Haut, 73170 Jongieux, tél. 04 79 44 00 20, domaine.carrel.eugene@gmail.com V t.l.j. 8h-12h 14h-18h

FRANÇOIS CARREL ET FILS Marestel La Marété 2018

13000 | 8 à 11 €

Créé en 1882, ce domaine familial se consacre à la viticulture depuis 1977. Éric Carrel, représentant la cinquième génération, conduit aujourd'hui un vignoble de 13,5 ha.

Abricot, pêche et miel d'acacia au nez, rondeur et fraîcheur en bouche : une roussette élégante et persistante sur le fruit. ⧗ 2020-2022

EARL DE LA ROSIÈRE, Le Haut, 73170 Jongieux, tél. 04 79 33 18 48, gaec-la-rosiere@wanadoo.fr V r.-v.

CHEVALLIER-BERNARD Marestel 2017

5000 | 11 à 15 €

Jean-Pierre Bernard, épaulé par son épouse Chantal, a apporté du Beaujolais sa connaissance du gamay quand il s'est installé en 1996 à Jongieux sur la petite exploitation de son beau-père, étendue aujourd'hui sur 12,5 ha. Il maîtrise aussi la vinification des blancs, comme en témoignent les sélections régulières de sa roussette-de-savoie. Son fils Antoine l'a rejoint en 2016.

Un vin blanc d'une rondeur plaisante, aux notes beurrées et briochées. ⧗ 2020-2022

EARL CHEVALLIER-BERNARD, Le Haut, 73170 Jongieux, tél. 04 79 44 00 33, cjpbernard@orange.fr V r.-v.

♥ DOM. DE L'IDYLLE Anne de Chypre 2018 ★★

10000 | 8 à 11 €

Philippe et François Tiollier ont accueilli au domaine la jeune génération, en l'occurrence Sylvain, de retour pour les vendanges 2012 après des études d'œnologie sur cet important domaine de 22 ha. Depuis que Philippe a pris sa retraite en 2017, ce sont Sylvain et son oncle François qui gèrent l'exploitation.

Le nom de cette cuvée évoque l'origine légendaire de l'altesse (ou roussette). Le cépage aurait été rapporté par la fille du roi de Chypre lors de son mariage avec un duc de Savoie au XIIIe s. La complexité caractérise les arômes de ce vin : fleurs blanches, meringue, bergamote nuancés de notes beurrées et minérales. Grâce et amplitude au palais en font un modèle de générosité en année solaire. ⧗ 2020-2022

EARL TIOLLIER (DOM. DE L'IDYLLE), 345, rue Croix-de-l'Ormaie, 73800 Cruet, tél. 04 79 84 30 58, tiollier.idylle@wanadoo.fr V t.l.j. sf dim. 10h-12h15 15h-18h30

DOM. EDMOND JACQUIN ET FILS Marestel 2018 ★★

12000 | 11 à 15 €

Patrice Jacquin, aujourd'hui président de la Chambre d'agriculture de Savoie, conduit avec son frère Jean-François et son fils Steven un coquet domaine de 38 ha fondé en 1850, dont une grande partie est dédiée à la roussette-de-savoie, avec des vins souvent en vue dans le Guide.

Les agrumes, la banane et les fruits secs donnent un côté gourmand à cette roussette qui ne manque pas de fraîcheur en bouche. Belle harmonie de saveurs fruitées. ⧗ 2020-2022 **Altesse 2018 (8 à 11 €; 50000 b.)** : vin cité.

EARL EDMOND JACQUIN ET FILS, Le Haut, 73170 Jongieux, tél. 04 79 44 02 35, jacquin4@wanadoo.fr V t.l.j. sf dim. 9h-12h 14h-18h 3

GUY JUSTIN 2017 ★

10000 | 5 à 8 €

Emmanuelle Justin (quatrième génération) épaule son père Guy depuis 2008 au domaine : à lui, le tracteur et les vinifications (il a été initié à l'œnologie dès son plus jeune âge par sa tante Gabrielle), à elle, le commerce et les marchés. Le domaine est spécialiste de l'altesse, ce cépage occupant près des deux tiers de la superficie totale (12 ha).

Un nez plaisant de fruits jaunes et de fleurs blanches : coing, miel et tilleul. La bouche est tendre et vive à la fois, bien persistante sur le fruit enrobé de miel. ⧗ 2020-2022 **Marestel 2017 ★ (8 à 11 €; 2100 b.)** : mangue, poire, pêche, agrumes se développent au nez comme en bouche, portés par une légère vivacité. Une roussette élégante, qui se prolonge sur les épices. ⧗ 2020-2022

⊶ *EARL GUY JUSTIN, La Touvière, 73170 Jongieux, tél. 04 79 36 81 61, justin.emmanuelle@live.fr* V r.-v.

JEAN PERRIER ET FILS
Altesse Cuvée gastronomique 2018 ★

| | 30000 | | 5 à 8 € |

Le domaine Jean Perrier et Fils a développé une structure de négoce depuis 1953.

L'acacia, l'aubépine, le fruit de la Passion et le pamplemousse se mêlent au nez. Grâce, finesse et rondeur : une roussette pleine d'atouts. ⧗ 2020-2024

⊶ *SAS JEAN PERRIER ET FILS, Saint-André, rue de la Jacquère, 73800 Les Marches, tél. 04 79 28 11 45, info@vins-perrier.com* V r.-v.

LA CAVE DU PRIEURÉ Marestel 2018 ★★

| | 27000 | | 11 à 15 € |

Pascal et Noël Barlet, épaulés par Julien (cinquième génération et fils du second), sont à la tête d'un vignoble d'une trentaine d'hectares sur les coteaux de Jongieux. Des vignerons aussi à l'aise en rouge qu'en blanc; en témoigne la présence régulière dans le Guide de leurs cuvées, désormais vinifiées par Julien.

Fleurs (iris, rose), fruits blancs, agrumes et amande pour cette altesse bien constituée, à la longue finale épicée. Franchise, rondeur et légère amertume lui confèrent de la noblesse. ⧗ 2021-2024 **Altesse 2018 ★** (5 à 8 €; **30000 b.**) : intensément florale, avec des notes de fruits exotiques et d'herbe fraîchement coupée, cette roussette ample et gracieuse à la fois représente bien le cépage dans toute sa complexité. ⧗ 2020-2022

⊶ *GAEC LA CAVE DU PRIEURÉ, Le Haut, 73170 Jongieux, tél. 04 79 44 02 22, contact@cavedupprieure.fr* V *t.l.j. sf dim. 10h-12h 14h-18h*

DOM. JEAN VULLIEN ET FILS Altesse 2018 ★

| | 40000 | | 5 à 8 € |

Olivier et David Vullien, les fils de Jean, sont, comme nombre de leurs collègues de Fréterive, à la fois vignerons et pépiniéristes. Ils exploitent 35 ha répartis sur les pentes de la combe de Savoie, de Fréterive à Montmélian.

Un nez élégant de fleur de tilleul, d'agrumes et de pomme verte pour cette roussette bien construite, dont la matière suave emplit le palais. ⧗ 2020-2022

⊶ *EARL DOM. JEAN VULLIEN ET FILS, 60, rue de la Soierie, 73250 Fréterive, tél. 04 79 28 61 58, contact@jeanvullien.com* V *t.l.j. sf dim. 9h-12h 14h-18h30; sam. 9h-12h*

CRÉMANT-DE-SAVOIE

JEAN-FRANÇOIS MARÉCHAL
Élégance 2016 ★★

| | 3000 | | 8 à 11 € |

Jean-François Maréchal, secondé par son épouse Nathalie, a concrétisé son rêve d'enfant lorsqu'il a planté sa première vigne, avec l'aide de ses parents, à quatorze ans ! À dix-huit ans, il vendait ses premières bouteilles. Aujourd'hui, il exploite 10 ha.

Ce crémant composé de jacquère (70 %) et d'altesse (30 %) porte bien son nom. Rose, aubépine, agrumes, tout n'est que finesse, fraîcheur et légèreté : bulles, nez et bouche. ⧗ 2020-2022

⊶ *EARL LE P'TIOU VIGNERON, Les Belettes, 73190 Apremont, tél. 04 79 28 36 23, marechal.jf@free.fr* V *t.l.j. sf dim. 10h-18h* 2 E

DOM. DU CH. DE LA VIOLETTE Brut 2016 ★

| | 6000 | | 8 à 11 € |

Charles-Henri Gayet, négociant et patron de la maison Adrien Vacher, a repris en 2000 ce domaine créé en 1957 au pied du mont Granier, passé de 7 à 30 ha et dont les vins sont régulièrement au rendez-vous du Guide, en blanc comme en rouge.

Voici un crémant bien identifié Savoie, 100 % jacquère. La mousse est abondante, les arômes fins (agrumes et fleurs blanches), la bouche fraîche, ronde et équilibrée. ⧗ 2020-2022

⊶ *SCEA CH. DE LA VIOLETTE, 203, rte de Myans, 73800 Les Marches, tél. 04 79 28 13 30, chateaudelaviolette@gmail.com* V *r.-v.*

SEYSSEL

Superficie : 73 ha / Production : 3 016 hl

Occupant les deux rives du Rhône entre Haute-Savoie et Ain, cette AOC produit des vins blancs tranquilles, à base du seul cépage altesse, et des vins mousseux associant cette variété à la molette; les effervescents sont commercialisés trois ans après leur prise de mousse. Les cépages locaux donnent au seyssel un fin bouquet aux nuances de violette.

DOM. DU CLOS D'ARVIÈRES Altesse 2017 ★

| | 45000 | | 5 à 8 € |

Depuis le départ à la retraite de son époux, Martine Mollex s'est associée à son fils Régis pour conduire cette exploitation familiale créée en 1978. Le caveau de dégustation est situé dans le cellier du clos d'Arvières, une ancienne propriété des moines chartreux d'Arvières créée au XIIe s.

Des senteurs de violette et d'iris, des saveurs rondes et une finale longue et rafraîchissante de fins agrumes : voici une altesse qui reflète bien le terroir de Seyssel. ⧗ 2019-2024

⊶ *EARL DOM. DU CLOS D'ARVIÈRES, 131, chem. de la Cascade, Eilloux, 01420 Corbonod, tél. 04 50 56 10 02, vins.mollex@wanadoo.fr* V *t.l.j. sf dim. 9h-12h 13h30-18h30*

BUGEY

Superficie : 490 ha
Production : 30 335 hl (55 % rouge et rosé)

Dans le département de l'Ain, le vignoble du Bugey occupe les basses pentes des monts du Jura, dans

l'extrême sud du Revermont, de Bourg-en-Bresse à Ambérieu-en-Bugey, ainsi que celles qui, de Seyssel à Lagnieu, descendent vers la rive droite du Rhône. Autrefois important, il est aujourd'hui réduit et dispersé. En 2009, il a accédé à l'AOC. Il est établi le plus souvent sur des éboulis calcaires assez escarpés. L'encépagement reflète la situation de carrefour de la région : en rouge, le poulsard jurassien – limité à l'assemblage des effervescents de Cerdon – y voisine avec la mondeuse savoyarde et le pinot et le gamay de Bourgogne; de même, en blanc, la jacquère et l'altesse sont en concurrence avec le chardonnay – majoritaire – et l'aligoté, sans oublier la molette, cépage local surtout utilisé dans l'élaboration des vins effervescents. En 2011 a été reconnue l'appellation roussette-du-bugey.

DOM. DE LA BELIÈRE
Cerdon Demi-sec La Déserte Méthode ancestrale 2018 ★★

● | 6800 | | 8 à 11 €

Seule sur l'exploitation depuis 2003, Céline Ronger a été rejointe par son frère Gaël en 2016. Ensemble, ils ont créé le Dom. de la Belière.

Constituée de 80 % de poulsard et de 20 % de gamay, cette méthode ancestrale est remarquable de finesse et de fraîcheur dans son effervescence, ses arômes de framboise et sa bouche délicatement acidulée. ⧗ 2020-2021

EARL DOM. DE LA BELIÈRE, 120, chem. de la Ravat, 01250 Bohas-Meyriat-Rignat, tél. 06 80 15 27 93, domainedelabeliere@orange.fr V *r.-v.*

CAVE SYLVAIN BOIS
Chardonnay Le Grand Colombier 2018 ★

■ | 16500 | | 5 à 8 €

Sylvain Bois s'est établi en 2001, à vingt et un ans, sur les 1,5 ha de vignes plantées par son grand-père. Un domaine qu'il a agrandi progressivement, sur Béon et les coteaux pentus de Talissieu. Il exploite aujourd'hui 5 ha exposés plein sud dans les éboulis de pierres du Grand Colombier et s'est imposé comme l'une des valeurs sûres du Bugey.

Jaune pâle brillant, ce chardonnay élevé sur lies fines affiche de jolis arômes de fruits jaunes (pêche et abricot) et de fleurs (lys) tout au long de la dégustation. Son harmonie et sa douceur en font un vin d'apéritif. ⧗ 2020-2023 ■ **Pinot noir Coteau de Chambon 2018 ★ (5 à 8 €; 6200 b.)** : vinifié en macération semi-carbonique, ce pinot noir exprime les fruits rouges acidulés bien mûrs : groseille et cerise éclatent au nez comme en bouche autour de tanins croquants. ⧗ 2020-2023

SYLVAIN BOIS, 11, rte de Bourgogne, 01350 Béon, tél. 06 88 49 03 95, cavesylvainbois@yahoo.fr V *t.l.j. sf dim. 9h-12h 14h-18h; f. 2-22 août*

BONNOD FILS Cerdon Demi-sec 2018 ★

● | 7000 | | 5 à 8 €

Installé en 1999, Franck Bonnod exploite une petite exploitation familiale de 2 ha créée en 1920 par son grand-père.

Agréable, intense et rafraîchissant, ce Cerdon aux arômes de cerise et de framboise emplit le palais de ses saveurs acidulées. ⧗ 2020-2021

FRANCK BONNOD, 157, rue de la Chapelle, Poncieux, 01640 Boyeux-Saint-Jérôme, tél. 06 99 83 11 69, cerdonbonnod@yahoo.com V *r.-v.*

LE CAVEAU BUGISTE
Chardonnay Cuvée Vieilles Vignes 2018 ★★

■ | 20000 | | 8 à 11 €

Un incontournable du vignoble bugiste. Le Caveau Bugiste n'est pas une cave coopérative, mais une association de vignerons fondée en 1967 : quatre propriétaires (six au départ), tous issus de familles agricoles, qui exploitent ensemble 45 ha de vignes, à l'origine de la plus vaste gamme de vins du Bugey, complétée par une petite activité de négoce.

Vinifié en fût pour 10 %, ce chardonnay affiche une belle complexité : les arômes de fleur blanche et de pêche se développent en bouche dans une harmonie de saveurs vives et plaisantes. ⧗ 2020-2022

SARL LE CAVEAU BUGISTE, 326, rue de la Vigne-du-Bois, 01350 Vongnes, tél. 04 79 87 92 32, contact@caveau-bugiste.fr V *t.l.j. 9h-12h 14h-19h*

DUBREUIL ET FILS
Cerdon Demi-sec Moulin d'Amont Méthode ancestrale 2018 ★★★

● | 4000 | | 8 à 11 €

Pierre Dubreuil s'est lancé en 2004 en reprenant les vignes de sa grand-mère, complétées de quelques plantations et, plus récemment, de la propriété de ses parents. Il conduit aujourd'hui un vignoble de 7 ha sur les pentes escarpées de Cerdon.

« Moulin d'Amont » est le nom de la nouvelle cave du domaine. Ce Cerdon a remporté la palme de l'excellence auprès du jury pour ses arômes de framboise, de pêche rouge, ainsi que pour la délicatesse de sa bouche gourmande et rafraîchissante. ⧗ 2020-2021

PIERRE DUBREUIL, 56, rue de Balme, 01450 Cerdon, tél. 06 80 71 76 40, pierredubreuil.cerdon@gmail.com V *r.-v.*

DOM. D'ICI LÀ
Mondeuse La Croisette 2018 ★

■ | 2229 | | 11 à 15 €

Un petit domaine de 5,5 ha créé en 2018 et cultivé selon les méthodes d'agriculture biologique. Ici, le Rhône. Là, la montagne Altesse, chardonnay, mondeuse et gamay se partagent ce terroir d'éboulis calcaires.

Un tiers de la vendange a été égrappée afin d'adoucir les tanins caractéristiques de la mondeuse, tout en préservant une belle structure. Il en résulte un vin bien constitué, aux arômes intenses de violette et de fruits rouges. ⧗ 2022-2024

GAEC DOM. D' ICI LÀ, 190, imp. du Richemond, 01680 Groslée-Saint-Benoît, tél. 06 95 00 51 31, contact@domainedicila.fr V *r.-v.*

LINGOT-MARTIN
Cerdon Méthode ancestrale 2018 ★★

● | 30766 | | 5 à 8 €

Le Cellier Lingot-Martin, dédié au seul Cerdon, regroupe cinq familles et 3 ha de vignes. Les deux fondateurs sont partis à la retraite : Messieurs Martin, en 2010, et Lingot, en 2014, mais de nouveaux associés les ont remplacés, et l'aventure débutée en 1970 continue.

Harmonie, finesse et gourmandise caractérisent ce Cerdon aux arômes de groseille, de mûre et de fraise des bois. ⧗ 2020-2021 ● **Cerdon Classic Méthode ancestrale 2018 ★ (5 à 8 €; 271582 b.)** : pêche de vigne et fraise des bois au nez comme en bouche : un Cerdon très plaisant aux saveurs douces et acidulées. ⧗ 2020-2021

SARL LE CELLIER LINGOT-MARTIN, ZA 383, rue Sous-la-Côte, 01450 Poncin, tél. 04 74 39 97 77, lingot-martin.isa@orange.fr V t.l.j. 8h-12h 13h30-18h

NICOLAS MAZZUCHELLI
Cerdon Demi-sec Méthode ancestrale 2018 ★★

● | 36000 | | 5 à 8 €

Nicolas Mazzuchelli a repris en 2001 les vignes de son père, environ 1 ha, complétées en 2006 par celles d'un vigneron partant à la retraite et par quelques plantations. Il s'est ainsi constitué un petit domaine de 4,5 ha.

Souplesse, finesse et gourmandise caractérisent ce Cerdon aux arômes de pêche de vigne, de framboise et de groseille. Une sucrosité remarquablement intégrée pour cet effervescent vinifié en demi-sec. ⧗ 2020-2021

NICOLAS MAZZUCHELLI, 152, rue de la Gare, 01450 Cerdon, tél. 06 76 47 98 80, vins.mazzuchelli@orange.fr V t.l.j. 8h-12h 14h-19h

DOM. MONIN Manicle 2018 ★

■ | 5500 | | 15 à 20 €

Vigneron et maître fromager, Charles Varin-Bernier a repris en 2015 le Dom. Monin, fondé en 1960, régulier en qualité. Le vignoble couvre 10,5 ha, dont 2 ha dédiés au cru Manicle.

Un élevage de huit mois en barrique a donné de la complexité à ce chardonnay aux arômes gourmands d'abricot et autres fruits jaunes. Belle persistance fruitée. ⧗ 2020-2022

EARL DOM. MONIN, 255, chem. des Vignes, 01350 Vongnes, tél. 04 79 87 92 33, info@domaine-monin.fr V t.l.j. 9h-12h 14h-19h

B CAVEAU QUINARD
Brut Méthode traditionnelle 2016 ★★

● | 15000 | | 5 à 8 €

Situées sur les hautes rives de la vallée du Rhône, les vignes du Caveau Quinard sont exploitées par la même famille de viticulteurs depuis quatre générations. Certifié bio, le domaine s'étend sur 12 ha, dirigé par Julien Quinard depuis 2007.

Élevé trente-six mois dans les caves du domaine, cet effervescent est un assemblage de chardonnay et de molette, cépage local du Bugey. Doté de notes florales et fruitées (mirabelle), cet effervescent trouve son équilibre dans une rondeur briochée et une fin de bouche acidulée. ⧗ 2020-2022

EARL CAVEAU QUINARD, 201, rte du Lit-au-Roi, 01300 Massignieu-de-Rives, tél. 04 79 42 10 18, caveauquinard@orange.fr V t.l.j. sf dim. 9h30-12h 14h30-18h30

BERNARD ET MARJORIE RONDEAU
Cerdon Demi-sec Méthode ancestrale 2018 ★★

● | 60000 | | 5 à 8 €

Bernard et Marjorie Rondeau se sont installés en 1998 à Boyeux-Saint-Jérôme. Ils conduisent aujourd'hui un vignoble de 6 ha.

Gamay et poulsard composent ce Cerdon gourmand et rafraîchissant, vinifié en demi-sec, qui offre des arômes de fraise des bois et de bonbon anglais. ⧗ 2020-2022

EARL RONDEAU-GUINET, Cornelle, 7, rue des Vignerons, 01640 Boyeux-Saint-Jérôme, tél. 04 74 37 12 34, bernard.rondeau01@orange.fr V t.l.j. 8h-19h; dim. 9h-12h

B DOM. TRICHON Brut 2015 ★

○ | 21300 | | 8 à 11 €

Stéphane Trichon a repris en 2008 ce domaine familial créé en 1925 par son arrière-grand-père. Il conduit en bio un vignoble de 13 ha et produit, outre ses vins, du jus de raisins que sa femme Claire commercialise au caveau.

Plein de finesse et de complexité, ce bugey brut est issu d'un assemblage de chardonnay (60 %), d'aligoté (10 %), de molette (10 %) et de pinot noir (20 %). Fraîcheur, franchise et fruité. ⧗ 2021-2023 ■ **Mondeuse 2017 (8 à 11 €; 2700 b.)** B : vin cité.

EARL DOM. TRICHON, 63, chem. du Lavoir, 01680 Lhuis, tél. 04 74 39 83 77, domaine.trichon@gmail.com V t.l.j. sf dim. 8h-12h 14h-18h30

WOJTKOWIAK
Cerdon Demi-sec Méthode ancestrale 2018 ★

■ | 18500 | | 5 à 8 €

Une toute petite propriété de 4 ha sur les coteaux du Cerdon. Dominique Wojtkowiak la conduit depuis 1986.

Fraise, framboise et cerise enveloppées de notes florales font de ce Cerdon issu d'un assemblage de gamay et de poulsard un vin de plaisir, aux bulles délicates. ⧗ 2019-2020

EARL WOJTKOWIAK, 205, chem. de Combe, Pont-de-Préau, 01450 Cerdon, earl.wojtkowiak@orange.fr V r.-v.

ROUSSETTE-DU-BUGEY

La roussette-du-bugey a eu droit à une AOC spécifique en 2009. Comme la roussette-de-savoie, elle est dédiée aux vins blancs issus du cépage altesse (roussette est synonyme d'altesse). L'appellation possède

deux crus : Montagnieu et Virieu-le-Grand. La roussette est plantée sur les sols les plus pentus.

THIERRY TISSOT Mataret Altesse 2015 ★

| 4100 | | 8 à 11 €

Après plusieurs expériences dans différents vignobles en France et à l'étranger, Thierry Tissot, œnologue, a repris en 2001 l'exploitation familiale créée à la fin du XIXe s. Il a rénové la cave et replanté le coteau du Mataret, longtemps laissé à l'abandon en raison de son caractère morcelé et pentu. Il exploite aujourd'hui un petit vignoble de 5,3 ha, dont il a entamé en 2016 la conversion bio.

Cette cuvée d'altesse porte le nom du coteau de marnes bleues sur lequel elle est cultivée. Évoquant les fleurs blanches et le fruit à noyau, cette roussette présente un bel équilibre entre rondeur et vivacité. ⧗ 2020-2022 ● **Brut Méthode traditionnelle 2015 (8 à 11 €; 4500 b.)** : vin cité.

THIERRY TISSOT, 42, quai du Buizin, 01150 Vaux-en-Bugey, tél. 06 70 65 96 52, tissot.bugey@gmail.com V *r.-v.*

IGP DES ALLOBROGES

DOM. DU CLOS D'ARVIÈRES Molette 2018 ★

| 12000 | | - de 5 €

Depuis le départ à la retraite de son époux, Martine Mollex s'est associée à son fils Régis pour conduire cette exploitation familiale créée en 1978. Le caveau de dégustation est situé dans le cellier du clos d'Arvières, une ancienne propriété des moines chartreux d'Arvières créée au XIIe s.

Beaucoup de fraîcheur au nez comme en bouche dans cette molette très typée, citronnée et pleine de vivacité. Bel équilibre et finale saline. ⧗ 2020-2022

EARL DOM. DU CLOS D'ARVIÈRES, 131, chem. de la Cascade, Eilloux, 01420 Corbonod, tél. 04 50 56 10 02, vins.mollex@wanadoo.fr V *t.l.j. sf dim. 9h-12h 13h30-18h30*

Le Languedoc et le Roussillon

• LE LANGUEDOC

Le Languedoc en résumé

SUPERFICIE : 246 000 ha

PRODUCTION : 12,7 Mhl (toutes catégories confondues) ; 1 245 000 hl (AOC du Languedoc).

TYPES DE VINS : Rouges majoritaires, rosés et blancs secs ; effervescents (à Limoux) ; vins doux naturels (muscats).

CÉPAGES PRINCIPAUX (en AOC)

Rouges : grenache noir, syrah, carignan, mourvèdre, cinsault, cabernet-sauvignon.

Blancs : grenaches gris et blanc, macabeu, clairette, bourboulenc, vermentino (rolle), muscat à petits grains, muscat d'Alexandrie, marsanne, roussanne, piquepoul, chardonnay, mauzac, chenin, ugni blanc.

• LE ROUSSILLON

SUPERFICIE : 7 300 ha

PRODUCTION : 900 000 hl environ (dont 540 000 en AOC, et 307 000 en IGP, le reste sans IG).

TYPES DE VINS : Rouges majoritaires, rosés, quelques blancs secs ; vins doux naturels.

CÉPAGES PRINCIPAUX

Rouges : grenache noir, carignan, syrah, mourvèdre, lladoner pelut.

Blancs : grenaches gris et blanc, macabeu, malvoisie du Roussillon, roussanne, marsanne, vermentino, muscat à petits grains, muscat d'Alexandrie.

LE LANGUEDOC

Plus de deux mille ans d'histoire pour cette région viticole, sous le même soleil méditerranéen. Et pourtant, que de mutations! Aucun vignoble de France n'a connu de tels bouleversements. Naguère symbole de la viticulture de masse, il fournit encore un tiers de la production française. Si, depuis les années 1980, il se contracte comme peau de chagrin, depuis la première édition en 1985, il s'étoffe dans le Guide ! La preuve de son ascension qualitative. En une génération, le « gros rouge » a fait place à des rouges multiples, tour à tour profonds, veloutés, épicés, ronds, suaves, fringants, aux arômes de cerise, de garrigue, de réglisse... Les vins doux naturels sont toujours superbes, mais la région fournit désormais des blancs vifs, avec ou sans bulles, et des rosés pimpants.

De la montagne à la mer. Entre la bordure méridionale du Massif central, les Corbières et la Méditerranée, le Languedoc est formé d'une mosaïque de vignobles répartis dans trois départements côtiers : le Gard, l'Hérault et l'Aude. On y distingue quatre zones successives : la plus haute, formée de régions montagneuses, notamment de terrains anciens du Massif central; la deuxième, région des Soubergues (coteaux pierreux) et des garrigues, la partie la plus ancienne du vignoble; la troisième, la plaine alluviale, assez bien abritée et présentant quelques coteaux peu élevés (200 m); et la quatrième, la zone littorale formée de plages basses et d'étangs où le développement concerté du tourisme balnéaire dans les années 1960 n'a pas fait totalement disparaître la viticulture.

L'héritage de l'Antiquité. La vigne est ici chez elle, léguée par les Grecs dès le VIIIes. av. J.-C., puis par les Romains, qui font la conquête des terres bordant le golfe du Lion dès le IIes. av. J.-C. Le vignoble se développe rapidement et concurrence même celui de la péninsule. Affecté par les incursions sarrasines plus que par les grandes invasions, il connaît un début de renaissance au IXes. grâce aux monastères. La vigne occupe alors surtout les coteaux, les plaines étant vouées aux cultures vivrières. Le commerce du vin s'étend aux XIVe et XVes. Aux XVIIe et XVIIIes., l'essor économique donne une nouvelle impulsion à la viticulture. Création du port de Sète, ouverture du canal des Deux Mers... ces nouvelles infrastructures encouragent les exportations. Avec le développement des manufactures de tissage de draps et de soieries, une certaine prospérité règne. Le vignoble commence alors à se répandre dans la plaine. Le frontignan est réputé jusque dans le nord de l'Europe.

De la viticulture de masse à la recherche des terroirs. L'essor du chemin de fer, entre les années 1850 et 1880, assure l'ouverture de nouveaux marchés urbains, dont les besoins sont satisfaits par l'abondante production de vignobles reconstitués après la crise du phylloxéra. C'est la grande époque du « vin de consommation courante », avec ses crises de surproductions récurrentes, qui ne décline qu'à partir du milieu du XXes. et surtout du milieu des années 1970. Une telle production ne correspond plus au goût du consommateur. Institué en 1949, le statut VDQS, catégorie un peu moins contraignante que l'AOC, a permis à ces vignobles de progresser par paliers : un grand nombre sont devenus AOVDQS. Leur reconnaissance par étapes en AOC a jalonné leurs progrès. Grâce à ses bons terroirs situés sur les coteaux et au retour à des cépages traditionnels, le Languedoc viticole produit aujourd'hui des vins de qualité. En 2009, les vins sans indication géographique comptent pour moins de 10 % (encore 20 % en 2000), les vins de pays (IGP) représentent 70 % de la production, et les AOC 27 %. Le Languedoc est aussi première région pour le bio. Depuis 2007 et la création d'une appellation régionale languedoc (qui s'étend aux Pyrénées-Orientales), la profession cherche à hiérarchiser ses appellations, comme c'est le cas dans les vignobles anciens, tel le Bordelais.

Des terroirs variés. Les différentes appellations du Languedoc se trouvent dans des situations très variées quant à l'altitude, à la proximité de la mer et aux terroirs. Les sols peuvent être ainsi des schistes de massifs primaires, comme dans certains secteurs des Corbières, du Minervois et de Saint-Chinian; des grès du lias et du trias (alternant souvent avec des marnes), comme en Corbières et à Saint-Jean-de-Blaquière; des terrasses et cailloux roulés du quaternaire, excellent terroir à vignes, comme dans le Val d'Orbieu (Corbières), à Caunes-Minervois, dans la Méjanelle; des terrains calcaires à cailloutis souvent en pente ou situés sur des plateaux, comme en Corbières, en Minervois; des terrains d'alluvions récentes dans les coteaux du Languedoc.

Un climat méditerranéen. Assurant l'unité du Languedoc, ce climat a ses contraintes et ses accès de violence. C'est la région la plus chaude de France, avec des températures pouvant dépasser 30 °C en juillet et en août; les pluies sont rares, irrégulières et mal réparties. La belle saison connaît toujours un manque d'eau important du 15 mai au 15 août. Dans beaucoup d'endroits, seule la culture de la vigne et de l'olivier est possible. La pluviométrie peut varier cependant du simple au triple suivant l'endroit (400 mm au bord de la mer, 1 200 mm sur les massifs montagneux). Les vents viennent renforcer la sécheresse du climat lorsqu'ils soufflent de la terre (mistral, cers, tramontane); au contraire, ceux qui proviennent de la mer modèrent les effets de la chaleur et apportent une humidité bénéfique. Fréquemment transformées en torrents après les orages, souvent à sec en période de sécheresse, les rivières ont contribué à l'établissement du relief et des terroirs.

Un encépagement très varié. À partir de 1950, l'aramon, cépage des vins de table légers planté au XIXes., a progressivement laissé la place aux variétés traditionnelles du Languedoc-Roussillon, comme le grenache noir; venus des autres régions françaises, des cépages comme les cabernet-sauvignon, cabernet franc, merlot et chardonnay se sont également répandus, notamment pour produire des vins de pays. Dans le vignoble des vins d'appellation, les cépages rouges sont le carignan, qui apporte au vin structure, tenue et couleur, le grenache, qui donne au vin sa chaleur, participe au bouquet mais s'oxyde facilement avec le temps, la syrah, cépage de qualité, qui apporte ses tanins et des arômes qui s'épanouissent au vieillissement, le mourvèdre, qui donne des vins élégants et de garde, le cinsault enfin, qui, cultivé en terrain pauvre, donne un vin souple au fruité agréable. Ce dernier entre surtout dans l'assemblage des vins rosés.

Les blancs sont produits à base de grenache blanc pour les vins tranquilles, de piquepoul, de bourboulenc, de macabeu, de clairette. Le muscat à petits grains est à l'origine d'une production traditionnelle de vins doux naturels – les vins liquoreux, riches en sucres et en alcool, se conservaient bien, même sous les climats chauds, ce qui explique leur naissance sur des terres méditerranéennes. Marsanne, roussanne et vermentino se sont ajoutés plus récemment à ce riche éventail de cépages blancs. Pour les vins effervescents, on fait appel au mauzac, au chardonnay et au chenin.

CABARDÈS

Superficie : 400 ha / Production : 18 000 hl

Rouges ou rosés, les cabardès proviennent de dix-huit communes situées au nord de Carcassonne et à l'ouest du Minervois. Implanté dans la partie la plus occidentale du Languedoc, le vignoble subit davantage l'influence océanique que les autres appellations. C'est pourquoi les cépages autorisés comprennent des cépages atlantiques, comme le merlot et le cabernet-sauvignon, à côté de variétés méditerranéennes comme le grenache noir et la syrah.

♥ CH. AUZIAS Instinct Marin 2017 ★★★

■ | 8000 | | 8 à 11 €

À deux pas de la cité de Carcassonne et du canal du Midi, le Ch. de Paretlongue est fondé au XIIe s. par les chanoines de Carcassonne à l'emplacement d'une villa gallo-romaine, puis passe entre les mains de plusieurs propriétaires nobles. Racheté en 1872 par les Auzias, négociants en vin, il est exploité par leurs descendants, Nathalie et Dominique Auzias, qui disposent après agrandissement de 160 ha d'un seul tenant.

Troisième coup de cœur consécutif pour le domaine avec son assemblage syrah et cabernet-sauvignon qui forment ici un duo de choc. « Marin » car souffle ici un joli vent de fraîcheur qui vient modérer la puissance naturelle d'un fruit parfaitement mûr. Très friand, à peine marqué par le bois (15 % de l'assemblage), le nez enchante par son fruit épanoui de cerise, de fruits rouges et de fruits des bois. Bien charnue, ronde, appuyée sur des tanins fondants, la bouche diffuse ses notes croquantes de fruit teintées d'une touche gourmande de vanille, avec fraîcheur et sans aucune mollesse. Sensuel et charnel, ce très beau vin offre ce compromis savoureux entre maturité et vigueur. Le jury s'incline devant tant de grâce ! ⧗ 2020-2025 ■ **Cuvée Mademoiselle 2017 ★★** (8 à 11 €; 40000 b.) : le même assemblage agrémenté de 10 % de grenache avec un peu de barrique en plus (50 % de l'assemblage). Marqué à ce stade par le pain grillé et la vanille, le nez en témoigne. Certes sous l'emprise du fût, la bouche, puissante, déroule surtout une formidable matière veloutée parée de tanins granuleux, très croquants, et riche d'un fruit généreusement toasté. Une sensation de plénitude et de gourmandise dans ce rouge moderne et qui profitera d'une courte garde. ⧗ 2020-2024

EARL CH. AUZIAS PARETLONGUE, Dom. Paretlongue, 11610 Pennautier, tél. 04 68 47 28 28, bastien@auzias.fr V *t.l.j. sf dim. 9h-12h 14h-17h*

DOM. DE CABROL Cuvée Vent d'Est 2016 ★★

■ | 25000 | | 15 à 20 €

Un pilier de l'appellation cabardès, avec nombre de coups de cœur à son actif. Le domaine s'étend sur 150 ha, mais la vigne n'occupe que 20 ha, à 300 m d'altitude, dans un paysage de garrigue et de bois. Claude Carayol y est installé depuis 1987.

Claude Carayol entretient sa flatteuse réputation avec cette cuvée à dominante de syrah (venue de l'Est), au nez très languedocien de garrigue, de fruits noirs surmûris, avec un soupçon de végétal qui rafraîchit. La tapenade et les épices étirent cette palette dans une bouche solaire, ample, étayée par des tanins à point. Une très belle expression de cabardès en version orientale. ⧗ 2020-2024

SCEA DOM. DE CABROL, D_118, 11600 Aragon, tél. 06 81 14 00 26, cc@domainedecabrol.fr V *r.-v.*

♥ LE CLOS DES NATICES 2017 ★★

■ | 10000 | | 8 à 11 €

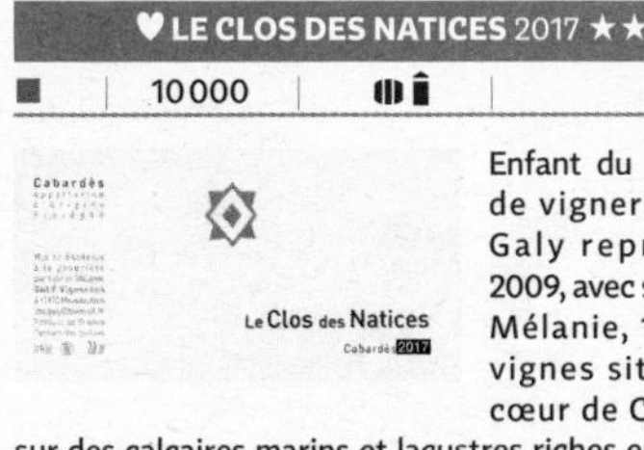

Enfant du pays, fils de vigneron, Loïc Galy reprend en 2009, avec sa femme Mélanie, 10 ha de vignes situées au cœur de Cabardès sur des calcaires marins et lacustres riches en fossiles dont des natices, d'où le nom du domaine.

Une entrée dans le Guide sur les chapeaux de roue pour le Clos des Natices avec ce rouge né du cabernet franc et de la syrah, élevés en cuve avec un bref passage en barrique de trois mois. Noire, la robe annonce un nez puissant, concentré, qui décline le fruit très mûr, avec des notes intensément grillées et mentholées. Au diapason, le palais impressionne par son volume, sa richesse, ses tanins parfaitement pris dans le fruit et ses riches flaveurs d'épices et de praline. Déjà savoureux, mais de belle garde. ⧗ 2020-2026

LOÏC GALY, hameau Caunettes Hautes, 11170 Moussoulens, tél. 06 72 02 16 31, loicgaly@hotmail.fr V *t.l.j. 17h-20h; sam. dim. 16h-20h*

DOM. DU DONJON
L'Autre Château du Donjon 2016 ★★

■ | 3000 | 8 à 11 €

Véritable curiosité, le pittoresque donjon du XIIIe s. de l'antique Ch. de Bagnoles – ancienne dépendance de l'abbaye de Caunes – jaillit au milieu de la cave du XXIe s. de la famille Panis, propriétaire des lieux depuis le XVe s. À la tête de la propriété depuis 1996 : Jean et Caroline Panis. Le vignoble est implanté à cheval sur les appellations minervois et cabardès.

Une cuvée qui assemble merlot, grenache et syrah. Le nez en fait la synthèse : fruits noirs, poivrons grillés, épices et garrigue. Une harmonie que l'on retrouve dans une bouche qui a charmé le jury par sa rondeur, sa texture suave, ses tanins fondus et son nuancier qui s'élargit sur des senteurs de pruneau, de caramel ou de tapenade. L'ensemble laisse le souvenir d'un rouge épanoui, complexe, profond qui offre de belles perspectives à table (côte de bœuf aux herbes) et en cave. ⌛ 2020-2025

JEAN PANIS, Ch. du Donjon, 11600 Bagnoles, tél. 04 68 77 18 33, jean.panis@wanadoo.fr V *r.-v.*

Le Languedoc

AOC Languedoc
Dénominations de l'AOC Languedoc
1 Sommières
2 Grès de Montpellier
3 Montpeyroux
4 Saint-Saturnin
5 Saint-Drézéry
6 Saint-Christol
7 La Méjanelle
8 Saint-Georges-d'Orques
9 Cabrières
10 Pézenas
11 Quatourze

Vins doux naturels du Languedoc
A Muscat-de-lunel
B Muscat-de-mireval
C Muscat-de-frontignan
D Muscat-de-saint-jean-de-minervois

Autres régions viticoles
Villes principales

LANGUEDOC
CLAIRETTE DU LANGUEDOC
SAINT-CHINIAN ROQUEBRUN
FAUGÈRES
SAINT-CHINIAN BERLOU
Faugères
Roquebrun
Berlou
SAINT-CHINIAN
St-Chinian
Saint-Jean-de-Minervois
D
MINERVOIS LA LIVINIÈRE
Minerve
MINERVOIS
La Livinière
CABARDÈS
MINERVOIS
LANGUEDOC
Carcassonne
LA CLAPE
Narbonne
MALEPÈRE
Boutenac
11
CORBIÈRES-BOUTENAC
Limoux
CORBIÈRES
LIMOUX
BLANQUETTE-DE-LIMOUX
CRÉMANT-DE-LIMOUX
FITOU ET CORBIÈRES
FITOU ET CORBIÈRES
Fitou
LANGUEDOC

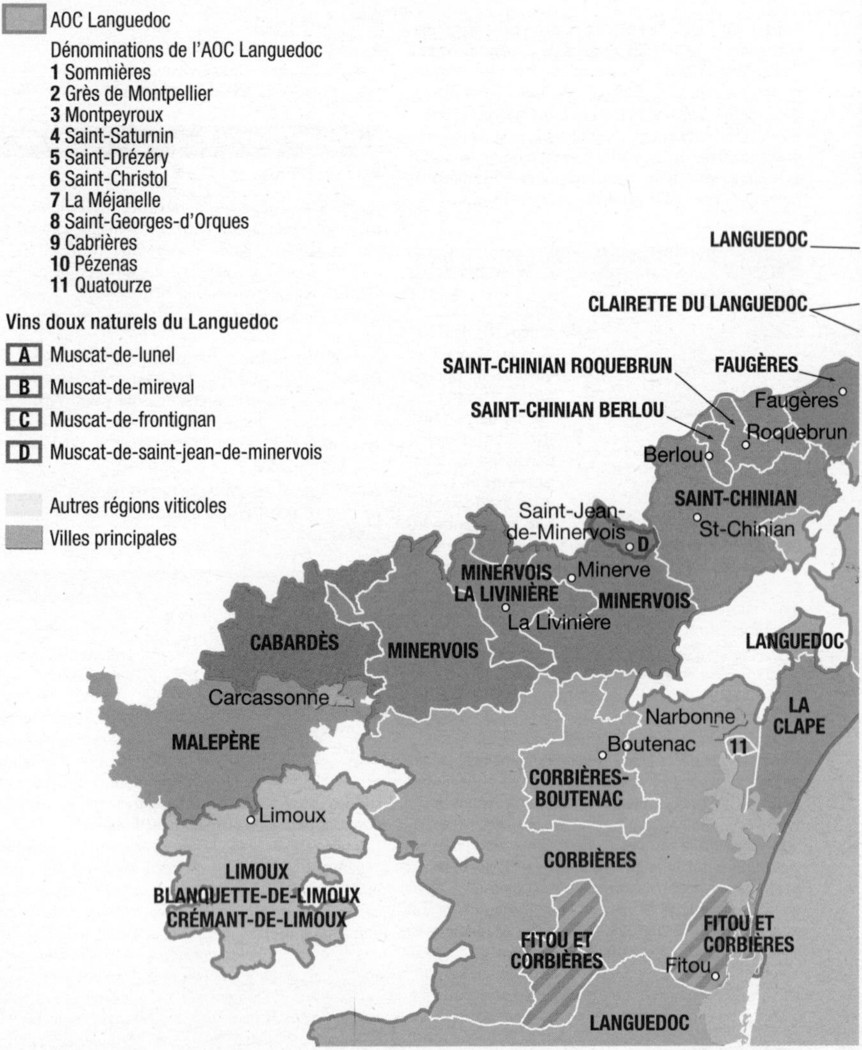

DOM. GALY Pech Saint-Jean 2017 ★

■ | 6000 | 🛢 | 8 à 11 €

Créé en 1907 par la famille Galy, ce grand domaine de Cabardès a quitté la coopérative en 2016. Au programme, vins (50 ha de vignes), œnotourisme et truffes (5 ha de truffières).

Un vin sombre, aux arômes intenses de tapenade et de réglisse. Tout est rond et souple, tant les tanins se sont fondus dans la matière. ⧗ 2020-2024

EARL LA JOURDANNE, hameau Caunettes Hautes, 11170 Moussoulens, tél. 06 45 77 26 73, camille@domaine-galy.com V *t.l.j. 17h-20h*

CH. JOUCLARY Les Amandiers 2017 ★★

■ | 20000 | 🛢 | 8 à 11 €

Fondé en 1530 par un consul de la cité de Carcassonne qui a légué son nom à la propriété, le Dom. Jouclary (60 ha) appartient à la famille Gianesini depuis 1969. Une valeur sûre de l'appellation cabardès. Pascal Gianesini a créé en outre en 2017 une structure de négoce pour élargir sa gamme (marque Nore).

Deux étoiles et trois cépages (merlot, syrah, grenache) pour cet assemblage attrayant à l'œil, avec sa robe d'un rubis sombre, et intense au nez par ses arômes débridés de vanille et de coco qui signent un élevage en fût (dix mois).

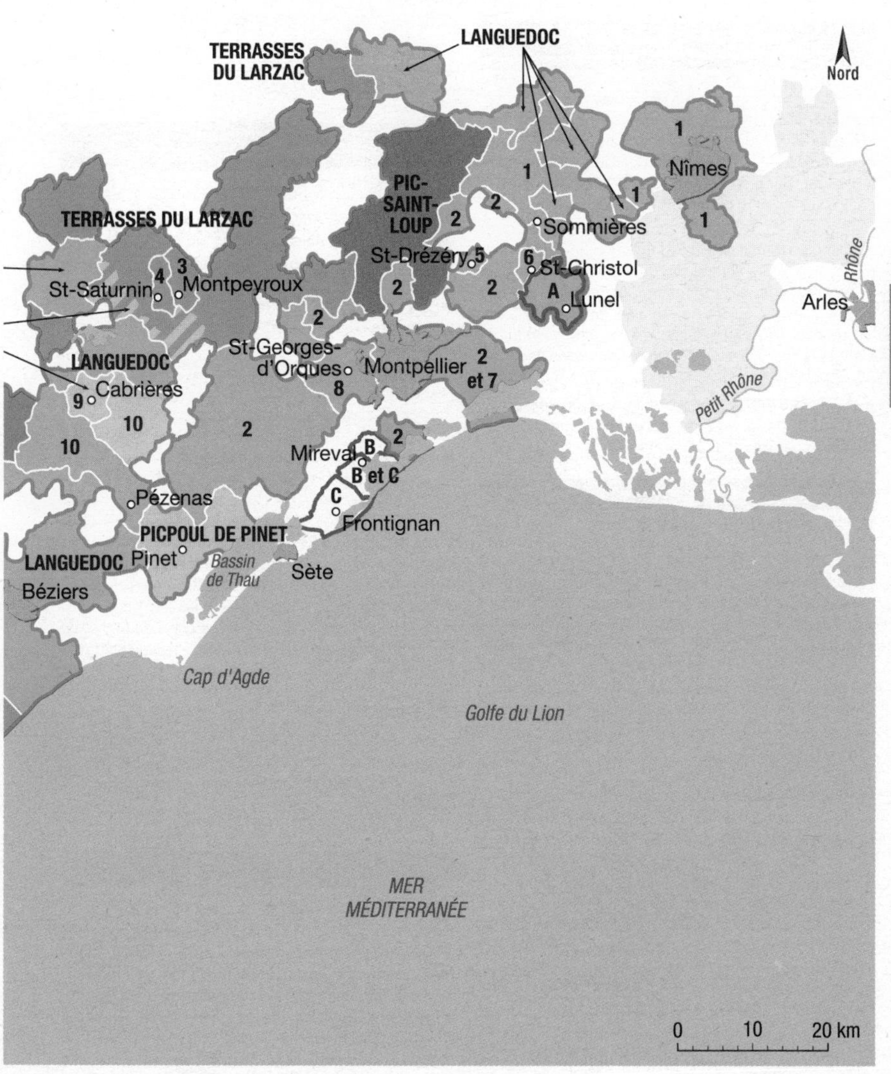

Moderne, ample et juteuse, la bouche dévoile un fruit luxuriant, toasté, avec une petite sucrosité en finale, dynamisée par le menthol et le végétal frais. Un élevage de qualité pour ce cabardès moderne, très charmeur, qui peut tranquillement patienter en cave. 2020-2024 ■ **Cuvée Guilhaume de Jouclary Élevé en fût 2017 ★ (11 à 15 €; 3000 b.)** : cette cuvée qui collectionne les étoiles et les coups de cœur nous revient en bonne forme dans le millésime 2017. Issue d'une sélection des meilleures parcelles, longuement macérée et énergiquement extraite en cave, elle exhibe sa robe noire et livre son nez sombre aux senteurs de truffe, de poivre noir et de tapenade. Concentration, tanins imposants, longueur sur le Zan et le chêne : tout est en place pour un long séjour en cave. 2021-2027

EARL GIANESINI, rte de Villegailhenc, 11600 Conques-sur-Orbiel, tél. 04 68 77 10 02, chateau.jouclary@orange.fr t.l.j. sf dim. 11h-19h

CH. PARAZOLS BERTROU
Le Chant des Pierres 2016 ★

■ | 3000 | | 5 à 8 €

Jean-Marie Bertrou et son épouse réunissent leur vignoble en 1998 et créent leur cave en 2003. Leur domaine de 45 ha situé au pied de la Montagne noire à une quinzaine de kilomètres de Carcassonne est à cheval sur les AOC minervois et cabardès.

Des quatre cépages qui composent ce cabardès, ce sont le merlot et le cabernet-sauvignon qui l'emportent au nez avec leurs arômes marqués de végétal frais. De beaux tanins, fermes mais mûrs, soutiennent un palais plein et soyeux qui ouvre sur une finale entre fruits rouges et poivron. Très élégante, la cuvée séduira forcément les aficionados du cru, encore plus dans une paire d'années. 2020-2025

EARL DES PINS, Dom. de Parazols, 11600 Bagnoles, tél. 04 68 77 06 46, vinsparazolsbertrou@orange.fr t.l.j. sf sam. dim. 8h-12h 14h-17h

CH. DE PENNAUTIER Terroirs d'Altitude 2016 ★

■ | 70000 | | 8 à 11 €

Les Lorgeril possèdent six domaines familiaux en Languedoc-Roussillon, parmi lesquels le Ch. de Pennautier, un Versailles en Languedoc construit en 1620 à la gloire des seigneurs locaux, trésoriers des États du Languedoc, une valeur sûre de l'appellation cabardès. Un vaste ensemble de 180 ha conduit par Nicolas et Miren de Lorgeril, représentant la dixième génération, également à la tête d'une structure de négoce.

Issu de vignes situées à 306 m d'altitude, ce vin séduit d'emblée par son nez ouvert qui décline les fruits noirs, la garrigue et les épices. Une très belle fraîcheur s'invite dans une bouche ample, parfumée, soutenue par des tanins délicatement extraits et ponctuée par une longue finale sur le sous-bois et une touche de caramel. Un vin tendre, frais, que l'on peut déboucher sans attendre. 2019-2023 ■ **Ch. Lorgeril 2018 ★ (5 à 8 €; n.c.)** : une version souple et fruitée du cru qui charme par son nez friand, fruité, floral et végétal, et par sa bouche tout en rondeur, sur les petites baies rouges et noires. Gourmand, lisse, idéal pour s'initier au charme des rosés de Cabardès. À boire sur le fruit, sans attendre. 2019-2020 ■ **L'Esprit de Pennautier 2016 (20 à 30 €; 20000 b.)** : vin cité.

SAS VIGNOBLES LORGERIL, BP_4, 11610 Pennautier, tél. 04 68 72 65 29, contact@lorgeril.com r.-v.

DOM. SESQUIÈRES 2018 ★

■ | 2700 | | 5 à 8 €

Situé au pied de la Montagne Noire, le domaine appartenait aux moines de l'abbaye de Villelongue au XVIIes. Au XIXes., il vivait surtout de la vente de bois de chauffage et de fagots de bruyère aux villages alentour. Les premières vignes sont apparues ici au début du XXes. Depuis quatre générations, la famille Lagoutte exploite 20 ha dans la garrigue, sur un terroir calcaire exposé au sud.

Un peu de merlot (en saignée) en renfort du grenache et du cinsault dans ce rosé dynamique, drapé dans une jolie robe saumon, qui offre des arômes fringants, fruités (petits fruits rouges), floraux et fermentaires. Gras à l'attaque, ample d'un bout à l'autre de la dégustation, très juteux (bol de fruits rouges), un rosé qui en impose. Parfait sur des charcuteries. 2019-2020

EARL SESQUIÈRES, rte de Montolieu, 11170 Alzonne, tél. 06 08 45 96 83, lagouttegerard@wanadoo.fr t.l.j. sf lun. 14h-19h

CH. VENTENAC
La Grande Réserve de Georges 2017 ★

■ | 60000 | | 8 à 11 €

Alain Maurel a créé ce domaine en 1973, plantant les vignes en haute densité (6 500 pieds/ha) pour privilégier des rendements faibles et une plus grande concentration des vins. Un beau patrimoine de 115 ha qu'il a transmis à ses enfants, dirigé depuis 2011 par son gendre Olivier Ramé. Une valeur sûre de l'appellation cabardès.

Dédiée au père du fondateur, Alain Maurel, cette Grande Réserve met en avant le cabernet-sauvignon et la syrah. Au nez, des arômes toastés enrichissent un bouquet marqué par les fruits rouges et noirs et le menthol. La bouche témoigne du même usage raisonné de la barrique qui arrondit la texture, patine les tanins et teinte le fruit sans le trahir. On garde le souvenir d'un rouge plein, suave et très bien élevé. Du potentiel en cave. 2020-2025 ■ **La Réserve de Jeanne 2017 ★ (5 à 8 €; 80000 b.)** : on a ici le sens de la famille, chaque cuvée de la gamme Ch. Ventenac étant dédiée à un membre de la famille, ici Jeanne, épouse de Georges. Avec ses notes de fruits noirs et rouges, d'herbe coupée, de foin et de cuir, le nez intrigue. Les épices et le fruit s'imposent plus intensément dans une bouche douce, souple, légère, très élégante. Une évocation tout en finesse de cabardès. 2019-2021

SAS MAISON VENTENAC, 4, rue des Jardins, 11610 Ventenac-Cabardès, tél. 04 68 24 93 42, accueil@maisonventenac.fr r.-v.

CLAIRETTE-DU-LANGUEDOC

Superficie : 60 ha / Production : 2 487 hl

Les vignes du cépage clairette sont cultivées dans huit communes de la vallée moyenne de l'Hérault. Après vinification à basse température avec le minimum d'oxydation, on obtient un vin blanc généreux, à la robe jaune soutenu. Il peut être sec, demi-sec ou moelleux. En vieillissant, il acquiert un goût de rancio.

ART DE VIVRE 2018 ★

	n.c.		8 à 11 €

Enfant des Corbières, Gérard Bertrand est un important propriétaire et négociant du sud de la France, dont les cuvées apparaissent dans le Guide sous diverses AOC (corbières, fitou, minervois, languedoc, côtes-du-roussillon) et en IGP.

Avec son nez muscaté, floral et miellé, cette cuvée restitue tout le charme des blancs de l'appellation. Ronde, doucereuse, élégante par sa texture arrondie, la bouche décline la palette aromatique perçue au nez et y ajoute une fraîcheur remarquable. ⧗ 2019-2020

SPH GÉRARD BERTRAND, Ch. l'Hospitalet, rte de Narbonne-Plage, 11100 Narbonne, tél. 04 68 45 28 50, vins@gerard-bertrand.com V t.l.j. 9h-19h

QUARTIER LIBRE 2018 ★

	10000		8 à 11 €

Laurent Calmel, œnologue, s'est associé avec Jérôme Joseph pour fonder en 1995 une maison de négoce spécialisée dans les vins de terroir du Languedoc-Roussillon. Le duo a lancé son étiquette en 2007. Il sélectionne les parcelles, vinifie et élève les cuvées.

Élevée en cuve, cette clairette livre un nez retenu et précis aux nuances florales et légèrement épicées. En bouche, l'équilibre est de mise : la rondeur habituelle du cépage est soulignée par une belle fraîcheur. L'ensemble laisse en bouche une sensation de précision et de fidélité aux origines, comme souvent avec les cuvées de ce négociant très recommandable. ⧗ 2019-2020

SARL CALMEL ET JOSEPH, chem. de la Madone, 11800 Montirat, tél. 04 68 72 09 88, contact@calmel-joseph.com V r.-v.

CORBIÈRES

Superficie : 13 000 ha / Production : 461 000 hl

VDQS depuis 1951, reconnus en AOC en 1985, les Corbières constituent une région typiquement viticole, et ce massif montagneux aride, qui sépare le bassin de l'Aude des plaines du Roussillon, n'offre guère d'autres possibilités de culture. Cette vaste appellation s'étend sur 87 communes. Les corbières rouges, majoritaires, ont en commun un côté chaleureux et souvent charpenté. Ils assemblent aux traditionnels carignan et grenache noir la syrah, le cinsault, le mourvèdre, le lladoner pelut… L'appellation produit aussi des rosés et des blancs ; ces derniers mettent à contribution les cépages grenache, macabeu, bourboulenc, marsanne, roussanne et vermentino. Corbières maritimes au sud-est, hautes Corbières au sud, Corbières centrales faites de terrasses et de collines, montagne d'Alaric au nord-ouest… la région présente un relief très compartimenté et des terroirs divers par leur altitude, leurs sols, l'influence méditerranéenne plus ou moins dominante. Ce cloisonnement des sites a conduit à une réflexion sur les spécificités des terroirs de l'AOC, notamment ceux de Durban, Lagrasse et Sigean.

ABBAYE DE FONTFROIDE Ocellus 2018 ★★

	10000		8 à 11 €

Fondée en 1093, l'abbaye bénédictine de Fontfroide fut rattachée à l'ordre cistercien au XIIᵉs. Une puissance spirituelle et temporelle qui donna un pape à la chrétienté. Aujourd'hui, un site splendide, un domaine viticole (38 ha) depuis les années 1990 et une cave rénovée entre 2000 et 2005, sous l'impulsion de Laure d'Andoque et de Nicolas de Chevron Villette, installés en 2004.

Ocellus, ou petite ouverture circulaire laissant passer l'air et la lumière : un joli nom pour cette cuvée lumineuse, à la robe limpide et au nez intense de fruits exotiques, de miel et de réglisse. Bien typée, très fraîche, la bouche régale par l'intensité et la longueur de son fruit comme par sa vivacité. ⧗ 2020-2022 ■ **Deo Gratas 2016 ★ (15 à 20 € ; 14 000 b.)** : né de syrah (majoritaire) et de grenache, ce 2016 aux reflets acajou arbore un nez intense de cassis frais et d'épices. La bouche possède le même charme : rondeur à l'attaque, ampleur, tanins fondus et fruit gourmand (cassis, cerise) avec des touches réglissées et vanillées qui s'étirent longuement en finale. Un équilibre parfait pour un vin finement bâti, solaire et élégant. ⧗ 2020-2024

LES VINS DE FONTFROIDE, RD_613, 11100 Narbonne, tél. 04 68 41 06 92, vin@fontfroide.com V *t.l.j. 10h-12h30 13h30-18h*

CH. AIGUILLOUX 2018 ★

	6000		5 à 8 €

Fondé en 1860 sur le site d'une villa gallo-romaine, un domaine de 125 ha, dont 36 de vignes d'un seul tenant, traversé par un ruisseau du nom d'Aiguilloux. Né en Normandie, François Lemarié a parcouru le monde avant de se poser dans ce coin des Corbières en 1982. En 2018, il a transmis la propriété à son fils Georges. Ce dernier, fort d'une expérience de dix ans dans la restauration, allie vin et gastronomie sur le domaine.

De jeunes vignes de cinsault (80 %) et de syrah forgent le caractère de ce rosé pâle et limpide, vinifié en pressurage direct, dont on retient la concentration du nez, entre fleur et fruit. Un joli volume se dessine en bouche, porteur de franches flaveurs amyliques, le tout bien équilibré par une fraîcheur de bon aloi. ⧗ 2019-2020

EARL LEMARIÉ, Ch. Aiguilloux, 11200 Thézan-des-Corbières, tél. 04 68 43 32 71, aiguilloux@wanadoo.fr V *t.l.j. 10h-12h 14h-18h ; f. mi-déc.*

♥ B CH. AURIS 2018 ★★★

	6000		8 à 11 €

Ancienne grange cistercienne de l'abbaye de Fontfroide – 162 ha, dont 40 ha de vignes –, sur le versant nord du massif de Fontfroide. Jean-Claude Albert acquiert le domaine en 2005, restructure le vignoble et engage sa conversion bio (certification en 2014 pour les blancs).

Ce domaine régulièrement présent dans le Guide tient cette fois son coup de cœur. Un assemblage grenache blanc et marsanne, élevé en cuve, est à l'origine de ce vin intense, riche et élégant. Fleurs blanches et pêche blanche à foison au nez; corps charnu, rond, élégant, qui diffuse les mêmes arômes intenses. Un 2018 voluptueux, long, légèrement fumé en finale. ⧗ 2020-2022 ■ **2017 ★★★** (11 à 15 €; **8600 b.**) Ⓑ : un bonheur ne venant jamais seul, le domaine propose ce 2017 rouge tout aussi exceptionnel. Élevé douze mois en fûts (d'un et deux vins), celui-ci met en avant la syrah (70 %), ce qui se traduit au nez par de puissants arômes de fruits noirs, de cacao et d'épices. Douce et charnue en attaque, la bouche se fait intensément fruitée (fruits noirs confits, épices, grillé), soulignée par des tanins déjà polis et soyeux. Un vin qui conjugue puissance et harmonie, plaisir immédiat et potentiel de garde. ⧗ 2020-2029 ■ **2018 ★ (8 à 11 €; 8640 b.)** Ⓑ : de teinte pâle, voici un rosé très bonbon anglais et fruits exotiques (goyave). Tout est rond et gourmand en lui. ⧗ 2019-2020

⊶ EARL ALBERT AURIS, Ch. Auris, CD_613, rte du Massif-de-Fontfroide, 11100 Narbonne, tél. 06 83 65 97 11, axel.dewoillemont@maisonalbert.fr V *r.-v.*

CH. LE BOUÏS R 2017 ★★

■	20000		11 à 15 €

Appuyé aux contreforts du massif de La Clape, un ancien domaine de 50 ha. À l'horizon, le trait bleu de la mer; aux alentours, les pins et le vacarme reposant des cigales. Petite-fille d'un négociant sétois, Frédérique Olivié a été kiné à la Réunion. De retour en métropole avec ses enfants, elle a acheté d'abord quelques parcelles de la propriété et vinifié dans un garage. Aujourd'hui propriétaire de la totalité, elle s'implique dans le tourisme (musée, restaurant, activités œnotouristiques, etc.).

Intensité est le mot-clé pour évoquer cette cuvée qui associe grenache noir, carignan et syrah : robe grenat, nez puissant de fruits confits, d'épices et de cacao. En bouche, elle est de la même trempe : puissante, concentrée, elle bénéficie de tanins fermes qui respectent l'expression d'un fruité épicé. Longue et prometteuse. ⧗ 2024-2029

⊶ SCEA TERRE PATRIMOINES, rte Bleue, 11430 Gruissan, tél. 04 68 75 25 25, contact@chateaulebouis.com V *t.l.j. 9h-12h 14h-18h* ③

Ⓑ DOM. LA BOUYSSE Cyprius 2018 ★

■	10700		8 à 11 €

En 1996, Martine Pagès et son frère Christophe Molinier, tous deux œnologues, reprennent le domaine familial (aujourd'hui 40 ha près de Fontfroide, sur le terroir de Boutenac) et quittent la coopérative. Ils engagent la conversion bio de l'exploitation (certification en 2013). Ils ont récemment été rejoints par Hélène, la cinquième génération.

Un très court passage en barrique (un mois) n'a marqué ni la robe ni le nez de ce vin issu d'un assemblage dominé par le vermentino, cépage très en vogue, et le grenache blanc. Tout y est discret et retenu : le nez, sur la réserve, et la bouche plus délicate que puissante qui séduit par sa vivacité. ⧗ 2020-2022

⊶ SARL LA BOUYSSE, 3 chem. de Montséret, 11200 Saint-André-de-Roquelongue, tél. 04 68 45 50 34, info@domainelabouysse.com V *t.l.j. sf sam. dim. 8h-12h 14h-17h (8h-12h 14h-19h en juil.-août)* Ⓑ

CH. DE CABRIAC
Prieuré Saint-Martin 2016 ★★

■	5500		11 à 15 €

Situé au pied du mont Alaric, le Ch. de Cabriac a pris la suite d'un prieuré des Templiers, sur un site occupé à l'origine par une villa gallo-romaine. Vendu comme bien national à la Révolution, il fut acquis en 1802 par les Berlioz, dont les propriétaires actuels sont de lointains descendants. Depuis 1985, ses 70 ha de vignes sont mis en valeur par Jean et Michèle de Cibeins.

Cet assemblage dominé par la syrah (60 %) a séjourné six mois en fûts. Le nez nous le rappelle par des notes grillées, des touches de moka et de torréfaction. Après une attaque tout en volume et en rondeur, la bouche déroule un fruit plus complexe, parfaitement cadré par des tanins finement sculptés et ce qu'il faut de fraîcheur. Ce vin long et élégant possède un beau potentiel. ⧗ 2024-2029

⊶ SCEA DOM. DE CABRIAC, Ch. de Cabriac, 11700 Douzens, tél. 04 68 79 19 15, cabriac@wanadoo.fr V *r.-v.*

CH. CAMBRIEL 2018 ★

■	3730		8 à 11 €

Les grands-parents des actuels vignerons, jardiniers, débutent avec 4 ha. Les parents sortent de la coopérative en 1986 avec 22 ha. En 2013, deux de leurs fils, Christophe et Éric, prennent leur suite et continuent à agrandir l'exploitation, forte de 72 ha (dont 50 en production), et d'un chai agrandi. À leur carte, des corbières et des IGP.

Des vignes de roussanne, de marsanne et de maccabeu âgées de dix ans et un passage en fûts de six mois sont à l'origine de cette cuvée. Le nez offre des arômes méridionaux puissants, entre fleurs et fruits exotiques, tandis que la bouche ajoute à ce fruit séduisant une texture tendre et une vivacité de bon aloi. ⧗ 2020-2022 ■ **Tête de Cuvée 2017 (11 à 15 €; 2000 b.)** : vin cité.

⊶ GAEC LES VIGNOBLES CAMBRIEL, 79, av. Saint-Marc, 11200 Ornaisons, tél. 04 68 27 43 08, christophe.cambriel@orange.fr V *t.l.j. 10h-12h 17h-19h; dim. matin*

VIGNERONS DE CAMPLONG
Peyres Nobles 2018 ★★

■	40000		5 à 8 €

Fondée en 1932, la coopérative du village de Camplong (30 vignerons, 270 ha à 80 % en AOC corbières) bénéficie d'un excellent terroir, sur les pentes sud de l'Alaric. À l'origine, un seul vin rouge vendu en vrac; aujourd'hui, de larges gammes et des cuvées ambitieuses.

Tout est élégant dans ce vin, depuis la robe pâle à reflets verts, en passant par le nez délicatement fruité (agrumes) et floral, jusqu'à la bouche d'abord tendre et ronde puis remarquable de fraîcheur. L'équilibre en somme. ⧗ 2020-2022

SCAV LES VIGNERONS DE CAMPLONG, 25, av. de la Promenade, 11200 Camplong-d'Aude, tél. 04 68 43 69 21, secretariat.camplong@orange.fr V r.-v.

CH. DE CARAGUILHES La Font Blanche 2018 ★★

	24000		11 à 15 €

D'origine cistercienne, le domaine, commandé par des bâtiments imposants, est situé à flanc de coteau. Il domine le vaste vignoble de 95 ha d'un seul tenant qui s'étale tout autour en pente douce, entouré de 500 ha de garrigue. Un pionnier du bio – dès 1987. Propriétaire depuis 2007, Pierre Gabison reste sur cette ligne.

Maintes fois référencé pour ses vins dans les trois couleurs, le domaine signe ce joli blanc qui met à l'honneur la roussanne (65 %). On retient la robe d'un jaune léger, le nez sensuel, ouvert et floral, ainsi que la bouche ample qui donne une sensation de plénitude et d'équilibre. ⧗ 2020-2022

SAS DOM. DU CH. DE CARAGUILHES, 11220 Saint-Laurent-de-la-Cabrerisse, tél. 04 68 27 88 99, chateau@caraguilhes.fr V *t.l.j. sf sam. dim. 9h-12h 14h-17h*

DOM. LES CASCADES RC 2018 ★

	800		11 à 15 €

Œnologue, Laurent Bachevillier a vinifié de la Suisse à la Nouvelle-Zélande avant de créer en 2010 avec sa femme Sylvie ce domaine en pleine nature, vers Lagrasse. Du vin, mais aussi de la bière, des olives, du safran, des truffes, des légumes... D'emblée, le bio (certification en 2013). L'hiver, les 6 ha de vignes servent de parcours aux ânes et aux moutons, qui font un bon travail de désherbage.

RC, ce sont les initiales des deux premiers moutons des propriétaires, Romane et Conti ! Un clin d'œil à la Bourgogne pour ce 2018 ambitieux, vinifié comme les grands, qui est passé en fûts neufs (chêne et acacia) et a bénéficié de bâtonnages réguliers. Sous une robe paille, il dévoile de francs arômes de fruits (mangue, pêche) avec une tonalité végétale agréable, entre sureau et herbe fraîche. L'élevage a arrondi la chair sans trahir la fraîcheur du fruit et lui a apporté de la complexité. ⧗ 2021-2024

EARL DOM. LES CASCADES, 4 bis, av. des Corbières, 11220 Ribaute, tél. 06 88 21 84 99, domainelescascades@yahoo.fr V *r.-v.* 2 D

CASTELMAURE La Pompadour 2017 ★

■	220000		8 à 11 €

Cave fondée en 1921 dans les hautes Corbières, entre les communes de Durban et de Tuchan. Les inondations catastrophiques de 1999 furent l'occasion d'un nouveau départ, et la coopérative a investi dans des installations modernes. Après une restructuration des caves du secteur, elle intervient autant en fitou qu'en corbières.

Coopérative exemplaire et créative, Castelmaure signe cette cuvée marquée par le carignan qui ne manque pas de nez : fruits rouges mûrs, cassis, mûre, garrigue et notes de moka issues de l'élevage en barrique. La bouche tient les promesses de cette palette : attaque ample, arômes confits et gourmands, chair ronde, tanins soyeux. ⧗ 2021-2024 ■ **Grande Cuvée 2017 ★ (11 à 15 €; 130000 b.)** : syrah et grenache noir s'entendent à merveille dans cette cuvée qui n'usurpe pas son nom. Le fût a apporté des nuances vanillées à un fond de cerise et de fraise, avec une touche animale. Encore jeune, le vin ne manque ni de charme ni de carrure en bouche : fruit généreux (cerise), nuances boisées, tanins imposants. Un vin complet qui mérite un peu de cave. ⧗ 2022-2025

SCV CASTELMAURE, 4, rte de Canelles, 11360 Embres-et-Castelmaure, tél. 04 68 45 91 83, vins@castelmaure.com V *r.-v.*

♥ LES CELLIERS D'ORFÉE
Cuvée Sextant 2016 ★★★

■	26600		15 à 20 €

Créée en 1933, la cave d'Ornaisons a fusionné avec celle de Ferrals-les-Corbières. Son nom poétique réunit la première syllabe de ces deux villages. La coopérative dispose d'un vignoble de 970 ha répartis sur les AOC corbières et corbières-boutenac.

Élevée douze mois en fût neuf, cette cuvée ambitieuse met en avant la syrah (70 %). La robe en tire sa profondeur et le nez ses arômes puissants, très mûrs, entre kirsch et pruneau, sur un fond généreusement boisé. La bouche impressionne par sa puissance, son onctuosité, ses tanins élégants et sa palette aromatique persistante qui mêle fruits frais, fruits mûrs et torréfaction. L'équilibre est remarquable dans un style généreux et puissant assumé. ⧗ 2022-2030

SCV LES CELLIERS D'ORFÉE, 53, av. des Corbières, 11200 Ornaisons, tél. 04 68 27 09 76, sandra@celliersdorfee.com V *t.l.j. sf dim. 8h-12h 14h-18h*

DOM. DE LA CENDRILLON Essentielle 2016 ★

■	20100		11 à 15 €

La Cendrillon? Un lieu-dit d'Ornaisons, au pied du massif de Fontfroide, une ancienne auberge le long de la voie romaine qui reliait la Narbonnaise à l'Aquitaine. Enfant du pays, l'entrepreneur Robert Joyeux a repris en 1993 le domaine familial et n'a pas lésiné sur les investissements : nouvelles plantations, aménagement d'un chai. Aujourd'hui, 42 ha en bio certifié depuis fin 2012.

Drapé d'une robe rubis, ce 2016 – assemblage syrah-mourvèdre issu de jeunes vignes – dévoile un nez friand de cassis frais et de violette. D'abord rond, il offre une chair concentrée aux flaveurs fruitées et épicées, avant de se resserrer sous l'effet de tanins encore fermes. L'élégance de l'ensemble n'en est en rien affectée; ce n'est là que le signe d'une bonne perspective de garde. ⧗ 2022-2029

SCEA DOM. DE LA CENDRILLON, rte de Narbonne, 11200 Ornaisons, tél. 09 61 37 85 51, lacendrillon@orange.fr V *r.-v.*

B LE CHAMP DES MURAILLES Cuvée Classique 2017 ★

■ | 40000 | | 11 à 15 €

Bien connu pour son Ch. Ollieux Romanis, Pierre Bories a racheté en 2012 le Champ des Murailles, domaine en corbières-boutenac créé par François des Ligneris, ancien propriétaire du Ch. Soutard, grand cru classé de Saint-Émilion. Couvrant quelque 10 ha sur le flanc ouest du massif du Pinada, ce vignoble se caractérise par un microclimat plus frais que le Ch. Ollieux Romanis.

Énième sélection pour Pierre Bories qui sait vinifier avec le même talent des cuvées puissantes et des vins plus souples. C'est le cas de ce corbières au nez ouvert, frais et bien typé, entre arômes de fruits rouges et noirs, de garrigue et de sous-bois. En bouche, il se révèle dynamique, bien fruité (fruits rouges), doté de tanins fermes et jeunes. Un vin plein d'allant, élégant et bien équilibré, à boire ou à garder quelques années. ⧗ 2020-2024

SAS LE HAMEAU DES OLLIEUX, 3 bis, Grand-Rue, 11200 Fabrezan, tél. 04 68 43 35 20, manon@chateaulesollieux.com

CH. CICÉRON In Memoriam 2018 ★

■ | 5300 | | 11 à 15 €

Dans l'Antiquité, ce domaine était une villa appartenant à une famille de juristes et de tribuns romains. Dépendance de l'abbaye de Lagrasse au Moyen Âge, exploitation expérimentale à partir des années 1960, le Ch. Cicéron est aujourd'hui l'une des propriétés de la famille Vialade, bien ancrée sur le versant sud de la montagne d'Alaric. Le vignoble compte environ 7 ha.

Syrah et grenache noir à parts égales dans ce rosé moderne, à la robe pâle et au nez très agréable, entre grenadine et notes minérales. La même séduction opère au palais : le fruit toujours gourmand gagne en intensité et l'ensemble reste parfaitement équilibré et frais. ⧗ 2019-2020

VIGNOBLES DE CICÉRON, Ch. Cicéron, 11220 Ribaute, tél. 04 68 32 53 52, ciceron@les-domaines-auriol.eu V r.-v. 4 E

CLOS CANOS 2018 ★

■ | 80000 | | 5 à 8 €

Poursuivant le travail des quatre générations précédentes, Pierre Galinier s'est installé en 1986 sur le domaine familial, qui compte aujourd'hui 24 ha. Il a parié sur la vente en bouteille et, dès l'an 2000, sur le rosé, adaptant sa vigne et sa cave à l'élaboration des vins de cette couleur, qui représentent aujourd'hui plus de 70 % de sa production en appellation.

On ne change pas une formule qui gagne. Maintes fois retenue, cette cuvée qui intègre dans son assemblage les trois grenaches (noir, gris et blanc), vinifiés en pressurage direct, fait mouche dans le millésime 2018 : sous une robe pâle, elle offre des arômes de pêche et autres fruits blancs. Tendre dès l'attaque, elle affiche un fruité persistant au palais, nuancé de notes florales. Un rosé séducteur. ⧗ 2019-2020

SCEA ANDRÉ ET PIERRE GALINIER, Clos Canos, rue de Canos, 11200 Luc-sur-Orbieu, tél. 06 85 10 23 19, chateau-canos@wanadoo.fr V r.-v.

DOM. LA COMBE GRANDE Le Rosé 2018 ★★

■ | 20000 | | - de 5 €

Selon la légende, les Wisigoths auraient enterré un trésor dans la montagne de l'Alaric. Ce relief, en tout cas, offre des terroirs propices. Sur ses pentes sud, Christophe Sournies et son cousin Jacques Tibie conduisent le domaine (80 ha) où leur famille est installée depuis 1890.

Composé à 80 % de grenache, ce rosé pâle ne manque pas de présence aromatique : senteurs fruitées généreuses, agrémentées de nuances de bonbon et d'arômes floraux. Légèrement perlant en attaque, il prend un caractère ample et charnu en milieu de bouche, souligné par des flaveurs fruitées, friandes et fraîches. Moderne et gourmand. ⧗ 2019-2020 ■ **l'Espère 2017 ★ (11 à 15 €; 3400 b.)** : cette cuvée tire du mourvèdre majoritaire, d'une vinification en grappes entières et d'un élevage en fûts un nez complexe et puissant entre fruits compotés, notes végétales et fumées. Elle fait preuve du même tempérament en bouche, bien languedocien : attaque intense, complexité du fruit, tanins fermes, le tout discrètement nuancé de l'empreinte de l'élevage. Du caractère et du potentiel en cave. ⧗ 2024-2029

SCEA DOM. DE LA COMBE GRANDE, chem. de Garrigue Plane, 11200 Camplong-d'Aude, tél. 06 70 43 52 05, domaine.combegrande@orange.fr V *t.l.j. 8h-12h 14h-18h*

CH. ÉTANG DES COLOMBES 2018 ★

■ | 20000 | | 5 à 8 €

Propriété familiale depuis quatre générations, à l'est de Lézignan. Henri Gualco a commencé la mise en bouteilles au domaine dès 1973 et participé activement au développement de l'appellation avant de transmettre cette exploitation de 80 ha à son fils Christophe.

Un domaine historique de l'appellation qui tient son rang avec ce 2018 alerte, issu d'un assemblage de grenache, de maccabeu et de bourboulenc. Sous une robe pâle, il offre de discrètes notes florales et fruitées. La vinification à basse température et l'élevage en cuve ont préservé la vivacité et la netteté du fruit au palais. Un joli compromis entre souplesse et vivacité. ⧗ 2020-2022

SAS ÉTANG DES COLOMBES, 11200 Cruscades, tél. 04 68 27 00 03, christophe.gualco@wanadoo.fr V *t.l.j. sf sam. dim. 8h-12h 14h-18h*

B CH. FABRE CORDON Fragances oubliées 2017 ★

■ | 3000 | | 8 à 11 €

Situé dans la zone côtière des étangs, un domaine implanté à l'emplacement d'une villa gallo-romaine qui bordait la voie Domitienne. Aujourd'hui, 15 ha (en bio certifié depuis 2013) conduits par Henri et Monique Fabre, longtemps coopérateurs et vignerons indépendants depuis 2001. Leur fille Amandine, œnologue, vient de les rejoindre.

Les «Fragrances oubliées», ce sont celles des confitures d'antan. Un joli nom de cuvée pour un rouge qui ne l'est pas moins. La syrah (90 %) marque la robe profonde, presque opaque. Le nez met en avant la maturité du raisin à travers des notes intenses de fruits noirs, d'épices et des nuances plus fraîches, végétales. Intense, la bouche s'appuie sur des tanins solides et mûrs et sur une richesse bien contenue. Un vin complet, équilibré, puissant et structuré. ⧗ 2020-2024 ■ **Parfums d'Été**

2017 ★ (8 à 11 €; 6000 b.) Ⓑ : une vinification traditionnelle (égrappée) pour cet assemblage dominé par le grenache noir qui met en avant le fruité tendre et généreux du cépage : des arômes francs de prune et de fruits noirs se distinguent ainsi, que l'on retrouve dès l'attaque en bouche. La cuvée déploie ensuite une jolie matière ample, tenue par des tanins jeunes et fermes, d'une persistance honorable. ⏳ 2020-2024

⊶ EARL CH. FABRE CORDON, L'Oustal-Nau, 11440 Peyriac-de-Mer, tél. 06 87 84 15 46, chateaufabrecordon@gmail.com V r.-v.

CH. FONTARÈCHE La Chapelle Mignard 2018 ★★★

■	40000	5 à 8 €

C'est en 1682 que les ancêtres d'Édouard de Lamy ont acquis ce domaine. Son vignoble, implanté sur une haute terrasse graveleuse de l'Aude, couvre 140 ha d'un seul tenant, formant un carré parfait autour du château du XVII[e]s. Il est dirigé depuis 2008 par Vincent Dubernet, ingénieur en agriculture, œnologue et fils d'œnologue.

Des dégustateurs unanimes pour saluer les charmes de ce 2018 de teinte pâle animée de reflets verts. Ouvert, il décline des arômes de fruits à chair blanche soulignés par une touche fumée. D'un abord frais, il donne une sensation gourmande de rondeur au palais, avec un fruité légèrement vanillé. Vin séducteur, moderne, bien équilibré. ⏳ 2020-2022 ■ **Tradition 2018 ★★ (- de 5 €; 80000 b.)** : un petit prix pour ce rosé irréprochable qui intègre une touche originale de picpoul noir (25 %) dans son assemblage. Couleur pétale de rose, il libère un nez intense de bonbon anglais. Ces mêmes arômes franchement amyliques se retrouvent durablement au palais, bien mis en valeur par la fraîcheur de l'ensemble. Un rosé séducteur, bien maîtrisé. ⏳ 2019-2020 ■ **1682 2017 ★ (11 à 15 €; 16000 b.)** : un corbières rouge vient compléter ce tir groupé qui prouve la régularité du domaine dans les trois couleurs. Cette cuvée met à l'honneur le caractère du mourvèdre (50 % de l'assemblage), égrappé et élevé en barriques (70 % de bois neuf). Elle en a hérité des arômes intenses de fruits mûrs et d'épices. Les dégustateurs ont salué sa carrure, sa richesse et sa persistance sur le fruit, ainsi que ses tanins déjà enrobés. L'élevage a su arrondir le vin sans le trahir. ⏳ 2021-2024

⊶ CH. FONTARÈCHE, RD_11, Fontarèche, 11200 Canet-d'Aude, tél. 04 68 27 10 01, contact@fontareche.fr V *t.l.j. sf sam. dim. 8h-11h30 14h-16h30*

♥ CH. DE FONTENELLES Élysée 2017 ★★

■	33000		8 à 11 €

Domaine familial situé sur le versant nord de l'Alaric. En cinq générations, sa surface est passée de 7 à 40 ha. Aux commandes depuis 1993, Thierry et Nelly Tastu misent sur la qualité.

Un talent indéniable illustré par cette cuvée dominée par la syrah que complètent le grenache et 25 % de vieilles vignes de carignan. L'élevage en fût a apporté des nuances torréfiées à un fruit mûr typiquement languedocien. La bouche charme par sa texture ronde et par la fraîcheur du fruit : un équilibre idéal. Fruits rouges macérés, épices exotiques, gingembre, vanille, le tout se prolonge agréablement. De l'élégance pour ce vin déjà gourmand. ⏳ 2022-2029 ■ **Notre-Dame 2017 ★ (11 à 15 €; 35000 b.)** : maintes fois récompensée et coup de cœur avec le millésime 2015, cette cuvée confirme sa très louable régularité. Le nez épanoui nous fait voir du pays : fruits rouges ensoleillés, eucalyptus, garrigue et épices. Douceur et soyeux de l'attaque, tanins fondus, fraîcheur impeccable, complexité du fruit (fruits compotés, nuancés de cuir, de tabac, de girofle et d'épices). ⏳ 2020-2024 ■ **Renaissance 2017 ★ (15 à 20 €; 33000 b.)** : sous une robe grenat, cette cuvée séduit par son intensité entre épices et fruits mûrs. On retrouve avec plaisir ce qui fait le style des vins du domaine : l'équilibre toujours préservé de la bouche, dont on retient ici le volume, la rondeur, les tanins élégants et la finale fraîche. ⏳ 2020-2024

⊶ EARL FONTENELLES, 76, av. des Corbières, 11700 Douzens, tél. 04 68 79 12 89, info@fontenelles.com V *r.-v.*

Ⓑ CH. DE FOURNAS 2017 ★

■	6300		5 à 8 €

Les Domaines languedociens possèdent le Ch. La Boutignane et le Ch. de Fournas en AOC corbières, ainsi que le Dom. du Ch. d'Eau et le Dom. Saint-Paul en IGP Oc.

Un assemblage de syrah, de grenache et de carignan compose cette cuvée bio, élevée en cuve. La voici qui déploie une palette séduisante de cassis, de fruits rouges et d'épices. On retrouve au palais cette même qualité de fruit, servie par des tanins doux qui dessinent un vin souple, gourmand et bien équilibré. ⏳ 2020-2024

⊶ SCEA DOMAINES LANGUEDOCIENS, Ch. la Boutignane, 11200 Fabrezan, tél. 04 67 39 29 41, domaine@labaume.com

CH. GLÉON Ad Clivum 2016 ★★

■	20000		11 à 15 €

Une propriété très ancienne, où l'on peut admirer une chapelle préromane du V[e]s. Resté pendant un millénaire dans la même famille, le château, qui gardait l'entrée des Hautes Corbières, a été vendu en 1861 par la dernière marquise de Gléon aux ancêtres des propriétaires actuels. Le domaine s'étend sur 300 ha, et son vignoble sur 50 ha.

Syrah, grenache et une touche de mourvèdre sont à l'origine de ce corbières grenat, dont le nez décline les fruits rouges mûrs sur un fond pâtissier. L'attaque généreuse annonce un vin puissant, à la rondeur affirmée. Les tanins sont certes bien présents, mais délicats. Une cuvée qui exprime le fruit et qui brille par son intensité. ⏳ 2022-2029 ■ **La Clef 2016 ★ (8 à 11 €; 20000 b.)** : cette cuvée aux cinq cépages (carignan dominant) fait son retour dans le Guide. Élevée en cuve, elle joue sur la plénitude d'un fruit manifestement bien mûr, nuancé d'épices et de garrigue. Le fruit s'impose aussi intensément en bouche, soulignant la matière résolument languedocienne, concentrée. ⏳ 2020-2024

⊶ EARL CH. GLÉON, 11360 Villesèque-des-Corbières, tél. 04 68 48 28 25, info@gleon-montanie.com V *r.-v.*

LANGUEDOC

GRAIN DE FANNY
Le Rosé à lézarder 2018 ★

■ | n.c. | | 5 à 8 €

En 2006, Fanny Tisseyre, héritière de quatre générations de vignerons, reçoit 6 ha de vignes. Elle cherche à faire évoluer ses pratiques, bannit les désherbants et, pour les traitements, se limite au soufre, au cuivre et aux plantes. Elle se flatte de faire des vins différents chaque année, reflets de leur millésime.

L'étiquette ne manque pas de fantaisie et le rosé de charme. Vinifié sans soufre ajouté, celui-ci livre un nez expressif, fruité (pêche, abricot) et floral. Charnu, puissant mais équilibré, il assume ses origines sudistes. Le fruit persistant (fruits blancs épicés) est un indéniable plus. ⧗ 2019-2020 ■ **L'égrappé à picorer 2017 ★ (5 à 8 €; n.c.)** : déjà retenue l'an passé, cette cuvée joue la même partition dans le millésime 2017 : l'expression du fruit, franche. Au nez, elle hésite entre fruits rouges et noirs, en version bien mûre. En bouche, elle séduit par son expression aromatique généreuse (cerise confite, kirsch), par sa souplesse et ses tanins qui donnent à l'ensemble ce qu'il faut de relief. ⧗ 2020-2024

⊶ FANNY TISSEYRE, 10, av. du Chemin-Neuf, 11200 Ornaisons, tél. 06 78 47 62 98, ftisseyre@free.fr V r.-v.

CH. DU GRAND CAUMONT
Capus Monti 2017 ★★

■ | 3300 | | 20 à 30 €

Une villa gallo-romaine, puis un château incendié à la Révolution; constitué au milieu du XIXe s., ce domaine a été acquis en 1906 par Louis Rigal, propriétaire de caves de Roquefort. En 2003, sa petite-fille Laurence, après un début de carrière dans le marketing, est arrivée aux commandes de cette vaste unité (148 ha, dont une centaine plantée de vignes).

Capus Monti, c'est le nom de la colline qui domine le domaine. Déjà à l'honneur l'an passé, cette cuvée ambitieuse, élevée en fûts, met à l'honneur le trio syrah, carignan, grenache et des vignes de quarante-cinq ans. Avec ses notes boisées et réglissées sur fond de fruits rouges, le 2017 porte l'empreinte de la barrique. Il est fermement structuré, puissant, marqué par le bois et des tanins vigoureux. Jeune en somme, mais c'est un bel édifice que le temps affinera. ⧗ 2024-2029

⊶ SARL FLB RIGAL, Ch. du Grand Caumont, 11200 Lézignan-Corbières, tél. 04 68 27 10 82, chateau.grand.caumont@wanadoo.fr V t.l.j. 8h-12h 13h-17h30; sam. dim. sur r.-v.

CH. GRAND MOULIN
Vieilles Vignes 2016 ★

■ | 50000 | | 5 à 8 €

Son père, vendeur de bétail, possédait une petite vigne. Jean-Noël Bousquet décide à huit ans qu'il sera vigneron, achète son premier hectare à dix-sept ans, s'installe comme jeune agriculteur en 1978 – en fermage – et achète des vignes en coteaux alors dédaignées (500 F l'hectare...). En 1988, à la tête de 24 ha, il installe sa cave dans un ancien moulin. Il a transmis en 2014 à son fils Frédéric 130 ha de vignes, en IGP, corbières et corbières-boutenac. L'exploitation exporte 70 % de sa production.

Signature toujours fiable, le domaine a vinifié à l'ancienne cette cuvée en assemblant les quatre cépages dès la cuvaison. Le nez languedocien embaume les fruits surmûris, le thym, les épices et la garrigue. Équilibré : tel est ce vin souple, rond, doté de tanins fondus et d'une longueur intéressante sur les fruits rouges épicés. ⧗ 2020-2024 ■ **Terres Rouges 2017 ★ (8 à 11 €; 30000 b.)** : la longue cuvaison de cet assemblage dominé par la syrah est à l'origine de la robe profonde. L'élevage de douze mois en fûts a apporté des touches fumées et épicées (cannelle, noix muscade) au nez de fruits confits. La belle maturité du raisin concourt à la suavité et au velouté de la texture, tout comme à la finesse des tanins. Et la longue finale de dérouler les arômes de fruits cuits et d'épices nuancés d'une touche animale. Vin intense, équilibré et de bonne garde. ⧗ 2022-2029

⊶ EARL FRÉDÉRIC BOUSQUET, 6, av. Gallieni, 11200 Lézignan-Corbières, tél. 04 68 27 40 80, contact@chateaugrandmoulin.com V t.l.j. sf dim. 9h-19h

CH. HAUTERIVE LE HAUT
Sainte-Marie 2018 ★

■ | 9500 | 5 à 8 €

Le Ch. Hauterive, vaste domaine implanté sur plusieurs terroirs, était une dépendance de l'abbaye de Fontfroide. Le vignoble est dans la famille de Jean-Marc Reulet depuis quarante ans.

Les grenache blanc, maccabeu et roussanne, plantés sur des sols de grès et de galets roulés, ont produit ce vin lumineux, couleur paille, au nez d'acacia et de fruits très mûrs. À une attaque plutôt riche et pleine succède une impression de vivacité au palais. Un vin paradoxal, à l'équilibre agréable. ⧗ 2020-2022

⊶ SCEA REULET, 1, ancien chem. de Ferrals, 11200 Boutenac, tél. 04 68 27 62 00, hauterive-le-haut@orange.fr V r.-v.

CH. HORTALA
Cruscades 2018 ★

■ | 2500 | 8 à 11 €

En l'an 985, à Cruscades, un Hortala faisait déjà du vin ; une dizaine de siècles plus tard, en 2006, un de ses descendants, après avoir enseigné la gynécologie, devint viticulteur à cinquante-six ans, en s'appuyant sur vingt et un associés de la famille, afin de perpétuer le domaine. Il confie la vinification aux Celliers d'Orfée, la coopérative d'Ornaisons.

Remarqué l'an passé pour son rosé, le château récidive avec un 2018 blanc, assemblage de roussanne, de marsanne et de grenache. Vendanges nocturnes, fermentation à basse température : on préserve ici la fraîcheur du raisin et cela se sent. Si le nez est réservé et légèrement muscaté, la bouche offre équilibre et fraîcheur, privilégiant la vivacité au gras. ⧗ 2020-2022

⊶ GFA HORTALA, 338, rue de la Vieille-Poste, 34000 Montpellier, tél. 06 75 05 87 88, bernard.hedon@gmail.com V r.-v.

♥ CH. LALIS Les Petits Moulins 2017 ★★★

■	10 000		8 à 11 €

Œnologue depuis 1995 et conseiller viticole, Philippe Estrade a repris en 2002 le domaine familial fondé un siècle plus tôt, qu'il a modernisé. Il exploite aujourd'hui 52 ha sur les pentes de l'Alaric et sur le terroir de Lagrasse.

Habitué du Guide, le château signe cette cuvée dominée par la syrah (80 %), haute en couleur et en saveurs, issue d'une longue cuvaison. Le nez, à la fois intense et raffiné, délivre un fruit pur et mûr (cassis, mûre et fruits compotés). La bouche confirme ces belles dispositions : texture veloutée, tanins soyeux, gourmandise et clarté du fruit, le tout porté par une juste fraîcheur. Une élégance qui aura unanimement séduit le jury. ⌛ 2022-2026 ■ **GR 36 2017 ★ (8 à 11 €; 10 000 b.)** : une cuvée élevée en fût qui fait la part belle au grenache (80 %). Le nez en tire des notes de fruits noirs bien mûrs, de bourgeons de cassis et des touches boisées. Ronde et charnue à l'attaque, la bouche offre une belle maturité de fruit, des tanins fins et croquants et ce qu'il faut de fraîcheur. Un vin long, solaire et harmonieux. ⌛ 2020-2024

ENP PHILIPPE ESTRADE,
Ch. Lalis, 2, rue des Fleurs, 11220 Ribaute,
tél. 04 68 43 19 50, lalis@orange.fr
V r.-v.

DOM. DES LAUZES
La Vie en Lauzes 2018 ★

■	5350	5 à 8 €

Ce domaine familial dont les origines remontent à 1875 est situé sur la commune de Tournissan, à une trentaine de kilomètres à l'ouest de Narbonne. Agrandi en 1978, dirigé aujourd'hui par Philippe Prévot, le vignoble s'étend sur 32 ha.

Le domaine fait son apparition dans le Guide avec ce rosé vinifié en saignée et issu d'une majorité de grenache noir. Si la robe est très discrète, à peine teintée, le nez surprend par ses arômes prononcés de banane. On les retrouve en bouche dans un ensemble à la fois gourmand et acidulé. ⌛ 2019-2020

PHILIPPE PRÉVOT,
2, traverse du Château, 11220 Tournissan,
tél. 04 68 44 03 59, domainelauzes@wanadoo.fr V r.-v.

CHAI DES VIGNERONS DE LÉZIGNAN
Orfèvre Blanc 2018 ★

■	3000		5 à 8 €

La première coopérative languedocienne date de 1905. À peine moins ancienne, celle de Lézignan – la plus ancienne du département de l'Aude – a gardé sa façade de 1909 et ses immenses foudres en chêne. Au début des années 2000, elle s'est tournée vers la vente directe et tient boutique près de la ligne de chemin de fer.

Cette cuvée issue du seul vermentino montre tout l'intérêt de ce cépage aussi à l'aise sous le soleil du Languedoc que sous celui de la Provence. La robe est pâle et le nez élégant, plus fin que puissant, sur des notes citronnées. Les jeunes vignes et un élevage court en cuve ont dessiné un vin léger, à l'attaque vive, stimulée par un léger perlant, et à la finale souple et tendre. ⌛ 2019-2021 ■ **Le Capounado 2018 (5 à 8 €; 6000 b.)** : vin cité.

LE CHAI DES VIGNERONS DE LÉZIGNAN,
15, av. Frédéric-Mistral, 11200 Lézignan-Corbières,
tél. 04 68 27 00 36, chai-vignerons@wanadoo.fr
V t.l.j. sf dim. 9h-12h 14h-18h30

Ⓑ CH. DE LUC Les Jumelles 2018 ★★

■	26 500		8 à 11 €

Enracinée dans les Corbières depuis 1605, la famille Fabre exploite 360 ha répartis en quatre domaines : le Ch. Fabre Gasparets (corbières-boutenac, le berceau), le Ch. Coulon, le Ch. de Luc et le Dom. de la Grande Courtade, sur le territoire de Béziers, dédié aux vins IGP. Ingénieur agronome et œnologue, Louis Fabre a pris en 1982 la tête de ces vignobles cultivés en bio dès 1991 (certification pour l'ensemble en 2014).

Roussanne et grenache blanc sont à l'origine de ce vin parfumé, dont l'équilibre a séduit le jury. Le nez offre des arômes intenses de fleurs blanches (seringa) et la bouche une matière tendre et pleine. Parfaitement équilibré, c'est un joli blanc du Sud, sans aucune lourdeur. ⌛ 2019-2022

GFA DU VIGNOBLE LOUIS MARIE ANNE FABRE,
1, rue du Château, 11200 Luc-sur-Orbieu,
tél. 04 68 27 10 80, info@famille-fabre.com
V t.l.j. sf sam. dim. 9h-12h 14h-18h

Ⓑ DOM. MARTINOLLE-GASPARETS 2018 ★

■	1330		5 à 8 €

Aux origines de ce domaine, deux branches, les Martinolle de Lézignan, viticulteurs et charrons au XVIII^e^s. et les Salvet, vignerons à Gasparets, hameau de Boutenac. Toujours aux commandes, Pierre Martinolle, installé il y a cinquante ans, a été rejoint par son fils Jean-Pierre. La propriété (8,5 ha aujourd'hui), n'ayant jamais cédé au « tout chimique », s'est facilement convertie à l'agriculture biologique.

Saignée de grenache et pressurage de cinsault au menu de ce rosé flatteur, à la robe pâle, qui séduit autant par son nez retenu, mais agréablement floral (rose, jasmin), que par sa bouche intense, fraîche et fruitée, d'une longueur honorable. ⌛ 2019-2020

SCEA JEAN-PIERRE ET FRANÇOISE MARTINOLLE-GASPARETS, 27, av. Frédéric-Mistral, 11200 Lézignan-Corbières, tél. 06 11 42 09 88, pierre.martinolle@domaine-martinolle.com
V t.l.j. 9h-19h30

CH. DE MATTES-SABRAN
Cuvée Chevreuse 2017 ★★

■	10 000		8 à 11 €

Proche des étangs littoraux, une ancienne dépendance de l'abbaye de Lagrasse, puis une terre noble :

4 000 ha jusqu'en 1914. De nos jours, 300 ha, dont 90 ha de vignes (65 ha en AOC). Dans la même famille depuis 1733, le domaine est géré depuis plus d'un siècle par des femmes – Marie-Alyette Brouillat aujourd'hui.

Syrah (80 %) et grenache noir composent cette cuvée qui a séduit le jury par sa gourmandise et son raffinement. Elle exprime un bouquet complexe de fruits rouges et d'épices (poivre), dans un registre plus fin que puissant. Le même charme opère en bouche : attaque souple, corps souple, tanins élégants, arômes nuancés entre fruits, épices et notes fumées. À savourer dès maintenant. ⧗ 2019-2022 ■ **Le Clos Redon 2017 ★★ (5 à 8 €; 10000 b.)** : le Clos Redon, c'est le nom de la parcelle qui a donné naissance à cette agréable syrah (majoritaire), élevée en cuve de béton. Épicée, réglissée et bien fruitée au nez comme en bouche, elle se montre friande, bien structurée par des tanins justement extraits. Du caractère, de la séduction et une capacité de garde. ⧗ 2021-2024

MARIE-ALYETTE BROUILLAT,
Ch. de Mattes-Sabran, 11490 Portel-des-Corbières,
tél. 09 77 78 21 35, mattes.sabran@laposte.net
t.l.j. 8h-12h 14h-19h;
f. Noël-1er janv.

CH. MAYLANDIE Lo Solelh 2018 ★

■	53000		5 à 8 €

Jacques Maymil, entrepreneur narbonnais, crée le domaine dans les années 1950; son fils Jean quitte la coopérative en 1987, après l'accession du corbières à l'AOC. La troisième génération, Delphine et son compagnon Éric Virion, a pris les rênes du vignoble en 2007 (27 ha aujourd'hui). La première, qui a d'abord travaillé dans la communication culturelle, oriente le domaine vers l'œnotourisme.

Un rosé qui a vu le soleil (solelh en occitan) des Corbières, mais qui conserve une belle fraîcheur. Sous une robe pâle, il offre des nuances agréables de fruits frais. Délicate et longue, la bouche confirme ce profil résolument tonique. ⧗ 2019-2020

EARL MAYLANDIE,
18, av. de Lézignan, 11200 Ferrals-les-Corbières,
tél. 06 61 93 01 33, contact@maylandie.fr
r.-v.

CH. PECH-LATT La Chapelle 2017 ★★

■	2400		15 à 20 €

Comme bien des propriétés des Corbières, Pech-Latt est d'origine monastique : le domaine dépendait de l'abbaye de Lagrasse, toute proche, dont le vignoble est attesté en 784. Implantée au pied de la montagne d'Alaric, cette vaste unité (340 ha, dont 160 ha de vignes) est cultivée en bio depuis 1991. Lise Sadirac est aujourd'hui la directrice de l'exploitation, qui appartient au groupe bourguignon Louis Max.

Issue de syrah majoritaire et de grenache, cette cuvée à la robe dense diffuse des arômes typés de fruits rouges mûrs, de chocolat et d'épices. Charnue et souple, elle se montre tout aussi généreuse en fruits mûrs épicés au palais et tire profit de tanins bien travaillés. L'ensemble laisse une sensation de plénitude et d'équilibre. ⧗ 2021-2024 ■ **Le Charlemagne 2017 ★ (15 à 20 €; 2400 b.)** : le grenache tient la vedette dans cette autre interprétation du caractère des corbières. Il lègue ses arômes classiques de fruits rouges mûrs et contribue à l'impression de volume, de rondeur chaleureuse du palais et au soyeux des tanins. La texture agréable et la jolie déclinaison de baies sauvages, de réglisse et de notes boisées subtiles ajoutent encore plus de séduction à l'ensemble. ⧗ 2022-2024

SC CH. PECH-LATT, Ribaute,
11220 Lagrasse, tél. 04 68 58 11 40,
chateau.pechlatt@louis-max.fr r.-v.

DOM. DU PECH SAINT-PIERRE Yes, Week-end 2018 ★★★

■	n.c.		5 à 8 €

Ce domaine qui a vu le jour à la fin du XIXe s. est situé au centre de Saint-Pierre-des-Champs, village chargé d'histoire, ancienne halte sur la voie romaine qui traversait les Corbières. La famille Rivière a fait l'acquisition du domaine en 1934. Patrick Rivière y exploite aujourd'hui 14 ha en AOC Corbières.

Une entrée dans le Guide en fanfare avec ce blanc qui a donné beaucoup de plaisir au jury. Une combinaison originale de cinq cépages confère au nez son intensité et sa finesse : agrumes, pêche blanche et notes florales. Après une attaque tendre, le milieu de bouche est élégamment rafraîchi par un fruit tonique et citronné qui donne de l'éclat et de l'équilibre à l'ensemble. ⧗ 2020-2022 ■ **Le Temps d'une Nuit 2018 ★ (5 à 8 €; 5000 b.)** : saignée et basse température ont été appliquées à un assemblage classique. Ce rosé fait voir du pays : notes florales, tilleul et garrigue. Ne vous fiez pas à la pâleur de la robe, car la bouche est résolument puissante. Gras et fraîcheur s'équilibrent heureusement. ⧗ 2019-2020

SCEA DOM. DU PECH SAINT-PIERRE,
9, rue du Pradel, 11220 Saint-Pierre-des-Champs,
tél. 06 88 20 45 13, pech.saintpierre@wanadoo.fr
r.-v.

CH. PRAT DE CEST Cuvée Ermengarde 2016 ★★

■	1800		11 à 15 €

Place fortifiée située sur l'antique voie Domitia, le château a été édifié à la fin du XIe s. pour défendre Narbonne. Dans le giron de la même famille depuis 1803, soit neuf générations, le château assume ses deux vocations : l'accueil (gîtes, réceptions, séminaires) et la viticulture. Le vignoble couvre 34 ha situés à flanc de colline sur des sols argilo-calcaires.

Syrah majoritaire, grenache et carignan élevés en fûts pendant neuf mois : c'est la formule gagnante de ce corbières chaleureux, issu de raisins vendangés en surmaturité. En témoignent les effluves de fruits très mûrs (cerise, mûre) agrémentées de poivre et de vanille, ainsi que la chair ronde, les tanins soyeux et la belle longueur. Harmonieux, sensuel et fondu. ⧗ 2020-2024

GUILLAUME ALLIEN, Ch. Prat de Cest, 11100 Bages,
tél. 06 75 29 99 96, chateaupratdecest@hotmail.fr r.-v.

♥ B DOM. PY Antoine 2016 ★★

■ | 20 000 | 🛢 | 8 à 11 €

Jean-Pierre Py a repris depuis dix ans les vignes familiales, décidé de sortir de la coopérative pour faire son vin, et consenti à d'importants investissements d'équipements de la cave. Il dispose de 130 ha sur le flanc nord de la montagne d'Alaric, désormais en bio certifié.

Antoine a manifestement inspiré son grand-père, Jean-Pierre Py, qui lui dédie cette cuvée. Les carignan, syrah et grenache composent un vin à la robe grenat et au nez bien ouvert, entre fruits (fruits noirs, griotte) et notes boisées (vanille). La bouche se montre tout aussi flatteuse : élégance, fraîcheur préservée, tanins fondus et finale sur un fruit cacaoté et épicé qui souligne le juste usage de la barrique. ⌛ 2021-2025

⊶ JEAN-PIERRE PY, 114, av. des Corbières, 11700 Douzens, tél. 06 07 45 49 63, domaine.py@orange.fr V t.l.j. 8h-12h 14h-17h; sam. dim. sur r.-v.

ROCBÈRE Vent Marin 2018 ★★

■ | 8800 | 🍾 | 5 à 8 €

Fondées en 1930, les coopératives de Peyriac-de-Mer, Sigean et Portel se sont regroupées, devenant les Caves Rocbère en 1972. Aujourd'hui, le groupement rassemble cinq villages des Corbières maritimes, un peu moins de 200 viticulteurs et 1 500 ha de vignes, produisant 10 % de l'appellation.

Ce rosé classiquement vinifié en pressurage direct et fermenté à basse température se livre dans une robe pâle. Après aération apparaissent de jolies notes de fruits à noyau. La franchise, l'équilibre et une finale fruitée (pêche, abricot) le caractérisent au palais. ⌛ 2019-2020

⊶ LES CAVES ROCBÈRE, 1, av. des Corbières, 11490 Portel-des-Corbières, tél. 04 68 48 28 05, a.ardite@rocbere.com V t.l.j. sf dim. lun. 9h-12h30 15h-18h

ROQUE SESTIÈRE À l'Orée des Pins 2018 ★★

■ | 9500 | 🍾 | 5 à 8 €

Cette propriété familiale a produit en 1977 ses premières bouteilles : des corbières blancs. C'est dire son originalité : deux tiers des vins sont ici de cette couleur. Arrivé en 1993 sur le domaine, Roland Lagarde a fait passer la superficie cultivée de 28 à 17 ha (sur deux terroirs distincts) et construit un chai. En 2014, il a cédé l'exploitation à l'entrepreneur Thierry Fontanille. En mars 2016, l'exploitation a reçu le label Haute Valeur Environnementale.

Le jury a été charmé dès le premier regard porté sur la robe soutenue de ce rosé principalement issu de la syrah. Intensément floral, il ne manque pas d'expression au nez. En bouche, se confirment la qualité et l'intensité des arômes (fruits blancs, fleurs) d'un vin à la fois rond, croquant et remarquablement frais. Équilibre et caractère. ⌛ 2019-2020 ■ **Vieilles Vignes 2018 ★★** (8 à 11 €; **6500 b.**) : ces Vieilles Vignes 2018 succèdent très honorablement au 2016, consacré coup de cœur. Sélection de vieilles vignes (maccabeu et grenache blanc dominants), vendanges manuelles, vinification à froid sans malolactique : tout est fait pour exalter les arômes et la fraîcheur du raisin. On retrouve la pureté des arômes floraux et fruités (fruits blancs) perçus au nez dans une bouche vive, citronnée, stimulée par une pointe de gaz carbonique. ⌛ 2020-2022

⊶ SCEA THIERRY FONTANILLE, 8, rue des Étangs, 11200 Luc-sur-Orbieu, tél. 04 68 27 18 00, roque.sestiere@orange.fr V r.-v.

CH. SAINTE-LUCIE D'AUSSOU Le Rouge 2017 ★

■ | 20 200 | 🍾 | 5 à 8 €

Dans l'Antiquité, une villa gallo-romaine; au XVII[e]s., une congrégation religieuse. Situé à 4 km de l'abbaye de Fontfroide, le domaine actuel, commandé par des bâtiments imposants organisés autour d'une cour d'honneur, remonte à 1869. Il a été acquis en 1992 par Jean-Paul Serres, passé du barreau toulousain à la vigne. Certifiée Haute valeur environnementale, la propriété compte 53 ha (dont une quarantaine en production) en corbières et en corbières-boutenac.

Élevage en cuve, grappes entières et macération carbonique : on recherche avant tout l'expression du fruit et c'est réussi sur la foi de ce nez friand (bonbon, fruits cuits, épices) et de cette bouche gourmande, harmonieuse, aux tanins assouplis. Belle longueur sur le fruit confit. ⌛ 2020-2024

⊶ SCEA CH. SAINTE-LUCIE D'AUSSOU, Dom. Sainte-Lucie d'Aussou, 11200 Boutenac, tél. 06 87 34 12 67, sainteluciedaussou@wanadoo.fr V r.-v.

CH. SAINT-ESTÈVE Cuvée Classique 2018 ★★

■ | 20 000 | 5 à 8 €

Dans la famille Latham, on trouve Hubert, qui tenta le premier de traverser la Manche en avion, ou Henri de Monfreid, le célèbre explorateur et écrivain. Petit-fils du second, Éric Latham, après avoir exporté du café et du cacao de la Côte-d'Ivoire, a acquis en 1984 le Ch. Saint-Estève (120 ha aujourd'hui) rattaché jadis à l'abbaye de Fontfroide.

Puissance et équilibre, voici résumé ce rosé de teinte saumon, issu d'un assemblage des plus classiques (grenache, cinsault, syrah), vinifié en pressurage direct. Il libère au nez des notes délicates, fruitées (grenade) et florales, qu'il renouvelle au palais dans une chair généreuse, ronde, certes puissante mais équilibrée. ⌛ 2019-2020 ■ **Cuvée Classique 2017 ★★** (5 à 8 €; **28 000 b.**) : grenache noir et syrah en duo dans ce vin qui met en valeur la qualité et la maturité du fruit dans ses senteurs généreuses de fruits rouges confiturés avec des touches de Zan et d'épices. Tout en souplesse en attaque, il révèle une texture ronde et soyeuse, aux arômes de confiture, d'épices et de cacao. Un 2017 épanoui. ⌛ 2020-2024

GFA CH. SAINT-ESTÈVE, Ch. Saint-Estève, 11200 Thézan-des-Corbières, tél. 04 68 43 32 34, contact@chateau-saint-esteve.com
t.l.j. 9h-19h

♥ CH. DE SAINT-EUTROPE Le Redoutable 2018 ★★

	48000		8 à 11 €

Quatre générations se sont succédé sur ce domaine. Après avoir vinifié plus de vingt-cinq ans dans une coopérative, Olivier Verdale a repris en 2000 avec son frère Jean-Louis l'exploitation familiale : 47 ha de vieilles vignes sur le terroir réputé de Boutenac.

Grenache noir et syrah composent ce rosé de saignée de caractère. Ne vous fiez pas à la pâleur de la robe, c'est un rosé moderne, certes, mais à forte personnalité : puissant et concentré au nez, il offre des notes de fruit que l'on retrouve en bouche, associées au bonbon anglais. Rond, il n'oublie pas de rester frais pour autant. Redoutable de gourmandise et de plénitude. ⧗ 2019-2020

EARL CH. DE SAINT-EUTROPE, 31, rue de Fabrezan, 11220 Saint-Laurent-de-la-Cabrerisse, tél. 04 68 44 05 55, verdale.olivier@orange.fr
r.-v.

CH. DE SAINT-LOUIS A Capella 2017 ★★

	17000		8 à 11 €

Martine et Philippe Pasquier-Meunier ont conduit en viticulture raisonnée pendant près de trente ans ce vaste domaine familial connu des lecteurs sous le nom de Meunier-Saint-Louis. En 2012, ils ont cédé la propriété à un investisseur russe, Praskoveiskoe, lui-même à la tête de vignobles dans son pays et déjà présent en Languedoc au travers du Ch. Saint-Martin-de-la-Garrigue. Jean-François Farinet, ancien œnologue de Deutz puis de Delas, en a pris la direction. La cuverie a été refaite en 2014.

Un vin sensuel issu d'un assemblage syrah-carignan élevé douze mois en barriques. Le voici qui offre de francs arômes fruités, de cassis et de cerise, sur fond de garrigue. Le même charme opère au palais devant tant de puissance maîtrisée : texture soyeuse, tanins fins, gourmandise du fruit, longueur. Jury conquis et enthousiaste. ⧗ 2022-2025

SCEA CH. DE SAINT-LOUIS, 11200 Boutenac, tél. 04 68 27 09 69, contact@chateau-saintlouis.com
r.-v.

DOM. SERRES-MAZARD
Cuvée Joseph Mazard 2016 ★

	4000		11 à 15 €

Portant le nom des grands-parents, cette exploitation (55 ha) proche de Lagrasse, où s'activent Jean-Pierre et Annie Mazard, Damien et Marie-Pierre, est accueillante avec ses gîtes et ses sentiers botaniques qui permettent de découvrir la flore sauvage.

Issue d'un assemblage dominé par le duo syrah-carignan, cette cuvée a profité de la chaleur du millésime : en témoigne le nez complexe de fruits très mûrs nuancés d'épices et de plantes aromatiques. Très douce à l'attaque, elle offre une matière onctueuse structurée par des tanins élégants, mais heureusement équilibrée par une fraîcheur préservée. Un vin solaire qui charme par la richesse de son fruit. ⧗ 2020-2024

EARL CELLIER SAINT-DAMIEN, 6, pl. Fontvieille, 11220 Talairan, tél. 06 85 56 13 39, mazard.jeanpierre@free.fr
t.l.j. 9h-18h

TERRE D'EXPRESSION
La Passion de Charles Cros 2016 ★★

	3075		8 à 11 €

Fondée en 1932, la coopérative de Fabrezan s'est choisi comme nom Terre d'Expression; une manière d'exprimer la diversité des terroirs cultivés par ses adhérents – 1 400 ha répartis dans 23 communes, de Boutenac aux pentes de l'Alaric, de Lézignan à Lagrasse.

Des notes épanouies de fruit mûr, de sous-bois, de réglisse, une touche discrète de violette et de chêne : le nez est de bon augure. La bouche ne manque de rien : attaque ronde et charnue, corps soutenu, belle fraîcheur, tanins fins et enrobés, longueur. Les dégustateurs sont restés sous le charme de ce 2016 cohérent et prêt à boire. ⧗ 2019-2022

SCAV TERRE D'EXPRESSION, 5, rue des Coopératives, 11200 Fabrezan, tél. 04 68 43 61 18, g.marchive@terredexpression.fr *r.-v.*

LES TERROIRS DU VERTIGE
Fraîcheur 2018 ★

	8000		5 à 8 €

Les terroirs du Vertige, c'est la contrée, jalonnée de châteaux cathares, la plus en altitude des Corbières. C'est le nom d'une cave issue de la fusion de plusieurs petites coopératives communales. Elle regroupe 120 vignerons cultivant 850 ha dans une vingtaine de villages, et dispose de ce fait de terroirs très variés.

Tout est fin dans ce rosé pâle, au nez très floral. Il conserve le même profil au palais : léger, élégant, doté d'une texture fine et d'une agréable fraîcheur. Un rosé aérien qui porte bien son nom. ⧗ 2019-2020

SCAV LES TERROIRS DU VERTIGE, 2, chem. des Vignerons, 11220 Talairan, tél. 04 68 44 02 17, info@terroirsduvertige.fr
t.l.j. sf sam. dim. 9h-12h 14h-18h

CH. TRILLOL
Famille Sichel 2018 ★

	8350		8 à 11 €

Le village de Cucugnan, immortalisé par A. Daudet, n'est pas en Provence, mais dans les hautes Corbières, sous le regard des Ch. de Quéribus et de Peyrepertuse, aux confins des Pyrénées-Orientales et de Maury. La famille Sichel, propriétaire dans le Médoc, y a acquis en 1990 une exploitation (46 ha aujourd'hui) qu'elle a rénovée.

Roussanne et maccabeu composent cette cuvée vinifiée à basse température et élevée en cuve. Le jury a apprécié la franchise du nez, sans exubérance mais avec une jolie déclinaison de fruits exotiques, d'agrumes et des nuances muscatées. En bouche, résolument sudiste, il se révèle rond et plein, prolixe en notes de pâte de fruit. ⧗ 2019-2022

SCA DU TRILLOL, 10, rte de Duilhac, CD_14, 11350 Cucugnan, tél. 04 68 45 01 13, trillol@orange.fr
r.-v.

CH. VIEUX MOULIN 2017 ★

■	60000		11 à 15 €

Plus de deux siècles d'existence pour ce domaine, qui, avec Alexandre They, installé en 1998, et son œnologue Claude Gros, est devenu une valeur sûre du Guide. Conduit en bio certifié, il couvre 30 ha au cœur des Corbières occidentales.

Les quatre principaux cépages de l'appellation en version égrappée ont forgé le caractère de ce corbières, dont les dégustateurs ont souligné la gourmandise et la finesse. Le nez frais augure bien d'une bouche qui privilégie l'élégance sur la puissance : fruité pimpant (cassis), texture souple, équilibre, finale intense et gourmande. ⧗ 2020-2022 ■ **Les Ailes 2017 ★ (20 à 30 €; 6000 b.)** : carignan, grenache et mourvèdre à parts égales dans cette cuvée égrappée et élevée quatorze mois en fûts. Le nez, encore sur la réserve, livre des notes de fruits mûrs avec des nuances de sous-bois et de végétal. En bouche, le vin est plus disert : rondeur en attaque, puis gras, flaveurs longues et complexes (griottes à l'eau-de-vie, épices). Seuls les tanins encore fermes rappellent qu'une garde lui sera bénéfique. ⧗ 2024-2029

EARL ALEXANDRE THEY ET ASSOCIÉS, 1, rue de Madone, 11700 Montbrun-des-Corbières, tél. 04 68 43 29 39, contact@vieuxmoulin.net
r.-v.

CH. LA VOULTE-GASPARETS 2018 ★

■	20000		8 à 11 €

Six générations se sont succédé sur ce domaine couvrant aujourd'hui 60 ha, implanté sur une terrasse d'alluvions anciennes longue de 5 km, appuyée sur les collines gréseuses de Boutenac. Conduit avec brio depuis plus de trente ans par Patrick Reverdy, aujourd'hui épaulé par son fils Laurent, il ne quitte pas le devant de la scène.

Les cinq cépages blancs de l'appellation s'associent dans ce vin brillant de reflets verts, qui délivre des notes fumées et des touches de buis. Après une attaque tout en rondeur, il se développe avec élégance. ⧗ 2020-2022

SAS CH. LA VOULTE-GASPARETS, 13, rue des Corbières, hameau de Gasparets, 11200 Boutenac, tél. 04 68 27 07 86, chateaulavoulte@wanadoo.fr t.l.j. 9h-12h 14h-18h

CORBIÈRES-BOUTENAC

Superficie : 245 ha / Production : 8 926 hl

Le terroir de Boutenac (dix communes de l'Aude) fait depuis 2005 l'objet d'une AOC à part entière pour des vins rouges comportant une proportion notable de carignan (30 à 50 %).

DOM. CALVEL
Cuvée Gaston 2016 ★

■	6000		11 à 15 €

Pascale Calvel a repris l'exploitation familiale en 1996, s'est séparée de quelques vignes pour en planter de meilleures et a créé son chai, quittant la coopérative. Son domaine de 30 ha se trouve entre le massif de Fontfroide et les basses collines de Boutenac.

Régulièrement référencée dans le Guide, cette cuvée possède bien dans le millésime 2016 la finesse qu'on lui connaît. Le nez décline les fruits rouges et les épices, avec un soupçon de kirsch. L'attaque ronde et moelleuse ouvre sur une bouche fruitée, portée par des tanins parfaitement mûrs. La longue finale poivrée ponctue joliment ce vin à la puissance maîtrisée. ⧗ 2022-2025

PASCALE CALVEL, 3, enclos des Grillons, 11200 Saint-André-de-Roquelongue, tél. 06 88 76 89 10, domainecalvel@hotmail.fr r.-v.

CH. DE CARAGUILHES Solus 2017 ★

■	42000		20 à 30 €

D'origine cistercienne, le domaine, commandé par des bâtiments imposants, est situé à flanc de coteau. Il domine le vaste vignoble de 95 ha d'un seul tenant qui s'étale tout autour en pente douce, entouré de 500 ha de garrigue. Un pionnier du bio - dès 1987. Propriétaire depuis 2007, Pierre Gabison reste sur cette ligne.

Un assemblage carignan, grenache, mourvèdre compose cette cuvée qui a bien profité de l'ensoleillement du millésime. Le nez demande à s'affiner, mais il laisse transparaître un fruit bien mûr, clairement sudiste, avec des nuances épicées. La bouche en impose par son attaque voluptueuse, par sa puissance et ses tanins encore stricts. Un vin solaire et prometteur. ⧗ 2022-2025

SAS DOM. DU CH. DE CARAGUILHES, 11220 Saint-Laurent-de-la-Cabrerisse, tél. 04 68 27 88 99, chateau@caraguilhes.fr t.l.j. sf sam. dim. 9h-12h 14h-17h

DOM. LE CHAMP DES MURAILLES
Grande Cuvée 2017 ★

■	30000		15 à 20 €

Bien connu pour son Ch. Ollieux Romanis, Pierre Bories a racheté en 2012 le Champ des Murailles, domaine en corbières-boutenac créé par François des Ligneris, ancien propriétaire du Ch. Soutard, grand cru classé de Saint-Émilion. Couvrant quelque 10 ha sur le flanc ouest du massif du Pinada, ce vignoble se caractérise par un microclimat plus frais que le Ch. Ollieux Romanis.

Déjà retenue l'année passée, la Grande Cuvée du talentueux Pierre Bories est à nouveau à l'honneur. Assemblage classique dominé par le carignan, on retient sa robe profonde, son nez intense, encore sous l'emprise du bois, et sa bouche généreuse, ronde, longue, bien tenue par des tanins fermes. Un vin qui ne manque ni d'harmonie, ni d'avenir. ⧗ 2022-2025

SAS LE HAMEAU DES OLLIEUX, 3 bis, Grand-Rue, 11200 Fabrezan, tél. 04 68 43 35 20, manon@chateaulesollieux.com

♥ CH. GRAND MOULIN Grès de Boutenac 2016 ★★

■ | 13000 | 🛢 | 11 à 15 €

Son père, vendeur de bétail, possédait une petite vigne. Jean-Noël Bousquet décide à huit ans qu'il sera vigneron, achète son premier hectare à dix-sept ans, s'installe comme jeune agriculteur en 1978 – en fermage – et achète des vignes en coteaux alors dédaignées (500 F l'hectare...) En 1988, à la tête de 24 ha, il installe sa cave dans un ancien moulin. Il a transmis en 2014 à son fils Frédéric 130 ha de vignes, en IGP, corbières et corbières-boutenac. L'exploitation exporte 70 % de sa production.

La forte personnalité des vins de cette petite AOC est dignement représentée par cette cuvée intense, élevée douze mois en fûts neufs et issue de deux cépages de caractère (mourvèdre et carignan). La robe profonde et le nez généreux traduisent la belle maturité du raisin : arômes solaires de fruits rouges et de fruits noirs (cassis), d'épices douces et notes discrètement boisées. La bouche déploie un fruité profond, concentré, bien soutenu par des tanins fondants. Une cuvée résolument languedocienne qui concilie puissance et élégance. ⧗ 2022-2029

⊶ EARL FRÉDÉRIC BOUSQUET, 6, av. Gallieni, 11200 Lézignan-Corbières, tél. 04 68 27 40 80, contact@chateaugrandmoulin.com V 🚶 ▮ *t.l.j. sf dim. 9h-19h*

CH. HAUTERIVE LE HAUT l'Averal 2016 ★★

■ | 1200 | 🛢 | 15 à 20 €

Le Ch. Hauterive, vaste domaine implanté sur plusieurs terroirs, était une dépendance de l'abbaye de Fontfroide. Le vignoble est dans la famille de Jean-Marc Reulet depuis quarante ans.

L'Averal (« authentique » en langue d'oc) est une microcuvée issue d'une parcelle de 0,40 ha plantée de vieilles vignes (75 ans) de carignan et de grenache. Vinifiée en macération carbonique, elle offre un nez complexe de fruits rouges nuancés de notes florales et de touches toastées héritées de l'élevage en barrique. Puissante, charnue et riche d'arômes (cassis, violette, boisé), la bouche est solidement structurée par des tanins fermes qui n'enlèvent rien à l'équilibre et au charme de l'ensemble. Du caractère et de l'avenir. ⧗ 2022-2028

⊶ SCEA REULET, 1, ancien chem. de Ferrals, 11200 Boutenac, tél. 04 68 27 62 00, hauterive-le-haut@orange.fr V 🚶 ▮ *r.-v.*

CH. MAYLANDIE Villa Ferrae 2017 ★

■ | 9000 | 🛢 🍾 | 11 à 15 €

Jacques Maymil, entrepreneur narbonnais, crée le domaine dans les années 1950; son fils Jean quitte la coopérative en 1987, après l'accession du corbières à l'AOC. La troisième génération, Delphine et son compagnon Éric Virion, a pris les rênes du vignoble en 2007 (27 ha aujourd'hui). La première, qui a d'abord travaillé dans la communication culturelle, oriente le domaine vers l'œnotourisme.

Une dominante de grenache se manifeste dans ce vin de teinte violacée, qui embaume les fruits rouges macérés et la torréfaction. En bouche, il traduit la grande maturité du fruit par sa rondeur et des arômes généreux qui portent encore l'empreinte d'un boisé ambitieux. Il demande juste à séjourner quelque temps en cave. ⧗ 2022-2029

⊶ EARL MAYLANDIE, 18, av. de Lézignan, 11200 Ferrals-les-Corbières, tél. 06 61 93 01 33, contact@maylandie.fr V 🚶 ▮ *r.-v.* 🏠 E

CH. OLLIEUX ROMANIS Cuvée Or 2017 ★

■ | 18000 | 🛢 | 20 à 30 €

Fondé en 1860 dans le terroir de Boutenac, ce vaste vignoble familial, à l'origine dépendance de l'abbaye de Fontfroide, est resté dans la même famille depuis lors. Il possède dès 1896 cave et chai à barriques construits avec les pierres de la carrière du domaine. Jacqueline et François Bories le relancent au cours des années 1980, rejoints en 2001 par leur fils Pierre. Cultivé sans désherbants ni pesticides, le vignoble, en conversion bio, s'étend sur 65 ha.

Une robe profonde frangée de violet habille cette cuvée haut de gamme, provenant de vieilles vignes et des quatre cépages de l'appellation. Sur la réserve, elle offre au nez des nuances de fruits noirs frais (mûre), de plantes aromatiques sur un fond généreusement boisé. Encore jeune, marquée par l'élevage en fûts neufs, elle n'en est pas moins ronde et concentrée, bâtie sur des tanins délicatement extraits. La longueur est de bon augure. ⧗ 2021-2025 ■ **Cuvée Aristide 2017 ★ (15 à 20 €; 10000 b.)** : Ollieux Romanis fait coup double dans l'appellation avec cette seconde cuvée qui illustre tout le savoir-faire du très dynamique Pierre Bories. On retrouve le tempérament fougueux des vins de Boutenac dans ses arômes prononcés de fruits très mûrs et d'épices. D'abord retenue en bouche, elle se livre progressivement pour offrir un fruit gourmand, une puissance bien maîtrisée, des tanins fermes et une longueur prometteuse. ⧗ 2021-2025

⊶ SCEA VIGNOBLES ROMANIS, RD_613, 11200 Montséret, tél. 04 68 43 35 20, manon@chateaulesollieux.com V 🚶 ▮ *t.l.j. sf dim. 9h-13h 14h-18h*

SAINTE-LUCIE D'AUSSOU Bella Dama 2016 ★

■ | 12600 | 🛢 🍾 | 15 à 20 €

Dans l'Antiquité, une villa gallo-romaine; au XVII[e]s., une congrégation religieuse. Situé à 4 km de l'abbaye de Fontfroide, le domaine actuel, commandé par des bâtiments imposants organisés autour d'une cour d'honneur, remonte à 1869. Il a été acquis en 1992 par Jean-Paul Serres, passé du barreau toulousain à la vigne. Certifiée Haute valeur environnementale, la propriété compte 53 ha (dont une quarantaine en production) en corbières et en corbières-boutenac.

Une régularité de métronome pour cette cuvée référencée dans le Guide depuis quatre ans. Il n'y a aucune raison de changer une formule qui gagne : carignan et grenache à parité, vinifiés en grappes entières et élevage sous bois. On retrouve le nez généreusement parfumé, entre fruits mûrs et garrigue, et la bouche parfaitement équilibrée, longue, dotée d'un fruit gourmand (fruits rouges). ⧗ 2021-2025

SCEA CH. SAINTE-LUCIE D'AUSSOU, Dom. Sainte-Lucie d'Aussou, 11200 Boutenac, tél. 06 87 34 12 67, sainteluciedaussou@wanadoo.fr V *r.-v.*

♥ CH. SAINT-ESTÈVE Ganymède 2017 ★★

■	10 000		20 à 30 €

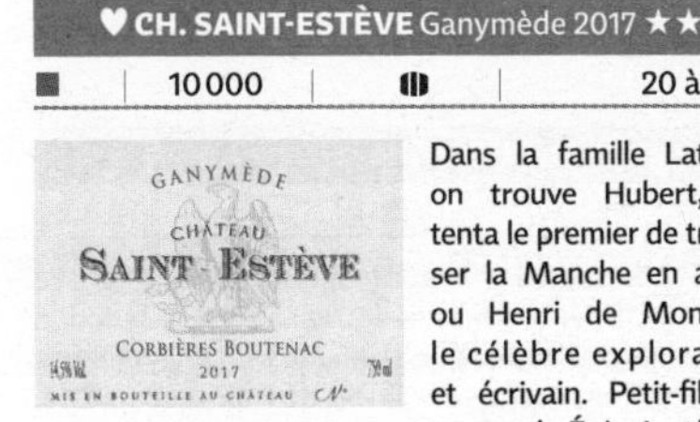

Dans la famille Latham, on trouve Hubert, qui tenta le premier de traverser la Manche en avion, ou Henri de Monfreid, le célèbre explorateur et écrivain. Petit-fils du second, Éric Latham, après avoir exporté du café et du cacao de la Côte-d'Ivoire, a acquis en 1984 le Ch. Saint-Estève (120 ha aujourd'hui) rattaché jadis à l'abbaye de Fontfroide.

L'étiquette conte l'histoire de Ganymède, échanson des dieux, et le contenu de la bouteille est parfaitement en accord. Le jury est tombé sous le charme de cet assemblage de quatre cépages dominé par le carignan et vinifié en macération carbonique. La richesse du vin se manifeste dans des arômes intenses et complexes, même si l'empreinte de l'élevage domine encore (torréfaction et clou de girofle). Ronde et soyeuse, la bouche impressionne par son intensité, avec une juste fraîcheur qui assure la persistance. Puissance et harmonie pour ce corbières-boutenac qui mérite un séjour en cave. ⧗ 2022-2029

GFA CH. SAINT-ESTÈVE, Ch. Saint-Estève, 11200 Thézan-des-Corbières, tél. 04 68 43 32 34, contact@chateau-saint-esteve.com V *t.l.j. 9h-19h*

TERRE D'EXPRESSION l'Improbable 2016 ★★

■	3271		11 à 15 €

Fondée en 1932, la coopérative de Fabrezan s'est choisi comme nom Terre d'Expression; une manière d'exprimer la diversité des terroirs cultivés par ses adhérents – 1 400 ha répartis dans 23 communes, de Boutenac aux pentes de l'Alaric, de Lézignan à Lagrasse.

Fleuron de la coopérative, l'Improbable offre toutes les caractéristiques d'un vin issu de vieilles vignes (75 ans) de carignan qui composent 50% de l'assemblage. En témoignent la robe opaque et le nez charmeur, plus fin que démonstratif, avec des notes gourmandes de fruits cuits. Le jury a salué son équilibre irréprochable, l'harmonie parfaite entre richesse du fruit et structure. L'élevage sous bois a patiné l'ensemble sans dominer. Alors, improbable, cette cuvée ? Non, remarquablement probante ! ⧗ 2022-2029

SCAV TERRE D'EXPRESSION, 5, rue des Coopératives, 11200 Fabrezan, tél. 04 68 43 61 18, g.marchive@terredexpression.fr V *r.-v.*

B CH. VILLEMAJOU Grand Vin 2017 ★

■	n.c.		20 à 30 €

Enfant des Corbières, Gérard Bertrand est un important propriétaire et négociant du sud de la France, dont les cuvées apparaissent dans le Guide sous diverses AOC (corbières, fitou, minervois, languedoc, côtes-du-roussillon) et en IGP.

C'est ici, dans le domaine familial de Villemajou, que tout a commencé pour Gérard Bertrand, désormais à la tête d'un empire. Le château fait logiquement l'objet de tous les soins. Ce 2017 arbore un nez intense de fruit mûr agrémenté des notes toastées de l'élevage. Encore jeune, il n'en est pas moins harmonieux au palais, riche d'un fruité généreux (fruits noirs). Valeur sûre et vin d'avenir. ⧗ 2022-2029 ■ **La Forge 2016 ★ (30 à 50 €; n.c.)** : une des cuvées haut de gamme de Gérard Bertrand, La Forge tire parti non seulement de vignes centenaires de syrah et carignan plantées sur des sols de galets roulés, mais aussi d'un élevage en barriques neuves. Le 2016 en a tiré des arômes profonds de fruits mûrs, d'épices et de vanille. La bouche veloutée dès l'attaque met en avant la grande maturité du raisin : fruits bien mûrs, tanins puissants et soyeux. Un vin structuré, encore serré et destiné à la garde. ⧗ 2022-2029

SPH GÉRARD BERTRAND, Ch. l'Hospitalet, rte de Narbonne-Plage, 11100 Narbonne, tél. 04 68 45 28 50, vins@gerard-bertrand.com V *t.l.j. 9h-19h*

FAUGÈRES

Superficie : 2 004 ha
Production : 68 733 hl (99 % rouge et rosé)

Reconnus en AOC depuis 1982, comme les saint-chinian leurs voisins, les faugères sont produits sur sept communes situées au nord de Pézenas et de Béziers, et au sud de Bédarieux. Les vignobles sont plantés sur des coteaux à forte pente, d'une altitude relativement élevée (250 m), dans les premiers contreforts schisteux peu fertiles des Cévennes. Produits à partir des cépages grenache, syrah, mourvèdre, carignan et cinsault, les faugères rouges sont bien colorés, chaleureux, avec des arômes de garrigue et de fruits rouges. L'appellation produit aussi des rosés et de rares blancs.

B ABBAYE SYLVA PLANA La Part du Diable 2016

■	2500		30 à 50 €

Une abbaye fondée en 1139 sous l'abbatiat de Desiderius. Elle dresse sa tour capitulaire au cœur des schistes de Faugères, où la tradition viticole inaugurée par les moines cisterciens se perpétue depuis plus de huit siècles. Nicolas Bouchard officie aujourd'hui sur les 54 ha de vignes du domaine, conduits en bio (certification en 2008).

Allègre, le nez passe en revue la liqueur de cassis, la violette, la garrigue et le cuir. De belles promesses tenues en bouche : attaque intense et suave, fruité juteux relevé par des tanins fermes qui donnent une touche d'austérité à l'ensemble. Du potentiel. ⧗ 2020-2025

SARL BOUCHARD ET FILS, 13, Ancienne-RN, 34480 Laurens, tél. 04 67 24 91 67, info@vignoblesbouchard.com V *t.l.j. sf sam. dim. 9h-12h 14h-17h30* 4

LANGUEDOC

♥ LES AMANTS DE LA VIGNERONNE
De Chair et de Sang 2017 ★★★

■ | 4200 | | 15 à 20 €

À l'entrée du vieux village de Faugères, une maison de caractère entourée de vignes. Christian et Régine Godefroid y ont aménagé des chambres d'hôtes et conduisent un petit domaine de 8 ha créé en 2004 sur un terroir de schistes, qui s'est rapidement imposé comme une valeur sûre de l'appellation.

Un tiers de syrah pour deux tiers de mourvèdre dans cette cuvée ébouriffante, longuement (dix-huit mois) élevée en fûts. Mûr et frais, le nez embaume les fruits noirs (cerise, myrtille), la garrigue et le menthol. Bien du Sud par sa texture veloutée, ses tanins caressants et sa maturité, la bouche n'en oublie pas de rester fraîche, élégante avec une variété aromatique qui s'entiche de fines nuances d'épices. Une classe et une harmonie logiquement saluées par un coup de cœur. ⧗ 2021-2028 ■ **Dans la peau 2017 ★ (20 à 30 €; 1200 b.)** : syrah majoritaire et grenache au programme de cette cuvée patinée par un long élevage en fûts. Fruits rouges bien mûrs, garrigue et notes grillées au nez; bouche ronde adossée à des tanins puissants mais enrobés; finale vanillée et réglissée : un vin solidement structuré, complexe, complet et prometteur. ⧗ 2021-2026

GAEC LES AMANTS DE LA VIGNERONNE, 1207, rte de Pézenas, 34600 Faugères, tél. 04 67 95 78 49, lesamantsdelavigneronne@gmail.com V r.-v. ④

Ⓑ DOM. DE L'ARBUSSELE Révélation 2017 ★★

■ | 2000 | | 15 à 20 €

Œnologue diplômé, Sébastien Louge a fait ses classes dans divers vignobles de France et du monde avant de s'installer en 2014 comme jeune agriculteur sur le terroir schisteux de Faugères. Il a créé sa cave et exploite 10,5 ha en lutte raisonnée.

Un vin né de grenache majoritaire à la robe profonde et violacée. Bien ouvert, le nez livre ses nuances de garrigue et de réglisse sur un fond de fraise en confiture. Ronde à l'attaque, fraîche en finale, la bouche déploie entre les deux sa chair tendre, ses tanins fondus et ses saveurs suaves et mûres de fruits noirs mâtinés de cannelle et de réglisse issues du chêne. ⧗ 2020-2024

DOM. DE L' ARBUSSELE, Le Moulenc, 34320 Fos, contact@domaine-larbussele.com V r.-v.

DOM. BALLICCIONI Kallisté 2017 ★

■ | 7500 | | 15 à 20 €

André et Véronique Balliccioni, après un changement de vie professionnelle, ont créé ce domaine en 1998. Ils conduisent aujourd'hui 17 ha de vignes selon les principes de l'agriculture raisonnée et se sont imposés comme l'une des bonnes références en faugères.

Fidèle au poste, Kallisté («la plus belle» en grec ancien) revient pour la cinquième année consécutive. Le long élevage en fût marque le nez à ce stade de notes fumées et torréfiées. Le fruit s'exprime plus librement dans une bouche dense portée par des tanins fins qui ouvrent sur une finale fraîche et complexe, entre cacao, cuir et notes florales. Encore jeune, la cuvée a tout pour évoluer avec grâce. ⧗ 2021-2027

SARL DOM. BALLICCIONI, 1, chem. de Ronde, 34480 Autignac, tél. 04 67 90 20 31, ballivin@sfr.fr V r.-v.

Ⓑ DOM. DE CÉBÈNE Felgaria 2016 ★

■ | 4000 | | 30 à 50 €

Après avoir œuvré pendant vingt ans dans le négoce bordelais, Brigitte Chevalier, originaire du Médoc, a pris en 2007 la tête de ce domaine de 11 ha, cultivés en bio, au cœur du parc régional du Haut-Languedoc, sur les schistes de Faugères.

30 % de syrah épaulent le mourvèdre dans cette cuvée haute en couleur et en saveurs, élevée douze mois en fût. D'une robe dense émerge un bouquet complexe associant le cassis et le pruneau aux nuances épicées et animales du mourvèdre. L'attaque sucrée et les tanins onctueux donnent une dimension de gourmandise immédiate à ce rouge équilibré, très typé, dont la longue finale évoque le cuir et les épices du chêne (cannelle). Déjà plaisant mais du potentiel. ⧗ 2020-2026

BRIGITTE CHEVALIER, Dom. de Cébène, BP_72, 34600 Faugères, tél. 06 74 96 42 67, bchevalier@wanadoo.fr V r.-v.

CH. CHÊNAIE Les Douves 2017 ★

■ | 5000 | | 11 à 15 €

Un vrai château du XIIᵉs. : au Moyen Âge, un poste de guet sur le passage de la montagne du Carroux vers la plaine littorale. Établie du côté de Faugères depuis cinq générations, la famille Chabbert est propriétaire des 38 ha de vignes du domaine et a installé son chai à barriques et son caveau de dégustation dans l'imposant donjon.

Les Douves, ou l'autre nom des douelles dont on fait les barriques. Un élevage en fûts donc pour cette cuvée qui donne à la syrah le premier rôle (75 %). La robe en tire sa teinte profonde et son nez de fruits noirs confiturés relevé de notes de chêne (moka, cacao) encore évidentes. Bien enrobée, la bouche se révèle ample et généreuse, dotée de tanins fondus qui renforcent la sensation de rondeur de l'ensemble. La finale torréfiée et épicée fait écho au nez. À attendre. ⧗ 2021-2026

EARL ANDRÉ CHABBERT ET FILS, Le Château, 1, rue du Carcan, 34600 Caussiniojouls, tél. 04 67 95 48 10, chateauchenaie@orange.fr V r.-v.

DOM. COTTEBRUNE Transhumance 2016 ★

■ | 9000 | | 11 à 15 €

Ce vignoble de 12 ha a été créé en 2007 par Pierre Gaillard, vigneron réputé de la vallée du Rhône nord (Dom. Pierre Gaillard), implanté aussi dans le Roussillon (Dom. Madeloc).

Ce bon domaine de l'appellation, choyé par la famille Gaillard, signe cette cuvée qui aura séduit le jury par son élégance. L'élevage discret apporte des nuances vanillées à un nez bien languedocien, entre fruits noirs mûrs, garrigue et poivre. L'attaque douce, la texture suave, les tanins fins, la fraîcheur préservée du fruit avec les mêmes tonalités aromatiques qu'au nez : tout concourt à l'élégance de cette cuvée vibrante et pleine de charme. ⧗ 2019-2023

EARL COTTEBRUNE, 9, rte de la Chaudière, La Liquière, 34480 Cabrerolles, tél. 06 75 87 43 98, cottebrune@gaillard.vin V r.-v.

CH. DES ESTANILLES Raison d'Être 2016 ★★

■ | 1500 | | 20 à 30 €

L'autodidacte Julien Seydoux a racheté en 2009 ce domaine de 44 ha, conduit en bio, qui propose des faugères souvent remarquables. Une valeur sûre.

Syrah et grenache composent cette cuvée élevée dix-huit mois en fûts qui dévoile un bouquet nuancé, entre mûre, violette, eucalyptus, thym et notes torréfiées issues du chêne. La bouche confirme le profil résolument élégant perçu au nez : douceur du fruit, fraîcheur préservée, tanins fermes, longue finale sur la torréfaction et les plantes aromatiques. Un rouge à la puissance tempérée qui possède une beau potentiel en cave. ⧗ 2021-2027 ■ **L'Impertinent 2018 (11 à 15 €; 5000 b.)** B : vin cité.

SCEA CH. DES ESTANILLES, hameau de Lentheric, 34480 Cabrerolles, tél. 04 67 90 29 25, contact@chateau-estanilles.com V *t.l.j. sf sam. dim. 10h-17h30*

DOM. DE FENOUILLET Extraits de Schistes 2017 ★

■ | 50000 | | 5 à 8 €

Acquise en 1993, une des propriétés de la famille Jeanjean, également à la tête d'un important négoce. Couvrant aujourd'hui 25 ha, elle est implantée en faugères sur les plus hauts coteaux de l'appellation, jusqu'à 300 m – une altitude favorable à la maturation lente des raisins. En conversion bio.

D'un violet intense et profond, ce 2017 décline un nez de fruits noirs (cassis et mûre) et de garrigue. Franc dès l'attaque, il emplit le palais d'une matière dense et ronde, puissamment structurée. La petite austérité perceptible en finale est un gage d'avenir. ⧗ 2020-2024

DOM. DE FENOUILLET, L'Enclos, 34725 Saint-Félix-de-Lodez, tél. 04 67 88 80 00, contact@vignobles-jeanjean.com V *t.l.j. sf dim. 9h-12h 14h-18h30* *Vignobles Jeanjean*

DOM. GABARON Trilogie de cépages méditerranéens 2017 ★

■ | 6000 | | 11 à 15 €

Fille de Jean Vialade, vigneron bien connu des Corbières, Claude Vialade a dirigé le syndicat des corbières avant de reprendre et de restaurer en 1995 les propriétés familiales (Ch. Cicéron, Ch. Saint-Auriol, Ch. Vialade et Corbières Montmija), tout en créant une importante maison de négoce.

Le grenache s'associe au mourvèdre et à la syrah pour composer cette cuvée grenat sombre au nez retenu de fruit mûr relevé d'épices. Souple, parfumée, dotée de tanins soyeux et d'une agréable rondeur, la bouche livre une interprétation fraîche et élégante de l'appellation. À boire sur sa jeunesse. ⧗ 2019-2022

LES DOM. AURIOL, 12, rue Gustave-Eiffel, ZI Gaujac, 11200 Lézignan-Corbières, tél. 04 68 58 15 15, adm.achat-vins@les-domaines-auriol.eu

CH. GRÉZAN Les Schistes dorés 2017 ★

■ | 18000 | | 20 à 30 €

Jadis villa romaine puis commanderie de Templiers, ce curieux château vaut le détour. On l'appelle le « petit Carcassonne du Biterrois » avec son mur d'enceinte fortifié et crénelé remanié au XIXᵉs. Côté vignes, 85 ha conduits par Rémy Fardel et Jean-Louis Pujol.

Habituée du Guide, cette cuvée tire de la syrah (75 %) sa robe profonde et son nez juteux de fruits noirs et d'épices. Une attaque intense, entre sucrosité et fraîcheur, un milieu de bouche plein, des tanins ronds, une finale torréfiée et grillée qui nous rappelle l'élevage en fûts : une cuvée qui ne faiblit pas d'un bout à l'autre de la dégustation et qu'on laissera respirer en cave. ⧗ 2020-2025

SCEA CH. DE GRÉZAN, RD_909, Ch. de Grézan, 34480 Laurens, tél. 04 67 90 27 46, caveau@cg-fcp.com V *t.l.j. sf dim. 9h-12h 14h30-18h*

CH. DE LA LIQUIÈRE Tarroussel 2016 ★

■ | 3000 | | 20 à 30 €

Depuis les années 1970, ce domaine en bio certifié est l'un des fleurons de l'appellation, présent dans le Guide avec une régularité sans faille. Doté d'un magnifique terroir de soixante-dix petites parcelles de schistes (58 ha) qui sculptent le paysage, il bénéficie aujourd'hui du savoir-faire de la jeune génération, hérité du grand-père Jean et du père Bernard Vidal, l'un et l'autre anciens présidents de l'appellation.

Tarroussel, c'est le nom de la parcelle d'où proviennent ces très vieilles vignes de grenache et de carignan. La légère évolution de la robe semble confirmée au nez par des nuances de cuir qui s'associent à des notes plus fringantes et fraîches de fruits rouges, de garrigue et de violette. Les vieilles vignes font leur effet en bouche : volume, concentration, puissance et chaleur, mais c'est la sensation presque paradoxale de fraîcheur qui l'emporte avec une finale mentholée qui allège cette riche matière. Le miracle des schistes de Faugères ? ⧗ 2020-2024

SAS LA LIQUIÈRE - FAMILLE VIDAL-DUMOULIN, 34480 Cabrerolles, tél. 04 67 90 29 20, info@chateaulaliquiere.com V *t.l.j. sf sam. dim. 10h-12h 14h-18h*

MAS GABINÈLE Rarissime 2017 ★★

■ | 8000 | | 30 à 50 €

Petit-fils de vignerons, Thierry Rodriguez débute sa carrière dans l'exportation de vins du Languedoc, puis dans le négoce. Il redevint vigneron en achetant en 1997 ses premières parcelles en faugères à son ami Gabriel Mas, surnommé Gabinelle. Gabinelà désigne en occitan un cabanon de vignes, c'est le nom qu'il a choisi pour son domaine, qui couvre aujourd'hui 20 ha.

Cette sélection parcellaire, plusieurs fois retenue dans les éditions précédentes, dominée par la syrah (85 %), a bénéficié d'un long vieillissement en fût (seize mois). Les notes torréfiées nous le rappellent et apportent de la complexité à un nez dominé par les fruits noirs frais et la violette. La bouche porte aussi l'empreinte de la barrique mais celle-ci n'entame en rien la séduction évidente de cette cuvée concentrée, puissante, charnue, qui laisse s'exprimer en finale un fruit richement torréfié. Des sensations fortes qui demandent un peu de patience. ⧗ 2021-2026

LANGUEDOC

SCEA MAS GABINÈLE, 1750, chem. de Bédarieux, 34480 Laurens, tél. 04 67 89 71 72, info@masgabinele.com V t.l.j. sf sam. dim. 10h-12h 16h-18h

MAS OLIVIER Expression 2017 ★★

■	50 000		11 à 15 €

La coopérative Crus Faugères est l'une des toutes dernières créées en Languedoc. Sa fondation en 1959 correspond à l'émergence du vignoble de cette appellation. Dès les années 1970, la cave vend aux particuliers. En 1995, elle lance la marque Mas Olivier. Elle organise aussi des promenades dans le vignoble où l'on peut découvrir les moulins restaurés de Faugères.

Une robe sombre et un nez qui décline la panoplie d'un rouge élevé en fût : torréfaction, réglisse, moka. Puissante, intense, appuyée sur des tanins virils, la bouche laisse filtrer des saveurs plus nuancées de fruits rouges compotés et de plantes aromatiques (ciste, thym, eucalyptus). Le fût impose sa marque en finale : vanille, coco et astringence. Un élevage ambitieux mais une structure à la mesure pour ce vin de garde qui a tutoyé le coup de cœur. 2021-2025 ■ **Parfum de schistes 2018** ★★ (5 à 8 €; 50 000 b.) : un rosé dans l'air du temps, pâle et très aromatique. Le nez n'est pas avare en fruits exotiques, de même que la bouche, fraîche, qui y ajoute des nuances de fruits rouges et d'épices. Un vin très gourmand et persistant. 2019-2020

SCV LES CRUS FAUGÈRES, Mas Olivier, 34600 Faugères, tél. 04 67 95 08 80, contact@lescrusfaugeres.com V t.l.j. 9h-12h 14h-18h
SCV Les Crus Faugères

MAS ONÉSIME Le Sillon 2017

■	5 000		15 à 20 €

Ses grands-parents ont acquis des vignes après la Seconde Guerre mondiale. Ses parents ont apporté leurs raisins à la coopérative, puis agrandi le vignoble (12 ha aujourd'hui, en bio certifié avec une vue sur la biodynamie). Après ses études en œnologie et quelques escapades à travers le monde, Olivier Villaneuva s'est installé en 1999 sur le domaine et a débuté la mise en bouteilles à la propriété en 2011. Onésime ? Le prénom du grand-père.

Une base de grenache (70 %) dans cette cuvée moyennement colorée dont le nez sur la réserve livre des notes de fruits mûrs et de cuir. Plus épanouie, la bouche séduit par son élégance, par le soyeux des tanins et par la complexité et la fraîcheur préservée de ses arômes, entre poivre, cuir et torréfaction sur fond de fruits noirs. Un bel équilibre pour un vin vivant et déjà ouvert. 2019-2023

EURL MAS ONÉSIME, La Liquière, 34480 Cabrerolles, tél. 04 67 93 63 58, olivier@masonesime.com V r.-v.

DOM. OLLIER-TAILLEFER Les Collines 2018 ★★

■	13 000		8 à 11 €

Fos est un charmant village fleuri du haut Languedoc. Incarnant la cinquième génération, Luc et Françoise Ollier, frère et sœur natifs du cru, y conduisent un vignoble familial de 36 ha certifié bio depuis 2012. Une valeur sûre de l'AOC faugères.

Un quartette de cépages pour cet excellent rosé. Pâleur de la robe, finesse du nez (fruits exotiques, fleurs, notes balsamiques), rondeur de l'attaque, équilibre de la chair friande avec un fruit acidulé, épicé, longueur de la finale minérale. Un beau rosé destiné à la table. 2019-2020 ■ **Grande Réserve 2016 (11 à 15 €; 27 000 b.)** : vin cité.

DOM. OLLIER-TAILLEFER, rte de Gabian, 34320 Fos, tél. 04 67 90 24 59, ollier.taillefer@wanadoo.fr V t.l.j. sf dim. 11h-12h 14h30-18h; 15 oct.-14 avril sur r.-v.

PEYREGRANDES 2018 ★★

■	2 600		8 à 11 €

Marie Boudal cultive avec un soin méticuleux ses vieilles vignes (24 ha en bio) de syrah, de grenache, de carignan et de mourvèdre (certaines sont âgées de plus de soixante-dix ans) accrochées sur les flancs des coteaux escarpés de Roquessels, en appellation faugères. Elle a deux étiquettes : Ch. de Peyregrandes et Dom. Bénézech-Boudal.

Les deux cépages rhodaniens, roussanne et marsanne, au meilleur de leur forme dans cet assemblage qui aura conquis le jury. Le nez, plus délicat que puissant, dispense d'élégantes notes d'amande fraîche, de crème et de fruit jaune. Tendre à l'attaque, la bouche monte en puissance et déploie sa chair onctueuse, ses saveurs juteuses et épicées aiguisées par une très belle acidité. La longue finale dotée d'une amertume stimulante clôt en beauté ce grand blanc de table qui saura se garder quelques années. 2019-2023

SCEA DOM. BÉNÉZECH-BOUDAL, 11, chem. de l'Aire, 34320 Roquessels, tél. 04 67 90 15 00, chateau-des-peyregrandes@wanadoo.fr V t.l.j. sf sam. dim. 9h30-12h 14h-18h

DOM. DU ROUGE-GORGE 2017

■	53 500		5 à 8 €

Le vin est une vieille histoire de famille chez les Borda, qui se poursuit avec Alain, Monique et Philippe, à la tête d'un important vignoble de 122 ha établi sur les coteaux d'Autignac. Deux étiquettes : Dom. Affanies, exploité depuis 1964, en IGP et vins de France, et Dom. du Rouge-Gorge, quelque 40 ha en AOC faugères, créé en 1982 et conduit par Philippe Borda.

Né d'un assemblage de quatre cépages, ce vin à la robe profonde et lumineuse respire le grand Sud avec des nuances de fruits rouges mûrs, de cuir, de thym et de menthol. Peu concentrée, la cuvée joue avec élégance la carte de la souplesse et de la fraîcheur : matière tendre, fruité croquant, tanins fondus, finale tonique et mentholée. À boire sans délai. 2019-2021 ■ **2018 (5 à 8 €; 33 500 b.)** : vin cité.

SCEA ALAIN ET PHILIPPE BORDA, rte de Saint-Geniès-de-Fontedit, 34480 Magalas, tél. 04 67 36 22 86, sceaborda@orange.fr V r.-v.

DOM. SAINT-MARTIN D'AGEL Le Pèlerin 2017 ★

■ | 9000 | 🍾 | 8 à 11 €

Propriété de la famille Lugagne Delpon depuis 1822, ce domaine de 32 ha entre vignes et oliviers, ancienne étape des pèlerins sur le chemin de Compostelle, est situé aux portes du Parc régional du Haut-Languedoc. Le vignoble, implanté sur plusieurs niveaux de terrasses de l'AOC faugères, jouit d'une intéressante diversité de sols.

Le domaine signe son entrée dans le Guide avec cette cuvée qui associe quatre des cinq cépages rouges de l'appellation. Derrière une robe intense, un nez assez juteux de cassis frais agrémenté de garrigue, de thym et de menthol qui font voir du pays. Jeune, la bouche est dominée par des tanins fermes qui demanderont à s'assouplir mais on se régale déjà de ses belles notes de fruits noirs, de réglisse et de tapenade. La longueur est de bon augure pour la suite. ⧗ 2021-2025

SCEA SAINT-MARTIN D'AGEL, Dom. Saint-Martin d'Agel, 34480 Magalas, tél. 06 10 03 29 49, lugagne.delpon@wanadoo.fr V r.-v. E

Ⓑ DOM. LA SARABANDE 2016 ★

■ | 3400 | 11 à 15 €

Ce domaine situé à Laurens – l'une des sept communes de l'appellation faugères – a été repris en 2009 par Paul Gordon, australien, et sa femme Isla, irlandaise. Ensemble, ils exploitent un petit vignoble de 6,5 ha en bio.

D'un grenat foncé, ce vin rouge issu de la syrah et du mourvèdre livre des parfums de cassis, de mûre et de pruneau nuancés de garrigue. La richesse du fruit se déploie en bouche, soulignée de notes épicées, dans un ensemble qui brille par son relief, entre tanins croquants et belle fraîcheur. Un équilibre irréprochable pour ce faugères déjà agréable et qui tiendra dans le temps. ⧗ 2019-2023

ISLA GORDON, 14, ancienne RN, 34480 Laurens, tél. 09 63 68 22 68, info@sarabande-wines.com V r.-v.

FITOU

Superficie : 2 590 ha / Production : 90 023 hl

L'appellation fitou, la plus ancienne AOC rouge du Languedoc-Roussillon (1948), est située dans la zone méditerranéenne de l'aire des corbières; elle comprend à l'est le fitou maritime, qui borde l'étang de Leucate, séparé par un plateau calcaire du fitou de l'intérieur situé dans le massif des Corbières, à l'abri du mont Tauch. L'AOC s'étend sur neuf communes, qui ont également le droit de produire les vins doux naturels rivesaltes et muscat-de-rivesaltes. Le carignan trouve ici son terroir de prédilection. Il peut être complété par le grenache noir, le mourvèdre et la syrah. Élevé au moins neuf mois, le fitou affiche une couleur rubis foncé et un corps puissant et charpenté.

CH. ABELANET 2017

■ | 15000 | 🍾 | 5 à 8 €

Autrefois relais de diligences sur la route de l'Espagne, le domaine (18,5 ha) est dans la même famille depuis 1697. Douze générations se sont succédé. Régis Abelanet a passé le témoin à son épouse Marie-Françoise et à leur fils Romain.

Cette cuvée tout en retenue fait la part belle au carignan qui s'exprime avec délicatesse sur un terroir argilo-calcaire. La robe grenat offre une belle brillance. Le nez exprime d'abord des notes de sous-bois, puis s'ouvre sur des senteurs épicées : poivre, noix muscade, cistes et romarin. De la jeunesse ? Certes, elle est bien perceptible au palais, mais les notes méditerranéennes sont avenantes déjà. ⧗ 2020-2023

SCEA CH. ABELANET, Ch. Abelanet, 7, av. de la Mairie, 11510 Fitou, tél. 04 68 45 76 50, contact@chateau-abelanet.com V *t.l.j. 10h-12h 14h-18h*

DOM. JEAN-FRANÇOIS AUZOULAT
Vieilles Vignes 2017 ★

■ | n.c. | 11 à 15 €

Jean-François Azoulat, à la tête de la propriété depuis 1980, décide en 2009 de vinifier ses raisins dans l'une des plus vieilles caves de Fitou, qui appartenait jadis à l'unique restaurateur du village et fut creusée à même la roche, ce qui lui confère des vertus exceptionnelles de vieillissement.

Carignan, mourvèdre et grenache unissent leurs forces dans ce fitou issu des terroirs argilo-calcaires de la partie maritime de l'aire d'appellation. Robe profonde à reflets violets, nez complexe de fruits noirs, de sous-bois et de gibier. Le charme opère et il se poursuit au palais, tant la matière est ample et ronde, empreinte de notes réglissées, épicées et minérales. Bel équilibre entre fraîcheur et onctuosité. ⧗ 2020-2025

JEAN-FRANÇOIS AUZOULAT, 54, av. de la Mairie, 11510 Fitou, tél. 06 08 57 98 61 V *t.l.j. 10h-12h 16h-19h*

DOM. BALANSA Bel Soula 2017

■ | 8800 | 🍾 | 15 à 20 €

En 2015, Alexandre Gressent (technicien de maintenance) et Céline Perpe (architecte d'intérieur) s'associent avec les parents de cette dernière, viticulteurs coopérateurs, et décident de produire leurs propres vins, à partir de 15 ha de vignes, certifiés bio en 2019.

Grenat, cette cuvée affiche un nez complexe : les senteurs épicées (poivre blanc) côtoient la réglisse et des nuances profondes de tapenade. La bouche franche et fraîche s'appuie sur une trame de tanins serrés, encore austères mais de qualité. On sent de la minéralité et l'expression du terroir schisteux dans ce vin prometteur. ⧗ 2021-2024

EARL PG ET D, 11, chem. de Fraïsse, 11360 Villeneuve-les-Corbières, tél. 06 61 10 77 61, domainebalansa@gmail.com V *r.-v.*

♥ Ⓑ DOM. BERTRAND-BERGÉ
La Boulière 2016 ★★★

■ | 8000 | 🛢 | 15 à 20 €

À l'instar de son aïeul Jean Sirven, qui vinifiait son vin à la fin du XIXᵉs., Jérôme Bertrand a quitté la coopérative en 1993 pour élaborer ses propres vins. Il a cru très tôt dans la

qualité des terroirs rudes de Fitou, a élevé et valorisé les vins du cru, puis hissé son domaine (36 ha) parmi les grands. Depuis la récolte 2011, le vignoble est conduit en bio certifié.

Une régularité qui impose le respect tant les cuvées de ce domaine séduisent les dégustateurs d'une année à l'autre. En témoigne ce 2016 grenat qui révèle tout le potentiel du mourvèdre issu d'une parcelle très caillouteuse, où les galets restituent la nuit la chaleur emmagasinée le jour. Le nez profond révèle des notes de fruits rouges (groseille) et noirs (cassis), nuancées de cacao. Au palais, c'est la puissance et la finesse du mourvèdre, ainsi que le gras du grenache qui s'exprime pleinement. Les tanins sont certes bien présents, mais élégants et fondus. Ils s'accompagnent d'une fraîcheur bienvenue qui porte loin la finale. ⧗ 2021-2027 ■ **Ancestrale 2016 ★★ (11 à 15 €; 20000 b.)** Ⓑ : un vin aux senteurs empyreumatiques et réglissées, aussi complexe que puissant. ⧗ 2021-2027 ■ **Les Mégalithes 2017 (15 à 20 €; 6000 b.)** Ⓑ : vin cité.

SCEA BERTRAND-BERGÉ, 38, av. du Roussillon, 11350 Paziols, tél. 04 68 45 41 73, bertrand-berge@wanadoo.fr V 🚶 🍷 *t.l.j. 9h-12h 14h-18h* 🏠 Ⓑ

CAP 42° Dame de Cézelly 2016

■	14190		11 à 15 €

La coopérative du Cap Leucate, issue d'une fusion de plusieurs coopératives, est incontournable dans le Fitou maritime. Plus de 200 sociétaires y sont rassemblés, exploitant près de 1400 ha de vignes. Un nouveau chai est sorti de terre en 2010.

Un vin de carignan, de mourvèdre et de syrah, au nez discret de petits fruits rouges. Les tanins serrés et une franche vivacité fruitée le caractérisent au palais. ⧗ 2020-2023 ■ **Ch. Leucate-Cézelly 2017 (15 à 20 €; 5000 b.)** : vin cité.

SCV LES VIGNERONS DU CAP LEUCATE, Chai La Prade, 11370 Leucate, tél. 04 68 33 20 41, contact@cave-leucate.com

LA TIRE BY JEFF CARREL 2017

■	24000		8 à 11 €

Jeff Carrel décide en 1991 de changer de vie et devient œnologue en 1994. Il fait ensuite un tour de France des vignobles avant de se poser en Occitanie où il vinifie ses propres vins. Il crée des cuvées en partenariat avec des producteurs et en assure la commercialisation.

Cette cuvée fait un clin d'œil à la 2CV et à l'AOC fitou qui sont nés la même année, en 1948. Composée de carignan et de syrah sur schistes, elle offre une robe intense aux nuances grenat. Les fruits noirs dominent le nez (cassis) et se retrouvent au palais, nuancés de garrigue. La matière est bien là, et les tanins encore jeunes promettent de s'affiner avec le temps. ⧗ 2021-2025 ■ **Sous la montagne 2017 (11 à 15 €; 11200 b.)** : vin cité.

SARL THE WAY OF WINE, 12, quai de Lorraine, 11100 Narbonne, tél. 07 70 09 00 05, info@jeffcarrel.com

LES MAÎTRES VIGNERONS DE CASCASTEL Cuvée Prestige 2017 ★

■	180000		8 à 11 €

Créée en 1921 dans le massif des Hautes Corbières et le Haut Fitou, à 20 km de la Méditerranée, la cave des Maîtres Vignerons de Cascastel rassemble une centaine d'adhérents qui cultivent 750 ha. À sa carte, des fitous, des corbières, des vins doux naturels et des vins en IGP.

Le carignan domine le grenache et la syrah dans ce vin pourpre, prompt à libérer ses arômes de fruits (cerise notamment). La bouche est tout aussi franche, équilibrée, veloutée et d'une bonne longueur. ⧗ 2020-2023 ■ **L'Extravagant 2017 ★ (8 à 11 €; 140000 b.)** : une pointe violine sur fond rubis attire le regard vers ce vin finement aromatique : fruits noirs, vanille et autres épices se mêlent. Tout y est riche et généreux, de bonne tenue indéniablement. ⧗ 2020-2023 ■ **Montluzy 2017 ★ (8 à 11 €; 95000 b.)** : Zan, fruits noirs et groseille, épices douces et toastées... Belle palette. Certes, le vin est encore sur la fraîcheur et laisse poindre des tanins jeunes, mais le potentiel est bien là. Patience. ⧗ 2021-2025 ■ **Expression de schistes 2017 ★ (8 à 11 €; 90000 b.)** : grenat profond, ce vin allie fleurs (pivoine, rose), fruits (cerise bigarreau, groseille) et épices (poivre blanc). Bel équilibre en bouche avec une attaque ample et puissante, des tanins présents mais enrobés et une longue finale sur des notes de fruits noirs. ⧗ 2020-2025

SCV LES MAÎTRES VIGNERONS DE CASCASTEL, Grand-Rue, 11360 Cascastel, tél. 04 68 45 91 74, info@cascastel.com V 🚶 🍷 *r.-v.*

CH. CHAMP DES SŒURS Le Septième Jour 2016 ★

■	650		30 à 50 €

Domaine de 16 ha situé dans la zone maritime de Fitou. Aux commandes, Laurent Maynadier, quatorzième génération de viticulteurs du cru, et Marie Valette, œnologue. Premières bouteilles en 1999.

Au septième jour de macération, ce jus de coulage a été entonné dans un demi-muid. Outre un joli nom de cuvée, on appréciera la robe grenat brillant comme les arômes de cassis et d'épices poivrées. En bouche, c'est la fraîcheur qui séduit : le cassis qui invite la groseille, les tanins sont maîtrisés et la finale se prolonge bien. ⧗ 2020-2023 ■ **Bel Amant 2016 ★ (11 à 15 €; 13000 b.)** : le sous-bois et les fruits noirs épicés se partagent la palette aromatique de ce vin encore jeune, très structuré. ⧗ 2021-2025 ■ **La Tina 2016 ★ (15 à 20 €; 4000 b.)** : des arômes de fruits compotés, des notes de garrigue et d'épices... L'équilibre est là, ainsi que la structure et la chair. Il suffira d'attendre un peu pour apprécier ce vin à sa juste valeur. ⧗ 2021-2024

LAURENT MAYNADIER, 19, av. des Corbières, 11510 Fitou, tél. 04 68 45 66 74, laurent.maynadier@orange.fr V 🚶 🍷 *r.-v.*

CLOS NYSA Éclosion 2017

■	2600		15 à 20 €

Installé en 2015, Sylvain Faixo cultive 10 ha dans une démarche de conversion en bio et en s'inspirant des travaux de son ami hydrogéologue, Henri Savayre.

La couleur est profonde, le nez offre des senteurs de garrigue intenses, le thym, le romarin sont une invitation au voyage. La bouche franche reflète le terroir : des arômes de fruits noirs s'invitent, alors que les tanins encore fermes sont une promesse pour l'avenir. ⧗ 2020-2025

SYLVAIN FAIXO, 5, chem. de l'Arneille, 11350 Paziols, tél. 06 75 06 68 13, syl.faix@orange.fr V 🚶 🍷 *r.-v.* 🏠 Ⓑ

B CH. DE LA GRANGE Via Fonteius 2017 ★

■ | 10000 | | 11 à 15 €

Implanté dans le Fitou maritime, le domaine des frères Dell'Ova vinifie en cave particulière depuis 1986. Traversé par la voie Domitienne, le vignoble, cultivé en bio depuis 2012, couvre aujourd'hui 65 ha sur le territoire de La Palme, dans une zone ventée bénéficiant de la fraîcheur des embruns.

Grenache et mourvèdre se partagent la vedette dans cette cuvée à la robe grenat profond. Le nez, après aération, s'ouvre sur des senteurs de fruits noirs, de sous-bois avec une touche de gibier. La bouche se révèle tout aussi gourmande avec des notes épicées (poivre et garrigue) et des tanins de qualité, fondus. Une belle harmonie. 2020-2023 ■ **Via Domitius 2017 (8 à 11 €; 13000 b.)** B : vin cité.

GAEC DELL'OVA FRÈRES, Cabanes-de-Lapalme, 11480 La Palme, tél. 04 68 48 17 88, dellovafreres@orange.fr V t.l.j. sf dim. 10h-12h 14h-18h

DOM. LEPAUMIER Cuvée Auzeville 2017 ★

■ | 4000 | | 5 à 8 €

Ce domaine est inscrit depuis longtemps dans le paysage fitounais. Fernand Lepaumier a débuté la mise en bouteilles en 1997. Son fils Christophe, après l'avoir secondé, a pris les rênes de la propriété en 2004. Il exploite aujourd'hui 20 ha de vignes, côté mer et côté montagne.

Un vin élevé en cuve qui met en évidence le grenache noir. Rubis profond, il se révèle franc et élégant dans son expression de fruits rouges intenses et d'épices de la garrigue. En bouche, il se fait suave et rond dès l'attaque, les fruits et les épices se déclinant jusqu'en finale. 2020-2023 ■ **Vieilles Vignes 2017 (5 à 8 €; 9300 b.)** : vin cité.

EARL LEPAUMIER, 15, av. de la Mairie, 11510 Fitou, tél. 06 12 26 27 71, lepaumier.christophe@hotmail.fr V t.l.j. 10h-12h 14h-18h30

DOM. LERYS Borde de Loubier 2017 ★★

■ | 12000 | | 8 à 11 €

Domaine familial fondé en 1861 sur les terres schisteuses du Haut Fitou. Succédant à ses parents Alain et Maguy Izard, Alban Izard a repris cette propriété de 60 ha implantée sur un terroir de schistes. Il est fidèle à la conduite des vignes en gobelet et aux vendanges manuelles et a engagé la conversion bio.

La parcelle Borde de Loubier est la plus grande du domaine. Le carignan est présent en force et s'exprime pleinement sur ces terroirs de schistes purs. En témoigne ce vin presque noir, dont le nez puissant exprime les fruits noirs et les épices. L'attaque est ample, suivie d'un beau volume souligné par un fruité frais et persistant. 2020-2025 ■ **Les Oumels 2017 (8 à 11 €; 13000 b.)** : vin cité.

EARL COSTO SOULANO, 13, av. des Hautes-Corbières, 11360 Villeneuve-les-Corbières, tél. 04 68 45 95 47, domlerys@gmail.com V lun. mar. jeu. ven. 9h-12h15 13h30- 17h45

B DOM. MAMARUTA Coupe Soif 2017

■ | 3500 | | 15 à 20 €

Marc Castan s'est installé en 2003 entre garrigue, étang et mer, reprenant les vignes de son grand-père, qui était vétérinaire de campagne. Première vinification en 2009. Le jeune vigneron cultive ses 14 ha en bio et s'essaye à la biodynamie.

Cette cuvée met en valeur le carignan, sous une couleur intense à reflets rubis. Vinifiée en grappes entières, elle laisse une impression de fraîcheur dans ses arômes de fruits noirs et de sous-bois. Les tanins croquants donnent une belle dimension au palais, puis une ligne minérale se prolonge en finale. 2020-2025 ■ **Minute Papillon ! 2017 (15 à 20 €; 3000 b.)** : vin cité.

MARC CASTAN, 10, rue Dr-Ferroul, 11480 La Palme, tél. 06 83 24 90 92, marccastan@hotmail.fr V r.-v.

MAS DE LA ROQUE Les Petits Cailloux 2017

■ | 9000 | | 5 à 8 €

En 2013, Romain Vidal, œnologue, a rejoint son père Jean-Luc pour exploiter les 8 ha de vignes familiales plantées sur un terroir de schistes et d'argiles calcaires.

D'une jolie robe rubis soutenu, ce 2017 mêle des senteurs de fruits rouges et noirs à des effluves épicés. L'attaque est franche et les tanins fondus. Les notes de fruits rouges dominent dans ce vin agréable bénéficiant d'un bon équilibre. 2020-2023

ROMAIN VIDAL, 4, rue du Vigné, 11510 Fitou, tél. 06 28 45 07 90, romainvidal.ups@gmail.com V r.-v.

B MAS DES CAPRICES Retour aux sources 2017 ★

■ | 10000 | | 15 à 20 €

Enfants de viticulteurs alsaciens, Mireille et Pierre Mann ont été restaurateurs avant de devenir viticulteurs en 2005. Premières bouteilles en 2009, premiers succès. Aujourd'hui, 16 ha en biodynamie sur le plateau calcaire de Leucate et sur les contreforts schisteux des Corbières.

Cette cuvée composée de carignan, de mourvèdre et du rare lledoner pelut brille d'une belle teinte rubis. Après aération, elle s'ouvre sur des notes de fruits noirs, de sous-bois et de graphite. La bouche est franche et nette, avec beaucoup de fraîcheur. Les notes fruitées s'imposent longuement portées par un léger perlant et soulignées d'une touche saline en finale. 2020-2023

SARL LE MAS DES CAPRICES, 5, imp. de la Menuiserie, 11370 Leucate, tél. 06 76 99 80 24, masdescaprices@free.fr V r.-v.

DOM. LES MILLE VIGNES
Les Vendangeurs de la Violette 2016 ★

■ | 2500 | | 30 à 50 €

Les mille pieds de vignes des débuts se sont transformés au fil des achats et des plantations en une propriété de 11 ha dans le Fitou maritime. Ce domaine créé en 1979 par Jacques Guérin, ancien professeur de « viti » au lycée d'Orange, est conduit depuis 2000 par sa fille Valérie.

Autour des parcelles de terres rouges typiques de cette région méditerranéenne, les violettes sauvages embaument à la saison des vendanges. Le mourvèdre s'y exprime pleinement. Il marque de son empreinte ce vin rubis aux senteurs de fruits noirs confiturés, de cassis, de myrtille et de garrigue (thym et romarin). La bouche ample offre des tanins soyeux, du fruit et du croquant grâce à une jolie fraîcheur. 2020-2025 ■ **Cadette 2016 (20 à 30 €; 10000 b.)** : vin cité.

EARL DOM. LES MILLE VIGNES, 24, av. San-Brancat, 11480 La Palme, tél. 04 68 48 57 14, les.mille.vignes@free.fr r.-v. 5

♥ CH. DE MONTMAL 2017 ★★

■ | 33300 | | 11 à 15 €

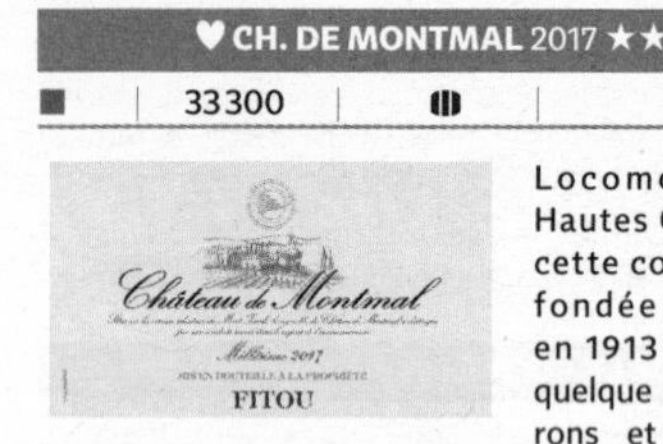

Locomotive des Hautes Corbières, cette coopérative fondée à Tuchan en 1913 regroupe quelque 200 vignerons et vinifie le fruit de 1 500 ha de vignes implantées sur un terroir rude et sec propice aux grands vins. À sa carte, des corbières, fitous, vins doux naturels et vins en IGP.

Les terroirs autour du mont Tauch mettent en avant les cépages locaux avec une constance remarquable. En témoigne cette cuvée grenat à nuances violines qui rappelle la garrigue environnant les vignes, le thym et le romarin. Après aération, des notes de fruits noirs rejoignent la palette. La bouche exprime toute la complexité du terroir : du fruit, des épices, un boisé fin, beaucoup de profondeur et une belle longueur accompagnant des tanins de qualité. ⧗ 2021-2026 ■ **Rocflamboyant 2017 ★ (5 à 8 €; 176 800 b.)** : une robe très profonde, un nez aux notes de fruits noirs et d'épices douces, une bouche puissante et prometteuse. ⧗ 2020-2025 ■ **Hommage 2017 ★ (15 à 20 €; 15 000 b.)** : un vin grenat qui exprime des notes de sous-bois et de grillé. La bouche est fraîche et harmonieuse. ⧗ 2020-2025 ■ **Les Quatre 2017 (11 à 15 €; 100 000 b.)** : vin cité.

SCA MONT TAUCH, 2, rue de la Cave, 11350 Tuchan, tél. 04 68 45 41 08, contact@mont-tauch.com t.l.j. 9h-12h 14h-17h

♥ CH. DE NOUVELLES Gabrielle 2017 ★★

■ | 8000 | | 15 à 20 €

Aux abords du col d'Extrême, le domaine tire son nom de Jacques Fournier de Novelli – pape sous le nom de Benoît XII au XIVᵉs. – qui eut ici un château. Propriété de la famille Daurat-Fort depuis 1834, il couvre 75 ha (en conversion bio). À sa tête, Jean Daurat-Fort et son fils Jean-Rémy, le premier présidant l'organisme de défense des vins de Fitou.

Ce domaine tire son excellence de ses magnifiques terroirs de schistes. Issu d'une longue macération, ce vin se présente dans une robe foncée à reflets violets. Il se distingue par l'élégance de sa palette : clou de girofle, épices (thym et romarin) et fruits noirs (mûre confiturée). En bouche, des notes de tapenade s'invitent dans une matière ronde et friande, soutenue par des tanins de grande qualité qui porteront le vin dans le temps. Quelle harmonie ! ⧗ 2022-2028 ■ **Augusta 2017 ★ (8 à 11 €; 20 000 b.)** : de la robe d'un noir profond se libèrent des arômes de pruneau et d'épices. La bouche équilibrée et gouleyante invite au partage ⧗ 2020-2024

SCEA R. DAURAT-FORT, Ch. de Nouvelles, 11350 Tuchan, tél. 04 68 45 40 03, daurat-fort@terre-net.fr t.l.j. 9h-12h 14h-18h; sam. dim. sur r.-v. D

DOM. DE LA ROCHELIERRE
Cuvée Privilège 2017 ★

■ | 33000 | | 11 à 15 €

Quatre générations se sont succédé sur ce domaine dirigé depuis 1998 par Jean-Marie Fabre, œnologue et président des Vignerons indépendants de l'Aude. Un producteur engagé qui, accompagné de sa fille Émilie depuis 2008, préserve son terroir de Fitou : ses vignes (15 ha) n'ont pas vu de produits chimiques depuis 1979 (méthode Cousinié). En 2016, a été inaugurée une nouvelle cave.

Violine, ce vin se montre discret dans ses évocations de fruits rouges, d'épices et de boisé fin. La rondeur le caractérise au palais tant les tanins sont soyeux. Un joli équilibre. ⧗ 2020-2023 ■ **Cuvée Noblesse du Temps 2017 ★ (20 à 30 €; 5000 b.)** : les fruits noirs mûrs nuancés de toasté et d'épices douces s'égrènent joliment dans ce vin bien structuré et puissant, qui gagnera encore à attendre. ⧗ 2021-2025 ■ **À deux 2017 ★ (30 à 50 €; 1200 b.)** : c'est le duo carignan-grenache, cépages historiques de Fitou, qui s'exprime dans ce vin profond, aux arômes de fruits rouges et noirs (fraise, mûre, cassis) avec une pointe de garrigue et de fumée. L'élevage sous bois, discret, se révèle en bouche. L'attaque est souple et ronde. Les tanins enveloppent le palais avec du caractère et du fondu. Des notes de fruits noirs et de grillé accompagnent longuement la finale. ⧗ 2021-2025

EARL DOM. DE LA ROCHELIERRE, 8, rue de la Noria, 11510 Fitou, tél. 04 68 45 70 52, la.rochelierre@orange.fr t.l.j. 9h-12h 14h-19h B

DOM. DE ROUDÈNE
Cuvée Jean de Pila 2017

■ | 10000 | | 8 à 11 €

Le village de Paziols, au pied du mont Tauch : c'est là que sont installés depuis 1986 Jean-Pierre (expert en hydrogéologie) et Bernadette Faixo, à la tête de 36 ha de vignes.

Un hommage aux ancêtres de la famille. Composée de carignan, de grenache et de syrah, le triptyque classique du Haut Fitou, cette cuvée s'affiche dans une robe soutenue. Le nez puissant joue sur les fruits noirs compotés et les épices. La bouche affirme sa puissance et sa structure, tout en conservant la même ligne aromatique. ⧗ 2022-2025

JP ET B FAIXO, 5, espace des Écoles, 11350 Paziols, tél. 06 73 95 69 17, domainederoudene@orange.fr r.-v.

DOM. SARRAT D'EN SOL 2017 ★★

■ | 6000 | | 11 à 15 €

Sur ce domaine, des vignes ancestrales entourent une bergerie datant du XIVᵉs. transformée en gîte. Vigneron depuis près de trente ans, Nicolas Brassou a quitté la cave coopérative depuis 2010 pour voler

de ses propres ailes et vinifier des raisins vendangés manuellement sur le terroir de Tuchan.

Cette cuvée qui fait la part belle au carignan a séduit le jury dès le premier regard porté sur sa robe pourpre. Le nez fin et complexe exprime des notes de sous-bois, d'épices et de fruits rouges (framboise et fraise). L'attaque en bouche est vive, puis la texture et la structure de tanins fins se révèlent, nobles et puissantes, empreintes d'arômes de fruits rouges intenses. La finale s'allonge sur une note de réglisse. ⌛ 2020-2025 ■ **Arménie 2016 (15 à 20 €; 3000 b.)** : vin cité.

NICOLAS BRASSOU, 4, chem. Sarrat-d'en-Sol, 11350 Tuchan, tél. 06 38 93 82 86, famille.brassou@wanadoo.fr V r.-v.

CH. VALFAURÈS L'Estacade 2017 ★

■	35000		8 à 11 €

Ancien directeur commercial de la cave de Fitou (disparue après fusion), Benoît Valery a ensuite travaillé pour diverses propriétés avant de rejoindre en tant que maître de chai ce domaine qui s'étend sur 25 ha dans le Fitou maritime, acquis en 2012 par Claude Boueilh.

L'Estacade (« attaché » en occitan) est un hommage aux relais qui jalonnaient autrefois la route et où l'on attachait les chevaux. Assemblage de tous les cépages de l'appellation, cette cuvée s'exprime sur la fraîcheur, avec des notes de framboise et de fraise des bois. La bouche ronde fait la part belle aux fruits noirs nuancés d'une pointe de réglisse. La finale est vivifiante avec des tanins serrés qui appellent la garde. ⌛ 2021-2025 ■ **Darius 2017 (15 à 20 €; 15000 b.)** : vin cité.

SARL VALFAURÈS, rue Gilbert-Salamo, 11510 Fitou, tél. 06 12 91 83 22, benoit.valery@hotmail.fr V r.-v.

LANGUEDOC

Superficie : 9 522 ha
Production : 398 780 hl (85 % rouge et rosé)

En 2007, l'appellation coteaux-du-languedoc s'est élargie et a pris le nom de languedoc. L'ancienne AOC était formée de terroirs disséminés en Languedoc, dans la zone des coteaux et des garrigues, entre Narbonne et Nîmes, du pied de la Montagne Noire et des Cévennes à la mer Méditerranée – d'anciennes aires VDQS promues en AOC en 1985. Elle a fait place à partir du millésime 2006 à une vaste appellation régionale incluant toutes les aires d'appellation du Languedoc et du Roussillon, jusqu'à la frontière espagnole – à l'exception de Malepère : près de 500 communes (122 dans les Pyrénées-Orientales, 195 dans l'Aude, 160 dans l'Hérault et 19 dans le Gard). Les AOC existantes (corbières, faugères, côtes-du-roussillon, etc.) subsistent. Quant au nom « coteaux-du-languedoc », il a pu figurer sur les étiquettes jusqu'en 2012 pour les vins provenant de l'aire historique de l'appellation.

Six cépages dominent la production des vins rouges (majoritaires) et des rosés : carignan et cinsault (limités à 40 %) complétés par les grenache noir, lladoner, mourvèdre et syrah; en blanc, grenache blanc, clairette, bourboulenc, marsanne, roussanne et vermentino sont les principaux cépages, le piquepoul étant également utilisé. Ce dernier, qui donne un vin vif, est la variété exclusive du picpoul-de-pinet, produit autour du bassin de Thau, promu au rang d'AOC avec le millésime 2013. D'autres dénominations géographiques correspondent à un terroir particulier et affichent des conditions de production plus restrictives que dans le reste de la région : le pic Saint-Loup pour les rouges et les rosés, les Grés de Montpellier, Pézenas et les Terrasses du Larzac pour les rouges, ainsi que Sommières depuis 2009. Les Terrasses du Larzac, La Clape et le pic Saint-Loup sont devenus des appellations à part entière. En outre, certaines dénominations liées à une renommée ancienne peuvent figurer sur l'étiquette des rouges et des rosés : Cabrières, célèbre pour ses rosés, Montpeyroux, Saint-Saturnin, Saint-Georges-d'Orques, La Méjanelle, Quatourze, Saint-Drézéry, Saint-Christol et Vérargues.

ABBAYE DE VALMAGNE Nicolaÿ 2018 ★

■	4000		11 à 15 €

Histoire et vignoble se conjuguent à l'abbaye de Valmagne depuis plus de huit siècles. L'église abbatiale aux proportions de cathédrale et son cloître aux baies cintrées abritent des foudres gigantesques. Le comte Henri de Turenne, ancêtre du propriétaire actuel, avait acquis l'abbaye en 1838. Le domaine s'étend sur 58 ha, conduits en bio.

Suzanne de Nicolaÿ, petite-fille du comte de Turenne, aurait sans doute été flattée d'être associée à cette cuvée qui brille par sa robe limpide et son nez expressif, floral et fruité (fruits exotiques, fruits rouges). Une attaque vive, une matière suave, un fruité long et délicat : un rosé impeccablement équilibré, complet, frais et gourmand. ⌛ 2019-2020

ABBAYE DE VALMAGNE, 34560 Villeveyrac, tél. 04 67 78 06 09, rdallaines@valmagne.com V *t.l.j. sf lun. 10h-18h; f. en janv.*

ALLEGRIA Pézenas Tribu D'A 2017

■	7350		11 à 15 €

Créé en 2008 sur les premières collines du Haut Languedoc, au nord de Pézenas, Allegria est le fruit d'une amitié franco-argentine entre Ghislain et Delphine d'Aboville et Roberto de la Mota (œnologue de renom). La nouvelle cave bioclimatique, implantée au pied du volcan des Baumes, est entourée d'un vignoble de 9 ha conduit en bio dès l'origine.

30 % de mourvèdre épaulent la syrah dans ce languedoc bien typé dont la robe pourpre et intense annonce un nez volubile qui décline les fruits noirs, la griotte, la garrigue et les épices. La bouche possède la même plénitude : charnue, riche, adossée à des tanins croquants, elle déroule ces mêmes arômes de plantes aromatiques et d'eucalyptus qui dynamisent la finale. Du plaisir, encore plus dans une paire d'années. ⌛ 2019-2024

EARL D' ABOVILLE DE LA MOTA, Allegria, lieu-dit Fontarêche, 34720 Caux, tél. 06 25 93 08 08, allegria@vinotinto.fr V *r.-v.*

MAISON BRUNO ANDREU Elixir 2017 ★★

■	20000		11 à 15 €

Issu d'une famille vigneronne et lui-même vigneron pendant vingt ans (Ch. la Condamine Bertrand),

Bruno Andreu a créé sa propre marque en 2017. Il s'approvisionne auprès de vignerons et domaines languedociens et élève ses vins dans un chai datant de 1610, situé près de Montpellier.

Bruno Andreu a fait mouche avec son Elixir, un assemblage dominé par la syrah élevé douze mois en fûts. Une légère aération suffit à éclaircir un bouquet marqué par les fruits rouges bien mûrs, le kirsch, la tapenade et le cacao. Une texture veloutée, une matière ample, des tanins fondants, une belle finale qui convie le curry et le cassis : tout est gourmand, élégant et harmonieux dans ce rouge de grande classe qui montre une belle maîtrise de l'élevage. On frôle le coup de cœur. ⧗ 2020-2025 ■ **Pézenas 2017 ★ (11 à 15 €; 3900 b.)** : le duo syrah grenache à l'honneur dans ce rouge pourpre au nez parfumé, marqué, sans outrance, par les notes balsamiques d'un élevage de douze mois en fût. Les dégustateurs ont loué l'attaque ronde et pleine, le charme de la texture, les tanins précis et soyeux et la fraîcheur qui tend comme il faut une longue finale chocolatée faisant écho au nez. Ici comme dans la cuvée précédente, classe et élégance. ⧗ 2020-2025

SAS BRUNO ANDREU, 53, av. de Béziers, 34290 Montblanc, tél. 04 67 31 58 48, contact@bruno_andreu.com V *t.l.j. sf sam. dim. 9h-12h 14h-17h*

♥ DOM. LES ANGES DE BACCHUS
Délice des Anges 2018 ★★

■ | 3000 | | 5 à 8 €

À une quinzaine de kilomètres au nord de Montpellier, ce domaine familial de 20 ha a repris vie à partir de 2005 grâce à David Mouysset, qui a recréé la cave de son grand-père, inactive depuis 1963.

Un vin qui n'usurpe pas son nom et qui aura fait le délice du jury, unanime pour délivrer un coup de cœur à ce rosé pâle. Le nez exprime les fruits rouges frais (groseille) et des nuances florales (aubépine, rose) avec finesse. La bouche ronde accorde une belle présence au fruit jusqu'à la longue finale de groseille et de fraise, ponctuée d'une tonalité minérale. Classe et équilibre. ⧗ 2019-2020 ■ **Délice des Anges 2017 ★ (5 à 8 €; 6000 b.)** : issu de syrah, de cinsault et de grenache, ce vin rouge arbore une robe rubis brillant à laquelle répond un nez flagrant, très floral, fruité et bien méditerranéen. Souple, ample, doté de tanins légers et de francs arômes de fruits rouges teintés d'épices, il se montre gourmand et convivial. Vin de soif à boire sur le fruit et sans attendre. ⧗ 2019-2021

DOM. LES ANGES DE BACCHUS, 59, rue des Verdales, 34570 Vailhauquès, tél. 06 17 31 57 18, lesangesdebacchus@yahoo.fr

DOM. DE L'ASTER Trescol 2018 ★

■ | 2500 | | 8 à 11 €

Issu d'une vieille famille vigneronne, Jacques Bilhac, rejoint en 2003 par son frère Alex, est à la tête de 30 ha de vignes dont il confie l'essentiel des raisins à la cave coopérative. En 2014, les frères ont construit leur cave de vinification et retiré 7 ha de la «coop» pour élaborer leurs propres vins.

Une dominante originale de cinsault dans cet assemblage de cinq cépages, élevé en cuve, au nez discret, entre fruits rouges confiturés et menthol. Fugace mais bien équilibrée, la bouche plaît par sa rondeur, ses tanins fins et sa douce chaleur qui emplit le palais. À boire sans attendre. ⧗ 2019-2021 ■ **Pézenas En montant la calade 2017 (11 à 15 €; 2000 b.)** : vin cité.

GAEC LA CAILLOLE, 20, rte de Clermont, 34800 Péret, tél. 06 20 54 51 94, domainedelaster@gmail.com V *r.-v.* *GAEC La Caillole*

CH. D'AUBARET 2017 ★★

■ | 44000 | | 8 à 11 €

Acquis en 1992, l'un des 17 domaines languedociens de l'«empire» constitué après 1962 par les Bonfils en Languedoc. Abritant une chapelle, très ancien lieu de pèlerinage, il est implanté à Magalas, au nord-ouest de Pézenas. Les vignes (70 ha) croissent sur un plateau argilo-calcaire aux terres rouges, localement schisteuses, au voisinage de l'appellation faugères.

Drapé d'une robe profonde, rubis, cet assemblage (syrah, grenache) dévoile un nez harmonieux, ouvert sur les fruits rouges avec les notes finement torréfiées d'un élevage partiel en fût. Toujours souligné de nuances toastées et vanillées, le fruit s'exprime plus intensément dans une bouche ronde, consistante, joliment structurée par des tanins fins. Une longue finale sur les épices et les fruits mûrs à la conclusion de ce rouge abouti, harmonieux et plein de charme. ⧗ 2020-2024

GFA CANTAUSSELS, 34480 Magalas, tél. 04 67 93 10 10, bonfils@bonfilswines.com

B DOM. D'AUPILHAC Montpeyroux 2016 ★

■ | 14000 | | 15 à 20 €

Descendant de quatre générations de vignerons, Sylvain Fadat a créé en 1989 ce domaine qui couvre 25 ha. Il travaille en agriculture biologique (biodynamie) ses deux terroirs, argilo-calcaires et marnes bleues pour Aupilhac, en versant sud, et argilo-calcaire et vestiges volcaniques pour Cocalières, à 350 m d'altitude. Millésime après millésime, il continue à nous faire partager son savoir-faire.

Vigneron réputé, l'un des plus en vue du secteur de Montpeyroux, Sylvain Fadat a pris le temps (dix-neuf mois de fûts) pour élever ce 2016 qui «ne laisse pas indifférent». Très puissant, le nez mêle les fruits mûrs à d'intenses effluves de cacao, de garrigue et d'épices. Sur le même tempo, la bouche ne perd rien en intensité : matière suave et concentrée, tanins puissants et carrés, fraîcheur préservée. De la structure et du caractère à revendre dans cette cuvée pleine de promesses qui doit canaliser la fougue de sa jeunesse. ⧗ 2022-2028 ■ **Les Cocalières 2018 (15 à 20 €; 5000 b.)** B : vin cité.

SCEA DOM. AUPILHAC, 28, rue du Plô, 34150 Montpeyroux, tél. 04 67 96 61 19, aupilhac@wanadoo.fr V *r.-v.* E

CH. BARONNE TEDALDI Cuvée du Parc 2017 ★

■ | 30000 | | 8 à 11 €

Restaurateur, Bruno Correia a quitté la région parisienne pour s'installer avec sa famille sur un domaine ancien (1928) entre vignes et garrigue. En ligne de

mire, un projet œnotouristique : tables et chambres d'hôtes, gîtes, aujourd'hui ouverts. Acquise en 2007, l'exploitation est située à 15 km au nord-est de Carcassonne, tout près du canal du Midi. Elle produit des vins sous les bannières minervois, languedoc et IGP. Une partie de la production est commercialisée sous la marque Ch. Baronne Tedaldi.

Drapé d'une robe rubis, cet assemblage (syrah, grenache) dévoile un nez mûr de fruit compoté agrémenté d'épices et d'une pointe de cuir. Une rondeur agréable, des arômes chaleureux de framboises mûres, des tanins discrets : un rouge simple et bien typé, à boire dans ses jeunes années. ⧗ 2019-2021 ■ **Cuvée Madame 2018 (5 à 8 €; 20000 b.)** : vin cité.

CH. BARONNE TEDALDI, Dom. de Bonhomme, 11800 Aigues-Vives, tél. 04 68 79 28 62, contact.vignoblesreunis@orange.fr

DOM. DE BELLE MARE 2016

■	4000		8 à 11 €

Un domaine de 55 ha (dont 5 ha dédiés à l'AOC picpoul-de-pinet) établi tout au bord de l'étang de Thau, qui vivifie les vignes de son influence maritime.

Mi-grenache mi-syrah, ce rouge franc qui soigne la souplesse est un bon ambassadeur de la région : des arômes méditerranéens et chaleureux de fruits confits et de garrigue que l'on retrouve dans une bouche tendre, moyennement concentrée mais longue et dotée de tanins saillants. Un rouge sans effet de manche, facile d'accès, qui restitue ses origines. ⧗ 2019-2022

DOM. DE BELLE MARE, rte des Salins, 34140 Mèze, tél. 04 67 43 17 68, exploitation@belle-mare.com
V t.l.j. sf sam. dim. 9h-12h 14h-16h

CH. BELLES EAUX Les Coteaux 2017 ★

■	40004		5 à 8 €

Appelé à l'origine Mas Belles Eaux, ce domaine du XVIIe s. devait son nom aux sources qui naissent sur ses terres pour rejoindre la vallée de la Peyne, au nord de Pézenas. Son vignoble (65 ha) est implanté à Caux, sur des terrasses anciennes de galets roulés, d'argiles rouges et de graviers de quartz. Propriété entre 2002 et 2015 d'Axa Millésimes, il a été revendu aux Grands Chais de France qui l'ont rebaptisé.

Vendanges nocturnes, macération pré-fermentaire à froid, on cherche à préserver la fraîcheur et le fruit d'un trio mené par la syrah. Objectif atteint : expressif, le nez brille par sa fraîcheur et la clarté de ses arômes fruités et épicés. La myrtille et la mûre s'invitent en bouche et renforcent encore la dimension juteuse et fraîche de cette cuvée droite, élégante, aérienne, dotée de tanins fins et d'une finale mentholée très dynamique. Un rouge fringant à croquer sans attendre. ⧗ 2019-2023 ■ **Pézenas Vieilles Vignes 2016 ★ (11 à 15 €; 26886 b.)** : plus concentrées que la cuvée précédente, élevées en fûts pendant douze mois, ces vieilles vignes (60 ans) de syrah et grenache font leur effet : robe profonde, nez puissant de fruits noirs concentrés qui intègre subtilement un soupçon de vanille. L'élevage enrobe juste ce qu'il faut une belle matière qui s'ouvre sur les épices et la garrigue et qui se prolonge dans une finale finement boisée. La structure élégante se met au service du fruit pour dessiner un rouge généreux, sudiste, remarquable d'équilibre. Déjà bien ouvert, on peut aussi le laisser un peu en cave. ⧗ 2019-2023

SARL DOM. DE LA BAUME, lieu-dit Belles Eaux, 34720 Caux, tél. 04 67 39 29 41, domaine@labaume.com
V t.l.j. sf dim. 9h-13h 14h-18h

GÉRARD BERTRAND Côte des Roses 2018 ★

■	n.c.	30 à 50 €

Enfant des Corbières, Gérard Bertrand est un important propriétaire et négociant du sud de la France, dont les cuvées apparaissent dans le Guide sous diverses AOC (corbières, fitou, minervois, languedoc, côtes-du-roussillon) et en IGP.

Un assemblage classique (grenache, syrah et cinsault) est à l'origine de ce rosé pâle, plutôt réservé au nez, mais qui déploie en bouche une belle énergie et un fruit bien plus expansif. On croque donc dans des flaveurs d'agrumes, de fruits exotiques et de fruits rouges, portées par une vivacité tonifiante. ⧗ 2019-2020

SPH GÉRARD BERTRAND, Ch. l'Hospitalet, rte de Narbonne-Plage, 11100 Narbonne, tél. 04 68 45 28 50, vins@gerard-bertrand.com V t.l.j. 9h-19h

LA BORIE BLANCHE Terroirs d'altitude 2018 ★

■	n.c.		8 à 11 €

Les Lorgeril possèdent six domaines familiaux en Languedoc-Roussillon, parmi lesquels le Ch. de Pennautier, un Versailles en Languedoc construit en 1620 à la gloire des seigneurs locaux, trésoriers des États du Languedoc; une valeur sûre de l'appellation cabardès. Nicolas et Miren de Lorgeril, qui représentent la dixième génération à conduire ce vaste ensemble de 180 ha, sont également à la tête d'une structure de négoce.

Habitué des citations, le domaine récidive avec un rosé charmeur qui libère des arômes friands entre fleurs et fruits. Le jury a apprécié son caractère gourmand, le charme de son fruit, son équilibre, sa longueur. Nul doute que ce vin trouvera sa place à table. ⧗ 2019-2020

MAISON LORGERIL, BP_4, 11610 Pennautier, tél. 04 68 72 65 29, contact@lorgeril.com
V r.-v.

DOM. BOS DE CANNA 2017

■	4600		8 à 11 €

Aurore Baniol a quitté avec enthousiasme les ressources humaines pour revenir en 2017 travailler une partie – 6 ha morcelés sur trois communes gardoises – de la propriété familiale rebaptisée pour l'occasion : l'ancien domaine Serres Cabanis a pris le nom d'une cuvée, Bos de Canna. L'exploitation amorce aussi sa conversion bio. À la carte de la jeune vigneronne, des languedoc et des IGP cévennes.

Privilégiant la syrah avec le grenache en appoint (20 %), cette cuvée intense en couleur offre un nez retenu mais prometteur axé sur les fruits noirs (cassis et mûre). La même réserve marque la bouche dont la profondeur, les tanins fermes et la fraîcheur constituent autant de promesses d'avenir. Lente à s'ouvrir, la cuvée doit rester en cave. ⧗ 2021-2025

EARL BANIOL, 88_A, rte des Vigneaux, 30350 Maurressargues, tél. 06 61 92 76 25, baniolaurore@yahoo.fr V t.l.j. sf dim. 18h- 20h; sam. 10h- 13h

DOM. LES BRUYÈRES 2018

■	1700	🍾	5 à 8 €

Petit-fils de viticulteurs pluri-actifs, lui-même engagé dans la production fruitière, Christophe Combaluzier a eu l'ambition de faire renaître un vignoble avec des amis. Après diverses acquisitions, son domaine de poche (1 ha environ) a vu le jour en 2010 autour de Sommières, cru gardois du Languedoc.

Une toute petite production, mais une production soignée qui vaut à Christophe Combaluzier cette nouvelle citation après le coup double de l'année passée. Un rosé de teinte saumon, généreusement fruité (fruits rouges, notes florales), dont la rondeur et la fraîcheur font mouche en bouche. ⏳ 2019-2020

DOM. LES BRUYÈRES, 562, chem. du Château-d'Eau, 30260 Quissac, tél. 06 07 11 51 19, c.combaluz@orange.fr V r.-v.

B CH. LES BUGADELLES Cuvée Tilki 2017

■	5285	🛢🍾	11 à 15 €

Épaulé depuis 2013 par sa fille Béatrice, Jean-Claude Albert a repris en 2005 ce domaine établi sur le massif de la Clape : 400 ha d'oliviers, de chênes truffiers et de vignes. Ces dernières, étendues sur 45 ha, sont conduites en bio.

20 % de roussanne épaulent le grenache blanc et le bourboulenc dans ce blanc limpide aux reflets dorés dont le nez légèrement toasté décline les agrumes et les fleurs blanches. Fringant, frais et citronné à l'attaque, le palais déploie ensuite une rondeur agréable, prolongée par une finale plus chaleureuse portée par une petite amertume stimulante. Un blanc harmonieux et complet. ⏳ 2019-2022

SA DE COURTAL NEUF, rte de Saint-Pierre-la-Mer, 11560 Fleury-d'Aude, tél. 04 68 90 79 08, axel.dewoillemont@maisonalbert.fr V r.-v.

CH. CAPION Le Chemin des Garennes 2017 ★

■	5500	🛢🍾	15 à 20 €

Dans la vallée du Gassac, entre Aniane et Gignac, sur un terroir de petits cailloutis calcaires entourés de bois et garrigues, le Ch. Capion exploite 35 ha de vignes en conversion vers l'agriculture biologique. Un domaine géré depuis 2016 par Philippe Morel.

Une étiquette élégante pour ce blanc qui ne l'est pas moins. Les onze mois de fûts ont patiné le nez et la texture de cet assemblage roussanne-viognier qui libère de doux effluves grillés sur fond de fruit jaune. La matière est ample, riche, charmeuse, sans lourdeur, et laisse longuement monter en puissance de belles flaveurs d'abricot. Un Chemin que l'on ne se lassera pas d'emprunter. ⏳ 2019-2022

CH. CAPION, Chem. de Capion, 34725 Aniane, tél. 04 67 57 71 37, contact@chateaucapion.com V *t.l.j. 10h-12h 14h-18h*

CH. CAPITOUL Oros 2018 ★

■	20000	11 à 15 €

Ses arrières grands-parents maternels s'étaient installés en Algérie dans les années 1930. Son grand-père décida d'acquérir plusieurs domaines en Languedoc, dont le Ch. Capitoul. Charles Mock, la quatrième génération de vigneron, y est arrivé en 1983. Depuis 2011, la famille Bonfils préside aux destinées du domaine et de ses 62 ha de vignes. Une curiosité : la cave, comme l'intérieur d'un bateau.

Un assemblage classique (grenache et cinsault) pour un rosé qui l'est tout autant : robe pâle dans l'air du temps, nez plutôt discret et floral, bouche franche, avec un peu de rondeur et des saveurs fraîches et acidulées. ⏳ 2019-2020

CH. CAPITOUL, av. de Gruissan, 11100 Narbonne, tél. 04 68 49 23 30, contact@chateau-capitoul.com V *r.-v.*

CASTELBARRY
Montpeyroux Libre au Vent 2016 ★★

■	6000	🛢	15 à 20 €

Rebaptisée CastelBarry, la « coopérative artisanale » de Montpeyroux a été fondée en 1950 : c'est l'une des dernières caves créées en Languedoc (le grand boom coopératif se situant entre 1910 et 1929). Elle a bien grandi depuis sa création : 75 adhérents alors, de modestes propriétaires, 130 aujourd'hui. Le vignoble (510 ha) se partage entre trois entités toutes baignées de soleil : le causse, le piémont et la terrasse d'éboulis.

Abonnée au Guide, maintes fois citée pour ses vins dans les trois couleurs, la coopérative récidive cette année avec cette cuvée dominée par le carignan et le grenache, aussi profonde de robe que complexe au nez (fruits rouges confits, garrigue, iris, vanille) avec une dimension de fraîcheur qui fait aussi le charme de la bouche. Plein, intense, puissant, le palais tire d'une belle acidité et de tanins fermes un équilibre parfait, aérien, qui fait écho au nom de la cuvée. Il y a ici toute l'élégance des meilleurs vins de Montpeyroux. ⏳ 2020-2025

CASTELBARRY, 5, pl. François-Villon, 34150 Montpeyroux, tél. 04 67 96 61 08, contact@castelbarry.com V *t.l.j. 9h-12h 14h-18h*

B DOM. ALAIN CHABANON Saut de Côte 2015 ★

■	2800	🍾	30 à 50 €

Fils d'enseignants et ingénieur œnologue, Alain Chabanon a acquis des vignes en 1992 à Montpeyroux et dans les villages environnants. Il a construit sa cave au milieu de son vignoble (17 ha) travaillé en culture biologique (certification en 2002) et en biodynamie (2011).

Alain Chabanon, vigneron vedette de Montpeyroux, dont les vins blancs et rouges montrent une très belle tenue, a pris tout le temps nécessaire (trente-six mois en cuve béton ovoïde) pour peaufiner ce joli rouge issu du mourvèdre. Plus élégant que puissant, le nez hésite entre cerise confite et plantes aromatiques. Onctueuse, raffinée, la bouche canalise parfaitement la puissance du cépage et en livre une version presque délicate, déliée, qui charme par son équilibre, sa rondeur et sa puissance contenue. Déjà plaisant mais long potentiel en cave. ⏳ 2020-2030

SARL DOM. ALAIN CHABANON, 1, chem. de Saint-Étienne, 34150 Lagamas, tél. 04 67 57 84 64, domainechabanon@gmail.com V *mer. sam. 9h30-12h30; jeu. 17h30-19h30*

LE CHAI D'ÉMILIEN Edmond le Démon 2018 ★

■	5000	🍾	8 à 11 €

Les cinq générations précédentes ont agrandi le domaine et cultivé la vigne. Installé en 2014, Émilien

Fournel perpétue cette tradition avec son épouse Ophélie tout en devenant récoltant. Il exploite 35 ha au nord-est de Montpellier.

Cuvée hommage au grand-père d'Émilien, dont l'assemblage (grenache, syrah et cinsault) n'a rien de diabolique, mais a bel et bien ensorcelé le jury. Au nez acidulé d'agrumes et de bonbon répond une bouche «bien balancée», tout en gourmandise et en rondeur de fruit. Du goût et de l'équilibre. Rosé de table. ⧗ 2019-2020
■ **E... Majuscule 2016 ★ (20 à 30 €; 1000 b.)** : sélection parcellaire de syrah essentiellement, cette cuvée ne manque pas d'éclat avec son nez qui offre de franches notes de cassis et de mûres nuancées de moka et de menthol. La bouche, fraîche dès l'attaque, privilégie l'élégance et s'appuie sur des tanins soyeux joliment affinés par un long élevage (dix-huit mois). Une belle finale mentholée vient en conclusion de ce rouge distingué qui s'épanouira avec le temps. ⧗ 2020-2025

LE CHAI D'ÉMILIEN, 6, rte de Montpellier, 34160 Sussargues, tél. 06 99 50 45 38, contact@lechaidemilien.com V *t.l.j. sf dim. 17h-19h; sam. 10h-19h*

CH. CLAUD BELLEVUE
Saint-Georges d'Orques La Galante 2018 ★

■ | 2700 | 5 à 8 €

Propriété de la famille de Boisgelin depuis 1782, le domaine à l'ouest de Montpellier s'étend sur 42 ha, dont 12 sur le terroir historique de Saint-Georges-d'Orques. Hubert, Jacques et Pierre, désormais secondés par la nouvelle génération, ont obtenu la certification bio en 2013 et développent la gamme des AOC locales.

80 % de cinsault entrent dans ce vin à la robe plutôt soutenue, friand par ses avenantes notes florales et fruitées (rhubarbe, groseille). La bouche fraîche, croquante et délicate en fait un rosé équilibré, d'un classicisme sans fausse note, au fruité acidulé. ⧗ 2019-2020

CH. CLAUD BELLEVUE, Dom. le Claud, 12, av. Georges-Clemenceau, 34430 Saint-Jean-de-Védas, tél. 04 67 27 63 37, pierre.deboisgelin@free.fr V *t.l.j. sf dim. 10h-12h30 16h-19h* 2

♥ CLOS DE L'AMANDAIE
Grés de Montpellier Huis Clos 2016 ★★★

■ | 6000 | 20 à 30 €

À Aumelas, village situé à l'ouest de Montpellier, hameaux et vignobles parsèment la garrigue. Autour d'un château du XIIᵉ s., parmi les chênes verts, de petites parcelles cachées dans les combes et une cave en pierre du Gard composent le domaine de Philippe Peytavy (20 ha).

Abonné au Guide, le domaine tient son coup de cœur, avec sa cuvée vedette, mi-syrah mi-grenache, élevée douze mois (en demi-muids et fûts de 500 l). Fruits mûrs, poivre, menthol, plantes aromatiques : le nez nous fait voir du pays. Tout aussi languedocienne par la suavité de la matière, la douceur des tanins et la déclinaison aromatique, la bouche conserve une forme de retenue et d'élégance singulières. Une puissance canalisée qui est aussi une très belle promesse d'avenir. ⧗ 2021-2030 ■ **2017 (11 à 15 €; 7000 b.)** : vin cité.

PHILIPPE PEYTAVY, rte de Montpellier, 34230 Aumelas, tél. 06 86 68 08 62, closdelamandaie@free.fr V *t.l.j. sf dim. 17h30-19h; sam. 14h-19h*

CLOS D'ELLE L'Entrecœur 2017 ★

■ | 5000 | 8 à 11 €

Longtemps coopérateur, Claude Bousquet a réalisé son rêve avec le création de son domaine baptisé Clos d'Elle en l'honneur de sa fille. Il est aujourd'hui épaulé par ses deux fils. Le vignoble est en conversion bio.

Le domaine fait son entrée dans le Guide avec ce rouge sur le fruit, assemblage de syrah, grenache et carignan brièvement élevé en cuve pendant six mois. À un nez d'emblée séduisant, centré sur les fruits noirs, répond une bouche harmonieuse, friande de fruit, franche et dotée de tanins juste croquants. D'une séduction immédiate, ce rouge gourmand est fin prêt. ⧗ 2019-2021

CLAUDE BOUSQUET, chem. de Cannabe, 34660 Cournonterral, tél. 06 85 90 07 48, leclosdelle@gmail.com V *t.l.j. sf dim. lun. 17h-19h*

LE CLOS DES COMBALS L'Appliquée 2018

■ | 2200 | 8 à 11 €

Marie-Noëlle Tournes a créé en 2017 ce tout jeune domaine sur les terres familiales situées dans l'Hérault, à proximité du Pont du Diable, au sein de l'appellation Terrasses du Larzac. Elle exploite ici et à la main un vignoble de 5 ha (et 1 ha d'oliviers) qui offre une poignée de cuvées dans les appellations locales terrasses-du-larzac et languedoc, ainsi qu'en IGP.

Ce jeune domaine fait son entrée dans le Guide avec un rosé délicat issu d'un assemblage de syrah et de grenache. Le nez se fait discret, entre pétale de rose et fruits à chair blanche. En bouche, les mêmes arômes se nuancent d'agrumes et d'une touche d'épices dans une chair généreuse, mais fraîche, assez longue, sur un ton de pamplemousse. ⧗ 2019-2020

LE CLOS DES COMBALS, 176, rte de Montpeyroux, 34150 Saint-Jean-de-Fos, tél. 06 87 44 83 52, leclosdescombals@gmail.com V *r.-v.*

♥ CLOS DES NINES Obladie 2017 ★★

■ | 2500 | 15 à 20 €

En 2002, Isabelle Mangeart, chef des ventes dans une multinationale de l'agroalimentaire, décide de changer de métier et crée de toutes pièces le Clos des Nines, dont le nom est un clin d'œil à ses trois filles (nines, en occitan). Le vignoble de 10 ha, d'un seul tenant, se niche au cœur de la garrigue et des oliviers, entre Sète et Montpellier.

Clin d'œil aux Beatles, la mélodie de cet Obladie aura transporté le jury unanime pour décerner un coup de cœur à ce blanc somptueux, raffiné et magistralement

LANGUEDOC

équilibré. Si un quart de l'assemblage (quatre cépages) a séjourné brièvement en fûts, le nez est centré sur les fruits blancs, les agrumes, le miel et les fleurs blanches. La palette s'élargit sur les fruits exotiques dans une bouche à la fois onctueuse et d'une fraîcheur exemplaire. Un compromis idéal pour un blanc du Sud dont la longue finale sur les fleurs blanches respire le printemps. ⧗ 2019-2023 ■ **O du Clos 2016 ★ (20 à 30 €; 2500 b.)** : une cuvée élevée en fûts qui fait la part belle à la syrah (80 %). Le nez en tire ses notes de fruits mûrs et d'épices avec des nuances légères d'évolution qui évoquent les fleurs fanées et le tabac. Après une attaque ample et épanouie, et un brin de sucrosité dans la texture, se dévoile une trame tannique tout en finesse qui soutient et accompagne une finale chocolatée. Un vin généreux et solaire, pas loin de son optimum. ⧗ 2020-2023

CLOS DES NINES, rte de Cournonsec, D5-E7, 34690 Fabrègues, tél. 04 67 68 95 36, clos.des.nines@free.fr V r.-v.

CLOS D'ISIDORE
Saint-Georges d'Orques Les Sentiers Pourpres 2016

■	1250		15 à 20 €

À Murviel-lès-Montpellier, on admire la fontaine romaine et l'oppidum d'Altimurium, vestiges datant du IIes. avant notre ère. Les 22 ha de vignes du domaine établi sur les coteaux caillouteux sont certifiés bio depuis 2013. Un chai flambant neuf est sorti de terre en 2018.

Une robe profonde, noire, signe la présence de la syrah et du mourvèdre dans cette cuvée ambitieuse dont le nez chaleureux est marqué par le chêne et la réglisse. L'attaque très riche et veloutée précède un palais concentré, presque sucré, marqué par des tanins gras et puissants, à la mesure de l'ensemble. La finale très chaleureuse laisse le souvenir d'un vin résolument solaire. Un petit déficit de fraîcheur qui lui coûte l'étoile. ⧗ 2020-2024

ÉDITH BEZ ET JOËL ANTHERIEU, 1, pl. Clément-Bécat, 34570 Murviel-lès-Montpellier, tél. 04 67 47 20 58, leclosdisidore34@gmail.com V *t.l.j. sf mer. dim. 10h-12h 16h-19h*

COMMANDERIE SAINT-PIERRE LA GARRIGUE
2018 ★

■	60000		8 à 11 €

Johan de Woillemont, par ailleurs à la tête du Ch. de Marmorières, a racheté cette propriété en 2005, ancienne Commanderie créée au XIIes. par les Hospitaliers de Saint-Jean-de-Jérusalem. Sur 60 ha patiemment remis sur pied, le vignoble joue sur une mosaïque de terroirs avec des défriches de garrigues, des terres rouges, des terres blanches et des combes, sur un site qui surplombe la Méditerranée. Il en tire quatre cuvées en AOC pic-saint-loup et languedoc.

Une touche de grenache blanc agrémente cet assemblage dominé par le grenache noir. C'est un rosé moderne, pâle et limpide, séduisant par son nez floral et amylique et par sa bouche tout en équilibre qui privilégie la fraîcheur du fruit, la légèreté et la longueur. ⧗ 2019-2020

JEHAN LE PELLETIER DE WOILLEMONT, rte de Saint-Pierre, 11560 Saint-Pierre-la-Mer, tél. 04 68 45 23 64, contact@woillemont.com

DOM. DE LA COSTE-MOYNIER 2018 ★

■	32000		5 à 8 €

L'ordre des chevaliers de Saint-Jean-de-Jérusalem (ou ordre de Malte) cultivait déjà la vigne sur ce terroir de galets roulés de Saint-Christol. Luc et Élisabeth Moynier perpétuent depuis 1975 la tradition des moines hospitaliers sur un vignoble de 74 ha.

Grenache, cinsault, galets roulés et vieilles vignes sont au programme de ce rosé de saignée et de pressurage. Sous une teinte pelure d'oignon se déclinent des arômes floraux, de pêche et de banane, avec intensité et délicatesse. Après une attaque fraîche, le volume et la rondeur de ce rosé généreux se manifestent. Un vin qui trouvera sa place à table. ⧗ 2019-2020 ■ **Saint-Christol Sélection 2017 ★ (11 à 15 €; 20000 b.)** : cette belle cuvée se signale par son nez d'abord discret qui monte lentement en puissance pour offrir des notes plaisantes de fruits rouges (groseilles) et noirs sur fond d'épices et de réglisse. Encore jeune, la bouche en impose par son intensité, sa fraîcheur, ses tanins serrés mais bien intégrés, ses flaveurs juteuses et concentrées prolongées par une finale très tonique. Du caractère et de la structure dans cette cuvée qui vieillira avec grâce. ⧗ 2020-2025 ■ **Grés de Montpellier 2016 ★ (11 à 15 €; 12900 b.)** : syrah et grenache sont à l'origine de cette cuvée, rubis grenat, dont le nez émoustillant décline les petits fruits rouges bien mûrs, la violette, le romarin et le laurier. Le poivre et les fruits s'invitent à leur tour dans une bouche ample marquée par un sucrosité gourmande et des tanins doux et particulièrement fins. Un rouge voluptueux, un peu retenu et promis à un bel avenir. ⧗ 2020-2025

DOM. COSTE-MOYNIER, 266, chem. du Mas-de-la-Coste, 34400 Saint-Christol, tél. 06 88 90 65 20, administration@coste-moynier.com V *t.l.j. sf dim. 8h-19h30*

DOM. COSTEPLANE Arboussède 2017 ★

■	39000		5 à 8 €

Situé sur la bordure des Cévennes, à 15 km au nord de Sommières, ce domaine est une propriété familiale depuis 1450. Françoise et Vincent Coste, tous deux ingénieurs agronomes, y conduisent en biodynamie un vignoble de 23,5 ha.

Déjà retenue dans le millésime 2015, cette cuvée qui tire son nom de la colline dominant les vignes séduit par son nez complexe entre griotte, poivre, cuir et réglisse. La bouche ne cède rien à la complexité perçue au nez et y ajoute une matière riche, ronde, qui ne manque pas de fraîcheur en finale. Un rouge convivial, équilibré et prêt à boire. ⧗ 2019-2022

SARL FRANÇOISE ET VINCENT COSTE, Mas Costeplane, CD_194, 30260 Cannes-et-Clairan, tél. 04 66 77 85 47, domaine.costeplane@gmail.com r.-v.

CH. COSTES-CIRGUES Bois du Roi 2016 ★

■	7700		15 à 20 €

Originaire de Suisse alémanique, Béatrice Althoff a repris en 2003 ce domaine, mosaïque constituée

d'une centaine de petites parcelles. Elle le conduit en agriculture biologique et biodynamique et vinifie sans sulfites ajoutés. Les fils de la vigneronne, David et Robin, prendront prochainement la relève.

La petite pointe d'évolution fait le charme et la complexité de ce nez fruité (fruits rouges mûrs), épicé, qui laisse poindre des notes subtiles de havane, de cuir et de camphre. Le jury est tombé sous le charme de la bouche, douce à l'attaque, qui déroule ensuite une belle matière rehaussée de tanins puissants et ponctuée par une finale fraîche et alerte. Puissant et fringant, «sérieux» et de belle garde. ⧗ 2020-2025 ■ **Le Château 2016 ★ (20 à 30 €; 3400 b.)** Ⓑ : une étoile de plus au tableau de chasse déjà bien garni du domaine avec cette cuvée à dominante de syrah (80 %), élevée quinze mois en fûts. Du soleil (pruneau, figue, raisins secs), des épices et une touche de moka au nez. Certes très mûre, mais nullement confite, la bouche offre tous les charmes de raisins vendangés à haute maturité : texture capiteuse et soyeuse, tanins puissants et enrobés, volume, chaleur et longueur. De belles sensations fortes et une générosité qui n'a pas laissé les dégustateurs indifférents. ⧗ 2020-2025

EARL COSTES-CIRGUES, 1531, rte d'Aubais, 30250 Sommières, tél. 04 66 71 83 85, info@costes-cirgues.com V ⚑ ■ *t.l.j. sf sam. dim. 9h-12h 14h-18h* Ⓔ

DOM. COSTES ROUGES Eric M 2016 ★★

■	1400	⦀	15 à 20 €

Éric Mauri, à la tête du Dom. Costes Rouges depuis 1988, a décidé de vinifier ses raisins à la propriété en 2007 et a engagé la conversion bio de ses 9 ha de vignes.

Éric Mauri a dédié cette cuvée à... lui-même ! Et c'est une grande réussite. Dominée par la syrah (80 %), élevée deux ans en fûts, elle s'ouvre sur un nez aux nuances de cerise noire, de cuir et de tabac. Le fruit s'exprime bien plus intensément dans une bouche cohérente, bien structurée, où tout est au diapason : matière pulpeuse, tanins riches et soyeux, longue finale fraîche où persistent la cerise noire et les épices douces. Riche, élégant, d'une séduction évidente, ce vin qui ira loin donne déjà beaucoup de plaisir. À carafer. ⧗ 2020-2027

DOM. COSTES-ROUGES, 9, rue du Potarouch, 34320 Neffiès, tél. 04 67 24 86 61, contact@costesrouges.fr V ⚑ ■ *r.-v.* Ⓓ

Ⓑ DOM. DÉCALAGE Galets Roulés 2018 ★

■	3000	▮	11 à 15 €

Domaine familial depuis 1867, ce vignoble d'un seul tenant sur les terroirs de galets roulés, tout proche de Montpellier, est conduit depuis 2004 par Nathalie Delbez. Elle l'a restructuré, tout en conservant précieusement de vieilles vignes, et a obtenu la certification bio pour ses 16 ha.

Un terroir de galets roulés a donné naissance à ce blanc abouti qui associe rolle, roussanne et grenache blanc. Le nez interpelle d'emblée par ses notes fumées et minérales sur un fond floral délicat. Les fruits blancs se mêlent à la fête dans une bouche qui brille par son association harmonieuse entre ampleur et fraîcheur. Beau blanc sudiste, équilibré, qui soigne l'élégance et le caractère. ⧗ 2019-2021

SCEA NATHALIE DELBEZ DÉCALAGE, Mas de Calage, chem. de Calage, 34130 Saint-Aunes, tél. 06 75 02 37 49, ndelbez@gmail.com V ⚑ ■ *r.-v.*

MAISON DELAFONT Mosaïque 2017 ★★

■	30000	⦀	8 à 11 €

Après avoir créé une structure de négoce en 2000, Samuel Delafont a eu envie de s'investir davantage dans l'élaboration et s'est installé en 2010 dans un petit village gardois comme négociant-éleveur spécialisé dans les vins du Languedoc. Il met en valeur les plus beaux terroirs de la région.

Une «Mosaïque» de terroirs (pic saint-loup, la clape) et de cépages (syrah, grenache, cinsault) forge le caractère de cette cuvée qui aura franchement enthousiasmé le jury. Ouvert et complexe, le nez libère des senteurs de fruits rouges mûrs, de fruits à noyau, de fleurs, agrémentées d'épices douces et d'une note sauvage. La bouche révèle une matière cossue sculptée par une belle acidité et des tanins fins et serrés qui portent et accompagnent le fruit dans une longue finale saline. Vin délié, de grande classe, déjà à point. ⧗ 2020-2024

SAS S. DELAFONT, ZA Mas David, chem. du Cimetière, 30360 Vézénobres, tél. 04 66 56 94 78, info@delafont-languedoc.fr V ⚑ ■ *t.l.j. sf dim. 10h- 18h*

CH. DE LA DEVÈZE-MONNIER 2018 ★

■	1044	▮	8 à 11 €

Ancien professeur de sciences naturelles, Laurent Damais a quitté les tableaux noirs en 1986 pour s'attacher au vignoble familial dans le beau vallon de Montoulieu, entre Larzac et Cévennes. Hélène Taillefer dirige aujourd'hui la propriété, dont le vignoble s'étend sur 35 ha.

Le duo syrah et grenache vinifié en saignée fait son effet : la robe est colorée, rubis clair, et le nez franchement fruité sur les fruits rouges. La bouche offre de la mâche, du volume, des flaveurs croquantes et consistantes de fruits rouges, avec des nuances florales. Un rosé hors des sentiers battus, généreux, équilibré, qui assume pleinement sa couleur et ses rondeurs. ⧗ 2019-2021

DOM. DE LA DEVÈZE, La Plaine, 34190 Montoulieu, tél. 04 67 73 70 21, deveze34190@gmail.com V ⚑ ■ *t.l.j. sf dim. 9h-17h*

Ⓑ DOM. DE LA DOURBIE Marius 2016 ★

■	10000	⦀	11 à 15 €

Créé en 1781, le domaine tire son nom de La Dourbie, petite rivière qui traverse le vignoble pour se jeter dans l'Hérault. Modernisé au début des années 2000, le domaine s'étend sur 32 ha de vignes cultivées en agriculture biologique.

Sélection parcellaire de cinsault, syrah et grenache, cette cuvée à la robe légère respire la garrigue et le fruit mûr. Souple, soyeuse, la bouche offre un grand bol de fruit, des tanins fins et une fraîcheur dynamisante. Un vin harmonieux à boire sur le fruit. ⧗ 2019-2021

SAS LA DOURBIE, rte d'Aspiran, 34800 Canet, tél. 04 67 44 45 82, lgraell@ladourbie.fr V ⚑ ■ *t.l.j. sf sam. dim. 9h-18h*

CH. ELLUL-FERRIÈRES
Grés de Montpellier Les Romarins 2016 ★

■ | 6000 | 🍾 | 15 à 20 €

Sylvie Ellul, ancienne directrice des Pays d'Oc, et son mari Gilles ont créé en 1997 ce domaine sur les coteaux entourant Castries. L'orientation au sud offre de belles vues sur la Méditerranée et un climat propice à la maturation de tous les cépages de l'appellation.

Le romarin qui parsème le vignoble a donné son nom à cette cuvée qui restitue la puissance et la plénitude d'un grenache bien mûr. Des notes de fruits confits, de confiture de mûre et de cerise parfument le nez comme la bouche. Ample, chaleureux, le palais séduit par sa douce chaleur et ses tanins fondants. Bien méridional, ce rouge solaire, aux légères notes d'évolution en finale, est à boire sans tarder. ⧗ 2019-2021

SCEA CH. ELLUL-FERRIÈRES, RD_610, Fontmagne, 34160 Castries, tél. 06 15 38 45 01, contact@chateau-ellul.com V r.-v.

CH. DE L'ENGARRAN
Saint-Georges d'Orques 2018 ★

■ | 30000 | 🍾 | 8 à 11 €

Le Ch. de l'Engarran est une «folie» montpelliéraine du XVIIIe s., classée à l'Inventaire national des Monuments historiques. Trois générations de femmes ont fait de ce domaine de 55 ha l'une des belles adresses des Grés de Montpellier et de Saint-Georges-d'Orques.

Même si le domaine est connu pour ses rouges, Diane Losfelt se fait un point d'honneur à défendre le rosé, «un vrai vin» qui réclame précision et tact. Elle en a fait manifestement preuve ici avec cet assemblage de grenache et de cinsault, à la robe saumon et au nez bien ouvert, floral et exotique. Le jury a aimé la rondeur, la richesse contenue, la netteté du fruit et la longueur de ce rosé généreux et équilibré. ⧗ 2019-2021

CH. DE L' ENGARRAN, rte de Lavérune, 34880 Lavérune, tél. 04 67 47 00 02, lengarran@wanadoo.fr V *t.l.j. sf dim. 10h-13h 15h-19h*

DOM. DE FABRÈGUES Le Cœur 2016 ★★

■ | 15000 | 🛢 | 11 à 15 €

Les archéologues ont retrouvé là un four à amphores datant de l'époque romaine. Plus tard, ce domaine, entre Pézenas et Clermont-l'Hérault, fut une halte sur la route de Compostelle où les pèlerins faisaient ferrer leurs chevaux. Depuis 2005, Carine Pichot y conduit un vignoble de 35 ha.

Pépite du domaine, il s'en est fallu de peu pour que la cuvée Le Cœur le soit doublement. Une robe noire, un nez gorgé de confiture de fruits rouges, de camphre, de poivre et de garrigue, l'approche éblouit. La bouche suit la même trame intense et généreuse : largeur, sucrosité, tanins veloutés, longueur. Un rouge voluptueux qui aura donné au jury beaucoup de plaisir. ⧗ 2020-2024 ■ **Le Mas 2018 ★ (5 à 8 €; 8000 b.)** : le grenache blanc (élevé en fût) et le vermentino (en cuve) en grande forme dans ce blanc pâle dont le nez enchante, entre fleurs blanches, fruits blancs et touche de garrigue. La bouche offre tout ce qui fait les bons blancs du Sud : de l'amplitude, beaucoup de fraîcheur, des notes croquantes de fruit (pêche blanche) et une petite amertume qui relance et prolonge la finale. Polyvalent et harmonieux. ⧗ 2019-2021 ■ **Le Mas 2018 (5 à 8 €; 15000 b.)** : vin cité.

DOM. DE FABRÈGUES, rte de Péret, 34800 Aspiran, tél. 04 67 44 54 99, contact@domainefabregues.fr V *t.l.j. sf sam. dim. 8h-18h; sam. dim. sur r.-v.*

♥ FULCRAND CABANON Cabrières 2018 ★★

■ | 40000 | 🍾 | 5 à 8 €

Coopérative fondée en 1937 et forte des 330 ha de ses adhérents, les caves de l'Estabel, réputées pour leurs rosés qui ont fait la gloire de Cabrières, présentent aussi une gamme de rouges dignes d'un vif intérêt. Elles produisent également de l'AOC clairette-du-languedoc, sur une vingtaine d'hectares de schistes. Le paysage dominé par le pic de Vissou, la richesse géologique et les sites archéologiques en font une étape obligée.

Un rosé issu d'une sélection parcellaire. Tout est fin et élégant : la robe pastel, le nez retenu, floral et légèrement épicé, la texture ronde, enveloppante et aromatique, des flaveurs originales de poivre et d'eucalyptus. Une délicatesse et un caractère salués par un jury unanime. ⧗ 2019-2021 ■ **Terres des Guilhem 2017 ★★ (5 à 8 €; 10000 b.)** : syrah et grenache élevés en cuve au menu de ce rouge qui séduit d'emblée par son nez élégant et assez complexe entre fruits rouges mûrs, notes fumées et touches minérales. Pleine, tendre, dotée de tanins souples, la bouche ajoute à ces mêmes flaveurs teintées de réglisse en finale une très belle fraîcheur qui confère éclat et élégance à l'ensemble. ⧗ 2020-2023

L' ESTABEL, 20, rte de Fontes, 34800 Cabrières, tél. 04 67 88 91 60, contact@estabel.fr V *r.-v.*

DOM. GALLIÈRES La Méjanelle 2016 ★★

■ | 1025 | 🛢 | 11 à 15 €

Pépiniéristes viticoles, les Esteban ont créé leur domaine en 1985 et construit leur chai en 2008. Situé à la périphérie de Montpellier, le vignoble de 18 ha est établi sur le plateau villafranchien entre la ville et la Méditerranée, en bordure du Lez, fleuve côtier. Un havre de paix face aux jaillissements du béton urbain.

Une longue macération a donné naissance à ce rouge composé de grenache et de syrah dont le maître-mot est l'élégance. Le nez, raffiné et ouvert, associe les fruits rouges confits, les épices, le thym et la réglisse. Tout aussi raffinée, la bouche délivre une matière soyeuse, parfumée (coulis de cassis, confiture de fraise), qui intègre des tanins à point et une longueur remarquable. Un charme qui opère dès à présent mais un vin de longue garde. ⧗ 2020-2028

MICHEL ESTEBAN, 1292, rue du Mas-Rouge, 34000 Montpellier, tél. 06 08 63 10 65, pepi.esteban@wanadoo.fr V *t.l.j. sf dim. 9h-12h 14h-18h*

LA GRANGE
Pézenas Icône 2016 ★★

■ | 3300 | | 30 à 50 €

Un domaine acquis en 2007 par Rolf et Renate Freund, anciens importateurs allemands de vins. Idéalement situé en bordure du parc naturel régional du Haut Languedoc, à une altitude de 250 m, son vignoble de 54 ha est cerné par la garrigue. Les raisins mûrissent entourés de thym et de romarin, puis sont vinifiés parcelle par parcelle dans une nouvelle cave en pierre à l'équipement neuf.

Un vin né de syrah (70 %) et de mourvèdre à la robe d'un grenat très profond. Le nez en impose avec ses notes intenses de fruit mûr, mâtinées de garrigue et d'épices douces provenant d'un élevage en fûts neufs. Un profil solaire que confirme une bouche volumineuse, charnue, gorgée de cassis et de myrtille et étayée par des tanins fondus. Vin voluptueux, riche, long, déjà savoureux et de longue garde. ⧗ 2020-2028 ■ **Grande Cuvée Tradition 2018 ★ (11 à 15 €; 3400 b.)** : du caractère à revendre dans ce rosé de table qui fait la part belle au mourvèdre (60 %) : la robe intense annonce un nez explosif de baies rouges, de grenadine et de myrte. La bouche est au diapason : ronde, pleine, gourmande et longue, sans une once de lourdeur. ⧗ 2019-2020

DOM. LA GRANGE, rte de Fouzilhon, 34320 Gabian, tél. 04 67 24 69 81, shugeux@domaine-lagrange.com V t.l.j. sf sam. dim. 10h-12h 14h-16h E

CAVE LA GRAVETTE Vieilles Vignes 2018

■ | 4914 | | 5 à 8 €

Créée en 1939, la coopérative de Corconne, aujourd'hui appelée Cave La Gravette, regroupe une centaine d'adhérents cultivant environ 500 ha sur le territoire de quatre communes. Une partie importante du vignoble est en AOC pic-saint-loup.

Une touche de grenache blanc épaule la roussanne dans ce blanc tendre au nez plus élégant que puissant qui diffuse de fines notes florales et une nuance épicée. Souple à l'attaque, le palais dévoile un milieu de bouche rond et consistant aux francs arômes floraux et fruités (fruits blancs) portés par une belle acidité qui rafraîchit la finale. Un équilibre irréprochable pour ce « bel ambassadeur de la région ». ⧗ 2019-2021

CAVE COOP. LA GRAVETTE, rte de Montpellier, 30260 Corconne, tél. 04 66 77 32 75, manon@lagravette.fr V *r.-v.*

CH. HAUT-BLANVILLE
Grés de Montpellier Légendes 2014 ★★

■ | 3500 | | 30 à 50 €

À partir de 1997, Bernard Nivollet, après un long parcours dans le monde de la finance et de l'entreprise, réalise un projet de vie : constituer un domaine avec son épouse Béatrice. Il dispose aujourd'hui de 70 ha à l'ouest de Montpellier : 40 ha en languedoc Grés de Montpellier et 30 en IGP. Sa démarche vise à mettre en lumière des terroirs. Elle s'inspire aussi de la biodynamie.

Repéré l'année passée pour sa cuvée Perle Noire, le domaine place haut dans la hiérarchie du Guide ce vin, au nom ambitieux mais pas usurpé. Cuvée parcellaire argilo-calcaire, elle met à l'honneur la syrah (80 %) dans une version haute en couleur et en saveurs. Les trente-six mois d'élevage se font sentir au nez mais n'entament pas l'expression d'un fruit bien mûr aux nuances fumées et confites. Puissante, fraîche, structurée, la bouche ne manque pas de relief et délivre une texture déjà gourmande et un fruit plus épanoui (noir et rouge) qui se teinte de vanille et d'épices en finale. Complète, complexe, déjà séduisante, la cuvée est armée pour la garde. ⧗ 2020-2028 ■ **Élégante 2017 ★ (15 à 20 €; n.c.)** : grenache blanc et roussanne à parité dans ce blanc qui respire le Sud mais qui a su préserver une fraîcheur qui a inspiré le jury. Le court séjour en fûts donne un surplus de complexité à un nez nuancé de fenouil, poire, banane, crème et vanille. Habile compromis de rondeur et de fraîcheur, la bouche séduit et finit sur une touche d'agrume et un amer léger et stimulant. ⧗ 2019-2022

SCEA DE BLANVILLE, Rieutort rte de Gignac, 34170 Saint-Pargoire, tél. 04 67 25 22 53, info@blanville.com V *r.-v.* 5 E

♥ B L'ORANGERIE DE LUC 2018 ★★

■ | nc | 5 à 8 €

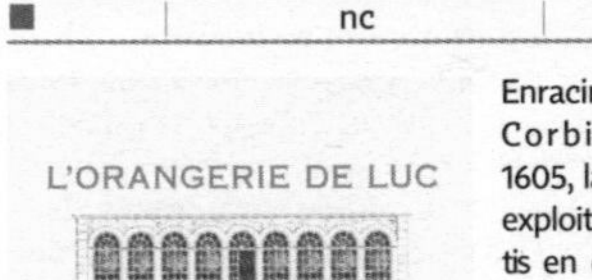

Enracinée dans les Corbières depuis 1605, la famille Fabre exploite 360 ha répartis en quatre domaines : le Ch. Fabre Gasparets (corbières-boutenac, le berceau), le Ch. Coulon, le Ch. de Luc et le Dom. de la Grande Courtade, sur le territoire de Béziers, dédié aux vins IGP. Ingénieur agronome et œnologue, Louis Fabre a pris en 1982 la tête de ces vignobles cultivés en bio dès 1991 (certification pour l'ensemble en 2014).

Une cuvée dont la finalité est de donner du plaisir mais aussi de financer la réfection de l'orangerie du Ch. de Luc. Le premier objectif est d'ores et déjà atteint. Coup de cœur, la cuvée met à l'honneur la syrah (60 %) vinifiée en grappes entières. Des notes intenses de fruits noirs frais, une touche de tapenade, un fond fumé et minéral, le nez est de très bon augure. Ce que confirme la bouche qui ne manque pas de tenue : attaque intense et tonique, tanins fermes, saveurs chaleureuses, finale de pierre à fusil qui intrigue et séduit. Du caractère à revendre et beaucoup de charme dans ce rouge déjà à point. ⧗ 2019-2023

GFA DU VIGNOBLE LOUIS MARIE ANNE FABRE, 1, rue du Château, 11200 Luc-sur-Orbieu, tél. 04 68 27 10 80, info@famille-fabre.com V *t.l.j. sf sam. dim. 9h-12h 14h-18h*

B **DOM. MAGELLAN** 2018 ★★

■ | 9000 | | 8 à 11 €

Bruno Lafon a hérité de son père la passion du vin et la rigueur bourguignonne. Séduit par le terroir languedocien, il s'associe en 1999 avec Sylvie Legros pour restaurer ce domaine de 32 ha, conduit en agriculture biologique.

Souvent en vue dans le Guide pour ses rouges, le domaine ne néglige pas ses blancs, en témoigne cet assemblage grenache blanc-roussanne vinifié à la bourguignonne. Retenu, le nez livre ses notes de poire et de pêche à peine teintées de chêne. Tout en toucher et en rondeur, la bouche assume pleinement ses origines jouant plus sur la plénitude d'un fruit mûr (ananas, poire) que sur la vivacité mais sans aucune lourdeur. La finale, sur l'acacia et le miel de thym, nous fait voir du pays. Beau blanc de table. ⧗ 2019-2022

SARL DOM. MAGELLAN, 467, av. de la Gare, 34480 Magalas, tél. 04 67 36 20 83, contact@domainemagellan.com t.l.j. sf sam. dim. 8h-12h 13h30-17h

Ⓑ MAS CORIS Cabrières Pic de Vissou 2016 ★

■ | 1200 | | 20 à 30 €

Véronique Attard s'est installée en 2009 au pied du pic de Vissou, site classé, sur 8 ha de vignes et de garrigue. Conduit en bio, son domaine couvre aujourd'hui 5 ha sur des sols de schistes caractéristiques du terroir de Cabrières.

Recommandable dans les trois couleurs, ce petit domaine signe un rouge puissant et profond provenant de vieilles vignes de syrah, grenache et cinsault. Après un premier nez marqué par les notes balsamiques de l'élevage (un an en fût), le bouquet diffuse des notes de fruit confit, d'épices et de plantes aromatiques. Cette gamme se prolonge dans une bouche ample, puissante et chaleureuse, adossée à des tanins soyeux et marquée à ce stade par l'empreinte du chêne. Prometteur et de bonne garde. ⧗ 2021-2027 ■ **Cabrières Coulée douce 2018 ★ (8 à 11 €; 1000 b.)** Ⓑ : un assemblage de cinsault et de grenache, ainsi qu'un pressurage direct sont à l'origine de cette cuvée raffinée, au nez ouvert de fruit blanc (pêche) et de fleurs. La bouche délicate, tendre par sa texture, offre un savoureux fruité (pêche jaune, fruits rouges). ⧗ 2019-2020

MAS CORIS, 3, rue du Dauphiné, 34170 Castelnau-le-Lez, tél. 06 74 14 88 91, byvero34@gmail.com r.-v.

MAS D'ARCAŸ Le Nom de la Rose 2018 ★

■ | 7000 | 8 à 11 €

Jean Lacauste est issu d'une très longue lignée de vignerons qui débute en 1730. Il a acquis en 2010 cette ancienne propriété viticole de la fin du XIXe s., et exploite aujourd'hui 45 ha sur le terroir historique de Saint-Drézéry.

Très pâle de robe mais volubile au nez, marqué par des arômes exubérants de pamplemousse et de fruit exotique, ce rosé va droit au but : une attaque fraîche, un milieu de bouche rond, une finale longue et acidulée. Un équilibre impeccable et de la finesse. ⧗ 2019-2020

MAS D'ARCAŸ, 1080, rte de Beaulieu, 34160 Saint-Drézéry, tél. 06 76 04 21 11, lacaustej@yahoo.fr t.l.j. sf dim. 16h-19h; sam. 10h-18h

MAS DE LA RIME 2017

■ | 2025 | | 15 à 20 €

Brita et Philippe Sala, après plusieurs vies professionnelles et artistiques, ont créé en 2009 ce domaine de 5,9 ha sur le terroir de Saint-Georges d'Orques, qu'ils conduisent dès l'origine en bio.

Syrah et mourvèdre vinifiés en grappes entières et élevés partiellement en fûts au menu de ce rouge, jeune de robe, qui révèle au nez des arômes de fruits compotés mêlés d'épices issus du chêne. Discrète à l'attaque, la bouche monte en puissance, offrant un fruit plus expansif (cassis, framboise) et complexe et une matière ferme cadrée par des tanins encore sous l'emprise du bois. Une courte garde devrait détendre ce jeune languedoc bien constitué. ⧗ 2020-2025

SARL GAEL BIO, chem. des Proses, 34570 Pignan, tél. 06 08 18 32 73, philippesala@wanadoo.fr r.-v.

MAS DE L'ONCLE Emy 2018 ★

■ | 8000 | | 8 à 11 €

Après avoir travaillé à travers la France en tant qu'ingénieur du bâtiment, Fabrice Bonmarchand a repris les 10 ha du Mas de l'Oncle en 2011. Il a engagé la conversion bio du vignoble, augmenté la surface des vignes cultivées (15 ha aujourd'hui), développé des activités œnotouristiques et inauguré en 2017 un nouveau chai signé Rudy Ricciotti.

Derrière une robe pétale de rose, c'est un nez prodigue et tout en fruit qui a inspiré le jury : framboise, pamplemousse, ananas, pêche et fruit de la Passion. La bouche est dans le même style : gourmandise du fruit (typé agrume), pointe d'épices et grande fraîcheur. Un rosé moderne, avenant. ⧗ 2019-2020

MAS DE L'ONCLE, rte de Montpellier, 34270 Lauret, tél. 04 67 67 26 16, commercial@masdeloncle.com t.l.j. sf dim. 10h-13h 15h-18h Ⓔ

Ⓑ MAS DE LUNÈS Grés de Montpellier 2017 ★★

■ | 60000 | 8 à 11 €

Depuis 1870 et cinq générations, la famille Jeanjean exerce les métiers de vigneron et de négociant à Saint-Félix-de-Rodez, au cœur du Languedoc. Un acteur de poids des vins du Sud de la France, rattaché au groupe Advini.

Belle unanimité des dégustateurs autour de cette cuvée dominée par une syrah (70 %) particulièrement fringante au nez avec ses puissantes senteurs de cerise noire et de torréfaction. Le charme opère aussi en bouche : texture soyeuse, arômes débridés et complexes de fruit mûr, d'épices et de café, tanins déliés et fraîcheur inspirante. Remarquable d'équilibre et de plénitude, ce rouge est d'ores et déjà prêt à boire. ⧗ 2019-2023 ■ **Devois des Agneaux d'Aumelas 2017 ★★ (5 à 8 €; 60000 b.)** : flagrant, frais, floral, épicé et mûr, le nez introduit de la plus belle manière une bouche qui brille par son élégance, sa générosité, sa texture soyeuse, ses tanins raffinés et ses longues flaveurs de violette et de réglisse qui s'éternisent en finale. À un poil du coup de cœur. ⧗ 2019-2022 ■ **Devois des Agneaux d'Aumelas 2018 ★ (5 à 8 €; 20000 b.)** : une petite touche vanillée agrémente un nez ouvert sur les fleurs blanches et le fruit exotique. Tonique et fraîche, la bouche diffuse ces mêmes saveurs et donne beaucoup de plaisir à défaut de longueur. Un blanc efficace, frais, à boire sur le fruit. ⧗ 2019-2020 ■ **Devois des Agneaux d'Aumelas 2018 (5 à 8 €; 120000 b.)** : vin cité.

VIGNOBLES JEANJEAN, L'Enclos, 34725 Saint-Félix-de-Lodez, tél. 04 67 88 80 00, contact@vignobles-jeanjean.com V *t.l.j. 9h-12h 14h-18h30*

MAS DE MARTIN
Grés de Montpellier Ultréïä 2016 ★

■ | 10000 | | 20 à 30 €

Le Mas de Martin est un îlot secret de 20 ha de vignes caché au milieu des garrigues et des pinèdes. Ancienne dépendance de l'abbaye de Saint-Germain et halte sur le chemin de Saint-Jacques de Compostelle, ce domaine mentionné dès le XIIes. a été repris au printemps 2017 par Marie-Christine Florent, qui succède à Christian Mocci, son propriétaire pendant plus de vingt ans.

Élevé dix-huit mois en fûts (d'un et deux vins), Ultréïä («aller plus loin», le cri de ralliement des pèlerins de Saint-Jacques), décline au nez les arômes d'une syrah (70 %) bien mûre (fruits noirs, menthol, épices), saupoudrés de notes de chêne. À une attaque ronde et intense, sur le fruit confituré, succède un milieu de bouche structuré, aux tanins puissants et astringents qui devront se fondre. Une cuvée de garde qui ira effectivement plus loin. ⧗ 2021-2027

MARIE-CHRISTINE FLORENT, rte de Carnas, 34160 Saint-Bauzille-de-Montmel, tél. 04 67 86 98 82, masdemartin@gmail.com V *t.l.j. sf dim. 9h-12h 14h-18h*

MAS DES AURIBELLES 2017 ★

■ | 4300 | | 8 à 11 €

Ce jeune domaine familial qui a pris le nom d'une de ses plus belles parcelles a été créé en 2009. Le vignoble de 17 ha est situé entre Pézenas et Caux dans les AOC languedoc et languedoc Pézenas. Les premiers vins signés Mas des Auribelles sont nés avec le millésime 2014, mis en bouteille à partir de 2017.

Ni collé ni filtré, ce rouge mi-syrah mi-grenache puissant et mûr libère d'intenses notes de fruits noirs et d'épices. La cerise noire confite, le cassis et le poivre imprègnent une bouche chaleureuse, richement dotée qui séduit d'emblée par sa rondeur capiteuse et sa générosité. Bien cadrée par des tanins qui montrent un brin de fermeté en finale, cette cuvée bien du Sud, déjà savoureuse, saura se garder quelques années. ⧗ 2020-2023

MARIE-HÉLÈNE CHASSAGNE, 3, rue Condorcet, 34120 Pézenas, tél. 06 65 39 32 92, masdesauribelles@gmail.com V *r.-v.*

MAS DU MINISTRE
La Méjanelle La Tentation du Pasteur 2017 ★

■ | 20000 | | 11 à 15 €

Aux portes de Montpellier, ce mas du XVIes. dominant Petite Camargue et Méditerranée tire son nom d'un pasteur de l'Église réformée (le ministre du culte). Le vignoble est implanté sur le terroir de la Méjanelle, constitué de coteaux aux sols chauds de galets roulés qui bénéficie des brises marines. Denis Tissot l'exploite depuis 1994, avec la bio en ligne de mire.

Clin d'œil à la lignée de pasteurs ayant possédé le domaine au XIXes., ce rouge à dominante de grenache respire le Sud avec son nez chaleureux de fruits à l'eau-de-vie agrémenté de notes plus fraîches de violette. La réglisse et les épices s'invitent dans une bouche suave et ronde à l'attaque, dotée de tanins fermes prolongés par une fraîcheur dynamisante. Le cacao s'éternise en finale rappelant le court séjour en barrique. Un vin finalement très digeste, à la fois mûr et frais. ⧗ 2021-2024

SCEA DOM. TISSOT, Mas du Ministre, chem. du Ministre, 34130 Mauguio, tél. 04 67 12 19 09, fs.chateauministre@gmail.com V *t.l.j. sf dim. 10h-12h 14h-17h*

Ⓑ MAS DU NOVI
Grés de Montpellier Ô de Novi 2016 ★

■ | 14000 | | 15 à 20 €

Halte sur le chemin de Saint-Jacques-de-Compostelle au XIes. et ancien noviciat de l'abbaye de Valmagne, le Mas du Novi possède un calvaire portant l'inscription «Siste et ora viator» (Assieds-toi et prie, voyageur). C'est aujourd'hui un domaine de 100 ha, dont 42 de vignes en bio (conversion achevée pour toutes les surfaces en 2017), établi dans une couronne de garrigue offrant une vue surprenante sur la mer et l'étang de Thau.

Une robe pourpre soutenue pour cet assemblage classique de syrah et de grenache. Le nez, puissant et mûr, évoque le fruit cuit, les épices et l'olive noire sur fond de garrigue. Très juteuse, fraîche, l'attaque ouvre sur un palais onctueux, tenu par des tanins fins et élégants, beau prélude à une finale longue et chaleureuse sur les fruits confits. Généreux et complet, à ouvrir dans une paire d'années. ⧗ 2021-2026

SAS SAINT-JEAN DU NOVICIAT, D_5, rte de Villeveyrac, 34530 Montagnac, tél. 04 67 24 07 32, contact@masdunovi.com V *t.l.j. 10h-18h en hiver; 10h-19h (été)*

MAS FABREGOUS Rosé de Juliette 2018

■ | 10000 | | 5 à 8 €

Parti du village pittoresque de Soubès, un sentier botanique longe les vignes du domaine en direction du cirque de Navacelles. Descendant d'une lignée d'agriculteurs et de viticulteurs remontant au XVIes., Philippe Gros reprend en 1988 le domaine familial au pied du Larzac, restructure le vignoble et s'installe en cave particulière en 2004. Il exploite 17 ha sur un terroir d'altitude (de 300 à 400 m).

Sous une robe d'un joli rose pastel se manifestent des arômes floraux intenses, agrémentés de fruits rouges et d'un soupçon d'épices. Vive et légère, la bouche possède néanmoins ce qu'il faut de présence, de rondeur et de fruit (agrumes, fruits rouges). La finale vive présente une pointe d'amertume qui stimule. ⧗ 2019-2020

MAS FABREGOUS, 1772, rte d'Aubaygues, 34700 Soubès, tél. 06 17 51 84 96, masfabregous@free.fr V *r.-v.*

MAS FARCHAT Pézenas Genèse 2016 ★

■ | 1360 | | 11 à 15 €

Créé par Hélène Jougla en 2011, le Mas Farchat est situé à Gabian et s'étend sur 15 ha de vignes conduits en culture raisonnée. Le domaine produit des vins en AOC languedoc, languedoc Pézenas et en IGP Côtes de Thongue. Le

cheval, l'autre passion d'Hélène Jougla, orne chacune des étiquettes des vins du Mas.

Pas une once de chêne dans cette cuvée qui fait la part belle à la syrah. Franc, intense, le nez offre des arômes très purs de cassis et de poivre. La même qualité de fruit fait tout le charme d'une bouche expressive (cassis, pruneau), souple, adossée à des tanins extraits en douceur qui accompagnent une longue finale sur la cerise noire. Une entrée dans le Guide remarquée. ⌛ 2019-2023

⊶ HÉLÈNE JOUGLA, lieu-dit Coste Rouge, RD_13, 34320 Gabian, tél. 06 16 12 05 40, contact@masfarchat.fr V r.-v.

Ⓑ MAS GABRIEL
Pézenas Clos des Lièvres 2016

■	5500		15 à 20 €

Ce petit domaine a été créé en 2006 par Peter et Deborah Core, des Anglais amoureux de la région et de la nature, qui cultivent en bio 6 ha de vignes sur une terrasse villafranchienne et sur les flancs d'une coulée basaltique.

Un nez discret et épicé qui offre les charmes d'une syrah (75 %) vendangée à bonne maturité et élevée en fûts (pain grillé, réglisse). La bouche, large à l'attaque, se resserre sous l'effet de tanins fermes et astringents et d'une belle acidité qui sont autant de promesses d'avenir. On attendra que le temps dépouille cette cuvée bien structurée de son austérité de jeunesse. ⌛ 2021-2026

⊶ PETER CORE, 9, av. de Mougères, 34720 Caux, tél. 04 67 31 20 95, info@mas-gabriel.com V r.-v.

MAS GOULAMAS Lava 2017 ★

■	1600		11 à 15 €

Après avoir travaillé pendant quinze ans pour les autres, Vassil Cordonnier a repris en 2017 un domaine de 9 ha qu'il a restructuré et converti au bio. La gamme, en développement, couvre les AOC languedoc et languedoc Pézenas.

Un terroir basaltique, de lave (lava en occitan), a donné naissance à ce rouge franchement explosif, très intense, gorgé de fruits rouges macérés, de crème de cassis et de cacao. On croque avec enthousiasme dans ces flaveurs débridées prises dans une chair concentrée, chaleureuse, étayée de tanins serrés et prolongée par le poivre et le Zan. Beaucoup de charme et de caractère dans ce rouge sensuel à l'équilibre irréprochable. Une entrée dans le Guide remarquée. De bon augure pour la suite. ⌛ 2020-2024

⊶ CORDONNIER VASSIL, 27, av. de Faugères, 34320 Gabian, tél. 06 95 34 64 24, contact@masgoulamas.com V r.-v.

MAS GRANIER Les Marnes 2017 ★

■	25000		8 à 11 €

Situé dans le Gard, ce domaine était autrefois une ferme du prieuré Saint-Pierre-d'Aspères, qui remonte au IXe s. pour ses parties les plus anciennes. Acquis par Marcel Granier dans l'après-guerre, il est depuis 1992 la propriété de ses deux fils, Dominique et Jean-Philippe, qui conduisent aujourd'hui 40 ha de vignes en conversion biologique.

La roussanne (70 %) et l'élevage en barriques marquent le nez : fruit confit, ananas, cire d'abeille et nuances vanillées. Tout aussi toasté, le palais séduit par son volume et sa fraîcheur, avec une petite amertume qui donne un peu de relief supplémentaire à une longue finale crémeuse et beurrée. Présent chaque année dans le Guide depuis le millésime 2014, ce blanc moderne et équilibré est aussi d'une constance remarquable. ⌛ 2019-2022 ■ **Sommières Les Grès 2017 ★ (11 à 15 €; 10000 b.)** : issu d'un assemblage de syrah, grenache et mourvèdre, ce 2017 affiche une robe pourpre profond. Charmeur, le nez offre des notes de griotte et de pâtisserie qui imprègnent une bouche ample, pleine, bien structurée, dotée de tanins croquants et d'une fraîcheur agréable. Un vin abouti, complet, élégant, à boire ou à garder. ⌛ 2020-2024 ■ **Parenthèse 2018 ★ (8 à 11 €; 8500 b.)** : la counoise (10 %) apporte une touche d'originalité à cet assemblage dominé par le grenache et la syrah. Rose saumon, retenu au nez, avec des nuances de fruits rouges (grenade) et de fleurs, il offre une matière tendre, bien sudiste, qui joue plus sur la rondeur que sur la vivacité. Rosé de table qui prêtera sa chair et sa longueur à des cuisines épicées et exotiques. ⌛ 2019-2020

⊶ MAS GRANIER-MAS MONTEL, 2, chem. du Mas-Montel, 30250 Sommières, tél. 04 66 80 01 21, contact@masmontel.fr V *t.l.j. sf dim. 9h30-12h30 14h-18h30* ④

MAS SAINT-LAURENT Montmeze 2018 ★★

■	30000		8 à 11 €

Sur ce terroir, qui regarde l'étang de Thau, on a retrouvé des œufs de dinosaures fossilisés datant de 65 millions d'années. Depuis 1989 et succédant à quatre générations vigneronnes, Roland Tarroux y cultive un vignoble de 38 ha et porte notamment un grand soin à ses parcelles de piquepoul, étendues sur 3,5 ha.

D'un jaune profond, ce 2018 affiche un nez fruité (agrumes), nuancé de végétal. Élevé sur lies fines, il garde un léger perlant au palais, qui souligne son caractère très aromatique et son gras. ⌛ 2019-2022

⊶ EARL MAS SAINT-LAURENT, Montmèze, 34140 Mèze, tél. 04 67 43 92 30, massaintlaurent@wanadoo.fr V *r.-v.*

DOM. DE MASSEREAU La-Source 2018 ★

■	2666	11 à 15 €

À 3 km de Sommières, les vignes de syrah et de grenache dominent le Vidourle et bordent le camping 5 étoiles de la famille Freychet, qui mise sur l'œnotourisme de standing. Arnaud Freychet dirige depuis 1993 ce domaine familial (50 ha), après un épisode coopératif durant un quart de siècle.

Sous une robe à peine teintée apparaît un rosé expressif et tonique, dont les notes d'agrumes se mêlent de nuances originales de tarte fine aux abricots. La bouche confirme cette jolie fraîcheur de fruit et y ajoute une rondeur aimable, une touche vivifiante et ce qu'il faut de longueur. Un vin élégant, dont l'équilibre évoque un blanc. ⌛ 2019-2020 ■ **La Tourie 2017 ★ (15 à 20 €; 4000 b.)** : encore sous l'emprise du chêne, mais sans outrance, le nez est marqué par des notes fumées et cacaotées sur un fond de fruit mûr et de tabac. La bouche ample à l'attaque se resserre sous l'effet de tanins fermes et d'un boisé marqué qui teinte le fruit de notes vanillées et chocolatées intenses. Un palais en deux temps qui demande à se fondre mais qui augure d'un bel avenir. ⧗ 2021-2027

DOM. DE MASSEREAU, 1990, rte d'Aubais, 30250 Sommières, tél. 04 66 80 03 23, vin@massereau.com V ♿ ! *t.l.j. 9h-12h 14h-18h*

CH. MIRE L'ÉTANG Corail 2018 ★★

■	8000	▮	8 à 11 €

Depuis les hauteurs du domaine, face au soleil levant, on «mire les étangs», l'embouchure de l'Aude, la Méditerranée et le golfe du Lion. Le terroir caillouteux s'étale en terrasses, caressé par la brise marine. Acquis par la famille Chamayrac en 1972, le domaine comptait alors 36 ha de vignes; il s'étend sur 51 ha aujourd'hui. Un pilier de La Clape.

Nouvelle apparition dans le Guide pour cette cuvée atypique qui garde le cap malgré les modes, celui d'un rosé de saignée issu majoritairement de la syrah, coloré à souhait et à fort caractère : une robe grenadine, un nez explosif de fruits rouges, une bouche vineuse, large, charnue et longue. Un rosé de repas pour les amateurs de (belles) sensations. ⧗ 2019-2021

EARL CH. MIRE L'ÉTANG, rte des Vins, 11560 Fleury-d'Aude, tél. 04 68 33 62 84, mireletang@wanadoo.fr V ♿ ! *t.l.j. sf dim. 9h-12h 15h-19h*

B DOM. MONPLÉZY Pézenas Emoción 2016 ★★

■	2500	◖◗	20 à 30 €

Ce domaine familial datant de 1734, situé sur une colline près de Pézenas, fut marqué naguère par la forte personnalité de Georges Sutra, syndicaliste viti-vinicole et député européen. Situé en zone Natura 2000, il est désormais dirigé par Anne Sutra de Germa, militante à la Ligue de protection des oiseaux, et par son fils Benoît. L'agriculture biologique et biodynamique est bien sûr de mise sur les 25 ha de vignes.

Une cuvée bien nommée qui aura donné de belles émotions à un jury conquis. La syrah marque de sa profondeur la robe de ce rouge élevé douze mois en fûts dont le nez intense décline les fruits noirs et la vanille. La garrigue s'invite dans une bouche épanouie, complète, riche et magistralement équilibrée : volume, fraîcheur, tanins affinés, longue finale sur les épices et le fruit confit. Un rouge de grande classe dont la puissance contenue est pleine de promesses. ⧗ 2021-2026

SCEA DOM. MONPLÉZY, chem. Mère-des-Fontaines, 34120 Pézenas, tél. 04 67 98 27 81, info@domainemonplezy.fr V ♿ ! *t.l.j. sf sam. dim. 14h-18h* 🏠 2

B CH. DE MONTPEZAT Palombières 2015 ★

■	6000	▮	15 à 20 €

À la tête du domaine familial depuis 1991, Christophe Blanc cultive les 30 ha de son vignoble en bio (certification en 2012).

Des vignes cinquantenaires, une longue cuvaison suivie d'un élevage de trois ans en cuve ont lentement affiné ce joli nez qui respire la garrigue, le cuir, les épices et le fruit noir bien mûr. On retrouve le fruit macéré (pruneau) dans un palais ample, généreux, souple en attaque, qui se raffermit sous l'effet de tanins bien présents et d'une fraîcheur de bon ton. À boire ou à garder quelques années. ⧗ 2019-2022

EARL CH. DE MONTPEZAT, rte de Roujan, 34120 Pézenas, tél. 06 74 83 53 45, contact@chateau-montpezat.com V ! *t.l.j. 10h-12h 14h-18h; hiver sur r.-v.*

DOM. LE NOUVEAU MONDE Brame-Reille 2017 ★★

■	3000	◖◗ ▮	15 à 20 €

Ce vignoble de 20 ha, en conversion bio depuis 2017, établi au sud de Béziers, propriété de la famille Borras-Gauch depuis plusieurs générations, est situé entre mer et étang, sur une terrasse villafranchienne de galets roulés mêlés à l'argile rouge, et sous l'influence de la Méditerranée. Anne-Laure, œnologue, et Sébastien Borras, restaurateur, ont pris les commandes en 2003.

Brame-Reille, ou «le cri de la charrue» en vieux patois, est le nom de la parcelle d'où provient cette syrah (80 %) partiellement élevée en barrique. Centré sur les fruits noirs et rouges confiturés, le nez nous le rappelle avec ses nuances finement vanillées. La belle maturité des raisins s'impose d'évidence en bouche : belle matière concentrée, arômes épanouis de fruits confiturés, douce chaleur, le tout cadré par des tanins puissants, cacaotés et sérieux qui tiennent en respect cette chair généreuse. On la laissera en cave au moins une paire d'années. ⧗ 2021-2026 ■ **L'Estanquier 2017 ★ (11 à 15 €; 4000 b.)** : les vignes de syrah et mourvèdre qui surplombent l'étang de Vendres composent cet Estanquier («gardien de l'étang») qui ne manque pas de charme avec son nez complexe et élégant, très floral, épicé, avec une touche originale d'angélique. La bouche creuse le même sillon : tendre et soyeuse à l'attaque, dotée de tanins fondus, elle séduit par sa fraîcheur aromatique, son élégance et sa longue finale réglissée. Un vin harmonieux et délicat. ⧗ 2020-2023

SCEA GAUCH, av. du Port, 34350 Vendres, tél. 04 67 37 33 68, info@nouveaumonde.com V ♿ ! *r.-v.* 🏠 E

CAVE DE L'ORMARINE Préambule 2018 ★

■	150000		- de 5 €

Coopérative fondée en 1922, L'Ormarine – à l'époque Association des producteurs de vins blancs de Pinet – est un acteur de poids dans la défense de la récente AOC picpoul-de-pinet. Après la fusion avec les caves de Villeveyrac (2009) et de Cournonterral (2014), puis en 2017 des caves de Saint-Hippolyte-du-Fort et de Vias, elle regroupe 500 coopérateurs et dispose de 2 500 ha, dont 520 dédiés au seul cépage piquepoul. Depuis 2018, 650 ha sont en Terra Vitis.

Grande spécialiste du blanc, cette coopérative ne néglige manifestement pas ses rosés. Syrah et grenache entretiennent une réjouissante complicité dans cette cuvée d'un rose limpide, qui demande un peu d'aération pour offrir ses arômes de fruits rouges. Le jury a apprécié l'attaque tout en rondeur, la fraîcheur préservée, la belle présence du fruit (rouge), l'élégance et la longueur de l'ensemble. ⧗ 2019-2020

CAVE DE L' ORMARINE, 13, av. du Picpoul, 34850 Pinet, tél. 04 67 77 03 10, contact@caveormarine.com V ♿ ! *t.l.j. sf dim. 8h30-12h 14h-18h; t.l.j. de mai à mi-sept.*

DOM. PICARO'S Pézenas Amano 2016 ★

■ | 1400 | 🛢 | 20 à 30 €

Après trois ans passés en Amérique du Sud, Pierre-Yves Rouille et Caroline Vioche ont créé leur domaine en 2006, 11 ha sur les coteaux de Roujan, vendangés à la main et conduits en culture très raisonnée.

Cette cuvée mi-syrah mi-grenache vinifiée en grains entiers s'ouvre sur des arômes de fruits rouges avec une touche vanillée issue du chêne. Souple et riche, l'attaque précède un milieu de bouche consistant qui s'appuie sur des tanins ronds et une longue finale sur les épices, la garrigue et le cacao. Concentré, charmeur et de belle garde. ⧗ 2020-2026

EARL PICARO'S, 5, chem. de Pézenas, 34320 Roujan, tél. 06 81 97 10 44, cvioche@orange.fr V *r.-v.*

PRIEURÉ SAINT-HIPPOLYTE 2018 ★★

■ | 300000 | 🍾 | - de 5 €

La cave de Fontès a été créée en 1932 par une trentaine de vignerons. Aujourd'hui, cette coopérative, rebaptisée La Fontesole, en compte près de 160. Sur les premiers contreforts des Cévennes méridionales, les vignes recouvrent les coulées basaltiques de Fontès.

La cave réussit un tour de force avec cet excellent rosé à petit prix, salué unanimement par le jury et produit à quelque 300 000 exemplaires. Syrah majoritaire et saignée sont à l'origine de cette robe soutenue et de ce nez enjôleur, franchement fruité (fruits rouges) et floral. La bouche est tout aussi généreuse dès l'attaque, offrant ensuite une jolie mâche et des arômes persistants de fruits rouges, légèrement épicés. Un vin harmonieux. ⧗ 2019-2021 ■ **2018 ★★ (- de 5 €; 28000 b.)** : une dominante de grenache blanc, brièvement passé en cuve, dans ce blanc pâle qui joue délibérément la carte de la fraîcheur. Le nez dispense de fraîches notes florales, citronnées et minérales que l'on retrouve dans une bouche légère, élégante et vivace. Un blanc tonique qui appelle irrésistiblement les fruits de mer ou le chèvre frais. Remarquable à ce prix. ⧗ 2019-2021

SCAV LA FONTESOLE, 16, bd Jules-Ferry, 34320 Fontès, tél. 04 67 25 14 25, cave@fontesole.fr V *t.l.j. sf dim. 8h-12h 14h-18h*

DOM. LES QUATRE PILAS Chant des Grillons 2017 ★

■ | 2500 | 🍾 | 8 à 11 €

Cette ancienne propriété viticole, dont les vignes ont été arrachées après guerre, a bien failli disparaître. Joseph Bousquet, fils et petit-fils de vigneron, lui redonne vie depuis l'an 2000. Ce domaine de 10 ha se situe en pleine garrigue, non loin de l'oppidum romain de Murviel-lès-Montpellier.

Vermentino, roussanne et viognier assemblés dans ce blanc franchement sudiste et franchement exotique. Le nez embaume l'ananas et le litchi avec une larme d'agrume. Chaleureuse et ronde à l'attaque, la bouche se raffermit sous l'effet d'une belle fraîcheur qui donne éclat et équilibre à l'ensemble. L'ananas persistant s'entiche d'une touche de rancio intéressante en finale. Original et convaincant. ⧗ 2019-2021

JOSEPH BOUSQUET, rte de Bel-Air, 34570 Murviel-lès-Montpellier, tél. 06 15 53 74 04, lesquatrepilas@orange.fr V *r.-v.*

DOM. DE QUERELLE Queyrel 2018 ★

■ | 10000 | 🍾 | 8 à 11 €

Depuis quatre générations, la famille de Michel Abel dirige ce domaine qui tire son nom de l'occitan cairas, « lieu pierreux »; un terroir situé sur une terrasse caillouteuse au sud de Béziers, sur lequel est implanté un vignoble de 15 ha.

Né de syrah et de grenache, ce 2018 affiche une robe cerise et un nez fruité et frais à défaut d'être complexe. La bouche possède la même franchise de fruit dans un ensemble qui séduit par sa rondeur gourmande, ses tanins extraits avec finesse et sa finale de sous-bois. À boire sans tarder. ⧗ 2019-2022

MICHEL ABEL, Dom. de Querelle, 34410 Sérignan, tél. 06 14 97 35 21, domainedequerelle@orange.fr V *r.-v.*

CAVE DE ROQUEBRUN Chemin des Olivettes 2018

■ | 70000 | 🍾 | 5 à 8 €

Inclus dans l'aire AOC saint-chinian, le village de Roquebrun, à 30 km au nord de Béziers, bénéficie d'un microclimat permettant la culture des orangers et d'un terroir de schistes qui lui valent une dénomination particulière. La Cave de Roquebrun, créée en 1967, dispose de 650 ha de vignes. Exigeante, la coopérative pratique des sélections parcellaires selon les cépages, les vignobles et les maturités.

Syrah, grenache et cinsault composent cette cuvée d'un rose brillant, au nez plutôt généreux en notes de fruits rouges. La bouche va droit au but : un fruit gourmand, une belle acidité, un brin de vinosité, une finale fraîche sur les agrumes. Rosé vif et léger. ⧗ 2019-2020

CAVE DE ROQUEBRUN, 62, av. des Orangers, 34460 Roquebrun, tél. 04 67 89 64 35, logistique@cave-roquebrun.fr V *r.-v.*

Ⓑ DOM. DE ROQUEMALE Grés de Montpellier Mâle 2016 ★★

■ | 3000 | 🛢 | 20 à 30 €

Roquemale signifie « mauvaise roche » en langue d'Oc ; la vigne y produit peu de raisin, mais un raisin de bonne maturité. Valérie et Dominique Ibanez, enfants de vignerons, ont entièrement créé ce domaine en 2001, séduits par ce terroir constitué de sols argilo-calcaires et de terres rouges : 12 ha aujourd'hui, en bio certifié.

Une syrah (90 %) vendangée à belle maturité s'exprime pleinement dans ce nez complexe, frais, juteux (cassis, mûre) et finement vanillé. Toucher velouté, matière ample, tanins fins et crayeux, saveurs franches imprégnées de cerise noire, de torréfaction et de sous-bois, fraîcheur : la bouche ne perd rien en séduction et en gourmandise. Élégant, dynamique et diablement séducteur. ⧗ 2019-2024

DOMINIQUE IBANEZ, 25, rte de Clermont, 34560 Villeveyrac, tél. 04 67 78 24 10, contact@roquemale.com V *r.-v.* 2 Ⓒ

DOM. SAINTE-CÉCILE DU PARC
Pézenas Sonatina 2016 ★

■ | 3500 | | 15 à 20 €

Au XVIIes. ces terres servaient de terrain de chasse au duc de Montmorency lorsqu'il séjournait à Pézenas, alors capitale des États du Languedoc. Reprises en 2005 par Christine Mouton-Bertoli, les vignes en terrasses (15 ha, dont 10 en production) de ce domaine sont conduites en bio. Elles cernent une cave récente, achevée en 2011. Toutes les cuvées font ici référence à la musique, dont sainte Cécile est la patronne.

Une petite sonate dédiée à sainte Cécile, patronne des musiciens, en syrah majeure (75 %). Intense et fruité, le nez en restitue tous les charmes avec ses notes franches de fruits noirs frais. Les mêmes parfums très gourmands de cassis et de myrtille dansent sur les papilles dans une bouche ronde, riche, juteuse et pourvue de tanins fondants. Une bien belle mélodie. ⧗ 2020-2023

SCEA MOUTON-BERTOLI, rte de Caux, 34120 Pézenas, tél. 06 79 18 68 56, cmb@stececileduparc.com V r.-v.

CH. SAINT-JEAN D'AUMIÈRES
L'Affranchi 2017 ★★

■ | 12804 | | 8 à 11 €

Au XVIIIes., cette propriété appartenait au procureur du roi J.-B. Claparède. Situé sur une colline marno-calcaire à l'entrée de Gignac, ce domaine de 50 ha, dont 35 de vignes, a été repris en 2013 par le négociant Vianney Castan, qui renoue ainsi avec la tradition vigneronne familiale.

Après une longue absence, ce domaine fait un retour remarqué dans le Guide avec ce 2017 encensé par les dégustateurs. Assemblage de syrah et de grenache, avec le carignan en appoint, il s'ouvre sur les fruits rouges et noirs mûrs, les épices et la tapenade. La bouche se montre ample et généreuse, tapissée de tanins onctueux et gorgée de petits fruits noirs (mûres) en finale. De la structure, de l'équilibre et beaucoup de plaisir. ⧗ 2020-2024

SCEA CH. SAINT-JEAN D'AUMIÈRES, 34150 Gignac, tél. 04 67 92 92 37, contact@sainjeandaumieres.fr V t.l.j. sf dim. 9h-12h30 14h-18h

♥ CH. SAINT-MARTIN DE LA GARRIGUE
Grés de Montpellier 2016 ★★

■ | 12000 | | 15 à 20 €

Au milieu des pins centenaires, le château d'inspiration Renaissance a conservé son esthétique classique en s'enrichissant des apports de ses propriétaires successifs : seigneurs et notables, hommes d'épée ou d'Église, investisseurs. Depuis 2011, Jean-Luc Parret, assisté de Gilles Habit à la vinification, est responsable de ce domaine de 60 ha, planté de dix-sept cépages répartis sur des terroirs de grès rouges et de calcaires lacustres.

Un coup de cœur et deux étoiles de plus brillent dans le ciel déjà très étoilé de ce producteur remarquable. «Vin d'exception», s'exclame, enthousiaste, un jury. Remontons le fil. Une robe intense d'où émerge un bouquet déjà complexe de fruits noirs qui dévoile progressivement ses nuances de violette, de laurier et de thym, et un soupçon de chêne. Une bouche à la mesure, suave, dotée de tanins fins et croquants qui confèrent à l'ensemble un équilibre parfait et une élégance singulière. Une finale en queue de paon teintée de cassis, de mûre, de poivre et de Zan prolonge le plaisir. Longue garde possible si on résiste au charme de sa jeunesse. ⧗ 2020-2028 ■ **Bronzinelle 2016 ★ (8 à 11 €; 45000 b.)** : syrah, grenache, carignan et mourvèdre au menu de ce rouge épanoui à la robe profonde et au nez tout en nuances entre fruits rouges, tourbe, garrigue et soupçon de chêne. Le pruneau et des notes grillées viennent compléter cette palette dans une bouche parfaitement équilibrée, de bon volume, sans excès et cadrée par des tanins souples. Une cuvée à «bronziner» (butiner en occitan) déjà avec plaisir. ⧗ 2019-2024 ■ **Bronzinelle 2018 (8 à 11 €; 10000 b.)** : vin cité.

SCEA SAINT-MARTIN DE LA GARRIGUE, Saint-Martin de la Garrigue, RD_613, 34530 Montagnac, tél. 04 67 24 00 40, contact@stmartingarrigue.com V t.l.j. 8h30-12h 14h-17h30; sam. dim. sur r.-v.

LES VINS DE SAINT-SATURNIN
Saint-Saturnin L'Exception 2018 ★

■ | 70000 | 5 à 8 €

«La Cathédrale», comme l'appellent les vignerons de Saint-Saturnin-de-Lucian, a été créée en 1950. Elle regroupe quelque 500 ha de vignes. Une tour carrée du XIVes. est aujourd'hui le clocher du village et l'emblème de la cave.

Du classique mais du très bon classique : la robe est pastel et le nez discret mais précis, entre notes florales, melon et fruits à noyau. La bouche offre la pureté de fruit et la vivacité que l'on attend des rosés. On y ajoute l'équilibre, ce qu'il faut de gras, de la longueur et on obtient cette cuvée élégante. ⧗ 2019-2020 ■ **Saint-Saturnin L'Exception 2016 ★ (- de 5 €; 40000 b.)** : un nez de garrigue, de fruits en confiture, agrémenté de notes fumées; une bouche ferme et fraîche à l'attaque qui déploie une agréable rondeur cadrée par des tanins fins; une finale alerte et réglissée : tout est de bon goût, équilibré et séduisant dans ce rouge à la fois typé et d'une grande fraîcheur. ⧗ 2019-2021 ■ **Saint-Saturnin Max Rouquette 2016 ★ (5 à 8 €; 30000 b.)** : une robe rubis d'intensité moyenne, un nez très agréable entre fruits rouges et épices, une bouche ronde aux tanins fondus qui insiste sur le fruit rouge en finale : cette cuvée offre les charmes et la gourmandise immédiate du grenache (70 %) dans une version à la fois mûre et très équilibrée. ⧗ 2019-2021

LES VINS DE SAINT-SATURNIN, 5, av. Noël-Calmel, 34725 Saint-Saturnin-de-Lucian, tél. 04 67 96 61 52, contact@vins-saint-saturnin.com V t.l.j. sf dim. 8h30-12h 14h-18h

COUR SAINT-VINCENT
Clos du Prieur 2016 ★

■ | 3000 | | 15 à 20 €

Bergers, éleveurs, vignerons... Cette famille est enracinée dans ce pays languedocien, au nord de Montpellier. L'histoire de la propriété débute au XVIIIes. par le mariage d'un Lozérien avec la fille d'un tonnelier du village. Aujourd'hui, Francis Bouys

exploite – en bio depuis 2007 – un vignoble de 15 ha sur un terroir argilo-calcaire riche en galets.

Eucalyptus, menthol, garrigue, soupçon de chêne et de sous-bois sur fond de fruit mûr, le nez ne manque pas de complexité. Riche et ample, la bouche confirme ce profil typiquement sudiste et y ajoute une structure suffisamment alerte avec un brin de sécheresse dans les tanins qui n'entame nullement le plaisir. Longue finale mentholée. Les amateurs de rouges languedociens ne seront pas déçus. ⧗ 2020-2025

SCEA COUR SAINT-VINCENT, 1, pl. Saint-Vincent, 34730 Saint-Vincent-de-Barbeyrargues, tél. 06 16 39 08 48, sceacourstvincent@free.fr V r.-v.

SAUTA ROC Pézenas In Treccio 2017

■	2000		15 à 20 €

Sauta Roc, c'est un petit domaine de 9 ha en agriculture biologique, (re)créé en 2016 par Bertrand Quesne et Laura Borrelli, un couple de jeunes vignerons qui ont fait leurs armes en Toscane. Ils travaillent avec minutie leur domaine, adaptant leurs façons en fonction des parcelles. Dans leur chai aménagé dans une vieille bâtisse de leur village de Vailhan, ils vinifient en limitant les taux de sulfites.

Un «entremêlement» (In Treccio) de cépages et de terroirs qui se révèle particulièrement harmonieux. À un nez ouvert centré sur le cassis et la griotte répond une bouche charnue, aux tanins souples, dotée d'une belle qualité de fruit qui fait écho à l'olfaction. Une longue finale sur les fruits noirs en conclusion de ce rouge savoureux et équilibré, à boire ou à garder. ⧗ 2020-2025

EARL QUESNE BORRELLI, 3, rue de Trignan, 34320 Vailhan, tél. 04 34 45 90 88, laura@sauta-roc.com V r.-v.

DOM. DES SAUVAIRE Les Grazilles 2018

■	2000		5 à 8 €

Relais de poste du XVIe s., situé entre Sommières et Alès, le Mas de Reilhe, reconnaissable à sa tour carrée, est entré dans la famille Sauvaire en 1850. Installé en 1980 à la suite d'une lignée vigneronne, Hervé a quitté la coopérative huit ans plus tard et vinifie au domaine depuis 1999, rejoint par son fils en 2018. Son vignoble planté sur un terroir de calcaires et d'argiles s'étend aujourd'hui sur 25 ha.

Associant vermentino (80 %) et grenache blanc, ce blanc pâle élevé en cuve diffuse des notes discrètes et florales que l'on retrouve dans une bouche plus volubile, dotée d'une rondeur agréable prolongée par une longue finale fraîche et subtilement amère. ⧗ 2019-2021

EARL SAUVAIRE, Mas de Reilhe, 165, chem. du Mas-de-Reilhe, 30260 Crespian, tél. 04 66 77 89 71, earl@domaine-sauvaire.fr V r.-v.

LES VIGNERONS DU SOMMIÉROIS Les Romanes 2018 ★

■	8322		5 à 8 €

Fondée en 1923 à Sommières, dans la partie la plus orientale de l'appellation languedoc, cette cave coopérative dispose d'un vignoble de près de 700 ha répartis dans sept communes gardoises, sur des terroirs variés : marnes, alluvions, terres rouges à silex, cailloux calcaires. Le pont romain de Sommières orne les étiquettes.

Un rosé de pressurage direct, syrah-grenache, d'inspiration provençale : une robe à peinte teintée et un nez intense qui décline successivement l'ananas et les fruits à noyau. Avec son équilibre réussi entre fraîcheur et volume et son fruit expansif, voilà un rosé charmeur et consensuel. ⧗ 2019-2020 ■ **Fleur Sauvage 2016 ★ (15 à 20 €; 920 b.)** : le syrah (90 %) en vedette dans cette cuvée bio dont le nez ouvert et flatteur mêle les flagrances d'un fruit rouge bien mûr aux nuances de garrigue, puis de cannelle issues du chêne. À la fois fraîche et ronde en attaque, épicée, soutenue par une trame tannique délicate, elle est une évocation très élégante et gourmande du Languedoc. Du bel ouvrage. ⧗ 2020-2024 ■ **Les Romanes 2017 (5 à 8 €; 25000 b.)** : vin cité.

LES VIGNERONS DU SOMMIÉROIS, 2, rue de l'Arnède, 30250 Sommières, tél. 04 66 80 03 31, contact@vin-vds.com V *t.l.j. sf dim. 9h-12h30 15h-19h*

DOM. STELLA NOVA Ariane 2016 ★

■	5000		15 à 20 €

En 2002, Philippe Richy décide de laisser derrière lui son passé d'ingénieur et de chef d'entreprise et crée son domaine viticole à Caux, non loin de Pézenas. Sur une dizaine d'hectares conduits en biodynamie, son vignoble offre une belle diversité de terroirs : coteaux calcaires, terrasses villafranchiennes et sols basaltiques.

La robe intense, d'un beau pourpre profond, annonce une belle présence. Ce que confirme le nez qui mêle la cerise noire confite, le moka et le cuir. Dans le même registre, la bouche bien charnue dévoile une structure tannique à la fois dense et raffinée et offre ces mêmes notes solaires et animales. Du caractère à revendre et un beau potentiel de garde. ⧗ 2020-2026

PHILIPPE RICHY, 6, rue des Artisans, 34720 Caux, tél. 06 20 14 53 87, stellanova@wanadoo.fr V r.-v.

DOM. DE TERRE MÉGÈRE Airelle 2017

■	6000		5 à 8 €

Ce domaine familial qui signe ses propres vins depuis 1984 est situé à Cournonsec, à 15 km à l'ouest de Montpellier. Certifié bio, le vignoble s'étend sur une douzaine d'hectares en pleine garrigue, sur un terroir dominant Sète, Montpellier et la mer. Il est à l'origine d'une poignée de cuvées en Grés de Montpellier et en IGP Oc.

Le domaine fait son entrée dans le Guide avec une cuvée qui soigne le fruit et la fraîcheur. La robe légère et le nez discret mais friand de fruits rouges frais annoncent une bouche croquante dont la mission première est de restituer tout le fruit d'une courte macération. Fruits rouges et épices, tanins croquants, corps léger et gouleyant : la mission est parfaitement remplie. ⧗ 2019-2022

SCEA MOREAU, 10, rue du Jeu-de-Tambourin, 34660 Cournonsec, tél. 04 67 85 42 85, terremegere@wanadoo.fr V *t.l.j. sf sam. dim. 11h-12h30 17h-19h*

DOM. TERRES EN COULEURS 2017

■	626		11 à 15 €

Nathalie et Patrick Goma ont été impressionnés par la palette de couleurs qui s'offrait à leurs yeux lors de

l'achat de leurs parcelles de vignes. De l'ocre du terroir au vert des vignes, et jusqu'aux robes des vins, le nom du domaine s'est alors imposé à eux. Situé au cœur des terrasses de l'Hérault, près de Pézenas, leur domaine s'étend sur 3,6 ha cultivés en bio.

Une cuvée confidentielle qui met à l'honneur la roussanne fermentée en demi-muids. Riche et mûr, le nez déploie de doux effluves de fruit jaune et d'intenses arômes beurrés. La bouche est à l'avenant, ample, charnue, crémeuse, gorgée de ces mêmes notes beurrées, vanillées et confites. Une once d'acidité en plus aurait valu l'étoile à ce blanc puissant et boisé. ⧗ 2019-2022

⊶ NATHALIE GOMA-FORTIN, lieu-dit Croix-de-Pautel, rte de Nizas, 34120 Pézenas, tél. 06 24 10 29 17, contact@terresencouleurs.fr V lun.-ven. 19h-20h; sam. dim. 15h-20h

B DOM. DE TRÉPALOUP Les Pierres Blanches 2017 ★

	2000		8 à 11 €

Situé sur les éboulis de calcaire jurassique du bois de Paris, le domaine a été repris en 2002 par Laurent et Rémi Vandôme. Les deux frères ont converti leurs 15 ha de vignes à l'agriculture biologique en 2013, et replanté figuiers et oliviers.

Du charme et de la complexité au menu de cet assemblage grenache blanc et roussanne partiellement élevé en barriques, dont le nez diffuse des notes épanouies d'amande et de fruit jaune. La poire Williams et les fleurs blanches prennent le relais dans un palais complet associant une agréable rondeur de texture et une fraîcheur impeccable. La finale citronnée rafraîchit un peu plus l'ensemble. Du raffinement et du plaisir. ⧗ 2019-2021

⊶ EARL DOM. DE TREPALOUP, rue du Moulin-d'Huile, 30260 Saint-Clément, tél. 04 66 77 48 39, trepaloup@gmail.com V mer. ven. 17h-19h30; sam. 15h-19h30

LES TROIS PUECHS L'Excellence 2017 ★

	2000		20 à 30 €

Le vignoble (25 ha sur argilo-calcaires mêlés de basalte) est implanté sur trois puechs – «monts» en occitan – correspondant chacun à un lieu-dit. Un patrimoine familial que Jacques Couderc, ancien président de la cave de Gabian, a largement restructuré (nouvelles plantations, remembrements) pour créer le domaine en 2010.

Les syrah et mourvèdre récoltés en surmaturité ont forgé la robe dense et le nez complexe de ce rouge qui fleure bon la tapenade et la violette. Très juvénile et onctueuse à l'attaque, la bouche en impose par sa structure ferme, fraîche, marquée par des tanins encore virils et astringents qui demandent à se fondre. Un potentiel certain mais la patience s'impose. ⧗ 2022-2029

⊶ GAEC LES TROIS PUECHS, 4, rte de Magalas, 34480 Fouzilhon, tél. 09 62 20 98 87, lestroispuechs@gmail.com V r.-v.

B CH. LA VERNÈDE Cuvée Pech Cabrio 2018 ★

	15000		5 à 8 €

En 1872, les héritiers du comte d'Hulst cédèrent leur propriété à Henri Calvet, descendant de Pierre Mignard, premier peintre de Louis XIV. Aujourd'hui, le château appartient à Jean-Marc Ribet, arrière-arrière-petit-fils d'Henri Calvet. Entre Béziers et Narbonne, les 100 ha du domaine, partagés entre vignes, céréales et oliviers, sont conduits en bio.

Un rouge convivial dominé par la syrah (50 %), dont le nez discret évoque le fruit mûr, le cuir et les épices. Plus aromatique, la bouche, sans artifice, séduit par sa rondeur, son fruit gourmand et chaleureux et ses tanins granuleux. Facile à boire et à aimer. ⧗ 2019-2021

⊶ SCEA CH. LA VERNÈDE, Dom. la Negly, rte des Vins, 11560 Fleury-d'Aude, tél. 04 68 32 41 50, marion@la-vernede.fr r.-v.

CH. VEYRAN Prestige 2017

	12000		8 à 11 €

Domaine familial repris par Gérard Antoine en 1984 qui a progressivement modernisé le chai et restructuré le vignoble qui s'étend aujourd'hui sur 42 ha. Les vignes sont situées sur des terrasses argilo-calcaires dans les AOC languedoc et saint-chinian.

Le domaine fait son apparition dans le Guide avec ce rouge convivial marqué par le mourvèdre (50 %). Le nez gourmand associe le fruit mûr à des notes d'anis et d'épices. La bouche, soyeuse à l'attaque, a pour elle son fruit mûr et épicé, sa rondeur agréable et ses tanins un peu fermes en finale mais qui n'entament nullement le plaisir. À ouvrir sans tarder. ⧗ 2019-2023

⊶ GÉRARD ANTOINE, 7, hameau de Veyran, 34490 Causses-et-Veyran, tél. 06 99 80 01 02, domaineveyran@hotmail.com V t.l.j. sf dim. 8h-12h 14h-17h

♥ B VILLA DONDONA Montpeyroux 2016 ★★

	8200		11 à 15 €

André Suquet, médecin devenu vigneron, reçoit les visiteurs dans la chapelle de l'ancien hôpital du XIVe s, convertie en caveau de dégustation, en compagnie de l'artiste peintre Jo Lynch, devenue vigneronne. Tous deux conduisent depuis 2001 ce domaine de 8,6 ha situé à la sortie du hameau du Barry.

Conserver le caractère du Languedoc tout en soignant l'élégance et la fraîcheur exige du talent. C'est ce qui aura tant séduit les jurés dans cette cuvée saluée pour sa délicatesse et sa grande buvabilité. Garrigue, notes grillées et fruit en confiture : pas de doute, on est dans le Languedoc. La bouche y ajoute une finesse de texture exemplaire, une fraîcheur inspirante, des tanins très soyeux et une grâce jubilatoire. À boire sur sa jeunesse. ⧗ 2019-2022

⊶ DOM. LYNCH-SUQUET, Villa Dondona, Le Barry, 34150 Montpeyroux, tél. 04 67 96 68 34, villadondona@wanadoo.fr V r.-v.

♥ B VILLA SYMPOSIA
L'Origine 2017 ★★

■ | 7000 | ⅡI | 20 à 30 €

Ancien propriétaire du Ch. Rol Valentin à Saint-Émilion, Éric Prissette a fait l'acquisition en 2003 d'un vignoble près de Montpellier. En bio depuis 2012, le vignoble couvre 18 ha.

Un retour fracassant dans le Guide pour Éric Prissette dont la cuvée haut de gamme L'Origine rafle la mise avec ce coup de cœur qui doit beaucoup à son talent et à ses vieilles vignes de syrah qui forgent le caractère épanoui de ce vin. D'une robe profonde émergent des arômes fringants de fruits noirs juteux et d'épices douces. Charnue et concentrée, la bouche séduit par ses tanins fins et fermes bien pris dans une chair dense qui regorge de cassis et de réglisse. La texture de grande classe, la fraîcheur de l'ensemble et la longueur ne trompent pas sur le pédigrée de la cuvée. Puissant et raffiné. ⧗ 2021-2030

SCEA VILLA SYMPOSIA,
rue Saint-Georges, 34800 Aspiran,
tél. 06 80 15 85 46, eric@villasymposia.com
V r.-v. E

DOM. LA VOÛTE DU VERDUS 2017 ★

■ | 6000 | ▮ | 8 à 11 €

Guilhem Bonnet et son épouse Sylvie ont repris en 1983 les vignes familiales (23 ha aujourd'hui). Coopérateurs, ils décident en 2011 d'en vinifier une part croissante. Leur fille Mélanie (à la vinification) et son mari Pierre Estival, œnologues, les accompagnent dans l'aventure. Au cœur de Saint-Guilhem-le-Désert, leur cave voûtée enjambe le ruisseau du Verdus qui traverse le village.

Derrière une robe presque opaque, un nez avenant de cassis et de violette. Des arômes qui imprègnent généreusement une bouche charmeuse, souple à l'attaque, dotée de tanins ronds, déroulant une matière tendre et gourmande, relevée en finale par une fraîcheur dynamisante. Un rouge convivial dont on peut croquer le fruit sans attendre. ⧗ 2019-2022 ■ **Cuvée Le Grand Saut 2016 (15 à 20 €; 3200 b.)** : vin cité.

GUILHEM BONNET,
15, rue Descente-du-Portal, 34150 Saint-Guilhem-le-Désert,
tél. 04 67 57 45 90, lavouteduverdus@gmail.com
V r.-v.

TERRASSES-DU-LARZAC

Superficie : 470 ha / Production : 14000 hl

Ancienne dénomination de l'AOC languedoc, les terrasses-du-larzac sont devenues en 2015 une appellation à part entière (vins rouges). L'aire est délimitée dans 32 communes au nord-ouest de Montpellier aux terroirs variés (terrasses de galets, argilo-calcaires, grès, schistes, ruffes...), tous pauvres et caillouteux. Éloignée de la mer, elle est limitée au nord du plateau du Larzac, avec pour repère le mont Baudile, qui culmine à 800 m. La bordure abrupte du causse abrite le vignoble des vents du nord, tout en maintenant une atmosphère fraîche. Elle favorise de fortes amplitudes thermiques entre le jour et la nuit (jusqu'à 20 °C en été), avec pour conséquence des maturations lentes et des récoltes plus tardives que près du littoral. Les vins en tirent une grande fraîcheur et une belle expression aromatique.

Les terrasses-du-larzac proviennent de l'assemblage d'au moins trois cépages, choisis parmi neuf variétés. Deux des variétés principales - syrah, grenache, mourvèdre et carignan - doivent entrer dans leur composition. Après un élevage d'au moins douze mois, ils apparaissent colorés, concentrés, structurés, profonds et frais. Complexe, leur palette aromatique mêle les fruits rouges et noirs, la réglisse, la violette, l'olive noire, la garrigue et les épices, auxquels peuvent s'ajouter avec le temps le cuir, le tabac et la truffe.

B DOM. D'ANGLAS
Le Chemin des Moutons 2017 ★

■ | 2179 | ⅡI | 15 à 20 €

Situé sur les contreforts de la Séranne, ce domaine et ses 12 ha de vignes, conduit en agriculture biologique depuis 1999, adepte des vinifications sans soufre ajouté, et associé à un camping de charme, se transmet dans la même famille depuis quatre générations.

Les moutons du voisin pâturent et fertilisent ces vignes qui donnent, entre autres, cette cuvée élégante à dominante de syrah. Fraîcheur et finesse au nez, bouche agréablement concentrée, sans excès, dotée de tanins fermes et de saveurs épanouies de fruit mûr (figue), de violette, d'épices et de pain grillé : du caractère, du relief et une puissance retenue dans cette cuvée à carafer ou à mettre en cave. ⧗ 2019-2024

ROGER GAUSSORGUES,
Dom. d'Anglas, D_108, 34190 Brissac,
tél. 04 67 73 70 18, vignoble@domaine-anglas.com
V *t.l.j. 9h-12h 14h-18h*

DOM. DE L'ARGENTEILLE
Les Secrets du Rocher 2017 ★

■ | 4200 | ⅡI | 15 à 20 €

C'est un retour aux sources pour Roger Jeanjean, ancien directeur de cave coopérative, qui vinifie depuis 2011 un vignoble familial en « biens de village » situé au pied du rocher des Vierges.

Née d'une longue et douce macération (35 jours), cette cuvée déploie une robe profonde et un nez ouvert de fruits noirs, de réglisse et de poivre noir. L'attaque fraiche forme un joli prélude à une bouche douce, onctueuse, dotée de tanins polis et de saveurs épanouies qui s'étirent en longueur sur le cuir et la torréfaction. Harmonieux et flatteur. ⧗ 2020-2023

SCEA DOM. DE L' ARGENTEILLE,
171, chem. de Labiras, 34725 Saint-Félix-de-Lodez,
tél. 04 67 88 29 90, contact@millesimesud.fr
V *t.l.j. sf sam. dim. 8h-12h 13h30-17h30*

♥ B LES CHEMINS DE CARABOTE
Chemin Faisant 2017 ★★

■ | 5000 | | 15 à 20 €

Les Chemins de Carabote | Chemin Faisant | Terrasses du Larzac

Depuis son premier millésime en 2005, Jean-Yves Chaperon s'est imposé comme l'une des valeurs sûres de l'appellation. Ce journaliste de radio, amateur de jazz, sait faire vibrer son terroir de galets roulés. Il a construit sa cave en pierre du Gard et conduit son vignoble (10 ha) en bio.

Les grenache et carignan épaulent la syrah dans cet excellent vin, déjà épanoui au nez avec ses arômes expansifs de mûre, de poivre noir et de cachou. En bouche, on croque avec le même plaisir dans un fruit fringant, épicé, soutenu par des tanins serrés et croquants. Très flatteur, digeste, typé, frais en finale, ce vin vibrant et élégant est un grand coup de cœur. ⧗ 2020-2025

SCEA GARGAMOND, Mas de Navas, 34150 Gignac, tél. 06 07 16 76 13, contact@carabote.com V r.-v.

CLOS CONSTANTIN Cirque d'Arjiès 2017

■ | 5000 | | 15 à 20 €

Pierre Halley, qui a repris progressivement les vignes de son oncle coopérateur, et Samuel Durand, ancien sommelier, ont crée en 2017 un chai au cœur de la garrigue, à Argelliers. Le clos compte 15 ha de vignes, en conversion bio, répartis en petites parcelles sur deux lieux-dits, Font-Belette et les Champs de Traversiers, à plus de 200 m d'altitude.

Ce jeune domaine fait son apparition dans le Guide avec cette cuvée née de syrah, grenache, cinsault qui aura fait l'objet d'un élevage mixte, en cuves et fûts. Encore discret, le nez frais décline les fruits rouges (cerise, fraise), la violette et le menthol. Plus volubile, la bouche a tout pour séduire : fruité gouleyant, tanins ronds, saveurs mûres, bonne fraîcheur. Digeste et convivial. ⧗ 2019-2023

PIERRE HALLEY, rte de Viols-le-Fort, 34380 Argelliers, tél. 06 67 20 67 86, clos.constantin@gmail.com V r.-v.

LE CLOS DU LUCQUIER Philippe 2017 ★

■ | 30000 | | 11 à 15 €

Anne-Charlotte Mélia et son mari Laurent Bachas, installés en 2003, représentent la quatrième génération sur ce domaine acquis en 1950 par l'arrière-grand-père de la première. L'exploitation couvre 20 ha.

Les dégustateurs auront retenu de cet assemblage équilibré de quatre cépages la robe pourpre, le nez flagrant, qui fait la part belle au poivre noir, à la figue ou à la mûre, la bouche ramassée, plus tendue que large, qui stimule par sa fraîcheur et ses petits tanins fermes. Encore retenue, cette cuvée profitera d'un peu de bouteille. ⧗ 2020-2024

SCEA LA FONT-DU-LOUP, 251, rue de la Font-du-Loup, 34725 Jonquières, tél. 07 68 05 70 19, leclosdulucquier@free.fr V r.-v.

CLOS DU PRIEUR 2017 ★

■ | 15000 | | 15 à 20 €

Entre les falaises calcaires du Larzac et les berges de la Buèges, un authentique clos de 5 ha, établi sur un terroir de cailloutis calcaires au climat original par sa fraîcheur, repris en 1999 en fermage par Marie Orliac, fille de Jean Orliac (Dom. de l'Hortus).

70 % de syrah dans cette cuvée, aussi intense au nez (fruits noirs, quetsche, poivre, thym, romarin, cuir) que gourmande en bouche : rondeur, amplitude, souplesse des tanins, saveurs chaleureuses et généreuses, le tout patiné par un élevage sous bois qui enrobe la matière sans altérer le fruit. Beaucoup de charme pour ce vin d'une séduction immédiate. ⧗ 2019-2022

SARL JEAN ORLIAC, rue du Prieur, 34380 Saint-Jean-de-Buèges, tél. 04 67 55 31 20, contact@domaine-hortus.fr

LE CLOS ROUGE Babel 2016 ★★

■ | 2900 | | 15 à 20 €

Né d'une histoire d'amitié entre Krystel Brot-Weissenbach et Joël Peyre, le Clos Rouge a été créé en 2013 sur les terres rouges des ruffes de Saint-Jean-de-la-Blaquière : 5 ha de vignes en conversion bio, entourés de garrigue et d'oliviers.

On flirte avec le coup de cœur. Assemblage dominé par la syrah, la cuvée a enthousiasmé le jury. Le nez passe en revue le cassis frais, le Zan, la violette, l'encre et la fumée. Intense, la bouche y ajoute une texture veloutée, des tanins harmonieux et de longues saveurs qui ne cèdent en rien à la complexité perçue au nez. Une puissance contenue et beaucoup de classe dans cette cuvée au charme évident, qui ira loin dans le temps. ⧗ 2021-2028

LE CLOS ROUGE, rue du Château, 34700 Saint-Jean-de-la-Blaquière, tél. 06 73 26 60 04, lesrouges34@gmail.com V r.-v.

DOM. DE L'ÉGLISETTE
Terre astrale 2017 ★

■ | 5600 | | 11 à 15 €

Quand trois amis décident en 2015 de créer leur domaine, ils découvrent au nord de l'appellation un vignoble au pied des montagnes orné d'une petite église romane. Un an plus tard un chai en pierre du Gard est construit, et les 14 ha du domaine sont orientés vers l'agriculture biologique.

De jeunes vignes de syrah (70 %) et de mourvèdre ont façonné ce rouge plutôt friand, au nez timide mais nuancé qui évoque la pivoine, la garrigue et les épices. Bien équilibrée, dans un registre plus élégant que puissant, la bouche se montre croquante, entre tanins fins et saveurs fraîches de fruits (prune) et de garrigue. Un rouge harmonieux, déjà gourmand, qui offre aussi du potentiel de garde. ⧗ 2019-2022 ■ **Nuit Blanche 2017 ★ (8 à 11 €; 1950 b.)** : fin, élégant, le nez oscille entre pêche blanche et agrume. La bouche, ronde à l'attaque, fraîche dans son déroulé, y ajoute des notes tout aussi raffinées de noisette fraîche. La finale laisse en bouche un sillon de vivacité très agréable. Une version allègre du grenache blanc, qui domine à 85 % cet assemblage convaincant. ⧗ 2019-2021

LANGUEDOC

SCEA DE L' ÉGLISETTE, D_115, quartier de l'Églisette, 34190 Moulès-et-Baucels, tél. 04 67 68 54 28 , contact@domainedeleglisette.com V r.-v.

L'HERMAS 2017

■	8000		15 à 20 €

En 2004, Matthieu Torquebiau a défriché un petit plateau calcaire à 250 m d'altitude, où son grand-père avait établi son domaine. Il a planté des vignes de syrah et de mourvèdre (le vignoble couvre 10 ha aujourd'hui), qu'il a vinifiées pour la première fois en 2009.

Hermas? Terre en friche en occitan. Une séduction évidente dans cet assemblage dominé par la syrah et le mourvèdre : le nez intense passe en revue les fruits noirs juteux (cassis, myrtille), la réglisse, la violette, les épices et le sous-bois. La bouche, fraîche à l'attaque, restitue cette plénitude de saveurs et s'appuie sur des tanins doux qui ouvrent sur une finale légèrement fumée et épicée. Complet, complexe, élégant et délicat. 2020-2023

DOM. L'HERMAS, lieu-dit Mas-de-Ratte, 34150 Gignac, tél. 06 64 89 20 29, mt@lhermas.com V r.-v.

B CH. DE JONQUIÈRES La Baronnie 2016

■	6000		15 à 20 €

Trente-deux générations d'une même famille se sont succédé à la tête de ce château historique du Languedoc dont les origines remontent au XIIe s. Parmi les faits d'armes du château : une médaille d'argent remportée lors de l'Exposition universelle de 1899 pour l'inauguration de la Tour Eiffel. Depuis 2014, Charlotte et Clément de Béarn sont à la tête de ce vignoble de 8 ha cultivé en bio.

Le mourvèdre domine cet assemblage de quatre cépages et dispense au nez ses arômes de thym, de romarin et de fourrure sur fond de fruits mûrs. Texture douce, rondeur des tanins, saveurs épanouies : tout est élégant et harmonieux dans ce rouge convivial et gourmand. 2019-2022

GAEC CH. DE JONQUIÈRES, 34725 Jonquières, tél. 06 66 54 22 66, contact@chateau-jonquieres.com V r.-v. 5

MAS BRUNET Les Lauzes 2017 ★

■	4000		8 à 11 €

Le haut terroir du Causse-de-la-Selle, fait d'argiles rouges et de pierres dolomitiques sculptées par les ans, est l'un des plus septentrionaux de l'appellation. Serge et Marc Coulet œuvrent respectivement depuis 1988 et 1990 sur ce domaine de 28 ha implanté en pleine garrigue.

Roussanne, vermentino et grenache au menu de ce blanc vinifié et élevé en fûts. Si la robe en tire une teinte jaune soutenu, le nez est réservé. Plus loquace, la bouche séduit par ses saveurs délicates de tilleul, de fruits jaunes et d'agrumes et par son équilibre frais et léger. Habilement vinifié, c'est un blanc pour les beaux jours; prêt à boire. 2019-2021 ■ **Cuvée Élégance 2016 ★ (15 à 20 €; 3800 b.)** : une dominante de mourvèdre dans cette cuvée qui aura inspiré le jury. Une large palette au nez, cassis, pruneau, garrigue, romarin, violette, charbon; une bouche qui charme par sa rondeur chaleureuse et gourmande, ses tanins travaillés, sa fraîcheur préservée et sa longueur plus qu'honorable : voilà un 2017 accompli, confortable et bien typé. 2020-2025

GAEC DU DOM. DE BRUNET, rte de Saint-Jean de Bueges, 34380 Causse-de-la-Selle, tél. 04 67 73 10 57, brunet.vins.oc@domainedebrunet.com V *t.l.j. sf dim. 9h-15h; dim. 12h- 19h*

MAS COMBARÈLA Ode aux Ignorants 2016 ★★

■	5000		15 à 20 €

Après une carrière dans le marketing international, Olivier Faucon, petit-fils d'agriculteur et amateur de vin, décide de devenir vigneron à la lecture de la bande dessinée *Les ignorants* d'Étienne Davodeau. En 2012 et après une solide formation en Bourgogne, il jette son dévolu sur le Languedoc où il crée son domaine, 12 ha aujourd'hui, lance la conversion bio du vignoble et signe son premier millésime en 2016.

Un élevage complexe associant fûts, demi-muids et œuf béton a donné naissance à ce rouge langoureux qui frise le coup de cœur. Harmonieux et complexe, le nez associe fruit mûr, notes grillées du chêne et nuances rafraîchissantes d'eucalyptus. La belle maturité du fruit rejaillit dans une bouche ample, aux tanins fondus, qui dispense de chaudes saveurs de fruits confits et d'eau-de-vie. L'élevage a patiné la texture, douce et fine, de ce rouge puissant mais civilisé, dont on retient l'harmonie et la plénitude. 2020-2027

SCEA MAS COMBARÈLA, rte de Montpeyroux, 34150 Saint-Jean-de-Fos, tél. 06 19 42 07 00, contact@mas-combarela.com V r.-v.

B MAS CONSCIENCE Mahatma 2016 ★

■	4000		20 à 30 €

Après deux années passées en Inde en tant que volontaires pour une ONG locale, Éric et Nathalie Ajorque ont été séduits par le site et le vignoble du Mas Conscience. Ils ont mis en place un financement collectif avec quarante associés pour acquérir le domaine et ses 15 ha de vignes, conduits en bio.

Le grand sage, Mahatma, de retour dans le Guide après une première citation pour le millésime 2014. La cuvée 2016 joue la même partition : retenue et élégance. Le nez, plus fin que puissant, livre ses nuances de fruit, de tabac et d'épices que l'on retrouve dans une bouche douce, tendre, dotée de tanins enrobés, associant joliment maturité et fraîcheur. 2019-2023

MAS CONSCIENCE, rte de Montpeyroux, 34150 Saint-Jean-de-Fos, tél. 06 76 42 87 88, mas.conscience@gmail.com V r.-v.

MAS D'AGAMAS Baies Choisies 2017 ★

■	6000		15 à 20 €

Viticulteurs depuis plusieurs générations à Lagamas, sur les contreforts du Larzac, les Visseq, coopérateurs ont commencé en 2009 à vinifier une partie de leur production. Leur fils Vincent, œnologue, a pris en 2016 les rênes du domaine familial et c'est désormais l'intégralité des vendanges de ses 11 ha qui est vinifiée dans un nouveau chai.

Issue d'une vendange sélectionnée comme son nom l'indique, cette cuvée, avec ses notes vanillées et épicées, porte au nez la marque de l'élevage (quinze mois en fûts). À une attaque douce et juteuse répond un milieu de bouche raffermi par des tanins serrés qui laissent présager d'une bonne capacité de garde. Vin «sérieux», comme le note le jury, cette cuvée patientera en cave. ⧗ 2021-2026

EARL FAMILLE VISSEQ, 2, rue des Treilles, 34150 Lagamas, tél. 04 67 57 53 22, c.visseq@sfr.fr V r.-v.

MAS DE CLANNY Amigas 2016 ★★

■	2500		11 à 15 €

Jérôme Vaillé vinifie depuis 2015 une partie de sa production, soit 5 ha, le reste restant lié à la coopérative. Il en ressort une poignée de cuvées en IGP et dans les AOC languedoc et terrasses-du-larzac. La totalité des 20 ha est certifiée bio.

Quatre cépages élevés deux par deux en fûts (syrah et mourvèdre) et en cuves (grenache et carignan) forgent le caractère affirmé de cette cuvée dont le nez passe en revue les fruits noirs, la truffe, la venaison et les épices. On retrouve cette même complexité aromatique dans une bouche qui a séduit par sa rondeur, sa tenue, sa longueur et l'agrément très gourmand de ses saveurs. Un vin moderne et séducteur. ⧗ 2019-2023

JÉRÔME VAILLÉ, 154, chem. des Crassières, 34725 Saint-Félix-de-Lodez, tél. 06 68 36 53 70, masdeclanny@gmail.com V r.-v.

MAS DE LA SÉRANNE
Le Clos des Immortelles 2017 ★

■	18400		15 à 20 €

À la suite d'une reconversion professionnelle, Isabelle et Jean-Pierre Venture se sont installés en 1998 sur le terroir réputé d'Aniane. Ils conduisent aujourd'hui, en bio certifié, un vignoble de 16 ha qu'ils continuent d'embellir, remontant des murs de pierre sèche et plantant des essences méditerranéennes. Côté cave, des vins d'une grande régularité, souvent en vue dans ces pages.

Un assemblage original qui intègre des touches de counoise et de morrastel, connu dans la Rioja sous le nom de graciano. La richesse et la variété du nez (pruneau, tabac blond, girofle, résine, poivre) témoignent de la grande maturité des raisins. Avec sa douce chaleur, ses tanins gras et son fruit confituré et très épicé, la bouche le confirme. Une cuvée solaire, épanouie, qui procure des sensations fortes. ⧗ 2019-2024

EARL VENTURE, rte de Puechabon, 34150 Aniane, tél. 06 82 19 36 56, mas.seranne@wanadoo.fr V *t.l.j. sf dim. 10h-12h 15h-18h30*

MAS DE L'ERME L'Évidence 2016 ★★

■	3000		15 à 20 €

Créé en 2006 par Florence Milesi, œnologue et ingénieur agronome, et son mari Fabien, informaticien, fils et petit-fils de vignerons languedociens, ce domaine étend son vignoble sur 10 ha, convertis à l'agriculture biologique et à la biodynamie.

Le grenache en vedette, complété par les carignan et syrah, dans ce rouge généreux dont le nez prodigue décline les fruits noirs sur fond de chêne (vanille, cannelle et notes fumées). Même intensité en bouche pour ce vin dense, sérieusement structuré par des tanins puissants mais enrobés qui cadrent une matière à la mesure, concentrée, juteuse (fruits noirs, épices) et fraiche en finale. Une solide constitution et de belles sensations prometteuses pour l'avenir. ⧗ 2021-2028

■ **Decimus 2017 ★★ (20 à 30 €; 1000 b.)** : *decimus*, ou le dixième en latin, célèbre le cap des dix millésimes vinifiés par le domaine dans l'appellation. Un anniversaire dignement fêté avec cette cuvée qui, comme la précédente, aura enthousiasmé le jury. Avec ses arômes débridés de cassis, d'encre, de vanille et d'eucalyptus, le nez restitue toute la plénitude d'une syrah (70 %) bien mûre, élevée en fûts. Charnue, veloutée, savoureuse, dotée de tanins puissants mais gourmands, la bouche enfonce le clou. Vin complet qui intégrera sans mal son élevage encore marqué. ⧗ 2021-2026

FLORENCE MILESI, 7, rte de Saint-André, 34725 Jonquières, tél. 04 67 88 70 63, contact@masdelerme.fr V r.-v.

MAS DES BROUSSES 2017 ★

■	n.c.		15 à 20 €

Œnologues, Géraldine Combes et Xavier Peyraud ont repris à leur compte le vignoble familial de Géraldine qui était lié à la coopérative jusqu'en 1997. Xavier Peyraud, dont la famille est propriétaire du domaine Tempier à Bandol, entretient une complicité évidente avec le mourvèdre qui forge le caractère des rouges du domaine. Le vignoble de 9 ha, en conversion bio, donne naissance à une gamme estimée.

Une base de mourvèdre dans cette cuvée sombre de robe, dont le nez retenu livre des nuances de fruits confits, de poivre noir et de violette. Fraîche et pleine à l'attaque, la bouche se resserre sous l'effet de tanins fermes mais laisse filtrer en finale un fruit bien typé et méditerranéen. Sur la réserve mais prometteur. ⧗ 2021-2027

EARL MAS DES BROUSSES, 2, chem. du Bois, 34150 Puéchabon, tél. 04 67 57 33 75, combesgeraldine@orange.fr V r.-v.

MAS DES QUERNES
Les Ruches 2017

■	11000		15 à 20 €

Pari réussi pour Peter Riegel, négociant allemand, et Jean Natoli, œnologue, qui ont créé en 2009 ce domaine de 16 ha et qui enchaînent les sélections dans le Guide. Leur vignoble, établi sur un glacis de cailloutis calcaires converti au bio, orne les flancs d'un petit vallon secret sur le versant sud du Larzac.

Le trio grenache, carignan et mourvèdre à l'honneur dans ce rouge élevé en cuve béton qui s'ouvre sur une robe profonde et violacée et sur un nez volubile de mûre, de violette et de romarin. Solide et un brin étriquée à ce stade, la bouche promet pour la suite : tanins fermes, acidité de bon aloi, complexité et longueur du fruit, fermeté de la finale. Un peu de bouteille devrait détendre ce rouge fringant. ⧗ 2021-2025

SAS GENS ET PIERRES, 1 bis, imp. du Pressoir, 34150 Montpeyroux, tél. 06 61 08 22 02, pierre@mas-des-quernes.com r.-v.

MAS HAUT-BUIS Les Carlines 2017

■	23000		11 à 15 €

Autodidacte et passionné, Olivier Jeantet a créé ce domaine en 1999 perché à 650 m d'altitude à la Vacquerie, en plein cœur du Larzac. En conversion bio, son vignoble, 14 ha répartis sur une douzaine de parcelles, fait la part belle à de vieilles vignes de plus de 70 ans.

Syrah et grenache vinifiés en grappes entières et élevés en cuve béton au programme de cette cuvée qui signe de belle manière l'entrée du domaine dans le Guide. Intense, poivré, fruité, floral et marqué par la garrigue, le nez introduit une bouche ample, longue, bien structurée par des tanins serrés qui donnent une touche d'austérité à ce rouge long, parfumé et épicé. Un peu de patience donc. ⧗ 2020-2025

EI OLIVIER JEANTET, 52, Grand-Rue, 34520 La Vacquerie, tél. 06 13 16 35 47, mashautbuis@hotmail.fr r.-v.

MAS LASTA 2016 ★

■	6000		15 à 20 €

Après des expériences tout autour du monde, Anne-Laure Sicard, ingénieur agronome et œnologue de formation, a posé ses valises dans le Languedoc en 2015 pour créer le Mas Lasta («derrière» en esperanto), accroché au Causse, à 400 m d'altitude. Elle cultive, en conversion bio, 9 ha de vignes divisés en autant de parcelles situées sur la commune de Saint-Privat.

Grenache noir, syrah et une touche de carignan dans cette cuvée qui doit respirer pour épanouir ses arômes de fruits mûrs, de cuir et d'épices douces. Très jeune, la bouche réclamera aussi du temps pour restituer tout son potentiel prometteur : corps ferme et massif, tanins puissants et longueur qui ne trompe pas. À laisser en cave. ⧗ 2021-2027

SCEA MAS LASTA, Les Maurels, 34700 Saint-Privat, tél. 06 86 97 77 45, mas.lasta@yahoo.fr r.-v.

LA PÈIRA 2016 ★

■	5900		50 à 75 €

Créé par Karine Ahton et Robert Dougan, ce domaine a vu le jour sur les Terrasses du Larzac en 2005, dans un petit mas en pierre. Un domaine qui s'est rapidement forgé une très flatteuse réputation en France et au-delà. Le vignoble s'étend sur 11 ha.

Syrah, grenache et mourvèdre à l'origine de cette cuvée haut de gamme, dont le nez, sur la réserve, est dominé par les notes épicées et torréfiées de l'élevage en fûts (dix-huit mois). Élégante de bout en bout, la bouche charme par le soyeux de la texture et des tanins et par sa chair généreuse, chaleureuse, mais allégée par une belle fraîcheur. Un ensemble qui conjugue concentration et finesse, déjà plaisant mais au long potentiel de vieillissement. ⧗ 2020-2027

SCEA ROBERT DOUGAN, rte Sainte-Brigitte, 34725 Saint-André-de-Sangonis, tél. 06 12 27 94 13, contact@la-peira.com r.-v.

B DOM. PLAN DE L'HOMME Sapiens 2017 ★★

■	2969		15 à 20 €

Rémi Duchemin a repris en 2009 le Plan de l'Homme, à l'origine le Plan de l'Om. Après avoir brillé dans le Pic Saint-Loup, au Mas de Mortiès, c'est entre les collines rouges et les galets noir de basalte des Terrasses du Larzac qu'il a entrepris, avec succès, de produire sur 12 ha très morcelés et certifiés bio des vins hautement expressifs, tant en rouge qu'en blanc. En 2017, il a vendu sa propriété aux Grands Chais de France.

La rondeur du grenache, la structure de la syrah : le duo forge un rouge puissant et complet. Expansif et solaire, le nez décline les fruits noirs et rouges confiturés, les épices, le menthol et les notes torréfiées de l'élevage en foudres. Ample, dense, portant l'empreinte évidente de l'élevage en l'état, la bouche possède la carrure et les tanins (puissants mais fins) pour évoluer avec grâce. Un beau «bébé» selon le jury, appelé à un bel avenir. ⧗ 2022-2030

SCEA DE THOLOMIES, 15, av. Marcellin-Albert, 34725 Saint-Félix-de-Lodez, tél. 04 67 39 29 41, domaine@labaume.com t.l.j. sf sam. dim. 9h-13h 14h-18h

♥ B DOM. DE LA RÉSERVE D'O Hissez O 2017 ★★

■	1600		20 à 30 €

Situées en altitude sur le causse d'Arboras, les vignes (12 ha) cherchent ici la terre sous les cailloux. Installés en 2005, Marie, la nouvelle présidente du syndicat Terrasses du Larzac, et Frédéric Chauffray travaillent en biodynamie et vinifient avec des méthodes douces (minimum de SO_2, pas de levurage, ni de collage et de filtration) des vendanges où chaque grain est minutieusement choisi.

Une première fois coup de cœur dans le millésime 2012, la cuvée récidive avec le 2017, élevé dix-sept mois en fûts. Son nez encore discret dispense les notes toastées de l'élevage sur fond de garrigue et de menthol. Intense, la bouche déploie une chair ample, étayée par des tanins puissants, rafraîchie par une jolie acidité et prolongée par une finale qui porte encore l'empreinte du bois. Du caractère à revendre, de la structure et un charme qui opère dès à présent, même si la capacité de garde est à la mesure de l'ensemble. ⧗ 2020-2027

MARIE CHAUFFRAY, Dom. de la Réserve d'O, rue du Château, 34150 Arboras, tél. 06 76 04 03 88, contact@lareservedo.fr r.-v.

SAINT-FÉLIS 2017 ★

■	12800		11 à 15 €

Située à proximité du lac du Salagou, de Saint-Guilhem-le-Désert ou encore des cirques de Mourèze et de Navacelle, la cave des Vignerons de Saint-Félix-de-Lodez, créée en 1942, regroupe après plusieurs fusions 520 ha de vignes et a pris en 2009 le nom de Vignoble des Deux Terres. S'inscrivant dans une démarche de production respectueuse du développement durable, elle dispose de 30 ha cultivés en bio.

Des notes épanouies de fruits surmûris, de garrigue, de menthol et d'olive noire, le nez est de bon augure. Ce que confirme la bouche qui ne manque pas de charme avec sa souplesse de corps, ses tanins fins et sa bonne fraîcheur finale. Une cuvée délicate et digeste. ⧗ 2019-2022 ■ **Clausade Montlong 2018 ★ (8 à 11 €; 4000 b.)** : le court séjour en fûts du duo grenache blanc et vermentino n'a pas entamé la pureté aromatique aérienne de ce blanc aux franches notes florales et fruitées (fruits à chair blanche, agrumes). La bouche y ajoute une rondeur veloutée et une fraîcheur imparable qui donne éclat et intensité au fruit. ⧗ 2019-2021

SCA LES VIGNERONS DE SAINT-FÉLIX SAINT-JEAN, 21_bis, av. Marcellin-Albert, 34725 Saint-Félix-de-Lodez, tél. 04 67 96 60 61, info@vignerons-saintfelix.com V t.l.j. 9h-12h 14h-18h

TOUR DE BAULX Grande Réserve 2016 ★★

■	3400		15 à 20 €

En 2011, Benjamin Coulet a créé sa cave particulière à Saint-Jean-de-Buèges, un village médiéval où il a passé toute son enfance. Associé à son cousin Valentin Coeminne, il y cultive sur les fameux éboulis calcaires des coteaux de la Séranne 17 ha, certifiés bio depuis 2018, ayant appartenu à son grand-père et à son père et vinifie dans les locaux de l'ancienne «coop» locale.

Retenu l'année passée pour son blanc et son rosé, le domaine place ce rouge ambitieux qui aura séjourné deux ans en fûts. Les épices l'emportent au nez sur fond de fruits noirs et de griotte. Ample, dense, sans lourdeur, la bouche tire partie du long élevage qui arrondit la texture et adoucit les tanins. Une longue finale sur les épices et le toast ponctue en beauté ce rouge d'un équilibre irréprochable. ⧗ 2020-2028

EARL VIGNOBLES COULET, rue du Château, 34380 Saint-Jean-de-Buèges, tél. 06 62 57 24 22, domaine.coulet@live.fr V r.-v. 3

Ⓑ **TROIS TERRES** La Minérale 2016

■	3000		11 à 15 €

Conduit par Graeme Angus, ancien hématologue au CHU de Londres passionné de vins, amateur de la région et de coins sauvages, ce vignoble de 6,5 ha cultivés sur trois types de sols est labellisé en agriculture biologique.

Schiste, galet, quartz et marbre dans le terroir qui a vu naître cette cuvée, d'où son nom. Assemblage de quatre cépages, fermentés par paire, parée d'une teinte sombre, elle fleure bon le fruit rouge, la mûre, avec les nuances fumées d'un élevage en barrique. Fraîche et douce à l'attaque, elle offre une matière généreuse, mentholée et parfumée, qui se raffermit sous l'effet de tanins serrés en finale. Une austérité qui demandera de la patience. ⧗ 2021-2027

GRAEME ANGUS, Trois Terres, 18, rue de la Vialle, 34800 Octon, tél. 04 67 44 71 22, contact@trois-terres.com V r.-v.

PIC-SAINT-LOUP

Superficie : 980 ha / Production : 30 000 hl

Ce terroir réputé, ancienne dénomination géographique du Languedoc, est devenu en 2017 une appellation à part entière réservée aux vins rouges et aux rosés. À 20 km de Montpellier, dans la partie nord-est du Languedoc, l'AOC Pic-saint-loup s'étend sur 15 communes de l'Hérault et 2 du Gard, toutes dominées par la pointe acérée du pic Saint-Loup, l'un des sites les plus spectaculaires du vignoble languedocien.

Le vignoble du pic Saint-Loup, implanté sur des sols à dominante calcaire, s'inscrit dans un paysage de garrigue et de pinèdes, succession de crêtes et de combes, à l'écart de grandes vallées. Le climat y est plus frais et plus arrosé que dans le reste du Languedoc. Les pluies, qui tombent au printemps et en automne, permettent aux ceps d'éviter sécheresse et stress hydrique ; elles autorisent des plantations à densité élevée, facteur de concentration. En août et septembre, l'amplitude thermique importante entre le jour et la nuit favorise l'expression aromatique et l'acidité. Ces conditions sont propices au cépage syrah, l'une des variétés principales de la nouvelle appellation, aux côtés du grenache et du mourvèdre, et de cépages accessoires (carignan, cinsault, counoise, morrastel, plus le grenache gris pour les rosés). Tant les rouges que les rosés doivent toujours assembler au moins deux cépages, la syrah étant mise en avant (50% minimum pour les rouges et 30% pour les rosés). Les vins rouges tirent de la syrah leur texture dense, leurs arômes intenses de fruits noirs et de réglisse et leur potentiel. Les rosés sont, eux aussi, toniques et fruités. Le climat donne à tous ces vins relief et fraîcheur.

BERGERIE DE FENOUILLET Le Redon 2016 ★

■	6000		11 à 15 €

Après une longue carrière dans l'entreprise familiale de négoce, Toni Schuler a quitté la Suisse pour racheter en 1998 une vieille bâtisse du XIIes. et ses 140 ha de terres. Depuis 2002, Michel Wack gère le domaine et son vignoble de 30 ha.

Syrah, mourvèdre et grenache à parts égales dans ce rouge élevé en fût et foudre pendant douze mois. Au nez, le chêne s'efface devant des notes fringantes d'herbes aromatiques, de menthol et de fruits rouges. La même fraîcheur caractérise une bouche harmonieuse, ronde à l'attaque, qui se resserre en finale sous l'effet de tanins fermes et fins. Un style qui privilégie l'élégance à la puissance et qui soigne la fraîcheur du fruit. Raffiné et fringant. ⧗ 2020-2024 ■ **Les Clapas 2017 ★ (15 à 20 €; 4000 b.)** : la syrah et le grenache façonnent ce 2017 à la robe pourpre et au nez séducteur, mentholé et croquant de fruits rouges. Très agréable par son fruité intense de fraises écrasées et de groseilles, le palais se révèle fluide et frais de bout en bout, ponctué par une longue finale sur le Zan. Une légèreté de bon aloi. ⧗ 2019-2021

BERGERIE DE FENOUILLET, 3, chem. de Fenouillet, 34270 Vacquières, tél. 06 20 77 61 76, info@fenouillet.com V r.-v. E

BERGERIE DE L'HORTUS Classique 2017

■	270000		11 à 15 €

Entre le pic Saint-Loup et le causse de l'Hortus, dans la combe de Fambetou, ce domaine de référence s'étend sur 85 ha de terroirs variés. À partir de 1978, Jean et Marie-Thérèse Orliac ont défriché la garrigue, remis en état des terrasses, construit un chai, bâti

une maison, puis installé leurs enfants désormais à leurs côtés.

La syrah et le mourvèdre marquent le nez de cet assemblage avec ses nuances complexes de cuir, de tabac, de réglisse et de poivre mentholé. Les fruits rouges et les épices s'invitent dans une bouche parfaitement équilibrée entre rondeur, tanins fins et fraîcheur inspirante. Une extraction tout en finesse pour ce rouge élégant et juteux. ⌛ 2020-2024 ■ **2018 (11 à 15 €; 25000 b.)** : vin cité.

DOM. DE L' HORTUS, 34270 Valflaunès, tél. 04 67 55 31 20, contact@domaine-hortus.fr V *t.l.j. sf dim. 8h-12h 13h-18h*

♥ BERGERIE DU CAPUCIN Larmanela 2016 ★★

■ | 4400 | | 20 à 30 €

Guilhem Viau, après dix ans passés en cave coopérative, s'est lancé en 2008 et a baptisé son domaine languedocien du nom du lieu-dit où se situaient les pâturages et la bergerie de son aïeule Jeanne. Il conduit aujourd'hui un vignoble de 15 ha au pied du pic Saint-Loup.

Une robe profonde annonce un nez intense qui porte la marque d'une syrah (95 %) longuement élevée en fût : des notes fumées et cacaotées entourent un fond pulpeux et complexe de garrigue, de fruits noirs, de pruneau et d'olive noire. Juteuse, tonique dès l'attaque, la bouche impressionne par la profondeur de son fruit, ses tanins fins et fermes, et sa fraîcheur remarquable qui accompagne longuement une finale énergique et mentholée. Un vin allègre, vivant, d'un équilibre singulier. ⌛ 2020-2026 ■ **Dame Jeanne 2018 ★ (8 à 11 €; 3600 b.)** : syrah et mourvèdre jouent les vedettes dans ce vin pétale de rose, au nez frais et retenu, sur les fruits rouges. La bouche est plus expressive, fringante et gourmande, avec des saveurs de fruits rouges, de pomelo et une touche exotique. La rondeur de l'ensemble nous rappelle le soleil du Languedoc, mais avec cet équilibre dynamique et rafraîchissant qui signe les bons rosés de la région. ⌛ 2019-2020

BERGERIE DU CAPUCIN, Villa Carrée, 80, imp. Puech-Camp, 34270 Lauret, tél. 04 67 59 01 00, contact@bergerieducapucin.fr V *r.-v.*

DOM. CAMMAOUS Promesse 2017 ★★

■ | 3500 | | 15 à 20 €

Viticulteur, Olivier Panchau travaillait en famille depuis 1985. Il s'est installé à son compte en 2000, baptisant son domaine du nom d'un lieu-dit de Vacquières, Cammaous. Il a créé sa cave et élaboré ses premiers vins en 2013.

D'un grenat profond, ce vin, discret au premier nez, laisse s'épanouir de fines notes de cuir, de mûre, de laurier et d'épices. Ample et gourmand, le palais déroule une très belle matière, fraîche et parfumée (violette, Zan, fruits noirs confiturés), adossée à des tanins serrés qui donnent un peu plus de relief à l'ensemble. L'élevage est parfaitement intégré, la longueur remarquable. Un pic-saint-loup harmonieux dont la finesse a enthousiasmé les dégustateurs. Du plaisir et du potentiel pour cette cuvée bien nommée. ⌛ 2020-2025

OLIVIER PANCHAU, 14, chem. des Cammaous, 34270 Vacquières, tél. 06 76 08 97 84, opanchau@domainecammaous.com V *r.-v.*

Ⓑ DOM. CLAVEL Des Clous 2016 ★

■ | 3530 | | 30 à 50 €

Créé en 1986, le Dom. d'Estelle et Pierre Clavel est situé au cœur du Languedoc entre vignes et garrigues. Leur vignoble de 30 ha (en bio certifié, avec une démarche biodynamique) couvre deux terroirs : Pic Saint-Loup et Montpeyroux. Une référence du Languedoc viticole. Les clous représentés sur les étiquettes rappellent que les Clavel en fabriquaient avant de se consacrer entièrement à la vigne.

Présent sans interruption dans le Guide depuis dix ans, le domaine entretient sa flatteuse réputation avec cet assemblage syrah et grenache vinifié en grappes entières et élevé dix-huit mois en foudre. Friand, le nez décline les petits fruits rouges acidulés et la réglisse avec des notes fraîches de plantes aromatiques. Le fruit mûr et la tapenade prennent le relais dans une bouche déliée, juteuse, agréable, dotée de tanins fermes et prolongée par les notes de chêne. Une cuvée plus élégante que puissante, qui mérite un peu de cave. ⌛ 2020-2025 ■ **Cascaille 2017 (15 à 20 €; 6860 b.)** Ⓑ : vin cité.

SAS VINS PIERRE CLAVEL, Mas de Périé, rte de Sainte-Croix, 34820 Assas, tél. 04 99 62 06 13, info@vins-clavel.fr V *t.l.j. sf dim. 14h-19h*

Ⓑ CLOS DES AUGUSTINS Sourire d'Odile 2016 ★

■ | n.c. | | 20 à 30 €

Les cuvées du domaine évoquent chacune un membre de la famille : Sourire d'Odile, Secret de Monique, les deux Roger... Frédéric Mézy est à la manœuvre et travaille selon les préceptes de l'agriculture biodynamique et le calendrier lunaire.

Hommage à la grand-mère de Frédéric Mézy, cette syrah (95 %) offre un nez épanoui, solaire, sur les fruits noirs bien mûrs et les notes boisées d'un élevage bien intégré. Puissante, la bouche restitue cette même sensation de plénitude : corps ample et capiteux, arômes généreux portés par des tanins parfaitement ronds et mûrs, longue finale sur les fruits noirs et la pâtisserie, fraîcheur préservée. Un vin complet et harmonieux. ⌛ 2020-2024

CLOS DES AUGUSTINS, 111, chem. de la Vieille, 34270 Saint-Mathieu-de-Tréviers, tél. 04 67 54 73 45, contact@closdesaugustins.fr V *t.l.j. 10h-12h30 14h-19h*

Ⓑ CLOS MAGINIAI L'Égrégore 2015 ★

■ | 6600 | | 20 à 30 €

Parmi les premiers à avoir opté pour la viticulture biologique, ce domaine de 12 ha situé au pied du causse de l'Hortus est entouré d'une végétation méditerranéenne de chênes verts, genévrier, cade, thym et romarin.

Une robe profonde signe la forte présence de la syrah dans cette cuvée ambitieuse dont le nez est encore marqué par l'élevage avec ses notes intenses de cannelle et de poivre. Jeune, sous l'emprise du chêne, la cuvée déploie sa structure puissante, entre tanins fermes et acidité, qui tient en respect le fruit à ce stade. Un vin armé pour défier les années. ⧗ 2021-2029

SARL PHILIPPE RAMBIER, 83, rue des Airs, 34270 Claret, tél. 04 67 59 56 10, secretariat@rambier-aine.com V r.-v.

CH. L'EUZIÈRE Almandin 2017 ★★

■	28000		11 à 15 €

Représentant la quatrième génération de vignerons, Marcelle Causse a rejoint son frère Michel en 1991 sur ce domaine de 25 ha, dans la famille depuis 1920; un ancien relais de chevaux au XIVes. situé sur la route de Maguelonne, devenu aujourd'hui une référence en pic-saint-loup.

Abonné au Guide, le domaine a enthousiasmé les dégustateurs avec cette pépite (l'almandin est une pierre semi-précieuse de la famille des grenats) issue d'une longue cuvaison. Le nez, intensément épicé, évoque la girofle, le poivre avec des nuances presque anisées. Le cade et le fruit noir se joignent à la fête dans une bouche ample, d'une fraîcheur singulière, particulièrement juteuse, élégante et parfumée. Vif mais sudiste, le vin tutoie le coup de cœur. ⧗ 2019-2024

MICHEL ET MARCELLE CAUSSE, 9, ancien chem. d'Anduze, 34270 Fontanès, tél. 06 27 17 90 77, leuziere@chateauleuziere.fr V r.-v.

DOM. LES GRANDES COSTES La Sarabande 2015 ★

■	8000		15 à 20 €

Jean-Christophe Granier a repris en 2000 la vieille propriété familiale, l'a rebaptisée du nom des collines qui jouxtent la maison, Les Grandes Costes, et a donné un nouvel élan à ce vignoble de 19 ha situé à Corconne et à Vacquières, en bordure du pic Saint-Loup.

Issue de l'assemblage de toutes les parcelles et de tous les cépages du domaine, cette Sarabande témoigne du savoir-faire de ce vigneron talentueux. Le long élevage en cuve de trente mois a patiné des arômes qui respirent le Languedoc : cuir, épices, garrigue sur fond de fruit mûr et confit. Tout aussi épanouie, la bouche séduit par sa rondeur, ses tanins fondus, sa sucrosité légère et sa palette aromatique qui nous fait voir du pays. Équilibre, caractère et plaisir. ⧗ 2019-2023

EARL LES GRANDES COSTES, Dom. les Grandes Costes, 2, rte du Moulin-à-Vent, 34270 Vacquières, tél. 04 67 59 27 42, contact@grandes-costes.com V *t.l.j. sf sam. dim. 9h-12h30 13h30-17h30*

LA GRAVETTE Gravettissime 2018 ★

■	3280		11 à 15 €

Créée en 1939, la coopérative de Corconne, aujourd'hui appelée Cave La Gravette, regroupe une centaine d'adhérents cultivant environ 500 ha sur le territoire de quatre communes. Une partie importante du vignoble est en AOC pic-saint-loup.

Une couleur plus soutenue que la moyenne dans ce rosé discrètement aromatique, mais nuancé (fleurs, plantes aromatiques, agrumes). Il offre volume, intensité et fraîcheur de fruit. La finale sur les agrumes dynamise un peu plus l'ensemble. Stimulant à l'apéritif et agréable à table. ⧗ 2019-2020

CAVE COOP. LA GRAVETTE, rte de Montpellier, 30260 Corconne, tél. 04 66 77 32 75, manon@lagravette.fr V r.-v.

L'INSTINCT ORIGINEL 2017 ★

■	15000		8 à 11 €

Fondée en 1950, la cave coopérative de Saint-Mathieu-de-Tréviers, établie au pied du pic Saint-Loup, exploite un vaste vignoble de 800 ha qui couvre le tiers de l'appellation dont une partie en bio.

Drapé d'une robe rubis, cet assemblage (syrah, grenache) issu de vignes cultivées en bio dévoile un nez friand de fruits noirs frais nuancé de réglisse et de garrigue. La bouche est un réjouissant compromis entre rondeur, fraîcheur et gourmandise. Tout y est net, harmonieux et séduisant. ⧗ 2019-2023 ■ **Seigneur de Lauret 2018 (8 à 11 €; 60000 b.)** : vin cité.

SAS VIGNOBLES DES 3 CHÂTEAUX, 140, av. des Coteaux-de-Montferrand, 34270 Saint-Mathieu-de-Tréviers, tél. 04 67 55 81 19, secretariat.vd3c@gmail.com V *t.l.j. sf dim. lun. 9h30-12h30 14h30-18h*

♥ **CH. LANCYRE** D'ici on voit la mer 2018 ★★

■	6000		11 à 15 €

Régis Valentin, œnologue et maître de chai, a repris en 2001 le domaine familial créé en 1960 par les familles Durand-Valentin. Il produit des vins sur 80 ha de vignes occupant un beau terroir de calcaires durs et d'argiles rouges.

C'est une balade au sommet du Pic qui a inspiré ce joli nom de cuvée aux auteurs de ce rosé de pressurage direct (syrah et grenache). Les sensations sont au diapason : une robe pâle et limpide, un nez expressif entre fruits à noyau et bonbon, des saveurs franches, fraîches, élégantes et ce qu'il faut de gras. ⧗ 2019-2020 ■ **Vieilles Vignes 2017 ★ (11 à 15 €; 50000 b.)** : née de vieilles vignes (45 ans), de syrah et de grenache, cette cuvée s'ouvre sans réserve sur des arômes puissants de fruits rouges confiturés, de cerise, relevés de poivre, de paprika et de cacao. On retrouve cette plénitude aromatique dans une bouche charnue, puissante, alerte, qui se resserre en finale sous l'effet de tanins fermes et encore astringents. Un beau bébé promis à un bel avenir. À oublier en cave. ⧗ 2022-2029

CH. LANCYRE, hameau de Lancyre, 34270 Valflaunès, tél. 04 67 55 32 74, contact@chateaudelancyre.com V *t.l.j. sf dim. 10h-12h30 14h30-18h30*

CH. DE LASCAUX
Les Secrets Patus de Mussen 2013 ★

■	1200		30 à 50 €

Jean-Benoît Cavalier, agronome de formation, a relancé le domaine familial au milieu des années 1980, marchant dans les pas de quatorze générations de vignerons sur ce terroir de cailloutis calcaires mis en valeur par sa

LANGUEDOC

famille depuis 1554. Cette figure emblématique du Pic Saint-Loup conduit son vignoble (85 ha aujourd'hui) en agriculture biologique et en biodynamie. Sur certaines parcelles, des moutons broutent l'herbe entre les ceps, labourent et apportent un engrais tout naturel. Une valeur sûre.

Patus de Mussen est le nom de la parcelle d'où provient cette cuvée ambitieuse à dominante de syrah, élevée sous bois. Le temps a légèrement teinté la robe de reflets tuilés. Le nez, lent à s'ouvrir, offre une agréable complexité entre sous-bois, fruits noirs, griotte et chêne, encore bien présent. Rond et frais à l'attaque, structuré par des tanins serrés mais enrobés, le palais diffuse ses arômes de garrigue, de réglisse avec les nuances toujours prégnantes de la barrique. Joli vin entre deux âges que l'on boit déjà avec plaisir. ⧗ 2020-2024

SARL JB CAVALIER, rte de Brestalou, 34270 Vacquières, tél. 04 67 59 00 08, info@chateau-lascaux.com V t.l.j. sf dim. 10h-12h30 13h30-18h

B MAS BRUGUIÈRE La Grenadière 2017 ★

■ | 12000 | | 20 à 30 €

On accède au mas Bruguière par une route sublime se faufilant entre les falaises de l'Hortus et le pic Saint-Loup. Après avoir succédé à son père Guilhem en 1999, Xavier Bruguière (septième génération) a converti au bio le domaine familial de 20 ha.

Syrah, grenache et mourvèdre associés dans ce 2017 dont le nez d'abord timide révèle à l'aération de plaisantes senteurs de fruits rouges, de muscade et de Zan. Délicatement enrobée par l'élevage et reposant sur des tanins fermes, la bouche flatte par son ampleur et par sa fraîcheur et la complexité de son fruit qui persiste longuement en finale sur les épices. Charme et finesse. ⧗ 2020-2024

SCEA MAS BRUGUIÈRE, La Plaine, 34270 Valflaunès, tél. 04 67 55 20 97, xavier.bruguiere@wanadoo.fr V t.l.j. sf mer. dim. 10h-12h 14h-18h

MAS D'AUZIÈRES Les Éclats 2017 ★★

■ | 25000 | 8 à 11 €

Entre vigne et garrigue, le Mas d'Auzières étend son vignoble d'une dizaine d'hectares sur un terroir très pierreux d'argiles à éclats calcaires et offre une vue imprenable sur le pic Saint-Loup. À sa tête, Irène Tolleret, dont les vins sont régulièrement en vue dans ces pages.

Connu jusqu'à présent pour ses languedoc, le Mas peut se féliciter de son premier vin produit sous la bannière pic-saint-loup. Le nez, remarquable de fraîcheur et d'intensité, passe en revue le poivre, la mûre et le Zan. Rondeur de la matière, tanins fermes, belle acidité, longue finale sur le fruit (griottes, fruits noirs confiturés) et les épices : un compromis savoureux entre rondeur et tension pour ce rouge aromatique et élégant qui passe tout près du coup de cœur. ⧗ 2020-2026

MAS D'AUZIÈRES, 22, lot. Mas-de-Fontan-Saint-Loup, 34270 Fontanès, tél. 06 25 45 16 60, irene@auzieres.com V r.-v.

B MAS DE FIGUIER Joseph 2017 ★★

■ | 10000 | | 15 à 20 €

Le domaine fut créé par le grand-père en 1920. Gilles Pagès, installé en 1984, y conduit aujourd'hui un vignoble de 22 ha converti à l'agriculture biologique.

Souvent en vue dans ces pages, le domaine récidive avec cette cuvée hommage au premier acquéreur du domaine en 1920. La syrah, dominante et élevée dix mois en fût, diffuse ses arômes complexes de fruits noirs agrémentés de tabac, de chocolat et de réglisse. La bouche tient toutes les promesses du nez : attaque ample et très onctueuse, tanins soyeux pris dans la chair, persistance et intensité des arômes qui renouent en finale avec les épices et le cacao. Un vin d'une douceur et d'une plénitude qui auront enchanté le jury. ⧗ 2020-2025 ■ **Seigneur de Leuze 2018 (11 à 15 €; 10000 b.)** B : vin cité.

EARL MAS DE FIGUIER, 34270 Vacquières, tél. 06 18 19 53 33, pagesgi@orange.fr V r.-v.

MAS GOURDOU Divin Venin 2016 ★

■ | 3800 | | 15 à 20 €

Domaine historique de l'appellation, le Mas Gourdou appartient à la famille de Jocelyne Thérond depuis la Révolution. Benoît, le fils, a pris en 2013 la tête de ce vignoble de 20 ha commandé par une bâtisse datant du XIIIes. En 2015, un nouveau chai a été aménagé.

De ce nom de cuvée on retiendra plutôt le premier mot. Le nez embaume la griotte et le cassis avec une nuance végétale agréable. La fraîcheur du Pic Saint-Loup s'impose dans une bouche gourmande, sur les fruits noirs frais avec une tonalité minérale qui tonifie un peu plus le palais. Bel équilibre pour ce rouge dynamique, bien ancré dans son terroir et dont le long élevage en fût passe presque inaperçu. ⧗ 2019-2024

EARL MAS GOURDOU, Mas de Gourdou, 34270 Valflaunès, tél. 06 22 63 34 25, jtherond@masgourdou.com V t.l.j. sf dim. 10h-12h 14h-19h

B MAS PEYROLLE Esprit 2017 ★★

■ | 27000 | | 11 à 15 €

Descendant d'une longue lignée de vignerons, Jean-Baptiste Peyrolle a réaménagé la cave de son arrière-grand-père à partir de 2002, après plusieurs aventures viticoles à l'étranger (Maroc, États-Unis, Nouvelle-Zélande, Australie). Il conduit aujourd'hui un vignoble de 11 ha en agriculture biologique.

Déjà retenue l'année passée, cette cuvée revient en grande forme dans le millésime 2017. Le passage en fût teinte le nez de nuances grillées sur fond de fleurs et de fruits rouges. En bouche, une puissante acidité tranche dans une matière riche, généreuse, gorgée de cacao, de violette et de fruits mûrs. Un contraste très séduisant qui procure de bien belles sensations. ⧗ 2020-2025 ■ **Finalmente 2018 (11 à 15 €; 3900 b.)** B : vin cité.

JEAN-BAPTISTE PEYROLLE, 5, rte du Brestalou, 34270 Vacquières, tél. 06 12 29 53 91, jbpeyrolle@yahoo.fr V r.-v.

B DOM. MIRABEL Les Bamcels 2017 ★★

■ | n.c. | | 11 à 15 €

Les frères Feuillade, Samuel et Vincent, travaillent ensemble et en bio les quelque 15 ha du domaine. Les meilleures parcelles sont situées à la limite nord de l'aire d'appellation du pic Saint-Loup, sur un terroir d'éboulis d'éclats calcaires s'étalant entre Corconne et Brouzet-lès-Quissac.

Cet assemblage de cinq cépages a séjourné en fût. Le nez nous le rappelle avec ses notes fumées et épicées intenses qui cèdent la place en bouche à une belle déclinaison de garrigue, de violette, de menthol sur fond de fruits rouges. Ample, finement tannique, remarquable de fraîcheur et d'intensité aromatique, le palais aura transporté les dégustateurs. Un vin complet, d'un équilibre magistral qui possède tout ce qui fait le charme du pic Saint-Loup. Déjà agréable et du potentiel en cave. ⧗ 2020-2026 ■ **Les Éboulis 2018 (8 à 11 €; 5300 b.)** B : vin cité.

SARL FEUILLADE PÈRE ET FILS, 261, rte du Brestalou, 30260 Brouzet-lès-Quissac, tél. 06 22 78 17 47, domainemirabel@neuf.fr V ⛹ ▮ *r.-v.*

B MORTIÈS 2017 ★

■ | 14000 | | 15 à 20 €

Ce domaine, créé en 1996 autour d'un mas du XVIIIe s., est situé à 20 km au nord de Montpellier, sur le versant sud du pic Saint-Loup, dans la cuvette de Mortiès. Depuis 2017 la famille Moustiés exploite ce vignoble de 12 ha, entièrement conduit en bio. Une valeur sûre de l'appellation.

Syrah et grenache longuement infusés au programme de ce rouge qui demande un peu d'aération avant de diffuser ses notes de fruits rouges, de garrigue et de tapenade. Une jolie matière arrondie tapisse un palais svelte doté d'arômes expansifs, floraux et épicés, relevés en finale par une belle fraîcheur et des tanins encore serrés. Du fond et du raffinement dans ce rouge à carafer ou à laisser en cave. ⧗ 2020-2026 ■ **2017 (15 à 20 €; 16000 b.)** B : vin cité.

SARL DOM. DE MORTIÈS, rte de Cazevieille, 34270 Saint-Jean-de-Cuculles, tél. 04 67 55 11 12, contact@morties.com V ▮ *r.-v.*

CH. DES MOUCHÈRES
Cuvée Les Centaurées 2016 ★★

■ | 3200 | | 11 à 15 €

À la fin du XVIIe s., Fulcrand Teissèdre cultivait quelques parcelles dans le lieu-dit Masage-de-la-Vieille, à Saint-Mathieu-de-Tréviers, au pied du pic Saint-Loup. En 2004, Jean-Philippe Teissèdre est revenu au domaine de son ancêtre et lui a donné un nouvel essor, avec aujourd'hui 29 ha exploités.

Syrah et grenache noir en duo dans ce rouge très abouti qui soigne la qualité et la maturité du fruit. Avec ses nuances de fenouil, de laurier, de garrigue, soulignées par de fines notes torréfiées, le nez est une belle évocation du Languedoc. L'attaque tonique et intensément parfumée ouvre sur un milieu de bouche ample, juteux, soutenu par une superbe fraîcheur qui donne dynamisme et éclat au fruit. Harmonieux, d'une gourmandise évidente, c'est une très belle illustration de l'appellation. ⧗ 2020-2025

EARL TEISSÈDRE, 1, chem. de la Vieille, 34270 Saint-Mathieu-de-Tréviers, tél. 04 67 34 04 39, contact@chateaudesmoucheres.com V ⛹ ▮ *t.l.j. sf dim. 17h-19h*

DOM. PECH-TORT Folle Passion 2017 ★★

■ | 2500 | | 15 à 20 €

C'est en 2008 que Nadège Jeanjean a créé son domaine, à partir de vignes auparavant vinifiées en cave coopérative par son père Francis, décédé en 2016. Le Pech Tort, tout proche, est une colline boisée dont la courbure sert d'écrin au vignoble. Son exploitation de 16 ha produit des rouges et des rosés en AOC pic-saint-loup et des IGP.

Folle Passion, c'est ce qu'inspire à Nadège Jeanjean le métier de vigneron. On lui saura gré de s'y consacrer car cette cuvée a ébloui le jury. Cassis juteux, garrigue, tabac blond, thym et menthol : le nez ne manque ni de charme ni de complexité. Alerte et ronde à l'attaque, tout en équilibre et en retenue, la bouche séduit par sa vitalité et son bouquet intense qui déploie toute la gamme perçue au nez. Harmonieux, frais, d'une gourmandise irrésistible. ⧗ 2019-2024 ■ **Un soir d'été 2018 ★ (8 à 11 €; 3500 b.)** : Nadège Jeanjean fête dignement son dixième millésime avec ce rosé de pressurage direct (syrah et grenache) qui ne manque de rien : des arômes intenses (fruits rouges, pêche, bonbon anglais), une matière associant gras et fraîcheur, une finale tonique portée par les agrumes et le fruit exotique. De l'apéritif à la table. ⧗ 2019-2020

EARL DOM. PECH-TORT, 419, rte de Pompignan, 34270 Valflaunès, tél. 06 18 92 65 08, nadegejeanjean@domaine-pech-tort.com V ⛹ ▮ *t.l.j. mar.- ven. 17h-19h; sam. dim. 10h-12h 16h-20h*

DOM. DE LA PERRIÈRE As de Pic 2017 ★

■ | 12000 | | 15 à 20 €

Au Moyen Âge, les bénédictins de Saint-Chaffre du Monastier construisirent un prieuré, à la fin du XIe s., pour leurs pâturages d'hiver et leurs vins, dédiés aux comtes de Toulouse. La cave de Thierry Sauvaire l'occupe aujourd'hui.

Élevée en cuve, cette syrah (95 %) se pare d'une robe profonde et violacée et libère progressivement des senteurs de cassis et de violette. La réglisse, la garrigue et les fruits mûrs s'épanouissent franchement dans une bouche souple, ronde et fraîche. Un style gourmand et convivial, à boire sur le fruit. ⧗ 2019-2023

THIERRY SAUVAIRE, Dom. de la Perrière, 975, rte de Saint-Vincent, 34820 Assas, tél. 04 67 59 61 75, domaine.perriere@free.fr V ⛹ ▮ *r.-v.*

LES VIGNERONS DU PIC Galabert 2018 ★★

■ | 11000 | | 8 à 11 €

Sous le nom de Vignerons du Pic, les caves coopératives de Claret, Assas, Saint-Gely-du-Fesc et Baillargues ont fusionné en 1997. La structure dispose des 700 ha de ses adhérents et propose une gamme de vins IGP et d'appellation, notamment des pic-saint-loup et des languedoc Grés de Montpellier.

Unanimité du jury pour ce rosé pâle au nez d'agrumes, de fruits rouges et de fleurs. Il a apprécié le gras équilibré par une juste fraîcheur, ainsi que la longueur plus qu'honorable de ce vin de caractère, qui s'achève sur une petite amertume bienvenue. Pour la table. ⧗ 2019-2020 ■ **Ch. d'Assas 2018 ★ (5 à 8 €; 9500 b.)** : cinq cépages composent ce blanc limpide, pâle de robe, au nez marqué par les fruits verts et les agrumes. On les retrouve dans une bouche vive, au profil minéral, dotée d'une amertume stimulante en finale. ⧗ 2019-2021 ■ **821 2017 (20 à 30 €; 2600 b.)** : vin cité.

SCA LES VIGNERONS DU PIC, 285, av. de Sainte-Croix, 34820 Assas, tél. 04 67 59 62 55, cave@vpic.fr
V t.l.j. sf lun. 9h-12h 15h-19h; dim. 9h-12h

SAINT DAUMARY Belladona 2017 ★★

■ | 10500 | | 11 à 15 €

Julien Chapel a été le plus jeune vigneron du Languedoc lors de son installation. Il a repris les vignes de son père en 1999 à l'âge de dix-neuf ans à peine et quitté la cave coopérative. La conversion de son vignoble (20 ha) à la culture biologique est en cours.

D'un rouge soutenu, cette cuvée qui emprunte le nom d'une plante d'où on tirait un poison ne vous fera aucun mal, bien au contraire. Le nez intense et bien ouvert, sur la garrigue, la réglisse et les fruits rouges écrasés, annonce une bouche charnue, ample, adossée à des tanins parfaitement fondus et relevée par une belle acidité. Toute la générosité et la fraîcheur des bons vins rouges du Pic réunies dans cette cuvée épanouie et savoureuse. ⧗ 2020-2025 ■ **L'Asphodèle 2017 ★ (15 à 20 €; 6500 b.)** : l'asphodèle est un plante méditerranéenne à fleurs blanches mais c'est plutôt la violette, le thym et le cassis frais que l'on hume dans cette cuvée dynamique marquée par la syrah. Le fruit s'impose intensément dans une bouche charnue à la sucrosité légère qui brille par son relief, sa rondeur, sa fraîcheur et sa gourmandise. Très plaisant et fidèle à la typicité de l'appellation. ⧗ 2019-2023

SCEA CHAPEL, 106, rue des Micocouliers, 34270 Valflaunès, tél. 06 09 23 81 76, julien.chapel@orange.fr V r.-v.

CH. DE LA SALADE SAINT-HENRI Cuvée Aguirre 2016 ★

■ | 6666 | | 20 à 30 €

Sur ce domaine familial, qui doit son nom à un casque romain trouvé en ces lieux, les bâtiments datent du Moyen Âge, et la vigne est cultivée depuis le début du XVIIIe s. Anne Donnadieu, pharmacienne de formation, est aux commandes depuis 2006, avec à sa disposition un vignoble de 35 ha qu'elle prépare à une future conversion bio.

Une touche de carignan et de grenache épaulent la syrah dans ce rouge qui porte au nez l'empreinte très torréfiée de son élevage. Si l'attaque est ample et laisse s'exprimer des nuances de plantes aromatiques, la bouche confirme l'emprise du bois mais possède la carrure pour le digérer : une cuvée ambitieuse à laisser sagement en cave. ⧗ 2022-2028

SCA SCOLMAT, 1050, rte de Saint-Jean-de-Cuculles, 34270 Saint-Mathieu-de-Tréviers, tél. 04 67 55 20 11, annedonnadieu@gmail.com V t.l.j. sf dim. 11h-13h 17h-19h30

CH. DE VALFLAUNÈS T'em T'em 2017 ★

■ | 8000 | | 20 à 30 €

Fabien Reboul a installé son chai en 1998 au cœur du village de Valflaunès, à l'emplacement de l'ancienne ménagerie du baron Jean-Jacques Louis Durand, premier maire de Montpellier élu au XVIIIe s. Il exploite aujourd'hui, à la main et sans insecticides, un vignoble de 14 ha actuellement en conversion biologique.

Une étoile dans l'escarcelle du domaine avec cette cuvée déjà repérée l'année passée. Si le nez est sur la réserve, la bouche se révèle bien plus épanouie : matière ample et généreuse, tanins patinés par l'élevage, belle finale centrée sur le cacao, le Zan et les fruits noirs. À carafer ou à laisser en cave. ⧗ 2020-2026 ■ **Par hasard 2018 ★ (8 à 11 €; 7000 b.)** : assemblage de quatre cépages dominé par la syrah, la robe est pâle et le nez discret, mais la bouche est portée par une belle vivacité et des notes toniques d'agrumes. Un rosé consensuel et polyvalent à table. ⧗ 2019-2020 ■ **Pourquoi pas? 2018 (11 à 15 €; 12000 b.)** : vin cité.

EARL REBOUL, 128, rte de Trente-Loups, 34270 Valflaunès, tél. 04 67 55 76 30, chateaudevalflaunes@gmail.com V r.-v.

LA CLAPE

Superficie : 780 ha / Production : 23 900 hl

Cette ancienne dénomination géographique de l'appellation languedoc a été élevée en 2015 au rang d'appellation communale pour ses vins rouges (80 %) et aussi pour ses blancs. La Clape, en occitan, désigne un «tas de pierres». Du IIe jusqu'au XIVe s., ce massif calcaire forme une barrière séparant la côte de Narbonne. Favorisée dès la conquête romaine par l'importance de cette ville, capitale de la Narbonnaise, alors ouverte sur la Méditerranée, la vigne a colonisé ses contreforts et ses vallons, entre garrigue sauvage et pinède. Éclats calcaires, terres rouges, marnes, grès, les sols, très variés, expliquent la variété des cépages cultivés. Les vins bénéficient d'un climat méditerranéen très ensoleillé, presque semi-aride, de l'air maritime et de nombreux vents qui éloignent les pluies. L'appellation concerne sept communes, dont Narbonne. Les vins assemblent au moins deux variétés. En rouge, les principales sont les grenache, mourvèdre, syrah, adaptés à la chaleur. Parmi les onze cépages autorisés en blanc, le bourboulenc est le plus typé du lieu (40 % des surfaces). À la fois ronds et frais, les blancs sont floraux, fruités, minéraux et iodés. Les rouges sont profonds, amples et structurés, souvent marqués par des notes balsamiques.

CH. LE BOUÏS Arthur 2016 ★

■ | 10000 | | 20 à 30 €

Appuyé aux contreforts du massif de La Clape, un ancien domaine de 50 ha. À l'horizon, le trait bleu de la mer; aux alentours, les pins et le vacarme reposant des cigales. Petite-fille d'un négociant sétois, Frédérique Olivié a été kiné à la Réunion. De retour en métropole avec ses enfants, elle a acheté d'abord quelques parcelles de la propriété et vinifié dans un

garage. Aujourd'hui propriétaire de la totalité, elle s'implique dans le tourisme (musée, restaurant, activités œnotouristiques, etc.).

Des raisins vendangés à belle maturité ont donné ce rouge voluptueux qui respire le Sud : arômes généreux et chaleureux entre baies noires (cassis, myrtille), cuir, garrigue et notes boisées. Au diapason, la bouche diffuse de chaudes flaveurs de fruits confiturés dans une chair étayée de tanins fondants avec une pointe de sécheresse en finale qui disparaîtra à table autour d'une viande en sauce. De belles sensations pour ce vin solaire et épanoui. ⧗ 2020-2024

SCEA TERRE PATRIMOINES, rte Bleue, 11430 Gruissan, tél. 04 68 75 25 25, contact@chateaulebouis.com V t.l.j. 9h-12h 14h-18h

B CH. LES BUGADELLES Réserve 2017

■ | 30000 | | 8 à 11 €

Épaulé depuis 2013 par sa fille Béatrice, Jean-Claude Albert a repris en 2005 ce domaine établi sur le massif de la Clape : 400 ha d'oliviers, de chênes truffiers et de vignes. Ces dernières, étendues sur 45 ha, sont conduites en bio.

En digne représentant de son appellation, ce rouge offre un nez complexe, mêlant les fruits rouges frais, les épices, le cuir et le chêne. Harmonieuse, la bouche séduit par son profil résolument sudiste, sa matière ample et ses tanins fermes bien pris dans la chair. Le charme opère dès à présent. ⧗ 2019-2023

SA DE COURTAL NEUF, rte de Saint-Pierre-la-Mer, 11560 Fleury-d'Aude, tél. 04 68 90 79 08, axel.dewoillemont@maisonalbert.fr V r.-v.

DOM. COMBE DES DUCS
Cuvée Sourire de Vénus 2016

□ | 2500 | | 11 à 15 €

Sur les pas de ses ancêtres, Gautier Fountic, installé en 2005, cultive en famille 50 ha de vignes dans le massif de La Clape, essentiellement sur le flanc sud, entre mer et garrigue.

Le bourboulenc (60 %) forge le caractère de ce blanc élevé neuf mois en fût. Le nez puissant et complexe associe les notes grillées et briochées du chêne à des arômes de fruits jaunes confiturés (coing, abricot) et des nuances d'évolution. On les retrouve dans une bouche solaire, grasse, qui charme par sa rondeur. À boire sans attendre. ⧗ 2019-2021

GAEC COMBE DES DUCS, 24, av. du Gal-de-Gaulle, 11560 Fleury-d'Aude, tél. 04 68 33 90 04, combedesducs@orange.fr V t.l.j. 14h-19h

S. DELAFONT La Clape 2016

■ | 4000 | | 15 à 20 €

Après avoir créé une structure de négoce en 2000, Samuel Delafont a eu envie de s'investir davantage dans l'élaboration et s'est installé en 2010 dans un petit village gardois comme négociant-éleveur spécialisé dans les vins du Languedoc. Il met en valeur les plus beaux terroirs de la région.

Le trio syrah, grenache, mourvèdre et une longue macération au programme de ce rouge déjà à point, au nez un peu sauvage qui associe le cuir à un fond de fruits rouges bien mûrs. Tanins fondus, corps souple et fluide, arômes fidèles au nez : une cuvée harmonieuse, bien équilibrée, sans excès d'aucune sorte, facile à aimer et bien typée. Que demander de plus ? ⧗ 2019-2022

SAS S. DELAFONT, ZA Mas David, chem. du Cimetière, 30360 Vézénobres, tél. 04 66 56 94 78, info@delafont-languedoc.fr V t.l.j. sf dim. 10h- 18h

DOM. HORTALA Les Hauts de Bouisset 2016

■ | 4000 | | 11 à 15 €

Cette cave centenaire située au cœur du village de Fleury-d'Aude conduit un vignoble de 21 ha dispersés sur plusieurs terroirs. Elle signe une poignée de cuvées, essentiellement en AOC la clape.

Les grenache et carignan (en cuves) épaulés par 30 % de syrah (élevée en fûts) constituent cet assemblage qui a bien profité des chaleurs du millésime. Le nez en tire ses notes chaleureuses de fruits bien mûrs agrémentés de pivoine et de poivre noir. Gourmande dès l'attaque, la bouche s'enrichit de garrigue et d'épices et préserve un équilibre stimulant entre fraîcheur et tanins fermes. ⧗ 2019-2023

SCEA HORTALA, 6, rue de la Couveuse, 11560 Fleury-d'Aude, tél. 04 68 33 37 74, vins-hortala@wanadoo.fr V r.-v.

B CH. LAQUIROU Ausines 2016

■ | 9000 | | 15 à 20 €

Repris par un couple suisse, Erika et Eckard Hug-Harke en 1993, le Ch. Laquirou (« petit rocher rouge »), dont les origines remontent au XIVe s., est niché dans le creux d'une vaste vallée. Le vignoble, cultivé en bio, s'étend sur 35 ha, plantés d'une dizaine de cépages.

Le domaine fait son retour dans le Guide avec un rouge particulièrement fringant dominé par la syrah (60 %). Intense, le nez est encore marqué par les notes fumées et réglissées de la barrique mais laisse percer des notes juteuses de fruits rouges. La bouche fait preuve de la même jeunesse et possède tout pour séduire : agréable sucrosité, structure, fraîcheur, intensité du fruit, tanins fermes. Un peu de patience mais c'est très prometteur. ⧗ 2020-2025

GFA CH. LAQUIROU, rte de Saint-Pierre, 11560 Fleury-d'Aude, tél. 04 68 33 91 90, caveau.laquirou@wanadoo.fr V t.l.j. 9h-12h 14h-19h

CH. MIRE L'ÉTANG
Cuvée Aimée de Coigny 2018 ★★

□ | 32000 | | 8 à 11 €

Depuis les hauteurs du domaine, face au soleil levant, on « mire les étangs », l'embouchure de l'Aude, la Méditerranée et le golfe du Lion. Le terroir caillouteux s'étale en terrasses, caressé par la brise marine. Acquis par la famille Chamayrac en 1972, le domaine comptait alors 36 ha de vignes; il s'étend sur 51 ha aujourd'hui. Un pilier de La Clape.

Poire, pêche blanche, brioche, fleurs blanches, touches fumées minérales, le nez enchante. De belles promesses

LANGUEDOC

tenues en bouche : rond et plein, gourmand et fin, doté d'une belle texture et d'un équilibre raffiné, ce blanc dominé par la roussanne aura fait le bonheur du jury. ⌛ 2019-2022 ■ **Cuvée des Ducs de Fleury 2017 ★★ (11 à 15 €; 30500 b.)** : deuxième cuvée et deuxième coup d'éclat pour ce domaine habitué aux citations. Un assemblage harmonieux (mourvèdre, grenache, syrah) et un élevage ambitieux ont façonné ce nez profond et complexe qui hésite entre fruits noirs (cassis, mûre), notes animales (cuir et fourrure) et épices (vanille, girofle) du chêne. Dense, concentrée, dotée de tanins puissants mais sculptés, la bouche en impose par son volume et sa structure. Très jeune assurément et promis à un bel avenir. ⌛ 2021-2028

EARL CH. MIRE L'ÉTANG, rte des Vins, 11560 Fleury-d'Aude, tél. 04 68 33 62 84, mireletang@wanadoo.fr V t.l.j. sf dim. 9h-12h 15h-19h

CH. DE LA NÉGLY La Falaise 2017

■	35000		15 à 20 €

Sur le versant sud du massif de La Clape, les brises marines estivales tempèrent la force du soleil et de la tramontane. Installé en 1996, Jean Paux-Rosset a replanté le vignoble qui couvre aujourd'hui 100 ha et qu'il exploite avec son fils Bastien et Claude Gros, célèbre œnologue narbonnais qui vient de rejoindre l'équipe.

Ce domaine de référence signe cet assemblage dominé par la syrah et le grenache. Grenat profond, la cuvée s'ouvre sur un nez discret qui gagne en intensité à l'aération, libérant des notes de cuir, de garrigue et de violette sur fond de muscade et de cacao issus de la barrique. Ferme, dotée de tanins crayeux et d'une belle fraîcheur, la bouche ne manque pas d'énergie. La longue finale sur la garrigue nous fait voir du pays. Un languedoc vibrant qui demande un peu de garde. ⌛ 2020-2025

CH. DE LA NÉGLY, rte des Vins, 11560 Fleury-d'Aude, tél. 04 68 32 41 50, marion@lanegly.fr V *t.l.j. sf sam. dim. 10h-12h 14h-17h*

CH. PECH-CÉLEYRAN Céleste 2016 ★★

■	10000		11 à 15 €

Depuis 1850, la famille de Saint-Exupéry exploite ce domaine où venait jouer, enfant, Henri de Toulouse-Lautrec. Épaulé par son fils Nicolas, Jacques de Saint-Exupéry représente la cinquième génération sur ce domaine d'une centaine d'hectares plantés autour d'une petite colline, le pech.

Élevé douze mois en demi-muid, cet assemblage typique (syrah, grenache et mourvèdre) aura enthousiasmé le jury : robe profonde, nez juteux gorgé de fruits noirs (myrtille, mûre) souligné de fines épices et de réglisse; bouche douce, à la fois suave et fraîche, où le bois accompagne le fruit sans le trahir. De la classe et du charme. ⌛ 2020-2024 ■ **Champs des Pierres 2017 ★ (8 à 11 €; 7000 b.)** : un nez volubile de fruits jaunes, d'amande fraîche, de bonbon et de pêche blanche pour cet assemblage qui donne au bourboulenc le premier rôle. D'intensité moyenne, la bouche se montre bien plus discrète : tendre, souple et ponctuée par une petite amertume bienvenue qui donne un supplément de relief. ⌛ 2019-2021

SARL JACQUES DE SAINT-EXUPÉRY, Ch. Pech-Céleyran, lieu-dit Le Pech, D_31, 11110 Salles-d'Aude, tél. 04 68 33 50 04, vins.pechceleyran@gmail.com V *t.l.j. 10h-12h30 14h-19h* 4 E

CH. PECH REDON Centaurée 2017 ★★

■	2000		15 à 20 €

Une route sinueuse mène au point culminant du massif de La Clape, le Coffre de Pech-Redon, qui donne son nom au domaine, situé au cœur du parc naturel. Christophe Bousquet y conduit, depuis 1988, ses 30 ha de vignes en agriculture biologique.

Robe dorée; nez riche et complexe, entre cire, garrigue, miel, fruits secs et résine; bouche très arrondie, grasse et chaleureuse qui assume pleinement ses rondeurs : un vin résolument solaire, plein et puissant qui offre de belles promesses à table. ⌛ 2019-2022

SCEA BOUSQUET, rte de Gruissan, 11100 Narbonne, tél. 04 68 90 41 22, chateaupechredon@orange.fr V *t.l.j. sf dim. 9h-12h 14h-18h* D

COMMANDERIE SAINT-PIERRE LA GARRIGUE 2017 ★

■	80000		20 à 30 €

Johan de Woillemont, par ailleurs à la tête du Ch. de Marmorières, a racheté cette propriété en 2005, ancienne Commanderie créée au XIIᵉs. par les Hospitaliers de Saint-Jean-de-Jérusalem. Sur 60 ha patiemment remis sur pied, le vignoble joue sur une mosaïque de terroirs avec des défriches de garrigues, des terres rouges, des terres blanches et des combes, sur un site qui surplombe la Méditerranée. Il en tire quatre cuvées en AOC pic-saint-loup et languedoc.

Un vin charmeur, élevé neuf mois en fût et issu du grenache majoritaire. Robe rubis intense, arômes fins et frais de fruits rouges et d'épices, bouche ronde, tanins discrets et enrobés, flaveurs gourmandes de fruits et de plantes aromatiques, fraîcheur : un vin harmonieux, délicat et digeste. ⌛ 2019-2023

JEHAN LE PELLETIER DE WOILLEMONT, rte de Saint-Pierre, 11560 Saint-Pierre-la-Mer, tél. 04 68 45 23 64, contact@woillemont.com

♥ DOM. SARRAT DE GOUNDY Le Planteur 2017 ★★

■	10000		11 à 15 €

Pour la famille Calix, Sarrat de Goundy est une aventure familiale démarrée en 2000. Claude, le père, a acquis sa première vigne en 1966 – le vignoble couvre 80 ha aujourd'hui (en conversion bio) sur le massif de la Clape – et présidé aux destinées de la cave coopérative d'Armissan. Puis il a voulu tirer profit de son terroir rocailleux pour signer ses propres vins, aidé par sa femme Rosy et rejoint par son fils Olivier, en 2003, actuellement à la tête de l'exploitation.

Ce 2017 est le digne successeur du 2014, déjà coup de cœur. Un tri minutieux à la vendange, des vinifications au plus près du fruit (levures indigènes, pas de soufre), un élevage sur mesure, c'est la formule gagnante de cette cuvée qui s'ouvre sur un nez déjà épanoui, puissant, de fruits mûrs et de poivre noir, avec les nuances fumées du chêne en appoint. Ample dès l'attaque, la bouche charme par son volume, sa rondeur caressante, ses tanins soyeux et sa longue finale qui laisse pointer les notes vanillées de l'élevage. Harmonieux et avec toute l'élégance qui caractérise les grands vins de l'appellation. ⧗ 2020-2028

SARL OLIVIER CALIX, 46, av. de Narbonne, 11110 Armissan, tél. 04 68 45 30 68, oliviercalix@hotmail.com V t.l.j. sf dim. 9h30-12h30 15h-19h

PICPOUL-DE-PINET

Superficie : 250 ha

Couvrant six communes autour de l'étang de Thau, sur le littoral, entre Agde, Pézenas et Sète, cet ancien terroir délimité de l'appellation languedoc (il bénéficiait d'une dénomination complémentaire), dédié de longue date aux vins blancs, est devenu en 2013 une appellation à part entière. Déjà cité par Olivier de Serres au début du XVIIes., le cépage piquepoul donne des vins particulièrement vifs pour la région, aux arômes de fleurs blanches et d'agrumes, avec une note minérale. Des vins parfaits pour les huîtres, notamment celles de Bouzigues produites localement. Ils sont à apprécier jeunes, dans les trois ans.

DOM. AURIOL Les Flamants 2018 ★

	80000		8 à 11 €

Fille de Jean Vialade, vigneron bien connu des Corbières, Claude Vialade a dirigé le syndicat des corbières avant de reprendre et de restaurer en 1995 les propriétés familiales (Ch. Cicéron, Ch. Saint-Auriol, Ch. Vialade et Corbières Montmija), tout en créant une importante maison de négoce.

Une robe pâle aux reflets verts, un nez vivace et stimulant, plus floral que fruité, une bouche qui associe volume et fraîcheur, regorgeant de notes citronnées, dotée d'une petite amertume stimulante en finale : une interprétation très classique et efficace de l'appellation. Plaisir et équilibre. ⧗ 2019-2020

LES DOM. AURIOL, 12, rue Gustave-Eiffel, ZI Gaujac, 11200 Lézignan-Corbières, tél. 04 68 58 15 15, adm.achat-vins@les-domaines-auriol.eu

BEAUVIGNAC 2018 ★

	224000		5 à 8 €

Après les fusions avec la cave de Castelnau-de-Guers (2003), puis avec celle de Mèze (2007), la cave de Pomérols, fondée en 1932, regroupe aujourd'hui environ 400 viticulteurs en AOC picpoul-de-pinet, languedoc et en IGP Côtes de Thau. Elle gère un vignoble de 1 750 ha, qui couvre aussi bien le terroir de garrigue de Castelnau-de-Guers que le glacis d'épandage constituant le cœur historique de l'appellation picpoul-de-pinet.

À une robe jeune tirant sur le vert répond un nez franc, intense et frais sur le zeste de citron. Juteuse, « bien balancée », vivace, la bouche confirme le dynamisme et la vitalité de ce blanc d'un classicisme avéré et parfait sur les fruits de mer. ⧗ 2019-2020 **Expression Nature 2018 ★ (11 à 15 €; 96 666 b.)** : pamplemousse et pêche blanche, le nez soigne la pureté et l'intensité du fruit. Plus en chair que la précédente, cette cuvée déploie en bouche une texture bien charnue relevée par une acidité lumineuse. Compromis idéal entre rondeur et fraîcheur, ce blanc séduit par son harmonie et par la plénitude et la pureté de fruit. ⧗ 2019-2021

CAVE LES COSTIÈRES DE POMÉROLS, 68, av. de Florensac, 34810 Pomérols, tél. 04 67 77 01 59, info@cave-pomerols.com V t.l.j. sf dim. 8h30-12h30 14h-18h

LA CROIX GRATIOT Bréchallune 2018

	11000		11 à 15 €

Orienté vers la culture de melon et apporteur en cave coopérative, le domaine a pris un virage important en 2004 avec la création d'un chai de vinification. En 2009, Anaïs Ricôme a rejoint son père Yves à la tête d'un vignoble de 35 ha, créé une nouvelle gamme et développé les ventes. Le domaine est en cours de conversion bio.

Ce producteur réputé signe cette cuvée partiellement élevée en jarres de grès. Plus fin que puissant, le nez évoque les fleurs sur fond délicat d'agrumes. Ample, concentré, doté d'une belle acidité, ce picpoul étire longuement en bouche ses fines flaveurs de pamplemousse et de fleur. Vin de gastronomie qui tranche avec le style vif et fruité habituel de l'appellation. ⧗ 2019-2021

EARL CROIX GRATIOT, Dom. de Sainte-Croix, 34530 Montagnac, tél. 04 67 25 27 88, croixgratiot@gmail.com V t.l.j. sf dim. 9h-12h30 14h30-17h30; sam. sur r.-v.

DOM. FÉLINES JOURDAN Cuvée Classique 2018 ★★

	300000		5 à 8 €

Claude Jourdan a intégré le domaine familial en 1995, prenant la suite de sa mère Marie-Hélène. Ce vaste domaine de 100 ha se répartit en trois entités sur la zone de Picpoul-de-Pinet, en bordure de l'étang de Thau, à quelques mètres de la mer. Une situation géographique particulière qui confère aux vins blancs beaucoup de fraîcheur.

Paré d'une robe pâle aux reflets verts de jeunesse, ce picpoul dévoile un nez intense de citron confit. En bouche, il allie rondeur, richesse et franche vivacité autour de notes très gourmandes qui hésitent entre fruits jaunes bien mûrs et agrumes. Un picpoul puissant et sapide, salué par un jury unanime. ⧗ 2019-2021

SCEA FÉLINES JOURDAN, Dom. Félines Jourdan, 34140 Mèze, tél. 04 67 43 69 29, felines-jourdan@gmail.com V r.-v.

LES VIGNERONS DE FLORENSAC Poissons 2018

	300000		5 à 8 €

Née en 1934, cette coopérative installée dans des bâtiments à l'architecture typique du Languedoc

regroupe 150 adhérents et 700 ha de vignes. À sa carte, du picpoul-de-pinet et des vins IGP.

Élevé sur lies, ce picpoul s'ouvre sur une robe pâle ourlée de vert. Avec sa pureté de fruit (pêche blanche, agrumes) et sa fraîcheur tonifiante, le nez séduit d'emblée. La bouche tonique et enlevée offre la même qualité de fruit sur des notes de fruits à chair blanche et de citron, prolongées par une finale tendue et minérale. Un vin fringant et bien typé. ⧗ 2019-2020

SCA LES VIGNERONS DE FLORENSAC, 5, av. des Vendanges, 34510 Florensac, tél. 04 67 77 00 20, caveau@vignerons-florensac.fr
V t.l.j. 9h30-17h30; dim. 11h-15h30

FORTANT Grands Terroirs 2018 ★

30000 | 8 à 11 €

La famille Skalli s'initia à la vigne et aux cépages méridionaux en Algérie, dans les années 1920. Francis, et surtout son fils Robert, ont œuvré pour que cette maison de négoce soit aujourd'hui très implantée dans tout le sud de la France. Dans le giron du groupe bourguignon Boisset depuis 2011.

D'abord discret, le nez monte lentement en puissance sur des arômes élégants évoquant le fruit blanc. L'attaque crémeuse et fraîche ouvre sur un palais alliant rondeur et vivacité. La finale droite et ferme laisse en bouche un sillon minéral et acidulé qui renforce encore la sensation de fraîcheur. ⧗ 2019-2020

SAS LES VINS SKALLI, 9, quai Paul-Riquet, 34200 Sète, tél. 04 90 83 58 35, contact@fortant.com

DOM. DES LAURIERS Prestige 2018 ★

50000 | 5 à 8 €

Jouxtant Pézenas, le domaine de Marc Cabrol s'étend sur 45 ha entre garrigue et pinèdes (22 ha pour la vigne), à Castelnau-de-Guers, l'une des cinq communes de l'appellation picpoul-de-pinet. Une valeur sûre.

Brillante et limpide, cette cuvée offre au nez les notes fermentaires et fruitées d'un jeune picpoul. Attaque souple et fruitée, palais élégant, gorgé d'agrume, finale nette et fraîche : tout le charme et la spontanéité des bons blancs de l'appellation. ⧗ 2019-2020

DOM. DES LAURIERS, 15, av. de Pézenas, 34120 Castelnau-de-Guers, tél. 04 67 98 18 20, contact@domaine-des-lauriers.com
V t.l.j. 9h30-12h 14h-18h

MAS SAINT-LAURENT Le Ginestet 2018 ★★

20000 | 8 à 11 €

Sur ce terroir, qui regarde l'étang de Thau, on a retrouvé des œufs de dinosaures fossilisés datant de 65 millions d'années. Depuis 1989 et succédant à quatre générations vigneronnes, Roland Tarroux y cultive un vignoble de 38 ha et porte notamment un grand soin à ses parcelles de piquepoul, étendues sur 3,5 ha.

Une robe pâle, un nez intense et bien typé de pamplemousse rose, de citron et de pêche blanche, un agréable prélude à une bouche aussi intense que franche qui restitue toute la fraîcheur et la panoplie aromatique du picpoul. Parfait représentant de son appellation et compagnon idéal des coquillages et crustacés. ⧗ 2019-2020

EARL MAS SAINT-LAURENT, Montmèze, 34140 Mèze, tél. 04 67 43 92 30, massaintlaurent@wanadoo.fr
V r.-v.

LES VIGNOBLES MONTAGNAC "M" 2018 ★

30000 | - de 5 €

Cette coopérative produit du vin depuis 1937. Aujourd'hui, cinq cents vignerons issus de huit communes cultivent 2 000 ha de vignes bordées au sud par l'étang de Thau et la Méditerranée, au nord par des reliefs calcaires où l'Hérault a creusé des gorges profondes.

Du caractère dans ce picpoul qui s'ouvre progressivement : notes fumées, fruits à chair blanche puis nuances discrètes d'agrumes. Tonique et acidulée à l'attaque, la bouche monte en puissance pour déployer une belle rondeur un peu grasse qui donne beaucoup de présence à ce blanc de table. Finale élégante sur les fruits frais. À carafer. ⧗ 2019-2021 **Terres Rouges 2018 ★ (5 à 8 €; 20000 b.)** : d'une jolie brillance aux reflets verts, cette cuvée née d'argiles rouges dévoile un nez épanoui de fruits jaunes bien mûrs accompagnés de notes plus classiques d'agrumes. La bouche, centrée sur le citron, enchante par son équilibre et par sa fine acidité qui donne beaucoup d'éclat à un corps riche témoignant d'une belle maturité de vendanges. Un bel équilibre pour ce picpoul plus concentré que la moyenne. ⧗ 2019-2022

SCAV LES VIGNOBLES MONTAGNAC, 15, av. d'Aumes, CS 30001, 34530 Montagnac, tél. 04 67 24 03 74, cooperative.montagnac@wanadoo.fr
V t.l.j. sf dim. 9h30-12h 14h30-18h00

♥ CAVE DE L'ORMARINE Cuvée Prestige 2018 ★★

45000 | 5 à 8 €

Coopérative fondée en 1922, L'Ormarine – à l'époque Association des producteurs de vins blancs de Pinet – est un acteur de poids dans la défense de la récente AOC picpoul-de-pinet. Après la fusion avec les caves de Villeveyrac (2009) et de Cournonterral (2014), puis en 2017 des caves de Saint-Hippolyte-du-Fort et de Vias, elle regroupe 500 coopérateurs et dispose de 2 500 ha, dont 520 dédiés au seul cépage piquepoul. Depuis 2018, 650 ha sont en Terra Vitis.

Abonnée au Guide, cette bonne coopérative tient cette année son coup de cœur. La cuvée offre tout ce qui fait le charme des meilleurs blancs de l'appellation : un nez intense et frais, ouvert sur le pamplemousse, le végétal frais et les notes typiques d'un long élevage sur lies; une bouche qui conjugue rondeur, gras, pureté aromatique et grande fraîcheur. Une finale citronnée clôt en beauté ce blanc vivifiant et énergique. ⧗ 2019-2021 ■ **Duc de Morny 2018 (5 à 8 €; 160 000 b.)** : vin cité.

⊸ CAVE DE L' ORMARINE, 13, av. du Picpoul, 34850 Pinet, tél. 04 67 77 03 10, contact@caveormarine.com V t.l.j. sf dim. 8h30-12h 14h-18h; t.l.j. de mai à mi-sept.

Ⓑ DOM. DE PETIT-ROUBIÉ
Clapotis 2018 ★

■	13 000		5 à 8 €

Installé en 1980, Olivier Azan, en précurseur, pratique l'agriculture biologique depuis plus de trente ans sur un domaine situé au cœur de l'aire du picpoul-de-pinet, à proximité de l'étang de Thau : 70 ha de vignes, dont près d'une vingtaine dédiée à cette appellation de vins blancs. Il propose aussi des vins de cépage en IGP.

Un nez exubérant et volubile (pomélo et fruits exotiques) à l'entame, une bouche très flatteuse, riche, grasse et parfumée pour poursuivre, une finale souple aux amers légers pour finir : un picpoul solaire et affirmé d'un bout à l'autre de la dégustation. ⧗ 2019-2021

⊸ EARL LES DOM. DE PETIT ROUBIÉ, 34850 Pinet, tél. 04 67 77 09 28, petitroubie@gmail.com V t.l.j. sf sam. dim. 9h-12h 13h30-17h

DOM. DU CH. DE PINET
Cuvée des Comtesses 2018 ★

■	25 000		5 à 8 €

Le Ch. de Pinet se transmet de père en fils depuis plus de deux cent cinquante ans. Depuis plus de vingt ans, ce sont deux femmes, Simone Arnaud-Gaujal et sa fille Anne-Virginie, qui conduisent le domaine étendu sur 35 ha.

Derrière une robe limpide, le nez dévoile des arômes retenus entre zeste de citron et fines notes iodées. Tout aussi légère, la bouche séduit par sa finesse, sa vivacité et ses notes alertes d'agrumes. Un picpoul friand. ⧗ 2019-2020

⊸ PINET-GAUJAL, 1, rue Ludovic-Gaugal, 34850 Pinet, tél. 04 68 32 16 67, chateaudepinet@orange.fr V r.-v.

DOM. REINE JULIETTE Terres Rouges 2018

■	80 000		5 à 8 €

Tracée en 118 av. J.-C. pour relier l'Italie à l'Espagne, la Via Domitia est la plus ancienne voie romaine de Gaule. Elle favorisa l'expansion de la viticulture en Narbonnaise. Sous le nom de «chemin de la reine Juliette», elle jouxte ce domaine familial créé en 1986. Couvrant 60 ha, le vignoble propose des cuvées en picpoul-de-pinet et en IGP.

Pêche blanche, abricot, litchi, notes muscatées, ce picpoul détonne par ses arômes complexes et épanouis. Même sensation de maturité en bouche : acidité en retrait, corps ample et gras, flaveurs solaires de fruits bien mûrs. Une interprétation originale, tout en chair et convaincante de l'appellation. ⧗ 2019-2021

⊸ EARL ALLIÈS, lieu-dit Montredon, rte de Pinet, 34120 Castelnau-de-Guers, tél. 06 35 25 67 78, marion.allies0765@orange.fr V r.-v.

▶ LES APPELLATIONS DE LIMOUX

BLANQUETTE MÉTHODE ANCESTRALE

AOC à part entière, la blanquette méthode ancestrale reste un produit confidentiel. Le principe d'élaboration réside dans une seule fermentation en bouteille. Aujourd'hui, les techniques modernes permettent d'élaborer un vin peu alcoolisé (autour de 6 % vol.), doux, provenant de l'unique cépage mauzac.

ANTECH ★

●	15 000		8 à 11 €

Propriétaire de vignes, une maison de négoce familiale depuis six générations, dirigée aujourd'hui par Françoise Antech, à la suite de son père Georges et de son oncle Roger. Une valeur sûre, spécialisée dans l'élaboration des bulles limouxines.

La méthode ancestrale, une vinification toujours compliquée, parfaitement maîtrisée dans cette cuvée d'un jaune brillant, qui s'ouvre sur un nez frais, de fenouil, de levures et de fleurs blanches. La bouche tendre, voluptueuse, offre une douceur délicate et de francs arômes de pomme et de poire typiques du mauzac. Croquant et très gourmand. ⧗ 2019-2021 ● **Esprit de bulles ★ (8 à 11 €; 15 000 b.)** : une étoile de plus au palmarès déjà bien rempli de cette maison avec cet assemblage de quatre cépages qui joue tout autant sur la pureté de fruit que sur la fraîcheur. Une bulle fine, une robe brillante, le visuel séduit. Le nez diffuse ses nuances toniques de poire, de fruit exotique et de pomme verte. La bouche frétille de fruit et de fraîcheur, avec une douceur atténuée par une acidité prononcée. ⧗ 2019-2021

⊸ SAS MAISON ANTECH, Dom. de Flassian, 11300 Limoux, tél. 04 68 31 15 88, courriers@antech-limoux.com V t.l.j. sf sam. dim. 8h-12h 14h-18h

BLANQUETTE-DE-LIMOUX

Ce sont les moines de l'abbaye Saint-Hilaire, commune proche de Limoux, qui, découvrant que leurs vins repartaient en fermentation, ont été les premiers élaborateurs de blanquette-de-limoux. Trois cépages sont utilisés pour son élaboration : le mauzac (90% minimum), le chenin et le chardonnay; ces deux derniers cépages introduits à la place de la clairette apportent à la blanquette acidité et finesse aromatique. La blanquette-de-limoux est élaborée suivant la méthode de seconde fermentation en bouteille et se présente sous dosages brut, demi-sec ou doux.

ANTECH Réserve 2017 ★★

●	100 000		8 à 11 €

Propriétaire de vignes, une maison de négoce familiale depuis six générations, dirigée aujourd'hui par Françoise Antech, à la suite de son père Georges et de son oncle Roger. Une valeur sûre, spécialisée dans l'élaboration des bulles limouxines.

Il brille dans le verre et laisse de belles bulles persistantes s'élever. Les arômes? Typés blanquette. Fruits, fleurs blanches et épices. Du fruit encore et pour le plaisir au palais, comme pour souligner la fraîcheur remarquable. ⧗ 2019-2022 ● **Élégance ★ (8 à 11 €; n.c.)** : une effervescence fine et persistante dans une robe jaune doré, un nez discrètement fruité et un palais très équilibré, tendre et frais, qui diffuse de belles notes florales et fruitées. Une blanquette bien typée et harmonieuse. ⧗ 2019-2021 ● **Nature ★ (8 à 11 €; 60000 b.)** : de cette blanquette en version non dosée, on retiendra la fine effervescence, le nez gourmand et aérien, entre coing et acacia, la bouche bien vivace, citronnée, logiquement mordante et d'une grande pureté de fruit. Subtile, pour amateurs. ⧗ 2019-2021

SAS MAISON ANTECH, Dom. de Flassian, 11300 Limoux, tél. 04 68 31 15 88, courriers@antech-limoux.com V t.l.j. sf sam. dim. 8h-12h 14h-18h

CALMEL ET JOSEPH ★

● | 6000 | | 11 à 15 €

Laurent Calmel, œnologue, s'est associé avec Jérôme Joseph pour fonder en 1995 une maison de négoce spécialisée dans les vins de terroir du Languedoc-Roussillon. Le duo a lancé son étiquette en 2007. Il sélectionne les parcelles, vinifie et élève les cuvées.

La gamme large de Calmel et Joseph ne compte pas de fausse note, pas plus dans ses vins tranquilles que dans ses bulles. Avec son nez floral et citronné, sa bouche franche et dynamique, relevée par un trait de citron en finale, cette blanquette est un modèle du genre. ⧗ 2019-2021

SARL CALMEL ET JOSEPH, chem. de la Madone, 11800 Montirat, tél. 04 68 72 09 88, contact@calmel-joseph.com V r.-v. E

DELMAS Tradition ★

● | 75000 | | 11 à 15 €

Domaine implanté sur le versant méridional d'un coteau en amphithéâtre, dans le charmant village d'Antugnac, dans la haute vallée de l'Aude. Bernard Delmas, cuisinier de formation et troisième du nom à conduire l'exploitation familiale, avec son épouse Marlène, est un pionnier de l'agriculture biologique : ses 31 ha de vignes sont convertis depuis 1986. Son fils Baptiste l'a rejoint en 2015.

Fidèle au rendez-vous du Guide et excellent interprète des bulles limouxines, le domaine décroche une nouvelle étoile avec cette blanquette aussi raffinée à l'œil que charmeuse au nez : pêche, poire, pomme avec un soupçon d'épices. On croque avec plaisir dans ce grand bol de fruit donnant une bouche onctueuse et tendue par une belle fraîcheur citronnée. Stimulant. ⧗ 2019-2021 ● **Dom. Péchou Élégance ★ (11 à 15 €; 75000 b.)** : une robe jaune pâle lumineuse, un nez franc et net où la pomme et la poire s'entichent d'une note exotique, une bouche fraîche dès l'attaque qui déroule une matière tendre, gourmande et acidulée : une cuvée qui mérite son nom. ⧗ 2019-2020

EURL DELMAS, 11, rte de Couiza, 11190 Antugnac, tél. 04 68 74 21 02, contact@domaine-delmas.com V t.l.j. 9h-18h; sam. dim. sur r.-v.

DOM. DU GRÈS VAILLANT 2017 ★

● | 1500 | 11 à 15 €

Ce domaine de la Haute Vallée de l'Aude, créé par les bénédictins de l'Abbaye de Saint-Polycarpe au XIIIe s., a été repris en 2017 par Aigline de Causans et Laurent Maffeïs, « paysans vignerons » tous deux en quête de terroirs d'altitude. Cerné par les prairies et les forêts, leur vignoble de 7 ha est travaillé avec leurs trois chevaux de trait.

Des levures indigènes sont à l'origine de cette blanquette qui sort de l'ordinaire par ses arômes de fruits et de fleurs teintés de garrigue, de brioche avec une touche minérale. Une bouche moelleuse, large et enveloppante, légèrement iodée, donne un supplément d'âme à ce vin intrigant et harmonieux. ⧗ 2019-2021

GFA DU GRÈS VAILLANT, chem. du Cassé, 11300 Saint-Polycarpe, tél. 06 72 15 34 38, gresvaillant@gmail.com V t.l.j. 9h-19h
4 E

DOM. PAUL MAS Blanc de blancs Prima Perla ★★

● | 40000 | | 8 à 11 €

Vigneron-négociant, Jean-Claude Mas dispose d'un vaste vignoble de plus de 600 ha en propre constitué par quatre générations, auxquels s'ajoutent les apports des vignerons partenaires (1 300 ha). Le Ch. Paul Mas se compose de 25 ha à Conas, 27 ha à Moulinas, près de Pézenas, et 80 ha à Nicole, près de Montagnac. Côté négoce, plusieurs marques : Prima Perla, Forge Estate, Arrogant Frog, Côté Mas...

Des dégustateurs sous le charme de cette cuvée limpide au nez riche, marqué par la brioche, la mie de pain et les épices douces. Acidulée à l'attaque, la bouche offre une savoureuse association entre rondeur et fraîcheur qui invite à croquer sans retenue dans ses flaveurs épanouies de citron et de brioche. Harmonieux et très gourmand. ⧗ 2019-2021

SARL DOM. PAUL MAS, rte de Villeveyrac, 34530 Montagnac, tél. 04 67 90 16 10, info@paulmas.com V r.-v.

CH. RIVES-BLANQUES ★★

● | 12000 | | 11 à 15 €

Ce domaine de 30 ha (dont 20 de vignes en conversion bio) est établi dans une zone protégée Natura 2000, à la croisée des influences méditerranéennes et océaniques. Un couple anglo-hollandais, les Panman, a pris la suite en 2001 d'Érick Vialade, resté sur l'exploitation pour former le fils des nouveaux propriétaires, Jan Ailbe, arrivé aux commandes du chai en 2017.

Non dosée, vieillie 24 mois sur lattes, cette blanquette livre un bouquet ouvert mêlant les agrumes et l'aubépine à des nuances briochées. Épanoui et élargi par le long vieillissement, le palais séduit par son onctuosité, sa patine, la finesse de ses bulles, sa complexité et sa longue finale portée par une fraîcheur intense. Raffinée, complexe, une blanquette de haut vol qui mérite sa place à table et qui saura vieillir. ⧗ 2019-2023

SARL JAXA, Dom. Rives-Blanques, 11300 Cépie, tél. 04 68 31 43 20, rives-blanques@wanadoo.fr V r.-v.

♥ DOM. ROSIER
Blanc de blancs Cuvée Charme du Soleil ★★

● | 20000 | 🍾 | 5 à 8 €

En 1982, Michel Rosier a quitté sa Champagne natale pour venir s'implanter sur les terres d'altitude (300 à 450 m) de Villelongue-d'Aude, ancien village fortifié en circulade, situé dans la partie ouest de l'appellation limoux. Douceur du climat… et du foncier, les terres du Sud ont leurs attraits. Au programme, des bulles, de blanquette, puis de crémant. En 1985, la maison s'est installée à Limoux. Michel Rosier est épaulé depuis 2010 par son fils Nicolas et 12 viticulteurs lui apportent leurs raisins.

Neuf mois de vieillissement sur lattes ont patiné cette blanquette exemplaire qui intègre 10 % de chardonnay. Limpide et lumineuse, elle dévoile un nez délicat et frais de fruit blanc et de fleur, souligné d'une fine nuance d'épices. Fraîcheur, légèreté, clarté de fruit, finale acidulée avec cette petite touche d'amertume stimulante : la bouche enchante par son équilibre, sa pureté et son dynamisme. Du cousu-main. ⧗ 2019-2022 ● **Demi-sec Cuvée Jean-Philippe Méthode traditionnelle ★ (5 à 8 €; 40000 b.)** : même assemblage que la cuvée précédente mais avec un dosage en demi-sec. Pomme, poire, fleur blanche, le nez séduit par sa franchise. Une mousse onctueuse, une entrée en bouche tout en douceur, des notes croquantes de pomme fraîche, une finale vivace, fraîche, avec une petite touche saline du meilleur effet : raffiné, fringant et très gourmand. ⧗ 2019-2021 ● **Cuvée Prestige ★ (5 à 8 €; 25000 b.)** : une robe brillante, un nez tonique et parfumé qui décline les agrumes avec une note originale de litchi qui persiste dans une bouche enlevée, fraîche, croquante, atypique et séduisante. ⧗ 2019-2021 ● **Maison Rosier Cuvée 1531 Méthode traditionnelle (5 à 8 €; 50000 b.)** : vin cité.

SAS DOM. ROSIER, rue Farman, BP_23, 11300 Limoux, tél. 04 68 31 48 38, domaine-rosier@wanadoo.fr V ! *r.-v.*

SIEUR D'ARQUES Diaphane Grande Cuvée ★

● | 30000 | 🍾 | 8 à 11 €

La cave coopérative Sieur d'Arques est un acteur incontournable du vignoble limouxin, où elle assure environ 60 % de la production. Fondée en 1946, elle fédère aujourd'hui quelque 205 adhérents et dispose d'un vaste vignoble de 1 800 ha éparpillés dans plus de quarante communes, ce qui lui permet d'opérer une sélection parcellaire rigoureuse sur une très large variété de terroirs. Sa vente aux enchères Toques et Clochers, instituée en 1990, a donné à Limoux un regain de notoriété et attiré l'attention sur ses vins tranquilles.

Un peu de chardonnay et de chenin en renfort du mauzac dans cette cuvée habituée du Guide, jaune pâle aux reflets verts, au nez fin d'amande et de fleur. Charnue et onctueuse, elle diffuse ces mêmes notes teintées de miel dans une bouche fraîche en finale. Généreux et harmonieux. ⧗ 2019-2020 ● **Diaphane (8 à 11 €; 50000 b.)** : vin cité.

SAS SIEUR D'ARQUES, av. du Languedoc, 11303 Limoux Cedex, tél. 04 68 74 63 00, contact@sieurdarques.com V 🚶 ! *t.l.j. 9h30-12h30 14h-18h30; dim. 10h-12h*

Ⓑ NICOLAS THEREZ Nature Tradition

● | 2500 | 8 à 11 €

Nicolas Therez a repris les rênes en 2008 du domaine familial niché dans la haute vallée de l'Aude. Il a quitté la coopérative pour exploiter avec sa compagne Amandine Caruso les 20 ha de vignes de la propriété – en agriculture biologique – et signer ses blanquettes et crémant-de-limoux.

«Nature» car bio mais dosée en brut, cette blanquette interpelle par son nez intense qui passe en revue le chèvrefeuille, l'acacia, le menthol, avec des touches de cire d'abeille, de kiwi et d'amande douce. À une attaque gourmande succède un palais nerveux, vif, qui restitue la palette perçue au nez. ⧗ 2019-2021

NICOLAS THEREZ, 7, Grand-Rue, 11190 Serres, tél. 06 79 06 67 99, contact@vignoble-nicolas-therez.fr V ! *r.-v.*

CRÉMANT-DE-LIMOUX

Production : 30 000 hl

Reconnu seulement en 1990, le crémant-de-limoux n'en bénéficie pas moins de la solide expérience et de l'exigence des producteurs de la région en matière de vins effervescents. Les conditions de production de la blanquette étant déjà très strictes, les Limouxins n'ont eu aucune difficulté à adopter la rigueur de l'élaboration propre au crémant. Depuis déjà quelques années s'affinaient dans leurs chais des cuvées issues de subtils mariages entre la personnalité et la typicité du mauzac, l'élégance et la rondeur du chardonnay, la jeunesse et la fraîcheur du chenin. Depuis 2004, le mauzac, cépage traditionnel de la région, est désormais réservé à la blanquette et c'est le chardonnay qui règne en maître dans l'appellation crémant-de-limoux. Enfin, le pinot noir peut être utilisé en appoint dans l'élaboration des rosés.

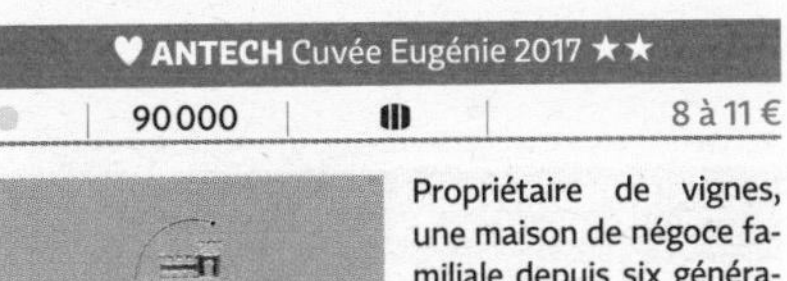

♥ ANTECH Cuvée Eugénie 2017 ★★

● | 90000 | 🍾 | 8 à 11 €

Propriétaire de vignes, une maison de négoce familiale depuis six générations, dirigée aujourd'hui par Françoise Antech, à la suite de son père Georges et de son oncle Roger. Une valeur sûre, spécialisée dans l'élaboration des bulles limouxines.

Cinq cuvées retenues mais honneur au coup de cœur qui va à Eugénie. La robe claire et cristalline laisse s'élever un cordon persistant et abondant. Églantine, agrumes, fruits blancs, nuances minérales de pierre à

LANGUEDOC

fusil, le nez enchante. La bouche nerveuse, éclatante et tendue, au dosage millimétré, s'étire en longueur sur les agrumes, libérant en finale une salinité revigorante. Finesse, retenue, longueur, relief : de la classe et une belle perspective de garde pour ce crémant de gastronomie (poissons fins, fruits de mer). ⧗ 2019-2024 ● **Alliance ★★** (8 à 11 €; 40000 b.) : une cuvée rosée qui intègre 10 % de pinot noir. Un rose fuchsia annonce un nez vif qui fait la part belle aux petits fruits rouges et noirs. Le cassis frais et acidulé s'invite dans une bouche tonique, arrondie comme il faut par un dosage bien proportionné qui apporte une petite sucrosité très gourmande à l'ensemble. Tonique, harmonieux et fruité. ⧗ 2019-2022 ● **Émotion 2017 ★★** (8 à 11 €; n.c.) : groseille, cassis, fraise, le nez frétille de fruits rouges et noirs frais. On les retrouve dans une bouche délicate, vivace, marquée par une fraîcheur plus accentuée et ponctuée par une amertume stimulante en finale. Friand et alerte. Pour l'apéritif. ⧗ 2019-2020 ● **Expression 2017 ★** (8 à 11 €; 50000 b.) : la robe lumineuse est parcourue d'un cordon fin et persistant. Au nez comme en bouche, des fleurs blanches, du fruit frais et des agrumes avec, au palais, toute la rondeur et la fraîcheur attendues. Bien fait et consensuel. ⧗ 2019-2020 ● **Saint-Laurent 2017 ★** (8 à 11 €; 27000 b.) : douze mois de lattes pour ce crémant au nez discret de fruit blanc dont on retient la bouche élégante, aérienne, arrondie par un juste dosage et tendue en finale par une belle acidité. ⧗ 2019-2021

SAS MAISON ANTECH,
Dom. de Flassian, 11300 Limoux,
tél. 04 68 31 15 88, courriers@antech-limoux.com
t.l.j. sf sam. dim. 8h-12h 14h-18h

CÔTÉ MAS ★

●	40000		11 à 15 €

Ancienne dépendance de l'abbaye voisine de Saint-Hilaire, où les moines élaboraient des vins effervescents dès 1531, le Ch. de Martinolles (80 ha aujourd'hui) a été racheté en 2010 à la famille Vergnes par Jean-Claude Mas, négociant et propriétaire de neuf domaines (plus de 600 ha) en Languedoc-Roussilon.

Le chardonnay épaulé par le chenin et le mauzac collaborent à ce crémant dont le nez raffiné marie les fleurs blanches et la poire fraîche. On les retrouve dans une bouche harmonieuse, bien construite, associant rondeur à l'attaque et fraîcheur en finale. Complet, net et sans bavure. ⧗ 2019-2021

SARL CH. MARTINOLLES,
11250 Saint-Hilaire, tél. 04 68 69 41 93,
info@paulmas.com r.-v.

J. LAURENS Clos des Demoiselles Tête de cuvée Méthode traditionnelle 2017 ★★

●	66623	11 à 15 €

Jacques Calvel, un enfant du pays de Sault, dans les Pyrénées audoises, est revenu aux sources après une carrière dans l'informatique aux États-Unis et en Suisse. En 2002, il a repris le Dom. Laurens, fondé dans les années 1980 par le Champenois Michel Dervin, l'a agrandi (30 ha aujourd'hui) et modernisé, secondé par son maître de chai Henri Albrus.

Chardonnay, chenin et pinot noir au menu de cet excellent crémant, longuement (quinze mois) élevé sur lattes et modérément dosé. Une bulle très fine anime une robe jeune, d'un jaune pâle aux reflets argentés. D'un nez épanoui émergent des arômes complexes d'aubépine, de zeste d'agrumes, de pomme mûre avec une tonalité minérale. Élégant, frais, doté d'une texture soyeuse, le palais régale par son fruit gourmand qui tire sur les fruits blancs et rouges en finale. Un crémant délicat et harmonieux signé par un des très bons spécialistes de la région. ⧗ 2019-2022 ● **La Rose n°7 Tête de cuvée Méthode traditionnelle ★** (11 à 15 €; 50464 b.) : la bulle est fine, la robe d'un beau rose pâle, le nez discret sur les petits fruits rouges, la bouche ferme, ciselée, tendue par une belle acidité qui donne un surplus d'intensité aux flaveurs d'agrume et d'épices douces. Très joli rosé, droit, minéral et fringant. ⧗ 2019-2022

SARL J. LAURENS,
Les Graimenous, 11300 La Digne-d'Aval,
tél. 04 68 31 54 54, contact@jlaurens.fr t.l.j.
9h-12h 14h-18h; sam. dim. sur r.-v.

DOM. PAUL MAS Prima Perla

●	70000		15 à 20 €

Vigneron-négociant, Jean-Claude Mas dispose d'un vaste vignoble de plus de 600 ha en propre constitué par quatre générations, auxquels s'ajoutent les apports des vignerons partenaires (1 300 ha). Le Ch. Paul Mas se compose de 25 ha à Conas, 27 ha à Moulinas, près de Pézenas, et 80 ha à Nicole, près de Montagnac. Côté négoce, plusieurs marques : Prima Perla, Forge Estate, Arrogant Frog, Côté Mas...

Assemblage de chardonnay (70 %), de chenin et de pinot noir, ce rosé réservé au nez offre une bouche plus épanouie, vive à l'attaque, ronde en finale, et bien typée rosé par ses notes de petits fruits rouges frais et sa légère amertume. ⧗ 2019-2020

SARL DOM. PAUL MAS,
rte de Villeveyrac, 34530 Montagnac,
tél. 04 67 90 16 10, info@paulmas.com
r.-v.

DOM. ROSIER Terre de Villelongue ★★

●	20000	8 à 11 €

En 1982, Michel Rosier a quitté sa Champagne natale pour venir s'implanter sur les terres d'altitude (300 à 450 m) de Villelongue-d'Aude, ancien village fortifié en circulade, situé dans la partie ouest de l'appellation limoux. Douceur du climat... et du foncier, les terres du Sud ont leurs attraits. Au programme, des bulles, de blanquette, puis de crémant. En 1985, la maison s'est installée à Limoux. Michel Rosier est épaulé depuis 2010 par son fils Nicolas et 12 viticulteurs lui apportent leurs raisins.

Deux nouvelles citations pour le domaine encensé l'année passée. Pêche, fruit jaune, beurre, épices douces, note fumée : le nez ne manque pas de présence. La bouche se révèle tout aussi intense : confortable et pleine, d'un arrondi sans lourdeur, avec ce qu'il faut d'acidité en soutien, elle diffuse ses notes généreuses et très longues de fruit bien mûr. Harmonieux et très gourmand. ⧗ 2019-2021 ● **Cuvée Ma Maison ★** (8 à 11 €; 28000 b.) : une robe d'un rose soutenu, des notes légères de fruit mûr à l'olfaction, une bouche plus généreusement fruitée sur les fruits rouges, une longueur honorable ponctuée par une une petite astringence dynamique en finale : élégant, souple et consensuel. ⧗ 2019-2020

SAS DOM. ROSIER, rue Farman, BP_23, 11300 Limoux, tél. 04 68 31 48 38, domaine-rosier@wanadoo.fr V r.-v.

SIEUR D'ARQUES Toques et Clochers 2014 ★

	12000		15 à 20 €

La cave coopérative Sieur d'Arques est un acteur incontournable du vignoble limouxin, où elle assure environ 60 % de la production. Fondée en 1946, elle fédère aujourd'hui quelque 205 adhérents et dispose d'un vaste vignoble de 1 800 ha éparpillés dans plus de quarante communes, ce qui lui permet d'opérer une sélection parcellaire rigoureuse sur une très large variété de terroirs. Sa vente aux enchères Toques et Clochers, instituée en 1990, a donné à Limoux un regain de notoriété et attiré l'attention sur ses vins tranquilles.

Une étoile de plus au compteur de cette cuvée qui fait classiquement la part belle au chardonnay. Une robe vive et jeune annonce un nez friand, ouvert, qui mêle les fleurs blanches, les fruits (pêche jaune, coing) et un accent fumé. De généreuses notes de fruit mûr et de brioche beurrée s'invitent dans une bouche vivace à l'attaque, plus ronde et large en finale avec une petite amertume qui étire le vin. ⌛ 2019-2021 ● **AGUILA Méthode traditionnelle ★** (5 à 8 €; 300000 b.) : une bulle fine, une robe jaune clair, un nez jovial et fruité aux franches notes de pêche et de poire, une attaque fraîche ouvrant sur un palais élégant qui restitue toute la panoplie fruitée de l'olfaction. Un bon classique, gourmand, destiné à l'apéritif. ⌛ 2019-2020 ● **Première Bulle Premium 2015 (11 à 15 €; 40000 b.)** : vin cité.

SAS SIEUR D'ARQUES, av. du Languedoc, 11303 Limoux Cedex, tél. 04 68 74 63 00, contact@sieurdarques.com V *t.l.j. 9h30-12h30 14h-18h30; dim. 10h-12h*

B NICOLAS THEREZ Nature Trésor ★★

	5000	11 à 15 €

Nicolas Therez a repris les rênes en 2008 du domaine familial niché dans la haute vallée de l'Aude. Il a quitté la coopérative pour exploiter avec sa compagne Amandine Caruso les 20 ha de vignes de la propriété – en agriculture biologique – et signer ses blanquettes et crémant-de-limoux.

Cette cuvée laisse apprécier sa bulle fine et persistante, son nez flatteur et nuancé qui décline le tilleul, les fleurs blanches, les fruits frais (abricot, pêche blanche) et secs. De la bouche, on retient son ampleur, sa fraîcheur et l'agréable tonicité du fruit (agrume) qui laisse en finale le souvenir d'un crémant tonique, élégant et parfaitement harmonieux. Une réussite. ⌛ 2019-2022

NICOLAS THEREZ, 7, Grand-Rue, 11190 Serres, tél. 06 79 06 67 99, contact@vignoble-nicolas-therez.fr V *r.-v.*

THOLOMIES ★

	28000		8 à 11 €

Le domaine a appartenu à la vicomtesse de Narbonne en 977, puis au clergé et, après divers changements de mains, est échu en 1982 au rugbyman Lucien Rogé. Il a enfin été racheté en 2011 par les Grands Chais de France, puissant groupe basé en Alsace qui détient quelque 350 ha en Languedoc-Roussillon. Aujourd'hui, 65 ha dont 49 plantés, exploités en bio.

Déjà étoilée l'année passée, la cuvée n'a rien perdu de son charme dans la présente édition. On aime sa robe limpide, son nez parfumé et fruité (abricot, pomme et poire) et son attaque vive et ronde qui précède un palais ample, rafraîchit par les agrumes. Friand et séducteur, idéal à l'apéritif. ⌛ 2019-2021

SCEA DE THOLOMIES, 15, av. Marcellin-Albert, 34725 Saint-Félix-de-Lodez, tél. 04 67 39 29 41, domaine@labaume.com V *t.l.j. sf sam. dim. 9h-13h 14h-18h*

LIMOUX

Superficie : 194 ha
Production : 8 097 hl (60 % blanc)

L'appellation limoux nature, reconnue en 1938, désignait le vin de base destiné à l'élaboration de l'appellation blanquette-de-limoux et toutes les maisons de négoce en commercialisaient quelque peu. En 1981, cette AOC s'est vu interdire, au grand regret des producteurs, l'utilisation du terme *nature*, et elle est devenue limoux. Resté à 100 % mauzac, le limoux a décliné lentement, les vins de base de la blanquette-de-limoux étant alors élaborés avec du chenin, du chardonnay et du mauzac. Cette appellation renaît depuis l'intégration, pour la première fois à la récolte 1992, des cépages chenin et chardonnay, le mauzac restant toutefois obligatoire. La dynamique équipe limouxine voit ainsi ses efforts récompensés. Une particularité : la fermentation et l'élevage jusqu'au 1er mai, à réaliser obligatoirement en fût de chêne. Depuis 2004, l'AOC produit également des vins rouges à partir des cépages atlantiques (merlot surtout, cabernets et côt) et des cépages méditerranéens (syrah, grenache).

ANNE DE JOYEUSE Bovin 2017 ★★

■	10000		8 à 11 €

Fondée en 1929, la cave coopérative Anne de Joyeuse s'est fait une spécialité de l'élaboration des vins rouges de Limoux et de la haute vallée de l'Aude issus de sélections parcellaires rigoureuses, sans pour autant négliger la production des vins blancs de l'appellation. À sa carte figurent aussi des vins en IGP.

Merlot, malbec et cabernet-sauvignon au programme de ce rouge généreux et élégant. Discrets au premier nez, les arômes vont crescendo, associant le fruit très mûr (cerise, framboise, mûre) et les épices (réglisse, cannelle, poivre). En bouche, de la rondeur, beaucoup de fraîcheur, une belle texture et des tanins bien présents, mais élégants, qui témoignent de la justesse de l'élevage. Le fruit et les épices sont de retour dans une longue finale. « Très joli vin », conclut le jury. ⌛ 2020-2024 ■ **La Butinière Élevé en fût de chêne 2017 ★** (8 à 11 €; **50000 b.)** : une robe rubis habille ce vin né de merlot, syrah, malbec et cabernet-sauvignon. L'annonce d'un nez plus élégant que puissant qui hésite entre le fruit mûr, la violette et les épices douces (girofle, cannelle). Conforme au nez, la bouche brille par sa mesure, ses tanins fins, sa texture délicate, son aromatique fraîche et épicée. Un rouge aérien et élégant. ⌛ 2019-2022 ■ **Very Limoux 2017 ★** (5 à 8 €; **50000 b.)** : un limoux

LANGUEDOC

blanc né du seul chardonnay, vinifié et élevé en barrique. L'élevage bien maîtrisé mâtine de notes finement fumées un nez dynamique centré sur le citron. Le fût apporte ses notes vanillées et sa rondeur à une bouche tendue progressivement grâce à une très belle acidité qui illumine une finale tonique sur les agrumes et les épices douces. Un bien bel usage du fût dans cette cuvée bien-nommée. ⧗ 2019-2022 ■ **La Butinière Élevé en fût de chêne 2017 (8 à 11 €; 50000 b.)** : vin cité.

⊶ SARL L'OUSTAL ANNE DE JOYEUSE, 41, av. Charles-de-Gaulle, 11300 Limoux, tél. 04 68 74 79 40, commercial.france@cave-adj.com V ⊡ t.l.j. sf dim. 10h-12h 15h-19h

CH. D'ANTUGNAC Las Gravas Haute Vallée 2017 ★

■ | 3000 | ⦶ | 15 à 20 €

Jean-Luc Terrier et son beau-frère Christian Collovray, associés depuis 1986, sont devenus des valeurs sûres du Mâconnais avec leur Dom. des Deux Roches. Dix ans plus tard, ils se sont intéressés à une autre terre d'élection du chardonnay (et du pinot noir), la haute vallée de l'Aude, où ils ont acheté en 1997 le Ch. d'Antugnac, vaste propriété de 98 ha, qui vient compléter leur gamme avec du limoux. Aujourd'hui, la nouvelle génération est à l'œuvre.

Un chardonnay de bonne garde issu de la parcelle éponyme aux sols argilo-calcaires. Fermé, le nez offre à ce stade des senteurs discrètement florales et végétales. Bien plus loquace, la bouche, à la fois ample et bien tendue, diffuse de fraîches notes d'agrumes enrobées de vanille, de pain grillé et de beurre frais. Un joli vin ferme, finement élevé, qui s'épanouira avec le temps. ⧗ 2020-2024 ■ **Terres amoureuses Haute Vallée 2017 (11 à 15 €; 30000 b.)** : vin cité.

⊶ SARL CH. D' ANTUGNAC, 4, rue du Château, 11190 Antugnac, tél. 06 47 22 04 04, mfort@collovrayterrier.com V ⊡ ⊡ r.-v. ⊶ SARL Christian Collovray et Jean-Luc Terrier

CH. ARROGANT FROG 2017 ★★

■ | 6500 | ⦶ | 11 à 15 €

Vigneron-négociant, Jean-Claude Mas dispose d'un vaste vignoble de plus de 600 ha en propre constitué par quatre générations, auxquels s'ajoutent les apports des vignerons partenaires (1 300 ha). Le Ch. Paul Mas se compose de 25 ha à Conas, 27 ha à Moulinas, près de Pézenas, et 80 ha à Nicole, près de Montagnac. Côté négoce, plusieurs marques : Prima Perla, Forge Estaten, Arrogant Frog, Côté Mas...

Le merlot et le cabernet associés à 20 % de syrah ont donné naissance à cette cuvée d'un rubis intense, au nez franc et séduisant de fruit mûr, de fleur et de moka. Les dégustateurs ont loué l'attaque ample, les tanins fondus, le bel usage de la barrique qui teinte le fruit de café chaud et la belle souplesse d'une bouche harmonieuse, d'une gourmandise irrésistible. ⧗ 2020-2025 ■ **Jean-Claude Mas 2017 ★ (11 à 15 €; 40000 b.)** : vin blanc au nez séduisant et intense (fleurs blanches, fruits blancs, silex), d'une rondeur confortable en bouche, soutenue par un boisé vanillé raffiné ⧗ 2019-2023

⊶ SARL DOM. PAUL MAS, rte de Villeveyrac, 34530 Montagnac, tél. 04 67 90 16 10, info@paulmas.com V ⊡ ⊡ r.-v.

DOM. DE BARONARQUES 2017 ★

■ | 30600 | ⦶ | 30 à 50 €

Ancienne propriété de l'abbaye de Saint-Polycarpe au XVIIes., ce domaine (110 ha, dont 43 ha de vignes) a été acquis en 1998 par la baronne Philippine de Rothschild (Ch. Mouton-Rothschild à Pauillac) et ses deux fils, qui l'ont entièrement rénové, à la vigne et au chai, et en ont fait l'une des valeurs sûres de l'appellation.

Ferme, jeune, ce chardonnay limpide diffuse de subtiles notes fruitées (ananas, agrume) et florales. Riche à l'attaque, enrobée par un élevage très discret, la bouche se resserre autour d'une belle acidité qui tend le vin et augure d'un bel avenir. Une puissance contenue qui ne demande qu'à s'épanouir avec le temps. ⧗ 2021-2026 ■ **La Capitelle de Baronarques 2016 ★ (15 à 20 €; 48000 b.)** : cette cuvée possède tout pour bien vieillir. Derrière une robe cerise, un nez fin sur les fruits rouges et les épices. À une attaque souple et parfumée, succède un palais ferme et concentré, finement sculpté par des tanins fins et serrés, qui porte encore la marque de l'élevage. Du raffinement de la fermeté et de belles promesses d'avenir. ⧗ 2021-2025

⊶ SASU DOM. DE BARONARQUES, 11300 Saint-Polycarpe, tél. 04 68 31 96 60, cfoucachon@domainedebaronarques.com V ⊡ ⊡ t.l.j. sf sam. dim. 9h-12h 14h-17h

GÉRARD BERTRAND Aigle royal 2017 ★★

■ | n.c. | ⦶ | 30 à 50 €

Enfant des Corbières, Gérard Bertrand est un important propriétaire et négociant du sud de la France, dont les cuvées apparaissent dans le Guide sous diverses AOC (corbières, fitou, minervois, languedoc, côtes-du-roussillon) et en IGP.

Poire, coing, vanillé, toast, une petite note de réduction agréable : le nez ne manque pas de présence. L'Aigle déploie grand ses ailes en bouche : beaucoup de gras, de puissance, des flaveurs qui vont crescendo, associant le miel, la cire d'abeille, la vanille et le beurre frais sur fond de fruit jaune bien mûr. Puissant, sensuel, avec en soutien une belle fraîcheur saline en finale. Du charisme. ⧗ 2020-2025

⊶ SPH GÉRARD BERTRAND, Ch. l'Hospitalet, rte de Narbonne-Plage, 11100 Narbonne, tél. 04 68 45 28 50, vins@gerard-bertrand.com V ⊡ ⊡ t.l.j. 9h-19h

♥ LA COUME-LUMET 2017 ★★

■ | 3500 | ⦶ | 15 à 20 €

Domaine créé en 2013 par Luc Abadie, ingénieur en informatique, conseillé par son beau-frère Mathieu Dubernet, œnologue de renom établi à Narbonne. Couvrant 54 ha d'un seul tenant, le vignoble est implanté à Cépie, au nord de Limoux, dans un site préservé classé Natura 2000.

Une vinification haut de gamme, à la bourguignonne, pour un vin qui ne l'est pas moins. Le bois ajoute des nuances torréfiées à un nez intense de fruits mûrs (ananas) et frais (zeste de citron). Les fruits secs et le beurre frais ajoutent une couche de complexité supplémentaire à un palais somptueux, rond, raffiné par sa texture épanouie et sa fraîcheur préservée. La longue finale fumée et vanillée, dynamisée par un trait de citron, clôt en beauté ce limoux exemplaire et harmonieux. ⌛ 2019-2022 ■ **2016 ★ (15 à 20 €; 3000 b.)** : une nouvelle étoile pour cette cuvée élevée neuf mois en fût. Le nez s'ouvre progressivement libérant un bouquet raffiné, entre fruits noirs (cassis, cerise), fruits secs (pruneau, amande) et notes de chêne (vanille, noix de coco). Déjà bien assouplie, fraîche, dotée de tanins bien intégrés et patinés par l'élevage, la bouche séduit par son élégance et son classicisme. Un petit peu de cave intégrera encore un peu plus l'élevage. ⌛ 2020-2024

SCEA ABADIE-MALET, La Coume, 11300 Cépie, tél. 06 30 60 23 77, luc.abadie@la-coume-lumet.com V r.-v.

CH. DE FLANDRY 2017 ★

■	8000		8 à 11 €

La cave coopérative Sieur d'Arques est un acteur incontournable du vignoble limouxin, où elle assure environ 60 % de la production. Fondée en 1946, elle fédère aujourd'hui quelque 205 adhérents et dispose d'un vaste vignoble de 1 800 ha éparpillés dans plus de quarante communes, ce qui lui permet d'opérer une sélection parcellaire rigoureuse sur une très large variété de terroirs. Sa vente aux enchères Toques et Clochers, instituée en 1990, a donné à Limoux un regain de notoriété et attiré l'attention sur ses vins tranquilles.

Vinifié et élevé (sur lies) en fût, ce chardonnay affiche une belle robe aux reflets dorés. Le nez, discret et floral, ouvre sur une bouche bien plus volubile, à la fois ronde et fraîche, qui diffuse ses notes épanouies de miel et d'épices douces. Le chêne s'invite en finale apportant une touche d'amertume stimulante. Du potentiel en cave. ⌛ 2020-2024 ■ **F de Flandry 2016 ★ (8 à 11 €; 8200 b.)** : pas moins de six cépages participent à ce rouge moderne et séduisant. Complexe, le nez décline les fruits rouges bien mûrs, les fruits cuits et le moka. La même complexité s'invite dans une bouche qui séduit par sa rondeur, sa texture fine, sa structure déliée qui en fait un vin prêt à boire. ⌛ 2019-2021

SAS SIEUR D'ARQUES, av. du Languedoc, 11303 Limoux Cedex, tél. 04 68 74 63 00, contact@sieurdarques.com V *t.l.j. 9h30-12h30 14h-18h30; dim. 10h-12h*

CH. MARTINOLLES Garriguet 2017 ★★

■	18000		11 à 15 €

Ancienne dépendance de l'abbaye voisine de Saint-Hilaire, où les moines élaboraient des vins effervescents dès 1531, le Ch. de Martinolles (80 ha aujourd'hui) a été racheté en 2010 à la famille Vergnes par Jean-Claude Mas, négociant et propriétaire de neuf domaines (plus de 600 ha) en Languedoc-Roussilon.

Habitué aux honneurs pour ses blancs, ce domaine se distingue cette année avec un limoux rouge élevé huit mois en fût. On loue son nez retenu qui associe la mûre et la myrtille à des nuances empyreumatiques subtiles, son palais fringant, frais, concentré, adossé à de beaux tanins encore fermes et sa longue finale qui mêle les fruits surmûris et les notes torréfiées d'un élevage maîtrisé. Bel équilibre pour ce rouge dynamique qui profitera d'une courte garde. ⌛ 2020-2024

SARL CH. MARTINOLLES, 11250 Saint-Hilaire, tél. 04 68 69 41 93, info@paulmas.com *r.-v.*

PLÔ ROUCARELS Las Planelos 2016 ★

■	1300		15 à 20 €

Deux jeunes vignerons et un jeune domaine, constitué à partir de 2006. Originaire de Dresde, Julia s'est formée à Montpellier et dans le Bordelais. Quant à Julien, natif du sud de la France, passionné de cuisine et de vin dès l'adolescence, il a fait un détour par le Médoc pour apprendre le métier. Le couple a commencé par « sauver » 2 ha de vieux carignans promis à l'arrachage puis acquis des vignes en AOC limoux. Au total, 10 ha.

Las Planelos ? Le nom de la parcelle argilo-sableuse qui a donné naissance à cet assemblage chenin et chardonnay. Le nez conjugue le genêt, l'abricot ou la noisette fraîche, juste soulignés par une touche délicate de vanille. Une approche harmonieuse que prolonge une bouche tendre, dotée d'une petite sucrosité parfaitement digérée par une acidité « au top ». Belle finale sur le miel de tilleul, la figue et le toast. ⌛ 2019-2022

JULIEN GIL, 18, rue Frédéric-Mistral, 11250 Couffoulens, tél. 06 63 21 82 70, post@plo-roucarels.com V *r.-v.*

DOM. PONT MAJOR Élevé en fût de chêne 2017 ★

■	15910		8 à 11 €

Des collines aux pentes douces du pays cathare, entre 100 et 250 m d'altitude, accueillent les vignes de ce domaine créé en 2017 et dans le giron du Dom. de la Baume.

La syrah pour la violette, le poivre et les fruits noirs, le merlot pour les fruits rouges, le chêne pour les nuances d'épices douces : le nez est parfaitement composé. Tout est harmonieux en bouche : la matière plus délicate que puissante, les tanins à la mesure, soyeux et élégants, la jolie fraîcheur qui relance le fond floral et épicé perçu au nez. Vin sapide, très élégant. ⌛ 2019-2023

SARL DOM. DE LA BAUME (DOM. PONT MAJOR), 14, av. du Béal, 11250 Saint-Hilaire, tél. 04 67 39 29 41, domaine@labaume.com

DOM. JO RIU Le Terrajo 2016 ★★

■	3000		8 à 11 €

Le domaine a toujours vendu ses vins en vrac, jusqu'en 2007, année où la petite-fille de Jo Riu, Caroline, a repris les 30 ha de vignes (en conversion bio), épaulée par Arnaud Mayade, son maître de chai.

Dédiée au grand-père de Caroline Canet, cette cuvée qui assemble le merlot à la syrah (et une touche de grenache) aura captivé le jury. Élevée en cuve, elle laisse s'exprimer au nez un fruit très mûr et pur aux accents de cassis et de framboise. Puissant et enrobé, le palais intègre des tanins patinés qui soutiennent un fruit pulpeux aux fragrances de fruits rouges et noirs un peu vanillés. Un rouge juteux, d'une gourmandise absolue. ⌛ 2019-2023

SCEA LES BOUZIERS, Les Bouziers, 11300 Pieusse, tél. 06 22 87 82 17, contact@domaine-joriu.com V r.-v.

CH. RIVES-BLANQUES Odyssée 2017

	14000		11 à 15 €

Ce domaine de 30 ha (dont 20 de vignes en conversion bio) est établi dans une zone protégée Natura 2000, à la croisée des influences méditerranéennes et océaniques. Un couple anglo-hollandais, les Panman, a pris la suite en 2001 d'Érick Vialade, resté sur l'exploitation pour former le fils des nouveaux propriétaires, Jan Ailbe, arrivé aux commandes du chai en 2017.

Un palmarès éloquent dans le Guide pour ce producteur qui fait partie des têtes d'affiche de l'appellation. Issu d'une sélection de deux parcelles d'altitude, ce chardonnay a été vinifié puis élevé en barriques pendant six mois. Sur la réserve, le nez livre des nuances lactées et vanillées, dans un registre fin et sans outrance. Une belle acidité traverse de part en part une bouche tonique, dotée d'une matière tendre, étirée, et d'une longueur impressionnante. Finale magistrale et lumineuse sur le citron, les fruits secs (noisette, amande) et le riz au lait. On lui prédit un bel avenir. 2019-2024 **La Trilogie 2017 (15 à 20 €; 1500 b.)** : vin cité.

SARL JAXA, Dom. Rives-Blanques, 11300 Cépie, tél. 04 68 31 43 20, rives-blanques@wanadoo.fr V r.-v.

♥ **CH. TERAMAS ASTRUC** 2017 ★★

	15000		11 à 15 €

Vigneron-négociant, Jean-Claude Mas dispose d'un vaste vignoble de plus de 600 ha en propre constitué par quatre générations, auxquels s'ajoutent les apports des vignerons partenaires (1 300 ha). Depuis 2003, il est le propriétaire de ce domaine de 50 ha (dont 25 dédiés à l'appellation limoux), créé en 1862 par Jean Astruc, cocher du fiacre au Ch. de Bourigeole.

Plébiscité par le jury, cet assemblage bordelais, qui intègre une touche de syrah, aura séjourné huit mois en fût. Une robe grenat aux reflets violets, un nez puissant de fruits noirs bien mûrs (mûre, cassis), de figue et de pain d'épice, l'approche est plus qu'engageante. La suite est tout aussi réjouissante : une bouche ample, expressive, qui fait écho au nez avec une touche toastée en plus, adossée à des tanins soyeux et relevée par une très belle acidité. Un limoux puissant, concentré, vibran, qui jouira d'une longue garde. 2021-2028

SARL PIERJACQ ASTRUC, 20, av. du Chardonnay, 11300 Malras, tél. 04 68 31 13 26, info@paulmas.com r.-v.

MALEPÈRE

Superficie : 384 ha / Production : 18 521 hl

Longtemps AOVDQS côtes-de-la-malepère, ce vignoble a accédé à l'appellation d'origine contrôlée en 2007. Il s'étend sur le territoire de trente-neuf communes de l'Aude. Sa situation au nord-ouest des hauts de Corbières limite les influences méditerranéennes pour le soumettre à des influences océaniques. Aussi les malepères, vins rouges ou rosés, ne privilégient-ils pas les cépages du Sud mais les variétés bordelaises. En rouge, le merlot doit constituer la moitié de l'assemblage, suivi du cabernet franc ou du côt (20 %). En rosé, c'est le cabernet franc qui joue le rôle majeur (50 %). Les cépages méditerranéens comme le grenache et le cinsault n'entrent dans les assemblages qu'à titre accessoire.

CH. DE CAUX ET SAUZENS 2017 ★

	7500		11 à 15 €

Située à 5 km de Carcassonne au bord du canal du Midi, l'une des plus anciennes propriétés viticoles de la Malepère, dont l'origine remonte au XIIes. et à la famille Roger Cahuzac de Caux, et le vignoble au XVIes. Acquise en 1871 par les ancêtres des actuels propriétaires, une vieille famille du cru, elle connaît un premier essor vers 1900. Son renouveau, récent, est lié à la réhabilitation de la cave en 2015 par les Boyer, qui viennent de prendre les rênes du domaine (70 ha, dont 45 de vignes).

Coup de cœur l'année passée, la cuvée scintille à nouveau en 2017 avec une étoile. Un peu plus de cabernet-sauvignon dans l'assemblage (40 %), en soutien du merlot, marque le nez de nuances mentholées qui rafraîchissent un fruit manifestement bien mûr. Le palais le confirme avec ses chauds effluves de fruit macéré nuancés de notes boisées, mais offre en contre-point des tanins fringants qui apportent ce qu'il faut de nerf. Un vin solaire qui ne manque pas de tenue. 2021-2025

SCEA DE CAUX-ET-SAUZENS, rue Louis-Guitard, 11170 Caux-et-Sauzens, tél. 06 38 88 07 33, contact@chateaudecaux.com V r.-v.

D. DE FOURNERY 2018 ★★

			- de 5 €

Evoc est née en 2019 de la fusion des deux coopératives de l'Ouest audois, les caves de la Malepère et du Razès. La nouvelle entité regroupe 400 vignerons et 5000 ha de vignes répartis sur quelque quarante communes.

Une robe pâle et limpide pour ce rosé dynamique au nez ouvert, fleurant bon l'acacia, les fruits blancs, les petits fruits rouges ou les agrumes. Une rondeur agréable dès l'attaque ouvre sur une bouche allègre, vivace, aussi franche que désaltérante. Du volume, de la fraîcheur, des parfums : tout ce qu'il faut pour faire un excellent rosé. 2019-2020 **442 Pech Naut 2017 ★ (11 à 15 €; n.c.)** : cet assemblage classique (cabernet franc, merlot) qui a séjourné neuf mois en fût se signale par son nez très toasté et vanillé qui laisse poindre un fond de fruits noirs. Encore jeune, marquée par ces mêmes notes de chêne jusqu'en finale, la cuvée déploie de beaux tanins encore fermes et une intensité de bonne augure pour la suite. À laisser en cave. 2021-2024 **Ermitage Saint Jeremy 2017 (5 à 8 €; n.c.)** : vin cité.

SITE DE ROUTIER EVOC, RD_623, 11240 Routier, tél. 04 68 69 02 71, amerche@vignobles-evoc.com V *t.l.j. sf dim. 9h-12h 14h-18h*

DOM. LE FORT La Tour du Fort 2017 ★

■ | 4000 | | 5 à 8 €

Une propriété familiale où siège une ancienne bâtisse fortifiée du XVIIe s., entourée de 35 ha de vignes et conduite depuis 1995 par Marc et Stéphanie Pagès, tous deux œnologues, qui ont parachevé la reconstruction du domaine.

Vinifié en cuve, au plus près du fruit, le vin embaume le fruit rouge frais. On se délecte de ces mêmes fragrances à la fois toniques et mûres dans une bouche parfaitement gourmande, mentholée, pourvue de tanins croquants, peut-être un peu fermes mais sans aucune âpreté. Vivant et plaisant, à boire sur le fruit, mais capable de tenir dans le temps. ⧗ 2019-2023

SCEA DOM. LE FORT, Dom. le Fort, 11290 Montréal, tél. 04 68 76 20 11, info@domainelefort.com V t.l.j. sf dim. 10h-12h 14h30-18h30

♥ **DOM. GIRARD** Cuvée Néri 2017 ★★

■ | 2600 | | 11 à 15 €

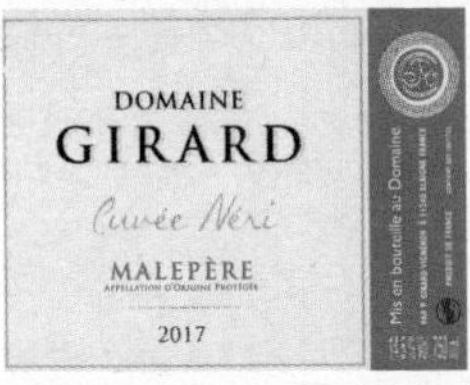

Le village d'Alaigne est une circulade : un village médiéval bâti en rond, les ruelles s'enroulant autour de l'église. Les Girard, vignerons depuis quatre générations, y conduisent un domaine en altitude (350 à 450 m) qui couvre aujourd'hui 38 ha. Ils élaborent leurs propres vins depuis 2000, année de l'installation de Philippe, secondé depuis 2014 par Jean-François. Une valeur sûre de l'appellation.

Une majorité de merlot pour la rondeur et le fruit complétée par le cabernet franc et le malbec pour la tenue et le relief. Un assemblage qui aura fait effet auprès du jury. Le nez laisse s'exprimer la cerise et les fruits noirs, finement soulignés par un boisé discret et torréfié. Le fruit s'épanouit dans une bouche bien mûre, aux nuances de fruit macéré, dont la rondeur intègre des tanins jeunes, parfaitement enrobés par un élevage sur mesure. D'un beau classicisme, cette cuvée évoluera avec grâce. Un bien bel ambassadeur pour l'appellation. ⧗ 2021-2025 ■ **Tradition 2017 ★★ (5 à 8 €; 12000 b.)** : deuxième coup d'éclat avec cette cuvée parcellaire issue de vignes perchées à 350 m d'altitude. Le duo merlot et cabernet franc (élevé en cuve) en tire un nez épanoui, intense, déclinant les petites baies rouges et la fraise, et une bouche pleine, ronde, gourmande, qui joue sur un compromis idéal entre fraîcheur et maturité. Des tanins fermes en finale augurent d'une bonne garde potentielle si on résiste au charme de sa jeunesse. ⧗ 2020-2024

SCEA DOM. GIRARD, La Garriguette, 11240 Alaigne, tél. 04 68 69 05 27, domaine-girard@wanadoo.fr V r.-v.

Ⓑ **CH. GUILHEM** Grand Vin 2017 ★★

■ | 8000 | | 15 à 20 €

Établi à Malviès, près de Carcassonne, ce domaine, commandé par un château construit à la fin du XVIIIe s. sur des vestiges gallo-romains, est dans la même famille depuis 1878 et six générations. Brigitte Gourdou-Guilhem, aux commandes pendant plus de vingt-cinq ans, a passé le relais en 2005 à Bertrand Gourdou qui a engagé la conversion bio du vignoble. Aujourd'hui, ce dernier exploite 30 ha (en bio certifié depuis 2013). Une valeur sûre de l'appellation.

Cabernet franc et merlot en duo et à parts égales dans ce Grand Vin complet mais jeune, élevé douze mois en barrique. Le nez encore discret diffuse ses notes de fruits mûrs et de chêne qui montent lentement en puissance. La même sensation de puissance contenue caractérise la bouche, voluptueuse et chaleureuse à l'attaque mais corsetée à ce stade par des tanins vigoureux. Prometteur, de belle garde. ⧗ 2021-2026 ■ **Prestige 2018 ★ (8 à 11 €; 18000 b.)** Ⓑ : un rosé bien dans l'air du temps : une robe légère et saumonée, un nez très intense (fruit de la Passion, pêche, pamplemousse, bonbon), une bouche franche, ronde et très tonique. Du très classique mais du bon classique. ⧗ 2019-2020 ■ **Grand Vin 2016 ★ (15 à 20 €; 7500 b.)** Ⓑ : logiquement plus ouverte au nez que le 2017, la cuvée déploie des notes ensoleillées et concentrées de fruits en confiture avec des nuances fumées. La bouche, fidèle au nez, trahit la belle maturité du raisin et se révèle intense, dotée de tanins fondants et d'une belle palette qui décline les fruits noirs confits, le pruneau, le poivre avec une touche discrète de chêne. Du potentiel mais déjà plaisant. ⧗ 2020-2025 ■ **Clos du Blason 2017 ★ (20 à 30 €; 3500 b.)** Ⓑ : intensité, le maître-mot de cette cuvée luxueusement élevée quinze mois en barriques neuves. Une robe profonde, un nez riche et complexe marqué par le chêne sur fond de fruits frais et de fruits noirs, une bouche dense, puissante et structurée, adossée à des tanins de la même trempe, une longue finale toastée : harmonieux, équilibré et de longue garde. ⧗ 2022-2030 ■ **Prestige 2017 (11 à 15 €; 25000 b.)** Ⓑ : vin cité.

GFA DU CH. DE MALVIÈS, 1, bd du Château, 11300 Malviès, tél. 04 68 31 14 41, contact@chateauguilhem.com V t.l.j. 9h-12h 14h-18h; sam. dim. sur r.-v.

LE JARDIN DE MALEPÈRE 2016 ★★

■ | 20000 | 5 à 8 €

Fondée en 1929, la cave coopérative Anne de Joyeuse s'est fait une spécialité de l'élaboration des vins rouges de Limoux et de la haute vallée de l'Aude issus de sélections parcellaires rigoureuses, sans pour autant négliger la production des vins blancs de l'appellation. À sa carte figurent aussi des vins en IGP.

Un petit air de Gironde dans cet assemblage merlot cabernet-sauvignon avec ce supplément de maturité qui fait tout le charme des bons rouges de l'appellation. Fruits noirs mûrs, pruneau, le nez ne manque ni de fruit ni de soleil. La réglisse s'invite dans une bouche bien construite, généreusement fruitée et cadrée par des tanins soyeux et une fraîcheur exemplaire. Du relief, de l'élégance et beaucoup de plaisir. ⧗ 2020-2024

L' OUSTAL ANNE DE JOYEUSE, 41, av. Charles-de-Gaulle, 11300 Limoux, tél. 04 68 74 79 40, commercial.france@cave-adj.com V t.l.j. sf dim. 10h-12h 15h-19h

LANGUEDOC

Ⓑ DOM. LA LOUVIÈRE L'Empereur 2017 ★★★

■	2000	◍	30 à 50 €

C'est l'histoire d'un industriel allemand, Klaus Grohe, qui tombe sous le charme de cette région et de ce terroir de la Malepère. Installé en 1992, désormais épaulé par son fils Nicolas, il a patiemment reconstruit ce domaine dont le vignoble couvre aujourd'hui 48 ha conduits en bio.

Les Grohe ont mis tous les atouts de leur côté pour produire ce haut de gamme. Plantés sur des parcelles chaudes de galets, les merlot, cabernet franc et malbec ont été vendangés à leur optimum de maturité puis longuement élevés en fût. Le nez le traduit mais sans outrance, mêlant les fruits noirs bien mûrs à des touches délicates de chêne. Magistrale, la bouche enchante par sa plénitude, sa texture soyeuse, ses arômes épanouis entre fruit et fût, et ses tanins affinés bien pris dans le fruit. Tout est au diapason dans une association étonnante de puissance et d'élégance, symbolisée sur l'étiquette par un loup vêtu en gentilhomme raffiné. «Du beau travail», conclut le jury. Impérial! ⧗ 2021-2031 ■ **Le Marquis 2018 (5 à 8 €; 20000 b.)** Ⓑ : vin cité.

KLAUS GROHE, Dom. la Louvière, 11300 Malviès, tél. 06 74 70 38 58, j.harris@domaine-la-louviere.com V t.l.j. sf sam. dim. 8h-12h 14h-18h

DOM. ROSE ET PAUL 2018 ★

■	10000	🍾	8 à 11 €

Les ancêtres de Gilles Foussat cultivaient la vigne à la fin du XVIIIes. Ses grands-parents, Rose et Paul, ont œuvré à la création de la coopérative locale; son père Gérard a été l'un des premiers à introduire le merlot dans la région. Quant à Gilles, il a participé activement à la reconnaissance de l'appellation. Il a repris l'exploitation familiale (43 ha) et s'est installé en 2009 en cave particulière. Le vignoble est en conversion bio.

Très pâle de robe mais volubile au nez, avec ses arômes fringants de pamplemousse et de fleurs blanches, ce rosé léger, tendu comme un arc, plus discret en bouche, est un parfait vin d'été, vif et désaltérant. ⧗ 2019-2020 ■ **Roudel 2016 ★ (15 à 20 €; n.c.)** : cette cuvée grenat, aux reflets légèrement tuilés, dévoile des arômes de fruits noirs confiturés et de griottes accompagnés de chêne fumé. Équilibré, intense, très frais, le palais affiche une belle structure marquée par des tanins fermes qui prédisposent ce vin à la garde. ⧗ 2021-2025 ■ **2017 (8 à 11 €; 22000 b.)** : vin cité.

EARL DOM. ROSE ET PAUL, chem. de la Malepère, 11290 Arzens, tél. 06 03 92 91 11, domaine@rose-paul.fr V t.l.j. sf dim. 17h-19h

DOM. DE LA SAPINIÈRE Saint Alix 2016 ★★

■	4332	◍ 🍾	11 à 15 €

Il n'y a plus de sapins à la Sapinière : le bois a été fourni à Viollet-le-Duc pour la restauration du château comtal de Carcassonne. Il n'y avait plus de ceps non plus sur la propriété, mais Joëlle Parayre, après une carrière dans l'industrie agro-alimentaire, a redonné vie à partir de 1997 à ce domaine à l'abandon, créé par un négociant bordelais en 1865. L'exploitation est certifiée Haute valeur environnementale et son vignoble, de 13,5 ha, est en conversion bio.

Un merlot (78 %) qui aura bien profité des chaleurs du millésime. Le nez en tire ses notes de fruit bien mûr : confiture de framboises, figue et cassis. Charnue et chaleureuse, la bouche offre cette même plénitude de fruit, soutenue par des tanins fondus et ce qu'il faut de fraîcheur. Un vin long, solaire et harmonieux, à boire dès à présent. ⧗ 2019-2023 ■ **2018 ★ (8 à 11 €; 29000 b.)** : la personnalité des cépages bordelais (merlot et cabernets) ne se dilue pas dans ce rosé typé dont les arômes tirent sur le bourgeon de cassis, le végétal frais ou la pêche blanche. Ronde, juteuse, tonique, la bouche ajoute une touche florale à ce très bon vin, habile compromis entre vivacité et volume. ⧗ 2019-2020 ■ **Archibald 2016 (15 à 20 €; 7188 b.)** : vin cité.

SAS DU DOM. DE LA SAPINIÈRE, Maquens, 11000 Carcassonne, tél. 04 68 72 65 99, j.parayre@domainedelasapiniere.com V r.-v.

CH. DE SERRES 2016 ★★

■	4000	◍	11 à 15 €

Journaliste pendant 35 ans, Sabine Le Marié a quitté Paris en 1996, obtenu son diplôme d'œnologie à Dijon et repris les rênes de la propriété familiale, un beau château XVIes. et ses 160 ha de terre. Épaulée par son fils Hugues, elle exploite 25 ha de vignes situées sur les terrasses graveleuses qui surplombent le canal du Midi.

Sélection parcellaire de merlot, cabernet franc et cabernet-sauvignon, cette cuvée d'un beau rubis foncé respire les fruits noirs et le laurier avec les notes finement toastées d'un élevage en barrique judicieux. La même élégance s'impose dans une bouche pleine, juteuse, joliment cadrée par des tanins de grande classe et une fraîcheur de bon aloi. Il ne manque rien si ce n'est un peu de temps en cave à ce rouge harmonieux qui signe de belle manière l'entrée du domaine dans le Guide. ⧗ 2020-2024

SCEA DU DOM. DE SERRES, Ch. de Serres, 11000 Carcassonne, tél. 06 80 45 27 78, info@chateaudeserres.com V r.-v. Ⓔ

DOM. DES SOULEILLES Coup de Fougue 2016 ★★★

■	2700	◍	8 à 11 €

Très vieux hameau que celui de Pech-Salamou, aux maisons blotties en rond : il date de 970. Ancien aussi est ce domaine, fondé au XIVes. Une propriété dans la famille Delaude depuis neuf générations. Installée en 2006, Sophie est à la tête d'un vignoble de 32 ha en collines et coteaux.

Le nez livre une version bien languedocienne de cet assemblage dominé par le merlot. Pruneau, cerise à l'eau-de-vie, cuir, épices, sous-bois, les arômes fascinent par leur complexité. La bouche y ajoute une attaque intense, une texture noble, des tanins affinés, une grande fraîcheur et des notes tout aussi complexes avec une touche de chêne en appoint. Bref, une classe folle qui aura unanimement ému le jury. ⧗ 2020-2025 ■ **Le Chant de la Pierre 2017 (5 à 8 €; 4044 b.)** : vin cité.

EARL DELAUDE, Pech-Salamou, 11240 Donazac, tél. 06 12 93 69 21, d.souleilles@orange.fr V r.-v.

MINERVOIS

Superficie : 4 000 ha
Production : 120 000 hl (97 % rouge et rosé)

Le minervois est produit sur soixante et une communes, dont quarante-cinq dans l'Aude et seize dans l'Hérault. Cette région plutôt calcaire, aux collines douces et aux revers exposés au sud, protégée des vents froids par la Montagne Noire, produit des vins blancs, rosés et rouges. Le vignoble du Minervois est sillonné de routes séduisantes; un itinéraire fléché constitue la route des Vins, bordée de nombreux caveaux de dégustation. Un site célèbre dans l'histoire du Languedoc, celui de l'antique cité de Minerve, où eut lieu un acte décisif de la tragédie cathare; de nombreuses chapelles romanes et les églises de Rieux et de Caune sont les atouts touristiques de la région.

ALBERT DE SAINT-PHAR 2017 ★★

■ | 27 000 | | 5 à 8 €

Réunissant une centaine de vignerons de deux communes voisines au sud-est de l'appellation minervois, non loin de Narbonne, cette coopérative dispose des quelque 500 ha de ses adhérents.

Souvent à l'honneur dans ces pages, la coopérative signe ce rouge convaincant, assemblage de syrah et de grenache. Un élevage sur mesure (un an en barrique) enrichit un nez agréablement fruité de nuances toastées et de santal. La barrique enrobe un peu plus une jolie chair épanouie, ronde à souhait, d'où émergent de fines nuances entre fruit et fût. Charme et équilibre. ⧗ 2019-2022

SCAV LES VIGNERONS DE POUZOLS ET MAILHAC, RD_5, 11120 Pouzols-Minervois, tél. 04 68 46 13 76, contact@cave-pouzols.com V *t.l.j. 9h-12h 14h-19h*

CH. L'AMIRAL Cuvée Tradition 2016

■ | 3 500 | | 11 à 15 €

Un domaine fondé en 1817 par l'amiral Gayde, commandé par de spectaculaires bâtiments en forme de fer à cheval, que l'on remarque par satellite. Dans ce cadre abrité des vents dominants, Bénédicte Gobé, arrière-petite-nièce de l'amiral, est aux commandes depuis 2008 d'un vignoble de 30 ha en conversion bio. À la carte du domaine, des minervois et des vins en IGP.

Le carignan et la grenache sont en pôle position dans cet assemblage qui libère des arômes bien typés de cuir, de thym et de baies sauvages. Nantie de petits tanins épicés, la bouche se révèle fluide, légère, déployant ses nuances de fruits et de gibier. Un minervois classique qui porte bien son nom. ⧗ 2019-2021

BÉNÉDICTE GOBÉ, 14, av. de l'Amiral-Gayde, 11800 Aigues-Vives, tél. 06 83 51 68 88, contact@chateaulamiral.fr V *r.-v.*

CH. ARTIX 2017 ★

■ | 100 000 | | 8 à 11 €

Installé en 1997, Jérôme Portal, qui exploite plusieurs propriétés en Minervois, non loin de la Serre d'Oupia, a pris ses marques dans le Guide. Il décline bon nombre de cuvées, sous différentes étiquettes : Ch. Beaufort, Ch. Molières, Ch. Artix, Ch. Portal.

Trois cépages et un élevage en cuve pour ce rouge vinifié en grappes entières. Le nez nous le rappelle avec ses senteurs friandes de laurier, de fruits rouges et de cassis frais. Dans la même veine, la bouche repose sur une matière fluide, ronde et fraîche qui restitue toute la plénitude du fruit perçu au nez. Un vin allègre et convivial. ⧗ 2019-2023

SCEA CH. DE BEAUFORT, Dom. d'Artix, 34210 Beaufort, tél. 04 68 91 28 28, ch-beaufort@wanadoo.fr V *r.-v.*

DOM. DE BARROUBIO Marie-Thérèse 2017 ★★

■ | 6 000 | | 11 à 15 €

La famille est établie dans le Minervois depuis la fin du XVᵉs. Installé en 2000, Raymond Miquel exploite 60 ha, dont 31 ha sont dédiés à la vigne. Référence en muscat-de-saint-jean-de-minervois, le domaine propose aussi des rouges intéressants en AOC minervois.

Des vieilles vignes de syrah et de grenache sont à l'origine de ce rouge élevé douze mois en fût. Le chêne saupoudre discrètement de nuances fumées un nez éclatant de fruits noirs. Le bois apparaît tout aussi fondu en bouche et enrobe un palais riche, puissant, chaleureux, solidement structuré par des tanins fermes et relevé par une belle acidité. Un minervois complet, savoureux mais sérieux. ⧗ 2019-2024

RAYMOND MIQUEL, Barroubio, 11, chem. des Jardins, 34360 Saint-Jean-de-Minervois, tél. 04 67 38 14 06, barroubio@barroubio.fr V *t.l.j. 10h-12h 14h-18h*

DOM. BÉNAZETH Aragonite 2017 ★

■ | 40 000 | | 11 à 15 €

Frank Bénazeth a suivi les traces de ses parents vignerons et repris en 1987 le domaine familial (32 ha), établi sur les contreforts de la Montagne Noire. Plus original, il élève depuis 1998 une cuvée en barrique sous les stalactites du gouffre géant de la Cabrespine.

Déjà étoilée l'année passée, la cuvée qui associe le grenache et la syrah n'a rien perdu de son charme en 2017. Complexe, le nez décline les fruits noirs, le poivre, l'humus sur un fond frais d'eucalyptus. À une attaque franche et ronde succède un milieu de bouche plutôt fringant, doté d'une belle fraîcheur et de tanins encore un peu anguleux. Du caractère et du potentiel en cave. ⧗ 2020-2025

FRANK BÉNAZETH, rte du Pont-Vieux, Le Moulin, 11160 Villeneuve-Minervois, tél. 06 30 61 30 01, benazeth.frank@orange.fr V *t.l.j. 9h-12h 13h30-17h30*

B DOM. BORIE DE MAUREL Belle de Nuit 2017 ★

■ | 9 846 | | 11 à 15 €

En 1989, Michel Escande laisse tomber son autre passion, la voile, rentre au pays et crée son domaine à partir d'achats et de vignes familiales. Installé au cœur du Minervois, dans la zone du « Petit Causse », celui que l'on surnomme « le sorcier de Félines » bénéficie d'un terroir remarquable, berceau de ce qui deviendra en 1999 l'AOC minervois-la-livinière. Aujourd'hui, il travaille 35 ha en biodynamie et vinifie en grains entiers. Une valeur sûre du Guide avec des cuvées comme Sylla ou Félines.

Une Belle de Nuit dont le charme opère dès le nez avec des nuances plus complexes que puissantes qui évoquent le sous-bois et le fruit cuit. Langoureuse, déjà fondue, la bouche a pour elle une texture suave, une belle fraîcheur et une palette aromatique qui tire sur l'évolution et les épices. Un vin prêt à boire. ⧗ 2019-2022

SARL BORIE DE MAUREL, 2, rue de la Sallele, 34210 Félines-Minervois, tél. 04 68 91 68 58, contact@boriedemaurel.fr V *r.-v.*

CH. CABEZAC Belvèze Grande Cuvée 2016

■ | 5000 | | 20 à 30 €

En 1997, Gontran Dondain, industriel dans l'agro-alimentaire et grand amateur de vins, a racheté cette propriété dans le Minervois, dotée de chais vieux d'un siècle et de 78 ha de terres (65 ha de vignes aujourd'hui). Il a restructuré le vignoble et les installations et fait du Ch. Cabezac un complexe œnotouristique avec hôtel et restaurant gastronomique. En 2003, il a acquis le Mas Roc de Bo en minervois-la-livinière.

Associant la syrah majoritaire au mourvèdre et au grenache, voici une cuvée qui affiche ses ambitions par sa robe intense et son nez très mûr et généreusement torréfié. Puissante dès l'attaque, encore très jeune et marquée par le bois, elle s'appuie sur des tanins carrés qui confèrent à la bouche une austérité que le temps devra dompter. De garde. ⧗ 2021-2025

SCEA CH. CABEZAC, 23, hameau Cabezac, 11120 Bize-Minervois, tél. 04 68 46 23 05, info@chateaucabezac.com V *r.-v.*

DOM. CAILHOL-GAUTRAN Villa Lucia 2016 ★★

■ | 10000 | | 15 à 20 €

Quatre générations se sont succédé sur ce domaine fondé au début du XXᵉs. En 1997, l'exploitation s'équipe d'une cave au hameau de Cailhol. En 2006, Jeanne et Christian Gautran transmettent le domaine à leur fils Nicolas et à son épouse Olivia qui l'ont doté d'un nouveau chai leur permettant de travailler avec peu ou pas de sulfites. En conversion bio, le vignoble couvre 55 ha dans le Causse du Haut Minervois.

Du caractère à revendre dans cette cuvée marquée par la syrah dont on apprécie la puissance aromatique un peu animale et chaleureuse, entre fruits confits et Viandox. Les épices douces prennent le relais dans une bouche charnue, juteuse, appuyée sur une structure tannique imposante, mais patinée par l'élevage qu'une courte garde suffira à affiner. Profond et racé, ce rouge invite à se mettre à table. ⧗ 2020-2025

NICOLAS GAUTRAN, hameau de Cailhol, 34210 Aigues-Vives, tél. 04 68 91 26 03, gautran@orange.fr V *r.-v.*

DOM. CAVAILLES à Jeannot 2017 ★

■ | 5520 | | 5 à 8 €

Situé dans le causse de Minerve, ce domaine d'environ 13 ha se transmet depuis trois générations. Il a son siège au cœur même de la superbe cité qui a donné son nom à l'appellation, dans la rue qui surplombe les gorges de la Cesse. Installé en 1995, Didier Cavailles pratique avec un grand savoir-faire la macération carbonique.

Des grenaches (74 %) vendangés bien mûrs et vinifiés en grappes entières, cela donne ce rouge chaleureux et très fruité, aux franches notes de cerise et de framboise. Cette corbeille de fruits rouges persiste dans une bouche discrètement tannique, ronde et solaire d'où émergent de chauds effluves poivrés en finale. Du soleil et du fruit en bouteille. ⧗ 2019-2021

DIDIER CAVAILLES, 2, Grand-Rue, 34210 Minerve, tél. 04 68 91 12 60, didier.cavailles0486@orange.fr V *r.-v.*

CH. CESSERAS Cuvée Olric 2017 ★

■ | 40000 | 8 à 11 €

Huit générations se sont succédé depuis 1840 sur le château. Pierre-André Ournac a rejoint son frère (aujourd'hui disparu) au domaine en 1985, l'année où la propriété a quitté la coopérative. L'encépagement a été revu, deux chais ont été aménagés. Aujourd'hui Pierre-André exploite avec son neveu Guillaume 90 ha, dont 15 en minervois-la-livinière. L'exploitation produit un tiers de vins de cépages blancs.

Frais et nuancé, le nez dévoile de séduisantes notes de petits fruits noirs et de menthol. Le prélude à une bouche souple et élégante, tapissée de tanins doucement extraits, qui s'étire sur les fruits frais et la violette en finale. L'élégance incarnée pour ce rouge harmonieux déjà à point. ⧗ 2019-2022

EARL DOM. COUDOULET, chem. de Minerve, 34210 Cesseras, tél. 04 68 49 35 21, domainecoudoulet@gmail.com V *t.l.j. sf sam. dim. 9h-17h*

B **DOM. DE CLARMON** Cuvée Clara 2017 ★

■ | 6000 | | 11 à 15 €

Ce nom à consonance occitane est la contraction du prénom des deux filles de Frédérique et de Denis Josserand, Clara et Manon. Le couple s'est établi en 1997 sur un vignoble du Minervois; il a créé sa cave en 2004. Aujourd'hui, 15 ha de vignes – en bio certifié depuis 2012 et en agroforesterie (pour la biodiversité) –, un nouveau chai (2018), une oliveraie et des chênes truffiers.

Dédié à la fille aînée (la cadette a aussi la sienne), ce vin se pare d'une robe sombre et livre ses parfums complexes, un peu sauvages, de baies noires mûres et d'écorces d'orange nuancés de chêne. Attaque intense, belle puissance cadrée par des tanins fermes, longue finale sur le bois : un vin cohérent qui gagnera en harmonie avec un peu de garde. ⧗ 2020-2025

GAEC DU DOM. DE CLARMON, lieu-dit Stalary, 11200 Tourouzelle, tél. 04 68 41 60 12, domaine@clarmon.fr V *r.-v.*

CLOS DES SUDS Cuvée Cœur de Pierre 2016

■ | 2600 | | 11 à 15 €

Après dix ans dans l'industrie, Pierre Aliste est revenu à la terre avec enthousiasme en restaurant d'abord une vieille bâtisse dans le Minervois. Le Clos des Suds est né en 2005, avec les premières vignes. En 2008, une ancienne cave de 1905 a été restaurée. Le

vignoble compte aujourd'hui 8 ha : la surface idéale pour ne rien laisser au hasard.

Cette Pierre, c'est la roche-mère calcaire du plateau de Cazelles. Le vin, déjà repéré dans le millésime précédent, en tire un nez intrigant, minéral, qui porte aussi la marque d'un élevage mesuré en foudre. Plus longiligne que large, dotée de tanins encore un peu stricts, la bouche séduit par sa finesse, sa puissance contenue, ses fines notes de fruits rouges vanillés qui s'étirent en finale. Du cachet dans ce rouge aérien qui mérite un peu de cave. ⧗ 2020-2023

PIERRE ALISTE, 20, lotissement de Fontfresque, 11120 Bize-Minervois, tél. 06 58 79 60 56, leclosdessuds@gmail.com V r.-v.

♥ B DOM. LES COMBES CACHÉES Combe Violon 2018 ★★

	2105		15 à 20 €

Ce domaine du Minervois a vu le jour grâce à trois amis du Lauragais, passionnés de viticulture : Michel Pousse, géographe de formation, Xavier Michelin, céréalier, et François Aumonier, agronome et chef d'entreprise. C'est avec David Ciry, œnologue conseil, et Christian Mignard, vigneron accompli, qu'ils ont élaboré leur premier millésime en 2015. Les vignes (15 ha), certifiées bio depuis 2018, sont éparpillées sur les communes de La Livinière, Siran et Cesseras.

Un peu de roussanne à l'appui du grenache blanc dans cette cuvée dont le nez charmeur et fin décline la fleur d'oranger, l'acacia et les agrumes. L'élevage sur lies et le bâtonnage ont étiré la texture et donné un supplément de complexité au fruit qui s'entiche de fines notes salines dans une finale lumineuse, portée par le citron et soulignée par une très belle acidité. Fringant, complet et très pur. « Grande classe », conclut un dégustateur. ⧗ 2019-2021

EARL LES COMBES CACHÉES, 8, av. du Causse, 34210 Siran, tél. 06 72 88 65 10, lescombescachees@gmail.com V r.-v.

DOM. LA CROIX DE SAINT-JEAN Lo Paire 2016 ★

	10000		11 à 15 €

La famille Fabre est établie depuis trois générations en Minervois. Pierre, le grand-père, mise sur la pêche; Robert, le fils, réintroduit le vignoble sur les coteaux. Michel parie sur le vin de propriété et crée en 2003 (pour commencer) le Dom. la Croix de Saint-Jean. Dominé par la syrah et le carignan, le vignoble couvre 17 ha, implanté pour l'essentiel sur le plateau de Cazelles, à l'orient du Minervois.

Hommage au paternel de la famille (« Lo Paire » en occitan) : habillé d'une robe rubis intense ourlée de nuances tuilées, cette cuvée en impose par son nez puissant gorgé de kirsch, de pain grillé et de réglisse. Au diapason, la bouche déroule sa chair généreuse, ample et charnue, aux tanins gras bien pris dans le fruit. Un vin luxuriant, d'une séduction immédiate. ⧗ 2020-2022

VIRGINIE FABRE, Ch. d'Agel, 11120 Bize-Minervois, tél. 06 14 98 27 34, domainelacroixdesaintjean@gmail.com V r.-v.

♥ PIERRE CROS Les Aspres 2017 ★★

	2500		30 à 50 €

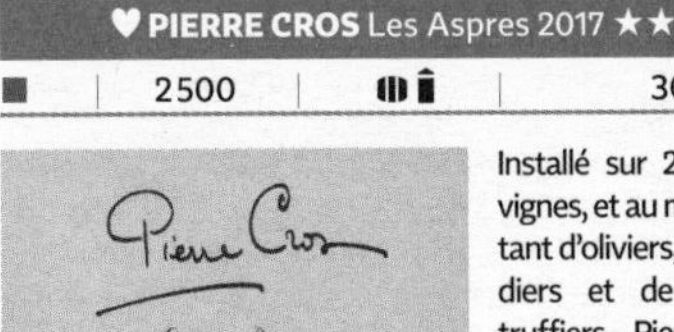

Installé sur 25 ha de vignes, et au moins autant d'oliviers, d'amandiers et de chênes truffiers, Pierre Cros est un grand artiste vigneron, référence du Minervois, à en juger par son palmarès dans le Guide. Il se voit comme un « paysan » et dit tenir de ses père et grand-père, boulangers à Badens, son respect du client. Outre les cépages de l'appellation, Pierre Cros préserve de vieux ceps oubliés, voire « mal aimés » (comme l'aramon et le terret), et acclimate des variétés venues d'ailleurs.

Multirécidiviste, Pierre Cros épingle deux étoiles et un coup de cœur de plus à son palmarès grâce à ce haut de gamme, une cuvée pure syrah longuement élevée en fût. Torréfaction, épices, tapenade, fruits noirs, truffe et cacao, le nez fascine. Charnue, concentrée, dotée de tanins finement sculptés et bien pris dans la chair, la bouche en impose par son volume, son relief et l'amplitude de son fruit épicé et vanillé qui porte encore l'empreinte du bois. De longue garde, certes, mais diablement séduisant dès à présent. ⧗ 2020-2028 ■ **Le CLos 2017 ★ (50 à 75 €; 2500 b.)** : une robe presque opaque habille cette syrah au nez puissamment boisé. La cannelle, les épices et la vanille s'épanouissent dans une bouche puissante, concentrée, avec une structure à la mesure, mais très marquée par l'élevage à ce stade. À laisser impérativement en cave. ⧗ 2021-2030

PIERRE CROS, 20, rue du Minervois, 11800 Badens, tél. 06 74 47 25 80, dom-pierre-cros@sfr.fr

CH. DU DONJON Grande Tradition 2016 ★

	100000	8 à 11 €

Véritable curiosité, le pittoresque donjon du XIIIe s. de l'antique Ch. de Bagnoles – ancienne dépendance de l'abbaye de Caunes – jaillit au milieu de la cave du XXIe s. de la famille Panis, propriétaire des lieux depuis le XVe s. À la tête de la propriété depuis 1996 : Jean et Caroline Panis. Le vignoble est implanté à cheval sur les appellations minervois et cabardès.

Assemblage de grenache, syrah et carignan, cette cuvée s'ouvre lentement mais sûrement, dévoilant progressivement ses nuances de fruits noirs mûrs, de poivre et de torréfaction. Déjà épanoui, d'une agréable souplesse, le palais restitue ces mêmes notes dans un ensemble harmonieux qui séduit par sa fraîcheur et son équilibre. ⧗ 2019-2022

JEAN PANIS, Ch. du Donjon, 11600 Bagnoles, tél. 04 68 77 18 33, jean.panis@wanadoo.fr V r.-v.

EXPRESSION NATURELLE 2018 ★★

	10000		- de 5 €

Créée en 1951, la Cave des Coteaux du Minervois, à Pépieux, a fusionné en 2010 avec sa voisine d'Aigues-Vives dans l'Hérault. Elle regroupe environ

LANGUEDOC

200 vignerons qui cultivent 1 500 ha et propose sous diverses marques des vins en AOC minervois et en IGP.
Née de grenache blanc, vermentino et marsanne, cette cuvée flatte l'œil avec sa robe paille et lumineuse. Les notes vanillées et toastées du passage en fût s'imposent au nez comme en bouche et dessinent un blanc moderne qui séduit par sa rondeur et sa plénitude. Plus nuancée, la finale diffuse de belles notes d'écorce d'orange et de miel, et laisse le souvenir d'un vin harmonieux et fédérateur. ⧗ 2019-2021 ■ **2018 ★ (- de 5 €; 10000 b.)** : un rosé pâle qui possède tout pour plaire : un nez expressif déclinant la mandarine, les fruits rouges et la pêche blanche, une bouche tendre, franche qui monte lentement en puissance pour offrir en finale un fruit parfaitement juteux, fringant et frais sur les agrumes et les épices douces. ⧗ 2019-2020

⊶ SCA LES COTEAUX DU MINERVOIS, 7, av. des Cathares, 11700 Pépieux, tél. 04 68 91 41 04, direction@lescoteauxduminervois.com V ▮ *t.l.j. sf dim. 9h-12h 14h-18h*

EXCELLENCE DE FLORIS 2017 ★

■ | 1500 | ⅢⅠ | 8 à 11 €

Si l'imposant château à la sortie d'Azille date de la fin du XIXᵉs., l'exploitation est dans la famille depuis plus de cinq siècles. Damien Remaury, dernier de la lignée, a travaillé pendant plusieurs années avec son père avant de s'installer en 2005. Situé au voisinage du canal du Midi, le domaine compte 100 ha dont 80 dédiés à la vigne et 40 aux vins d'appellation.
Une robe profonde annonce un nez puissant gorgé de vanille, de torréfaction et de noix de coco qui signent d'évidence un élevage généreux en barriques. Très suave, puissante, avec une sucrosité affirmée, la bouche semble taillée pour digérer le chêne. Laissons-lui le temps. ⧗ 2021-2026

⊶ SCEA DE FLORIS, Floris, 11700 Azille, tél. 06 75 02 24 12, scea-de-floris@orange.fr V 🚶 ▮ *r.-v.*

CH. DE GOURGAZAUD Cuvée Mathilde 2016 ★

■ | 20000 | ▮ | 5 à 8 €

Adossée aux premiers contreforts de la Montagne Noire, dans le Minervois, cette propriété viticole de 100 ha a été acquise en 1973 par Roger Piquet, fils d'un négociant en vins normand et lui-même fondateur de la société Chantovent, qui a développé la production de vins de pays en Languedoc. À sa disparition en 2005, ses filles Chantal Piquet et Annick Tiburce ont pris le relais.
Un assemblage de syrah et mourvèdre pour cette cuvée dont le nez timide demande un peu d'aération. Plaisante, la bouche offre un fruit bien plus juteux, aux nuances de fraises des bois, servi par une structure souple et harmonieuse. Une simplicité de bon aloi. ⧗ 2019-2022

⊶ SAS CH. DE GOURGAZAUD, Ch. de Gourgazaud, 34210 La Livinière, tél. 04 68 78 10 02, contact@gourgazaud.com V 🚶 ▮ *t.l.j. sf sam. dim. 9h-11h30 14h-16h30*

CH. LA GRAVE Expression 2018 ★★

■ | 22000 | ▮ | 5 à 8 €

Ancien prieuré de l'abbaye de Lagrasse devenu métairie, ce domaine de 100 ha est installé sur les balcons de l'Aude, vaste amphithéâtre dominant le canal du Midi. Héritiers d'une longue lignée de vignerons, Josiane et Jean-Pierre Orosquette, établis en 1978, ont transmis le flambeau en 1985 à leur fils Jean-François.
Une dominante inhabituelle de macabeu dans cet assemblage qui a fait mouche auprès du jury. Tout y est élégant : le nez délicat, nuancé, qui hésite entre le miel, les agrumes et une touche fumée; la bouche ronde et souple à l'attaque qui rebondit sur les agrumes, la pomme verte et les fleurs blanches avant une finale fringante et vivace. Un compromis idéal entre tendresse et fraîcheur qui en fait un blanc très séduisant et polyvalent. ⧗ 2019-2021

⊶ SCEA CH. LA GRAVE, Ch. la Grave, 11800 Badens, tél. 04 68 79 16 00, chateaulagrave@wanadoo.fr V 🚶 ▮ *r.-v.*

CH. GUÉRY Grès 2017 ★

■ | 20000 | ▮ | 5 à 8 €

René-Henry Guéry représente la huitième génération d'une famille vigneronne enracinée à Azille, dans le Minervois. Avec son épouse Florence, venue du Lot, autre terre de vignes, il exploite depuis 1998 le domaine, qui compte 40 ha.
Tout le soleil du Languedoc dans cet assemblage. La syrah et le mourvèdre pour la couleur, les fruits noirs, les tanins fermes et les épices, le grenache (dominant) pour la rondeur, la suavité et les fruits rouges : une belle illustration des vertus de l'assemblage dans ce rouge chaleureux et épicé, issu d'un terroir de grès. ⧗ 2020-2023

⊶ EARL L' ERMITAGE, 4, av. du Minervois, 11700 Azille, tél. 04 68 91 44 34, chateau.guery@gmail.com V ▮ *r.-v.*

CH. DE L'HERBE SAINTE Tradition 2017 ★

■ | 6382 | 5 à 8 €

Situé dans la partie orientale du Minervois, près de Narbonne, le domaine (85 ha) a été acquis en 2001 par la famille Greuzard, originaire de Bourgogne et installée en Languedoc depuis 1980. Premier achat de vignes en 1987 et premières vinifications à la propriété en 2001. Salle de réception, de dégustation, gîte, la famille a aussi fait le pari de l'œnotourisme.
Une vinification traditionnelle (égrappée) pour cet assemblage de syrah et de carignan qui séduit par ses arômes franchement fruités. On les retrouve avec plaisir dans une bouche conviviale, franche et légère, dotée de tanins souples et d'une belle pureté de fruit. ⧗ 2019-2022

⊶ SARL DE L' HERBE SAINTE, rte de Ginestas, 11120 Mirepeisset, tél. 04 68 46 30 37, herbe.sainte@wanadoo.fr V 🚶 ▮ *r.-v.* 🏠 Ⓔ

Ⓑ DOM. DES HOMS Paul 2017 ★★

■ | 25000 | ▮ | 11 à 15 €

À la croisée du vent marin et du cers, les vignes sont idéalement plantées sur des terrasses caillouteuses au pied de la Montagne Noire. Jean-Marc de Crozals a repris en 2000 l'exploitation familiale, qui compte aujourd'hui environ 20 ha (en bio depuis 2007). Il a replanté 90 % du vignoble et commencé la mise en bouteilles à la propriété.
Beaucoup de personnalité et de relief pour cette très belle syrah (80%) arrondie par un peu de grenache. Grenade, fraise, fruits noirs, épices, violette, le nez enchante. L'enthousiasme ne retombe pas en bouche : attaque fraîche, matière déliée, tanins fermes et crayeux,

retour des fruits noirs et des épices avec une dimension minérale, presque marine en finale. Du caractère, «du terroir», conclut un dégustateur, et de très belles émotions en perspective après un peu de garde. 2020-2025

EARL DU DOM. DES HOMS, hameau des Homs, 11160 Rieux-Minervois, tél. 04 68 78 10 51, jm.decrozals@free.fr *t.l.j. 10h-13h 15h-19h30*

JACQUES DE LA JUGIE 2018 ★★

7000	- de 5 €

La nécessité des temps pousse à la concentration. Le groupe Alliance Minervois est né en 2008 de la fusion des caves de Homps, La Livinière, Rieux-Minervois, Villalier, auxquelles s'est ajoutée en 2012 celle d'Azillanet. La structure regroupe 600 adhérents et 3 000 ha de vignobles, qui s'étendent des portes de Carcassonne à celles de Narbonne.

Des reflets cerise égayent la robe soutenue de ce rosé 100 % syrah au nez friand d'agrumes et de fruits rouges acidulés. Une énergie et une clarté de fruit qui raisonne dans une bouche ronde et fraîche, aux flaveurs de fruits rouges. Juteux, coloré, expressif, un rosé qui s'assume et ne fait pas mine d'être un blanc. 2019-2020

SCAV ALLIANCE MINERVOIS, 14, rte de Notre-Dame, 34210 La Livinière, tél. 04 68 91 22 14, contact@allianceminervois.com *t.l.j. sf dim. 9h-12h 14h-18h*

KHALKHAL-PAMIÈS Loriza 2017 ★

n.c.	11 à 15 €

En 2001, David Pamiès fonde avec son épouse Danielle Khalkhal un domaine sur le causse de Vialanove à la Caunette, dans la région natale du premier. Dans ces confins nord de l'appellation minervois, l'hiver est froid, l'été sec et venté, le sol calcaire est très rocailleux. Le vignoble (15 ha aujourd'hui) est conduit en bio certifié.

Une des très bonnes adresses du Minervois qui fait honneur à sa réputation à travers cette cuvée qui assemble la syrah au carignan. Le nez prometteur convoque les fruits noirs et le cacao que l'on retrouve plus intensément dans une bouche fraîche et droite, aux tanins serrés et à la belle finale salivante. Un rouge vibrant et bien typé, à attendre une paire d'années ou à carafer. 2020-2024

DANIELLE PAMIES, Vialanove, 9, rte du Sieuré, 34210 La Caunette, tél. 06 70 63 60 53, laurairedeslys@wanadoo.fr *r.-v.*

DOM. LES MAILLOLS 2017 ★

2500	8 à 11 €

Béatrice et Philip Birolleau, œnologue expérimenté, ont repris en 2014 ce domaine situé entre Pyrénées et Montagne Noire, à 10 km au nord de Carcassonne. Le vignoble s'étend sur 13 ha en coteaux, exposés sud, majoritairement dans l'AOC minervois.

Philip Birolleau se fait fort de produire des vins souples, fruités et généreux. C'est chose faite sur la foi de cette cuvée mi-syrah mi-grenache élevée en cuve, qui flatte d'emblée par ses arômes ouverts de fruits noirs et rouges, à peine teintés de poivre. La bouche enchante par sa plénitude et sa rondeur, tout entière au service du fruit. Une belle et prometteuse entrée en matière pour le domaine. 2019-2022

SCEA DOM. LES MAILLOLS, 4, rue des Maillols, 11600 Villegly-en-Minervois, tél. 04 68 25 15 29, domainelesmaillols@laposte.net *t.l.j. sf dim. 9h-12h 15h-19h*

CH. MASSIAC 2017 ★

n.c.	8 à 11 €

Productrice de vins depuis de nombreuses générations, la famille Boudouresques a repris en 1988 ce domaine à l'abandon construit sur le site d'un ancien château détruit à la Révolution. Jean-Baptiste Boudouresques a rejoint en 2018 son père sur l'exploitation qui compte 26 ha de vignes produisant des vins en IGP et en AOC minervois.

Un assemblage classique de syrah et de grenache pour un vin qui ne l'est pas moins. Cerise, fraise des bois, fruits noirs et garrigue : le nez soigne le fruit. La mûre et le poivre prennent le relais dans une bouche riche, ronde et chaleureuse qui ne manque ni d'équilibre ni de séduction. 2019-2022

EARL CH. MASSIAC, Dom. de Massiac, 11700 Azille, tél. 06 38 01 18 14, massiac20@orange.fr *r.-v.*

CH. MIGNAN Cuvée Pech-Quisou 2017 ★★

45000	8 à 11 €

Domaine créé en 1956 par le grand-père de Christian Mignard sur les hautes terrasses argilo-calcaires de Siran et repris en 2002 par ce dernier. Aujourd'hui, 22 ha partagés entre les AOC minervois et minervois-la-livinière. L'actuel vigneron a construit sa cave et converti son vignoble au bio (certification en 2012).

La cuvée Pech-Quisou (la colline de Quisou) succède à l'Œil du Temps déjà doublement étoilée l'année passée. La syrah (50 %) impose sa couleur sombre et son nez expressif qui décline les fruits noirs, la tapenade et le sous-bois. Le grenache ajoute sa rondeur capiteuse à une bouche d'une maturité accomplie, dotée de tanins fondants. 2020-2024

SARL CH. MIGNAN, lieu-dit Puech-Quisou, 34210 Siran, tél. 04 68 49 35 51, chateau.mignan@wanadoo.fr *r.-v.*

CH. MILLEGRAND Cuvée Aurore 2017 ★★

26000	11 à 15 €

Rapatrié d'Algérie, Jean-Michel Bonfils a constitué un «empire» viticole : 17 propriétés en Languedoc, soit 1 600 ha, et même des vignes en Bordelais. La famille exploite notamment Millegrand, anciennes terres de l'abbaye de Lagrasse, propriété de l'évêché de Carcassonne jusqu'en 2003 : 200 ha sur un plateau graveleux le long du canal du Midi, non loin de la cité fortifiée.

Le trio syrah, grenache, carignan à l'honneur dans cette cuvée qui aura fait l'objet d'une extraction maximale. Le nez, puissant et épanoui, le rappelle avec ses notes de fruits macérés, de pruneau, relevées par une touche poivrée et une pincée d'eucalyptus. La violette et le menthol complètent et rafraîchissent cette palette dans un palais qui enchante par son volume, sa rondeur capiteuse et ses tanins parfaitement intégrés. Sensuel et chaleureux. 2020-2024 ■ **Ch. Villerambert Terre de Marbre 2017 (11 à 15 €; 26000 b.)** : vin cité.

SCEA CH. MILLEGRAND, 11800 Trèbes, tél. 04 67 93 10 10, bonfils@bonfilswines.com

♥ CH. MIRAUSSE Le Grand Penchant 2017 ★★

■ | 10000 | | 11 à 15 €

Proche de Carcassonne, une ancienne terre du seigneur de Badens, émigré en Autriche à la Révolution, devenue bien national et achetée par un ancêtre de Raymond Julien. Ce dernier a pris les rênes de la propriété en 1971 et exploite aujourd'hui une vingtaine d'hectares, accompagné de ses deux enfants. Viticulteur exigeant, il reste fidèle à la vendange manuelle et pratique la vinification en grains entiers.

Élevage en cuve et macération carbonique : tout est fait et bien fait pour exalter le caractère fruité de la syrah (75 %). Redoutable de gourmandise, le nez regorge de cassis frais que l'on retrouve dans une bouche ample, allègre, croquante, aux tanins lissés qui restitue de bout en bout toute la pureté aromatique du cépage. Envoûtant ! ⧗ 2019-2022

RAYMOND JULIEN, Ch. Mirausse, 11800 Badens, tél. 06 87 77 81 53, julien.mirausse@wanadoo.fr V r.-v.

DOM. DE L'OSTAL Estibals 2016 ★

■ | n.c. | | 11 à 15 €

Jean-Michel Cazes, propriétaire du Ch. Lynch-Bages en pauillac, a acheté en 2002 au pied de la Montagne Noire 150 ha de terres. Le vignoble a été restructuré, et une ancienne tuilerie aménagée en cave. Aujourd'hui, 62 ha situés en partie sur le prestigieux terroir de La Livinière et formant l'Ostal Cazes, terme occitan qui signifie à la fois la famille et la maison.

Élevée 12 mois en fût, cette cuvée met en avant la syrah (60 %) complétée par les grenache et carignan. Le nez, ouvert, frais et élégant, est dominé par les fruits rouges avec une pincée de chêne. Généreuse mais nullement ostentatoire, la bouche confirme ces belles dispositions : ampleur, gourmandise, tanins et boisés fondus, belle acidité. Tout est parfaitement harmonieux dans ce vin déjà bien en place. ⧗ 2019-2022

SCEA DOM. DE L' OSTAL, Tuilerie Saint-Joseph, 34210 La Livinière, contact@jmcazes.com V r.-v.

CH. D'OUPIA Nobilis 2016 ★★

■ | 6000 | | 15 à 20 €

De la forteresse médiévale des seigneurs d'Oupia il ne reste que des pans de mur, vestiges de l'enceinte, et une tour. En 1860, Romain Iché achète le château qui échoit à son petit-fils André en 1970. Ce dernier entreprend de rénover le domaine et la cave, et fait de la propriété une référence de l'appellation minervois. Disparu en 2007, il a laissé l'œuvre de sa vie à sa fille Marie-Pierre.

Un rouge enchanteur qui associe syrah, carignan et grenache, très longuement macérés en cave (cinquante jours). Le nez lent à s'ouvrir porte d'abord l'empreinte de la barrique avec ses notes torréfiées et fumées, puis laisse s'épanouir des senteurs de fruits noirs, de garrigue et de sous-bois. La bouche en impose par son ampleur et sa concentration, parfaitement cadrées par des tanins à la mesure, puissants mais remarquablement extraits. Longue finale sur les fruits noirs et les épices qui en dit long sur le potentiel de ce beau rouge. Pour les fans de Stephan Eicher, ajoutons que le chanteur a dessiné l'étiquette. ⧗ 2020-2028

EARL CH. D' OUPIA, 4, pl. du Château, 34210 Oupia, tél. 04 68 91 20 86, contact@chateauoupia.fr V r.-v.

CH. DE PARAZA Cuvée Spéciale 2017

■ | 55000 | 8 à 11 €

Au cœur du village de Paraza, ce château datant du XVIIes. accueillit à l'époque Paul Riquet, l'architecte à qui l'on doit le percement du canal du Midi. Annick Danglas a repris ce domaine familial de 75 ha en 2005, épaulée par ses deux fils.

Une robe profonde annonce un nez intense aux chauds effluves de confiture de prunes et de fruits noirs macérés avec des notes florales et fumées en soutien. La bouche confirme la grande maturité des raisins : beaucoup de chaleur et de rondeur dans le fruit, contenues par des tanins solides et épicés. Pas de doute : on est dans le Sud. ⧗ 2019-2022

SCEA LES TERRES DE PARAZA, Ch. de Paraza, 1, rue du Viala, 11200 Paraza, tél. 09 64 33 37 43, chateaudeparaza@gmail.com V t.l.j. 9h-19h 5

DOM. DU PETIT CAUSSE Griotte de Ventajou 2017 ★

■ | 4000 | 8 à 11 €

Le Petit Causse est l'un des terroirs les plus prestigieux de l'appellation. L'un des plus chauds aussi, à la grande joie des cigales. Fondé par l'arrière-grand-père, le domaine couvre 18 ha. Philippe Chabbert, aux commandes depuis 1988, a créé une cave et vinifié ses premières cuvées en 2003.

Ventajou est le nom de la montagne qui domine la commune de Vélines, connue pour son marbre rouge ou griotte. Associant syrah, grenache et carignan, la cuvée ne vous laissera pas... de marbre : un nez volubile, entre fruit mûr et sous-bois qui ouvre sur une bouche souple, agréable, consensuelle et bien équilibrée. Un « vin plaisir », conclut le jury. ⧗ 2019-2021

PHILIPPE CHABBERT, 7, rue de la Sallèle, 34210 Félines-Minervois, tél. 04 68 91 66 12, maguycha@orange.fr V r.-v.

DOM. PIERRE FIL Dolium 2017 ★★

■ | 17000 | | 15 à 20 €

Situé dans la partie orientale du Minervois, ce domaine couvre 28 ha sur des terrasses de graves ou des calcaires lacustres. Dans la famille depuis sept générations, il associe l'expérience du père et la technicité du fils. Le tandem vinifie la plupart des cépages en macération carbonique.

Une macération carbonique de mourvèdre, grenache et carignan qui aura fait son effet auprès des dégustateurs. Le nez, luxuriant, embaume le pruneau, les fruits rouges, la cannelle et les épices douces d'un élevage en chêne. La bouche ample, riche, solaire et boisée intègre des tanins fins et une fraîcheur aromatique qui donne du dynamisme à l'ensemble. Diablement séducteur. ⧗ 2020-2025 ■ **Heledus 2017** ★ **(5 à 8 €; 45000 b.)** : pas de bois dans cette cuvée qui fait la part belle au mourvèdre. Friand de cassis et d'épices, le nez annonce une bouche épanouie, dotée d'une petite sucrosité agréable, de tanins discrets et d'une belle pureté de fruit. Efficace et parfumé. ⧗ 2019-2021

SCEA DOM. PIERRE FIL, 12, imp. Les Combes, 11120 Mailhac, tél. 09 67 19 40 24, info@domaine-pierre-fil.fr V r.-v.

DOM. PUJOL-IZARD Grande Réserve 2016 ★

■ | 13500 | | 8 à 11 €

Le domaine résulte de l'association en 2000 de deux vieilles familles vigneronnes de Saint-Frichoux, village proche du canal du Midi : André Izard (aux vignes), ancien coopérateur, et Yves et Jean-Claude Pujol (le premier aux vignes et à la cave, le second à la gestion). Les deux exploitations réunies couvrent 110 ha. Emmanuel Pujol, fils de Jean-Claude, est le maître de chai.

Ce 2016 parfaitement épanoui déploie un nez aussi séduisant que complexe, qui marie la griotte, le fruit mûr, la garrigue, les herbes sèches à un fond finement vanillé. Un beau prélude à une bouche qui ne renie rien de ses origines avec de la puissance, des tanins bien présents mais patinés, et une finale poivrée et chocolatée du plus bel effet. Riche, complexe et déjà savoureux. ⧗ 2019-2022 ■ **Cuvée Saint-Fructueux 2016** ★ **(15 à 20 €; 8400 b.)** : une robe pourpre, un nez flatteur de fruits rouges bien mûrs et de vanille, une bouche charnue dotée de tanins souples qui intègrent harmonieusement les nuances du chêne : un rouge moderne, séducteur, prêt à boire, qui devrait plaire au plus grand nombre. ⧗ 2019-2022

SARL DOM. PUJOL, 8_bis, av. de l'Europe, 11800 Saint-Frichoux, tél. 04 68 78 15 30, info@pujol-izard.com V r.-v.

MAS ROC DE BÔ Pépite Noire 2016 ★

■ | 3200 | | 30 à 50 €

Déjà propriétaire du Ch. Cabezac à Bize-Minervois, Gontran Dondain, industriel dans l'agro-alimentaire et passionné de ces terroirs, a acquis en 2003 ce vignoble de 35 ha situé sur le plateau de Cazelles, inclus dans celui de Saint-Jean-de-Minervois, aux sols caillouteux de calcaires très blancs. Il en a confié la direction à sa fille Stéphanie Dondain. En 2011, il a racheté et modernisé la cave historique de l'ancienne coopérative d'Agel.

Une vinification haut de gamme pour cette cuvée pourpre, ambitieuse, qui met en avant le caractère d'une syrah vendangée bien mûre et luxueusement élevée en fût. Il en ressort des senteurs de fruits noirs, de pruneau, généreusement agrémentées de vanille. Bien enrobée, pulpeuse et charnue, la bouche séduit par la plénitude de son fruit teinté de chêne très persistant en finale. ⧗ 2020-2025

SARL MAS ROC DE BÔ, 2, rue Carrierasse, 34210 Agel, tél. 04 68 46 23 05, info@chateaucabezac.com V r.-v.

♥ DOM. SAINTE-LÉOCADIE Les Clauses 2016 ★★

■ | 8000 | | 5 à 8 €

Établi au sud-est de l'appellation minervois sur un terroir de mourrels particulièrement chaud et aride, ce domaine de 30 ha tire son nom d'une martyre vénérée par les arrière-grands-parents, fondateurs du vignoble. Arrivé sur l'exploitation en 1996, Thierry Bonnel a bâti une nouvelle cave en 2002.

L'élégance, le maître-mot de cette cuvée coup de cœur à l'unanimité du jury. Fin et précis, le palais distille ses notes gourmandes de myrtilles, de petits fruits rouges avec une touche végétale parfaitement rafraîchissante. Sur la même trame, jouant sur de petits tanins croquants et une belle acidité, la bouche respire le fruit et la souplesse, et se laisse porter en finale par une pointe d'amertume stimulante. Précis, net, d'une gourmandise irrésistible, c'est un minervois exemplaire et énergique. ⧗ 2019-2022

SCEA SAINTE-LÉOCADIE, La Combe, 34210 Aigne, tél. 04 68 91 80 27, contact@domaine-sainteleocadie.com V r.-v.

CH. SAINT-MÉRY Cuvée Exige 2017

■ | 1700 | | 11 à 15 €

Héritier de huit générations de vignerons et petit-fils d'un viticulteur roussillonnais venu s'établir en Minervois, Richard Labène exploite 23 ha sur deux terroirs bien distincts, l'un sec et rocailleux, sur les coteaux de Tourouzelle, l'autre de galets roulés à Marseillette, près du canal du Midi, ce qui lui offre une belle richesse d'assemblage. Avec le mont Alaric comme horizon lointain, il s'attache à marier la tradition au souffle neuf d'un jeune vigneron.

Au nez, cette cuvée dévoile des arômes agréables de petits fruits noirs frais. La vanille, le moka et le pain grillé prennent le dessus dans une bouche cossue, charnue à l'attaque qui se resserre sous l'effet de tanins puissants et d'un boisé encore en évidence. À laisser en cave. ⧗ 2021-2025

RICHARD LABÈNE, Dom. Saint-Méry, 11800 Marseillette, tél. 09 50 30 06 00, info@saintmery.com V r.-v.

DOM. TAILHADES-MAYRANNE Cuvée Pierras 2017 ★★

■ | 4000 | | 8 à 11 €

Domaine situé au cœur de la citadelle cathare de Minerve juchée sur son éperon, entre les canyons de la Cesse et du Brian. Succédant en 1999 à quatre générations, Régis Tailhades a étudié l'hydrogéologie, avant de travailler ses 21 ha vignes en terrasses et en coteaux, sur des terres argilo-calcaires pierreuses, chaudes et arides.

Un assemblage de quatre cépages vinifiés en macération carbonique, élevé en fût au menu de ce rouge, dont le nez subtil décline les petits fruits rouges, les épices

LANGUEDOC

et le sous-bois. Le bois est présent, mais n'entame nullement le plaisir que l'on tire d'une bouche généreuse, ample et grasse, appuyée sur des tanins doux et soulignée par une petite fraîcheur bienvenue en finale. Du volume, de l'équilibre et de belles sensations pour cette cuvée voluptueuse assurée d'un bel avenir. ⧗ 2020-2028 ■ **L'Accent 2017 ★ (15 à 20 €; 1000 b.)** : issue des premiers jus de presse, cette cuvée assemble le mourvèdre et le grenache. Le nez intense et expressif restitue la plénitude de fruit (noir) d'une macération carbonique. Une attaque fraîche et tout aussi fruitée introduit un palais harmonieux, soyeux de texture, étayé de tanins doux, qui s'enrichit de notes chaleureuses tirant sur le moka en finale. ⧗ 2020-2024

EARL DOM. TAILHADES-MAYRANNE,
Dom. de Mayranne, 34210 Minerve, tél. 04 68 91 11 96,
domaine.tailhades@orange.fr
r.-v.

DOM. TERRES GEORGES
Quintessence 2017 ★

■	6300		11 à 15 €

Trois semaines après avoir confié son bien, Georges s'est éteint. Satisfait de savoir que ses vignes resteraient dans la famille. Anne-Marie, sa fille, et Roland Coustal ont quitté leur métier pour assurer la pérennité du domaine, qu'ils ont rebaptisé en 2001 Terres Georges en hommage au père. Ce dernier était coopérateur; les héritiers, adeptes de la méthode Cousinié, ont créé une cave et limité à 14 ha la surface de leur exploitation pour tout suivre de près.

Assemblage de syrah et de grenache, avec une petite partie en vinification intégrale, cette cuvée d'un beau rubis éclatant respire la garrigue, le fruit frais, le menthol et le poivre gris. Souple, la bouche brille par son relief, entre tanins croquants et belle fraîcheur, et par sa complexité aromatique qui intègre de fines notes torréfiées et épicées. De l'harmonie et beaucoup d'élégance dans ce vin délié, déjà à point. ⧗ 2019-2023 ■ **Et cetera... 2017 (5 à 8 €; 19 600 b.)** : vin cité.

SARL ANNE-MARIE ET ROLAND COUSTAL,
2, rue des Jardins, 11700 Castelnau-d'Aude,
tél. 06 30 49 97 73, info@domaineterresgeorges.com
r.-v.

DOM. DES TOURELS Louis Sabatier 2017 ★

■	1800		8 à 11 €

Domaine fondé en 1885 par un médecin qui épousa une patiente vigneronne. Installé en 2005, son descendant Sébastien Sabatier exploite 30 ha dans la partie sud-est du Minervois, au voisinage de l'Aude et du canal du Midi.

Hommage au fondateur du domaine, le docteur Louis Sabatier, la cuvée associe la syrah (80 %) au grenache. Une robe légère et un nez marqué par le fût ouvrent sur une bouche plus nuancée, charmeuse par sa rondeur, gourmande par son fruité noir mâtiné de chêne, délicate par sa structure déliée qui dessine un vin plus élégant que puissant. De la retenue et de l'harmonie. ⧗ 2020-2024

EARL DOM. DES TOURELS,
12, Le Sol, 11200 Tourouzelle, tél. 04 68 91 35 94,
sebastien@domainedestourels.com
r.-v.

TOUR SAINT-MARTIN
Cuvée Prestige 2016

■	12000		5 à 8 €

La tour Saint-Martin, l'un des derniers bastions cathares tombé en même temps que Minerve en 1210, donne son nom à cette coopérative fondée en 1930. La cave regroupe aujourd'hui 50 viticulteurs et quelque 300 ha de vignes.

Syrah (80 %) et grenache noir en duo dans ce rouge au nez affriolant et exubérant de cassis. On le retrouve avec enthousiasme dans une bouche légère qui séduit par sa fraîcheur et ses tanins fins. Un rouge gourmand à boire sur le fruit. ⧗ 2019-2021

SAS TOUR SAINT-MARTIN,
33, av. Ernest-Ferroul, 11160 Peyriac-Minervois,
tél. 04 68 78 11 20, secretariat@tour-saint-martin.com
t.l.j. sf dim. 9h-12h 14h-18h30

CH. VAISSIÈRE 2016 ★★

■	40000		11 à 15 €

Dans la famille depuis 1776, ce domaine du Minervois a trouvé un nouveau souffle après 1952 avec Paul Mandeville, qui a été le premier en 1961 à planter de la syrah en Languedoc. Depuis 1984, son fils Olivier est aux commandes, rejoint par ses deux enfants. Sur le domaine, une chapelle (IXe-Xes.).

La syrah épaulée par une touche de grenache a façonné cette cuvée très convaincante. Le nez? De la «dentelle», s'enthousiasme le jury : violette, poivre et cannelle. La bouche ne déçoit pas : attaque riche, solaire, chair pulpeuse, ronde et gouleyante, relayée par des tanins fermes, encore serrés, et prolongée par une longueur qui ne trompe pas. Une petite austérité de jeunesse passagère pour ce vin qui sera «au top» dans une paire d'années. ⧗ 2020-2024

OLIVIER MANDEVILLE-PEIRIÈRE,
Dom. de Vaissière, 11700 Azille, tél. 04 68 78 19 95,
vmandeville@chateauvaissiere.fr
r.-v.

DOM. VORDY 2018 ★★

□	6900		8 à 11 €

Ingénieur, Didier Vordy a repris en 1994, avec son épouse Hélène, le domaine familial autour de la citadelle cathare de Minerve : 20 ha, en bio certifié depuis 2013; ils sont aujourd'hui épaulés par leur fils Thibaut. S'accrochant aux versants de la Cesse et du Brian, les ceps plongent leurs racines dans des calcaires appelés grésettes.

Adepte des vinifications sans soufre ajouté, la famille Jordy propose un vin pâle de robe, mais intrigant et complexe au nez avec ses touches de truffe et de silex sur fond de mandarine et de fruit blanc. L'attaque fraîche et nerveuse ouvre sur un palais rond, enveloppant, qui s'entiche de douces nuances de miel, d'acacia ou de fruits exotiques. Harmonieux et gourmand. ⧗ 2019-2021

EARL DOM. VORDY,
Mayranne, 34210 Minerve, tél. 04 68 32 41 52,
domainevordy@orange.fr r.-v.

MINERVOIS-LA-LIVINIÈRE

Superficie : 200 ha / Production : 7 000 hl

Reconnue en 1999, l'appellation minervois-la-livinière regroupe cinq communes des contreforts de la Montagne Noire. Elle produit des vins rouges issus de petits rendements.

DOM. ANCELY
Les Vignes Oubliées 2017 ★

■ | 4500 | | 15 à 20 €

La propriété est née dans les années 1970 sur les coteaux de Siran, au pied de la Montagne Noire, quand les parents de Bernard et Nathalie Ancely firent l'acquisition des premières parcelles et y plantèrent syrah et grenache. Elle compte aujourd'hui 20 ha.

Le haut de gamme du domaine, à dominante de syrah, provient d'une petite parcelle en coteaux aux sols argilo-calcaires. Réservé, le nez livre à ce stade les notes grillées et chocolatées d'un élevage en fût. Si l'attaque est ample et généreuse, la bouche reste sous le joug du chêne : arômes fumés et réglissés, tanins puissants, finale astringente sur les fruits confiturés. De la puissance et du potentiel qui exigent une garde de quelques années. ⧗ 2021-2028

GAEC DOM. ANCELY, 17, av. du Minervois, 34210 Siran, tél. 04 68 91 55 43, domaineancelybernard@wanadoo.fr V r.-v.

CH. CESSERAS 2017 ★

■ | 25000 | | 15 à 20 €

Huit générations se sont succédé depuis 1840 sur le château. Pierre-André Ournac a rejoint son frère (aujourd'hui disparu) au domaine en 1985, l'année où la propriété a quitté la coopérative. L'encépagement a été revu, deux chais ont été aménagés. Aujourd'hui Pierre-André exploite avec son neveu Guillaume 90 ha, dont 15 en minervois-la-livinière. L'exploitation produit un tiers de vins de cépages blancs.

Expressif, le nez est engageant, complexe et très typé : sous-bois, pointe de cuir sur un fond de fruit très mûr. Ample et large à l'attaque, la bouche séduit par la douceur de sa texture, ses tanins fondus, ses arômes ensoleillés mâtinés de discrètes touches boisées. Un vin charmeur, chaleureux et déjà épanoui. ⧗ 2019-2023

EARL DOM. COUDOULET, chem. de Minerve, 34210 Cesseras, tél. 04 68 49 35 21, domainecoudoulet@gmail.com V t.l.j. sf sam. dim. 9h-17h

CHAMPS DU LIÈVRE 2017 ★

■ | 1400 | | 20 à 30 €

Dirigé par Nicolle Meyer, le Champs du Lièvre est un petit domaine de 2,5 ha en conversion bio, divisé en cinq parcelles toutes situées dans le cru La Livinière. Le chai est situé au cœur du village.

Nicolle Meyer signe son entrée dans le Guide de bien belle manière avec cette cuvée élevée dix-huit mois en fût qui assemble syrah et grenache. Colorée, la robe ouvre sur un nez tout aussi intense, fruité (fruits rouges), floral et finement fumé. Riche et charnue à l'attaque, la bouche déploie sans faiblir de bout en bout une très belle matière veloutée soutenue par des tanins de grande classe. La longue finale imprégnée de fruits mûrs et d'épices témoigne de la justesse de l'élevage. Une « harmonie parfaite », souligne le jury. ⧗ 2020-2024

NICOLLE MEYER, chem. de Parignoles, 34210 La Livinière, tél. 06 80 43 40 61, nicolle@champsdulievre.com V r.-v.

B CLOS DES ROQUES 2016 ★

■ | 20000 | | 11 à 15 €

La famille Gastou a quitté la coopérative en 2001 pour récolter, vinifier, élever et mettre en bouteille l'intégralité de sa production, en bio depuis 2008. Dans le cru La Livinière, sur les hauteurs de Cesseras, elle possède notamment des vieilles vignes de carignan et de grenache noir qui constituent le cœur de gamme du Clos des Roques.

Si le nez est discret et porté sur l'élevage, la bouche restitue la puissance et la plénitude des rouges de l'appellation : attaque ronde, corps riche et charnu adossé à des tanins serrés, finale longue sur les fruits mûrs. Un très bon « classique », déjà charmeur, mais qui gagnera en expression dans le temps. ⧗ 2020-2024

SOPHIE GASTOU, Clos des Roques, 4, chem. du Tribi, 34210 Cesseras, tél. 06 52 79 84 82, sas.famillegastou@gmail.com V r.-v.

♥ DOM. COMBE BLANCHE La Galine 2017 ★★

■ | 12000 | | 11 à 15 €

Guy Vanlancker, ancien instituteur originaire de Wallonie, se trouva en 1981 parachuté par les hasards de la vie sur les hauts coteaux de Calamiac où il commença à planter sur des terroirs alors délaissés. D'abord régisseur dans des domaines voisins, il conduit depuis 2000 à plein temps son vignoble qui couvre 12 ha sur les coteaux de La Livinière.

Issue chaque année du même terroir, situé sur les hauteurs du village, la cuvée, souvent sélectionnée, décroche le coup de cœur. Pour quoi ? Pour la robe, profonde et violacée, pour le nez sensuel et complexe combinant maturité (cassis, mûre) et fraîcheur (violette, menthol), pour la bouche surtout qui offre tout ce que l'on attend des meilleurs rouges de l'appellation : de la chair, une texture douce, des tanins fins et suaves, une pureté de fruit très florale, le tout souligné par une magnifique fraîcheur descendue du terroir d'altitude. Une harmonie, une plénitude et un équilibre qui auront conquis le jury. ⧗ 2019-2024

SCEA LES COMBES, 3, ancien chem. du Moulin-Rigaud, 34210 La Livinière, tél. 06 80 43 40 61, contact@lacombeblanche.com V t.l.j. 10h-12h30 16h-19h

CH. FAÎTEAU Cuvée Gaston 2017 ★

■ | 8000 | | 15 à 20 €

Le domaine offre une vue imprenable sur les Pyrénées. L'arrière-grand-père de Jean-Michel Arnaud a planté

les premiers ceps vers 1920. Ce dernier a repris l'exploitation en 2000, toujours secondé à la vigne par son père Yves; il est sorti de la coopérative pour proposer ses cuvées : minervois et minervois-la-livinière, IGP Pays d'Oc.

La cuvée haut de gamme du domaine (élevée en fûts pendant douze mois) met à l'honneur le trio syrah, carignan, grenache. Le nez a pris la mesure du chêne et offre un bouquet épanoui de fruits rouges bien mûrs, de violette et de Zan. La bouche illustre dignement le caractère du cru : attaque ample, matière généreuse, fruité chaleureux, tanins puissants, longue finale sur le bois et le menthol. Tout est donc au diapason dans ce rouge typé et promis à un bel avenir. ⧗ 2021-2027

⊶ JEAN-MICHEL ARNAUD, 17 bis, rte des Mourgues, 34210 La Livinière, tél. 06 15 90 89 48, contact@chateaufaiteau.com **V** r.-v.

♥ LE GRAND TERROIR
Élevé en fût de chêne neuf 2016 ★★

■ | 16000 | | 8 à 11 €

La nécessité des temps pousse à la concentration. Le groupe Alliance Minervois est né en 2008 de la fusion des caves de Homps, La Livinière, Rieux-Minervois, Villalier, auxquelles s'est ajoutée en 2012 celle d'Azillanet. La structure réunit 600 adhérents et 3 000 ha de vignobles, qui s'étendent des portes de Carcassonne à celles de Narbonne.

Pour digérer un élevage aussi luxueux (dix-huit mois en fûts neufs), il faut disposer d'une matière première à la mesure. C'est le cas pour cette cuvée qui associe à la syrah des touches de grenache et de carignan. Les arômes, discrets au nez, légèrement vanillés et cacaotés, s'enrichissent en bouche de nuances bien plus gourmandes de fruits frais et juteux issus de la macération carbonique. Le palais les enrobe d'une chair élégante, étayée par des tanins aussi fins que fondus et relevée par une fraîcheur exemplaire. L'élevage, en filigrane, s'efface devant l'intensité du fruit saupoudrant la finale de notes finement torréfiées. Fin, gourmand, harmonieux : du grand art. ⧗ 2019-2023

⊶ SCAV ALLIANCE MINERVOIS, 14, rte de Notre-Dame, 34210 La Livinière, tél. 04 68 91 22 14, contact@allianceminervois.com **V** *t.l.j. sf dim. 9h-12h 14h-18h*

CH. LAVILLE-BERTROU 2017 ★★

■ | n.c. | | 11 à 15 €

Enfant des Corbières, Gérard Bertrand est un important propriétaire et négociant du sud de la France, dont les cuvées apparaissent dans le Guide sous diverses AOC (corbières, fitou, minervois, languedoc, côtes-du-roussillon) et en IGP.

D'une régularité sans faille, la cuvée offre ce compromis entre caractère et modernité qui fait le succès de Gérard Bertand. L'élevage justement dosé enrichit d'une touche vanillée un nez de garrigue et de cassis. Très confortable, ample, portée par des tanins doux et une sucrosité qui ne pèse pas, la bouche diffuse longuement ses chauds effluves de fruits noirs confits et d'épices douces. Un charme évident pour cette cuvée une fois de plus irrésistible. ⧗ 2019-2024 ■ **Le Viala 2016 ★★ (30 à 50 €; n.c.)** : issu d'une parcelle du Ch. Laville-Bertrou, le Viala est une des cuvées culte de Gérard Bertrand. Carignan, syrah (vinifiés en grappes entières), grenache et carignan (en macération traditionnelle) s'associent dans ce rouge voluptueux dont l'intensité de la robe donne le ton. Expressif et complexe, le nez mêle des arômes fruités et fringants de prune et de cassis à un fond vanillé et réglissé. Ronde, fraîche, dotée de tanins déjà fondants, la bouche donne une sensation singulière de puissance contenue et de plénitude. Déjà flatteur, mais de longue garde. ⧗ 2020-2028

⊶ SPH GÉRARD BERTRAND (CH. LAVILLE-BERTROU), Ch. l'Hospitalet, rte de Narbonne-Plage, 11100 Narbonne, tél. 04 68 45 28 50, vins@gerard-bertrand.com **V** *t.l.j. 9h-19h*

Ⓑ CH. MIGNAN
Les Trois Clochers 2016 ★★

■ | 20000 | | 11 à 15 €

Domaine créé en 1956 par le grand-père de Christian Mignard sur les hautes terrasses argilo-calcaires de Siran et repris en 2002 par ce dernier. Aujourd'hui, 22 ha partagés entre les AOC minervois et minervois-la-livinière. L'actuel vigneron a construit sa cave et converti son vignoble au bio (certification en 2012).

Les Trois Clochers, ce sont ceux des villages voisins que l'on voit depuis la cave. Une longue macération de syrah, grenache et carignan a donné naissance à un rouge coloré, au nez retenu mais agréable qui intègre harmonieusement l'élevage. À une attaque ronde et charnue, succède un milieu de bouche plus ferme, resserré autour de tanins encore carrés mais prometteurs. Du caractère, de la structure : on lui prédit un bel avenir. ⧗ 2020-2025

⊶ SARL CH. MIGNAN, lieu-dit Puech-Quisou, 34210 Siran, tél. 04 68 49 35 51, chateau.mignan@wanadoo.fr **V** *r.-v.* Ⓓ

DOM. DE LA SENCHE
Cuvée Sòmi 2017 ★★

■ | 3066 | | 20 à 30 €

Ce domaine a pris l'accent britannique depuis sa reprise en mains en 2009 par un couple écossais passionné de vins, Guy et Liz Crawford, et leur associé gallois, Ross Furlong. Au programme : des oliviers dont ils tirent une huile maison et un vignoble de poche travaillé par le couple et les amis de passage.

Le rêve (*sòmi* en occitan), c'était pour le couple Crawford de cultiver la vigne et de produire leurs propres vins. Un rêve réalisé et qui fera aussi le bonheur des amateurs sur la foi de cette cuvée en vinification intégrale. Généreusement grillé et torréfié, le nez doit s'ouvrir, mais la bouche est pleine de promesses : de la concentration, du volume, une texture veloutée, des tanins gras et enrobés et une longue finale chaleureuse entre fruits noirs et chêne pour finir. Tout est en place pour un avenir radieux. ⧗ 2020-2030

⊶ EARL DOM. DE LA SENCHE, 12, rte des Meulières, 34210 La Livinière, tél. 04 68 91 51 99, guy.crawford@orange.fr **V** *r.-v.* Ⓐ

SAINT-CHINIAN

Superficie : 3 261 ha
Production : 138 218 hl (99 % rouge et rosé)

Mentionnés dès 1300, les saint-chinian, promus en VDQS en 1945, sont en AOC depuis 1982. Implanté dans l'Hérault, au nord-ouest de Béziers, orienté vers la mer, le vignoble couvre vingt communes et s'étend sur des coteaux le plus souvent situés entre 100 et 300 m d'altitude. Il s'enracine dans les schistes, surtout dans la partie nord, et dans les cailloutis calcaires, vers le sud. Nés du grenache, de la syrah, du mourvèdre, du carignan et du cinsault, les saint-chinian ont un potentiel de garde de quatre à cinq ans.

LES DOM. AURIOL Vignes royales 2017 ★

■ | 26 000 | 🍾 | 11 à 15 €

Fille de Jean Vialade, vigneron bien connu des Corbières, Claude Vialade a dirigé le syndicat des corbières avant de reprendre et de restaurer en 1995 les propriétés familiales (Ch. Cicéron, Ch. Saint-Auriol, Ch. Vialade et Corbières Montmija), tout en créant une importante maison de négoce.

Pas une once de bois dans cet assemblage (syrah, grenache, carignan) vinifié en macération carbonique. Fruité (fruits mûrs), réglissé et mentholé, ce joli nez ouvre sur une bouche souple et ronde à l'attaque, qui gagne en fermeté en finale sous l'effet de tanins encore jeunes. Longue fin de bouche sur la garrigue et les épices pour ce vin bien typé qui s'assouplira rapidement en bouteille. ⧗ 2020-2024

⊶ LES DOM. AURIOL, 12, rue Gustave-Eiffel, ZI Gaujac, 11200 Lézignan-Corbières, tél. 04 68 58 15 15, adm.achat-vins@les-domaines-auriol.eu

LES SENTIERS DE BAGATELLE Donnadieu 2017 ★

■ | 34 000 | 🍾 | 8 à 11 €

En 1623, un ancêtre, artisan drapier, s'établit à Saint-Chinian, au lieu-dit Bagatelle. Au XXe s., le domaine est transmis de mère en fille. Le vignoble est replanté dans les années 1960, avec une extension sur un terroir de muscat. Depuis 1993, ce sont Christine Deleuze (au commercial) et son frère Luc Simon (à la vigne) qui sont aux commandes des 60 ha de vignes familiales, à l'origine de saint-chinian et de muscat-de-saint-jean-de-minervois appréciés. Une valeur sûre.

Après douze mois de cuve, ce saint-chinian grenat profond dévoile une belle complexité au nez, entre cerise noire, encens et épices. Puissante dès l'attaque, concentrée, la bouche déploie ses saveurs chaleureuses de fruits noirs épicés, bien cadrés par des tanins fermes qui n'entament en rien la gourmandise de l'ensemble. Bonne garde en perspective. ⧗ 2019-2023

⊶ EARL LES 4 VENTS, Clos Bagatelle, 34360 Saint-Chinian, tél. 04 67 93 61 63, closbagatelle@wanadoo.fr V 🚶 ▮ *t.l.j. sf sam. dim. 9h-12h 14h-18h*

VIGNOBLE BELOT Mouleyres 2017 ★

■ | 15 000 | ⦀ | 8 à 11 €

Dans les années 1980, peu après la promotion en AOC du saint-chinian, Jacques Belot, instituteur, crée un vignoble de toutes pièces, défrichant, plantant des cépages nobles. Lionel, qui prend sa suite en 1997, acquiert, pour agrandir son domaine et installer sa cave, un ancien rendez-vous des chasses royales du XVIIe s., qui aurait reçu la visite de Louis XIV. Il cultive aujourd'hui 38 ha en saint-chinian, languedoc et IGP.

Avec ses notes puissamment grillées et épicées, le fût marque le nez de ce rouge dominé par la syrah et le mourvèdre. Solaire, la cuvée déploie en bouche sa souplesse de corps, ses tanins ronds, sa douce chaleur et ses saveurs de fruits surmûris. Résolument languedocienne, la cuvée séduit dans ce style chaleureux et épanoui. ⧗ 2019-2022

⊶ EARL BELOT, Dom. du Tendon, 34360 Pierrerue, tél. 04 67 38 08 96, vignoble.belot@wanadoo.fr V 🚶 ▮ *t.l.j. sf sam. dim. 9h-12h 14h-18h*

Ⓑ BORIE LA VITARÈLE Les Terres Blanches 2018 ★

■ | 35 000 | 🍾 | 8 à 11 €

Un domaine de 20 ha conduit depuis 1998 (en bio et biodynamie) par Jean-François Izarn, adepte des vinifications douces avec des levures indigènes, respectueuses de l'environnement et du terroir. Ce vigneron d'une grande valeur, reconnu et apprécié de ses pairs, a « quitté la scène » prématurément, en 2014. Sa femme Cathy poursuit aujourd'hui son œuvre, à laquelle elle a largement contribué. Une valeur sûre.

Un pressurage délicat et une extraction douce contribuent à la grande élégance de cette cuvée qui met en exergue le fruit de la syrah (60 %). Fin et fruité, le nez introduit une bouche qui brille par son ampleur, sa rondeur et la belle suavité de ses tanins. La chair soyeuse diffuse de langoureuses notes de fruits mûrs et d'épices qui persistent longuement. Beaucoup de maîtrise et d'élégance dans ce rouge raffiné. ⧗ 2019-2023 ■ **Le Grand Mayol 2017 ★ (11 à 15 € ; 4 000 b.)** Ⓑ : clairette, vermentino et bourboulenc forment un trio convaincant dans ce blanc, sans outrance, qui soigne l'élégance. Le nez fin et tonique, entre fleurs et agrumes, introduit une bouche remarquablement équilibrée entre volume et fraîcheur. La finale minérale achève de donner beaucoup de caractère à ce blanc fin et harmonieux. ⧗ 2019-2021

⊶ SARL IZARN-PLANÈS, Borie-la-Vitarèle, 34490 Causses-et-Veyran, tél. 04 67 89 50 43, contact@borielavitarele.fr V 🚶 ▮ *r.-v.*

DOM. DE CANIMALS LE HAUT 2017 ★

■ | 4 000 | 🍾 | 5 à 8 €

À l'origine, une ancienne laiterie. Le vignoble a remplacé les prés et fait vivre quatre générations sur la propriété. Agrandi, il couvre aujourd'hui environ 20 ha dans une des vallées encaissées de Saint-Chinian, sur un terroir de schistes au cœur de l'appellation.

Syrah et grenache forgent le caractère affirmé de cette cuvée qui s'ouvre sur une robe grenat soutenu et un nez manifestement bien mûr, aux arômes fumés et épanouis de cerise confite et de garrigue. Ample, chaleureuse et confortable à l'attaque, la cuvée se resserre sous l'effet de tanins fermes qui donnent une touche provisoire d'austérité à l'ensemble. Un peu de bouteille sera nécessaire. ⧗ 2020-2023

⊶ BRIGITTE CASTEL, Dom. de Canimals le Haut, 34360 Saint-Chinian, tél. 04 67 38 19 13, brigittecastel@sfr.fr V 🚶 ▮ *r.-v.*

♥ DOM. CATHALA Absolue 2017 ★★

■ | 1800 | | 20 à 30 €

La famille Cathala cultive la vigne de père en fils depuis sept générations à Cessenon-sur-Orb, à 20 km au nord-ouest de Béziers. Les frères Bruno et Pascal ont constitué en 2011 à partir des terres familiales (15 ha) un vignoble de 5 ha dédié au saint-chinian. Ils proposent également des cuvées de négoce.

Le haut de gamme du domaine à l'honneur avec ce coup de cœur plébiscité par le jury. Dominante, la syrah offre sa couleur soutenue et son nez très floral de violette, nuancé de notes grillées issues d'un élevage de douze mois en barriques. Savoureux compromis de maturité et de fraîcheur, la bouche enchante par sa clarté, son relief, ses tanins fins et la délicatesse florale de son fruit. La finale finement boisée témoigne d'un très juste usage du fût. ⧗ 2019-2023

DOM. CATHALA, 19, chem. du Pizou, 34460 Cessenon, tél. 06 33 59 55 34, domaine.cathala@gmail.com V r.-v.

CLOS LA RIVIÈRE 2018 ★★

■ | 4000 | | 5 à 8 €

Le grand-père de Jean-Philippe Madalle a planté de la syrah dès 1970. Ce dernier, œnologue, a repris en 2007 avec Carole le domaine familial établi dans un décor magnifique : de vieilles vignes (17 ha) cultivées en terrasses, à 300 m d'altitude.

Une robe rose pâle brillant pour ce rosé avenant qui dispense des arômes de fruits rouges frais, des notes exotiques et des nuances florales. La bouche ne déçoit pas : attaque fraîche et acidulée, belle pureté de fruit, flaveurs vivifiantes de groseille, de fraise et d'agrume. L'ensemble laisse une impression d'harmonie très agréable. ⧗ 2019-2021 ■ **2016 ★ (8 à 11 €; 16200 b.)** : un nez bien ouvert mêlant fruit (groseille, fraise, petits fruits noirs) et nuances grillées issues de l'élevage, une bouche ronde de bout en bout, chaleureuse, soutenue par des tanins juste croquants : tout est gourmand et convivial dans ce rouge facile d'accès et généreusement fruité. ⧗ 2019-2021

CLOS LA RIVIÈRE, 52, av. Jean-Jaurès, 34490 Causses-et-Veyran, tél. 06 76 29 26 34, madallejp@orange.fr

DOM. COMPS Cuvée Le Soleiller 2017

■ | 3000 | | 8 à 11 €

Défriché par un ancêtre venu des premiers contreforts du Massif central, le domaine est resté dans la même famille depuis 1870. Pierre Comps vend les premières bouteilles en 1975. En 1982, il est le premier à produire du saint-chinian à Puisserguier. Pierre-François Comps conduit aujourd'hui l'exploitation, à la suite de Jean-Christophe Martin. Le vignoble compte 17 ha.

Une longue macération de grenache et syrah et un bref passage en fût ont façonné ce rouge friand, au nez de fruits rouges et de plantes aromatiques (menthe, garrigue) qui brille par sa fraîcheur et son éclat en bouche : corps ample, tanins fins, saveurs complexes et croquantes rehaussées par une belle acidité. Équilibre séduisant pour ce rouge dynamique et plein de relief. ⧗ 2019-2021

SCEA MARTIN-COMPS, 23, rue Paul-Riquet, 34620 Puisserguier, tél. 06 08 75 77 38, contact@domainecomps.com V r.-v.

Ⓑ CH. COUJAN Cuvée Bois joli 2017 ★

■ | 11000 | | 11 à 15 €

La famille Guy est propriétaire depuis 1868 de ce vaste domaine (plus de 140 ha cultivables) établi sur un îlot de corail fossilisé. Replanté par François Guy et exploité depuis 1990 par sa fille Florence, le vignoble, converti à l'agriculture biologique, couvre 55 ha et côtoie oliveraie, vergers et jardins peuplés de paons.

Grenache blanc, rolle et roussanne : ce trio complémentaire façonne ce blanc accompli, vinifié en demi-muid. Au nez, les notes de fruits frais et d'agrumes s'associent à un fond finement grillé et vanillé. Fringante à l'attaque, tendre par sa texture un peu moelleuse, vivifiée par une belle acidité, la bouche déroule ses saveurs séduisantes d'orange amère et de vanille. Du charme et de l'équilibre. ⧗ 2019-2021

FLORENCE GUY, Ch. Coujan, 34490 Murviel-lès-Béziers, tél. 04 67 37 80 00, chateau-coujan@orange.fr V *t.l.j. 9h-12h 14h-18h; dim. sur r.-v.*

CH. CREISSAN Cort d'Amor 2018 ★

■ | 8000 | | 5 à 8 €

La cave du domaine est située dans l'enceinte médiévale de Creissan. Bernard Reveillas, à la tête de 35 ha de vignes plantés sur la partie argilo-calcaire de l'appellation saint-chinian, met à l'honneur la langue d'Oc dans le nom de ses vins, notamment avec sa cuvée Cort d'Amor (« Cour d'amour »), inspirée d'un célèbre récit poétique du XIIᵉs.

Une saignée de quatre cépages a teinté modérément la robe, mais a légué de beaux arômes de fruits frais à ce vin. D'attaque stimulante, vivace, le voici qui livre sans ambages des flaveurs de litchi, d'agrumes et de fruits rouges en bouche. L'équilibre est irréprochable. ⧗ 2019-2020

CH. CRESSAN, 3, chem. du Moulin-d'Abram, 34370 Creissan, tél. 06 85 13 83 15, bernard.reveillas@orange.fr V r.-v.

DOM. LA CROIX SAINTE-EULALIE Baptiste 2016 ★

■ | 15743 | | 11 à 15 €

L'ancienne chapelle qui a laissé son nom au lieu a disparu, mais la croix trône encore au cœur du vignoble. Ce domaine familial compte aujourd'hui 32 ha de

vignes réparties sur les trois types de terroirs de l'appellation saint-chinian : schistes, grès et argilo-calcaires. Il est conduit depuis 1996 par Agnès Gleizes, héritière de quatre générations de viticulteurs, qui l'a sorti de la coopérative.

Robe intense; nez riche et ouvert sur les fruits noirs et les épices douces; bouche tendre, suave, charnue, généreuse de bout en bout, qui s'achève sur une longue finale épicée et sur des tanins encore un peu jeunes. Du plaisir dès à présent et de l'avenir. 2020-2024

DOM. LA CROIX SAINTE-EULALIE, 17-19, av. de Saint-Chinian, hameau de Combejean, 34360 Pierrerue, tél. 03 86 42 44 34, croix-sainte-eulalie@neuf.fr t.l.j. 8h-12h 13h30-17h30; dim. sur r.-v.

CH. LA DOURNIE Étienne 2015 ★

| 13000 | | 11 à 15 € |

Ce domaine de 45 ha d'un seul tenant, implanté sur les sols schisteux de Saint-Chinian, a vu se succéder cinq générations de femmes de la famille Étienne.

Le 2015 succède au 2014 dans le Guide et conserve ce qui faisait son charme : une interprétation élégante de saint-chinian. La légère évolution perceptible au nez (sous-bois, notes animales) fait écho aux reflets grenat de la robe. La bouche offre un fruit plus pimpant, complexe par ses nuances de cuir, d'épices et de garrigue, souligné par une belle fraîcheur et des tanins croquants. Du relief et de la fraîcheur. À boire sans trop attendre. 2019-2021

EARL CH. LA DOURNIE, rte de Saint-Pons, 34360 Saint-Chinian, tél. 04 67 38 19 43, chateau.ladournie@wanadoo.fr t.l.j. sf sam. dim. 9h-12h 14h-18h

LES VIGNOBLES FONCALIEU L'Apogée 2015 ★

| 9400 | | 15 à 20 € |

Créée en 1967, cette union de caves coopératives du Languedoc propose des vins d'un très grand Sud qui s'étend de la Gascogne à la vallée du Rhône. Elle regroupe plus de 650 vignerons et dispose de 4 500 ha.

Cet assemblage classique de syrah majoritaire et de grenache, sombre de robe, libère des arômes de fruits noirs compotés accompagnés de notes vanillées et grillées issues d'un élevage en fût (douze mois). Charpentée et chaleureuse à l'attaque, la bouche encore un peu corsetée par des tanins fermes finit sur le fruit cuit. Un excellent vin d'automne, à réserver à des viandes en sauce. 2019-2023

LES VIGNOBLES FONCALIEU, Dom. de Corneille, 11290 Arzens, tél. 04 68 76 21 68, contact@foncalieu.com t.l.j. sf dim. lun. 10h30-19h

CH. FONSALADE Petit Bonheur 2017 ★

| 25000 | | 5 à 8 € |

Un domaine de 20 ha en coteaux, sur une mosaïque de terroirs, au cœur de l'appellation saint-chinian. Propriété de Julien Peltier depuis 2008, l'exploitation a été rachetée en 2014 par Cédric Barbé.

Une cuvée vinifiée en cuve avec l'objectif d'extraire le fruit et la souplesse. C'est réussi sur la foi de ce nez chaleureusement fruité, mâtiné d'épices et de sous-bois, et de cette bouche ronde, bien du sud, aux tanins doux qui offre en finale la déclinaison aromatique du carignan (dominant). Simplement bon. 2019-2021

SARL CH. FONSALADE, lieu-dit Fonsalade, 34490 Causses-et-Veyran, tél. 05 62 88 13 35, commande@fonsalade.com r.-v.

FORTANT Grands Terroirs 2017

| 30000 | | 8 à 11 € |

La famille Skalli s'initia à la vigne et aux cépages méridionaux en Algérie, dans les années 1920. Francis et surtout son fils Robert ont œuvré pour implanter dans tout le sud de la France cette maison de négoce, lançant des marques comme Fortant de France (1987). Dans le giron du groupe bourguignon Boisset depuis 2011.

Un assemblage de syrah, grenache et mourvèdre pour cette cuvée, élevée en cuve, qui déploie un nez luxuriant où percent le cassis, les épices et les notes fumées de raisins manifestement bien mûrs. Après une attaque très intense, la bouche déroule ses saveurs chaleureuses, gourmandes, et finit sur des tanins fermes qui s'assoupliront à la garde. 2020-2023

SAS LES VINS SKALLI (FORTANT), 9, quai Paul-Riquet, 34200 Sète, tél. 04 67 80 90 90, contact@fortant.com

DOM. LA GRANGE LÉON D'une main à l'autre 2016 ★

| 2500 | | 15 à 20 € |

Véronique et Joël Fernandez étaient vignerons coopérateurs à Berlou depuis 1993, mais en 2008 ils décidèrent de créer leur domaine (8 ha), baptisé du prénom d'un arrière-grand-père vigneron. Un domaine régulièrement mentionné dans le Guide.

Le nom de cuvée évoque joliment le passage de relais entre les générations. Elle a d'autres atouts : un nez qui embaume la garrigue, une bouche ample, friande, veloutée, très caressante et longuement parfumée. À ouvrir dès à présent. 2019-2022 **Sacré Madeleine! 2017 ★ (11 à 15 €; 1200 b.)** : cette cuvée, dominée par le grenache blanc, a partiellement été élevée en fût. Le nez en témoigne avec ses accents marqués de vanille et de cire d'abeille. Plus complexe, la bouche y ajoute des notes rafraîchissantes d'agrumes qui parfument un corps puissant et charnu. Un beau blanc onctueux et long qui fait honneur à Madeleine, l'arrière-grand-mère du vigneron. 2019-2021

SARL BEAUCESTE, 3, rue du Caladou, 34360 Berlou, tél. 06 73 83 37 68, lagrangeleon@orange.fr r.-v.

B DOM. DES JOUGLA Viels Arrasics 2017 ★

| 2500 | | 11 à 15 € |

Dans ce domaine familial, qui se transmet de génération en génération depuis 1545, le chai de vinification a été construit en 1900 et rénové la dernière fois en 2007. Les 28 ha de vignes sont conduits en bio certifié depuis 2009.

Fruits noirs mûrs, épices douces, sous-bois et notes de chêne, le nez séduit par sa complexité. La bouche confirme ces belles promesses : profondeur, puissance contenue, tanins fermes mais bien extraits, longueur sur les épices douces et les fruits noirs. Un potentiel évident pour ce vin harmonieux et bien élevé. ⧗ 2020-2025

⊶ DOM. DES JOUGLA, 6, rue Bel-Air, 34360 Prades-sur-Vernazobre, tél. 04 67 38 06 02, info@domainedesjougla.com V 🚶 🚻 *t.l.j. sf dim. 9h-12h 15h-18h30*

DOM. DU LANDEYRAN 2017 ★

■ | 20000 | 🍾 | 8 à 11 €

Ancienne propriété de Michel et Patricia Soulier, issus du secteur bancaire, qui ont vinifié de très belles cuvées sur ce superbe terroir de schistes. Après des épreuves et des difficultés de santé, ils ont mis en vente leurs 12 ha vignes, acquis en 2012 par la famille Jeanjean, acteur de poids des vins du sud de la France, rattaché au groupe Advini.

De cette cuvée marquée par la syrah et le grenache, le jury aura retenu le nez généreusement fruité (cassis, fraise en confiture) et la bouche puissante, solaire, dotée de tanins jeunes et d'une fraîcheur mentholée bienvenue en finale. Harmonieux et bien typé. ⧗ 2019-2022

⊶ VIGNOBLES JEANJEAN, L'Enclos, BP_1, 34725 Saint-Félix-de-Lodez, tél. 04 67 88 80 00, contact@vignobles-jeanjean.com V *t.l.j. sf dim. 9h-12h 14h-18h30 (à la boutique Vignerons et Passions)*
⊶ Vignobles Jeanjean

DOM. LA LAUZETA Mezura 2017

■ | 7500 | | 20 à 30 €

Thomas Hills s'est établi en 2015 sur les coteaux schisteux du nord de l'appellation saint-chinian. Il a d'emblée engagé la conversion bio de son vignoble, plus de 21 ha plantés entre 200 et 300 m d'altitude.

La Mezura, «la mesure» en occitan, suggère l'idée de retenue et de dignité chères aux troubadours d'antan. Un joli nom de cuvée qui trouve son prolongement en bouche dans ce rouge unanimement qualifié d'harmonieux. Issu d'une sélection parcellaire, il flatte d'emblée avec son nez fin de violette, de garrigue et d'ardoise. La bouche charme tout autant par sa chair ample, ses tanins denses et enrobés, ses saveurs chocolatées et vanillées encore sous le joug de l'élevage. Bien qu'elle soit jeune, la cuvée déploie une finesse et une plénitude déjà gourmandes. ⧗ 2020-2025

⊶ SCEA THOMAS HILLS ET FAMILLE, 6, place de l'Église, 34490 Saint-Nazaire-de-Ladarez, tél. 04 67 38 18 84, tom@domainelalauzeta.com V 🚶 🚻 *r.-v.*

DOM. LA LINQUIÈRE Le Chant des Cigales 2017 ★★★

■ | 14000 | 🛢 | | 8 à 11 €

Le nom du domaine rappelle que le lin et le textile, avant la vigne, ont fait la prospérité de Saint-Chinian. Robert Salvestre sort de la coopérative en 2001 et reconstitue le vignoble familial, fondé au milieu du XIXes. En 2010, il disparaît et ses fils Luc et Pierre poursuivent son œuvre. Le domaine, qui couvre 25 ha sur les trois terroirs de Saint-Chinian (schistes, calcaires et grès), s'est affirmé comme l'un des porte-drapeaux de l'appellation.

Née des schistes de saint-chinian, cette cuvée à dominante de syrah (70 %) aura fait l'unanimité. À la robe sombre répond un bouquet profond et envoûtant qui décline les fruits noirs, les aromates, la truffe et le poivre noir. La bouche impressionne par sa plénitude, sa texture douce et presque sucrée, sa riche matière qui diffuse des saveurs imprégnées d'épices douces, de graphite ou d'olive noire. Longueur «inouïe», note, enthousiaste, le jury. ⧗ 2020-2024 ■ **La Sentenelle 310 2017 ★★ (15 à 20 €; 3600 b.)** : cuvée parcellaire issue de vignes perchées à 310 m d'altitude, elle met à l'honneur la syrah et le mourvèdre patiemment élevés en fût pendant dix-huit mois. D'abord timide, le nez s'éveille lentement, mariant fruits noirs, touches animales, truffe et nuances du chêne. Si la jeunesse et la retenue sont manifestes, le potentiel ne trompe pas : la bouche se montre grasse, pleine, dotée de tanins mûrs bien pris dans la chair, avec une concentration de saveurs (cacao, épices douces, notes balsamiques) qui ne demande qu'à s'épanouir. Grand vin de garde. ⧗ 2021-2030 ■ **2018 ★ (5 à 8 €; 14000 b.)** : un assemblage de grenache et de syrah, ainsi qu'une saignée caractérisent l'élaboration de cette cuvée à peine teintée. Avis aux amateurs de rosés aromatiques ! Bonbon anglais et agrumes à foison au nez, bouche flatteuse qui offre ce qu'il faut de rondeur et de fraîcheur, flaveurs de pomelo. Un rosé moderne, bien équilibré, avec une pointe d'amertume en finale. ⧗ 2019-2020

⊶ SCEA DOM. LA LINQUIÈRE, 12, av. de Béziers, 34360 Saint-Chinian, tél. 04 67 38 25 87, linquiere@neuf.fr V 🚶 🚻 *t.l.j. sf dim. a.-m. 9h-12h 14h30-19h*

MAS CHAMPART Clos de la Simonette 2016 ★

■ | 4550 | 🛢🍾 | 20 à 30 €

Un paysage magnifique, des vignes en terrasses, un mas à flanc de coteau, un terroir très pierreux, argilo-calcaire. Depuis 1976, Isabelle et Matthieu Champart cultivent dans ce cadre de carte postale 13 ha de vignes (dont 80 % en bio) avec une sensibilité bio (mais pas de certification), qu'ils vinifient depuis 1988, année de leur sortie de la coopérative.

Une cuvée à dominante de mourvèdre (65 %) signée par un des domaines de référence de l'appellation. Encore sur la réserve, le nez hésite entre fruits (cassis, kirsch) et notes animales (cuir). Ramassée, très jeune, la bouche offre le même profil retenu, mais sa chair, sa fraîcheur, sa concentration et sa complexité sont autant de belles promesses pour l'avenir. De garde. ⧗ 2020-2026

⊶ EARL CHAMPART, Bramefan, rte de Villespassans, 34360 Saint-Chinian, tél. 04 67 38 05 59, mas-champart@wanadoo.fr V 🚶 🚻 *r.-v.*

MAS D'ALBO Or Brun 2016 ★

■ | 2400 | 🛢🍾 | 11 à 15 €

Le domaine a confié pendant plusieurs décennies sa vendange à la cave coopérative. En 2004, Max Azema a décidé de créer ses propres vins. Dix ans plus tard, son fils Fabien, après une décennie passée dans le secteur du social, a pris la relève. Il est à la tête de 11 ha de vignes en saint-chinian, répartis sur une vingtaine de micro-parcelles.

Cerise noire, thym, nuances florales et boisées, douce chaleur, le nez bien typé fait preuve d'une belle maturité. Puissante, charnue, dotée de saveurs chaleureuses, la bouche le confirme avant de se resserrer sous l'effet de tanins fermes qui apportent à ce stade rigueur et structure. Vin à l'équilibre solaire qui gagnera en harmonie avec un peu de garde. ⧗ 2020-2023

FABIEN AZEMA, hameau de Ceps, 34460 Roquebrun, tél. 06 80 06 99 24, masdalbo@wanadoo.fr V t.l.j. 9h-19h

B DOM. DES MATHURINS Variation 2017 ★★

■	n.c.		8 à 11 €

Ce domaine familial depuis cinq générations est proche de l'abbaye de Fontcaude, qui renoue avec le chant grégorien. Nicolas Pistre, arrivé en 2006, est un vigneron mélomane : ses vins s'appellent Variation, ou La 5e (Beethoven à la vigne). Le vignoble de dix-sept ha est cultivé en bio.

Quatre cépages dont une dominante de syrah forment cet assemblage à la robe profonde, au nez ouvert, qui décline autour du cassis frais des nuances de moka, de violette ou de réglisse. Avenante, la bouche confirme ce profil épanoui et livre une rondeur de fruit très gourmande, tenue par des tanins fins, et prolongée par une finale entre fruits noirs et épices. Une douce mélodie. ⧗ 2019-2021

DOM. DES MATHURINS, 22, av. de Saint-Baulery, 34460 Cazedarnes, tél. 06 47 70 18 77, contact@domainedesmathurins.com V t.l.j. sf dim. 9h-19h

DOM. LA MAURERIE Vieilles Vignes 2016 ★★

■	6500		5 à 8 €

Le domaine des Depaule (30 ha) se trouve dans un petit hameau d'une vingtaine d'âmes cerné de garrigue, et ses vignes sont plantées sur des schistes. En 2016, Nicolas (septième génération) a pris la suite de son père Michel à la tête du vignoble.

Belle unanimité du jury pour cette cuvée modeste en prix mais riche en sensations. La syrah (80 %) donne ici une robe moyennement soutenue et un nez friand et élégant qui privilégie le fruit. L'attaque est fraîche, le milieu de bouche croquant de fruit et d'épices, les tanins soyeux, la longueur honorable. Un saint-chinian plus délié que concentré, à boire dans ses jeunes années. ⧗ 2019-2021

SCEA DEPAULE, La Maurerie, 34360 Prades-sur-Vernazobre, tél. 04 67 38 22 09, michel.depaule@wanadoo.fr V r.-v.

CH. MILHAU-LACUGUE Les Truffières 2017 ★

■	50 000		15 à 20 €

Exploitant depuis 1994 cette ancienne possession des Hospitaliers de Saint-Jean, à 3 km de l'abbaye de Fontcaude, Jean Lacugue, œnologue de formation, a une conviction : l'importance du terroir dans l'expression des vins. Ce domaine (60 ha aujourd'hui) accueillait au Moyen Âge les nombreux pèlerins de Saint-Jacques-de-Compostelle.

D'une belle maturité, le nez décline la mûre, les fruits rouges macérés avec des nuances fumées et épicées. La bouche, tout en rondeur, offre ces mêmes saveurs généreuses et chaleureuses qui imprègnent un corps plein, sphérique et gourmand, prolongé par une finale sur l'eau-de-vie. Solaire et charmeur, ce rouge donne dès à présent beaucoup de plaisir. ⧗ 2019-2021

SCEA CH. MILHAU-LACUGUE, Dom. de Milhau, rte de Cazedarnes, 34620 Puisserguier, tél. 04 67 93 64 79, lacuguejean@yahoo.fr V r.-v.

♥ DOM. LES PAÏSSELS 2017 ★★

■	6000		11 à 15 €

Vivien Roussignol et Marie Toussaint se sont installés en 2011 sur ce vignoble de 2 ha composé de vieilles vignes cultivées sur des coteaux schisteux et taillées en gobelet. Ils ont acquis un hectare de vignes supplémentaire et continuent de privilégier les petits rendements.

Les Païssels sont le nom donné aux tuteurs en châtaignier utilisés pour soutenir les jeunes ceps taillés en gobelet. Quatre cépages et des vignes âgées de 30 à 80 ans au programme de cette cuvée haute en couleur. Le nez diffuse de doux effluves de fruits cuits, de Zan, de garrigue et de cacao que l'on retrouve dans une bouche chaleureuse, puissante, soutenue par des tanins gorgés de soleil. Du caractère à revendre, mais aussi beaucoup d'harmonie et d'élégance dans ce coup de cœur qui restitue avec emphase ses origines. Long potentiel de garde. ⧗ 2020-2030

VIVIEN ROUSSIGNOL, rue des Cèdres, 34360 Babeau, tél. 06 22 74 24 51, contact@paissels.fr V r.-v.

CH. DU PRIEURÉ DES MOURGUES 2016 ★

■	13 000		5 à 8 €

Bâti en 1820, le prieuré appartenait alors à l'évêché de Saint-Pons-de-Thomières, époque dont témoignent encore plusieurs calvaires. Installé en 1990, Jérôme Roger a souhaité reconstituer ce vignoble tel qu'il était au XIXes. L'œuvre est achevée et les vignes couvrent aujourd'hui une surface de quelque 20 ha.

Des reflets grenat égaient la robe de ce 2016 et signalent une légère évolution. Le nez fondu hésite entre fruits rouges compotés, réglisse et notes de chêne. Une pincée d'épices et d'aromates se prolonge longuement dans une bouche ronde, tendre, équilibrée et d'ores et déjà à point. ⧗ 2019-2021

CH. DU PRIEURÉ DES MOURGUES, 34360 Pierrerue, tél. 04 67 38 18 19, prieure.des.mourgues@wanadoo.fr V r.-v.

B CH. QUARTIRONI DE SARS Haut Coup de Foudres 2017 ★

■	6600		8 à 11 €

Guilhem et Magali Quartironi ont pris en 2008 la suite de leurs parents Armelle et Roger à la tête de ce domaine créé en 1950 par leurs grands-parents et aujourd'hui conduit en bio. Au hameau du Priou – au sud du Caroux et de l'Espinouse –, les vignes (15,7 ha) sont implantées sur des coteaux aux sols de schistes,

entre 300 et 400 m d'altitude, au-dessus de la vallée de Saint-Chinian.

Sous les notes épicées et poivrées de l'élevage en foudres, perce un fruit rouge manifestement bien mûr. Concentrée, la bouche porte aussi la marque de l'élevage, mais possède la structure et la puissance pour lentement le digérer. Les tanins fermes, mais mûrs et la longueur épicée du fruit (noir) sont d'autres belles promesses. ⧗ 2021-2025 ■ **Skhistos 2017 ★★ (11 à 15 €; 660 b.)** Ⓑ : jaune pâle à reflets verts, un vin élégamment floral et fruité (agrumes) qui dévoile toute son opulence au palais. On garde le souvenir d'une impression de rondeur fruitée, de gras et d'ampleur. Un 2017 remarquablement expressif. ⧗ 2021-2025

SCEA QUARTIRONI, hameau Le Priou, 34360 Saint-Chinian, tél. 04 67 38 01 53, quartironipradels@gmail.com V r.-v. Ⓑ

CAVE DE ROQUEBRUN
Roches Noires Macération 2017 ★

■	150 000		8 à 11 €

Inclus dans l'aire AOC saint-chinian, le village de Roquebrun, à 30 km au nord de Béziers, bénéficie d'un microclimat permettant la culture des orangers et d'un terroir de schistes qui lui valent une dénomination particulière. La Cave de Roquebrun, créée en 1967, dispose de 650 ha de vignes. Exigeante, la coopérative pratique des sélections parcellaires selon les cépages, les vignobles et les maturités.

Vinifié en grappes entières, cet assemblage classiquement dominé par la syrah livre une couleur soutenue et un nez généreusement fruité. Intense et ample dès l'attaque, la bouche séduit par sa fraîcheur, ses tanins déjà adoucis, et par la franchise de ses arômes fruités qui se nuancent de réglisse en finale. Plein et frais, ce vin se déguste déjà avec plaisir. ⧗ 2019-2023

CAVE DE ROQUEBRUN, 62, av. des Orangers, 34460 Roquebrun, tél. 04 67 89 64 35, logistique@cave-roquebrun.fr V r.-v.

DOM. DU SACRÉ-CŒUR
Cuvée Jean Madoré 2017 ★

■	10 000		15 à 20 €

La famille Cabaret est installée depuis 1991 à Assignan. Luc a pris la succession de son père Marc en 2007, mais tous deux travaillaient depuis longtemps côte à côte – la vigne certes (40 ha en saint-chinian et en muscat-de-saint-jean-de-minervois), mais pas seulement : ici, on propose aussi de l'huile d'olive et des navets de Pardailhan. Et l'épouse du propriétaire tient l'épicerie fine du village.

Une belle intensité se dégage de la robe violine de ce rouge fin et délicat qui soigne la finesse et l'harmonie. Le nez friand décline les fruits rouges frais mâtinés de nuances grillées et épicées. On les retrouve dans une bouche équilibrée, tendre, fraîche qui privilégie l'élégance et l'équilibre à la concentration. À boire dans ses jeunes années. ⧗ 2019-2021

SCEA DU SACRÉ-CŒUR, Dom. du Sacré-Cœur, rte de Saint-Chinian, 34360 Assignan, tél. 04 67 38 17 97, gaecsacrecoeur@wanadoo.fr V t.l.j. 9h-12h 14h-18h Ⓑ

DOM. SAINT-CELS
Mille Étoiles 2016

■	5 000		15 à 20 €

Créé en 1974 par Henri Rouanet à partir de deux vignobles familiaux, ce domaine est conduit depuis 1992 par Étienne, le petit-fils, à la tête d'un vaste ensemble de 80 ha en conversion biologique.

Douze mois de cuve pour ce vin intense en couleur, mais discret au nez avec des touches de fruits mûrs et de plantes aromatiques. La bouche fait preuve de la même retenue : corps léger, agréable, porté par des tanins fins et par des flaveurs mentholées qui apportent une sensation singulière de fraîcheur. À boire sans tarder. ⧗ 2019-2021

EARL DES VIGNOBLES DE SAINT-CELS, lieu-dit Saint-Cels, 34360 Saint-Chinian, tél. 06 23 36 78 90, info@saintcels.fr V r.-v. Ⓒ

CAVE DE SAINT-CHINIAN
8 Secrets 2016 ★

■	9 200		20 à 30 €

Créée en 1937, la coopérative de Saint-Chinian est installée au cœur du village éponyme de l'appellation. Elle regroupe 175 adhérents cultivant 750 ha et se flatte d'être le premier fournisseur des vins de ce cru. Sa production (3,5 millions de bouteilles) se partage entre les saint-chinian (deux tiers) et les vins en IGP.

Dominé par le grenache (50 %), le nez de ce 2016 porte la marque d'un élevage ambitieux de dix-huit mois en fût par ses notes intensément grillées qui enrichissent un fond de fruits noirs confits, de garrigue et de ciste. Ampleur et rondeur caractérisent un palais flatteur, gorgé d'arômes de mûre et d'épices, d'un style très gouleyant. Un vin moderne au charme évident. ⧗ 2019-2022

CAVE DE SAINT-CHINIAN, rte de Sorteilho, 34360 Saint-Chinian, tél. 04 67 38 28 48, info@vin-saintchinian.com V t.l.j. 9h-19h

♥ CH. SAINT-MARTIN DES CHAMPS
Camille 2018 ★★

■	12 000		8 à 11 €

Michel Birot et son fils Pierre ont acquis en 1997 ce château situé à Murviel-lès-Béziers, une des communes de l'AOC saint-chinian – un terroir déjà cultivé par leurs ancêtres en 1675. Ils l'ont restauré de fond en comble, le vignoble (95 ha) tout comme la cave.

Camille, la fille du vigneron, peut être flattée d'avoir donné son nom à ce rosé. Issu majoritairement de la syrah, celui-ci est peu coloré, mais dispense beaucoup d'arômes de fruits rouges frais et de jasmin. En bouche, il brille par son élégance, sa fraîcheur jamais agressive, son équilibre irréprochable et le croquant du fruit. La longue finale laisse le souvenir des fruits rouges acidulés, des fleurs et des épices. Un vin coup de cœur qui donnera toute sa mesure à table. ⧗ 2019-2020 ■ **Bergerie de Saint-Martin 2017 (5 à 8 €; 10 000 b.)** : vin cité.

EARL LES VINS DU CH. SAINT-MARTIN-DES-CHAMPS, av. de Saint-Martin, 34490 Murviel-lès-Béziers, tél. 04 67 32 92 58, domaine@saintmartindeschamps.com V t.l.j. sf dim. 9h-18h; sam. 9h-12h

CH. VIRANEL Tradition 2018 ★

13000		8 à 11 €

Histoire familiale et patrimoine se transmettent depuis 1551 sur cette propriété en terrasses dominant la vallée de l'Orb, dans l'aire du saint-chinian. Depuis 2012, la dernière génération, représentée par Arnaud et Nicolas Bergasse, conduit le vignoble qui couvre aujourd'hui 40 ha.

Une robe classiquement pâle, mais un nez volubile d'agrumes (pamplemousse, citron) et de bonbon anglais. La bouche est tout aussi explosive, avec ces mêmes notes d'agrumes qui renforcent la fraîcheur de l'ensemble. Rosé fringant et parfumé, pour rafraîchir des charcuteries et autres plats iodés. 2019-2020 ■ **V de Viranel 2016 ★ (11 à 15 €; 10000 b.)** : une longue macération de plus d'un mois a extrait tout le fruit de cet assemblage syrah et grenache élevé en cuve et fût qui exhale le cassis, la mûre et le Zan. Les tanins, élégants et soyeux, cadrent en douceur une matière charnue imbibée de flaveurs de fruits noirs, de garrigue et de chêne (vanillé, pain grillé) qui se prolongent dans une finale chaleureuse. Tout est bien en place et déjà délicieux dans cette cuvée qui offre aussi du potentiel. 2020-2024

GFA DE VIRANEL, rte de Causses-et-Veyran, 34460 Cessenon-sur-Orb, tél. 04 67 89 60 59, contact@viranel.fr V r.-v.

MUSCAT-DE-LUNEL

Superficie : 321 ha / Production : 8 206 hl

Implanté entre Nîmes et Montpellier, le vignoble est principalement installé sur des nappes de cailloutis de plusieurs mètres d'épaisseur à ciment d'argile rouge. Le seul muscat à petits grains est à l'origine de vins doux naturels qui doivent garder au minimum 110 g/l de sucre.

MAS DE BELLEVUE Tradition 2018 ★

20000		8 à 11 €

Situé sur les hauteurs de Saturargues, le domaine porte bien son nom. La vue panoramique donne sur la mer au sud et la montagne au nord. Racheté aux époux Lacoste en 2010 par Nicolas Charrière, ancien directeur d'une coopérative ardéchoise, le Clos de Bellevue compte 19 ha. Le vigneron cultive du muscat dont il tire les vins les plus divers : outre le muscat-de-lunel, des vins hors appellation (muscats secs, pétillants, cartagènes…), il propose aussi des languedoc.

Paré d'une belle robe dorée, ce 2018 s'ouvre sur des arômes élégants et fins de citron confit, de verveine et de menthol. Une attaque moelleuse introduit une bouche veloutée, chaleureuse et ronde, imprégnée de saveurs gourmandes de pêche et d'ananas. Une pointe de fraîcheur vient dynamiser la finale. 2019-2022

DOM. LE CLOS DE BELLEVUE, Mas de Bellevue, 34400 Saturargues, tél. 04 67 83 24 83, leclosdebellevue@gmail.com V t.l.j. sf dim. 9h-12h 15h-19h

MUSCAT-DE-FRONTIGNAN

Superficie : 812 ha / Production : 19 666 hl

Reconnu en 1936, le frontignan a été le premier muscat à obtenir l'appellation d'origine contrôlée. Il naît entre Sète et Mireval. Le vignoble, exposé au sud-est, est abrité des vents du nord par le massif de la Gardiole. Il s'enracine dans des terrains secs, caillouteux, pierreux, issus de couches jurassiques, molassiques et d'alluvions anciennes – des sols ingrats pour toute autre culture. Autrefois appelé « muscat doré de Frontignan », le muscat à petits grains est le cépage exclusif de l'appellation. Avec un minimum de 110 g/l de sucre, les frontignans sont des vins doux naturels puissants; ils ne manquent pourtant jamais d'élégance.

MAS DE MADAME 2017 ★

23000		11 à 15 €

Conduit par les Sourina père et fils, le premier agronome, le second œnologue, ce vignoble de coteaux (46 ha d'un seul tenant sur le piémont du massif de la Gardiole) est l'un des plus anciens de Frontignan : les archives municipales attestent la présence du muscat dès 1170. Bâti au XVIe s., le mas a été restauré en 2003 et les chais ont été modernisés en 2006.

D'un jaune très pâle à reflets verts, ce muscat livre un joli bouquet mêlant harmonieusement le pomélos, la pomme, les fleurs blanches et une touche minérale de pierre mouillée. La bouche apparaît très fruitée (on retrouve la pomme et les agrumes, mais aussi l'abricot), très fraîche et d'un bon volume. Un ensemble expressif et équilibré. 2019-2022

EARL DOM. DU MAS DE MADAME, rte de Montpellier, 34110 Frontignan, tél. 06 30 20 33 31, g.sourina@hotmail.fr V t.l.j. 9h-12h30 14h-19h

MAS ROUGE 2018

3000		11 à 15 €

Un mas (rouge effectivement) entre Méditerranée et étangs, niché au cœur du bois des Aresquiers. Julien Cheminal, qui l'a acquis en 1997, en a restauré sans relâche le vignoble (35 ha), ainsi que le chai à l'imposante charpente. Il vinifie depuis 2002, montrant une belle régularité dans ses vins doux de muscat, en mireval et frontignan. Il développe aussi une production de vins secs en IGP.

D'un joli doré brillant, ce muscat se montre plutôt réservé au nez : on perçoit quelques notes d'agrumes, d'amande et de rose. En bouche, il affiche un profil rond, chaleureux et suave autour de notes d'abricot confit, de litchi et de miel. 2019-2022

SCEA LES ARESQUIERS, Mas Rouge, 34110 Vic-la-Gardiole, tél. 04 67 51 66 85, contact@domainedumasrouge.com V t.l.j. sf dim. 10h-13h 15h-19h

LANGUEDOC

CH. DE LA PEYRADE
Sol Invictus 2018 ★★

■ | 5500 | 🍾 | 8 à 11 €

Le Ch. de la Peyrade a été construit à la fin du XVIIIe s. sur un léger promontoire au bord de l'étang des Eaux blanches, face à l'île de Sète. Son vignoble de 24 ha est entièrement dédié au muscat blanc à petits grains. Une valeur sûre de l'appellation.

Des nuances vertes animent la robe pâle et brillante de ce 2018. Au nez, les épices douces se marient sans fausse note aux fleurs blanches, aux agrumes et à la pêche. Une entrée en matière discrète, mais élégante qui trouve écho dans une bouche tout en rondeur et en volume, dynamisée par de beaux amers en finale. ⏳ 2019-2022

SCEA PASTOUREL,
rond_point Salvador Allende, 34110 Frontignan,
tél. 04 67 48 61 19, info@chateaulapeyrade.com
V t.l.j. sf dim. 9h-12h 14h-18h30

♥ CH. SIX TERRES 2018 ★★

■ | 50 000 | 🍾 | 5 à 8 €

Fondée dès 1904, la cave de Frontignan (devenue Frontignan Muscat) dispose aujourd'hui de plus de 600 ha (dont plus de 540 en AOC) cultivés par 150 coopérateurs ; elle fournit 85 % de l'AOC muscat-de-frontignan, tout en déclinant de multiples styles de vins à base de muscat à petits grains.

Le Ch. Six Terres est né en 1860 du remembrement de six parcelles, un vignoble de 20 ha dominant l'étang de Thau, dédié à l'origine à la production de vermouth. Aujourd'hui, seul le muscat-de-frontignan y est produit. Et quel muscat en 2018 ! D'un seyant jaune paille intense et pimpant, ce vin déploie des arômes non moins pimpants de jasmin, de rose, de litchi, de citron confit ou encore d'iode. Une complexité que ne renie pas la bouche, ample, longue et parfaitement équilibrée entre rondeur et fraîcheur. Un vin percutant et harmonieux en diable. ⏳ 2019-2022

SCA FRONTIGNAN MUSCAT,
14, av. du Muscat, BP_136, 34112 Frontignan Cedex,
tél. 04 67 48 12 26, contact@frontignanmuscat.fr
V t.l.j. 9h30-12h30 14h30-18h

MUSCAT-DE-MIREVAL

Superficie : 275 ha / Production : 6 211 hl

Ce vignoble est bordé par Frontignan à l'ouest, le massif de la Gardiole au nord et la mer et les étangs au sud. D'origine jurassique, les sols se présentent sous forme d'alluvions anciennes de cailloutis calcaires. Le cépage exclusif est le muscat à petits grains; le mutage est effectué assez tôt, car les vins doivent avoir un minimum de 110 g/l de sucre; ceux-ci sont fruités et liquoreux, avec onctuosité.

♥ DOM. DE LA BELLE DAME
Irrésistible Baiser 2018 ★★

■ | 7200 | 🍾 | 5 à 8 €

Jean-Luc Mazas a créé en 1996 ce domaine qui couvre 19 ha. Depuis 2007, il vinifie sa récolte et commercialise ses vins – secs, pétillants et VDN (muscat-de-mireval). Il propose aussi des produits du terroir. Il a engagé la conversion biodynamique de son exploitation, située dans un secteur classé en zone Natura 2000.

Irrésistible en effet que ce « baiser » tout en douceur... La robe est d'un jaune clair limpide. Le nez convoque de fines notes végétales tout en fraîcheur et un parfum de poire. La bouche est une longue caresse, suave, délicate, friande, soulignée par une fine trame acidulée qui soutient des arômes d'agrumes confits et de menthe. À se damner... ⏳ 2019-2022

SCEA DOM. DE LA BELLE DAME,
135, chem. de la Tieulière, 34110 Mireval,
tél. 06 62 24 10 10, contact@belledame.fr
V r.-v. 3

CH. D'EXINDRE Cuvée Vent d'Anges 2018

■ | 3600 | 🍾 | 11 à 15 €

Ancienne villa gallo-romaine puis bien épiscopal (des vestiges de la chapelle Sainte-Marie-Madeleine d'Exindre furent trouvés ici), le domaine a été acquis à la Révolution par la famille Sicard, toujours propriétaire aujourd'hui. Une cave du XIXe s., 45 ha de vignes. Des IGP, des AOC languedoc, du muscat-de-mireval.

Un classique de l'appellation que cette cuvée dont le nom rappelle l'effet bénéfique du mistral et de la tramontane sur les raisins passerillés. Dans le verre, un vin d'un jaune doré soutenu, ouvert sur des notes de miel léger, de menthe fraîche, de verveine et de mandarine. Centrée sur les fruits confiturés (agrumes, fruits exotiques, poire), la bouche apparaît riche et chaleureuse. Un muscat au profil plutôt solaire. ⏳ 2019-2022

CATHERINE SICARD-GÉROUDET,
La Magdelaine-d'Exindre, 34750 Villeneuve-lès-Maguelone,
tél. 04 67 69 49 77, catherinegeroudet@yahoo.fr
V tlj. sf mer. dim. 15h-19h; sam. 9h-12h

MAS ROUGE 2018

■ | 5000 | 🍾 | 11 à 15 €

Un mas (rouge effectivement) entre Méditerranée et étangs, niché au cœur du bois des Aresquiers. Julien Cheminal, qui l'a acquis en 1997, en a restauré sans relâche le vignoble (35 ha), ainsi que le chai à l'imposante charpente. Il vinifie depuis 2002, montrant une belle régularité dans ses vins doux de muscat, en mireval et frontignan. Il développe aussi une production de vins secs en IGP.

Un muscat très pâle, au nez floral (jasmin), fruité (poire, litchi) et un brin amylique. La bouche attaque avec franchise sur la pêche et le menthol, puis reste jusqu'en finale sur un tempo frais et fluide. ⏳ 2019-2022

SCEA LES ARESQUIERS,
Mas Rouge, 34110 Vic-la-Gardiole, tél. 04 67 51 66 85,
contact@domainedumasrouge.com
V *t.l.j. sf dim. 10h-13h 15h-19h*

DOM. DE LA RENCONTRE Éclat 2018 ★

■	3500		11 à 15 €

C'est ici, en 1854, que Gustave Courbet a peint son chef-d'œuvre La Rencontre, stylisé sur les étiquettes. Rencontre encore, au Mexique, entre Pierre Viudes qui courait le monde et Julie, une Anglaise exilée. Enfin, les jeunes mariés « rencontrent » ces vignes de Vic-la-Gardiole et créent en 2011 un domaine qui compte aujourd'hui 12 ha.

De jolis reflets verts animent la robe or pâle de ce muscat. Au nez, une dominante florale (tilleul, verveine) et des nuances d'agrumes. Une olfaction élégante qui trouve un prolongement harmonieux dans une bouche équilibrée, ronde et tendre sans manquer de nervosité, très persistante. ⧗ 2019-2022

PIERRE ET JULIE VIUDES
(DOM. DE LA RENCONTRE), 50, chem. de la Condamine,
34110 Vic-la-Gardiole, tél. 06 24 05 39 46,
pierre@domainedelarencontre.com
V *r.-v.*

MUSCAT-DE-SAINT-JEAN-DE-MINERVOIS

Superficie : 185 ha / Production : 5 522 hl

Constitué de parcelles imbriquées dans la garrigue, le vignoble est perché à 200 m d'altitude. Il s'ensuit une récolte tardive – près de trois semaines environ après les autres appellations de muscat de l'Hérault. Seul cépage autorisé, le muscat à petits grains plonge ses racines dans des sols calcaires d'un blanc étincelant où apparaît parfois le rouge de l'argile. Les vins doivent avoir un minimum de 125 g/l de sucre. Ils sont très aromatiques, avec beaucoup de finesse, de fraîcheur et des notes florales caractéristiques.

♥ DOM. DE BARROUBIO 2018 ★★★

■	50000		8 à 11 €

La famille est établie dans le Minervois depuis la fin du XVe s. Installé en 2000, Raymond Miquel exploite 60 ha, dont 31 ha sont dédiés à la vigne. Référence en muscat-de-saint-jean-de-minervois, le domaine propose aussi des rouges intéressants en AOC minervois.

Une pluie d'étoiles et des coups de cœur réguliers depuis quelques années pour ce domaine qui excelle dans les trois couleurs et nous revient en grande forme cette année. Le nez tout en retenue et en élégance va piano : nuances de fleurs blanches, puis fruits blancs (poire), coing et touche exotique. Une texture de grande classe, une rondeur caressante, un alcool parfaitement intégré, un fruit multi-facette, une fraîcheur impeccable, une longue finale : un sommet d'élégance qui aura ému le jury. Une pépite produite en plus à quelque 50 000 exemplaires... Remarquable. ⧗ 2018-2021 ■ **La Cuvée Bleue 2017 ★ (8 à 11 €; 3000 b.)** : sans exubérance mais parfumé, le nez décline la mangue, le litchi et la mandarine. La bouche ample et onctueuse libère d'intenses arômes miellés dans un ensemble relevé par une fraîcheur de bon ton. Harmonieux et langoureux. ⧗ 2018-2021

RAYMOND MIQUEL, Barroubio,
11, chem. des Jardins, 34360 Saint-Jean-de-Minervois,
tél. 04 67 38 14 06, barroubio@barroubio.fr
V *t.l.j. 10h-12h 14h-18h*

CLOS BAGATELLE
Grain de Lumière 2018 ★★

■	6400		8 à 11 €

En 1623, un ancêtre, artisan drapier, s'établit à Saint-Chinian, au lieu-dit Bagatelle. Au XXe s., le domaine est transmis de mère en fille. Le vignoble est replanté dans les années 1960, avec une extension sur un terroir de muscat. Depuis 1993, ce sont Christine Deleuze (au commercial) et son frère Luc Simon (à la vigne) qui sont aux commandes des 60 ha de vignes familiales, à l'origine de saint-chinian et de muscat-de-saint-jean-de-minervois appréciés. Une valeur sûre.

Ouvert et agréable, le nez diffuse de beaux arômes de poire que l'on retrouve dans une bouche riche, mais élégante, marquée par le fruit confit et magnifiquement relevée par une très belle fraîcheur qui donne éclat et élégance à l'ensemble. La finale rebondit sur la poire et clôt magistralement ce muscat de grande classe. ⧗ 2018-2021

EARL BAGATELLE,
Clos Bagatelle, 34360 Saint-Chinian,
tél. 04 67 93 61 63, closbagatelle@wanadoo.fr
V *t.l.j. sf sam. dim. 9h-12h 14h-18h*

DOM. MARCON
Petit Grain 2018 ★

■	8000	8 à 11 €

Fils de viticulteur, Philippe Marcon, installé en 1989, fait ses premières gammes comme coopérateur et préside aux destinées de la cave pendant trois ans. En 2010, il décide de voler de ses propres ailes et de vinifier ses propres vins. Il dispose aujourd'hui de 13,5 ha de vignes. Si le caveau de dégustation se trouve à Saint-Chinian, le vignoble est implanté au hameau de Barroubio, à Saint-Jean-de-Minervois.

Coup de cœur l'année passée, la cuvée nous revient en grande forme dans le millésime 2018. Ouvert sur le camphre et les fruits à noyau, le nez est un agréable prélude à une bouche tout aussi raffinée, dont on aime l'élégance, la chair raffinée et la pureté de fruit. L'équilibre très réussi intègre parfaitement le sucre et l'alcool, et la finale croquante de pêche blanche laisse en bouche un long sillon parfumé. ⧗ 2018-2021

EARL DOM. PHILIPPE MARCON,
30, rue du Magot, 34360 Saint-Chinian,
tél. 06 15 02 18 34, marconp@orange.fr
V *r.-v.*

SÉLECTION PETIT GRAIN 2018 ★

■ | 30 000 | 🍾 | | 8 à 11 €

Fondée en 1955, la coopérative Le Muscat – autrement nommée Les Vignerons de Saint-Jean –, a contribué au renouveau de ce cépage traditionnel, qui n'occupait qu'une dizaine d'hectares au début du siècle dernier. Elle regroupe les 220 ha de ses adhérents et fournit la moitié des volumes de l'appellation muscat-de-saint-jean-de-minervois. Elle fournit aussi des minervois rouges et des IGP Pays d'Oc.

Les arômes intenses de fleurs blanches se nuancent en bouche de bonbon anglais et d'une touche presque minérale. L'attaque fraîche et intense ouvre sur un palais gras et onctueux, prolongé par une finale franchement chaleureuse. Un bon classique avec ce petit supplément d'âme apporté par la tonalité minérale. ⧗ 2018-2021 ■ **Éclat Blanc 2018 ★ (11 à 15 €; 10 000 b.)** : poire, mangue, coing, arbouse : le nez ne manque ni d'intensité ni de fruit. Classique, la bouche, grasse, charnue et chaleureuse, libère les mêmes arômes avec toute l'exubérance dont sont capables les bons représentants de l'appellation. Un petit supplément de fraîcheur aurait sans nul doute valu à la cuvée une deuxième étoile. ⧗ 2018-2021

SCA LE MUSCAT, 2, pl. du Muscat, 34360 Saint-Jean-de-Minervois, tél. 04 67 38 03 24, lemuscat@wanadoo.fr V *t.l.j. 9h-12h 14h-18h*

IGP AUDE

Ⓑ DOM. LA BOUYSSE Viognier 2018 ★

■ | | 10 800 | | 8 à 11 €

En 1996, Martine Pagès et son frère Christophe Molinier, tous deux œnologues, reprennent le domaine familial (aujourd'hui 40 ha près de Fontfroide, sur le terroir de Boutenac) et quittent la coopérative. Ils engagent la conversion bio de l'exploitation (certification en 2013). Ils ont récemment été rejoints par Hélène, la cinquième génération.

Expansive au nez comme peut l'être le viognier, cette cuvée en donne une version fraîche, avec une texture ronde ainsi que de belles notes fruitées et florales qui s'étirent en finale. ⧗ 2020-2022

SARL LA BOUYSSE, 3 chem. de Montséret, 11200 Saint-André-de-Roquelongue, tél. 04 68 45 50 34, info@domainelabouysse.com V *t.l.j. sf sam. dim. 8h-12h 14h-17h (8h-12h 14h-19h en juil.-août)* Ⓑ

DOM. LES MILLE VIGNES Rosé 2018 ★

■ | 2800 | 🍾 | | 30 à 50 €

Les mille pieds de vignes des débuts se sont transformés au fil des achats et des plantations en une propriété de 11 ha dans le Fitou maritime. Ce domaine créé en 1979 par Jacques Guérin, ancien professeur de « viti » au lycée d'Orange, est conduit depuis 2000 par sa fille Valérie.

Une teinte orangée, bien brillante, et des arômes de fruits très mûrs pour ce rosé structuré. Il gagne à être servi à table. ⧗ 2019-2020

EARL DOM. LES MILLE VIGNES, 24, av. San-Brancat, 11480 La Palme, tél. 04 68 48 57 14, les.mille.vignes@free.fr V *r.-v.* ⑤

IGP CÉVENNES

DOM. CLOS GALANT Viognier 2018 ★

■ | 1800 | 🍾 | | 5 à 8 €

On retrouve la trace des Galants vignerons dès le XVII[e]s. sur la commune d'Aubussargues. Olivier Galant y conduit depuis 1998 les 40 ha de vignes familiales et a entrepris ses premières vinifications au domaine en 2014 après être sorti de la cave coopérative.

Vinifié en cuve et à basse température, ce viognier livre sans exubérance ses arômes bien typés de fruits à noyau et de fleurs que l'on retrouve dans une bouche classiquement ronde, assez dense, intensément fruitée et qui doit son équilibre à sa fraîcheur préservée. ⧗ 2019-2020

DOM. CLOS GALANT, Les Boudouses, 30190 Aubussargues, tél. 06 81 12 16 50, clos-galant@sfr.fr V *t.l.j. sf dim. 10h-12h 15h-19h*

DOM. DE COULORGUES Les Prémices 2017 ★

■ | 4000 | 🛢🍾 | | 8 à 11 €

Son métier de sommelier exercé dans un restaurant étoilé parisien a donné à Frédéric Kchouk l'envie de produire du bon vin. Après un cursus théorique à la faculté de Dijon et une formation de tractoriste, il achète sa première parcelle en 2012, puis reprend le vignoble du Mont Bouquet à Seynes : 6 ha sur éboulis calcaires, à 280 m d'altitude. Il propose des duché-d'uzès et des IGP cévennes.

Une cuvée à la robe cerise qui décline au nez des notes légères de fruits rouges, de garrigue et d'épices. Tout en souplesse, la bouche séduit par ses tanins doux comme par la franchise et la rondeur de son fruit. Simple, efficace et très agréable. ⧗ 2019-2020

FRÉDÉRIC KCHOUK, 2, rue de la Croix, 30580 Saint-Just-et-Vacquières, tél. 06 60 11 42 64, frederic.kchouk@hotmail.fr V *r.-v.*

DURFORT LA CAVE 2018 ★

■ | 2100 | 🍾 | | - de 5 €

Déjà plusieurs fois sélectionnés, les vins de la coopérative de Durfort sont une valeur sûre. Une cave qui travaille depuis plusieurs années avec Philippe Nusswitz, meilleur sommelier de France en 1986, pour l'élaboration de ses cuvées.

Chardonnay et sauvignon associés dans cette cuvée allègre et juteuse. Fruit exotique et agrumes au nez, vivacité, clarté et dynamisme en bouche : un blanc parfaitement rafraîchissant, parfumé, vivace et gouleyant. ⧗ 2019-2020 ■ **2018 ★ (- de 5 €; 9000 b.)** : un petit prix mais le plein de sensations avec ce rosé moderne, pâle, au nez bien ouvert, floral et fruité (fruits rouges frais). La bouche ne déçoit pas : rondeur caressante à l'attaque, fraîcheur intense, gourmandise, finale acidulée sur le fruit frais. Rosé estival par excellence. ⧗ 2019-2020

SCA LES COTEAUX CÉVENOLS, rte de Canaules, 30170 Durfort, tél. 04 66 77 50 55, secretariat@coteaux-cevenols.fr V *t.l.j. sf sam. dim. 9h-12h 14h-18h*

DOM. LES LYS Saint Anastasie 2016 ★

■ | 1500 | | 15 à 20 €

Ce vignoble s'étend sur 25 ha de vignes à la frontière des Côtes-du-Rhône et des Cévennes. Marie-Hélène Veyrunes et Thomas Faure sont à la tête de cette exploitation en conversion bio.

Le vieillissement de six mois en demi-muids n'a pas dénaturé le nez de ce chardonnay, plus délicat que puissant, qui diffuse des arômes de fruits jaunes soutenus par de fines nuances de chêne. Ronde, fluide, riche, la bouche décline ces mêmes saveurs dans un registre chaleureux, ponctuée par une finale gourmande de caramel au lait. Séduisant et fédérateur. ⧗ 2019-2021

SARL LES LYS, rte d'Uzès, 30700 Blauzac, tél. 04 66 59 33 08, contact@les-lys.fr
V t.l.j. sf sam. dim. 9h30-12h30 14h-17h30

MAS SEREN Mintaka 2017 ★

■ | 3000 | | 15 à 20 €

Ce domaine, créé en 2009 par Emmanuelle Schoch, ancienne technicienne viticole, étend son vignoble sur 6 ha perchés à 300 m d'altitude et entourés de garrigues et de bois de chênes, sur la commune de Monoblet dans le Gard, à proximité d'Anduze. Le domaine est en conversion bio et les travaux mobilisent le cheval.

Syrah et grenache composent cette cuvée manifestement bien mûre sur la foi de ce nez généreux et chaleureux de fruits rouges macérés. Le palais, à l'unisson, offre rondeur, confort et saveurs (fruits rouges, épices, cacao), le tout joliment relevé en finale par une belle fraîcheur qui donne tenue et équilibre à l'ensemble. Vin élégant, déjà très charmeur. ⧗ 2019-2022

SCEA MAS SEREN, 1820, rte de Saint-Jean-du-Gard, 30140 Anduze, tél. 06 79 41 13 29, mas.seren@orange.fr
V t.l.j. sf dim. 15h- 19h

DOM. DE ROUX La Croix du Castellas 2017 ★★

■ | 1500 | | 11 à 15 €

Construit au XVIIᵉs. par un lointain ancêtre de l'actuel propriétaire, le Ch. de Roux est une demeure typique du piémont cévenol, entourée d'un vignoble de 15 ha d'un seul tenant. L'exploitation familiale a été reprise en 2013 par Hubert de Morogues, qui s'est formé en école de commerce, puis a fait ses classes chez Advini et à Châteauneuf-du-Pape.

Fruits noirs en confiture, épices, torréfaction, c'est par un nez puissant que s'annonce cette cuvée 100 % syrah. Le palais, tout aussi généreux, allie intensité, concentration et structure avec, en vedette, des tanins puissants mais fins et une finale remarquable de longueur sur le chêne et le fruit surmûri. Un jury enthousiasmé par cette cuvée proche du coup de cœur. ⧗ 2020-2025

CH. DE ROUX, 30260 Bragassargues, tél. 06 73 70 55 74, hdemorogues@domainederoux.fr
V mer. sam.10h-12h

DOM. SAINTE-OCTIME Octimus 2018 ★

■ | 5000 | | 5 à 8 €

Établi sur les premiers contreforts des Cévennes, ce domaine se transmet de père en fils depuis le XVᵉs. Lionel Rampon, qui a repris le flambeau en 2007 avec sa compagne Élodie, représente la seizième génération. À la tête de 22 ha, en conversion biologique depuis 2018, il cultive de nombreux cépages sur des sols à dominante argilo-calcaire et développe l'enherbement, pour faire paître ses brebis et fumer le sol.

Transfuge corse, le niellucciu est à l'honneur dans ce rosé, limpide de robe, au nez pimpant de bonbon et de fruits rouges acidulés. Habile compromis de rondeur et de vivacité, la bouche brille par son équilibre et par ses saveurs débridées et friandes de fraise. ⧗ 2019-2020 ■ **Les Grès 2017 ★ (11 à 15 €; 4300 b.)** : après un premier nez discret, cet assemblage marqué par la syrah libère un bouquet assez complexe de fruits noirs nuancés de notes fumées et d'eucalyptus. Tout en souplesse en attaque, le palais dévoile une matière charnue, étayée de tanins tendres et prolongée en finale par des notes finement toastées. Harmonieux et déjà épanoui. ⧗ 2019-2021 ■ **Utopia 2018 (8 à 11 €; 1800 b.)** : vin cité.

EARL DOM. DES MOUCHÈRES, rte de Sommières, 20, chem. des Bois, 30260 Sardan, tél. 04 66 53 55 33, sainteoctime@orange.fr V r.-v.

DOM. LE SOLLIER Les 4 Chemins 2015

■ | 3000 | | 11 à 15 €

Blotti au pied du parc national des Cévennes, ce domaine familial depuis trois générations est sorti de la cave coopérative de Saint-Hippolyte-du-Fort en 2006. Laurent Olivier et ses deux fils, Nicolas et Thomas, exploitent une quinzaine d'ha sur des coteaux exposés plein sud et produisent des vins en IGP et duché d'uzès.

Le cinsault (70 %) livre une robe classiquement légère qui tranche avec le nez, généreux et prodigue en arômes de fruits rouges bien mûrs et d'épices. On les retrouve dans une bouche ample, conviviale, bien arrondie à l'attaque et qui se raffermit en finale sous l'effet de tanins accrocheurs. Un vin tendre et agréable, dont la petite austérité disparaîtra à table. ⧗ 2019-2021

GAEC DU SAULIER, Mas du Saulier, 30170 Monoblet, tél. 04 66 85 41 39, domainelesollier@gmail.com
V t.l.j. sf dim. 10h-12h 14h-18h

DOM. TERRES D'HACHÈNE Zénite 2017 ★★

■ | 7500 | | 8 à 11 €

Ce domaine de 14 ha, situé dans le Piémont cévenol, a été créé en 2009 par Horace Pictet qui pratique les vendanges manuelles et applique à la vigne les principes de la biodynamie, sans certification.

Les cépages bordelais à l'honneur dans cet assemblage (cabernet-sauvignon, merlot, petit verdot) qui conserve bien l'accent du Languedoc par sa bouche pleine et solaire : matière capiteuse, tanins gras, arômes chaleureux d'épices et de pruneau. Une belle opulence rafraîchie par une longue finale mentholée. ⧗ 2020-2024 ■ **Ilex 2017 ★★ (15 à 20 €; 2000 b.)** : le chêne vert (*Quercus ilex*) est présent sur le domaine, d'où le nom de cette cuvée élevée sous bois pendant quatorze mois. Au nez de fruits rouges et de vanille, elle déploie en bouche une matière intense, ronde et fraîche, bien structurée par des tanins fins. Longue, complète, déjà séduisante et parée pour bien vieillir. ⧗ 2020-2025

SAS CH. PUECH LONG, Le Puechlong, 30610 Saint-Nazaire-des-Gardies, tél. 06 84 33 02 18, limel.frizon@sincro.fr V r.-v.

LANGUEDOC

DOM. DE LA VAILLÈRE Viognier 2018 ★★

| 3290 | | 8 à 11 € |

La famille des propriétaires est à la tête depuis le début du XXes. du Ch. de Saint-Jean-de-Serre et de terres viticoles sur les coteaux du piémont cévenol. Sur des sols argilo-calcaires, les cépages méridionaux traditionnels côtoient aujourd'hui les merlot, chardonnay et viognier. En 2017, la cinquième génération s'est installée – plusieurs membres de la famille aux parcours divers, décidés à vinifier à la propriété.

Tous les parfums et l'amplitude du viognier dans cette cuvée à la robe brillante qui diffuse au nez de puissants arômes de fleurs blanches, de tilleul et de fruits à noyau. Ronde, charnue, souple, la bouche enchante par ses saveurs épanouies, rafraîchies par un trait d'agrume en finale. Harmonieuse, pleine, la cuvée a fait le bonheur du jury. ⧗ 2019-2021

SAS DUMACO, 12, rte des Côtes, 30350 Saint-Jean-de-Serres, tél. 04 11 89 37 46, dumaco@outlook.fr r.-v.

LES VIGNES DE L'ARQUE Viognier 2018 ★★

| 25000 | | 5 à 8 € |

Ce domaine du pays d'Uzège (Gard) porte le nom du château médiéval du IXes. qui surplombe la cave. Il a été créé en 1994 par MM. Fabre et Rouveyrolles, deux anciens coopérateurs; et Patrick, fils du premier, est responsable des vinifications. Le vignoble s'étend sur 85 ha dispersés dans quatre villages voisins; il produit du duché-d'uzès et des vins en IGP Cévennes et Pays d'Oc.

Ce viognier classique libère d'intenses arômes floraux et exotiques que l'on croque avec plaisir dans une bouche très fruitée, large et d'une gourmandise évidente. Aromatique, harmonieux, sans une once de lourdeur, voilà un viognier abouti et séducteur. ⧗ 2019-2020 **Chardonnay 2018 ★★ (- de 5 €; 15000 b.)** : la robe pâle, le nez léger, fin, très floral, la bouche délicate, souple, tendre et équilibrée : tout est au diapason dans ce chardonnay franc, agréable, gourmand et d'une longueur plus qu'honorable. Une cuvée plébiscitée par le jury, remarquable à ce prix. ⧗ 2019-2020

LES VIGNES DE L'ARQUE, rte d'Alès, 30700 Baron, tél. 04 66 22 37 71, vigne-de-larque@wanadoo.fr t.l.j. 9h-12h 14h-19h

IGP CITÉ DE CARCASSONNE

DOM. AUZIAS Montagne Noire 2018 ★★

| 200000 | 5 à 8 € |

À deux pas de la cité de Carcassonne et du canal du Midi, le Ch. de Paretlongue est fondé au XIIes par les chanoines de Carcassonne à l'emplacement d'une villa gallo-romaine, puis passe entre les mains de plusieurs propriétaires nobles. Racheté en 1872 par les Auzias, négociants en vin, il est exploité par leurs descendants, Nathalie et Dominique Auzias, qui disposent après agrandissement de 160 ha d'un seul tenant.

D'une robe intense et violacée se dégagent des arômes chaleureux de cassis et de cerise. La bouche confirme les belles dispositions du nez : ample et ronde, elle diffuse un fruité mûr qui se nuance d'épices en finale. Harmonie et plaisir au rendez-vous de ce 2018 à point. ⧗ 2020-2022 **Ch. Auzias Rosé d'Été 2018 ★★ (8 à 11 €; 100000 b.)** : une cuvée bien nommée et essentiellement issue du grenache (80 %). Pâle de robe mais fringant au nez, ce rosé franc et floral offre une bouche tout en vivacité et en légèreté. ⧗ 2019-2020

EARL CH. AUZIAS PARETLONGUE, Dom. Paretlongue, 11610 Pennautier, tél. 04 68 47 28 28, bastien@auzias.fr t.l.j. sf dim. 9h-12h 14h-17h

CHAPITRE DE LA CITÉ 2018 ★

| 4200 | - de 5 € |

Créée en 1949 à Arzens dans l'Aude, regroupant quatre coopératives voisines et 170 viticulteurs qui travaillent sur 1 850 ha, la Cave la Malepère représente l'une des plus importantes coopératives de France. À sa carte, des cabardès et des malepères (AOC), des IGP Pays d'Oc et Cité de Carcassonne, des vins de France.

Pressurage direct de grenache et de cinsault, ce rosé élégant et pâle séduit par son nez fin et floral. La bouche suit la même trame : de la finesse dans le fruit, une agréable vivacité et une finale ferme, à l'amertume délicate qui donne un supplément de relief. ⧗ 2019-2020

EVOC, 247, av. des Vignerons, 11290 Arzens, tél. 04 68 76 71 76, caveaumalepere@vignobles-evoc.com t.l.j. sf sam. dim. 8h-12h 14h-18h

IGP COTEAUX DE BÉZIERS

DOM. DE PIERRE BELLE Cuvée 6 de Cœur 2017 ★★

| 3000 | | 15 à 20 € |

Un domaine de 60 ha établi sur des coteaux argilo-calcaires au nord de Béziers, propriété de la famille Laguna-Fernandez depuis quatre générations.

Six cépages, dont une touche de viognier, composent cette cuvée qui aura fait le bonheur des dégustateurs. D'une robe rubis se dégagent des arômes de chocolat, de moka et d'épices. Ample et généreuse à l'attaque, la bouche enchante par sa puissance tempérée, sa fraîcheur et ses flaveurs épanouies de fruits bien mûrs nuancés de touches boisées (vanille, torréfaction) et poivrées issues d'un élevage en fût. Déjà séduisante, cette cuvée est aussi armée pour bien vieillir. ⧗ 2020-2024

SARL DOM. DE PIERRE BELLE, Dom. de Pierre-Belle, av. de Béziers, 34290 Lieuran-lès-Béziers, tél. 04 67 49 17 96, vins@domainepierrebelle.com t.l.j. sf dim. 9h-12h 14h30-18h30

IGP COTEAUX D'ENSÉRUNE

B CHAPELLE DE NOVILIS Néus 2018

| 4869 | | 11 à 15 € |

L'histoire de ce domaine débute en l'an 800; il fut la propriété de puissantes familles seigneuriales, dont une femme, Jeanne de Novilis, au XIVes. Une autre femme, Nathalie Jeannot, issue de l'industrie pharmaceutique, est aux commandes depuis 2011. Établi à quelques kilomètres de l'oppidum d'Ensérune, le vignoble s'étend sur 15 ha.

Une touche (15 %) de vermentino épaule le cinsault dans ce rosé bien dans l'air du temps, pâle et dispensant des arômes fringants et acidulés. Bien équilibrée, dans un style léger et vivace, la bouche offre ces mêmes flaveurs de bonbon anglais. ⧗ 2019-2020

⊶ CHAPELLE DE NOVILIS, rte de Villenouvette, 34370 Maraussan, tél. 06 74 74 38 42, nathalie.jeannot@chapelledenovilis.com V t.l.j. sf dim. 15h-19h; sam 10h-19h

DOM. PERDIGUIER 2017

■ | 3390 | | 8 à 11 €

L'histoire de Perdiguier commence en 1375 lorsque Jean Perdiguier, trésorier général de Charles V en Languedoc, reçoit du roi les «fiefs de Maraussan et Villenouvette», dont faisait partie la bastide d'En Auger qui précéda le château sur le site. Les bâtiments s'ordonnent en quadrilatère autour d'une cour centrale et commandent un vignoble de 30 ha conduit depuis 1998 par Jérôme Feracci, en conversion bio depuis 2018.

Un petit air de Gironde dans cet assemblage de merlot et de cabernet-sauvignon élevé en fût, avec, en plus, le soleil de l'Hérault. Le nez en tire ses arômes bien mûrs, de fruits noirs compotés. Si l'attaque est discrète, la bouche monte en puissance, offrant une rondeur agréable étayée par des tanins élégants et une vivacité qui donne de l'éclat aux flaveurs. Longueur honorable en finale, sur les épices. ⧗ 2020-2024

⊶ SCEA JÉRÔME FERACCI, Dom. de Perdiguier, 34370 Maraussan, tél. 06 22 42 56 81, contact@domaineperdiguier.fr V r.-v.

DOM. SAINT-GEORGES LES CARDINELLES Elixir d'Amandina 2016 ★

■ | 4350 | | 15 à 20 €

Un domaine familial établi à Nisan depuis le XVIes., fruit de la réunion de deux propriétés de vignerons nissanais : les Audouy et les Lignon-Donnadieu. Le vignoble, conduit depuis 2002 par Christine Tarroux, s'étend sur une dizaine d'hectares en coteaux, au pied de l'oppidum d'Ensérune. La mise en bouteilles à la propriété date seulement de 2013.

Syrah et cabernet-sauvignon en duo dans cette cuvée à la robe sombre, qui déploie au nez des arômes de cassis et de cacao sur fond animal et mentholé. Douce à l'attaque, avec une légère rondeur, la bouche se montre fraîche et épicée, puis se resserre en finale sous l'effet de tanins encore fermes. ⧗ 2020-2024

⊶ SCEA DOM. SAINT-GEORGES, 7, rue du Square, 34440 Nissan-lez-Ensérune, tél. 04 67 39 45 04, contact@cardinelles.com V r.-v.

IGP COTEAUX DE NARBONNE

DOM. LALAURIE Alliance 2018 ★★

■ | 90000 | | - de 5 €

Transmis depuis dix générations, ce vaste domaine familial de 50 ha a démarré la mise en bouteille à la propriété en 1974, sous l'impulsion de Jean-Charles et Catherine Lalaurie, épaulés depuis 2007 par leurs filles jumelles, Camille et Audrey. À sa carte, des vins en IGP.

«Alliance» de quatre cépages, ce rosé de pressurage direct aura séduit le jury. Pâle comme il se doit, il charme par son nez fugace mais fruité, d'une belle netteté. La bouche est au diapason : légère, dotée d'une juste vivacité, avec de francs arômes de fruits frais. Rosé stimulant et parfaitement équilibré dans un style fringant. ⧗ 2019-2020

⊶ SARL JEAN-CHARLES LALAURIE, 2, rue Le-Pelletier-de-Saint-Fargeau, 11590 Ouveillan, tél. 04 68 46 84 96, lalaurie@domaine-lalaurie.com V t.l.j. sf dim. 10h-12h30 15h-18h30

IGP COTEAUX DU PONT DU GARD

CHAPELLE DE BOUCARUT Cuvée Alain 2018 ★

■ | 4000 | | 8 à 11 €

Boucarut était le nom d'un ecclésiastique de Roquemaure qui possédait le château et la chapelle au XVIIIes. Ses 21 ha de vignes se situent dans les pinèdes. L'ensemble est conduit en agriculture biologique.

Vinifié sans soufre ajouté, cet assemblage de roussanne et de viognier offre une robe dorée et un nez intense entre fruits jaunes et note de crème. Texture délicate, arômes complexes, beurrés, belle longueur : un vin raffiné et harmonieux. ⧗ 2020-2022

⊶ SCEA CH. DE BOUCARUT, Ch. Boucarut, chem. du Coquillon, 30150 Roquemaure, tél. 06 79 79 35 75, info@boucarut.com V t.l.j. sf mer. dim. 9h-19h

VIGNOBLE CHABRIER 2018

■ | 36000 | | - de 5 €

Constitué en 1925 par Louis Chabrier, ce domaine a été repris en 1988 par les petits-fils du fondateur, Christophe et Patrick, qui ont créé la même année leur cave particulière. La propriété compte aujourd'hui 65 ha de vignes éparpillées en une mosaïque de terroirs. À sa carte, du duché-d'uzès et des IGP.

Grenache noir et grenache gris au menu de ce rosé : le nez passe en revue les agrumes, la fraise acidulée, le bonbon et les fleurs. Tonifiante, la bouche offre un grand bol de fruits. ⧗ 2019-2020

⊶ SCEA DOM. CHABRIER FILS, chem. du Grès, 30190 Bourdic, tél. 04 66 81 24 24, contact@chabrier.fr V t.l.j. sf dim. 9h-12h 14h30-18h30

MAS DES PLANTADES Les Passerons 2018 ★★

■ | 1800 | | 5 à 8 €

Près de quatre-vingts ans après son grand-père, qui planta les premiers pieds de vignes au domaine en 1937, Gilles Rouchon a repris, en 2000, les rênes du domaine familial et ses 45 ha de vignes sur lequel il a grandi.

La souplesse et la rondeur du grenache, la structure du cabernet-sauvignon : telles sont les vertus du marselan, croisement en plein essor dans le grand Sud. Cette cuvée en est un exemple abouti : robe sombre; nez nuancé, fruité (cassis, myrtille), floral et minéral; bouche charnue, riche, fraîche, parfumée et longue sur les épices. ⧗ 2020-2024

EARL PLANTFRUIT, 110, chem. des Plantades, 30300 Beaucaire, tél. 06 22 40 92 39, contact@masdesplantades.com V r.-v.

DOM. DE LA PATIENCE Chardonnay 2018 ★★

	60000		5 à 8 €

Christophe Aguilar a repris le domaine familial en 1999, alors 12 ha en vins de pays apportés à la coopérative. Après des travaux de réencépagement et l'achat d'un domaine voisin, il conduit aujourd'hui 82 ha en conversion bio, dont une vingtaine en costières-de-nîmes.

Le chardonnay se plaît sur les bords du Gard : en témoigne cette cuvée épanouie, au nez de fruit frais. Elle offre une texture veloutée et une très belle vivacité. Un bel équilibre pour ce blanc tendre et croquant. ⧗ 2020-2022

SCEA DOM. DE LA PATIENCE, 61, RD_6086, 30320 Bezouce, tél. 04 66 75 95 94, domainedelapatience@orange.fr V t.l.j. sf dim. 9h-12h30 14h-18h

DOM. DE POULVAREL Le Bouquet Blanc 2018 ★

	5000		5 à 8 €

Pascal Glas et son épouse Élisabeth ont repris le domaine familial en 2004 après la fermeture de la coopérative de Sernhac. Ils exploitent aujourd'hui un vignoble de 40 ha et signent des costières-de-nîmes de belle facture, régulièrement en vue dans ces pages. Le domaine est labellisé HVE depuis 2015.

Chaque année au rendez-vous du Guide, le domaine signe cette cuvée harmonieuse, issue d'un assemblage complexe de cinq cépages. 5 % de muscat suffisent à marquer le nez, plus subtil que puissant, de nuances muscatées. La bouche offre une texture ronde, caressante, accompagnée d'arômes séduisants, le tout relevé par une juste vivacité. Un compromis idéal entre volume et fraîcheur. ⧗ 2020-2022

ÉLISABETH ET PASCAL GLAS, 110, chem. de la Soubeyranne, 30210 Sernhac, tél. 04 66 01 67 46, domaine.poulvarel@wanadoo.fr V t.l.j. 10h-12h 17h-19h; dim. sur r.-v.

DOM. TARDIEU FERRAND 2018 ★

	4000	8 à 11 €

Un domaine créé en 2015, réunissant deux natifs du Gard qui se sont rencontrés sur les bancs du DNO (diplôme national d'œnologue) de Toulouse et associant deux propriétés : une près d'Uzès, sur les premiers contreforts des Cévennes, et l'autre dans la partie la plus méridionale de la Vallée du Rhône.

100 % grenache, ce rosé à la robe pâle et brillante s'ouvre sur un nez expressif, joliment fruité, de pêche, de poire et de petits fruits rouges. Même approche flatteuse en bouche : on se régale d'un fruité tonique, servi par la fraîcheur. Un rosé expressif. ⧗ 2019-2020

GAEC DOM. TARDIEU FERRAND, 1000, rte d'Uzès, 30210 Argilliers, tél. 06 16 51 63 55, domainetardieuferrand@gmail.com V t.l.j. 10h-12h 14h-19h

IGP CÔTES DE THAU

DOM. FÉLINES JOURDAN Les Fruités 2018 ★

	8000		5 à 8 €

Claude Jourdan a intégré le domaine familial en 1995, prenant la suite de sa mère Marie-Hélène. Ce vaste domaine de 100 ha se répartit en trois entités sur la zone de Picpoul-de-Pinet, en bordure de l'étang de Thau, à quelques mètres de la mer. Une situation géographique particulière qui confère aux vins blancs beaucoup de fraîcheur.

Abonné au Guide pour ses blancs, le domaine apparaît cette année pour ce rosé classique dans son assemblage (cinsault, grenache, syrah), mais original par son nez de fruits surmûris et de fruits exotiques. Très souple et gourmande, la bouche restitue ces mêmes arômes longs et exotiques, avec un soupçon de perlant qui apporte de la fraîcheur. ⧗ 2019-2020

SCEA FÉLINES JOURDAN, Dom. Félines Jourdan, 34140 Mèze, tél. 04 67 43 69 29, felines-jourdan@gmail.com V r.-v.

♥ LES VIGNERONS DE FLORENSAC Les Constellations Draco 2017 ★★

	5000		8 à 11 €

Née en 1934, cette coopérative installée dans des bâtiments à l'architecture typique du Languedoc regroupe 150 adhérents et 700 ha de vignes. À sa carte, du picpoul-de-pinet et des vins IGP.

Un nom de cuvée inspiré de la constellation et qui change chaque année en fonction de l'assemblage. Le 2017, qui met en exergue le cabernet-sauvignon et la syrah, aura séjourné douze mois en fût. Les nuances torréfiées du nez nous le rappellent, mais sans excès. Souple et suave à l'attaque, la bouche séduit par sa rondeur, ses tanins enrobés et par la belle complexité de ses arômes fruités et grillés. ⧗ 2020-2024

SCA LES VIGNERONS DE FLORENSAC, 5, av. des Vendanges, 34510 Florensac, tél. 04 67 77 00 20, caveau@vignerons-florensac.fr V t.l.j. 9h30-17h30; dim. 11h-15h30

DOM. LA GRANGETTE Péché Mignon 2018 ★

	1200		5 à 8 €

Au Moyen Âge, les terres du domaine appartenaient à la seigneurie du Baron de Guers. Elles étaient plantées de luzerne et de céréales pour nourrir l'importante cavalerie du château, d'où le nom de « grangette » (petite grange). La vigne y était aussi cultivée, ce dont témoignent de très anciennes cuves de pierre. Elle s'étend aujourd'hui sur 10 ha, et produit du picpoul-de-pinet et des vins en IGP.

30 % de sauvignon épaulent la marsanne dans cette cuvée élevée en cuve qui aura charmé les dégustateurs. Le fruit blanc, l'abricot et les fleurs blanches s'expriment volontiers au nez et donnent en bouche une vraie dimension de gourmandise à ce blanc harmonieux qui sait concilier fraîcheur, volume et pureté de fruit. ⧗ 2020-2022

SCEA DOM. LA GRANGETTE, 305, chem. du Picpoul, 34120 Castelnau-de-Guers, tél. 06 64 71 42 58, domainelagrangette@gmail.com V r.-v.

RÉSERVE DE MONTROUBY 2018 ★

■ | 400000 | - de 5 €

Une cave fondée en 1932 qui regroupe 400 viticulteurs pour un vignoble de 1 750 ha.

D'un joli rose pâle, cet assemblage de quatre cépages offre un nez délicat et frais d'agrumes. En bouche, il se montre bien équilibré dans un style souple, épanoui et intensément fruité (bonbon, agrumes). ⧗ 2019-2020

CAVE LES COSTIÈRES DE POMÉROLS, 68, av. de Florensac, 34810 Pomerols, tél. 04 67 77 01 59, info@cave-pomerols.com V *t.l.j. sf dim. 8h30-12h30 14h-18h*

RICHEMER Viognier Richemer 2018 ★

■ | 51400 | | - de 5 €

Cette cave située sur le quai du port de Marseillan, au bord de l'étang de Thau, a été longtemps intimement liée au commerce maritime du vin. En effet, son créateur, Henri Richet, fut surnommé Henri de Richemer en raison de la prospérité de son activité de négoce. Aujourd'hui, c'est une coopérative née de la fusion des caves de Marseillan et d'Agde qui regroupe 200 viticulteurs et 1 400 ha de vignes.

Tout le charme et toute la rondeur du viognier dans ce blanc jaune paille, au nez généreux, bien typé et très floral (acacia). Puissante à l'attaque, la bouche délivre un fruit savoureux (pêche, abricot, fleurs blanches), aux nuances de curcuma, qui persiste jusqu'en finale. Compromis réjouissant de rondeur, de richesse et de fraîcheur, voilà un viognier exemplaire. ⧗ 2020-2022

LES CAVES RICHEMER, 1, rue du Progrès, 34340 Marseillan, tél. 04 67 77 20 16, contact@richemer.fr V *t.l.j. sf dim. 9h-12h30 14h-18h30*

IGP CÔTES DE THONGUE

DOM. DE L'ARJOLLE Viognier Sauvignon 2018 ★

■ | 60000 | 8 à 11 €

Situé à Pouzolles, ce très vaste domaine de 110 ha s'est réveillé en 1974 avec l'arrivée de la famille Teisserenc (sept associés), qui en a fait l'une des belles références des Côtes de Thongue.

Deux cépages aromatiques dans cette cuvée, le premier apportant la rondeur, le second la fraîcheur. Un bon résumé de cette cuvée qui s'ouvre sur un nez explosif, entre fruit jaune et note exotique, pour déployer en bouche sa rondeur fraîche très apéritive. De l'intensité, de l'équilibre et du plaisir. ⧗ 2019-2020 ■ **Équilibre 2018 ★ (8 à 11 €; 20000 b.)** : macération pelliculaire et bref passage en fût pour une partie de l'assemblage (syrah, cabernet-sauvignon) : des options originales qui n'entament en rien la vigueur de ce rosé expressif, au nez friand de petits fruits rouges. Tendre par sa texture, vif et dynamique par son acidité et ses saveurs stimulantes (fruits rouges, agrumes). ⧗ 2019-2020 ■ **Équinoxe Viognier Sauvignon 2017 ★ (11 à 15 €; 12000 b.)** : le nez restitue les arômes richement vanillés d'une cuvée fermentée puis élevée en fût. La rondeur et l'amplitude de la matière en bouche nous le rappellent également. Un blanc ambitieux, très harmonieux dans ce style épanoui et boisé. ⧗ 2019-2022

SAS ARJOLLE, 7 bis, rue Fournier, 34480 Pouzolles, tél. 04 67 24 81 18, alice@arjolle.com V *t.l.j. sf dim. 9h-18h*

Ⓑ DOM. BASSAC Le Manpòt 2017 ★★

■ | 45000 | | 8 à 11 €

Situé à Puissalicon, petit village médiéval du Languedoc, à égale distance de Béziers, Pézenas et Bédarieux, un domaine de 80 ha cultivé en bio depuis 1990, sur des sols d'une grande diversité, propriété depuis 2014 de François Delhon et Jean-Philippe Leca.

Hommage au bâtisseur moustachu de la cave (d'où la paire de moustaches qui orne cette étiquette élégante), surnommé Le Manpòt. La cuvée met à l'honneur les trois grands cépages bordelais épaulés par un quart de syrah. Le séjour en barrique d'une partie de l'assemblage apporte de fines nuances grillées à un nez marqué par la cerise confite. Intense, puissante mais bien arrondie, la bouche fait écho au nez et livre un joli fruit mûr prolongé en finale par des notes discrètement boisées. Une harmonie et une gourmandise saluées par un jury conquis. ⧗ 2019-2022

SARL BASSAC, 180, chem. de la Condamine, 34480 Puissalicon, tél. 04 67 36 05 37, contact@domaine-bassac.com V *t.l.j. sf sam. dim. 10h-12h 14h-17h*

DOM. BONIAN 1930 2017

■ | 1300 | | 15 à 20 €

Le Dom. Bonian, à Pouzolles, est le vestige d'un tènement féodal dont on a retrouvé quelques traces. Très impliqué dans l'œnotourisme local, Alain Almes a pris la suite de son grand-père et de son père à la tête de ce vignoble d'une vingtaine d'hectare.

Un long élevage en barrique (dix-huit mois) pour cette cuvée 100 % syrah qui a profité de la chaleur du millésime sur la foi de ce nez de confiture de mûres et de pruneau. L'attaque souple, les tanins ronds, la consistance de la chair, les saveurs entre fruit et fût, tout est de bon goût dans ce rouge langoureux déjà prêt à boire. ⧗ 2019-2022

ALAIN ALMES, 9, chem. de Margon, 34480 Pouzolles, tél. 06 07 99 73 73, alain.almes@gmail.com V *r.-v.*

Ⓑ DOM. BOURDIC Grenache 2015 ★

■ | 2500 | | 11 à 15 €

C'est en tant que musiciens que Christa Vogel et Hans Hürlimann avaient imaginé vivre dans le Midi de la France et c'est comme vignerons qu'ils se sont finalement installés, en 1995, sur ces 5 ha de vignes. La vendange est manuelle et le vin est certifié en agriculture biologique.

Des nuances tuilées égayent la robe de ce rouge suave, dont le nez discret évoque le Sud par ses arômes chaleureux de fruits rouges bien mûrs. Très souple, parfumée, dotée de tanins soyeux, la bouche s'étire en longueur sur les épices. Un vin plus raffiné que puissant, très agréable par la gourmandise et la tendresse de son fruit. ⧗ 2019-2021

LANGUEDOC

CHRISTA HÜRLIMANN, Dom. Bourdic, 34290 Alignan-du-Vent, tél. 04 67 24 98 08, info@domainebourdic.com V r.-v.

DOM. DE BRESCOU Chardonnay 2018 ★

	4000		5 à 8 €

Situé à Alignan-du-Vent, près de Pézenas, à 25 km de la Méditerranée, ce domaine dont l'histoire débute au XIVᵉs. exploite un vignoble de 30 ha, en conversion biologique depuis 2017.

Ce chardonnay flatteur, élevé en cuve, au nez ample et marqué par le chèvrefeuille, aura séduit par sa bouche harmonieuse qui sait concilier rondeur et fraîcheur et par le charme de ses saveurs florales et miellées, bien persistantes en finale. ⌛ 2019-2020 ■ **Dom. Brescou Fleur d'Été 2018 (5 à 8 €; 6700 b.)** : vin cité.

DOM. DE BRESCOU, rte de Margon, 34290 Alignan-du-Vent, tél. 04 67 24 96 66, info@brescou.com V r.-v.

♥ **DOM. DES CAPRIERS**
Octave Syrah Grenache 2017 ★★

	7000		11 à 15 €

Marion Vergnes et son frère Mathieu, autodidactes mais d'origine vigneronne, ont repris les commandes de ce domaine familial (32 ha) en 2001. En 2003, ils ont construit un nouveau chai et se sont lancés dans la commercialisation de leurs vins.

Cette cuvée née de syrah et de grenache, à la robe opaque, délivre de puissants arômes de fruits rouges confits, de tapenade, de chocolat noir et de garrigue. Adossée à des tanins puissants mais bien travaillés, la bouche se distingue par sa gourmandise, son relief et sa longue finale épicée. Du caractère certes, mais beaucoup d'élégance qui vaut à la cuvée un coup de cœur unanime. Du potentiel en cave si on résiste au charme évident de sa jeunesse. ⌛ 2020-2026 ■ **Les Larmes d'Ema 2017 ★ (8 à 11 €; 15000 b.)** : un peu de pinot noir et de cabernet-sauvignon épaulent la syrah dans cette cuvée convaincante qui s'ouvre sur un bouquet de cassis, de fruits acidulés et de liqueur de mûre. Plus épicée et réglissée en bouche, la cuvée est solidement cadrée par des tanins jeunes qui augurent d'une petite garde. ⌛ 2020-2023

GAEC MARION ET MATHIEU VERGNES, 605, av. de la Gare, 34480 Puissalicon, tél. 06 58 02 57 59, contact@domainedescapriers.fr V r.-v. E

DOM. LA CROIX BELLE Le Champ des Lys 2018 ★

	60000		8 à 11 €

En 1977, Jacques et Françoise Boyer ont repris et agrandi (135 ha aujourd'hui) le domaine familial de Puissalicon, petit village médiéval accroché aux flancs des Cévennes.

Très souvent au rendez-vous du Guide, ce domaine hautement recommandable signe ce blanc accompli, assemblage de quatre cépages dominé par le viognier et partiellement élevé sous bois. Le nez très floral cède place à des notes exotiques. Le palais charme par sa texture enveloppée et sa fraîcheur préservée. Très harmonieux et à déguster dans sa jeunesse. ⌛ 2019-2020 ■ **Le Champ des Grillons 2018 ★ (8 à 11 €; 50000 b.)** : assemblage de grenache, syrah et cabernet-sauvignon, ce rosé saumoné offre un nez retenu entre agrumes et petits fruits rouges. Sans exubérance mais avec élégance, la bouche délivre ces mêmes flaveurs évanescentes dans un ensemble léger, désaltérant et très efficace. À boire sans tarder. ⌛ 2019-2020

SCEA JACQUES ET FRANÇOISE BOYER, 160, av. de la Gare, 34480 Puissalicon, tél. 04 67 36 27 23, information@croix-belle.com V *t.l.j. sf dim. 9h-12h 14h-18h*

DOM. DESHENRY'S Elle et Lui 2018 ★

	4000		8 à 11 €

La famille Bouchard, par ailleurs propriétaire du Dom. de l'Abbaye Sylva Plana, est également à la tête, depuis cinq générations, de cette propriété dont le vignoble s'étend sur 53 ha. Elle doit son nom au prénom Henry donné aux différents responsables qui se sont succédé à sa tête.

Assemblage de syrah et de carignan, cette cuvée s'ouvre sur un nez plutôt discret de fruits rouges compotés. La bouche joue la même partition : légèreté, souplesse, belle fraîcheur, arômes fugaces de fruit mûr avec une pincée d'épices et de torréfaction. Gourmand et bien équilibré dans ce style délié, à boire sur le fruit de jeunesse. ⌛ 2019-2021

SARL BOUCHARD ET FILS, 3, rue de Fraisse, 34290 Alignan-du-Vent, tél. 04 67 24 91 67, info@vignoblesbouchard.com V *t.l.j. sf sam. dim. 9h-12h 14h-17h30*

DOM. LES FILLES DE SEPTEMBRE
Secret d'Opale 2017 ★

	1500		11 à 15 €

Roland et Hugues Géraud dirigent ce domaine (41 ha) depuis 1995 et ont été inspirés par les dates de naissance de leurs filles respectives, nées le mois des vendanges, pour en trouver le nom.

Un assemblage à la mode (chardonnay, viognier), très convaincant dans cette version qui a bénéficié d'un bref séjour en fût. Le nez en tire ses nuances grillées et pâtissières sur fond floral et fruité. Onctueuse, la bouche séduit par son volume comme par ses arômes de viennoiserie et de beurre frais qui emplissent généreusement le palais. ⌛ 2019-2022

SARL LES FILLES DE SEPEMBRE, 30, av. Georges-Guynemer, 34290 Abeilhan, tél. 04 67 39 01 65, les-filles-de-septembre@club-internet.fr V *t.l.j. sf dim. 10h-12h 14h-18h; f. fév.*

B **DOM. MONPLÉZY** Felicité Blanche 2017 ★

	3400		15 à 20 €

Ce domaine familial datant de 1734, situé sur une colline près de Pézenas, fut marqué naguère par la forte personnalité de Georges Sutra, syndicaliste viti-vinicole et député européen. Situé en zone Natura

2000, il est désormais dirigé par Anne Sutra de Germa, militante à la Ligue de protection des oiseaux, et par son fils Benoît. L'agriculture biologique et biodynamique est bien sûr de mise sur les 25 ha de vignes.

La Félicité, ou la béatitude prolongée, voilà un joli nom pour cette cuvée qui possède bien d'autres atouts : sa robe brillante ; son nez charmant, fruité et floral; sa bouche légère, finement boisée, parfumée et dotée d'une vivacité très tonifiante. ⌛ 2019-2022

SCEA DOM. MONPLÉZY, chem. Mère-des-Fontaines, 34120 Pézenas, tél. 04 67 98 27 81, info@domainemonplezy.fr t.l.j. sf sam. dim. 14h-18h

DOM. DE MONTMARIN
Le Grand Blanc 2018 ★★

	8000		5 à 8 €

La famille Sarret est aux commandes de cette ancienne seigneurie royale depuis treize générations, aujourd'hui un vaste domaine de 450 ha (dont 85 de vignes et autant de céréales) qui s'étend sur une ligne de coteaux dominant plein sud le Golfe du Lion.

Roussanne, viognier et chardonnay au menu de ce blanc délicat, très floral au nez (acacia, amandier), dont la bouche savoureuse offre un compromis réjouissant entre amplitude, tension et harmonie. On croque avec plaisir dans des saveurs fraîches, entre agrumes et fleurs blanches, qui se prolongent dans une finale épicée et saline. La cuvée n'usurpe pas son nom. ⌛ 2019-2021 **Viognier 2018 ★ (5 à 8 €; 65000 b.)** : déjà repéré l'année passée, ce viognier nous revient en grande forme dans le millésime 2018. Épanouie au nez comme il se doit, sur des nuances classiques de fruits jaunes et de fleurs blanches, la cuvée déploie en bouche sa rondeur capiteuse, allégée par une belle acidité qui donne relief et éclat aux saveurs fruitées. La longue finale sur les agrumes confits renforce un peu plus cette sensation de fraîcheur et d'allégresse. ⌛ 2019-2021

GFA DE MONTMARIN, D_28, 34290 Montblanc, tél. 04 67 77 47 70, domainemontmarin@outlook.fr t.l.j. sf sam. dim. 8h-12h 13h-17h

MOULIN DE LÈNE Justine 2018 ★

	19200		8 à 11 €

Un domaine de 45 ha créé en 1998 par la famille Frayssinet. Il doit son nom aux vestiges d'un moulin à céréales et à la rivière La Lène qui traverse ses terres. On y trouve aussi un aqueduc souterrain datant de l'époque romaine, qui servait à alimenter en eau la ville de Béziers.

Assemblage original de chardonnay, petit manseng et muscat à petits grains, la cuvée s'ouvre sur une robe paille et sur un nez charmeur, entre fruits exotiques (banane), agrumes, acacia et tilleul. Le charme opère aussi en bouche : du gras, de l'amplitude, une fraîcheur à la mesure et des saveurs longues et expansives. Un vin qui séduit par son harmonie et son ampleur aromatique. ⌛ 2019-2021

SCEA FAMILLE FRAYSSINET, Dom. Moulin de Lène, rte de Fouzilhon, 34480 Magalas, tél. 04 67 36 06 32, domaine@moulindelene.com t.l.j. sf sam. dim. 10h-12h 14h-17h

DOM. SAINT-GEORGES D'IBRY
Excellence 2018 ★

	24000		5 à 8 €

Fondé en 1860, ce domaine établi sur la commune d'Abeilhan, entre Agde et Pézenas, compte 40 ha. Michel Cros est à sa tête depuis 1985.

Une robe pâle et saumonée; un nez de bonbon anglais et de fruits acidulés; une bouche ronde, fraîche, savoureuse par ses saveurs tonifiantes de petits fruits rouges : voilà un rosé stimulant, estival et redoutable de gourmandise. ⌛ 2019-2020

EARL DU DOM. SAINT-GEORGES D'IBRY, 34290 Abeilhan, tél. 04 67 39 19 18, info@saintgeorgesdibry.com t.l.j. sf dim. 9h-12h 14h-18h

VILLA DELMAS Impitoyable 2016 ★

	2800		15 à 20 €

Achat de vignes entre 1998 et 2005, construction de la cave et du caveau de 2009 à 2011, et voici Jocelyn Delmas et son frère Fabrice aujourd'hui aux commandes d'un petit vignoble, qu'ils agrandissent (14,5 ha aujourd'hui). Ils y cultivent les cépages languedociens et aussi l'alsacien gewurztraminer.

Syrah, carignan et grenache au menu de ce rouge langoureux élevé quatorze mois en barrique. Les notes toastées du chêne enrichissent un nez puissamment fruité (mûre, cassis), aux nuances animales. La bouche affiche la même plénitude : matière puissante, texture suave, tanins mûrs et fondants, saveurs complexes tirant sur le cacao en finale. Du caractère, du plaisir et du potentiel en cave. ⌛ 2020-2025

EARL DELMAS, rte de Valros, 34630 Saint-Thibéry, tél. 06 77 74 00 35, earldelmas@wanadoo.fr t.l.j. sf dim. 8h-12h 16h-19h

IGP GARD

♥ CELLIER DES CHARTREUX Origine 2017 ★★★

	n.c.		8 à 11 €

Née en 1929, la coopérative de Pujaut, bourgade des environs d'Avignon, vinifie 720 ha de vignes dans les crus lirac et tavel, en AOC régionales et en IGP. Ses cuvées sont régulièrement en vue dans ces pages, notamment ses vins blancs.

Cette excellente coopérative signe un chardonnay ambitieux, élevé sous bois, bien du Sud par ses arômes de fruits surmûris et de vanille. Grasse, puissante et bien équilibrée, la bouche offre les flaveurs épanouies et confiturées d'un chardonnay qui a vu le soleil avec les nuances apportées par le chêne. C'est riche, mais harmonieux et bien structuré. ⌛ 2020-2022 **La Nuit tous les chats sont gris 2018 ★ (5 à 8 €; n.c.)** : si la robe est légère et à peine teintée, le nez est puissant, explosif même, entre agrumes, buis et fruit de la Passion. On croque avec enthousiasme dans ces mêmes arômes acidulés portés par une bouche ronde, fraîche et harmonieuse. ⌛ 2019-2020

SCA CELLIER DES CHARTREUX, 1412, RD_6580, 30131 Pujaut, tél. 04 90 26 39 40, contact@cellierdeschartreux.fr V t.l.j. 8h30-12h 14h-18h30

PIERRE CHAVIN 2018 ★

	300000	5 à 8 €

Implantée à Béziers, une maison de négoce créée en 2010 par l'œnologue Fabien Gross, fils de vigneron du Haut-Rhin devenu «assembleur et éleveur de vins français». Présente sur différents vignobles du pays, elle vise des « créations haute couture » et des vins «prêts-à-consommer», aptes à conquérir les marchés internationaux.

Cuvée bio issue d'un assemblage classique (grenache, cinsault, syrah), elle a pour elle une robe éclatante, un nez avenant et tonique, entre jasmin, yuzu et framboise, et une bouche pleine, longue et fraîche. Un rosé élégant, à l'équilibre irréprochable et rafraîchissant. 2019-2020

PIERRE CHAVIN, 2, bd Jean-Bouin, 34500 Béziers, tél. 04 67 90 12 60, info@pierre-chavin.com V r.-v.

MAS DES BRESSADES Les Vignes de mon père 2017 ★

	20000		11 à 15 €

Du Languedoc à l'Afrique du Nord, de l'Afrique du Nord au Médoc et à la vallée du Rhône, la famille Marès cultive la vigne sans frontières depuis six générations. Cyril s'est installé en 1996 à la tête du vignoble qui compte aujourd'hui 42 ha. Ses costières-de-nîmes sont régulièrement en bonne place dans le Guide.

30 % de syrah complètent cet assemblage dominé par le cabernet-sauvignon. Les fruits noirs en confiture, la garrigue, le sous-bois et la réglisse forment un bouquet complexe, relayé par une bouche harmonieuse, séveuse, dotée de tanins doux et agrémentée de nuances boisées issues d'un élevage de douze mois en barrique. 2020-2022

EARL MAS DES BRESSADES, Mas du Grand-Plagnol, RD_3, 30129 Manduel, tél. 04 66 01 66 00, masdesbressades@aol.com V r.-v.

GRIS DE NABOR 2018

	100000	- de 5 €

Une petite structure de négoce créée en 2004, spécialisée dans les vins de la vallée du Rhône, du Languedoc et de la Provence.

Le tempranillo, grand cépage espagnol, est à l'honneur dans ce rosé pâle et orangé qui diffuse des arômes intenses, floraux et fruités. Ronde, la bouche les restitue avec gourmandise et souplesse. Un rosé plaisant, plus tendre que vif, harmonieux dans ce style. 2019-2020

LES VIGNERONS DU GRAND SUD, 32, chem. de Roquebrune, 30130 Saint-Alexandre, tél. 04 66 39 02 00, contact@vigneronsdugrandsud.fr

ROCCA MAURA Les P'tits Galets 2018

	80000	- de 5 €

C'est à Roquemaure, berceau historique des côtes-du-rhône grâce à son port fluvial, que les vignerons purent en 1737 marquer leurs tonneaux des lettres «CdR». Fondée en 1922, la petite coopérative locale - longtemps nommée Cellier Saint-Valentin - fédère aujourd'hui 60 adhérents pour 350 ha de vignes. Elle s'est tournée vers la vente en bouteilles au tournant du XXIes.

Syrah, merlot et marselan composent ce vin rubis clair qui déploie au nez des arômes de petits fruits rouges sur fond végétal. Frais et rond en bouche, il séduit par ses saveurs acidulées qui se prolongent dans une finale ferme. 2019-2020 **Merlot Cabernet-sauvignon 2018 ★ (5 à 8 €; 52000 b.)** : des cépages bordelais en terre gardoise, cela donne ce nez de fruits noirs et rouges, teinté de garrigue et de nuances animales. En bouche, la cuvée se révèle ronde, dotée d'une agréable vivacité et de tanins fermes qui confèrent à l'ensemble un profil vivant et gourmand. 2020-2022

SCA ROCCA MAURA, 1, rue des Vignerons, 30150 Roquemaure, tél. 04 66 82 82 01, contact@roccamaura.com V t.l.j. sf dim. 9h-12h 14h-18h

DOM. LE SOLLIER Mon Onlce 2015 ★★

	1000		20 à 30 €

Blotti au pied du parc national des Cévennes, ce domaine familial depuis trois générations est sorti de la cave coopérative de Saint-Hippolyte-du-Fort en 2006. Laurent Olivier et ses deux fils, Nicolas et Thomas, exploitent une quinzaine d'ha sur des coteaux exposés plein sud et produisent des vins en IGP et duché d'uzès.

L'alicante en vedette dans ce vin au nez marqué par les notes grillées et vanillées de l'élevage en barrique. Le fruit s'exprime bien plus intensément en bouche, sur des nuances de cerise noire très mûre, relayées par la garrigue et la torréfaction. Matière ample, texture onctueuse, tanins enrobés, belle fraîcheur, intensité aromatique : la bouche ne manque de rien et a enthousiasmé le jury. De bonnes perspectives de garde, mais le plaisir est déjà au rendez-vous. 2020-2024

GAEC DU SAULIER, Mas du Saulier, 30170 Monoblet, tél. 04 66 85 41 39, domainelesollier@gmail.com V t.l.j. sf dim. 10h-12h 14h-18h

DOM. DE TAVERNEL 2018 ★

	90000		- de 5 €

M. Tavernel, maire de Beaucaire en 1830, a donné son nom à ce mas du XIXes., qui a appartenu à la famille de Frédéric Mistral, écrivain et poète emblématique de la Provence. Entré dans la famille de Denise Compagne en 1920, il s'étend sur 96 ha cultivés en bio depuis... 1987.

Le muscat (dominant) et le colombard font leur effet au nez : arômes flatteurs et épanouis de fruits exotiques, d'abricot sec et de gingembre. La bouche ne cède rien à la gourmandise du nez : tendre, fraîche, fruitée, efficace, d'une séduction évidente. 2020-2021

SCEA DOM. DE TAVERNEL, 1479, chem. de Tavernel, 30300 Beaucaire, tél. 04 66 58 57 01, tavernel@orange.fr V t.l.j. sf dim. 9h-12h 14h-18h; sam. 9h-12h

DOM. LA TOUR DE GÂTIGNE Viognier 2018 ★

	13000		5 à 8 €

En 1212, les Templiers élèvent une commanderie à Saint-Chaptes, sur les terres alluviales de la rive

nord du Gardon. Huit cents ans après, le donjon des Templiers domine toujours les bâtiments du domaine. L'exploitation, dans la famille des actuels propriétaires depuis 1835, compte aujourd'hui 85 ha de vignes (en conversion bio), en AOC duché-d'uzès et en IGP. Jean-Michel Guibal en a pris les rênes en 1980.

Le nez bien ouvert séduit par ses arômes fringants, entre bonbon acidulé et fruits exotiques. Même approche flatteuse en bouche où l'on découvre un vin complet, habile compromis entre douceur et fraîcheur. La finale tout en vivacité prolonge agréablement le plaisir que procure ce viognier parfumé et tonique. ⧗ 2019-2020

EARL DE LA TOUR DE GÂTIGNE, rte de la Tour, D_18, 30190 Saint-Chaptes, tél. 04 66 81 26 80, domainedelatour@sfr.fr V *t.l.j. sf dim. 9h-12h 14h-18h; sam. 9h-12h*

DOM. LE VIEUX LAVOIR
Les Lavandières du Vieux Lavoir 2018

■ | 78000 | - de 5 €

Ce domaine – dont la cave a une architecture proche de celle du lavoir de Tavel – est dans la même famille depuis six générations. Le vignoble a été créé en 1956. Sébastien Jouffret, installé en 1991, vinifie aujourd'hui la récolte de 70 ha.

Rosé moderne, aussi pâle à l'œil qu'exubérant au nez, aux arômes franchement amyliques. Il fait son effet en bouche : rondeur, fraîcheur, gourmandise du fruit avec des notes de bonbon anglais. ⧗ 2019-2020

EARL ROUDIL-JOUFFRET, 775, rte de la Commanderie, Le Palai-Nord, 30126 Tavel, tél. 04 66 82 85 11, roudil-jouffret@wanadoo.fr V *t.l.j. sf sam. dim. 8h-12h 14h-18h*

IGP MONT BAUDILE

LA MÉLODIE DE L'AME
L'Espace d'un matin 2018 ★

■ | 10400 | | 8 à 11 €

Un jeune domaine fondé en 2017 : 75 ha autour de Jonquières.

Ce rosé fait la part belle à la syrah (50 %). Robe pétale de rose, nez intense entre fruits rouges, fleurs blanches et poivre, bouche fraîche, aromatique, ample : un rosé fringant qui soigne le fruit et la souplesse. ⧗ 2019-2020

SARL LA MÉLODIE DE L'AME, 5, rue des Capriers, 34725 Jonquières, tél. 06 76 14 20 34, lamelodiedelame@orange.fr t.l.j. 8h-17h

IGP PAYS D'HÉRAULT

B DOM. ALLEGRIA
Poivre de Mourvèdre 2017 ★

■ | 2920 | | 15 à 20 €

Créé en 2008 sur les premières collines du Haut Languedoc, au nord de Pézenas, Allegria est le fruit d'une amitié franco-argentine entre Ghislain et Delphine d'Aboville et Roberto de la Mota (œnologue de renom). La nouvelle cave bioclimatique, implantée au pied du volcan des Baumes, est entourée d'un vignoble de 9 ha conduit en bio dès l'origine.

Les amateurs de mourvèdre seront à la fête avec cette cuvée ambitieuse qui offre au nez les nuances animales et épicées du cépage sur fond de fruits noirs. Puissante et ample, la bouche déploie ses saveurs chaleureuses dans une belle chair étayée par des tanins mûrs et gras. Du caractère à revendre dans ce beau rouge d'automne. ⧗ 2020-2024

EARL D' ABOVILLE DE LA MOTA, Allegria, lieu-dit Fontarêche, 34720 Caux, tél. 06 25 93 08 08, allegria@vinotinto.fr V *r.-v.*

DOM. BÉRÉNAS L'Olivier 2016

■ | n.c. | | 20 à 30 €

Situé sur la commune de Nébian dans le Languedoc, ce domaine a été pendant deux siècles la propriété de la famille Belliol avant de changer de mains à plusieurs reprises depuis 1997. Le pool de propriétaires actuels exploite 18 ha en conversion bio. La gamme, une quinzaine de cuvées, se répartit entre vins de monocépage et assemblages.

De vieux oliviers surplombent la parcelle d'où proviennent ces vieilles vignes (60 ans) de carignan. La robe violacée, le nez légèrement fumé de fruits cuits et d'épices, la bouche fruitée et souple, dotée d'une texture douce et de tanins fins : tout concourt à défendre l'intérêt de ce cépage jadis décrié. ⧗ 2020-2022

SAS CHRISTOPHE DE BÉRÉNAS, RD_609, 34800 Nébian, tél. 04 67 96 27 80, contact@berenas.com V *t.l.j. sf sam. dim. 10h-17h30*

DOM. DE LA CLAPIÈRE Étincelle 2016 ★

■ | n.c. | | 20 à 30 €

Situé à Montagnac près de Pézenas, ce domaine bâti à l'emplacement d'une villa romaine fut longtemps un relais sur le chemin de Saint-Jacques-de-Compostelle. Commandé par une magnifique bastide de style toscan, entourée d'oliviers, de vignes (37 ha) et de champs de blé, il a été repris en main en 2006 par Sophie et Xavier Palatsi.

Après le millésime 2014, au tour du 2016 d'apparaître dans ce Guide. Toujours 100 % syrah, la cuvée aura séduit par sa robe profonde et son nez compoté et très poivré. La bouche est à l'avenant : intense, suave, fraîche, portée par des tanins souples et des flaveurs intensément fumées et fruitées. Moderne, soyeux et diablement séducteur. ⧗ 2020-2022

DOM. DE LA CLAPIÈRE, 34530 Montagnac, tél. 04 67 24 06 16, contact@chateaux-castel.com V *t.l.j. sam. dim. 9h-12h 14h-16h30*

LE CLOS DE LA MATANE Le Petit Cl.. 2017 ★

■ | 2200 | | 8 à 11 €

Ce petit domaine de 4 ha, en conversion biologique, est situé sur la commune de Claret dans l'Hérault. Il produit quelques cuvées en AOC pic-saint-loup et en IGP à partir d'un encépagement varié.

Un assemblage baroque (merlot, nielluccio) est à l'origine de cette cuvée qui s'ouvre sur un nez expressif qui associe un fruit bien mûr (cassis) à des notes de laurier et de poivre. Les dégustateurs ont apprécié le relief de la bouche, portée par des tanins au grain fin et une fraîcheur préservée qui donne du croquant aux flaveurs de fruits (fruits noirs) et d'épices. Un vin vibrant, déjà ouvert et capable de se garder quelques années. ⧗ 2020-2024

⊶ *SCEA LE CLOS DE LA MATANE, 913, av. des Embruscalles, 34270 Claret, tél. 06 63 60 66 21, contact@leclosdelamatane.fr*

Ⓑ DOM. J ET S Préface 2017 ★

■ | 6000 | ◍ | 11 à 15 €

Situé sur la commune de Corneilhan, à 6 km au nord de Béziers, ce tout jeune domaine né en 2015, créé par deux passionnés, Julien et Serge, exploite en bio un vignoble de 25 ha. Les cuvées sont produites sous bannières IGP.

Cet assemblage cabernet-sauvignon et syrah, bien connu en Australie, fait mouche : nez ouvert sur les fruits noirs, le sous-bois, le Zan et le moka ; bouche sérieuse, fraîche, bien structurée autour de tanins fermes et fins ; longue finale qui s'étire sur le fruit mûr et les nuances de l'élevage (épices, torréfaction). Une belle cuvée de garde certes, mais qui charme déjà par la douceur de sa texture. ⧗ 2020-2024

⊶ *L' ODYSSÉE, chem. de Boujan, 34490 Corneilhan, tél. 06 83 12 92 10* V 🚶 ⬛ *r.-v.*

DOM. JORDY Marselan 2017 ★

■ | 2000 | 8 à 11 €

La famille Jordy est établie depuis fort longtemps au cœur du vieux village de Loiras-du-Bosc, dans l'aire des terrasses-du-larzac. Frédéric Jordy, installé en 1998, représente la quatrième génération de vignerons sur ce domaine qui compte aujourd'hui 20 ha. En conversion bio.

Sous une robe soutenue, apparaissent des notes franches de cassis accompagnées de nuances de violette et de thym. Même plaisir en bouche pour ce vin rond, gorgé d'un fruit mûr et épicé, et dont les tanins encore fermes ne tarderont pas à s'assouplir. ⧗ 2020-2024

⊶ *DOM. JORDY, Loiras, 34700 Le Bosc, tél. 06 27 30 10 69, frederic.jordy@orange.fr* V 🚶 ⬛ *t.l.j. sf dim. 9h-19h*

Ⓑ DOM. DE PETIT ROUBIÉ Le P'tit Roubié 2018 ★★

■ | 56000 | ▮ | - de 5 €

Installé en 1980, Olivier Azan, en précurseur, pratique l'agriculture biologique depuis plus de trente ans sur un domaine situé au cœur de l'aire du picpoul-de-pinet, à proximité de l'étang de Thau : 70 ha de vignes, dont près d'une vingtaine dédiée à cette appellation de vins blancs. Il propose aussi des vins de cépage en IGP.

Des dégustateurs comblés après la dégustation de ce rosé fringant qui assemble à parts égales syrah et cabernet-sauvignon. Ils ont loué le nez explosif, très frais et fruité, et la bouche complète qui associe gras, fraîcheur et intensité aromatique. Pas loin du coup de cœur. ⧗ 2019-2020

⊶ *EARL LES DOM. DE PETIT ROUBIÉ, 34850 Pinet, tél. 04 67 77 09 28, petitroubie@gmail.com* V 🚶 ⬛ *t.l.j. sf sam. dim. 9h-12h 13h30-17h*

DOM. DE LA RENCONTRE Philosophe 2017 ★

■ | 3700 | 11 à 15 €

C'est ici, en 1854, que Gustave Courbet a peint son chef-d'œuvre La Rencontre, stylisé sur les étiquettes. Rencontre encore, au Mexique, entre Pierre Viudes qui courait le monde et Julie, une Anglaise exilée. Enfin, les jeunes mariés « rencontrent » ces vignes de Vic-la-Gardiole et créent en 2011 un domaine qui compte aujourd'hui 12 ha.

100 % muscat, la cuvée délivre les notes florales et miellées du cépage. La panoplie aromatique s'étoffe de nuances de tilleul, de verveine et d'abricot sec dans un corps volumineux et bien équilibré. Blanc tout en rondeur et en parfums, qui finit sur l'orange amère. ⧗ 2020-2022

⊶ *PIERRE ET JULIE VIUDES (DOM. DE LA RENCONTRE), 50, chem. de la Condamine, 34110 Vic-la-Gardiole, tél. 06 24 05 39 46, pierre@domainedelarencontre.com* V 🚶 ⬛ *r.-v.*

LE ROSÉ DE BESSAN B de Bessan 2017 ★

■ | n.c. | ◍ ▮ | 8 à 11 €

Le village de Bessan, entre Agde et Béziers, élabore des rosés depuis le début du siècle dernier, si bien que sa coopérative, fondée en 1938, a pris pour nom Le Rosé de Bessan. La cave dispose d'une surface de 550 ha.

Un nez aromatique évoquant le fruit noir confituré (mûre), la garrigue et le chêne précèdent une bouche vigoureuse, charnue, bien structurée, au boisé fondu, dotée de tanins doux et d'une finale longue et rafraîchissante sur l'eucalyptus. Un vin qui brille par son équilibre et l'agrément de son fruit. ⧗ 2020-2022 ■ **Prestige de B 2018 (5 à 8 €; 6195 b.)** : vin cité.

⊶ *SCA LE ROSÉ DE BESSAN, chem. de la Coopérative, 34550 Bessan, tél. 04 67 77 42 03, le.rose.de.bessan@wanadoo.fr* V ⬛ *t.l.j. sf dim. 9h-12h30 15h-19h*

IGP PAYS D'OC

ALMA CERSIUS Les Pieds dans l'eau 2018 ★★

■ | 156667 | ▮ | - de 5 €

Fondée en 1937, la coopérative de Cers, rebaptisée Alma Cersius, regroupe trois communes aux portes de Béziers : outre Cers, Portiragnes et Villeneuve-les-Béziers. Elle dispose des 1 200 ha de ses adhérents et développe vente en bouteilles et gammes de cuvées.

Les pieds dans l'eau, mais la tête dans les (deux) étoiles. Pas moins de cinq cépages (dont une syrah en macération) composent ce rosé éclatant, au nez fin, floral, muscaté, avec des notes dynamiques de fruits acidulés. Une harmonie parfaite se dessine en bouche entre intensité du fruit, vivacité et rondeur légère. Tout est cohérent, savoureux et de bon goût dans ce rosé redoutable de gourmandise. ⧗ 2019-2020 ■ **Guillaume Aurèle Viognier 2018 ★ (- de 5 €; 7000 b.)** : vendangé « à la fraîche », vinifié à basse température, tout a été fait pour préserver la pureté aromatique du viognier. Le vin en tire sa robe citron, son nez généreux, floral, fruité et mentholé, sa bouche ample, bien en chair, qui restitue toute la panoplie fruitée du cépage (nectarine, pêche, abricot). Un modèle de viognier. ⧗ 2019-2021

*SAS ALMA CERSIUS,
3, av. de l'Égalité, 34420 Portiragnes, tél. 04 67 90 91 90,
caveau.portiragnes@almacersius.com
t.l.j. sf dim. 9h-12h 15h-19h*

DOM. L'AMIRAL L'Odyssée 2018 ★

| 2000 | | 8 à 11 € |

Un domaine fondé en 1817 par l'amiral Gayde, commandé par de spectaculaires bâtiments en forme de fer à cheval, que l'on remarque par satellite. Dans ce cadre abrité des vents dominants, Bénédicte Gobé, arrière-petite-nièce de l'amiral, est aux commandes depuis 2008 d'un vignoble de 30 ha en conversion bio. À la carte du domaine, des minervois et des vins en IGP.

Une robe pâle à reflets verts, un nez expansif qui combine le buis, les agrumes et les fruits exotiques, pas de doute c'est du sauvignon blanc. La bouche y ajoute une rondeur gourmande, une belle fraîcheur qui tranche net dans le fruit et une longueur très honorable. Un très bon sauvignon blanc, assez pur et d'inspiration ligérienne. ⧗ 2019-2020

BÉNÉDICTE GOBÉ, 14, av. de l'Amiral-Gayde, 11800 Aigues-Vives, tél. 06 83 51 68 88, contact@chateaulamiral.fr r.-v.

♥ BRUNO ANDREU Sauvignon Aromatic 2018 ★★

| 20000 | | 5 à 8 € |

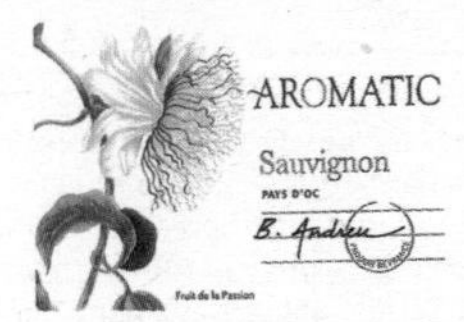

Issu d'une famille vigneronne et lui-même vigneron pendant vingt ans (Ch. la Condamine Bertrand), Bruno Andreu a créé sa propre marque en 2017. Il s'approvisionne auprès de vignerons et domaines languedociens et élève ses vins dans un chai datant de 1610, situé près de Montpellier.

Qui a dit que le sud était trop chaud pour le sauvignon blanc? Certainement pas Bruno Andreu qui prouve tout le contraire avec ce sauvignon vinifié à basse température et élevé en cuve. Tout ce qu'il faut pour préserver la pureté d'arômes du cépage : genêt, agrume, menthol et végétal frais. Éclatante, la bouche restitue toute la palette perçue au nez. Elle affiche une rondeur confortable et une très belle acidité. Ajoutons-y une vraie complexité, une longueur plus qu'honorable et on obtient un coup de cœur indiscutable. ⧗ 2019-2020

SAS BRUNO ANDREU, 53, av. de Béziers, 34290 Montblanc, tél. 04 67 31 58 48, contact@bruno_andreu.com t.l.j. sf sam. dim. 9h-12h 14h-17h

ANNE DE JOYEUSE
Pinot Noir Gargantuavis 2018

| 50000 | | 5 à 8 € |

Fondée en 1929, la cave coopérative Anne de Joyeuse s'est fait une spécialité de l'élaboration des vins rouges de Limoux et de la haute vallée de l'Aude issus de sélections parcellaires rigoureuses, sans pour autant négliger la production des vins blancs de l'appellation. À sa carte figurent aussi des vins en IGP.

La Haute-Vallée de l'Aude est non seulement réputée pour ses vignobles d'altitude, mais aussi pour sa richesse en fossiles du Crétacé, d'où l'étiquette et le nom de cuvée. Mais rien d'archaïque dans ce bon pinot noir, moderne, au nez bien typé de cerise noire avec une touche bien languedocienne de garrigue et une autre de chêne. Douce et ronde à l'attaque, la bouche porte l'empreinte du bois qui teinte le fruit de vanille et ressert les tanins en finale. Une petite garde devrait le fondre davantage. ⧗ 2020-2024

L' OUSTAL ANNE DE JOYEUSE, 41, av. Charles-de-Gaulle, 11300 Limoux, tél. 04 68 74 79 40, commercial.france@cave-adj.com t.l.j. sf dim. 10h-12h 15h-19h

♥ LES VIGNES DE L'ARQUE Alexia 2018 ★★

| 20000 | | 5 à 8 € |

Ce domaine du pays d'Uzège (Gard) porte le nom du château médiéval du IXe s. qui surplombe la cave. Il a été créé en 1994 par MM. Fabre et Rouveyrolles, deux anciens coopérateurs; et Patrick, fils du premier, est responsable des vinifications. Le vignoble s'étend sur 85 ha dispersés dans quatre villages voisins; il produit du duché-d'uzès et des vins en IGP Cévennes et Pays d'Oc.

Une «petite bombe», exulte le jury! Sauvignon et muscat se combinent à merveille et donnent un blanc explosif aux arômes débridés de fruit de la Passion, de mangue, de litchi et de feuille de tomate. Tout aussi exotique, le palais flatte par son intensité, sa juste rondeur, soulignée en finale par ce qu'il faut de tonicité. Délicieux. «Vivement l'été», conclut un dégustateur. ⧗ 2019-2020

LES VIGNES DE L'ARQUE, rte d'Alès, 30700 Baron, tél. 04 66 22 37 71, vigne-de-larque@wanadoo.fr t.l.j. 9h-12h 14h-19h

CH. ARROGANT FROG Cabernet Merlot 2018

| 450000 | | 5 à 8 € |

Vigneron-négociant, Jean-Claude Mas dispose d'un vaste vignoble de plus de 600 ha en propre constitué par quatre générations, auxquels s'ajoutent les apports des vignerons partenaires (1 300 ha). Le Ch. Paul Mas se compose de 25 ha à Conas, 27 ha à Moulinas, près de Pézenas, et 80 ha à Nicole, près de Montagnac. Côté négoce, plusieurs marques : Prima Perla, Forge Estaten, Arrogant Frog, Côté Mas...

Une des étiquettes mascottes du créatif et très dynamique Jean-Claude Mas. Cabernet-sauvignon et merlot au menu de ce rouge beaucoup plus convivial qu'arrogant. Le nez généreux offre un grand bol de fruits (cerise noire, framboise), de menthol et d'épices. Ronde à souhait, la bouche séduit par sa franchise, sa générosité et sa bonne fraîcheur. Une petite austérité en finale qui disparaîtra à table. ⧗ 2019-2022

SARL DOM. PAUL MAS, rte de Villeveyrac, 34530 Montagnac, tél. 04 67 90 16 10, info@paulmas.com r.-v.

DOM. DE LA BAUME
Cabernet-sauvignon Marselan 2017 ★

■ | 6720 | | 8 à 11 €

Appelé à l'origine Mas Belles Eaux, ce domaine du XVII[e]s. devait son nom aux sources qui naissent sur ses terres pour rejoindre la vallée de la Peyne, au nord de Pézenas. Son vignoble (65 ha) est implanté à Caux, sur des terrasses anciennes de galets roulés, d'argiles rouges et de graviers de quartz. Propriété entre 2002 et 2015 d'Axa Millésimes, il a été revendu aux Grands Chais de France qui l'ont rebaptisé.

20 % de marselan en appoint du cabernet-sauvignon dont cette cuvée flagrante, marquée par la cerise noire, la mûre, la gousse de vanille et une nuance originale de tourbe. De la matière, du volume, des tanins bien pris dans le fruit, la bouche laisse le souvenir d'un rouge puissant, étoffé et parfaitement maîtrisé. Parfait sur une belle viande rouge grillée. ⧗ 2019-2023

SARL DOM. DE LA BAUME,
rte de Pézenas, 34290 Servian,
tél. 04 67 39 29 41, domaine@labaume.com
V t.l.j. sf sam. dim. 9h-18h

LA BELLE PIERRE Cuvée 14 2018 ★

■ | 6000 | 5 à 8 €

Belle Pierre est le nom que les Vignerons beaucairois ont donné à leur coopérative, fondée en 1914. La cave regroupe 85 adhérents et dispose de 500 ha dans la partie orientale du Gard, aux confins des Bouches-du-Rhône. Elle produit des vins en IGP.

14 comme 1914, année de la création de la cave. Merlot et cabernet-sauvignon au menu de ce rouge friand marqué par la violette, la mûre et la vanille. Les mêmes flaveurs emplissent le palais avec souplesse, fraîcheur et une gourmandise «amusante» selon le jury. Du fruit et du plaisir. ⧗ 2019-2022 ■ **Sauvignon 2018 ★ (- de 5 €; 7000 b.)** : le sauvignon joue en solo dans ce blanc dansant, au nez parfumé qui restitue toute la panoplie du cépage : gazon frais, fruit vert, agrume et acacia. Vive et tonique dès l'attaque, la bouche flatte par sa texture tapissante, son énergie et la pureté de son fruit qui s'attarde sur le citron en finale. Une belle expression du cépage. ⧗ 2019-2021

LES VIGNERONS BEAUCAIROIS,
615, rte de Fourques, 30300 Beaucaire,
tél. 06 09 80 04 07, cavedebeaucaire@wanadoo.fr
V t.l.j. sf dim. 9h-12h 14h-18h; sam. 9h- 12h

LES VIGNERONS DU BÉRANGE Délice

■ | 1600 | | 5 à 8 €

Créée en 1939, la cave coopérative de Vendargues, qui regroupait au départ quatre communes, en rassemble aujourd'hui douze, soit environ 200 coopérateurs pour quelques 700 ha de vignes.

Un peu de merlot complète le grenache et le cinsault dans ce rosé saumoné au nez discret de bonbon et de fruits rouges mûrs, d'un profil plutôt rond en bouche, mais sans mollesse. ⧗ 2019-2020

LES VIGNERONS DU BÉRANGE,
19, rue de la Coopérative, 34740 Vendargues,
tél. 04 67 87 68 68, g.romeu@vigneronsberange.fr
V t.l.j. sf dim. lun. 9h-12h 14h-18h

♥ B **GÉRARD BERTRAND** Cigalus 2018 ★★

■ | n.c. | | 20 à 30 €

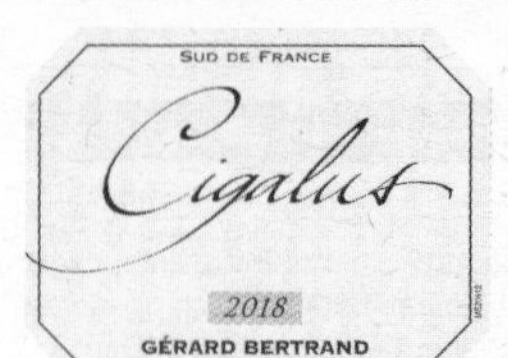

Enfant des Corbières, Gérard Bertrand est un important propriétaire et négociant du sud de la France, dont les cuvées apparaissent dans le Guide sous diverses AOC (corbières, fitou, minervois, languedoc, côtes-du-roussillon) et en IGP.

Un trio chardonnay, viognier et sauvignon, certifié Demeter, à l'origine de ce blanc somptueux qui ne joue pas sur l'exubérance aromatique mais sur l'élégance. Au nez, l'aubépine et la pinède se marient à un fond toasté sans outrance. Intense et presque ferme à l'attaque, la bouche monte en puissance, déployant une belle rondeur fruitée, stimulée par une fraîcheur parfaitement préservée qui donne tonus et éclat à une finale marquée par un noble boisé. Un beau blanc de table à la puissance maîtrisée, qui offre aussi une perspective de garde. ⧗ 2020-2025

SPH GÉRARD BERTRAND,
Ch. l'Hospitalet, rte de Narbonne-Plage, 11100 Narbonne,
tél. 04 68 45 28 50, vins@gerard-bertrand.com
V t.l.j. 9h-19h

LE BOISSON ROUGE 2018

■ | 30000 | | 5 à 8 €

Située à proximité du lac du Salagou, de Saint-Guilhem-le-Désert ou encore des cirques de Mourèze et de Navacelle, la cave des Vignerons de Saint-Félix-de-Lodez, créée en 1942, regroupe après plusieurs fusions 520 ha de vignes et a pris en 2009 le nom de Vignoble des Deux Terres. S'inscrivant dans une démarche de production respectueuse du développement durable, elle dispose de 30 ha cultivés en bio.

Un merlot du sud, sombre de robe, chaleureux au nez comme il se doit avec des arômes généreux de fruits rouges et noirs confits que l'on retrouve dans une bouche ronde, simple, adossée à des tanins vigoureux. À boire sur fruit. ⧗ 2019-2021

SCA LES VIGNERONS DE SAINT-FÉLIX SAINT-JEAN,
21_bis, av. Marcellin-Albert, 34725 Saint-Félix-de-Lodez,
tél. 04 67 96 60 61, info@vignerons-saintfelix.com
V t.l.j. 9h-12h 14h-18h

DOM. BORIE NEUVE Chardonnay 2018 ★

■ | 5300 | | 5 à 8 €

Restaurateur, Bruno Correia a quitté la région parisienne pour s'installer avec sa famille sur un domaine ancien (1928) entre vignes et garrigue. En ligne de mire, un projet œnotouristique : tables et chambres d'hôtes, gîtes, aujourd'hui ouverts. Acquise en 2007, l'exploitation est située à 15 km au nord-est de Carcassonne, tout près du canal du Midi.

Un chardonnay caractéristique du cépage dans sa version méridionale. Le nez intense décline la poire, les fleurs blanches ou le beurre frais. La bouche ronde, pleine, dotée d'une sucrosité gourmande laisse s'épanouir des arômes floraux et vanillés, relevés en finale par une petite fraîcheur salutaire. Très consensuel et facile à aimer. ⧗ 2019-2021 ■ **Merlot 2018 (5 à 8 €; 13000 b.)** : vin cité.

⊶ LES VIGNOBLES PLAZA TEDALDI, Dom. Borie Neuve, 11800 Badens, tél. 04 68 79 28 62, info@chateauborieneuve.com V t.l.j. sf dim. 10h-12h30 13h30-17h30

DOM. DU BOSC 2018 ★

■	10000	5 à 8 €

Ancien domaine des évêques d'Agde, le Dom. du Bosc a été acquis en 1943 par la famille Bésinet, dont l'ancêtre était originaire des hautes terres de Lodève. Implanté à 5 km de la mer, sur une butte de 25 m d'altitude, d'où l'on peut distinguer les Pyrénées et la Montagne Noire, le vignoble est installé sur un terroir original de cendres volcaniques : les cinérites du Bosc. À la tête de la propriété (90 ha), Pierre Bésinet passe le relais à sa fille Dominique Bésinet-Castillon.

100 % syrah dans ce rosé qui ne manque pas de tempérament : une robe soutenue, un nez franc qui fleure bon la fraise et la framboise, une bouche vineuse, ample, large, qui restitue toute la plénitude de fruit (rouge) perçue au nez. Un rosé de gastronomie qui assume pleinement ses rondeurs. ⧗ 2019-2020 ■ **2018 (5 à 8 €; 5000 b.)** : vin cité.

⊶ SICA SARL DELTA DOMAINES, Dom. du Bosc, 34450 Vias, tél. 04 67 21 73 58, contact@delta-domaines.com V *t.l.j. sf dim. 9h-19h; sam. 10h- 13h*

LAURAN CABARET Marselan 2018

■	3300	🍾	- de 5 €

Le Cellier Lauran Cabaret est une coopérative fondée en 1929. Elle fournit 15 % de l'appellation minervois. À côté d'une gamme de vins rouges de tous les styles, elle s'illustre dans les autres couleurs, plus rares, du minervois.

Souvent en vue pour ses blancs dans le Guide, la coopérative place cette année ce rouge qui est une bonne introduction au marselan. Sur la réserve, le nez distille des nuances de cacao, de cassis et de fruits rouges que l'on retrouve avec plus d'intensité dans une bouche charnue, opulente, de bonne longueur. Un court séjour en cave devrait l'épanouir davantage. ⧗ 2020-2024

⊶ CELLIER LAURAN CABARET, 1, av. de la Cave-Coopérative, 11800 Laure-Minervois, tél. 06 76 49 82 24, direction@laurancabaret.fr V *t.l.j. sf dim. 8h-12h 14h-18h*

MAISON CASTEL Chardonnay Grande Réserve 2018 ★★

■	n.c.	5 à 8 €

Fondé à Bordeaux en 1949 par neuf frères et sœurs, le groupe Castel a connu une croissance considérable, devenant le premier producteur de vin en France, le troisième dans le monde, avec un empire qui s'étend de Bordeaux au continent africain. Outre ses nombreuses marques, il possède une vingtaine de propriétés sur l'ensemble du vignoble français.

Une robe jaune soutenu augure d'un nez riche marqué par les fleurs blanches, le fruit jaune bien mûr et le beurre. L'ananas, la mangue et le pain grillé s'invitent dans une bouche onctueuse, dodue, qui brille par l'intensité et la longueur de son fruit. Un chardonnay typé Nouveau Monde, très flatteur et qui devrait plaire à beaucoup. ⧗ 2019-2022 ■ **Roche Mazet Chardonnay Viognier Les Accords 2018 ★ (- de 5 €; 435000 b.)** : une robe jaune pâle habille cet assemblage devenu classique. Le nez a pour lui une belle clarté et des nuances discrètes de pêche jaune et de fruit blanc. Légère, dotée d'une bonne vivacité, la bouche révèle un vin bien équilibré entre rondeur et fraîcheur, et doté d'une longueur convaincante. Gourmand, net et sans bavure. ⧗ 2019-2020 ■ **L'Odalet 2018 ★ (15 à 20 €; 40000 b.)** : rosé haut de gamme tout ce qu'il y a de plus classique dans son assemblage (grenache, cinsault, syrah) et dans sa robe pâle, la cuvée s'annonce sous les meilleurs auspices avec ce nez fin, discret, qui décline les petits fruits rouges, la fraise et les agrumes. La bouche confirme ce profil retenu et élégant, jouant sur la délicatesse de la texture, sur une rondeur légère et sur la précision d'un fruit acidulé qui donne ce qu'il faut de nerf à l'ensemble. Du bel ouvrage. ⧗ 2019-2020

⊶ SA CASTEL FRÈRES, av. Jean-Foucault, 34536 Béziers, tél. 04 67 11 88 00

DOM. DE CAUSSE Jacques d'Aragon 2016 ★

■	6500	⦀	5 à 8 €

Un domaine de 75 ha situé aux portes de Montpellier, sur un terroir de galets roulés et d'argiles rouges. Son propriétaire est Groupama depuis une vingtaine d'années. Une particularité : non loin, a été retrouvé le plus vieux pressoir de France, datant des Étrusques, une époque où Lattes était un grand port commercial.

Clin d'œil à Jacques d'Aragon, seigneur de Montpellier et de Lattes au XIIIes., cette pure syrah d'un rouge profond présente un bien joli nez combinant le fruit mûr, la réglisse, des nuances épicées et la noix de coco issues du chêne. L'attaque ronde ouvre sur une bouche consistante, soutenue par des tanins fondus, avec un boisé mesuré qui nuance le fruit (fraise écrasée) de séduisantes notes cacaotées et vanillées. Complet et puissant. ⧗ 2020-2025

⊶ SC BONNETERRE, Dom. de Causse, 34970 Lattes, tél. 04 67 42 21 39, domainedecausse@orange.fr V *t.l.j. sf lun. 9h30-12h30 15h-18h45; dim. 10h-12h30*

CELLIER DES DEMOISELLES Chardonnay 2018 ★★

■	40000	🍾	- de 5 €

Créée en 1914, la coopérative de Saint-Laurent-de-la-Cabrerisse, dans les Corbières centrales, a été nommée en hommage aux femmes qui l'ont maintenue en activité alors que les hommes étaient au front. À partir des années 2000, elle a développé sa production en bouteilles.

Souvent en vue pour ses blancs dans les dernières éditions du Guide, la cave récidive avec ce chardonnay élevé en cuve, doré de robe et riche de senteurs florales et végétales. Les agrumes prennent le relais dans une bouche ronde et fluide qui laisse pointer en finale des nuances minérales stimulantes. Du charme et une qualité de fruit indéniable. ⧗ 2019-2021

⊶ CELLIER DES DEMOISELLES, 5, rue de la Cave, 11220 Saint-Laurent-de-la-Cabrerisse, tél. 04 68 44 02 73 V *t.l.j. sf dim. contact@cellierdesdemoiselles.com 8h-12h 14h-18h; sam. 10h-12h 15h30-18h*

LE JARDIN DE VIGNES RARES DE CICÉRON
Le Cabernet franc 2018 ★

■	7000	🍷	11 à 15 €

Dans l'Antiquité, ce domaine était une villa appartenant à une famille de juristes et de tribuns romains. Dépendance de l'abbaye de Lagrasse au Moyen Âge, exploitation expérimentale à partir des années 1960, le Ch. Cicéron est aujourd'hui l'une des propriétés de la famille Vialade, bien ancrée sur le versant sud de la montagne d'Alaric. Le vignoble compte environ 7 ha.

En dehors de la Loire, le cabernet franc en monocépage n'est pas si courant en France, y compris en pays d'Oc. Une raison de plus de s'intéresser à cette cuvée qui a d'autres atouts. Un nez complexe où les fruits rouges se mêlent au sous-bois, au laurier, avec les nuances boisées discrètes d'un élevage partiel en fût. Une bouche agréable, tendre, adossée à des tanins gras et à un boisé harmonieux. Belle déclinaison ensoleillée du cépage. ⧗ 2020-2024

VIGNOBLES DE CICÉRON, Ch. Cicéron, 11220 Ribaute, tél. 04 68 32 53 52, ciceron@les-domaines-auriol.eu V r.-v.

CLOS DES CENTENAIRES Art' 2016 ★★

■	1600	🍷	30 à 50 €

Ancien propriétaire du Dom. Mas Neuf (Costières de Nîmes), Luc Baudet a créé en 2016 le Clos des Centenaires, un domaine de 7 ha établi sur les flancs d'une colline de galets roulés villafranchiens. Il a, en parallèle, fondé avec des associés une petite affaire de négoce, plutôt haute couture, Les Deux Clos, qui se consacre aux vins rhodaniens.

Une robe profonde, noire, signe la forte concentration de cette cuvée haut de gamme qui réunit grenache, merlot et cabernet-sauvignon, élevée dix-huit mois en fût. Le nez, à la mesure, mêle le fruit très mûr (fruits noirs, pruneau) à des nuances puissamment toastées et cacaotées. Conforme à l'ensemble, la bouche impressionne par son exubérance aromatique, son volume, sa chair concentrée (encore corsetée par des tanins vigoureux et parfaitement extraits), sa longueur. Un vin d'une rare profondeur. De longue garde. ⧗ 2021-2028

SAS LES DEUX CLOS, chem. des Salines, 30600 Vauvert, tél. 04 66 88 85 61, contact@clos-des-centenaires.com V *t.l.j. sf sam. dim. 9h-12h 13h-17h*

COLLINES DU BOURDIC
Le Prestige Élevé en fût de chêne 2018 ★

■	30000	🍷	5 à 8 €

Créée en 1928 grâce à la volonté d'une poignée de viticulteurs, la cave coopérative Les Collines du Bourdic, dans le Gard, compte aujourd'hui une centaine d'adhérents qui cultivent 1 700 ha. À sa carte, du duché-d'uzès (AOC) et des vins en IGP.

Une sélection parcellaire pour ce chardonnay, vinifié comme les grands, avec fermentation partielle sous bois et élevage en fût avec bâtonnage. Il en ressort ce blanc limpide, à la robe ourlée de reflets verts, et au nez discret mais complexe, associant fleurs blanches, fruits jaunes et notes boisées. Aucune lourdeur ni excès de bois en bouche, mais de l'élégance, une matière fine et étirée, juste arrondie par le chêne et soulignée par une belle acidité. ⧗ 2019-2022

SCA LES COLLINES DU BOURDIC, chem. de Saint-Chaptes, 30190 Bourdic, tél. 04 66 81 20 82, contact@bourdic.fr V *t.l.j. sf dim. 9h-12h30 14h-18h*

DOM. COUDOULET Viognier 2018 ★

■	30000	5 à 8 €

Huit générations se sont succédé depuis 1840 sur le château. Pierre-André Ournac a rejoint son frère (aujourd'hui disparu) au domaine en 1985, l'année où la propriété a quitté la coopérative. L'encépagement a été revu, deux chais ont été aménagés. Aujourd'hui Pierre-André exploite avec son neveu Guillaume 90 ha, dont 15 en minervois-la-livinière. L'exploitation produit un tiers de vins de cépages blancs.

Un blanc issu du viognier, aux arômes intenses et fringants qui passent en revue la poire et la pêche avec des touches fraîches d'agrumes et de menthe. À une entrée en bouche riche et grasse succède un palais qui ne faiblit pas et qui diffuse toute la palette perçue au nez, avec un trait de citron tonifiant en finale. Les amateurs de viognier ne seront pas déçus. ⧗ 2019-2021

EARL DOM. COUDOULET, chem. de Minerve, 34210 Cesseras, tél. 04 68 49 35 21, domainecoudoulet@gmail.com V *t.l.j. sf sam. dim. 9h-17h*

DOM. CRÈS RICARDS Alexaume 2018 ★★

■	30000	🍷	8 à 11 €

Colette et Gérard Foltran ont passé la main à Jean-Claude Mas en 2010. Ce domaine fondé en 1960 est situé au lieu-dit Les Crès Ricards, au cœur des Terrasses du Larzac, sur un terroir de schistes et de galets roulés. Agrandi, il compte une quarantaine d'hectares.

Des dégustateurs sous le charme de cet assemblage entre variétés girondines (merlot, cabernet-sauvignon) et méditerranéennes (carignan et syrah). Un heureux métissage qui a donné ce nez complexe, épicé, mûr (cerise confite), nuancé de girofle et de vanille issues du chêne. Le bois apparaît bien fondu en bouche, arrondissant la texture, affinant les tanins et apportant un surplus de complexité à un beau fruit épicé et confit. Un rouge charnu, soyeux, solaire et corsé qui frise le coup de cœur. ⧗ 2020-2024

SARL CRÈS RICARDS, Ceyras, 34800 Ceyras, tél. 04 67 90 16 10, info@paulmas.com

♥ FAMILLE CROS-PUJOL
Syrah Viognier Le Bastion 2018 ★★

■	25000	🍷	5 à 8 €

Connue en AOC faugères sous l'étiquette Château Grézan, la famille Cros-Pujol produit également des vins en IGP Oc.

Une cuvée qui prouve toute la pertinence de l'association syrah et viognier popularisée par la Côte-Rôtie. Dans cette version élevée en cuve, le nez intense hésite entre les deux : mûr et frais, très fruité (fruits noirs et rouges) et très floral, avec une touche d'épices et de végétal. Luxuriante, fraîche, fermement tannique, la bouche y ajoute de la violette et du Zan à foison, avec une belle et longue finale fumée à la conclusion. De belles sensations et une gourmandise irrésistible pour ce rouge fringant. ⧗ 2020-2024

FAMILLE CROS-PUJOL, RD_909, Ch. de Grézan, 34480 Laurens, tél. 04 67 90 27 46, cave@cg-fcp.com V t.l.j. sf dim. 9h-12h 14h30-18h

EMBASTIES Chardonnay 2017 ★

	30000		- de 5 €

Le groupe Jean d'Alibert-Chantovent est une union de producteurs du Minervois constituée en 1993. Il regroupe six caves, ce qui représente 1 200 vignerons et 6 000 ha. À sa carte, des vins en AOC (minervois, languedoc) et en IGP. Jean d'Alibert? Un religieux de la région de Caunes-Minervois qui, au XVIes., participa au développement des vignobles languedociens.

Abricot, banane flambée, gousse de vanille, ce chardonnay ne manque pas de nez. De belles promesses tenues dans un palais ample, gourmand, prolongé par une finale tonique et légèrement poivrée. ⧗ 2019-2021 ■ **Dom. de Sainte Marie Merlot 2017 ★ (- de 5 €; 15000 b.)** : le seul merlot est à l'œuvre dans ce rouge limpide et brillant dont le nez interpelle par ses nuances de cuir et de musc sur un fond de fruit noir épicé. Équilibrée, subtile, soulignée par un boisé discret, la bouche emporte l'adhésion par sa rondeur, sa fraîcheur, et par ses notes complexes de truffe et de sous-bois. Du charme. ⧗ 2020-2023

SA CHANTOVENT, quai du Port-au-Vin, BP_7, 78270 Bonnières-sur-Seine, tél. 01 30 98 59 10, gaudart@chantovent.fr

ENTRE NOUS SELON VALENSAC Petit Verdot 2017

■	8500		8 à 11 €

Propriété depuis plusieurs générations des Lafon, ce domaine a été vendu en 2013 à la famille Mention-Deleens. Il s'étend sur 46 ha non loin du bassin de Thau. Edwige Thuillé garde la direction de l'exploitation et assure toujours les vinifications.

Malgré une courte cuvaison, cette cuvée qui met en avant le petit verdot (85 %) affiche une robe sombre et brillante. Le nez s'éveille lentement et diffuse ses parfums d'épices, de prunes cuites et de fruits noirs (cassis, mûre). Ceux-ci montent en puissance dans une bouche riche, ample, poivrée, soutenue par une belle acidité et des tanins ronds. Un vin charnu, intense, paré pour vieillir et qui prouve tout l'intérêt du petit verdot, cépage compliqué mais passionnant. ⧗ 2020-2025

MENTION DELEENS ET ASSOCIÉS, Dom. Valensac, 34510 Florensac, tél. 04 67 77 41 16, valensac@orange.fr V r.-v.

L'EXUBÉRANT Viognier 2018 ★

	11660		- de 5 €

Le village de Bessan, entre Agde et Béziers, élabore des rosés depuis le début du siècle dernier, si bien que sa coopérative, fondée en 1938, a pris pour nom Le Rosé de Bessan. La cave dispose d'une surface de 550 ha.

Vendangé pendant la nuit, fermenté à froid, ce viognier livre ses arômes typés de jasmin et de fruit jaune dans une version plus élégante que puissante. Attaque fraîche, gras, arômes débridés d'abricot et de fleurs blanches, c'est l'archétype du bon viognier moderne. ⧗ 2019-2021 ■ **Rébus Chardonnay 2018 ★ (- de 5 €; 20000 b.)** : même traitement du raisin, vendangé de nuit, pour ce chardonnay brièvement élevé en cuve, bien sudiste par ses notes solaires de fruit exotique, de miel, agrémentées d'une touche muscatée et florale. Du peps en attaque, du gras en finale, une jolie palette d'arômes fruités (yuzu, fruit de la Passion, citron vert) entre les deux : un chardonnay impeccable et séduisant. ⧗ 2019-2020

SCA LE ROSÉ DE BESSAN, chem. de la Coopérative, 34550 Bessan, tél. 04 67 77 42 03, le.rose.de.bessan@wanadoo.fr V t.l.j. sf dim. 9h-12h30 15h-19h

FABLE Chardonnay 2018 ★

	130000	- de 5 €

Fondée en 2002, Moncigale est une marque ombrelle du groupe alcoolier Marie Brizard, destinée à la grande distribution.

Intensément aromatique, ce chardonnay mêle au nez les agrumes, de la cardamone et des notes de bonbon anglais plutôt atypiques pour le cépage. Fluide et équilibrée, la bouche joue sur la fraîcheur d'un fruit gourmand, prolongé en finale par une petite salinité agréable. ⧗ 2019-2020 ■ **Merlot 2018 (- de 5 €; 200000 b.)** : vin cité.

SAS MONCIGALE, 6, quai de la Paix, 30300 Beaucaire, tél. 04 66 59 74 39, roxanne.blanc@mbws.com

LANGUEDOC

DOM. LA FERRANDIÈRE ★

■	15000		11 à 15 €

Constitués par la famille Gau, les Vignobles de la Ferrandière ont été rachetés en 2013 par Jean-Claude Mas (Dom. Paul Mas). Couvrant 100 ha de vignes (surtout) et de pommiers, le domaine est implanté sur l'étang asséché de Marseillette, une ancienne lagune, entre les Corbières et le Minervois, à 40 km de la Méditerranée. Les sols salés doivent être périodiquement inondés au printemps, ce qui permet aux vignes d'échapper au phylloxéra : de nombreux ceps sont ici francs de pied (non greffés).

Élevée partiellement sous bois, cette cuvée (qui n'affiche pas de millésime) arbore une robe dense et révèle des senteurs de fruits noirs et de chêne avec un soupçon de végétal. L'attaque ample sur la réglisse, les fruits secs et la torréfaction ouvre sur un palais charnu qui se raffermit en finale sous l'effet de tanins encore carrés qui s'assoupliront avec un peu de cave. ⧗ 2020-2024

SARL VIGNOBLE LA FERRANDIÈRE, Dom. la Ferrandière, 11800 Aigues-Vives, tél. 04 68 79 29 30, info@paulmas.com

DOM. DE FIGUIÈRES Impetus 2018 ★★

	2400		11 à 15 €

Fondé en 1969, le Dom. de Figuières se niche au cœur de la garrigue odorante, à 150 m d'altitude, protégé par le massif calcaire de la Clape, entre Narbonne et

la côte. Alain Bovis, industriel et galeriste, l'a acquis en 2008, et les équipes ont été renouvelées en 2015. L'exploitation de 22 ha produit dans la jeune AOC la-clape, tout en proposant des vins en IGP.

Des dégustateurs unanimes pour saluer le charme et l'originalité de ce blanc qui assemble la roussanne au viognier. Si le nez est puissant, conformément à ce que l'on attend de ces deux cépages, la déclinaison intrigue et séduit : de la pêche, de la bergamote, beaucoup d'épices (vanille, poivre), du végétal et un fond de curry. La bouche marie les contraires : opulente et grasse à l'attaque, gorgée d'abricot confit, de fleurs blanches et d'épices, elle affiche aussi une belle acidité. À l'arrivée, on obtient ce vin onctueux, exubérant, parfaitement équilibré et complexe. Un beau blanc de gastronomie. ⧗ 2019-2022

SCEA DOM. DE FIGUIÈRES, La Clape, 11100 Narbonne, tél. 06 80 85 06 76, audrey@chateaudefiguieres.fr V r.-v.

LES FILLES DE PERDIGUIER
Cabernet franc 2018 ★

■	2831		5 à 8 €

L'histoire de Perdiguier commence en 1375 lorsque Jean Perdiguier, trésorier général de Charles V en Languedoc, reçoit du roi les «fiefs de Maraussan et Villenouvette», dont faisait partie la bastide d'En Auger qui précéda le château sur le site. Les bâtiments s'ordonnent en quadrilatère autour d'une cour centrale et commandent un vignoble de 30 ha conduit depuis 1998 par Jérôme Feracci, en conversion bio depuis 2018.

Les «Filles», ce sont Laure et Pauline Feracci qui épaulent désormais leur père sur le domaine. Un apport de grenache (15 %) en soutien du cabernet franc dans ce rouge sombre, au nez puissant, de fruits rouges très mûrs et de poivre. Gourmandise, intensité du fruit, fraîcheur, tanins ronds, belle finale épicée : une bouche joliment travaillée qui ne manque de rien et surtout pas de séduction. À boire sur le fruit. ⧗ 2019-2022

SCEA JÉRÔME FERACCI, Dom. de Perdiguier, 34370 Maraussan, tél. 06 22 42 56 81, contact@domaineperdiguier.fr V r.-v.

FONTESOLE
Chardonnay Viognier 2018 ★

■	50000		- de 5 €

La cave de Fontès a été créée en 1932 par une trentaine de vignerons. Aujourd'hui, cette coopérative, rebaptisée La Fontesole, en compte près de 160. Sur les premiers contreforts des Cévennes méridionales, les vignes recouvrent les coulées basaltiques de Fontès.

Vendanges matinales, fermentation à basse température, absence de «malo», élevage en cuve : tout a été mis en œuvre pour extraire le fruit et préserver la fraîcheur des deux cépages. Le nez livre à l'aération ses notes fraîches de citron. Tonique, souple, avec ce qu'il faut de rondeur, la bouche livre un fruité très gourmand et acidulé. Simplement bon. ⧗ 2019-2020

SCAV LA FONTESOLE, 16, bd Jules-Ferry, 34320 Fontès, tél. 04 67 25 14 25, cave@fontesole.fr V *t.l.j. sf dim. 8h-12h 14h-18h*

DOM. GALETIS G. de Galetis 2018 ★

■	35000		- de 5 €

Sur la commune de Moussoulens, à 13 km de Carcassonne, ce domaine commande un vignoble de 60 ha répartis sur un terroir de gros galets ronds à 320 m d'altitude.

Chardonnay et viognier au programme de ce blanc fringant, brièvement passé en cuve, au nez particulièrement exubérant de fruit exotique (fruit de la Passion) et de pamplemousse. Légère, tendue comme un arc, la bouche s'inscrit dans la continuité aromatique du nez. Frais et efficace. ⧗ 2019-2020

SAS DOM. GALETIS, 11760 Moussoulens, tél. 04 67 37 22 36

GRANDE COURTADE L'Instant 2018 ★

■	30000	5 à 8 €

Enracinée dans les Corbières depuis 1605, la famille Fabre exploite 360 ha répartis en quatre domaines : le Ch. Fabre Gasparets (corbières-boutenac, le berceau), le Ch. Coulon, le Ch. de Luc et le Dom. de la Grande Courtade, sur le territoire de Béziers, dédié aux vins IGP. Ingénieur agronome et œnologue, Louis Fabre a pris en 1982 la tête de ces vignobles cultivés en bio dès 1991 (certification pour l'ensemble en 2014).

Derrière une robe pâle aux reflets verts de jeunesse, un nez très séduisant, élégant, frais, qui associe le fruit jaune, le zeste de citron vert à des nuances de verveine et de fleurs blanches. Une fraîcheur et des parfums que l'on retrouve dans une bouche ronde, à la fois épanouie et tonique, ponctuée en finale par une petite amertume agréable et stimulante. ⧗ 2019-2021

GFA DU VIGNOBLE LOUIS MARIE ANNE FABRE, 1, rue du Château, 11200 Luc-sur-Orbieu, tél. 04 68 27 10 80, info@famille-fabre.com V *t.l.j. sf sam. dim. 9h-12h 14h-18h*

♥ DOM. LES GRAVIERS
Génération 4 2017 ★★

■	1400		5 à 8 €

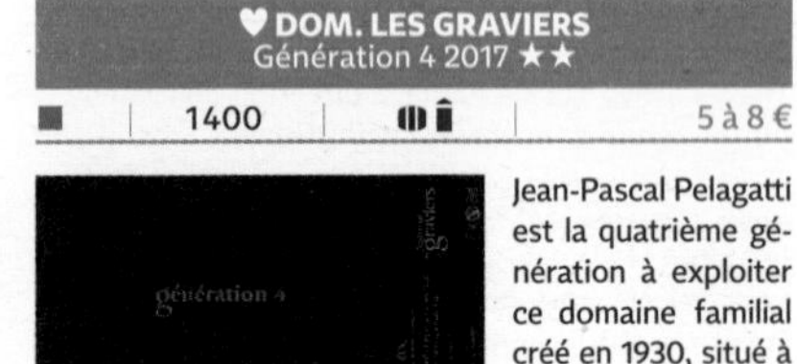

Jean-Pascal Pelagatti est la quatrième génération à exploiter ce domaine familial créé en 1930, situé à une dizaine de km au sud-ouest de Béziers. Il cultive en agriculture raisonnée 22 ha de vignes.

Une entrée fracassante dans le Guide pour Jean-Pascal Pelagatti qui a su conquérir le jury avec une pure syrah élevée en cuve et fût. Rien de démonstratif dans ce nez qui brille d'abord par sa complexité entre cerise noire, sous-bois et épices. Douce et fraîche, l'attaque ouvre sur un palais d'une parfaite harmonie, appuyé sur des tanins finement sculptés qui donnent encore un peu plus de relief à un fruit très pur de cerise épicée. De l'élégance, de la tenue, du raffinement, bref de la classe! ⧗ 2019-2023

EARL LES GRAVIERS, rte de Lespignan, Les Graviers, 34500 Béziers, tél. 06 81 72 53 38, jppelagatti@hotmail.com V r.-v.

GREG ET JUJU Pinot - Grenache 2018

	54 000	5 à 8 €

Entre Agde et Béziers, un terroir mis en valeur depuis les Romains, un château fortifié et aujourd'hui un vignoble de 200 ha d'un seul tenant, qui s'étend en pente douce sur les coteaux du Libron. Le domaine a été acquis en 1905 par l'arrière-grand-père de la génération actuelle, ouvrier agricole enrichi par la distillation et le négoce du vin. Depuis 1990, il est conduit par Jérôme Vic, rejoint par Aurélie qui vinifie.

Tout est élégant et sympathique dans cet assemblage original (pinot noir, grenache) : l'étiquette, clin d'œil aux deux enfants du couple Vic. La robe pâle ; le nez frais et floral; la bouche friande de fruit, tonique, légère et parfaitement fraîche. Rosé de tonnelle. ⧗ 2019-2020

SARL LES DOM. ROBERT VIC, Dom. Preignes le Vieux, 34450 Vias, tél. 04 67 21 67 82, contact@preignes.com V r.-v.

CH. HAUT GLÉON Les Amours 2018 ★

	74 000		5 à 8 €

De vieilles pierres bien restaurées, aujourd'hui destinées à l'hébergement des visiteurs, une piscine au milieu de 260 ha de garrigue : ce domaine, havre de paix à l'entrée de la vallée de Paradis, non loin de Durban-Corbières, a développé l'œnotourisme. Quelques oliviers, et surtout de la vigne (35 ha de vignes). La propriété a été rachetée en 2012 par les Vignobles Foncalieu.

Une touche originale de malbec agrémente cet assemblage dominé par le grenache et la syrah. Une robe pâle, légèrement orangée et un nez franc sur les fruits rouges mûrs accompagnés d'une nuance minérale. À une attaque ronde succède un palais vif, léger, doté de notes parfaitement tonifiantes d'agrumes. Rosé de soif par excellence. ⧗ 2019-2020

CH. HAUT GLÉON, lieu-dit Gléon, 11360 Villesèque-des-Corbières, tél. 04 68 48 85 95, contact@hautgleon.com V *t.l.j. sf sam. dim. 9h-12h 14h-17h*

DOM. DE L'HERBE SAINTE Chardonnay 2018

	26 000		5 à 8 €

Situé dans la partie orientale du Minervois, près de Narbonne, le domaine (85 ha) a été acquis en 2001 par la famille Greuzard, originaire de Bourgogne et installée en Languedoc depuis 1980. Premier achat de vignes en 1987 et premières vinifications à la propriété en 2001. Salle de réception, de dégustation, gîte, la famille a aussi fait le pari de l'œnotourisme.

Tout est frais et de bon goût dans ce chardonnay élevé en cuve : la robe pâle à reflets verts, le nez vif, floral, fruité (agrume, pomme verte), la bouche droite, légère, acidulée et rafraîchissante. Banc d'été et d'apéritif. ⧗ 2019-2020

SARL DE L' HERBE SAINTE, rte de Ginestas, 11120 Mirepeisset, tél. 04 68 46 30 37, herbe.sainte@wanadoo.fr V *r.-v.*

DOM. LALANDE Vieilles Vignes Merlot 2018

	200 000		- de 5 €

À Pennautier, entre Toulouse et Carcassonne, un domaine acquis en 1996 par le Belge Pierre Degroote, ingénieur agronome et œnologue, et par le vigneron Bernard Montariol. Le Ch. Lalande est une bâtisse historique : Paul Riquet y aurait dessiné au XVIIe s. les plans du canal du Midi, qui borde ce vaste vignoble de 130 ha.

Le millésime 2018 succède au 2016 retenu l'année passée, avec les mêmes atouts : une robe intense, un nez mêlant les fruits noirs, ainsi que les notes toastées et vanillées d'un passage en barrique, une bouche souple et mûre, dotée de tanins arrondis par le chêne. Un merlot typique du Sud, facile à aimer. ⧗ 2019-2023

SAS DOM. LALANDE, 11610 Pennautier, tél. 04 67 37 22 36, magali@montariol-degroote.com

LES LARMES D'ALEXANDRA Muscat sec 2018 ★

	3696		- de 5 €

Témoin d'une époque, l'imposante cave coopérative de Montblanc, fondée en 1937, regroupe 280 adhérents cultivant 1 500 ha à Montblanc et dans les communes limitrophes, entre Pézenas et Béziers. Elle produit des vins de pays (IGP).

Mangue, pêche de vigne, sureau, litchi, le nez restitue avec éclat toute la palette aromatique du muscat. On retrouve ces fragrances dans un palais ample, raffiné, oriental, avec des nuances de menthe fraîche et une acidité qui dynamisent parfaitement la finale. «Joli vin», conclut sobrement le jury. ⧗ 2019-2020 **Viognier 2018 ★ (- de 5 €; 7392 b.)** : une robe pâle aux reflets citron habille ce viognier au nez entêtant de jasmin et d'acacia. Arômes que l'on retrouve mêlés de curry et d'épices douces dans une bouche ronde, nette, fraîche, sans rien de trop. Un vin qui fera mouche avec une cuisine exotique. ⧗ 2019-2021

SCAV LES VIGNERONS DE MONTBLANC, 447, av. d'Agde, 34290 Montblanc, tél. 04 67 98 50 26, cavecoop.montblanc@orange.fr V *t.l.j. sf sam. dim. 9h-12h 14h-17h*

DOM. DES LAURIERS Tempranillo 2016 ★

	8000		5 à 8 €

Jouxtant Pézenas, le Dom. de Marc Cabrol s'étend sur 45 ha entre garrigue et pinèdes (22 ha pour la vigne), à Castelnau-de-Guers, l'une des cinq communes de l'appellation picpoul-de-pinet. Une valeur sûre.

Marc Cabrol a eu la bonne idée de s'essayer au tempranillo, cépage star espagnol bien connu du côté de la Rioja. Fruits noirs et rouges juteux, garrigue, notes fumées : le nez séduit. Équilibrée, droite, avec les tanins souples caractéristiques du cépage, la bouche ne déçoit pas et offre une version élégante, gourmande et harmonieuse du tempranillo. ⧗ 2020-2024

DOM. DES LAURIERS, 15, av. de Pézenas, 34120 Castelnau-de-Guers, tél. 04 67 98 18 20, contact@domaine-des-lauriers.com V *t.l.j. 9h30-12h 14h-18h*

DOM. LA MADELEINE SAINT-JEAN
Cuvée la maison blanche 2018

	6000		5 à 8 €

Domaine familial de 32 ha situé sur le territoire de Marseillan, petit port sur l'étang de Thau, à l'est du cap d'Agde. Max et Daniel Banq ont restructuré le vignoble. La cave de vinification, le chai et le caveau ont été aménagés à l'arrivée de la nouvelle génération. Jérémy s'est installé en 2002 après avoir fait ses classes en Languedoc, en Côte-Rôtie et à Saint-Émilion.

Une cuvée qui assemble le chardonnay (élevé sous bois) au sauvignon et au viognier. Un nez ouvert sur le citron et les fruits blancs ; une bouche veloutée, ronde, dotée d'une belle acidité qui tend le vin comme il faut, avec une touche de chêne qui relance la finale : voici un blanc harmonieux, savoureux et consensuel. 2019-2021

DOM. LA MADELEINE SAINT-JEAN, 9, rue du 19-mars 1962, port Rive gauche, 34340 Marseillan, tél. 04 67 26 12 42, lamadeleinesaintjean@orange.fr t.l.j. 9h30-12h30 14h30-19h

JEAN-CLAUDE MAS
Viognier Le Pioch 2018 ★★

	70000		5 à 8 €

Vigneron-négociant, Jean-Claude Mas dispose d'un vaste vignoble de plus de 600 ha en propre constitué par quatre générations, auxquels s'ajoutent les apports des vignerons partenaires (1 300 ha). Le Ch. Paul Mas se compose de 25 ha à Conas, 27 ha à Moulinas, près de Pézenas, et 80 ha à Nicole, près de Montagnac. Côté négoce, plusieurs marques : Prima Perla, Forge Estate, Arrogant Frog, Côté Mas...

« Quel beau nez ! » s'exclame un dégustateur séduit par l'harmonie d'un fruit (citron) nuancé de miel et d'une fine note vanillée (15 % de l'assemblage en fût pendant trois mois). Onctueuse et fraîche, la bouche charme par sa texture douce et restitue toute l'élégance aromatique perçue au nez. Un viognier remarquable d'élégance et de gourmandise. 2019-2021

SARL DOM. PAUL MAS, rte de Villeveyrac, 34530 Montagnac, tél. 04 67 90 16 10, info@paulmas.com r.-v.

MAS LA CHEVALIÈRE
Chardonnay Peyroli 2017 ★

	18000		11 à 15 €

Le Chablisien Michel Laroche s'est constitué un petit empire jusqu'au Chili et en Afrique du Sud. En Languedoc, il a acquis en 1995 le Mas La Chevalière, domaine d'environ 40 ha situé dans la vallée de l'Orb, près de Béziers, et l'a équipé d'un chai en 2003. Il y vinifie ses récoltes et des vendanges de vignerons partenaires.

Peyroli est le nom du ruisseau qui longe ce vignoble calcaire perché à 400 m d'altitude. Un site de choix pour le chardonnay qui donne ici un vin élégant et complexe aux senteurs d'abricot frais, de pomelo, de thé vert, soulignées de fines nuances boisées. Le bois enrobe juste ce qu'il faut le corps élancé de ce blanc raffiné, tonifié par une finale citronnée. Un petit air de Bourgogne. 2019-2022

MAS LA CHEVALIÈRE, lieu-dit La Chevalière, 34500 Béziers, tél. 04 67 49 88 30, camille.devergeron@larochewines.com r.-v.

B MAS NEUF Sage et Sauvage 2018

	100000		5 à 8 €

Propriété des Vignobles Jeanjean, le Mas neuf est une presqu'île entourée d'eau, entre Méditerranée, étangs et marais, relié à la côte par une fine bande de terre ; un « îlot muscat », comme il est surnommé, de 70 ha conduits en bio, essentiellement dédiés à la culture du muscat à petits grains.

Deux petites touches de muscat blanc et de colombard (le reste en carignan et grenache) suffisent à marquer le nez de senteurs franchement exotiques et muscatées. La bouche ample, souple, très gourmande s'appuie sur des petits tanins perceptibles qui donnent beaucoup de cachet et de tenue à ce rosé original et convaincant. 2019-2020

VIGNOBLES JEANJEAN, BP_1, 34725 Saint-Félix-de-Lodez, tél. 04 67 88 80 21, brigitte.boreiro@vignobles-jeanjean.com t.l.j. sf dim. 9h-12h 14h-18h

DOM. DE MÉDEILHAN
Chardonnay et Viognier 2018 ★

	40000		5 à 8 €

Exploité depuis cinq générations par la même famille et depuis 1999 par Christine de Saussine, ce domaine s'étend aujourd'hui sur 70 ha à Vias, près d'Agde – aux abords du canal du Midi sur le point d'achever son parcours. Le vignoble couvre les flancs aux sols de basalte d'un volcan, Roque Haute : – une roche sombre que l'on remarque dans le bâti local.

Connu des lecteurs du Guide pour ses rosés, le domaine décroche l'étoile avec ce bon blanc fringant. Acacia, pêche, citron vert, le nez flatte par sa fraîcheur et sa pureté de fruit. Au diapason, la bouche, tout en nerf et en parfums, diffuse des notes vivifiantes de jasmin, de yuzu et de fruits exotiques, avec une touche de silex pour conclure. 2019-2021

SCEA DE MÉDEILHAN, Dom. de Médeilhan, 34450 Vias, tél. 06 14 42 53 14, contact@medeilhan.fr t.l.j. sf sam. dim. 9h-13h

B DOM. DE LA MÉTAIRIE D'ALON
La Métairie 2017 ★

	6600		30 à 50 €

Issu d'une famille de producteurs et négociants bourguignons, Laurent Delaunay, œnologue, après avoir créé Badet Clément & Cie, a racheté en 2005 l'affaire fondée en 1996 par l'œnologue australienne Nerida Abbott, créant sous le nom d'Abbotts & Delaunay une société de négoce-vinificateur spécialisée dans les vins du Languedoc-Roussillon. En 2015, Laurent Delaunay a racheté à Jean-Louis Denois, vigneron bien connu de Limoux, le domaine de la Métairie d'Alon et ses 25 ha cultivés en bio.

Issu d'une sélection parcellaire (La Métairie), ce beau pinot noir est manifestement très à son aise sur les terroirs d'altitude de la haute vallée de l'Aude. Le fût apporte juste ce qu'il faut d'épices à un nez parfumé de griotte, de framboise et de sous-bois. Par ses tanins souples, son ampleur, sa fraîcheur et la finesse de son grain, la bouche enchante et livre une version épanouie et harmonieuse du cépage en terre occitane. ⧗ 2020-2023

⊶ ABBOTTS ET DELAUNAY, 32, av. du Languedoc, 11800 Marseillette, tél. 04 68 24 60 00, contact@abbottsetdelaunay.com

DOM. MILLEGRAND Merlot 2018 ★

■	40000	🍾	5 à 8 €

Une famille vigneronne depuis 1870 (à l'origine en Algérie). Jean-Michel Bonfils, aujourd'hui épaulé par ses trois fils, Olivier, Laurent et Jérôme gèrent un «empire viticole» constitué à partir des années 1960 : 17 domaines en Languedoc Roussillon pour un total de 1 600 ha de vignes. Ils sont désormais présents en Bordelais.

Un pur merlot qui a bien profité du soleil du Languedoc. Épanoui, le nez offre un fruité juteux mâtiné de sous-bois et d'épices douces. Corsée, généreusement fruitée, la bouche séduit par sa chair opulente et sa structure tannique solide qui incite à une petite garde. ⧗ 2020-2024

⊶ SCEA VIGNOBLES JEAN-MICHEL BONFILS, Dom. de Cibadiès, 34310 Capestang, tél. 04 67 93 10 10, bonfils@bonfilswines.com

CH. PARAZA Oh la la! 2018 ★

■	20000	🍾	5 à 8 €

Au cœur du village de Paraza, ce château datant du XVII^e^s. accueillit à l'époque Paul Riquet, l'architecte à qui l'on doit le percement du canal du Midi. Annick Danglas a repris ce domaine familial de 75 ha en 2005, épaulée par ses deux fils.

Un nom de cuvée plutôt ludique et plein d'à propos car la cuvée aura franchement séduit le jury. Une extraction douce a épanoui le nez qui diffuse d'intenses notes fruitées (cassis) et balsamiques. Une attaque douce et sensuelle ouvre grand les portes d'un palais charnu, gorgé de fruit, appuyé sur des tanins parfaitement arrondis. L'ensemble laisse en bouche une sensation d'harmonie singulière. ⧗ 2020-2026

⊶ ANNICK DANGLAS, 1, rue du Viala, 11200 Paraza, tél. 09 64 33 37 43, chateaudeparaza@gmail.com V t.l.j. 9h-19h30 ⑤

LE PETIT COCHONNET Pinot Noir 2018 ★

■	33333	🍾	- de 5 €

Établie à Castillon, près du pont du Gard, Vignobles et Compagnie (anciennement la Compagnie rhodanienne) est une maison de négoce créée en 1963, dans le giron du groupe Taillan. Elle propose des vins (marques ou cuvées de domaine) dans de nombreuses AOC de la vallée du Rhône, de la Provence et du Languedoc.

Une étiquette joyeuse pour un vin qui ne l'est pas moins. Élevé en cuve, ce bon pinot rubis flatte le nez par ses fragrances de cerise, de groseille et de menthol. La petite sucrosité à l'attaque et la douceur des tanins attisent un peu plus la gourmandise d'un fruit exquis, frais, qui se teinte de réglisse en finale. ⧗ 2019-2021

⊶ SA VIGNOBLES ET COMPAGNIE, SPECR 19, chem. Neuf, CS_80002, 30210 Castillon-du-Gard, tél. 04 66 37 49 50, nicolas.rager@vignoblescompagnie.com

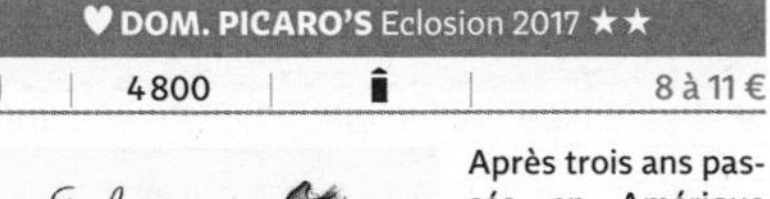

♥ **DOM. PICARO'S** Eclosion 2017 ★★

■	4800	🍾	8 à 11 €

Après trois ans passés en Amérique du Sud, Pierre-Yves Rouille et Caroline Vioche ont créé leur domaine en 2006, 11 ha sur les coteaux de Roujan, vendangés à la main et conduits en culture très raisonnée.

Les vieilles vignes de carignan plantées en 1972 font leur effet au nez comme en bouche. Une robe intensément violacée, un nez affriolant de cassis frais, de mûre, soutenu par des touches de silex et de garrigue, une bouche intensément fruitée, d'une fraîcheur immaculée, nantie de tanins parfaitement croquants : un rouge fièrement languedocien, vibrant et fringant de fruit, sans une once de mollesse. Les détracteurs du carignan, s'il en reste, seront peinés ! ⧗ 2019-2022

⊶ EARL PICARO'S, 5, chem. de Pézenas, 34320 Roujan, tél. 06 81 97 10 44, cvioche@orange.fr V r.-v.

LES VIGNERONS DE PUIMISSON Le Pas du Centurion 2018 ★

□	15000	🍾	8 à 11 €

Créée en 1947, la cave de Puimisson compte aujourd'hui une trentaine d'adhérents pour quelque 230 ha de vignes plantés sur des terroirs soubergues, sur les contreforts du Faugérois.

Clin d'œil aux vétérans de Jules César qui ont fondé Puimisson, ce viognier brièvement élevé en cuve exhale des senteurs d'acacia, de bonbon et d'abricot. Construit sur la fraîcheur et la souplesse, le palais libère son nuancier réjouissant (poire, mangue), rafraîchi par un trait de citron en finale. Un viognier raffiné et sans outrance. ⧗ 2019-2021

⊶ LES VIGNERONS DE PUIMISSON, 4, rue des Pins, 34480 Puimisson, tél. 04 67 36 09 74, vignerons-de-puimisson@wanadoo.fr V ven. 8h- 12h

RAFALE Chardonnay 2018 ★

□	10000	5 à 8 €

En 1964, une poignée de vignerons s'unissent parce qu'ils sont convaincus que «le groupe est meilleur que le meilleur du groupe». Aujourd'hui, les Vignerons Catalans rassemblent sept caves coopératives, 1 500 adhérents et une quarantaine de caves privées, soit plus de 10 000 ha.

Plus connue des lecteurs pour ses rouges, ses mutés et ses rosés, la cave ne néglige pas ses blancs. En atteste ce chardonnay catalan puissant qui fleure bon la pêche blanche et le fruit jaune. La bouche grasse et parfumée n'en oublie pas de rester fraîche. Un exemple abouti de chardonnay du Sud, aromatique, rond et sans outrance. ⧗ 2019-2021

⊶ LES VIGNERONS CATALANS, 1870, av. Julien-Panchot, BP_29000, 66962 Perpignan Cedex_9, tél. 04 68 85 04 51, contact@vigneronscatalans.com

SAINT-JEAN D'AUMIÈRES
Les Collines Merlot 2018 ★

■ | 33500 | | 5 à 8 €

Au XVIIIᵉs., cette propriété appartenait au procureur du roi J.-B. Claparède. Situé sur une colline marno-calcaire à l'entrée de Gignac, ce domaine de 50 ha, dont 35 de vignes, a été repris en 2013 par le négociant Vianney Castan, qui renoue ainsi avec la tradition vigneronne familiale.

Issu des plus belles parcelles de merlot du domaine, ce vin, à la robe encre, dévoile des arômes puissants de confiture de cerises et de fruits confits. Des notes de vanille et de moka viennent compléter cette palette dans une bouche puissante, fermement structurée autour de tanins corsés. Jeune et plein d'avenir, ce merlot cossu profitera d'un peu de cave. 2020-2024

SCEA CH. SAINT-JEAN D'AUMIÈRES, 34150 Gignac, tél. 04 67 92 92 37, contact@sainjeandaumieres.fr t.l.j. sf dim. 9h-12h30 14h-18h

DOM. DES TOURELS Rosèlas 2018 ★

■ | 2500 | | 8 à 11 €

Domaine fondé en 1885 par un médecin qui épousa une patiente vigneronne. Installé en 2005, son descendant Sébastien Sabatier exploite 30 ha dans la partie sud-est du Minervois, au voisinage de l'Aude et du canal du Midi.

Rosèlas, ou «coquelicot» en occitan, l'emblème du domaine. Du caractère à revendre dans ce pur marselan au nez expansif et chaleureux, marqué par le café noir et les fruits confits. Opulente, large, la bouche déploie sa belle matière gorgée de pruneau, de notes fumées, appuyée sur des tanins ronds. Un vin luxuriant, taillé pour de beaux plats d'automne. 2020-2024

Viognier 2018 (5 à 8 €; 4000 b.) : vin cité.

EARL DOM. DES TOURELS, 12, Le Sol, 11200 Tourouzelle, tél. 04 68 91 35 94, sebastien@domainedestourels.com r.-v.

VILLA DES ANGES
Réserve 2016 ★

■ | 13418 | | 5 à 8 €

Jeff Carrel décide en 1991 de changer de vie et devient œnologue en 1994. Il fait ensuite un tour de France des vignobles avant de se poser en Occitanie où il vinifie ses propres vins. Il crée des cuvées en partenariat avec des producteurs et en assure la commercialisation.

Une robe sombre et veloutée annonce un nez riche, centré sur les fruits noirs très mûrs nuancés de garrigue et de notes fumées. En phase avec l'olfaction, la bouche charme par son ampleur, son toucher charnu, ses tanins bien pris dans le fruit, sa fraîcheur en soutien qui donne encore un peu plus de présence aux arômes profonds et complexes. Du caractère et beaucoup de plaisir. C'est souvent le cas avec ce vigneron talentueux et créatif. 2020-2024

SARL THE WAY OF WINE, 12, quai de Lorraine, 11100 Narbonne, tél. 07 70 09 00 05, info@jeffcarrel.com

B VILLA NORIA
Grand Prestige 2018 ★★

■ | 100000 | | 5 à 8 €

Un domaine créé de toutes pièces en 2010 par quatre jeunes vignerons : 43 ha de vignes nichés entre mer et contreforts montagneux, sur des terroirs basaltiques, entre Pézenas et Montagnac. L'engagement en agriculture biologique (certifiée) concerne tous les aspects de la propriété, de l'eau aux paysages.

Une robe saumon pour ce rosé friand né du pinot noir et du grenache, au nez allègre et fruité, entre fruits rouges et litchi. La bouche a tout pour séduire : une attaque ample, des arômes fringants de framboise, une longueur épatante, le tout souligné par une fraîcheur impeccable. Un rosé idéal en quelque sorte. 2019-2020

DOM. VILLA NORIA, 9, av. André-Bringuier, 34530 Montagnac, tél. 04 67 38 00 86, carnaud@domaine-noria.com r.-v.

LA VILLATADE V 2018 ★

■ | 1350 | | 8 à 11 €

Acquis en 2016 par Richard et Sophie Andreelli, ce domaine est situé sur une colline de schistes, de marnes et de calcaires sur les contreforts de la Montagne Noire. Offrant gîte et tables d'hôtes, il s'étend sur 130 ha d'un seul tenant, dont 11 ha de vignes en production et 5 ha de jeunes vignes.

Un assemblage de syrah et grenache en pressurage direct. À une jolie robe pétale de rose répond un nez élégant, fruité et floral. La même sensation d'élégance s'impose dans une bouche étirée, tonique, précise, aux nuances de bourgeon de cassis. De la retenue et beaucoup de finesse. 2019-2020

EARL LA VILLATADE, lieu-dit La Villatade, 11600 Sallèles-Cabardès, tél. 04 68 77 57 51, wine@villatade.com t.l.j. 10h-19h; f. janv.

DOM. LES YEUSES L'allée d'Oliviers 2017 ★

■ | 5500 | | 8 à 11 €

Située entre le littoral et la garrigue méditerranéenne, cette propriété d'origine templière (XIIIᵉs.) doit son nom à une forêt de chênes verts (Yeuses) qui a aujourd'hui pratiquement disparu, remplacée par une allée d'oliviers menant à la cour du domaine. Dans la famille Dardé depuis 1977, elle couvre 80 ha. À sa tête, Jean-Paul et Michel Dardé, rejoints par leurs enfants Sylvain et Magali, proposent une large gamme de vins en IGP.

Presque quatorze ans de présence continue dans le Guide. Un signe qui ne trompe pas ! C'est un rouge qui est à l'honneur cette année, assemblage de cabernet franc et de merlot, élevé douze mois en fût. Le nez intense s'ouvre sur les fruits rouges mûrs relayés par une touche végétale et des nuances discrètement boisées. La framboise macérée, le Zan et la torréfaction viennent enrichir cette palette dans une bouche puissante, tonique, et fermement structurée par des tanins encore carrés. Une courte garde affinera l'ensemble. 2020-2024

GAEC DU DOM. LES YEUSES, rte de Marseillan, 34140 Mèze, tél. 04 67 43 80 20, contact@lesyeuses.fr t.l.j. sf dim. 9h-12h 15h-19h

IGP SABLE DE CAMARGUE

DUNE Gris de Gris 2018 ★

	650000		5 à 8 €

En 1952, la cave particulière Les Sablons, située non loin des remparts d'Aigues-Mortes, devient cave coopérative et prend le nom de Sabledoc en 1987. Équipée d'un outil de vinification à la pointe de la technologie, elle vinifie le fruit de quelque 600 ha de vignes plantées sur des sables éoliens par une centaine de coopérateurs.

Une touche (5 %) de carignan dans ce rosé de grenache, classiquement pâle, dont le nez diffuse de francs arômes de bonbon et de petits fruits rouges frais. La bouche est gourmande, offrant gras et rondeur, ainsi qu'un trait d'agrumes pour rafraîchir l'ensemble. Du bon classique. 2019-2020

SCA SABLEDOC, caveau Les Sablons, rte d'Arles, 30220 Aigues-Mortes, tél. 04 66 53 75 20, sabledoc@wanadoo.fr V t.l.j. 9h-12h 14h-18h

B DOM. DU PETIT CHAUMONT Gris de Gris 2018 ★

	150000		5 à 8 €

Vignerons de père en filles, la famille Bruel a totalement reconstruit le vignoble et la cave du domaine, détruits et minés pendant la Seconde Guerre mondiale. Entre mer et étangs, le domaine s'étend sur 120 ha de vignes d'un seul tenant, entourant les bâtisses de la fin du XIXᵉs., et cultivés en bio.

Pâle comme il se doit pour un «gris», la cuvée s'ouvre sur un nez intense, classique et charmeur, entre fleur et fruit (agrumes). Bouche fraîche, sapide, suave, diffusant des notes gourmandes qui invitent à y revenir. Une réussite. 2019-2020

GAEC BRUEL, Le Petit Chaumont, 30220 Aigues-Mortes, tél. 04 66 53 60 63, gaecbruel@nordnet.fr V t.l.j. sf dim. 9h-12h 15h-18h

DOM. ROYAL DE JARRAS Pink Flamingo 2018 ★

	970000	5 à 8 €

Fondés en 1883, les Grands Dom. du Littoral détiennent près de 1 800 ha de vignes, une surface qui en fait le plus grand propriétaire récoltant d'Europe. Des vignes franches de pied – non greffées, en raison de la protection naturelle contre le phylloxéra offerte par le sable – couvrent 90 ha. L'ensemble du vignoble, classé HVE (Haute Valeur Environnementale), est labouré et tondu par 5 000 moutons chaque année.

Ce rosé de grenache (100 %), au nez discret et vif, sur les agrumes, prend son envol en bouche : du gras, une sucrosité perceptible, des parfums exubérants de pamplemousse et une fraîcheur discrète. Épanoui comme le sont les rosés de sable. 2019-2020

SAS GRANDS DOM. DU LITTORAL (DOM. ROYAL DE JARRAS), rte du Grau-du-Roi, 30220 Aigues-Mortes, tél. 04 66 51 17 00, lcarbonell@gdl.fr V t.l.j. 10h-12h 14h-18h

IGP SAINT-GUILHEM-LE-DÉSERT

DOM. L'AIGUELIÈRE Peyre Brune 2017 ★

	2000		20 à 30 €

Issu d'une ancienne famille de vignerons de Montpeyroux, Aimé et Auguste Commeyras rencontrent, il y a de cela plus de trente ans, le docteur Pierre-Louis Teissedre, actuellement professeur d'œnologie à l'Université de Bordeaux, avec qui ils créent ce domaine en 1986. Leurs héritiers Pierre-Louis Teissedre, Christine (la fille d'Aimé), Auguste (le frère cadet) et son épouse Claude sont aujourd'hui aux commandes de 18,5 ha de vignes, en conversion bio depuis 2018.

Syrah et grenache (essentiellement) composent cette cuvée dont le nez plaisant et grillé témoigne d'un élevage de douze mois en fût. La bouche se révèle ample, onctueuse, la trame tannique légère et soyeuse, la finale agréablement fruitée, réglissée et grillée. Très plaisant, bien équilibré, ce vin est déjà à point. 2020-2022

SCEA DOM. L' AIGUELIÈRE, 2, pl. Michel-Teisserenc, 34150 Montpeyroux, tél. 06 84 61 13 65, auguste@aigueliere.com V t.l.j. 9h-12h 14h-18h

BERGERIE DU CAPUCIN Larmanela 2018 ★

	900		20 à 30 €

Guilhem Viau, après dix ans passés en cave coopérative, s'est lancé en 2008 et a baptisé son domaine languedocien du nom du lieu-dit où se situaient les pâturages et la bergerie de son aïeule Jeanne. Il conduit aujourd'hui un vignoble de 15 ha au pied du pic Saint-Loup.

Larmanela est le nom d'une pâture de la Bergerie. Ce chardonnay haut de gamme, vinifié et élevé en fût, en impose par son nez ouvert, floral, miellé et vanillé. L'intensité ne retombe pas en bouche, bien contraire : du corps, de la rondeur, des saveurs intensément vanillées, le tout vivifié par une finale pleine de fraîcheur. Un air de Bourgogne du Sud dans cette cuvée ambitieuse, opulente, structurée et parfaitement équilibrée. 2021-2024

BERGERIE DU CAPUCIN, Villa Carrée, 80, imp. Puech-Camp, 34270 Lauret, tél. 04 67 59 01 00, contact@bergerieducapucin.fr V r.-v.

LES CAIZERGUES Les Tisserands 2018

	4000		5 à 8 €

Au mois d'août 2017, Patricia et Robert Middleton, deux entrepreneurs britanniques amoureux du vin, ont repris les rênes de ce domaine situé à Brissac, au nord de Montpellier, sur les contreforts des Cévennes. Sur 33 ha de vignobles, en conversion bio, ils cultivent une large palette de cépages et signent des vins en AOC languedoc, terrasses du larzac et en IGP.

Deux cépages aromatiques associés (viognier et sauvignon blanc) dans cette cuvée qui déploie au nez des arômes expansifs d'agrumes et de fruits jaunes. Souple, longue et grasse, la bouche séduit par son volume et ses nuances minérales qui apportent un semblant de fraîcheur en finale. 2020-2021

LANGUEDOC

SCEA DOM. LES CAIZERGUES, lieu-dit Les Caizergues, 34190 Brissac, tél. 04 67 73 36 55, contact@domainelescaizergues.com V t.l.j. sf sam. dim. 9h-12h 13h-17h

MAS COMBARÈLA Les Vieux Mazets 2017 ★

■ | 2300 | | 15 à 20 €

Après une carrière dans le marketing international, Olivier Faucon, petit-fils d'agriculteur et amateur de vin, décide de devenir vigneron à la lecture de la bande dessinée Les ignorants d'Étienne Davodeau. En 2012 et après une solide formation en Bourgogne, il jette son dévolu sur le Languedoc où il crée son domaine, 12 ha aujourd'hui, lance la conversion bio du vignoble et signe son premier millésime en 2016.

Un premier nez timide qui gagne en intensité à l'aération sur des notes gourmandes de fruits frais. À une attaque tout en douceur succède un milieu de bouche fringant, marqué par des tanins corsés et croquants. La bouche déroule jusqu'en finale des saveurs bien plus expansives qu'au nez, chaleureusement fruitées (fruits rouges) et épicées. ⧗ 2021-2023

SCEA MAS COMBARÈLA, rte de Montpeyroux, 34150 Saint-Jean-de-Fos, tél. 06 19 42 07 00, contact@mas-combarela.com V r.-v.

MAS D'AGAMAS Mourvèdre Rosé 2018 ★

■ | 2800 | | 5 à 8 €

Viticulteurs depuis plusieurs générations à Lagamas, sur les contreforts du Larzac, les Visseq, coopérateurs ont commencé en 2009 à vinifier une partie de leur production. Leur fils Vincent, œnologue, a pris en 2016 les rênes du domaine familial et c'est désormais l'intégralité des vendanges de ses 11 ha qui est vinifiée dans un nouveau chai.

Un pur mourvèdre, limpide et pâle, qui joue la carte de la fraîcheur : un nez vivace, discret, de petits fruits rouges ; une bouche ronde, pleine, dotée d'une acidité tonifiante qui donne de l'éclat au fruit ; finale légèrement fumée. Un rosé complet, frais et bien du sud. ⧗ 2019-2020

EARL FAMILLE VISSEQ, 2, rue des Treilles, 34150 Lagamas, tél. 04 67 57 53 22, c.visseq@sfr.fr V r.-v.

MAS DE MARTIN Plein Sud 2018 ★★

■ | 6186 | | 5 à 8 €

Le Mas de Martin est un îlot secret de 20 ha de vignes caché au milieu des garrigues et des pinèdes. Ancienne dépendance de l'abbaye de Saint-Germain et halte sur le chemin de Saint-Jacques de Compostelle, ce domaine mentionné dès le XIIᵉs. a été repris au printemps 2017 par Marie-Christine Florent, qui succède à Christian Mocci, son propriétaire pendant plus de vingt ans.

Cette pure syrah bien mûre livre ses arômes de fruits rouges confits et d'épices. La bouche chaleureuse, très ronde, aux tanins lissés sséduit par la plénitude et la simplicité de ses saveurs fruitées et poivrées. Un rouge généreux, tout en rondeur, à boire dans sa jeunesse, signé par un domaine qui est un vieil habitué du Guide. ⧗ 2020-2021 ■ **Roi Patriote 2016 ★ (11 à 15 €; 13000 b.)** : clin d'œil à Louis XVI, cet assemblage détonnant de six cépages (dont le tannat) affiche une robe noire et un nez épanoui, chaleureux, de fruits rouges compotés soulignés de nuances grillées et mentholées. Après une attaque en douceur et en sucrosité, la bouche se raffermit sous l'effet de tanins corsés qui imposent de la patience. ⧗ 2021-2024

MARIE-CHRISTINE FLORENT, rte de Carnas, 34160 Saint-Bauzille-de-Montmel, tél. 04 67 86 98 82, masdemartin@gmail.com V t.l.j. sf dim. 9h-12h 14h-18h

MAS RENÉ GUILHEM
Carignan Vieilles Vignes 2017

■ | 1973 | | 11 à 15 €

En 2010, Patrice et Pierre Gros (quatrième génération) ont construit leur cave entre Clermont l'Hérault et le lac du Salagou pour tirer le maximum de leur terroir de terrasses villafranchiennes.

Ces vieilles vignes (60 ans) ont fait forte impression avec leur bouquet pimpant de fruits rouges et de violette, prolongé par un palais agréable, vibrant, dotés de tanins croquants et d'une longueur mentholée rafraîchissante. ⧗ 2021-2023

EARL RENÉ GUILHEM, chem. de la Faïence, 34800 Clermont-l'Hérault, tél. 06 75 66 04 62, patrice-gros@live.fr V r.-v.

DOM. DU PIN Maé 2018 ★

■ | 650 | | 8 à 11 €

Ce domaine qui appartient à la même famille depuis trois générations est situé sur les hauteurs des Terrasses du Larzac et aux limites du pic Saint-Loup. Il s'étend sur 48 ha et les vins sont produits sous la bannière IGP.

Le domaine fait son apparition dans le Guide avec ce blanc élevé en fût qui résulte d'un assemblage de chardonnay, grenache blanc et muscat. Expressif et ouvert, le nez décline les fleurs et les fruits jaunes. On les retrouve dans une bouche ample et fraîche qui brille par l'élégance de sa texture et sa longue finale finement grillée. ⧗ 2020-2022

SCEA TOCAMPI, 130, chem. du Four-à-Chaux, 34190 Laroque, tél. 04 48 78 44 89, commercial@domainedupin.fr V r.-v.

CH. DE LA SALADE SAINT-HENRI
Hérodias 2017

■ | 3333 | | 15 à 20 €

Sur ce domaine familial, qui doit son nom à un casque romain trouvé en ces lieux, les bâtiments datent du Moyen Âge, et la vigne est cultivée depuis le début du XVIIIᵉs. Anne Donnadieu, pharmacienne de formation, est aux commandes depuis 2006, avec à sa disposition un vignoble de 35 ha qu'elle prépare à une future conversion bio.

Des vieilles vignes de carignan (69 ans) vinifiées en macération carbonique, cela donne cette robe rubis soutenu et ce nez intensément fruité et épicé. La bouche confirme de telles promesses : attaque friande, sucrosité légère, tanins élégants, flaveurs fraîches de fruits rouges et d'épices. ⧗ 2022-2024

SCA SCOLMAT, 1050, rte de Saint-Jean-de-Cuculles, 34270 Saint-Mathieu-de-Tréviers, tél. 04 67 55 20 11, annedonnadieu@gmail.com t.l.j. sf dim. 11h-13h 17h-19h30

SAUTE ROCHER 2018

■	50000	5 à 8 €

Rebaptisée CastelBarry, la «coopérative artisanale» de Montpeyroux a été fondée en 1950 : c'est l'une des dernières caves créées en Languedoc (le grand boom coopératif se situant entre 1910 et 1929). Elle a bien grandi depuis sa création : 75 adhérents alors, de modestes propriétaires, 130 aujourd'hui. Le vignoble (510 ha) se partage entre trois entités toutes baignées de soleil : le causse, le piémont et la terrasse d'éboulis.

La Gironde et le Languedoc se rencontrent dans cet assemblage de quatre cépages qui aura séduit par son nez fruité épanoui et par sa bouche conviviale, ronde, poivrée, soutenue par des tanins fins. Vin souple et gourmand, à boire sur sa jeunesse. 2020-2022

CASTELBARRY, 5, pl. François-Villon, 34150 Montpeyroux, tél. 04 67 96 61 08, contact@castelbarry.com t.l.j. 9h-12h 14h-18h

IGP COLLINES DE LA MOURE

DOM. GALLIÈRES
Salsa de la Vigne 2018 ★

■	1500		5 à 8 €

Pépiniéristes viticoles, les Esteban ont créé leur domaine en 1985 et construit leur chai en 2008. Situé à la périphérie de Montpellier, le vignoble de 18 ha est établi sur le plateau villafranchien entre la ville et la Méditerranée, en bordure du Lez, fleuve côtier. Un havre de paix face aux jaillissements du béton urbain.

Grenache et syrah au menu de ce rosé très pâle, au nez fringant entre agrumes, petits fruits rouges et nuances fumées. Bouche parfumée, d'une belle fraîcheur, très efficace par son fruité qui se prolonge en finale sur des notes empyreumatiques. 2019-2020

MICHEL ESTEBAN, 1292, rue du Mas-Rouge, 34000 Montpellier, tél. 06 08 63 10 65, pepi.esteban@wanadoo.fr t.l.j. sf dim. 9h-12h 14h-18h

DOM. DE MUJOLAN 167 ans 2017 ★★

■	20000		8 à 11 €

Un vaste domaine de 100 ha (planté de plus de vingt-cinq cépages) situé sur les contreforts du massif protégé de la Gardiole; fondé en 1850 par la famille De Rovière et acquis en 2001 par Marie-Claire et Jacques Boutonnet, dont les trois fils ont pris la suite en 2014.

167 comme le nombre de vinifications effectuées depuis la création du domaine en 1850. Assemblage baroque, ce vin élevé en fût s'ouvre sur un nez expressif mêlant fruits rouges (cerise) et notes boisées. Charnue, la bouche enchante par sa rondeur et par le charme de ses arômes fruités qui intègrent harmonieusement les apports du chêne. 2020-2024

SCEA DOM. DE MUJOLAN, Mas de Mante, RD_613, 34690 Fabrègues, tél. 04 67 85 11 06, contact@mujolan.fr t.l.j. 9h15-12h15 14h-16h

IGP PAYS DE CAUX

DOM. SAINTE CÉCILE DU PARC
Mouton Bertoli 2016 ★

■	2000		20 à 30 €

Les vignes en terrasses (15 ha, dont 10 en production) de ce domaine repris en 2005 par Christine Mouton-Bertoli sont conduites en agriculture biologique et entourent une cave récente, achevée en 2011. Toutes les cuvées font ici référence à la musique, dont sainte Cécile est la patronne.

Plus connu dans la Loire, le cabernet franc semble avoir bien profité du soleil du Languedoc dans cette cuvée qui lui donne le premier rôle. Le vin en tire son nez bien mûr de fruits rouges et noirs confits et de réglisse, ainsi que sa bouche ronde, souple, aux saveurs ensoleillées et gourmandes. Un 2016 fédérateur et harmonieux. 2020-2022

SCEA MOUTON-BERTOLI, rte de Caux, 34120 Pézenas, tél. 06 79 18 68 56, cmb@stececileduparc.com r.-v.

IGP TORGAN

DOM. BERTRAND-BERGÉ
Le Méconnu 2018

■	4000	8 à 11 €

À l'instar de son aïeul Jean Sirven, qui vinifiait son vin à la fin du XIXe s., Jérôme Bertrand a quitté la coopérative en 1993 pour élaborer ses propres vins. Il a cru très tôt dans la qualité des terroirs rudes de Fitou, a élevé et valorisé les vins du cru, puis hissé son domaine (36 ha) parmi les grands. Depuis la récolte 2011, le vignoble est conduit en bio certifié.

Le «Méconnu», c'est le muscat à petits grains, le représentant le plus estimé de la grande famille des muscats. Cette cuvée jaune pâle en offre les arômes très expansifs, fruités et floraux, en version fraîche. À une attaque ronde succède un palais tonique. La finale vive et nette clôt ce blanc printanier. 2020-2022

SCEA BERTRAND-BERGÉ, 38, av. du Roussillon, 11350 Paziols, tél. 04 68 45 41 73, bertrand-berge@wanadoo.fr t.l.j. 9h-12h 14h-18h

IGP VALLÉE DU PARADIS

TERRE DES ANGES Vieilles Vignes 2018 ★★

■	50000		5 à 8 €

Créée en 1921 dans le massif des Hautes Corbières et le Haut Fitou, à 20 km de la Méditerranée, la cave des Maîtres Vignerons de Cascastel rassemble une centaine d'adhérents qui cultivent 750 ha. À sa carte, des fitous, des corbières, des vins doux naturels et des vins en IGP.

De vieilles vignes de syrah, carignan et merlot ont façonné ce joli vin à la robe pourpre et au nez bien ouvert de fruits rouges confits, de garrigue et de pain grillé. Tout en rondeur, la bouche, bien étayée par des tanins croquants, délivre des arômes gourmands de griotte, de thym et de violette. La finale épicée clôt en beauté la dégustation. ⧗ 2020-2024 ■ **Dom. des Garrigottes 2018** ★★ (5 à 8 €; **35 000 b.**) : déjà repérée dans le millésime précédent, la cuvée n'a rien perdu de son charme en 2018. Le carignan (40 %) apporte au nez ses touches d'épices et de garrigue. Ronde à l'attaque, la bouche se montre équilibrée : tanins doux, fraîcheur, flaveurs bien typées et complexes entre fruits noirs, épices, garrigue, Zan et touche vanillée. Une jolie déclinaison pour un vin charmeur. ⧗ 2020-2022

SCV LES MAÎTRES VIGNERONS DE CASCASTEL, Grand-Rue, 11360 Cascastel, tél. 04 68 45 91 74, info@cascastel.com

V *r.-v.*

LE ROUSSILLON

Le Roussillon viticole, qui correspond au département des Pyrénées-Orientales, est très proche du Languedoc voisin par son climat, son histoire, son encépagement et les styles de vins. Il est d'ailleurs inclus dans la nouvelle appellation régionale languedoc. La différence est surtout culturelle : le Roussillon est en majeure partie catalan. L'offre du plus méridional des vignobles de France se partage entre de superbes vins doux naturels et des vins secs : rouges aux multiples facettes, rosés généreux et même, de plus en plus, blancs vifs.

Aux portes de l'Espagne. Amphithéâtre tourné vers la Méditerranée, le vignoble du Roussillon est bordé par trois massifs : les Corbières au nord, le Canigou à l'ouest, les Albères au sud, qui forment la frontière avec l'Espagne. Trois fleuves, la Têt, le Tech et l'Agly, ont modelé un relief de terrasses dont les sols caillouteux et lessivés sont propices aux vins de qualité, et particulièrement aux vins doux naturels. On rencontre également des schistes noirs et bruns, des arènes granitiques, des argilo-calcaires ainsi que des collines détritiques du pliocène. Le vignoble du Roussillon bénéficie d'un climat très ensoleillé, avec des températures clémentes en hiver, chaudes en été. La pluviométrie (350 à 600 mm/an) est mal répartie, et les pluies d'orage ne profitent guère à la vigne. Il s'ensuit une période estivale très sèche, dont les effets sont souvent accentués par la tramontane, vent qui favorise la maturation des raisins. La vigne, depuis l'invasion phylloxérique, est plantée sur les meilleurs terroirs, en particulier sur les coteaux. Sa culture reste traditionnelle, souvent peu mécanisée. La plante est encore souvent conduite en gobelet : les ceps forment de petits buissons, sans palissage.

Vins doux naturels et vins secs. L'implantation de la vigne en Roussillon, sous l'impulsion des marins grecs attirés par les richesses minières de la côte, date du VIIe s. avant notre ère. Sans doute produisait-on ici déjà des vins doux. Au Moyen Âge, époque d'essor de la viticulture, fut mise au point, dans la région, la technique du mutage des vins à l'alcool, qui permet la conservation et qui valut aux vins doux roussillonnais une réputation solide. Si la part de ces derniers dans la production a baissé à la fin du XXe s., leur qualité s'est améliorée, et la région en offre une diversité sans pareille. La modernisation de l'équipement des caves, la diversification de l'encépagement et des techniques de vinification (avec la macération carbonique, par exemple), et la maîtrise des températures au cours de la fermentation permettent aujourd'hui au Roussillon d'exceller dans les vins secs.

▶ CÔTES-DU-ROUSSILLON ET CÔTES-DU-ROUSSILLON-VILLAGES

Ces deux appellations s'étendent dans les Pyrénées-Orientales – la région historique du Roussillon. L'aire la plus étendue, celle des côtes-du-roussillon, produit des vins dans les trois couleurs, tandis que les côtes-du-roussillon-villages sont toujours rouges.
Les côtes-du-roussillon blancs sont produits principalement à partir des cépages macabeu et grenache blanc, complétés par le grenache gris, la malvoisie du Roussillon, la marsanne, la roussanne et le rolle, et vinifiés par pressurage direct. Bien méditerranéens, finement floraux (fleur de vigne), ils accompagnent les fruits de mer, les poissons et les crustacés. Les vins rosés et les vins rouges sont obtenus à partir d'au moins trois cépages, le carignan (50 % maximum), le grenache noir, la syrah et le mourvèdre constituant les cépages principaux. Tous ces cépages (sauf la syrah) sont conduits en taille courte à deux yeux. Souvent, une partie de la vendange est vinifiée en macération carbonique, notamment le carignan qui donne, avec cette méthode de vinification, d'excellents résultats. Les vins rouges sont fruités, épicés et riches. Les rosés, vinifiés obligatoirement par saignée, sont aromatiques, corsés et nerveux.
Au sud de Perpignan, depuis 2003, on produit des côtes-du-roussillon-Les-Aspres, une dénomination attribuée aux vins rouges après identification parcellaire.
Les côtes-du-roussillon-villages sont localisés dans la partie septentrionale du département des Pyrénées-Orientales; ils s'enrichissent de quatre dénominations reconnues pour leur terroir particulier : Caramany, Lesquerde, Latour-de-France et Tautavel. Gneiss, arènes granitiques et schistes confèrent aux vins une richesse et une diversité qualitatives que les vignerons ont bien su mettre en valeur. Les côtes-du-roussillon-villages varient selon la nature de leur terroir mais affichent toujours de beaux tanins, fins pour les terroirs acides, plus solides sur schistes et argilo-calcaires; certains peuvent se boire jeunes, d'autres gagnent à être gardés quelques années; ils développent alors un bouquet intense et complexe.

CÔTES-DU-ROUSSILLON

Superficie : 5 770 ha
Production : 215 500 hl (98 % rouge et rosé)

ABBOTTS ET DELAUNAY À tire d'aile 2017 ★

■ | 10000 | ⅠⅠⅠ ⅰ | 11 à 15 €

Issu d'une famille de producteurs et négociants bourguignons, Laurent Delaunay, œnologue, après avoir créé Badet Clément & Cie, a racheté en 2005 l'affaire fondée en 1996 par l'œnologue australienne Nerida Abbott, créant sous le nom d'Abbotts & Delaunay une société de négoce-vinificateur spécialisée dans

les vins du Languedoc-Roussillon. En 2015, Laurent Delaunay a racheté à Jean-Louis Denois, vigneron bien connu de Limoux, le domaine de la Métairie d'Alon et ses 25 ha cultivés en bio.

Un clin d'œil aux oiseaux qui se régalent l'été des raisins du vignoble. Fort heureusement, ils en ont laissé suffisamment pour produire cette cuvée. Un brin sauvage au nez, elle exprime des arômes de sous-bois, de violette et d'épices. Riche, bien charpentée, elle a déjà tout le charnu attendu pour être appréciée dès à présent. Les flaveurs de fruits noirs et les notes empyreumatiques ajoutent encore à son caractère séduisant. ⧗ 2020-2024

⊶ ABBOTTS ET DELAUNAY, 32, av. du Languedoc, 11800 Marseillette, tél. 04 68 24 60 00, contact@abbottsetdelaunay.com

DOM. ALQUIER 2016 ★

■	4500	🍾	8 à 11 €

Implanté au pied des Pyrénées et du col du Perthus, ce domaine familial conduit depuis 1995 par Patricia et Pierre Alquier a été constitué en 1898. Fort de 32 ha de vignes, il est établi sur le superbe terroir des Albères – merveilleux tant par ses paysages que par l'expression de finesse et de minéralité que les sols acides du piémont pyrénéen confèrent aux vins.

Ce vin ne laisse rien paraître de ses trois ans d'âge dans sa robe grenat à reflets pourpres. L'approche est élégante, sur les fruits noirs mûrs et une note légèrement fumée, voire torréfiée. La bouche généreuse laisse toute sa place au fruit nuancé d'un toasté délicat. L'ensemble est porté par des tanins soyeux et cette fraîcheur minérale typique de ce terroir des Albères au pied des Pyrénées. ⧗ 2020-2024

⊶ EARL DOM. ALQUIER, Dom. Alquier, 66490 Saint-Jean-Pla-de-Corts, tél. 04 68 83 20 66, domainealquier@wanadoo.fr V t.l.j. sf sam. dim. 9h-12h 15h-18h30

Ⓑ ARNAUD DE VILLENEUVE
Côté nature 2018 ★★

■	10 000	🍾	5 à 8 €

Résultant de la fusion de trois caves, cette coopérative porte le nom de l'inventeur des vins doux naturels, Arnaud de Villeneuve. Elle rassemble 320 viticulteurs de Salses, de Rivesaltes et de Pézilla-la-Rivière, qui cultivent quelque 2 000 ha de vignes (dont 125 ha en bio) répartis sur 26 communes et des terroirs variés.

La teinte grenat est brillante, intense sans excès, avec les reflets framboise de la jeunesse. Une jeunesse qui s'exprime aussi dans la palette de fruits frais, de fraise Mara des Bois, de mûre encore rouge, et dans une touche florale originale apportant beaucoup de fraîcheur. Belle continuité aromatique en bouche, avec toujours cette fraîcheur, accompagnée de la rondeur du grenache et de tanins suaves. L'amplitude est perceptible. C'est fin, élégant, à boire. ⧗ 2020-2022 ■ **N° 153 2018 ★★ (5 à 8 €; 2000 b.)** : un vin très minéral (silex) et fruité (agrumes et fruits exotiques). Des notes mentholées soulignent

Le Roussillon

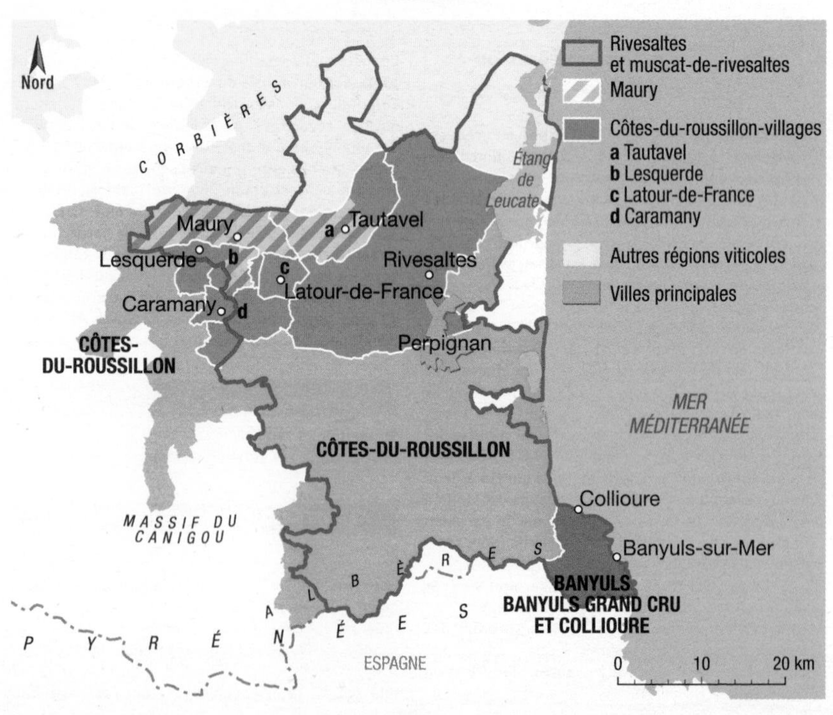

en finale sa fraîcheur délicate. Un dégustateur propose de le marier à un denti au four sur lit de petits légumes. ⧗ 2020-2022

⊶ SCV LES VIGNOBLES DU RIVESALTAIS (ARNAUD DE VILLENEUVE), 153, RD_900, 66600 Rivesaltes, tél. 04 68 64 06 63, contact@caveadv.com t.l.j. sf dim. 9h30-12h30 14h30-18h30

Ⓑ DOM. BELLAVISTA Ava 2017 ★

■ | 9000 | | 8 à 11 €

Acquis en 1992 par la famille Bertrand, ce domaine de 50 ha, adossé aux collines de Castelnou, dresse fièrement de superbes bâtisses du XIIIᵉs. bien restaurées. Le vignoble est conduit en bio certifié depuis 2013.

Ce terroir frais du piémont de Canigou, où le schiste domine, produit des vins tout en retenue. Belle robe, mais discrétion aromatique. À l'aération, le nez se révèle complexe cependant : cerise, cassis, violette et poivre blanc bien frais. En bouche, le fruit s'impose encore, nuancé d'épices et de réglisse. La concentration est grande et les tanins ont ce soyeux typique des vins issus de schistes. Un côtes-du-roussillon fait pour durer. ⧗ 2021-2026

⊶ SARL D'EXPLOITATION DU DOM. BELLAVISTA, Mas Bellavista, 66300 Camélas, tél. 04 68 53 25 18, domaine-bellavista@orange.fr t.l.j. 8h-18h

DOM. BISCONTE Renaissance 2016 ★

■ | 3000 | | 11 à 15 €

Créé en 1940, le domaine Bisconte compte 61 ha de vignes réparties sur trois terroirs distants de quelques kilomètres. En 2005, Pascale Jonca, docteure en pharmacie, et Manuel Vincent, hydrogéologue, l'ont repris, et c'est en 2016 qu'ils sont devenus vignerons indépendants.

Voici un vin pour lequel la question du temps de garde ne se pose pas. Il serait dommage de ne pas l'apprécier dès à présent. Car malgré ses trois ans d'âge, il a conservé une belle fraîcheur fruitée (cerise), à peine nuancée de notes plus évoluées de noyau. Souple, rond et frais à la fois, il bénéficie de tanins parfaitement fondus, aux accents finement toastés. Pourquoi attendre davantage? ⧗ 2020-2022

⊶ EARL LE BISCONTE, chem. du Salitar, 66740 Saint-Génis-des-Fontaines, tél. 06 87 42 96 46, bisconte@wanadoo.fr r.-v.

DOM. BOBÉ L'Oncle Jean 2017 ★★

■ | 1500 | | 5 à 8 €

Robert Vila, représentant la troisième génération, est établi depuis 1986 tout près de Perpignan sur les terrasses caillouteuses de la Têt. Il conduit un vignoble de 40 ha.

Le grenat est profond, limpide, et les reflets violines témoignent de la jeunesse de ce vin. D'abord timides, les arômes de fruits noirs confiturés se révèlent à l'aération, complétés de violette et de bourgeon de cassis. En revanche, puissance et générosité se manifestent dès la mise en bouche; le fruité noir persiste, la matière volumineuse s'appuie sur des tanins bien présents, et la fraîcheur soutient la finale marquée par l'ardeur du grenache. Un vin solide, typiquement destiné à un pavé de bœuf au poivre. ⧗ 2021-2026

⊶ ROBERT VILA, Dom. Bobé, Mas de la Garrigue, 5, chem. de Baixas, 66240 Saint-Estève, tél. 04 68 92 66 38, robert.vila@wanadoo.fr lun. mer. ven. 14h30-18h30

♥ DOM. BOUDAU Le Clos 2018 ★★★

■ | n.c. | | 8 à 11 €

Véronique Boudau et son frère Pierre sont à la tête du domaine familial depuis 1993. Ils ont décidé de donner un nouveau souffle à la propriété, qui couvre quelque 60 ha sur d'excellents terroirs, à l'entrée de la vallée de l'Agly. Le pari est réussi : la totalité de la production est mise en bouteilles et commercialisée, notamment dans un réseau de restaurants et de cavistes. Une valeur sûre, qui a engagé la conversion bio de son vignoble.

Ce 2018 suscite l'envie de la découverte au premier regard! L'or attire. Très expressif, le nez joue sur la maturité de la pêche jaune, de l'abricot frais et sur des notes beurrées plus subtiles, puis se révèle une ravissante touche de fleur miellée. D'attaque ronde, le vin offre toute sa plénitude au palais : les arômes d'épices vanillées apparaissent sur fond de fruit, et la fraîcheur vient fort à propos. Un très bel accord pourrait être réalisé avec un cuisine épicée, comme une lotte au safran. ⧗ 2020-2026 ■ **Le Clos 2018 ★ (8 à 11 €; 27000 b.)** : un vin profond et solide, sur le fruit à croquer. Harmonieux dès aujourd'hui, il saura aussi attendre. ⧗ 2020-2025

⊶ SARL DOM. BOUDAU, 6, rue Marceau, 66600 Rivesaltes, tél. 04 68 64 45 37, contact@domaineboudau.fr t.l.j. sf dim. (et sam. en hiver) 10h-12h 15h-18h

CH. DE CALADROY Passion rosé 2018 ★

■ | 20000 | | 8 à 11 €

Une forteresse médiévale qui gardait la frontière entre le royaume de France et celui d'Espagne. De la terrasse du château, on découvre un panorama exceptionnel : au loin, la mer, le Canigou; en contrebas, les vignes (130 ha) et les oliviers (7 ha). La chapelle du XIIᵉs. accueille le caveau de dégustation.

Voici un vin qui en impose dans sa robe fuchsia, sans se plier à la «tendance» Provence. Un rosé aux arômes intenses de fruits rouges, dominés par la fraise Garriguette. Un rosé à l'attaque sapide, puis très rond, toujours empreint de la finesse du fruit et de la note de cerise noire héritée du grenache noir. Un rosé à la finale très fraîche, juste un brin épicée. Bref, un rosé qui fera bel effet en accompagnement d'un saumon et de gambas de Rosas. ⧗ 2019-2020

⊶ SCEA CH. DE CALADROY, rte de Bélesta, 66720 Bélesta, tél. 04 68 57 10 25, cave@caladroy.com t.l.j. 8h-12h 13h-18h

Ⓑ DOM. CAZES Sans sulfites ajoutés 2018 ★

■ | 40000 | | 11 à 15 €

Fondation en 1895, premières mises en bouteilles en 1955 et une croissance continue. Aujourd'hui, un domaine de 220 ha entièrement conduit en biodynamie

depuis 2005. À sa carte, toutes les AOC du Roussillon, des IGP, tous les styles de vin. Dans le giron du groupe Advini depuis 2004.

Des reflets framboise animent la robe de ce vin décidément très gourmand. Pour preuve encore, les arômes de fruits rouges mûrs (framboise notamment), nuancés de sous-bois. Un petit côté perlant à l'attaque vient titiller les papilles agréablement, puis c'est la fraîcheur fruitée qui s'installe durablement. 2020-2024 ■ **John Wine No sulfites 2018 ★ (11 à 15 €; 20000 b.)** B : très fruité (cerise, fraise et mûre), ce 2018 prend des accents d'épices exotiques, sans oublier la note typique de violette, signature de la syrah. La surprise en bouche vient du fondu ressenti, bien que la matière et les tanins soient bien présents. Beaucoup de fruit à croquer et une fraîcheur remarquée. Un bon compagnon des viandes rouges grillées. 2020-2022

SCEA CAZES, 4, rue Francisco-Ferrer, 66600 Rivesaltes, tél. 04 68 64 08 26, info@cazes.com r.-v. 5

M. CHAPOUTIER 2017 ★

	n.c.		5 à 8 €

Cette vénérable (XIXe s.) et incontournable maison, mise sur orbite internationale par Michel Chapoutier à partir des années 1990, propose une large gamme issue de ses propres vignes (345 ha, en biodynamie) ou d'achats de raisin dans la plupart des appellations phares de la vallée du Rhône, et aussi en Roussillon et en Alsace.

Le grenache apporte le gras, la rondeur et l'ampleur au vin, ainsi que ces notes méditerranéennes de plantes macérées rappelant le thé et le tilleul. La nuance dorée de la robe, l'exotisme aromatique, la fraîcheur et la touche épicée : nul doute, marsanne et roussanne sont complices. Cette heureuse (et trop rare) rencontre en Roussillon a donné naissance à un vin plaisant, pouvant accompagner aussi bien un poisson grillé que des fruits de mer. 2020-2022

SA M. CHAPOUTIER, 18, av. du Dr-Paul-Durand, 26600 Tain-l'Hermitage, tél. 04 75 08 28 65, chapoutier@chapoutier.com r.-v. D

B CLOS DES VINS D'AMOUR Idylle 2018 ★

	18000		11 à 15 €

Christine et Nicolas Dornier, tous deux œnologues, se sont associés à Christophe et Laurence Dornier pour reprendre en 2002 les vignes cultivées par la famille depuis 1860. Les deux couples ont quitté la coopérative en 2004 pour créer le Clos des Vins d'amour. Leur domaine (26 ha en bio) s'étend sur les terroirs schisteux de Tautavel, de Maury et de Saint-Paul-de-Fenouillet.

Prendre le temps, après avoir admiré les reflets or vert de la robe, de laisser le vin découvrir le verre. Doucement, avec délicatesse, la minéralité, l'eucalyptus, un soupçon de fenouil viennent à notre rencontre. En bouche, c'est un vin ample, gras, réglissé qui s'offre sans retenue, avec une belle fraîcheur et la douceur du tilleul en finale. 2020-2022

SCEA VIGNOBLES DORNIER, 3, rte de Lesquerde, 66460 Maury, tél. 04 68 34 97 07, maury@closdesvinsdamour.fr r.-v.

CH. DE CORNEILLA Cavalcade 2018 ★★

	6600		11 à 15 €

Célèbre pour les exploits olympiques de Pierre en hippisme et de Christian en escrime, la famille Jonquères d'Oriola est installée depuis 1485 au Ch. de Corneilla bâti par les Templiers au XIIe s. et conduit 78 ha de vignes. William, qui a rejoint en 2010 son père Philippe après un «tour du monde œnologique», représente la vingt-septième génération de vignerons!

La robe est d'or pâle à reflets argentés. Immédiatement, se conjuguent les senteurs de fleurs blanches (jasmin) issues du raisin, celles douces et exotiques héritées de la vinification et celles toastées de l'élevage. Le vin est remarquable d'intensité et de rondeur. Le grillé se mêle aux flaveurs d'abricot légèrement acidulées qui compensent la douceur. 2020-2022 ■ **Dom. Jonquères d'Oriola 2018 ★ (5 à 8 €; 20000 b.)** : presque blanc tant il est clair, ce vin joue un duo de fleurs blanches et de fruits. Rondeur et fraîcheur s'équilibrent, et la finale persiste bien. 2019-2020

VIGNOBLES JONQUÈRES D'ORIOLA, 3, rue du Château, 66200 Corneilla-del-Vercol, tél. 04 68 22 73 22, admin@jonqueresdoriola.fr t.l.j. sf dim. lun. 10h-12h 15h-18h30

DOM. DEPRADE-JORDA Tradition 2017

	12000		5 à 8 €

Domaine constitué en 1920 dans les Albères. Thomas Deprade est l'œnologue et le commercial, François est au vignoble. Toute la famille, parents compris, est mobilisée pour faire vivre cette vaste propriété (90 ha) dont toute la production s'écoule en vente directe – en bouteilles et en petit vrac.

Ici on ne vient pas chercher la puissance ou la force, mais la finesse, la fraîcheur, la minéralité. Il en est ainsi de ce 2017 qui s'exprime sur le fruit noir (cassis) et tire parti du soyeux des tanins. Une touche grillée apporte un petit plus. 2020-2022

EARL DOM. DEPRADE-JORDA, 98, rte Nationale, 66700 Argelès-sur-Mer, tél. 04 68 81 10 29, domainedepradejorda@free.fr t.l.j. sf dim. 9h-12h30 14h30-19h

CH. DE REY Les Galets roulés 2017 ★

	7230		15 à 20 €

Dominant la Grande Bleue et les étangs, le Ch. de Rey, fondé en 1875, déroule ses 35 ha sur les galets et les sables de la « haute » terrasse de l'Agly culminant à 15 m. Un château très « fin XIXe s. » à la tour élancée, des gîtes à 5 mn des plages. Aux commandes depuis 1996, Cathy et Philippe Sisqueille, héritiers de quatre générations de vignerons.

Maître-mot : la fraîcheur, depuis la couleur rubis à reflets violines en passant par les senteurs intenses de petits fruits noirs (mûre) et de sous-bois, jusqu'à l'équilibre gustatif rehaussé par la note mentholée du carignan en finale. Les tanins discrets contribuent à l'impression de rondeur et de souplesse. Pour une viande rouge avant un fromage de brebis. 2020-2022

EARL CH. DE REY, rte de Saint-Nazaire, 66140 Canet-en-Roussillon, tél. 04 68 73 86 27, contact@chateauderey.com t.l.j. sf dim. 10h-12h 15h-18h E

♥ DOM. DOMANOVA 2018 ★★

■ | 5000 | 🍾 | 5 à 8 €

SIGNATURE VIGNERONNE TR DOMAINE DOMANOVA Côtes du Roussillon

Établie à Vinça, localité bordant un lac de retenue, la coopérative des Vignerons en Terres romanes (180 ha) est née de la fusion en 2008 de la cave de cette commune avec de celle de Tarerach. Deux villages d'altitude de la haute vallée de la Têt, avec le Canigou en toile de fond, où les cépages bénéficient de conditions climatiques fraîches.

Un rosé plein de tendresse dans sa robe saumon. Il offre d'emblée un bouquet de fleurs de printemps, puis c'est au tour des fruits des bois (framboise) de s'exprimer à la faveur de l'aération. Une même fraîcheur trouve écho au palais, après une attaque ample et veloutée. L'équilibre est remarquable, encore souligné en finale par une légère amertume. Servez l'escalivade de légumes, les poivrons grillés et autres tapas... Il est prêt. ⌛ 2019-2020

⊶ SCV LES VIGNERONS EN TERRES ROMANES, 6, av. de la Gare, 66320 Vinça, tél. 04 68 05 85 86, ttr@orange.fr V 🍷 *t.l.j. sf dim. 9h-12h 14h-18h*

DOM BRIAL Hélios 2018 ★★

■ | 40000 | 🍾 | 5 à 8 €

Suivi à la parcelle, maîtrise de la totalité de la chaîne d'élaboration, du raisin à la bouteille, démarche de développement durable... La cave de Baixas, fondée en 1923, compte 380 coopérateurs qui exploitent 2500 ha répartis dans une trentaine de commune.

C'est une gourmandise, pour un plaisir immédiat ! Jeune, frais, de teinte rubis accueillante, ce 2018 joue avec les fruits rouges, entre fraise Gariguette et cerise à croquer. Un vin jovial en bouche, empreint de fruits frais, avec une fraîcheur constante et surtout des tanins fins, déjà veloutés. Qui plus est, la finale s'étire généreusement. À réserver à un repas entre amis, aux côtés d'un filet de bœuf nature ou d'un brie de Meaux. ⌛ 2020-2022 ■ **L'Étreinte 2018 ★ (8 à 11 €; 12000 b.)** : une teinte pelure d'oignon et des arômes bien présents. Ce rosé velouté et léger est tout simplement agréable... Tout simplement? Oui, et il ne nous en faut pas plus pour le conseiller en accompagnement d'une salade composée ou d'un saumon fumé. ⌛ 2019-2020 ■ **Ch. les Pins 2015 ★ (11 à 15 €; 9000 b.)** : c'est rond, c'est bien bâti et c'est persistant! Jaune pâle à reflets verts, ce 2015 a bien évolué. Le miel, la cire, les épices et les notes toastées sont apparus, et la matière a gagné en plénitude. ⌛ 2020-2022

⊶ VIGNOBLES DOM BRIAL, 14, av. Mal-Joffre, 66390 Baixas, tél. 04 68 64 22 37, contact@dom-brial.com V 🚶 🍷 *t.l.j. sf dim. 8h-12h 14h-18h30*

DOM. DE L'EDRE Carrément blanc 2018 ★★

■ | 3600 | 🍾 | 11 à 15 €

Jacques Castany travaillait dans les transports et Pascal Dieunidou, dans l'informatique. En 2002, ils se lancent en viticulture dans une cave minuscule. Avec succès, comme en témoigne un palmarès déjà brillant. Le vignoble de 10 ha est situé à Vingrau, face à un cirque grandiose où domine le calcaire.

Les reflets or séduisants sont la petite touche apportée par la roussanne. Ce vin s'inscrit davantage dans le registre de la finesse que dans celui de la puissance, dévoilant à qui veut bien s'y attarder des arômes de fleurs blanches (seringat) et une touche printanière d'herbe coupée. Il fait preuve d'originalité au palais, avec des notes de fruits exotiques, la fraîcheur de l'ananas, une touche poivrée et la pointe tannique du grenache gris qui assure la persistance. Imaginez-le en compagnie de quenelles de brochet sauce Nantua. ⌛ 2020-2022

⊶ DOM. DE L' EDRE, 81, rue du Mal-Joffre, 66600 Vingrau, tél. 06 58 22 19 06, contact@edre.fr V 🚶 🍷 *r.-v.*

ÉLÉVATION Les Coteaux 2018 ★

■ | 30000 | 🍾 | 8 à 11 €

En 1964, une poignée de vignerons s'unissent parce qu'ils sont convaincus que «le groupe est meilleur que le meilleur du groupe». Aujourd'hui, les Vignerons Catalans rassemblent sept caves coopératives, 1 500 adhérents et une quarantaine de caves privées, soit plus de 10 000 ha.

Il est bien jeune encore, mais ses jolis arômes de fleurs blanches et d'agrumes ont de quoi séduire. S'il possède un peu du gras du grenache, il se tourne résolument vers la fraîcheur. Léger, gouleyant, il accompagnera les fruits de mer. ⌛ 2020-2022 ■ **Rouge sans No sulfites ajoutés 2018 ★ (8 à 11 €; 15000 b.)** : grenat à reflets rubis, ce vin prend tout son temps pour dévoiler ses senteurs florales de garrigue et le fruité mûr de la cerise noire. Le plaisir est en bouche, avec une attaque franche, de la fraîcheur, la rondeur du fruit mûr et des tanins présents qui laissent espérer une bonne garde. ⌛ 2020-2024

⊶ VIGNERONS CATALANS, 1870, av. Julien-Panchot, 66962 Perpignan Cedex_9, tél. 04 68 85 04 51, contact@vigneronscatalans.com

CH. L'ESPARROU Leone 2017 ★★

■ | 60000 | 🍾 | 11 à 15 €

Construit à la fin du XIXᵉs. par l'architecte danois Petersen, comme ceux de Rey, de Valmy et d'Aubiry, un château noyé dans son parc, à deux pas des plages et de l'étang de Canet. Le vignoble (62 ha) occupe la pointe avancée d'un plateau viticole de galets roulés de haute expression. Longtemps propriété de la famille Rendu, il a été acquis en 2012 par Jean-Michel Bonfils, dont la famille détient de nombreux vignobles en Languedoc.

Sur ce site marqué par la proximité de la mer, qui tempère l'ardeur du climat, sont produits des vins certes généreux, mais non dénués de fraîcheur. Il en va ainsi de cette cuvée sombre, ample, dotée de tanins fondus, épicés et vanillés. Elle joue sur les fruits noirs, tout en révélant une touche plus sauvage de genévrier qui apporte de l'élan en finale. ⌛ 2020-2024 ■ **Le Castell 2017 ★ (8 à 11 €; 80000 b.)** : un vin charnu, vanillé, marqué par le fruit réglissé de la syrah. ⌛ 2020-2024

⊶ VIGNOBLES BONFILS, rte de Saint-Cyprien, 66140 Canet-en-Roussillon, tél. 04 68 73 30 93, esparrou@hotmail.com V 🚶 🍷 *r.-v.*

DOM. FONTANEL 2017 ★

■ | 10500 | | 8 à 11 €

Les origines du domaine, où six générations se sont succédé, remontent à 1864. La propriété est forte d'un vignoble de 25 ha installé sur des terroirs variés. À sa tête depuis 1989, Pierre et Marie-Claude Fontaneil ont proposé pendant près de trente ans des cuvées à forte personnalité, aussi bien en vins secs qu'en vins doux naturels. En 2017, ils ont cédé l'exploitation à un jeune couple de vignerons, Élodie et Matthieu Collet.

Première cuvée des nouveaux propriétaires. Un vin à majorité de carignan (50 %), cépage bien implanté sur les sols argilo-calcaires de Tautavel. C'est toute sa puissance que l'on perçoit dans les tanins de bonne facture, mais le grenache apporte aussi ce qu'il faut de rondeur fruitée et la syrah sa personnalité aromatique. ⧗ 2020-2024

EARL COLLET, 25, av. Jean-Jaurès, 66720 Tautavel, tél. 06 11 07 01 22, contact@domainefontanel.fr t.l.j. sf dim. 15h-18h; nov-mars sur r.-v.

CH. DES HOSPICES Gaïa 2018 ★★

■ | 10000 | | 8 à 11 €

Depuis cinq générations, la famille Benassis est installée au cœur de Canet-en-Roussillon. La cave est abritée dans une bâtisse traditionnelle catalane datant de 1836. Le vignoble (50 ha) est implanté sur les terrasses de galets roulés entre le littoral et la ville de Perpignan. Aujourd'hui, trois générations officient sur le domaine : Louis, le grand-père, Michel, le père et Marc, le petit-fils, ingénieur agronome.

Très pâle, légèrement saumoné, ce rosé cache bien son jeu. Le bouquet commence à se développer : fleurs blanches et rose. C'est aérien. Le vin s'impose davantage en bouche, sur les fruits acidulés et les épices. Il a hérité de l'élevage sur lie un bon volume tout en restant frais. Des idées d'accords gastronomiques : agneau catalan ou veau Rosée des Pyrénées. ⧗ 2019-2020 ■ **Artemis 2017 ★ (8 à 11 €; 10000 b.)** : un vin aux arômes de fruits mûrs épicés, structuré et charnu. ⧗ 2021-2025

SCEA HOSPICES BENASSIS, 13, av. Joseph-Sauvy, 66140 Canet-en-Roussillon, tél. 04 68 80 34 14, contact@chateau-des-hospices.fr r.-v.

CH. DE JAU Jaujau Ier 2017 ★

■ | 2000 | | 15 à 20 €

Du bâtiment construit au XIIe s. par les moines cisterciens, il ne reste que la superbe tour épousant la roche. Jean et Bernard Dauré ont acheté le domaine en 1974. La magnanerie du milieu du XIXe s. abrite aujourd'hui l'Espace d'art contemporain, qui voisine avec l'un des premiers restaurants vignerons créés en France, ouvert l'été. Le vignoble couvre 85 ha.

Le roi Jaujau a mis ses habits de lumière et sa couronne d'or pâle. Intense et fin à la fois, ce vin développe des senteurs de fleurs blanches (acacia) et un fruité mûr de pêche blanche. Un joli équilibre entre rondeur et fraîcheur, de la persistance aussi. Ce n'est qu'en finale que percent les notes grillées soulignant l'élevage. À réserver à une daurade royale, à un picodon ou à un fromage de brebis des Pyrénées. ⧗ 2020-2024

VIGNOBLES DAURÉ, Ch. de Jau, 66600 Cases-de-Pène, tél. 04 68 38 90 10, daure@wanadoo.fr r.-v.

DOM. LAFAGE Gallica 2018 ★★

■ | 50000 | | 11 à 15 €

Éliane et Jean-Marc Lafage ont vinifié pendant dix ans dans l'hémisphère Sud, puis ont repris l'exploitation familiale en 1995, établie sur trois terroirs bien distincts du Roussillon : les terrasses de galets roulés proches de la mer; les Aspres et ses terres d'altitude; la vallée de l'Agly, vers Maury (depuis l'acquisition en 2006 du Ch. Saint-Roch). Aujourd'hui, quelque 180 ha cultivés à petits rendements. Un domaine très régulier en qualité, souvent en vue pour ses côtes-du-roussillon et ses muscats.

Couleur tendre, nez très aromatique entre les fruits blancs mûrs, les fruits exotiques et une touche plus vive de pamplemousse. Ampleur en bouche, belle fraîcheur, de la structure aussi. Et toujours de longs arômes qui ravissent les sens. ⧗ 2019-2020 ■ **La Grande Cuvée 2018 ★★ (15 à 20 €; 5000 b.)** : le nez de fruits blancs laisse poindre également des notes de citron, de fraise acidulée et de petits fruits rouges. Belle complexité. L'élevage sur lie a contribué à la rondeur de ce rosé si aimable. ⧗ 2019-2020 ■ **Centenaire Vieilles Vignes 2018 ★ (11 à 15 €; 40000 b.)** : né de vieilles vignes, ce vin or pâle à reflets verts évoque élégamment le citron vert, les fruits à noyau, la vanille, avec une pointe de menthol. Ample, il laisse une grande impression de fraîcheur. Pour un loup grillé. ⧗ 2020-2022

SCEA MAISON LAFAGE, Mas Miraflors, rte de Canet, 66000 Perpignan, tél. 04 68 80 35 82, contact@domaine-lafage.com t.l.j. sf dim. 10h-12h15 14h45-18h30; ouvert le dim. en été

CH. LAURIGA 2018 ★

■ | 10000 | | 8 à 11 €

Vigneron-négociant, Jean-Claude Mas dispose d'un vaste vignoble de plus de 600 ha en propre constitué par quatre générations, auxquels s'ajoutent les apports des vignerons partenaires (1 300 ha). Le Ch. Lauriga s'étend sur 60 ha dans les Aspres.

Un rosé brillant et vif qui ose une couleur orangé soutenu. Il offre avec générosité ses arômes de fruits frais, entre cerise et framboise, sur fond légèrement épicé. Frais et très fruité après une attaque moelleuse, il bénéficie d'un discrète note tannique qui lui apporte une longueur appréciable. ⧗ 2019-2020 ■ **Soleil blanc 2018 ★ (11 à 15 €; n.c.)** : des arômes empyreumatiques, floraux et miellés accompagnent ce vin plaisant, équilibré et frais. Un style international, bien fait. ⧗ 2020-2022

SARL CH. LAURIGA, traverse de Ponteilla, RD 37, 66300 Thuir, tél. 04 68 53 68 37, info@lauriga.com t.l.j. 9h-12h 14h-17h30 SARL Dom. Paul Mas

DOM. DE LA MADELEINE 2017 ★★

■ | 1000 | | 5 à 8 €

Situé entre Perpignan et la mer, sur l'ancien tracé de la via Domitia, un très ancien domaine, fondé au XVIIe s., qui tire son nom de la propriétaire qui l'acquit sous la Révolution. Résistant à l'urbanisation, le vignoble s'étend sur 65 ha sur les terrasses caillouteuses et arides de la Têt. Il a été repris en 1996 par Georges Assens, issu d'une lignée d'agriculteurs.

Un vin riche de soleil, d'épices, de fruits mûrs et de senteurs méditerranéennes. Loin de se limiter à cette chaleureuse palette, il accueille aussi des notes fraîches de sous-bois et de violette. Structuré, puissant, il repose sur des tanins bien présents, mais il possède suffisamment de volume pour gagner en rondeur. Belle persistance. Le résultat d'un assemblage parfaitement maîtrisé entre syrah (60 %), carignan et grenache (20 % chacun). ⧗ 2020-2025

SCEA DOM. DE LA MADELEINE, 25, chem. de Neguebous, 66000 Perpignan, tél. 04 68 50 02 17, domainedelamadeleine@wanadoo.fr V r.-v.

DOM. LAS MARIQUITAS La Nine 2017 ★

■	1300		11 à 15 €

Mariquita ? La coccinelle, en espagnol. C'est le nom très « latino » que Julie Guiol a donné à son domaine. En 2014, à moins de trente ans, la vigneronne a repris les 2 ha familiaux, y ajoutant 3 ha de vieilles vignes. Son exploitation est située près de la côte, sur le piémont des Albères.

Ce 2017 apporte les preuves d'une bonne évolution par ses notes de cuir et de cacao qui se mêlent aux arômes de fruits noirs (myrtille). Reste qu'il est encore jeune en bouche : chaleureux, structuré par des tanins solides, il demande même encore un peu de temps pour se fondre et nous régaler. ⧗ 2021-2025

JULIE GUIOL, chem. de la Gabarre, 66700 Argelès-sur-Mer, tél. 06 23 93 78 60, domainemariquita@gmail.com V r.-v.

Ⓑ MAS AMIEL Pur schiste 2018 ★★★

■	40 000		8 à 11 €

Protégé par la barre rocheuse où s'accroche le château de Quéribus, le Mas Amiel est, avec 145 ha, l'un des plus vastes domaines des Pyrénées-Orientales. En 1816, un évêque le perd en jouant aux cartes contre un certain Raymond-Étienne Amiel. Charles Dupuy, l'ancien propriétaire, a donné une grande notoriété aux vins doux naturels de la propriété, notamment à ses «vintages». Olivier Decelle, qui a repris le Mas Amiel en 1999, diversifie la gamme en proposant des vins secs.

Le nom de la cuvée est révélateur. Ici, ce sont les rares schistes noirs, plus exactement des pélites, qui ont porté les vignes. «Intense» est le qualificatif qui décrit le mieux ce vin. Il s'applique d'abord à la couleur d'encre, grenat très sombre. Puis au nez complexe de violette, de fruits des bois (mûre, myrtille), de cerise noire et de maquis. Enfin au palais chaleureux et très gourmand. Au gras du grenache, empreint de flaveurs de fruits mûrs s'allie une fraîcheur minérale. Que dire du velouté des tanins ? Il rappelle le toucher soyeux des schistes. ⧗ 2020-2025

SC MAS AMIEL, Dom. du Mas Amiel, 66460 Maury, tél. 04 68 29 01 02, contact@lvod.fr V *t.l.j. sf dim. lun. 10h-12h30 14h-18h*

MAS CRISTINE 2017 ★★

■	25 000		11 à 15 €

Superbe mas installé depuis 1810 dans le massif des Albères, à la limite du cru banyuls, isolé au milieu du maquis ponctué de chênes-lièges. Les vignes dominent les pins qui descendent en pente douce vers la mer. Implanté sur des sols de schistes, de quartz et d'argile rouge, le domaine (25 ha aujourd'hui) a été acheté en 2007 à la famille Dauré (Jau) par Philippe Gard (Coume del Mas), Julien Grill (vigneron roussillonnais) et Andy Cook (œnologue britannique).

Des arômes de fruits rouges et noirs se révèlent volontiers dans le verre : mûre, framboise et cerise s'accompagnent de la fraîcheur réglissée typique de la syrah. Riche et rond, le vin tire parti de tanins soyeux et d'un fruité mûr omniprésent pour laisser une impression gourmande. Une pointe d'orange sanguine est même perçue par un dégustateur en finale : saurez-vous l'identifier ? ⧗ 2020-2024 ■ **2017 ★ (11 à 15 €; 22 000 b.)** : or blanc de belle brillance, ce vin semble discret au premier nez, mais sait user de ses subtiles notes florales pour séduire. Des arômes d'agrumes en soulignent la fraîcheur équilibrée au palais. ⧗ 2020-2022 ■ **2018 (8 à 11 €; 12 000 b.)** : vin cité.

MAS CRISTINE, chem. de Saint-André, 66700 Argelès-sur-Mer, tél. 04 68 54 27 60, info@mascristine.com V *t.l.j. sf dim. 10h-12h 14-19h*

MAS DE LA DEVÈZE Pandore Élevé en fût de chêne 2017 ★

■	2500		11 à 15 €

Simon Hugues était agriculteur, Nathalie commerciale dans la filière viticole à l'export. Ils ont repris en 2012 au cœur du terroir de Maury une très ancienne propriété qui avait été démantelée dans les années 1980. Ils cultivent 33 ha de vignes, la plupart conduites en gobelet.

Le vin présente bien, et l'on s'attarde volontiers sur sa robe encore très fraîche, à reflets or. Les fleurs blanches miellées, signature du macabeu, sont accompagnées des senteurs de la garrigue (fenouil), d'une touche toastée et de notes d'agrumes. Ample et ronde, la bouche se déploie généreusement autour d'un fruité mûr, tout en bénéficiant d'une pointe citronnée fraîche. L'équilibre est ainsi très réussi. Pour un sandre au beurre blanc. ⧗ 2020-2022 ■ **Malice 2018 (8 à 11 €; 3500 b.)** : vin cité.

NATHALIE HUGUES, rte des Mas, Mas de la Devèze, 66720 Tautavel, tél. 06 52 38 57 36, contact@masdeladeveze.fr V *r.-v.*

Ⓑ MAS ROUS Cuvée 2016 ★

■	6380		11 à 15 €

En 1838, Michel Bizern, agriculteur, transforme en maison une bergerie des Albères, au pied des Pyrénées, fondant le Mas del Ros («maison du blond» en catalan), qui devient Mas Rous. Son arrière-petit-fils, José Pujol, qui est brun, reprend l'exploitation en 1978 et vend sa production en bouteilles en 1983, obtenant un coup de cœur dans le Guide dès 1985. Une valeur sûre de 35 ha, en bio certifié depuis 2014.

De ce vin grenat intense se libèrent d'intenses arômes de fruits noirs vanillés, nuancés de garrigue et d'une pointe mentholée. Le vin présente de la fraîcheur en attaque, puis il développe tout son volume. Les tanins encore présents appellent la garde. ⧗ 2021-2025 ■ **Tradition 2017 ★ (8 à 11 €; 3600 b.)** Ⓑ : une robe pourpre profond, presque noire, en parfait accord avec le bouquet de fruits noirs (cassis), d'olive et de réglisse. On perçoit beaucoup de fraîcheur au palais, soulignée

ROUSSILLON

par les flaveurs de cerise burlat et d'épices douces. Le joli grain de tanins reflète bien le caractère élégant des vins issus de ce terroir. 2020-2025

SCEA DOM. DU MAS ROUS, 13, rue du Renard, 66740 Montesquieu-des-Albères, tél. 04 68 89 64 91, masrous@mas-rous.com V *t.l.j. sf dim. 9h30-12h 14h-18h*

DOM. MODAT De-ci de-là 2017 ★

	8500		15 à 20 €

D'origine catalane, Philippe Modat, magistrat, est un amateur de vins éclairé – comme son père, devenu lui aussi vigneron. Cette passion s'est concrétisée par la constitution en 2007 d'un domaine dans la vallée de l'Agly : 27 ha de vignes sur un plateau à 200 m d'altitude, conduites en bio (conversion à partir de 2011) et une cave de conception écologique, dotée de cellules photovoltaïques, inaugurée en 2008. En 2016, les deux fils de Philippe, Louis et Quentin, ont pris les rênes de la propriété.

Dans les vieilles vignes du Roussillon, il était autrefois courant de ne pas planter en monocépage. Si bien que «de-ci, de-là», on trouve des cépages blancs au milieu d'une parcelle de rouges, ceps qui font l'objet de ce vin. Produit en petit volume, celui-ci allie la rondeur du grenache au floral du macabeu. Sa fraîcheur est liée au très rare carignan blanc. À cela s'ajoutent l'originalité d'un travail avec des levures indigènes, la vanille et le gras d'un élevage en barrique et sur lie. La touche de fenouil invite à une association avec un poisson au sel. 2020-2022

SARL DOM. MODAT, lieu-dit Les Plas, 66720 Cassagnes, tél. 04 68 54 39 14, contact@domaine-modat.fr V *r.-v.*

CH. MONTANA L'Astre blanc 2017 ★★

	5000		15 à 20 €

Depuis 1996, Patrick Saurel n'a pas chômé. Venu du monde du commerce, il a poussé sa passion pour la vigne jusqu'au bout : restructuration et agrandissement du domaine, création d'un nouveau chai, inauguration d'un musée du Vin, conduite raisonnée... Son exploitation couvre aujourd'hui 31 ha.

Une sage évolution se perçoit dès l'approche. Le vin s'affiche en or et dévoile des senteurs de fleurs miellées et de pêche jaune. Les notes d'épices traduisent un élevage en barrique, sans oublier la note beurrée typique d'un élevage sur lie. La bouche ample offre un fruité mûr, mais elle reste aussi très fraîche et élégante grâce à une ligne minérale. À consommer dès cet hiver avec un poisson ou une viande blanche, histoire de se rappeler l'été. 2020-2022

SCEA DOM. MONTANA, Mas Vidalou, rte de Saint-Jean-Lasseille, 66300 Banyuls-dels-Aspres, tél. 04 68 37 54 84, chateaumontana@orange.fr V *t.l.j. sf dim. 9h30-12h30 14h30-18h* 3

CH. MONTNER Premium 2017 ★★

	20000		8 à 11 €

Les Vignerons des Côtes d'Agly regroupent six caves coopératives dans la vallée de l'Agly. Ils sont 250 viticulteurs à cultiver des vignes (1 150 ha) à Estagel, Montner, Lesquerde, Saint-Paul-de-Fenouillet et Caudiès. Ils proposent la plupart des productions du Roussillon, en vins secs et en vins doux naturels.

Même si la couleur reste très fraîche et claire, voilà un vin d'élevage vinifié en barrique neuve et travaillé six mois sur lies. Pas étonnant que le boisé vanillé soit omniprésent, mais en laissant la part belle au vin. Fleurs blanches, notamment jasmin, s'imposent avec la douceur du toasté, puis en bouche, c'est élégant, bien «marié», structuré, rond, persistant où nervosité et boisé apportent leur touche à l'équilibre. 2020-2022

2018 (5 à 8 €; 20000 b.) : vin cité.

LES VIGNERONS DES CÔTES D'AGLY, av. Louis-Vigo, 66310 Estagel, tél. 04 68 29 00 45, contact@agly.fr V *t.l.j. sf dim. 9h-12h 14h-18h*

MVD MMXVII 2017 ★★

	3200		50 à 75 €

Au sud de Perpignan, Charles Perez exploite son domaine depuis 2008 au hameau de Nyls, dans les Aspres – 25 ha en bio plantés sur trois collines au sein d'un ensemble de 110 ha. En rouge, ses assemblages mettent la syrah en avant. Cette figure du vignoble se fait « croquer » par un artiste différent chaque année pour illustrer ses étiquettes. Il en va de même pour les membres de sa famille. Le Mouton Rothschild catalan, en quelque sorte !

À faire pâlir Stendhal, tant le rouge et le noir sont mêlés... Un vin qui en impose dès l'approche. Puis c'est un concert aromatique qui débute avec des notes de sous-bois et de fruits noirs et qui se prolonge sur la tapenade, un léger grillé et une touche de tourbe. Surprenante, l'attaque est veloutée et aromatique : cassis et mûre jouent avec la vanille. Un volume important se déploie ensuite, bien étayé par des tanins solides mais au grain soyeux. Il est étonnant de percevoir autant de force avec autant de classe. 2020-2025

SARL MAS BÉCHA, 3, av. de Pollestres, 66300 Nyls-Ponteilla, tél. 04 68 95 42 04, contact@masbecha.com V *r.-v.*

♥ **CH. NADAL-HAINAUT** Signum 2014 ★★

	1500		20 à 30 €

Signum

CHÂTEAU NADAL HAINAUT

Implanté sur les sols caillouteux de la vallée de la Têt, non loin de Perpignan, ce domaine a pour lointaine origine le prieuré cistercien de Santa Maria de l'Eule, dont il reste une chapelle. Les bâtiments datent du XVIIIe s. et la propriété actuelle remonte au début du XIXe s., achetée par Jean-Denis Hainaut – un ancêtre de Martine et Jean-Marie Nadal, qui préside à ses destinées depuis 1977. Une quarantaine d'hectares sont dédiés à la vigne et conduits en bio certifié depuis 2013.

Quelle présence ! Le nez est déjà profond, partagé entre des notes de garrigue et de tapenade. Nul doute, ce sont les paysages de la vallée de la Têt qui viennent à l'esprit. L'attaque est fraîche, mais ne vous y fiez pas, car bientôt c'est tout le volume et la rondeur de cet assemblage de syrah (70 %) et de grenache noir qui se révèlent. Les tanins présents possèdent un grain soyeux et se laissent volontiers envelopper de cette chair aux accents de fruits confiturés et de réglisse. Ce 2014 est parvenu à son apogée. ⧗ 2020-2024

CH. NADAL-HAINAUT, Mas de l'Eule, RD_37, 66270 Le Soler, tél. 06 10 74 53 29, chateaunadalhainaut@gmail.com V *t.l.j. sf dim. 9h-12h 14h-18h* 5 E *Vignerons Catalans*

CH. DE L'OU Esprit libre 2018 ★★

■	10000		8 à 11 €

Philippe Bourrier, agronome, et son épouse Séverine, œnologue, ont acheté en 1999 ce domaine dont le nom vient d'une résurgence dans un bassin en forme d'œuf (*ou* en catalan). Ils ont refait le chai et travaillé d'emblée en bio leur vignoble qui couvre 49 ha entre plaine du Roussillon et Fenouillèdes.

D'un grenat profond à reflets violines (signe de jeunesse), ce 2018 offre un nez généreux, tout en fruits rouges (cerise et fraise des bois). La touche vanillée évoque celle que l'on perçoit dans les crus de café d'altitude. Ample, fruitée, épicée, la bouche tire parti de tanins dessinés et d'une juste fraîcheur. Un ensemble remarquablement équilibré et déjà harmonieux. ⧗ 2020-2024

CH. DE L'OU, rte de Villeneuve, 66200 Montescot, tél. 04 68 54 68 67, chateaudelou66@orange.fr V *t.l.j. sf dim. lun. 10h-12h30 15h-19h*

DOM. PELISSIER 2018 ★★

■	6600		5 à 8 €

Issue de cinq générations de viticulteurs établis dans les Aspres et sur les contreforts de Força-Réal, la fratrie Pelissier s'est lancée dans la mise en bouteilles au domaine en 2015 à partir de 70 ha de vignes et d'une cave installée à Millas.

La robe est d'un rouge soutenu à reflets rubis, comme il se doit pour un jeune millésime. Mais ce qui surprend au premier nez, avant que les fruits rouges ne s'expriment, c'est ce début de maturité : pruneau et clou de girofle. La bouche est à la fois ronde et fraîche; les flaveurs de petits fruits noirs et rouges enveloppent l'expression de tanins discrets. Un vin déjà plaisant. ⧗ 2020-2024

DOM. PELISSIER, chem. Ralet, 66170 Millas, tél. 06 01 44 03 55, domaine.pelissier@outlook.fr V *t.l.j. sf sam. dim. 16h- 19h*

CH. DE PENA Les Affranchis de Pena 2018 ★

■	5000		5 à 8 €

Le village de Cases-de-Pène tient son nom d'un ermitage du Xᵉs. établi sur un roc (*pena* en catalan) calcaire qui ferme la vallée de l'Agly. Les terres noires schisteuses y alternent avec l'ocre des argilo-calcaires, formant deux superbes terroirs de 480 ha sur lesquels travaillent les 35 vignerons de la coopérative locale.

La robe saumon délicate et le joli nez séduisent d'emblée. Le fruité agréable rappelle la grenadine et les fruits exotiques, tout en se nuançant d'une pointe anisée de fenouil et d'aneth. Un rosé bien élevé, à la fois gourmand et structuré au palais, que nous verrions très bien accompagner des charcuteries... catalanes. ⧗ 2019-2020

SCV L' AGLY, 2, bd Mal-Joffre, 66600 Cases-de-Pène, tél. 04 68 38 93 30, contact@chateaudepena.com V *r.-v.*

♥ DOM. DE LA PERDRIX Charakter 2016 ★★

■	4000		20 à 30 €

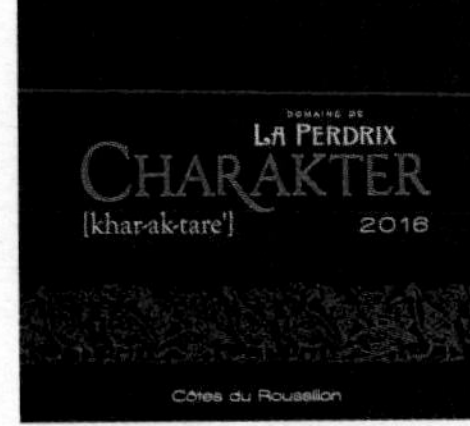

À l'origine, en 1820, le vin était élaboré au village dans la vieille cave familiale. Installés en 1996, Virginie et André Gil décident d'élaborer leurs vins. Après avoir passé treize ans dans les anciens locaux, ils ont établi en 2009 un nouveau chai plus vaste au milieu des vignes, regardant le Canigou. Leur domaine couvre 35 ha en plein cœur des Aspres. La perdrix ? Un hommage au grand-père d'André, peintre catalan de renom, qui avait fait de l'animal l'un de ses sujets préférés.

La robe profonde hésite entre rouge et noir. Au premier nez, le sous-bois et l'humus confèrent un caractère un brin sauvage à ce vin, mais à l'aération se révèlent les arômes de fruits noirs (cerise burlat), les notes de vanilles et autres épices. Puissance, charpente, générosité... il en a du «charakter» ce 2016! Le fruit noir très mûr se croque en bouche, accompagné de touches poivrées adoucies par un joli toasté. Les tanins au grain de belle facture permettent d'envisager tout autant un service immédiat qu'une garde. Gibier ou tajine d'agneau lui iront bien. ⧗ 2020-2025 ■ **Cuvée Joseph-Sébastien Pons 2017 ★ (15 à 20 €; 4000 b.)** : bel or intense, nez expressif de fruits et de fleurs jaunes, une rondeur toute vanillée et la fraîcheur attendue pour assurer l'équilibre : c'est bien, très bien même. Et un fromage à pâte dure saura joliment mettre en valeur ce 2017. ⧗ 2020-2022

DOM. DE LA PERDRIX, traverse de Thuir, 66300 Trouillas, tél. 04 68 53 12 74, contact@domaine-perdrix.com V *t.l.j sf dim. 10h-12h 15h- 19h (18h30 en hiver)* E

DOM. PIQUEMAL Les Terres grillées 2016 ★

■	10000		8 à 11 €

Sous l'impulsion d'Annie et de Pierre Piquemal, ce domaine familial (48 ha) est devenu une référence du Roussillon. Tout en maintenant les pratiques traditionnelles, il dispose d'un chai très moderne, à l'extérieur du village. Un outil adapté pour exalter l'expression de chaque terroir (schistes feuilletés, argilo-calcaires, galets roulés). Les vinifications sont assurées par Marie-Pierre Piquemal.

Du fruit à l'envi, des notes épicées et toastées issues de neuf mois d'élevage en fût, voire une petite touche minérale. En bouche, nulle hésitation : c'est l'harmonie entre rondeur et fraîcheur qui apparaît, sans oublier une bonne persistance. ⧗ 2020-2022

EARL DOM. PIQUEMAL, RD_117, km_7, lieu-dit Della-Lo-Rec, 66600 Espira-de-l'Agly, tél. 04 68 64 09 14, contact@domaine-piquemal.com V *t.l.j. sf dim. 9h-12h 14h-18h*

ROUSSILLON

CH. PLANÈRES Prestige 2018 ★

| n.c. | | 5 à 8 € |

Le domaine des frères Jaubert et de Roland Noury, l'un des pionniers des crus du Roussillon, apparaît tel un balcon donnant sur les Albères, la mer et le Canigou. Le vignoble s'étend sur 100 ha, dont une soixantaine d'un seul tenant autour d'une bâtisse catalane du XIXe s., sur le plateau de Planères.

Voici un vin fait pour un comté fleuri. Car il possède ce fruit, cette fraîcheur et l'originalité aromatique pour se prêter à l'exercice. Le cépage tourbat (qui se fait trop rare de nos jours) est présent dans cet assemblage : lui doit-on cette douce note de poire à l'eau-de-vie, ainsi que la pointe finale de fleurs? ⧗ 2020-2022

FAMILLE JAUBERT-NOURY, Ch. Planères, 66300 Saint-Jean-Lasseille, tél. 04 68 21 74 50, contact@chateauplaneres.com r.-v.

CH. LA ROCA 2016 ★★

| 25 000 | | 5 à 8 € |

Installée à Saint-Génis-des-Fontaines, la coopérative des vignerons des Albères regroupe une trentaine de viticulteurs et un vignoble de 440 ha. Elle propose une large gamme de vins rouges, rosés et blancs, sans oublier les vins doux naturels, et commercialise plusieurs étiquettes : le Prestige, Ch. la Roca, Ch. Montesquieu...

Des reflets cuivrés apparaissent dans la robe de ce 2016, signe d'évolution. Au nez, la vanille et un léger grillé viennent jouer avec les fruits rouges très mûrs, évoluant vers le pruneau. À la fois puissant et souple, le vin marie bien les flaveurs de boisé toasté à celles de fruits mûrs confits, avec une note épicée. Il en résulte une impression d'harmonie remarquable. De l'entrecôte vigneronne au fromage, ce 2016 saura vous régaler dès cet hiver. ⧗ 2020-2024 ■ **Ch. Montesquieu des Albères 2016 ★ (5 à 8 €; 16 000 b.)** : une belle expression de la syrah (fruits noirs et épices vanillées), la souplesse et la rondeur du grenache, ainsi que la charpente du carignan. Nul doute, une bonne association qui apporte harmonie et finesse. ⧗ 2020-2024

SCV LES VIGNERONS DES ALBÈRES, 9, av. des Écoles, 66740 Saint-Génis-des-Fontaines, tél. 04 68 89 81 12, vigneronsdesalberes@wanadoo.fr t.l.j. sf dim. 9h30-12h 15h-18h; sam. 9h30-12h

CH. ROMBEAU Le Rosé 2018

| 3400 | 8 à 11 € |

Le Dom. de Rombeau est dans la famille depuis 1810. Vigneron médiatique, restaurateur et hôtelier, Pierre-Henri de La Fabrègue, arrivé à sa tête en 1993, lui a donné un bel éclat. Des 90 ha de l'exploitation, dont 27 ha en bio, naissent des muscat-de-rivesaltes, des rivesaltes et des vins secs, en AOC et en IGP. Une production large et bien connue des lecteurs du Guide.

Un rosé tendre, saumoné à l'approche, qui possède du volume et une pointe tannique qui le soutient en finale. Un vin avec plus de rondeur que de vivacité, que l'on destinera davantage à une viande blanche ou à un pavé de thon grillé qu'à l'apéritif. ⧗ 2019-2020

SCEA DOM. DE ROMBEAU, 2, av. de la Salanque, 66600 Rivesaltes, tél. 04 68 64 35 35, vin@rombeau.com t.l.j. 9h-18h

ROUS DE LLARO Autour d'un verre 2018 ★★

| n.c. | | 8 à 11 € |

Située à Perpignan même, entre la ville et la mer, une propriété familiale créée au siècle dernier et reprise il y a un peu moins de dix ans par Anne-Marie Castagné et cultivée par son père jusqu'en 2009. Le vignoble qui s'étend sur près de 8 ha est conduit en culture raisonnée.

Toute la fraîcheur de la jeunesse dans la robe très pâle à reflets dorés. Un vin au nez ouvert sur l'abricot et la pêche jaune, légèrement vanillé et grillé. La bouche est vive, très aromatique : s'y retrouve l'abricot, accompagné d'une touche minérale et de notes toastées. Une bouteille à servir de l'apéritif au poisson grillé et jusqu'au picodon. ⧗ 2020-2022

ANNE-MARIE CASTAGNÉ, 1, pl. du Mas-Llaro, 66000 Perpignan, tél. 06 14 69 36 72, rousam48@gmail.com r.-v.

DOM. DES SCHISTES Essencial 2017 ★

| 10 000 | | 8 à 11 € |

La cinquième génération officie dans cette exploitation de la vallée de l'Agly qui vinifie en cave particulière depuis 1989. Comme son nom l'indique, les marnes schisteuses dominent. À la vigne, Jacques et Michaël Sire sont pointilleux sur le travail du sol et leur domaine (plus de 50 ha) est conduit en bio. Une valeur sûre du guide.

Le vermentino est rare en Roussillon. Ici, il domine l'assemblage, ce qui a certainement un peu dérouté les dégustateurs, car il apporte un fruité mûr rappelant la pomme et des senteurs de fleurs très miellées (aubépine, acacia). À cela s'ajoute une note minérale propre aux schistes de Maury. Bref, un vin blanc original, frais en attaque, goûteux et équilibré en milieu de bouche, avec une pointe fenouil et une finale mentholée. À réserver à un loup au de fenouil. ⧗ 2020-2022

EARL DOM. DES SCHISTES, 1, av. Jean-Lurçat, 66310 Estagel, tél. 06 64 75 66 54, sire-schistes@wanadoo.fr t.l.j. sf dim. 14h-18h; matin et sam. sur r.-v.

DOM. SINGLA El Molí 2017 ★★★

| 10 000 | | 11 à 15 € |

L'ancien domaine de Besombes-Singla, devenu domaine Singla. Au XVIIIe s., la famille Singla s'installe en Roussillon pour développer un commerce vinicole entre l'Espagne et l'Afrique. Le commerce étant fructueux, elle s'installe à Rivesaltes pour exploiter dans la vallée de l'Agly un grand vignoble de 250 ha. En 2001, Laurent prend la tête de la propriété et en isole les meilleures parcelles : 50 ha conduits en bio certifié depuis 2006.

C'est une teinte grenat (de Perpignan) qui attire le regard, un grenat sombre mais lumineux. Ensuite, c'est le fruit très mûr (cassis, mûre), mais pas encore confituré qui domine, avec une note épicée entre poivre et clou de girofle. En bouche, on mord dans un fruit charnu. Sans hésitation, c'est alors le poivre qui souligne une jolie fraîcheur. C'est gourmand, équilibré, prêt pour un service avec une côte de bœuf. ⧗ 2020-2024

DOM. SINGLA, 4, rue de Rivoli, 66250 Saint-Laurent-de-la-Salanque, tél. 09 67 30 77 90, laurent@domainesingla.com V r.-v.

DOM. SOL PAYRÉ Albae 2018 ★

| 15000 | | 8 à 11 € |

Le grand-père de Jean-Claude Sol, ouvrier agricole émigré d'Espagne en 1913, a reconstruit sa vie à l'abri de la cathédrale d'Elne, fondant un domaine qui s'est agrandi petit à petit pour atteindre 65 ha. Principalement implanté au sud du département, entre Perpignan et Collioure, le vignoble s'est étendu au nord, sur les sols acides des Fenouillèdes. Jean-Claude Sol a déménagé en 2016 le caveau de dégustation, qui se trouvait à Elne, sur les coteaux Saint-Martin, au cœur de la propriété.

À voir sa couleur diaphane, ce vin porte bien son nom. Né de grenaches et de macabeu, il se fait discret avant de laisser percer un soupçon d'agrumes et une touche anisée de fenouil. L'attaque est franche, vive, puis le fruit exotique apporte son charme et le grenache blanc, sa rondeur. La fraîcheur vient fort à propos et la légère amertume apportée par le grenache gris prolonge l'ensemble. ⧗ 2020-2022

EARL DOM. SOL PAYRÉ, rte de Saint-Martin, 66200 Elne, tél. 04 68 22 17 97, contact@sol-payre.com V r.-v.

LES VIGNOBLES TERRASSOUS La Réserve 2018 ★★

| 45000 | | 5 à 8 € |

Les vignerons de Constance et Terrassous regroupent depuis 2009 trois caves des Aspres, dans la partie sud du Roussillon : 70 adhérents pour 700 ha de vignes. Un terroir de collines et de terrasses au pied du Canigou, lequel apporte avec ses schistes une palette supplémentaire de terroirs. La cave commercialise en tirage limité toute une gamme de splendides vins doux naturels, du six ans d'âge aux millésimes anciens.

La robe d'un grenat profond, brillant, annonce un vin construit, généreux. Celui-ci exprime immédiatement sur le fruit mûr confituré, le sous-bois et la note réglissée de la syrah. La bouche, dans la continuité aromatique, joue sur les fruits rouges et noirs mûrs, nuancés de touches fraîches de violette. Avec ses tanins veloutés, ce 2018 est dès à présent fort plaisant. ⧗ 2020-2024 **La Réserve 2018 (5 à 8 €; 22500 b.)** : vin cité.

SCV LES VIGNOBLES DE CONSTANCE ET DU TERRASSOUS, 46, av. des Corbières, BP_32, 66300 Terrats, tél. 04 68 53 02 50, contact@terrassous.com V *t.l.j. sf dim. 9h-12h 14h-18h30*

DOM. LA TOUPIE Fine Fleur 2018 ★

| 4300 | | 11 à 15 € |

Après vingt ans passés dans l'administration viticole, puis à parcourir le vignoble pour la coopérative du Mont Tauch, dans l'Aude, Jérôme Collas a franchi le pas et la «frontière» entre Languedoc et Roussillon, pour s'installer en 2012 sur 12 ha dans la vallée de l'Agly.

Un joli travail de vinification et d'élevage sous bois est à l'origine de ce vin or pâle, qui s'ouvre discrètement sur les fruits blancs avant que le grillé et le toasté du fût ne prennent le dessus. Ces notes boisées dominent au palais, mais sous des accents de noisette grillée et de vanille; elles accompagnent les flaveurs de pêche blanche. Un vin qu'il faudra attendre pour un meilleur fondu. Il rejoindra alors un ceviche de flétan aux épices. ⧗ 2021-2024

EARL DOM. LA TOUPIE, ZA Clos-de-la-Serre, rte de Cucugnan, 66460 Maury, tél. 07 86 28 99 52, contact@domainelatoupie.fr V r.-v.

TRÉMOINE DE RASIGUÈRES 2018 ★

| 200000 | 5 à 8 € |

Les Vignerons de Trémoine : une coopérative fondée en 1919, regroupant quelque 80 vignerons qui cultivent 540 ha dans quatre villages situés dans la vallée de l'Agly : Planèzes, Rasiguères, Lansac et Cassagnes. L'histoire de la cave est liée au festival de musique classique créé en 1980 par la pianiste britannique Moura Lympany.

Rasiguères, c'est le pays du rosé. Ce 2018 de couleur intense livre une corbeille de petits fruits rouges (framboise, groseille, mûre) et la touche de Zan typique de la syrah. Au palais, le fruité demeure le fil conducteur jusqu'en finale. Il en souligne la belle fraîcheur. ⧗ 2019-2020 **Tendance de Rasiguères 2018 (8 à 11 €; 10000 b.)** : vin cité.

SCA LES VIGNERONS DE TRÉMOINE, 5, av. de Caramany, 66720 Rasiguères, tél. 04 68 29 11 82, rasigueres@wanadoo.fr V *t.l.j. sf dim. 8h-12h 14h-18h*

DOM. TRILLES Incantation 2017 ★

| 6000 | | 8 à 11 € |

BTS en poche, Jean-Baptiste Trilles rejoint en 2000 le domaine familial (40 ha) dans les Aspres. Apporteur de raisins à la coopérative à ses débuts, il devient vinificateur en 2007, avant de construire une nouvelle cave à sa mesure en 2010, à Tresserre, au pays des « bruixes » (fées ou sorcières). Des sorcières qui ont inspiré le nom de ses cuvées.

Dans le pays des «bruixes», le noir est couleur, comme celle très profonde de ce 2017. Une cuvée aromatique, marquée par un fruité noir, la tapenade, la réglisse et des notes plus méditerranéennes de genévrier. La matière ronde, subtilement structurée, laisse le souvenir de la cerise légèrement vanillée. À déguster avec un tajine au citron confit. ⧗ 2020-2024

EARL DOM. TRILLES, chem. des Couloumineties, 66300 Tresserre, tél. 06 15 46 64 71, contact@domainetrilles.fr V r.-v.

CH. VALMY 2017 ★

| 22500 | | 11 à 15 € |

Au pied des Albères, le Ch. Valmy, construit en 1888 par l'architecte danois Viggo Dorph Petersen, est entouré de 26 ha de vignes. En 1998, Bernard Carbonnell et son épouse Martine ont fait renaître non seulement le vignoble et ses vins (réguliers en qualité), mais aussi le château en créant des chambres d'hôtes de luxe, complétées en 2014 par le restaurant *La Table de Valmy*, un projet conduit par les filles des propriétaires, Anaïs et Clara. Sous le nom de Terra Nobilis, le domaine a créé en 2015 une structure de négoce-éleveur.

Les sols acides de piémont pyrénéen ont apporté finesse, minéralité et un joli grain de tanins. Le choix des cépages et la touche vigneronne ont fait le reste : arômes de café, de réglisse, d'épices et de fruits rouges. Un vin élégant, souple, très agréable dès à présent. 2020-2022

SARL CH. DE VALMY, chem. de Valmy, 66700 Argelès-sur-Mer, tél. 04 68 81 25 70, contact@chateau-valmy.com t.l.j. sf dim. 9h30-12h30 14h30-18h30

CH. DE VILLECLARE
Le Chant des vignes 2017 ★

■	20000		5 à 8 €

Un domaine de la famille Jonquères d'Oriola situé dans les Albères, sur la rive gauche du Tech. Au milieu des vergers de pêchers et d'abricotiers, des vignes (35 ha, le bio en ligne de mire) et d'un parc aux arbres plus que centenaires, la bâtisse des Templiers du XIIe s. se dessine, imposante, sur fond de massif pyrénéen.

L'assemblage de la syrah et du grenache est un classique en Roussillon. Ce 2017 en est un bon représentant : robe sombre, arômes de fruits noirs épicés. Ample dès l'attaque, il présente du volume et cette rondeur réglissée typique du grenache. De la syrah, il retient une touche de violette. Une grillade sera la bienvenue à ses côtés. 2020-2024

SCEA YVES JONQUÈRES D'ORIOLA, Villeclare, 66690 Palau-del-Vidre, tél. 06 84 11 44 76, villeclare@wanadoo.fr t.l.j. sf dim. 8h30-12h30

CÔTES-DU-ROUSSILLON-VILLAGES

Superficie : 2 270 ha / Production : 67 500 hl

LA BERGERIE DU CAMPS DE NYILS
Les Aspres 2017 ★★

■	3200	75 à 100 €

Au sud de Perpignan, Charles Perez exploite son domaine depuis 2008 au hameau de Nyls, dans les Aspres – 25 ha en bio plantés sur trois collines au sein d'un ensemble de 110 ha. En rouge, ses assemblages mettent la syrah en avant. Cette figure du vignoble se fait « croquer » par un artiste différent chaque année pour illustrer ses étiquettes. Il en va de même pour les membres de sa famille. Le Mouton Rothschild catalan, en quelque sorte !

Robe profonde à reflets violines, nez de mûre, de poivre, d'olive noire, de réglisse, de graphite et de cuir. Superbe en attaque, ce 2017 élégant, ample et rond bénéficie de tanins à grains fins et d'une persistance remarquable. Il a tout d'un grand vin de garde, mais est déjà très harmonieux. 2020-2026 ■ **Mas Bécha Les Aspres Excellence Charles Chapitre 17 2017 ★ (20 à 30 €; 6000 b.)** : grenat intense, cet Aspres évoque la pâte de fruits et le sous-bois. La bouche souple et fraîche laisse une impression de gourmandise grâce à des tanins fins. 2020-2025

SARL MAS BÉCHA, 3, av. de Pollestres, 66300 Nyls-Ponteilla, tél. 04 68 95 42 04, contact@masbecha.com r.-v.

DOM. BOBÉ
L'Esprit del roc Vieilli en fût de chêne 2012 ★★

■	1500		8 à 11 €

Robert Vila, représentant la troisième génération, est établi depuis 1986 tout près de Perpignan sur les terrasses caillouteuses de la Têt. Il conduit un vignoble de 40 ha.

Sous une robe de velours noir à reflets rubis, ce vin déploie tout son charme autour de la garrigue et des notes de tilleul et de ciste. Structuré, puissant et charnu, il révèle un trame tannique et un boisé épicé équilibrés. Un vin élégant, à découvrir avec un gigot d'agneau en croûte d'épices. 2020-2024

ROBERT VILA, Dom. Bobé, Mas de la Garrigue, 5, chem. de Baixas, 66240 Saint-Estève, tél. 04 68 92 66 38, robert.vila@wanadoo.fr lun. mer. ven. 14h30-18h30

DOM. BOUCABEILLE Les Orris 2017 ★★

■	6000		20 à 30 €

Un domaine de 35 ha sur la colline schisteuse de Força Réal. Les vignes, situées à une altitude de 150 à 400 m, sont conduites en agriculture biologique depuis 2008. Côtes-du-roussillon-villages et rivesaltes y sont produits.

Les « orris » sont des maisons de berger. Nom pastoral pour ce vin rubis profond qui livre sans ambages des arômes complexes de torréfaction, de boisé et de menthol. Charnu et de belle onctuosité, il doit à des tanins encore présents une certaine puissante. L'avenir lui appartient. 2020-2025 ■ **Monté nero 2017 ★★ (15 à 20 €; 20000 b.)** : Dense et profond dans sa robe grenat, ce 2017 dévoile des senteurs de fruits confits et d'épices douces. Au palais, on aime son développement aromatique sur la figue confite, la griotte et la noix de muscade. La chair ample et généreuse équilibre la puissance de la charpente. Belle persistance. 2020-2025

JEAN BOUCABEILLE, RD_614, rte de Millas, 66550 Corneilla-la-Rivière, tél. 04 68 61 30 20, domaine@boucabeille.com r.-v.

DOM. BOUDAU Henri Boudau 2017 ★★

■	24000		11 à 15 €

Véronique Boudau et son frère Pierre sont à la tête du domaine familial depuis 1993. Ils ont décidé de donner un nouveau souffle à la propriété, qui couvre quelque 60 ha sur d'excellents terroirs, à l'entrée de la vallée de l'Agly. Le pari est réussi : la totalité de la production est mise en bouteilles et commercialisée, notamment dans un réseau de restaurants et de cavistes. Une valeur sûre, qui a engagé la conversion bio de son vignoble.

Cette cuvée grenat profond à reflets violines révèle un nez de cassis, de mûre et de confiture de cerises. En bouche, l'attaque est extraordinaire de douceur et de générosité. Le volume, la structure et la puissance préparent une finale longue. Un vin de gastronomie. 2020-2025 ■ **Tradition 2016 ★ (8 à 11 €; 13000 b.)** : les fruits noirs intenses dominent la palette aromatique. Équilibré, gourmand et rond, ce vin a gardé une belle fraîcheur. 2020-2024

SARL DOM. BOUDAU, 6, rue Marceau, 66600 Rivesaltes, tél. 04 68 64 45 37, contact@domaineboudau.fr V *t.l.j. sf dim. (et sam. en hiver) 10h-12h 15h-18h*

CH. DE CALADROY Éclat de schistes 2017 ★

■	30 000		8 à 11 €

Une forteresse médiévale qui gardait la frontière entre le royaume de France et celui d'Espagne. De la terrasse du château, on découvre un panorama exceptionnel : au loin, la mer, le Canigou; en contrebas, les vignes (130 ha) et les oliviers (7 ha). La chapelle du XIIe s. accueille le caveau de dégustation.

La générosité semble être le leitmotiv de ce vin rond et élégant. L'équilibre et la persistance le définissent aussi, et l'on reste sous le charme de ses arômes de fruits mûrs, de poivre et de réglisse. ⧗ 2020-2024 ■ **Cuvée Les Schistes 2017 ★ (8 à 11 €; 30 000 b.)** : franc, délicat autour du cassis et de la cerise, ce vin gourmand révèle une bonne concentration et saura affronter quelques années de garde. ⧗ 2020-2024 ■ **Passion rouge 2017 ★ (11 à 15 €; 20 000 b.)** : La jeunesse de ce 2017 apparaît d'emblée dans les notes violines et les reflets bleutés de la robe. Au nez fin de cassis et de cerise répond une bouche fraîche et gourmande, qui cède tout au fruit. ⧗ 2020-2023

SCEA CH. DE CALADROY, rte de Bélesta, 66720 Bélesta, tél. 04 68 57 10 25, cave@caladroy.com V *t.l.j. 8h-12h 13h-18h*

LES VIGNERONS DE CARAMANY
Presbytère de Caramany 2017 ★★

■	66 000	8 à 11 €

Caramany se niche dans la vallée de l'Agly, non loin d'un lac de retenue. Fondée en 1924, sa coopérative est au centre de la vie locale, proposant des journées d'animation au bord du lac. Les vignes en altitude de ses adhérents (280 ha) bénéficient de nuits fraîches et de terroirs de gneiss qui confèrent de la subtilité aux vins.

La syrah domine, complétée par le carignan et une pointe de grenache. Au nez, l'exubérance de la cerise, du kirsch et des épices. En bouche, la rondeur de tanins fins et la densité d'une matière fruitée-épicée. ⧗ 2020-2025 ■ **Caramany Édition limitée 2017 ★ (8 à 11 €; 25 182 b.)** : complexe et intense, un vin charnu et persistant, dont on apprécie la touche minérale en finale. ⧗ 2020-2024

SCV LES VIGNERONS DE CARAMANY, 70, Grand-Rue, 66720 Caramany, tél. 04 68 84 51 80, contact@vigneronsdecaramany.com V *t.l.j. 9h-12h 14h-18h*

JEFF CARREL La Bette 2017 ★

■	26 747		8 à 11 €

Jeff Carrel décide en 1991 de changer de vie et devient œnologue en 1994. Il fait ensuite un tour de France des vignobles avant de se poser en Occitanie où il vinifie ses propres vins. Il crée des cuvées en partenariat avec des producteurs et en assure la commercialisation.

Grenat profond à reflets noirs, ce 2017 présente un nez de fruits mûrs compotés, relevé d'une pointe de laurier et de réglisse. La bouche douce et élégante, sur le fruit, bénéficie du soutien de tanins soyeux et d'une bonne fraîcheur en finale. ⧗ 2020-2024

SARL THE WAY OF WINE, 12, quai de Lorraine, 11100 Narbonne, tél. 07 70 09 00 05, info@jeffcarrel.com

(B) DOM. CAZES Ego 2018 ★

■	100 000		11 à 15 €

Fondation en 1895, premières mises en bouteilles en 1955 et une croissance continue. Aujourd'hui, un domaine de 220 ha entièrement conduit en biodynamie depuis 2005. À sa carte, toutes les AOC du Roussillon, des IGP, tous les styles de vin. Dans le giron du groupe Advini depuis 2004.

Ce vin n'a pas un ego démesuré, mais une personnalité fort plaisante! Rouge profond, il affiche un fruit mûr (mûre, cassis) souligné de réglisse. Il ne manque pas de sève au palais et garde ce fruité si appréciable. ⧗ 2020-2024 ■ **Le Credo 2014 ★ (30 à 50 €; 3 500 b.)** (B) : rubis soutenu, ce 2014 n'a qu'un credo : la puissance. Puissance des arômes de fruits mûrs et de griotte à l'eau-de-vie. Puissance d'une chair concentrée, bâtie sur des tanins soyeux. Et la finale de persister durablement. ⧗ 2020-2024

SCEA CAZES, 4, rue Francisco-Ferrer, 66600 Rivesaltes, tél. 04 68 64 08 26, info@cazes.com V *r.-v.* (5)

M. CHAPOUTIER 2017 ★

■	n.c.		5 à 8 €

Cette vénérable (XIXe s.) et incontournable maison, mise sur orbite internationale par Michel Chapoutier à partir des années 1990, propose une large gamme issue de ses propres vignes (345 ha, en biodynamie) ou d'achats de raisin dans la plupart des appellations phares de la vallée du Rhône, et aussi en Roussillon et en Alsace.

Robe profonde et sombre, palette subtile, aux notes minérales et aux senteurs de figue fraîche. Tout en harmonie, la bouche ample et équilibrée magnifie des tanins croquants et aimables. Un vin plaisir, à découvrir vite. ⧗ 2020-2022

SA M. CHAPOUTIER, 18, av. du Dr-Paul-Durand, 26600 Tain-l'Hermitage, tél. 04 75 08 28 65, chapoutier@chapoutier.com V *r.-v.* (D)

DOM. CHEMIN FAISANT
Tautavel Hommage 2017 ★

■	4 500		11 à 15 €

En 2013, Charles Faisant et Jean-Noël Calmon ont mis en commun deux vignobles familiaux : l'un de 20 ha sur Opoul (appartenant à la famille Calmon depuis plusieurs générations), l'autre de la même superficie sur Tautavel (déjà exploité par le grand-père par de Charles Faisant).

Pourpre à reflets violines, ce Tautavel complexe mêle les notes florales à la réglisse, au menthol et à une touche animale. Souple, ample, soyeux même, il se révèle très bien équilibré et longuement aromatique sur la cerise noire et la gelée de mûre. ⧗ 2020-2024

SAS DOM. CHEMIN FAISANT, av. du Verdouble, 66720 Tautavel, tél. 06 83 24 65 51, scfaisant@orange.fr V *r.-v.*

CLOS DEL REY 2016 ★

■ | 1600 | | 20 à 30 €

Domaine créé en 2001 par Jacques Montagné. Aujourd'hui, Julien, qui a pris le relais en 2010, travaille une douzaine d'hectares au milieu de 300 ha de garrigue aux senteurs de thym et de romarin. À 300 m d'altitude, ses parcelles sont les plus hautes du cru Maury, au pied du château cathare de Quéribus.

Avec une régularité digne d'être soulignée, cette cuvée portant une robe de velours noir, s'ouvre sur les fruits noirs et les notes torréfiées. La matière de belle structure, sur le boisé et le cacao, possède un indéniable relief. ⧗ 2021-2026

JULIEN MONTAGNÉ, 7, rue Henri-Barbusse, 66460 Maury, tél. 04 68 59 15 08, closdelrey@gmail.com V r.-v.

DOM. COMELADE Le Casot 2016 ★

■ | 4000 | | 5 à 8 €

Lionel Comelade représente la cinquième génération à la tête du domaine familial (36 ha aujourd'hui), établi au pied des terres cathares de Quéribus. C'est dans cette splendide vallée de l'Agly où Estagel fait figure de capitale, qu'il joue sur les schistes noirs, les argiles rouges et les éboulis calcaires blancs.

Un vin élevé en cuve, composé de grenache noir, de syrah et de carignan récoltés sur schistes. Au nez de cerise, de cassis et de figue répond une bouche souple, équilibrée et tout aussi fraîche. Une agréable vivacité prolonge la finale. ⧗ 2020-2024

EARL DOM. COMELADE, 8, rue Fournalau, 66310 Estagel, tél. 06 14 87 78 05, domaine.comelade@wanadoo.fr V r.-v.

LES VIGNERONS DES CÔTES D'AGLY Tautavel Expression 2016 ★

■ | 15000 | | 8 à 11 €

Les Vignerons des Côtes d'Agly regroupent six caves coopératives dans la vallée de l'Agly. Ils sont 250 viticulteurs à cultiver des vignes (1 150 ha) à Estagel, Montner, Lesquerde, Saint-Paul-de-Fenouillet et Caudiès. Ils proposent la plupart des productions du Roussillon, en vins secs et en vins doux naturels.

Une cuvée de carignan, de syrah et de grenache. Épices (poivre) et tabac signent le nez, puis c'est une expression classique de l'appellation qui se révèle au palais : chair ample et généreuse, tanins enrobés, notes de fruits secs. Appréciable dès maintenant. ⧗ 2020-2022

LES VIGNERONS DES CÔTES D'AGLY, av. Louis-Vigo, 66310 Estagel, tél. 04 68 29 00 45, contact@agly.fr V *t.l.j. sf dim. 9h-12h 14h-18h*

LA DIFFÉRENCE Tautavel 2014 ★★

■ | 1200 | | 75 à 100 €

Un domaine créé en 2007 par un groupe d'amis réunis autour du vigneron Charles Faisant, pour «faire la différence en Roussillon» : 12,5 ha de vignes sur le terroir de Tautavel.

Noir intense et profond, aux nuances tuilées, ce vin offre un nez marqué par la torréfaction et les fruits noirs. Dès l'attaque, il étonne par sa présence, par son onctuosité et son ampleur. Une architecture parfaite. Les notes de poivre, de réglisse, de cacao et d'eucalyptus se prolongent remarquablement. ⧗ 2020-2024 ■ **Tautavel La Racine carrée 2018 ★ (11 à 15 €; 45000 b.)** : joli vin souple et aimable, qui exprime le fruité, les épices et un boisé mesuré, sans oublier une touche minérale intéressante en finale. ⧗ 2020-2024

SCEA LA DIFFÉRENCE, 1, av. Jean-Badia, 66720 Tautavel, tél. 04 68 66 89 38, contact@ladifference-roussillon.com V *r.-v.*

DOM. DE L'EDRE Tautavel 2017 ★

■ | 4400 | | 20 à 30 €

Jacques Castany travaillait dans les transports et Pascal Dieunidou, dans l'informatique. En 2002, ils se lancent en viticulture dans une cave minuscule. Avec succès, comme en témoigne un palmarès déjà brillant. Le vignoble de 10 ha est situé à Vingrau, face à un cirque grandiose où domine le calcaire.

Grenat profond, un Tautavel marqué par les épices (poivre), la vanille et le pain grillé. Équilibre et rondeur sont au rendez-vous au palais, ainsi que les notes de cuir et de réglisse, mais l'on perçoit que la matière est en devenir. Sachez l'attendre. ⧗ 2022-2025

DOM. DE L' EDRE, 81, rue du Mal-Joffre, 66600 Vingrau, tél. 06 58 22 19 06, contact@edre.fr V *r.-v.*

DOM. FONTANEL Tautavel Cistes 2017 ★

■ | 5300 | | 11 à 15 €

Les origines du domaine, où six générations se sont succédé, remontent à 1864. La propriété est forte d'un vignoble de 25 ha installé sur des terroirs variés. À sa tête depuis 1989, Pierre et Marie-Claude Fontaneil ont proposé pendant près de trente ans des cuvées à forte personnalité, aussi bien en vins secs qu'en vins doux naturels. En 2017, ils ont cédé l'exploitation à un jeune couple de vignerons, Élodie et Matthieu Collet.

Chaleureux et puissant, encore dans la jeunesse, ce vin présente, au-delà du boisé, une belle palette aromatique : thym, réglisse, vanille et cacao, puis une finale minérale. ⧗ 2020-2025 ■ **Tautavel Prieuré 2016 ★ (15 à 20 €; 4000 b.)** : la robe est profonde, à reflets grenat. Le nez bien ouvert évoque l'amande grillée et les épices, ainsi qu'une pointe de torréfaction. La bouche fraîche, tendre et puissante s'appuie sur des tanins bien présents. Bel équilibre final sur des notes de réglisse et de café. ⧗ 2020-2024

EARL COLLET, 25, av. Jean-Jaurès, 66720 Tautavel, tél. 06 11 07 01 22, contact@domainefontanel.fr V *t.l.j. sf dim. 15h-18h; nov-mars sur r.-v.*

DOM. GUITARD Tautavel L'Alzine 2016 ★

■ | 2100 | | 11 à 15 €

Un aristocrate catalan a perdu ce domaine au jeu et c'est ainsi que la famille Guitard en est devenue propriétaire au tournant du XXᵉs. Aujourd'hui, 20 ha de vignes sont cultivées sur le terroir de Tautavel, composé de schistes, d'argilo-calcaires et de quartzite gris.

Aux premières notes de grillé s'ajoutent la vanille et le boisé. Ces nuances se retrouvent en bouche, complétées de notes de réglisse et de cacao. Les tanins présents et la matière chaleureuse laissent une impression de puissance. ⧗ 2020-2025

GAEC DOM. GUITARD, 22, av. Pasteur, 66720 Tautavel, tél. 06 14 89 73 68, infodomaineguitard@orange.fr V t.l.j. 8h-20h

CH. DE JAU Jaujau Ier 2016 ★

■	26600		15 à 20 €

Du bâtiment construit au XII^e^s. par les moines cisterciens, il ne reste que la superbe tour épousant la roche. Jean et Bernard Dauré ont acheté le domaine en 1974. La magnanerie du milieu du XIX^e^s. abrite aujourd'hui l'Espace d'art contemporain, qui voisine avec l'un des premiers restaurants vignerons créés en France, ouvert l'été. Le vignoble couvre 85 ha.

Pourpre intense, ce 2016 offre de fines notes de fruits rouges et une touche balsamique. D'attaque souple, il monte en puissance sans rien perdre de son équilibre, laissant des sensations aromatiques agréables. ⧗ 2020-2024

VIGNOBLES DAURÉ, Ch. de Jau, 66600 Cases-de-Pène, tél. 04 68 38 90 10, daure@wanadoo.fr V *r.-v.*

DOM. LAFAGE Fundació 2017 ★★

■	30000		20 à 30 €

Éliane et Jean-Marc Lafage ont vinifié pendant dix ans dans l'hémisphère Sud, puis ont repris l'exploitation familiale en 1995, établie sur trois terroirs bien distincts du Roussillon : les terrasses de galets roulés proches de la mer; les Aspres et ses terres d'altitude; la vallée de l'Agly, vers Maury (depuis l'acquisition en 2006 du Ch. Saint-Roch). Aujourd'hui, quelque 180 ha cultivés à petits rendements. Un domaine très régulier en qualité, souvent en vue pour ses côtes-du-roussillon et ses muscats.

La teinte grenat brillant invite à poursuivre la découverte de ce vin au nom catalan. Le voici qui révèle d'intenses arômes de violette, de guimauve, d'encens et de poivre. Complexe et élégant, il l'est tout autant au palais. Étonnant de fraîcheur, il se fait velours, tant les tanins se fondent dans la chair ample et riche. Les flaveurs de fruits noirs accompagnent son développement jusqu'en finale. ⧗ 2020-2025 ■ **Les Aspres Onze Terrasses 2015 ★★ (75 à 100 €; 2200 b.)** : Dans son habit noir, cet Aspres s'ouvre sur des notes de grillé, de griotte et de fruits à l'eau-de-vie. Solide et de belle concentration, il emplit le palais de sa chair dense et puissante. Les tanins sont de qualité et le boisé tout en complexité. Comme le souligne un dégustateur, «la finale laisse rêveur». ⧗ 2020-2025 ■ **Ch. Saint-Roch Chimères 2017 ★ (11 à 15 €; 20000 b.)** : belle structure pour ce vin rond et élégant. Riche de fruits noirs et d'épices, il est à la fois gourmand et puissant. ⧗ 2020-2024 ■ **Les Aspres Léa 2017 ★ (15 à 20 €; 20000 b.)** : sous une robe rubis lumineux apparaissent des notes de garrigue et d'épices douces. Déjà ronde, équilibrée, cette cuvée est prête à déguster. ⧗ 2020-2022

SCEA MAISON LAFAGE, Mas Miraflors, rte de Canet, 66000 Perpignan, tél. 04 68 80 35 82, contact@domaine-lafage.com V *t.l.j. sf dim. 10h-12h15 14h45-18h30; ouvert le dim. en été*

MAS AMIEL Promesse 2018 ★★

■	12000		8 à 11 €

Protégé par la barre rocheuse où s'accroche le château de Quéribus, le Mas Amiel est, avec 145 ha, l'un des plus vastes domaines des Pyrénées-Orientales. En 1816, un évêque le perd en jouant aux cartes contre un certain Raymond-Étienne Amiel. Charles Dupuy, l'ancien propriétaire, a donné une grande notoriété aux vins doux naturels de la propriété, notamment à ses «vintages». Olivier Decelle, qui a repris le Mas Amiel en 1999, diversifie la gamme en proposant des vins secs.

Superbe robe noire à reflets violines. Une belle promesse que ce vin tient à toutes les étapes de la dégustation. Le nez intense décline la griotte, le cassis, la violette, puis évolue vers la garrigue, la truffe et le sous-bois. Soyeux et dense, le palais est un modèle d'harmonie. Nul doute, cette cuvée a capté toute la grandeur du millésime. ⧗ 2020-2025 ■ **Autres Terres 2017 ★** (8 à 11 €; **15000 b.)** : marqué par la cerise, la mûre et les notes mentholées, c'est un vin rond et frais, gourmand jusqu'en finale. ⧗ 2020-2024

SC MAS AMIEL, Dom. du Mas Amiel, 66460 Maury, tél. 04 68 29 01 02, contact@lvod.fr V *t.l.j. sf dim. lun. 10h-12h30 14h-18h*

DOM. MAS CRÉMAT Cuvée Bastien 2017 ★★

■	5000		15 à 20 €

Les terres de schistes noirs ont donné son nom au Mas Crémat (« brûlé » en catalan), repris en 2006 par une famille de vignerons bourguignons : Christine et Julien Jeannin, secondés par leur mère Catherine. Un superbe mas du XIX^e^s. et un vignoble de 30 ha labouré et conduit en fonction du cycle de la lune, en conversion bio.

Grenat aux nuances pourpres, ce vin conjugue puissance et finesse dans son expression de mûre, de cassis et de réglisse. Il se montre franc, non seulement généreux, mais aussi complexe. Porté par des tanins soyeux, il saura évoluer encore favorablement à la faveur de la garde. ⧗ 2020-2024

EARL JEANNIN-MONGEARD, Mas Crémat, 66600 Espira-de-l'Agly, tél. 04 68 38 92 06, mascremat@mascremat.com V *t.l.j. sf dim. 10h-12h 14h-18h*

ROUSSILLON

♥ **MAS DE LA DEVÈZE** Tautavel 2017 ★★

■	5000		11 à 15 €

Simon Hugues était agriculteur, Nathalie commerciale dans la filière viticole à l'export. Ils ont repris en 2012 au cœur du terroir de Maury une très ancienne propriété qui avait été démantelée dans les années 1980. Ils cultivent 33 ha de vignes, la plupart conduites en gobelet.

Joli coup de cœur habillé de pourpre. Le nez intense et gourmand évoque la violette et la cerise, puis s'ouvre sur le poivre gris et le laurier. La bouche enveloppée, charnue et capiteuse séduit par son attaque puissante. Les notes de fruits rouges, les tanins droits et veloutés subliment un final rond et long. Remarquable de persistance. ⧗ 2020-2024 ■ **Pandore 2016 ★★ (11 à 15 €; 11000 b.)** : quel bouquet gourmand! Gelée de mûre, violette et épices, avec en prime une touche de cacao. Le cœur de bouche est élégant, onctueux sur des notes de framboise, d'iris et de réglisse. Tanins de velours, persistance... Ce 2016 joue dans la cour des grands. ⧗ 2020-2026

NATHALIE HUGUES, rte des Mas, Mas de la Devèze, 66720 Tautavel, tél. 06 52 38 57 36, contact@masdeladeveze.fr r.-v.

MAS DE LAVAIL La Désirade 2016 ★

■	10000		11 à 15 €

Jean et Nicolas Batlle, père et fils, ont acquis ce joli mas du XIXᵉs. en 1999, à l'installation du second. À la tête de ce domaine de 80 ha de vieilles vignes, Nicolas poursuit le travail de quatre générations de vignerons sur les terres noires de Maury.

Un vin grenat profond à reflets noirs, évocateur de fruits rouges. L'attaque veloutée et souple laisse place à une bouche ample, aux tons de fruits cuits et de poivre, étayée par une structure tannique déjà bien arrondie. Bel équilibre final. ⧗ 2020-2022

EARL DOM. DE LAVAIL, Mas de Lavail, RD_117, 66460 Maury, tél. 04 68 29 08 95, info@masdelavail.com *t.l.j. sf dim. 10h-12h 14h-18h*

MAS DES MONTAGNES Terroirs d'altitude 2016 ★★

■	19000		8 à 11 €

Les Lorgeril possèdent six domaines familiaux en Languedoc-Roussillon, parmi lesquels le Ch. de Ciffre (70 ha en conversion bio, dont 37 ha de vignes) qui s'étend sur les appellations faugères, saint-chinian et languedoc. Nicolas et Miren de Lorgeril sont également à la tête d'une structure de négoce.

Une corbeille de fruits rouges et noirs, de violette et de pivoine. Belle intensité! La bouche est souple, ample et élégante jusqu'à la finale réglissée. Des tanins doux et une matière dense mais sans exagération contribuent à l'harmonie générale. ⧗ 2020-2025

SAS VIGNOBLES LORGERIL, BP_4, 11610 Pennautier, tél. 04 68 72 65 29, contact@lorgeril.com r.-v.

MAS KAROLINA 2017 ★

■	8000		15 à 20 €

Elle est allée vinifier aux États-Unis et en Afrique du Sud; elle connaît le Bordelais où elle a longtemps vécu et où elle a obtenu son diplôme d'œnologue; pourtant, c'est dans la vallée de l'Agly au charme sauvage que Caroline Bonville a posé ses valises en 2003. Elle conduit aujourd'hui un domaine de 18 ha, en cours de conversion bio.

Des reflets violines animent la robe grenat de ce vin certes discret dans son expression, mais typé. Myrtille, fruits compotés et pruneau en composent la palette, tandis qu'au palais la chair ample et les tanins veloutés en dessinent l'élégance. ⧗ 2020-2025

EARL MAS KAROLINA, 29, bd de l'Agly, 66220 Saint-Paul-de-Fenouillet, tél. 06 20 78 05 77, mas.karolina@gmail.com *t.l.j. 10h-12h30 15h-19h; sam. dim. sur r.-v.*

♥ LES VIGNERONS DE MAURY Lesquerde Granit Tradition 2018 ★★

■	13000		8 à 11 €

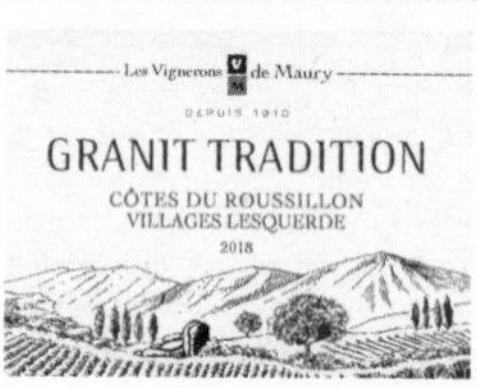

Fondée en 1910, la cave coopérative de Maury est aujourd'hui la plus ancienne du département encore en activité. Après les révoltes viticoles de 1907, elle regroupa plus de 130 propriétaires. Aujourd'hui, la cave dispose des 790 ha de ses adhérents; elle vit du grenache qui donne les traditionnels vins doux naturels et, depuis 2011, les maury secs.

Issu du duo syrah et grenache, ce 2018 grenat intense et brillant a choisi la cerise pour mot d'ordre. Au nez s'y mêlent la myrtille et des notes grillées. Charnu, doté de tanins fondus, le palais préserve cette subtilité aromatique. Surprenant et harmonieux. ⧗ 2020-2025

SCAV LES VIGNERONS DE MAURY, 128, av. Jean-Jaurès, 66460 Maury, tél. 04 68 59 00 95, contact@vigneronsdemaury.com *t.l.j. 9h-12h30 14h-18h*

DOM. MODAT Caramany Comme avant 2016 ★★

■	24000		15 à 20 €

D'origine catalane, Philippe Modat, magistrat, est un amateur de vin éclairé – comme son père, devenu lui aussi vigneron. Cette passion s'est concrétisée par la constitution en 2006 d'un domaine dans la vallée de l'Agly : 27 ha de vignes sur un plateau à 300 m d'altitude, en conversion bio depuis 2011 (8 ha en biodynamie) et une cave de conception écologique, dotée de cellules photovoltaïques, inaugurée en 2008.

Assemblage de carignan, de grenache noir et de syrah, ce 2016 n'a pas laissé les dégustateurs indifférents. «Comme avant»? ou plutôt «comme il se doit», c'est un Caramany harmonieux et bien travaillé. Au nez de torréfaction et de pruneau répond une bouche charnue, ronde, souple et très aromatique (café, réglisse, notes de thym et de garrigue). ⧗ 2020-2025 ■ **Caramany Sans plus attendre 2016 ★ (20 à 30 €; 6000 b.)** : une palette de gelée de mûre, d'épices, de vanille, une matière suave et longue. Le plaisir n'attend pas le nombre des années... ⧗ 2020-2022

SARL DOM. MODAT, lieu-dit Les Plas, 66720 Cassagnes, tél. 04 68 54 39 14, contact@domaine-modat.fr r.-v.

CH. MONTANA Les Aspres L'Astre noir 2015 ★

■	1200		30 à 50 €

Depuis 1996, Patrick Saurel n'a pas chômé. Venu du monde du commerce, il a poussé sa passion pour la

vigne jusqu'au bout : restructuration et agrandissement du domaine, création d'un nouveau chai, inauguration d'un musée du Vin, conduite raisonnée... Son exploitation couvre aujourd'hui 31 ha.

Grenache noir, syrah, mourvèdre et un long élevage en barrique ont donné naissance à ce vin pourpre profond, aux reflets brillants. Le voici qui décline ses arômes de griotte et de fruits à l'eau-de-vie, nuancés de toasté, annonce de son caractère chaleureux au palais. Les tanins épicés sont certes présents, mais ils se laissent envelopper par la chair du fruit. Plaisir immédiat. ⧗ 2020-2022

⊶ SCEA DOM. MONTANA, Mas Vidalou, rte de Saint-Jean-Lasseille, 66300 Banyuls-dels-Aspres, tél. 04 68 37 54 84, chateaumontana@orange.fr V t.l.j. sf dim. 9h30-12h30 14h30-18h

CH. MONTNER 2017 ★★

■ | 80 000 | | 5 à 8 €

Les Vignerons des Côtes d'Agly regroupent six caves coopératives dans la vallée de l'Agly. Ils sont 250 viticulteurs à cultiver des vignes (1 150 ha) à Estagel, Montner, Lesquerde, Saint-Paul-de-Fenouillet et Caudiès. Ils proposent la plupart des productions du Roussillon, en vins secs et en vins doux naturels.

Gourmand par ses arômes de fruits rouges mûrs, ce 2017 ne manque cependant pas de fraîcheur en attaque, avec une pointe poivrée. Des tanins bien ciselés se fondent ensuite dans la belle matière fruitée qui laisse un souvenir durable. « Vraiment très intéressant », écrit un dégustateur, quand un autre imagine déjà un accord avec un suprême de volaille. ⧗ 2020-2022 ■ **Tentations 2017 ★ (5 à 8 €; 6000 b.)** : syrah et grenache noir : le duo de choc. Résultat? Une robe grenat brillant comme il se doit, un nez épicé (poivre) qui évolue vers la mûre et le cassis, une bouche élégante et structurée, qui prolonge harmonieusement la gamme aromatique. ⧗ 2020-2024

⊶ LES VIGNERONS DES CÔTES D'AGLY, av. Louis-Vigo, 66310 Estagel, tél. 04 68 29 00 45, contact@agly.fr V *t.l.j. sf dim. 9h-12h 14h-18h*

MOURA LYMPANY Élevé en fût de chêne 2016 ★

■ | 66 000 | | 8 à 11 €

Les Vignerons de Trémoine : une coopérative fondée en 1919, regroupant quelque 80 vignerons qui cultivent 540 ha dans quatre villages situés dans la vallée de l'Agly : Planèzes, Rasiguères, Lansac et Cassagnes. L'histoire de la cave est liée au festival de musique classique créé en 1980 par la pianiste britannique Moura Lympany.

Élevé pendant douze mois en fût, ce vin grenat profond développe volontiers ses arômes de poivre, de vanille, de fruits noirs et de sous-bois. Belle complexité! Une attaque franche, des tanins ronds, du charnu et une finale persistante contribuent à l'harmonie générale. ⧗ 2020-2024

⊶ SCA LES VIGNERONS DE TRÉMOINE, 5, av. de Caramany, 66720 Rasiguères, tél. 04 68 29 11 82, rasigueres@wanadoo.fr V *t.l.j. sf dim. 8h-12h 14h-18h*

♥ CH. DE L'OU Compartir 2017 ★★★

■ | 10 800 | | 30 à 50 €

Philippe Bourrier, agronome, et son épouse Séverine, œnologue, ont acheté en 1999 ce domaine dont le nom vient d'une résurgence dans un bassin en forme d'œuf (*ou* en catalan). Ils ont refait le chai et travaillé d'emblée en bio leur vignoble qui couvre 49 ha entre plaine du Roussillon et Fenouillèdes.

Compartir, c'est « partager » en espagnol. Le grenache noir domine dans ce vin pourpre si brillant, mais il est partageur et accepte une touche de syrah. Partager, c'est s'enrichir. Il en va ainsi de la palette de griotte confite qui prend des notes poivrées et fumées, puis toastées et beurrées pour être plus complexe et séduisante encore. Partager, c'est être plus harmonieux. Chaleureuse et puissante, la bouche n'en laisse pas moins une impression de soyeux grâce à un parfait équilibre des saveurs. ⧗ 2020-2026

⊶ CH. DE L'OU, rte de Villeneuve, 66200 Montescot, tél. 04 68 54 68 67, chateaudelou66@orange.fr V *t.l.j. sf dim. lun. 10h-12h30 15h-19h*

PIERRE PELOU Tautavel Elixsyr 2017 ★

■ | 4 000 | 11 à 15 €

Dans la même famille depuis 1908, ce domaine de 22 ha est aussi connu sous le nom de Celler d'al Mouli. Il est implanté sur les argilo-calcaires de Tautavel, terroir particulièrement adapté au grenache noir. Jean-Pierre Pelou, « vigneron-kiné », a transmis ses vignes et son savoir-faire à son fils Pierre, œnologue, installé en 1999.

À dominante de syrah, ce vin grenat profond offre une corbeille de cassis, d'épices douces et de réglisse. La bouche gourmande, veloutée et fraîche se prolonge sur des arômes de framboise, de cassis et de poivre. Belle expression du terroir de Tautavel. ⧗ 2020-2024

⊶ EARL PIERRE PELOU, 9, rue de la République, 66720 Tautavel, tél. 06 16 96 49 61, pierre@pelou.eu V *r.-v.*

CH. DE PÉNA 2017 ★★

■ | 400 000 | | 5 à 8 €

Le village de Cases-de-Pène tient son nom d'un ermitage du Xᵉs. établi sur un roc (*pena* en catalan) calcaire qui ferme la vallée de l'Agly. Les terres noires schisteuses y alternent avec l'ocre des argilo-calcaires, formant deux superbes terroirs de 480 ha sur lesquels travaillent les 35 vignerons de la coopérative locale.

Quatre cépages sur les schistes noirs du Crest et un élevage en cuve uniquement ont donné naissance à ce vin pourpre intense. Le nez tout en finesse est très typé : notes d'olive noire, de sous bois et de réglisse. En bouche, les tanins fins contribuent à l'impression persistante de soyeux. ⧗ 2020-2025

SCV L' AGLY, 2, bd Mal-Joffre, 66600 Cases-de-Pène, tél. 04 68 38 93 30, contact@chateaudepena.com r.-v.

CH. PÉZILLA Élevé en fût de chêne 2016 ★★

■ | 24 500 | | 8 à 11 €

Cette cave coopérative fondée en 1909 est inscrite dans l'histoire de la région. Elle représente pas moins de 2000 ha de vignoble, dont 125 ha conduits en agriculture biologique.

Grenat profond et lumineux, ce 2016 brille encore de reflets cerise burlat. Ses arômes intenses ont gagné en complexité, associant les notes de mûre à celles de cacao et de cuir. L'attaque est franche, la bouche généreuse et concentrée. Certes, les tanins apparaissent encore puissants, mais on croque déjà avec délice dans la chair empreinte de flaveurs de cerise. ⧗ 2020-2025 ■ **Arnaud de Villeneuve RD_900 Réserve 2017 ★★ (8 à 11 €; 14 000 b.)** : fruits mûrs, épices (noix muscade), réglisse : tout un panel d'arômes pour un vin ample, chaleureux et structuré. ⧗ 2020-2025

SCV LES VIGNOBLES DU RIVESALTAIS, 153, RD_900, 66600 Rivesaltes, tél. 04 68 64 06 63, contact@caveadv.com *t.l.j. sf dim. 9h30-12h30 14h30-18h30*

CH. LES PINS 2014 ★

■ | 90 000 | | 11 à 15 €

Suivi à la parcelle, maîtrise de la totalité de la chaîne d'élaboration, du raisin à la bouteille, démarche de développement durable... La cave de Baixas, fondée en 1923, compte 380 coopérateurs qui exploitent 2500 ha répartis dans une trentaine de commune.

Une robe pourpre à reflets tuilés. Rien de plus normal : il s'agit d'un 2014. Mais il a gardé une belle fraîcheur au nez, avec des arômes d'épices et de sous-bois. Les tanins parfaitement arrondis contribuent à l'élégance de la bouche. ⧗ 2020-2022 ■ **Dom Brial Crest Petit 2014 ★ (20 à 30 €; 10 000 b.)** : fruits rouges en confiture et une pointe de vanille apparaissent comme une évidence dans ce vin. Surprenante, la bouche est souple et vive à la fois, empreinte de notes d'épices et de fraise. De la délicatesse. ⧗ 2020-2024 ■ **Dom Brial Les Petits Pins 2017 (8 à 11 €; 40 000 b.)** : vin cité.

VIGNOBLES DOM BRIAL, 14, av. Mal-Joffre, 66390 Baixas, tél. 04 68 64 22 37, contact@dom-brial.com *t.l.j. sf dim. 8h-12h 14h-18h30*

♥ DOM. PIQUEMAL Les Terres grillées 2017 ★★★

■ | 9000 | | 8 à 11 €

Sous l'impulsion d'Annie et de Pierre Piquemal, ce domaine familial (48 ha) est devenu une référence du Roussillon. Tout en maintenant les pratiques traditionnelles, il dispose d'un chai très moderne, à l'extérieur du village. Un outil adapté pour exalter l'expression de chaque terroir (schistes feuilletés, argilo-calcaires, galets roulés). Les vinifications sont assurées par Marie-Pierre Piquemal.

Pluie d'étoiles pour cette cuvée grenat à reflets pourpres : un vin de caractère élevé six mois en cuve et six mois en fût. Le nez puissant évoque le ciste et la mûre, puis s'ouvre sur les épices, la réglisse et la garrigue. La matière ronde et ample enveloppe le palais et, si elle est puissamment structurée, les tanins n'en sont pas moins veloutés. Finale fabuleuse. ⧗ 2020-2025 ■ **Pygmalion 2017 ★★★ (15 à 20 €; 3200 b.)** : c'est gras et ça reste frais. Du plaisir immédiat et pour l'avenir. Harmonie et élégance. Telles sont les conclusions des dégustateurs. Nul doute, cette cuvée porte bien son nom. ⧗ 2020-2025 ■ **Galatée 2016 ★ (15 à 20 €; 3000 b.)** : élégance, fruité, fraîcheur et belle trame tannique. ⧗ 2020-2024

EARL DOM. PIQUEMAL, RD_117, km_7, lieu-dit Della-Lo-Rec, 66600 Espira-de-l'Agly, tél. 04 68 64 09 14, contact@domaine-piquemal.com *t.l.j. sf dim. 9h-12h 14h-18h*

♥ CH. PLANÈRES Les Aspres Prestige 2017 ★★★

■ | n.c. | | 8 à 11 €

Le domaine des frères Jaubert et de Roland Noury, l'un des pionniers des crus du Roussillon, apparaît tel un balcon donnant sur les Albères, la mer et le Canigou. Conduit par la quatrième génération, le vignoble s'étend sur 105 ha, dont une soixantaine d'un seul tenant autour d'une bâtisse catalane du XIXᵉs., sur le plateau de Planères.

Des reflets burlat animent la robe profonde de ce vin qui réserve bien des surprises. N'est-il pas saisissant dans son expression aromatique? Réglisse, tapenade, fruits noirs, épices et garrigue ne sont que quelques références de son incroyable palette. N'est-il pas élégant au palais? Rondeur, richesse, tanins soyeux et cette finale dont on ne compte plus les caudalies. ⧗ 2020-2024 ■ **Les Aspres La Coume d'Ars 2017 ★ (8 à 11 €; n.c.)** : riche palette aromatique (réglisse, violette, tapenade et gelée de mûre), bel équilibre et bonne longueur. ⧗ 2020-2024

JAUBERT-NOURY, Ch. Planères, 66300 Saint-Jean-Lasseille, tél. 04 68 21 74 50, contact@chateauplaneres.com *t.l.j. 9h-12h30 14h-18h*

DOM. DES SCHISTES Essencial 2017 ★★

■ | 16 000 | | 8 à 11 €

La cinquième génération officie dans cette exploitation de la vallée de l'Agly qui vinifie en cave particulière depuis 1989. Comme son nom l'indique, les marnes schisteuses dominent. À la vigne, Jacques et Michaël Sire sont pointilleux sur le travail du sol et leur domaine (plus de 50 ha) est conduit en bio. Une valeur sûre du guide.

Essentiel dans votre cave, ce 2017? En tout cas, il y fera très bel effet. Dans le verre, ce sont les arômes d'œillet, de violette et de café fraîchement torréfié qui se libèrent. Puis au palais, les tanins souples structurent avec élégance la matière ample, puissante certes, mais qui garde une remarquable fraîcheur. ⧗ 2020-2026 ■ **Tautavel Le Parcellaire Caune d'en Joffre 2017 ★ (15 à 20 €;**

4000 b.) Ⓑ : dominante de carignan sur le piémont calcaire, longue macération du cépage en cuve béton... C'est ainsi qu'est née cette cuvée sombre à reflets pourpres, dont on apprécie le nez subtil de fraise, de framboise et de sous-bois. Cette palette monte en puissance en bouche comme pour mieux souligner la chair ample et équilibrée. ⧗ 2020-2025 ■ **Tautavel Le Parcellaire La Coumeille 2017 ★ (15 à 20 €; 3000 b.)** Ⓑ : encore jeune dans son habit noir, puissant, ce vin fait résonner une multitude d'arômes : cerise, cassis, violette, réglisse et cuir. Plaisir assuré après une petite garde. ⧗ 2020-2023

EARL DOM. DES SCHISTES, 1, av. Jean-Lurçat, 66310 Estagel, tél. 06 64 75 66 54, sire-schistes@wanadoo.fr V t.l.j. sf dim. 14h-18h; matin et sam. sur r.-v.

DOM. SEMPER Lesquerde Famae 2017 ★

■ | 8000 | | 8 à 11 €

Tradition, ce terme est omniprésent dans cette famille vigneronne. Après leurs parents Paul et Geneviève, Florent (à la vigne) et Mathieu (à la cave) perpétuent un travail authentique de la vendange. Sur leur domaine de 30 ha, ils peuvent jouer sur deux terroirs : les schistes noirs de Maury et les arènes granitiques de Lesquerde.

Cet assemblage dominé par le carignan, élevé un an en cuve, développe des arômes de cerise, de cassis et une touche fumée. Les tanins soyeux se fondent dans la matière tout empreinte de notes de groseille, de violette, de tabac et de café. ⧗ 2020-2025 ■ **Lesquerde Voluptas 2016 ★** (8 à 11 €; 6000 b.) : beau fruité de cassis et de groseille. Rondeur dès l'attaque, grâce à des tanins soyeux, et persistance notable. ⧗ 2020-2024

EARL DOM. SEMPER, 24, av. Jean-Jaurès, 66460 Maury, tél. 06 21 61 23 09, domaine.semper@wanadoo.fr V t.l.j. 10h30-12h 15h30-19h; f. janv.-mars

SERRE ROMANI Le Schiste 2016 ★★

■ | 7000 | | 8 à 11 €

Laurent et Cylia Pratx se sont rencontrés lors de leurs études d'ingénieurs agronomes à Toulouse. Laurent a travaillé successivement pour le Ch. de Nages à Nîmes et pour la maison Gabriel Meffre à Gigondas. En 2008, le couple a fait l'acquisition de ce domaine de 25 ha répartis sur les communes d'Espira-de-l'Agly et de Maury, planté majoritairement de grenache. La propriété tire son nom (la «montagne aux romarins») de celui de l'une des parcelles.

Le nez expressif et riche fait grande impression : mûre, cerise, figue, cacao, sous-bois et tabac. Et ce 2016 n'a pas encore dévoilé tous ses charmes, car c'est au palais que sa fraîcheur, son volume et sa finale réglissée persistante ont fini de convaincre les dégustateurs. ⧗ 2020-2025 ■ **Le Cathare 2017 ★ (11 à 15 €; 3000 b.)** : beaucoup de charme dans cette cuvée grenat à reflets violines. Le nez complexe et ouvert mêle les notes de grillé, de fruits secs, d'épices et un boisé subtil. Si la vivacité a de quoi surprendre en attaque, elle cède bientôt la place à une matière concentrée et structurée, particulièrement aromatique : poivre, griotte et figue confite. ⧗ 2020-2025

EARL PRATX, Serre Romani, Mas Parets, 66600 Espira-de-l'Agly, tél. 06 74 03 29 01, lpratx@orange.fr V r.-v.

Ⓑ DOM. SINGLA Arrels 2015 ★

■ | 1500 | | 50 à 75 €

L'ancien domaine de Besombes-Singla, devenu domaine Singla. Au XVIIIe s., la famille Singla s'installe en Roussillon pour développer un commerce vinicole entre l'Espagne et l'Afrique. Le commerce étant fructueux, elle s'installe à Rivesaltes pour exploiter dans la vallée de l'Agly un grand vignoble de 250 ha. En 2001, Laurent prend la tête de la propriété et en isole les meilleures parcelles : 50 ha conduits en bio certifié depuis 2006.

Un vin aux arômes intenses de fruits en confiture et d'épices douces, nuancés d'une pointe de tabac. Au palais, il se révèle ample et solidement structuré, tout en gardant un bon équilibre. À attendre. ⧗ 2020-2026 ■ **La Crinyane 2015 (15 à 20 €; 6000 b.)** Ⓑ : vin cité.

DOM. SINGLA, 4, rue de Rivoli, 66250 Saint-Laurent-de-la-Salanque, tél. 09 67 30 77 90, laurent@domainesingla.com V r.-v.

DOM. SOL PAYRÉ Les Aspres Imo Pectore Du fond du cœur 2016 ★★

■ | 10000 | | 11 à 15 €

Le grand-père de Jean-Claude Sol, ouvrier agricole émigré d'Espagne en 1913, a reconstruit sa vie à l'abri de la cathédrale d'Elne, fondant un domaine qui s'est agrandi petit à petit pour atteindre 65 ha. Principalement implanté au sud du département, entre Perpignan et Collioure, le vignoble s'est étendu au nord, sur les sols acides des Fenouillèdes. Jean-Claude Sol a déménagé en 2016 le caveau de dégustation, qui se trouvait à Elne, sur les coteaux Saint-Martin, au cœur de la propriété.

Camphre, vanille et pruneau : nul doute, la palette est complexe. En bouche, des arômes de poivre gris, de garrigue et de noix muscade accompagnent le développement d'une chair structurée et ample, généreuse et puissante. ⧗ 2020-2026 ■ **Les Aspres Scelerata Âme noire 2016 ★ (15 à 20 €; 8000 b.)** : un nom digne des romans de fantasy pour ce vin au boisé généreux. Dominé par les épices douces et le poivre vert au palais, il bénéficie en finale d'une pointe minérale qui lui apporte de la fraîcheur. Laissez l'empreinte du bois se fondre à la faveur du temps. ⧗ 2022-2026

EARL DOM. SOL PAYRÉ, rte de Saint-Martin, 66200 Elne, tél. 04 68 22 17 97, contact@sol-payre.com V r.-v.

Ⓑ DOM. DES SOULANES Jean Pull 2018 ★

■ | 15000 | | 8 à 11 €

Avant de se mettre à son compte en 2002, Daniel Laffite a travaillé quinze ans pour une importante propriété, exploitée en agriculture biologique depuis 1972. Il en a racheté une partie et a aménagé sa cave. Il conduit aujourd'hui 17 ha avec sa femme Cathy.

Une cuvée remarquée chaque année par le jury. Les trois cépages emblématiques du Roussillon sont ici réunis (grenache noir, syrah et carignan) et un élevage court de sept mois en cuve béton leur a été réservé. Il en résulte un vin marqué par la cerise noire et les herbes sauvages. Une belle vivacité se révèle à l'attaque, puis la matière gagne en rondeur. Les tanins enrobés autorisent un service immédiat comme une garde moyenne. ⧗ 2020-2024

DANIEL LAFFITE (DOM. SOULANES), Mas de Las Fredas, 66720 Tautavel, tél. 06 12 33 63 14, daniel.laffite@nordnet.fr V r.-v.

VIGNERONS TAUTAVEL VINGRAU
Tautavel Silex 2016

■	40000		15 à 20 €

Depuis 2010, date de la fusion des trois caves de Tautavel et de Vingrau, les vignerons disposent de 850 ha. Ils ont mis en place une nouvelle gamme afin d'affirmer leur identité propre et proposent, grâce à des sélections parcellaires, des vins à forte personnalité.

Un nez bien ouvert sur les fruits mûrs, les épices et la torréfaction. Une bouche ample et généreuse, dotée de tanins encore fougueux, mais qui ne demandent qu'à s'assagir avec le temps. ⧗ 2022-2026

SCV LES VIGNERONS DE TAUTAVEL VINGRAU, 24, av. Jean-Badia, 66720 Tautavel, tél. 04 68 29 12 03, contact@tautavelvingrau.com V *t.l.j. 9h-18h*

TERRASSOUS
Les Aspres Summum 2016 ★★★

■	2400		30 à 50 €

Les vignerons de Constance et Terrassous regroupent depuis 2009 trois caves des Aspres, dans la partie sud du Roussillon : 70 adhérents pour 700 ha de vignes. Un terroir de collines et de terrasses au pied du Canigou, lequel apporte avec ses schistes une palette supplémentaire de terroirs. La cave commercialise en tirage limité toute une gamme de splendides vins doux naturels, du six ans d'âge aux millésimes anciens.

C'est le summum ! L'étiquette n'a pas pu influencer nos dégustateurs qui goûtent les vins à l'aveugle. Alors, quel est le secret de cette cuvée ? Un nez complexe de pain grillé, de fève de cacao et de graphite. Une attaque franche, des tanins de velours, une matière onctueuse, aux notes de chocolat et de tabac. Et puis, cette finale longue et élégante. ⧗ 2020-2026 ■ **Les Aspres Les Pierres plates 2016 ★ (11 à 15 €; 39300 b.)** : nez de moka légèrement vanillé, bouche puissante et structurée qui trouve son équilibre. Après une petite garde, ce sera une bouteille de choix. ⧗ 2021-2025

SCV LES VIGNOBLES DE CONSTANCE ET DU TERRASSOUS, 46, av. des Corbières, BP_32, 66300 Terrats, tél. 04 68 53 02 50, contact@terrassous.com V *t.l.j. sf dim. 9h-12h 14h-18h30*

DOM. THUNEVIN-CALVET Les Dentelles 2016 ★

■	20000		15 à 20 €

En 2001, Jean-Roger Calvet, son épouse et Jean-Luc Thunevin, propriétaire bien connu à Saint-Émilion (Ch. Valandraud), se sont associés pour créer ce domaine (60 ha). Depuis dix ans, les désherbants sont proscrits sur l'exploitation.

Cassis, cerise et mûre, nuancés d'une pointe de violette : voilà un nez bien ouvert et avenant. La bouche fraîche, intense et gourmande est encore marquée par les tanins, mais ceux-ci tendent à se fondre. La finale évoque les fruits à l'eau-de-vie. Beau potentiel, sachez l'attendre. ⧗ 2021-2025 ■ **Thuvenin-Calvet L'Amourette Maxima Briza 2016 ★ (11 à 15 €; 10000 b.)** : grenat profond à reflets violines, ce 2016 épicé fait preuve de richesse et de volume. ⧗ 2021-2025

SARL CALVET-THUNEVIN ET CIE, 13, rue Pierre-Curie, 66460 Maury, tél. 04 68 51 05 57, contact@thunevin-calvet.fr V *t.l.j. 9h30-12h30 14h30-19h30*

DOM. LA TOUPIE Quatuor 2017 ★★

■	8000		8 à 11 €

Après vingt ans passés dans l'administration viticole, puis à parcourir le vignoble pour la coopérative du Mont Tauch, dans l'Aude, Jérôme Collas a franchi le pas et la « frontière » entre Languedoc et Roussillon, pour s'installer en 2012 sur 12 ha dans la vallée de l'Agly.

Des arômes de poivre, indéniablement, puis de fruits noirs bien mûrs. Nous sommes en Roussillon et le quatuor qui s'exprime ainsi n'est autre que le grenache, la syrah, le carignan et le mourvèdre. L'attaque en bouche surprend par ses notes anisées et toastées. Puis c'est la complexité qui se révèle dans la charpente et la matière dense, parfumée d'épices et de réglisse. ⧗ 2022-2026

EARL DOM. LA TOUPIE, ZA Clos-de-la-Serre, rte de Cucugnan, 66460 Maury, tél. 07 86 28 99 52, contact@domainelatoupie.fr V *r.-v.*

DOM. TRILLES Les Aspres Pedra Lluna 2017 ★

■	3000		15 à 20 €

BTS en poche, Jean-Baptiste Trilles rejoint en 2000 le domaine familial (40 ha) dans les Aspres. Apporteur de raisins à la coopérative à ses débuts, il devient vinificateur en 2007, avant de construire une nouvelle cave à sa mesure en 2010, à Tresserre, au pays des « bruixes » (fées ou sorcières). Des sorcières qui ont inspiré le nom de ses cuvées.

Jolie robe grenat à reflets pourpres. Le nez encore discret dévoile des notes de fruits noirs et de raisiné, puis la bouche charnue confirme ce caractère gourmand grâce aux flaveurs de réglisse. Les tanins sont de qualité et la finale laisse une impression harmonieuse. ⧗ 2020-2024

EARL DOM. TRILLES, chem. des Coulouminettes, 66300 Tresserre, tél. 06 15 46 64 71, contact@domainetrilles.fr V *r.-v.*

DOM. VAL DE RAY Tautavel Authentique 2010 ★★

■	3200		15 à 20 €

Ancien cadre commercial reconverti (et diplômé en viticulture-œnologie), Raymond Hage a acquis en 2015 ce domaine et son vignoble de 22 ha. Brigitte Soriano, œnologue bien connue de la région, lui prodigue ses conseils.

Beaucoup de charme dans cette cuvée couleur cerise à reflets tuilés. Vous avez bien lu : c'est un 2010... Complexe, il l'est dans ses arômes toastés, grillés, vanillés et chocolatés. Puissant et chaleureux, c'est ainsi qu'il apparaît à l'attaque, avec ses accents de clou de girofle, de confiture de mûres, de tabac et de réglisse. Puis il s'arrondit et prouve que le côté sauvage de Tautavel peut être dompté par le temps. ⧗ 2020-2024 ■ **Tautavel Cœur de vigne 2010 ★★ (11 à 15 €; 3000 b.)** : un vin rubis aux reflets brique, dont le nez vanillé et épicé est en harmonie avec la bouche ample et chaleureuse. Les tanins sont bien enrobés, la finale persistante sur des notes de café et de cacao. Belle évolution. ⧗ 2020-2022 ■ **Tautavel Terroirs 2013 ★ (20 à 30 €; 1700 b.)** : nez d'épices et de fruits secs, bouche chaleureuse sur des notes de gingembre, de cannelle et de tabac. ⧗ 2020-2025

SASU DOM. VAL DE RAY, 44-46, rue Gambetta, 66720 Tautavel, tél. 04 68 29 45 55, contact@domainevalderay.com V r.-v.

DOM. VAQUER Les Aspres L'Exception 2016 ★

■ | 5100 | | 15 à 20 €

Domaine acheté en 1912 par la famille Vaquer dans les Aspres. Dans la lignée, le «maréchal», Fernand Vaquer, figure historique du rugby catalan, deux fois champion de France avant-guerre puis entraîneur dans les années 1950 de l'USAP. Premières mises en bouteilles en 1968. Aujourd'hui, le domaine couvre 17 ha, conduits depuis 2001 par Frédérique.

Une note de fumée se distingue entre les arômes de pruneau, de réglisse et de vanille. Chaleureux en attaque, riche de flaveurs de fruits en confiture et de cacao, ce vin présente des tanins encore dominants et gagnera donc à attendre. 2021-2024

INDIVISION VAQUER, 1, rue des Écoles, 66300 Tresserre, tél. 04 68 38 89 53, domainevaquer@gmail.com V r.-v.

DOM. DE VÉNUS Passions 2015 ★

■ | 7477 | | 15 à 20 €

Un domaine constitué à partir de 2003 par des associés et amis, autour de Jean-Luc Coupet, spécialiste en fusions-acquisitions de domaines, de Jean-François Nègre, qui a quitté le domaine de l'Île Margaux, de Gilles Gavignaud, ancien propriétaire et aujourd'hui régisseur, de Nathalie Abet, au chai, et d'Alice Euvrard, au commercial. Situé dans le haut Agly, le vignoble est passé de 15 ha à 32 ha après l'achat en 2015 de parcelles en bio (les vignes d'origine étant en conversion).

Grenat intense, ce 2015 intense libère tour à tour des arômes de bourgeon de cassis, d'épices, de garrigue et de cacao. Il enveloppe le palais de sa chair ample, après une attaque souple et ronde. Des notes fraîches en milieu de bouche et des tanins veloutés contribuent à son équilibre. 2020-2024

SARL DOM. DE VÉNUS, rte des Mas, 66460 Maury, tél. 06 03 03 56 20, domainedevenus66220@gmail.com V *t.l.j. 9h-18h; sam. dim. sur r.-v.*

VIGNERONS CATALANS Caramany 2018 ★

■ | 50000 | | 5 à 8 €

En 1964, une poignée de vignerons s'unissent parce qu'ils sont convaincus que «le groupe est meilleur que le meilleur du groupe». Aujourd'hui, les Vignerons Catalans rassemblent sept caves coopératives, 1 500 adhérents et une quarantaine de caves privées, soit plus de 10 000 ha.

Rubis à reflets bleutés, ce Caramany dévoile de discrètes notes mentholées. La vinification en macération carbonique du carignan dominant, accompagné de grenache noir et de syrah, a contribué à sa fraîcheur fruitée. Les tanins ronds respectent sa souplesse et lui donnent des connotations épicées en finale. 2020-2023 ■ **Tautavel Signature 2017** ★ (8 à 11 €; 20000 b.) : le grenat profond et lumineux semble annoncer les senteurs de framboise et de fraise. La bouche séduit par son équilibre et son onctuosité, comme par ses flaveurs de réglisse et de confiture de cassis. Surprenante, la finale s'oriente vers le minéral. 2020-2023 ■ **Äctä Sanctorum 2016** ★ (20 à 30 €; 5000 b.) : grenat à reflets noirs, ce vin subtil décline des arômes de mûre et de cerise, avec une pointe d'iris et d'épices douces. Il se montre ample, onctueux et souple. La matière est bien présente autour du poivre noir, des épices et d'une touche florale de violette. Belle longueur. 2020-2023

VIGNERONS CATALANS, 1870, av. Julien-Panchot, 66962 Perpignan Cedex_9, tél. 04 68 85 04 51, contact@vigneronscatalans.com

COLLIOURE

Superficie : 619 ha
Production : 19 930 hl (85 % rouge et rosé)

Portant le nom d'un charmant petit port méditerranéen, cette appellation couvre le même terroir que celui de l'appellation banyuls; il regroupe les quatre communes de Collioure, Port-Vendres, Banyuls-sur-Mer et Cerbère. Les collioures rouges et rosés assemblent principalement grenache noir, mourvèdre et syrah, le cinsault et le carignan entrant comme cépages accessoires. Issus de petits rendements, ce sont des vins colorés, chaleureux aux arômes de fruits rouges bien mûrs. Les rosés sont aromatiques, riches et néanmoins nerveux. Les collioures blancs, qui font la part belle aux grenaches blanc et gris, sont produits depuis le millésime 2002.

DOM. AUGUSTIN Adeodat 2017 ★★

■ | 4300 | | 20 à 30 €

Une nouvelle page s'est ouverte en 2015 dans l'histoire viticole de l'incontournable famille Parcé : Augustin, fils de Marc et neveu de Thierry, a créé son domaine, 7 ha de vignes en colliour. Avant cela, il avait œuvré sur le domaine familial de la Rectorie, puis a eu envie d'ailleurs : quelques années de compagnonnage chez Jean Thévenet à Quintaine, puis chez Frédéric Mugnier à Chambolle, et enfin chez Pierre Borie à Boutenac.

Déjà l'an passé, le grenache gris sur schistes avait inspiré Augustin Parcé. Ce jeune vigneron maîtrise son sujet et signe un superbe 2017 brillant et lumineux, au nez élégant, floral, miellé et anisé. Une attaque alerte et fraîche ouvre sur une bouche aromatique (agrumes, miel, notes beurrées), soyeuse, ronde, au toucher délicat, avec de beaux amers. 2019-2022

EARL AUGUSTIN PARCÉ, 54, av. du Puig-del-Mas, 66650 Banyuls-sur-Mer, tél. 04 68 81 02 94, augustinparce@yahoo.fr V r.-v.

DOM. DE LA CASA BLANCA 2017 ★

■ | 5000 | | 15 à 20 €

L'enfant du pays, le terrien Laurent Escapa, a accueilli le marin Hervé Levano, puis Valérie Reig est venue compléter le trio pour œuvrer dans une des plus vieilles caves de Banyuls (1870). Sur ce petit domaine (7 ha), la mule et le treuil ont fait leur apparition pour éviter l'emploi de désherbant sur les terrasses accrochées aux collines banyulencques.

Un tandem syrah et grenache noir (80 %) pour ce collioure pourpre, limpide et brillant. Le nez, flatteur, propose une corbeille de prune et de framboise relevées de quelques notes poivrées. La bouche gourmande et puissante révèle un vin charpenté et complexe, doté de tanins bien présents mais élégants. ⧗ 2021-2025

⊶ GAEC DOM. DE LA CASA BLANCA, 16, av. de la Gare, 66650 Banyuls-sur-Mer, tél. 04 68 88 12 85, herve.levano@orange.fr r.-v.

CLOS SAINT-SÉBASTIEN
Inspiration marine 2017 ★★

■ | 3000 | | 20 à 30 €

Jacques Piriou et Romuald Peronne – l'œnologue – se sont associés pour racheter le Dom. Saint-Sébastien en 2008, rebaptisé Clos Saint-Sébastien en 2014 après le rachat du Clos Xatard. Ils sont entrés dans le Guide par la grande porte avec leurs cuvées de collioure. Ils gèrent à Banyuls un restaurant en terrasse face au port, *Le Jardin de Saint-Sébastien*, et proposent une promenade en bateau pour découvrir par la mer les 20 ha de leur vignoble en terrasses. À leur carte, du collioure et du banyuls exclusivement.

Fabuleux mourvèdre du Clos : chaque année, Romuald Peronne bichonne ce cépage avec une longue macération de quatre semaines et un an de passage en foudre. La robe est noire aux reflets violines, le nez complexe, sur les fruits mûrs (cassis, cerise burlat) mâtinés de cuir et d'épices. Du gras, du volume, de la générosité, de la densité et des tanins fins, la bouche est superbe et déploie des arômes gourmands de pruneau et de fruits à l'eau-de-vie. ⧗ 2022-2030 ■ **Empreintes 2017 ★ (11 à 15 €; 20000 b.)** : le nez puissant s'ouvre sur les fruits mûrs. La bouche se révèle ample, généreuse, soutenue par des tanins fermes et sur une agréable fraîcheur en finale. ⧗ 2021-2024 ■ **Inspiration céleste 2017 ★ (20 à 30 €; 3000 b.)** : générosité et fruité mûr du grenache pour ce vin ample et élégant, doté de tanins soyeux et qui ne manque pas de fraîcheur (sans doute l'effet de la parcelle d'altitude qui l'a vu naître). ⧗ 2022-2026 ■ **Le Clos 2016 ★ (50 à 75 €; 720 b.)** : grenat aux reflets brique, ce vin possède un nez frais de cerise, de mûre et de cassis. La bouche est ronde, élégante, tout en finesse, plus sévère en finale. ⧗ 2022-2026

⊶ SCEA SAINT-SÉBASTIEN, 10, av. Pierre-Fabre, 66650 Banyuls-sur-Mer, tél. 04 68 88 30 14, contact@clos-saint-sebastien.com *t.l.j. 10h-13h 14h-19h*

♥ COUME DEL MAS Folio 2018 ★★

■ | 10000 | | 15 à 20 €

Ingénieur agronome, Philippe Gard a d'abord travaillé à la chambre d'agriculture d'Auxerre, puis à celle de Bordeaux. Mais sa passion, c'est la vigne, et il a fini par se poser avec Nathalie en 1998 à Cosprons, près de l'anse de Paulilles, où il exploite aujourd'hui 15 ha en terrasses. Il lance son étiquette Coume del Mas en 2001. Intenses et raffinés, ses banyuls comme ses collioure ont d'emblée fait sensation.

Philippe Gard fait partie des grands vignerons du Roussillon, d'une régularité exemplaire. Il magnifie les grenaches gris et blanc dans cette cuvée parfaite d'équilibre : une robe brillante et limpide, un nez intense et complexe de fleurs blanches, d'agrumes et de fruits blancs, une bouche à la fois fraîche (notes mentholées), puissante et généreuse, dotée d'un délicat boisé et d'une longue finale sur les fruits secs. Un collioure typique du terroir de schistes. ⧗ 2020-2024 ■ **Quadratur 2017 ★★ (20 à 30 €; 4000 b.)** : cuvée emblématique du domaine, ce Quadratur 2017 associe le mourvèdre et le carignan au grenache noir. Elle propose un nez de mûre et de poivre. La bouche est puissante, ample, suave, riche en fruits et soutenue par des tanins ronds. Des notes de fumée et de cerise soulignent la finale. ⧗ 2022-2030 ■ **Schistes 2017 ★ (15 à 20 €; 8000 b.)** : jolie robe violine et beau nez fruité et cacaoté pour ce collioure qui séduit aussi par sa bouche équilibrée entre le fruit et l'épice. Un vin plaisant, à déguster dans sa jeunesse. ⧗ 2019-2022

⊶ SARL LES VIGNOBLES DE LA COUME DEL MAS, 3, rue Alphonse-Daudet, 66650 Banyuls-sur-Mer, tél. 06 86 81 71 32, philippe@coumedelmas.com r.-v.

LE DOMINICAIN Les Culottes 2017 ★★

■ | 6000 | | 11 à 15 €

Face au château royal de Collioure, cette coopérative est installée depuis sa fondation (1926) dans l'ancienne église du couvent des Dominicains, sécularisé à la Révolution. Ce monument du XIIIes. abrite de vieux foudres qui créent une atmosphère particulière. La cave vinifie 120 ha situés sur le terroir de la commune.

Rubis sombre à reflets bruns, ce collioure livre un nez puissant sur l'olive noire, la garrigue, le thym et les épices. La bouche est fraîche en attaque, puis plus structurée et boisée, avec une longue finale sur la cacao. ⧗ 2022-2026 ■ **Saint-Dominique 2017 ★★ (11 à 15 €; 8000 b.)** : ce vin grenat profond aux reflets noirs révèle un nez intense de cèdre, de cassis et de cacao. La bouche est puissante, ample, corsée, soutenue par un boisé bien dosé qui respecte le fruit. Un collioure de bonne garde. ⧗ 2022-2026 ■ **Pordavall 2018 ★★ (8 à 11 €; 25000 b.)** : un rosé soutenu aux reflets vifs, ouvert sur un bouquet minéral et floral, suave et délicat en bouche, étiré dans une belle finale aux saveurs de framboise et de citron vert. ⧗ 2019-2020

⊶ SCAV DE COLLIOURE, pl. Orfila, 66190 Collioure, tél. 04 68 82 05 63, contact@dominicain.com *t.l.j. 8h30-12h30 13h30-19h*

L'ÉTOILE Peu de gall 2017 ★

■ | 1500 | | 20 à 30 €

Au cœur du village, la petite cave garde l'aspect rétro de l'époque de sa création. Fondée en 1921, c'est la plus ancienne coopérative de Banyuls. Connue pour ses vins doux naturels traditionnels hors d'âge, elle a su maintenir les traditions dans un esprit de famille. Les grands foudres, les demi-muids et les dames-jeannes accueillent des produits bien typés.

L'élevage de douze mois en barrique donne à ce rouge une robe brillante aux reflets rubis. Le nez, délicat, respire les fruits (cassis, framboise) sur fond de boisé vanillé. La bouche est fondue, agréable, ronde sans manquer de fraîcheur, d'une belle longueur sur les fruits compotés. ⧗ 2021-2024 ■ **Le Clos du Fourat 2017 ★ (15 à 20 €; 6000 b.)** : le nez évoque une corbeille de petits fruits rouges. La bouche apparaît souple, tendre, étayée par un bon boisé toasté. Un vin harmonieux. ⧗ 2020-2023 ■ **Les Toiles fauves 2018 ★ (11 à 15 €; 16000 b.)** : un blanc au nez franc et délicat d'agrumes, de poire et d'anis. La bouche est fraîche, saline, offrant une finale vive et minérale. ⧗ 2019-2021

⊶ *SCV L'ÉTOILE, 26, av. du Puig-del-Mas, 66650 Banyuls-sur-Mer, tél. 04 68 88 00 10, info@cave-letoile.com* V *t.l.j. 9h30-12h30 14h30-18h*

LES HAUTS DE PAULILLES 2017 ★★

■ | 30000 | | 11 à 15 €

Avec 100 ha d'un seul tenant (dont soixante-trois plantés), le plus vaste domaine des AOC collioure et banyuls, situé dans le site protégé de l'anse de Paulilles. Ancienne propriété de la famille Pams, puis pendant trente-cinq ans des Dauré (Jau). Ces derniers l'ont vendue en 2013 à la famille Cazes, laquelle s'implante ainsi en Côte Vermeille. La cave a été totalement rénovée. Le restaurant *Les Pieds dans l'eau* est un des attraits du lieu.

La syrah apporte sa note de cassis à ce joli collioure grenat aux reflets cerise, le mourvèdre et le grenache noir convoquent la mûre, la cerise et le poivre. Riche, ample et généreuse, la bouche signe un vin de caractère, étiré dans une longue finale aux notes fumées. ⧗ 2021-2025 ■ **Les Clos de Paulilles 2017 ★ (15 à 20 €; 100000 b.)** : le nez évoque la cerise à l'eau-de-vie et le cassis. Des tanins fondus soutiennent une bouche franche et équilibrée. Une finale délicate sur les fruits secs lui apporte un surcroît d'élégance. ⧗ 2021-2024 ■ **Les Clos de Paulilles 2018 ★ (11 à 15 €; 100000 b.)** : un rosé brillant, frais et expressif au nez (melon, orange, violette, fruits rouges), vif et tonique en bouche, centré sur des notes d'agrumes et de fleurs blanches. ⧗ 2019-2020

⊶ *SCEA LES CLOS DE PAULILLES, 4, rue Francisco-Ferrer, 66600 Rivesaltes, tél. 04 68 64 08 26, info@cazes.com* V *r.-v.* 5

LAFAGE Arqueta 2017 ★

■ | 16000 | | 15 à 20 €

Éliane et Jean-Marc Lafage ont vinifié pendant dix ans dans l'hémisphère Sud, puis ont repris l'exploitation familiale en 1995, établie sur trois terroirs bien distincts du Roussillon : les terrasses de galets roulés proches de la mer; les Aspres et ses terres d'altitude; la vallée de l'Agly, vers Maury (depuis l'acquisition en 2006 du Ch. Saint-Roch). Aujourd'hui, quelque 180 ha cultivés à petits rendements. Un domaine très régulier en qualité, souvent en vue pour ses côtes-du-roussillon et ses muscats.

Une longue macération de quatre semaines et un élevage en barrique de six mois apporte au vin tout son potentiel. Le nez, tout en finesse, dévoile des arômes de petits fruits rouges mûrs. La bouche gourmande et suave révèle un vin charmeur, étayé par des tanins fins et soyeux. ⧗ 2021-2024

⊶ *SARL FAMILLE LAFAGE, Mas Miraflors, rte de Canet, 66000 Perpignan, tél. 04 68 80 35 82, contact@domaine-lafage.com* V *t.l.j. sf dim. 10h-12h15 14h45-18h30*

DOM. MADELOC Cuvée Trémadoc 2017 ★★

■ | 13000 | | 11 à 15 €

Pierre Gaillard aime les côtes et les schistes. Producteur bien connu de la Côte Rôtie, il s'est tourné vers le sud et s'est intéressé à Faugères, avant de racheter en 2002 Madeloc en Côte Vermeille. Sa fille Élise, ingénieure agricole, conduit le domaine (18 ha environ) et vinifie avec brio. Sur certaines pentes, on a recours au treuil, comme dans la vallée du Rhône.

Or pâle brillant aux reflets verts, ce collioure dévoile un nez complexe mêlant nuances florales, briochées et fruitées (poire mûre). L'attaque est alerte, la matière bien présente, offrant du volume en bouche. La finale aux tonalités salines apporte une belle longueur et un surcroît de fraîcheur. ⧗ 2019-2022

⊶ *SARL PIERRE GAILLARD, 1 bis, av. du Gal-de-Gaulle, 66650 Banyuls-sur-Mer, tél. 04 68 88 38 29, madeloc@gaillard.vin* V *t.l.j. sf dim. 9h-12h 14h-18h*

DOM. PIC JOAN 2017 ★★

■ | 6000 | | 15 à 20 €

Jean Solé et Laura Parcé ont fondé leur domaine en 2009 à partir de vignes familiales et créé leur cave avec seulement 2,3 ha. Aujourd'hui, ils exploitent plus de 8 ha en «artisans vignerons». À leur carte, des collioure fort remarqués et de jeunes banyuls rimage.

La robe est brillante et limpide, pourpre aux reflets violines. Le nez, puissant, convoque la mûre et le cassis, le cuir et le poivre. La bouche apparaît ample, suave et concentrée, soutenue par des tanins enrobés et fondus. Un beau final sur les fruits mûrs soutenus par un boisé délicat achève de convaincre. Un vin des plus harmonieux. ⧗ 2021-2026 ■ **2017 ★ (15 à 20 €; 3500 b.)** : le nez est engageant avec ses arômes de fruits exotiques, de fleurs blanches et d'herbes fraîches. Fraîcheur et rondeur se côtoient dans une bouche équilibrée, offrant des saveurs de beurre et de noisette. Belle finale tonique sur la pêche de vigne. ⧗ 2019-2023

⊶ *SARL DOM. PIC JOAN, 20, rue de l'Artisanat, 66650 Banyuls-sur-Mer, tél. 04 68 98 74 41, domainepicjoan@orange.fr* V *t.l.j. 10h-13h 15h-19h; f. lun. dim. de janv.-mars*

♥ DOM. PIÉTRI-GÉRAUD Trousse Chemise 2016 ★★

■ | 3446 | | 20 à 30 €

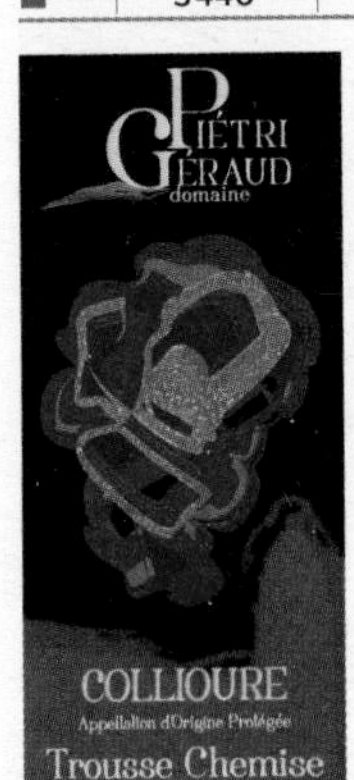

Établi au cœur de Collioure, dans une des plus petites rues de la cité, ce domaine est dirigé depuis 2006 par Laetitia Piétri-Clara, qui a pris la suite de sa mère Maguy. Appuyée par l'œnologue Hélène Grau, la vigneronne perpétue la tradition inaugurée à la fin du XIXᵉs. par son arrière-grand-père Étienne Géraud, médecin retourné aux vignes familiales. Le vignoble couvre 20 ha, essentiellement en AOC banyuls et collioure.

Une pointe de grenache noir accompagne le mourvèdre dans ce collioure de haut lignage, qui a connu un élevage luxueux de vingt-quatre mois en barriques de 300 l. Il en ressort paré d'une seyante robe grenat aux reflets noirs et doté d'un bouquet intense et complexe d'épices, de mûre, de fraise et de grillé. Une attaque souple ouvre sur une bouche ample et soyeuse, parfaitement équilibrée entre fraîcheur, structure tannique et boisé délicat. Un vin de gastronomie. ⧗ 2022-2030 ■ **Le Rosé de mon père 2018** ★ (8 à 11 €; 5500 b.) : un rosé saumoné aux reflets brillants, au nez intense de fraise des bois, de pamplemousse et de garrigue. La bouche fruitée et équilibrée s'étire en longueur autour d'arômes de citron vert. Jolie vivacité en finale. ⧗ 2019-2020

SARL DOM. PIÉTRI-GÉRAUD, 22, rue Pasteur, 66190 Collioure, tél. 04 68 82 07 42, domaine.pietri-geraud@wanadoo.fr r.-v.

DOM. DE LA RECTORIE L'Argile 2017 ★

■	10 000		20 à 30 €

La famille Parcé avait renoncé à vinifier après la mort de l'arrière-grand-père en 1913. Marc et son frère Thierry – rejoints par Jean-Emmanuel, fils de ce dernier – ont agrandi le domaine et sont sortis de la coopérative en 1984. À partir d'une trentaine de parcelles, Thierry, le vinificateur, propose des vins d'une régularité exemplaire en banyuls et en collioure.

Or brillant et limpide, ce collioure propose un joli nez floral agrémenté d'une pointe toastée et beurrée. Souple et frais en attaque, le palais se montre ensuite plus rond et vineux, avant de revenir sur plus de fraîcheur en finale. ⧗ 2019-2022 ■ **L'Oriental 2017** ★ (15 à 20 €; 10 000 b.) : un nez ouvert sur les fruits des bois et les senteurs de la garrigue. La bouche, généreuse, structurée par des tanins fins et par un bon boisé déroule un joli fruité relevé d'épices douces. ⧗ 2021-2026

EARL DOM. DE LA RECTORIE, 28-65, av. du Puig-del-Mas, 66650 Banyuls-sur-Mer, tél. 04 68 88 13 45; info@rectorie.fr t.l.j. sf dim. 10h-12h 16h-19h

TERRES DES TEMPLIERS Premium 2017 ★★

■	18 504		30 à 50 €

Devenu Terres des Templiers, l'ancien Cellier des Templiers est une coopérative créée en 1921. Elle revendique l'héritage de cet ordre militaire à qui l'on doit la mise en valeur des pentes schisteuses de Banyuls. Aujourd'hui, la cave dispose des 776 ha de ses 805 adhérents et, depuis la récolte 2011, du Mas Ventous, un vaste chai de vinification qui s'ajoute à la grande cave de 1964, réservée aux longs élevages. À sa carte, des collioure et des banyuls. La Cave de l'Abbé Rous appartient au même groupe coopératif : une cave créée en 1950 et nommée en hommage à l'abbé qui vers 1870 devint négociant-éleveur de vins de Banyuls pour financer l'agrandissement de l'église paroissiale sans faire appel à la générosité publique et qui se fit à l'occasion le mécène de Maillol.

Tout près du coup de cœur, cette magnifique cuvée d'un beau grenat proche du noir livre un nez intense et gourmand de fruits frais (mûre et griotte). La bouche riche, puissante, ample, concentrée révèle des tanins ronds et veloutés qui renforcent son élégance. ⧗ 2021-2026 ■ **Cuvée de la Salette 2018** ★ (8 à 11 €; 104 346 b.) : un rosé soutenu en couleur, dont le nez se partage entre la fraise, la framboise, la rose et la violette. La bouche est délicate, fraîche et bien fruitée. ⧗ 2019-2020 ■ **Abbé Rous Cornet & Cie 2018** ★ (11 à 15 €; 6 918 b.) : un élevage de deux mois en cuve et de deux mois en fût pour ce rosé de caractère né de grenache noir, de mourvèdre et de syrah. Un joli vin couleur framboise aux reflets violines, expressif et complexe (fruits rouges variés, notes toastées et vanillées), ample et frais. ⧗ 2019-2021

GICB TERRES DES TEMPLIERS/CAVE DE L'ABBÉ ROUS, rte du Mas-Reig, 66650 Banyuls-sur-Mer, tél. 04 68 98 36 92, info@templiers.com t.l.j. 10h-19h30; basse saison t.l.j. 10h-13h 14h30-18h30; f. janv.

TERRIMBO 2017 ★

■	5000		20 à 30 €

Philippe Gard, propriétaire en vue de Coume del Mas, s'est associé avec Jacky Loos, créateur de l'hôtel *Host et Vinumet* et de son restaurant *Le Clos des Pins* à Canet-en-Roussillon, pour fonder en 2011 Terrimbo, un petit domaine (1,8 ha en bio). Le vignoble est implanté sur des terrasses de schistes, en bas du village de Cospron, près de la baie de Paulilles.

Ce vin grenat profond aux nuances violines possède un nez puissant et chaleureux de sous-bois, de cassis et de cerise. La bouche est souple et équilibrée, épaulée par des tanins fondus. ⧗ 2020-2023

SARL DOM. DE TERRIMBO, 3, rue Alphonse-Daudet, 66650 Banyuls-sur-Mer, tél. 06 86 81 71 32, info@terrimbo.com r.-v.

DOM. VIAL-MAGNÈRES Armenn 2017 ★

■	3000		15 à 20 €

Bernard Sapéras, œnologue et chimiste de formation, arrivé en 1985 sur le domaine de son beau-père, avait donné un bel élan à la propriété et à l'appellation : c'est à lui que l'on doit le banyuls blanc, l'engouement pour le rancio, la réussite du collioure blanc et le chemin d'Anicet pour découvrir le cru. Après sa disparition en 2013, Olivier et Chrystel Sapéras sont les garants de l'avenir. En 2016, ils se sont associés à Laurent Dal Zovo pour gérer les 10 ha de vignes et les nouvelles chambres d'hôtes.

Une robe jaune clair aux reflets rosés habille ce blanc au nez flatteur et élégant de fleurs blanches et de fruits mûrs. Une attaque ample et fruitée introduit une bouche bien équilibrée, offrant de la rondeur, du fruit et de la fraîcheur. Une petite note saline en finale amène du nerf. ⧗ 2019-2022 ■ **Les Espérades 2016** ★ (15 à 20 €; 2000 b.) : un nez franc de cassis frais rehaussé de poivre et une bouche ronde et suave, aux tanins soyeux, composent un vin harmonieux, qui pourra s'apprécier dans sa jeunesse. ⧗ 2020-2023

SARL DOM. VIAL-MAGNÈRES, 14, rue Édouard-Herriot, 66650 Banyuls-sur-Mer, tél. 04 68 88 31 04, info@vialmagneres.com t.l.j. 10h-12h 14h-18h 5

MAURY SEC

Réservée à l'origine aux vins doux naturels, l'appellation maury est accordée à partir du millésime 2011 aux vins secs produits sur le même terroir (communes de Maury, Tautavel, Saint-Paul et Rasiguères). Les vignerons de cette aire d'appellation proposaient auparavant leurs vins secs en AOC côtes-du-roussillon-villages. Le grenache noir, emblématique de l'appellation, entre à hauteur de 60 % minimum

(et 80 % maximum) dans les assemblages. Les vins bénéficient d'un élevage de six mois au minimum.

CAZES Castell d'Agly 2017 ★★

■	20000	🍾	8 à 11 €

Fondation en 1895, premières mises en bouteilles en 1955 et une croissance continue. Aujourd'hui, un domaine de 220 ha entièrement conduit en biodynamie depuis 2005. À sa carte, toutes les AOC du Roussillon, des IGP, tous les styles de vin. Dans le giron du groupe Advini depuis 2004.

Vêtu de grenat intense, ce 2017 impressionne par la qualité de ses arômes de mûre, de cerise et de framboise. Une attaque ronde, du moelleux, une belle densité et une fraîcheur réglissée qui souligne l'élégance de ce vin de caractère. ⧗ 2022-2029

SCEA CAZES, 4, rue Francisco-Ferrer, 66600 Rivesaltes, tél. 04 68 64 08 26, info@cazes.com V r.-v. ⑤

♥ B CLOS DES VINS D'AMOUR Le Béguin 2015 ★★

■	n.c.	🛢	30 à 50 €

Christine et Nicolas Dornier, tous deux œnologues, se sont associés à Christophe et Laurence Dornier pour reprendre en 2002 les vignes cultivées par la famille depuis 1860. Les deux couples ont quitté la coopérative en 2004 pour créer le Clos des Vins d'amour. Leur domaine (26 ha en bio) s'étend sur les terroirs schisteux de Tautavel, de Maury et de Saint-Paul-de-Fenouillet.

Sous une robe grenat intense se déploie une large palette aromatique : fruits secs, fruits cuits, cire d'abeille, vanille et torréfaction. Rond, riche, charnu et persistant, ce 2015 a tout pour plaire. Les tanins veloutés et la finale évocatrice de fruits à l'eau-de-vie le magnifient encore. ⧗ 2019-2025 ■ **Clos des vins d'amour Une Lubie 2018 ★★** (11 à 15 €; 8000 b.) B : vivacité, arômes persistants de framboise et de mûre fraîchement cueillies. Le plaisir est immédiat. ⧗ 2019-2025

SCEA VIGNOBLES DORNIER, 3, rte de Lesquerde, 66460 Maury, tél. 04 68 34 97 07, maury@closdesvinsdamour.fr V r.-v.

DOM. FONTANEL 2017

■	3900	🍾	11 à 15 €

Les origines du domaine, où six générations se sont succédé, remontent à 1864. La propriété est forte d'un vignoble de 25 ha installé sur des terroirs variés. À sa tête depuis 1989, Pierre et Marie-Claude Fontanel ont proposé pendant près de trente ans des cuvées à forte personnalité, aussi bien en vins secs qu'en vins doux naturels. En 2017, ils ont cédé l'exploitation à un jeune couple de vignerons, Élodie et Matthieu Collet.

Cette cuvée majoritairement issue du grenache noir se présente dans une robe grenat profond. Le nez est encore discret, sur des notes épicées. Une chair généreuse emplit le palais et laisse un agréable souvenir. ⧗ 2019-2025

EARL COLLET, 25, av. Jean-Jaurès, 66720 Tautavel, tél. 06 11 07 01 22, contact@domainefontanel.fr V t.l.j. sf dim. 15h-18h; nov-mars sur r.-v. E

CH. DES JAUME 2017 ★★

■	17000	🛢🍾	- de 5 €

Cette étiquette est née de la rencontre entre Charles Faisant (Dom. la Différence, Dom. Chemin Faisant) et les Grands Chais de France, géant français du négoce de vins créé à la fin des années 1980 par Joseph Helfrich, aujourd'hui présent dans l'ensemble des régions viticoles françaises et dans le monde entier.

Rubis profond à reflets brillants, ce 2017 évoque la mûre et le café torréfié. Souple et franc, il bénéficie de tanins fondus et d'une finale réglissée tout en fraîcheur. ⧗ 2019-2025

SAS CH. SEGUALA, av. du Verdouble, 66720 Tautavel, tél. 06 23 29 43 96, kwiltsch40@lgcf.fr

MAS DE LAVAIL Initiale 2015 ★

■	2000	🛢	20 à 30 €

Jean et Nicolas Batlle, père et fils, ont acquis ce joli mas du XIXe s. en 1999, à l'installation du second. À la tête de ce domaine de 80 ha de vieilles vignes, Nicolas poursuit le travail de quatre générations de vignerons sur les terres noires de Maury.

Des reflets tuilés animent la robe grenat. Une évolution dont témoignent les notes de fruits à l'eau-de-vie, de cacao et de Zan dans la palette expressive. Gourmand, ce vin n'est qu'harmonie et équilibre en bouche. Belle finale aux accents de pruneau. ⧗ 2019-2025

EARL DOM. DE LAVAIL, Mas de Lavail, RD_117, 66460 Maury, tél. 04 68 29 08 95, info@masdelavail.com V t.l.j. sf dim. 10h-12h 14h-18h

ROUSSILLON

LES VIGNERONS DE MAURY Tradition Schiste 2018 ★

■	42000	🍾	8 à 11 €

Fondée en 1910, la cave coopérative de Maury est aujourd'hui la plus ancienne du département encore en activité. Après les révoltes viticoles de 1907, elle regroupa plus de 130 propriétaires. Aujourd'hui, la cave dispose des 790 ha de ses adhérents; elle vit du grenache qui donne les traditionnels vins doux naturels et, depuis 2011, les maury secs.

Joli grenat à reflets framboise. Le nez, encore discret, dévoile des notes de griotte. La bouche est franche, plus intense dans ses évocations de Zan et de fraise des bois. La gourmandise est au rendez-vous, équilibrée par une bonne fraîcheur. ⧗ 2019-2025 ■ **L'Akmé 2017 (15 à 20 €; 8000 b.)** : vin cité.

SCAV LES VIGNERONS DE MAURY, 128, av. Jean-Jaurès, 66460 Maury, tél. 04 68 59 00 95, contact@vigneronsdemaury.com V t.l.j. 9h-12h30 14h-18h

B DOM. POUDEROUX Montpin 2017 ★

■	5000	🛢	15 à 20 €

Une remarquable régularité pour ce domaine de 20 ha niché au cœur du village de Maury. Une petite cave bien agencée et un joli jardin-terrasse où Robert et Cathy Pouderoux accueillent leurs visiteurs. À

leur carte, le rouge est en vedette : du maury, bien sûr (doux ou sec), et aussi des côtes-du-roussillon-villages. Certifié bio sur une partie du vignoble, en conversion sur d'autres parcelles.

Couleur cerise burlat brillant, ce vin décline de petites touches de fruit à l'eau-de-vie et des notes vanillées. Structuré, mais charnu, il bénéficie d'une trame tannique et boisée fondue. Belle finale aux accents cacaotés. ⌛ 2019-2025

ROBERT POUDEROUX, 2, rue Émile-Zola, 66460 Maury, tél. 04 68 57 22 02, domainepouderoux@sfr.fr V *t.l.j. 11h-18h; f. 1er nov.-1er avr.*

DOM. DE LA PRÉCEPTORIE
SO2 mon amour 2017 ★★

■ | 1600 | 30 à 50 €

Banyulenc et donc marin, ancré dans les schistes et les vignes de la Côte Vermeille, Joseph Parcé, fils de Marc (La Rectorie), débarque à Maury en 2007 comme maître de chai au Dom. de la Préceptorie, qui avait été créé en 2001. En 2017, la nouvelle génération, avec Martin, Augustin et Vincent, a rejoint Marc et prend le relais dans la gestion des 45 ha du vignoble, conduit en bio.

Intensément grenat, intensément aromatique! Une corbeille de fruits se déploie : mûre, cerise et framboise. Gourmand, ce vin doit aussi son élégance à des accents discrets de Zan, de vanille et de grillé. ⌛ 2019-2025 ■ **Copain comme cochon 2017 ★ (11 à 15 €; 13500 b.)** : au nez se mêlent le sous-bois et les fruits rouges. Vin plaisir, sur la fraîcheur, ce 2017 est aussi de bonne longueur. ⌛ 2019-2022

SCEA LA PRÉCEPTORIE, 54, av. du Puig-del-Mas, 66650 Banyuls-sur-Mer, tél. 04 68 81 02 94, lapreceptorie@gmail.com V *r.-v.*

CH. SAINT-ROCH Kerbuccio 2017 ★★

■ | 8000 | | 20 à 30 €

Éliane et Jean-Marc Lafage ont vinifié pendant dix ans dans l'hémisphère Sud, puis ont repris l'exploitation familiale en 1995, établie sur trois terroirs bien distincts du Roussillon : les terrasses de galets roulés proches de la mer; les Aspres et ses terres d'altitude; la vallée de l'Agly, vers Maury (depuis l'acquisition en 2006 du Ch. Saint-Roch). Aujourd'hui, quelque 180 ha cultivés à petits rendements. Un domaine très régulier en qualité, souvent en vue pour ses côtes-du-roussillon et ses muscats.

Un vin grenat au possible, qui surprend par ses notes florales sur fond de cassis et de vanille. La bouche expressive révèle une matière bien présente et longuement fruitée. ⌛ 2019-2022

SCEA MAISON LAFAGE, Mas Miraflors, rte de Canet, 66000 Perpignan, tél. 04 68 80 35 82, contact@domaine-lafage.com V *t.l.j. sf dim. 10h-12h15 14h45-18h30; ouvert le dim. en été*

DOM. DES SCHISTES
Le Parcellaire Devant le mas 2017 ★

■ | 3000 | | 15 à 20 €

La cinquième génération officie dans cette exploitation de la vallée de l'Agly qui vinifie en cave particulière depuis 1989. Comme son nom l'indique, les marnes schisteuses dominent. À la vigne, Jacques et Michaël Sire sont pointilleux sur le travail du sol et leur domaine (plus de 50 ha) est conduit en bio. Une valeur sûre du guide.

Brillant, ce vin présente encore les reflets violines de la jeunesse et offre un nez chaleureux de mûre et de réglisse. Les tanins sont encore présents, mais la matière ample et dense est prête à les envelopper à la faveur de la garde. ⌛ 2021-2026

EARL DOM. DES SCHISTES, 1, av. Jean-Lurçat, 66310 Estagel, tél. 06 64 75 66 54, sire-schistes@wanadoo.fr V *t.l.j. sf dim. 14h-18h; matin et sam. sur r.-v.*

SEMPER Clos Florent 2016 ★

■ | 5400 | | 11 à 15 €

Tradition, ce terme est omniprésent dans cette famille vigneronne. Après leurs parents Paul et Geneviève, Florent (à la vigne) et Mathieu (à la cave) perpétuent un travail authentique de la vendange. Sur leur domaine de 30 ha, ils peuvent jouer sur deux terroirs : les schistes noirs de Maury et les arènes granitiques de Lesquerde.

Des reflets légèrement tuilés animent ce vin au bouquet de garrigue et de laurier. Harmonieux et chaleureux, il s'appuie sur des tanins fondus avec élégance. ⌛ 2021-2026

EARL DOM. SEMPER, 24, av. Jean-Jaurès, 66460 Maury, tél. 06 21 61 23 09, domaine.semper@wanadoo.fr V *t.l.j. 10h30-12h 15h30-19h; f. janv.-mars*

DOM. LA TOUPIE Sur 1 fil rouge 2017

■ | 2100 | | 11 à 15 €

Après vingt ans passés dans l'administration viticole, puis à parcourir le vignoble pour la coopérative du Mont Tauch, dans l'Aude, Jérôme Collas a franchi le pas et la «frontière» entre Languedoc et Roussillon, pour s'installer en 2012 sur 12 ha dans la vallée de l'Agly.

Robe noir profond et reflets bleus, nez discret sur des fruits rouges bien mûrs. La bouche franche est empreinte des flaveurs de bâton de réglisse qui prennent le dessus sur le fruit. En finale, la fraîcheur s'exprime. ⌛ 2020-2025

EARL DOM. LA TOUPIE, ZA Clos-de-la-Serre, rte de Cucugnan, 66460 Maury, tél. 07 86 28 99 52, contact@domainelatoupie.fr V *r.-v.*

▶ LES VINS DOUX NATURELS

Dès l'Antiquité, les vignerons de la région ont élaboré des vins liquoreux de haute renommée. Au XIIIe s., Arnaud de Villeneuve découvrit le mariage miraculeux de la «liqueur de raisin et de son eau-de-vie» : c'est le principe du mutage qui, appliqué en pleine fermentation sur des vins rouges ou blancs, arrête celle-ci en préservant ainsi une certaine quantité de sucre naturel. Les vins doux naturels d'appellation contrôlée se répartissent dans la France méridionale : Pyrénées-Orientales, Aude, Hérault, Vaucluse

et Corse, jamais bien loin de la Méditerranée. Les cépages utilisés sont le grenache (blanc, gris, noir), le macabeu, la malvoisie du Roussillon, dite tourbat, le muscat à petits grains et le muscat d'Alexandrie. La taille courte est obligatoire. Les rendements sont faibles et les raisins doivent, à la récolte, avoir une richesse en sucre de 252 g minimum par litre de moût. L'agrément des vins est obtenu après un contrôle analytique. Ils doivent présenter un taux d'alcool acquis de 15 à 18 % vol., une richesse en sucre de 45 g minimum à plus de 100 g pour certains muscats et un taux d'alcool total (alcool acquis plus alcool en puissance) de 21,5 % vol. minimum. Certains sont commercialisés tôt (muscats), d'autres le sont après trente mois d'élevage. Vieillis sous bois de manière traditionnelle, c'est-à-dire dans des fûts, ils acquièrent parfois après un long élevage des notes très appréciées de rancio.

▶ BANYULS ET BANYULS GRAND CRU

Superficie : 1 160 ha
Production : 28 500 hl (90 % rouge)

Voici un terroir exceptionnel, comme il en existe peu dans le monde viticole : à l'extrémité orientale des Pyrénées, des coteaux en pente abrupte sur la Méditerranée. Seules les quatre communes de Collioure, Port-Vendres, Banyuls-sur-Mer et Cerbère bénéficient de l'appellation. Le vignoble s'accroche à des terrasses installées sur des schistes dont le substrat rocheux est, sinon apparent, tout au plus recouvert d'une mince couche de terre. Le sol est donc pauvre, souvent acide, n'autorisant que des cépages très rustiques, comme le grenache, au rendement extrêmement faible – souvent moins d'une vingtaine d'hectolitres à l'hectare. En revanche, le lieu bénéficie d'un microclimat particulier avec un ensoleillement optimisé par la culture en terrasses – culture difficile car manuelle, afin de protéger la terre qui ne demande qu'à être ravinée par le moindre orage – et par la proximité de la Méditerranée.

L'encépagement des rouges, majoritaires, est à base de grenache; ce sont surtout de vieilles vignes qui occupent le terroir. La vinification se fait par macération; le mutage intervient parfois sur le raisin, permettant ainsi une longue macération qui peut durer plus d'un mois; c'est la pratique de la macération sous alcool, ou mutage sur grains. Grenaches gris et blanc, macabeu, plus rarement muscat et malvoisie, entrent dans la composition des blancs.

L'élevage joue un rôle essentiel. En général, il tend à favoriser une évolution oxydative du produit, dans le bois (foudres, demi-muids) ou en bonbonnes exposées au soleil sur les toits des caves. Les différentes cuvées ainsi élevées sont assemblées avec le plus grand soin par le maître de chai pour créer les nombreux types que nous connaissons. Dans certains cas, l'élevage cherche à préserver au contraire le fruit du vin jeune en empêchant toute oxydation; on obtient alors des produits différents : ce sont les rimages. Pour l'appellation grand cru, l'élevage sous bois est obligatoire pendant trente mois.

BANYULS

DOM. BERTA-MAILLOL Rimage 2018 ★

■ | 2666 | ▮ | 15 à 20 €

Ce domaine de Banyuls remonte à 1611! Jean-Louis Berta-Maillol en 1996, puis ses frères Michel et Georges, respectivement en 2003 et 2009, ont pris la suite de leur père. Leurs 15 ha de vignes s'accrochent aux pentes schisteuses de la vallée de la Baillauri, aménagées en terrasses.

Généralement, seul le temps permet aux rimages de se fondre. Or, ce 2018 réussit la prouesse d'offrir un tel fondu juste six mois après la vinification. Au-delà de la robe grenat profond, au-delà du fruité classique évocateur de cerise et d'autres fruits noirs, c'est la rondeur et le soyeux des tanins qui séduit les dégustateurs. Certes, la structure est bien présente, mais enveloppée par les flaveurs de pruneau, rafraîchie par celles de griotte. Un vin de longue garde et pourtant déjà délicieux en accompagnement d'un fondant au chocolat. ⧗ 2019-2030

EARL BERTA-MAILLOL, Mas Paroutet, 66650 Banyuls-sur-Mer, tél. 04 68 88 00 54, domaine@bertamaillol.com V t.l.j. 10h-12h30 15h-19h

DOM. DE LA CASA BLANCA Rimage Pineil 2017 ★

■ | 2000 | ◍ | 11 à 15 €

L'enfant du pays, le terrien Laurent Escapa, a accueilli le marin Hervé Levano, puis Valérie Reig est venue compléter le trio pour œuvrer dans une des plus vieilles caves de Banyuls (1870). Sur ce petit domaine (7 ha), la mule et le treuil ont fait leur apparition pour éviter l'emploi de désherbant sur les terrasses accrochées aux collines banyulencques.

Ce rimage rubis intense décline des arômes de cerise noire, de cassis et de confiture de mûres sur fond de café. Bien équilibré entre tanins, chaleur et douceur, il trouve un joli leitmotiv dans les notes de café et de chocolat au palais. ⧗ 2019-2030 ■ **Dom. Casa Blanca Les Escoumes 2016 (11 à 15 €; 2000 b.)** : vin cité.

GAEC DOM. DE LA CASA BLANCA, 16, av. de la Gare, 66650 Banyuls-sur-Mer, tél. 04 68 88 12 85, herve.levano@orange.fr V r.-v.

LES CLOS DE PAULILLES Rimage 2016 ★

■ | 20000 | ▮ | 15 à 20 €

Avec 100 ha d'un seul tenant (dont soixante-trois plantés), le plus vaste domaine des AOC collioure et banyuls, situé dans le site protégé de l'anse de Paulilles. Ancienne propriété de la famille Pams, puis pendant trente-cinq ans des Dauré (Jau). Ces derniers l'ont vendue en 2013 à la famille Cazes, laquelle s'implante ainsi en Côte Vermeille. La cave a été totalement rénovée. Le restaurant *Les Pieds dans l'eau* est un des attraits du lieu.

Un rimage ensoleillé, riche de fruits rouges et de minéralité. Il se démarque par une attaque franche, ainsi qu'une rondeur non seulement acquise au cours d'un élevage en cuve de dix-huit mois, mais aussi inscrite dans les gènes grâce au terroir de schistes adouci par la présence marine. ⧗ 2019-2030

SCEA LES CLOS DE PAULILLES, 4, rue Francisco-Ferrer, 66600 Rivesaltes, tél. 04 68 64 08 26, info@cazes.com V r.-v. ⑤

ROUSSILLON

COUME DEL MAS Quintessence 2017 ★★★

■ | 5000 | | 20 à 30 €

Ingénieur agronome, Philippe Gard a d'abord travaillé à la chambre d'agriculture d'Auxerre, puis à celle de Bordeaux. Mais sa passion, c'est la vigne, et il a fini par se poser avec Nathalie en 1998 à Cosprons, près de l'anse de Paulilles, où il exploite aujourd'hui 15 ha en terrasses. Il lance son étiquette Coume del Mas en 2001. Intenses et raffinés, ses banyuls comme ses collioure ont d'emblée fait sensation.

Le grenache à maturité sur les schistes de Banyuls, c'est du solide, surtout lorsqu'il bénéficie d'un mutage sur grain et d'une longue macération. C'est le cas ici. Élevé un an en barriques bien ouillées, ce 2017 grenat très profond livre des senteurs de mûre, de cassis et de cerise légèrement épicée tout au long de la dégustation. La bouche généreuse et persistante offre des tanins fins et un équilibre parfait. 2019-2030 ■ **Galateo 2017 ★★ (15 à 20 €; 8000 b.)** : non boisé, ce vin met en valeur tout le fruit du grenache : mûre, cassis, cerise. Il se développe tout en velours au palais. 2019-2030

SARL LES VIGNOBLES DE LA COUME DEL MAS, 3, rue Alphonse-Daudet, 66650 Banyuls-sur-Mer, tél. 06 86 81 71 32, philippe@coumedelmas.com V *r.-v.*

L'ÉTOILE Doux paillé Hors d'âge ★★

■ | 5000 | | 30 à 50 €

Au cœur du village, la petite cave garde l'aspect rétro de l'époque de sa création. Fondée en 1921, c'est la plus ancienne coopérative de Banyuls. Connue pour ses vins doux naturels traditionnels hors d'âge, elle a su maintenir les traditions dans un esprit de famille. Les grands foudres, les demi-muids et les dames-jeannes accueillent des produits bien typés.

Le doux paillé est une institution à Banyuls. Avec cette bouteille, il est aisé d'en comprendre la raison. Robe fauve, avec des airs de vieux cognac, palette aromatique de fruits confits (orange, abricot), de torréfaction et de fruits secs, sans oublier la touche minérale des schistes bruns... On aime ! La bouche riche et ronde semble infinie : fruits confiturés, puis secs, fraîcheur permanente, touche toastée. Du velours ! 2019-2030 ■ **2017 ★★ (15 à 20 €; 20000 b.)** : un vin aux arômes de fruits blancs et de litchi, remarquable de finesse et de fraîcheur. 2019-2025 ■ **Rimage 2017 ★ (11 à 15 €; 6600 b.)** : un vin jeune encore, sur les fruits rouges et noirs. Très frais, il appelle le chocolat. 2019-2030

SCV L'ÉTOILE, 26, av. du Puig-del-Mas, 66650 Banyuls-sur-Mer, tél. 04 68 88 00 10, info@cave-letoile.com V *t.l.j. 9h30-12h30 14h30-18h*

DOM. MADELOC Solera ★★

■ | 300 | | 30 à 50 €

Pierre Gaillard aime les côtes et les schistes. Producteur bien connu de la Côte Rôtie, il s'est tourné vers le sud et s'est intéressé à Faugères, avant de racheter en 2002 Madeloc en Côte Vermeille. Sa fille Élise, ingénieure agricole, conduit le domaine (18 ha environ) et vinifie avec brio. Sur certaines pentes, on a recours au treuil, comme dans la vallée du Rhône.

Voici une originalité du cru : une solera composée des grenaches noir et gris. Et surtout, une solera contenant une base de vin quasi centenaire (1923). La teinte rouge initiale a, au fil du temps, laissé place à un ambré soutenu. Des senteurs de pruneau, de fruits confiturés, de tabac brun et de cannelle s'échappent volontiers du verre. La bouche est en harmonie, enrobée, ample, s'enrichissant de notes fumées, de café et de cacao. L'équilibre se réalise entre liqueur et fraîcheur de l'eau-de-vie. 2019-2030 ■ **Asphodèles 2017 ★★ (11 à 15 €; 2500 b.)** : les fruits cuits, confits (abricot) et exotiques (litchi, ananas) caractérisent ce 2017, ainsi qu'un joli volume en bouche. 2019-2025

SARL PIERRE GAILLARD, 1 bis, av. du Gal-de-Gaulle, 66650 Banyuls-sur-Mer, tél. 04 68 88 38 29, madeloc@gaillard.vin V *t.l.j. sf dim. 9h-12h 14h-18h*

DOM. PIÉTRI-GÉRAUD Maguy 2016 ★

■ | 4294 | | 15 à 20 €

Établi au cœur de Collioure, dans une des plus petites rues de la cité, ce domaine est dirigé depuis 2006 par Laetitia Piétri-Clara, qui a pris la suite de sa mère Maguy. Appuyée par l'œnologue Hélène Grau, la vigneronne perpétue la tradition inaugurée à la fin du XIXᵉs. par son arrière-grand-père Étienne Géraud, médecin retourné aux vignes familiales. Le vignoble couvre 20 ha, essentiellement en AOC banyuls et collioure.

L'or lui va si bien, de même que cette expression intense, à la fois fraîche avec les notes florales de maquis, et douces avec la touche miellée de cire et le boisé vanillé. Friand, ample en bouche, ce vin poursuit longuement son voyage aux pays des arômes : fruits miellés, soupçon d'orange confite, quelques fruits secs, sans oublier le grillé de la barrique. 2019-2025 ■ **Joseph-Géraud 2011 ★ (15 à 20 €; 5627 b.)** : « oublié » sept ans en foudre, ce 2011 est empreint de fruits secs, de miel, de tabac blond et de torréfaction. Promesses tenues au palais : souplesse, fraîcheur et longueur. 2019-2030 ■ **Cuvée Méditerranée 2013 ★ (15 à 20 €; 4200 b.)** : figue, pruneau, miel et zeste d'orange : un vin expressif qui joue sur la gourmandise sans oublier la fraîcheur nécessaire à l'équilibre. 2019-2025

SARL DOM. PIÉTRI-GÉRAUD, 22, rue Pasteur, 66190 Collioure, tél. 04 68 82 07 42, domaine.pietri-geraud@wanadoo.fr V *r.-v.*

DOM. DE LA RECTORIE
Rimage Cuvée Thérèse Reig 2017 ★

■ | 8900 | | 11 à 15 €

La famille Parcé avait renoncé à vinifier après la mort de l'arrière-grand-père en 1913. Marc et son frère Thierry – rejoints par Jean-Emmanuel, fils de ce dernier – ont agrandi le domaine et sont sortis de la coopérative en 1984. À partir d'une trentaine de parcelles, Thierry, le vinificateur, propose des vins d'une régularité exemplaire en banyuls et en collioure.

Dans les vieilles vignes de grenache noir de Banyuls, il arrive que, de-ci, de-là, se glissent d'autres cépages, notamment du carignan. Vinifié avec le grenache noir, celui-ci lui apporte de solides tanins. Ainsi de ce 2017 élevé en cuve. Vêtu de noir, il dispense ses arômes de mûre, de cassis et de cerise noire, puis déploie tout son volume et toute sa générosité. Nul doute : le temps ne lui fait pas peur. 2019-2030

🔑 *EARL DOM. DE LA RECTORIE, 28-65, av. du Puig-del-Mas, 66650 Banyuls-sur-Mer, tél. 04 68 88 13 45, info@rectorie.fr* V *t.l.j. sf dim. 10h-12h 16h-19h*

DOM. TAMBOUR Blanc de blancs 2017 ★

	6600		15 à 20 €

Fondée en 1920, cette propriété a choisi son nom en mémoire d'un ancêtre qui fut jadis tambour dans l'armée. Depuis 2004, c'est la cinquième génération, représentée par Clémentine Herre, qui est aux commandes. Proposant des visites du vignoble (22 ha) à pied, à cheval, en catamaran ou en hélicoptère, des dégustations à thème, elle mise sur l'œnotourisme.

Une robe dorée habille ce pur grenache blanc très aromatique. Dans la palette de fleurs blanches et de fruits se distinguent encore quelques accents fermentaires de banane et de fraise acidulée. Une petite évolution se perçoit en bouche, marquée par la vivacité, la poire et la pomme à cidre. Une pointe d'épices et de cannelle apporte une certaine rondeur. À consommer dès à présent en apéritif avec des fruits secs ou au goûter avec une tarte aux pommes. ⧗ 2019-2022

🔑 *CAVE TAMBOUR, 2, rue Charles-de-Foucault, 66650 Banyuls-sur-Mer, tél. 04 68 88 12 48, domainetambour@gmail.com* V *t.l.j. 9h-12h 14h-19h; dim. sur r.-v.*

♥ TERRES DES TEMPLIERS Rimage Prestige 2017 ★★

	3434		30 à 50 €

Devenu Terres des Templiers, l'ancien Cellier des Templiers est une coopérative créée en 1921. Elle revendique l'héritage de cet ordre militaire à qui l'on doit la mise en valeur des pentes schisteuses de Banyuls. Aujourd'hui, la cave dispose des 776 ha de ses 805 adhérents et, depuis la récolte 2011, du Mas Ventous, un vaste chai de vinification qui s'ajoute à la grande cave de 1964, réservée aux longs élevages. À sa carte, des collioure et des banyuls. La Cave de l'Abbé Rous appartient au même groupe coopératif : une cave créée en 1950 et nommée en hommage à l'abbé qui vers 1870 devint négociant-éleveur de vins de Banyuls pour financer l'agrandissement de l'église paroissiale sans faire appel à la générosité publique et qui se fit à l'occasion le mécène de Maillol.

Vieilles vignes, sélection des parcelles, tri à la vendange, élevage avec bâtonnage pendant neuf mois, et voilà le travail ! Une robe noire, des arômes de cerise, de mûre, de cassis, puis d'épices, de pruneau à l'eau-de-vie, enfin des notes de réglisse et de chocolat issues de la barrique. Puissant, ce vin s'appuie sur des tanins fondus et offre une plénitude remarquable. Les fruits confiturés enveloppent le palais durablement. Un rimage qui se transmettra d'une génération à l'autre. ⧗ 2019-2035 ■ **Rimage Premium 2017 ★ (30 à 50 €; 5166 b.)** : dans le même registre, le rimage Premium 2017, très similaire au précédent, a un fruité plus marqué, pour le chocolat. ⧗ 2019-2035 ■ **Impertinence 2018 ★ (15 à 20 €; 25368 b.)** : très original, un 2018 porté sur la fraise fraîche et autres arômes amyliques. Sa fraîcheur le prédispose à la composition de cocktails. ⧗ 2019-2020 ■ **Abbé Rous Rimage Cornet & Cie Élevé en fût de chêne Mise tardive Muté sur grains 2017 ★ (20 à 30 €; 2304 b.)** : sélection de parcelles et tri de la vendange, longue cuvaison, remontages quotidiens, élevage sous bois ont abouti à ce vin bien extrait, dominé par les arômes de cerise noire. Solide, charpenté et rond, il a tout pour affronter le temps. ⧗ 2019-2030

🔑 *GICB TERRES DES TEMPLIERS/CAVE DE L'ABBÉ ROUS, rte du Mas-Reig, 66650 Banyuls-sur-Mer, tél. 04 68 98 36 92, info@templiers.com* V *t.l.j. 10h-19h30; basse saison t.l.j. 10h-13h 14h30-18h30; f. janv.*

♥ DOM. LA TOUR VIEILLE Reserva ★★★

	8000		15 à 20 €

Créé en 1982, ce domaine de 13 ha regroupe les vignes de Vincent Cantié (à Collioure) et celles de Christine Campadieu (à Banyuls), issus l'un comme l'autre de vieilles familles vigneronnes. L'exploitation domine la mer sur les hauteurs de Collioure. Elle montre une belle régularité, aussi bien en vins doux naturels qu'en vins secs.

Un grenache noir très mûr pour la générosité, un peu de grenache gris pour la souplesse et du carignan pour la charpente. Ajoutez à cet assemblage un élevage de six ans en milieu oxydatif, en partie dans des bonbonnes de verre au soleil, et c'est ce vin original qui se livre dans le verre. Ambré, il convoque les arômes de fruits secs (amande grillée), de fruits confits (pruneau et figue), de vanille, de cacao, de tabac, de cuir… pour une exceptionnelle fête des sens. Et la fête se poursuit au palais. L'ensemble se révèle gourmand, riche et équilibré. Les flaveurs d'abricot sec et de pruneau nuancés d'une pointe d'orange amère se prolongent durablement. Une Reserva déjà aboutie ? Non, elle est capable de devenir encore plus grande à la faveur du temps. ⧗ 2019-2030 ■ **Dom. de la Tour Vieille Rimage Mise tardive 2016 ★ (15 à 20 €; 3000 b.)** : un vin au fruité réglissé après douze mois de fût, qui séduit par la fraîcheur de son attaque en bouche, puis par sa souplesse. ⧗ 2019-2028 ■ **Dom. de la Tour Vieille Rimage 2017 ★ (11 à 15 €; 6000 b.)** : un rimage très structuré, qui doit tout au fruit du grenache noir. ⧗ 2019-2030

🔑 *SCEA LA TOUR VIEILLE, 12, rte de Madeloc, 66190 Collioure, tél. 04 68 82 44 82, info@latourvieille.com* V *t.l.j. 9h-12h 14h-18h*

DOM. VIAL-MAGNÈRES Ambré Cuvée Bernard Sapéras ★★

	1500		30 à 50 €

Bernard Sapéras, œnologue et chimiste de formation, arrivé en 1985 sur le domaine de son beau-père, avait donné un bel élan à la propriété et à l'appellation : c'est à lui que l'on doit le banyuls blanc, l'engouement pour le rancio, la réussite du collioure blanc et le chemin d'Anicet pour découvrir le cru. Après sa disparition en 2013, Olivier et Chrystel Sapéras sont les garants de l'avenir. En 2016, ils se sont associés à

ROUSSILLON

Laurent Dal Zovo pour gérer les 10 ha de vignes et les nouvelles chambres d'hôtes.

Une solera sans âge, avec une base du siècle dernier. Hors des sentiers battus, ce vin ambré est empreint de senteurs de vanille, de raisin sec, de tabac blond et de noix façon xérès. Belle douceur en bouche, équilibrée par une remarquable et surprenante fraîcheur. Aux arômes d'abricot sec, d'orange amère et de raisin sec succède une finale très rancio. ⌛ 2019-2025

SARL DOM. VIAL-MAGNÈRES, 14, rue Édouard-Herriot, 66650 Banyuls-sur-Mer, tél. 04 68 88 31 04, info@vialmagneres.com V 🚶 ■ *t.l.j. 10h-12h 14h-18h* 🏠 5

BANYULS GRAND CRU

CLOS SAINT-SÉBASTIEN Le Cœur 1992 ★★

■ | 510 | ⏸ | 75 à 100 €

Jacques Piriou et Romuald Peronne – l'œnologue – se sont associés pour racheter le Dom. Saint-Sébastien en 2008, rebaptisé Clos Saint-Sébastien en 2014 après le rachat du Clos Xatard. Ils sont entrés dans le Guide par la grande porte avec leurs cuvées de collioure. Ils gèrent à Banyuls un restaurant en terrasse face au port, *Le Jardin de Saint-Sébastien*, et proposent une promenade en bateau pour découvrir par la mer les 20 ha de leur vignoble en terrasses. À leur carte, du collioure et du banyuls exclusivement.

Un ambré roux ou un tuilé fauve? Peu importe somme toute, car une chose est sûre : l'expression complexe et intense de ce vin. Banane flambée à la vanille, fruits secs et boisé sont quelques-uns des arômes relevés par nos dégustateurs. Au palais, abricot sec, noix de macadamia, noix de coco... l'exotisme se révèle autour d'une belle structure. Grâce à une juste vivacité, ce vin se prolonge remarquablement en finale sur les fruits secs. Pour une crème catalane. ⌛ 2019-2035

SCEA SAINT-SÉBASTIEN, 10, av. Pierre-Fabre, 66650 Banyuls-sur-Mer, tél. 04 68 88 30 14, contact@clos-saint-sebastien.com V 🚶 ■ *t.l.j. 10h-13h 14h-19h*

♥ L'ÉTOILE Select Vieux 1992 ★★★

■ | 2000 | ⏸ | 30 à 50 €

Au cœur du village, la petite cave garde l'aspect rétro de l'époque de sa création. Fondée en 1921, c'est la plus ancienne coopérative de Banyuls. Connue pour ses vins doux naturels traditionnels hors d'âge, elle a su maintenir les traditions dans un esprit de famille. Les grands foudres, les demi-muids et les dames-jeannes accueillent des produits bien typés.

Après un quart de siècle d'élevage dans les vieux foudres de l'Étoile, la couleur est toujours soutenue, mais elle a pris les reflets cuivrés et bruns du café. Le vin se raconte dans un style fruité (fruits confits, pruneau, figue), puis dans celui de la torréfaction (café). Les épices, le cuir et la cire s'invitent comme protagonistes secondaires. Gourmand, rond, fondu, le palais suit ce fil narratif, avec en dénouement de longues notes torréfiées. C'est superbe. ⌛ 2019-2035 ■ **Cuvée réservée 1995 ★★★ (30 à 50 €; 2600 b.)** : un même registre aromatique, avec une touche d'orange confite, de fumé, de café et de pruneau. Idéal pour le foie gras aux figues. ⌛ 2019-2035

SCV L'ÉTOILE, 26, av. du Puig-del-Mas, 66650 Banyuls-sur-Mer, tél. 04 68 88 00 10, info@cave-letoile.com V 🚶 ■ *t.l.j. 9h30-12h30 14h30-18h*

TERRES DES TEMPLIERS
Cuvée de Prestige Président Henry Vidal 2006 ★★

■ | 26334 | ⏸ | 30 à 50 €

Devenu Terres des Templiers, l'ancien Cellier des Templiers est une coopérative créée en 1921. Elle revendique l'héritage de cet ordre militaire à qui l'on doit la mise en valeur des pentes schisteuses de Banyuls. Aujourd'hui, la cave dispose des 776 ha de ses 805 adhérents et, depuis la récolte 2011, du Mas Ventous, un vaste chai de vinification qui s'ajoute à la grande cave de 1964, réservée aux longs élevages. À sa carte, des collioure et des banyuls. La Cave de l'Abbé Rous appartient au même groupe coopératif : une cave créée en 1950 et nommée en hommage à l'abbé qui vers 1870 devint négociant-éleveur de vins de Banyuls pour financer l'agrandissement de l'église paroissiale sans faire appel à la générosité publique et qui se fit à l'occasion le mécène de Maillol.

Dans la cave des grands foudres, au pied du Mas Reig, c'est à l'abri de l'agitation de la plage que mûrissent les grands crus. Une lente oxydation a dessiné cette couleur ambre tuilé, cette gamme aromatique allant des fruits secs, de l'abricot, du pruneau à l'empyreumatique et à l'eucalyptus. C'est dans ces foudres que, lentement, se sont développés ce fondu et ce volume, ainsi que ces longues flaveurs d'orange confite, d'abricot sec, de cacao, de torréfaction et de fruits à l'eau-de-vie. ⌛ 2019-2035

GICB TERRES DES TEMPLIERS/CAVE DE L'ABBÉ ROUS, rte du Mas-Reig, 66650 Banyuls-sur-Mer, tél. 04 68 98 36 92, info@templiers.com V 🚶 ■ *t.l.j. 10h-19h30; basse saison t.l.j. 10h-13h 14h30-18h30; f. janv.*

VIGNERONS CATALANS
Les Murets d'Esprades 2009 ★★

■ | 5000 | ⏸ | 15 à 20 €

En 1964, une poignée de vignerons s'unissent parce qu'ils sont convaincus que « le groupe est meilleur que le meilleur du groupe ». Aujourd'hui, les Vignerons Catalans rassemblent sept caves coopératives, 1 500 adhérents et une quarantaine de caves privées, soit plus de 10 000 ha.

Un grand cru devant passer trente mois sous bois, il faut des raisins excellents en qualité et maturité. Des raisins aptes à supporter l'élevage oxydatif souvent prolongé plusieurs années bien au-delà du minimum réglementaire. Le résultat en est cette couleur tuilée, ce joli volume, ces arômes de pruneau et de fruits compotés, et surtout ces notes d'épices et de torréfaction (café et cacao) héritées du foudre. Un vin harmonieux. ⌛ 2019-2030

VIGNERONS CATALANS, 1870, av. Julien-Panchot, 66962 Perpignan Cedex_9, tél. 04 68 85 04 51, contact@vigneronscatalans.com

RIVESALTES

Superficie : 5 180 ha
Production : 107 930 hl (55 % blanc)

Longtemps, rivesaltes fut la plus importante des appellations des vins doux naturels : elle couvrait 14 000 ha et produisait 264 000 hl en 1995. Puis la crise a frappé et après un Plan rivesaltes qui a permis la reconversion d'une partie de ce vignoble, la production de cette appellation se rapproche désormais en volume de celle du muscat-de-rivesaltes. Le terroir du rivesaltes s'étend en Roussillon et dans une toute petite partie des Corbières, sur des sols pauvres, secs, chauds, favorisant une excellente maturation. Quatre cépages sont autorisés : grenache, macabeu, malvoisie et muscat, les deux premiers étant largement dominants. La vinification se fait en blanc et en rouge. Les rivesaltes rouges proviennent principalement du grenache noir ; ce cépage subit alors souvent une macération, afin de donner le maximum de couleur et de tanins.
L'élevage des rivesaltes est fondamental pour la détermination de la qualité. Les blancs donnent les ambrés, et les rouges les tuilés, au terme de deux ans ou plus d'élevage. Selon l'élevage, en cuve ou dans le bois, ils développent des arômes bien différents. Le bouquet rappelle la torréfaction, les fruits secs, avec une note de rancio dans les vins les plus évolués. Certains rivesaltes rouges ne sont pas soumis à un élevage et sont mis très jeunes en bouteilles. Ce sont les grenats, caractérisés par des arômes de fruits frais : cerise, cassis, mûre. Les derniers cahiers des charges autorisent les rivesaltes rosés.

DOM. BERTRAND-BERGÉ Ambré

■ | 2000 | ◍ | 11 à 15 €

À l'instar de son aïeul Jean Sirven, qui vinifiait son vin à la fin du XIXes., Jérôme Bertrand a quitté la coopérative en 1993 pour élaborer ses propres vins. Il a cru très tôt dans la qualité des terroirs rudes de Fitou, a élevé et valorisé les vins du cru, puis hissé son domaine (36 ha) parmi les grands. Depuis la récolte 2011, le vignoble est conduit en bio certifié.

Pour mener à bien une solera, on se doit de ne prélever qu'un tiers du volume des barriques de base (solera) par an. Ainsi, le vin est régulier dans sa qualité, le vin vieux éduquant le jeune qui est ajouté chaque année dans les barriques du haut de la solera, alors que le vide créé à la base est complété par du vin de la barrique du dessus (à trois ou plus rarement cinq étages). Cette cuvée tire sur le vieil or et ne cache pas son élevage, avec des notes miellées de cire typiques des caves à foudres. S'y ajoutent des arômes de fruits confits, de cacao et une pointe de rancio. Doté d'une bonne vivacité et souple, le palais donne la faveur à la figue et à la mandarine, puis aux nuances chocolatées en finale. ⧗ 2019-2030

SCEA BERTRAND-BERGÉ, 38, av. du Roussillon, 11350 Paziols, tél. 04 68 45 41 73, bertrand-berge@wanadoo.fr V t.l.j. 9h-12h 14h-18h

DOM. BOUDAU Grenat Sur grains 2017 ★

■ | 8500 | | 11 à 15 €

Véronique Boudau et son frère Pierre sont à la tête du domaine familial depuis 1993. Ils ont décidé de donner un nouveau souffle à la propriété, qui couvre quelque 60 ha sur d'excellents terroirs, à l'entrée de la vallée de l'Agly. Le pari est réussi : la totalité de la production est mise en bouteilles et commercialisée, notamment dans un réseau de restaurants et de cavistes. Une valeur sûre, qui a engagé la conversion bio de son vignoble.

Grenat profond, signe de macération longue et d'extraction, ce vin offre un fruit confituré, témoin de la bonne maturité. La qualité de l'extraction apparaît dans l'ampleur, la douceur et la générosité de la bouche. Le vin reste cependant fluide. À réserver à un chocolat très fort en cacao ou à une coupe de petits fruits frais non sucrés. ⧗ 2019-2030

SARL DOM. BOUDAU, 6, rue Marceau, 66600 Rivesaltes, tél. 04 68 64 45 37, contact@domaineboudau.fr V *t.l.j. sf dim. (et sam. en hiver) 10h-12h 15h-18h*

CH. DE CALADROY Grenat 2018 ★

■ | 5000 | ▮ | 8 à 11 €

Une forteresse médiévale qui gardait la frontière entre le royaume de France et celui d'Espagne. De la terrasse du château, on découvre un panorama exceptionnel : au loin, la mer, le Canigou; en contrebas, les vignes (130 ha) et les oliviers (7 ha). La chapelle du XIIes. accueille le caveau de dégustation.

C'est sur le premier relief depuis la Méditerranée, à 300 m d'altitude, que se révèle toute la fraîcheur de ce terroir de schistes bruns. Fraîcheur que l'on retrouve dans ce Grenat à la robe profonde, qui tarde à révéler ses notes de sous-bois et de chèvrefeuille, puis de cerise et de fruits rouges des bois. Après une attaque fraîche, apparaît une bouche ample et bien structurée, dans laquelle s'inscrivent les flaveurs de fruits macérés à l'eau-de-vie et de noyau de cerise. Un vin encore jeune, mais déjà apte à jouer avec le chocolat. ⧗ 2019-2030

SCEA CH. DE CALADROY, rte de Bélesta, 66720 Bélesta, tél. 04 68 57 10 25, cave@caladroy.com V *t.l.j. 8h-12h 13h-18h*

VIGNOBLES CAP LEUCATE
Ambré Royal Macabéo 2015 ★

■ | 5000 | ◍ | 8 à 11 €

La coopérative du Cap Leucate, issue d'une fusion de plusieurs coopératives, est incontournable dans le Fitou maritime. Plus de 200 sociétaires y sont rassemblés, exploitant près de 1 400 ha de vignes. Un nouveau chai est sorti de terre en 2010.

Pendant que certains bronzent sur la plage, le macabeu se dore dans les fûts au soleil, et ce pendant trois saisons, avant de s'inviter aux côtés d'un croquant aux noisettes ou d'un fromage bleu. Sa robe jouerait plus sur l'orange que sur le citron, mais c'est l'abricot qui s'impose au nez, avec les fruits secs et la noix hérités de l'élevage. Le vin surprend en bouche par sa fraîcheur. À l'attaque, l'abricot se manifeste, puis il est relayé par une touche lactée et par le grillé de la noisette. Souple, ce 2015 est prêt pour cet hiver. ⧗ 2019-2030

SCV LES VIGNERONS DU CAP LEUCATE, Chai La Prade, 11370 Leucate, tél. 04 68 33 20 41, contact@cave-leucate.com V *r.-v.*

ROUSSILLON

DOM. CARLE-COURTY
Tuilé Planes d'Abaix 2007 ★★

■	800		20 à 30 €

Implanté au pied de l'ermitage de Força Réal, d'où le panorama embrasse tout le Roussillon, le vignoble de Carle-Courty (3,5 ha au départ, 12 ha aujourd'hui) est cultivé en bio depuis 2002. Un choix de vie pour Frédéric Carle, comptable né en Champagne, installé depuis 1995 dans la vallée de la Têt, entre ceps de syrah et schistes bruns, vieilles vignes de carignan et de grenache, et cheminées de fées.

Au pied de Força Réal, les planes d'Abaix (terres plates du bas) n'ont rien d'un terroir de plaine. Simplement, les terres plates dans ce secteur étant rares, elles sont qualifiées de «plainier». C'est là qu'est né ce grenache noir, avant d'aller se reposer quelques années dans les vieux foudres de la cave. Il s'est ainsi assoupli, ses arômes de fruits ont pris des accents de confiture, d'eau-de-vie de cerise et de pruneau, sans oublier les notes de torréfaction. Un début de rancio est en outre perceptible dans les flaveurs de fruits secs et de noix. ⧗ 2020-2035

FRÉDÉRIC CARLE, 6, rte de Corneilla, 66170 Millas, tél. 06 23 91 14 38, domaine.carlecourty@orange.fr V r.-v.

CAZES Ambré 2004 ★★

■	15000		20 à 30 €

Fondation en 1895, premières mises en bouteilles en 1955 et une croissance continue. Aujourd'hui, un domaine de 220 ha entièrement conduit en biodynamie depuis 2005. À sa carte, toutes les AOC du Roussillon, des IGP, tous les styles de vin. Dans le giron du groupe Advini depuis 2004.

Si vous venez déjeuner en terrasse à la table d'Aimé, à Rivesaltes, vous apercevrez, porte grande ouverte, la cave tronconique des vieux foudres dans lesquels a été élevé ce vin pendant une douzaine d'années. Dans votre assiette, un fromage persillé ou un foie gras aux figues. Dans votre verre, un 2004 ambré soutenu à reflets café, riche de senteurs de fruits secs, de figue, de zeste d'orange confite et de tilleul. Celui-ci est remarquable d'amplitude, de rondeur et d'équilibre. Sa complexité aromatique (agrumes, noisette) se confirme de caudalie en caudalie, jusqu'à la finale marquée par les fruits secs, un début de rancio et le cacao. ⧗ 2019-2035

SCEA CAZES, 4, rue Francisco-Ferrer, 66600 Rivesaltes, tél. 04 68 64 08 26, info@cazes.com V r.-v.

DOM. DES CHÊNES Ambré 2010 ★

■	4000		15 à 20 €

Propriété créée au 18e siècle, le domaine des chênes a vu se succéder plusieurs générations de la famille razungles. Les vins sont produits dans le pittoresque cirque des falaises de Vingrau. Aujourd'hui, Alain et sa fille Marion perpétuent la tradition familiale dans l'enceinte de ce vieux mas catalan.

Entre le grenache et le macabeu, le mariage est largement consommé après sept années passées ensemble, à parité, en barrique. La couleur est devenue ambre soutenu à reflets cuivrés, tandis que la palette a évolué vers les fruits confits, la torréfaction, le coing, le miel et un léger rancio. L'élevage a contribué à la rondeur de ce vin équilibré qui garde beaucoup de fraîcheur. La complexité aromatique demeure au palais, avec en complément des notes de café et de cognac en finale. ⧗ 2019-2030

SCEA DOM. DES CHÊNES, 7, rue Mal-Joffre, 66600 Vingrau, tél. 04 68 29 40 21, domainedeschenes@wanadoo.fr V t.l.j. sf sam. dim. 9h-12h 14h-18h

DOM BRIAL Ambré 2010 ★

■	11510		8 à 11 €

Suivi à la parcelle, maîtrise de la totalité de la chaîne d'élaboration, du raisin à la bouteille, démarche de développement durable... La cave de Baixas, fondée en 1923, compte 380 coopérateurs qui exploitent 2500 ha répartis dans une trentaine de commune.

De vieilles vignes de plus de 35 ans, le couple grenache-macabeu, un terroir argilo-calcaire, une vinification à température régulée, un élevage doux en barrique : tous les ingrédients d'un plaisir à venir. La teinte ambrée est soutenue, brillant de reflets vieil or. Puis ce sont les fleurs miellées, les fruits confits et les fruits secs qui s'imposent. L'attaque est ronde, le cœur de bouche ample et marqué par l'abricot sec, les fruits confits, le coing. L'ensemble garde de la fraîcheur et l'accent grillé de la torréfaction. ⧗ 2019-2030

VIGNOBLES DOM BRIAL, 14, av. Mal-Joffre, 66390 Baixas, tél. 04 68 64 22 37, contact@dom-brial.com V t.l.j. sf dim. 8h-12h 14h-18h30

DOM. FONTANEL
Ambré La Caune de l'Arago 1989 ★★

■	700		30 à 50 €

Les origines du domaine, où six générations se sont succédé, remontent à 1864. La propriété est forte d'un vignoble de 25 ha installé sur des terroirs variés. À sa tête depuis 1989, Pierre et Marie-Claude Fontaneil ont proposé pendant près de trente ans des cuvées à forte personnalité, aussi bien en vins secs qu'en vins doux naturels. En 2017, ils ont cédé l'exploitation à un jeune couple de vignerons, Élodie et Matthieu Collet.

Une cuvée hommage à Pierre Fontaneil qui a mis ce vin en barrique lors de sa première récolte en 1989. Depuis trente ans, elle attendait sagement. La robe est d'ambre roux, vieil or, riche de larmes. Après ce long exil en barrique, il est surprenant de découvrir une telle intensité et complexité aromatiques : châtaigne, agrumes, miel, cire et cette note boisée envoûtante de la futaille. En bouche, le vin apparaît rond, riche de notes toastées, d'accents de fruits confits et de fruits secs, de confiture de figues, de raisin sec et de noisette. Fromages à pâte persillée, canard à l'orange, cigare ou... seul : c'est à votre convenance. ⧗ 2019-2025

EARL COLLET, 25, av. Jean-Jaurès, 66720 Tautavel, tél. 06 11 07 01 22, contact@domainefontanel.fr V t.l.j. sf dim. 15h-18h; nov-mars sur r.-v.

CH. LAURIGA Grenat 2017 ★

■	2300		11 à 15 €

Vigneron-négociant, Jean-Claude Mas dispose d'un vaste vignoble de plus de 600 ha en propre constitué par quatre générations, auxquels s'ajoutent les

apports des vignerons partenaires (1 300 ha). Le Ch. Lauriga s'étend sur 60 ha dans les Aspres.

La robe d'un grenat sombre est presque noire, révélant un mutage sur grains, une longue macération et une recherche d'extraction. Pourtant, c'est toute la fraîcheur des fruits des bois, du cassis, de la framboise et de la griotte qui prime, avec une pointe d'évolution (fruits à l'alcool). La bouche est ample, généreuse, avec un joli fondu et de la fraîcheur. S'y retrouvent le fruit à croquer et une fine note de Zan. ⧗ 2019-2030

⊶ SARL CH. LAURIGA, traverse de Ponteilla, RD_37, 66300 Thuir, tél. 04 68 53 68 37, info@lauriga.com V *t.l.j. 9h-12h 14h-17h30 ⊶ SARL Dom. Paul Mas*

DOM. MAS CRÉMAT Le Grenat 2018

■	2500		11 à 15 €

Les terres de schistes noirs ont donné son nom au Mas Crémat (« brûlé » en catalan), repris en 2006 par une famille de vignerons bourguignons : Christine et Julien Jeannin, secondés par leur mère Catherine. Un superbe mas du XIXᵉs. et un vignoble de 30 ha labouré et conduit en fonction du cycle de la lune, en conversion bio.

Le vin s'habille de la robe sombre à reflets rubis typique de ces terres noires de la vallée de l'Agly. Au premier nez, les senteurs du maquis local se dévoilent, avant que le fruit né d'une longue macération ne s'impose (cerise, fraise et framboise). Des fruits rouges que l'on retrouve en bouche, accompagnés par des tanins fondus, puis par la note chaleureuse de fruits à l'eau-de-vie en finale. ⧗ 2019-2030

⊶ EARL JEANNIN-MONGEARD, Mas Crémat, 66600 Espira-de-l'Agly, tél. 04 68 38 92 06, mascremat@mascremat.com V *t.l.j. sf dim. 10h-12h 14h-18h*

B MAS D'EN FÉLIX Grenat 2016 ★★

■	700		15 à 20 €

Normand d'origine, Benoit Derycke connaissait déjà la région des Aspres quand il s'y est installée en 2005, puisque sa grand-mère était catalane. Après avoir confié ses vignes en fermage, il s'est lancé dans la vinification en 2010, dans un simple abri de jardin. Les choses ont bien changé depuis. Un chai complète désormais le mas du XVIIIᵉs. et le domaine de 8,35 ha est conduit en agriculture biologique.

Un vin élevé tranquillement pendant vingt et un mois sous bois. Riche de fruits rouges confiturés et de cerise à l'eau-de-vie, il offre une bouche généreuse et chaleureuse, dotée de tanins certes puissants, mais domptés. C'est frais, intense, de belle longueur fruitée. ⧗ 2019-2030

⊶ BENOIT DERYCKE (MAS D'EN FÉLIX), petite rte de Castelnou, 66300 Camélas, tél. 06 07 02 98 89, b.derycke@deta.fr V *r.-v.* 4

PARCÉ FRÈRES 17 ans 1998 ★★

■	10000		8 à 11 €

Parcé Frères est la structure de négoce qui commercialise les vins du Dom. Augustin et du Dom. de la Préceptorie, propriété de la famille Parcé. La nouvelle génération est désormais aux commandes avec Martin, Augustin et Vincent.

Après un long élevage oxydatif, la couleur des ambrés (blancs à l'origine) finit par ressembler à celle des tuilés (très sombres à l'origine), alors que ces derniers perdent leurs nuances de rouge au fil des ans. C'est dire que la palette des rivesaltes est immense selon les cépages et l'élevage. Ici, la teinte orangée revêt des reflets cuivrés après un an de sage oxydation. Surpris d'être libéré, le vin met du temps à s'exprimer : fruits confits, senteurs de vieille cave (le terme est noble) de vins doux, c'est-à-dire des notes miellées de cire et de cuir. Doté d'un bel équilibre liquoreux, il fond en bouche, se fait velours, avec une dominante de fruits confits, de sucre brûlé et de fruits secs. ⧗ 2019-2030

⊶ SAS VINS PARCÉ FRÈRES, 54, av. du Puig-del-Mas, 66650 Banyuls-sur-Mer, tél. 04 68 81 02 94, lesvinsparcefreres@orange.fr V *r.-v.*

DOM. DE RANCY Ambré 1984 ★

■	1000		50 à 75 €

Brigitte et Jean-Hubert Verdaguer conduisent depuis 1989 le domaine familial (17 ha aujourd'hui en bio) installé au cœur du village de Latour-de-France. Depuis sa fondation en 1920, cette propriété s'intéresse aux vins doux naturels longuement élevés sous bois, notamment aux rivesaltes, même si au tournant de ce siècle, elle s'est lancée dans l'élaboration de vins secs, en AOC ou en IGP. Autre cheval de bataille des vignerons, le rancio sec, en IGP.

Il s'est passé trente-cinq ans avant que ce pur macabeu s'invite dans le verre. Surprenants, cette teinte ambrée presque acajou, ainsi que ces arômes puissants de café, de fruits secs et surtout de noix (rancio). Le pruneau, la figue et la vieille eau-de-vie du Sud-Ouest complètent la palette. Au palais, le vin fait preuve d'un équilibre un peu sec : la fraîcheur naturelle s'harmonise avec l'alcool très présent. Et les notes de café, de réglisse, de boisé, de fumé, de figue, de noisette et de noix de revenir sans cesse. C'est ainsi chez Verdaguer : un rivesaltes original. ⧗ 2019-2025

⊶ EARL RANCY, 8, pl. du 8-Mai-1945, 66720 Latour-de-France, tél. 04 68 29 03 47, info@domaine-rancy.com V *r.-v.* D

B DOM. ROSSIGNOL Ambré 2014

■	2600		11 à 15 €

Où vont s'arrêter Fabienne et Pascal Rossignol? Création du domaine en 1995, construction d'un chai souterrain pour les vins secs en 2002, certification bio en 2009, musée, automates, clos des cépages, boutique paysanne et aujourd'hui 15 ha dans les Aspres pour ces vignerons qui ont le sens de l'accueil.

C'est un choix judicieux d'allier le grenache blanc, qui apporte la force, l'alcool et le fruité indispensable, avec le grenache gris, qui donne la structure, et, en *guest star*, avec le muscat prolixe en notes de citron, de mandarine et de plantes macérées. Un élevage de trois ans en fût a légué la touche toastée complémentaire. Voilà un vin prêt, chaleureux, bâti sur un équilibre doux. Pour un foie gras aux figues. ⧗ 2019-2025

⊶ PASCAL ROSSIGNOL, rte de Villemolaque, 66300 Passa, tél. 04 68 38 83 17, domaine.rossignol@free.fr V *t.l.j. sf dim. 9h30-12h30 15h-18h30* B

CH. SAINT-NICOLAS
Grenat L'Élixir du Roy 2017 ★★★

■ | 3000 | 🍾 | 11 à 15 €

Situé en bord de Méditerranée, entre mer et montagne, ce prieuré construit par les Templiers est devenu un domaine viticole en 1781 sous l'impulsion de Pierre Poeydavant, basque d'origine et sous-intendant de Louis XVI. Les 60 ha de vignes que couvre aujourd'hui le domaine sont conduits par Pierre Schneider, ancien juriste et banquier revenu sur ses terres d'origine.

Voici un Grenat original qui joue sur la fraîcheur et le plaisir immédiat. La robe est légère pour ce type de vin. Certes, elle reste d'un rouge assez soutenu, mais elle prend des tons rubis léger. Le nez intense est dominé par les petits fruits frais des bois (framboise et fraise) accompagnés d'une touche citronnée. Au palais, tout est frais, souple, fondu, car les tanins se font discrets. En finale apparaît une pointe d'amertume très savoureuse. ⧗ 2019-2035

SCEA DU CH. SAINT-NICOLAS, rte de Canohès, 66300 Ponteilla, tél. 04 68 53 47 61, chateausaintnicolas@hotmail.com V r.-v. E

DOM. SOL PAYRÉ Hors d'âge ★

■ | 3000 | 🛢 | 20 à 30 €

Le grand-père de Jean-Claude Sol, ouvrier agricole émigré d'Espagne en 1913, a reconstruit sa vie à l'abri de la cathédrale d'Elne, fondant un domaine qui s'est agrandi petit à petit pour atteindre 65 ha. Principalement implanté au sud du département, entre Perpignan et Collioure, le vignoble s'est étendu au nord, sur les sols acides des Fenouillèdes. Jean-Claude Sol a déménagé en 2016 le caveau de dégustation, qui se trouvait à Elne, sur les coteaux Saint-Martin, au cœur de la propriété.

Prendre l'apéritif dehors, ici cela veut dire aller soutirer à la pipette ce nectar qui a attendu sagement depuis trente-six mois en barrique au soleil, sur la terrasse. Un luxe. Cet Hors d'âge se présente dans une robe acajou, très dépouillée par rapport au rouge grenat initial du grenache noir. Assis face aux Albères, tranquille, laissez-vous porter par la torréfaction, le fruité confit, la touche de pruneau à l'eau-de-vie. Des notes qui se prolongent, accompagnées de coing, dans une bouche veloutée, ample et équilibrée. La finale laisse le souvenir des fruits secs. ⧗ 2019-2030

EARL DOM. SOL PAYRÉ, rte de Saint-Martin, 66200 Elne, tél. 04 68 22 17 97, contact@sol-payre.com V r.-v.

DOM. VAL DE RAY
Ambré Tentations 2013 ★

■ | 3600 | 🛢 | 20 à 30 €

Ancien cadre commercial reconverti (et diplômé en viticulture-œnologie), Raymond Hage a acquis en 2015 ce domaine et son vignoble de 22 ha. Brigitte Soriano, œnologue bien connue de la région, lui prodigue ses conseils.

Le terroir de Tautavel est certes connu pour ses grenaches noirs gorgés de soleil, produisant des rivesaltes grenats très expressifs, mais il se prête aussi au grenache blanc. En témoigne ce 2013 aux notes minérales qui a pris au fil de son élevage des senteurs intenses d'agrumes, de fleurs miellées, de coing et de pomme caramélisée. Chaleureux, il joue davantage sur la souplesse que sur la force. Avec ses flaveurs de citron, de miel et de fruits secs en finale, c'est le compagnon idéal des tartes au citron ou aux pommes. ⧗ 2019-2030

SASU DOM. VAL DE RAY, 44-46, rue Gambetta, 66720 Tautavel, tél. 04 68 29 45 55, contact@domainevalderay.com V r.-v.

♥ VIGNERONS CATALANS
Ambré Haute Coutume 1966 ★★★

■ | 2000 | 🛢 | 75 à 100 €

En 1964, une poignée de vignerons s'unissent parce qu'ils sont convaincus que «le groupe est meilleur que le meilleur du groupe». Aujourd'hui, les Vignerons Catalans rassemblent sept caves coopératives, 1 500 adhérents et une quarantaine de caves privées, soit plus de 10 000 ha.

Les très vieux millésimes de vins doux naturels participent de la culture du Roussillon. Ce beau cinquantenaire de 1966 est un bijou dans son écrin ambre roux. Il libère avec intensité des senteurs de fruits secs, de miel, de moka, d'épices, de café, d'agrumes et une touche de litchi. Équilibré, remarquable de fondu, il conserve une ligne fraîche qui porte loin les arômes de noisette, de fruits à noyau, de grillé et de moka. Superbe *per molts anys* (pour encore de nombreuses années). ⧗ 2019-2030 ■ **Ambré Haute Coutume 1987 ★ (30 à 50 €; 3500 b.)** : un rivesaltes marqué par la figue, les épices et le chocolat, qui se distingue par sa finesse et sa fraîcheur. ⧗ 2019-2030 ■ **Ambré Haute Coutume 1986 ★ (30 à 50 €; 3500 b.)** : arômes de fruits secs, agrumes et cacao. De la concentration et de la rondeur. ⧗ 2019-2030

VIGNERONS CATALANS, 1870, av. Julien-Panchot, 66962 Perpignan Cedex_9, tél. 04 68 85 04 51, contact@vigneronscatalans.com

ARNAUD DE VILLENEUVE
Ambré 20 ans d'âge Grande Réserve ★★

■ | 3000 | 🛢🍾 | 15 à 20 €

Résultant de la fusion de trois caves, cette coopérative porte le nom de l'inventeur des vins doux naturels, Arnaud de Villeneuve. Elle rassemble 320 viticulteurs de Salses, de Rivesaltes et de Pézilla-la-Rivière, qui cultivent quelque 2 000 ha de vignes (dont 125 ha en bio) répartis sur 26 communes et des terroirs variés.

Vingt ans, le bel âge ! Vingt ans d'attention pour qu'au cœur des barriques le blond pâle devienne ambré. Pour que le vin trouve cet équilibre et cette rondeur, cette richesse aromatique (fruits secs, figue et coing, fleurs miellées, empyreumatique) et cette belle fraîcheur finale évocatrice de cerneau de noix qui signe le rancio. ⧗ 2019-2030 ■ **Ambré Collection 1988 ★★ (30 à 50 €; 3150 b.)** : un rivesaltes patiné par le temps, remarqué pour son caractère fondu et ses notes d'agrumes confits, de miel, de cire, de fruits secs, pour finir par le rancio. ⧗ 2019-2030 ■ **Ch. Pezilla Ambré 5 ans d'âge**

★★ (8 à 11 €; 2700 b.) : un «petit jeune» avec ses trois ans de foudre. Il joue sur l'abricot avec des notes d'eucalyptus pour la fraîcheur, d'orange amère, de fruits secs et de torréfaction en finale. ⌛ 2019-2030

⊶ *SCV LES VIGNOBLES DU RIVESALTAIS (ARNAUD DE VILLENEUVE), 153, RD_900, 66600 Rivesaltes, tél. 04 68 64 06 63, contact@caveadv.com* V ✗ ▮ *t.l.j. sf dim. 9h30-12h30 14h30-18h30*

MUSCAT-DE-RIVESALTES

Superficie : 5 221 ha / Production : 106 765 hl

Le muscat-de-rivesaltes peut provenir de l'ensemble du terroir des appellations rivesaltes, maury et banyuls. Les deux cépages autorisés sont le muscat à petits grains et le muscat d'Alexandrie. Le premier, souvent appelé muscat blanc ou muscat de Rivesaltes, est précoce et préfère les terrains relativement frais et calcaires. Le second, appelé aussi muscat romain, est plus tardif et très résistant à la sécheresse. La vinification s'opère soit par pressurage direct, soit avec une macération plus ou moins longue. La conservation se fait obligatoirement en milieu réducteur, pour éviter l'oxydation des arômes primaires. Avec 100 g/l minimum de sucres, les vins sont liquoreux. Ils sont à boire jeunes, à une température de 9 à 10 °C.

Ⓑ LA BEILLE 2017 ★

■ | 2000 | | 11 à 15 €

La cave est située en plein cœur de Corneilla-la-Rivière, au pied du massif du pic de Força Réal. En attendant la future cave en projet, les Larrère perpétuent la tradition familiale avec une production de vins éclectiques, des cuvées monocépages aux classiques assemblages, en passant par la production de vins doux naturels et une certification en bio depuis 2014.

La robe est d'or clair très brillant. Tout en finesse au nez, avec des notes de citron vert, ce 2017 se révèle plus original en bouche en délivrant des arômes de poire William, de menthol et de coriandre. L'équilibre se réalise entre fraîcheur et liqueur. ⌛ 2019-2025

⊶ *AGATHE LARRÈRE, Dom. la Beille, 18, rue Saint-Jean, 66550 Corneilla-la-Rivière, tél. 06 80 07 25 88, la-beille@neuf.fr* V ✗ ▮ *r.-v.*

Ⓑ DOM. BERTRAND-BERGÉ 2018

■ | 2800 | ▮ | 11 à 15 €

À l'instar de son aïeul Jean Sirven, qui vinifiait son vin à la fin du XIXes., Jérôme Bertrand a quitté la coopérative en 1993 pour élaborer ses propres vins. Il a cru très tôt dans la qualité des terroirs rudes de Fitou, a élevé et valorisé les vins du cru, puis hissé son domaine (36 ha) parmi les grands. Depuis la récolte 2011, le vignoble est conduit en bio certifié.

La robe est d'or brillant, à reflets verts. Au nez très parfumé de citron vert, de pomelo, de buis et de verveine répond une bouche marquée par la vivacité et des arômes de fruits à chair blanche (poire, pêche). ⌛ 2019-2025

⊶ *SCEA BERTRAND-BERGÉ, 38, av. du Roussillon, 11350 Paziols, tél. 04 68 45 41 73, bertrand-berge@wanadoo.fr* V ✗ ▮ *t.l.j. 9h-12h 14h-18h* Ⓑ

♥ DOM. BOBÉ 2018 ★★

■ | 1500 | ▮ | 5 à 8 €

Robert Vila, représentant la troisième génération, est établi depuis 1986 tout près de Perpignan sur les terrasses caillouteuses de la Têt. Il conduit un vignoble de 40 ha.

Quelle puissance et quelle complexité aromatique dans ce muscat bien doré : citron, pomelo, litchi, menthol. En bouche, la liqueur est bien équilibrée par une fraîcheur persistante. Un muscat gourmand et délicat, d'un classicisme très expressif. ⌛ 2019-2030

⊶ *ROBERT VILA, Dom. Bobé, Mas de la Garrigue, 5, chem. de Baixas, 66240 Saint-Estève, tél. 04 68 92 66 38, robert.vila@wanadoo.fr* V ▮ *lun. mer. ven. 14h30-18h30*

VIGNOBLES CAP LEUCATE Royal Muscat 2018

■ | 13600 | ▮ | 8 à 11 €

La coopérative du Cap Leucate, issue d'une fusion de plusieurs coopératives, est incontournable dans le Fitou maritime. Plus de 200 sociétaires y sont rassemblés, exploitant près de 1 400 ha de vignes. Un nouveau chai est sorti de terre en 2010.

Des reflets verts animent encore l'or dans le verre. Au nez dominent des notes d'agrumes frais et de fleurs. La bouche est bien équilibrée, légèrement acidulée, accompagnée d'arômes de citron, de verveine et de menthol dominants. Un joli vin qui privilégie la fraîcheur. ⌛ 2019-2025

⊶ *SCV LES VIGNERONS DU CAP LEUCATE, Chai La Prade, 11370 Leucate, tél. 04 68 33 20 41, contact@cave-leucate.com* V ✗ ▮ *r.-v.*

DOM. DES CHÊNES 2017 ★

■ | 7000 | ▮ | 11 à 15 €

Propriété créée au XVIIIe siècle, le domaine des Chênes a vu se succéder plusieurs générations de la famille Razungles. Les vins sont produits dans le pittoresque cirque des falaises de Vingrau. Aujourd'hui, Alain et sa fille Marion perpétuent la tradition familiale dans l'enceinte de ce vieux mas catalan.

De l'or brillant versé dans le verre et un ruban d'arômes de fleur de glycine et d'abricot, mêlés de nuances de liqueur de myrte, de verveine et d'orange amère. Au palais, l'harmonie se réalise entre liqueur et fraîcheur. ⌛ 2019-2025

⊶ *SCEA DOM. DES CHÊNES, 7, rue Mal-Joffre, 66600 Vingrau, tél. 04 68 29 40 21, domainedeschenes@wanadoo.fr* V ✗ ▮ *t.l.j. sf sam. dim. 9h-12h 14h-18h*

DOM. D'ESPÉRET 2018 ★

■ | 6000 | ▮ | 8 à 11 €

Sur la route des châteaux cathares, au cœur des Fenouillèdes, ce domaine de 45 ha conduit par la famille Balaguer produit des vins des grandes appellations du secteur : côtes-du-roussillon, côtes-du-roussillon-villages, muscat-de-rivesaltes et maury.

Une belle teinte jaune paille, brillante, attire le regard. Puis les arômes éveillent l'imaginaire : fleur de jasmin, fruits exotiques et pêche blanche. En bouche se mêlent des notes de poire et pêche, lesquelles soulignent la finesse de ce vin d'un bel équilibre. La fraîcheur y trouve sa juste place. 2019-2025

DOM. D' ESPÉRET, rte de Candies, 66220 Saint-Paul-de-Fenouillet, tél. 04 68 88 20 22, domainedesperet@sfr.fr V r.-v.

CH. LES FENALS 2018

	3500		8 à 11 €

Le domaine est un mas languedocien entre étangs littoraux et Corbières. Commandé par un château détenu par la maison d'Aragon au Moyen Âge, il fut administré par un neveu de Voltaire qui fit apprécier à la cour la « liqueur du Cap de Salses ». Racheté et restauré en 1970 par une sage-femme parisienne, il est aujourd'hui dirigé par sa fille Marion Fontanel qui le conduit avec Mickaël Moyer, venu de Touraine. Le vignoble de 12 ha est en conversion bio.

Frais et fruité : telle est l'impression laissée par ce 2018. En effet, le raisin frais et les agrumes marquent le nez, tandis qu'au palais s'égrènent des notes légères de menthol et de litchi. 2019-2025

SCEA LES FENALS, Les Fenals, 11510 Fitou, tél. 04 68 45 71 94, les.fenals@wanadoo.fr V r.-v.

DOM. FONTANEL Les Chercheurs 2006 ★★

	400		20 à 30 €

Les origines du domaine, où six générations se sont succédé, remontent à 1864. La propriété est forte d'un vignoble de 25 ha installé sur des terroirs variés. À sa tête depuis 1989, Pierre et Marie-Claude Fontaneil ont proposé pendant près de trente ans des cuvées à forte personnalité, aussi bien en vins secs qu'en vins doux naturels. En 2017, ils ont cédé l'exploitation à un jeune couple de vignerons, Élodie et Matthieu Collet.

Jaune ambré à reflets cuivrés, ce vin annonce d'emblée son bel âge. Les arômes traduisent eux aussi son évolution : noix, abricot et orange confits, liqueur de verveine. Il possède une personnalité affirmée en bouche avec des notes de raisin sec et de café dominantes en finale. Un muscat-de-rivesaltes très original et puissant. 2019-2030

EARL COLLET, 25, av. Jean-Jaurès, 66720 Tautavel, tél. 06 11 07 01 22, contact@domainefontanel.fr V *t.l.j. sf dim. 15h-18h; nov-mars sur r.-v.*

CH. DES HOSPICES Intuition 2018 ★

	7000		8 à 11 €

Depuis cinq générations, la famille Benassis est installée au cœur de Canet-en-Roussillon. La cave est abritée dans une bâtisse traditionnelle catalane datant de 1836. Le vignoble (50 ha) est implanté sur les terrasses de galets roulés entre le littoral et la ville de Perpignan. Aujourd'hui, trois générations officient sur le domaine : Louis, le grand-père, Michel, le père et Marc, le petit-fils, ingénieur agronome.

Des arômes puissants et originaux de fleur de poirier, de banane verte et d'abricot s'élèvent du verre. Une invitation à découvrir en bouche ce vin d'une fraîcheur et d'une complexité très agréable. Les notes d'abricot frais laissent un souvenir durable. 2019-2025

SCEA HOSPICES BENASSIS, 13, av. Joseph-Sauvy, 66140 Canet-en-Roussillon, tél. 04 68 80 34 14, contact@chateau-des-hospices.fr V *r.-v.*

DOM. LAFAGE Grain de vigne 2018 ★

	15000		11 à 15 €

Éliane et Jean-Marc Lafage ont vinifié pendant dix ans dans l'hémisphère Sud, puis ont repris l'exploitation familiale en 1995, établie sur trois terroirs bien distincts du Roussillon : les terrasses de galets roulés proches de la mer; les Aspres et ses terres d'altitude; la vallée de l'Agly, vers Maury (depuis l'acquisition en 2006 du Ch. Saint-Roch). Aujourd'hui, quelque 180 ha cultivés à petits rendements. Un domaine très régulier en qualité, souvent en vue pour ses côtes-du-roussillon et ses muscats.

Des reflets argentés font briller plus encore ce vin or très pâle. Nul doute, l'élégance est au rendez-vous. En témoignent également les arômes subtils de chèvrefeuille, d'agrumes, d'herbes fraîches et de miel. Puis, en bouche, se révèle toute la délicatesse de la texture, fraîche et harmonieuse. 2019-2025

SCEA MAISON LAFAGE, Mas Miraflors, rte de Canet, 66000 Perpignan, tél. 04 68 80 35 82, contact@domaine-lafage.com V *t.l.j. sf dim. 10h-12h15 14h45-18h30; ouvert le dim. en été*

CH. DU MAS DÉU Cuvée Christine 2018

	3000		8 à 11 €

Ancienne commanderie des Templiers, le Mas Déu est une impressionnante bâtisse d'où la vue embrasse les Aspres. Un lieu chargé d'histoire où Arnaud de Villeneuve aurait mis au point le mutage. La famille Oliver s'y est installée au début du siècle dernier. Claudie débuta la vente en bouteille dès les années 1970. Installé en 1991, son fils Claude conduit aujourd'hui les 21 ha de la propriété.

La robe est jaune d'or brillant aux reflets verts. Le nez offre des notes de poire verte et de fenouil frais. La bouche est élégante, fine avec une jolie vivacité.

CH. DU MAS DÉU, av. du Mas-Déu, 66300 Trouillas, tél. 04 68 53 11 66, claude.olivier@orange.fr V *t.l.j. sf dim. 15h-19h; en hiver 14h- 18h*

CH. DE PENA Regards de femmes 2018

	8000		8 à 11 €

Le village de Cases-de-Pène tient son nom d'un ermitage du Xᵉs. établi sur un roc (*pena* en catalan) calcaire qui ferme la vallée de l'Agly. Les terres noires schisteuses y alternent avec l'ocre des argilo-calcaires, formant deux superbes terroirs de 480 ha sur lesquels travaillent les 35 vignerons de la coopérative locale.

Un simple regard sur la robe or clair, brillante et limpide suscite la curiosité. Le nez finement végétal, avec ses notes de citron vert alliées à une pointe de miel, annonce la fraîcheur persistante de ce vin au palais. 2019-2025

SCV L' AGLY, 2, bd Mal-Joffre, 66600 Cases-de-Pène, tél. 04 68 38 93 30, contact@chateaudepena.com V r.-v.

DOM. PIQUEMAL Les Larmes d'Hélios 2018

8000	8 à 11 €

Sous l'impulsion d'Annie et de Pierre Piquemal, ce domaine familial (48 ha) est devenu une référence du Roussillon. Tout en maintenant les pratiques traditionnelles, il dispose d'un chai très moderne, à l'extérieur du village. Un outil adapté pour exalter l'expression de chaque terroir (schistes feuilletés, argilo-calcaires, galets roulés). Les vinifications sont assurées par Marie-Pierre Piquemal.

Les larmes sont abondantes sur les bords du verre, lorsque ce vin or pâle à reflets verts y est versé. Les arômes, d'une belle intensité, évoquent les agrumes, la poire et l'abricot frais. L'équilibre en bouche s'avère plaisant, sur une note de fraîcheur. ⧗ 2019-2025

EARL DOM. PIQUEMAL, RD_117, km_7, lieu-dit Della-Lo-Rec, 66600 Espira-de-l'Agly, tél. 04 68 64 09 14, contact@domaine-piquemal.com V *t.l.j. sf dim. 9h-12h 14h-18h*

CH. LA ROCA 2018 ★

8000	5 à 8 €

Installée à Saint-Génis-des-Fontaines, la coopérative des vignerons des Albères regroupe une trentaine de viticulteurs et un vignoble de 440 ha. Elle propose une large gamme de vins rouges, rosés et blancs, sans oublier les vins doux naturels, et commercialise plusieurs étiquettes : le Prestige, Ch. la Roca, Ch. Montesquieu…

Fruits exotiques, pêche blanche et agrumes composent la palette de ce vin doré qui mise tout sur l'élégance et la fraîcheur. En bouche, les arômes de poire persistent fort agréablement. ⧗ 2019-2025

SCV LES VIGNERONS DES ALBÈRES, 9, av. des Écoles, 66740 Saint-Génis-des-Fontaines, tél. 04 68 89 81 12, vigneronsdesalberes@wanadoo.fr V *t.l.j. sf dim. 9h30-12h 15h-18h; sam. 9h30-12h*

CH. SAINT-NICOLAS L'Élixir du Roy 2017 ★

3500	8 à 11 €

Situé en bord de Méditerranée, entre mer et montagne, ce prieuré construit par les Templiers est devenu un domaine viticole en 1781 sous l'impulsion de Pierre Poeydavant, basque d'origine et sous-intendant de Louis XVI. Les 60 ha de vignes que couvre aujourd'hui le domaine sont conduits par Pierre Schneider, ancien juriste et banquier revenu sur ses terres d'origine.

Élixir : ce vin est bien de cette nature. Il exprime des senteurs florales intenses de glycine et de genêt sur un fond d'abricot mûr. L'arôme d'abricot compoté domine en bouche, contribuant à l'impression de rondeur et de gras, mais une certaine fraîcheur est également perceptible et soutient la finale. ⧗ 2019-2028

SCEA DU CH. SAINT-NICOLAS, rte de Canohès, 66300 Ponteilla, tél. 04 68 53 47 61, chateausaintnicolas@hotmail.com V *r.-v.*

♥ B **DOM. DES SCHISTES** Joia 2017 ★★

3000	11 à 15 €

La cinquième génération officie dans cette exploitation de la vallée de l'Agly qui vinifie en cave particulière depuis 1989. Comme son nom l'indique, les marnes schisteuses dominent. À la vigne, Jacques et Michaël Sire sont pointilleux sur le travail du sol et leur domaine (plus de 50 ha) est conduit en bio. Une valeur sûre du guide.

D'un vieil or intense et lumineux, ce muscat traduit avec puissance et originalité sa remarquable évolution à travers des arômes d'ananas et d'abricot confits, de miel d'acacia alliés à une pointe de cassis. Très riche et complexe en bouche, il revient sur les arômes de confiture d'abricots en y ajoutant une touche de cannelle et une pointe mentholée en finale. ⧗ 2019-2030

EARL DOM. DES SCHISTES, 1, av. Jean-Lurçat, 66310 Estagel, tél. 06 64 75 66 54, sire-schistes@wanadoo.fr V *t.l.j. sf dim. 14h-18h; matin et sam. sur r.-v.*

DOM. SOL PAYRÉ 2018

n.c.	11 à 15 €

Le grand-père de Jean-Claude Sol, ouvrier agricole émigré d'Espagne en 1913, a reconstruit sa vie à l'abri de la cathédrale d'Elne, fondant un domaine qui s'est agrandi petit à petit pour atteindre 65 ha. Principalement implanté au sud du département, entre Perpignan et Collioure, le vignoble s'est étendu au nord, sur les sols acides des Fenouillèdes. Jean-Claude Sol a déménagé en 2016 le caveau de dégustation, qui se trouvait à Elne, sur les coteaux Saint-Martin, au cœur de la propriété.

Jaune pâle brillant, ce 2018 arbore un nez de fruits exotiques (ananas, fruit de la Passion, litchi). Les notes de pêche blanche et de citron prennent le relais en bouche et apportent leur contribution à l'impression de fraîcheur harmonieuse. ⧗ 2019-2025

EARL DOM. SOL PAYRÉ, rte de Saint-Martin, 66200 Elne, tél. 04 68 22 17 97, contact@sol-payre.com V *r.-v.*

LES VIGNERONS DE TAUTAVEL VINGRAU
Eclat 2018

5000	8 à 11 €

Depuis 2010, date de la fusion des trois caves de Tautavel et de Vingrau, les vignerons disposent de 850 ha. Ils ont mis en place une nouvelle gamme afin d'affirmer leur identité propre et proposent, grâce à des sélections parcellaires, des vins à forte personnalité.

Limpide, brillant, doré comme il se doit, ce vin présente bien et ses arômes délicats sont bien identifiables : ananas, pêche, abricot. En bouche une grande fraîcheur citronnée lui assure de la tenue. ⧗ 2019-2025

SCV LES VIGNERONS DE TAUTAVEL VINGRAU, 24, av. Jean-Badia, 66720 Tautavel, tél. 04 68 29 12 03, contact@tautavelvingrau.com V *t.l.j. 9h-18h*

LES VIGNERONS DE TRÉMOINE 2018

■ | 25000 | 🍾 | 8 à 11 €

Les Vignerons de Trémoine : une coopérative fondée en 1919, regroupant quelque 80 vignerons qui cultivent 540 ha dans quatre villages situés dans la vallée de l'Agly : Planèzes, Rasiguères, Lansac et Cassagnes. L'histoire de la cave est liée au festival de musique classique créé en 1980 par la pianiste britannique Moura Lympany.

De jolis reflets verts se dessinent sur le fond or. Au premier nez discrètement végétal succèdent des notes plus intenses d'aubépine, de citron et de miel. L'équilibre se réalise au palais, avec une touche d'amertume savoureuse. ⧗ 2019-2025

SCA LES VIGNERONS DE TRÉMOINE, 5, av. de Caramany, 66720 Rasiguères, tél. 04 68 29 11 82, rasigueres@wanadoo.fr V 🚶 🍷 *t.l.j. sf dim. 8h-12h 14h-18h*

DOM. TRILLES Le Grain 2018 ★

■ | 2000 | 🍾 | 8 à 11 €

BTS en poche, Jean-Baptiste Trilles rejoint en 2000 le domaine familial (40 ha) dans les Aspres. Apporteur de raisins à la coopérative à ses débuts, il devient vinificateur en 2007, avant de construire une nouvelle cave à sa mesure en 2010, à Tresserre, au pays des « bruixes » (fées ou sorcières). Des sorcières qui ont inspiré le nom de ses cuvées.

Un vin doré clair à reflets argentés, puissant dans ses évocations de vendanges surmûries (miel, raisin sec, noisette). L'attaque est fraîche et souple, puis un volume important emplit le palais, mais sans lourdeur car l'ensemble est rafraîchi par une agréable pointe végétale. ⧗ 2019-2025

EARL DOM. TRILLES, chem. des Coulouminettes, 66300 Tresserre, tél. 06 15 46 64 71, contact@domainetrilles.fr V 🚶 🍷 *r.-v.*

DOM. VAL DE RAY Caresse 2016 ★

■ | 3000 | 🍾 | 11 à 15 €

Ancien cadre commercial reconverti (et diplômé en viticulture-œnologie), Raymond Hage a acquis en 2015 ce domaine et son vignoble de 22 ha. Brigitte Soriano, œnologue bien connue de la région, lui prodigue ses conseils.

Il brille bien dans sa robe jaune d'or et il sent bon les fleurs sauvages et la garrigue : genêt, menthe sauvage et myrte. En bouche dominent les arômes d'abricot confit, de liqueur de myrte et de verveine. L'équilibre est savoureux, avec en finale une pointe d'amertume bienvenue. ⧗ 2019-2025

SASU DOM. VAL DE RAY, 44-46, rue Gambetta, 66720 Tautavel, tél. 04 68 29 45 55, contact@domainevalderay.com V 🚶 🍷 *r.-v.*

MAURY

Superficie : 280 ha
Production : 6 600 hl (85 % rouge)

Le vignoble recouvre la commune de Maury, au nord de l'Agly, et une partie des trois communes limitrophes. Encadré par des montagnes calcaires, les Corbières au nord et les Fenouillèdes au sud, il s'accroche à des collines escarpées aux sols de schistes noirs de l'aptien plus ou moins décomposés. Les maury rouges doivent leur caractère au grenache noir, cépage dominant. La vinification se fait souvent par de longues macérations, suivies d'un long élevage en fût – parfois en bonbonnes de verre – qui permet d'affiner des cuvées remarquables. D'un rouge profond lorsqu'ils sont jeunes, les maury prennent par la suite une teinte acajou. Au bouquet, ils évoquent d'abord les petits fruits rouges, avant d'évoluer vers le cacao, les fruits cuits et le café. Plus rares sont les blancs, élaborés à partir des grenaches blancs et gris et du macabeu.

Ⓑ CLOS DES VINS D'AMOUR Grenat Alcôve 2015 ★

■ | 3000 | 🛢 🍾 | 15 à 20 €

Christine et Nicolas Dornier, tous deux œnologues, se sont associés à Christophe et Laurence Dornier pour reprendre en 2002 les vignes cultivées par la famille depuis 1860. Les deux couples ont quitté la coopérative en 2004 pour créer le Clos des Vins d'amour. Leur domaine (26 ha en bio) s'étend sur les terroirs schisteux de Tautavel, de Maury et de Saint-Paul-de-Fenouillet.

Après un mutage sur grains (ajout d'alcool pour arrêter la fermentation), une macération de plus de trois semaines et un élevage d'un an en tonneaux de 500 litres parfaitement ouillés, la durée de vie d'un maury est quasiment infinie. Un peu de repos avant mise en bouteilles et quatre ans sont passés avant cette dégustation. La robe grenat est très profonde, le nez gourmand, empreint de fruits rouges (cerise) surmûris et de douce réglisse. Belle continuité en bouche sur le fruit et un caractère toasté. Les dégustateurs ont apprécié le volume, les tanins au grain fin et la fraîcheur adéquate pour la garde. ⧗ 2019-2028

SCEA VIGNOBLES DORNIER, 3, rte de Lesquerde, 66460 Maury, tél. 04 68 34 97 07, maury@closdesvinsdamour.fr V 🚶 🍷 *r.-v.*

DOM. FONTANEL Grenat 2017 ★★

■ | 3500 | 🛢 | 15 à 20 €

Les origines du domaine, où six générations se sont succédé, remontent à 1864. La propriété est forte d'un vignoble de 25 ha installé sur des terroirs variés. À sa tête depuis 1989, Pierre et Marie-Claude Fontaneil ont proposé pendant près de trente ans des cuvées à forte personnalité, aussi bien en vins secs qu'en vins doux naturels. En 2017, ils ont cédé l'exploitation à un jeune couple de vignerons, Élodie et Matthieu Collet.

Sur les schistes noirs de Maury, le grenache noir est roi, et c'est dans les grenats, vins jeunes conservés à l'abri de l'oxydation, qu'il exprime toute sa gourmandise. Une couleur profonde, héritée d'une longue macération, caractérise d'emblée ce 2017. Le nez intense exprime les fruits rouges (cerise et mûre), nuancés de notes de maquis, de ciste et de l'apport vanillé de la barrique. En bouche, une matière ample, empreinte de flaveurs de cerise (kirsch) se développe et enrobe les tanins. La finale laisse le souvenir persistant du pruneau et du chocolat noir. ⧗ 2019-2030

EARL COLLET, 25, av. Jean-Jaurès, 66720 Tautavel, tél. 06 11 07 01 22, contact@domainefontanel.fr V 🚶 🍷 *t.l.j. sf dim. 15h-18h; nov-mars sur r.-v.* 🏠 Ⓔ

MAS AMIEL 1969 ★

■ | 1500 | | + de 100 €

Protégé par la barre rocheuse où s'accroche le château de Quéribus, le Mas Amiel est, avec 145 ha, l'un des plus vastes domaines des Pyrénées-Orientales. En 1816, un évêque le perd en jouant aux cartes contre un certain Raymond-Étienne Amiel. Charles Dupuy, l'ancien propriétaire, a donné une grande notoriété aux vins doux naturels de la propriété, notamment à ses «vintages». Olivier Decelle, qui a repris le Mas Amiel en 1999, diversifie la gamme en proposant des vins secs.

Où peut-on encore trouver pareille rareté dans le monde du vin? 50 ans d'élevage en foudre avant d'être mis en bouteilles et de s'offrir à nous! Respect. Charles de Gaulle venait de passer la main à Georges Pompidou... Lui, depuis, il attend. Certes, la robe est dépouillée et le noir profond a cédé la place à une couleur tuilée, acajou brillant à reflets fauves. Intense, le nez allie la douceur du pruneau au grillé des fruits secs (noisette), avec des airs de vieux bourbon. La bouche suave a été arrondie par le temps, et la vanille, les fruits secs, le tabac miellé, la torréfaction, le pruneau puis la noix se mêlent avec douceur. ⧗ 2019-2028 ■ **Vingt ans d'âge Vieilli en foudres de chêne ★ (30 à 50 €; 5000 b.)** : à noter également, un «petit jeunot» du siècle dernier : couleur encore soutenue, arômes de fruits secs et de torréfaction, matière suave et liquoreuse. ⧗ 2019-2028

SC MAS AMIEL, Dom. du Mas Amiel, 66460 Maury, tél. 04 68 29 01 02, contact@lvod.fr V *t.l.j. sf dim. lun. 10h-12h30 14h-18h*

MAS DE LA DEVÈZE 2017

■ | 1000 | | 15 à 20 €

Simon Hugues était agriculteur, Nathalie commerciale dans la filière viticole à l'export. Ils ont repris en 2012 au cœur du terroir de Maury une très ancienne propriété qui avait été démantelée dans les années 1980. Ils cultivent 33 ha de vignes, la plupart conduites en gobelet.

Un 100 % macabeu au pays du grenache, cela a de quoi étonner. Cépage réputé oxydatif, il a pourtant conservé toute sa fraîcheur et sa jeunesse dans sa robe or pâle. Surprise, la classique note de fleur miellée a cédé la place au fruit jaune et à de fines notes vanillées, complétées en finale par la fraîcheur de la poire. Le fruit se prolonge en bouche, et la tarte Tatin vanillée n'est pas loin. ⧗ 2019-2030

NATHALIE HUGUES, rte des Mas, Mas de la Devèze, 66720 Tautavel, tél. 06 52 38 57 36, contact@masdeladeveze.fr V *r.-v.*

♥ MAS LAVAIL Ambré Hors d'âge 1999 ★★★

■ | 1900 | | 50 à 75 €

Jean et Nicolas Batlle, père et fils, ont acquis ce joli mas du XIXe s. en 1999, à l'installation du second. À la tête de ce domaine de 80 ha de vieilles vignes, Nicolas poursuit le travail de quatre générations de vignerons sur les terres noires de Maury.

Inédit, un ambré de 20 ans sur le terroir de Maury! Ambré, c'est-à-dire élaboré avec des grenaches, mais blanc et gris, déjà rares en pays de grenache noir, et mis en élevage oxydatif, ici en barrique depuis... le siècle dernier. Une couleur ambré, fauve, de vieux cognac, puis la fête commence : fruits secs, pruneau, torréfaction, écorce d'orange confite, abricot sec, tabac miellé, tilleul, cire... À chaque «coup de nez», c'est nouveau! La bouche est très agréable, empreinte de douceur et de vivacité pour un superbe équilibre. Après, la fête aromatique se poursuit : figue, vanille, abricot et raisins secs pour la rondeur, fruits secs grillés et rancio en finale pour la vivacité et la longueur, c'est super.

EARL DOM. DE LAVAIL, Mas de Lavail, RD_117, 66460 Maury, tél. 04 68 29 08 95, info@masdelavail.com V *t.l.j. sf dim. 10h-12h 14h-18h*

♥ LES VIGNERONS DE MAURY Grenat 2017 ★★

■ | 20000 | | 11 à 15 €

Fondée en 1910, la cave coopérative de Maury est aujourd'hui la plus ancienne du département encore en activité. Après les révoltes viticoles de 1907, elle regroupa plus de 130 propriétaires. Aujourd'hui, la cave dispose des 790 ha de ses adhérents; elle vit du grenache qui donne les traditionnels vins doux naturels et, depuis 2011, les maury secs.

Incontournable, ce grenat intense qui vous accueille avec un panier de cerises noires gourmandes, nuancées de sous-bois et de cuir. Une cerise à croquer – qui appelle en bouche le chocolat. Ampleur, soyeux, velouté des tanins... Remarquable. ⧗ 2019-2030 ■ **Tuilé Vieille Réserve 2009 ★★ (11 à 15 €; 25000 b.)** : un tuilé (maury rouge élevé en milieu oxydatif), marqué par le cacao, la torréfaction, les fruits secs. Très équilibré, frais avec un début de rancio en finale. ⧗ 2019-2030 ■ **Tuilé Chabert de Barbera 1988 ★ (30 à 50 €; 8000 b.)** : un 1988 très épicé, avec des notes de tabac et de cuir au nez, de pruneau et de figue en bouche. Il garde une belle fraîcheur et un joli rancio l'emporte en finale. ⧗ 2019-2030 ■ **Ambré 2012 ★ (11 à 15 €; 14000 b.)** : pour les amateurs de douceur, un 2012 tout d'or vêtu, aux notes de nougat et de fruits confits. ⧗ 2019-2030

SCAV LES VIGNERONS DE MAURY, 128, av. Jean-Jaurès, 66460 Maury, tél. 04 68 59 00 95, contact@vigneronsdemaury.com V *t.l.j. 9h-12h30 14h-18h*

Ⓑ DOM. POUDEROUX 2017 ★

■ | 16000 | | 15 à 20 €

Une remarquable régularité pour ce domaine de 20 ha niché au cœur du village de Maury. Une petite cave bien agencée et un joli jardin-terrasse où Robert et Cathy Pouderoux accueillent leurs visiteurs. À leur carte, le rouge est en vedette : du maury, bien sûr (doux ou sec), et aussi des côtes-du-roussillon-villages. Certifié bio sur une partie du vignoble, en conversion sur d'autres parcelles.

Un 2017 mis tôt en bouteilles, afin de préserver toute la richesse d'un vin d'extraction et toute la fraîcheur aromatique des fruits rouges et noirs à pleine maturité. Il faut le laisser au contact de l'air pour favoriser son expression. Alors, il dévoile tout son volume autour d'un fruit généreux et de tanins fondus. ⌛ 2019-2030 ■ **Mise Tardive 2012 ★ (15 à 20 €; 3000 b.)** Ⓑ : originalité, ce maury a été mis en bouteilles après trois ans d'élevage en barrique, qui lui ont légué des notes de torréfaction, de tabac blond, d'épices et de fruits confits. ⌛ 2019-2030

ROBERT POUDEROUX, 2, rue Émile-Zola, 66460 Maury, tél. 04 68 57 22 02, domainepouderoux@sfr.fr V ⚑ ▪ t.l.j. 11h-18h; f. 1er nov.-1er avr.

DOM. DE LA PRÉCEPTORIE
Grenat Cuvée Aurélie 2017 ★

■ | 4550 | ▮ | 11 à 15 €

Banyulenc et donc marin, ancré dans les schistes et les vignes de la Côte Vermeille, Joseph Parcé, fils de Marc (La Rectorie), débarque à Maury en 2007 comme maître de chai au Dom. de la Préceptorie, qui avait été créé en 2001. En 2017, la nouvelle génération, avec Martin, Augustin et Vincent, a rejoint Marc et prend le relais dans la gestion des 45 ha du vignoble, conduit en bio.

La longue macération a permis une extraction optimale des composés de la pellicule des raisins. Il en résulte une teinte grenat profond, une palette aromatique intense et une matière volumineuse. S'expriment pleinement le fruité de la cerise burlat et du pruneau, ainsi que la note minérale des schistes. Au palais, tout est rondeur tant les tanins sont veloutés, mais une pointe de fraîcheur bienvenue est également perceptible, sous des accents de griotte. ⌛ 2019-2030

SCEA LA PRÉCEPTORIE, 54, av. du Puig-del-Mas, 66650 Banyuls-sur-Mer, tél. 04 68 81 02 94, lapreceptorie@gmail.com V ⚑ ▪ r.-v.

SEMPER Viatge 2017

■ | 10500 | ◍ | 11 à 15 €

Tradition, ce terme est omniprésent dans cette famille vigneronne. Après leurs parents Paul et Geneviève, Florent (à la vigne) et Mathieu (à la cave) perpétuent un travail authentique de la vendange. Sur leur domaine de 30 ha, ils peuvent jouer sur deux terroirs : les schistes noirs de Maury et les arènes granitiques de Lesquerde.

Parmi les grenats, il y a ceux élaborés pour être servis le plus tôt possible, en recherchant le fondu et le fruit charnu typique (avec parfois un court élevage en barrique) et il y a ceux taillés pour la garde. C'est le cas de ce vin très riche, à la couleur soutenue. L'extraction a apporté un fruit intense, un grand volume, de la mâche, des tanins solides et un joli accompagnement boisé. Un vin qui ne demande qu'à durer. ⌛ 2022-2032

EARL DOM. SEMPER, 24, av. Jean-Jaurès, 66460 Maury, tél. 06 21 61 23 09, domaine.semper@wanadoo.fr V ⚑ ▪ t.l.j. 10h30-12h 15h30-19h; f. janv.-mars

VIGNERONS DE TAUTAVEL VINGRAU
Éclat 2017 ★

■ | 4000 | ▮ | 8 à 11 €

Depuis 2010, date de la fusion des trois caves de Tautavel et de Vingrau, les vignerons disposent de 850 ha. Ils ont mis en place une nouvelle gamme afin d'affirmer leur identité propre et proposent, grâce à des sélections parcellaires, des vins à forte personnalité.

Un grenat dans la pure expression du grenache. Une forme de libre expression de ce cépage, sans passage en barrique, mais avec un élevage d'un an en cuve de façon que le vin gagne en rondeur à l'abri de l'air. Couleur grenat foncé à reflets rubis, corbeille de petits fruits mûrs, avec framboise et mûre, puis touche fraîche de groseille. Bouche gorgée de fruits, s'appuyant sur de jolis tanins et sur la fraîcheur finale d'une note acidulée. ⌛ 2019-2030

SCV LES VIGNERONS DE TAUTAVEL VINGRAU, 24, av. Jean-Badia, 66720 Tautavel, tél. 04 68 29 12 03, contact@tautavelvingrau.com V ▪ t.l.j. 9h-18h

IGP CÔTES CATALANES

DOM. DE L'AGLY Les Neiges de l'Agly 2016 ★★

■ | 1200 | ◍ | 15 à 20 €

Ce domaine de 12 ha est né en 2003 de la passion de l'œnologue catalan Hervé Sabardeil et du négociant bordelais Jean-Patrick Moaté. Ils ont déniché la perle rare sur les hauts de Latour de France, à 280 m d'altitude. Première récolte en 2003. Depuis 2008, Boris Kovac, lui aussi œnologue, les a rejoints et un nouveau chai a été inauguré en août 2013.

Les Neiges de l'Agly est une cuvée de viognier et de vermentino provenant de schistes sur granit bleu. Après deux ans en fût, elle dévoile des notes florales et fruitées (agrumes), avec un soupçon de mentholé qui apporte de la fraîcheur. Une dominante florale caractérise la bouche, riche et onctueuse, étirée dans une finale des plus élégantes. ⌛ 2019-2021 ■ **Carignan Le Clos Vieilles Vignes 2017 ★ (15 à 20 €; 1200 b.)** : ce vieux carignan rouge profond s'ouvre sur des notes de fruits noirs mûrs, relayées par un palais tannique et chaleureux. Un beau vin sudiste. ⌛ 2020-2025

SCEA DOM. DE L' AGLY, 10, rue Jean-Jacques-Rousseau, 66600 Rivesaltes, tél. 06 70 27 14 71, bkovac@orange.fr

LES VIGNERONS DES ALBÈRES
Grenache Vieilles Vignes 2018 ★

■ | 6000 | ▮ | 5 à 8 €

Installée à Saint-Génis-des-Fontaines, la coopérative des vignerons des Albères regroupe une trentaine de viticulteurs et un vignoble de 440 ha. Elle propose une large gamme de vins rouges, rosés et blancs, sans oublier les vins doux naturels, et commercialise plusieurs étiquettes : le Prestige, Ch. la Roca, Ch. Montesquieu...

Ce pur grenache couleur grenat est issu des plus vieilles parcelles du domaine. Le nez, intense, associe la fraise écrasée, la framboise et les épices. En bouche, on retrouve la suavité du cépage avec des arômes très intenses de fruits rouges. Un vin souple, équilibré, facile d'accès. ⌛ 2020-2023

SCV LES VIGNERONS DES ALBÈRES, 9, av. des Écoles, 66740 Saint-Génis-des-Fontaines, tél. 04 68 89 81 12, vigneronsdesalberes@wanadoo.fr V ⚑ ▪ t.l.j. sf dim. 9h30-12h 15h-18h; sam. 9h30-12h

B LA BEILLE Syrah 2017 ★★

■	2000	🍷	11 à 15 €

La cave est située en plein cœur de Corneilla-la-Rivière, au pied du massif du pic de Força Réal. En attendant la future cave en projet, les Larrère perpétuent la tradition familiale avec une production de vins éclectiques, des cuvées monocépages aux classiques assemblages, en passant par la production de vins doux naturels et une certification en bio depuis 2014.

Les vins d'Agathe Larrère s'illustrent régulièrement dans ces pages, et cette année encore avec cette cuvée de syrah. La robe est très sombre, ornée de nuances pourpres. Le nez, intense et profond, évoque la griotte et la mûre. L'attaque est ronde et riche, ouverte sur les fruits noirs et un soupçon de vanille. Très vite, les tanins apparaissent, encore bien présents, et portent le vin longuement vers une finale plus vive. ⧗ 2020-2025

AGATHE LARRÈRE, Dom. la Beille, 18, rue Saint-Jean, 66550 Corneilla-la-Rivière, tél. 06 80 07 25 88, la-beille@neuf.fr V r.-v.

B DOM. BELLAVISTA Zoé en Claudine 2018 ★

■	n.c.	🍷	8 à 11 €

Acquis en 1992 par la famille Bertrand, ce domaine de 50 ha, adossé aux collines de Castelnou, dresse fièrement de superbes bâtisses du XIIIes. bien restaurées. Le vignoble est conduit en bio certifié depuis 2013.

C'est la « belle vie » pour les vins du domaine, sélectionnés dans le Guide par deux fois. Ce rosé de grenache noir est séduisant et cela commence par une belle robe rose pâle aux légers reflets orangés. Le nez, assez discret et élégant, s'exprime sur des registres floraux et fruités (framboise et rose). La bouche allie fraîcheur et longueur avec des notes de fruits rouges salivantes. ⧗ 2019-2020 ■ **Syrah Roméo 2017 (11 à 15 €; n.c.)** B : vin cité.

SARL D'EXPLOITATION DU DOM. BELLAVISTA, Mas Bellavista, 66300 Camélas, tél. 04 68 53 25 18, domaine-bellavista@orange.fr V t.l.j. 8h-18h E

DOM. DE CALADROY Rosée des vignes 2018 ★

■	25000	🍷	5 à 8 €

Une forteresse médiévale qui gardait la frontière entre le royaume de France et celui d'Espagne. De la terrasse du château, on découvre un panorama exceptionnel : au loin, la mer, le Canigou; en contrebas, les vignes (130 ha) et les oliviers (7 ha). La chapelle du XIIes. accueille le caveau de dégustation.

D'une belle teinte rosée aux reflets mauves, ce 2018 développe un nez fin de fruits rouges et noirs, notamment de mûre. La bouche s'exprime sur la finesse et la fraîcheur, renforcée par un joli perlant. Une cuvée qui sort des sentiers battus des rosés pâles et qui donne envie d'été et de grillades. ⧗ 2019-2020

SCEA CH. DE CALADROY, rte de Bélesta, 66720 Bélesta, tél. 04 68 57 10 25, cave@caladroy.com V t.l.j. 8h-12h 13h-18h

BY CARAMANIAC Le Grand Rocher 2018 ★

■	3000	🍷	5 à 8 €

Caramany se niche dans la vallée de l'Agly, non loin d'un lac de retenue. Fondée en 1924, sa coopérative est au centre de la vie locale, proposant des journées d'animation au bord du lac. Les vignes en altitude de ses adhérents (280 ha) bénéficient de nuits fraîches et de terroirs de gneiss qui confèrent de la subtilité aux vins.

Ce rosé de syrah et de grenache séduit d'emblée avec ses nuances saumon et pétale de rose. Le nez s'exprime pleinement sur des notes de fraise écrasée et d'épices. On retrouve la fraise dans une bouche soulignée par une belle acidité qui porte loin la finale. ⧗ 2019-2020

SCV LES VIGNERONS DE CARAMANY, 70, Grand-Rue, 66720 Caramany, tél. 04 68 84 51 80, contact@vigneronsdecaramany.com V t.l.j. 9h-12h 14h-18h

JEFF CARREL Saveur verte 2017 ★

■	5328	🍷	8 à 11 €

Jeff Carrel décide en 1991 de changer de vie et devient œnologue en 1994. Il fait ensuite un tour de France des vignobles avant de se poser en Occitanie où il vinifie ses propres vins. Il crée des cuvées en partenariat avec des producteurs et en assure la commercialisation.

Cette cuvée s'appuie sur la présence majoritaire du muscat d'Alexandrie, ce qui n'est pas commun. Le bouquet, très intense, mêle les senteurs du pamplemousse, du litchi et de la mangue. Si l'attaque apparaît ronde et suave, la finale se montre plus fraîche et exotique. ⧗ 2019-2022 ■ **Vieille Mule 2018 (5 à 8 €; 37698 b.)** : vin cité.

SARL THE WAY OF WINE, 12, quai de Lorraine, 11100 Narbonne, tél. 07 70 09 00 05, info@jeffcarrel.com

B DOM. CAZES Le Canon du maréchal 2018 ★

■	200000	🍷	8 à 11 €

Fondation en 1895, premières mises en bouteilles en 1955 et une croissance continue. Aujourd'hui, un domaine de 220 ha entièrement conduit en biodynamie depuis 2005. À sa carte, toutes les AOC du Roussillon, des IGP, tous les styles de vin. Dans le giron du groupe Advini depuis 2004.

Cette cuvée emblématique – une partie du domaine se situe sur les anciennes terres du Maréchal Joffre – accompagne nombre de tables de restaurant dans la région. L'association syrah-grenache et la macération préfermentaire donnent un vin au nez très frais de framboise et de poivre, à la bouche ronde et suave, dotée de tanins fondus et d'une jolie finale sur la réglisse. ⧗ 2020-2023

SCEA CAZES, 4, rue Francisco-Ferrer, 66600 Rivesaltes, tél. 04 68 64 08 26, info@cazes.com V r.-v. 5

CLOS CÉRIANNE Carignan C 07 15 2017 ★

■	1000	🍷	15 à 20 €

Si on cultive la vigne depuis au moins six générations dans la famille, Laurianne Garcia-Tournier et son père ont créé la cave particulière seulement en 2017. À suivre...

Belle entrée dans le Guide pour ce vin issu de vénérables ceps de carignan âgés de quatre-vingt-dix ans. La robe est d'un beau rouge profond, le nez intense, sur la fraise écrasée et les épices douces, la bouche élégante, fruitée, longue, étayée par de fins tanins. 2020-2023

EARL TERRE DES ASPRES (CLOS CÉRIANNE), rue des Alzines, 66300 Trouillas, tél. 06 76 84 91 65, laurianne.tournier@free.fr r.-v.

CLOS DES VINS D'AMOUR
Grenache En famille 2017

10000		8 à 11 €

Christine et Nicolas Dornier, tous deux œnologues, se sont associés à Christophe et Laurence Dornier pour reprendre en 2002 les vignes cultivées par la famille depuis 1860. Les deux couples ont quitté la coopérative en 2004 pour créer le Clos des Vins d'amour. Leur domaine (26 ha en bio) s'étend sur les terroirs schisteux de Tautavel, de Maury et de Saint-Paul-de-Fenouillet.

Une cuvée en finesse, ouverte sur des arômes de cerise et de fraise fraîches relevés de notes épicées. On retrouve les fruits rouges dans une bouche souple et fraîche. 2019-2022

SCEA VIGNOBLES DORNIER, 3, rte de Lesquerde, 66460 Maury, tél. 04 68 34 97 07, maury@closdesvinsdamour.fr r.-v.

CONSOLATION Carignan Red Socks 2017 ★

2000		15 à 20 €

Né des efforts conjugués de Philippe Gard et de l'œnologue Andy Cook, Consolation est une gamme de cuvées en IGP, issues des meilleures parcelles des domaines bien connus de la Coume del Mas et du Mas Cristine, exploités par le premier. Quelques barriques chaque année pour mettre en lumière l'association d'un cépage, d'un sol et d'un millésime. Pour découvrir les variétés du Roussillon.

Cépage emblématique de la région, le carignan a été pigé aux pieds deux fois par jour, d'où leur couleur rouge qui a inspiré le nom de la cuvée. Dans le verre, un rouge profond et des arômes bien mariés de boisé fumé, de cassis et de mûre. En bouche, on retrouve les notes empyreumatiques de la barrique, ainsi que des tanins soyeux et une pointe bien sentie de vivacité. 2021-2025 **Macabeu Filles de mai 2017 ★ (15 à 20 €; 2000 b.)** : un macabeu vinifié en barriques de deux à quatre vins. Le nez s'exprime sur le boisé et les notes florales. La bouche, à l'unisson du bouquet, apparaît ronde, légèrement marquée par l'élevage, et offre une belle finale saline. 2020-2023 **Syrah Wild Boar 2017 (15 à 20 €; 4000 b.)** : vin cité.

SARL LES VIGNOBLES DE LA COUME DEL MAS (CONSOLATION), chem. de Saint-André, 66700 Argelès-sur-Mer, tél. 04 68 54 27 60, info@consolation.fr r.-v.

DOM. DES DEMOISELLES
Pierre de lune 2018 ★

2600		8 à 11 €

Sept générations de vignerons et de marchands de chevaux se sont succédé à la tête de ce domaine au cœur des Aspres. C'est en hommage aux trois dernières, représentées par des femmes, que la propriété porte son nom. Isabelle Raoux a abandonné l'équitation en 1998 pour perpétuer l'exploitation. Elle officie à la cave et son mari Didier à la vigne (30 ha en bio).

Cette cuvée marie le muscat à petits grains et la marsanne. Parée d'une jolie robe jaune doré, elle présente un bouquet complexe de citron, d'ananas, de litchi et de fleurs jaunes, agrémenté d'une pointe mentholée. Une attaque nerveuse précède un milieu de bouche plus gras. Des notes salines et fumées s'invitent en finale. 2019-2021

EARL TERRA SOL (ISABELLE RAOUX), Dom. des Demoiselles, Mas Mulés, 66300 Tresserre, tél. 06 83 04 34 62, domaine.des.demoiselles@gmail.com r.-v.

DOM BRIAL Les Camines 2018 ★

34000		5 à 8 €

Suivi à la parcelle, maîtrise de la totalité de la chaîne d'élaboration, du raisin à la bouteille, démarche de développement durable... La cave de Baixas, fondée en 1923, compte 380 coopérateurs qui exploitent 2500 ha répartis dans une trentaine de commune.

Les camines? Des petits chemins étroits qui mènent aux vignes. Ici des ceps de merlot, de grenache et de syrah à l'origine d'un joli 2018 couleur grenat, au nez profond de fruits rouges et noirs, tout aussi fruité en bouche, agrémenté de notes florales qui apportent de la finesse à ce vin souple et équilibré. 2019-2022 **Le Pot 2018 ★ (5 à 8 €; 50000 b.)** : un vin ouvert sur le cassis et la groseille à l'olfaction, souple, frais et équilibré en bouché, étayé par des tanins bien maîtrisés. 2020-2023

VIGNOBLES DOM BRIAL, 14, av. Mal-Joffre, 66390 Baixas, tél. 04 68 64 22 37, contact@dom-brial.com t.l.j. sf dim. 8h-12h 14h-18h30

DOM. DE L'EDRE
Carrément Mourv'Edre 2018 ★

3700		8 à 11 €

Jacques Castany travaillait dans les transports et Pascal Dieunidou, dans l'informatique. En 2002, ils se lancent en viticulture dans une cave minuscule. Avec succès, comme en témoigne un palmarès déjà brillant. Le vignoble de 10 ha est situé à Vingrau, face à un cirque grandiose où domine le calcaire.

Le calcaire plaît au mourvèdre, comme en témoigne cette cuvée très sombre, au bouquet tout aussi intense, évoquant des notes animales, puis les fruits noirs et l'olive noire. Une attaque souple introduit une bouche puissante, structurée, chaleureuse, ouverte sur des arômes de cerise à l'alcool. 2021-2024

DOM. DE L' EDRE, 81, rue du Mal-Joffre, 66600 Vingrau, tél. 06 58 22 19 06, contact@edre.fr r.-v.

DOM. DE L'ÉVÊCHÉ 2018 ★

20000		- de 5 €

Situé sur les hauteurs d'Espira-de-l'Agly, ce domaine est une ancienne propriété de l'Église, d'où son nom. Alain Sabineu y exploite près de 70 ha de vignes sur les différents terroirs du Roussillon.

Ce rosé de la vallée de l'Agly, né de grenache et de syrah, présente une robe saumon aux reflets jaune et un nez plaisant de fruits rouges. Fruits que l'on retrouve dans une bouche équilibrée entre rondeur et fraîcheur, d'une belle longueur. Un bon classique. ⧗ 2019-2020

⊶ EARL DOM. DE L'ÉVÊCHÉ, rte de Baixas, 66600 Espira-de-l'Agly, tél. 06 07 78 27 86, alain.sabineu@orange.fr V *r.-v.*

FRANÇOIS JONQUÈRES D'ORIOLA
Libre comme l'air 2018 ★

■ | 3600 | | 8 à 11 €

Un domaine de la famille Jonquères d'Oriola situé dans les Albères, sur la rive gauche du Tech. Au milieu des vergers de pêchers et d'abricotiers, des vignes (35 ha, le bio en ligne de mire) et d'un parc aux arbres plus que centenaires, la bâtisse des Templiers du XIIᵉs. se dessine, imposante, sur fond de massif pyrénéen.

Un 100 % marselan sans sulfites ajoutés, à la robe intense, au bouquet gourmand de réglisse et de cassis, et à la bouche dense, concentrée, dotée de tanins bien en place pour la garde. ⧗ 2021-2024

⊶ SCEA YVES JONQUÈRES D'ORIOLA, Villeclare, 66690 Palau-del-Vidre, tél. 06 84 11 44 76, villeclare@wanadoo.fr V *t.l.j. sf dim. 8h30-12h30*

JONQUÈRES D'ORIOLA La Canaille 2018 ★

■ | 20000 | | 5 à 8 €

Célèbre pour les exploits olympiques de Pierre en hippisme et de Christian en escrime, la famille Jonquères d'Oriola est installée depuis 1485 au Ch. de Corneilla bâti par les Templiers au XIIᵉs. et conduit 78 ha de vignes. William, qui a rejoint en 2010 son père Philippe après un «tour du monde œnologique», représente la vingt-septième génération de vignerons!

Un assemblage mi-macabeu mi-chardonnay : quand le pays catalan rencontre la Bourgogne... Une seyante robe dorée, un bouquet intense et floral (acacia, genêt), un palais rond, gras, onctueux, souligné par une fine fraîcheur minérale. ⧗ 2019-2022

⊶ VIGNOBLES JONQUÈRES D'ORIOLA, 3, rue du Château, 66200 Corneilla-del-Vercol, tél. 04 68 22 73 22, admin@jonqueresdoriola.fr V *t.l.j. sf dim. lun. 10h-12h 15h-18h30*

DOM. LAURIGA Le Gris 2018 ★★

■ | 10000 | | 5 à 8 €

Vigneron-négociant, Jean-Claude Mas dispose d'un vaste vignoble de plus de 600 ha en propre constitué par quatre générations, auxquels s'ajoutent les apports des vignerons partenaires (1 300 ha). Le Ch. Lauriga s'étend sur 60 ha dans les Aspres.

Ce rosé issu de grenache gris offre une belle teinte églantine. Le nez, intense, évoque les fruits rouges (la groseille notamment) et la rose. On retrouve les fruits rouges dans une bouche ronde et souple, équilibrée par une fine fraîcheur qui prend des tonalités anisées en finale. ⧗ 2019-2020

⊶ SARL CH. LAURIGA, traverse de Ponteilla, RD_37, 66300 Thuir, tél. 04 68 53 68 37, info@lauriga.com V *t.l.j. 9h-12h 14h-17h30 ⊶ SARL Dom. Paul Mas*

♥ DOM. MAS CRÉMAT
Les Sales Gosses 2018 ★★★

■ | 1300 | | 20 à 30 €

Les terres de schistes noirs ont donné son nom au Mas Crémat («brûlé» en catalan), repris en 2006 par une famille de vignerons bourguignons : Christine et Julien Jeannin, secondés par leur mère Catherine. Un superbe mas du XIXᵉs. et un vignoble de 30 ha labouré et conduit en fonction du cycle de la lune, en conversion bio.

Les Sales Gosses? Un clin d'œil affectueux aux enfants du domaine... Dans le verre, un superbe vin né de mourvèdre, sans sulfites ajoutés. Le nez, puissant, convoque la garrigue et les fruits bien mûrs, le tout relevé d'épices (poivre). La bouche, ample, riche, dense et longue, associe puissance et finesse; on y retrouve les senteurs sauvages et intenses de la garrigue. Toute la verve d'un terroir de schistes dans cette bouteille, ode magnifique aux vins du Roussillon. ⧗ 2020-2024 ■ **Tamarius 2018 ★ (5 à 8 €; 30000 b.)** : cette cuvée d'une belle profondeur de robe allie fraîcheur et puissance, petits fruits noirs et épices, et déploie une longue finale. ⧗ 2020-2023 ■ **Balmettes 2018 (5 à 8 €; 8000 b.)** : vin cité.

⊶ EARL JEANNIN-MONGEARD, Mas Crémat, 66600 Espira-de-l'Agly, tél. 04 68 38 92 06, mascremat@mascremat.com V *t.l.j. sf dim. 10h-12h 14h-18h*

ROUSSILLON

DOM. MAS DEN COULOUM
Syrah Signature vigneronne 2018 ★★

■ | 6000 | | 5 à 8 €

Établie à Vinça, localité bordant un lac de retenue, la coopérative des Vignerons en Terres romanes (180 ha) est née de la fusion en 2008 de la cave de cette commune avec de celle de Tarerach. Deux villages d'altitude de la haute vallée de la Têt, avec le Canigou en toile de fond, où les cépages bénéficient de conditions climatiques fraîches.

Au cœur des arènes granitiques de Tarérach, la syrah exprime sa fraîcheur et sa profondeur dans cette cuvée au nez complexe de groseille, de poivre et de tapenade. La bouche associe finesse et rondeur, fruits rouges mûrs et violette, le tout souligné par des tanins de qualité qui se resserrent en finale. ⧗ 2021-2024 ■ **Vignerons en Terres romanes Rosé des neiges 2018 ★ (8 à 11 €; 3000 b.)** : les notes d'agrumes portent ce rosé pâle né de la syrah. Un vin vif, fin et fruité, d'une belle longueur. ⧗ 2019-2020

⊶ SCV LES VIGNERONS EN TERRES ROMANES, 6, av. de la Gare, 66320 Vinça, tél. 04 68 05 85 86, ttr@orange.fr V *t.l.j. sf dim. 9h-12h 14h-18h*

MAS DE REY Oh d'été 2018

■ | 12000 | | 5 à 8 €

Dominant la Grande Bleue et les étangs, le Ch. de Rey, fondé en 1875, déroule ses 34 ha sur les galets et les sables de la «haute» terrasse de l'Agly culminant à 15 m. Un château très «fin XIXᵉs.» à la tour élancée, des gîtes à 5 mn des plages. Aux commandes depuis

1996, Cathy et Philippe Sisqueille, héritiers de quatre générations de vignerons.

Ce rosé pâle, né de grenache agrémenté d'une touche de syrah, offre une belle complexité aromatique : on y perçoit des notes de groseille, de lilas et une pointe d'agrumes. La bouche, en accord avec le nez, plaît par son équilibre. ⧗ 2019-2020 ■ **Oh 2018 (5 à 8 €; 4970 b.)** : vin cité.

EARL CH. DE REY, rte de Saint-Nazaire, 66140 Canet-en-Roussillon, tél. 04 68 73 86 27, contact@chateauderey.com V t.l.j. sf dim. 10h-12h 15h-18h

♥ MAS KAROLINA L'Enverre 2017 ★★★

■	2000		20 à 30 €

Elle est allée vinifier aux États-Unis et en Afrique du Sud; elle connaît le Bordelais où elle a longtemps vécu et où elle a obtenu son diplôme d'œnologue; pourtant, c'est dans la vallée de l'Agly au charme sauvage que Caroline Bonville a posé ses valises en 2003. Elle conduit aujourd'hui un domaine de 18 ha, en cours de conversion bio.

Cinquième coup de cœur consécutif pour le domaine et deuxième d'affilée pour cette cuvée née de carignan (75 %) et de grenache noir. Un vin qui impressionne d'emblée avec sa robe pourpre profond aux reflets violines. Une profondeur que l'on perçoit également dans le bouquet, ouvert sur des arômes de cuir et de fruits noirs et rouges. La bouche offre beaucoup de gras et de densité, de volume et d'intensité. Le boisé, très maîtrisé, s'y exprime en symbiose avec les fruits noirs, la trame tannique est soyeuse, l'équilibre parfait et la finale très longue, sur des notes de café et de cacao. ⧗ 2022-2030 ■ **2018 ★★ (11 à 15 €; 13800 b.)** : grenache (60 %), syrah et carignan pour cette cuvée centrée sur les fruits rouges frais (framboise et cassis) à l'olfaction. Un fruité auquel fait écho un palais ample, rond et onctueux, étiré dans une finale longue et suave. ⧗ 2020-2024

EARL MAS KAROLINA, 29, bd de l'Agly, 66220 Saint-Paul-de-Fenouillet, tél. 06 20 78 05 77, mas.karolina@gmail.com V t.l.j. 10h-12h30 15h-19h; sam. dim. sur r.-v.

MAS LAVAIL Le Sud 2016 ★★

■	10000		11 à 15 €

Jean et Nicolas Batlle, père et fils, ont acquis ce joli mas du XIXe s. en 1999, à l'installation du second. À la tête de ce domaine de 80 ha de vieilles vignes, Nicolas poursuit le travail de quatre générations de vignerons sur les terres noires de Maury.

Cette cuvée née des grenaches blanc et gris se présente dans une belle robe finement dorée. Le nez, complexe, associe la pêche blanche, le citron et les fleurs blanches. La bouche apparaît ronde, riche, onctueuse et longue, centrée sur des notes fruitées (mangue, mûre), briochées et toastées. ⧗ 2020-2023 ■ **Carignan Ballade Vieilles Vignes 2018 ★ (5 à 8 €; 8000 b.)** : un vin au nez élégant de fleurs blanches et d'agrumes, prolongé par une bouche fraîche et alerte, d'une belle longueur. ⧗ 2019-2021

EARL DOM. DE LAVAIL, Mas de Lavail, RD_117, 66460 Maury, tél. 04 68 29 08 95, info@masdelavail.com V t.l.j. sf dim. 10h-12h 14h-18h

MAS LLOSSANES Au Dolmen 2016 ★★

■	16500		11 à 15 €

Après avoir géré pendant 10 ans un vignoble renommé de Toscane, Solenn (sommelière) et Dominique (agronome et œnologue) Génot ont eu un coup de cœur pour les 11 ha du Mas Llossanes qui constituent un îlot unique sur un terroir de schistes et d'arènes granitiques à 700 m d'altitude. Installés depuis 2016, ils sont en conversion vers l'agriculture biologique et appliquent les préceptes de la biodynamie.

Un dolmen posé au cœur des vignes de carignan est à l'origine du nom de cette cuvée qui convoque aussi la syrah et le chenanson. Le nez évoque les fruits rouges frais, la réglisse et le menthol. La fraîcheur domine dans une bouche fruitée, charnue, séveuse, au grain de tanin fin. Un vin complet et dynamique. ⧗ 2020-2023 ■ **Dotrera 2016 ★ (11 à 15 €; 10400 b.)** : cassis, Zan, eucalyptus, le nez intéresse. La bouche apparaît vineuse, opulente, étayée par des tanins de caractère et étirée dans une jolie finale sur l'olive verte. Une bouteille qui s'appréciera aussi bien jeune que patinée par le temps. ⧗ 2020-2025

MAS LLOSSANES, rte d'Arboussols, D35C, 66320 Tarérach, tél. 06 73 25 80 29, info@masllossanes.fr V r.-v.

B MAS ROUS Al Cortal 2018 ★

■	6850		5 à 8 €

En 1838, Michel Bizern, agriculteur, transforme en maison une bergerie des Albères, au pied des Pyrénées, fondant le Mas del Ros («maison du blond» en catalan), qui devient Mas Rous. Son arrière-petit-fils, José Pujol, qui est brun, reprend l'exploitation en 1978 et vend sa production en bouteilles en 1983, obtenant un coup de cœur dans le Guide dès 1985. Une valeur sûre de 35 ha, en bio certifié depuis 2014.

Cette cuvée associe les cépages du Roussillon et le cabernet-sauvignon. La robe rubis présente des reflets violets. Le nez, de bonne intensité, mêle les petits fruits rouges à une touche épicée. La bouche se montre fruitée, souple, ronde et suave. À boire dans sa jeunesse. ⧗ 2019-2022

SCEA DOM. DU MAS ROUS, 13, rue du Renard, 66740 Montesquieu-des-Albères, tél. 04 68 89 64 91, masrous@mas-rous.com V t.l.j. sf dim. 9h30-12h 14h-18h E SCEA Dom. duMas Rous

DOM. MODAT Petit Moda(t)'mour 2018

■	8000		11 à 15 €

D'origine catalane, Philippe Modat, magistrat, est un amateur de vin éclairé – comme son père, devenu lui aussi vigneron. Cette passion s'est concrétisée par la constitution en 2006 d'un domaine dans la vallée de l'Agly : 27 ha de vignes sur un plateau à 300 m d'altitude, en conversion bio depuis 2011 (8 ha en biodynamie) et une cave de conception écologique, dotée de cellules photovoltaïques, inaugurée en 2008.

La robe est jaune pâle avec des reflets argentés. Le nez associe note muscatée, senteurs de citron mûr, de fruits blancs et de fleurs blanches. La bouche, d'un bon volume et assez fraîche, est à l'unisson du bouquet. Une légère sucrosité marque la finale. ⧗ 2019-2021

SARL DOM. MODAT, lieu-dit Les Plas, 66720 Cassagnes, tél. 04 68 54 39 14, contact@domaine-modat.fr V r.-v.

B CH. NADAL-HAINAUT 2018 ★

	10 000		8 à 11 €

Implanté sur les sols caillouteux de la vallée de la Têt, non loin de Perpignan, ce domaine a pour lointaine origine le prieuré cistercien de Santa Maria de l'Eule, dont il reste une chapelle. Les bâtiments datent du XVIIIes. et la propriété actuelle remonte au début du XIXes., achetée par Jean-Denis Hainaut – un ancêtre de Martine et Jean-Marie Nadal, qui président à ses destinées depuis 1977. Une quarantaine d'hectares sont dédiés à la vigne et conduits en bio certifié depuis 2013.

Le Ch. Nadal-Hainaut est une des caves particulières engagé auprès des Vignerons Catalans, qui distribue ce vin. Un pur macabeu à la robe jaune pâle, au nez complexe associant minéralité, fleurs blanches et citron vert, sapide, fraîche et persistante sur le fruit en bouche. ⧗ 2019-2021

CH. NADAL-HAINAUT, Mas de l'Eule, RD_37, 66270 Le Soler, tél. 06 10 74 53 29, chateaunadalhainaut@gmail.com V *t.l.j. sf dim. 9h-12h 14h-18h* 5 E *Vignerons Catalans*

♥ B INFINIMENT DE L'OU 2016 ★★

	20 000		15 à 20 €

Infiniment... de l'Ou

Philippe Bourrier, agronome, et son épouse Séverine, œnologue, ont acheté en 1999 ce domaine dont le nom vient d'une résurgence dans un bassin en forme d'œuf (*ou* en catalan). Ils ont refait le chai et travaillé d'emblée en agriculture biologique leur vignoble qui couvre 49 ha entre plaine du Roussillon et Fenouillèdes.

Une cuvée souvent en vue dans ces pages. Une pure syrah issue d'une vinification intégrale en fût de 300 l. La robe, tirant sur le noir, est des plus intenses. Le premier nez s'exprime sur la cerise noire, le fruit confit et le tabac, puis à l'agitation apparaissent des notes de cuir et de figue noire. Une attaque fraîche prélude à un palais ample, rond, charnu, doté de tanins d'une grande finesse de grain et d'une longue finale florale, réglissée et épicée. Un superbe vin de terroir, à la fois élégant et gourmand. ⧗ 2020-2025 ■ **Ch. de l'Ou Grenache Rhapsody 2017 ★★ (50 à 75 €; 4000 b.)** : vinifié en amphore, ce 100 % grenache développe un bouquet complexe de fruits noirs très mûrs, de cerise et de moka. La bouche est généreuse, corsée, et étayée par des tanins affinés. Belle finale réglissée. ⧗ 2021-2025 ■ **Ch. de l'Ou Secret de schistes 2016 ★ (30 à 50 €; 15 000 b.)** B : cette syrah présente un nez complexe (notes grillées et épicées, olive verte, graphite). La bouche est puissante, suave, chaleureuse, mûre et boisée. Une intensité que le temps canalisera. ⧗ 2022-2026

SARL CH. DE L'OU, rte de Villeneuve, 66200 Montescot, tél. 04 68 54 68 67, chateaudelou66@orange.fr V *t.l.j. sf lun. dim. 10h-12h30 15h-19h*

CH. DE PENA Pas d'excuses 2018 ★★

	3000		8 à 11 €

Le village de Cases-de-Pène tient son nom d'un ermitage du X^es. établi sur un roc (*pena* en catalan) calcaire qui ferme la vallée de l'Agly. Les terres noires schisteuses y alternent avec l'ocre des argilo-calcaires, formant deux superbes terroirs de 480 ha sur lesquels travaillent les 35 vignerons de la coopérative locale.

Ce muscat d'Alexandrie moelleux développe un délicat bouquet floral (fleurs blanches) et fruité (pêche jaune). En bouche, la fraîcheur accompagne les sucres résiduels (43 g/l) en toute harmonie, les saveurs d'agrumes et de fruits exotiques se mêlent avec intensité, le volume et la longueur sont au rendez-vous. ⧗ 2019-2023 ■ **Ninet de Pena 2018 ★ (5 à 8 €; 26 000 b.)** : grenache et carignan pour ce vin aux arômes de cassis et de groseille, frais, souple et équilibré en bouche, soutenu par des tanins bien maîtrisés. À boire sur le fruit. ⧗ 2019-2022 ■ **Ninet de Pena 2018 (5 à 8 €; 40 000 b.)** : vin cité.

SCV L' AGLY, 2, bd Mal-Joffre, 66600 Cases-de-Pène, tél. 04 68 38 93 30, contact@chateaudepena.com V *r.-v.*

DOM. RETY Legacy 2018 ★

	6000		11 à 15 €

Fils de paysans bretons émigrés aux États-Unis, né à Manhattan et Franco-Américain, Patrick Rety a réalisé son rêve : faire du vin, travailler sur l'expression du terroir. Il étudie et commence son parcours en Bretagne, vendant des franchises d'une chaîne de restauration. En 2012, son domaine (15 ha aujourd'hui) voit le jour, près de Rivesaltes. En conversion bio (biodynamie).

Des sols de schistes noirs ont vu naître le macabeu à l'origine de cette cuvée (avec 10 % de muscat en appoint). La robe est claire et brillante. Les fleurs blanches dominent le nez, associées à une fine touche de pierre à fusil. Une belle nervosité se manifeste en bouche, autour de la minéralité et des agrumes. ⧗ 2019-2022

SCEA DOM. RETY, 6, rue Rigaud, 66600 Espira-de-l'Agly, tél. 06 20 02 29 65, rety.patrick@orange.fr V *r.-v.*

B DOM. DES SCHISTES Illico 2017 ★

	20 000		5 à 8 €

La cinquième génération officie dans cette exploitation de la vallée de l'Agly qui vinifie en cave particulière depuis 1989. Comme son nom l'indique, les marnes schisteuses dominent. À la vigne, Jacques et Michaël Sire sont pointilleux sur le travail du sol et leur domaine (plus de 50 ha) est conduit en bio. Une valeur sûre du guide.

« Illico » constitue l'entrée de gamme du domaine, une cuvée déclinée dans les trois couleurs. Pour la version rouge, le carignan est associé au merlot et au marselan : ces cépages s'épanouissent dans la plaine d'Estagel. Le nez frais et fin convoque les fruits rouges, la cerise

ROUSSILLON

surtout. En bouche se révèlent une belle ampleur, de la vivacité, de la souplesse et du fruit. ⧗ 2019-2022 ■ **Illico 2018 (5 à 8 €; 10 000 b.)** Ⓑ : vin cité.

⊶ EARL DOM. DES SCHISTES, 1, av. Jean-Lurçat, 66310 Estagel, tél. 06 64 75 66 54, sire-schistes@wanadoo.fr V *t.l.j. sf dim. 14h-18h; matin et sam. sur r.-v.*

SERRE ROMANI
La Vallée de l'aigle 2017 ★★

■ | 4000 | | 11 à 15 €

Laurent et Cylia Pratx se sont rencontrés lors de leurs études d'ingénieurs agronomes à Toulouse. Laurent a travaillé successivement pour le Ch. de Nages à Nîmes et pour la maison Gabriel Meffre à Gigondas. En 2008, le couple a fait l'acquisition de ce domaine de 25 ha répartis sur les communes d'Espira-de-l'Agly et de Maury, planté majoritairement de grenache. La propriété tire son nom (la « montagne aux romarins ») de celui de l'une des parcelles.

La syrah, cépage emblématique de la vallée de l'Agly (aigle), impose toute sa finesse et sa puissance à cette cuvée agrémentée d'une pointe de carignan. Au nez dominent les senteurs d'épices (poivre blanc) et de sous-bois. La bouche se révèle ample, ronde et charnue, soutenue par un beau boisé vanillé et par des tanins fermes. Du potentiel. ⧗ 2021-2026 ■ **Grenache noir 2017 ★ (5 à 8 €; 20 000 b.)** : une jolie robe cerise et un bouquet plaisant de framboise, de cassis et de poivre composent une introduction engageante. La bouche déploie un fruité soutenu et une belle fraîcheur renforcée par une finale mentholée. ⧗ 2020-2023 ■ **La Vallée de l'aigle 2015 ★ (11 à 15 €; 2 000 b.)** : grenache gris (70 %) et macabeu pour cette cuvée brillante, finement dorée, au nez toasté et miellé, à la bouche fraîche, minérale et d'une belle longueur. ⧗ 2019-2022 ■ **Petits Grains de folie 2018 ★ (5 à 8 €; 5 000 b.)** : le muscat à petits grains (de folie) est à l'origine de ce vin très floral et muscaté au nez, agrémenté de notes de clémentine, rond sans manquer de vivacité en bouche. Un ensemble harmonieux. ⧗ 2019-2021

⊶ EARL PRATX, Serre Romani, Mas Parets, 66600 Espira-de-l'Agly, tél. 06 74 03 29 01, lpratx@orange.fr V *r.-v.*

VIGNERONS DE TAUTAVEL VINGRAU
Le Cirque 2016 ★

■ | 300 000 | | 5 à 8 €

Depuis 2010, date de la fusion des trois caves de Tautavel et de Vingrau, les vignerons disposent de 850 ha. Ils ont mis en place une nouvelle gamme afin d'affirmer leur identité propre et proposent, grâce à des sélections parcellaires, des vins à forte personnalité.

Le grenache domine l'assemblage de ce vin ouvert au premier nez sur l'orange sanguine, puis sur des notes de ciste et d'épices douces. La bouche se montre ample, douce, généreuse, centrée sur la confiture d'agrumes et soutenue par des tanins fins et frais. La longue finale sur le coing et le Zan achève de convaincre. À boire dans sa jeunesse. ⧗ 2019-2022

⊶ SCV LES VIGNERONS DE TAUTAVEL VINGRAU, 24, av. Jean-Badia, 66720 Tautavel, tél. 04 68 29 12 03, contact@tautavelvingrau.com V *t.l.j. 9h-18h*

TERRASSOUS Carignan 2017 ★★

■ | 8100 | | 5 à 8 €

Les vignerons de Constance et Terrassous regroupent depuis 2009 trois caves des Aspres, dans la partie sud du Roussillon : 70 adhérents pour 700 ha de vignes. Un terroir de collines et de terrasses au pied du Canigou, lequel apporte avec ses schistes une palette supplémentaire de terroirs. La cave commercialise en tirage limité toute une gamme de splendides vins doux naturels, du six ans d'âge aux millésimes anciens.

Le seul carignan est mis en lumière ici. Il donne un vin d'un pourpre intense, au nez floral, fruité (mûre) et mentholé. Le palais, salin, frais et très intense au niveau aromatique (fruits noirs, camphre) s'appuie sur des tanins fermes mais fins. Le vin reste longtemps en bouche, pour se terminer sur une jolie note minérale. ⧗ 2020-2024

⊶ SCV LES VIGNOBLES DE CONSTANCE ET DU TERRASSOUS, 46, av. des Corbières, BP_32, 66300 Terrats, tél. 04 68 53 02 50, contact@terrassous.com V *t.l.j. sf dim. 9h-12h 14h-18h30*

TERROIRS ROMANS
Grenache blanc Rien n'est plus sérieux que le plaisir 2018 ★

■ | 3000 | | 8 à 11 €

Les Vignerons de Cabestany, Alenya, Villeneuve-de-la-Raho, Elne et Saint-Nazaire se sont regroupés en 2010 sous le nom de la Société coopérative viticole C.A.V.E.S. De cette union est née la société commerciale Terroirs romans, dont le nom a été inspiré par la richesse des œuvres d'art roman de leurs villes, comme le cloître d'Elne. Elle commercialise la production (13 500 hl) des 50 viticulteurs qui exploitent 290 ha.

Noir, blanc et gris, cette cuvée met le grenache à l'honneur dans toutes ses versions. Mention spéciale pour le blanc avec un vin pâle, au nez élégant de pivoine, de rose et d'églantine, souple et suave en bouche, « boosté » par un léger perlant. ⧗ 2019-2021 ■ **Grenache noir Rien n'est plus sérieux que le plaisir 2018 (8 à 11 €; 3 000 b.)** : vin cité. ■ **Grenache gris Rien n'est plus sérieux que le plaisir 2018 (8 à 11 €; 3 000 b.)** : vin cité.

⊶ SARL TERROIRS ROMANS, 67, av. Paul-Reig, 66200 Elne, tél. 04 68 22 06 51, communication@terroirs-romans.com V *t.l.j. sf dim. lun. 9h30-12h30 15h-19h*

THUNEVIN-CALVET
Cuvée Constance 2018 ★

■ | 8000 | | 8 à 11 €

En 2001, Jean-Roger Calvet, son épouse et Jean-Luc Thunevin, propriétaire bien connu à Saint-Émilion (Ch. Valandraud), se sont associés pour créer ce domaine (60 ha). Depuis dix ans, les désherbants sont proscrits sur l'exploitation.

Le domaine signe un joli blanc issu de macabeu et de grenache à parts égales. Le nez, complexe, mêle les notes florales, iodées et végétales (foin coupé). La bouche, tonique et longue, est marquée par la fraîcheur des terroirs des Fenouillèdes. ⧗ 2019-2021

SARL CALVET-THUNEVIN ET CIE, 13, rue Pierre-Curie, 66460 Maury, tél. 04 68 51 05 57, contact@thunevin-calvet.fr V t.l.j. 9h30-12h30 14h30-19h30

DOM. LA TOUPIE Impro libre 2018 ★★

■	3800		11 à 15 €

Après vingt ans passés dans l'administration viticole, puis à parcourir le vignoble pour la coopérative du Mont Tauch, dans l'Aude, Jérôme Collas a franchi le pas et la «frontière» entre Languedoc et Roussillon, pour s'installer en 2012 sur 12 ha dans la vallée de l'Agly.

Ce vin sans sulfites est issu de grenache (60 %) et de syrah. La robe est rouge rubis aux reflets violines. Le nez, puissant, se révèle très fruité (cerise, mûre), agrémenté d'une touche de violette. En bouche, on ressent de la fraîcheur et de l'élégance, du fondu et de la finesse. Les fruits accompagnent la longue finale. Une bouteille à ouvrir dans sa jeunesse. ⧗ 2019-2021 ■ **Petit Salto 2018 ★ (8 à 11 €; 3700 b.)** : macabeu et grenache gris à parité pour ce vin ample, vif et sincère, ouvert sur des notes florales et minérales. ⧗ 2019-2021

EARL DOM. LA TOUPIE, ZA Clos-de-la-Serre, rte de Cucugnan, 66460 Maury, tél. 07 86 28 99 52, contact@domainelatoupie.fr V r.-v.

CH. DE VALMY Première Rose 2018 ★

■	11000		11 à 15 €

Au pied des Albères, le Ch. Valmy, construit en 1888 par l'architecte danois Viggo Dorph Petersen, est entouré de 26 ha de vignes. En 1998, Bernard Carbonnell et son épouse Martine ont fait renaître non seulement le vignoble et ses vins (réguliers en qualité), mais aussi le château en créant des chambres d'hôtes de luxe, complétées en 2014 par le restaurant *La Table de Valmy*, un projet conduit par les filles des propriétaires, Anaïs et Clara. Sous le nom de Terra Nobilis, le domaine a créé en 2015 une structure de négoce-éleveur.

La rose est l'emblème du château, elle parade au bout des rangs de vignes. La robe de cette cuvée s'en inspire. Au nez, on découvre un beau bouquet de fleurs blanches et de fruits exotiques. La bouche, florale elle aussi, se montre fraîche, un brin acidulée, avec de beaux amers en finale. ⧗ 2019-2020

SARL CH. DE VALMY, chem. de Valmy, 66700 Argelès-sur-Mer, tél. 04 68 81 25 70, contact@chateau-valmy.com V t.l.j. sf dim. 9h30-12h30 14h30-18h30 5

DOM. VAQUER L'Escapade 2018 ★

■	3800		5 à 8 €

Domaine acheté en 1912 par la famille Vaquer dans les Aspres. Dans la lignée, le «maréchal», Fernand Vaquer, figure historique du rugby catalan, deux fois champion de France avant-guerre puis entraîneur dans les années 1950 de l'USAP. Premières mises en bouteilles en 1968. Aujourd'hui, le domaine couvre 17 ha, conduits depuis 2001 par Frédérique.

Le muscat d'Alexandrie et le muscat à petits grains sont assemblés à parité dans ce blanc sec élaboré avec beaucoup de soin. Le nez développe des notes de fruits exotiques, d'agrumes et de silex. La bouche apparaît nerveuse, tendue, centrée sur les agrumes et encore dynamisée par de délicieux amers en finale. ⧗ 2019-2021

INDIVISION VAQUER, 1, rue des Écoles, 66300 Tresserre, tél. 04 68 38 89 53, domainevaquer@gmail.com V r.-v.

IGP CÔTE VERMEILLE

DOM. DE LA TOURASSE
Le Vin qui voit la mer 2016 ★★

■	2000		20 à 30 €

Passionnés par la culture méditerranéenne, Sophie Pujol et Alain Pottier ont créés le Dom. de la Tourasse en 2011, face à la mer, entre Banyuls-sur-Mer et Cerbère. La côte Vermeille est le terroir de schistes par excellence, et Sophie et Alain travaillent leurs vignes mais ont également une plantation d'immortelles dont ils tirent des huiles essentielles utilisées en thérapie. Adeptes de la biodynamie, le respect du terroir est une priorité absolue.

La profondeur de ce 2016 grenat soutenu, largement dominé par le grenache, semble refléter celle de la mer qui l'entoure. À un premier nez de réglisse et de myrtille succèdent des arômes de cerise, d'olive noire et de garrigue. La bouche apparaît opulente et suave, bien réglissée elle aussi, dotée de solides tanins. Un vin de terroir, au caractère rocailleux. ⧗ 2020-2024

ALAIN POTTIER, Dom. de la Tourasse, 5, av. Castellane, 66660 Port-Vendres, tél. 06 80 03 05 59, contact@latourasse.com V r.-v.

IGP RANCIO SEC

Le Roussillon est une province française de culture catalane correspondant à la plus grande partie du département des Pyrénées-Orientales. Bien avant la naissance des vins doux naturels, fierté des Catalans, on y produisait des vins secs à fort degré, élevés sans ouillage dans de vieux fûts de bois (élevage oxydatif). Au bout de longues années, ce vin prenait ce que l'on appelle des notes de rancio, arômes très complexes évoquant notamment la noix fraîche et les fruits secs, tandis que des reflets verts apparaissaient dans leur robe. Ces vins faillirent tomber dans l'oubli. Cependant, de nombreux vignerons en conservaient un tonneau au fond de leur cave, car ces rancios étanchaient la soif des anciens, coupés d'eau et, surtout, servaient à élaborer une cuisine typique. Aujourd'hui, cette saveur authentiquement catalane redevient à la mode et séduit un public de plus en plus nombreux.

Après les vignerons de l'IGP Côte Vermeille, qui ont été les premiers à disposer d'un cahier des charges, ceux de l'autre indication géographique protégée départementale, l'IGP Côtes catalanes, en ont défini en 2011, avec l'aide de l'INAO, le mode d'élaboration : ce cahier des charges impose cinq ans d'élevage minimum, liste les cépages autorisés, qui sont ceux de la région (grenaches, carignan, tourbat, macabeu...), et prévoit quelques variantes dans l'élaboration, ouvrant la possibilité d'un élevage sous voile ou en solera, système où les vins vieux reçoivent régulièrement un apport de vins plus jeunes. Les rancios

secs accompagnent jambons bellota, anchois salés de Collioure, fromages très affinés ou simplement, pour les amateurs, un bon cigare.

DOM. DES CHÊNES L'Oublié 1999 ★★

| 2000 | | 15 à 20 € |

Propriété créée au XVIIIe siècle, le domaine des chênes a vu se succéder plusieurs générations de la famille razungles. Les vins sont produits dans le pittoresque cirque des falaises de Vingrau. Aujourd'hui, Alain et sa fille Marion perpétuent la tradition familiale dans l'enceinte de ce vieux mas catalan.

Le destin est malicieux, un demi-muid de vin blanc fut oublié pendant quatre ans dans la cour du domaine, et le rancio sec du domaine devint comme une évidence. Issu de macabeu, la robe prend des reflets ambrés et cuivrés. Au nez se distinguent des parfums d'orange amère, de datte, de figue et de bâton de réglisse puis, à l'agitation, un mélange d'agrumes et de notes empyreumatiques, élégantes. Le palais donne la faveur aux arômes de tabac, d'orange et de de curry, tandis qu'un rancio puissant et irrésistible accompagne longuement la finale. ⧗ 2020-2050

SCEA DOM. DES CHÊNES, 7, rue Mal-Joffre, 66600 Vingrau, tél. 04 68 29 40 21, domainedeschenes@wanadoo.fr V t.l.j. sf sam. dim. 9h-12h 14h-18h

DOM BRIAL ★

| n.c. | | 20 à 30 € |

Suivi à la parcelle, maîtrise de la totalité de la chaîne d'élaboration, du raisin à la bouteille, démarche de développement durable... La cave de Baixas, fondée en 1923, compte 380 coopérateurs qui exploitent 2500 ha répartis dans une trentaine de commune.

Aux cotés des classiques crus de la cave, on trouve des trésors cachés, ce rancio sec en fait partie. La robe est remarquable, cuivrée, avec des nuances safran. Le bouquet délicat égrène les épices douces (curry) et les fruits secs (noisettes), puis, à l'agitation, invite des notes de fleurs d'oranger. La bouche est souple et fraîche, avec une belle pointe de vivacité finale. On y perçoit des nuances de fenugrec et de curry, ainsi qu'une subtile salinité. ⧗ 2020-2050

VIGNOBLES DOM BRIAL, 14, av. Mal-Joffre, 66390 Baixas, tél. 04 68 64 22 37, contact@dom-brial.com V t.l.j. sf dim. 8h-12h 14h-18h30

♥ B JOLLY FERRIOL Au fil du temps ★★★

| 1000 | | 50 à 75 € |

Anciennement Mas Ferriol, un très ancien domaine. Des terres et des vignes (25 ha dont 8,3 ha de vignoble) entourent un corps de ferme de quatre cents ans, l'un des plus vieux de la région. Plus tard, la propriété fournissait, nous dit-on, des vins à Napoléon III. Restée à l'abandon après la dernière guerre, elle a été reprise en 2005 par Isabelle Jolly et Jean-Luc Chossart qui exploitent leurs vignes en bio.

Ce magnifique rancio est élu coup de cœur pour la deuxième année consécutive. Le jury de dégustation n'a pas résisté au charme de cette belle robe mordorée à reflets acajou. Le nez reflète toute la profondeur du charme d'antan : touche iodée, notes de caramel, de chocolat, de fruits secs d'abricot et de figue. Plus ce breuvage s'aère, plus il s'ouvre au plaisir des sens. L'attaque est ronde et dense. On apprécie pleinement l'équilibre entre la fraîcheur et la concentration. Et l'on rencontre lors de ce voyage gustatif des notes de curry, de tourbe et de fruits secs. Une belle invitation au partage, au coin du feu, tout simplement. ⧗ 2020-2050

JEAN-LUC CHOSSART, Mas Ferriol, RD_117, 66600 Rivesaltes, tél. 06 13 22 96 73, jollyferriol@gmail.com

DOM. DES SCHISTES ★

| 1000 | | 15 à 20 € |

La cinquième génération officie dans cette exploitation de la vallée de l'Agly qui vinifie en cave particulière depuis 1989. Comme son nom l'indique, les marnes schisteuses dominent. À la vigne, Jacques et Michaël Sire sont pointilleux sur le travail du sol et leur domaine (plus de 50 ha) est conduit en bio. Une valeur sûre du guide.

Cette cuvée de rancio sec est leur joyau. Élevée en solera avec beaucoup de soin, elle se présente dans une robe ambrée, brillante. Le nez ranciote, tout en ajoutant quelques notes «Jura». On décèle des nuances de caramel, de réglisse, de pâte d'amande, de cèpe frais et d'épices douces. La bouche ronde, grasse et puissante mêle des arômes de gingembre, de curry, d'olive noire, de cachou et de whisky. Puis vient la finale longue, très longue, sur une élégante note boisée. Un rancio sec tout en subtilité. ⧗ 2018-2050

EARL DOM. DES SCHISTES, 1, av. Jean-Lurçat, 66310 Estagel, tél. 06 64 75 66 54, sire-schistes@wanadoo.fr V t.l.j. sf dim. 14h-18h; matin et sam. sur r.-v.

DOM. DE LA TOURASSE Blanc de Méditerranée 2012 ★★

| 1000 | | 20 à 30 € |

Passionnés par la culture méditerranéenne, Sophie Pujol et Alain Pottier ont créés le Dom. de la Tourasse en 2011, face à la mer, entre Banyuls-sur-Mer et Cerbère. La côte Vermeille est le terroir de schistes par excellence, et Sophie et Alain travaillent leurs vignes mais ont également une plantation d'immortelles dont ils tirent des huiles essentielles utilisées en thérapie. Adeptes de la biodynamie, le respect du terroir est une priorité absolue.

Poète vigneron, grand amateur de cigare, Alain Pottier a mille vies. Il est engagé pour la défense des produits identitaires et le rancio sec en est. Ce grenache gris, couleur ambre à reflets topaze, offre des notes d'orange amère, de caramel, de graine de fenugrec, de fût de whisky et même une touche iodée. Une complexité magnifique, révélatrice de l'alchimie des rancios. Cette nuée de notes aromatiques se retrouve au palais, gras et dense. L'équilibre se réalise alors entre fraîcheur et rondeur, et la finale semble ne jamais devoir cesser de se développer. ⧗ 2020-2050

ALAIN POTTIER, Dom. de la Tourasse, 5, av. Castellane, 66660 Port-Vendres, tél. 06 80 03 05 59, contact@latourasse.com V r.-v.

DOM. VIAL-MAGNÈRES ★

	n.c.		15 à 20 €

Bernard Sapéras, œnologue et chimiste de formation, arrivé en 1985 sur le domaine de son beau-père, avait donné un bel élan à la propriété et à l'appellation : c'est à lui que l'on doit le banyuls blanc, l'engouement pour le rancio, la réussite du collioure blanc et le chemin d'Anicet pour découvrir le cru. Après sa disparition en 2013, Olivier et Chrystel Sapéras sont les garants de l'avenir. En 2016, ils se sont associés à Laurent Dal Zovo pour gérer les 10 ha de vignes et les nouvelles chambres d'hôtes.

Les cuvées de rancio sec ont différents visages : la famille est grande, les goûts et les saveurs infinis. Cette cuvée revendique haut et fort sa provenance, mais s'inspire également de ces cousins de Xeres. La robe pâle évolue vers l'or. Le nez, qui rappelle les vins jaunes, exprime l'amande, la noisette, le fumé, les anchois : il est aérien et complexe. Beaucoup d'élégance apparaît en bouche. Un dégustateur parle d'une approche rancio, avec une belle vivacité, une rondeur et un équilibre parfaits. Un rancio d'été, subtil long, pour égayer des tapas de qualité. ⧗ 2020-2050

SARL DOM. VIAL-MAGNÈRES, 14, rue Édouard-Herriot, 66650 Banyuls-sur-Mer, tél. 04 68 88 31 04, info@vialmagneres.com V *t.l.j. 10h-12h 14h-18h* ⑤

Le Poitou et les Charentes

SUPERFICIE : Haut-Poitou : 99 ha ; **Cognac :** 685 400 ha (80 035 plantés, essentiellement destinés à la production de l'eau-de-vie ; pineau-des-charentes : 1 132 ha).

PRODUCTION : Haut-Poitou : 3431 hl ; **Cognac :** 895 000 hl (cognac) ; 105 400 hl (pineau-des-charentes).

TYPES DE VINS

Vin de liqueur (le pineau-des-charentes, assemblage de moût et de cognac, eau-de-vie élaborée dans la même aire d'appellation) ; vins tranquilles rouges, rosés et blancs (haut-poitou).

SOUS-RÉGIONS

Haut-Poitou au nord (rattaché viticolement au Val de Loire).

Vignobles du cognac et ses six terroirs (voir carte).

CÉPAGES PRINCIPAUX

Rouges : cabernet franc, cabernet-sauvignon, merlot, gamay (ce dernier uniquement pour le haut-poitou).

Blancs : ugni blanc (surtout), colombard, folle blanche (pour le cognac) ; sémillon, montils, sauvignon.

LE POITOU ET LES CHARENTES

Les vignobles des anciennes provinces de l'Aunis, de la Saintonge et du Poitou ont prospéré avant celui du Bordelais, grâce au port de La Rochelle. Si le Poitou n'a gardé que quelques ceps, les Charentes ont, depuis le XVIᵉs., fondé leur essor sur la distillation des vins blancs. Le cognac a fait leur réputation – une eau-de-vie qui contribue à un élégant vin de liqueur, le pineau-des-charentes.

Du Bassin parisien au Bassin aquitain. Au nord-ouest, la Vendée; au nord, l'Anjou; au nord-est, la Touraine; à l'est, les plateaux du Limousin; au sud, le Bassin aquitain. Géologiquement, le Poitou, enserré entre les terrains primaires du Massif armoricain et du Massif central, fait communiquer les deux grands bassins sédimentaires du territoire français, le Bassin parisien et le Bassin aquitain : d'où le nom de Seuil du Poitou. Ses terrains sont de nature sédimentaire, tout comme ceux, au sud, des pays charentais, auréoles du Bassin aquitain. Les reliefs plats du Poitou font place à des terrains plus ondulés en Charente, où les sols prennent çà et là la couleur blanchâtre du calcaire. Son climat océanique très doux rapproche la région Poitou-Charentes de l'Aquitaine : il est souvent ensoleillé en été ou à l'arrière-saison, avec de faibles variations de températures, ce qui permet une lente maturation des raisins.

La fortune médiévale. Dès l'époque gallo-romaine, les pays des Pictaves et des Santones ont été rattachés à la même province que Bordeaux et, à partir du Xᵉs., Aquitaine et Poitou ont été réunis sous un même duché, avant de devenir partie intégrante, au milieu du XIIᵉs., du grand royaume Plantagenêt comprenant Aquitaine, Poitou, Anjou et Angleterre. Leur histoire viticole présente ainsi des traits communs, quoique les époques de prospérité n'aient pas toujours coïncidé.

Aux temps gallo-romains, malgré l'éclat de Saintes et de Poitiers, nul indice d'une viticulture prospère dans la région, alors que Bordeaux possède déjà des vignobles réputés. C'est au Moyen Âge que le vignoble poitevin s'épanouit. Sa viticulture a un caractère hautement spéculatif : elle est suscitée par le renouveau de la navigation maritime et par l'essor des villes de l'Europe du Nord. Le nouveau patriciat urbain veut consommer du vin. Des navires, plus gros et plus perfectionnés qu'auparavant, partent en quête de la boisson aristocratique. Les Poitevins répondent à cette demande. On plante en quantité dans les diocèses de Poitiers et de Saintes : vins de La Rochelle, de Ré et d'Oléron, de Niort, de Saint-Jean d'Angély, d'Angoulême... Fondée par Guillaume X et protégée par les ducs d'Aquitaine, La Rochelle est l'un des principaux ports d'expédition. On appelle aussi vins du Poitou les produits nés dans les régions voisines de l'Aunis, de la Saintonge et de l'Angoumois – les provinces historiques situées sur le territoire actuel des deux Charentes.

Des alambics pour les Hollandais. La prise de La Rochelle par le roi de France, en 1224, ferme aux vins du Poitou le marché anglais désormais approvisionné par des clarets bordelais. Les autres régions de l'Europe du Nord deviennent alors leur principal débouché – en particulier la Hollande, surtout après 1579, quand les Provinces-Unies prennent leur indépendance et s'affirment comme une puissance maritime et commerciale. Les Hollandais apprécient les vins blancs doux. Néanmoins, les vins de la région voyagent mal. Les négociants hollandais trouvent la solution : le *brandwijn* («vin brûlé»), ou eau-de-vie. Grâce à la distillation, ils parviennent à valoriser des vins faibles, à diminuer les volumes transportés et à remédier à une surproduction récurrente. Une opération tellement intéressante que l'alambic se répand dans les campagnes de l'Aunis et de la Saintonge.

Cette eau-de-vie est devenue le cognac, dont la notoriété s'est affirmée aux XVIIIᵉ et XIXᵉs. La crise phylloxérique, si elle a suscité l'essor des alcools de grains, n'a pas ruiné durablement le vignoble charentais, qui bénéficiait d'un grand prestige, consacré par une AOC dès 1909. En revanche, le vignoble poitevin a failli disparaître complètement du paysage viticole.

LE COGNAC, PRINCIPALE PRODUCTION RÉGIONALE

La région administrative comprend quatre départements : la Vienne, les Deux-Sèvres, la Charente et la Charente-Maritime. Son vignoble principal est celui du cognac, le quatrième de l'Hexagone en superficie : il s'étend sur les deux Charentes, avec une incursion en Dordogne. Le vignoble poitevin, dont les vins, au XIIᵉs., dépassaient en notoriété ceux du Bordelais, se réduit à des îlots au nord-est de Poitiers, vers Neuville. Mentionnons enfin des vignobles au nord des Deux-Sèvres, dans la plaine de Thouars, rattachés au vignoble du Saumurois (vallée de la Loire).

HAUT-POITOU

Superficie : 186 ha
Production : 11 000 hl (55 % blanc)

Le docteur Guyot rapporte en 1865 que le vignoble de la Vienne représente 33 560 ha. De nos jours, outre le vignoble du nord du département, rattaché au Saumurois, et une enclave dans les Deux-Sèvres, seuls subsistent deux îlots viticoles autour des cantons de Neuville et de Mirebeau. Marigny-Brizay est la commune la plus riche en viticulteurs indépendants. Les autres se sont regroupés pour former la cave de Neuville-de-Poitou. En 2011, le Haut-Poitou a accédé à l'appellation d'origine contrôlée. Les sols du plateau du Neuvillois, évolués sur calcaires durs et craie de Marigny ainsi que sur marnes, sont propices aux différents cépages de l'appellation ; le plus connu d'entre eux est le sauvignon (blanc ou gris). En rouge, le cépage principal est le cabernet franc, complété par le merlot, le pinot noir et le gamay.

DOM. DE LA RÔTISSERIE Cuvée poitevine 2018 ★

■ | 3000 | | - de 5 €

Valeur sûre de l'AOC, ce domaine tire son nom d'un four creusé dans le tuffeau qui servait autrefois aux habitants du hameau. Le vignoble, dirigé par Pierre Baudon et son fils Michaël, couvre 21 ha.

Qu'est-ce qui caractérise un vin poitevin ? Une belle couleur soutenue, sans doute, ainsi que des arômes intenses de fruits mûrs (cassis notamment). En bouche ? L'ensemble se doit d'être souple et rond, sans une once d'agressivité. Tel est bien le cas de ce 2018. ⧗ 2020-2022

EARL BAUDON, Dom. de la Rôtisserie, 2_bis, rue de la Croix-l'Abbé, 86380 Marigny-Brizay, tél. 05 49 52 09 02, domaine.rotisserie86@orange.fr
V t.l.j. sf dim. 9h-12h 14h-19h

DOM. LA TOUR BEAUMONT
Sauvignon blanc 2018 ★

■ | 45300 | | 8 à 11 €

Le donjon d'un ancien château du XIIe s. a donné son nom au domaine, dont les 30 ha se répartissent sur deux coteaux séparés par la rivière Clain. Une valeur sûre du Haut-Poitou. Après cinq années passées en Bourgogne, Pierre Morgeau a rejoint en 2011 son père, Gilles, sur cette exploitation familiale créée en 1860, qu'il dirige depuis 2015.

Jaune clair à reflets verts, ce sauvignon exprime bien les arômes de buis, de fleurs et de fruits blancs (pêche, poire) attendus. Souple et fruité au palais, il bénéficie en outre de ce caractère minéral que l'on apprécie

Le Poitou-Charentes

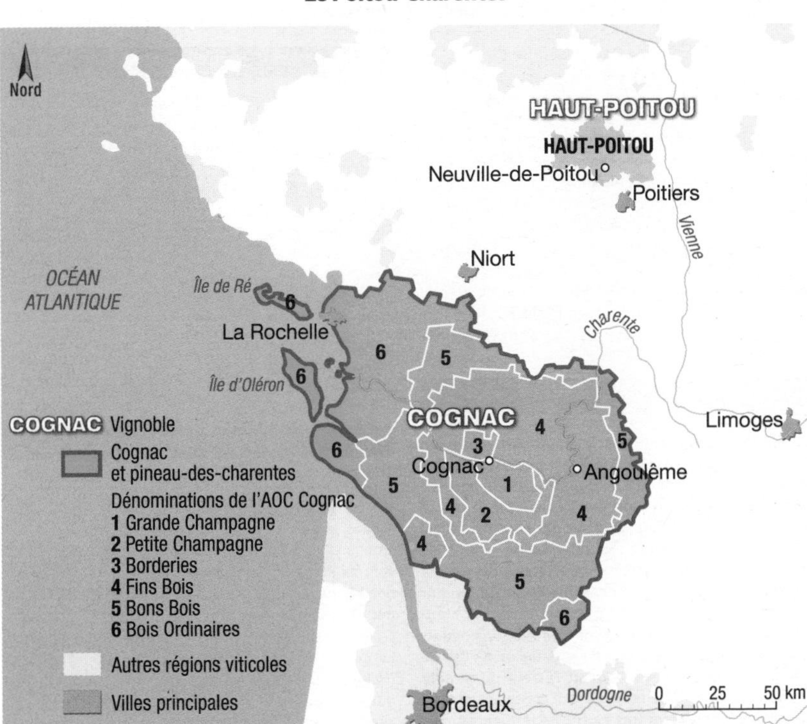

dans les vins blancs de cette appellation. ⧗ 2020-2020 ■ **Cabernet franc 2018 ★ (8 à 11 €; 20 000 b.)** : du fruit, encore du fruit dans ce vin qui a séduit le jury par son intensité aromatique. Bien charpenté, mais sans aspérité, souple donc et de bonne longueur. ⧗ 2020-2022 □ **Sauvignon gris Le Fié gris 2018 ★ (11 à 15 €; 14 600 b.)** : pâle à reflets verts, ce 2018 évoque les fruits exotiques, la pêche et le pamplemousse nuancés de touches minérales. Il possède ce qu'il faut de fraîcheur et de persistance en bouche. ⧗ 2020-2022 ■ **Cabernet Tradition 2017 ★ (11 à 15 €; 4 000 b.)** : robe pourpre, fruité d'une belle intensité, nuances vanillées bien dosées, tanins présents mais fondus dans une matière ronde et fraîche. Un haut-poitou comme il se doit, en somme. ⧗ 2020-2022

⊶ EARL MORGEAU (LA TOUR BEAUMONT), 2, av. de Bordeaux, 86490 Beaumont-Saint-Cyr, tél. 05 49 85 50 37, contact@domainelatourbeaumont.fr V ! t.l.j. sf dim. 9h30-12h 14h30-19h (18h sam. et hiver)

♥ DOM. DE VILLEMONT Cuvée Prestige 2018 ★★

■ | 5000 | ⓘ | 8 à 11 €

Créé en 1995, ce domaine très régulier en qualité surplombe la vallée de l'Envigne, au nord de l'AOC haut-poitou. Il étend son vignoble sur 33 ha, exploités en famille par les Bourdier. En 2019, Rodolphe et Virginie ont pris la suite de leurs parents Alain et Annie.

Sous une robe rouge sombre, cette cuvée libère un nez intense de fruits mûrs. Au palais, les tanins sont certes présents, mais la chair est suffisamment dense pour bien les accueillir. Il en résulte une impression de soyeux et d'harmonie. ⧗ 2020-2022 ■ **Cabernet franc 2018 ★ (5 à 8 €; 11 000 b.)** : des reflets violets témoignent de la jeunesse de ce vin, de même que les discrets arômes fruités. Mais ce 2018 emplit déjà bien le palais de sa chair riche et fruitée, de bonne longueur. ⧗ 2020-2022

⊶ EARL ALAIN BOURDIER (DOM. DE VILLEMONT), 6, rue de l'Ancienne-Commune, lieu-dit Seuilly, 86110 Mirebeau, tél. 05 49 50 51 31, domaine-de-villemont@wanadoo.fr V ! t.l.j. sf dim. 9h30-12h30 14h-18h30; sam. 9h30-12h30

PINEAU-DES-CHARENTES

Le pineau-des-charentes est produit dans la région de Cognac – vaste plan incliné d'est en ouest avec une altitude maximale de 180 m, qui s'abaisse progressivement vers l'océan Atlantique. Le vignoble, traversé par la Charente, est implanté sur des coteaux au sol essentiellement calcaire. Sa destination principale est la production du cognac. Cette eau-de-vie est «l'esprit» du pineau-des-charentes, vin de liqueur résultant du mélange des moûts des raisins charentais frais ou partiellement fermentés avec du cognac. Selon la légende, c'est par hasard qu'au XVIes. un vigneron un peu distrait commit l'erreur de remplir de moût de raisin une barrique qui contenait encore du cognac. Constatant que ce fût ne fermentait pas, il l'abandonna au fond du chai. Quelques années plus tard, alors qu'il s'apprêtait à vider la barrique, il découvrit un liquide limpide, doux et fruité : ainsi serait né le pineau-des-charentes. Le recours à cet assemblage se poursuit aujourd'hui encore de la même façon artisanale et à chaque vendange, car le pineau-des-charentes ne peut être élaboré que par les viticulteurs. Les moûts de raisin proviennent essentiellement, pour les blancs, des cépages ugni blanc, colombard, montils, sauvignon et sémillon, auxquels peuvent être adjoints le merlot et les deux cabernets, et, pour les rouges et rosés, des cabernets, du merlot et du malbec. Le moût doit dépasser les 170 g de sucre par litre en puissance. Le pineau-des-charentes vieillit en fût de chêne pendant au moins un an, le plus souvent pendant plusieurs années. Il ne peut sortir de la région que mis en bouteilles.

Comme en matière de cognac, il n'est pas d'usage d'indiquer le millésime. En revanche, un qualificatif d'âge est souvent spécifié. Le terme «vieux pineau» est réservé au pineau de plus de cinq ans, et celui de «très vieux pineau» à celui de plus de dix ans. Dans ces deux cas, le vieillissement s'accomplit exclusivement en barrique. La qualité de ce vieillissement doit être reconnue par une commission de dégustation. Le degré alcoolique est généralement compris entre 17 % vol. et 18 % vol., et la teneur en sucre non fermenté entre 125 et 150 g; le rosé est généralement plus doux et plus fruité que le blanc, lequel est plus nerveux et plus sec.

Le pineau-des-charentes peut être consommé jeune (à partir de deux ans); il donne alors tous ses arômes de fruits, encore plus présents dans le rouge et le rosé. Avec l'âge, il prend des parfums de rancio très caractéristiques.

BERTRAND

□ | 11 000 | ⓘ | 11 à 15 €

Un domaine fondé en 1731 au cœur de la Fine Champagne par la famille Bertrand. Un long héritage vigneron transmis de génération en génération jusqu'à Samuel Bertrand, établi en 2007 avec sa sœur Thérèse et son beau-frère Thomas Hall à la tête d'un vignoble de 83 ha.

Ce pineau brillant et doré dévoile un nez encore un peu fermé de fruits secs et d'épices, avant d'afficher une bouche souple et ronde, centrée sur les fruits confits enrobés de miel. ⧗ 2019-2022

⊶ SARL BERTRAND ET FILS, 12, Les Brissons, 17500 Réaux-sur-Trèfle, tél. 06 37 72 21 07, contact@cognac-bertrand.com V ! r.-v.

DOM. DE BIRIUS ★

■ | 3300 | ⓘ | 8 à 11 €

Valeur sûre du pineau-des-charentes, ce domaine – dans la même famille depuis dix générations – est situé en Petite Champagne, tout près de la cité médiévale de Pons. Philippe Bouyer, rejoint en 2014 par sa fille Élodie, pratique depuis longtemps la lutte raisonnée et l'enherbement naturel de son vignoble de 32 ha.

Mi-merlot mi-cabernet franc, ce jeune pineau d'une belle couleur rouge cerise livre un bouquet intense de fruits noirs et rouges sur fond de noix. La bouche est fraîche, voire tendue, longuement fruitée. De l'harmonie à tous les stades. ⧗ 2019-2022

EARL BOUYER, Dom. de Birius, 4, rue des Peupliers, La Brande, 17800 Biron, tél. 06 30 62 28 77, contact@cognac-birius.com V r.-v.

♥ RAYMOND BOSSIS ★★

■ | 4000 | | 8 à 11 €

D'origine vendéenne, la famille Bossis s'est installée en Charente en 1924. Raymond Bossis a développé le domaine et, en 1970, la vente directe. C'est aujourd'hui son fils Jean-Luc qui conduit les 35 ha de vignes plantées sur les coteaux argilo-calcaires de l'estuaire de la Gironde, face au Médoc.

Merlot (80 %) et cabernet composent un pineau haut en couleur dans sa robe rouge profond légèrement tuilé. Le nez, diablement gourmand, évoque les fruits rouges, la fraise écrasée et la griotte notamment, agrémentés de nuances de grillé et d'aiguilles de pin. La bouche affiche un équilibre impeccable entre alcool et acidité, un fruité soutenu qui fait écho à l'olfaction et une longue finale sur le cacao et le fumé. Un délice à savourer dans sa jeunesse. ⧗ 2019-2022 ■ **★ (8 à 11 €; 8000 b.)** : ugni blanc et montils à parts égales pour ce pineau pâle aux reflets citron, ouvert sur des nuances florales (tilleul) et miellées. En bouche, on apprécie son équilibre rondeur-fraîcheur, son intensité aromatique (tilleul et miel toujours, mais aussi pêche blanche) et sa longueur. ⧗ 2019-2023

SCEA LES GROIES, 4, Les Groies, 17150 Saint-Bonnet-sur-Gironde, tél. 05 46 86 02 19, contact@raymond-bossis.com V *t.l.j. sf dim. 9h-12h 14h-19h*

LE CHAMP DES VIGNES Vieux

■ | 2600 | | 15 à 20 €

Une petite exploitation familiale reprise en 2014 par Florian Mossion qui produit du cognac et du pineau sur 38 ha de vignes.

Mi-ugni blanc mi-montils, un pineau vieux qui a connu quinze ans de vieillissement. La robe est jaune d'or soutenu, le nez assez évolué, évoquant la noix, le bois, la pomme et l'écorce d'orange. En bouche, l'équilibre est de mise entre le rancio, le bois et le fruit. ⧗ 2021-2029

SCEA LE CHAMP DES VIGNES, 58, chem. des Cormes, 17120 Chenac-Saint-Seurin-d'Uzet, tél. 05 46 90 52 50, scealechampdesvignes@gmail.com V *t.l.j. sf dim. 9h-12h 14h-19h*

PASCAL CLAIR ★★

■ | 6000 | | 11 à 15 €

Dans la même famille depuis 1850, ce domaine étend son vignoble de 25 ha sur les coteaux argilo-calcaires de Grande et Petite Champagne. Pascal Clair est aux commandes depuis 1981 et signe des pineaux d'une belle régularité.

Le coup de cœur fut mis aux voix pour ce pineau associant ugni blanc et sémillon à parts égales. Belle robe ambrée aux reflets d'or, nez fin d'aubépine et de miel, bouche riche, onctueuse et ronde, miellée et compotée, soulignée par une juste acidité qui amène de la longueur : un équilibre impeccable. ⧗ 2019-2024

EARL PASCAL CLAIR, 6, chem. de Genebrière, 17520 Neuillac, tél. 06 74 04 45 32, pascal.clair@free.fr V r.-v.

DOM. DES CLAIRES Galion d'or ★★

■ | 838 | | 11 à 15 €

Domaine viticole depuis six générations, d'abord orienté vers la production de cognac (le seul bouilleur de cru de la presqu'île d'Arvert). Toutefois, l'activité ostréicole et l'affinage des huîtres en claires prédominaient jusque dans les années 1970. Jonathan Guillon, son diplôme d'œnologue en poche, s'est installé en 2010 et a diversifié l'encépagement. Les mises en bouteilles à la propriété de vins de pays, de cognac et de pineau ont alors débuté. Le vignoble compte environ 18 ha.

Une belle robe ambrée aux reflets cuivrés habille ce pineau bien sous tous rapports. Au nez, l'abricot et les fruits secs composent avec un alcool bien fondu. La bouche apparaît intense, montante et longue, étayée par une fine acidité aux tonalités d'agrumes. Un ensemble aussi harmonieux qu'expressif. ⧗ 2019-2022 ■ **Éclat de grenat ★ (11 à 15 €; 2245 b.)** : un rouge intense et profond, sur les fruits confiturés (framboise, mûre), charnu et structuré en bouche, étiré dans une longue finale fraîche et fruitée. ⧗ 2019-2022

EARL DOM. DES CLAIRES, 2, rue des Tonnelles, 17530 Arvert, tél. 05 46 47 31 87, contact@domainedesclaires.fr V *t.l.j. sf dim. 10h-12h30 14h30-19h; hors saison 16h-19h sf mar. dim.*

COULON ET FILS Pineau du vieux cep ★

■ | 13000 | | 8 à 11 €

Héritier d'une lignée de viticulteurs établis sur l'île d'Oléron, Didier Coulon a pris la suite de ses parents Guy et Paulette en 1995 sur cette exploitation familiale de 34 ha dédiée au cognac, au pineau-des-charentes et aux vins de pays (50 % de sa production).

Le merlot (50 %) et les deux cabernets composent un rouge rubis intense, ouvert sur un boisé chocolaté et sur les fruits rouges cuits. Arômes prolongés par une bouche fraîche et gourmande, longue et équilibrée. ⧗ 2019-2022

EARL COULON ET FILS, Saint-Gilles, 17310 Saint-Pierre-d'Oléron, tél. 05 46 47 02 71, coulonetfilsoleron@free.fr V *t.l.j. sf dim. 9h-12h30 15h-19h*

VIGNOBLE EGRETEAU Très vieux ★★

■ | 2500 | | 20 à 30 €

Installé en 2004, Ludovic Egreteau représente la huitième génération sur la propriété familiale. Il a débuté la vente directe alors qu'il était encore étudiant. Sur ce domaine de 49 ha, situé en Charente-Maritime à la frontière de la Charente, il propose des pineaux de qualité et des cognacs de tous âges.

Finaliste des coups de cœur, ce très vieux pineau se présente dans une seyante robe ambrée qui signe le vieillissement. Au nez se déploient d'intenses arômes de figue sèche, de miel et de rancio. La bouche ? De la vivacité, beaucoup d'ampleur et de consistance et une belle longueur. Du coffre et de la personnalité. ⧗ 2019-2026 ■ **Vieux (11 à 15 €; 5000 b.)** : vin cité.

VIGNOBLE EGRETEAU, 29, rue de Saint-Bris, Chez Petit-Bois, 17770 Brizambourg, tél. 05 46 95 96 04, domaine@vignoble-egreteau.fr V r.-v.

VIGNOBLE FÉVRIER ★

■	1500		8 à 11 €

En trois générations, cette propriété située à 20 km au nord de Cognac a évolué de la polyculture-élevage à la culture de la vigne et des céréales. Installés en 2000, Emmanuel et Laurence Février y exploitent un vignoble de 25 ha. Ils proposent pineaux, vins de pays, cognacs, liqueurs et jus de raisin.

Ce pineau bien doré, net et brillant livre un bouquet riche, centré sur le miel. Passé une attaque tout en souplesse, le palais se montre bien équilibré, associant rondeur, vivacité et de jolies notes de rancio, d'abricot sec et de vanille. ⧗ 2019-2024

SARL VIGNOBLE FÉVRIER, 10, rue des Vallées, 17490 Macqueville, tél. 05 46 26 63 93, vignoble.fevrier@wanadoo.fr V *t.l.j. sf dim. 10h-12h 15h-19h; f. fin août*

DOM. DE FRAICHEFONT 2012 ★★

■	2000		15 à 20 €

Vendange manuelle à maturité, extraction lente des jus, élevage à 50 % en fûts neufs, vieillissement durant trois à cinq ans, telles sont les méthodes d'élaboration respectueuses du raisin employées par Lionel Ducom, installé en 1990 sur ce petit domaine familial (2 ha) qui avait créé son activité dix ans plus tôt.

Ce 100 % colombard se présente avec élégance et intensité dans sa robe vieil or. Intensité que l'on perçoit également à l'olfaction autour de la vanille, du miel, des agrumes et du rancio. Ample et longue, la bouche apparaît très équilibrée entre le fruit et le bois, agrémentée d'un rancio assez marqué pour un jeune pineau. ⧗ 2019-2027 ■ **Vieux ★ (20 à 30 €; 1000 b.)** : un pineau jaune d'or, au nez puissant de rancio, de cacao et de fruits secs, offrant un bon fondu entre alcool, sucre, bois et fruit. ⧗ 2019-2029

LIONEL DUCOM, 19, rue du Labeur, Fraichefont, 16170 Auge-Saint-Médard, tél. 06 80 00 87 84, dl.ducom@wanadoo.fr V *r.-v.*

GUÉRINAUD ★★

■	3000		8 à 11 €

L'histoire vigneronne de la famille débute en 1914 avec l'arrière-grand-père. Emmanuel Guérinaud s'installe en 1998 sur le domaine, situé près de Pons, et se lance aussitôt dans la mise en bouteilles et la vente en direct. Ses vignes couvrent 27 ha.

D'un beau rouge intense aux reflets brique, ce pineau séduit d'emblée par ses arômes de fraise, de noix et de café. Le charme opère aussi en bouche : de la fraîcheur, un fruité expressif (fraise, framboise, grenadine), de la richesse, de la longueur. Un rouge complet et déjà fort agréable. ⧗ 2019-2023

GUÉRINAUD, 3, L'Opitage, 17800 Mazerolles, tél. 05 46 94 01 56, emmanuel.guerinaud@orange.fr V *r.-v.*

GUÉRIN FRÈRES Extra

■	4000		11 à 15 €

Au sortir de la Seconde Guerre mondiale, Robert Guérin, viticulteur à Chenac-sur-Gironde, s'oriente vers la production de pineau-des-charentes. Ses enfants développent l'activité familiale pour fonder en 1967 la société Puy Gaudin. À partir des années 1980, les produits de Puy Gaudin sont commercialisés en grande distribution sous la marque «Guérin Frères». Ce sont aujourd'hui les petits et arrière-petits-enfants qui conduisent la maison.

Un pineau rouge cerise, ouvert sur les petits fruits rouges et quelques notes végétales. La bouche est souple, fruitée, d'un style plutôt léger. À boire dans sa jeunesse. ⧗ 2019-2022

SAS PUY GAUDIN, rte de Pons, 17260 Gémozac, tél. 05 46 90 79 81, boutique@puygaudin.com V *t.l.j. sf sam. dim. 9h-12h 14h-18h*

GUILLON-PAINTURAUD Extra vieux Exception ★★

■	5000		50 à 75 €

Il faut remonter jusqu'en 1610 pour retrouver les origines de cette famille dont l'exploitation est ancrée au cœur de la Grande Champagne, sur des coteaux argilo-calcaires et crayeux. Un domaine de 19 ha très régulier en qualité, réputé notamment pour ses pineaux extra-vieux. Arrivée en 1994, Line Sauvant a pris la suite de son père Pierre Guillon.

Cette cuvée d'extra vieux a plus d'une fois brillé dans ces pages; elle s'illustre à nouveau cette année avec un pineau qui a débuté son vieillissement il y a un quart de siècle... La robe est magnifique, mordorée, cuivrée : nous sommes bien dans l'univers de l'âge avancé. Le nez en impose par sa complexité : pruneau, miel, pêche et abricot confiturés, et bien sûr cette note si typique de rancio. On retrouve cette profusion aromatique dans une bouche ample, généreuse, enveloppante, d'une longueur admirable, offrant un équilibre parfait entre la barrique et l'eau-de-vie. Pour amateurs exigeants. ⧗ 2019-2024 ■ **Extra vieux Exception Or ★★ (50 à 75 €; 6000 b.)** : une très belle robe ambrée, des arômes de figue sèche, de miel léger, de noix et de noisette, une bouche volumineuse et alerte, bien soutenue par la vivacité composent un pineau de caractère. ⧗ 2019-2024

GUILLON-PAINTURAUD, 7, rue du Coteau, Biard, 16130 Segonzac, tél. 05 45 83 41 95, info@guillon-painturaud.com V *t.l.j. sf dim. lun. 10h-12h 14h-18h; janv.-fév. sur r.-v.*

JULLIARD Or rose ★

■	1200		15 à 20 €

Un vignoble qui se transmet dans la même famille depuis 1830. Aujourd'hui un domaine de 32 ha, conduit depuis 2011 par Maxime Julliard.

Un rosé brillant au disque cuivré, ouvert sur des arômes intenses de griotte et de framboise. La bouche plaît par son fruité soutenu, sa rondeur, son gras et sa longueur. Encore jeune, ce pineau vieillira bien. 2020-2024

EARL VIGNOBLES JULLIARD, 2, chem. de la Pouyade, 17800 Pérignac, tél. 06 80 67 05 54, vignoblesjulliard@wanadoo.fr V r.-v.

♥ THIERRY JULLION ★★

■	15000		8 à 11 €

Thierry Jullion, représentant la cinquième génération, exploite depuis 1981 un beau vignoble familial de 43 ha. Régulièrement remarqué dans le Guide pour son pineau et ses IGP Charentais, il produit aussi du cognac.

Le seul ugni blanc est à l'œuvre dans ce superbe pineau d'un doré intense, vieilli pendant cinq ans. Au nez, se dévoilent des notes complexes de tarte à l'abricot, de poire confite et de miel agrémentées de fines nuances végétales. La bouche se révèle souple en attaque, puis ample, fondue, soyeuse, florale, fruitée et miellée, le tout soutenu par une fraîcheur savamment dosée. Un modèle d'équilibre. 2019-2024 ■ ★★ (8 à 11 €; 10000 b.) : un pur merlot rouge intense, au nez très fruité et un brin marqué par l'eau-de-vie, à la bouche suave et intense, avec de la fraîcheur en appui et un boisé bien senti. 2019-2024

SARL THIERRY JULLION, 1, Montizeau, 17520 Saint-Maigrin, tél. 06 83 54 27 73, thierryjullion@orange.fr V *t.l.j. sf dim. lun. 10h-12h15 14h30-19h* 3 B

MAUXION SÉLECTION 2000

■	600		50 à 75 €

La famille Mauxion cultive la vigne depuis 1848 et treize générations. En 2016, Thibault se lance dans l'aventure du négoce d'eaux-de-vie et de pineau-des-charentes sous la marque Mauxion Sélection.

Un pineau millésimé, d'une couleur ambrée d'un bel effet. Au nez se mêlent la noix, la noisette, les fruits confits et des notes épicées. En bouche, l'attaque est souple, le développement harmonieux entre alcool et sucres; on y retrouve le rancio et les fruits à coque. Plutôt un style vieux. 2019-2023

SAS ATM HOLDING, 6, imp. du Soleil-Couchant, Le Cluzeau, 16200 Houlette, tél. 05 45 80 87 66, atm@vignoblesmauxion.com V r.-v.

NATOL ★★

■	25000		8 à 11 €

Un domaine familial fondé en 1964 où l'on produit du pineau-des-charentes à partir d'un vignoble de 65 ha. Olivier Barbotin est aux commandes depuis 1990.

Une goutte des deux cabernets (10 %) accompagne le merlot dans ce pineau d'un élégant rouge vif et franc, au nez intense de fruits rouges sur fond d'eau-de-vie. La bouche offre beaucoup de fraîcheur et de fruit, mais aussi de la rondeur et un boisé harmonieux. De l'expression et du dynamisme. 2019-2023

EARL JEAN ET OLIVIER BARBOTIN, 68, rue de Saintonge, Les Épeaux, 17120 Meursac, tél. 05 46 96 20 00, contact@natol-barbotin.fr V r.-v.

DOM. DE L'OISELLERIE ★★

■	7000		8 à 11 €

Situé à la périphérie d'Angoulême, le château de l'Oisellerie (édifié à la fin du XVe s.) était autrefois réputé pour son élevage de faucons et aussi pour son cognac. Racheté au XXe s. par le Conseil général, il a été reconverti en lycée viticole. Les vignes couvrent 34 ha.

Un 100 % ugni blanc d'un bel or soutenu, au nez riche et complexe de noix, d'amande, de miel d'acacia et de fruits frais. La bouche séduit par sa fraîcheur et son intensité aromatique autour de la figue, du miel, de la marmelade de pêches et d'abricots, et par sa longue finale. Un pineau alerte et expressif. 2019-2023

LYCÉE VITICOLE DE L' OISELLERIE, Ch. de l'Oisellerie, Service Exploitation, 16400 La Couronne, tél. 05 45 67 36 90, expl.angouleme@educagri.fr V *t.l.j. sf dim. lun. 9h-12h 13h30-18h*

DOM. PAUTIER Vieux

■	1000		15 à 20 €

Cette maison de grand maître franc-maçon, construite en 1830 sur les bords de la Charente, commande un vignoble (30 ha) planté sur un terroir de groie. Aujourd'hui propriété de la famille Pautier, elle fut jadis une maison de négoce de cognacs.

D'un joli tuilé, ce rouge vieux livre un bouquet harmonieux de griotte, de fruits secs et de rancio. La bouche apparaît elle aussi équilibrée, souple et persistante sur le fruit et la noix. 2019-2023

EARL DE LA ROMÈDE, Veillard, 23, rte de la Grande-Champagne, 16200 Bourg-Charente, tél. 05 45 81 24 89, domaine.pautier@gmail.com V *t.l.j. sf dim. 10h-12h 15h30-18h30; oct.-mars sur r.-v.*

DOM. DU PÉRAT

■	5000		8 à 11 €

Un domaine dans la famille Barribaud depuis 1936, conduit aujourd'hui par la troisième génération, avec à sa disposition un vignoble de 20 ha en Petite Champagne (70 %) et en Grande Champagne.

Ce pur merlot se présente dans une robe rouge clair, le nez ouvert sur des parfums de fraise et de fruits exotiques mâtinés de nuances végétales. En bouche, il se révèle bien fruité, un brin pâtissier et boisé, de bonne longueur. 2019-2022

DOM. DU PÉRAT, 30, rue de la Petite-Champagne, 17520 Saint-Martial-sur-Né, tél. 06 09 64 89 89, domaineduperat@free.fr V r.-v.

ANDRÉ PETIT Sélection de vieilles vignes

12000		8 à 11 €

Un domaine de 18 ha établi sur un coteau calcaire, à Berneuil, dans la «petite Toscane charentaise», repris en 1986 par l'œnologue Jacques Petit, qui l'a ouvert à la vente directe.

Colombard (70 %) et ugni blanc composent un pineau d'un ambre soutenu, au nez puissant de grillé, de fruits secs, de fruits confits et de rancio. Arômes que l'on retrouve dans une bouche ronde et riche. ⧗ 2019-2022

ANDRÉ PETIT ET FILS, Au Bourg, 16480 Berneuil, tél. 05 45 78 55 44, andrepetit3@wanadoo.fr r.-v.

DOM. DU PLANTIS Extra ★

5000		15 à 20 €

Un domaine dans la famille de Cédric Grellier depuis trois générations. Le vignoble couvre 40 ha au cœur des Fins Bois.

D'un beau vieil or aux reflets bruns, ce pineau déploie à l'olfaction des parfums intenses de rancio, agrémentés de notes de bois, d'épices et de pruneau. En bouche, il se montre riche, ample, là aussi marqué par le rancio, accompagné de fruits confits et de miel. ⧗ 2019-2024

SCEA DOM. DU PLANTIS, 36, rue du Plantis, 17160 Courcerac, tél. 05 46 25 09 32, cedric.grellier@orange.fr t.l.j. sf dim. 8h-12h 14h-18h

DOM. DU PUITS FAUCON 2012 ★★

2600		11 à 15 €

Un domaine situé dans les Borderies, propriété de la famille de Daniel Bouillard depuis 1886. Le vignoble couvre 38 ha cultivés sans herbicides.

Ce pineau d'un bel or jaune intense et limpide déploie des arômes intenses de rancio, de fruits secs, de miel, de fruits frais (pêche, citron) et de fleurs blanches. La bouche apparaît franche en attaque, fraîche, droite, expressive, en harmonie avec le nez, puis plus riche en finale. ⧗ 2019-2025

SCEA DOM. DU PUITS FAUCON, 8, rte de Chez-Gaillard, 17770 Burie, tél. 06 84 62 26 38, puits.faucon@wanadoo.fr r.-v.

♥ VEUVE BARON ET FILS Vieux Logis de Brissac ★★

3067		15 à 20 €

Commandée par un ancien pavillon de chasse datant de François Ier, avec cour fermée par les chais de vinification et de vieillissement, la propriété, située au nord de Cognac, se transmet de père en fils depuis 1837. Antoine Baron, cinquième du nom, dirige depuis 2007 le domaine de 54 ha réputé pour ses pineaux blancs.

Le seul ugni blanc est à l'œuvre dans ce pineau magistral, né de la récolte 2005. La robe est d'un superbe jaune d'or brillant et limpide. Le nez, aussi puissant qu'élégant, évoque l'écorce d'orange confite, les fruits secs et le rancio. La bouche, centrée sur les mêmes sensations aromatiques, en impose par son équilibre parfait entre fruité, sucres et alcool bien fondu, par sa longueur et son intensité. ⧗ 2019-2029

SCEA VIGNOBLES BARON, Logis-du-Coudret, 16370 Cherves-Richemont, tél. 05 45 83 16 27, veuve.baron@wanadoo.fr t.l.j. sf dim. 10h-12h 14h-18h30

IGP CHARENTAIS

VIGNOBLES BERTRAND 4 Îles Cuvée Réserve 2017

8000		5 à 8 €

François Bertrand fonde en 1848 le Dom. du Feynard à partir d'un héritage de 2 ha dans les Charentes. Depuis, sept générations se sont succédé. Aujourd'hui Dimitry (à la vigne) et Mathieu (au chai) exploitent environ 200 ha, dont 165 ha d'ugni blanc et de colombard destinés à la distillation. Ils ont développé une offre de vins de pays (IGP) qui complète leur production de cognac et de pineau-des-charentes.

D'un rouge intense, ce vin présente à l'olfaction des notes animales et fruitées. En bouche, il apparaît chaleureux et riche, avec de bons tanins en soutien. Il gagnera son étoile en cave. ⧗ 2021-2024

EARL VIGNOBLES BERTRAND, Le Feynard, 17210 Chevanceaux, tél. 05 46 04 61 08, contact@vignobles-bertrand.com r.-v.

DOM. DES CLAIRES Cuvée Presqu'île 2017 ★★

1903		5 à 8 €

Domaine viticole depuis six générations, d'abord orienté vers la production de cognac (le seul bouilleur de cru de la presqu'île d'Arvert). Toutefois, l'activité ostréicole et l'affinage des huîtres en claires prédominaient jusque dans les années 1970. Jonathan Guillon, son diplôme d'œnologue en poche, s'est installé en 2010 et a diversifié l'encépagement. Les mises en bouteilles à la propriété de vins de pays, de cognac et de pineau ont alors débuté. Le vignoble compte environ 18 ha.

D'un joli jaune limpide aux reflets argentés, ce chardonnay, qui a passé un an en fût, s'ouvre sur des arômes de beurre, d'agrumes et de fruits jaunes. Arômes prolongés par une bouche ample, ronde et longue, soutenue par un boisé parfaitement ajusté, aux tonalités vanillées. ⧗ 2019-2022

EARL DOM. DES CLAIRES, 2, rue des Tonnelles, 17530 Arvert, tél. 05 46 47 31 87, contact@domainedesclaires.fr t.l.j. sf dim. 10h-12h30 14h30-19h; hors saison 16h-19h sf mar. dim.

MAISON COULON Île d'Oléron Colombard 2018

22000		- de 5 €

Héritier d'une lignée de viticulteurs établis sur l'île d'Oléron, Didier Coulon a pris la suite de ses parents Guy et Paulette en 1995 sur cette exploitation familiale de 34 ha dédiée au cognac, au pineau-des-charentes et aux vins de pays (50 % de sa production).

Ce pur colombard aux seyants reflets miel livre un bouquet agréable de raisin mûr, de fleurs blanches et d'agrumes. La bouche se montre fraîche, fruitée, équilibrée, de bonne longueur. À boire dans sa jeunesse. 2019-2020

EARL COULON ET FILS, Saint-Gilles, 17310 Saint-Pierre-d'Oléron, tél. 05 46 47 02 71, coulonetfilsoleron@free.fr
V *t.l.j. sf dim. 9h-12h30 15h-19h*

DOM. GARDRAT
Tradition 2017

13000		- de 5 €

Dans la famille Gardrat depuis cinq générations, ce domaine s'est tourné vers les vins de pays charentais à partir de 1986. Lionel Gardrat, qui en a pris les commandes en 2007, exploite un vignoble de 40 ha en conversion bio.

Ce merlot sombre aux reflets tuilés livre des arômes boisés toastés. On retrouve le merrain dans une bouche riche, mûre et bien structurée mais sans excès. 2020-2023

SARL GARDRAT, La Touche, 17120 Cozes, tél. 05 46 90 86 94, lionelgardrat@hotmail.com
V *t.l.j. sf mer. dim. 14h-18h*

♥ GRAINS D'ESTUAIRE
Cuvée Emma 2018 ★★

9000		11 à 15 €

Julien Bonneau, fils de Joël Bonneau (Ch. Haut Grelot dans le Blayais), et son ami Alexandre Lavigne, restaurateur à Saint-Palais-sur-Mer, ont créé en 2014 une gamme de vins, Grains d'Estuaire, à partir d'un vignoble de 10 ha situé à Saint-Bonnet-sur-Gironde, au sud de la Charente-Maritime.

Paré d'une superbe robe sombre aux reflets cassis, ce vin s'ouvre sur des arômes intenses et complexes de pruneau cuit, de raisin mûr et de fruits noirs, agrémentés de nuances fumées. Une approche des plus prometteuses qui trouve un prolongement remarquable dans une bouche ample, riche, puissante, concentrée, longue, dotée de tanins soyeux. Du velours. 2021-2029

EARL JOËL BONNEAU, 28, Les Grelauds, 33820 Saint-Ciers-sur-Gironde, tél. 05 57 32 65 98, jbonneau@wanadoo.fr
V *t.l.j. sf sam. dim. 8h30-12h30 14h-18h* A

B LES HAUTS DE TALMONT-SUR-GIRONDE
Le Merlot 2018 ★

6000		8 à 11 €

Ce petit vignoble de 5 ha conduit en biodynamie, créé en 2003 par trois amis, Lionel Gardrat, Michel Guillard et Jean-Jacques Vallée, domine l'église romane de Talmont (XIIe s.) et le vaste estuaire de la Gironde.

Sombre et profond à l'œil, ce vin intéresse aussi par son olfaction centrée sur les fruits très mûrs. En bouche, il apparaît riche, dense, généreux, concentré. Un merlot solaire. 2020-2023

SARL LES HAUTS DE TALMONT, rue du Port, 17120 Talmont-sur-Gironde, tél. 05 46 90 86 94, lionelgardrat@hotmail.com
V *t.l.j. 10h-13h 15h-19h; f. 15 oct. -15 avr.*

THIERRY JULLION Sauvignon 2018

11000		5 à 8 €

Thierry Jullion, représentant la cinquième génération, exploite depuis 1981 un beau vignoble familial de 45 ha. Régulièrement remarqué dans le Guide pour son pineau et ses IGP Charentais, il produit aussi du cognac.

Ce sauvignon d'une belle limpidité s'ouvre sur des notes fraîches de pamplemousse, de nectarine et de bourgeon de cassis. Une gamme aromatique bien typée que prolonge une bouche équilibrée, alerte et souple. 2019-2020

EARL DOM. DE MONTIZEAU, 1, Montizeau, 17520 Saint-Maigrin, tél. 06 83 54 27 73, thierryjullion@orange.fr
V *t.l.j. sf dim. lun. 10h-12h15 14h30-19h*
3 B

DOM. DE LA LURE Merlot 2018

30000		- de 5 €

Cette exploitation, située à la limite de la Charente-Maritime et de la Gironde, a été créée par la famille Boule en 1975. Vincent a repris le flambeau transmis en 2003 par son père Philippe. Le vignoble de 48 ha est réparti entre appellations du Cognaçais et du Blayais.

Ce vin rouge vif et brillant s'exprime autour du fruit à l'olfaction, relevé par des nuances épicées. La bouche apparaît elle aussi bien fruitée, avec en soutien des tanins présents sans excès. 2020-2022

GAEC BOULE ET FILS, 3, La Verrerie, 17150 Boisredon, tél. 06 89 90 36 56, vincent@vignobles-boule.com
V *r.-v.*

MAINE AU BOIS Merlot 2018

6000		5 à 8 €

Natif de Gironde, ayant grandi au milieu des vignobles de Pessac-Léognan, œnologue depuis 1988 pour des maisons de cognac, Thierry Archereau a créé en 2003, avec son employeur de l'époque, une maison de négoce dans le hameau de Saint-Eugène qui commercialise une gamme de vins de pays charentais, les vins du Maine au Bois. Depuis 2013, il est seul aux commandes.

D'une jolie teinte saumonée à reflets gris, ce 2018 évoque la fraise écrasée à l'olfaction, agrémentée d'une petite note fumée. En bouche, il se montre rond, d'un bon volume, un brin suave en finale. 2019-2020

SAS DONI D., 22, allée des Marronniers, 17520 Archiac, tél. 05 46 48 33 84, t.archereau@orange.fr
V *r.-v.*

POITOU-CHARENTES

VIGNOBLE PERONNEAU 2018

■ | 230 | 🍷 | - de 5 €

Une exploitation familiale de 40 ha qui a vu le jour en 1970, reprise en 2011 par Samuel Peronneau, sur laquelle il produit du cognac, du pineau et des IGP.

Le merlot (43 %), le cabernet franc (42 %) et le cabernet-sauvignon sont associés dans ce vin d'un abord un peu fermé à l'olfaction. En bouche, on découvre un 2018 rond, souple et fruité (cerise, cassis). À boire sur le fruit. ⌛ 2019-2021

EARL VIGNOBLE PERONNEAU, Boniteau, 17210 Pouillac, tél. 05 46 04 65 24, earlvignobleperonneau@orange.fr V r.-v.

PIQUE RUSSE 2018 ★

■ | 4000 | 🍷 | 11 à 15 €

Ce domaine - dont le nom signifie « rouge-queue » en Charentais - a été créé en 2003 par des amis. Le vignoble couvre 3,5 ha de merlot, de cabernet-sauvignon et de pinot noir travaillés en agriculture biologique (conversion en cours).

Ce rosé pâle et brillant livre un bouquet complexe mêlant nuances fruitées, minérales et fumées. En bouche, il se révèle très frais, très fruité, d'une belle longueur. Tout indiqué pour l'apéro aux beaux jours. ⌛ 2019-2020

SCEA PIQUE RUSSE, 21, rue de Bellevue, 17490 Gourvillette, tél. 06 72 91 49 18, ylageat@piquerusse.fr V r.-v.

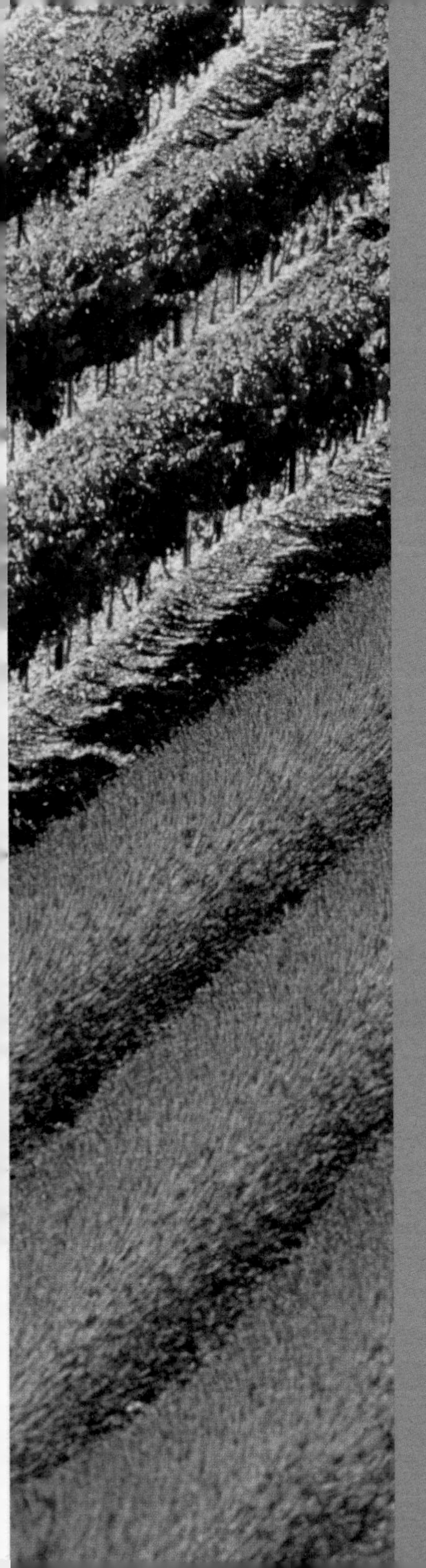

La Provence et la Corse

• LA PROVENCE

SUPERFICIE : 29 000 ha
PRODUCTION : 1 300 000 hl
TYPES DE VINS : Rosés majoritaires, rouges de garde et blancs.

CÉPAGES PRINCIPAUX :

Rouges : grenache, cinsault, syrah, carignan, tibouren, mourvèdre, cabernet-sauvignon.
Blancs : ugni blanc, vermentino (rolle), bourboulenc, clairette, sémillon, sauvignon.

• LA CORSE

SUPERFICIE : 7 000 ha

PRODUCTION : 350 000 hl dont 35,5 % en AOC, 59,2 % en IGP et 5,3 % en VSIG.

TYPES DE VINS : En AOC, rosés majoritaires (55 %), rouges (33 %), blancs (10,5 %), vins doux naturels muscat-du-cap-corse (1,5 %).
En IGP, rosés majoritaires (48 %), rouges (35 %) et blancs (17 %).

CÉPAGES PRINCIPAUX :

Rouges : niellucciu, sciaccarellu, grenache, cinsault, syrah, carignan, aleatico.
Blancs : vermentinu (rolle), bourboulenc, clairette, muscat à petits grains.

LA PROVENCE

La Provence, pour tout un chacun, c'est un pays de vacances, où « il fait toujours soleil » et où les gens, à l'accent chantant, prennent le temps de vivre... Pour les vignerons aussi, c'est un pays de soleil, qui brille trois mille heures par an. Les pluies y sont rares mais violentes, les vents fougueux et le relief tourmenté. Les Phocéens, débarqués à Marseille vers 600 av. J.-C., ne se sont pas étonnés d'y voir de la vigne, comme chez eux, et ont participé à sa diffusion. Grâce au tourisme, la viticulture a retrouvé des couleurs, et sa couleur préférée est le rosé. La région fournit aussi des rouges concentrés ou fruités, et de rares blancs.

Des voies romaines aux routes des vacances. Après les Phocéens, les Romains puis les moines et les nobles, jusqu'au roi-vigneron René d'Anjou, comte de Provence au XVe s., se sont fait les propagateurs de la vigne. Éléonore de Provence, épouse d'Henri III, roi d'Angleterre, sut donner aux vins de Provence un grand renom, tout comme Aliénor d'Aquitaine l'avait fait pour les vins d'Aquitaine. Ils furent par la suite un peu oubliés du commerce international, faute de se trouver sur les grands axes de circulation. Ces dernières décennies, le développement du tourisme les a remis à l'honneur, et spécialement les vins rosés, vins joyeux s'il en est, symboles de vacances estivales et dignes accompagnements des plats provençaux.

Un vignoble morcelé et des cépages variés. La structure du vignoble est souvent morcelée, la géopédologie étant très diversifiée par le relief offrant des zones contrastées tant en matière des sols que des microclimats. Comme dans les autres vignobles méridionaux, les cépages sont très variés : l'appellation côtes-de-provence en admet treize. Encore que les muscats, qui firent la gloire de bien des terroirs provençaux avant la crise phylloxérique, aient pratiquement disparu.

Le rosé en tête. Depuis plusieurs années, le rosé s'est imposé auprès des consommateurs. La Provence possède ainsi le premier vignoble au monde de vins rosés et s'impose comme la première région en France des vins de cette couleur avec environ 40 % de la production nationale.

« AVÉ L'ASSENT ».

Et puisqu'on parle encore provençal dans quelques domaines, sachez qu'un « avis » est un sarment, qu'une « tine » est une cuve et qu'une « crotte » est une cave ! Peut-être vous dira-t-on aussi qu'un des cépages porte le nom de « pecoui-touar » (queue tordue) ou encore « ginou d'agasso » (genou de pie), à cause de la forme particulière du pédoncule de sa grappe...

Ces vins, de même que les vins blancs (ceux-ci plus rares mais souvent surprenants), sont généralement bus jeunes. Il en est de même pour beaucoup de vins rouges, lorsqu'ils sont légers. Mais les plus corsés, dans toutes les appellations, vieillissent fort bien.

BANDOL

Superficie : 1 690 ha
Production : 56 466 hl (95 % rouge et rosé)

Noble vin produit sur les terrasses brûlées de soleil des villages de Bandol, Le Beausset, La Cadière-d'Azur, Le Castellet, Évenos, Ollioules, Saint-Cyr-sur-Mer et Sanary, à l'ouest de Toulon, le bandol est blanc, rosé ou rouge. Ce dernier est corsé et tannique grâce au mourvèdre, cépage qui le compose pour plus de la moitié. Généreux, il s'accorde avec les venaisons et les viandes rouges. Sa palette aromatique et subtile est faite de poivre, de cannelle, de vanille et de cerise noire. Le bandol rouge supporte fort bien une longue garde.

DOM. DES BAGUIERS 2018 ★

■ | 26000 | | 11 à 15 €

Transmis de génération en génération, le domaine délaisse la polyculture à la fin des années 1970 pour se consacrer à la vigne. Depuis 2016, c'est Claudine Jourdan qui est à la tête de ce vignoble de 24 ha qui s'étend entre Bandol, Le Castellet et La Cadière-d'Azur.

Issue de l'assemblage traditionnel mourvèdre-cinsault-grenache, cette cuvée à la robe rose litchi dévoile des parfums de fleurs blanches, de pêche, d'abricot, de poire et de poivre blanc. La bouche se montre ronde et bien équilibrée entre tonicité et douceur. ⧗ 2019-2020

GAEC JOURDAN, 227, rue des Micocouliers, 83330 Le Castellet, tél. 04 94 90 41 87, jourdan@domainedesbaguiers.com V *t.l.j. sf dim. 10h-12h 15h-18h30*

BARAVÉOU 2018 ★★

■ | 4500 | | 15 à 20 €

Créé en 2011, le domaine de Baravéou est situé entre La Cadière-d'Azur et Le Castellet. Jean-Philippe Fourney cultive ses 4 ha de vignes le plus naturellement possible, sans aucun intrant chimique.

Une cuvée à dominante de mourvèdre, qui se présente dans une robe rose mordoré. Le nez révèle des arômes complexes de fruits secs (amande), de goyave, de fleur d'oranger et de chèvrefeuille. À une attaque tonique suit une bouche ample et suave, soutenue par une minéralité persistante. ⧗ 2019-2020

EARL DOM. DE BARAVÉOU, chem. de Baravéou, 83740 La Cadière-d'Azur, tél. 06 22 93 42 71, fourney.jeanphilippe@gmail.com V *r.-v.*

CH. BARTHÈS B d'Or 2018 ★★

■ | 13000 | | 20 à 30 €

La famille Barthès est à la tête de deux domaines : le Dom. de Font-Vive et le Ch. Barthès, implantés dans les restanques du Val d'Arenc. Elle signe des

vins régulièrement en vue dans le Guide, des rosés notamment.

Une cuvée habituée à nos pages. Le 2018 se présente dans une robe rose pâle à reflets cuivrés. Issue à 62 % de cinsault, 21 % de mourvèdre et 17 % de grenache, elle dévoile un nez fin sur les fruits rouges, les agrumes et les épices. La bouche, ample, ronde et onctueuse, est animée par une vivacité croquante. ⧗ 2019-2021 ■ **2018 (15 à 20 €; 70 000 b.)** : vin cité.

MONIQUE BARTHÈS, chem. du Val-d'Arenc, 83330 Le Beausset, tél. 04 94 98 60 06, barthesph2@wanadoo.fr V r.-v.

LA BASTIDE BLANCHE Cuvée Estagnol 2018 ★

■	2100		20 à 30 €

Un domaine de référence, créé en 1972 par Baptistin Bronzo et son fils Michel à partir de 10 ha de vignes. Agrandi et entièrement restructuré, le vignoble couvre aujourd'hui 48 ha, aménagés en terrasses au pied du Castellet et cultivés en biodynamie. La famille Bronzo a également pris en fermage les châteaux des Baumelles (10 ha à Saint-Cyr) et du Castillon (8 ha au Castellet).

51 % de clairette et 49 % d'ugni blanc composent cette cuvée à la robe dorée et au nez complexe de fruits frais (pomélo, citron, pêche), de fleurs jaunes, de poivre et de réglisse. La bouche se révèle ample, puissante et riche, équilibrée par une vivacité croquante aux tonalités d'agrumes. Une longue finale épicée conclut la dégustation. ⧗ 2019-2022 ■ **2018 ★ (15 à 20 €; 14 000 b.)** : cet assemblage de clairette, d'ugni blanc, de bourboulenc, de vermentino et de sauvignon blanc révèle au nez des arômes d'agrumes, de mirabelle, de bonbon anglais, de fleurs et de poivre. Le palais se montre gras, rond, fruité, avec plus de vivacité en finale, sur des saveurs persistantes d'agrumes. ⧗ 2019-2021

SCEA BRONZO, La Bastide Blanche, 367, rte des Oratoires, 83330 Sainte-Anne-du-Castellet, tél. 04 94 32 63 20, contact@bastide-blanche.fr V t.l.j. 9h-12h30 14h-17h30

DOM. DE LA BÉGUDE 2016

■	18 600		20 à 30 €

Depuis 1996, Guillaume Tari est à la tête d'un domaine devenu viticole au XIVes. Situé à l'emplacement d'un ancien village mérovingien construit stratégiquement au point culminant de l'appellation bandol, à plus de 400 m d'altitude, le vignoble (25 ha) est conduit en bio.

Une grande part de mourvèdre (85 %) et une pointe de grenache sont assemblées dans cette cuvée rouge profond aux reflets rubis. Le nez intense convoque les fruits noirs, le poivre blanc et la vanille. Une attaque ronde et gourmande prélude une bouche bien structurée, étirée dans une finale légèrement épicée. ⧗ 2022-2027

SCEA DOM. DE LA BÉGUDE, rte des Garrigues, 83330 Le Camp-du-Castellet, tél. 04 42 08 92 34, contact@domainedelabegude.fr V t.l.j. sf dim. 9h-13h 14h-18h 5

DOMAINES BUNAN Moulin des Costes 2016 ★★

■	15 000		20 à 30 €

La troisième génération est aujourd'hui aux commandes des Domaines Bunan, créés par Paul et Pierre Bunan en 1961. Un ensemble de plusieurs exploitations réputées en côtes-de-provence et en bandol : le Moulin des Costes, le Ch. et le Mas de la Rouvière, Bélouvé, tous ces vignobles étant conduits en agriculture biologique depuis 2008. Philippe Bunan, ingénieur agronome, est aux commandes des vinifications.

Une belle robe rouge aux reflets violines habille cette cuvée née de mourvèdre (70 %), de grenache et de syrah. Au nez, se dévoilent des parfums giboyeux, puis des notes de fruits rouges et noirs frais (mûre, framboise) et de fines touches boisées et épicées. La bouche se montre ronde et juteuse, bien équilibrée entre tanins soyeux et fraîcheur du fruit. La finale, longue et plus sévère, laisse le souvenir d'un bandol au solide potentiel de garde. ⧗ 2023-2030 ■ **Moulin des Costes 2018 ★★ (15 à 20 €; 10 000 b.)** : un assemblage de vermentino, d'ugni blanc, de bourboulenc et de clairette. La robe est jaune pâle aux reflets argentés et le nez complexe, sur des arômes de pêche, de pamplemousse, de bonbon anglais, de fleurs et d'épices douces. La bouche se révèle ample, fraîche, élégante et longue. ⧗ 2019-2022 ■ **Mas de la Rouvière 2018 ★ (15 à 20 €; 6000 b.)** : cet assemblage d'ugni blanc, de bourboulenc et de vermentino s'ouvre sur un nez de fruits exotiques (mangue, ananas), d'agrumes, de gingembre et d'anis. La bouche offre de la souplesse, du fruit et de la fraîcheur, avant une finale sur de beaux amers. ⧗ 2019-2021 ■ **Ch. la Rouvière 2018 ★ (15 à 20 €; 12 000 b.)** : cette cuvée à la robe rose et aux reflets orangés est issue de l'assemblage classique du mourvèdre, du cinsault et du grenache. Elle décline des arômes intenses d'épices douces, de pêche et d'agrumes, et une bouche souple et douce. ⧗ 2019-2020 ■ **Moulin des Costes 2018 (15 à 20 €; 50 000 b.)** : vin cité.

SCEA DOMAINES BUNAN, 338 bis, chem. de Fontanieu, 83740 La Cadière-d'Azur, tél. 04 94 98 58 98, bunan@bunan.com V r.-v.

DOM. CABAUDRAN 2017 ★

■	2000		15 à 20 €

Le Dom. de Cabaudran est une exploitation familiale située dans la commune du Beausset qui se transmet de père en fils depuis quatre générations. 2017 marque le premier millésime vinifié au domaine après la construction d'un chai de vinification. Le vignoble couvre 29 ha.

Cette cuvée couleur pourpre, dévoile un nez plaisant de cerise et de pivoine agrémenté de fines notes boisées. La bouche, bien structurée, généreuse sans manquer de fraîcheur, est soutenue par des tanins encore un peu serrés. Jolie finale fruitée et épicée. ⧗ 2022-2025 ■ **2018 (11 à 15 €; 6000 b.)** : vin cité.

EARL CABAUDRAN, 215, chem. de Cabaudran, 83330 Le Beausset, tél. 06 71 13 41 62, domaine.cabaudran@gmail.com V t.l.j. sf dim. 10h-12h 15h-18h

LA CADIÉRENNE 2018 ★★

■	33 000		8 à 11 €

Quelque 300 coopérateurs et 635 ha de vignes, des vins en AOC bandol et côtes-de-provence, en IGP Var, Méditerranée et Mont-Caume : la Cadiérenne, créée en 1929, est un acteur qui compte dans le paysage provençal.

65 % de clairette, 30 % d'ugni blanc et 5 % de bourboulenc composent cette cuvée jaune pâle aux reflets

verts. Le nez, intense, convoque les fleurs blanches et les agrumes. Si la bouche se révèle ronde, riche et fruitée, elle offre aussi beaucoup de finesse dans sa texture. Un bandol élégant et racé. ⧗ 2019-2021 ■ **Grande Tradition 2018** ★ **(**8 à 11 €**; 30 000 b.)** : sous une robe couleur pétale de rose, on retrouve l'assemblage grenache, mourvèdre et cinsault typique du bandol. Le nez fin évoque les fruits rouges et les agrumes, nuancés de notes florales et épicées. Beau volume en bouche, avec une douceur contrebalancée par le croquant du fruit. ⧗ 2019-2020 ■ **Un terroir, trois expressions 2018 (8 à 11 €; 9 000 b.)** : vin cité. ■ **Grande Tradition 2016 (8 à 11 €; 30 000 b.)** : vin cité.

⊶ SCV LA CADIÉRENNE, quartier Le Vallon, 83740 La Cadière-d'Azur, tél. 04 94 90 11 06, cadierenne@wanadoo.fr V r.-v.

DOM. DU CAGUELOUP 2018 ★

■	42 000		11 à 15 €

Héritier d'une longue lignée de vignerons (vingt et une générations), Richard Prébost conduit depuis les années 1980 ce domaine (40 ha) bien connu pour ses bandol, qui propose aussi de beaux côtes-de-provence. Cagueloup? C'est l'histoire d'un petit

La Provence

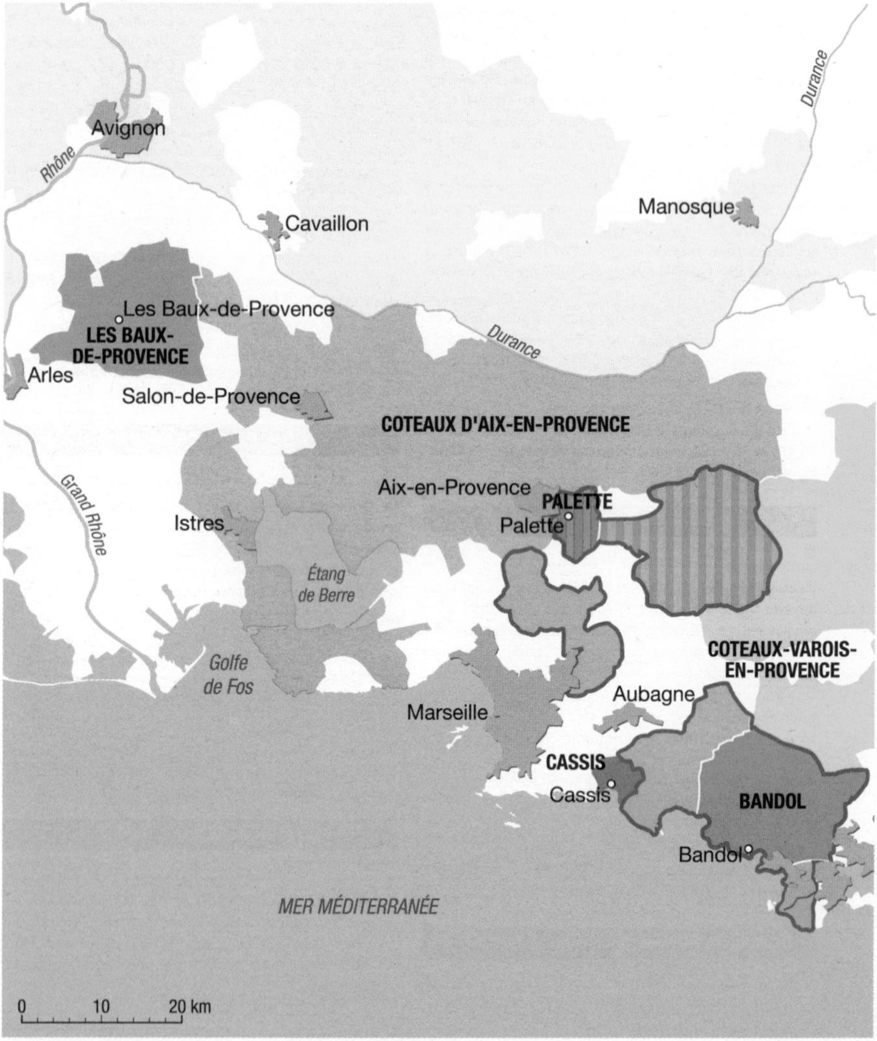

Prébost qui un jour avala un louis d'or. Son père, pris de panique, lui lança : « Cague l'ou »...

Une grande part de mourvèdre (70 %) assemblée à une petite part de grenache composent un rosé couleur abricot, au nez fin et racé d'épices et d'agrumes. Franche en attaque, la bouche présente une belle matière, dense et enveloppante. Une agréable vivacité relève l'ensemble en finale. ⧗ 2019-2020 ■ **2018 (15 à 20 € ; 8 000 b.)** : vin cité.

⊶ SCEA DOM. DE CAGUELOUP,
267, chem. de la Verdelaise, 83270 Saint-Cyr-sur-Mer,
tél. 04 94 26 15 70, domainedecagueloup@gmail.com
V t.l.j. 9h-19h

Lors de la construction de la cave en 2013, des fouilles archéologiques ont mis au jour des traces d'activité agricole (moulin à huile, cuves à vin) datant de l'époque romaine qui témoignent de l'antériorité du domaine. Un

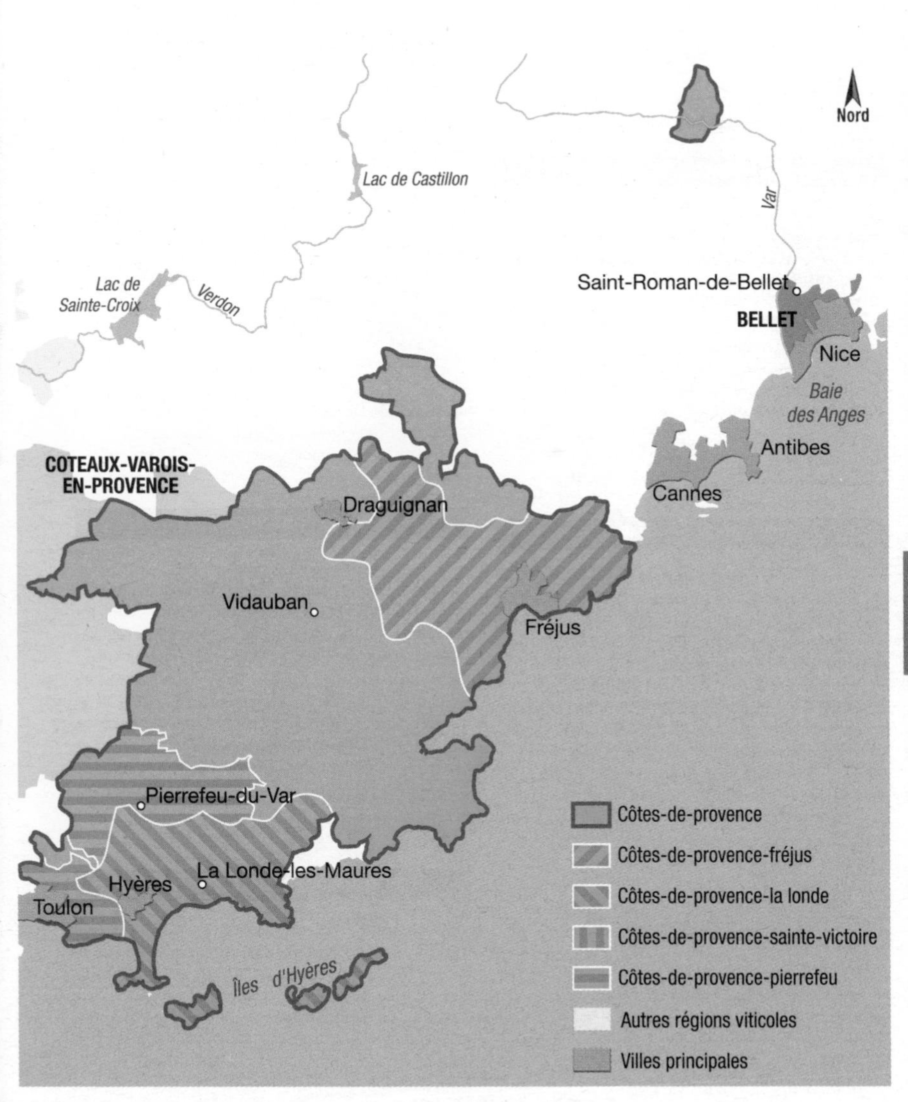

domaine qui n'a retrouvé son identité qu'en 2007 avec son rachat par Jacques et Caroline de Chateauvieux. Deux ans plus tard, ces derniers ont confié la direction du vignoble (15 ha en restanques) à leur fille Laure Benoist et son mari Vianney, tous deux ingénieurs agronomes. En 2014, la première bouteille du Ch. Canadel voit le jour. La conversion bio est en cours.

Remarquable cuvée composée de 50 % de mourvèdre, 40 % de cinsault et 10 % de grenache. Elle se présente dans une robe rose pâle aux légers reflets cuivrés et libère des arômes complexes de fruits rouges, d'agrumes, de poire, de pêche et d'amande. Ample au palais, elle allie fraîcheur et rondeur jusqu'à la finale, aux délicates notes épicées et acidulées. ⧗ 2019-2020 ■ **Altum 2016 ★ (30 à 50 €; 4000 b.)** : cette cuvée rouge grenat propose un nez discret de fruits rouges et noirs mûrs, de brioche et de notes boisées. La bouche offre du relief et de la structure autour de jolis tanins serrés et d'un boisé soutenu mais de qualité. Pour la cave assurément. ⧗ 2023-2030

SCEA CH. CANADEL, 994, chem. du Canadeau, 83330 Le Castellet, tél. 04 94 98 40 10, contact@chateau-canadel.fr V ⚑ ! *t.l.j. 10h-12h30 15h-18h*

DUPÉRÉ BARRERA Cuvée India 2017

■ | 1200 | ⚱ | 15 à 20 €

Dupéré-Barrera est une société de négociant vinificateur éleveur créée en 2000 par Emmanuelle Dupéré et Laurent Barrera. Elle a été rachetée en décembre 2018 par Provence Wine Heritage.

70 % de clairette et 30 % de bourboulenc composent cette cuvée à la robe jaune pâle et au nez d'abricot, de coing, de citron, de miel et de fleurs. La bouche est souple, fraîche et fluide, rehaussée par une finale plus ronde. ⧗ 2019-2021

PROVENCE WINE HERITAGE (DUPÉRÉ-BARRERA), 4690, rte du Seuil, 13540 Puyricard, tél. 04 42 92 15 99, contact@pwh.vin V ⚑ ! *t.l.j. 9h-12h30 14h-18h*

Ⓑ DOM. DUPUY DE LÔME 2016 ★

■ | 8000 | ⦀ | 15 à 20 €

Ancienne propriété de Stanislas Dupuy de Lôme, l'inventeur du cuirassé à vapeur, ce domaine (80 ha, dont 15 ha de vignes) conduit en bio certifié (2013) est situé au cœur du site naturel des grès de Sainte-Anne-d'Évenos. Il a été restructuré en 1998 par deux descendants, Benoît Cossé et Geoffroy Perouse, et le chai est sorti de terre en 2006. En 2015, Laurence Minard a succédé à Gérald Damidot à la tête de l'exploitation.

Issue de l'assemblage de 90 % de mourvèdre et 10 % de grenache, cette cuvée rubis profond révèle un nez soutenu de fruits rouges, de vanille et de toasté. La bouche est chaleureuse, suave, fruitée et épicée, étayée par des tanins encore un peu jeunes qui s'assoupliront avec les années. ⧗ 2021-2026 ■ **2018 ★ (15 à 20 €; 4000 b.)** Ⓑ : une belle robe jaune pâle brillante habille cette cuvée (clairette, ugni blanc, vermentino) au nez intense de fleurs, d'agrumes et de miel. Une attaque franche ouvre sur une bouche fraîche et bien équilibrée. La finale sur des notes acidulées amène du peps. ⧗ 2019-2021

SAS LES GRES, 624, rte de Toulon, 83330 Sainte-Anne-d'Évenos, tél. 04 94 05 22 99, domainedupuydelome@orange.fr V ⚑ ! *t.l.j. sf dim. 9h-12h 14h-18h*

DOM. DE L'ESTAGNOL Cuvée Le Cabanon d'Hélène 2015

■ | 2600 | ⦀ | 15 à 20 €

Sandrine Féraud a repris le domaine familial en 2013. Elle exploite des parcelles en culture raisonnée à Saint-Cyr-sur-Mer et à La Cadière-d'Azur.

D'un beau rouge rubis, cet assemblage de mourvèdre (90 %) et de grenache s'ouvre sur un nez généreux de fruits confits et de caramel. En bouche, il propose de la fraîcheur et un trame tannique encore sévère. ⧗ 2022-2025

EARL SANDRINE FÉRAUD, Dom. de l'Estagnol, 1426, rte de la Cadière, D_66, 83270 Saint-Cyr-sur-Mer, tél. 06 01 01 35 52, sandrineferaud@hotmail.com V ⚑ ! *r.-v.*

DOM. DE LA FONT DES PÈRES 2018

■ | 8946 | ⦀ ⚱ | 15 à 20 €

Caroline et Philippe Chauvin ont racheté en 2010 une propriété de 8 ha à Bandol, près du Beausset. Ils ont restructuré le vignoble, aménagé en restanques (terrasses) à flanc de coteau, et le travaillent selon une démarche très raisonnée. Premier millésime en 2014. Après agrandissement, ils exploitent 15 ha en AOC bandol, côtes-de-provence et en IGP.

Un rosé tendre et frais issu de l'assemblage de 40 % de mourvèdre, 12 % de cinsault, 44 % de grenache et 4 % de syrah. Le nez mêle le buis et les fruits exotiques à des notes grillées (une partie du vin a été élevée en fût), tandis que la bouche laisse une impression de fraîcheur et de souplesse. ⧗ 2019-2020

SAS DOM. DE LA FONT DES PÈRES, 1306, chem. de Pontillaou, 83330 Le Beausset, tél. 04 94 15 21 21, contact@lafontdesperes.com V ⚑ ! *r.-v.*

CH. DE FONT VIVE 2015 ★

■ | 4500 | ⦀ | 20 à 30 €

La famille Barthès est à la tête de deux domaines : le Ch. de Font Vive et le Ch. Barthès, implantés dans les restanques du Val d'Arenc. Elle signe des vins régulièrement en vue dans le Guide des rosés notamment.

Cette cuvée couleur rubis dévoile de doux parfums de fruits noirs (cassis, mûre), de garrigue, de boisé grillé et d'épices douces. La bouche est riche, onctueuse, bâtie sur des tanins fins, et la finale, sur des notes de cacao amer, tient sur la longueur. ⧗ 2023-2030

EARL CH. DE FONT VIVE, chem. du Val-d'Arène, 83330 Le Beausset, tél. 04 94 98 60 06, barthesph2@wanadoo.fr V ⚑ ! *r.-v.*

DOM. DE FRÉGATE 2018 ★

■ | 60000 | ⚱ | 11 à 15 €

«Entre mer et pierres»; ainsi s'affiche le domaine, dans la même famille depuis 1882. Son nom vient du vieux provençal *fragato* («cassé»), en référence au travail d'épierrage nécessaire pour planter la vigne. La Grande Bleue, ici omniprésente, borde la propriété dont le vignoble couvre 30 ha, à cheval entre Saint-Cyr et Bandol.

Cette cuvée à la robe corail est issue du trio typique mourvèdre, grenache, cinsault. Elle s'ouvre sans réserve sur des arômes de mangue, de pomélo, de meringue, de fruits compotés et de réglisse. Une palette que l'on retrouve dans un palais, bien ciselé par une fine trame acide. Un rosé complexe et énergique. ⧗ 2019-2020

SAS LES DOMAINES NOTRE-DAME DE PORT D'ALON, rte de Bandol, 83270 Saint-Cyr-sur-Mer, tél. 04 94 32 57 57, commercial@domainedefregate.com V t.l.j. 8h30-12h30 14h-18h30

DOM. LE GALANTIN 2016 ★★

■	15000		11 à 15 €

Céline Devictor et son frère Jérôme Pascal ont pris en 2000 la suite de leurs parents Liliane et Achille, qui avaient créé le domaine en 1965 au Plan-du-Castellet face à la montagne du Gros-Cerveau, à quelques encablures de la mer. Le vignoble s'est étendu sur plusieurs parcelles de l'AOC bandol et couvre aujourd'hui 30 ha. L'une des belles références de l'appellation.

Après vingt-deux mois passés sous bois, cette cuvée dévoile des arômes de cerise, de cacao, de sous-bois et de toasté. La bouche se révèle juteuse, épicée et fruitée, enrobée par des tanins fins et soyeux qui témoignent d'un élevage très bien maîtrisé. La longue finale sur la réglisse et le poivre achève de convaincre. ⧗ 2023-2030

EARL LE GALANTIN, Dom. le Galantin, 690, chem. du Galantin, 83330 Le Plan-du-Castellet, tél. 04 94 98 75 94, domaine-le-galantin@wanadoo.fr V *t.l.j. sf sam. dim. lun. 9h-12h 14h-17h (18h30 en été)*

CH. JEAN-PIERRE GAUSSEN Longue Garde 2016 ★

■	n.c.		20 à 30 €

Fondateurs du domaine dans les années 1960, Jean-Pierre et Julia Gaussen conduisent toujours l'exploitation, 12 ha de vignes sur sols argilo-calcaires en appellation bandol, avec désormais leur fille Mireille à leurs côtés.

Un assemblage de mourvèdre et de cinsault pour cette cuvée au nez de fruits rouges bien mûrs, voire confiturés, agrémentés de notes pâtissières. Tout aussi fruitée, la bouche se montre douce et ronde, épaulée par des tanins fins. ⧗ 2021-2025

JEAN-PIERRE GAUSSEN, 1585, chem. de l'Argile, 83740 La Cadière-d'Azur, tél. 04 94 98 75 54, jp.gaussen@free.fr V *r.-v.*

LES VIGNOBLES GUEISSARD Cuvée Marcel 2016 ★

■	1500		30 à 50 €

Pauline Giraud et Clément Minne, diplôme de «viti-œno» en poche, après des expériences en Provence et aux antipodes, décident de faire leur propre vin. Vignerons sans terres, ils prennent des parcelles en fermage en 2010 puis en pleine propriété, et constituent ainsi une mosaïque de 17 ha répartis sur plusieurs terroirs, en AOC bandol et côtes-de-provence.

Sous sa robe rouge sombre, cet assemblage de mourvèdre, de grenache et de carignan dévoile un nez de fruits rouges et noirs, de chocolat et d'humus. En bouche, il révèle un mariage harmonieux et atypique entre fraîcheur acidulée, salinité et épices, le tout soutenu par de bons tanins de garde. ⧗ 2022-2030

SAS DOM. GUEISSARD, 405, traverse des Grenadières, Les Escadenières, RN_8, 83330 Le Beausset, tél. 09 81 49 76 00, pauline@lesvignoblesgueissard.com V *r.-v.*

DOM. LAFRAN-VEYROLLES
Les Hauts de Lafran 2017 ★★

■	8000		20 à 30 €

Valeur sûre de l'appellation, ce domaine de 12 ha (en bio) – propriété d'un certain Melchion Lafran au XVIIes. – est entré dans la famille Férec-Jouve au XIXes. Il est dirigé depuis 1975 par Claude Férec-Jouve, qui a délaissé une carrière dans les ressources humaines pour reprendre le flambeau au décès de son père Louis, l'un des pionniers de l'appellation.

95 % de mourvèdre et 5 % de grenache sont assemblés dans cette cuvée d'un beau rouge profond. Le nez, encore un peu réservé à ce stade, évoque les sous-bois, les fruits rouges et noirs (cassis, framboise, myrtille) et les épices. La bouche est ample, dense et persistante, soulignée par des tanins fins. Un savant mariage de la puissance et de l'élégance pour ce vin au solide potentiel de garde. ⧗ 2023-2030

SAS FEREC-JOUVE, 2115, chem. de l'Argile, 83740 La Cadière-d'Azur, tél. 04 94 98 72 59, contact@lafran-veyrolles.fr V *t.l.j. 8h-12h 14h-18h*

DOM. LOU CAPELAN L'Originel 2017 ★

■	5600		15 à 20 €

Créé par Séraphin Silvestri, un petit domaine de 4 ha au lieu-dit Les Capelaniers, repris en 1992 par son fils Maurice. La production est alors en vin de table, mais les terrains sont classés en AOC bandol. Arrachage, replantation et premier bandol élaboré en 1996. Aujourd'hui, le vignoble couvre 55 ha, dont 17 en production, sur La Cadière et Le Castellet.

Une belle robe pourpre habille cette cuvée au nez délicat de fleur de sureau, de réglisse, d'anis et de grillé. La bouche attaque sur la souplesse et le gras, puis laisse monter en puissance les tanins jusqu'à la finale, finement poivrée. Une belle fraîcheur vient aussi en soutien. ⧗ 2022-2026 ■ **L'Originel 2018** ★ **(11 à 15 €; 8000 b.)** : 65 % de mourvèdre et 35 % de cinsault composent cette cuvée au nez de mangue, de pêche, de poire, de citronnelle et de fleurs blanches. La bouche est ample et soyeuse, relevée par des notes de zestes d'agrumes. ⧗ 2019-2020

MAURICE SILVESTRI, 1480, chem. de Cuges, 83740 La Cadière-d'Azur, tél. 09 50 05 11 00, info@domaineloucapelan.com V *t.l.j. sf dim. lun. 10h-12h 14h-18h*

DOM. LES LUQUETTES 2018

■	13000		11 à 15 €

L'exploitation de ce domaine de 12 ha était une histoire d'hommes depuis quatre générations, jusqu'à l'arrivée d'Élisabeth Lafourcade en 1996. Celle-ci passe alors de l'élevage d'ovins en Gironde à la culture de la vigne en Provence, suivant une démarche bio

PROVENCE

sans certification, suivant les cycles lunaires. La pérennité du domaine est assurée depuis 2016 par les enfants : Sophie et Ludovic.

Un nez intense et gourmand de fraise, de pêche, d'agrumes, de fruits secs et de bonbon acidulé caractérise ce vin. Douceur et fraîcheur minérale se marient au palais, avec simplicité. ⧗ 2019-2020

SCEA LE LYS, 20, chem. des Luquettes, 83740 La Cadière-d'Azur, tél. 04 94 90 02 59, info@les-luquettes.com V t.l.j. 9h30-19h, dim. 10-18h

DOM. MARIE BÉRÉNICE 2017

■ | 3000 | | 20 à 30 €

Ce domaine créé en 2012 par Damien Roux entre les villages de La Cadière-d'Azur et du Castellet dispose de 14 ha de vignes en restanques, conduites en agriculture biologique. Il produit aussi de l'huile d'olive, bio également.

Un joli nez de fruits noirs et de réglisse exhale de cette cuvée couleur grenat profond. Souple et généreuse en attaque, la bouche se montre ensuite plus sévère, structurée par des tanins qui demandent à s'assouplir encore quelques années. ⧗ 2022-2025

EARL MB, 1826, rte du Grand-Vallat, 83330 Le Castellet, tél. 06 86 25 09 82, contact@domainemarieberenice.com V t.l.j. sf dim. 10h-13h 15h-19h

DOM. MAUBERNARD 2018 ★★

■ | 21460 | | 11 à 15 €

Installé en 1994 sur la propriété familiale après avoir dirigé les domaines viticoles de Paul Ricard, Michel Vidal conduit ce petit domaine créé vers 1830 par son arrière-grand-père Julien Fabre, qui fut capitaine au long cours. En conversion bio, le vignoble s'étend sur 8 ha aux portes de Saint-Cyr.

Des reflets ambrés animent ce vin issu de l'assemblage de 43 % de mourvèdre, 32 % de cinsault et 25 % de grenache. Nez ouvert sur des arômes d'agrumes, de fruits secs (noisette), de coing, de cerise et de plantes aromatiques (aneth, basilic). Belle présence en bouche, tout en relief et en finesse, avec un fruit bien prononcé. Que demander de plus ? ⧗ 2019-2020

SCA DOM. MAUBERNARD, 4949, chem. de Saint-Antoine, 83270 Saint-Cyr-sur-Mer, tél. 04 91 37 03 44, domaine.maubernard@wanadoo.fr V r.-v.

MOULIN DE LA ROQUE Les Baumes 2017 ★★

■ | 24000 | | 11 à 15 €

En 1950, les caves de Saint-Cyr, Sanary-sur-Mer et La Cadière-d'Azur (bandol), aménagent un espace commun dans un moulin du XVIᵉs. situé dans cette dernière commune. Une cave semi-enterrée aux normes éco-environnementales et un lieu d'accueil construits au Castellet se sont ajoutés en 2012. La coopérative s'est agrandie et compte environ 200 adhérents; le site de La Cadière-d'Azur abrite désormais les vinifications.

Née de 92 % de mourvèdre, 5 % de carignan et 3 % de cinsault, cette cuvée d'un beau rouge sombre dévoile au nez de fins arômes de cassis, de framboise, de cerise et de vanille sur fond de garrigue. Souple et fruitée en attaque, elle présente une bouche ample, généreuse, dotée de tanins veloutés et d'une longue finale légèrement poivrée qui réveille les papilles. ⧗ 2022-2026 ■ **Les Baumes 2018 ★ (11 à 15 €; 24000 b.)** : 62 % de clairette et 38 % d'ugni blanc pour cette cuvée ouverte sur des parfums de fleurs blanches, d'agrumes et de miel. Arômes que l'on retrouve dans une bouche gourmande, bien équilibrée entre rondeur et fraîcheur et offrant de délicates notes salines en finale. ⧗ 2019-2022 ■ **Dom. des Capélaniers 2018 ★ (11 à 15 €; 25000 b.)** : composée à 60 % de mourvèdre, 20 % de cinsault, 16 % de grenache et 4 % de carignan, cette cuvée pétale de rose révèle des arômes de fleurs blanches, d'agrumes et d'épices. Bel équilibre en bouche entre une texture suave, le croquant du fruit et une délicate amertume en finale. ⧗ 2019-2020

SCA MOULIN DE LA ROQUE, 1, rte des Sources, 83330 Le Castellet, tél. 04 94 90 10 39, contact@laroque-bandol.fr V r.-v.

♥ CH. DE LA NOBLESSE Pignatel 2016 ★★

■ | 780 | | 20 à 30 €

Ce domaine, fondé dans les années 1930 et resté familial depuis lors, étend ses vignes sur 10 ha d'un seul tenant. Aux commandes, Henri Gaussen, épaulé depuis 1990 par sa fille Agnès Gaussen-Cade, œnologue.

La version 2015 de cette cuvée avait obtenu un coup de cœur. L'histoire se répète avec un 2016 épatant de bout en bout. La robe est dense et sombre comme il se doit, le nez intense et gourmand, sur les fruits rouges mûrs, la violette, la vanille et les épices. Souple et franche en attaque, la bouche déploie ensuite une matière dense et volumineuse, étayée par des tanins fins et veloutés et par une longue finale pleine de fraîcheur et de fruit. Un bandol à la fois puissant et élégant, qui est loin d'avoir tout révélé... ⧗ 2023-2030 ■ **2018 ★ (11 à 15 €; 5600 b.)** : un rosé aux reflets argentés composé à 50 % de mourvèdre, 25 % de cinsault et 25 % de grenache. Des agrumes (pomélo, mandarine) à profusion, du jasmin et des fruits rouges : une belle palette compose l'olfaction. La bouche est ronde et suave, avec une légère amertume finale qui apporte du relief. ⧗ 2019-2021 ■ **2017 ★ (15 à 20 €; 7200 b.)** : le nez, intense, convoque les fruits rouges et les épices. Dans la continuité, la bouche apparaît plutôt souple pour l'appellation, mais pas fluide : on aime sa fraîcheur, ses tanins fins et sa longueur. Un joli vin à déguster jeune sur le fruit ou à laisser vieillir pour plus de complexité. ⧗ 2021-2025

EARL CH. DE LA NOBLESSE, 1685, chem. de l'Argile, 83740 La Cadière-d'Azur, tél. 04 94 98 72 07, chateau.noblesse@gmail.com V t.l.j. sf dim. 10h-12h 14h-17h

DOM. DE L'OLIVETTE 2016 ★★

■ | 40000 | | 20 à 30 €

Depuis deux siècles, la famille Dumoutier, très impliquée dans la création de l'AOC bandol, anime l'un des

plus vastes domaines de l'appellation avec ses 55 ha de vignoble implantés entre les villages médiévaux du Castellet et de La Cadière-d'Azur; il est aussi l'un des plus constants.

D'un beau rouge profond, cette cuvée associant mourvèdre, grenache, carignan et syrah présente un bouquet intense de fruits rouges (fraise, framboise) relevés de poivre et d'eucalyptus. Arômes que l'on retrouve dans une bouche bien équilibrée entre fraîcheur, matière suave et dense, et tanins fins. La longue finale fruitée ne gâche rien... ⧗ 2022-2030 ■ **2018 (11 à 15 €; 150000 b.)** : vin cité.

SCEA DUMOUTIER, 519, chem. de l'Olivette, lieu-dit Le Brûlat, 83330 Le Castellet, tél. 04 94 98 58 85, contact@domaine-olivette.com V ✈ ■ *t.l.j. 8h30-12h 14h-18h*

CH. PEY-NEUF 2018

■ | 60000 | | 11 à 15 €

Héritier de trois générations de vignerons sur les terres familiales de La Cadière-d'Azur, non loin du port de Bandol, Guy Arnaud a pris en 1982 les rênes du domaine, dont il a porté la superficie à 80 ha (plus de la moitié en AOC bandol), travaillant son vignoble en s'inspirant de la biodynamie, sans certification. Son fils Anthony conduit aujourd'hui la propriété.

Ce rosé à la robe saumonée révèle au nez des arômes de fruits exotiques (mangue, goyave, fruit de la passion). La bouche, généreuse et gourmande, est dynamisée par une finale acidulée qui réveille les papilles. ⧗ 2019-2020

EARL DU PEY-NEUF, 1947, rte de la Cadière, 83270 Saint-Cyr-sur-Mer, tél. 06 03 53 35 33, domaine.peyneuf@wanadoo.fr V ✈ ■ *t.l.j. sf dim. 9h-12h 15h-18h*

CH. DE PIBARNON 2016 ★

■ | 75000 | | 30 à 50 €

La famille de Saint-Victor (aujourd'hui Éric) prend pied en 1978 sur ces terres bandolaises qu'elle exploite en bio non certifié. Après de nombreux travaux d'agrandissement, la propriété compte aujourd'hui 52 ha de vignes s'étageant en restanques, à 300 m d'altitude, et formant un cirque exposé au sud-est. Une référence incontournable de l'appellation bandol.

Composée à 90 % de mourvèdre et 10 % de grenache, ce bandol lumineux, couleur rubis, dévoile au nez, après aération, des arômes de fruits rouges et noirs et des notes torréfiées et épicées. Souple en attaque, la bouche se révèle riche et ronde, dotée de tanins bien enrobés et d'une finale agréable sur de fins amers et une touche épicée. ⧗ 2022-2026 ■ **Nuances 2018 (20 à 30 €; 6000 b.)** : vin cité.

SCEA CH. DE PIBARNON, 410, chem. de la Croix-des-Signaux, 83740 La Cadière-d'Azur, tél. 04 94 90 12 73, contact@pibarnon.fr V ✈ ■ *r.-v.*

Ⓑ DOM. PIERACCI 2018

■ | n.c. | | 15 à 20 €

Fils et petit-fils de vignerons, Jean-Pierre Pieracci a construit un nouveau chai à Saint-Cyr-sur-Mer. Il exploite 15 ha en bandol, à La Cadière-d'Azur, en côtes-de-provence, à Saint-Cyr-sur-Mer, en IGP, et produit aussi de l'huile d'olive. Son vignoble est en conversion bio.

De la clairette et de l'ugni blanc à parts égales composent cette cuvée au nez de fleurs blanches, d'abricot, de mangue et de miel. La bouche se montre fraîche, fluide, fruitée, et s'achève sur une jolie note épicée. ⧗ 2019-2021 ■ **2018 (15 à 20 €; 15000 b.)** Ⓑ : vin cité.

JEAN-PIERRE PIERACCI, Dom. Pieracci, 975, chem. du Sauvet, 83270 Saint-Cyr-sur-Mer, tél. 06 15 44 49 52, jp83@hotmail.fr V ✈ ■ *r.-v.*

Ⓑ DOM. RAY-JANE 2018 ★

■ | 16000 | | 11 à 15 €

Perpétuant une tradition vigneronne qui remonte au XIIIᵉs., Alain Constant compte parmi les 30 ha de son domaine un tiers de vignes centenaires; un vignoble cultivé en bio (certifié depuis 2009) dans la plus pure tradition, avec labour à la charrue et piochage à la main.

Issue de l'assemblage classique du mourvèdre, du grenache et du cinsault, ce vin à la robe pâle dévoile des arômes de confiserie, de fruits rouges et d'agrumes. Rond et gras en bouche, il ne manque pas de fraîcheur pour autant, et sa finale minérale lui apporte du relief. ⧗ 2019-2020 ■ **Cuvée de la Ville de Sanary 2018 ★ (15 à 20 €; 4500 b.)** Ⓑ : sous sa robe jaune doré, cet assemblage de 90 % de clairette et 10 % d'ugni blanc révèle un nez de fleurs blanches, d'agrumes et de pêche. Du gras, du volume et de la rondeur en bouche qui s'équilibrent avec la fraîcheur et le croquant du fruit. Bonne persistance aromatique. ⧗ 2019-2021 ■ **Cuvée de la Ville de Sanary 2018 (11 à 15 €; 6000 b.)** Ⓑ : vin cité.

EARL RAY-JANE, 353, av. du Bosquet, 83330 Le Castellet, tél. 04 94 98 64 08, domainerayjane@gmail.com V ✈ ■ *t.l.j. sf dim. 8h-12h 14h-19h*

Ⓑ DOM. ROCHE REDONNE
Cuvée de la Lyre 2018 ★

■ | 13000 | | 11 à 15 €

Geneviève et Henri Tournier sont à la tête de ce domaine depuis 1982. Élaboré à partir des vignes familiales, il est constitué d'une mosaïque de parcelles de 5 ha (en bio certifié) située au pied de La Cadière-d'Azur, sur des coteaux exposés au nord.

D'une belle couleur saumon pâle, cette cuvée dévoile des arômes de fleurs, d'agrumes et de réglisse. La bouche riche et gourmande persiste sur le croquant du fruit et sur une belle minéralité. ⧗ 2019-2020 ■ **Cuvée de la Lyre 2018 ★ (15 à 20 €; 2000 b.)** Ⓑ : 80 % de clairette, 10 % de vermentino et 10 % d'ugni blanc sont assemblés dans cette cuvée à la robe jaune aux reflets verts. Le nez, intense, évoque les fleurs (jasmin, rose) et la poire. La bouche conjugue fraîcheur et suavité dans un bel équilibre. La finale sur des notes acidulées amène du tonus. ⧗ 2019-2021

GENEVIÈVE TOURNIER, Ancien chem. du Pey Neuf, 83740 La Cadière-d'Azur, tél. 06 61 19 84 52, roche.redonne@free.fr V ✈ ■ *r.-v.*

♥ CH. SALETTES 2017 ★★

■ | 35000 | | 20 à 30 €

Depuis 1604, dix-huit générations de vignerons se sont succédé sur ce terroir argilo-calcaire et caillouteux sur lequel est implanté le vignoble : 34 ha d'un seul tenant au pied de La Cadière-d'Azur, conduit en bio. Un domaine entièrement restructuré, à la vigne et au chai, par Jean-Pierre Boyer, aux commandes depuis 1964. Une valeur sûre, d'une grande constance dans la qualité, et ce dans les trois couleurs de l'appellation.

Une belle robe pourpre aux doux reflets violines habille ce bandol composé à 71 % de mourvèdre, 12 % de grenache, 9 % de syrah et 8 % de cinsault. Le nez, intense, mise sur les fruits rouges et noirs (cerise, mûre, groseille, cassis). Arômes que l'on retrouve dans une bouche souple et fraîche en attaque, ample, dense et charnue dans son développement, bien soutenue par des tanins fermes mais élégants. Un vin net et complet, bâti pour la garde. ⧗ 2022-2030 ■ **2018 ★ (15 à 20 €; 10000 b.)** Ⓑ : la clairette (90 %) domine l'assemblage de cette cuvée jaune pâle, au nez discret mais élégante de pêche, de miel et d'épices. La bouche apparaît ample et riche, dynamisée par de fins amers en finale. ⧗ 2019-2022

SARL CH. SALETTES, 913, chem. des Salettes, 83740 La Cadière-d'Azur, tél. 04 94 90 06 06, salettes@salettes.com V t.l.j. sf dim. 8h-12h 14h-17h (18h en été)*

♥ DOM. LA SUFFRÈNE 90 2018 ★★

■ | 140000 | | 11 à 15 €

C'est au lieu-dit La Suffrène – qui aurait été autrefois la résidence d'une compagne du Bailli de Suffren – que s'étend une partie des vignes de ce domaine incontournable de l'AOC bandol. Un vignoble familial de 60 ha, morcelé en une centaine de parcelles, dont les raisins étaient portés à la coopérative jusqu'à l'arrivée de Cédric Gravier, qui a pris en 1996 la suite de ses grands-parents.

Un corail brillant dans le verre. Telle est cette cuvée issue de l'assemblage de 40 % de mourvèdre, 30 % de cinsault, 20 % de grenache et 10 % de carignan. Tout en délicatesse, elle égrène des arômes de pêche blanche, de fleur d'oranger et d'agrumes. Puis, elle emplit le palais de sa matière tendre et tonique à la fois, relevée de notes épicées en finale. La Suffrène est toujours au sommet... ⧗ 2019-2021 ■ **Les Lauves 2016 ★★ (20 à 30 €; 6000 b.)** : ce bandol se présente dans une belle robe grenat profond aux doux reflets violets. Le nez est complexe, mêlant des arômes de mûre et de violette à des notes de chocolat noir et de réglisse. La bouche se montre intense, dense et riche sans manquer de fraîcheur, avec des tanins soyeux en soutien. ⧗ 2022-2030 ■ **90 2018 ★★ (15 à 20 €; 8000 b.)** : une cuvée issue de clairette et d'ugni blanc à parts égales. Le nez conjugue les agrumes (pomélo, citron vert, orange), les fruits exotiques (mangue), les épices et de fines notes anisées. La bouche offre un bel équilibre entre fraîcheur, rondeur et amertume finale. ⧗ 2019-2022 ■ **2016 ★ (15 à 20 €; 45000 b.)** : d'un beau rouge sombre, cet assemblage de mourvèdre, cinsault, grenache, carignan dévoile au nez des arômes de cerise, d'abricot, d'épices et des notes toastées. La bouche, soyeuse et fraîche en attaque, monte en puissance, portée par des tanins fermes. ⧗ 2023-2030

GAEC GRAVIER-PICHE, 1066, chem. de Cuges, 83740 La Cadière-d'Azur, tél. 04 94 90 09 23, commercial@suffrene.fr V *t.l.j. sf dim. 9h-12h 14h-18h*

Ⓑ DOM. DE TERREBRUNE 2016 ★

■ | 50000 | | 20 à 30 €

Dans les années 1960, Georges Delille entreprend d'énormes travaux pour mettre en état la propriété qu'il vient d'acquérir. Les argiles très brunes dans lesquelles s'enracinent les 30 ha de vignes (cultivées en bio depuis les origines) inspirèrent alors le nom du domaine, dirigé aujourd'hui par Reynald, le fils du fondateur arrivé en 1980, date des premières mises en bouteilles.

Cette cuvée couleur pourpre est composée de 85 % de mourvèdre, 10 % de grenache et 5 % de cinsault. Son nez s'ouvre sur les fruits rouges et noirs (cassis, myrtille, framboise), la vanille et le cacao. La bouche se montre riche sans manquer de souplesse, et les tanins sont bien intégrés. ⧗ 2022-2030 ■ **2018 ★ (15 à 20 €; 8000 b.)** Ⓑ : une belle robe jaune pâle aux reflets argentés habille cette cuvée au nez frais d'agrumes et de fleurs. L'attaque est franche, la bouche ample et bien équilibrée, et la finale élégante, centrée sur des notes zestées et minérales. ⧗ 2019-2022 ■ **2018 (15 à 20 €; 60000 b.)** Ⓑ : vin cité.

EARL DE TERREBRUNE, 724, chem. de la Tourelle, 83190 Ollioules, tél. 04 94 74 01 30, domaine@terrebrune.fr V *r.-v.*

Ⓑ CH. GUILHEM TOURNIER
Cuvée la Malissonne 2016

■ | 5000 | | 20 à 30 €

Fils des propriétaires du Dom. Roche Redonne, Guilhem Tournier exploite depuis 2004 son propre vignoble conduit en bio : 6,5 ha établis au pied du village médiéval de La Cadière-d'Azur.

Une grande part de mourvèdre (95 %) et une pointe de syrah composent cette cuvée rouge rubis, au nez discret de fleurs, d'épices et de notes fumées. La bouche est fraîche et bien équilibrée, avec de légers amers en finale qui tiennent sur la longueur. ⧗ 2021-2025

CH. GUILHEM TOURNIER, chem. des Paluns, 83740 La Cadière-d'Azur, tél. 06 61 19 84 52, roche.redonne@free.fr V *r.-v.*

DOM. DES TROIS FILLES 2018 ★

■ | 14000 | | 11 à 15 €

Une nouvelle vie pour ce tout jeune domaine sorti en 2013 de la coopérative par les trois filles de la famille

Arlon – Audrey, Léonie et Justine. Le vignoble, dont la surface a été portée à 9 ha, s'accroche à une colline surplombant la mer, à La Cadière-d'Azur.

Une robe rose pâle à reflets dorés habille cette cuvée au nez discret de petits fruits rouges, d'agrumes, de garrigue et d'épices. Belle vivacité en bouche qui équilibre la matière généreuse et assure la persistance. La petite amertume finale est un plus. ⧗ 2019-2020

EARL ARLON, 1616, chem. de la Bégude, 83740 La Cadière-d'Azur, tél. 06 62 89 79 90, contact@domainesdestroisfilles.com V r.-v.

Ⓑ CH. VAL D'ARENC 2018 ★★

■	65000		11 à 15 €

Propriétaire du Ch. la Lauzade en côtes-de-provence, ainsi que du Ch. Marquis de Terme en margaux, la famille Sénéclauze a acquis ce vignoble en 1990, puis l'a restructuré (25 ha aujourd'hui, en conversion bio) et a construit un nouveau chai de vinification et d'élevage. En 2015, Gérald Damidot, d'origine bourguignonne, arrive à la tête de l'exploitation.

Issue de l'assemblage du grenache, du cinsault et du mourvèdre, cette cuvée couleur rose sable révèle un nez fin et fruité de citron vert, de pêche et de litchi. Une même expression se dessine avec élégance et souplesse dans un palais qui joue sur une juste vivacité lui assurant une belle persistance. ⧗ 2019-2020 ■ **2018 (15 à 20 €; 3500 b.)** Ⓑ : vin cité.

SCA CH. VAL D'ARENC, 997, chem. du Val-d'Arenc, 83330 Le Beausset, tél. 04 94 98 71 89, chateauvaldarenc@orange.fr V r.-v.

DOM. DE LA VIVONNE 2018

■	60000		15 à 20 €

Situé sur les hauteurs du village médiéval du Castellet, entre mer et montagne, au cœur du vignoble bandolais, ce domaine de 23 ha a été racheté à Walter Gilpin par Michel Benhaim en 2010.

Sous une robe abricot, apparaissent des arômes intenses d'agrumes (pomélo, orange, mandarine), de poire et de bonbon. Rond et doux en bouche, le vin bénéficie d'une légère amertume en finale. ⧗ 2019-2020

EARL LA VIVONNE, 3345, montée du Château, 83330 Le Castellet, tél. 04 94 98 70 09, domaine@vivonne.com V *t.l.j. sf dim. 10h-13h 14h-19h*

LES BAUX-DE-PROVENCE

Superficie : 300 ha / Production : 9 212 hl

Perchée sur un éperon rocheux, la citadelle des Baux garde le souvenir des seigneurs orgueilleux qui l'édifièrent à partir du XIe s. La blancheur de ses murailles est celle du calcaire des Alpilles, dont elle constitue un avant-poste. Ce massif au relief pittoresque taillé en biseau par l'érosion est le paradis de l'olivier, dont les fruits bénéficient de deux AOC. Le vignoble trouve également dans ce secteur un milieu favorable, sur les dépôts caillouteux caractéristiques de cette région, comme les grèzes litées, éboulis d'origine glaciaire. Elles sont ici peu épaisses et la fraction fine, dont dépend la réserve hydrique du sol, est importante. Ce secteur se distingue par une nuance climatique qui en fait une zone précoce, peu gélive, chaude et plus arrosée (650 mm).

Reconnue en 1995 au sein de la zone des coteaux-d'aix-en-provence, cette AOC est réservée aux vins rouges (80 %) et rosés. Les règles de production y sont plus strictes (rendement plus bas, densité plus élevée, taille plus restrictive, élevage d'au moins douze mois pour les vins rouges, minimum de 50 % de saignée pour les vins rosés); l'encépagement, mieux défini, repose sur le couple grenache-syrah, accompagné quelquefois du mourvèdre.

Ⓑ MAS DE GOURGONNIER
Cuvée sans soufre ajouté 2017 ★

■	9000		8 à 11 €

Commandé par un mas construit en 1720, ce vignoble de 45 ha, propriété familiale depuis cinq générations, est conduit en agriculture bio depuis le début, certifié depuis 1975. Le compost est fait sur le domaine, les traitements à la vigne et les intrants au chai sont réduits au strict minimum.

Une robe pourpre habille cette cuvée d'assemblage (grenache, syrah, cabernet-sauvignon, carignan), au nez de fruits rouges et noirs (mûre, fraise) et de noix. La bouche ronde et enveloppante tire parti de tanins soyeux et d'une finale fraîche, tout en délicatesse. ⧗ 2019-2022

SCE MAS DE GOURGONNIER, Le Destet, D_78, 13890 Mouriès, tél. 04 90 47 50 45, contact@gourgonnier.com V *t.l.j. 9h-12h 14h-18h*

MAS SAINTE BERTHE Tradition 2017 ★

■	20000		5 à 8 €

Ce domaine de 40 ha (dont 4 ha d'oliviers), situé au pied du village des Baux-de-Provence, est une valeur sûre qui produit sous cette AOC du vin et de l'huile d'olive. Il tire son nom d'une chapelle érigée en 1538 sur ses terres. Les David l'ont acquis en 1950 et c'est depuis 2000 leur fille Geneviève Rolland qui est aux commandes, épaulée par Christian Nief à la vigne et au chai.

53 % de syrah, 31 % de grenache et 16 % de cabernet-sauvignon composent cette cuvée rouge sombre, au nez intense de cassis, de mûre et de fraise. Beau volume en bouche autour de tanins fins et expressifs. Un 2017 gourmand. ⧗ 2019-2023

GFA MAS SAINTE BERTHE, chem. de Sainte-Berthe, 13520 Les Baux-de-Provence, tél. 04 90 54 39 01, massteberthe@orange.fr V *t.l.j. 9h-12h 14h-18h*

Ⓑ CH. ROMANIN Grand Vin Blanc 2018

■	16000		20 à 30 €

Anciens propriétaires du Ch. Montrose, cru classé de Saint-Estèphe, Anne-Marie et Jean-Louis Charmolüe ont acquis en 2006 ce vaste domaine (250 ha) au passé ancien, situé au cœur du Parc naturel régional des Alpilles à Saint-Rémy-de-Provence. Le vignoble couvre 58 ha, conduits en biodynamie depuis 1988, et les vins sont élevés dans une cave monumentale, creusée dans la roche et conçue comme une cathédrale gothique.

Vermentino, roussanne et clairette se donnent la réplique dans cette cuvée couleur or, au nez intense de

PROVENCE

fleurs, de miel, de brugnon et d'agrumes. Bel équilibre et bonne structure en bouche. Finale longue et fraîche. 2019-2021

SC CH. ROMANIN, CS_7000, 13210 Saint-Rémy-de-Provence, tél. 04 90 92 45 87, contact@chateauromanin.fr t.l.j. sf dim. 10h-13h 15h-18h

DOM. DES TERRES BLANCHES 2018 ★

	45000		11 à 15 €

Ce domaine précurseur en matière de viticulture biologique (« bio-actif » depuis 1970) a été fondé en 1968 par Noël Michelin. Conduit par la famille Parmentier-Jolly entre 2007 et 2012, racheté à cette date par Laurent Hild, industriel alsacien, il vient encore de changer de mains, acquis en 2015 par l'homme d'affaires Christian Latouche. Une constante : la conduite en bio de ce vignoble couvrant aujourd'hui 35 ha, régulièrement en vue pour ses baux-de-provence, dans les trois couleurs.

Une large dominante de grenache noir dans ce rosé pâle et brillant. À un nez gourmand de cassis, de pêche et d'agrumes fait écho un palais tout aussi fruité, ample, soyeux et long. 2019-2020 **2018 (11 à 15 €; 20000 b.)** : vin cité.

SCEA DOM. DES TERRES BLANCHES, RD_99, 13210 Saint-Rémy-de-Provence, tél. 04 90 95 91 66, info@terresblanches.com t.l.j. sf dim. 10h-13h 14h-18h30

BELLET

Superficie : 48 ha
Production : 1 150 hl (65 % rouge et rosé)

De rares privilégiés connaissent ce minuscule vignoble situé sur les hauteurs de Nice, dont la production est presque introuvable ailleurs que localement. Elle est faite de blancs originaux et aromatiques, grâce au rolle, cépage de grande classe, et au chardonnay (qui se plaît à cette latitude quand il est exposé au nord et suffisamment haut); de rosés soyeux et frais; de rouges somptueux, auxquels deux cépages locaux, la fuella et le braquet, donnent une typicité certaine. Ils seront à leur juste place avec la riche cuisine niçoise si originale, la tourte de blettes, le tian de légumes, l'estocaficada, les tripes, sans oublier la socca, la pissaladière ou la poutine.

CH. DE BELLET Baron G. 2017

	4332		30 à 50 €

Ce domaine est né en 2012 de la fusion de deux propriétés, le Ch. de Bellet et les Coteaux de Bellet, rachetés par la Française REM. Le vignoble couvre 10 ha.

Une robe jaune doré habille cette cuvée à dominante de vermentino (90 %) qui offre un nez complexe mêlant la mangue, les zestes confits, la vanille, des notes torréfiées et épicées. Ronde et opulente, elle est encore marquée par l'élevage et demande de séjourner quelque temps en cave. 2020-2023

SAS CH. DE BELLET, 482, chem. de Saquier, 06200 Nice, tél. 04 93 37 81 57, contact@chateaudebellet.com r.-v.

COLLET DE BOVIS 2017

	2500		15 à 20 €

Jean Spizzo, enseignant universitaire, s'est passionné pour la culture de la vigne et la vinification dès 1974. Son vignoble de 4,5 ha, converti à l'agriculture biologique, est situé sur les collines de Bellet qui dominent la ville de Nice. Un domaine très régulier en qualité.

Cette cuvée à la robe rubis est composée de folle noire et de grenache à parts égales. Elle exhale des arômes de fruits rouges frais (cerise), de cannelle et de café. Un vin léger à déguster dès aujourd'hui sur le fruit. 2019-2022

JEAN SPIZZO, Le Fogolar, 370, chem. de Crémat, 06200 Nice, tél. 06 14 76 09 71, jeanetmichele.spizzo@sfr.fr t.l.j. 8h30-12h30 14h30-19h

CH. DE CRÉMAT 2015

	9000		20 à 30 €

Propriété de Cornelis Kamerbeek, amateur éclairé et passionné de vin depuis 2001, ce domaine de 10 ha (converti au bio) s'étend sur un terroir de galets roulés caractéristiques de l'appellation bellet. Une valeur sûre.

Sous une robe jaune clair à reflets dorés, 95 % de vermentino et 5 % de chardonnay sont assemblés. Le nez s'ouvre sur les fleurs blanches, les fruits secs (noisette), l'abricot suivis par des notes anisées, miellées. Belle matière en bouche et finale chaleureuse. 2019-2021 **2015 (20 à 30 €; 1200 b.)** : vin cité.

SCEA DOM. DU CH. DE CRÉMAT, 442, chem. de Crémat, 06200 Nice, tél. 04 92 15 12 15, chateau.cremat@orange.fr t.l.j. sf sam. dim. 9h-12h 14h-17h

DOM. SAINT-JEAN Ichthus 2018 ★

	192		20 à 30 €

Un domaine créé *ex nihilo* en 2006 par Jean-Patrick et Nathalie Pacioselli, issus d'une famille d'agriculteurs bas-alpins. Aux côtés de 20 ha de lavande, le vignoble couvre un peu plus de 3 ha certifiés bio depuis 2013.

Ce monocépage (100 % vermentino) se présente dans une robe jaune pâle à reflets dorés. Il révèle au nez des arômes de citron, de poire, d'épices douces mêlés à des notes torréfiées et miellées. La bouche est bien équilibrée entre fraîcheur et gourmandise. Jolie finale sur les zestes d'agrumes. 2019-2020 **2018 (20 à 30 €; 968 b.)** : vin cité. **2018 (15 à 20 €; 546 b.)** : vin cité.

SCEA DOM. SAINT-JEAN, 34, chem. de la Pouncia, 06200 Nice, tél. 06 08 43 22 53, saintjeanbellet@orange.fr r.-v.

DOM. DE LA SOURCE 2017 ★

	6000		30 à 50 €

Une source qui alimentait autrefois des cultures florales et maraîchères donne son nom à ce domaine de 5 ha

conduit en agriculture biologique par Jacques Dalmasso, épaulé de ses enfants Carine et Éric depuis 2003.

Assemblage de 80 % folle noire et de 20 % grenache, ce vin grenat profond révèle des arômes de fruits rouges (cerise, groseille), de réglisse, d'olive noire et d'épices. Puissant en bouche, il présente une belle matière déjà, mais il tirera bénéfice de quelques années en cave. ⌛ 2022-2025 ■ **2018 (15 à 20 €; 4000 b.)** Ⓑ : vin cité.

GAEC DOM. DE LA SOURCE, 303, chem. de Saquier, 06200 Nice, tél. 04 93 29 81 60, contact@domainedelasource.fr V *t.l.j. 10h-18h*

Ⓑ DOM. DE TOASC 2018 ★

■	6500	🍾	20 à 30 €

En 1995, Bernard Nicoletti achète 12 ha de terrains laissés à l'abandon au lieu-dit Toasc, sur les collines de Nice. Il conserve les oliviers et replante les cépages typiques du bellet : 8 ha de vignes (convertis au bio) plantés en restanques et dominant la vallée du Var.

Une robe jaune pâle à reflets verts habille cette cuvée à dominante de vermentino. Au nez, on retrouve des parfums de fruits exotiques, d'épices (curry, cumin) et des notes anisées. La bouche est marquée par la vivacité et une petite pointe saline. ⌛ 2019-2022

SCEA DOM. DE TOASC, 213, chem. de Crémat, 06200 Nice, tél. 04 92 15 14 14, contact@domainedetoasc.com V *t.l.j. sf dim. lun. 14h30-17h30*

CASSIS

Superficie : 200 ha / Production : 7 687 hl

Un creux de rochers, auquel on n'accède uniquement par des cols relativement hauts de Marseille ou de Toulon, abrite, au pied des plus hautes falaises de France, des calanques et une certaine fontaine qui, selon les Cassidens, rendrait leur ville plus remarquable que Paris... Mais aussi un vignoble que se disputaient déjà au XIe s. les puissantes abbayes, en demandant l'arbitrage du pape, et qui produit aujourd'hui des vins rouges, rosés et surtout blancs. Mistral disait de ces derniers qu'ils sentaient le romarin, la bruyère et le myrte. Capiteux et parfumés, les cassis blancs sont des vins de classe qui s'apprécient particulièrement avec les bouillabaisses, les poissons grillés, les coquillages et les viandes blanches.

Ⓑ DOM. DU BAGNOL 2018

■	40000	🍾	15 à 20 €

Les archives mentionnent la présence de vignes dès 1430 en ce lieu appelé « Lobanhou », au pied du cap Canaille, la plus haute falaise maritime de France. Depuis 1997, Sébastien Genovesi dirige ce domaine de 17 ha en bio certifié, implanté en plein cœur de Cassis, qui fut créé en 1884 par le marquis de Fesques.

Une robe jaune pâle aux reflets dorés habille cette cuvée au nez d'amande et de fleurs blanches, agrémenté de douces notes anisées. L'attaque est vive, la bouche bien équilibrée, avec une belle tension en finale. ⌛ 2019-2021 ■ **Cuvée Marquis de Fesques 2017 (20 à 30 €; 1600 b.)** : vin cité.

SCEA DOM. DU BAGNOL, 12, av. de Provence, 13260 Cassis, tél. 04 42 01 78 05, lebagnol@orange.fr V *t.l.j. sf sam. dim. 10h-12h 14h-18h30*

♥ Ⓑ CH. BARBANAU Cuvée Kalahari 2016 ★★

■	5000	🛢	20 à 30 €

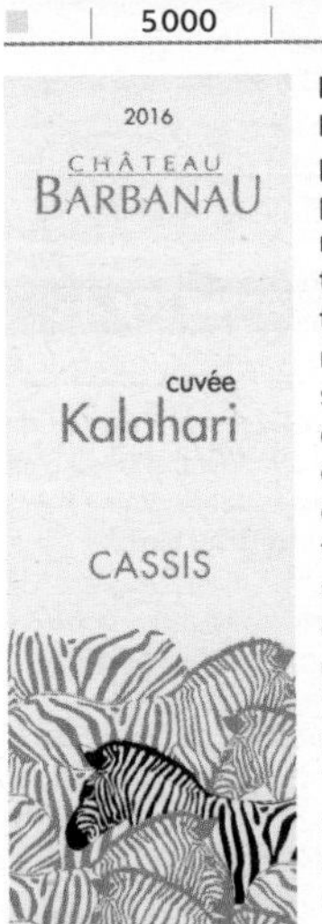

Émile Bodin a créé le Clos Val Bruyère en 1889. Un siècle plus tard, Sophie, son arrière-petite-fille, et ses parents reprennent les quelques hectares de vignes reçus en héritage et font revivre ce Clos. La même année ils font l'acquisition du Ch. Barbanau, 23 ha de vignes situés à l'extrême ouest de l'appellation côtes-de-provence, à 360 m d'altitude. Aujourd'hui, Sophie et son mari Didier sont à la tête de ce château et produisent des vins en biodynamie certifiés Biodyvin depuis le millésime 2018.

Très belle réussite pour cette cuvée couleur jaune paille doré, née d'un assemblage de clairette, de marsanne et de sauvignon blanc, qui présente un nez élégant de fleur d'oranger, de pâte de fruit, de pain grillé et d'épices. La bouche se révèle riche, tout en volume, soutenue par un boisé fondu et offrant une bonne persistance aromatique. Un très joli blanc de garde. ⌛ 2020-2025 ■ **Clos Val Bruyère 2017 ★ (15 à 20 €; 15000 b.)** Ⓑ : clairette, marsanne, ugni blanc et sauvignon blanc ont été assemblés pour cette cuvée couleur jaune paille brillant. Le nez, délicat, associe des notes d'amande, de tilleul et de fleurs. La bouche se révèle ample, vive et tonique jusqu'en finale. ⌛ 2019-2021

SCEA CH. BARBANAU, hameau de Roquefort, 13830 Roquefort-la-Bédoule, tél. 04 42 73 14 60, contact@chateau-barbanau.com V *t.l.j. sf dim. 10h-12h 15h-18h*

Ⓑ CLOS SAINTE-MAGDELEINE 2018 ★

■	45000	🍾	15 à 20 €

Bientôt un siècle (1921) que la famille Sack exploite ce domaine aujourd'hui conduit en bio. La propriété, située dans le parc national des Calanques, dispose d'un vignoble de 13 ha étagé en restanques, face à la mer sur les flancs du cap Canaille, et commandé par une demeure au style Art déco.

Joli blanc aux reflets dorés composé à 45 % de marsanne, 25 % d'ugni blanc, 20 % de clairette et 10 % de bourboulenc. Très flatteur au nez, il révèle des arômes de jasmin, de miel et de pêche. La bouche se montre ample, riche et charnue sans manquer de fraîcheur, et déploie une jolie finale épicée. ⌛ 2019-2021 ■ **2018 ★ (15 à 20 €; 10500 b.)** Ⓑ : sous une robe rose pâle aux nuances saumonées, cet assemblage de 40 % de grenache, 40 % de cinsault et 20 % de mourvèdre, révèle au nez des arômes de jasmin, d'agrumes confits, d'abricot, de meringue et d'épices. La bouche, à la fois fine et généreuse, offre une belle fraîcheur sur le fruit et une finale saline et souple. ⧗ 2019-2020 ■ **Bel-Arme 2017 ★ (20 à 30 €; 6000 b.)** Ⓑ : une cuvée née de marsanne, d'ugni blanc, de clairette et de bourboulenc. La robe est dorée, le nez expressif, sur les fruits exotiques (mangue, banane), le zeste d'agrumes, la noisette et le miel. Aérien et fruité, ce blanc s'adosse à une fine trame minérale et à de légers amers en finale. ⧗ 2019-2021

SCEA CLOS SAINTE-MAGDELEINE, av. du Revestel, 13260 Cassis, tél. 04 42 01 70 28, clos.sainte.magdeleine@gmail.com V ♿ ▮ *t.l.j. sf dim. 10h-12h30 14h30-19h*

Ⓑ DOM. DE LA FERME BLANCHE 2018 ★

■	24000	▮	15 à 20 €

En 1714, le vignoble s'étendait jusqu'aux portes de la cité phocéenne. Démembré à la Révolution, il n'en reste aujourd'hui que 30 ha menés par Jéromine Paret et Philippe Garnier, qui l'ont converti au bio.

D'une couleur jaune paille, ce vin blanc est issu de marsanne, clairette, ugni blanc, sauvignon blanc et bourboulenc. Son nez, tout en finesse, dévoile des parfums d'agrumes, de fruits jaunes et de fleurs blanches. Une attaque vive introduit une bouche bien équilibrée, fraîche sans manquer de chair et de volume. ⧗ 2019-2022 ■ **Excellence de la Ferme blanche 2017 ★ (15 à 20 €; 5000 b.)** Ⓑ : une robe bouton d'or habille cette cuvée issue de marsanne, clairette, ugni blanc et sauvignon blanc. À un nez de pierre à fusil, d'épices et de fruits confits succède une bouche ample, soulignée par une trame minérale qui tient sur la longueur. ⧗ 2020-2023

EARL VIGNOBLES IMBERT, RD_559, 13260 Cassis, tél. 04 42 01 00 74, fermeblanche@wanadoo.fr V ▮ *t.l.j. 9h-12h 14h-18h*

Ⓑ DOM. DU PATERNEL Blanc de Blancs 2018 ★

■	200000	▮	15 à 20 €

En 1943, Antoine Santini et ses sœurs Catherine et Jeanne deviennent propriétaires de la ferme du Paternel, alors exploitée en polyculture. La première mise en bouteilles date de 1951. Un domaine conduit aujourd'hui par Jean-Pierre Santini, son épouse Chantal et leurs trois enfants, l'un des plus grands (65 ha) de l'appellation cassis, en bio certifié. L'autre domaine des Santini, Couronne de Charlemagne (7 ha), situé au pied de la colline éponyme, est également en bio. La famille Santini élabore aussi des bandol et des côtes-de-provence sur un vignoble de Saint-Cyr-sur-Mer, en cours de conversion bio.

38 % de clairette, 31 % de marsanne, 27 % d'ugni blanc et 4 % de bourboulenc sont assemblés dans cette cuvée au nez de fleurs blanches (jasmin), d'agrumes (citron) et de fruits blancs. Le palais se montre rond, gras et d'un beau volume. Un vin qui peut attendre quelques années pour être dégusté. ⧗ 2019-2022 ■ **Dom. de la Couronne de Charlemagne Blanc de Blancs 2018 ★ (11 à 15 €; 7000 b.)** Ⓑ : la marsanne domine l'assemblage de cette cuvée au nez fin et élégant de fleurs blanches et de fruits mûrs. La bouche est bien équilibrée, avec une bonne personnalité aromatique, de l'ampleur, de la gourmandise et une légère amertume en finale. ⧗ 2019-2021 ■ **2018 (15 à 20 €; 60000 b.)** Ⓑ : vin cité.

SCEA DOM. DU PATERNEL, 11, rte Pierre-Imbert, 13260 Cassis, tél. 04 42 01 77 03, contact@domainedupaternel.com V ♿ ▮ *t.l.j. 9h30-12h30 14h30-18h*

DOM. DES QUATRE VENTS 2018

■	30000	▮	11 à 15 €

Alain de Montillet est depuis 1973 à la tête du Dom. des Quatre Vents, structure familiale de 10 ha en cours de conversion vers l'agriculture biologique, qui produit du cassis depuis la création de l'AOC en 1936.

Un tiers de clairette, un tiers de marsanne et un tiers d'ugni blanc pour ce 2018 à la robe jaune soutenu, qui présente un nez de fleurs blanches et d'agrumes. La bouche est fruitée, fraîche, relevée par une pointe mentholée en finale. ⧗ 2019-2020

EARL DOM. DES QUATRE VENTS, 7, av. des Albizzi, 13260 Cassis, tél. 04 42 01 88 10, quatrevents-cassis@orange.fr V ♿ ▮ *r.-v.*

COTEAUX-D'AIX-EN-PROVENCE

Superficie : 4 720 ha
Production : 211 012 hl (95 % rouge ou rosé)

Sise entre la Durance au nord et la Méditerranée au sud, entre les plaines rhodaniennes à l'ouest et la Provence triasique et cristalline à l'est, l'AOC coteaux-d'aix-en-provence appartient à la partie occidentale de la Provence calcaire. Le relief est façonné par une succession de chaînons, parallèles au rivage marin et couverts de taillis, de garrigue ou de résineux : chaînon de la Nerthe près de l'étang de Berre, chaînon des Costes prolongé par les Alpilles, au nord. Entre ces reliefs s'étendent des bassins sédimentaires d'importance inégale (bassin de l'Arc, de la Touloubre, de la basse Durance) où se localise l'activité viticole. Grenache et cinsault forment encore la base de l'encépagement, avec une prédominance du premier; syrah et cabernet-sauvignon sont en progression et remplacent peu à peu le carignan.
Les vins rosés sont légers, fruités et agréables. Les vins rouges bénéficient d'un contexte pédologique et climatique favorable. Ils atteignent leur plénitude après deux ou trois ans de garde. La production de vins blancs est limitée. La partie nord de l'aire de production est plus favorable à l'élaboration de ces cuvées qui mêlent la rondeur du grenache blanc à la finesse de la clairette, du rolle et du bourboulenc.

♥ CH. BARBEBELLE Cuvée Madeleine 2018 ★★

■	106000	▮	8 à 11 €

Château Barbebelle
COTEAUX D'AIX EN PROVENCE
Cuvée Madeleine
MIS EN BOUTEILLE AU CHÂTEAU

Plus de trois siècles d'existence pour ce domaine de 300 ha où Brice Herbeau œuvre depuis les années 1970, dans des caves voûtées du XVIe s. Le vignoble de 45 ha est implanté sur les coteaux argilo-calcaires des parties hautes de la Trévaresse.

D'un seyant rose pâle aux reflets gris, ce vin d'une belle brillance s'ouvre sur des arômes tout en finesse de fruits rouges, d'agrumes et d'épices douces. On retrouve ces sensations dans une bouche pleine de fraîcheur, étirée dans une longue finale saline et épicée. Un rosé dynamique et parfaitement équilibré. ⧗ 2019-2020 ■ **Rosé fleuri 2018 (5 à 8 €; 100 000 b.)** : vin cité.

SARL CH. BARBEBELLE, D_543, 13840 Rognes, tél. 04 42 50 22 12, contact@barbebelle.com V t.l.j. 9h30-12h30 14h30-18h30

B CH. BAS Pierres du Sud 2018

■ | 30 000 | | 8 à 11 €

Bâti sur les ruines d'un site gallo-romain érigé au Ier s. avant J.C. et restauré au XVIIe s., le Ch. Bas est situé à Vernègues, au cœur des coteaux-d'aix-en-provence. Le vignoble s'étend sur 72 ha conduits en agriculture biologique depuis 2010. La famille Georges de Blanquet est propriétaire depuis bientôt 40 ans.

Le grenache domine cette cuvée (90 %) qui se présente dans une jolie robe rose soutenu. Le nez s'ouvre sur le litchi, les fruits rouges et les fleurs. La bouche est riche et fruitée, avec un beau volume. ⧗ 2019-2020

EARL GEORGES DE BLANQUET, D_22, Cazan, 13116 Vernègues, tél. 06 38 80 80 60, direction@chateaubas.com V t.l.j. 9h-12h30 13h30-17h

♥ B CH. DE BEAUPRÉ Le Château 2018 ★★

■ | 24 000 | | 11 à 15 €

Construite en 1739, cette bastide servait au XIXe s. de relais de chevaux à la famille Double, des armateurs marseillais, avant d'être convertie en domaine viticole en 1890 par le baron Émile Double. Sa descendante, Phanette, œnologue et ingénieur en agriculture, conduit aujourd'hui un vignoble de 43 ha, en bio certifié depuis 2013.

Cette cuvée à la robe jaune clair et aux reflets dorés de vert est issue d'un assemblage de 50 % de vermentino, 25 % de sauvignon blanc, 20 % de sémillon et 5 % de clairette. Le nez, fin et complexe, mêle des arômes de pêche de vigne, de poire, de mangue et de subtiles notes florales. Une attaque vive et finement perlée ouvre sur une bouche ample et dense, étirée dans une longue finale qui allie avec élégance de jolis amers à la fraîcheur du fruit. ⧗ 2019-2022

EARL CH. DE BEAUPRÉ, 3525, RD_7N, 13760 Saint-Cannat, tél. 04 42 57 33 59, contact@beaupre.fr V t.l.j. 10h-19h

CH. DE BEAUPRÉ d² 2018 ★

■ | 22 000 | | 8 à 11 €

Construite en 1739, cette bastide servait au XIXe s. de relais de chevaux à la famille Double, des armateurs marseillais, avant d'être convertie en domaine viticole en 1890 par le baron Émile Double. Sa descendante, Phanette, œnologue et ingénieur en agriculture, conduit aujourd'hui un vignoble de 43 ha.

Grenache (70 %), carignan et cabernet sont assemblés dans ce rosé couleur fuchsia, au nez délicatement floral, élégant, fruité et épicé en bouche, avec une belle vivacité en soutien. ⧗ 2019-2020

SARL VIGNOBLES FAMILLE DOUBLE, 3525, RD_7N, 13760 Saint-Cannat, tél. 04 42 57 33 59, contact@beaupre.fr V t.l.j. 10h-19h

B CH. DE CALAVON 2018 ★★

■ | 12 000 | | 11 à 15 €

Propriété des Audibert depuis cinq générations, ce domaine produit du vin depuis l'époque des princes d'Orange. Son vignoble, certifié bio avec le millésime 2013, s'étend sur 60 ha.

Un rouge sombre aux reflets violines habille cette cuvée née de grenache et de syrah. Le nez s'ouvre sur des parfums de fruits noirs (cassis, myrtille, mûre). Une belle structure apparaît en bouche autour de tanins fins. Un 2018 déjà racé, puissant et aromatique. ⧗ 2020-2024

SCEA MICHEL AUDIBERT, 12, av. Badonviller, 13410 Lambesc, tél. 04 42 57 15 37, contact@chateaudecalavon.com V t.l.j. sf dim. 9h-13h 14h-18h

CH. CALISSANNE 2018 ★★

■ | 20 000 | | 8 à 11 €

Ancienne place forte celto-ligure, La Calissanne fut propriété de l'ordre de Saint-Jean-de-Jérusalem au Moyen Âge, d'un parlementaire aixois au XVIIe s., d'un industriel du savon au XIXe s., et enfin, en 2001, de l'homme d'affaires Philippe Kessler, disparu en 2008. C'est aujourd'hui Sophie Kessler-Matière, l'épouse de ce dernier, qui dirige cette vaste propriété de 1 200 ha, dont 60 ha d'oliviers et une centaine de vignes, répartis sur 25 parcelles de coteaux pierreux en pente légère. Ce pilier de l'AOC coteaux-d'aix, conduit pendant vingt-cinq ans par Jean Bonnet - qui a mené une réflexion poussée sur la politique de plantation et l'entretien du vignoble - est désormais dirigé par Christophe Barraud.

Deux étoiles pour cette cuvée d'assemblage (grenache, syrah, cabernet-sauvignon, mourvèdre) à la belle robe rouge profond et au nez intense de fruits rouges (groseille) et de fruits noirs (cassis, mûre). La bouche est charnue et les tanins sont souples. La finale sur une pointe d'amertume donne une bonne longueur. ⧗ 2020-2022 ■ **2018 ★ (8 à 11 €; 20 000 b.)** : d'un rose limpide, ce 2018 livre un bouquet expressif d'agrumes, de cassis et de fleur de buis. En bouche, il apparaît net et droit, dynamique et frais, centré sur le pamplemousse et le citron. Du peps. ⧗ 2019-2020 ■ **2018 ★ (8 à 11 €; 20 000 b.)** : d'un jaune pâle aux reflets dorés, cette cuvée est issue de l'assemblage de clairette, de sémillon et de vermentino. Le nez est atypique, sur des arômes de pomelo, de citron, de litchi, de pêche blanche et de jasmin. La bouche est ample menée par une acidité mordante sur des notes zestées. Belle tension en finale avec une pointe de salinité très agréable. ⧗ 2019-2021

SCA LA DURANÇOLE, DP_10, 13680 Lançon-de-Provence, tél. 04 90 42 63 03, commercial@chateau-calissanne.fr V r.-v.

B DOM. CAMAÏSSETTE 2018

■ | 16 000 | | 5 à 8 €

En 1974, Michelle Nasles quitte son métier de comptable pour reprendre le domaine familial fondé en 1901 : 4 ha d'oliviers et 23 ha de vignes. Aidée de son mari Jacques et de son fils Olivier, œnologue, elle

s'implique dans la défense des coteaux-d'aix, comme son père, l'un des artisans de leur accession en AOC.

Syrah, cabernet-sauvignon et grenache pour ce rosé assez soutenu en couleur, discret à l'olfaction, plus expressif en bouche autour de la framboise. On apprécie aussi son côté suave et sa bonne longueur. ⧗ 2019-2020

⊶ MICHELLE NASLES, 1685, RD_18, 13510 Éguilles, tél. 06 08 99 85 89, michelle.masles@wanadoo.fr V t.l.j. sf dim. 9h30-12h 14h30-18h30

LE CELLIER D'ÉGUILLES Le Sieur d'Éguilles 2018 ★

| 25000 | 5 à 8 € |

Petite cave coopérative fondée en 1923 à 8 km d'Aix-en-Provence, le Cellier d'Éguilles regroupe une quarantaine de producteurs et quelque 240 ha de vignes. Elle fournit majoritairement des coteaux-d'aix, ainsi que des vins en IGP.

Une large dominante de la syrah (90 %, avec le grenache en appoint) dans ce rosé couleur cerise clair, au nez élégant de groseille et de clémentine, à la bouche ample et ronde, relevée par une touche épicée en finale. ⧗ 2019-2020

⊶ LE CELLIER D'ÉGUILLES, 1, pl. Lucien-Fauchier, 13510 Éguilles, tél. 04 42 92 51 12, celliereguilles@orange.fr V t.l.j. sf dim. 9h-12h30 14h-19h

DOM. D'ÉOLE 2018

| 18600 | 11 à 15 € |

Le Dom. d'Éole situé à Eygalières au pied des Alpilles a été créé en 1993 puis racheté par Marc Rebouah en 2018. Les 30 ha du vignoble sont conduits en agriculture biologique depuis 1996.

60 % de vermentino et 40 % de grenache blanc ont été assemblés dans cette cuvée au nez discret de fruits confiturés, de pamplemousse et de fleurs. Bel équilibre en bouche entre fraîcheur et sucrosité. ⧗ 2019-2021

⊶ SCEA DOM. D'ÉOLE, 396, chem. des Pilons, 13810 Eygalières, tél. 04 90 95 93 70, domaine@domainedeole.com V t.l.j. 10h-12h30 14h30-18h

DOM. FREDAVELLE 2018 ★

| 16000 | 5 à 8 € |

Un domaine fondé en 1999, conduit par David Ravel et Olivia Menigoz, qui étend son vignoble sur 32 ha dans la plaine d'Aix-en-Provence.

Cette cuvée d'assemblage (sauvignon blanc, vermentino, ugni blanc) couleur or pâle dévoile au nez des arômes d'agrumes, de pêche blanche et d'abricot. L'attaque est vive et puissante, la bouche est équilibrée, bien structurée entre gourmandise et fraîcheur du fruit. Jolie finale longue et persistante. ⧗ 2019-2020 **Aromance 2018 (8 à 11 €; 23000 b.)** : vin cité.

⊶ EARL DOM. FREDAVELLE, 1250, rte de Pelissanne, 13510 Éguilles, tél. 04 42 92 38 29, domaine@fredavelle.fr V t.l.j. sf dim. 8h-12h 14h-18h

DOM. DE LA GRANDE SÉOUVE Aix 2018 ★

| 200000 | 11 à 15 € |

Le Hollandais Éric Kurver a acquis en 2008 le Dom. de la Grande Séouve, fondé en 1880 : 73 ha de vignes aujourd'hui, plantés sur le plateau de Bèdes, à 400 m d'altitude, et cultivé en bio.

D'un beau rose pâle couleur chair, un rosé au nez délicat de réséda, ample et rond en bouche, à réserver pour la table. ⧗ 2019-2020

⊶ SCA LES VIGNOBLES DE LA SÉOUVE, Dom. de la Grande Séouve, 13490 Jouques, tél. 04 42 67 60 87, info@aixrose.com

DOM. DU GRAND FONTANILLE 2018 ★

| 7400 | 8 à 11 € |

Terre viticole depuis le XIVᵉs., ce domaine de quelque 4 ha, conduit en bio, est commandé par une élégante bastide du XVIIIᵉs. Il est dirigé depuis 2008 par Jörg Schmitt, ancien conseiller clientèle dans la banque, devenu vigneron « par vocation et formation ».

D'un joli saumoné, ce rosé fait belle impression avec ses arômes de groseille et de fraise. Impression confirmée par une bouche bien fruitée, ample et ronde, équilibrée par une ligne de vivacité savamment dosée. ⧗ 2019-2020

⊶ GFA DU GRAND FONTANILLE, Dom. du Grand Fontanille, av d'Arles, 13103 Saint-Étienne-du-Grès, tél. 04 90 49 05 15, mail@domaine-fontanille.fr V t.l.j. sf dim. 10-18h

BY L'HOSTELLERIE L'Ambassadeur 2018

| 72000 | 5 à 8 € |

La cave coopérative de Rognes, fondée en 1924, est devenue l'Hostellerie des Vins de Rognes en 2012. Elle regroupe 65 producteurs pour une surface en vignes de plus de 600 ha en coteaux-d'aix-en-provence.

Cabernet et grenache font jeu égal (40 % chacun) aux côtés de la syrah dans ce vin saumoné et légèrement cuivré, au nez discret d'agrumes et de fleurs blanches, rond et fruité en bouche. ⧗ 2019-2020 **Pierre de Taille 2018 (5 à 8 €; 13333 b.)** : vin cité.

⊶ SCV HOSTELLERIE DES VINS DE ROGNES, 1, chem. de Brès, RD_15, 13840 Rognes, tél. 04 42 50 26 79, contact@hvrognes.com V t.l.j. 9h30-12h30 14h30-19h30

MONCIGALE 2018 ★

| 320000 | - de 5 € |

Fondée en 2002, Moncigale est une marque ombrelle du groupe alcoolier Marie Brizard, destinée à la grande distribution.

Brillant aux nuances framboise, ce rosé s'ouvre sur des arômes intenses d'abricot, d'agrumes et d'épices. Ample, ronde sans manquer de vivacité, sur l'orange mûre et le bonbon, la bouche séduit tout autant. ⧗ 2019-2020

⊶ SAS MONCIGALE, 6, quai de la Paix, 30300 Beaucaire, tél. 04 66 59 74 39, roxanne.blanc@mbws.com

DOM. L'OPPIDUM DES CAUVINS
Perle d'Oppidum 2018 ★

| 200000 | 5 à 8 € |

Établis au cœur du massif de la Trévaresse, à Rognes, et producteurs en coteaux-d'aix-en-provence (dont ils sont l'une des valeurs sûres), Rémy et Dominique Ravaute exploitent aussi le Clos de la Tuilière, un

vignoble de 10 ha en Luberon, sur l'autre rive de la Durance. Leur domaine provençal doit son nom à une ancienne place forte néo-romaine.

Pâle aux jolis reflets orangés, ce rosé séduit d'emblée par son nez de fruits exotiques. Le charme opère aussi en bouche, où le vin se montre ample et rond, bien équilibré par une fine acidité. ⌛ 2019-2020 ■ **2018 ★ (5 à 8 €; 16500 b.)** : une robe rouge rubis habille cette cuvée d'assemblage (grenache, syrah, cabernet sauvignon). Le nez s'ouvre sur des notes épicées de poivre, de poivron et de piment. La bouche est suave avec des tanins déjà souples et une bonne persistance aromatique. Bon vin de garde. ⌛ 2021-2025

⊶ EARL DOM. L'OPPIDUM DES CAUVINS, RD_543, Les Cauvins, 13840 Rognes, tél. 04 42 50 29 40, oppidumdescauvins@wanadoo.fr V t.l.j. sf dim. lun. 9h-12h 14h-18h

CH. PARADIS Terre des Anges 2018 ★

■	10600		11 à 15 €

Situé face au massif des Maures, à l'extrême nord de l'appellation coteaux-d'aix-en-provence, ce domaine de 80 ha est propriété de Xavier et Odile Thieblin depuis 2011.

La syrah (70 %) et le vermentino (10 %) ont été élevés en cuve Inox, tandis que le mourvèdre a séjourné dans des demi-muids. Le résultat est un rosé clair et limpide, au nez d'agrumes et de fruits exotiques, bien équilibré en bouche entre rondeur et fraîcheur. ⌛ 2019-2020

⊶ SARL VIGNOBLES PARADIS, Quartier Paradis, chem. de Pommier, 13610 Le Puy-Sainte-Réparade, tél. 04 42 54 09 43, communication@chateauparadis.com V r.-v.

DOM. PEY BLANC Pluriel 2018 ★

■	12000		8 à 11 €

Matteo Giusiano, éleveur de bovins, avait planté les premiers ceps dans les années 1930. Son petit-fils Gabriel s'est installé au domaine en 2004 et a fait construire une cave. Le voici maintenant aux commandes d'une exploitation de 20 ha sur le territoire d'Aix-en-Provence.

60 % de vermentino, 30 % d'ugni blanc et 10 % de clairette composent cette cuvée à la robe or aux reflets verts. Le nez, délicat, dévoile des arômes d'agrumes, de pêche, de litchi et de fleurs blanches. La bouche est fraîche, enveloppée dans une belle matière, et déploie une finale longue et croquante. ⌛ 2019-2021

⊶ EARL GIUSIANO VIGNERONS, 1200, chem. du Vallon-des-Mourgues, 13090 Aix-en-Provence, tél. 04 42 12 34 76, peyblanc@wanadoo.fr V t.l.j. sf dim. 9h-12h 14h-18h

CH. PIGOUDET Classic 2018 ★

■	80000		11 à 15 €

Propriété depuis 1992 de la famille Schmidt-Rabe, ce château, situé à l'extrême nord-est de l'appellation, à l'emplacement d'une ancienne villa romaine, fut la résidence d'été de l'archevêque d'Aix au XVIe s. Le domaine couvre 110 ha, dont 40 ha plantés en vignes, à 400 m d'altitude.

Un bon classique en effet que ce rosé dominé par le grenache et le cinsault : robe diaphane, nez tout en fruit, bouche à l'avenant, sur les fruits rouges, fraîche et éclatante. ⌛ 2019-2020 ■ **L'Oratoire Cuvée divine 2018 ★ (11 à 15 €; 20000 b.)** : un rosé bien provençal, aux accents de rose et de cerise, frais et persistant en bouche. ⌛ 2019-2020

⊶ SARL PIGOUDET, rte de Jouques, 83560 Rians, tél. 04 94 80 31 78, pigoudet@pigoudet.com V r.-v.

LES VIGNERONS DU ROY RENÉ Opale 2018 ★

■	60000		5 à 8 €

La coopérative de Lambesc, située à une vingtaine de kilomètres au nord-ouest d'Aix-en-Provence, a été fondée par Jules Reynaud en 1922. Forte de 700 ha de vignes, elle est un acteur important de l'AOC coteaux-d'aix et une valeur sûre pour ses rosés.

Ce rosé très clair présente un nez intense de cassis. En bouche, on apprécie son attaque nette et franche, sa texture ronde et délicate, et sa longueur. ⌛ 2019-2020 ■ **Les Vignerons du Roy René Ma Terre 2018 ★ (5 à 8 €; 40000 b.)** : une belle robe dorée de vert habille cette cuvée composée à 50 % de vermentino, 25 % de grenache blanc et 25 % de sauvignon blanc. Le nez est gourmand, sur des arômes d'agrumes mûrs, de pêche, de miel et de fleurs. Une attaque vive et finement perlée introduit une bouche délicate et aromatique. ⌛ 2019-2021

⊶ SCA LES VIGNERONS DU ROY RENÉ, 6, av. du Gal-de-Gaulle, 13410 Lambesc, tél. 04 42 57 00 20, c.lesage@lesvigneronsduroyrene.com V t.l.j. sf dim. 9h-12h 14h-18h30

CH. SAINT-HILAIRE Prestige 2018 ★

■	13000		8 à 11 €

La famille Lapierre cultive la vigne depuis le XVIIIe s. à Coudoux. Elle vinifie au domaine depuis 1973. La propriété, en conversion bio, compte aujourd'hui 55 ha de vignes et 15 ha environ d'oliviers. En 2016, elle a inauguré une cave flambant neuve.

D'un beau rose pâle et franc, ce 2018 propose un nez délicat de pêche et de fleurs blanches. En bouche, il apparaît net, frais et long, centré sur le fruit. ⌛ 2019-2020

⊶ SCEA CH. SAINT-HILAIRE, La Plantade, RD_19, 13111 Coudoux, tél. 04 42 52 10 68, contact@chateau-saint-hilaire.fr V t.l.j. sf dim. 9h-12h30 14h30-19h

Ⓑ DOM. VAL DE CAIRE Lou Cantaï 2018 ★★

■	5500		8 à 11 €

Après avoir travaillé comme salarié dans plusieurs domaines, Guillaume Reynier a pris en fermage ce vignoble implanté dans son village natal à la suite du départ à la retraite du propriétaire, qui était coopérateur. Il a créé la cave en 2003 et converti au bio ses 17 ha de vignes.

D'un très joli rose pâle aux reflets argentés, ce rosé s'ouvre sans réserve sur les agrumes (pamplemousse, clémentine). Agrumes qui animent aussi la bouche, ample, ronde et précise, avec en soutien une belle acidité. ⌛ 2019-2020 ■ **2018 ★ (8 à 11 €; 9000 b.)** Ⓑ : d'un rouge rubis profond et brillant, cette cuvée d'assemblage (syrah, grenache, cabernet-sauvignon) présente un nez fin de fruits rouges (cerise). La bouche est bien structurée avec des tanins souples et un bel équilibre.

PROVENCE

Finale sur des notes réglissées agréables. 2021-2023 ■ **2018 ★ (8 à 11 €; 9000 b.)** Ⓑ : 66 % de vermentino et 34 % d'ugni blanc sont assemblés dans cette cuvée couleur jaune clair. Le nez dévoile des arômes discrets de pêche, de fruits blancs et de fleurs. La bouche est ample, sur la fraîcheur du fruit qui s'équilibre avec la finale sur de légers amers. 2019-2021

GUILLAUME REYNIER, rte de Caire-Val, 13840 Rognes, tél. 06 79 71 28 93, valdecaire@gmail.com V *t.l.j. sf mer. dim. 16h-19h*

LA VENISE PROVENÇALE Cuvée réservée 2018 ★

■ | 50000 | | 5 à 8 €

La Venise provençale est le nom que l'on donne à Martigues - tout comme Bruges est la Venise du Nord. Un nom adopté par la coopérative de Saint-Julien-des-Martigues, créée en 1959. La cave regroupe aujourd'hui 110 viticulteurs qui cultivent quelque 200 ha.

Sélection des meilleures parcelles argilo-calcaires de bord de mer, cette cuvée en robe saumonée propose un nez complexe d'agrumes, de fruits à chair blanche et d'épices douces. En bouche, il y a du volume, de la vivacité, du fruit et de la minéralité. Un ensemble de caractère. 2019-2020 ■ **Collection de la Venise 2017 (5 à 8 €; 5000 b.)** : vin cité.

CAVE COOPÉRATIVE DE LA VENISE PROVENÇALE, 233, rte de Sausset, Saint-Julien-les-Martigues, 13500 Martigues, tél. 04 42 81 33 93, direction@laveniseprovencale.fr V *t.l.j. sf dim. 9h-12h 14h-19h*

Ⓑ CH. VIGNELAURE 2018 ★

■ | 80000 | | 15 à 20 €

Ce château de belle notoriété fut constitué à partir de la fin des années 1960 par Georges Brunet, ancien propriétaire du Ch. la Lagune, cru classé du Médoc. Les vignes, qui s'étendent sur 55 ha au pied de la montagne Sainte-Victoire, font la part belle au cabernet-sauvignon et à la syrah. Propriétaire depuis 2007, Bengt Sundström est aussi amateur et marchand d'art.

Ce rosé pâle présente un bouquet original d'herbes fraîches et de menthol. En bouche, il se montre plus fruité, rond et harmonieux, dynamisé par de beaux amers en finale. 2019-2020 ■ **La Source 2018 ★ (11 à 15 €; 12000 b.)** Ⓑ : le vermentino domine cette cuvée à la robe jaune pâle aux reflets verts. Le nez s'ouvre sur des parfums d'agrumes (pomelo, citron vert), de fleurs blanches et d'amande douce. Rond, délicat et fruité en bouche, ce rosé présente une bonne persistance aromatique. 2019-2021

SAS VIGNELAURE, rte de Jouques, 83560 Rians, tél. 04 94 37 21 10, info@vignelaure.com V *t.l.j. 8h-18h*

COTEAUX-VAROIS-EN-PROVENCE

Superficie : 2 285 ha
Production : 123 900 hl (97 % rouge et rosé)

Reconnue en 1993, l'AOC est produite dans le département du Var sur 28 communes. Ceinturé à l'est et à l'ouest par les côtes-de-provence, le vignoble, discontinu, se niche entre les massifs calcaires boisés, au nord de la Sainte-Baume et autour de Brignoles qui fut la résidence d'été des comtes de Provence. Signalons que le syndicat a son siège dans l'ancienne abbaye de La Celle reconvertie en hôtel-restaurant sous la houlette d'Alain Ducasse.

Ⓑ CH. DES ANNIBALS La Jouvencelle 2018

■ | 13000 | | 8 à 11 €

Après une première vie dans la finance, Nathalie Coquelle a pris en 2001 la tête de ce vignoble créé en 1792, qui comprend aujourd'hui 28 ha conduits en bio et un caveau voûté du XIIᵉs. L'éléphant figurant sur les étiquettes rappelle la légende selon laquelle le Carthaginois Hannibal marchant sur Rome avec ses pachydermes serait passé à l'emplacement du domaine. En 2016, après avoir géré pendant vingt ans une entreprise de recyclage de déchets industriels, Henri De Wulf s'est associé à Nathalie Coquelle pour conduire le domaine.

Cet assemblage de 80 % vermentino et de 20 % ugni blanc, à la robe jaune pâle doré, révèle un nez subtil de fleurs blanches et de fruits mûrs (mangue, pêche). La bouche apparaît ronde, mais garde une belle tension avec sa finale zestée. 2019-2020 ■ **Grands Annibals 2018 (11 à 15 €; 3300 b.)** Ⓑ : vin cité. ■ **Grands Annibals 2018 (11 à 15 €; 2000 b.)** Ⓑ : vin cité.

SCEA DOM. DES ANNIBALS, rte de Bras, RD_35, 83170 Brignoles, tél. 04 94 69 30 36, dom.annibals@orange.fr V *r.-v.*

Ⓑ BASTIDE DE BLACAILLOUX Éclosion 2018 ★★

■ | 21600 | | 8 à 11 €

Depuis plus de 4 générations, la famille de Bruno Chamoin cultive les terres de la Bastide de Blacailloux, situées en plein cœur du parc naturel de la Sainte-Baume. Bruno a repris le bastion de la propriété en 1995 et cultive aujourd'hui 40 ha de vignes en agriculture biologique.

Cette cuvée à dominante de grenache se présente dans une robe brillante. Au nez, elle exhale les fruits rouges, la mangue et les fleurs blanches. Arômes que l'on retrouve dans une bouche ample, ronde et souple. Un rosé savoureux et généreux. 2019-2020 ■ **Éclosion 2018 ★★ (8 à 11 €; 4000 b.)** Ⓑ : ce pur vermentino révèle un nez intense de fleurs (rose, jasmin), de fruits exotiques (fruit de la Passion, ananas) et d'agrumes. La bouche est onctueuse, bien équilibrée entre rondeur et fraîcheur, avec une expression aromatique fruitée qui persiste. 2019-2021 ■ **Quintessence d'Éclosion 2017 ★ (11 à 15 €; 2200 b.)** : ce 2017 jaune pâle aux reflets argentés est né du seul vermentino. Son nez complexe mêle les agrumes confits, le miel, la vanille, l'amande et la réglisse. En bouche, on découvre un vin rond, gras, gourmand et boisé avec justesse. 2019-2022 ■ **Quintessence d'Éclosion 2018 (11 à 15 €; 3300 b.)** : vin cité.

SCEA BASTIDE DE BLACAILLOUX, Dom. de Blacailloux, 83170 Tourves, tél. 04 94 86 83 83, contact@bastide-de-blacailloux.com V *t.l.j. 10h-12h30 14h30-19h; dim. 10h-12h30 mai-sept.*

BASTIDE DE FAVE Héritage Saint Victor 2018 ★

■ | 7000 | 🍾 | 11 à 15 €

Ancien maître de chai chez Martell, Benoît Fil, ingénieur agronome et œnologue, a débuté sa carrière en 2000 en Georgie – berceau probable du vin –, avant de devenir maître de chai chez Martell. En 2017, il a quitté la Charente et le cognac pour renouer avec ses racines provençales, s'installant avec sa famille au Dom. de Fave, ancien prieuré de l'abbaye Saint-Victor : près de 8 ha de vignes en deux îlots, 1 ha d'oliviers, et des chambres d'hôtes. La conversion bio est engagée.

Sous sa robe rouge sombre aux reflets violines, cet assemblage de syrah (90 %) et de grenache dévoile un nez puissant de mûre, de groseille, de fraise et de poivre. La bouche se révèle ample et ronde, étayée par des tanins soyeux, et propose une bonne persistance aromatique sur le fruit. ⧗ 2019-2022 ■ **Héritage de Saint-Victor 2018 (8 à 11 €; 10000 b.)** : vin cité.

EARL DOM. DE FAVE, Bastide de Fave, rte de Bras, 83119 Brue-Auriac, tél. 06 73 40 58 41, benoit.fil@orange.com V r.-v. 4

Ⓑ DOM. LA BASTIDE DES OLIVIERS 2018 ★

■ | 33000 | 🍾 | 8 à 11 €

Enfant du pays, héritier de générations d'agriculteurs-éleveurs puis de viticulteurs, petit-fils du fondateur de la coopérative locale, Patrick Mourlan, dès son installation en 2000, a créé sa cave et s'est orienté vers l'agriculture biologique. Il est installé dans une bastide entourée d'oliviers centenaires et cultive 10 ha de vignes. Au chai, il limite les interventions, vinifiant sans soufre.

Un 2018 couleur pêche, où le cinsault domine (55 %), accompagné du grenache (35 %) et du carignan (10 %). Au nez, il évoque les fruits noirs et rouges agrémentés d'une note de venaison. En bouche, il apparaît rond, riche et soyeux, prolongé par une finale chaleureuse et épicée. ⧗ 2019-2022 ■ **Cuvée Le Naturel du Vigneron 2018 ★ (11 à 15 €; 1600 b.)** Ⓑ : 90 % de syrah et 10 % de grenache pour cette cuvée d'un rouge profond aux reflets violines. Le nez, intense, évoque les fruits rouges (framboise, cerise), le café et les épices. La bouche est ample et soyeuse, portée par des tanins veloutés. Bonne longueur sur le fruit. ⧗ 2019-2021 ■ **Cuvée Origine 2017 (20 à 30 €; 2000 b.)** Ⓑ : vin cité.

PATRICK MOURLAN, La Bastide des Oliviers, 1011, chem. Louis-Blériot, 83136 Garéoult, tél. 06 80 30 63 10, patrick.mourlan@wanadoo.fr V r.-v.

Ⓑ CH. BELLINI EN PROVENCE 2017 ★

■ | 6500 | 🍾 | 11 à 15 €

Un domaine établi le long de la Via Aurelia dès le Xᵉs., qui fut fréquenté par les Comtes de Provence. Un vignoble ancien donc, étendu sur 35 ha en terrasses et repris en 2016 par Tom Bove.

Cette cuvée d'un beau rouge profond est issue de syrah et de cabernet-sauvignon. Le nez, flatteur, mêle des arômes de mûre, de myrtille, de cassis et de réglisse. La bouche se montre tendre, suave, chaleureuse, portée par des tanins fins. ⧗ 2019-2021

SCEA DOM. BELLINI, 1484, RD_79, 83170 Brignoles, tél. 04 94 39 45 40, info@mascaronne.com

♥ Ⓑ CH. LA CALISSE Patricia Ortelli 2018 ★★

■ | 5000 | 🍾 | 20 à 30 €

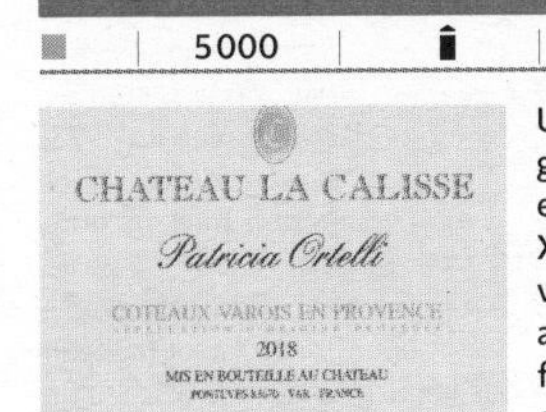

Une ancienne magnanerie, exploitée en polyculture au XIXᵉs. On y cultivait notamment des amandiers dont les fruits servaient aux confiseurs d'Aix-en-Provence pour la fabrication des calissons. Désormais dédié à la vigne (12 ha), le domaine est dirigé par Patricia Ortelli depuis 1991, et conduit en bio depuis 1996. Une valeur (très) sûre des coteaux-varois.

Une belle robe rose pâle habille cette cuvée composée de 70 % de grenache et de 30 % de syrah. Le nez, fin et gourmand, associe le pamplemousse à des notes d'épices légères. Une attaque fraîche ouvre sur une bouche parfaitement équilibrée, douce et soyeuse. La finale sur le fruit frais persiste agréablement. Un vin bien construit, délicat et moderne. ⧗ 2019-2020 ■ **Étoiles 2016 ★★ (30 à 50 €; 2000 b.)** Ⓑ : d'un beau grenat profond, cette cuvée composée à 70 % de syrah, 20 % de cabernet-sauvignon et 10 % de grenache dévoile un nez complexe mêlant les fruits noirs et rouges (mûre, myrtille, cerise), les épices et la réglisse. La bouche, portée par des tanins soyeux, allie finesse, concentration et puissance, et déploie une savoureuse finale épicée. ⧗ 2020-2025 ■ **2018 ★ (20 à 30 €; 10000 b.)** Ⓑ : cet assemblage grenache-syrah révèle un joli nez de fruits rouges (fraise, groseille), prolongé par un palais souple et frais, encore dynamisé par une finale citronnée. ⧗ 2019-2020 ■ **Ch. La Calisse Patricia Ortelli 2018 (20 à 30 €; 4000 b.)** Ⓑ : vin cité.

SAS CH. LA CALISSE, RD_560, 83670 Pontevès, tél. 04 94 77 24 71, contact@chateau-la-calisse.fr V r.-v.

CANTARELLE 2018 ★

■ | 18000 | 🍾 | 5 à 8 €

Situé à 310 m. d'altitude, aux portes du Parc National du Verdon, le Dom. de Cantarelle s'étend sur plus de 130 ha. Ancienne propriété de la famille Dieudonné, il a été racheté en 2017 par la maison de négoce Cap Wine International qui en a toutefois laissé les commandes techniques à Élodie Dieudonné. 30 ha du domaine sont cultivés en agriculture biologique et le reste est dans une démarche de Haute Valeur Environnementale.

Une cuvée 100 % vermentino qui révèle un nez plaisant de fleurs (muguet, fleur d'acacia), de pêche, de poire et de noisette. La bouche est aiguisée, traçante, citronnée. Un vin rectiligne. ⧗ 2019-2020 ■ **2018 ★ (5 à 8 €; 15000 b.)** : un assemblage grenache-syrah ouvert sur un nez d'agrumes et de fleurs, avec une note légèrement anisée. L'équilibre est assuré au palais, entre une attaque sur la fraîcheur et une finale sur la douceur. ⧗ 2019-2020

SAS CAP WINE PROVENCE (DOM. DE CANTARELLE), Dom. de Cantarelle, rte de Varages, 83119 Brue-Auriac, tél. 04 94 80 96 01, contact@cantarelle.net V t.l.j. 9h-19h

♥ LE CELLIER DE LA SAINTE-BAUME
Reflets 2018 ★★

■	n.c.	🍾	- de 5 €

La coopérative de la Sainte-Baume est le fruit de la fusion de trois caves en 1973, suivie d'une autre fusion plus récente avec la cave de Tourves, en 1998. En 2012, elle a fêté son centenaire et abandonné le vieux bâtiment ocre au vaste fronton pour s'installer dans des locaux modernes à la sortie de Saint-Maximin.

La cave de la Sainte-Baume n'en est pas à son premier coup de cœur en rosé. Elle signe ici un assemblage remarquable de grenache, syrah, cabernet-sauvignon et cinsault qui séduit d'emblée par sa couleur litchi. Le charme continue d'opérer avec une olfaction fine et élégante centrée sur les agrumes, les fruits exotiques et les fleurs blanches. La bouche est un modèle d'équilibre : de la chair, une texture soyeuse, de la fraîcheur et une longue finale sur le fruit. ⧗ 2019-2020

SCA LE CELLIER DE LA SAINTE-BAUME, rte de Barjols, 83470 Saint-Maximin-la-Sainte-Baume, tél. 04 94 78 03 97, cellier.ste-baume@orange.fr V ■ *t.l.j. 8h30-12h 14h30-18h; dim. 8h30-12h*

CH. DES CHABERTS Cuvée Prestige 2016 ★

■	8300	🍾	8 à 11 €

Au pied du massif forestier qu'est la montagne de La Loube, ce vignoble de 30 ha (en conversion bio), perché à 350 m d'altitude entre Garéoult et La Roquebrussanne, couvre des coteaux arides et caillouteux abrités des vents dominants. Une valeur sûre des coteaux-varois, dans les trois couleurs.

Sous sa robe rouge sombre aux reflets violacés, cet assemblage de syrah, de cabernet-sauvignon et de mourvèdre dévoile un nez intense de fruits rouges et noirs (framboise, cassis, mûre), de réglisse et de cacao. La bouche se révèle ample et dense, épaulée par des tanins puissants. Jolie finale mentholée. ⧗ 2020-2025

CH. DES CHABERTS, 83136 Garéoult, tél. 04 94 04 92 05, chaberts@wanadoo.fr V ■ ■ *t.l.j. 9h-12h 14h-18h; dim. sur r.-v.*

DOM. LA CHAUTARDE 2018 ★★

■	25000	🍾	8 à 11 €

En 2003, Vincent Garnier a repris, en association avec son frère Christophe, les rênes du domaine appartenant à sa famille depuis le XVIIIe s. Implanté près de la commune de La Celle, en AOC coteaux-varois, le vignoble s'étend sur près de 33 ha.

Un assemblage de grenache, de cinsault et de vermentino d'un rose intense. Il s'ouvre sur un nez délicat de fruits acidulés et de fleurs blanches, puis se révèle équilibré en bouche avec du fruit, de la rondeur et une fraîcheur bien dosée. Un rosé très élégant et harmonieux. ⧗ 2019-2020

SCEA GARNIER, 2927, rte de Bras, 83143 Le Val, tél. 06 74 67 57 96, la-chautarde@orange.fr V ■ ■ *r.-v.*

(B) DOM. DU DEFFENDS
Rosé des Filles 2018

■	20000	🍾	11 à 15 €

Cette ancienne ferme datant de la fin du XVIIIe s. a été achetée par la famille de Lanversin en 1963. Aujourd'hui, le domaine compte 15 ha de vignes situées sur les contreforts des monts Auréliens sur un coteau montant jusqu'à 420 m d'altitude. Le vignoble est conduit en agriculture biologique.

Habillé d'une robe rose pâle, ce 2018 né d'un assemblage grenache-cinsault exhale des arômes d'agrumes, de pêche et de fleurs blanches. La bouche apparaît croquante, fraîche et persistante sur le fruit. Un rosé bien équilibré. ⧗ 2019-2020

SAS DOM. DU DEFFENDS, 2020, chem. du Deffends, 83470 Saint-Maximin-la-Sainte-Baume, tél. 04 94 78 03 91, domaine@deffends.com V ■ ■ *r.-v.*

♥ CH. DE L'ESCARELLE
Croix d'Engardin 2015 ★★

■	3000	🛢	30 à 50 €

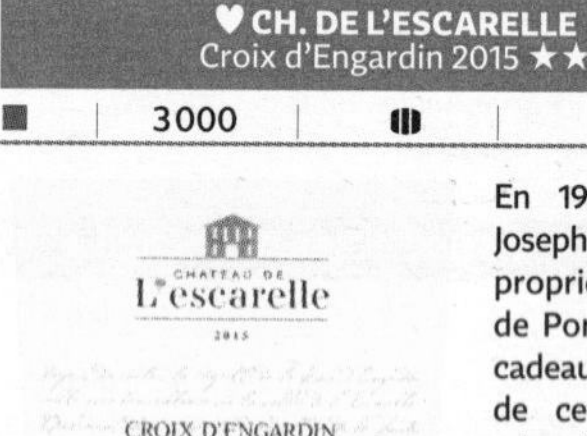

En 1920, François-Joseph Fournier (déjà propriétaire de l'île de Porquerolles) fit cadeau à son épouse de cette propriété adossée aux contreforts de la montagne de La Loube. Dans les années 1960, la famille Gassier a transformé le domaine qui, avec 110 ha de vignes, représente sans doute la plus grande cave particulière de l'AOC coteaux-varois. Acquis en 2014 par l'homme d'affaires Yann Pineau, il est en conversion bio.

Ce 2015 couleur grenat profond est issu d'un assemblage de grenache et de syrah. Son nez s'ouvre sur les fruits noirs et se poursuit sur des notes grillées, épicées et chocolatées. En bouche, il se montre ample, charnu, concentré, avec en soutien des tanins fins et soyeux. Un vin de caractère, bâti pour une belle garde. ⧗ 2019-2020 ■ **Croix d'Engardin 2018 ★★ (30 à 50 €; 2800 b.)** (B) : un rosé lumineux né de grenache, de syrah et de mourvèdre. Le nez dévoile des arômes de fruits sucrés nuancés de notes anisées. Arômes que l'on retrouve dans une bouche très gourmande, ronde et suave, soulignée par une fine fraîcheur. ⧗ 2019-2021 ■ **Mes Bastides 2015 ★ (11 à 15 €; 5000 b.)** : un assemblage de grenache, syrah et cabernet-sauvignon ouvert sur des arômes de fruits rouges et de fines notes boisées, épicées, mentholées. Une matière ronde se déploie en bouche, portée par des tanins présents mais fins et un bon boisé cacaoté. ⧗ 2019-2020 ■ **Les Deux Anges 2018 (11 à 15 €; 30000 b.)** : vin cité.

SAS ESCARELLE DIFFUSION, rte de la Roquebrussanne, 83170 La Celle, tél. 04 94 69 09 98, contact@escarelle.fr V ■ ■ *t.l.j. 9h-12h 14h-18h*

(B) DOM. DE GARBELLE Il fallait... Rosé 2018

■	10000	🍾	8 à 11 €

En 2006, Jean-Charles Gambini a pris les rênes de l'exploitation familiale, qui couvre aujourd'hui 10 ha,

exploités en bio. Il développe également une production de miel et d'huile d'olive.

Le grenache, qui domine cet assemblage, confère à cette cuvée un nez expressif de fruits rouges (cerise, framboise). La bouche est bien équilibrée entre douceur et fraîcheur. ⌛ 2019-2020

JEAN GAMBINI, 83136 Garéoult, tél. 06 08 63 91 00, contact@domaine-de-garbelle.com V *t.l.j. sf dim. 9h-12h 14h-18h*

DOM. LA GRAND'VIGNE 2018 ★

■ | n.c. | | 5 à 8 €

Roland Mistre, œnologue, a repris en 1998 l'exploitation familiale créée à la fin du XIXᵉs., qui livrait ses raisins à la coopérative. Il a relancé en 2002 la vinification à la propriété et exploite 14 ha de vignes.

Cette cuvée aux reflets sable est issue de grenache (50 %), de syrah (20 %), de cinsault (20 %) et de mourvèdre (10 %). Au nez, on trouve les fruits rouges (framboise, cerise) et les épices (poivre blanc, gingembre). La bouche, tout aussi expressive, se montre friande et fraîche. ⌛ 2019-2020 ■ **La Grand'Vigne Cuvée Les Fournerys 2018 ★ (8 à 11 €; n.c.)** : cette cuvée à la robe pâle est composée à 50 % de grenache, 30 % de syrah et 20 % de mourvèdre. Le nez élégant et complexe décline les fruits frais, les fleurs et les épices. La bouche est toute en fraîcheur et en finesse. ⌛ 2019-2020

ROLAND MISTRE, rte de Cabasse, 83170 Brignoles, tél. 04 94 69 37 16, contact@lagrandvigne.com V *t.l.j. 9h-12h 14h-18h*

♥ B CH. LAFOUX Auguste 2017 ★★

■ | 4290 | | 15 à 20 €

Rachetée en 1999 par Claudine et Yvon Boisdron, la propriété doit son nom à la source voisine, La Foux. Elle est commandée par une bastide du XVIIIᵉs. bâtie sur un ancien fortin romain situé le long de la voie aurélienne. Le domaine s'étend sur 174 ha : du blé dur, des oliviers et 24 ha de vignes plantées sur un sol argilo-calcaire et entourées de chênes.

Née de 80 % de syrah et de 20 % de grenache, élevée pour partie en fût et pour partie en jarres de grès, cette cuvée est bien connue des lecteurs du Guide. Elle survole la dégustation en rouge avec sa version 2017. Un vin d'un beau rouge sombre, au nez complexe mêlant les fruits mûrs (cassis, cerise), la violette, les épices douces, la réglisse et le cacao. Une attaque souple et soyeuse ouvre sur une bouche puissante, riche, concentrée, aux tanins fondus et veloutés. Une jolie finale corsée, sur les épices, conclut la dégustation de ce vin diablement gourmand et généreux. ⌛ 2021-2025 ■ **Auguste 2018 ★ (11 à 15 €; 6978 b.)** B : une robe jaune pâle aux reflets dorés habille cet assemblage du vermentino (80 %) et de la clairette, au nez délicat de fleurs blanches, de pêche, de fruits exotiques et d'anis. La bouche offre un bon équilibre entre douceur, salinité et fruité. ⌛ 2019-2021

SCEA CH. LAFOUX, RN_7, 83170 Tourves, tél. 04 94 78 77 86, contactlafoux@gmail.com V *t.l.j. sf dim. 9h-12h 14h-18h*

B CH. LA LIEUE Batilde Philomène 2015 ★

■ | 13800 | | 11 à 15 €

Fondé en 1876 par Batilde Philomène, veuve d'un soyeux lyonnais, ce domaine (77 ha aujourd'hui) se transmet depuis cinq générations au sein de la famille Vial. Converti à l'agriculture biologique dès 1997, le vignoble est conduit par Jean-Louis Vial et son fils Julien. Créée en 1906, la cave a été réaménagée pour permettre des vinifications sur de petits volumes.

Un assemblage complexe de grenache, carignan, mourvèdre, syrah et cabernet-sauvignon pour ce vin couleur cerise noire. Le nez, complexe et généreux, conjugue les fruits à l'eau-de-vie et des notes de truffe. Arômes prolongés par une bouche chaleureuse et suave, aux tanins fermes. ⌛ 2021-2024

EARL FAMILLE VIAL, rte de Cabasse, 83170 Brignoles, tél. 04 94 69 00 12, chateau.la.lieue@orange.fr V *t.l.j. 9h-12h30 14h-19h; dim. 10h-12h 15h-18h*

B DOM. DU LOOU Esprit de Blancs 2018 ★

■ | 15000 | | 8 à 11 €

Longtemps propriété de l'abbaye Saint-Victor à Marseille, le Dom. du Loou, dont la tradition viticole remonte à l'Antiquité, appartient depuis 1954 à la famille Di Placido. Couvrant 25 ha à l'origine, il compte aujourd'hui 60 ha de vignes d'un seul tenant, conduites en bio.

D'un beau jaune pâle, cet assemblage de sémillon et de vermentino s'ouvre sur un nez intense d'agrumes, de pêche, d'abricot, d'ananas et de noisette fraîche. On retrouve ces arômes dans une bouche goûteuse, énergique et fruitée. ⌛ 2019-2021 ■ **Blanc Sous Bois 2018 ★ (11 à 15 €; 2000 b.)** B : cette cuvée à dominante de vermentino (95 %) dévoile un nez discret de fruits confits, de fleurs et de notes vanillées. La bouche, soutenue par un boisé bien maîtrisé, trouve l'équilibre entre une attaque vive, un développement sur la rondeur et une bonne amertume en finale. ⌛ 2019-2022 ■ **Rosée de Printemps 2018 (8 à 11 €; 10000 b.)** B : vin cité.

SCEA DI PLACIDO, Chem. du Loou, 83136 La Roquebrussanne, tél. 04 94 86 94 97, contact@domaineduloou.fr V *r.-v.*

B CH. MARGILLIÈRE Bastide 2016 ★

■ | 20000 | | 11 à 15 €

Domaine implanté à quelques kilomètres de Brignoles, comprenant vignes (22 ha aujourd'hui), oliviers et un caveau de dégustation aménagé dans une ancienne magnanerie du XVIIᵉs. Patrick Caternet, à partir de 1996, lui a redonné son lustre et l'a converti à l'agriculture biologique avant de le transmettre en 2002 à sa fille Pauline. En 2016, la gestion de la propriété a été confiée à la famille Bunan.

70 % de syrah, 20 % de grenache et 10 % de cabernet-sauvignon ont été assemblés dans cette

cuvée rouge sombre, au nez intense de cassis, de menthe poivrée et de cacao. La bouche, suave et longue, s'adosse à des tanins fins et à un bon boisé vanillé. ⧗ 2020-2023 ■ **Bastide 2018 ★ (11 à 15 €; 13000 b.)** Ⓑ : un assemblage de vermentino (80 %) et d'ugni blanc pour ce blanc lumineux, au nez très expressif d'agrumes (pamplemousse, citron vert) et de fleurs (pivoine, aubépine). Un bel équilibre apparaît en bouche entre rondeur et vivacité. Jolie finale croquante. ⧗ 2019-2021 ■ **Hautes Terres 2017 ★ (11 à 15 €; 3000 b.)** Ⓑ : une cuvée à dominante de vermentino (90 %) qui s'ouvre sur des parfums de mandarine, de mirabelle, de fruits secs et des notes grillées. La bouche est suave et généreuse, enrobée par un doux boisé. La finale épicée et beurrée est très agréable. ⧗ 2019-2021

SCEA CH. MARGILLIÈRE, rte de Cabasse, 83170 Brignoles, tél. 04 94 69 05 34, contact@chateau-margilliere.com V r.-v.

Ⓑ CH. MARGÜI 2018 ★

■ | 22800 | | 15 à 20 €

Le Ch. Margüi a rejoint Skywalker Vineyards, propriétaire de vignobles en Californie, en Italie et en France, en 2017. Le domaine est situé dans le Haut Var à 300 m d'altitude, au cœur de la zone Natura 2000. Yann Jouët, régisseur depuis 2018, conduit les 15 ha de vignes en agriculture biologique.

Cette cuvée est issue de grenache, syrah, cinsault, vermentino et cabernet-sauvignon. Elle dévoile un nez intense de fruits mûrs et d'épices. On retrouve ces arômes dans une bouche mûre, consistante et bien structurée. ⧗ 2019-2021 ■ **2018 ★ (20 à 30 €; 7700 b.)** Ⓑ : un nez complexe mêlant les fleurs blanches à des notes gourmandes de beurre, de brioche, de guimauve et de vanille exhale de cette cuvée couleur jaune paille brillant. La bouche est ample, riche, soyeuse, soutenue par un boisé fin et par une jolie finale saline. ⧗ 2019-2022

SAS CH. MARGÜI VINEYARDS, Ch. Margüi, 83670 Châteauvert, tél. 09 77 90 23 18, contact@chateaumargui.com V *t.l.j. sf dim. lun. 10h-18h*

DOM. MASSON 2017 ★

■ | 10000 | | 8 à 11 €

Gilles Masson a acquis en 2002 un vignoble de 24 ha environné de bois, niché au pied du massif du Bessillon. Après avoir apporté pendant près de quinze ans sa vendange à la coopérative locale, cet œnologue n'a pas résisté à la tentation de faire son vin : il a construit sa cave en 2016, vinifié le produit de 8,5 ha, le solde de la récolte restant confié à la coopérative.

Aux côtés du grenache, 20 % de syrah pour ce vin d'un beau rubis. Le nez, intense, évoque les fruits rouges et noirs (cassis, fraise, groseille), la violette et la réglisse. Suave, rond et souple, le palais reste sur le fruit. Un vin facile d'accès. ⧗ 2019-2022

EARL GILLES MASSON, 1014, chem. du Gavelier, 83119 Brue-Auriac, tél. 04 94 80 09 49, info@domainemasson.fr V *t.l.j. sf lun. dim. 14h-18h; sam. 10h- 12h30*

CH. D'OLLIÈRES Prestige 2018 ★

■ | 33000 | | 11 à 15 €

Sous la direction de Charles Rouy, qui a fait ses armes dans la célèbre maison beaunoise Bouchard Père et Fils, cette ancienne seigneurie a su retrouver sa tradition viticole à partir de 2003 grâce à une restructuration du vignoble (16 ha replantés sur les 30 ha que compte aujourd'hui le domaine) et à un investissement dans des équipements modernes.

Une robe rose à reflets saumonés habille cette cuvée (grenache, syrah, cinsault) qui exhale des arômes d'agrumes. La bouche est suave, bien équilibrée par la fraîcheur du fruit et la finale, gourmande, associe notes florales et mentholées. Un rosé harmonieux et élégant. ⧗ 2019-2020 ■ **Haut de l'Autin 2018 (15 à 20 €; 4000 b.)** : vin cité. ■ **Prestige 2018 (11 à 15 €; 3500 b.)** : vin cité.

SCEA CH. D'OLLIÈRES, Le Château, 83470 Ollières, tél. 04 94 59 85 57, info@chateau-ollieres.com V *t.l.j. sf. sam. dim. 9h-12h30 14h-17h30*

DOM. DE RAMATUELLE Bienfait de Dieu 2018 ★

■ | 2000 | | 11 à 15 €

Fanny, sa fille, et Hugues Chaboud, son gendre, sont venus seconder Bruno Latil sur ce domaine familial fondé en 1936 par un tanneur toulonnais au cœur de la Provence verte. Niché au pied du massif de la Sainte-Baume, sur des coteaux et semi-coteaux argilo-calcaires, le vignoble de 60 ha est enherbé et pâturé de l'hiver au printemps par un troupeau de brebis. En conversion bio.

75 % de vermentino et 25 % de clairette composent cette cuvée couleur or blanc aux reflets verts. Le nez, délicat, dévoile des parfums de fleurs blanches, de poire, de pêche et d'agrumes. La bouche est suave, ronde et longue, soulignée par une fraîcheur minérale et un boisé fin et élégant. ⧗ 2019-2022 ■ **Bienfait de Dieu 2018 (8 à 11 €; 20000 b.)** : vin cité. ■ **Origine 2017 (8 à 11 €; 6800 b.)** : vin cité.

EARL BRUNO LATIL, hameau des Gaëtans, rte de Bras, 83170 Brignoles, tél. 04 94 69 10 61, ramatuelle2@wanadoo.fr V *t.l.j. sf dim. 9h-12h 14h-18h*

LES RESTANQUES BLEUES 2018 ★

■ | 55333 | | 5 à 8 €

Fondée en 1913 dans l'ouest varois sous le nom de la Fraternelle, la coopérative de Rougiers, rebaptisée Vignerons de la Sainte-Baume, est l'une des plus anciennes de la région. Ses bâtiments sont classés à l'Inventaire général du patrimoine culturel de Rougiers. C'est aujourd'hui une petite structure qui regroupe une quarantaine d'adhérents pour un vignoble de 185 ha.

Cette cuvée à dominante de grenache (50 %) s'ouvre sur les agrumes, la mangue et le buis. Au palais, elle affiche un bon équilibre entre rondeur, fraîcheur et puissance aromatique du fruit. ⧗ 2019-2020 ■ **Les Restanques vertes 2018 (5 à 8 €; 45333 b.)** Ⓑ : vin cité.

LES VIGNERONS DE LA SAINTE-BAUME, rte de Brignoles, 83170 Rougiers, tél. 04 94 80 42 47, cave.saintebaume@orange.fr V *t.l.j. sf dim. 9h-12h 15h-18h*

♥ B DOM. LA ROSE DES VENTS
Seigneur de Broussan 2018 ★★

■	1600		8 à 11 €

Fondée au début du XXᵉs., l'exploitation s'est transmise au fil des générations. Depuis 1994, Gilles Baude, œnologue talentueux, conduit le domaine et ses 52 ha de vignes avec son beau-frère Thierry Josselin, chargé de la commercialisation. Une valeur sûre en coteaux-varois.

Une grande part de vermentino (85 %) et une pointe de sémillon ont été assemblés dans cette cuvée d'un jaune pâle lumineux à souhait. Le nez expressif convoque les agrumes (pamplemousse) et les fruits exotiques (fruit de la Passion, mangue, litchi). Arômes que l'on retrouve avec intensité et élégance dans une bouche parfaitement équilibrée, ronde et concentrée tout en affichant beaucoup de fraîcheur. Explosif. ⧗ 2019-2021 ■ **2018 ★ (5 à 8 €; 105000 b.)** B : cette cuvée associant grenache, cinsault et syrah se présente dans une robe rose sable, le nez ouvert sur des arômes de pêche et d'épices. Ample et élégante au palais, elle se conclue sur une finale acidulée et gouleyante. ⧗ 2019-2020 ■ **2018 ★** (5 à 8 €; **20000 b.)** B : une robe dorée pour cet assemblage de vermentino (90 %) et de sémillon. À un nez intense de fruits exotiques (fruit de la Passion, ananas, mangue), d'agrumes et de fleurs blanches répond une bouche croquante et fruitée. ⧗ 2019-2021 ■ **Seigneur de Broussan 2018 ★ (8 à 11 €; 14000 b.)** B : une dominante de grenache (75 %) pour cette cuvée rose doré, au nez fin de fruits exotiques, de fruits jaunes et d'agrumes, au palais rond, savoureux et long. ⧗ 2019-2020

⊶ EARL BAUDE, rte de Toulon, 83136 La Roquebrussanne, tél. 04 94 86 99 28, larosedesvents073@orange.fr V ⚲ ! *t.l.j. sf dim. 9h-12h 14h-18h (15h-19h juil.-août)*

CAVE SAINT-ANDRÉ Passion 2018 ★

■	3000		8 à 11 €

Seillons-Source-d'Argens est un village perché plein de charme d'où la vue embrasse la Sainte-Baume, la Sainte-Victoire et Saint-Maximin. Fondée en 1909, sa cave coopérative, après diverses fusions à partir de 1995, dispose de quelque 380 ha. Elle propose des coteaux-varois et des IGP du Var.

Des parfums de fruits à noyau, de fleurs et d'épices émanent de cet assemblage à dominante de grenache (60%). Une belle matière emplit le palais, équilibré par une vivacité bien dosée évoquant les agrumes. ⧗ 2019-2020 ■ **2018 (5 à 8 €; 30000 b.)** : vin cité.

⊶ SCA CAVE SAINT-ANDRÉ, Les Plaines-de-l'Aire, 83470 Seillons-Source-d'Argens, tél. 04 94 72 14 10, cave.st.andre@gmail.com V ⚲ ! *t.l.j. sf dim. lun. 9h-12h 14h-17h*

DOM. SAINT-FERRÉOL 2018

■	3000		8 à 11 €

Dans la même famille depuis 1720, le domaine s'étend dans la plaine de Pontevès aux pieds des Bessillons. Il est aujourd'hui dirigé par un jeune vigneron, Thomas de Jerphanion qui succède à son père, Guillaume, parti à la retraite en 2017. Les 85 ha de vignes sont conduits en HVE de niveau 3.

Une cuvée 100 % vermentino au nez intense de fleurs blanches, d'agrumes et de notes muscatées. On retrouve ce caractère muscaté dans une bouche bien équilibrée entre rondeur et tension. ⧗ 2019-2020

⊶ EARL SAINT-FERRÉOL, 83670 Pontevès, tél. 04 94 77 10 42, info@saintferreol.com V ⚲ ! *t.l.j. sf dim. 9h30-12h30 15h-19h* B

DOM. SAINT-JEAN DE VILLECROZE
Cuvée Spéciale 2014 ★

■	6000		5 à 8 €

À l'origine, une propriété des Templiers. Saint-Jean de Villecroze a (re)trouvé sa vocation viticole à partir de 1973 après avoir été acheté par un couple franco-américain qui a replanté le vignoble. Le domaine a été repris en 1993 par un vigneron italien, Francesco Caruso, aujourd'hui à la tête de 28 ha, en côtes-de-provence, coteaux-varois et IGP.

Un beau rouge rubis habille cette cuvée née de syrah, de cabernet-sauvignon et de grenache. Le nez associe les fruits noirs (pruneau, cassis), les notes de résine et les épices. La bouche est fraîche, souple, aérienne, soulignée par des tanins fondus. On retrouve les épices en finale. ⧗ 2019-2023

⊶ SARL DOM. SAINT-JEAN, quartier Saint-Jean, 83690 Villecroze, tél. 04 94 70 63 07, contact@domaine-saint-jean.com V ⚲ ! *t.l.j. sf dim. 10h-12h30 14h-18h30; f. janv.*

DOM. SAINT-JEAN-LE-VIEUX
Cuvée La Grand' Bastide 2018 ★

■	7300		5 à 8 €

Pierre et Claude Boyer conduisent depuis 1990 ce domaine familial de 60 ha fondé par leur grand-père et sur lequel ils s'emploient à moderniser les techniques culturales et le travail au chai dans le respect de l'environnement (agriculture raisonnée depuis 2004, HVE niveau 2 depuis 2012).

70 % de vermentino, 20 % de sémillon et 10 % d'ugni blanc composent cette cuvée jaune pâle aux reflets verts. Le nez mêle les fleurs blanches, la poire et l'amande. La bouche se montre ample et tonique, avec une jolie finale saline qui lui confère un bel éclat. ⧗ 2019-2021

⊶ GAEC DOM. SAINT-JEAN-LE-VIEUX, 317, av. du 8-Mai-1945, 83470 Saint-Maximin, tél. 04 94 59 77 59, domaine@saintjeanlevieux.com V ⚲ ! *t.l.j. sf dim. 8h-12h30 14h-19h*

CH. SAINT-JULIEN Exception de Saint-Julien 2017 ★

■	4000		11 à 15 €

Depuis 1989, la famille Garrassin redynamise ce vaste domaine (plus de 400 ha) dont l'origine remonterait

PROVENCE

à l'époque gallo-romaine. La cave a été aménagée sur les vestiges d'une ancienne bergerie du XVIIe s., et le vignoble replanté pour dépasser 30 ha. Claire et Lucas, petits-enfants de Maurice Garrassin, acquéreur du domaine, apportent leur énergie à la propriété.

Le vermentino (90 %) domine l'assemblage de cette cuvée à la robe jaune paille brillant. Le nez associe la mandarine, l'amande, le miel et de fines notes boisées et grillées. La bouche affiche un profil gras et suave, mais sans lourdeur : elle est soulignée par une juste fraîcheur jusqu'à la finale, aux tonalités anisées. ⧗ 2019-2022

⊶ EARL DOM. SAINT-JULIEN, 600, rte de Tourves, RD_205, 83170 La Celle, tél. 06 79 08 48 30, info@domaine-st-julien.com V t.l.j. sf dim. 10h-12h 14h-19h ⑤

DOM. SAINT-MITRE Clos Madon 2018 ★

■	6600		11 à 15 €

Un domaine de 35 ha repris en 2004 par Nelly et Daniel Martin, vignerons champenois, qui ont procédé à une importante restructuration du vignoble et du chai.

Cette cuvée de grenache (70 %) et de syrah (30 %) se présente dans une robe rose pâle aux reflets saumonés. Le nez se montre floral avec une pointe d'épices; arômes que l'on retrouve dans une bouche veloutée et gourmande. ⧗ 2019-2020 ■ **M 2018 (8 à 11 €; 95600 b.)** : vin cité.

⊶ SCEV DOM. SAINT-MITRE, 1782, chem. de Saint-Mitre, 83470 Saint-Maximin-la-Sainte-Baume, tél. 04 94 78 07 54, saint.mitre@wanadoo.fr V r.-v.

LES TERRES DE SAINT-HILAIRE Oppidum 2018 ★

■	6670		5 à 8 €

Entre la montagne Sainte-Victoire et le mont Aurélien, un immense domaine de 1 500 ha de forêts et de vignes (167 ha), commandé par des bâtiments abbatiaux du XVIIe s. Acquis par la famille Burel en 2002, il comprend aussi un centre équestre et des structures d'hébergement. Des centaines de moutons pâturent l'hiver dans les vignes.

Une seyante teinte pêche pour cette cuvée née de grenache, de cinsault et de syrah. Le nez dévoile des arômes de bonbon anglais, de fraise et de fruits exotiques. La bouche apparaît souple, très fruitée, avec une finale plus chaleureuse. ⧗ 2019-2020 ■ **Mas de la Marotte 2018 ★ (8 à 11 €; 8250 b.)** : le cinsault domine dans cette cuvée au nez de fruits (framboise, litchi, mangue) et de fleurs (jasmin). La bouche est marquée par une belle fraîcheur qui s'équilibre avec une finale ronde et gourmande. ⧗ 2019-2020 ■ **Oppidum 2018 ★ (8 à 11 €; 5300 b.)** : ce pur vermentino en robe dorée exhale les agrumes et les fleurs (jasmin). La bouche est ample, douce et soyeuse, dotée d'une belle intensité aromatique mêlant les fruits et la minéralité. Jolie finale sur de fins amers. ⧗ 2019-2021 ■ **Dom. de l'Abbaye Saint-Hilaire 2018 (5 à 8 €; 230000 b.)** : vin cité.

⊶ SCEA LES DOMAINES DE PROVENCE, Abbaye de Saint-Hilaire, RD_3, 83470 Ollières, tél. 04 98 05 40 10, jpmanzoni@tdsh.fr V t.l.j. sf dim. 10h-12h 14h-18h ③ ⑧

CH. THUERRY Les Abeillons 2018

■	16000		11 à 15 €

Au sein du parc régional du Haut-Var Verdon, une bâtisse templière du XIIe s., soulignée par un chai longiligne ultramoderne et semi-enterré (2 200 m²), commande une propriété de 340 ha, dont environ 40 ha de vignes. Une valeur sûre de la Provence viticole qui a été rachetée en 1998 par le versaillais Jean-Louis Croquet, entrepreneur en études de marché, ancien joueur de rugby et d'abord propriétaire à Chablis.

Sous sa robe cristalline, cet assemblage de rolle (75 %) et de sémillon dévoile un nez fin de fleurs, de miel, de résine et de buis. La bouche évolue sur la fraîcheur, renforcée par une finale saline. ⧗ 2019-2020

⊶ SCEA LES ABEILLONS, Ch. Thuerry, 83690 Villecroze, tél. 04 94 70 63 02, thuerry@chateauthuerry.com V t.l.j. 9h-19h; hiver 9h-17h30

Ⓑ CH. TRIANS 2018 ★

■	5300		8 à 11 €

Cette ancienne magnanerie, qui a toujours eu une activité viticole, tire son nom d'une villa romaine, la villa Triana. Le domaine a été repris et restauré en 1990 par Jean-Louis Masurel, ancien directeur du groupe LVMH, puis revendu en 2017 à Emmanuel et Bertrand Delhom, entrepreneurs champenois. Implantés en coteau, à 350 m d'altitude, exposés au nord-ouest, les 20 ha de vignes sont certifiés en culture biologique depuis 2012.

Une grande part de vermentino (80 %) assemblée à une pointe de sémillon pour cette cuvée jaune brillant aux reflets verts. Le nez, expressif, convoque la mangue, la poire, le citron vert et le jasmin. La bouche, souple et fraîche, fait écho à l'olfaction. Un ensemble cohérent. ⧗ 2019-2021

⊶ SARL CH. TRIANS, rte de Rocbaron, 83136 Néoules, tél. 04 94 04 08 22, chateau@trians.com V t.l.j. sf dim. 9h-12h 14h-18h Ⓔ

DOM. VALCOLOMBE Grande Cuvée 2018 ★

■	8100		11 à 15 €

Créé en 1993 par Pierre et Marie-Pascale Leonetti, médecins, ce domaine comprend un vignoble de 6 ha et une oliveraie. Il a été racheté en 2012 par Marie-Hélène et Philippe Grammont, ce dernier ancien de chez Veuve-Clicquot.

Habillée d'une robe rose litchi, cette cuvée issue de grenache, de syrah, de cinsault, de mourvèdre et de sémillon dévoile un nez élégant de fruits bien mûrs. Un bel équilibre apparaît en bouche entre une intense fraîcheur et le croquant du fruit. ⧗ 2019-2020

⊶ SCEA DOM. DE VALCOLOMBE, 1375, chem. des Espèces, 83690 Villecroze, tél. 06 79 61 20 13, p.grammont@domaine-valcolombe.com V t.l.j. 10h-13h 15h-19h

Ⓑ DOM. LES VALLONS DE FONTFRESQUE Cuvée de Claire 2018 ★

■	3037		8 à 11 €

Claire et Denis Sicamois, épaulés par leur fils Yann, ont repris le domaine en 2006 et ont opéré un gros

travail de restauration pour faire revivre ce lieu qui tire son nom («fontaine froide») de la présence de nombreuses sources sur ses terres. Le vignoble couvre aujourd'hui 12 ha au pied des contreforts de la Sainte-Baume, conduits en agriculture biologique.
D'un beau jaune pâle brillant, cette cuvée révèle au nez des arômes de fleurs, d'agrumes, de pêche blanche et de fines notes anisées. La bouche est tonique, sur le croquant du fruit, avec une bonne salinité en finale. ⧗ 2019-2022 ■ **Cuvée des Tamaris 2018 (8 à 11 €; 5300 b.)** Ⓑ : vin cité.

⊶ SCEA LES VALLONS DE FONTFRESQUE, Camp-Redon, RD_64, 83170 Tourves, tél. 04 94 69 01 22, domaine@lvdf.fr V *t.l.j. sf dim. 10h-18h*

CÔTES-DE-PROVENCE

Superficie : 23 280 ha
Production : 975 977 hl (96 % rouge et rosé)

Née en 1977, cette vaste appellation occupe un bon tiers du département du Var, avec des prolongements dans les Bouches-du-Rhône, jusqu'aux abords de Marseille, et une enclave dans les Alpes-Maritimes. Trois terroirs la caractérisent : le massif siliceux des Maures, au sud-est, bordé au nord par une bande de grès rouge allant de Toulon à Saint-Raphaël, et, au-delà, l'importante masse de collines et de plateaux calcaires qui annonce les Alpes. Issus de nombreux cépages en proportions variables, sur des sols et des expositions tout aussi divers, les côtes-de-provence présentent, à côté d'une parenté due au soleil, des variantes qui font précisément leur charme… Un charme que le Phocéen Protis goûtait sans doute déjà, six cents ans avant notre ère, lorsque Gyptis, fille du roi, lui offrait une coupe en aveu de son amour… La diversité des côtes-de-provence a conduit à individualiser certains terroirs, comme ceux de Sainte-Victoire et de Fréjus, reconnus en 2005, ou La Londe en 2008.
Sur les blancs tendres mais sans mollesse du littoral, les nourritures maritimes et très fraîches seront tout à fait à leur place, tandis que ceux qui sont un peu plus «pointus», nés un peu plus au nord, appelleront des écrevisses à l'américaine et des fromages piquants. Les rosés, plus ou moins tendres ou nerveux, s'accorderont aux fragrances puissantes de la soupe au pistou, de l'anchoïade, de l'aïoli, de la bouillabaisse, et aussi aux poissons et fruits de mer aux arômes iodés : rougets, oursins, violets. Parmi les rouges, ceux qui sont tendres, à servir frais, conviennent aussi bien aux gigots et aux rôtis qu'au pot-au-feu, surtout si l'on sert ce dernier en salade; les rouges puissants, généreux, qui peuvent parfois vieillir une dizaine d'années, conviendront aux civets, aux daubes, aux bécasses. Et pour les amateurs d'harmonies insolites, rosés frais et champignons, rouges et crustacés en civet, blancs avec daube d'agneau (au vin blanc) procurent de bonnes surprises.

FLEUR DE L'AMAURIGUE 2017 ★

■	93000		8 à 11 €

Un domaine situé entre Le Luc-en-Provence et Cabasse, cerné de vignes et de collines boisées entourant une longue bâtisse provençale. Il est la propriété depuis 1999 de la famille De Groot (Dick, Eugénie et leurs enfants Fleur et Melvin), qui a entièrement rénové le vignoble (45 ha) et les bâtiments, créé une cave de vinification et sorti la production de la coopérative du village.
80 % de syrah et 20 % de cabernet-sauvignon composent cette cuvée à la robe rouge sombre et au nez expressif de fruits rouges et de vanille. L'attaque est douce et la bouche, entre volume et rondeur, bien structurée. Jolie finale sur des notes épicées. ⧗ 2020-2023 ■ **2018 (8 à 11 €; 100000 b.)** : vin cité.

⊶ SARL DOM. DE L'AMAURIGUE, rte de Cabasse, 83340 Le Luc, tél. 06 70 16 88 15, contact@amaurigue.com V *r.-v.*

LES CAVES DE L'AMIRAL
Cuvée Sainte-Anne 2018 ★★

■	4900		5 à 8 €

Au cœur de la Provence verte, le vignoble de la cave de l'Amiral domine le Ch. d'Entrecasteaux (XIe s.) et ses jardins dessinés par Lenôtre. Fondée en 1925, la coopérative regroupe 220 ha de vignes implantées sur des restanques, des coteaux et de petits plateaux.
Le grenache domine (90 %) dans cette cuvée à la robe très pâle. Le nez exhale les fruits exotiques (fruits de la Passion) que l'on retrouve dans une bouche souple et gourmande, très bien équilibrée par le croquant et la vivacité du fruit. ⧗ 2019-2020 ■ **Cuvée de l'Amiral 2018 ★ (5 à 8 €; 5700 b.)** : sous une robe couleur chair, ce vin d'assemblage (grenache, syrah, vermentino) dévoile un nez discret de fruits blancs et d'agrumes. La bouche est gourmande, équilibrée et persistante. ⧗ 2019-2020 ■ **Cuvée de l'Amiral 2018 ★ (5 à 8 €; 3800 b.)** : ce blanc est composé à 85 % de vermentino et 15 % d'ugni blanc. Il dévoile un nez intense mais fin d'agrumes, de fruits jaunes et de litchi. La bouche est ample, veloutée, dotée d'une bonne persistance aromatique jusqu'en finale. ⧗ 2019-2021

⊶ SCA LES CAVES DE L'AMIRAL, rte de Saint-Antonin, Quartier Les Prés, 83570 Entrecasteaux, tél. 04 94 04 42 68, administratif@cave-amiral.fr V *r.-v.*

DOM. DE L'ANDOUILLER 2018 ★

■	8000		5 à 8 €

Regroupement des caves du pays d'Aubagne jusqu'aux portes de Marseille, cette coopérative créée en 1924 dispose d'un vignoble de 165 ha entre les collines du Garlaban et de la Sainte-Baume, dans le secteur le plus occidental des côtes-de-provence.
La cave des vignerons du Garlaban a en charge la vinification des vendanges du domaine de l'Andouiller situé à l'ouest de l'aire d'appellation, sur la commune d'Allauch, aux pieds des collines dont Marcel Pagnol a fait la notoriété. Ce vin saumon à reflets or, né de l'assemblage de grenache, de cinsault et de syrah, affiche un nez d'agrumes et de fleurs. La bouche est ronde, avec une minéralité très agréable et une finale croquante sur les fruits acidulés. ⧗ 2019-2020

⊶ LES VIGNERONS DU GARLABAN, RD_560, rte de Saint-Zacharie, 13390 Auriol, tél. 04 42 04 70 70, vignerons.garlaban@orange.fr V *t.l.j. sf dim. 9h-12h 15h-19h*

B DOM. DES ASPRAS Les Trois Frères 2018

■ | 40000 | | 11 à 15 €

Le dom. des Aspras, qui s'étend sur 25 ha, se situe à Correns. Michaël Latz, son propriétaire, fut l'un des premiers à se lancer dans la conversion intégrale en agriculture biologique en 1996. Aujourd'hui, le vigneron est épaulé par ses trois fils Sébastien, Alexandre et Raphaël, dans la gestion de l'exploitation labellisée Vignobles et Découvertes. Les collines calcaires à terre blanche qui entourent la propriété, lui ont donné son nom (*asper-aspera*, la rocaille en latin).

Une belle robe corail habille cette cuvée d'assemblage grenache et cinsault. Le nez exhale les agrumes (orange) et la bouche ronde et tendre bénéficie en finale d'une touche acidulée qui apporte de la fraîcheur. ⧗ 2019-2020

SARL DOM. DES ASPRAS, quartier les Aspras, 83570 Correns, tél. 04 94 59 59 70, domaine@aspras.com V t.l.j. sf lun. 9h-12h30 14h30-19h E

CH. DE L'AUMÉRADE Sully 2018 ★★

■ Cru clas. | 8600 | | 15 à 20 €

C'est en 1932 que Monsieur Henri Fabre devient propriétaire du Ch. de l'Aumerade. Sur les traces de son grand-père et de son père, Marie-Christine Fabre-Grimaldi et son mari Vincent, perpétuent la tradition et gèrent aujourd'hui ce domaine situé à Pierrefeu-du-Var. L'exploitation s'étend sur 330 ha de vignes d'un seul tenant. Les domaines Fabre représentent le plus grand vignoble familial du Var.

Cette cuvée 100 % vermentino, habillée d'une belle robe jaune pâle aux reflets argentés, révèle un nez fin de litchi, de nectarine, de pêche blanche et de fruits exotiques. La bouche est fraîche, légère, toute en relief et la finale gourmande. Un vin dynamique, sur une trame fruitée très expressive. ⧗ 2019-2021 ■ **Cru clas. Seigneur de Piegros 2018 ★ (15 à 20 €; 13000 b.)** : la délicatesse caractérise ce vin couleur chair à reflets dorés. Il n'est que de s'attarder sur ses notes de fruits secs (raisin, figue) et d'agrumes pour le découvrir. Issu de grenache, de cinsault et de syrah, il offre une bouche élégante et soyeuse, relevée d'une pointe de fraîcheur épicée en finale. ⧗ 2019-2020

SCEA DES DOMAINES FABRE, rte de Puget-Ville, 83390 Pierrefeu-du-Var, tél. 04 94 28 20 31, chateau@aumerade.com V t.l.j. sf dim. 8h30-12h30 14h-18h

LES VIGNERONS DU BAOU Diva 2018 ★★

■ | 4000 | | 8 à 11 €

Les Vignerons du Baou est le nom que s'est donné la coopérative viticole de Pourcieux, créée en 1912 dans la commune du même nom, face au massif de la Sainte-Victoire. Elle vinifie la production de 380 ha de vignes.

Un rose très pâle habille cette cuvée d'assemblage grenache et syrah. Au nez de pamplemousse et de fruit de la Passion répond une bouche fraîche, mais bien équilibrée par suffisamment de rondeur. La finale sur des notes acidulées est très gouleyante. Un vin moderne et tendance. ⧗ 2019-2020 ■ **2018 ★ (5 à 8 €; 4500 b.)** : une cuvée 100 % vermentino à la robe jaune aux reflets verts qui dévoile au nez des arômes de fleurs blanches, de pêche et de citron. Bonne vivacité en bouche sur le croquant du fruit et jolie finale énergique et équilibrée, entre notes acidulées et minérales. ⧗ 2019-2020 ■ **Dix Neuf Cent 12 2017 (11 à 15 €; 1300 b.)** : vin cité.

SCA LES VIGNERONS DU BAOU, 45, rue Raoul Blanc, 83470 Pourcieux, tél. 06 87 59 76 30, vignerons-du-baou@wanadoo.fr V t.l.j. sf dim. 9h-13h30 14h30-18h30

CH. BARBANAU Et cae-terra 2015 ★

■ | 5000 | | 15 à 20 €

Émile Bodin a créé le Clos Val Bruyère en 1889. Un siècle plus tard, Sophie, son arrière-petite-fille, et ses parents reprennent les quelques hectares de vignes reçus en héritage et font revivre ce Clos. La même année ils font l'acquisition du Ch. Barbanau, 23 ha de vignes situés à l'extrême ouest de l'appellation côtes-de-provence, à 360 m d'altitude. Aujourd'hui, Sophie et son mari Didier sont à la tête de ce château et produisent des vins en biodynamie certifiés Biodyvin depuis le millésime 2018.

D'un grenat profond aux reflets violets, cette cuvée composée d'une grande part de syrah (70 %) et d'une petite part de grenache, présente un nez délicat de fleurs et de fruits bien mûrs (cassis) agrémenté de subtiles notes boisées. La bouche se montre charnue et soyeuse, dotée de tanins fondus. ⧗ 2020-2025 ■ **L'Instant 2018 (11 à 15 €; 35000 b.)** B : vin cité.

SCEA CH. BARBANAU, hameau de Roquefort, 13830 Roquefort-la-Bédoule, tél. 04 42 73 14 60, contact@chateau-barbanau.com V t.l.j. sf dim. 10h-12h 15h-18h

CH. BARBEIRANNE Cuvée Vallat-Sablou 2018 ★

■ | 7000 | | 11 à 15 €

Au cœur de la Provence verte, ce vignoble de 34 ha, propriété depuis 2006 de Marie-Noëlle Febvre, est établi sur le terroir argilo-calcaire des coteaux du massif des Maures. Les oliviers côtoient les parcelles de vignes en restanques autrefois plantées de lavande, encadrant une bastide du XVIIIe s.

Une robe jaune pâle habille cette cuvée 100 % rolle au nez de fleurs blanches, de vanille, de noisette et de toast grillé. Gras et généreux en bouche, ce vin présente un beau volume qui s'équilibre avec une finale bien aiguisée. ⧗ 2019-2022

SCEA CH. BARBEIRANNE, 1216, chem. de La Pellegrine, 83790 Pignans, tél. 04 94 48 84 46, barbeiranne@wanadoo.fr V r.-v.

LOU BASSAQUET 2018 ★

■ | 40000 | | 5 à 8 €

Créée en 1914 dans la vallée de l'Arc, la cave coopérative de Trets tire son nom, Lou Bassaquet, du surnom donné aux Tretsois par les villages voisins, en mémoire du saccage infligé au village par les armées de François Ier en 1537. Implanté face au massif de la Sainte-Victoire, le vignoble couvre près de 550 ha.

Cet assemblage de grenache et de syrah se présente dans une belle robe rose doré et dévoile un nez délicat d'agrumes. Belle vivacité en bouche, toujours sur les agrumes, et finale acidulée sur des notes de bonbon anglais. Un vin croquant. ⧗ 2019-2020

CELLIER LOU BASSAQUET, chem. du Loup, BP_22, 13590 Trets, tél. 04 42 29 20 20, contact@loubassaquet.com V *t.l.j. sf dim. lun. 9h-12h 14h-18h*

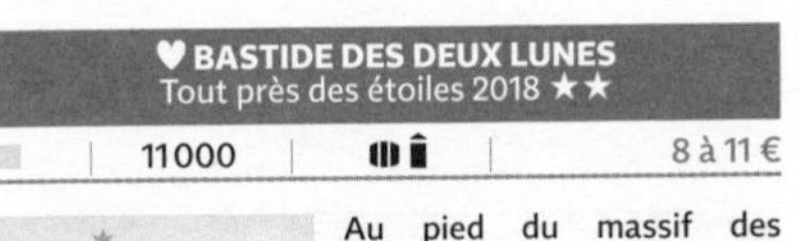

♥ BASTIDE DES DEUX LUNES
Tout près des étoiles 2018 ★★

■ | 11000 | | 8 à 11 €

Au pied du massif des Maures, cette propriété familiale créée en 1850 produisait à l'origine du vin et de l'huile. À partir de 1940, les raisins furent livrés à la coopérative. Bertrand Dubois, œnologue, a repris en 2000 le vignoble (33 ha aujourd'hui) et relancé les vinifications au domaine. Le chai a vu le jour pour les vendanges 2012.

Une cuvée bien connue des lecteurs, qui n'a jamais aussi bien porté son nom. Né du seul rolle, elle se présente dans une jolie robe jaune pâle aux reflets verts et dévoile au nez des arômes intenses de fruits jaunes, d'agrumes et de fleurs blanches. La bouche affiche une grande finesse, un équilibre impeccable entre rondeur et fraîcheur, et déploie une longue finale légèrement iodée. ⌛ 2019-2022 ■ **Tout près des étoiles 2018 ★★** (8 à 11 €; **75000 b.**) Ⓑ : cet assemblage à dominante de grenache (70 %) complété par du cinsault et du mourvèdre révèle au nez des arômes de fleurs et d'agrumes. Et quelle matière en bouche ! Toute la puissance aromatique du fruit s'y révèle et la finale laisse une impression de fraîcheur très persistante. De l'élégance, de l'intensité et de la personnalité. ⌛ 2019-2020

BERTRAND DUBOIS, Bastide des Deux Lunes, 467, chem. des Deux-Lunes, 83390 Puget-Ville, tél. 06 16 31 13 71, bastidedes2lunes@gmail.com V *r.-v.*

Ⓑ DOM. DE LA BASTIDE NEUVE
Perle des Anges 2018 ★

■ | 40000 | | 8 à 11 €

Le Dom. de la Bastide Neuve s'étend sur 50 ha dont 25 ha de vignes situés dans la Réserve Naturelle de la Plaine des Maures. Philippe Brulière et sa femme Sylvie, propriétaires depuis 2013, se sont engagés dans une démarche de certification en Agriculture Biologique. Pour le millésime 2018 ils ont obtenu la certification "Vin issu de raisins en conversion vers l'Agriculture Biologique" et leurs vins serons labellisés "Vin Biologique" par ECOCERT dès la récolte 2019.

Sous une robe rose clair, cette cuvée assemble les cépages typiques de la Provence (grenache, cinsault, tibouren, mourvèdre). Le nez fin évoque les agrumes et les fruits blancs, tandis que la bouche se révèle bien structurée, fruitée et gourmande. ⌛ 2019-2020 ■ **Beau Sarment 2018 ★ (8 à 11 €; 6000 b.)** : 80 % de cabernet-sauvignon et 20 % de syrah composent cette cuvée d'un rouge intense aux reflets violets. Le nez dévoile des arômes complexes de fruits rouges (fraise, framboise) mêlés à des notes épicées (poivre). La bouche est corsée, chaleureuse, dotée de tanins ronds. ⌛ 2019-2023

SCEA DOM. DE LA BASTIDE NEUVE, chem. de Bagary, 83340 Le Cannet-des-Maures, tél. 04 94 50 09 80, domaine@bastideneuve.fr V *r.-v.*

CH. LE BASTIDON L'Absolu 2018

■ | 4000 | | 11 à 15 €

Sous le regard des îles de Port-Cros et de Porquerolles, une imposante bastide provençale, ancienne propriété des chartreuses de la Verne au XVIIIes., commande un vignoble de 79 ha et quelque 3 000 oliviers. C'est sur ce terroir de schistes réputé de La Londe-les-Maures que la famille Rose, normande d'origine, est venue trouver la chaleur en 1995 et troquer la pomme et le cidre contre le raisin et le vin.

Une belle robe rubis profond habille cette cuvée née de syrah, de grenache et de mourvèdre. Au nez, on découvre des arômes de violette et de fruits noirs. La bouche se montre riche et puissante, soutenue par des tanins encore sévères. À mettre en cave. ⌛ 2022-2024

SASU LE BASTIDON, 853, chem. du Pansard, 83250 La Londe-les-Maures, tél. 06 47 79 56 09, chateau.bastidon@gmail.com V *t.l.j. sf dim. 9h-12h 14h30-18h30*

CH. DE BEAUMEL Prestige 2018 ★

■ | 7000 | | 11 à 15 €

Situé au pied du massif des Maures, le Ch. de Beaumel a été repris et rebaptisé en 2015 par Daniel Caille et son épouse Brigitte. À leur disposition, une bastide du XVIIes. et un vignoble de 23 ha que les nouveaux propriétaires ont entrepris de restructurer.

Le grenache (80 %) domine ce rosé élégant, prolixe en arômes de fruits à noyau et en notes minérales (pierre à fusil). Sa suavité en bouche est bien équilibrée par une juste vivacité évocatrice d'agrumes. La finale légèrement épicée ajoute à l'impression d'harmonie. ⌛ 2019-2020 ■ **Diamant 2018 (8 à 11 €; 15000 b.)** : vin cité.

SAS CH. DE BEAUMEL, quartier Beaumet, 83590 Gonfaron, tél. 04 98 05 21 00, info@chateaudebeaumel.fr V *r.-v.*

Ⓑ DOM. LE BERCAIL
Cuvée Fréjus 2018 ★★

■ | 8000 | | 8 à 11 €

Créé en 1888, le Bercail est depuis 1984 un Établissement et service d'aide par le travail accueillant des adultes en situation de handicap. Proche de Fréjus, le domaine viticole s'étend sur 14 ha et fournit des vins bio depuis 2013.

Le Fréjus est un habitué du Guide. Toujours élaboré à partir d'un assemblage de grenache, de tibouren et de syrah, le voici dans le millésime 2018 qui s'ouvre sur les petits fruits rouges. Il marie avec élégance volume et fraîcheur jusqu'à une finale persistante dans laquelle se glisse une note iodée. ⌛ 2019-2020

ADAPEI VAR MÉDITERRANÉE, 864, chem. de la Plaine, 83480 Puget-sur-Argens, tél. 04 94 19 54 09, domaine.le.bercail@adapei83.fr V *t.l.j. sf sam. dim. 8h-17h30*

CH. DE BERNE 2016 ★★★

■	20000		20 à 30 €

Situé au cœur du Var, ce vaste domaine de 500 ha, dont 143 ha de vignes en conversion bio, est devenu un véritable centre œnotouristique sur le modèle des *wineries* du Nouveau Monde, sous l'impulsion de son nouveau propriétaire depuis 2007, un homme d'affaires britannique : journées à thème, concerts, cours de cuisine, hôtel 5 étoiles, deux restaurants...

Né de 60 % de syrah et 40 % de cabernet-sauvignon, ce 2016 à la robe rouge sombre livre un nez puissant de fruits rouges, de poivre et de réglisse. D'une magnifique persistance aromatique, la bouche apparaît ample, ronde, veloutée, structurée par des tanins soyeux. Un vin d'une grande harmonie et très représentatif de son appellation. ⧗ 2020-2024

SA CH. DE BERNE, chem. des Imberts, 83780 Flayosc, tél. 04 94 60 43 60, info@chateauberne.com V r.-v.

CH. DES BERTRANDS Rascas 2018 ★

■	9000		20 à 30 €

Le Ch. des Bertrands se situe sur la commune du Cannet-des-Maures au cœur de la réserve naturelle de la plaine des Maures, à la limite ouest du massif de l'Estérel. Le vignoble couvre 70 ha sur des sols caillouteux de grès rose et de terres sablonneuses et produit en majorité des vins rosés, mais aussi des rouges et des blancs. La conversion bio est engagée.

Une robe rose pâle à reflets saumonés habille cette cuvée (grenache, vermentino, carignan) qui évoque intensément les fruits exotiques (ananas) et les fruits à noyau (pêche, abricot). Des notes vanillées apportées par le bois apparaissent aussi, soulignant une matière gourmande. Jolie finale sur la vivacité. ⧗ 2019-2020

MDCV, rte de la Garde-Freinet, 83340 Le Cannet-des-Maures, tél. 04 94 60 49 89, lacave@chateaudesbertrands.com V *t.l.j. 10h-18h*

BLANC DE ROSÉ 2018

■	n.c.		- de 5 €

Une jeune maison de négoce biterroise créée en 2017 par Charles Faisant qui propose des cuvées dans diverses appellations du Sud-Ouest, ainsi que dans la Vallée du Rhône, à travers des vins de marques et des vins de domaines.

Cet assemblage de grenache, syrah et cinsault révèle au nez des parfums de fleurs et de petits fruits blancs. Bel équilibre en bouche entre rondeur et vivacité, avec une finale tonique très rafraîchissante. ⧗ 2019-2020

SAS GRAND TERROIR, 12, rue des Écluses, 34500 Béziers, tél. 04 67 26 79 11, contact@grandterroir-vins.fr

DOM. DU BLAVET 2018 ★

■	6500		8 à 11 €

Fondée en 1900, cette exploitation familiale se transmet depuis six générations. Frédéric Michel, qui la conduit depuis 2009, cultive 11,5 ha dont il tire des côtes-de-provence et des vins en IGP Var. Il propose aussi un camping à la ferme.

Une belle robe rose dorée habille cette cuvée née de syrah et de cinsault. Elle s'ouvre sur un nez délicat de fruits secs et de fruits confits. De la rondeur apparaît en bouche, équilibrée par une fraîcheur minérale et citronnée. ⧗ 2019-2020

EARL DU BLAVET, 507, chem. du Blavet, 83520 Roquebrune-sur-Argens, tél. 06 73 03 38 32, info@domainedublavet.com V *r.-v.*

B CH. HENRI BONNAUD Terre Promise 2018 ★

■	15000		8 à 11 €

En 1996, Stéphane Spitzglous reprend l'exploitation de son grand-père Henri Bonnaud. Après de grands travaux de construction d'un bâtiment rassemblant la cave, le chai et le caveau, il sort son premier millésime en 2004 et rebaptise son domaine au nom de son grand-père. Le vignoble est situé à Tholonet, au sud-est d'Aix-en-Provence face à la montagne Sainte-Victoire et couvre 29 ha conduits en agriculture biologique depuis 2013.

Du grenache et de la syrah à parts égales ont été assemblés pour réaliser cette cuvée au nez intense de fruits rouges et d'agrumes. L'attaque est vive, la bouche ample, l'ensemble harmonieux, avec une finale centrée sur des notes légèrement réglissées des plus gourmandes. ⧗ 2019-2020

SARL DE PECOUT, 585, chem. de la Poudrière, 13100 Le Tholonet, tél. 04 42 66 86 28, contact@chateau-henri-bonnaud.fr V *r.-v.* E

CH. DES BORMETTES La Londe Pater 2016 ★★

■	6020		15 à 20 €

Ce domaine viticole, dont l'existence est avérée depuis le Xᵉs., devient la propriété des Pères Chartreux de la Verne en 1588. En 1855, Horace Vernet, peintre officiel de Napoléon III, l'acquiert et le dote d'un château. En 1920, il est acheté par la famille Faré, toujours propriétaire des lieux, qui a relancé la mise en bouteille au domaine en 2010 et confié en 2018 la direction de ses 65 ha de vignes à Julie Barneau et Christophe Deffilippi.

Sous une robe rouge grenat, cet assemblage mi-mourvèdre mi-syrah révèle un nez intense de fruits rouges et noirs (cassis, griotte) mâtinés de fines notes de cacao. La bouche affiche un superbe équilibre entre fraîcheur du fruit, rondeur et suavité de sa texture et tanins fondus. La finale, complexe et longue, sur les épices et une légère salinité, achève de convaincre. ⧗ 2020-2024

La Londe Instinct Parcellaire 2017 ★ (15 à 20 €; 2750 b.) : une cuvée 100 % vermentino qui dévoile au nez des arômes de fleurs, de noisette, de mandarine et de légères notes boisées. La bouche, ample, riche sans manquer de fraîcheur, marie avec élégance notes minérales et vanillées. ⧗ 2019-2022

SC DOM. DES BORMETTES, 903, rte du Pellegrin, 83250 La Londe-les-Maures, tél. 04 94 66 81 35, commercial@chateaudesbormettes.com V *r.-v.*

DOM. BOUISSE-MATTERI Harmonie 2016 ★

■	1500		15 à 20 €

Partis de 13 ha de vignes, Bruno Merle et son épouse Mariette n'exploitent pas moins de 60 ha aujourd'hui.

Depuis 2009, leur fils Thomas participe pleinement à l'élaboration des vins. Sa sœur Fanny s'occupe de la vigne.

Ce 2016 issu de l'assemblage de 80 % de syrah et 20 % de cinsault se présente dans une robe pourpre brillant. Le nez exhale les fruits rouges (fraise, framboise) et les fruits secs (noix). La bouche affiche une belle structure et un bon équilibre, soutenue par des tanins fondus et prolongée par une finale légèrement poivrée. ⧗ 2019-2022

EARL FAMILLE MERLE, 3301, rte des Loubes, 83400 Hyères, tél. 04 94 38 65 05, domaine@bouissematteri.com t.l.j. sf dim. 9h-19h

DOM. DE LA BOUVERIE 2016 ★

■	20 000		8 à 11 €

C'est en 1991 que Jean Laponche acquiert ce domaine, ancienne ferme autrefois consacrée à l'élevage de bovins. Il exploite aujourd'hui un vignoble de 30 ha face aux crêtes dentelées du rocher de Roquebrune-sur-Argens. Une valeur sûre des côtes-de-provence.

50 % de syrah, 30 % de cabernet-sauvignon et 20 % de grenache composent cette cuvée d'un rouge profond, au nez complexe de fruits rouges et noirs, d'épices, de menthol et de grillé. Un beau volume et une texture fine se déploient en bouche autour de tanins soyeux, avec une agréable fraîcheur en appoint. ⧗ 2019-2023 ■ **2018 (8 à 11 €; 60 000 b.)** : vin cité.

JEAN LAPONCHE, av. des Grands-Pins-Parasols, La Bouverie, 83520 Roquebrune-sur-Argens, tél. 04 94 44 00 81, domainedelabouverie@wanadoo.fr t.l.j. sf 9h30-12h30 14h30-18h

B CH. DE BRÉGANÇON La Londe Isaure 2018 ★

■ Cru clas.	15 000		20 à 30 €

Situé en bordure maritime des côtes-de-provence, ce cru classé d'une cinquantaine d'hectares est commandé par une demeure du XVIIe s. (résidence présidentielle d'été), propriété de la famille Tézenas depuis 1816. Si l'on y élevait jadis les vers à soie, seuls les vignes et les oliviers y sont désormais exploités, sous la direction d'Olivier Tézenas depuis 2008.

Cette cuvée saumonée, issue d'un assemblage de grenache, de syrah et de vermentino, dévoile un nez gourmand de fruits bien mûrs, presque confiturés. La bouche se montre croquante et bien équilibrée, avec du relief et de la vivacité. Jolie finale perlante qui tient sur la longueur. ⧗ 2019-2020

CH. DE BRÉGANÇON, 639, rte de Léoube, 83230 Bormes-les-Mimosas, tél. 04 94 64 80 73, contact@chateaudebregancon.fr r.-v.

B DOMAINES BUNAN Bélouvé 2018 ★

■	5 000		11 à 15 €

La troisième génération est aujourd'hui aux commandes des Domaines Bunan, créés par Paul et Pierre Bunan en 1961. Un ensemble de plusieurs exploitations réputées en côtes-de-provence et en bandol : le Moulin des Costes, le Ch. et le Mas de la Rouvière, Bélouvé, tous ces vignobles étant conduits en agriculture biologique depuis 2008. Aux commandes des vinifications, Philippe Bunan, ingénieur agronome.

Une robe jaune pâle aux reflets dorés habille cette cuvée issue de 90 % de vermentino et de 10 % d'ugni blanc. Le nez, discret, convoque les fruits blancs et les agrumes. Arômes que l'on retrouve dans une bouche bien équilibrée entre fraîcheur, légère sucrosité et fins amers en finale. ⧗ 2019-2020

SCEA DOMAINES BUNAN, 338 bis, chem. de Fontanieu, 83740 La Cadière-d'Azur, tél. 04 94 98 58 98, bunan@bunan.com r.-v.

DOM. DE CABAUDRAN 2018

■	2 500		8 à 11 €

Le Dom. de Cabaudran est une exploitation familiale située dans la commune du Beausset qui se transmet de père en fils depuis quatre générations. 2017 marque le premier millésime vinifié au domaine après la construction d'un chai de vinification. Le vignoble couvre 29 ha.

Sous une robe rouge rubis, on découvre un assemblage de 70 % de syrah et 30 % de carignan ouvert sur les fruits rouges frais (framboise, fraise), le caramel, la violette et de légères notes mentholées, souple et plutôt léger en bouche. ⧗ 2019-2023

EARL CABAUDRAN, 215, chem. de Cabaudran, 83330 Le Beausset, tél. 06 71 13 41 62, domaine.cabaudran@gmail.com t.l.j. sf dim. 10h-12h 15h-18h

LA CADIÉRENNE 2018

■	100 000		- de 5 €

Quelque 300 coopérateurs et 635 ha de vignes, des vins en AOC bandol et côtes-de-provence, en IGP Var, Méditerranée et Mont-Caume : la Cadiérenne, créée en 1929, est un acteur qui compte dans le paysage provençal.

Cette cuvée issue de grenache, de cinsault, de mourvèdre et de carignan dévoile au nez des arômes de fruits jaunes et d'agrumes relevés d'épices légères. Un bon gras se dévoile en bouche, équilibré par une belle vivacité sur le fruit. ⧗ 2019-2020

SCV LA CADIÉRENNE, quartier Le Vallon, 83740 La Cadière-d'Azur, tél. 04 94 90 11 06, cadierenne@wanadoo.fr r.-v.

DOM. DU CAGUELOUP Cuvée Minette 2018 ★

■	10 000		8 à 11 €

Héritier d'une longue lignée de vignerons (vingt et une générations), Richard Prébost conduit depuis les années 1980 ce domaine (40 ha) bien connu pour ses bandol, qui propose aussi de beaux côtes-de-provence. Cagueloup? C'est l'histoire d'un petit Prébost qui un jour avala un louis d'or. Son père, pris de panique, lui lança : « Cague l'ou »...

30 % de mourvèdre, 30 % de grenache et 40 % de carignan composent ce 2018 couleur rubis, au nez flatteur de cerise et de réglisse mâtiné de délicates notes épicées et fumées. Le palais révèle une matière suave et charnue, étayée par des tanins soyeux. Un rouge gourmand. ⧗ 2019-2023

SCEA DOM. DE CAGUELOUP, 267, chem. de la Verdelaise, 83270 Saint-Cyr-sur-Mer, tél. 04 94 26 15 70, domainedecagueloup@gmail.com t.l.j. 9h-19h

DOM. CAP SAINT-PIERRE Star 2018 ★

	6800		8 à 11 €

Fondé en 1880, ce domaine appartient depuis 1934 à la famille des propriétaires actuels, Alain et Michel Donadio. Ces viticulteurs reçoivent la clientèle à Gassin et exploitent leurs vignes à Saint-Tropez.

Les cépages typiques de la Provence (grenache, tibouren, syrah, vermentino) ont été assemblés dans cette cuvée à la robe rose clair ornée de reflets dorés. Le nez révèle de fines notes de poire et de fleurs blanches avec une pointe d'épices. Bel équilibre en bouche entre rondeur et vivacité avec une finale sur des notes épicées gourmandes. ⧗ 2019-2020

SARL CLOS SAINT-PIERRE, 263, RD_98, La Bouillabaisse, 83580 Gassin, tél. 04 94 96 69 21, alaindo2905@gmail.com V t.l.j. sf dim. 9h-12h 14h30-19h

CH. CARPE DIEM 2018 ★

	10000		11 à 15 €

En 2013, Albéric Philipon a repris le domaine à une famille de vignerons partant à la retraite. Le vignoble est situé à Cotignac, au cœur de la Provence Verte et couvre 18 ha. Viennent s'ajouter à ceux-là, 12 ha situés dans un village voisin, que la famille loue en fermage depuis 2017. L'ensemble des vignes cultivées sont conduites en agriculture biologique.

Une robe rouge profonde aux reflets violets habille cette cuvée née de syrah, cabernet-sauvignon, mourvèdre, grenache et carignan. Au nez, elle dévoile des parfums de framboise, de violette et d'épices. Une attaque franche introduit une bouche ample et ronde, dotée de tanins fondus et d'une jolie finale légèrement poivrée. ⧗ 2020-2023 **2018 ★ (11 à 15 €; 3700 b.)** : un 2018 composé de 85 % de vermentino et 15 % de clairette. Le nez mêle des arômes fins et complexes de pêche, d'agrumes, de fleurs blanches et de cire d'abeille. La bouche apparaît ample et riche, soulignée par une belle fraîcheur qui prend des tonalités minérales en finale. ⧗ 2019-2021 **Castille 2018 ★ (15 à 20 €; 4600 b.)** Ⓑ : une belle robe rose soutenu habille cette cuvée à dominante de grenache, qui s'ouvre sur un nez de bonbons acidulés. La bouche est bien équilibrée entre sucrosité et fraîcheur, avec une belle longueur sur le fruit. ⧗ 2019-2020

SCEA CH. CARPE DIEM, 4436, rte de Carcès, 83570 Cotignac, tél. 04 94 04 72 88, contact@chateaucarpediem.com V t.l.j. 10h-13h 15h-19h; f. janv.

CH. DU CARRUBIER Cuvée de Clara 2018 ★

	12000		11 à 15 €

Située sur la route du fort de Brégançon, cette propriété, dans la famille des actuels propriétaires depuis 1974, est nichée à La Londe, en contrebas du massif des Maures, dans le secteur maritime des côtes-de-provence. Les vignes, implantées sur un sol siliceux d'origine schisteuse, occupent 25 des 88 ha que compte l'exploitation.

Ce 2018 se présente dans une belle robe rose pâle. Elle propose un nez fin sur les fruits frais. On retrouve cette fraîcheur aromatique dans une bouche gourmande et ronde, prolongée par une jolie finale plus vive sur le bonbon acidulé. ⧗ 2019-2020

SC DU DOM. DU CARRUBIER, 1590, rte du Carrubier, 83250 La Londe-les-Maures, tél. 04 94 66 82 82, contact@carrubier.fr V r.-v.

CH. CAVALIER Cuvée Marafiance 2018 ★★

	380000		11 à 15 €

Acquis par Pierre Castel en 2000, ce vaste domaine ne produit que du rosé en AOC côtes-de-provence. D'un seul tenant, le vignoble s'étend sur 140 ha, au pied du massif des Maures.

Cette cuvée est née d'un assemblage complexe de grenache, de syrah, de vermentino, de cabernet-sauvignon, de sémillon et de mourvèdre. Elle se présente dans une belle robe rose pêche et dévoile un nez intense de fruits jaunes, de fleurs blanches et d'épices. La bouche est soyeuse, alliant rondeur et acidité avec élégance, et la finale s'étire en longueur. ⧗ 2019-2020 **Terre de Provence 2018 (5 à 8 €; 400000 b.)** : vin cité.

SCEA CH. CAVALIER, 1265, chem. de Marafiance, 83550 Vidauban, tél. 04 94 73 56 73, contact@chateau-cavalier.com

CELLIER DE LA CRAU Cuvée Désir 2018 ★

	30000		5 à 8 €

Fondée en 1912, la cave coopérative de La Crau, située dans la plaine viticole du même nom, à une dizaine de kilomètres de Hyères, a fusionné en 1998 avec celle de Solliès. Elle dispose des quelque 300 ha cultivés par ses adhérents et d'un caveau rénové en 2007.

Une robe saumon pâle brillant habille cette cuvée à l'assemblage complexe (grenache, carignan, cinsault, cabernet-sauvignon, mourvèdre, syrah). Le nez convoque les petits fruits rouges. Une attaque vive introduit une bouche souple, légère et équilibrée. ⧗ 2019-2020

SCV LE CELLIER DE LA CRAU, 85, av. de Toulon, 83260 La Crau, tél. 04 94 66 73 03, cellier-lacrau@wanadoo.fr V t.l.j. sf dim. 9h-12h 14h-18h

CELLIER DE MARIUS CAÏUS
Sainte-Victoire L'Olympe 2017

	3900		8 à 11 €

Le Cellier de Marius Caïus est la coopérative de Pourrières, au sud-est de la montagne Sainte-Victoire. Son nom rappelle que c'est sur le site de ce village varois que le général romain Marius Caïus vainquit les Cimbres et les Teutons en 102 av. J.-C, comme le rappelle aussi un trophée pyramidal reproduit sur l'étiquette. Fondée en 1912, la cave regroupe 130 viticulteurs qui cultivent 830 ha de vignes.

La syrah domine l'assemblage de cette cuvée couleur rubis, au nez intense de fruits rouges. La bouche est souple, d'une belle rondeur, avec des tanins fins et un boisé léger en soutien. Une agréable finale iodée conclut la dégustation. ⧗ 2020-2022

SCA LE CELLIER DE MARIUS CAÏUS, 47, Grand'-Rue, 83910 Pourrières, tél. 04 98 05 12 05, celliermariuscaius@orange.fr V t.l.j. sf dim. lun. 9h-12h 14h30-19h

CELLIER DES ARCHERS Cuvée de la Tour 2018

■ | 33300 | | 5 à 8 €

La coopérative Le Cellier des Archers, fondée en 1923, exploite un vignoble de plus de 600 ha situés au pied du massif des Maures et des premiers chaînons calcaires des Alpes. Les vignerons coopérateurs doivent conduire leurs vignes en agriculture raisonnée. La cave, installée en périphérie du village médiéval des Arcs-sur-Argens, dispose d'un bâtiment neuf depuis 2016.

Syrah, grenache, cinsault, carignan, mourvèdre pour ce rosé qui convoque les fruits rouges à l'olfaction. La bouche se révèle puissante et chaleureuse; il lui manque un brin d'acidité pour décrocher l'étoile. 2019-2020 ■ **Dom. de la Grande Gachette 2018 (8 à 11 €; 14000 b.)** : vin cité.

CELLIER DES ARCHERS, Rond-Point du Pont-d'Argens, La Haute Cognasse, 83460 Les Arcs, tél. 04 94 73 30 29, cellierdesarchers@free.fr V *t.l.j. sf dim. 8h30-12h30 14h-18h30*

MATHILDE CHAPOUTIER
Sainte-Victoire Grand Ferrage 2018

■ | 15500 | | 11 à 15 €

Directrice commerciale du groupe Chapoutier, la fille de Michel Chapoutier a créé en 2014 sa propre maison de négoce, qui sélectionne des vins du Sud, de Bordeaux et d'Espagne. Ancienne championne de tir, spécialiste de management international, la jeune femme, qui maîtrise entre autres langues le mandarin, a certainement l'ambition de porter loin la renommée des vins de Provence.

D'une jolie couleur abricot, cette cuvée née de grenache, de syrah, de cinsault et de rolle s'ouvre sur un nez gourmand de fruits. La bouche se révèle ample, de bonne longueur et bien équilibrée. 2019-2020

MATHILDE CHAPOUTIER, 18, av. du Dr-Paul-Durand, 26600 Tain-l'Hermitage, tél. 04 75 08 28 65, chapoutier@chapoutier.com t.l.j. 9h-13h 14h-19h

CH. DE LA CLAPIÈRE La Violette 2018 ★

■ Cru clas. | 20000 | | 11 à 15 €

Construit au XVIIIe s. à l'emplacement d'une villa romaine, puis d'une propriété templière, le château est une bastide d'inspiration florentine. Fief de la famille de Clapier, il devint à la fin du XIXe s. celui de la baronne écossaise Elizabeth Isabella Johnstone-Gordon, puis fut acquis en 1928 par le négociant Henri Fabre. Son petit-fils, Henri Fabre-Bartalli, lui a redonné sa vocation viticole. Le vignoble couvre 55 ha dont 32 en cru classé. Le château fête cette année son 90e millésime vinifié par la famille Fabre-Bartalli.

Ce cru classé se présente dans une belle robe brillante et limpide. L'assemblage de cinsault, de grenache et de syrah offre un nez fin et délicat de fleurs et d'agrumes. La bouche allie avec élégance rondeur et vivacité, et se termine sur une finale très agréable aux accents réglissés. 2019-2020

CH. DE LA CLAPIÈRE, 2042, rte de Pierrefeu, 83400 Hyères-les-Palmiers, tél. 04 94 31 26 58, fabre.bartalli@chateau-la-clapiere.com V *t.l.j. sf dim. lun. 9h-12h 14h-19h*

DOM. DU CLOS ALARI Le Vermentino 2018 ★

□ | 1270 | | 15 à 20 €

Anne-Marie et Nathalie Vancoillie, mère et fille, conduisent depuis 1998 ce domaine de 20 ha niché au cœur du Var, près de l'abbaye du Thoronet, fort d'un vignoble de 9 ha en conversion bio depuis 2018. Elles produisent également de l'huile d'olive grâce à leurs trois cents oliviers et exploitent aussi des chênes truffiers.

Ce 100 % rolle se présente dans une belle robe dorée aux reflets verts. Elle présente un nez discret mais fin de fruits jaunes et de fleurs blanches. Une belle attaque sur la vivacité précède un milieu de bouche rond, tout en volume. 2019-2021

SARL DOM. DU CLOS D'ALARI, 717, rte de Mappe, 83510 Saint-Antonin-du-Var, tél. 04 94 04 46 74, leclosdalari@sfr.fr V *t.l.j. 9h-12h30 15h-19h30* 5

CLOS BEYLESSE 2018 ★★

■ | 60000 | | 11 à 15 €

Les terres du Dom. de l'Abbaye étaient autrefois cultivées par les moines cisterciens de l'abbaye romane du Thoronet toute proche. Franc Petit s'attache depuis 1979 à reconstituer le vignoble initial, conduisant une trentaine d'hectares.

Syrah, grenache et cinsault composent cette cuvée à la robe brillante et saumonée, au nez intense de fruits exotiques, de papaye notamment. La bouche apparaît souple et fraîche, dynamisée par des notes acidulées de citron et par une finale légèrement poivrée des plus élégante. 2019-2020

FRANC PETIT, Dom. de l'Abbaye, 83340 Le Thoronet, tél. 04 94 50 11 70, domaine.de.labbaye@wanadoo.fr

CLOS DE L'OURS Milia 2018 ★★

□ | 13000 | | 15 à 20 €

Fabienne et Michel Brotons, aujourd'hui rejoints par leur fils Fabien, ont réalisé leur rêve en créant ce domaine viticole situé au nord de l'appellation côtes-de-provence. Depuis 2012, ils exploitent 13 ha de vignes en agriculture biologique.

40 % de vermentino, 30 % de clairette et 30 % d'ugni blanc composent cette cuvée d'un seyant jaune pâle lumineux. Le nez évoque les agrumes, l'orange notamment. Arômes que l'on retrouve dans une bouche fraîche, portée par une trame minérale et saline très agréable. Jolie finale sur de fins amers mêlés à une pointe de sucrosité. 2019-2021 ■ **L'Accent 2018 ★ (15 à 20 €; 24000 b.)** B : un assemblage peu courant compose cette cuvée : 40 % de vermentino, 30 % de clairette, 15 % de syrah, 10 % de carignan et autant de mourvèdre. Le résultat est un rosé pâle, au nez fin d'amande et de miel, à la bouche fraîche et bien équilibrée, offrant un joli fruité croquant et une longue finale miellée, plus douce. 2019-2020

SCEA L'OURS, 4776, chem. du Clos-de-Ruou, 83570 Cotignac, tél. 04 94 04 77 69, closdelours@gmail.com V *r.-v.* 5

CLOS GAUTIER Oser 2018 ★★

■ | 12000 | | 11 à 15 €

Le Clos Gautier a été créé en 2003 et repris en 2011 par Gilles Pedini, originaire de la région niçoise. Le

PROVENCE

vignoble situé à flancs de coteaux de Carcès s'étend sur 33 ha.

Né de grenache, cinsault, syrah et carignan, ce rosé pâle aux reflets orangés révèle un nez intense de fleurs blanches et d'agrumes. Une puissance aromatique qui trouve un bel écho dans une bouche parfaitement équilibrée, à la fois ronde et fraîche. Un rosé élégant et de caractère qui déploie en finale des notes réglissées très gourmandes. ⧗ 2019-2020

EARL PEDINI, 800, chem. des Bastides, 83570 Carcès, tél. 04 94 80 05 05, contact@closgautier.com V r.-v.

LE CLOS PEYRASSOL 2016 ★

■	1500		50 à 75 €

La cave moderne et le parc de sculptures s'intègrent aujourd'hui parfaitement à cette ancienne commanderie templière créée en 1204. Ici, face au massif des Maures, on exploite 95 ha de vignes, cent cinquante chênes truffiers et des milliers d'oliviers sur une vaste propriété acquise en 2001 par Philippe Austruy.

Une belle robe pourpre foncé habille cette cuvée au nez fin de fruits rouges et noirs (cassis) agrémentés de légères notes réglissées. La bouche est ample et veloutée, bien épaulée par des tanins fins et soyeux qui poussent loin la finale. ⧗ 2020-2024

COMMANDERIE DE PEYRASSOL, RN_7, 83340 Flassans-sur-Issole, tél. 04 94 69 71 02, contact@peyrassol.com V *t.l.j. sf dim. 9h-18h* 5

LES CLOS SERVIEN 2018 ★

■	24 000		8 à 11 €

Un domaine familial dont la production était jusqu'en 2010 portée à la coopérative. Charles Servien exploite avec son père Pierre-Gilles un vignoble de 11 ha planté sur une terre schisteuse, à quelques kilomètres du golfe de Saint-Tropez.

Ce 2018 à la robe cristalline est issu d'un assemblage traditionnel de grenache, cinsault et tibouren. Il s'ouvre sur un nez puissant d'agrumes et de fruits exotiques. Arômes que l'on retrouve dans une bouche ample, fraîche et élégante, étirée dans une longue finale mariant notes épicées et acidulées. ⧗ 2019-2020 ■ **2018 ★ (11 à 15 €; 2800 b.)** : une pointe de sémillon a été assemblée au vermentino (90 %) dans cette cuvée aux doux reflets verts et au nez discret de citron et de pierre à fusil. La bouche révèle une sucrosité gourmande qui s'équilibre en finale avec une acidité bienvenue. ⧗ 2019-2021 ■ **2017 (11 à 15 €; 4000 b.)** : vin cité.

SCEA LES CLOS SERVIEN, 310, chem. de la Tour, 83310 Grimaud, tél. 06 09 96 12 67, lesclosservien@orange.fr V *t.l.j. sf dim. 15h30-19h*

LES CAVES DU COMMANDEUR Secrète 2018 ★

■	34 600		8 à 11 €

Cette coopérative née en 1913 regroupe 500 ha de vignes répartis sur neuf communes et exploités par 120 adhérents, au cœur de la Provence verte. Elle produit, à l'image de la Provence viticole, plus de 85 % de rosés. Son nom provient de la commanderie templière du XIIe s. dominant le village de Monfort-sur-Argens.

Une robe très pâle aux reflets dorés habille cette cuvée dominée par le grenache (70 %). Le nez, intense et complexe, mêle des notes de fleurs blanches, de fruits blancs et d'agrumes. La bouche se révèle bien équilibrée entre fraîcheur et onctuosité, avec une finale croquante qui fait durer le plaisir. ⧗ 2019-2020 ■ **Dédicace 2016 ★ (11 à 15 €; 8000 b.)** : syrah, grenache et cabernet-sauvignon s'assemblent harmonieusement dans cette cuvée pourpre intense, au nez de cassis, de réglisse et d'épices. La bouche se révèle ample et bien structurée par des tanins fins. Facile à boire aujourd'hui, elle se développera davantage après un passage en cave. ⧗ 2020-2023 ■ **Divitis 2018 (8 à 11 €; 16000 b.)** : vin cité.

LES CAVES DU COMMANDEUR, 18, rue du Moulin, 83570 Montfort-sur-Argens, tél. 04 94 59 59 02, eurlcommandeur@orange.fr V *t.l.j. sf dim. 9h-12h30 14h30-18h30*

CONFIDENCES 2018 ★

■	5000		5 à 8 €

Établie dans le site classé de la montagne Sainte-Victoire, cette coopérative fondée en 1924 exploite 710 ha de vignes implantés sur la face sud de ce mont si cher à Cézanne. Le vignoble est certifié depuis 2014 en développement durable.

Cette cuvée à la robe saumon pâle présente un joli nez de fruits rouges (fraise, framboise). L'attaque, bien fraîche, sur le bonbon anglais, laisse place à une bouche gourmande et suave. Une fine acidité vient dynamiser et allonger la finale. ⧗ 2019-2020

LES VIGNERONS DU MONT SAINTE-VICTOIRE, 63, av. d'Aix, 13114 Puyloubier, tél. 04 42 66 32 21, vignerons-msv@wanadoo.fr V *t.l.j. sf dim. 9h-12h 14h-18h*

B LES VIGNERONS DE CORRENS Croix de Basson 2018 ★

■	153 000		5 à 8 €

Née en 1935 de la fusion de deux coopératives rivales (L'Amicale et La Fraternelle), la cave de Correns compte 30 adhérents et couvre un territoire qui s'étend de la vallée d'Argens au pied du Bessillon. Les 150 ha de vignoble sont conduits en agriculture biologique depuis 1998.

Cet assemblage mi-grenache mi-cinsault se présente dans une robe couleur chair aux reflets rosés. Au nez, elle exhale les fruits (fraise, pêche) et les fleurs. La bouche est ample et ronde, équilibrée par une finale fraîche et zestée. ⧗ 2019-2020

LES VIGNERONS DE CORRENS, rue de l'Église, 83570 Correns, tél. 04 94 59 59 46, lesvignerons-correns@wanadoo.fr V *r.-v.*

LES VIGNERONS DE COTIGNAC La Première 2018 ★★

■	30000		5 à 8 €

Héritière des deux coopératives locales créées en 1905 sur les sites de moulins à l'huile – La Défense (dite «des blancs» ou royalistes) et La Travailleuse (dite «des rouges») –, la cave des Vignerons de Cotignac est née officiellement en 1967 de la fusion de ces deux entités antagonistes. Elle regroupe aujourd'hui quelque 230 ha de vignes répartis en AOC côtes-de-provence et en IGP du Var.

Habillée d'une jolie robe pêche aux reflets dorés, cette cuvée née de syrah, de grenache et de cinsault dévoile un nez intense de fruits rouges et jaunes bien mûrs. La bouche se révèle ample, ronde et généreuse, offrant une belle expression fruitée et une finale réglissée des plus gourmande. ⏳ 2019-2020

⊶ LES VIGNERONS DE COTIGNAC, quartier Basse-Combe, 83570 Cotignac, tél. 04 94 04 60 14, lesvignerons.decotignac@orange.fr V *t.l.j. sf dim. 8h-12h 14h-18h*

LA COURTADE 2017 ★

■ | 3400 | | 30 à 50 €

Florent Audibert a repris en 2015 ce domaine créé dans les années 1980 sur l'île de Porquerolles. À sa disposition, un vignoble de 35 ha conduit en bio (certification en 1997).

60 % de mourvèdre et 40 % de syrah composent cette cuvée en robe brune qui révèle un nez délicat sur les fruits mûrs, la vanille et les épices. La bouche offre du volume, une belle rondeur, des tanins soyeux et une longue finale plus fraîche et fruitée. Du potentiel. ⏳ 2022-2026

⊶ SCEA LA COURTADE PORQUEROLLES, Île de Porquerolles, 83400 Hyères, tél. 04 94 58 31 44, domaine@lacourtade.com V *r.-v.*

CH. COUSSIN Sainte-Victoire 2018 ★★

■ | 120000 | | 11 à 15 €

Le Ch. Coussin est situé à Trets, face à la montagne Sainte-Victoire. Ancienne propriété de Jean-Baptiste Coussin, avocat à la cour d'appel d'Aix au XVIIe s., il devient au début du XXe s. le berceau de la famille Sumeire. Aujourd'hui, ce sont Olivier et Sophie Sumeire qui gère ce vignoble de 90 ha.

Habillée d'une belle robe pâle aux reflets marbre rose, cette cuvée bâtie sur le grenache, la syrah et le cinsault révèle un nez complexe de fruits rouges et de fruits exotiques (litchi). La bouche, très bien équilibrée entre la rondeur et la fraîcheur, déploie une jolie finale sur la vivacité du fruit. ⏳ 2019-2020 ■ **2018 ★ (11 à 15 €; 12000 b.)** : ce pur vermentino à la robe dorée brillante s'ouvre sur un nez complexe de tilleul, d'acacia et de zestes d'agrumes. La bouche est élégante, d'une grande fraîcheur et la finale sur des notes acidulées amène un surcroît d'énergie. ⏳ 2019-2021

⊶ SNC CH. ÉLIE SUMEIRE, 1048, chem. de Coussin, 13530 Trets, tél. 04 42 61 20 00, sumeire@sumeire.com V *r.-v.*

CRISTIA COLLECTION 2018

■ | 20000 | | 8 à 11 €

Propriété de la famille Grangeon depuis plusieurs générations, le Dom. de Cristia se situe à Courthézon et s'étend sur 58 ha répartis entre les appellations châteauneuf-du-pape, côtes-du-rhône-villages, côtes-du-rhône et vin de pays. En 2014, la famille Grangeon lance Cristia Collection, une structure de négoce spécialisée dans les vins de la vallée du Rhône et de Provence.

60 % de grenache, 35 % de syrah et 5 % de cinsault composent cette cuvée rose framboise, au nez plaisant de petits fruits rouges et noirs (groseille, mûre). La bouche est bien équilibrée, offrant de la matière et une finale tonique. ⏳ 2019-2020

⊶ SARL GRANGEON ET FILS, 48, fg Saint-Georges, 84350 Courthézon, tél. 04 90 70 24 09, contact@cristia.com V *r.-v.*

DOM. DE LA CROIX Éloge 2017 ★

■ Cru clas. | 16000 | | 20 à 30 €

Le groupe Bolloré a acquis en 2001 deux domaines viticoles des côtes-de-provence : La Bastide Blanche, dont les 15 ha de vignes s'étendent entre le cap Taillat et le cap Lardier, sur la partie sauvage de la presqu'île de Saint-Tropez, et le Dom. de la Croix (180 ha dont 100 ha de vignes), cru fondé en 1882 et classé en 1955, situé au pied du village de La Croix-Valmer, face à la mer.

Syrah (90 %) et mourvèdre sont à l'origine de ce vin pourpre soutenu, au nez finement boisé et fruité. La bouche, à l'unisson du bouquet, attaque sur le soyeux et la rondeur, puis se raffermit jusqu'en finale autour de tanins solides mais au grain fin. ⏳ 2021-2025 ■ **Cru clas. Éloge 2018 (15 à 20 €; 172000 b.)** : vin cité.

⊶ SAS DOM. DE LA CROIX EXPLOITATION, 816, bd Tabarin, 83420 La Croix-Valmer, tél. 04 94 95 01 75, contact@domainedelacroix.com V *t.l.j. 10h-13h 15h-19h*

CH. LES CROSTES Cuvée Prestige 2018 ★

■ | 26000 | | 11 à 15 €

Un domaine de plus de 200 ha, fondé au XVIIe s. par le comte de Ramatuelle. Ses oliveraies furent ravagées par le grand gel de 1956 et, trente ans plus tard, l'exploitation se tourna vers la vigne. La propriété a été acquise en 1998 par un entrepreneur allemand, Harmut Lademacher, dont la fille Claire a épousé en 2013 le prince Felix du Luxembourg. La même année, le couple a pris les commandes de son fief provençal.

Une robe très pâle habille cette cuvée assemblant 50 % de grenache, 45 % de cinsault et 5 % de carignan. Elle dévoile un nez fin sur les fruits exotiques et les fruits rouges, et présente une belle rondeur en bouche avant une finale plus fraîche. Un rosé gourmand. ⏳ 2019-2020 ■ **Cuvée Prestige 2017 ★ (15 à 20 €; 20000 b.)** : la syrah (70 %) et le cabernet-sauvignon composent un vin au nez complexe de fruits rouges, d'épices et de réglisse. La bouche, riche et puissante, s'adosse à des tanins solides. Un joli vin de garde. ⏳ 2022-2026 ■ **2018 ★ (8 à 11 €; 20000 b.)** : 55 % de rolle et 45 % d'ugni blanc pour cette cuvée qui s'ouvre sur des arômes de poire, d'agrumes, de fleurs blanches et d'épices. Gras et rond en bouche, ce vin ne manque pas non plus de fraîcheur (notes minérales et citronnées). ⏳ 2019-2021

⊶ SARL H.L. CH. LES CROSTES, 2086, chem. de Saint-Louis, 83510 Lorgues, tél. 04 94 73 98 40, linda.schaller@chateau-les-crostes.eu V *t.l.j. sf dim. 9h-12h30 13h30-18h* ⑤

CH. DES DEMOISELLES 2018

■ | 7000 | | 11 à 15 €

Située sur le plateau de La Motte près des gorges de Pennafort, cette ancienne propriété de la famille Grimaldi (principauté de Monaco) est conduite par

Aurélie Bertin depuis 2005. D'importants travaux de rénovation ont redonné sa splendeur à la bastide de 1830 qui commande un vignoble de 75 ha.

Le rolle domine largement l'assemblage de cette cuvée (82 %) paré d'une robe jaune clair aux reflet verts. Le nez, expressif, associe les agrumes et les fleurs blanches. La bouche se montre douce et chaleureuse, avant une finale plus fraîche. ⌛ 2019-2021

⊶ SCEA CH. DES DEMOISELLES, 2040, rte de Callas, 83920 La Motte, tél. 04 94 99 50 30, contact@saint-roseline.com V ⛹ ▮ *r.-v.* 🏠 ❺

DOM. DESACHY Stéphanie 2018 ★

■	5300	🍾	5 à 8 €

Situé face aux îles d'Hyères, au pied du massif des Maures, un domaine créé en 1980 par Bernard Desachy, repris en 1995 par son fils Marc, qui exploite son vignoble de 8 ha avec sa compagne Christine.

Ce rosé assemble le cinsault, le grenache, la syrah et le cabernet-sauvignon. Il se présente dans une robe saumonée brillante et révèle un nez de fruits bien mûrs (coing, pêche) agrémenté de notes florales. Ample et bien structuré en bouche, il déploie une belle fraîcheur sur la minéralité. ⌛ 2019-2020 ■ **La Londe 2017 ★ (8 à 11 €; 3200 b.)** : une robe dense habille cette cuvée issue de syrah et de grenache, au nez expressif de fruits rouges (fraise, framboise, groseille) et d'épices. La bouche, tout aussi aromatique, se révèle puissante et tannique, étirée dans une jolie finale mentholée qui amène de la fraîcheur. ⌛ 2022-2025

⊶ GAEC DOM. DESACHY, Le Bas-Pansard, 360, chem. des Oliviers, 83250 La Londe-les-Maures, tél. 04 94 66 84 46, domaine.desachy@orange.fr V ⛹ ▮ *t.l.j. sf dim. 9h-12h 15h-19h*

DOM. DES DIABLES L'Hydropathe 2018 ★

■	4800	🛢	20 à 30 €

Virginie Fabre et Guillaume Philip, valeur sûre de la Provence viticole, dirigent depuis 2007 le Dom. des Diables, une propriété de 15 ha auparavant laissée à l'abandon. Une création récente, mais déjà une référence, souvent en vue dans le Guide pour ses côtes-de-provence rosés.

Parée d'une belle robe dorée, cette cuvée 100 % rolle s'ouvre sur le fruit de la Passion, le pamplemousse et la pêche. En bouche, elle offre la même palette aromatique et un bel équilibre sur la fraîcheur, avec une finale saline qui renforce son caractère tonique. ⌛ 2019-2021

⊶ EARL LE DOM. DES DIABLES, chem. de la Colle, 13114 Puyloubier, tél. 06 81 43 94 62, contact@mip-provence.com V ⛹ ▮ *tlj 10h-12h 13h-17h*

DOM. DU DRAGON Castrum élevé en fût de chêne 2017 ★

■	1650	🛢	15 à 20 €

À la sortie de Draguignan, en direction des gorges du Verdon, ce domaine de 68 ha couvre des coteaux argilo-calcaires. La propriété recèle des vestiges d'époques gallo-romaine et médiévale, notamment la chapelle Saint-Michel (XIIe s.) et les ruines d'un château fort surplombant le vignoble.

Une cuvée 100 % rolle au nez discret de pêche blanche et de poivre blanc sur fond de boisé toasté et vanillé. La bouche se révèle ample et fraîche, mais encore un peu marquée par l'élevage. ⌛ 2020-2022

⊶ SARL DOM. DU DRAGON, 990, av. Frédéric-Henri-Manhes, 83300 Draguignan, tél. 04 98 10 23 00, contact@domainedudragon.com V ⛹ ▮ *t.l.j. sf dim.* 🏠 Ⓔ

CH. ESCARAVATIERS 2017 ★

■	2300	🛢	11 à 15 €

Jules César donna ces terres à l'un des vétérans de la neuvième légion, Caius Novellius, qui y implanta les premières vignes. Un héritage que cultive depuis 1928 la famille Costamagna, à la tête d'un vignoble d'une trentaine d'hectares planté sur argilo-calcaires. À noter, le domaine invite tous les étés des artistes à se produire en concert.

Ce pur vermentino révèle au nez des arômes de fruits jaunes et de fleurs blanches, ainsi que de fines notes beurrées et briochées. Ample et rond en bouche, ce vin gourmand trouve un surcroît de fraîcheur dans sa finale sur le citron confit. ⌛ 2019-2021

⊶ SNC DOMAINES BM COSTAMAGNA, 514, chem. de Saint-Tropez, 83480 Puget-sur-Argens, tél. 04 94 55 51 80, escaravatiers@wanadoo.fr V ⛹ ▮ *t.l.j. sf dim. lun. 10h-12h 14h-18h*

CH. L'ESPARRON 2018 ★

■	40000	🍾	5 à 8 €

Laurent Migliore et sa sœur Virginie représentent la quatrième génération à la tête de ce domaine fondé en 1937. Non loin du Village des tortues de Gonfaron, cette propriété s'étend sur 47 ha au pied du massif des Maures, sur des terres argilo-calcaires.

Ce 2018 est issu d'un assemblage de grenache, cinsault, syrah, vermentino et ugni blanc. Il se présente dans une robe couleur chair aux reflets dorés et dévoile un nez intense de fruits exotiques (litchi, fruit de la Passion) et d'agrumes. L'attaque est franche, la bouche bien équilibrée entre rondeur et fraîcheur et la finale tonique. ⌛ 2019-2020 ■ **Cuvée Virginie 2018 ★** (5 à 8 €; **20000 b.)** : 48 % de grenache, 37 % de syrah et 15 % de vermentino composent cette cuvée que l'on retrouve régulièrement dans le Guide. Son nez de fruits jaunes (pêche, abricot) et d'agrumes prélude à une bouche équilibrée, dans laquelle acidité, rondeur et amertume se marient sans fausse note. ⌛ 2019-2020

⊶ EARL MIGLIORE, Ch. l'Esparron, 83590 Gonfaron, tél. 04 94 78 34 41, domaineesparron@orange.fr V ▮ *t.l.j. sf dim. 8h-12h 13h30-19h*

DOM. DE L'ESTAN Grain d'Opale 2018 ★

■	3600	🍾	5 à 8 €

Exploitation familiale transmise depuis trois générations chez les Bataille, le Dom. de l'Estan (40 ha) s'étend sur des restanques de cailloutis calcaires à quelques pas du joli village de Carcès.

Sous une robe rose pâle aux reflets dorés, on retrouve un assemblage de 40 % de grenache, 32 % de vermentino, 23 % de syrah et une pointe de cinsault. Le nez est fin et discret, sur des arômes de fruits secs, d'acacia et de genêt, et la bouche se révèle ronde et élégante. ⌛ 2019-2020

EARL BATAILLE, 174, chem. des Clos-de-Gérin, 83570 Carcès, tél. 04 94 04 31 73, earlbataille@orange.fr V r.-v.

ESTANDON 2018 ★

1000000		5 à 8 €

En 2005, les Celliers de Saint-Louis, union de coopératives basée à Brignoles, accueillent les Vignerons des caves de Provence, propriétaires de la marque Estandon (lancée en 1947). L'union prend le nom de Cercle des Vignerons de Provence avant d'adopter en 2012 celui de sa marque emblématique, Estandon Vignerons.

Issue de l'assemblage traditionnel grenache, cinsault et syrah, cette cuvée couleur mandarine dévoile aux nez des parfums de rose et de framboise. Un bel équilibre apparaît en bouche entre sucrosité et vivacité. Jolie finale sur des notes épicées. ⧗ 2019-2020 ■ **Solstice 2018 ★ (11 à 15 €; 12000 b.)** : cette cuvée d'un joli rose saumon dévoile à l'olfaction des arômes de cerise, de fleurs et d'agrumes rehaussés par des notes réglissées. La bouche est ample et soyeuse, soulignée par une fine fraîcheur minérale. ⧗ 2019-2020

ESTANDON COOPÉRATIVE EN PROVENCE, 727, bd Bernard-Long, 83175 Brignoles, tél. 04 94 37 21 00, cgirard@cercleprovence.fr V *t.l.j. sf sam. dim. 8h30-12h 13h30-17h30*

B DOM. DES FÉRAUD Cuvée Prestige 2018 ★

20325		8 à 11 €

En 2011, à cinquante ans, Markus Conrad, entrepreneur allemand œnophile, a réalisé son rêve en rachetant avec les siens ce domaine ancien, jusqu'alors propriété de la famille Fournier. Établi dans le sanctuaire écologique de la plaine des Maures, le vignoble couvre aujourd'hui 25 ha, plantés sur un terroir sablo-limoneux très qualitatif. La conversion bio de tout le vignoble a été achevée en 2017.

Cette cuvée née de cinsault, cabernet-sauvignon, grenache, syrah et rolle s'ouvre sur un nez élégant de fleurs (rose, jasmin). La bouche présente un beau volume et une fine acidité qui amène de la tension, tandis que de beaux amers animent la finale. ⧗ 2019-2020

SARL CERF, 3590, rte de Saint-Tropez, 83550 Vidauban, tél. 04 94 73 03 12, info@domainedesferaud.com V

CH. DES FERRAGES Sainte-Victoire Esquirol 2017 ★★

1500		20 à 30 €

Bordé au sud par le mont Aurélien et au nord par la montagne Sainte-Victoire, le vignoble s'étend sur plus de 30 ha le long de la Nationale 7. Conduit par José Garcia depuis 1980, le domaine, qui vinifie une partie de ses côtes-de-provence sous la dénomination Sainte-Victoire, est entré en 2016 dans le giron de Michel Chapoutier.

D'un rouge profond, ce vin de syrah et de grenache dévoile au nez des arômes de pivoine, de cassis et de délicates notes boisées. Généreux et ample, il offre une bouche dense, charnue et tannique qui laisse deviner un solide potentiel de garde. ⧗ 2023-2030 ■ **Les Infirmières 2017 ★ (20 à 30 €; 1565 b.)** : cette cuvée 100 % de clairette propose un nez discret, floral et fruité (pêche, abricot) sur fond de pain grillé et d'épices douces. La bouche, fraîche et fruitée en attaque, affiche un beau relief autour d'un boisé fondu et d'une matière onctueuse. Finale gourmande sur des notes de miel. ⧗ 2019-2022

MC PROVENCE (CH. DES FERRAGES), RN_7, 83470 Pourcieux, tél. 04 94 59 45 53, standard@chateaudesferrages.com V *r.-v.*

CH. FERRY LACOMBE Naos 2018 ★

26500		11 à 15 €

L'histoire de ce domaine, situé dans le paysage de la montagne Sainte-Victoire, remonte avec l'installation des Ferry au temps du roi René (XVe s.). Au XVIIe s., Daniel de Ferry, maître-verrier, s'établit à La Combe, dont la forêt fournissait le bois nécessaire à son activité. La famille Pinot préside depuis 2000 aux destinées du vignoble qui couvre 55 ha, donnant naissance à des vins très réguliers en qualité.

Une robe très pâle aux nuances saumon clair habille cette cuvée associant grenache et syrah. Le nez, tout en finesse, dévoile des arômes légers de fruits frais (pêche, mangue). La bouche est en accord avec le bouquet et présente une belle fraîcheur. ⧗ 2019-2020 ■ **Cascaï 2018 ★ (15 à 20 €; 24500 b.)** : pour cette cuvée couleur litchi clair, le cinsault accompagne le grenache. Le nez s'ouvre sur des notes florales et fruitées, et la bouche affiche un profil rond et gras. Un rosé gourmand. ⧗ 2019-2020

FERRY LACOMBE DIFFUSION, 2068, rte de Saint-Maximin, 13530 Trets-en-Provence, tél. 04 42 29 40 04, info@ferrylacombe.com V *r.-v.*

B FIGUIÈRE La Londe Confidentielle 2018 ★★

21000		20 à 30 €

Situé dans la commune La Londe-les-Maures et dominant les îles d'Or, Figuière est une Maison appartenant à la famille Combard depuis 1992. Aujourd'hui, ce sont Magali, Delphine et François qui sont à la tête de ce vignoble de 85 ha cultivés en agriculture biologique depuis 40 ans.

Grenache, cinsault et mourvèdre sont à l'origine de cette cuvée couleur litchi aux reflets saumoné. Le nez, très expressif, convoque les agrumes et les fruits exotiques. Une attaque ample et dynamique ouvre sur un palais très équilibré entre vivacité et suavité. La finale sur le bonbon acidulé apporte un regain de dynamisme. ⧗ 2019-2020 ■ **Première 2018 ★ (15 à 20 €; 42000 b.)** : 90 % de vermentino et 10 % de sémillon composent cette cuvée au nez d'agrumes, de fruit de la Passion et d'anis. La bouche se montre ronde et soyeuse, d'une bonne persistance aromatique, sur le croquant du fruit, avec en finale une fraîcheur minérale bienvenue. ⧗ 2019-2022

SAINT-ANDRÉ DE FIGUIÈRE, 605, rte de Saint-Honoré, 83250 La Londe-les-Maures, tél. 04 94 00 44 70, karine@figuiere-provence.com V *t.l.j. sf dim. 9h-12h 14h-18h*

DOM. FILHEA Cuvée Vanessa 2018

6400		8 à 11 €

Après de longues années passées dans le domaine de l'horticulture, la famille Fille décide de se consacrer à la vigne. André, son épouse Rachel et sa fille Vanessa acquièrent 6 ha en 2013, au pied du mont Fenouillet,

surface qu'ils doublent rapidement par des fermages. Premier millésime en 2015.

Parée d'une robe rose très pâle, cette cuvée s'ouvre sur un nez de pêche blanche. La bouche, ronde et gourmande, est rehaussée par une finale sur la fraîcheur. ⧗ 2019-2020

⊶ ANDRÉ FILLE, 488, rte de la Crau, 83400 Hyères, tél. 04 94 35 20 65, contact@domainefilhea.fr V ⚐ ▮ t.l.j. sf dim. 9h30-12h30 14h30-18h

Ⓑ CH. FONTAINEBLEAU Terra Fontanae 2018 ★

■	28000	▮	11 à 15 €

L'eau est omniprésente au Ch. Fontainebleau : fontaines moussues et canaux de pierre de l'époque romaine forment un véritable réseau d'irrigation. Racheté en 2009 par Jean-Louis Bouchard, président d'une société de services numériques, ce domaine d'une trentaine d'hectares, enclavé dans la forêt, a retrouvé tout son dynamisme après avoir bénéficié d'importants travaux de rénovation. Sous l'impulsion de l'œnologue Valérie Courrèges, a été opérée la conversion à la biodynamie en 2013.

Cette cuvée à dominante de grenache se présente dans une robe saumon pâle. Son nez exhale les fruits blancs (poire) et les fruits jaunes (abricot). La bouche est tendre, gourmande, toute en rondeur, la finale acidulée amenant de la fraîcheur. ⧗ 2019-2020 ■ **Arcades 2018 (11 à 15 €; 28000 b.)** Ⓑ : vin cité.

⊶ SNF FONTAINEBLEAU INTERNATIONAL, rte de Montfort-sur-Argens, 83143 Le Val, tél. 04 94 59 59 09, info@chateaufontainebleau.fr V ⚐ ▮ t.l.j. 11h-18h

Ⓑ CH. FONT DU BROC 2016 ★

■	6000	◍	20 à 30 €

Implanté sur un terroir argilo-calcaire dominant la cité médiévale des Arcs-sur-Argens, ce domaine couvre 100 ha partagés entre la vigne (25 ha en bio certifié depuis 2013), les oliviers et l'élevage de chevaux de compétition.

Cet assemblage de 40 % de syrah, 40 % de cabernet-sauvignon et 20 % de mourvèdre se présente dans une robe pourpre sombre. Le nez, expressif et généreux, évoque les fruits rouges bien mûrs. La bouche se révèle puissante et tannique, enrobée dans une matière suave. Un bel ensemble qui se révélera pleinement après quelques années en cave. ⧗ 2021-2024 ■ **2018 (15 à 20 €; 21700 b.)** : vin cité. ■ **2018 (15 à 20 €; 47800 b.)** Ⓑ : vin cité.

⊶ SARL FONT DU BROC, chem. de la Font-du-Broc, 83460 Les Arcs, tél. 04 94 47 48 20, info@chateau-fontdubroc.com V ⚐ ▮ r.-v.

Ⓑ DOM. DE LA FOUQUETTE Pierres de Moulin 2018 ★★

■	14000	▮	8 à 11 €

Sur les contreforts du massif des Maures, Isabelle Daziano conduit depuis 2005, avec son époux Jean-Pierre, les 20 ha du domaine paternel. Elle a signé en 2013 son premier millésime en bio certifié.

Une belle robe rose aux reflets dorés habille cette cuvée composée de 40 % de grenache, 30 % de syrah, 15 % de mourvèdre, et 15 % de cinsault. Son bouquet explosif se compose d'arômes de fruits exotiques, d'agrumes et de fruits jaunes. Arômes que l'on retrouve dans une bouche bien équilibrée, fraîche et très fine. Un rosé élégant et gouleyant. ⧗ 2019-2020

⊶ EARL DOM. DE LA FOUQUETTE, rte de Gonfaron, 83340 Les Mayons, tél. 04 94 73 08 45, domaine.fouquette@wanadoo.fr V ⚐ ▮ r.-v. ⌂ ③ ⌂ Ⓔ

DOM. FOUSSENQ Valérie 2018 ★

■	5000	▮	5 à 8 €

Cave et caveau sont situés en plein cœur du village de Carcès, le caveau de vente est installé dans un ancien relais de diligences et le chai dans une ancienne gendarmerie. Depuis l'année 2000, Manuel Foussenq est à la tête de ce domaine de 25 ha où les vignerons se succèdent de père en fils depuis... 1566.

L'originalité de cette cuvée provient de son assemblage de 80 % de tibouren et 20 % de grenache, ce qui lui confère un nez complexe aux arômes de fruits et de bonbons. La bouche est bien structurée avec un bel équilibre entre rondeur et acidité. ⧗ 2019-2020

⊶ EARL FOUSSENQ, 9, pl. Gabriel-Péri, 83570 Carcès, tél. 04 94 04 54 18, cave@domaine-foussenq.fr V ▮ t.l.j. sf dim. 8h-12h 13h30-17h30

Ⓑ CH. DE LA GALINIÈRE 2018 ★

■	62800	▮	8 à 11 €

Le Ch. de la Galinière se situe à l'est d'Aix-en-Provence sur la commune de Châteauneuf-le-Rouge, sur le plateau du Cengle, première marche calcaire de la Montagne Sainte-Victoire. Le domaine s'étend sur 38 ha cultivés en agriculture biologique.

Cette cuvée issue de grenache, vermentino, cinsault et cabernet-sauvignon affiche une robe couleur pétale de rose. Elle dévoile au nez des arômes de petits fruits rouges et d'agrumes. La bouche présente une belle tension, toujours sur les agrumes. ⧗ 2019-2020 ■ **2018 ★ (8 à 11 €; 9000 b.)** Ⓑ : ce 2018 en robe dorée est issu à 100 % de rolle. Son nez s'ouvre sur des notes d'agrumes (citron) et de fruits exotiques (mangue, ananas). La bouche est ample, fraîche et fruitée, avec une finale sur l'amertume qui prolonge bien la dégustation. ⧗ 2019-2020

⊶ SCEA CH. DE LA GALINIÈRE, RN 7, 13790 Châteauneuf-le-Rouge, tél. 04 42 29 09 84 V ⚐ ▮ t.l.j. sf dim. 9h30-18h30

CH. DU GALOUPET Empreinte 2016 ★

■ Cru clas.	5000	◍ ▮	30 à 50 €

Classé en 1955, ce cru très ancien, qui apparaît sur une carte établie sous Louis XIV, est situé face aux îles d'Or. Le domaine compte 165 ha, dont 72 ha de vignes en bord de mer, implantées sur des terrains métamorphiques. Il possède une cave voûtée enterrée, et une autre, ultramoderne, dédiée à l'élaboration des vins.

70 % de syrah et 30 % de mourvèdre composent cette cuvée couleur rouge profond, aux parfums intenses de fruits mûrs, de sous-bois, de garrigue et de genièvre. Soyeuse, puissante et persistante en bouche, cette dernière s'adosse à des tanins fondus et déploie une finale un brin plus serrée. ⧗ 2021-2024

SAS CH. DU GALOUPET, Saint-Nicolas, 83250 La Londe-les-Maures, tél. 04 94 66 40 07, wines@galoupet.com V *t.l.j. sf dim. 10h-12h30 14h30-18h*

B CH. DES GARCINIÈRES 2018 ★★

	19000		8 à 11 €

Le Ch. des Garcinières est un domaine provençal établi sur un ancien prieuré des moines cisterciens de l'abbaye Saint-Victor de Marseille, situé à deux pas du golfe de Saint-Tropez. Ce vignoble de 18 ha est dans la famille Valentin depuis 1898 et c'est Stéphanie qui en est à la tête depuis 32 ans. Le vignoble est en conversion bio et devrait recevoir le label en 2020.

70 % de grenache et 30 % de cinsault composent cette cuvée couleur rose pêche. Le nez s'ouvre sur des arômes d'agrumes, de bonbons acidulés, de litchi et de petits fruits rouges. Arômes que l'on retrouve dans une bouche ample et vive, dotée de beaux amers en finale. Un rosé bien équilibré et très énergique. 2019-2020 **Cuvée du Prieuré 2018 ★ (11 à 15 €; 3000 b.)** B : le grenache domine l'assemblage de cette cuvée à la robe saumon clair, au nez de fruits rouges, d'agrumes et de notes épicées, et au palais frais, de bonne tenue. 2019-2020

SCEA DU CH. DES GARCINIÈRES, 1082, rte de la Foux, 83310 Cogolin, tél. 04 94 56 02 85, garcinieres@wanadoo.fr V *r.-v.*

DOM. DE LA GARNAUDE Cuvée Trois 7 2018 ★

	6133		8 à 11 €

Le Dom. de la Garnaude est situé sur la commune de Gonfaron, en zone de plaine, sur le versant nord du massif des Maures. Le vignoble couvre 22 ha, conduits en culture raisonnée, et se partage pour moitié en appellation côtes-de-provence, pour moitié en IGP des Maures.

Ce 100 % rolle à la robe éclatante de jaune révèle un nez printanier de fleurs, de citron, de pamplemousse et de fruit de la Passion. Une attaque fraîche ouvre sur une bouche riche et bien structurée, toute en volume et en longueur. 2019-2021 **Coeur 2018 (5 à 8 €; 13600 b.)** : vin cité.

SCEA FAMILLE LAMOOT, Dom. de La Garnaude, 83590 Gonfaron, tél. 06 63 08 32 49, fannybosiger@hotmail.com V *r.-v.*

CH. GASSIER Esprit 2018 ★

	650000		11 à 15 €

Créé en 1982 dans la commune de Puyloubier, sur les coteaux calcaires issus de colluvions arrachées à la montagne Sainte-Victoire, le vignoble conduit par la famille Gassier – Anthony et son fils Georges (maître de culture) – couvre 40 ha et a amorcé sa conversion bio en 2010. Un important producteur de vins rosés de l'AOC côtes-de-provence, dans le giron du groupe Advini.

Un rose pâle aux reflets orangés habille cette cuvée née de grenache (55 %), de cinsault, de syrah et de vermentino. Le nez s'ouvre sur des notes de fleurs blanches, de clémentine et de pêche, que l'on retrouve dans une bouche ronde et gourmande, tonifiée par une finale légèrement acidulée. 2019-2020 **Sainte-Victoire Elevae 2016 ★ (50 à 75 €; 1500 b.)** B : issue d'un assemblage de 45 % de grenache, 45 % de syrah et de 10 % de rolle, cette cuvée passée en fût se présente dans une jolie robe aux reflets abricot. Le nez, fin et complexe, évoque l'écorce d'orange, la rose et la cannelle. La bouche apparaît ample et riche, contrebalancée par une bonne vivacité sur le fruit. Un rosé atypique, de caractère. 2019-2021

SAS GASSIER, chem. de la Colle, 13114 Puyloubier, tél. 04 42 66 60 09, paul.alary@chateau-gassier.fr V *r.-v.*

B DOM. DE GAVAISSON Émotion 2016 ★★

	3000		30 à 50 €

Un domaine ancien, acquis en 1987 par la famille Than, originaire d'Autriche et d'Allemagne. C'est aussi l'un des plus petits de l'appellation côtes-de-provence : 4 ha conduits en bio et entièrement dédiés au blanc avec deux cuvées nées de rolle et sémillon.

Cette cuvée à la robe bouton d'or est issue de 80 % de vermentino et 20 % de sémillon. Le nez mêle des arômes d'agrumes, de pêche et de fleurs à des notes grillées et vanillées. La bouche présente beaucoup d'ampleur, de relief et de persistance aromatique, et déploie une longue finale pleine de fraîcheur. Un vin prêt à boire, mais qui vieillira également. 2019-2024 **Inspiration 2018 (20 à 30 €; 10000 b.)** B : vin cité.

SARL DOM. DE GAVAISSON, 2487, chem. de Ginasservis, 83510 Lorgues, tél. 04 94 59 53 62, info@gavaisson.fr V *r.-v.*

DOM. GAVOTY Cuvée Clarendon 2018

	5000		15 à 20 €

Ce vaste vignoble de 50 ha d'un seul tenant est la propriété des Gavoty depuis 1806. Il a bâti sa renommée sur l'élaboration de blancs et de rouges de garde. Un domaine précurseur aussi : c'est Pierre Gavoty qui a introduit le rolle dans le côtes-de-provence blanc. Sa fille Roselyne, chargée des vinifications depuis 1985, a pris la direction de l'exploitation en 2001.

Cette cuvée 100 % rolle dévoile un joli nez de poire, d'ananas et de fleurs blanches. La bouche affiche un bon équilibre, entre fine vivacité et aimable rondeur. 2019-2020

SARL B. GAVOTY, Le Grand-Campdumy, 83340 Cabasse, tél. 04 94 69 72 39, domaine@gavoty.com V *r.-v.* E

CH. GIROUD 2018 ★

	10000		8 à 11 €

Installés en 2003 en tant que jeunes agriculteurs, Thierry Giroud, œnologue de formation, et son épouse Caroline, ont créé de toutes pièces cette propriété de 14 ha où ils assument à deux tous les travaux de la vigne et du chai, avec «une vision ultra-raisonnée».

Une robe aux reflets dorés habille cette cuvée issue de grenache, de cinsault et de syrah. Au nez, les arômes de fleurs et d'agrumes font bon ménage. Du croquant et du dynamisme apparaissent en bouche autour de notes citronnées et une pointe saline en finale. Un rosé frais et délicat. 2019-2020

PROVENCE

EARL CH. GIROUD, rte du Luc, 83340 Cabasse, tél. 06 82 86 52 29, chateaugiroud@yahoo.fr V *t.l.j. 9h-20h*

EXCEPTION DE LA GISCLE 2018 ★

■ | 10000 | | 8 à 11 €

Ce domaine de 45 ha s'est développé dès le XVIe s. autour d'un moulin à farine devenu magnanerie, puis symbole de ce vignoble planté sur un terroir schisteux. Pierre Audemard et son épouse ont rejoint les parents au début des années 1990 pour développer l'activité et la vente au caveau.

Un assemblage typique (grenache, cinsault, syrah, tibouren) compose cette cuvée à la robe rose soutenu. Le nez est gourmand, sur des arômes de fraise et d'agrumes. Bel équilibre en bouche entre rondeur, fraîcheur et amertume. ⧗ 2019-2020 ■ **Dom. de la Giscle Carte Noire 2017 ★ (8 à 11 €; 9333 b.)** : une robe rubis intense habille cette cuvée au nez de fruits rouges et noirs (cassis, fraise), de réglisse et de vanille. Beau volume en bouche autour de tanins soyeux et d'un boisé fondu, avec une agréable finale sur la fraîcheur. ⧗ 2020-2023 ■ **Dom. de la Giscle Moulin de l'Isle 2018 ★ (5 à 8 €; 27000 b.)** : vermentino et ugni blanc pour cette cuvée jaune cristallin, au nez expressif de fleurs, d'épices, de vanille et de toasté, à la bouche ample, riche et ronde, soutenue par un élevage bien maîtrisé. ⧗ 2019-2022

EARL DOM. DE LA GISCLE, 1122, rte de Collobrières, 83310 Cogolin, tél. 04 94 43 21 26, dom.giscle@wanadoo.fr V *t.l.j. sf mer. dim. 9h-12h30 14h-18h30*

VIGNERONS DE GONFARON Cuvée Féerique 2018 ★★

■ | 6700 | | 5 à 8 €

Créée en 1921, la coopérative des maîtres vignerons de Gonfaron réunit aujourd'hui quelque 120 adhérents pour un vignoble de 550 ha implanté sur des terroirs d'une grande diversité - schistes, grès rouge, argilo-calcaires - entre le massif des Maures et l'Aille, qui prend sa source au village.

45 % de grenache, 25 % de syrah, 18 % de cinsault et 13 % de rolle ont été assemblés pour produire ce beau rosé pâle aux reflets violines. Le nez, fin et flatteur, associe les agrumes, le fruit de la Passion et les épices. La bouche, suave et ronde, offre une explosion de fruit et déploie une longue finale, fraîche et intense. ⧗ 2019-2020 ■ **Hédonique 2018 ★★ (5 à 8 €; 4644 b.)** : cette cuvée née de rolle, d'ugni blanc et de clairette présente un nez d'agrumes (pomélo, citron) et de fruits exotiques. La bouche dévoile une acidité bien dosée, du fruit et une matière fine. Un blanc élégant et harmonieux. ⧗ 2019-2021 ■ **Rosé de Légende 2018 (5 à 8 €; 4360 b.)** : vin cité.

LES MAÎTRES VIGNERONS DE GONFARON, rte Nationale, 83590 Gonfaron, tél. 04 94 78 30 02, info@vignerons-gonfaron.com V *r.-v.*

Ⓑ DOM. DE LA GRANDE PALLIÈRE 2018 ★★

■ | 50000 | | 8 à 11 €

Ce domaine familial de 36 ha, fondé en 1951 et situé à près de 250 m d'altitude, est entièrement tourné vers l'agriculture biologique depuis 1998, comme tous les vignobles de Correns, village «bio» depuis les années 1990.

Cette cuvée, issue de l'assemblage classique du grenache, du cinsault et de la syrah, se présente drapé dans un joli rosé orangé limpide et brillant. Le nez est fin, centré sur des notes de fleurs, et la bouche se montre fraîche, gourmande, éclatante de fruit. ⧗ 2019-2020

EARL DOM. DE LA GRANDE PALLIÈRE, La Grande Pallière, 83570 Correns, tél. 04 94 59 57 55, contact@lagrandepalliere.com V *r.-v.*

DOM. LA GRAND'PIÈCE 2018

■ | 42000 | | 5 à 8 €

Sur cette exploitation familiale d'une vingtaine d'hectares d'un seul tenant (d'où son nom), située en bordure de la voie Aurélienne, des fouilles archéologiques ont permis de mettre au jour un village gallo-romain dont certains vestiges sont exposés au caveau. Les 27 ha de vignes sont conduits par Bruno de Chauvelin depuis 1984, épaulé depuis 2011 par son fils Thibaut.

Ce rosé à la robe rose clair et brillante propose un nez fruité et amylique. La bouche, à l'unisson du bouquet, s'équilibre entre fraîcheur et rondeur suave. Jolie finale perlante. ⧗ 2019-2020

SCEA DE CHAUVELIN, La Grand' Pièce, 83340 Cabasse, tél. 06 10 78 49 58, lagrandpiece@live.fr V *r.-v.*

DOM. DE GRANDPRÉ Minotaure 2016 ★

■ | 3892 | | 11 à 15 €

Valérie Vidal-Revel conduit depuis 2006 ce domaine de 25 ha, niché dans la vallée de Puget-Ville, au pied du massif des Maures. Elle le travaille d'une manière de plus en plus raisonnée, utilisant en cave des produits œnologiques agréés en bio et limitant l'usage des sulfites.

85 % de syrah et 15 % de grenache composent cette cuvée d'un seyant carmin profond. Le nez, discret mais élégant, évoque les fruits rouges et les épices douces. La bouche est intense et ronde, épaulée par des tanins soyeux, et la finale s'anime autour de légers amers. ⧗ 2021-2025 ■ **Cuvée Favorite 2018 (5 à 8 €; 54000 b.)** : vin cité.

SCEA DOM. GRANDPRÉ, chem. des Grands-Prés, 83390 Puget-Ville, tél. 04 94 23 42 86, domaine-grandpre@orange.fr V *t.l.j. sf dim. 9h-12h30 14h-17h30*

DOM. GRAND ROUVIÈRE Grande Réserve 2016 ★

■ | 1500 | | 15 à 20 €

La coopérative de Roquefort-la-Bédoule, petit village provençal proche de la Méditerranée, a été créée en 1963. Elle regroupe 100 ha de vignes implantées sur les coteaux argilo-calcaires de la commune.

Cette cuvée couleur rouge cerise est issue de l'assemblage de 50 % de syrah, 30 % de grenache et 20 % de carignan. Son nez, très expressif, mêle les fruits rouges et noirs. Arômes prolongés par une bouche ample et vive, aux tanins souples et légers, et à la finale légèrement acidulée. ⧗ 2019-2022 ■ **Dom. le Grand Rouvière Grande Réserve 2018 ★ (11 à 15 €; 1200 b.)** : le grenache domine dans cette cuvée à la robe légèrement saumonée, au nez intense de fruits rouges, d'agrumes et de jasmin. Bel équilibre en bouche avec de la matière, une vraie personnalité aromatique et une finale acidulée juste comme il le faut. ⧗ 2019-2020

SCA LES VIGNERONS DE ROQUEFORT LA BÉDOULE, 1, bd Frédéric-Mistral, 13830 Roquefort-la-Bédoule, tél. 04 42 73 22 80, lesvigneronsderoquefort@orange.fr t.l.j. sf dim. 8h30-12h 14h-17h

DOM. DES GRANDS ESCLANS
Cuvée Castrum 2015 ★★

■	9800		20 à 30 €

Les vignes de cet ancien domaine sont orientées sud-est, face au rocher rouge de Roquebrune-sur-Argens, en contrebas d'une bâtisse datant des XVIIIe et XIXes. et des ruines d'une tour sarrazine. En 1998, Justo Benito, ancien tailleur de cristal, a remis en état les bâtiments et le vignoble de près de 200 ha, avant d'aménager son caveau de vente dans une ancienne chapelle.

Assemblage de syrah et de cabernet-sauvignon, ce vin grenat profond dévoile un nez gourmand et complexe de fruits bien mûrs, de noix et de rhubarbe. Riche, généreux et puissant en bouche, il s'appuie sur des tanins soyeux et un boisé très maîtrisé. 2022-2027

SCEA DOM. DES GRANDS ESCLANS, D_25, rte de Callas, 83920 La Motte, tél. 04 94 70 26 08, domaine.grands.esclans@orange.fr t.l.j. sf dim. 9h-12h30 13h30-18h; sam. 10h-13h 14h-18h

♥ LES VIGNOBLES GUEISSARD G 2018 ★★

■	2600		8 à 11 €

Pauline Giraud et Clément Minne, diplôme de «viti-œno» en poche, après des expériences en Provence et aux antipodes, décident de faire leur propre vin. Vignerons sans terres, ils prennent des parcelles en fermage en 2010 puis en pleine propriété, et constituent ainsi une mosaïque de 17 ha répartis sur plusieurs terroirs, en AOC bandol et côtes-de-provence.

Cette cuvée issue de 85 % de vermentino et 15 % de clairette séduit d'emblée avec sa robe lumineuse, couleur or blanc, et son nez intense de fruits exotiques (fruit de la Passion, mangue, litchi), de pêche et de fleurs blanches. Une palette aromatique à laquelle fait un long écho une bouche ample et riche, dynamisée par une finale sur le citron vert. Un blanc à la forte personnalité. 2019-2022

SAS DOM. GUEISSARD, 405, traverse des Grenadières, Les Escadenières, RN_8, 83330 Le Beausset, tél. 09 81 49 76 00, pauline@lesvignoblesgueissard.com r.-v.

CH. HERMITAGE SAINT-MARTIN Enzo 2018 ★

■	44000		11 à 15 €

Longtemps laissé à l'abandon, ce domaine situé au pied des barres rocheuses de Cuers et fondé par les moines de Saint-Victor en l'an 1000 se reconstruit depuis 1999, année de son rachat par Enzo Fayard. Les 17 ha du vignoble sont conduits en bio depuis 2003.

Le cinsault domine dans cette cuvée couleur pêche dorée. Le nez révèle une belle finesse, sur des notes florales et fruitées (pêche, abricot, mandarine). La bouche, expressive et tendre, affiche un beau volume et du relief. De légers amers en finale amènent de la délicatesse et de la longueur. 2019-2020

EARL CH. HERMITAGE SAINT-MARTIN, 303, Le Haut-Pansard, 83250 La Londe-les-Maures, tél. 04 94 00 44 44 , contact@vinsfayard.com t.l.j. sf dim. 9h-12h 14h-17h30

DOM. DE L'HEURE BLEUE L'Aube Azur 2018

■	n.c.		11 à 15 €

À la tête d'un groupe familial spécialisé dans les transports et les voyages, Alain Place, venu du nord de la France et tombé sous le charme de la Provence, a repris avec son épouse ce domaine situé sur le flanc du massif des Maures, non loin de Saint-Tropez. Il a restructuré le vignoble (11 ha aujourd'hui, en conversion bio) et signé son premier millésime en 2012.

Une robe rose pâle aux reflets légèrement saumonés habille cette cuvée au nez de fleurs blanches (lys) et d'agrumes (pamplemousse). L'attaque est vive, le milieu de bouche rond, et la finale saline fait durer le plaisir. 2019-2020

DOM. DE L'HEURE BLEUE, rte Notre-Dame-des-Anges, Les Houertz-des-Maures, 83590 Gonfaron, tél. 07 87 02 77 80, info@domaineheurebleue.com r.-v.

♥ DOM. JACOURETTE Sainte-Victoire 2016 ★★

■	3000		11 à 15 €

Hélène Dragon, quatrième du nom à diriger l'exploitation familiale, œuvre au chai et à la vente, tandis que son mari Frédéric Arnaud s'occupe de la vigne. Installé depuis 1997 à la tête de la propriété, le couple conduit un vignoble qui compte aujourd'hui 25 ha, situé à 5 km de la montagne Sainte-Victoire. Un domaine très régulier en qualité.

Cette cuvée fait la part belle à la syrah (90 %), complétée de 10 % de cabernet-sauvignon. Elle présente un nez très élégant et bien typé de cassis et de violette sur un fond de fines notes boisées et épicées. La bouche se montre puissante, ample et veloutée, construite sur des tanins soyeux à souhait, un boisé fondu et une fraîcheur savamment dosée. Un vin de caractère, bâti pour durer. 2022-2030 ■ **L'Ange et Luce 2018 (8 à 11 €; 40000 b.)** : vin cité.

EARL ARNAUD-DRAGON, rte de Trets, RD_23, 83910 Pourrières, tél. 04 94 78 54 60, helene.dragon@jacourette.com r.-v.

DOM. DE JALE La Moure 2018

■	5200		11 à 15 €

Ce vignoble familial de 20 ha, implanté au pied du massif des Maures sur des sols de grès rose et de schistes, est entouré de pins parasols et de chênes-lièges. Suite au départ en retraite de François Seminal,

PROVENCE

fondateur du domaine, sa fille Anne et son mari Dimitri ont repris l'exploitation en 2017.

Ce 2018 rose pâle aux reflets dorés dévoile au nez des arômes d'agrumes, de fruits jaunes (pêche, abricot) et des notes mentholées. La bouche est souple, dotée à la fois d'une belle vivacité et d'une sucrosité gourmande. ⧗ 2019-2020

SCEA DOM. DE JALE, chem. des Fenouils, 83550 Vidauban, tél. 04 94 73 51 50, domjale@yahoo.fr V *t.l.j. sf dim. 10h-12h30 14h-19h*

DOM. JAS DES OLIVIERS
Fréjus Cuvée Auguste 2018 ★

■	1350		8 à 11 €

Le Jas des Oliviers est une ancienne bergerie convertie à la vigne et exploitée par la famille Ollivier depuis 1789; ses 25 ha, conduits en agriculture raisonnée, se dispersent sur le territoire de Fréjus, à 1 km à peine de la mer, dans les terres rouges volcaniques du massif de l'Esterel. Le chai et le caveau sont établis dans la ville même.

Un assemblage de tibouren et de grenache compose cette cuvée rose saumon, au nez d'agrumes, de fruits jaunes (coing, pêche) et de fleurs blanches relevé de légères notes épicées. La bouche est complète, à la fois ronde, fraîche et intense, tonifiée par une finale énergique et vive. ⧗ 2019-2020

SCEA JAS DES OLIVIERS, 1386, av. André-Léotard, 83600 Fréjus, tél. 04 94 51 15 19, jasdesoliviers@gmail.com V *t.l.j. sf dim. lun. 9h-12h 15h-19h*

CH. DE JASSON Éléonore 2018 ★

■	45000		11 à 15 €

Anciens restaurateurs parisiens, Benjamin Defresne et son épouse Marie-Andrée ont repris cette exploitation en 1990 : 14,5 ha de vignes sur sols de schistes et d'argile, à quelques encablures de la Méditerranée, au sud, et du massif des Maures, au nord. Leurs enfants Victoria (au commercial) et Jonathan (à la vigne) les ont rejoints.

Grenache, cinsault, tibouren et syrah ont été assemblés pour cette cuvée aux reflets roses et au nez gourmand de bonbon, de confiture, de fleurs et d'agrumes. La bouche est fraîche, sur le croquant du fruit, et la finale, élégante, dévoile de légers amers. ⧗ 2019-2020
■ **Jeanne 2018 ★ (11 à 15 €; 17300 b.)** : une robe cristalline aux reflets dorés habille cette cuvée dévoilant un doux parfum d'agrumes (citron, pamplemousse) et de fleurs. La bouche est vive et se termine sur des notes finement acidulées et réglissées. ⧗ 2019-2021

SCEA CH. DE JASSON, 813, rte de Collobrières, 83250 La Londe-les-Maures, tél. 04 94 66 81 52, chateau.de.jasson@orange.fr V *t.l.j. 9h30-12h30 14h30-18h30*

VIGNOBLE KENNEL Prestige 2017 ★★

■	5000		15 à 20 €

Julien Kennel a repris en 2005 ce domaine familial de 35 ha situé au pied du village de Pierrefeu-du-Var. Ancienne dépendance des moines de Saint-Victor au Moyen Âge et jusqu'à la Révolution, la propriété a été acheté en 1932 à la marquise de Pierrefeu par l'arrière-grand-père Kennel, tonnelier, puis développée par le grand-père de Julien dans les années 1950.

90 % de syrah et 10 % de grenache composent cette cuvée à la robe grenat et aux doux reflets violines. Le nez s'ouvre sur des arômes de fruits rouges et noirs (fraise, cassis), de réglisse et d'épices douces. La bouche est ample, charnue, chaleureuse, soutenue par des tanins soyeux et dotée d'une jolie finale épicée. ⧗ 2020-2023
■ **2018 ★ (11 à 15 €; 4000 b.)** : ce 2018 associe 90 % de vermentino et 10 % de sémillon. Il révèle au nez des arômes intenses d'agrumes, de fleurs et d'épices, que l'on retrouve dans une bouche ronde et fluide, agréable, soulignée par une agréable fraîcheur minérale. ⧗ 2019-2020
■ **Pierrefeu 2018 (11 à 15 €; 15000 b.)** Ⓑ : vin cité.

EARL VIGNOBLE KENNEL, 116, chem. des Moulières, 83390 Pierrefeu-du-Var, tél. 04 94 28 20 39, vignoble.kennel@wanadoo.fr V *t.l.j. sf dim. 8h-12h 14h-18h*

CH. LAUZADE 2018 ★

■	110000		8 à 11 €

Propriétaire du Ch. Marquis de Terme (margaux) et du Val d'Arenc (bandol), la famille Sénéclauze a repris le Ch. Lauzade en 2007. Les origines de ce domaine remontent à 46 av. J.-C., date de construction d'une villa romaine sur ce terroir argilo-calcaire et gréseux. Le vignoble de 50 ha est commandé par une bastide du XIXᵉs. à la cour carrée, plantée de platanes tricentenaires.

Une robe rose orangé et marbrée habille cette cuvée issue de 90 % de grenache et 10 % de syrah. Le nez, complexe, s'ouvre sur des arômes de fruits rouges (fraise) mêlés à des notes animales et florales. Souplesse et rondeur caractérisent la bouche, avant une finale plus vive sur les agrumes. ⧗ 2019-2020

SAS SÉNÉCLAUZE, 3423, rte de Toulon, 83340 Le Luc-en-Provence, tél. 04 94 60 72 51, chateaulauzade@orange.fr V *t.l.j. sf sam. dim. 9h-12h 13h30-17h30*

Ⓑ CH. LÉOUBE Secret de Léoube 2018

■	49000		20 à 30 €

S'étendant sur 4 km le long du littoral du cap Bénat, cet imposant domaine de 560 ha est la propriété de Lord Bamford, un industriel anglais. Totalement réhabilité, il comprend 68 ha de vignes (en bio certifié depuis 2012) et 20 ha d'oliviers plantés autour d'un chai à l'architecture moderne. La direction a été confiée à Romain Ott.

Un rosé pâle aux reflets dorés, qui révèle un nez sur les fruits exotiques et les fruits blancs agrémentés d'une légère note anisée. Un beau volume se manifeste en bouche, où le vin allie rondeur et vivacité, et déploie une jolie finale miellée. ⧗ 2019-2020

SCAV CH. LÉOUBE, 2387, rte de Léoube, 83230 Bormes-les-Mimosas, tél. 04 94 64 80 03, info@chateauleoube.com V *t.l.j. 9h-19h30*

Ⓑ DOM. LOLICÉ Voltige 2018 ★

■	11000		8 à 11 €

Tourné vers la plaine de Cuers-Pierrefeu, ce domaine appartient aux Monet depuis 1998 : Patrick s'occupe

des vignes (17 ha en bio), tandis que son épouse Barbara œuvre au chai. Son nom est une contraction des prénoms des enfants, Lola, Lissy et Célia. D'abord destinés à la coopérative, les raisins sont vinifiés au domaine depuis 2002. Une valeur sûre des côtes-de-provence.

Le grenache domine dans cette cuvée à la robe rose clair et au nez de petits fruits rouges et de cassis. Gras et rond en bouche, ce rosé est bien équilibré par une finale ciselée, aux notes acidulées. ⧗ 2019-2020 ■ **Évasion 2018 (8 à 11 €; 5000 b.)** Ⓑ : vin cité.

SCEA DOM. LOLICÉ, 1122, chem. de la Ruol, 83390 Puget-Ville, tél. 04 94 33 53 61, lolicedomaine@orange.fr V r.-v.

Ⓑ DOM. LONGUE TUBI 2018

■ | 17000 | | 11 à 15 €

Le nom de Longue Tubi évoque une conduite en terre cuite d'époque gallo-romaine qui captait ici l'eau d'une source, trace d'une activité humaine très ancienne sur ces terres calcaires. François et Catarina Buisine, ingénieurs agronomes, y conduisent en bio un vignoble de 21 ha.

D'un rose franc, cette cuvée associant grenache, cinsault, syrah et cabernet-sauvignon dévoile un nez discret de fruits rouges. La bouche est ronde en attaque, contrebalancée par une acidité mordante dans son développement et par une finale iodée. ⧗ 2019-2020

SCEA DOM. LONGUE TUBI, rte de Gonfaron, D_39, 83340 Flassans-sur-Issole, tél. 06 15 01 43 41, contact@longuetubi.com V r.-v.

Ⓑ DOM. LE LOUP BLEU
Vol de Nuit 2018 ★

■ | 34533 | | 8 à 11 €

Ce vignoble de 9 ha situé au pied de la montagne Sainte-Victoire, qui produit exclusivement en AOP côtes-de-provence, a été acquis en 2012 et restructuré par Sylvie et Marc Dubois. Le domaine, certifié bio depuis 2015, doit son nom à la montagne Podium Luperium, la «colline des Loups» et ceux des cuvées reflètent la passion des vignerons pour l'aviation.

Grenache, vermentino, syrah et clairette composent cette cuvée au nez de fruits exotiques, de petites fleurs et de notes zestées. Tout aussi expressive, sur les agrumes et la pêche, la bouche conjugue fraîcheur et suavité, et dispense une longue finale minérale. ⧗ 2019-2020 ■ **Sainte-Victoire Croix du Sud 2017 ★ (15 à 20 €; 5400 b.)** Ⓑ : une robe rubis profond habille cette cuvée au nez gourmand de fruits rouges et noirs (cassis, framboise, mûre), agrémenté de légères notes boisées et épicées. La bouche, bâtie sur des tanins fins, associe souplesse, fraîcheur et fruité. ⧗ 2020-2024 ■ **Vol de Nuit 2018 ★ (11 à 15 €; 6800 b.)** Ⓑ : 88 % de vermentino et 12 % de clairette sont assemblés dans cette cuvée ouverte sur des arômes d'agrumes, de fruits exotiques et de fleurs blanches, fraîche et bien équilibrée en bouche. Jolie finale saline qui tient sur la longueur. ⧗ 2019-2021

SCEA DOM. LE LOUP BLEU, Piconin, 13114 Puyloubier, tél. 07 72 55 91 31, contact@le-loup-bleu.com V *t.l.j. sf dim. 9h-18h; dim. sur r.-v.*

♥ MADE IN PROVENCE
Collection Premium 2018 ★★★

■ | 45061 | | 11 à 15 €

Made in Provence Diffusion est la société de négoce et de commercialisation de Virginie Fabre et Guillaume Philip, propriétaires depuis 2007 de l'excellent Dom. des Diables à Puyloubier. Une valeur très sûre.

Définitivement épatants ces vignerons, qui décrochent deux nouveaux coups de cœur avec leurs rosés. Honneur à cette cuvée Premium, magnifique dans sa robe brillante et fraîche, comme dans on bouquet puissant de pamplemousse, de citron vert et de fleurs blanches. Issue d'un assemblage de syrah (60 %), de grenache (30 %) et de rolle (10 %), elle affiche beaucoup de volume en bouche et un superbe équilibre entre fraîcheur et douceur. Et quelle expression aromatique, centrée sur le fruit ! Un rosé d'exception. ⧗ 2019-2020 ■ **Classic 2018 ★★ (11 à 15 €; 128846 b.)** ♥ : le second coup de cœur récompense une cuvée à dominante de cinsault (60 %), au nez puissant, exubérant même, d'agrumes et de fruits exotiques. Une intensité aromatique à laquelle fait écho une bouche ample et suave, dynamisée par une longue finale rectiligne, pleine de fraîcheur. ⧗ 2019-2020

SAS MIP DIFFUSION, chem. de la Colle, 13114 Puyloubier, tél. 06 81 43 94 62, contact@mip-provence.com V *t.l.j. 10h-12h 13h-17h*

Ⓑ DOM. DE LA MADRAGUE
Cuvée Claire 2017

■ | 7000 | | 11 à 15 €

Implanté sur la presqu'île de Saint-Tropez, ce domaine (17 ha) a été entièrement restructuré depuis son acquisition en 2007 par l'entrepreneur Jean-Marie Zodo : modernisation du caveau et de la cave, conduite en bio à la vigne et au chai.

Cette cuvée d'un beau rouge profond exhale au nez des arômes intenses de cerise, de noix, de vanille et de réglisse. La bouche, de bonne longueur, se révèle tannique et encore un peu austère. À attendre pour plus de fondu. ⧗ 2021-2024

SARL JMZ SERVICES, bd de Gigaro, 83420 La Croix-Valmer, tél. 04 94 49 04 54, contact@lesvinsdelamadrague.com V *t.l.j. sf dim. 9h-12h30 14h30-19h*

CH. MAÏME Héritage 2017 ★

■ | 12600 | | 11 à 15 €

Implanté près de la cité médiévale des Arcs-sur-Argens, ce domaine conduit depuis 1996 par Jean-Louis Sibran étend ses 34 ha de vignes sur les contreforts du massif des Maures. Son nom («Maxime» en

PROVENCE

provençal) a été inspiré par une chapelle médiévale située au cœur du vignoble.

Une grande part de syrah (90 %) assemblée à une pointe de grenache pour cette cuvée à la robe pourpre et au nez intense de cerise et d'épices (poivre, cannelle). Une jolie tension anime la bouche autour d'un fruité croquant et d'une finale sur de fins amers. 2019-2022

CH. DE LA MAÏME, RN_7, 83460 Les Arcs-sur-Argens, tél. 04 94 47 41 66, maime.terre@wanadoo.fr V *r.-v.*

CH. MARAVENNE La Londe Donum Dei 2018

	3800		15 à 20 €

Ce vignoble de 30 ha implanté sur des sols schisteux au pied du massif des Maures est conduit en agriculture biologique depuis 2001. En 2012, Jean-Louis Gourjon a cédé son domaine à Karine et Alexandre Audinet, un couple de néo-vignerons, et à Raphaël Venturini.

Un joli rose pâle habille cette cuvée à dominante de grenache. Le nez se montre gourmand, sur des arômes de confiture de fraises et de fleurs blanches. La bouche, en accord avec l'olfaction, d'un bon volume, affiche un profil tout en rondeur. 2019-2020

SARL MARAVENNE, rte de Valcros, 83250 La Londe-les-Maures, tél. 04 94 66 80 20, contact@maravenne.com V *r.-v.* 5 E

DOM. MARTINA Fortant 2018 ★

	20000		8 à 11 €

La famille Skalli s'initia à la vigne et aux cépages méridionaux en Algérie, dans les années 1920. Francis, et surtout son fils Robert, ont œuvré pour que cette maison de négoce soit aujourd'hui très implantée dans tout le sud de la France. Dans le giron du groupe bourguignon Boisset depuis 2011.

Ce 2018 couleur chair est composé de syrah, de cinsault et de grenache. Son nez s'ouvre sur les fruits rouges (framboise, fraise), les fleurs (jasmin) et les épices. Rond et délicat, le palais est bien équilibré par une fine fraîcheur. 2019-2020

SAS LES VINS SKALLI, 9, quai Paul-Riquet, 34200 Sète, tél. 04 90 83 58 35, contact@fortant.com

CH. LA MARTINETTE 2018 ★★

	40000		11 à 15 €

Trois investisseurs d'origine russe ont acquis en 2011 le Ch. la Martinette, une exploitation agricole datant de 1620. Situés au cœur du Var, au bord des rives de l'Argens, entre Lorgues et Le Thoronet, les 40 ha qui composent le vignoble sont en conversion vers l'agriculture biologique depuis 2017.

Cette cuvée d'assemblage née de cinsault, de syrah, de grenache, de tibouren et de mourvèdre se présente dans une jolie robe brillante, couleur pêche. Elle dévoile au nez des arômes floraux et fruités (pêche, framboise). En bouche, elle se montre souple, tendre, d'une bonne persistance aromatique, avec une belle tension en soutien, renforcée par une finale saline. 2019-2020 **Rollier 2018 ★ (8 à 11 €; 72000 b.)** : grenache, cinsault, syrah et vermentino ont été assemblés pour cette cuvée rose clair, au nez de pêche, de petits fruits rouges et de fleurs blanches, à la bouche ronde et suave, dotée d'une finale fraîche et fruitée. 2019-2020

SCEA LA MARTINETTE, 4005, chem. de la Martinette, 83510 Lorgues, tél. 04 94 73 84 93, contact@chateaulamartinette.com V *t.l.j. sf dim. 10h-19h*

CH. LA MASCARONNE Vita Bella 2018 ★

	11000		15 à 20 €

Le Ch. la Mascaronne s'étend sur 80 ha de collines et de vignes en coteaux à la sortie du village médiéval de Luc-en-Provence. Tom Bove, homme d'affaires américain ayant découvert le vin à Londres, a acheté le domaine en 1999. Le vignoble couvre plus de 50 ha , en bio certifié.

Ce pur rolle dévoile un nez explosif d'agrumes (citron, pamplemousse, mandarine) et d'épices (muscade). La bouche est ronde et bien enrobée, soulignée par une fine trame minérale qui amène de la fraîcheur. Jolie finale persistante sur les épices douces. 2019-2022 **Quat'Saisons 2018 (11 à 15 €; 110000 b.)** : vin cité.

SAS CH. LA MASCARONNE, RN_7, 83340 Le Luc-en-Provence, tél. 04 94 39 45 40, info@mascaronne.com V *t.l.j. 9h-12h30 14h-17h30*

MAS DE CADENET 2018

	7000		11 à 15 €

Accompagné de ses enfants Maud et Matthieu, Guy Négrel perpétue une tradition familiale débutée en 1813 sur ces terres des contreforts de la montagne Sainte-Victoire. Le vignoble de 60 ha d'un seul tenant (certifié bio) est implanté sur un terroir de gravoches.

Cette cuvée 100 % rolle, à la robe jaune pâle et argentée, révèle au nez des arômes de pamplemousse, de fruits exotiques et de fleurs blanches. Un bon équilibre apparaît en bouche entre douceur et fraîcheur. 2019-2021

EARL MAS DE CADENET NÉGREL, chem. D_57, 13530 Trets, tél. 04 42 29 21 59, famillenegrel@masdecadenet.fr V *r.-v.*

MAS DES BORRELS 2018 ★

	21000		11 à 15 €

La famille Garnier, propriétaire du domaine du Cazal depuis 1966, a acquis en 1985 la parcelle du Mas des Borrels. Michel et Jeanine Garnier cultivent ainsi une cinquantaine d'hectares sur les coteaux dominant la vallée des Borrels, non loin d'Hyères et de la Méditerranée, sur les contreforts schisteux du massif des Maures.

60 % de vermentino et 40 % de sémillon composent cette cuvée jaune pâle. Le nez, discret mais délicat, dévoile à l'aération des arômes de fruits blancs, d'églantine et de rose. Une attaque fraîche ouvre sur une bouche tendre et fruitée, toute en finesse, prolongée par une belle finale sur le croquant du fruit. 2019-2020

SCEA MAS DES BORRELS, 3820, rte des Borrels, Les 3èmes Borrels, 83400 Hyères, tél. 04 94 12 76 51, contact@masdesborrels.net V *t.l.j. 10h-13h 15h-19h*

DOM. DE LA MAYONNETTE Cuvée Saint-André 2016 ★

	2600		15 à 20 €

Propriété viticole depuis 1913, ce domaine de 23 ha situé au pied du massif des Maures a été entièrement

restructuré à partir de 1989 et repris par Henri Julian. Curiosité : un pont du XII^e^s. construit par les Templiers permet d'y accéder.

70 % de syrah et 30 % de cabernet-sauvignon sont assemblés dans cette cuvée rouge profond, au nez intense et frais de groseille, mâtiné de notes grillées. La bouche révèle déjà une bonne personnalité aromatique, de la fraîcheur et de la structure, mais les tanins sont encore un peu stricts et s'assoupliront après quelques années en cave. ⧗ 2022-2026

SCEA DU DOM. DE LA MAYONNETTE, 280, chem. de Sigaloux, 83260 La Crau, tél. 04 94 48 28 38, domaine-de-la-mayonnette@orange.fr V r.-v.

CH. MENTONE M 2017

■	6000		11 à 15 €

Un domaine historique où la marquise de Sévigné aimait séjourner : 170 ha, dont une forêt aux arbres centenaires, une oliveraie, des vergers, un potager, un parc avec bassins d'agrément et un vignoble de 25 ha sur argilo-calcaires, conduit en bio certifié depuis 2012 (biodynamie). La cave voûtée date du milieu du XIX^e^s. La propriété a été achetée en 2003 par la famille Caille, qui l'a ouverte à l'œnotourisme, aménageant notamment une ferme-auberge.

Une cuvée 100 % syrah à la robe grenat et au nez de fruits rouges qui libère ses arômes après aération. La bouche se montre fraîche, fluide et aromatique. À boire dans sa jeunesse. ⧗ 2020-2022

EARL DU CH. MENTONE, 401, chem. de Mentone, 83510 Saint-Antonin-du-Var, tél. 04 94 04 42 00, info@chateaumentone.com V r.-v.

CH. LES MESCLANCES Cuvée Saint Honorat 2016 ★★

■	7000		11 à 15 €

En 2009, Arnaud et Élisabeth de Villeneuve Bargemon ont repris la gestion du domaine familial. Une propriété de 110 ha d'un seul tenant dont 32 ha de vignoble en conversion biologique (certifié en 2020). En 10 ans, ils ont fait construire chai, cuverie et salle de dégustation, ouvrant un nouveau chapitre d'une longue histoire.

Syrah, mourvèdre et cabernet-sauvignon sont associés pour le meilleur dans cette cuvée d'un beau pourpre, au nez soutenu de petits fruits noirs et rouges. La bouche est ample, chaleureuse, puissante, soutenue par des tanins soyeux et un boisé bien maîtrisé. En finale, elle déploie d'agréables notes d'épices douces. Du potentiel. ⧗ 2021-2026 ■ **La Londe Faustine 2018 (11 à 15 €; 2800 b.)** : vin cité.

SCEA LES MESCLANCES, 3583, chem. du Moulin-Premier, 83260 La Crau, tél. 04 94 12 10 95, chateaulesmesclances@mesclances.com V t.l.j. sf dim. 8h-12h 14h-18h

MINUTY Rosé et Or 2018 ★

■ Cru clas.	450000		20 à 30 €

Les vignes du Ch. Minuty, construit à l'époque de Napoléon III, surplombent la presqu'île de Saint-Tropez, en contrebas du village de Gassin. Incarnant la troisième génération à la tête de ce cru fort réputé, classé depuis 1955, Jean-Étienne et François Matton conduisent aujourd'hui un vaste domaine de 115 ha. Le vignoble occupe des terroirs variés : 45 ha d'un seul tenant sur des sols de calcaire schisteux, 20 ha sur un sol calcaire et 15 ha sur les coteaux du Val de Rians à Ramatuelle.

Grenache, syrah et tibouren composent cette cuvée couleur litchi, qui mêle à l'olfaction la framboise, les fleurs blanches, les agrumes et le poivre blanc. La bouche est souple, fruitée, dotée d'une belle matière et d'une belle finale fraîche et acidulée. ⧗ 2019-2020

SAS MINUTY, Ch. Minuty, 2491, rte de la Berle, 83580 Gassin, tél. 04 94 56 12 09 V t.l.j. sf sam. dim. 9h-12h 14h-18h

CH. MONTAUD Pierrefeu Extrait de Terroir 2018 ★

■	109000		8 à 11 €

La famille Ravel est à la tête d'un vaste vignoble de 320 ha et de plusieurs propriétés : Guiranne, Garamache, L'Oasis et Montaud; un vignoble implanté sur des sols de schistes et de grès au pied du massif des Maures, qui leur appartient depuis 1952 et trois générations. Après des expériences en Bourgogne et en Espagne, Frédéric Ravel, l'actuel propriétaire, insuffle une nouvelle dynamique tournée vers la distribution des vins en bouteilles.

Cet assemblage de grenache, cinsault, syrah et tibouren se présente dans une jolie robe rose pâle aux reflets jaunes. Le nez, discret, laisse poindre à l'aération des arômes de fruits exotiques et de fleurs blanches. La bouche se révèle vive, tonique et ample. ⧗ 2019-2020

SCE VIGNOBLES ET VERGERS FRANÇOIS RAVEL, 348, rte des Maures, 83390 Pierrefeu-du-Var, tél. 04 94 28 20 30, contact@chateau-montaud.eu V t.l.j. sf sam. dim. 9h-12h 13h-17h30

CH. MOURESSE Grande Cuvée 2018 ★

■	2000		11 à 15 €

Domaine repris en 2008 par Hynde et Christophe Bouvet, qui y ont réalisé d'importants investissements tant au chai qu'au vignoble, dont ils ont porté la superficie à 28 ha en AOC côtes-de-provence. Régulier en qualité, dans les trois couleurs.

Le vermentino se suffit à lui-même dans cette cuvée jaune clair aux reflets verts. Le nez mêle avec intensité le pamplemousse, la pêche, la poire et l'ananas. Arômes que l'on retrouve dans une bouche vive, aux tonalités exotiques et citronnées qui réveillent les sens. ⧗ 2019-2021

SCEA DOM. DE MOURESSE, 951, chem. des Grands-Pins, 83550 Vidauban, tél. 09 61 59 27 23, mouresse@gmail.com V t.l.j. sf dim. 10h-12h30 14h-18h30

DOM. DES MYRTES La Londe Prestige 2018 ★

■	10000		8 à 11 €

Situé sur les contreforts sud du massif des Maures, le vignoble du domaine, implanté sur un sol de cailloutis de schistes caractéristique de la dénomination La Londe, s'étend sur 41 ha. L'exploitation, dans la famille Barbaroux depuis 1835, pratique une polyculture horticole, arboricole, viticole et maraîchère. Les Barbaroux, longtemps coopérateurs, ont construit leur cave en 1981.

D'une belle couleur rose pâle et brillant, cet assemblage de grenache et de cinsault dévoile un nez intense de fruits rouges frais (fraise, mûre, groseille). L'attaque se montre fraîche, le milieu de bouche laisse une impression de douceur et la finale est longue et énergique. ⌛ 2019-2020

EARL BARBAROUX, 1167, rte de la Jouasse, 83250 La Londe-les-Maures, tél. 04 94 66 83 00, domainedesmyrtes@free.fr V r.-v.

DOM. DE LA NAVARRE Amorevolezza 2018 ★★

8000		8 à 11 €

S'il doit son nom à la famille Navarre, propriétaire avant la Révolution, le domaine s'est développé au milieu du XIXe s. lorsqu'il devint un orphelinat placé en 1878 sous la direction de Jean Bosco, fondateur de la congrégation des Salésiens. Aujourd'hui, la propriété est constituée d'un collège privé catholique et d'un vignoble de 80 ha situé au pied du massif des Maures.

Mi-grenache mi-mourvèdre, cette cuvée couleur pêche révèle un nez sur les fruits exotiques (litchi, mangue). La bouche est fraîche, fine, dotée d'une belle personnalité sur le fruit et d'une bonne persistance aromatique. Un rosé moderne et élégant. ⌛ 2019-2020 **Amorevolezza 2018 ★★ (8 à 11 €; 4000 b.)** : ce pur vermentino en robe cristalline présente des arômes complexe de fleurs blanches, de pêche, de zeste de citron, de gingembre et de poivre. La bouche est ronde, suave, bien équilibrée par une fine trame minérale qui amène de la fraîcheur. Un vin savoureux et bien typé. ⌛ 2019-2021

FONDATION LA NAVARRE, 3451, chem. de La Navarre, 83260 La Crau, tél. 04 94 66 04 08, caveau@lanavarre.com V *t.l.j. sf dim. 10h-12h 13h-18h*

CH. NESTUBY Eau de Vin 2018

10000		11 à 15 €

À l'origine du domaine, une source naturelle, la Nestuby, qui a encouragé le grand-père de l'actuel exploitant à acquérir les terres environnantes. Depuis, quatre générations de Roubaud y ont exploité la vigne, 88 ha aujourd'hui.

50% de syrah assemblés au cinsault, au rolle et au mourvèdre sont à l'origine de cette cuvée au nez d'agrumes et de notes mentholées, à la bouche ample et vive. ⌛ 2019-2020

SARL LES PRODUCTEURS, 4540, rte de Montfort, 83570 Cotignac, tél. 04 94 04 60 02, contact@nestuby.com V *r.-v.* 4 E

DOMAINES OTT Clos Mireille 2017 ★

Cru clas.	60800		20 à 30 €

Alsacienne d'origine, la famille Ott, installée en Provence en 1896, a acquis Romassan en 1956 (70 ha au pied du Castellet en appellation bandol) et possède aussi le Ch. de Selle et le Clos Mireille en côtes-de-provence. Deux AOC et un flacon singulier, inspiré de l'amphore romaine. L'ensemble (dans le giron du champenois Roederer depuis 2004) est dirigé par les cousins Christian et Jean-François Ott.

Une jolie robe dorée aux reflets verts habille cette cuvée née de sémillon (80 %) et de rolle, ouverte sans réserve sur les fruits exotiques (mangue, papaye, litchi). La bouche, complète, mêle fraîcheur acidulée, douceur miellée et finale minérale et croquante. ⌛ 2019-2022

SAS DOMAINES OTT (CLOS MIREILLE), rte du Brégançon, 83250 La Londe-les-Maures, tél. 04 94 01 53 55, closmireille@domaines-ott.com V *t.l.j. sf sam. dim. 9h-12h 14h-18h*

CH. DE PALAYSON Grande Cuvée 2016 ★★

35000		20 à 30 €

Christine et Alan von Eggers Rudd ont été séduits par ce domaine établi au pied du rocher de Roquebrune, riche d'une longue histoire : de villa romaine, au IIe s. av. J.-C., il devint la propriété des moines de Sainte-Victoire au Moyen Âge. Les nouveaux propriétaires n'ont pas ménagé leurs efforts pour le remettre en état et conduisent aujourd'hui un vignoble de 10,5 ha.

60 % de syrah, 30 % de cabernet-sauvignon et 10 % de mourvèdre composent cette cuvée d'un rouge intense. Le nez s'ouvre, après aération, sur des arômes complexes de cassis, de cacao, d'amande grillée et de vanille. La bouche, ample, riche et persistante, déploie une très belle structure autour de tanins bien présents mais soyeux. Un vin solaire et puissant, au fort potentiel de garde. ⌛ 2022-2030

SA DU DOM. DE PALAYSON, chem. de Palayson, 83520 Roquebrune-sur-Argens, tél. 06 63 79 63 64, info@palayson.com V *t.l.j. sf dim. 10h-12h30 14h-19h* E

CH. PANSARD 2018 ★

6000		8 à 11 €

Cette cave dynamique, créée en 1921 au lendemain de la Grande Guerre, n'a cessé d'évoluer. Un nouveau caveau a ainsi été construit en 2011. Forte d'une soixantaine d'adhérents, la coopérative est aujourd'hui sous la direction d'Éric Dusfourd.

Une belle robe aux reflets abricot habille cette cuvée née de grenache, de cinsault et de vermentino. Le nez s'ouvre sur des arômes d'agrumes et de fruits rouges (groseille). La bouche présente une belle matière, une vivacité intense et une finale minérale des plus goûteuses. ⌛ 2019-2020 **Dom. du Mirage La Londe 2018 ★ (8 à 11 €; 15000 b.)** : un nez de fruits rouges et d'agrumes exhale de cette cuvée (grenache, cinsault, vermentino, syrah). La bouche est ample et très bien équilibrée entre de fins amers, la fraîcheur du fruit et une finale légèrement acidulée. ⌛ 2019-2020

SCA CAVE DES VIGNERONS LONDAIS, 363, av. Albert-Roux, 83250 La Londe-les-Maures, tél. 04 94 66 80 23, direction@vignerons-londais.com V *t.l.j. sf. dim. 8h30-12h15 15h-18h*

B CH. PAQUETTE Fréjus Roches Noires 2017 ★

8000		11 à 15 €

Jérôme Paquette, œnologue, conduit un domaine de 25 ha (déjà présent sur les cartes du XVIIe s.) implanté sur un sol de roches volcaniques. Son grand-père avait acquis en 1952 cette exploitation alors appelée Curebéasse.

Cet assemblage de syrah et de mourvèdre se présente dans une belle robe pourpre aux reflets violets. Le nez s'ouvre sur des arômes de fruits noirs (cassis, myrtille) et de fines notes épicées et boisées. L'attaque est franche et souple, le milieu de bouche plus tannique et bien structurée par l'élevage. ⧗ 2022-2025

SCEA PAQUETTE, Curebéasse, 83600 Fréjus, tél. 04 94 40 87 90, contact@chateaupaquette.fr V *t.l.j. sf dim. 10h-12h30 14h-19h*

CH. PARADIS Cuvée Laure 2018 ★

■	5000	🍾	8 à 11 €

Le Ch. Paradis est situé face au massif des Maures et appartient à Jean-Charles Foellner depuis 1999. Après huit ans de travaux, il signe ses premières cuvées en 2007. Les 40 ha de vignes de la propriété sont conduits en agriculture raisonnée.

Une cuvée 100 % vermentino à la robe jaune pâle et au nez puissant d'agrumes (pamplemousse, citron), de miel et d'épices (muscade). Rond, gras et fruité en bouche, ce vin trouve son équilibre sur de fins amers et dans sa finale épicée. ⧗ 2019-2021 ■ **Cuvée Charles-Ryan 2018 ★ (8 à 11 €; 22000 b.)** : une robe éclatante, couleur pétale de rose, pour cette cuvée née de grenache, syrah, vermentino et cinsault. Le nez révèle des arômes gourmands de petits fruits rouges et de fruits jaunes (coing), que l'on retrouve dans une bouche généreuse et suave. ⧗ 2019-2020 ■ **Cuvée Coup de cœur 2018 ★ (8 à 11 €; 20000 b.)** : une cuvée à la robe cristalline, au nez de fruits exotiques, ronde et suave en bouche, soulignée par une fine amertume. ⧗ 2019-2020

SCEA CH. PARADIS, Dom. du Paradis, av. du Paradis, 83340 Le Luc-en-Provence, tél. 04 94 47 96 13, jcf@chateauparadis.fr V *t.l.j. 10h-19h*

Ⓑ CH. PAS DE CERF 2018

■	60000	11 à 15 €

Le Ch. Pas de Cerf est géré par la famille Gualtieri depuis 1848. Depuis 2001, ce sont Geneviève et Patrick qui sont à la tête de ce vignoble de 80 ha situé sur les contreforts schisteux du massif des Maures, à quelques kilomètres des plages de l'Estagnol et des Îles d'Or. Le domaine est en conversion bio depuis 2010.

Cette cuvée issue de grenache, de cinsault, et de mourvèdre révèle au nez des arômes de fruits blancs, de fruits exotiques et de fleurs blanches. La bouche affiche un profil rond, équilibré par une finale fraîche. ⧗ 2019-2020

SARL PAS DU CERF, 5920, rte de Collobrières, 83250 La Londe-les-Maures, tél. 04 94 00 48 80, info@pasducerf.com V *r.-v.* Ⓓ

Ⓑ DOM. DU PATERNEL 2018 ★

■	30000	11 à 15 €

En 1943, Antoine Santini et ses sœurs Catherine et Jeanne deviennent propriétaires de la ferme du Paternel, alors exploitée en polyculture. La première mise en bouteilles date de 1951. Un domaine conduit aujourd'hui par Jean-Pierre Santini, son épouse Chantal et leurs trois enfants, l'un des plus grands (65 ha) de l'appellation cassis, en bio certifié. L'autre domaine des Santini, Couronne de Charlemagne (7 ha), situé au pied de la colline éponyme, est également en bio. La famille Santini élabore aussi des bandol et des côtes-de-provence sur un vignoble de Saint-Cyr-sur-Mer, en cours de conversion bio.

Une robe couleur saumon clair aux reflets argentés habille cette cuvée au nez d'agrumes (citron), de litchi et de fleurs. La bouche est ample, tenue par la vivacité du fruit et affiche une belle persistance aromatique. ⧗ 2019-2020

SCEA DOM. DU PATERNEL, 11, rte Pierre-Imbert, 13260 Cassis, tél. 04 42 01 77 03, contact@domainedupaternel.com V *t.l.j. 9h30-12h30 14h30-18h*

Ⓑ DOM. DES PEIRECÈDES Le Fil d'Ariane 2018 ★

■	58000	🍾	8 à 11 €

Situé sur le terroir de Pierrefeu, à l'orée des Maures, entre Saint-Tropez et Toulon, le Dom. de Peirecèdes se transmet de génération en génération depuis un siècle. Aujourd'hui, ce sont Alain Baccino et son épouse Véronique, rejoints par leurs filles Audrey, œnologue, et Leslie, qui conduisent en bio ce vignoble de 35 ha.

Grenache, cinsault et syrah sont à l'origine de ce rosé clair, au nez délicat de fleurs blanches et d'agrumes. La bouche, élégante, s'équilibre entre rondeur gourmande, fraîcheur du fruit et volume. ⧗ 2019-2020 ■ **Pierrefeu 2016 ★ (15 à 20 €; 6000 b.)** Ⓑ : 70 % de mourvèdre et 30 % de cabernet-sauvignon composent cette cuvée aux reflets ambrés, qui dévoile des arômes complexes de fruits noirs, de cacao, de tabac et de menthol. La bouche présente un bel équilibre, des tanins fins, un boisé fondu et une finale épicée. ⧗ 2020-2024

SCEA ALAIN BACCINO VIGNERON, 1201, chem. la Mue, 83390 Cuers, tél. 04 94 48 67 15, compta@peirecedes.com V *t.l.j. sf dim. 9h-12h 14h-18h* Ⓖ

LES VIGNERONS DE PIERREFEU Pierrefeu Prestige 2018 ★

■	n.c.	🍾	8 à 11 €

Créée en 1922, la cave de Pierrefeu est l'une des plus anciennes coopératives de la région. Regroupant 180 adhérents, elle vinifie aujourd'hui la vendange de 700 ha, et propose plusieurs gammes de côtes-de-provence.

Grenache, cinsault et syrah se marient dans cette cuvée couleur pêche pâle. Le nez s'ouvre sur des arômes fruités de groseille et de cassis. La bouche se révèle ronde, onctueuse, tandis que la finale, sur le croquant du fruit, amène une juste fraîcheur. ⧗ 2019-2020 ■ **Bauvais 2018 (8 à 11 €; n.c.)** : vin cité.

LES VIGNERONS DE LA CAVE DE PIERREFEU, av. Léon-Blum, RD_12, 83390 Pierrefeu-du-Var, tél. 06 52 00 25 58, frousseau.vigneronspierrefeu@orange.fr V *t.l.j. sf. dim. 8h-12h 13h30-18h*

Ⓑ DOM. PINCHINAT 2018

■	50000	🍾	8 à 11 €

Situé dans la plaine de Trets au pied de la montagne Sainte-Victoire, ce domaine est dirigé par Alain de Welle, qui applique depuis son installation en 1990

les règles de l'agriculture biologique sur ses 30 ha de vignes.

Des parfums de fleurs, de fruits rouges, de confiserie et de noisette se dégagent de cette cuvée née de grenache, de syrah, de cinsault et de mourvèdre. La bouche est souple, fraîche et fruitée. Un rosé sans chichi. 2019-2020 **Villa Victorine 2018 (5 à 8 €; 10000 b.)** : vin cité.

EARL A. DE WELLE, D_6, 83910 Pourrières, tél. 04 42 29 29 92, domainepinchinat@wanadoo.fr V r.-v.

DOM. DES PLANES
Cuvée Tiboulen 2018 ★

	40000	11 à 15 €

Fondé en 1902 sur les premiers contreforts des Maures, ce vaste domaine de 96 ha a été racheté en 1980 par des Allemands, Ilse et Christophe Rieder, diplômés de l'école supérieure de viticulture de Geisenheim (Rheingau). Rejoints par leurs trois fils Stéphane, Oliver et David, le couple exploite aujourd'hui 28 ha de vignes, conduites de longue date en bio (certification en 2009).

Une cuvée originale composée à 60 % de tibouren, 20 % de grenache et 20 % de syrah. Elle dévoile au nez des arômes intenses de fleurs blanches et d'épices. La bouche est vive, bien fruitée et déploie une jolie finale ronde et longue. 2019-2020

SCEA LES PLANES-FAMILLE RIEDER, Dom. des Planes, RD_7, 83520 Roquebrune-sur-Argens, tél. 04 98 11 49 00, vin@dom-planes.com V r.-v.

LE PONT DES FÉES 2017

	7500		11 à 15 €

La cave de Grimaud, fondée en 1932, est l'une des plus anciennes de la région. Elle regroupe quelque 270 coopérateurs pour 950 ha de vignes, dont la majorité s'accroche aux coteaux sablo-argileux dominant le golfe de Saint-Tropez.

Une robe pourpre habille cette cuvée née de syrah, de carignan et de grenache, au nez expressif de cassis, de mûre d'épices et grillé. La bouche se montre ronde en attaque, puis affiche plus de sévérité dans son évolution, autour de tanins acérés. À attendre un peu. 2021-2024 **Tour de l'Horloge 2018 (8 à 11 €; 150000 b.)** : vin cité.

SCV LES VIGNERONS DE GRIMAUD, 36, av. des Oliviers, 83310 Grimaud, tél. 04 94 43 20 14, vignerons.grimaud@wanadoo.fr V *t.l.j. sf dim. 9h-12h30 14h-18h*

DOM. DE LA PORTANIÈRE
Pierrefeu Peyrol 2017

	2400		8 à 11 €

Fondé en 1858 et aujourd'hui exploité par Philippe et Pascale Blancard, ce domaine familial élabore ses vins depuis 2008. S'inscrivant dans une végétation de chênes-lièges, de pins parasols et d'arbousiers, il est implanté entre Collobrières et Pierrefeu, sur les contreforts des Maures. Au vignoble de 13 ha s'ajoute un verger de pommiers.

Du grenache et de la syrah à parts égales sont assemblés dans cette cuvée couleur rubis. Le nez, discret, dévoile des notes de cassis et de cerise. La bouche est ronde, bien équilibrée, dotée de tanins fins, un brin plus sévères en finale. 2020-2023

SCEA DOM. DE LA PORTANIÈRE, 790, rte des Maures, 83610 Collobrières, tél. 06 99 44 05 24, portaniere@nordnet.fr V *t.l.j. 11h-19h*

♥ CH. DE POURCIEUX 2018 ★★

	130000		11 à 15 €

Entre monts Aurélien et Sainte-Victoire, le Ch. de Pourcieux, ensemble architectural du XVIIIe s., appartient depuis son origine à la famille du marquis d'Espagnet, dont plusieurs membres furent conseillers du Parlement de Provence. Sa vocation viticole est maintenue depuis 1986 par Michel d'Espagnet, rejoint à la vinification par son fils Rémi et sa fille Alix à la commercialisation. Disposant d'environ 30 ha, le domaine s'est équipé en 2017 d'une cuverie neuve.

Double coup de cœur dans l'édition précédente (pour un blanc et un rosé), le domaine fait encore mouche avec ce 2018 épatant, né de syrah, de grenache, de cinsault et d'une pointe de vermentino. Le nez, aussi élégant qu'intense, dispense des arômes de fleurs blanches et de pomélo. La bouche se révèle croquante à souhait, pleine de fruits et de fraîcheur, enrobée par une matière suave. Un modèle d'équilibre. 2019-2020 **2018 ★★ (11 à 15 €; 6600 b.)** : ce pur vermentino à la robe cristalline dorée s'ouvre sur les fruits exotiques (mangue, fruit de la Passion) et les fleurs blanches. Ample dès l'attaque, la bouche apparaît fraîche et persistante sur le croquant du fruit, et la finale révèle des notes mentholées et une fine amertume qui ajoutent à son élégance. 2019-2021

EARL CH. DE POURCIEUX, 1, rue de la Croix, 83470 Pourcieux, tél. 04 94 59 78 90, chateau@pourcieux.com V r.-v.

DOM. RABIEGA Clos Dière 2018 ★★

	1464		11 à 15 €

Ce domaine ancien, (re)créé par Christine Rabiega en 1969, dispose d'une dizaine d'hectares de vignes sur le plateau argilo-calcaire des hauteurs de Draguignan. Son dernier propriétaire, l'œnologue suédois Sven Anders Aakesson, l'a cédé en 2014 à Yves Tanchou, qui souhaite développer encore davantage la dimension œnotouristique (chambres d'hôtes, expositions, séminaires d'entreprises...). Le vignoble couvre 12 ha, en conversion bio.

Cette cuvée pâle aux reflets argentés associe grenache, syrah et cinsault. Elle révèle un nez fin de fleurs et de fruits relevé de notes épicées. La bouche est franche, vive, alerte, portée par les agrumes. Un joli rosé expressif et gouleyant. 2019-2020

NOVOCOM, 516, chem. du Cros-d'Aimar, 83300 Draguignan, tél. 04 94 68 44 22, christelle.martin@rabiega.com V *t.l.j. sf sam. dim. lun. 9h-12h 14h-17h*

CH. RASQUE Blanc de Blanc 2018 ★

■	46000		15 à 20 €

Gérard Biancone s'est installé en 1983 dans le village provençal de Taradeau, où il a créé le Ch. de Rasque, établi sur un beau terroir argilo-calcaire. Sa fille, Sophie Courtois-Biancone, a pris en 2007 la conduite du domaine, fort de 100 ha, dont 30 plantés de vignes.

D'un jaune paille aux reflets dorés, ce 100 % vermentino révèle un nez fin et complexe de fruits confits (citron, orange) et d'épices douces. Elle offre un beau volume en bouche, de la rondeur, du fruit et plus de fraîcheur en finale. ⧗ 2019-2021 ■ **Cuvée Alexandra 2018 (15 à 20 €; 72000 b.)** : vin cité.

SOPHIE COURTOIS-BIANCONE, Ch. Rasque, 2897, rte de Flayosc, 83460 Taradeau, tél. 04 94 99 52 20, accueil@chateaurasque.com V t.l.j. 9h-18h

CH. RÉAL D'OR 2018 ★

■	1400		11 à 15 €

C'est en 1946 que furent plantées les premières vignes du Ch. Réal d'Or. François Lethier, propriétaire depuis 2010, gère ce domaine de 66 ha dont 30 ha de vignes d'un seul tenant, au cœur de la plaine des Maures.

Une cuvée 100 % vermentino en robe dorée, qui révèle au nez des arômes d'agrumes, de pêche et de miel. Vif en attaque, le palais se révèle ample et fruité, souligné par une fine trame minérale et iodée. Un vin élégant et très harmonieux. ⧗ 2019-2021

SCEA CH. RÉAL D'OR, RD 75, rte des Mayons, La Tuilière, 83590 Gonfaron, tél. 04 94 60 00 56, secretariat@chateau-realdor.fr V r.-v.

CH. RÉAL MARTIN Blanc de blancs 2018 ★

■	3200		11 à 15 €

Jean-Marie Paul, pionnier de la restauration moderne et fondateur du groupe Score, a été séduit par cet ancien domaine des comtes de Provence (320 ha, dont 35 ha de vignes en conversion bio) situé à 350 m d'altitude. Il s'y est installé en 2001 et a entrepris une rénovation complète de la bastide du XVIes. et de la cave. L'exploitation propose aussi de l'huile d'olive.

Sous une robe jaune pâle aux reflets argentés, on découvre un 100 % vermentino au nez discret de fleurs blanches et d'agrumes. La bouche est bien équilibrée, ronde sans manquer de fraîcheur, longue, fruitée et plus épicée en finale. ⧗ 2019-2020 ■ **Grande Cuvée 2018 (11 à 15 €; 17000 b.)** : vin cité.

SCEA CH. RÉAL MARTIN, 4476, rte de Barjols, 83143 Le Val, tél. 04 94 86 40 90, crm@chateau-real-martin.com V t.l.j. 9h-17h

CH. REILLANNE Grande Réserve 2018 ★

■	260000		5 à 8 €

Savoyards d'origine, les Chevron Villette sont arrivés dans le Var en 1919 grâce à l'union de Pierre-Joseph de Chevron Villette et Marie de Colbert-Cannet, héritière de l'ancestrale seigneurie du Cannet. Une aventure viticole qui s'est considérablement développée avec aujourd'hui un ensemble de 550 ha, de nombreuses propriétés et une affaire de négoce, le tout sous la conduite de Guillaume de Chevron Villette, petit-fils de Pierre-Joseph.

Ce rosé à la robe saumon pâle et brillante est composé de grenache, de vermentino, de tibouren et de cinsault. Le nez, discret, mêle le pomélo et la mangue. Une attaque fraîche ouvre sur une bouche plus ronde et suave, prolongée par une agréable finale épicée. ⧗ 2019-2020 ■ **Ch. Marouine 2018 ★ (11 à 15 €; 60000 b.)** : d'un joli rose pêche, cette cuvée (grenache, cinsault, vermentino) dévoile au nez des arômes de groseille, de fleurs et d'épices. La bouche affiche un bon équilibre entre fraîcheur et sucrosité. ⧗ 2019-2020 ■ **Ch. Colbert Cannet Diamant 2018 ★ (8 à 11 €; 200000 b.)** : du grenache, du cinsault, du vermentino et de la syrah ont été assemblés dans cette cuvée au nez subtil de fleurs, de pêche blanche et de fruits rouges, au palais frais et fruité. Un rosé sapide et alerte. ⧗ 2019-2020

SCEA CH. REILLANNE, rte de St-Tropez, 83340 Le Cannet-des-Maures, tél. 04 94 50 11 70, commercial@cv-vigneron.com V r.-v.

DOM. DU RÉVAOU La Londe 2018 ★

■	13000		8 à 11 €

Dans un décor encore un peu sauvage au cœur de la vallée des Borrels, Bernard Scarone s'attache à préserver un terroir de schistes entièrement exploité en bio depuis 2003. C'est en 1988 qu'il a pris la tête de ce domaine familial de 30 ha, qui porte le nom du ruisseau Lou Revaou.

Une belle robe cristalline rosée habille cette cuvée composée à 60 % de grenache, 25 % de cinsault et 15 % de vermentino. Le nez s'ouvre sur des parfums intenses de fleurs, tandis que la bouche est menée par le croquant du fruit frais. ⧗ 2019-2020 ■ **La Londe 2018 ★ (8 à 11 €; n.c.)** : au traditionnel vermentino viennent s'ajouter 20 % de clairette dans cette cuvée au nez intense d'agrumes et de jasmin. L'attaque est légèrement perlante et la bouche aérienne et juteuse, dotée d'une belle vivacité aux accents acidulés. ⧗ 2019-2020

EURL DOM. RÉVAOU, Les 3e Borrels, 83250 La Londe-les-Maures, tél. 06 19 98 02 94, bernard.scarone@wanadoo.fr V r.-v.

DOM. DE RIMAURESQ R 2016 ★

■ Cru clas.	20000		15 à 20 €

Fondé en 1864, ce cru classé de Provence a été acquis en 1988 par une famille de distillateurs écossais. Aujourd'hui forte de plus de 65 ha, la propriété, d'exposition nord-ouest, s'étend au pied de Notre-Dame-des-Anges, point culminant des Maures, sur un sol schisteux pauvre. En conversion bio.

D'un rouge profond, cette cuvée issue de syrah, de cabernet-sauvignon, de mourvèdre et de grenache révèle un nez expressif et gourmand de fruits mûrs, d'épices douces et de cacao. La bouche est dense, suave, généreuse, portée par des tanins soyeux et par une fine acidité. La finale épicée amène un surcroît de caractère. ⧗ 2022-2025 ■ **Cru clas. 2018 (11 à 15 €; 106000 b.)** : vin cité.

SAS DOM. DE RIMAURESQ, rte Notre-Dame-des-Anges, 83790 Pignans, tél. 04 94 48 80 45, rimauresq@wanadoo.fr V t.l.j. sf dim. 9h-12h 14h-17h

PROVENCE

CH. RIOTOR 2018 ★

■ | 80000 | 🍾 | 8 à 11 €

Au pied du massif des Maures, un domaine de 85 ha, dont 48 plantés de vignes sur grès et schistes rouges. La propriété est exploitée par la famille Abeille depuis quatre générations.

Du grenache, du cinsault, de la syrah, du vermentino et du mourvèdre ont été assemblés pour cette cuvée au nez intense de fleurs blanches. En bouche, le gras et la fraîcheur du fruit se marient avec élégance. ⧗ 2019-2020

SARL CH. RIOTOR, chem. de la Galante, 83340 Le Cannet-des-Maures, tél. 04 90 83 72 75, chateauriotor@orange.fr

CH. ROQUEFEUILLE 2018 ★

■ | 150000 | 🍾 | 11 à 15 €

Situé sur les contreforts du mont Aurélien, le Ch. Roquefeuille s'étend sur 202 ha d'un seul tenant. La famille Bérenger l'acquiert en 1976 et porte la surface de son vignoble de 25 à 100 ha. Les ceps y prospèrent sous le regard bienveillant de la montagne Sainte-Victoire, bénéficiant d'un sol argilo-calcaire et d'une exposition plein sud. Le domaine a été repris en 2016 par Gassier en Provence, filiale d'Advini.

Ce 2018 à la robe rose argentée est issu de l'assemblage de grenache, de syrah, de vermentino, de sémillon et de cabernet-sauvignon. Le nez dévoile des arômes fruités (pêche, pamplemousse), floraux, réglissés et épicés. Une complexité prolongée par une bouche élégante, harmonieuse et longue, soulignée par de fins amers en finale. ⧗ 2019-2020

SCEA CH. ROQUEFEUILLE, D_6, 83910 Pourrières, tél. 04 42 66 38 92, bruno.descamps@chateauroquefeuille.fr V *r.-v.*

CH. ROSAN Élégance 2018 ★

■ | 11000 | 🍾 | 8 à 11 €

Acquis en 2012 par Gérard Chauvet, ce domaine de 25 ha, construit autour d'une ancienne plâtrière et cultivé sur des restanques (terrasses), offre une superbe vue sur le massif des Maures et la chapelle de Notre-Dame-des-Anges.

75 % de grenache et 25 % de syrah composent cette cuvée au nez de fruits rouges et d'agrumes. La bouche est dominée par une acidité traçante, suivie par une finale mentholée et épicée qui amène un surcoît de gourmandise. ⧗ 2019-2020 ■ **Évidence 2018** ★ (5 à 8 €; **53000 b.**) : dans sa robe marbre rose, cette cuvée née de grenache, syrah, cinsault, vermentino et mourvèdre présente au nez des arômes d'agrumes, de pêche et de poire. La bouche est bien équilibrée autour d'une jolie matière et d'une finale fruitée persistante. ⧗ 2019-2020

SCEA SAINT-MICHEL, quartier la Fondaille, RND_97, 83790 Pignans, tél. 06 70 08 13 79, scea.saint.michel@gmail.com V *t.l.j. sf dim. 10h-12h 15h-18h*

Ⓑ CH. ROUBINE Inspire 2018 ★

■ Cru clas. | 10000 | 🍾 | 20 à 30 €

Connu depuis le XIVᵉ s., ce cru classé aux origines templières (ordre de Saint-Jean-de-Jérusalem) dispose d'un vignoble de quelque 90 ha implanté dans un amphithéâtre bordé de pins et de chênes. Valérie Rousselle, à la tête du domaine depuis 1994, y cultive une belle palette de treize cépages méditerranéens. En agriculture biologique certifiée depuis 2017 et en conversion vers la biodynamie depuis 2019.

Le tibouren, majoritaire dans cette cuvée, a été assemblé à du grenache et de la syrah, ce qui confère au nez des arômes de fleurs, de fruits confits et de notes épicées. Rond et bien équilibré, ce rosé offre une belle matière en bouche et une bonne persistance aromatique. ⧗ 2019-2020

CH. ROUBINE, 4216, rte de Draguignan, 83510 Lorgues, tél. 04 94 85 94 94, info@chateauroubine.com V *r.-v.*

CH. DU ROUËT Cuvée au Cœur 2018 ★

■ | 50000 | 🍾 | 5 à 8 €

Au pied des roches rouges des premiers contreforts de l'Esterel, la propriété conduite par la famille Savatier depuis la fin du XIXᵉ s. et six générations se tourne résolument vers la vigne dès 1927. Son vignoble s'étend aujourd'hui sur 85 ha.

Ce rosé gris pâle est issu de l'assemblage du grenache, du tibouren et du cinsault. Il s'ouvre sur les fleurs et les agrumes. Arômes que l'on retrouve agrémentés d'épices dans une bouche souple et pleine de fraîcheur, d'une belle persistance aromatique. ⧗ 2019-2020

SCEA DOM. DU CH. DU ROUET, rte de Bagnols, D_47, 83490 Le Muy, tél. 04 94 99 21 10, contact@chateau-du-rouet.com V *t.l.j. 9h-12h 14h-18h*

DOM. LA ROUILLÈRE Grande Réserve 2018 ★

■ | 44000 | 🍾 | 11 à 15 €

Redynamisé par Magali et Bertrand Letartre qui l'achetèrent en 1998 et y implantèrent une cave, ce domaine fondé en 1900 sur la presqu'île de Saint-Tropez doit son nom au ruisseau qui surgit des collines de Gassin. À cheval sur Gassin et Ramatuelle, il compte 120 ha, dont 45 plantés de vignes.

Une grande part de grenache assemblée à une pointe de syrah, de cinsault, de tibouren et de sémillon donne une jolie cuvée couleur framboise. Le nez est discret, sur les fruits rouges, et la bouche ample et fraîche, avec une finale croquante sur les agrumes. ⧗ 2019-2020

SARL DOM. LA ROUILLÈRE, rte D_61, 83580 Gassin, tél. 04 94 55 72 60, contact@domainelarouillere.com V *t.l.j. 8h30-20h*

DOM. SAINT-ANDRIEU 2018

■ | 56500 | 🍾 | 11 à 15 €

Acquis en 2003 et restructuré par Jean-Paul et Nancy Bignon, par ailleurs propriétaires du Ch. Talbot, cru classé de saint-julien dans le Médoc, ce vignoble de 30 ha jouit d'un terroir argilo-calcaire privilégié à 380 m d'altitude, au pied du Bessillon. Deux étiquettes ici : le Dom. Saint-Andrieu en côtes-de-provence et l'Oratoire Saint-Andrieu en coteaux-varois, sans oublier la production d'huile d'olive.

Un rose clair brillant habille cette cuvée issue de grenache, cinsault, syrah, mourvèdre et vermentino, au nez de pêche, d'agrumes, de fruits blancs et d'anis, offrant une jolie tension jusqu'à la finale. ⧗ 2019-2020

SAS DOM. SAINT-ANDRIEU, chem. Saint-Andrieu, 83570 Correns, tél. 04 94 59 52 42, contact@domaine-saint-andrieu.com V r.-v.

SAINTE-ANNE 2018 ★

	5000		11 à 15 €

Ce petit domaine tropézien de 6 ha a été créé en 2010 par Jean-Michel Augier et son fils Christophe.

75 % de grenache, 12 % de syrah et 13 % de mourvèdre composent cette cuvée couleur pétale de rose, au nez de fleurs blanches et de fruits rouges. En bouche, rondeur, acidité et amertume se marient avec élégance autour d'une belle expression du fruit. ⧗ 2019-2020

JEAN-MICHEL AUGIER, 40, Vieux-Chem.-de-Sainte-Anne, 83990 Saint-Tropez, tél. 04 94 97 04 35, clos.sainte.anne@orange.fr V *t.l.j. 9h-12h 14h-19h*

CH. SAINTE-CROIX Charmeur 2018 ★

	40000		8 à 11 €

L'ancienne ferme fortifiée du XIIes. était habitée par les moines lors de la construction de l'abbaye du Thoronet. Fondé en 1927 par Fernand Pélépol, le domaine actuel est conduit depuis 2007 par Stéphane, qui a pris la relève de son père Jacques. Le vignoble compte 50 ha.

Issue d'un assemblage de grenache, de cinsault et de syrah, cette cuvée rose pâle révèle au nez des arômes de pêche, d'abricot et d'agrumes. La bouche, élégante et complexe, allie vivacité zestée et volume gourmand, pour finir sur des notes de bonbon acidulé. ⧗ 2019-2020 ■ **Saint-Pierre 2017 (8 à 11 €; 20000 b.)** : vin cité.

SARL PÉLÉPOL ET FILS, rte du Thoronet, 83570 Carcès, tél. 04 94 80 79 13, chateausaintecroix83@yahoo.fr V *t.l.j. sf sam. dim. 9h-12h 14h-18h* 5

SAINTE-MAGDELEINE 2018 ★

	27000		11 à 15 €

Bientôt un siècle (1921) que la famille Sack exploite ce domaine aujourd'hui conduit en bio. La propriété, située dans le parc national des Calanques, dispose d'un vignoble de 13 ha étagé en restanques, face à la mer sur les flancs du cap Canaille, et commandé par une demeure au style Art déco.

Ce vin aux reflets orangés dévoile un nez complexe allant des fruits compotés aux confiseries, en passant par des notes mentholées et épicées. L'attaque est vive, le milieu de bouche bien structuré et la finale agréablement iodée. ⧗ 2019-2020

SCEA CLOS SAINTE-MAGDELEINE, av. du Revestel, 13260 Cassis, tél. 04 42 01 70 28, clos.sainte.magdeleine@gmail.com V *t.l.j. sf dim. 10h-12h30 14h30-19h*

B CH. SAINTE-MARGUERITE La Londe Cuvée Symphonie 2017 ★★

■ Cru clas.	27000		20 à 30 €

Depuis sa création en 1929, ce vignoble est passé de 11 à 110 ha. Entouré de palmiers, il est implanté sur les premiers contreforts du massif des Maures et domine la Méditerranée, non loin des îles d'Or. Ce cru classé des côtes-de-provence a été repris en 1977 par Brigitte et Jean-Pierre Fayard, qui l'ont orienté en 2003 vers l'agriculture biologique. En 2017, la deuxième génération – Olivier et Christine, Guillaume et Véronique, Arnaud et Sigolène – a pris les rênes du domaine.

Cette cuvée issue de syrah (60 %) et de grenache propose un nez complexe mêlant les fruits rouges et noirs au cacao et aux épices. On retrouve ces arômes dans une bouche ronde, charnue, soutenue par des tanins et un boisé bien fondus. ⧗ 2020-2024 ■ **Cru clas. 2018 ★★ (11 à 15 €; 269000 b.)** B : du grenache, du cinsault et une pointe de syrah sont assemblés dans ce rosé couleur melon brillant, au nez intense, sur la mandarine, l'abricot et les fruits secs, et à la bouche souple et fraîche. ⧗ 2019-2020

SARL VINS ET VIGNOBLES FAYARD, 303, Le Haut-Pansard, 83250 La Londe-les-Maures, tél. 04 94 00 44 44, contact@vinsfayard.com V *t.l.j. sf dim. 9h-12h 14h-17h30*

B DOM. SAINTE-MARIE Tradition 2018 ★

	17600		8 à 11 €

En 1884, une épidémie de choléra s'arrête aux portes de la propriété – dépendance de la chartreuse de la Verne au XVIIIes. Une statue de la Vierge est édifiée, et le domaine trouve alors son nom. Le vignoble (40 ha) a été repris en 2007 par Christopher Duburcq, qui a engagé la conversion bio l'année suivante.

Une cuvée composée à 47 % de vermentino, 23 % de clairette, 23 % d'ugni blanc et 7 % de sémillon. Elle dévoile des arômes soutenus d'agrumes, de fruits exotiques et de fleurs. La bouche, ample et riche, est rehaussée par la vivacité du fruit en finale. ⧗ 2019-2021 ■ **1884 2016 (11 à 15 €; 4800 b.)** B : vin cité.

SARL DOM. SAINTE-MARIE, RN_98, rte de Saint-Tropez, 83230 Bormes-les-Mimosas, tél. 04 94 49 57 15, contact@domainesaintemarie.fr V *t.l.j. 10h-13h 14h-18h*

CH. SAINTE-ROSELINE 2018 ★

Cru clas.	12660		15 à 20 €

Autour de l'abbaye Sainte-Roseline (XIes.) et de sa chapelle où reposent les reliques de la sainte, cet ancien vignoble des évêques de Fréjus (où séjourna le pape Jean II) côtoie les oliviers et les forêts sur une superficie de 110 ha. En 1994, Bernard Teillaud entreprend de rénover la propriété, qu'il transmet en 2007 à sa fille, Aurélie Bertin-Teillaud. Sainte-Roseline est l'un des dix-huit crus classés de Provence et l'un des piliers de l'appellation, souvent en vue pour ses rouges.

Ce 100 % rolle se présente dans une seyante robe dorée, le nez bien ouvert sur des arômes de pêche, d'abricot et d'agrumes. La bouche, très équilibrée, associe rondeur et fraîcheur du fruit, de beaux amers venant souligner la finale. ⧗ 2019-2021

SCEA CH. SAINTE-ROSELINE, 83460 Les Arcs-sur-Argens, tél. 04 94 99 50 30, contact@sainte-roseline.com V *r.-v.*

PROVENCE

CH. SAINT-ESPRIT Signature 2018

■ | 20000 | | 11 à 15 €

Sur cette ancienne propriété de la confrérie du Saint-Esprit (XIIe s.), lieu de pèlerinage à la croisée des chemins entre Draguignan et Lorgues, s'étendent les 15 ha du vignoble acquis en 1955 par le père de Richard Crocé-Spinelli. Ce dernier, œnologue, lui a succédé en 1985 et travaille avec son épouse Hélène et ses enfants Mathilde et Florent. Domaine en conversion bio.

Ce rosé tirant sur le gris est composé de cinsault, de mourvèdre et de grenache. Son nez révèle des arômes intenses de pêche, d'abricot et d'agrumes, que l'on retrouve dans une bouche fraîche, soulignée par de légers amers. 2019-2020

CROCÉ-SPINELLI, 449, rte des Nouradons, 83300 Draguignan, tél. 04 94 68 10 91, info@saintesprit-provence.com V t.l.j. sf dim. 10h-13h 14h-19h

SAINTE-VICTOIRE Noblesse 2017 ★

■ | 6711 | | 8 à 11 €

La cave de Rousset, située aux pieds de la montagne Sainte-Victoire, est une coopérative créée en 1914. Elle regroupe environ 70 adhérents et couvre un vignoble de 354 ha. Guilaume Tardieu, chef de cave, élabore des vins en AOC côtes-de-provence, en AOC sainte-victoire et en IGP méditerranée.

50 % de grenache, 25 % de syrah et 25 % de cinsault composent cette cuvée couleur cerise, aux parfums de fruits rouges. La bouche est douce, ronde, enveloppante, soutenue par des tanins soyeux. 2019-2023

CAVE COOPÉRATIVE DE ROUSSET, quartier Saint-Joseph, 13790 Rousset, tél. 04 42 29 00 09, cave-de-rousset@wanadoo.fr V t.l.j. sf dim. 9h-12h 14h-19h

CH. SAINT-MARC Grande Réserve Domini 2017 ★★

■ | 3000 | | 11 à 15 €

Emmanuel Nugues, Bourguignon tombé sous le charme de l'arrière-pays du golfe de Saint-Tropez, a racheté en 2000, à Masayoshi Miyamoto, ce domaine de près de 8 ha (en conversion bio), implanté sur les premiers contreforts du massif des Maures, sur des sols sableux et rocailleux.

Cette cuvée à dominante de syrah (80 %) se présente dans une robe rouge sombre. Le nez, intense et élégant, dévoile des notes de cerise, de cannelle, de pain grillé et de torréfaction. La bouche, bâtie sur des tanins fermes mais au grain d'une grande finesse, offre beaucoup de volume, de densité et de puissance. 2022-2026 **Grande Réserve Domini 2018 ★★ (8 à 11 €; 1800 b.)** : paré d'une belle robe jaune soutenu, ce 100 % rolle présente un nez fin d'agrumes, de tilleul et d'épices agrémenté d'un boisé léger. La bouche est tendre, ronde, fruitée, soulignée par une fine fraîcheur et un élevage bien maîtrisé. 2019-2022

SCEA DOM. CH. SAINT-MARC, 588, chem. des Crottes-et-de-Saint-Marc, 83310 Cogolin, tél. 09 75 64 22 91, chateau.saint.marc@wanadoo.fr V r.-v.

CH. DE SAINT-MARTIN Grande Réserve 2018

Cru clas. | 70000 | | 11 à 15 €

Les Romains au IIe s. av. J.-C., puis les moines de Lérins du Xe au XVIIIe s. ont cultivé la vigne sur ces terres. Depuis 1740, le Ch. se transmet généralement de mère en fille. En 1993, Adeline de Barry prend les commandes de ce cru classé de Provence, dont le vignoble couvre 50 ha.

Une robe rose pâle aux reflets dorés habille cette cuvée ouverte sur le bonbon acidulé et le poivre. La bouche est à la fois fraîche et soyeuse, avec une belle tension en finale. 2019-2020

SCEA CH. DE SAINT-MARTIN, rte des Arcs, 83460 Taradeau, tél. 04 94 99 76 76, contact@chateaudesaintmartin.com V t.l.j. sf dim. 9h-12h 13h-19h

CH. SAINT-MAUR L'Excellence 2018 ★★

Cru clas. | 9000 | | 20 à 30 €

Déjà propriétaire de la Quinta do Pessegueiro (Douro), l'entrepreneur Roger Zannier a acquis en 1955 cette propriété située à Cogolin, au pied du massif des Maures et à 10 km de Saint-Tropez. C'est aujourd'hui son gendre, Marc Monrose, qui conduit ce cru classé de 100 ha, dont 60 sont plantés. Il a doté le domaine d'un nouveau chai de haute technologie.

Ce pur vermentino à la robe cristalline dévoile un nez fin et racé, sur les fruits exotiques et les épices. En bouche, il dispense une belle fraîcheur minérale, du fruit et une jolie finale saline typique de ce territoire. 2019-2020

SA CH. SAINT-MAUR, 535, rte de Collobrières, 83310 Cogolin, tél. 04 94 95 61 61, csm@zannier.com V r.-v.

SAINT-ROCH-LES-VIGNES Pierrefeu Quintessence 2018 ★★

■ | 13300 | | 8 à 11 €

Cave coopérative depuis 1911, située dans le triangle d'or des côtes-de-provence, la cave de Saint-Roch-les-Vignes vinifie des vins rouges, blancs et rosés issus de raisins cultivés sur les 600 ha de son territoire.

Du grenache, du cinsault, de la syrah et du vermentino ont été assemblés dans cette cuvée au nez intense de fruits rouges et d'agrumes. La bouche, longue et élégante, est dotée d'une belle tension qui s'équilibre avec une douceur gourmande aux accents de fruits mûrs. 2019-2020 ■ **Pierrefeu Quintessence 2017 ★ (11 à 15 €; 6500 b.)** : 45 % de syrah, 32 % de mourvèdre, 13 % de carignan et 10 % de grenache composent cette cuvée au nez de fruits rouges sur fond de boisé grillé. La bouche se révèle équilibrée, élégante et longue, étayée par des tanins fins. 2020-2023

SCA SAINT-ROCH-LES-VIGNES, 505, bd Gambetta, 83390 Cuers, tél. 04 94 28 60 60, contact@cuers-saintroch.com V t.l.j. sf dim. 9h-12h 14h15-18h

DOM. SAINT-ROMAN D'ESCLANS Aire de famille 2018 ★★

■ | 2500 | | 8 à 11 €

Cette propriété viticole de 9 ha située à La Motte, sur un coteau dominant la vallée des Esclans, a été

acquise en 1973 par Philippe Miguet, passée en bio par sa fille Clarisse et conduite depuis 2011 par ses petits-enfants Fabrice et Stéphanie.

De la syrah et du grenache à parts égales composent cette cuvée rose pâle, au nez intense de fruits rouges, de mangue et de citron. La bouche est ronde et veloutée sans manquer de dynamisme et de fraîcheur, et déploie une longue finale éclatante de fruits. ⧗ 2019-2020 ■ **Terre Rouge 2017 ★ (11 à 15 €; n.c.)** Ⓑ : D'un rouge profond, cette cuvée née de syrah, grenache et cabernet-sauvignon s'ouvre sur un nez intense de fruits rouges et d'épices. La bouche apparaît dense, ample et puissante, soutenue par des tanins encore un peu austères, qui s'assoupliront avec les années. ⧗ 2022-2026

SYLVAIN GODEFROY, 2176, rte de Callas, 83920 La Motte, tél. 06 80 77 09 09, saintromandesclan@gmail.com t.l.j. sf dim. 10h- 18h

Ⓑ LA FERME SAINT-ROUX Le Pigeonnier 2016 ★

■	30 000		11 à 15 €

Le Ch. Saint-Roux est né au XVe s. et tire son nom de la couleur des sols sur lesquels il se situe. Le vignoble s'étend sur 40 ha conduits en agriculture biologique.

Grenache, cinsault, syrah, carignan et mourvèdre composent cette cuvée pourpre sombre, au nez expressif et complexe de cassis et de truffe. En bouche, on découvre un vin opulent, charnu et long, doté de tanins soyeux. ⧗ 2020-2023 ■ **Ch. Saint-Roux 2018 ★ (15 à 20 €; 20 000 b.)** : un joli nez d'agrumes, de pêche blanche et de fruits exotiques se dévoile de cette cuvée isue de cinsault, syrah, grenache, mourvèdre, et vermentino. La bouche est fraîche et gourmande, avec une finale délicate sur de fins amers. ⧗ 2019-2020

SARL CH. SAINT-ROUX, rte de la Garde-Freinet, RD_17, 83340 Le Cannet-des-Maures, tél. 04 98 10 02 61, contact@chateausaintroux.com t.l.j. 10h-18h

SAINT-SIDOINE Élite 2018

■	6 900		8 à 11 €

Rebaptisée Cellier Saint-Sidoine en 1987, la coopérative La Pugétoise, fondée en 1923 à Puget-Ville, regroupe quelque 180 adhérents et exploite, avec quelque 530 ha de vignes, l'un des plus grands ensembles de l'aire des côtes-de-provence.

Ce 2018 à la robe saumonée révèle au nez des arômes de fruits rouges bien mûrs et de fleurs. La bouche est suave et ronde, avec une amertume agréable en finale. ⧗ 2019-2020

SCA CELLIER SAINT-SIDOINE, 14, rue de la Libération, 83390 Puget-Ville, tél. 04 98 01 80 50, cellier@saintsidoine.com r.-v.

SAINT-TROPEZ Gold 2018

■	160 000		11 à 15 €

Le château, dont la construction remonte à la fin du XVIIe s., se situe à proximité des célèbres plages de Pampelonne, sur la presqu'île de Saint-Tropez. Le domaine et ses 50 ha de vignes sont propriété de la famille Gasquet-Pascaud depuis 1840.

Cette cuvée se présente dans une robe rose pêche et dévoile un nez fin de fruits blancs. Dans la continuité, la bouche, bien équilibrée, présente un fruité expressif. ⧗ 2019-2020 ■ **Grain de Glace 2018 (11 à 15 €; 150 000 b.)** : vin cité.

SCA LES MAÎTRES VIGNERONS DE LA PRESQU'ÎLE DE SAINT-TROPEZ, 270, RD_98, La Foux, 83580 Gassin, tél. 04 94 56 32 04, info@mavigne.com t.l.j. sf dim. 9h-18h30 (juil.-août 19h30)

DOM. LA SANGLIÈRE La Londe Apogée 2017 ★

■	5 500		20 à 30 €

Situé au cap Bénat, site protégé à quelques km des îles d'Hyères, ce vignoble d'une quarantaine d'hectares a été acquis en 1980 par François Devictor, ingénieur agricole, qui y a installé une cave. Ses fils Rémy et Olivier exploitent le domaine dans un esprit bio, mais sans certification.

Sous une robe lumineuse, un fruité bien mûr et épicé se manifeste généreusement. Tout est riche dans ce vin aux tanins fins et souples. Une légère vivacité apparaît sous des traits mentholés, apportant du relief à la finale. Un caractère sudiste assumé et harmonieux. ⧗ 2021-2024 ■ **Dom. de la Sanglière La Londe Apogée 2018 ★ (15 à 20 €; 6 000 b.)** : le bonbon à la fraise, la dragée, ainsi que de petites touches florales et épicées composent la palette de ce vin bien typé Provence. Après une attaque amylique, une jolie matière héritée du grenache emplit le palais. Le caractère chaleureux s'impose, mais une agréable pointe d'amertume rehausse l'ensemble en finale. ⧗ 2019-2020 ■ **Dom. de la Sanglière Spéciale 2018 ★ (11 à 15 €; 30 000 b.)** : un vin très pâle, chaleureux et expressif. La fraise et le bonbon caractérisent le premier nez, puis une touche de menthol apparaît à l'aération. Tout est souple et fruité au palais, avec cette jolie finesse de texture et la fraîcheur attendue. ⧗ 2019-2020

SARL LA SANGLIÈRE, 3886, rte de Léoube, 83230 Bormes-les-Mimosas, tél. 04 94 00 48 58, sangliere@domaine-sangliere.com t.l.j. sf sam. dim. 9h-12h 14h-18h

Ⓑ CH. DES SARRINS 2016 ★★

■	10 000		15 à 20 €

Le Champenois Bruno Paillard, plus connu pour ses bulles haut de gamme, a acquis ce domaine en 1995. Aujourd'hui, il conduit 27 ha en bio et des oliviers, autour d'une vénérable bastide provençale du XVIIIe s. Selon la légende, un chef sarrasin, tué au VIIIe s. à l'époque des invasions arabes, serait enterré ici avec son armure d'or...

Syrah, mourvèdre, cabernet-sauvignon et carignan sont assemblés dans cette cuvée à la robe pourpre sombre et au nez complexe de fruits noirs, de sous-bois, de cuir et d'épices (thym). La bouche se révèle ample et dense, bien structurée par des tanins soyeux et par un élevage précis. Un joli vin de garde, harmonieux et aromatique. ⧗ 2022-2030

SCEV DOM. DES SARRINS, 897, chem. des Sarrins, 83510 Saint-Antonin-du-Var, tél. 04 94 72 90 23, info@chateaudessarrins.com r.-v.

DOM. SIOUVETTE Le Clos 2018 ★

■	5 000		15 à 20 €

Ancienne ferme des pères chartreux de la Verne, cette propriété, dans la famille Sauron depuis 1836,

produisait autrefois du bois d'œuvre. Elle se convertit à la viticulture au début du XXes. : en cave particulière jusqu'en 1956, puis passage en coopérative jusqu'en 1985 avant un retour à la vinification au domaine. Les 23 ha de vignes, plantés en coteaux sur les sols argilo-schisteux du massif des Maures, surplombent la vallée de la Môle. La conversion bio est l'objectif à moyen terme.

Une belle robe pêche habille cette cuvée dominée par le grenache. Le nez franc mêle les fruits (framboise, cassis, citron vert) et les fleurs blanches. La bouche se montre fraîche et enveloppante, avec une finale épicée racée. ⧗ 2019-2020 ■ **Le Clos 2017 ★ (20 à 30 €; 2400 b.)** : une cuvée originale à dominante de sémillon (60 %) qui révèle de beaux reflets argentés. Le nez associe les fruits secs (abricot), les fleurs blanches et le boisé grillé. La bouche est riche, dotée d'un beau relief et d'une bonne persistance aromatique. Jolie finale sur la fraîcheur des zestes d'agrumes. ⧗ 2019-2021

EARL DOMAINES SIOUVETTE, 990, RD_98, 83310 La Môle, tél. 04 94 49 57 13, contact@siouvette.com t.l.j. 8h-12h 14h-19h

DOM. SOUVIOU 2017 ★

■ | 2000 | | 11 à 15 €

Ce domaine très ancien – les cultures de la vigne et des oliviers existaient déjà au XVIes. – est entré dans la famille Pascal en 2001. Celle-ci y a relancé l'oléiculture, sans négliger le vin. Situé sur la route qui monte de Beausset au circuit du Castellet, le vignoble s'étend sur 18,5 ha en restanques, à l'origine de bandol et de côtes-de-provence d'une constance remarquable.

45 % de cabernet-sauvignon, 35 % de syrah et 20 % de mourvèdre sont assemblés dans cette cuvée couleur rubis, au nez complexe et bien typé de fruits rouges, de garrigue et d'épices. La bouche est soyeuse, ample et généreuse, bâtie sur des tanins souples. ⧗ 2020-2023

SCEA DOM. DE SOUVIOU, RN_8, 83330 Le Beausset, tél. 04 94 89 01 12, contact@souviou.com t.l.j. sf dim. 10h-13h 14h-18h

LES VIGNERONS DE TARADEAU
Domaine du Jas de Mège 2018 ★

■ | 4000 | | 8 à 11 €

Taradeau, dans la vallée de l'Argens, s'étend au pied d'un oppidum construit il y a plus de deux mille ans par des tribus celto-ligures. Sa coopérative a vu le jour en 1924 et a impulsé dans les années 1970 la replantation du vignoble de ses adhérents en cépages nobles. Elle dispose aujourd'hui de 145 ha.

Cette cuvée à dominante de grenache (70 %) se présente dans une robe rose pêche pâle. Son nez dévoile de fins arômes de fleurs, de fruits exotiques et de buis. La bouche est ample et bien construite entre tension et rondeur. ⧗ 2019-2020 ■ **Le Prestige 2018 (5 à 8 €; 24000 b.)** : vin cité.

SCA LES VIGNERONS DE TARADEAU, 204, av. des Arcs, 83460 Taradeau, tél. 04 94 73 02 03, contact@vigneronsdetaradeau.fr t.l.j. sf dim. 9h-12h30 14h30-18h30

DOM. DES THERMES Iter Privatum 2018

■ | 14000 | | 5 à 8 €

La famille Robert, qui exploite ses vignes depuis six générations (1792), est sortie de la coopérative en 1998. Le vignoble de 40 ha d'un seul tenant entoure une bâtisse du XVIIIes. et des pins parasols centenaires situés sur le site d'une villa gallo-romaine, dont on peut découvrir les vestiges dans un musée créé en 2012.

Ce pur vermentino couleur jaune pâle révèle un nez fin d'agrumes et de rose. Une jolie fraîcheur minérale anime la bouche tient jusqu'en finale. Un vin énergique. ⧗ 2019-2020 ■ **Ursae 2018 (8 à 11 €; 5000 b.)** : vin cité.

EARL ROBERT, RDN_7, 83340 Le Cannet-des-Maures, tél. 04 94 60 73 15, domaine.des.thermes@orange.fr t.l.j. sf dim. 8h-19h

CHEVALIER TORPEZ Bravade 2018

■ | 7000 | | 8 à 11 €

Fondée en 1908, la coopérative des Vignobles de Saint-Tropez regroupe la production d'une centaine d'adhérents qui cultivent près de 200 ha de vignes sur tout le littoral tropézien.

Cette cuvée à la robe dorée est issue à 80 % de vermentino complétés d'ugni blanc. Le nez, délicat, associe les fruits jaunes et les fruits exotiques. En bouche ? Un bon volume, une acidité croquante et une finale énergique. ⧗ 2019-2020 ■ **Ch. La Moutte Chevalier Torpez 2018 (15 à 20 €; 18000 b.)** : vin cité.

SARL LA CAVE DE SAINT-TROPEZ, av. Paul-Roussel, 83990 Saint-Tropez, tél. 04 94 97 01 60, ebailly@vignobles-saint-tropez.com t.l.j. sf dim. 9h-12h30 14h30-18h30

CH. LA TOUR SAINT-HONORÉ
La Londe Olivier 2018 ★

■ | 21000 | | 8 à 11 €

Ancienne propriété d'une riche famille de notables locaux, la Tour Saint-Honoré est aujourd'hui entre les mains de Serge et Chantal Portal, propriétaires depuis 1988. Le domaine s'étend sur 28 ha conduits en agriculture biologique et situés sur la commune de la Londe-les-Maures, en face des îles d'Or.

Un nez explosif de fruits jaunes (abricot, pêche), de fruits exotiques et d'agrumes (pamplemousse) exhale de ce rosé à la bouche bien structurée, où l'acidité et la rondeur amènent relief et longue tenue. ⧗ 2019-2020 ■ **La Londe Sixtine 2018 ★ (11 à 15 €; 3200 b.)** : ce 2018 aux reflets saumonés est issu de l'assemblage de cinsault, de mourvèdre et de grenache. Son nez s'ouvre sur des arômes de fruit mûrs, confiturés, d'agrumes et de fruits exotiques. La bouche est croquante, soulignée par une fine acidité. ⧗ 2019-2020

EARL CH. LA TOUR SAINT-HONORÉ, 1255, rte de Saint-Honoré, 83250 La Londe-les-Maures, tél. 04 94 66 98 22, chateau-tsh@wanadoo.fr t.l.j. sf sam. dim. 10h-12h 14h-18h

DOM. LES TROIS TERRES 2018 ★★

■ | 10000 | | 5 à 8 €

Luc Nivière, ancien pompier professionnel reconverti dans la viticulture pour succéder à son père,

est depuis 2002 à la tête de ce domaine de 25 ha. Les vignes sont implantées au point de jonction de trois terroirs argilo-calcaires, de couleurs différentes.

Cette cuvée jaune paille issue à 100 % de vermentino s'ouvre sans réserve sur les agrumes (citron, pamplemousse) et les fruits exotiques. Arômes que l'on retrouve dans une bouche fluide, bien équilibrée entre rondeur et vivacité, d'une belle longueur. ⌛ 2019-2021 ■ **2018 (5 à 8 €; 30000 b.)** : vin cité.

⊶ DOM. LES TROIS TERRES, D_79, rte de Brignoles, 83340 Cabasse, tél. 04 94 80 38 46, domainetroisterres@orange.fr V mar. ven. sam. 10h-12h 14h30-18h

DOM. TROPEZ 2018 ★

■	9900		8 à 11 €

Grégoire Chaix a hérité en 1996 de son grand-père d'un vignoble d'une quarantaine d'hectares au pied du village de Gassin, sur la presqu'île de Saint-Tropez. Il l'a restructuré, tout en construisant une cave. Il a misé d'emblée sur les rosés et a donné une touche de modernité à l'habillage de ses bouteilles et au nom de ses cuvées.

Une robe pâle habille cette cuvée de vermentino au nez discret d'agrumes (pamplemousse) et de fruit de la Passion. La bouche est ample et soyeuse, soulignée par une trame minérale. Un vin moderne et aromatique. ⌛ 2019-2020 ■ **Cuvée Sublime 2018 ★ (11 à 15 €; 6800 b.)** : du cinsault, du grenache et du vermentino sont assemblés dans cette cuvée cristalline aux reflets pelure d'oignon. Le nez est discret, sur les fruits blancs et le miel, tandis que la bouche explose de vivacité sur des notes zestées et minérales. ⌛ 2019-2020

⊶ SCEA TROPEZ, Campagne Virgile, 3538, RD_559, 83580 Gassin, tél. 04 94 56 27 27, info@domainetropez.com V r.-v.

Ⓑ CH. LA TULIPE NOIRE 2018

■	26000		11 à 15 €

Le Ch. la Tulipe noire, situé entre Carqueiranne et la Moutonne, appartient à la famille Baccino (Dom. des Peirecèdes). Le domaine a été créé en 2009 par Audrey et Leslie et s'étend sur 22 ha cultivés en agriculture biologique.

Une cuvée originale à dominante de tibouren qui se présente dans une jolie robe saumonée. Le nez de fleurs et de fruits exotiques laisse place à une bouche fraîche centrée sur le fruit et le bonbon acidulé. ⌛ 2019-2020

⊶ EURL ALAIN BACCINO (CH. LA TULIPE NOIRE), Dom. des Peirecèdes, 1201, chem. de la Mue, 83390 Cuers, tél. 04 94 48 67 15, contact@chateaulatulipenoire.com V t.l.j. sf dim. 9h30-12h30 15h-19h

ULTIMATE PROVENCE 2018 ★

■	6000		15 à 20 €

Situé sur les contreforts du massif des Maures, ce vignoble était conduit depuis 2005 par Jacqueline et Lambert Dielesen, des Hollandais qui avaient engagé d'importantes restructurations et fait de la propriété un haut lieu d'œnotourisme, avec une écurie. Il a été acquis en 2014 par le propriétaire britannique du Ch. de Berne, qui a porté la superficie du vignoble à 40 ha et a rebaptisé le domaine Ultimate Provence.

Ce 100 % rolle à la robe dorée révèle un nez très expressif de fleurs blanches et d'agrumes. La bouche est ronde, ample et tout aussi aromatique, avec une fine acidité en soutien qui lui donne de l'allonge. ⌛ 2019-2021

⊶ SAS CH. DES LAUNES, 7270, rte du Luc, 83680 La Garde-Freinet, tél. 04 94 85 29 10, contact@ultimateprovence.com V r.-v.

DOM. VAL D'IRIS Cuvée Eva 2016

■	4800		11 à 15 €

Un parfumeur grassois planta ici les premières vignes. Il y planta aussi des iris, toujours utilisés pour la fabrication de produits cosmétiques et entretenus par Anne Dor, vétérinaire de premier métier, et son mari Jean-Daniel, à la tête du domaine (14 ha) depuis 1999.

Une grande part de syrah et une pointe de cabernet-sauvignon composent cette cuvée pourpre aux reflets mauves. Le nez exhale les fruits noirs (cassis, myrtille), le cacao et les épices (genièvre). La bouche apparaît ronde, souple et fruitée, soutenue par des tanins patinés. Jolie finale sur les épices douces et la réglisse. ⌛ 2020-2024

⊶ ANNE DOR (VAL D'IRIS), 341, chem. de la Combe, 83440 Seillans, tél. 04 94 76 97 66, info@valdiris.com V t.l.j. sf dim. 11h-18h

CH. LES VALENTINES
Caprice de Clémentine 2018 ★

■	120000		11 à 15 €

Apparu aux premières heures du XXe s., ce domaine apportait sa vendange à la coopérative, avant son rachat en 1997 par Gilles Pons, venu de la communication, qui a créé la cave et baptisé la propriété du nom de ses enfants Valentin et Clémentine. Situé au bord de la Méditerranée, au sein de la dénomination La Londe, le vignoble compte aujourd'hui 45 ha.

Un rose pâle brillant habille cette cuvée composée à moitié de cinsault et à moitié de grenache. Le nez, tout en finesse, évoque les fruits exotiques (litchi, fruit de la Passion) et les fleurs (violette, rose). Léger et frais en bouche, ce rosé présente une belle vivacité et une finale saline agréable. ⌛ 2019-2020

⊶ SARL LES VALENTINES, 807, rte de Collobrières, 83250 La Londe-les-Maures, tél. 04 94 15 95 50, contact@lesvalentines.com V t.l.j. sf dim. 9h-18h (été 19h)

Ⓑ LARMES DE VALETANNE La Londe 2018 ★★

■	4000		15 à 20 €

L'œnologue suisse Jérôme Constantin dirige ce jeune domaine (2007) constitué d'un vignoble de 15 ha entre mer et collines, dont une partie est revendiquée en côtes-de-provence La Londe.

Issue de cinsault, de grenache et de mourvèdre, cette cuvée pâle et délicate présente au nez des arômes d'agrumes et de fruits exotiques. La bouche, bien équilibrée, fraîche et souple, offre une belle expression du fruit qui tient sur la longueur. ⌛ 2019-2020 ■ **La Londe 2017 ★ (15 à 20 €; 6000 b.)** Ⓑ : 80 % de mourvèdre et 20 % de syrah sont assemblés dans cette cuvée couleur rubis, au nez gourmand de fruits rouges et noirs (cassis, fraise) et de cacao. La bouche est soutenue par des tanins fondus et un bon boisé-vanillé enrobées dans une matière suave et charnue. ⌛ 2020-2024

PROVENCE

SCEA CH. LA VALETANNE, rte de Valcros, 83250 La Londe, tél. 04 94 28 91 78, info@chateaulavaletanne.com V t.l.j. sf dim. 10h-13h 16h-19h

CH. VAUDOIS 2018 ★

■	4800		15 à 20 €

Un domaine de 15 ha d'un seul tenant implanté sur sol schisteux, entre Saint-Raphaël et Saint-Tropez, et créé par Marie et Gérard Delli-Zotti en 2000.

La syrah domine l'assemblage (90 %) de cette cuvée rubis aux reflets violines. Le nez, atypique, présente des notes de pêche, de framboise, de réglisse et de violette. Fraîche en attaque, la bouche se montre ensuite riche et fruitée, étayée par des tanins encore un peu sévères. Jolie finale réglissée. ⧗ 2021-2024

SCEA CH. VAUDOIS, rte Ch. Vaudois, 83520 Roquebrune-sur-Argens, tél. 04 94 81 49 41, chateauvaudois@delliresort.com V t.l.j. sf dim. 9h-12h 14h-18h

CH. VERT La Londe Cuvée Séduction 2018 ★

■	3000		11 à 15 €

Cette propriété viticole a vu le jour au XVIIe s. et comptait à l'époque un millier d'hectares de vignes, d'oliviers et de bois. Acquise par Robert Ghigo en 2010, elle dispose d'un vignoble de 25 ha entre le massif des Maures et la Méditerranée.

Du cinsault, du grenache et de la syrah à parts égales ont été assemblés dans cette cuvée d'un beau rose franc et soutenu. Le nez tout aussi intense évoque les fruits rouges mûrs (fraise, framboise) et la bouche se montre onctueuse, gourmande et généreuse. ⧗ 2019-2020

SARL VIGNES CH. VERT, av. Georges-Clémenceau, 83250 La Londe-les-Maures, tél. 04 94 93 60 02, camille.ghigo@vignobles-ghigo.com V t.l.j. sf dim. 9h-12h 15h-18h

LES MAÎTRES VIGNERONS DE VIDAUBAN La Bastide du Curé 2018 ★

■	66000		5 à 8 €

La cave des Maîtres Vignerons de Vidauban a été fondée en 1912. Le vignoble est situé au cœur même de l'appellation des côtes-de-provence dans le département du Var et s'étend sur 426 ha. Aux commandes des vinifications, le talentueux maître de chai François Brun.

Un rose très pâle aux reflets violines habille cette cuvée née de grenache et de cinsault. Le nez mêle harmonieusement notes florales et fruits rouges. La bouche présente une belle vivacité et un fruité croquant qui tient sur la longueur. ⧗ 2019-2020 ■ **Fleur de Vitis 2018 (5 à 8 €; 10000 b.)** : vin cité.

LES MAÎTRES VIGNERONS DE VIDAUBAN, 89, chem. de Sainte-Anne, 83550 Vidauban, tél. 04 94 73 00 12, caveau@mvv.vin V t.l.j. sf dim. 8h-12h 14h-18h

PALETTE

Superficie : 48 ha
Production : 1 843 hl (70 % rouge et rosé)

Tout petit vignoble, aux portes d'Aix, qui englobe l'ancien clos du bon roi René. Rosés, rouges et blancs font appel à de nombreux cépages locaux. Les rouges, de garde, expriment la violette et le bois de pin.

Ⓑ CH. HENRI BONNAUD Quintessence 2018 ★

■	2000		20 à 30 €

En 1996, Stéphane Spitzglous reprend l'exploitation de son grand-père Henri Bonnaud. Après de grands travaux de construction d'un bâtiment rassemblant la cave, le chai et le caveau, il sort son premier millésime en 2004 et rebaptise son domaine au nom de son grand-père. Le vignoble est situé à Tholonet, au sud-est d'Aix-en-Provence face à la montagne Sainte-Victoire et couvre 29 ha conduits en agriculture biologique depuis 2013.

Couleur pamplemousse rose, cette cuvée d'assemblage (grenache, mourvèdre, cinsault, syrah) mêle les fleurs, la pêche blanche, les fruits rouges (groseille, cerise) et des notes réglissées. La bouche est ample, toute en finesse, et la finale suave est marquée par des notes épicées (poivre). ⧗ 2019-2020 ■ **2018 ★ (20 à 30 €; 5000 b.)** Ⓑ : une grande part de clairette assemblée à une pointe d'ugni blanc donne ici un vin jaune paille brillant, aux parfums gourmands de vanille et de réglisse. La bouche est élégante et persistante, en accord avec le nez. Un joli vin de garde. ⧗ 2019-2024 ■ **2018 (15 à 20 €; 15000 b.)** Ⓑ : vin cité.

SARL DE PECOUT, 585, chem. de la Poudrière, 13100 Le Tholonet, tél. 04 42 66 86 28, contact@chateau-henri-bonnaud.fr V r.-v. Ⓔ

IGP ALPILLES

DAL CANTO Venino 2017 ★

■	2500		11 à 15 €

Installé en 2002 sur une terre abandonnée, Richard Dal Canto a replanté et restructuré ce vignoble de 5 ha établi sur les hauteurs de Novès. Jusqu'en 2010, il apportait son raisin à la coopérative. Il a signé son premier millésime en 2011 et a entamé la conversion bio en 2015.

70 % de syrah et 30 % de merlot composent cette cuvée rouge sombre, au nez de fruits noirs (cassis) et de réglisse. Ronde et soyeuse, elle possède une belle personnalité aromatique jusque dans sa finale aux notes vanillées et épicées. ⧗ 2019-2022

DAL CANTO, 437, rte de Chateaurenard, 13550 Noves, tél. 06 72 02 45 99, richard.dalcanto@free.fr V r.-v. Ⓔ

Ⓑ DOM. DU DEVES 2017 ★

■	2000		11 à 15 €

Ancien fief de l'évêché d'Avignon, le dom. du Deves a toujours été une exploitation agricole devenue vignoble au XVIIIe s. Propriété de la famille Maltinti depuis 1955, le vignoble de 11 ha est conduit en agriculture biologique par Cathy et Laurent qui ont lancé leur premier millésime en 2014.

Rubis profond, cette cuvée composée à moitié de cabernet-sauvignon et de syrah présente un nez élégant de fruits noirs (cassis, mûre) et de vanille. Souple, c'est une belle matière persistante qui emplit le palais, soutenue par des tanins soyeux. ⧗ 2020-2025

LAURENT MALTINTI, Dom. du Deves, rte de Chateaurenard, 13550 Noves, tél. 06 83 27 69 41, laurent.maltinti@orange.fr V r.-v.

DOM. DE LAGOY 2018 ★★

	21000		5 à 8 €

Situé au nord de Saint-Rémy de Provence, dans le Parc naturel régional des Alpilles, ce domaine est entré dans la famille des propriétaires en 1677. Commandé par un élégant château du XVIIIe s., il inclut une chapelle du XIIe s. et un pigeonnier. Planté à partir de 1976, le vignoble (18 ha) est conduit en bio depuis 2001. Une nouvelle équipe a sorti l'exploitation de la coopérative en 2013.

Coup de cœur l'an dernier avec son rosé cuvée de la Chapelle 2017, le domaine signe ici un 2018 à dominante de grenache qui a peu à lui envier : une couleur fuchsia, un nez franc et gourmand de pêche et de bonbon arlequin, une bouche ample, élégante et fruitée. ⧗ 2019-2020

Alpilles 2018 ★ (5 à 8 €; 5300 b.) : un tiers de viognier, un tiers de chardonnay et un tiers de sauvignon blanc composent cette cuvée à la robe jaune cristallin et au nez fin d'abricot et d'amande. La bouche ronde et fruitée prolonge le plaisir par de légères notes beurrées en finale. ⧗ 2019-2021

SCEA MEYRAN-LAGOY, rte d'Avignon, 13210 Saint-Rémy-de-Provence, tél. 06 18 08 32 96, contact@domaine-lagoy.com V t.l.j. 10h-13h 15h-19h

DOM. DE LANSAC
Les Quatre Reines 2018 ★

	8000		8 à 11 €

À l'entrée de ce domaine commandé par un mas provençal du XIXe s., une tour construite par les Templiers au XIIIe s. sur des fondations romaines : une propriété qui a « vécu » en somme, entrée dans la famille d'Éléonore de Sabran en 1817. Cette dernière y conduit, depuis 1996 un vignoble de 37 ha en bio certifié, dont certains ceps ont été plantés en 1901.

Grenache, caladoc et merlot sont à l'origine de ce rosé de teinte saumon. Le nez mêle les fruits rouges, la pêche et les agrumes. La bouche apparaît elle aussi bien fruitée, un brin poivrée, ample, ronde et persistante. ⧗ 2019-2020

EARL LA TOUR DE LANSAC, 1700, lieu-dit Lansac, 13150 Tarascon, tél. 04 90 91 38 38, contact@domaine-lansac.com V t.l.j. sf dim. 9h-12h30 14h-18h30

CH. ROMANIN 2018 ★★

	7700		11 à 15 €

Anciens propriétaires du Ch. Montrose, cru classé de Saint-Estèphe, Anne-Marie et Jean-Louis Charmolüe ont acquis en 2006 ce vaste domaine (250 ha) au passé ancien, situé au cœur du Parc Naturel Régional des Alpilles à Saint Rémy de Provence. Le vignoble couvre 58 ha, conduits en biodynamie depuis 1988, et les vins sont élevés dans une cave monumentale, creusée dans la roche et conçue comme une cathédrale gothique.

Cette cuvée jaune pâle est issue de l'assemblage de 89 % de vermentino et 11 % de grenache blanc. Le nez s'ouvre sur des arômes intenses de fleurs blanches et de fruits jaunes que l'on retrouve dans une bouche bien équilibrée entre rondeur et fraîcheur. Un vin gourmand et généreux qui tient sur la longueur. ⧗ 2019-2021

SC CH. ROMANIN, CS_7000, 13210 Saint-Rémy-de-Provence, tél. 04 90 92 45 87, contact@chateauromanin.fr V t.l.j. sf dim. 10h-13h 15h-18h

DOM. DU VAL DE L'OULE
Blanc Passion 2018 ★★

	3000		8 à 11 €

Le dom. du Val de l'Oule s'étend sur 50 ha sur la commune d'Orgon, village des Bouches du Rhône dominé par une colline au sommet de laquelle s'élève la chapelle Notre-Dame-de-Beauregard. Fabrice Benoît représente la 5e génération à la tête du domaine et cultive ainsi 13 ha de vignes en agriculture biologique depuis 1998.

Jaune pâle à reflets verts, ce vin assemble 70 % de viognier et 30 % de chardonnay. Le nez est très expressif sur les fleurs blanches, les agrumes et la vanille. En bouche, la vivacité s'équilibre dans une belle matière à laquelle l'élevage a apporté une rondeur boisée. Un vin blanc élégant dès aujourd'hui, mais qui supportera bien la garde. ⧗ 2019-2022

SCIEV BENOÎT, Dom. du Val de l'Oule, rte d'Eygalières, 13940 Orgon, tél. 04 90 95 19 06, vignoblesbenoit@orange.fr V t.l.j. sf dim. 9h-12h 14h-18h

DOM. DE LA VALLONGUE Les Calans 2018

	20000		8 à 11 €

Niché au cœur des Alpilles, sur l'ancienne voie romaine qui reliait l'Espagne à l'Italie, ce domaine de 35 ha, en bio depuis 1985, est la propriété de M. Latouche depuis 2009.

Cinsault et grenache à parts quasi égales et une pincée (5 %) de syrah pour ce rosé à reflets violines, bien équilibré, fruité et très poivré au nez comme en bouche. ⧗ 2019-2020

SCEA DOM. DE LA VALLONGUE, rte de Mouriès, 13810 Eygalières, tél. 04 90 95 91 70, contact@lavallongue.com V t.l.j. sf dim. 10h-12h 13h-18h30

IGP BOUCHES-DU-RHÔNE

LES VIGNERONS DU GARLABAN
Caladoc Sentiers du Garlaban 2018

	10000		- de 5 €

Regroupement des caves du pays d'Aubagne jusqu'aux portes de Marseille, cette coopérative créée en 1924 dispose d'un vignoble de 165 ha entre les collines du Garlaban et de la Sainte-Baume, dans le secteur le plus occidental des côtes-de-provence.

Brillant, couleur pêche, ce rosé dévoile des parfums agréables de pêche de vigne et d'agrumes, prolongés par une bouche harmonieuse et d'une honorable longueur. ⧗ 2019-2020

PROVENCE

LES VIGNERONS DU GARLABAN, RD_560, rte de Saint-Zacharie, 13390 Auriol, tél. 04 42 04 70 70, vignerons.garlaban@orange.fr V t.l.j. sf dim. 9h-12h 15h-19h

DOM. VIRANT Gris 2018

	80000		5 à 8 €

Établie non loin de l'étang de Berre, sur un éperon rocheux ancien lieu de culte celto-ligure, cette vaste propriété de 160 ha de vignes (comprenant aussi 35 ha d'oliviers) a été acquise par Robert Cheylan en 1975. Elle possède une cave souterraine de 1632 servant de chai à barriques, une cave de vinification de 1897 de style haussmanien, un bâtiment récent pour l'embouteillage et le stockage, ainsi qu'un moulin à huile.

Ce rosé pâle et saumoné livre des arômes plaisants de fleurs blanches et de pamplemousse. En bouche, il se révèle frais et fruité. Un bon classique. ⌛ 2019-2020

SCEA CH. VIRANT, CD_10, 13680 Lançon-de-Provence, tél. 04 90 42 44 47, contact@chateauvirant.com V t.l.j. 8h-12h 14h-18h30

IGP HAUTES-ALPES

DOM. ALLEMAND
Goût des va3cances 2018 ★★

	6900		5 à 8 €

Un domaine familial de 12 ha créé en 1954; le premier à avoir commercialisé des vins en bouteilles dans les Hautes-Alpes. Marc Allemand, installé en 1984, un ardent défenseur d'un cépage local oublié, le mollard, a passé la main en 2017 à sa fille Laetitia.

Cabernet franc (85 %) et mollard sont associés dans ce rosé très brillant, lumineux, aux reflets d'or. Au nez, l'aubépine, les agrumes et la pêche de vigne font très bon ménage. En bouche, le vin se montre tout aussi aromatique, élégant, frais et long, souligné par une touche minérale du meilleur effet. Vivement les vacances… ⌛ 2019-2020 ■ **Orcanette 2018 ★★ (5 à 8 €; 6600 b.)** : une robe jaune pâle à reflets verts habille cette cuvée d'assemblage (muscat petits grains, ugni blanc, chardonnay), dont le nez complexe mêle des arômes de rose, de pêche, d'abricot, de fruit de la Passion et de pamplemousse. La voici ample et tonique au palais, avec en finale d'agréables notes acidulées. ⌛ 2019-2021 ■ **Matthéüs 2018 ★★ (8 à 11 €; 5200 b.)** : une cuvée originale composée majoritairement de merlot (le roi du Bordelais) et d'une pointe de mollard (cépage alpin confidentiel) qui se présente sous une robe rubis. Des arômes de fruits bien mûrs (cassis, myrtille) et des notes toastées, vanillées, invitent à poursuivre la dégustation. Du volume, des tanins souples et une belle matière pour ce vin puissant, mais toujours élégant. ⌛ 2021-2023 ■ **Rêverie d'été 2018 ★ (5 à 8 €; 6400 b.)** : né de muscat (60 %) et de cinsault, ce rosé clair aux légers reflets violines évoque avec poésie les petits fruits rouges et le bonbon anglais. Ample, frais et persistant sur le fruit, il invite effectivement à la rêverie. ⌛ 2019-2020

EARL ALLEMAND L. ET FILS, 1495, rte de l'Eau-Vive, lieu-dit La Plaine, 05190 Théüs, tél. 04 92 54 40 20, domaineallemand@orange.fr V t.l.j. sf dim. 9h-12h 14h-18h

IGP MAURES

♥ **DOM. DE L'ANGLADE** Le Rosé d'Anna 2018 ★★

	9600		11 à 15 €

L'unique domaine de la commune du Lavandou, acquis par la famille Van Doren en 1925. Les vignes (19 ha) côtoient ici pinèdes et roselières, ces dernières étant utilisées pour la fabrication des anches de clarinettes et de saxophones.

Grenache (85 %) et syrah unis pour le meilleur dans ce rosé superbe, à la robe pâle et brillante. Au nez, les fleurs blanches côtoient la fraise, dans sa version fruit et dans sa version bonbon. En bouche, le vin offre du gras, de la rondeur, de la douceur, de l'onctuosité, sans jamais manquer de fraîcheur, ni de son expression amylique et fruitée. Une vraie gourmandise. ⌛ 2019-2020 ■ **Le Rosé Tradition 2018 ★ (11 à 15 €; 13200 b.)** : un rosé couleur fluo aux reflets violines, ouvert sans réserve sur la violette, le cassis, la fraise des bois, agrémenté d'une touche anisée. ⌛ 2019-2020

DOM. DE L'ANGLADE, av. Vincent-Auriol, 83980 Le Lavandou, tél. 04 94 71 10 89, info@domainedelanglade.fr V r.-v.

DOM. LE BASTIDON Rosé de Saignée 2018

	41866		- de 5 €

Sous le regard des îles de Port-Cros et de Porquerolles, une imposante bastide provençale, ancienne propriété des chartreuses de la Verne au XVIIIe s., commande un vignoble de 79 ha et quelque 3 000 oliviers. C'est sur ce terroir de schistes réputé de La Londe-les-Maures que la famille Rose, normande d'origine, est venue trouver la chaleur en 1995 et troquer la pomme et le cidre contre le raisin et le vin.

Un rosé couleur pêche, au nez sympathique de bonbon et de fruits rouges, tout aussi fruité en bouche, équilibré, de bonne persistance. ⌛ 2019-2020

SASU LE BASTIDON, 853, chem. du Pansard, 83250 La Londe-les-Maures, tél. 06 47 79 56 09, chateau.bastidon@gmail.com V t.l.j. sf dim. 9h-12h 14h30-18h30

V DE VAUDOIS 2018 ★

	21000		8 à 11 €

Un domaine de 15 ha d'un seul tenant implanté sur sol schisteux, entre Saint-Raphaël et Saint-Tropez, et créé par Marie et Gérard Delli-Zotti en 2000.

Une dominante de grenache (45 %) aux côtés du merlot, de la syrah, du rolle et du viognier pour ce rosé très pâle aux reflets orangés, floral, citronné et amylique au nez, frais à souhait en bouche. ⌛ 2019-2020

SCEA CH. VAUDOIS, rte Ch. Vaudois, 83520 Roquebrune-sur-Argens, tél. 04 94 81 49 41, chateauvaudois@delliresort.com V t.l.j. sf dim. 9h-12h 14h-18h

IGP MONT-CAUME

LA CADIÉRENNE
Un terroir, trois expressions 2018

■ | 9000 | 🍾 | - de 5 €

Quelque 300 coopérateurs et 635 ha de vignes, des vins en AOC bandol et côtes-de-provence, en IGP Var, Méditerranée et Mont-Caume : la Cadiérenne, créée en 1929, est un acteur qui compte dans le paysage provençal.

Grenache et caladoc à parité, ainsi qu'un peu de syrah pour ce rosé clair et brillant, poivré, amylique et floral au nez comme en bouche, rond et de bonne persistance. ⧗ 2019-2020

SCV LA CADIÉRENNE, quartier Le Vallon, 83740 La Cadière-d'Azur, tél. 04 94 90 11 06, cadierenne@wanadoo.fr V r.-v.

DOM. LOU CAPELAN
Cuvée Marie-Thérèse 2018 ★

■ | 4666 | 🍾 | 8 à 11 €

Créé par Séraphin Silvestri, un petit domaine de 4 ha au lieu-dit Les Capelaniers, repris en 1992 par son fils Maurice. La production est alors en vin de table, mais les terrains sont classés en AOC bandol. Arrachage, replantation et premier bandol élaboré en 1996. Aujourd'hui, le vignoble couvre 55 ha, dont 17 en production, sur La Cadière et Le Castellet.

Grenache, carignan et cinsault composent un rosé pâle aux reflets orangés, ouvert sur les agrumes et la fleur de poirier. On retrouve ces arômes, la mandarine notamment, dans une bouche suave et longue. ⧗ 2019-2020

MAURICE SILVESTRI, 1480, chem. de Cuges, 83740 La Cadière-d'Azur, tél. 09 50 05 11 00, info@domaineloucapelan.com V *t.l.j. sf dim. lun. 10h-12h 14h-18h*

IGP VAR

BASTIDE DE SEGUIRANE 2017 ★★

■ | 8000 | 🍾 | 5 à 8 €

Hériter de quatre générations de vignerons, Georges Gassier a repris en 2005 une partie du domaine familial (4,9 ha) situé aux portes de Saint-Maximin-la-Sainte-Beaume, qu'il a replanté en substituant au cinsault du merlot, du caladoc et de sauvignon blanc. La conversion bio a débuté en 2019.

Une cuvée 100 % merlot, de teinte rubis, qui dévoile un nez complexe de fruits rouges (framboise), nuancé de notes anisées. La bouche présente une belle expression du fruit dans une matière suave, aux tanins fins et soyeux. Belle longueur pour ce vin très harmonieux. ⧗ 2019-2021 ■ **2018 ★★ (5 à 8 €; 7000 b.)** : merlot (60 %) et caladoc sont à l'origine d'un vin rose pâle brillant. Au nez, le bonbon anglais se mêle à la violette et au cassis. En bouche, la rondeur et le gras s'imposent, conférant un côté suave et beaucoup d'intensité, avec en finale une petite pointe tannique qui ajoute au caractère de ce 2018. Pourquoi pas sur un dessert au chocolat? ⧗ 2019-2020 ■ **2018 ★ (5 à 8 €; 2240 b.)** : ce pur sauvignon blanc se présente dans une robe cristalline à reflets jaunes et brillants. Le nez intense décline les fruits exotiques et les agrumes, et il en va de même en bouche, laquelle allie parfaitement fraîcheur et rondeur. ⧗ 2019-2020

GEORGES GASSIER, Bastide de Seguirane, Ch. Baron Georges, 13114 Puyloubier, tél. 06 09 96 08 75, baron-georges@wanadoo.fr V r.-v.

DOM. LE BASTIDON Viognier 2018 ★★

■ | 3733 | 🍾 | 5 à 8 €

Sous le regard des îles de Port-Cros et de Porquerolles, une imposante bastide provençale, ancienne propriété des chartreuses de la Verne au XVIIIe s., commande un vignoble de 79 ha et quelque 3 000 oliviers. C'est sur ce terroir de schistes réputé de La Londe-les-Maures que la famille Rose, normande d'origine, est venue trouver la chaleur en 1995 et troquer la pomme et le cidre contre le raisin et le vin.

Ce 100 % viognier à la robe jaune soutenu révèle un nez délicat aux doux parfums de fleurs blanches et d'abricot. La bouche se montre souple et d'une belle intensité aromatique jusqu'à la finale, longue, fraîche et dotée de fins amers. ⧗ 2019-2021

SASU LE BASTIDON, 853, chem. du Pansard, 83250 La Londe-les-Maures, tél. 06 47 79 56 09, chateau.bastidon@gmail.com V *t.l.j. sf dim. 9h-12h 14h30-18h30*

DOM. DE CANTARELLE
Été d'Élodie 2018

■ | 10000 | 🍾 | 5 à 8 €

Situé à 310 m. d'altitude, aux portes du Parc National du Verdon, le dom. de Cantarelle s'étend sur plus de 130 ha. Ancienne propriété de la famille Dieudonné, il a été racheté en 2017 par la maison de négoce Cap Wine International qui en a toutefois laissé les commandes techniques à Élodie Dieudonné. 30 ha du domaine sont cultivés en agriculture biologique et le reste est dans une démarche de Haute Valeur Environnementale.

Né de syrah et de cinsault, ce rosé couleur saumon brillant décline une gamme amylique et florale au nez comme en bouche. Rond, il ne manque pourtant pas de vivacité : un ensemble bien équilibré. ⧗ 2019-2020

SAS CAP WINE PROVENCE, Dom. de Cantarelle, rte de Varages, 83119 Brue-Auriac, tél. 04 94 80 96 01, contact@cantarelle.net V *t.l.j. 9h-19h*

MONCIGALE 2018 ★

■ | 400000 | 🍾 | - de 5 €

Fondée en 2002, Moncigale est une marque ombrelle du groupe alcoolier Marie Brizard, destinée à la grande distribution.

Grenache (70 %), cinsault et syrah pour ce rosé pâle et brillant, plutôt discret mais plaisant à l'olfaction avec ses arômes de bonbon et de cassis. La bouche, à l'unisson du nez, affiche une belle rondeur, une aimable suavité et persiste bien. ⧗ 2019-2020

SAS MONCIGALE, 6, quai de la Paix, 30300 Beaucaire, tél. 04 66 59 74 39, roxanne.blanc@mbws.com

DOM. PEY-NEUF 2018 ★

■	40000		5 à 8 €

Héritier de trois générations de vignerons sur les terres familiales de La Cadière-d'Azur, non loin du port de Bandol, Guy Arnaud a pris en 1982 les rênes du domaine, dont il a porté la superficie à 80 ha (plus de la moitié en AOC bandol), travaillant son vignoble en s'inspirant de la biodynamie, sans certification. Son fils Anthony conduit aujourd'hui la propriété.

Rouge très profond, ce vin mêle fruits rouges et noix avec discrétion à l'olfaction. Il affiche plus de tempérament au palais, où il apparaît puissant et solidement structuré. ⧗ 2021-2024

⊶ EARL DU PEY-NEUF, 1947, rte de la Cadière, 83270 Saint-Cyr-sur-Mer, tél. 04 94 90 14 55, domaine.peyneuf@wanadoo.fr V t.l.j. sf dim. 9h-12h 15h-18h

Ⓑ DOM. RABIEGA 2018 ★

■	1460		8 à 11 €

Ce domaine ancien, (re)créé par Christine Rabiega en 1969, dispose d'une dizaine d'hectares de vignes sur le plateau argilo-calcaire des hauteurs de Draguignan. Son dernier propriétaire, l'œnologue suédois Sven Anders Aakesson, l'a cédé en 2014 à Yves Tanchou, qui souhaite développer encore davantage la dimension œnotouristique (chambres d'hôtes, expositions, séminaires d'entreprises...). Le vignoble couvre 12 ha, en conversion bio.

Les fruits et les fleurs blanches s'associent avec intensité dans ce vin brillant, qui conserve une bonne vivacité. Viognier et sauvignon blanc à parts égales s'expriment joliment. ⧗ 2019-2020

⊶ NOVOCOM, 516, chem. du Cros-d'Aimar, 83300 Draguignan, tél. 04 94 68 44 22, christelle.martin@rabiega.com V t.l.j. sf sam. dim. lun. 9h-12h 14h-17h ③

CAVE SAINT-ANDRÉ 2018 ★

■	10000	5 à 8 €

Seillons-Source-d'Argens est un village perché plein de charme d'où la vue embrasse la Sainte-Baume, la Sainte-Victoire et Saint-Maximin. Fondée en 1909, sa cave coopérative, après diverses fusions à partir de 1995, dispose de quelque 380 ha. Elle propose des coteaux-varois et des IGP du Var.

Un vin brillant de reflets or, issu du rolle à 90 %, nuancé de chardonnay. De légères touches florales s'échappent du verre, puis les arômes s'intensifient au palais, soutenus par une juste vivacité. Harmonieux. ⧗ 2019-2020

■ **Au fil du Verdon 2018 (5 à 8 €; 6000 b.)** : vin cité.

⊶ SCA CAVE SAINT-ANDRÉ, Les Plaines-de-l'Aire, 83470 Seillons-Source-d'Argens, tél. 04 94 72 14 10, cave.st.andre@gmail.com V t.l.j. sf dim. lun. 9h-12h 14h-17h

LES VIGNERONS DE LA SAINTE BAUME 2018 ★★

■	6400		5 à 8 €

Fondée en 1913 dans l'ouest varois sous le nom de la Fraternelle, la coopérative de Rougiers, rebaptisée Vignerons de la Sainte-Baume, est l'une des plus anciennes de la région. Ses bâtiments sont classés à l'Inventaire général du patrimoine culturel de Rougiers. C'est aujourd'hui une petite structure qui regroupe une quarantaine d'adhérents pour un vignoble de 185 ha.

Pâle, si pâle... mais intense, si intense au nez. Tout est agrumes dans ce vin de chardonnay. Équilibré, si équilibré... ⧗ 2019-2020

⊶ LES VIGNERONS DE LA SAINTE-BAUME, rte de Brignoles, 83170 Rougiers, tél. 04 94 80 42 47, cave.saintebaume@orange.fr V t.l.j. sf dim. 9h-12h 15h-18h

DOM. SAINT-JEAN-LE-VIEUX Cuvée Le Petit Jas 2018 ★

■	20000		- de 5 €

Pierre et Claude Boyer conduisent depuis 1990 ce domaine familial de 60 ha fondé par leur grand-père et sur lequel ils s'emploient à moderniser les techniques culturales et le travail au chai dans le respect de l'environnement (agriculture raisonnée depuis 2004, HVE niveau 2 depuis 2012).

Cinsault, grenache et merlot sont associés dans ce rosé pâle à reflets orangés. Au nez intense et gourmand, floral et amylique, répond une bouche riche et dense, un brin tannique en finale. Du caractère. ⧗ 2019-2020

⊶ GAEC DOM. SAINT-JEAN-LE-VIEUX, 317, av. du 8-Mai-1945, 83470 Saint-Maximin, tél. 04 94 59 77 59, domaine@saintjeanlevieux.com V t.l.j. sf dim. 8h-12h30 14h-19h

LA CORSE

La production viticole corse est avant tout orientée vers l'élaboration de vins identitaires portés par des cépages historiquement installés et adaptés aux sols et climats locaux. Les efforts qualitatifs tant au vignoble (gestion des arrachages et des restructurations) qu'en unités de vinification (efforts sur les cuveries, maîtrise des températures) se ressentent bien évidemment dans les vins. Cette évolution qui apporte une vision d'avenir est aujourd'hui associée à un fort développement de la production en agriculture biologique et à un développement de l'œnotourisme.

Une montagne dans la mer. La définition traditionnelle de la Corse est aussi pertinente en matière de vins que pour mettre en évidence ses attraits touristiques. La topographie est en effet très tourmentée dans toute l'île, et même l'étendue que l'on appelle la côte orientale – et qui, sur le continent, prendrait sans doute le nom de costière – est loin d'être dénuée de relief. Cette multiplication des pentes et des coteaux, inondés le plus souvent de soleil mais maintenus dans une relative humidité par l'influence maritime, les précipitations et le couvert végétal, explique que la vigne soit présente à peu près partout. Seule l'altitude en limite l'implantation.

Le relief et les modulations climatiques qu'il entraîne s'associent à trois grands types de sols pour caractériser la production vinicole, dont la majorité est constituée de vins de pays (surtout) et de vins sans indication géographique. Le plus répandu des sols est d'origine granitique; c'est celui de la quasi-totalité du sud et de l'ouest de l'île. Au nord-est se rencontrent des sols de schistes et, entre ces deux zones, existe un petit secteur de sols calcaires.

Des cépages originaux. Associés à des cépages importés, on trouve en Corse des cépages spécifiques d'une originalité certaine, en particulier le nielluccіu, donnant des vins au caractère tannique dominant et qui excelle sur le calcaire. Le sciaccarellu, lui, présente plus de fruité et donne des vins que l'on apprécie davantage dans leur jeunesse. Quant au blanc, vermentinu (ou malvasia), il est, semble-t-il, apte à produire les meilleurs vins des rivages méditerranéens.

En règle générale, on consommera plutôt jeunes les blancs et surtout les rosés; ils iront très bien sur tous les produits de la mer et avec les excellents fromages de chèvre du pays, ainsi qu'avec le brocciu. Les vins rouges, eux, conviendront, selon leur âge et la vigueur de leurs tanins, aux différentes préparations de viande et, bien sûr, à tous les fromages de brebis. À noter que certains grands vins blancs, passés ou non en bois, ont une belle aptitude au vieillissement.

AJACCIO

Superficie : 243 ha
Production : 8 800 hl (90 % rouge et rosé)

L'appellation ajaccio borde sur quelques dizaines de kilomètres la célèbre cité impériale et son golfe. Ce terroir d'exception, généralement granitique, permet au sciaccarellu, cépage phare pour les rouges et rosés, et au vermentinu, en blanc, d'exprimer tout leur potentiel.

CLOS CAPITORO 2018 ★

■ | 23000 | 🍾 | 11 à 15 €

Fondé dans la seconde moitié du XIXᵉs., le Clos Capitoro (30 ha aujourd'hui) fut l'un des premiers domaines corses à mettre son vin en bouteilles (1856). Situé sur des coteaux aux sols argilo-siliceux non loin des plages de Porticcio, il est aujourd'hui conduit par Jacques Bianchetti, œnologue, secondé par sa fille Éloïse.

Les millésimes 2016 (coup de cœur) et 2017 avaient séduit les dégustateurs. Le 2018 est de la même trempe. 100 % sciaccarellu, pâle, il s'ouvre sur un nez intense et friand, floral, fruité et amylique. Ample à l'attaque, la bouche se montre tout aussi gourmande, diffusant de beaux arômes de fruits dans un ensemble harmonieux et séduisant. ⧗ 2019-2020

⊶ CLOS CAPITORO, Pisciatella, 20117 Cauro, tél. 04 95 25 19 61, info@clos-capitoro.com V 🚶 🍷 *r.-v.*

♥ CLOS D'ALZETO L'Alzeto Prestige 2018 ★★

■ | 65000 | 8 à 11 €

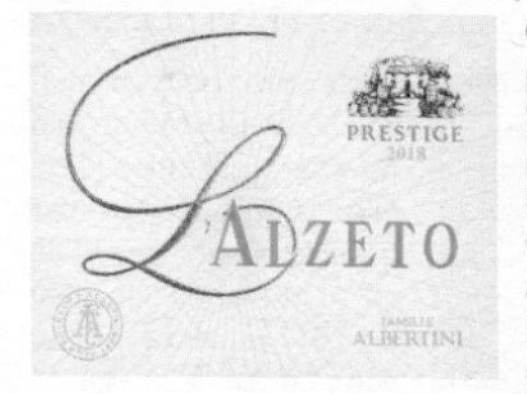

Ce domaine de 55 ha proche du golfe de Sagone possède la parcelle de vignes la plus élevée de Corse : elle culmine à 500 m d'altitude. La famille Albertini est aux commandes depuis 1800, et c'est aujourd'hui Alexis qui est responsable de l'élaboration des vins.

Une touche de cinsault (10 %) épaule le sciaccarellu dans cette cuvée bien typée. Clair et limpide, aromatique, entre fruits, fleurs et poivre blanc, ce rosé déploie une bouche à la fois ronde et croquante, savoureuse par la clarté de son fruit (floral, fruité), ses nuances épicées et son équilibre irréprochable. ⧗ 2019-2020

⊶ CLOS D'ALZETO, Clos d'Alzeto, 20151 Sari-d'Orcino, tél. 04 95 52 24 67, contact@closdalzeto.com V 🚶 🍷 *r.-v.*

CLOS ORNASCA Stella 2017 ★

■ | 3283 | 🛢 | 15 à 20 €

Un petit domaine adossé à la montagne, à quelques kilomètres de la mer – 13 ha d'un seul tenant, sur un sol granitique. Il est conduit depuis 2002 par Jean-Antoine Manenti et Laetitia Tola, fille du fondateur Vincent Tola. Après des années d'agriculture très

CORSE

raisonnée, les vignerons ont engagé la conversion bio (certification prévue en 2020). Un domaine qui s'affirme d'année en année.

Issue de pur sciaccarellu, cette cuvée élevée en fût montre des reflets orangés traduisant un début d'évolution. Elle libère à l'aération des parfums de fruits confits rehaussés d'épices, de vanille, de coco et de touches mentholées. On retrouve les fruits confits dans une attaque puissante qui ouvre sur une bouche persistante, soutenue par des tanins serrés, encore fermes et marqués par le boisé. Un vin bien construit, à attendre un peu. ⧗ 2020-2024

⊶ EARL CLOS ORNASCA, 20117 Eccica-Suarella, tél. 04 95 25 09 07, closornasca@orange.fr V 🍷 *t.l.j. 8h-12h 14h-18h (15h-19h en hiver)*

DOM. COMTE PERALDI 2018 ★

■	34 000	8 à 11 €

Établi à la lisière d'Ajaccio, ce domaine constitué avant la Révolution par de lointains ancêtres des propriétaires actuels a été acquis en 1965 et restauré par Louis de Poix, promoteur de l'appellation. Après la disparition prématurée de Guy de Poix en 2011, c'est son fils qui entretient la grande notoriété de ce vignoble, l'un des plus vastes de l'appellation avec 55 ha.

Un domaine d'une louable régularité qui récidive en 2018 avec ce rosé clair et pimpant, au nez discret mais élégant, floral et légèrement poivré. Les jeunes vignes (dix ans) livrent une bouche légère et tonique, discrètement fruitée, mais dynamique et parfaitement désaltérante. ⧗ 2019-2020

⊶ DOM. COMTE PERALDI, chem. du Stiletto, 20167 Mezzavia, tél. 04 95 22 37 30, charlotte.lemonier@domaineperaldi.com V 🚶 🍷 *r.-v.*

♥ DOM. DE PRATAVONE Cuvée Tradition 2017 ★★

■	50 000	🍾	8 à 11 €

Cette propriété d'environ 50 ha située non loin du site préhistorique de Filitosa est dirigée par Isabelle Courrèges. Elle en a modernisé le chai en 2012, le dotant d'un équipement à la pointe de la technologie, et a engagé en 2015 la rénovation des bâtiments. Une valeur sûre de l'appellation ajaccio.

Cette cuvée a tiré le meilleur parti de l'année solaire. Cépage emblématique de l'appellation, le sciaccarellu domine dans l'assemblage, accompagné de grenache (20 %) et de niellucciu (10 %). D'emblée, ce vin en impose par la densité de sa robe. Au nez, il monte en puissance, révélant un florilège d'arômes bien typés : mûre, cerise confite, cassis, relevés de notes épicées rappelant le poivre blanc. Concentré, puissant, harmonieux et persistant, à la fois gras et frais, il s'appuie sur une superbe structure faite de tanins soyeux. On pourra l'ouvrir prochainement, en le carafant, ou le garder quelques années. ⧗ 2020-2025 ■ **2018 ★ (5 à 8 €; 51000 b.)** : un nez timide qui dispense de fines notes de fleurs blanches et d'agrumes, une bouche discrète, souple, au fruité furtif, rafraîchie par un peu de CO_2 : tout est retenu et délicat dans ce rosé saumoné destiné à l'apéritif. ⧗ 2019-2020

⊶ DOM. DE PRATAVONE, D757, 20123 Cognocoli-Monticchi, tél. 04 95 24 34 11, domainepratavone@wanadoo.fr V 🚶 🍷 *t.l.j. sf dim. 8h-12h 14h-18h; ouv. dim. en juil.-août*

CORSE OU VIN-DE-CORSE

Superficie : 2 150 ha
Production : 90 360 hl (90 % rouge et rosé)

L'AOC corse ou vin-de-corse peut être produite dans les trois couleurs sur l'ensemble des terroirs classés de l'île, à l'exception de l'aire d'appellation patrimonio, au nord. Selon les régions et les domaines, les proportions respectives des différents cépages ainsi que les variétés des sols apportent aux vins des tonalités diverses. Les nuances régionales justifient une dénomination spécifique de microrégions, dont le nom peut être associé à l'appellation (Coteaux-du-Cap-Corse, Calvi, Figari, Porto-Vecchio, Sartène). La majeure partie de la production est issue de la côte orientale.

La Corse

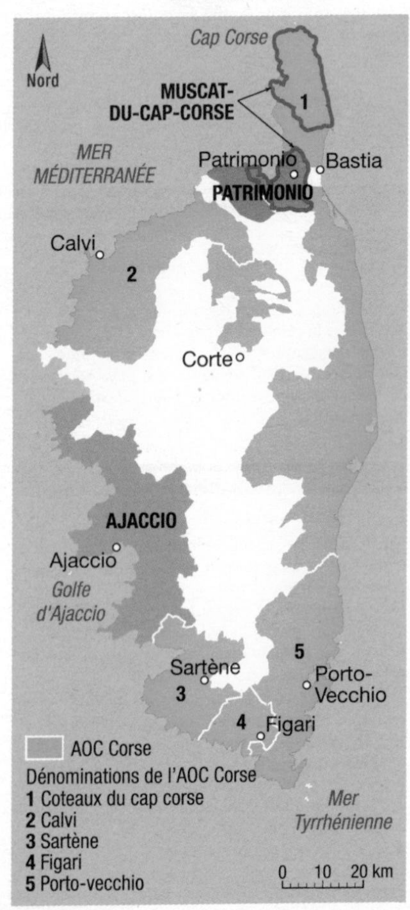

♥ DOM. D'ALZIPRATU Pumonte 2018 ★★

■	20000		11 à 15 €

PUMONTE — DOMAINE D'ALZIPRATU — CORSE CALVI 2018

Créé en 1968 au nord-ouest de l'Île de Beauté par le baron Henry-Louis de La Grange, le domaine aujourd'hui conduit par Pierre. Acquaviva et Cécilia, son épouse, couvre 43 ha répartis sur trois terroirs autour du couvent d'Alzipratu. Il bénéficie de la double influence climatique de la mer et de la montagne. Une référence (très) sûre pour ses Calvi, dans les trois couleurs.

Unanime, le jury s'est enthousiasmé pour ce Pumonte («au-delà des monts») qui associe les deux cépages insulaires à un tiers de grenache. Aussi discrète en couleur que volubile au nez, la cuvée offre souplesse, parfums (notes florales, fruits frais, bonbon anglais) et tenue. La longue finale, avec une pointe d'amertume, ponctue en beauté ce rosé harmonieux et expressif. ⧗ 2019-2020

⊶ DOM. D'ALZIPRATU, rte de Zilia, 20214 Zilia, tél. 04 95 60 32 16, bureau@alzipratu.com t.l.j. sf sam. dim. 9h-12h 14h-19h (17h l'hiver)

CAPO DI TERRA Filippi 2018 ★

■	93805		5 à 8 €

Créée en 1975, la cave d'Aghione, la troisième structure coopérative de l'île, vinifie la production de quelque 800 ha de vignes et regroupe une trentaine d'exploitations en bordure de la plaine orientale. 2017 voit l'arrivée d'une chaîne d'embouteillage aussi bien pour les vins tranquilles que pour les effervescents. Le président actuel, André Casanova, a donné son nom à la marque principale commercialisée par la cave.

De teinte gris clair, ce rosé s'exprime avec finesse sur le fruit. L'équilibre est respecté entre fraîcheur et rondeur, si bien que de nombreuses possibilités d'accords se présentent : apéritif, entrées ou desserts. «Un joli vin moderne et identitaire à la fois», conclut un dégustateur. ⧗ 2019-2020

⊶ LES VIGNERONS D'AGHIONE, lieu-dit Aristone, 20240 Ghisonaccia, tél. 04 95 56 60 20, contact@vignerons-d-aghione.com t.l.j. sf sam. dim. 9h-12h 13h-17h

Ⓑ CASTELLU DI BARICCI Sartène 2017 ★★★

■	50000		20 à 30 €

Établie dans la vallée de l'Ortolo au sud de l'Île de Beauté, la famille Quilichini cultive la vigne depuis le début du XIXᵉs. Elle a redonné vie à partir de 2000 à ce domainede plus de 150 ha, plantant vignes (15 ha aujourd'hui) et oliviers (12 ha) pour produire vins et huiles d'appellation. En 2010, Élisabeth Quilichini a pris les rênes de la propriété dont elle a engagé la conversion bio (certification en 2013).

Élisabeth Quilichini nous apprend qu'elle a commencé une réserve perpétuelle, selon le système de la solera, pour révéler l'expression d'un même terroir à travers plusieurs années. Cette initiative ne l'empêche pas de tirer le meilleur de chaque millésime, y compris du 2017 particulièrement sec, retenu dans les trois couleurs (voir la dernière édition pour le blanc). Le préféré est ce rouge, mi-nielluccia mi-sciaccarellu. Après un élevage de dix-huit mois en foudre de chêne, il arbore une robe soutenue et s'ouvre sur les fruits noirs avec autant de générosité que d'élégance. Ce fruit intense et suave s'épanouit dans un palais puissant et long, fondu à souhait. Magnifique. ⧗ 2019-2025 ■ **Sartène 2018 (11 à 15 €; 7000 b.)** Ⓑ : vin cité.

⊶ CASTELLU DI BARICCI, haute-vallée de l'Ortolo, 20100 Sartène, tél. 09 88 99 30 62, info@castelludibaricci.com r.-v. Ⓔ

CLOS COLONNA Sartène 2018 ★★

■	9000		5 à 8 €

Située dans la partie sud-est de la Corse, entre Sartène et la baie de Tizzano, au voisinage des menhirs de Paddaghju, le Clos Colonna compte 7,5 ha de vignes. Il est conduit par Frédéric Leccia depuis 2008.

Jaune pâle à reflets verts, la robe est caractéristique du vermentinu. Discrètement minéral et floral, le nez attire par sa subtilité. C'est en bouche que ce blanc corse révèle tous ses atouts : des arômes d'une grande finesse, teintés d'un très léger boisé, de la générosité, du gras, équilibrés par une fraîcheur qui porte loin la finale aux accents d'agrumes. ⧗ 2019-2022 ■ **Sartène 2018 ★ (5 à 8 €; 8900 b.)** : né d'un assemblage de nielluccia et de sciaccarellu un corse rouge plaisant par son expression aromatique très fruitée et par sa bouche consistante, encore ferme en finale. ⧗ 2020-2024

⊶ SCEA ALTU PRATU, rte de Granace, 20000 Ajaccio, tél. 04 95 73 45 77

Ⓑ CLOS CULOMBU 2018 ★★

■	60000		8 à 11 €

Situé au nord-ouest de l'Île de Beauté près de Calvi, sur un terroir d'arènes granitiques, ce domaine couvrant aujourd'hui 64 ha a été planté à partir de 1973 par Paul Suzzoni. Son frère cadet Étienne a pris le relais en 1986, construisant une nouvelle cave et plantant des cépages autochtones (dix-neuf variétés). Exploitée selon une démarche bio dès l'origine, la propriété a obtenu la certification en 2013.

Sciaccarellu, nielluccia et une touche de cinsault sont au programme de ce rosé limpide aux nuances violines, qui regorge de fruits rouges frais (groseille) et acidulés. Gourmande, charnue et fraîche, la bouche confirme la qualité du fruit perçu au nez avec cette légère astringence qui donne un peu plus de relief à l'ensemble. ⧗ 2019-2020

⊶ CLOS CULOMBU, chem. San-Petru, 20260 Lumio, tél. 04 95 60 70 68, contact.culombu@gmail.com t.l.j. sf dim. 9h-12h 13h30-18h

CLOS LUCCIARDI Signora Catalina 2017 ★★

■	6300		11 à 15 €

Josette et Joseph Lucciardi ont repris en 2004 l'exploitation familiale, après une période de fermage. Situé dans la partie orientale de l'Île de Beauté, entre mer et montagne, le vignoble, d'un seul tenant, est enraciné

dans le sol argilo-caillouteux des coteaux d'Antisanti, sur les anciennes terrasses alluviales du Tavignano. Il couvre environ 14 ha.

Le niellucciu à l'origine de cette cuvée a bien résisté à la sécheresse, témoin ce millésime, aussi remarquable que le précédent. Intense, riche et complexe, son nez associe la cerise à l'eau-de-vie à des fragrances florales rappelant la violette. Quant à la bouche, puissante, ample et persistante, soutenue par une trame tannique encore stricte en finale, elle montre l'étoffe d'un vin de garde. ⧗ 2020-2025

⊶ JOSETTE LUCCIARDI (CLOS LUCCIARDI), dom. de Pianiccione, 20270 Antisanti, tél. 06 77 07 27 34, contact@closlucciardi.com V ! *r.-v.*

DOM. DE LA FIGARELLA Calvi 2015 ★

■	18000	8 à 11 €

Implanté à Calenzana, près de Calvi, dans la partie nord-ouest de l'île, ce domaine de 34,5 ha en conversion bio a été créé par François Acquaviva en 1966. Le fils de ce dernier, Achille, a repris le vignoble dans les années 1980. C'est aujourd'hui Marina, petite-fille du fondateur, qui assure le suivi des vignes et des vinifications.

Issu de sciaccarellu, ce 2015 rouge, dégusté après le 2017 retenu l'an dernier, garde une fort belle tenue. Le nez très mûr évoque les fruits noirs confiturés, mâtinés de pruneau et de caramel, et rehaussés de notes épicées typées du cépage. Ces arômes se prolongent dans une bouche agréable aux tanins enrobés. ⧗ 2019-2023

⊶ ACHILLE ACQUAVIVA, rte de l'Aéroport, Dom. de la Figarella, 20214 Calenzana, tél. 06 60 29 00 04, domainefigarella@wanadoo.fr V ! *t.l.j. sf dim. 11h-12h30 16h-19h*

♥ Ⓑ DOM. DE GRANAJOLO Porto-Vecchio Sciaccarellu 2017 ★★

■	2980	🍾	15 à 20 €

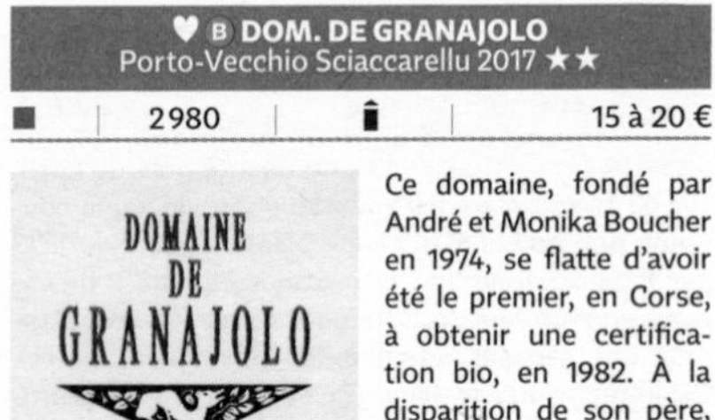

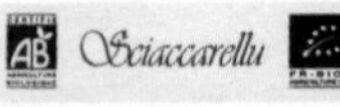

Ce domaine, fondé par André et Monika Boucher en 1974, se flatte d'avoir été le premier, en Corse, à obtenir une certification bio, en 1982. À la disparition de son père, Gwenaële, œnologue, forte d'une première expérience en France et en Australie, a repris la gestion de la propriété (20 ha) avec sa mère en 2002.

Cépage autochtone, le sciaccarellu passe pour craindre la chaleur extrême. Et pourtant, celui-ci s'est très bien comporté pendant l'été très sec de 2017. Aucun excès de chaleur ici, ni la moindre verdeur, le raisin a parfaitement mûri et engendré un vin délectable, modèle de son appellation. Si les reflets de la robe évoquent la cerise, c'est la fraise qui ressort au nez, au milieu d'un panier de fruits rouges très parfumés. Ce fruit rouge intense et mûr s'épanouit avec persistance dans une bouche ronde, aux tanins fondus. Un plaisir durable. ⧗ 2019-2024 ■ **Porto-Vecchio Tradition 2018 ★ (8 à 11 €; 24200 b.)** Ⓑ : cet habitué du guide fait honneur à sa réputation avec ce rosé de caractère qui met en vedette les deux grands cépages insulaires (sciaccarellu et niellucciu). Le nez fin et intense décline d'agréables notes d'agrumes et de fruits rouges, que l'on retrouve dans une bouche irréprochable, équilibrée, ample, fraîche et savoureuse. ⧗ 2019-2020 ■ **Porto-Vecchio Cuvée Monika 2018 ★ (8 à 11 €; 10400 b.)** Ⓑ : comme les deux millésimes antérieurs, cette cuvée de vermentinu obtient une étoile. Un blanc expressif et net, de belle longueur, particulièrement puissant et onctueux. ⧗ 2019-2022

⊶ DOM. DE GRANAJOLO, La Testa, 20144 Sainte-Lucie-de-Porto-Vecchio, tél. 04 95 70 37 83, info@granajolo.fr V ! *r.-v.*

♥ DOM. ORSINI Calvi Astro 2015 ★★

■	4000	🛢	11 à 15 €

Tony Orsini conduit un domaine familial créé en 1962, situé sur les coteaux de Calenzana, dominant la baie de Calvi. Son vignoble de 21 ha est surtout planté de cépages insulaires : outre les cépages de l'appellation comme le niellucciu, le sciaccarellu et le vermentinu, ou encore le muscat, des cépages moins connus comme le bianco gentile. La propriété propose aussi apéritifs, liqueurs et confiseries.

Ce 2015 montre la qualité du millésime ainsi que le potentiel d'un cépage vermentinu bien né et bien élevé. Un séjour de vingt-quatre mois en demi-muids de chêne lui a donné des reflets dorés et une palette complexe, mêlant acacia, fruits blancs (pêche, poire et coing), miel et vanille. Fruitée et miellée, la bouche prolonge bien le nez. D'une rare profondeur, elle enchante par sa finale persistante, vive et citronnée, qui confère à cette bouteille finesse et allant. ⧗ 2019-2023 ■ **Calvi 2018 ★ (8 à 11 €; 6660 b.)** : un tiers de l'assemblage (sciaccarellu et niellucciu) a été vinifié en barriques (d'un vin), et cela se sent au nez par les notes grillées et fumées. Atypique, la bouche assume ses rondeurs et sa sucrosité mais soigne le fruit et livre en finale ses notes fumées intenses. Un rosé détonnant mais harmonieux et résolument bâti pour la table. ⧗ 2019-2020

⊶ DOM. ORSINI, 20214 Calenzana, tél. 06 80 41 50 83, domaine.orsini@orange.fr V ⚑ ! *t.l.j. 9h-12h 14h-19h*

Ⓑ DOM. DE PETRA BIANCA Figari Vinti Legna 2018 ★★

■	4000	🛢	15 à 20 €

Joël Rossi et Jean Curallucci ont repris en 1990 cette propriété de 60 ha, implantée sur un terroir granitique dans la commune de Figari, à l'extrémité sud de l'Île de Beauté. Ils la conduisent en bio.

La gamme Vinti Legna est élevée dans le bois : sept mois en demi-muid pour ce blanc cité dans les deux millésimes précédents et remarquable cette année. D'emblée, le chêne apparaît très présent, mais il laisse s'exprimer le fruit du vermentinu. Consistant, rond, gras et long, le vin a assez d'étoffe pour permettre au merrain de s'intégrer. L'élégance est déjà au rendez-vous, du nez subtil à la finale fraîche aux accents d'agrumes. ⧗ 2019-2023

EARL PETRA BIANCA, lieu-dit Petra-Grossa, 20114 Figari, petra.bianca@sfr.fr V *t.l.j. sf dim. 9h-12h30 15h-17h*

DOM. DE PIANA 2018 ★

	15000		5 à 8 €

Implantée dans la partie orientale de l'Île de Beauté, la propriété historique de la famille Poli, par ailleurs en possession d'autres domaines tels le Clos Alivu et le Clos Teddi (régulièrement en vue dans ces pages), vinifie depuis les années 1990. Ange Poli, le patriarche, veille toujours sur sa destinée, appuyé par ses fils Éric et Antoine.

Il offre tout ce que l'on attend d'un corse blanc, qui tire son caractère du vermentinu : une robe claire, or vert à reflets argentés, un nez délicatement floral, rappelant le citronnier en fleur, un palais étoffé, à la fois ample et frais, aux arômes de fleurs blanches et d'infusion, marqué en finale par la légère amertume du zeste d'agrumes. Une jeunesse tonique. ⧗ 2019-2022

EARL DOM. DE PIANA, Bravone, 20230 Linguizzetta, tél. 04 95 38 86 38, domaine.de.piana@wanadoo.fr V *t.l.j. sf sam. dim. 8h30-12h 14h-18h*

♥ PRESTIGE DU PRÉSIDENT 2016 ★★

	26000		8 à 11 €

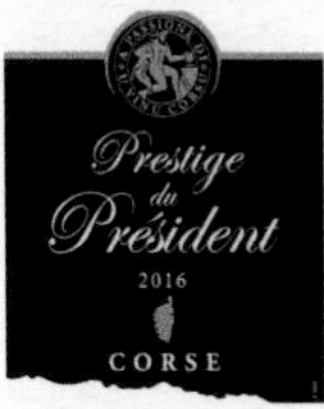

Fondée en 1958, la SCA UVIB est la plus grande coopérative vinicole de Corse. Établie dans la plaine orientale, à Aléria, non loin de l'étang de Diana, elle vinifie quelque 1 600 ha de vignes appartenant à 70 adhérents.

Cette cuvée baptisée en hommage au fondateur de la coopérative brille une fois de plus, avec de surcroît un coup de cœur. Née de l'assemblage du niellucciu (40 %), du sciaccarellu et de la syrah, elle connaît le bois (six mois pour ce 2016). Nos dégustateurs louent la profondeur de sa robe, l'intensité de son nez mariant la cerise kirschée et les fruits noirs compotés aux notes vanillées, toastées et cacaotées de l'élevage. La bouche n'est pas en reste, ample et épicée en attaque, généreuse, fondue, harmonieusement boisée, encore un peu ferme en finale. Le vin rêvé pour une côte de bœuf. ⧗ 2019-2025

2018 ★★ (8 à 11 €; **5500 b.**) ♥ : un blanc 100 % vermentinu fermenté en fût et élevé en cuve. Nez intense, tonique et complexe (fleurs blanches, pomme verte, vanille, crème pâtissière), palais tout aussi riche, ample et généreux, agrémenté d'arômes d'écorce d'orange, à la longue finale légèrement boisée. «Un vin de gourmet.» ⧗ 2019-2022 **Cuvée Historique 2018 ★** (- de 5 €; **250000 b.**) : du volume (250 000 bouteilles) et du caractère, voilà résumée une cuvée qui rend hommage au fondateur de la cave. Les niellucciu et sciaccarellu, épaulés par le grenache, forgent un rosé à forte personnalité, certes pâle de robe, mais au nez intriguant, entre fruits frais et pierre à fusil. On retrouve ce profil minéral dans une bouche qui ne manque ni d'élégance ni d'équilibre. ⧗ 2019-2020

SCA UVIB, Padulone, 20270 Aléria, tél. 04 95 57 02 48, aleymarie@uvib.fr V *r.-v.*

Ⓑ A. RONCA Calvi 2018 ★

	16000		8 à 11 €

En 2006, Marina Acquaviva a repris une partie du domaine familial Figarella pour créer sa propre marque. Son exploitation, convertie à l'agriculture biologique, compte 19,5 ha.

Des reflets saumonés égayent la robe pâle de ce pur sciaccarellu, au nez ouvert et intensément fruité dont la bouche charme par sa plénitude et sa fraîcheur. De la chair, de l'équilibre, une amertume stimulante en finale, voilà un rosé bien structuré, gorgé de fruit et destiné à la table. ⧗ 2019-2020

DOM. A. RONCA, rte de l'Aéroport, 20214 Calenzana, tél. 06 87 55 55 45, aronca@orange.fr V *t.l.j. sf dim. 11h-12h30 16h-19h*

♥ CAVE DE SAINT-ANTOINE
Sant' Antone 2018 ★★

	50000		5 à 8 €

Née en 1975 de la volonté des vignerons des coteaux de Saint-Antoine, cette cave coopérative couvre 340 ha en plaine orientale, près de Ghisonaccia. Les trois quarts du vignoble sont implantés sur l'AOC corse.

Une dominante de niellucciu dans ce rosé lumineux, au nez expressif et gourmand de fruits rouges et de fleurs. La bouche offre le même éclat de fruit. Cet ensemble équilibré, à la fois moderne et bien typé, a séduit le jury. ⧗ 2019-2020

SCA CAVE DE SAINT-ANTOINE, Saint-Antoine, 20240 Ghisonaccia, tél. 04 95 56 61 00, info@cavesaintantoine.com V *r.-v.*

♥ DOM. SAN MICHELI Sartène 2018 ★★

	8000		15 à 20 €

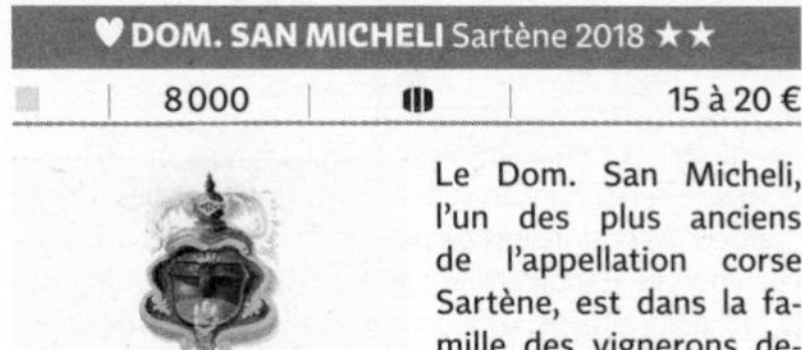

Le Dom. San Micheli, l'un des plus anciens de l'appellation corse Sartène, est dans la famille des vignerons depuis le XVIIIᵉs. Jean-Paul et Bénédicte Phélip en ont pris les commandes en 1980. Exposé au sud-ouest, leur vignoble couvre 25 ha.

Le développement de cette propriété a coïncidé avec l'affirmation de l'appellation corse et de ses cépages autochtones, comme le vermentino, dont ce vin blanc offre une admirable expression. Si sa robe jaune pâle à reflets verts est typique, c'est le nez, élégamment floral, nuancé d'agrumes, qui enchante. Quant au palais,

rond et gras, minéral et fruité, tendu par une finale fraîche, il confirme l'excellence de cette bouteille. ⧗ 2019-2022 ■ **Sartène 2018 ★★ (11 à 15 €; 12 000 b.)** ♥ : une dominante de sciaccarellu dans ce rosé clair et limpide, dont le nez fin et ouvert offre des notes florales intenses. Fraîche dès l'attaque, la bouche séduit par son équilibre, par la netteté et l'élégance de son fruit et par sa longueur plus qu'honorable. ⧗ 2019-2020 ■ **Sartène Alfieri-Polidori 2017 ★ (15 à 20 €; 32 000 b.)** : issu de sciaccarellu majoritaire (90 %), complété par le niellucciu, ce vin rouge plutôt souple, malgré quelques tanins sévères en finale, séduit par ses arômes intenses de fruits rouges (fraise en tête, mâtinée en bouche de groseille). ⧗ 2019-2024

DOM. DE SAN MICHELI, 24, rue Jean-Jaurès, 20100 Sartène, tél. 04 95 73 15 75, contact@domainesanmicheli.fr V t.l.j. *9h-12h 15h-19h; f. avril*

DOM. SAPARALE Sartène Casteddu 2016 ★★

■	40 000		15 à 20 €

Nichée dans la vallée de l'Ortolo, entre Sartène et Bonifacio, au sud de l'île, cette propriété a été fondée au XIXe s. par Philippe de Rocca Serra. Elle a repris vie en 1998 avec l'arrivée à sa tête de Philippe Farinelli, œnologue de talent et vinificateur averti, descendant du fondateur. Le domaine couvre 50 ha.

Constant dans la qualité, ce domaine signe un remarquable 2016 élevé douze mois en foudre, né de l'assemblage de sciaccarellu (60 %), de niellucciu (30 %) et d'un appoint de minustellu, cépage connu ailleurs sous le nom de morrastel. Un vin au nez expansif, belle alliance de fruits rouges et de subtiles notes de torréfaction, et au palais puissant, d'une grande longueur, dont le léger boisé, bien fondu, met en valeur le fruité intense et renforce la belle charpente. Un équilibre remarquable et du potentiel. ⧗ 2019-2025

EARL DOM. SAPARALE, vallée de l'Ortolo, 20100 Sartène, tél. 04 95 77 15 52, contact@saparale.com V t.l.j. *sf dim. 10h-19h*

DOM. DE TANELLA Figari Cuvée Alexandra 2017 ★★

■	80 000		11 à 15 €

Fondé par la famille de Peretti Della Rocca en 1870, ce domaine de 80 ha d'un seul tenant, établi sur des arènes granitiques et transmis de père en fils depuis sa création, est conduit depuis 1975 par Jean-Baptiste de Peretti, aujourd'hui assisté par ses enfants à la cave. Un des fleurons du terroir de Figari, au sud de l'Île de Beauté.

Mariant niellucciu, sciaccarellu et syrah, cette cuvée Prestige, créée en 1991 à la naissance de la fille du propriétaire, se maintient à un haut niveau dans un millésime solaire et sec. Son élevage en fût pour 50 % des volumes lui donne un surcroît de complexité tout en laissant le fruit au premier plan, du fruit noir surtout. En bouche, ce vin conjugue rondeur et générosité avec une réelle fraîcheur : autant d'atouts pour la garde, même si ce vin, avec son fruit gourmand, est agréable dans sa jeunesse. ⧗ 2020-2025 ■ **Figari Cuvée Alexandra 2018 ★★ (8 à 11 €; 40 000 b.)** : la version blanche de cette cuvée prestige, née de pur vermentinu, ne connaît pas le bois. Elle est saluée pour son intensité et pour sa finesse florale et fruitée, ainsi que pour son palais expressif et très persistant, offrant un remarquable équilibre entre rondeur et fraîcheur. ⧗ 2019-2021

SAS DE PERETTI, Poggiale, 20114 Figari, tél. 04 95 70 46 23, tanella@wanadoo.fr V t.l.j. *9h-12h- 15h-19h*

♥ TERRA NOSTRA Cuvée Corsica 2017 ★★

■	60 000		8 à 11 €

L'Union des vignerons associés du Levant (UVAL) est la structure commercialisant les vins de la Cave coopérative de la Marana, groupement de producteurs fondé en 1975 et établi à Borgo, commune au sud de Bastia. La cave regroupe environ 900 ha de vignes et une soixantaine de vignerons répartis sur la côte orientale de la Corse. Elle propose des vins de marque et vinifie également pour quelques domaines particuliers.

Pour la cuvée Corsica, le cépage mis en œuvre est évidemment l'une des variétés choyées dans l'Ile de Beauté : le niellucciu. Sa robe très profonde attire. Au-dessus du verre, un subtil boisé hérité d'un séjour en fût de réemploi laisse toute sa place à un fruit rouge très mûr, voire compoté. On retrouve ce fruit et ces notes d'élevage bien intégrées dans un palais harmonieux et persistant, adossé à des tanins soyeux. Une réelle élégance. ⧗ 2019-2023 ■ **Cuvée Corsica 2018 (8 à 11 €; 75 000 b.)** : vin cité.

CORSICAN - GROUPE UVAL, Rasignani, 20290 Borgo, tél. 04 95 58 44 00, f.malassigne@corsicanwines.com V t.l.j. *sf sam. dim. 9h-12h 14h-17h*

Ⓑ TERRA VECCHIA U Salvaticu 2018 ★★

■	28 000		5 à 8 €

En Corse orientale, vers la Costa Serena, entre maquis, mer et étang de Diana, Terra Vecchia et Clos Poggiale constituent un vignoble de 200 ha. Il était déjà cultivé par les Romains – ce que rappelle le nom de Terra Vecchia (« Terres anciennes »). Jean-François Renucci l'a acheté en 2011 à la famille Skalli. Les deux ensembles ont obtenu leur certification bio pour le millésime 2018.

D'un grenat intense, cette cuvée enchante par ses parfums complexes mêlant la cerise au kirsch à de légères touches vanillées et toastées. Cette large palette aromatique, entre griotte, fruits confits, épices douces et poivre, se prolonge dans une bouche ronde et structurée, qui laisse en finale une impression d'ampleur et de générosité. ⧗ 2019-2025 ■ **Dom. Terra Vecchia U Salvaticu 2018 (8 à 11 €; 35 000 b.)** Ⓑ : vin cité.

DOM. DE TERRA VECCHIA, lieu-dit Terra Vecchia, 20270 Aléria, tél. 04 95 32 33 01, jf.renucci@orange.fr V t.l.j. *sf dim. 10h-18h (16h l'hiver)*

Ⓑ DOM. DE TORRACCIA
Porto Vecchio Oriu 2014 ★★★

■ | 12000 | 20 à 30 €

Un domaine acheté en 1964 par Christian Imbert, qui y a créé un vignoble de 42 ha après avoir défriché le maquis. Il est dirigé par son fils Marc depuis 2008. Le vignoble, conduit en bio, est situé dans la région du Freto, à l'extrémité méridionale de l'île. La famille cultive aussi des oliviers dont elle commercialise l'huile.

Ce 2014 élevé en cuve montre le potentiel du niellucciu, qui compose 80 % de la cuvée, complété par le sciaccarellu. Si la robe montre quelques reflets tuilés d'évolution, le nez se montre intense, centré sur des notes complexes de petits fruits rouges. On retrouve cette intensité dans une bouche fondue à souhait, d'une rare longueur. Une bouteille à la fois affable et profonde, excellente aujourd'hui tout en gardant des réserves. ⧗ 2019-2024 ■ **Porto Vecchio 2018 ★ (8 à 11 €; 40000 b.)** Ⓑ : ce domaine vedette de Porto Vecchio qui a fait sa réputation sur ses rouges de belle garde soigne aussi son rosé. Discrète au nez, avec des arômes furtifs de fruits frais, la cuvée séduit en bouche par sa vitalité, sa légèreté et sa vivacité très stimulante, renforcée à ce stade par une pointe de CO^2. ⧗ 2019-2020

⊶ DOM. DE TORRACCIA, 20137 Lecci,
tél. 04 95 71 43 50, torracciaoriu@wanadoo.fr
V t.l.j. sf dim. 9h-12h 14h-18h

♥ DOM. VICO Le Bois du cerf 2018 ★★

■ | 20000 | 5 à 8 €

Ce domaine de 90 ha est le seul de Corse à ne pas être près de la mer. C'est au cœur de l'île, à Ponte-Leccia, que les vignes s'épanouissent sous le regard bienveillant du Monte Cinto, point culminant de l'île.

On ne compte plus les citations pour ce domaine très régulier dans les trois couleurs. Côté rosé, la cuvée met en avant des vignes vénérables (cinquante ans) de grenache et de sciaccarellu. Elle s'ouvre sur une robe claire et un nez puissant qui combine fruits mûrs, fruits frais et nuances presque pâtissières. L'attaque, vivace, tranche avec le nez et ouvre sur un palais intensément fruité, long et rafraîchissant. ⧗ 2019-2020

⊶ DOM. VICO - CLOS VENTURI, rte de Calvi,
20218 Ponte-Leccia, tél. 04 95 47 32 04, domaine.vico@orange.fr V t.l.j. sf dim. 9h-12h 14h-19h

PATRIMONIO

Superficie : 418 ha
Production : 16 140 hl (85 % rouge et rosé)

Au pied du cap Corse, la petite enclave de terrains calcaires qui, du golfe de Saint-Florent, se développe vers l'est et surtout vers le sud, présente les caractères d'un cru bien homogène. Le niellucciu, en rouge et en rosé, et le vermentinu en blanc laissent leur empreinte dans des vins typés et d'excellente qualité : des rouges fruités et épicés, qui peuvent être somptueux et de longue garde, des rosés colorés, puissants et fruités, des blancs gras et aromatiques.

♥ CLOS ALIVU 2018 ★★

■ | 30000 | 🍾 | 8 à 11 €

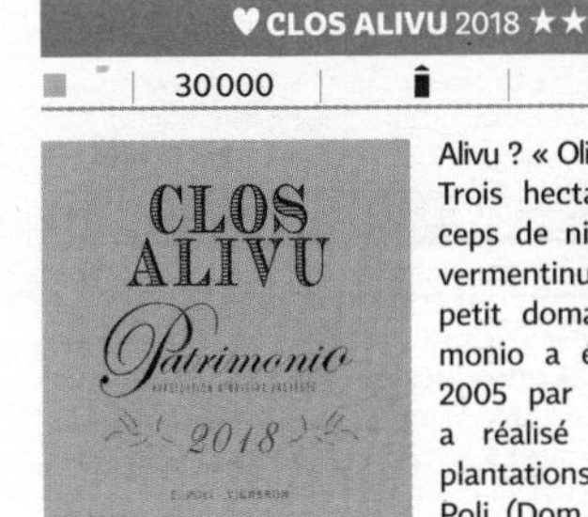

Alivu ? « Olivier », en corse. Trois hectares de vieux ceps de niellucciu et de vermentinu à Oletta. Ce petit domaine en patrimonio a été acquis en 2005 par Éric Poli, qui a réalisé de nouvelles plantations. Fils d'Ange Poli (Dom. de Piana), le vigneron est également à la tête des domaines familiaux de la région de Bravone, sur la Côte orientale; il exploite 43 ha au total.

Un coup de cœur pour ce vin de pur niellucciu dont les dégustateurs ont loué le volume et l'intensité. Si la robe est pâle, le nez regorge d'arômes floraux, de notes exotiques et amyliques. En bouche rien ne manque : texture suave, belle fraîcheur, flaveurs intenses de poire et de bonbon anglais, longueur. L'ensemble est harmonieux dans un registre aussi généreux que savoureux. ⧗ 2019-2020

⊶ ÉRIC POLI (CLOS ALIVU), Bravone,
20230 San-Nicolao, tél. 06 19 42 54 91, clos.alivu@orange.fr t.l.j. 9h-12h30 16h-20h; f. nov.-avr.

CLOS SAN QUILICO 2018 ★

■ | 25000 | 🍾 | 8 à 11 €

Seconde propriété de la famille Orenga de Gaffory, le Clos San Quilico, que dirige Henri Orenga est commandé par un corps de ferme du XVIIIᵉs. Il compte 32 ha de vignes implantées au bord de la petite route qui rejoint Poggio-d'Oletta depuis Saint-Florent. En bio certifié à partir de 2019.

Peut-être moins vif que certains millésimes précédents, ce patrimonio n'en offre pas moins de réels agréments, à commencer par son nez mûr et très aromatique, bien ouvert sur les fleurs blanches un peu miellées, les fruits exotiques, les agrumes mûrs et l'écorce d'orange. Dans une belle continuité, la bouche offre un côté suave, équilibré par une attaque acidulée et par une finale citronnée. ⧗ 2019-2021

⊶ EARL DOM. SAN QUILICO, 20253 Patrimonio,
tél. 04 95 37 45 00, contact@orengadegaffory.com
V r.-v.

CLOS TEDDI 2018 ★

■ | 40000 | 🍾 | 11 à 15 €

Marie-Brigitte Poli a rejoint en 1997 la propriété constituée en 1970 par son père Joseph avant d'en prendre les rênes en 2007. Implanté sur un site archéologique, dans le désert des Agriates, son vignoble n'est accessible que par une piste difficile. Il couvre 42 ha sur un terroir d'arènes granitiques. Régulièrement en vue pour ses sélections parcellaires travaillées avec soin.

Une belle étoile pour ce 2018, «un vermentinu dans son expression la plus pure», selon un dégustateur. Le cépage au cœur du patrimonio blanc a engendré un vin or pâle, au nez frais, entre fleurs blanches, agrumes et touches végétales, et à la bouche aussi ample que longue, tonifiée en finale par une pointe citronnée et par d'agréables amers. ⌛ 2019-2021 ■ **Grande Cuvée 2018 (11 à 15 €; 8300 b.)** : vin cité.

⊶ EARL CLOS TEDDI, Casta, 20217 Saint-Florent, tél. 06 10 84 11 73, clos.teddi@orange.fr r.-v.

DOM. LECCIA 2018

■	10000		15 à 20 €

Longtemps aidée par son frère Yves, Annette Leccia a repris seule en 2005 les rênes de la propriété familiale, qui couvre 13 ha en patrimonio et en muscat-du-cap-corse. Elle avait à cœur de convertir son vignoble en bio; c'est chose faite depuis la récolte 2011.

Le niellucció en solo dans ce rosé saumoné discrètement parfumé, entre fleurs et fruits. La bouche se montre plus loquace : attaque fraîche, fruité intense, belle vivacité qui porte longuement les saveurs. ⌛ 2019-2020

⊶ EARL DOM. LECCIA, Lieu-dit Morta Piana, 20232 Poggio-d'Oletta, tél. 04 95 37 11 35, domaine.leccia@wanadoo.fr V t.l.j. sf sam. dim. 9h-12h 14h-18h

YVES LECCIA E Croce 2018 ★

■	13000		15 à 20 €

Œnologue, Yves Leccia a créé son propre domaine en 2005, après avoir dirigé avec sa sœur l'exploitation familiale pendant une quinzaine d'années. Il conduit aujourd'hui avec son épouse Sandrine un vignoble de plus de 16 ha, cultivé en bio, sur sols argilo-calcaires et schisteux à Poggio-d'Oletta. L'un des piliers de l'appellation patrimonio, souvent en vue aussi pour ses muscats.

Vigneron émérite, Yves Leccia vinifie «à l'ancienne» ce rosé, par saignée des cuves de rouge (80% niellucciu). Le vin en retire un nez plutôt expressif et complexe, avec des nuances poivrées sur fond de fruits frais et de fleurs, et une bouche charnue et structurée, dotée d'une belle acidité et de tanins à peine esquissés. Un rosé de caractère qui trouvera sa place à table.

⊶ EARL YVES LECCIA, lieu-dit Morta-Piana, 20232 Poggio-d'Oletta, tél. 04 95 30 72 33, info@yves-leccia.com V t.l.j. sf dim. 9h-12h 15h-18h

DOM. MONTEMAGNI Menhir 2018 ★

■	15000		11 à 15 €

Le domaine le plus important de l'appellation patrimonio en surface : 15 ha en 1850, date de sa création par l'arrière-grand-père, 92 ha aujourd'hui. Aux commandes, le patriarche respecté Louis Montemagni, qui a confié les vinifications à une jeune œnologue de talent, Aurélie Melleray. Un pilier de la Corse viticole.

Cuve Inox et saignée pour ce rosé 100 % niellucció, rose orangé, au nez réservé à ce stade, mais qui donne en bouche toute sa mesure : attaque intense, matière ample, flaveurs plus épanouies entre melon, pamplemousse et bourgeon de cassis, le tout soutenu par une belle vivacité et une pointe de CO_2 qui titille un peu plus les papilles. ⌛ 2019-2020

⊶ SCEA MONTEMAGNI, Puccinasca, 20253 Patrimonio, tél. 04 95 35 90 40, domainemontemagni@orange.fr V r.-v. 3

DOM. NOVELLA 2018 ★★

■	9000		11 à 15 €

Fondé en 1950, un vignoble familial en patrimonio et en muscat-du-cap-corse, situé dans la commune d'Oletta, au cœur de la Conca d'Oro. Pierre-Marie Novella prend le relais en 1976, plante les cépages traditionnels et engage en 2014 la conversion bio du domaine (20 ha aujourd'hui).

Un patrimonio blanc salué d'emblée pour sa brillante robe paille et surtout pour la complexité et la franchise de son expression aromatique : au-dessus du verre, on hume l'acacia, la pêche blanche, le miel, l'amande et une touche grillée. Quant à la bouche, elle conjugue une belle rondeur avec une fine acidité et de nobles amers qui lui donnent relief et longueur. ⌛ 2019-2022

⊶ PIERRE-MARIE NOVELLA, 20232 Oletta, tél. 04 95 39 07 41, domainenovella@gmail.com V t.l.j. sf dim. 10h-13h 15h-19h; f. déc.-fév.

A MANDRIA DI SIGNADORE 2017 ★★

■	7000		20 à 30 €

Marseillais, Christophe Ferrandis avait un grand-père vigneron en Corse. En 2001, diplôme en poche, après de premières expériences, il achète 5 ha de vieux niellucciu en patrimonio dans la commune de Poggio d'Oletta, non loin de la cathédrale de Saint-Florent. Il a porté la superficie de son domaine à 10 ha, et abandonné la viticulture raisonnée pour adopter la bio (certification en 2013).

Une approche engageante pour cette cuvée grenat sombre aux reflets violines de jeunesse, au nez puissant et captivant de complexité, entre fruits rouges, épices (clou de girofle) et réglisse. Réglisse et fruits rouges confits se prolongent dans un palais rond et suave en attaque, de grande persistance, étayé par des tanins serrés qui restent soyeux jusqu'en finale. ⌛ 2020-2026

⊶ CHRISTOPHE FERRANDIS, Clos Signadore, La Morta-Piana, 20232 Poggio-d'Oletta, tél. 06 15 18 29 81, contact@signadore.com

MUSCAT-DU-CAP-CORSE

Superficie : 89 ha / Production : 1 977 hl

Délimitée dans les territoires de 17 communes de l'extrême nord de l'île, l'appellation a été reconnue en 1993 – aboutissement des longs efforts d'une poignée de vignerons regroupés sur les terroirs calcaires de Patrimonio et sur ceux, schisteux, de l'AOC vin-de-corse Coteaux-du-cap-corse.

Le seul muscat blanc à petits grains entre dans ce vin, élaboré par mutage à l'eau-de-vie de vin comme tout vin doux naturel. L'eau-de-vie arrête la fermentation et préserve ainsi au moins 95 g/l de sucres résiduels. Les muscats n'en gardent pas moins une belle fraîcheur.

DOM. MONTEMAGNI Menhir 2017 ★★

■	4000		11 à 15 €

Le domaine le plus important de l'appellation patrimonio en surface : 15 ha en 1850, date de sa création

par l'arrière-grand-père, 92 ha aujourd'hui. Aux commandes, le patriarche respecté Louis Montemagni, qui a confié les vinifications à une jeune œnologue de talent, Aurélie Melleray. Un pilier de la Corse viticole.

Avec 14 ha planté en muscat à petits grains, ce domaine figure presque chaque année en bonne place dans cette appellation, surtout avec cette cuvée. L'année 2016 avait été torride, le 2017 n'a rien à lui envier. Pourtant, si les volumes de ce Menhir sont en retrait, sa qualité est au rendez-vous. Le premier de ses atouts est sa fraîcheur. La robe claire et jeune montre des reflets verts. Intense, complexe et tonique, le nez associe notes florales, agrumes et fruits exotiques, mangue en tête. D'entrée, le palais montre sa puissance, mais échappe à toute lourdeur grâce à sa vivacité. Un muscat élégant, proche du coup de cœur. ⌛ 2019-2029

⊶ SCEA MONTEMAGNI, Puccinasca, 20253 Patrimonio, tél. 04 95 35 90 40, domainemontemagni@orange.fr V r.-v. ③

♥ DOM. PIERETTI 2017 ★★★

■	7200		20 à 30 €

Lina Pieretti a pris en 1989 la relève de son père Jean qui vinifiait comme ses ancêtres le produit de ses 3 ha, foulant aux pieds ses raisins. Elle a équipé le domaine d'une cave au bord de la mer et bichonne ses vignes balayées par les vents parfois violents du Cap corse – 11 ha répartis dans plusieurs communes du Cap, sur des sols rocailleux, argilo-schisteux.

La chaleur solaire du millésime et les vents de la mer toute proche semblent réunis dans cette cuvée intense et somptueuse. D'un jaune doré soutenu, ce 2017 libère des arômes exubérants de fleurs, de miel d'acacia et de fruits confits typés du cépage muscat. Le miel s'allie à l'abricot sec et au cédrat confit dans une bouche ample et persistante à souhait, qui a conquis nos dégustateurs par son rare équilibre entre douceur et fraîcheur. ⌛ 2019-2029

⊶ LINA VENTURI-PIERETTI (DOM. PIERETTI), Santa-Severa, 20228 Luri, tél. 04 95 35 01 03, domainepieretti@orange.fr V r.-v.

IGP ÎLE DE BEAUTÉ

♥ B YVES LECCIA L'Altru Biancu 2017 ★★

■	5000		20 à 30 €

Œnologue, Yves Leccia a créé son propre domaine en 2005, après avoir dirigé avec sa sœur l'exploitation familiale pendant une quinzaine d'années. Il conduit aujourd'hui avec son épouse Sandrine un vignoble de plus de 16 ha, cultivé en bio, sur sols argilo-calcaires et schisteux à Poggio-d'Oletta. L'un des piliers de l'appellation patrimonio, souvent en vue aussi pour ses muscats.

Cépage principal des vins blancs corses d'appellation, le vermentinu a regagné en Corse ses lettres de noblesse, mais connaissez-vous l'«autre blanc», le biancu gentile? Cette variété fait partie d'une nouvelle génération de cépages autochtones récemment redécouverts. Certains vignerons, comme Yves Leccia, en font des cuvées monocépage dans la catégorie IGP. D'un jaune pâle limpide, celle-ci a enchanté le jury : son nez bien ouvert et complexe, sur les agrumes et les épices, prélude à un palais aromatique, minéral et bien construit, ample et gras en attaque, tendu par une fraîcheur qui porte loin la finale. ⌛ 2019-2022 ■ **O Bà! 2016 ★ (30 à 50 €; 4000 b.)** Ⓑ : né d'un assemblage original de minustellu (40 %), de nielluciu et de grenache, un vin rouge aromatique et complexe (fruits rouges compotés, noyau, cacao, herbes du maquis comme le myrte et le lentisque), à la fois généreux et frais, de bonne longueur. ⌛ 2019-2024

⊶ EARL YVES LECCIA, lieu-dit Morta-Piana, 20232 Poggio-d'Oletta, tél. 04 95 30 72 33, info@yves-leccia.com V *t.l.j. sf dim. 9h-12h 15h-18h*

DOM. E. PETRE 2017 ★★

■	7800		11 à 15 €

Installée en 2009, Marie-Françoise Garcia a repris le vignoble familial implanté dans la vallée du Tavignanu (axe Aléria/Corte) dans les années 1970. Peu d'hectares (moins de deux), mais beaucoup de passion dans la culture de ses vignes : pratique de l'enherbement, vendanges manuelles... En conversion bio.

Un assemblage de quatre cépages (grenache 40 %, nielluciu 25%, syrah 25 %, cabernet-sauvignon 10 %), et un élevage sous bois pour un tiers des volumes. Il en résulte un vin rouge au nez engageant, expressif et complexe, entre fruits rouges et touches mentholées. Quant à la bouche, aussi ronde que longue, elle a pour atouts son intensité, son équilibre et sa longueur. ⌛ 2019-2024 ■ **2018 ★ (11 à 15 €; 6500 b.)** : associé à 15% de chardonnay, le vermentinu est à l'origine de ce vin blanc équilibré, minéral et frais, de bonne longueur, à l'expression agréable et plutôt complexe (fleurs blanches, miel et citron). ⌛ 2019-2022

⊶ SARL DOM. E. PETRE, hameau de Rotani, 20270 Aléria, tél. 06 17 79 41 18, pmfg@orange.fr V *t.l.j. sf dim. 9h-12h 14h-18h*

DOM. POLI 2018 ★★

■	30000		5 à 8 €

Éric Poli, fils d'Ange Poli (Dom. de Piana), a d'abord travaillé à Paris en salle des marchés avant de revenir à ses racines corses et vigneronnes. Également responsable de domaines en AOC patrimonio, il a créé cette exploitation en 2007 non loin de la côte orientale. Il est aujourd'hui à la tête de 43 ha de vignes.

Une robe limpide et lumineuse pour ce vermentinu remarquable, tant par son expression aromatique complexe mêlant pêche blanche, poire et ananas que par sa bouche de belle longueur, à la fois ample, généreuse et fraîche, un peu nerveuse en finale. ⌛ 2019-2021 ■ **Niellucciu 2018 (- de 5 €; 50000 b.)** : vin cité.

⊶ DOM. POLI, Bravone, 20230 San-Nicolao, tél. 06 19 42 54 91, clos.alivu@orange.fr t.l.j. 9h-12h30 16h-20h; f. de nov. à avr.

♥ RÉSERVE DU PRÉSIDENT Niellucciu 2018 ★★

■	100000	🍾		- de 5 €

Fondée en 1958, la SCA UVIB est la plus grande coopérative vinicole de Corse. Établie dans la plaine orientale, à Aléria, non loin de l'étang de Diana, elle vinifie quelque 1 600 ha de vignes appartenant à 70 adhérents.

Coup double pour la cave qui place un second rosé dans le millésime, toujours à petit prix et largement diffusé. Le nez intrigue par ses nuances de rhubarbe, de poivre et de menthol sur fond de bonbon anglais. La même complexité du fruit s'impose dans une bouche tonique, intense et équilibrée. ⌛ 2019-2020

🔑 *SCA UVIB, Padulone, 20270 Aléria, tél. 04 95 57 02 48, aleymarie@uvib.fr* V 🚶 🍷 *r.-v.*

CAVE DE SAINT-ANTOINE Divinu 2018 ★

■	50000	🍾		- de 5 €

Née en 1975 de la volonté des vignerons des coteaux de Saint-Antoine, cette cave coopérative couvre 340 ha en plaine orientale, près de Ghisonaccia. Les trois quarts du vignoble sont implantés sur l'AOC corse.

Une version légère et fraîche du cépage niellucciu, seul à l'œuvre dans cette cuvée : robe limpide, nez sur les petits fruits rouges confiturés, bouche fruitée, alerte, de belle longueur. Une bouteille accessible à tous les sens du terme, que l'on pourra apprécier avec des viandes blanches et des viandes rouges grillées. ⌛ 2019-2021

🔑 *SCA CAVE DE SAINT-ANTOINE, Saint-Antoine, 20240 Ghisonaccia, tél. 04 95 56 61 00, info@cavesaintantoine.com* V 🚶 🍷 *r.-v.*

♥ VIGNERONS DE SAMULETTO 2018 ★★

■	93805	🍾		5 à 8 €

Créée en 1975, la cave d'Aghione, la troisième structure coopérative de l'île, vinifie la production de quelque 800 ha de vignes et regroupe une trentaine d'exploitations en bordure de la plaine orientale. 2017 voit l'arrivée d'une chaîne d'embouteillage aussi bien pour les vins tranquilles que pour les effervescents. Le président actuel, André Casanova, a donné son nom à la marque principale commercialisée par la cave.

Les dégustateurs ont loué les charmes de cet assemblage de quatre cépages, dont la robe pâle et limpide dissimule un caractère affirmé. Le nez livre des notes intenses et fraîches de citron et de pamplemousse. Ces mêmes arômes s'expriment dans une bouche très convaincante, équilibrée, délicate et d'une gourmandise évidente. ⌛ 2019-2020

🔑 *LES VIGNERONS D'AGHIONE, lieu-dit Aristone, 20240 Ghisonaccia, tél. 04 95 56 60 20, contact@vignerons-d-aghione.com* V 🍷 *t.l.j. sf sam. dim. 9h-12h 13h-17h*

DOM. DE TERRA VECCHIA 2018 ★

■	260000	🍾		- de 5 €

En Corse orientale, vers la Costa Serena, entre maquis, mer et étang de Diana, Terra Vecchia et Clos Poggiale constituent un vignoble de 200 ha. Il était déjà cultivé par les Romains – ce que rappelle le nom de Terra Vecchia (« Terres anciennes »). Jean-François Renucci l'a acheté en 2011 à la famille Skalli. Les deux ensembles ont obtenu leur certification bio pour le millésime 2018.

Terra Vecchia place ce second rosé décliné à quelques 260 000 exemplaires qui apporte la preuve que volume, petit prix et plaisir ne sont pas incompatibles. Pâle, le vin offre au nez comme en bouche d'intenses arômes floraux et fruités (melon, pêche), dans un ensemble frais et étonnamment long. ⌛ 2019-2020

🔑 *DOM. DE TERRA VECCHIA, lieu-dit Terra Vecchia, 20270 Aléria, tél. 04 95 32 33 01, jf.renucci@orange.fr* V 🚶 🍷 *t.l.j. sf dim. 10h-18h (16h l'hiver)*

♥ DOM. VECCHIO Collezzione 2017 ★★

■	12000	🛢 🍾		11 à 15 €

Implanté non loin de la côte orientale, au pied du monte Sant'Appiano (1 100 m), face à la mer, un domaine progressivement agrandi (30 ha aujourd'hui) et restructuré à partir de 2000 par Florence Giudicelli-Girard et son mari. La conduite du vignoble se fait *a l'antiga* (à l'ancienne), ce que la vigneronne appelle la culture « sur-raisonnée » : limitation des rendements, réduction des désherbants chimiques... Bref, le respect de la vigne et de la terre.

À l'origine de cette cuvée grenat sombre, un terroir d'argiles rouges et de graves et une belle collection de cépages : niellucciu (60 %), sciaccarellu, grenache, minustellu – un cépage autochtone redécouvert, sans doute le morrastel. Chaque variété joue sa partition pour former un nez complexe, sur le fruit rouge mûr et la cerise noire, rehaussés par des notes cacaotées peut-être apportées par une vinification partielle sous bois. Cette palette se prolonge dans une bouche persistante, offrant un rare équilibre entre acidité et alcool, encore un peu ferme en finale. Une bouteille qui s'entendra avec toutes les viandes et même avec certains poissons en sauce comme le thon. ⌛ 2019-2025

🔑 *FLORENCE GIRARD, Listincone, 20230 Chiatra, tél. 06 03 78 09 96, vecchio@sfr.fr* V 🚶 🍷 *r.-v.*

Le Sud-Ouest

SUPERFICIE : 51 500 ha (environ)

PRODUCTION : 1 600 000 hl (environ)

TYPES DE VINS : rouges ; rosés ; blancs secs et moelleux ; vins effervescents (gaillac) ; vins de liqueur (floc-de-gascogne).

CÉPAGES PRINCIPAUX

Rouges : malbec (cot ou auxerrois), tannat, négrette, fer-servadou (braucol ou mansois), duras, merlot, cabernet franc, cabernet-sauvignon, syrah, gamay.

Blancs : sauvignon, sémillon, muscadelle, mauzac, l'en de l'el (loin de l'œil), gros manseng, petit manseng, courbu, baroque, ugni blanc (ce dernier pour l'armagnac).

LE SUD-OUEST

Groupant sous la même bannière des appellations aussi éloignées qu'irouléguy, bergerac ou gaillac, la région viticole du Sud-Ouest rassemble ce que les Bordelais appelaient le « Haut-Pays » et le vignoble de l'Adour, proche des Pyrénées. Elle comprend des microvignobles très anciens, jusqu'au pied du Massif central. À la diversité des cépages cultivés dans ces régions dispersées répond celle de la production : le Sud-Ouest fournit pratiquement tous les styles de vins. Des vins originaux, longtemps restés dans l'ombre, et qui bénéficient souvent de ce fait d'un bon rapport qualité-prix.

Dans l'ombre de Bordeaux. Jusqu'à l'apparition du rail, les vins du Haut-Pays, en provenance des vignobles de la Garonne et de la Dordogne, sont restés dans l'ombre du grand voisin bordelais. Fort de sa position géographique et de privilèges royaux, Bordeaux dictait sa loi aux producteurs de Duras, Buzet, Fronton, Cahors, Gaillac et Bergerac. Jusqu'à la fin du XVIII[e]s., tous leurs vins devaient attendre que la récolte bordelaise soit entièrement vendue aux amateurs outre-Manche et aux négociants hollandais avant d'être embarqués, quand ils n'étaient pas utilisés comme vins « médecins » pour remonter certains clarets. De leur côté, les vins du piémont pyrénéen ne dépendaient pas de Bordeaux mais étaient soumis à une navigation hasardeuse sur l'Adour avant d'atteindre Bayonne. On peut comprendre que, dans ces conditions, leur renommée ait rarement dépassé le voisinage immédiat.

Un conservatoire des cépages. Si les vignobles les plus proches du Bordelais, dans le Bergeracois ou le Lot-et-Garonne, accueillent les mêmes variétés que leur voisin girondin, les autres constituent un véritable musée des cépages d'autrefois. On trouve rarement ailleurs une telle diversité de variétés. Le particularisme et l'enclavement de nombreuses régions du Sud-Ouest expliquent la survivance de cépages locaux. Les Gascons ont ainsi le petit et le gros mansengs, le tannat, le baroque, sans parler de l'arrufiac, du raffiat de Moncade ou du camaralet de Lasseube. Le cahors tire son originalité du malbec (ou auxerrois), le fronton de la négrette, le gaillac des duras, len de l'el (loin de l'œil), mauzac, braucol... Loin de le renier, toutes ces appellations revendiquent avec fierté le qualificatif de vin « paysan » en donnant à ce terme toute sa noblesse. La vigne n'a pas exclu l'élevage et les autres cultures, et les vins côtoient sur le marché les produits fermiers avec lesquels ils se marient tout naturellement, ce qui fait du Sud-Ouest l'une des régions privilégiées de la gastronomie de tradition.

➜ LE PIÉMONT DU MASSIF CENTRAL

CAHORS

Superficie : 4 050 ha / Production : 155 370 hl

D'origine gallo-romaine, le vignoble de Cahors est l'un des plus anciens de France. Jean XXII, pape d'Avignon, fit venir des vignerons quercynois pour produire le châteauneuf-du-pape, et François Ier planta à Fontainebleau un cépage cadurcien; l'Église orthodoxe adopta le cahors comme vin de messe, et la cour des tsars comme vin d'apparat... Pourtant, ce vignoble revient de loin ! Totalement anéanti par les gelées de 1956, il était retombé à 1 % de sa superficie antérieure. Reconstitué dans les méandres de la vallée du Lot avec des cépages nobles traditionnels – le principal étant l'auxerrois, également appelé côt ou malbec (70 % de l'encépagement), complété par le merlot (environ 20 %) et le tannat –, le terroir de Cahors a retrouvé la place qu'il mérite, gagnant même les causses comme dans les temps anciens.
Appelé jadis *black wine* par les Anglais, le cahors est puissant, robuste, haut en couleur ; il s'agit incontestablement d'un vin de garde, même si cette aptitude au vieillissement varie en fonction du terroir, de l'encépagement et de la vinification. Il peut toutefois être servi jeune : il est alors charnu, agréablement

fruité, et doit être consommé légèrement rafraîchi, sur des grillades, par exemple.

DOM. LA BÉRANGERAIE Cuvée Juline 2016 ★★

■	16377	🍾		5 à 8 €

Née officiellement en 1971, la propriété des Bérenger a le même âge que l'AOC cahors. Le fils (Maurin) et la fille (Juline) de Sylvie et d'André Bérenger, aidés de leurs conjoints, ont repris le vignoble familial (35 ha) en 1997.

Cette année, la Cuvée Juline est sur le devant de la scène : un soupçon de merlot aux côtés du malbec, un élevage en cuve. Dans le verre, une robe pourpre foncé; un nez intense, franc, gourmand et complexe, dominé par les fruits noirs et la prune d'ente; un palais charnu, aux tanins denses mais affables, un peu fermes en finale. Un cahors authentique. ⌛ 2020-2025 ■ **La Nuit des rossignols 2016 (8 à 11 €; 7018 b.)** : vin cité.

GAEC LA BÉRENGERAIE, Coteau de Cournou, 46700 Grézels, tél. 06 33 83 07 20, berangeraie@wanadoo.fr V 🚶 ! *r.-v.*

DOM. DES BOULBÈNES
Rubis de roche Vieilli en fût de chêne 2016 ★

■	4110	🛢		11 à 15 €

Quatre générations se sont succédé sur cette propriété familiale située au sud-ouest de l'appellation cahors, aux confins de l'Agenais. À sa tête depuis 1992, Francis Alleman conduit aujourd'hui 15 ha de vignes, d'où il tire des cahors et des vins en IGP. Le domaine propose aussi en saison de la truffe noire.

Rubis? On dirait plutôt violine... Une robe intense, en tout cas, pour ce cahors né de pur malbec. Malgré un séjour de dix-huit mois en barrique, le nez s'ouvre sur un joli fruit aux accents de cerise, teinté d'épices et de notes balsamiques. Ample et très charpenté, le palais rappelle en finale l'élevage en fût par des notes de vanille et de cèdre. ⌛ 2020-2025

EARL DE SANAYRE, Les Boulbènes, 46800 Saux, tél. 05 65 31 95 29, domaine-des-boulbenes@wanadoo.fr V 🚶 ! *t.l.j. sf dim. lun. 9h-12h 14h-18h*

Le Sud-Ouest

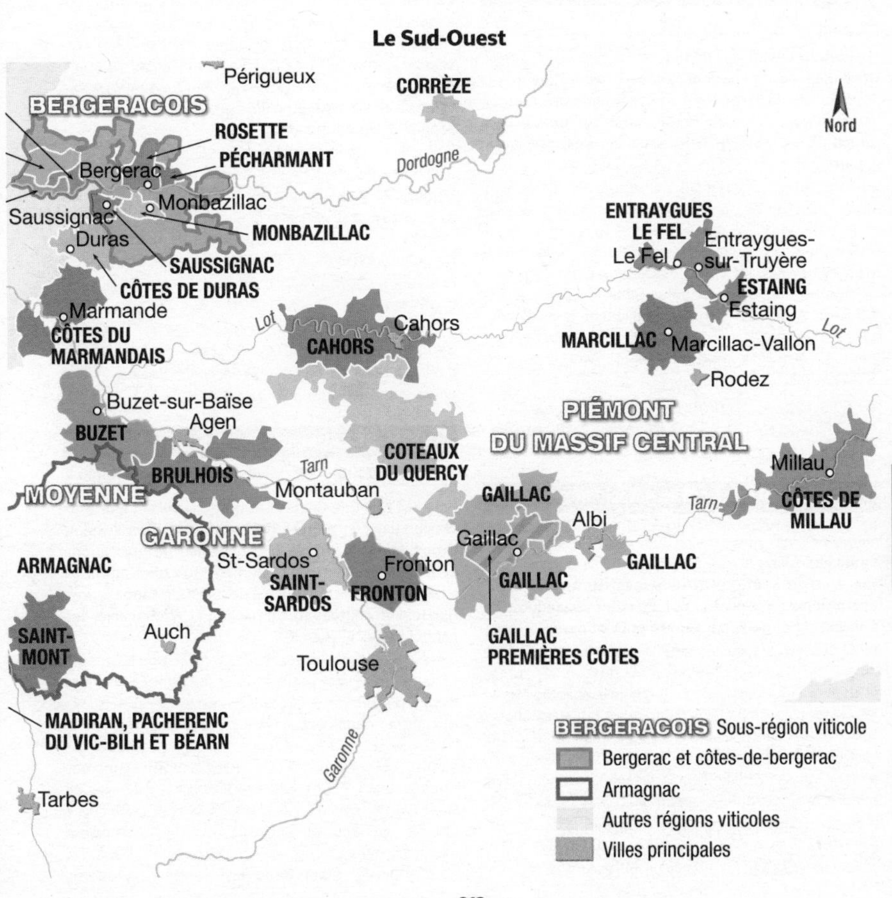

SUD-OUEST

DOM. LE BOUT DU LIEU Empyrée 2016 ★

■ | 4500 | | 20 à 30 €

L'histoire commence en 1925, quand les grands-parents d'Arnaldo Dimani quittent leur Italie natale une valise à la main pour s'installer dans le Lot, où ils acquièrent en 1980 une exploitation agricole avec un petit vignoble de 7 ha. Aujourd'hui, c'est un domaine viticole à part entière, qui s'étend sur 18 ha.

Empyrée? Le séjour des dieux. Un vin ambitieux, donc. En 2016, le vigneron a laissé longtemps mûrir le malbec, jusqu'au 21 octobre. Après une cuvaison de cinq semaines, le vin est resté vingt-deux mois en barriques, neuves pour les deux tiers. Il affiche une robe dense et s'ouvre largement sur le boisé vanillé et toasté du fût qui dévoile, à l'arrière-plan, des senteurs de fruits noirs bien mûrs et de pruneau. Les fruits noirs s'épanouissent dans une bouche ample, puissante, charpentée et persistante. Une bouteille de garde. ⧗ 2021-2029 ■ **2016 (5 à 8 €; 9000 b.)** : vin cité.

EARL LE BOUT DU LIEU, Le Bout-du-Lieu, 46140 Saint-Vincent-Rive-d'Olt, tél. 06 89 29 66 24, leboutdulieu@orange.fr V r.-v. ❷

CH. LA CAMINADE Commandery 2016 ★

■ | 26500 | | 11 à 15 €

Ce domaine familial, dont le nom signifie « presbytère » en occitan, a appartenu au clergé jusqu'à la Révolution. Représentant la quatrième génération, Dominique et Richard Ressès sont aujourd'hui à la tête d'un vignoble de 35 ha. Un pilier de l'appellation cahors.

Encore sur sa réserve au nez, la cuvée vedette du domaine, issue de pur malbec, est restée vingt-quatre mois dans le bois. Pourtant, elle s'ouvre sur un beau fruité franc, aux nuances de mûre et de cerise burlat bien mûre, voire kirschée. Souple en attaque, le palais se montre ample et onctueux, charnu et suave. Ses tanins fins et déjà enrobés soulignent la finale étirée, teintée par la barrique de tons chocolatés. Déjà flatteur, ce millésime pourra bientôt paraître à table. ⧗ 2020-2025

SCEA CH. LA CAMINADE, 314, rue de la Forge, 46140 Parnac, tél. 05 65 30 73 05, resses@wanadoo.fr V *t.l.j. sf sam. dim. 9h-12h 14h-18h*

CH. CAMP DEL SALTRE Révélation 2016 ★

■ | 5000 | | 11 à 15 €

Camp del Saltre? «Le champ du tailleur», en occitan. Une propriété de 21 ha située sur les deuxième et troisième terrasses du Lot, au cœur du vignoble de Cahors, et conduite par Gérard et Dominique Delbru.

Le malbec à l'origine de cette cuvée a bénéficié d'une longue cuvaison et d'un séjour de dix-huit mois dans le chêne neuf. Pourtant, le vin, intense et complexe au nez, laisse d'abord parler le fruit, s'ouvrant sur des notes franches de baies noires, bien mariées à un boisé fondu. Le fruit noir se prolonge dans une bouche souple en attaque, d'une belle ampleur, aux tanins enrobés, servie par une finale tendue et longue. ⧗ 2021-2026

EARL CAMP DEL SALTRE, Camp-del-Saltre, 46220 Prayssac, tél. 05 65 22 42 40, d.g.delbru@wanadoo.fr V *t.l.j. sf dim. 9h-18h30*

DOM. CAMPOY Cuvée Clos des Pradelles 2016 ★

■ | 1100 | | 15 à 20 €

En 2001, Christophe Campoy a rejoint l'exploitation familiale située sur le causse du Lot, avec l'idée de replanter de la vigne. Après un déboisement, il plante en 2005 1 ha de malbec et en 2007 0,5 ha de chenin. En 2008, il reprend une parcelle de vieilles vignes âgées de trente ans, ce qui porte son domaine à 3 ha.

D'une couleur d'encre à reflets violines, typée du malbec, une cuvée ambitieuse, élevée vingt-cinq mois dans le chêne neuf. Malgré ce boisé luxueux, ce 2016 s'ouvre sur le fruit noir, cassis en tête, mâtiné de notes réglissées et mentholées. En bouche, il s'impose par son ampleur et par sa rondeur. Ses tanins au grain fin lui donnent une texture agréable tout en se portant garants d'une bonne garde. ⧗ 2021-2029

CHRISTOPHE CAMPOY, Les Pradelles, 46090 Flaujac-Poujols, tél. 06 99 95 15 80, christophe.campoy@orange.fr V *r.-v.*

B CH. CANTELAUZE MEZY 2016 ★

■ | 36000 | | 15 à 20 €

Cantelauze («Chant de l'alouette» en occitan) a été acquis en 2011 par Marcel Mezy. Cet agriculteur aveyronnais, qui a mis au point une méthode d'humification des sols, diffusée par son entreprise, l'a appliquée pour mener la conversion bio de son vignoble (12 ha). Il s'est attaché les services du consultant Stéphane Derenoncourt.

De vieilles vignes de malbec (80 %) et de merlot sont à l'origine de ce cahors élevé dix-huit mois en cuve et, pour 20 % seulement, en fût. Dans le verre, un vin intense au nez et solide en bouche. Sa palette complexe mêle le cassis et la cerise, mâtinés de cuir, de sous-bois, de touches mentholées et d'un subtil boisé épicé. Fraîche et ample à la fois, ronde et longue, la bouche s'appuie sur des tanins enrobés. Un ensemble harmonieux et gourmand. ⧗ 2020-2026

SARL CH. CANTELAUZE, rte de Vire-sur-Lot, 46700 Duravel, tél. 05 65 24 58 75, cantelauze@gmail.com V *r.-v.*

DOM. DE CAUSE La Lande Cavagnac 2016 ★

■ | 17100 | | 11 à 15 €

Serge et Martine Costes ont quitté la ville et leur profession dans les années 1990 pour perpétuer l'exploitation familiale. Après une décennie de plantations et d'aménagement des bâtiments d'exploitation, ils exploitent 15 ha dans la partie ouest de l'appellation, non loin du château fort de Bonaguil. À leur carte, des cahors et des vins en IGP

Élevé douze mois en fût, ce 2016 revêt une robe soutenue et libère des parfums intenses de fruits noirs et d'épices. D'une belle présence en bouche, bien structuré, il est rapidement marqué par des tanins fermes et boisés qui soulignent sa longue finale aux accents balsamiques. Du caractère. ⧗ 2021-2025 ■ **Notre Dame des Champs 2016 ★ (20 à 30 €; 4500 b.)** : un élevage de vingt-quatre mois dans le chêne neuf pour cette cuvée intense, puissante et longue, à l'expression complexe mariant la cerise, la prune et la mûre confiturées à des notes d'élevage rappelant le pain d'épice et la réglisse.

Tannique et sévère, marquée par un boisé grillé, la finale appelle une petite garde. ⌛ 2021-2027

⊶ EARL DUROU ET COSTES, Cavagnac, 46700 Soturac, tél. 05 65 36 41 96, domainedecause@wanadoo.fr V r.-v.

CHAMPS DE LACROUX 2016 ★★

■ | 80000 | | 5 à 8 €

Commandée par une grande bâtisse flanquée de deux pigeonniers, cette propriété familiale de Puy-l'Évêque, dans la vallée du Lot, est aux mains de Johan Vidal (cinquième génération), arrivé en 1997. Le vignoble s'étend sur 35 ha. Une activité de négoce est menée en parallèle.

Dense, presque noire, la robe annonce un vin concentré. Le nez profond, sur les fruits noirs et les épices, prélude à une bouche ample, onctueuse et structurée, où l'on retrouve les épices, alliées au pruneau. Les tanins aux accents mentholés témoignent d'une très belle extraction. ⌛ 2021-2025 ■ **La Gariottes des Batuts 2017** ★ **(5 à 8 €; 250 000 b.)** : un cahors tout en fruit élevé en cuve. Avec son nez discret, sur les petits fruits (cerise burlat, fraise, gelée de mûre), nuancé d'une touche mentholée et sa bouche souple et suave, sur les fruits à l'alcool, il pourra être débouché dès l'apéritif, sur une planche de charcuterie. ⌛ 2019-2023

⊶ SARL LA REYNE SÉLECTION, Leygues, 46700 Puy-l'Évêque, tél. 05 65 30 82 53, chateaulareyne@orange.fr

CLOS D'AUDHUY 2016 ★★

■ | 5000 | | 15 à 20 €

Son grand-père avait planté les vignes en 1988, sur la troisième terrasse du Lot. Benoît Aymard, vigneron et œnologue, s'y est installé en 2014 alors que le domaine était menacé de disparition. Il a arraché, replanté et préside aujourd'hui aux destinées de ce vignoble de 14 ha.

Ce cahors élevé sous bois reste vingt mois en barriques de 400 l. Discret mais franc au nez, il s'exprime surtout sur le fruit noir et le pruneau. Le fruit noir se prolonge dans une bouche souple en attaque, charpentée, complexe et persistante, soutenue par des tanins d'une belle finesse. La finale, plus ferme, est marquée par des tanins boisés teintés de vanille et de moka. Le produit d'une extraction maîtrisée. ⌛ 2021-2026

⊶ EARL CLOS D'AUDHUY, Clos d'Audhuy, 46700 Lacapelle-Cabanac, tél. 06 84 62 05 27, benoit.aymard@wanadoo.fr V r.-v.

CLOS DE GAMOT Gariotte 2017 ★

■ | 20000 | | 8 à 11 €

Les Jouffreau sont enracinés dans la région de Cahors depuis le Moyen Âge et au Clos de Gamot depuis 1610. Leur vignoble dédié au malbec couvre aujourd'hui 21 ha sur des terroirs argilo-calcaires et siliceux des deuxième et troisième terrasses du Lot, dans un méandre de la rivière.

Typique des paysages traditionnels quercynois, la gariotte est une petite cabane circulaire en pierre sèche qui servait au viticulteur à s'abriter et à ranger ses outils. Elle a donné son nom à ce cahors élevé en cuve. Le vin a la couleur de la tulipe noire. Il délivre des parfums tout en finesse de cerise burlat et de fruits noirs, prélude à une bouche étoffée et fraîche, un peu sévère en finale. ⌛ 2020-2023 ■ **L'Origine 2017** ★ **(8 à 11 €; 10 000 b.)** : élevé en cuve, ce vin à la robe profonde, très «malbec», séduit par son fruité gourmand aux nuances de mûre, de cassis et de bonbon à la fraise, légèrement réglissé. Ample et rond, plus austère en finale, il est fait pour les années qui viennent. ⌛ 2020-2023

⊶ EARL JOUFFREAU-HERMANN, Clos de Gamot, 46220 Prayssac, tél. 05 65 22 40 26, closdegamot@orange.fr V r.-v.

♥ B LE CLOS D'UN JOUR
Un Jour sur terre 2016 ★★

■ | 3300 | 15 à 20 €

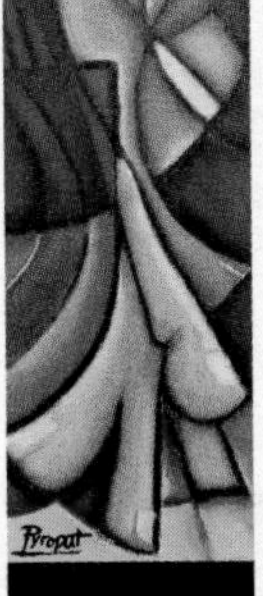

Un jour... Stéphane Azémar, architecte de formation, et Véronique, archéologue, ont quitté la région parisienne pour s'installer en 1999 sur une petite propriété à Duravel, un village abrité du vent du nord par un arc de collines, et faire de la vigne leur métier. Ils conduisent leur vignoble (7 ha sur la troisième terrasse du Lot) en bio certifié. Ils produisent aussi du safran.

Cinquième coup de cœur pour le domaine et deuxième pour cette cuvée : un modèle de l'appellation, d'une grande authenticité. Un vin élevé dans des contenants originaux : des jarres de terre cuite tournées à la main, évoquant les dolia de l'Antiquité, qui permettent comme la barrique une oxygénation ménagée, mais sans apport d'arômes boisés. Le malbec s'exprime dans toute sa pureté dans ce vin à la robe profonde, noir d'encre, et aux parfums de mûre et de crème de cassis, nuancés d'une pointe réglissée. Quant au palais, ample, charnu, puissant et suave, soutenu par des tanins serrés mais enrobés, il montre une rare élégance jusqu'en finale. On pourra apprécier cette bouteille assez jeune en la carafant. ⌛ 2021-2027

⊶ VÉRONIQUE AZÉMAR, Le Port, 46700 Duravel, tél. 06 70 74 18 33, s.azemar@wanadoo.fr V r.-v.

CLOS LA COUTALE 2017 ★

■ | 295000 | | 5 à 8 €

Les méandres du Lot s'élargissent, le paysage s'ouvre. Au Clos la Coutale, la vigne occupe 88,5 ha sur les terrasses alluviales du fleuve, un terroir de graves et de silices argilo-calcaires. Philippe Bernède, aux commandes du domaine depuis 1980, représente la sixième génération.

Ce 2017 élevé huit mois en foudre et en fût incorpore 15 % de merlot aux côtés du malbec. Un vin bien typé cahors, aux parfums de fruits rouges et de violette harmonieusement mariés à des notes boisées. Ample et structuré, le palais monte en puissance, soutenu par des tanins déjà arrondis, marqués en finale par un boisé appuyé. Une cuvée encore jeune et fraîche.

⧗ 2021-2025 ■ **Grand Coutale 2016 (15 à 20 €; 2000 b.)** : vin cité.

SCEA CLOS LA COUTALE, La Chambre, 46700 Vire-sur-Lot, tél. 05 65 36 51 47, info@coutale.com t.l.j. sf sam. dim. 9h-12h 14h-18h

CH. COMBEL-LA-SERRE Les Peyres levades 2016

■	1500		30 à 50 €

Sortis de la coopérative en 1998, Jean-Pierre Ilbert et son fils Julien, revenu sur le domaine en 2003, ont fait le choix de ne planter que le malbec sur les sols d'argiles rouges de leur propriété. Après le départ à la retraite de son père, le second conduit avec son épouse Sophie le vignoble de 22 ha, en bio certifié depuis 2016.

Après une vinification en cuve, ce 2016 est resté dix-huit mois dans des fûts de 500 l. Bien que ces barriques soient de réemploi, elles lui ont légué quelques arômes vanillés, qui mettent en valeur un agréable fruité aux nuances de cerise, de mûre et de prune noire. Les fruits noirs se lient à des notes florales dans une bouche souple en attaque, séveuse et équilibrée; encore fermes, les tanins demandent à se fondre. ⧗ 2021-2026

EARL ILBERT ET FILS, lieu-dit Cournou-la-Serre, 46140 Saint-Vincent-Rive-d'Olt, tél. 05 65 21 04 09, contact@combel-la-serre.com t.l.j. sf dim. 9h-12h 14h-18h

CH. LA COUSTARELLE L'Éclat 2016 ★

■	12000		30 à 50 €

Depuis 1870, la famille Cassot conduit ce domaine de 53 ha situé sur la troisième terrasse du Lot, rive droite, exposée plein sud. En 2009, Caroline (septième génération) en a pris les commandes.

Une cuvée haut de gamme, élevée vingt et un mois en fût. Le nez s'ouvre sur les petits fruits des bois et sur la cerise à l'eau de vie, relayés par des notes de vanille et de café torréfié. Ronde en attaque, consistante, assez chaleureuse, la bouche s'appuie sur des tanins encore fermes et sévères en finale, qui devraient bien évoluer. ⧗ 2022-2027

SCEA CASSOT ET FILLE, Les Caris, 46220 Prayssac, tél. 05 65 22 40 10, chateaulacoustarelle@gmail.com t.l.j. sf dim. 9h-12h 14h-19h; sam. sur r.-v.

CROCUS La Roche Mère 2016 ★

■	1575		+ de 100 €

Pont entre le Nouveau et l'Ancien mondes, entre deux approches du malbec, ce négoce est né en 2014 de l'association du *winemaker* international Paul Hobbs, spécialiste du cépage dans sa version argentine, et de Bertrand-Gabriel Vigouroux, dont la famille s'investit dans le vignoble cadurcien depuis les années 1960.

Un élevage de vingt-quatre mois en barrique neuve pour ce «malbec de Cahors», issu des calcaires du plateau, qui affiche une robe noir d'encre. Le nez complexe mêle un boisé intense à des senteurs de fruits rouges et de baies noires confiturées, teintées de pruneau et de figue. Ces arômes suaves s'épanouissent jusqu'en finale dans une bouche ample, presque moelleuse. Une acidité sous-jacente contribue à l'équilibre et au potentiel de cette bouteille. ⧗ 2021-2029

SAS PAUL BERTRAND, rte de Toulouse, 46000 Cahors, tél. 05 65 20 80 80, info@crocuswines.com r.-v.

CH. LES CROISILLE Divin 2016 ★

■	8000		20 à 30 €

Cécile et Bernard Croisille se sont installés en 1979 au hameau de Fages, perdu sur le causse au-dessus de Luzech. Ils ont agencé une cave moderne et commencé à élaborer leur vin en 2000, à partir de 25 ha de vignes (30 ha aujourd'hui, en bio certifié). Depuis 2007, ce sont leurs fils Germain et Simon, accompagnés de leur ami d'enfance Nicolas, qui élaborent, avec talent, les cuvées du domaine, sous le regard attentif des parents, en visant la finesse et la fraîcheur (pas de bois neuf mais des foudres et des fûts de 500 l).

Souvent au sommet, cette cuvée de malbec issue des trois plus belles parcelles du domaine (argiles rouges et calcaires) vieillit vingt-quatre mois en foudre. Cet élevage donne toute sa place au fruit, des fruits rouges et des baies noires qui surgissent au premier coup de nez, accompagnés d'un boisé subtil et complexe. Dans le même registre, la bouche conjugue puissance et finesse. Son élégance et ses tanins fondus rendent cette bouteille très agréable à boire. ⧗ 2020-2026 ■ **Calcaire 2016 ★ (11 à 15 €; 18000 b.)** : né de malbec planté sur le plateau calcaire de Luzech, il vieillit vingt-quatre mois en fût. Une robe noire comme il se doit; un nez expansif, tout en petits fruits des bois (framboise, groseille, cassis), légèrement vanillé, avec une touche de sous-bois et d'épices; une bouche gourmande, onctueuse, aux tanins veloutés, tendue par une belle fraîcheur : un vin bien construit. ⧗ 2020-2026

GAEC DES CROISILLE, Fages, 46140 Luzech, tél. 05 65 30 53 88, chateaulescroisille@wanadoo.fr t.l.j. sf dim. 9h-12h 14h-18h

CH. CROZE DE PYS 2017

■	80000		5 à 8 €

D'une famille enracinée dans la région, René Roche avait repris en 1966 un vignoble abandonné à Vire-sur-Lot sur des terres de graviers et de sables, cinq ans avant l'accession du cahors en AOC. Œnologue à Bordeaux, son fils Jean lui avait succédé en 1987. Il a cédé en 2015 le domaine (112 ha) à Fabien Coirault et François Drougard, entrepreneurs spécialistes du vin aromatisé – mais c'est du cahors qu'ils continuent à produire à Croze de Pys.

Une expression typée et authentique du malbec pour ce 2017 élevé en cuve. Paré d'une robe profonde à reflets violines, ce vin séduit par ses parfums nets de fraise et de petites baies acidulées, qui montent en puissance à l'aération et se teintent de touches anisées et mentholées. Le fruit prend des tons plus confiturés dans un palais bien construit, agréable par sa souplesse malgré des tanins encore vifs en finale. ⧗ 2020-2024

SCEA DES DOMAINES ROCHE, Ch. Croze de Pys, 46700 Vire-sur-Lot, tél. 05 65 21 30 13, chateau-croze-de-pys@wanadoo.fr r.-v.

CH. EUGÉNIE
Cuvée réservée de l'aïeul 2017 ★★

■ | 60000 | 🍷 | 11 à 15 €

C'est en 1470 que remontent les archives de ce domaine qui connut de prestigieux clients au XVIIIᵉs., notamment les tsars de Russie. Dans la famille Couture depuis cinq générations, la propriété s'appuie sur un vignoble de 54 ha. Souvent en vue pour ses cahors de caractère, notamment sa Cuvée réservée de l'aïeul.

Cette cuvée provient des plus vieux ceps de la propriété – du malbec pour l'essentiel (10 % de tannat) – plantés il y a un demi-siècle par le grand-père. Elle achève sa fermentation dans le bois et séjourne dix-huit mois en barrique. Le 2017 reste d'un excellent niveau. Aussi intense à l'œil qu'au nez, il s'ouvre sur les nuances de pain grillé, d'épices et de réglisse d'un agréable boisé, relayées par les fruits rouges frais. Ces arômes suaves de fruit et de réglisse se prolongent dans une bouche à la fois ronde et alerte, aux tanins soyeux. Les notes d'élevage bien fondues, qui laissent un sillage de moka, témoignent d'une réelle maîtrise de l'élevage. ⌛ 2022-2029

SCEA CH. EUGÉNIE, Rivière-Haute, 46140 Albas, tél. 05 65 30 73 51, couture@chateaueugenie.com V ⚲ ⚲ t.l.j. sf dim. 9h30-12h30 14h-19h

CH. FAMAEY Cuvée X 2016 ★

■ | 6000 | 🍷 | 20 à 30 €

Un domaine de 40 ha, acquis en 2000 par deux Flamands, Luc Luyckx et Marc Van Antwerpen. Famaey ? Le nom de jeune fille de l'épouse de Luc. Aux vinifications, Marteen, fils de ce dernier.

Les cuvées du domaine affichent une grande initiale sur leur étiquette. Barrée d'un X – qui s'inscrit aussi sur les barriques –, celle-ci vieillit vingt-quatre mois en fût neuf. L'élevage lui donne de plaisants arômes de cacao, qui se marient avec bonheur à des parfums de cerise, de fruits noirs et de pruneau que l'on retrouve en bouche; il lègue aussi une certaine sucrosité à ce vin bien construit, plutôt souple, aux tanins enrobés. ⌛ 2021-2025

SCEA LUYCKX - VAN ANTWERPEN, Les Inganels, 46700 Puy-l'Évêque, tél. 05 65 30 59 42, famaey@orange.fr V ⚲ ⚲ t.l.j. sf sam. dim. 9h-12h 14h-17h30

DOM. DE LA GARDE
Élevé en fûts de chêne 2016 ★

■ | 6000 | 🍷 | 8 à 11 €

Installé au sud du Lot, dans la région du Quercy blanc, Jean-Jacques Bousquet conduit depuis 1984 un vignoble de 17 ha. Présent dans le Guide dès les premières éditions en coteaux-du-quercy (alors vins de pays), ce domaine très régulier en qualité s'est agrandi et propose aussi du cahors, ainsi que des vins en IGP.

Élevée dix-huit mois dans le chêne, cette cuvée charpentée est conçue pour la garde. Elle s'ouvre sur un boisé complexe qui laisse percer des notes vineuses de petits fruits des bois. Souple en attaque, elle a pour atouts son équilibre, son ampleur et sa rondeur. On l'attendra un peu. ⌛ 2021-2026 ■ **Réserve Edward 2017 (11 à 15 €; 14000 b.)** : vin cité.

EARL DE LA GARDE, Le Mazut, 46090 Labastide-Marnhac, tél. 05 65 21 06 59, contact@domainedelagarde.com V ⚲ ⚲ t.l.j. sf dim. 9h-12h 14h-18h30

Ⓑ **CH. LA GINESTE** Secrets... 2016 ★

■ | 6000 | 🍷 | 11 à 15 €

Ghislaine et Gérard Dega ont acquis en 2002 ce domaine qui compte aujourd'hui près de 9 ha. Les vignes s'étendent sur les deuxièmes terrasses du Lot, autour d'un petit manoir flanqué de son pigeonnier. La conversion bio s'est achevée en 2013.

Après un séjour de dix-huit mois en fût (neuf à 50 %), cette cuvée n'a pas révélé tous ses secrets. Très sombre dans le verre, elle ne peut guère cacher son cépage, le malbec. Elle dévoile aussi son élevage, qui s'exprime avec franchise dans de belles notes chocolatées, et laisse filtrer des senteurs de fruits noirs rafraîchies de touches mentholées. Portée en bouche, elle révèle une solide structure et des arômes à l'unisson du nez. Des tanins encore fermes masquent encore en partie son aimable caractère, qui se dévoilera avec le temps : elle gagnera bientôt en rondeur. ⌛ 2021-2026

SCEA DES VIGNOBLES DEGA, Ch. la Gineste, 46700 Duravel, tél. 05 65 30 37 00, chateau-la-gineste@orange.fr V ⚲ ⚲ r.-v.

GOULEYANT 2017

■ | 120000 | 🍾 | 5 à 8 €

Un négoce créé en 1887. Il a connu un bel essor avec Georges Vigouroux, petit-fils du fondateur, qui en a pris les rênes en 1963. Il a développé la vente en bouteilles, créé des marques, comme Pigmentum et Gouleyant. Il a enfin largement contribué à partir de 1971 au développement de l'appellation cahors en reprenant plusieurs domaines et s'est étendu en buzet. Œnologue, son fils Bertrand-Gabriel est aujourd'hui à la tête de la société.

L'adjectif gouleyant n'était pas traditionnellement associé aux cahors, mais la maison décline le malbec dans tous ses états. Sous cette marque, il en propose une version souple, qui vise le plaisir immédiat. Le malbec s'associe à 15 % de merlot pour arrondir encore ses tanins; la macération ne dure pas plus de huit à dix jours et l'élevage se déroule en cuve. Il en résulte un vin tout en légèreté, centré sur le fruit. Du canard ? Oui, mais en aiguillettes ou en saucisses, sur le gril. ⌛ 2019-2022

SAS GEORGES VIGOUROUX, rte de Toulouse, CS_159, 46003 Cahors Cedex 9, tél. 05 65 20 80 80, vigouroux@g-vigouroux.fr V ⚲ ⚲ t.l.j. sf mer. jeu. 8h-12h30 14h-19h30

CH. GRAND CHÊNE X4 2016 ★★

■ | 1500 | 🍷 | 15 à 20 €

À l'origine producteurs de rhum en Guadeloupe, Delphine et Jean Longueteau ont repris en 1999 le petit domaine du Ch. Le Brézéguet (5 ha à Saux), complété en 2015 par le Ch. Grand Chêne à Belaye.

Né de vieux ceps de malbec, resté vingt-quatre mois dans le chêne neuf, un cahors dans la lignée du superbe 2015. La robe d'encre ne laisse pas passer la lumière : on a bien affaire à un «vin noir». Vanille, fumée et même touches résinée, le nez décline les nuances complexes d'un élevage ambitieux, qui laisse s'exprimer des notes de fruits noirs (mûre) bien typées. La bouche n'est pas en reste : ample, puissante et longue, encore resserrée en finale, elle conjugue solide charpente et rondeur. ⧗ 2023-2029

⊶ EARL CH. LE BRÉZÉGUET, Les Ons, 46140 Belaye, tél. 06 82 84 56 30, chateaulebrezeguet@orange.fr V r.-v.

CH. LES GRAUZILS L'Essentiel 2016 ★

■ | 10 000 | ◍ | 11 à 15 €

Le nom de Grauzils provient de « grès » ou de « graves » ; il désigne des sols maigres et caillouteux. Une référence au terroir où sont plantés les 22 ha de vignes du domaine occupant les deuxième et troisième terrasses qui s'étagent de la rivière jusqu'au village de Prayssac. Dans la famille Pontié depuis quatre générations, le vignoble est conduit par Philippe Pontié depuis 1982.

D'aussi bonne tenue que le millésime précédent, ce 2016, élevé douze mois en fût, développe des parfums très nets de cerise sur un fond chocolaté et mentholé. Bien construit, il se déploie avec souplesse et longueur, adossé à des tanins fins et enrobés. Il devrait gagner en expression dans les prochaines années. ⧗ 2021-2025

⊶ EARL LES GRAUZILS, lieu-dit Gamot, 46220 Prayssac, tél. 05 65 30 62 44, pontie.philippe@wanadoo.fr V *t.l.j. sf dim. 9h-12h 14h-19h*

DOM. DES GRAVALOUS Prestige 2016 ★

■ | 1800 | ◍ | 15 à 20 €

Une propriété familiale de 26 ha, transmise de père en fils depuis cinq générations, en polyculture jusque dans les années 1970 avant de se tourner vers la vigne. Hervé Fabbro s'y est installé en 2006 après ses études de « viti-œno ».

Le malbec à l'origine de cette cuvée a fait l'objet d'une vinification intégrale en barrique neuve. Après dix-huit mois dans le chêne, ce vin coloré présente un nez complexe, associant le côté toasté et torréfié du fût à des nuances de petits fruits des bois; puissant, structuré et rond, de belle longueur, il est marqué en finale par des tanins boisés qui demandent à se fondre. ⧗ 2022-2029 ■ **Cuvée traditionnelle 2016 (5 à 8 €; 8000 b.)** : vin cité.

⊶ SCEA LES GRAVALOUS, Vidal, 46220 Pescadoires, tél. 06 10 39 37 69, gravalous@wanadoo.fr V *t.l.j. sf dim. 9h-18h*

CH. HAUTE-BORIE Cuvée Prestige 2016 ★★

■ | 13 000 | ◍ | 11 à 15 €

Établi aux confins ouest de l'aire d'appellation cahors, à la limite de l'Agenais, Jean-Marie Sigaud, installé en 1970, a fait une longue carrière au service du vin de Cahors. Son vignoble de 17 ha, implanté sur les troisièmes terrasses du Lot, plonge ses racines dans des graves siliceuses.

Après la cuvée Tradition, souple et fruitée, voici la cuvée Prestige du même millésime, qui dévoile un beau travail d'extraction et d'élevage : elle a frôlé le coup de cœur. Au terme d'un séjour de dix-huit mois en barrique, la robe profonde montre des reflets violines de jeunesse. Le nez s'ouvre sur les fruits noirs bien mûrs, rehaussés d'un boisé aux nuances de vanille et de café torréfié. Ces arômes se prolongent dans une bouche ample et charnue, dont les tanins serrés mais enrobés soulignent la finale harmonieuse et persistante. Du caractère et du potentiel. ⧗ 2021-2029

⊶ JEAN-MARIE SIGAUD, 46700 Soturac, tél. 05 65 22 41 80, barat.sigaud@wanadoo.fr

CH. DE HAUTE-SERRE Géron Dadine 2017 ★

■ | 6500 | ◍ | 30 à 50 €

Fondée en 1887 dans le Lot par Germain Vigouroux, la maison Georges Vigouroux œuvre depuis quatre générations à la renommée des vins du Sud-Ouest. Ce négoce, pionnier de l'appellation cahors, distribue les vins de ses marques et possède plusieurs domaines (Haute-Serre, Leret-Monpezat, Mercuès, Tournelle). C'est désormais Bertrand-Gabriel Vigouroux, fils de Georges, qui est à la tête de l'ensemble.

Remontant au Moyen Age, le vignoble de Haute-Serre, implanté sur des coteaux pierreux, fut détruit par le phylloxéra. Georges Vigouroux l'a racheté et replanté. La cuvée Géron Dadine résulte d'une vinification intégrale en barrique, suivie d'un élevage de dix-huit mois dans le chêne. Elle met pourtant en avant le fruit (fraise, cerise et fruits noirs), souligné par un subtil boisé aux nuances d'épices et de tabac. Solide et suave à la fois, elle s'appuie sur des tanins enrobés. Marquée par une pointe de fraîcheur, la finale laisse le souvenir d'un vin net et bien construit. ⧗ 2022-2029

⊶ GFA GEORGES VIGOUROUX (CH. DE HAUTE-SERRE), 46230 Cieurac, tél. 05 65 20 80 80, contact@g-vigouroux.fr V *t.l.j. sf mer. jeu. 10h-18h*

Ⓑ CH. HAUT-MONPLAISIR Pur Plaisir 2016 ★

■ | n.c. | ◍ | 20 à 30 €

Cathy et Daniel Fournié ont repris en 1998 ce domaine qui compte 30 ha, conduit depuis 2012 en bio certifié. Autodidactes, ils ont pris conseil auprès des vignerons voisins. Ils ont vite et bien appris, témoin les sélections régulières dans ces pages. Leur fille Mathilde les a rejoints en 2015.

Issue de malbecs âgés de cinquante ans, une cuvée vinifiée en fûts ouverts et élevée trente-six mois dans le chêne neuf. À une robe profonde tirant sur le noir répond un nez intensément boisé, qui laisse percer des senteurs de fruits noirs confiturés. Dans le même registre, le palais se montre concentré, ample et gras avec élégance. La finale de bonne longueur laisse un sillage mentholé. Si ce 2016 montre déjà des qualités, le plaisir sera encore plus complet dans quelques années. ⧗ 2022-2030

⊶ EARL DE MONPLAISIR, lieu-dit Monplaisir, 46700 Lacapelle-Cabanac, tél. 05 65 24 64 78, chateau.hautmonplaisir@wanadoo.fr V *r.-v.*

Ⓑ CH. LACAPELLE CABANAC XL 2016 ★★

■ | 7200 | ◍ | 11 à 15 €

Néovignerons venus du monde de l'informatique et du marketing, Thierry Simon et Philippe Vérax se sont installés en 2001 sur ce vignoble de 18 ha au cœur du

causse, à quelque distance du Lot. Ils l'ont conduit d'emblée en biodynamie et l'exploitent en bio certifié.
Implanté sur le causse, à quelque 300 m d'altitude, le domaine jouit d'un microclimat différent de celui de la vallée du Lot, plus sec, avec des nuits plus fraîches. Ce 2016 en a certainement bénéficié. «Quel nez!», lit-on sur les fiches de dégustation. D'abord, du fruit, rouge plutôt que noir, frais plutôt que confituré, allié à un boisé raffiné aux accent épicés. En bouche, le vin a tous les atouts : la puissance, la rondeur, les tanins de velours et, surtout, une grande tension qui porte loin la finale et laisse deviner un vin de garde. Proche du coup de cœur. ⧗ 2022-2030 ■ **Prestige Élevé en fût de chêne 2016 ★ (8 à 11 €; 11400 b.)** Ⓑ : incorporant 15 % de merlot, cette cuvée tire de son séjour de seize mois dans le chêne une expression complexe, encore discrète et marquée par l'élevage. Un vin bien construit, aux tanins fins, qui devrait évoluer dans le bon sens. ⧗ 2020-2025

SCEA CH. DE LACAPELLE, Le Château, 46700 Lacapelle-Cabanac, tél. 05 65 36 51 92, contact@lacapelle-cabanac.com V ⚐ ! *t.l.j. sf sam. dim. 9h-12h 14h-18h*

♥ CH. LAGRÉZETTE Cuvée Marguerite 2016 ★★

■	10900	◍	30 à 50 €

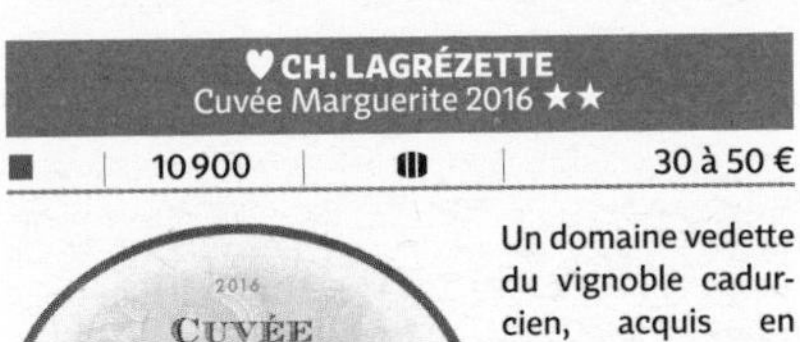

Un domaine vedette du vignoble cadurcien, acquis en 1985 par l'homme d'affaires Alain-Dominique Perrin. Il est renommé pour l'architecture caractéristique de son manoir du XVIes., avec ses tours en poivrière, ses toits pentus et son pigeonnier; pour son patrimoine viticole aussi (82 ha), exploité depuis le XVIes.; pour ses vins ambitieux, surtout, régulièrement en vue dans ces pages.
Issue d'un vignoble de malbec sur graves et sols argilo-graveleux bénéficiant d'un microclimat sec et précoce, cette cuvée a fait grande impression dès l'approche, avec sa robe profonde et très typée, d'un noir d'encre aux nuances violettes. Le nez brille par sa complexité, panier de petits fruits, cerise et mûre en tête, mis en valeur par un boisé réglissé, torréfié et fumé. Une attaque ronde ouvre sur un palais d'une rare ampleur, soutenu par des tanins déjà enrobés qui laissent une sensation de moelleux. Une belle fraîcheur complète l'harmonie et porte loin la finale. «Quel volume! Quelle puissance!» concluent les jurés. ⧗ 2022-2030 ■ **2016 ★★ (30 à 50 €; 78000 b.)** : le successeur du 2015, coup de cœur dans la dernière édition, reste à un très haut niveau. Son assemblage inclut un soupçon de merlot et de tannat (malbec 94 %). Après un élevage de dix-huit mois dans le chêne neuf, ce millésime affiche une robe profonde. Encore fermé, il annonce sa complexité et sa finesse dans des notes de violette et de fruits noirs qui percent sous l'élevage. Bien construite et charpentée, la bouche annonce un fort potentiel. ⧗ 2023-2030

SCEV LAGRÉZETTE, Ch. Lagrézette, 46140 Caillac, tél. 05 65 20 07 42, cblanc@lagrezette.fr V ⚐ ! *t.l.j. 10h-12h 14h-18h; f. janv.*

CH. LAMARTINE Cuvée Particulière 2017 ★

■	20000	◍	11 à 15 €

Selon la légende, la ramure d'un chêne centenaire abritait ici les rendez-vous galants d'une belle Martine. Depuis 2017, Alain Gayraud a laissé la place à son fils Benjamin, fort de solides expériences à l'étranger, pour conduire ce domaine aux origines anciennes (1883), situé aux confins du Lot-et-Garonne. Le vignoble couvre 37 ha, exposés plein sud. Un pilier de l'appellation cahors.
Plus d'une fois au sommet des sélections, cette cuvée tire son nom de son assemblage original, faisant une petite place au tannat (10 % aux côtés du malbec), cépage du piémont pyrénéen. Elle est élevée en foudre de chêne pour un tiers des volumes et en fût pour le solde. Le 2017 offre un profil tout en finesse, moins riche que certains millésimes précédents, mais très agréable, tant par ses parfums de fruits rouges subtilement boisés que par sa bouche harmonieuse et ronde, bien fruitée, où la barrique reste discrète. ⧗ 2020-2024

SCEA DU CH. LAMARTINE, Lamartine, 46700 Soturac, tél. 05 65 36 54 14, cahorslamartine@orange.fr V ⚐ ! *r.-v.*

CH. LATUC Prestige Élevé en fût de chêne 2016 ★

■	13200	◍	8 à 11 €

Aux confins du Lot-et-Garonne, une ferme typique du Quercy avec son pigeonnier. Repris en 2002 à des Britanniques par un couple d'agronomes belges formés en Alsace, Geneviève et Jean-François Meyan, le domaine couvre 17 ha; il produit des cahors et des vins en IGP. Les propriétaires ont institué un régime de location des vignes rang par rang à des *Wine partners*. Un rang procure 260 bouteilles l'an.
«Jamais de barrique neuve», soulignent les propriétaires. Ils obtiennent un cahors très équilibré, au nez franc, partagé entre les petits fruits des bois et un boisé chocolaté légué par un élevage de quatorze mois en fût. La bouche se montre tout aussi aromatique, puissante, soutenue par des tanins mûrs, sans aspérités. Bien construit, ce vin devrait gagner en intensité et en complexité au cours des prochaines années. ⧗ 2020-2025

EARL DOM. DE LATUC, Laborie, 46700 Mauroux, tél. 05 65 36 58 63, info@latuc.com V ⚐ ! *t.l.j. sf dim. 9h-12h 14h-18h*

CH. LAUR Vieilles Vignes 2017 ★

■	11800	◍	8 à 11 €

Fort de son diplôme de viti-œno, Patrick Laur a repris le vignoble familial en 1979. En 2009, il a été rejoint par son fils Ludovic. Ensemble, ils ont agrandi l'exploitation, qui compte aujourd'hui 56 ha de vignes conduites dans un esprit bio mais sans certification. Une activité de négoce a été développée en 2006 (Les Vignobles Laur) sous la houlette de Ludovic et de son frère Cédric.
Issue de malbecs âgés de plus de quarante ans, cette cuvée tire de son séjour de quatorze mois en fût un nez agréable, entre fruits rouges bien mûrs et notes fumées, réglissées et mentholées. On retrouve le fruit mûr, allié à un boisé bien fondu, dans une bouche à la fois ronde et fraîche, aux tanins soyeux, encore un peu

sévères en finale. Un mariage heureux entre le vin et le bois. ⧗ 2020-2025 ■ **Cuvée Prestige 2017 (5 à 8 €; 39600 b.)** : vin cité.

EARL CH. LAUR, Le Bourg, 46700 Floressas, tél. 05 65 31 95 61, vignobleslaur@orange.fr V ♿ ▮ r.-v.

VIGNOBLES LAUR
Baron du Tertre Cuvée Terroir 2017

■	20500	▮	5 à 8 €

Fort de son diplôme de viti-œno, Patrick Laur a repris le vignoble familial en 1979. En 2009, il a été rejoint par son fils Ludovic. Ensemble, ils ont agrandi l'exploitation, qui compte aujourd'hui 56 ha de vignes conduites dans un esprit bio mais sans certification. Une activité de négoce a été développée en 2006 (Les Vignobles Laur) sous la houlette de Ludovic et de son frère Cédric.

La robe profonde à reflets violines est bien celle d'un «vin noir», issu de pur malbec. Le nez, discret, évoque les fruits rouges épicés. L'attaque souple donne le ton de ce cahors accessible, à boire dans les prochaines années malgré une certaine fermeté tannique en finale. ⧗ 2020-2024 ■ **Écusson des Roches 2017 (5 à 8 €; 9600 b.)** : vin cité.

SARL VIGNOBLES LAUR, Le Bourg, 46700 Floressas, tél. 05 65 31 95 61, vignobleslaur@orange.fr V ♿ ▮ r.-v.

MAS DES ÉTOILES 2016 ★

■	12000	◍▮	11 à 15 €

Un domaine né en 2009 grâce à l'association de deux amis vignerons : Arnaud Bladinières, qui exerce également ses talents au château Bladinières au côté de son père, et David Liorit. Situé en plein cœur de l'appellation cahors, le vignoble s'étend sur 10 ha (dont 9 ha de malbec).

Élevé dix-huit mois en barrique, ce 2016 revêt la robe noire typée du malbec. Il s'ouvre sur d'intenses notes d'élevage aux nuances cacaotées, qui laissent percer des parfums de fraise et de fruits noirs. Ronde en attaque, suave, ample et gourmande, soutenue par des tanins veloutés, la bouche est déjà harmonieuse. Sa longue finale fraîche, encore stricte, laisse espérer une heureuse évolution. ⧗ 2021-2029

SARL BLADINIÈRES-LIORIT, rue du Bac, 46220 Pescadoires, tél. 06 73 34 37 40, contact@mas-des-etoiles.com

CH. DE MEAUX 2017 ★★

■	17500	▮	5 à 8 €

L'industriel belge Éric Swenden a acheté en 1992 au chef étoilé Alain Senderens ce domaine de 19 ha commandé par une chartreuse du XVIIIe s., en parfaite harmonie avec le joli village médiéval de Puy-l'Évêque. Exploitation certifiée Haute valeur environnementale.

Tirant sans doute son nom du lieu-dit où est établi le domaine, ce cahors élevé en cuve affiche une robe couleur tulipe noire bien typée du malbec; il livre des senteurs élégantes de cerise et de fraise, mâtinées de réglisse et d'épices. Ample, ronde et suave, la bouche n'en offre pas moins une matière consistante. La longue finale marquée par un plaisant retour des fruits rouges laisse le souvenir d'un vin authentique, complet et élégant. ⧗ 2020-2024

SCEA CH. LE GAUTOUL, Lieu-dit Meaux, 46700 Puy-l'Évêque, tél. 05 65 30 84 17, chateau.gautoul@wanadoo.fr V ♿ ▮ r.-v.

♥ DOM. DE MÉRIGUET 2016 ★★

■	20000	◍▮	8 à 11 €

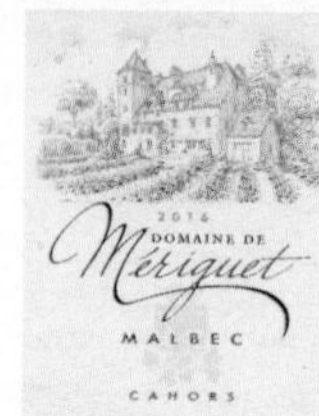

Conduit par Anthony Janicot depuis 2002, ce vignoble familial est scindé en trois îlots : le Dom. de Mériguet (8 ha), le Ch. Lamagdelaine Noire (16 ha) et le Dom. de Matèle (4 ha en IGP côtes-du-lot).

Planté en retrait du Lot, sur les coteaux de Trespoux et de Lacapelle, le terroir est situé en altitude (300 m); les sols sont argilo-calcaires et caillouteux. Longuement élevé en cuve et en fût, le vin revêt la robe dense, d'un violet profond presque noir, de tout malbec bien né. On loue encore davantage ses parfums intensément fruités (mûre, cassis, fruits rouges frais), rehaussés d'une touche de violette et soulignés par un boisé chocolaté et réglissé. Ces arômes se prolongent dans une bouche charnue, puissante avec suavité, soutenue par des tanins d'une grande finesse. La longue finale est marquée par un retour de la réglisse. Un cahors très pur. ⧗ 2022-2029 ■ **Ch. Lamagdelaine Noire 2016 ★ (8 à 11 €; 50000 b.)** : des arômes suaves de mûre et de cassis très mûrs, voire confiturés, soulignés d'un discret boisé. Un palais charnu, ample, riche et long, tout en fruits, aux tanins soyeux et à la finale épicée. Un vin dans sa plénitude. ⧗ 2021-2028

EARL VIGNOBLES JANICOT, D_820, 46090 Valroufié, tél. 06 84 34 15 72, anthonyjanicot@yahoo.fr V ♿ ▮ r.-v.

MÉTAIRIE GRANDE DU THÉRON
Parcelle des Origines A822 2016 ★

■	4000	◍	20 à 30 €

Ce domaine aux bâtiments en pierre jaune du Quercynois ordonnés autour d'une grande cour carrée dispose de 38 ha de vignes plantés sur les coteaux pentus de la troisième terrasse dominant la vallée du Lot. Régulier en qualité, il est conduit depuis 1973 par Liliane Barat-Sigaud.

Une robe colorée pour ce 2016 issu d'une sélection parcellaire de malbec. Un séjour de dix-huit mois en fût lui a légué des notes vanillées, réglissées et mentholées, bien mariées à des parfums de fruits rouges et de prune. Une attaque ample et onctueuse ouvre sur un palais riche, structuré et persistant, soutenu par des tanins encore fermes, aux arômes de fruits noirs. Le boisé est déjà bien fondu : tout est en place pour donner une excellente bouteille dans quelques années. ⧗ 2022-2029 ■ **2016 ★ (5 à 8 €; 80000 b.)** : la cuvée classique du domaine, élevée en cuve. Avec ses parfums de cerise et d'épices douces, et son palais gourmand, suave, rond et gras, aux arômes de fruits rouges compotés, elle fera plaisir dès maintenant. ⧗ 2019-2024

LILIANE SIGAUD, 46220 Prayssac, tél. 05 65 22 41 80, barat.sigaud@wanadoo.fr V ♿ ▮ r.-v.

CH. NOZIÈRES L'Élégance 2016 ★★

■ | 8 000 | | 11 à 15 €

Pierre et Paulette Maradenne ont acheté en 1956 cette propriété où se côtoyaient la vigne, la lavande, les céréales et les vaches laitières. Les premières bouteilles ont été commercialisées en 1975. Claude Guitard, leur gendre, épaulé par depuis 2006 par son fils Olivier, a modernisé la propriété et agrandi le vignoble, qui compte 52 ha, répartis en une mosaïque d'une quarantaine de parcelles en AOC et en IGP.

Comme le millésime précédent, ce 2016 mérite son nom, alliant l'élégance à la solidité. Élevé dix-huit mois en barrique neuve, il séduit par la complexité de son bouquet : des fruits noirs bien mûrs, du pruneau, du tabac et de la réglisse. Chaleureux et souple en attaque, il déploie une matière suave, soutenue par des tanins de qualité qui offrent la sucrosité des vins modernes, avec une fraîcheur sous-jacente. La finale est marquée par le grillé de la barrique. De l'avenir. ⧗ 2021-2026 ■ **Ambroise de l'Her 2016 ★ (5 à 8 €; 50 000 b.)** : du malbec arrondi par un petit appoint de merlot pour ce vin élevé en fût de réemploi. Bien construit, plutôt souple, il offre des arômes de petits fruits rouges et noirs soulignés de notes vanillées, réglissées et mentholées. ⧗ 2020-2024

EARL DE NOZIÈRES, lieu-dit Bru, 46700 Vire-sur-Lot, tél. 05 65 36 52 73, chateaunozieres@orange.fr V *t.l.j. sf dim. 9h-12h 14h-19h*

CH. PAILLAS La Source 2016 ★

■ | 35 000 | | 8 à 11 €

Germain Lescombes a créé de toutes pièces ce domaine en 1978 à Floressas et planté ses vignes à 240 m d'altitude, sur le plateau dominant la vallée du Lot. Dirigé aujourd'hui par la troisième génération (Nathalie Lescombes et son frère Robert), le vignoble s'étend sur 27 ha d'un seul tenant, en demi-cercle autour du chai et des bâtiments, dont certains datent du XIIIe s.

Pas de bois pour ce cahors resté trois ans en cuve et né d'un assemblage où le malbec majoritaire (80 %) fait une place au merlot et à un soupçon de tannat. Un vin flatteur, à la fois souple, onctueux et frais, à l'expression centrée sur les fruits rouges et noirs, relevés de touches épicées. ⧗ 2020-2024 ■ **Tradition 2016 (5 à 8 €; 35 000 b.)** : vin cité.

SCEA DE SAINT-ROBERT, lieu-dit Paillas, 46700 Floressas, tél. 05 65 36 58 28, info@paillas.com V *t.l.j. sf sam. dim. 9h-12h 14h-17h*

DOM. PÉJUSCLAT Tradition 2017 ★★

■ | 6 000 | | 5 à 8 €

Dans le sud de l'appellation cahors, un petit domaine de 10 ha environ tenu par Guillaume Bessières, installé en 2002 sur ces terres familiales plantées par son arrière-grand-père Henri en 1970. Avec son père Dominique, il a engagé la conversion bio du vignoble.

Un style très gourmand pour ce cahors né de malbec (80 %) mâtiné de merlot. D'une belle complexité, sa palette associe la mûre et le cassis à des notes suaves de fraise et de grenadine, nuancées d'une touche de sous-bois. Le palais, à l'unisson, se déploie avec souplesse et ampleur, aussi rond que long. Les tanins sont affables, un peu plus fermes en finale. Un travail d'extraction tout en finesse. ⧗ 2020-2024

GAEC DOM. PÉJUSCLAT, 46090 Villesèque, tél. 06 83 80 01 46, pejusclat.guillaume@live.fr V *t.l.j. sf dim. 9h-12h 13h-19h*

CH. DU PORT Élégance des terrasses 2017 ★

■ | 28 600 | | 8 à 11 €

Une famille au service du vin depuis le XIXe s. La génération précédente, à partir de 1968, développe le vignoble, avec le Ch. de Cénac et celui du Port, à Albas. Après 1993, les trois frères Arnaud, Didier et Francis Pelvillain prennent le relais; ils acquièrent en 2013 le Ch. du Théron, ce qui porte à 52 ha la totalité de leurs vignobles, complétés d'une maison de négoce. À partir de 2018, le second reste seul aux commandes de l'ensemble.

Issue des plus hautes terrasses du Lot, cette cuvée charme par l'intensité de son nez, mêlant les fruits noirs et la violette à des notes d'élevage réglissées, épicées et fumées. Dans une belle continuité, la bouche chaleureuse et ronde déploie ces arômes fruités et floraux, teintés en finale des touches fumées de la barrique. Un heureux mariage du malbec et du merrain. ⧗ 2020-2025 ■ **Ch. de Cénac Prestige 2017 ★ (8 à 11 €; 26 000 b.)** : aussi intense à l'œil qu'au nez, il s'ouvre sur un boisé appuyé, vanillé, épicé et toasté, puis sur les fruits noirs et la violette. Rond en attaque, puissant et persistant, il est marqué en finale par des tanins vifs qui demandent à se fondre. ⧗ 2022-2028

EARL VIGNOBLES PELVILLAIN, RD_9, Circofoul, 46140 Albas, tél. 05 65 20 13 13, contact@vignoblespelvillain.fr V *r.-v.*

DOM. DU PRINCE Rossignol 2016 ★★

■ | 4 800 | | 15 à 20 €

Selon la tradition villageoise, un Jouves ayant vu le roi de France à l'occasion d'une vente de vin aurait été surnommé « Lou Prince » à son retour. Ce surnom reste utilisé par les vieux villageois de Cournou. Didier (à la vigne) et Bruno Jouves (au chai) conduisent aujourd'hui un domaine de 27 ha.

Rossignol? Le nom de la parcelle. Le malbec à l'origine de cette cuvée n'a pas vu le bois. Après dix-huit mois de cuve, on obtient un cahors pourpre profond, qui s'ouvre à l'aération sur des parfums purs et délicats de fruits noirs, teintés d'une nuance florale. On retrouve les fruits des bois dans un palais ample, onctueux et long, qui conjugue maturité et fraîcheur. Proche du coup de cœur. ⧗ 2021-2025 ■ **Lou Prince 2016 ★ (30 à 50 €; 5 000 b.)** : un vin puissant et charpenté, encore dans la gangue de son élevage de trente-six mois en barrique, à l'expression dominée par les épices et la vanille. Il devrait gagner sa deuxième étoile en cave, quand les tanins du chêne se seront fondus. ⧗ 2023-2030

EARL JOUVES ET FILS, Cournou, 46140 Saint-Vincent-Rive-d'Olt, tél. 05 65 20 14 09, contact@domaineduprince.fr V *t.l.j. 9h-19h*

CH. QUATTRE 2017 ★★

■ | 100 000 | | 5 à 8 €

Établi en Quercy blanc, ce vignoble de 65 ha créé de toutes pièces dans les années 1960 est planté

SUD-OUEST

en forme de fer à cheval autour du chai, sur les plus hautes terrasses du sud de l'appellation. Il est la propriété de la société bordelaise Vignobles de Terroirs (groupe Taillan de la famille Merlaut).

Quelques gouttes de merlot et de tannat complètent le malbec dans l'assemblage de cette cuvée qui n'a pas connu le bois. Noire est la robe, noir le fruit qui se déploie au nez, souligné de touches réglissées. Quant à la bouche, elle séduit par sa matière ample et puissante, harmonieuse jusqu'en finale. ⧗ 2020-2024

SCEA SAINT-SEURIN, Ch. Quattre, 46800 Bagat-en-Quercy, tél. 06 75 01 44 48, chateauquattre@orange.fr V t.l.j. sf sam. dim. 8h-12h 14h-16h

RIGAL Grand Chêne 2017 ★★

■ | n.c. | 5 à 8 €

À la tête de plus de 250 ha en cahors, cette maison cadurcienne, dont les origines remontent à 1755, rayonne aujourd'hui dans tout le Sud-Ouest, affiliée depuis 2003 au vaste groupe Advini.

Un style gourmand et suave pour ce cahors qui, pour adopter un style moderne et accessible, reste fidèle à sa robe couleur d'encre aux reflets violines, signature du malbec. Concentré et élégant, le nez monte en puissance sur des notes de cerise burlat et de myrtille, rehaussées de touches réglissées. L'attaque souple ouvre sur un palais aussi rond que long, aux tanins soyeux. Une bouteille pour maintenant. ⧗ 2020-2025 ■ **Oltesse 2017 (5 à 8 €; n.c.)** : vin cité.

SAS RIGAL, Les Hauts Coteaux, 46700 Floressas, tél. 05 65 30 70 10, marketing@rigal.fr

CH. DE ROUFFIAC L'Exception 2016 ★

■ | 3000 | 20 à 30 €

Pascal et Olivier Pieron détiennent 72 ha de vignes, dont le Ch. de Rouffiac situé sur les hauteurs de Duravel, dans la vallée du Lot, le Ch. Bovila et le Dom. de Lalande.

Élevée vingt-quatre mois dans le chêne neuf, cette cuvée, qui n'est pas proposée tous les ans, est faite pour la garde. Encore dominé par la barrique, le nez montre une complexité naissante dans ses arômes d'épices et de café torréfié, qui laissent percer d'agréables notes de fruits noirs. Une attaque ample et riche ouvre sur un palais puissant et long, d'un beau volume, campé sur de solides tanins, très boisés en finale. ⧗ 2023-2030

SCEA P.O. PIERON, Rouffiac, 46700 Duravel, tél. 05 65 36 54 27, vignoblespieron@orange.fr V t.l.j. sf dim. 9h-12h 14h-18h; f. 15-31 déc. 4

CH. SOULEILLOU 2017 ★

■ | 7000 | 5 à 8 €

Implanté sur un terroir argilo-calcaire au cœur de la vallée du Lot, ce domaine familial créé en 1977 compte 15 ha. Il a été transmis en 2011 à Pierre et à Élisabeth Sigaud.

Incorporant du merlot dans l'assemblage, aux côtés du malbec, une version moderne et accessible du cahors, au nez intensément fruité et à la bouche ample et ronde, pas trop longue mais flatteuse, avec ce qu'il faut d'étoffe. Un vin destiné au plaisir immédiat. ⧗ 2019-2024

PIERRE SIGAUD, 5, place du 11-Novembre, 46220 Prayssac, tél. 05 65 30 86 63, sigaudp@wanadoo.fr V r.-v.

♥ TRIGUEDINA Malbec du Clos 2017 ★★★

■ | 100000 | 8 à 11 €

En 1830, Étienne Baldès plante ses premières vignes au Clos Triguedina. Après des expériences en Bourgogne et dans le Bordelais, Jean-Luc Baldès (septième génération) prend la suite en 1990. Il agrandit le vignoble – 65 ha aujourd'hui dont 40 ha de malbec, plantés essentiellement sur les trois plus belles terrasses de l'appellation cahors (à Vire-sur-Lot, Puy-l'Évêque et Floressas), fait du domaine l'une des grandes références cadurciennes et s'impose comme un ambassadeur incontournable du malbec. Clos Triguedina ? Les pèlerins de Saint-Jacques de Compostelle avaient l'habitude de s'y restaurer : « me trigo de dina » signifie « il me tarde de dîner » en occitan.

Tous les vins de sa gamme ont eu un coup de cœur, le premier était un 1991, l'un des premiers millésimes de Jean-Luc Baldès. Quant à ce Malbec du Clos, vinifié en cuve, il offre une splendide expression du cépage, de l'appellation et du millésime. C'est un authentique «vin noir» à la robe profonde animée de reflets violines et aux arômes intenses et pimpants de fruits noirs légèrement épicés et mentholés. En bouche, il dévoile une superbe matière, ample, consistante et suave, tendue par une belle fraîcheur qui lui donne relief et allonge. L'élégance même. ⧗ 2020-2025 ■ **Élégant malbec 2017 (5 à 8 €; 90000 b.)** : vin cité.

SARL JEAN-LUC BALDÈS (TRIGUEDINA), lieu-dit les Poujols, 46700 Vire-sur-Lot, tél. 05 65 21 30 81, contact@jlbaldes.com V t.l.j. sf dim. 9h-12h 14h-18h

CH. VINCENS Prestige 2017 ★★

■ | 80000 | 5 à 8 €

Prosper Vincens acheta sa première parcelle à son retour de la Grande Guerre. En 1982, Michel Vincens quitta la coopérative pour élever ses propres vins. La famille – aujourd'hui Isabelle Vincens et son frère Philippe – est toujours aux commandes et conduit un vignoble de 43 ha.

Un apport boisé mesuré (dix mois de fût) pour cette cuvée associant le malbec à un petit appoint de merlot. La robe noire à reflets violines porte la signature cépage majoritaire. Le nez séduit par son fruité intense et gourmand, entre fraise et cassis. Plus marquée par l'élevage, la bouche associe aux fruits noirs des notes de vanille et d'épices douces. Chaleureuse et ronde, tout en suavité, de bonne persistance, elle offre en finale un plaisant retour sur le cassis et le boisé. ⧗ 2020-2024 ■ **Origine 2017 ★ (8 à 11 €; 30000 b.)** : élevée quinze mois en fût, cette cuvée séduit par son nez bien ouvert, complexe et fin, qui laisse toute sa place au fruit. Ses solides tanins, jeunes et vifs, lui font une structure un peu massive. La garde est de mise. ⧗ 2022-2025

SCEA CH. VINCENS, lieu-dit Foussal, 46140 Luzech, tél. 05 65 30 51 55, philippe@chateauvincens.fr V *t.l.j. sf dim. 9h-12h 14h-18h*

COTEAUX-DU-QUERCY

Superficie : 300 ha / Production : 13 290 hl

Située entre Cahors et Gaillac, la région viticole du Quercy s'est reconstituée assez récemment. Mais, comme dans toute l'Occitanie, la vigne y était cultivée dès l'Antiquité. La viticulture connut cependant plusieurs périodes de reflux. Elle pâtit notamment, au Moyen Âge, de la prépondérance de Bordeaux, puis au début du XXᵉs., du poids du Languedoc-Roussillon. La recherche de la qualité, qui s'est manifestée à partir de 1965 par le remplacement des hybrides, a conduit à la définition d'un vin de pays en 1976. Peu à peu, les producteurs ont isolé les meilleurs cépages et les meilleurs sols. Ces progrès qualitatifs ont débouché sur l'accession à l'AOVDQS en 1999. Le territoire délimité s'étend sur 33 communes des départements du Lot et du Tarn-et-Garonne. En 2011, la catégorie des AOVDQS a disparu et les coteaux-du-quercy ont été reconnus en AOC. Rouges et rosés, les coteaux-du-quercy assemblent le cabernet franc, cépage principal pouvant atteindre 60 %, et les tannat, côt, gamay ou merlot (chacune de ces variétés à hauteur de 20 % maximum).

DOM. DE CAUQUELLE 2018

■ | 11000 | 5 à 8 €

Denis et Evelyne Siréjol ont dédié à la vigne le domaine familial en 1982, peu après la création des coteaux-du-quercy (alors vin de pays), abandonnant élevage bovin, culture des céréales, production de raisins de table, de prunes et de melons. Leurs enfants Nadège et Émilien (ce dernier après une expérience en Nouvelle-Zélande) ont pris le relais en 2006 et 2009 respectivement. Agrandi, leur domaine couvre 26 ha en face du village perché de Flaugnac.

Une robe intense pour ce rosé mariant cabernet franc et gamay. Tout aussi intense, le nez mêle la fraise, la framboise, la gelée de groseille, la rose et le bonbon, rehaussés de touches poivrées. Le pamplemousse rose s'ajoute à cette palette dans une bouche vive et légère. ⧗ 2019-2020

GAEC DE CAUQUELLE, lieu-dit Cauquelle, Flaugnac, 46170 Saint-Paul-Flaugnac, tél. 06 82 59 54 59, domaine.cauquelle@orange.fr V *t.l.j. 8h-19h; dim. 9h-13h*

DOM. DE LA GARDE Tradition 2017 ★

■ | 13300 | 🍾 | 5 à 8 €

Installé au sud du Lot, dans la région du Quercy blanc, Jean-Jacques Bousquet conduit depuis 1984 un vignoble de 17 ha. Présent dans le Guide dès les premières éditions en coteaux-du-quercy (alors vins de pays), ce domaine très régulier en qualité s'est agrandi et propose aussi du cahors, ainsi que des vins en IGP.

Cabernet franc, merlot et malbec composent cette cuvée à la robe soutenue animée de reflets violines. Le nez expressif, d'abord frais et végétal, s'ouvre sur des notes de petits fruits rouges ou noirs bien mûrs rehaussés d'épices. Toujours épicé, le fruit prend des tons légèrement confits dans un palais ample et rond, assez chaleureux mais équilibré, qui se déploie avec une agréable souplesse. ⧗ 2019-2023

EARL DE LA GARDE, Le Mazut, 46090 Labastide-Marnhac, tél. 05 65 21 06 59, contact@domainedelagarde.com V *t.l.j. sf dim. 9h-12h 14h-18h30*

DOM. DE GUILLAU 2017 ★★

■ | 13300 | 🍾 | 5 à 8 €

Un ancêtre charpentier a construit la grange qui sert aujourd'hui de chai, faisant parfois payer ses services en lopins de terre. Quant à Jean-Claude Lartigue, installé en 1990, il est au nombre des producteurs qui ont « bâti » leur appellation. Le Guide l'a découvert en 1999 alors que les coteaux-du-quercy étaient encore classés en vins de pays. Le domaine couvre aujourd'hui 15 ha, non loin de Montpezat-du-Quercy.

Le cabernet franc, escorté du tannat et du merlot, est à l'origine de cette cuvée une fois de plus en bonne place. On loue ses reflets violets de jeunesse, ses parfums intenses, fins et complexes de cassis bien mûr, de fruits rouges et d'épices, puis l'agrément de sa bouche à l'unisson du nez, à la fois souple, ronde et fraîche, au joli grain de tanin. Un vin gourmand et tonique, auquel il n'a manqué qu'un peu de longueur pour obtenir un coup de cœur. ⧗ 2019-2023 ■ **Plénitude 2016 ★★ (8 à 11 €; n.c.)** : une longue cuvaison de cabernet franc, de tannat et de merlot, suivie d'un élevage en fût de chêne, neuf à 50%. Mariant harmonieusement fruits rouges bien mûrs à un boisé grillé et épicé, un vin « ensoleillé », remarquable de puissance, de richesse et de suavité. Le reflet de son millésime. ⧗ 2020-2025

EARL LARTIGUE (DOM. DE GUILLAU), 181, rte de Borredon, 82270 Montalzat, tél. 06 11 86 22 04, jean-claude.lartigue@orange.fr V *t.l.j. sf dim. 17h30-19h30; sam. 9h-18h*

♥ DOM. DE LACOSTE 2018 ★★

■ | 3000 | 🍾 | 5 à 8 €

Annexé au lycée viticole de Cahors-Le Montat, le domaine de Lacoste est un outil pédagogique pour les élèves suivant la formation viticole et œnologique. Complété par une truffière, son vignoble de 18 ha, situé au cœur du Quercy blanc et de l'appellation coteaux-du-quercy, permet aux étudiants de faire des travaux pratiques.

Né du cabernet franc (50 %), du merlot et du malbec, ce rosé a enchanté nos dégustateurs, tant par sa qualité aromatique que par sa structure. Vinifié par pressurage direct, il affiche une robe saumon brillant animée de reflets gris. Son nez monte en puissance sur des notes acidulées de fraise, de cerise et de pêche jaune. Framboise, pêche de vigne, litchi, agrumes, la bouche est un panier de fruits, mis en valeur par une matière puissante, concentrée, souple et ronde en attaque, puis d'une vivacité portant loin la finale. ⧗ 2019-2020

LYCÉE VITICOLE DE CAHORS-LE MONTAT, 422, Lacoste, 46090 Le Montat, tél. 06 78 52 97 01, aurelien.chassagne@educagri.fr V t.l.j. sf sam. dim. 8h-12h 13h-17h

PEYRE-FARINIÈRE Élevé en fût de chêne 2016 ★

■	7717		8 à 11 €

Créée en 1984, cette coopérative est implantée à Montpezat-de-Quercy, très belle bastide située au nord du Tarn-et-Garonne, au milieu d'un pays vallonné, où la vigne compose avec de multiples cultures. La cave vinifie le produit de 110 ha récoltés par 24 adhérents et propose depuis 2014 des cuvées certifiées bio.

Une fois de plus appréciée, cette cuvée séjourne vingt mois en fût de chêne de 400 l. D'un grenat profond, elle s'ouvre sur un boisé flatteur, chocolaté, vanillé et épicé, un rien mentholé, qui laisse percer de belles notes de cassis et de fruits rouges. On retrouve ce mariage harmonieux du merrain et du raisin dans une bouche ronde, ample et riche, soutenue par des tanins boisés à la texture soyeuse. Un vin élégant. ⧗ 2020-2024 ■ **La Chênaie du Mas Optimum 2016 ★ (5 à 8 €; 12000 b.)** : fruitée et épicée, cette cuvée a connu le bois. Agréable par sa souplesse et par sa fraîcheur, un peu ferme en finale, elle est faite pour maintenant. ⧗ 2019-2023

SCA LES VIGNERONS DU QUERCY, 4555, rte de Paris, 82270 Montpezat-de-Quercy, tél. 05 63 02 03 50, lesvigneronsduquercy@wanadoo.fr V t.l.j. sf dim. 9h-12h 14h-19h

DOM. DE REVEL
Mystère d'Elena Élevé en fûts de chêne 2017 ★★

■	1333		20 à 30 €

Domaine familial de 15 ha implanté à l'est de Montauban, non loin du village médiéval de Bruniquel. Avant l'an 2000, il fournissait son vin en vrac aux négociants. Sous l'impulsion de Mickaël Raynal, arrivé sur l'exploitation en 2010, il développe la vente directe. Domaine en bio certifié à partir de 2019.

Outre le cabernet franc, trois cépages (tannat, malbec, merlot) entrent dans l'assemblage de cette cuvée élevée quatorze mois en fût, qui confirme son excellente qualité dans un millésime difficile. La robe est profonde, le nez intense et complexe, entre fruits mûrs, réglisse, épices et boisé toasté. La mise en bouche dévoile une matière ample et charnue, soutenue par des tanins bien fondus. La finale persistante sur les fruits confiturés, tendue par une belle fraîcheur, laisse le souvenir d'un vin harmonieux, fruit d'un élevage maîtrisé. ⧗ 2020-2024 ■ **Méloïse 2017 (11 à 15 €; 10000 b.)** : vin cité.

EARL PAPYLLON, 45, chem. des Brugues, 82800 Vaïssac, tél. 06 77 11 93 31, domainederevel@yahoo.com V r.-v.

GAILLAC

Superficie : 3 923 ha
Production : 160 000 hl (65 % rouge et rosé)

Comme l'attestent les vestiges d'amphores fabriquées à Montels, les origines du vignoble gaillacois remontent à l'occupation romaine. Au XIIIᵉ s., Raymond VII, comte de Toulouse, prit à son endroit un des premiers décrets d'appellation contrôlée, et le poète occitan Auger Gaillard célébrait déjà le vin pétillant de Gaillac bien avant l'invention du champagne. Le vignoble se répartit entre les premières côtes, les hauts coteaux de la rive droite du Tarn, la plaine, la zone de Cunac et le pays cordais. Les coteaux calcaires se prêtent admirablement à la culture des cépages blancs traditionnels comme le mauzac, le len de l'el (loin de l'œil), l'ondenc, le sauvignon et la muscadelle. Les zones de graves sont réservées aux cépages rouges, duras, braucol ou fer-servadou, syrah, gamay, négrette, cabernet, merlot. La variété des cépages explique la palette des vins gaillacois. Pour les blancs, on trouvera les secs et perlés, frais et aromatiques, et les moelleux des premières côtes, riches et suaves. Ce sont ces vins, très marqués par le mauzac, qui ont fait la renommée de l'appellation. Le gaillac mousseux peut être élaboré soit par une méthode artisanale à partir du sucre naturel du raisin (méthode gaillacoise), soit par la méthode traditionnelle (la première donne des vins plus fruités, avec du caractère). Les rosés de saignée sont légers; quant aux vins rouges, s'ils sont souvent gouleyants, notamment lorsqu'ils sont issus de gamay, ils peuvent aussi se montrer plus charpentés et offrir un certain potentiel de garde.

DOM. AL COUDERC 2018 ★

■	2900		5 à 8 €

Coopérateur à Labastide-de-Lévis depuis 1998, Fabien Rouffiac a repris auprès de la famille Bousquet ce petit domaine de 4 ha en 2016; son objectif est d'y intégrer ses propres 7 ha.

Sauvignon et l'en de l'el à parts égales composent ce vin blanc sec, aux parfums intenses d'acacia, de genêt, d'agrumes et de fruits blancs. Ces arômes floraux et fruités se prolongent dans un palais harmonieux et gourmand, dont le gras est équilibré par une belle tension. ⧗ 2019-2022

EARL AL COUDERC, Al Couderc, 81150 Labastide-de-Lévis, tél. 06 87 41 46 08, fabien.rouffiac@neuf.fr V r.-v.

CH. BALSAMINE
Extra-dry Un ange passe Méthode ancestrale 2018 ★★

●	2200		8 à 11 €

Christelle Demanèche et Christophe Merle ont décidé de voler de leurs propres ailes et ont quitté la coopérative en 2007. Ainsi a vu le jour le Ch. Balsamine, sur les premières côtes de Gaillac. Depuis, leurs vins fréquentent assidûment ces pages, souvent en très bonne place. Les vignes (20 ha) sont exposées au sud-sud-est, avec pour horizon lointain les Pyrénées.

La méthode ancestrale consiste à mettre le vin en bouteille avant la fin de la fermentation. Grâce aux sucres conservés, celle-ci repart dans le flacon; les effervescents ainsi obtenus gardent toujours une petite douceur : 16 g/l pour cet extra-dry, plus suave qu'un brut. Robe lumineuse traversée de bulles fines et persistantes, nez tout en finesse, aux arômes de pomme verte bien typés du cépage mauzac, bouche aérienne marquée en finale par une note de poire : des bulles fort plaisantes pour l'apéritif ou le dessert. ⧗ 2019-2020 ■ **Un ange passe 2017 ★ (8 à 11 €; 6419 b.)** : mi-syrah mi-braucol (fer-servadou), un vin rouge expressif, ample et long, mêlant les fruits rouges mûrs, la réglisse, une touche végétale et la note toastée et cacaotée laissée par l'élevage en fût. ⧗ 2020-2024

EARL LES BALSAMINES, 365, chem. de Téoulet, 81600 Gaillac, tél. 06 11 28 12 99, chateaubalsamine@orange.fr V t.l.j. 9h30-12h 14h-19h; dim. sur r.-v.

DOM. BARREAU Les Braisiers 2017 ★

	4000		8 à 11 €

Installé sur la rive droite du Tarn, au niveau des premières côtes de Gaillac, ce domaine familial, régulier en qualité, a été fondé en 1865. Il compte 45 ha de vignes conduits aujourd'hui par la sixième génération de Barreau : Sylvain et Romain.

Un élevage de douze mois en fût apporte un surcroît de complexité à ce gaillac blanc sec 100 % mauzac. Ses parfums intenses de chèvrefeuille, de fleurs séchées, de fruits jaunes, soulignés de notes briochées, mentholées et toastées composent un nez fort agréable. Le bois a aussi donné à cette cuvée du volume et du gras, équilibrés par une belle fraîcheur. Un vin bien construit, qui pourra accompagner viandes blanches, poissons cuisinés et fromage. ⧗ 2019-2022

EARL BARREAU ET FILS, 850, rte de Cordes, Boisset, 81600 Gaillac, tél. 05 63 57 57 51, domaine.barreau@wanadoo.fr V t.l.j. sf dim. 9h-12h 14h-18h

CH. BOURGUET
Brut Méthode ancestrale Bulles d'Alayrac 2018 ★

	2730		8 à 11 €

Quatre générations se sont succédé sur ce domaine conduit par Jean et Jérôme Borderies, situé à Vindrac-Alayrac, sur les terres les plus au nord de l'AOC gaillac. Le vignoble d'un seul tenant s'étend sur 21,5 ha, exposé au levant face à la cité médiévale de Cordes-sur-Ciel.

Les effervescents de méthode ancestrale sont destinés au plaisir immédiat; celui-ci, à la mousse crémeuse, remplira son office. Brut, il s'ouvre sur le pamplemousse, nuancé de touches végétales. Le palais, à l'unisson, offre une belle vivacité, qui souligne des arômes de pomelo et de citron vert. Parfait pour des beignets de crevettes ou des salades d'agrumes. ⧗ 2019-2020

GAEC DES BOURGUETS, Les Bourguets, 81170 Vindrac-Alayrac, tél. 05 63 56 15 23, chateaubourguet@orange.fr V t.l.j. sf dim. 9h-12h 14h30-18h

DOM. DE BRIN Braucol 2017 ★

	2600		15 à 20 €

Un domaine familial d'environ 12 ha établi sur un plateau argilo-calcaire entouré de chênes, sur la rive droite du Tarn. Autrefois apportés à la coopérative, les raisins sont désormais vinifiés à la propriété par Damien Bonnet, qui a adopté l'agriculture biologique dès son installation en 2008. Les vinifications limitent au minimum les sulfitages, évitent les extractions poussées et le bois neuf.

Une vinification par simple infusion des peaux et un élevage en jarre de grès pour préserver l'expression du cépage et du terroir : le but est atteint, car ce braucol dévoile un nez très plaisant et bien typé de cette variété, avec ses arômes de cassis et de feuille de cassis relevés d'épices. Dans le même registre, le palais monte en puissance, soutenu par des tanins marqués mais dénués d'agressivité et par une fraîcheur acidulée. Une belle expression du millésime. ⧗ 2020-2024 ■ **Mauzac 2017 ★ (15 à 20 €; 2600 b.)** : au nez, de la pomme cuite, du miel, de la tisane et une touche résinée; au palais, des arômes de fruits blancs et jaunes, de l'ampleur équilibrée par une finale longue et citronnée : une belle personnalité pour ce blanc sec 100 % mauzac élevé en jarre de grès. ⧗ 2019-2023

DAMIEN BONNET, Brin, 81150 Castanet, tél. 05 63 56 90 60, domainedebrin@gmail.com V t.l.j. sf dim. 9h-12h 14h-18h

DOM. CALMET Cuvée Secret du galet 2017 ★

■	2600		8 à 11 €

Lorsqu'en 1997, David Calmet, fils et petit-fils de vigneron, rejoint son père Yves sur le domaine familial situé sur les graves de la rive gauche du Tarn, en amont de Gaillac, il restructure le vignoble et l'agrandit, achetant des parcelles favorables aux cépages blancs sur les premiers coteaux de la rive droite. Seul aux commandes depuis 2007, il conduit aujourd'hui 43 ha de vignes

Complété par un petit appoint de syrah, le braucol donne son caractère à ce vin élevé douze mois en fût. Le nez s'ouvre sur le cassis et sur la violette, avec une touche végétale rappelant le poivron mûr. La palette fruitée s'enrichit de notes boisées et épicées dans un palais consistant, rond en attaque, soutenu par des tanins fermes et un peu vifs en finale. De la franchise. ⧗ 2020-2024 ■ **Cuvée Intégrale du galet 2017 (11 à 15 €; 1500 b.)** : vin cité.

EARL CALMET, 60, chem. de Prat-Castel, 81150 Lagrave, tél. 05 63 41 74 47, domainecalmet@orange.fr V r.-v.

CANTO PERLIC
Prestige Élevé en fût de chêne 2017 ★★

■	7000		8 à 11 €

Süne et Ursula Sloge, deux Suédois séduits par le terroir gaillacois, ont restauré à partir de 2000 le vignoble et les chais de ce domaine de quelque 8 ha, qui s'impose millésime après millésime comme une référence solide. À suivre de près.

Certains jurés auraient bien donné un coup de cœur à ce vin né d'un assemblage de braucol (60 %), de syrah et de merlot. Ses atouts : un nez expressif, entre fruits rouges et bonbon, rehaussé de touches réglissées et mentholées; un palais consistant, ample et rond, conjuguant suavité et fraîcheur, des tanins marqués mais fondus. Mariant avec bonheur le vin et le chêne, une bouteille franche et harmonieuse. ⧗ 2019-2024

SCEA CANTO PERLIC, 2210, rte de la Ramaye, 81600 Gaillac, tél. 05 63 57 25 56 V r.-v.

DOM. DES CASSAGNOLS
Cuvée des Collines 2017 ★

■	20000		5 à 8 €

Installé en 1986, Éric Stilhart a quitté la coopérative en 2005. Il conduit aujourd'hui 16 ha de vignes près de la jolie bastide de Lisle-sur-Tarn et s'est équipé en 2015 d'une nouvelle cave.

Une fois de plus appréciée, cette cuvée grenat très sombre assemble syrah, braucol et merlot. Au nez, elle mêle les petits fruits rouges (groseille) à des notes de

SUD-OUEST

poivron grillé et de paprika. Gourmande et suave, soutenue par des tanins fins, elle est marquée en finale par un retour du poivron. ⧗ 2019-2023

SARL DOM. DES CASSAGNOLS, 494, chem. Toulle, Saint-Salvy, 81310 Lisle-sur-Tarn, tél. 06 12 93 88 74, eric.stilhart@gmail.com V r.-v.

DOM. DE LA CHANADE Galien 2017

	4200		8 à 11 €

Situé sur le plateau cordais, le vignoble de la Chanade (40 ha) a été repris en 1997 par Christian Hollevoet qui l'a sorti de la coopérative. Le vigneron, petit-fils de viticulteur gaillacois, a ainsi renoué avec ses racines.

Issu de mauzac et de loin de l'œil à parts égales, ce gaillac blanc sec a tiré de son séjour de huit mois en fût une complexité intéressante. Son nez minéral s'ouvre sur des notes mentholées et des touches de fruits secs grillés. À la fois souple et frais en attaque, le palais se développe avec richesse et suavité sur des notes de pêche très mûre, équilibré par une finale alerte, de bonne longueur. ⧗ 2019-2022

SCEA LA CHANADE, La Chanade, 81170 Souel, tél. 05 63 56 31 10, lachanade@orange.fr V r.-v.

CH. CLÉMENT TERMES 2017

	240000		5 à 8 €

Situé dans le Gaillacois, le domaine est né en 1860 sous l'impulsion de Clément Termes qui construisit un chai, puis le château. Olivier et Caroline David, ses descendants (septième génération), sont désormais à la tête de 120 ha de vignes. Ils sont aussi négociants.

Quatre cépages (braucol, syrah, duras, merlot) composent cette cuvée grenat intense aux parfums chaleureux et suaves de mûre et de fruits rouges, rehaussés d'épices. Le prélude à un palais souple et velouté, aux tanins plus fermes en finale. Un vin accessible, facile à marier avec les mets. ⧗ 2019-2023 ■ **2018 (5 à 8 €; 133333 b.)** : vin cité.

SCEV DAVID, Les Fortis, 81310 Lisle-sur-Tarn, tél. 05 63 40 47 80, contact@clement-termes.com V *t.l.j. sf dim. 9h-12h 14h-18h*

DOM. LA CROIX DES MARCHANDS Demi-sec Méthode ancestrale 2018 ★★

	12000		8 à 11 €

Montans, près de Gaillac, abritait dans l'Antiquité de multiples ateliers de fabrication d'amphores frappées du sceau du village. C'est là que les Bézios, père et fils, conduisent depuis 1971 le Dom. de la Croix des Marchands et ses 30 ha de vignes. Depuis 1999, ils possèdent aussi le Ch. Palvié, situé à Cahuzac-sur-Vère (20 ha). Domaine certifié Haute valeur environnementale.

Déjà suave quand il est brut, un effervescent de méthode ancestrale est franchement doux quand il est élaboré en demi-sec (35 g/l). D'approche agréable avec son cordon régulier de bulles fines et son nez gourmand et typé, entre pomme et poire, celui-ci enchante par son volume, sa vinosité et sa finale fraîche et longue qui lui assure un excellent équilibre. Parfait pour un dessert, comme une tarte aux mirabelles. ⧗ 2019-2020 ■ **Douceur d'automne 2017 (5 à 8 €; 13000 b.)** : vin cité.

EARL VIGNOBLES JÉRÔME BÉZIOS (DOM. LA CROIX DES MARCHANDS), av. des Potiers, 81600 Montans, tél. 05 63 57 19 71, contact@croixdesmarchands.fr V *t.l.j. sf dim. 9h-12h 14h-18h*

DOM. DUFFAU Brut Méthode ancestrale 2018 ★

	2600		8 à 11 €

Ingénieur hydraulicien, Bruno Duffau a sillonné l'Afrique et le Brésil durant vingt ans avec sa famille – Anne, sa femme, et ses trois enfants – avant de se poser à Gaillac. En 2007, il a racheté ce vignoble (15 ha en conversion bio) et a signé ses premières vinifications en 2009.

Même si les méthodes ancestrales gardent toujours une certaine suavité (16 g/l de sucres ici), cette cuvée montre une fraîcheur «moderne», selon un juré. On loue ses bulles denses et régulières, son nez expressif, entre aubépine, pomme, poire et coing, et son palais bien construit, fruité et tonique, à la finale sur la pêche. ⧗ 2019-2020 ■ **Perline 2018 ★ (5 à 8 €; 3500 b.)** : un assemblage de quatre cépages (muscadelle en tête, suivie du sauvignon) donne à ce gaillac perlé une expression aromatique intense et assez complexe (litchi, pêche, coing). ⧗ 2019-2020 ■ **Les Songes 2017 ★ (8 à 11 €; 5000 b.)** : mi-syrah mi-braucol, un rouge élevé en fût au nez élégant (mûre, épices, discret boisée cacaoté) et à la bouche ample, ronde et suave, réglissée en finale. ⧗ 2019-2024 ■ **Arctic 2018 (5 à 8 €; 2200 b.)** : vin cité.

EARL DUFFAU, 915, rte de Barat, 81600 Gaillac, tél. 06 29 51 19 65, bruno.duffau@wanadoo.fr V *t.l.j. 10h-19h; dim. sur r.-v.*

♥ CH. L'ENCLOS DES ROSES Brut Méthode ancestrale ★★

	5000		11 à 15 €

Aurélie Balaran, fille de Roselyne et Jean-Marc Balaran (Dom. d'Escausses), a acquis en 2007 des parcelles du Ch. Larroze, propriété de la famille Cros dans les années 1980, et créé le Ch. l'Enclos des Roses. Elle conduit aujourd'hui un vignoble de 50 ha. Domaine certifié Haute valeur environnementale.

Vinifiée en brut, cette méthode ancestrale a été placée au sommet de la sélection parmi les vins effervescents. On loue sa bulle remarquable de finesse et de persistance, ses parfums intenses de fruits blancs et de fruits exotiques et son palais à l'unisson du nez, vif en attaque, gourmand, alerte et long. Une délicatesse et une fraîcheur qui conviendront à l'apéritif et aux desserts peu sucrés. ⧗ 2019-2020 ■ **Doux 2018 ★ (8 à 11 €; 6500 b.)** : mi-sauvignon, mi-mauzac, un gaillac doux flatteur tant par ses arômes d'agrumes et de fruits exotiques que par son palais souple et bien construit, tendu par une belle fraîcheur. ⧗ 2019-2022 ■ **2018 (5 à 8 €; 15000 b.)** : vin cité. ■ **Premières Côtes 2017 (11 à 15 €; 2000 b.)** : vin cité.

EARL DENIS BALARAN, 32, rte de la Salamandrie, 81150 Sainte-Croix, tél. 06 18 57 93 53, contact@famillebalaran.com V *t.l.j. 8h30-13h 14h-19h; dim. sur r.-v.*

ÉVOCATION DU TERROIR 2018

■ | 120000 | 🍾 | 5 à 8 €

Les caves de Técou, de Rabastens, de Fronton et des Côtes d'Olt ont uni leurs forces en 2006 en créant le groupe Vinovalie, dont le nom renvoie aux valeurs collectives du rugby. Un groupe qui fédère 400 vignerons et regroupe quelque 3 800 ha de vignes répartis sur trois appellations : gaillac, fronton et cahors.

Issu de duras et de syrah, avec le merlot en appoint, ce rosé pastel dévoile un nez centré sur le bonbon anglais, nuancé de touches acidulées d'ananas et d'orange. Vif en attaque puis plus rond, il fait preuve d'une agréable simplicité. ⌛ 2019-2020

VINOVALIE (SITE DE TÉCOU), 100, rte de Técou, Pagesou, 81600 Técou, tél. 05 63 33 00 80, passion@cavedetecou.fr V *t.l.j. sf dim. 8h-12h 14h-18h*

DOM. GAYSSOU Le Blanc sec 2018 ★

■ | 6000 | 🍾 | 5 à 8 €

Situé sur les premières côtes de Gaillac, ce domaine se transmet de génération en génération depuis le XVIes. Il s'étend aujourd'hui sur 40 ha, conduit depuis 2000 par Nathalie Caussé (à la cave et à la commercialisation) et par son frère Christophe (à la vigne).

Issu du trio sauvignon, muscadelle et loin de l'œil, ce blanc sec aux nuances dorées laisse de belles larmes sur les parois du verre. Il livre à l'aération des senteurs délicates de fruits blancs, de fruits exotiques et de citron. Rond et suave en attaque sur des notes de poire williams, il monte en puissance, tendu par une fraîcheur qui souligne un joli retour sur les fruits exotiques et les agrumes. Ce côté dynamique conviendra à l'apéritif ou aux produits de la mer. ⌛ 2019-2022

GAEC CAUSSÉ ET FILS, Gayssou, 81600 Broze, tél. 05 63 33 18 74, gayssou.broze@gmail.com V *t.l.j. sf dim. 10h-12h 15h-19h*

DOM. GRAND CHÊNE Insolence 2017 ★

■ | 5066 | 🍾 | 5 à 8 €

Dans la famille Lacombe depuis 1910, ce domaine de 35 ha en appellation gaillac est implanté sur plusieurs versants de la rive droite du Tarn. En 2018, Yannick et Nelly Lacombe ont passé le relais à leur fils Aristide et à son épouse Céline. Le jeune vigneron complète les savoir-faire ancestraux par des perfectionnements techniques. Il a ainsi breveté un moyen de récupérer la chaleur induite par la fermentation.

Cette cuvée originale doit tout au duras, cépage local rarement vinifié seul. Elle affiche une robe profonde et livre des arômes intenses de petits fruits rouges et noirs. Fruitée et suave en attaque, tendue par une belle fraîcheur, elle s'appuie sur une trame tannique fine et veloutée. Un vin harmonieux qui s'entendra aussi bien avec les viandes blanches qu'avec les viandes rouges. ⌛ 2019-2023 ■ **La Parcelle de l'ortolan 2018 ★ (8 à 11 €; 7000 b.)** : issu de loin de l'œil majoritaire et de sauvignon, ce vin blanc sec au nez floral offre un palais à la fois généreux et acidulé. ⌛ 2019-2022

EARL DOM. GRAND CHÊNE, La Figayrade, 81600 Senouillac, tél. 06 88 75 80 39, domainedugrandchene@hotmail.fr V *t.l.j. sf dim. 9h-12h 14h-18h*

LES GRÉZELS 2017 ★

■ | 1300 | 🍾 | 5 à 8 €

C'est le trisaïeul de Raphaël Lagasse qui a acheté les premières parcelles il y a plus d'un siècle. Installé sur le domaine familial depuis 2013, ce dernier conduit ce vignoble en AOC gaillac selon les principes de l'agriculture raisonnée : enherbement naturel, apport de matière organique.

Issu presque exclusivement du cépage braucol, ce gaillac rouge arbore une robe profonde. Fermé au nez, un peu animal, il s'ouvre sur un discret fruité épicé. En bouche, il inspire confiance par sa matière étoffée, soutenue par une trame tannique bien enrobée. Un vin typé au potentiel intéressant. ⌛ 2020-2024 ■ **2018 (- de 5 €; 2500 b.)** : vin cité.

EARL LAGASSE, Les Grézels, chem. de la Camuse, 81600 Gaillac, tél. 05 63 57 40 94, lesgrezels.gaillac@gmail.com V *t.l.j. sf dim. 9h-12h 14h-18h30*

♥ GRANDE RÉSERVE DE LABASTIDE 2018 ★★

■ | 400000 | | - de 5 €

GR
GRANDE
RÉSERVE
de Labastide
GAILLAC
2018

La plus ancienne coopérative du Tarn (fondée en 1949) est aussi le plus gros producteur de vins blancs de la région. Elle s'est illustrée dès 1957 en créant le gaillac perlé. Elle regroupe aujourd'hui une centaine d'adhérents.

Ce rosé de saignée mariant duras, braucol et syrah s'est classé premier parmi les gaillac de cette couleur. Saumon clair, il a enchanté nos dégustateurs par ses arômes intenses et frais, farandole de fleurs, de fruits blancs, de groseille, de fruits exotiques et de bonbon anglais. Vif en attaque, il garde jusqu'en finale une fraîcheur tonique qui lui donne une belle allonge. ⌛ 2019-2020 ■ **Ch. de Carimon 2017 ★★ (5 à 8 €; 29000 b.)** : une robe profonde et jeune; un nez bien ouvert sur les fruits rouges frais nuancés d'une note mentholée, qui prend à l'aération des tons plus mûrs et réglissés; une bouche à l'unisson, ample, suave et ronde, adossée à des tanins soyeux. De la générosité. ⌛ 2019-2024 ■ **2018 ★ (- de 5 €; 250000 b.)** : un blanc sec salué pour son expression aromatique intense et complexe (fleurs blanches, pêche, abricot, agrumes) et pour son palais tendu et salin. ⌛ 2019-2020

SCA CAVE DE LABASTIDE-DE-LEVIS, lieu-dit La Barthe, 81150 Labastide-de-Levis, tél. 05 63 53 73 73, commercial@cave-labastide.com V *t.l.j. sf dim. 9h-12h 14h-18h*

CH. DE LACROUX Brut Méthode ancestrale 2018 ★

● | 2900 | 🍾 | 8 à 11 €

Sur les coteaux de l'Albigeois, les frères Philippe-Xavier, Jean-Marie et Bruno Derrieux perpétuent un héritage ancien sur leurs 41 ha de vignes : en 1700, Jeanne et Guillaume Derrieux, laboureurs, cultivaient déjà les coteaux de Lincarque.

Des bulles fines et régulières forment un cordon persistant. Le nez associe la pomme, le coing et des notes

SUD-OUEST

miellées. La bouche montre une acidité mesurée, mais évite toute lourdeur. Sa souplesse s'harmonise avec des notes agréables de pomme compotée. Une expression typée et flatteuse du cépage mauzac. ⧗ 2019-2020

GAEC PIERRE DERRIEUX ET FILS, Lincarque, 81150 Cestayrols, tél. 05 63 56 88 88, lacroux@chateaudelacroux.com t.l.j. sf dim. 9h-12h30 14h-19h

♥ DOM. LAUBAREL
Premières Côtes Mauzac L'Aubarèl 2017 ★★

	1500		8 à 11 €

Ce petit domaine de 7 ha fondé en 1904 a été repris en 2008 par Lucas Merlo, vigneron natif d'Albi. Après avoir travaillé dans le Médoc et à Cahors, il s'est installé sur les premières côtes de Gaillac. Exploitation certifiée Haute valeur environnementale.

Vinifié et élevé onze mois en barrique, ce mauzac a pris des tons paille doré. Intense au nez, il s'ouvre sur des arômes complexes de boisé grillé, de fruits secs et de poire mûre, rehaussés de touches minérales. Vive en attaque, équilibrée entre fraîcheur et souplesse, la bouche déploie des notes de mirabelle et de fruits blancs bien mûrs, alliées à un boisé fondu. La finale est persistante, tonique et mentholée. De la présence et une réelle harmonie. ⧗ 2019-2022 **2018 (- de 5 €; 4500 b.)** : vin cité. **Braucol L'Aubarèl 2017 (8 à 11 €; 3000 b.)** : vin cité.

LUCAS MERLO (DOM. LAUBAREL), 3000, rte de Cordes, 81600 Gaillac, tél. 06 61 94 76 91, lucas.merlo545@orange.fr t.l.j. 9h-12h 15h-19h; dim. sur r.-v.

MAS D'AUREL 2018 ★

	5000		5 à 8 €

Après avoir cultivé le célèbre vignoble algérien de Mascara, Albert Ribot s'installe en 1963 sur ce domaine, à présent conduit par sa fille Brigitte et son mari Jacques Molinier. Un corps de bâtiment en pierre calcaire blanche, une cour fermée, un pigeonnier : le mas d'Aurel est des plus typiques.

Un assemblage de loin de l'œil (40 %), de muscadelle et de sauvignon a permis d'obtenir ce vin blanc sec dont le nez subtil monte en puissance sur des notes d'acacia et de fruits : poire, ananas, pêche, abricot et clémentine. Ces arômes délicats se prolongent dans une bouche à la fois souple et fraîche, tonifiée par une finale citronnée. ⧗ 2019-2021

EARL DU MAS D'AUREL, Mas d'Aurel, 81170 Donnazac, tél. 05 63 56 06 39, masdaurel@wanadoo.fr t.l.j. sf dim. 9h-12h 14h-19h

MAS DES COMBES 2017 ★★

	50000		5 à 8 €

Nathalie et Rémi Larroque se sont installés en 1988 sur ce domaine familial (34 ha aujourd'hui), fondé en 1890 dans le hameau d'Oustry, sur une crête dominant le Tarn et Gaillac au sud, le plateau cordais au nord.

Quatre cépages concourent à ce vin rouge plein de charme : le braucol (40 %), la syrah, le merlot et le duras. La robe est soutenue, animée de reflets violets. Le nez friand s'ouvre sur des notes de petites baies rouges et noires, nuancées d'une touche végétale fraîche, arômes que l'on retrouve en bouche. Souple et rond en attaque, le palais monte en puissance, étayé par des tanins soyeux. De la matière et de la finesse. ⧗ 2019-2024 **Sec Coteaux d'Oustry Méthode ancestrale ★ (5 à 8 €; 5000 b.)** : un « sec », en vin effervescent, n'est pas très sec, mais plutôt doux. C'est le cas de cette méthode ancestrale (26,9 g/l de sucres) aux arômes typés de pomme et de poire, équilibrée par une fraîcheur acidulée. Pour l'apéritif, le dessert ou des crevettes à l'aigre-doux. ⧗ 2019-2020

EARL RÉMI LARROQUE, 391, chem. du Mas-d'Oustry, 81600 Gaillac, tél. 05 63 57 06 13, masdescombes.rl@orange.fr t.l.j. sf dim. 9h-12h 14h-19h

DOM. MAS PIGNOU Brut Bulle de paradis 2018 ★

	12000		8 à 11 €

Héritiers de quatre générations, Jacques et Bernard Auque conduisent un domaine de 44 ha, établi à plus de 200 m d'altitude au sommet des premières côtes de Gaillac, offrant une vue exceptionnelle à 360° sur la route des Bastides.

En méthode ancestrale, le brut est le moins sucré, même s'il garde souvent un peu du sucre des raisins (12 g/l pour celui-ci). Un vin d'emblée attirant par la finesse et la persistance de ses bulles, qui font monter des parfums de pomme verte. La bouche fraîche, à la finale aérienne est tonifiée par une bulle vivace mais sans agressivité : un effervescent au profil moderne. ⧗ 2019-2020 **Les Hauts de Laborie 2018 ★ (5 à 8 €; 10000 b.)** : issu de loin de l'œil et de sauvignon à parité, un vin blanc sec original, rond et opulent, au fruité gourmand (pêche, abricot, prune, fruits secs), tonifié en finale par une fine amertume. ⧗ 2019-2022

EARL JACQUES ET BERNARD AUQUE, chem. du Mas-de-Bonnal, 81600 Gaillac, tél. 05 63 33 18 52, maspignou@gmail.com t.l.j. 9h-12h 14h-19h

DOUX DE MAYRAGUES 2017

	1400		15 à 20 €

Laurence et Alan Geddes ont acquis ce vignoble en 1980. Ensemble, ils ont restructuré le château (XIIe-XVIe s.), le vignoble et aménagé un chai. Ils conduisent 12 ha de vignes, en biodynamie depuis 1999, et privilégient les cépages locaux (duras, braucol, mauzac et len de l'el).

Du loin de l'œil récolté à la main en surmaturité et vinifié en fût d'acacia est à l'origine de ce gaillac doux gorgé de sucres, qui s'ouvre sur les fleurs blanches, puis sur l'ananas, la poire et les agrumes confits. Le miel s'ajoute à cette palette dans une bouche fraîche en attaque puis moelleuse à souhait. Pour l'apéritif, le dessert ou un fromage bleu. ⧗ 2019-2024

SCEA CH. DE MAYRAGUES, Ch. de Mayragues, 81140 Castelnau-de-Montmiral, tél. 05 63 33 94 08, contact@chateau-de-mayragues.com t.l.j. sf dim. 9h-12h 14h-19h

DOM. DE MAZOU Cuvée Tradition 2017 ★

■ | 16500 | 🍾 | 5 à 8 €

Six générations se sont succédé sur ce domaine de 33 ha situé aux environs de la bastide de Lisle-sur-Tarn, sur la rive droite. Installé en 1985, Jean-Marc Boyals produit des vins blancs sur les premières côtes, sur des argilo-calcaires et des rouges au flanc des coteaux, sur des terrains sableux ou graveleux.

De vieux ceps de fer-servadou (ou braucol, 60 %), de syrah (30 %) et de merlot sont à l'origine de cette cuvée à la robe profonde. Complexe et expressif, le nez déploie des senteurs de fraise confiturée et de cassis, rafraîchies par des notes mentholées et relevées de touches poivrées. La bouche ne manque pas non plus d'agréments : rondeur, volume, tanins souples et plaisant retour sur le cassis. ⧗ 2019-2024

EARL BOYALS, 231, rte de Labele, 81310 Lisle-sur-Tarn, tél. 05 63 33 37 80, domainedemazou@wanadoo.fr V r.-v.

CH. LES MÉRITZ Cuvée Prestige 2018 ★★

■ | 32000 | 🍾 | 5 à 8 €

En 1972, Alain Gayrel, âgé de vingt ans, doit seconder sans formation viticole sa mère sur le domaine familial, qui compte alors 9 ha. Aujourd'hui, les Vignobles Alain Gayrel, établis à Senouillac, disposent de 250 ha de vignes, complétés d'achats de raisins de plus de 450 ha. Annuellement, la vinification porte sur la récolte de 700 ha de vignes au minimum. Un acteur de poids du vignoble gaillacois, à la tête de quatre domaines : Vigné-Lourac, Les Méritz, Larroze et La Tour Olivier.

Issu de loin de l'œil majoritaire (85 %) et de mauzac, ce gaillac doux est régulièrement en bonne place dans le Guide. D'un jaune doré limpide, le 2018 développe des parfums subtils de fleurs blanches et de fruits jaunes. Complexe, concentré et frais, il bénéficie d'une longue finale aux nuances d'amande amère et de camphre. De l'élégance. ⧗ 2019-2029

SCEA DE RAVAILHE (VIGNOBLES GAYREL), Ravailhe, 81600 Senouillac, tél. 05 63 81 21 05, oenologie@lesvignoblesgayrel.fr

♥ **CH. MONTELS** Vendanges tardives 2016 ★★

■ | n.c. | 🍾 | 8 à 11 €

Créé par Bruno Montels en 1985, ce domaine de 25 ha est situé à Souel, sur le plateau calcaire de Cordes. Il est bien connu des lecteurs du Guide, notamment pour ses gaillac doux.

Depuis 2011, gaillac est la troisième appellation française à bénéficier de la mention « vendanges tardives ». Distinguant des vins issus de raisins passerillés ou atteints par la pourriture noble, produits à tout petits rendements (25 hl/ha), vendangés à la main par tries successives et très riches en sucres (100 g/l minimum), cette dénomination constitue le sommet des vins doux. Celui-ci est un modèle du genre : associant le loin de l'œil et la muscadelle, il se pare d'une robe d'or aux nuances cuivrées et libère des parfums raffinés de poire Williams, de gelée de coing et de fruits exotiques. Ces arômes complexes s'épanouissent dans un palais à la fois suave et frais, de grande longueur. ⧗ 2019-2029 ■ **L'Esprit Terroir 2017 ★★ (5 à 8 €; 14000 b.)** : né d'un assemblage de fer-servadou (60 %), de syrah et, cette année, de prunelard, un vin remarquable d'intensité et d'harmonie, proche du coup de cœur. On loue son nez expressif et complexe (cassis confituré, épices, poivron grillé) et son palais puissant et long, à la fois ample, suave et frais. ⧗ 2019-2024

SCEV BRUNO MONTELS, Burgal, 81170 Souel, tél. 05 63 56 01 28, brmontels@gmail.fr V r.-v.

DOM. DU MOULIN Vieilles Vignes 2017 ★★

■ | 7000 | 🛢 | 8 à 11 €

Représentant la sixième génération sur le domaine, Nicolas et Jean-Paul Hirissou conduisent 40 ha de vignes : 20 ha sur la rive gauche du Tarn, sur des graves, et autant sur la rive droite, sur des terres argilo-calcaires. Très réguliers en qualité, leurs vins fréquentent assidûment le Guide, souvent aux meilleures places. Domaine en conversion bio partielle.

Une curiosité : l'ondenc, cépage régional peu courant, est majoritaire dans ce gaillac blanc sec, complété par le sauvignon. Ce vin tient cependant une partie de son caractère de sa fermentation et de son élevage en barrique, avec bâtonnages. Il en retire une robe dorée, une palette flatteuse et subtile associant l'amande séchée, la brioche, un toasté très doux à la pêche mûre, à la cire et à la pâte de coings. Au palais, cette cuvée s'impose par son gras, sa rondeur, son volume et par un boisé bien fondu. Une longue finale mentholée apporte fraîcheur et tonus. ⧗ 2019-2024 ■ **Braucol Florentin 2017 ★ (20 à 30 €; 4500 b.)** : née de braucol, élevée en fût, une cuvée phare du domaine. Chaleureux, ample et velouté, le 2017 mêle le cassis et les fruits rouges bien mûrs aux notes d'amande grillée et de cacao laissées par un élevage raffiné. ⧗ 2019-2024

GAEC HIRISSOU, chem. des Crêtes, 81600 Gaillac, tél. 06 49 81 05 70, domainedumoulin81@orange.fr V *t.l.j. sf dim. 9h-12h 14h-19h*

CH. PALVIÉ 2017 ★

■ | 4500 | 🛢 | 8 à 11 €

Les Bézios possèdent le Ch. Palvié (20 ha), depuis 1999.

Récolté à maturité optimale et élevé sur lies en barrique pendant neuf mois, ce mauzac a permis d'obtenir un vin blanc sec de belle tenue. De couleur paille dorée, cette cuvée s'ouvre sur un boisé aux nuances de vanille, de chêne frais un rien toasté et fumé, relayé par la brioche, les fruits confits, le miel et l'abricot sec. Charnue, très équilibrée entre rondeur et vivacité, elle finit sur les notes toastées de l'élevage. Parfait pour les viandes blanches, la volaille et les produits de la mer cuisinés. ⧗ 2019-2023

JÉRÔME BÉZIOS, Ch. Palvié, 81140 Cahuzac-sur-Vère, tél. 06 80 65 44 69, jeromebezios@orange.fr *EARL Vignobles Jérôme Bézios (Dom. la Croix des Marchands)*

DOM. DE LA PETITE TUILE 2017

■ | 2900 | 🍾 | 5 à 8 €

Nichées au cœur des coteaux gaillacois, sur la rive droite du Tarn, ces terres (environ 5 ha) appartiennent depuis longtemps à la famille de Clémence Debord, mais ce n'est qu'en 2016 que le domaine viticole est né, avec la volonté de cette dernière, qui travaillait dans l'édition, et de son conjoint Clément, de la faire revivre. En conversion bio.

Associant braucol (70 %) et syrah, élevé six mois en cuve, voici un vin plaisir, friand, tout en fruits. Assez réservé au nez, il s'ouvre sur les fruits à l'eau-de-vie relevés d'épices. Plus expressif en bouche, il développe des arômes de framboise, de groseille et de griotte en harmonie avec une structure fraîche et légère. Parfait à l'apéritif, sur un plateau de charcuterie, ou avec des grillades. ⧗ 2019-2022

⊶ DOM. DE LA PETITE TUILE, 1323, chem. de Téoulet, 81600 Gaillac, tél. 06 44 22 93 57, domainedelapetitetuile@gmail.com V *t.l.j. sf mer. dim. 9h-12h 14h-18h*

LES PETITS JARDINS 2017 ★★

■ | 6100 | 🍾 | 5 à 8 €

En 2012, Alexia Bouyssou, originaire du Lot et œnologue attachée à un domaine gaillacois, a acquis ce petit vignoble de 5,5 ha planté sur des coteaux à dominante argileuse. La propriété doit son nom au lieu-dit Les Hourtets (« petits jardins » en occitan).

Les vignerons de l'appellation prisent leurs cépages locaux. Comme ce duras (95 %), souvent minoritaire dans les assemblages, qui donne son caractère à ce gaillac rouge. Il a engendré un vin à la robe profonde et au nez intense et raffiné, mêlant les petits fruits rouges et noirs, le Zan et les épices. Une attaque fraîche ouvre sur un bouche étoffée, suave, tapissée de tanins qui soulignent la longue finale épicée. L'harmonie même. ⧗ 2019-2024

⊶ ALEXIA BOUYSSOU, Les Hourtets, 81600 Gaillac, tél. 06 13 62 02 12, domainelespetitsjardins@orange.fr V *r.-v.*

Ⓑ CH. DE RHODES 2017 ★

■ | 26530 | 🍾 | 8 à 11 €

Dans un paysage de collines rappelant la Toscane, un château aux tourelles aiguisées, deux caves voûtées en brique, et 26,5 ha de vignes alentour, cultivées en bio. Éric Lepine a quitté le monde de la finance parisienne en 2002 pour acquérir ce domaine qu'il mène en bio depuis 2008 et sur lequel il a réintroduit le prunelard, vieux cépage local.

Pas moins de cinq cépages (braucol, syrah et duras avec un appoint de merlot et de cabernet franc) entrent dans la composition de ce vin rouge. Le nez demande un peu d'aération avant de libérer des arômes complexes de fruits rouges et noirs, nuancés de sous-bois. Gourmande, ronde et ample, étayée par une trame tannique de belle tenue, la bouche montre une bonne persistance. ⧗ 2019-2024 ● **Méthode ancestrale 2018 (11 à 15 €; 2800 b.)** Ⓑ : vin cité.

⊶ EARL ÉRIC LEPINE, Boissel, 81600 Gaillac, tél. 05 63 57 06 02, info@chateau-de-rhodes.com V *r.-v.*

Ⓑ DOM. RENÉ RIEUX Harmonie 2017 ★★

■ | 16000 | 🍾 | 5 à 8 €

Le domaine est un établissement d'aide et de service par le travail pour adultes handicapés. Il a vu le jour en 1988 lorsque René Rieux donna, en fermage à l'association Les Papillons Blancs du Tarn, une dizaine d'hectares de vignes au hameau de Boissel. Il compte aujourd'hui quelque 25 ha certifiés en bio.

Pas moins de sept cépages jouent leur partition dans ce vin rouge proche du coup de cœur : en soliste, le fer servadou (52 %), appuyé par le prunelard et le merlot, avec la syrah, le duras, le gamay et le cabernet à l'arrière-plan. Une robe profonde, des parfums puissants et francs de fruits noirs bien mûrs relevés de poivre, un palais frais en attaque, charnu, rond et persistant, soutenu par des tanins solides et enrobés, une finale intense marquée par un retour du cassis, de la réglisse et du poivre : le nom de la cuvée n'est pas usurpé. ⧗ 2019-2023 ■ **Harmonie Vendanges tardives 2017 (8 à 11 €; 10340 b.)** Ⓑ : vin cité.

⊶ AGAPEI TRICAT SERVICE PRODUCTION (DOM. RENÉ RIEUX), 1495, rte de Cordes, 81600 Gaillac, tél. 05 63 57 29 29, akoenig@agapei.asso.fr V *r.-v.*

♥ Ⓑ DOM. ROTIER L'Âme 2017 ★★★

■ | 3078 | 🛢 | 20 à 30 €

Alain Rotier et Francis Marre, beaux-frères, se partagent le travail : Francis aux cultures et Alain à l'élaboration des vins. La propriété (35 ha), fondée en 1985, est aujourd'hui l'un des piliers du vignoble gaillacois, notamment pour ses vins doux qui collectionnent étoiles et coups de cœur du Guide. Le vignoble, qui met notamment en valeur le duras (en rouge) et le len de l'el (en blanc), est en bio certifié depuis 2012.

Un gaillac rouge au sommet pour ce domaine qui s'est surtout illustré en blanc. Pour nommer cette cuvée, le vigneron a pensé à Baudelaire, chantre du vin. Il a mis à l'honneur le duras – vieux cépage local en verve cette année – (90 %, avec le braucol en complément) dans ce vin vinifié et élevé douze mois en barrique. Le nez expansif s'ouvre sur la violette, les fruits rouges et noirs, les épices et la réglisse. Riche, ample et charnu, parfaitement équilibré entre suavité et fraîcheur, le palais s'appuie sur des tanins savoureux qui portent loin la finale épicée et mentholée. Nos dégustateurs ne parlent pas d'âme, mais évoquent une réelle personnalité. ⧗ 2019-2024 ■ **Renaissance Vendanges tardives 2016 ★★ (15 à 20 €; 6182 b.)** Ⓑ : ce liquoreux 100 % loin de l'œil, élevé en barrique confirme sa qualité. Un vin concentré, opulent, équilibré et long, à la palette complexe dominée par les fruits exotiques confits et la cire. ⧗ 2019-2029 ■ **Renaissance 2017 ★ (8 à 11 €; 5727 b.)** Ⓑ : né de len de l'el majoritaire et de sauvignon, un blanc sec fermenté et élevé dix mois sur lies en barrique. Ample, rond et bien équilibré, un vin d'une rare complexité (acacia, pêche, ananas, mirabelle, brioche, complétés au palais de pain d'épice, de beurre et de fruits confits). ⧗ 2019-2022

SARL ROTIER MARRE, Petit Nareye, 81600 Cadalen, tél. 05 63 41 75 14, rotier.marre@domaine-rotier.com V t.l.j. *sf dim. 9h-12h 14h-18h*

DOM. DE SARRABELLE 2018 ★

	20000		5 à 8 €

La légende raconte que la source qui jaillit près du château de Montaigut, détruit lors de la Croisade contre les Albigeois au XIIIᵉs., était jadis le lieu des rendez-vous galants de la belle Yolande, que ses prétendants rêvaient de serrer dans leurs bras, *sarrobello* en occitan. Telle est l'origine du nom de ce domaine, dans la famille Caussé depuis huit générations. Le vignoble, qui compte aujourd'hui 42 ha, est conduit depuis 2000 par Laurent et Fabien.

Né de duras (80 %), de syrah et de braucol, ce rosé gourmand et rond a la couleur intense de la fraise; sa palette aromatique évoque aussi ce petit fruit, associé à la groseille, à la framboise et au bonbon acidulé. ⧗ 2019-2020 ■ **In sarra 2017 ★ (5 à 8 €; 20000 b.)** : issu de syrah et de braucol, escortés par le duras et le merlot, un rouge au nez centré sur le fruit noir frais et compoté et au palais élégant, aérien, à la fois suave et frais. ⧗ 2019-2022 ■ **Saint-André In genium 2017 (8 à 11 €; 20000 b.)** : vin cité.

GAEC LES FORTIS, Les Fortis, 81310 Lisle-sur-Tarn, tél. 05 63 40 47 78, contact@sarrabelle.com V t.l.j. *sf dim. 9h-12h 14h-19h*

CH. DE SAURS 2018 ★

	15000		8 à 11 €

Établi dans le village de Saurs, près de Gaillac, le château d'inspiration palladienne a été bâti au milieu du XIXᵉs. par Eliézer Gineste de Saurs, l'arrière-grand-père de l'actuel propriétaire, héritier d'une famille implantée sur ces terres depuis le XVIᵉs. Le vignoble, conduit en bio certifié depuis 2012, couvre 44 ha.

Duras (majoritaire) et syrah composent ce rosé de pressurage à la robe pastel, ample et rond en bouche, aux arômes de fleurs blanches, de pêche, de fruits rouges et de noyau. ⧗ 2019-2020

SCEA CH. DE SAURS, 48, chem. Toulze, Saurs, 81310 Lisle-sur-Tarn, tél. 05 63 57 09 79, info@chateau-de-saurs.com V r.-v.

DOM. DES TERRISSES 2018 ★★

	20000		5 à 8 €

Les terrisses sont des briques de terre crue et de paille mélangées qui servaient à l'édification des bâtisses traditionnelles du Gaillacois, comme l'imposante ferme à quatre pentes qui commande ce vignoble. À la suite de sept générations, Brigitte et Alain Cazottes gèrent depuis 1984 le domaine familial, qui compte aujourd'hui 38 ha.

Syrah (50 %), duras et braucol sont à l'origine de cette cuvée flatteuse, qui s'est placée sur les rangs pour un coup de cœur. Ses atouts : une robe claire à reflets orangés, un nez expressif, aux nuances de fraise, d'ananas et de bonbon anglais, une bouche persistante, conjuguant vivacité et rondeur. ⧗ 2019-2020 ■ **Terre originelle 2017 ★★ (11 à 15 €; 6800 b.)** : un élevage en barrique a légué à cette cuvée une palette aromatique raffinée et complexe : framboise et cassis, mâtinés de menthe, de tabac, de réglisse et d'épices. Un vin bien construit, ample et persistant, soutenu par des tanins de qualité, marqué en finale par des tanins cacaotés, encore fermes. ⧗ 2019-2024 ■ **★★ (5 à 8 €; 18000 b.)** : élevé en cuve, un vin blanc sec expressif, ample et gras, tendu par une belle vivacité, à la palette tout en fruits (pomme, kiwi, agrumes) ⧗ 2019-2022

EARL CAZOTTES, 249, chem. des Terrisses, 81600 Gaillac, tél. 05 63 57 16 80, gaillacterrisses@orange.fr V r.-v.

DOM. VAYSSETTE Cuvée Léa 2017 ★

	14400		8 à 11 €

Florentin et Andrée Vayssette, les grands-parents, se sont installés en 1930 sur le chemin des Crêtes de Gaillac. Jacques, leur fils, et Maryse ont pris leur suite. Puis leur petit-fils Patrice et son épouse Nathalie les ont rejoints pour exploiter les 30 ha de vignes du domaine, labellisé Haute Valeur Environnementale. Une valeur sûre de l'appellation.

Mi-braucol mi-syrah, cette cuvée a séjourné douze mois en barriques, neuves pour un tiers des volumes. Elle affiche une robe soutenue aux reflets violines et dévoile un nez intéressant, même si le boisé vanillé laisse pour l'heure à l'arrière-plan les notes de mûre et de framboise écrasée. Tout aussi séduisante, la bouche se déroule avec souplesse et rondeur, teintée par le bois d'une suavité flatteuse. Une puissance mesurée, mais de l'élégance. ⧗ 2019-2025

EARL DOM. VAYSSETTE, 2738, chem. des Crêtes, 81600 Gaillac, tél. 05 63 57 31 95, domaine.vayssette81@gmail.com V t.l.j. *sf dim. 9h-12h 14h-19h*

CH. LES VIGNALS La Fauvette noire 2017 ★★

	5300		20 à 30 €

Un domaine de 75 ha situé à Cestayrols, au nord-ouest de Gaillac, sur le terroir argilo-calcaire de la rive droite du Tarn balayé par le vent d'autan. Racheté en 1996 par les Vanoli, il est régi par Olivier Jean, qui a engagé la conversion bio du domaine (certification en 2013), avec Éric Brun comme maître de chai et Caroline Boisset comme œnologue.

Le nom de la cuvée célèbre le retour du petit passereau chanteur dans les vignes du domaine depuis la conversion bio. Pur braucol vinifié et élevé dix-huit mois en fût, ce 2017, encore réservé, s'ouvre sur les petits fruits des bois bien mûrs. De belle tenue en bouche, concentré, ample et suave, soutenu par des tanins enrobés, il associe avec bonheur le fruit et un boisé grillé. Ce vin riche devrait gagner en expression à la faveur d'une petite garde. ⧗ 2020-2025

SCEA CH. LES VIGNALS, Les Vignals, 81150 Cestayrols, tél. 05 63 55 41 53, maitredechai@lesvignals.fr V t.l.j. *sf dim. 9h-13h 14h-19h*

VIGNÉ-LOURAC Doux Terrae Veritas 2018 ★

	32000		5 à 8 €

Un domaine régulier en qualité, pour ses gaillac mais aussi pour ses vins de pays (IGP), dirigé par Alain Gayrel et par son fils Vincent.

SUD-OUEST

Le loin de l'œil, escorté du mauzac, est à l'origine de ce gaillac doux jaune doré au nez intense mariant les fruits jaunes et les fruits exotiques, ananas et litchi en tête. Au palais, ce vin séduit par son bel équilibre entre sucre et acidité et par sa finale fraîche, sur les agrumes. ⧗ 2019-2025 ■ **Terrae Veritas 2017** ★ (5 à 8 €; **66000 b.)** : six cépages au service d'un vin ample, structuré et complexe, fruité, épicé et mentholé. Un potentiel intéressant. ⧗ 2020-2025

SAS CAVE DE GAILLAC (VIGNOBLES GAYREL), 103, av. Foch, 81600 Gaillac, tél. 05 63 81 21 11, gaillac@cave-gaillac.fr V *t.l.j. 9h30-12h30 14h30-19h30*

VINOVALIE L'Infini 2018 ★

■	185333		5 à 8 €

Les caves de Técou, de Rabastens, de Fronton et des Côtes d'Olt ont uni leurs forces en 2006 en créant le groupe Vinovalie, dont le nom renvoie aux valeurs collectives du rugby. Un groupe qui fédère 470 vignerons et quelque 3 800 ha de vignes répartis sur trois appellations : gaillac, fronton et cahors.

Élaboré par la cave de Rabastens, petite cité sur le Tarn, ce vin blanc sec est un pur loin de l'œil. Il attire par son nez franc et fruité, aux nuances d'acacia, de pêche, de poire et d'agrumes. Frais en attaque, bien équilibré entre rondeur et vivacité, il bénéficie d'une finale fruitée et citronnée. ⧗ 2019-2021 ■ **Perlé Saint-Michel Grande Réserve 2018** (- de 5 €; **384133 b.)** : vin cité.

VINOVALIE (VIGNERONS DE RABASTENS), 33, rte d'Albi, 81800 Rabastens, tél. 05 63 33 73 80, labo@vigneronsderabastens.com V *t.l.j. 10h-12h30 14h30-19h; dim. 10h-12h30*

VINOVALIE Hmmm...! 2018 ★★

●	33000		8 à 11 €

Les caves de Técou, de Rabastens, de Fronton et des Côtes d'Olt ont uni leurs forces en 2006 en créant le groupe Vinovalie, dont le nom renvoie aux valeurs collectives du rugby. Un groupe qui fédère 400 vignerons et regroupe quelque 3 800 ha de vignes répartis sur trois appellations : gaillac, fronton et cahors.

Proposé par la cave de Técou, un des deux pôles gaillacois de Vinovalie, fondé en 1953, un effervescent à base de mauzac élaboré selon la méthode ancestrale : la fermentation reprend à partir des sucres du raisin, sans liqueur de tirage. Nos dégustateurs louent sa robe or pâle animée d'un cordon régulier de bulles dynamiques, ses parfums bien typés de fruits blancs (pomme, poire et coing) et sa bouche élégante, à la fois suave et très fraîche, marquée en finale par une touche gourmande d'ananas : Hmmm... ! ⧗ 2019-2020 ■ **Astrolabe 2017 (8 à 11 €; 40000 b.)** : vin cité.

VINOVALIE (SITE DE TÉCOU), 100, rte de Técou, Pagesou, 81600 Técou, tél. 05 63 33 00 80, passion@cavedetecou.fr V *t.l.j. sf dim. 8h-12h 14h-18h*

MARCILLAC

Superficie : 185 ha / Production : 7 904 hl

Reconnu en AOC en 1990, ce vin rouge naît dans l'Aveyron, dans une cuvette naturelle au microclimat favorable : le « vallon ». Cultivé sur des argiles riches en oxyde de fer – les rougiers –, le mansois (fer-servadou) lui donne une réelle originalité, faite d'une rusticité tannique et d'arômes de framboise.

DOM. DE L'ALBINIE Les Hauts de l'Albinie 2016

■	2600		8 à 11 €

Alain Falguières a repris en 1998 cet ancien domaine viticole laissé à l'abandon après la crise du phylloxéra. Il l'a replanté et a aménagé une cave à Salles-la-Source (au nord-ouest de Rodez) dans un quartier qui comptait autrefois une quarantaine de caves reliées entre-elles par des fleurines.

Légèrement tuilé, ce 2016 dévoile un caractère assez évolué et reflète la générosité du millésime. Intense, le nez libère des parfums de griotte et de pruneau à l'eau-de-vie, relevés de poivre. Ces arômes se prolongent dans une bouche équilibrée et ronde, qui n'en conserve pas moins en finale un petit côté tannique et végétal, marque du cépage mansois. ⧗ 2019-2021

ALAIN FALGUIÈRES, Cornelach, 12330 Salles-la-Source, tél. 05 65 67 02 69, albinie@vinsfalguieres.fr r.-v.

B DOM. DES COSTES ROUGES Tandem 2018

■	15000		8 à 11 €

À l'origine exploité en polyculture, ce domaine conduit en bio (certification en 2012) est aujourd'hui presque exclusivement dédié à la vigne (6,5 ha en AOC marcillac), une petite production de légumes, de céréales et de volaille complétant l'activité. Éric et Claudine Vinas y sont installés depuis 1993.

Le mansois (fer-servadou) forme toujours un tandem efficace avec les rougiers, terres argilo-gréseuses de l'appellation, à en juger par la dernière version de cette cuvée. Plus simple que les deux millésimes précédents, élus coup de cœur, ce vin ne manque pas d'atouts : une belle fraîcheur, des tanins enrobés et des arômes bien typés de fruits rouges et de feuilles froissées. Tout ce que l'on recherche dans le marcillac. Faites marcher l'aligot, avec une bonne saucisse artisanale du Sud-Ouest, ferme, savoureuse et bien poivrée ! ⧗ 2019-2022

GAEC DOM. DES COSTES ROUGES, Combret, 12330 Nauviale, tél. 05 65 72 83 85, domaine-des-costes-rouges@wanadoo.fr V *r.-v.*

DOM. DU CROS Lo Sang del Païs 2018

■	110000		5 à 8 €

À sa création en 1984, ce domaine emblématique de l'AOC marcillac ne disposait que d'un hectare de vigne et produisait environ 4 000 bouteilles par an ; la superficie atteint à présent 33 ha. La propriété est conduite par Philippe Teulier, secondé depuis 2006 par son fils Julien. Une valeur sûre.

Bien connue des lecteurs, cette cuvée revient avec des volumes presque trois fois supérieurs à ceux du millésime antérieur, affecté par le gel. Intense de couleur, elle s'ouvre sur les fruits rouges relevés d'épices. Ronde, assez étoffée, soutenue par des tanins fondus et réglissés, elle finit sur une note poivrée. Un marcillac jeune et gourmand, à boire sur son fruit. ⧗ 2019-2022

GAEC DU CROS, Le Cros, 12390 Goutrens, tél. 05 65 72 71 77, pteulier@domaine-du-cros.com r.-v.

DOM. LAURENS Pierres Rouges 2018 ★★

■ | 60000 | | 5 à 8 €

Quand Michel Laurens revint à Clairvaux en 1983 et qu'il retrouva son frère Gilbert, il décida avec lui d'étendre le domaine familial et de poursuivre l'œuvre de leur père Henri, qui avait commencé à restaurer le vignoble : rachat de vieilles vignes, de terrasses, de terres en friches, défrichage, plantations. Après des années de travail, la propriété qui couvrait à l'origine 1,5 ha s'étend aujourd'hui sur 25 ha. La nouvelle génération (Vincent, Éric et Pascal) a pris les commandes en 2015.

Dès l'approche, ce vin à la robe profonde annonce sa densité. Intense au nez, il délivre des parfums de fruits rouges et de baies noires bien mûrs, rehaussés d'épices. Une attaque fraîche ouvre sur un palais puissant et rond, où l'on retrouve une riche expression aromatique. La finale longue et réglissée laisse le souvenir d'une bouteille harmonieuse qui devrait bien évoluer. ⧗ 2019-2023 ■ **Cuvée de Flars 2017 ★ (11 à 15 €; 20000 b.)** : après un 2016 coup de cœur, cette cuvée élevée douze mois en barrique, de belle longueur, montre la charpente d'un vin bâti pour la garde qui devra s'affiner. Le boisé vanillé et torréfié laisse déjà s'exprimer la cerise et la mûre. ⧗ 2020-2024

GAEC DOM. LAURENS, 7, av. de la Tour, 12330 Clairvaux, tél. 05 65 72 69 37, info@domaine-laurens.com t.l.j. sf dim. 10h-12h 14h-19h

DOM. DU MIOULA Patrimoine 2017 ★★

■ | 700 | | 20 à 30 €

Le *mioula* (« milieu » en patois), c'est le milieu des vignes. Cultivé par les moines de Conques au XIe s., puis par les abbés de la cathédrale de Rodez au XIIe s., ce vignoble de 4,5 ha d'un seul tenant a été acquis en 1995 par Bernard Angles. Planté soixante-dix ans auparavant et mal en point lors de son rachat, il a été restauré par les nouveaux propriétaires. Conduit depuis 2015 par Philippe Angles, il est devenu l'un des piliers de l'appellation marcillac.

Une relique : cette cuvée provient d'une vigne préphylloxérique, franche de pied (non greffée), qui a échappé à la dévastation du puceron en 1893 car, proche d'une cascade, elle était inondée tout l'hiver. Les vignerons, aidés du Conservatoire local, ont pratiqué une sélection massale (préservation des meilleurs pieds) pour la restaurer. Un vin d'autant plus rare que ce millésime a été touché par le gel... Un 2017 à la robe profonde animée de reflets violets, aux arômes intenses de cassis, de violette, de réglisse et de poivron vert, à la bouche ample, adossée à des tanins fins, fraîche et poivrée en finale. Un « vin plaisir ». ⧗ 2019-2022 ■ **Terres d'Angles 2016 ★ (15 à 20 €; 1000 b.)** : la barrique à chauffe douce a donné des tons vanillés et réglissés à cette cuvée, tout en respectant ses arômes typés de mûre, de cassis, un rien végétaux. Un vin abouti, gourmand et bien fondu. ⧗ 2019-2022

SCEA DU MIOULA, Saint-Austremoine, 12330 Salles-la-Source, tél. 05 65 71 83 69, philippe.angles@marcillac.net r.-v.

♥ LES VIGNERONS DU VALLON
Les Crestes 2018 ★★

■ | 20000 | | 8 à 11 €

Établie dans le fameux vallon de Marcillac, cette coopérative, créée en 1965, regroupe une quarantaine de vignerons qui cultivent 105 ha. Elle fournit 55 % de la production de l'AOC. Une valeur sûre.

Une robe profonde à reflets violets pour cette cuvée aux parfums intenses et gourmands de fruits rouges très mûrs, voire confiturés, rehaussés d'épices. Une attaque ronde et puissante ouvre sur un palais consistant, toujours bien fruité, à la fois ample et frais, soutenu par des tanins de qualité. La finale persistante relevée de poivre et de poivron rouge donne à ce vin beaucoup de relief. Un remarquable équilibre. ⧗ 2020-2024 ■ **Les Cayla 2018 (8 à 11 €; 20000 b.)** : vin cité.

SCA UNICOR, RD_840, 12330 Valady, tél. 05 65 72 70 21, valady@groupe-unicor.com t.l.j. sf dim. 9h-12h 14h-18h

CÔTES-DE-MILLAU

Superficie : 56 ha
Production : 2 030 hl (97 % rouge et rosé)

Reconnu en AOVDQS en 1994, le plus méridional des vignobles aveyronnais est implanté sur des coteaux de la haute vallée du Tarn, dans un secteur déjà soumis aux influences méditerranéennes. Majoritaires, les rouges et rosés sont composés de syrah et de gamay et, dans une moindre proportion, de cabernet-sauvignon, de fer-servadou et de duras. Les blancs assemblent chenin et mauzac. Les côtes-de-millau ont accédé à l'AOC en 2011.

B DOM. DU VIEUX NOYER 2017

■ | 16000 | | 8 à 11 €

Un grand noyer au tronc sculpté des symboles de la vigne trône à l'entrée de cette propriété conduite par trois associés, vignoble de 32 ha conduit en bio, établi au pied des Grandes Causses.

Fermé de prime abord, ce vin livre à l'aération des notes de fruits rouges et noirs mûrs relevés d'épices. En bouche, il se montre vif en attaque, plutôt souple dans son développement, avant une finale plus tannique et chaleureuse. ⧗ 2020-2022

GAEC DU VIEUX NOYER, rte des Gorges-du-Tarn, Boyne, 12640 Rivière-sur-Tarn, tél. 06 82 58 73 48, contact@levieuxnoyer.fr t.l.j. 9h-12h30 15h-19h

➧ LA MOYENNE GARONNE

FRONTON

Superficie : 2 060 ha / Production : 97 242 hl

Vin des Toulousains, le fronton provient d'un très ancien vignoble, autrefois propriété des chevaliers de l'ordre de Saint-Jean-de-Jérusalem. Lors du siège de Montauban, Louis XIII et Richelieu se livrèrent à force dégustations comparatives... Reconstitué grâce à la création des coopératives de Fronton et de Villaudric, le vignoble a conservé un encépagement original avec la négrette, variété locale que l'on retrouve à Gaillac. Elle est vinifiée seule ou assemblée à la syrah, au côt, au cabernet franc et au cabernet-sauvignon, au fer-servadou et, dans une moindre mesure, au gamay. Le terroir occupe les trois terrasses du Tarn, aux sols de boulbènes, de graves ou de rougets. Les vins rouges comprenant des cabernets, du gamay ou de la syrah, sont fruités et aromatiques. Plus riches en négrette, ils sont alors puissants, assez tanniques, dotés d'un fort parfum de terroir aux accents de violette. Les rosés sont francs, vifs et fruités.

GÉRAUD ARBEAU Arborescence 2017 ★★

■ | 100 000 | 🍾 | - de 5 €

Créée en 1878, la maison de négoce des Arbeau a pris de l'envergure au XXᵉs. en se spécialisant dans les vins et spiritueux. Depuis les années 2000, Géraud Arbeau et sa sœur Anne dirigent l'affaire, ainsi que le Ch. Coutinel.

Associée à un appoint de syrah et de cabernet, la négrette a donné naissance à cette cuvée gourmande, reflet flatteur d'un millésime difficile. À la robe profonde répond un nez bien ouvert sur toute une gamme de fruits frais – la fraise, la framboise, la cerise – qui prend à l'aération des tons confiturés, kirschés et réglissés. Souple et suave, la bouche ne manque pas pour autant d'étoffe, adossée à des tanins agréablement soyeux. Un peu plus ferme, la finale laisse un long sillage fruité. Un «vin plaisir» d'une belle tenue. ⧗ 2020-2023

⊶ SAS VIGNOBLES ARBEAU, 6, rue Demages, 82370 Labastide-Saint-Pierre, tél. 05 63 64 01 80, anne@arbeau.com V t.l.j. sf dim. lun. 14h-18h30

♥ CH. BAUDARE
Négrette Perle Noire 2017 ★★

■ | 30 000 | 🍾 | 5 à 8 €

Au temps de Napoléon, Guillaume Vigouroux fut le seul des quatre frères à revenir des champs de bataille. David, son descendant (cinquième génération), installé sur le domaine familial en 1995, s'est marié avec une Anglaise qui contribue à la renommée de la négrette outre-Manche. Le vignoble, créé en 1882, s'étend aujourd'hui sur 80 ha, complété en 2009 par les 20 ha du Dom. Callory. À la carte des Vigouroux, des fronton très réguliers en qualité.

Née de pure négrette, cette Perle noire obtient un coup de cœur pour la troisième fois. Cueillie bien mûre sur trois terroirs différents, elle est élaborée de manière à exalter le fruit : macération préfermentaire à froid et élevage en cuve. La robe profonde est de bon augure. Le nez intense et gourmand dévoile les parfums de réglisse et de violette typés du cépage, agrémentés de notes de fruits rouges confiturés et de touches mentholées. Ample et veloutée, généreuse et persistante, la bouche bénéficie en finale d'un plaisant retour aromatique : tous les attraits du grand cépage frontonnais. ⧗ 2020-2023 ■ **Cuvée Prestige 2017 ★ (5 à 8 €; 80 000 b.)** : mi-négrette mi-cabernet-sauvignon, elle a bénéficié d'un élevage de douze mois en fût qui lui a donné de la complexité (notes épicées, fruits noirs, cassis en tête) et des tanins soyeux et vanillés, encore stricts en finale. ⧗ 2020-2024

⊶ EARL CH. BAUDARE, 161, rue Basse-Près-de-l'Église, 82370 Campsas, tél. 05 63 30 51 33, vigouroux@aol.com V sam. 9h-12h 14h30-17h30

CH. DE BELAYGUES Aigarosa 2018 ★

■ | 2000 | 5 à 8 €

Fils d'agriculteur aveyronnais, Guillaume Veyrac a acheté en 2001 ce domaine situé à 10 km au sud de Montauban. Il l'a équipé d'un chai fonctionnel et d'un caveau de dégustation. Son vignoble couvre 13 ha sur la première terrasse du Tarn et produit du fronton et des vins en IGP.

Ce rosé de saignée mariant négrette et syrah a pour atouts son nez aux nuances de rose, de groseille, de pêche et de bonbon anglais et sa bouche ample et suave, où l'on retrouve le bonbon. ⧗ 2019-2020 ■ **Le Vieux Chai 2016 (8 à 11 €; 3000 b.)** : vin cité.

⊶ SCEV BELAYGUES, 1755, chem. de Bonneval, 82370 Labastide-Saint-Pierre, tél. 06 58 69 28 28, chateaudebelaygues@orange.fr V r.-v.

CH. BELLEVUE LA FORÊT
La Forêt royale 2016 ★

■ | 24 000 | 🛢 | 8 à 11 €

Avec 100 ha d'un seul tenant, Bellevue la Forêt est le plus vaste domaine de l'appellation. Patrick Germain, issu d'une lignée de viticulteurs d'Afrique du Nord, l'avait acquis en 1974, un an avant la création de l'AOC, puis l'avait mis en valeur et en avait largement diffusé les vins. En 2008, il l'a vendu à Philip Grant. Formé au vin, l'homme d'affaires irlandais ne manque pas d'ambition pour le vignoble.

La négrette (55 %) s'allie à la syrah dans cette cuvée élevée douze mois en fût. D'abord réservé, le nez s'ouvre à l'aération sur le cuir, puis sur les fleurs, les fruits noirs et les épices. Ronde et ample, la bouche s'appuie sur une charpente tannique assez solide, encore quelque peu rustique. La finale vive et épicée donne à ce 2016 un air de jeunesse. ⧗ 2020-2024

⊶ SCEA CH. BELLEVUE LA FORÊT, 5580, rte de Grisolles, 31620 Fronton, tél. 05 34 27 91 91, cblf@chateaubellevuelaforet.com V t.l.j. sf dim. 9h30-12h 14h-18h

Ⓑ CH. BOUJAC Le Secret des étoiles 2018 ★

■ | 5000 | | 8 à 11 €

Un domaine familial tourné, à l'origine, vers la polyculture et l'élevage. Arrivés à sa tête en 1989, Philippe et Michelle Selle l'ont spécialisé et se sont orientés vers la vente directe. Le vignoble, qui compte aujourd'hui 30 ha, est exploité en bio certifié depuis 2012.

Issu de négrette, un rosé de saignée saumon intense, plaisant par son expression aromatique (notes florales, pierre à fusil, ananas, fruit de la Passion, pêche, bonbon) et par sa bouche ronde et vineuse, équilibrée par une belle fraîcheur. ⧗ 2019-2020 ■ **Alexanne 2016 (8 à 11 €; 7000 b.)** Ⓑ : vin cité.

EARL CH. BOUJAC, 499, chem. de Boujac, 82370 Campsas, tél. 05 63 30 17 79, selle.philippe@wanadoo.fr V *t.l.j. sf dim. 9h-12h 14h-18h30*

CH. CARROL DE BELLEL Élégance 2018 ★

■ | 2000 | | 5 à 8 €

En 1980, Gilbert Gasparotto a orienté vers la viticulture ce domaine, dans sa famille depuis des siècles. En 2006, son fils Yannick s'est associé avec lui avant de reprendre l'exploitation l'année suivante. Il a porté la superficie du vignoble à 33 ha (dont 16 ha de négrette).

La négrette s'allie à un appoint de syrah et de gamay dans cette cuvée. Cela donne dans ce millésime un nez suave, floral et fruité, et une bouche vive en attaque, ronde et ample dans son développement, aux arômes de bonbon acidulé et d'ananas, nuancés d'une touche réglissée. ⧗ 2019-2020 ■ **Cuvée Gino 2017 (5 à 8 €; 5000 b.)** : vin cité.

EARL CARROL DE BELLEL, 103, chem. de Boujac, 82370 Campsas, tél. 06 49 25 05 82, yannick.gasparotto@hotmail.fr V *sam. 9h-12h 14h-18h*

CH. CAZE
Patrimoine Élevé en fût de chêne 2016

■ | 6000 | | 8 à 11 €

Martine Rougevin-Baville exploite depuis 1991 le domaine créé en 1776 par son ancêtre, un notable toulousain. Elle dispose aujourd'hui de 14 ha, plantés à 50 % de négrette et pour l'autre moitié de cabernets et de syrah. La cave semi-enterrée date de la création du domaine.

Née d'un assemblage de négrette (50 %), de syrah et de cabernet, cette cuvée affiche une robe foncée à reflets violines. Intense au nez, elle libère des notes florales et des parfums de fruits noirs relevés d'épices. De belle tenue en bouche, assez longue, elle est étayée par des tanins fermes, un peu stricts en finale. Du caractère. ⧗ 2020-2024 ■ **2018 (5 à 8 €; 6000 b.)** : vin cité.

MARTINE HÉRAIL, Ch. Caze, 45, rue de la Négrette, 31620 Villaudric, tél. 06 16 31 48 69, chateau.caze@wanadoo.fr V *r.-v.*

CH. CLOS MIGNON Sélection 2017

■ | 5000 | | 5 à 8 €

Implanté sur le terroir de Villaudric, ancien cru de l'appellation, ce domaine viticole, de bonne notoriété au XIXᵉs, s'était ensuite tourné vers la polyculture-élevage. Acquis par la famille Muzart en 1952, il est de nouveau dédié à la viticulture, un temps associée à l'arboriculture. Il est géré depuis 2000 par Olivier, revenu sur l'exploitation familiale après un passage dans le secteur bancaire. Le vignoble couvre 20 ha.

La négrette (60 %), la syrah et un appoint de cabernet-sauvignon issus d'une sélection de parcelles ont donné naissance à un fronton flatteur, au nez délicat et gourmand, centré sur les fruits rouges frais, cerise et fraise en tête. Le prélude à une bouche souple, ronde et légère. Un « vin plaisir » que nos dégustateurs conseillent d'apprécier maintenant. ⧗ 2019-2022

EARL DU CH. CLOS MIGNON, 109, rte de Clos-Mignon, 31620 Villeneuve-les-Bouloc, tél. 05 61 82 10 89, omuzart@closmignon.com V *t.l.j. sf sam. dim. lun. 15h-19h*

Ⓑ CH. COUTINEL 2017 ★

■ | 67000 | | 5 à 8 €

En 1920, la famille Arbeau, également négociante, a acquis le Ch. Coutinel (50 ha). Un terroir majoritairement composé de boulbène, où la négrette représente la moitié de l'encépagement. La vigne est conduite en bio.

Issu de négrette alliée à une goutte de syrah et de gamay, un fronton bien constitué, souple, floral et fruité. ⧗ 2019-2022

EARL CH. COUTINEL, 82370 Labastide-Saint-Pierre, tél. 05 63 64 01 80, anne@arbeau.com V *r.-v.*

CH. CRANSAC Privilège 2018

■ | 10000 | | 5 à 8 €

Un vrai château du XVIIᵉs., en brique rose, et un domaine de 150 ha, dont 50 ha de vignes implantées sur les anciennes terrasses du Tarn. La propriété, longtemps exploitée en cave coopérative, a été achetée en 1999 par Laurent Philis qui a produit sa première cuvée en 2003 et se distingue depuis régulièrement, aussi bien en rouge qu'en rosé.

Issu de pressurage direct, ce rosé, associant à la négrette le cabernet franc et le gamay, revêt une robe saumon limpide. Discrètement minéral, floral (aubépine) et fruité (cassis) au nez, plus expressif en bouche, il se montre bien construit, frais en attaque, d'une belle ampleur. ⧗ 2019-2020

SCEA DOM. DE CRANSAC, 1020, chem. du Cotité, 31620 Fronton, tél. 05 62 79 34 30, secretariat@chateaucransac.com V *r.-v.*

CH. FONT BLANQUE 2018 ★

■ | 2000 | | - de 5 €

Ce domaine familial créé en 2005 est déjà bien connu des habitués du Guide. Implanté sur un sol argilo-limoneux, il s'étend sur 20 ha. Le vignoble a été entièrement restructuré et replanté par Jacqueline et Didier Bonhoure.

Issu de négrette majoritaire complétée par la syrah, ce rosé de saignée affiche une robe soutenue à reflets rouges. Intense et flatteur au nez, il mêle la pêche, l'ananas et le bonbon anglais. Suave en attaque, gras et opulent au palais, il développe des arômes de petits fruits rouges, de poire et de fruits jaunes légèrement miellés. Un style gourmand et rond qui ne manque pas d'amateurs. ⧗ 2019-2020

EARL DE FONT BLANQUE, 1055, rte de Fabas, D_50, 82370 Campsas, tél. 05 63 64 08 91, chateau.font-blanque@orange.fr r.-v.

♥ HAUT-CAPITOLE 2016 ★★

■	32 000		5 à 8 €

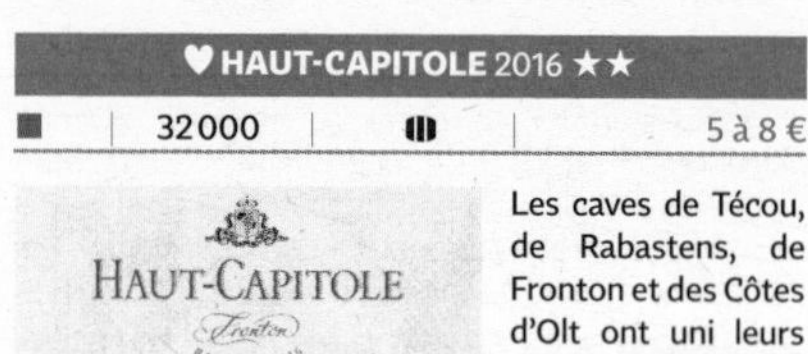

Les caves de Técou, de Rabastens, de Fronton et des Côtes d'Olt ont uni leurs forces en 2006 en créant le groupe Vinovalie, dont le nom renvoie aux valeurs collectives du rugby. Un groupe qui fédère 400 vignerons et rassemble quelque 3 800 ha de vignes répartis sur trois appellations : gaillac, fronton et cahors.

«Cassis! Violette!» lit-on sur les fiches de dégustation. Le nez livre avec exubérance les arômes qui signent le cépage négrette, complété dans cette cuvée par du cabernet franc. On hume aussi au-dessus du verre des notes de fraise et de fruits noirs dans la bassine à confiture, des touches mentholées et un léger boisé qui met ce fruit en valeur. En bouche, une belle fraîcheur, une texture fine et soyeuse et une finale persistante, fruitée et boisée, laissent le souvenir d'une réelle harmonie. ⧗ 2020-2024

■ **La Grande Cuvée du Ch. Marguerite 2017 ★★ (5 à 8 €; 12 400 b.)** ♥ : négrette et cabernet franc composent ce fronton à la robe soutenue qui montre une réelle présence pour le millésime. Délicat et fin, son nez s'ouvre sur la cerise et les fruits noirs, soulignés de notes d'élevage aux nuances d'épices douces (vanille et cannelle). Ce fruité gourmand, confituré, associé à un boisé épicé bien dosé, se prolonge dans une bouche ronde et dense, soutenue par des tanins soyeux, à la finale fraîche. Un vin généreux qui laisse une impression agréable de légèreté. ⧗ 2020-2024 ■ **Comte de Négret 2018 ★★ (- de 5 €; 200 000 b.)** : la cave de Fronton est cette année au sommet dans les deux couleurs. Issu de négrette, de cabernet franc et de syrah, ce rosé de pressurage à la robe saumon clair charme par son nez d'abord floral, qui déploie à l'aération de multiples nuances : bonbon, fruit de la Passion, ananas, fraise, griotte, bonbon et pamplemousse. Ce fruité se prolonge dans un palais remarquable de fraîcheur. ⧗ 2019-2020 ■ **Capitoulat 2018 ★★ (- de 5 €; 585 000 b.)** : négrette, cabernet franc et syrah composent ce rosé aussi remarquable par son expression aromatique (fleurs blanches, fruits rouges, fruits exotiques, notes mentholées et réglissées) que par sa bouche fraîche en attaque, ronde et longue. ⧗ 2019-2020 ■ **Inès 2018 ★ (5 à 8 €; 93 000 b.)** : issu de négrette pour l'essentiel, un rosé aux arômes plutôt discrets (fruits rouges, bonbon et, en bouche, fruit de la Passion), mais agréable par son palais vif en attaque puis rond et suave. ⧗ 2019-2020

SCA VINOVALIE (SITE DE FRONTON), 175, av. de la Dourdenne, 31620 Fronton, tél. 05 62 79 97 79, laboratoire@vins-fronton.com t.l.j. sf dim. 9h-12h30 14h-18h30 (19h l'été)

CH. JOLIET 2017 ★

■	15 000	5 à 8 €

Créateurs du domaine en 1984, François et Marie-Claire Daubert, ardents défenseurs de la négrette, ont pris leur retraite en 2010 et ont transmis leur propriété à de jeunes vignerons frontonnais, coopérateurs à la cave locale, Marie-Ange et Jérôme Soriano, qui ont agrandi le vignoble, portant sa surface à 25 ha.

Un assemblage de négrette (40 %), de syrah et de cabernet. Une robe profonde, un nez bien ouvert et précis sur le cassis, la myrtille et la confiture de fraises, nuancé de touches grillées, une bouche à la fois souple et fraîche, aux tanins arrondis : tous les agréments d'un «vin plaisir» à déguster prochainement. ⧗ 2020-2023 ■ **Négrette 2017 (5 à 8 €; 6 500 b.)** : vin cité.

EARL DE JOLIET, 1070, chem. des Peyrounets, 31620 Fronton, tél. 05 61 82 46 02, dejoliet@orange.fr r.-v.

Ⓑ CH. LAUROU 2017 ★★

■	40 000	5 à 8 €

Informaticien et Parisien dans une vie antérieure, Guy Salmona s'est reconverti dans la viticulture à Fronton en rachetant ce domaine. Il a engagé en 2009 la conversion bio (aujourd'hui achevée) de ses 45 ha de vignes. Une valeur sûre du Frontonnais.

Un 2017 né d'un assemblage de négrette (50 %), de syrah (30 %) et de cabernets. Sa robe soutenue aux reflets violines annonce un nez profond au fruité complexe, sur la cerise, le cassis et la myrtille, relevés d'une pincée d'épices. Ces arômes de fruits mûrs se déploient dans une bouche ample et persistante, aux tanins enrobés. Alliant une grande maturité et une belle fraîcheur, un vin d'une réelle harmonie. ⧗ 2020-2024 ■ **2018 ★ (5 à 8 €; 33 300 b.)** Ⓑ : issu de négrette, de syrah et de gamay, ce rosé aux reflets orangés offre un nez discret et frais, entre groseille et cassis, bien prolongé par une bouche vive et élégante, aux arômes d'agrumes. ⧗ 2019-2020

GUY SALMONA, Ch. Laurou, 2250, rte de Nohic, 31620 Fronton, tél. 05 61 82 40 88, contact@chateaulaurou.fr r.-v.

DOM. DE LESCURE À l'avenir... 2017 ★

■	20 000		8 à 11 €

Acquise en 1923 par la famille Cardetti, cette exploitation a commencé la viticulture en 1970, avec Jean-Marie. Installé en 2008, Fabien Cardetti a porté la superficie du vignoble à 25 ha; il cultive également 15 ha de céréales et 12,5 ha de noisetiers. Son exploitation est certifiée Haute valeur environnementale. Le jeune vigneron propose des fronton bien typés, souvent en vue dans ces pages.

Toute l'intensité d'une pure négrette : une robe colorée, aux nuances violines; un nez gourmand et parfumé, entre fruits rouges, réglisse à la violette et poivre; une bouche savoureuse et persistante, offrant une certaine complexité et beaucoup de profondeur. ⧗ 2020-2024 ■ **Sans plus attendre... 2018 (5 à 8 €; 13 000 b.)** : vin cité.

EARL DOM. DE LESCURE, 151, chem. de Lescure, 82370 Labastide-Saint-Pierre, tél. 05 63 30 55 45, domainedelescure@orange.fr V r.-v.

CH. MAJOREL Cuvée Excellence 2017 ★

■ | 32000 | | 8 à 11 €

Les caves de Técou, de Rabastens, de Fronton et des Côtes d'Olt ont uni leurs forces en 2006 en créant le groupe Vinovalie, dont le nom renvoie aux valeurs collectives du rugby. Un groupe qui fédère 400 vignerons et rassemble quelque 3 800 ha de vignes répartis sur trois appellations : gaillac, fronton et cahors.

Issu d'une propriété familiale implantée sur les troisièmes terrasses du Tarn à Pompignan, près de Fronton, une cuvée de pure négrette. Un élevage sous bois maîtrisé donne de la complexité (fruits rouges, réglisse, notes empyreumatiques) à ce vin intense, qui ne manque pas de coffre. ⧗ 2020-2024 ■ **Astrolabe 2016 (8 à 11 €; 26000 b.)** : vin cité.

SCA VINOVALIE (SITE DE FRONTON), 175, av. de la Dourdenne, 31620 Fronton, tél. 05 62 79 97 79, laboratoire@vins-fronton.com V *t.l.j. sf dim. 9h-12h30 14h-18h30 (19h l'été)*

B **CH. PLAISANCE** Tot Çò que cal 2016 ★★

■ | 3200 | | 15 à 20 €

Ingénieur agronome et œnologue, Marc Penavayre a donné un nouvel élan au domaine familial qu'il a repris en 1991, restructuré et agrandi. Son fils Thibaut l'a rejoint en 2019. Le vignoble s'étend aujourd'hui sur 26 ha et a achevé sa conversion bio en 2012.

Un 2016 issu de pure négrette, élevé dix-huit mois en foudre sans intrants, sans collage ni filtration : une robe profonde, un nez intense et complexe, qui s'ouvre sur le cuir avant de s'orienter vers les fruits noirs, la violette, la réglisse et le poivre. La bouche, à l'unisson, séduit par son côté aromatique. On y trouve de la rondeur, de l'ampleur, une belle vivacité, des tanins fondus et une grande persistance : il a «tout ce qu'il faut» ou, en occitan, *tot çò que cal.* ⧗ 2020-2025 ■ **Thibaut La Cuvée du Pitchou 2017 (8 à 11 €; 7800 b.)** B : vin cité.

EARL DE PLAISANCE, 102, pl. de la Mairie, 31340 Vacquiers, tél. 05 61 84 97 41, chateau-plaisance@wanadoo.fr V *t.l.j. sf dim. lun. mar. 9h-12h 15h-19h*

DOM. DES PRADELLES Tradition 2017

■ | 6000 | | - de 5 €

Domaine fondé en 1869. Sa vocation viticole s'affirme en 1990 avec François Prat, qui sort de la coopérative. Sa fille Noëlle prend le relais en 2012, mais son père reste actif à la cave, ainsi qu'Alain Escarguel, l'œnologue. Le domaine s'étend sur 17 ha d'un seul tenant dans le sud de l'appellation, sur la troisième terrasse du Tarn.

Né d'un assemblage de négrette (51 %), de cabernets et de syrah, un «vin plaisir», joli reflet d'un millésime difficile. Sa robe apparaît plutôt claire, son nez mêle notes florales et fruits rouges. Le prélude à un palais souple, tendre et gourmand, dans le même registre que l'olfaction. ⧗ 2019-2022 ■ **100sations 2017 (5 à 8 €; 1326 b.)** : vin cité.

NOËLLE SANCHEZ, 44, chem. de la Bourdette, 31340 Vacquiers, tél. 05 61 84 97 36, noelle.prat@hotmail.fr V *t.l.j. sf dim. 14h-19h; sam. 9h-12h* B

DOM. ROUMAGNAC Authentique 2018 ★

■ | 25000 | | 5 à 8 €

Établi à Raygades, hameau de Villematier en Haute-Garonne, le domaine s'étend sur 20 ha, à la limite des troisième et deuxième terrasses. Jean-Paul Roumagnac cultive depuis longtemps les vignes familiales. Son fils Nicolas l'a rejoint en 2011 et a lancé la vente directe.

Issu de négrette majoritaire, avec la syrah et le gamay en appoint, ce rosé de saignée affiche une robe saumon intense. Discret mais complexe et élégant, légèrement minéral, le nez associe la pomme, la fraise et les épices. Les fruits rouges s'affirment dans une bouche vineuse, ronde et équilibrée. ⧗ 2019-2020 ■ **Authentique 2017 (5 à 8 €; 13333 b.)** : vin cité.

EURL NICOLAS ROUMAGNAC, 20, hameau de Raygades, 31340 Villematier, tél. 06 80 95 34 08, vignoble@domaineroumagnac.fr V *t.l.j. sf dim. 9h-12h 14h30-18h*

DOM. DE SAINT-GUILHEM Renaissance 2016

■ | 6700 | | 11 à 15 €

Cet ancien domaine viticole (1738) est situé entre la deuxième et la troisième terrasse du Tarn. Il doit son nom au comte de Toulouse, Guillaume de Gellone canonisé en 1066 sous le nom de saint Guilhem. Aujourd'hui propriété de Philippe Laduguie, il compte plus de 36 ha, mais les vignes (6,5 ha) composent avec les prés et les bois.

Mi-négrette mi-cabernet-sauvignon, cette cuvée longuement macérée et élevée vingt-quatre mois dans le bois revêt une robe colorée et intense. Elle enchante par son nez mêlant notes florales (violette en tête), petits fruits rouges confits et épices chaleureuses évoquant le paprika. La bouche apparaît en retrait : ronde et gourmande en attaque, de bonne longueur, elle est rapidement sous l'emprise de tanins vifs et sévères en finale. ⧗ 2021-2024

PHILIPPE LADUGUIE, 1619, chem. de Saint-Guilhem, 31620 Castelnau-d'Estrétefonds, tél. 05 61 82 12 09, philippe.laduguie@orange.fr V *t.l.j. 9h30-12h30 14h30-19h30; dim. sur r.-v.* 3 G

B **CH. SAINT-LOUIS** 2016 ★

■ | 50000 | | 8 à 11 €

Racheté en 1991 par Marie-Cécile (née Arbeau) et Ali Mahmoudi, œnologue iranien formé à Toulouse, ce domaine a connu de grandes transformations, tant à la vigne qu'au chai : agrandissement du vignoble (de 6 à 28 ha), plantations, rénovation des bâtiments, construction de nouveaux chais, certification bio. Fanny et Benoît Mahmoudi ont repris en 2017 les rênes de la propriété.

La négrette (60 %) s'allie à la syrah et à un soupçon de gamay et de cabernet franc dans ce 2016 au nez de fruits rouges épicés, rehaussés d'un léger boisé légué par un élevage partiel en barrique. Souple et aromatique, la bouche est soutenue par des tanins savoureux qui prennent en finale des tons réglissés. Un fronton accessible et bien typé. 2019-2024

SCEA CH. SAINT-LOUIS, 380, chem. du Bois-Vieux, 82370 Labastide-Saint-Pierre, tél. 05 63 30 13 13, fanny.vayson@chateausaintlouis.fr V t.l.j. 9h-12h 14h-18h E

CH. VIGUERIE DE BEULAYGUE Tradition 2018 ★

■	3000		5 à 8 €

Transmise dans la même famille depuis cinq générations, cette exploitation ne s'est spécialisée dans la vigne qu'à la fin des années 1990 et commercialise sa production depuis 1995. Cédric Faure, qui a pris la relève en 2002, cultive 22 ha et élabore des cuvées qui laissent rarement indifférent, en rouge comme en rosé.

Mariant négrette (65 %), syrah et gamay, ce rosé de saignée à la robe soutenue mêle au nez cassis et bonbon acidulé. Les fruits des bois se nuancent de touches végétales et réglissées dans une bouche équilibrée, ronde et fraîche, de belle longueur. 2019-2020

EARL CÉDRIC FAURE, 1650, chem. de Bonneval, 82370 Labastide-Saint-Pierre, tél. 05 63 30 54 72, ce.faure@gmail.com V t.l.j. sf dim. 9h-19h

BRULHOIS

Superficie : 194 ha / Production : 8 787 hl

Passés de la catégorie des AOVDQS en 1984 à celle de AOC en 2011, ces vins sont produits de part et d'autre de la Garonne, autour de la petite ville de Layrac, dans les départements du Gers, du Lot-et-Garonne et du Tarn-et-Garonne. Essentiellement rouges, ils sont issus des cépages bordelais et des cépages locaux, tannat et côt.

♥ CH. GRAND CHÊNE 2017 ★★

■	43000		5 à 8 €

Née de l'association, en 2002, des caves de Goulens et de Donzac, elles-mêmes créées en 1960, la cave du Brulhois vinifie sous des marques diverses la plus grande partie des vins de l'appellation brulhois.

Issue de la propriété (15 ha) de David Delpech implantée sur les coteaux graveleux de Dunes, sur la rive gauche de la Garonne, cette cuvée issue de tannat (60 %), de cabernets et de merlot tire son nom d'un chêne vieux, dit-on, de sept cents ans. Elle est par ailleurs élevée en partie dans le chêne. Nos dégustateurs l'ont couverte d'éloges, et ce n'est pas la première fois. Sa robe soutenue à reflets violines inspire confiance, ainsi que son nez expressif, d'une rare finesse, mêlant fruits rouges frais, baies noires, boisé vanillé et torréfié. Dans une belle continuité aromatique, la bouche se déploie avec rondeur, soutenue par une trame tannique encore ferme mais sans agressivité, au grain savoureux. La finale épicée et grillée laisse le souvenir d'un vin typé, d'une juste maturité. 2019-2024 ■ **Le Vin Noir 2017 ★ (8 à 11 €; 40000 b.)** : il mérite son nom, ce vin à la robe profonde animée de reflets violets, né pour l'essentiel de merlot (50 %) et de tannat. Un vin ample, opulent, charpenté, aux arômes de mûre et d'épices. 2020-2024 ■ **Les Vignerons du Brulhois Carrelot des amants 2018 (5 à 8 €; 129000 b.)** : vin cité.

LES VIGNERONS DU BRULHOIS, 3458, av. du Brulhois, 82340 Donzac, tél. 05 63 39 91 92, gbenac@vigneronsdubrulhois.com V r.-v.

BUZET

Superficie : 2 091 ha
Production : 115 003 hl (95 % rouge et rosé)

Connu depuis le Moyen Âge et autrefois partie intégrante du haut pays bordelais, le vignoble de Buzet s'étendait entre Agen et Marmande. D'origine monastique, il a été développé par les bourgeois d'Agen puis a failli disparaître après la crise phylloxérique. Il est devenu à partir de 1956 le symbole de la renaissance du vignoble du haut pays. Deux hommes, Jean Mermillod et Jean Combabessouse, ont présidé à ce renouveau, qui doit beaucoup à la cave coopérative de Buzet, laquelle élève une grande partie de sa production en barrique. Ce vignoble s'étend aujourd'hui entre Damazan et Sainte-Colombe, sur les premiers coteaux de la Garonne, près des villes touristiques de Nérac et de Barbaste. L'alternance de boulbènes et de sols graveleux et argilo-calcaires permet d'obtenir des vins à la fois variés et typés. Les rouges, puissants, profonds, charnus et soyeux, rivalisent avec certains de leurs voisins girondins.

♥ BARON D'ALBRET 2017 ★★

■	500000		5 à 8 €

Importante coopérative du Sud-Ouest de la France, la cave de Buzet réunit 184 viticulteurs et produit de nombreux vins de l'appellation (en rouge, blanc et rosé). Elle a été créée en 1953 et l'appellation buzet a vu le jour vingt ans plus tard. Elle prône une viticulture durable, conciliant progrès techniques et pratiques naturelles. Un tiers de son vignoble est certifié Haute valeur environnementale.

Un demi-million de cols, pas moins, de ce Baron qui pourra s'inviter sur nombre de tables, pour mettre en valeur une volaille, un rôti ou une fricassée de cèpes. Un bon vin, comme l'atteste ce coup de cœur, le quatrième obtenu en rouge par cette marque. L'assemblage est classique : merlot à 40 %, complété par les deux cabernets à parité. L'élevage fait une part à la barrique (neuf mois). Il en résulte une robe profonde, un nez sur les fruits rouges bien mûrs soulignés d'un léger boisé, une bouche charnue, ample et longue, d'une réelle élégance. Quant au potentiel, il est intéressant pour le millésime.

⧗ 2020-2025 ■ **Baron d'Ornezan 2017 ★★ (5 à 8 €; 100000 b.)** ♥ : une cuvée qui dévoile tout le charme de cette appellation; elle naît des trois cépages principaux du Bordelais (merlot 40 %, cabernets 60 %) et bénéficie d'un apport bien dosé de la barrique. Très colorée, elle libère des parfums intenses et complexes de fruits noirs très mûrs teintés de chocolat; le palais, à l'unisson, se montre puissant, gras et persistant. Il associe une belle structure à un côté gourmand et suave, souligné par des tanins enrobés. Une remarquable image du millésime. ⧗ 2020-2024 ■ **Dom. de la Croix 2017 ★ (5 à 8 €; 72000 b.)** : beaucoup de fruit et de rondeur dans ce vin élevé en cuve, aux tanins souples et fins. Une bouteille flatteuse, pour maintenant. ⧗ 2019-2023 ■ **Dom. du Grand Bourdieu 2017 ★ (8 à 11 €; 40000 b.)** : des arômes de fruits rouges nuancés de la touche fumée de la barrique et d'une petite touche de poivron vert sans doute héritée du cabernet franc (40 %); la structure n'est pas énorme, millésime oblige, mais l'ensemble est agréable. ⧗ 2019-2023 ■ **Dom. de Brazalem 2017 ★ (8 à 11 €; 133000 b.)** : le successeur d'un coup de cœur tire son épingle du jeu dans un millésime difficile grâce à son joli nez, partagé entre fruit mûr et chocolat, et à son palais bien constitué, rond, aux tanins encore stricts en finale. ⧗ 2020-2023

⊶ LES VIGNERONS DE BUZET, 56, av. des Côtes-de-Buzet, 47160 Buzet-sur-Baïse, tél. 05 53 84 74 30, buzet@vignerons-buzet.fr V r.-v.

LE CABERNET FRANC DU FRANDAT 2017

■ | 4000 | | 8 à 11 €

Une propriété dont l'histoire viticole remonte à plus de deux siècles, mise en valeur à partir de 1980 par Patrice Sterlin, sorti de la coopérative en 1990. Sa fille Laetitia et son gendre Mickaël Le Biavant président depuis 2008 aux destinées du vignoble, qui compte 30 ha.

Les vins monocépage ne sont pas courants dans l'appellation. Cette propriété en propose plusieurs, dont ce cabernet franc élevé pour les deux tiers en cuve ovoïde et pour le solde en barrique de 500 l. D'un grenat profond, ce 2017 offre un nez discret mais élégant, sur le fruit rouge très mûr rehaussé de pivoine. Souple et frais, c'est un vin simple mais agréable. ⧗ 2019-2022

⊶ CH. DU FRANDAT, Le Frandat, 47600 Nérac, tél. 05 53 65 23 83, contact@chateaudufrandat.fr V *t.l.j. sf dim. 9h-12h 13h30-18h*

CH. PIERRON Alternative 2017 ★★

■ | 15000 | | 8 à 11 €

Établi sur un plateau dominant Nérac, cet ancien domaine de 26 ha a été replanté en merlot et cabernets dans les années 1970. Il été racheté en 2007 à la famille Hérail par Guy Beloussoff, acheteur national dans la grande distribution, et par Jean-François Fonteneau, chef d'entreprise et œnologue, qui ont mis en place une nouvelle équipe et rénové les chais.

Issue de merlot pour l'essentiel, avec un appoint de cabernet franc, élevée douze mois en barrique neuve, cette cuvée particulièrement puissante pour le millésime n'est pas passée loin du coup de cœur. Sa robe intense et profonde montre des reflets violines. Son nez complexe s'ouvre sur les fruits rouges bien mûrs, rehaussés d'un boisé épicé. En bouche, ce vin dévoile des arômes de fruits confits, en harmonie avec une matière charnue, généreuse, onctueuse et longue, adossée à des tanins fins, encore fermes en finale. ⧗ 2021-2026 ■ **2017 ★ (5 à 8 €; 30000 b.)** : élevé quatorze mois en barrique, il doit presque tout au merlot. Un vin consistant et structuré, un peu austère en finale, à l'expression dominée par les fruits rouges. ⧗ 2021-2024 ■ **Fleur d'Albret 2018 ★ (5 à 8 €; 25000 b.)** : un rosé de pressurage issu des deux cabernets. Robe rose tendre, nez discrètement fruité et frais, sur la pêche et les agrumes, bouche équilibrée et tonique. ⧗ 2019-2020

⊶ CH. PIERRON, rte de Mézin, 47600 Nérac, tél. 05 53 65 05 52, chateau.pierron@orange.fr V *r.-v.*

CH. SAUVAGNÈRES Tradition 2017

■ | 45000 | | 5 à 8 €

Jacques Therasse effectua ses premières plantations dans les années 1970 et 1980 avec son fils Bernard, pour porter le domaine à 18 ha aujourd'hui. Exploitées depuis 2007 par Pierre Therasse, les vignes sont disposées en arc de cercle autour du chai, situé à Sainte-Colombe-en-Bruilhois, aux portes d'Agen.

Né d'un assemblage dominé par le merlot, complété par le cabernet franc, ce 2017 s'ouvre sur les petits fruits rouges bien mûrs. Rond, équilibré, de bonne longueur, il est marqué par des tanins encore un tantinet rustiques en finale. Un vin bien réussi pour le millésime. ⧗ 2020-2023

⊶ CH. SAUVAGNÈRES, lieu-dit Sauvagnères, 47310 Sainte-Colombe-en-Bruilhois, tél. 05 53 67 20 23, contact@sauvagneres.fr V *r.-v.*

CH. TOURNELLES
Sauvignon blanc Voluptabilis 2018 ★

■ | 4000 | | 5 à 8 €

Originaire de Cahors, Bertrand-Gabriel Vigouroux est un fin connaisseur du malbec. À son arrivée en 1995 à Buzet, il a replanté son vignoble (15 ha) des coteaux de Calignac à haute densité avec une grande proportion du cépage cadurcien. Et le malbec de Cahors prospère désormais dans l'appellation buzet.

Des reflets verts animent la robe de ce vin brillant qui déroule volontiers ses arômes de fruits exotiques (litchi) bien mûrs. D'attaque puissante, il a de la matière et ne se dépare pas de son expression fruitée (mangue, papaye, banane). Une pointe de minéralité apporte de la fraîcheur en finale. ⧗ 2019-2022 ■ **Voluptabilis 2018 (5 à 8 €; 11000 b.)** : vin cité.

⊶ SCEV BERTRAND GABRIEL, Ch. Tournelles, 2105, rte de la Grangette, 47600 Calignac, tél. 05 65 20 80 80, vigouroux@g-vigouroux.fr

CÔTES-DU-MARMANDAIS

Superficie : 1 314 ha
Production : 67 387 hl (97 % rouge et rosé)

Les côtes-du-marmandais sont produits sur les deux rives de la Garonne; le vignoble, un peu en aval de

Buzet, jouxte à l'ouest l'entre-deux-mers, au nord les côtes-de-duras. Les vins blancs, à base de sémillon, de sauvignon, de muscadelle et d'ugni blanc, sont secs, vifs et fruités. Les vins rouges, issus des cépages bordelais et d'abouriou, de syrah, de côt et de gamay, sont bouquetés et souples. La Cave du Marmandais, qui regroupe les deux sites de Beaupuy et de Cocumont, fournit les volumes les plus importants de l'AOC.

♥ CH. LA BASTIDE 2017 ★★

■ | 20000 | | 5 à 8 €

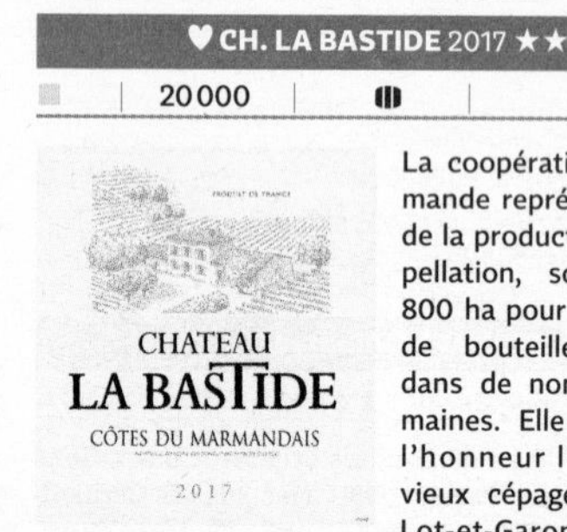

La coopérative de Marmande représente 95 % de la production de l'appellation, soit environ 800 ha pour six millions de bouteilles répartis dans de nombreux domaines. Elle a remis à l'honneur l'abouriou, vieux cépage rouge du Lot-et-Garonne menacé de disparition, en lui aménageant un conservatoire en 2004.

Situées à Cocumont, sur la rive gauche de la Garonne, ces anciennes terres nobles étaient commandées par un château remontant à la guerre de Cent Ans, aujourd'hui disparu. Propriétaire depuis 1943, la famille Lafitte exploite aujourd'hui 57 ha et confie depuis 1965 ses raisins à la coopérative. Souvent retenu, son blanc enchante les dégustateurs cette année. Il naît de sauvignons blanc et gris et séjourne dix mois en barrique. Il en retire des notes vanillées qui soulignent ses arômes de fleurs blanches, de genêt et de buis. L'abricot et les agrumes s'ajoutent à sa palette dans un palais gras et suave, tonifié par une finale fraîche et longue. ⧗ 2019-2022

CAVE DU MARMANDAIS, La Cure, 47250 Cocumont, tél. 05 53 94 50 21, info@cavedumarmandais.fr V r.-v.

Ⓑ DOM. DE BEYSSAC Essentiel 2016

■ | 6300 | | 11 à 15 €

Une reconversion réussie pour ce «néovigneron» qui a créé ce domaine ex nihilo en 2009. Avec ses 12,5 ha de vignes à Marmande, il affiche un parcours technologique remarquable : écoconstruction du chai, agriculture biologique et biodynamique au vignoble et une vinification la plus naturelle possible.

Sans avoir l'éclat du 2015, coup de cœur de la dernière édition, ce 2016 ne manque pas d'atouts. Comme son aîné, il assemble le merlot (62%) et l'abouriou et a vieilli en fût. Robe profonde, nez boisé, alliant la réglisse et le cacao à la mûre, au cassis et aux fruits rouges, palais ample et long, aux arômes intenses de fruits noirs, marqué par des tanins boisés encore stricts en finale : il devrait évoluer dans le bon sens, même si certains jurés recommandent de le boire jeune. ⧗ 2021-2026

DOM. DE BEYSSAC, Bellevue, Beyssac, 47200 Marmande, tél. 06 81 26 46 50, info@domainedebeyssac.fr V r.-v.

Ⓑ VIGNOBLES BOISSONNEAU
Le Geai Abouriou 2017 ★★

■ | 7700 | | 8 à 11 €

Un domaine créé en 1839 par Pierre Boissonneau sur le plateau de l'Entre-Deux-Mers, d'abord en polyculture, puis dédié à la vigne dans les années 1960. Aujourd'hui, les cinquième (Philippe) et sixième (Pascal) générations sont aux commandes d'un vignoble de 55 ha conduit en bio depuis 2011. Elles produisent des bordeaux et des côtes-du-marmandais.

Aussi abouti que le millésime précédent, ce 2017 offre une image remarquable du cépage emblématique du Marmandais, avec sa robe pourpre profond tirant sur le noir, ses parfums intenses de cassis très mûr et son palais rond et suave en attaque, charpenté par des tanins marqués qui lui donnent de la mâche et, pour l'heure, une certaine fermeté. ⧗ 2020-2024

EARL VIGNOBLES BOISSONNEAU, lieu-dit Cathelicq, 33190 Saint-Michel-de-Lapujade, tél. 05 56 61 72 14, vignobles@boissonneau.fr V r.-v.

♥ CAVE DU MARMANDAIS
Secret de vigneron Élevé en fût de chêne 2017 ★★

■ | 4000 | | 8 à 11 €

La coopérative de Marmande représente 95 % de la production de l'appellation, soit environ 800 ha pour six millions de bouteilles répartis dans de nombreux domaines. Elle a remis à l'honneur l'abouriou, vieux cépage rouge du Lot-et-Garonne menacé de disparition, en lui aménageant un conservatoire en 2004.

Abouriou, malbec et merlot composent ce 2017 modeste par ses volumes, mais excellent par sa qualité. La robe est profonde, le nez bien ouvert, complexe, entre fruits des bois très mûrs, sous-bois et notes d'élevage élégantes, épicées et vanillées; intense et fraîche en attaque, dense, suave et très longue, la bouche est charpentée par des tanins boisés déjà fondus : le jury est conquis. ⧗ 2020-2026 ■ **Confidentiel 2017 ★★ (8 à 11 €; 10000 b.)** : issu du trio abouriou, merlot et malbec, élevé douze mois en fût, un rouge charnu, gras, charpenté avec élégance, au nez partagé entre les petits fruits des bois compotés et un boisé épicé et grillé. ⧗ 2020-2024 ■ **Excellence de Bazin 2017 ★ (8 à 11 €; 6000 b.)** : commandé par une chartreuse du XVIII^e^s. un vignoble en coteau sur la rive droite de la Garonne, exploité par la famille Simonnet. Abouriou, malbec et merlot composent ce vin boisé, dense, gras, structuré et long, aux arômes de fruits des bois bien mûrs, de vanille, de cannelle et de grillé. ⧗ 2020-2024 ■ **Noblessa 2018 ★ (- de 5 €; 30000 b.)** : composé pour l'essentiel de merlot et de cabernet franc, avec un appoint de malbec et d'abouriou, un rosé pastel, à la fois ample et frais, de belle longueur, aux arômes de pêche, de groseille, d'agrumes et de bonbon. ⧗ 2019-2020

CAVE DU MARMANDAIS, La Cure, 47250 Cocumont, tél. 05 53 94 50 21, info@cavedumarmandais.fr V r.-v.

LE BLANC DE SOUBIRAN 2017 ★

■ | n.c. | 🍾 | - de 5 €

La coopérative de Marmande représente 95 % de la production de l'appellation, soit environ 800 ha pour six millions de bouteilles répartis dans de nombreux domaines. Elle a remis à l'honneur l'abouriou, vieux cépage rouge du Lot-et-Garonne menacé de disparition, en lui aménageant un conservatoire en 2004.

La famille Soubiran, qui confie sa vendange à la coopérative, est installée sur la rive droite de la Garonne. Sauvignons gris et blanc composent cette cuvée qui s'ouvre sur les agrumes et sur les épices douces. Souple en attaque, assez complexe, bien équilibré entre gras et fraîcheur, le palais offre une finale nette, de bonne longueur. ⧗ 2019-2022 ■ **Le Rosé de Soubiran 2018 ★ (- de 5 €; 10000 b.)** : une robe saumon pastel, un nez vif et acidulé, sur les agrumes et le bonbon anglais, bien prolongé par un palais intense, fringant et nerveux. Parfait pour les salades et les recettes à base de crevettes ou de saumon. ⧗ 2019-2020

CAVE DU MARMANDAIS, La Cure, 47250 Cocumont, tél. 05 53 94 50 21, info@cavedumarmandais.fr V r.-v.

SAINT-SARDOS

Superficie : 104 ha / Production : 5 492 hl

Ancien vin de pays, le saint-sardos a été reconnu en AOVDQS en 2005 et en AOC en 2011. Ce vignoble fut créé au XIIe s. lors de la fondation de l'abbaye de Grand Selve à Bouillac. Il s'étend sur la rive gauche de la Garonne, au sud-ouest du Tarn-et-Garonne et au nord de la Haute-Garonne. Rouges et rosés, les saint-sardos assemblent au moins trois cépages : la syrah (plus de 40 % de l'encépagement) et le tannat (plus de 20 %), complétés par le cabernet franc et le merlot.

LES VIGNERONS DE SAINT-SARDOS Cadis 2017 ★

■ | 12000 | 🍾 | 8 à 11 €

L'appellation saint-sardos est née autour de la coopérative locale, fondée en 1956, qui a fait renaître ce vignoble de la Lomagne, déjà mis en valeur au Moyen Âge par les cisterciens. La cave assure l'essentiel de la production et a créé de multiples marques.

Dans un millésime plus difficile que le précédent, coup de cœur de la dernière édition, ce 2017 tire largement son épingle du jeu : robe dense aux reflets violines, nez intense et charmeur, entre cerise burlat et cassis compotés, palais ample mais assez austère en raison de ses tanins marqués, un peu stricts en finale. ⧗ 2020-2024 ■ **Symbiose 2018 ★ (5 à 8 €; 6500 b.)** Ⓑ : issue de vignes de syrah (75 %), de cabernet franc et de merlot conduites en bio, une cuvée au nez intense, tutti frutti, sur la fraise, le bonbon à la fraise et les fruits noirs et à la bouche agréable, où l'on retrouve le bonbon acidulé. ⧗ 2019-2020 ■ **Ô Vignerons 2018 (5 à 8 €; 25230 b.)** : vin cité. ■ **Grand Selve 2017 (5 à 8 €; 22000 b.)** : vin cité.

LES VIGNERONS DE SAINT-SARDOS, 2, chem. de Naudin, 82600 Saint-Sardos, tél. 05 63 02 52 44, contact.saintsardos@orange.fr V *t.l.j. sf dim. 9h-12h 14h-18h*

➡ LE BERGERACOIS ET DURAS

BERGERAC

Superficie : 10 002 ha
Production : 500 562 hl (70 % rouge et rosé)

Héros de la célèbre pièce d'Edmond Rostand, Cyrano de Bergerac a certainement accru la notoriété de la cité dordognaise qui a donné son nom à l'AOC en 1936. Sa gastronomie comme son vignoble vallonné, mosaïque de terroirs, confèrent à la région un réel intérêt touristique. Les vins peuvent être produits dans 90 communes de l'arrondissement de Bergerac. Rouges, rosés ou blancs secs, les bergerac naissent principalement du merlot, des cabernets et du malbec en rouge et en rosé, du sémillon, du sauvignon et de la muscadelle en blanc. Les rouges sont aromatiques et souples, les rosés, frais et fruités. La diversité des terroirs (calcaires, graves, argiles, boulbènes) donne aux blancs des expressions aromatiques variées. Jeunes, les vins sont fruités, élégants, un rien nerveux. Vinifiés dans le bois, ils devront attendre un an ou deux avant de révéler l'expression du terroir.

ALLIANCE AQUITAINE Mosaïque 2018 ★★

■ | 14500 | 🍾 | 5 à 8 €

Alliance Aquitaine est une structure coopérative née en 2010 de la fusion de la cave de Saint-Vivien et de celle de Bergerac-Le Fleix. Disposant de trois sites de vinification, la cave regroupe 140 adhérents pour une surface totale de 1 350 ha de vignes, dans le Bergeracois (80 %) et en AOC bordeaux.

Le sauvignon blanc, majoritaire dans l'assemblage (70 %), apporte sa fraîcheur et son intensité aromatique, tandis que le sémillon lègue sa puissance et son gras. On obtient un blanc expressif et bien sec, au fruité tonique, dont la vivacité appelle les fruits de mer et le poisson grillé. ⧗ 2019-2021

SCA ALLIANCE AQUITAINE, Le Vignoble, 24130 Le Fleix, tél. 05 53 24 64 32, contact@allianceaquitaine.com V *t.l.j. 9h-12h30 14h-18h*

CH. BÉLINGARD Réserve 2018 ★

■ | 7600 | 🍾 | 8 à 11 €

Ce vignoble familial (80 ha) fondé en 1820 domine la vallée de la Dordogne, sur un promontoire célèbre pour son ancien culte druidique – « Belen-gaard » ou « jardin du soleil » –, où se déroulèrent aussi les premiers combats de la guerre de Cent Ans. Laurent de Bosredon et son épouse Sylvie sont aux commandes depuis 1986.

Composée de sauvignon (70 %) et d'un appoint de sémillon, cette cuvée a été pressurée sans ajouts de sulfites. Fruitée, suave et légèrement beurrée, d'un bon équilibre, elle offre une finale longue et harmonieuse. ⧗ 2019-2022

SCEA CH. BÉLINGARD, Bélingard, 24240 Pomport, tél. 05 53 58 28 03, contact@belingard.com V r.-v.

♥ CH. BOUFFEVENT Cuvée Mathilde 2018 ★★

■ | 19000 | | 5 à 8 €

Installée en 1992, Françoise Pauty exploite 30 ha de vignes et 20 ha de pommiers dans la vallée de la Dordogne. La propriété appartient à la famille depuis 1906 et le vignoble est conduit en agriculture raisonnée.

Composée de merlot majoritaire (80 %) et de malbec, une cuvée élue coup de cœur l'an dernier et de nouveau couronnée. Dans la lignée du 2016, ce 2018 offre de réelles qualités, tant dans ses arômes que dans sa structure. Il se pare d'une robe sombre aux reflets violets de jeunesse. Encore réservé, il s'ouvre sur des arômes gourmands et suaves de fruits rouges qui s'épanouissent au palais : la fraise des bois, puis la mûre se déploient dans une bouche veloutée et longue, étayée par des tanins soyeux et relevée en finale de touches poivrées. L'élevage de neuf mois en barrique met en valeur le fruit, sans le masquer. ⧗ 2020-2025

SCEA CH. BOUFFEVENT, 19, rte de Bouffevent, 24680 Lamonzie-Saint-Martin, tél. 05 53 24 29 05, chateaubouffevent@orange.fr V r.-v.

♥ CH. LES BRANDEAUX 2017 ★★

■ | 25000 | | - de 5 €

Jean-Marc Piazzetta est œnologue, son frère Thierry est commercial : des compétences complémentaires pour conduire ce vignoble familial, acquis en 1936 par l'arrière-grand-père, qui s'étend aujourd'hui sur 30 ha.

Il doit presque tout au merlot (90 %), complété par le cabernet-sauvignon. Son nez élégant est centré sur les fruits rouges frais, relevés d'épices. Tout aussi fruité, le palais se montre souple en attaque, tendre et équilibré. Modèle des bergerac à boire sur leur fruit, c'est un vin plaisir par excellence. ⧗ 2019-2023 ■ **2018 ★ (- de 5 €; 6500 b.)** : ce bergerac blanc tire de son cépage majoritaire, le sauvignon, sa palette aromatique mêlant aubépine, fruits blancs, bonbon acidulé et buis, ainsi que sa vivacité en bouche. Parfait sur les produits de la mer ou à l'apéritif, avec des cabécous. ⧗ 2019-2022

EARL PIAZZETTA, Les Brandeaux, 24240 Thénac, tél. 05 53 58 41 50, les.brandeaux@gmail.com V *t.l.j. sf sam. dim. 8h30-12h 14h-18h*

CH. BRIAND 2017 ★

■ | 8000 | | 8 à 11 €

Le chai est une ancienne dépendance du château de Bridoire. Quant au vignoble d'environ 25 ha, il a été repris en 2008 par deux jeunes vignerons, Cédric et Amélie Bougues, qui l'ont restructuré et entouré de jachères fleuries pour favoriser la biodiversité.

Le vigneron nous écrit qu'il est fier de son bergerac 2017, malgré le gel. De fait, notre jury, à l'aveugle, l'a jugé aussi réussi que le millésime précédent. L'assemblage est similaire : du merlot (50 %) complété par des cabernets. Discret, peu marqué par l'élevage sous bois, le nez s'ouvre sur les petites baies noires très mûres, avec une nuance gourmande de fruits écrasés. Le fruit s'affirme au palais, mis en valeur par une matière ronde, charnue et charpentée, tendue par une belle acidité. Un certain potentiel. ⧗ 2020-2024

EARL MONTFORT BOUGUES, Le Nicot, 24240 Ribagnac, tél. 06 83 33 48 83, chtbriand@yahoo.fr V *t.l.j. sf sam. dim. 9h-17h*

CH. CAILLAVEL 2018 ★★

■ | 6000 | | 5 à 8 €

Jean-Jacques Lacoste exploite un ensemble viticole réparti sur deux domaines. Caillavel, établi sur le plateau de Pomport, dispose d'un vignoble de 18 ha commandé par un château incendié pendant la guerre de Cent Ans et reconstruit au XVIe s. Haut-Theulet, d'une superficie de 11 ha, est implanté à Monbazillac. Des vins souvent en vue dans ces pages.

Issu pour les trois quarts des deux cabernets (et pour 50 % de cabernet-sauvignon), complétés par le merlot, ce rosé est aussi remarquable que l'an dernier. On aime son nez pimpant, vif et fruité et sa bouche aussi ronde que longue, où l'on retrouve un fruité exubérant. Plutôt suave, ce vin pourra être apprécié de l'apéritif au dessert. ⧗ 2019-2020

GAEC CH. CAILLAVEL, Caillavel, 24240 Pomport, tél. 05 53 58 43 30, chateaucaillavel@orange.fr V *t.l.j. sf dim. 9h-12h 14h-18h30*

LE CLOS DU BREIL L'Odyssée 2017 ★

■ | 2300 | | 8 à 11 €

Aux marges orientales de l'appellation, cette petite propriété familiale de 15 ha est conduite depuis 2009 par Yann Vergniaud, qui a pris la suite de ses parents, Nadine et Jean. Le vignoble bénéficie du terroir des calcaires d'Issigeac, riche en silex.

Un bergerac « tout cabernets » : du cabernet-sauvignon, pour l'essentiel, et du franc, en appoint. Resté dix mois en cuve de béton ovoïde, il est aussi intense à l'œil qu'au nez. Fruité et assez complexe, entre cerise et cassis, il dévoile un palais charpenté et bien construit, avec une attaque ronde et une finale fraîche et longue. ⧗ 2020-2024

EARL DU BREIL, Le Breil, 24560 Saint-Léon-d'Issigeac, tél. 06 88 74 90 23, info@leclosdubreil.fr V *t.l.j. sf dim. 9h30-12h30 13h30-17h30; sam. sur r.-v.*

CLOS LA SELMONIE 2018 ★

■ | 4500 | - de 5 €

Établie au cœur de l'appellation monbazillac, cette propriété familiale remontant à cinq générations est depuis 2012 dirigée par Madeleine Beigner. Le vignoble de 13 ha est implanté sur le plateau de Rouffignac de Sigoulès (Clos la Selmonie) et sur le haut des coteaux de Pomport (Ch. le Chrisly).

Sauvignon blanc et sauvignon gris sont assemblés à parts égales dans cette cuvée à la robe limpide, qui s'ouvre sur des notes vanillées et grillées. Les fruits exotiques se révèlent dans une bouche agréable et fraîche, marquée en finale par une petite pointe d'amertume. ⧗ 2019-2022

MADELEINE BEIGNER, Le Chrisly, 24240 Pomport, tél. 06 83 25 39 00, lechrislybeigner@orange.fr V r.-v.

DOM. DE LA COMBE Éclair de la Combe 2018 ★

13000		- de 5 €

Sylvie et Claude Sergenton ont créé ce domaine en 1980 à partir de 8 ha de vignes, surface qu'ils ont portée à 26 ha. La propriété est conduite depuis 2005 par leur fils Thierry.

Les rosés du domaine sont souvent en bonne place dans le Guide. Celui-ci privilégie le merlot (70 %), complété par le cabernet-sauvignon. D'un rose pastel, il offre un nez intensément fruité, vif et pimpant. Rond au palais, sur des notes de pêche blanche, il est équilibré par une fraîcheur citronnée qui donne de l'allonge et du tonus à la finale. ⧗ 2019-2020

EARL DOM. DE LA COMBE, La Combe, 24240 Razac-de-Saussignac, tél. 05 53 27 86 51, thierrysergenton@gmail.com V *r.-v.*

CH. COMBET Sauvignon 2018 ★

2000		5 à 8 €

Cofondateur de la cave coopérative de Monbazillac, le domaine a créé son propre chai en 1965. Daniel Duperret, à sa tête depuis 1995, a entièrement restructuré les 30 ha du vignoble. Après avoir appliqué les principes de l'agriculture raisonnée et banni tout désherbant et tout produit phytosanitaire autre que le cuivre et le soufre, puis obtenu la certification Haute valeur environnementale, il a engagé en 2018 la conversion bio de son domaine.

Le nez s'ouvre sur les agrumes et les fruits exotiques, complétés au palais par la touche de buis caractéristique du sauvignon, seul à l'œuvre dans cette cuvée. Plutôt simple mais bien équilibré et frais, ce vin offre tout ce que l'on attend du bergerac blanc. Il s'accordera aussi bien avec des produits de la mer qu'avec des fromages de chèvre. ⧗ 2019-2021

EARL DE COMBET, Dom. de Combet, 24240 Monbazillac, tél. 05 53 58 33 47, contact@domainedecombet.com V *t.l.j. 9h-19h; f. janv.*

CH. COURT-LES-MÛTS Cuvée Annabelle 2018 ★

3600		8 à 11 €

Cinq générations au service du vin. Pierre Sadoux quitte les hauts plateaux algériens en 1961 pour s'établir sur cet ancien domaine (XVIIe s.) du Bergeracois implanté sur les coteaux de la rive gauche de la Dordogne. Un domaine dédié depuis longtemps à la vigne : « mûts » signifie « moût » en ancien français. En 2007, son fils du même prénom a pris la relève et conduit l'exploitation qui compte aujourd'hui 53 ha. Une valeur (très) sûre du Bergeracois.

La puissance aromatique du sauvignon se révèle dans cette cuvée : cette variété, qui ne représente que 50 % de l'assemblage, complétée par le sémillon (30 %) et par la muscadelle, s'impose par ses arômes intenses et frais d'agrumes (citron) et de bourgeon de cassis. Elle se dévoile en bouche par sa vivacité, qui met en valeur son fruité et porte loin la finale. Le sémillon apporte du gras ; le fût est des plus discrets. Un blanc aromatique et élégant. ⧗ 2019-2022 ■ **2018 (5 à 8 €; 16000 b.)** : vin cité.

SCEA VIGNOBLES PIERRE SADOUX, Ch. Court-les-Mûts, 24240 Razac-de-Saussignac, tél. 05 53 27 92 17, court-les-muts@wanadoo.fr V *t.l.j. sf dim. 9h-12h 14h-18h; sam. sur r.-v.*

CH. DE FAYOLLE Sang du sanglier 2017 ★

5000		11 à 15 €

Déjà propriétaire d'une ferme bio en Écosse, Julian Taylor a acheté en 2010 ce domaine commandé par un château du XVe s. à l'architecture typiquement périgourdine. Il a porté sa superficie de 17 à moins de 13 ha, ne gardant que les meilleures parcelles.

Déjà apprécié dans le millésime précédent, ce pur merlot élevé douze mois en barrique inspire confiance par sa robe profonde, par ses parfums intenses et francs de fruits rouges, puis par son palais généreux et bien construit, soyeux en attaque, encore ferme et tannique en finale. ⧗ 2021-2025

SARL MARCASSIN, Fayolle, 24240 Saussignac, tél. 05 53 74 32 02, admin@chateaufayolle.com V *t.l.j. sf ven. sam. dim. 13h30-17h30*

CH. LA FORÊT L'Évidence 2017 ★

13333		8 à 11 €

Domaine créé vers 1900 par les Borie sur les coteaux sud de l'appellation, près d'Eymet. Installé en 1998, Hervé Borie étend et restructure le vignoble (85 ha aujourd'hui). Depuis l'arrivée en 2011 de sa compagne Laurence Nicolas, œnologue, il développe la vente directe.

Le cabernet-sauvignon joue les premiers rôles (90 %) dans cette cuvée, complété par le merlot. Le nez franc associe la cerise, le noyau, le pruneau à des touches végétales. On retrouve le fruit rouge dans une bouche gourmande et consistante, agréable par sa fraîcheur. ⧗ 2021-2025 ■ **Réserve 2017 ★ (5 à 8 €; 33333 b.)** : né d'un assemblage de cabernet-sauvignon (60 %) et de merlot, élevé en cuve, un vin gourmand, sur le fruit, à la fois rond et très frais, aux arômes intenses de baies rouges et noires. ⧗ 2020-2023

VIGNOBLES BORIE, La Forêt, 24500 Sainte-Innocence, tél. 05 53 58 43 02, vignoble.borie@wanadoo.fr V *r.-v.*

DOM. DE GRANGE NEUVE 2018 ★

40000		- de 5 €

Anthony Castaing préside depuis 1997 aux destinées de ce domaine fondé en 1896 par son aïeul Pierre Pichon. Le vignoble couvre près de 100 ha à Pomport, à 12 km au sud de Bergerac. Côté vins, on recherche ici le fruit et l'expression du terroir, en évitant souvent l'élevage sous bois.

Le sauvignon a donné à cette cuvée jaune pâle aux reflets dorés des parfums intenses de fruits exotiques. Ces arômes se nuancent de notes de bonbon anglais dans un palais consistant et gras, tendu par une grande fraîcheur qui porte loin la finale. Un réel équilibre. ⌛ 2019-2022

⊶ *SCEA DE GRANGE NEUVE, Grange-Neuve, 24240 Pomport, tél. 05 53 58 42 23, castaing@grangeneuve.fr* *r.-v.*

CH. HAUT-BERNASSE Les Œnopotes 2017 ★

4 600 | | 8 à 11 €

Créé à la fin du XIXe s., ce domaine implanté au sommet des coteaux de Monbazillac avait été acquis en 1977 par Jacques Blais qui l'avait agrandi et développé. Il compte aujourd'hui 14 ha regroupés autour des chais. En 2014, Romain Claveille, jeune vigneron de vingt-huit ans, l'a acquis. Son but est de renouveler l'image de la propriété en élaborant des vins gourmands, des «vins de terroir».

Complété par un appoint de sémillon, le sauvignon (90 %) lègue à ce bergerac blanc des parfums intenses et frais de fruits exotiques rappelant l'ananas et le fruit de la Passion. Ces arômes de salade de fruits tropicaux se prolongent avec bonheur dans une bouche équilibrée, à la fois souple et vive, marquée en finale par une légère amertume. ⌛ 2019-2021

⊶ *EARL CLAVEILLE-ROCHE, Haut-Bernasse, 24240 Monbazillac, tél. 05 53 58 36 22, chateau.hautbernasse@orange.fr* *t.l.j. 10h-13h 14h-19h*

CH. HAUT LAMOUTHE Excellence 2018

50 000 | | 5 à 8 €

Cette propriété familiale, conduite par Michel Durand et ses neveux Nicolas Pouget et Julien Durand, possède aussi des vergers de pruniers et de pommiers. Côté vigne, le domaine s'est développé à partir des années 1980 pour atteindre aujourd'hui 40 ha, implantés au pied du tertre de Montcuq.

Composée de merlot (60 %) et des deux cabernets à parité, cette cuvée affiche une robe sombre et dense mais elle reste discrète au nez. Le fruit rouge perce dans une attaque ronde, qui ouvre sur un palais puissant, soutenu par des tanins épicés. ⌛ 2021-2024

⊶ *GAEC DE HAUT-LAMOUTHE, 56, rte de Lamouthe, 24680 Lamonzie-Saint-Martin, tél. 06 21 03 51 36, chateauhautlamouthe@wanadoo.fr* *r.-v.*

CH. LES HAUTS DE CAILLEVEL Été 2017 ★

6 200 | | 8 à 11 €

Après huit ans passés dans l'aéronautique, Pierre-Étienne Serey, ingénieur, est retourné au lycée (agricole) pour se reconvertir dans la viticulture. Il a racheté en 2018 avec sa femme Charlotte le domaine des Hauts de Caillavel où il s'est établi avec sa nombreuse famille. Implanté sur la rive gauche de la Dordogne, le vignoble de 18 ha d'un seul tenant est exploité en bio certifié depuis 2013. Les cépages rouges sont cultivés sur le coteau, les blancs sur le plateau.

Le merlot (50 %) fait jeu égal avec les deux cabernets dans cette cuvée à laquelle une macération de trente-cinq jours a donné une robe sombre et un nez profond, encore fermé, qui laisse poindre à l'aération des effluves de violette et d'épices. On retrouve la violette dans un palais structuré, puissant et charnu, qui laisse deviner un certain potentiel pour le millésime. ⌛ 2021-2025

⊶ *SARL CH. LES HAUTS DE CAILLEVEL, Caillevel Est, 24240 Pomport, tél. 06 67 47 75 56, caillevel@orange.fr* *t.l.j. 9h-12h30 13h30-18h*

MIRABELLE DU CH. DE LA JAUBERTIE 2017 ★

18 000 | | 11 à 15 €

Nick Ryman, homme d'affaires britannique, a acheté la Jaubertie (du nom d'un ruisseau) en 1973. Son fils Hugh a quitté les vignobles d'Australie il y a plus de trente ans pour reprendre ce domaine commandé par un château Directoire, qui succéda à un pavillon de chasse élevé par Henri IV à l'emplacement d'un bâtiment du XIIe s. Le vignoble couvre 45 ha cultivés en bio. Une valeur sûre.

Issue d'une sélection des meilleures parcelles de sauvignon (85 %) et de sémillon, cette cuvée bien connue des lecteurs du Guide a séjourné dix mois en barrique. Elle a tiré de cet élevage un fin boisé vanillé qui laisse percer des notes d'agrumes et, en bouche, un joli gras, contrebalancé par une vivacité citronnée. Un élevage un peu appuyé mais bien mené. ⌛ 2019-2023 ■ **Ch. de la Jaubertie 2017 (8 à 11 €; 7 200 b.)** (B) : vin cité.

⊶ *SA RYMAN, Ch. de la Jaubertie, 24560 Colombier, tél. 05 53 58 32 11, jaubertie@wanadoo.fr* *t.l.j. sf sam. dim. 10h-17h*

CH. LADESVIGNES Le Pétrocore 2017 ★

3 000 | | 8 à 11 €

Véronique et Michel Monbouché ne cessent d'améliorer et d'étendre leur domaine (60 ha aujourd'hui, en conversion bio), qui bénéficie d'un panorama imprenable sur Bergerac et la vallée de la Dordogne. Un domaine régulier en qualité, en rouge comme en blanc.

Complété par une goutte de sémillon, le sauvignon tient le devant de la scène dans cette cuvée vinifiée et élevée en fût. Le nez agréable associe les fleurs blanches et les agrumes à de subtiles notes d'élevage évoquant la vanille et l'amande grillée. Cet heureux mariage de la barrique et du raisin se prolonge dans un palais ample et frais, aux arômes de fruits blancs et de noisette, marqué en finale par des tanins boisés un rien amers. Parfait sur des viandes blanches ou sur des poissons cuisinés. ⌛ 2019-2022

⊶ *SCEA CH. LADESVIGNES, Ladesvignes, 24240 Pomport, tél. 05 53 58 30 67, contact@ladesvignes.com* *t.l.j. 9h-12h 14h-18h*

CH. LAMOTHE BELLEVUE 2017 ★

30 000 | | 5 à 8 €

Bien connu des lecteurs du Guide, Stéphane Puyol exploite la vigne dans le Libournais (20 ha en saint-émilion et en saint-émilion grand cru) depuis 1977 avec son Ch. Barberousse et son voisin le Ch. Montremblant. Il vinifie également dans le Bergeracois depuis l'acquisition en 1991 du Ch. Lamothe-Belair, situé sur le plateau de Belair, dans le prolongement du coteau de Saint-Émilion.

Composé pour l'essentiel (90 %) de merlot, complété par le malbec, ce bergerac séduit par son expression encore discrète et marquée par la barrique, mais déjà complexe : les notes de vanille, de fumée et d'épices du merrain laissent poindre des arômes de fruits noirs. Ample et charnu, le palais monte en puissance, laissant envisager un certain potentiel. ⧗ 2021-2024

SCEA VIGNOBLES STÉPHANE PUYOL, Ch. Barberousse, 33330 Saint-Émilion, tél. 05 57 24 74 24, chateau-barberousse@wanadoo.fr r.-v.

CH. LESTEVÉNIE 2018 ★

	4000		5 à 8 €

Ce vignoble est très ancien : il est mentionné dès 1723. On y trouve beaucoup de fleurs sauvages et de nombreux animaux, tel le lièvre qui figure sur l'étiquette. Établie ici en 2000, la famille Temperley, venue de Grande-Bretagne, pratique un mode de culture proche du sol et de la nature sur un vignoble de 32 ha.

Issu de merlot majoritaire et de cabernet-sauvignon, ce rosé affiche une robe soutenue, couleur groseille, à laquelle répond un nez puissant et chaleureux, sur les fruits rouges, framboise en tête. La cerise charnue s'ajoute à ce panier de petits fruits dans un palais à la fois rond et frais, corpulent et persistant. Un rosé adapté au repas. ⧗ 2019-2020

CH. LESTEVÉNIE, Le Gadon, 24240 Gageac-et-Rouillac, tél. 06 48 62 23 73, temperley@gmail.com r.-v.

Ⓑ CH. LES MAILLERIES 2018 ★★★

	26000		5 à 8 €

Un domaine de 10,5 ha conduit en bio, acquis en 2016 par Fabien Castaing, déjà aux commandes depuis 2008 du vignoble constitué par sa famille à partir de la fin du XIXe s. sur la rive gauche de la Dordogne, en particulier du Dom. de Moulin-Pouzy, 60 ha exploités en viticulture raisonnée.

Encore plus intense que le millésime précédent, ce bergerac d'un jaune pâle lumineux séduit d'emblée par son nez gourmand et frais mêlant les agrumes, les fruits exotiques et le bonbon acidulé, reflet d'un sauvignon mûr à point (90 % de l'assemblage, du sauvignon gris surtout). Ce fruité intense, à la fois tonique et doux, se prolonge dans un palais gras en attaque, soyeux et persistant, à la finale alerte, marquée par un plaisant retour des agrumes. «Un vin magnifique», conclut un juré. ⧗ 2019-2022 ■ **2018 ★ (5 à 8 €; 50000 b.)** Ⓑ : élevé en cuve et composé de merlot, de malbec et de cabernet-sauvignon, un bergerac rouge au nez intense, légèrement végétal, et à la bouche tout en rondeur suave. ⧗ 2019-2023

EARL VIGNOBLES BIO CASTAING, 12, rte des Rivailles, 24240 Cunèges, tél. 05 53 58 41 20, info@fabiencastaing.com t.l.j. sf sam. dim. 9h-12h 13h-17h30 (ven. 16h30)

CH. LES MERLES 2018

	30000		5 à 8 €

À partir de 1914, trois générations de Lajonie ont constitué dans le Bergeracois un vaste vignoble. La famille exploite trois domaines : les châteaux Pintouquet (30 ha), le berceau, Bellevue (31 ha, en monbazillac et côtes-de-bergerac blanc) et les Merles (70 ha), gérés depuis 1983 par Joël et Alain. La dernière génération, avec Romain Lajonie, a rejoint la propriété.

D'un jaune pâle limpide, ce bergerac blanc offre un nez intense et franc, dont les nuances de buis trahissent la présence majoritaire du sauvignon. Frais en attaque, gras dans son développement, toujours fruité, de belle longueur, le palais laisse le souvenir d'un vin plaisant. ⧗ 2019-2022

SCEA DES MERLES, 2, chem. des Merles, 24520 Mouleydier, tél. 06 22 13 54 13, alain.lajonie@wanadoo.fr r.-v.

Ⓑ CH. LES MIAUDOUX 2018 ★★

	40000		5 à 8 €

Une valeur sûre du Bergeracois, avec plusieurs coups de cœur à la clé. Gérard et Nathalie Cuisset conduisent leur domaine depuis 1986, épaulés par leur fils Samuel et son épouse Lisa : 25 ha convertis à l'agriculture biologique en 2003 et à la biodynamie en 2014. De la vigne, des pruniers d'ente et du maraîchage.

Le sauvignon (50 %) fait une large place au sémillon et laisse entrer un soupçon de muscadelle dans cette cuvée. Il en résulte un blanc flatteur et remarquablement équilibré, qui a frôlé le coup de cœur. Expressif et subtil, le nez se partage entre l'acacia et les fruits exotiques. Tout aussi fruité, le palais se montre consistant, gras, frais et persistant. De la matière et de la finesse. ⧗ 2019-2022

EARL DES MIAUDOUX, Les Miaudoux, 24240 Saussignac, tél. 05 53 27 92 31, lesmiaudoux@gmail.com t.l.j. sf sam. dim. 10h-12h 14h-18h

CH. MONDÉSIR 2017

	34000		5 à 8 €

Univitis est une coopérative regroupant 230 adhérents et 2 000 ha dans le «grand Sud-Ouest» viticole. Elle propose une large gamme de vins de marques et de propriétés dans une quinzaine d'AOC, à laquelle s'ajoute le Ch. les Vergnes acquis en 1986 (130 ha près de Sainte-Foy).

Une robe intense et dense pour ce bergerac rouge au nez précis, minéral et fruité. Ses arômes de fruits rouges et sa bouche souple aux tanins soyeux en font un « vin plaisir » qui pourra se garder un peu. ⧗ 2020-2023 ■ **Ch. Mayne Martin 2018 (- de 5 €; 13300 b.)** : vin cité.

SCA UNIVITIS, Le Bourg, 33220 Les Lèves-et-Thoumeyragues, tél. 05 57 56 02 02, univitis@univitis.fr t.l.j. sf lun. dim. 9h30-12h30 14h30-18h30

CH. MONTDOYEN Ainsi soit-il 2017 ★

	3333		11 à 15 €

Originaires du Nord, les Hembise, qui pratiquent la lutte raisonnée à tendance bio, ont installé dans les vignes des nichoirs à oiseaux et à insectes pour favoriser la biodiversité. Ils ont repris en 1996 ce domaine alors presque à l'abandon, qui fait l'objet depuis d'une restructuration exigeante. Commandé par une bâtisse élevée sur les ruines d'un petit château périgourdin, le vignoble s'étend aujourd'hui sur 37 ha.

Le nez est discret mais attirant, avec ses nuances délicates d'agrumes. Le palais confirme cette impression : ample, gras et frais, marqué en finale par une agréable pointe d'amertume, il séduit par sa richesse, par sa présence et par son équilibre. ⌛ 2019-2022

SARL VIGNOBLES J.P. HEMBISE, Le Puch, 24240 Monbazillac, tél. 05 53 58 85 85, contact@chateau-montdoyen.com V *t.l.j. sf sam. dim. 8h-12h 14h-17h*

CH. MOULIN CARESSE Magie d'automne 2017 ★

■ | 35000 | | 5 à 8 €

Très ancienne propriété familiale (1749) située sur les hauteurs de Montravel, ce vaste domaine est aujourd'hui l'une des références en Bergeracois, grâce au travail mené depuis 1990 (sortie de la coopérative) par Jean-François Deffarge, « autodidacte en œnologie », qui passe aujourd'hui la main à ses enfants Benjamin et Quentin. Le vignoble (52 ha) s'étend sur deux terroirs bien distincts : des pentes argilo-calcaires et un haut plateau de boulbène.

Une belle étoile pour cette cuvée assemblant merlot (45 %), malbec (30 %) et cabernet franc. Après un séjour de douze mois dans le chêne, elle arbore une robe sombre et dense et dévoile un nez élégant, mêlant des notes d'élevage bien fondues à des nuances florales, avec un soupçon de sous-bois. Le palais n'est pas en reste : structuré, ample et frais à la fois, soutenu par des tanins agréables et par une belle acidité, boisé sans excès, il montre une réelle puissance pour le millésime et pour l'appellation. ⌛ 2021-2026

EARL DEFFARGE-DANGER, 1235, rte de Couin, 24230 Saint-Antoine-de-Breuilh, tél. 05 53 27 55 58, contact@moulincaresse.fr V *t.l.j. sf sam. dim. 9h-12h 14h-18h*

♥ DOM. DE MOULIN-POUZY 2018 ★★

■ | 80000 | | 5 à 8 €

Fabien Castaing est à la tête depuis 2008 d'un vignoble constitué par cinq générations à partir de la fin du XIXᵉs. sur la rive gauche de la Dordogne, en particulier le Dom. de Moulin-Pouzy, 55 ha exploités en viticulture raisonnée. En 2016, il a acquis le Ch. les Mailleries, un domaine de 12 ha conduit en bio.

Nos dégustateurs sont tombés sous le charme de cette cuvée à la robe intense, dont la rondeur affable met en valeur un fruité gourmand et flatteur. Le nez monte en puissance sur des notes de baies sauvages bien mûres. Ces petits fruits, rouges puis noirs, s'épanouissent avec persistance dans un palais généreux, à la finale délicatement poivrée. L'expression remarquable d'un merlot dominant mûri sous un été chaleureux. ⌛ 2020-2025 ■ **2018 ★ (5 à 8 €; 11000 b.)** : issu de merlot dominant, un rosé très coloré, tout en fruits rouges, d'une rondeur suave. ⌛ 2019-2020

EARL VIGNOBLES CASTAING, 12, rte des Rivailles, 24240 Cunèges, tél. 05 53 58 41 20, info@fabiencastaing.com V *t.l.j. sf sam. dim. 9h-12h 13h-17h30 (ven. 16h30)*

CH. LES PLAGUETTES
Fleur de cuvée blanche 2018 ★

■ | 6500 | | 5 à 8 €

Après avoir acheté ses premières parcelles et planté ses propres vignes à partir de 1992 sur le coteau de Saussignac, Serge Gazziola a repris en 1999 l'exploitation familiale du Ch. les Plaguettes. Il s'est constitué ainsi un domaine qui compte aujourd'hui 35 ha.

Née de sauvignon, cette cuvée s'ouvre sur des arômes d'acacia, d'ananas et d'agrumes qui gagnent en intensité à l'aération. Gras et généreux, le palais est équilibré par une franche vivacité soulignée par un léger perlant. On y retrouve les fruits exotiques, nuancés en finale de la touche végétale du cépage. ⌛ 2019-2022

EARL VIGNOBLES SERGE GAZZIOLA, Les Plaguettes, 24240 Saussignac, tél. 06 08 61 58 77, contact@vignobles-gazziola.com V *r.-v.*

CH. POULVÈRE La Part des anges 2018 ★

■ | 10600 | | 5 à 8 €

Ancienne dépendance du château de Monbazillac, le Ch. Poulvère date de la même époque. Il est exploité depuis plus de cent ans par les Borderie, qui travaillent toujours en famille : Francis conduit le vignoble depuis 1977 (104 ha), épaulé par ses neveux Frédéric (au chai) et Benoît (au commercial), rejoints en 2018 par Paul et Anaïs, enfants de Frédéric.

Majoritaire dans l'assemblage (90 %, avec la muscadelle en appoint), le sauvignon trahit sa présence par quelques touches de buis et de genêt. Toutefois, son expression intense ne s'arrête pas à cette signature variétale : on respire aussi au-dessus du verre les fleurs blanches, la pêche et les fruits exotiques. Un court passage en fût apporte un surcroît de complexité au palais, marquant la finale d'une note boisée. Un blanc aromatique, gourmand, frais et long. ⌛ 2019-2022

GFA VIGNOBLES POULVÈRE, lieu-dit Poulvère, 24240 Monbazillac, tél. 05 53 58 30 25, famille.borderie@poulvere.com V *t.l.j. sf dim. 9h-12h30 13h30-18h30*

CH. LE RAZ Cuvée Grand Chêne 2017

■ | 18500 | | 5 à 8 €

Le domaine, régulièrement en vue pour ses montravel, est entré dans la famille Barde en 1958. Au fil des ans, des achats et des fermages, il s'est agrandi de vignes, de bois et de cultures, et embelli après la restauration de sa gentilhommière du XVIIᵉs. Les vignes occupent aujourd'hui 60 ha sur les hauts plateaux.

Mi-cuve mi-fût, ce bergerac rouge mêle au nez les fruits rouges acidulés, un boisé suave et une touche végétale que l'on retrouve en bouche. D'une belle rondeur, il s'appuie sur des tanins soyeux, qui permettront une consommation prochaine. ⌛ 2020-2024

GAEC DU MAINE, Le Raz, 24610 Saint-Méard-de-Gurçon, tél. 05 53 82 48 41, vignobles-barde@le-raz.com V *t.l.j. sf dim. 9h-12h30 14h-18h30; sam. sur r.-v.*

Ⓑ CH. LA SALAGRE Si j'avais un tel nez 2018 ★

■ | 21067 | | 11 à 15 €

D'origine médiévale, le Ch. la Salagre a hérité son nom de la guerre de Cent Ans. Selon la tradition, le seigneur de Montcuq fut trahi par un de ses vassaux. En représailles, les terres de ce dernier furent recouvertes de sel et son manoir rasé. Si le nom de la Salagre est resté, la disparition du sel sur ces terres depuis bien longtemps a permis l'implantation d'un vignoble de 31 ha converti à la bio dès 1999. L'une des propriétés de Bordeaux Vineam, une société à la tête de six châteaux implantés principalement en Bordelais et conduits en bio.

Pas de bois pour ce bergerac rouge aux reflets violets de jeunesse, qui offre bien, comme son nom l'indique, un joli nez aux nuances gourmandes de fruits rouges, fraise en tête. Les fruits rouges évoluent vers les baies noires relevées de poivre dans un palais rond, aux tanins souples, tonifié en finale par une agréable fraîcheur. ⧗ 2020-2024

SCEA LA SALAGRE, Ch. la Salagre, 24240 Pomport, tél. 05 57 40 41 51, marketing@bordeaux-vineam.fr

♥ LES VIGNERONS DE SIGOULÈS
L'Audace 2017 ★★

■ | 8800 | | 15 à 20 €

Fondée en 1939, la coopérative de Sigoulès regroupe aujourd'hui 150 adhérents, qui cultivent 900 ha de vignes au sud de Bergerac.

Nos dégustateurs ne tarissent pas d'éloges sur cette cuvée mariant le merlot majoritaire aux cabernets, des raisins récoltés à la main. Un séjour de douze mois en barrique lui a légué un boisé raffiné et bien fondu aux nuances de cèdre et d'épices. Ce boisé élégant s'allie à des notes de vendanges très mûres dans un palais charnu, rond et persistant, soutenu par des tanins marqués mais soyeux. Une remarquable expression d'un millésime difficile et une réelle maîtrise de l'élevage. ⧗ 2021-2026 ■ **Clos d'Yvigne Princesse de Clèves 2017 ★ (5 à 8 €; 8000 b.)** : créé par Patricia Atkinson en 1990, le domaine confie depuis 2011 sa vendange à la cave de Sigoulès. Sauvignon (80 %) et muscadelle récoltés bien mûrs ont donné ce blanc ample, rond et consistant, mêlant le fruité du sauvignon à des notes boisées (vanille, amande grillée). ⧗ 2019-2022 ■ **Clos d'Yvigne Le Prince 2017 ★ (8 à 11 €; 10000 b.)** : issu de merlot majoritaire et de cabernets, élevé en barrique, un bergerac rouge rond et structuré, aux arômes de fruits rouges soulignés d'un léger boisé. ⧗ 2021-2024

SCA CAVE DE SIGOULÈS, Mescoules, 24240 Sigoulès, tél. 05 53 61 55 00, contact@vigneronsdesigoules.fr V *t.l.j. sf dim. 9h-12h30 14h-17h30*

Ⓑ TERRE DES GENDRES 2018 ★

■ | 20000 | | 5 à 8 €

Bien connus pour leur Ch. Tour des Gendres, constitué en 1986, les frères de Conti ont créé en 1999 une structure de négoce qui met en œuvre les vendanges de leurs voisins. Des vignobles désormais conduits en bio comme ceux de la propriété.

Proposé par la structure de négoce, un vin mariant cabernets, malbec et merlot. Un rouge encore fermé, généreux et structuré, à la finale un peu austère. ⧗ 2021-2024

SARL LA JULIENNE, Les Gendres, 24240 Ribagnac, tél. 05 53 57 12 43, familledeconti@wanadoo.fr V *t.l.j. sf sam. dim. 9h30-12h30 14h-17h30*

CH. THÉNAC Fleur de Thénac 2017 ★

■ | 30000 | | 8 à 11 €

Un château construit sur les ruines d'un prieuré bénédictin et une vaste propriété de 200 ha où la vigne côtoie pruniers, cultures, bois et étangs. Racheté en 2001 par Eugene Shvidler, homme d'affaires américain d'origine russe, le domaine, équipé d'un nouveau chai et conseillé depuis 2017 par Hubert de Boüard, est devenu en quelques années une valeur sûre du Bergeracois.

Les quatre cépages principaux de l'appellation, merlot en tête, entrent dans la composition de cette cuvée à la robe intense, qui s'ouvre sur des notes de petits fruits bien mûrs soulignées d'un boisé toasté. La bouche, à l'unisson du nez, séduit par sa rondeur et par sa bonne structure. ⧗ 2021-2024 ■ **2017 (11 à 15 €; 3000 b.)** : vin cité. ■ **2017 (15 à 20 €; 20000 b.)** : vin cité.

SCEA CH. THÉNAC, Le Bourg, 24240 Thénac, tél. 05 53 61 36 85, wines@chateau-thenac.com V *t.l.j. sf sam. dim. 9h-12h 14h-17h*

Ⓑ CH. TOUR DES GENDRES Merlot Malbec 2018 ★

■ | 60000 | | 5 à 8 €

***Una storia italiana*. En 1986, les frères de Conti joignent leurs terres, associent leurs familles et fondent l'entreprise de Conti. Jean, Luc, leurs épouses et un cousin suivent ainsi les pas de Vincenzo, arrivé là en 1925. Aujourd'hui, ils exploitent 57 ha de vignes, en bio depuis 2005, complétés par une structure de négoce qui met en œuvre de vins de voisins viticulteurs convertis eux aussi à la bio.**

Pas de bois pour mettre en valeur un millésime prometteur, né de merlot (60 %) et de malbec. Une robe colorée, pourpre, un nez penchant vers le fruit noir, un palais consistant et gras, à la finale intense et vive : le profil d'un vin de bonne garde. ⧗ 2020-2025 ■ **Moulin des Dames 2018 ★ (15 à 20 €; 10000 b.)** Ⓑ : bien connue de nos lecteurs, cette cuvée issue d'une sélection parcellaire de vieilles vignes de sauvignon est fermentée et élevée douze mois en foudre et en amphore. Réservée dans son approche, elle s'ouvre sur le fruité du cépage, accompagné de belles notes d'élevage. Consistante, fraîche et longue, marquée par un beau retour du fruit en finale, elle devrait gagner en expression au cours des prochains mois. ⧗ 2019-2023

SCEA DE CONTI, Les Gendres, 24240 Ribagnac, tél. 05 53 57 12 43, familledeconti@wanadoo.fr V *t.l.j. sf sam. dim. 9h-12h30 14h-17h30*

CH. LES TOURS DES VERDOTS 2018 ★

■ | 28000 | | 8 à 11 €

Conduite depuis 1992 par le talentueux David Fourtout, issu d'une famille originaire de Saint-Émilion,

SUD-OUEST

cette exploitation de 45 ha est une valeur sûre du Bergeracois, avec plusieurs coups de cœur à son actif. Un succès lié à un beau terroir de calcaires veinés de silex, à des installations modernes et à des sélections exigeantes.

L'étiquette énumère les cépages. Dans l'ordre : le sauvignon blanc (51 %), le sémillon, le sauvignon gris et la muscadelle. Nos dégustateurs, à l'aveugle, ont apprécié ce bergerac blanc au nez finement boisé, qui laisse percevoir le fruit à l'aération, et à la bouche consistante, ample, ronde et suave, encore sous l'emprise de l'élevage. Parfait avec une viande blanche, du poisson en sauce ou du fromage. ⧗ 2020-2024

EARL DAVID FOURTOUT, Les Verdots, 24560 Conne-de-Labarde, tél. 05 53 58 34 31, verdots@wanadoo.fr V ♿ ▮ *t.l.j. sf dim. 9h-12h 14h-18h* ③

CÔTES-DE-BERGERAC

Cette appellation ne définit pas un terroir mais des conditions de récolte plus restrictives qui doivent permettre d'obtenir des vins riches, concentrés, charpentés, au potentiel de garde plus important que les bergerac.

B DOM. DE L'ANCIENNE CURE L'Extase 2016

■ | 5000 | ◖◗ | 20 à 30 €

Cinquième génération à cultiver la vigne, Christian Roche hérite d'une partie de la propriété familiale en 1984. Cinq ans plus tard, il aménage son chai de vinification. Établi dans l'ancien presbytère de Colombier, il conduit aujourd'hui un vaste vignoble de près de 50 ha (avec une dominante de vignes blanches) aux sols variés, ce qui lui permet de proposer une large gamme de vins du Bergeracois, complétée par une activité de négociant-éleveur. Incontournable.

Plus modeste que le 2015, coup de cœur de l'édition précédente, ce millésime apparaît plutôt fermé au nez, laissant poindre un fruité délicat accompagné des notes toastées léguées par un séjour de seize mois en barrique. En bouche, il dévoile une matière riche, ronde et suave, équilibrée par une certaine vivacité et soutenue par une bonne charpente tannique. ⧗ 2022-2026

EARL CHRISTIAN ROCHE, L'Ancienne-Cure, 24560 Colombier, tél. 05 53 58 27 90, ancienne-cure@orange.fr V ♿ ▮ *t.l.j. 9h-18h*

DOM. DU BOIS DE POURQUIÉ 2018 ★★

■ | 9600 | ▮ | 8 à 11 €

Alain Mayet descend d'une ancienne famille de bâtisseurs de cathédrales venus du centre de la France, dont certains s'installèrent dans la vallée de la Dordogne. Avec son épouse Marlène, il est depuis 1981 à la tête de ce domaine de 30 ha.

Ce moelleux or pâle doit tout aux sauvignons – du gris et du blanc, à parité. Ces cépages aromatiques lui ont légué un nez intensément fruité, mêlant abricot, ananas et litchi. Ces arômes s'épanouissent dans un palais rond et onctueux, tonifié par une fine acidité qui porte loin la finale. Un vin expressif et harmonieux, qui fera merveille à l'apéritif, au dessert et aussi sur des viandes blanches. ⧗ 2019-2025

DOM. DU BOIS DE POURQUIÉ, Le Bois-de-Pourquié, 24560 Conne-de-Labarde, tél. 06 82 22 02 76, domaine-du-bois-de-pourquie@wanadoo.fr V ▮ *t.l.j. 9h-12h 14h-18h*

CH. LES FONTENELLES 2018

■ | 51000 | ▮ | - de 5 €

Son père et son grand-père avant lui officiaient sur ce domaine implanté sur les coteaux sud du Bergeracois et livraient leurs raisins à la coopérative. En 1999, à vingt ans, Nicolas Bourdil a repris le vignoble (28 ha aujourd'hui) ; il a créé un chai, sorti son premier millésime et entrepris d'importants travaux de rénovation des bâtiments.

Plus discret que le 2017, coup de cœur de la précédente édition, ce moelleux jaune clair demande de l'aération pour s'ouvrir sur les fleurs blanches, les fruits secs et l'abricot. Des arômes qui se prolongent dans une bouche assez légère, qui finit sur une agréable pointe d'amertume. ⧗ 2019-2023

CH. FONTENELLES, Les Fontenelles, 24500 Saint-Julien-d'Eymet, tél. 06 83 89 05 09, chateau.fontenelles@orange.fr V ♿ ▮ *r.-v.*

B GRANDE MAISON Cuvée La Tour 2016 ★★

■ | 1500 | ◖◗ | 15 à 20 €

Grande Maison? Une ancienne demeure fortifiée construite par les Anglais pendant la guerre de Cent Ans. Acquis en 1990 par Thierry Desprès, qui l'a converti à la bio et à la biodynamie et lui a donné tout son lustre, notamment grâce à ses monbazillac, le domaine et ses 14 ha de vignes ont été repris en 2012 par la famille Chabrol.

Très majoritaire (90 %), le merlot a donné à ce vin un nez chaleureux aux nuances de fruits rouges très mûrs et un palais riche, structuré et d'une longueur notable, aux tanins déjà assouplis, qui dévoile également un élevage soigné, respectueux du fruit. ⧗ 2021-2025

GRANDE MAISON, lieu-dit Grande-Maison, 24240 Monbazillac, tél. 05 53 58 26 17, grandemaison.monbazillac@gmail.com V ♿ ▮ *t.l.j. 8h30-19h* ③

DOM. DE GRANGE NEUVE 2018 ★

■ | 33334 | ▮ | - de 5 €

Anthony Castaing préside depuis 1997 aux destinées de ce domaine fondé en 1896 par son aïeul Pierre Pichon. Le vignoble couvre près de 100 ha à Pomport, à 12 km au sud de Bergerac. Côté vins, on recherche ici le fruit et l'expression du terroir, en évitant souvent l'élevage sous bois.

Ce domaine montre une fois de plus son savoir-faire en matière de moelleux avec ce 2018 issu de sauvignon gris majoritaire (80 %), complété par le sauvignon blanc et par quelques gouttes de sémillon et même de chenin. Un vin qui dévoile son cépage principal en livrant des parfums intenses de pamplemousse, de fruits blancs et de fruits exotiques. Ces arômes se déploient avec persistance dans une bouche suave, tonifiée par une agréable vivacité. ⧗ 2019-2023

SCEA DE GRANGE NEUVE, Grange-Neuve, 24240 Pomport, tél. 05 53 58 42 23, castaing@grangeneuve.fr V r.-v.

CH. HAUT-BERNASSE Les Œnopotes 2018

	1200		8 à 11 €

Créé à la fin du XIXᵉs., ce domaine implanté au sommet des coteaux de Monbazillac avait été acquis en 1977 par Jacques Blais qui l'avait agrandi et développé. Il compte aujourd'hui 14 ha regroupés autour des chais. En 2014, Romain Claveille, jeune vigneron de vingt-huit ans, l'a acquis. Son but est de renouveler l'image de la propriété en élaborant des vins gourmands, des «vins de terroir».

Le sauvignon (90 %) a légué à ce moelleux jaune pâle un nez intense, d'une belle finesse, entre fleurs blanches et abricot sec, nuancé d'une touche de figue. Suave, équilibrée et gourmande, la bouche séduit par sa longue finale marquée par un retour de l'abricot. 2019-2023

EARL CLAVEILLE-ROCHE, Haut-Bernasse, 24240 Monbazillac, tél. 05 53 58 36 22, chateau.hautbernasse@orange.fr V *t.l.j. 10h-13h 14h-19h*

CH. HAUT-LAMOUTHE 2018

	9800		5 à 8 €

Cette propriété familiale, conduite par Michel Durand et ses neveux Nicolas Pouget et Julien Durand, possède aussi des vergers de pruniers et de pommiers. Côté vigne, le domaine s'est développé à partir des années 1980 pour atteindre aujourd'hui 40 ha, implantés au pied du tertre de Montcuq.

Issu de pur sauvignon (blanc surtout), ce moelleux or pâle demande de l'aération pour livrer ses parfums d'abricot sec et de figue. Plus florale, la bouche se montre très ronde et onctueuse, sans manquer de longueur. 2019-2022

GAEC DE LAMOUTHE, 56, rte de Lamouthe, 24680 Lamonzie-Saint-Martin, tél. 06 21 03 51 36, chateauhautlamouthe@wanadoo.fr V *r.-v.*

DOM. DU HAUT MONTLONG
Les P'tits Sémillons 2018 ★★

	8000		5 à 8 €

En 1925, un métayage de 6 ha. La deuxième génération achète les vignes en 1950 et le domaine s'agrandit peu à peu. Aujourd'hui, près de 70 ha sur les hauteurs de Pomport, dans la vallée de la Dordogne. Alain Sergenton, installé en 1983, a passé le relais à ses filles Laurence et Audrey ainsi qu'à ses gendres Philippe Métifet et Olivier Garcia.

Or pâle, un moelleux fort loué pour son nez délicat, intensément fruité, alliant la pêche, les fruits exotiques et les agrumes. On retrouve les fruits jaunes d'été et les agrumes dans un palais étoffé, ample, équilibré et long. De l'expression et une réelle finesse. 2019-2023

■ **Haut Montlong Les Vents d'anges 2016 ★ (11 à 15 €; 7300 b.)** : issu de merlot majoritaire et de cabernet franc, ce vin rouge porte l'empreinte de son élevage de douze mois en barrique, qui laisse percer le fruit rouge. Puissant, aussi rond que long, il séduit aussi par sa finesse. 2021-2024

DOM. DU HAUT MONTLONG, Le Malveyrein, 24240 Pomport, tél. 05 53 58 81 60, d.h.m@orange.fr V *r.-v.*

CH. LADESVIGNES Le Pétrocore 2016 ★

	3000		11 à 15 €

Véronique et Michel Monbouché ne cessent d'améliorer et d'étendre leur domaine (60 ha aujourd'hui, en conversion bio), qui bénéficie d'un panorama imprenable sur Bergerac et la vallée de la Dordogne. Un domaine régulier en qualité, en rouge comme en blanc.

Composée à 90 % de merlot et élevée seize mois en barrique, cette cuvée se montre encore très réussie dans ce millésime. Expressive au nez, elle s'ouvre sur un agréable fruit rouge souligné par un boisé de qualité. On retrouve cette heureuse alliance du raisin et du merrain dans un palais élégant et rond en attaque, étayé par des tanins denses et enrobés, encore fermes en finale. 2021-2025

SCEA CH. LADESVIGNES, Ladesvignes, 24240 Pomport, tél. 05 53 58 30 67, contact@ladesvignes.com V *t.l.j. 9h-12h 14h-18h*

CH. LESTEVÉNIE Élevé en fût de chêne 2017

	6000		8 à 11 €

Ce vignoble est très ancien : il est mentionné dès 1723. On y trouve beaucoup de fleurs sauvages et de nombreux animaux, tel le lièvre qui figure sur l'étiquette. Établie ici en 2000, la famille Temperley, venue de Grande-Bretagne, pratique un mode de culture proche du sol et de la nature sur un vignoble de 32 ha.

Les deux cabernets (70%, dont 40% de cabernet-sauvignon) dominent l'assemblage de cette cuvée qui s'ouvre avec finesse sur le fruit rouge. Les petits fruits des bois s'allient à la pêche de vigne dans un palais rond et puissant, étayé par des tanins enrobés et rehaussé en finale par le boisé vanillé de l'élevage. 2020-2024

CH. LESTEVÉNIE, Le Gadon, 24240 Gageac-et-Rouillac, tél. 06 48 62 23 73, temperley@gmail.com V *r.-v.*

CH. LES MIAUDOUX 2018 ★

	36000	5 à 8 €

Une valeur sûre du Bergeracois, avec plusieurs coups de cœur à la clé. Gérard et Nathalie Cuisset conduisent leur domaine depuis 1986, épaulés par leur fils Samuel et son épouse Lisa : 25 ha convertis à l'agriculture biologique en 2003 et à la biodynamie en 2014. De la vigne, des pruniers d'ente et du maraîchage.

Composé de sémillon majoritaire (85 %) et de sauvignon, ce moelleux jaune pâle charme d'emblée par son nez intensément fruité, mêlant la pêche, l'abricot, les fruits exotiques et les agrumes. On retrouve les fruits jaunes dans un palais onctueux et persistant, équilibré par une fine acidité. 2019-2023

EARL DES MIAUDOUX, Les Miaudoux, 24240 Saussignac, tél. 05 53 27 92 31, lesmiaudoux@gmail.com V *t.l.j. sf sam. dim. 10h-12h 14h-18h*

CH. MONESTIER LA TOUR 2017 ★★

■ | 16600 | | 15 à 20 €

Cette valeur sûre du Bergeracois a changé de mains en 2012, Karl-Friedrich Scheufele, coprésident de la société horlogère suisse Chopard, l'ayant rachetée. Dès 1998, son ancien propriétaire, Philip de Haseth-Möller, avait entièrement restauré cette ancienne capitainerie du XIIIes., où voisinent des bâtiments du XVIIIes. et une tour du XIXes. façon Viollet-le-Duc. Sur ce vaste domaine de plus de 100 ha, près de 30 sont consacrés aux vignes.

Né de cabernet franc (60%) et de merlot, ce 2017 a séjourné quinze mois en barrique. Il affiche une robe profonde, tirant sur le noir, et s'ouvre sur un boisé vanillé et grillé d'une grande finesse, qui laisse percer des notes de cerise burlat. La cerise prend des tons de noyau dans un palais concentré et plein de mâche, étayé par des tanins serrés et marqué en finale par les notes torréfiées du merrain. Proche du coup de cœur. ⧗ 2021-2026

⊶ CH. MONESTIER LA TOUR,
La Tour, 24240 Monestier, tél. 05 53 24 18 43,
contact@chateaumonestierlatour.com
V r.-v.

CH. MONTDOYEN État d'esprit 2016

■ | 5000 | | 11 à 15 €

Originaires du Nord, les Hembise, qui pratiquent la lutte raisonnée à tendance bio, ont installé dans les vignes des nichoirs à oiseaux et à insectes pour favoriser la biodiversité. Ils ont repris en 1996 ce domaine alors presque à l'abandon, qui fait l'objet depuis d'une restructuration exigeante. Commandé par une bâtisse élevée sur les ruines d'un petit château périgourdin, le vignoble s'étend aujourd'hui sur 37 ha.

Mi-merlot mi-malbec, cette cuvée grenat intense s'ouvre sur des parfums toniques de fruits rouges, de cerise noire et de cassis. En bouche, elle convainc moins par sa puissance que par son équilibre entre rondeur et fraîcheur. Ses tanins boisés commencent à s'enrober tout en se montrant encore stricts en finale. ⧗ 2021-2024

⊶ SARL VIGNOBLES J.P. HEMBISE,
Le Puch, 24240 Monbazillac, tél. 05 53 58 85 85,
contact@chateau-montdoyen.com V
t.l.j. sf sam. dim. 8h-12h 14h-17h

LES RAISINS OUBLIÉS 2018 ★

■ | 32600 | - de 5 €

Union de coopératives, Couleurs d'Aquitaine est née en 2008 à l'initiative des quatre caves de la Dordogne : Cave de Port-Sainte-Foy, Les Vignerons de Sigoulès, Cave de Monbazillac et Alliance Aquitaine. Prolongée par une structure de négoce, elle sélectionne, élève et distribue aussi et surtout des vins de propriétés du Bergeracois et du Bordelais. Un acteur de poids du grand Sud-Ouest viticole.

Le sémillon à l'origine de cette cuvée a été « oublié » jusqu'au 9 octobre. Ces raisins surmûris ont donné naissance à un moelleux jaune paille à reflets dorés, aux parfums discrets de fruits confits. Plus expressif que le nez, le palais se montre riche et puissant, en gardant un bel équilibre. ⧗ 2019-2024

⊶ SAS COULEURS D'AQUITAINE,
Les Seguinots, rte de Marmande, 24100 Saint-Laurent-des-Vignes, tél. 05 53 63 78 55, avernhet@couleursdaquitaine.fr

Ⓑ E DE LA ROBERTIE 2016 ★

■ | 3600 | | 20 à 30 €

« Vigneron artisan », c'est ainsi que se définit Brigitte Soulier, depuis 1999 à la tête de ce domaine bien connu des lecteurs du Guide. Privilégiant la qualité à la quantité, elle a recentré son vignoble autour de ses meilleures parcelles et de ses jeunes vignes plantées à haute densité. Des vignes réparties sur deux ensembles, les sémillons en coteau à Rouffignac et les cépages rouges sur le plateau calcaire de Flaugeac. En bio certifié depuis 2011.

Aussi réussi que le millésime précédent, ce 2016 associe classiquement le merlot (45%) aux deux cabernets. Après un séjour de dix-huit mois en barrique, il s'habille d'une robe sombre et libère à l'aération des notes fraîches de cassis relevées de poivre. Une attaque ronde et fruitée ouvre sur un palais structuré et net, aux tanins épicés. ⧗ 2021-2025 ■ **La Robertie Haute 2016 (15 à 20 €; 9300 b.)** Ⓑ : vin cité.

⊶ SARL CH. LA ROBERTIE, La Robertie,
24240 Rouffignac-de-Sigoulès, tél. 06 88 49 00 48,
chateau.larobertie@wanadoo.fr V r.-v.

CH. LES SAINTONGERS D'HAUTEFEUILLE Élevé en fût de chêne 2016

■ | 6880 | | 8 à 11 €

La famille d'Hautefeuille arrivant de Picardie en 1973 trouva des chais à l'abandon. Elle renoue avec la vocation viticole du domaine à partir de 1999, en replantant merlot et cabernet-sauvignon sur les meilleures parcelles. Catherine d'Hautefeuille mène aujourd'hui ce petit vignoble de moins de 2 ha, établi sur le plateau des calcaires d'Issigeac, dans la partie sud-est du Bergeracois.

Mi-merlot mi-cabernet-sauvignon, ce 2016 a séjourné douze mois en fût. Il affiche une robe grenat sombre et s'ouvre à l'aération sur le petit fruit rouge, la mûre et le cassis. D'une bonne puissance, à la fois rond et frais, un rien minéral, il s'appuie sur des tanins encore austères en finale. Bien constitué, il mérite de vieillir un peu. ⧗ 2021-2025

⊶ CH. LES SAINTONGERS D'HAUTEFEUILLLE,
Les Saintongers, 24560 Saint-Cernin-de-Labarde,
tél. 05 53 24 32 84, vianneydhautefeuille@hotmail.fr
V r.-v.

Ⓑ CH. LE TAP 2018

■ | 1700 | 8 à 11 €

Domaine situé à l'emplacement d'une carrière, inscrite au cadastre napoléonien au lieu-dit Tas-de-Pierre, raccourci au fil du temps en Tap. Olivier Roches, fils de vigneron de Pécharmant, s'y est installé en 2001 avec son épouse Mireille. Ensemble, ils exploitent 12 ha de vignes, en bio certifié depuis 2010.

Un assemblage original pour ce moelleux : du sauvignon gris (60 %) et du chenin. Or pâle, ce vin séduit par la finesse de sa palette aromatique mariant les agrumes, les fruits exotiques et la pêche. Ce fruité agréable se prolonge dans une bouche bien construite, pas trop sucrée. Une bouteille qui se placera aussi bien à l'apéritif qu'au repas. ⧗ 2019-2023

CH. LE TAP, 24240 Saussignac, tél. 05 53 27 53 41, contact@letap.bio t.l.j. 9h-13h 14h-19h

CH. THÉNAC 2018 ★★

	3400		15 à 20 €

Un château construit sur les ruines d'un prieuré bénédictin et une vaste propriété de 200 ha où la vigne côtoie pruniers, cultures, bois et étangs. Racheté en 2001 par Eugene Shvidler, homme d'affaires américain d'origine russe, le domaine, équipé d'un nouveau chai et conseillé depuis 2017 par Hubert de Boüard, est devenu en quelques années une valeur sûre du Bergeracois.

Après un 2017 élu coup de cœur, ce millésime montre lui aussi une excellente tenue. Issu de pur sémillon, il a connu six mois le bois. Sans marquer sa palette aromatique, la barrique contribue sans doute à sa structure. La robe est claire et jeune. Le nez, d'abord discret, s'ouvre sur l'aubépine, le fruit blanc et monte en puissance sur des notes de fruits confits. Tout aussi aromatique, le palais affiche une belle puissance, riche sans lourdeur, gourmand, rond et persistant. ⧗ 2019-2028

SCEA CH. THÉNAC, Le Bourg, 24240 Thénac, tél. 05 53 61 36 85, wines@chateau-thenac.com t.l.j. sf sam. dim. 9h-12h 14h-17h

CH. THENOUX 2018 ★

	n.c.		5 à 8 €

Sur les terres du Ch. Thenoux, tout près de Monbazillac, ont été trouvés de nombreux vestiges attestant la présence d'une villa gallo-romaine. Depuis 2010, Joëlle Carrère y exploite un vignoble de 42 ha dominant la vallée de la Dordogne. Elle élabore également des vins sous l'étiquette du Ch. le Vieux Manoir.

Ce moelleux jaune pâle assemble classiquement le sémillon (60 %) et le sauvignon. D'abord réservé, il libère à l'aération des parfums d'acacia et de pêche blanche tout en finesse. Plus expressif en bouche, il dévoile des arômes de fruits exotiques, de fruits jaunes, d'agrumes et de bonbon acidulé. Un moelleux délicat et tonique, de belle longueur. ⧗ 2019-2023

CH. THENOUX, Thenoux, 24560 Colombier, tél. 05 53 61 26 42, vignoblesjoellecarrere@orange.fr t.l.j. 10h-12h 14h-18h; sam. dim. sur r.-v.

CH. LES TOURS DES VERDOTS Le vin selon David Fourtout 2016 ★

	4000		30 à 50 €

Conduite depuis 1992 par le talentueux David Fourtout, issu d'une famille originaire de Saint-Émilion, cette exploitation de 45 ha est une valeur sûre du Bergeracois, avec plusieurs coups de cœur à son actif. Un succès lié à un beau terroir de calcaires veinés de silex, à des installations modernes et à des sélections exigeantes.

Issue d'une sélection parcellaire, cette cuvée assemble le merlot (40 %) et les deux cabernets à parité. Des raisins vendangés à la main, égrappés et foulés, puis vinifiés et élevés en fût neuf. Après un séjour de vingt-quatre mois dans le chêne, le vin affiche une robe intense et sombre et libère des notes boisées complexes. Généreuse, d'une agréable rondeur, la bouche apparaît encore très marquée par l'élevage. Une bouteille de garde qui mérite de rester plusieurs années en cave. ⧗ 2023-2029

EARL DAVID FOURTOUT, Les Verdots, 24560 Conne-de-Labarde, tél. 05 53 58 34 31, verdots@wanadoo.fr t.l.j. sf dim. 9h-12h 14h-18h

CH. DE LA VAURE 2016

	6000		8 à 11 €

Alliance Aquitaine est une structure coopérative née en 2010 de la fusion de la cave de Saint-Vivien et de celle de Bergerac-Le Fleix. Disposant de trois sites de vinification, la cave regroupe 140 adhérents pour une surface totale de 1 350 ha de vignes, dans le Bergeracois (80 %) et en AOC bordeaux.

Né de cabernet-sauvignon majoritaire (64 %) et de merlot, ce 2016 s'ouvre sur un boisé agréable qui traduit un séjour de douze mois en fût, puis laisse s'épanouir de plaisants parfums de fruits rouges. Ces arômes de fruits rouges soulignés de notes d'élevage se prolongent dans un palais ample et bien équilibré. ⧗ 2020-2023

SCA ALLIANCE AQUITAINE, Le Vignoble, 24130 Le Fleix, tél. 05 53 24 64 32, contact@allianceaquitaine.com t.l.j. 9h-12h30 14h-18h

MONBAZILLAC

Superficie : 1 949 ha / Production : 44 152 hl

Ce vignoble est implanté au cœur du Bergeracois, sur des coteaux pentus de la rive gauche de la Dordogne, exposés au nord. Les grappes y reçoivent en automne la fraîcheur et les brumes qui favorisent le développement du botrytis, la pourriture noble. Le sol argilo-calcaire apporte des arômes intenses ainsi qu'une structure puissante à ces vins moelleux et liquoreux.

CH. LA BRIE Prestige 2017

	8000		15 à 20 €

Sous l'Ancien Régime, ce domaine appartenait à une famille protestante réfugiée en Hollande après la révocation de l'édit de Nantes. Il a été racheté en 1962 par le département et les communes de Bergerac et de Monbazillac pour être rattaché au lycée agricole créé à leur initiative. Un chai pédagogique a été construit en 1994. L'exploitation, forte d'un vignoble de 30 ha, est certifiée Haute valeur environnementale et 10 ha en monbazillac sont conduits en bio.

D'abord discret, ce vin s'ouvre sur une palette de fruits frais tout en finesse : pêche blanche, mangue et agrumes. Un peu court mais d'une belle richesse, le palais est soutenu par une agréable fraîcheur qui met en valeur ce fruit gourmand. Ce 2017 devrait gagner en expression au cours des prochaines années. ⧗ 2019-2025

SUD-OUEST

CH. LA BRIE, Dom. de la Brie, 24240 Monbazillac, tél. 05 53 74 42 46, expl.bergerac@educagri.fr t.l.j. sf sam. dim. 8h-12h 13h30-17h30

♥ CH. LE FAGÉ
Cuvée Grande Réserve Vinifié en fut de chêne 2016 ★★

1700		15 à 20 €

Créé en 1757, ce domaine commandé par un petit château aux allures de chartreuse, sur la côte nord de Monbazillac, couvre 48 ha aujourd'hui. Héritier de dix générations, Benoît Gérardin en a pris les rênes en 2012 et cherche à élaborer des vins droits, fruités et frais.

Vinifiée en barrique de 400 l et restée dix mois dans le bois, cette cuvée affiche une robe or profond qui annonce un vin puissant. Abricot et pêche confits, zeste de citron, miel, rôti, épices : le nez brille par sa complexité et l'élevage sait rester discret. Vif en attaque, gras, harmonieux et long, le palais déploie une superbe palette, encore plus riche qu'à l'olfaction : fruits exotiques et fruits jaunes compotés, figue, coing, soupçon d'agrumes, pain d'épice, rehaussés en finale d'un délicat boisé aux nuances d'amande et de la note rôtie typique des grands liquoreux. ⧗ 2020-2030

CH. LE FAGÉ, Ch. le Fagé, 24240 Pomport, tél. 05 53 58 32 55, info@chateau-le-fage.com t.l.j. 9h-18h; sam. dim. sur r.-v.

GRANDE MAISON
Cuvée du Château 2016 ★

2500		20 à 30 €

Grande Maison? Une ancienne demeure fortifiée construite par les Anglais pendant la guerre de Cent Ans. Acquis en 1990 par Thierry Desprès, qui l'a converti à la bio et à la biodynamie et lui a donné tout son lustre, notamment grâce à ses monbazillac, le domaine et ses 14 ha de vignes ont été repris en 2012 par la famille Chabrol.

Un style moderne pour ce liquoreux fermenté et élevé deux ans en barrique : robe plutôt claire, jaune paille; nez tonique, s'ouvrant sur des effluves mentholés puis sur l'acacia, le miel mille fleurs et sur une palette de fruits frais (fruits jaunes, agrumes); bouche vive en attaque, aux nuances de fruits blancs (poire, pêche) et d'agrumes, plus confite que le nez mais sans opulence excessive, de belle longueur, légèrement boisée en finale. ⧗ 2020-2029

GRANDE MAISON, lieu-dit Grande-Maison, 24240 Monbazillac, tél. 05 53 58 26 17, grandemaison.monbazillac@gmail.com t.l.j. 8h30-19h ③

DOM. DU HAUT MONTLONG Audrey 2016

13000		8 à 11 €

En 1925, un métayage de 6 ha. La deuxième génération achète les vignes en 1950 et le domaine s'agrandit peu à peu. Aujourd'hui, près de 70 ha sur les hauteurs de Pomport, dans la vallée de la Dordogne. Alain Sergenton, installé en 1983, a passé le relais à ses filles Laurence et Audrey ainsi qu'à ses gendres Philippe Métifet et Olivier Garcia.

À une robe jaune pâle répond une expression aromatique encore timide, d'une belle fraîcheur : fleur de sureau, d'acacia et fruits frais, ananas en tête. L'ananas se lie à la poire, à la pêche blanche et à un boisé plus marqué qu'au nez dans un palais concentré, riche, gras et long, équilibré par de la vivacité et par une pointe d'amertume en finale. Ce liquoreux devrait gagner en expression avec le temps. ⧗ 2020-2029

DOM. DU HAUT MONTLONG, Le Malveyrein, 24240 Pomport, tél. 05 53 58 81 60, d.h.m@orange.fr r.-v.

CH. DU HAUT PEZAUD
Tentation Élevé en fût de chêne 2017 ★

3000		11 à 15 €

Comptable à Bruxelles, éprise des liquoreux du Sud-Ouest, Christine Borgers a quitté en 1999 sa Belgique natale pour devenir vigneronne à Monbazillac. Elle a construit une cave moderne et renouvelé des parcelles sur les quelque 10 ha de la propriété. Un domaine régulier en qualité, notamment pour ses monbazillac.

« Un vrai nectar », conclut un dégustateur. La robe bien dorée annonce la couleur. Intense et net, le nez déploie des arômes complexes de fruits confits, de miel et de rôti typiques d'un liquoreux, qui se prolongent dans un palais gourmand, concentré et puissant, à la finale onctueuse, miellée et persistante. Un peu trop cossu pour certains, il enchante les autres. Il devrait se révéler avec les années. ⧗ 2021-2030

CH. DU HAUT PEZAUD, lieu-dit Les Pezauds, 24240 Monbazillac, tél. 06 70 75 56 72, christine.borgers@gmail.com t.l.j. 10h-12h 14h-19h

CH. KALIAN 2016 ★★

5300		15 à 20 €

Anne et Alain Griaud ont acquis en 1992 cette propriété (10,5 ha convertis à la bio) qu'ils baptisent alors Ch. Kalian, en référence aux prénoms de leurs enfants : Katell et Kilian. La première est aujourd'hui *winemaker* en Virginie, et le second a pris la suite de ses parents.

Vinifié et élevé onze mois en barrique, ce 2016 jaune franc aux reflets dorés comprend 30 % de sauvignon et 10 % de muscadelle aux côtés du sémillon. Un vin remarquable par son équilibre : son expression, à la fois riche et acidulée, mêle les fruits frais et les fruits confits, les fruits exotiques (mangue, papaye) et les agrumes, soulignés de la touche vanillée du merrain. On retrouve ces arômes de fruits exotiques, avec du miel et un discret boisé, dans un palais riche et gras, tendu par une belle vivacité qui porte loin la finale. L'harmonie même. ⧗ 2020-2030

CH. KALIAN, lieu-dit Bernasse, 24240 Monbazillac, tél. 05 53 24 98 34, kalian.earl@orange.fr t.l.j. 10h-19h

♥ CH. MONBAZILLAC 2016 ★★

■ | 12400 | | 15 à 20 €

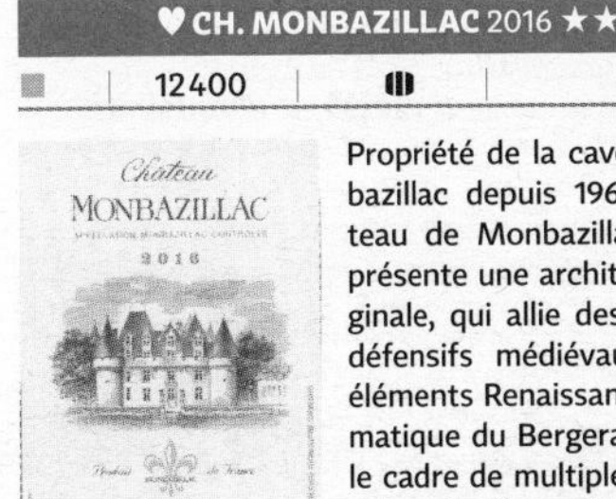

Propriété de la cave de Monbazillac depuis 1960, le château de Monbazillac (XVI^e^s.) présente une architecture originale, qui allie des systèmes défensifs médiévaux et des éléments Renaissance. Emblématique du Bergeracois, il est le cadre de multiples activités culturelles (expositions, conférences, cinéma de plein air…). La cave vinifie près d'un tiers de l'appellation monbazillac.

Après une fermentation partielle en barrique, ce 2016 est resté un an dans le bois. Gourmand, généreux et tonique, il a charmé nos dégustateurs. Sa robe s'anime de reflets or vif. Flatteur, tonique, le nez marie la pêche jaune, les agrumes, l'ananas et le miel, soulignés d'un léger vanillé. Après une attaque alerte, où l'on retrouve l'ananas allié au fruit de la Passion, le palais déploie des arômes persistants de fruits confiturés, de miel et d'épices douces dans une matière onctueuse, tendue par une ligne de fraîcheur qui étire la finale : l'harmonie même. ⧗ 2020-2029

CAVE DE MONBAZILLAC, rte de Mont-de-Marsan, 24240 Monbazillac, tél. 05 53 63 65 00, monbazillac@chateau-monbazillac.com V t.l.j. sf dim. 10h-12h30 13h30-19h

Ⓑ CH. PÉCANY Cuvée Pivoine 2016 ★

■ | 12000 | | 11 à 15 €

Dominant Pomport, le Ch. Pécany est un bel ensemble architectural du XVII^e^s., remanié au XIX^e^s. En 2012, Benoît Beigner, ingénieur-œnologue issu d'une vieille famille de vignerons de la région (Ch. Le Chrisly, Clos La Selmonie), l'a racheté à son dernier propriétaire, un investisseur russe. Il a engagé la conversion bio des 10 ha de vignes et installé des ruches : le miel bio s'ajoute à sa carte des vins (monbazillac et bergerac).

Le sémillon (60 %) fait une place à la muscadelle (30 %) et au sauvignon dans cette cuvée jaune clair fermentée partiellement en barrique. Encore discret, peu marqué par l'élevage, le nez aux nuances d'acacia, d'ananas et d'agrumes séduit par sa fraîcheur acidulée. Les fruits exotiques et les agrumes prennent des tons confits et miellés dans un palais riche, bien fondu, puissant et long, tendu par une belle acidité. La finale est marquée par une agréable touche d'amertume. ⧗ 2020-2029

CH. PÉCANY, Ch. Pécany, 24240 Pomport, tél. 06 50 57 62 74, benoitbeigner@yahoo.fr V *r.-v.*

DOM. DE PÉCOULA Cuvée Millénaire 2017 ★★

■ | 10000 | | 11 à 15 €

René Labaye et son frère Jean-Marie ont pris la suite de leur père et de leur grand-père sur l'exploitation familiale constituée en 1930. Le second est seul aux commandes depuis 2018. Le vignoble compte aujourd'hui 33 ha, dont 27 sont destinés au monbazillac. Un domaine régulier en qualité, souvent en vue pour ses bergerac et monbazillac.

D'un jaune pâle aux reflets dorés, un liquoreux charmeur, tout en fruits, qui ne connaît pas le bois. Son nez monte en puissance à l'aération et déploie des notes toniques d'ananas et d'agrumes, frais et confits. Le fruit confit s'épanouit dans une bouche bien construite, onctueuse, riche et gourmande. Encore un peu fermée, cette bouteille devrait se révéler avec le temps. ⧗ 2021-2030

DOM. DE PÉCOULA, Pécoula, 24240 Pomport, tél. 06 80 52 38 68, pecoula.labaye@wanadoo.fr V *r.-v.*

CH. PERROU-LA-BARAGOILE 2016

■ | 8000 | | 8 à 11 €

La famille d'Amécourt fait remonter son arbre généalogique au XIII^e^s. Parmi ses nombreuses branches, l'une s'est fixée dans le Sud-Ouest et possède de vastes vignobles dans l'Entre-deux-Mers et le Bergeracois. Chartreuse construite au XVII^e^s., le Ch. Perrou-la-Baragoile domine à 120 m la vallée de la Dordogne. Fort de 150 ha de terres, dont près de 16 ha de vignes, le domaine propose des bergerac et des monbazillac.

Le sémillon règne sans partage dans ce 2016 jaune vif et déploie son joli fruit aux nuances de pêche et d'abricot compotés, rafraîchi par des touches de poire et de citron et teinté de vanille. Le palais reste dans le même registre plus frais que confit, aux nuances d'agrumes et de fruits exotiques. Sa vivacité laisse une sensation de légèreté qui permettra à cette bouteille de se placer facilement à l'apéritif ou à table, sur des viandes blanches par exemple. ⧗ 2019-2027

SCEA FAMILLE D' AMÉCOURT, 33540 Sauveterre-de-Guyenne, tél. 05 56 71 54 56, sceafamille.damecourt@neuf.fr V *r.-v.*

Ⓑ CH. VARI Réserve 2015 ★★

■ | 3000 | | 15 à 20 €

Yann Jestin, installé depuis 1994 sur ce domaine de 22 ha, est œnologue et courtier en grands crus classés du Bordelais. Il a engagé en 2009 la conversion bio de son vignoble, aujourd'hui certifié. Avec son épouse Sylvie, il a également créé un bar à vins et une épicerie fine pour mieux valoriser sa production.

Un 2015, année en or pour les liquoreux. Celui-ci, issu à 80 % de sémillon, complété par du sauvignon et par une goutte de muscadelle, provient des deuxième et troisième tries (passages dans les vignes). Il se pare d'une robe doré intense, encore claire. Expressif et complexe, il mêle le coing, la poire, l'abricot et les fruits exotiques confiturés, la figue sèche et une touche de vanille. Onctueux et fondu, à l'unisson du nez, le palais se déploie avec richesse et générosité, sans la moindre lourdeur. Sa finale persistante laisse le souvenir d'un vin harmonieux, qui s'est placé sur les rangs au moment d'élire les coups de cœur. ⧗ 2020-2030

CH. VARI, lieu-dit Pataud, 24240 Monbazillac, tél. 05 53 61 84 98, contact@chateau-vari.com V *r.-v.* *SARL Les Vignobles Jestin*

MONTRAVEL

Cette région garde le souvenir de Montaigne : c'est dans la maison forte familiale que l'écrivain rédigea ses *Essais* et l'on peut encore visiter sa « librairie » à Saint-Michel-de-Montaigne. La production se divise en montravel blanc sec, typé par le sauvignon, en côtes-de-montravel et haut-montravel, deux appellations de vins moelleux, et depuis 2001 en montravel rouge. En rouge comme en blanc, les cépages sont ceux du Bordelais voisin.

CH. BRUNET-CHARPENTIÈRE 2018

| | 2676 | | 5 à 8 € |

En 1986, Robert et Pierrette Descoins replantent des vignes sur un ancien domaine sur la rive droite de la Dordogne. Depuis 2002, les 24 ha, situés sur un coteau en pente douce exposé plein sud, sont conduits par leur fils Franck.

Le sauvignon (90 %) a légué à ce montravel un nez frais, sur les fruits blancs, et une bouche intense et longue, d'une grande vivacité. Un profil adapté à l'apéritif, aux fruits de mer et au poisson grillé. ⧗ 2019-2022

EARL BRUNET-CHARPENTIÈRE, Les Charpentières, 24230 Montazeau, tél. 05 53 27 54 71, franck.descoins@free.fr r.-v.

L'EXECELLENCE DU CH. LE CASTELLOT 2016 ★

| | 10 000 | | 11 à 15 € |

Après un parcours dans l'électronique, Jean-René Ley est revenu aux vignes familiales, qui couvrent aujourd'hui 50 ha dans le Bergeracois et le Libournais. Le château se trouve à l'emplacement d'une commanderie des Templiers, dont subsiste la chapelle.

Malgré un élevage de dix-huit mois en fûts (neufs pour un tiers), ce 2016 s'ouvre sur des senteurs de cassis et de fruits rouges, soulignées d'un boisé délicat et complexe, beurré et épicé. On retrouve ce mariage heureux du fruit et du merrain dans une bouche ample et souple en attaque, ronde et structurée, aux tanins encore jeunes et frais. ⧗ 2020-2024

CH. LE CASTELLOT, Bonnefare, 24230 Saint-Michel-de-Montaigne, tél. 05 53 58 68 15, ley.vignobles@wanadoo.fr r.-v.

CH. LES GRIMARD 2018

| | 11 400 | | - de 5 € |

La famille Joyeux exploite la vigne depuis 1933, sur ces terres de Montazeau, au cœur du Montravel, pays cher à Montaigne. Elle a commencé à vendre son vin en bouteilles en 1974. Le chai a été aménagé dans une ancienne grange du XVe s., pour accueillir le fruit de 27 ha de vignes.

Un nez délicatement floral, sur le chèvrefeuille, une bouche bien construite, minérale et fraîche, de bonne longueur, composent un montravel blanc tout en finesse. ⧗ 2019-2022

CH. LES GRIMARD, Les Grimards, 24230 Montazeau, tél. 05 53 63 09 83, ch.lesgrimard@orange.fr t.l.j. 8h-12h 14h-18h; dim. sur r.-v.

♥ CH. LAULERIE Comtesse de Ségur 2017 ★★

| | 15 000 | | 8 à 11 € |

Installés dans le Périgord en 1977, les Dubard ont créé un vaste ensemble viticole, conduit depuis 2008 par la deuxième génération, représentée par Marine et Grégory Dubard. Leur fleuron bergeracois est le Ch. Laulerie, 85 ha aujourd'hui. Ils ont étendu leurs propriétés dans le Libournais voisin. Une valeur sûre du Bergeracois. Domaine certifié Haute valeur environnementale.

Issue de pur sauvignon fermenté en cuve de bois, élevée six mois en foudre de chêne, une cuvée phare du domaine. Elle obtient son quatrième coup de cœur avec un 2017 salué pour la qualité de son boisé, aux nuances de vanille et de noisette, qui laisse percer un fruité acidulé, citronné, un rien fumé. Ces notes d'élevage bien fondues s'associent à la pomme et au coing dans une bouche harmonieuse et longue, à la finale légèrement poivrée. ⧗ 2019-2022

CH. LAULERIE, Le Gouyat, 24610 Saint-Méard-de-Gurçon, tél. 05 53 82 48 31, contact@vignoblesdubard.com t.l.j. sf sam. dim. 8h30-12h30 13h30-17h30

♥ CH. MOULIN CARESSE Grande Cuvée Cent pour 100 2016 ★★

| | 19 000 | | 11 à 15 € |

Très ancienne propriété familiale (1749) située sur les hauteurs de Montravel, ce vaste domaine est aujourd'hui l'une des références en Bergeracois, grâce au travail mené depuis 1990 (sortie de la coopérative) par Jean-François Deffarge, « autodidacte en œnologie », qui passe aujourd'hui la main à ses enfants Benjamin et Quentin. Le vignoble (52 ha) s'étend sur deux terroirs bien distincts : des pentes argilo-calcaires et un haut plateau de boulbène.

Après un coup de cœur pour la version blanche de cette cuvée dans la dernière édition, le domaine renouvelle l'exploit pour le rouge du même millésime. La robe profonde montre des reflets violines de jeunesse. Le nez s'ouvre sur un boisé épicé, aux nuances d'encens, qui laisse poindre du fruit rouge poivré. On retrouve le fruit rouge, bien marié aux notes d'élevage, dans une bouche séveuse, à la fois ample et fraîche, soutenue par des tanins marqués mais soyeux. Généreux, tendu et persistant, ce vin laisse augurer une bonne garde. ⧗ 2020-2029

EARL DEFFARGE-DANGER, 1235, rte de Couin, 24230 Saint-Antoine-de-Breuilh, tél. 05 53 27 55 58, contact@moulincaresse.fr t.l.j. sf sam. dim. 9h-12h 14h-18h

MOULIN GARREAU Alpha 2016

	5200		15 à 20 €

Un moulin à vent dressé autrefois au hameau de Garreau donne son nom à ce domaine situé aux confins du Libournais. Pharmacien parisien reconverti dans la viticulture, Alain Péronnet a fait ses (brillants) débuts dans le Guide avec le millésime 2005 et engagé en 2011 la conversion bio de ses 9 ha de vignes. En 2016, Éric Faucheux a repris la propriété.

Vinifié en cuve, ce 2016 a été élevé dix-huit mois sous bois. Discret au nez, il s'ouvre à l'aération sur les fruits noirs. Frais en attaque, il dévoile des arômes de fruits rouges dans une matière chaleureuse, structurée par des tanins serrés, encore fermes en finale. 2020-2025

DOM. MOULIN GARREAU, 10, rte du Coteau, 24230 Lamothe-Montravel, tél. 05 53 27 58 25, info@domainemoulingarreau.fr r.-v.

DOM. DE PERREAU Initiale G 2018

	24000		5 à 8 €

Le domaine de la famille Reynou se situe à Perreau, hameau du XVIᵉs., proche du village de Saint-Michel-de-Montaigne. Succédant à quatre générations de viticulteurs, Gaëlle, diplôme d'ingénieur en poche, a pratiqué en France et à l'étranger avant de prendre en 2013 les commandes de ce vignoble de 21 ha.

Le sauvignon blanc s'allie au sauvignon gris (30 % chacun) et au sémillon dans cette cuvée séduisante par sa palette aromatique mariant minéralité, chèvrefeuille, citron vert, coing et fruits exotiques. Un vin d'une grande vivacité, de l'attaque tonique à la finale citronnée : de quoi former un bel accord avec les fruits de mer et le poisson grillé. 2019-2022

DOM. DE PERREAU, Perreau, 24230 Saint-Michel-de-Montaigne, tél. 05 47 56 01 61, gaelle@vignobles-reynou.fr r.-v.

CH. PUY-SERVAIN Marjolaine Élevé en fût de chêne 2018 ★

	4300		8 à 11 €

Puy-Servain est le nom du lieu-dit et signifie «sommet» (puy), «venteux ou servi par le vent» (*servain*). Daniel Hecquet fut œnologue au célèbre Ch. d'Yquem avant de regagner la propriété familiale à Ponchapt, qui compte aujourd'hui 48 ha de vignes. Un pilier du Bergeracois pour ses montravel et haut-montravel.

Bien constituée et fraîche, cette cuvée porte la marque de la barrique de chêne neuf où elle a fermenté puis séjourné cinq mois. Au nez comme en bouche, elle reste sous l'emprise d'un boisé de qualité, qui apporte des arômes de vanille et de café torréfié et des tanins suaves. 2019-2023 ■ **Terrement 2016 ★ (8 à 11 €; 18000 b.)** : le successeur du 2015, qui avait reçu un coup de cœur. Des arômes de cerise et de fruits noirs un peu macérés, soulignés de bois toasté et vanillé, une bouche fraîche en attaque, équilibrée et enrobée. Un vin «consensuel», selon un juré. 2020-2026

CH. PUY-SERVAIN CALABRE, Calabre, 33220 Port-Sainte-Foy-et-Ponchapt, tél. 05 53 24 77 27, oenouit.puyservain@wanadoo.fr t.l.j. sf dim. 8h-12h 14h-15h30

CH. LE RAZ Les Filles 2016

	7000		11 à 15 €

Le domaine, régulièrement en vue pour ses montravel, est entré dans la famille Barde en 1958. Au fil des ans, des achats et des fermages, il s'est agrandi de vignes, de bois et de cultures, et embelli après la restauration de sa gentilhommière du XVIIᵉs. Les vignes occupent aujourd'hui 60 ha sur les hauts plateaux.

Cette cuvée garde le souvenir d'un été torride dans son nez chaleureux, intense et gourmand, qui porte aussi la marque de la barrique dans ses arômes d'épices douces. Souple et suave en bouche, florale et fruitée, suffisamment étoffée, elle dévoile en finale des tanins vifs qui apportent de la fraîcheur. 2019-2023

GAEC DU MAINE, Le Raz, 24610 Saint-Méard-de-Gurçon, tél. 05 53 82 48 41, vignobles-barde@le-raz.com t.l.j. sf dim. 9h-12h30 14h-18h30; sam. sur r.-v.

CH. ROQUE PEYRE Subtilité 2018

	10000	5 à 8 €

À l'origine, au début du XIXᵉs., cette petite propriété familiale produisait uniquement des vins doux, comme la plupart des exploitations de la région. Aujourd'hui, elle propose aussi des vins rouges. Restée plus d'un siècle dans la famille Vallette, elle a été vendue en 2017 à Laëtitia et Sébastien Gaillard, qui conduisent en bio les 35 ha de vignes du domaine.

Le sauvignon a légué à cette cuvée un nez intensément floral, rappelant le jasmin, et une bouche équilibrée et fraîche, florale et fruitée, de bonne longueur. 2019-2022

CH. ROQUE PEYRE, lieu-dit Roque, 33210 Fougueyrolles, tél. 06 26 95 49 29, gaecdemazurie@gmail.com r.-v.

STV 2018 ★★

	17000		5 à 8 €

Alliance Aquitaine est une structure coopérative née en 2010 de la fusion de la cave de Saint-Vivien et de celle de Bergerac-Le Fleix. Disposant de trois sites de vinification, la cave regroupe 140 adhérents pour une surface totale de 1 350 ha de vignes, dans le Bergeracois (80 %) et en AOC bordeaux.

D'un jaune pâle aux reflets verts, ce joli blanc porte la marque du sauvignon (70 %) dans ses fragrances délicates de chèvrefeuille, puis dans sa bouche fruitée et acidulée, aux arômes de bonbon anglais, dont la fraîcheur est soulignée par un léger perlant. Sa finale longue et nerveuse appelle les fruits de mer ou le fromage de chèvre. 2019-2021

SCA ALLIANCE AQUITAINE, Le Vignoble, 24130 Le Fleix, tél. 05 53 24 64 32, contact@allianceaquitaine.com t.l.j. 9h-12h30 14h-18h

SUD-OUEST

CÔTES-DE-MONTRAVEL

Superficie : 30 ha / Production : 1 169 hl

CH. LE RAZ 2017

■ | 14133 | | 5 à 8 €

Le domaine, régulièrement en vue pour ses montravel, est entré dans la famille Barde en 1958. Au fil des ans, des achats et des fermages, il s'est agrandi de vignes, de bois et de cultures, et embelli après la restauration de sa gentilhommière du XVII[e]s. Les vignes occupent aujourd'hui 60 ha sur les hauts plateaux.

Issu de sémillon (50 %), de sauvignons blanc et gris (30 %) et de muscadelle (20 %), ce moelleux revêt une robe jaune paille brillant et dévoile un nez concentré, aux nuances de fruits confits évocatrices d'un liquoreux. La bouche ne déçoit pas, puissante, de belle longueur. ⌛ 2019-2023

GAEC DU MAINE, Le Raz, 24610 Saint-Méard-de-Gurçon, tél. 05 53 82 48 41, vignobles-barde@le-raz.com V *t.l.j. sf dim. 9h-12h30 14h-18h30; sam. sur r.-v.*

HAUT-MONTRAVEL

CH. PUY SERVAIN Terrement 2017

■ | 5400 | | 15 à 20 €

Puy-Servain est le nom du lieu-dit et signifie « sommet » (puy), « venteux ou servi par le vent » (*servain*). Daniel Hecquet fut œnologue au célèbre Ch. d'Yquem avant de regagner la propriété familiale à Ponchapt, qui compte aujourd'hui 48 ha de vignes. Un pilier du Bergeracois pour ses montravel et haut-montravel.

Né de pur sémillon, un vin phare du domaine, avec plusieurs coups de cœur à son actif. En 2017, les volumes sont modestes, mais le vin passe aisément la barre, même s'il n'a pas la puissance de millésimes antérieurs. De couleur paille doré, il demande de l'aération pour s'ouvrir sur de subtils arômes de fruits mûrs, nuancés d'un léger sous-bois. Les fruits blancs confiturés et le coing s'épanouissent dans une bouche élégante, ample et onctueuse. ⌛ 2020-2027

CH. PUY-SERVAIN CALABRE, Calabre, 33220 Port-Sainte-Foy-et-Ponchapt, tél. 05 53 24 77 27, oenouit.puyservain@wanadoo.fr V *t.l.j. sf dim. 8h-12h 14h-17h30*

PÉCHARMANT

Superficie : 418 ha / Production : 14 864 hl

Au nord-est de Bergerac, ce « Pech », colline couverte de vignes, donne un vin rouge aux tanins fins et élégants, apte à la garde.

ALLIANCE AQUITAINE Cuvée Étiquette noire 2017

■ | 12006 | 5 à 8 €

Alliance Aquitaine est une structure coopérative née en 2010 de la fusion de la cave de Saint-Vivien et de celle de Bergerac-Le Fleix. Disposant de trois sites de vinification, la cave regroupe 140 adhérents pour une surface totale de 1 350 ha de vignes, dans le Bergeracois (80 %) et en AOC bordeaux.

Le millésime 2017 en pécharmant s'est révélé chiche à cause du gel. Cette cave n'en propose pas moins des cuvées très honorables, qui n'ont rien de confidentiel. Celle-ci séduit par son nez complexe, tout en finesse, entre fruits noirs (mûre), notes cacaotées et épicées. Sans être d'une puissance extrême, elle est suffisamment étoffée et bien construite, avec une attaque ronde et une finale fraîche. ⌛ 2021-2024 ■ **Ch. Métairie-Haute Élevé en fût de chêne 2017 (8 à 11 €; 8000 b.)** : vin cité.

SCA ALLIANCE AQUITAINE, Le Vignoble, 24130 Le Fleix, tél. 05 53 24 64 32, contact@allianceaquitaine.com V *t.l.j. 9h-12h30 14h-18h*

L'ANCIENNE CURE L'Abbaye 2016

■ | 10000 | | 15 à 20 €

Cinquième génération à cultiver la vigne, Christian Roche hérite d'une partie de la propriété familiale en 1984. Cinq ans plus tard, il aménage son chai de vinification. Établi dans l'ancien presbytère de Colombier, il conduit aujourd'hui un vaste vignoble de près de 50 ha (avec une dominante de vignes blanches) aux sols variés, ce qui lui permet de proposer une large gamme de vins du Bergeracois, complétée par une activité de négociant-éleveur. Incontournable.

Le merlot et les deux cabernets à parts égales (30% chacun), complétés par le malbec composent cette cuvée restée dix-huit mois en barrique. Un vin à la robe dense et au nez partagé entre fruits rouges et boisé. Les notes d'élevage dominent dans une bouche puissante, ronde et soyeuse en attaque, encore marquée en finale par des tanins jeunes et vifs, un rien amers. ⌛ 2022-2026

L'ANCIENNE CURE, N 21, 24560 Colombier, tél. 05 53 58 27 90, ancienne-cure@orange.fr V *r.-v.*

CH. BEAUPORTAIL 2016

■ | 30000 | | 8 à 11 €

En 1995, Fabrice Feytout s'installe comme jeune agriculteur sur le domaine familial, au Ch. Beauportail, sur les coteaux de Pécharmant. En 2004, il reprend en location un autre vignoble familial en monbazillac, qu'il acquiert en 2007. À la tête de plus de 8 ha, il est souvent en vue pour ses monbazillac, sous l'étiquette Grains nobles de la Truffière, et pour ses pécharmant (Ch. Beauportail).

Née de merlot (50 %), des deux cabernets et d'une goutte de malbec, cette cuvée affiche une robe intense aux reflets violines. Au nez, elle mêle les fruits noirs bien mûrs, voire légèrement compotés, à des notes de fruits secs et à un boisé épicé. Ces arômes se prolongent dans une bouche puissante, un rien poivrée, marquée rapidement par des tanins jeunes et vifs. ⌛ 2021-2025

CH. BEAUPORTAIL, rte du Hameau-de-Pécharmant, 24100 Bergerac, tél. 06 08 03 13 16, truffiere-beauportail@wanadoo.fr V *r.-v.*
EARL La Truffière Beauportail

♥ CH. CORBIAC Cuvée Cyrano 2016 ★★

■ | 18000 | | 8 à 11 €

Issu d'une famille apparentée à Cyrano de Bergerac, Antoine de Corbiac, qui a rejoint sa mère Thérèse sur l'exploitation, représente la dix-septième génération sur le domaine. Très ancien, ce vignoble de 16,5 ha aujourd'hui, idéalement perché sur la crête du coteau de Pécharmant, est une valeur sûre du Bergeracois. Une structure de négoce a été également créée : elle commercialise des vins de la propriété et ceux de la gamme Cyrano de Bergerac.

Élue coup de cœur dans le millésime précédent, cette cuvée renouvelle l'exploit. La robe profonde est de bon augure, tout comme le nez, complexe et bien ouvert, heureux mariage de fruits des bois et des notes toastées de l'élevage. La bouche, à l'unisson du nez, s'impose par son ampleur, sa charpente, son équilibre entre rondeur et fraîcheur et par sa longueur. Sa densité va de pair avec une suavité qui donne à cette bouteille un profil à la fois solide et aimable. ⧗ 2023-2029 ■ **Numéro un 2016 ★ (8 à 11 €; 26000 b.)** : le malbec (10 %) s'ajoute à la trilogie classique du merlot (50 %) et des deux cabernets (à parité) dans cette cuvée à la robe profonde. Encore fermé, le nez laisse percevoir une complexité naissante dans ses arômes de fruits rouges mûrs soulignés d'un boisé épicé. Ample et puissante, la bouche dévoile une solide charpente qui demande à s'affiner. ⧗ 2023-2029 ■ **2016 (8 à 11 €; 26000 b.)** : vin cité.

CH. CORBIAC PÉCHARMANT, rte de Corbiac, 24100 Bergerac, tél. 05 53 57 20 75, corbiac@corbiac.com V t.l.j. 10h-19h

CH. LES FARCIES DU PECH' Elixir 2016 ★

■ | 4500 | | 15 à 20 €

Installée dans le Périgord en 1977, la famille Dubard a acquis en 1999 le vignoble des Farcies du Pech', conduit par Serge et son épouse Betty : 15 ha d'un seul tenant dans l'aire du pécharmant, commandés par une chartreuse du XVIIᵉs. s'ouvrant sur un parc de 8 ha planté d'arbres centenaires aux portes de Bergerac.

Une belle étoile pour cette cuvée née de l'assemblage à parts égales des merlot, malbec, cabernet franc et cabernet-sauvignon. Un vin dans la lignée des deux millésimes précédents, quoique légèrement moins intense. La robe est soutenue ; complexe, bien fondu et frais, le nez dévoile une palette tout en finesse associant fruits rouges, notes vanillées, grillées et mentholées. Après une attaque suave, la bouche monte en puissance, sur des arômes de fruits rouges puis de baies noires, soutenue par des tanins boisés qui soulignent la longue finale. De la présence et de l'élégance. ⧗ 2023-2028

SERGE ET BETTY DUBARD, Ch. les Farcies du Pech', 24100 Bergerac, tél. 06 75 28 01 90, sbdubard@gmail.com V t.l.j. 9h-13h 14h-19h; sam. dim. sur r.-v. 4

DOM. DU HAUT-PÉCHARMANT 2016

■ | 130000 | | 8 à 11 €

Installé dans une demeure du XIXᵉs. entourée d'un parc dominant la vallée de la Dordogne, Didier Roches a pris la tête en 1998 du domaine exploité par sa famille depuis 1929 : un vignoble (30 ha aujourd'hui) exposé plein sud et implanté au sommet du coteau de Pécharmant, sur des sables et graviers, avec ses argiles grises et rouges ferrugineuses.

Composé de merlot et des deux cabernets à parts égales (30 % chacun), complétés par un appoint de malbec, ce 2016 grenat soutenu charme par sa palette tout en fruits associant la cerise, la framboise et la fraise. Ces arômes se prolongent dans une bouche souple et suave en attaque, rapidement sous l'emprise de tanins vifs, un rien végétaux. L'ensemble reste agréable par sa fraîcheur et son fruité. ⧗ 2022-2026

DOM. DU HAUT-PÉCHARMANT, Haut-Pécharmant, 24100 Bergerac, tél. 05 53 57 29 50, hautpecharmant@orange.fr V t.l.j. sf dim. 8h-12h30 13h30-18h

MAISON MARLÈRE Accords parfaits 2016

■ | 50000 | 5 à 8 €

Riche d'une expérience acquise en Californie, en Amérique Latine et en Espagne, Jérôme Baradat, ingénieur en agriculture, est revenu dans son Béarn natal pour créer en 2011 la marque de négoce Marlère, dédiée aux vins du Sud-Ouest, qui porte le nom de la ferme de sa famille. Sur ses étiquettes, il entend faire œuvre de pédagogie pour faciliter le choix du consommateur.

Né de l'assemblage de merlot, de cabernet-sauvignon (40% chacun) et de malbec, ce pécharmant mise sur l'élégance : élégance de ses arômes de fruits rouges bien mûrs relevés d'épices et de vanille, élégance de son palais tout en rondeur onctueuse. S'il n'a pas la charpente d'un vin de longue garde, il ne manque pas pour autant d'étoffe. ⧗ 2021-2025

MARLÈRE GASTRONOMIE, 9, av. du Dr-Lafourcade, 64100 Bayonne, tél. 06 82 66 36 96, contact@marlere.com

CH. LA RENAUDIE Élevé en fût de chêne 2017

■ | 23000 | | 8 à 11 €

Ce château du XVIIᵉs. se dresse à Lembras, sur une colline dominant Bergerac. Le vignoble s'étend sur 110 ha d'un seul tenant, une superficie imposante représentant environ 10 % de la surface de l'AOC pécharmant.

Un peu en retrait par rapport au remarquable 2016, tant en puissance qu'en quantité, ce 2017 offre une bonne image du millésime. De couleur soutenue, il dévoile un nez complexe associant des notes d'élevage dominantes mais fondues à des arômes de petits fruits des bois bien mûrs. D'une belle rondeur en attaque, il déploie des notes de baies rouges et noires, soutenu par des tanins boisés fort marqués, fermes et vifs. La finale épicée est très typée de l'appellation. ⧗ 2023-2029

CH. LA RENAUDIE, RN 21, 46, rte de Perigueux, 24100 Lembras, tél. 05 53 27 05 75, contact@chateaurenaudie.com V t.l.j. sf dim. 10h-18h (été); sam. dim. 10h-17h (hiver)

CH. DU ROOY 2016 ★

■ | 34000 | | 8 à 11 €

Partis de rien, avec un vignoble en mauvais état, Gilles et Laëtitia Gérault améliorent chaque année les vignes, le chai, les équipements de vinification et de stockage, et la qualité des vins, nés d'un vignoble de 20 ha. Souvent en vue pour leurs pécharmant.

Pas de coup de cœur cette année, mais un pécharmant qui offre tout ce que l'on attend de l'appellation : une robe profonde; un nez agréable, mêlant les fruits rouges frais et des notes florales, soulignés du boisé vanillé et toasté légué par un séjour de douze mois en barrique; une bouche intense, suave, puissante et longue, encore sous l'emprise de l'élevage. ⧗ 2023-2026

CH. DE ROOY, 982, chem. de la Cote-de-Rosette, 24100 Bergerac, tél. 05 53 24 13 68, contact@chateau-du-rooy.com V *t.l.j. 10h-12h30 14h-18h30; dim. sur r.-v.*

CH. DE TIREGAND Grand Millésime 2016 ★★

■ | 7400 | | 15 à 20 €

Ce domaine appartient à une branche lointaine de la famille de l'auteur du *Petit Prince*. Son somptueux château est inscrit à l'Inventaire des Monuments historiques. Dirigé aujourd'hui par François-Xavier de Saint-Exupéry, la propriété s'étend sur 460 ha comprenant des forêts, un club hippique et 34 ha de vignes.

Composé pour l'essentiel de merlot (60%) et de cabernet-sauvignon, complétés par un soupçon de cabernet franc et de malbec, ce Grand Millésime s'est placé sur les rangs pour le coup de cœur. À sa robe profonde répond un nez complexe et précis, mêlant la cerise et les fruits noirs à un boisé bien fondu. Les fruits noirs, mûre en tête, s'épanouissent dans un palais puissant et persistant, soutenu par des tanins déjà veloutés qui se teintent en finale de la noble amertume du chocolat. ⧗ 2022-2029

CH. DE TIREGAND, 118, rte de Sainte-Alvère, 24100 Creysse, tél. 05 53 23 21 08, contact@chateau-de-tiregand.com V *t.l.j. sf dim. 9h30-12h 14h-17h30*

LA TOUR D'ARMAND 2016

■ | 8900 | | 8 à 11 €

Une maison de négoce familiale du Bergeracois, fondée dans les années 1980 par Patrick Montfort et reprise en 2009 par son fils Julien.

Les quatre cépages de l'appellation (merlot et cabernet franc à 35 % chacun) sont présents dans ce 2016 qui attire l'attention par son nez bien ouvert sur la prune, la cerise noire et la mûre. Bien construit, ample et rond, suffisamment étoffé, le palais s'appuie sur de bons tanins à la saveur cacaotée qui soulignent la finale de belle longueur. ⧗ 2021-2026

JULIEN DE SAVIGNAC, av. de la Libération, 24260 Le Bugue, tél. 05 53 07 10 31, julien.de.savignac@wanadoo.fr V *t.l.j. sf dim. 9h-19h*

ROSETTE

Superficie : 10,6 ha / Production : 402 hl

Dans un amphithéâtre de collines dominant au nord la ville de Bergerac, sur un terroir argilo-graveleux, est installée l'appellation la plus confidentielle de la région, qui produit un vin moelleux.

DOM. DE COUTANCIE 2018

■ | 8200 | 8 à 11 €

Le fondateur du domaine était un ouvrier agricole qui acheta son lopin au XIXes. Son arrière-petite-fille, Nicole Maury, dispose de quelque 5 ha de vignes qu'elle a convertis à l'agriculture biologique en 2014. Depuis 2016, le domaine est exploité par un métayer, Yannick Lescot.

De couleur jaune pâle, c'est un agréable moelleux, même si son équilibre penche vers la rondeur. On aime son expression aromatique nette, florale et fruitée, nuancée de notes acidulées de bonbon anglais. ⧗ 2019-2021

DOM. DE COUTANCIE, 7, rte de Fongravière, 24130 Prigonrieux, tél. 06 23 75 65 68, yannick.lescot@orange.fr V *t.l.j. sf dim. 9h30-12h 14h-18h*

DOM. DU GRANDE JAURE 2018

■ | 14000 | | 5 à 8 €

Bernadette Baudry et son frère Bertrand ont pris la relève sur le domaine familial. Longtemps producteurs exclusifs de vins rouges (pécharmant) sur les 17 ha de vignes que compte leur exploitation, ils se sont diversifiés en plantant des cépages blancs pour produire du rosette et se montrent autant à l'aise dans les deux couleurs. En conversion bio depuis 2018.

Une robe claire pour ce rosette au nez expressif, floral, fruité et légèrement amylique. Plus discret, le palais est équilibré et franc, malgré un petit manque de nerf. ⧗ 2019-2021

DOM. DE GRANDE JAURE, 16, chem. de Jaure, 24100 Lembras, tél. 06 86 77 47 90, domaine.du.grand.jaure@wanadoo.fr V *t.l.j. sf dim. 9h-12h 14h-18h*

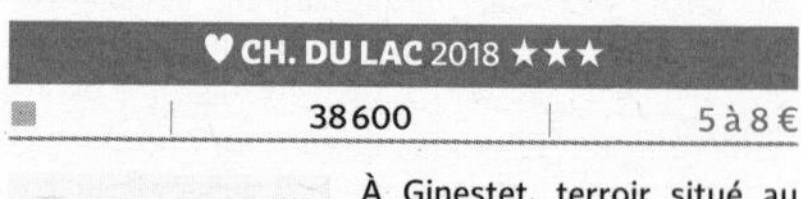

♥ CH. DU LAC 2018 ★★★

■ | 38600 | 5 à 8 €

À Ginestet, terroir situé au nord de Bergerac et plutôt dédié à la production de blancs moelleux, Sébastien Dantin conduit avec autant de discrétion que de talent un domaine de 35 ha.

Après le 2011 et le 2015, le 2018 vaut à ce vigneron son troisième coup de cœur : de quoi donner du lustre à cette petite appellation méconnue. Issu de sauvignon gris et de sémillon, ce vin d'un or clair et brillant enchante par son expression intense et complexe, florale et fruitée, et plus encore par sa vivacité tonique, qui met en valeur ses arômes et porte loin la finale. Une acidité qui n'allait pas de soi si l'on se rappelle l'été caniculaire de 2018. ⧗ 2019-2023

⊶ DOM. DU LAC, Le Lac, 24130 Ginestet, tél. 05 53 57 45 27, domainedulac@orange.fr **V** *t.l.j. 8h-12h 14h-19h*

Ⓑ CH. LE PAYRAL 2017 ★★

■ | 4000 | 🍾 | 11 à 15 €

Isabelle et Thierry Daulhiac ont pris la suite en 1992 de six générations à la tête d'un vignoble d'une quinzaine d'hectares implanté sur un terroir riche en silex, en AOC bergerac, côtes-de-bergerac, saussignac et rosette. Depuis 2005, ils l'exploitent en bio, avec des emprunts à la biodynamie.

Rescapée du gel de printemps, cette cuvée or pâle s'ouvre sur les fruits confits accompagnés d'un léger miel. Les fleurs viennent compléter cette palette dans un palais puissant, gras et persistant, allégé par une belle acidité. Une réelle harmonie. ⧗ 2019-2023

⊶ CH. LE PAYRAL, Le Bourg, 24240 Razac-de-Saussignac, tél. 05 53 22 38 07, contact@le-payral.com **V** *r.-v.*

DOM. DU ROOY 2018

■ | 20900 | 🍾 | 5 à 8 €

Partis de rien, avec un vignoble en mauvais état, Gilles et Laëtitia Gérault améliorent chaque année les vignes, le chai, les équipements de vinification et de stockage, et la qualité des vins, nés d'un vignoble de 20 ha. Souvent en vue pour leurs pécharmant.

Clair et net dès l'approche, ce rosette revêt une robe claire et offre un nez frais et floral avant de dévoiler une bouche équilibrée et fruitée, marquée en finale par une pointe d'amertume. ⧗ 2019-2022

⊶ CH. DE ROOY, 982, chem. de la Cote-de-Rosette, 24100 Bergerac, tél. 05 53 24 13 68, contact@chateau-du-rooy.com **V** *t.l.j. 10h-12h30 14h-18h30; dim. sur r.-v.*

CÔTES-DE-DURAS

Superficie : 1 943 ha
Production : 111 660 hl (65 % rouge et rosé)

Entre côtes-du-marmandais au sud et vignes du Bergeracois au nord, ce vignoble fait la jonction entre ceux de la Garonne et ceux de la Dordogne. Il est implanté sur des coteaux découpés par la Dourdèze et ses affluents, aux sols d'argilo-calcaires et de boulbènes. Prolongement du plateau de l'Entre-deux-Mers, il a accueilli tout naturellement les cépages bordelais : en blanc, sémillon, sauvignon et muscadelle; en rouge, cabernet franc, cabernet-sauvignon, merlot et malbec. Historiquement, il a été marqué par l'influence des huguenots, très présents dans la région. Après la révocation de l'édit de Nantes, les exilés protestants faisaient venir, dit-on, le vin de Duras jusqu'à leur retraite hollandaise et marquer d'une tulipe les rangs de vigne qu'ils se réservaient. Le vignoble se partage entre les vins blancs, secs ou moelleux, et les vins rouges, souvent vinifiés en cépages séparés. Il produit aussi des rosés. La Maison des Vins de Duras permet de découvrir tous ces vins ainsi que les cépages, dans un Jardin des vignes où l'on peut pique-niquer.

♥ DOM. AMBLARD Sauvignon 2018 ★★

■ | 20000 | 🍾 | 5 à 8 €

Ce vaste domaine de 100 ha appartient à la famille Pauvert depuis 1938. Ses vins sont régulièrement en vue dans ces pages, notamment ses côtes-de-duras blancs.

Si la robe jaune clair à reflets verts est classique, le nez séduit par sa fraîcheur et par sa complexité, qui se révèle à l'aération : agrumes, fruité légèrement muscaté, amande fraîche et bonbon acidulé se bousculent au-dessus du verre. Ces qualités aromatiques se prolongent dans un palais harmonieux, à la fois gras et tendu, qui donne l'impression de croquer dans le fruit. La petite touche d'amertume en finale ajoute à l'attrait de cette bouteille. ⧗ 2019-2022 ■ **2017 ★ (5 à 8 €; 80000 b.)** : un nez entre fruits mûrs et boisé, une bouche consistante, équilibrée et fraîche pour cet assemblage de merlot (60 %) et des deux cabernets, très honorable pour le millésime. ⧗ 2021-2024

⊶ SCEA DOM. AMBLARD, 47120 Saint-Sernin-de-Duras, tél. 05 53 94 77 92, domaine.amblard@wanadoo.fr **V** *t.l.j. sf dim. 8h-12h 14h-18h*

Ⓑ DOM. DE LA BELLE Insoumise 2018 ★

■ | 3000 | 🍾 | 5 à 8 €

Chercheur et docteur en biochimie, Gilles Vazeux a opté pour le métier de vigneron en 2002. Épaulé par son épouse Delphine, il conduit en bio un vignoble de 9 ha.

Né d'un assemblage de malbec majoritaire (80 %), vinifié par pressurage direct, et de merlot vinifié par saignée, ce rosé à la robe pâle séduit par ses parfums nets et délicats de framboise, de rose et de litchi, puis par sa bouche intense, d'une grande fraîcheur. ⧗ 2019-2020

⊶ GAEC DE LA BELLE, lieu-dit La Belle, 47120 Loubès-Bernac, tél. 06 09 15 54 99, domainedelabelle@gmail.com **V** *r.-v.*

Ⓑ LES VIGNERONS DE BERTICOT
Maître grain Maturé en fût de chêne 2016 ★

■ | 6000 | 🛢 | 8 à 11 €

Fondée en 1965, au lieu-dit Berticot, par une poignée de vignerons, la cave coopérative de Duras rassemble 120 viticulteurs et 1 000 ha de vignes. Un acteur incontournable des côtes-de-duras qui fournit 55 % de la production de l'appellation, dans les trois couleurs : des vins de propriétés et des vins de la cave, sous la marque Berticot.

Élevée douze mois en barrique neuve, une cuvée issue de merlot et de cabernet-sauvignon cultivés sur des parcelles sélectionnées conduites en bio. Très puissante, ronde, charnue et d'une rare longueur, elle possède l'étoffe pour assimiler un tel élevage. Le bois fait sentir sa présence, mais il laisse s'exprimer le fruit noir, la cerise, des notes florales poivrées rappelant la pivoine et des épices chaleureuses évoquant le piment. Un vin généreux et complexe. ⧗ 2021-2025 ■ **La Grange aux garçons 2016 ★ (8 à 11 €; 6000 b.)** : né d'une sélection parcellaire de merlot et de cabernet-sauvignon, un vin élevé douze mois en barrique. Discrètement boisé, il séduit par ses arômes de griotte et de cassis rehaussés de touches florales, puis par son palais ample et rond. ⧗ 2021-2025 ■ **La Cuvée sans nom Pièces nobles 2016 (11 à 15 €; 6000 b.)** : vin cité.

⊶ SAS BERTICOT-GRAMAN, rte de Sainte-Foy-la-Grande, 47120 Duras, tél. 05 53 83 75 47, contact@berticot.com V 🚶 ! *t.l.j. sf dim. 8h30-12h30 14h-18h*

GRANDE RÉSERVE DE BERTICOT
Sauvignon Vieilles Vignes Élevé en fût de chêne 2017 ★

■ | 20000 | | 5 à 8 €

Terre de Vignerons est l'union de production et de commercialisation d'une quinzaine de coopératives de l'Entre-deux-Mers et du Pays duraquois. Elle représente 15 000 ha de vignes et 1 500 coopérateurs, dont les raisins sont accueillis sur dix-neuf sites de production. Un acteur de poids de la coopération girondine.

De couleur très pâle, ce blanc marie au nez le fruité intense et frais du sauvignon à des nuances boisées rappelant les fruits secs. On retrouve cette palette expressive, tonique et légèrement vanillée dans un palais équilibré, ample et rond, de belle longueur. ⧗ 2019-2022

⊶ TERRE DE VIGNERONS, 17-19, rte des Vignerons, 33790 Landerrouat, tél. 05 56 61 33 73, a.mauro@terredevignerons.com

DOM. LES BERTINS Terre blanche 2017 ★

■ | 11400 | 🛢 | 5 à 8 €

Ce domaine de 14,7 ha, régulier en qualité, a été acquis en 1968 par Pierrette et Dominique Manfé qui l'ont transmis en 2001 à Jacqueline, leur fille. Il produit des côtes-de-duras ainsi que des vins en IGP.

Mariant merlot (80 %) et cabernet-sauvignon, cette cuvée d'un rouge profond tire son nom des terres calcaires d'où elle provient. Elle demande de l'aération pour s'ouvrir sur les fruits rouges mâtinés d'orange sanguine et rehaussés d'épices douces. Dense, suave et chaleureuse, elle s'appuie sur des tanins encore massifs qui laissent deviner un bon potentiel. ⧗ 2021-2025 ■ **Le Caprice de Pauline 2017 ★ (5 à 8 €; 11300 b.)** : vinifié sans sulfites, un vin consistant et frais, aux arômes de fruits rouges teintés d'une touche végétale. ⧗ 2020-2023 ■ **Cuvée Dominique Élevé en fût de chêne 2016 (11 à 15 €; 5400 b.)** : vin cité.

⊶ SARL LES BERTINS MANFE, Dom. Les Bertins, 47120 Saint-Astier-de-Duras, tél. 06 47 47 10 46, contact@lesbertins.fr V 🚶 ! *t.l.j. sf dim. 9h-12h 14h-19h* 🏠 B

BOURRAN ET TRUCHASSON 2018 ★

■ | 20000 | | - de 5 €

Également connue sous le nom du Dom. du Grand Truchasson, une petite exploitation de 40 ha implantée au centre de l'appellation, à la sortie de Saint-Jean-de-Duras. Thierry Teyssandier a pris la suite des trois générations précédentes en 1989.

Composé de merlot pour l'essentiel (90 %), ce 2018 libère des senteurs de fruits rouges, cerise en tête, qui prennent à l'aération des nuances de baies noires. Ces petits fruits s'épanouissent dans une bouche bien structurée, aux tanins encore fermes. ⧗ 2021-2025

⊶ EARL TEYSSANDIER, La Sivaderie, 47120 Saint-Jean-de-Duras, tél. 06 86 17 88 61, thierryteyssandier@wanadoo.fr V 🚶 ! *r.-v.*

♥ DOM. DE FERRANT Signature 2016 ★★

■ | 2500 | 🛢 | 15 à 20 €

Denis Vuillien, ex-ingénieur de travaux publics, et son épouse Marie-Thérèse ont opté pour une retraite active en reprenant ce domaine situé dans la vallée du Dropt : 13 ha de vignes (en bio certifié depuis 2018) et 9 ha de pruniers d'Ente qui donnent des pruneaux d'Agen.

Le domaine obtient un coup de cœur pour la troisième année consécutive. Après deux rosés, c'est cette cuvée de rouge, mi-merlot mi-cabernets (avec 35 % de cabernet franc et 15 % de cabernet-sauvignon) qui est plébiscitée. Avec un élevage de douze mois en barrique, elle arbore une robe grenat sombre et libère des arômes gourmands de fruits rouges et de cassis très mûrs – le fruit écrasé dans la bassine à confiture, avant cuisson. La bouche, à l'unisson du nez, se déploie avec ampleur, puissance et longueur, soutenue par des tanins soyeux. Une harmonie durable. ⧗ 2021-2027 ■ **Empreinte 2016 ★ (8 à 11 €; 9000 b.)** : mi-cabernets mi-merlot, une cuvée élevée pour 70 % en barrique. Robe grenat sombre, nez engageant, partagé entre fraise et cassis écrasés, lilas et léger boisé torréfié, bouche chaleureuse, ample et ronde, relevée d'épices évoquant le piment. ⧗ 2021-2025

⊶ SCEA VIGNOBLES VUILLIEN, Dom. de Ferrant, 47120 Esclottes, tél. 05 53 84 45 02, contact@domaineferrant.com V 🚶 ! *t.l.j. 9h-18h* 🏠 B

♥ DOM. GRAND BOIS 2016 ★★

■ | 37300 | 🛢🛢 | 8 à 11 €

Marque de la structure de négoce créée par Marie-Thérèse et Denis Vuillien, propriétaires du Dom. de Ferrant en côtes-de-duras.

Issu du négoce, ce vin rouge assemblant le merlot (60 %) et les deux cabernets a été élevé pour moitié en cuve et pour l'autre en barrique. On aime son nez mêlant fruits rouges confiturés et notes boisées, prélude à une bouche puissante, ronde, suave et épicée. ⧗ 2021-2026 ■ **2018 ★★ (5 à 8 €; 6000 b.)** B : mariant merlot, malbec et cabernet franc à parts égales, un rosé charmeur à la robe saumon clair, aux délicates fragrances de rose et à la bouche intense, fraîche et longue. ⧗ 2019-2020 ■ **2018 ★★ (5 à 8 €; 6000 b.)** B : un sauvignon particulièrement ample et onctueux, séducteur par son fruité frais et complexe (agrumes, ananas, fruit de la Passion, bonbon acidulé) et par sa finale alerte et persistante. ⧗ 2019-2022

SAS FERRANT SÉLECTION, Dom. de Ferrant, 47120 Esclottes, tél. 05 53 84 45 02, sas@domaineferrant.com V t.l.j. 9h-18h

DOM. DE LAPLACE Petit Jules 2017 ★

■	5450		5 à 8 €

Jean-Luc Carmelli conduit depuis 1984 ce domaine de 36 ha régulier en qualité, créé en 1924 par son grand-père à Saint-Jean-de-Duras, sur les coteaux surplombant la vallée du Dropt. La propriété se dédie non seulement à la viticulture, mais aussi à la culture de céréales et du tournesol, ainsi qu'à l'élevage de vaches Blondes d'Aquitaine.

Dédié au premier petit-fils de la famille, ce 2017 rouge sombre assemble merlot (60 %) et cabernet-sauvignon. Élevé en cuve, il offre un nez plutôt discret, tout en fruits rouges frais, avec une touche végétale. En bouche, il montre une belle tenue, avec une attaque ronde sur les fruits mûrs, une trame tannique assez dense et une finale agréable et persistante. ⧗ 2021-2024

GAEC DE LAPLACE, Laplace, 47120 Saint-Jean-de-Duras, tél. 05 53 83 00 77, laplace.carmelli@wanadoo.fr V t.l.j. sf mer. dim. 9h-12h 14h-18h

LARMONI Sauvignon 2018 ★★

■	133300		- de 5 €

Univitis est une coopérative regroupant 230 adhérents et 2 000 ha dans le « grand Sud-Ouest » viticole. Elle propose une large gamme de vins de marques et de propriétés dans une quinzaine d'AOC, à laquelle s'ajoute le Ch. les Vergnes acquis en 1986 (130 ha près de Sainte-Foy).

D'un jaune très pâle à reflets verts, ce blanc offre un nez minéral, floral et fruité, à la fois intense et fin, bien typé du sauvignon, sur les fleurs blanches, le citron, et le bourgeon de cassis. Persistant au palais, gras et tendu par une belle fraîcheur dénuée de mordant, il laisse une impression flatteuse. ⧗ 2019-2022

SCA UNIVITIS, Le Bourg, 33220 Les Lèves-et-Thoumeyragues, tél. 05 57 56 02 02, univitis@univitis.fr V t.l.j. sf lun. dim. 9h30-12h30 14h30-18h30

DOM. DE LAULAN Sauvignon 2018 ★★

■	60000		5 à 8 €

Des habitués du Guide. Depuis leur arrivée en 1974, Gilbert et Claudie Geoffroy ont entièrement rénové leur vignoble tout en l'agrandissant : 35 ha aujourd'hui. En 2000, ils ont passé le relais à leur fils, Régis.

D'un jaune pâle à reflets verts, cette cuvée offre l'expression aromatique intense du sauvignon, avec une belle complexité : agrumes, fruits exotiques, fruits blancs et bourgeon de cassis se bousculent au-dessus du verre et se prolongent dans un palais persistant, à la fois gras, acidulé et frais, marqué en finale par un retour du bourgeon de cassis. ⧗ 2019-2022

EARL GEOFFROY, Dom. de Laulan, Petit-Sainte-Foy, 47120 Duras, tél. 05 53 83 73 69, contact@domainelaulan.com V t.l.j. sf dim. 8h-12h 13h30-18h30; sam. sur r.-v.

CH. MOLHIÈRE Pierrot 2016 ★

■	3000		11 à 15 €

Au XVIe s., un nommé Lamolhière, venu au pays de Duras dévasté par la guerre de Cent Ans, obtint une tenure du baron de Duras et se convertit au protestantisme. Après la révocation de l'édit de Nantes, son domaine fut confisqué. Une exploitation acquise en 1950 par le Bordelais Claude Blancheton, transmise à partir de 1993 à ses fils Patrick et Francis (ce dernier à la retraite depuis 2014). Agrandi, le vignoble est passé de 8 à 29 ha de vignes.

Cette cuvée bordeaux sombre issue pour l'essentiel (95 %) de cabernet-sauvignon montre le caractère chaleureux du millésime. Elle s'ouvre sur la fraise, la framboise et les petits fruits des bois très mûrs, voire écrasés, soulignés d'un boisé fondu. En bouche, elle dévoile ampleur et puissance, adossée à des tanins fins qui permettront une consommation prochaine. Une pointe d'acidité en finale lui confère une certaine élégance. ⧗ 2020-2024 ■ **Terroir des ducs 2018 (5 à 8 €; 5000 b.)** : vin cité.

EARL DE BLANCHETON, 1816, rte de Sainte-Foy-la-Grande, Le Boucaud, 47120 Duras, tél. 06 86 57 49 51, hello@molhiere.com V t.l.j. 10h-19h; dim. sur r.-v.

DOM. DE LA TUILERIE LA BREILLE 2018 ★

■	8000		- de 5 €

Cette exploitation familiale en côtes-de-duras fait travailler deux couples : Jean-Marie Ossard, arrivé en 1993, Dominique Patriarca et leurs conjoints respectifs. Le vignoble compte aujourd'hui 38 ha.

Ce 2018, successeur d'un coup de cœur, ne démérite pas. On aime ses parfums de fleurs blanches, d'agrumes et de pêche bien mûre, arômes que l'on retrouve dans un palais équilibré, alerte et long. ⧗ 2019-2022

EARL DES MONTS-D'OR, La Tuilerie La Breille, 47120 Loubès-Bernac, tél. 06 18 36 90 24, latuilerie47@lgtel.fr V t.l.j. sf dim. 8h-19h

➜ LE PIÉMONT PYRÉNÉEN

MADIRAN

Superficie : 1 273 ha / Production : 61 738 hl

D'origine gallo-romaine, le madiran fut pendant longtemps le vin des pèlerins de Saint-Jacques-de-Compostelle, avant de retrouver la notoriété grâce à la gastronomie du Gers. Son aire de production, à quelque 40 km au nord-est de Pau, est à cheval sur trois départements : le Gers, les Hautes-Pyrénées et les Pyrénées-Atlantiques. Le cépage roi à l'origine de ce vin rouge est le tannat, complété par les cabernet franc (ou bouchy), cabernet-sauvignon et fer-servadou (ou pinenc). Les vignes, cultivées en demi-hautain, partagent les coteaux avec cultures et bosquets.
Les madiran traditionnels, à forte proportion de tannat, sont colorés et virils. Fort tanniques, ils supportent très bien le passage sous bois et doivent attendre quelques années. Avec l'âge, ils se montrent à la fois sensuels, charnus et charpentés. Lorsqu'ils

sont moins riches en tannat et issus de cuvaisons plus courtes, les madiran sont plus souples et fruités. Ils peuvent alors être servis jeunes.

CH. AYDIE 2016

■ | 35000 | | 15 à 20 €

Le château d'Aydie est une affaire de famille (et une valeur sûre) : quatre enfants Laplace suivent aujourd'hui les traces de leur grand-père Frédéric, qui fut l'un des premiers à vendre du madiran en bouteilles, avec l'aide d'André Daguin, le célèbre cuisinier gascon. À l'exploitation, qui couvre 70 ha, s'est ajoutée une structure de négoce.

Pas moins de quarante mois d'élevage (en barrique, en foudre de bois et en cuve) pour ce 2016 à la robe intense. Son nez généreux associe la cerise au kirsch, le fruit noir à l'eau-de-vie à la réglisse et à un boisé épicé et torréfié. Dans le même registre, la bouche, ample et suave, confirme ce caractère chaleureux, avec une certaine élégance. ⧗ 2020-2026

SAS FAMILLE LAPLACE, 64330 Aydie, tél. 05 59 04 08 00, contact@famillelaplace.com V *t.l.j. 9h-13h 14h-19h*

CH. BARRÉJAT Cuvée des Vieux Ceps 2016 ★

■ | 46000 | | 8 à 11 €

Quatre générations se sont succédé sur ce domaine qui commercialise sa production en bouteilles depuis 1967. Installé en 1992, Denis Capmartin exploite aujourd'hui 40 ha avec une belle régularité. Il a équipé son exploitation d'un nouveau chai à barriques souterrain en 2008, avant de moderniser sa cuverie.

La propriété est riche en vieilles vignes. Âgés de cinquante ans, ces vieux ceps ont engendré un vin à la robe profonde, cerise noire. Le nez franc affiche la qualité de l'élevage dans des arômes de moka, de pain toasté, qui laissent s'exprimer des nuances de fruits rouges et noirs compotés. Après une attaque fraîche, mentholée, la bouche monte en puissance, ample et charnue, soutenue par des tanins qui commencent à s'assouplir. Le boisé doit encore se fondre. Un madiran typé qui ne manque pas de coffre. ⧗ 2021-2024 ■ **Cuvée de l'Extrême 2016 ★ (11 à 15 €; 5300 b.)** : un vin puissant, gras et charnu, séduisant par son expression aromatique associant un boisé appuyé mais flatteur (café torréfié, vanille, biscuit au beurre) et du fruit rouge, framboise en tête. ⧗ 2021-2024

SCEA DENIS CAPMARTIN, Ch. Barréjat, 32400 Maumusson-Laguian, tél. 05 62 69 74 92, deniscapmartin@laposte.net V *t.l.j. sf dim. 8h30-12h30 14h-19h*

DOM. BERTHOUMIEU Charles de Batz 2016

■ | 30000 | | 15 à 20 €

Fondée vers 1850, cette propriété familiale a vu se succéder six générations. À la suite de son père Louis, Didier Barré, installé en 1983, a contribué au renouveau du madiran, dont il fut l'un des porte-étendards. En 2017, les sœurs Claire et Marion Bortolussi (filles d'Alain Bortolussi du Ch. Viella) ont pris en main les destinées de ce domaine phare de 25 ha en nouant un partenariat avec le négociant Lionel Osmin pour la conduite de l'exploitation et la commercialisation des cuvées.

Cette cuvée réputée du domaine affiche dans ce millésime une robe profonde tirant sur le noir. Intense au nez, elle associe les fruits noirs bien mûrs à des notes d'élevage épicées, réglissées, balsamiques et grillées. Charnue et charpentée, bien élevée comme tout madiran, elle offre une finale longue et chaleureuse. ⧗ 2021-2025

SCEA CH. DE VIELLA (DOM. BERTHOUMIEU), Dutour, 32400 Viella, tél. 05 62 69 74 05, contact@domaine-berthoumieu.com V *r.-v.*

Ⓑ CLOS BASTÉ 2016 ★

■ | 12500 | | 15 à 20 €

En 1998, Philippe Mur, œnologue et maître de chai, achète avec son épouse Chantal une bâtisse en ruine, la maison Basté, puis quelques parcelles alentour. Le domaine, qui compte aujourd'hui 11 ha, est conduit en agriculture biologique. Très régulier en qualité.

Ce madiran présente un profil chaleureux, presque méridional. Le tannat a été récolté le 10 octobre, et les dégustateurs évoquent une vendange à surmaturité. Le vin arbore une robe profonde à reflets bleutés. Le nez, solaire, mêle le fruit noir très mûr et la fraise écrasée à des notes de cuir et à une touche de paprika. Après une attaque acidulée, la bouche dévoile des arômes originaux d'olive noire, associés à des nuances de fruits rouges et de cèdre. Fermes, voire sévères en finale, les tanins, eux, portent bien la signature du tannat béarnais. ⧗ 2019-2024 ■ **Le Dirac 2013 ★ (30 à 50 €; 584 b.)** Ⓑ : une très bonne tenue pour ce vieux millésime d'une année tardive, issu d'une parcelle de tannat. Son expression aromatique est complexe et flatteuse (mûre, cassis, réglisse, vanille, épices douces et cacao), sa bouche suave, fondue, encore tannique en finale. ⧗ 2019-2024

SCEA CHANTAL ET PHILIPPE MUR, Clos Basté, 64350 Moncaup, tél. 05 59 68 27 37, closbaste@wanadoo.fr V *t.l.j. sf dim. 10h-18h*

CH. DE CROUSEILLES 2016 ★

■ | 39500 | | 15 à 20 €

La coopérative de Crouseilles a été créée en 1950, deux ans après la reconnaissance en AOC du madiran et du pacherenc-du-vic-bilh. Elle a largement contribué au renouveau du grand vin rouge pyrénéen, dont elle fournit plus du tiers des volumes. Regroupant cent trente vignerons, elle propose, outre le madiran, du pacherenc et du béarn.

Un 2016 à la robe profonde et au nez intense, centré sur le fruit mûr – la prune et la cerise noire kirschée – agrémenté de notes d'élevage bien intégrées, vanillées et torréfiées. Ces arômes chaleureux évoquant la liqueur de fruits se lient aux épices douces (cannelle) dans une bouche ronde, presque moelleuse, aux tanins enrobés et à la finale généreuse et longue. ⧗ 2019-2024 ■ **Seigneurie de Crouseilles 2017 ★ (8 à 11 €; 35000 b.)** : un vin rond, bien structuré, soutenu par de solides tanins, aux arômes raffinés de framboise, de mûre, de cassis et de boisé. ⧗ 2020-2026

CAVE DE CROUSEILLES, rte du Château, 64350 Crouseilles, tél. 05 62 69 66 77, m.darricau@crouseilles.fr V *t.l.j. sf dim. 9h-12h30 14h-18h*

CRU DU PARADIS Vieilli en fût de chêne 2017

■ | 60 000 | | 8 à 11 €

Créé au lendemain de la Grande Guerre, ce domaine est conduit depuis 1979 par Jacques Maumus, représentant la troisième génération. Ce dernier a remodelé le vignoble et porté sa superficie de 7 à 25 ha. Les parcelles sont réparties sur les communes de Saint-Lanne et de Madiran, dans les Hautes-Pyrénées. Plusieurs étiquettes : Cru du Paradis, Ch. Coulané.

Le tannat majoritaire s'allie aux deux cabernets dans ce 2017 dont la robe sombre commence à montrer des reflets orangés d'évolution. Le nez associe les fleurs, les fruits noirs confiturés, le sous-bois et des touches boisées. Ronde en attaque, assez légère, la bouche finit sur des tanins stricts qui n'interdisent pas une consommation prochaine. ⧗ 2020-2024

SARL CRU DU PARADIS, Le Paradis, 65700 Saint-Lanne, tél. 05 62 31 98 23, cru.du.paradis@wanadoo.fr r.-v.

Ⓑ DOM. DAMIENS Tradition 2017 ★★

■ | 40 000 | | 5 à 8 €

En 1970, André Beheïty, jeune agriculteur, achète un coteau en friche de 10 ha proche de son petit vignoble de 6 ha. Première vinification en 1971, aménagement du chai à barriques en 1987. Installé en 1999, son fils Pierre-Michel dispose de 17 ha de vignes, exploitées en bio.

Une cuvée élevée dix-huit mois en cuve. Remarquable l'an dernier, elle garde une excellente tenue dans ce millésime. La robe profonde tire sur le noir. Le nez s'ouvre sur la griotte au kirsch et sur les épices. À la fois suave et tendue en attaque, la bouche monte en puissance en dévoilant une matière ample, onctueuse et dense, structurée par des tanins qui prennent en finale des tons réglissés. ⧗ 2020-2024 ■ **Saint-Jean 2017 ★ (11 à 15 €; 11 000 b.)** Ⓑ : mêlant au nez la framboise, la mûre et le cassis à un boisé vanillé et toasté bien intégré, sévère en finale, un vin de garde dont la solide charpente est renforcée par l'élevage en fût. ⧗ 2022-2027

SCEA BEHEÏTY, RD_317, 64330 Aydie, tél. 05 59 04 03 13, domainedamiens64@gmail.com t.l.j. 9h-12h30 14h-18h30; dim. sur r.-v.

Ⓑ DOM. LABRANCHE LAFFONT Vieilles Vignes 2015 ★★

■ | 18 000 | | 15 à 20 €

Le domaine familial remonte à la Révolution. Jeune œnologue, Christine Dupuy s'installe en 1992 sur l'exploitation. Elle porte sa superficie de 6 à 21 ha et, surtout, s'impose comme l'une des valeurs sûres des appellations madiran et pacherenc. Son trésor : 50 ares de vignes préphylloxériques. Vignoble en bio certifié depuis 2014.

Issu de pur tannat, ce 2015, après trente mois d'élevage, affiche une robe jeune, très sombre, animée de reflets violets. Élégant au nez, il associe les fruits rouges et noirs, une touche florale à un boisé épicé, vanillé, fumé et chocolaté. Ample, généreux, dense et persistant, il s'appuie sur une trame de tanins veloutés et réglissés qui lui assureront une bonne garde. Un vin harmonieux et élégant, proche du coup de cœur. ⧗ 2020-2025 ■ **2017 (8 à 11 €; 48 000 b.)** Ⓑ : vin cité.

EARL CHRISTINE DUPUY, Dom. Labranche Laffont, 32400 Maumusson-Laguian, tél. 05 62 69 74 90, christine.dupuy@labranchelaffont.fr t.l.j. 9h-12h30 14h-19h; dim. sur r.-v.

DOM. LAFFONT Hécate 2017 ★

■ | 8 000 | | 15 à 20 €

Pierre Speyer, d'origine belge, a vendu en 2013 cette propriété de Maumusson qu'il exploitait depuis 1993. Le nouveau propriétaire, René Ozorio, associé à d'autres partenaires (notamment hongkongais), est aujourd'hui à la tête de 12 ha (3,8 ha en cépages rouges pour le madiran et le reste en vignes blanches pour le pacherenc). Il continue la conversion bio engagée par l'ancien propriétaire.

Dédiée à la déesse grecque de la Lune noire, également liée au culte de la fécondité, l'une des cuvées phares du domaine. Elle naît de pur tannat et séjourne dix-huit mois en fût de chêne. Comme pour répondre à son nom, le 2017 affiche une robe presque noire, tirant sur le violet. Noirs sont aussi les fruits que l'on respire au-dessus du verre : mûre et cassis, pour l'essentiel, assortis de notes d'élevage vanillées et épicées. Intense, ample, la bouche est étayée par des tanins serrés et fondus ; le boisé est bien intégré et une belle tension donne à l'ensemble tonus et longueur. ⧗ 2020-2024

SCEA DOM. LAFFONT, lieu-dit Laffont, 32400 Maumusson-Laguian, tél. 05 62 69 75 23, info@domainelaffont.fr t.l.j. 9h-12h30 14h-19h; sam. dim. sur r.-v. ④

DOM. LAOUGUÉ Marty 2017 ★★

■ | 40 000 | | 11 à 15 €

Pierre Dabadie s'est installé en 1980 sur l'exploitation familiale, dont la superficie est passée de 7 à 25 ha. Ses vins, rouges comme blancs, secs comme doux, sont régulièrement en vue. En 2014, son fils Sylvain, qui a pris le relais, réoriente la conduite de la vigne et renouvelle les cuvées.

Issue d'une parcelle de vieilles vignes, cette cuvée a bénéficié d'un élevage luxueux en fût neuf. Sa robe très foncée montre des reflets violines. Son nez se partage entre les fruits noirs (mûre, myrtille et cassis) et un boisé épicé et vanillé. En bouche, ce 2017 s'impose par sa structure et par son équilibre : ample, gras, dense et long, il s'appuie sur des tanins enrobés et le merrain respecte le fruit. Une belle fraîcheur porte loin la finale. Déjà très agréable et prometteur, il a frôlé le coup de cœur. ⧗ 2021-2025 ■ **Arbison 2017 ★ (30 à 50 €; 3000 b.)** : un madiran ambitieux, 100 % tannat, issu d'une vinification intégrale en fût. Nez encore discret, entre café, noisette, cassis et framboise; bouche ample, ronde et structurée, à la finale fraîche : une belle expression de l'appellation, encore marquée par son élevage. ⧗ 2021-2026

EARL DABADIE, rte de Madiran, 32400 Viella, tél. 05 62 69 90 05, contact@domaine-laougue.fr t.l.j. 8h30-19h

DOM. DE MAOURIES Cailloux de Pyren 2017

■ | 20 000 | | 8 à 11 €

Fondé en 1907, le domaine de Maouries compte aujourd'hui 25 ha de vignes, répartis sur trois communes et vingt-cinq parcelles. Si Jacqueline et André

Dufau s'activent toujours sur l'exploitation, ce sont leurs trois enfants, Philippe, Pascal et Isabelle qui en assurent la gestion, avec la nouvelle génération (Claire, ingénieur agronome). La carte des vins propose trois AOC (pacherenc, madiran et saint-mont) et des IGP côtes-de-gascogne.

Élevé en cuve, ce madiran s'ouvre à l'aération sur des notes de fruits noirs bien mûrs, voire macérés dans l'eau-de-vie. On retrouve les fruits mûrs dans une bouche ample et suave, marquée en finale d'une pointe de fraîcheur. Sa souplesse invite à consommer ce vin dans les prochaines années. ⧗ 2019-2023

GAEC DOM. DE MAOURIES, lieu-dit Maouries, 32400 Labarthète, tél. 05 62 69 63 84, domainemaouries@gmail.com r.-v.

VIGNOBLES MARIE MARIA Novel 2017 ★

■	40000		8 à 11 €

Une structure coopérative créée par des vignerons de la cave de Crouseilles dans le but de proposer des madiran tout en fraîcheur, loin de l'archétype de l'appellation privilégiant la puissance et la concentration. À sa carte figurent aussi des pacherenc-du-vic-bilh. Le nom des vins de cette gamme évoque l'abbaye bénédictine de Madiran (devenue paroisse Sainte-Marie), qui a contribué à l'essor du vignoble.

Élevée pour 70 % en cuve pour préserver le fruit, avec un apport de bois pour donner de la complexité, cette cuvée à la robe sombre et bleutée séduit par son nez élégant et complexe, alliant cassis, myrtille, cerise et violette à une touche grillée, puis par son palais aux tanins ronds et à la finale tendue. ⧗ 2020-2024

SAS CROUSEILLES-MADIRAN, rte de Madiran, 64350 Crouseilles, tél. 05 62 69 66 77, m.darricau@crouseilles.fr t.l.j. sf dim. 9h-12h30 14h-18h

LIONEL OSMIN ET CIE Mon Adour 2016 ★

■	15000		11 à 15 €

Fils d'un bijoutier béarnais, Lionel Osmin est devenu ingénieur agricole et a fondé en 2010 une maison de négoce qui compte, spécialisée dans les vins du grand Sud-Ouest, d'Irouléguy à Bergerac, de Madiran à Marcillac. Aux commandes des vinifications de cette vaste gamme, l'œnologue Damiens Sartori.

D'un grenat intense, ce madiran assemble le tannat (70 %) et les deux cabernets. Il a connu le bois, mais son nez, franc est centré sur le fruit légèrement confit, cerise en tête, une touche de tabac venant rappeler l'élevage. Fruité et épicé en bouche, équilibré, adossé à des tanins fins et enrobés, il laisse une impression de rondeur et de douceur. Un vin bien fait. ⧗ 2019-2023

SAS LIONEL OSMIN & CIE, 6, rue de l'Ayguelongue, 64160 Morlaàs, tél. 05 59 05 16 16, m.lucas@osmin.fr

CH. PEYROS Tradition 2017

■	25000		8 à 11 €

Acquise en 1999, la propriété madiranaise de la famille Lesgourgues, dont le berceau est situé dans le Bas-Armagnac, s'étend jusqu'en Uruguay. Son nom signifie « terrain pierreux » en gascon. Les 20 ha de vignes sont cultivés en lutte raisonnée.

Composée de tannat majoritaire et de cabernet franc, cette cuvée s'annonce par une robe jeune et dense, presque noire, à reflets violines, et par un nez partagé entre cassis et boisé vanillé. Dans le même registre, la bouche structurée et fraîche est rapidement marquée par de jeunes tanins qui rendent la finale pour l'heure assez sévère. ⧗ 2021-2025

SA CH. PEYROS, 9, chem. du Château, 64350 Corbère-Abères, tél. 06 77 79 76 35, chateau.peyros@maisonleda.fr

PLAIMONT Paradox Classic 2016 ★★

■	40000		11 à 15 €

Le groupe Plaimont est le fruit d'une association de trois caves qui, en 1979, unirent leurs initiales (PL pour Plaisance, AI pour Aignan et MONT pour Saint-Mont) pour créer ce leader des vins du Sud-Ouest produisant 40 millions de bouteilles par an. Rejoint en 1999 par les caves de Condom et de Crouseilles, Plaimont représente 98 % de l'appellation saint-mont, environ la moitié des AOC madiran et pacherenc-du-vic-bilh ainsi que des IGP côtes-de-gascogne. Un acteur de poids.

Les concepteurs de cette cuvée ont souhaité mettre en lumière le paradoxe de ce cépage, réputé donner des vins puissants et charpentés, mais capable de fournir des bouteilles élégantes dans leur jeunesse, comme celle-ci. Un vin à la robe profonde, au nez intense, entre fruits noirs et épices. Rond et suave en attaque, à la fois dense et souple, il s'adosse à des tanins mûrs et offre une longue finale aux nuances de liqueur de fruits et de cacao. ⧗ 2019-2024 ■ **Clos Saint-Martin 2016 (8 à 11 €; 24000 b.)** : vin cité.

PLAIMONT, rte d'Orthez, 32400 Saint-Mont, tél. 05 62 69 62 87, l.mene-castillou@plaimont.fr t.l.j. sf sam. dim. 9h-12h 14h-18h

♥ DOM. SERGENT Les Noyers 2016 ★★

■	16900		8 à 11 €

En 1902, Hubert Dousseau acquiert le domaine. Depuis 1995, Brigitte et Corinne, ses arrière-petites-filles, y conduisent un vignoble de 22 ha. Elles ont converti en gîte une petite maison gasconne au cœur des vignes et proposent, outre le vin, des foies gras, confits et autres magrets de canard.

Encore une année faste pour le domaine : cette cuvée, issue d'une seule parcelle de tannat, succède à deux coups de cœur pour le millésime précédent. D'un grenat intense et brillant, ce 2016 s'impose d'emblée par son nez somptueux, qui s'ouvre sur un boisé raffiné aux nuances de moka, avant de déployer une chaleureuse gamme fruitée – les fruits noirs confiturés, la cerise au kirsch – nuancée de réglisse et de menthol. Suave en attaque, consistante et charnue, la bouche déroule un tapis de tanins savoureux aux accents d'épices et de cèdre, qui soulignent la longue finale réglissée et mentholée. Un madiran de caractère à la superbe expression. ⧗ 2022-2028

EARL DOUSSEAU, Dom. Sergent, 32400 Maumusson-Laguian, tél. 05 62 69 74 93, contact@domaine-sergent.com V t.l.j. sf dim. 8h30-12h30 14h-18h30; sam. sur r.-v.

CH. VIELLA Prestige 2016 ★★

7000		11 à 15 €

Propriété de la famille depuis 1952, conduite par Alain Bortolussi depuis 1982, épaulé par ses filles Claire et Marion (qui ont repris le Dom. Berthoumieu), l'exploitation tire son nom de la commune gersoise où elle est implantée. Bien restauré, un vrai château du XVIIIᵉs., dominant un coteau viticole, des caves voûtées abritant le chai à barriques ; 25 ha de vignes et des vins (madiran et pacherenc) souvent en vue.

Élue coup de cœur dans le millésime précédent, cette cuvée de pur tannat élevée en barrique neuve reste d'une excellente tenue. Profonde à l'œil comme au nez, elle affiche une robe presque noire et dévoile un nez suave, intense et complexe, sur la myrtille confiturée et les épices - des arômes qui se prolongent en bouche, mâtinés de touches solaires d'olive noire et de thym. Une attaque ample et suave, relayée par une belle vivacité, ouvre sur un palais bien construit, ample et très persistant, aux tanins fins, marqué en finale par une pointe de cassis et de réglisse. ⧗ 2020-2025

SCEA CH. DE VIELLA (CH. VIELLA), rte de Maumusson, 32400 Viella, tél. 05 62 69 75 81, contact@chateauviella.fr V t.l.j. sf sam. 8h-12h 14h-18h30; dim. sur r.-v. 3 E

PACHERENC-DU-VIC-BILH

Superficie : 260 ha / Production : 10 510 hl

Né sur la même aire que le madiran, ce vin blanc est issu de cépages locaux (courbu, gros et petit mansengs, arrufiac) et bordelais (sauvignon); cet ensemble apporte une palette aromatique d'une extrême richesse. Tous les pacherenc sont gras et vifs. Suivant les conditions climatiques du millésime, ils sont secs ou moelleux. Les premiers, à boire jeunes, expriment les agrumes, les fruits exotiques et le miel. L'amande et la noisette s'ajoutent à cette gamme dans les moelleux, de moyenne garde.

ODÉ D'AYDIE 2017 ★

35000		11 à 15 €

Le château d'Aydie est une affaire de famille (et une valeur sûre) : quatre enfants Laplace suivent aujourd'hui les traces de leur grand-père Frédéric, qui fut l'un des premiers à vendre du madiran en bouteilles, avec l'aide d'André Daguin, le célèbre cuisinier gascon. À l'exploitation, qui couvre 70 ha, s'est ajoutée une structure de négoce.

Fermenté en cuve et en barrique de 350 l, puis élevé en cuve, ce pacherenc sec revêt une robe paille claire. Timide au premier nez, il monte en puissance sur les fruits exotiques (ananas, litchi) nuancés d'un boisé toasté. En bouche, des arômes d'agrumes soulignent la fraîcheur de l'attaque, relayés par des notes d'ananas et de mangue et par un boisé qui apporte volume, suavité et notes grillées. Une finale vive conclut la dégustation. ⧗ 2019-2022

SAS FAMILLE LAPLACE, 64330 Aydie, tél. 05 59 04 08 00, contact@famillelaplace.com V t.l.j. 9h-13h 14h-19h

DOM. DOU BERNÈS 2018

4000	5 à 8 €

Dans le paysage des petites collines dodues d'Aydie, Jean-Paul Cazenave, à la suite de trois générations, cultive un vignoble qui compte aujourd'hui 14 ha – les trois-quarts en madiran, le reste en pacherenc-du-vic-bilh et en béarn rosé.

Pas moins de quatre cépages sont assemblés pour obtenir ce pacherenc sec : outre les deux mansengs (60 %), le courbu (30 %) et le sauvignon. Le nez associe le zeste d'orange, la pêche et la mangue aux fruits secs, à la vanille et aux épices douces. Dans le même registre suave et vanillé, la bouche ample est tendue par une acidité minérale qui donne une certaine allonge à la finale, marquée par un retour de l'écorce d'agrumes. ⧗ 2019-2022

EARL DOU BERNÈS, Curon, 64330 Aydie, tél. 05 59 04 06 78, domaine.doubernes@orange.fr V t.l.j. 8h30-12h30 14h-19h

DOM. BERTHOUMIEU Constance 2018 ★

6500		15 à 20 €

Fondée vers 1850, cette propriété familiale a vu se succéder six générations. À la suite de son père Louis, Didier Barré, installé en 1983, a contribué au renouveau du madiran, dont il fut l'un des porte-étendards. En 2017, les sœurs Claire et Marion Bortolussi (filles d'Alain Bortolussi du Ch. Viella) ont pris en main les destinées de ce domaine phare de 25 ha en nouant un partenariat avec le négociant Lionel Osmin pour la conduite de l'exploitation et la commercialisation des cuvées.

Petit et gros mansengs à parts égales composent cette cuvée de moelleux à la robe doré intense, qui s'ouvre à l'aération sur les fruits confits assortis d'un agréable boisé. Les fruits confits, nuancés de miel, et les notes d'élevage se prolongent dans une bouche tout en rondeur, équilibrée par ce qu'il faut de fraîcheur. ⧗ 2019-2023

SCEA CH. DE VIELLA (DOM. BERTHOUMIEU), Dutour, 32400 Viella, tél. 05 62 69 74 05, contact@domaine-berthoumieu.com V r.-v.

CLOS DE L'ÉGLISE 2016 ★

4200		11 à 15 €

Un vignoble fondé avant la Première Guerre mondiale, conduit depuis 1997 par Arnaud Vigneau, qui exploite environ 20 ha de vignes en madiran, pacherenc-du-vic-bilh et béarn.

Une robe paille doré pour ce pacherenc moelleux issu de gros manseng majoritaire. Subtil, élégant et frais, tout en nuances, le nez délivre des fragrances d'acacia, d'amande fraîche, de pêche blanche, de poire et d'ananas confit. Le palais, à l'unisson, déploie des arômes de fruits mûrs ou compotés dans une matière riche et onctueuse. La vivacité de la finale met en valeur de jolies notes d'agrumes et d'abricot. ⧗ 2019-2023

EARL VIGNEAU POUQUET, 7, rte de l'Église, 64350 Crouseilles, tél. 06 07 13 05 06, closdeleglise@orange.fr r.-v.

SEIGNEURIE DE CROUSEILLES 2018 ★★

	40000		8 à 11 €

La coopérative de Crouseilles a été créée en 1950, deux ans après la reconnaissance en AOC du madiran et du pacherenc-du-vic-bilh. Elle a largement contribué au renouveau du grand vin rouge pyrénéen, dont elle fournit plus du tiers des volumes. Regroupant cent trente vignerons, elle propose, outre le madiran, du pacherenc et du béarn.

Cette année, trois pacherenc secs ont reçu un très bon accueil de nos dégustateurs. Un petit cran au-dessus, celui-ci s'est placé sur les rangs au moment d'élire les coups de cœur. Il associe les deux mansengs au petit courbu et a été élevé pour la moitié des volumes sur lies, en barrique, avec bâtonnage. D'un or pâle brillant, il séduit par son nez expressif, partagé entre les fruits frais et un boisé subtil. En bouche, il enchante par son attaque ample, relayée par une fraîcheur minérale. Soulignée par des arômes de citron et de pamplemousse, cette vivacité porte loin la finale. ⌛ 2019-2023 **Les Ombrages 2018 ★ (8 à 11 €; 40000 b.)** : fermenté pour moitié en barrique, un pacherenc sec plutôt rond, voire suave, mais bien équilibré, aux arômes de fruits exotiques complétés en bouche par des notes de pêche blanche et de boisé. ⌛ 2019-2022 **Grains de Roy 2018 ★ (5 à 8 €; 60000 b.)** : subtil au nez, intensément fruité (ananas, pamplemousse) et légèrement boisé en bouche, vif en attaque, suave dans son développement et frais en finale, ce pacherenc sec d'une belle élégance fera un très bon vin d'apéritif. ⌛ 2019-2022

CAVE DE CROUSEILLES, rte du Château, 64350 Crouseilles, tél. 05 62 69 66 77, m.darricau@crouseilles.fr t.l.j. sf dim. 9h-12h30 14h-18h

DOM. DAMIENS 2018 ★★

	4500		8 à 11 €

En 1970, André Beheïty, jeune agriculteur, achète un coteau en friche de 10 ha proche de son petit vignoble de 6 ha. Première vinification en 1971, aménagement du chai à barriques en 1987. Installé en 1999, son fils Pierre-Michel dispose de 17 ha de vignes, exploitées en bio.

Vendangés début novembre, les deux mansengs (petit manseng surtout) qui composent cette cuvée ont permis d'obtenir un moelleux à la robe jaune doré et au nez bien ouvert et franc, associant les fruits exotiques (ananas en tête) à un soupçon de boisé. Gourmand, puissant, aussi rond que long, tendu par une belle acidité, le palais présente un remarquable équilibre. ⌛ 2019-2024 **2018 (5 à 8 €; 4000 b.)** : vin cité.

SCEA BEHEÏTY, RD_317, 64330 Aydie, tél. 05 59 04 03 13, domainedamiens64@gmail.com t.l.j. 9h-12h30 14h-18h30; dim. sur r.-v.

DOM. LABRANCHE LAFFONT 2017 ★★

	12300		11 à 15 €

Le domaine familial remonte à la Révolution. Jeune œnologue, Christine Dupuy s'installe en 1992 sur l'exploitation. Elle porte sa superficie de 6 à 21 ha et, surtout, s'impose comme l'une des valeurs sûres des appellations madiran et pacherenc. Son trésor : 50 ares de vignes préphylloxériques. Vignoble en bio certifié depuis 2014.

Une fermentation et un élevage en barrique sans soufre, ont donné à ce pacherenc sec des notes beurrées, alliées à des fragrances florales et à des nuances de fruits exotiques et de truffe blanche. Une attaque ronde et gourmande ouvre sur un palais suave, équilibré par une fine acidité et marqué en finale par un retour du boisé. De la complexité. ⌛ 2019-2022 **2017 ★ (15 à 20 €; 5800 b.)** : issu pour l'essentiel de petit manseng, fermenté et élevé en barrique, un moelleux subtil et complexe au nez (abricot, agrumes, ananas, noisette grillée, fumé), ample, gras, suave et gourmand au palais, tonifié par une finale citronnée. ⌛ 2019-2023

EARL CHRISTINE DUPUY, Dom. Labranche Laffont, 32400 Maumusson-Laguian, tél. 05 62 69 74 90, christine.dupuy@labranchelaffont.fr t.l.j. 9h-12h30 14h-19h; dim. sur r.-v.

CH. LAFFITTE-TESTON
Rêve d'automne 2017 ★★

	20000		15 à 20 €

Jean-Marc Laffitte a acquis en 1983 ce domaine qui compte aujourd'hui 50 ha. Il possède un chai souterrain de 600 barriques et expérimente le vieillissement de ses madiran en fût, à 800 m de profondeur au fond des grottes de Bétharram. Ses enfants Ericka et Joris l'épaulent désormais.

Sec ou moelleux, les pacherenc du domaine sont régulièrement en bonne place dans le Guide. Ce Rêve d'automne, issu de petit manseng presque confit sur pied, récolté par tries, s'est ainsi placé sur les rangs au moment d'élire les coups de cœur. Ses atouts? Une robe intense, paille doré, laissant de belles larmes sur les parois du verre; des parfums complexes : acacia, notes de surmaturation (nèfle, ananas confit au nez, mangue et coing en bouche), boisé vanillé; une bouche intense, généreuse et riche, bien équilibrée par une acidité sous-jacente. Une friandise. ⌛ 2019-2024 **Ericka 2017 (11 à 15 €; 40000 b.)** : vin cité.

SARL JEAN-MARC LAFFITTE, Ch. Laffitte-Teston, A Teston, 32400 Maumusson-Laguian, tél. 05 62 69 74 58, info@laffitte-teston.com t.l.j. sf dim. 9h-12h30 14h-18h30

♥ **DOM. LAOUGUÉ** L'Orée 2018 ★★

	6000		8 à 11 €

DOMAINE LAOUGUÉ
Pacherenc du Vic-Bilh sec
L'Orée

Pierre Dabadie s'est installé en 1980 sur l'exploitation familiale, dont la superficie est passée de 7 à 25 ha. Ses vins, rouges comme blancs, secs comme doux, sont régulièrement en vue. En 2014, son fils Sylvain, qui a pris le relais, réoriente la conduite de la vigne et renouvelle les cuvées.

Une cuvée innovante et plébiscitée : ce pacherenc sec

donne le premier rôle au petit courbu (90 %, avec le petit manseng en complément), cépage qui n'apparaît le plus souvent qu'en appoint dans l'appellation. Dès l'approche, il s'impose par sa robe d'un jaune profond étincelante de reflets dorés, puis par son nez intense, sur les agrumes, l'ananas et les fruits blancs, nuancés de miel et d'un soupçon d'épices douces. On retrouve l'ananas rôti et les agrumes dans une bouche ample, onctueuse et longue, portée par une belle acidité citronnée et marquée en finale par une noble amertume. Un vin harmonieux et complexe, pour l'apéritif comme pour la table. ⧗ 2019-2023 ■ **19.58 2018 ★★** (8 à 11 €; **8000 b.**) : plus classique que le pacherenc sec par son assemblage (petit et gros mansengs à parité), le moelleux du domaine est remarquable par sa richesse aromatique (agrumes et ananas confits, fruits exotiques compotés), par son opulence et son onctuosité, équilibrées par une pointe d'acidité en finale. ⧗ 2019-2024

EARL DABADIE, rte de Madiran, 32400 Viella, tél. 05 62 69 90 05, contact@domaine-laougue.fr V t.l.j. 8h30-19h

DOM. DE MAOURIES Grains d'hiver 2017 ★

■	4500		11 à 15 €

Fondé en 1907, le domaine de Maouries compte aujourd'hui 25 ha de vignes, répartis sur trois communes et vingt-cinq parcelles. Si Jacqueline et André Dufau s'activent toujours sur l'exploitation, ce sont leurs trois enfants, Philippe, Pascal et Isabelle qui en assurent la gestion, avec la nouvelle génération (Claire, ingénieur agronome). La carte des vins propose trois AOC (pacherenc, madiran et saint-mont) et des IGP côtes-de-gascogne.

Vendangé le 10 novembre, le petit manseng a donné naissance à ce moelleux dont les reflets cuivrés annoncent la richesse. Intense et complexe, le nez associe les fruits jaunes (pêche, abricot et prune), les fruits exotiques (fruit de la Passion, papaye) et une touche de truffe. Avec ses nuances de figue, le fruit prend au palais un caractère plus confit, en harmonie avec une matière onctueuse, équilibrée par un trait d'acidité. La finale se teinte de notes boisées aux accents d'amande, de cacao et de moka. ⧗ 2019-2024

GAEC DOM. DE MAOURIES, lieu-dit Maouries, 32400 Labarthète, tél. 05 62 69 63 84, domainemaouries@gmail.com V r.-v.

VIGNOBLE MARIE MARIA Bonificat l'Hivernal 2018 ★★

■	2500		20 à 30 €

Une structure coopérative créée par des vignerons de la cave de Crouseilles dans le but de proposer des madiran tout en fraîcheur, loin de l'archétype de l'appellation privilégiant la puissance et la concentration. À sa carte figurent aussi des pacherenc-du-vic-bilh. Le nom des vins de cette gamme évoque l'abbaye bénédictine de Madiran (devenue paroisse Sainte-Marie), qui a contribué à l'essor du vignoble.

Jugé remarquable, comme les deux derniers millésimes, ce vin doux provient d'une vendange hivernale, la dernière de l'année en pacherenc, juste avant Noël. Après un élevage de douze mois sur lies, en fût, avec bâtonnage, on obtient un vin opulent. Le nez monte en puissance sur des notes complexes de coing, de mangue et d'ananas confits, alliées à un boisé bien fondu. Le palais suit la même ligne, concentré, riche et persistant, équilibré par un trait de fraîcheur. ⧗ 2019-2025 ■ **Novel 2018 ★★** (8 à 11 €; **20000 b.**) : une fois de plus, ce pacherenc sec mi-cuve mi-fût, issu de gros manseng et de petit courbu, obtient deux étoiles, tant pour son expression aromatique complexe (fleurs blanches, agrumes, fruits exotiques et léger boisé) que pour son palais persistant, équilibré entre rondeur et fraîcheur. ⧗ 2019-2023

SAS CROUSEILLES-MADIRAN, rte de Madiran, 64350 Crouseilles, tél. 05 62 69 66 77, m.darricau@crouseilles.fr V t.l.j. sf dim. 9h-12h30 14h-18h

Ⓑ DOM. DU MOULIÉ Sec L'Insolite 2017 ★★

■	1800	8 à 11 €

En gascon, *moulié* signifie «moulin» et «meunier». Le domaine remonte au XVIII[e]s. Dans la famille depuis 1920, il borde l'ancien chemin menant au moulin du village situé sur le Bergons, petit affluent de l'Adour. Les deux sœurs Charrier, Lucie (à la cave) et Michèle (à la vigne), y conduisent un vignoble de 16 ha selon des pratiques respectueuses de l'environnement (domaine certifié Haute valeur environnementale et agriculture biologique pour les cépages du pacherenc).

L'insolite? La cuvée est nommée en raison du profil aromatique original de ce pacherenc sec, qui provient d'ailleurs d'un assemblage peu courant : pas de gros manseng, mais 10 % de petit manseng et surtout 60 % de petit courbu et 40 % d'arrufiac, cépages locaux longtemps oubliés. D'une belle intensité, le nez s'ouvre sur la pomme, le coing, le zeste d'orange, un léger miel et des épices douces. Quant à la bouche, elle apparaît suave, beurrée, presque moelleuse, tonifiée par une fraîcheur aux accents d'agrumes, relevée d'une pointe poivrée et marquée en finale par un retour des épices douces. ⧗ 2019-2020

EARL CHIFFRE-CHARRIER, 32400 Cannet, tél. 05 62 69 77 73, domainedumoulie@orange.fr V *t.l.j. 9h-12h 14h-18h; dim. sur r.-v.*

CH. DE PERRON 2017 ★

■	2070		8 à 11 €

Construit en 1645, le château de Perron domine la vallée de l'Adour. Il a gardé un chai datant de 1734 – âge d'or des vins de Madiran. Devenu bien national à la Révolution, il disposait à l'époque de 50 ha de vignes. Replanté à partir de 1945, il compte aujourd'hui 14 ha. À sa tête depuis 2012, Isabelle de Saint-Sernin a succédé à son père et à son frère.

Né de petit manseng majoritaire, ce pacherenc doux en robe claire libère des parfums frais et engageants d'acacia, de pêche blanche et d'ananas, teintés de pamplemousse et d'une touche anisée. L'attaque ronde est relayée par une belle acidité qui met en valeur des arômes de fruits confits et souligne la finale citronnée. Un moelleux tonique, de style moderne. ⧗ 2019-2023

ISABELLE DE SAINT-SERNIN, 10, rte de Perron, 65700 Madiran, tél. 06 86 52 27 06, isabelle@chateaudeperron.fr V *r.-v.*

SUD-OUEST

♥ SAINT-MARTIN
Barriques d'or 2018 ★★

■ | 15000 | | 15 à 20 €

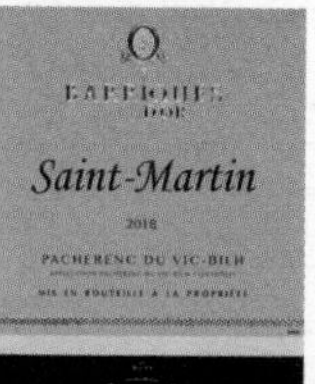

Le groupe Plaimont est le fruit d'une association de trois caves qui, en 1979, unirent leurs initiales (PL pour Plaisance, AI pour Aignan et MONT pour Saint-Mont) pour créer ce leader des vins du Sud-Ouest produisant 40 millions de bouteilles par an. Rejoint en 1999 par les caves de Condom et de Crouseilles, Plaimont représente 98 % de l'appellation saint-mont, environ la moitié des AOC madiran et pacherenc-du-vic-bilh ainsi que des IGP côtes-de-gascogne. Un acteur de poids.

La Saint-Martin, fête qui parlait au monde rural, s'est effacée devant le 11 Novembre : c'est le même jour, qui coïncide peu ou prou avec la date de la récolte des raisins (petits et gros mansengs, petit courbu) à l'origine de ce superbe moelleux. Si la robe est pâle, le nez monte en puissance, révélant tout au long de la dégustation de multiples nuances : fleurs blanches, fruits blancs et fruits exotiques, touche vanillée. Gorgés de sucre, mangue, ananas, fruit de la Passion se déploient dans une bouche ronde, mis en valeur par une fine acidité qui allège le vin et porte loin la finale. Un pacherenc exquis, intense et complexe. ⧗ 2019-2025 ■ **Saint-Albert 2018 ★★ (20 à 30 €; 37000 b.)** : vendangés autour du 15 novembre, à la Saint-Albert, les raisins ont donné naissance à ce moelleux harmonieux, intense et frais, à l'expression gourmande et complexe (fleurs blanches, ananas, mangue, boisé fondu). ⧗ 2019-2025

PLAIMONT, rte d'Orthez, 32400 Saint-Mont, tél. 05 62 69 62 87, l.mene-castillou@plaimont.fr V t.l.j. sf sam. dim. 9h-12h 14h-18h

DOM. SERGENT 2018 ★★

■ | 5300 | | 5 à 8 €

En 1902, Hubert Dousseau acquiert le domaine. Depuis 1995, Brigitte et Corinne, ses arrière-petites-filles, y conduisent un vignoble de 22 ha. Elles ont converti en gîte une petite maison gasconne au cœur des vignes et proposent, outre le vin, des foies gras, confits et autres magrets de canard.

Proposé pour un coup de cœur, ce pacherenc sec confirme le talent des vigneronnes qui brillent aussi en madiran. On aime son nez très frais et fruité, entre fruits exotiques (litchi, ananas) et agrumes (citron et pamplemousse), nuancés de subtiles notes d'élevage. En bouche, l'attaque légèrement perlante annonce une belle tension. Une vivacité qui équilibre une matière ample et onctueuse et donne de l'allonge à la finale fruitée, marquée par un boisé beurré et bien fondu. ⧗ 2019-2022 ■ **2018 (8 à 11 €; 9600 b.)** : vin cité.

EARL DOUSSEAU, Dom. Sergent, 32400 Maumusson-Laguian, tél. 05 62 69 74 93, contact@domaine-sergent.com V t.l.j. sf dim. 8h30-12h30 14h-18h30; sam. sur r.-v. B

STRATÉUS 2017 ★

■ | 6300 | | 15 à 20 €

En 2014, Simon Ribert reprend le vignoble de son grand-père, environ 3 ha à Madiran. C'est en cultivant avec ce dernier des vignes de quatre-vingts ans qu'il a conforté sa vocation de vigneron. Il s'est formé un an au Ch. Montus. Ses vins sont d'ailleurs pour l'heure vinifiés à la coopérative de Castelnau-Rivière-Basse en partenariat avec les vignobles d'Alain Brumont. Il applique la démarche biodynamique sans label, en «artisan vigneron». En 2019, à vingt-six ans, il présente son premier millésime et fait son entrée dans le Guide.

Les jeunes plants (cinq ans) de petit et de gros mansengs, plantés par le vigneron, ont donné naissance à un moelleux à la robe paille clair, plaisant par son nez frais, discrètement floral, qui s'oriente à l'aération vers la pêche, la mirabelle et l'abricot sec. Avec son attaque souple et douce, équilibrée par une finale acidulée, ce vin doux offre un profil moderne, facile d'accès. ⧗ 2019-2024

EARL DES 4 V, 7, imp. Congalinon, 65700 Madiran, tél. 06 76 54 13 21, strateus.madiran@gmail.com

CH. VIELLA 2018 ★★

■ | 10000 | | 5 à 8 €

Propriété de la famille depuis 1952, conduite par Alain Bortolussi depuis 1982, épaulé par ses filles Claire et Marion (qui ont repris le Dom. Berthoumieu), l'exploitation tire son nom de la commune gersoise où elle est implantée. Bien restauré, un vrai château du XVIIIe s., dominant un coteau viticole, des caves voûtées abritant le chai à barriques; 25 ha de vignes et des vins (madiran et pacherenc) souvent en vue.

Aussi remarquable que les deux millésimes précédents, proche du coup de cœur, ce pacherenc sec paille doré assemble gros manseng (60 %), petit manseng (20 %) et arrufiac, un autre cépage local. Fermenté et élevé en barrique, il s'ouvre pourtant sur des notes florales et fruitées, intenses et très fraîches, aux nuances de fruits exotiques et d'agrumes, avec un léger miel et un subtil boisé. Le jasmin se lie aux fruits tropicaux et aux agrumes dans une bouche harmonieuse et longue, à la fois ample, suave et tendue. ⧗ 2019-2022 ■ **Louise d'Aure 2018 ★ (8 à 11 €; 13000 b.)** : issu des deux mansengs à parts égales, élevé en cuve, un moelleux équilibré, ample et acidulé, au nez intense et frais, d'une jolie complexité (fleurs, abricot, coing, ananas, orange confite). ⧗ 2019-2023

SCEA CH. DE VIELLA (CH. VIELLA), rte de Maumusson, 32400 Viella, tél. 05 62 69 75 81, contact@chateauviella.fr V t.l.j. sf sam. 8h-12h 14h-18h30; dim. sur r.-v. 3 E

SAINT-MONT

Superficie : 1149 ha
Production : 76724 hl (80 % rouge et rosé)

Consacré AOVDQS en 1981 sous le nom de côtes-de-saint-mont, le saint-mont a accédé trente ans plus tard à l'AOC. Prolongement vers l'est du vignoble de Madiran, il tire son nom et son origine d'une abbaye fondée au XIe s. et a connu une renaissance à partir

de 1970. Le cépage rouge principal est encore ici le tannat, les cépages blancs, vinifiés en secs, se partageant entre la clairette, l'arrufiac, le courbu et les mansengs. L'essentiel de la production est assuré par l'union dynamique des caves coopératives Plaimont. Les rouges sont colorés et corsés, rapidement ronds et plaisants, les rosés, fins et fruités, les blancs secs et nerveux.

LES VINS DE CLAIRE 1re Vendange 2018

■ | 10000 | | 8 à 11 €

Fondé en 1907, le domaine de Maouries compte aujourd'hui 25 ha de vignes, répartis sur trois communes et vingt-cinq parcelles. Si Jacqueline et André Dufau s'activent toujours sur l'exploitation, ce sont leurs trois enfants, Philippe, Pascal et Isabelle qui en assurent la gestion, avec la nouvelle génération (Claire, ingénieur agronome). La carte des vins propose trois AOC (pacherenc, madiran et saint-mont) et des IGP côtes-de-gascogne.

Dernière arrivée sur l'exploitation, Claire Dufau a lancé son étiquette en 2017. Le tannat (80 %) domine l'assemblage de ce 2018 qui affiche sa jeunesse dans les reflets violines de sa robe. Franc et plutôt chaleureux, le nez associe le cassis et la fraise écrasés. On retrouve cette tonalité dans une bouche généreuse, ample et structurée, à la finale tannique et austère. Un vin plutôt simple mais consistant. ⧗ 2021-2024

GAEC DOM. DE MAOURIES, lieu-dit Maouries, 32400 Labarthète, tél. 05 62 69 63 84, domainemaouries@gmail.com V r.-v. E

PLAIMONT L'Empreinte de Saint-Mont 2017 ★★

■ | 25000 | | 11 à 15 €

Le groupe Plaimont est le fruit d'une association de trois caves qui, en 1979, unirent leurs initiales (PL pour Plaisance, AI pour Aignan et MONT pour Saint-Mont) pour créer ce leader des vins du Sud-Ouest produisant 40 millions de bouteilles par an. Rejoint en 1999 par les caves de Condom et de Crouseilles, Plaimont représente 98 % de l'appellation saint-mont, environ la moitié des AOC madiran et pacherenc-du-vic-bilh ainsi que des IGP côtes-de-gascogne. Un acteur de poids.

Superbe dans les deux derniers millésimes, cette cuvée est encore remarquable cette année. Elle naît du trio tannat, pinenc (fer-servadou) et cabernet-sauvignon récoltés sur les trois terroirs de l'appellation : argiles calcaires, argiles bigarrées et sables fauves. Après douze mois en barrique et quatre en cuve, elle affiche une robe presque noire à reflets violets. Chaleureuse au nez, elle associe les fruits noirs confiturés, cassis en tête, le poivre et des notes d'élevage vanillées, réglissées et cacaotées, nuancées d'une touche de noix de coco. Puissante dès l'attaque, séveuse, concentrée, elle s'appuie sur une solide charpente de tanins serrés, encore massifs, qui signe un vin de garde. ⧗ 2021-2026 ■ **Les Hauts de Bergelle 2017 ★ (8 à 11 €; 220000 b.)** : quatre mois de cuve et onze mois de fût pour ce vin bien construit et prometteur, à la fois généreux et frais, aux arômes de petits fruits confiturés et de boisé grillé, qui demande à se fondre. ⧗ 2021-2026 ■ **Les Vieilles Vignes 2017 ★ (8 à 11 €; 15000 b.)** : très marqué par le tannat (80 %), ce 2017 revêt une robe profonde à nuances violines et s'ouvre sur des parfums francs de fruits noirs (cassis, mûre et myrtille). Ces arômes s'affirment dans une bouche puissante et fraîche, charpentée par des tanins déjà enrobés, qui tire de son élevage en barrique une touche de sucrosité et une note de moka en finale. ⧗ 2020-2026 ■ **L'Absolu des trois terroirs 2016 ★ (11 à 15 €; 10000 b.)** : un millésime ample et chaleureux, mariant au nez les petits fruits rouges et noirs confiturés à un boisé vanillé et très toasté. ⧗ 2021-2025

PLAIMONT, rte d'Orthez, 32400 Saint-Mont, tél. 05 62 69 62 87, l.mene-castillou@plaimont.fr V *t.l.j. sf sam. dim. 9h-12h 14h-18h*

PLAIMONT L'Absolu des trois terroirs 2017 ★★

■ | 15000 | | 11 à 15 €

Le groupe Plaimont est le fruit d'une association de trois caves qui, en 1979, unirent leurs initiales (PL pour Plaisance, AI pour Aignan et MONT pour Saint-Mont) pour créer ce leader des vins du Sud-Ouest produisant 40 millions de bouteilles par an. Rejoint en 1999 par les caves de Condom et de Crouseilles, Plaimont représente 98 % de l'appellation saint-mont, environ la moitié des AOC madiran et pacherenc-du-vic-bilh ainsi que des IGP côtes-de-gascogne. Un acteur de poids.

Une belle régularité pour cette cuvée issue de trois terroirs (argiles calcaires, sables fauves et argiles à galets) et de trois cépages (gros manseng, petit manseng et petit courbu). Le 2017 enchante par son nez intense et complexe : on hume au-dessus du verre des agrumes confits, du zeste d'orange, de l'ananas bien mûr, du coing et la vanille de l'élevage. Dans le même registre fruité et boisé, le palais a pour atouts sa persistance et un équilibre remarquable entre gras et fraîcheur. ⧗ 2019-2024 ■ **Ch. Saint-Go 2017 ★★ (8 à 11 €; 15000 b.)** : né de gros manseng, de petit courbu et d'arrufiac, élevé en cuve, un blanc sec puissant et persistant, à la fois onctueux et frais, suave en finale, à l'expression aromatique flatteuse, tonique et pourtant mûre (agrumes, ananas, mangue assortis d'un léger miel et de coing). ⧗ 2019-2023 ■ **Témoignage 2017 ★ (5 à 8 €; 60000 b.)** : mariant gros manseng, arrufiac et petit courbu, un vin blanc sec tendu et pourtant généreux, aux arômes de fruits exotiques, de zeste de citron et de coing. ⧗ 2019-2024 ■ **Rosé d'enfer 2018 (8 à 11 €; n.c.)** : vin cité.

PLAIMONT, rte d'Orthez, 32400 Saint-Mont, tél. 05 62 69 62 87, l.mene-castillou@plaimont.fr V *t.l.j. sf sam. dim. 9h-12h 14h-18h*

TURSAN

Superficie : 300 ha
Production : 16 532 hl (82 % rouge et rosé)

Autrefois vignoble d'Aliénor d'Aquitaine, le terroir de Tursan s'étend essentiellement dans les Landes, sur les coteaux de l'est de la Chalosse, autour d'Aire-sur-Adour et de Geaune. Il produit des vins dans les trois couleurs. Les plus intéressants sont les blancs, issus principalement d'un cépage original, le baroque. Des vins secs et nerveux, au parfum inimitable. Longtemps classé en AOVDQS (appellation d'origine

SUD-OUEST

vin délimité de qualité supérieure), il a accédé à l'AOC à la disparition des AOVDQS en 2011.

LES VIGNERONS LANDAIS Secret 2017 ★★

■ | 1000 | | 11 à 15 €

Cette coopérative fondée en 1958 regroupe aujourd'hui quelque 150 vignerons sur les terroirs de Tursan et de Chalosse, dans le sud des Landes. Elle dispose de 500 ha et vinifie 95 % de l'AOC tursan.

Complété par le gros manseng et par un appoint de sauvignon, le baroque, cépage typique de l'appellation, compose 35 % de l'assemblage de cette cuvée or pâle restée trois mois dans le bois. Ce court séjour dans le chêne n'a pas masqué son fruit, qui s'exprime en notes intenses et toniques de fleurs blanches, de genêt, de foin fraîchement coupé, de fruits exotiques et de citron, avec une touche de minéralité. Le palais, à l'unisson du nez, apparaît droit, vif et aromatique, bien équilibré entre gras et fraîcheur. On y retrouve les fruits exotiques, alliés aux fleurs séchées. Un tursan blanc typé et harmonieux. ⧗ 2019-2022 ■ **Ch. Bourda Premium Élevé en fût de chêne 2016 ★ (5 à 8 €; 75000 b.)** : issu de cabernets (franc surtout) et de tannat, une cuvée au nez complexe (léger poivron, puis fruits rouges, baies noires, réglisse, épices) et à la bouche souple, ample et gourmande, de bonne longueur. ⧗ 2019-2023 ■ **Secret 2016 ★ (11 à 15 €; 10000 b.)** : une cuvée issue de cabernet franc et de tannat presque à parité, complétés par une goutte de cabernet-sauvignon. Ses atouts : des arômes de fruits noirs soulignés d'un boisé réglissé et épicé et une bouche ample, aux tanins polis. ⧗ 2020-2023 ■ **Expression 2018 (5 à 8 €; 3500 b.)** : vin cité.

SCA LES VIGNERONS LANDAIS TURSAN-CHALOSSE, 30, rue Saint-Jean, 40320 Geaune, tél. 05 58 44 51 25, technique@tursan.fr V t.l.j. sf dim. 9h-12h 14h30-17h30

BÉARN

Les vins du Béarn peuvent être produits sur trois aires séparées. Les deux premières coïncident avec celles du jurançon et du madiran. La troisième comprend les communes qui entourent Orthez, Salies-de-Béarn et Bellocq. Reconstitué après la crise phylloxérique, le vignoble occupe les collines prépyrénéennes et les graves de la vallée du Gave. Les cépages rouges sont constitués par le tannat, les cabernet-sauvignon et cabernet franc (bouchy), les anciens manseng noir, courbu rouge et fer-servadou. Les vins sont corsés et généreux, les rosés vifs et délicats, avec des arômes fins de cabernet et une bonne structure en bouche.

DOM. DU CHÂTEAU 2017 ★★

■ | 38600 | | 5 à 8 €

Fondée en 1949, la cave de Gan réunit 750 ha de vignes, soit plus de 250 viticulteurs. Elle fournit plus de la moitié des volumes de l'appellation jurançon et joue aussi un rôle majeur dans l'AOC béarn. Elle propose ses vins de marque et des vins de propriétés élaborés par ses soins. Un acteur incontournable du vignoble du piémont pyrénéen.

Issue de tannat majoritaire, assemblé aux deux cabernets (franc surtout), cette cuvée est élevée en barrique pour 20 %. D'un grenat aux reflets violines, elle s'ouvre sur la cerise et les baies noires, alliées à des touches d'élevage aux accents de tabac et de vanille. Les fruits prennent des tons compotés dans un palais séduisant par son ampleur, sa franchise et par la finesse de ses tanins. Un vin très bien construit. ⧗ 2019-2024 ■ **Oh! Biarnesa 2017 ★ (- de 5 €; 50000 b.)** : mi-tannat mi-cabernets, un vin rouge aux arômes de fruits noirs et d'épices douces, remarquable par sa bouche ample, charnue et consistante, qui laisse deviner un potentiel intéressant. ⧗ 2020-2024 ■ **Oh! Biarnesa 2018 ★ (- de 5 €; 120000 b.)** : d'un joli rose soutenu, tendance grenadine, ce 2018 livre un bouquet flatteur de fraise et de cerise. En bouche, il apparaît franc et frais en attaque, puis plus rond et vineux. Un rosé pour la table. ⧗ 2019-2020

CAVE DES PRODUCTEURS DE JURANÇON, 53, av. Henri-IV, 64290 Gan, tél. 05 59 21 57 03, cave@cavedejurancon.com V r.-v.

DOM. GUILHEMAS 2017 ★★

■ | 15000 | | 5 à 8 €

Installé à Salies-de-Béarn, une des nombreuses petites villes thermales du piémont pyrénéen, Pascal Lapeyre a repris en 1987 le domaine fondé en 1909 par son arrière-grand-père et aménagé la cuverie et le chai. Exposés plein sud, ses 13 ha de vignes couvrent les coteaux du Guilhemas, face aux Pyrénées. Ses vins, valeurs sûres de l'AOC béarn, sont vendus sous l'étiquette Dom. Lapeyre ou Dom. Guilhemas.

Mi-tannat mi-cabernets, mi-cuve mi-fût, ce 2017 est aussi remarquable que les deux millésimes précédents. D'un grenat animé de reflets violets, il enchante par la subtilité de son expression associant le cuir, les fruits noirs (myrtille), le sous-bois et le poivre. La bouche n'est pas en reste : ample et riche avec élégance, elle s'adosse à des tanins aussi denses que fins et offre une finale intense et persistante. ⧗ 2020-2023 ■ **Dom. Lapeyre 2017 (8 à 11 €; 12500 b.)** : vin cité.

SCEA PASCAL LAPEYRE, 52, av. des Pyrénées, 64270 Salies-de-Béarn, tél. 05 59 38 10 02, contact@domaine-lapeyre-guilhemas.com V *t.l.j. sf dim. 8h30-12h30 15h-19h30*

JURANÇON

«Je fis, adolescente, la rencontre d'un prince enflammé, impérieux, traître comme tous les grands séducteurs : le jurançon», écrit Colette. Célèbre depuis qu'il servit à Pau au baptême d'Henri IV, le jurançon est devenu le vin des cérémonies de la maison de France. On trouve ici les premières notions d'appellation protégée – car il était interdit d'importer des vins étrangers – et même une hiérarchie des crus, puisque toutes les parcelles étaient répertoriées suivant leur valeur par le parlement de Navarre. Comme les autres vins de Béarn, le jurançon, alors rouge ou blanc, était expédié jusqu'à Bayonne, au prix de navigations parfois hasardeuses sur les eaux du Gave. Très prisé des Hollandais et des Américains, le jurançon connut une éclipse avec la crise phylloxérique. La reconstitution du vignoble fut effectuée avec les méthodes et les cépages anciens, sous l'impulsion de la Cave de Gan et de quelques propriétaires.

Ici plus qu'ailleurs, le millésime revêt une importance primordiale, surtout pour les jurançon moelleux qui

belle ampleur, riche et équilibré, il finit sur d'agréables sensations acidulées. ⧗ 2019-2027

⊶ *EARL HAUGAROT, 672, chem. des Crêtes, 64110 Saint-Faust, tél. 05 59 40 69 10, domainehaugarot@yahoo.fr* V ⚐ ▮ *t.l.j. 8h30-12h30 13h30-19h*

CH. DE JURQUE Fantaisie Sec 2018

	12000	▮	8 à 11 €

Les domaines Latrille se composent de deux propriétés en jurançon. Le berceau est le château Jolys (32 ha), créé en 1962 par Pierre-Yves Latrille, ingénieur agronome ; le château de Jurque (10 ha) a été planté entre 2003 et 2011. Petites-filles du fondateur, Claire Bessou-Latrille, ingénieur agronome et œnologue, et sa sœur Camille, commerciale, sont aux commandes depuis 2012.

Issu des deux mansengs, ce jurançon sec en robe pâle livre avec discrétion d'élégantes senteurs d'agrumes, d'ananas et de litchi. Le prélude à une bouche, dont la vivacité fringante est soulignée par des arômes de pamplemousse et de citron. La finale est teintée d'une légère amertume. ⧗ 2019-2022 ■ **Ch. Jolys Sec 2018 (5 à 8 €; 24000 b.)** : vin cité.

⊶ *SCEA DOMAINES LATRILLE, 330, rte de la Chapelle-de-Rousse, 64290 Gan, tél. 05 59 21 72 79, contact@domaineslatrille.fr* V ⚐ ▮ *t.l.j. sf sam. dim. 8h-12h30 13h30-16h30*

VIGNOBLES ET DOMAINES LACOSTE
Le Plein de sens 2017 ★

■	10000	▮	11 à 15 €

Vignobles et Domaines Lacoste est le nom d'une structure de négoce créée en 1999 par Jean-Louis Lacoste, œnologue, propriétaire du domaine Nigri en jurançon.

Destiné principalement à la grande distribution, ce jurançon doux issu d'une sélection de petit manseng se déploie tout en rondeur, en harmonie avec une palette suave associant le miel, l'abricot sec, l'orange confite et les épices. ⧗ 2019-2025

⊶ *SARL JEAN-LOUIS LACOSTE, 31, chem. Lacoste, 64360 Monein, tél. 05 59 21 42 01, lacoste.jeanlouis11@orange.fr* V ⚐ ▮ *t.l.j. 9h-12h 13h30-18h; dim. sur r.-v.*

Ⓑ DOM. LARROUDÉ
Lou Mansengou 2017 ★★

■	5000	◍	11 à 15 €

Christiane et Julien Estoueigt ont commencé en 1986 la vente en bouteilles sur leur exploitation, située entre gave de Pau et gave d'Oloron. Après l'arrivée du fils, Jérémy, en 2012, la famille a engagé la conversion bio de la propriété. Son vignoble (8 ha) couvre des coteaux exposés plein sud, face aux Pyrénées.

Paré d'une brillante robe dorée, ce jurançon doux marie au nez les fleurs blanches, le miel, la cire et l'abricot d'un petit manseng surmûri aux notes de cannelle et de vanille léguées par l'élevage en barrique. La bouche dévoile une belle matière, une suavité vanillée contrebalancée par une acidité aux accents de zeste d'agrumes. En finale, le fruit confit est enrobé d'un généreux boisé beurré. De la prestance. ⧗ 2020-2029 ■ **Lou Balaguèr Sec 2017 ★ (8 à 11 €; 1500 b.)** Ⓑ : le camaralet (20 %) complète les petits et gros mansengs dans ce jurançon sec structuré et tendu, enrobé par l'élevage en fût. ⧗ 2019-2023

⊶ *EARL DU DOM. LARROUDÉ, Dom. Larroudé, 20, chem. du Then, 64360 Lucq-de-Béarn, tél. 05 59 34 35 40, domaine.larroude@wanadoo.fr* V ⚐ ▮ *t.l.j. sf dim. 9h-12h30 13h30- 19h*

♥ DOM. LASSERRE 2017 ★★

■	33000	▮	8 à 11 €

Fondée en 1949, la cave de Gan réunit 750 ha de vignes, soit plus de 250 viticulteurs. Elle fournit plus de la moitié des volumes de l'appellation jurançon et joue aussi un rôle majeur dans l'AOC béarn. Elle propose ses vins de marque et des vins de propriétés élaborés par ses soins. Un acteur incontournable du vignoble du piémont pyrénéen.

Vinifié par la cave de Gan, ce jurançon moelleux issu de la propriété de Jean-Charles Lasserre assemble les gros et petits mansengs. Un élevage en cuve met en valeur le fruit intense des deux cépages principaux de l'appellation, qui s'expriment dans des parfums très nets et typés de fruits exotiques confits. Ces arômes se prolongent dans un palais rond et gras à souhait, tendu par une fraîcheur qui porte loin la finale liquoreuse, teintée de nobles amers : le jury est conquis. Du foie gras? Un dessert? Pourquoi pas, mais un poulet rôti conviendra aussi à ce vin doux. ⧗ 2019-2027 ■ **Ch. Roquehort 2017 ★ (8 à 11 €; 80000 b.)** : assez simple mais expressif (fleurs blanches, miel, fruits exotiques et agrumes) et plaisant par sa fraîcheur, ce moelleux sera agréable à l'apéritif ou sur un dessert fruité. ⧗ 2019-2025

⊶ *CAVE DES PRODUCTEURS DE JURANÇON, 53, av. Henri-IV, 64290 Gan, tél. 05 59 21 57 03, cave@cavedejurancon.com* V ⚐ ▮ *r.-v.*

DOM. DE MALARRODE
Quintessence de Jurançon Cuvée Prestige Vendanges de novembre 2017 ★★

■	10000	◍	11 à 15 €

Gaston Mansanné est revenu en 1986 dans son Béarn natal. Il a arraché de vieux ceps en fin de vie et des arbres fruitiers, et replanté les gros et petit mansengs. Son domaine couvre 15 ha.

Le petit manseng à l'origine de ce moelleux a été vendangé à la mi-novembre et vinifié en cuve de bois. Après un séjour de dix-huit mois en barrique, le vin se pare d'une robe d'un doré intense et brillant et s'ouvre à l'aération sur une palette complexe associant le fruit frais (pêche, coing, ananas) au miel et à la noisette. Associé à un boisé vanillé et chocolaté, le fruit se prolonge dans un palais riche et onctueux, tonifié par une fraîcheur acidulée et par une touche d'amertume. ⧗ 2020-2029

⊶ *SCEA DOM. DE MALARRODE, 361, rte du Haut-Ucha, 64360 Monein, tél. 06 87 75 20 16, mansanne.gaston@wanadoo.fr* V ⚐ ▮ *r.-v.*

DOM. MONTAUT Sec 2018 ★★

■ | 5500 | | 8 à 11 €

Située au cœur de l'appellation jurançon, cette propriété familiale fondée en 1877 a été reprise par Fernand Montaut en 1988. Son fils Nicolas lui a succédé en 2010. Il exploite 6,5 ha de vignes.

Ce jurançon sec associe au gros manseng un bel appoint (25 %) de petit courbu. Sa robe pâle montre des reflets argentés. Son nez mêle le tilleul et le miel à des notes minérales, rejoints au palais par les fruits blancs. Ronde et onctueuse en attaque, la bouche est équilibrée par une vivacité citronnée qui lui donne élégance et allonge. ⌛ 2019-2022

EARL BACHARDOU, quartier Haut-Ucha, 82, chem. Montaut, 64360 Monein, tél. 05 59 21 38 17, domaine.montaut@gmail.com V r.-v.

DOM. MONTESQUIOU Grappe d'or 2017 ★★

■ | 12000 | | 11 à 15 €

Les racines des vignes plongent dans les galets dont on a fait les bâtiments du domaine. Les frères Fabrice et Sébastien Bordenave-Montesquiou mènent la propriété familiale (12 ha aujourd'hui) depuis 2002, après avoir exercé dans divers vignobles de France (Alsace, Jura et Provence).

Vendangées le 8 novembre, les grappes d'or de petit manseng ont engendré, après un élevage de douze mois en fût, un vin doux à la robe dorée, qui s'ouvre sur les fleurs blanches et le miel, puis sur les fruits blancs et les fruits exotiques nuancés de notes de torréfaction. Les fruits compotés et le sucre d'orge s'ajoutent à cette palette complexe dans un palais suave et persistant, servi par une finale acidulée. ⌛ 2019-2028

GAEC DOM. MONTESQUIOU, quartier Haut-Ucha, 64360 Monein, tél. 05 59 21 43 49, domainemontesquiou@orange.fr V *t.l.j. sf dim. 9h-12h 14h-18h30*

DOM. NIGRI Toute une histoire 2017 ★

■ | 12000 | | 11 à 15 €

Créé en 1685 et commandé par une bâtisse du XVIIIᵉs., le Dom. Nigri (15 ha en jurançon) est depuis quatre générations dans la famille de Jean-Louis Lacoste, œnologue, arrivé à sa tête en 1993. Ce dernier l'a complété d'une structure de négoce, Vignobles et Domaines Lacoste.

Vinifié et élevé en barrique de 400 l, ce jurançon doux affiche une robe à reflets cuivrés. Expressif et complexe au nez, il mêle le miel, l'orange confite, la brioche, le beurre frais et la cannelle, arômes qui se prolongent en bouche, complétés par l'ananas confit. Ample, chaleureux et suave, équilibré par ce qu'il faut de fraîcheur, il finit sur une touche boisée. Un beau travail d'élevage. ⌛ 2020-2027 ■ **Confluence Sec 2018** ★ (8 à 11 €; **25000 b.)** : mariant le gros manseng majoritaire au camaralet et au lauzet, deux cépages locaux redécouverts, un jurançon sec harmonieux, aux arômes intenses de fleurs blanches, de fruits jaunes et d'agrumes. ⌛ 2019-2022

JEAN-LOUIS LACOSTE, 31, chem. Lacoste, quartier Candeloup, 64360 Monein, tél. 05 59 21 42 01, domaine.nigri@wanadoo.fr V *t.l.j. 9h-12h 13h30-18h; dim. sur r.-v.*

LIONEL OSMIN ET CIE Cami Salié Sec 2017

■ | 10000 | | 11 à 15 €

Fils d'un bijoutier béarnais, Lionel Osmin est devenu ingénieur agricole et a fondé en 2010 une maison de négoce qui compte, spécialisée dans les vins du grand Sud-Ouest, d'Irouléguy à Bergerac, de Madiran à Marcillac. Aux commandes des vinifications de cette vaste gamme, l'œnologue Damiens Sartori.

Élevé en partie sous bois, ce jurançon sec s'habille d'une robe paille à reflets or. Expressif au nez, il s'ouvre sur le chèvrefeuille, puis s'oriente vers le pamplemousse et le citron vert. Aromatique en bouche, il allie ampleur et rondeur à une belle fraîcheur. ⌛ 2019-2022

SAS LIONEL OSMIN ET CIE, 6, rue de l'Ayguelongue, 64160 Morlaàs, tél. 05 59 05 16 16, m.lucas@osmin.fr

CH. DE ROUSSE Séduction 2017 ★★

■ | 5000 | | 15 à 20 €

Domaine de 12 ha conduit depuis 2000 par les frères Marc et Olivier Labat. Cultivées en étroites terrasses, les vignes exposées au sud-sud-est sont disposées en amphithéâtre, avec à l'arrière-plan la chaîne des Pyrénées. Henri IV y venait chasser.

Superbe coup de cœur dans le millésime précédent, ce jurançon doux mérite toujours son nom. En 2017, le petit manseng a été récolté le 27 octobre. Après un élevage de quinze mois en fût, il montre des reflets cuivrés et livre des parfums complexes d'abricot, de coing, de miel d'acacia, de fruits secs et de boisé doucement épicé. Suave, miellée et abricotée, la bouche, à l'unisson du nez, est soutenue par une belle vivacité qui porte loin la finale acidulée. Déjà harmonieuse, cette bouteille saura vieillir. ⌛ 2020-2030 ■ **Sec 2018** ★ (8 à 11 €; **10000 b.)** : discret par ses arômes, ce jurançon sec à base de gros manseng séduit par sa finesse et par sa minéralité. ⌛ 2019-2022

EARL CH. DE ROUSSE, 1723, rte de la Chapelle-de-Rousse, 64110 Jurançon, tél. 05 59 21 75 08, chateauderousse@wanadoo.fr V *t.l.j. 9h-12h 15h-18h30*

DOM. VIGNAU LA JUSCLE
Vendanges tardives 2017 ★★

■ | 1000 | | 20 à 30 €

Acheté en 1983 et replanté par Michel Valton, chirurgien devenu vigneron, ce domaine de 5 ha cultivé en bio est installé à l'emplacement d'une ferme du XVIIIᵉs. Il est traversé par un sentier de randonnée, une occasion pour les promeneurs de faire halte pour découvrir une vue imprenable sur les Pyrénées et les vins de ce domaine, valeurs sûres du Guide. Le fils Antonin a pris le relais en 2014.

Que faisait-on au domaine au lendemain de Noël 2017? On vendangeait le petit manseng. «Tardives», le mot n'est pas usurpé! La mention «vendanges tardives» fait cependant moins référence à la date de récolte qu'à la richesse en sucre du raisin et du vin. En la matière, l'amateur est servi : 110 g/l. Ce nectar, spécialité des Valton, est produit à tout petits rendements (7,5 hl/ha pour cette cuvée). Bien doré, ce liquoreux déploie des arômes complexes de pêche, d'abricot, de fruits exotiques compotés, de miel et de brioche. En bouche, la torréfaction (café, chocolat) et les épices douces de l'élevage apportent un surcroît de complexité dans une matière ample et suave, rafraîchie par une longue finale acidulée. ⧗ 2020-2030 ■ **Sec 2017 ★ (11 à 15 €; 3000 b.)** Ⓑ : original par sa composition (40 % de camaralet et 10 % de petit courbu aux côtés du petit manseng) comme par son élaboration (en cuve, en amphore et en barrique), un jurançon ample, gourmand et frais, aux arômes complexes (fleurs blanches, fruits exotiques, miel, praline, pain grillé). ⧗ 2019-2022

⊶ EARL VALTON, 364, chem. de Pau, 64290 Aubertin, tél. 06 58 99 64 88, antonin.valton@gmail.com V ⚐ ▮ *r.-v.*

IROULÉGUY

Superficie : 214 ha
Production : 6 380 hl (88 % rouge et rosé)

Dernier vestige d'un grand vignoble basque dont on trouve la trace dès le XIe s., l'irouléguy témoigne de la volonté des vignerons de perpétuer l'antique tradition des moines de Roncevaux. Le vignoble s'étage sur le piémont pyrénéen, dans les communes de Saint-Étienne-de-Baïgorry, d'Irouléguy et d'Anhaux. Les cépages d'autrefois ont à peu près disparu pour laisser place au cabernet-sauvignon, au cabernet franc et au tannat pour les vins rouges et rosés, au courbu et aux gros et petit mansengs pour les blancs. De couleur cerise, le rosé est vif et léger, le blanc, fruité et frais, le rouge, charnu, volontiers tannique et de bonne garde.

DOM. ABOTIA Élevé en fût de chêne 2016

■	28 000	🍷	11 à 15 €

Une grande ferme dans le pur style bas-navarrais près de Saint-Jean-Pied-de-Port, au pied du pic de l'Arradoy. Jean-Claude et Louisette Errecart ont relancé la viticulture sur l'exploitation, où l'on élève aussi des porcs. Leur fils Peïo, qui s'est installé en 2001 et a introduit les cépages blancs, cultive 10 ha de vignes en étroites banquettes. Une valeur sûre.

Ce 2016 ne semble pas appelé à une longue garde, comme l'annonce sa robe légère qui montre des reflets vieux rose. Toutefois, sa palette évoluée (cerise à l'eau-de-vie, sous-bois), accompagnée des notes empyreumatiques léguées par l'élevage est fort plaisante, tout comme sa bouche souple et élégante, aux tanins fondus, où l'on retrouve les arômes du nez. ⧗ 2019-2022

⊶ EARL ABOTIA, Abotia, 64220 Ispoure, tél. 05 59 37 03 99, abotia@wanadoo.fr V ⚐ ▮ *r.-v.*

DOM. AMEZTIA 2016 ★★

■	12 500	🍷	11 à 15 €

Ameztia, ou la «chênaie», en basque. Si la ferme bas-navarraise remonte au XVIIe s., le domaine a été créé en 2001 par Jean-Louis Costera, berger-vigneron. Il a été repris en 2013 par son neveu Gexan rejoint quatre ans plus tard par son frère Eñaut. La propriété compte aujourd'hui 8 ha de vignes en 3 parcelles, broutées en hiver par les brebis.

Première présentation au Guide Hachette avec cette cuvée qui a fait grande impression. Après une longue cuvaison suivie d'un élevage de dix-huit mois (en fût pour un tiers du vin), ce 2016 se pare d'une robe très sombre qui a conservé des reflets violets de jeunesse. Au nez, il demande de l'aération avant de s'ouvrir largement sur les fruits rouges et les baies noires bien mûres. Un vin ample, puissant et persistant, étayé par de bons tanins épicés et tonifié par une finale fraîche marquée par un retour des fruits mûrs. ⧗ 2020-2025 ■ **2017 ★ (11 à 15 €; 8000 b.)** : issu des deux mansengs (gros surtout), élevé partiellement sous bois, un blanc flatteur, tant par son expression aromatique (notes fumées, agrumes et pierre à fusil) que par sa fraîcheur soulignée par une finale citronnée. ⧗ 2019-2022

⊶ EARL AMEZTIA, Germieta, 64430 Saint-Étienne-de-Baïgorry, tél. 06 73 01 27 58, ameztia@orange.fr V ⚐ ▮ *t.l.j. 9h-12h 14h30-18h30*

Ⓑ DOM. ILARRIA 2016 ★

■	6000	🍷	15 à 20 €

Peio Espil reprend en 1987 le domaine familial, où l'on cultive la vigne depuis des siècles. Premier des viticulteurs de l'appellation à vinifier en dehors de la coopérative, il s'engage dans l'agriculture biologique au cours des années 1990. Aujourd'hui, il exploite 10 ha.

Il met en œuvre à parts égales le petit manseng et le rare petit courbu, qui représente pourtant la moitié des superficies en vignes blanches du domaine. La robe jeune montre des reflets d'argent. Le nez libère des notes de mangue et d'ananas bien mûrs, puis se tourne vers la noisette. Ample et gras, le palais est rafraîchi par une finale minérale, teintée d'une pointe d'amertume. De beaux accords en perspective avec des viandes blanches, poissons cuisinés et tommes de brebis. ⧗ 2019-2022 ■ **2016 ★ (15 à 20 €; 8000 b.)** Ⓑ : un vin ample et chaleureux, aux tanins fondus et à la finale fraîche. Sa palette allie les fruits rouges macérés à des notes de vanille et de fruits secs léguées par un élevage de seize mois sous bois. ⧗ 2019-2023

⊶ GAEC DOM. ILARRIA, 64220 Irouléguy, tél. 05 59 37 23 38, ilarria@wanadoo.fr V ▮ *t.l.j. sf sam. dim. 10h-12h 14h-18h; oct.-mai sur r.-v.*

♥ LEHIA 2018 ★★★

■	3000	🍷	20 à 30 €

Non loin de Saint-Étienne-de-Baïgorry et de son château, la coopérative a été créée en 1952, une année avant la promotion des irouléguy en «vins délimités de qualité supérieure». Elle a participé à l'ascension de l'appellation et amorcé un virage qualitatif au cours des années 1990. Aujourd'hui, elle regroupe quarante viticulteurs qui apportent le fruit de près de 140 ha. Les chais ont été rénovés à plusieurs reprises après 2000 (avec notamment, après

SUD-OUEST

2015, la création d'un nouveau cuvier de petite capacité et d'un nouveau magasin). Une valeur sûre.

Son nom, qui signifie «défi» en basque, signale une cuvée ambitieuse. Elle naît pour l'essentiel de petit manseng et séjourne sept mois en fût et en foudre. Tout aussi remarquable que le millésime 2016, elle obtient de surcroît un coup de cœur, son deuxième. Parée d'une robe lumineuse animée de reflets dorés, elle offre un nez expressif et charmeur, panier de pêches jaunes et d'ananas, rehaussé de notes beurrées et mentholées. Elle enchante par son volume, sa rondeur, son équilibre entre gras et vivacité et par sa longue finale dynamique où l'on retrouve les fruits exotiques. Excellents accords en perspective avec du saumon de l'Adour et du fromage ossau-iraty. ⧗ 2019-2023 ■ **Omenaldi 2017 ★★★ (11 à 15 €; 16000 b.)** : cette cuvée qui rend hommage au tannat (majoritaire) et aux deux cabernets confirme son excellente qualité. Après un élevage de quinze mois en barrique, elle conjugue une expression gourmande de fruits rouges subtilement boisés, une solide structure et des tanins soyeux. ⧗ 2020-2025 ■ **Xuri 2018 ★ (15 à 20 €; 18000 b.)** : remarquablement équilibré, gourmand, gras et très frais, il offre l'intensité aromatique des gros et petit mansengs qui le composent (pêche blanche, ananas, mangue, abricot). ⧗ 2019-2022 ■ **Mignaberry 2018 (8 à 11 €; 26000 b.)** : vin cité.

SCA CAVE D' IROULÉGUY, rte de Saint-Jean-Pied-de-Port, 64430 Saint-Étienne-de-Baïgorry, tél. 05 59 37 41 33, contact@cave-irouleguy.com V *t.l.j. 9h30-12h30 14h-18h30*

DOM. MOURGUY Etxaldea 2016 ★

■	6000		15 à 20 €

Après plusieurs expériences dans les vignobles du Nouveau Monde (Argentine et Chili), Florence Mourguy a repris en 2003 avec son frère Pierre le domaine familial implanté à Ispoure, au-dessus de Saint-Jean-Pied-de-Port. Son frère cultive les vignes, 9 ha sur les flancs de la montagne Arradoy, tandis qu'elle se charge des vinifications.

La robe se teinte de nuances évoluées, vieux rose. Le nez s'ouvre sur des notes animales (cuir), avant de s'orienter vers le cassis et la cerise noire. Ces arômes se prolongent dans une bouche souple et chaleureuse, soutenue par des tanins fondus et fins. La touche fumée de la finale rappelle l'élevage de douze mois en barrique. ⧗ 2020-2024

EARL DOM. MOURGUY, Etxeberria, 64220 Ispoure, tél. 06 78 84 89 25, domainemourguy@hotmail.com V *t.l.j. sf dim. 10h-12h 15h-18h30*

FLOC-DE-GASCOGNE

Le floc-de-gascogne est produit dans l'aire géographique de l'appellation armagnac. Il s'agit d'un vin de liqueur muté à l'aide de la célèbre eau-de-vie. La région viticole fait partie du piémont pyrénéen et se répartit sur trois départements : le Gers, les Landes et le Lot-et-Garonne. Afin de donner une force supplémentaire à l'antériorité de leur production, les vignerons du floc-de-gascogne ont mis en place un principe nouveau qui n'est ni une délimitation parcellaire telle qu'on la rencontre pour les vins, ni une simple aire géographique comme pour les eaux-de-vie. C'est le principe des listes parcellaires approuvées annuellement par l'INAO.

Les blancs sont issus des cépages colombard, gros manseng et ugni blanc, qui doivent ensemble représenter au moins 70 % de l'encépagement et ne peuvent dépasser seuls 50 % depuis 1996, avec pour cépages complémentaires le baroque, la folle blanche, le petit manseng, le mauzac, le sauvignon, le sémillon; pour les rosés, les cépages sont le cabernet franc et le cabernet-sauvignon, le côt, le fer-servadou, le merlot et le tannat, ce dernier ne pouvant dépasser 50 % de l'encépagement. Les règles de production mises en place par les producteurs sont contraignantes : 3 300 pieds/ha taillés en guyot ou en cordon, nombre d'yeux à l'hectare toujours inférieur à 60 000, rendement de base des parcelles inférieur ou égal à 60 hl/ha...

Les moûts récoltés ne peuvent avoir moins de 170 g/l de sucres. La vendange, une fois égrappée et débourbée, est mise dans un récipient où le moût peut subir un début de fermentation. Aucune adjonction de produits extérieurs n'est autorisée. Le mutage se fait avec une eau-de-vie d'armagnac d'un compte d'âge minimum 0 et d'un degré minimum de 52 % vol. Tous les lots de vins sont dégustés et analysés. En raison de l'hétérogénéité toujours à craindre de ce type de produit, l'agrément se fait en bouteilles et ces dernières ne peuvent sortir des chais des récoltants avant le 15 mars de l'année qui suit celle de la récolte.

DOM. DE BILÉ ★★

■	8000		8 à 11 €

Un domaine familial de 25 ha, entre les mains du «clan» Della-Vedove – Didier et Marie-Claude, et leurs fils Romain et Thibault – établi non loin de Bassoues, une bastide fortifiée dominée par son donjon. Plantation du vignoble en 1968, premiers armagnacs en 1973, premiers flocs vers 1990.

Mariant à l'eau-de-vie des moûts de merlot (50 %) et des deux cabernets, ce floc affiche la couleur rouge-orangé de la fraise, petit fruit qui pointe aussi au nez, accompagné de fleurs, de cerise au kirsch et de cassis. Le fruit prend des tons acidulés de groseille et de griotte dans une matière à la fois ronde et fraîche, relayé par le pruneau. La finale d'une rare longueur laisse le souvenir d'un ensemble aromatique et harmonieux, proche du coup de cœur. ⧗ 2019-2022 ■ **★ (8 à 11 €; 8400 b.)** : la rencontre du trio ugni blanc-colombard- gros manseng et de l'armagnac donne à ce floc une agréable palette aromatique florale et fruitée et une bouche équilibrée, suave, de belle longueur. ⧗ 2019-2022

GAEC DELLA VEDOVE, Dom. de Bilé, 32320 Bassoues, tél. 06 12 86 01 97, contact@domaine-de-bile.com V *t.l.j. 9h-19h; dim. 9h-12h30*

DOM. DES CASSAGNOLES ★

■	3864		8 à 11 €

Autrefois consacré à la seule production d'armagnac, le domaine campe à Gondrin, au cœur de la Ténarèze. Installés en 1974, Janine et Gilles Baumann se sont lancés dans l'élaboration des «flocs de terroir»

et des vins de pays (IGP). En 2010, leur fille Laure a repris l'exploitation, qui compte aujourd'hui 60 ha. Propriété certifiée Haute valeur environnementale.

Les flocs rosés du domaine sont très souvent en vue dans le Guide. Ils restent de douze à dix-huit mois dans le bois. D'un rubis profond aux reflets violets, celui-ci libère d'intenses parfums de fruits rouges soulignés de touches d'eau-de-vie. Un fruit rouge qui s'impose dans un palais ample et persistant, accompagné par les élans chaleureux de l'armagnac. ⧗ 2019-2022 ■ **(8 à 11 €; 3937 b.)** : vin cité.

SCEA DE LA TÉNARÈZE, BP_13, 32330 Gondrin, tél. 05 62 28 40 57, j.baumann@domainedescassagnoles.com V r.-v.

DE CASTELFORT

■ | 25000 | | 8 à 11 €

Créée en 1963, la coopérative de Nogaro, au cœur du Bas-Armagnac, a été rebaptisée en 2016 Les Hauts de Montrouge. Regroupant 60 viticulteurs qui cultivent environ 1 000 ha de vignes, elle propose armagnacs et floc-de-gascogne issus de sables fauves, ainsi qu'une gamme de vins en IGP côtes-de-gascogne.

Cabernet franc, merlot et tannat sont associés dans ce floc paré d'une robe rubis clair à reflets orangés, qui s'ouvre sur de chaleureux arômes de fruits rouges. Ces petits fruits s'épanouissent dans une bouche ample et généreuse, marquée en finale par le souffle chaud de l'eau-de-vie. ⧗ 2019-2021

LES HAUTS DE MONTROUGE, rte d'Aire-sur-l'Adour, 32110 Nogaro, tél. 05 62 09 21 79, info@hdmontrouge.com V *t.l.j. sf dim. lun. 9h-12h 14h-18h*

JEAN CAVÉ ★★

■ | 3460 | | 11 à 15 €

Créé en 2015, Club des Marques est la structure de distribution du pôle armagnac des Vignerons du Gerland; elle assure également le vieillissement des eaux-de-vie dans ses chais de Lannepax. La cave du Gerland (Gerland, pour Gers et Landes) est née en 1999 de la fusion de la coopérative agricole et vinicole du Bas-Armagnac à Panjas et de la coopérative viticole armagnacaise d'Eauze.

Ce floc blanc s'est placé sur les rangs au moment d'élire le coup de cœur. Il assemble un tiers d'armagnac et deux tiers de jus de raisin – des moûts de gros manseng et d'ugni blanc. D'un jaune pâle aux reflets dorés, il enchante par ses parfums intenses de fruits frais. Ces arômes s'épanouissent en bouche avec une rare persistance, bien fondus dans un armagnac qui met en valeur le fruit et donne à l'ensemble sa générosité, sans s'imposer. ⧗ 2019-2021 ■ **Sempé (11 à 15 €; 4200 b.)** : vin cité.

LE CLUB DES MARQUES, 1334, av. d'Aquitaine, 40190 Villeneuve-de-Marsan, tél. 05 58 45 21 76, accueil-cdm@armagnac-cdm.fr V *t.l.j. sf sam. dim. 9h-12h 14h-17h*

DOM. CHIROULET Sensation Fruit ★★

■ | 12000 | | 8 à 11 €

Héritier de quatre générations de vignerons établies ici depuis 1893, Philippe Fezas contemple de son domaine de 50 ha la petite église du XIIIe s. érigée au hameau d'Heux, tout proche. Dans les rangs de vignes souffle le *chiroula*, un vent bienfaisant qui sèche les grappes, lesquelles donneront des flocs, des armagnacs et des côtes-de-gascogne de haute expression. Une valeur sûre.

Un floc rosé de nouveau remarquable. Il met en œuvre des moûts de merlot, de cabernet franc et de tannat et bénéficie d'un élevage de dix-huit mois, en cuve, puis en foudre de bois. D'un rubis lumineux, il enchante par son nez bien fondu, aux nuances de fruits rouges, de mûre, de cassis et de pruneau. Des arômes qui s'affirment dans un palais rond et velouté à souhait, à la finale suave et persistante. Un ensemble harmonieux et complexe. ⧗ 2019-2022 ■ **Sensation Fruit (8 à 11 €; 9000 b.)** : vin cité.

FAMILLE FEZAS, Dom. Chiroulet, 32100 Larroque-sur-l'Osse, tél. 05 62 28 02 21, chiroulet@wanadoo.fr V *t.l.j. sf dim. 9h-12h30 14h-18h30; sept.-mai sam. sur r.-v.*

♥ CAVE DE CONDOM ★★

■ | 20000 | | 5 à 8 €

Fondée en 1951, la cave de Condom, au centre du terroir armagnacais de la Ténarèze, rassemble aujourd'hui 130 adhérents sur un territoire d'environ 1 300 ha. Elle fournit un tiers des vins (en IGP côtes-de-gascogne) diffusés par l'Union Plaimont Producteurs, qu'elle a intégrée en 1999. Pour la distribution de ses armagnacs et de ses flocs, que l'on trouve notamment dans ses boutiques de Condom et de Lectoure, elle est rattachée au vaste groupe coopératif polyvalent Val de Gascogne.

Déjà remarquable l'an dernier, ce floc rosé se hisse au sommet de la sélection cette année, et ce n'est pas la première fois. Le jus de merlot, après mutage à l'armagnac et douze mois de cuve, a produit un vin de liqueur qui a tout du fruit rouge : la couleur, les arômes et le goût. Du fruit rouge dans tous ses états, frais et confit, avec la cerise au premier plan. L'armagnac soutient les arômes tout au long de la dégustation, sans la moindre dureté, et une belle acidité porte loin la finale. ⧗ 2019-2022

VAL DE GASCOGNE, 59, av. des Mousquetaires, 32100 Condom, tél. 05 62 28 44 92, m.maupome@valdegascogne.coop V *t.l.j. sf dim. 9h-12h 15h-18h*

DOM. D'EMBIDOURE ★

■ | n.c. | | 8 à 11 €

Établies en Haut-Armagnac, à Réjaumont, les deux sœurs Ménégazzo, Nathalie et Sandrine, ont ajouté les flocs et les vins de pays à la tradition bachique inaugurée par leur père avec l'armagnac. Elles ont abandonné leurs vergers de pommiers pour se consacrer à leurs 36 ha de vignes. Une valeur sûre de la Gascogne viticole.

Les moûts de merlot (60 %) et de cabernet-sauvignon, mutés à l'armagnac, ont permis d'obtenir ce floc dont la robe rubis soutenu montre des reflets orangés. Le nez s'ouvre sur les fruits rouges très mûrs, voire confits, et sur le pruneau, avec une touche de pain d'épice. Le prélude à un palais onctueux et épicé, marqué en finale par la chaleur de l'eau-de-vie. ⧗ 2019-2022

⊶ DOM. D' EMBIDOURE, 32390 Réjaumont, tél. 05 62 65 28 92, menegazzo.embidoure@wanadoo.fr V ♿ ▪ *t.l.j. sf sam. dim. 9h-12h 14h-18h30*

ENTRAS ★★★

■	4700	◍	8 à 11 €

Tout a commencé après-guerre dans la Ténarèze : Zoé et Miguel Maestrojuan sont ouvriers agricoles à la ferme de Bordeneuve, qu'ils finissent par acheter. Aujourd'hui, leurs héritiers, qui ont abandonné la production laitière, cultivent 29 ha de coteaux entre l'Auloue et la Baïse. Michel Maestrojuan, à la tête du domaine depuis 2011, a engagé en 2017 la conversion bio de la propriété.

Cette année, le rosé cède le pas au blanc. Les moûts associent l'ugni blanc et le colombard à parité et le floc reste dix-huit mois en muids et pièces de chêne. Il en résulte une palette d'une réelle complexité, mêlant les fleurs blanches, le miel, les fruits blancs et jaunes bien mûrs. Le palais, à l'unisson du nez, déploie des arômes d'eau-de-vie de prune; onctueux et rond en attaque, tendu par une fine acidité, il offre une finale suave et longue. Un des finalistes pour le coup de cœur. ⧗ 2019-2022 ■ **(8 à 11 €; 5700 b.)** : vin cité.

⊶ EARL BORDENEUVE-ENTRAS, Entras, 32410 Ayguetinte, tél. 05 62 68 11 41, contact@domaine-entras.fr V ♿ ▪ *t.l.j. sf dim. 9h-12h30 14h-18h*

FERME DE GAGNET ★★

■	6000	▮	8 à 11 €

Établie à Mézin, bourg connu jadis pour ses bouchonniers, aux confins sud-ouest du Lot-et-Garonne, Marielle Tadieu a pris en 1993 la suite de son père et de son grand-père. Elle conduit 10 ha de vignes et un élevage de canards, dont les foies gras accompagnent fort bien le floc.

Coup de cœur dans la dernière édition, ce rosé, qui met en œuvre du merlot et du cabernet franc à parité, reçoit encore un excellent accueil. Sa robe rubis profond s'anime de reflets violets. Son nez monte en puissance sur des notes de fruits rouges, de mûre et de cassis. Souple et fruité en attaque, ample, gras, suave et structuré, le palais offre une finale persistante où l'armagnac apporte sa note généreuse. ⧗ 2019-2022

⊶ EARL FERME DE GAGNET, Gagnet, 47170 Mézin, tél. 06 82 36 19 82, fermedegagnet@gmail.com V ♿ ▪ *t.l.j. sf dim. 9h-12h30 15h-19h* 🏠 Ⓐ

DOM. DE GUILHON D'AZE ★

■	13600	8 à 11 €

Propriété de la famille Tastet depuis plus d'un siècle, le domaine couvre 62 ha dans le Bas-Armagnac, à Larée dans le Gers. Denis Tastet est l'actuel maître des lieux, à la suite de son père André. Exploitation certifiée Haute valeur environnementale.

Un floc au nez discrètement floral, miellé et fruité. Plus expressive, la bouche dévoile des arômes flatteurs de poire, de prune et d'abricot dans une matière onctueuse et chaleureuse, rafraîchie par une pointe mentholée. ⧗ 2019-2022 ■ ★ **(8 à 11 €; 9 800 b.)** : d'un rose tuilé, ce floc libère des senteurs de fruits rouges frais, de grenadine, puis se porte vers la griotte à l'eau-de-vie. Assez chaleureux en bouche, il montre un bon équilibre entre ampleur, générosité et vivacité. ⧗ 2019-2022

⊶ DOM. DE GUILHON D'AZE, 112, rte de Bellevue, 32150 Larée, tél. 05 62 09 53 88, contact@denis-tastet.fr V ♿ ▪ *t.l.j. sf dim. 9h-12h 14h-18h*

DOM. DE LARTIGUE ★

■	3000	▮	8 à 11 €

Proche d'Eauze, au cœur du Bas-Armagnac, ce domaine de 52 ha a été fondé en 1952 par le grand-père de Sonia et Jérôme Lacave, horticulteur et pépiniériste. Il a ajouté à sa production de plants de vignes, des armagnacs, des flocs et des côtes-de-gascogne. Le magasin se trouve face à la place du village de Bretagne-d'Armagnac.

Issu de moûts de merlot et de cabernet-sauvignon mutés à l'armagnac, ce floc affiche une robe rose vif tirant sur le rouge, nuancée de reflets tuilés. Il s'ouvre sur d'exquises notes de rose, de litchi et de violette, puis s'oriente vers la cerise, le cassis et le bonbon. Ces arômes complexes s'épanouissent dans une bouche persistante, à la fois vive, suave et onctueuse. L'armagnac enrobe le tout sans s'imposer. ⧗ 2019-2021

⊶ EARL FRANCIS LACAVE, Au Village, 32800 Bretagne-d'Armagnac, tél. 05 62 09 90 09, francis.lacave@wanadoo.fr V ♿ ▪ *r.-v.*

DOM. DE MAGNAUT ★★

■	3000	▮	8 à 11 €

Fondé en 1975, ce domaine de 44 ha situé en Ténarèze, dans le nord du Gers, s'est fait connaître grâce aux armagnacs de Pierre Terraube. C'est son fils Jean-Marie, arrivé en 2000, qui entretient à présent sa réputation. À sa carte, des armagnacs, des flocs et des côtes-de-gascogne. Exploitation certifiée Haute valeur environnementale.

Issu du seul merlot, le floc rosé du domaine est un habitué du Guide. Paré d'une robe rose soutenu, celui-ci enchante par l'intensité et la franchise de son nez entre cerise et cassis, agrémenté d'une élégante touche de violette. Ces arômes se prolongent dans une bouche vive en attaque, ample et onctueuse dans son développement, montrant un réel équilibre entre la fraîcheur du fruit et la chaleur de l'armagnac. Un des finalistes pour le coup de cœur. ⧗ 2019-2022 ■ ★ **(8 à 11 €; 3000 b.)** : une robe lumineuse pour ce floc blanc mettant en œuvre colombard et gros manseng. Au nez, des parfums de fleurs blanches, de poire et de fruits jaunes, fondus dans l'armagnac; en bouche, la vivacité du fruit et la chaleur de l'eau-de-vie, avec intensité et longueur. ⧗ 2019-2022

⊶ DOM. DE MAGNAUT, Magnaut, 32250 Fourcès, tél. 05 62 29 45 40, domainedemagnaut@wanadoo.fr V ♿ ▪ *t.l.j. 9h-12h 14h-18h; sam. dim. sur r.-v.*

CH. DE MILLET ★

6500 | 11 à 15 €

Au Ch. de Millet, les touristes œnophiles séjournent dans l'ancien pigeonnier restauré du XVe s. Fondé en 1890 à Eauze, l'une des plus anciennes cités de Gascogne, au cœur du Bas-Armagnac, le domaine (90 ha aujourd'hui) est passé de la polyculture à la viticulture et propose des côtes-de-gascogne, des flocs et quelques armagnacs. Francis et Lydie Dèche ont passé le relais en 2002 à leur fille Laurence, qui a aménagé une nouvelle cave en 2015.

Le rouge de la robe montre des reflets tuilés. Le nez, agréable, mêle des notes florales (violette, mimosa) et fruitées (ananas, abricot, fruits rouges, pruneau). La bouche, de bonne longueur, déploie des nuances de bonbon et des arômes fruités dans une matière suave et ronde. ⧗ 2019-2021 ■ **(11 à 15 €; 6500 b.)** : vin cité.

EARL CH. DE MILLET, 3356, rte de Parlebosq, 32800 Eauze, tél. 05 62 09 87 91, info@chateaudemillet.com t.l.j. sf dim. 9h-12h 14h-18h

CH. DE MONS

4500 | 11 à 15 €

À la sortie de Caussens, au sommet d'un coteau, s'élève le château de Mons, construit en 1285 pour le roi Édouard Ier d'Angleterre sur un des chemins de Saint-Jacques-de-Compostelle. Les bâtiments et le domaine de 35 ha appartiennent depuis 1963 à la chambre d'Agriculture du Gers.

Ce floc met en œuvre du merlot et du cabernet-sauvignon en proportions égales. Sa robe rubis revêt des reflets orangés d'évolution. Son nez s'ouvre sur la griotte, nuancée de touches de pain d'épice. Agréable en attaque, la bouche montre une finale légèrement tannique, marquée par la chaleur de l'alcool. ⧗ 2019-2021

CHAMBRE D'AGRICULTURE DU GERS, Dom. de Mons, 1614, rte de Lectoure, 32100 Caussens, tél. 05 62 68 42 90, chateaudemons@gers.chambagri.fr t.l.j. sf sam. dim. 9h-12h 14h-18h

DOM. POLIGNAC ★★

5500 | 8 à 11 €

Village gascon posé au milieu du vignoble de l'Armagnac, Gondrin est situé sur l'une des routes empruntées jadis par les pèlerins de Saint-Jacques-de-Compostelle. Jacques Gratian, à la tête de l'exploitation familiale depuis 1981, est passé maître dans l'art du floc. Il propose aussi armagnacs et côtes-de-gascogne.

Merlot et cabernet-sauvignon à parité forment une alliance harmonieuse avec l'armagnac dans ce floc à la robe rubis, dont le nez intense, d'abord floral, décline toute une gamme de petits fruits : cassis, groseille et cerise. Une attaque vive ouvre sur un palais suave et rond, où l'on retrouve le cassis allié à la fraise. La finale est longue et chaleureuse. ⧗ 2019-2022 ■ **(8 à 11 €; 5500 b.)** : vin cité.

EARL GRATIAN, Polignac, 32330 Gondrin, tél. 05 62 28 54 74, j.gratian@cerfrance.fr t.l.j. 10h-13h 15h-19h

DOM. LES REMPARTS Catherine Marcellin ★

4100 | 8 à 11 €

Les frères Marcellin conduisent ce domaine familial de 120 ha, dont 43 ha de vignes, implanté en Ténarèze sur les coteaux de Gascogne. Ils élaborent des IGP côtes-de-gascogne, des floc-de-gascogne et des armagnacs et et cultivent des pruniers qui donnent des pruneaux d'Agen.

D'un rouge profond, ce floc issu de moûts de merlot majoritaire et de cabernets offre un nez bien ouvert sur les fruits rouges très mûrs et sur le cassis. On retrouve avec intensité ces petits fruits dans une bouche restée quelque peu sous l'emprise de l'armagnac, mais agréable par son expression aromatique comme par son ampleur. ⧗ 2019-2021 ■ **Dom. Les Remparts Catherine Marcellin ★ (8 à 11 €; 4100 b.)** : colombard et gros manseng à parité se lient à l'armagnac dans ce floc blanc léger et vif, aux arômes de pomme, de prune et d'amande. ⧗ 2019-2021

SCEA DES REMPARTS, Le Bourdilet-de-Séailles, 32100 Condom, tél. 05 62 28 39 30, contact@domainelesremparts.com r.-v.

SAINT-LANNES ★★

4000 | 8 à 11 €

Au hameau de Saint-Lannes, dans les années 1950, les gens vivaient l'autarcie à la gersoise entre céréales, vaches, basse-cour et vignes. Michel Duffour, arrivé en 1973 sur l'exploitation familiale, l'a dédiée à la viticulture et a élaboré sa première bouteille de vin en 1982. Aujourd'hui son fils Nicolas, qui a pris le relais en 2004, exporte 80 % de sa production.

Le domaine signe une fois de plus un remarquable floc rosé, qui met en œuvre des moûts de merlot et de cabernet-sauvignon. À la robe d'un rouge soutenu répond un nez à la fois concentré, intense et délicat, mêlant la griotte, la mûre et le cassis bien mûrs. Le pruneau s'allie au fruit rouge dans un palais rond et chaleureux en attaque, équilibré par une belle fraîcheur, puissant et long, un rien tannique en finale. De quoi accompagner un gâteau au chocolat. ⧗ 2019-2022 ■ **Dom. Saint-Lannes ★★ (8 à 11 €; 4000 b.)** : une alliance heureuse de moûts de colombard et de gros manseng avec l'armagnac. Ce floc blanc aux arômes fruités est fort loué pour son équilibre, sa fraîcheur et sa longueur. ⧗ 2019-2022

SARL NICOLAS DUFFOUR, Saint-Lannes, 32330 Lagraulet-du-Gers, tél. 05 62 29 11 93, nicolas.duffour@saint-lannes.fr r.-v.

IGP AGENAIS

BARON DE LISSE Merlot 2017 ★

2320 | 5 à 8 €

Commandé par un château du XIVe s., un domaine proche de Nérac, viticole depuis le XIX e s. Il est conduit depuis 2001 par Cedric Walcker, qui dispose aujourd'hui de 12,5 ha de vignes.

Élevé six mois en cuve, un merlot aux parfums discrets de mûre, de cassis et de fraise compotés rehaussés d'épices. Un vin agréable par sa bouche ronde et suave, adossée à des tanins réglissés et soyeux, équilibrée par une légère fraîcheur minérale. ⧗ 2019-2023

SUD-OUEST

SCEA CH. DE LISSE,
Ch. de Lisse, 47170 Réaup-Lisse, tél. 05 53 65 19 87, info@bonaslisse.com V t.l.j. sf sam. dim. 14h-17h50

IGP ARIÈGE

COTEAUX D'ENGRAVIÈS
Fleur de cailloux 2016

■ | 10300 | | 8 à 11 €

Dans le cadre d'un groupement d'intérêt économique attaché à la renaissance du vignoble ariégeois, Philippe Babin a planté, en 1998 sur des coteaux en friches un petit vignoble de 8 ha qu'il a d'emblée cultivé en bio. Il a signé en 2014 ses dernières cuvées, avant de prendre sa retraite : Thomas Piquemal, déjà en place sur le domaine depuis 2011, prend la relève.

Sans avoir la concentration de certains millésimes antérieurs, cette cuvée issue de syrah et élevée douze mois en fût, partage avec ses aînées une robe couleur d'encre à reflets violines et un nez aussi complexe que gourmand, aux nuances bien typées de cassis, de myrtille et de réglisse. Sa bouche tout en souplesse à la finale sur le fruit font de ce 2016 un «vin plaisir» qui sera agréable jeune. 2019-2023

SCA DOM. DES COTEAUX D'ENGRAVIÈS, Le Coumel, 09120 Vira, tél. 05 61 68 68 68, contact@coteauxdengravies.com V t.l.j. sf dim. lun. 14h-18h

♥ DOM. DE LASTRONQUES
Merlot Élevé en fût de chêne 2017 ★★

■ | 8000 | | 5 à 8 €

Situé au nord du département, sur des coteaux argilo-calcaires de la vallée de la Lèze, face aux Pyrénées, ce domaine de 16 ha, fondé en 1998 sur les terres d'une ancienne seigneurie du XVIIIᵉs., est l'un des acteurs de la renaissance du vignoble ariégeois et l'une des valeurs sûres de l'IGP locale. Propriété certifiée Haute valeur environnementale.

Élevée six mois en fût, cette cuvée de merlot à la robe profonde arrive au sommet de la sélection, et ce n'est pas la première fois. Expressif, le 2017 s'ouvre sur les fruits noirs frais, mûre et cassis en tête. Souple en attaque, charnu, structuré et long, il fera plaisir dès maintenant et devrait vieillir avec grâce. 2019-2023

GFA DOM. DE LASTRONQUES, 166, chem. de Lastronques, 09210 Lézat-sur-Lèze, tél. 05 61 69 12 13, cydoniaviti@wanadoo.fr V r.-v.

IGP ATLANTIQUE

VIGNOBLES BERTRAND Merlot 2017 ★

■ | 24000 | | - de 5 €

François Bertrand fonde en 1848 le Dom. du Feynard à partir d'un héritage de 2 ha dans les Charentes. Depuis, sept générations se sont succédé. Aujourd'hui Dimitry (à la vigne) et à Mathieu (au chai) exploitent environ 200 ha, dont 165 ha d'ugni blanc et de colombard destinés à la distillation. Ils ont développé une offre de vins de pays (IGP) qui complète leur production de cognac et de pineau-des-charentes.

Les raisins destinés aux vins rouges sont cultivés sur les premiers coteaux de la rive nord de la Gironde. Comme ce merlot, qui n'a eu besoin que d'une courte vinification en cuve pour donner un vin un peu discret, centré sur les fruits rouges, fraise en tête. Parfait pour des grillades. 2019-2022

EARL VIGNOBLES BERTRAND, Le Feynard, 17210 Chevanceaux, tél. 05 46 04 61 08, contact@vignobles-bertrand.com V r.-v.

IGP AVEYRON

DOM. BERTAU 2018 ★

■ | 5600 | | 5 à 8 €

Un petit vignoble de 6 ha créé en 2000 sur un coteau de la vallée du Tarn, à 15 km en aval du viaduc de Millau, à la lisière du causse du Larzac. Il est cultivé en bio depuis 2002 (certifié en 2006), selon la démarche biodynamique.

Mi-syrah mi-cabernets, ce vin empreinte à la première sa robe profonde à reflets violines et à tous les cépages son joli nez fruité, entre cassis et mûre, teinté de touches réglissées et végétales. En bouche, il se déploie avec souplesse, marqué en finale par les petits tanins des cabernets. 2019-2022

EDDI BERTAU, chem. de Montjinou, Candas, 12490 Montjaux, tél. 05 65 58 18 56, bertaueddi@orange.fr V r.-v.

DOM. DE BIAS
Cuvée du Rouergue 2017 ★★

■ | 1000 | | 11 à 15 €

En 2010, Anne-Laure et Alexandre Alazard, frère et sœur, réalisent leur rêve : replanter des ceps dans leur village fondé autour d'une abbaye, qui eut son vignoble. Ils ont pu ainsi réutiliser une cave voûtée en pierre. Premier millésime en 2015. Le domaine est situé à la lisière des Grands Causses, près de Saint-Affrique.

La cuvée du Rouergue est un assemblage original, tel que le permet la catégorie IGP : syrah et pinot noir à parité. Elle achève sa fermentation en barrique et reste douze mois dans le bois. Pourtant l'élevage reste discret dans ce vin au petit nez sur la cerise, signature du pinot. Le cépage bourguignon laisse aussi son empreinte dans la texture souple du palais, aux tanins maîtrisés et à la finale sur les fruits rouges confiturés. Remarquable de suavité, ce 2017 donne confiance en l'avenir de ces jeunes plants et de ces «jeunes pousses». 2019-2023

EARL DOM. ALAZARD, Bias, 12400 Vabres-l'Abbaye, tél. 06 77 17 02 03, dom.alazard@orange.fr V ven. 16h-21h; f. de sept-mai

IGP COMTÉ TOLOSAN

♥ CABIDOS
Petit Manseng Gaston Phœbus 2015 ★★

5000 | 15 à 20 €

Agriculteur originaire de l'Aisne, Vivien de Nazelle avait hérité d'une gentilhommière dans le nord du Béarn. Découvrant son passé viticole, il entreprit à partir de 1995 d'y développer le vignoble et planta notamment du petit manseng : 9 ha aujourd'hui, et des installations dernier cri qui lui permettent d'élaborer d'excellents vins, blancs secs et doux notamment, très souvent en vue dans ces pages. En 2015, le domaine a été repris par Robert Alday, promoteur et constructeur de la côte basque.

Un changement de propriétaire, mais une belle constance dans la qualité. Quoi d'étonnant? Méo Sakorn Sériès, qui officie au chai depuis 2007, reste en place. Cette agronome thaïlandaise formée à l'œnologie à Bordeaux montre son talent millésime après millésime. Cette année comme dans la dernière édition avec un liquoreux (140 g/l de sucres) issu de petit manseng récolté à la mi-novembre et vieilli en barrique. Une robe vieil or, une palette mêlant la poire et l'ananas confits typés du cépage aux fruits secs légués par l'élevage, un palais ample et gras, équilibré par une pointe d'acidité : un vin solaire et opulent. ⧗ 2019-2029

SCEA ARNOA (CH. DE CABIDOS), 303, rte du Château, 64410 Cabidos, tél. 05 59 04 43 41, contact@chateau-de-cabidos.com V t.l.j. 9h-12h 13h-17h; sam. dim. sur r.-v.

DOM. CARROL DE BELLEL
Jade Or 2017 ★

2000 | 8 à 11 €

En 1980, Gilbert Gasparotto a orienté vers la viticulture ce domaine, dans sa famille depuis des siècles. En 2006, son fils Yannick s'est associé avec lui avant de reprendre l'exploitation l'année suivante. Il a porté la superficie du vignoble à 33 ha (dont 16 ha de négrette).

En pays frontonnais, sur les boulbènes où prospère la négrette, ce vigneron a planté du petit manseng pour élaborer des vins doux. Paré d'une élégante robe or cuivré, celui-ci séduit par son nez expressif, riche et complexe, sur la poire et la pomme très mûres, rehaussées de miel et d'une touche de caramel. Le prélude à une bouche concentrée, chaleureuse, ample et onctueuse. L'acidité propre au cépage équilibre l'ensemble et met en valeur l'expression aromatique. ⧗ 2019-2024

EARL CARROL DE BELLEL, 103, chem. de Boujac, 82370 Campsas, tél. 06 49 25 05 82, yannick.gasparotto@hotmail.fr V sam. 9h-12h 14h-18h

LE DOM. DE CLAMENS 2018

16000 | 5 à 8 €

Jean-Michel Bégué représente la quatrième génération de vignerons sur ce domaine dont les premières mentions remontent à 1868. D'abord coopérateur, il s'est lancé avec succès dans la vinification. En 2012, il a cédé sa propriété à l'homme d'affaires allemand Stefan Heppelmann, mais il est resté aux commandes de l'exploitation (26 ha).

Négrette, syrah et merlot composent ce vin au nez tout en fruits rouges, cerise burlat et fraise en tête. Souple en attaque, friand, adossé à des tanins assez enrobés, il finit sur une note de réglisse et de violette. Un vin un peu simple, mais bien construit. ⧗ 2019-2021

EURL BÉGUÉ-HEPPELMANN, 740, chem. de Caillol, 31620 Fronton, tél. 05 61 82 45 32, chateauclamens@orange.fr V t.l.j. sf sam. dim. 8h30-12h 13h30-17h

DÉMON NOIR Malbec Merlot 2018 ★★

400000 | - de 5 €

Les caves de Técou, de Rabastens, de Fronton et des Côtes d'Olt ont uni leurs forces en 2006 en créant le groupe Vinovalie, dont le nom renvoie aux valeurs collectives du rugby. Un groupe qui fédère 400 vignerons et regroupe quelque 3 800 ha de vignes répartis sur trois appellations : gaillac, fronton et cahors.

Cette cuvée a été élaborée par la Cave des Côtes d'Olt, fondée en 1947 dans la vallée du Lot, non loin de Cahors. Elle met en œuvre le cépage le plus cultivé dans la région, le malbec (70 %), associé au merlot. Un vin tout en fruit et en rondeur, à la robe profonde et au nez franc, sur la cerise noire, la mûre et le cassis. Ample, souple et soyeux, vivifié en finale par une pointe de fraîcheur, il sera agréable jeune. ⧗ 2019-2021

SCA VINOVALIE (SITE DE CÔTES D'OLT), Caunezil, 46140 Parnac, tél. 05 65 30 71 86, herve.froment@vinovalie.com V r.-v.

OSEZ L'ESCUDÉ Petit Manseng 2017 ★★

3000 | 8 à 11 €

En 2004, Laurent et Murielle Caubet décident d'apporter un nouveau souffle à cette ancienne ferme béarnaise. Ils louent des parcelles de vieilles vignes et transforment le poulailler en chai, puis la grange en cuvier. Depuis, ils produisent avec brio, sur 7,5 ha, dans toutes les couleurs et sous deux étiquettes : L'Escudé et le Dom. de Moncade.

Souvent vinifié en doux, le petit manseng est à l'origine de grands vins blancs béarnais. Élevé six mois en fût, il donne ici un moelleux qui fait souvent grande impression. C'est encore le cas de ce 2017 vieil or. Un vin concentré, caractéristique du cépage et de la région. Le nez monte en puissance sur des notes de fruits exotiques (ananas), d'abricot sec, de coing et de nèfle, nuancées d'une touche de truffe. Onctueuse, équilibrée par une pointe d'acidité, la bouche dévoile une très belle matière, marquée en finale par un retour des fruits blancs. ⧗ 2019-2023 ■ **L'Escudé Élevé en fût de chêne 2017 ★★ (8 à 11 €; 2000 b.)** : né de petit manseng, élevé douze mois en fût, un vin blanc sec remarquable tant par son expression aromatique (ananas, pêche, prune, fruits secs, épices) que par son ampleur et sa richesse au palais. ⧗ 2019-2024 ■ **Dom. de Moncade Tannat 2017 ★ (8 à 11 €; 3500 b.)** : une robe profonde, un nez sur les petits fruits noirs compotés, rehaussé de notes empyreumatiques, un palais charnu, à la fois rond et frais, aux tanins fondus, marqué en finale par des notes suaves de gelée de mûre. Une belle image du grand cépage rouge béarnais. ⧗ 2020-2024 ■ **2018 (5 à 8 €; 10 000 b.)** : vin cité.

⊶ SARL CAUBET, 220, chem. de l'Escudé, 64410 Cabidos, tél. 06 07 47 10 27, vin.lescude@orange.fr V t.l.j. sf sam. dim. lun. 9h-12h 14h-18h

LE CADET DE LABASTIDE Duras Syrah 2018 ★★

■ | 500 000 | | - de 5 €

La plus ancienne coopérative du Tarn (fondée en 1949) est aussi le plus gros producteur de vins blancs de la région. Elle s'est illustrée dès 1957 en créant le gaillac perlé. Elle regroupe aujourd'hui une centaine d'adhérents.

Composé de syrah et de duras, ce rosé a été vinifié par saignée mais adopte une couleur tendre. Intense et franc au nez, il montre une belle complexité, déployant des parfums de fruits rouges, de cassis et d'agrumes, agrémentés d'une touche de pivoine. Structuré, frais, épicé et long, teinté en finale par l'amertume du pamplemousse, il laisse une impression d'élégance. ⧗ 2019-2020

⊶ SCA CAVE DE LABASTIDE-DE-LEVIS, lieu-dit La Barthe, 81150 Labastide-de-Levis, tél. 05 63 53 73 73, commercial@cave-labastide.com V t.l.j. sf dim. 9h-12h 14h-18h

LIONEL OSMIN ET CIE Négrette 2018

■ | 120 000 | | 8 à 11 €

Fils d'un bijoutier béarnais, Lionel Osmin est devenu ingénieur agricole et a fondé en 2010 une maison de négoce qui compte, spécialisée dans les vins du grand Sud-Ouest, d'Irouléguy à Bergerac, de Madiran à Marcillac. Aux commandes des vinifications de cette vaste gamme, l'œnologue Damiens Sartori.

Un rosé élaboré à partir du cépage vedette du Frontonnais. Il a la couleur pastel de la pêche, pêche que l'on retrouve dans son expression aromatique discrète, mais nette et délicate. Les fruits jaunes s'allient aux fruits rouges et au bonbon dans une bouche ronde avec élégance, équilibrée par une fine acidité. ⧗ 2019-2020

⊶ SAS LIONEL OSMIN & CIE, 6, rue de l'Ayguelongue, 64160 Morlaàs, tél. 05 59 05 16 16, m.lucas@osmin.fr

DOM. DE REVEL L'Instant papillon 2018 ★

■ | 9 300 | | 5 à 8 €

Domaine familial de 15 ha implanté à l'est de Montauban, non loin du village médiéval de Bruniquel. Avant l'an 2000, il fournissait son vin en vrac aux négociants. Sous l'impulsion de Mickaël Raynal, arrivé sur l'exploitation en 2010, il développe la vente directe. Domaine en bio certifié à partir de 2019.

Il attirerait un papillon, ce blanc moelleux à la robe pâle et lumineuse, au nez intensément floral, fruité (fruits jaunes), miellé et épicé, un peu muscaté aussi. Des arômes que l'on retrouve avec plaisir dans une bouche tendre, équilibrée, aussi ronde que longue. ⧗ 2019-2023

⊶ EARL PAPYLLON, 45, chem. des Brugues, 82800 Vaïssac, tél. 06 77 11 93 31, domainederevel@yahoo.com V r.-v.

B DOM. DE RIBONNET Syrah 2017 ★

■ | 6 500 | | 8 à 11 €

Cette propriété, avec son château du XVe s., a appartenu à Clément Ader, pionnier de l'aviation au début du XXe s. Son vignoble, 21 ha conduits depuis 1975 par l'œnologue suisse Christian Gerber, est en bio certifié depuis le millésime 2005.

Élevée douze moins en fût (neufs à 50 %) et six mois en cuve, cette cuvée de syrah s'ouvre sur des notes animales de gibier, puis sur un boisé appuyé qui laisse percer des senteurs fraîches de fruits noirs acidulés et de groseille. Bien intégré en bouche, le chêne se lie au sous-bois et aux petites baies dans un palais frais, bien structuré par des tanins assez vifs. ⧗ 2020-2025

⊶ SARL VALLÉES ET TERROIRS, 716, chem. de Ribonnet, 31870 Beaumont-sur-Lèze, tél. 05 61 08 71 02, vinribonnet31@aol.com V t.l.j. sf dim. 8h-12h 14h-18h

♥ RIGAL Malbec Cépia 2018 ★★

■ | 100 000 | | - de 5 €

À la tête de plus de 250 ha en cahors, cette maison cadurcienne, dont les origines remontent à 1755, rayonne aujourd'hui dans tout le Sud-Ouest, affiliée depuis 2003 au vaste groupe Advini.

Outre ses cahors, la maison propose des vins en IGP issus du même cépage malbec, comme celui-ci, fort loué pour la finesse de ses arômes et pour le velouté de sa texture. Sa robe profonde tire sur le noir. Son nez franc mêle les fruits noirs et la cerise à l'alcool. Souple en attaque, bien structurée, la bouche séduit par ses tanins déjà fondus et par sa finale fraîche. Agréable dès aujourd'hui, cette bouteille ne manque pas de réserves. ⧗ 2019-2024

⊶ SAS RIGAL, Les Hauts Coteaux, 46700 Floressas, tél. 05 65 30 70 10, marketing@rigal.fr

TARANI 2018 ★

■ | 500 000 | | - de 5 €

Les caves de Técou, de Rabastens, de Fronton et des Côtes d'Olt ont uni leurs forces en 2006 en créant le groupe Vinovalie, dont le nom renvoie aux valeurs collectives du rugby. Un groupe qui fédère 400 vignerons et rassemble quelque 3 800 ha de vignes répartis sur trois appellations : gaillac, fronton et cahors.

Proposé par la cave de Fronton, ce rosé saumon clair associe le gamay et la négrette. Discret mais franc, le nez mêle les fruits rouges et le bonbon anglais. On retrouve le bonbon dans un palais de belle longueur, souple et rond, équilibré par ce qu'il faut de fraîcheur. ⧗ 2019-2020 ■ **2018 ★ (- de 5 €; 1 517 267 b.)** : élaborée par la cave de Rabastens, petite cité du Gaillacois sur le Tarn, cette cuvée très diffusée associe le fer-servadou (60 %), le gamay et le duras. Vinifiée de façon à exalter ses arômes, elle se pare d'une robe intense aux reflets de jeunesse, s'ouvre sur des notes de bonbon, prélude à une bouche flatteuse par son fruité un peu amylique et par sa structure. ⧗ 2019-2022

SCA VINOVALIE (SITE DE FRONTON), 175, av. de la Dourdenne, 31620 Fronton, tél. 05 62 79 97 79, laboratoire@vins-fronton.com V *t.l.j. sf dim. 9h-12h30 14h-18h30 (19h l'été)*

LE VIOGNIER DE TERRIDE Les Caprices d'Alix 2018 ★★

| 8000 | | 5 à 8 € |

Un château flanqué de deux tours carrées – un ancien relais de chasse construit en 1650 par un maître-verrier –, devenu viticole dans les années 1960, se dresse devant un vignoble de quelque 34 ha ceint de bois. Jean-Paul et Solange David ont acquis le domaine en 1996; ils sont aujourd'hui relayés par leur fille Alix, œnologue, et par son mari Gérard.

Un caprice de la vigneronne : acclimater le viognier dans le Sud-Ouest pour ajouter un vin blanc sec original aux multiples gaillac du domaine. Vinifié de façon à garder quelques sucres résiduels, ce viognier or pâle s'ouvre sur des fragrances subtiles de fleurs blanches et de rose, puis sur des senteurs de poire et de pêche blanche. On les retrouve dans un palais ample et suave, marqué en finale par une touche de fruits secs. ⧗ 2019-2021

GAEC DE TERRIDE, Ch. de Terride, D_20, 81140 Puycelsi, tél. 05 63 33 26 63, info@chateau-de-terride.com V *t.l.j. sf dim. 10h-12h 14h-19h*

NICOLAS TORTIGUE 2115 Terroir de Bigorre 2018 ★

| 10000 | | 5 à 8 € |

Issu d'une lignée de vignerons, Nicolas Tortigue s'installe en 2013 sur le Dom. de Larroque, rebaptisé Pyrénéales, clin d'œil au massif pyrénéen et à ses enfants Pierre et Alan. Il conduit près de 8 ha de vignes.

Cépage phare du village de Madiran, le tannat est aussi mis en œuvre pour élaborer des vins en IGP, comme cette cuvée à la robe profonde animée de reflets violines de jeunesse. Le nez s'ouvre sur la cerise burlat relevée d'une touche poivrée. La mûre vient compléter cette palette dans une bouche charnue, étayée par une structure tannique déjà fondue, d'une belle fraîcheur en finale. ⧗ 2020-2024 ■ **Petit Manseng 3298 Prestige de Bigorre 2018 (8 à 11 €; 4500 b.)** : vin cité. ■ **1489 Plaisir de Bigorre 2018 (5 à 8 €; 9700 b.)** : vin cité.

SCEA DOM. LES PYRÉNÉALES, chem. de las Techeneres, 65700 Madiran, tél. 06 88 39 59 00, lespyreneales@orange.fr V *r.-v.*

TRIGUEDINA Vin de lune 2017 ★

| 5400 | | 8 à 11 € |

En 1830, Étienne Baldès plante ses premières vignes au Clos Triguedina. Après des expériences en Bourgogne et dans le Bordelais, Jean-Luc Baldès (septième génération) prend la suite en 1990. Il agrandit le vignoble – 65 ha aujourd'hui dont 40 ha de malbec, plantés essentiellement sur les trois plus belles terrasses de l'appellation cahors (à Vire-sur-Lot, Puy-l'Évêque et Floressas), fait du domaine l'une des grandes références cadurciennes et s'impose comme un ambassadeur incontournable du malbec. Clos Triguedina? Les pèlerins de Saint-Jacques de Compostelle avaient l'habitude de s'y restaurer : « me trigo de dina » signifie « il me tarde de dîner » en occitan.

Mi-viognier mi-chardonnay, un vin blanc sec élevé six mois en barrique. Or pâle, il séduit par son nez expressif et suave, qui s'ouvre sur les fleurs blanches, puis sur l'abricot et la prune. La bouche, à l'unisson, développe de plaisants arômes fruités et vanillés. Gourmande et charnue, d'une belle ampleur, elle est équilibrée par une finale fraîche. ⧗ 2019-2023

SARL JEAN-LUC BALDÈS (TRIGUEDINA), lieu-dit les Poujols, 46700 Vire-sur-Lot, tél. 05 65 21 30 81, contact@jlbaldes.com V *t.l.j. sf dim. 9h-12h 14h-18h*

IGP CÔTES DE GASCOGNE

DOM. CANDEO Gros Manseng 2018 ★★

| 52000 | | 5 à 8 € |

Situé dans le Gers au nord-est de Vic-Fezensac, ce vignoble d'environ 20 ha a été acheté en 2017 par la société Vignobles d'exception présidée par Frédéric Camblong, également directeur du Dom. de l'Herré, dans la même région. Il est établi à l'emplacement d'un ancien camp romain, au lieu-dit Camp de Haut, d'où le nom du domaine.

Vendangé la nuit, le gros manseng, complété de quelques gouttes de petit manseng, a permis d'obtenir ce vin doux au nez tout en finesse, entre acacia et fruits exotiques. L'ananas et la fleur d'oranger agrémentent sa bouche onctueuse, ample et ronde, tendue en finale par une belle fraîcheur qui laisse une impression de légèreté et d'élégance. ⧗ 2019-2022

VIGNOBLES D' EXCEPTION, Les Acacias, 32310 Bezolles, frederic@camblong.fr

PIERRE CHAVIN Sauvignon Cuvée Réserve 2018 ★★

| 400000 | 5 à 8 € |

Implantée à Béziers, une maison de négoce créée en 2010 par l'œnologue Fabien Gross, fils de vigneron du Haut-Rhin devenu « assembleur et éleveur de vins français ». Présente sur différents vignobles du pays, elle vise des « créations haute couture » et des vins « prêt-à-consommer », aptes à conquérir les marchés internationaux.

Assemblé à un petit appoint de colombard et de gros manseng, le sauvignon est à l'origine de ce vin blanc sec, qui libère à l'aération des notes fraîches d'acacia, de fruits blancs, de fruits exotiques et d'agrumes. Une attaque sur le zeste de citron introduit un palais harmonieux et dynamique, vif sans rien de mordant. ⧗ 2019-2022

PIERRE CHAVIN, 2, bd Jean-Bouin, 34500 Béziers, tél. 04 67 90 12 60, info@pierre-chavin.com V *r.-v.*

CHARMES DE COLOMBELLE 2018 ★★

| 120000 | | 8 à 11 € |

Le groupe Plaimont Producteurs est le fruit d'une association de trois caves qui, en 1979, unirent leurs initiales (PL pour Plaisance, AI pour Aignan et MONT pour Saint-Mont) pour créer ce leader des vins du Sud-Ouest produisant 40 millions de bouteilles par an. Rejoint en 1999 par les caves de Condom et de

Crouseilles, Plaimont représente 98 % de l'appellation saint-mont, environ la moitié des AOC madiran et pacherenc-du-vic-bilh ainsi que des IGP côtes-de-gascogne. Un acteur de poids.

La version moelleuse de la Colombelle met en œuvre du gros manseng récolté à la mi-octobre. Parée d'une robe lumineuse, jaune pâle, elle mêle au nez des parfums d'agrumes et de fruits exotiques d'une belle fraîcheur. Intense en bouche, très équilibrée entre douceur et fraîcheur, elle finit sur une pointe de vivacité qui lui donne beaucoup d'allant. ⌛ 2019-2022 ■ **Caprice de Colombelle 2018 ★★ (5 à 8 €; n.c.)** : coup de cœur dans le millésime précédent, ce vin sec à base de colombard et de gros manseng garde beaucoup d'attraits. On y retrouve ses arômes nets, élégants, intenses et complexes (fruit de la Passion, fruits jaunes, bonbon anglais), qui se prolongent dans un bouche perlée, fraîche, acidulée et persistante. ⌛ 2019-2021 ■ **Corolle Condomois 2018 ★★ (5 à 8 €; 200000 b.)** : du cabernet-sauvignon et du merlot au service d'un rosé vineux avec élégance, harmonieux et long, aux arômes de framboise, de bonbon et de pamplemousse rose. ⌛ 2019-2020 ■ **Dom. de Cassaigne Le Labyrinthe 2018 ★ (5 à 8 €; 36000 b.)** : composée de merlot et de cabernet-sauvignon, cette cuvée saumon très tendre aux reflets argentés offre un nez charmeur, à la fois intense et délicat, mêlant chèvrefeuille, lilas, pêche blanche, fraise et griotte. Équilibrée et fraîche, la bouche garde cette élégance. ⌛ 2019-2020 ■ **Dom. d'Aula 2018 ★ (- de 5 €; 18000 b.)** : issu de merlot et de syrah, il s'ouvre sur les fleurs blanches et les fruits rouges; plus expressif au palais, frais et long, il déploie des arômes de fraise confiturée, de framboise et de bonbon acidulé. ⌛ 2019-2020

⊶ PLAIMONT PRODUCTEURS, 199, rte de Corneillan, 32400 Saint-Mont, tél. 05 62 69 62 87, c.mur@plaimont.fr V 🚶 ▪ *r.-v.*

MAISON DARBEAU Claire de lune 2018 ★

■	6000	🍾	5 à 8 €

Trois générations se sont succédé sur cette exploitation située en Armagnac, dans le célèbre terroir des sables fauves. La première se dédiait à la prestigieuse eau-de-vie, la seconde s'est lancée dans l'élaboration des floc-de-gascogne. Jean-Christophe Darbeau, installé en 1996, a ajouté à cette gamme les vins en IGP. Son vignoble compte une quarantaine d'hectares, des vignes blanches pour les trois quarts.

Le merlot est seul à l'œuvre dans cette cuvée saumon pâle, aux arômes d'agrumes, de fruits exotiques et de petites baies rouges, vive et droite en bouche. Sa fraîcheur permettra à ce rosé de s'entendre avec des crevettes, du saumon et des tapas. ⌛ 2019-2020

⊶ MAISON DARBEAU, pl. du Monument-aux-Morts, 32370 Manciet, tél. 05 62 08 15 08, darbeaumillesimes@orange.fr V 🚶 ▪ *t.l.j. 9h-12h 16h-19h* 🏠 Ⓐ

DOM. D'EMBIDOURE 2018 ★

■	14000	🍾	5 à 8 €

Établies en Haut-Armagnac, à Réjaumont, les deux sœurs Ménégazzo, Nathalie et Sandrine, ont ajouté les flocs et les vins de pays à la tradition bachique inaugurée par leur père avec l'armagnac. Elles ont abandonné leurs vergers de pommiers pour se consacrer à leurs 36 ha de vignes. Une valeur sûr e de la Gascogne viticole.

Déjà apprécié l'an dernier, ce rosé naît d'un assemblage original de syrah et de cabernet franc à parts égales. D'un rose «fluo», selon un dégustateur, il s'ouvre sur des notes intenses de groseille et de fraise relevées de touches poivrées. Les fruits rouges s'épanouissent dans une bouche ample et ronde, à la finale nerveuse et longue. Un vin assez puissant pour accompagner un repas. ⌛ 2019-2020

⊶ DOM. D' EMBIDOURE, 32390 Réjaumont, tél. 05 62 65 28 92, menegazzo.embidoure@wanadoo.fr V 🚶 ▪ *t.l.j. sf sam. dim. 9h-12h 14h-18h30*

DOM. D'ESPÉRANCE
Sauvignon Gros Manseng Cuvée d'or 2018 ★★

■	10000	5 à 8 €

Après une carrière de «chasseur de tête» en Angleterre, Claire de Montesquiou décide en 1990 de revenir sur la terre de ses ancêtres. Elle est aujourd'hui à la tête d'un domaine de 40 ha et a fait appel au talent de Jean-Charles de Castelbajac pour dessiner l'étiquette qui habille ses cuvées.

Un nez engageant, bien ouvert, partagé entre acacia, agrumes mûrs et mirabelle pour ce vin blanc sec aromatique, ample et persistant, dont la fraîcheur est soulignée en bouche par des notes de pamplemousse. ⌛ 2019-2022 ■ **Gros Manseng Cuvée d'Automne 2017 ★★ (5 à 8 €; 4000 b.)** : un moelleux tout en souplesse et en onctuosité, aux arômes intenses de fleurs blanches, de miel et de fruits mûrs, tonifié par une longue finale fraîche aux accents de pamplemousse. ⌛ 2019-2022 ■ **2018 ★★ (5 à 8 €; 4000 b.)** : complétés par un appoint de merlot, les deux cabernets composent ce rosé aux parfums discrets de fleurs, de pêche, de fruits rouges et d'agrumes. La fraise et la framboise prennent le dessus dans un palais harmonieux, gras et suave en attaque, tendu par une belle acidité. ⌛ 2019-2020

⊶ DOM. D' ESPÉRANCE, 320, chem. d'Espérance, 40240 Mauvezin-d'Armagnac, tél. 05 58 44 85 93, info@esperance.fr V 🚶 ▪ *r.-v.* 🏠 Ⓓ

DOM. DE FORTUNET
Petit Manseng 2018 ★★

■	50000	5 à 8 €

Quatre générations se sont succédé sur cette exploitation familiale du Bas-Armagnac. Depuis 1996, c'est Vincent Debets qui préside à ses destinées. Il a contribué à restructurer le vignoble (60 ha aujourd'hui) et à se lancer dans la production de bouteilles de vins en IGP. Les cépages blancs sont installés sur des sols argilo-calcaires ou limoneux et les variétés rouges plantées sur des terrains argilo-graveleux.

Vendangé le 25 octobre, le petit manseng a engendré un moelleux doré, au nez d'abricot, de fruits exotiques, de miel et de fruits secs. Au palais, ce vin s'impose par sa texture ample, riche et onctueuse, et par ses arômes de fruits jaunes confiturés soulignés d'une fraîcheur donnant tonus et longueur. ⌛ 2019-2023 ■ **Cabernet-sauvignon 2018 ★★ (- de 5 €; 20000 b.)** : le cabernet-sauvignon, après une courte macération, a donné à ce rosé une robe colorée, saumon intense et un nez bien ouvert, complexe et frais, mêlant framboise, fraise, cassis, fruits jaunes et mandarine. Ces arômes se prolongent dans un palais vif en attaque, rond et vineux dans son développement, à la finale persistante et acidulée, teintée d'une légère amertume. Un vin expressif et bien construit. ⧗ 2019-2020. ■ **Fleur de Fortunet Colombard 2018 (5 €; 60 000 b.)** : vin cité.

⊶ DOM. DE FORTUNET, Lieu-dit Fortunet, 32110 Lanne-Soubiran, tél. 06 80 32 74 50, info@domaine-fortunet.com V ♿ ▮ *t.l.j. sf dim. 9h-12h 14h-18h30*

DOM. DE LA HAILLE Blanc de mer 2018 ★

■ | 10 000 | ▮ | | 5 à 8 €

En 1937, Louis Lapeyre achète les premières parcelles. À l'origine producteur d'armagnac, le domaine a diversifié sa production à partir des années 1890. Aux commandes depuis 1999, Jean-Luc Lapeyre conduit 42 ha de vignes; il propose, outre l'eau-de-vie gasconne, des flocs et des vins en IGP. Propriété certifiée Haute valeur environnementale.

Ce vin blanc sec associe 80 % de colombard et 20 % de sauvignon. Il tire de ces deux variétés un nez intensément fruité, qui monte en puissance sur des notes d'acacia, de fruits blancs, de citron confit et de fruits exotiques (ananas et litchi). Plutôt svelte, le palais séduit par sa fraîcheur qui met en valeur ses arômes de pomme, de poire et d'agrumes. ⧗ 2019-2020 ■ **Cuvée Hugo 2017 (8 à 11 €; 4 000 b.)** : vin cité.

⊶ DOM. DE LA HAILLE, Dom. de la Haille, 32250 Montréal-du-Gers, tél. 06 77 11 08 37, lahaille@orange.fr V ▮ *t.l.j. sf dim. 9h-12h 14h-18h; sam. sur r.-v.* 🏠 B

LES HAUTS DE MONTROUGE Colombard-Sauvignon 2018 ★

■ | 130 000 | ▮ | | - de 5 €

Créée en 1963, la coopérative de Nogaro, au cœur du Bas-Armagnac, a été rebaptisée en 2016 Les Hauts de Montrouge. Regroupant 60 viticulteurs qui cultivent environ 1 000 ha de vignes, elle propose armagnacs et floc-de-gascogne issus de sables fauves, ainsi qu'une gamme de vins en IGP côtes-de-gascogne.

Né de colombard majoritaire, ce vin blanc sec séduit par son nez intense, tonique et fin, entre acacia, pêche blanche, orange et mandarine, puis par sa bouche nette et fruitée, tendue par une fraîcheur acidulée. ⧗ 2019-2021 ■ **Gros Manseng 2018 ★ (5 à 8 €; 130 000 b.)** : un vin doux typique des côtes-de-gascogne moelleux par ses arômes de fruits frais et par sa plaisante vivacité, du premier nez à la finale acidulée. ⧗ 2019-2022 ■ **Merlot 2018 ★ (- de 5 €; 130 000 b.)** : le merlot est seul à l'œuvre dans ce rosé à la brillante robe pastel. D'abord discret, le nez monte en puissance sur des notes élégantes de fruits acidulés, fraise et framboise en tête. Ce côté pimpant se confirme dans une bouche ample et fraîche, aux arômes toniques de groseille et de pamplemousse. ⧗ 2019-2020

⊶ LES HAUTS DE MONTROUGE, rte d'Aire-sur-l'Adour, 32110 Nogaro, tél. 05 62 09 21 79, info@hdmontrouge.com V ♿ ▮ *t.l.j. sf dim. lun. 9h-12h 14h-18h*

DOM. DE L'HERRÉ Sauvignon 2018 ★★

■ | 160 000 | ▮ | | 5 à 8 €

Créé en 1974 dans la zone du Bas-Armagnac, près d'Eauze, ce domaine compte environ 100 ha de vignes qui couvrent le versant sud d'une ligne de crête offrant un panorama exceptionnel sur les Pyrénées. Il dispose depuis 2010 d'une structure de négoce qui vinifie sur le même site. La maison est dédiée aux vins de cépage en IGP côtes-de-gascogne.

Le sauvignon a légué à ce vin un nez flatteur, bien ouvert sur les fruits blancs frais et les agrumes, teinté d'une touche végétale, et une bouche tout aussi aromatique, franche, croquante, vive et persistante. ⧗ 2019-2022 ■ **Gros Manseng 2018 ★ (5 à 8 €; 133 300 b.)** : vendangé à la fraîche, le cépage a engendré un moelleux au nez discret d'agrumes, agréable par son équilibre entre souplesse et fraîcheur et par ses arômes de fruits blancs et de figue. ⧗ 2019-2022

⊶ SAS LES VINS DE L' HERRÉ, Herré, 32370 Manciet, tél. 05 62 69 03 26, cfaure@lherre.fr V ▮ *t.l.j. sf sam. dim. 9h-12h30 14h-17h30*

DOM. LA HITAIRE Jardin d'hiver 2018 ★★

■ | 10 000 | ▮ | | 8 à 11 €

À l'origine du Dom. Tariquet, un montreur d'ours ariégeois émigré aux États-Unis qui achète à son retour en France, en 1912, cette propriété gersoise ruinée par le phylloxéra. Sa petite-fille épouse Pierre Grassa; le couple et deux de ses enfants, Maïté et Yves, développent la production d'armagnac, puis misent, dans les années 1980, sur les vins de pays (IGP), essentiellement blancs, qui connaissent un immense succès. Armin et Rémy Grassa, fils d'Yves, achètent en 1999 le Dom. la Hitaire. En tout, pas moins de 1 125 ha.

Jouxtant un lac, entourant un château du XVIII^e^s., les vignes du Dom. la Hitaire se déploient sur les collines d'Éauze, capitale de l'Armagnac. Les deux mansengs (dont gros manseng 60 %) ont donné un vin doux aux arômes intenses de fruits jaunes mûrs et d'orange confite. Particulièrement riche et rond, le palais bénéficie en finale d'un trait de fraîcheur qui laisse une impression d'harmonie. ⧗ 2019-2022 ■ **Dom. Tariquet Premières Grives 2018 ★ (8 à 11 €; 900 000 b.)** : le dernier millésime d'un moelleux très diffusé. Issu de gros manseng, un vin puissant et ample, tout en rondeur suave, aux arômes riches et gourmands de miel, d'orange, de raisin et de fruits exotiques confits. ⧗ 2019-2022 ■ **Dom. Tariquet Amplitude 2018 (8 à 11 €; 30 000 b.)** : vin cité.

⊶ SCV CH. DU TARIQUET, Saint-Amand, 32800 Eauze, tél. 05 62 09 87 82, contact@tariquet.com V ▮ *t.l.j. sf dim. 9h30-12h 14h30-18h*

HORGELUS Phi-Ling 2017 ★★

■ | 20 000 | ⦀ | | 8 à 11 €

Œnologue diplômé, Yoan Le Menn a repris en 2007, à l'âge de vingt et un ans, le domaine fondé par son grand-père entre Ténarèze et Bas-Armagnac, qui couvre aujourd'hui 90 ha, et l'a complété d'une structure de négoce. Il propose de l'armagnac, à côté d'une production tournée vers les IGP côtes-de-gascogne. Pour préserver la fraîcheur aromatique des baies, il privilégie les vendanges nocturnes.

L'assemblage du cabernet-sauvignon (60 %) et du tannat et un séjour de douze mois en barrique ont donné à ce vin une robe pourpre sombre, des arômes de fruits rouges soulignés de notes d'élevage vanillées et fumées et une bouche ample, étoffée, de bonne longueur, adossée à des tanins affables. ⧗ 2020-2024 ■ **2018 ★★ (- de 5 €; 200 000 b.)** : merlot, cabernet et tannat composent cette cuvée pâle de teint qui libère des effluves élégants de lilas, de framboise et d'amande douce. On retrouve la framboise dans une bouche gourmande, tout en rondeur et en suavité, rafraîchie par des notes acidulées d'agrumes. ⧗ 2019-2020 ■ **Colombard Sauvignon 2018 ★ (- de 5 €; 800 000 b.)** : des arômes flatteurs de fruits exotiques, de pêche, de pomme et d'agrumes pour ce vin blanc sec ample et gras, de bonne longueur, tendu par une agréable vivacité. ⧗ 2019-2021

SAS HORGELUS, lieu-dit le Cassou, 32250 Montréal-du-Gers, tél. 05 62 09 95 94, contact@horgelus.com V t.l.j. sf sam. dim. 9h-12h 13h30-17h

DOM. DE JOŸ Éros 2018 ★

■	80 000		5 à 8 €

Originaire de Suisse, Paul Gessler s'installe en Bas-Armagnac en 1927. Roland et Olivier, ses petits-fils, lui succèdent en 1988, puis le second reste seul aux commandes. Il est aujourd'hui secondé par ses enfants Vanessa et Kévin. Implanté sur des sols argilo-siliceux et limono-siliceux, le vaste domaine (160 ha) propose une large gamme d'armagnacs, de flocs et de côtes-de-gascogne.

Éros, l'anagramme de rosé. Constant, il revient pour la quatrième année de suite. Né de quatre cépages, merlot, tannat, syrah et cabernet franc, il a le teint pâle et le caractère franc. Parfumé de fleurs et de petits fruits rouges, il séduit en bouche par ses arômes de framboise, de fraise et de bonbon, par sa rondeur suave et son ampleur, équilibrées par une vivacité tonique. ⧗ 2019-2020

DOM. DE JOŸ, Lieu-dit "À Joÿ", 32110 Panjas, tél. 05 62 09 03 20, info@domaine-joy.com V r.-v.

LA DEMOISELLE DE LABALLE Gros Manseng 2018 ★

■	50 000		8 à 11 €

En 1820, Jean-Noël Laudet, de retour des Antilles où il avait passé plus de vingt ans dans le commerce des épices, fonde ce domaine du Bas-Armagnac pour produire l'eau-de-vie gasconne. Le vignoble (40 ha sur un terroir de sables fauves riche en oxyde de fer) est conduit depuis 2007 par Cyril Laudet (huitième génération) et son épouse Julie, qui proposent aussi des vins en IGP.

Subtilement fruité au nez, un moelleux tout en finesse, léger et souple en bouche. Ses arômes de pêche jaune et de jus d'ananas sont soulignés en finale par une agréable fraîcheur. ⧗ 2019-2021 ■ **Monsieur Laballe Gros Manseng Sec 2018 (5 à 8 €; 150 000 b.)** : vin cité.

EURL FAMILLE LAUDET, chai de Laballe, 40310 Parleboscq, tél. 05 58 73 81 57, contact@laballe.fr V r.-v.

DOM. DES FRÈRES LAFFITTE Le Petit Gascoûn 2018

■	70 000	- de 5 €

Héritiers d'une lignée vigneronne remontant à la nuit des temps, Christophe et Sébastien Laffitte (installés respectivement en 2001 et 2005) ont repris l'exploitation familiale qui couvre 140 ha dans la partie occidentale du Gers, en Bas-Armagnac. Ils ont restructuré le vignoble, aménagé un chai (2013) et lancé à partir de 2015 leurs gammes de vins, qui s'ajoutent à une production traditionnelle d'armagnac.

Fidèle au rendez-vous, le Petit Gascoûn rosé assemble cette année du cabernet franc à un appoint de tannat et de marselan. D'une teinte pastel, il s'ouvre sur les fruits exotiques et la framboise, avec une touche de bonbon anglais. Pas très longue mais très équilibrée, la bouche reste dans ce registre fruité et acidulé. ⧗ 2019-2020

DOM. DES FRÈRES LAFFITTE, Guillombeyrie, 32800 Ayzieu, tél. 06 71 62 16 96, lesfrereslaffitte@gmail.com V r.-v. SARL Laffitte Frères

DOM. LAGUILLE Gros Manseng 2018 ★

■	50 000		5 à 8 €

Un domaine familial de 64 ha fondé en 1922 au cœur de la Gascogne, à Eauze. Aux commandes depuis 1980, Colette et Guy Vignoli ont une démarche très raisonnée, à tendance bio, visant à améliorer la biodiversité ; ils investissent dans les énergies renouvelables.

Un moelleux élégant aux arômes de fruits blancs et de miel, au palais ample et rond, d'une agréable fraîcheur en finale. ⧗ 2019-2022 ■ **La Rencontre by Laguille 2018 ★ (5 à 8 €; 30 000 b.)** : né de sauvignon majoritaire, un vin blanc sec aux arômes d'agrumes, alliant une certaine rondeur (12 g de sucres résiduels) à une fraîcheur tonique. ⧗ 2019-2021 ■ **Caprice de fruit 2018 ★ (5 à 8 €; 20 000 b.)** : issu de merlot majoritaire et de cabernet-sauvignon, ce rosé saumon clair séduit par l'élégance et la fraîcheur de ses parfums de framboise et de cassis. On retrouve cette finesse et ces petits fruits juste cueillis dans un palais rond et souple en attaque, équilibré par une vivacité qui donne tonus et allonge à la finale. ⧗ 2019-2020

DOM. LAGUILLE, Laguille Saint-Amand, 32800 Éauze, tél. 05 62 09 77 05, contact@laguille.com V t.l.j. sf sam. dim. 9h-12h 14h-18h

DOM. DE LAXÉ Mansengs 2017 ★★

■	12 000		5 à 8 €

Un domaine gersois créé à partir de 1962 par Désiré Estrade et ses fils. La commercialisation en bouteilles est plus récente : 2003, sous l'impulsion de la troisième génération (Rémy et Éric), aujourd'hui à la tête de 90 ha de vignes plantées sur des plateaux argilo-calcaires. En conversion bio.

Issu de gros manseng majoritaire (80 %) et de petit manseng récoltés surmûris, un moelleux complexe (miel, fruits jaunes et fruits exotiques en confiture), persistant, aussi puissant qu'élégant, à la fois rond et frais, teinté en finale par l'amertume tonique du pamplemousse rose. ⧗ 2019-2023 ■ **Sec 2018 ★ (5 à 8 €; 180 000 b.)** : simple et efficace, net et alerte, nerveux en finale, un vin blanc sec aux arômes de fruits exotiques et d'agrumes, pamplemousse en tête. ⧗ 2019-2021 ■ **2018 ★ (5 à 8 €; 50 000 b.)** : merlot, tannat et syrah composent ce rosé flatteur qui tire d'un pressurage direct sa robe pastel, pétale de rose. Élégant et suave, le nez associe la cerise mûre au bonbon anglais et même, selon un juré, à la barbe à papa. Très aromatique, la bouche reste sur la même ligne, offrant une matière à la fois ronde et acidulée. ⧗ 2019-2020

EARL VIGNOBLES ESTRADE ET FILS, Dom. de Laxé, 32250 Fourcès, tél. 05 62 29 42 49, restrade@orange.fr V r.-v.

DOM. DE MAGNAUT Euphorie de rosé 2018 ★

■	1000	🍾	5 à 8 €

Fondé en 1975, ce domaine de 44 ha situé en Ténarèze, dans le nord du Gers, s'est fait connaître grâce aux armagnacs de Pierre Terraube. C'est son fils Jean-Marie, arrivé en 2000, qui entretient à présent sa réputation. À sa carte, des armagnacs, des flocs et des côtes-de-gascogne. Exploitation certifiée Haute valeur environnementale.

La syrah a pris pied dans les terres océaniques de Gascogne. Elle a engendré un rosé à la robe colorée, d'un rose bonbon intense. Un bonbon que l'on retrouve au nez, associé aux fleurs et aux fruits rouges frais. En bouche, ce vin séduit par sa chair, son ampleur et son gras, équilibrés par une belle tension. ⌛ 2019-2020

DOM. DE MAGNAUT, Magnaut, 32250 Fourcès, tél. 05 62 29 45 40, domainedemagnaut@wanadoo.fr V t.l.j. 9h-12h 14h-18h; sam. dim. sur r.-v.

MAISON MARLÈRE L'Heure propice 2018 ★

■	30000	🍾	5 à 8 €

Riche d'une expérience acquise en Californie, en Amérique Latine et en Espagne, Jérôme Baradat, ingénieur en agriculture, est revenu dans son Béarn natal pour créer en 2011 la marque de négoce Marlère, dédiée aux vins du Sud-Ouest, qui porte le nom de la ferme de sa famille. Sur ses étiquettes, il entend faire œuvre de pédagogie pour faciliter le choix du consommateur.

Le chardonnay vient en appoint du gros manseng (70 %) dans ce moelleux doré, qui s'ouvre sur les fruits à chair jaune et sur les agrumes. Ce fruité s'affirme dans une bouche vive en attaque, riche, de bonne longueur, marquée en finale par une agréable pointe d'amertume. ⌛ 2019-2022 ■ **Accords parfaits Heures heureuses 2018 (5 à 8 €; 100 000 b.)** : vin cité.

MARLÈRE GASTRONOMIE, 9, av. du Dr-Lafourcade, 64100 Bayonne, tél. 06 82 66 36 96, contact@marlere.com

DOM. DE MAUBET 2018

■	80000	🍾	5 à 8 €

Le Dom. de Maubet était autrefois une ferme en polyculture, donnée en cadeau de mariage à Ésilda et Maximen Fontan, ancêtres des fondateurs de l'exploitation. En 1975, Aline et Jean-Claude Fontan décident d'en faire une propriété exclusivement viticole. Ils la transmettent en 2006 à leurs enfants Nadège (relations clients) et Sylvain (vinification), qui sont à la tête de 85 ha. À leur carte, des armagnacs, des flocs et des IGP côtes-de-gascogne.

De nouveau apprécié, ce rosé à la robe saumon lumineux assemble cabernet-sauvignon (majoritaire), tannat, merlot et syrah. Son joli nez mêle notes florales, agrumes, framboise et cassis. Des arômes qui se prolongent dans une bouche tout en rondeur, tonifiée en finale par une pointe acidulée ⌛ 2019-2020

DOM. DE MAUBET, Maubet, 32800 Noulens, tél. 05 62 08 55 28, contact@vignoblesfontan.com V t.l.j. sf sam. dim. 8h-12h 14h-18h

DOM. DE MÉNARD
Gros Manseng Cuvée d'or 2018 ★

■	266666	🍾	5 à 8 €

Domaine gersois fondé en 1922 par Jean-François Morel, viticulteur suisse, et exploité depuis 1988 par la troisième génération : Philippe Jegerlhener, Élisabeth Prataviera (œnologue) et son mari Henry. La quatrième génération se prépare à rejoindre la propriété, qui compte 160 ha dédiés à l'armagnac et (surtout) aux IGP côtes-de-gascogne.

En IGP côtes-de-gascogne, le gros manseng est souvent mis en œuvre pour élaborer des moelleux. Récolté la nuit, comme ici, il donne des vins qui, pour être doux, dévoilent néanmoins une grande fraîcheur. C'est bien le cas de celui-ci, aux arômes de fleurs et de fruits blancs, dont la finale tonique, sur les agrumes, laisse une impression de légèreté. ⌛ 2019-2022 ■ **Cuvée Marine 2018 (5 à 8 €; 760 000 b.)** : vin cité.

SARL MÉNARD, Haut Marin, 32330 Gondrin, tél. 05 62 29 13 33, contact@domainedemenard.com V t.l.j. sf sam. dim. 8h-12h 14h-17h30

♥ DOM. DE MISELLE
Colombard - Gros Manseng 2018 ★★

■	108000	🍾	- de 5 €

Ce domaine est depuis longtemps déjà voué à la viticulture : des armagnacs y étaient élaborés au XIXe s. Depuis 1998, la famille Chevallier, originaire du nord de la France, fait revivre cette propriété typiquement gasconne avec son pigeonnier traditionnel, dotée d'un vignoble de 28 ha. À sa tête, Julien Chevallier, ingénieur en agriculture.

Réputée pour ses moelleux à base de petit manseng, la propriété s'impose cette année par un blanc sec issu de colombard majoritaire. Aussi intense à l'œil qu'au nez, ce vin s'ouvre sur des notes flatteuses de citron et d'agrumes mûrs, avec une note d'amande. Tout aussi aromatique au palais, il se montre gras, tonique et long. Pour l'apéritif comme pour la table, sans oublier le fromage. ⌛ 2019-2022

EARL DOM. CHEVALLIER, Miselle, 32110 Caupenne-d'Armagnac, tél. 05 62 08 84 56, contact@miselle.com V r.-v.

DOM. DE PELLEHAUT
Harmonie de Gascogne 2018 ★★

■	1000000	5 à 8 €

Située aux confins du Bas-Armagnac, dans la Ténarèze, cette exploitation familiale, dont l'origine remonte à 1750, est conduite depuis 1960 par les frères Martin et Mathieu Béraut. Le domaine, en polyculture (céréales, vignes, élevage bovin extensif), s'étend aujourd'hui sur 550 ha, dont 250 dédiés à la viticulture.

En rouge, en rosé ou en blanc, les cuvées de la gamme Harmonie (dont le Guide avait décrit l'an dernier l'excellent rosé) mettent en œuvre de nombreux cépages. Pour ce blanc sec, pas moins de six : l'ugni blanc, le colombard, le sauvignon, les petit et gros mansengs, le chardonnay. Or pâle, ce vin séduit, tant par son nez intense et complexe, aux nuances de poire, de pêche et d'agrumes que par son palais tout aussi fruité, étoffé, frais et long. ⧗ 2019-2020

SCV BÉRAUT, Pellehaut, 32250 Montréal-du-Gers, tél. 05 62 29 48 79, contact@pellehaut.com t.l.j. sf dim. 9h-12h 14h-18h

DOM. DE PICARDON 2018 ★

| 170000 | | - de 5 € |

Situé à Réans, à l'ouest d'Eauze dans le Gers, ce domaine familial de quelque 90 ha aujourd'hui a été redynamisé et restructuré à partir de 1986 par Jean-Pierre Randé, qui y produit une gamme d'IGP, de flocs et d'armagnacs.

D'un rose pastel reflétant un pressurage direct, ce rosé doit presque tout au cabernet-sauvignon. Discrètement fruité, délicat et tonique au nez, il s'affirme en bouche, où il se montre ample et rond en attaque, puis d'une belle vivacité en finale. Les arômes? La suavité de la fraise bien mûre, puis la fraîcheur du zeste de pamplemousse. Un vin bien construit. ⧗ 2019-2020

DOM. DE PICARDON, Picardon, 32800 Réans, tél. 05 62 09 95 52, domainedepicardon@orange.fr t.l.j. sf dim. 9h-12h 14h-18h

PLAIMONT Du neuf en Gascogne 2018 ★★

| 150000 | | - de 5 € |

Le groupe Plaimont est le fruit d'une association de trois caves qui, en 1979, unirent leurs initiales (PL pour Plaisance, AI pour Aignan et MONT pour Saint-Mont) pour créer ce leader des vins du Sud-Ouest produisant 40 millions de bouteilles par an. Rejoint en 1999 par les caves de Condom et de Crouseilles, Plaimont représente 98 % de l'appellation saint-mont, environ la moitié des AOC madiran et pacherenc-du-vic-bilh ainsi que des IGP côtes-de-gascogne. Un acteur de poids.

Issu de pur colombard, un vin blanc sec léger en alcool (9 % vol.) et riche en sucres résiduels. Souple et rond, il est tonifié par des arômes d'agrumes (pamplemousse) et par une vivacité soulignée par un léger perlant. ⧗ 2019-2021 ■ **Merlot Manseng noir Cuvée Cyllène 2018 ★ (5 à 8 €; 80000 b.)** : née d'un vieux et rare cépage gascon assemblé au merlot, une cuvée aux arômes de fruits rouges acidulés, de cassis et de grillé. Conjuguant vinosité, ampleur et fraîcheur, un peu ferme en finale, elle est prête. ⧗ 2019-2022

PLAIMONT, rte d'Orthez, 32400 Saint-Mont, tél. 05 62 69 62 87, l.mene-castillou@plaimont.fr t.l.j. sf sam. dim. 9h-12h 14h-18h

PYRÈNE Cuvée Marine 2018 ★★★

| 350000 | | 5 à 8 € |

Fils d'un bijoutier béarnais, Lionel Osmin est devenu ingénieur agricole et a fondé en 2010 une maison de négoce qui compte, spécialisée dans les vins du grand Sud-Ouest, d'Irouléguy à Bergerac, de Madiran à marcillac. Aux commandes des vinifications de cette vaste gamme, l'œnologue Damiens Sartori.

Colombard (55 %), sauvignon blanc et gros manseng composent cette cuvée aux parfums intenses et flatteurs de pêche jaune, de fruits exotiques et d'agrumes. L'attaque ronde, où l'on retrouve la pêche, est relayée par une belle fraîcheur qui souligne des arômes de fruit de la Passion. Un vin d'une rare harmonie, typique des blancs secs gascons. ⧗ 2019-2021 ■ **Dom. San de Guilhem Colombard Sauvignon-Blanc 2018 (5 à 8 €; 50000 b.)** : vin cité.

SAS LIONEL OSMIN & CIE, 6, rue de l'Ayguelongue, 64160 Morlaàs, tél. 05 59 05 16 16, m.lucas@osmin.fr

DOM. LES REMPARTS Sauvignon Sur un R Gascon 2018 ★★

| 80000 | | 5 à 8 € |

Les frères Marcellin conduisent ce domaine familial de 120 ha, dont 43 ha de vignes, implanté en Ténarèze sur les coteaux de Gascogne. Ils élaborent des IGP côtes-de-gascogne, des floc-de-gascogne et des armagnacs et et cultivent des pruniers qui donnent des pruneaux d'Agen.

Un nez tonique, intense et bien fruité, sur le zeste de pamplemousse et le citron, nuancé de notes plus mûres de poire, de pêche et de coing. Les agrumes s'affirment dans une bouche vive et longue, à la finale citronnée. Parfait avec une viande blanche grillée ou du poisson frit. ⧗ 2019-2021

SCEA DES REMPARTS, Le Bourdilet-de-Séailles, 32100 Condom, tél. 05 62 28 39 30, contact@domainelesremparts.com r.-v.

DOM. RUBENS SPENGLER Kenauke 2017 ★

| 3204 | | 8 à 11 € |

Implanté en Bas-Armagnac au lieu-dit Rubens, sur des coteaux dominant à l'est le bourg de Nogaro, le vignoble sur sables fauves est en partie aménagé en terrasses. Il était exploité par Olivier Martin qui l'a revendu en 2017 à Alexis et Bruno Spengler. Les nouveaux propriétaires ont entrepris en 2018 de nouvelles plantations et repensent la conduite de la vigne (désherbage mécanique, densité resserrée).

Une belle étoile pour ce moelleux, premier millésime des nouveaux propriétaires. Né d'un assemblage de gros manseng (70 %) et de petit manseng, il séduit par ses parfums intenses de fruits exotiques et de miel, puis par sa bouche bien construite, ample et fraîche, où l'on retrouve les fruits exotiques, ananas en tête. ⧗ 2019-2022 ■ **Les Sources 2018 (8 à 11 €; 10791 b.)** : vin cité.

SCEA LES TERRASSES DE RUBENS, Rubens, 32110 Nogaro, tél. 07 82 32 32 41, alexis.spengler@wanadoo.fr t.l.j. 9h-18h

SAINT-LANNES Signature 2018 ★

| 300000 | 5 à 8 € |

Au hameau de Saint-Lannes, dans les années 1950, les gens vivaient l'autarcie à la gersoise entre céréales, vaches, basse-cour et vignes. Michel Duffour, arrivé en 1973 sur l'exploitation familiale, l'a dédiée à la viticulture et a élaboré sa première bouteille de vin en 1982. Aujourd'hui son fils Nicolas, qui a pris le relais en 2004, exporte 80 % de sa production.

Complété d'un appoint de gros manseng et d'une goutte d'ugni blanc, le colombard lègue à ce vin blanc sec un nez complexe, un rien minéral, qui s'ouvre sur les agrumes (pamplemousse) et la pêche, nuancés d'une touche d'amande amère et d'une pointe végétale. Les fruits exotiques s'ajoutent à cette palette dans un palais ample et élégant, de bonne longueur. ⧗ 2019-2021 ■ **Gros manseng 2018 (5 à 8 €; 40 000 b.)** : vin cité.

SARL NICOLAS DUFFOUR, Saint-Lannes, 32330 Lagraulet-du-Gers, tél. 05 62 29 11 93, nicolas.duffour@saint-lannes.fr V *r.-v.*

DOM. DENIS TASTET Trio 2018 ★★

■	40 000		- de 5 €

Propriété de la famille Tastet depuis plus d'un siècle, le domaine couvre 62 ha dans le Bas-Armagnac, à Larée dans le Gers. Denis Tastet est l'actuel maître des lieux, à la suite de son père André. Exploitation certifiée Haute valeur environnementale.

Ce trio harmonieux, où cabernet-sauvignon, syrah et merlot jouent leur partition, fait suite à un rosé de cabernet-sauvignon élu coup de cœur dans la dernière édition. Les atouts de cette cuvée rose tendre à reflets orangés : un nez intense, acidulé, tonique, sur le citron, l'orange, la fraise et une bouche tout aussi fruitée, ample, vive et longue. ⧗ 2019-2020

DOM. DE GUILHON D'AZE, 112, rte de Bellevue, 32150 Larée, tél. 05 62 09 53 88, contact@denis-tastet.fr V *t.l.j. sf dim. 9h-12h 14h-18h*

UBY Colombard Ugni blanc N° 3 2018 ★★

■	2 125 000	5 à 8 €

La tortue cistude d'Europe, clin d'œil à ceux qui luttent pour la sauvegarde des espèces menacées, est souvent représentée sur les étiquettes de la maison Uby (domaine et négoce) fondée en 1956. À la tête de ce vaste vignoble (250 ha) depuis 1995, François Morel multiplie les démarches orientées vers le respect de l'environnement et sélectionne pour la partie négoce des partenaires apporteurs de raisins bio.

Né de colombard (80 %) et d'un appoint d'ugni blanc, ce vin sec s'ouvre sur la pêche et les agrumes. Ample et franc au palais, il monte en puissance sur des arômes persistants de fruits jaunes. Un blanc intense et bien construit. ⧗ 2019-2020 ■ **Gros et Petit Manseng N° 4 2018 ★ (5 à 8 €; 1 220 000 b.)** : un peu discret au nez, ce moelleux à la fois rond et frais, aux arômes d'agrumes, séduit par son équilibre. Pas trop sucré, il pourra accompagner un repas. ⧗ 2019-2021 ■ **N° 6 2018 (5 à 8 €; 47 800 b.)** : vin cité.

DOM. UBY, 32150 Cazaubon, tél. 05 62 09 51 93, contact@domaine-uby.com V *t.l.j. sf dim. 9h-12h 14h-18h; f. sam. en hiver*

VILLA DRIA Côte sauvage 2018 ★★

■	100 000	- de 5 €

Installé en 1993 sur les terres familiales où l'on mène de front élevage, polyculture et activités viticoles, Jean-Pierre Drieux, ingénieur en agriculture, a confié ses raisins à la cave coopérative jusqu'en 2009. Il pratique la géobiologie et l'agriculture raisonnée sur un vignoble de 74 ha planté essentiellement des cépages blancs typiques de la Gascogne. Domaine certifié Haute valeur environnementale.

Un vin blanc sec mariant colombard (70 %) et sauvignon. Ces deux cépages lui lèguent un nez intensément fruité, un rien végétal, mêlant citron vert, pamplemousse, fruits exotiques et touche mentholée. Des arômes qui se prolongent dans une bouche vive et persistante. ⧗ 2019-2021 ■ **Jardin secret 2018 ★ (5 à 8 €; 100 000 b.)** : issu de gros manseng, un moelleux aux arômes intenses et frais, entre orange et abricot. À la fois rond et vif, il est marqué en finale d'une agréable amertume. Parfait à l'apéritif, sur des desserts fruités ou sur des plats sucrés-salés. ⧗ 2019-2021

SARL VILLA DRIA, Vignoble Drieux, 32800 Eauze, tél. 05 62 08 38 19, contact@villadria.com V *t.l.j. sf sam. dim. 9h-12h30 14h-18h*

VINTUS
Gros et Petit Manseng Première Gelée 2018 ★

■	18 000		5 à 8 €

Installé à Sarragachies, village des coteaux de l'Adour abritant de très vieux ceps inscrits aux Monuments historiques, Sébastien Périssé a pris en 1997 la suite de quatre générations sur ce domaine, propriété de sa famille depuis 1901. Le vignoble de 45 ha produit de l'armagnac, du floc-de-gascogne et, depuis 2001, des côtes-de-gascogne.

Un moelleux agréablement fruité, séduisant par son ampleur, sa longueur et son bel équilibre entre richesse et acidité. ⧗ 2019-2022 ■ **Colombard et Sauvignon Première Fraîcheur 2018 (- de 5 €; 50 000 b.)** : vin cité.

GAEC PERISSÉ, Dom. de Malartic, 32400 Sarragachies, tél. 05 62 69 75 72, contact@domainedemalartic.com V *r.-v.*

IGP CÔTES DU LOT

BELMONT Cabernet franc Syrah 2016

■	9 500		20 à 30 €

Situé sur la rive droite du Lot, au nord-ouest de Cahors, un domaine replanté en 1993 par Christian Belmon sur les terres d'un ancien vignoble qui s'étendait sur plus de 150 ha au début du XIXᵉs. Comptant 6 ha, il est aujourd'hui conduit par Françoise Belmon, dont la démarche se rapproche de l'agriculture biologique.

Élevé douze mois en fût, un vin issu pour l'essentiel du cabernet franc, allié à la syrah. D'un grenat soutenu, il se distingue par la complexité de son nez associant petits fruits rouges et noirs, sous-bois, notes animales et discrètes nuances d'élevage. Ample en attaque, soutenu par des tanins bien fondus, il offre une finale fraîche. ⧗ 2020-2024

SCEA DU GAGNOULAT, Le Gagnoulat, 46250 Goujounac, tél. 05 65 36 68 51, contact@domaine-belmont.com V *r.-v.*

LA BÉRANGERAIE
Syrah Tu bois coâ ? 2018

■	2 000	5 à 8 €

Née officiellement en 1971, la propriété des Bérenger a le même âge que l'AOC cahors. Le fils (Maurin) et la fille (Juline) de Sylvie et d'André Bérenger, aidés de leurs conjoints, ont repris le vignoble familial (35 ha) en 1997.

Malbec ou syrah? Cette année, c'est la syrah qui prend le pas. Elle arbore une robe soutenue pour un rosé de pressurage, entre saumon et corail. Très fruitée au nez, elle mêle la fraise, la framboise, la cerise, la gelée de groseille, nuancées de touches florales et végétales. Souple en attaque, elle finit sur la vivacité de la groseille et sur une pointe d'amertume. ⧗ 2019-2020

GAEC LA BÉRENGERAIE, Coteau de Cournou, 46700 Grézels, tél. 06 33 83 07 20, berangeraie@wanadoo.fr V r.-v.

DOM. DE LA BORIE Chenin Demoiselle 2018

	1300		8 à 11 €

Logée entre deux méandres du Lot, la petite ville de Prayssac accueille de nombreux vignerons, tel Jacques Froment, représentant la cinquième génération sur ce domaine couvrant aujourd'hui 25 ha. À sa carte, des cahors et des vins en IGP.

Grand cépage blanc de l'Anjou et de la Touraine, le chenin se fait une petite place dans le Sud-Ouest. Jacques Froment en a planté il y a dix ans une petite parcelle de 59 ares pour proposer du vin blanc sec. Cette cuvée s'ouvre avec discrétion sur les fruits exotiques et la prune jaune. Frais en attaque, le palais finit sur des impressions de rondeur : moins vif que dans les versions ligériennes du cépage, ce blanc s'accordera avec viandes blanches et poissons au four. ⧗ 2019-2021

EARL DES COTEAUX (DOM. LA BORIE), La Borie-Basse, 46220 Prayssac, tél. 06 08 04 59 99, contact@domaine-laborie.fr V *t.l.j. sf dim. 9h-12h 14h-18h*

DOM. DE LA GARDE Chardonnay 2017

	3500		8 à 11 €

Installé au sud du Lot, dans la région du Quercy blanc, Jean-Jacques Bousquet conduit depuis 1984 un vignoble de 17 ha. Présent dans le Guide dès les premières éditions en coteaux-du-quercy (alors vins de pays), ce domaine très régulier en qualité s'est agrandi et propose aussi du cahors, ainsi que des vins en IGP.

Jean-Jacques Bousquet a planté il y a dix ans du chardonnay sur les sols argilo-calcaires de son domaine. Une belle vigne de 2,2 ha est à l'origine de ce blanc sec flatteur. Un passage bref sous bois, pour 50 % des volumes, ne laisse guère de trace dans sa palette aromatique dominée par les fruits exotiques un rien miellés. Fondue et plutôt ronde, la bouche est équilibrée en finale par une pointe de fraîcheur aux accents de pamplemousse. ⧗ 2019-2022

EARL DE LA GARDE, Le Mazut, 46090 Labastide-Marnhac, tél. 05 65 21 06 59, contact@domainedelagarde.com V *t.l.j. sf dim. 9h-12h 14h-18h30*

DOM. DES GRAVALOUS Malbec 2018 ★★

	10000		- de 5 €

Une propriété familiale de 26 ha, transmise de père en fils depuis cinq générations, en polyculture jusque dans les années 1970 avant de se tourner vers la vigne. Hervé Fabbro s'y est installé en 2006 après ses études de « viti-œno ».

La variété phare du cahors – proposé aussi par ce domaine – engendre aussi des vins tout en fruit, comme celui-ci, vinifié de façon à offrir des arômes francs de baies rouges, de mûre et de cassis et un palais souple et rond. Le cépage lègue tout de même sa couleur sombre aux reflets violines et sa belle tenue an bouche. ⧗ 2019-2022 **Chardonnay 2018 ★ (5 à 8 €; 8000 b.)** : de jeunes plants (six ans) du cépage bourguignon sont à l'origine d'un vin blanc très plaisant, tant par sa fraîcheur en bouche que par sa palette aromatique (agrumes, pêche, ananas bien mûrs et touche amylique). ⧗ 2019-2021

SCEA LES GRAVALOUS, Vidal, 46220 Pescadoires, tél. 06 10 39 37 69, gravalous@wanadoo.fr V *t.l.j. sf dim. 9h-18h*

L'ESPRIT DE LATUC Chardonnay 2018 ★

	1700		11 à 15 €

Aux confins du Lot-et-Garonne, une ferme typique du Quercy avec son pigeonnier. Repris en 2002 à des Britanniques par un couple d'agronomes belges formés en Alsace, Geneviève et Jean-François Meyan, le domaine couvre 17 ha; il produit des cahors et des vins en IGP. Les propriétaires ont institué un régime de location des vignes rang par rang à des *Wine partners*. Un rang procure 260 bouteilles l'an.

Du chardonnay au pays du malbec. Les propriétaires se disent satisfaits de la qualité du raisin vendangé juste à l'arrivée de l'automne. Nos dégustateurs ont apprécié leur vin au nez exotique (litchi, papaye) et à la bouche souple et aérienne, fraîche et citronnée en finale. ⧗ 2019-2022

EARL DOM. DE LATUC, Laborie, 46700 Mauroux, tél. 05 65 36 58 63, info@latuc.com V *t.l.j. sf dim. 9h-12h 14h-18h*

NOZIÈRES
Sauvignon Chardonnay Clin d'œil 2018 ★★

	16000		5 à 8 €

Pierre et Paulette Maradenne ont acheté en 1956 cette propriété où se côtoyaient la vigne, la lavande, les céréales et les vaches laitières. Les premières bouteilles ont été commercialisées en 1975. Claude Guitard, leur gendre, épaulé par depuis 2006 par son fils Olivier, a modernisé la propriété et agrandi le vignoble, qui compte 52 ha, répartis en une mosaïque d'une quarantaine de parcelles en AOC et en IGP.

Voilà déjà trente-huit ans qu'ont été plantées les vignes de sauvignon et de chardonnay dont les fruits ont été assemblés à parité dans cette cuvée. On aime son nez expressif, sur l'acacia et les fruits exotiques, où perce le sauvignon, et sa bouche concentrée, ronde et onctueuse, tonifiée par une belle fraîcheur qui met en valeur ses arômes de fruits tropicaux et d'agrumes. ⧗ 2019-2022 **Malbec Le Gravis 2018 ★ (- de 5 €; 120000 b.)** : issue du cépage emblématique du cahors, une cuvée aux parfums intenses et variés (fraise, framboise, pêche jaune, poire, bonbon). Puissante et longue au palais, dominée par des arômes de fruits rouges, elle se teinte en finale de la fraîcheur amère du pamplemousse. Un rosé assez structuré pour accompagner un repas. ⧗ 2019-2020

EARL DE NOZIÈRES, lieu-dit Bru, 46700 Vire-sur-Lot, tél. 05 65 36 52 73, chateaunozieres@orange.fr V t.l.j. sf dim. 9h-12h 14h-19h

IGP CÔTES DU TARN

DOM. D'EN SÉGUR Chardonnay Cuvée Madeleine Élevé en fût de chêne 2018 ★

n.c.		8 à 11 €

Disparu en 2013, Pierre Fabre, pharmacien castrais de renommée mondiale, voulant promouvoir les vins de sa région natale, avait créé en 1989 ce domaine comptant aujourd'hui 36 ha, géré depuis 2017 par l'œnologue Lionel Barre.

Fermenté en barrique et élevé sur lies, ce chardonnay, très apprécié dans le millésime précédent, reste fort agréable. D'un jaune pâle à reflets argentés, il libère à l'aération des notes d'acacia, de poire et d'agrumes soulignées d'un léger boisé. Souple en attaque, il monte en puissance, tendu par une belle fraîcheur qui souligne sa finale citronnée. ⧗ 2019-2022 ■ **Cuvée Germain Élevé en fût de chêne 2017 (8 à 11 €; 40000 b.)** : vin cité.

SCEA EN GOURAU EN SÉGUR, rte de Saint-Sulpice, 81500 Lavaur, tél. 05 63 58 09 45, ensegur@wanadoo.fr V *t.l.j. sf dim. 8h-17h*

L'ENVOL DES HIRONDELLES 2018

1900	5 à 8 €

Implanté sur les hauteurs de Lisle-sur-Tarn, un domaine familial créé par l'arrière-grand-père dans les années 1930, mais les premières mises en bouteilles datent de 1989. Depuis 2000, Sandra Bastide et sa sœur Karine exploitent ce vignoble de 19 ha perché sur une «longue colline» calcaire (*long pech* en occitan), et proposent tous les types de vin gaillacois. Propriété certifiée Haute valeur environnementale.

Le gamay est à l'origine de ce vin rose vif, qui s'ouvre sur des senteurs de barbe à papa, selon un dégustateur, autrement dit sur des notes de bonbon acidulé aux fruits rouges. Fraîche en attaque, la bouche se déploie tout en rondeur sur des notes gourmandes de fraise. ⧗ 2019-2020

DOM. DE LONG-PECH, Lapeyrière, 81310 Lisle-sur-Tarn, tél. 06 31 85 66 93, sandra@long-pech.com V *r.-v.*

♥ LES VIGNES DE GARBASSES Cabanès Braucol 2018 ★★

5000		11 à 15 €

Entre les vallées du Tarn et de l'Agoût, ce domaine de 17 ha, situé en dehors d'une aire d'appellation, est proche du vignoble de Gaillac. Aussi Guy Fontaine, à la tête de la propriété depuis 1996, vinifie-t-il les cépages de cette AOC, y compris l'antique prunelard. Et aussi d'autres variétés, pas moins de treize en tout, rouges surtout. Il propose aussi des produits fermiers comme de l'huile de tournesol et des pâtes de blé dur.

Le braucol est le nom occitan du fer-servadou, cultivé sous le nom de mansois sur les terres rouges de Marcillac. Le terroir est ici fort différent, très caillouteux, et la situation géographique plus méridionale. Ce vin en offre une remarquable image; il garde aussi la mémoire, dans sa superbe matière, d'un été et d'un début d'automne très ensoleillés. Sa robe couleur d'encre, animée de reflets violets, apparaît aussi profonde que son nez, aux nuances complexes de framboise, de myrtille et de prune d'ente. Ample, charnue et structurée, la bouche finit sur un agréable retour du fruit noir. Une très belle expression et un certain potentiel. ⧗ 2019-2023

GAEC DES GARBASSES, Le Bousquet, 81500 Cabanès, tél. 05 63 42 02 05, vignesdesgarbasses@orange.fr V *t.l.j. sf dim. 15h-19h*

GAYRARD ET CIE Maurice 2018 ★

n.c.		5 à 8 €

Un domaine familial ancien, établi depuis cinq siècles à l'orée des causses entre Cordes-sur-Ciel et Albi. L'arrière-grand-père, Maurice, a été parmi les premiers à vendre son gaillac en bouteilles. Après vingt ans de sommeil, l'exploitation a été réveillée en 2013 par Pierre et Laure Fabre. Aujourd'hui forte de 29 ha, elle est en conversion bio depuis 2016.

Né des cabernet-sauvignon, merlot et syrah, un rosé aux arômes de fruits rouges et de bonbon anglais, plaisant par son équilibre entre vinosité et fraîcheur. Il pourra accompagner un repas. ⧗ 2019-2020

DOM. GAYRARD, Hameau Capendut, 81130 Milhavet, tél. 06 12 09 01 34, contact@maison-gayrard.com V *t.l.j. sf sam. dim. 10h-18h*

LES GRANITIERS 2018 ★★

160000		- de 5 €

Les caves de Técou, de Rabastens, de Fronton et des Côtes d'Olt ont uni leurs forces en 2006 en créant le groupe Vinovalie, dont le nom renvoie aux valeurs collectives du rugby. Un groupe qui fédère 400 vignerons et regroupe quelque 3 800 ha de vignes répartis sur trois appellations : gaillac, fronton et cahors.

Élaboré par la cave de Técou en pays gaillacois, un rosé très flatteur à base de duras, de syrah et de braucol. D'un saumon pastel, il séduit par ses parfums intenses et vifs de fraise et de framboise mâtinés de bonbon anglais. Dans le même registre, la bouche charme par sa rondeur moelleuse, réveillée par une pointe de vivacité. ⧗ 2019-2020

VINOVALIE (SITE DE TÉCOU), 100, rte de Técou, Pagesou, 81600 Técou, tél. 05 63 33 00 80, passion@cavedetecou.fr V *t.l.j. sf dim. 8h-12h 14h-18h*

LES PETITS CLÉMENT Merlot Duras 2018 ★

106667		- de 5 €

Situé dans le Gaillacois, le domaine est né en 1860 sous l'impulsion de Clément Termes qui construisit

SUD-OUEST

un chai, puis le château. Olivier et Caroline David, ses descendants (septième génération), sont désormais à la tête de 120 ha de vignes. Ils sont aussi négociants.

Le merlot, majoritaire, est assemblé au duras dans cette cuvée. Si la robe montre quelques reflets d'évolution, le nez s'ouvre sur des arômes de petits fruits rouges frais, framboise en tête. La bouche, à l'unisson, est gourmande et alerte. Un vin sincère. ⧗ 2019-2022

Sauvignon Mauzac 2018 ★ (- de 5 €; **66 667 b.**) : du mauzac (70 %) et du sauvignon au service d'un vin blanc sec très frais, voire vif, à l'expression fruitée d'une belle finesse (ananas, agrumes, fruits jaunes, touche muscatée). ⧗ 2019-2021

SCEV DAVID, Les Fortis, 81310 Lisle-sur-Tarn, tél. 05 63 40 47 80, contact@clement-termes.com t.l.j. sf dim. 9h-12h 14h-18h

IGP LANDES

DOM. DE LABALLE
Les Sables Fauves 2018

| 20 000 | 5 à 8 € |

En 1820, Jean-Noël Laudet, de retour des Antilles où il avait passé plus de vingt ans dans le commerce des épices, fonde ce domaine du Bas-Armagnac pour produire l'eau-de-vie gasconne. Le vignoble (40 ha sur un terroir de sables fauves riche en oxyde de fer) est conduit depuis 2007 par Cyril Laudet (huitième génération) et son épouse Julie, qui proposent aussi des vins en IGP.

Associé aux deux cabernets, le merlot (50 %) a donné naissance à ce rosé aux arômes discrets de fraise et de bonbon acidulé. De bonne longueur, il présente une franche vivacité, équilibrée par une certaine vinosité. Bon accord en perspective avec des viandes blanches grillées. ⧗ 2019-2020

EURL FAMILLE LAUDET, chai de Laballe, 40310 Parleboscq, tél. 05 58 73 81 57, contact@laballe.fr r.-v.

LABASTIDE FONDOUSSE 2016 ★★

| 2600 | 8 à 11 € |

Étrange, ce minuscule vignoble (0,8 ha) de clairière, sur un terroir argilo-sableux, perdu au milieu des pins de la Grande Lande, à 15 km de Tartas en Chalosse. Un des rares rescapés d'une aire viticole qui comptait une centaine d'hectares à la fin du XIXe s. Un métayer le cultivait; à sa mort, les vignes furent laissées à l'abandon. En 2001, la famille Loustalan en a hérité et a entrepris de le remettre en état, plantant cabernet franc, merlot et tannat. Au chai, Marie Loustalan.

Cabernet franc (50 %), merlot et tannat composent cette cuvée au nez bien ouvert sur un fruité complexe, mêlant framboise, fraise, groseille et cassis. Chaleureux en attaque, à la fois souple et frais, de bonne longueur, un vin rouge qui sort des sentiers battus. ⧗ 2019-2023

JEAN LOUSTALAN (LABASTIDE FONDOUSSE), chem. de la Houn, 40110 Villenave, tél. 06 82 32 58 51, mloustalan@hotmail.fr r.-v.

♥ LES VIGNERONS LANDAIS
Doux Petit Manseng Expression Impératrice 2017 ★★

| 7500 | 8 à 11 € |

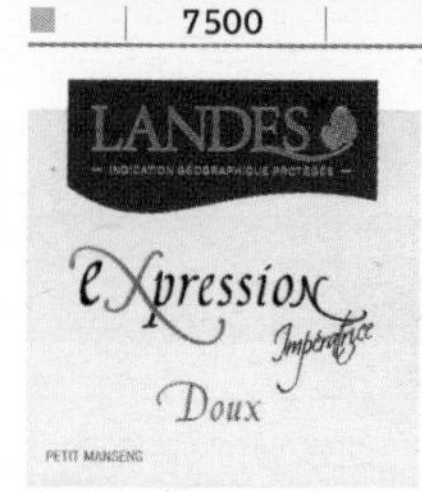

Cette coopérative fondée en 1958 regroupe aujourd'hui quelque 150 vignerons sur les terroirs de Tursan et de Chalosse, dans le sud des Landes. Elle dispose de 500 ha et vinifie 95 % de l'AOC tursan.

Cépage béarnais, le petit manseng est adapté à l'élaboration de vin doux. Vendangé à la mi-septembre, en début de passerillage, il a donné naissance à ce vin jaune doré qui, sans faire preuve d'une grande concentration, brille par sa présence aromatique et par son harmonie. Le nez s'ouvre sur les fleurs blanches, puis sur la pêche, l'abricot sec et l'orange confite. Remarquablement équilibrée entre douceur et fraîcheur, la bouche s'étire en une longue finale marquée par un plaisant retour du zeste d'agrumes confits. ⧗ 2019-2022

SCA LES VIGNERONS LANDAIS TURSAN-CHALOSSE, 30, rue Saint-Jean, 40320 Geaune, tél. 05 58 44 51 25, technique@tursan.fr t.l.j. sf dim. 9h-12h 14h-17h30

IGP PÉRIGORD

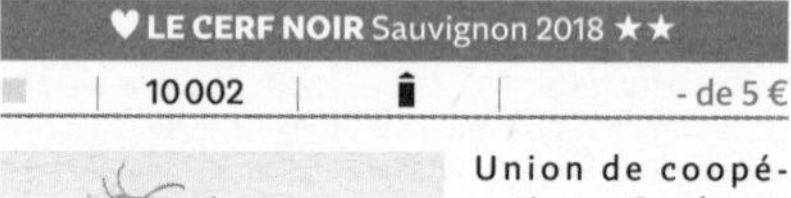

♥ LE CERF NOIR Sauvignon 2018 ★★

| 10 002 | - de 5 € |

Union de coopératives, Couleurs d'Aquitaine est née en 2008 à l'initiative des quatre caves de la Dordogne : Cave de Port-Sainte-Foy, Les Vignerons de Sigoulès, Cave de Monbazillac et Alliance Aquitaine. Prolongée par une structure de négoce, elle sélectionne, élève et distribue aussi et surtout des vins de propriétés du Bergeracois et du Bordelais. Un acteur de poids du grand Sud-Ouest viticole.

Une robe pâle et brillante pour ce sauvignon au nez intense, net et tonique, entre fleurs blanches et pamplemousse, et au palais harmonieux, rond en attaque et frais en finale, d'une rare persistance. Il s'accordera aussi bien avec des fruits de mer et poissons grillés qu'avec salade aux chèvres chauds. ⧗ 2019-2022

SAS COULEURS D'AQUITAINE, Les Seguinots, rte de Marmande, 24100 Saint-Laurent-des-Vignes, tél. 05 53 63 78 55, avernhet@couleursdaquitaine.fr

LES VIGNERONS DE SIGOULÈS
L'Original 2018 ★

■	15000	🍾	- de 5 €

Fondée en 1939, la coopérative de Sigoulès regroupe aujourd'hui 150 adhérents, qui cultivent 900 ha de vignes au sud de Bergerac.

Ce merlot grenat intense a été vinifié de façon à faire ressortir ses arômes fruités. Au nez, il associe la cerise burlat, le pruneau, la figue confite à une touche de tabac. Les fruits noirs s'affirment avec persistance dans une bouche équilibrée, souple et fraîche, à la finale chaleureuse et légèrement tannique. ⧗ 2019-2022

SCA CAVE DE SIGOULÈS, Mescoules, 24240 Sigoulès, tél. 05 53 61 55 00, contact@vigneronsdesigoules.fr V t.l.j. sf dim. 9h-12h30 14h-17h30

IGP TARN-ET-GARONNE

♥ DOM. DE GUILLAU
Viognier Chardonnay Prélude Élevé en fût de chêne 2017 ★★

■	n.c.	🛢	11 à 15 €

Un ancêtre charpentier a construit la grange qui sert aujourd'hui de chai, faisant parfois payer ses services en lopins de terre. Quant à Jean-Claude Lartigue, installé en 1990, il est au nombre des producteurs qui ont «bâti» leur appellation. Le Guide l'a découvert en 1999 alors que les coteaux-du-quercy étaient encore classés en vins de pays. Le domaine couvre aujourd'hui 15 ha, non loin de Montpezat-du-Quercy.

Un vin blanc sec mi-viognier mi-chardonnay, vinifié et élevé huit mois sur lies en fût neuf avec bâtonnage. Déjà fort apprécié dans les deux millésimes précédents, il obtient un coup de cœur grâce à un surcroît de fraîcheur et d'élégance. D'un or pâle brillant, il séduit par son nez intense, partagé entre les arômes d'acacia du chardonnay et les notes d'abricot du viognier, agrémentés de nuances de miel et d'un boisé qui sait rester discret. Ample et soyeuse, la bouche est servie par une belle acidité qui porte loin la finale. ⧗ 2019-2023

EARL LARTIGUE (DOM. DE GUILLAU), 181, rte de Borredon, 82270 Montalzat, tél. 06 11 86 22 04, jean-claude.lartigue@orange.fr V t.l.j. sf dim. 17h30-19h30; sam. 9h-18h

IGP THÉZAC-PERRICARD

VIN DU TSAR Rosé des pierres 2018

■	95000	🍾	5 à 8 €

À partir de 1980, une poignée d'hommes passionnés a fait renaître ce vignoble de quelque 40 ha implanté sur le causse au sol rocailleux. La marque phare de leur coopérative : le Vin du Tsar. L'histoire raconte qu'Armand Fallières, président de la IIIe République natif du Lot-et-Garonne, en offrit quelques bouteilles au tsar Nicolas II qui, séduit, en commanda en nombre.

Malbec et merlot, complétés d'un soupçon de cabernet franc, composent cette cuvée qui revêt la robe rose pâle à reflets argentés des rosés de pressurage direct. Le nez s'ouvre avec discrétion sur la groseille confiturée. Ces arômes suaves de fruits rouges se lient à la pêche dans une bouche tendre, ronde et chaleureuse, vivifiée par une pointe de fraîcheur mentholée. ⧗ 2019-2020

SCA LES VIGNERONS DE THÉZAC-PERRICARD, Plaisance, 47370 Thézac, tél. 05 53 40 72 76, info@vin-du-tsar.fr V t.l.j. sf dim. 9h15-12h15 14h-18h

La vallée de la Loire et le Centre

SUPERFICIE : 51 900 ha

PRODUCTION : 2 841 395 hl

TYPES DE VINS : Blancs (45 %) secs, demi-secs, moelleux et liquoreux, rosés (22 %), rouges (21 %), effervescents (12 %).

SOUS-RÉGIONS : Région nantaise, Anjou-Saumur, Touraine, Centre.

CÉPAGES :

Rouges : cabernet franc (breton), cot, gamay, pinot noir, grolleau ; accessoirement : pineau d'Aunis, cabernet-sauvignon, pinot meunier.

Blancs : muscadet (ou melon de Bourgogne), chenin (pineau de la Loire), sauvignon ; accessoirement : chardonnay, romorantin, pinot gris (malvoisie), tressallier, menu pineau.

LA VALLÉE DE LA LOIRE ET LE CENTRE

Unis par un fleuve majestueux jalonné de châteaux Renaissance, les divers pays de la vallée de la Loire sont baignés par une lumière unique, qui fait éclore ici le « Jardin de la France ». Dans ce jardin, bien sûr, la vigne est présente; des confins du Massif central jusqu'à l'estuaire, elle ponctue le paysage au long du fleuve et d'une dizaine de ses affluents. Les ceps donnent naissance à une des productions les plus variées du pays, qui a pour traits communs des prix doux et une vivacité qui anime jusqu'à ses grands vins liquoreux.

Quatre sous-régions. Les vignobles de la région nantaise, de l'Anjou et de la Touraine forment de véritables entités. On a également inclus dans les vignobles de la Loire ceux, plus dispersés, du Berry, des côtes d'Auvergne et roannaises; ils appartiennent au bassin hydrographique de la Loire et se rapprochent des vignobles ligériens par les types de vins produits, friands et fruités.

De l'Océan à la montagne. De l'embouchure à la source du plus long fleuve de France, les différences climatiques ne sont pas minces : bien qu'identifiés comme septentrionaux, certains vignobles sont situés à une latitude qui, dans la vallée du Rhône, subit l'influence climatique méditerranéenne... Mâcon est à la même latitude que Saint-Pourçain, et Roanne, que Villefranche-sur-Saône. Le relief influe ici sur le climat, ainsi que l'éloignement de l'Océan; le courant d'air atlantique qui s'engouffre d'ouest en est dans le couloir tracé par la Loire s'estompe peu à peu au fur et à mesure qu'il rencontre les collines du Saumurois et de la Touraine. Alors que le climat de la région nantaise est océanique, avec des hivers peu rigoureux, des étés chauds et souvent humides, le climat du Centre et des vignobles du Massif central est semi-continental, avec des hivers froids et des étés chauds.

Massif armoricain et Bassin parisien. Dans la basse vallée de la Loire, l'aire du muscadet et une partie de l'Anjou (dit « Anjou noir ») reposent sur le Massif armoricain, constitué de schistes, de gneiss et d'autres roches de l'ère primaire, sédimentaires ou éruptives. La région nantaise présente un relief peu accentué, les roches dures du Massif armoricain étant entaillées à l'abrupt par de petites rivières. Les vallées escarpées ne permettent pas la formation de coteaux cultivables, et la vigne occupe les mamelons de plateau.

L'Anjou est un pays de transition entre la région nantaise et la Touraine. Il se divise en plusieurs sous-régions : les coteaux de la Loire (prolongement de la région nantaise), en pente douce d'exposition nord, où la vigne occupe la bordure du plateau; les coteaux du Layon, schisteux et pentus, et ceux de l'Aubance; la zone proche de la Touraine, dans laquelle s'est développé le vignoble des rosés.

L'Anjou englobe historiquement le Saumurois; géographiquement ce dernier devrait plutôt être rattaché à la Touraine occidentale avec laquelle il présente des similitudes, tant au point de vue des sols (sédimentaires) que du climat. Les formations sédimentaires du Bassin parisien viennent ici recouvrir des formations primaires du Massif armoricain, de Brissac-Quincé à Doué-la-Fontaine.

Le Saumurois se caractérise essentiellement par la craie tuffeau sur laquelle poussent les vignes; dans le sous-sol, les bouteilles rivalisent avec les champignons de Paris pour occuper galeries et caves facilement creusées. En face du Saumurois, on trouve sur la rive droite de la Loire les vignobles de Saint-Nicolas-de-Bourgueil, sur le coteau turonien. Plus à l'est, après Tours, et sur le même coteau, débute le vignoble de Vouvray; Chinon, sur l'autre rive, est le prolongement du Saumurois sur les coteaux de la Vienne. Azay-le-Rideau, Montlouis, Amboise, Mesland et les coteaux du Cher complètent la Touraine. Les petits vignobles des coteaux du Loir, de l'Orléanais, de Cheverny, de Valençay et des coteaux du Giennois peuvent être rattachés à la Touraine.

Les vignobles du Berry (ou du Centre) se distinguent des trois autres tant par les sols, essentiellement jurassiques – voisins de ceux du Chablisien, pour Sancerre et Pouilly-sur-Loire – que par le climat. Nous rattachons Saint-Pourçain, les côtes roannaises et le Forez à cette quatrième unité, bien que sols (Massif central primaire) et climats (semi-continental à continental) soient différents.

Les cépages blancs. Dans la région nantaise, un cépage domine : le melon, à l'origine d'un vin blanc sec et vif. Le cépage folle blanche engendre un autre vin blanc sec, plus léger, le gros-plant. En Anjou, en Saumurois et en Touraine, le cépage-roi en blanc est le chenin ou pineau de la Loire, à l'origine des grands vins liquoreux ou moelleux, ainsi que d'excellents vins secs, demi-secs et mousseux; on le trouve jusqu'à l'est de Tours, à Vouvray, Montlouis, Amboise et Mesland, ainsi que dans les vignobles sarthois de Jasnières et des coteaux du Loir. Le chardonnay et le sauvignon y ont été plus tardivement associés.

En Touraine orientale, le sauvignon supplante le chenin, donnant des vins blancs très aromatiques. C'est le cépage vedette des vins blancs du Centre, des sancerre, pouilly-fumé, reuilly, quincy, menetou-salon... Citons aussi des cépages beaucoup plus rares, comme le romorantin en cour-cheverny, le chasselas, qui subsiste à Pouilly-sur-Loire, le tressallier en saint-pourçain, ou encore le pinot gris.

Les cépages rouges. On trouve le gamay à l'ouest, en Vendée et sur les coteaux d'Ancenis, en Anjou et surtout en Touraine orientale où il tend cependant à régresser. Il est en revanche majoritaire, voire exclusif, dans les vignobles du Massif central (côtes-d'auvergne, côte-roannaise, côtes-du-forez...). Autrefois très répandu, le grolleau noir produit traditionnellement des rosés demi-secs. Le cabernet franc, anciennement appelé « breton », l'a supplanté, complété par le cabernet-sauvignon. Les cabernets engendrent des vins rouges fins et corsés ayant une bonne aptitude à la garde, et conservant un caractère vif dans la vallée de la Loire. Le cabernet franc est à la base de trois appellations réputées de la Touraine occidentale : chinon, bourgueil et saint-nicolas-de-bourgueil. En amont du fleuve, on se rapproche de la Bourgogne, et le cabernet s'efface derrière le pinot noir. C'est la variété des rouges du Berry, comme le sancerre. Parmi les cépages rouges, on citera aussi le côt (malbec), cultivé en Touraine orientale, qui donne des vins structurés, le pineau d'Aunis des coteaux du Loir à la nuance poivrée, le meunier, cultivé notamment dans l'Orléanais, ou encore la négrette, dans les fiefs-vendéens.

➧ LES APPELLATIONS RÉGIONALES DU VAL DE LOIRE

ROSÉ-DE-LOIRE

Superficie : 1 100 ha / Production : 61 672 hl

Vin d'appellation régionale, AOC depuis 1974, le rosé-de-loire peut être produit dans les limites des AOC anjou, saumur et touraine. Ce rosé sec naît des cépages cabernet franc, cabernet-sauvignon, gamay noir à jus blanc, pineau d'Aunis et grolleau.

VIGNES DE L'ALMA 2018 ★

■ | 3400 | 🍾 | | - de 5 €

Saint-Florent-le-Vieil, village charnière entre l'Anjou et le pays nantais. Romain Chevalier y conduit (seul depuis 2017, son père Roland étant parti à la retraite) un clos de 11 ha, commandé par un bâtiment datant de 1856 baptisé par le propriétaire d'alors – un général des Armées – en souvenir de la bataille de l'Alma. Ses vins rosés et rouges se rattachent à l'Anjou, ses blancs à l'AOC muscadet-coteaux-de-la-loire. Une valeur sûre.

Une moitié de grolleau, un quart de gamay et autant de cabernet, cet assemblage présente un nez amylique, ouvert sur les arômes de fraise acidulée et de bonbon anglais. L'attaque est franche, la bouche souple et aromatique, offrant beaucoup de fraîcheur avant une finale acidulée. ⧗ 2019-2020

⊶ EARL DU CLOS DE L'ALMA, L'Alma, Saint-Florent-le-Vieil, 49410 Mauges-sur-Loire, tél. 02 41 72 71 09, lesvignesdelalma@orange.fr V ⚐ ⚑ t.l.j. sf dim. 9h-12h 14h-19h (sam. 18h)

Ⓑ DOM. DU BOIS MOZÉ Les 30 Boisselées 2018 ★

■ | 8000 | 🍾 | | 5 à 8 €

Commandé par un ancien manoir du XVIᵉs., le domaine est devenu au XVIIᵉs. une métairie du château de Montsabert. Il s'est développé dans les années 1950-1970 avant de changer de mains en 1996 (famille Lancien). Il couvre aujourd'hui 37 ha labellisés bio depuis 2017.

Pinot noir et grolleau composent cette cuvée à la robe claire et au nez discret. À l'aération, elle libère doucement des arômes de fruits rouges frais : la fraise donne le ton, suivie de la framboise et de la groseille. L'attaque onctueuse et la bouche veloutée ne manquent pas de convaincre, de même que la finale qui s'étire avec finesse. ⧗ 2019-2020

⊶ SCEA DOM. DE BOIS MOZÉ, Le Bois-Mozé, Coutures, 49320 Brissac-Loire-Aubance, tél. 02 41 57 91 28, contact@bois-moze.fr V ⚐ ⚑ r.-v.

DOM. DES BONNES GAGNES 2018 ★

■ | 3000 | 🍾 | | - de 5 €

Exploité par les Héry de père en fils depuis 1610, ce domaine fondé par les moines de l'abbaye du Ronceray s'étend sur 38 ha. Il bénéficie d'une terre riche, argilo-calcaire, qui assure le bon développement de la vigne.

Une cuvée confidentielle issue du gamay, du grolleau et du cabernet franc, assemblés presque à parts égales. À l'olfaction, elle offre un nez intense : la fraise et la framboise côtoient les notes de kirsch et les fruits exotiques. La bouche est à l'unisson, avec un parfait équilibre entre le sucre et l'acidité, qui persiste jusque dans une finale tonique. ⧗ 2019-2020

⊶ EARL HÉRY VIGNERON, Orgigné, Saint-Saturnin-sur-Loire, 49320 Brissac-Loire-Aubance, tél. 02 41 91 22 76, hery.vigneron@orange.fr V ⚐ ⚑ t.l.j. sf dim. 9h-12h 14h-19h

CH. DE CHAMPTELOUP 2018 ★

■ | 28 000 | 🍾 | | - de 5 €

Les Grands Chais de France ont acquis en 2005, auprès de la société Lacheteau, le Ch. de Champteloup et le Ch. Monguéret, qui représentent un vaste ensemble de 100 ha souvent en vue pour ses rosés et ses effervescents.

D'abord discret, le nez gagne en intensité à l'aération. Centré sur les fruits rouges, il dévoile progressivement des nuances florales et exotiques. La bouche s'inscrit dans la continuité, avec des arômes de pêche et des notes de cerises à l'eau-de-vie, qui accompagnent une finale acidulée. ⧗ 2019-2020

⊶ SCEA CHAMPTELOUP (DOM. DE CHAMPTELOUP), Dom. de Champteloup, 49700 Doué-en-Anjou, tél. 02 40 36 66 00, contact@lacheteau.fr

DOM. DU CLOS DES GOHARDS 2018 ★

■ | 3000 | - de 5 €

Mickaël et Fabienne Joselon, frère et sœur, ont repris l'exploitation familiale en 2009 lors du départ de leur père en retraite. Régulièrement distingué dans le Guide, le domaine compte 48 ha et propose diverses appellations ligériennes.

Une cuvée rare, où le cabernet franc complète harmonieusement deux tiers de grolleau. Le nez intense déploie une large palette autour des nuances florales, des notes amyliques et des fruits exotiques. La bouche est au diapason, vive et complexe, avec de la longueur. ⧗ 2019-2020

⊶ EARL JOSELON, Les Oisonnières, Chavagnes, 49380 Terranjou, tél. 02 41 54 13 98, earljoselon@orange.fr V ⚐ ⚑ r.-v.

COTEAU SAINT-VINCENT 2018 ★

| 5500 | | - de 5 €

Cette exploitation est établie à Chalonnes-sur-Loire, commune située au bord de l'eau, au confluent du Layon et de la Loire. Œnologue, Olivier Voisine y conduit depuis 1999 un vignoble de 23 ha sur des sols schisteux caractéristiques de l'Anjou noir. Une bonne référence de l'Anjou viticole, pour ses liquoreux notamment.

Mi-grolleau, mi-gamay, ce rosé présente un nez puissant, ouvert sur les arômes de fraise et de framboise fraîche, nuancés de notes de bonbon anglais. Fruits rouges et noirs suivent en bouche, inscrits dans une belle matière et une finale expressive, teintée d'une pointe d'amertume. ⏳ 2019-2020

EARL OLIVIER VOISINE, Coteau Saint-Vincent, 49290 Chalonnes-sur-Loire, tél. 02 41 78 59 00, coteau-saint-vincent@wanadoo.fr V r.-v. 1

DOM. DES DEUX ARCS 2018 ★★

| 10 000 | | - de 5 €

Jean-Marie Gazeau, après une expérience en Afrique du Sud, a rejoint son père Michel en 2005 sur le domaine familial (53 ha). Leurs vins sont régulièrement sélectionnés dans le Guide, dans diverses appellations de l'Anjou et dans les trois couleurs. Une valeur sûre.

Le cépage cabernet franc complète ici un assemblage de grolleau noir et de grolleau gris. Du verre se libère un bouquet intense de fruits rouges frais, auxquels se joignent de douces notes florales et de fines nuances exotiques. La bouche, complexe et très aromatique, offre un équilibre parfait entre les tanins, l'acidité, le sucre et le fruit. Une agréable amertume en finale s'accompagne d'une touche amylique. ⏳ 2019-2020

SCA VIGNOBLE MICHEL ET JEAN-MARIE GAZEAUX, Dom. des Deux-Arcs, 11, rue du 8-Mai-1945, Martigné-Briand, 49540 Terranjou, tél. 02 41 59 47 37, do2arc@wanadoo.fr V *t.l.j. sf dim. 9h-12h30 14h-19h*

VIGNOBLE LES GRANDS RETAIS 2018 ★

| 4 000 | | - de 5 €

Reconnaissable à ses larges allées bordées de hauts ceps, le domaine des Grands Retais exploite 5 ha de vignes sur quatre parcelles différentes, toutes exposées sud-est. Le chenin occupe la majorité de l'encépagement, complété par le gamay et le cabernet franc. Repris en 2018 par les propriétaires de l'hôtel-restaurant attenant, Les Jardins de L'Anjou, il produit

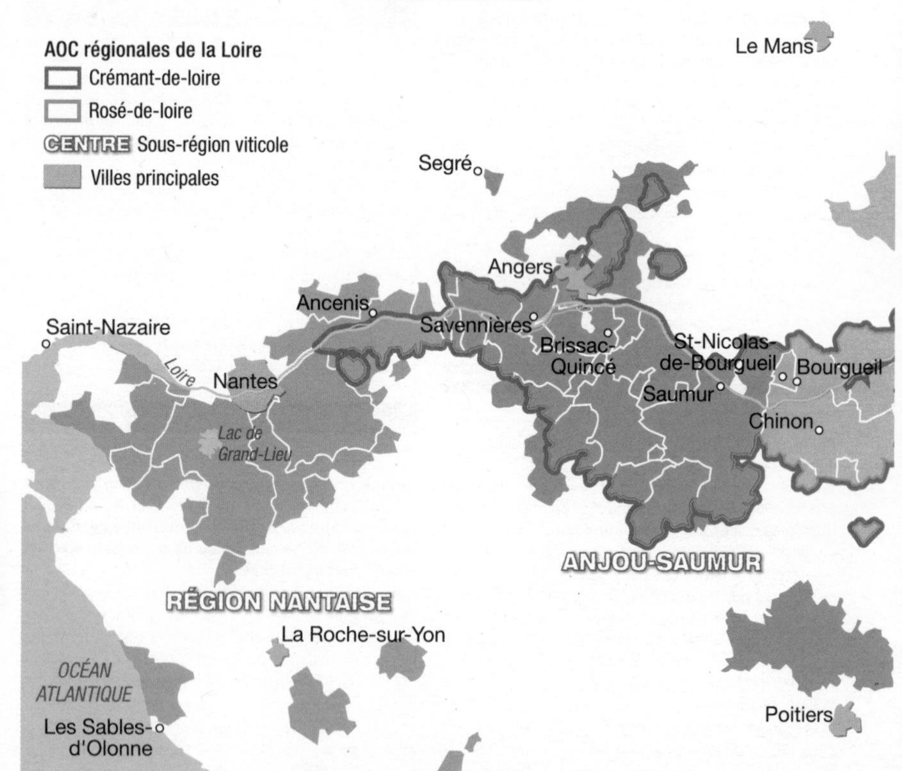

des vins blancs, rosés et rouges, ainsi que du Crémant de Loire.

Ce rosé issu du seul cépage cabernet franc offre un nez intense de fruits rouges frais et de fruits exotiques, ponctué de touches florales. L'attaque puissante donne le ton à une bouche qui révèle beaucoup de fruit et une belle matière persistante. ⧗ 2019-2020

SCEA CARLY VINI, Le Vaujou - Les Grands Retais, La Pommeraye, 49620 Mauges-sur-Loire, tél. 06 16 66 86 00, charlotte@jardinsdelanjou.fr V r.-v.

DOM. JOLIVET 2018 ★★

■	2000		- de 5 €

Ce domaine familial de 15 ha est implanté sur les terroirs argilo-siliceux de la commune de Saint-Lambert-du-Lattay, gros bourg viticole de la vallée du Layon. Les vinifications sont supervisées par Émilien, le fils de la famille.

Une cuvée extrêmement confidentielle, drapée dans une robe brillante. Un puissant bouquet de notes amyliques et de fleurs se libère. On retrouve toute la gourmandise du bonbon anglais, de la fraise et de la framboise en bouche en accompagnement d'une vivacité parfaitement maîtrisée. Et quelle longueur ! La dégustation s'achève sur un fruité acidulé. ⧗ 2019-2020

SCEA JOLIVET, 38 bis, rue Rabelais, Saint-Lambert-du-Lattay, 49750 Val-du-Layon, tél. 02 41 78 30 35, domaine.jolivet@orange.fr V r.-v.

LE LOGIS DU PRIEURÉ 2018 ★

■	2500		- de 5 €

Implanté à Concourson-sur-Layon, ce domaine de 34 ha produit une large gamme de vins d'Anjou (liquoreux, rouges et rosés). Vincent Jousset est à sa tête depuis 1982.

Sous une robe à reflets gris, ce rosé s'ouvre discrètement sur les fruits rouges frais. La fraise prend la tête du cortège, emmenant à sa suite la framboise et des notes florales. Le bouquet se prolonge dans une bouche tonique et rafraîchissante. ⧗ 2019-2020

SCEA JOUSSET ET FILS, Le Logis du Prieuré, 8, rte des Verchers, 49700 Concourson-sur-Layon, tél. 02 41 59 11 22, logis.prieure@wanadoo.fr V *t.l.j. sf dim. 9h-12h 14h-18h*

DOM. MATIGNON Entre Amis 2018 ★

■	10000		5 à 8 €

Ce domaine est situé à 500 m du château de Martigné-Briand, au cœur de l'aire des coteaux-du-layon, mais

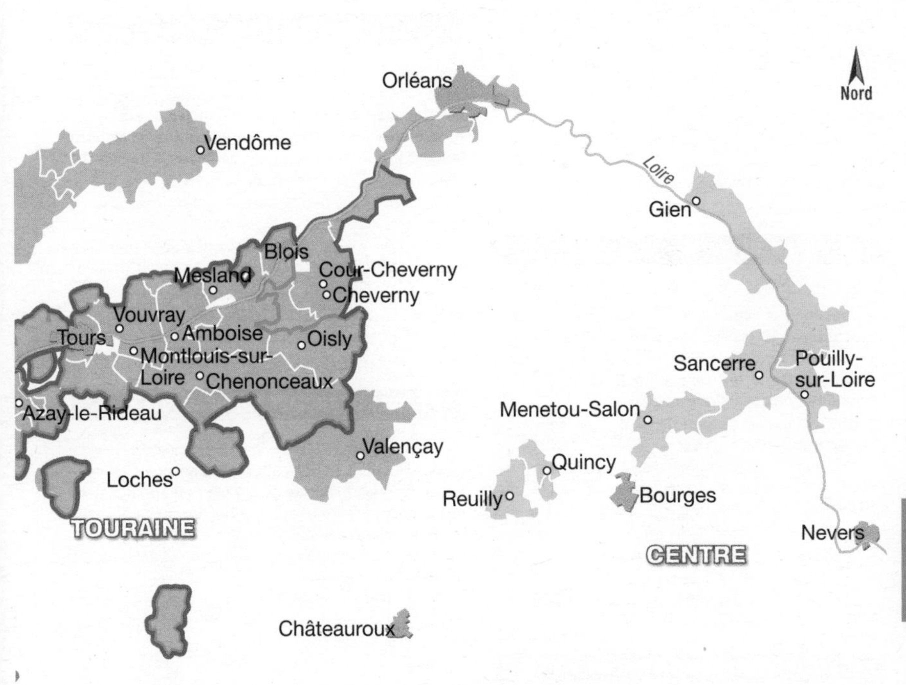

la commune est aussi la petite capitale des vins rosés de l'Anjou. Depuis 1988, Yves Matignon et sa soeur Hélène y cultivent 38 ha de vignes.

Une base de grolleau, complétée par 10 % de cabernet franc. Au nez, les arômes de petits fruits rouges mûrs se mêlent aux notes de banane et de bonbon anglais. La bouche est tout en souplesse, avec une pointe de fraîcheur qui équilibre la sucrosité. La finale évoque la cerise. ⧗ 2019-2020

⊶ SCEA MATIGNON, 21, av. du Château, 49540 Martigné-Briand, tél. 02 41 59 43 71, info@domaine-matignon.fr V ♿ ▮ *r.-v.*

♥ DOM. DE MIHOUDY 2018 ★★

■	25000	▮	- de 5 €

Bruno et Jean-Charles Cochard sont associés avec leur père Jean-Paul sur ce vignoble de 75 ha situé dans la vallée du Layon, dans leur famille depuis six générations. Un domaine de référence qui s'illustre souvent en anjou, blanc ou rouge, ainsi qu'en liquoreux, en bonnezeaux notamment. Incontournable.

Cabernet-sauvignon et grolleau entrent à parts égales dans ce rosé expressif et très aromatique. Le nez est un délice : s'entremêlent les arômes de framboise et de fraise, accompagnés de discrètes notes florales. Après une attaque franche et vive, les fruits rouges frais se retrouvent au palais; s'invitent alors des notes d'agrumes qui soulignent une vivacité parfaitement contenue et persistent agréablement en finale. ⧗ 2019-2020

⊶ EARL COCHARD ET FILS, Dom. de Mihoudy, 49540 Aubigné-sur-Layon, tél. 02 41 59 46 52, domainedemihoudy@orange.fr V ♿ ▮ *t.l.j. sf dim. 8h30-12h 14h-18h*

Ⓑ CH. DE PASSAVANT 2018 ★★

■	8700	▮	5 à 8 €

Ce domaine est commandé par un château du XIe s. construit par le troisième comte d'Anjou, Foulque Nerra. À sa tête depuis 1993, Claire, Olivier Lecomte et François David ont opté pour le bio en 2001 et l'agriculture biodynamique en 2011.

Un beau rosé qualifié de «sensuel» lors de la dégustation, issu du grolleau gris et complété par 15 % de cabernet franc. Le nez est une explosion de nuances exotiques (mangue et fruit de la Passion) et de notes florales. La bouche offre une fluidité remarquable, du gras et de la souplesse, avec une forte persistance aromatique. ⧗ 2019-2020

⊶ SCEA DAVID-LECOMTE, Ch. de Passavant, 31, rue du Prieuré, 49560 Passavant-sur-Layon, tél. 02 41 59 53 96, passavant@wanadoo.fr V ♿ ▮ *t.l.j. sf dim. 8h-12h30 14h-18h; sam. sur r.-v.*

DOM. PERCHER 2018 ★

■	2000	▮	- de 5 €

Ce domaine est situé au pied des coteaux des Verchers-sur-Layon, dans le petit hameau de Savonnières. L'exploitation, qui a vu passer à sa tête quatre générations de viticulteurs depuis sa création en 1926, s'étend aujourd'hui sur 28 ha.

Une cuvée rare, drapée dans une robe claire, moitié grolleau, moitié cabernet franc. Le nez exhale d'intenses arômes de fruits exotiques, nuancés de fraise acidulée et de bonbon anglais. L'attaque est vive, la bouche souple, la finale marquée par la douceur et les arômes de mangue. ⧗ 2019-2021

⊶ SCEA DOM. PERCHER, Savonnières, 20, rte du Coteau, 49700 Les Verchers-sur-Layon, tél. 02 41 59 76 29, contact@domainepercher.com V ♿ ▮ *t.l.j. sf dim. 8h-12h 14h-18h*

Ⓑ DOM. DES SABLONNIÈRES 2018 ★

■	5000	▮	5 à 8 €

Ce domaine, repris en 1990 par Tony Raboin et Pascal Busson, compte aujourd'hui 20 ha de vignes. Il est établi à Doué-la-Fontaine, ville riche en sites troglodytiques creusés dans le falun. Depuis 2010, le vignoble est conduit en bio.

Très aromatique, le nez libère des parfums de fruits exotiques et de fleurs blanches. Litchi et fraise des bois lui confèrent une belle fraîcheur. La bouche est fine et expressive (fruits rouges et noirs). On perçoit de la matière et suffisamment de fraîcheur. ⧗ 2019-2020

⊶ GAEC RABOIN BUSSON, 365, rue Jean-Gaschet, 49700 Doué-en-Anjou, tél. 02 41 51 32 98, lessablonnieres@wanadoo.fr V ♿ ▮ *r.-v.*

DOM. DU TERTRE 2018 ★

■	3000	▮	- de 5 €

Situé à l'ouest de l'appellation anjou, ce domaine conduit par Patrick et Sylvie Onillon depuis 2001 s'est progressivement spécialisé en viticulture et dispose aujourd'hui de 27 ha de vignes dédiés essentiellement à la production de crémant et de rosé.

Sous sa jolie robe framboise sommeille un nez discret, tourné vers les petits fruits rouges et les notes de fleurs blanches. La bouche friande offre une palette fraîche et fruitée, avec un bel équilibre entre vivacité et douceur finale. ⧗ 2019-2020

⊶ EARL PATRICK ET SYLVIE ONILLON, Le Tertre, 49570 Montjean-sur-Loire, tél. 02 41 39 02 72, earlpatricketsylvie.onillon1@bbox.fr V ♿ ▮ *r.-v.*

DOM. DE TROMPE TONNEAU 2018 ★

■	2300	▮	- de 5 €

D'abord conduit en polyculture, ce domaine s'est spécialisé dans la viticulture en 1977. Il s'est agrandi au fil des années et s'étend aujourd'hui sur 37 ha à proximité de Faveraye-Machelles. Argile, schiste, graviers d'Anjou... la diversité des terroirs donne naissance à une vingtaine de cuvées soignées.

Le pineau d'Aunis complète une large base de grolleau noir dans cette cuvée à la production confidentielle. Le nez intense évoque les fruits rouges bien mûrs et les agrumes. On les retrouve dans une belle matière fraîche et légèrement poivrée en finale. ⧗ 2019-2020

⊶ EARL GUILLET, 12, rue du Layon, 49380 Faveraye-Machelles, tél. 02 41 54 14 95, guillet@trompetonneau.com V ♿ ▮ *t.l.j. sf dim. 8h30-12h30 14h-18h30*

CRÉMANT-DE-LOIRE

Superficie : 1 512 ha / Production : 100 963 hl

Il s'agit d'une appellation régionale qui peut s'appliquer à des vins effervescents surtout blancs, parfois rosés, produits selon la méthode traditionnelle dans les limites des appellations anjou, saumur, touraine et cheverny. Les cépages, nombreux, sont les variétés plantées dans les différents secteurs du Val de Loire : chenin ou pineau de Loire, cabernet-sauvignon et cabernet franc, pinot noir, chardonnay... Reconnue en 1975, l'AOC a trouvé son public.

AGUILAS 2016

| 8000 | 5 à 8 € |

Valeur sûre de l'Anjou, ce domaine familial a été créé en 1969 par Pierre Aguilas et son épouse Janes. Couvrant 39 ha, l'exploitation est conduite par leur fils Antoine depuis 2012.

On trouve une forte dominante de chardonnay (80 %) dans ce brut, assemblé à un peu de chenin et à une pointe de grolleau (5 %). Le nez s'ouvre sur les agrumes et les fleurs blanches. La bouche est franche, avec du volume et de la matière. 2019-2022

ANTOINE AGUILAS, Les Saules, 49290 Chaudefonds-sur-Layon, tél. 02 41 78 10 68, antoine.aguilas@orange.fr V r.-v.

AMIRAULT ★

| 4200 | | 11 à 15 € |

Installé en Touraine occidentale sur une terrasse ancienne de la Loire, ce domaine, dans la même famille depuis six générations, est bien connu des lecteurs du Guide pour ses saint-nicolas-de-bourgueil. Agnès et Xavier Amirault – qui a pris la suite de son frère Thierry en 2011 – exploitent aujourd'hui 37 ha de vignes en agriculture biologique et biodynamique.

Chenin, chardonnay et cabernet franc s'épousent dans cette cuvée élevée trente-six mois sur lattes. Le nez discret laisse poindre des arômes d'agrumes sur un fond de tilleul et de beurre. En bouche, l'équilibre sonne juste : belle matière et vivacité parfaitement dosée en finale. 2019-2022

EARL CLOS DES QUARTERONS (AMIRAULT), 46, av. Saint-Vincent, 37140 Saint-Nicolas-de-Bourgueil, tél. 02 47 97 75 25, contact@domaineamirault.com V *t.l.j. sf dim. 8h30-12h30 14h-17h*

DOM. DE L'ANGELIÈRE 2017 ★

| 30000 | 5 à 8 € |

Depuis six générations, la famille Boret s'attache à cultiver son vignoble situé sur la rive gauche du Layon : 55 ha conduits aujourd'hui par Armand Boret. Le doaine est certifié Haute valeur environnementale depuis 2018. Souvent en vue pour ses fines bulles.

Un peu de cabernet franc (10 %) dans cette cuvée de chardonnay et de chenin aux bulles fines. Le nez s'ouvre sur des arômes de fruits jaunes et des notes de pain brioché. On retrouve le fruit dans une bouche ronde et beurrée, offrant une belle persistance et une légère amertume en finale. 2019-2022

SCEA BORET, L'Angelière, Champ-sur-Layon, 49380 Bellevigne-en-Layon, tél. 02 41 78 85 09, boret@orange.fr V *t.l.j. sf dim. 9h-12h 14h-18h*

DOM. DE LA BELLE ÉTOILE Comète 2015 ★

| 1000 | 11 à 15 € |

Après ses études de « viti-œno », Vincent Esnou a travaillé au Ch. de Fesles, dans l'ère du Bonnezeaux, puis dans différents vignobles français et étrangers. En 2008, il reprend ce domaine de 24 ha, créé en 1903 et dans sa famille depuis cinq générations.

De fines bulles s'égrènent dans ce vin jaune pâle à reflets argentés. Fruits, brioche et notes beurrées gourmandes invitent à poursuivre la dégustation au palais. L'équilibre se réalise entre la fraîcheur et un fruité mûr. 2019-2022

EARL VINCENT ESNOU, La Belle-Étoile, 49320 Brissac-Quincé, tél. 06 62 32 99 40, contact@domaine-belle-etoile.fr V *t.l.j. 9h30-12h 14h-18h30*

VIGNERONS BONNIGAL-BODET Brut d'enfer 2015

| 30000 | | 11 à 15 € |

Un domaine créé en 2015 par Jean-Baptiste Bonnigal et Stéphane Bodet, héritiers de trois générations de vignerons. À leur disposition, un vignoble de 55 ha sur lequel ils produisent du touraine, du touraine-amboise et du crémant.

Jaune doré, ce 2015 joue les discrets au nez, mais il gagne en arômes au palais (fruits exotiques) et présente un bon équilibre. La petite pointe d'amertume en finale est un plus. 2019-2020

SCEA BONNIGAL-BODET, 17, rue d'Enfer, 37530 Limeray, tél. 02 47 30 11 02, bonnigalprevote@wanadoo.fr V *t.l.j. sf dim. 9h-12h30 14h-17h30*

DOM. DE BRIZÉ 2017 ★

| 8500 | 5 à 8 € |

Cette propriété familiale, dont l'origine remonte au XVIIIe s., est conduite depuis 1989 par Line Delhumeau et son frère Luc. Régulièrement présente dans le Guide, l'exploitation possède des vignes (40 ha) réparties dans plusieurs appellations de l'Anjou et du Saumurois.

Chenin, chardonnay, cabernet franc et pinot noir composent cette cuvée soignée, qui offre une belle mousse au regard. Le nez, très ouvert, libère des arômes de fleurs blanches et traduit un élevage équilibré. L'attaque est vive, la bouche rafraîchissante et persistante. 2019-2022

EARL DOM. DE BRIZÉ, 36, rue des Jonchères, village de Cornu, Martigné-Briand, 49540 Terranjou, tél. 02 41 59 43 35, contact@domainedebrize.fr V *r.-v.*

DE CHANCENY ★

| 400000 | 5 à 8 € |

Créée en 1957 par quinze viticulteurs, la coopérative de Saint-Cyr-en-Bourg compte aujourd'hui 180 adhérents, vinifie la récolte de 2 000 ha et stocke ses vins dans une immense galerie longue de quelque 10 km.

LOIRE

Une large base de chenin complétée de chardonnay et d'une touche de cabernet franc. Sous une robe pâle, ce vin s'ouvre sur l'ananas, la banane et le pamplemousse. La bouche est ronde, légère et savoureuse, avec une fine effervescence qui prolonge le fruit. ⧗ 2019-2022

SCA CAVE ROBERT ET MARCEL, La Perrière, 49260 Saint-Cyr-en-Bourg, tél. 02 41 53 06 06, cellier@robertetmarcel.com V *t.l.j. 10h-12h30 14h-19h*

DOM. DES CHÉZELLES Sensation

	3500		8 à 11 €

Exploité par la famille Marcadet depuis 1850, ce domaine, qui s'étend aujourd'hui sur 25 ha de terroirs argilo-calcaires à tendance siliceuse, a changé de mains en 2016, repris par Philippe Derouet (fils et petit-fils de vignerons saumurois), son épouse Catherine et sa fille Aurélie.

Un vin jaune d'or, fruité et rond, avec la petite vivacité attendue pour équilibrer l'ensemble. ⧗ 2019-2020

SARL PHICALIE (DOM. DES CHÉZELLES), 18, rue du Grand-Mont, 41140 Noyers-sur-Cher, tél. 02 54 75 13 94, domaine-chezelles@orange.fr V *t.l.j. sf dim. 9h-12h 14h-19h (17h sam.)*

♥ DOM. DE LA CLARTIÈRE 2016 ★★

	6500		5 à 8 €

Depuis 1930, quatre générations de «Pierre» se sont succédé à la tête de ce vignoble (33 ha) situé dans le haut Layon. Après Pierre-Marie, Pierre-Antoine Pinet a pris les rênes du vignoble en 2007, rejoint en 2017 par son frère cadet Édouard, de retour de l'étranger. Ce dernier œuvre à la cave.

Une cuvée tendre et expressive qui marie le chenin et le grolleau gris (20 %) avec le chardonnay. Sa minéralité et ses notes florales charment d'emblée, avant que ne se déploie toute sa fraîcheur en bouche. Les arômes d'agrumes prolongent le plaisir. ⧗ 2019-2022

EARL PINET, La Clartière, 49560 Nueil-sur-Layon, tél. 02 41 59 53 05, earlpinet@orange.fr V *r.-v.*

Ⓑ LES CLOS MAURICE Volupté des Clos 2016

	5000		11 à 15 €

Après avoir travaillé à Châteauneuf-du-Pape, puis dans le Beaujolais et enfin avec son père pendant plusieurs années sur le domaine familial, Mickaël Hardouin a pris en 2007 la direction de ce vignoble de 21 ha, en bio certifié depuis 2015.

Chenin et chardonnay (10 %) sont à l'origine de ce brut à l'effervescence douce. Le nez s'ouvre sur l'abricot sec et le miel, accompagnés de notes briochées et d'une touche boisée. La bouche puissante en fait un vin de repas. ⧗ 2019-2022

SCEA DOM. DES CLOS MAURICE, 18, rue de la Mairie, 49400 Varrains, tél. 02 41 38 80 02, web@clos-maurice.fr V *r.-v.*

DOM. DELAUNAY 2017

	28500		5 à 8 €

Cette exploitation est établie dans l'ouest du Maine-et-Loire, à Montjean. Son vaste domaine géré par les trois enfants de la famille Delaunay comprend 16 ha de vergers et 72 ha de vignes implantées sur les coteaux de la Loire et dans la vallée du Layon.

Chenin et chardonnay (15 %) se marient dans cette cuvée fine et expressive. Le nez s'ouvre doucement sur les notes florales, avec une pointe de brioche. D'attaque franche, le vin fait preuve de vivacité, soulignée par le fruit et de légères notes végétales. ⧗ 2019-2022

GAEC MONTJEAN-COTEAUX, 24, rue du Daudet, Montjean-sur-Loire, 49570 Mauges-sur-Loire, tél. 02 41 39 08 39, delaunay.anjou@wanadoo.fr V *t.l.j. sf dim. 8h-12h30 14h-18h30; sam. 9h-12h*

DOM. DITTIÈRE Fine en bulles

	9500		5 à 8 €

Fondée vers 1900 par le grand-père des frères Dittière (Bruno et Joël, installés en 1983), cette exploitation de 40 ha est établie près de Brissac sur des terroirs sablo-graveleux. Souvent en vue pour ses rouges.

Une cuvée pâle à reflets roses, dont le nez discret s'ouvre sur des notes florales et minérales, avec une légère touche végétale. L'attaque est fraîche, la bouche légère et vive, la finale chaleureuse. ⧗ 2019-2022

EARL DITTIÈRE PÈRE ET FILS, 1, chem. de la Grouas, Vauchrétien, 49320 Brissac-Loire-Aubance, tél. 02 41 91 23 78, domaine.dittiere@sfr.fr V *r.-v.*

CH. DE LA DURANDIÈRE 2016 ★★

	15000		5 à 8 €

Le château de la Durandière, qui commandait une seigneurie au XVIIᵉs., fait face aux remparts de la cité médiévale de Montreuil-Bellay dont le château surplombe le Thouet. Créé en 1900, ce domaine de 40 ha appartient depuis 1986 à Antoine Bodet.

Très belle impression à la dégustation pour ce brut à la bulle discrète, issu du chenin et du chardonnay (60 %). À l'olfaction, les arômes de poire et d'abricot se mêlent au bourgeon de cassis avec beaucoup de finesse. Aussi complexe que le nez, la bouche offre gourmandise, fraîcheur, amplitude et persistance. ⧗ 2019-2022

SCEA ANTOINE BODET, Ch. de la Durandière, 51, rue des Fusillés, 49260 Montreuil-Bellay, tél. 02 41 40 35 30, durandiere.chateau@wanadoo.fr V *t.l.j. 9h30-12h 14h-18h; sam. dim. sur r.-v.*

DOM. LA GACHÈRE 2017 ★★

	9266	5 à 8 €

Ce domaine familial de 30 ha est situé dans les Deux-Sèvres, aux confins méridionaux du vignoble angevin. Les frères jumeaux Alain et Gilles Lemoine ont pris la succession de leur père Claude en 1998.

Un remarquable chardonnay à la robe très pâle, salué comme «original» par le jury. La poire et la pêche blanche se partagent la palette aromatique, nuancées de notes florales. En bouche, une effervescence fine et agréable laisse le fruit s'épanouir dans toute sa gourmandise, avec beaucoup de persistance. ⧗ 2019-2022

GAEC LEMOINE, 4, la Gachère, Saint-Pierre-à-Champ, 79290 Val-en-Vignes, tél. 05 49 96 81 03, gachere@orange.fr V r.-v.

DOM. DE GAGNEBERT Un des sens

	80000		5 à 8 €

C'est sur les schistes ardoisiers de la commune de Juigné-sur-Loire qu'officie depuis cinq générations la famille Moron. Elle cultive aujourd'hui 125 ha et vinifie toutes les appellations d'Anjou.

Cet assemblage de chardonnay, de chenin et de grolleau gris présente un nez discrètement beurré, ouvert sur les notes florales. La bouche, empreinte de rondeur, revient sur la fraîcheur en finale. 2019-2022

SCEA MORON, 2, chem. de la Naurivet, 49610 Juigné-sur-Loire, tél. 02 41 91 92 86, contact@gagnebert.com V *t.l.j. sf dim. 8h-12h 14h-19h*

DOM. DES GIRAUDIÈRES 2016 ★★★

	4900	5 à 8 €

Ce domaine familial créé en 1927 étend son vignoble sur 45 ha. Il est conduit depuis 1983 par Dominique et Françoise Roullet, rejoints en 2018 par leurs enfants Marion et Guillaume. Ils proposent toute la gamme des vins de la région de Brissac.

Drapé dans une robe intense et limpide, agrémentée d'une dentelle de bulles, ce pur chardonnay fait grande impression. Le nez, frais et brioché, marie avec complexité arômes de pêche et d'abricot, noix et notes miellées. Le palais réalise l'équilibre parfait entre vivacité et gourmandise, jusqu'à une finale légèrement épicée. Un crémant-de-loire de gastronome. 2019-2022

EARL DOM. DES GIRAUDIÈRES, Les Giraudières, Vauchrétien, 49320 Brissac-Loire-Aubance, tél. 02 41 91 24 00, roulletdo@orange.fr V *t.l.j. sf dim. 9h-12h 14h-19h* 2

GRATIEN ET MEYER Cuvée Flamme

	100000	8 à 11 €

Fondée en 1864 par Alfred Gratien et reprise à sa mort, en 1885, par son associé Jean-Albert Meyer, cette maison saumuroise est bien connue pour ses effervescents, qu'elle vinifie dans d'anciennes galeries d'extraction de pierre de tuffeau datant du XIIes.

Chenin blanc et pinot se partagent une moitié de l'assemblage, tandis que le chardonnay récolte l'autre. Le nez s'ouvre discrètement sur les notes de fleurs blanches, tandis que la bouche est marquée par une légère sucrosité, avant une finale plus fraîche. 2019-2022

SA GRATIEN ET MEYER, rte de Montsoreau, 49401 Saumur, tél. 02 41 83 13 32 V *t.l.j. 10h-17h*

DOM. DU HAUT FRESNE 2017 ★★

	30600	5 à 8 €

Fondé en 1959, ce domaine de 78 ha se transmet de père en fils depuis trois générations. Situé sur des coteaux faisant face à la Loire, près de Liré, il est souvent remarqué pour la qualité de ses vins, de ses coteaux-d'ancenis notamment.

Quelle jolie mousse dans le verre, qui persiste bien sur le fond rose pâle à reflets saumon ! Intense, le nez décline les fruits rouges, les épices (cannelle) et une touche de bonbon anglais charmante. L'attaque est franche, la bouche acidulée et douce à la fois, toujours empreinte de fruit. 2019-2020

SCEA RENOU FRÈRES ET FILS, Dom. du Haut-Fresne, Drain, 49530 Orée-d'Anjou, tél. 02 40 98 26 79, contact@renou-freres.com V *r.-v.*

LACHETEAU ★

	500000	5 à 8 €

Créée en 1990, la société de négoce Lacheteau s'est spécialisée dans la production de rosés et de vins effervescents. Elle est entrée dans le giron des Grands Chais de France en 2005.

Un ballet de bulles incessant anime ce vin fruité et floral. Flatteur, il joue sur la rondeur et le gras. 2019-2022

SA LACHETEAU, 282, rue Lavoisier, 49700 Doué-la-Fontaine, tél. 02 40 36 66 00, contact@lacheteau.fr

LANGLOIS-CHATEAU Réserve 2013 ★

	20000	15 à 20 €

Spécialisée dans l'élaboration des vins effervescents, cette maison de négoce également propriétaire de vignes (90 ha dominant la Loire et la ville de Saumur) fait partie depuis 1973 du groupe Bollinger. Ses caves sont aménagées dans d'anciennes carrières creusées dans le tuffeau.

Chenin, chardonnay et cabernet composent cette cuvée qui se distingue par l'intensité du fruit et par une très belle mousse. À l'olfaction, arômes de pêche, de pêche de vigne et de poire s'unissent sur une trame finement beurrée. La bouche est vive, avec de la matière et suffisamment de longueur. 2019-2022 **Quadrille 2012 (20 à 30 € ; 16000 b.)** : vin cité.

SA LANGLOIS-CHATEAU, 3, rue Léopold-Palustre, 49400 Saint-Hilaire-Saint-Florent, tél. 02 41 40 21 40, contact@langlois-chateau.fr V *t.l.j. 10h-12h30 14h-18h30; nov.-mars sur r.-v.*

DOM. MICHAUD

	29300	5 à 8 €

Installé en 1985, Thierry Michaud exploite 25 ha de vignes (dont 80 % en AOC touraine-chenonceaux) dans la vallée du Cher et élabore de jolis vins de terroir nés de sols riches en silex. Une valeur sûre en crémant-de-loire et en touraine.

Jaune pâle, voilà pour la couleur. Citron et orange, voilà pour les arômes. Ajoutez un juste équilibre des saveurs et ce crémant trouvera sa place à l'apéritif. 2019-2020

SCEA DOM. MICHAUD BEAUFORT, 20, rue des Martinières, 41140 Noyers-sur-Cher, tél. 02 54 32 47 23, thierry@domainemichaud.com V *t.l.j. sf dim. 10h-12h 14h-18h*

B DOM. DE LA PALEINE ★

	21827		11 à 15 €

Établis depuis 2003 au Puy-Notre-Dame, le deuxième point le plus haut du Maine-et-Loire, Laurence

LOIRE

et Marc Vincent conduisent un vignoble de 37 ha conduit en bio, situé au pied d'une butte calcaire.

Un brut à la bulle fine, dominé par le chardonnay et complété par le chenin. Le nez s'ouvre avec élégance sur les arômes d'agrumes et les notes beurrées. On retrouve toute cette fraîcheur en bouche, relevée d'une petite amertume en finale. ⧗ 2019-2022

SAS DOM. DE LA PALEINE, 9, rue de la Paleine, 49260 Le Puy-Notre-Dame, tél. 02 41 52 21 24, contact@domaine-paleine.com r.-v.

DOM. DU PETIT VAL 2017 ★

10 000 | 5 à 8 €

Rouges comme liquoreux, les vins de ce domaine fréquentent régulièrement les pages du Guide. Installé depuis 1988 avec sa femme Janine, Denis Goizil a bien agrandi l'exploitation créée en 1951 par son père Vincent, la faisant passer de 18 à 47 ha aujourd'hui. Simon a rejoint ses parents en 2014.

Belle effervescence pour cette cuvée, où chenin et cabernet complètent le chardonnay (60 %). Dans le verre, le nez très floral mêle les arômes de fruits jaunes et d'agrumes. Les notes citronnées accompagnent la bouche légère et persistante, nuancée d'une agréable douceur en finale. ⧗ 2019-2022

EARL GOIZIL, Dom. Le Petit Val, Chavagnes, 49380 Terranjou, tél. 02 41 54 31 14, denisgoizil49@gmail.com r.-v.

DOM. DES PIERRINES
Dans les étoiles 2015

2300 | 5 à 8 €

Ce domaine familial de 18 ha, rebaptisé Dom. des Pierrines en 2014, est situé sur la première côte du val de Cher. Il est conduit depuis 2004 par Fabrice Delaunay, qui succède à ses parents Daniel et Pierrette.

Des reflets verts sur fond jaune pâle, des fleurs et du miel pour arômes, un juste équilibre douceur-vivacité en bouche. Un vrai brut, somme toute. ⧗ 2019-2020

EARL FABRICE DELAUNAY, 2, rue de la Bergerie, 41110 Pouillé, tél. 06 84 05 64 43, fabricedelaunay@hotmail.com t.l.j. sf dim. 8h-12h 14h-18h

DOM. DU PORTAILLE 2017

29 000 | 5 à 8 €

Cette exploitation familiale s'est développée avec Marcel Tisserond, puis avec ses deux fils Philippe et François, qui se sont installés respectivement en 1998 et 2003. Aujourd'hui, 45 ha au-dessus des coteaux du bonnezeaux.

Une moitié de pinot noir, assemblée avec du chardonnay et une touche de chenin (10 %). Au nez fin répond une bouche souple et fruitée, dominée par la douceur. ⧗ 2019-2022

EARL TISSEROND, lieu-dit Millé, Chavagnes, 49380 Terranjou, tél. 02 41 54 07 85, earl.tisserond@wanadoo.fr t.l.j. sf dim. 9h-12h 14h-19h

♥ DOM. DE LA ROCHE LAMBERT Sec 2017 ★★

1300 | 5 à 8 €

Le grand-père de Sébastien Prudhomme, actuel gérant de la propriété, était tonnelier et distillateur ambulant. Il a légué 1 ha de vignes à son petit-fils, qui en exploite aujourd'hui 26.

De jolis reflets mettent en valeur la robe rose pâle de ce vin floral et épicé, tout en élégance. Une fine effervescence caresse le palais à l'attaque, puis l'équilibre se réalise entre le caractère acidulé et la rondeur. Nul doute, ce crémant a tout ce qu'il faut pour plaire. ⧗ 2019-2020

SÉBASTIEN PRUDHOMME, 16, rue du Calvaire, 79100 Mauzé-Thouarsais, tél. 05 49 96 64 18, domainedelarochelambert@orange.fr r.-v.

DOM. DE SAINTE-ANNE 2016 ★

40 000 | 5 à 8 €

Domaine familial situé à proximité du château de Brissac, dont le vignoble de 56 ha est implanté sur une croupe argilo-calcaire. Marc Brault y est installé depuis 1983, épaulé par ses fils Florian (vinification) et Boris (commercialisation).

Un séduisant crémant issu de chardonnay (72 %), de pinot noir et de chenin (9 %), qui présente un nez frais, ouvert sur le bonbon anglais, le litchi et les notes florales. La bouche s'inscrit dans la continuité. Légère et aromatique, elle joue dans le registre de la fraîcheur. ⧗ 2019-2022

EARL BRAULT, Sainte-Anne, 49320 Brissac-Quincé, tél. 02 41 91 24 58, marc-brault@wanadoo.fr t.l.j. sf dim. 9h-12h 14h-18h

DOM. DE TERREBRUNE 2016

20 000 | 5 à 8 €

Situé non loin du château de Brissac, ce domaine de 56 ha (pour onze appellations) était géré depuis 1986 par Alain Bouleau et Patrice Laurendeau. Installé en 2013, Nicolas, fils d'Alain, leur a succédé. Les rosés représentent aujourd'hui la moitié des vins produits par la propriété.

Un brut au nez ouvert, aux nuances de fleurs, de menthol et d'épices. La mousse légère accompagne la dégustation au palais, laissant une impression de fraîcheur. ⧗ 2019-2022

DOM. DE TERREBRUNE, La Motte, Notre-Dame-d'Allençon, 49380 Terranjou, tél. 02 41 54 01 99, domaine-de-terrebrune@wanadoo.fr t.l.j. sf dim. 9h-12h 14h-18h; sam. 9h-12h

CH. LA TOMAZE 2016

2800 | 8 à 11 €

Depuis la Révolution, sept Jacques Lecointre se sont succédé sur ce domaine repris en 1988 par Vincent Lecointre. Son fils Cyrille s'est installé en 2016. L'exploitation, étendue sur 29 ha, regroupe plusieurs îlots viticoles situés à Rablay-sur-Layon, Faye-d'Anjou et Champ-sur-Layon.

Chardonnay et grolleau gris (20 %) sont à l'origine de ce crémant qui laisse échapper des arômes de pêche de vigne et de fleurs blanches. La bouche crémeuse et souple, légère, joue sur le fruit. ⧗ 2019-2022

⊶ *EARL LECOINTRE, Ch. la Tomaze, 6_B, rue du Pineau - Champ-sur-Layon, 49380 Bellevigne-en-Layon, tél. 02 41 78 86 34, contact@tomaze.com* V 🚶 ▪ *r.-v.*

➜ LA RÉGION NANTAISE

Ce sont des légions romaines qui apportèrent la vigne il y a deux mille ans en pays nantais, carrefour de la Bretagne, de la Vendée, de la Loire et de l'Océan. Après un hiver terrible en 1709, où la mer gela le long des côtes, le vignoble fut complètement détruit, puis reconstitué principalement par des plants du cépage melon venu de Bourgogne.

L'aire de production des vins de la région nantaise occupe aujourd'hui 16 000 ha et s'étend géographiquement au sud et à l'est de Nantes, débordant légèrement des limites de la Loire-Atlantique vers la Vendée et le Maine-et-Loire. Les vignes sont plantées sur des coteaux ensoleillés exposés aux influences océaniques. Les sols plutôt légers et caillouteux se composent de terrains anciens entremêlés de roches éruptives. Le vignoble produit bon an, mal an, 960 000 hl dans les quatre appellations d'origine contrôlée : muscadet, muscadet-coteaux-de-la-loire, muscadet-sèvre-et-maine et muscadet-côtes-de-grand-lieu, ainsi que les AOVDQS gros-plant du pays nantais, coteaux-d'ancenis et fiefs-vendéens. Les AOC du muscadet et le gros-plant du pays nantais

Le muscadet est un vin blanc sec reconnu en appellation d'origine contrôlée dès 1936. Il est issu d'un cépage unique : le melon. Principalement situé dans la partie sud du département de Loire-Atlantique, avec quelques incursions dans le Maine-et-Loire et en Vendée, le vaste vignoble comprend quatre appellations d'origine contrôlée : l'AOC régionale muscadet ; le muscadet-sèvre-et-maine, qui regroupe 23 communes des vallées de la Sèvre et de la Maine, et qui fournit les plus importants volumes ; le muscadet-coteaux-de-la-loire, qui s'étend plus en amont sur 24 communes des deux rives du fleuve, en particulier dans la région d'Ancenis sur la rive droite ; le muscadet-côtes-de-grand-lieu, AOC plus récente, qui correspond à 19 communes au sud-ouest de Nantes.

À ces appellations se sont ajoutés en 2011 trois crus communaux délimités dans l'AOC sèvre-et-maine en fonction des critères pédologiques (granites, gneiss, gabbro...) : Gorges, Clisson et Le Pallet. Ces crus constituent le sommet de la hiérarchie des muscadets. Leur cahier des charges prévoit un temps d'élevage sur lie très long, entre dix-huit et vingt-quatre mois. Si leur profil varie selon les terroirs (minéraux à Gorges, plus fruités et mûrs à Clisson, floraux et fruités au Pallet) tous se distinguent par leur puissance et leur potentiel. D'autres crus

La région nantaise

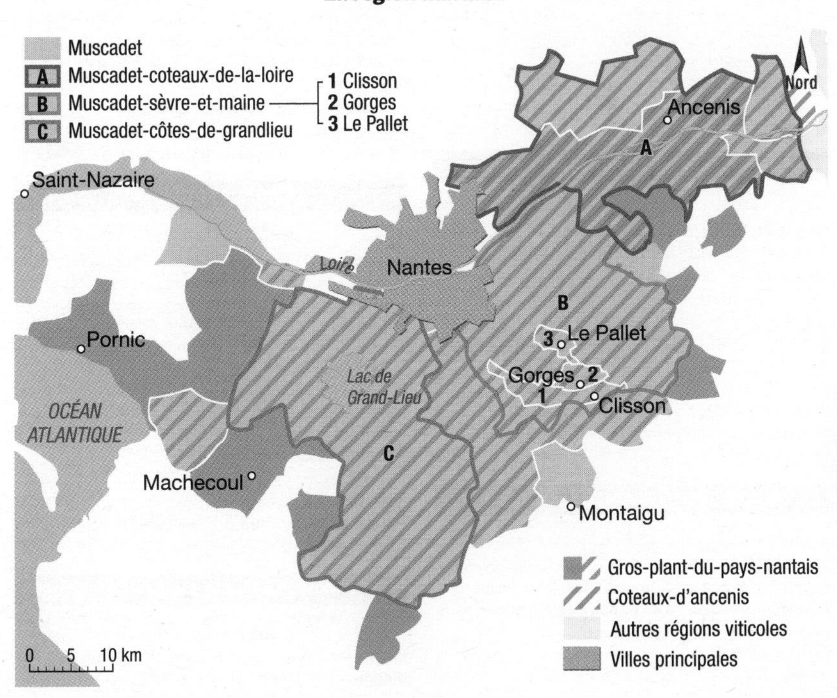

LOIRE

devraient voir le jour (Château-Thébaud, Goulaine, Monnières-Saint-Fiacre...)
La mise en bouteilles sur lie est une technique traditionnelle de la région nantaise, qui fait l'objet d'une réglementation précise, renforcée en 1994. Pour bénéficier de cette mention, les vins doivent n'avoir passé qu'un hiver en cuve ou en fût, et se trouver encore sur leur lie et dans leur chai de vinification au moment de la mise en bouteilles; celle-ci ne peut intervenir qu'à des périodes définies et en aucun cas avant le 1er mars, la commercialisation étant autorisée seulement à partir du premier jeudi de mars. Ce procédé permet d'accentuer la fraîcheur, la finesse et le bouquet des vins. Vif mais sans verdeur, aromatique, le muscadet accompagne parfaitement les poissons et les fruits de mer; il constitue également un excellent apéritif et doit être servi frais mais non glacé (8-9 °C).

MUSCADET

Superficie : 2 977 ha / Production : 185 011 hl

CH. DE L'AUJARDIÈRE Sur lie 2018 ★

40000 | - de 5 €

La famille Lebrin exploite depuis cinq générations cette propriété fondée en 1850, située aux confins de l'Anjou et du pays nantais, qui a pris la suite d'un domaine seigneurial de l'Ancien Régime. Olivier Lebrin s'est installé en 1999 sur 26 ha. Aujourd'hui, le vignoble couvre 45 ha plantés de quatorze cépages différents.
Un melon de Bourgogne au nez fin et discret, ouvert sur les agrumes, l'acacia et le tilleul. Après une attaque franche, la bouche se distingue par une belle minéralité, des arômes d'écorce d'orange amère et des notes végétales. L'impression de fraîcheur perdure agréablement. 2020-2022

EARL LEBRIN, 146, l'Aujardière, 44430 La Remaudière, tél. 02 40 33 72 72, contact@vinsfinslebrin.com t.l.j. sf sam. dim. 9h-12h30 14h-19h

DOM. DU BOIS CHAUVET 2018 ★★

3000 | - de 5 €

Dominique Birot est installé depuis 1996 à la tête de cette exploitation familiale, dont le vignoble couvre 19 ha.
Un muscadet comme on se plaît à les imaginer... Des arômes de pêche blanche et d'amande fraîche, de douces nuances florales... Une bouche à la fois gourmande et fraîche, tout en harmonie autour des agrumes... Enfin, une finale vive. 2020-2022

GAEC DU BOIS CHAUVET, Dom. du Bois-Chauvet, 49230 Tillières-Sèvremoine, tél. 06 14 17 82 42, birot.dominique0261@orange.fr t.l.j. sf dim. 9h-12h 15h-19h

DOM. JULIEN BRAUD Préface 2018 ★

7000 | 5 à 8 €

Installé à Monnières, en plein cœur du vignoble nantais, Julien Braud est issu d'une famille de vignerons. Il conduit près de 8 ha de vignes en biodynamie, plantées en melon de Bourgogne.
Cette cuvée brillante et limpide présente un nez ouvert sur les notes citronnées, la menthe et les fleurs blanches. On retrouve les mêmes arômes au palais. L'ensemble ne manque pas de fraîcheur et offre en finale une légère amertume. 2020-2022

JULIEN BRAUD, 102, la Cordouère, 44690 Monnières, tél. 06 74 81 83 59, braudjulien@yahoo.fr r.-v.

CH. DE LA BRETONNERIE Élevé en fût de chêne 2017 ★

10000 | 5 à 8 €

Campé au milieu d'un coteau, la bâtisse Second Empire qui commande l'exploitation, acquise par les ancêtres de la famille en 1858, domine des vignes vénérables, parfois centenaires. Installé en 1992, Frédéric Guilbaud représente la quatrième génération à la tête de ce domaine qui s'étend sur 40 ha.
Sous une robe presque blanche, cette cuvée libère des arômes de pêche de vigne bien mûre, des notes d'acacia et de tilleul. Ample, elle possède suffisamment de gras et le boisé évoque la vanille sans excès. 2020-2024

SARL CH. DE LA BRETONNERIE, Ch. de la Bretonnerie, 44690 La Haie-Fouassière, tél. 06 62 82 22 45, camillemarie.guilbaud@gmail.com r.-v.

GEORGES ET GUY DESFOSSÉS Granit Les Oiseaux de nuit 2010 ★

5800 | 15 à 20 €

Cette propriété familiale, qui se transmet de père en fils depuis 1885, est située aux confins nord-est de Vallet, sur un terroir de granite, en appellation muscadet-sèvre-et-maine. Le vignoble s'étend sur une quinzaine d'hectares.
Une cuvée originale, élevée six ans et demi sur lies avant d'être mise en bouteille. Dans le verre se bousculent d'intenses arômes de fleur d'oranger, de jasmin, de fruits mûrs et des notes briochées. La bouche charnue dévoile beaucoup de volume et de minéralité. Bel équilibre entre douceur et fraîcheur. 2020-2022

GAEC DES DEUX PROVINCES, Les Landes-des-Chaboissières, 44330 Vallet, tél. 02 40 33 99 54, vignoble.desfosses@sfr.fr r.-v.

DOM. FORGEAU 2018 ★

10000 | 5 à 8 €

Le domaine de Florence et Joël Forgeau réunit deux vignobles hérités des générations précédentes : celui des Rouaudières, sur un sol de gabbro, et celui de la Morandière, adossé au château éponyme. En tout, 23 ha de vignes sur les communes de Mouzillon, Gorges et Le Pallet.
Un melon de Bourgogne très clair, qui évoque le bonbon anglais et la violette. La bouche, très aromatique, évolue en souplesse sur les notes amyliques et s'achève sur une finale fruitée gourmande. 2020-2021

EARL JOËL ET FLORENCE FORGEAU, 17, la Rouaudière, 44330 Mouzillon, tél. 02 40 33 95 37, muscadet.forgeau@wanadoo.fr t.l.j. sf dim. 8h30-12h 14h30-18h30; sam. 8h30-12h

PIERRE-HENRI GADAIS Vendange nocturne 2018 ★

12000 | 5 à 8 €

Pierre-Henri Gadais a repris en 2018 le domaine des Grands Presbytères. Il en a sensiblement réduit

la superficie (9,2 ha) et a adopté la culture bio (en conversion).

Une cuvée pimpante et légère, issue d'une sélection parcellaire sur un terroir exposé plein nord et vendangé pendant la nuit, sans ajout de levures. Le nez donne la faveur aux fruits à chair blanche (pomme, poire), tandis que la bouche s'inscrit dans les registres minéral et floral. La belle fraîcheur citronnée ajoute à la vivacité de l'ensemble. ⌛ 2020-2022

EARL DOM. DE LA COMBE, La Petière, 2bis, rue de la Combe, 44690 Saint-Fiacre, tél. 02 40 54 80 73, pierre-henri@domaine-combe.com

GADAIS PÈRE ET FILS Le Pèlerin 2018 ★

	16000		5 à 8 €

Un domaine familial de 62 ha implanté à Saint-Fiacre, commune réputée de l'AOC muscadet sèvre-et-maine, au confluent des deux rivières qui ont donné leur nom à l'appellation. Domaine conduit par Pierre-Henri Gadais depuis 2018 qui a sensiblement réduit la surface. Aujourd'hui, 9,2 ha.

Récoltée le 30 août, jour de la Saint-Fiacre, cette cuvée présente un nez finement ouvert sur les fleurs blanches et la violette, nuancées de notes de menthe et de fougère. En bouche, elle monte en puissance. Tournée vers les agrumes et végétale, elle offre une belle fraîcheur. ⌛ 2020-2021

EARL GADAIS PÈRE ET FILS, Les Perrières, 44690 Saint-Fiacre, tél. 02 40 54 81 23, musgadais@wanadoo.fr

DOM. MÉNARD-GABORIT 1re Escale 2018 ★

	8500	5 à 8 €

Située au cœur de l'appellation sèvre-et-maine, cette propriété conserve l'un des rares moulins de la région nantaise, vestige d'un temps où l'on cultivait encore des céréales sur les coteaux; il campe sur une butte au milieu des vignes. Le coquet domaine familial (65 ha) est conduit par les frères Ménard, Philippe et Thierry.

Un muscadet issu de vignes en conversion bio, dont le nez est centré sur les fruits blancs (pêche blanche et poire mûre), complétés de douces notes de fleur d'oranger. L'attaque est ronde, la bouche très fraîche et ample. ⌛ 2020-2021

DOM. MÉNARD-GABORIT, 30-34, la Minière, 44690 Monnières, tél. 02 40 54 61 06, philippe-menard7@wanadoo.fr V t.l.j. sf dim. 10h-12h30 14h-18h

MUSCADET-SÈVRE-ET-MAINE

Superficie : 7 822 ha / Production : 421 272 hl

CH. D'AMOUR Sur lie 2018 ★

	100000		- de 5 €

Un temps abandonné à la suite des ravages du phylloxéra, le domaine devint un lieu de rendez-vous galant pour les habitants du village. Conduit depuis 1995 par Hugues Brochard, il a aujourd'hui retrouvé sa vocation viticole et s'étend sur 24 ha.

Sous une robe très claire, brillant des reflets verts de la jeunesse, ce vin présente un nez fruité intense, nuancé de notes briochées et toastées. L'attaque est nette, la bouche ronde et fraîche grâce à une agréable amertume et à une note de pierre à fusil. ⌛ 2020-2022

EARL VIGNOBLE BROCHARD-GUIHO, La Grenaudière, 44690 Maisdon-sur-Sèvre, tél. 02 40 03 85 13, brochardhugues@wanadoo.fr V r.-v.

DOM. DE BEAUREPAIRE Sur lie 2018 ★

	74400		- de 5 €

Le vignoble, situé sur les communes de Mouzillon et de Clisson, couvre 20 ha autour de l'exploitation, dont les bâtiments de brique rouge rappellent le style italien de la cité médiévale. Depuis 2009, Christine Bouin est aux commandes.

Une cuvée très représentative de l'appellation, dont le nez délicat s'ouvre sur les fruits blancs et les agrumes, relevés de senteurs florales. Bien équilibrée et tout aussi aromatique, la bouche se structure autour de la fraîcheur. ⌛ 2020-2022

EARL FAMILLE BOUIN, Dom. de Beaurepaire, 5, la Recivière, 44330 Mouzillon, tél. 02 40 36 35 97, domainedebeaurepaire@orange.fr V r.-v.

DOM. DE BEL-AIR L'Authentique 2018 ★★

	8900		- de 5 €

La Haye-Fouassière est l'une des communes en périphérie de Nantes qui a su préserver ses meilleurs terroirs de gneiss et de micaschistes. Emmanuel Audrain, représentant la quatrième génération, a repris ce domaine familial en 1998, à la suite de son père Jean-Luc. Il exploite 35 ha.

Un muscadet typique de l'appellation, qui explose en arômes de fruits jaunes : l'abricot confit conduit le ballet, accompagné de notes de fruits secs et de fleurs blanches. Elle aussi très fruitée, la bouche offre beaucoup de volume, du gras et une finale soyeuse, remarquable de longueur. ⌛ 2020-2022

EARL AUDRAIN PÈRE ET FILS, Dom. Bel-Air, 13, rue de la Caillaudière, 44690 La Haye-Fouassière, tél. 02 40 54 84 11, audrain@domaine-belair.fr V *t.l.j. sf dim. 8h-12h30 14h-19h*

DOM. MICHEL BERTIN Sur lie 2018 ★★★

	17000		- de 5 €

Situé dans le hameau La Tour-Gasselin, qui domine le vignoble et le marais de Goulaine, ce domaine familial qui se transmet depuis quatre générations est conduit depuis 1990 par Michel Bertin. À sa carte, du sèvre-et-maine, du gros-plant et des vins de cépage en IGP…

Ce melon de Bourgogne s'offre au regard dans une magnifique robe or pâle. D'emblée, les fruits mûrs donnent le ton, rehaussés de notes florales. Après une attaque en finesse, poire, coing et notes miellées accompagnent l'expression de ce vin ample et parfaitement structuré par la fraîcheur. ⌛ 2020-2024

EARL MICHEL BERTIN, La Tour-Gasselin, 44430 Le Landreau, tél. 02 40 06 41 38, earlbertin.michel@wanadoo.fr V r.-v.

CH. BOIS BENOIST Sur lie 2017 ★

| 12000 | | 5 à 8 € |

Au nord-est de Vallet, une immense seigneurie fut divisée en plusieurs domaines, dont ce vignoble de 32 ha dans la famille Luneau depuis 1984.

Après aération, le nez s'ouvre doucement sur les fruits jaunes mûrs et les notes de pierre à fusil, complétés par une touche végétale. Une ligne minérale apporte ce qu'il faut de fraîcheur à la bouche gourmande et toute douce. ⧗ 2020-2024

EARL CHRISTIAN ET PASCALE LUNEAU, Bois-Braud, 44330 Vallet, tél. 02 40 33 93 76, cpluneau@wanadoo.fr V r.-v.

DOM. DU BOIS BRÛLÉ Sur lie 2018 ★

| 17000 | | 5 à 8 € |

Emmanuel Luneau est installé depuis 1997 sur ce domaine (22 ha) créé par son père, qui a son siège dans un ancien relais de poste établi au nord-ouest du bourg de Vallet, au cœur de l'appellation muscadet-sèvre-et-maine.

Sous une belle robe limpide, le nez expressif et raffiné marie les notes d'agrumes et de fruits à chair blanche. Une attaque nerveuse précède une bouche vive et fraîche, dans laquelle s'apprécie une fine pointe de salinité. ⧗ 2020-2022

EMMANUEL LUNEAU, 7, rue du Bois-Brûlé, 44330 Vallet, tél. 02 40 33 91 47, emmanuel-luneau@orange.fr V r.-v.

DOM. DU BOIS-JOLY
Sur lie Harmonie 2018 ★★

| 50000 | | - de 5 € |

Un arrière-grand-père tonnelier, des parents vignerons, Laurent Bouchaud a la vigne dans le sang. Depuis 1993, il conduit ce domaine familial de 30 ha.

Un très beau muscadet, séduisant en tous points. Le nez, complexe et intense, associe avec justesse les arômes de fruits blancs à ceux de fleurs blanches. Suit une bouche délicate et ample, portée par une belle fraîcheur jusqu'en finale. ⧗ 2020-2022

EARL DOM. DU BOIS-JOLY, 54, le Bois-Joly, 44330 Le Pallet, tél. 06 08 28 46 75, l.bouchaud@domaineduboisjoly.com V r.-v.

DOM. BOUCHAUD
Sur lie Le Perd son Pain 2018 ★

| 50000 | 5 à 8 € |

Établi à Saint-Fiacre-sur-Maine, Pierre Luc Bouchaud exploite un domaine de 20 ha. Plantées sur un terroir de gneiss en bord de Sèvre, les vignes sont en conversion bio depuis le millésime 2018.

Issue de vignes en conversion bio, cette cuvée présente un nez feutré, qui révèle un bouquet d'acacia, ponctué de miel et de notes beurrées. La bouche fraîche et fruitée à l'attaque ne tarde pas à exprimer richesse et intensité aromatique. La légère amertume en finale est à son avantage. ⧗ 2020-2022

PIERRE-LUC BOUCHAUD, 4, rue des Manoirs, La Hautière, 44690 Saint-Fiacre-sur-Maine, tél. 02 40 36 95 23, domaine@bouchaud.fr V r.-v.

CH. DE LA BOURDONNIÈRE
Sur lie 2018 ★★

| 20000 | | 5 à 8 € |

Cinq générations se sont succédé depuis 1850 sur ce domaine implanté à Gorges, haut lieu du pays nantais, et conduit depuis 1984 par Jean-Michel Barreau. Le vignoble couvre 28 ha sur les coteaux de la Sèvre-Nantaise, implanté sur des sols argilo-siliceux reposant sur une roche mère de gabbro.

Comment deviner que sous cette teinte jaune pâle se prépare une telle profusion de fruits et de fleurs blanches? L'attaque est franche, la bouche riche et pourtant si élégante. Poire, agrumes, jasmin et acacia se fondent dans une belle harmonie, puis cèdent place à une touche muscatée en finale. ⧗ 2020-2022

EARL JEAN-MICHEL ET JEAN-PHILIPPE BARREAU, 1 bis, la Cornulière, 44190 Gorges, tél. 02 40 03 95 06, vignoble.barreau44@orange.fr V t.l.j. sf dim. 8h30-12h30 14h-18h30; sam. sur r.-v.

DOM. DE LA BRETONNIÈRE
Sur lie La Sélection du domaine 2018 ★

| 25000 | | - de 5 € |

Situé au sud du Landreau, le domaine est proche du lycée viticole de Briacé, où les frères Patrice et Pierre-Yves Charpentier ont fait leurs études de viticulture, avant de reprendre l'exploitation familiale en 1989. Leur domaine couvre 36 ha.

Un vin fin et printanier, aux arômes de fruits blancs et de jasmin tant au nez qu'en bouche. Équilibré, il a du pep et laisse une impression gouleyante de bout en bout. ⧗ 2020-2022

GAEC CHARPENTIER-FLEURANCE, 56, la Bretonnière, 44430 Le Landreau, tél. 02 40 06 43 39, charpentierlabretonniere@orange.fr V r.-v.

CH. DE BRIACÉ Sur lie 2018 ★

| 120000 | | - de 5 € |

Le château de Briacé est une très ancienne propriété viticole, brûlée pendant la Révolution et reconstruite au XIXᵉs. Depuis 1957, il appartient à la congrégation des frères de Saint-Gabriel et sert de support pédagogique au lycée viticole qui forme une partie des vignerons de la région nantaise. À sa disposition, un vignoble de 20 ha.

Un vin droit et bien structuré. À l'olfaction, se dégage un doux parfum de miel et de safran, émaillé de notes de litchi et de fleurs blanches. La bouche est en accord : pleine et toute douce jusqu'en finale, même si la minéralité n'est pas absente. ⧗ 2020-2022

AFG DE BRIACÉ, Lycée de Briacé, 44430 Le Landreau, tél. 02 40 06 49 16, contact@chateau-briace.com V r.-v.

CH. CASSEMICHÈRE Sur lie 2016 ★

| 11000 | 5 à 8 € |

Un château du XVIIᵉs. et un domaine qui se flatte d'avoir acclimaté les premiers plants de melon de Bourgogne (muscadet) au début du XVIIIᵉs. Philippe

Ganichaud a repris l'exploitation en 2007, assisté de Gérard Secher, maître de chai depuis 1982. Après l'achat, en 2009, du Dom. de Montifault (10 ha), la propriété couvre 45 ha.

Un vin gourmand, ouvert sur les fruits frais : arômes de pêche blanche et de poire, nuancés de notes d'ananas se déclinent subtilement. D'attaque fraîche, la bouche se révèle ample et ronde jusqu'en finale. ⧗ 2020-2022

SCEA CH. CASSEMICHÈRE, La Cassemichère, 44330 La Chapelle-Heulin, tél. 06 10 19 38 37, contact@chateaucassemichere.fr V r.-v.

CH. DE CHASSELOIR Sur lie 2018 ★★

	140 000		8 à 11 €

La famille Chéreau Carré est établie dans la région depuis 1412. En 1953, Bernard Chéreau acquiert le Ch. de Chasseloir. Son mariage avec Edmonde Carré, qui possède le Ch. de l'Oiselinière de la Ramée, permet d'agrandir le vignoble. La famille a acquis ensuite le Dom. de la Chesnaie et le Dom. du Bois Bruley et enfin, en 2015, le Ch. de la Turmelière et le Ch. de la Cantrie. Rejoint par sa fille Louise, Bernard Chéreau fils, médecin de formation, soigne ces vignobles depuis 2003.

Un terroir de schiste a donné naissance à cette cuvée qui propose un concert exotique : les fleurs blanches et le pamplemousse donnent le la. La bouche est un modèle de fraîcheur et de souplesse, affichant une parfaite rondeur et tant de persistance. ⧗ 2020-2022 **Ch. l'Oiselinière de la Ramée Sur lie 2018 ★★ (8 à 11 €; n.c.)** : ce melon de Bourgogne présente un nez frais de fleurs et de fruits blancs mûrs. Après une attaque franche et aromatique, la bouche offre un beau volume et un côté friand. Arômes de poire, de coing et d'acacia se développent longuement. ⧗ 2020-2024

ÉTABLISSEMENTS CHÉREAU-CARRÉ, Chasseloir, 44690 Saint-Fiacre-sur-Maine, tél. 02 40 54 81 15, louise@chereau-carre.fr V *t.l.j. 9h-12h 14h-17h; sam. dim. sur r.-v.*

CH. LA CHEVILLIARDIÈRE Sur lie 2018 ★

	173 300		- de 5 €

Succédant à son père, Claude-Michel Pichon a pris les commandes en 2009 du Ch. la Chevillardière et de ses 88 ha de vignes, après avoir débuté sa carrière comme maître de chai d'une maison de négoce. Il a engagé un programme de plantation de nouveaux cépages.

Typique, ce vin élégant associe la douceur des fruits jaunes (pêche, abricot) à la finesse des fleurs blanches. Quelques notes grillées apparaissent dans une bouche ronde, dotée d'une juste acidité. Bel équilibre. ⧗ 2020-2022

SCEA CLAUDE-MICHEL PICHON, 60, la Chevillardière, 44330 Vallet, tél. 06 28 98 58 97, cmpichon@orange.fr V *r.-v.*

DOM. DE LA COMBE Sur lie Réserve personnelle 2016 ★★

	12 000		8 à 11 €

Pierre-Henri Gadais a repris en 2018 le domaine des Grands Presbytères. Il en a sensiblement réduit la superficie (9,2 ha) et a adopté la culture bio (en conversion).

Quatorze mois d'élevage ont façonné cette jolie cuvée, dont le nez fin et subtil entrelace des arômes de poire fraîche et d'abricot mûr, avec de discrètes notes miellées. La bouche, complexe et gourmande, impressionne par sa belle concentration que rafraîchissent des nuances acidulées. Finale tout en douceur. ⧗ 2020-2022

EARL DOM. DE LA COMBE, La Petière, 2_bis, rue de la Combe, 44690 Saint-Fiacre, tél. 02 40 54 80 73, pierre-henri@domaine-combe.com

BRUNO CORMERAIS Tess 6 Ans 2012 ★

	3400		11 à 15 €

Établi non loin de la Maine, sur les coteaux granitiques de Saint-Lumine-de-Clisson, ce domaine familial de 32 ha a été longtemps conduit par Bruno Cormerais qui a transmis en 2009 le flambeau à son fils Maxime. Pour imprimer à leurs vins leur « marque de fabrique », ces vignerons vendangent souvent plus tardivement que leurs collègues.

Six ans d'élevage procurent à ce 2012 une infinie complexité. Non filtré, il offre un nez minéral et fruité, plein de fraîcheur. La bouche, à la fois riche et acidulée, restitue le bouquet jusque dans une finale longue et sapide. ⧗ 2020-2022

EARL BRUNO, MARIE-FRANÇOISE ET MAXIME CORMERAIS, 41, La Chambaudière, 44190 Saint-Lumine-de-Clisson, tél. 02 40 03 85 84, b.mf.cormerais@orange.fr V *t.l.j. sf dim. 10h-12h 15h-18h*

DOM. DES CORMIERS Sur lie 2018 ★

	15 000		- de 5 €

Vertou, première commune viticole aux portes de Nantes, connaît une forte urbanisation. Quelques producteurs résistent et maintiennent à flot le vignoble local, tels Michel et Brigitte Loiret, dont la famille cultive la vigne depuis 1890. Installés depuis 1977 et associés à leur fils Guillaume, ces derniers conduisent un domaine de 25 ha.

Ce vin blanc dévoile une robe pâle, teintée de reflets verts. À l'aération, le nez s'ouvre sur la poire et le coing mûrs, auxquels se joignent de discrètes notes mentholées qui lui confèrent une belle fraîcheur. En bouche, l'attaque est souple, le fruité très présent, la finesse au rendez-vous. ⧗ 2020-2022 **Dom. Loiret Cuvée d'Alice Vieilles Vignes 2016 ★ (5 à 8 €; 1000 b.)** : le nez fin laisse échapper des arômes de poire et d'amande fraîche soulignés par de douces nuances florales. D'attaque ample, la bouche révèle une matière, acidulée et très minérale qui laisse une impression durable de fraîcheur. ⧗ 2020-2022

EARL LOIRET, 47, rte de la Haye-Fouassière, 44120 Vertou, tél. 02 40 34 28 13, loiret.earl@wanadoo.fr V *r.-v.*

DOM. DE L'ERRIÈRE Sur lie Cuvée Excellence 2018 ★★★

	8000		- de 5 €

Ce domaine familial de 30 ha créé en 1982 est bien connu des lecteurs du Guide à travers plusieurs

LOIRE

étiquettes : le Dom. Madeleineau en IGP Val de Loire, le Dom. de l'Errière et le Dom. de la Taraudière en muscadet-sèvre-et-maine et gros-plant-du-pays-nantais.

Sous une robe claire, brillante et limpide apparaît un vin intense dans son expression aromatique : la poire et le coing bien mûrs s'accompagnent de senteurs de fleurs blanches, de fenouil et d'anis. Une belle vivacité met en valeur la matière riche et enveloppante, avec en finale la petite pointe d'amertume qui signe la typicité. ⧗ 2020-2022

GAEC MADELEINEAU PÈRE ET FILS, 12, L'Errière, 44430 Le Landreau, tél. 02 40 06 43 94, domainemadeleineau@orange.fr V r.-v.

DOM. DE L'ESPÉRANCE Sur lie Tradition 2018 ★

| 10 000 | | - de 5 €

Patrice Chesné (rejoint en 2004 par sa sœur Anne-Sophie) a repris en 1992 le vignoble familial, 33 ha à Tillières, l'une des deux communes du Maine-et-Loire en AOC muscadet-sèvre-et-maine, aux portes de l'Anjou.

Le nez discret fait la part belle aux arômes de fruits blancs, nunacés de notes florales et d'une touche citronnée. Après une attaque franche, le vin apparaît riche et bien équilibrée, d'une bonne persistance. ⧗ 2020-2022

GAEC CHESNÉ, 4, L'Espérance, Tillières, 49230 Sèvremoine, tél. 02 41 70 46 09, gaecchesne@orange.fr V r.-v.

CH. DE LA FERTÉ Sur lie 2018 ★★

| 25 000 | | 5 à 8 €

Créée en 1947 par le grand-père de Jérôme Sécher, cette exploitation de 28 ha couvre les coteaux de la Sanguèze. Jérôme Sécher a rejoint le domaine en 1997 et s'est associé en 2006 avec Hervé Denis.

Un vin gouleyant qui associe une belle richesse aromatique à la fraîcheur typique de l'appellation. La pomme et la poire côtoient le pamplemousse et le citron dans une palette élégante et finement muscatée. L'attaque est franche, la bouche très fruitée et bien équilibrée, légèrement saline en finale. ⧗ 2020-2022

GAEC DE LA FERTÉ, 77, la Ferté, 44330 Vallet, tél. 02 40 86 37 48, gaecdelaferte@orange.fr V r.-v.

DOM. LE FIEF DE LA BRIE Gorges 2014 ★

| 12 000 | | 8 à 11 €

Établie à Gorges, cru réputé pour ses terroirs de gabbros propices à l'élaboration de vins de garde, la famille Bonhomme s'est spécialisée depuis cinq générations dans le muscadet-sèvre-et-maine et exploite un vignoble de 48 ha, sous la conduite de François Bonhomme depuis 1994.

Cette cuvée pâle, presque blanche, a bénéficié d'un long élevage de trente mois en cuve, qui lui a apporté rondeur et complexité. Le nez associe élégamment les arômes de coing aux notes de pain grillé, sur une trame minérale. En bouche, l'équilibre sonne juste, s'appuyant sur une belle vivacité. ⧗ 2020-2024

SCEA AUGUSTE BONHOMME, 3, le Haut-Banchereau, 44190 Gorges, tél. 06 87 69 71 14, f.bonhomme@wanadoo.fr V r.-v.

♥ DOM. DU FIEF-SEIGNEUR Sur lie 2018 ★★★

| 17 000 | | 5 à 8 €

Thierry et Jean-Hervé Caillé dirigent depuis 2002 cette exploitation familiale, dont le vignoble couvre 17 ha autour de Monnières. Un village situé au cœur de l'appellation muscadet-sèvre-et-maine, qui pourrait devenir un des prochains crus communaux, comme son voisin le Pallet.

Un superbe ensemble se déploie à chaque étape de la dégustation. Au nez des arômes intenses d'agrumes et de fruits blancs se déploient, escortés de notes de jasmin et d'acacia. Toute la minéralité typique de l'appellation s'exprime également et se prolonge au palais. Modèle d'équilibre, ce vin marque durablement les esprit par sa persistance aromatique et sa fraîcheur. ⧗ 2020-2021

EARL THIERRY ET JEAN-HERVÉ CAILLÉ, 12 bis, rue des Moulins, 44690 Monnières, tél. 02 40 54 65 03, thierry.caille343@orange.fr V r.-v.

DOM. DE LA FOLIETTE Sur lie Vieilles Vignes 2018 ★★

| 60 000 | | 5 à 8 €

Ce domaine tire son nom des petites folies, demeures bourgeoises que faisaient construire au XVIIIe s. les armateurs nantais à leur retour des « Indes ». Il est dirigé depuis 1996 par deux fils de vignerons de la Haye-Fouassière : Denis Brosseau (installé en 1988) et Éric Vincent, à la tête de 40 ha. L'intégralité des plants a été greffée par leurs soins et élevée dans la pépinière de l'exploitation.

Une jolie cuvée qui révèle un nez intense, ouvert sur les agrumes, bientôt rejoints par des notes de jasmin et d'acacia sur un fond à peine mentholé. D'attaque franche et riche, elle offre une bouche souple et restitue toute la fraîcheur du fruit (pamplemousse), avec une pointe iodée. ⧗ 2020-2024 **Sur lie La Haye-Fouassière 2013 ★★ (8 à 11 €; 3000 b.)** : un très beau cru dans un millésime difficile, issu d'une sélection parcellaire et élevé trente-six mois sur lies fines. Il décline une palette complexe de fruits blancs mûrs et d'agrumes. Fleurs blanches et notes miellées suivent dans une bouche à la minéralité appuyée et à l'amertume subtilement dosée. L'harmonie est remarquable. ⧗ 2020-2024

GAEC DOM. DE LA FOLIETTE, 35, rue de la Fontaine, 44690 La Haye-Fouassière, tél. 02 40 36 92 28, foliette@orange.fr V r.-v.

CH. DE FROMENTEAU Sur lie Sélection 2018 ★★

| 5000 | | 5 à 8 €

Les lointaines origines du domaine remontent au XVIe s.; l'exploitation actuelle se transmet dans la

famille Braud depuis quatre générations. Installé en 1986, Christian exploite avec Anne 13 ha de vignes et développe l'œnotourisme sur le domaine familial.

Ce vin s'offre au regard dans une robe jaune pâle. Résolument tourné vers les fruits exotiques (ananas, mangue) à l'aération, il se nuance d'exquises notes florales. Aérien au palais, finement acidulé, il laisse le souvenir d'une élégante minéralité et d'accents mentholés. ⧗ 2020-2022

EARL ANNE ET CHRISTIAN BRAUD, 12, Fromenteau, 44330 Vallet, tél. 02 40 36 23 75, christiant_braud@orange.fr V r.-v.; *f. en janv.*

DOM. DE LA GARNIÈRE Sur lie Cuvée Vieilles Vignes 2018 ★

	11000		- de 5 €

Sur la route menant de Saint-Fiacre à Monnières, l'on passe par la Hautière, qui domine les coteaux escarpés de la Sèvre. Pascale et Patrice David y conduisent depuis 1995 les 18 ha de vignes de la propriété familiale.

Dans le verre, ce vin laisse doucement s'échapper des notes de miel, de cire et d'acacia sur un fond de fruits blancs mûrs et d'agrumes. D'attaque vive, il joue la carte de la légèreté, de la minéralité et du fruit au palais. ⧗ 2020-2022

EARL PASCALE ET PATRICE DAVID, 2_bis, rue de la Garnière, la Hautière, 44690 Saint-Fiacre-sur-Maine, tél. 02 40 54 88 07, pdavidmuscadet@orange.fr V r.-v.

DOM. GIRARD Monnières-Saint-Fiacre 2014 ★★

	3000		8 à 11 €

Situé entre la Sèvre et la Maine, ce domaine de 38 ha est conduit depuis 1991 par Patrick Girard, rejoint en 2013 par son fils Guillaume.

Le nez fleure bon la poire et le coing, le jasmin et le clou de girofle. Après une attaque puissante, les mêmes arômes dominent une bouche séveuse, tandis qu'en finale une nuance de foin coupé et une petite touche d'amertume procurent une agréable fraîcheur. ⧗ 2020-2022

EARL PATRICK GIRARD, 17, La Rebourgère, 44690 Maisdon-sur-Sèvre, tél. 02 40 54 60 75, earlgirard@wanadoo.fr V r.-v.

DOM. DU GRAND CHÂTELIER Sur lie Haut-Fief 2018 ★★★

	17000		- de 5 €

En 1994, Patrick Lebas a pris les rênes de cette exploitation familiale de 17 ha créée par son bisaïeul en 1870.

Un vin superbement équilibré, qui reflète bien son terroir par sa fraîcheur. Quelle énergie! Les dégustateurs ont été saisi par l'intensité des arômes d'agrumes et de fleurs blanches qui viennent ponctuer une trame minérale. L'attaque se fait sur la fraîcheur, puis la bouche développe toute sa rondeur avec beaucoup de persistance. ⧗ 2020-2022

PATRICK LEBAS, le Châtelier, 44330 Vallet, tél. 02 40 36 40 01, patrick.lebas4@wanadoo.fr V r.-v.

DOM. DU GRAND FIEF Sur lie 2018 ★

	45000		- de 5 €

Installé en 1984, Dominique Guérin exploite 18 ha autour de la commune de Vallet, sur un terroir de gabbro. Outre le melon de Bourgogne, il cultive de la folle blanche pour le gros-plant, du chardonnay et du sauvignon dont il tire des vins en IGP Val de Loire.

Un bouquet subtil se dégage à l'aération : poire mûre et pêche blanche se nuancent de notes beurrées et citronnées. Le fruit persiste dans une bouche ronde, avec une légère amertume en finale. ⧗ 2020-2022

EARL GUÉRIN, Les Corbeillères, 44330 Vallet, tél. 02 40 36 27 37, guerindominique5@gmail.com V *t.l.j. sf dim. 8h-19h*

♥ DOM. DE LA GRANGE Goulaine 2012 ★★★

	6000		11 à 15 €

Propriété familiale située au sud-est de Nantes, au cœur de l'aire du muscadet-sèvre-et-maine. Incarnant la neuvième génération de vignerons, Raphaël Luneau a pris la suite de son père Rémy en 2010.

Trente-six mois d'élevage sur lies ont façonné cette cuvée remarquable, issue de vignes de soixante ans. À l'agitation s'ouvre un nez complexe, centré sur les fruits blancs, le tilleul et les notes briochées. Puis viennent des notes de miel, de tabac et de noisettes grillées. Après une attaque souple, la bouche offre beaucoup de matière et une minéralité appuyée. Cette parfaite harmonie persiste jusque dans la finale longue et douce. ⧗ 2020-2022

EARL RÉMY ET RAPHAËL LUNEAU, 1, la Grange, 44430 Le Landreau, tél. 02 40 06 45 65, contact@domaineraphelluneau.fr V *t.l.j. sf dim. 9h30-12h30 14h30-19h*

♥ B CH. DE LA GRAVELLE Gorges 2014 ★★

	n.c.		11 à 15 €

Issue d'une lignée au service du vin remontant au XVe s., Véronique Günther-Chéreau, docteur en pharmacie, a quitté l'officine en 1989 pour se consacrer exclusivement aux trois vignobles familiaux (70 ha en tout), implantés dans trois terroirs distincts : le Ch. du Coing de Saint-Fiacre, acquis par son père Bernard Chéreau en 1973, le Grand Fief de la Cormeraie et le Ch. de la Gravelle (ces deux derniers en conversion bio). Elle est épaulée depuis 2010 par sa fille Aurélie.

Belle expression de la maturité du raisin pour ce melon de Bourgogne né sur des sols de roche verte. Le bouquet

LOIRE

s'éveille à l'aération : poire et coing bien mûrs, portés par une minéralité soutenue. Une légère amertume sert de fil conducteur au palais, soulignant la structure et la longueur remarquables. ⧗ 2020-2022 ■ **Sur lie 2018 ★ (8 à 11 €; n.c.)** Ⓑ : la robe soutenue laisse deviner une légère surmaturité du raisin. Impression confirmée par les arômes de fruits blancs mûrs et de tendres notes florales. La bouche, soyeuse et fine, restitue le bouquet avec beaucoup d'élégance et de persistance. ⧗ 2020-2022

SCEA GÜNTHER-CHÉREAU, Ch. de la Gravelle, Le Coing, 44690 Saint-Fiacre-sur-Maine, tél. 02 40 54 85 24, contact@vgc.fr V t.l.j. 9h-13h 14h-18h

LES HAUTES LANDES Sur lie 2017 ★★

■ | 3600 | 8 à 11 €

Installé en 2001, Jean-Louis Bossard, dont la famille cultive la vigne à La Chapelle-Heulin depuis près de cinq siècles, exploite aujourd'hui un domaine de 50 ha.

Mention spéciale pour cette cuvée, dont le nez évoque la douceur des pâtisseries. Des notes briochées escortent les arômes de fruits confits et de papaye, rejoints par quelques touches florales. La bouche est à la fois fraîche et douce, soulignée par une touche d'abricot bien mûr. Elle se conclut en finale par une très subtile amertume. ⧗ 2020-2022

EARL DOM. BASSE-VILLE, La Basse-Ville, 44330 La Chapelle-Heulin, tél. 02 40 06 74 33, gilbert.bossard@wanadoo.fr V *t.l.j. sf sam. dim. 8h-12h30 14h-18h30*

LA HOUSSAIS Goulaine 2014 ★★

■ | 3000 | 🍾 | 8 à 11 €

Le marais de Goulaine couvre près de 2 000 ha et permet de découvrir des oiseaux migrateurs. Conduit par David et Bernard Gratas, ce domaine familial implanté à sa lisière est influencé par un microclimat favorable à la précocité des vignes. La famille y produit du muscadet-sèvre-et-maine, du gros-plant et des vins de cépages en IGP.

Cette cuvée très aromatique joue sur l'abricot sec et le raisin de Corinthe, le tilleul et la noisette grillée. D'attaque franche, elle fait preuve d'un bel équilibre entre rondeur et fraîcheur, avant une finale placée sous le signe de la minéralité. ⧗ 2020-2022

EARL BERNARD ET DAVID GRATAS, 10, La Houssais, 44430 Le Landreau, tél. 02 40 06 46 27, domainedelahoussais@orange.fr V *r.-v.*

MICHEL LUNEAU ET FILS Mouzillon-Tillières Tradition Stanislas 2010 ★★

■ | 6500 | 🍾 | 8 à 11 €

Un domaine familial depuis 1860. Thierry et Stéphane travaillent avec leurs parents les 41 ha de vignes.

Un très beau millésime à ne pas manquer dans cette cuvée qui brille par puissance et sa complexité aromatique. Les vignes de cinquante-cinq ans dont elle est issue lui ont légué une belle minéralité, tandis que cinq années d'élevage ont apporté d'intenses notes de miellées et briochées. L'attaque est riche, la bouche séduisante par son beau volume, la finale d'une rare élégance. ⧗ 2020-2024

GAEC MICHEL LUNEAU ET FILS, 3, rte de Nantes, 44330 Mouzillon, tél. 02 40 33 95 22, luneau.michel.et.fils@wanadoo.fr V *t.l.j. sf dim. 9h-12h30 14h30-18h30; sam. 9h-12h30*

VIGNOBLE MAILLARD Sur lie Charmance 2018 ★

■ | 10666 | 🍾 | 5 à 8 €

Les Maillard sont vignerons depuis 1890. Héritier de cette longue lignée, Bernard s'est installé en 1989 à la tête du domaine familial et de ses 22 ha de vignes. Les vins sont vinifiés et conservés en cuves de verre souterraines ou en cuves Inox.

Un bouquet puissant, résolument centré sur les agrumes et les notes beurrées. La bouche fraîche s'inscrit dans le registre de la finesse et offre une longue finale citronnée qui équilibre la tendre sensation de sucrosité. ⧗ 2020-2022

EARL BERNARD MAILLARD, 32, Les Défois, 44190 Saint-Lumine-de-Clisson, tél. 06 15 35 64 78, bernard.maillard5@wanadoo.fr V *r.-v.*

DOM. DE LA NOË ROQUET Sur lie Jeunes Vignes 2017 ★★

■ | 7000 | 🍾 | 5 à 8 €

Établi sur les coteaux de la Maine, dans l'aire du muscadet-sèvre-et-maine, ce domaine, créé en 1921, couvre 45 ha sur des sols de gabbro, de granite et de gneiss.

Un vin typique de son terroir, qui présente une palette complexe de fruits blancs bien mûrs et de fruits secs, rehaussés de nuances exotiques et de notes de noisettes grillées. Il enveloppe le palais de sa matière minérale et acidulée, puis laisse en finale une impression d'harmonie durable. ⧗ 2020-2022

GAEC JAUMOUILLÉ, 4, La Noue, Saint-Crespin-sur-Moine, 49230 Sèvremoine, tél. 06 50 38 41 72, vignoblejaumouille@gmail.com V *r.-v.*

ALAIN OLIVIER Sur lie Signature 2018 ★

■ | 20000 | 🍾 | 5 à 8 €

Ce viticulteur officie depuis trois générations sur un domaine de 20 ha sur la route de Vallet à Nantes, à la limite des gabbros et des micaschistes. Il commercialise une vingtaine de cuvées, dont de nombreux muscadets.

Un vin élégant, élevé sept mois sur lies. Dominé au nez par les arômes de fruits exotiques et de fruits blancs, il dévoile également des notes florales au palais. Une impression friande de souplesse demeure, avec en finale la pointe d'amertume attendue dans cette appellation. ⧗ 2020-2022

EARL ALAIN OLIVIER, 308, la Moucletière, 44330 Vallet, tél. 02 40 36 24 69, alain.olivier0365@orange.fr V *t.l.j. sf dim. 10h-12h30 14h-18h30*

VIGNOBLE PAPIN Sur lie La Colline 2018 ★★

■ | 6000 | 🍾 | - de 5 €

Un domaine de 26 ha conduit par Damien et Vincent Papin depuis 1996, situé au bord de la Moine, petit affluent de la Sèvre à l'extrême est du vignoble nantais et de l'aire du muscadet.

Cette cuvée s'offre au regard dans une robe limpide à reflets dorés. Le nez s'ouvre sur un bouquet complexe de fruits blancs et d'agrumes, complété par de fines notes de tilleul. La bouche, pleine et riche, confirme le fruité avec vivacité et longueur. ⧗ 2020-2022

GAEC DAMIEN ET VINCENT PAPIN, 3, la Colline, Saint-Crespin-sur-Moine, 49230 Sèvremoine, tél. 06 18 74 20 84, papin.lacolline49@orange.fr V r.-v.

DOM. DE LA PAPINIÈRE Sur lie 2018 ★★

| 10 000 | | - de 5 €

Après le départ à la retraite de Bernard Cousseau, fondateur du domaine en 1980, la Papinière (42 ha sur une butte entre le ruisseau de la Braudière et la Sanguèze) a été reprise en 2014 par Vincent Barré, qui conduit par ailleurs le Dom. de la Chignardière. Deux domaines situés dans la partie orientale du vignoble nantais, aux confins des Mauges.

Un vin joyeux et soyeux, dont le nez s'ouvre progressivement sur le citron givré, agrémenté de notes de violette et de chèvrefeuille, le tout soutenu par une minéralité discrète. Une attaque légèrement perlante introduit une bouche souple et acidulée, centrée sur les agrumes. De plaisantes nuances fumées apparaissent en finale. ⧗ 2020-2022 **Mouzillon-Tillières 2014 ★ (8 à 11 €; 4000 b.)** : quarante mois d'élevage ont lentement façonné l'élégance de cette cuvée minérale et gourmande. Le nez plein de fraîcheur s'ouvre sur le pamplemousse et la mandarine, nuancé de notes de fruits confits. L'attaque est souple, la bouche riche et la finale un brin saline. ⧗ 2020-2022

EARL VINCENT BARRÉ, 2_bis, la Papinière, Tillières, 49230 Sèvremoine, tél. 02 41 70 46 31, lapapiniere.vb@gmail.com V r.-v.

♥ PÉTARD-BAZILE
Sur lie Le Plessis Glain Les Vieilles Vignes 2017 ★★

| 8 000 | | - de 5 €

Saint-Julien-de-Concelles domine la vallée de la Loire et les terres maraîchères où sont cultivés, entre autres, le muguet et la mâche nantaise. La famille Pétard y exploite, elle, la vigne depuis le XIXᵉs. sur des coteaux aux sols de micaschistes. Vincent Pétard a rejoint ses parents en 2004. Dix ans plus tard, après leur départ à la retraite, il s'est associé avec son ami d'enfance Christophe Bazile.

Cette cuvée élégante affiche une remarquable minéralité. Dans ce contexte d'autres arômes se déclinent : pêche jaune, poire, coing et fleurs blanches, bientôt rejoints par les fruits secs et les notes miellées. Ample, le palais laisse une impression de fraîcheur en misant sur les agrumes et une touche d'amertume finale. ⧗ 2020-2022

EARL PÉTARD-BAZILE, Le Plessis-Glain, 44450 Saint-Julien-de-Concelles, tél. 09 52 66 99 44, domaine.plessisglain@free.fr V t.l.j. sf dim. 10h-12h 14h-18h (sam. 17h)

DOM. PETITEAU Sur lie L'Authentique 2018 ★

| 12 000 | | - de 5 €

À la sortie de Vallet, sur la route de Beaupréau, La Chalousière est un petit village typique du vignoble nantais. Constitué en 1845, ce domaine familial se transmet depuis sept générations. Michel et Viviane Petiteau y ont développé l'œnotourisme. En 2015, ils ont passé le relais à leur fils Vincent qui dispose de 32 ha de vignes.

La fraîcheur et le fruité caractérisent ce 2018 pâle et brillant, dont les reflets verts traduisent la jeunesse. Nez expressif de pomme et de fleurs. Attaque souple et bouche ample, bien équilibrée. ⧗ 2020-2022

DOM. PETITEAU, 451, la Chalousière, 44330 Vallet, tél. 02 40 36 20 15, contact@domainepetiteau.com V r.-v.

CH. DE LA PINGOSSIÈRE Sur lie 2016 ★★

| 12 000 | | 5 à 8 €

La famille Guilbaud conduit un vaste vignoble de 49 ha complété par une activité de négoce. Elle possède notamment le Clos de Beauregard qui appartenait au XVᵉs. au maître d'hôtel du duc de Bretagne.

Voici une cuvée généreuse, vêtue de jaune pâle à reflets dorés, issue de vieilles vignes plantées sur un terroir de schiste et d'argiles. Le nez allie subtilement les notes de tilleul et de miel aux arômes de poire et de coing. La bouche ample et riche est remarquable de complexité et de persistance, avec une touche saline typique. ⧗ 2020-2022

SCEA GUILBAUD-MOULIN, BP_49601, 44196 Clisson Cedex, tél. 02 40 06 90 69

DOM. DE LA RENOUÈRE Sur lie 2018 ★

| 15 000 | | - de 5 €

Une grande partie de ce domaine dépendait autrefois du Ch. de Beauchêne. Installé en 1995, Jean-Luc Viaud, représentant la quatrième génération, exploite 16 ha de vignes.

Un muscadet-sèvre-et-maine bien typé qui évoque les agrumes et le chèvrefeuille. Il offre une attaque franche, de la rondeur, suffisamment de volume et une finale délicieusement citronnée. ⧗ 2020-2022

EARL VINCENT VIAUD, 1, La Renouère, 44430 Le Landreau, tél. 06 20 53 88 04, muscadetviaud@orange.fr V r.-v.

LA TOUR GALLUS Gorges 2014 ★★

| 10 600 | 11 à 15 €

Les Rineau se succèdent de père en fils depuis 1600 à Gorges, village devenu cru communal de l'appellation muscadet-sèvre-et-maine. Héritier de cette longue lignée, Damien Rineau conduit depuis 1983 le domaine familial : 17 ha sur les coteaux de la Sèvre-Nantaise aux sols de gabbro altéré.

Voici une belle expression du fruit, obtenue grâce à des vignes plus que cinquantenaires, plantées sur un sol de gabbro. Deux ans d'élevage sur lies se traduisent par une palette aromatique très fraîche qui évolue sur les arômes de coing à l'aération. La bouche est à l'avenant, alliant un caractère acidulé à une touche d'amertume des plus délicates. ⧗ 2020-2022

DAMIEN RINEAU, 1, la Maison-Neuve, 44190 Gorges, tél. 07 70 26 53 90, rineau.damien@wanadoo.fr V r.-v.

DOM. DE LA TOURLAUDIÈRE
Goulaine Clos du Ferré Le Royaume 2013 ★

6000 | 8 à 11 €

La famille Petiteau-Gaubert est installée au village de La Tourlaudière depuis plus de deux siècles et demi. Situé à l'extrême ouest de Vallet, le vignoble, repris en 2015 par Romain Petiteau, couvre 21 ha sur un terroir de gabbro et de micaschiste. Un domaine bien connu des habitués du Guide.

Un ensemble gourmand, obtenu après cinquante et un mois d'élevage sur lies et non filtré. Le nez, élégant et frais, développe un fruité intense. La bouche évolue en finesse dans le registre de la tendresse, avant une finale marquée par une belle minéralité. 2020-2022

EARL PETITEAU-GAUBERT, La Tourlaudière, 174, Bonne-Fontaine, 44330 Vallet, tél. 02 40 36 24 86, vigneron@tourlaudiere.com r.-v.

LES VIGNEAUX Sur lie Vieilles Vignes 2018 ★★

8500 | - de 5 €

Ce domaine cultive 14 ha de vignes de quarante ans enracinées sur les sols argilo-siliceux de Gorges. Olivier Clénet en a pris la conduite en 2002.

Un melon de Bourgogne enjôleur dans ses évocations de tilleul, de fleur d'oranger et d'agrumes. De la fraîcheur encore et pour le meilleur au palais. Car l'harmonie n'est jamais ébranlée et les arômes trouvent un long écho en finale. 2020-2022

OLIVIER CLÉNET, 1_bis, la Galussière, 44190 Gorges, tél. 02 40 06 90 68, oliv.clenet@orange.fr r.-v.

DOM. DE LA VINÇONNIÈRE Clisson 2015 ★

6666 | 11 à 15 €

Les générations de Perraud se succèdent sur le domaine depuis 1804; dernier du nom, Laurent, installé en 1986, exploite 52 ha.

Ce vin puissant dévoile des notes d'évolution. Dès l'attaque, il impose son gras et sa richesse, mais il conserve fort heureusement sa souplesse. Au final, c'est d'une rondeur harmonieuse dont on se souvient. 2020-2022

LAURENT PERRAUD, Dom. de la Vinçonnière, Le Perthuis-Fouques, 44190 Clisson, tél. 02 40 03 95 76, domaine.vinconniere@gmail.com t.l.j. sf dim. 8h30-12h 14h-19h; sam. sur r.-v.; août sur r.-v.

DOM. DE LA VRILLONNIÈRE Sur lie 2018 ★

53000 | - de 5 €

À mi-chemin entre les villages viticoles réputés du Landreau et de La Chapelle-Heulin, ce domaine de 44 ha est transmis de père en fils depuis quatre générations. Installé en 1999, Stéphane Fleurance y est seul aux commandes depuis 2008.

Une cuvée puissante, typique du millésime 2018. Le nez marie avec complexité fruits blancs (poire, coing) et notes florales (tilleul, acacia). La bouche franche, à peine perlante, trouve un bon équilibre et laisse en finale une impression minérale. 2020-2022

EARL DE LA VRILLONNIÈRE, 10, la Vrillonnière, 44430 Le Landreau, tél. 02 40 06 42 00, lavrillonniere44@gmail.com r.-v.

MUSCADET-CÔTES-DE-GRAND-LIEU

Superficie : 277 ha / Production : 14 447 hl

DOM. DE LA CHAUSSÉRIE Sur lie 2018 ★

7300 | - de 5 €

Au cœur de l'appellation muscadet-côtes-de-grand-lieu, ce domaine familial de 30 ha, conduit depuis 2000 par Kristel et Patrick Gobin, est situé dans la petite commune de Saint-Léger-les-Vignes, en bordure de l'Acheneau, sur la route de Pornic.

Voici un melon de Bourgogne qui demande à être aéré pour révéler toute son élégance aromatique : agrumes et notes anisées se révèlent alors et persistent à toutes les étapes de la dégustation. La rondeur le caractérise en bouche, mais il ne manque pas de relief grâce à une légère amertume rafraîchissante. 2020-2022

EARL KRISTEL ET PATRICK GOBIN, Dom. de La Chaussérie, 35, la Chaussérie, 44710 Saint-Léger-les-Vignes, tél. 02 40 32 67 81, earl.gobin@wanadoo.fr t.l.j. sf dim. 15h-19h; sam. 9h-12h; f. sem. du 15 août

VIGNOBLE DAHERON
Sur lie Premium 2016 ★

1200 | 5 à 8 €

Implanté, entre Corcoué-sur-Logne et Rocheservière, sur un terroir de roches vertes, ce domaine est exploité par la même famille depuis la fin du XVIIIes. Il couvre aujourd'hui 65 ha, conduits depuis 2005 par Sylvie Daheron et son frère Gaël. À sa carte, du muscadet-côtes-de-grand-lieu et des vins de cépage.

Une cuvée gourmande, dont le nez s'ouvre intensément sur les arômes de fleurs blanches et les nuances exotiques, agrémentées d'une touche de miel. Suit une bouche riche et ronde, qui restitue le fruit en même temps que des notes épicées. 2020-2022

EARL PIERRE DAHERON, 9, Le Parc, 44650 Corcoué-sur-Logne, tél. 02 40 05 86 11, contact@vignoble-daheron.fr r.-v.

DOM. LE GRAND FÉ Sur lie 2018 ★

13000 | - de 5 €

À la tête de l'exploitation depuis 2003, Jean Boutin dispose de 20 ha. Une partie du vignoble entoure un ancien relais de diligence du XVIIes. transformé en chai.

Une cuvée au nez d'agrumes et de fleurs. En bouche, l'équilibre sonne juste, avec une belle minéralité et une vivacité acidulée. 2020-2022

EARL JEAN BOUTIN, 8, Le Poirier, 44310 La Limouzinière, tél. 02 40 05 83 66, jean.boutin1@bbox.fr t.l.j. sf dim. 10h-12h30 15h-19h30; sam. 10h-12h30

DOM. DES HERBAUGES
Sur lie Classic 2018 ★

180000 | 5 à 8 €

Sur les bords du lac de Grandlieu, Jérôme Choblet conduit depuis 2007 un vaste vignoble de 89 ha, perpétuant ainsi le savoir-faire de trois générations.

Typique de son terroir, ce vin est issu de vignes de plus de quarante ans. Belle minéralité, nez ouvert sur le tilleul et l'acacia, les agrumes et les fruits blancs. La bouche, expressive, monte en puissance et penche vers la douceur. ⧗ 2020-2022

SAS DOM. DES HERBAUGES, Les Herbauges, 44830 Bouaye, tél. 02 40 65 44 92, contact@domaine-des-herbauges.com
r.-v.

MUSCADET-COTEAUX-DE-LA-LOIRE

Superficie : 244 ha / Production : 12 064 hl

DOM. DU CHAMP CHAPRON Sur lie 2018 ★

40000 | 5 à 8 €

Ce domaine de 70 ha, dont les origines remontent au XVIIᵉs., est situé à la limite de l'Anjou et du pays nantais, sur la rive sud de la Loire. Carmen Suteau, qui en a pris la direction en 1999, a été rejointe par son fils en 2007.

Un melon de Bourgogne au nez léger de citron et de pamplemousse, mêlés à de jolies notes de fleurs blanches. La bouche est dans la continuité, alliant puissance et souplesse, avec toute la fraîcheur attendue. ⧗ 2020-2022

EARL SUTEAU-OLLIVIER, Champ-Chapron, Barbechat, 44450 Divatte-sur-Loire, tél. 02 40 03 65 27, suteau.ollivier@wanadoo.fr
r.-v.

DOM. DES CLÉRAMBAUTS Sur lie 2018 ★

6000 | - de 5 €

En 2005, Sébastien Terrien, diplômé d'œnologie, a rejoint son père Pierre sur ce domaine de 20 ha qu'il conduit seul aujourd'hui. Les vignes sont situées dans l'ouest de l'appellation anjou, sur les sols schisteux de la commune de Bouzillé.

Ce muscadet, typique de l'appellation, présente un nez intense, ouvert sur les agrumes et les notes florales. La bouche, dotée d'une belle puissance, est au diapason. ⧗ 2020-2022

EARL TERRIEN, 2, rue des Mutreaux, 49530 Bouzillé, tél. 06 63 06 07 79, sebastien.terrien701@orange.fr
r.-v.

DOM. DES GÉNAUDIÈRES Sur lie 2018

15000 | - de 5 €

Régulièrement sélectionné dans le Guide pour ses coteaux-d'ancenis, ce domaine familial est campé sur un rocher de la commune du Cellier depuis 1635. Les Athimon exploitent aujourd'hui 34 ha de vignes à flanc de coteaux sur la rive droite de la Loire.

Le mariage des arômes d'agrumes et de mirabelle, avec le tilleul et l'acacia comme témoins. La bouche restitue le fruit avec fraîcheur et persistance. ⧗ 2020-2022

EARL ATHIMON ET SES ENFANTS, 101, les Génaudières, 44850 Le Cellier, tél. 02 40 25 40 27, earl.athimon@wanadoo.fr
t.l.j. sf dim. 9h-12h30 14h-19h

DOM. DU MOULIN GIRON Sur lie 2018 ★

29000 | - de 5 €

Construit dans les années 1450, cet ancien moulin est situé à 500 m des ruines du château où naquit le poète Joachim Du Bellay. Conduit par Nadine Allard, son fils Quentin et son père Jean-Pierre, le vignoble couvre 68 ha sur un beau terroir de schistes.

Un vin à reflets verts, dont le nez s'ouvre sur les agrumes et les fleurs blanches, accompagnés de quelques notes amyliques. La bouche est vive, mais non dénuée de gras, ce qui lui confère de l'ampleur. La légère amertume en finale ajoute au caractère de l'ensemble. ⧗ 2020-2022

EARL DOM. DU MOULIN GIRON, Le Moulin-Giron, Liré, 49530 Orée-d'Anjou, tél. 06 08 09 56 20, domainemoulingiron@orange.fr
t.l.j. sf mer. dim. 9h30-12h 14h30-18h30

GROS-PLANT-DU-PAYS-NANTAIS

Superficie : 1 212 ha / Production : 90 255 hl

Le gros-plant-du-pays-nantais est un vin blanc sec, AOVDQS depuis 1954 et AOC depuis 2011, produit dans trois départements : Loire-Atlantique, Maine-et-Loire et Vendée. Il est issu d'un cépage unique d'origine charentaise, la folle blanche, appelée ici gros-plant. Comme le muscadet, le gros-plant peut être mis en bouteilles sur lie.

DOM. BASSE-VILLE Sur lie 2018 ★★

24000 | - de 5 €

Installé en 2001, Jean-Louis Bossard, dont la famille cultive la vigne à La Chapelle-Heulin depuis près de cinq siècles, exploite aujourd'hui un domaine de 50 ha.

Brillant, ce vin de folle blanche présente un nez puissant d'agrumes et d'aubépine. Après une attaque vive, il offre une belle matière aux nuances citronnées, qui laisse en finale une impression durable de fraîcheur. ⧗ 2020-2022

EARL DOM. BASSE-VILLE, La Basse-Ville, 44330 La Chapelle-Heulin, tél. 02 40 06 74 33, gilbert.bossard@wanadoo.fr *t.l.j. sf sam. dim. 8h-12h30 14h-18h30*

♥ DOM. DU CHAMP CHAPRON Sur lie 2018 ★★★

120000 | - de 5 €

Ce vaste domaine de 70 ha, dont les origines remontent au XVIIᵉs., est situé à la limite de l'Anjou et du pays nantais, sur la rive sud de la Loire. Carmen Suteau, qui en a pris la direction en 1999, a été rejointe par son fils en 2007.

Cette cuvée, issue de vignes de quarante-cinq ans, s'offre au regard dans une belle robe claire à reflets verts. Le cépage folle blanche est ici complété par 1 % de montils. Au nez complexe de fruits blancs, de pamplemousse et de fleur d'acacia répond une bouche ronde et fraîche à la fois, centrée sur la pêche de vigne et les notes de citron vert. Mais en finale, voici les fleurs qui s'invitent, laissant un souvenir durable. ⧗ 2020-2021

EARL SUTEAU-OLLIVIER, Champ-Chapron, Barbechat, 44450 Divatte-sur-Loire, tél. 02 40 03 65 27, suteau.ollivier@wanadoo.fr V *r.-v.*

L'ÉCAILLER Sur lie 2018 ★

	22 600		- de 5 €

Autrefois appelé la Guipière, ce domaine (28 ha aujourd'hui) dépendait de la seigneurie du Pallet, l'une des plus influentes de la région au XVIe s. Après 1945, les Charpentier l'avaient exploité en métayage, puis en pleine propriété. À son départ à la retraite en 2015, Joël Charpentier l'a revendu à Philippe Nevoux et à Nicolas Routhiau. Stéphane Gouraud est chargé de l'exploitation.

Sous une robe à reflets d'argent se livrent d'intenses arômes de fleurs blanches aux nuances citronnées. Vivacité et rondeur s'équilibrent pour offrir une bouche intense et friande, d'une bonne persistance. 2020-2022

SCEA DOM. DE LA GUIPIÈRE, 5, la Guipière, 44330 Vallet, tél. 02 40 36 23 30, contact@chateauguipiere.com V *t.l.j. sf sam. dim. 9h30-12h 14h-17h*

VIGNOBLE ÉPIARD Sur lie 2018 ★★

	5000	- de 5 €

Ce domaine de 38 ha, conduit depuis 1971 par la famille Épiard, tire son nom de la première pierre posée lors de l'édification des bâtiments en 1850. Il est aujourd'hui géré par Freddy Épiard, épaulé par sa sœur Sandrine.

La robe très pâle a des reflets argentés. D'une belle minéralité, le nez s'ouvre sur les agrumes (citron, pamplemousse) et les fleurs blanches (acacia), avant de laisser poindre une touche de mousseron à l'aération. La bouche est au diapason. D'attache fraîche, elle offre aussi de la rondeur et persiste agréablement. 2020-2022

EARL VIGNOBLE ÉPIARD, La Pierre-Blanche, 85660 Saint-Philbert-de-Bouaine, tél. 02 51 41 93 42, vignoble-epiard@orange.fr V *t.l.j. sf sam. dim. 10h-12h 14h-18h*

CH. DES GILLIÈRES
Sur lie Grande Réserve 2018 ★

	17 500		- de 5 €

Fondé vers 1900 et racheté par D. Régnier en 1999, cet important domaine de quelque 88 ha est principalement installé dans l'aire d'appellation du muscadet-sèvre-et-maine, mais il s'est agrandi vers Corcoué-sur-Logne dans l'AOC muscadet-côtes-de-grandlieu.

Une cuvée typique de l'appellation, qui présente un nez friand, ouvert sur les arômes d'agrumes et de fleurs blanches. Suivent une attaque vive et une bouche aux nuances citronnées, portée par une belle matière et une finale légèrement acidulée. 2020-2022

SAS DES GILLIÈRES, Les Gillières, 44690 La Haye-Fouassière, tél. 02 40 54 80 05, info@lesgillieres.com V *r.-v.*

DOM. R. DE LA GRANGE
Sur lie Vieilles Vignes 2018 ★

	16 000		5 à 8 €

Propriété familiale située au sud-est de Nantes, au cœur de l'aire du muscadet-sèvre-et-maine. Incarnant la neuvième génération de vignerons, Raphaël Luneau a pris la suite de son père Rémy en 2010.

Le nez semble d'abord discret, mais il s'intensifie à l'aération, révélant des notes acidulées de citron et de pamplemousse, ainsi que de fines nuances de fleurs blanches. D'attaque vive et franche, ce vin ample et structuré présente un bel équilibre entre vivacité et rondeur. 2020-2022

EARL RÉMY ET RAPHAËL LUNEAU, 1, la Grange, 44430 Le Landreau, tél. 02 40 06 45 65, contact@domaineraphelluneau.fr V *t.l.j. sf dim. 9h30-12h30 14h30-19h*

MANOIR DE LA GRELIÈRE
Sur lie Réserve Vieilles Vignes 2018 ★

	80 000		- de 5 €

Le Manoir de la Grelière est l'un des plus anciens domaines du vignoble de Nantes. Propriété d'Ymbert d'Orléans en 1328, il appartient à la même famille depuis 1887. Xavier Branger en a pris la tête en 1993. Le vignoble couvre 140 ha implantés sur les deux rives des coteaux de la Sèvre à Vertou.

Un tel nez est inhabituel pour l'appellation : fleurs blanches et fruits mûrs. Même surprise en bouche, à la perception de tant de puissance et de matière. Les notes empyreumatiques, une touche fumée et une amertume marquée en finale intriguent et séduisent. 2020-2022

EARL R. BRANGER ET FILS, Manoir de la Grelière, 44120 Vertou, tél. 02 40 05 71 55, branger@bbox.fr

DOM. DU MOULIN GIRON Sur lie 2018 ★

	29 400		- de 5 €

Construit dans les années 1450, cet ancien moulin est situé à 500 m des ruines du château où naquit le poète Joachim Du Bellay. Conduit par Nadine Allard, son fils Quentin et son père Jean-Pierre, le vignoble couvre 68 ha sur un beau terroir de schistes.

D'abord discret, le nez s'ouvre sur les nuances citronnées et les notes florales. Suit une attaque pleine de fraîcheur, qui introduit une bouche acidulée et persistante. 2020-2022

EARL DOM. DU MOULIN GIRON, Le Moulin-Giron, Liré, 49530 Orée-d'Anjou, tél. 06 08 09 56 20, domainemoulingiron@orange.fr V *t.l.j. sf mer. dim. 9h30-12h 14h30-18h30*

DOM. PETITEAU Sur lie L'invincible 2018 ★★

	3000		- de 5 €

À la sortie de Vallet, sur la route de Beaupréau, La Chalousière est un petit village typique du vignoble nantais. Constitué en 1845, ce domaine familial se transmet depuis sept générations. Michel et Viviane Petiteau y ont développé l'œnotourisme. En 2015, ils ont passé le relais à leur fils Vincent qui dispose de 32 ha de vignes.

Une très belle cuvée jaune paille à reflets verts. Le bouquet de fruits blancs (pêche), de fruits exotiques (litchi) et d'agrumes se nuance de notes florales. Cette large palette se retrouve dans une bouche riche et minérale, où la douceur des notes miellées s'invite. Finale longue et citronnée. 2020-2022

DOM. PETITEAU, 451, la Chalousière, 44330 Vallet, tél. 02 40 36 20 15, contact@domainepetiteau.com V *r.-v.*

BERTRAND POIRON Sur lie Vieilles Vignes 2018 ★★

| 7000 | - de 5 € |

Bertrand Poiron, conseiller œnologue dans le pays nantais, est aussi à la tête d'un domaine installé à Tillières, au sud-est de Vallet.

Un parfait exemple de gros-plant. Le nez s'ouvre avec vivacité sur les arômes de citron et de pamplemousse, avec des nuances florales et végétales. L'attaque est franche et nette, la bouche pleine de pep et ample. ⧗ 2020-2022

BERTRAND POIRON, 7_bis, imp. du Coing, La Guiltière, 49230 Tillières, tél. 02 41 70 56 79, sylvie-moriniere@orange.fr V r.-v.

DOM. DE LA POTARDIÈRE Sur lie 2018 ★★

| 24000 | - de 5 € |

Propriétaire de ce domaine depuis 1879, la famille Couillaud conduit un vignoble de 27 ha au flanc d'un coteau appelé La Butte de la Roche, qui domine le marais de Goulaine. Romain a pris les commandes en 2010.

À l'aération se dégage un nez typique du gros-plant : agrumes et notes florales (aubépine, acacia). La bouche allie vivacité et souplesse avec beaucoup d'élégance. Légèrement saline, elle persiste remarquablement. ⧗ 2020-2022

EARL COUILLAUD ET FILS, La Potardière, 44430 Le Loroux-Bottereau, tél. 06 79 66 49 42, domainepotardiere@orange.fr V r.-v.

FIEFS-VENDÉENS

Superficie : 469 ha
Production : 27 613 hl (85 % rouge et rosé)

Anciens fiefs du Cardinal : cette dénomination évoque le passé de ces vins appréciés par Richelieu après avoir connu un renouveau au Moyen Âge, à l'instigation des moines comme bien souvent. L'AOVDQS fut accordée en 1984, puis l'AOC, en 2011. À partir de gamay, de cabernet et de pinot noir, la région de Mareuil produit des rosés et des rouges fins et fruités; les blancs sont encore confidentiels. Non loin de la mer, le vignoble de Brem, lui, donne des blancs secs à base de chenin et de grolleau gris, ainsi que des rosés et des rouges. Aux environs de Fontenay-le-Comte, blancs secs (chenin, colombard, melon, sauvignon), rosés et rouges (gamay et cabernets) proviennent des régions de Pissotte et de Vix. Plus récemment promu, le terroir de Chantonnay produit dans les trois couleurs.

DOM. DE LA CAMBAUDIÈRE Mareuil 2018 ★

| 4000 | 5 à 8 € |

Dominant la vallée de l'Yon, qui a donné son nom à la préfecture de la Vendée (La Roche-sur-Yon), ce domaine familial est conduit depuis 1986 par Michel Arnaud. À sa disposition, un vignoble de 16,4 ha qui possède encore une vigne de négrette âgée de cent quarante ans, ayant pu résister au phylloxéra.

Chenin et chardonnay s'épousent en toute harmonie dans cette cuvée élevée sur lie. Le nez s'ouvre avec finesse sur des arômes d'agrumes, de fruits blancs et de fleurs des champs. La bouche, fruitée, bien équilibrée entre rondeur et vivacité, offre une belle minéralité jusqu'en finale. ⧗ 2020-2021

MICHEL ARNAUD, La Cambaudière, 85320 Rosnay, tél. 02 51 30 55 12, cavearnaud@orange.fr V r.-v.

DOM. COIRIER
Pissotte Pinot noir Cabernet franc Origine 2018

| 15000 | 5 à 8 € |

Seule famille de vignerons à produire des fiefs-vendéens sur le terroir de Pissotte, les Coirier portent fièrement ce blason viticole depuis 1895. Le domaine (22 ha) se trouve à la sortie de Fontenay-le-Comte, sur la route de la forêt de Mervent, berceau de la fée Mélusine.

Une moitié de pinot, du cabernet franc et une touche de négrette (10 %) : cette cuvée présente des arômes de framboise et de cassis, auxquels se mêlent des notes de lilas et de poivre. L'attaque est souple, la bouche centrée sur les fruits rouges, soutenue par des tanins légers. ⧗ 2020-2022

EARL DOM. COIRIER, La Petite-Groie, 15, rue des Gélinières, 85200 Pissotte, tél. 02 51 69 40 98, coirier@pissotte.com V *t.l.j. sf lun. mer. dim. 9h-12h 14h30-18h*

LA CONFIDENTE
Mareuil Vieilles Vignes 2018

| n.c. | 5 à 8 € |

Issus d'une lignée de vignerons remontant à 1830, Gabriel et Gilles Jard ont repris le château de Rosnay qui ne comptait alors que quelques hectares. Christian Jard leur a succédé en 1992, épaulé par son fils Olivier, qui gère seul depuis 2018. Après agrandissement, le vignoble couvre 90 ha, complété par une structure de négoce.

Gamay et pinot noir se retrouvent à parts égales dans ce rosé au nez intense. Framboise, pamplemousse rose et fraise acidulée composent le bouquet, complétés par des notes de bonbon anglais et une touche de gingembre. Ces arômes persistent dans une bouche ronde, dotée d'une belle longueur et marquée par une amertume rafraîchissante. ⧗ 2020-2021

SARL JARD, rte de Mareuil, 85320 Rosnay, tél. 02 51 30 59 06, maison.jard@wanadoo.fr V *t.l.j. sf dim. 9h-12h 14h-18h*

♥ LES MENHIRS Mareuil 2018 ★★

| 18000 | - de 5 € |

Cette propriété fondée en 1937 doit son nom à deux menhirs dressés à l'entrée du domaine. La troisième génération, aux commandes depuis 1994, conduit aujourd'hui un vignoble de 37 ha.

Un magistral assemblage de cabernet franc, de gamay et de pinot noir, complété par 10 % de négrette. Le nez offre une alliance complexe de cassis et de myrtille, mêlés d'épices et de cuir, sur fond de violette. La bouche est à l'image du bouquet : puissante, gourmande et légèrement tannique, avec une longue finale sur la cerise confiturée. ⧗ 2020-2022 ■ **Mareuil 2018 ★★ (- de 5 €; 25000 b.)** : un très beau rosé mariant gamay et pinot noir, passé juste à côté du coup de cœur. Le nez évoque une corbeille de fruits frais : pamplemousse, framboise et groseille, rehaussés de notes de bonbon anglais. La bouche, fraîche, évolue tout en souplesse vers une longue finale nuancée d'une légère amertume. ⧗ 2020-2021

⊶ EARL DOM. DE PIERRE FOLLE,
6, rte de Follet à Pierre-Folle, 85320 Rosnay,
tél. 02 51 28 21 00, domaine-de-pierre-folle@orange.fr
V r.-v.

LES ROCQUETIÈRES Mareuil 2018 ★

■	12000		- de 5 €

Établie aux portes de Rosnay depuis quatre générations, la famille Brisson exploite 52 ha de vignes. Situées à une vingtaine de kilomètres de la côte atlantique, elles bénéficient d'un climat océanique qui favorise une lente et complète maturité du raisin.

Un vin de partage, dans lequel les fruits rouges frais dominent, relevés de fines notes de thym. Après une attaque tout en souplesse, la fraise et la griotte s'invitent dans une chair souple et soyeuse, puis laissent en finale la part belle aux notes réglissées. ⧗ 2020-2022

⊶ SCEA HAUT BRILLOUET,
Dom. de la Vrignaie, La Noue, 85310 Le Tablier,
tél. 02 51 98 99 24, contact@domainedelavrignaie.com
V r.-v.

COTEAUX-D'ANCENIS

Superficie : 170 ha
Production : 10 131 hl (85 % rouge et rosé)

Produits sur les deux rives de la Loire, à l'est de Nantes, les coteaux-d'ancenis, classés AOVDQS en 1954, ont accédé à l'AOC en 2011. On en produit quatre types, à partir de cépages purs : gamay (80 % de la production), cabernet, chenin et malvoisie (pinot gris).

DOM. DE LA CAMBUSE 2018 ★★

■	4000		- de 5 €

Vivant aussi de l'élevage bovin, ce domaine de 12,5 ha exploite des vignes plantées sur les coteaux escarpés du sud de la Loire. Après avoir longtemps livré sa production au négoce, il a développé une activité de vente directe.

Un rosé issu du seul gamay. À l'olfaction, on découvre un nez franc et typé, centré sur la groseille et la framboise fraîche. La bouche élégante offre beaucoup de fraîcheur et une minéralité qui porte merveilleusement les arômes. La finale s'étire ainsi sur des notes amyliques, sans aucune amertume. ⧗ 2020-2021

⊶ EARL DOM. DE LA CAMBUSE,
La Cambuse, Drain, 49530 Orée-d'Anjou,
domainedelacambuse@orange.fr V t.l.j. sf dim.
9h-12h30 14h-19h

DOM. DES CLÉRAMBAULTS 2018 ★

■	4000		- de 5 €

En 2005, Sébastien Terrien, diplômé d'œnologie, a rejoint son père Pierre sur ce domaine de 20 ha qu'il conduit seul aujourd'hui. Les vignes sont situées dans l'ouest de l'appellation anjou, sur les sols schisteux de la commune de Bouzillé.

Un gamay léger et gouleyant comme on les aime. Il s'ouvre avec beaucoup de finesse sur une large palette de fruits rouges frais, agrémentée d'une touche épicée. Après une attaque franche, la bouche offre une belle matière, permettant au fruit de s'exprimer en toute harmonie avec de discrètes notes fumées. ⧗ 2020-2022

⊶ EARL TERRIEN, 2, rue des Mutreaux,
49530 Bouzillé, tél. 06 63 06 07 79,
sebastien.terrien701@orange.fr
V r.-v.

DOM. DES GALLOIRES Malvoisie 2018 ★★

■	20000	5 à 8 €

Située à l'emplacement d'un ancien manoir, cette propriété familiale créée en 1967 est régulièrement en vue pour l'une ou l'autre de ses dix-huit cuvées. L'exploitation, conduite par la famille Toublanc depuis sept générations, couvre aujourd'hui 50 ha surplombant la Loire, côté sud.

Ce très beau pinot gris se distingue d'abord par son nez floral, élégant et d'une grande finesse, où la pêche de vigne accompagne des arômes de jasmin et de fleur de cerisier. La bouche est d'une gourmandise absolue, mêlant les notes d'agrumes (kumquat, clémentine) aux nuances exotiques (mangue, papaye). Elle offre beaucoup de fraîcheur, de l'équilibre et une finale douce. ⧗ 2020-2024 ■ **Les Grandes Vignes 2018 ★ (5 à 8 €; 6000 b.)** : à l'olfaction, ce gamay marie la fraîcheur des épices à la rondeur de la mûre confiturée, dans un bouquet où percent quelques notes végétales. La bouche souple, ample et gourmande, offre des tanins soyeux et une structure parfaitement équilibrée. ⧗ 2020-2024

⊶ GAEC DES GALLOIRES, 1, la Galloire,
49530 Drain, tél. 02 40 98 20 10, contact@
galloires.com V t.l.j. sf dim. 9h-12h 14h-19h
(sam. 17h)

DOM. DU HAUT FRESNE Malvoisie 2018

■	66000		5 à 8 €

Fondé en 1959, ce domaine de 78 ha se transmet de père en fils depuis trois générations. Situé sur des coteaux faisant face à la Loire, près de Liré, il est souvent remarqué pour la qualité de ses vins, de ses coteaux-d'ancenis notamment.

Un pinot gris dans une robe très claire. Le nez exprime les fruits exotiques et les fruits blancs, auxquels se mêlent de discrètes notes amyliques. L'attaque est fraîche, la bouche tendre, dotée de gras. ⧗ 2020-2024

⊶ SCEA RENOU FRÈRES ET FILS,
Dom. du Haut-Fresne, Drain, 49530 Orée-d'Anjou,
tél. 02 40 98 26 79, contact@renou-freres.com
V r.-v.

♥ DOM. DU HAUT PLESSIS Malvoisie 2018 ★★

■ | 9016 | 5 à 8 €

Situé à Mauges-Sur-Loire, le Dom. du Haut Plessis s'étend sur un terroir de 46 ha de schiste et de limon sableux. Crée par une famille de vignerons en 1910, il s'est constamment agrandi et a changé de mains à plusieurs reprises au cours des années. Il produit des vins rouges et rosés issus du cabernet franc. Pinot gris, chardonnay, chenin, grolleau, melon, sauvignon... tous les grands cépages blancs sont également cultivés.

Cette cuvée sublime le cépage pinot gris. Sous une robe jaune pâle apparaissent des arômes intenses et complexes de fruits blancs compotés, de coing, d'amande fraîche et de foin coupé. D'attaque franche, la bouche très fruitée fait preuve de volume et de puissance, avec un parfait équilibre entre le sucre et l'acidité. Poire williams et nuances exotiques accompagnent la finale légèrement amylique. ⌛ 2020-2022

GAEC DU HAUT PLESSIS, 1, le Haut-Plessis, La Chapelle-Saint-Florent, 49410 Mauges-sur-Loire, tél. 06 15 30 91 26, domaineduhautplessis@orange.fr V r.-v.

DOM. DES PIERRES MESLIÈRES Malvoisie 2018 ★

■ | 13500 | | 5 à 8 €

Conduit par Jean-Claude Toublanc depuis 1988 (troisième génération), ce domaine de la rive droite de la Loire est installé sur un site préhistorique où s'élève, en son centre, un mégalithe de 12 m de hauteur. Ses 18,5 ha de vignes, exposés au midi, reposent sur des sols de micaschistes.

Un vin gourmand et croquant, présenté dans une robe dorée. À l'aération, il offre un nez fin et élégant : la fleur d'oranger épouse le citron confit et les notes d'abricot. La bouche, tournée vers les agrumes et le fruit de la Passion, fait preuve de douceur et de longueur. ⌛ 2020-2022

JEAN-CLAUDE TOUBLANC, Les Pierres-Meslières, 44150 Saint-Géréon, tél. 02 40 83 23 95, toublanc.jc@bbox.fr V t.l.j. sf dim. 9h-13h 15h-19h; f. 15-30 août

➡ ANJOU-SAUMUR

À la limite septentrionale des zones de culture de la vigne, sous un climat atlantique, avec un relief peu accentué et de nombreux cours d'eau, les vignobles d'Anjou et de Saumur s'étendent dans le département du Maine-et-Loire, débordant un peu sur le nord de la Vienne et des Deux-Sèvres.

Les vignes ont depuis fort longtemps été cultivées sur les coteaux de la Loire, du Layon, de l'Aubance, du Loir, du Thouet... C'est à la fin du XIXᵉs. que les surfaces plantées sont les plus vastes. Le Dr Guyot, dans un rapport au ministre de l'Agriculture, cite alors 31 000 ha en Maine-et-Loire. Le phylloxéra anéantira le vignoble, comme partout. Les replantations s'effectueront au début du XXᵉs. et se développeront un peu dans les années 1950-1960, pour régresser ensuite. Aujourd'hui, ce vignoble couvre environ 17 380 ha, qui produisent un million d'hectolitres.

Les sols, bien sûr, complètent très largement le climat pour façonner la typicité des vins de la région. C'est ainsi qu'il faut faire une nette différence entre ceux qui sont produits en «Anjou noir», constitué de schistes et autres roches primaires du Massif armoricain, et ceux qui sont produits en «Anjou blanc» ou Saumurois, nés sur les terrains sédimentaires du Bassin parisien dans lesquels domine la craie tuffeau. Les cours d'eau ont également joué un rôle important pour le commerce : ne trouve-t-on pas encore trace aujourd'hui de petits ports d'embarquement sur le Layon? Les plantations sont de 4 500-5 000 pieds par hectare; la taille, qui était plus particulièrement en gobelet et en éventail, est aujourd'hui en guyot.

La réputation de l'Anjou est due aux vins blancs moelleux, dont les coteaux-du-layon sont les plus connus. Cependant, l'évolution conduit désormais aux types demi-sec et sec, à la production de vins rouges et, plus récemment encore, de rosés, qui ont le vent en poupe. Dans le Saumurois, ces derniers sont les plus estimés, avec les vins mousseux qui ont connu une forte croissance, notamment les AOC saumur et crémant-de-loire.

ANJOU

Superficie : 1 890 ha
Production : 98 794 hl (61 % rouge)

Constituée d'un ensemble de près de 200 communes, l'aire géographique de cette appellation régionale englobe toutes les autres. Traditionnellement, le vin d'Anjou était un vin blanc doux ou moelleux, issu de chenin, ou pineau de la Loire. L'évolution de la consommation vers des secs a conduit les producteurs à associer à ce cépage chardonnay ou sauvignon, dans la limite maximale de 20 %. La production de vins rouges s'est accrue depuis les années 1970 (et surtout des rosés, qui disposent d'appellations spécifiques). Ce sont les cépages cabernet franc et cabernet-sauvignon qui sont alors mis en œuvre.

DOM. DE L'ANGELIÈRE Prestige 2017 ★

■ | 8000 | | 5 à 8 €

Depuis six générations, la famille Boret s'attache à cultiver son vignoble situé sur la rive gauche du Layon : 55 ha conduits aujourd'hui par Armand Boret. Le doaine est certifié Haute valeur environnementale depuis 2018. Souvent en vue pour ses fines bulles.

Les jus issus de chenin à peine botrytisé ont bénéficié d'un élevage de dix mois en fût sur lies fines. Le nez s'ouvre sur un concert de fruits blancs, accompagnés de notes d'épices et de noisette. L'attaque est franche mais souple, la bouche à la fois tout en rondeur et en fraîcheur. Un bel exemple d'équilibre, sur un boisé contenu. ⌛ 2020-2022

SCEA BORET, L'Angelière, Champ-sur-Layon, 49380 Bellevigne-en-Layon, tél. 02 41 78 85 09, boret@orange.fr V t.l.j. sf dim. 9h-12h 14h-18h

B L'ARCHE DE LA REBELLERIE
Haute Fontaine 2017 ★

| 1733 | | 8 à 11 € |

Établissement et service d'aide par le travail, ce domaine appartient à la Fédération des communautés de l'Arche de Jean Vanier. Il accueille trente adultes handicapés qui participent aux travaux de la vigne. L'exploitation de 25 ha est conduite en bio depuis 2000.

Une cuvée élevée deux mois en cuve et quinze mois en fût, qui déploie une palette intense autour des fruits blancs bien mûrs et des fruits confits. La bouche est typique du chenin. Après une attaque vive, elle offre toute la fraîcheur qui caractérise ce cépage, jusqu'à la longue finale. 2020-2022

ESAT L' ARCHE EN ANJOU, La Rebellerie, Nueil-sur-Layon, 49560 Lys-Haut-Layon, tél. 02 41 59 53 51, secretariat.esat@arche-anjou.org V t.l.j. sf sam. dim. 8h30-12h 14h-17h; f. août

♥ VIGNOBLE DE L'ARCISON
Cuvée Vieilles Vignes 2018 ★★

| 5000 | | 5 à 8 € |

Une exploitation de 27 ha située sur le territoire de la commune de Thouarcé, célèbre pour son cru bonnezeaux. Romain Reulier a pris en 2008 la succession de ses parents sur ce domaine souvent en vue pour ses rosés.

Un superbe cabernet-sauvignon, complété par 20 % de cabernet franc, issu de vignes de cinquante ans d'âge

Anjou et Saumur

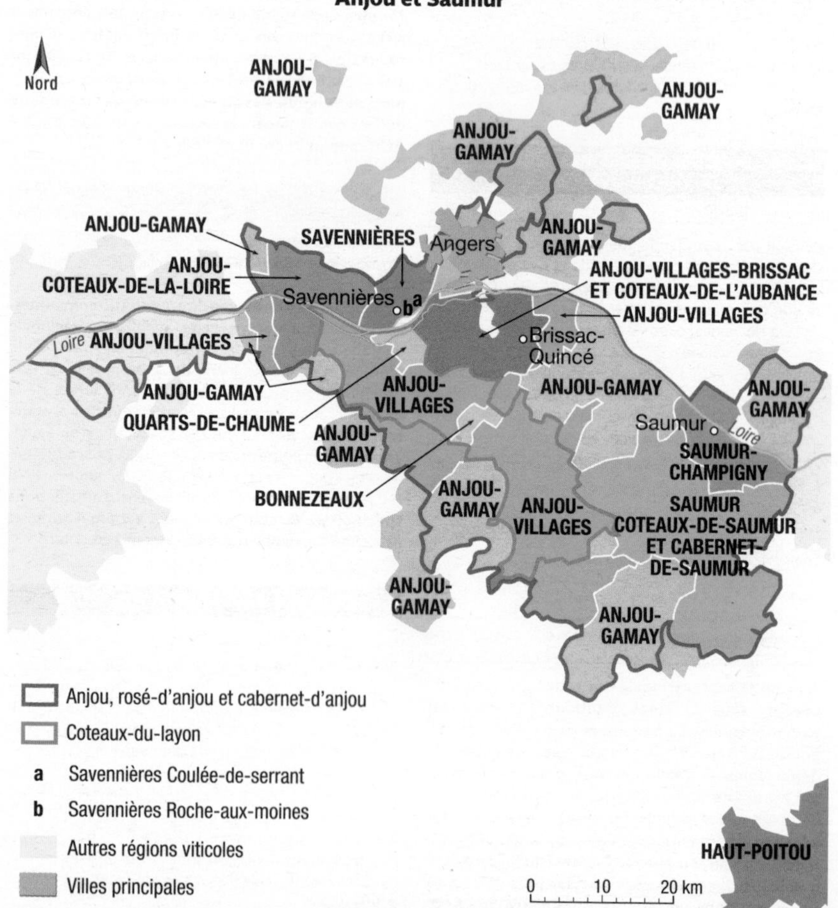

qui puisent profond dans un terroir de schistes, lui assurant une belle complexité. Le nez puissant exhale des arômes de cassis et de framboise, dans lesquels s'entremêlent de fines notes de violette et de pivoine. L'harmonie se prolonge dans une bouche ronde, charnue et idéalement structurée, conclue par une finale où pointe une légère amertume. ⌛ 2020-2022

ROMAIN REULIER, Vignoble de l'Arcison, 333, Le Mesnil - Thouarcé, 49380 Bellevigne-en-Layon, tél. 02 41 54 16 81, vignoble-arcison@orange.fr t.l.j. 9h-12h 14h-18h; dim. sur r.-v.; f. oct.

CH. DE BELLEVUE La Belle Jeunesse 2018 ★

	15000		5 à 8 €

Le château, construit au XIXe s., est situé sur un point culminant de Saint-Aubin-de-Luigné. Il est entouré d'un parc de plus de 4 ha et d'un vignoble de 34 ha dont Hervé Tijou a pris les commandes en 1995.

Issu du seul cabernet franc, ce vin présente un nez ouvert sur les fruits rouges et noirs. La framboise fraîche et la griotte dominent un bouquet où s'invitent de douces nuances épicées. Suivent une attaque souple et une bouche aromatique, qui se distingue par son beau volume et des tanins soyeux. ⌛ 2020-2022

EARL TIJOU ET FILS, Ch. de Bellevue, Saint-Aubin-de-Luigné, 49190 Val-du-Layon, tél. 02 41 78 33 11, chateaubellevuetijou@orange.fr t.l.j. sf dim. 9h-12h30 14h-18h

M. BLOUIN 2018 ★

	4500		5 à 8 €

Un domaine bien implanté sur les terres de Saint-Aubin, puisque sa date de création remonte à 1870 et que cinq générations de vignerons s'y sont succédé. Régulièrement «étoilé» dans le Guide, notamment pour ses liquoreux, il est aujourd'hui conduit par Jean-Christophe, fils de Michel Blouin, à la tête de 23 ha de vignes.

Une touche de sauvignon (5 %) complète le chenin dans ce vin ouvert sur les fruits exotiques. Arômes d'ananas et de mangue se retrouvent dans une bouche gourmande en diable, ronde et pleine, dans laquelle une acidité bien dosée apporte une agréable sensation de fraîcheur. ⌛ 2020-2022

EARL DOM. BLOUIN, 53, rue du Canal-de-Monsieur, Saint-Aubin-de-Luigné, 49190 Val-du-Layon, tél. 02 41 78 33 53, domaine.michel.blouin@wanadoo.fr t.l.j. sf dim. 9h-12h 14h-18h30

DOM. BODINEAU 2018 ★★

	3000		5 à 8 €

Établis dans le petit hameau de Savonnières, Frédéric Bodineau et sa sœur Anne-Sophie officient ensemble sur ce domaine familial (40 ha) dont l'origine remonte à 1850. Lui est à la vigne et au chai, elle à l'accueil et au service clientèle.

Ce cabernet franc confidentiel est un délice de fruits rouges et noirs. Cassis et framboise s'épanouissent sur un fond délicatement réglissé, précédant une bouche à peine acidulée, d'une longueur impressionnante. Les tanins affirmés sauront se fondre dans le temps. ⌛ 2020-2022

EARL BODINEAU, 5, chem. du Château-d'Eau, Les-Verchers-sur-Layon, 49700 Doué-en-Anjou, tél. 02 41 59 22 86, domainebodineau@yahoo.fr t.l.j. sf dim. 9h-12h30 14h-17h30

CH. DE BROSSAY
Les Neprons 2017 ★

	2200		5 à 8 €

Régulier en qualité, et ce dans tous les styles de vins d'Anjou, ce domaine créé en 1919 par Alexis Deffois se situe dans le haut Layon, dans le sud de l'Anjou et à l'ouest du Saumurois. Les petits-fils du fondateur, Hubert et Raymond Deffois – rejoints en 2010 par les gendres de ce dernier, Nicolas Tamboise et Benjamin Grandsart – conduisent un vignoble de 50 ha.

Après dix mois d'élevage en fût, cette cuvée offre toutes les nuances du chenin. Le nez expressif laisse échapper des arômes intenses d'agrumes, rehaussés par d'enjôleuses nuances florales. La bouche est fraîche, à la fois légère et enveloppante, marquée par un bel équilibre et une longue finale centrée sur le fruit. ⌛ 2020-2022

EARL CH. DE BROSSAY, Ch. de Brossay, 49560 Cléré-sur-Layon, tél. 02 41 59 59 95, contact@chateaudebrossay.fr t.l.j. sf dim. 8h-12h 14h-19h

DOM. DE CHANTEMERLE
L'Expresion 2017 ★

	n.c.		5 à 8 €

Situé au centre de trois petits reliefs, Trémont offre de jolis points de vue sur les vignes en coteaux. C'est ici qu'est installé ce domaine de 30 ha fondé en 1920, conduit aujourd'hui par Caroline et Patrick Laurilleux, rejoints par leurs enfants Edwige et Guénaël.

Ce cabernet franc embaume les fruits noirs nuancés de notes amyliques. Arômes de mûre et de fraise acidulée s'invitent dans une bouche souple, gourmande, dotée de tanins soyeux. Bonne persistance. ⌛ 2020-2024

EARL LAURILLEUX CHANTEMERLE, 4, rue de Chantemerle, Trémont, 49310 Lys-Haut-Layon, tél. 02 41 59 43 18, chantemerle49@wanadoo.fr t.l.j. sf dim. 9h-12h30 14h-18h30

DOM. DES CHAPELLES Saint-Martin 2018 ★

	1500		8 à 11 €

Un domaine familial créé en 1962 par Louis Brault, dont le fils Yves a pris la suite en 1984. Ce dernier est à la tête aujourd'hui de 40 ha de vignes.

Une cuvée dont la vivacité et l'élégance sont l'expression parfaite du chenin bien vinifié. Le nez libère d'intenses arômes de fruits blancs mûrs, auxquels se joignent des notes de citron, de tilleul et d'acacia. La bouche marie la fraîcheur des agrumes à la douceur des fruits à peine compotés, sur une trame boisée bien maîtrisée, héritée de neuf mois d'élevage en fût. ⌛ 2020-2022

YVES BRAULT, Chasles, Thouarcé, 49380 Bellevigne-en-Layon, tél. 02 41 80 27 58, domaine.des.chapelles@orange.fr r.-v.

COTEAU SAINT-VINCENT
Le Chenin Grandes Coulées
Élevé en fûts de chêne 2017 ★★★

	3100		5 à 8 €

Cette exploitation est établie à Chalonnes-sur-Loire, commune située au bord de l'eau, au confluent du Layon et de la Loire. Œnologue, Olivier Voisine y conduit depuis 1999 un vignoble de 23 ha sur des sols schisteux caractéristiques de l'Anjou noir. Une bonne référence de l'Anjou viticole, pour ses liquoreux notamment.

Un chenin tout simplement exceptionnel, élevé onze mois en fût, dont la robe brillante et limpide attire l'œil. Le nez est une véritable explosion de nuances exotiques : la mangue et le fruit de la Passion côtoient les fleurs blanches et les notes d'agrumes. Les arômes suivent dans une bouche franche et équilibrée, gourmande, dotée d'une finale qui s'étire sans fin. 2020-2022

EARL OLIVIER VOISINE, Coteau Saint-Vincent, 49290 Chalonnes-sur-Loire, tél. 02 41 78 59 00, coteau-saint-vincent@wanadoo.fr V r.-v. 1

DOM. DELAUNAY 2018 ★

	15 000		- de 5 €

Cette exploitation est établie dans l'ouest du Maine-et-Loire, à Montjean. Son vaste domaine géré par les trois enfants de la famille Delaunay comprend 16 ha de vergers et 72 ha de vignes implantées sur les coteaux de la Loire et dans la vallée du Layon.

Ce cabernet franc issu de l'agriculture raisonnée présente un nez fruité, où fusionnent la cerise, la fraise et le cassis. L'attaque est souple, la bouche ample et la finale marquée par une pointe de salinité qui apporte une jolie note de fraîcheur. 2020-2022

GAEC MONTJEAN-COTEAUX, 24, rue du Daudet, Montjean-sur-Loire, 49570 Mauges-sur-Loire, tél. 02 41 39 08 39, delaunay.anjou@wanadoo.fr V t.l.j. sf dim. 8h-12h30 14h-18h30; sam. 9h-12h

DOM. DES DEUX ARCS Les Demoiselles 2018 ★★

	6000		5 à 8 €

Jean-Marie Gazeau, après une expérience en Afrique du Sud, a rejoint son père Michel en 2005 sur le domaine familial (53 ha). Leurs vins sont régulièrement sélectionnés dans le Guide, dans diverses appellations de l'Anjou et dans les trois couleurs. Une valeur sûre.

Ce cabernet franc s'offre au regard dans une robe d'un grenat intense, teintée de reflets violines. À l'olfaction, les fruits noirs donnent le ton. Avec en tête le cassis, rejoint par une note de griotte au second nez. Le bouquet se livre ensuite dans une bouche étoffée et équilibrée, portée par des tanins soyeux et une belle longueur. 2020-2022

SCA VIGNOBLE MICHEL ET JEAN-MARIE GAZEAUX, Dom. des Deux-Arcs, 11, rue du 8-Mai-1945, Martigné-Briand, 49540 Terranjou, tél. 02 41 59 47 37, do2arc@wanadoo.fr V t.l.j. sf dim. 9h-12h30 14h-19h

B DOM. DHOMMÉ Les Perrays 2018 ★

	24 000		8 à 11 €

Réputé pour ses coteaux-du-layon, ce vignoble conduit en bio s'est bien étoffé depuis sa création en 1960 et s'étend aujourd'hui sur 25 ha. Avec Xavier Dhommé et sa sœur Clarisse, c'est la quatrième génération qui est aux commandes.

Voici une cuvée destinée aux amateurs de vins aromatiques et charpentés. Sous une robe rubis patiente un nez puissant, tourné vers les fruits rouges. Le cassis et la framboise se retrouvent dans une bouche légère et gourmande. 2020-2022

GAEC DHOMMÉ, 46, les Petits-Fresnaies, 49290 Chalonnes-sur-Loire, tél. 02 41 45 06 53, info@domainedhomme.com V t.l.j. sf dim. 9h-12h 14h-18h; sam. sur r.-v.

DOM. DES ÉPINAUDIÈRES 2017 ★

	4000		- de 5 €

Ce domaine de 26 ha, créé par Roger Fardeau en 1966, a été repris en 1991 par son fils Paul et sa belle-fille Nathalie. Producteurs de beaux cabernet-d'anjou et coteaux-du-layon, ils s'illustrent aussi régulièrement en AOC anjou.

Un assemblage dans lequel domine le cabernet franc, épaulé par 10 % de cabernet-sauvignon. Si le nez reste discret à l'aération, la bouche déploie une belle palette autour des fruits rouges frais, juste cueillis. La bouche est souple, la finale légèrement tannique. 2020-2022

SCEA FARDEAU, 14, Sainte-Foy, Saint-Lambert-du-Lattay, 49750 Val-du-Layon, tél. 02 41 78 35 68, scea.fardeau@gmail.com V r.-v.

CH. DE FESLES
Cabernet Franc La Chapelle Vieilles Vignes 2017 ★★

	30 000		5 à 8 €

En juillet 2008, le groupe Grands Chais de France a acheté à Bernard Germain le Ch. de Fesles, situé dans l'aire du bonnezeaux. Le domaine a engagé au printemps 2010 la conversion bio de son vignoble de 45 ha.

Un très beau cabernet franc, drapé dans un rouge profond, dont le nez expressif rappelle les petits fruits rouges mûrs. Après une attaque élégante et tout en souplesse, la bouche charnue restitue le fruité jusqu'à une finale légèrement réglissée. 2020-2022

SAS DE FESLES, Ch. de Fesles, Thouarcé, 49380 Bellevigne-en-Layon, tél. 02 41 68 94 08, gbigot@sauvion.fr V t.l.j. 8h30-12h30 14h-17h30

CH. DU FRESNE Les Cabernets 2018 ★

	30 000		- de 5 €

Ce château du XVe s. bâti en pierre de schiste a gardé de son architecture d'origine une tourelle ronde. Constitué en 1927, le vignoble de 90 ha est conduit depuis 2010 par trois associés, Nicolas Richez, David Maugin et Yannis Bretault.

Deux tiers de cabernet-sauvignon et un tiers de cabernet franc s'assemblent dans cette cuvée gouleyante à souhait. Au nez ouvert sur la framboise et la cerise répond une bouche tout aussi aromatique. Les tanins légers laissent dans leur sillage une pointe d'amertume. 2020-2022

EARL CH. DU FRESNE, 25_bis, rue des Monts, Faye-d'Anjou, 49380 Bellevigne-en-Layon, tél. 02 41 54 30 88, contact@chateaudufresneanjou.com V t.l.j. sf dim. 8h-12h 14h-19h

DOM. DES GALLOIRES 50 2018 ★

■ | 16000 | | 8 à 11 €

Située à l'emplacement d'un ancien manoir, cette propriété familiale créée en 1967 est régulièrement en vue pour l'une ou l'autre de ses dix-huit cuvées. L'exploitation, conduite par la famille Toublanc depuis sept générations, couvre aujourd'hui 50 ha surplombant la Loire, côté sud.

Cinquante jours de macération ont permis à ce cabernet franc d'exprimer tout son fruité. Sans sulfites ajoutés à la vinification, il présente un nez ouvert sur les fruits frais (fraise, mûre). L'attaque est souple, la bouche toute ronde et la finale empreinte d'une touche d'amertume. ⧗ 2020-2022 ■ **Les Rougeries 2018 ★ (5 à 8 €; 10000 b.)** : sous une robe soutenue s'ouvre un nez de fraise, de framboise et de mûre. D'attaque fraîche, la bouche légère se distingue par la rondeur des tanins et une finale délicate. ⧗ 2020-2022

GAEC DES GALLOIRES, 1, la Galloire, 49530 Drain, tél. 02 40 98 20 10, contact@galloires.com V t.l.j. sf dim. 9h-12h 14h-19h (sam. 17h)

DOM. DE LA GERFAUDRIE
Les Grands Pierre Cout 2018 ★

■ | 5000 | | 5 à 8 €

Situé sur la corniche angevine, ce domaine de 20 ha domine la vallée du Layon, à quelques kilomètres de sa confluence. Il tire son nom du gerfaut, rapace utilisé jadis en fauconnerie.

Le nez évoque d'abord les fruits secs, avant de libérer des arômes de fruits blancs bien mûrs, accompagnés par la noisette et des notes toastées. Nul doute : le boisé est bien contenu. La bouche est certes puissante, mais dotée d'une juste fraîcheur. Tendre et expressive, elle offre des nuances fumées et une finale persistante dans laquelle s'invite une pointe de caramel. ⧗ 2020-2022

SCEV DOM. DE LA GERFAUDRIE, 25, rue de l'Onglée, 49290 Chalonnes-sur-Loire, tél. 02 41 78 02 28, contact@domaine-gerfaudrie.fr V r.-v.

DOM. DES IRIS 2018 ★★

■ | 26600 | | 5 à 8 €

Sébastien Verdier représente la quatrième génération à la tête de ce domaine créé en 1910 sur les coteaux bordant le Layon. Il a largement contribué à son développement : l'exploitation est passée de 18 ha à son arrivée en 1997 à 50 ha aujourd'hui.

Cabernet franc et cabernet-sauvignon (20 %) offrent ici un vin plein de fraîcheur, prompt à déployer une palette complexe : la mûre et le cassis s'assortissent de discrètes notes végétales. La bouche est un modèle de rondeur; les tanins légers accordent l'avantage au bouquet qui se prolonge en beauté. ⧗ 2020-2024

SA JOSEPH VERDIER, ZA Champagne-Europe, 49260 Montreuil-Bellay, tél. 02 41 40 22 50, c.pierre@joseph-verdier.fr

LEDUC-FROUIN La Seigneurie 2017 ★

■ | 12000 | | 5 à 8 €

Installés dans le village troglodytique de Martigné-Briand, Antoine Leduc, œnologue, et sa sœur Nathalie conduisent depuis 1990 le domaine familial (30 ha en agriculture raisonnée). Leurs vins séjournent comme il se doit dans la fraîcheur de caves souterraines creusées dans le falun. Une valeur sûre de l'Anjou viticole.

Un vin pourpre, au nez ouvert sur les petits fruits rouges (cerise et notes kirschées). La bouche d'un beau volume reproduit fidèlement le bouquet. Les tanins encore affirmés ne demandent qu'à s'arrondir avec la garde. ⧗ 2020-2024

SCEA DOM. LEDUC-FROUIN, 20, rue Saint-Arnoul, Sousigné, 49540 Martigné-Briand, tél. 02 41 59 42 83, info@leduc-frouin.com V t.l.j. sf dim. 9h-12h30 14h-19h SCEA Dom. Leduc-Frouin

DOM. DE MIHOUDY Quid novi 2018 ★★

■ | 20000 | | 5 à 8 €

Bruno et Jean-Charles Cochard sont associés avec leur père Jean-Paul sur ce vignoble de 75 ha situé dans la vallée du Layon, dans leur famille depuis six générations. Un domaine de référence qui s'illustre souvent en anjou, blanc ou rouge, ainsi qu'en liquoreux, en bonnezeaux notamment. Incontournable.

Cette belle cuvée s'annonce par un nez puissant, ouvert sur les fruits surmûris. L'ananas et l'abricot y épousent des notes florales. Pleine d'allant en attaque, la bouche se révèle ample et grasse. La longueur est au rendez-vous, avec une légère amertume qui apporte de la fraîcheur. ⧗ 2020-2024

EARL COCHARD ET FILS, Dom. de Mihoudy, 49540 Aubigné-sur-Layon, tél. 02 41 59 46 52, domainedemihoudy@orange.fr V t.l.j. sf dim. 8h30-12h 14h-18h

B CH. DE PASSAVANT 2017 ★

■ | 21000 | | 5 à 8 €

Ce domaine est commandé par un château du XIe s. construit par le troisième comte d'Anjou, Foulque Nerra. À sa tête depuis 1993, Claire, Olivier Lecomte et François David ont opté pour le bio en 2001 et l'agriculture biodynamique en 2011.

Une cuvée confidentielle, issue d'un assemblage de cabernet franc et de grolleau (15 %). Un bouquet intense de fruits rouges et noirs invite à poursuivre la dégustation. Après une belle entrée en matière, la bouche légère et harmonieuse développe les mêmes arômes, avant de s'achever sur de délicates notes de réglisse. ⧗ 2020-2024

SCEA DAVID-LECOMTE, Ch. de Passavant, 31, rue du Prieuré, 49560 Passavant-sur-Layon, tél. 02 41 59 53 96, passavant@wanadoo.fr V t.l.j. sf dim. 8h-12h30 14h-18h; sam. sur r.-v.

DOM. DU PETIT CLOCHER 2018 ★

■ | 80000 | | 5 à 8 €

Conduite par la jeune génération, Stéphane, Julien et Vincent Denis, arrivés respectivement en 2003, 2006 et 2009, une affaire de famille depuis 1920; 5 ha aux origines, 86 ha aujourd'hui. Un domaine phare du haut Layon, réputé notamment pour ses vins rouges, mais aussi très à l'aise en blanc et en rosé. Une valeur (très) sûre.

Un 100 % cabernet franc, friand en diable, dont le nez élégant évoque la mûre et le sirop de cassis. Fraîcheur et rondeur se conjuguent dans une matière persistante, étayée par des tanins souples. ⧗ 2020-2024

⊶ *EARL DU PETIT CLOCHER, La Laiterie, 49560 Cléré-sur-Layon, tél. 02 41 59 54 51, contact@domainedupetitclocher.fr* V ♿ ▪ *t.l.j. sf dim. 9h-12h30 14h-18h*

DOM. DE LA PETITE ROCHE
Chenin L'Angevin 2018 ★

■	3200	🛢	11 à 15 €

Ce vénérable domaine du haut Layon fondé en 1791 compte aujourd'hui 82 ha de vignes plantées sur des sols argilo-schisteux, graveleux et limono-sableux; 50 % de sa superficie sont destinés à l'élaboration des rosés (cabernet-d'anjou et rosé-d'anjou). Le domaine est certifié Terra Vitis depuis 2018.

La robe jaune tendre annonce une belle matière. Élevé neuf mois en fût de chêne français, ce chenin révèle un nez flatteur, sur les fruits mûrs, nuancés de notes grillées et d'un juste boisé. Suit une bouche compotée, ronde et harmonieuse, qui s'illustre par sa longueur. ⧗ 2020-2024 ■ **Origine 2017 ★ (8 à 11 €; 3500 b.)** : cabernet franc et cabernet-sauvignon (30 %) composent cet anjou de couleur intense. Un nez ouvert sur les fruits noirs mûrs et les notes de violette est le prélude à une bouche équilibrée et aromatique, qui s'étire sur une légère amertume. ⧗ 2020-2022

⊶ *SCEV F. REGNARD, La Petite Roche, Trémont, 49310 Lys-Haut-Layon, tél. 02 41 59 43 03* V ▪ *t.l.j. sf sam. dim. 8h30-12h30 13h30-17h30; ven. 8h30-12h30*

DOM. DU PETIT VAL Cuvée d'Axel 2018 ★

■	1600	🛢 🍾	5 à 8 €

Rouges comme liquoreux, les vins de ce domaine fréquentent régulièrement les pages du Guide. Installé depuis 1988 avec sa femme Janine, Denis Goizil a bien agrandi l'exploitation créée en 1951 par son père Vincent, la faisant passer de 18 à 47 ha aujourd'hui. Simon a rejoint ses parents en 2014.

Le nez précis exprime volontiers des senteurs de fruits blancs mûrs et de fruits confits, associés à des notes d'acacia et de jasmin. La bouche ample et charnue est un modèle d'élégance grâce à une juste fraîcheur. Le boisé léger apporte de la rondeur et une légère amertume en finale. ⧗ 2020-2024

⊶ *EARL GOIZIL, Dom. Le Petit Val, Chavagnes, 49380 Terranjou, tél. 02 41 54 31 14, denisgoizil49@gmail.com* V ♿ ▪ *r.-v.*

CH. DE PUTILLE Chenin 2018 ★

■	20000	🍾	- de 5 €

Les premières caves ont été creusées dans les douves de l'ancien château de Putille, aujourd'hui disparu. Située sur les coteaux de la Loire, l'exploitation, qui couvrait 13 ha lorsque Pascal Delaunay a rejoint son père en 1984, en compte aujourd'hui 63. Sa notoriété a elle aussi grandi, témoin plusieurs coups de cœur du Guide, en rouge, blanc et crémant.

Sous une robe jaune tendre sommeille un nez fruité et généreux, où la poire et le coing s'accordent avec de douces notes florales. Suit une bouche complexe, sur le fruit confituré, dotée d'une belle concentration et faisant montre d'un excellent équilibre entre le sucre et l'acidité. ⧗ 2020-2022

⊶ *SAS CH. DE PUTILLE, 26, Putille, La Pommeray, 49620 Mauges-sur-Loire, tél. 02 41 39 02 91, chateaudeputille@orange.fr* V ♿ ▪ *t.l.j. 8h-12h 14h-19h*

DOM. DE LA ROCHE MOREAU
Harmonie 2018 ★

■	3000	🍾	5 à 8 €

Ce domaine de 28 ha est situé sur la corniche angevine entre les vallées de la Loire et du Layon. Le chai ancien est classé (XVIIᵉs.) et la cave est installée dans une mine à charbon désaffectée, dans laquelle mûrissent les vins de garde. Une valeur sûre de l'Anjou viticole, souvent en vue pour ses liquoreux, ses coteaux-du-layon et quarts-de-chaume notamment.

Cabernet franc et cabernet-sauvignon s'épousent dans cette cuvée à la robe presque noire. Le nez libère des senteurs de cerise et de framboise, auxquelles se joignent le cassis et une touche de cèdre. La bouche reste souple, malgré des tanins marqués, et restitue les arômes avec justesse jusque dans une finale acidulée. ⧗ 2020-2022

⊶ *SCEA ANDRÉ DAVY, 5, rte de la Corniche, La Haie-Longue, 49190 Saint-Aubin-de-Luigné, tél. 02 41 78 34 55, davy.larochemoreau@wanadoo.fr* V ♿ ▪ *r.-v.*

Ⓑ CH. DE LA ROULERIE Les Terrasses 2018 ★

■	8500	🛢	15 à 20 €

Dirigé par Philippe et Marie Germain depuis 2004, le Ch. de la Roulerie tire son prestige de ses vins liquoreux produits dans la commune de Saint-Aubin-de-Luigné. La même rigueur est appliquée à la vinification des vins rouges. Le vignoble, conduit en bio, couvre 40 ha.

Un chenin typique de l'appellation, élevé neuf mois en fût, dont la minéralité a séduit les dégustateurs. Le nez dégage des arômes de fruits blancs et de fruits secs, nuancés de notes de jasmin et d'acacia. La bouche offre une belle amplitude, sur un boisé léger et des tanins fondus. La finale longue laisse une impression de fraîcheur par une touche discrètement végétale. ⧗ 2020-2022 ■ **Chenin blanc 2018 ★ (11 à 15 €; 30000 b.)** Ⓑ : voici une belle expression de fleurs blanches, de poire et de coing, soulignée d'un juste boisé. La palette aromatique se confirme en bouche et l'on est séduit pas la rondeur et la qualité de la matière. Bien équilibré, le vin s'achève sur une agréable amertume. ⧗ 2020-2022 ■ **Magnolia 2018 ★ (15 à 20 €; 15000 b.)** Ⓑ : un vin cristallin, ouvert sur les fruits blancs à la fois mûrs et frais, auxquels s'associent de délicates notes florales. La bouche, riche et charnue, affiche un boisé affirmé, mais se prolonge agréablement sur une fraîcheur fruitée. ⧗ 2020-2024

⊶ *SCEA CH. DE LA ROULERIE, Saint-Aubin-de-Luigné, 49190 Val-du-Layon, tél. 02 41 68 22 05, chateaudelaroulerie@gmail.com* V ♿ ▪ *r.-v.*

DOM. SAINT-PIERRE
Flor de Pierre Élevé en fût de chêne 2017 ★

■	4500	🛢	8 à 11 €

Un domaine familial de 42 ha conduit depuis 1998 par Pierre Renouard, qui joue aussi la carte de l'œnotourisme (chambres d'hôtes et gite dans les vignes, restaurant).

Un chenin patiemment élevé en fût de chêne pendant quatorze mois, dont le nez expressif se range du côté des fruits blancs et des agrumes. Une attaque onctueuse précède une bouche franche et bien équilibrée. Le gras sans excès apporte de l'amplitude et respecte la pointe acidulée qui sied si bien à la finale. ⧗ 2020-2024

EARL DOM. SAINT-PIERRE, Dom. Saint-Pierre, Le Bas-Ré, 49290 Chaudefonds-sur-Layon, tél. 02 41 78 04 21, domaine.st.pierre@wanadoo.fr V t.l.j. sf dim. 9h-18h

DOM. SAUVEROY Cuvée Ose Iris 2018 ★★★

■	30 000		5 à 8 €

Un domaine fondé en 1866, dans la famille de Pascal et Véronique Cailleau depuis 1947. Ces derniers, aux commandes depuis 1985 et désormais épaulés par leur fils Quentin, conduisent avec talent un vignoble de 28 ha (1 ha aux origines). Une valeur sûre de l'Anjou viticole, à l'aise dans les trois couleurs, en secs comme en doux.

Un exceptionnel cabernet franc, brillant et limpide, vêtu de rubis à reflets violacés. À l'olfaction, les fruits rouges donnent le ton. Avec élégance s'entremêlent le cassis, la fraise fraîche et la mûre confiturée. Après une attaque souple, la bouche apparaît ample et veloutée, tout en arômes de fruits cuits. La finale gourmande révèle ce qu'il faut de fraîcheur. ⧗ 2020-2024 ■ **Clos des Sables 2017 ★ (8 à 11 €; 8600 b.)** : après douze mois d'élevage en fût, cette cuvée offre un plein panier de fruits blancs confits et de fruits jaunes mûrs. Des notes d'agrumes s'échappent au second nez. Belle attaque en bouche. Richesse et structure, fraîcheur et bonne persistance avec quelques notes grillées. ⧗ 2020-2024

EARL PASCAL CAILLEAU, Dom. Sauveroy, Saint-Lambert-du-Lattay, 49750 Val-du-Layon, tél. 02 41 78 30 59, domainesauveroy@sauveroy.com V t.l.j. sf dim. 9h-12h30 14h-18h

B CH. LA TOMAZE Chenin 2017 ★★

■	3600		8 à 11 €

Depuis la Révolution, sept Jacques Lecointre se sont succédé sur ce domaine repris en 1988 par Vincent Lecointre. Son fils Cyrille s'est installé en 2016. L'exploitation, étendue sur 29 ha, regroupe plusieurs îlots viticoles situés à Rablay-sur-Layon, Faye-d'Anjou et Champ-sur-Layon.

Très belle harmonie pour cette cuvée élevée dix mois en fût. Après aération, le nez libère une palette fruitée, ponctuée de notes florales, toastées et briochées. Poire, coing, agrumes, jasmin et acacia s'unissent en bouche. Tout est ample et rond, avec en finale une touche beurrée. ⧗ 2020-2024

EARL LECOINTRE, Ch. la Tomaze, 6_B, rue du Pineau-Champ-sur-Layon, 49380 Bellevigne-en-Layon, tél. 02 41 78 86 34, contact@tomaze.com V r.-v.

DOM. DES TRAHAN
Le Logis de Preuil 2017 ★★

■	4700		5 à 8 €

Ce domaine est situé dans le sud de l'appellation anjou, dans le département des Deux-Sèvres. Jean-Marc Trahan cultive 60 ha de vignes sur des sols de schistes plus ou moins altérés et propose toutes les appellations d'Anjou.

Pourpre, ce 2017 est résolument ouvert sur des arômes de cassis et de groseille. Après une attaque souple et ronde, il offre une bonne matière, étayée par des tanins fondus. L'équilibre sonne juste, la finale s'affirme avec un soupçon végétal. ⧗ 2020-2022 ■ **Cuvée Natacha 2017 ★ (5 à 8 €; 5000 b.)** : une cuvée issue du seul cabernet franc, dont la palette de fruits rouges et noirs se nuance de végétal. Framboise, cassis et cerise s'épanouissent dans une bouche légère et fraîche, à peine marquée par les tanins. ⧗ 2020-2021

SCEA LES MAGNOLIAS DES TRAHAN, 2, rue des Genêts, Cersay, 79290 Val-en-Vignes, tél. 05 49 96 80 38, domainedestrahan@wanadoo.fr V r.-v.

DOM. DES TROTTIÈRES 2018 ★

■	10 000	5 à 8 €

Le domaine, créé en 1906 par M. Brochard, pionnier dans le vignoble angevin de l'introduction des porte-greffes américains résistant au phylloxéra, couvre aujourd'hui 117 ha et propose une large gamme d'appellations de l'Anjou et du Saumurois.

Ce cabernet franc gouleyant s'adresse aux amateurs de cuvées peu tanniques et sur le fruit. Sans sulfites ajoutés, il fleure bon la cerise, la framboise et la réglisse. Rond en bouche, il maintient un bel équilibre grâce à une pointe acidulée. ⧗ 2020-2024

SAS DOM. DES TROTTIÈRES, Les Trottières, Thouarcé, 49380 Bellevigne-en-Layon, tél. 02 41 54 14 10, contact@domainedestrottieres.com V t.l.j. sf sam. dim. 9h-12h30 14h-18h

♥ DOM. DE LA TUFFIÈRE Ledit vin Chenin 2018 ★★

■	8000		8 à 11 €

Situé sur la rive droite de la Loire, au nord-est d'Angers, ce domaine de 25 ha, de création monastique, remonte au XVIIe s. Longtemps propriété du Ch. de la Tuffière, il a été repris en 1989 par les Coignard, exploitants sur ces terres depuis 1972. Leur fille Clarisse et son mari Fabrice Benesteau sont aux commandes depuis 2002. Leurs vins (blancs et rosés notamment) sont régulièrement remarqués dans nos éditions.

Un chenin vendangé à pleine maturité, qui offre une remarquable expression du fruit, après dix mois d'élevage en barrique. Poire et coing bien mûrs s'unissent à des notes grillées et vanillées. La bouche est au diapason. Ronde et ample, elle présente un boisé léger, parfaitement fondu, et s'achève sur une finale pleine de fraîcheur. ⧗ 2020-2022

EARL COIGNARD-BENESTEAU, Dom. de la Tuffière, Lué-en-Baugeois, 49140 Jazré-Villages, tél. 02 41 45 11 47, vignobletuffiere@gmail.com V t.l.j. sf dim. 9h-12h30 14h-19h

DOM. DES VARENNES Le Caillou 2017 ★

■ | 1500 | 🍾 | 5 à 8 €

Cette propriété familiale de 20 ha, exploitée par les Richard depuis 1930, est devenue exclusivement viticole dans les années 1970. Elle est installée à Saint-Lambert-du-Lattay, l'un des plus importants bourgs viticoles des coteaux du Layon.

Une cuvée rare, dont la robe presque opaque se pare de reflets violets. Après aération, le nez diffuse des arômes de fruits noirs et rouges, nuancés de quelques notes de cèdre. On perçoit une bonne mâche au palais, soutenue par une structure de qualité et une pointe de fraîcheur acidulée bienvenue. Quelques tanins viennent à peine se manifester en finale. ⧗ 2020-2024

EARL A. RICHARD, Dom. des Varennes, 11, rue des Varennes, 49750 Saint-Lambert-du-Lattay, tél. 02 41 78 32 97, richarda@orange.fr V r.-v.

ANJOU-GAMAY

Superficie : 125 ha / Production : 6 630 hl

Vin rouge produit à partir du cépage gamay. Né sur les terrains les plus schisteux de la zone, bien vinifié, il peut donner un excellent vin de carafe. Quelques exploitations se sont spécialisées dans ce type, qui n'a d'autre ambition que de plaire au cours de l'année suivant sa récolte.

VIGNES DE L'ALMA 2018

■ | 14 000 | 🍾 | - de 5 €

Saint-Florent-le-Vieil, village charnière entre l'Anjou et le pays nantais. Romain Chevalier y conduit (seul depuis 2017, son père Roland étant parti à la retraite) un clos de 11 ha, commandé par un bâtiment datant de 1856 baptisé par le propriétaire d'alors – un général des Armées – en souvenir de la bataille de l'Alma. Ses vins rosés et rouges se rattachent à l'Anjou, ses blancs à l'AOC muscadet-coteaux-de-la-loire. Une valeur sûre.

Ce 2018 couleur rubis libère des arômes de fruits rouges et de discrètes notes végétales. En bouche, tout est rondeur et fruité. ⧗ 2019-2021

EARL DU CLOS DE L'ALMA, L'Alma, Saint-Florent-le-Vieil, 49410 Mauges-sur-Loire, tél. 02 41 72 71 09, lesvignesdelalma@orange.fr V *t.l.j. sf dim. 9h-12h 14h-19h (sam. 18h)*

ANJOU-VILLAGES

Superficie : 190 ha / Production : 8 510 hl

Le terroir de l'AOC anjou-villages correspond à une sélection de terrains dans l'AOC anjou : seuls les sols se ressuyant facilement, précoces et bénéficiant d'une bonne exposition ont été retenus. Ce sont essentiellement des sols développés sur schistes, altérés ou non.

Issus du cabernet franc parfois complété par du cabernet-sauvignon, les anjou-villages sont colorés, fruités, charnus et assez charpentés. Vite prêts, ils se gardent en moyenne deux à trois ans.

Ⓑ L'ARCHE DE LA REBELLERIE Croix-blanche 2017 ★

■ | 3000 | 🛢🍾 | 11 à 15 €

Établissement et service d'aide par le travail, ce domaine appartient à la Fédération des communautés de l'Arche de Jean Vanier. Il accueille trente adultes handicapés qui participent aux travaux de la vigne. L'exploitation de 25 ha est conduite en bio depuis 2000.

Un assemblage de cabernet-sauvignon (70 %) et de cabernet franc (30 %), élevé quatre mois en cuve, puis douze mois en fût de chêne. Dans le verre, un rouge sombre, presque noir. Le nez développe des arômes de fruits rouges légèrement compotés, empreints de notes de vanille. La bouche ronde et aromatique laisse le souvenir de fines nuances torréfiées. ⧗ 2020-2022

ESAT L' ARCHE EN ANJOU, La Rebellerie, Nueil-sur-Layon, 49560 Lys-Haut-Layon, tél. 02 41 59 53 51, secretariat.esat@arche-anjou.org V *t.l.j. sf sam. dim. 8h30-12h 14h-17h; f. août*

CH. DE BELLEVUE 2016 ★

■ | 2400 | 🛢 | 8 à 11 €

Le château, construit au XIXᵉs., est situé sur un point culminant de Saint-Aubin-de-Luigné. Il est entouré d'un parc de plus de 4 ha et d'un vignoble de 34 ha dont Hervé Tijou a pris les commandes en 1995.

Cette cuvée très confidentielle, à la robe profonde, marie cabernet-sauvignon et cabernet franc (20 %). Le nez, intense et fruité, présente un boisé généreux, hérité de douze mois d'élevage en fût de chêne. La bouche ? De la matière, des tanins bien fondus, du fruit accompagné d'arômes de vanille et une finale torréfiée. ⧗ 2020-2022

EARL TIJOU ET FILS, Ch. de Bellevue, Saint-Aubin-de-Luigné, 49190 Val-du-Layon, tél. 02 41 78 33 11, chateaubellevuetijou@orange.fr V *t.l.j. sf dim. 9h-12h30 14h-18h*

♥ DOM. BODINEAU 2017 ★★

■ | 6200 | 🍾 | 5 à 8 €

Établis dans le petit hameau de Savonnières, Frédéric Bodineau et sa sœur Anne-Sophie officient ensemble sur ce domaine familial (40 ha) dont l'origine remonte à 1850. Lui est à la vigne et au chai, elle à l'accueil et au service clientèle.

Une remarquable cuvée, 100 % cabernet franc, issue d'un terroir de schiste en bordure du Layon. Elle décline d'intenses arômes de fruits noirs et d'épices sur fond de réglisse et de violette. Opulente et merveilleusement aromatique, la bouche est au diapason, avec beaucoup de profondeur et de structure. ⧗ 2020-2022

EARL BODINEAU, 5, chem. du Château-d'Eau, Les-Verchers-sur-Layon, 49700 Doué-en-Anjou, tél. 02 41 59 22 86, domainebodineau@yahoo.fr V *t.l.j. sf dim. 9h-12h30 14h-17h30*

SOPHIE ET JEAN-CHRISTIAN BONNIN Les Grenuces 2017 ★

■ | 5000 | 🍾 | 8 à 11 €

Régulièrement mentionné dans le Guide, ce domaine créé en 1920 couvre aujourd'hui 43 ha autour de Martigné-Briand. En 1998, son diplôme d'œnologue en poche, Jean-Christian Bonnin a repris le vignoble familial en compagnie de sa femme Sophie.

Un vin joyeux, 100 % cabernet-sauvignon, léger et fruité. Le nez s'ouvre sur la cerise et la mûre. Un même fruité est perceptible au palais, enveloppant une structure équilibrée jusqu'en finale. Les tanins promettent le meilleur pour demain. ⧗ 2020-2024

EARL SOPHIE ET JEAN-CHRISTIAN BONNIN, Dom. de la Croix des Loges, 4, chem. du Vignoble, Martigné-Briand, 49540 Terranjou, tél. 02 41 59 43 58, sophie.bonninlesloges@orange.fr V r.-v.

DOM. DU COLOMBIER 2017 ★★

■ | 4000 | 🍾 | 5 à 8 €

Ce domaine familial créé en 1974 comprend un vignoble de 44 ha situé non loin de Doué-la-Fontaine, la «cité des roses». À sa tête depuis 2003, Sylvain Bazantay et sa sœur Florence, à l'aise dans les trois couleurs, proposent une vaste gamme de vins d'Anjou.

Une cuvée élaborée sur une base de cabernet-sauvignon, complété par 40 % de cabernet franc. Un cortège de fruits rouges bien mûrs se libère du verre, auquel se joignent des notes de réglisse. Une attaque suave ouvre sur une bouche ronde, dotée de tanins fondus. Et les fruits rouges d'orchestrer la dégustation jusqu'en finale avec brio. ⧗ 2020-2024

EARL SYLVAIN ET FLORENCE BAZANTAY, 10, rue du Colombier, Linières, Brigné-sur-Layon, 49700 Doué-en-Anjou, tél. 02 41 59 31 82, earlbazantay@orange.fr V *t.l.j. sf dim. 9h30-12h30 14h-18h30; sam. 9h30-12h30*

COTEAU SAINT-VINCENT Réserve sous bois 2017

■ | 3000 | 🛢 | 5 à 8 €

Cette exploitation est établie à Chalonnes-sur-Loire, commune située au bord de l'eau, au confluent du Layon et de la Loire. Œnologue, Olivier Voisine y conduit depuis 1999 un vignoble de 23 ha sur des sols schisteux caractéristiques de l'Anjou noir. Une bonne référence de l'Anjou viticole, pour ses liquoreux notamment.

Cette cuvée, mi-cabernet-sauvignon mi-cabernet franc, se drape dans une robe presque noire. Son nez animal laisse échapper des notes de cuir et d'épices sur un fond de cassis. Le boisé intense se fait plus délicat en bouche, bien intégré à la chair ronde. Finale empyreumatique intéressante. ⧗ 2020-2022

EARL OLIVIER VOISINE, Coteau Saint-Vincent, 49290 Chalonnes-sur-Loire, tél. 02 41 78 59 00, coteau-saint-vincent@wanadoo.fr V *r.-v.* 1

CH. DE FESLES La Chapelle Vieilles Vignes 2017

■ | 19300 | 🍾 | 8 à 11 €

En juillet 2008, le groupe Grands Chais de France a acheté à Bernard Germain le Ch. de Fesles, situé dans l'aire du bonnezeaux. Le domaine a engagé au printemps 2010 la conversion bio de son vignoble de 45 ha.

Ce cabernet franc dévoile un nez discret de fruits rouges mûrs. Après un élevage de dix-huit mois, il s'appuie sur des tanins fondus et laisse le souvenir d'une chair empreinte d'arômes de figue et d'épices fines. ⧗ 2020-2022

SAS DE FESLES, Ch. de Fesles, Thouarcé, 49380 Bellevigne-en-Layon, tél. 02 41 68 94 08, gbigot@sauvion.fr V *t.l.j. 8h30-12h30 14h-17h30*

DOM. LA GUILLAUMERIE 2017 ★★

■ | 6600 | 🍾 | 5 à 8 €

Après vingt ans passés dans le monde du vin, Frédéric Hanse et son épouse réalisent leur rêve en rachetant le Dom. la Guillaumerie, situé dans l'aire des coteaux-du-layon. Ils exploitent près de 20 ha de vignes, dont la moitié en chenin.

Une cuvée entièrement issue du cabernet franc. Sous une robe sombre, elle embaume les fruits noirs compotés, auxquels viennent se mêler de fines épices et une rafraîchissante touche de violette. La bouche, toujours sur les fruits bien mûrs, est riche, souple et soyeuse, d'une remarquable persistance. ⧗ 2020-2022

EARL DOM. LA GUILLAUMERIE, La Liaumerie, 49190 Rochefort-sur-Loire, tél. 06 51 03 10 54, domainelaguillaumerie@gmail.com V *r.-v.*

DOM. JOLIVET Amphora 2017 ★

■ | 2000 | 🛢🍾 | 5 à 8 €

Ce domaine familial de 15 ha est implanté sur les terroirs argilo-siliceux de la commune de Saint-Lambert-du-Lattay, gros bourg viticole de la vallée du Layon. Les vinifications sont supervisées par Émilien, le fils de la famille.

Élevé six mois en cuve, puis un an en fût de chêne, ce vin associe deux tiers de cabernet-sauvignon à un tiers de cabernet franc. Issu de vignes de quarante ans en moyenne, il offre une belle minéralité, qui donne de la légèreté à son nez de fruits noirs compotés. La matière bien présente enrobe les tanins. Souplesse et fruité sont les maîtres-mots de la dégustation. ⧗ 2020-2022

SCEA JOLIVET, 38_bis, rue Rabelais, Saint-Lambert-du-Lattay, 49750 Val-du-Layon, tél. 02 41 78 30 35, domaine.jolivet@orange.fr V *r.-v.*

DOM. DE LA MOTTE 2017 ★★

■ | 2100 | 🛢🍾 | 5 à 8 €

Ce domaine de 18 ha est implanté à l'entrée du village de Rochefort-sur-Loire, petit bourg situé juste avant la confluence du Layon et de la Loire. Fondé en 1935, il a été repris en 1995 par Gilles Sorin.

Mention spéciale pour cette cuvée ultra-confidentielle. Issue majoritairement du cabernet-sauvignon, elle intègre une touche de cabernet franc (10 %) dans son assemblage. Le nez élégant libère de discrètes notes d'épices. La chair, gourmande et expressive, restitue le fruit à merveille et offre des tanins parfaitement fondus. ⧗ 2020-2022

EARL SORIN, Dom. de la Motte,
35, av. d'Angers, 49190 Rochefort-sur-Loire,
tél. 02 41 78 72 96, sorin.dommotte@wanadoo.fr
t.l.j. sf dim. 9h-12h 13h30-18h30

DOM. DU PETIT CLOCHER 2017 ★

■ | 27000 | | 5 à 8 €

Conduite par la jeune génération, Stéphane, Julien et Vincent Denis, arrivés respectivement en 2003, 2006 et 2009, une affaire de famille depuis 1920; 5 ha aux origines, 86 ha aujourd'hui. Un domaine phare du haut Layon, réputé notamment pour ses vins rouges, mais aussi très à l'aise en blanc et en rosé. Une valeur (très) sûre.

Le nez s'ouvre sur des arômes de fruits rouges bien mûrs, auxquels se joignent des notes épicées et empyreumatiques. L'attaque franche et les tanins soyeux procurent une agréable sensation de rondeur. Belle persistance aromatique. ⧗ 2020-2022 ■ **26 2017 ★ (15 à 20 €; 3200 b.)** : un cabernet-sauvignon issu d'un terroir de roche éruptive et élevé quinze mois en fût de chêne français, non filtré, non collé. En résulte un nez intense, ouvert sur les fruits noirs compotés, les notes de réglisse et la vanille. La bouche, très structurée, est à l'unisson, dotée de rondeur et de longueur. ⧗ 2020-2022

EARL DU PETIT CLOCHER, La Laiterie,
49560 Cléré-sur-Layon, tél. 02 41 59 54 51, contact@domainedupetitclocher.fr t.l.j. sf dim. 9h-12h30 14h-18h

DOM. DE LA PETITE CROIX
Vieilles Vignes 2017 ★

■ | 8000 | | 5 à 8 €

Régulièrement mentionné dans le Guide, ce domaine est situé au cœur de la vallée du Layon. François Geffard, à la tête de l'exploitation familiale (55 ha) propose des anjou, coteaux-du-layon et anjou et peut se flatter d'un palmarès flatteur.

Un anjou-villages empyreumatique et animal. Notes fumées et nuances de tabac accompagnent une explosion de fruits rouges et noirs. Gras, suave et toujours expressif, le palais laisse en finale le souvenir de la réglisse. ⧗ 2020-2022

SCEA VIGNOBLE DENÉCHÈRE-GEFFARD,
Dom. de la Petite-Croix, Thouarcé, 49380 Bellevigne-en-Layon, tél. 02 41 54 06 99, lapetitecroix@wanadoo.fr
r.-v.

DOM. DU PETIT MÉTRIS Aquilon 2016 ★

■ | n.c. | | 8 à 11 €

Régulièrement mentionné dans le Guide, ce domaine s'affirme comme une valeur sûre du vignoble angevin, tant pour ses blancs secs que pour ses liquoreux. Créée en 1742, la propriété domine du haut de son coteau le village de Saint-Aubin-de-Luigné traversé par le Layon.

Oh, le joli vin rubis! Au nez, il décline des arômes de fruits noirs compotés, en veux-tu en voilà. En bouche, il a ce caractère chaleureux et rond, légèrement boisé, susceptible de plaire dès à présent. ⧗ 2020-2022

GAEC JOSEPH RENOU ET FILS,
13, chem. de Treize-Vents, Le Grand-Beauvais,
49190 Saint-Aubin-de-Luigné, tél. 02 41 78 33 33,
domaine.petit.metris@wanadoo.fr r.-v.

♥ DOM. DES RICHÈRES
Cuvée Camille 2017 ★★

■ | 2700 | | 8 à 11 €

Anciennement rattaché à la seigneurie de Millé, ce domaine est exploité par la famille Guibert depuis 1775. En 2006, Fabrice Guibert a pris les rênes de la propriété et de ses 67 ha situés au cœur des coteaux-du-layon.

Une cuvée destinée aux amateurs de vins puissants. Fruits noirs et rouges très mûrs, presque compotés, s'expriment avec des accents de réglisse et de vanille. De la charpente, le vin n'en manque pas, mais il a aussi suffisamment de chair et d'ampleur pour envelopper le palais. En finale, une légère amertume signe tout le potentiel de cet anjou-villages. ⧗ 2020-2024

EARL GUIBERT, 7, rte d'Angers,
Millé, Chavagnes-les-Eaux, 49380 Terranjou,
tél. 02 41 54 10 47, faguibert@yahoo.com r.-v.

CH. DES ROCHETTES
Pièces du Moulin 2017 ★★

■ | 5540 | | 8 à 11 €

Catherine Nolot a repris en 2006 deux propriétés situées à Concourson-sur-Layon : le Ch. des Rochettes, qui appartenait à la famille Douet depuis de nombreuses générations, et le Dom. de l'Été, géré pendant vingt ans par Yannick Babin.

Un cabernet franc généreux et charpenté, élevé quatorze mois en fût de chêne français. Le nez déploie des arômes de fruits noirs, soulignés par d'intenses notes de vanille et de discrètes touches d'épices. La bouche présente une attaque franche, de la richesse et très peu de vivacité. L'harmonie est préservée jusqu'en finale. ⧗ 2020-2024

SCEA CATHERINE NOLOT, Ch. des Rochettes,
104, les Rochettes, 49700 Concourson-sur-Layon,
tél. 02 41 59 11 51, domainedelete@wanadoo.fr
t.l.j. sf dim. 9h-12h30 13h30-18h

DOM. DES TROTTIÈRES 2017

■ | 20933 | | 5 à 8 €

Le domaine, créé en 1906 par M. Brochard, pionnier dans le vignoble angevin de l'introduction des porte-greffes américains résistant au phylloxéra, couvre aujourd'hui 117 ha et propose une large gamme d'appellations de l'Anjou et du Saumurois.

Un vin convivial, qui marie les deux cépages cabernets, provenant de parcelles cultivées sur un sol de graves. Des arômes de fruits noirs, de sous-bois et de cuir se déclinent au nez comme en bouche. Puissance et rondeur, trame de tanins solides : une bouteille à apprécier dès maintenant ou à conserver pour de futurs repas entre amis. ⧗ 2020-2024

SAS DOM. DES TROTTIÈRES, Les Trottières, Thouarcé, 49380 Bellevigne-en-Layon, tél. 02 41 54 14 10, contact@domainedestrottieres.com V t.l.j. sf sam. dim. 9h-12h30 14h-18h

ANJOU-VILLAGES-BRISSAC

Superficie : 105 ha / Production : 4 517 hl

Au sein de l'AOC anjou-villages, les dix communes situées autour du château de Brissac constituent l'aire géographique de cette AOC reconnue en 1998. Les vignes sont implantées sur un plateau en pente douce vers la Loire, limité au nord par ce fleuve et au sud par les coteaux abrupts du Layon. Les sols sont profonds. La proximité de la Loire, qui limite les températures extrêmes, explique également la particularité du terroir. Complexes, charnus et denses, les anjou-villages-brissac sont aptes à une moyenne garde (deux à cinq ans) et peuvent vivre dix ans les meilleures années.

DOM. DE LA BELLE ÉTOILE
Marnes à Ostracées 2017 ★

■ | 4000 | | 11 à 15 €

Après ses études de «viti-œno», Vincent Esnou a travaillé au Ch. de Fesles, dans l'ère du Bonnezeaux, puis dans différents vignobles français et étrangers. En 2008, il reprend ce domaine de 24 ha, créé en 1903 et dans sa famille depuis cinq générations.

Belle explosion de fruits rouges et noirs, qui annonce le meilleur. Dans une bouche voluptueuse, on retrouve les arômes de cassis et de violette typiques du cépage cabernet franc. Hérité d'un élevage en fût de chêne de douze mois, le boisé reste discret au bénéfice d'une large palette aromatique et contribue à la sensation de rondeur. ⧗ 2020-2024

EARL VINCENT ESNOU, La Belle-Étoile, 49320 Brissac-Quincé, tél. 06 62 32 99 40, contact@domaine-belle-etoile.fr V t.l.j. 9h30-12h 14h-18h30

DOM. DES BONNES GAGNES
Patientia 2016 ★

■ | 4000 | | 8 à 11 €

Exploité par les Héry de père en fils depuis 1610, ce domaine fondé par les moines de l'abbaye du Ronceray s'étend sur 38 ha. Il bénéficie d'une terre riche, argilo-calcaire, qui assure le bon développement de la vigne.

Un long élevage en fût de dix-huit mois a façonné ce cabernet franc à la robe grenat. Le nez s'ouvre sur les fruits rouges et noirs. Cassis, mûre, framboise et groseille se prolongent dans une bouche bien structurée, avec de la matière et une pointe de fraîcheur. ⧗ 2020-2024

EARL HÉRY VIGNERON, Orgigné, Saint-Saturnin-sur-Loire, 49320 Brissac-Loire-Aubance, tél. 02 41 91 22 76, hery.vigneron@orange.fr V t.l.j. sf dim. 9h-12h 14h-19h

LE CLOS DES MAILLES
Les Champs rouges 2017 ★

■ | 2000 | | 8 à 11 €

François Rullier dirige depuis 2005 ce domaine (32 ha) situé à quelques kilomètres des bords de Loire à proximité du château de Brissac.

Une cuvée grenat soutenu qui libère des arômes de fruits noirs sucrés. La bouche, ronde, charnue, aux nuances végétales, reflète bien la typicité du cabernet franc. ⧗ 2020-2024

EARL LE CLOS DES MAILLES, Les Jauraux, 49320 Brissac-Quincé, tél. 02 41 47 28 54, aurorecdm@outlook.fr V r.-v.

DOM. DES DEUX-MOULINS
Le Clos au chat 2016 ★

■ | 5000 | | 8 à 11 €

Ce domaine proche des vallées de l'Aubance et de la Loire tient son nom de deux moulins caviers typiques de l'Anjou viticole. Créé à partir de 12 ha de vignes par Daniel Macault en 1989, il compte 35 ha aujourd'hui.

De la complexité aromatique pour ce 2016 issu de cabernet-sauvignon (80 %) et de cabernet franc (20 %), élevé vingt mois en fût de chêne. La bouche, dense et ronde, révèle des notes boisées sur fond de cassis, de mûre et de violette. La légère douceur du boisé est équilibrée par une belle fraîcheur. ⧗ 2020-2024

EARL DOM. DES DEUX-MOULINS, 20, rte de Martigneau, 49610 Juigné-sur-Loire, tél. 02 41 54 65 14, les.deux.moulins@wanadoo.fr V t.l.j. sf dim. 9h-12h 14h-18h 3 D

B DOM. DES ROCHELLES
Breton 2017 ★★

■ | 26000 | | 8 à 11 €

Conduit depuis les années 1970 par Jean-Yves Lebreton, rejoint entre-temps par son fils Jean-Hubert, à la tête de l'exploitation depuis 2004, ce domaine de 53 ha s'était spécialisé en viticulture dès 1920. Avec plusieurs coups de cœur à son actif, il fait partie des références de l'Anjou pour sa production de vins rouges.

Le breton est le nom du cabernet franc dans la région de la Loire. D'un beau grenat, ce vin apparaît très fruité, agrémenté d'une touche de réglisse. Le voici qui emplit le palais d'une chair ronde, empreinte de flaveurs de cassis jusqu'en finale. ⧗ 2020-2024 ■ **La Croix de Mission 2017 ★ (11 à 15 €; 40 000 b.)** B : le cabernet-sauvignon complété par 10 % de cabernet franc se traduit par de jolis arômes de fruits noirs et des notes de réglisse. Le ton est donné pour le reste de la dégustation. Charnu et bien structuré, ce vin est décidément séduisant. ⧗ 2020-2024 ■ **Les Millerits 2016 ★ (20 à 30 €; 2117 b.)** B : dix-huit mois d'élevage en fût de chêne français ont permis le développement des notes de torréfaction et de pain grillé qui se mêlent aux intenses arômes de fruits noirs. La bouche est tout aussi aromatique, dotée de gras et de tanins certes présents, mais déjà fondus. Le boisé reste parfaitement contenu. ⧗ 2020-2024

EARL LEBRETON, Dom. des Rochelles, chem. des Rochelles, 49320 Saint-Jean-des-Mauvrets, tél. 02 41 91 92 07, jy.a.lebreton@wanadoo.fr t.l.j. sf dim. 8h30-12h 14h-18h30

DOM. DE SAINTE-ANNE Tradition 2016 ★

10 000 | 8 à 11 €

Domaine familial situé à proximité du château de Brissac, dont le vignoble de 56 ha est implanté sur une croupe argilo-calcaire. Marc Brault y est installé depuis 1983, épaulé par ses fils Florian (vinification) et Boris (commercialisation).

Un vin doté de structure et de caractère, entièrement issu du cabernet-sauvignon et élevé en cuve pendant un an. Le nez offre des arômes de fruits noirs. Suit une bouche fruitée, pleine et grasse, soutenue par des tanins soyeux. 2020-2024

EARL BRAULT, Sainte-Anne, 49320 Brissac-Quincé, tél. 02 41 91 24 58, marc-brault@wanadoo.fr t.l.j. sf dim. 9h-12h 14h-18h

CABERNET-D'ANJOU

Superficie : 5 341 ha / Production : 331 114 hl

On trouve dans cette appellation d'excellents vins rosés demi-secs issus des cépages cabernet franc et cabernet-sauvignon. À table, on les associe assez facilement, servis frais, au melon en hors-d'œuvre ou à certains desserts pas trop sucrés. En vieillissant, ces vins prennent une nuance tuilée et peuvent être bus à l'apéritif. Ceux qui naissent sur les faluns de la région de Tigné et dans le Layon sont les plus réputés.

VIGNOBLE DE L'ARCISON 2018 ★

3 000 | - de 5 €

Une exploitation de 27 ha située sur le territoire de la commune de Thouarcé, célèbre pour son cru bonnezeaux. Romain Reulier a pris en 2008 la succession de ses parents sur ce domaine souvent en vue pour ses rosés.

Le nez intense s'ouvre sur les petits fruits rouges (fraise) et une pointe de litchi à l'aération. L'attaque est vive, le palais soyeux, avec un fruité sur la framboise fraîche qui s'intensifie en finale. 2019-2020

ROMAIN REULIER, Vignoble de l'Arcison, 333, Le Mesnil - Thouarcé, 49380 Bellevigne-en-Layon, tél. 02 41 54 16 81, vignoble-arcison@orange.fr t.l.j. 9h-12h 14h-18h; dim. sur r.-v.; f. oct.

DOM. DES BOHUES 2018

15 000 | - de 5 €

Les Caves de la Loire, fondées en 1951, constituent l'une des plus grandes coopératives de la région : elles regroupent 350 adhérents et une superficie totale cultivée de 1 600 ha.

Rose bonbon, ce vin offre un nez subtil de fruits rouges et de fleurs. Un agréable prélude à une bouche souple et gourmande, qui restitue le fruit avec douceur et constance. 2019-2020

SCA LES CAVES DE LA LOIRE, rte de Vauchrétien, 49320 Brissac-Quincé, tél. 02 41 91 22 71, loire.wines@uapl.fr t.l.j. sf dim. 9h-12h30 14h-19h

♥ DOM. DES BONNES GAGNES 2018 ★★

8 000 | - de 5 €

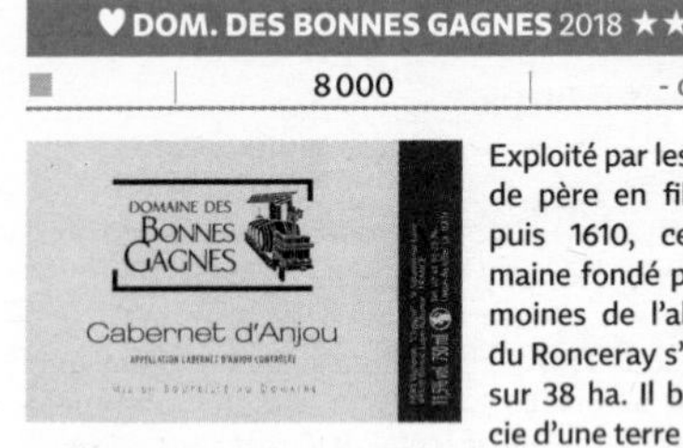

Exploité par les Héry de père en fils depuis 1610, ce domaine fondé par les moines de l'abbaye du Ronceray s'étend sur 38 ha. Il bénéficie d'une terre riche, argilo-calcaire, qui assure le bon développement de la vigne.

Un cabernet-d'anjou d'un joli rose. Arômes de fraise acidulée et de framboise côtoient la groseille et la violette. La bouche fraîche et croquante trouve un remarquable équilibre. Belle matière ronde et persistante, relevée d'une légère amertume. 2019-2020

EARL HÉRY VIGNERON, Orgigné, Saint-Saturnin-sur-Loire, 49320 Brissac-Loire-Aubance, tél. 02 41 91 22 76, hery.vigneron@orange.fr t.l.j. sf dim. 9h-12h 14h-19h

DOM. DU BON REPOS 2018 ★

5 000 | - de 5 €

Ce domaine familial créé en 1932 est conduit depuis 1995 par Joël Chauviré. Son fils Valentin, représentant la quatrième génération, l'a rejoint en 2014. Leur vignoble couvre 24 ha.

Un rosé grenadine alléchant. Au nez comme en bouche, les arômes de fraise acidulée, de framboise et de bonbon anglais se mêlent aux épices et aux notes florales. Le palais ample et rond est souligné par une fraîcheur acidulée jusqu'en finale. 2019-2020

EARL DU BON REPOS, 9, chem. de la Varenne-d'Étiau, 49670 Valanjou, tél. 02 41 45 46 17, contact@domainedubonrepos.fr t.l.j. sf dim. 8h-12h30 14h-19h

DOM. CHUPIN 2018 ★★

206 000 | - de 5 €

Ce vaste domaine de 94 ha est établi dans l'aire des coteaux-du-layon. Il a été racheté en 1988 aux héritiers d'Émile Chupin par Guy Saget, bien connu pour ses vignobles de la région de Pouilly-sur-Loire.

Un cabernet rosé très représentatif de l'appellation. Les arômes intenses de fruits rouges frais et de bonbon anglais se nuancent de notes de violette. L'attaque est franche, la bouche fabuleusement fruitée, dotée d'un parfait équilibre et d'une finale longue, sans aucune amertume. 2019-2020

SCEA DOM. ÉMILE CHUPIN, 8, rue de l'Église, Champ-sur-Layon, 49380 Bellevigne-en-Layon, tél. 02 41 78 86 54, domaine.chupin@wanadoo.fr

DOM. DE LA CLARTIÈRE Gourmandise 2018 ★

■ | 25000 | 🍾 | | - de 5 €

Depuis 1930, quatre générations de «Pierre» se sont succédé à la tête de ce vignoble (33 ha) situé dans le haut Layon. Après Pierre-Marie, Pierre-Antoine Pinet a pris les rênes du vignoble en 2007, rejoint en 2017 par son frère cadet Édouard, de retour de l'étranger. Ce dernier œuvre à la cave.

Cette jolie cuvée se partage à parts égales entre cabernet franc et cabernet-sauvignon. Le nez fait preuve d'élégance, avec une belle expression des fruits rouges frais, dominés par la fraise. Le palais évolue en rondeur et en finesse. À la légère douceur perceptible en début de bouche répond une fraîcheur bienvenue en finale. ⧗ 2019-2020

EARL PINET, La Clartière, 49560 Nueil-sur-Layon, tél. 02 41 59 53 05, earlpinet@orange.fr V 🚶 🍷 *r.-v.*

DOM. DU COLOMBIER 2018 ★

■ | 5000 | 🍾 | | - de 5 €

Ce domaine familial créé en 1974 comprend un vignoble de 44 ha situé non loin de Doué-la-Fontaine, la «cité des roses». À sa tête depuis 2003, Sylvain Bazantay et sa sœur Florence, à l'aise dans les trois couleurs, proposent une vaste gamme de vins d'Anjou.

Un cabernet franc aux arômes d'agrumes, de framboise et de bonbon, le tout relevé par de fines épices. Après une attaque franche, la fraîcheur et la légèreté séduisent le palais, mais l'on perçoit aussi suffisamment de gras et de matière. ⧗ 2019-2020

EARL SYLVAIN ET FLORENCE BAZANTAY, 10, rue du Colombier, Linières, Brigné-sur-Layon, 49700 Doué-en-Anjou, tél. 02 41 59 31 82, earlbazantay@orange.fr V 🍷 *t.l.j. sf dim. 9h30-12h30 14h-18h30; sam. 9h30-12h30*

DOM. DES DEUX ARCS 2018 ★

■ | 13000 | - de 5 €

Jean-Marie Gazeau, après une expérience en Afrique du Sud, a rejoint son père Michel en 2005 sur le domaine familial (53 ha). Leurs vins sont régulièrement sélectionnés dans le Guide, dans diverses appellations de l'Anjou et dans les trois couleurs. Une valeur sûre.

Un rosé croquant, moitié cabernet franc, moitié cabernet-sauvignon, de teinte pâle à reflets violacés. Du verre s'échappent de puissants arômes de fraise et de framboise nuancés de notes amyliques. La bouche, très aromatique, offre beaucoup de longueur et une vivacité parfaitement dosée. ⧗ 2019-2020

SCA VIGNOBLE MICHEL ET JEAN-MARIE GAZEAUX, Dom. des Deux-Arcs, 11, rue du 8-Mai-1945, Martigné-Briand, 49540 Terranjou, tél. 02 41 59 47 37, do2arc@wanadoo.fr V 🚶 🍷 *t.l.j. sf dim. 9h-12h30 14h-19h*

VIGNOBLE DE L'ÉCASSERIE 2018 ★

■ | 3000 | - de 5 €

Trois générations de Reulier (Landry et son frère Jérémy aujourd'hui) se sont succédé sur cette exploitation de 42 ha. Depuis la construction d'un nouveau chai en 2007, les vins du domaine sont régulièrement en vue dans le Guide.

Des reflets orangés, façon pelure d'oignon, attirent le regard vers ce vin aux arômes de pêche de vigne, de pamplemousse rose et de petits fruits rouges. Une palette que respecte la bouche légère, à laquelle une pointe d'amertume apporte du relief. ⧗ 2019-2020

SCEA REULIER, Vignoble de l'Écasserie, Champ-sur-Layon, 49380 Bellevigne-en-Layon, tél. 02 41 78 03 75, vignoble.ecasserie@orange.fr V 🚶 🍷 *t.l.j. sf dim. 8h30-12h 14h-18h30*

CH. DE FESLES La Chapelle 2018 ★

■ | 90000 | 🍾 | | 5 à 8 €

En juillet 2008, le groupe Grands Chais de France a acheté à Bernard Germain le Ch. de Fesles, situé dans l'aire du bonnezeaux. Le domaine a engagé au printemps 2010 la conversion bio de son vignoble de 45 ha.

Une cuvée 100 % cabernet franc dans une robe rose à reflets gris. Les arômes de framboise et de cerise accompagnent des nuances de fleurs blanches et de pamplemousse rose. En bouche, l'attaque est soyeuse, puis la fraise et la griotte s'imposent sur une trame acidulée. ⧗ 2019-2020

SAS DE FESLES, Ch. de Fesles, Thouarcé, 49380 Bellevigne-en-Layon, tél. 02 41 68 94 08, gbigot@sauvion.fr V 🚶 🍷 *t.l.j. 8h30-12h30 14h-17h30*

DOM. DES FONTAINES
La Vignerie 2018 ★

■ | 26600 | 🍾 | | - de 5 €

Situé au cœur de l'AOP bonnezeaux, ce domaine familial de 34 ha est dirigé par Alain Rousseau et son fils Vincent, qui représente la quatrième génération.

Un rosé séduisant, issu d'un assemblage 70 % cabernet franc, 30 % cabernet-sauvignon. Framboise et groseille s'imposent au premier nez, suivies de la mûre et du cassis, en compagnie de subtiles notes florales. La bouche est fraîche et gourmande, bien structurée et persistante. ⧗ 2019-2020

EARL DOM. DES FONTAINES, 301, les Noues, Thouarcé, 49380 Bellevigne-en-Layon, tél. 02 41 54 32 30, domaine.des.fontaines@wanadoo.fr V 🚶 🍷 *r.-v.*

DOM. DES GALLOIRES
Belle Rivière 2018 ★

■ | 6500 | - de 5 €

Située à l'emplacement d'un ancien manoir, cette propriété familiale créée en 1967 est régulièrement en vue pour l'une ou l'autre de ses dix-huit cuvées. L'exploitation, conduite par la famille Toublanc depuis sept générations, couvre aujourd'hui 50 ha surplombant la Loire, côté sud.

Un nez délicat tout en nuances de petits fruits rouges (fraise et groseille) et d'agrumes (orange sanguine). La bouche ronde offre aussi une belle fraîcheur acidulée, avec des arômes de pomme et de fraise compotées, de banane et de bonbon anglais. ⧗ 2019-2020

*GAEC DES GALLOIRES,
1, la Galloire, 49530 Drain, tél. 02 40 98 20 10,
contact@galloires.com V t.l.j. sf dim. 9h-12h
14h-19h (sam. 17h)*

DOM. DE HAUT MONT 2018 ★

■ | 8000 | | - de 5 €

Chez les Robin, on cultive la vigne depuis sept générations. C'est Alfred qui a fondé ce domaine en 1955. Son petit-fils Nicolas est aux commandes depuis 2013, avec à sa disposition un vignoble de 28 ha.

Une cuvée aux reflets orangés, dont le nez discret ne doit pas arrêter le dégustateur. Car en bouche tout se révèle : framboise et cassis, notes amyliques et épicées. C'est friand, rond et persistant. ⧗ 2019-2020

*EARL ROBIN-PICHERY,
31, rue des Monts, Faye-d'Anjou,
49380 Bellevigne-en-Layon, tél. 02 41 54 02 55,
robin.pichery@orange.fr V t.l.j. sf dim. 9h-12h
14h-19h*

DOM. DE MIHOUDY 2018 ★

■ | 30000 | | - de 5 €

Bruno et Jean-Charles Cochard sont associés avec leur père Jean-Paul sur ce vignoble de 75 ha situé dans la vallée du Layon, dans leur famille depuis six générations. Un domaine de référence qui s'illustre souvent en anjou, blanc ou rouge, ainsi qu'en liquoreux, en bonnezeaux notamment. Incontournable.

Une cuvée mi-cabernet franc, mi-cabernet-sauvignon, rose bonbon. Le bouquet élégant décline des notes de pamplemousse, de fraise des bois et de fleur de cerisier. Une juste fraîcheur apparaît en bouche, laissant le souvenir du bonbon acidulé. ⧗ 2019-2020

*EARL COCHARD ET FILS,
Dom. de Mihoudy, 49540 Aubigné-sur-Layon,
tél. 02 41 59 46 52, domainedemihoudy@orange.fr
V t.l.j. sf dim. 8h30-12h 14h-18h*

DOM. PERCHER 2018 ★

■ | 2000 | | - de 5 €

Ce domaine est situé au pied des coteaux des Verchers-sur-Layon, dans le petit hameau de Savonnières. L'exploitation, qui a vu passer à sa tête quatre générations de viticulteurs depuis sa création en 1926, s'étend aujourd'hui sur 28 ha.

Un cabernet franc de teinte saumon, qui allie des arômes amyliques et des notes florales. La bouche s'inscrit dans la continuité, avec de la douceur en attaque, de la matière et une finale pleine de tonus tant elle est vive et persistante. ⧗ 2019-2020

*SCEA DOM. PERCHER,
Savonnières, 20, rte du Coteau,
49700 Les Verchers-sur-Layon,
tél. 02 41 59 76 29, contact@domainepercher.com
V t.l.j. sf dim. 8h-12h 14h-18h*

♥ PLESSIS-DUVAL 2018 ★★

■ | 4700000 | | - de 5 €

Une maison de négoce fondée en 2007 par le groupe Castel Frères et dédiée aux vins de Loire « alliant fraîcheur et plaisir du fruit ».

D'un rose pâle brillant, ce cabernet-d'anjou présente un nez d'une grande finesse, ouvert sur le pamplemousse, la pêche blanche et les notes florales. La bouche est au diapason, ronde et aromatique, avec un bel équilibre entre le sucre et l'acidité. Un travail de vinification salué par le jury. ⧗ 2019-2020

*SAS CASTEL FRÈRES, L'Hyvernière,
44330 La Chapelle-Heulin, tél. 02 40 06 73 83*

DOM. ROBINEAU CHRISLOU 2018 ★

■ | 4200 | | - de 5 €

Après avoir repris l'exploitation familiale en septembre 1991, Louis Robineau s'est associé avec son épouse Christine en janvier 1992 pour créer ce domaine qui couvre aujourd'hui 21 ha sur la commune de Saint-Lambert-du-Lattay.

Cette cuvée, plutôt atypique, marie 75 % de cabernet-sauvignon avec 30 % de cabernet franc. Drapée dans une robe foncée, presque rouge, elle s'ouvre sur un nez de cerise et de grenadine. La bouche est d'une richesse étonnante, avec beaucoup de matière pour un rosé et une douceur prononcée. Une juste acidité et une légère amertume relèvent l'équilibre en finale. ⧗ 2019-2020

*EARL LOUIS ROBINEAU, 24, rue du Bon-Repos,
Saint-Lambert-du-Lattay, 49750 Val-du-Layon,
tél. 02 41 78 36 04, robineauchrislou@gmail.com V
r.-v.*

DOM. DE SAINT-MAUR 2018 ★

■ | 2500 | - de 5 €

Implanté sur la rive gauche de la Loire, à proximité de l'abbaye de Saint-Maur, le vignoble aurait été créé par les moines bénédictins. Il est conduit depuis l'année 2000 par Xavier Chouteau et s'étend aujourd'hui sur près de 34 ha.

Un cabernet-sauvignon au nez fin et discret, où la groseille et la fraise acidulée dominent de douces notes florales. Le pamplemousse s'invite au palais, soulignant la fraîcheur de l'ensemble. ⧗ 2019-2020

*EARL CHOUTEAU, 15, cale de Saint-Maur,
le Thoureil, 49350 Gennes-Val-de-Loire,
tél. 02 41 57 30 24, domaine.de.saint-maur@wanadoo.fr
V t.l.j. sf dim. 17h-19h*

DOM. DE TERREBRUNE 2018 ★

■ | 120000 | | - de 5 €

Situé non loin du château de Brissac, ce domaine de 56 ha (pour onze appellations) était géré depuis 1986 par Alain Bouleau et Patrice Laurendeau. Installé en

2013, Nicolas, fils d'Alain leur a succédé. Les rosés représentent aujourd'hui la moitié des vins produits par la propriété.

Une base de cabernet franc complétée de 20 % de cabernet-sauvignon. À l'aération, le nez libère des parfums de framboise et de groseille, auxquels se joignent de légères notes épicées et une touche amylique. La bouche à la fois ronde et fraîche laisse parler le côté floral en attaque avant de donner la faveur au fruit jusqu'en finale. ⌛ 2019-2020

⊶ DOM. DE TERREBRUNE, La Motte, Notre-Dame-d'Allençon, 49380 Terranjou, tél. 02 41 54 01 99, domaine-de-terrebrune@wanadoo.fr V 🚶 ! *t.l.j. sf dim. 9h-12h 14h-18h; sam. 9h-12h*

DOM. DE LA TREILLE 2018 ★

■ | 40000 | 🍾 | - de 5 €

Aux confins du Saumurois et des coteaux du Layon, le domaine de la Treille repose sur une terre d'argile, de limon et de sable, à Saint-Macaire-des-Bois. Le vignoble de 42 ha réunit les trois cépages traditionnels de l'appellation que sont le cabernet, le chenin et le chardonnay.

Un rosé 100 % cabernet franc, dont le nez discret laisse poindre des arômes de banane et de petits fruits rouges frais à l'aération. La bouche croquante et très aromatique offre une finale acidulée bienvenue. ⌛ 2019-2020

⊶ EARL HENRION, 4, les Hauts-Mousseaux, 49260 Saint-Macaire-du-Bois, tél. 06 82 24 36 48, treille.henrion@orange.fr V *r.-v.*

ROSÉ-D'ANJOU

Superficie : 2 267 ha / Production : 149 536 hl

Après un fort succès à l'exportation au début du XXᵉs., ce vin demi-sec connaît à nouveau une embellie. Le grolleau, principal cépage, autrefois conduit en gobelet, produit des vins rosés légers, jadis appelés « rougets ».

CH. DE CHAMPTELOUP 2018 ★

■ | 80000 | 🍾 | - de 5 €

Les Grands Chais de France ont acquis en 2005, auprès de la société Lacheteau, le Ch. de Champteloup et le Ch. Monguéret, qui représentent un vaste ensemble de 100 ha souvent en vue pour ses rosés et ses effervescents.

Un 100 % grolleau à reflets argentés, placé sous le signe de la finesse. Le nez s'ouvre discrètement sur les fruits rouges et les notes amyliques. En bouche, on retrouve la fraise acidulée et le bonbon anglais, en compagnie d'une touche de pamplemousse. Fraîcheur assurée. ⌛ 2019-2020

⊶ SCEA CHAMPTELOUP (DOM. DE CHAMPTELOUP), Dom. de Champteloup, 49700 Doué-en-Anjou, tél. 02 40 36 66 00, contact@lacheteau.fr

DOM. DES CLÉRAMBAULTS 2018 ★★

■ | 3600 | 🍾 | - de 5 €

En 2005, Sébastien Terrien, diplômé d'œnologie, a rejoint son père Pierre sur ce domaine de 20 ha qu'il conduit seul aujourd'hui. Les vignes sont situées dans l'ouest de l'appellation anjou, sur les sols schisteux de la commune de Bouzillé.

Un joli gamay dans une robe presque pastel, au nez expressif et fin. Il s'ouvre sur les fruits rouges et les notes amyliques, puis développe au palais une belle fraîcheur, aux accents de groseille blanche et de fraise acidulée, de pamplemousse et de bonbon anglais. Une gourmandise. ⌛ 2019-2020

⊶ EARL TERRIEN, 2, rue des Mutreaux, 49530 Bouzillé, tél. 06 63 06 07 79, sebastien.terrien701@orange.fr V 🚶 ! *r.-v.*

CH. DE FESLES La Chapelle 2018 ★★★

■ | 30000 | 🍾 | 5 à 8 €

En juillet 2008, le groupe Grands Chais de France a acheté à Bernard Germain le Ch. de Fesles, situé dans l'aire du bonnezeaux. Le domaine a engagé au printemps 2010 la conversion bio de son vignoble de 45 ha.

Un rosé magnifique, moitié grolleau, moitié cabernet franc, patiemment élevé durant sept mois sur lies fines. Il libère d'intenses notes amyliques et florales. La fraise acidulée et la banane soulignent la chair ronde et pleine, d'une infinie persistance. ⌛ 2019-2021

⊶ SAS DE FESLES, Ch. de Fesles, Thouarcé, 49380 Bellevigne-en-Layon, tél. 02 41 68 94 08, gbigot@sauvion.fr V 🚶 ! *t.l.j. 8h30-12h30 14h-17h30*

DOM. DES FONTAINES 2018 ★★★

■ | 10000 | 🍾 | - de 5 €

Situé au cœur de l'AOP bonnezeaux, ce domaine familial de 34 ha est dirigé par Alain Rousseau et son fils Vincent, qui représente la quatrième génération.

Un assemblage mi-gamay, mi-grolleau, unanimement salué lors de la dégustation. Au puissant nez de framboise, de fraise et de bonbon anglais répond une bouche ronde, tellement aromatique (fraise) que son souvenir semble ne jamais devoir s'estomper. ⌛ 2019-2020

⊶ EARL DOM. DES FONTAINES, 301, les Noues, Thouarcé, 49380 Bellevigne-en-Layon, tél. 02 41 54 32 30, domaine.des.fontaines@wanadoo.fr V 🚶 ! *r.-v.*

COTEAUX-DE-L'AUBANCE

Superficie : 216 ha / Production : 6 722 hl

Petit affluent de la rive gauche de la Loire, comme le Layon qui coule plus à l'ouest, l'Aubance est bordée de coteaux de schistes portant de vieilles vignes de chenin, dont on tire un vin blanc moelleux qui s'améliore en vieillissant. Cette appellation a choisi de limiter strictement ses rendements. Depuis 2002, la mention « Sélection de grains nobles » est autorisée pour les vins de vendanges présentant une richesse naturelle minimale de 234 g/l, soit 17,5% vol. sans

aucun enrichissement. Ceux-ci ne pourront être commercialisés que dix-huit mois après la récolte.

DOM. DE LA BELLE ÉTOILE 2018 ★

■	2500	🂱	15 à 20 €

Après ses études de «viti-œno», Vincent Esnou a travaillé au Ch. de Fesles, dans l'aire du Bonnezeaux, puis dans différents vignobles français et étrangers. En 2008, il reprend ce domaine de 24 ha, créé en 1903 et dans sa famille depuis cinq générations.

Cette cuvée rare et harmonieuse est issue de vignes de chenin ayant atteint l'âge respectable de quarante ans. Alors que le nez s'ouvre doucement sur les fleurs et les fruits blancs, la bouche ronde et pleine mise sur les arômes d'abricot confit et de fines touches de miel. ⧗ 2020-2029

⊶ EARL VINCENT ESNOU, La Belle-Étoile, 49320 Brissac-Quincé, tél. 06 62 32 99 40, contact@domaine-belle-etoile.fr V 🚶 ! *t.l.j. 9h30-12h 14h-18h30*

Ⓑ DOM. DE BOIS MOZÉ Élégance 2017 ★

■	15300	▮	8 à 11 €

Commandé par un ancien manoir du XVIᵉs., le domaine est devenu au XVIIᵉs. une métairie du château de Montsabert. Il s'est développé dans les années 1950-1970 avant de changer de mains en 1996 (famille Lancien). Il couvre aujourd'hui 37 ha labellisés bio depuis 2017.

Tout doré, ce vin libère un bouquet complexe de fruits compotés, nuancés d'un peu de miel. Après une attaque franche, le palais révèle une juste fraîcheur, les arômes d'abricot se mêlant à de légères notes d'agrumes jusqu'en finale. ⧗ 2020-2029

⊶ SCEA DOM. DE BOIS MOZÉ, Le Bois-Mozé, Coutures, 49320 Brissac-Loire-Aubance, tél. 02 41 57 91 28, contact@bois-moze.fr V 🚶 ! *r.-v.*

DOM. DES DEUX-MOULINS
Les Ruettes 2017 ★

■	11000	▮	8 à 11 €

Ce domaine proche des vallées de l'Aubance et de la Loire tient son nom de deux moulins caviers typiques de l'Anjou viticole. Créé à partir de 12 ha de vignes par Daniel Macault en 1989, il compte 35 ha aujourd'hui.

Ce chenin présente un parfait équilibre entre la puissance et la fraîcheur. Le nez, d'abord discret, s'affirme à l'aération. Pêche blanche et fruits exotiques accompagnent des arômes de fleurs blanches et se retrouvent en bouche. Attaque souple, suavité et plénitude, persistance. C'est très réussi. ⧗ 2020-2024

⊶ EARL DOM. DES DEUX-MOULINS, 20, rte de Martigneau, 49610 Juigné-sur-Loire, tél. 02 41 54 65 14, les.deux.moulins@wanadoo.fr V 🚶 ! *t.l.j. sf dim. 9h-12h 14h-18h* 🏠 ❸ 🏠 Ⓓ

DOM. DITTIÈRE Les Boujets 2017 ★★

■	2700	▮	11 à 15 €

Fondée vers 1900 par le grand-père des frères Dittière (Bruno et Joël, installés en 1983), cette exploitation de 40 ha est établie près de Brissac sur des terroirs sablo-graveleux. Souvent en vue pour ses rouges.

Une cuvée confidentielle, dotée d'un nez fin de fruits jaunes mûrs et de fleurs blanches. En bouche, une même concentration aromatique se révèle dans le mariage harmonieux de l'abricot et de l'aubépine. Ampleur et plénitude, persistance... ⧗ 2020-2024

⊶ EARL DITTIÈRE PÈRE ET FILS, 1, chem. de la Grouas, Vauchrétien, 49320 Brissac-Loire-Aubance, tél. 02 41 91 23 78, domaine.dittiere@sfr.fr V 🚶 ! *r.-v.*

DOM. DES GIRAUDIÈRES
Clos des Boujets 2018 ★★

■	11300	▮	8 à 11 €

Ce domaine familial créé en 1927 étend son vignoble sur 45 ha. Il est conduit depuis 1983 par Dominique et Françoise Roullet, rejoints en 2018 par leurs enfants Marion et Guillaume, ils proposent toute la gamme des vins de la région de Brissac.

De l'or au premier regard, une explosion de fruits jaunes et de fleurs blanches dans le verre. La gourmandise se prolonge en bouche tant la matière est ronde, empreinte de flaveurs d'abricot, de pêche et de tilleul. La finale, vive et fruitée, s'étire longuement. ⧗ 2020-2024

⊶ EARL DOM. DES GIRAUDIÈRES, Les Giraudières, Vauchrétien, 49320 Brissac-Loire-Aubance, tél. 02 41 91 24 00, roulletdo@orange.fr V 🚶 ! *t.l.j. sf dim. 9h-12h 14h-19h* 🏠 ❷

DOM. DE HAUTE PERCHE 2017

■	10000	▮	8 à 11 €

Créé en 1966, ce domaine (31 ha) situé aux portes d'Angers était à l'origine dédié aux vins de table. Restructuré, replanté de cépages nobles, il est devenu une valeur sûre des appellations anjou-villages-brissac et coteaux-de-l'aubance. Véronique, la fille d'Agnès et Christian Papin, est à la tête du domaine depuis 2012.

Un chenin issu de vignes en conversion bio. De couleur intense, il présente un nez léger, centré sur les fleurs et les fruits confits. Matière et puissance caractérisent le palais, dominé par le miel et l'abricot. ⧗ 2020-2024

⊶ EARL PAPIN ET ASSOCIÉS, 7, chem. de la Godelière, 49610 Saint-Melaine-sur-Aubance, tél. 02 41 57 75 65, contact@domainehauteperche.com V 🚶 ! *t.l.j. sf dim. 9h-12h 14h-18h30; sam. sur r.-v. janv. fév.*

DOM. DE MONTGILET
Les Trois Schistes 2017

■	8027	🂱	15 à 20 €

Ce domaine situé aux portes d'Angers est une référence de la région, notamment en matière de «douceurs angevines» avec de superbes coteaux-de-l'aubance à la carte. À la tête de l'exploitation créée par son grand-père, Victor, développée par son père, Victor également, Vincent Lebreton, aux commandes depuis 1995, conduit 69 ha sur un terroir de schistes ardoisiers.

Après douze mois d'élevage en fût, cette cuvée à la robe jaune paille s'ouvre discrètement sur les fruits et les nuances florales. L'équilibre sonne juste, avec une bouche pleine, dont la finale est marquée par la fraîcheur et les notes boisées. ⧗ 2020-2024

⊶ *SCEA VICTOR ET VINCENT LEBRETON (DOM. DE MONTGILET), 10, chem. de Montgilet, Juigné-sur-Loire, 49610 Les-Garennes-sur-Loire, tél. 02 41 91 90 48, montgilet@wanadoo.fr* **V** t.l.j. sf dim. 8h-12h30 14h-17h30

ANJOU-COTEAUX-DE-LA-LOIRE

Superficie : 30 ha / Production : 980 hl

Située en aval d'Angers, l'appellation est réservée aux vins blancs issus du pineau de la Loire. Elle constitue un vestige du vignoble médiéval d'Anjou, qui était planté sur les bords de la Loire, principale voie de transport à cette époque. Cette proximité du fleuve conditionne le climat des coteaux qui se caractérise par des températures douces, avec des écarts atténués. Les vins paraissent presque légers, délicats, ce qui traduit bien les conditions de maturation équilibrées. L'aire de production est située uniquement sur les schistes et les calcaires de Montjean.

DOM. DU COTEAU SAINT-VINCENT 2018 ★

■	4200	5 à 8 €

Cette exploitation est établie à Chalonnes-sur-Loire, commune située au bord de l'eau, au confluent du Layon et de la Loire. Œnologue, Olivier Voisine y conduit depuis 1999 un vignoble de 23 ha sur des sols schisteux caractéristiques de l'Anjou noir. Une bonne référence de l'Anjou viticole, pour ses liquoreux notamment.

De l'or à reflets orangés. Des arômes puissants d'agrumes et de fleurs blanches. Plaisante introduction qui invite à apprécier ce vin en bouche. Bel équilibre entre acidité et sucrosité. Décidément, les promesses sont tenues. ⧗ 2020-2024

⊶ *EARL OLIVIER VOISINE, Coteau Saint-Vincent, 49290 Chalonnes-sur-Loire, tél. 02 41 78 59 00, coteau-saint-vincent@wanadoo.fr* **V** *r.-v.*

CH. DE PUTILLE Clos du Pirouet 2018 ★

■	5000		5 à 8 €

Les premières caves ont été creusées dans les douves de l'ancien château de Putille, aujourd'hui disparu. Située sur les coteaux de la Loire, l'exploitation, qui couvrait 13 ha lorsque Pascal Delaunay a rejoint son père en 1984, en compte aujourd'hui 63. Sa notoriété a elle aussi grandi, témoin plusieurs coups de cœur du Guide, en rouge, blanc et crémant.

Joli jaune citron dans le verre. Découvrons les arômes – discrets, certes, mais suffisamment explicites – abricot mûr et coing, agrémentés de fines notes d'acacia. Le vin enveloppe le palais durablement et laisse en finale une touche acidulée bienvenue qui apporte un juste équilibre. ⧗ 2020-2024

⊶ *SAS CH. DE PUTILLE, 26, Putille, La Pommeray, 49620 Mauges-sur-Loire, tél. 02 41 39 02 91, chateaudeputille@orange.fr* **V** *t.l.j. 8h-12h 14h-19h*

DOM. DU TERTRE 2018

■	6000		5 à 8 €

Situé à l'ouest de l'appellation anjou, ce domaine conduit par Patrick et Sylvie Onillon depuis 2001 s'est progressivement spécialisé en viticulture et dispose aujourd'hui de 27 ha de vignes dédiés essentiellement à la production de crémant et de rosé.

Un liquoreux aux notes d'agrumes et de fleurs blanches. En bouche, la richesse est bien maîtrisée et le fruit préservé. ⧗ 2020-2024

⊶ *EARL PATRICK ET SYLVIE ONILLON, Le Tertre, 49570 Montjean-sur-Loire, tél. 02 41 39 02 72, earlpatricketsylvie.onillon1@bbox.fr* **V** *r.-v.*

SAVENNIÈRES

Superficie : 147 ha
Production : 5 068 hl (crus inclus)

Implanté sur la rive droite de la Loire, à une quinzaine de kilomètres en aval d'Angers, ce vignoble se singularise par sa production : des vins blancs secs, issus du chenin, essentiellement sur la commune de Savennières. Les schistes et grès pourpres leur confèrent un caractère particulier, ce qui les a fait définir longtemps comme crus des coteaux de la Loire ; mais ils méritent une appellation à part entière. Ce sont des vins pleins de sève, un peu nerveux.

DOM. DES BARRES Les Bastes 2018 ★★

■	6000		8 à 11 €

La commune de Saint-Aubin-de-Luigné, surnommée la « Perle du Layon », se situe dans le bas Layon, tout près de la jonction entre la Loire et le Layon. La famille Achard y conduit ce domaine de 32 ha depuis trois générations.

Un remarquable 2018, élevé huit mois en barrique. Le nez, très expressif, mise tout sur les fruits blancs. Puissante, la bouche présente du gras et un beau volume, avec une juste vivacité. La finale minérale est un indéniable atout. ⧗ 2020-2028

⊶ *SCEV ACHARD, 1, les Barres, Saint-Aubin-de-Luigné, 49190 Val-du-Layon, tél. 02 41 78 98 24, achardpatrice@wanadoo.fr* **V** *t.l.j. 9h-12h 14h-18h30*

CH. D'EPIRÉ Cuvée spéciale 2017

■	6000		20 à 30 €

Construit au milieu du XIXe, ce château néoclassique a l'allure imposante des édifices du second Empire. L'arrière grand-père de Luc Bizard s'y est installé en 1875. Avec son vignoble (12 ha aujourd'hui), il a participé depuis cette époque au rayonnement du savennières. Sa cave se trouve dans l'ancienne église romane du village d'Epiré.

Après un élevage de neuf mois en fût de chêne, ce chenin présente un nez discret d'agrumes. La bouche offre une agréable fraîcheur citronnée, nuancée de notes végétales, puis un caractère légèrement acidulé en finale. ⧗ 2020-2028

SCEA BIZARD-LITZOW, Ch. d'Epiré, pl. de l'Ancienne-Église, 49170 Savennières, tél. 02 41 77 15 01, paul.bizard@chateau-epire.com V t.l.j. sf dim. 9h30-12h 14h-18h30

DOM. DES FORGES
Le Moulin du Gué 2017 ★

| 2000 | | 8 à 11 € |

La première parcelle a été acquise en 1890. Réputée pour ses vins liquoreux, la propriété, qui compte aujourd'hui 48 ha, a vu en 1996 l'installation de Stéphane et de Séverine Branchereau, qui représentent la cinquième génération aux commandes du domaine.

Une cuvée rare, passée onze mois en fût. Après un premier nez boisé, l'agitation favorise l'expression des épices et des fruits mûrs. La bouche ronde et persistante à souhait y ajoute des arômes de noisette et de pain grillé. ⧗ 2020-2028

SCEA BRANCHEREAU (DOM. DES FORGES), Le Clos-des-Forges, n°6, lieu-dit Les Barres, 49190 Saint-Aubin-de-Luigné, tél. 02 41 78 33 56, cb@domainedesforges.net V r.-v.

♥ DOM. DU PETIT MÉTRIS
Clos de la Marche 2017 ★★

| n.c. | 15 à 20 € |

Régulièrement mentionné dans le Guide, ce domaine s'affirme comme une valeur sûre du vignoble angevin, tant pour ses blancs secs que pour ses liquoreux. Créée en 1742, la propriété domine du haut de son coteau le village de Saint-Aubin-de-Luigné traversé par le Layon.

La robe brillante, or clair, est déjà un indice de finesse. À l'olfaction, le nez marie avec élégance la fraîcheur des fruits blancs et la douceur des notes florales. Suit une bouche délicatement beurrée, ronde et complexe. L'attaque est franche, la longueur exceptionnelle. Un chenin d'une remarquable subtilité. ⧗ 2020-2028

GAEC JOSEPH RENOU ET FILS, 13, chem. de Treize-Vents, Le Grand-Beauvais, 49190 Saint-Aubin-de-Luigné, tél. 02 41 78 33 33, domaine.petit.metris@wanadoo.fr V r.-v.

Ⓑ DOM. RICHOU La Bigottière 2017

| n.c. | 15 à 20 € |

Ce domaine de 32 ha converti à l'agriculture biologique est une valeur sûre du vignoble angevin. Aux commandes depuis 1978, Damien et Didier Richou ont obtenu plusieurs coups de cœur tant pour leurs blancs que pour leurs rouges et leurs fines bulles.

Les arômes de pêche, de poire et de vanille se déclinent sur une trame minérale. De discrètes notes de réglisse se révèlent aussi, ajoutant de l'intérêt à la palette. Jouant sur les mêmes tonalités, la bouche apparaît fraîche et acidulée à l'attaque, puis riche et pleine. ⧗ 2020-2028

SCEA DOM. RICHOU, Chauvigné, 49610 Mozé-sur-Louet, tél. 02 41 78 72 13, domaine.richou@wanadoo.fr V t.l.j. sf dim. 9h-12h 14h30-18h30

Ⓑ LES VIEUX CLOS 2017 ★★

| n.c. | | 20 à 30 € |

L'un des trois terroirs de Nicolas Joly avec la célèbre Coulée de Serrant et le Clos de la Bergerie : Les Vieux Clos est un savennières né de 5,5 ha de vignes, cultivés bien entendu en biodynamie comme l'ensemble de la propriété.

Jaune doré et soutenu, ce savennières s'ouvre à l'aération sur des arômes de pomme et de pêche mûre, de fruits secs et de menthol. Une attaque généreuse prélude à une bouche riche, ronde, assez chaleureuse, mais qui ne perd jamais l'équilibre grâce au soutien d'une fine acidité aux accents du terroir et à de beaux amers en finale. ⧗ 2020-2025

FAMILLE JOLY (CH. DE LA ROCHE AUX MOINES), 7, chem. de la Roche-aux-Moines, 49170 Savennières, tél. 02 41 72 22 32

SAVENNIÈRES-ROCHE-AUX-MOINES

Superficie : 19 ha / Production : 336 hl

Il est difficile de séparer les deux crus savennières-roche-aux-moines et savennières-coulée-de-serrant, qui ont pourtant reçu une appellation particulière, tant ils sont proches en caractère et en qualité. La coulée-de-serrant, plus restreinte en surface, est située de part et d'autre de la vallée du Petit Serrant. Elle est propriété en monopole de la famille Joly. La roche-aux-moines appartient à plusieurs propriétaires. Si elle est moins homogène que son homologue, on y trouve cependant des cuvées qui n'ont rien à lui envier.

Ⓑ CLOS DE LA BERGERIE 2017 ★★

| n.c. | | 30 à 50 € |

Dans les 3,2 ha du savennières-roche-aux-moines exploités par Nicolas Joly, le terroir est schisteux, mais moins pentu que celui de la célèbre coulée-de-serrant du même propriétaire. La démarche biodynamique est identique, et les rendements sont presque aussi faibles, de 25 à 30 hl/ha.

D'un beau doré limpide et brillant, le Clos de la Bergerie délivre à l'olfaction un bouquet complexe et généreux de fruits jaunes mûrs, rafraîchi par des notes d'herbes fraîches et de craie. Une attaque dynamique ouvre sur un palais ample, rond, soyeux, dense et long, avec une fine trame minérale en soutien. Un très beau vin racé et intense. ⧗ 2021-2030

FAMILLE JOLY, Ch. de la Roche aux Moines, 7, chem. de la Roche-aux-Moines, 49170 Savennières, tél. 02 41 72 22 32, info@coulee-de-serrant.com V t.l.j. sf dim. 9h-12h 14h-17h30

SAVENNIÈRES-COULÉE-DE-SERRANT

♥ CLOS DE LA COULÉE DE SERRANT 2017 ★★★

	n.c.		50 à 75 €

Ce vénérable clos de 7 ha planté de vieux ceps de chenin accrochés à des coteaux schisteux, création des cisterciens en 1130, est l'une des rares appellations en monopole du vignoble français. Confortée au fil des siècles par des amateurs illustres et couronnés, son aura a pris une dimension internationale depuis que Nicolas Joly, « pape » français de la biodynamie, préside à sa destinée, accompagné aujourd'hui de sa fille Virginie. Le vin tire son caractère original et unique de raisins récoltés en surmaturité – voire botrytisés – en quatre ou cinq passages. À la cave, surtout pas de bois neuf qui masquerait le terroir, mais des barriques de 500 l. Et aussi peu d'interventions que possible.

La Coulée de Serrant 2017 se présente avec grande élégance dans sa robe nette et limpide, dorée à l'or fin. Une élégance que l'on retrouve d'emblée en portant le nez dans le verre : trame minérale très claire aux tonalités crayeuses, fruits mûrs (coing, poire), notes mentholées, herbes aromatiques, nuances florales... Quelle complexité à chaque aération ! La bouche ? De l'énergie dès l'attaque, un gros volume, de la densité, du gras, une chair tendre et soyeuse, une finale longue et intense. Un vin blanc véritablement à part, à la fois d'une grande richesse et d'une pureté admirable. ⧗ 2024-2035

NICOLAS JOLY, Ch. de la Roche aux Moines, 7, chem. de la Roche-aux-Moines, 49170 Savennières, tél. 02 41 72 22 32, info@coulee-de-serrant.com V *t.l.j. sf dim. 9h-12h 14h-17h30; f. janv.-fév.*

COTEAUX-DU-LAYON

Superficie : 1 486 ha / Production : 46 625 hl

Demi-secs, moelleux ou liquoreux, les coteaux-du-layon naissent du seul chenin, cultivé le long de la rive gauche de la Loire sur les coteaux des communes qui bordent le Layon, de Nueil à Chalonnes. Plusieurs villages sont réputés : le plus connu, devenu une appellation à part entière, est celui de Chaume. Six noms peuvent être ajoutés à l'appellation : Rochefort-sur-Loire, Saint-Aubin-de-Luigné, Saint-Lambert-du-Lattay, Beaulieu-sur-Layon, Rablay-sur-Layon, Faye-d'Anjou. Depuis 2002, les vins ont droit à la mention « Sélection de grains nobles » lorsque la richesse naturelle minimale de la vendange est de 234 g/l, soit 17,5 % vol. sans aucun enrichissement. Ils ne peuvent être commercialisés avant les dix-huit mois suivant la récolte. Vins subtils, or vert à Concourson, plus jaunes et plus puissants en aval, les coteaux-du-layon présentent des arômes de miel et d'acacia, acquis lors de la surmaturation. Leur capacité de vieillissement est étonnante.

DOM. DE L'ANGELIÈRE Grains d'or 2017

	4000		11 à 15 €

Depuis six générations, la famille Boret s'attache à cultiver son vignoble situé sur la rive gauche du Layon : 55 ha conduits aujourd'hui par Armand Boret. Le doaine est certifié Haute valeur environnementale depuis 2018. Souvent en vue pour ses fines bulles.

Le nez s'ouvre sur les arômes de fruits jaunes bien mûrs et de fruits exotiques. Les dix mois d'élevage en fût ont apporté un gras et une sucrosité prononcés. ⧗ 2020-2029

SCEA BORET, L'Angelière, Champ-sur-Layon, 49380 Bellevigne-en-Layon, tél. 02 41 78 85 09, boret@orange.fr V *t.l.j. sf dim. 9h-12h 14h-18h*

DOM. DES BARRES Saint-Aubin 2018

	7600		5 à 8 €

La commune de Saint-Aubin-de-Luigné, surnommée la « Perle du Layon », se situe dans le bas Layon, tout près de la jonction entre la Loire et le Layon. La famille Achard y conduit ce domaine de 32 ha depuis trois générations.

Ce vin libère de discrets arômes de fruits blancs très mûrs (coing) et de fines notes florales. La bouche est plus loquace. Pleine et suave, elle évoque le raisin de Corinthe et laisse en finale une agréable pointe d'amertume. ⧗ 2020-2029

SCEV ACHARD, 1, les Barres, Saint-Aubin-de-Luigné, 49190 Val-du-Layon, tél. 02 41 78 98 24, achardpatrice@wanadoo.fr V *t.l.j. 9h-12h 14h-18h30*

CH. DE BELLEVUE Le Parc 2018

	5000		5 à 8 €

Le château, construit au XIXe s., est situé sur un point culminant de Saint-Aubin-de-Luigné. Il est entouré d'un parc de plus de 4 ha et d'un vignoble de 34 ha dont Hervé Tijou a pris les commandes en 1995.

Une cuvée qui mêle le litchi, la pêche et les agrumes, sur un fond d'acacia et de fleur d'oranger. Après une attaque empreinte de douceur, la poire et les fruits exotiques s'imposent dans une bouche grasse et intense. ⧗ 2020-2029

EARL TIJOU ET FILS, Ch. de Bellevue, Saint-Aubin-de-Luigné, 49190 Val-du-Layon, tél. 02 41 78 33 11, chateaubellevuetijou@orange.fr V *t.l.j. sf dim. 9h-12h30 14h-18h*

B DOM. DE LA BERGERIE
Clos de la Bergerie 2017

	15000		11 à 15 €

Dans la famille Guégniard, le métier de vigneron se transmet de mère en fils ou de père en fille depuis huit générations. Installée en 2010 et accompagnée depuis 2017 par sa sœur Marie, Anne gère l'exploitation de 36 ha (en bio certifié), tandis que David Guitton, son compagnon, est aux fourneaux dans le

LOIRE

restaurant du même nom. Une valeur sûre de l'Anjou viticole, à l'aise dans tous les styles.

Sous une robe brillante, miel, fleur d'acacia, fruits à chaire blanche compotés composent la palette de ce vin net et suffisamment frais, de bonne longueur. ⧗ 2020-2029

⊶ SCEA GUÉGNIARD, La Bergerie, Champ-sur-Layon, 49380 Bellevigne-en-Layon, tél. 02 41 78 85 43, domainede.la.bergerie@wanadoo.fr V ▮ *t.l.j. 9h-12h30 14h-18h30*

DOM. DES BLEUCES Clos des Bâtes Div Ines 2017

■ | 20000 | ▮ | 8 à 11 €

Ines Racault a pris en 2005 la suite de son père Benoît Proffit sur le domaine familial. L'exploitation, qui a son siège dans la vallée du Layon, compte aujourd'hui 45 ha. Un chai à barriques situé sous un ancien moulin sert à l'élevage des vins.

Sous une robe dorée apparaît un nez d'abord discret, qui s'ouvre à l'aération sur les arômes d'abricot écrasé et de fines notes florales. L'attaque est riche, la bouche intense et aromatique, la finale légèrement acidulée. ⧗ 2020-2029

⊶ EARL PROFFIT-LONGUET, les Bleuces, 49700 Concourson-sur-Layon, tél. 02 41 59 11 74, contact@domainedesbleuces.com V ▮ ▮ *r.-v.*

DOM. BODINEAU Vieilles Vignes 2018

■ | 11700 | ▮ | 8 à 11 €

Établis dans le petit hameau de Savonnières, Frédéric Bodineau et sa sœur Anne-Sophie officient ensemble sur ce domaine familial (40 ha) dont l'origine remonte à 1850. Lui est à la vigne et au chai, elle à l'accueil et au service clientèle.

Séducteur dans sa robe dorée, ce vin présente un nez expressif de poire, de coing et de fruits confits. La bouche restitue le fruit avec gourmandise. Grasse et opulente, elle offre en finale une fine amertume. ⧗ 2020-2029

⊶ EARL BODINEAU, 5, chem. du Château-d'Eau, Les-Verchers-sur-Layon, 49700 Doué-en-Anjou, tél. 02 41 59 22 86, domainebodineau@yahoo.fr V ▮ ▮ *t.l.j. sf dim. 9h-12h30 14h-17h30*

♥ CH. DE BROSSAY Sélection de grains nobles 2017 ★★★

■ | 1300 | ◍ | 20 à 30 €

Régulier en qualité, et ce dans tous les styles de vins d'Anjou, ce domaine créé en 1919 par Alexis Deffois se situe dans le haut Layon, dans le sud de l'Anjou et à l'ouest du Saumurois. Les petits-fils du fondateur, Hubert et Raymond Deffois – rejoints en 2010 par les gendres de ce dernier, Nicolas Tamboise et Benjamin Grandsart – conduisent un vignoble de 50 ha.

Il n'y en aura pas pour tout le monde! Cette cuvée rare s'offre au regard dans une magnifique robe dorée. Son nez intense marie la douceur des fruits jaunes confiturés à la fraîcheur des notes mentholées. Après une attaque riche, la bouche présente un très bel équilibre; les arômes d'abricot s'expriment pleinement sur un boisé fondu, puis la finale s'étire longuement. ⧗ 2020-2029

⊶ EARL CH. DE BROSSAY, Ch. de Brossay, 49560 Cléré-sur-Layon, tél. 02 41 59 59 95, contact@chateaudebrossay.fr V ▮ ▮ *t.l.j. sf dim. 8h-12h 14h-19h*

DOM. DE LA CLARTIÈRE Cuvée Diapason 2017

■ | 1000 | ◍ | 15 à 20 €

Depuis 1930, quatre générations de «Pierre» se sont succédé à la tête de ce vignoble (33 ha) situé dans le haut Layon. Après Pierre-Marie, Pierre-Antoine Pinet a pris les rênes du vignoble en 2007, rejoint en 2017 par son frère cadet Édouard, de retour de l'étranger. Ce dernier œuvre à la cave.

Le nez libère des arômes discrets de fruits secs et d'épices qui se prolongent dans une bouche riche, dotée de beaucoup de matière. Une pointe de fraîcheur vient équilibrer cette douceur appuyée jusqu'en finale. ⧗ 2020-2029

⊶ EARL PINET, La Clartière, 49560 Nueil-sur-Layon, tél. 02 41 59 53 05, earlpinet@orange.fr V ▮ ▮ *r.-v.*

DOM. DU CLOS DES GOHARDS Cuvée Emma 2017 ★★

■ | 3000 | ▮ | 8 à 11 €

Mickaël et Fabienne Joselon, frère et sœur, ont repris l'exploitation familiale en 2009 lors du départ de leur père en retraite. Régulièrement distingué dans le Guide, le domaine compte 48 ha et propose diverses appellations ligériennes.

Un coteaux-du-layon d'une remarquable concentration dans sa palette de fruits bien mûrs, où la poire et le coing s'accompagnent de notes beurrées. Les fruits secs s'invitent au palais, dans une matière expressive et généreuse. La finale à peine acidulée apporte une jolie fraîcheur. ⧗ 2020-2029

⊶ EARL JOSELON, Les Oisonnières, Chavagnes, 49380 Terranjou, tél. 02 41 54 13 98, earljoselon@orange.fr V ▮ ▮ *r.-v.*

♥ DOM. DES CLOSSERONS Vieilles Vignes 2018 ★★

■ | 9200 | ▮ | 8 à 11 €

Les Leblanc sont viticulteurs de père en fils depuis le XVIIes. Jean-Claude a repris l'exploitation familiale en 1956. Ses fils Yannick et Dominique lui ont succédé en 1984, rejoints en 2008 par Fabien, fils du premier, et en 2014 par Pierre, fils du second. Un domaine de 45 ha conduit de manière très raisonnée, régulièrement en vue pour ses liquoreux, ses coteaux-du-layon notamment.

Derrière une robe aux reflets orangés patiente un nez discret, qui gagne en puissance à l'aération. Les fruits compotés y côtoient de fines notes de thé noir et des nuances épicées. Expressive et complexe, la bouche offre un parfait équilibre, de la fraîcheur et du gras, avec une matière exquise. Les arômes, riches et puissants, sont rehaussés d'une légère touche fumée. ⧗ 2020-2024 ■ **Faye La Placette 2017 ★★ (11 à 15 €; 3280 b.)** : une cuvée typique de l'appellation, qui déploie une harmonie finement oxydative, autour des fruits confits nuancés de douces touches miellées. Notes citronnées et abricotées se retrouvent avec la figue au palais, dans une matière riche et persistante. ⧗ 2020-2029

⊶ EARL JEAN-CLAUDE LEBLANC ET FILS, 2, rue des Monts, Les Closserons, 49380 Faye-d'Anjou, tél. 02 41 54 30 78, contact@domaine-leblanc.fr V t.l.j. sf dim. 8h30-12h30 14h-18h

DOM. DELAUNAY Saint-Aubin-de-Luigné 2018

■ | 12000 | ▮ | 5 à 8 €

Cette exploitation est établie dans l'ouest du Maine-et-Loire, à Montjean. Son vaste domaine géré par les trois enfants de la famille Delaunay comprend 16 ha de vergers et 72 ha de vignes implantées sur les coteaux de la Loire et dans la vallée du Layon.

Il s'offre au regard dans une robe jaune paille, très pâle pour un moelleux. Le nez s'affirme avec fraîcheur sur des arômes de poire williams et des notes florales. En bouche, la sucrosité marquée est compensée par une agréable acidité et par une légère amertume en finale. ⧗ 2020-2029

⊶ GAEC MONTJEAN-COTEAUX, 24, rue du Daudet, Montjean-sur-Loire, 49570 Mauges-sur-Loire, tél. 02 41 39 08 39, delaunay.anjou@wanadoo.fr V t.l.j. sf dim. 8h-12h30 14h-18h30; sam. 9h-12h

DOM. DES DEUX ARCS 2018 ★

■ | 12000 | 5 à 8 €

Jean-Marie Gazeau, après une expérience en Afrique du Sud, a rejoint son père Michel en 2005 sur le domaine familial (53 ha). Leurs vins sont régulièrement sélectionnés dans le Guide, dans diverses appellations de l'Anjou et dans les trois couleurs. Une valeur sûre.

Un beau chenin qui déploie une palette de fruits confits et exotiques. Mangue, coing, abricot compoté... Après une attaque riche, les arômes s'imposent en bouche, contribuant à l'impression de richesse et de persistance. ⧗ 2020-2024

⊶ SCA VIGNOBLE MICHEL ET JEAN-MARIE GAZEAUX, Dom. des Deux-Arcs, 11, rue du 8-Mai-1945, Martigné-Briand, 49540 Terranjou, tél. 02 41 59 47 37, do2arc@wanadoo.fr V t.l.j. sf dim. 9h-12h30 14h-19h

♥ **DOM. DES DEUX VALLÉES** Chaume 2017 ★★

■ 1er cru | 10400 | ▮ | 11 à 15 €

2017
Coteaux du Layon
1er Cru
Chaume
DOMAINE DES DEUX VALLÉES
MIS EN BOUTEILLE À LA PROPRIÉTÉ

René Socheleau et son fils Philippe ont repris et restructuré ce domaine de 44 ha en 2001, et construit un nouveau chai situé sur la corniche angevine, surplombant les vallées de la Loire et du Layon. Leurs vins sont régulièrement retenus dans le Guide.

Un superbe exemple de chenin botrytisé. La robe dorée à reflets cuivrés le place d'emblée dans la cour des grands. Et quel nez! Une farandole de fruits secs, dans laquelle ne tardent pas à entrer une agréable fraîcheur anisée et de douces notes miellées. Après une attaque ronde et grasse, puissance et onctuosité caractérisent la bouche empreinte d'arômes d'agrumes confits et équilibrée par une juste fraîcheur. La petite touche acidulée en finale est un indéniable plus. ⧗ 2020-2029 ■ **Clos de la Motte 2018 ★ (8 à 11 €; 20000 b.)** : la robe rappelle la couleur du thé à peine infusé, mais au nez ce sont les arômes de fruits exotiques (fruit de la Passion, ananas), de noix et d'amande qui se révèlent sur fond boisé. Le coing compoté et les fruits jaunes très mûrs prennent le relais au palais, soulignant l'impression durable de gras et de douceur. ⧗ 2020-2029

⊶ SCEA DOM. DES DEUX VALLÉES, lieu-dit Bellevue, SAint-Aubin-de-Luigné, 49190 Val-du-Layon, tél. 02 41 78 33 24, contact@domaine2vallees.com V t.l.j. sf dim. 9h30-12h 14h-18h

CH. DU FRESNES Faye Grande Sélection 2018

■ | 10000 | 8 à 11 €

Ce château du XVe s. bâti en pierre de schiste a gardé de son architecture d'origine une tourelle ronde. Constitué en 1927, le vignoble de 90 ha est conduit depuis 2010 par trois associés, Nicolas Richez, David Maugin et Yannis Bretault.

Une cuvée originale, dans laquelle les arômes de fruits confits sont soulignés par une fine note citronnée à l'aération. D'attaque souple, la bouche présente du gras et beaucoup de douceur. ⧗ 2020-2024

⊶ EARL CH. DU FRESNE, 25bis, rue des Monts, Faye-d'Anjou, 49380 Bellevigne-en-Layon, tél. 02 41 54 30 88, contact@chateaudufresneanjou.com V t.l.j. sf dim. 8h-12h 14h-19h

DOM. DE LA GERFAUDRIE
Les Hauts de la Gerfaudrie 2018

■ | 12000 | ▮ | 8 à 11 €

Situé sur la corniche angevine, ce domaine de 20 ha domine la vallée du Layon, à quelques kilomètres de sa confluence. Il tire son nom du gerfaut, rapace utilisé jadis en fauconnerie.

Ce 2018 de teinte paille semble d'abord fugace dans son expression aromatique, mais il s'ouvre bientôt sur les fleurs blanches, les fruits jaunes et les fruits exotiques. La bouche gagne en puissance et en expressivité (pêche), une agréable vivacité venant équilibrer avec justesse la sucrosité. ⧗ 2020-2024

⊶ SCEV DOM. DE LA GERFAUDRIE, 25, rue de l'Onglée, 49290 Chalonnes-sur-Loire, tél. 02 41 78 02 28, contact@domaine-gerfaudrie.fr V r.-v.

DOM. DE HAUT MONT Faye Sélection 2017 ★★

■ | 3500 | ▮ | 8 à 11 €

Chez les Robin, on cultive la vigne depuis sept générations. C'est Alfred qui a fondé ce domaine en 1955. Son petit-fils Nicolas est aux commandes depuis 2013, avec à sa disposition un vignoble de 28 ha.

Ce vin présente toute la complexité que peuvent apporter des raisins cueillis à surmaturité. Le nez surprend par son élégance et sa netteté. Les notes florales se mêlent aux fruits confits et exotiques avec beaucoup de finesse. La bouche, à l'expression parfaitement maîtrisée, est remarquable de rondeur et de volume. ⧗ 2020-2029

⊶ EARL ROBIN-PICHERY, 31, rue des Monts, Faye-d'Anjou, 49380 Bellevigne-en-Layon, tél. 02 41 54 02 55, robin.pichery@orange.fr V t.l.j. *sf dim. 9h-12h 14h-19h*

LEDUC-FROUIN Grand Clos 2017

■ | 4000 | | 8 à 11 €

Installés dans le village troglodytique de Martigné-Briand, Antoine Leduc, œnologue, et sa sœur Nathalie conduisent depuis 1990 le domaine familial (30 ha en agriculture raisonnée). Leurs vins séjournent comme il se doit dans la fraîcheur de caves souterraines creusées dans le falun. Une valeur sûre de l'Anjou viticole.

Voici une cuvée aromatique, au nez ouvert sur le coing et les fruits exotiques bien mûrs, accompagnés de notes miellées et d'une touche de caramel. La bouche finement boisée est généreuse et grasse, sans être lourde. Elle gagne en vivacité en finale. ⧗ 2020-2024

⊶ SCEA DOM. LEDUC-FROUIN, 20, rue Saint-Arnoul, Sousigné, 49540 Martigné-Briand, tél. 02 41 59 42 83, info@leduc-frouin.com V *t.l.j. sf dim. 9h-12h30 14h-19h ⊶ SCEA Dom. Leduc-Frouin*

DOM. LE MONT Faye d'Anjou 2018

■ | 4000 | | 8 à 11 €

Depuis 1995, c'est Claude Robin, fils de Louis, qui conduit l'exploitation fondée par son grand-père en 1930 et implantée au sommet d'un coteau dominant la vallée du Layon. Il y pratique sur ses 25 ha une culture raisonnée avec enherbement et travail du sol. Une bonne référence de l'Anjou, notamment pour ses liquoreux, bonnezeaux en tête.

Coing, poire et pêche blanche composent un nez centré sur les fruits cuits, avec de discrètes notes florales. La bouche très concentrée tire profit d'une légère amertume et d'une touche de fraîcheur. ⧗ 2020-2024

⊶ EARL LOUIS ET CLAUDE ROBIN, 64, rue des Monts, Faye-d'Anjou, 49380 Bellevigne-en-Layon, tél. 02 41 54 31 41, robinclaudemont@orange.fr V *r.-v.*

CH. DE MONTGUÉRET 2018

■ | 19000 | | 5 à 8 €

Les Grands Chais de France ont acquis en 2005, auprès de la société Lacheteau, les châteaux de Montguéret et de Champteloup, un vaste ensemble de 100 ha souvent en vue pour ses rosés et ses effervescents.

Un liquoreux expressif qui marie le pamplemousse, le coing et la figue à des notes de raisins confits, de miel et d'acacia. La bouche, grasse et très douce, offre des nuances exotiques, puis une finale fraîche. ⧗ 2020-2024

⊶ SCEA CHAMPTELOUP (CH. DE MONTGUÉRET), Nueil-sur-Layon, 49560 Lys-Haut-Layon, tél. 02 40 36 66 00, contact@lacheteau.com

♥ **DOM. DE LA MOTTE** Rochefort Cuvée la Garde 2018 ★★

■ | 900 | | 11 à 15 €

Ce domaine de 18 ha est implanté à l'entrée du village de Rochefort-sur-Loire, petit bourg situé juste avant la confluence du Layon et de la Loire. Fondé en 1935, il a été repris en 1995 par Gilles Sorin.

De l'or ! Quelle richesse dans ce vin expressif qui laisse le souvenir des fruits confits ou compotés. Tout est puissance et concentration, tant et si bien que les caudalies ne se comptent plus en finale. ⧗ 2020-2029

■ **Rochefort 2018 ★★ (8 à 11 €; 6000 b.)** : un liquoreux au nez puissant de fruits à la fois frais et mûrs, nuancé de notes de caramel rappelant avec gourmandise la tarte Tatin. La bouche est au diapason. À la fois fraîche, grâce à une acidité parfaitement dosée, et très riche. Un modèle d'équilibre. ⧗ 2020-2029

⊶ EARL SORIN, Dom. de la Motte, 35, av. d'Angers, 49190 Rochefort-sur-Loire, tél. 02 41 78 72 96, sorin.dommotte@wanadoo.fr V *t.l.j. sf dim. 9h-12h 13h30-18h30*

DOM. DU MOULIN DE LA DOUVE Rablay Vieilles Vignes 2018 ★

■ | 1100 | | 5 à 8 €

Établi à Rablay sur Layon depuis quatre générations, le domaine exploite 12 ha de vignes actuellement en conversion biologique. Il commercialise une douzaine de cuvées soignées, en rouge comme en blanc, en sec comme en moelleux.

Cette cuvée rare se distingue par son intensité aromatique : les arômes de poire et de coing côtoient ceux de miel et de cire d'abeille. La bouche est à l'unisson, très expressive et chaleureuse, mais équilibrée. La longue finale acidulée laisse une impression de fraîcheur bienvenue. ⧗ 2020-2029

⊶ BAPTISTE BILLOT, 1, le Moulin-de-la-Douve, 49750 Rablay-sur-Layon, tél. 06 83 53 87 59, billotbaptiste@yahoo.fr V *r.-v.*

DOM. DE LA PETITE CROIX Le Vieux Clos 2018

■ | 3000 | | 8 à 11 €

Régulièrement mentionné dans le Guide, ce domaine est situé au cœur de la vallée du Layon. François Geffard, à la tête de l'exploitation familiale (55 ha) propose des anjou, coteaux-du-layon et anjou et peut se flatter d'un palmarès flatteur.

Ouverte sur les arômes de fruits blancs bien mûrs et de fruits confits, cette cuvée apparaît riche et pleine de douceur au palais, placée sous le signe de la gourmandise. ⧗ 2020-2029

⊶ SCEA VIGNOBLE DENÉCHÈRE-GEFFARD, Dom. de la Petite-Croix, Thouarcé, 49380 Bellevigne-en-Layon, tél. 02 41 54 06 99, lapetitecroix@wanadoo.fr V *r.-v.* B

DOM. DU PETIT MÉTRIS
Chaume Les Tétuères 2017 ★

1er cru	n.c.	15 à 20 €

Régulièrement mentionné dans le Guide, ce domaine s'affirme comme une valeur sûre du vignoble angevin, tant pour ses blancs secs que pour ses liquoreux. Créée en 1742, la propriété domine du haut de son coteau le village de Saint-Aubin-de-Luigné traversé par le Layon.

Un 2017 fin et élégant, dont le nez s'ouvre sur les agrumes, la pomme verte et les notes florales. Arômes de citron confit et de compote de pommes se révèlent dans la bouche fraîche et grasse, avec en finale une pointe d'amertume bienvenue. ⧗ 2020-2029

GAEC JOSEPH RENOU ET FILS, 13, chem. de Treize-Vents, Le Grand-Beauvais, 49190 Saint-Aubin-de-Luigné, tél. 02 41 78 33 33, domaine.petit.metris@wanadoo.fr V r.-v.

DOM. DES PETITS QUARTS Faye d'Anjou 2018 ★

	3300		8 à 11 €

Ce vignoble (44 ha aujourd'hui) constitué à la fin du XIXe s. est implanté à Faye-d'Anjou, au cœur des coteaux-du-layon. Installé en 1987, Jean-Pascal Godineau a assis la réputation du domaine sur les moelleux et les liquoreux, qui constituent l'essentiel de sa production. Une valeur (très) sûre.

Sous une robe brillant de reflets verts apparaît un nez discret, centré sur les agrumes. Une agréable fraîcheur. En bouche, les arômes de fruits mûrs prennent le relais, avec de fines nuances exotiques qui persistent joliment. ⧗ 2020-2029

EARL GODINEAU, Dom. des Petits Quarts, Faye-d'Anjou, 49380 Bellevigne-sur-Layon, tél. 02 41 54 03 00 V t.l.j. sf dim. 8h-12h30 14h-18h

DOM. DU PETIT VAL 2017

	13000		5 à 8 €

Rouges comme liquoreux, les vins de ce domaine fréquentent régulièrement les pages du Guide. Installé depuis 1988 avec sa femme Janine, Denis Goizil a bien agrandi l'exploitation créée en 1951 par son père Vincent, la faisant passer de 18 à 47 ha aujourd'hui. Simon a rejoint ses parents en 2014.

Ce vin subtil invite les fruits secs et les fleurs (camomille) dans sa palette aromatique. Après une attaque franche, la bouche gagne progressivement en volume, offrant une belle concentration et une vivacité contenue. ⧗ 2020-2029

EARL GOIZIL, Dom. Le Petit Val, Chavagnes, 49380 Terranjou, tél. 02 41 54 31 14, denisgoizil49@gmail.com V r.-v.

VIGNOBLE PIN 2018 ★

	40000		5 à 8 €

Situé sur les hauteurs de Rochefort-sur-Loire, ce domaine s'inscrit dans le paysage remarquable de la corniche angevine. Exploitée par son fondateur et ses deux fils, la propriété est passée de 2 ha en 1976 à 58 ha aujourd'hui.

Cette cuvée qui fleure bon les fruits confits et le coing bien mûr évoque un cake tout juste sorti du four. Après une attaque très douce elle se développe tout en rondeur, son gras enveloppant le palais jusqu'en finale. ⧗ 2020-2024

EARL PIN, Les Hautes-Brosses, 49190 Rochefort-sur-Loire, tél. 02 41 78 35 26, pin@webmails.com V r.-v.

MICHEL ROBINEAU
Saint-Lambert-du-Lattay 2017 ★★

	1450		8 à 11 €

À la tête de 11 ha de vignes, Michel Robineau a créé son exploitation en 1990 dans l'aire des coteaux-du-layon. Son domaine jouit d'une très bonne réputation, confortée par nombre d'étoiles et de coups de cœur dans le Guide.

Cette cuvée drapée dans une robe dorée a fait forte impression lors de la dégustation. Le nez enchanteur allie la gourmandise des fruits mûrs à la fraîcheur des agrumes. Au palais, le coing et les notes citronnées se fondent dans un concert de notes florales. Tout est riche et cependant remarquablement équilibré grâce à une vivacité justement dosée, qui éveille les sens en finale. ⧗ 2020-2024

VIGNOBLE MICHEL ROBINEAU, 3, chem. du Moulin, Les Grandes-Tailles - Saint-Lambert-du-Lattay, 49750 Val-du-Layon, tél. 02 41 78 34 67, vignoblemichelrobineau@orange.fr V r.-v.

DOM. DE LA ROCHE MOREAU Saint-Aubin 2017

	8000		8 à 11 €

Ce domaine de 28 ha est situé sur la corniche angevine entre les vallées de la Loire et du Layon. Le chai ancien est classé (XVIIe s.) et la cave est installée dans une mine à charbon désaffectée, dans laquelle mûrissent les vins de garde. Une valeur sûre de l'Anjou viticole, souvent en vue pour ses liquoreux, ses coteaux-du-layon et quarts-de-chaume notamment.

Du nez discret s'échappent des notes de fruits compotés. Au palais, c'est une grande richesse empreinte de nuances de fruits confits qui s'exprime. ⧗ 2020-2029

SCEA ANDRÉ DAVY, 5, rte de la Corniche, La Haie-Longue, 49190 Saint-Aubin-de-Luigné, tél. 02 41 78 34 55, davy.larochemoreau@wanadoo.fr V r.-v.

CH. DES ROCHETTES Vieilles Vignes 2017 ★

	17220		8 à 11 €

Catherine Nolot a repris en 2006 deux propriétés situées à Concourson-sur-Layon : le Ch. des Rochettes, qui appartenait à la famille Douet depuis de nombreuses générations, et le Dom. de l'Été, géré pendant vingt ans par Yannick Babin.

Un séduisant liquoreux à la robe dorée nuancée de reflets orangés. Le nez est un savant mariage de fruits jaunes (abricot) et de fruits exotiques (ananas, mangue), avec une brassée de fleurs blanches pour témoin. Riche, la bouche ne perd jamais en équilibrée, car si le gras est marqué, une agréable touche de fraîcheur est également perceptible. ⧗ 2020-2029

SCEA CATHERINE NOLOT, Ch. des Rochettes, 104, les Rochettes, 49700 Concourson-sur-Layon, tél. 02 41 59 11 51, domainedelete@wanadoo.fr V t.l.j. sf dim. 9h-12h30 13h30-18h

DOM. SAUVEROY Vieilles Vignes 2018 ★

■	24 000	🍾	8 à 11 €

Un domaine fondé en 1866, dans la famille de Pascal et Véronique Cailleau depuis 1947. Ces derniers, aux commandes depuis 1985 et désormais épaulés par leur fils Quentin, conduisent avec talent un vignoble de 28 ha (1 ha aux origines). Une valeur sûre de l'Anjou viticole, à l'aise dans les trois couleurs, en secs comme en doux.

Un beau moelleux, dont le nez exhale des arômes de pêche jaune et de coing relevés par de fines épices. La bouche est généreuse et suave, dotée d'une pointe d'amertume qui équilibre la douceur. ⧗ 2020-2029

⊶ EARL PASCAL CAILLEAU, Dom. Sauveroy, Saint-Lambert-du-Lattay, 49750 Val-du-Layon, tél. 02 41 78 30 59, domainesauveroy@sauveroy.com V t.l.j. sf dim. 9h-12h30 14h-18h

DOM. DES VARENNES Saint-Lambert 2017

■	2500	🍾	8 à 11 €

Cette propriété familiale de 20 ha, exploitée par les Richard depuis 1930, est devenue exclusivement viticole dans les années 1970. Elle est installée à Saint-Lambert-du-Lattay, l'un des plus importants bourgs viticoles des coteaux du Layon.

Cette cuvée, issue de vignes de quarante ans d'âge, offre une belle expression aromatique sur les fruits secs. Elle fait preuve d'harmonie malgré son caractère chaleureux, car elle possède la petite touche de vivacité nécessaire pour équilibrer la douceur. ⧗ 2020-2024

⊶ EARL A. RICHARD, Dom. des Varennes, 11, rue des Varennes, 49750 Saint-Lambert-du-Lattay, tél. 02 41 78 32 97, richarda@orange.fr V r.-v.

QUARTS-DE-CHAUME

Superficie : 28 ha / Production : 579 hl

Le nom de l'appellation dit l'ancienneté de ce vignoble réputé de la vallée du Layon : le seigneur se réservait le quart de la production et gardait le vin né sur le meilleur terroir. Les quarts-de-chaume proviennent d'une colline exposée plein sud autour de Chaume, à Rochefort-sur-Loire. Les vignes souvent vieilles, l'exposition et les aptitudes du chenin conduisent à des productions, souvent faibles, de grande qualité. Récoltés par tries, les vins sont moelleux ou liquoreux. Séveux et nerveux, ils sont de garde (de cinq ans à plusieurs décennies, selon le millésime).

♥ CH. LA VARIÈRE Les Guerches 2017 ★★

■ Gd cru	2600	🛢	30 à 50 €

Issu d'une grande famille vigneronne installée depuis 1850 sur les coteaux de l'Aubance, Jacques Beaujeau est à la tête de la Varière, vaste domaine angevin (115 ha) qu'il a complété d'une propriété en saumur-champigny, le Dom. de la Perruche (40 ha). L'ensemble des propriétés est passé en 2015 sous le contrôle de la maison Ackerman, Jacques Beaujeau restant à la vinification.

Une cuvée rare, issue d'un chenin blanc botrytisé, élevée douze mois en barrique sur lies fines. Sa magnifique robe or est un régal pour l'œil. Le nez offre un festival d'arômes : pruneau, fruits confits, ananas et fines touches de miel. Puis vient le moment de découvrir cette matière complexe, puissante et aromatique, qui se prolonge remarquablement en finale. ⧗ 2020-2028

⊶ SCEV CH. LA VARIÈRE, rte de Mozé, 49320 Brissac-Loire-Aubance, tél. 02 41 91 22 64 V r.-v.

BONNEZEAUX

Superficie : 67 ha / Production : 1 830 hl

« L'inimitable vin de dessert », disait le Dr Maisonneuve en 1925. À cette époque, les grands liquoreux étaient surtout consommés à ce moment du repas ou dans l'après-midi, entre amis. De nos jours, on apprécie plutôt ce grand cru à l'apéritif. Très parfumé, plein de sève, de grande garde, le bonnezeaux doit toutes ses qualités au terroir exceptionnel qu'il occupe : surplombant le village de Thouarcé, trois petits coteaux de schiste abrupts exposés au plein sud : La Montagne, Beauregard et Fesles.

DOM. DE HAUT MONT 2017 ★

■	2500	🍾	15 à 20 €

Chez les Robin, on cultive la vigne depuis sept générations. C'est Alfred qui a fondé ce domaine en 1955. Son petit-fils Nicolas est aux commandes depuis 2013, avec à sa disposition un vignoble de 28 ha.

De teinte claire, ce chenin exhale des arômes de fruits jaunes et de fleurs. On retrouve la mirabelle et l'abricot dans une bouche puissante, grasse et bien structurée. Un beau travail à la vigne, comme au chai. ⧗ 2020-2024

⊶ EARL ROBIN-PICHERY, 31, rue des Monts, Faye-d'Anjou, 49380 Bellevigne-en-Layon, tél. 02 41 54 02 55, robin.pichery@orange.fr V t.l.j. sf dim. 9h-12h 14h-19h

DOM. DE MIHOUDY 2018

■	17 000	🍾	11 à 15 €

Bruno et Jean-Charles Cochard sont associés avec leur père Jean-Paul sur ce vignoble de 75 ha situé dans la vallée du Layon, dans leur famille depuis six générations. Un domaine de référence qui s'illustre souvent en anjou, blanc ou rouge, ainsi qu'en liquoreux, en bonnezeaux notamment. Incontournable.

Sous une robe presque ambrée se cache un nez subtil de pruneau, de confiture de coings et de fruits secs. La bouche, florale, ronde et grasse, témoigne bien de la surmaturité d'un raisin de qualité. ⧗ 2020-2024

⊶ EARL COCHARD ET FILS, Dom. de Mihoudy, 49540 Aubigné-sur-Layon, tél. 02 41 59 46 52, domainedemihoudy@orange.fr V t.l.j. sf dim. 8h30-12h 14h-18h

♥ DOM. LE MONT Cuvée Privilège 2017 ★★

■ | 2600 | | 20 à 30 €

BONNEZEAUX
Cuvée Privilège
Domaine le Mont
EARL Louis et Claude ROBIN
Faye d'Anjou

Depuis 1995, c'est Claude Robin, fils de Louis, qui conduit l'exploitation fondée par son grand-père en 1930 et implantée au sommet d'un coteau dominant la vallée du Layon. Il y pratique sur ses 25 ha une culture raisonnée avec enherbement et travail du sol. Une bonne référence de l'Anjou, notamment pour ses liquoreux, bonnezeaux en tête.

Une cuvée rare, issue du seul chenin, tellement dorée qu'elle en est lumineuse. Après un an d'élevage en fût, les notes vanillées accompagnent la palette de fleurs blanches. La bouche est à l'image du bouquet : puissante, pleine et généreuse, bien équilibrée et d'une très belle persistance aromatique. ⧗ 2020-2029

EARL LOUIS ET CLAUDE ROBIN, 64, rue des Monts, Faye-d'Anjou, 49380 Bellevigne-en-Layon, tél. 02 41 54 31 41, robinclaudemont@orange.fr V r.-v.

DOM. DES PETITS QUARTS Le Malabé 1er Tri 2018 ★★

■ | 3300 | | 15 à 20 €

Ce vignoble (44 ha aujourd'hui) constitué à la fin du XIXes. est implanté à Faye-d'Anjou, au cœur des coteaux-du-layon. Installé en 1987, Jean-Pascal Godineau a assis la réputation du domaine sur les moelleux et les liquoreux, qui constituent l'essentiel de sa production. Une valeur (très) sûre.

Un chenin très expressif, qui présente une remarquable palette aromatique de fleurs blanches et de fruits très mûrs. Après une attaque fine et élégante, on retrouve les arômes de mirabelle et d'acacia dans une bouche intense, d'une rondeur impressionnante. Une légère amertume en finale assure la persistance. ⧗ 2020-2029

■ **2018 (11 à 15 €; 3300 b.)** : vin cité.

EARL GODINEAU, Dom. des Petits Quarts, Faye-d'Anjou, 49380 Bellevigne-sur-Layon, tél. 02 41 54 03 00 V *t.l.j. sf dim. 8h-12h30 14h-18h*

DOM. DU PETIT VAL La Montagne 2017 ★

■ | 1980 | | 15 à 20 €

Rouges comme liquoreux, les vins de ce domaine fréquentent régulièrement les pages du Guide. Installé depuis 1988 avec sa femme Janine, Denis Goizil a bien agrandi l'exploitation créée en 1951 par son père Vincent, la faisant passer de 18 à 47 ha aujourd'hui. Simon a rejoint ses parents en 2014.

La surmaturité domptée avec finesse. Cette cuvée issue de vieilles vignes a bénéficié d'un élevage en cuve et en fût. Elle présente un nez floral d'acacia, mais des arômes de fruits jaunes se révèlent aussi. La bouche, ronde et volumineuse, évoque la mirabelle, puis laisse le souvenir du miel en finale. ⧗ 2020-2029

EARL GOIZIL, Dom. Le Petit Val, Chavagnes, 49380 Terranjou, tél. 02 41 54 31 14, denisgoizil49@gmail.com V *r.-v.*

DOM. DE TERREBRUNE 2017

■ | 3000 | | 15 à 20 €

Situé non loin du château de Brissac, ce domaine de 56 ha (pour onze appellations) était géré depuis 1986 par Alain Bouleau et Patrice Laurendeau. Installé en 2013, Nicolas, fils d'Alain leur a succédé. Les rosés représentent aujourd'hui la moitié des vins produits par la propriété.

Une surmaturité affirmée pour cette cuvée d'un or intense. Le nez offre un fruité discret après les premiers arômes de fleurs blanches. La bouche, puissante et très liquoreuse, trouve le bon équilibre grâce à une juste vivacité en finale. ⧗ 2020-2029

DOM. DE TERREBRUNE, La Motte, Notre-Dame-d'Allençon, 49380 Terranjou, tél. 02 41 54 01 99, domaine-de-terrebrune@wanadoo.fr V *t.l.j. sf dim. 9h-12h 14h-18h; sam. 9h-12h*

DOM. DE TROMPE-TONNEAU Prestige 2017 ★★

■ | 1700 | | 20 à 30 €

D'abord conduit en polyculture, ce domaine s'est spécialisé dans la viticulture en 1977. Il s'est agrandi au fil des années et s'étend aujourd'hui sur 37 ha à proximité de Faveraye-Machelles. Argile, schiste, graviers d'Anjou… la diversité des terroirs donne naissance à une vingtaine de cuvées soignées.

La robe couleur miel est une invitation à découvrir le bouquet. Exubérant et complexe, celui-ci associe des nuances florales. Le miel et les fruits très mûrs envahissent la bouche pleine et ronde, si persistante. ⧗ 2020-2029

EARL GUILLET, 12, rue du Layon, 49380 Faveraye-Machelles, tél. 02 41 54 14 95, guillet@trompetonneau.com V *t.l.j. sf dim. 8h30-12h30 14h-18h30*

SAUMUR

Superficie : 2 613 ha
Production : 161 278 hl (61 % mousseux, 24 % rouge)

Le vignoble s'étend sur 36 communes. Il couvre les coteaux de la Loire et du Thouet, implanté sur le blanc tuffeau qui marque aussi l'habitat local. Les vins blancs de Turquant et de Brézé étaient autrefois les plus réputés; depuis le milieu des années 1970, les vins rouges se développent. Ils dominent en volume les blancs secs tranquilles. Ceux du Puy-Notre-Dame, de Montreuil-Bellay et de Tourtenay ont acquis une bonne notoriété. Les premiers bénéficient d'ailleurs d'une dénomination officielle figurant sur l'étiquette. L'appellation est beaucoup plus connue pour les vins effervescents, qui ont progressé en qualité. Les élaborateurs, tous installés à Saumur, possèdent des caves creusées dans le tuffeau, que l'on peut visiter.

DOM. DU BOIS MOZÉ PASQUIER Ô Féminin 2018

■ | 2000 | | 5 à 8 €

Installé depuis 1991 sur le domaine créé par ses parents à Chacé, village voisin de Champigny, Patrick Pasquier produit sur ses 7 ha des saumur-champigny régulièrement sélectionnés dans le Guide, ainsi que du rosé et du crémant.

Un rosé issu du seul cépage cabernet franc, à la robe claire et limpide. Le nez marie des arômes de fruits blancs et de fruits des bois, que l'on retrouve dans une bouche ample, empreinte de douceur. 2019-2020

EARL DOM. DU BOIS MOZÉ PASQUIER, 7, rue du Bois-Mozé, 49400 Chacé-Bellevigne-les-Châteaux, tél. 02 41 52 59 73, pasquierpatrick@orange.fr V r.-v.

DOM. LA BONNELIÈRE La Gourmandine 2018 ★

10000		5 à 8 €

Après un parcours diversifié dans des vignobles en France et à l'étranger, Anthony et Cédric Bonneau ont repris les rênes de la propriété familiale en 2000. Implanté sur les terres argilo-calcaires de la butte des Poyeux dominant la jolie vallée du Thouet, affluent de la Loire, le domaine couvre 38 ha.

Au nez, la framboise et le cassis épousent avec beaucoup de finesse la fraise acidulée et les notes de bonbon anglais. La bouche, très expressive, offre une attaque sur les fruits rouges, de la fraîcheur et une belle persistance aromatique. 2019-2020

EARL BONNEAU ET FILS, 45, rue du Bourg-Neuf, 49400 Varrains, tél. 02 41 52 92 38, bonneau@labonneliere.com V r.-v.

♥ **DOM. DU BOURG NEUF** 2018 ★★

160000		5 à 8 €

Domaine de 38 ha fondé en 1955 par Raymond Joseph, conduit depuis 1986 par son fils Christian et dédié aux appellations saumur et saumur-champigny. La troisième génération (Valentin et François-Xavier) a rejoint l'exploitation en 2014.

Un cabernet franc très aromatique qui s'offre au regard dans une robe grenat à reflets violacés. Le nez exhale d'intenses arômes de fruits des bois confiturés (mûre) mêlés à de fines touches de thym. L'attaque est vive, la bouche gourmande, toujours sur le fruit. Souple et légère, elle présente une légère amertume en finale. 2020-2024

SARL DOM. DU BOURG NEUF, 35, rue des Menais, 49400 Chacé, tél. 02 41 52 94 43, domaine.bourgneuf@orange.fr V r.-v.

CLO 2018 ★★

7000		8 à 11 €

Représentant la troisième génération, Cyril Leau a repris en 2015 les rênes de cette propriété familiale de 20 ha située au nord-est du Puy-Notre-Dame.

Un superbe chenin doré comme les blés, issu de vignes en conversion bio. Le nez déploie une large palette aromatique, mêlant aux fruits mûrs des notes boisées et vanillées apportées par l'élevage en fût. La bouche présente du gras et une touche beurrée. Et quelle finale ! Fraîche et veloutée, avec une pointe de salinité. 2020-2022

EARL ARDILLAIS, 479, rue des Ardillais, 49260 Vaudelnay, tél. 06 28 62 57 91, contact.clo@sfr.fr V r.-v.

DOM. DES COUTURES L'Étincelle 2017 ★

2500		11 à 15 €

La commune de Turquant, qui s'étire contre une falaise de tuffeau percée de caves, abrite un grand nombre de vignerons. Parmi eux, Vincent Nicolas, ingénieur agronome, installé sur le domaine familial (16 ha) depuis 2008.

Un joli chenin élevé un an en fût de chêne sur lies fines. Le nez s'ouvre sur des arômes de fleurs et de brioche, sur fond boisé. Le palais s'inscrit dans la continuité, développant davantage de puissance après une attaque douce et suave. La finale légèrement acidulée se prolonge bien. 2020-2022 **L'Insolente 2018** ★ (5 à 8 €; **4700 b.**) : à mode d'élevage différent, vin différent. Ce chenin présente un nez frais de genêt et de pomme granny. D'attaque franche, la bouche est vive et friande, avec de douces notes miellées en finale. 2020-2021

SCEA NICOLAS ET FILS (DOM. DES COUTURES), 48-53, rue des Martyrs, 49730 Turquant, tél. 02 41 38 11 29, domainedescoutures@orange.fr V r.-v.

DOM. ARMAND DAVID Secret d'Armand 2017 ★

1200		11 à 15 €

Créé en 1932, ce domaine porte le nom de son fondateur. Sébastien David, qui représente la quatrième génération, s'y est installé en 2012 et exploite aujourd'hui 49 ha de vignes; la cave troglodytique où il élève ses vins date... de l'invasion des Vikings.

Une cuvée élevée pendant dix-huit mois en fût de chêne français, dont le nez marie les fleurs et les fruits, avec pour témoin un boisé prononcé. Celui-ci se fait plus contenu en bouche, bien inscrit dans la chair ronde qui garde sa légèreté et s'achève sur une note subtilement iodée. 2020-2022

EARL DAVID, 122, rte du Puy-Notre-Dame, Messemé, 49260 Vaudelnay, tél. 02 41 52 20 84, contact@armanddavid.com V *t.l.j. sf dim. 9h-12h 14h-18h; f. en janv.*

CH. DE LA DURANDIÈRE 2018 ★★

10000		5 à 8 €

Le château de la Durandière, qui commandait une seigneurie au XVIIe s., fait face aux remparts de la cité médiévale de Montreuil-Bellay dont le château surplombe le Thouet. Créé en 1900, ce domaine de 40 ha appartient depuis 1986 à Antoine Bodet.

La complexité distingue cette cuvée, dont le nez s'ouvre intensément sur les fruits jaunes mûrs et les fruits exotiques. À l'aération, les agrumes et l'acacia complètent le bouquet. La bouche allie à ce fruité des arômes de fleurs blanches. Gras et vivacité s'équilibrent jusqu'en finale. 2020-2022 **2018** ★ (- de 5 €; **3000 b.**) : un cabernet franc issu de vignes de quarante ans, en pleine force de l'âge. La griotte et la cerise noire dominent une palette aromatique tournée vers le fruit. La bouche est ample, avec une pointe d'amertume et des tanins affirmés, signe d'un bon potentiel de garde. 2020-2022

SCEA ANTOINE BODET, Ch. de la Durandière, 51, rue des Fusillés, 49260 Montreuil-Bellay, tél. 02 41 40 35 30, durandiere.chateau@wanadoo.fr V *t.l.j. 9h30-12h 14h-18h; sam. dim. sur r.-v.*

JULIEN FOUET L'Ardillon 2018 ★

■ | 10000 | | 8 à 11 €

Julien Fouet s'est installé dans les années 1990 sur l'exploitation familiale, représentant la sixième génération. Il conduit ses 15 ha en bio (conversion en cours) et fait la part belle à l'œnotourisme (gîtes, caveau de dégustation ouvert 6j/7...).

Une belle expression du chenin dans cette cuvée au nez discret, tourné vers les agrumes et les fruits. Une matière ronde emplit le palais, marquée en finale par une pointe saline. ⧗ 2020-2022

EARL JULIEN FOUET, 11, rue de la Judée, 49260 Saint-Cyr-en-Bourg, tél. 02 41 51 60 52, j-fouet@domaine-fouet.com V t.l.j. sf dim. 10h-12h 14h-18h

DOM. DES GARENNES Empreinte 2017 ★

■ | 3200 | | 11 à 15 €

Une exploitation familiale implantée depuis quatre générations à Montreuil-Bellay, petit village célèbre pour son château et pour les vestiges de ses remparts. Deux cousins, Stéphane Mainguin et Fabrice Baron, sont aujourd'hui à la tête du vignoble, qui couvre 41 ha.

Un cabernet franc certifié Terra Vitis, né sur un terroir argileux. D'intenses arômes de fruits noirs sur fond boisé apparaissent au nez, puis se déclinent au palais les fruits mûrs et les épices. Les tanins sont souples, le boisé élégant après un élevage de douze mois en fût, la finale marquée par une légère amertume. ⧗ 2020-2022

■ **Le Brossay 2018** ★ (5 à 8 €; 8600 b.) : typique du cabernet franc, cette cuvée évoque avec puissance des arômes de fruits rouges. L'attaque est fruitée, la bouche ronde et bien équilibrée, avec une agréable pointe d'acidité en finale. ⧗ 2020-2022

GAEC MAINGUIN BARON, dom. des Garennes, 156, av. Paul-Painlevé, 49260 Montreuil-Bellay, tél. 02 41 52 34 94, contact@domainedesgarennes.fr V t.l.j. sf dim. 9h-12h 14h-18h

LA GIRAUDIÈRE 2018

■ | 1300 | | 5 à 8 €

Domaine de 18 ha situé à Brézé, village du Saumurois célèbre pour son château aux vastes souterrains. Créé en 2007, il est conduit par Étienne Matrion, œnologue champenois, et Fabrice Esnault, vigneron du cru.

Un rosé limpide à reflets orangés. Le nez conjugue la douceur de la pêche blanche et de l'abricot à de discrètes notes florales. La bouche restitue le fruit et trouve un bon équilibre, avant une finale amylique. ⧗ 2019-2020

SCEA VIGNAULIN, Dom. de la Giraudière, 4, rue Saint-Vincent, Brezé, 49260 Belle-Vigne-les-Châteaux, tél. 02 41 51 63 84, lagiraudierebreze@gmail.com V t.l.j. sf dim. 10h30-12h30 15h30-18h30

B DE GRENELLE Grande Réserve ★★

● | 20400 | 5 à 8 €

Dotée de caves situées à 12 m sous terre en plein cœur de Saumur, cette vénérable maison de négoce fondée en 1859 est aujourd'hui la dernière affaire familiale du Saumurois. Quatre millions de bouteilles reposent dans une ancienne carrière de tuffeau creusée au XVᵉs.

Un brut gastronomique, à la bulle très fine. Assemblage de chenin et de chardonnay (13 %), il s'ouvre sur un nez de fruits blancs et d'agrumes, de brioche fraîche et de pain grillé. La bouche riche et fraîche à la fois s'achève sur une belle finale minérale et citronnée. ⧗ 2019-2021

SA CAVES DE GRENELLE, 20, rue Marceau, 49400 Saumur, tél. 02 41 50 17 63, grenelle@louisdegrenelle.fr V t.l.j. 9h30-12h30 13h30-18h30

DOM. DES MATINES
Puy-Notre-Dame Cuvée Vieilles Vignes 2017

■ | 13000 | | 8 à 11 €

Michèle Mallard-Etchegaray, fille du fondateur, a transmis en 2010 les rênes du domaine (52 ha et quatorze appellations) à ses fils, Vincent et Hervé. La cave creusée dans le calcaire dur abrite tous les anciens millésimes de l'exploitation produits depuis 1950. Une valeur sûre.

Un saumur expressif et gourmand, bel exemple de maturité du cabernet franc. Il se place sous le signe des fruits noirs, avec en tête de cortège le cassis et la mûre. Ample, long en bouche, il laisse une impression de fraîcheur. ⧗ 2020-2022

EARL DOM. DES MATINES, 31, rue de la Mairie, 49700 Brossay, tél. 02 41 52 25 36, contact@domainedesmatines.fr V r.-v.

CH. DE MONTGUÉRET 2018 ★

■ | 50000 | | 5 à 8 €

Les Grands Chais de France ont acquis en 2005, auprès de la société Lacheteau, les châteaux de Montguéret et de Champteloup, un vaste ensemble de 100 ha souvent en vue pour ses rosés et ses effervescents.

La robe intense, presque noire, témoigne d'une belle maturité des raisins. Le verre concentre un bouquet de petits fruits rouges frais. La bouche est à l'unisson, des arômes de gelée de groseille complétant le bouquet. Généreuse et veloutée, elle présente des tanins bien fondus et une finale acidulée. ⧗ 2020-2022

SCEA CHAMPTELOUP (CH. DE MONTGUÉRET), Nueil-sur-Layon, 49560 Lys-Haut-Layon, tél. 02 40 36 66 00, contact@lacheteau.com

♥ DOM. DU MOULIN DE L'HORIZON
Le Brut 2016 ★★

● | 40000 | 8 à 11 €

Du moulin de l'Horizon, qui donne son nom au domaine, il ne reste plus rien sur la butte témoin du Puy-Notre-Dame, la plus haute du Val de Loire

(120 m). Hervé et Christine Desgrousilliers-Lefort, originaires du Pas-de-Calais, y conduisent depuis 2002 un vignoble de 32 ha et font vieillir leurs vins dans des caves creusées dans le tuffeau.

Un assemblage de chenin (70 %), de chardonnay (20 %) et de cabernet franc (10 %). Dans le verre s'épanouissent de fines bulles dans une robe jaune pâle à reflets or. Le nez, floral et printanier, évoque la primevère et le lilas, mais la poire et la pêche blanche s'invitent également. Il en va de même en bouche : fleur d'aubépine et notes d'écorce d'orange amère soulignent la rondeur de la chair, tandis qu'une pointe de fraîcheur apparaît en finale. ⧗ 2019-2021 ■ **Cuvée Mélodie 2017 ★** (5 à 8 € ; **3500 b.**) : un chenin d'un jaune très pâle qui allie concentration et fraîcheur. Le nez intense et minéral est aussi marqué par les arômes de pêche et d'abricot frais, nuancés de discrètes notes de miel. La bouche, volumineuse dès l'attaque, offre une finale complexe et aromatique. ⧗ 2020-2021

⊶ EARL DOM. DU MOULIN DE L'HORIZON, 11_bis, rue Saint-Vincent, Sanziers, 49260 Le Puy-Notre-Dame, tél. 02 41 52 25 52, domaine@moulindelhorizon.com r.-v.

DOM. DE NERLEUX Les Loups blancs 2017 ★★

■	5900		11 à 15 €

Valeur sûre du Saumurois, le Dom. de Nerleux (« loups noirs » en ancien français) est ancré dans les terres de Saint-Cyr-en-Bourg depuis neuf générations. Couvrant aujourd'hui 50 ha, son vignoble est conduit par Amélie Neau, qui a rejoint le domaine en 2011.

La robe jaune or à reflets verts attire le regard. Tourné vers les fruits exotiques et compotés, agrémentés de quelques notes grillées, ce chenin, élevé douze mois en fût, présente une bouche ronde et vanillée, avec juste ce qu'il faut de vivacité. La finale s'étire sans fin, soutenue par une subtile amertume. ⧗ 2020-2021

⊶ SCEA NEAU, Dom. de Nerleux, 4, rue de la Paleine, 49400 Bellevigne-les-Châteaux, tél. 02 41 51 61 04, contact@nerleux.fr t.l.j. sf dim. 10h-12h30 14h-18h

ROSE DE TARGÉ 2018 ★

■	7500		5 à 8 €

Une ancienne résidence de chasse des secrétaires personnels des rois Louis XIV et Louis XV. Certains de leurs descendants, dont Edgard Pisani, furent au service de la République. Depuis 1978, Édouard Pisani-Ferry, ingénieur agronome, et son fils Paul exploitent aujourd'hui un vignoble de 24 ha en conversion bio.

Pâle, ce 2018 cache un nez puissant, qui mêle la banane, la poire, la pêche blanche et des notes de fraise acidulée. Au palais, l'équilibre parfait entre vivacité et rondeur lui permet de déployer une intense palette aromatique, qui restitue le fruit et évoque le bonbon en finale. ⧗ 2019-2020

⊶ SCEA PISANI-FERRY, Ch. de Targé, chem. de Targé, 49730 Parnay, tél. 02 41 38 11 50, paul@chateaudetarge.fr t.l.j. 10h-12h30 14h-18h

DOM. DU VIEUX BOURG Clos Poinçon 2017 ★

■	5750		8 à 11 €

Jean-Marie Girard et son frère Noël ont créé en 1987 ce domaine établi à Varrains, qui a pour enseigne un pressoir à long fût datant du XVIIIe s. Leurs vignes implantées sur des sols argilo-sableux couvrent 18 ha.

Ce chenin élevé neuf mois en fût offre un nez complexe, floral et minéral, agrémenté de fines notes d'épices. L'attaque souple introduit une bouche volumineuse et grasse, au juste boisé. En finale reviennent les arômes de fleurs blanches. ⧗ 2020-2022

⊶ EARL GIRARD FRÈRES, Dom. du Vieux Bourg, 30, Grand-Rue, 49400 Varrains, tél. 02 41 52 91 89, n.girard@vieux-bourg.com r.-v.

♥ DOM. DU VIEUX PRESSOIR
Aliénor 2016 ★★

■	5000		8 à 11 €

DOMAINE DU VIEUX PRESSOIR
SAUMUR
ALIÉNOR
2016

Le domaine a été racheté en 2015 par la famille Vagnon en 2015 qui en a délégué la gestion à François et Virginie Prinsloo. Ce jeune couple sud-africain pour l'un et ligérienne pour l'autre s'occupe désormais des 26 ha de vignes. Le domaine tire son nom d'un vieux pressoir datant du début du XXe s.

Voilà un vin qui met parfaitement en valeur le chenin, après un élevage de neuf mois. Très expressif, c'est un condensé de fruits blancs, agrémenté de touches de sous-bois. L'attaque est douce, la bouche souple, ronde et grasse, et la finale si fraîche, avec des notes de citron vert. ⧗ 2020-2022 ● **Fines Bulles 2016 ★** (5 à 8 € ; **10 000 b.**) : un brut frais et équilibré, qui allie le chenin et le chardonnay. Les arômes de fruits mûrs s'accompagnent de notes beurrées et d'une touche de pain grillé à l'aération. La bouche présente un bon équilibre entre le sucre et l'acidité. Elle s'achève sur une finale vive, nuancée d'agrumes et d'une légère amertume. ⧗ 2020-2021

⊶ SCEA FAMILLE VAGNON, 205, rue du Château-d'Oire, 49260 Vaudelnay, tél. 02 41 52 21 78, contact@levieuxpressoir.fr t.l.j. 9h-12h 14h-18h ; sam. dim. sur r.-v.

COTEAUX-DE-SAUMUR

Superficie : 25 ha / Production : 736 ha

Ils ont acquis autrefois leurs lettres de noblesse. Les coteaux-de-saumur, équivalents en Saumurois des coteaux-du-layon en Anjou, sont élaborés à partir du chenin pur, planté sur la craie tuffeau.

DOM. ANNIVY
Cuvée Plein Damour 2018

■	1200		15 à 20 €

Réalisant son rêve d'enfance, Bruno Bersan se lance en 2000 dans l'aventure viticole en partant de zéro. Il exploite aujourd'hui 11 ha de vignes, dont une partie est enserrée dans un petit clos au milieu des habitations (à l'origine de la cuvée Petit Clos), qui surplombe en un site unique la vallée de la Loire. Annivy? La contraction des prénoms des deux femmes de sa vie : Annie et Sylvie.

Une cuvée très claire, entièrement issue du chenin et élevée six mois en fût. Le nez s'ouvre discrètement sur les agrumes et de fines notes iodées, avant l'apparition d'une touche de sous-bois après l'aération. La bouche, légère et ronde, invite des arômes de fruits blancs et des notes citronnées. ⧗ 2020-2028

SARL L' ATERROIRE, Dom. Annivy, 66, rue des Ducs-d'Anjou, 49400 Souzay-Champigny, tél. 02 41 50 73 49, domaineannivy@orange.fr r.-v.

DOM. DE NERLEUX Les Loups dorés 2017 ★

■	1800		15 à 20 €

Valeur sûre du Saumurois, le Dom. de Nerleux («loups noirs» en ancien français) est ancré dans les terres de Saint-Cyr-en-Bourg depuis neuf générations. Couvrant aujourd'hui 50 ha, son vignoble est conduit par Amélie Neau, qui a rejoint le domaine en 2011.

Après dix mois d'élevage en cuve et autant en fût, cette cuvée présente une robe dorée et un nez typique du chenin. Ouverte sur les fruits blancs et jaunes compotés, elle gagne des notes de fruits exotiques et de vanille à l'aération. La bouche est fraîche et moelleuse à la fois, bien équilibrée en somme. ⧗ 2020-2028

SCEA NEAU, Dom. de Nerleux, 4, rue de la Paleine, 49400 Bellevigne-les-Châteaux, tél. 02 41 51 61 04, contact@nerleux.fr t.l.j. sf dim. 10h-12h30 14h-18h

LIONEL RENARD 2017 ★

■	1000		8 à 11 €

Lionel Renard a repris en 1992, à vingt-trois ans, l'exploitation familiale. Son vignoble de 15 ha est implanté au nord de la Vienne – un secteur de la région Poitou-Charentes rattaché au Saumurois.

Un chenin tout en arômes d'abricot, accompagnés d'une fine touche de miel. D'attaque ample, il séduit par sa juste douceur et la petite amertume finale qui lui donne du relief. ⧗ 2020-2028

LIONEL RENARD, 24, rue des Vignes, Bessé, 86120 Saint-Léger-de-Montbrillais, tél. 05 49 22 41 03, lc.renard@orange.fr r.-v.

SAUMUR-CHAMPIGNY

Superficie : 1 376 ha / Production : 74 442 hl

Entre Saumur et Montsoreau, ce vignoble s'insère dans l'aire du saumur, près de la Loire. Si son expansion est récente, les vins rouges de Champigny sont connus depuis plusieurs siècles. Produits dans neuf communes à partir du cabernet franc (ou breton) parfois complété de cabernet-sauvignon, ils sont fruités, charnus et souples. Ils sont à découvrir dans des villages typiques aux rues étroites et aux caves de tuffeau.

DOM. DES AMANDIERS G'm 2018 ★

■	6000		5 à 8 €

Marc Rideau a repris les vignes de son grand-père en 1985, puis une autre exploitation en 1993 et agrandit le vignoble : 12 ha répartis dans quatre communes, Montsoreau, Parnay, Souzay, Champigny et Turquant. Son fils Étienne l'a rejoint en 2015.

Une cuvée gourmande, dont le nom se prononce «J'aime». Au nez, les fruits rouges mûrs donnent le ton, rehaussés par une touche de laurier et un peu de foin. Après une attaque puissante, la bouche mêle harmonieusement douceur et amertume, déployant une palette aromatique centrée sur les fruits rouges frais. Les tanins bien présents, mais soyeux lui assurent un bon potentiel de garde. ⧗ 2020-2022

EARL LES AMANDIERS, 11, rue Château-Gaillard, 49730 Turquant, tél. 02 41 51 79 81, domaineamandiers@orange.fr t.l.j. 10h30-13h 16h-19h30 de mai à sept.; sur r.-v. d'oct. à avr.

DOM. ANNIVY Noir absolu 2018

■	4000		8 à 11 €

Réalisant son rêve d'enfance, Bruno Bersan se lance en 2000 dans l'aventure viticole en partant de zéro. Il exploite aujourd'hui 11 ha de vignes, dont une partie est enserrée dans un petit clos au milieu des habitations (à l'origine de la cuvée Petit Clos), qui surplombe en un site unique la vallée de la Loire. Annivy? La contraction des prénoms des deux femmes de sa vie : Annie et Sylvie.

Un vin grenat, au nez discret de fruits mûrs et à la bouche chaleureuse. ⧗ 2020-2022

SARL L' ATERROIRE, Dom. Annivy, 66, rue des Ducs-d'Anjou, 49400 Souzay-Champigny, tél. 02 41 50 73 49, domaineannivy@orange.fr r.-v.

DOM. DU BOIS MOZÉ PASQUIER Clos du Bois Mozé 2018 ★★

■	8000		5 à 8 €

Installé depuis 1991 sur le domaine créé par ses parents à Chacé, village voisin de Champigny, Patrick Pasquier produit sur ses 7 ha des saumur-champigny régulièrement sélectionnés dans le Guide, ainsi que du rosé et du crémant.

Cette cuvée doit sa complexité au fruit de vignes de quarante-cinq ans en moyenne. À l'aération, elle libère un bouquet de fruits noirs frais, agrémentés de notes épicées. Cassis, mûre et cerise noire s'inscrivent dans une chair puissante et dense, bien structurée par des tanins qui se fondront encore avec le temps. ⧗ 2020-2024

EARL DOM. DU BOIS MOZÉ PASQUIER, 7, rue du Bois-Mozé, 49400 Chacé-Bellevigne-les-Châteaux, tél. 02 41 52 59 73, pasquierpatrick@orange.fr r.-v.

DOM. LA BONNELIÈRE Tradition 2018 ★

■	100000		5 à 8 €

Après un parcours diversifié dans des vignobles en France et à l'étranger, Anthony et Cédric Bonneau ont repris les rênes de la propriété familiale en 2000. Implanté sur les terres argilo-calcaires de la butte des Poyeux dominant la jolie vallée du Thouet, affluent de la Loire, le domaine couvre 38 ha.

Ce vin aux reflets violacés abrite un concentré de fruits mûrs et d'épices. Ces arômes réapparaissent dans toute leur complexité en bouche, inscrits durablement dans une matière puissante et souple. ⧗ 2020-2024 ■ **L'Écu**

noir 2018 ★ (11 à 15 €; 10000 b.) : un vin nature croquant, sans levures, ni sulfite ajoutés. Dans le verre, les arômes de fruits noirs et rouges bien mûrs se partagent la vedette avec les notes de violette. L'attaque est souple, la bouche puissante et veloutée, dotée d'une juste fraîcheur fruitée en finale. ⧗ 2020-2024

EARL BONNEAU ET FILS, 45, rue du Bourg-Neuf, 49400 Varrains, tél. 02 41 52 92 38, bonneau@labonneliere.com r.-v.

DOM. DES BONNEVEAUX Vieilles Vignes 2018

■ | 10400 | | 11 à 15 €

Le gros village de Varrains, limitrophe de Saumur, abrite nombre de vignerons choyant le cabernet franc. Parmi eux, Nicolas Bourdoux, qui a repris les rênes du domaine familial (17 ha) en 2002, après un stage de quelques mois au Québec.

Un cabernet franc à la robe foncée, qui présente un nez ouvert sur les senteurs de griotte, auxquels viennent se joindre des notes de cuir et de sous-bois après aération. La bouche est ample et aromatique. ⧗ 2020-2022

EARL CAMILLE ET NICOLAS BOURDOUX, 79, Grande-Rue, 49400 Varrains, tél. 02 41 52 94 91, bourdoux@domainedesbonneveaux.com t.l.j. 8h-12h 14h-19h

CH. DE CHAINTRES
Cabernet franc Les Sables 2018

■ | 26500 | | 8 à 11 €

Ce domaine est principalement situé sur des parcelles autour du piton de Sancerre. Il a été acquis par la maison Joseph Mellot en 2007 et couvre 18,5 ha.

Une cuvée qui laisse s'échapper des arômes de fruits rouges compotés et quelques épices. La bouche séduit par sa fraîcheur et son équilibre. Pleine sans être opulente, elle reproduit fidèlement le fruit et s'achève sur une finale réglissée. ⧗ 2020-2022

DOM. VINICOLE DE CHAINTRES, 54, rue de la Croix-de-Chaintres, 49400 Dampierre-sur-Loire, tél. 02 41 52 90 54, info@chaintres.fr t.l.j. sf dim. 9h-12h 14h-18h; sam. sur r.-v.

DOM. DES CHAMPS FLEURIS
Les Rotissants Vieilles Vignes 2017 ★★

■ | 48000 | | 8 à 11 €

Denis Rétiveau préside aux destinées de ce domaine composé de 21 ha. Les vignes sont situées sur les coteaux qui dominent la Loire, sur les communes de Turquant et de Montsoreau.

Cette cuvée remarquablement bien élaborée est issue de vignes exposées plein sud et vendangées à maturité maximale. Après un élevage de douze mois en fût, elle présente un nez très expressif, tourné vers les fruits noirs. Un même fruité intense se révèle dans une chair souple, aux tanins bien fondus. La finale prolonge le plaisir. ⧗ 2020-2024 ■ **Les Tufolies 2018 ★ (5 à 8 €; 80000 b.)** : une cuvée élaborée à partir du raisin des meilleurs terroirs du domaine. Elle affiche une belle fraîcheur grâce à un temps de cuvaison court. Le nez déploie ainsi des senteurs de fruits rouges, à la fois mûrs et frais. Suivent une attaque légère et tonique, un milieu de bouche croquant et une montée en puissance impeccablement maîtrisée. ⧗ 2020-2022

SCEA RÉTIVEAU, Dom. des Champs Fleuris, 54, rue des Martyrs, 49730 Turquant, tél. 02 41 38 10 92, retiveau.denis@orange.fr r.-v.

DOM. DE LA CHAUVELIÈRE 2017 ★

■ | 1800 | | 8 à 11 €

Domaine de 18 ha situé à Brézé, village du Saumurois célèbre pour son château aux vastes souterrains. Créé en 2007, il est conduit par Étienne Matrion, œnologue champenois, et Fabrice Esnault, vigneron du cru.

Le nez dévoile d'intenses arômes de myrtille et de mûre, accompagnés de notes d'écorces d'orange. La bouche fraîche se déploie dans une belle harmonie jusqu'à une finale réglissée. ⧗ 2020-2022

SCEA VIGNAULIN, Dom. de la Giraudière, 4, rue Saint-Vincent, Brezé, 49260 Belle-Vigne-les-Châteaux, tél. 02 41 51 63 84, lagiraudierebreze@gmail.com t.l.j. sf dim. 10h30-12h30 15h30-18h30

DOM. DES COUTURES La Flamboyante 2017 ★

■ | 3000 | | 11 à 15 €

La commune de Turquant, qui s'étire contre une falaise de tuffeau percée de caves, abrite un grand nombre de vignerons. Parmi eux, Vincent Nicolas, ingénieur agronome, installé sur le domaine familial (16 ha) depuis 2008.

Cette cuvée élevée douze mois en barrique se drape dans une robe si profonde qu'elle en semble presque noire. Le nez expressif déploie une palette aromatique autour des fruits noirs compotés. La bouche est à son image, offrant beaucoup de matière et des tanins fondus, avant une finale nuancée d'une légère amertume. ⧗ 2020-2022

SCEA NICOLAS ET FILS (DOM. DES COUTURES), 48-53, rue des Martyrs, 49730 Turquant, tél. 02 41 38 11 29, domainedescoutures@orange.fr r.-v.

CH. DE LA FESSARDIÈRE 2017

■ | 6000 | | 5 à 8 €

Les caves cathédrales de ce domaine, qui vit naître en 1793 le navigateur et explorateur Abel Aubert du Petit Thouars, renferment quelques vestiges vinicoles du XVIIe s. : pressoirs à vis en bois et imposantes cuves à vin creusées dans le tuffeau.

Ce cabernet franc présente un premier nez intensément ouvert sur les fruits rouges, avant l'apparition de notes animales à l'aération. Ces arômes se retrouvent dans une bouche souple et ronde, avec du gras et beaucoup de matière. ⧗ 2020-2022

SCEA CH. DE LA FESSARDIÈRE, 5, rue des Martyrs, 49730 Turquant, tél. 02 41 51 48 89, la-fessardiere@wanadoo.fr t.l.j. sf dim. 9h30-12h 14h-18h30; sam. sur r.-v.

LENA FILLIATREAU 2018 ★

■ | 30000 | | 8 à 11 €

En 1967, Paul Filliatreau s'installe sur la propriété familiale, à la suite de son père Maurice. Il

l'agrandit et l'oriente vers la production de vins rouges. Aujourd'hui rejoint par son fils Frederik, il conduit un vignoble de 45 ha devenu une référence en saumur-champigny.

Sous une robe soutenue à reflets violets apparaissent des arômes de fraise des bois et de cerise, accompagnés de notes de kirsch et de clou de girofle. Après une attaque puissante, la bouche fait preuve d'ampleur et de belle fraîcheur, avant une finale acidulée. ⧗ 2020-2022 ■ **La Combe aux Fées 2018 (8 à 11 €; 30000 b.)** : vin cité.

SA FILLIATREAU, Chaintres, 49400 Dampierre-sur-Loire, tél. 02 41 52 90 84, domaine@filliatreau.fr V t.l.j. 10h-18h

♥ DOM. DU FONDIS
Cuvée de Bruyn Vieilles Vignes 2018 ★★

■ | 15000 | | 5 à 8 €

À l'origine, le Fondis et les Vallettes ne formaient qu'un seul domaine. En 1986, le premier a pris son indépendance. Il couvre aujourd'hui 23 ha et c'est Laurent Jamet qui en assure la conduite depuis l'an 2000, rejoint par son épouse Géraldine en 2010.

Un remarquable cabernet franc, dont la robe grenat intense attire le regard. Le nez est un concert de petits fruits mûrs, dans lequel les nuances florales jouent à l'unisson. Framboise, groseille, cerise et violette se retrouvent dans une bouche ronde et ample. Les tanins soyeux comme du velours apportent une subtile amertume en finale. ⧗ 2020-2024

EARL DOM. DU FONDIS, 14, le Fondis, 37140 Saint-Nicolas-de-Bourgueil, tél. 02 47 97 78 58, contact.domainedufondis@gmail.com V *t.l.j. sf dim. 9h-12h 13h30-18h*

DOM. FOUET
Cabernet franc L'Amarante 2018 ★

■ | 20000 | | 8 à 11 €

Julien Fouet s'est installé dans les années 1990 sur l'exploitation familiale, représentant la sixième génération. Il conduit ses 15 ha en bio (conversion en cours) et fait la part belle à l'œnotourisme (gîtes, caveau de dégustation ouvert 6j/7...).

C'est un beau vin à la robe profonde, typique de l'appellation. Le nez exhale des arômes de fruits noirs mûrs et des notes épicées. Une belle matière s'impose dès l'attaque, précédant un milieu de bouche souple et fruité, porté par de beaux tanins. ⧗ 2020-2022

EARL JULIEN FOUET, 11, rue de la Judée, 49260 Saint-Cyr-en-Bourg, tél. 02 41 51 60 52, j-fouet@domaine-fouet.com V *t.l.j. sf dim. 10h-12h 14h-18h*

DOM. DES FRÉMONCLAIRS
Vieilles Vignes 2018

■ | 6000 | 5 à 8 €

Christophe Hallouin a pris en 1997 la tête de ce domaine de 22 ha qui se transmet de père en fils depuis cinq générations. Le vigneron conduit, selon les principes de l'agriculture raisonnée, un vignoble adossé à la falaise de Turquant.

Pourpre, ce 2018 possède un nez discret qui s'ouvre doucement sur le cassis et la cerise noire mûre. La bouche aromatique, légèrement épicée, est très étoffée. ⧗ 2020-2022

EARL DOM. DES FRÉMONCLAIRS, 45, rue des Martyrs, 49730 Turquant, tél. 02 41 38 14 81, dom.fremonclairs@wanadoo.fr V *r.-v.*

DOM. DES GALMOISES
Secret du caveau Le Clos 2018 ★★

■ | 6600 | | 5 à 8 €

Didier Pasquier a constitué son domaine à partir de 1984 en regroupant diverses parcelles familiales pour arriver à 16 ha. Depuis 2014, il conduit l'exploitation avec son fils Julien.

Un saumur-champigny très expressif, passé juste à côté du coup de cœur. Le nez libère avec abondance des arômes de fruits rouges et de cassis, sur un fond épicé. Après une attaque franche, fraise, cerise et framboise s'imposent dans une bouche fraîche et ronde. ⧗ 2020-2022 ■ **Secret du Caveau 2018 ★ (5 à 8 €; 26700 b.)** : un cabernet gourmand et élégant, dont le nez s'ouvre sur les petits fruits rouges surmûris. En bouche, le cassis et la mûre prennent le relais, escortés par quelques épices et de fines notes végétales. Les tanins sont souples, la finale longue et sapide. ⧗ 2020-2022

EARL LES GALMOISES, 37, rue Émile- Landais, Chacé, 49400 Bellevigne-les-Châteaux, tél. 06 73 58 82 44, dom.galmoises@gmail.com V *r.-v.*

DOM. DE LA GUILLOTERIE Tradition 2018 ★★★

■ | 50000 | | 5 à 8 €

Voisin de la confluence de la Loire avec le Thouet, le domaine de la Guilloterie bénéficie de conditions climatiques très favorables. Régulièrement sélectionné en saumur-champigny ou en saumur, il est conduit depuis 1987 par la troisième génération avec les frères Patrice et Philippe Duveau.

Mention spéciale pour cette magnifique cuvée, digne représentante de ce qui se fait de mieux dans l'appellation. Le nez, complexe et élégant, exprime les fruits rouges et noirs bien mûrs. Un gras opulent enveloppe le palais, porté par des tanins fins et bien fondus, avant une finale réglissée qui s'étire. ⧗ 2020-2024

SCEA DUVEAU FRÈRES, Dom. de la Guilloterie, 63, rue Foucault, 49260 Saint-Cyr-en-Bourg, tél. 02 41 51 62 78, contact@domainedelaguilloterie.com V *r.-v.*

LES HAUTES TROGLODYTES 2018

■ | 15000 | | 5 à 8 €

Ce domaine de 15 ha a été repris en 2003 par Laurent et Clarisse Machet. Les vins de la propriété sont élevés dans la fraîcheur des caves creusées dans le calcaire de la côte saumuroise, en bordure de la Loire.

Le nez s'ouvre sans attendre sur des arômes de cerise mûre, nuancés de réglisse et d'épices. La bouche est à l'unisson, avec beaucoup de souplesse et de rondeur. ⧗ 2020-2024

SAS MACHET-QUESSON, 3, chem. des Bournayes, 49400 Souzay-Champigny, tél. 02 41 59 87 32, domainehautestroglodytes@ozone.net V r.-v.

CLOTILDE ET RENÉ-NOËL LEGRAND
Les Lizières 2018 ★★

■	18000		5 à 8 €

Les Legrand sont vignerons depuis cinq générations à Varrains, commune considérée par certains comme la capitale du saumur-champigny. Depuis 2013, ce domaine de 17 ha est conduit par Clotilde Legrand, qui a pris la suite de son père René-Noël.

Un beau travail à la vigne comme au chai se traduit dans cette cuvée issue de vignes d'une quarantaine d'années. Celle-ci présente un nez tourné vers les fruits frais et les notes florales. La framboise et la groseille suivent au palais, contribuant à l'impression de fraîcheur. Les tanins sont parfaitement fondus. ⧗ 2020-2024 ■ **Les Terrages 2018 (5 à 8 €; 18000 b.)** : vin cité.

SCEV RENÉ LEGRAND, Clotilde Legrand, 13, rue des Rogelins, 49400 Varrains, tél. 02 41 52 94 11, contact@domaine-legrand.fr V r.-v.

DOM. DE NERLEUX 2018 ★

■	45000		5 à 8 €

Valeur sûre du Saumurois, le Dom. de Nerleux («loups noirs» en ancien français) est ancré dans les terres de Saint-Cyr-en-Bourg depuis neuf générations. Couvrant aujourd'hui 50 ha, son vignoble est conduit par Amélie Neau, qui a rejoint le domaine en 2011.

Le nez s'ouvre sur les fruits rouges et noirs avec beaucoup d'intensité. Une belle fraîcheur accompagne les arômes de cerise et de cassis au palais. L'attaque est franche, il y a de la matière et les tanins encore affirmés ne demandent qu'à s'arrondir avec la garde. ⧗ 2020-2022 ■ **Clos des Châtains Vieilles Vignes 2017 (8 à 11 €; 15400 b.)** : vin cité.

SCEA NEAU, Dom. de Nerleux, 4, rue de la Paleine, 49400 Bellevigne-les-Châteaux, tél. 02 41 51 61 04, contact@nerleux.fr V *t.l.j. sf dim. 10h-12h30 14h-18h*

Ⓑ DOM. DE LA PALEINE 2017

■	5559		8 à 11 €

Établis depuis 2003 au Puy-Notre-Dame, le deuxième point le plus haut du Maine-et-Loire, Laurence et Marc Vincent conduisent un vignoble de 37 ha conduit en bio, situé au pied d'une butte calcaire.

Un cabernet franc dont le nez expressif libère des arômes de fruits rouges frais et mûrs. Après une attaque nette, la bouche se place sous le signe de la gourmandise. ⧗ 2020-2022

SAS DOM. DE LA PALEINE, 9, rue de la Paleine, 49260 Le Puy-Notre-Dame, tél. 02 41 52 21 24, contact@domaine-paleine.com V r.-v.

Ⓑ LE BLASON DE PARNAY 2018

■	40000	8 à 11 €

Mathias Levron, vigneron, et son associé Régis Vincenot, investisseur, ont racheté en 2006 le Ch. de Parnay, un domaine historique (la première forteresse remonte au Xes.) célèbre pour son Clos d'Entre les Murs créé par Antoine Cristal; un clos constitué de onze murs parallèles troués à la hauteur des drageons pour permettre à ceux-ci de passer au travers et de se trouver face au midi. Le vignoble couvre 35 ha constitués de quatre îlots de parcelles, tous situés sur un sol argilo-calcaire. Les deux associés ont aussi créé en 2007 le Ch. la Serpe et ses 20 ha de vignes.

Aux classiques arômes de fruits rouges et noirs se mêle la banane, accompagnée de notes florales. Après une attaque sur le fruit, la bouche reproduit fidèlement la complexité du nez, sur un fond de fraîcheur et une trame tannique souple. ⧗ 2020-2021 ■ **Ch. de Parnay 2017 (20 à 30 €; 6000 b.)** Ⓑ : vin cité.

SCEA CH. DE PARNAY, 1, rue Antoine- Cristal, 49730 Parnay, tél. 02 41 38 10 85, bureau@chateaudeparnay.fr V *t.l.j. 10h-19h30*

♥ DOM. DE LA PERRUCHE 2017 ★★★

■	7000		8 à 11 €

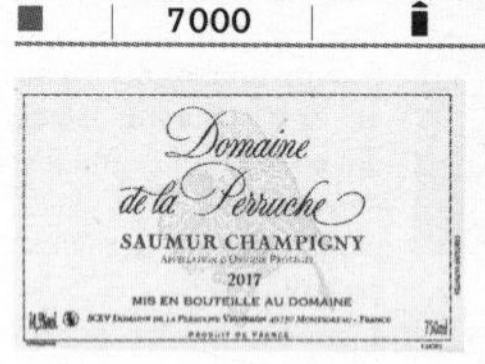

Jacques Beaujeau, figure du vignoble de l'Anjou, également propriétaire du vaste domaine du Ch. la Varière à Brissac, a acquis en 2000 cette propriété en saumur-champigny. À la tête de 45 ha de vignes, il s'illustre avec régularité dans ces pages.

Une magnifique cuvée à la robe profonde qui décline des arômes de fruits rouges mûrs, avec des nuances florales. Gourmande à souhait, elle emplit le palais de sa matière ample et persistante, bien soutenue pas des tanins qui savent se faire oublier. ⧗ 2020-2024

SCEA DOM. DE LA PERRUCHE, 29, rue de la Maumenière, 49730 Montsoreau, tél. 02 41 91 22 64 V *t.l.j. 10h-12h 14h-18h d'avr. à sept.; sur r.-v. de nov. à mars*

LE PRIEURÉ D'AUNIS 2018 ★

■	14000		8 à 11 €

Remontant au XVIes., le prieuré d'Aunis était une dépendance de l'abbaye de Fontevraud. Nicolas Pasquier, représentant la troisième génération, s'est installé en 2006 sur le domaine familial et ses 25 ha de vignes.

Un beau vin de copains sans soufre ajouté lors de la mise en bouteilles. Le nez aérien mise tout sur le fruit. La bouche se développe avec élégance, dans un juste équilibre entre le fruit, les tanins et la fraîcheur. ⧗ 2020-2021 ■ **Le Fruit de ma passion 2018 (8 à 11 €; 4500 b.)** : vin cité.

SCEA NICOLAS PASQUIER, Le Prieuré-d'Aunis, 49400 Dampierre-sur-Loire, tél. 02 41 50 33 61, leprieuredaunis@orange.fr V r.-v.

DOM. DES SABLES VERTS 2017 ★★★

■	8000		5 à 8 €

Le domaine de Dominique et d'Alain Duveau tire son nom de sables riches en glauconie, un minéral de couleur verdâtre présent dans le tuffeau. Couvrant 16 ha

autour de Varrains, le vignoble est principalement dédié au saumur-champigny.

Les différents terroirs du domaine ont été mis à contribution pour produire cette cuvée exceptionnelle. Le nez, régenté par la cerise et la framboise, évoque une tartine de confiture. Les arômes de fruits cuits persistent dans une bouche puissante, certes, mais gourmande grâce à des tanins soyeux. L'harmonie parfaite jusqu'à la longue finale. ⧗ 2020-2024

⊶ GAEC DOMINIQUE ET ALAIN DUVEAU, 66, Grand-Rue, 49400 Varrains, tél. 02 41 52 91 52, duveau@domaine-sables-verts.com r.-v.

DOM. DES SANZAY Les Poyeux 2018

■ | 6000 | | 8 à 11 €

Établi au cœur de l'appellation saumur-champigny, Didier Sanzay est à la tête du domaine familial depuis 1991. Il exploite aujourd'hui avec Céline, son épouse, 28 ha (en conversion bio), dont 25 ha plantés en cabernet franc, le reste en chenin et en chardonnay. Leur saumur-champigny est régulièrement distingué dans le Guide.

À l'aération, le nez floral et riche s'ouvre sur les petits fruits rouges. Suit une bouche fruitée et végétale, typée cabernet franc. Encore légèrement tannique, elle s'achève sur une finale vivifiante. À garder en cave. ⧗ 2020-2024

⊶ EARL DOM. DES SANZAY, 93, Grand- Rue, 49400 Varrains, tél. 02 41 52 91 30, contact@domaine-sanzay.com r.-v.

♥ **LA SEIGNEURIE** 2018 ★★★

■ | 40000 | | 5 à 8 €

Le vignoble (20 ha aujourd'hui), créé en 1969 par Pierre-Louis Foucher, est situé sur les hauteurs de la ville de Saumur et la salle de dégustation offre un panorama à 180° sur la vallée de la Loire. Il a été repris en 2005 par Alban Foucher, fils du fondateur.

Coup de cœur à l'unanimité pour ce vin sombre qui dévoile toute sa complexité à l'aération : fruits des bois à peine compotés et notes florales. D'attaque ample, la bouche élégante trouve un bel équilibre sucre-acidité et épanouit ses arômes en finale. ⧗ 2020-2022 ■ **Les Clos de la Seigneurie 2017 ★★ (11 à 15 €; 3800 b.)** : cette cuvée a patiemment été élevée douze mois en fût. Elle n'a subi ni collage, ni filtration avant la mise en bouteilles. Le nez s'ouvre sur d'intenses arômes de fruits rouges et noirs mûrs. La bouche est souple, avec du gras et des tanins fondus. Jusqu'en finale, tout n'est que rondeur. ⧗ 2020-2024

⊶ EARL FOUCHER, 71, rte de Champigny, 49400 Saumur, tél. 02 41 50 11 15, laseigneurie.vins@hotmail.fr r.-v.

DOM. DE LA SEIGNEURIE Cuvée Réserve 2017 ★★

■ | 9909 | | 8 à 11 €

Fondée en 1872, la maison de négoce Albert Besombes-Moc-Baril a son berceau et son siège à Saumur, mais elle propose une large gamme de vins de Loire allant du muscadet au sancerre, en passant par les chinon et le rosé-d'anjou. Ce dernier représente son cœur d'activité.

Cette cuvée élevée douze mois en barrique a fait forte impression. La cerise noire confiturée côtoie avec finesse les arômes d'écorce d'orange et les notes florales. La bouche ample et élégante présente un boisé fin et des tanins de velours. Le voyage s'achève par une finale épicée, tout simplement délicieuse. ⧗ 2020-2024

⊶ SAS ALBERT BESOMBES-MOC-BARIL, 24, rue Jules-Amiot, 49400 Saint-Hilaire-Saint-Florent, tél. 02 41 50 23 23, sandrine.bertaudeau@uapl.fr

CH. LA SERPE 2018 ★

■ | 50000 | | 8 à 11 €

Un domaine de 14 ha fondé en 2007 par Mathias Levron et son associé Régis Vincenot, par ailleurs propriétaires du Ch. de Parnay et son célèbre Clos d'Entre les Murs créé par Antoine Cristal.

Sous une belle robe, semblable à de l'encre violette, patiente un nez complexe, partagé entre fruits rouges et fruits noirs compotés, signe d'une belle maturité du raisin. La bouche est ronde, bien fondue, marquée par une finale doucement réglissée. ⧗ 2020-2022 ■ **Dom. Levron et Vincenot Les Royères 2018 ★ (5 à 8 €; 20000 b.)** : un vin représentatif de son terroir, dont le nez libère des arômes de fruits rouges frais à l'aération, auxquels se joignent de discrètes notes florales. Après une attaque fruitée, la bouche conserve toute sa finesse et sa légèreté. Finale élégante. ⧗ 2020-2022

⊶ SCEA CH. LA SERPE, 1, rue Antoine-Cristal, 49730 Parnay, tél. 02 41 38 10 85 r.-v.

DOM. DU VAL BRUN Bay rouge 2017

■ | 120000 | | 5 à 8 €

Souvent mentionné dans le Guide, ce domaine, situé à 2 km de l'église romane de Parnay, est dans la même famille depuis 1722. Aujourd'hui, Éric Charruau exploite 30 ha sur le coteau calcaire de la rive gauche de la Loire.

Après un nez discret ouvert sur les fruits rouges et les notes de poivron, on apprécie le gras de ce vin qui emplit bien le palais. Ses tanins fondus et ses notes grillées en finale laissent une agréable sensation. ⧗ 2020-2022

⊶ SCS ÉRIC CHARRUAU, Dom. du Val Brun, 74, rue Val-Brun, 49730 Parnay, tél. 02 41 38 11 85, charruau.eric@orange.fr r.-v.

DOM. DES VERNES Vieilles Vignes 2018

■ | 3000 | | 5 à 8 €

Installé sur le domaine familial en 2002, Sébastien Sanzay représente la sixième génération à la tête de cette exploitation qui s'étend sur 25 ha répartis autour de Chacé. La propriété en pierre de tuffeau, typique du Saumurois, date de 1776.

Une cuvée confidentielle. Le nez puissant exhale des arômes de fraise des bois et des notes de kirsch. La bouche, ample et structurée, complète ce bouquet avec une touche empyreumatique et de la réglisse en finale. ⧗ 2020-2024

EARL DOM. DES VERNES,
7, bd de Caulx, 49400 Chacé, tél. 06 18 09 53 11,
domainedesvernes@free.fr *r.-v.*

LA TOURAINE

Les intéressantes collections du musée des Vins de Touraine à Tours témoignent du passé de la civilisation de la vigne et du vin dans la région, et il n'est pas indifférent que les récits légendaires de la vie de saint Martin, évêque de Tours vers 380, émaillent la *Légende dorée* d'allusions viticoles ou vineuses... À Bourgueil, l'abbaye et son célèbre clos abritaient le «breton» ou cabernet franc, dès les environs de l'an mil, et, si l'on voulait poursuivre, la figure de Rabelais arriverait bientôt pour marquer de faconde et de bien-vivre une histoire prestigieuse. Celle-ci revit au long des itinéraires touristiques, de Mesland à Bourgueil sur la rive droite (par Vouvray, Tours, Luynes, Langeais), de Chaumont à Chinon sur la rive gauche (par Amboise et Chenonceaux, la vallée du Cher, Saché, Azay-le-Rideau, la forêt de Chinon).
Célèbre il y a donc fort longtemps, le vignoble tourangeau atteignit sa plus grande extension à la fin du XIXᵉs. Il se répartit essentiellement sur les départements de l'Indre-et-Loire et du Loir-et-Cher, empiétant au nord sur la Sarthe. Des dégustations de vins anciens, des années 1921, 1893, 1874 ou même 1858, par exemple, à Vouvray, Bourgueil ou Chinon, font apparaître des caractères assez proches de ceux des vins actuels. Cela montre que, malgré l'évolution des pratiques culturales et œnologiques, le «style» des vins de la Touraine reste le même; sans doute parce que chacune des appellations n'est élaborée qu'à partir d'un seul cépage. Le climat joue aussi son rôle : les influences atlantique et continentale ressortent dans l'expression des vins, les coteaux formant un écran aux vents du nord. En outre, la succession de vallées orientées est-ouest, vallées du Loir, de la Loire, du Cher, de l'Indre, de la Vienne, multiplie les coteaux de tuffeau favorables à la vigne, sous un climat tout en nuances, en entretenant une saine humidité. Ce tuffeau, pierre tendre, est creusé d'innombrables caves. Dans les sols des vallées, l'argile se mêle au calcaire et au sable, avec parfois des silex; au bord de la Loire et de la Vienne, des graviers s'y ajoutent.
Ces différents caractères se retrouvent donc dans les vins. À chaque vallée correspond une appellation, dont les vins s'individualisent chaque année grâce aux variations climatiques; et l'association du millésime aux données du cru est indispensable. Le classement des millésimes est à moduler, bien sûr, entre les rouges tanniques de Chinon ou de Bourgueil (plus souples quand ils proviennent des graviers, plus charpentés quand ils sont issus des coteaux) et ceux plus légers, et parfois diffusés en primeur, de l'appellation touraine; entre les rosés plus ou moins secs selon l'ensoleillement, tout comme les blancs d'Azay-le-Rideau ou d'Amboise, et ceux de Vouvray et de Montlouis dont la production va des secs aux moelleux en passant par les vins effervescents. Les techniques d'élaboration des vins ont leur importance. Si les caves de tuffeau permettent un excellent vieillissement à une température constante d'environ 12 °C, les vinifications en blanc se font à température contrôlée; les fermentations durent quelquefois plusieurs semaines, voire plusieurs mois pour les vins moelleux. Les rouges légers, de type touraine, sont issus de cuvaisons au contraire assez courtes; en revanche, à Bourgueil et à Chinon, les cuvaisons sont longues : deux à quatre semaines. Si les rouges font leur fermentation malolactique, les blancs et les rosés, eux, doivent leur fraîcheur à la présence de l'acide malique.

TOURAINE

Superficie : 4 470 ha
Production : 254 353 hl (30 % rouge, 14 % mousseux)

S'étendant des portes de Montsoreau à l'ouest jusqu'à Blois et Selles-sur-Cher à l'est, l'aire d'appellation régionale touraine est principalement localisée de part et d'autre des vallées de la Loire, de l'Indre et du Cher. Le tuffeau affleure rarement; les sols surmontent le plus souvent l'argile à silex. Les vins rouges proviennent de gamay (cépage exclusif des touraines primeurs), ou d'assemblage de cépages plus tanniques, comme le cabernet franc et le côt. À base de deux ou trois cépages, ils ont une bonne tenue en bouteille. Nés du cépage sauvignon qui, depuis quarante ans, a détrôné les autres, les blancs sont secs. Une partie de la production des blancs et des rosés est élaborée en mousseux selon la méthode traditionnelle. Toujours secs, friands et fruités, les rosés sont élaborés à partir des cépages rouges.

B TERRES DE L'AUMONIER
Sauvignon 2018 ★

	90000		8 à 11 €

Sophie et Thierry Chardon ont repris en 1996 ce domaine qui a terminé en 2006 sa conversion bio. Ils ont porté la superficie du vignoble de 12 à 43 ha, une majorité de la production étant destinée à l'export.
Un or intense habille ce sauvignon. D'abord discret, il s'épanouit à l'aération, libérant des arômes de fruits exotiques, de banane, de beurre frais et d'épices. La bouche, florale et fruitée (pêche, abricot), gagne en puissance, puis laisse une impression rafraîchissante en finale. ⌛ 2020-2022

DOM. DE L' AUMONIER,
44, rue de Villequemoy, 41110 Couffy, tél. 06 14 73 61 48,
domaine.aumoniertchardon@wanadoo.fr

PASCAL AVRIL
Méthode traditionnelle Pétillant 2016 ★

	2000		8 à 11 €

Catherine et Pascal Avril exploitent depuis 1985 un vignoble de 12 ha implanté en rive gauche de la Vienne, face à Chinon.

Une cuvée 100 % cabernet franc qu'il faudra acquérir rapidement, car ultra confidentielle. Tout entière tournée vers les fruits rouges, elle présente une bulle fine et un nez intense. La bouche, fraîche et nette, est dominée par les arômes de framboise, de cerise et de groseille. La dégustation s'achève sur une pointe de vivacité bienvenue. ⧗ 2020-2022 ■ **Clos de la Bouvellerie 2017 (5 à 8 €; 15000 b.)** : vin cité.

DOM. DE TOURAINE, 5, Touraine, 37500 Ligré, tél. 02 47 93 46 92, domainetouraine@gmail.com V t.l.j. sf dim. 10h-12h 15h-19h

BADILLER Cabernet franc P'tit Berton 2017 ★

■	3000			5 à 8 €

Héritier d'une lignée de vignerons remontant à 1789, Marc Badiller s'est installé en 1984 sur le domaine familial, établi entre la Loire et la forêt de Chinon : 13 ha sur les coteaux de Cheillé à l'origine d'une large gamme de vins de Touraine. En 2015, la dernière génération (Pierre et Vincent) a pris les commandes.

Élégance et discrétion caractérisent cette cuvée confidentielle. Le nez, typique du cabernet franc, s'ouvre sur les fruits rouges, la confiture et les incontournables notes de poivron. La bouche est au diapason, avec une agréable rondeur et des tanins fondus. ⧗ 2020-2022

DOM. BADILLER, 26, Le Bourg, 37190 Cheillé, tél. 02 47 45 24 37, contact@badiller.fr V *t.l.j. sf dim. 9h30-12h30 14h-18h*

CELLIER DU BEAUJARDIN
Sauvignon Moulin des Aigremonts 2018 ★

	35000			- de 5 €

Cette union de producteurs créée en 1925 vinifie les raisins de nombreuses exploitations situées aux portes des châteaux d'Amboise et de Chenonceau. Elle exploite aussi ses propres vignes, reprenant des vignobles sans succession.

Beaucoup de finesse aromatique dans ce sauvignon bien mûr, habillé d'une robe jaune clair. Il libère des arômes de fruits blancs, auxquels se joignent fruits secs, et notes florales. En bouche, des flaveurs de poire et d'abricot accompagnent une belle matière minérale, avant une finale vive et discrètement fumée. ⧗ 2020-2022

La Touraine

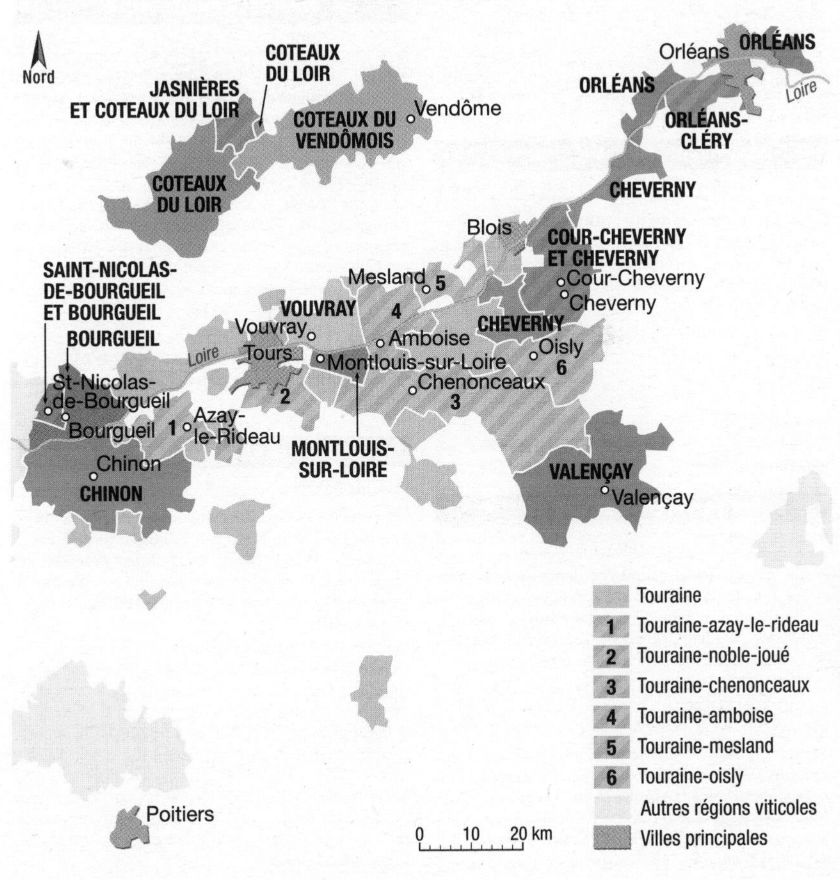

CELLIER DU BEAUJARDIN, 32, av. du 11-Novembre-1918, 37150 Bléré, tél. 02 47 57 91 04, accueil@cellier.beaujardin.com V t.l.j. sf dim. 8h-12h 14h-18h30

DOM. BELLEVUE Gamay 2018 ★

| 30000 | | - de 5 € |

Patrick Vauvy a pris en 1985 la suite des trois générations précédentes sur le domaine familial qui s'étend sur 40 ha à Noyers-sur-Cher. Une commune où l'on trouve une pépinière d'excellents vignerons et des terroirs siliceux au sous-sol argilo-calcaire donnant beaucoup de légèreté aux vins.

Un agréable vin rouge, bien typé gamay. Le nez fruité se nuance de notes fumées et d'une touche de poivre. La bouche s'inscrit dans la continuité. Elle offre une attaque en douceur, avant de monter en puissance. Belle finale laissant une sensation de rondeur et de légère amertume. ⧗ 2020-2022 **Sauvignon 2018 ★ (- de 5 €; 200000 b.)** : sous une robe dorée, cette cuvée dévoile un nez fruité et chaleureux, associant agrumes, fruits exotiques et fruits jaunes bien mûrs, sans oublier une touche fumée. Arômes de mangue, de fruit de la Passion et d'abricot se manifestent dans une bouche volumineuse et grasse, dotée en finale d'une touche de fraîcheur évocatrice de pamplemousse. ⧗ 2020-2021

DOM. BELLEVUE, 6, rue du Coteau, 41140 Noyers-sur-Cher, tél. 02 54 71 42 73, domainebellevue@orange.fr V r.-v.

DOM. DES BESSONS Arroma 2018 ★

| 8700 | | 5 à 8 € |

Établi sur la rive droite de la Loire tout près d'Amboise, François Péquin s'est lancé dans la vinification et la vente directe après son installation en 1987. Il exploite 10 ha de vignes en touraine et en touraine-amboise.

Un sauvignon au nez floral, discret et élégant. La bouche très ronde laisse une agréable impression de gras, idéalement contrebalancée par une longue finale fraîche et légèrement acidulée. ⧗ 2020-2022

DOM. DES BESSONS, 113, rue de Blois, 37530 Limeray, tél. 02 47 30 09 10, francois.pequin@wanadoo.fr V r.-v.

DOM. DES CAILLOTS Sauvignon 2018 ★

| 50000 | | - de 5 € |

Des actes notariés attestent l'existence de cette propriété viticole dès le XVIIIe s. Dominique Girault, à la tête du domaine depuis 1983, perpétue la mise en valeur des excellents terroirs argilo-siliceux bordant le Cher. Son vignoble couvre aujourd'hui 21 ha.

La robe rappelle la chair du citron vert. Le nez d'agrumes et de miel se fait discret, misant sur l'élégance. Le fruit se retrouve tout entier dans une bouche ronde et fraîche à la fois, d'une belle longueur. ⧗ 2020-2022

DOM. DES CAILLOTS, 2, chem. du Vigneron, Le Grand-Mont, 41140 Noyers-sur-Cher, tél. 02 54 32 27 07, domaine.des.caillots@orange.fr V t.l.j. 10h-12h 14h-19h; dim. sur r.-v.

♥ PHILIPPE CATROUX ★★

| 9000 | 5 à 8 € |

Comme dans de nombreuses exploitations de Limeray, l'histoire viticole familiale est ici ancienne (1890). Représentant la cinquième génération, Philippe Catroux, installé depuis 1984, conduit un domaine de 17 ha.

Ce vin aux fines bulles régulières se distingue d'emblée par sa complexité aromatique : il marie les agrumes, les fruits blancs bien mûrs et les notes florales au nez. Laissant une impression de fraîcheur au palais, il poursuit sa longue farandole : pamplemousse, clémentine et écorce d'orange. Des notes de raisins secs et d'épices douces s'invitent à la fête dans une finale persistante. ⧗ 2020-2022

PHILIPPE CATROUX, 2 et 4, rue des Caves-de-Moncé, 37530 Limeray, tél. 02 47 30 13 10, philippe.catroux@caves-catroux.com V t.l.j. 8h30-12h30 14h-19h

DOM. DE LA CHAISE 2018 ★

| 35000 | | - de 5 € |

Héritier d'une tradition qui remonte à 1850, Christophe Davault s'est installé en 2004 sur ce domaine qui couvre aujourd'hui 57 ha. L'exploitation est située sur les anciennes terres du prieuré de La Chaise, déjà plantées en vignes par les moines au Xe s.

Un rosé brillant, assemblage de gamay (45 %), de cabernet franc (20 %), de grolleau (20 %) et de cabernet-sauvignon (15 %). Fruits rouges et agrumes se partagent une palette légèrement épicée. La bouche est en harmonie avec le nez (cerise, groseille, pamplemousse, poivre), avec une trame légèrement minérale et une finale intensément fruitée. ⧗ 2019-2021

DOM. DE LA CHAISE, 37, rue de la Liberté, 41400 Saint-Georges-sur-Cher, tél. 06 78 57 12 28, domainedelachaise@orange.fr V t.l.j. 9h-12h 14h-18h30

DOM. DE LA CHAPELLE Gamay 2018 ★

| 2000 | | - de 5 € |

Constitué en 1935 par un cultivateur d'origine beauceronne, le domaine pratiquait la polyculture-élevage. Installé en 1996, Thierry Gosseaume, petit-fils du fondateur, l'a définitivement spécialisé en viticulture. Il exploite 25 ha à Choussy, au cœur de l'appellation touraine-oisly.

Dans le verre, un rouge profond. Le premier nez se montre discret, puis le vin s'ouvre sur les fruits rouges confiturés. Une jolie structure tannique soutient la chair ronde à souhait. Un gamay gourmand. ⧗ 2020-2022 **Pineau d'aunis 2018 ★ (- de 5 €; 2000 b.)** : un rosé bien construit, dans une robe claire à reflets gris. Le nez mêle agrumes, fines épices, notes florales et minérales, tandis qu'en bouche, la pomme et la poire bien mûres soulignent la rondeur du vin, rehaussées par des notes miellées en finale. ⧗ 2019-2021 **Sauvignon 2018 (- de 5 €; 5000 b.)** : vin cité.

DOM. DE LA CHAPELLE,
14, rte de la Gittonière, 41700 Choussy, tél. 02 54 71 32 43, thierry.gosseaume@orange.fr V r.-v.

LA CHAPINIÈRE 2018 ★★

■ | 4000 | | 5 à 8 €

Après une première vie professionnelle de cadre supérieur dans une grande entreprise, Florence Veilex a décidé de retourner sur les bancs de l'école afin de décrocher un BTS de viticulture-œnologie. En 2003, elle a acquis ce domaine de 25 ha situé sur les coteaux sud du Cher, qu'elle gère avec son mari Éric Yung, journaliste. Tourné vers l'œnotourisme, le domaine loue aussi des écuries.

Cette cuvée unit le gamay (70 %) au pineau d'Aunis (22 %) et au cabernet franc. À l'olfaction se déploient d'intenses notes d'épices, autour des fruits rouges et des fleurs de printemps. La bouche est empreinte d'arômes de framboise et de fraise, sans omettre des touches minérales et poivrées. Elle laisse une impression de fraîcheur parfaitement maîtrisée. ⏳ 2019-2021 ■ **Gamay 2018 (5 à 8 €; 8000 b.)** : vin cité. ■ **Sauvignon 2018 (8 à 11 €; 50000 b.)** : vin cité.

DOM. LA CHAPINIÈRE DE CHÂTEAUVIEUX,
4, chem. de la Chapinière, 41110 Châteauvieux, tél. 02 54 75 43 00, contact@lachapiniere.com V
t.l.j. sf mar. mer. 10h-19h; dim. 10h-13h

DOM. CHARBONNIER Sauvignon 2018 ★

■ | 40000 | | 5 à 8 €

Daniel Charbonnier a pris sa retraite en 2009, mais son frère Michel et son fils Stéphane, installés en 2001, sont toujours là pour conduire le domaine familial et ses 22 ha de vignes. Leurs vins sont régulièrement mentionnés dans le Guide.

Cette cuvée très florale évoque l'aubépine, l'acacia et le buis. Dotée d'une attaque souple, elle se tourne durablement vers les agrumes (pamplemousse, citron) au palais. ⏳ 2020-2022 ■ **Malbec 2017 (5 à 8 €; 11000 b.)** : vin cité.

DOM. CHARBONNIER, 4, chem. de la Cossaie, 41110 Châteauvieux, tél. 06 14 70 95 44, dms.charbonnier@wanadoo.fr V r.-v.

DOM. DES CHÉZELLES Sauvignon 2018 ★

■ | 32000 | | 5 à 8 €

Exploité par la famille Marcadet depuis 1850, ce domaine, qui s'étend aujourd'hui sur 25 ha de terroirs argilo-calcaires à tendance siliceuse, a changé de mains en 2016, repris par Philippe Derouet (fils et petit-fils de vignerons saumurois), son épouse Catherine et sa fille Aurélie.

Une cuvée complexe et aromatique, qui s'ouvre sur des arômes de pamplemousse et de fruits exotiques. La bouche est entièrement tournée vers le fruit, pourvue d'un gras enveloppant, avec de la puissance et beaucoup de longueur. La finale acidulée apporte une séduisante touche de fraîcheur. ⏳ 2020-2022

SARL PHICALIE (DOM. DES CHÉZELLES),
18, rue du Grand-Mont, 41140 Noyers-sur-Cher, tél. 02 54 75 13 94, domaine-chezelles@orange.fr V
t.l.j. sf dim. 9h-12h 14h-19h (17h sam.)

DOM. DES CORBILLIÈRES Angeline 2017 ★

■ | 8000 | | 8 à 11 €

Situé à Oisly, en Sologne viticole, ce domaine est une des valeurs sûres de l'appellation touraine. Acquis dans les années 1920 par la famille, le vignoble, qui compte aujourd'hui 28 ha, est conduit par Dominique Barbou.

Un vin de côt couleur grenat, élevé onze mois en fût de chêne français. Son nez évoque les fruits noirs et les notes de sous-bois. En bouche, le cassis et la mûre s'inscrivent dans une chair ronde et bien structurée, persistante. ⏳ 2020-2022

DOM. DES CORBILLIÈRES, 1, les Corbillières, 41700 Oisly, tél. 02 54 79 52 75, contact@domainedescorbillieres.com V r.-v.

DOM. JOËL DELAUNAY Sauvignon 2018 ★

■ | 80000 | | 5 à 8 €

Joël Delaunay s'est lancé dans la vente en bouteilles en 1970. Ce vigneron réputé de l'AOC touraine a cédé en 2003 à son fils Thierry et à son épouse Marie l'exploitation, située sur la première côte de la vallée du Cher, qui couvre 34 ha aujourd'hui. Une valeur sûre.

Des arômes de fruits jaunes, d'agrumes et de fleurs blanches témoignent de la maturité du raisin. Il en va de même au palais, mais l'ensemble reste très agréablement frais, grâce à une ligne minérale. ⏳ 2020-2022

DOM. JOËL DELAUNAY,
48, rue de la Tesnière, 41110 Pouillé, tél. 02 54 71 45 69, contact@joeldelaunay.com V *t.l.j. sf dim. 9h-12h 14h-17h30; sam. sur r.-v.*

DOM. DESROCHES-MANÇOIS Gamay 2018 ★

■ | 15000 | | - de 5 €

Saint-Georges-sur-Cher est l'une des plus importantes communes viticoles de Touraine. Installé ici depuis 1980, Jean-Michel Desroches a cédé en 2017 son domaine de 16,5 ha à une jeune vigneronne, Aurélie Mançois.

Cette cuvée 100 % gamay, de teinte profonde, fait la part belle aux fruits rouges. Tout au long de la dégustation, cerise, framboise et groseille se déclinent. La matière ample et ronde emplit le palais et laisse un souvenir durable. ⏳ 2020-2022

DOM. DESROCHES-MANÇOIS,
86, les Raimbaudières, 41400 Saint-Georges-sur-Cher, tél. 06 85 02 23 04, mancoisaurelie@yahoo.fr V r.-v.

♥ CH. DE FONTENAY Le Clos des Sables 2018 ★★

■ | 4000 | 5 à 8 €

Didier et Carole Corby ont repris en 1996 une exploitation située sur la rive gauche du Cher, à deux pas de Chenonceaux. Nathalie et Philippe Carli les ont rejoints à la tête de ce domaine de 15 ha commandé par un château des XVIIe et XIXe s. entièrement restauré.

Une cuvée confidentielle, issue d'un assemblage moitié gamay, moitié grolleau. La robe saumon clair brille

LOIRE

de reflets dorés. L'expression aromatique s'inscrit dans le registre des fruits rouges, mais de fines touches beurrées sont également perceptibles. La bouche est à l'unisson. On perçoit beaucoup de fraîcheur et une minéralité typée. La dégustation se conclut sur des notes toastées persistantes. ⧗ 2019-2021

CH. DE FONTENAY, 3, Fontenay, 37150 Bléré, tél. 02 47 57 93 05, vin@lechateaudefontenay.fr V r.-v.

BLANC FOUSSY Brut Grande Cuvée 2017 ★★

| 528300 | 5 à 8 € |

Entreprise spécialisée dans les vins effervescents du Val de Loire, Blanc Foussy propose des vins de diverses appellations élaborés dans ses vastes caves de Saint-Roch à Rochecorbon, en aval de Vouvray.

Le chenin et le chardonnay ont donné naissance à ce vin élégamment floral. C'est au palais qu'il dévoile son potentiel aromatique et une fraîcheur tout en finesse. La petite pointe d'amertume rappelant les agrumes ajoute à son charme. ⧗ 2020-2021 ● **Brut Grande Cuvée 2016 (5 à 8 €; 320011 b.)** : vin cité.

BLANC FOUSSY, 95, quai de la Loire, 37210 Rochecorbon, tél. 02 47 52 61 60

DOM. PASCAL GIBAULT Frisson d'été Parfum d'intuition 2018 ★

| 15000 | - de 5 € |

Établis à Noyers-sur-Cher, Pascal et Danielle Gibault ont repris en 1988 le domaine familial qui s'étend sur 40 ha, perpétuant une tradition vigneronne remontant à trois générations. Un domaine souvent en vue pour ses blancs.

Un touraine d'un caractère presque méridional, issu d'un assemblage de gamay et de côt. Après les fruits rouges mûrs, ce sont les notes de poivre qui se distinguent. La bouche persiste dans cette tendance épicée, autour de la fraise acidulée, de la cerise et de la groseille. ⧗ 2019-2020 **Sauvignon Parfum d'intuition 2018 (5 à 8 €; 100000 b.)** : vin cité.

DOM. PASCAL GIBAULT, Les Martinières, 11, rue des Vignes, 41140 Noyers-sur-Cher, tél. 02 54 75 36 52, danielle-de-lansee@wanadoo.fr V *r.-v.*

DOM. DE LA GIRARDIÈRE Brut Méthode traditionnelle ★

| 6847 | 5 à 8 € |

Domaine familial créé au début du XXe s. et implanté sur le territoire de Saint-Aignan-sur-Cher, sur la rive gauche. Patrick Léger, qui avait pris en 1988 la suite de trois générations, a cédé en 2014 son exploitation (16 ha) à Sylvie Lalizel.

Un touraine brut issu de l'orbois (60 %) et du chardonnay (40 %), minéral de bout en bout. Le nez et la bouche sont à l'unisson, avec des arômes d'agrumes et de fruits blancs. On apprécie la finale tout en légèreté. ⧗ 2020-2022 **Sauvignon 2018 (5 à 8 €; 18000 b.)** : vin cité.

DOM. DE LA GIRARDIÈRE, 283, rte de la Girardière, 41110 Saint-Aignan, tél. 02 54 75 42 44, domainedelagirardiere@wanadoo.fr V *t.l.j. 9h-19h; dim. sur r.-v.*

DOM. DES GRANDES ESPÉRANCES 2018 ★

| 30000 | 5 à 8 € |

Un domaine de 50 ha sur la commune de Mesland, au cœur de la Touraine, propriété de la maison Saget-La Perrière depuis 2010.

Un sauvignon limpide à reflets or. Des arômes intenses d'agrumes et de fruits exotiques s'expriment agréablement, rejoints en bouche par des notes de buis et une touche fumée. Tout n'est que fraîcheur dans ce joli vin. ⧗ 2020-2022

DOM. DES GRANDES ESPÉRANCES, La Morandière, 41150 Mesland, tél. 06 88 58 05 98, domainedesgrandesesperances@gmail.com

FRANCIS JOURDAIN Pierre de lumière 2018 ★

| 40000 | 5 à 8 € |

Fondé en 1960, ce domaine familial (32 ha) a été repris en 1990 par Francis Jourdain qui avait auparavant exercé durant une dizaine d'années une activité de conseil en arboriculture secondé par Sophie depuis 2008. Son chai est situé près d'une très belle «loge» de vignes, dans la commune de Lye.

Cette cuvée dorée prend naissance sur un terroir d'argiles à silex. À l'olfaction, les arômes d'agrumes accompagnent les notes de miel avec finesse. Après une attaque en souplesse, la bouche apparaît chaleureuse, riche et ample. On y retrouve le pamplemousse, le miel et d'agréables nuances fumées. ⧗ 2020-2022

DOM. FRANCIS JOURDAIN, 24, Les Moreaux, 36600 Lye, tél. 02 54 41 01 45, jourdain.earl@wanadoo.fr V *t.l.j. sf dim. 9h-12h30 15h-19h*

DOM. JACKY MARTEAU Sauvignon 2018 ★

| 130000 | 5 à 8 € |

Jacky Marteau a pris sa retraite en 2010 et laissé les clefs du domaine à ses enfants, Ludivine et Rodolphe, qui représentent la quatrième génération à la tête de cette exploitation de 27 ha bien connue des lecteurs du Guide.

Une cuvée attrayante que le jury a appréciée pour sa fraîcheur aromatique. Des notes d'agrumes, de fruits blancs, d'acacia et d'aubépine s'échappent du verre avec intensité. Suit une bouche légère, vive, persistante et bien équilibrée, qui mêle la pomme à une touche acidulée de bonbon anglais. ⧗ 2020-2021

DOM. JACKY MARTEAU, 36, rue de la Tesnière, 41110 Pouillé, tél. 02 54 71 50 00, contact@domainejackymarteau.fr V *r.-v.*

JEAN-FRANÇOIS MÉRIEAU Côt Cent Visages 2017 ★

| 18000 | 11 à 15 € |

Jean-François Mérieau est installé dans un village de la rive gauche du Cher qui regarde Montrichard sur l'autre rive. Il cultive 35 ha de vignes, dont le fruit est vinifié dans une cave creusée dans la roche.

Voici un côt qui fleure bon les fruits rouges et noirs bien mûrs. Notes de violette, d'épices et de réglisse se joignent au bouquet qui s'ouvre sans attendre. La bouche, très aromatique, est de la même veine. Elle se déploie sur une trame minérale. Serait-ce l'héritage des vignes de cinquante ans qui puisent profondément dans le sol ? ⧗ 2020-2022 ■ **Sauvignon blanc L'Arpent des Vaudons 2018 (8 à 11 €; 40000 b.)** : vin cité.

DOM. MÉRIEAU, 69, rue de Viezon, 41400 Montrichard, tél. 02 54 32 14 23, info@merieau.com V t.l.j. sf dim. 9h-12h30 14h-18h

RAPHAËL MIDOIR Sauvignon 2018 ★

■ | 106000 | | 5 à 8 €

Représentant la cinquième génération, Raphaël Midoir a succédé à son père en 1997 sur la propriété familiale située au cœur de la Sologne viticole. Réputé pour ses crémants, ce domaine de 27 ha se distingue également par ses touraine blancs et rosés.

La teinte jaune profond de ce vin invite à humer le verre. Se libèrent alors des arômes d'agrumes et de fruits exotiques, joliment soulignés par des notes de genêt. La bouche, grasse, très ronde et bien persistante, laisse une impression de sucrosité. ⧗ 2020-2021

RAPHAËL MIDOIR, 380, rue de la Grande-Brosse, 41700 Chémery, tél. 02 54 71 83 58, contact@raphaelmidoir.com V t.l.j. sf dim. 9h-12h30 14h-19h

DOMAINES MINCHIN
Hortense en sauvignon 2018 ★

■ | 6000 | | 8 à 11 €

Valeur sûre de l'appellation menetou-salon avec son Dom. la Tour Saint-Martin, Bertrand Minchin, aussi à l'aise en rouge qu'en blanc, est établi depuis 1987 à la tête de 17 ha de vignes sur les hauteurs de Morogues. En 2004, il s'est étendu sur l'appellation valençay avec les 15 ha du Claux Delorme, à Selles-sur-Cher, et s'y est rapidement imposé comme une belle référence.

Un sauvignon très floral, issu d'un terroir de sable et de graviers. Le nez s'ouvre sur les agrumes et les fleurs blanches, tandis que la bouche fraîche se développe avec finesse jusqu'à une finale légèrement acidulée. ⧗ 2020-2021

SCEV LA TOUR SAINT-MARTIN, Domaines Minchin, La Tour-Saint-Martin, 18340 Crosses, tél. 02 48 25 02 95, cave@domaines-minchin.vin V t.l.j. 8h30-12h30 13h30-17h30

MONMOUSSEAU
Brut Méthode traditionnelle Cuvée J.M. ★

● | 120000 | | 8 à 11 €

Fondées en 1886, les Caves Monmousseau sont spécialisées de longue date dans l'élaboration de vins effervescents. Dans le giron depuis 2010 de la société saumuroise Ackerman.

Un effervescent couleur saumon, issu d'un assemblage de cabernet franc (54 %), de gamay (28 %), de grolleau (15 %) et de pinot noir (3 %). L'attache est franche, la bouche vive et la bulle fine. Rafraîchissant à souhait. ⧗ 2020-2022 ● **Brut Méthode traditionnelle Cuvée J.M. ★ (8 à 11 €; 50000 b.)** : jaune pâle, ce brut est le fruit d'un assemblage de cabernet franc (63 %) et de chenin (37 %). Son nez, discret et floral, laisse poindre des notes de framboise. En bouche, agrumes et fruits blancs prennent le relais, jusqu'à une finale soutenue par une pointe d'amertume. ⧗ 2020-2022 ● **Brut zéro L'Essentiel (8 à 11 €; 20000 b.)** : vin cité.

ETS MONMOUSSEAU, 71, rte de Vierzon, 41400 Montrichard, tél. 02 54 71 66 66, cave@monmousseau.com V r.-v.

NICOLAS PAGET Côcerto 2017 ★

■ | 2500 | | 11 à 15 €

Le domaine est établi près de la confluence de la Loire et de l'Indre, à la lisière de la forêt de Chinon. James Paget lui a donné une bonne notoriété. Son fils Nicolas, qui lui a succédé en 2007, est à la tête d'un vignoble de 15 ha qu'il conduit désormais en bio (certification en 2014). À sa carte, du touraine, du touraine-azay-le-rideau et du chinon.

Symphonie bien orchestrée pour cette cuvée. Après un élevage de douze mois en fût, elle s'ouvre sur les fruits, la violette et les nuances fumées. En bouche, elle prolonge ces arômes et invite les notes de vanille à la partition. Un vin puissant, qui ravira les amateurs de boisé prononcé. ⧗ 2020-2022

DOM. NICOLAS PAGET, 7, rte de la Gadouillère, 37190 Rivarennes, tél. 02 47 95 54 02, domaine.paget@wanadoo.fr V r.-v.

CAVES DU PÈRE AUGUSTE Côt Marreux 2017 ★

■ | 14900 | | 5 à 8 €

Voilà maintenant plus d'un siècle que le père Auguste, trisaïeul d'Alain Godeau, l'actuel vigneron, a creusé les caves dans le tuffeau. Ce dernier, installé en 1982 sur le domaine familial, exploite 46 ha aux portes de Chenonceaux. Ses vins sont régulièrement mentionnés dans le Guide.

Un côt, léger et fruité, habillé d'une robe claire. Les arômes de fruits rouges et noirs se mêlent harmonieusement aux notes de violette et d'épices. Une élégance à laquelle fait écho un palais régenté par le cassis et la groseille, qui s'achève sur une longue finale. Un bel ensemble. ⧗ 2020-2024

CAVES DU PÈRE AUGUSTE, 14, rue des Caves, 37150 Civray-de-Touraine, tél. 02 47 23 93 04, contact@pereauguste.com V t.l.j. 8h30-19h30; dim. 10h-12h

♥ DOM. DE PIERRE
Sauvignon Le Chemin rompu 2018 ★★

■ | 60000 | | 5 à 8 €

Ingénieur agricole, Lionel Gosseaume, après avoir travaillé quinze ans dans des organisations professionnelles, a sauté le pas en 2007 en reprenant en fermage 9 ha à Choussy, au cœur de la Sologne viticole. Son domaine compte aujourd'hui 28 ha.

Un sauvignon brillantissime, explosion de fleurs blanches et de fruits exotiques. Il surprend par sa puissance et sa souplesse, signe d'une belle maturité du raisin : arômes d'agrumes et de poire s'accompagnent d'une touche de mûre, avec une finale fruitée qui n'en finit pas. ⧗ 2020-2022 ■ **Gamay Les Vieilles Vignes 2018 ★★ (5 à 8 €; 20000 b.)** : issu de vignes de quarante-cinq ans, ce gamay se livre dans une robe rubis. Friand à souhait, il s'ouvre sur des parfums intenses de fruits rouges et noirs, puis offre une matière dense toute empreinte de groseille. Les tanins sont déjà fondus.

LOIRE

⧗ 2020-2022 ■ **Les Grandes Bruyères 2018 ★★ (5 à 8 €; 23000 b.)** : un rosé qui sort du lot, bel aboutissement d'un assemblage de côt (50 %), de pineau d'Aunis (25 %), de gamay (15 %) et de cabernet (10 %). Couleur pelure d'oignon, il affiche un caractère épicé au nez, avant de livrer au palais des arômes de fleurs et de petits fruits rouges mêlés de notes poivrées. Rondeur et puissance sont au rendez-vous. ⧗ 2019-2020

DOM. DE PIERRE, 6, chem. des Étangs, 41700 Choussy, tél. 02 54 46 44 86, info@lionelgosseaume.fr

LES PIERRES D'AURÈLE 2017 ★

■ | 2000 | | 8 à 11 €

Un jeune domaine fondé en 2010 par Pierre-André Frot, dont les vignes s'étendent sur près de 22 ha en AOC touraine et touraine-chenonceaux.

Un chenin original, vendangé à maturité avancée et élevé en fût de chêne pendant un an. Sous une robe jaune pâle limpide, il libère des arômes de fruits jaunes sur un fond d'épices, de miel et de vanille. En bouche, l'attaque est souple, puis le vin monte en puissance. Le boisé reste contenu et une légère amertume signe la finale. ⧗ 2020-2024

LES PIERRES D'AURÈLE, 1, la Chauverie, 41400 Saint-Georges-sur-Cher, tél. 06 99 35 27 79, pierre@lespierresdaurele.com V t.l.j. 10h-12h 14h-19h 4

DOM. DES PIERRETTES Sens's 2018 ★

■ | 33000 | | 8 à 11 €

À deux pas du château de Chaumont-sur-Loire aujourd'hui célèbre pour son festival des Jardins, Vincent Guilbaud et Cyril Geffard sont installés depuis 2004 sur ce domaine de 18 ha.

Jaune pâle à reflets argentés, cette cuvée s'ouvre sur un bouquet floral et fruité, typique du sauvignon. La bouche est à l'avenant, avec des arômes d'agrumes et de fines notes sucrées qui épousent élégamment une légère amertume. Le tout porté par une structure bien équilibrée et clôturé par une belle finale. ⧗ 2020-2022

DOM. DES PIERRETTES, 9, Le Meunet, 41150 Rilly-sur-Loire, tél. 02 54 20 98 44, contact@domainedespierrettes.fr V t.l.j. sf dim. 10h-18h

DOM. PLOU ET FILS 2018 ★

■ | 16000 | 5 à 8 €

Les Plou cultivent la vigne depuis... 1508 sur les terres de Chargé. La propriété s'est agrandie depuis, pour couvrir un coquet vignoble de 105 ha, conduit depuis 2003 par la dernière génération.

Un gamay gourmand, complété par 20 % de malbec, issu de vignes âgées de trente ans. Une belle minéralité le caractérise, mais il exhale aussi des arômes généreux de fruits rouges et de bonbon anglais. Suivant la même ligne, la bouche marie fraise acidulée, framboise et groseille. Un bel exemple d'équilibre entre fraîcheur et rondeur. ⧗ 2020-2022

DOM. PLOU ET FILS, 26, rue du Gal-de-Gaulle, 37530 Chargé, tél. 02 47 30 55 17, contact@plouetfils.com V t.l.j. 9h-19h30

DOM. PRÉ BARON Renaissance 2017 ★★

■ | 5000 | | 5 à 8 €

Jean-Luc Mardon, héritier de quatre générations de vignerons, est un ardent défenseur des vins du secteur de la Touraine qui borde la Sologne. Aux commandes du domaine familial depuis 1995, il poursuit les efforts de son père en agrandissant le vignoble (40 ha aujourd'hui). Ses vins sont souvent en bonne place dans le Guide.

Un touraine, issu du cabernet franc, du côt et du pinot noir. De teinte soutenue, il offre une explosion de fruits. Le cassis et la mûre y côtoient les épices et des notes de pivoine. Riche, il emplit le palais de toute sa matière étayée par des tanins soyeux et bien fondus. Des nuances torréfiées apparaissent en finale. Un beau vin de garde. ⧗ 2020-2024 ■ **Sauvignon blanc 2018 ★★ (5 à 8 €; 80000 b.)** : un sauvignon bien mûr, élégant et complexe. Le premier nez offre un déluge de fruits jaunes (abricot) et d'aubépine. Le second confirme les arômes, apportant au passage son lot de fruits confits et de notes de buis. La bouche est grasse, persistante et tellement gourmande. ⧗ 2020-2022

DOM. PRÉ BARON, Le Pré Baron, 41700 Oisly, tél. 02 54 79 52 87, jean-luc.mardon@wanadoo.fr V t.l.j. sf dim. 9h-12h15 14h30-18h30 (sam. 17h)

CH. DE QUINÇAY Sélection terroir 2017 ★

■ | 10000 | | 5 à 8 €

Conduit par les frères Cadart, Frédéric et Philippe, le Ch. de Quinçay commande un joli parc arboré; ses 28 ha de vignes sont implantés sur un sol riche en silex et apte à la production de vins de qualité, comme en témoignent les sélections régulières du domaine dans le Guide.

Ce côt de teinte soutenue présente un nez discret de groseille et de myrtille. La bouche est une gourmandise de fruits rouges, auxquels se joignent de discrètes notes fumées. Longue et aromatique, elle s'achève sur une note acidulée. ⧗ 2020-2022

CH. DE QUINÇAY, 5, Quinçay, 41130 Meusnes, tél. 02 54 71 00 11, cadart@chateaudequincay.com V t.l.j. sf dim. 9h-12h 14h-19h B

DOM. DE LA RENAUDIE Cuvée Albert Denis 2017 ★

■ | 8060 | | 5 à 8 €

Établis à Mareuil-sur-Cher aux confins de la Touraine, du Berry et de la Sologne, Bruno Denis et son épouse Patricia – formée à l'œnologie – ont repris le domaine familial fondé par le grand-père Albert en 1928. Ils exploitent 30 ha de vignes avec l'aide de leur fille Charlotte depuis 2016.

Sous une robe sombre, ce 100 % côt révèle un nez flatteur, véritable concentré de fruits noirs et d'épices. La bouche, dotée d'une belle matière, entremêle les arômes de cassis, de myrtille, de poivre et de cannelle. Les tanins parfaitement fondus contribuent à donner à ce vin un caractère élégant et soyeux. ⧗ 2020-2022

DOM. DE LA RENAUDIE, 115, rte de Saint-Aignan, 41110 Mareuil-sur-Cher, tél. 02 54 75 18 72, domaine.renaudie@wanadoo.fr V t.l.j. sf dim. 9h-12h 14h-19h

CH. DE LA ROCHE Sauvignon blanc 2018 ★★

	174 933	5 à 8 €

Situé sur la rive gauche du fleuve royal, près d'Amboise, cet élégant manoir Renaissance fut construit au XVe s. Il servit autrefois de poste de garde pour la surveillance d'un gué de la Loire. Aujourd'hui, il commande une exploitation viticole de 70 ha appartenant à la famille Chainier.

Issu de vignes conduites en agriculture raisonnée, ce vin arbore une belle robe jaune pâle à reflets verts. Le nez intense évolue vers le pamplemousse, les notes de buis et l'acacia. La bouche revêt tout autant de finesse. Vive et équilibrée, elle offre une large palette aromatique, qui persiste jusque dans une finale fraîche et gouleyante. ⧗ 2020-2022 **Ch. de Pocé Sauvignon blanc 2018 ★ (5 à 8 €; 184 000 b.)** : exposées plein sud, les vignes de cette cuvée ont donné naissance à un vin pâle aux reflets verts et argent. Arômes d'abricot bien mûr et de pamplemousse rose dominent un nez intense, agrémentés de notes florales. La bouche présente un bel équilibre entre douceur et gourmandise acidulée, preuve de la belle maturité du raisin. ⧗ 2020-2022

DOM. CHAINIER, Ch. de la Roche, 37530 Chargé, tél. 07 87 70 30 70, domaine.chainier@pierrechainier.com

DOM. SAUVÈTE Les Gravouilles 2018 ★

	21 600		8 à 11 €

Georges, l'arrière-grand-père, a planté le premier cep en 1905. Aujourd'hui, le vignoble couvre 17 ha conduits en bio par Jérôme Sauvète, sa femme Dominique et leur fille Mathilde.

On retrouve dans ce vin le bouquet de petits fruits rouges caractéristique d'un beau gamay. Après un nez complexe et expressif, la bouche allie les arômes de groseille, de cassis et de cerise. Croquante et bien structurée, elle offre une finale longue qui prolonge le plaisir. ⧗ 2020-2022 **Solaris 2018 ★ (11 à 15 €; 4 500 b.)** : un gamay qui porte bien son nom, surtout dans ce millésime solaire. Le nez contraste avec la bouche par sa discrétion. Tourné vers les fruits rouges confits, il laisse s'échapper des notes torréfiées et une pointe de bonbon anglais. La chair ronde surprend par sa puissance et ses tanins soyeux. Arômes de cerise, notes amyliques et épicées se prolongent durablement. ⧗ 2020-2022

DOM. SAUVÈTE, 15, rte des Vignes, 41400 Monthou-sur-Cher, tél. 02 54 71 48 68, domaine-sauvete@wanadoo.fr t.l.j. sf dim. 10h-12h 14h-19h

ANTOINE SIMONEAU Sauvignon blanc 2018 ★

	15 000	- de 5 €

La famille Simoneau exploite la vigne sur ces terres de Saint-Georges-sur-Cher depuis la fin de la Révolution française. Depuis 2013, ce sont Corine Simoneau (marketing et commercial) et Sébastien Paris (vigne et chai) qui sont aux commandes, avec à leur disposition un vignoble de 57 ha entièrement tourné vers la production de vins monocépages.

Un sauvignon typique dans une robe jaune pâle à reflets verts, qui livre sans ambages des arômes de fleurs blanches, de buis, d'herbe et de foin coupés. La bouche citronnée révèle une belle vivacité. ⧗ 2020-2022

DOM. DE LA RABLAIS, 21, rue des Vignes, 41400 Saint-Georges-sur-Cher, tél. 02 54 71 36 14, contact@antoinesimoneau.com t.l.j. sf dim. lun. 9h-12h 14h-18h

LES SOUTERRAINS Sauvignon 2018 ★

	n.c.	- de 5 €

Ce domaine fondé en 1820 s'est agrandi au fil des générations, passant de 6 à 24 h. Nicolas Mazzesi, après avoir travaillé pour le secteur médical en Chine, s'est reconverti dans le secteur du vin.

Beaucoup de charme et de légèreté dans ce sauvignon jaune à reflets gris. Le nez est un festival d'agrumes et de fruits mûrs, auxquels se joignent la violette, l'aubépine et le buis. En bouche, s'y ajoutent des arômes d'abricot, de pêche et de mangue. Fraîcheur et persistance finissent de convaincre. ⧗ 2020-2022

DOM. DES SOUTERRAINS, 37_bis, rue des Souterrains, 41130 Châtillon-sur-Cher, tél. 02 54 71 02 94, adm@les-souterrains.com t.l.j. sf dim. 8h30-12h 13h45-17h30

CAVES DE LA TOURANGELLE Sauvignon 2018

	133 333	- de 5 €

Établie au cœur de la Touraine, entre Amboise et Montrichard, cette maison créée en 1995 appartient à la famille Bougrier, propriétaire de domaines en Touraine et négociant-éleveur présent dans l'ensemble du Val de Loire (Anjou-Saumur, Muscadet et Touraine).

Un sauvignon représentatif de l'appellation, dont la robe limpide évoque la chair du citron vert. Le nez, discret et élégant, s'ouvre sur les arômes d'agrumes et les notes florales. On retrouve toute la fraîcheur du pamplemousse dans une bouche gouleyante. ⧗ 2020-2022

LES CAVES DE LA TOURANGELLE, 1, rue des Vignes, 41400 Saint-Georges-sur-Cher, tél. 02 54 32 31 36, st.georges@bougrier.fr

CH. DE VALLAGON Sauvignon 2018 ★★

	60 000		5 à 8 €

Fondée en 1961, la Confrérie des Vignerons de Oisly et Thésée est une coopérative qui réunit une vingtaine d'adhérents pour 180 ha de vignes en AOC cheverny et touraine. Une «coop» innovante, l'une des premières de Loire à avoir investi dans la thermorégulation, en 1975, et plate-forme d'essais en microbiologie pour l'Institut technique de la vigne et du vin (ITV) de Tours.

Un blanc élégant, de teinte pâle. Le nez, bien typé sauvignon, laisse échapper d'intenses notes d'agrumes et de beurre, accompagnées de nuances grillées. On retrouve le citron et le pamplemousse dans une bouche harmonieuse, à la fois ronde et éclatante de fraîcheur. ⧗ 2020-2022 **Les Lunelus Sauvignon blanc 2018 (5 à 8 €; 37 000 b.)** : vin cité.

CONFRÉRIE DES VIGNERONS DE OISLY ET THÉSÉE, 5, rue du Vivier, 41700 Oisly, tél. 02 54 79 75 20, agnes.bardet@uapl.fr t.l.j. sf dim. 9h-12h 14h-18h

DOM. LES VAUCORNEILLES Gamay 2018 ★★

	3 000		5 à 8 €

Gilles Chelin, qui a repris ce domaine de 12 ha en 1998, a acquis une solide notoriété aux portes de Blois. Il

LOIRE

propose ainsi en été une soirée «Spectacle et Vins», et le week-end de la Pentecôte un pique-nique au domaine où les vins sont offerts. Côté vigne, il intègre des méthodes biologiques à une culture raisonnée.

Ce gamay, couleur rubis, offre un bouquet de fruits rouges bien mûrs. En bouche, on retrouve des arômes de fraise et de cerise, dans une chair ronde et remarquablement équilibrée. Avec une finale persistante, c'est un vin généreux, aussi beau que rare. ⧗ 2020-2022

LES VAUCORNEILLES, 10, rue de l'Égalité, 41150 Onzain, tél. 06 07 98 88 45, chelin@loire-touraine-mesland-vaucorneilles.fr V r.-v.

JEAN-MARC VILLEMAINE
Sauvignon Vieilles Vignes 2018 ★

	15000	5 à 8 €

Située sur la rive droite du Cher, cette propriété a été acquise en 1825 par l'arrière-grand-père de Jean-Marc Villemaine. Ce dernier y est installé depuis 1995, à la tête aujourd'hui de 30 ha de vignes, plantés principalement de sauvignon.

Agrumes, fruits très mûrs, fleurs blanches, notes végétales... Voici une cuvée au nez délicat réunissant tous les styles aromatiques du sauvignon. La bouche confirme la finesse et la complexité ressenties à l'olfaction. Bien structurée, elle offre une belle matière et une finale tout en finesse. ⧗ 2020-2022

JEAN-MARC VILLEMAINE, 62_bis, rue des Charmoises, 41140 Thésée, tél. 02 54 71 52 69, jean-marc.villemaine@wanadoo.fr V r.-v.

DOM. JÉRÉMY VILLEMAINE
Sauvignon 2018 ★★

	6000		- de 5 €

Issu d'une famille de viticulteurs de pères en fils depuis six générations, Jérémy Villemaine a pris la suite de son oncle en 2017. Situé à Thésée, il produit des vins rouges, blancs et rosés sur une surface de 30 ha. Les vendanges se font à la main pour le gamay, à la machine pour le sauvignon, le cabernet, le côt et le pineau d'Aunis.

Un sauvignon bien typé, qui a séduit le jury par sa fraîcheur. Agrumes et fleurs blanches donnent le ton au nez comme en bouche. Citron et pamplemousse rose y côtoient le buis et l'acacia, suivis d'une pointe de poivre. ⧗ 2020-2022 ■ **Côt 2017 ★ (- de 5 €; 1600 b.)** : une gourmandise entièrement placée sous les ordres des fruits noirs et des notes florales. Myrtille et cassis s'associent à la violette. La bouche est à l'unisson, avec une douceur et une souplesse séduisantes. ⧗ 2020-2022

DOM. JÉRÉMY VILLEMAINE, 37, rue de la Fontaine, Herbault, 41140 Thésée, domainevillemainejeremy@gmail.com V r.-v.

TOURAINE-AMBOISE

Superficie : 165 ha
Production : 8 767 hl (83 % rouge et rosé)

De part et d'autre de la Loire, sur laquelle veille le château d'Amboise des XVᵉ et XVIᵉs., non loin du manoir du Clos-Lucé où vécut et mourut Léonard de Vinci, ce vignoble produit des vins rosés et rouges à partir du gamay, du côt et du cabernet franc. Ce sont des vins pleins, aux tanins légers; lorsque côt et cabernet dominent, les rouges ont une certaine aptitude à la garde. Les mêmes cépages donnent des rosés secs et tendres, fruités et bien typés. Secs, demi-secs ou moelleux selon les années, les blancs, issus de chenin, peuvent également être gardés en cave.

DOM. DES BESSONS Prestige des Bessons 2017 ★

■	4500		8 à 11 €

Établi sur la rive droite de la Loire tout près d'Amboise, François Péquin s'est lancé dans la vinification et la vente directe après son installation en 1987. Il exploite 10 ha de vignes en touraine et en touraine-amboise.

Ce côt, élevé un an en fût de chêne, présente des éclats violacés. Le nez s'ouvre sur des senteurs intenses de mûre et de cerise, mêlées à des nuances de pain grillé. En bouche, l'attaque est puissante, le boisé prononcé. Les tanins, encore assez présents, ne demandent qu'à s'arrondir avec le temps. ⧗ 2020-2024 **Les Silex 2017 ★ (5 à 8 €; 5200 b.)** : un chenin jaune très pâle, au nez complexe : amande et fruits confits prennent la tête du cortège, suivis par de discrètes touches de miel et de fleurs blanches, de buis et de fumé. La bouche, fluide et minérale, s'achève sur une pointe acidulée agréable. ⧗ 2020-2022

DOM. DES BESSONS, 113, rue de Blois, 37530 Limeray, tél. 02 47 30 09 10, francois.pequin@wanadoo.fr V r.-v.

VIGNERONS BONNIGAL-BODET Le Buisson 2017 ★

	6500		15 à 20 €

Un domaine créé en 2015 par Jean-Baptiste Bonnigal et Stéphane Bodet, héritiers de trois générations de vignerons. À leur disposition, un vignoble de 55 ha sur lequel ils produisent du touraine, du touraine-amboise et du crémant.

Après un an d'élevage en fût, cette cuvée offre un bouquet de fruits blancs et d'agrumes, souligné par un peu de rose, de fines touches de miel et d'épices. Des arômes que l'on retrouve dans une bouche souple. Le boisé reste discret et la finale acidulée laisse une impression rafraîchissante. ⧗ 2020-2022

SCEA BONNIGAL-BODET, 17, rue d'Enfer, 37530 Limeray, tél. 02 47 30 11 02, bonnigalprevote@wanadoo.fr V *t.l.j. sf dim. 9h-12h30 14h-17h30*

PHILIPPE CATROUX 2017 ★

	4000		5 à 8 €

Comme dans de nombreuses exploitations de Limeray, l'histoire viticole familiale est ici ancienne (1890). Représentant la cinquième génération, Philippe Catroux, installé depuis 1984, conduit un domaine de 17 ha.

Jaune très pâle, le vin affiche d'emblée sa minéralité : il convoque les fruits blancs, l'amande et les notes fumées, typiques des chenins de l'appellation. L'attaque est souple, la bouche aromatique, vive, longue et sans amertume. ⧗ 2020-2022

PHILIPPE CATROUX, 2 et 4, rue des Caves-de-Moncé, 37530 Limeray, tél. 02 47 30 13 10, philippe.catroux@caves-catroux.com t.l.j. 8h30-12h30 14h-19h

DOM. DUTERTRE Plaisir 2018

| 3700 | | 5 à 8 € |

Représentant la cinquième génération, Gilles Dutertre, fils de Jacques et petit-fils de Gabriel, a repris les rênes de ce domaine familial en 1996. Créé par son trisaïeul au début du XXᵉs. à partir d'un hectare, le vignoble couvre aujourd'hui 37 ha.

Une petite cuvée, rose violacé, qui marie le côt et le gamay. Ouverte sur des parfums de fruits rouges et des notes végétales, elle offre une bouche gourmande et acidulée, dotée d'une bonne longueur. 2019-2020

DOM. DUTERTRE, 20-21, rue d'Enfer, 37530 Limeray, tél. 02 47 30 10 69, domainedutertre@9business.fr t.l.j. sf dim. 9h-12h30 14h-18h

XAVIER FRISSANT Les Pierres 2017 ★

| 5000 | | 8 à 11 € |

Installé depuis 1990 à Mosnes, en aval d'Amboise, Xavier Frissant cultive 28 ha de vignes. Un vigneron bien connu des lecteurs grâce à ses vins souvent en bonne place dans le Guide.

Une vraie gourmandise que ce vin. Un nez sur les agrumes et de discrètes notes de paille. Une bouche sur les fruits secs, les fruits exotiques et de savoureux arômes de brioche. Avec une belle vivacité à l'attaque, de la fluidité et une agréable petite amertume en finale. 2020-2022

XAVIER FRISSANT, 1, chem. Neuf, 37530 Mosnes, tél. 02 47 57 23 18, xf@xavierfrissant.com t.l.j. 9h-12h 14h-18h30; dim. sur r.-v.

DOM. DE LA GABILLIÈRE Cuvée François Iᵉʳ 2017

| 7800 | | 5 à 8 € |

Ce domaine d'application pédagogique du lycée viticole d'Amboise (20 ha) est également une structure de recherche à l'échelle de la région Centre-Val de Loire, en lien avec les différents organismes viticoles.

Côt et gamay composent ce vin élevé huit mois en cuve, avant un passage de six mois en fût. La groseille domine un nez sur les fruits rouges, où s'invitent également de discrètes notes d'épices. La bouche est légère, agréable et fruitée. 2020-2022

DOM. DE LA GABILLIÈRE, 46, av. Émile-Gounin, BP_239, 37402 Amboise Cedex, tél. 02 47 23 35 51, expl.amboise@educagri.fr t.l.j. sf sam. dim. 9h-12h 14h-17h

DOM. DE LA GRANDE FOUCAUDIÈRE Cuvée François Iᵉʳ 2017 ★

| 3500 | | 8 à 11 € |

Après avoir passé quinze ans en région parisienne, Lionel Truet est revenu en 1992 sur les terres familiales situées dans la région d'Amboise. Il conduit aujourd'hui un petit vignoble de 6 ha niché au cœur d'un parc forestier de 40 ha.

Une moitié de côt, un quart de cabernet franc et autant de gamay, voici l'assemblage de cette cuvée originale. Elle prend tout son temps pour s'ouvrir sur des arômes de framboise, de fraise et de griotte. Elle est à l'avenant au palais : fruitée et légèrement acidulée, vive et fraîche, dotée d'une belle harmonie et d'une bonne longueur. 2020-2022 ■ **Clos du Vau 2017 (8 à 11 €; 3500 b.)** : vin cité.

DOM. DE LA GRANDE FOUCAUDIÈRE, 87, rte des Foucaudières, 37530 Saint-Ouen-les-Vignes, tél. 02 47 30 04 82, lioneltruet@foucaudiere.fr t.l.j. 9h-19h

DOM. PLOU ET FILS Le Paradis 2017 ★

| 7600 | | 5 à 8 € |

Les Plou cultivent la vigne depuis... 1508 sur les terres de Chargé. La propriété s'est agrandie depuis, pour couvrir un coquet vignoble de 105 ha, conduit depuis 2003 par la dernière génération.

Jaune pâle brillant, ce 2017 met à l'honneur avec subtilité les fruits secs, les touches grillées et les fleurs. En bouche, c'est la mangue qui prend la tête du défilé, emportée jusqu'en finale par une matière bien équilibrée entre rondeur et fraîcheur. 2020-2022

DOM. PLOU ET FILS, 26, rue du Gal-de-Gaulle, 37530 Chargé, tél. 02 47 30 55 17, contact@plouetfils.com t.l.j. 9h-19h30

TOURAINE-AZAY-LE-RIDEAU

Superficie : 46 ha
Production : 1 705 hl (44 % blanc)

Nés sur les deux rives de l'Indre, les vins ont ici l'élégance du château qui se reflète dans la rivière et dont ils ont pris le nom. Les blancs, secs à tendres, particulièrement fins et de bonne garde, sont issus du cépage chenin. Les cépages grolleau (60 % minimum de l'assemblage), gamay, côt et cabernets (au maximum 10 %) donnent des rosés secs et très friands. Les vins rouges ont l'appellation touraine.

BADILLER Pain béni 2017 ★

| 2500 | | 8 à 11 € |

Héritier d'une lignée de vignerons remontant à 1789, Marc Badiller s'est installé en 1984 sur le domaine familial, établi entre la Loire et la forêt de Chinon : 13 ha sur les coteaux de Cheillé à l'origine d'une large gamme de vins de Touraine. En 2015, la dernière génération (Pierre et Vincent) a pris les commandes.

Mention spéciale pour cette cuvée, élevée dix mois en fût de chêne. On y retrouve le doré et la brillance du chenin, ainsi que les arômes de pomme et de coing. La bouche, puissante et ronde, évoque durablement l'abricot et la pêche mûre. 2020-2022

DOM. BADILLER, 26, Le Bourg, 37190 Cheillé, tél. 02 47 45 24 37, contact@badiller.fr t.l.j. sf dim. 9h30-12h30 14h-18h

DOM. DES HAUTS-BAIGNEUX 2017

| 1300 | | 15 à 20 € |

Nicolas Grosbois, vigneron à Chinon, et Philippe Mesnier ont repris ce domaine en 2012 : 16 ha conduits en bio sur les villages de Cheillé, Saché

LOIRE

et Vallères, sur lesquels ils produisent du touraine-azay-le-rideau, du touraine rouge et des pétillants naturels.

Les arômes de fruits secs et de confiture de coings s'agrémentent d'une touche de miel au nez. Belle introduction de la dégustation de ce vin or pâle. La bouche, saline et légèrement fumée, est toute de vivacité. ⧗ 2020-2022

⊶ *DOM. DES HAUTS-BAIGNEUX, Le Pressoir, 37220 Panzoult, tél. 02 47 58 66 87, hautsbaigneux@gmail.com* V ▪ *t.l.j. sf sam. dim. 9h-12h30 13h30-17h*

TOURAINE-CHENONCEAUX

Production : 1 900 hl

Couvrant les premières «côtes» des deux rives du Cher, sur vingt-sept communes de l'Indre-et-Loire et du Loir-et-Cher, le vignoble touraine-chenonceaux est, avec touraine-oisly, le plus récent des sous-ensembles délimités dans la vaste appellation touraine (2011). Conscients du potentiel de leur terroir, les vignerons ont œuvré, des décennies durant, à donner à leur vin une dimension qui les distingue de ceux de l'AOC régionale. Dans cette quête de qualité et d'authenticité, ils ont réservé l'encépagement au seul cépage sauvignon en blanc et ont privilégié le côt et le cabernet franc en rouge. Des parcelles sélectionnées, riches en silex, des rendements plus faibles, des élevages plus longs en rouge contribuent également au caractère de ces vins, des rouges amples et complexes et des blancs expressifs.

DOM. DU CHAPITRE 2017

▪ | 7000 | 8 à 11 €

Installé à Saint-Romain-sur-Cher, aux portes de la Sologne viticole, sur les terroirs de la vallée du Cher, François Desloges perpétue une tradition vigneronne qui remonte à deux siècles. Il cultive le gamay, le cabernet, le côt et le sauvignon.

Une belle expression du terroir pour ce sauvignon jaune d'or à reflets verts. Porté par des notes végétales, il évoque les agrumes et la pêche blanche. Des arômes que l'on retrouve en bouche, dans un ensemble vif et légèrement citronné. ⧗ 2020-2022

⊶ *DOM. DU CHAPITRE, 82, rue Principale, 41140 Saint-Romain-sur-Cher, tél. 02 54 71 71 22, ledomaineduchapitre@wanadoo.fr* V ▪ ▪ *t.l.j. 9h-19h*

DOM. JOËL DELAUNAY La Voûte 2017 ★

▪ | 33000 | ▪ | 8 à 11 €

Joël Delaunay s'est lancé dans la vente en bouteilles en 1970. Ce vigneron réputé de l'AOC touraine a cédé en 2003 à son fils Thierry et à son épouse Marie l'exploitation, située sur la première côte de la vallée du Cher, qui couvre 34 ha aujourd'hui. Une valeur sûre.

La pêche blanche, agrémentée de notes d'acacia et de bourgeon de cassis, dessine une jolie expression aromatique au nez comme en bouche. Volume et juste fraîcheur complètent le portrait de ce vin. ⧗ 2020-2022
▪ **L'Esprit des dames 2017 (8 à 11 €; 6000 b.)** : vin cité.

⊶ *DOM. JOËL DELAUNAY, 48, rue de la Tesnière, 41110 Pouillé, tél. 02 54 71 45 69, contact@joeldelaunay.com* V ▪ ▪ *t.l.j. sf dim. 9h-12h 14h-17h30; sam. sur r.-v.*

CH. DE FONTENAY L'Intrépide 2017

▪ | 8000 | 8 à 11 €

Didier et Carole Corby ont repris en 1996 une exploitation située sur la rive gauche du Cher, à deux pas de Chenonceaux. Nathalie et Philippe Carli les ont rejoints à la tête de ce domaine de 15 ha commandé par un château des XVIIe et XIXe s. entièrement restauré.

Le côt est complété par 10 % de cabernet franc. Joli nez qui mêle des nuances de fruits rouges, de réglisse, de discrètes notes fumées et une touche de pivoine. Arômes que l'on retrouve dans une bouche légère, bien structurée, mais encore un peu austère. ⧗ 2020-2022

⊶ *CH. DE FONTENAY, 3, Fontenay, 37150 Bléré, tél. 02 47 57 93 05, vin@lechateaudefontenay.fr* V ▪ ▪ *r.-v.* 🏠 5 🏠 E

JEAN-CHRISTOPHE MANDARD 2017

▪ | 4500 | ▪ | 5 à 8 €

Représentant la quatrième génération de vignerons sur le domaine, Jean-Christophe Mandard, installé en 1993, exploite 27 ha sur les premières côtes de la rive gauche du Cher, un terroir précoce riche en silex.

Après un élevage de douze mois, ce sauvignon issu d'un terroir d'argile à silex s'ouvre sur des arômes d'agrumes et de pêche blanche, suivis de notes de bourgeon de cassis. La bouche est ronde, avec une finale fruitée et une pointe d'amertume. ⧗ 2020-2022

⊶ *JEAN-CHRISTOPHE MANDARD, 14, rue du Bas-Guéret, 41110 Mareuil-sur-Cher, tél. 02 54 75 19 73, mandard.jc@wanadoo.fr* V ▪ *r.-v.*

DOM. MICHAUD
Éclat de silex Vieilles Vignes de sauvignon 2017

▪ | 40000 | ▪ | 8 à 11 €

Installé en 1985, Thierry Michaud exploite 25 ha de vignes (dont 80 % en AOC touraine-chenonceaux) dans la vallée du Cher et élabore de jolis vins de terroir nés de sols riches en silex. Une valeur sûre en crémant-de-loire et en touraine.

Ce 2017 présente une robe jaune pâle à reflets verts typique. Au nez, les agrumes et la pêche blanche mêlent leurs senteurs à la douceur des fleurs d'acacia. La bouche se présente tout en rondeur, avec une belle attaque et un bon équilibre. ⧗ 2020-2022

⊶ *SCEA DOM. MICHAUD BEAUFORT, 20, rue des Martinières, 41140 Noyers-sur-Cher, tél. 02 54 32 47 23, thierry@domainemichaud.com* V ▪ *t.l.j. sf dim. 10h-12h 14h-18h*

CH. DE QUINÇAY 2017

▪ | 4400 | ▪ | 11 à 15 €

Conduit par les frères Cadart, Frédéric et Philippe, le Ch. de Quinçay commande un joli parc arboré; ses 28 ha de vignes sont implantés sur un sol riche en silex et apte à la production de vins de qualité, comme en témoignent les sélections régulières du domaine dans le Guide.

Une cuvée confidentielle, élevée sur lie et très aromatique : les agrumes et la finesse du bourgeon de cassis complètent harmonieusement des notes de fleur d'acacia. Les fruits exotiques s'invitent au concert dans une bouche pleine et ronde. ⧗ 2020-2022

⊶ CH. DE QUINÇAY, 5, Quinçay, 41130 Meusnes, tél. 02 54 71 00 11, cadart@chateaudequincay.com V t.l.j. sf dim. 9h-12h 14h-19h

DOM. DU VIEIL ORME Inphini 2017 ★

■	6514	⫾	8 à 11 €

Créé en 1849 sur la rive gauche du Cher, le Domaine du Vieil Orme s'étend sur 13 ha, à Saint-Julien-de-Chédon. Son terroir est composé de sols argilo-calcaires et d'argile à silex, de terres chaudes et d'autres froides. Autant de microclimats, qui engendrent des vins expressifs et très différents.

Issu d'une vinification et d'un élevage de onze mois, sans sulfite, ce vin puissant marie deux tiers de côt à un tiers de cabernet franc. Pourpre, il libère d'intenses arômes de fruits noirs et quelques fines notes d'épices. De la gourmandise et de la souplesse en bouche, de l'équilibre, des tanins soyeux… Tout est là. ⧗ 2020-2022 ■ **Inphini 2017 (8 à 11 €; 7864 b.)** : vin cité.

⊶ DOM. DU VIEIL ORME, 8, rte de l'Ormeau, 41400 Saint-Julien-de-Chédon, tél. 02 54 32 73 74, d.v.o@wanadoo.fr V t.l.j. sf dim. lun. 9h-12h 15h-19h; f. janv.

JEAN-MARC VILLEMAINE 2017

■	4500	⫾	8 à 11 €

Située sur la rive droite du Cher, cette propriété a été acquise en 1825 par l'arrière-grand-père de Jean-Marc Villemaine. Ce dernier y est installé depuis 1995, à la tête aujourd'hui de 30 ha de vignes, plantés principalement de sauvignon.

Un sauvignon qui connaît ses classiques. À l'aération, des notes d'agrumes et de bourgeon de cassis accompagnent une belle minéralité. Le gras est bien présent au palais, rafraîchi par des notes citronnées. ⧗ 2020-2022

⊶ JEAN-MARC VILLEMAINE, 62_bis, rue des Charmoises, 41140 Thésée, tél. 02 54 71 52 69, jean-marc.villemaine@wanadoo.fr V r.-v.

TOURAINE-MESLAND

Superficie : 100 ha
Production : 5 105 hl (82 % rouge et rosé)

Sur la rive droite de la Loire, au nord de Chaumont et en aval de Blois, le vignoble est implanté sur des sols perrucheux (argile à silex à couverture localement sableuse du miocène, ou limono-sableuse). Les rouges, très majoritaires, sont issus du gamay assemblé à du cabernet et à du côt : ils sont bien structurés. Les blancs doivent contenir une majorité de chenin, éventuellement complété de chardonnay et de sauvignon.

DOM. DE LA BESNERIE 2018 ★

■	3000	⫾	5 à 8 €

Frédéric Pironneau a repris en 2008 les rênes du domaine (16 ha) acheté et remis en état à partir de 1976 par ses parents.

Chenin et chardonnay composent cette cuvée confidentielle, issue d'un travail soigné à la vigne, comme au chai. Le nez est expressif, sur les agrumes, le silex et les notes végétales. La bouche, complexe et bien structurée, laisse percer des notes d'épices, escortées par des arômes de truffe en finale. Un vin élégant et délicat. ⧗ 2020-2022 ■ **Vieilles Vignes 2017 (5 à 8 €; 4000 b.)** : vin cité.

⊶ DOM. DE LA BESNERIE, 41, rte de Mesland, La Besnerie, 41150 Monteaux, tél. 02 54 70 23 75, pironneau.f@wanadoo.fr V r.-v.

DOM. DU PARADIS 2018

■	5000	- de 5 €

Cette exploitation familiale a été reprise en 1986 par Philippe Souciou, rejoint depuis par sa fille Laëtitia. La vigne (17 ha) y côtoie d'autres cultures et un élevage de vaches.

Un joli rosé aux reflets tuilés, né du gamay et du cabernet. Le nez s'ouvre sur le traditionnel bonbon anglais. La bouche fraîche, tournée vers la fraise et les fruits rouges acidulés, s'accompagne de discrètes notes de thym. ⧗ 2019-2020

⊶ DOM. DU PARADIS, 39, rue d'Asnières, 41150 Onzain, tél. 02 54 20 81 86, philippe.souciou@orange.fr V r.-v.

DOM. DE RABELAIS 2018 ★

■	6500	- de 5 €

La famille Chollet est installée à Onzain depuis 1720. À la tête d'un vignoble de 20 ha situé face au splendide château de Chaumont-sur-Loire, Cédric Chollet perpétue cette tradition viticole depuis 1999.

Le nez délicat de ce vin de chenin et de chardonnay est un modèle de minéralité. De légères notes d'agrumes se fondent dans la noisette et les fleurs blanches. La bouche élégante et fraîche laisse poindre des arômes épicées. ⧗ 2020-2022 ■ **2018 (- de 5 €; 10700 b.)** : vin cité.

⊶ DOM. DE RABELAIS, 60, rue de Meuves, 41150 Onzain, tél. 02 54 20 88 91, cedric.chollet0980@orange.fr V t.l.j. sf dim. 10h-12h 15h-18h
⊶ EARL Chollet

DOM. DES TERRES NOIRES 2018

■	4000	⫾	- de 5 €

Régulièrement mentionné dans le Guide pour ses touraine-mesland (dans les trois couleurs), ce domaine, conduit par les trois frères Rediguère depuis 1993, s'étend sur 20 ha.

Chenin, chardonnay et sauvignon s'assemblent dans cette cuvée or pâle. À l'olfaction, les fraises acidulées se mêlent aux notes de fleurs blanches. En bouche, la rondeur prédomine mais l'ensemble reste léger, avec des arômes de fruits blancs. ⧗ 2020-2022 ■ **2018 (5 à 8 €; 5000 b.)** : vin cité.

⊶ DOM. DES TERRES NOIRES, 81, rue de Meuves, 41150 Onzain, tél. 02 54 20 72 87, gaec.terres.noires@orange.fr V r.-v.

LES VAUCORNEILLES Cuvée Lucie 2018

■	4000	⫾	8 à 11 €

Gilles Chelin, qui a repris ce domaine de 12 ha en 1998, a acquis une solide notoriété aux portes de

Blois. Il propose ainsi en été une soirée «Spectacle et Vins», et le week-end de la Pentecôte un pique-nique au domaine où les vins sont offerts. Côté vigne, il intègre des méthodes biologiques à une culture raisonnée.

Un assemblage de chenin et de sauvignon. Au nez, apparaissent d'abord les arômes de banane et de coing, puis viennent ceux de fleurs. La bouche très aromatique évoque la poire et le miel, avec une fine nuance mentholée. Bel équilibre entre rondeur et fraîcheur. ⧗ 2020-2022 ■ **Tendre Suzon 2018 (5 à 8 €; 3000 b.)** : vin cité.

⊶ LES VAUCORNEILLES, 10, rue de l'Égalité, 41150 Onzain, tél. 06 07 98 88 45, chelin@loire-touraine-mesland-vaucorneilles.fr V r.-v.

TOURAINE-NOBLE-JOUÉ

Superficie : 28 ha / Production : 1 908 hl

Présent à la cour du roi Louis XI, le noble-joué est au sommet de sa renommée au XIXᵉs. Grignoté par l'urbanisation de la ville de Tours, le vignoble, qui faillit disparaître, renaît sous l'impulsion de vignerons qui le reconstituent. Ce vin gris, issu des pinot meunier, pinot gris et pinot noir, a été reconnu en AOC.

DOM. ASTRALY 2018 ★

■	50000		5 à 8 €

En 2012, Jean-Jacques Sard, qui a créé cette exploitation en 1978, a passé le flambeau à l'œnologue Jérémie Pierru. Ce dernier, formé en Champagne et en Bourgogne, s'est posé en Touraine à la tête de ce domaine de 11 ha, qu'il renouvelle et replante depuis son arrivée. Un domaine situé près du château de la Dorée, ancienne propriété du comte Odart, grand ampélographe tourangeau du XIXᵉs.

Le vin se présente dans une robe saumon. Le nez laisse échapper des arômes de bonbon anglais, de cannelle et de thym. S'y ajoutent des notes de fruits exotiques, dans une bouche vive et équilibrée. ⧗ 2020-2021

⊶ DOM. ASTRALY, 3, La Chambrière, 37320 Esvres, tél. 06 81 80 80 65, contact@domaine-astraly.com V *t.l.j. 9h-12h 14h-19h; dim. sur r.-v.*

ANTOINE ET VINCENT DUPUY 2018 ★

■	n.c.	5 à 8 €

Vincent a rejoint son père Antoine Dupuy en 2007 pour exploiter les 12 ha de vignes de ce domaine dans leur famille depuis cinq générations.

Une cuvée orangée. Au nez, la fraise et la fraise des bois se disputent la vedette, avant de laisser le thym, la cannelle et le poivre entrer en scène. La bouche est souple et très aromatique, à peine douce en finale. ⧗ 2019-2020

⊶ ANTOINE ET VINCENT DUPUY, Le Vau, 37320 Esvres-sur-Indre, tél. 02 47 26 44 46, dupuy.vignerons@orange.fr V *r.-v.*

ROUSSEAU FRÈRES 2018

■	60000		5 à 8 €

Ce domaine de 18 ha est conduit par deux frères curieux l'un et l'autre de la nature et du résultat de sa culture. Travail mécanique du sol, maturité des raisins, élevage sur lies, utilisation limitée du soufre. Une spécialité : le touraine noble-joué, un rosé.

Arômes de fruits rouges et d'épices composent le nez de ce rosé frais et bien construit. L'attaque est vive, la bouche gourmande, avec un bon équilibre entre douceur et fraîcheur. ⧗ 2019-2020

⊶ ROUSSEAU FRÈRES, Le Vau, 37320 Esvres-sur-Indre, tél. 02 47 26 44 45, rousseau-freres@wanadoo.fr V *t.l.j. sf dim. 9h-12h 14h-19h*

TOURAINE-OISLY

Production : 1 000 hl

Sur la rive gauche de la Loire, entre ce fleuve et le Cher, le terroir viticole d'Oisly s'étend sur dix communes de la partie orientale de l'aire d'appellation touraine. Cheverny est à une quinzaine de kilomètres au nord. La Sologne forestière, avec ses étangs et son gibier, est toute proche, à l'est. Le vignoble est implanté sur le plateau de la Sologne viticole. À l'est de Tours, les influences océaniques apparaissent très atténuées, et le climat est semi-continental. L'encépagement change également : en blanc, le chenin fait place au sauvignon. Les sols, graviers et formations dites «de Sologne» (sables, argiles, faluns) sont propices à ce cépage, le seul autorisé dans l'appellation, créée en 2011.

♥ DOM. OCTAVIE 2017 ★★

■	20000		8 à 11 €

Cette exploitation familiale créée en 1885 tient son nom de l'arrière-grand-mère à qui ont appartenu les premières parcelles. Un domaine dirigé depuis 1988 par Isabelle Rouballay, revenue sur les terres familiales après plusieurs années dans la banque, et son époux Noë, pépiniériste de formation, qui œuvre au chai : 32 ha de vignes à la lisière de la Sologne.

La finesse et la complexité caractérisent ce 2017 jaune pâle à reflets verts. Le nez délivre des arômes de poire et d'amande, avant de laisser poindre quelques notes de fleurs blanches et une touche citronnée. Suit une bouche élégante et pleine, très persistante. Un sans faute. ⧗ 2020-2022

⊶ DOM. OCTAVIE, 7, rte de Marcé, 41700 Oisly, tél. 02 54 79 54 57, domaineoctavie@domaineoctavie.com V *t.l.j. sf dim. 9h-12h30 14h-18h30*

BOURGUEIL

Superficie : 1 356 ha / Production : 69 234 hl

Rouges et parfois rosés, les bourgueils sont produits à partir du cépage cabernet franc (breton), à l'ouest

de la Touraine et aux frontières de l'Anjou, sur la rive droite de la Loire. Racés, dotés de tanins élégants, ils ont une très bonne aptitude au vieillissement, après une cuvaison longue, s'ils proviennent des sols sur tuffeau jaune des coteaux : au moins dix ans pour les meilleurs millésimes. Ils sont plus gouleyants et fruités s'ils proviennent des terrasses aux sols graveleux à sableux.

Ⓑ YANNICK AMIRAULT La Petite Cave 2017 ★★

■ | 6000 | | 20 à 30 €

Présent en saint-nicolas et en bourgueil, Yannick Amirault, rejoint en 2003 par son fils Benoît, fait partie des valeurs sûres de ces deux appellations. Les 19 ha du domaine sont aujourd'hui conduits en bio.

Petite Cave, certes, mais grand talent, celui de Yannick Amirault qui, une fois encore, est sous les feux de la rampe. L'imposante robe rouge sombre à reflets violacés de ce 2017 annonce un bouquet de fruits noirs souligné de boisé. Après une attaque ferme se développe une chair friande et fruitée. Encore présents, les tanins issus du bois invitent à la garde. 2020-2026 ■ **La Coudraye 2017 ★ (8 à 11 €; 30000 b.)** Ⓑ : un vin rubis, aux notes de sous-bois et à la bouche ronde et ample. Une garde lui permettra de « digérer le bois ». 2020-2022

EARL YANNICK ET NICOLE AMIRAULT, 1, rte du Moulin-Bleu, 37140 Bourgueil, tél. 02 47 97 78 07, info@yannickamirault.fr V r.-v.

HUBERT AUDEBERT Vieilles Vignes 2017 ★

■ | 5820 | | 5 à 8 €

Le vignoble a été créé en 1900 par les arrière-grands-parents. Aujourd'hui, Hubert Audebert, installé en 1985, conduit près de 10 ha sur les terrasses de Restigné, à la fois argilo-calcaires et sableuses, qui constituent un terroir de qualité.

Des vignes de plus de quatre-vingts ans enracinées sur un sol argilo-calcaire ont produit des jus étonnants de vitalité. D'un rubis brillant, ce vin très typé s'épanouit sur des arômes de fruits rouges. Au palais des tanins fins et la fraîcheur en font le charme. 2020-2022

HUBERT AUDEBERT, 5, rue Croix-des-Pierres, 37140 Restigné, tél. 02 47 97 42 10, hubert.audebert@orange.fr V r.-v.

DOM. BOIS MAYAUD Instant présent 2017 ★

■ | 4000 | | 5 à 8 €

Issus de familles vigneronnes, Françoise et Jean Boucher ont créé leur exploitation en 1985. Ludovic, leur fils, et son épouse Soraya ont repris la main, suite au départ à la retraite de Françoise Boucher. Leur vignoble couvre 12 ha.

Un bourgueil «ronsardien». Inviterait-il à cueillir «dès aujourd'hui les roses de la vie?» Le poète, qui rencontra Marie dans les jardins de Bourgueil, aurait aimé le rubis vif de sa parure et la rondeur de ses appâts gourmands, taquinés de tanins discrets. À goûter sans attendre. 2020-2022

EARL JEAN BOUCHER, 9, Le Carroi-Taveau, 37140 Saint-Nicolas-de-Bourgueil, tél. 02 47 95 17 23, domaineduboismayaud@orange.fr V r.-v.

HENRI BOURDIN Les Graviers 2017 ★

■ | 6600 | | 5 à 8 €

Henri Bourdin, installé en 1991 à la suite de son père, fondateur du domaine en 1948, privilégie l'accueil et la vente directe à la propriété. Les 14,5 ha de vignes sont morcelés, répartis sur les appellations bourgueil et saint-nicolas, ce qui permet au vigneron de vinifier par terroir : argilo-calcaire, graviers, sables.

Le cabernet franc se plaît sur les sols de graviers. En vigneron d'expérience, Henri Bourdin lui a réservé 1,5 ha. Il obtient, après un élevage de six mois en cuve, un bourgueil hardi et aromatique qui parade dans un bel habit rouge à reflets violines. Équilibré, doté de tanins discrets, ce vin avenant caresse le palais de ses saveurs marquées par un brin de sucrosité. 2020-2024 ■ **Cuvée du Grand-Père 2017 (5 à 8 €; 9000 b.)** : vin cité.

EARL HENRI BOURDIN, 7, rue du Bourg-de-Paille, 37140 Bourgueil, tél. 02 47 97 96 69, bourdin.henri37@orange.fr V *t.l.j. 8h-12h30 14h-18h30; f. 1er -15 août*

Ⓑ CLOS DE L'ABBAYE 2017

■ | 12000 | | 8 à 11 €

Ancien vignoble de l'abbaye bénédictine de Bourgueil, qui aurait acclimaté le cabernet franc en Touraine au XIes., le Clos est la propriété de la congrégation des sœurs de Saint-Martin depuis 1975. Les vignes (quelque 7 ha) louées à Jean-Baptiste Thouet et Michel Lorieux sont cultivées selon les canons de l'agriculture biologique. En novembre 2017, Jérémy Lorieux, le fils de Michel, a repris les rênes de l'exploitation.

Ce Clos de l'Abbaye qui maintient haut la renommée du breton planté dans cette même abbaye au XIe siècle. Robe grenat sombre à reflets bleutés, nez de fraise des bois. Après une attaque en bouche où de puissants tanins encadrent les arômes fruités, ce vin poursuit jusqu'en finale son entreprise de séduction. 2020-2022

SCEA DE LA DÎME, 6, av. Le Jouteux, 37140 Bourgueil, tél. 02 47 97 76 30, closdelabbaye@wanadoo.fr V r.-v.

ESTELLE ET RODOLPHE COGNARD Cuvée Les Tuffes 2017 ★

■ | 21000 | | 8 à 11 €

Créée en 1973 à partir de 1 ha par Lydie et Max Cognard, cette exploitation située à Chevrette, un petit hameau de Bourgueil à la limite de Saint-Nicolas, s'étend désormais sur 15 ha. Depuis 2013, les enfants, Estelle et Rodolphe, ont pris le relais. Une valeur sûre en bourgueil et en saint-nicolas.

2017 aura été le dernier millésime assuré par Rodolphe Cognard, disparu après un long combat contre la maladie. Estelle, sa sœur, assume désormais le destin de la propriété. Les Tuffes, ce sont 3 ha de sols mêlés d'argile, de calcaire et de ces fameux graviers sur lesquels le cabernet franc aime s'enraciner. Expression nuancée de ce beau terroir, ce bourgueil, élevé pour partie en fût (45 %), arbore une robe rubis et s'exprime tout en délicatesse et en fraîcheur sur des parfums de fruits rouges. Soutenue par des tanins fermes, la bouche apparaît ample et persistante. 2020-2024

SCEA ESTELLE ET RODOLPHE COGNARD, 3, lieu-dit Chevrette, 37140 Saint-Nicolas-de-Bourgueil, tél. 02 47 97 76 88, vins.cognard@orange.fr V t.l.j. sf dim. 9h-12h 13h30-18h; sam. sur r.-v.

DOM. DUBOIS Épilogue 2017 ★★

■	6000		8 à 11 €

Depuis son installation en 2002 sur le domaine (13 ha aujourd'hui) créé par son père Serge en 1973, Mickaël Dubois fait preuve d'une remarquable constance dans la qualité avec ses bourgueil denses et racés.

Voilà un Épilogue qui transmet le goût de la vigne. Vêtu de pourpre intense traversé d'éclairs bleutés, il ne s'abandonne qu'après aération. Émerge alors un bouquet de fruits noirs (cassis, mûre). Ferme et sans agressivité, une large attaque en bouche précède un fruité tonique. «Très grand vin de garde», écrit un dégustateur qui, par ailleurs, relève un boisé bien maîtrisé. ⧗ 2020-2024 ■ **Vieilles Vignes 2017** ★ (5 à 8 €; **8000 b.)** : rubis intense à reflets grenat, cette cuvée semble timide au nez, mais l'on perçoit quelques notes de fruits noirs de bon augure. En effet, ce fruité empreint le palais, équilibrant l'impression de fermeté due à une structure tannique qui mérite de se fondre lors de la garde. ⧗ 2020-2024

EARL DOM. DUBOIS, 62_bis, rue de Lossay, 37140 Restigné, tél. 02 47 97 31 60, domaine.dubois@orange.fr V r.-v.

DOM. BRUNO DUFEU Grand Mont 2017

■	6500		5 à 8 €

Virginie Dufeu a planté 4,29 ha de vignes avec, en perspective, le projet de réunir ce domaine à celui de Bruno Dufeu, son mari. L'exploitation est conduite en bio.

La fraise et la framboise se partagent le nez de ce bourgueil frais et acidulé. Un bon classique. ⧗ 2020-2022 ■ **Cuvée Clémence 2017 (5 à 8 €; 5000 b.)** : vin cité.

EARL BRUNO DUFEU, Les Neusaies, 37140 Benais, tél. 02 47 97 76 53, brunodufeu@gmail.com V t.l.j. sf dim. 9h-18h

LAURENT FAUVY Vieilles Vignes 2017 ★

■	3000		5 à 8 €

Laurent Fauvy est un vigneron discret, installé à Benais depuis 1991, dont les bourgueil sont souvent mentionnés dans le Guide.

Les vieilles vignes engendrent souvent des vins capiteux. C'est le cas de ce bourgueil vermillon à reflets violets. Il s'ouvre sur un nez fruité, puis offre une bouche souple, dotée de tanins légers. Autant de caractères séduisants. ⧗ 2020-2024

EARL LAURENT FAUVY, 14, rte de Saint-Gilles, 37140 Benais, tél. 02 47 97 46 67, earl.fauvy.laurent@wanadoo.fr V r.-v.

DOM. DES GÉLÉRIES Le Rosé des Géléries 2018 ★

■	15000		5 à 8 €

Appartenant aux familles Meslet, Thouet et Rouzier, ce domaine de 32 ha régulier en qualité se répartit sur 45 parcelles et trois AOC : chinon, bourgueil et saint-nicolas. Il est conduit depuis 2012 par Germain Meslet.

Ce 2018 rose pâle et limpide, né sur sables et graviers, offre un délicat bouquet fruité dominé par la pêche blanche. Autant de sensations fruitées renouvelées dans une bouche ample et ronde, très bien équilibrée et persistante. ⧗ 2019-2020 ■ **Les Sablons 2017 (5 à 8 €; 15000 b.)** : vin cité. ■ **Vieilles Vignes 2017 (5 à 8 €; 15000 b.)** : vin cité.

DOM. DES GÉLÉRIES, 4, rue des Géléries, 37140 Bourgueil, tél. 02 47 97 74 83, domainedesgeleries@orange.fr V t.l.j. sf dim. 9h-12h 14h-18h30

DOM. DES GESLETS Les Geslets 2017 ★

■	15000		8 à 11 €

Valeur sûre du Bourgueillois, ce domaine de 20 ha, dont les origines remontent à 1935, est cultivé en bio certifié. Installé en 1997, Vincent Grégoire perpétue la tradition familiale, tant en saint-nicolas-de-bourgueil qu'en bourgueil.

Élaboré sur les terroirs des Geslets, du Clos des Champs et de la Lande, ce vin possède la plupart des qualités bourgueillaises : de la couleur (rubis limpide à reflets violines), des arômes persistants (fruits rouges), une bonne structure tannique. Typicité, en somme. ⧗ 2020-2024

EARL VINCENT GRÉGOIRE, 12, Dom. des Geslets, 37140 Bourgueil, tél. 06 82 16 18 11, domainedesgeslets@orange.fr V t.l.j. 10h-12h 13h30-18h30; dim. sur r.-v.

VIGNOBLE DE LA GRIOCHE Clin d'œil 2017 ★★★

■	1500		11 à 15 €

Stéphane Breton a pris la suite de son père Jean-Marc en 2012 à la tête d'un domaine de 14 ha (en bio certifié) implanté sur les sols argilo-calcaires et sableux de Restigné, importante commune du Bourgueillois.

Il a flirté avec le coup de cœur, ce Clin d'œil. Normal, après tout, quand un tel nom annonce un côté canaille. Belle parure profonde, presque opaque, frangée de violine. Un léger boisé, dû à une longue fréquentation du merrain, nuance le nez de fruits noirs : cassis macéré, épices. À l'attaque, les tanins sont perceptibles, mais le gras et le velouté prennent bientôt position. La finale, tonique et puissante, laisse un long souvenir. ⧗ 2020-2024 ■ **Prestige 2017 (8 à 11 €; 2500 b.)** : vin cité.

STÉPHANE BRETON, Vignoble de la Grioche, 19, rue les Marais, 37140 Restigné, tél. 06 66 48 51 38, bretonstephane@orange.fr V r.-v.

DOM. GUION Cuvée Domaine 2017

■	25000		8 à 11 €

Les Guion ont été des pionniers de la culture biologique en Val de Loire en adoptant cette démarche dès 1965. Stéphane, qui conduit désormais le vignoble, après de solides études viticoles et une expérience en Bordelais, reste fidèle à cette orientation.

Une cuvée séduisante dans sa robe pourpre. Le nez marqué par des notes de cerise confite annonce une bouche équilibrée, fruitée. Les tanins sont encore fermes, certes, mais ce bourgueil, bien travaillé au chai, «commence à bien se goûter» (comme le précise un dégustateur). ⧗ 2020-2024

⊶ *STÉPHANE GUION, 3, rte de Saint-Gilles, 37140 Benais, tél. 06 68 70 20 77, contact@domaineguion.com* V ⚐ ▪ *r.-v.*

ARNAUD HOUX Cuvée Malo 2017 ★

■ | 25000 | ▪ | 8 à 11 €

Cette propriété de Restigné régulièrement mentionnée dans le Guide compte 20 ha de vignes implantées sur des sols argilo-calcaires. Arnaud Houx, à la tête du domaine familial depuis 2008, conserve les vins jugés «de garde» dans une cave taillée dans le roc.

Quel beau tiercé! En tête à l'arrivée, cette cuvée Malo pourpre. Le nez libère un fin vanillé hérité de l'élevage en barrique qui respecte parfaitement l'expression des fruits rouges et noirs. Fraîche et ronde grâce à des tanins domestiqués, la bouche se termine sur un beau retour des arômes de cerise compotée. ⧗ 2020-2022 ■ **Cuvée de la Chopinière 2017** ★ (5 à 8 €; **5000 b.**) : une cuvée rubis, au nez fruité discret, ronde et équilibrée. ⧗ 2020-2022 ■ **Le Clos Barbin 2017 (5 à 8 €; 5000 b.)** : vin cité.

⊶ *ARNAUD HOUX, 21, Le Clos-Barbin, 37140 Restigné, tél. 06 32 76 60 19, arnaud.houx@yahoo.com* V ⚐ ▪ *r.-v.*

LAMÉ DELISLE BOUCARD Cuvée Prestige 2017 ★★

■ | 70000 | ▪ | 8 à 11 €

En 1947, Lucien Lamé se lance dans la vente en direct puis ajoute sur l'étiquette le nom de sa femme Yvonne Delisle. L'aventure prend un nouvel essor en 1968 avec l'arrivée de son gendre René Boucard. En 1989, les enfants de ce dernier, Philippe et Stéphanie (aujourd'hui aidés de leurs conjoints Patricia et Éric), ont pris le relais à la tête d'un vignoble de 45 ha souvent en vue pour ses bourgueil.

Séduits dès le premier coup d'œil par l'intensité de la robe sombre, les dégustateurs ont vivement apprécié le nez de fruits noirs surmûris de cette cuvée. La bouche ronde, souple et équilibrée ne manque ni de structure, ni de persistance. Tout est là et pour longtemps. ⧗ 2020-2024 ■ **La Romantique 2018** ★ (5 à 8 €; **10000 b.**) : vif et tonique, ce vin est une joyeuse gourmandise rose clair. On apprécie tout autant sa belle souplesse fruitée en bouche que ses sensations olfactives elles aussi tout en fruit (poire, agrumes), agrémentées de nuances florales. ⧗ 2019-2020 ■ **Cuvée Vieilles Vignes 2017 (5 à 8 €; 20000 b.)** : vin cité.

⊶ *EARL LAMÉ DELISLE BOUCARD, 21, rue de la Galotière, Ingrandes-de-Touraine, 37140 Coteaux-sur-Loire, tél. 02 47 96 98 54, lame.delisle.boucard@wanadoo.fr* V ▪ *t.l.j. sf dim. 9h-12h 13h30-17h30; sam. 9h-12h*

Ⓑ **DOM. DE LA LANDE** Domaine 2017 ★★

■ | 10000 | ▪ | 5 à 8 €

Dans la famille depuis quatre générations, ce domaine s'étend sur 17 ha en bordure de la route du Vignoble. François Delaunay, qui a pris les rênes de l'exploitation en 1991, l'a depuis converti au bio.

Remarquable de complexité aromatique, cette cuvée a recueilli de nombreux éloges. Pourpre intense à reflets violacés, elle libère de profondes senteurs de fruits mûrs. En bouche, les dégustateurs ont apprécié l'attaque fraîche, puis le bel équilibre entre la chair et les tanins aux grains serrés. ⧗ 2020-2024

⊶ *EARL DELAUNAY PÈRE ET FILS, 20, rte du Vignoble, 37140 Bourgueil, tél. 02 47 97 80 73, earl.delaunay.pfils@wanadoo.fr* V ▪ *r.-v.*

DAMIEN LORIEUX La Coline 2017 ★

■ | 13000 | ▪ | 5 à 8 €

Installé en 2005 à la tête du domaine familial (12 ha), sous l'œil avisé de son père Lucien, toujours actif, Damien Lorieux se nourrit à la fois de la tradition, de ses expériences à l'étranger et des techniques modernes (tris sur vendange, micro-oxygénation).

C'est sur 1,85 ha de sols d'argile et de silex que le cabernet franc a prospéré pour donner naissance à ce bourgueil chatoyant. Le voici qui s'exprime volontiers sur un air de fruits rouges et noirs. Ample, il possède des tanins taillés pour la garde, tout en conservant de la fraîcheur. Il occupera une place de choix dans le cellier de tout connaisseur. ⧗ 2020-2024 ■ **Tuffeaux 2017** ★ (5 à 8 €; **8000 b.**) : nez discret, bouche puissante, ronde et fruitée. Mission accomplie. ⧗ 2020-2022

⊶ *DAMIEN LORIEUX, 2, rue de la Percherie, 37140 Bourgueil, tél. 02 47 97 88 44, contact@vinsdamienlorieux.com* V ⚐ ▪ *r.-v.*

LORIEUX ET FILS Chevrette 2017

■ | 3500 | ▪ | 5 à 8 €

Outre la gérance des vignes de l'abbaye de Bourgueil, qu'ils assurent en association avec un autre vigneron, Michel et Joëlle Lorieux conduisent avec leur fils Jérémy leur propre domaine de 15,5 ha, transmis par le grand-père en 1979 et situé sur les hauteurs de la terrasse de Bourgueil.

Bourgueil tout en fraîcheur, gorgé de fruits confits. Il a de la mâche et les tanins très présents ne demandent qu'à se fondre à la faveur de la garde. ⧗ 2020-2024

⊶ *EARL LORIEUX ET FILS, 26, rte du Vignoble, Chevrette, 37140 Bourgueil, tél. 02 47 97 85 86, lorieux.michel@wanadoo.fr* V ⚐ ▪ *t.l.j. 9h-12h 14h-19h*

Ⓑ **FRÉDÉRIC MABILEAU** Les Racines 2016

■ | n.c. | ▪ | 11 à 15 €

Frédéric Mabileau est l'une des figures de proue en bourgueil et en saint-nicolas depuis son installation en 1991, en marge de l'exploitation paternelle. En 2003, les deux domaines ont fusionné, si bien que le vignoble couvre 28 ha aujourd'hui. Le producteur a adopté l'agriculture biologique en 2007 et la biodynamie en 2012.

Élevé dix-huit-mois en demi-muids, ce bourgueil rouge sombre livre un léger boisé. Épanoui sur une rondeur fruitée bienveillante, il reflète les vertus du cabernet et d'un terroir argilo-siliceux. ⧗ 2020-2022

⊶ *SAS FRÉDÉRIC MABILEAU, 6, rue du Pressoir, 37140 Saint-Nicolas-de-Bourgueil, tél. 02 47 97 79 58, contact@fredericmabileau.com* V ⚐ ▪ *t.l.j. sf dim. 9h-12h 14h-17h; sam. sur r.-v.*

DOM. LAURENT MABILEAU 2017 ★★

■ | 50 000 | | 8 à 11 €

Depuis 1985, Laurent Mabileau conduit un domaine de 30 ha en bourgueil et en saint-nicolas, abrité des vents du nord par la forêt. Le vigneron signe avec une remarquable régularité des vins droits qui lui valent de fréquentes mentions dans le Guide.

Un 2017 chatoyant dans le verre. Aérien et frais, le nez est au départ floral, puis il s'ouvre sur des notes de fraise des bois. Équilibrée, la bouche ronde reflète les qualités du cépage breton sur un terroir de sables et d'argilo-calcaire. Cette élégance friande, étayée par une remarquable trame tannique, est celle d'un vin arrivé à sa plénitude. ⧗ 2019-2022

SAS DOM. LAURENT MABILEAU, La Croix-du-Moulin-Neuf, 37140 Saint-Nicolas-de-Bourgueil, tél. 02 47 97 74 75, domaine.laurent.mabileau@gmail.com t.l.j. sf sam. dim. 8h30-12h 14h-17h30

DOM. DES MAILLOCHES
Vieilles Vignes 2017 ★

■ | 24 000 | | 8 à 11 €

Propriété familiale depuis huit générations, dont le vignoble uniquement constitué de cabernet franc est implanté sur trois types de sols : sables, graviers et argilo-calcaires. C'est Samuel Demont qui dirige le domaine (20 ha) depuis 2002.

Prometteuse, cette cuvée née sur tuffeau parade dans un bel uniforme grenat. Encore sur la réserve, le nez s'ouvre à l'aération sur des notes de fruits rappelant l'atmosphère des sous-bois. Charnue et ronde, la bouche évolue vers une finale douce-amère ⧗ 2020-2022 ■ **2018 (5 à 8 €; 4 000 b.)** : vin cité.

SCEA DOM. DES MAILLOCHES, 40, rue de Lossay, 37140 Restigné, tél. 02 47 97 33 10, demont-j.f@wanadoo.fr r.-v.

BERTRAND ET VINCENT MARCHESSEAU
Funambule 2017 ★

■ | 30 000 | | 8 à 11 €

Les frères Bertrand et Vincent Marchesseau ont repris l'exploitation familiale en 2001. Conduit en bio (certification en 2015), leur vignoble (22 ha) couvre trois appellations : bourgueil, saint-nicolas-de-bourgueil et chinon.

De ce bourgueil, très avenant, ne dites pas qu'il est d'un équilibre... funambulesque. Au contraire. Bien maîtrisé grâce à un judicieux travail, il propose un nez de fruits noirs auquel viennent s'intégrer des notes de pâtisseries. Fraîche, charnue, nantie d'un brin de sucrosité, la bouche se fait séductrice sous l'égide de tanins mûrs et fondus. ⧗ 2019-2022 ■ **Les Shadoks 2018** ★ (5 à 8 €; **13 000 b.)** : Shadoks ? La principale activité de ces étranges oiseaux est de pomper, il en va de même pour les vignerons, expliquent les frères Marchesseau... Ces derniers produisent ici un rosé allègre doté d'une séduisante parure saumonée, aux fragrances exotiques, à la bouche ample et gourmande, agrémentée de délicates saveurs d'agrumes. ⧗ 2019-2020

SARL MARCHESSEAU FILS, 16, rue de l'Humelaye, 37140 Bourgueil, tél. 02 47 97 47 72, contact@vinmarchesseau.fr t.l.j. sf dim. 9h-12h 14h-18h

DOM. DE MATABRUNE 2017 ★

■ | 39 467 | | 8 à 11 €

Fondée en 1931, bien avant la reconnaissance de l'appellation, la cave des Vins de Bourgueil dispose aujourd'hui de 250 ha en AOC bourgueil ainsi que de 20 ha en AOC saint-nicolas. Elle regroupe cinquante-cinq exploitants.

Rubis à reflets violacés, voici un bourgueil à savourer dans sa jeunesse pour profiter de son fruité, de sa légèreté et de son caractère velouté. ⧗ 2019-2022 ■ **Dom. de Chanteloup Vieilles Vignes 2017** ★ **(8 à 11 €; 10 000 b.)** : un bourgueil parfumé de fruits noirs et charnu tant ses tanins délicats se fondent aimablement. ⧗ 2019-2022

SCA CAVE ROBERT ET MARCEL (SITE DE BOURGUEIL), 16, rue des Chevaliers, 37140 Restigné, tél. 02 47 97 32 01, cellier@robertetmarcel.com r.-v.

ROUGE DE MINIÈRE 2017 ★

■ | 8 900 | | 8 à 11 €

Remontant au XVIe s., ce domaine transmis par les femmes est passé sous pavillon belge en 2010 avec son rachat par la famille Van den Berghe. Le vignoble de 29 ha est, lui, passé sous pavillon « bio ».

Très complice d'un fin terroir de graviers, le cabernet, vendangé à la main puis élevé en cuves Inox, a donné naissance à un bourgueil élégamment nuancé de reflets violets. Un bouquet jugé « sympa » par l'un des jurés propose une tendre interprétation des fruits noirs. L'attaque fraîche laisse place à une sensation souple et fruitée. ⧗ 2019-2022

SCEV DU CH. DE MINIÈRE, 25, rue de Minière, 37140 Coteaux-sur-Loire, tél. 02 47 96 94 30, contact@chateaudeminiere.com t.l.j. 11h-17h

NAU FRÈRES La Cigogne 2017 ★

■ | 4 800 | | 11 à 15 €

Les frères Nau conduisent un domaine familial de 20 ha situé sur les premières terrasses de Bourgueil. Leurs cuvées figurent régulièrement dans le Guide.

La valeur des jeunes vignes de cabernet enracinées sur sol calcaire n'a pas attendu le nombre des années. Un vigilant travail au chai (fermentation en grains entiers, soutirages fréquents) assure le caractère de ce vin. Sous une teinte sombre se décline toute une panoplie de fruits des bois. Des tanins ronds soutiennent une belle matière. ⧗ 2020-2024 ■ **Les Blottières 2017** ★ **(8 à 11 €; 9000 b.)** : soyeux est le mot juste pour décrire ce vin grenat, tout entier tourné vers le fruit. ⧗ 2019-2022 ■ **Vieilles Vignes 2017** ★ **(8 à 11 €; 8500 b.)** : ne tergiversons pas : ce vin est à déguster sur sa fraîcheur, pour profiter de ses arômes fruités et floraux comme de sa rondeur. ⧗ 2019-2022

EARL NAU FRÈRES, 52, rue de Touraine, 37140 Ingrandes-de-Touraine, tél. 02 47 96 98 57, naufreres@gmail.com t.l.j. sf dim. 9h30-12h30 14h-18h

DOM. DE LA NOIRAIE Cuvée Saint-Vincent 2017

■ | 50 000 | | 5 à 8 €

Le premier des Delanoue, vigneron à Benais, était métayer. Son fils acheta les bâtiments à ses

propriétaires, ainsi que les premières vignes. Six générations plus tard, la famille – Michel, son frère Jean-Paul, son épouse Pascale et son fils Vincent – exploite 50 ha à Bourgueil et à Saint-Nicolas. Un domaine régulier en qualité.

Cette cuvée, assemblage du fruit de terrasses de graviers et de coteaux argilo-calcaires, révèle un fruité agréable, pimpant au nez et d'une étonnante vivacité en bouche. La tradition ligérienne est respectée. ⏳ 2019-2022

EARL DELANOUE FRÈRES, 19, rue du Fort-Hudeau, 37140 Benais, tél. 02 47 97 30 40, delanoue.freres@orange.fr t.l.j. 9h-12h30 14h-19h30; dim. 9h-12h30

DOM. OLIVIER Vieilles Vignes 2017

■ | 25000 | | 5 à 8 €

Créée en 1959, cette exploitation familiale, qui n'a cessé de se diversifier et de s'agrandir, couvre désormais 65 ha. Conduite depuis 1983 par Patrick Olivier, elle est régulièrement distinguée dans le Guide.

Un bourgueil pourpre lumineux qui, après une longue aération, s'anime d'un fruité frais de groseille. À boire sans trop attendre, afin de profiter au mieux de ses saveurs légères et désaltérantes. ⏳ 2019-2020

SCEA DOM. OLIVIER, La Forcine, 37140 Saint-Nicolas-de-Bourgueil, tél. 02 47 97 75 32, contact@domaineolivier.com t.l.j. sf dim. 9h-12h 14h-18h

NATHALIE OMASSON Vieilles Vignes 2017 ★

■ | 6000 | | 5 à 8 €

Plantées sur les coteaux de Saint-Patrice, les vignes du domaine (9,3 ha) font face au romantique château d'Ussé. Nathalie Omasson s'y est installée en 2003 et, depuis, elle signe de jolies cuvées fréquemment retenues dans le Guide.

D'élégants éclairs violacés illuminent la robe rubis. Si le premier nez semble discret, à l'agitation le vin explose en arômes de fruits cuits. Au palais, la rondeur est bien équilibrée par une fine vivacité. Elle enveloppe des tanins bien présents, de bon augure pour la garde. ⏳ 2020-2024 ■ **2018 (5 à 8 €; 600 b.)** : vin cité.

ETS NATHALIE OMASSON, 3, rue de la Cueille-Cadot, Saint-Patrice, 37130 Coteaux-sur-Loire, tél. 06 66 96 60 41, nathalie.omasson@gmail.com r.-v.

DOM. DES OUCHES Coteau des Ouches 2017

■ | 5000 | | 11 à 15 €

Établis à Ingrandes, village qui marque la limite entre les anciens duchés d'Anjou et de Touraine, les Gambier cultivent la vigne depuis huit générations, avec Thomas et Denis aujourd'hui. Leur domaine couvre 16 ha. Une valeur sûre de l'appellation bourgueil.

Très marqué par un long contact avec le bois, ce bourgueil qui n'a pas été filtré devra être oublié quelque temps en cave, condition nécessaire à l'expression de son généreux potentiel. Vêtu de sombre, très discret au premier nez, il livre après aération (et avec parcimonie) les arômes de fruits noirs d'une vendange qui a fermenté avec l'unique secours des levures indigènes. En bouche, il se montre très riche. Les tanins, athlétiques au possible, laisse une pointe d'amertume en finale. Patience. ⏳ 2020-2024

EARL DOM. DES OUCHES, 3, rue des Ouches, 37140 Ingrandes-de-Touraine, tél. 02 47 96 98 77, contact@domainedesouches.com t.l.j. sf dim. 10h-12h 14h-18h30

DOM. DE LA PERRÉE
Papillon Élevé en fût de chêne 2017 ★

■ | 10000 | | 8 à 11 €

«Perrée» est un vieux mot signifiant «pierre». Conduit par Patrice Delarue depuis 1985, ce domaine de 17 ha, dans sa famille depuis 1936, est implanté sur un terroir de graviers et de sables, où sont produits des vins réguliers en qualité, tout en fruit et en rondeur.

Sombre, si sombre... un bourgueil au nez boisé, qui porte encore la marque de son élevage de douze-mois en fût. Les tanins sont cependant équilibrés au palais, laissant le fruité s'exprimer dans une matière ronde et persistante. ⏳ 2020-2024

EARL PATRICE ET LYDIE DELARUE, La Perrée, 37140 Saint-Nicolas-de-Bourgueil, tél. 06 43 54 30 44, contact@domainedelaperree.fr r.-v.

♥ B DOM. DU PETIT BONDIEU
Petit Mont 2017 ★★

■ | 15000 | | 8 à 11 €

Installée à Restigné, la famille Pichet s'évertue depuis quatre générations à produire des vins au plus près de la nature et des terroirs. Le domaine, qui s'étend sur 22 ha aujourd'hui, est géré par Thomas et son père Jean-Marc, conduit en bio certifié depuis le millésime 2013. Des vins d'une grande régularité dans la qualité.

Le Petit Mont chante l'histoire des vignes de cabernet enracinées sur l'argilo-calcaire. Longuement fermenté, puis élevé en barrique, le voici dans sa robe grenat à reflets violines. Subtil, raffiné, le nez se fait courtois à l'aération. Plus démonstratif en bouche, ce bourgueil délecte le palais de ses arômes frais de baies rouges et de ses tanins soyeux. ⏳ 2020-2024 ■ **Couplets 2017 ★★** (11 à 15 €; 6500 b.) ♥ B : autre coup de cœur pour ce vin grenat brillant, à la fois fruité et vanillé. Un élevage de dix-huit-mois en fût lui a donné de la structure, mais celle-ci est déjà bien fondue dans la matière ample et puissante. ⏳ 2020-2024 ■ **Les Terres brunes 2017 ★ (8 à 11 €; 5000 b.)** B : il faudra patienter un peu avant d'apprécier cette cuvée à sa juste valeur, car le nez apparaît encore discret et les tanins laissent une impression d'austérité en finale. Qu'importe! Le potentiel est bien là : ampleur, densité, structure. ⏳ 2020-2024

EARL THOMAS PICHET, 30, rte de Tours, Le Petit Bondieu, 37140 Restigné, tél. 02 47 97 33 18, thomaspichet@orange.fr r.-v.

DOM. DE LA PETITE MAIRIE 2017

20000		5 à 8 €

Établi à Restigné, James Petit a repris en 1997 le domaine de son oncle Jean Gambier aujourd'hui retiré. Le vignoble couvre 26 ha sur la première terrasse de l'appellation bourgueil.

Des belle fragrances fruitées éveillent l'intérêt pour ce bourgueil aux reflets orangés. Elles annoncent une bouche souple et équilibrée propre à satisfaire les amateurs de vins légers. 2019-2020

EARL DOM. DE LA PETITE MAIRIE, 9, rue de la Petite-Mairie, 37140 Restigné, tél. 02 47 97 30 13 *t.l.j. 8h-12h 14h-19h*

DOM. DU PETIT SOUPER Vieilles Vignes 2017 ★

12000		5 à 8 €

Situé au cœur de Benais, là où les terres à forte teneur en argile sont disposées à produire des vins de garde, le domaine de Thierry Dupuis (installé en 1992) se distingue régulièrement pour ses bourgueil, en rouge comme en rosé.

Un bourgueil aromatique, issu de sols argilo-calcaires : couleur profonde, présence fruitée, matière dense et tanins très présents. Il faudra l'attendre. 2020-2024 **Rosé des sables 2018 ★ (5 à 8 €; 2000 b.)** : l'étiquette annonce le terroir. Cinq mois de cuve auront suffi à extraire de jolis jus porteurs d'arômes généreux. Vêtu d'une seyante tenue saumonée, ce rosé s'anime dès l'olfaction autour d'intenses notes fruitées (agrumes). À la fois fraîche et ronde, la bouche délivre de longs arômes de fruits blancs et de framboise. 2019-2020

EARL DUPUIS (DOM. DU PETIT SOUPER), 13, rue de la Barbinière, Saint-Patrice, 37130 Coteaux-sur-Loire, tél. 02 47 96 97 46, earl.thierrydupuis@gmail.com *r.-v.*

DOM. LES PINS Le Clos 2017 ★

6000		8 à 11 €

Depuis cinq générations, la famille Pitault-Landry exploite ce domaine créé en 1890. Aujourd'hui, il est conduit par le tandem Philippe Pitault et son frère Christophe. Couvrant 30 ha presque d'un seul tenant, les vignes entourent les bâtiments, dont une bâtisse du XVᵉs. Une valeur sûre en bourgueil comme en saint-nicolas.

Cette cuvée se livre sans chichi. Ample, ronde, fruitée, elle traduit bien les subtilités d'un terroir argilo-siliceux et le charme d'un cabernet mûr à point. 2019-2020 **Vieilles Vignes 2017 ★ (11 à 15 €; 6000 b.)** : de la discrétion au nez, mais de la concentration au palais. C'est rond sans être léger, c'est structuré au possible et le tout persiste bien. Attendre que jeunesse se passe. 2020-2024

SCEV PITAULT-LANDRY ET FILS, Dom. les Pins, 8, rte du Vignoble, 37140 Bourgueil, tél. 02 47 97 47 91, philippe.pitault@wanadoo.fr *r.-v.*

DOM. DU ROCHOUARD Le Coteau 2017 ★

9000		8 à 11 €

Guy Duveau a créé le domaine en 1976, en polyculture jusqu'en 1985. Ses fils Dominique et Jean-Luc ont pris la relève, respectivement en 1995 et en 2007. Le vignoble couvre 20 ha, certifiés depuis 2015 en agriculture biologique.

Enraciné sur 2 ha argilo-calcaires, le cabernet franc, vinifié sans levures ni enzymes, a donné naissance à ce bourgueil équilibré, porté par des tanins souples. Un «vin de sages», note l'un des dégustateurs qui suggère de le servir à l'apéritif. 2020-2024

GAEC DUVEAU-COULON FILS, Dom. du Rochouard, 1, rue des Géléries, 37140 Bourgueil, tél. 06 68 70 20 75, domainedurochouard@wanadoo.fr *t.l.j. 9h-12h 14h-18h30; dim. sur r.-v.*

VIGNOBLE DE LA ROSERAIE 2017

10000		5 à 8 €

Ce domaine fondé en 1890 a vu se succéder cinq générations. Son vignoble s'étend sur 35 ha, conduit en agriculture raisonnée. Ses vins sont régulièrement sélectionnés dans le Guide en saint-nicolas ou en bourgueil.

Un bourgueil grenat léger, dont le nez un brin réglissé témoigne d'un court élevage en fût. Ronde et fruitée, de longueur moyenne, la bouche conserve un plaisant équilibre. 2020-2022

GAEC DU VIGNOBLE DE LA ROSERAIE, 46, rue Basse, 37140 Restigné, tél. 02 47 97 32 97, vignobledelaroseraie@orange.fr *r.-v.*

JOËL TALUAU Passion 2017 ★

27000		5 à 8 €

Joël et Clarisse Taluau se sont installés en 1970 sur 2,2 ha; ils ont été rejoints en 1993 par leur fille Véronique et leur gendre Thierry Foltzenlogel, désormais aux commandes. Valeur sûre des AOC bourgueil et saint-nicolas, ce domaine de 32 ha se distingue régulièrement dans le Guide.

Bien présente au regard dans sa robe carmin brillant, cette cuvée dispense des arômes de fruits noirs épicés. Malicieuse et désaltérante, c'est ainsi qu'elle apparaît en bouche. Attaque vive et légère, tanins *ad-hoc*, longueur titillant les papilles. 2020-2022

EARL TALUAU ET FOLTZENLOGEL, 11, rue Chevrette, 37140 Saint-Nicolas-de-Bourgueil, tél. 02 47 97 78 79, joel.taluau@orange.fr *t.l.j. sf dim. 8h30-12h 13h30-18h; sam. sur r.-v.*

UN COUP DE BRETON 2017 ★

15000		8 à 11 €

Une petite structure de négoce créée en 2014 par Antoine et François Jamet, qui propose de l'anjou blanc et du bourgueil.

Griotte, myrtille, fraise des bois : nul doute, le fruit est bien au rendez-vous. La bouche, fraîche et un tantinet tannique, traduit la jeunesse de ce vin. 2020-2022

SARL MAISON JAMET, rte n°1, 37140 Saint-Nicolas-de-Bourgueil, tél. 02 47 97 44 44, contact@vallettes.com *t.l.j. sf dim. 9h-12h 14h-18h*

DOM. DES VALLETTES Vieilles Vignes 2017

■ | 20000 | 🛢 | 8 à 11 €

Un domaine créé en 1986 par Annick et Francis Jamet : 10 ha au départ, 26 ha aujourd'hui, sur lesquels sont produits du saint-nicolas-de-bourgueil et du bourgueil, mais aussi de l'anjou blanc. Après une expérience commerciale export pour une maison saumuroise, François, le fils, revient au domaine en 2001. Il est rejoint en 2008 par son frère Antoine qui a fait ses armes en Australie et en Espagne. En 2012, la fratrie reprend le Clos du Vigneau (saint-nicolas), dans la famille de leur cousin Alain Jamet depuis 1820 et maison-mère familiale.

Des arômes de fruits noirs se libèrent de la robe rouge intense de ce 2017 souple et gouleyant. La simplicité est vertu. ⧗ 2020-2022

EARL JAMET, Les Vallettes, 37140 Saint-Nicolas-de-Bourgueil, tél. 02 47 97 44 44, contact@vallettes.com V t.l.j. sf dim. 9h-12h 14h-18h

DOM. DE LA VIGNELLIÈRE 2017

■ | 5000 | 🍾 | 5 à 8 €

Issu d'une lignée de vignerons, Benoît Pontonnier conduit depuis 1998 ce vignoble de 12 ha, en AOC bourgueil et saint-nicolas-de-bourgueil.

Quelques notes de fruits très mûrs se libèrent de ce vin tout en rondeur, dont on apprécie les tanins de qualité et la bonne mâche. ⧗ 2020-2022

EARL PONTONNIER, 4, rte de Chevrette, 37140 Bourgueil, tél. 06 88 75 11 82, domainepontonnier@orange.fr V t.l.j. sf sam. dim. 9h-12h30 14h-18h30

SAINT-NICOLAS-DE-BOURGUEIL

Superficie : 1 076 ha / Production : 61 307 hl

Malgré des caractéristiques proches de celles de l'aire contiguë de Bourgueil, la commune de Saint-Nicolas-de-Bourgueil (simple paroisse détachée de Bourgueil au XVIIIe s.) possède son appellation particulière. Son vignoble croît, pour les deux tiers, sur les sols sablo-graveleux des terrasses de la Loire. Au-dessus, le coteau est protégé des vents du nord par la forêt; le tuffeau y est surmonté d'une couverture sableuse. Bien que ce ne soit pas le cas des vins provenant exclusivement du coteau, les saint-nicolas-de-bourgueil, souvent issus d'assemblages, ont la réputation d'être plus légers que les bourgueils.

(B) YANNICK AMIRAULT Les Malgagnes Aphore 2017 ★★

■ | 1600 | 🍾 | 20 à 30 €

Présent en saint-nicolas et en bourgueil, Yannick Amirault, rejoint en 2003 par son fils Benoît, fait partie des valeurs sûres de ces deux appellations. Les 19 ha du domaine sont aujourd'hui conduits en bio.

Élevé en amphores pendant une année, ce 2017 est issu d'un terroir « mouchoir de poche » : 40 centiares d'argilo-calcaire. Vin taillé pour une longue garde, il se présente dans une tenue pourpre. Au nez, rien ne manque : puissance et complexité des arômes fruités. En bouche, le vin fait preuve de tenue : attaque franche, fruité généreux, tanins structurants. Très bel avenir. ⧗ 2020-2026

EARL YANNICK ET NICOLE AMIRAULT, 1, rte du Moulin-Bleu, 37140 Bourgueil, tél. 02 47 97 78 07, info@yannickamirault.fr V r.-v.

(B) FAMILLE AMIRAULT-GROSBOIS Les Graipins 2017 ★

■ | 15000 | 🛢 | 11 à 15 €

Les vignerons Xavier et Thierry Amirault (Clos des Quarterons) associés à Nicolas Grosbois ont créé en 2008 une structure de négoce qui propose des chinon, bourgueil et saint-nicolas issus de l'agriculture biologique.

Flatteur dans sa robe rubis, ce 2017 manifeste des arômes intenses de fruits noirs nuancés d'une pointe d'épices. Équilibré, il possède une chair souple et franche, de bonne longueur. ⧗ 2020-2024 ■ **Les Arpents 2017 ★ (8 à 11 €; 25 000 b.)** (B) : virevoltant sur des notes de fruits rouges, une cuvée souple, à déguster dès maintenant. ⧗ 2020-2022

SAS FAMILLE AMIRAULT-GROSBOIS, allée des Quarterons, 37140 Saint-Nicolas-de-Bourgueil, tél. 02 47 97 75 25, agnes@amirault-grosbois.com

DOM. DU BOIS MAYAUD La Volupté Vieilles Vignes 2017 ★

■ | 17000 | 🍾 | 8 à 11 €

Issus de familles vigneronnes, Françoise et Jean Boucher ont créé leur exploitation en 1985. Ludovic, leur fils, et son épouse Soraya ont repris la main, suite au départ à la retraite de Françoise Boucher. Leur vignoble couvre 12 ha.

Rouge vif, cette cuvée offre un bel assortiment d'arômes de fruits discrètement compotés. Équilibrée, elle bénéficie de tanins de qualité enveloppés dans sa chair fruitée. ⧗ 2020-2024 ■ **Baroquo élevé en barrique 2015 (11 à 15 €; 2000 b.)** : vin cité.

EARL JEAN BOUCHER, 9, Le Carroi-Taveau, 37140 Saint-Nicolas-de-Bourgueil, tél. 02 47 95 17 23, domaineduboismayaud@orange.fr V r.-v.

HENRI BOURDIN Cuvée Cassandre 2017

■ | 6800 | 🍾 | 5 à 8 €

Henri Bourdin, installé en 1991 à la suite de son père, fondateur du domaine en 1948, privilégie l'accueil et la vente directe à la propriété. Les 14,5 ha de vignes sont morcelés, répartis sur les appellations bourgueil et saint-nicolas, ce qui permet au vigneron de vinifier par terroir : argilo-calcaire, graviers, sables.

Souple, ce 2017 rouge vif, au nez fin, offre à la fois de la fraîcheur et une chair gourmande. Une petite amertume en finale invite à la garde. ⧗ 2020-2024

EARL HENRI BOURDIN, 7, rue du Bourg-de-Paille, 37140 Bourgueil, tél. 02 47 97 96 69, bourdin.henri37@orange.fr V t.l.j. 8h-12h30 14h-18h30; f. 1er -15 août

DAMIEN BRUNEAU Fût de chêne 2017 ★★

■ | 3000 | 🛢 | 8 à 11 €

Ghislaine et Yvan Bruneau, tous deux natifs de Saint-Nicolas et descendants de plusieurs générations

LOIRE

de vignerons, perpétuent la tradition familiale depuis 1986. Ils sont aujourd'hui aidés par leur fils Damien pour conduire les 20 ha de la propriété.

Le fruit de vieux cabernets a côtoyé le merrain pour donner naissance à ce vin rubis. Intense, le nez révèle des arômes de cassis et un boisé bien dosé. La bouche renchérit : chair fruitée ample, tanins du bois généreux, bonne persistance. Une bouteille taillée pour la garde. ⌛ 2020-2026 ■ **Les Clos Vieilles Vignes 2017 ★ (8 à 11 €; 14 000 b.)** : une cuvée porteuse d'un fruité exaltant, à la bouche franche et très structurée. ⌛ 2020-2026 ■ **Sélection 2017 ★ (11 à 15 €; 9 000 b.)** : des nuances violettes de jeunesse dans la robe annonce un vin en devenir. En effet, celui-ci libère progressivement ses arômes de fruits et de sous-bois, puis emplit le palais d'une matière dense, structurée par des tanins encore fermes. Patience. ⌛ 2020-2026

⊶ EARL YVAN-GHISLAINE BRUNEAU ET FILS, 50, av. Saint-Vincent, 37140 Saint-Nicolas-de-Bourgueil, tél. 02 47 97 90 67, contact@damienbruneau.fr V ⚐ ⚑ *r.-v.*

♥ B SYLVAIN BRUNEAU
Cuvée Réserve 2017 ★★

■ | 6000 | ◍ | 8 à 11 €

Représentant la troisième génération de vignerons sur ce domaine régulier en qualité, Sylvain Bruneau, installé en 1998, a converti au bio son vignoble, étendu sur une vingtaine d'hectares.

Le grand jury n'a pas longtemps hésité devant cette cuvée issue de cabernets cultivés en bio. Des vignes de soixante ans enracinées sur l'argilo-calcaire ont donné une vendange mûre à point. Au chai, la vinification a favorisé l'extraction, tandis que l'élevage en barrique a apporté des arômes vanillés et du gras. Pourpre à reflets rubis, le vin libère un large éventail aromatique allant des fruits rouges aux notes boisées. La bouche réunit puissance et équilibre. Belle référence pour l'appellation. ⌛ 2020-2026 ■ **Vieilles Vignes 2017 ★ (5 à 8 €; 30 000 b.)** Ⓑ : un vin sur le fruit, aux tanins souples et bien fondus. Le plaisir est déjà au rendez-vous. ⌛ 2020-2022 ■ **L'Éclosion Vieilles Vignes 2017 ★ (11 à 15 €; 1800 b.)** Ⓑ : cerise griotte et réglisse apparaissent à l'aération de ce vin rubis profond. Agréable dès l'attaque, celui-ci enveloppe le palais de sa chair fruitée, étayée par des tanins qui laissent une légère amertume finale, mais sans accroc. ⌛ 2020-2022

⊶ SYLVAIN BRUNEAU, 14, La Martellière, 37140 Saint-Nicolas-de-Bourgueil, tél. 02 47 97 75 81, info@cave-bruneau-dupuy.com V ⚐ ⚑ *t.l.j. sf dim. 9h-12h30 13h30-18h*

VIGNOBLE DE LA CHEVALLERIE
Cuvée Martial Vieilles Vignes 2017 ★

■ | 50 000 | 🍾 | 5 à 8 €

La Chevallerie fait partie des plus anciens terroirs de Saint-Nicolas. Jean-Charles Bruneau a pris en 2007 les rênes des 25 ha de l'exploitation familiale, dont les premiers pas remontent à 1947. Son grand-père Martial cultivait alors 25 ares de vignes plantées sur sables et graviers.

Martial : est-ce là un désir conquérant? Tout en vigueur depuis le rouge soutenu de sa robe, ce vin a de puissants accents de fruits rouges (fraise), du gras et de la densité. Du chevaleresque en bouteille. ⌛ 2020-2026 ■ **2018 ★ (5 à 8 €; 14 000 b.)** : vigneron expérimenté, Jean-Charles Bruneau a su capter les fraîcheurs dispensées par les sables et graviers desquels est issu ce rosé de saignée. Dans le verre, un vin limpide, dont l'olfaction à la fois florale et fruitée, constitue le meilleur des préludes à une bouche ronde et avenante. ⌛ 2019-2020 ■ **La Pierre du Lane 2017 (8 à 11 €; 13 000 b.)** : vin cité.

⊶ JEAN-CHARLES BRUNEAU, 5, La Chevallerie, 37140 Saint-Nicolas-de-Bourgueil, tél. 02 47 97 81 19, contact@jeancharlesbruneau.fr V ⚐ ⚑ *t.l.j. sf dim. 9h-12h30 14h-18h30*

LA CHEVALLERIE Nuance de grès 2017 ★

■ | 5000 | ◍ | 15 à 20 €

Établi à Saint-Nicolas-de-Bourgueil, Gaëtan Bruneau poursuit depuis 2008 l'œuvre de cinq générations vigneronnes. Le domaine familial est implanté en majorité sur un terroir de graviers profonds.

Élevé en amphores, ce vin issu de cabernet enraciné sur graviers et argiles doit une partie de sa fraîcheur au contact de neuf mois avec le grès. Belle robe rouge vif traversée d'éclairs violacés, nez élégant de fruits noirs, bouche gourmande, fraîche et acidulée. Un vin de caractère en pleine évolution. ⌛ 2020-2024 ■ **L'Échappée 2018 (5 à 8 €; 4 600 b.)** : vin cité.

⊶ SCEA GAËTAN BRUNEAU, 2, La Chevallerie, 37140 Saint-Nicolas-de-Bourgueil, tél. 02 47 97 93 58, contact@gaetanbruneau.com V ⚐ ⚑ *r.-v.*

DOM. DE LA CHOPINIÈRE DU ROY
Cuvée Coquelicot Élevé en fût de chêne 2017

■ | 11 500 | ◍ | 5 à 8 €

Héritier d'une famille qui cultivait déjà la vigne à la fin du XIXe s, Christophe Ory s'est installé en 1999 à la tête du domaine développé par son père Michel Ory. Rejoint en 2010 par son frère Nicolas, il a repris seul la gestion du domaine en janvier 2018. Son épouse Sophie et lui souhaitent redynamiser l'image du domaine en renouvelant leurs outils de communication. Le vignoble compte aujourd'hui 26 ha.

De séduisantes notes fruitées dans ce vin à reflets violines. Équilibré, doté de tanins vifs, c'est un petit régal pour les amateurs de vins sans chichi. ⌛ 2020-2022

⊶ EARL DOM. DE LA CHOPINIÈRE DU ROY (CHRISTOPHE ORY), 30, La Rodaie, 37140 Saint-Nicolas-de-Bourgueil, tél. 02 47 97 77 74, chopiduroy@gmail.com V ⚐ ⚑ *t.l.j. 8h30-19h; dim. sur r.-v.*

B LE CLOS DES QUARTERONS
Vieilles Vignes 2017 ★

■ | 28 000 | ◍ | 15 à 20 €

Installé en Touraine occidentale sur une terrasse ancienne de la Loire, ce domaine, dans la même famille depuis six générations, est bien connu des lecteurs du Guide pour ses saint-nicolas-de-bourgueil.

Agnès et Xavier Amirault – qui a pris la suite de son frère Thierry en 2011 – exploitent aujourd'hui 37 ha de vignes en agriculture biologique et biodynamique.
D'un rouge vif à reflets rubis, ce 2017 s'ouvre sur des notes de cassis, de framboise et de cerise. Franc dès l'attaque, il ne manque pas de tonicité tout en laissant une impression de rondeur grâce à des tanins soyeux. ⧗ 2020-2024

EARL CLOS DES QUARTERONS (AMIRAULT), 46, av. Saint-Vincent, 37140 Saint-Nicolas-de-Bourgueil, tél. 02 47 97 75 25, contact@domaineamirault.com t.l.j. sf dim. 8h30-12h30 14h-17h

LE CLOS DU VIGNEAU Le Clos 2017

■ | 90000 | | 5 à 8 €

Depuis 1820, six générations de Jamet se sont appliquées à faire prospérer la vigne sur des parcelles de sables et de cailloux, terroirs nommés «graviers». En 2012, la propriété de 25 ha a été cédée aux cousins Antoine et François Jamet du Domaine des Vallettes.
Joli vin paré de vermillon qui libère à l'olfaction des arômes de fruits rouges. En bouche il s'anime autour d'une vivacité un brin gaillarde. ⧗ 2020-2022 ■ **2018 (5 à 8 €; 1300 b.)** : vin cité.

EARL LE CLOS DU VIGNEAU, Le Vigneau, 37140 Saint-Nicolas-de-Bourgueil, tél. 02 47 97 44 44, contact@closduvigneau.com t.l.j. sf dim. 9h-12h 14h-18h

DOM. DE LA CLOSERIE Vieilles Vignes 2017

■ | 5000 | | 8 à 11 €

Ses ancêtres sont passés de la brasserie à la viticulture. Régulièrement distingué dans le Guide, Jean-François Mabileau sait mettre en valeur son domaine de Restigné, à l'est de Bourgueil. L'ensemble de la propriété est désormais certifié en agriculture biologique.
Issu de vignes de quarante ans, ce 2017 grenat apparaît timide de prime abord, mais à l'aération, il laisse deviner un joli fruité. Au palais, les tanins jouent un rôle essentiel. Un type de vin à l'ancienne, en attente d'un épanouissement qui ne devrait pas tarder. ⧗ 2020-2024

JEAN-FRANÇOIS MABILEAU, Dom. de la Closerie, 28, rte de Bourgueil, 37140 Restigné, tél. 02 47 97 36 29, j-f-mabileau@orange.fr r.-v.

JÉRÔME DELANOUE 2017 ★

■ | 18000 | | 5 à 8 €

Jérôme Delanoue s'est lancé dans la viticulture en 1998 et s'est attaché depuis à parfaire l'exploitation de ses vignes sur des sols de graviers très qualitatifs. Il conduit aujourd'hui 13 ha en bourgueil et saint-nicolas, avec des cuvées régulières en qualité.
Les vins de Jérôme Delanoue sont souvent perçus comme des classiques indémodables. Ce 2017 en est un bel exemple. Marqué par un fruité agréable, il dévoile de multiples attraits : rondeur, équilibre, tanins discrets, croquant. ⧗ 2020-2024

EARL JÉRÔME DELANOUE, 11, rue du Port-Guyet, 37140 Saint-Nicolas-de-Bourgueil, tél. 06 16 95 16 55, vinjdelanoue@wanadoo.fr t.l.j. 9h-18h

NATHALIE ET DAVID DRUSSÉ Vieilles Vignes 2017

■ | 20000 | | 5 à 8 €

Issu d'une famille de viticulteurs de Saint-Nicolas, David Drussé a créé son domaine en 1996, rejoint ensuite par son épouse Nathalie. Depuis 2010, le couple a renoncé aux désherbages chimiques, premiers pas avant d'entamer la conversion à l'agriculture biologique en 2015. Leur exploitation compte 21 ha.
Encore un peu sur la réserve, ce vin sombre déploie des arômes classiques de fruits rouges. Tonique dès l'attaque, il a été apprécié pour sa fraîcheur. Un vin de copains. ⧗ 2020-2024

EARL DOM. DAVID ET NATHALIE DRUSSÉ, 1, imp. de la Villatte sur D_35, 37140 Saint-Nicolas-de-Bourgueil, tél. 02 47 97 28 24, drusse@wanadoo.fr t.l.j. 9h-19h

LE VIGNOBLE DE FRESNE Vieilles Vignes 2017

■ | 1500 | | 5 à 8 €

Trois générations de vignerons se sont succédé au Fresne pour constituer ce vignoble de 22 ha. Patrick Guenescheau, à la tête du domaine depuis 1980, exerce ses talents viticoles en saint-nicolas-de-bourgueil, en cabernet-d'anjou et en crémant-de-loire.
Sous une robe rubis à reflets violines apparaissent de petits arômes friands de fruits. La fraîcheur définit bien ce vin sans complexe, mais friand. ⧗ 2020-2024

SCEA PATRICK GUENESCHEAU, 1, Le Fresne, 37140 Saint-Nicolas-de-Bourgueil, tél. 06 07 68 24 38, patrick.guenescheau@wanadoo.fr r.-v.

DOM. DES GÉLÉRIES Cuvée Tradition 2017

■ | 9000 | | 5 à 8 €

Appartenant aux familles Meslet, Thouet et Rouzier, ce domaine de 32 ha régulier en qualité se répartit sur 45 parcelles et trois AOC : chinon, bourgueil et saint-nicolas. Il est conduit depuis 2012 par Germain Meslet.
Si vous êtes de celles et ceux qui aiment les vins sans chichi, à apprécier sur le fruit, cette cuvée est pour vous. Coquette dans sa tenue framboisine, elle compte sur sa fraîcheur et son fruité pimpant pour séduire dès maintenant. ⧗ 2020-2022

DOM. DES GÉLÉRIES, 4, rue des Géléries, 37140 Bourgueil, tél. 02 47 97 74 83, domainedesgeleries@orange.fr t.l.j. sf dim. 9h-12h 14h-18h30

DOM. DES GESLETS La Contrie 2017

■ | 16000 | | 8 à 11 €

Valeur sûre du Bourgueillois, ce domaine de 20 ha, dont les origines remontent à 1935, est cultivé en bio certifié. Installé en 1997, Vincent Grégoire perpétue la tradition familiale, tant en saint-nicolas-de-bourgueil qu'en bourgueil.
Dans sa tenue brillante, cette cuvée discrète au nez se fait un peu plus loquace en bouche. Les flaveurs gourmandes de fruits noirs sont soutenues par une légère vivacité. ⧗ 2020-2022

EARL VINCENT GRÉGOIRE, 12, Dom. des Geslets, 37140 Bourgueil, tél. 06 82 16 18 11, domainedesgeslets@orange.fr V t.l.j. 10h-12h 13h30-18h30; dim. sur r.-v.

JÉRÔME GODEFROY Vieilles Vignes 2017 ★

■	23 600		5 à 8 €

Après le départ à la retraite de son père en 2005, Jérôme Godefroy a pris les rênes de l'exploitation où se sont succédé cinq générations de vignerons. Il a ensuite entrepris un important travail de restauration de la propriété, qui couvre 11 ha aujourd'hui.

Sols de graviers siliceux, exposition idéale, vignes vénérables (certaines datent de 1908) concourent à la réussite de ce vin. Les dégustateurs ont aimé, outre l'éclatant vermillon de la robe, le nez primesautier de fruits noirs très mûrs et la bouche fraîche et équilibrée. ⧗ 2020-2024

EARL JÉRÔME GODEFROY, 19, Le Plessis, 37140 Chouzé-sur-Loire, tél. 02 47 95 16 56, domaine.godefroy@orange.fr V t.l.j. sf dim. 9h-12h 14h-18h

DOM. DU GROLLAY Vieilles Vignes 2017 ★

■	7000	5 à 8 €

Jean Brecq et son épouse s'étaient lancés en 1976 avec un demi-hectare de vignes, simplement équipés «d'un sécateur, d'un seau et d'un pressoir manuel». Ils n'ont pas compté leurs efforts pour agrandir et équiper leur domaine qui couvre aujourd'hui 14 ha. La relève est assurée grâce à leur fils Cyril, aux commandes depuis 2014.

Sur les sols de graviers, le cabernet se sent parfaitement à l'aise. Preuve en est ce 2017 rubis, issu de très vieilles vignes (soixante-quinze ans d'âge). Ouvert sur les fruits mûrs, il peut compter sur des tanins de qualité. ⧗ 2020-2024

EARL JEANNOT BRECQ, 1, Le Grollay, 37140 Saint-Nicolas-de-Bourgueil, tél. 02 47 97 78 54, jean.brecq@orange.fr V r.-v.

VIGNOBLE DE LA JARNOTERIE Concerto 2017 ★

■	13 900		11 à 15 €

Cinq générations de vignerons se sont succédé sur ce vignoble de quelque 25 ha à la limite de l'Anjou et de la Touraine. Didier et Carine Rezé, installés depuis 2003, figurent régulièrement dans les pages du Guide.

Ce 2017 met en évidence la finesse aromatique du cabernet et la minéralité du terroir argilo-siliceux. De teinte grenat, il propose des arômes engageants de fruits rouges et noirs (cassis), avec une légère pointe de poivron. La bouche fruitée, équilibrée, possède suffisamment d'étoffe grâce à des tanins souples. «Très représentatif de l'appellation», note un dégustateur. ⧗ 2020-2024 ■ **L'Élégante 2017 (8 à 11 €; 60 000 b.)** : vin cité.

EARL JEAN-CLAUDE MABILEAU ET DIDIER REZÉ, La Jarnoterie, 37140 Saint-Nicolas-de-Bourgueil, tél. 02 47 97 75 49, contact@jarnoterie.com V r.-v.

PASCAL LORIEUX Expression 2017 ★

■	45 000		8 à 11 €

Alain et Pascal Lorieux ont fusionné leurs exploitations en 1993, l'une de 12 ha à Saint-Nicolas-de-Bourgueil, l'autre de 8 ha à Chinon, tout en gardant deux chais de vinification. Les deux frères exploitent leur vignoble en viticulture raisonnée.

Une robe rubis «aux nuances de briques du Nord», précise un dégustateur. Bienvenue donc, non «chez les ch'tis», mais en Saint-Nicolas-de-Bourgueil. Arômes enthousiasmants de fruits rouges et noirs, texture souple jusqu'à une surprenante finale encore marquée par les tanins. Du classique convaincant. ⧗ 2020-2026

SCEA PASCAL ET ALAIN LORIEUX, 64, av. Saint-Vincent, 37140 Saint-Nicolas-de-Bourgueil, tél. 02 47 97 92 93, contact@lorieux.fr V r.-v.

DAMIEN LORIEUX Graviers 2017

■	7000		5 à 8 €

Installé en 2005 à la tête du domaine familial (12 ha), sous l'œil avisé de son père Lucien, toujours actif, Damien Lorieux se nourrit à la fois de la tradition, de ses expériences à l'étranger et des techniques modernes (tris sur vendange, micro-oxygénation).

Dix mois d'élevage ont suffi à apporter à ce vin issu de sols de graviers une harmonie aromatique fruitée. Les tanins soyeux participent à l'impression gourmande de l'ensemble. ⧗ 2020-2022

DAMIEN LORIEUX, 2, rue de la Percherie, 37140 Bourgueil, tél. 02 47 97 88 44, contact@vinsdamienlorieux.com V r.-v.

Ⓑ FRÉDÉRIC MABILEAU Les Coutures 2016 ★

■	n.c.		15 à 20 €

Frédéric Mabileau est l'une des figures de proue en bourgueil et en saint-nicolas depuis son installation en 1991, en marge de l'exploitation paternelle. En 2003, les deux domaines ont fusionné, si bien que le vignoble couvre 28 ha aujourd'hui. Le producteur a adopté l'agriculture biologique en 2007 et la biodynamie en 2012.

Dans le verre, la robe vermillon est traversée de reflets violines. De bonne ampleur aromatique et de belle maturité, ce vin est marqué par le fruit et le bois patiné, hérité d'une année d'élevage en barrique. Dès l'attaque, la bouche apparaît franche et harmonieuse, avec des tanins soyeux au service d'une chair consistante. Le arômes se prolongent bien en finale. ⧗ 2020-2024 ■ **Les Rouillères 2017 ★ (11 à 15 €; 120 000 b.)** Ⓑ : sombre, parfumé de fruits noirs, gras et d'un beau volume... c'est très réussi, assurément. ⧗ 2020-2024 ■ **Éclipse n° 11 2015 ★ (20 à 30 €; 8000 b.)** Ⓑ : un 2015 parvenu à maturité. En témoignent ses reflets brique, sa palette de fruits cuits, son ampleur et ses tanins fondus. ⧗ 2019-2020

SAS FRÉDÉRIC MABILEAU, 6, rue du Pressoir, 37140 Saint-Nicolas-de-Bourgueil, tél. 02 47 97 79 58, contact@fredericmabileau.com V t.l.j. sf dim. 9h-12h 14h-17h; sam. sur r.-v.

JACQUES ET VINCENT MABILEAU La Gardière 2017

■	67 000		5 à 8 €

Jacques Mabileau a créé ce domaine en 1968. Son fils Vincent l'a rejoint en 1998; ensemble, ils ont modernisé et agrandi leur exploitation, qui s'étend sur 19 ha aujourd'hui.

Quelques nuances tuilées annoncent un début d'évolution dans ce vin au nez discret. En bouche, il est caressé par des tanins bienveillants et se prolonge sur des flaveurs fruitées. Agréable en toute simplicité. ⧗ 2020-2022

⊶ EARL JACQUES ET VINCENT MABILEAU, La Gardière, 37140 Saint-Nicolas-de-Bourgueil, tél. 02 47 97 75 85, vincent.mabileau@wanadoo.fr V t.l.j. sf dim. 9h-12h 14h-17h30; f. août

♥ LYSIANE ET GUY MABILEAU Vieilles Vignes 2017 ★★

■ | 28000 | | 5 à 8 €

Wilfried et Samuel Mabileau, qui incarnent la quatrième génération, ont rejoint en 2013 leur père Guy sur ce vignoble de 19,5 ha implanté sur les terrasses graveleuses de Saint-Nicolas.

C'est sur des graviers limoneux que la vendange a puisé sa finesse minérale. Ce vin, qui parade dans un habit rubis à reflets pourpre, ne se dévoile qu'avec parcimonie au nez. En bouche, il affirme sa noblesse au travers de tanins soyeux et d'une finale remarquable de longueur. Un très beau spécimen qui fait honneur à l'appellation et mérite encore d'être conservé en cave. ⧗ 2020-2026 ■ **Les 4 Filles 2018 (5 à 8 €; 6000 b.)** : vin cité.

⊶ GAEC LYSIANE ET GUY MABILEAU, 17, rue du Vieux-Chêne, 37140 Saint-Nicolas-de-Bourgueil, tél. 02 47 97 70 43, lysianeetguymabileau@gmail.com V t.l.j. sf dim. 9h-19h

Ⓑ LAURENCE ET CHRISTIAN MILLERAND La Taille 2017

■ | 10000 | | 8 à 11 €

Laurence et Christian Millerand ont pris la suite de leurs parents sur un domaine de 13 ha (en bio certifié), dont ils ont amélioré le chai et le matériel de vinification. Le nom de Galuches renvoie aux sols des bords de Loire riches en graviers et en galets.

Arômes de fruits mûrs et rondeur légère, tanins assagis. Une cuvée prête à être dégustée. ⧗ 2019-2020

⊶ CHRISTIAN MILLERAND, Dom. des Galuches, 2_bis, imp. des Galuches, 37420 Savigny-en-Véron, tél. 02 47 58 45 38, chmillerand@gmail.com V r.-v.

VIGNOBLE DE LA MINERAIE Cuvée Thibault 2017 ★★

■ | 6445 | | 5 à 8 €

Conduit par Richard Réthoré depuis 1991, ce domaine de 19 ha s'étend des premières marches de la terrasse de Saint-Nicolas aux pentes du coteau; les sols vont des graves et sables profonds aux argilo-calcaires.

Cette cuvée célèbre la venue au monde du fils de Richard Réthoré. Pourpre sombre, elle dévoile après aération un nez saisissant de fruits noirs. Ample à l'attaque, sa chair friande et ronde persiste dans un bel équilibre. Un vin qui devrait encore s'épanouir pendant quelques années. ⧗ 2020-2024

⊶ RICHARD RÉTHORÉ, La Mineraie, 37140 Saint-Nicolas-de-Bourgueil, tél. 02 47 97 76 45, contact@richard-rethore.fr V t.l.j. 9h-12h30 13h30-18h

HERVÉ MORIN Coup de foudre 2017 ★★

■ | 3300 | | 11 à 15 €

C'est à la veille de la Seconde Guerre mondiale que le grand-père d'Hervé Morin a créé le Dom. de la Rodaie. Mais ce n'est qu'à partir de 1970 que la propriété, sous l'impulsion du petit-fils, s'est développée, puis ouverte à la clientèle. L'exploitation couvre 22 ha, complétés en 2017 par une... brasserie artisanale sous le nom de marque Farmer.

Vinification traditionnelle, deux ans d'élevage en barrique. Le résultat? Il est fort enviable. Remarquable prélude : une parure sombre à reflets violacés. Le nez, complexité de fruits (cassis, framboise) et de sous-bois, impressionne par sa netteté. Une chair goûteuse, aux tanins veloutés, confirme les ambitions de ce vin. ⧗ 2020-2026 ■ **Levant 2017 ★ (8 à 11 €; 2500 b.)** : la jeunesse caractérise ce vin rouge foncé, dont les tanins de qualité sauront se fondre après quelques années de garde. ⧗ 2020-2024 ■ **Signature 2017 (8 à 11 €; 5800 b.)** : vin cité.

⊶ EARL MORIN, 20, La Rodaie, 37140 Saint-Nicolas-de-Bourgueil, tél. 02 47 97 75 34, contact@hervemorin.com V r.-v.

CH. LE MOULIN-NEUF 2017

■ | 140000 | | 8 à 11 €

Laurent Mabileau est propriétaire du Ch. le Moulin-Neuf, lequel domine un terroir de graviers de 30 ha.

Rubis légèrement tuilée, il fleure bon les fruits noirs, ce vin courtois et gourmand. Sa fraîcheur persistante en fait un allié des repas entre amis, en toute simplicité. ⧗ 2020-2022

⊶ SARL CH. LE MOULIN-NEUF, La Croix-du-Moulin-Neuf, 37140 Saint-Nicolas-de-Bourgueil, tél. 02 47 97 74 75, chateaumoulinneuf@gmail.com V t.l.j. sf sam. dim. 8h30-12h 14h-17h30

DOM. DE LA NOIRAIE Les 7 lieux-dits 2017 ★

■ | 35000 | | 5 à 8 €

Le premier des Delanoue, vigneron à Benais, était métayer. Son fils acheta les bâtiments à ses propriétaires, ainsi que les premières vignes. Six générations plus tard, la famille – Michel, son frère Jean-Paul, son épouse Pascale et son fils Vincent – exploite 50 ha à Bourgueil et à Saint-Nicolas. Un domaine régulier en qualité.

Issu des vendanges de sept lieux-dits différents, ce vin a été vinifié de façon à préserver le fruit. Le nez et la bouche confirment ces intentions. Des notes fumées agrémentent le bouquet, tandis qu'un caractère acidulé relève une rondeur avenante. Un classique. ⧗ 2020-2022

⊶ EARL DELANOUE FRÈRES, 19, rue du Fort-Hudeau, 37140 Benais, tél. 02 47 97 30 40, delanoue.freres@orange.fr V t.l.j. 9h-12h30 14h-19h30; dim. 9h-12h30

DOM. OLIVIER
Les Clos Lourious Vieilli en fût 2016 ★

■ | 18 000 | | 8 à 11 €

Créée en 1959, cette exploitation familiale, qui n'a cessé de se diversifier et de s'agrandir, couvre désormais 65 ha. Conduite depuis 1983 par Patrick Olivier, elle est régulièrement distinguée dans le Guide.

Des vignes de soixante ans sont à l'origine de ce 2016 chatoyant, aux nuances violettes. De la complexité au nez, avec un fruité nuancé de notes boisées, et une bouche puissante. ⧗ 2020-2024 ■ **Cuvée du Mont des Olivier 2017 ★ (8 à 11 €; 18 000 b.)** : un vin doté de gras et de fruité, que l'on pourra apprécier sans tarder. ⧗ 2019-2022

SCEA DOM. OLIVIER, La Forcine, 37140 Saint-Nicolas-de-Bourgueil, tél. 02 47 97 75 32, contact@domaineolivier.com V t.l.j. sf dim. 9h-12h 14h-18h

DOM. DE LA PERRÉE Vieilles Vignes 2017 ★

■ | 10 000 | | 5 à 8 €

«Perrée» est un vieux mot signifiant «pierre». Conduit par Patrice Delarue depuis 1985, ce domaine de 17 ha, dans sa famille depuis 1936, est implanté sur un terroir de graviers et de sables, où sont produits des vins réguliers en qualité, tout en fruit et en rondeur.

«Vendanges manuelles» est-il précisé sur l'étiquette de ce vin issu de cabernet enraciné sur des graviers. Un joli fruité à base de cerise, de groseille et de cassis anime le nez et la bouche. Équilibré, doté de tanins soyeux, c'est un vrai régal pour les palais habitués à apprécier les vins élevés «dans la tradition». ⧗ 2019-2022 ■ **Demoiselles 2018 (5 à 8 €; 1500 b.)** : vin cité.

EARL PATRICE ET LYDIE DELARUE, La Perrée, 37140 Saint-Nicolas-de-Bourgueil, tél. 06 43 54 30 44, contact@domainedelaperree.fr V r.-v.

DOM. LES PINS 2017 ★

■ | 29 000 | | 8 à 11 €

Depuis cinq générations, la famille Pitault-Landry exploite ce domaine créé en 1890. Aujourd'hui, il est conduit par le tandem Philippe Pitault et son frère Christophe. Couvrant 30 ha presque d'un seul tenant, les vignes entourent les bâtiments, dont une bâtisse du XVe s. Une valeur sûre en bourgueil comme en saint-nicolas.

Ce 2017 s'affiche dans une robe cerise, frangée de violine. Le nez tout en finesse traduit une vendange mûre à point. C'est en bouche que le vin affirme son caractère : rondeur d'une matière qui tire le meilleur d'un terroir de sables et de graviers, équilibre maintenu par une fine vivacité. Élégance bourgueillaise sans tapage. ⧗ 2020-2022

SCEV PITAULT-LANDRY ET FILS, Dom. les Pins, 8, rte du Vignoble, 37140 Bourgueil, tél. 02 47 97 47 91, philippe.pitault@wanadoo.fr V r.-v.

LES CAVES DU PLESSIS Vieilles Vignes 2017

■ | 15 000 | | 5 à 8 €

Valeur sûre en saint-nicolas-de-bourgueil, ce domaine est depuis 2012 géré par Stéphane Renou, héritier de cinq générations de vignerons. Le vignoble est conduit en lutte raisonnée, avec un enherbement de près de 80 % de la superficie globale. La cave creusée dans le tuffeau date du XIIIe s.

Une palette tout en fraîcheur fruitée se distingue dans ce vin vermeil à reflets indigo. Léger, le palais séduit par ses arômes de fruits rouges et ses tanins souples. ⧗ 2019-2020

EARL STÉPHANE RENOU, Les Caves du Plessis 17, La Martellière, 37140 Saint-Nicolas-de-Bourgueil, tél. 02 47 97 85 67, lescavesduplessis@wanadoo.fr V t.l.j. sf dim. 9h-12h 14h-18h30

DOM. PONTONNIER 2017

■ | 25 000 | | 5 à 8 €

Issu d'une lignée de vignerons, Benoît Pontonnier conduit depuis 1998 ce vignoble de 12 ha, en AOC bourgueil et saint-nicolas-de-bourgueil.

La robe rouge vif brillant est en cohérence avec les arômes de fruits rouges. Équilibré, soutenu par une trame tannique assagie, ce vin saura plaire aujourd'hui comme demain. ⧗ 2019-2022

EARL PONTONNIER, 4, rte de Chevrette, 37140 Bourgueil, tél. 06 88 75 11 82, domainepontonnier@orange.fr V t.l.j. sf sam. dim. 9h-12h30 14h-18h30

Ⓑ DOM. DU ROCHOUARD
Les Argiles à Silex 2017 ★★

■ | 6400 | | 11 à 15 €

Guy Duveau a créé le domaine en 1976, en polyculture jusqu'en 1985. Ses fils Dominique et Jean-Luc ont pris la relève, respectivement en 1995 et en 2007. Le vignoble couvre 20 ha, certifiés depuis 2015 en agriculture biologique.

Ponctuel aux rendez-vous du Guide, le domaine de Rochouard propose un 2017 bien mis dans une parure rouge violacé. Aux arômes de fruits noirs juteux répond une bouche franche et équilibrée, parfaitement soutenue par des tanins fins. La finale persistante n'est pas la moindre de ses qualités. ⧗ 2020-2026 ■ **La Pierre du Lane 2017 (8 à 11 €; 14 500 b.)** Ⓑ : vin cité.

GAEC DUVEAU-COULON FILS, Dom. du Rochouard, 1, rue des Géléries, 37140 Bourgueil, tél. 06 68 70 20 75, domainedurochouard@wanadoo.fr V t.l.j. 9h-12h 14h-18h30; dim. sur r.-v.

VIGNOBLE DE LA ROSERAIE 2017

■ | 5000 | | 5 à 8 €

Ce domaine fondé en 1890 a vu se succéder cinq générations. Son vignoble s'étend sur 35 ha, conduit en agriculture raisonnée. Ses vins sont régulièrement sélectionnés dans le Guide en saint-nicolas ou en bourgueil.

Robe rubis intense, nez fruité aux nuances végétales. C'est en bouche que ce saint-nicolas aux tanins fondus donne toute sa dimension conviviale. Nul besoin de l'attendre. ⧗ 2019-2020

GAEC DU VIGNOBLE DE LA ROSERAIE, 46, rue Basse, 37140 Restigné, tél. 02 47 97 32 97, vignobledelaroseraie@orange.fr V r.-v.

JOËL TALUAU Vieilles Vignes 2017 ★★

■ | 10500 | 🍾 | 11 à 15 €

Joël et Clarisse Taluau se sont installés en 1970 sur 2,2 ha; ils ont été rejoints en 1993 par leur fille Véronique et leur gendre Thierry Foltzenlogel, désormais aux commandes. Valeur sûre des AOC bourgueil et saint-nicolas, ce domaine de 32 ha se distingue régulièrement dans le Guide.

Vêtu de rouge sombre à reflets violines, ce 2017 invite à la découverte. Nez et bouche sont d'une élégance remarquable, avec le côté généreux des fruits noirs et la puissante trame de tanins de qualité. La chair n'en est pas moins veloutée, finement soulignée par des accents acidulés. Belles promesses pour l'avenir. ⧗ 2020-2026 ■ **Le Vau Jaumier 2017 ★★ (8 à 11 €; 25000 b.)** : certes, les tanins sont bien campés, mais la matière est si dense qu'elle pourra les envelopper. Le temps est l'allié de ce vin intensément fruité et déjà si persistant au palais. ⧗ 2020-2026

EARL TALUAU ET FOLTZENLOGEL, 11, rue Chevrette, 37140 Saint-Nicolas-de-Bourgueil, tél. 02 47 97 78 79, joel.taluau@orange.fr V t.l.j. sf dim. 8h30-12h 13h30-18h; sam. sur r.-v.

DOM. DES VALLETTES 2018 ★

■ | 11500 | 🍾 | 5 à 8 €

Un domaine créé en 1986 par Annick et Francis Jamet : 10 ha au départ, 26 ha aujourd'hui, sur lesquels sont produits du saint-nicolas-de-bourgueil et du bourgueil, mais aussi de l'anjou blanc. Après une expérience commerciale export pour une maison saumuroise, François, le fils, revient au domaine en 2001. Il est rejoint en 2008 par son frère Antoine qui a fait ses armes en Australie et en Espagne. En 2012, la fratrie reprend le Clos du Vigneau (saint-nicolas), dans la famille de leur cousin Alain Jamet depuis 1820 et maison-mère familiale.

Né de sols de graviers alluvionnaires du grand fleuve Loire, ce 2018 rose pastel offre au nez de vifs arômes de fruits rouges et d'agrumes. En bouche, il associe fraîcheur et rondeur dans un équilibre impeccable et déploie une longue finale dynamisée par une légère amertume. ⧗ 2019-2020

EARL JAMET, Les Vallettes, 37140 Saint-Nicolas-de- Bourgueil, tél. 02 47 97 44 44, contact@vallettes.com V t.l.j. sf dim. 9h-12h 14h-18h

CHINON

Superficie : 2 337 ha
Production : 119 239 hl (99 % rouge et rosé)

Autour de la vieille cité médiévale qui lui a donné son nom, au pays de Gargantua et de Pantagruel, l'AOC chinon est produite sur les terrasses anciennes et graveleuses du Véron (triangle formé par le confluent de la Vienne et de la Loire), sur les basses terrasses sableuses du val de Vienne (Cravant), sur les coteaux de part et d'autre de ce val (Sazilly) et sur les terrains calcaires, les «aubuis» (Chinon). Le cabernet franc, dit breton, y donne des vins rouges racés aux tanins élégants. De moyenne garde, les chinon peuvent dépasser une, voire plusieurs décennies dans les meilleurs millésimes. L'appellation produit aussi quelques rosés secs et de très rares blancs secs tendres – certaines années – issus de chenin.

ANGELLIAUME La Cuvée du Père Léonce 2017 ★

■ | 15000 | 🛢 | 15 à 20 €

Ce domaine familial exploité depuis quatre générations dispose de caves remarquables par leur agencement et leurs dimensions, ainsi que d'un vignoble de 41 ha. Une valeur sûre de l'appellation chinon.

Une cuvée dédiée au Père Léonce, fondateur du domaine. Au nez, les arômes de fleurs des prés côtoient le boisé apporté par quatorze mois de barrique. Dans la continuité, la bouche, fraîche et équilibrée, s'adosse à des tanins fondus et soyeux. Du chinon dans la tradition. ⧗ 2020-2023 ■ **Vieilles Vignes 2017 (5 à 8 €; 60000 b.)** : vin cité.

EARL DOM. ANGELLIAUME, La Croix-de-Bois, 37500 Cravant-les-Coteaux, tél. 02 47 93 06 35, caves.angelliaume@wanadoo.fr V t.l.j. sf dim. 8h30-12h 14h-18h

LES ARES DE LOIRE
Cabernet franc Clos de la Grille 2016 ★

■ | 600 | 🛢 | 15 à 20 €

Créé ex-nihilo en 2015 par Laurent Collevati et Bernard-Jacques Soudan, ce domaine de 3 ha commercialise son tout premier millésime.

Cette cuvée, née sur un sol argilo-calcaire pentu, affiche d'emblée son élégance avec sa resplendissante robe grenat-violacé et son nez fruité (cassis, mûre) mâtiné d'un fin boisé. Le prélude à une bouche de belle tenue, longue, dotée d'un joli grain de tanins et d'une matière ronde. ⧗ 2021-2027

SCEA LES ARES DE LOIRE, 11, rue de la Croix-Marie, 37500 Rivière, tél. 06 66 96 25 25, lesaresdeloire@orange.fr V r.-v.

DOM. DE BERTIGNOLLES Vieilles Vignes 2017 ★

■ | 3200 | 🛢🍾 | 5 à 8 €

Stéphane Prieur a pris la suite en 2011 de son père Pierre, fondateur de ce domaine de 16 ha implanté sur les bords de la Vienne, sur des terroirs de graviers et de sables.

Voilà un chinon primesautier dans tout l'éclat de sa jeunesse. D'un carmin intense et légèrement tuilé, il dévoile des arômes de fruits rouges et de cassis, avec en soutien un boisé léger. Des sensations prolongées par une bouche de bonne longueur, dense, structurée, qui s'achève sur une pointe acidulée. ⧗ 2021-2027

DOM. DE BERTIGNOLLES, 1, rue des Mariniers, 37420 Savigny-en-Véron, tél. 02 47 58 45 08, earl.prieur@orange.fr V t.l.j. 9h-12h30 14h-18h30; dim. sur r.-v.

Ⓑ **CH. DE LA BONNELIÈRE**
Chapelle Parcelle YB38 2017

■ | n.c. | 🍾 | 11 à 15 €

Le Ch. de la Bonnelière (XVIe s.) est dans la famille depuis 1846. Le vignoble a été replanté en 1976 par Pierre Plouzeau. Son fils Marc a repris en 2002 les rênes du domaine (34 ha) qu'il conduit en agriculture biologique.

Bien campé dans sa tenue grenat, ce vin s'ouvre sur des parfums de fruits rouges. La bouche apparaît souple, gouleyante, alerte, centrée sur des saveurs de griotte. Un vin de plaisir, « tendance rabelaisienne ». ⧗ 2019-2022

CH. DE LA BONNELIÈRE, 1, rte des Basses- Vignes, 37500 La Roche-Clermault, tél. 02 47 93 16 34, marc@plouzeau.com r.-v.

DOM. DES BOUQUERRIES
Cuvée Confidence 2017 ★

	6000		11 à 15 €

Le nom du domaine rappelle que l'on abattait jadis les chèvres et les boucs en ces lieux. C'est le grand-père de Guillaume Sourdais, aidé par son frère Jérôme qui, dès 1935, a creusé les caves de cette exploitation de 31 ha située au bord de la Vienne. L'une des bonnes références du Chinonais.

Un mois d'élevage en cuve suivi de quatorze mois en fût pour cette cuvée vêtue d'une brillante parure magenta. Le nez évoque les cerises mûres avec, en contrepoint, quelques stimuli épicés. La bouche, large, fraîche, élégante, dévoile un joli fruit croquant, accompagné par des tanins soyeux et par un boisé fin, avant de proposer de beaux amers en finale. 2021-2027 **Plaisir 2018 ★ (5 à 8 €; 6000 b.)** : Plaisir : cette cuvée porte bien son nom. Née de cabernets-francs enracinés sur un socle de graviers, elle annonce, dans sa seyante tenue saumon, les délices d'une palette complexe, fine, florale (violette) et fruitée (cerise, fraise, pêche). Arômes que l'on retrouve, généreux, en bouche, accompagnés d'une belle fraîcheur qui signe un rosé d'éclatante expression. 2019-2020 **Cuvée Royale 2017 (5 à 8 €; 48000 b.)** : vin cité.

GAEC DES BOUQUERRIES, 4, les Bouquerries, 37500 Cravant-les-Coteaux, tél. 02 47 93 10 50, gaecdesbouquerries@wanadoo.fr r.-v.

PHILIPPE BROCOURT Les Coteaux 2017 ★

	35000		5 à 8 €

Originaire de Normandie, la famille Brocourt est arrivée dans les années 1940 en Normandie. Implanté dans le petit village de Rivière, sur les bords de la Vienne, le domaine a été créé en 1968. Philippe Brocourt a pris la suite de sa mère Renée en 1986 : 5 ha de vignes à l'époque, 34 ha aujourd'hui, répartis dans cinq communes et une belle palette de terroirs de l'AOC chinon.

D'un beau rubis vif, ce chinon présente un nez gourmand et intense de fruits rouges. Arômes prolongés dans une bouche ronde et harmonieuse, avant une finale un tantinet plus stricte. À attendre un peu. 2020-2024 **Rosé Baiser 2018 (- de 5 €; 20000 b.)** : vin cité.

DOM. BROCOURT, 3, chem. des Caves, 37500 Rivière, tél. 02 47 93 34 49, domainebrocourt@hotmail.fr *t.l.j. sf dim. 10h-12h30 14h-18h30* D

LES CHAMPS VIGNONS
Cuvée des Chérubins 2017 ★

	80000		5 à 8 €

Fondée en 1872, la maison de négoce Albert Besombes-Moc-Baril a son berceau et son siège à Saumur, mais elle propose une large gamme de vins de Loire allant du muscadet au sancerre, en passant par les chinon et le rosé-d'anjou. Ce dernier représente son cœur d'activité.

Ce vin affiche une robe rubis ornée de reflets framboise. Le prélude à un nez intense où se croisent des notes de figue, de poivron et d'épices. La bouche se montre souple et ronde, avec une pointe de sucrosité en finale qui renforce son caractère gourmand. 2020-2024

SAS ALBERT BESOMBES-MOC-BARIL, 24, rue Jules-Amiot, 49400 Saint-Hilaire-Saint-Florent, tél. 02 41 50 23 23, sandrine.bertaudeau@uapl.fr

CLOS DE LA HÉGRONNIÈRE Sur le fruit 2016

	1400		5 à 8 €

Hélène et Éric Dujardin, ingénieurs en agriculture de formation, s'installent en 2015 à Ligré dans une propriété qui compte 6,5 ha de vignes.

Une cuvée de niche (0,40 ha d'argilo-calcaire) au patronyme évocateur. Sur le Fruit 2016, c'est en effet... du fruit, encore et encore du fruit. Dix-huit mois d'élevage en cuve ont parfait ce chinon gourmand, au bouquet expressif, fruité donc, agrémenté de légères nuances de violette. Le prélude à une bouche ronde évoluant sur des notes de cassis. Une bouche qui ne manque pas de structure toutefois. «Vin sur le fruit», conclut un dégustateur qui, pourtant, ignorait le nom de baptême de cette cuvée. 2020-2023

HÉLÈNE DUJARDIN, La Hégronnière, 37500 Ligré, tél. 06 85 24 00 72, lahegronniere@orange.fr r.-v. E

CLOS DE LA LYSARDIÈRE Vieilles Vignes 2017 ★★

	9300		11 à 15 €

Constitués à partir de 1989 par l'ESAT Les Chevaux blancs, les Vignobles du Paradis (37 ha aujourd'hui), à but associatif, font participer aux travaux des vignes des personnes handicapées pour les insérer progressivement dans un milieu professionnel.

Issu de à La Roche-Clermault, lieu quasi mythique de l'espace littéraire rabelaisien, le Clos de La Lysardière, avec sa cuvée Vieilles Vignes, a conquis les jurés qui l'ont placé parmi les prétendants aux coups de cœur. Présentation soignée pour ce vin revêtu d'une brillante robe grenat aux reflets violines. Dès l'aération, ce chinon déploie des parfums de fruits noirs concentrés et relevés d'épices. La bouche, très longue et très équilibrée, est dotée d'une belle onctuosité, renforcée par des tanins fondus. Un flacon plein de verve, qui s'appréciera aussi bien jeune que patiné par le temps. 2020-2029 **2018 ★ (15 à 20 €; 3000 b.)** : un joli vin jaune pâle et brillant, ouvert sur des notes fruitées, toastées, vanillées et briochées, rond et généreux en bouche. Un chinon dont le caractère boisé appelle la garde. 2020-2024

VIGNOBLES DU PARADIS, 2, imp. du Grand-Bréviande, 37500 La-Roche-Clermault, tél. 02 47 95 81 57, caveau@vignoblesduparadis.com *t.l.j. sf dim. 10h-12h30 14h-18h30*

DOM. DE LA COMMANDERIE
Sélection Vieilles Vignes 2017 ★

	30000		8 à 11 €

Cette propriété située au cœur de l'appellation chinon comptait 2 ha de vignes lors de sa création en 1982. Aujourd'hui, le domaine s'étend sur 55 ha et dispose d'une remarquable cave enterrée dans le roc et de deux chais. Philippe Pain a cédé les commandes à sa fille Clotilde en 2018.

Ce chinon primesautier, élevé six mois en cuve, met en évidence les élans goûteux du cabernet franc lorsqu'il est bien conduit. Au nez comme en bouche, il dévoile d'aromatiques gourmandises autour des fruits rouges et noirs (griotte, mûre) et s'adosse à des tanins délicats et fondus. ⧗ 2021-2024 ■ **Renaissance 2017 (8 à 11 €; 12000 b.)** : vin cité.

⊶ SCEA DOM. DE LA COMMANDERIE, La Commanderie, 37220 Panzoult, tél. 02 47 93 39 32, philippepain@commanderie37.fr V ✝ ▮ *t.l.j. sf dim. 9h-12h 14h30-17h30*

CH. COUDRAY-MONTPENSIER
L'Apogée Vieilles Vignes 2017 ★★

■ | 44020 | ◍ | 8 à 11 €

Situé à Seuilly où naquit Rabelais, le château Coudray-Montpensier, classé Monument historique, dispose d'un vignoble de 30 ha créé en 2001. Aux commandes, Gilles Feray, également à la tête de plusieurs domaines à Vouvray.

Cette cuvée Apogée affirme tout au long de la dégustation un indéniable caractère. Parée de pourpre nuancé de violine, elle propose à l'olfaction le mariage heureux d'un opulent fruité avec de subtiles notes florales et épicées. Impériale, la bouche s'affirme dès l'attaque. De la tenue, de l'envergure, de la richesse, un fruité soutenu et des tanins très fins : un vin de haute expression. ⧗ 2022-2029 ■ **2017 ★ (8 à 11 €; 45400 b.)** : une cuvée séveuse, ronde et gourmande, aux tanins soyeux, centrée sur les fruits rouges agrémentés de nuances mentholées. ⧗ 2021-2024 ■ **2018 (8 à 11 €; 30000 b.)** : vin cité.

⊶ CH. COUDRAY-MONTPENSIER, 29, rue Pierre-et-Marie-Curie, 37500 Chinon, tél. 02 47 52 60 77, secretariat@vignobles-feray.com V ▮ *t.l.j. sf dim. 10h-12h30 13h30-18h*

PIERRE ET BERTRAND COULY
La Haute Olive 2017 ★

■ | 20000 | ▮ | 15 à 20 €

Pierre et Bertrand Couly ont constitué en 2007 un vignoble sur les coteaux et le plateau de Chinon. Ils ont agrandi sa superficie (22 ha aujourd'hui); en 2010, ils ont aménagé, sur la route de Tours, un chai ultramoderne que l'on peut visiter. Domaine certifié Haute valeur environnementale.

La robe, d'une limpidité impeccable, est d'un rubis intense. Le nez, très complexe, associe le cassis, les petits fruits rouges et des notes épicées. La bouche apparaît à la fois fraîche et veloutée, dotée de tanins soyeux et d'une belle longueur. ⧗ 2021-2026

⊶ SAS PIERRE ET BERTRAND COULY, 1, rond-point des Closeaux, rte de Tours, 37500 Chinon, tél. 02 47 93 64 19, contact@pb-couly.com V ✝ ▮ *t.l.j. 10h-12h30 14h-18h30*

♥ COULY-DUTHEIL Clos de l'Olive 2017 ★★

■ | 6900 | ▮ | 15 à 20 €

La maison Couly-Dutheil a été créée en 1921 par Baptiste Dutheil; elle est aujourd'hui dirigée par Jacques Couly-Dutheil et son fils Arnaud. Avec un vignoble de près de 94 ha, dont les prestigieux Clos de l'Écho et Clos de l'Olive, un chai moderne aménagé dans le roc et des caves impressionnantes du Xes. situées sous le château de Chinon, elle fait partie intégrante du paysage viticole chinonais. Une référence incontournable.

Héritage pieusement recueilli par la famille Couly-Dutheil, qui s'est attachée à en faire vivre et perpétuer la renommée, ce clos doit son nom à Charles de l'Olive, son propriétaire au XVIIes. Le 2017 est un vin de haut lignage. Drapé dans une superbe parure rouge sombre, il offre un nez intense de pruneau, de fraise et d'épices. En bouche, il a de multiples attraits : amplitude, texture de velours n'excluant ni la puissance ni la fraîcheur. Un chinon bâti pour une longue garde. ⧗ 2022-2030 ■ **Dom. René Couly 2017 (8 à 11 €; 30000 b.)** : vin cité.

⊶ SCEA COULY-DUTHEIL PÈRE ET FILS, 12, rue Diderot, 37500 Chinon, tél. 02 47 97 20 20, info@coulydutheil-chinon.com V ✝ ▮ *t.l.j. sf sam. dim. 9h-12h30 14h-17h30*

Ⓑ FABIEN DEMOIS La Chevalière 2017 ★

■ | 3000 | ▮ | 11 à 15 €

Ce vignoble familial exploité depuis plus d'un siècle couvre aujourd'hui 24 ha de sols alluvionnaires. Incarnant la cinquième génération à piloter le vignoble, Fabien Demois s'est installé en 2008.

Vendangé à la main puis élevé douze mois en cuve béton après une longue macération, le cabernet franc délivre ici ses charmes à travers une robe pourpre traversée d'éclats violines, un nez généreux de raisins secs et de fruits à l'eau-de-vie, et une bouche riche, suave, épicée, aux accents presque sudistes. ⧗ 2021-2026 ■ **Cuvée des Templiers 2017 (15 à 20 €; 4000 b.)** Ⓑ : vin cité.

⊶ EARL DEMOIS, Chezelet, 37500 Cravant-les-Coteaux, tél. 02 47 98 49 01, fabiendemois@orange.fr V ▮ *r.-v.* Ⓑ

DOM. DOZON
Clos du Saut au loup Monopole 2017

■ | 32000 | ▮ | 8 à 11 €

Propriété de la famille Dozon pendant cinq générations, ce domaine de 14 ha d'un seul tenant a été repris en 2013 par Éric Santier, originaire de Chinon, qui, après avoir eu diverses activités professionnelles, a fait une formation pour devenir vigneron.

Issu de sols argilo-siliceux, ce chinon se présente dans une robe grenat. Le nez, centré sur les fruits rouges, annonce une bouche ronde en attaque, plus tannique dans son développement. Un vin encore sur la réserve qu'il faudra attendre. ⧗ 2022-2027 ■ **Le Saut au loup 2017 (11 à 15 €; 4800 b.)** : vin cité.

⊶ EARL ÉRIC SANTIER, 52, rue du Rouilly, 37500 Ligré, tél. 02 47 93 17 67, domainedozon@gmail.com V ✝ ▮ *t.l.j. sf dim. lun. 10h-12h30 14h-18h*

DOM. DES GÉLERIES Le Puy blanc 2017

■ | 11500 | ▮ | 5 à 8 €

Appartenant aux familles Meslet, Thouet et Rouzier, ce domaine de 32 ha régulier en qualité se répartit sur 45 parcelles et trois AOC : chinon, bourgueil et saint-nicolas. Il est conduit depuis 2012 par Germain Meslet.

Issu de cabernet-franc enraciné sur l'argilo-calcaire, ce chinon s'affiche dans une belle robe grenat. Ferme en bouche mais équilibré, il évolue sur une trame de fruits rouges. ⌛ 2021-2023 ■ **2018 (5 à 8 €; 1900 b.)** : vin cité.

DOM. DES GÉLÉRIES, 4, rue des Géléries, 37140 Bourgueil, tél. 02 47 97 74 83, domainedesgeleries@orange.fr t.l.j. sf dim. 9h-12h 14h-18h30

♥ B DOM. GROSBOIS Clos du Noyer 2017 ★★

■	5000		20 à 30 €

Une ancienne ferme fortifiée du XVes. située sur les hauteurs du coteau de Chinon. La famille Grosbois y cultive la vigne depuis 1850; une longue tradition perpétuée depuis 2008 par Nicolas, qui a exploré le monde viticole, en France et à l'étranger (Chili, Oregon, Australie...), avant de reprendre ce vignoble de 13 ha.

Ce Clos du Noyer parade dans une tenue sombre parcourue d'éclairs bleutés. Il affiche d'emblée son élégance avec ses arômes intenses de cerise confite et de violette. Une élégance que l'on retrouve dans une bouche ample, fraîche et longue, épaulée par des tanins fins, nets, précis, et prolongée par une belle finale un tantinet saline. ⌛ 2022-2029 ■ **Gabare 2017 ★ (15 à 20 €; 23000 b.)** B : un chinon sombre et profond, au nez fruité et épicé, rond et harmonieux en bouche, qui s'appréciera aussi bien jeune que vieux. ⌛ 2020-2025

DOM. GROSBOIS, Le Pressoir, 37220 Panzoult, tél. 02 47 58 66 87, grosboisnicolas@yahoo.fr t.l.j. 9h-17h; sam. dim. sur r.-v.

DOM. ÉRIC HÉRAULT La Pointevinière 2017 ★

■	9000		8 à 11 €

«Jamais homme noble ne hait le bon vin.» C'est par cette devise que les visiteurs sont accueillis dans les caves de dégustation du domaine. En 1964, la famille Hérault s'installe dans une ancienne ferme du XVIIes., dépendance du château de Panzoult. De 50 ares de vignes à l'origine, leur vignoble est passé à 25 ha aujourd'hui, conduit depuis 1992 par Éric Hérault, le fils des fondateurs.

Un vin digne d'être dégusté dans les célèbres « Caves Painctes » chères à Rabelais : robe profonde, nez floral et fruité stimulé d'épices douces, bouche fruitée (cassis, mûre), fraîche, longue et charnue, agrémentée de quelques notes minérales qui signent le terroir. ⌛ 2020-2025 ■ **Vieilles Vignes 2017 ★ (5 à 8 €; 17000 b.)** : une cuvée fruitée (cassis, fruits rouges à l'alcool), ample et ronde, offrant une bonne mâche. ⌛ 2020-2024

EARL HÉRAULT, Le Château, 37220 Panzoult, tél. 02 47 58 56 11, domaineherault@orange.fr t.l.j. sf dim. 8h30-12h 14h-18h30

DOM. LA JALOUSIE 2018 ★★

■	20900	8 à 11 €

Rachetée en 2002 par la famille Le Corre et partiellement rénovée deux années plus tard, cette propriété de 20 ha implantée dans le hameau de Briançon, en bordure de la Vienne, se voit régulièrement sélectionnée dans le Guide pour ses chinon rouges ou rosés. L'activité viticole a été cédée en 2016 au groupement (coopératives, distillerie, négoce) Loire Propriétés.

Vêtu d'une reluisante robe pâle aux nuances bleutées, ce rosé séduit d'emblée par son nez très printanier, qui s'ouvre sur des arômes de fraise des bois et de violette, puis laisse aux fruits blancs le soin de parachever sa palette. La bouche, tout en allégresse fruitée, demeure vineuse à souhait et conserve un bel équilibre. ⌛ 2019-2020 ■ **Cuvée la Chapelle 2017 ★ (15 à 20 €; 18000 b.)** : ce chinon rubis limpide étale ses charmes dès l'olfaction autour de la réglisse et des épices douces héritées de la barrique. Large, ronde, dotée de tanins fondus, la bouche achève de convaincre. ⌛ 2021-2025

SCEA DE BRIANÇON (DOM. LA JALOUSIE), Briançon, 37500 Cravant-les-Coteaux, tél. 02 47 93 90 83, contact@raymond-morin.fr t.l.j. sf sam. dim. 8h-12h 14h-17h

B CHARLES JOGUET Les Varennes du Grand Clos 2017 ★★

■	5000		30 à 50 €

«Artiste vigneron» réputé, Charles Joguet a créé ce vignoble en 1957. À sa retraite en 1997, il a cédé la propriété à Jacques Genet. Le domaine (38 ha de cabernet franc et 3 ha de chenin) a mis en place très tôt la vinification par terroir, façonnant ainsi une gamme variée des vins nés sur la rive gauche de la Vienne. L'exploitation est conduite en bio certifiée. Incontournable.

Longueur, vivacité, fondu, élégance... Les adjectifs fleurissent pour souligner les qualités organoleptiques de ce vin issu de l'emblématique «breton» qui, selon Rabelais, «poinst ne croist en Bretaigne mais en ce bon Pays Veron». Un vin qui s'exprime dans un style tout en fraîcheur, avec des tanins ronds en soutien. ⌛ 2021-2029 ■ **Les Charmes 2017 ★ (20 à 30 €; 4000 b.)** B : un chinon aux nuances fruitées (fraise enrobée de vanille), séveux et frais en bouche, doté de tanins souples et fondus. ⌛ 2020-2025

DOM. CHARLES JOGUET, La Dioterie, 37220 Sazilly, tél. 02 47 58 55 53, contact@charlesjoguet.com t.l.j. sf dim. 10h-13h 14h-18h; sam. sur r.-v.

B JOURDAN ET PICHARD Les Gravinières 2017 ★

■	3000		8 à 11 €

Philippe Pichard, qui avait repris en 1983 le vignoble acheté par ses grands-parents, l'a transmis en 2012 à la famille Jourdan. Il se charge toujours de la conduite des vignes (16,5 ha), exploitées en biodynamie.

Joliment habillée d'une attrayante robe cerise, cette cuvée offre un nez discret libérant à l'aération des notes mentholées. La bouche, ronde sans manquer de fraîcheur, s'appuie sur des tanins mûrs et enrobés. ⌛ 2020-2024 ■ **Les 3 Quartiers Vieilles Vignes 2017 (11 à 15 €; 15000 b.)** B : vin cité.

DOM. JOURDAN, 8, le Puy, 37500 Cravant-les-Coteaux, tél. 06 08 34 78 62, francis@domainejourdan.fr r.-v.

LE LOGIS DE LA BOUCHARDIÈRE Les Clos 2017 ★★

■	20000		5 à 8 €

Installée depuis 1850 au Logis de la Bouchardière, la famille Sourdais a développé un vaste vignoble qui atteint aujourd'hui 55 ha. Représentant la sixième génération, Bruno a pris les rênes du domaine

en 1992. Une valeur sûre de l'appellation chinon, en rouge et aussi en rosé.

Vendangés à la main, les cabernets du Logis de la Bouchardière ont fait, dans le secret des chais, l'objet de soins délicats : longues macérations (trois semaines), remontages fréquents, mise en foudres pour une période de dix mois. Dans le verre, un chinon paré d'une resplendissante robe pourpre, au nez subtil de fruits noirs et mûrs, à la bouche ample et suave, bien structurée par des tanins soyeux, mais plus austères en finale. Le coup de cœur fut mis aux voix. ⧗ 2022-2029 ■ **2018 ★★** (5 à 8 €; **35000 b.**) : ce rosé s'affiche dans une robe d'une belle brillance. Le nez, intense, s'oriente vers de senteurs fruitées aux accents délicats d'agrumes. La bouche, franche, fraîche, fine, sans manquer de générosité, manifeste d'emblée un équilibre impeccable et se voit renforcer par de beaux amers en finale. Un rosé de gastronomie souverain. ⧗ 2019-2020

⊶ EARL SERGE ET BRUNO SOURDAIS, La Bouchardière, 37500 Cravant-les-Coteaux, tél. 02 47 93 04 27, info@sergeetbrunosourdais.com V t.l.j. sf dim. 8h-12h15 14h-18h

ALAIN LORIEUX Expression 2017

■ | 30000 | | 8 à 11 €

Alain et Pascal Lorieux ont fusionné leurs exploitations en 1993, l'une de 12 ha à Saint-Nicolas-de-Bourgueil, l'autre de 8 ha à Chinon, tout en gardant deux chais de vinification. Les deux frères exploitent leur vignoble en viticulture raisonnée.

Pour ce vin, une macération de six semaines avec remontages journaliers pendant la phase préfermentaire et un appel aux levures indigènes pour lancer les fermentations. Résultat : un chinon abouti, vêtu de rubis clair, souple et fruité (fraise, myrtille, grenade), aux tanins arrondis. ⧗ 2020-2023

⊶ SCEA PASCAL ET ALAIN LORIEUX, 64, av. Saint-Vincent, 37140 Saint-Nicolas-de-Bourgueil, tél. 02 47 97 92 93, contact@lorieux.fr V *r.-v.*

MANOIR DE LA BELLONNIÈRE L'Instant 2017 ★

■ | 3000 | | 5 à 8 €

Située au cœur du vignoble de Cravant-les-Coteaux, cette belle demeure, dont la construction remonte au XVes. servait de résidence aux gouverneurs de Chinon. Le vignoble, constitué beaucoup plus tard, couvre aujourd'hui 27 ha, conduit par Béatrice et Patrice Moreau.

Cet Instant, à la fois fruité et floral, s'affiche dans une belle tenue rubis encore accompagnée de lueurs violines. Ample, fraîche, équilibrée, la bouche joue la carte du velours, grâce à des tanins gracieux et fondus. ⧗ 2020-2022 ■ **Vieilles Vignes 2017** (5 à 8 €; **10000 b.**) : vin cité.

⊶ EARL PATRICE ET BÉATRICE MOREAU, La Bellonnière, 37500 Cravant-les-Coteaux, tél. 02 47 93 45 14, moreaupb.bellonniere@orange.fr V *r.-v.*

DOM. DE LA MARINIÈRE Vieilles Vignes 2017 ★

■ | 9500 | | 8 à 11 €

En 1965, les parents de Renaud Desbourdes ont eu un coup de cœur pour une ferme à l'écart de Panzoult. Renaud a pris la relève en 1999 à la tête de ce vignoble de 16 ha, qu'il conduit aujourd'hui avec son fils Boris et qu'il convertit depuis 2016 à l'agriculture biologique.

Ces vieilles vignes ont donné naissance à un chinon d'un rouge intense et limpide, ouvert sur les fruits noirs, le cassis très mûr notamment. La bouche apparaît elle aussi bien fruitée, dense et suave sans manquer de fraîcheur, étayée par des tanins veloutés. ⧗ 2021-2026

⊶ RENAUD DESBOURDES, La Marinière, 37220 Panzoult, tél. 02 47 95 24 75, domaine.la.mariniere@orange.fr V *r.-v.*

DOM. MARY Rosé Pétale 2018 ★

■ | 1000 | | 5 à 8 €

Riche de quatorze ans d'expérience en tant que viticulteur sur différents domaines, Cyril Mary a repris en 2014 le petit vignoble (1,5 ha) exploité par ses parents, qu'il a agrandi jusqu'à 11 ha.

Issue de cabernet-franc enraciné sur sables et graviers, cette cuvée de pressurage direct a conquis les jurés par sa robe brillante et intense, par sa fine palette fruitée (pêche, fraise) et par la rondeur avenante du palais, son fruité soutenu et son équilibre. ⧗ 2019-2020

⊶ EARL DOM. MARY, 5, rue de Villégron, 37500 La Roche-Clermault, tél. 02 47 93 05 51, earl.domaine.mary@orange.fr V *t.l.j. sf dim. 9h-12h30 14h-18h30*

LA MASSONNIÈRE Cuvée Zoé 2017 ★

■ | 3000 | | 11 à 15 €

En 1980, Frédéric Delalande reprend une petite vigne, perpétuant ainsi la tradition familiale instaurée par son grand-père. Il développe son exploitation, et son fils Cyril le rejoint en 2006. Les deux vignerons disposent aujourd'hui de 22 ha.

Revêtue d'une parure pourpre intense aux reflets violines, cette cuvée Zoé (la fille de Cyril Delalande) dévoile un bouquet riche de cassis bien mûr, de framboise, de myrtille et de pain grillé. La bouche apparaît large, élégante, équilibrée, fruitée et épicée, soutenue par un boisé juste et précis et par de bons tanins de garde. ⧗ 2022-2029

⊶ GAEC FRÉDÉRIC ET CYRIL DELALANDE, 3, rte des Marais, 37420 Huismes, tél. 02 47 95 56 23, delalande.lamassonniere@orange.fr V *r.-v.*

DOM. DU MORILLY Coteaux Cuvée Vieilles Vignes 2017 ★

■ | 6000 | | 5 à 8 €

André-Gabriel Dumont s'est installé sur l'exploitation familiale en 1986. Le domaine, fort de 12 ha de vignes partagés entre la plaine et le coteau, est commandé par une élégante maison tourangelle du XVIIIes.

Paré d'une limpide robe grenat intense et limpide, ce chinon dévoile des arômes soutenus de fruits rouges à l'olfaction. La bouche, à l'unisson du nez, conjugue fraîcheur et petite sucrosité. Un ensemble équilibré et de belle longueur. ⧗ 2021-2023 ■ **Cuvée Vieilles Vignes Élevé en fût de chêne 2017 ★** (5 à 8 €; **4000 b.**) : un chinon franc et fruité au nez, équilibré en bouche entre rondeur et fraîcheur, entre fruité et boisé. ⧗ 2021-2024

LOIRE

EARL ANDRÉ-GABRIEL DUMONT, Malvault, 37500 Cravant-les-Coteaux, tél. 02 47 93 24 93 V r.-v.

DOM. DE LA NOBLAIE Les Blanc Manteaux 2017 ★

■ | 7500 | | 11 à 15 €

Un domaine ancien (on y cultivait déjà la vigne au XVIIIe s.), acquis et remis en état à partir de 1952 par Jacqueline et Pierre Manzagol. Depuis 2003, leur petit-fils Jérôme Billard, œnologue, et sa compagne Élodie Peyrussie, sont aux commandes de ce vignoble de 24 ha d'un seul tenant, conduit en bio sur la rive gauche de la Vienne. Très régulier en qualité.

Les Blancs Manteaux? Une référence aux Templiers qui possédaient une grange à dîme en ces lieux. Dans le verre, un chinon d'un rubis framboisé aux reflets violines, ouvert sur des parfums de cerise noire sur fond de boisé délicat. En bouche, la séduction s'affirme : chair pulpeuse, fruité un brin confit, volume et tanins soyeux. ⧗ 2021-2026

EARL MANZAGOL-BILLARD, Le Vau Breton, 21, rue des Hautes-Cours, 37500 Ligré, tél. 02 47 93 10 96, contact@lanoblaie.fr V *t.l.j. sf dim. 10h-12h30 14h-18h; f. du 20 déc. au 5 janv.*

DOM. DE NOIRÉ Amphora 2018 ★★

■ | 4000 | | 15 à 20 €

Jean-Max Manceau, fort de vingt-huit ans d'expérience dans l'un des plus beaux châteaux de Chinon, se consacre désormais à la propriété familiale de 16 ha dont il a pris la tête avec son épouse Odile en 2002. Le domaine est conduit en bio.

Les jurés ont perçu de séduisantes notes fruitées (pêche, litchi) à l'olfaction de ce chinon blanc né sur des terres argilo-siliceuses, élevé en amphores de terre cuite. En bouche, ils ont apprécié la vitalité et la persistance des notes d'agrumes, de pomme, de poire, de pêche et d'abricot. Une jolie valse aromatique. ⧗ 2019-2022 ■ **Caractère 2017 (11 à 15 €; 12 000 b.)** B : vin cité.

EARL DOM. DE NOIRÉ, 160, rue de l'Olive, 37500 Chinon, tél. 02 47 93 44 89, contact@domainedenoire.fr V *t.l.j. sf dim. 10h-12h 14h-19h*

NICOLAS PAGET Les 4 Ferrures 2017 ★

■ | 6000 | | 8 à 11 €

Le domaine est établi près de la confluence de la Loire et de l'Indre, à la lisière de la forêt de Chinon. James Paget lui a donné une bonne notoriété. Son fils Nicolas, qui lui a succédé en 2007, est à la tête d'un vignoble de 15 ha qu'il conduit désormais en bio (certification en 2014). À sa carte, du touraine, du touraine-azay-le-rideau et du chinon.

Cette cuvée arbore une seyante tenue rubis foncé. Elle dévoile un nez un brin mentholé, centré sur un fruité avenant (pruneau, cassis, mûre). Un bouquet voluptueux qui se retrouve dans une bouche suave et charnue sans manquer de fraîcheur, dotée de tanins soyeux contribuant à sa souplesse. ⧗ 2020-2024

DOM. NICOLAS PAGET, 7, rte de la Gadouillère, 37190 Rivarennes, tél. 02 47 95 54 02, domaine.paget@wanadoo.fr V *r.-v.* B

DOM. CHARLES PAIN Rosé de saignée 2018 ★

■ | 20000 | | 5 à 8 €

Valeur sûre du Chinonais, ce domaine créé en 1987 par Charles Pain a son siège sur la rive droite de la Vienne; son vignoble, qui s'étend sur 50 ha, est réparti sur cinq communes, des deux côtés de la rivière. L'exposition sud, majoritaire, permet une production de qualité, dont 25 % dédiée aux rosés de saignée.

Ce rosé galant dans sa robe d'un rose soutenu, quasi «clairet», s'ouvre dès l'agitation sur des arômes bien campés évoquant la pêche et la nectarine. Le prélude à une bouche équilibrée, ronde et flatteuse, équilibrée par une juste fraîcheur. ⧗ 2019-2020 ■ **Cuvée Blanche 2018 ★ (5 à 8 €; 16 000 b.)** : un joli vin jaune intense tirant vers le doré, ouvert sur un fruité soutenu de pêche et d'abricot, frais, équilibré et long en bouche. ⧗ 2019-2023

SCEA DOM. CHARLES PAIN, Chezelet, 37220 Panzoult, tél. 02 47 93 06 14, charles.pain@wanadoo.fr V *t.l.j. sf dim. 9h-12h 14h-18h* B

CH. DU PETIT THOUARS Le Clos 2018 ★

■ | 5000 | | 11 à 15 €

Le Ch. du Petit Thouars, propriété de la famille du Petit Thouars depuis 1634, commande un vignoble de 16,5 ha situé à l'extrême ouest de l'appellation touraine, à la jonction des AOC chinon et saumur. L'encépagement privilégie, pour les rouges et les rosés, le cabernet franc; et pour les blancs, le chenin. Michel Pinard, qui a fait ses armes à Chinon, en est le maître de chai depuis 2007.

L'intensité définit ce chinon. Intensité de la couleur jaune doré, intensité des arômes de coing, de noisette et de vanille. Persistance des arômes de fruits blancs et de brioche beurrée dans une matière franche et équilibrée. ⧗ 2020-2022 ■ **Les Georges 2017 (5 à 8 €; 20 000 b.)** : vin cité.

YVES AUBERT DU PETIT THOUARS SAINT-GEORGES, Ch. du Petit Thouars, 37500 Saint-Germain-sur-Vienne, tél. 02 47 95 96 40, chateau.du.petit.thouars@wanadoo.fr V *t.l.j. sf dim. 9h30-13h 15h30-19h* E

DOM. DU PUY Authentique 2017 ★

■ | 15000 | | 5 à 8 €

Établi à Cravant-les-Coteaux, Patrick Delalande est à la tête du domaine fondé par son aïeul Alexis Delalande en 1820. Il a été rejoint par son fils Baptiste en 2010. Le tandem conduit un vignoble de 28 ha sur les bords de la Vienne, face au Midi.

Paré d'une seyante robe rubis brillante et limpide, ce vin gourmand livre un bouquet élégant, tout en fruits rouges. Arômes prolongés par un palais plein de fraîcheur, doté de tanins fins et soyeux. ⧗ 2020-2023 ■ **Cuvée Mathilde 2018 ★ (5 à 8 €; 5000 b.)** : une intense olfaction à la fois fruitée et florale (violette) et une bouche conquérante, avec un côté vineux qui ne perturbe pas pour autant la fraîcheur d'un ensemble équilibré, signent un beau rosé couleur groseille. ⧗ 2019-2020

EARL LE PUY, 11, Le Puy, 37500 Cravant-les-Coteaux, tél. 02 47 98 42 31, domaine.du.puy@wanadoo.fr V r.-v.

DOM. DES QUATRE VENTS L'Excellence 2017 ★★

■	5000		11 à 15 €

Ce domaine de 25 ha doit son nom à sa situation, au sommet d'une colline balayée par les vents. Philippe Pion conduit l'exploitation depuis 1984, épaulé depuis 2008 par son fils Aurélien.

Parure somptueuse d'un grenat sombre, presque noir. Nez compact qui, sur fond boisé, delivre des notes de cassis épaulées d'épices. Imposante, la bouche associe une charpente tannique généreuse à une matière fruitée empreinte de cassis. À oublier quelques années en cave avant de jouer du tire-bouchon. 2022-2029 ■ **Vieilles Vignes 2017 ★ (5 à 8 €; 20000 b.)** : une cuvée apte à la garde, suave, ample, charnue, bien structurée, qui exprime sa complexité aromatique sur les fruits noirs, le cuir et les épices. 2021-2026 ■ **L'Angélique 2018 (5 à 8 €; 15000 b.)** : vin cité.

EARL PHILIPPE ET AURÉLIEN PION (DOM. DES QUATRE VENTS), La Bâtisse, 37500 Cravant-les-Coteaux, tél. 02 47 93 46 79, pion375@gmail.com V *t.l.j. sf dim. 9h-12h 14h-18h*

JEAN-MAURICE RAFFAULT Clos de l'Hospice 2017 ★

■	4500		20 à 30 €

Les ancêtres de Rodolphe Raffault cultivaient déjà la vigne sous Louis XIV. Aujourd'hui, le vigneron, qui a repris l'exploitation en 1997, dispose d'immenses caves et d'un vignoble de 45 ha en conversion bio, réparti sur plusieurs terroirs qu'il vinifie séparément.

Situé dans l'enceinte d'un ancien couvent, au cœur de Chinon, le Clos de l'Hospice s'étend sur 1 ha. Après douze mois de fût à l'ombre d'anciennes carrières de tuffeau, le 2017 se présente dans une robe pourpre intense, le nez ouvert sur de subtiles notes torréfiées et des nuances florales (œillet). La bouche se montre dense et puissante, suave et épicée. Un chinon taillé pour la garde. 2022-2029 ■ **Clos d'Isoré Monopole 2017 ★ (11 à 15 €; 17000 b.)** : un chinon puissant, généreux, de belle longueur, ouvert sur des arômes de fruits rouges, de violette et de boisé vanillé. 2022-2029 ■ **Le Puy 2017 (15 à 20 €; 8000 b.)** : vin cité.

EARL JEAN-MAURICE RAFFAULT, 74, rue du Bourg, 37420 Savigny-en-Véron, tél. 02 47 58 42 50, rodolphe.raffault@wanadoo.fr V r.-v.

DOM. DU RAIFAULT Les Allets 2017

■	n.c.		8 à 11 €

Situé dans le Véron, entre Loire et Vienne, ce domaine commandé par une gentilhommière de tuffeau est dans la même famille depuis le XIXe s. Après la disparition prématurée de son père, Julien Raffault a pris en main cette exploitation de 25 ha au sortir de ses études.

Cette cuvée, née sur des terrasses sableuses, arbore un bel habit grenat frangé de violine. Une année de contact avec le chêne est à l'origine de tanins encore austères qui épaulent un fruité chaleureux (cerise au kirsch) et des notes de cuir. 2021-2024

EARL JULIEN RAFFAULT, Dom. du Raifault, 23-25, rte de Candes, 37420 Savigny-en-Véron, tél. 02 47 58 44 01, domaineduraifault@orange.fr V *t.l.j. 8h-18h; dim. sur r.-v.*

CH. DE SAINT-LOUANS 2017

■	6000		20 à 30 €

Christophe Baudry, représentant la sixième génération de vignerons, et Jean-Martin Dutour, ingénieur agronome et œnologue, gèrent une maison de négoce et quatre domaines à Chinon : le Ch. de Saint-Louans, le Ch. de la Grille, le Dom. du Roncée et le Dom. de la Perrière. Un duo incontournable du Chinonais.

L'élevage d'une année en barrique a doté ce vin d'arômes toastés et grillés, ainsi que d'une richesse qui s'affirme d'emblée dans les larmes de sa robe d'or brillant. On retrouve ces notes boisées (café, châtaigne) dans une bouche de bonne persistance, suave en attaque, plus vive en finale. 2020-2023

SAS BAUDRY-DUTOUR, Ch. de la Grille, rte de Huismes, 37500 Chinon, tél. 02 47 93 01 95, info@baudry-dutour.fr V *t.l.j. sf dim. lun. 10h-12h 14h-18h*

CAVES DE LA SALLE Vieilles Vignes 2017 ★

■	9300	5 à 8 €

Ce domaine fondé par Rémi Desbourdes en 1983 s'étend sur 12 ha et comprend un ancien corps de ferme du XVIIIe s. associé à un chai et à une cave modernisés.

D'un pourpre soutenu, ce chinon s'ouvre à l'aération sur des arômes fruités, floraux et épicés. En bouche, il se révèle ample et expressif, sur le fruit, étayé par des tanins soyeux qui renforcent son caractère aimable. 2020-2024 ■ **Dom. Rémi Desbourdes La Rouge 2017 ★ (8 à 11 €; 3000 b.)** : une cuvée joliment parfumée dont le bouquet exalte les fruits frais agrémentés de finesses minérales, rappel du terroir. La bouche exprime un beau tempérament, alliant vivacité et rondeur. 2020-2024 ■ **Dom. Rémi Desbourdes Le Clos 2017 (5 à 8 €; 4500 b.)** : vin cité.

EARL RÉMI DESBOURDES, La Salle, 37220 Avon-les-Roches, tél. 02 47 95 24 30, remi.desbourdes@wanadoo.fr V *t.l.j. 9h-12h 14h-19h; dim. sur r.-v.*

DOM. DE LA SEMELLERIE 2018 ★★

■	15000		5 à 8 €

Ce domaine de 45 ha conduit par Fabrice Delalande s'étend sur la meilleure partie de la commune de Cravant, dans le plus haut du coteau, là où les rayons du soleil «tombent droit», comme on dit dans le Midi. Le sol argilo-calcaire, chaud et sain, contribue à la maturation du raisin.

Sur des terres argilo-siliceuses dominant la vallée de la Vienne, s'étalent 2,3 ha de jeunes ceps de cabernet-franc qui ont donné naissance à ce brillant rosé. Tout en délicatesse, celui-ci libère en un va-et-vient plein de fraîcheur des arômes de fruits à dominante fraise. Après une attaque vive, la bouche se fait élégante et fraîche, pleine de saveurs fruitées et acidulées. Un rosé bien dans la tradition des vins «rabelaisiens». ⧗ 2019-2020 ■ **Cuvée Déborah Vieilles Vignes 2017 ★ (8 à 11 €; 5000 b.)** : l'élevage d'un an en barrique a quelque peu marqué cette cuvée issue de vignes enracinées sur l'argilo-calacaire. Une attente s'impose pour ce vin de garde, concentré et structuré. ⧗ 2022-2029

⊶ EARL DE LA SEMELLERIE, La Semellerie, 37500 Cravant-les-Coteaux, tél. 02 47 93 18 70, la-semellerie@wanadoo.fr V r.-v.

DOM. DU VILLIER Tendre 2018

■ | 10000 | | 5 à 8 €

Un domaine créé en 1988 par Pascal et Isabelle Sourdais, à la tête d'un vignoble de 10 ha au cœur de l'appellation chinon.

Belle réussite pour ce rosé drapé dans une lumineuse robe aux reflets corail. Très fruité, un brin amylique au nez, il se fait vif, franc, tonique en bouche. ⧗ 2019-2020

⊶ EARL DOM. DU VILLIER, Le Villier, 37500 Chinon, tél. 02 47 93 48 49, domaine-du-villier@orange.fr V *t.l.j. 8h30-12h30 14h-19h30*

COTEAUX-DU-LOIR

Superficie : 79 ha
Production : 3 086 hl (55 % rouge et rosé)

Avec le jasnières, voici le seul vignoble de la Sarthe, sur les coteaux de la vallée du Loir. Il renaît après avoir failli disparaître dans les années 1970. Les vignes sont plantées sur l'argile à silex qui recouvre le tuffeau. Le pineau d'Aunis, assemblé aux cabernets, gamay ou côt, donne des rouges et des rosés légers et fruités tandis que le chenin produit des blancs secs.

DOM. DE CÉZIN 2018

■ | 16000 | | 5 à 8 €

Ce domaine créé en 1925 est une valeur sûre de la Sarthe viticole. François Fresneau a fait l'acquisition de sa première parcelle de jasnières en 1975 et, après un parcours sans faute, il vient de passer le flambeau à la quatrième génération : ses enfants Xavier et Amandine, qui exploitent une quinzaine d'hectares en coteaux-du-loir et jasnières.

À l'œil, une robe jaune pâle, typique du chenin. Au nez, de la minéralité, des fleurs blanches et une touche citronnée. En bouche, de la fraîcheur, de la longueur et un bon équilibre. ⧗ 2020-2022

⊶ DOM. DE CÉZIN, rue de Cézin, 72340 Marçon, tél. 02 43 44 13 70, earl.francois.fresneau@orange.fr V *r.-v.*

CHRISTOPHE CROISARD Rasné 2018

■ | 10000 | 5 à 8 €

Depuis 1996, Christophe Croisard conduit cette exploitation de 23 ha installée depuis quatre générations à flanc de coteaux, dans la commune de Chahaignes, au nord de La Chartre-sur-le-Loir. Le domaine dispose de magnifiques caves creusées dans le tuffeau.

Tout d'or vêtu, ce chenin s'ouvre sur la pêche blanche bien mûre, l'aubépine et des notes beurrées. Il offre un bel équilibre entre le sucre et l'acidité au palais, avec beaucoup de fraîcheur pour un moelleux. ⧗ 2020-2022

⊶ DOM. DE LA RADERIE, La Raderie, 72340 Chahaignes, tél. 02 43 79 14 90, christophe.croisard@laraderie.fr V *r.-v.*

DOM. DE LA GAUDINIÈRE 2018 ★

■ | 4000 | | 5 à 8 €

Installés en 1980, Danielle et Claude Cartereau ont peu à peu agrandi la propriété familiale, qui reste toutefois un vignoble à taille humaine (7 ha). La majorité des vignes est dédiée au jasnières.

Deux tiers de pineau d'Aunis, un tiers de gamay, voilà le secret de ce rosé à la robe saumonée. Le nez, intense et aromatique, fleure bon la cerise et la framboise. On retrouve les fruits dans une bouche souple et minérale, qui s'achève par une finale gourmande, légèrement sucrée. ⧗ 2019-2020

⊶ DOM. DE LA GAUDINIÈRE, La Gaudinière, 72340 Lhomme, tél. 02 43 44 55 38, cartereaucetd@orange.fr V *r.-v.*

JASNIÈRES

Superficie : 66 ha / Production : 2 912 hl

C'est le cru des coteaux du Loir, bien délimité sur un unique versant plein sud de 4 km de long sur environ 65 ha. Seul cépage de l'appellation, le chenin ou pineau de la Loire peut donner des produits sublimes les grandes années. Curnonsky n'a-t-il pas écrit : «Trois fois par siècle, le jasnières est le meilleur vin blanc du monde» ?

DOM. DE LA GAUDINIÈRE Demi-sec 2018

■ | 5000 | | 8 à 11 €

Installés en 1980, Danielle et Claude Cartereau ont peu à peu agrandi la propriété familiale, qui reste toutefois un vignoble à taille humaine (7 ha). La majorité des vignes est dédiée au jasnières.

La robe enchante l'œil par sa couleur jaune pâle à reflets dorés. Le nez s'ouvre sur les fruits mûrs, dominés par les arômes de poire et de citron. Tout est douceur au palais. ⧗ 2020-2022

⊶ DOM. DE LA GAUDINIÈRE, La Gaudinière, 72340 Lhomme, tél. 02 43 44 55 38, cartereaucetd@orange.fr V *r.-v.*

PASCAL JANVIER Cuvée du Silex 2018 ★

■ | 10000 | | 5 à 8 €

Établi à Ruillé-sur-Loir, Pascal Janvier exploite environ 7 ha en coteaux-du-loir et en jasnières, un vignoble à taille humaine, qui lui permet de soigner ses produits.

Le jaune clair de la robe s'accorde parfaitement aux arômes de pêche blanche et de kiwi remontant du verre, nuancés de petites touches grillées au second nez. Les notes de poire s'invitent ensuite dans une bouche grasse et longue, qui fait de ce chenin une belle réussite. ⧗ 2020-2022

PASCAL JANVIER, La Minée, 72330 Ruillé-sur-Loir, tél. 06 78 84 68 19, vins.janvier@orange.fr V r.-v.

DOM. LELAIS Le Tradition 2018

	16000	5 à 8 €

Établis dans le charmant village de Ruillé-sur-Loir, Francine et Raynald Lelais, aidés de leur fille Claire, conduisent depuis 1984 ce domaine de 18 ha consacré aux AOC jasnières et coteaux-du-loir, doté de cinq caves anciennes creusées dans le tuffeau.

Des arômes de poire et une fraîcheur citronnée typiques du chenin, sur un fond de fleurs blanches, le tout porté par une minéralité bien dosée. Légèreté et bon équilibre entre douceur et vicacité. ⧗ 2020-2022

DOM. LELAIS, 41, rte de Poncé, 72340 Ruillé-sur-Loir, tél. 02 43 79 09 59, vins@domainelelais.com V r.-v.

MONTLOUIS-SUR-LOIRE

Superficie : 447 ha / Production : 17 415 hl

La Loire au nord, la forêt d'Amboise à l'est, le Cher au sud sont les limites naturelles de l'aire d'appellation. Les sols «perrucheux» (argile à silex), localement recouverts de sable, sont plantés de chenin blanc (ou pineau de la Loire) et produisent des vins blancs vifs et pleins de finesse, tranquilles (secs ou doux), ou effervescents. Les premiers gagnent à évoluer longuement en bouteilles (une dizaine d'années).

♥ **PATRICE BENOIT**
Demi-sec Dilectum 2017 ★★

	1400		5 à 8 €

Patrice Benoit est issu d'une famille au service du vin depuis quatre générations. Pour s'installer, il a dû acheter des parcelles laissées par des vignerons partant à la retraite. Il est maintenant à la tête d'une propriété de 14 ha.

Le vin a fermenté dans des fûts et a été élevé sur ses lies fines jusqu'à la mise en bouteilles. La robe d'or pâle brille dans le verre. Le nez tout à fait typique d'un chenin mûr rappelle l'abricot, avec une touche minérale qui le rattache à son terroir. L'équilibre en bouche est parfait, et les fruits mûrs se développent en finale. Un très beau montlouis-sur-loire, ample, vineux, expressif et qui vieillira bien. ⧗ 2020-2029 **Brut 2017 ★** (5 à 8 €; 32000 b.) : les bulles sont fines, plutôt discrètes, en harmonie avec une robe d'un jaune très pâle. Au nez, la pêche et la poire sont accompagnées de réglisse et de buis. Le palais, ample, nerveux et d'une bonne persistance, finit sur une touche d'amertume mais reste un brut tendre. ⧗ 2019-2021 **Sec 2017 ★ (5 à 8 €; 2000 b.)** : la robe est du plus bel effet, nuancée d'or et de reflets vert pâle. Au nez, les agrumes, l'abricot sec, la pêche blanche sont complétés d'une touche de réglisse. La bouche acidulée montre une bonne vivacité. ⧗ 2020-2023

PATRICE BENOIT, 3, rue des Jardins, 37270 Saint-Martin-le-Beau, tél. 02 47 50 63 93, patrice.benoit.vins@orange.fr V r.-v.

FRANCK BRETON Extra-brut Cuvée Louane 2017 ★

	5000		11 à 15 €

Franck Breton s'est installé en 2008 à la tête d'un vignoble de 8,5 ha situé au sud de la Loire à partir duquel il propose des montlouis et des AOC touraine. Il fait partie aujourd'hui des noms qui comptent dans cette appellation.

L'extra-brut ne reçoit aucune liqueur après dégorgement et conserve toute la vivacité naturelle du raisin. Les bulles de cette cuvée Louane se révèlent fines et la couleur d'un jaune pâle brillant attire l'œil. Le nez se montre riche avec des nuances de poire, de fleurs blanches et de brioche. Des arômes de noisette, d'amande, de beurre et de toasté apparaissent en bouche, mais c'est un extra-brut et la fraîcheur acidulée et légèrement amère est bien là. ⧗ 2019-2022 **Sec Les Caillasses 2017 ★ (11 à 15 €; 10000 b.)** : un vin délicat tant par la couleur pâle à reflets verts que par le nez, qui s'ouvre tout doucement sur l'amande, la vanille, le citron et la pêche. La bouche est harmonieuse, douce, tendre, dominée par le fruit (pamplemousse). ⧗ 2019-2022 **Sec La Coulée des Muids 2017 ★ (11 à 15 €; 4000 b.)** : le moût issu du pressoir a été entonné dans des futailles de 400 l, dont un quart de neuves. Il en ressort une légère note boisée qui reste discrète. Les caractéristiques olfactives du chenin mûr sont là : abricot, pêche, coing, miel. Un vin qui demande encore à s'épanouir. ⧗ 2019-2022

FRANCK BRETON, 1 bis, rue de la Résistance, 37270 Saint-Martin-le-Beau, tél. 06 14 92 59 35, franckbretonvigneron@orange.fr V r.-v.

COMPLICES DE LOIRE Sec Clair de Lune 2017 ★

	6000		11 à 15 €

L'association en 2010 de François-Xavier Barc et de Gérald Vallée, originaires de Saint-Nicolas-de-Bourgueil a donné naissance à un négoce vinificateur qui produit des vins de différentes appellations du Val de Loire.

La robe est d'un style classique, couleur jaune pâle. Les notes fruitées virevoltent de fraîcheur, évoquant le pamplemousse, le citron, la pêche et l'abricot. On note également un fond fermentaire et empyreumatique d'amande grillée et de réglisse. La bouche est douce, ronde, précise, avec un brin de minéralité. ⧗ 2020-2023

COMPLICES DE LOIRE, 4, rue de la Cotelleraie, 37140 Saint-Nicolas-de-Bourgueil, tél. 06 84 35 22 07, fxbarc@complicesdeloire.com V r.-v.

DOM. DE CRAY Brut ★

	160000		5 à 8 €

Fondé en 1893, le Dom. de Cray est une propriété familiale dont le savoir-faire se perpétue depuis cinq générations. Les 70 ha du vignoble sont juchés sur le plateau calcaire et surplombent la rive gauche de la Loire.

Pour tirer le meilleur de la fermentation initiale, Antoine Antier procède au bâtonnage du vin pendant les six premiers mois de l'élevage. La robe du vin est très pâle et brillante et les bulles forment un fin cordon. Le nez s'exprime sans réserve, livrant des notes de pamplemousse et de miel. Vineux, ample et rond en première approche, le palais se montre ensuite plus acidulé et avec un soupçon d'amertume qui lui donne de la longueur. ⧗ 2019-2021 ■ **Sec 2017 (5 à 8 €; 15000 b.)** : vin cité.

DOM. DE CRAY, rte de l'Aquarium, 37400 Lussault-sur-Loire, tél. 02 47 45 05 05, antoineantier@wanadoo.fr V r.-v.

DOM. DE LA CROIX MÉLIER
Demi-sec Les Outardes 2017 ★

■ | 2200 | | 8 à 11 €

Après des études à la « Viti » de Beaune et deux ans passés à la Croix Mélier en intermittence avec son ancien métier de comédien, Philippe Ivancic a pris la suite, en 2017, de Pascal Berthelot et de ses 16 ha de vignes, qu'il cultive avec sa femme Dominique.

Ce demi-sec est issu d'une parcelle de vigne où les outardes, ces gros oiseaux, choisissent de venir nicher, chaque année, depuis des lustres. Côté vin, un montlouis bien doré aux reflets verts, au nez expressif, mêlant le floral, le fruité et le boisé des fûts de fermentation. Arômes accompagnés de citron confit et d'une pointe d'amertume en finale dans une bouche équilibrée. ⧗ 2020-2025 ■ **Sec Le Haut des Pions 2017 (8 à 11 €; 3500 b.)** : vin cité.

DOM. DE LA CROIX MÉLIER, 2, chem. Sainte-Catherine, Husseau, 37270 Montlouis-sur-Loire, tél. 02 47 45 12 14, domaine@lacroixmelier.fr V *t.l.j. 10h-12h 14h-19h; dim. sur r.-v.*

LAURA DAVID Sec 2017

■ | 3000 | | 8 à 11 €

Laura David a débuté son parcours de vigneronne en 2017. Elle exploite 7 ha de vigne d'un seul tenant juchés sur le coteau de Montlouis-sur-Loire. Les sols sableux y sont chargés de silex. Vendanges manuelles et levures indigènes sont ici de rigueur.

Première année de production et première apparition dans le Guide pour Laura David avec ce vin jaune pâle, au nez fin et délicat de fruits exotiques et d'agrumes, à la bouche vive et alerte, encore dynamisée par des arômes d'agrumes qui renforcent l'impression de légère amertume finale. ⧗ 2020-2023

LAURA DAVID VIGNERONNE, 7, quai Albert Baillet, 37270 Montlouis-sur-Loire, tél. 06 45 48 87 44, laura-david@orange.fr V *r.-v.*

ALAIN JOULIN ET FILS Brut Au vrai paradis ★

● | 2360 | | 8 à 11 €

Saint-Martin-le-Beau est une commune du sud de l'appellation montlouis-sur-loire, tournée vers les rives du Cher. Les coteaux en pente douce sont baignés de soleil. Alain Joulin, ses deux fils et l'une de ses belles-filles y exploitent 13,5 ha de vignes qu'ils travaillent le plus naturellement possible.

C'est un paradis de bulles auquel nous sommes conviés avec cette cuvée. L'or brille dans les verres. Un air de fête règne à l'olfaction avec les arômes de brioche, de fruits confits, de pêche et de poire. En bouche, une impression vineuse n'empêche pas la vivacité. C'est certainement un avant-goût du vrai paradis... ⧗ 2019-2022 ■ **Sec Cuvée Autour du fruit 2017 ★ (8 à 11 €; 2680 b.)** : la robe est lumineuse, le nez vif, léger, floral, rehaussé d'une touche de citron vert, et la bouche d'une fraîcheur stimulante, avec un caractère boisé et vanillé qui ressort. ⧗ 2020-2024 ■ **Mœlleux L'or Saint-Martin 2017 (15 à 20 €; n.c.)** : vin cité.

ALAIN JOULIN ET FILS, 13, rue de Chenonceaux, 37270 Saint-Martin-le-Beau, tél. 02 47 50 28 49, alain.joulin@wanadoo.fr V *t.l.j. 9h-12h 14h-19h; dim. 10h-12h*

CAVE DES PRODUCTEURS DE MONTLOUIS
Mœlleux 2017 ★

■ | 24000 | | 8 à 11 €

La coopérative de Montlouis-sur-Loire, créée en 1961, regroupe une quinzaine de viticulteurs adhérents pour une surface cultivée de 170 ha.

Les raisins botrytisés à l'origine de ce vin ont été récoltés dans des vignes âgées de cinquante à soixante-dix ans. La robe d'or pâle livre des reflets verts. Le nez est aérien, fin, gourmand, associant la pêche blanche au minéral. La bouche profonde et équilibrée libère des arômes de fruits exotiques et d'agrumes. ⧗ 2021-2026

SCA CAVE DES PRODUCTEURS DE MONTLOUIS, 2, rte de Saint-Aignan, 37270 Montlouis-sur-Loire, tél. 02 47 50 80 98, espace@cave-montlouis.com V *t.l.j. 9h-12h30 14h-18h30; dim. 10h-13h 14h-18h*

Ⓑ DOM. DE MONTORAY
Demi-sec Vallée Saint-Martin 2017 ★

■ | 2000 | | 11 à 15 €

Jeune exploitation créée en 2007 par Claude Aupetitgendre et Jacques Gozard, le Dom. de Montoray résulte de l'association de cinquante-huit passionnés de vins de Loire. Le vignoble (4,5 ha) est cultivé en bio depuis 2011.

Pour ce vin, la vinification s'est faite en fût, en laissant tout le temps nécessaire aux levures du cru de faire leur travail, dix mois en tout. La robe est d'or pâle, brillante. Le nez légèrement minéral rappelle la pêche bien mûre. Les saveurs sont en équilibre dans une jolie bouche. ⧗ 2019-2023 ■ **Sec L'Oiseau blanc 2017 (11 à 15 €; 1500 b.)** Ⓑ : vin cité. ● **Brut Bulles de chenin 2015 (8 à 11 €; 7000 b.)** Ⓑ : vin cité.

MONTORAY, 11, vallée Saint-Martin, 37400 Lussault-sur-Loire, tél. 06 75 38 79 69, domaine@montoray.fr V *r.-v.*

DOM. MOSNY Demi-sec Le Chesneau 2017 ★★

■ | 6000 | | 5 à 8 €

Au cœur du vignoble de Saint-Martin-le-Beau, Thierry Mosny, formé au lycée viticole d'Amboise, a repris en 2005 l'exploitation familiale (14 ha) fondée par son bisaïeul dans les années 1920. Thomas, son fils, l'a rejoint en 2018 et représente la cinquième génération sur le domaine.

Un bel or pâle colore la robe de ce demi-sec. Le vin apparaît gourmand dès le nez ; on y décèle des parfums de fleurs et de fruits blancs typiques du chenin. Le palais se montre frais sans manquer de rondeur, long, équilibré, centré sur des arômes de fruits frais. ⧗ 2019-2023 ● **Brut 2017 ★ (5 à 8 €; 17000 b.)** : la robe pâle et brillante laisse échapper des bulles très fines. Le nez est typé chenin avec des nuances de fruits mûrs. L'attaque est nerveuse et le milieu de bouche s'étire dans la longueur, avec une finale légèrement amère qui évoque le pamplemousse. 2019-2021 **Sec Feuilles d'automne 2017 (8 à 11 €; 2000 b.)** : vin cité.

DOM. MOSNY, 8, rue des Vignes, 37270 Saint-Martin-le-Beau, tél. 06 87 22 01 74, thierry.mosny@orange.fr V *t.l.j. sf dim. 8h-18h*

♥ DOM. LES PIERRES ÉCRITES
Mœlleux Or des Petits Boulay 2017 ★★

	800		20 à 30 €

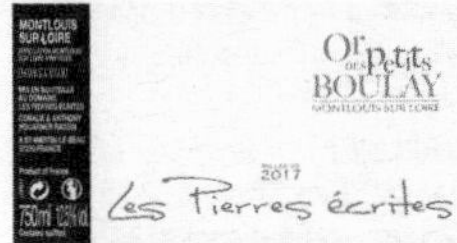

Coralie et Anthony Rassin, après une longue pérégrination dans le Languedoc, la vallée du Rhône septentrionale et l'Afrique de Sud, ont posé leurs valises sur leurs terres d'origine à Saint-Martin-le-Beau, où ils ont repris en 2016 le Dom. Flamanand-Delétang d'Olivier Flamand, une belle référence en montlouis-sur-loire. Fidèles au lieu, ils ont donné au domaine de 8 ha le nom de la cuvée emblématique de leur prédécesseur, qui lui-même l'avait emprunté à son grand-père archéologue, du nom de ces pierres écrites nord-africaines.

Déjà coup de cœur l'an passé, ce domaine présente ici un mœlleux issu de raisins triés sur le volet. La couleur est dorée à souhait. Le nez encore un peu fermé livre à l'aération des notes gourmandes de poire, de coing et de fruits confits. La bouche, très longue et parfaitement équilibrée, évoque le caramel et les fruits compotés. Les fermentations longues en fûts avec les levures naturelles sont un atout indéniable. Épatant. 2021-2030 **Sec Petits Boulay 2017 (8 à 11 €; 9000 b.)** : vin cité.

DOM. LES PIERRES ÉCRITES, 19, rte d'Amboise, 37270 Saint-Martin-le-Beau, tél. 06 31 72 22 68, domainelespierresecrites@gmail.com V *r.-v.*

VOUVRAY

Superficie : 2 151 ha
Production : 126 272 hl (70 % mousseux)

Un long vieillissement en cave et en bouteilles révèle toutes les qualités des vouvray, blancs nés au nord de la Loire, presque en face de Tours, sur un vignoble qu'écorne l'autoroute A10 au nord (le TGV passe en tunnel) et que traverse la large vallée de la Brenne. Le cépage blanc de Touraine, le chenin, donne ici des vins tranquilles, colorés et très racés, secs ou moelleux selon les années, et des vins pétillants et effervescents, vineux, élaborés selon la méthode traditionnelle. Si ces derniers sont bus assez jeunes, les vins tranquilles sont aptes à une longue garde qui leur donne de la complexité.

AUBERT Sec 2017 ★

	40000		5 à 8 €

Jean-Claude et Didier Aubert représentent respectivement les sixième et septième générations de vignerons installés au cœur de la vallée Coquette depuis 1823. Avec leurs épouses, ils exploitent 42 ha de vignes en lutte raisonnée.

L'élevage sur lies fines avec bâtonnages réguliers a permis de développer une palette fruitée riche rappelant la pêche, l'abricot et la poire. La bouche évolue d'une note douce à l'attaque jusqu'à une certaine amertume en finale, sans jamais se départir du fruité. Le tout paraît harmonieux. 2019-2022 **Brut Le Temps d'aimé 2014 (8 à 11 €; 6000 b.)** : vin cité.

EARL JEAN-CLAUDE ET DIDIER AUBERT, 10, rue de la Vallée-Coquette, 37210 Vouvray, tél. 02 47 52 71 03, vinsdevouvray@aubertjcd.fr V *t.l.j. 9h-12h30 14h-19h, f. dim. ap.-m.*

DOM. DE BEAUCLAIR
Brut Méthode traditionnelle 2016

	20000		5 à 8 €

Christian Blot a succédé à son père en 1983 sur la propriété que celui-ci avait créée en 1955 et qui couvre 25 ha. Son fils Freddy l'a rejoint en 2006. Cela fait dix générations, près de trois siècles de présence dans le vignoble. Dominant le coteau de Noizay, la cave a été creusée dans le tuffeau par le grand-père et le père. Freddy s'attache à développer les cuvées parcellaires.

Un vin de la couleur des épis de blé mûr, à la mousse généreuse et fine. Intense au nez, il évoque la poire et le coing, accompagnés de notes florales et fermentaires. Une fois l'effervescence un peu envahissante disparue, il apparaît droit et net, avec un caractère floral toujours présent et un côté citronné en fin de bouche. 2019-2022

DOM. DE BEAUCLAIR, 306, coteau de Venise, 37210 Noizay, tél. 02 47 52 11 32, domainedebeauclair@sfr.fr V *t.l.j. 9h-12h 14h-19h; f. dimanche a.-m.*

PASCAL BERTEAU ET VINCENT MABILLE Brut ★

	22000		5 à 8 €

Les beaux-frères Pascal Berteau et Vincent Mabille se sont associés en 1990 afin de conduire ensemble ce domaine de 25 ha. En 2019 Pascal Berteau a pris sa retraite et c'est maintenant Vincent Mabille qui veille seul aux destinées de l'attelage.

Les bulles fines et abondantes jaillissent d'une robe jaune pâle à reflets verts. Fruité, le vin se distingue par son caractère vineux bien équilibré par la fraîcheur. 2019-2022 **Brut 2011 (5 à 8 €; 1500 b.)** : vin cité.

GAEC PASCAL BERTEAU ET VINCENT MABILLE, 46, rte de Vaugondy, 37210 Vernou-sur-Brenne, tél. 02 47 52 03 43, vincent.mabille1@libertysurf.fr V *r.-v.* A

DOM. BOURILLON-DORLÉANS
Moelleux La Levrière 2016 ★

	10000	20 à 30 €

Installé depuis 1984, Frédéric Bourillon a pris la suite de son père sur ce domaine fondé en 1921 par son grand-père Gaston Dorléans. Le vignoble couvre 26 ha sur les meilleurs coteaux de Rochecorbon et les vins reposent dans des caves troglodytiques du XVe s.

La robe dorée et limpide s'accorde joliment avec les notes de miel d'été et de cire d'abeille. Le fruité est le leitmotiv d'une bouche onctueuse, de belle longueur. ⧗ 2019-2030 ■ **Sec L'Oppidum 2016 (50 à 75 €; 2000 b.)** : vin cité.

FRÉDÉRIC BOURILLON, 30_bis, rue de Vaufoynard, 37210 Rochecorbon, tél. 06 07 08 06 06, info@bourillon.com r.-v.

DOM. BOUTET SAULNIER Sec 2017 ★★

■ | 10 000 | | 5 à 8 €

Blotti au cœur de la vallée Chartier, le domaine couvre 12 ha, ce qui est relativement modeste dans le Vouvrillon d'aujourd'hui. Les sols argileux peu épais peuvent souffrir de tassement par les roues d'un tracteur et l'on n'hésite plus aujourd'hui à revenir au travail du sol avec un cheval de trait. La lenteur n'effraie pas Christophe Boutet.

En toute simplicité, ce vin est tout simplement remarquable. Couleur pâle, intensité aromatique sur les fleurs et les fruits frais : promesses de plaisir gustatif. La juste rondeur au palais ne nuit pas à la fraîcheur de l'ensemble, et la finale laisse une impression de minéralité. L'équilibre est parfait. ⧗ 2020-2024 ■ **Moelleux Les Tries Hédoniste 2017 (8 à 11 €; 400 b.)** : vin cité.

EARL BOUTET SAULNIER, 17, Vallée- Chartier, 37210 Vouvray, tél. 02 47 52 73 61, christophe.boutet@wanadoo.fr r.-v.

DENIS BREUSSIN Sec 2017 ★

■ | 5000 | | 5 à 8 €

Depuis cinq générations, la famille Breussin cultive la vigne sur les hauteurs de Vernou-sur-Brenne. Denis Breussin conduit les 16 ha du domaine dans le respect du végétal et de la faune auxiliaire.

On retrouve chaque année des caractères de terroir dans les vins de Denis Breussin. Le fruit domine le nez et on y distingue très facilement la poire, la pomme et la groseille blanche, sans oublier le tilleul. La bouche est celle d'un vrai vin sec équilibré et contraste quelque peu avec le nez. La fraîcheur est bien là, accompagnée d'une légère amertume. ⧗ 2020-2024

EARL YVES ET DENIS BREUSSIN, 45, Vallée-de-Vaugondy, 37210 Vernou-sur-Brenne, tél. 06 08 86 70 39, denis.breussin@orange.fr r.-v.

VIGNOBLE BRISEBARRE Brut ★★

● | 15 000 | | 5 à 8 €

Philippe Brisebarre poursuit depuis 1981 l'exploitation du vignoble familial dont l'origine remonte à 1945. Il est constitué aujourd'hui par un ensemble de parcelles qui couvre 23 ha.

Une effervescence fine et persistante anime ce vin jaune clair. Le nez ne dément pas l'excellente impression de l'œil. Les arômes subtils vont des notes fermentaires à celles de fleurs et de fruits mûrs, comme la pêche blanche. Plutôt souple et rond, le vin possède bien la petite vivacité nécessaire à l'harmonie. «Subtil, fin, élégant» sont les qualificatifs venus sous la plume des dégustateurs. ⧗ 2019-2022

EARL PHILIPPE BRISEBARRE, 34, rue de la Vallée-Chartier, 37210 Vouvray, tél. 02 47 52 63 07, philippe@brisebarre.fr t.l.j. 10h-17h30; mer. dim. sur r.-v.

DOM. NICOLAS BRUNET
Moelleux Cuvée Mattéo 2017 ★

■ | 4000 | | 11 à 15 €

Nicolas Brunet a repris les vignes familiales en 2009. Il représente la neuvième génération. Le Domaine de 16 ha est cultivé de façon douce. Les sols sont grattés, les vendanges se font à la main et ce sont les levures du cru qui assurent la fermentation.

2017 est l'année de naissance du fils de Nicolas. C'est une coutume à Vouvray de produire une cuvée de moelleux pour la naissance d'un enfant. C'est le vin qui sera servi pour les fêtes du petit, anniversaires et grands événements de la vie. Ce vin couleur d'or révèle des arômes de fruits très mûrs et de miel, annonce d'un palais déjà évolué et puissant où s'expriment aussi des notes de figue sèche. ⧗ 2019-2030

EARL DOM. NICOLAS BRUNET, 12, rue de la Croix-Mariotte, 37210 Vouvray, tél. 06 83 22 47 14, info@vouvray-brunet.com r.-v.

DOM. VINCENT CARÊME Tendre 2017 ★

■ | 4000 | | 15 à 20 €

Créé en 1999, le vignoble de Vincent Carême couvre aujourd'hui 17 ha cultivés en agriculture biologique.

La vinification et l'élevage ont été conduits dans des fûts de 400 l. Une partie a été vinifiée en jarre de grès. Il en résulte un vin épanoui et puissant, prompt à libérer des senteurs boisées et vanillées en accompagnement des notes de fleurs et de fruits mûrs. En bouche un côté brioché se révèle, soulignant la matière certes, ronde et souple, mais qui ne manque pas de la vivacité propre au vouvray. ⧗ 2020-2024

VINCENT CARÊME, 1, rue du Haut-Clos, 37210 Vernou-sur-Brenne, tél. 02 47 52 71 28, vin@vincentcareme.fr t.l.j. sf dim. 10h-12h30 14h30-17h; sam. 15h-17h

CAVES CATHELINEAU
Brut Méthode traditionnelle ★

● | 30 000 | | 5 à 8 €

Jean-Charles Cathelineau et son fils Frédéric sont issus d'une longue lignée de vignerons qui remonte à 1690. Au cours des siècles, ceux-ci ont patiemment creusé les caves de la propriété au fur et à mesure des besoins et enrichi leur petit musée personnel d'instruments anciens pour cultiver la vigne, élaborer les vins ou fabriquer les tonneaux. C'est avec plaisir que les propriétaires vous le feront visiter.

Couleur pâle animée de bulles élégantes, ce vin s'ouvre sur des notes de fruits mûrs. Bien qu'il soit brut, une certaine rondeur se révèle en bouche, non dénuée de charme. Et le fruit de se prolonger, accompagné de notes citronnées. ⧗ 2019-2022 ■ **Sec Cuvée Silex 2017 (8 à 11 €; 6500 b.)** : vin cité.

EARL CAVES JEAN-CHARLES ET FRÉDÉRIC CATHELINEAU, 24, rue des Violettes, 37210 Chançay, tél. 02 47 52 20 61, cathelineau@orange.fr r.-v.

CHAMPALOU Sec 2017

■ | 60 000 | | 11 à 15 €

Établis à Vouvray, Catherine et Didier Champalou ont créé leur domaine en 1985 sur seulement 1,8 ha.

Leurvignoble couvre aujourd'hui 21 ha cultivés en viticulture raisonnée selon Terra Vitis et certifiés HVE3 depuis 2016. Leur fille Céline les a rejoints en 2006 à l'issue de ses études en viticulture et œnologie.

Pâle, ce vin s'ouvre tout doucement sur des nuances florales évoquant la fleur d'acacia et le chèvrefeuille. Sa puissance se manifeste en bouche par le côté vineux. Les fleurs, le raisin frais se révèlent ensuite. 2020-2024 **Demi-sec Les Fondreaux 2017 (15 à 20 €; 8000 b.)** : vin cité.

EARL CHAMPALOU, 7, rue du Grand- Ormeau, 37210 Vouvray, tél. 02 47 52 64 49, champalou@orange.fr V r.-v.

LE CLOS DE LA MESLERIE Sec 2017 ★

	5000		20 à 30 €

Installé à Vernou-sur-Brenne depuis 2007, Peter Hahn cultive dans le respect de la nature et de l'homme un micro-vignoble de 4 ha. Les vignes sont âgées de 60 ans en moyenne et prospèrent sur des argiles à silex typiques de cette partie du terroir de Vouvray.

Les levures indigènes ont façonné ce vin au cours d'un séjour de douze mois sur lies en fût de chêne. Jaune doré pâle, il expose sa complexité aromatique faite de fleurs, de fruits frais rappelant la pomme et de cire. Puissant et rond à la fois, il conserve une agréable fraîcheur. 2020-2024

EARL PETER HAHN, Le Clos de la Meslerie, 12, rue de la Meslerie, 37210 Vernou-sur-Brenne, tél. 06 08 76 97 87, contact@lameslerie.com V r.-v.

DOM. DU CLOS DE L'ÉPINAY
Brut Méthode traditionnelle Tête de cuvée 2015

	14700		8 à 11 €

Le Dom. du Clos de l'Épinay dominant le plateau de Vouvray jouit d'une situation privilégiée. La maison bâtie en 1702 est entourée d'arbres centenaires et abrite la famille depuis 1966. Le domaine couvre 20 ha; il est certifié Terra Vitis et HVE (Haute Valeur Environnementale).

Issu uniquement du début et du milieu de la pressée, cet effervescent tire son nom de cette particularité. De plus, il est resté au minimum trente mois sur lattes, ce qui lui a donné cette finesse de bulles, ainsi que des arômes de fleurs et de brioche. En bouche il a gardé toute sa vivacité et sa jeunesse. Les arômes fermentaires et fruités persistent. 2019-2022

LUC DUMANGE, Le Clos de l'Épinay, 37210 Vouvray, tél. 02 47 52 61 90, domaine.clos.epinay@cegetel.net V *t.l.j. sf dim. 10h30-12h 14h-18h30* 3

JEAN-PAUL COUAMAIS
Brut Cuvée Suprême 2015 ★

	44000		8 à 11 €

En 1969, Jean-Paul Couamais reprend les vignes de ses parents. Profondément attaché au terroir de Vouvray, il multiplie par six la surface initiale de vignes cultivées, gardant une exigence qualitative permanente. La propriété a maintenant été reprise par la société Ackerman.

Issue de différents terroirs de l'appellation, cette cuvée a été élevée sur lies fines, puis conservée en cave pendant deux ans. Or pâle à reflets argent, elle offre un nez ouvert et complexe. Après une attaque franche et riche d'arômes de fruits, la voici qui développe une fraîcheur acidulée bien agréable. 2019-2022 **Brut Méthode traditionnelle 2016 (5 à 8 €; 289248 b.)** : vin cité.

SAS JEAN-PAUL COUAMAIS, 36, rte de l'Écomard, 37210 Vernou-sur-Brenne, tél. 02 47 52 18 93, ccloarec@orchidees-couamais.fr V r.-v.

DOM. DES COUDRIÈRES Brut de brut ★

	5000		5 à 8 €

Depuis 1888, quatre générations de viticulteurs se sont succédé sur ce domaine de 18 ha. Conduit par Alain Delaleu depuis 1995, le vignoble s'étend sur plusieurs communes de l'appellation vouvray, ce qui permet de jouer sur une belle palette de terroirs.

La robe jaune d'or est traversée de fines bulles élégantes. Au nez fruits frais et pain grillé se mêlent allègrement. À la rondeur de l'attaque succède une vivacité plus nette et une touche d'amertume en finale. C'est cela un brut de brut. 2019-2022 **Brut (5 à 8 €; 10000 b.)** : vin cité.

EARL ALAIN DELALEU, 44, rte de Château- Renault, 37210 Vernou-sur-Brenne, tél. 02 47 52 13 70, alain.delaleu@wanadoo.fr V r.-v.

MAISON DARRAGON
Brut Méthode traditionnelle 2016 ★

	70000	5 à 8 €

Christelle Darragon et son époux David Charbonnier ont repris l'entreprise familiale de 40 ha en 2004. C'est la neuvième génération. Soucieux de la qualité et de l'environnement, ils mettent en pratique la culture raisonnée et ont construit un chai rationnel pour les vinifications. L'élevage des vins se fait dans les caves troglodytiques.

L'effervescence frétillante laisse un cordon de fines bulles à la périphérie du disque. Au nez de fruits mûrs (poire et pêche) nuancés de touches empyreumatiques de croûte de pain répond une bouche fraîche, tout aussi typique du chenin. 2019-2022 **Sec Les Tuffes 2017 ★ (5 à 8 €; 20000 b.)** : ce 2017 tendre illustre la devise du vouvray : « Je réjouis les cœurs ». La teinte or clair, la palette de fruits frais bien mûrs, l'équilibre des saveurs en font un vin charmant qui ne manque pas de fraîcheur. 2020-2024

EARL MAISON DARRAGON, 34, rue de Sanzelle, 37210 Vouvray, tél. 02 47 52 74 49, scea.darragon@orange.fr V *t.l.j. 9h-12h 13h-18h30* D

ESCHER ET THOMAS Brut 2015

	8000		11 à 15 €

Iwan Escher et Cécile Thomas sont « cultivateurs de fines bulles » et plus particulièrement de fines bulles de Loire. Depuis 2014 ils élaborent des cuvées avec les différents cépages de la Loire.

Cette cuvée a été élaborée en foudres de 20 hl et a tiré parti d'une levure ancienne retrouvée dans une bouteille de vin de la région de Zurich de 1895. Les bulles sont délicates et la couleur jaune pâle brille dans le verre. Certes discret mais complexe dans ses évocations de fleurs, de fruits mûrs et de biscuit, le vin offre une bonne harmonie en bouche. 2019-2022

ESCHER ET THOMAS, 18, rue Paul-Boncour, 41400 Chissay-en-Touraine, tél. 06 52 68 30 09, info@escher-thomas.com t.l.j. 10h-13h 13h-19h

RÉGIS FORTINEAU Sec 2017

| 1000 | | 5 à 8 € |

Régis Fortineau représente la troisième génération établie à la Croix Mariotte, au cœur de Vouvray. Son domaine s'étend sur 11 ha et ses vins figurent régulièrement dans le Guide tantôt pour les fines bulles, tantôt pour les vins tranquilles.

Pâle à reflets verts, ce 2017 semble encore discret de prime abord, mais il s'ouvre progressivement sur des notes florales de tilleul. La saveur acidulée est équilibrée par les sucres résiduels (5 g), et des nuances de beurre et de pomme mûre se prolongent agréablement. 2019-2022

EARL RÉGIS FORTINEAU, 4, rue de la Croix-Mariotte, 37210 Vouvray, tél. 02 47 52 63 62, regis.fortineau@orange.fr r.-v.

CH. GAUDRELLE
Demi-sec Vignes tressées Sur un fil 2017 ★

| 2000 | | 15 à 20 € |

Ce domaine de 22 ha a été fondé au XVIIes. par un riche soyeux de Tours, alors capitale de la soie. Depuis 1931, la famille Monmousseau est propriétaire de ces vignes plantées exclusivement de chenin blanc. Le respect des cycles végétatifs permet de vendanger des raisins à maturité optimale.

Vignes stressées par les multiples rognages de l'été? Alexandre Monmousseau a dit «non». Il préfère tresser les pampres de l'année sur le fil. Le demi-sec ainsi produit en 2017 revêt une robe jaune pâle. Le nez beurré rappelle aussi le caramel au lait et les pêches très mûres. Puis la bouche ronde, longue, sans mollesse laisse le souvenir du caramel et de la vanille, avec une note de fraise. Beau parti pris! 2020-2023 **Sec Les Gués d'Amand (11 à 15 €; 5300 b.)** : vin cité.

SARL A. MONMOUSSEAU, Ch. Gaudrelle, 12, quai de la Loire, 37210 Rochecorbon, tél. 02 47 25 93 50, contact@chateaugaudrelle.com r.-v.

DOM. SYLVAIN GAUDRON
Brut Blanc de chenin 2015 ★

| 100000 | | 5 à 8 € |

Le domaine a été créé par Sylvain Gaudron en 1958 avec 7 ha. Il en compte maintenant 27 cultivés et mis en valeur par le fils, Gilles, aux commandes depuis les vendanges 1993.

Ce vin a été élaboré à partir d'une sélection de jus issus d'un pressurage lent. Il est mis en vente après deux ans d'élevage. Bulles fines et robe jaune pâle brillant : bel abord. Le nez se développe avec élégance en nuances florales, végétales et fruitées de pêche. Le caractère brioché est également présent. Souple et vif à la fois, le palais tire profit d'une mousse onctueuse et d'une bonne persistance aromatique. 2019-2022 **Sec 2017 (5 à 8 €; 32000 b.)** : vin cité.

EARL DOM. SYLVAIN GAUDRON, 59, rue Neuve, 37210 Vernou-sur-Brenne, tél. 02 47 52 12 27, sylvain.gaudron@domainegaudron.fr r.-v.

GILET Brut Extra 2015 ★

| | 8000 | 8 à 11 € |

Les Gilet sont vignerons depuis dix générations à la Rouletière. En 2001, Jean-Marc a pris la responsabilité du domaine de 25 ha. Côté cour, le domaine est doté de caves profondes de près de 600 m. Côté jardin, le domaine se tourne vers le bio.

Un long séjour en cave a donné une belle patine à ce vin or à reflets verts, animé par une fine effervescence. Aux arômes de fleurs et de fruits (poire) répond une juste fraîcheur en bouche, équilibrée par la vinosité. 2019-2022

SCEA JEAN-MARC GILET, Dom. de la Rouletière, 20, rue de la Mairie, 37210 Parçay-Meslay, tél. 02 47 29 14 88, jmgilet@domainedelarouletiere.com t.l.j. sf dim. 9h-12h 14h-18h30

HALLAY ET FILS Demi-sec Tradition 2017 ★

| 3000 | | 5 à 8 € |

Chez les Hallay, la culture de la vigne est une affaire de famille. Arrivé en 1982 sur l'exploitation, Éric est rejoint par Christophe en 1992. Les deux frères ont pris les rênes du domaine (40 ha) en 1998 lors du départ à la retraite de leurs parents. En 2015 c'est Yannick, fils d'Éric, qui arrive sur l'exploitation.

La robe pâle s'illumine de reflets verts. Certes, le nez de fruits frais est encore un peu timide, signe de jeunesse, mais le vin est souple, riche et bien construit, laissant même poindre des arômes de fruits mûrs au palais. 2019-2022 **Brut Méthode traditionnelle 2017 (5 à 8 €; 25000 b.)** : vin cité.

GAEC HALLAY ET FILS, 58, rte de Château- Renault, 37210 Vernou-sur-Brenne, tél. 02 47 52 03 75, gaec.hallay@orange.fr r.-v.

FRANCIS MABILLE
Brut Méthode traditionnelle 2017 ★

| 31500 | | 5 à 8 € |

Installé depuis 1986 avec seulement 2 ha de vignes, Francis Mabille représente la quatrième génération. Jules, Enogat et Claude l'ont précédé. Aujourd'hui, il exploite 14 ha.

La robe pâle jaune-vert et la bulle fine et persistante accrochent l'œil. Légèrement fruité et fermentaire, ce brut bénéficie d'une grande fraîcheur au palais, qui porte bien les arômes de fruits frais. 2019-2022 **Sec 2017 (5 à 8 €; 3150 b.)** : vin cité.

EARL FRANCIS MABILLE, 17, Vallée-de-Vaugondy, 37210 Vernou-sur-Brenne, tél. 02 47 52 01 87, earl.francis.mabille@wanadoo.fr r.-v.

MAILLET PÈRE ET FILS Demi-sec 2017 ★

| 5000 | | 5 à 8 € |

Les deux frères Maillet ont succédé à leur père, Laurent en 1991 et Fabrice en 2002, sur un vignoble de 35 ha situé sur les hauts de la vallée Coquette. Depuis 1921, cela fait la quatrième génération. C'est avec régularité que les cuvées de méthode traditionnelle contribuent à la réputation du domaine. Les vins tranquilles ne sont pas en reste.

Une robe à reflets dorés qui sied parfaitement à un demi-sec. La camomille et le tilleul, plutôt discrets, composent un duo aromatique agréable. Puis c'est une impression de douceur et de rondeur qui se révèle au palais, laissant le souvenir du coing. Le caractère boisé reste en retrait et une légère amertume prolonge les saveurs. ⧗ 2020-2023 ● **Brut Méthode traditionelle Cuvée Prestige ★ (8 à 11 €; 10200 b.)** : c'est un classique de la maison. Robe pâle, bulles fines, nez de biscuit et de fruits, bouche alerte et rafraîchissante, de belle longueur. ⧗ 2019-2022

⊶ EARL MAILLET, 101, rue de la Vallée- Coquette, 37210 Vouvray, tél. 02 47 52 76 46, vouvray.maillet@orange.fr V 🚶 ▮ *t.l.j. 10h-12h 14h-18h; dim. sur r.-v.*

DOM. DU MARGALLEAU Moelleux 2017 ★

■ | 8000 | ▮ | 8 à 11 €

Chançay possède de jolis coteaux bien exposés dans la vallée de la Brenne, un peu à l'écart du lit de la Loire. Bruno et Jean-Michel Pieaux y cultivent 30 ha de vignes.

La robe d'un jaune pâle présente des reflets or vert. Le nez plutôt discret se montre riche, rappelant tour à tour les fruits frais comme la pêche et l'abricot, les fleurs et le foin sec. Les arômes se trouvent renforcés en bouche et c'est le miel d'acacia, les épices, la pêche mûre, la noisette, la brioche qui s'invitent. Le vin fait preuve de persistance et possède un équilibre tout en rondeur. ⧗ 2020-2024

⊶ EARL BRUNO ET JEAN-MICHEL PIEAUX, Dom. du Margalleau, 10_bis, rue du Clos-Baglin, 37210 Chançay, tél. 02 47 52 25 51, earl.pieaux@orange.fr V 🚶 ▮ *t.l.j. sf dim. 9h-12h30 14h-19h*

MAISON MIRAULT
Brut Méthode traditionnelle ★

● | 49482 | 5 à 8 €

Cette maison de négoce familiale est installée depuis 1959 à Vouvray. Elle sélectionne des moûts et des vins à la propriété avec rigueur et fidélité. Elle s'est spécialisée dans l'élaboration de vins effervescents et dispose d'imposantes caves creusées dans le roc.

La robe or clair est auréolée de bulles frétillantes qui viennent se rejoindre en cordon au bord du verre. Le nez ouvert évoque les fruits exotiques, les agrumes et le fruit de la Passion. On retrouve le côté citronné en bouche, bien équilibré par l'onctuosité de la mousse. ⧗ 2019-2022

⊶ SARL MAISON MIRAULT, 15, av. Léon-Brulé, 37210 Vouvray, tél. 02 47 52 71 62, contact-maison-mirault@orange.fr V 🚶 ▮ *t.l.j. 9h30-12h 14h30-18h*

CH. MONCONTOUR
Brut Méthode traditionnelle ★

● | 553392 | ▮ | 5 à 8 €

Propriété de l'évêque de Tours au temps de saint Martin (IVᵉs.), le domaine fut convoité par Balzac en son temps. La famille Feray l'a acquis en 1994. Gilles Feray dispose de 130 ha de vignes répartis dans différentes communes de l'AOC vouvray, ce qui permet aux vins de refléter toute la richesse du terroir. Le château bâti au XVᵉs. trône sur la falaise de tuffeau de Vouvray.

Les petites bulles en remontant à la surface viennent former un fin cordon qui couronne l'or pâle de la robe. Tandis que le nez ouvert s'inscrit à la fois dans le floral et le fruité (prune), la bouche joue exclusivement le registre des fruits. L'attaque est douce et nette, la finale toute en fraîcheur. ⧗ 2019-2022

⊶ SA VIGNOBLE DU CH. MONCONTOUR, rue de Moncontour, 37210 Vouvray, tél. 02 47 52 60 77, secretariat@vignobles-feray.com V ▮ *t.l.j. sf dim. 10h-12h30 13h30-18h*

PIERRE MORVAN Sec 2016

■ | 5000 | 5 à 8 €

Passionné depuis la petite enfance par le monde du vin, Pierre Morvan a eu l'opportunité de reprendre les vignes familiales de ses grands-parents maternels. Depuis 2015, il se retrouve à la tête de 14 ha sur divers terroirs tantôt argileux, tantôt siliceux.

Voici un vouvray frais et délicat qui libère des notes minérales et florales, ainsi qu'un fruité de coing caractéristique du cépage. Certes, il a encore la timidité de la jeunesse, mais avec le temps il gagnera en rondeur et en personnalité. ⧗ 2020-2024

⊶ PIERRE MORVAN, 58, rue Neuve, 37210 Vernou-sur-Brenne, tél. 06 15 22 51 76, morvan.vindevouvray@hotmail.com V 🚶 ▮ *t.l.j. sf dim. 9h-12h 14h-18h*

DOM. PARIS PÈRE ET FILS Demi-sec 2017 ★

■ | 7660 | ▮ | 5 à 8 €

Au cœur de la vallée de Vau à Chançay, le domaine familial prospère depuis 1902. Il se compose actuellement de 12 ha de vignes cultivées par Claude et son fils Guillaume en privilégiant la lutte biologique et la lutte raisonnée.

Un patient élevage sur lies a permis un développement harmonieux des qualités de ce demi-sec or pâle, dont les arômes de fruits blancs commencent à se développer. L'équilibre des saveurs est très réussi, avec un accent mis sur la fraîcheur. Quelques nuances de poire aiguisent la curiosité. ⧗ 2020-2023

⊶ EARL PARIS PÈRE ET FILS, 21, rue des Violettes, 37210 Chançay, tél. 02 47 52 21 07, contact@domaineparis-pereetfils.com V 🚶 ▮ *r.-v.*

♥ MAISON PELTIER FRÈRES
Méthode traditionnelle
Cuvée de la Colinière 2014 ★★

● | 28000 | ▮ | 5 à 8 €

La maison Peltier a été créée vers 1900 sur le site d'une ancienne carrière. Les caves labyrinthiques du domaine ont été creusées dans le tuffeau au fil des générations. Un chai tout neuf y est associé depuis 2012. Aujourd'hui, trois frères dirigent l'exploitation.

Tout plaît dans ce vin, la robe or clair, l'effervescence fine et persistante, le nez de fleurs et de fruits mûrs avec quelques notes grillées, la bouche ronde, florale, vineuse et parfaitement équilibrée qui se prolonge dans une totale harmonie. Voici le fruit de la patience des frères Peltier pour obtenir des raisins mûrs à point et pour

LOIRE

élever leurs cuvées sur lies fines. ⌛ 2019-2022 ■ **Sec 2017 (5 à 8 €; 6900 b.)** : vin cité.

⊶ EARL PELTIER FRÈRES, 43, rue de la Mairie, 37210 Chançay, tél. 02 47 52 93 34, maisonpeltier1@gmail.com V 🚶 🍷 *t.l.j. sf dim. 8h30-12h30 14h-19h*

B DOM. DU PETIT COTEAU Sec 2017 ★

■ | 12480 | | 5 à 8 €

Ce domaine de 17 ha appartenant à Gilles Feray a été créé en 2005. Il est certifié en agriculture biologique. Les vignes sont situées sur les sols argilo-siliceux des premières côtes de Vernou-sur-Brenne.

Or pâle à reflets argent, ce 2017 livre une palette complexe de jasmin, de thym et de fruits frais (pêche). Légèrement perlant, il se développe longuement en bouche, alliant fraîcheur et minéralité. ⌛ 2020-2024 ● **Brut Méthode traditionnelle Les Tuffières (5 à 8 €; 66027 b.)** B : vin cité.

⊶ SARL AGRICOLE LE PETIT COTEAU, 71, rue du Petit-Coteau, 37210 Vouvray, tél. 02 47 52 60 77, secretariat@vignobles-feray.com V 🍷 *t.l.j. sf dim. 10h-12h30 13h30-18h*

♥ B DOM. DU PETIT TRÉSOR
Sec Belle au naturel 2017 ★★

■ | 5000 | | 15 à 20 €

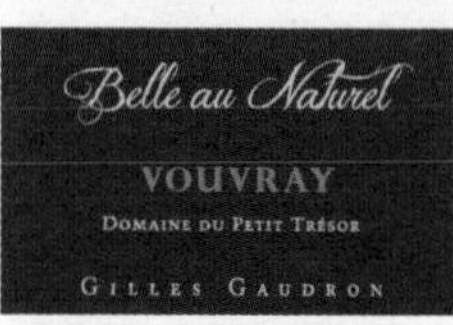

Acquisition du Dom. Sylvain Gaudron, cette exploitation, d'une superficie de 1,2 ha, est conduite en biodynamie par Gilles Gaudron. Les vignes sont assagies. Les raisins récoltés à la main sont pressés lentement et mis à fermenter dans des fûts de deux ans pour éviter de les marquer par le bois neuf.

Une seule cuvée est produite chaque année sur ce domaine. Le 2017 est un sec. Un léger vanillé souligne les arômes intenses de fruits frais et d'abricot au nez, tandis qu'en bouche le fruité se fait plus mûr encore, toujours agrémenté d'un boisé fin. Riche et frais à la fois, le vin ne manque pas de rondeur et une légère amertume assure sa persistance harmonieuse. ⌛ 2020-2024

⊶ DOM. DU PETIT TRÉSOR, 59, rue Neuve, 37210 Vernou-sur-Brenne, tél. 02 47 52 12 27, sylvain.gaudron@domainegaudron.fr V 🚶 🍷 *r.-v.*

B FRANÇOIS ET JULIEN PINON
Brut non dosé 2015

● | 10000 | 11 à 15 €

Le domaine remonte à 1786. Huit générations l'ont cultivé et c'est aujourd'hui François Pinon, installé en 1987 à la suite de son père, qui veille sur les 15 ha de vignes. Cet ancien psychologue pour enfants a converti le vignoble au bio en 2003 et vinifie de façon parcellaire depuis 2006. Depuis 2016, il travaille avec son fils Julien.

Les bulles fines et la robe jaune très pâle apportent de la délicatesse à ce vin. Généreux, il décline un registre floral nuancé de notes fermentaires au nez, puis offre au palais une attaque plutôt ronde avant d'évoluer vers plus de vivacité, soutenue par une mousse très présente. Les arômes de fleurs blanches et de pêche embellissent le tableau. ⌛ 2019-2022

⊶ SCEA FRANÇOIS PINON, 55, rue Jean-Jaurès, Vallée-de-Cousse, 37210 Vernou-sur-Brenne, tél. 02 47 52 16 59, francois.pinon@wanadoo.fr V 🚶 🍷 *r.-v.*

DOM. DES RAISINS DORÉS Brut 2016 ★

● | 28000 | | 5 à 8 €

La famille cultivait déjà la vigne sous Louis XIV. Nathalie Berton a repris la propriété en 2005 et cultive les 13 ha de «première côte» situées sur la commune de Vernou-sur-Brenne dans un esprit de viticulture durable.

Les années se suivent et les vins peuvent changer au gré des millésimes. Ce brut élaboré avec la vendange de 2016 présente sur fond or un cordon de bulles fines. Le nez est celui d'un vin qui a mûri. Très expressif et gourmand, il décline les fruits : pomme, poire et pruneau cuit. La mousse est crémeuse sans être envahissante, et les flaveurs d'orange et de pruneau sont au registre du palais de ce vouvray riche et singulier. ⌛ 2019-2022

⊶ NATHALIE BERTON, Dom. des Raisins dorés, 40, rue du Professeur-Debré, 37210 Vernou-sur-Brenne, tél. 06 30 56 02 90, nathalie_berton@orange.fr V 🚶 🍷 *r.-v.*

VIGNOBLE ALAIN ROBERT
Extra-brut Méthode traditionnelle ★

● | 13380 | | 8 à 11 €

Christiane et Alain Robert cultivent leurs vignes depuis 1973; ils ont été rejoints par leur fils Cyril en 2000 et par leur fille Catherine en 2013. Ils laissent maintenant la main à leurs enfants pour exploiter les 37 ha de la propriété.

Les fines bulles animent l'or pâle et offrent une jolie mousse. Au nez, tout est évocation de végétal et de fleurs. Les saveurs se déploient longuement, accompagnées de notes d'agrumes. Quarante mois de repos à l'ombre des caves troglodytiques ont lissé les aspérités de cet extra-brut non dosé. ⌛ 2019-2022

⊶ EARL DOM. ALAIN ROBERT, Charmigny, 37210 Chançay, tél. 02 47 52 97 95, vignoblerobert@orange.fr V 🚶 🍷 *r.-v.*

DOM. DE ROCHE BLONDE
Brut Méthode traditionnelle 2015

● | 12300 | | 5 à 8 €

L'exploitation a été créée en 1963 par les parents de Christophe Gaudron qui exploitaient alors 10,5 ha. En 1996, Christophe reprend et agrandit son vignoble pour atteindre les 12 ha d'aujourd'hui. La salle de dégustation qui se situe dans le rocher a été rénovée en 2014.

Longuement mûrie en cave, cette cuvée est assagie. L'effervescence fine et discrète forme un cordon à la périphérie du disque. Le nez livre des odeurs de foin, de fruits frais et de fleur d'acacia : tout le charme de la campagne. La saveur acidulée, citronnée, lui confère de la vivacité. ⌛ 2019-2022

EARL CHRISTOPHE GAUDRON, 90, rue Neuve, 37210 Vernou-sur-Brenne, tél. 02 47 52 12 17, contact@christophegaudron.fr t.l.j. 9h-12h 14h-19h; f. 7 août-30 août

CHRISTOPHE THORIGNY
Brut Méthode traditionnelle ★

	18000		5 à 8 €

Christophe Thorigny est installé depuis 1989 sur le domaine familial. Il cultive un vignoble de 10,6 ha et vinifie chacune de ses parcelles en petits volumes. Les assemblages se font en vins finis.

Les bulles fines traversent une robe jaune pâle à reflets verts et argent. Des notes florales et briochées agrémentent le nez. Le vin se montre vif tout au long de la dégustation et les notes fruitées de poire se font persistantes. 2019-2022 **Sec 2017 ★ (5 à 8 €; 6460 b.)** : sous son aspect très classique d'un jaune pâle, ce sec montre une vraie personnalité avec ses arômes de muguet et de jonquille. La fraîcheur est tempérée par les sucres résiduels de fin de fermentation. Le caractère fruité rappelle la pomme fraîche. 2020-2024

CHRISTOPHE THORIGNY, 30, rue des Auvannes, 37210 Parçay-Meslay, tél. 06 12 27 95 60, cthorigny@sfr.fr r.-v.

CAVES DU VAL DE FRANCE
Brut Méthode traditionnelle Cuvée Pauline ★

	623952		5 à 8 €

Cette maison de négoce créée en l'an 2000 appartient à Gilles Feray, par ailleurs propriétaire de plusieurs châteaux en Touraine. Jérôme Loisy est l'œnologue.

À l'œil, le vin se montre discret dans sa robe or pâle à reflets verts. Les bulles sont peu abondantes et fugaces. En revanche, le voici plus expressif au nez, évoquant fleurs et fruits, la pomme et le sucre candi. Le développement en bouche est fort agréable avec une mousse enveloppante qui laisse une impression crémeuse équilibrée par une pointe acidulée. 2019-2022

SARL CAVES DU VAL DE FRANCE, rue du Moncontour, 37210 Vouvray, tél. 02 47 52 60 77, secretariat@vignobles-feray.com t.l.j. sf dim. 10h-12h30 13h30-18h

♥ DOM. DE VAUGONDY Sec 2017 ★★

	5000		5 à 8 €

Le Dom. de Vaugondy est le plus petit des six vignobles Feray. Il couvre 6,5 hectares sur la commune de Vernou-sur-Brenne. Les sols argilo-siliceux sont parfaitement adaptés à l'expression du pineau de la Loire.

Sous une robe or clair nuancée de reflets verts, ce vin présente toute l'expression attendue en vouvray : coing, poire mûre, fleur d'acacia et miel. La bouche longue et ample se développe dans une remarquable succession de saveurs et d'arômes avec des nuances de cire d'abeille et de pêche. Comme l'écrit l'un des membres du jury : «Un très grand vin!» 2020-2024 **Brut Méthode traditionnelle ★★ (5 à 8 €; 34667 b.)** : cet effervescent loin de toute neutralité exprime avec force la nature du vouvray. À l'œil, un cordon de fines bulles s'élève dans la robe d'or pâle. Les arômes très présents se déclinent dans les registres floral et fruité (poire, pamplemousse) tant au nez qu'en bouche, dans une matière vineuse et fraîche à la fois. 2019-2022

SARL PERDRIAUX, 73, rue du Petit-Coteau, 37210 Vouvray, tél. 02 47 52 60 77, secretariat@vignobles-feray.com t.l.j. sf dim. 10h-12h30 13h30-18h

DOM. DU VIKING
Brut Méthode traditionnelle ★

	8000		8 à 11 €

Lionel Gauthier avec sa carrure de Viking a accosté il y a longtemps sur les rives de la Loire, remontant la Brenne jusqu'à Reugny. Il cultive les 17,5 ha de vignes qui croissent sur les molles ondulations du relief depuis 1985. Le domaine est tenu par la famille depuis 1835.

Lionel Gauthier vinifie avec toute la patience nécessaire, sans brûler les étapes. Cette cuvée bénéficie pleinement de ce savoir-faire. De fines bulles ornent une robe jaune-vert très pâle. Le nez est complet, avec des notes briochées, florales et fruitées. Des arômes de pêche blanche accompagnent une effervescence soyeuse et une fraîcheur acidulée au palais. 2019-2022 **Sec 2017 (11 à 15 €; 5500 b.)** : vin cité.

EARL GAUTHIER-LHOMME, 1300, rte de Monnaie, 37380 Reugny, tél. 02 47 52 96 41, contact@domaineduviking.fr t.l.j. sf dim. 9h-12h30; a.-m. sur r.-v.

DOM. DE VODANIS
Extra-brut Méthode traditionnelle
Pagus Vodanum ★

	1800		15 à 20 €

Régulièrement présent dans le Guide, François Gilet est propriétaire depuis 2003 de ce domaine de 15 ha, dont le nom provient d'une parcelle autrefois nommée *Pagus Vaudanum* : la vallée des Roches. Si vous lui rendez visite, François Gilet vous recevra dans l'antique grange du XVIIIe s. aménagée récemment.

Cette cuvée est produite avec les sucres du raisin pour la première fermentation en cuve et la seconde fermentation en bouteille, à la manière des anciens. Ce sont les levures du cru qui ont œuvré de bout en bout. Le vin est à maturité : robe d'or, nez de fruits mûrs et de miel, bouche fraîche et pleine, avec des arômes de pomme et de fruits confits. 2019-2022

EARL DOM. VODANIS, 19, rue de la Mairie, 37210 Parçay-Meslay, tél. 02 47 29 10 74, vodanis@hotmail.fr t.l.j. 9h-12h 14h-19h; dim. sur r.-v.

CAVE DES PRODUCTEURS DE VOUVRAY
Sec Vobridius 2017 ★★

	5300		15 à 20 €

Au cœur de la vallée Coquette, un haut lieu de production du Vouvray, cette cave coopérative créée en 1953 regroupe 35 vignerons qui détiennent 450 ha de vignes.

LOIRE

Cette cuvée tire son nom du toponyme latin de Vouvray. Les plus belles vendanges apportées à la cave ont été sélectionnées et vinifiées en fût. C'est une belle expression du vouvray que l'on découvre sous une teinte brillante, d'un jaune légèrement doré et nuancé de vert. Le nez donne envie de prolonger la dégustation, avec ses notes de brioche, de pêche de vigne, d'acacia et de poire. L'équilibre des saveurs est parfait et l'ensemble très gourmand. C'est un vin qui se suffit à lui-même. ⧗ 2020-2024
● **Brut Rendez-vous ★ (8 à 11 €; 28 000 b.)** : l'effervescence est délicate. Les fines bulles cheminent à travers une robe d'or vert. Le nez se dévoile doucement, libérant des senteurs de poire passe-crassane, de miel, de citron et de pêche. Passée l'effervescence initiale, la bouche se développe, fraîche et discrètement fruitée, pour finir par une touche d'amertume délicate. ⧗ 2019-2022

SCA CAVE DES PRODUCTEURS DE VOUVRAY, 38, rue de la Vallée- Coquette, 37210 Vouvray, tél. 02 47 52 75 03, cavedesproducteurs@cavedevouvray.com V t.l.j. 10h-12h30 14h-19h

CHEVERNY

Superficie : 579 ha
Production : 26 961 hl (49 % rouge et rosé)

VDQS en 1973, Cheverny a bénéficié d'une AOC vingt ans plus tard. À dominante sableuse (des sables sur argile de la Sologne aux terrasses de la Loire), le terroir s'étend le long de la rive gauche du fleuve, de la Sologne blésoise jusqu'aux portes de l'Orléanais. Les cépages, nombreux, sont assemblés dans des proportions variant légèrement selon les terroirs. Les vins rouges, à base de gamay et de pinot noir, avec parfois un appoint de cabernet franc et de côt, sont fruités dans leur jeunesse et acquièrent, en évoluant, des arômes animaux... en harmonie avec l'image cynégétique de cette région. Les rosés, dominés par le gamay, sont secs et parfumés. Les blancs, où le sauvignon est associé à un ou plusieurs autres cépages, le chardonnay en général, sont floraux et fins.

DOM. DE L'AUMONIÈRE 2018 ★

■ | n.c. | | 5 à 8 €

Domaine créé en 1836 qui se transmet de génération en génération. Gérard Givierge, à la tête du vignoble depuis 1996, est installé à Cour-Cheverny sur la route des châteaux; il exploite 18 ha.

Deux tiers de pinot noir et un tiers de gamay composent cette cuvée à la robe limpide et pâle. Le nez est envoûtant par son intensité : cerise noire, griotte et petit fruits à l'eau-de-vie se marient sur un fond de nuances poivrées. La bouche suit le même registre. Très souple, grasse et suave, elle offre une belle longueur. ⧗ 2020-2022

DOM. DE L'AUMONIÈRE, 20, voie de la Germonière, 41700 Cour-Cheverny, tél. 02 54 79 25 49, gerard.givierge@orange.fr V r.-v.

CHRISTELLE ET CHRISTOPHE BADIN 2018 ★

□ | 15 000 | | - de 5 €

En 1955, année de l'achat par le grand-père, l'exploitation comptait 4,5 ha; elle s'étend aujourd'hui sur 16 ha. Représentant la troisième génération, Christophe Badin, épaulé par son épouse, maintient la tradition familiale.

Ce vin de sauvignon qui tire sur le jaune citron intègre un cinquième de chardonnay dans sa composition. Le nez s'ouvre sur les fleurs blanches et les fruits exotiques, escortés par de discrètes notes musquées. La bouche, très aromatique, donne la faveur aux nuances d'ananas et de fleur de sureau. Bien équilibrée, elle s'achève sur une finale fraîche et acidulée. ⧗ 2020-2022

CAVE DE L' AUBRAS, L'Aubras, 41120 Cormeray, tél. 02 54 44 23 43, cavebadin@gmail.com V t.l.j. sf dim. 8h-12h 14h-19h

PASCAL BELLIER 2018 ★

□ | 80 000 | | 8 à 11 €

Établis à Vineuil, Pascal et Véronique Bellier ont repris en 1995 l'exploitation familiale (45 ha) dont le chai entouré de hauts murs domine la Loire. Un domaine d'une régularité remarquable pour ses cheverny et cour-cheverny.

Un assemblage de sauvignon et de chardonnay, élevé sur lie. Dans le verre, une robe jaune pâle et un joli nez, tourné vers les fruits blancs et les agrumes. S'y ajoutent des arômes de bourgeon de cassis et des notes florales. L'attaque se fait en douceur au palais, laissant la palette aromatique se déployer tout en finesse, jusqu'à une finale longue et persistante. Un vin ample et frais. ⧗ 2020-2022
□ **La Girouette 2018 ★ (8 à 11 €; 80 000 b.)** : sauvignon et chardonnay élevés sur lie se traduisent dans ce vin par des arômes d'agrumes, de poire et de fleurs blanches. D'attaque franche, la bouche trouve un excellent équilibre sur une fraîcheur fruitée. ⧗ 2020-2022

DOM. DE LÉRY, 3, rue Reculée, 41350 Vineuil, tél. 02 54 20 64 31, vinsbellier@wanadoo.fr V r.-v.

LA CHARMOISE 2018 ★

□ | 15 000 | | 5 à 8 €

Établis à Cour-Cheverny, aux portes de la Sologne, Jacky et Laurent Pasquier, père et fils, travaillent en duo sur leurs 24 ha de vignes. Un domaine régulier en qualité, en rouge comme en blanc.

Une belle cuvée jaune pâle, dont le nez s'ouvre sur les fruits compotés, auxquels se mêlent de fines notes d'acacia et de tilleul. D'attaque fruitée et gouleyante, la bouche est douce et aromatique, dotée d'une belle longueur. ⧗ 2020-2022 ■ **2018 (5 à 8 €; 8 000 b.)** : vin cité.

LA CHARMOISE, La Charmoise, 41700 Cour-Cheverny, tél. 06 87 11 15 19 V r.-v.

DOM. CHESNEAU 2018 ★★

■ | 27 000 | | 5 à 8 €

Établi à Sambin, à une quinzaine de kilomètres au sud-ouest de Cheverny, ce domaine familial, spécialisé dans la viticulture depuis deux générations, s'étend sur près de 15 ha sur des sols argilo-siliceux.

Pinot noir et gamay unissent leur caractère dans cette cuvée rubis, aux reflets pivoine. Le nez, gourmand à souhait, est une corbeille de fruits rouges. Des arômes de fraise, de groseille et de cerise emplissent la chair élégante, portée par une fraîcheur acidulée dans un équilibre parfait. ⧗ 2020-2022

DOM. CHESNEAU, 26, rue Sainte- Néomoise, 41120 Sambin, tél. 02 54 20 20 15, cavechesneau@wanadoo.fr V r.-v.

DOM. DU CROC DU MERLE Les 4 Vents 2018 ★★

	10000		5 à 8 €

Transmise de père en fils depuis 1794, cette exploitation des bords de Loire se partage entre l'élevage de vaches laitières et la culture de la vigne (10 ha). Elle produit vins, fromages, gelée et crème de cassis. En 2006, Damien Hahusseau a succédé à son père Patrice à la tête du vignoble.

Ce cheverny allie admirablement finesse et puissance, dans un assemblage où 20 % de gamay complètent une large base de pinot. Il séduit par la complexité et l'intensité de sa palette, qui s'ouvre d'abord sur les arômes de fruits noirs. Fruits rouges et nuances fumées s'invitent ensuite, tandis que la bouche est marquée par le pruneau. Rond et gras, le vin bénéficie de tanins parfaitement fondus et d'une remarquable longueur. ⧗ 2020-2022 ■ **2018 ★★ (5 à 8 €; 7000 b.)** : mi-pinot noir, mi-gamay, il offre un premier nez sur le bonbon anglais et la banane. Puis arrivent les fruits rouges, dominés par la groseille. La bouche est au diapason : ronde et fruitée, elle s'achève sur une longue finale amylique. ⧗ 2020-2021

DOM. DU CROC DU MERLE, 38, rue de la Chaumette, 41500 Muides-sur-Loire, tél. 02 54 87 58 65, contact@domaineducrocdumerle.fr V *t.l.j. sf dim. après-midi 9h-12h30 14h-19h*

BENOÎT DARIDAN 2018 ★

	20000	8 à 11 €

Situé aux portes de la Sologne, entre les châteaux de Cheverny et de Chambord, ce domaine familial de 21 ha est conduit depuis 2001 par Benoît Daridan, qui s'est imposé comme une valeur sûre de l'appellation cheverny.

Une cuvée limpide, ouverte sur des senteurs d'agrumes et de fleurs blanches. Pamplemousse rose, notes citronnées et aubépine agrémentent le palais durablement. La finale, soutenue par une pointe d'amertume, est comme un prélude à un agréable recommencement. ⧗ 2020-2022 ■ **2018 ★ (8 à 11 €; 15000 b.)** : mention pour ce rosé très aromatique, à la robe saumon clair. Issu du pinot noir et du gamay, il révèle des parfums de fruits rouges et d'épices. En bouche, la fraise, la groseille, le poivre et la cannelle contribuent à la sensation persistante de fraîcheur. ⧗ 2020-2021

DOM. DARIDAN, 16, voie de la Marigonnerie, 41700 Cour-Cheverny, tél. 02 54 79 94 53, benoit.daridan@gmail.com V r.-v.

DOM. DE LA DÉSOUCHERIE
Prélude de la Désoucherie 2018 ★

	96000		8 à 11 €

Transmise de père en fils depuis le XVIIIe s., cette propriété est gérée depuis 2009 par Fabien Tessier. Situé sur le plus haut plateau de Cour-Cheverny, le vignoble de 31 ha bénéficie d'un beau terroir silico-argileux et d'une exposition ensoleillée.

Sous une teinte jaune pâle apparaît un nez de fleurs, de fruits blancs et d'agrumes. La bouche ronde et soyeuse présente une bonne persistance. ⧗ 2020-2022

DOM. DE LA DÉSOUCHERIE, 47, voie de la Charmoise, 41700 Cour-Cheverny, tél. 02 54 79 90 08, infos@christiantessier.fr V r.-v. Ⓑ

DOM. DE LA GRANGE 2018 ★★

	32000	5 à 8 €

Implantée aux portes de Chambord, cette exploitation familiale tient son nom d'une ancienne grange dîmière, entièrement restaurée. Guy Genty et son fils Stéphane exploitent aujourd'hui quelque 20 ha et produisent en cheverny, cour-cheverny et crémant-de-loire.

Remarquable réussite que cette cuvée finement assemblée, avec deux tiers de pinot, un quart de gamay et un soupçon de côt. Cerise à reflets pourpres, elle livre un nez franc et intense, marqué par les fruits rouges et noirs. Au palais, la griotte et la mûre orchestrent la symphonie des arômes sans aucune fausse note. L'attaque est souple, la bouche ronde et puissante, les tanins soyeux. ⧗ 2020-2024 ■ **2018 (5 à 8 €; 35000 b.)** : vin cité.

DOM. DE LA GRANGE, La Grange, 41350 Huisseau-sur-Cosson, tél. 02 54 20 31 17, domainedelagrange@orange.fr V r.-v.

Ⓑ **DOM. DES HUARDS** Envol 2017

	34000		11 à 15 €

Très souvent distingué dans le Guide, ce domaine de 36 ha s'est transmis de père en fils depuis 1846. Il est conduit en bio et en biodynamie depuis 1990 par Jocelyne et Michel Gendrier.

Une cuvée mi-gamay, mi-pinot noir, à la robe limpide. Les fruits rouges dominent à l'olfaction, mais s'invitent également de discrètes notes musquées. La bouche se révèle fruitée, légère et gouleyante, tout en souplesse en finale. ⧗ 2020-2024 ■ **Pure 2018 (11 à 15 €; 40000 b.)** Ⓑ : vin cité.

DOM. DES HUARDS, 30, voie des Huards, 41700 Cour-Cheverny, tél. 02 54 79 97 90, contact@domainedeshuards.com V *t.l.j. 9h-12h 14h-18h*

DOM. HUGUET 2018 ★

	18000		5 à 8 €

Situé dans le joli village de Saint-Claude-de-Diray, entre Blois et Chambord, ce domaine de 10 ha conduit par Patrick Huguet est implanté sur des terrasses de sables et de graviers sur la rive gauche de la Loire. Il est transmis de père en fils depuis quatre générations.

Une cuvée d'une belle intensité aromatique, évocatrice de fleurs blanches, avec une touche de bonbon anglais. D'attaque tonique et fruitée, le palais se développe avec ampleur, souplesse et fraîcheur jusqu'à une finale savoureuse. ⧗ 2020-2022 ■ **2017 (5 à 8 €; 6000 b.)** : vin cité.

DOM. HUGUET, 12, rue de la Franchetière, 41350 Saint-Claude-de-Diray, tél. 02 54 20 57 36, vin.p.huguet@orange.fr V r.-v.

DOM. MAISON PÈRE ET FILS 2018 ★

	300000		5 à 8 €

Les premières vignes ont été plantées en 1906 par Alphonse Pinon sur des sols argilo-siliceux, mais le développement du domaine se fit dans les

années 1950 sous la conduite de Guy Maison puis de son fils Jean-François. Appartenant aujourd'hui aux Vignobles Feray, la propriété s'étend sur 72 ha, soit le plus grand vignoble indépendant de l'appellation cheverny.

Cette cuvée pâle et brillante évoque les agrumes, les fleurs blanches et le bourgeon de cassis. On y retrouve toute la rondeur du sauvignon et la fraîcheur du chardonnay (20 %) dans une bouche tonique et souple, dotée d'une finale longue. ⧗ 2020-2022 ■ **2018 ★ (5 à 8 €; 150000 b.)** : une cuvée limpide, parée de reflets roses, qui unit les trois cépages rouges de l'appellation. Le nez puissant exhale des arômes de cassis et de groseille. En bouche, le fruit est à l'unisson. Il y a de la matière, de la vivacité et une belle persistance aromatique. ⧗ 2020-2022 ■ **2018 ★ (5 à 8 €; 32000 b.)** : ce beau vin rose pâle, aux reflets d'argent et de cuivre, se distingue par sa palette aromatique de bonbon anglais et de banane. D'attaque franche et enveloppante, il est gouleyant à souhait au palais et restitue toute la gourmandise de la fraise acidulée. ⧗ 2020-2021

⊶ DOM. MAISON PÈRE ET FILS, 22, rue de la Roche, 41120 Sambin, tél. 02 54 20 22 87, contact@domainemaison.com V 🚶 ▮ *t.l.j. sf sam. dim. 8h30-12h 13h30-17h*

CONFRÉRIE DES VIGNERONS DE OISLY ET THÉSÉE
Vallée des Rois 2018 ★★

■ | 28000 | ▮ | 5 à 8 €

Fondée en 1961, la Confrérie des Vignerons de Oisly et Thésée est une coopérative qui réunit une vingtaine d'adhérents pour 180 ha de vignes en AOC cheverny et touraine. Une «coop» innovante, l'une des premières de Loire à avoir investi dans la thermorégulation, en 1975, et plate-forme d'essais en microbiologie pour l'Institut technique de la vigne et du vin (ITV) de Tours.

Un remarquable cheverny qui allie au cépage sauvignon 15 % de chardonnay. Fermentation à basse température et élevage sur lies fines se traduisent par un premier nez tourné vers les agrumes, puis apparaissent des senteurs plus puissantes de fruits à chair blanche et des notes florales. La bouche, grasse, ronde mais non dénuée d'une pointe de vivacité, est soulignée par une belle minéralité. ⧗ 2020-2022

⊶ CONFRÉRIE DES VIGNERONS DE OISLY ET THÉSÉE, 5, rue du Vivier, 41700 Oisly, tél. 02 54 79 75 20, agnes.bardet@uapl.fr V 🚶 ▮ *t.l.j. sf dim. 9h-12h 14h-18h*

♥ LE PETIT CHAMBORD 2018 ★★★

■ | 21000 | ▮ | 8 à 11 €

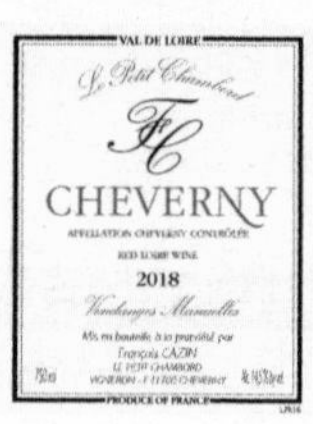

François Cazin exploite (en culture «très raisonnée») une propriété familiale de 23 ha située à la lisière de la forêt de Cheverny, aux portes de la Sologne. Transmise de père en fils depuis quatre générations, elle est régulièrement sélectionnée dans ces pages.

Coup de cœur à l'unanimité pour cette cuvée élégante qui allie puissance et complexité, sous une robe intense à reflets violets. Le nez est une explosion de fruits rouges : la cerise et la fraise écrasée sont relevées par de fines notes de poivre et de cuir. En bouche se distingue la matière ronde, riche et aromatique. Un beau vin de garde. ⧗ 2020-2024 ■ **2018 ★ (8 à 11 €; 40000 b.)** : un blanc léger et fruité, qui ne manque ni de fraîcheur, ni de souplesse. Le nez prononcé s'ouvre sur la poire et les agrumes, puis se manifestent des notes citronnées et une touche de foin coupé. La bouche ronde tire profit d'une juste minéralité. ⧗ 2020-2022

⊶ LE PETIT CHAMBORD, voie du Petit-Chambord, 41700 Cheverny, tél. 02 54 79 93 75, f.cazin@lepetitchambord.com V ▮ *r.-v.*

DOM. LE PORTAIL 2018 ★

■ | 30000 | ▮ | 5 à 8 €

Ce domaine régulier en qualité, bâti à l'emplacement d'un ancien monastère et situé à 600 m du château de Cheverny, a été acquis en 1979 par Nicole et Michel Cadoux. En 2009, leur fils Damien a rejoint l'exploitation et ses 30 ha de vignes.

Une cuvée légère et épicée, très typée pinot, même si 25 % de gamay entrent dans son assemblage. À l'olfaction, la fraîcheur des fruits rouges se combine avec la douceur des fruits secs et les notes de poivre. La bouche est à l'avenant, dotée d'une matière souple et persistante. ⧗ 2020-2022 ■ **2018 ★ (5 à 8 €; 80000 b.)** : un assemblage de sauvignon et de 20 % de chardonnay. La robe dorée attire l'œil. Le nez exhale tout en finesse des arômes de fleurs blanches et de fruits mûrs, presque compotés. Doté d'une attaque souple et d'un bel équilibre, le vin restitue parfaitement le fruit au palais, jusqu'à une finale persistante. ⧗ 2020-2022

⊶ DOM. LE PORTAIL, Le Portail, 41700 Cheverny, tél. 02 54 79 91 25, leportailcadoux@wanadoo.fr V 🚶 ▮ *r.-v.*

♥ DOM. DU SALVARD 2018 ★★

■ | 100000 | ▮ | 5 à 8 €

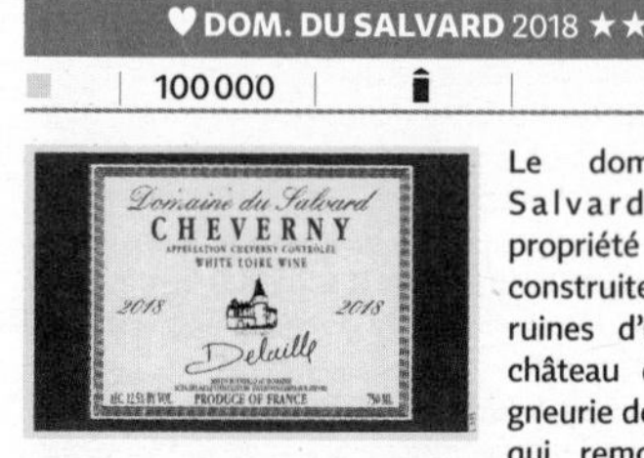

Le domaine du Salvard est une propriété de 45 ha construite sur les ruines d'un ancien château de la seigneurie de Fougères qui remonterait à l'an 1000. Acheté en 1910 par Maurice Delaille, il est aujourd'hui conduit par ses petits-fils, les frères Thierry et Emmanuel Delaille, ce dernier signant aussi une cuvée de cheverny à son nom.

Cette cuvée séduit dès le premier regard porté sur sa teinte pâle et lumineuse, puis par ses arômes de pomme et de poire, de bourgeon de cassis et de foin coupé. Un même bouquet se distingue au palais, soulignant la douceur et le volume. Tout est finesse dans ce vin longuement persistant. ⧗ 2020-2022 ■ **Vignes des Marnières Vieilles Vignes 2018 ★★ (5 à 8 €; 30000 b.)** : ce vin enchante l'œil et le nez. Puissant et très minéral, il s'ouvre sur les agrumes, le bourgeon de cassis et les fleurs blanches, puis il emplit le palais de sa chair ronde et fraîche, au fruité infini. ⧗ 2020-2022 ■ **Vieilles Vignes 2018 ★ (5 à 8 €; 30000 b.)** : des vignes âgées de vingt-cinq ans puisent profondément dans un terroir constitué d'argile et de sable pour produire ce vin de sauvignon (86 %) et de chardonnay (14 %). Élégance florale et fruitée : tel est le leitmotiv de la dégustation. En bouche, l'attaque est douce, puis une vivacité d'une belle justesse assure la persistance. ⌛ 2020-2022

DELAILLE, Le Salvard, 41120 Fougères-sur-Bièvre, tél. 02 54 20 28 21, delaille@orange.fr V r.-v.

DOM. SAUGER Vieilles Vignes 2018 ★

	12500		8 à 11 €

Valeur sûre de l'appellation, ce domaine familial situé aux portes de la Sologne, sur la route des châteaux de la Loire, se transmet de père en fils depuis 1870 et cinq générations. Installé en 1988, Philippe Sauger y cultive 32 ha de vignes sur des sols sablo-argileux.

D'un jaune soutenu, presque or, cette cuvée marie le sauvignon (60 %) au chardonnay (40 %). Le fruit s'exprime avec intensité, agrémenté de notes florales : citron, pamplemousse, acacia, bourgeon de cassis… Un régal aromatique qui se poursuit au palais. Le vin associe alors souplesse et vivacité, comme porté par la minéralité typique des vieilles vignes de l'appellation. ⌛ 2020-2022 **Tradition 2018 ★ (5 à 8 €; 85000 b.)** : sauvignon (60 %) et chardonnay (40 %) s'épousent dans cette cuvée de teinte jaune paille. Le nez donne la priorité au fruit, de même que la bouche fraîche et persistante. ⌛ 2020-2022

DOM. SAUGER, 4, rue des Touches, Les Touches, 41700 Fresnes, tél. 02 54 79 58 45, domaine.sauger@orange.fr V r.-v.

CYRILLE SEVIN La Quadrature du rouge 2018 ★

	9900		8 à 11 €

Installé à Mont-près-Chambord, Cyrille Sevin, ancien professeur de mathématiques, a repris ce domaine en 2007, à la suite de Pierre Parent. Il conduit ses 10,8 ha de vignes en bio certifié depuis 2010 et en biodynamie depuis 2013.

Ce vin, paré de reflets pivoine, emplit le verre d'un rouge soutenu. D'emblée, les fruits rouges donnent le ton, avec une dominante de fraise et un soupçon d'épices. Des arômes que l'on retrouve dans une bouche grasse et riche, avec de la matière et des tanins parfaitement fondus. ⌛ 2020-2022

CYRILLE SEVIN, 201, rue de Chancelée, 41250 Mont-près-Chambord, tél. 06 88 33 43 44, cyr.sevin@wanadoo.fr V r.-v.

VIGNOBLE TÉVENOT La Pente de Feuillet Élevé en fût de chêne 2017 ★

	7200		5 à 8 €

Acquis par la famille Tévenot en 1909, ce domaine régulier en qualité – 22 ha implantés sur le premier coteau de la Loire, à Candé-sur-Beuvron, à l'emplacement d'un ancien moulin à vent – est aujourd'hui conduit par Daniel Tévenot et son fils Vincent.

Sous une robe sombre, ce vin dévoile un nez dominé par les fruits rouges et les notes végétales : la fraise épouse la framboise, avec la cerise et le buis comme témoins. En bouche, il allie fruité, fraîcheur et rondeur, avant une agréable pointe d'amertume en finale. ⌛ 2020-2022 **Les Bruyères 2018 (5 à 8 €; 10000 b.)** : vin cité.

VIGNOBLE TÉVENOT, 4, rue du Moulin-à-Vent, Lieu-dit Madon, 41120 Candé-sur-Beuvron, tél. 02 54 79 44 24, daniel.tevenot@wanadoo.fr V r.-v.

LE VIEUX CLOS 2018 ★★

	15000	5 à 8 €

Sous le nom de Spririts of French Brothers a été créée, en 2008, la structure de négoce du domaine du Salvard.

Un blanc lumineux, issu d'une base de sauvignon complétée par le chardonnay (13 %). Au nez, c'est un déluge d'agrumes, de fleurs blanches, de buis et de bourgeon de cassis. Cette remarquable palette aromatique se retrouve dans la chair souple et minérale, une fraîcheur citronnée stimulant délicatement le palais jusqu'à la finale. Un sans faute. ⌛ 2020-2022

G.L. DELAILLE SPIRIT OF FRENCH BROTHERS, Le Salvard, 41120 Fougères-sur-Bièvre, tél. 02 54 20 28 21, delaille@orange.fr V r.-v.

COUR-CHEVERNY

Superficie : 55 ha / Production : 2 433 hl

Reconnue en 1993, l'appellation est réservée aux vins blancs issus du seul cépage romorantin, produits dans quelques communes situées au sud-est de Blois. Le terroir est typique de la Sologne (sable sur argile). Élégants, les cour-cheverny méritent souvent de vieillir quelques années.

CHRISTELLE ET CHRISTOPHE BADIN 2017 ★

	7500		5 à 8 €

En 1955, année de l'achat par le grand-père, l'exploitation comptait 4,5 ha; elle s'étend aujourd'hui sur 16 ha. Représentant la troisième génération, Christophe Badin, épaulé par son épouse, maintient la tradition familiale.

Après un élevage sur lie fine, ce vin apparaît dans une robe jaune claire, parfaitement limpide. D'abord discret, il laisse échapper des notes de fruits secs et d'épices à l'aération. La bouche suit la même progression, avec un parfait équilibre entre la rondeur et la vivacité. ⌛ 2020-2022

CAVE DE L' AUBRAS, L'Aubras, 41120 Cormeray, tél. 02 54 44 23 43, cavebadin@gmail.com V t.l.j. *sf dim. 8h-12h 14h-19h*

LA CHARMOISE 2018 ★

	8000		8 à 11 €

Établis à Cour-Cheverny, aux portes de la Sologne, Jacky et Laurent Pasquier, père et fils, travaillent en duo sur leurs 24 ha de vignes. Un domaine régulier en qualité, en rouge comme en blanc.

À l'aération apparaissent des arômes de fruits et de fleurs blanches, avec une petite touche végétale fraîche. La bouche, ample et grasse, s'inscrit dans le même registre. ⌛ 2020-2022

LA CHARMOISE, La Charmoise, 41700 Cour-Cheverny, tél. 06 87 11 15 19 V r.-v.

LOIRE

DOM. DES HUARDS Romo 2017

■ | 28600 | | 15 à 20 €

Très souvent distingué dans le Guide, ce domaine de 36 ha s'est transmis de père en fils depuis 1846. Il est conduit en bio et en biodynamie depuis 1990 par Jocelyne et Michel Gendrier.

Cette cuvée, issue de vignes conduites en biodynamie, se présente dans une robe jaune paille. Le nez, d'abord timide, gagne en fruité à l'aération, avec une touche florale. Une légère vivacité apporte un caractère gouleyant au palais. ⏳ 2020-2022

DOM. DES HUARDS, 30, voie des Huards, 41700 Cour-Cheverny, tél. 02 54 79 97 90, contact@domainedeshuards.com V t.l.j. 9h-12h 14h-18h

♥ DOM. DE LÉRY Le Clos 2016 ★★

■ | 3000 | | 15 à 20 €

Établis à Vineuil, Pascal et Véronique Bellier ont repris en 1995 l'exploitation familiale (45 ha) dont le chai entouré de hauts murs domine la Loire. Un domaine d'une régularité remarquable pour ses cheverny et cour-cheverny.

Coup de cœur à l'unanimité pour ce romorantin très confidentiel. Dans le verre, on admire la robe d'un or brillant et limpide. Le nez s'ouvre avec intensité et entremêle harmonieusement les fruits mûrs. En bouche, la pêche et l'abricot sont soulignés avec élégance par une fine note de miel. Élevée un an sous bois, cette cuvée intense et concentrée est un vrai délice. ⏳ 2020-2022

DOM. DE LÉRY, 3, rue Reculée, 41350 Vineuil, tél. 02 54 20 64 31, vinsbellier@wanadoo.fr V r.-v.

ORLÉANS

Superficie : 80 ha
Production : 2 986 hl (69 % rouge et rosé)

Autrefois AOVDQS, ce vignoble a été reconnu en AOC en 2006. Parmi les « vins françois », ceux d'Orléans eurent leur heure de gloire à l'époque médiévale. À côté des jardins, des pépinières et des vergers, la vigne a encore sa place aujourd'hui. Les vignerons tirent parti des cépages mentionnés depuis le Xe s. – des plants que l'on disait venir d'Auvergne mais qui sont identiques à ceux de Bourgogne : auvernat rouge (pinot noir), auvernat blanc (chardonnay) et gris meunier. L'appellation s'étend des deux côtés de la Loire et s'applique aux trois couleurs : les rouges et rosés assemblent une majorité de pinot meunier au pinot noir et les blancs sont dominés par le chardonnay.

VIGNOBLE DU CHANT D'OISEAUX 2018 ★

■ | 4000 | | 5 à 8 €

Édouard Montigny, qui a pris la succession de Jacky Legroux, est à la tête de cette exploitation familiale depuis 2006. Valeur sûre de l'Orléanais, ce domaine de 18 ha est souvent en vue dans ces pages.

Cette cuvée aux reflets orangés associe 10 % de pinot meunier à une base de pinot noir. Le nez discret laisse échapper des notes de bonbon anglais et de fruits rouges. En bouche, les arômes de framboise, de groseille et de fraise écrasée soulignent un caractère friand et frais. ⏳ 2019-2020 ■ **2018 ★ (5 à 8 €; 13300 b.)** : voici un pinot meunier, complété par 20 % de pinot noir. Le nez, d'une grande finesse, associe la cerise noire au cassis, sur un fond de violette et de notes végétales. En bouche, la fraise des bois s'invite au concert, dans une chair bien structurée par des tanins ronds. L'élevage de dix-huit mois est déjà bien intégré. ⏳ 2020-2022

VIGNOBLE DU CHANT D'OISEAUX, 321, rue des Muids, 45370 Mareau-aux-Prés, tél. 02 38 45 60 31, montignye@yahoo.fr V r.-v.

CLOS SAINT-FIACRE 2018 ★

■ | 40000 | | 8 à 11 €

Créée en 1635, cette propriété familiale apparaît régulièrement dans le Guide, souvent aux meilleures places. Clos de murs, le vignoble couvre 20 ha conduit depuis 2001 par Hubert et Bénédicte Montigny-Piel.

Un chardonnay jaune pâle, aux reflets brillants et au nez subtil, marqué par la douceur des fruits compotés. L'attaque est gouleyante, la bouche souple et longue. Quelques tanins persistent en finale, mais ce n'est que provisoire. ⏳ 2020-2022 ■ **2018 (8 à 11 €; 31000 b.)** : vin cité. ■ **2018 (8 à 11 €; 15800 b.)** : vin cité.

CLOS SAINT-FIACRE, 560, rue de Saint-Fiacre, 45370 Mareau-aux-Prés, tél. 02 38 45 61 55, contact@clossaintfiacre.fr V r.-v.

VALÉRIE DENEUFBOURG Rencontres 2018

■ | 2200 | | 8 à 11 €

Installée en 2005, Valérie Deneufbourg exploite un domaine de 14 ha à Cléry-Saint-André, près de la basilique qui renferme le tombeau de Louis XI. Depuis 2015, elle a remplacé les herbicides par le travail du sol. Avec ses « Rencontres » (nom de ses cuvées), elle est rapidement devenue l'une des valeurs sûres des appellations orléans et orléans-cléry.

D'un jaune soutenu, plus intense que la moyenne des chardonnays, ce vin fait la part belle aux fruits exotiques. Le voici qui affiche sa bonne structure au palais, ainsi que son équilibre. ⏳ 2020-2022

VALÉRIE DENEUFBOURG, 28, rue du Village, 45370 Cléry-Saint-André, tél. 06 14 57 37 61, valerie@deneufbourg.fr V r.-v.

♥ DOM. SAINT-AVIT 2018 ★★

■ | n.c. | 5 à 8 €

Héritier d'une longue histoire vigneronne (le domaine a été fondé en 1820), Pascal Javoy a repris les vignes familiales en 1987 : 17 ha en orléans et orléans-cléry.

Plaisir assuré pour les amateurs de minéralité. Ce chardonnay jaune pâle, né sur un terroir de silice, offre un déluge d'agrumes et de fleurs blanches. Tout son fruité se retrouve dans la bouche subtile et gouleyante. Rond et plein, il persiste agréablement. Un beau vin, de bout en bout. ⧗ 2020-2022 ■ **2018 ★ (5 à 8 €; n.c.)** : deux tiers de pinot meunier épousent un tiers de pinot noir dans cette cuvée où le fruit pur donne le ton. Le cassis et la mûre trouvent écho tout au long de la dégustation. Tout en légèreté à l'attaque, le vin révèle bien sa matière et ses tanins fondus. ⧗ 2020-2022

JAVOY ET FILS, 450, rue du Buisson, 45370 Mézières-lez-Cléry, tél. 02 38 45 66 95, javoy-et-fils@orange.fr V t.l.j. sf dim. lun. 9h-12h 14h-19h; f. 15-30 août

COTEAUX-DU-VENDÔMOIS

Superficie : 125 ha
Production : 6 417 hl (82 % rouge et rosé)

Sur le cours du Loir, les coteaux sont truffés d'habitations troglodytiques et de caves taillées dans le tuffeau. Reconnue en 2001, l'AOC jouxte en amont de la vallée les aires des jasnières et coteaux-du-loir, sur un terroir similaire, entre Vendôme et Montoire. Elle produit des vins gris originaux aux arômes poivrés, issus de pineau d'Aunis, des blancs nés de chenin, et des rouges, devenus majoritaires. Vins d'assemblage, ces derniers allient la nervosité légèrement épicée du pinot d'Aunis, la finesse du pinot noir, les tanins du cabernet franc et le fruité du gamay.

♥ DOM. DU FOUR À CHAUX 2018 ★★

■ | 7000 | | - de 5 €

Ce domaine de 30 ha, géré par la même famille depuis six générations, est conduit depuis l'année 2000 par Dominique Norguet. Il tire son nom d'un four à chaux du XVIIIe s. situé sur la propriété.

Née d'un assemblage de pinot d'Aunis, de cabernet franc et de pinot noir, cette cuvée s'affiche dans une robe d'un rouge grenat. Au nez, les fruits noirs côtoient les fleurs séchées, avec une petite note poivrée, caractéristique du pinot d'Aunis. En bouche, le cassis et la cerise mûre précèdent des notes de garrigue et de thym. Fraîcheur, rondeur, gourmandise... que demander de plus ? ⧗ 2020-2022 ■ **2018 ★ (- de 5 €; 5000 b.)** : un chenin tendu comme on les aime, qui puise son caractère dans un terroir argilo-calcaire. Acidulé et floral, il combine la fraîcheur et le fruit, sans omettre la rondeur et la souplesse. Une belle harmonie, en légèreté. ⧗ 2020-2021

DOM. DU FOUR À CHAUX, lieu-dit Berger, 41100 Thoré-la-Rochette, tél. 02 54 77 12 52, dominique.norguet@orange.fr V t.l.j. sf dim. 9h-12h 14h-19h B

CHARLES JUMERT
Vieilles Vignes d'Aunis 2017

■ | 2850 | 5 à 8 €

Créé en 1800, ce vignoble et sa cave en tuffeau sont gérés de père en fils depuis sept générations. Ce sont aujourd'hui Charles Jumert, installé en 1984, et son fils Florent qui conduisent – « le plus naturellement possible sans pour autant revendiquer le bio » – cette exploitation étendue sur 13 ha.

Sous une robe claire, cette cuvée présente un nez ouvert sur les fruits rouges. En bouche, on retrouve des arômes de fraise et de noyau de cerise, relevés par quelques épices. L'attaque est soyeuse, les tanins affirmés et la finale encore légèrement austère. Attendre un peu que jeunesse se passe. ⧗ 2020-2022

CAVE JUMERT, 4, rue de la Berthelotière, 41100 Villiers-sur-Loir, tél. 02 54 72 94 09, cavejumert@gmail.com V *t.l.j. 9h-19h*

DOM. J. MARTELLIÈRE
Cuvée Jasmine 2018 ★

■ | 6000 | | - de 5 €

Jean-Vivien Martellière a repris en 2004 cette exploitation familiale de 12 ha fondée en 1967 par son grand-père Jean. Il vinifie exclusivement les trois AOC de la vallée du Loir : jasnières, coteaux-du-loir et coteaux-du-vendômois, et produit aussi des IGP Val de Loire. Très régulier en qualité.

Jasmine est la sœur de Jean-Vivien Martellière. Ce monocépage, 100 % pineau d'Aunis, a profité d'un terroir composé d'argile à silex et de cailloux. Sa couleur œil-de-perdrix revêt des reflets gris orangé. Dans le verre, les fruits rouges cohabitent avec les fruits blancs et un soupçon d'épices. Tout est souple et rond au palais. ⧗ 2019-2020

JEAN-VIVIEN MARTELLIÈRE (DOM. J. MARTELLIÈRE), 46, rue de Fosse, 41800 Montoire-sur-Loir, tél. 06 08 99 94 15, contact@domainemartelliere.fr V r.-v. A

LES VIGNERONS DU VENDÔMOIS
Cinquante Nuances 2018 ★

■ | 6000 | | 8 à 11 €

Créée en 1929, cette cave coopérative vinifie les 130 ha de vignes de ses adhérents. Elle propose une gamme intéressante de cuvées mettant en valeur des « cépages rares et oubliés ». Ses vins sont souvent distingués dans le Guide.

Couleur saumon et palette de petits fruits rouges épicés. En bouche, la framboise et le cassis accompagnent une belle fraîcheur, marquée par une finale poivrée. Un beau pineau d'Aunis, élevé six mois sur lies. ⧗ 2019-2020

LES VIGNERONS DU VENDÔMOIS, 60, av. du Petit-Thouars, 41100 Villiers-sur-Loir, tél. 02 54 72 90 69, caveduvendomois@orange.fr V *t.l.j. sf dim. lun. 9h-12h 14h-19h*

VALENÇAY

Superficie : 190 ha
Production : 8000 hl (50 % blanc, 50 % rouge et rosé)

Dans cette région marquée par le souvenir de Talleyrand et de la fameuse « Pierre à Fusil » à la croisée du Berry, de la Sologne et de la Touraine; la vigne alterne avec les forêts, la grande culture et l'élevage de chèvres. La majorité des terroirs sont des sols d'argiles à silex à dominante argilo-siliceuse

ou argilo-limoneuse. Certaines parcelles sont toutefois situées sur des sous-sols de tuffeau et ainsi plus riches en calcaire.
Passée dans le giron des appellations d'origine en 2004, l'appellation valençay laisse à chaque vigneron le soin d'exprimer tout son savoir-faire d'assemblage. Les vins proposés sont plutôt variés et à découvrir jeunes.
Les blancs, mariage de sauvignon blanc et de chardonnay, parfois associé au sauvignon gris (ou à l'orbois) proposent un bel équilibre de souplesse et d'acidité avec des nuances printanières (genêt, fleurs blanches...).
Les vins rouges basés sur une trilogie gamay, côt et pinot noir (accessoirement le cabernet franc) expriment une présence tannique soyeuse avec une robe plutôt soutenue.
Les vins rosés quant à eux allient fraîcheur et vivacité avec des nuances de fruits rouges.
Cas unique en France, Valençay est la seule région qui offre deux appellations d'origine sous le même nom : le Valençay, fromage de chèvre avec sa forme originale de pyramide tronquée; et Valençay, vins d'assemblage. Avec le Valençay blanc, le fromage de Valençay nous propose un parfait exemple d'accord de Terroir.

DOM. BARDON Paradis 2018 ★

■ | 30000 | | 5 à 8 €

Valeur sûre de l'appellation valençay, ce domaine (50 ha) conduit par Denis Bardon depuis 1991 est situé à Meusnes, commune où l'on extrayait autrefois la pierre à fusil; son petit musée permet de découvrir cette activité importante du XVIIIe s. jusqu'au début du XIXe s.

À peine dans le verre, ce vin libère un nez puissant, fruité et floral, preuve d'une belle maturité du raisin. La framboise tutoie la cerise et la violette dans un bouquet harmonieux. Bouquet que l'on retrouve dans une bouche à la fois croquante et soyeuse, dotée d'une fraîcheur persistante. ⧗ 2020-2024 ■ **Les Hauts Taillons 2018 ★ (5 à 8 €; 30000 b.)** : belle intensité des arômes de fruits jaunes et blancs très mûrs, rehaussés par des notes d'aubépine et d'acacia. La bouche est aussi large que longue, bien équilibrée entre vivacité et rondeur. ⧗ 2020-2022 ■ **2018 (5 à 8 €; 35000 b.)** : vin cité.

EARL BARDON, 243, rue Anatole- France, 41130 Meusnes, tél. 02 54 71 01 10, denisbardon@vinsbardon.com V r.-v.

FRANCIS JOURDAIN Les Griottes 2017 ★★

■ | 20000 | | 5 à 8 €

Fondé en 1960, ce domaine familial (32 ha) a été repris en 1990 par Francis Jourdain qui avait auparavant exercé durant une dizaine d'années une activité de conseil en arboriculture secondé par Sophie depuis 2008. Son chai est situé près d'une très belle « loge » de vignes, dans la commune de Lye.

Sous une robe aux reflets aubergine, ce 2017 offre une explosion de fruits rouges et noirs : cerise, groseille et mûre. La bouche chaleureuse et gourmande est remarquablement construite, avec beaucoup de matière et une persistance notable. ⧗ 2020-2024 ■ **Chèvrefeuille 2018 ★ (5 à 8 €; 25000 b.)** : une base de sauvignon, à laquelle se mêlent 20 % de chardonnay. Le nez s'ouvre avec délicatesse sur les agrumes, les fruits jaunes (pêche et abricot) et les fleurs blanches. La bouche riche surprend par la pointe de salinité qui se mêle à la rondeur. S'ensuit une finale longue et gourmande. ⧗ 2020-2022

DOM. FRANCIS JOURDAIN, 24, Les Moreaux, 36600 Lye, tél. 02 54 41 01 45, jourdain.earl@wanadoo.fr V *t.l.j. sf dim. 9h-12h30 15h-19h*

PASCAL LACOUR 2018

■ | 4000 | | 5 à 8 €

Pascal Lacour travaille depuis 2003 sur l'exploitation familiale dont il a pris les rênes en 2010. Un domaine fondé en 1890 à Veuil, village fleuri aux confins de la Touraine et du Berry, en appellation valençay. Il a agrandi son vignoble à Selles-sur-Cher, faisant passer sa superficie de 11 à 25 ha, en espérant voir ses deux fils prendre sa suite.

Gamay, pinot noir et côt jouent dans le registre des fruits rouges et des notes épicées : griotte, mûre, poivre. L'attaque est vive, la bouche légère et ronde, tout en gourmandise jusqu'en finale. ⧗ 2020-2024

VIGNOBLE PASCAL LACOUR, 1, Les Bernets, 36600 Veuil, tél. 06 73 14 44 11, pascal.lacour440@orange.fr V *r.-v.*

♥ DOM. MINCHIN Le Claux Delorme 2017 ★★★

■ | 12486 | | 8 à 11 €

Valeur sûre de l'appellation menetou-salon avec son domaine La Tour Saint-Martin, Bertrand Minchin, aussi à l'aise en rouge qu'en blanc, est établi depuis 1987 à la tête de 17 ha de vignes sur les hauteurs de Morogues. En 2004, il s'est étendu sur l'appellation valençay avec les 15 ha du Claux Delorme, à Selles-sur-Cher, et s'y est rapidement imposé comme une belle référence.

Quel vin expressif! Des arômes intenses de fruits rouges frais et de mûre se déclinent, accompagnés d'élégantes notes d'épices et de gibier. La bouche gourmande et pleine laisse apparaître une touche de café torréfié dans ce bouquet parfaitement composé. La dégustation s'achève en beauté sur une finale longue et épicée. ⧗ 2020-2024 ■ **Le Claux Delorme 2018 ★ (8 à 11 €; 44200 b.)** : un sauvignon de teinte pâle, au nez fin et discret. Les fruits à chair blanche côtoient les agrumes et les notes florales, comme celles de bourgeon de cassis. La bouche acidulée offre un beau volume grâce à la présence de gras. Une agréable minéralité accompagne toute la dégustation. ⧗ 2020-2022

DOMAINES MINCHIN, Le Claux Delorme, Saint-Martin, 18340 Crosses, tél. 02 48 25 02 95, cave@domaines-minchin.vin V *t.l.j. sf sam. dim. 8h30-12h30 13h30-17h30*

DOM. PREYS Cuvée Chatelaine 2018 ★

■ | 26000 | | 5 à 8 €

Ce domaine situé sur les hauts de Meusnes est conduit depuis 1966 par Jacky Preys, aujourd'hui

rejoint par son fils Pascal. Le tandem gère la plus grande propriété de l'appellation valençay : 75 ha.

Sauvignon et chardonnay s'assemblent dans cette cuvée brillant de reflets verts. À l'olfaction, les fruits mûrs se mêlent aux notes de fleurs et de sous-bois, tandis qu'en bouche se succèdent des arômes de fruits exotiques, de fleur d'acacia et un soupçon de rose. Le buis et la pierre à fusil s'invitent ensuite, soulignant le caractère minéral et frais. ⧗ 2020-2022 ■ **Cuvée Prestige 2018 (5 à 8 €; 40000 b.)** : vin cité.

DOM. PREYS, 536, rue Debussy, Bois Pontois, 41130 Meusnes, tél. 02 54 71 00 34, domainepreys@wanadoo.fr V *r.-v.*

CH. DE QUINÇAY Le Chêne rond 2018 ★

■ | 20000 | | 5 à 8 €

Conduit par les frères Cadart, Frédéric et Philippe, le Ch. de Quinçay commande un joli parc arboré; ses 28 ha de vignes sont implantés sur un sol riche en silex et apte à la production de vins de qualité, comme en témoignent les sélections régulières du domaine dans le Guide.

Sauvignon et chardonnay s'épousent dans cette cuvée brillante qui s'ouvre sur les fruits jaunes mûrs et les nuances exotiques. Des arômes persistants de mangue et d'abricot se distinguent dans la bouche pleine et rafraîchissante. ⧗ 2020-2022

CH. DE QUINÇAY, 5, Quinçay, 41130 Meusnes, tél. 02 54 71 00 11, cadart@chateaudequincay.com V *t.l.j. sf dim. 9h-12h 14h-19h*

JEAN-FRANÇOIS ROY Symphonie 2018 ★

■ | 80000 | | 5 à 8 €

Établi dans la commune de Lye, dans l'Indre, Jean-François Roy gère depuis 1989 un domaine dont il a porté la superficie à 30 ha, régulièrement sélectionné dans le Guide pour ses valençay, dans les trois couleurs.

Cristallin, ce vin affiche un nez puissant, typique du sauvignon qui le compose très majoritairement, agrémenté d'une touche de chardonnay. Les fruits blancs citronnés et le bourgeon de cassis escortent des notes de genêt et de buis. La bouche est au diapason : longue, fraîche et acidulée, avec une pointe d'amertume en finale. ⧗ 2020-2021 ■ **Signature 2017 (5 à 8 €; 25000 b.)** : vin cité.

JEAN-FRANÇOIS ROY, 3, rue des Acacias, 36600 Lye, tél. 02 54 41 00 39, jeanfrancois.roy@wanadoo.fr V *t.l.j. sf dim. 9h-12h 15h-18h30*

HUBERT ET OLIVIER SINSON 2018 ★★

■ | 23000 | | 5 à 8 €

Située dans la commune de Meusnes, aux confins de la Touraine et du Berry, cette exploitation de 22 ha, productrice dans les AOC touraine et valençay, se transmet de père en fils depuis quatre générations et est conduite par Olivier Sinson depuis 1999.

Les Sinson signent ici une cuvée magnifique, née de 80 % de sauvignon et 20 % de chardonnay. Le nez dégage de puissants arômes de pêche et d'abricot, complétés de notes de genêt et de bourgeon de cassis. La bouche gourmande laisse le souvenir des fruits jaunes. Beaucoup de volume, de la fraîcheur, une longueur remarquable… L'harmonie parfaite. ⧗ 2020-2022

EARL HUBERT ET OLIVIER SINSON, 1397, rue des Vignes, 41130 Meusnes, tél. 06 08 93 39 59, o.sinson@wanadoo.fr V *t.l.j. sf dim. 8h-12h 14h-18h*

SÉBASTIEN VAILLANT Les Chailloux 2017 ★

■ | 9500 | | 5 à 8 €

La petite coopérative de Valençay créée en 1964 regroupe trois adhérents et représente un vignoble de 42 ha. La production de chacun est récoltée et vinifiée séparément pour mettre en valeur l'expression des différents terroirs.

Robe d'un violet dense. Fruits noirs et rouges donnent le ton, avant l'apparition de notes épicées. La bouche est dense, bien équilibrée, centrée sur de puissants arômes de cassis. La finale, un peu austère, invite à la garde. ⧗ 2020-2024 ■ **Dom. de Patagon 2018 ★ (5 à 8 €; 26000 b.)** : Les fruits jaunes et les notes végétales dominent ce vin dès le premier nez. La puissance de la bouche est équilibrée par une agréable fraîcheur. Il y a de la matière, du gras et du volume, avec une légère amertume en finale. ⧗ 2020-2022 ■ **Le Porentin-Les Cosses 2018 (5 à 8 €; 38000 b.)** : vin cité.

SCA LA CAVE DE VALENÇAY, La Lie, 36600 Fontguenand, tél. 02 54 00 16 11, lacavedevalencay@orange.fr V *t.l.j. sf dim. 9h-12h 14h-18h*

➡ LES VIGNOBLES DU CENTRE

Les secteurs viticoles du Centre occupent les endroits les mieux exposés des coteaux ou plateaux modelés au cours des âges géologiques par la Loire et ses affluents, l'Allier et le Cher. Ceux qui, sur les côtes d'Auvergne, à Saint-Pourçain (en partie) ou à Châteaumeillant, sont implantés sur les flancs est et nord du Massif central, restent cependant ouverts sur le bassin de la Loire. Siliceux ou calcaires, les sols viticoles de ces régions portent un nombre restreint de cépages, parmi lesquels ressortent surtout le gamay pour les vins rouges et rosés, et le sauvignon pour les vins blancs. Quelques spécialités : tressallier à Saint-Pourçain et chasselas à Pouilly-sur-Loire pour les blancs; pinot noir à Sancerre, Menetou-Salon et Reuilly pour les rouges et rosés, avec encore le délicat pinot gris dans ce dernier vignoble. Tous les vins du Centre ont en commun légèreté, fraîcheur et fruité, ce qui les rend particulièrement agréables et en harmonie avec la cuisine régionale.

CHÂTEAUMEILLANT

Superficie : 82 ha / Production : 4 000 hl

Le gamay retrouve ici les terroirs qu'il affectionne, dans un site très anciennement viticole. La réputation de Châteaumeillant s'est établie grâce à son « gris », un rosé issu du pressurage immédiat des raisins de gamay présentant un grain, une fraîcheur et un fruité remarquables. L'appellation produit aussi des rouges, nés de sols d'origine éruptive, des vins gouleyants à boire jeunes et frais.

DOM. DU CHAILLOT 2018 ★

■	3800	🍾	8 à 11 €

Vigneron depuis 1993, Pierre Picot dirige une exploitation de 6 ha. Les vignes se répartissent sur trois sites : deux reposent sur des micaschistes à 320 m d'altitude et un sur des terrasses sédimentaires à 280 m d'altitude. Une valeur sûre de l'appellation châteaumeillant.

La robe corail scintille de reflets rubis. Au nez, la fraise, la framboise et la groseille composent une palette avenante. Très ronde, la bouche est soulignée par une belle fraîcheur et relevée d'une discrète pointe d'astringence. L'harmonie des sensations se prolonge agréablement sur le fruité. ⧗ 2019-2021

SCEA DOM. DU CHAILLOT, 1, pl. de la Tournoise, 18130 Dun-sur-Auron, tél. 02 48 59 57 69, pierre.picot@wanadoo.fr V r.-v.

♥ DOM. GOYER 2018 ★★

■	5600	🍾	8 à 11 €

Samuel Goyer s'est installé en 2013. Il dirige avec Claire, son épouse, ingénieur agronome comme lui, une exploitation de 2,3 ha située sur la colline d'Acre, dans un hameau qui offre une jolie vue sur Châteaumeillant.

Sur la retenue au premier abord, le nez dévoile peu à peu sa finesse et sa complexité. Les notes fumées font place aux arômes de fruits rouges et noirs (cerise, mûre, cassis), vivifiés d'une subtile touche résineuse. Très souple en attaque, la texture veloutée s'appuie sur une trame de tanins mûrs. La finale fruitée, nuancée d'eucalyptus et de romarin, persiste remarquablement. Tout est en place pour une grande bouteille. ⧗ 2020-2023

SCEA DOM. GOYER, Acre, 36400 Neret, tél. 06 63 78 01 80, cave@domainegoyer.com V r.-v.

DOM. JOFFRE Nuance de gris 2018

■	2800	🍾	5 à 8 €

Agriculteur, Jean-Luc Joffre s'est lancé en 2013 dans la viticulture, à cinquante-six ans, et conduit un vignoble de poche de 1,2 ha. Une aventure à laquelle participe toute sa famille, qui s'implique à la vigne comme au chai et à la commercialisation.

Issu d'un sol sablo-limoneux, ce vin se présente dans une robe rose à reflets bleutés. Les notes florales et fruitées (framboise) sont élégantes. La rondeur prononcée et la souplesse s'équilibrent avec une fine vivacité. Gourmand. ⧗ 2019-2020

DOM. JOFFRE, Montvril, 36130 Diors, tél. 02 54 26 01 64, contact@domaine-joffre.com V r.-v.

DOM. LECOMTE Vieilles Vignes 2018 ★

■	13000	🍾	8 à 11 €

Bruno Lecomte s'est lancé dans la viticulture en 1995, en achetant 1,5 ha de vignes en AOC quincy. Entre-temps, son fils Nicolas l'a rejoint en 2006 sur un vignoble couvrant désormais 13 ha, dont 3 ha en châteaumeillant. Depuis janvier 2018, ce dernier est désormais seul aux commandes.

Entre coulis et liqueur de petits fruits (mûre, myrtille, cassis) se glissent des notes poivrées et réglissées. En bouche, le gras est bien présent, soutenu par des tanins frais qui apportent du relief. Quelques années de garde leur permettront de se fondre; dès lors, le fruité exprimera toute sa mesure. ⧗ 2020-2023

NICOLAS LECOMTE, 105, rue Saint-Exupéry, 18520 Avord, tél. 02 48 69 27 14, nicolas@domaine-lecomte.com V r.-v.

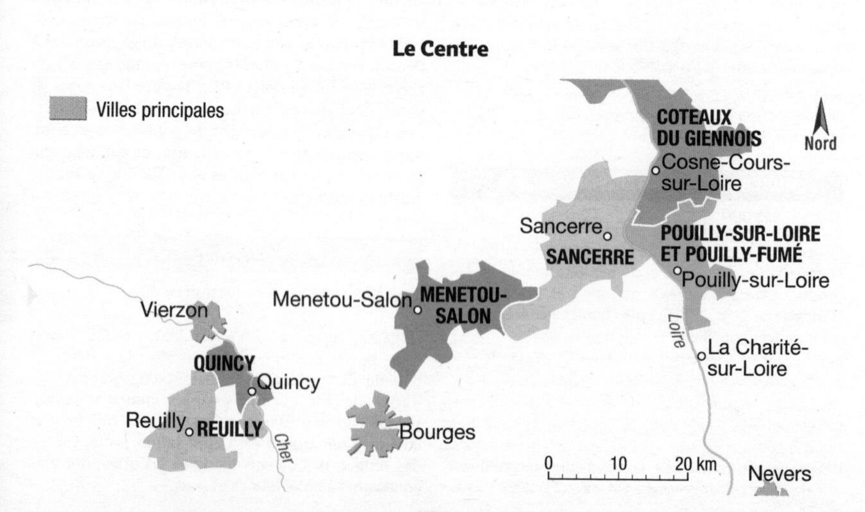

DOM. ROUX Héritage 2018 ★

■ | 14 500 | 🍾 | 8 à 11 €

Après sept années passées en Asie dans une activité commerciale, Albin Roux a pris en 2016 les commandes du domaine à la suite de Jean-Claude, son père, producteur à Quincy depuis 1994 et issu d'une famille de céréaliers. Le vignoble couvre aujourd'hui près de 8 ha de quincy et 3 ha de châteaumeillant.

Les arômes de fruits noirs écrasés (myrtille) sont rafraîchis de petites touches épicées et végétales (armoise). La bouche chaleureuse est structurée par des tanins encore austères, mais qui respectent l'équilibre et ne tarderont pas à se fondre. En finale, joli retour sur le fruité. ⧗ 2020-2023

ALBIN ROUX, 21, chaussée de Chappe, 18000 Bourges, tél. 06 19 94 73 37, albinroux@gmail.com V r.-v. 4

JACQUES ROUZÉ Grappes 2018

■ | 10 000 | 🍾 | 5 à 8 €

Figurant parmi les plus anciens vignerons de l'appellation quincy, et aussi parmi les plus réguliers, Jacques Rouzé a étendu son exploitation (19 ha) sur Reuilly et Châteaumeillant. Son fils Côme a repris le domaine en 2017.

Ce vin dégage de la puissance dans son expression aromatique : notes de petits fruits rouges (mûre) et touches épicées (poivre). L'attaque souple est suivie d'une légère amertume et de vivacité qui donnent à la finale un petit air sévère. ⧗ 2020-2023

EARL JACQUES ROUZÉ, 2_ter, chem. des Vignes, 18120 Quincy, tél. 02 48 51 35 61, domainerouze@gmail.com V *t.l.j. sf sam. dim. 9h-12h 14h-18h; f. août*

DOM. SIRET-COURTAUD 2018 ★

■ | 1300 | 🍾 | 8 à 11 €

Fils de Jacques Siret, producteur de céréales jusqu'en 1995 avant de passer à la vigne, Vincent Siret-Courtaud, ingénieur agronome et œnologue, fait ses classes à Gaillac avant de s'installer en 2006 en appellation quincy, complétés par 3 ha de châteaumeillant en 2010. En 2015, après le départ à la retraite de son père, il reprend avec son frère Clément le Dom. du Grand Rosières (7 ha en quincy).

Un sol limono-sablo-schisteux et un assemblage original de gamay et de pinot gris ont donné du caractère à ce vin de teinte fuchsia soutenu. Le nez puissant déploie des arômes de fruits rouges (framboise, fraise) et blancs (prune, poire). Souple en attaque, la bouche s'affirme par une montée de la fraîcheur et d'une pointe tannique qui soutiennent longuement la finale. Très expressif. ⧗ 2019-2021 ■ **2018 (8 à 11 €; 13 000 b.)** : vin cité.

DOM. SIRET-COURTAUD, Le Grand-Rosières, 18400 Lunery, tél. 06 63 51 71 18, contact@domaines-siret.fr V *r.-v.*

COTEAUX-DU-GIENNOIS

Superficie : 194 ha
Production : 5 928 hl (48 % rouge et rosé)

Sur les coteaux de Loire réputés depuis longtemps, la viticulture a progressé, tant dans la Nièvre que dans le Loiret, attestant la bonne santé du vignoble. Les coteaux-du-giennois ont accédé à l'AOC en 1998. Plantés sur des sols siliceux ou calcaires, les cépages traditionnels, gamay, pinot noir et sauvignon, donnent des vins dans les trois couleurs. Les blancs, issus de sauvignon, sont légers et fruités. Tout aussi fruités, les rouges et les rosés assemblent le gamay et le pinot noir. Souples et peu tanniques, les premiers peuvent être servis jusqu'à cinq ans d'âge.

JEAN-PIERRE BAILLY Montour 2018

■ | 4000 | 🍾 | 5 à 8 €

Installé en plein cœur du vignoble de Pouilly-sur-Loire, Jean-Pierre Bailly exploite cette propriété située en bordure de Loire depuis 1963 et dans sa famille depuis six générations. Il conduit ses 17 ha avec son fils Patrice, œnologue.

Sur un fond floral, ce vin décline des notes d'agrumes confits et des touches lactées. De bonne structure, il confirme ces arômes au palais. Le terroir d'argiles à silex donne ici un style original. ⧗ 2019-2021

EARL JEAN-PIERRE BAILLY, Les Girarmes, 58150 Tracy-sur-Loire, tél. 03 86 26 14 32, domaine.jean-pierre.bailly@wanadoo.fr V *r.-v.*

CÉDRICK BARDIN 2018 ★

■ | 6500 | 🍾 | 5 à 8 €

Fils et petit-fils de vignerons, Cédrick Bardin a acheté ses premières vignes (15 ares) en 1989 à l'âge de dix-huit ans. L'exploitation, qui s'étend aujourd'hui sur 13 ha répartis sur les deux rives de la Loire, apparaît régulièrement dans le Guide.

Les premières odeurs variétales disparaissent à l'aération pour laisser s'exprimer un fruité intense et frais de marmelade (orange, abricot, poire) et une note de fleur d'oranger. Ferme, la bouche a un côté compact, mais la finale citronnée et minérale apporte une légèreté rafraîchissante. ⧗ 2019-2021

EARL CÉDRICK BARDIN, 12, rue Waldeck- Rousseau, 58150 Pouilly-sur-Loire, tél. 03 86 39 11 24, cedrick.bardin@wanadoo.fr V *r.-v.*

DOM. CHAUVEAU Silex 2018 ★

■ | 9000 | 🍾 | 5 à 8 €

Benoît Chauveau reprend en 1995 une partie du vignoble de ses parents. Deux ans plus tard, il construit sa première cave (une nouvelle est sortie de terre en 2012), complète son exploitation avec des vignes de ses grands-parents pour disposer aujourd'hui d'un domaine de 16 ha en coteaux-du-giennois et en pouilly-fumé, très régulier en qualité.

Cette cuvée ne cache son origine « silex » ni sur l'étiquette ni dans le verre. Le nez vif est marqué par la minéralité, complété de notes florales, fruitées et épicées. La bouche, soulignée de fraîcheur, offre une plaisante harmonie de saveurs. ⧗ 2019-2021

DOM. CHAUVEAU, 11, rue du Coin-Chardon, Les Cassiers, 58150 Saint-Andelain, tél. 03 86 39 15 42, domainechauveau@gmail.com V *t.l.j. 9h-12h 14h-18h; sam. dim. sur r.-v.*

DOM. DE L'ÉPINEAU L'Instant 2018

	16000		5 à 8 €

Emmanuel Charrier, installé en 2004 avec quelques parcelles de vieilles vignes, étend progressivement son vignoble (8,7 ha aujourd'hui) et sa renommée. Priorité pour lui à la vigne par le travail du sol, par l'utilisation d'engrais naturels et organiques, et par des subterfuges naturels pour lutter contre les prédateurs de la plante.

Un jaune très pâle à reflets verts et gris habille ce vin au nez très frais de buis, puis de fleurs. La bouche acidulée évoque le minéral et les agrumes. 2019-2022 **Forcément 2018 (5 à 8 €; 10000 b.)** : vin cité.

EARL EMMANUEL CHARRIER, 7, allée des Sources, Paillot, 58150 Saint-Martin-sur-Nohain, tél. 03 86 22 57 15, contact@domaine-epineau.com V t.l.j. 8h30-12h 13h30-18h30; dim. sur r.-v.

CATHERINE ET MICHEL LANGLOIS Les Charmes 2018 ★★

	34000		5 à 8 €

Installé en 1996 sur le domaine familial, Michel Langlois figure parmi les fervents promoteurs de l'AOC coteaux-du-giennois, reconnue en 1998, tout en proposant des produits d'une grande diversité. Sur près de 17 ha, il élabore aussi bien du pouilly-fumé et du coteaux-du-giennois que des vins de pays, des effervescents et des crèmes de fruit.

Voilà une remarquable illustration du terroir argilo-calcaire. Dès l'abord, ce vin apparaît intense et complexe dans ses arômes de fleur d'acacia, de genêt, de fruits mûrs et compotés. Ample et gras, chaleureux, il présente néanmoins une fraîcheur mentholée. Il en résulte une sensation d'ensemble harmonieuse et persistante. 2019-2023 **Ma vie en rose 2018 ★ (5 à 8 €; 13000 b.)** : à majorité de pinot noir, complété par du gamay, ce rosé (rappelons que le 2017 fut coup de cœur) apparaît sous un rose pastel nuancé de violet. De bonne intensité, il gagne en ampleur aromatique à l'aération. Le fruité (poire) est agrémenté de touches épicées et mentholées qui contribuent à sa fraîcheur. Tout en restant légère, la bouche développe une jolie texture. De la sobriété et du potentiel. 2019-2021 **Origine 2017 (5 à 8 €; 4400 b.)** : vin cité.

CATHERINE ET MICHEL LANGLOIS, 17, rue de Cosne, 58200 Pougny, tél. 03 86 28 06 52, catmi-langlois@orange.fr V t.l.j. sf dim. 9h-12h30 14h30-18h

JOSEPH MELLOT La Gaupière 2018 ★

	15300		5 à 8 €

L'histoire de la maison Joseph Mellot débute en 1513 à Sancerre, avec Pierre-Albert Mellot, qui pose les fondations d'un petit vignoble. Catherine Corbeau-Mellot préside aujourd'hui aux destinées de cet important négoce qui rayonne sur l'ensemble des vignobles du Centre et de la vallée de la Loire.

Le premier nez est certes sur la réserve (notes de buis et de coriandre), mais à l'aération la palette s'étoffe d'arômes de fruits frais et compotés, nuancés d'une touche minérale. Structurée, la bouche trouve un équilibre entre des sensations acidulées et une finale chaleureuse. Un vin de caractère plaisant. 2019-2021

SAS JOSEPH MELLOT, rte de Ménétréol, 18300 Sancerre, tél. 02 48 78 54 54, josephmellot@josephmellot.com V t.l.j. sf sam. dim. 8h-12h 13h30-17h

DOM. DE MONTBENOIT 2018

	55000		11 à 15 €

Jean-Marie Berthier a créé en 1983 le Dom. de Clairneaux à Sancerre, qu'il a étendu en 1998 en acquérant le Dom. Montbenoit en coteaux-du-giennois. L'ensemble couvre aujourd'hui 24 ha conduits par ses fils Clément, l'aîné, qui s'occupe de la vinification et de la commercialisation, et Florian, le cadet, qui officie à la vigne.

Les trois terroirs de l'appellation réunis dans cette cuvée (calcaires, silex, marnes) se complètent. Le premier nez intense décline des notes d'agrumes et une nuance de pain grillé. L'aération fait ressortir un fond fumé. Vive, minérale et saline, la bouche a du caractère. Un vin prometteur. 2019-2021

SCEV VIGNOBLES BERTHIER, 20, rte de Cosnes, 18240 Sainte-Gemme-en-Sancerrois, tél. 02 48 79 40 97, contact@vignoblesberthier.fr V r.-v.

DOM. POUPAT ET FILS Rivotte 2018 ★

	44000		5 à 8 €

Établi à Briare, commune connue pour son canal et ses émaux, Philippe Poupat, épaulé par son fils Xavier, s'affirme comme l'une des valeurs sûres de l'appellation coteaux-du-giennois. Implanté sur une terrasse argilo-siliceuse dominant la Loire à Gien, le vignoble couvre environ 11 ha et la cave voûtée s'étire sur 40 m.

Au début de la dégustation, le nez révèle des arômes fermentaires nets. Ensuite se révèle la délicatesse d'un bouquet de fleurs, de fruits blancs et d'agrumes. En bouche, le côté charnu apparaît dès l'attaque, puis se développe agréablement jusqu'à la finale suave et persistante. 2019-2022 **Le Trocadéro 2018 (5 à 8 €; 14500 b.)** : vin cité.

SCEA DOM. POUPAT ET FILS, Rivotte, 45250 Briare-le-Canal, tél. 02 38 31 39 76, domainepoupat@hotmail.fr V t.l.j. 14h-18h; sam. 9h-12h 14h-18h30 ; dim. sur r.-v.

FLORIAN ROBLIN Champ Gibault 2017 ★

	8000		8 à 11 €

L'une des étoiles montantes de l'appellation coteaux-du-giennois. Florian Roblin, fils d'éleveur de Beaulieu-sur-Loire, s'est lancé dans la vigne en 2008 à partir d'une petite parcelle d'un seul tenant, les Champ Gibault, cultivée autrefois par son grand-père. Quelques plantations plus tard, il exploite aujourd'hui une petite surface de 3 ha, qu'il conduit en culture raisonnée proche du bio.

À majorité de pinot noir, ce 2017 dégage des arômes typés de violette, nuancés de touches animales et de griotte. La rondeur et le volume au palais sont en phase avec les tanins et le boisé léger qui se distinguent en finale. 2019-2021 **Champ Gibault 2017 (8 à 11 €; 12000 b.)** : vin cité. **Coulée des Moulins 2017 (8 à 11 €; 2000 b.)** : vin cité.

FLORIAN ROBLIN, 11, rue des Saints-Martin, Maimbray, 45630 Beaulieu-sur-Loire, tél. 06 61 35 96 69, domaine.roblin.florian@orange.fr V r.-v.

♥ DOM. DE VILLARGEAU
Les Genêts gris 2017 ★★

■ | 6000 | 🍾 | 11 à 15 €

Depuis qu'ils ont commencé à défricher un plateau aux sols d'argiles à silex en 1991 pour y planter de la vigne, les frères Jean-Fernand et François Thibault – auxquels sont venus se joindre les fils Marc et Yves – ont fait la renommée du Dom. de Villargeau (22 ha), valeur sûre de l'appellation coteaux-du-giennois.

Le lieu-dit Les Genêts est un terroir d'argiles à silex. En héritage, ce vin exprime des arômes à la fois intenses, complexes et frais : fruits blancs (pêche) nuancés de fines touches minérales et florales, signes de jeunesse, mais aussi notes confiturées et miellées liées à l'évolution. Riche, la bouche est un heureux mariage de gras et de vivacité. Puissance maîtrisée et longue persistance. ⧗ 2019-2021 ■ **Sans complexe 2017 ★ (11 à 15 €; 4000 b.)** : nez de buis, de fumée et de fleur d'acacia; bouche pleine, fraîche et souple. Décidément plaisant. ⧗ 2019-2021 ■ **2018 (8 à 11 €; 100000 b.)** : vin cité.

GAEC THIBAULT, 1, allée des Noyers, Villargeau, 58200 Pougny, tél. 06 62 29 69 30, marc@domaine-villargeau.fr V r.-v.

CÔTES-D'AUVERGNE

Superficie : 258 ha
Production : 10 549 hl (90 % rouge et rosé)

Très vaste jusqu'à la crise phylloxérique, le vignoble des côtes-d'auvergne a accédé à l'AOVDQS en 1977, puis à l'AOC en 2011. Qu'ils soient issus de vignobles des puys, en Limagne, ou de vignobles des monts (dômes), en bordure orientale du Massif central, les vins d'Auvergne rouges et rosés proviennent du gamay, cultivé ici de longue date, ainsi que du pinot noir. Le chardonnay produit quelques blancs. Dans les crus Boudes, Chanturgue, Châteaugay, Corent et Madargues, les vins peuvent prendre une ampleur et un caractère surprenants.

JACQUES ET XAVIER ABONNAT
Boudes La Gardonne 2018 ★

■ | 20000 | 🍾 | 5 à 8 €

Jacques Abonnat s'est installé en 1992 à Chalus, village pittoresque veillé par un château fort dominant la vallée de l'Allier. Couvrant 6,5 ha, le vignoble est conduit depuis 2007 par Xavier, fils de Jacques, qui souhaite l'orienter vers un mode de culture plus écologique.

Des arômes de cassis et de groseilles, quelques fines notes de poivre, une touche fumée… voici la signature aromatique de cette cuvée moitié gamay, moitié pinot noir. D'attaque très fruitée, la bouche se révèle ample et bien structurée par des tanins encore fermes. ⧗ 2020-2022 ■ **Boudes Les Rivaux 2018 (5 à 8 €; 2000 b.)** : vin cité. ■ **La Croix Petite 2018 (5 à 8 €; 1600 b.)** : vin cité.

CAVE ABONNAT, pl. de la Fontaine, 63340 Chalus, tél. 06 60 21 57 72, cave.abonnat@orange.fr V r.-v.

♥ LES AMANDIERS
Châteaugay 2018 ★★★

■ | 11000 | 🍾 | 8 à 11 €

Domaine situé à quelque 500 m du château de Châteaugay construit au XIVe s. et coiffé d'une tour crénelée. L'exploitation créée en 1989 par Pierre Goigoux, sur 2,9 ha, compte aujourd'hui 18 ha de vignes.

Impossible de passer à côté du coup de cœur pour cette cuvée issue de vignes âgées de cinquante ans. Cerise, framboise et autres petits fruits rouges macérés dominent le nez complexe. La gourmandise règne au palais, tant il y a de gras et de volume. Les tanins parfaitement fondus composent une structure élégante. Du beau travail. ⧗ 2020-2024

DOM. DE LA CROIX ARPIN, 63119 Châteaugay, tél. 04 73 25 00 08, gaec.pierre.goigoux@63.sideral.fr V r.-v.

Ⓑ YVAN BERNARD
Chardonnay Oppidum 2018 ★

■ | 5000 | 🍾 | 11 à 15 €

Montpeyroux, commune classée parmi les «plus beaux villages de France», a été bâtie sur une butte d'arkose qui surplombe la vallée de l'Allier. C'est ici qu'Yvan Bernard, installé en 2002, conduit en bio son domaine de 8 ha.

Ce chardonnay issu de vignes en conversion à la biodynamie séduit de prime abord par sa couleur dorée. Le nez s'ouvre sur des arômes de poire et de fruits secs. Le gras emplit le palais, relevé d'une légère amertume qui apporte de la fraîcheur. ⧗ 2020-2022 ■ **Les Dômes 2018 ★ (8 à 11 €; 8000 b.)** Ⓑ : la gourmandise est présente dès le premier nez : un peu de cassis, puis une dominante de groseille et de framboise, avec des nuances finement épicées. Élaboré sur une base de gamay, complété par 20 % de pinot noir, ce vin révèle une chair veloutée, bâtie sur des tanins bien fondus. ⧗ 2020-2022

YVAN BERNARD, 5, montée de la Quye, 63114 Montpeyroux, tél. 06 84 11 49 88, bernard_corent@hotmail.com V r.-v.

YVAN BERNARD
Boudes Échalas 2018 ★

■ | 3500 | 🍾 | 5 à 8 €

Depuis 2015, Yvan Bernard a une activité de négoce. Il achète du raisin sur des parcelles sélectionnées en forte pente et plantées de vieilles vignes de gamay.

Les vieilles vignes de Boudes ont donné naissance à ce gamay porté sur les fruits rouges, les épices et de fines nuances poivrées. La bouche ample et charpentée n'a rien de sévère. Attention : peu de bouteilles de cette cuvée sont disponibles chaque année. ⧗ 2020-2022

NÉGOCE YVAN BERNARD, 5, montée de la Quye, 63114 Montpeyroux, tél. 06 84 11 49 88, bernard_corent@hotmail.com r.-v.

STÉPHANE BONJEAN
Châteaugay Cuvée Gabin 2018 ★★

■ | 3600 | | 8 à 11 €

Perpétuant une tradition remontant à sept générations, Stéphane Bonjean s'est installé en 2003 avec ses parents sur l'exploitation familiale sise à Blanzat, près de Châteaugay, puis a pris la tête du domaine en 2014. Ses ceps sont centenaires, si bien qu'il est contraint d'en renouveler et de replanter. Il s'appuie sur les conseils de vulcanologues et sur la tradition familiale pour choisir les meilleurs terroirs.

Gamay et pinot noir composent à parts égales cet assemblage destiné aux amateurs de vins puissants et charpentés. Le nez très aromatique est un concentré de fruits mûrs. En bouche, la framboise côtoie la crème de cassis, en accord avec une matière généreuse qui a de la mâche et persiste durablement. ⧗ 2020-2024 ■ **Châteaugay Les Copains d'abord 2018 ★★ (11 à 15 €; 2480 b.)** : le nez fruité dévoile des notes de sous-bois, tandis que la bouche joue sur des arômes gourmands de mûre écrasée. Plein, ce vin est porté par des tanins fins et s'achève sur une pointe de vivacité rafraîchissante. Encore un peu fermé, il saura dévoiler toute son expression avec le temps. ⧗ 2020-2024

DOM. STÉPHANE BONJEAN, 88, rue du Clos, 63112 Blanzat, tél. 06 83 12 88 90, stephanebonjean@yahoo.fr V r.-v.

A. CHARMENSAT
Boudes Terre d'ocres 2018 ★★

■ | 32000 | | 5 à 8 €

Installée dans la vallée des Saints, appelée aussi le «Colorado auvergnat», cette exploitation a vu se succéder cinq générations depuis sa création en 1850. Les vignes couvrent 9 ha et sont exposées plein sud; certaines, centenaires, sont cultivées en terrasses. Un domaine très régulier en qualité, dans les trois couleurs des côtes-d'auvergne.

Typicité garantie pour cet assemblage, où deux tiers de gamay sont complétés par un tiers de pinot noir. Le nez très expressif est un concentré de fruits. Mûre, cassis, cerise noire et nuances épicées accompagnent durablement la bouche ample. Nul doute : à la vigne comme au chai, le travail a été parfaitement soigné. ⧗ 2020-2022 ■ **Bout de Rose 2018 (5 à 8 €; 5700 b.)** : vin cité. ■ **Initiales BB 2018 (8 à 11 €; 2500 b.)** : vin cité.

EARL CHARMENSAT, rue du Coufin, 63340 Boudes, tél. 04 73 96 44 75, cavecharmensat@orange.fr V t.l.j. sf dim. 9h-12h 14h-18h

DOM. DU CLOS DE LA SARRE
Le Clos Jean-Pierre-Prugnard 2017 ★

■ | 25000 | | 5 à 8 €

La société Les Deux Pierre, fondée en 2014 par Pierre Desprat et Pierre Goigoux, est une maison de négoce qui exploite le vignoble de Jean-Pierre Prugnard, créé en 1923.

Un vin animal, avec des notes de cuir et une touche végétale, sur fond de fruits rouges et d'épices. La chair est pleine et fruitée, avec une juste fraîcheur, mais les tanins méritent de se fondre. ⧗ 2020-2021 ■ **Châteaugay Jean-Pierre Prugnard 2018 ★ (5 à 8 €; 11000 b.)** : le gamay et le pinot noir, issus de vignes de cinquante ans, composent ce vin aux arômes de cassis, de groseille, de framboise et d'épices. La bouche légère, tout en simplicité, offre du fruit de bout en bout. ⧗ 2020-2022 ■ **Le Clos Jean-Pierre Prugnard 2018 ★ (5 à 8 €; 8000 b.)** : très pâle, presque gris, ce gamay présente un nez floral, agrémenté de discrètes notes de fruits rouges. Sans aucune agressivité, il offre une bouche ronde et fraîche, placée sous le signe des arômes de fraise. ⧗ 2020-2021

LES DEUX PIERRE, chem. des Cleaux, 63119 Châteaugay, tél. 04 73 25 00 08, gaec.pierre.goigoux@63.sideral.fr V t.l.j. sf dim. lun. 10h-11h30 15h-18h

DESPRAT SAINT-VERNY
Chardonnay 809 The Lost Vineyard (Le Vignoble perdu) 2018 ★★

■ | 1933 | | 8 à 11 €

Pierre Desprat représente la quatrième génération de négociants à la tête de cette maison auvergnate fondée en 1885. Jean, son grand-père, découvrit qu'enfouir le vin dans les hêtraies d'altitude contribuait à sa bonification. Le domaine couvre 180 ha.

Intensément aromatique, ce chardonnay révèle un nez de pamplemousse rose, de fruits tropicaux et de fleurs blanches. Cette sensation gourmande se prolonge durablement au palais, renforcée par le gras. ⧗ 2020-2022 ■ **Corent 2018 ★ (5 à 8 €; 33000 b.)** : typique de son terroir, cette cuvée d'un beau rose clair est issue d'un assemblage de deux tiers de gamay et d'un tiers de pinot noir. Le nez puissant est dominé par les agrumes, la pêche et le bonbon anglais. Belle fraîcheur et longueur au palais. Tous les critères sont remplis. ⧗ 2020-2021 ■ **Boudes Gamay Pinot noir 2018 (5 à 8 €; 40000 b.)** : vin cité.

DESPRAT SAINT-VERNY, 2, rte d'Issoire, 63960 Veyre-Monton, tél. 04 73 69 60 11, elinor@despratsaintverny.vin V r.-v.

DOM. DE LACHAUX
Chardonnay 2018 ★

■ | 6000 | | 5 à 8 €

Installé en 1998, Thierry Sciortino a été rejoint par son épouse Yolande en 2013. Le couple conduit un domaine de 6 ha. C'est dans une belle bâtisse en pierre d'arkose avec une jolie vue sur le massif du Sancy que ces vignerons ont installé leur chai. L'une des bonnes références de l'Auvergne viticole.

Sous une teinte jaune pâle à reflets verts apparaissent des arômes intenses de fruits jaunes, de prune et de fruits secs. En bouche, le gras domine, avec une légère amertume qui apporte du pep. Des notes de fleurs blanches s'expriment en finale. ⧗ 2020-2022 ■ **Gamay-Pinot 1967 2017 ★ (5 à 8 €; 5500 b.)** : issu d'un assemblage de 70 % de gamay et de 30 % de pinot noir, ce vin fleure bon les fruits rouges nuancés de discrètes notes végétales. Un même fruité s'exprime au palais (cerise et groseille). L'attaque est franche et le gras bien présent apporte de l'amplitude. ⧗ 2020-2022 ■ **Corent La Vigne de Nicolas 2018 ★ (5 à 8 €; 6000 b.)** : à l'olfaction, on distingue des senteurs de pêche, d'abricot et de douces notes florales. La gourmandise se poursuit durablement au palais, grâce à des flaveurs de fruits jaunes et à une belle minéralité qui apporte la fraîcheur attendue dans un rosé. ⧗ 2020-2021

⊶ *DOM. DE LACHAUX, 1, chem. du Domaine- Lachaux, 63270 Vic-le-Comte, tél. 06 64 18 48 84, domainedelachaux63@gmail.com* V 🚶 ▪ *r.-v.*

(B) DOM. MIOLANNE
Volcane rouge 2018 ★★

■ | 22000 | 🍾 | 5 à 8 €

Laure Cartier, éco-conseillère de métier, et Jean-Baptiste Deroche, œnologue, ont repris en 2012 le domaine d'Odette et Gilles Miolanne : 8 ha au pied du massif de Sancy, répartis sur des sols volcaniques (pierres ponces) et argilo-calcaires. La conversion bio a été engagée, et la certification obtenue en 2016. Dans le viseur, la biodynamie.

Une cuvée moitié pinot noir, moitié gamay. Le nez subtil offre un fruité soutenu de framboise, de cassis et de mûre, avec une touche fumée. L'attaque est souple, la bouche ronde, les tanins se faisant discrets. ⧗ 2020-2022

⊶ *DOM. MIOLANNE, D 978, rte de Clermont, 63320 Neschers, tél. 06 72 41 22 56, domainemiolanne@gmail.com* V 🚶 ▪ *t.l.j. sf dim. 10h-12h30 15h-18h30*

BENOÎT MONTEL Madargue 2018 ★

■ | 6000 | 🍾 | 8 à 11 €

Outre son domaine, Benoît Montel, valeur sûre en côtes-d'auvergne, a créé une activité de négoce pour compléter sa gamme.

Le nez s'ouvre sur la cerise et le cassis, puis les fruits confits et les épices prennent le relai. En bouche, l'attaque est franche, les tanins apparaissent fougueux et la finale marquée par une légère astringence. Une cuvée dotée d'un bon potentiel, à laisser vieillir pour qu'elle s'arrondisse et puisse s'exprimer pleinement. ⧗ 2020-2024

⊶ *SAS BENOÎT MONTEL, 6, rue Henri-et- Gilberte-Goudier, 63200 Riom, tél. 06 32 00 81 05, benoit-montel@orange.fr* V 🚶 ▪ *r.-v.*

BENOÎT MONTEL
Châteaugay Vieilles Vignes 2017 ★

■ | 4000 | 🛢 | 11 à 15 €

Après des études au lycée viticole de Beaune suivies de quatre ans de vinification à Puligny-Montrachet, Benoît Montel a créé son propre domaine en 1999. Un vignoble de 12 ha dispersés sur quatre crus, de Riom à Clermont-Ferrand.

Sombre, presque noire, cette cuvée offre un nez intensément fruité. Vanille, notes grillées et animales s'y ajoutent. En bouche, la griotte et les fruits noirs confiturés prennent le relai dans une chair puissante et structurée. ⧗ 2020-2024

⊶ *EARL BENOÎT MONTEL, 6, rue Henri-et-Gilberte-Goudier, 63200 Riom, tél. 06 32 00 81 05, benoit-montel@orange.fr* V 🚶 ▪ *r.-v.*

DOM. PÉLISSIER
Boudes La Gouleyette 2018 ★

■ | 6000 | | 8 à 11 €

Si Michel Pélissier a transmis à son fils l'exploitation familiale, il conserve une parcelle de vignes et continue à vinifier.

Voici un assemblage de 70 % de gamay et de 30 % de pinot noir qui fleure bon la cerise, les épices et les notes fumées. La vinification en grappes entières apporte une belle structure tannique à ce vin encore timide, mais qui offre une belle promesse d'avenir. ⧗ 2020-2024

⊶ *MICHEL PÉLISSIER, rte de Dauzat, 63340 Boudes, tél. 04 73 96 43 45, michel63340@gmail.com* V 🚶 ▪ *t.l.j. sf dim. 8h-12h 14h-18h*

♥ DAVID PÉLISSIER
Les Fesses blanches 2018 ★★

■ | 3000 | 🍾 | 8 à 11 €

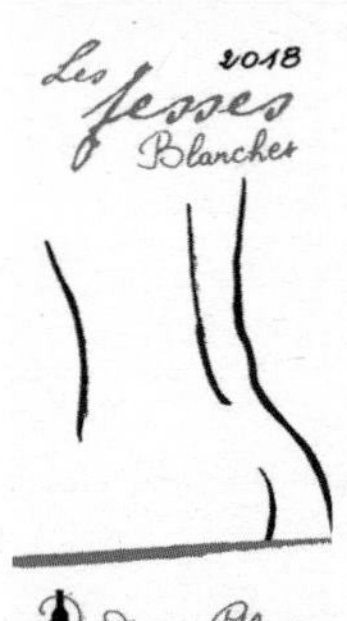

Établi dans le village vigneron de Boudes, à proximité de l'église romane, David Pélissier est à la tête d'une propriété fondée par son grand-père en 1919, qui lui a été transmise par son père Michel en 1999 et qu'il a agrandie par de nouvelles plantations (5 ha aujourd'hui).

D'emblée, ce vin séduit par sa robe jaune pâle teintée de reflets gris. Le bouquet, puissant et complexe, décline les agrumes et les fleurs blanches. L'attaque est vive, la bouche fruitée. Pamplemousse, orange, pêche... La fraîcheur caractérise ce chardonnay. Coup de cœur à l'unanimité pour cette cuvée confidentielle, dont le nom s'inspire de la forme du vallon dans lequel s'étend son terroir. ⧗ 2020-2022 ■ **Boudes Les Fesses 2018 ★ (8 à 11 €; 6600 b.)** : on mise tout sur les fruits rouges ! Voilà l'ambition affichée de ce vin à la robe soutenue, qui associe le gamay et le pinot noir à parts quasi égales. Épices et notes fumées enrichissent une bouche gourmande, ronde et bien équilibrée. Le plaisir est assurément au rendez-vous. ⧗ 2020-2022 ■ **Les Fesses roses 2018 (5 à 8 €; 3600 b.)** : vin cité.

⊶ *DOM. PÉLISSIER, rte de Dauzat, 63340 Boudes, tél. 04 73 96 43 45, dfpelissier@gmail.com* V 🚶 ▪ *t.l.j. sf dim. 8h-12h 14h-18h*

(B) GILLES PERSILIER
Celtil Vieilles Vignes 2018 ★★

■ | 4000 | 5 à 8 €

Depuis 1995, Gilles Persilier, ancien technicien agricole, est installé à Gergovie, haut lieu de l'histoire de la Gaule. Il exploite en bio (certifié en 2009) un vignoble de 10 ha et s'est imposé comme une valeur sûre avec ses cuvées de côtes-d'auvergne dont les noms (Vercingétorix, Gergovia, Celtil) renvoient au passé lointain de la région.

Mention spéciale pour ce gamay très aromatique. Le nez s'ouvre sur le pruneau et le poivre, avant d'évoluer vers des notes plus animales. D'attaque légère, la bouche évolue sur les fruits mûrs jusqu'à une longue finale épicée. Une petite production, remarquablement vinifiée. ⧗ 2020-2024 ■ **Vercingétorix 2018 (5 à 8 €; 4000 b.)** (B) : vin cité.

LOIRE

GILLES PERSILIER, 3_bis, rue du Centurion, 63670 La Roche-Blanche, tél. 06 77 74 43 53, gilles-persilier@wanadoo.fr V *r.-v.*

MARC PRADIER Tradition 2018 ★★

■ | 6600 | | 5 à 8 €

Après avoir travaillé quinze ans avec son frère, Marc Pradier a repris en 2005 l'exploitation créée en 1945 par son père Jean. Aujourd'hui, il conduit seul ce domaine de 5 ha. En conversion bio depuis 2016.

Cette cuvée associe au gamay un quart de pinot noir. Si le cassis domine un nez à peine épicé, avec une touche mentholée, la bouche offre des arômes de petits fruits rouges variés, comme la groseille et la grenadine. Le vin est rond, bien charpenté par des tanins mûrs et sans agressivité. La longue finale porte des notes de cerise. Un vin élégant. ⧗ 2020-2022 ■ **Corent 2018 ★★** (5 à 8 €; **8400 b.**) : voilà un beau gamay rosé, bien clair, légèrement violacé. Pêche blanche, abricot et pamplemousse rose se disputent un nez fruité, agrémenté de quelques notes florales. Une impression de gras charme le palais, de même que le fruit et une fraîcheur équilibrée jusqu'en finale. ⧗ 2020-2021

MARC PRADIER, 9, rue Saint-Jean-Baptiste, 63730 Les Martres-de-Veyre, tél. 04 73 39 86 41, pradiermarc@orange.fr V *r.-v.*

DOM. ROUGEYRON
Châteaugay Cuvée Bousset d'or 2018 ★★

■ | 30000 | | 5 à 8 €

Propriété installée sur le site de la Crouzette, nom donné à une petite croix en pierre de Volvic érigée au début du XVIIIe s. par les ancêtres, sur laquelle est gravée : «Rougeyron 1723». En 2012, David Rougeyron s'est associé à son père Roland pour poursuivre la tradition viticole sur ces terres de cendres volcaniques. Le domaine, régulier en qualité, couvre 14 ha.

Née du seul gamay, ce 2018 revêt une robe brillante et déroule volontiers des arômes de fruits rouges très mûrs épicés, auxquels s'ajoute une élégante note fumée. L'équilibre du palais est notable, sans une once d'agressivité tant les tanins sont fondus. Et c'est en flaveurs de framboise et de crème de cerise que se termine la dégustation, avec une pointe de poivre. ⧗ 2020-2022 ■ **Châteaugay Vieilles Vignes 2018** (5 à 8 €; 20000 b.) : vin cité.

DOM. ROUGEYRON, 27, rue de la Crouzette, 63119 Châteaugay, tél. 04 73 87 24 45, domaine.rougeyron@gmail.com V *r.-v.*

DOM. SAUVAT Boudes Météor 2018

■ | 4800 | | 11 à 15 €

Claude Sauvat a créé ce domaine petit à petit, à partir de 1977, dans la vallée des Saints. Sa fille Annie a repris le flambeau en 1987, accompagnée à la vinification de Michel Blot, son mari. Le couple est aujourd'hui à la tête d'un vignoble de 10 ha et signe des côtes-d'auvergne souvent en vue dans ces pages.

De la robe profonde, presque noire, se libèrent des senteurs de mûre et de fruits compotés. Typique du gamay, la bouche se révèle gourmande et harmonieuse. Un vin agréable pour de beaux instants entre amis.

DOM. SAUVAT, rte de Dauzat, 63340 Boudes, tél. 04 73 96 41 42, sauvat63@wanadoo.fr V *t.l.j. sf dim. 9h-12h 14h-19h*

ISABELLE ET MICHEL TOURLONIAS
Châteaugay 2017 ★★

■ | 900 | 8 à 11 €

Isabelle Tourlonias a repris l'exploitation de son beau-père en 2003. Aidée de son mari Michel et de son fils Thibault, elle exploite 4 ha sur les coteaux de Châteaugay, dominés par la forteresse au donjon crénelé, emblème de ce village, un des crus auvergnats.

Explosion de fruits rouges et noirs, parmi lesquels la framboise et le cassis. Nul doute, on croque dans le fruit lors de la dégustation de ce vin rond à souhait, qui bénéficie d'une note poivrée bienvenue pour apporter du pep. ⧗ 2020-2022

ISABELLE TOURLONIAS, 27, rue Antoine- Lannes, 63119 Châteaugay, tél. 06 83 16 25 28, cave.tourlonias@wanadoo.fr V *r.-v.*

CÔTE-ROANNAISE

Superficie : 220 ha / Production : 10 000 hl

Des sols d'origine éruptive; des vignes faisant face à l'est, au sud et au sud-ouest, sur les pentes d'une vallée creusée par une Loire encore adolescente : voilà un milieu naturel qui appelle le gamay. Quatorze communes situées sur la rive gauche du fleuve produisent d'excellents rouges et de frais rosés, plus rares. Des vins originaux et de caractère qui intéressent les chefs les plus prestigieux de la région.

♥ **ALAIN BAILLON** 2018 ★★

■ | 5000 | 5 à 8 €

Autodidacte et ouvrier agricole pendant dix ans dans le Beaujolais, Alain Baillon a loué ses premières vignes en 1989, sur le coteau de Montplaisir, à Ambierle, cité historique dont l'abbaye bénédictine fut dédiée à saint Martin. Aujourd'hui, il exploite 7 ha de vignes et s'est affirmé comme l'une des valeurs sûres des côtes-roannaises.

Une robe saumonée, limpide, des fruits rouges, quelques notes d'épices... Gourmandise et fraîcheur sont au rendez-vous pour ce gamay rosé, qui offre un parfait équilibre entre rondeur et acidité. ⧗ 2020-2021 ■ **Montplaisir 2018 ★★** (5 à 8 €; **4000 b.**) : élevé huit mois en cuve, ce gamay né sur un sol granitique dévoile une robe particulièrement profonde, rare pour ce type de cépage. Le nez intense est dominé par les fruits rouges mûrs. La bouche est bien équilibrée, avec beaucoup de matière et de longueur. Pas de doute, on est dans le sud! Les tanins, encore un peu fermes, ne demandent qu'à se fondre avec la garde. ⧗ 2020-2024 ■ **Forty Two 2018 ★** (**8 à 11 €; 1200 b.**) : derrière un rouge soutenu à reflets violacés, fruits noirs mûrs et épices composent une bouche riche et pleine de soleil. Élevé huit mois en fût, ce Forty Two est encore marqué par le bois. 2020-2024

ALAIN BAILLON, 669, rte de Montplaisir, 42820 Ambierle, tél. 04 77 65 65 51, alain.baillon.42@free.fr V r.-v.

LES BLONDINS 2018 ★

■ | 14 000 | 11 à 15 €

Ce vignoble, d'un peu moins de 2 ha, a été créé en 1992 par le chef cuisinier Pierre Troisgros et son ami viticulteur Robert Sérol. Implantées sur un coteau exposé au sud, les vignes sont cultivées en bio depuis 2008 et en cours de conversion à la biodynamie.

Une belle robe sombre à reflets violacés, la gourmandise des fruits rouges, de fines notes de poivre et de laurier et une touche fumée, qui affirme le style de ce vin élégant. La bouche est longue, la fraîcheur au rendez-vous, pour un beau moment de convivialité. 2020-2022

LES BLONDINS, 1, montée des Estinaudes, 42370 Renaison, tél. 04 77 64 44 04, contact@domaine-serol.com V *t.l.j. sf dim. 9h-12h 14h-19h*

CH. DE CHAMPAGNY Grande Réserve 2018 ★

■ | 6000 | | 5 à 8 €

Lorsqu'en 1968 André Villeneuve arrive sur ce domaine, il ne reste plus que 2 ha de vignes. Rejoint en 1997 par Frédéric, l'un de ses fils, il défriche et replante en gamay un coteau de 4,5 ha et acquiert d'autre parcelles. Après son départ à la retraite en 2008, il laisse sa place à Jérôme Forest. La propriété compte aujourd'hui 13,5 ha.

On admire la robe rubis, avant de plonger dans une corbeille de fruits rouges nuancés de minéral. La bouche soyeuse et équilibrée déploie des arômes persistants de griotte, de groseille et de grenadine. 2020-2024 ■ **Tradition 2018 ★ (5 à 8 €; 20 000 b.)** : très aromatique, ce gamay se place sous le signe des fruits rouges. Rond en bouche, il fait preuve d'une belle minéralité qui soutient les arômes. Une touche de vivacité bienvenue contribue à l'harmonie générale. 2020-2022

VIGNOBLE DE CHAMPAGNY, 2148, rte des Vignes, 42370 Saint-Haon-le-Vieux, tél. 06 07 19 92 22, frederic.villeneuve300@orange.fr V *t.l.j. sf dim. 9h-12h 14h-19h*

DOM. DÉSORMIÈRE Les Têtes 2018 ★★

■ | 10 000 | 5 à 8 €

Ce domaine familial a été créé en 1974 par Michel Désormière, qui a commercialisé les premières bouteilles. Ses fils Éric et Thierry, aux commandes respectivement depuis 1996 et 2004, ont développé la production et disposent aujourd'hui de 16,5 ha de vignes, qu'ils exploitent de façon très raisonnée.

Riche, ce vin floral laisse s'échapper des notes de tulipe. Issu d'une sélection des vieilles vignes du domaine et d'un tri des baies rigoureux, il s'appuie sur une structure tonique et un boisé léger. L'harmonie, tout en finesse. 2020-2024 ■ **Tradition 2018 (5 à 8 €; 35 000 b.)** : vin cité.

DOM. DÉSORMIÈRE, Le Perron, 42370 Renaison, tél. 04 77 64 48 55, domaine.desormiere@orange.fr V *t.l.j. sf dim. 9h-12h 14h-19h*

VINCENT GIRAUDON Éponyme 2017

■ | 3000 | | 5 à 8 €

Après des études de viticulture, d'œnologie et de commerce du vin, Vincent Giraudon s'installe en 2004 sur 0,5 ha de vignes en location. Aujourd'hui, son vignoble, dont une partie est plantée en aligoté depuis 2009, couvre 4 ha.

D'un rouge sombre, ce vin offre un nez timide de prime abord. Mais à l'aération les arômes de fruits mûrs et d'épices prennent vie, accompagnés de quelques notes fumées. La bouche est ronde, marquée par une légère amertume qui lui apporte une fraîcheur bienvenue. 2020-2021 ■ **Quercus 2017 (11 à 15 €; 1300 b.)** : vin cité.

VINCENT GIRAUDON, 15, rue Robert- Barathon, 42370 Renaison, tél. 06 84 38 40 02, vincentgiraudon@free.fr V *r.-v.*

DOM. DE LA PAROISSE Cuvée Coup de foudre 2018

■ | n.c. | 8 à 11 €

Ce très ancien vignoble de 7 ha, est le plus vieux domaine de la Côte roannaise. Créé en 1610, ses vins sont souvent en bonne place dans le Guide. C'est Jean-Claude Chaucesse, représentant la 13e génération, qui est aujourd'hui à la tête de l'exploitation. Depuis 2018, il est possible de loger au gîte du domaine pour profiter au plus près de son terroir.

La robe intense, presque sombre, invite à découvrir la palette riche et fruitée. On distingue quelques notes fumées et un fond végétal qui rappelle la queue de cerise. Souple, la bouche révèle des tanins encore austères, mais elle bénéficie d'une bonne persistance. 2020-2022 ■ **Cuvée Coup de foudre 2018 (5 à 8 €; n.c.)** : vin cité.

DOM. DE LA PAROISSE, 380, chem. de la Paroisse, 42370 Renaison, tél. 04 77 64 26 10, la.paroisse@laposte.net V *r.-v.*

MAURICE PIAT ET FILS Vieilles Vignes de la Chapelle 2018 ★★

■ | 4500 | | 5 à 8 €

Domaine de la Côte roannaise fondé avant la Première Guerre mondiale et exploité par Gérard Piat depuis 1989. Côtoyant bois et prairies, le vignoble, constitué de parcelles délimitées par des murs de pierres sèches, est implanté au lieu-dit de La Chapelle, sur des coteaux exposés au levant.

La complexité distingue cette cuvée, issue de vignes ayant atteint l'âge respectable de soixante-quinze ans. Le bouquet, intense et fruité, laisse pointer un peu de violette. La mûre, la framboise, la réglisse et le poivre accompagnent une bouche riche et structurée. Un vin promis à un bel avenir. 2020-2024 ■ **Gourmandises de la Chapelle 2018 ★ (5 à 8 €; 4000 b.)** : très fruitée, la bouche confirme l'impression laissée par le nez : la cerise et la framboise composent la ligne principale, laissant place à de discrètes notes végétales à l'arrière-plan. Fraîcheur et douceur s'équilibrent dans ce vin qui porte bien son nom. 2020-2022 ■ **Rosé de la Chapelle 2018 (5 à 8 €; 2500 b.)** : vin cité.

MAURICE PIAT ET FILS, La Chapelle, 42155 Saint-Jean-Saint-Maurice, tél. 04 77 63 12 85, gerardpiat-lachapelle@orange.fr V r.-v.

JACQUES PLASSE Bel Air 2018

■	10 000		5 à 8 €

Jacques Plasse a pris en 1990 la suite de deux générations sur le domaine familial dont il a porté la superficie à 6 ha. Le vignoble en Côte roannaise est établi principalement dans le village de Saint-André-d'Apchon et sur le coteau de Bouthéran; l'exploitant a en outre planté du viognier et de la roussanne pour produire des blancs en IGP pays d'Urfé.

Facile à boire, ce gamay élevé sur sol granitique présente un nez intense. Un joli fruit se mêle à des notes fumées et à une pointe de grillé. La bouche est fluide, fraîche et légère. ⧗ 2020-2022 ■ **Bouthéran 2018 (8 à 11 €; 9000 b.)** : vin cité.

JACQUES PLASSE, 788, rte de Saint-Alban, 42370 Saint-André-d'Apchon, tél. 06 45 14 44 80, jacques.plasse@yahoo.fr V r.-v.

B DOM. DES POTHIERS Domaine 2018 ★★

■	30 000		8 à 11 €

Romain Paire a pris en 2017 la tête du domaine familial qu'il exploitait depuis 2005 avec ses parents Georges et Denise. Exploitée en polyculture-élevage, la propriété, qui compte 21 ha de vignes, est conduite en bio et en biodynamie depuis 2010.

Une robe rouge profond, parée de reflets grenat. Un nez sur les fruits rouges, agrémenté de notes empyreumatiques et épicées. Une bouche riche et gourmande, opulente pour un gamay, qui conjugue la griotte et la framboise. Bien structuré et persistant, voilà sans conteste un beau vin. ⧗ 2020-2024 ■ **La Chapelle 2018 ★ (11 à 15 €; 13000 b.)** B : le nez puissant est marqué par les fruits rouges, les notes torréfiées et une pointe de poivre. On retrouve les mêmes arômes en bouche, soulignant une juste fraîcheur. Les tanins sont fermes, mais sans dureté. ⧗ 2020-2024

DOM. DES POTHIERS, 332, chem. des Pothiers, 42155 Villemontais, tél. 04 77 63 15 84, contact@domainedespothiers.com V r.-v. C

LE RETOUR AUX SOURCES
Louis Robin 2017 ★★

■	4500		5 à 8 €

Edgar Pluchot travaille avec son frère Marc sur le domaine hérité de leurs grands-parents, Louis et Suzanne Robin, d'où le nom donné à leur exploitation : Le Retour aux sources. Un retour mais aussi un nouveau virage puisque les aïeux n'étaient pas vignerons et que les deux frères ont tout créé pour vinifier le fruit de leurs 7,6 ha, cultivés en bio mais sans certification.

De teinte soutenue et un peu timide au nez, ce vin se montre frais et souple au palais, laissant d'agréables flaveurs de framboise confiturée et de cassis, nuancées d'une pointe élégante de tabac. L'équilibre est remarquable, la finale plaisante et longue. Un vin irréprochable de bout en bout. ⧗ 2020-2022 ■ **Louis Robin 2017 (5 à 8 €; 8000 b.)** : vin cité.

LE RETOUR AUX SOURCES, 640, rte de Roanne, lieu-dit Les Échaux, 42370 Saint-Alban-les-Eaux, tél. 06 74 50 51 24, leretourauxsources.pluchot@orange.fr V t.l.j. sf dim. 10h-18h30

B DOM. DE LA ROCHETTE La Combe 2018 ★

■	6000		8 à 11 €

Dans cette famille, on est viticulteur de père en fils depuis 1630. Acquis en 1939, le domaine s'étend aujourd'hui sur 15 ha - du gamay pour le côte-roannaise et une parcelle de chardonnay qui produit de l'IGP pays d'Urfé. Il est conduit depuis 1979 par Pascal Néron, rejoint en 1991 par son frère Olivier et en 2013 par son neveu Antoine. Les vins sont en bio certifié depuis le millésime 2016.

Une couleur intense, typique du gamay. Un nez riche à dominante de fruits rouges, avec un soupçon de vanille venu d'un élevage de huit mois en fût. Voilà qui donne envie de prolonger le plaisir. Et c'est tant mieux, car le palais est tout aussi gourmand, souple et long. ⧗ 2020-2022 ■ **Bératard 2018 ★ (5 à 8 €; 6000 b.)** B : les fruits rouges et noirs sont le leitmotiv de la dégustation. Le nez tire vers la confiture de framboises, accompagnée d'un peu de griotte et de cassis. Vinifié et élevé six mois sans aucune influence du bois, ce vin se livre avec beaucoup de rondeur. Une impression gourmande reste en mémoire. ⧗ 2020-2022

DOM. DE LA ROCHETTE, La Rochette, 42155 Villemontais, tél. 04 77 63 10 62, antoine.neron@orange.fr V t.l.j. 8h-12h 14h-18h B

♥ **B DOM. SÉROL** Perdrizière 2018 ★★

■	8000		15 à 20 €

Incarnant avec talent la renaissance du vignoble local, Stéphane Sérol a pris en 1998 la tête de ce domaine de 30 ha (en bio certifié et en cours de conversion à la biodynamie), dont les origines remontent à 1700 et que son père Robert a fait connaître dès 1971 en pratiquant la vente directe en bouteilles. Une valeur sûre de la Côte roannaise.

Vinifié avec 50 % de grappes entières, ce gamay élevé dix mois en foudre présente une belle robe rouge à reflets violacés. Le nez, intense et complexe, mêle fruits rouges, notes florales et épices (vanille, thym, clou de girofle). Il annonce une bouche à la fois riche et fraîche, soulignée par des tanins fins et conclue par une belle finale. ⧗ 2020-2024 ■ **Oudan 2017 ★ (15 à 20 €; 14000 b.)** B : le nez léger et fruité présente une pointe de poivre. L'attaque est vive, la bouche empreinte d'arômes de cassis. Vinifié en cuve de bois avec 50 % de grappes entières, puis élevé en foudre pendant dix mois, ce vin allie fraîcheur et rondeur. ⧗ 2019-2022 ■ **Les Millerands 2018 (11 à 15 €; 9500 b.)** B : vin cité.

DOM. SÉROL, Les Estinaudes, 42370 Renaison, tél. 04 77 64 44 04, contact@domaine-serol.com V t.l.j. sf dim. 9h-12h 14h-19h

PHILIPPE ET JEAN-MARIE VIAL Découverte 2018

■ | 20 000 | 🍾 | 5 à 8 €

Issus de familles de viticulteurs, les frères Philippe et Jean-Marie Vial président aux destinées du domaine depuis 1993. Le vignoble couvre aujourd'hui 9,5 ha en côte-roannaise, sur le coteau de Bouthéran. Des ceps de viognier et de chardonnay produisent aussi des blancs en IGP.

Derrière une robe soutenue, ce gamay acidulé donne toute la faveur au fruit. De fines notes de poivre apparaissent dans la bouche légère et gouleyante. Né sur un terroir sablo-granitique, il a été élevé en cuve pendant six mois. ⧗ 2020-2022

DOM. VIAL, 300, rte de Bel-Air, 42370 Saint-André-d'Apchon, tél. 06 88 67 21 75, contact@domaine-vial.fr V 🚶 ▮ *t.l.j. sf dim. 9h-12h 14h-18h*

CÔTES-DU-FOREZ

Superficie : 168 ha / Production : 7 433 hl

C'est à une somme d'efforts intelligents et tenaces que l'on doit le maintien de ce vignoble abrité par les monts du Forez, qui s'étend sur dix-sept communes autour de Boën-sur-Lignon (Loire). Le climat y est semi-continental, les terrains sont tertiaires au nord et primaires au sud. Rosés et rouges, secs et vifs, les vins proviennent exclusivement du gamay et sont à consommer jeunes. Ils ont été reconnus en AOC en 2000.

Ⓑ GILLES BONNEFOY
Gamay sur granit Migmatite 2018 ★★★

■ | 4 000 | 🍾 | 11 à 15 €

Gilles Bonnefoy a créé son domaine ex nihilo à partir de 1997 : plantations de vignes de 2001 à 2016, création de la cave en 2004. Aujourd'hui, un domaine de 9,2 ha conduit en biodynamie, établi en périphérie de deux volcans : La Madone et Le Pigeonnier.

Un gamay noir issu d'une culture en biodynamie. Le voici qui s'ouvre sur les fruits rouges mûrs et les épices. Une touche fumée et des arômes de pain grillé complètent une palette riche et prometteuse. La chair empreinte de flaveurs de framboise et de cerise écrasée s'appuie sur des tanins d'une grande finesse. La concentration est importante, la finale longue, avec une pointe acidulée bienvenue. ⧗ 2020-2024 ■ **La Madone Gamay sur volcan 2018 ★ (11 à 15 €; 35 000 b.)** Ⓑ : issue de vendanges égrappées pour privilégier le fruit sur la puissance des tanins, cette cuvée se place sous le signe de la gourmandise et de la légèreté. Elle fleure bon les petits fruits rouges acidulés, la framboise et la cerise à l'eau-de-vie. En bouche, elle semble aérienne. ⧗ 2020-2022

LES VINS DE LA MADONE - GILLES BONNEFOY, 1581, chem. de Jobert, 42600 Champdieu, tél. 04 77 97 07 33, gilles.bonnefoy8@wanadoo.fr V 🚶 ▮ *r.-v.* Ⓓ

CLOS DE CHOZIEUX Terroir basaltique 2018 ★★

■ | 3 000 | 🍾 | 5 à 8 €

Héritiers de trois générations de vignerons, Jean-Luc et Yves Gaumon ont pris la suite de leurs parents en 2001, sur 3 ha de vignes. Les deux frères ont replanté, portant la surface de la propriété à 10 ha, en diversifiant les cépages. Un domaine régulier en qualité.

Belle surprise que cette cuvée qui joue sur le registre des fruits rouges et fait honneur au terroir. Le nez laisse échapper de discrètes notes, tandis que la bouche charnue se révèle plus intensément aromatique, prolongeant agréablement la dégustation. Les tanins encore un peu fermes se fondront aisément à la faveur de la garde. ⧗ 2020-2024 ■ **Vieilles Vignes 2018 ★ (5 à 8 €; 9 000 b.)** : la vivacité des arômes de petits fruits rouges se mêlent à la douceur des fruits mûrs, avec des nuances fumées et végétales. En bouche, tout est légèreté et gourmandise. ⧗ 2020-2024

LE CLOS DE CHOZIEUX, Chozieux, 42130 Leigneux, tél. 04 77 24 38 54, clos.chozieux@wanadoo.fr V 🚶 ▮ *t.l.j. sf dim. 9h-12h 14h-18h30*

STÉPHANIE GUILLOT Celadon 2018 ★

■ | 6 000 | 🍾 | 5 à 8 €

Un domaine créé en 1985 par Stéphanie Guillot, à la tête aujourd'hui d'un vignoble de 8,5 ha.

Les fruits rouges mûrs dominent à l'olfaction. La bouche est dans la continuité, dotée d'un bon équilibre entre fraîcheur fruitée et rondeur, sans oublier une pointe d'amertume en finale. ⧗ 2020-2022 ■ **Opéra 2018 ★ (5 à 8 €; 4 000 b.)** : la robe intense et brillante donne envie de découvrir ce vin aux arômes discrets de fruits rouges mûrs et de fleurs. Jolie matière en bouche... Structure tannique bien maîtrisée, héritée d'une vinification en grappes entières. L'avenir peut être abordé avec sérénité. ⧗ 2020-2024 ■ **Sainte-Anne 2018 (5 à 8 €; 4 000 b.)** : vin cité.

STÉPHANIE GUILLOT, 785 RD 1089, 42130 Sainte-Agathe-la-Bouteresse, tél. 04 77 24 44 36, cave.stephanieguillot@orange.fr V 🚶 ▮ *lun. ven. sam. 15h-18h*

♥ DOM. DU POYET
Cuvée des Vieux Ceps 2018 ★★★

■ | 5 000 | 🍾 | 5 à 8 €

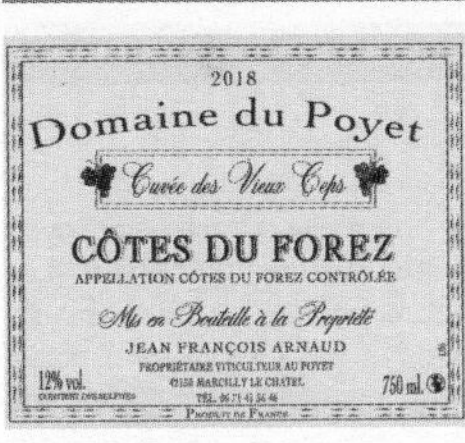

Jean-François Arnaud a repris l'exploitation familiale de 8 ha en 1995, après une formation en viticulture-œnologie. Il pratique un égrappage partiel de ses cuvées rouges afin d'allier le fruit aux tanins. Une valeur sûre du vignoble forézien

Magnifique expression du gamay dans ce vin issu de vignes cinquantenaires. Le nez se révèle peu à peu, mettant les fruits rouges mûrs à l'honneur. Les tanins soyeux structurent la chair ronde et veloutée, tout en équilibre. ⧗ 2020-2022 ■ **Cuvée du Poyet 2018 ★ (5 à 8 €; 15 000 b.)** : une robe sombre, un nez généreux conquis par les fruits rouges, une bouche légère et acidulée, une petite amertume en finale. Tout ce qu'on peut attendre d'un vin convivial. ⧗ 2020-2022

DOM. DU POYET, 255, rte de Sainte-Anne, 42130 Marcilly-le-Châtel, tél. 06 71 41 36 46, domainedupoyet@sfr.fr V 🚶 ▮ *t.l.j. sf dim. 8h-12h 14h-18h*

Ⓑ CAVE VERDIER-LOGEL Les Gourmets 2018 ★

■ | 20000 | | | 5 à 8 €

Ancien menuisier, Jacky Logel, alsacien de naissance, s'est converti à la viticulture par amour du Forez, découvert en vacances dans la famille de son épouse Odile Verdier, diététicienne de métier. En 1992, le couple reprend le vignoble familial, situé au pied de l'ancienne forteresse Sainte-Anne, le convertit d'emblée au bio et introduit de nouveaux cépages (pinot gris, viognier, puis riesling, gewurztraminer et côt !). Il exploite aujourd'hui 17 ha, conduits depuis 2015 avec Maxime, un neveu.

Un vin rubis, aux arômes acidulés de groseille et de griotte. Des notes de fruits mûrs accompagnent le développement en bouche, dans une chair légère, aux tanins fins. ⧗ 2020-2022 ■ **Rezinet 2018 ★ (8 à 11 €; 5000 b.)** Ⓑ : voici un gamay dense et charnu, né sur un terroir composé de granite et d'argile. Il affiche une belle palette de fruits rouges mûrs (cerise et framboise), puis offre une matière ronde, équilibrée par une fine touche de vivacité en finale. La petite astringence encore perceptible s'effacera avec le temps. ⧗ 2020-2022

CAVE VERDIER-LOGEL, 434, rue de la Côte, 42130 Marcilly-le-Châtel, tél. 04 77 97 41 95, cave.verdierlogel@wanadoo.fr r.-v.

MENETOU-SALON

Superficie : 473 ha
Production : 10 761 hl (60 % blanc)

Menetou-Salon doit son caractère viticole à la proximité de la métropole médiévale qu'était Bourges; Jacques Cœur y eut des vignes. À la différence de nombreuses régions jadis célèbres pour leurs crus, aujourd'hui disparus, ce secteur du Berry a gardé son vignoble, planté en coteaux. Menetou-Salon partage avec son prestigieux voisin Sancerre sols favorables et cépages nobles : sauvignon blanc et pinot noir sur kimméridgien. D'où ces blancs frais et épicés, ces rosés délicats et fruités, ces rouges harmonieux et bouquetés, à boire jeunes.

FRANCIS AUDIOT Mathilde 2017

■ | 3600 | | | 11 à 15 €

Jean-Baptiste Audiot, l'aïeul de Francis, a fondé au début des années 1920 ce domaine rattaché au Moyen Âge au château éponyme, aujourd'hui disparu. Les visiteurs sont accueillis dans un ancien chai datant du XVIIIes. Le vignoble couvre 14,5 ha et donne naissance à des menetou-salon très souvent en vue dans ces pages.

Avec réserve, le nez mêle des notes de griotte, d'épices et de boisé (torréfaction, moka). Souple en attaque, bien structuré, le vin bénéficie de tanins fins, mais sévères encore, qui s'assoupliront avec le temps. ⧗ 2020-2023

EARL FRANCIS AUDIOT, Dom. de Coquin, 18510 Menetou-Salon, tél. 02 48 64 80 46, domainedecoquin@orange.fr t.l.j. sf dim. 9h-12h 14h-18h; sam. sur r.-v.; f. 17-30 août

CHAVET 2018 ★

■ | 60000 | | | 8 à 11 €

La famille Chavet est une lignée de vignerons de renom, dont l'histoire remonte au XVIIIes. Trois générations travaillent aujourd'hui de concert sur un vignoble de 27 ha.

La typicité de l'appellation se retrouve dans les senteurs de fruits rouges (cerise, fraise, cassis, groseille). La structure tannique est certes robuste, mais équilibrée par le fond charnu. Le retour aromatique sur la griotte et les épices (poivre) est agréable. ⧗ 2020-2023 ■ **(8 à 11 €; 6600 b.)** : vin cité.

SCEA DES BRANGERS, Dom. Chavet, 50, rte de Bourges, 18510 Menetou-Salon, tél. 02 48 64 80 87, contact@chavet-vins.com t.l.j. sf dim. 9h-12h 14h-17h30

DOM. LES CHEZEAUX Cuvée Bonne Aventure 2018

■ | 32000 | | | 8 à 11 €

Le nom de la famille Cherrier est attaché au vignoble de Sancerre depuis 1848. Le domaine actuel a été créé en 1927 par le grand-père Maurice, développé par son fils Pierre et depuis 1984 par la troisième génération, François et Jean-Marie, à la tête aujourd'hui de 15 ha de vignes. Ces derniers se sont implantés en 2010 dans l'appellation menetou-salon en reprenant les 10 ha du domaine du Loriot.

Discret au premier nez, ce 2018 livre des notes variétales et végétales après aération, puis des accents d'agrumes. La bouche est pleine, d'une vivacité de bon aloi. ⧗ 2019-2021

SCEV LES CHEZEAUX, 26, rue de la Croix-Michaud, Chaudoux, 18300 Verdigny, tél. 02 48 79 34 93, cherrierfreres@orange.fr r.-v.

ISABELLE ET PIERRE CLÉMENT Tradition 2017 ★

■ | 45000 | | | 11 à 15 €

Depuis plus de quatre siècles, les Clément cultivent la vigne à Menetou-Salon. Sébastien fut le premier vigneron de la lignée. En digne successeur, Pierre travaille ses cuvées sur un domaine de 60 ha. Il est aidé de son épouse Isabelle, et sa fille Anne a rejoint l'aventure familiale en 2014. Une valeur sûre de Menetou-Salon.

Belle succession d'arômes : sous-bois à l'ouverture, nuances fumées et grillées, petits fruits rouges ensuite. Structure équilibrée entre rondeur et tanins élégants, notes vanillées et touches de griotte. Bon potentiel de garde. ⧗ 2020-2025 ■ **La Dame de Châtenoy 2017 ★ (11 à 15 €; 12000 b.)** : le nez allie des notes fraîches (fruits exotiques, citron, fleurs blanches) à des nuances de maturité (pâte d'amande, coing). Tendre et dense, la bouche tire profit d'une bonne persistance aromatique. Dans les premières années, à carafer. ⧗ 2020-2023

SAS ISABELLE ET PIERRE CLÉMENT, 1, Dom. de Châtenoy, 18510 Menetou-Salon, tél. 02 48 66 68 70, info@clement-chatenoy.com t.l.j. sf dim. 8h30-12h 13h30-17h30; sam. sur r.-v.

DOM. DE L'ERMITAGE Cuvée Rosé 2018 ★★

■ | 2821 | | | 11 à 15 €

Fille de Bernard Clément, vigneron qui participa à la création de l'AOC menetou-salon, Laurence Clément de la Farge a décidé en 2003 de laisser la propriété familiale aux mains de son frère pour créer de toutes pièces ce domaine de 10 ha qu'elle dirige aujourd'hui avec son mari Géraud et son fils Antoine.

D'un rose très pâle à reflets argentés, ce vin a l'apparence d'un vin gris. La palette délicate le confirme. Discrète, elle évoque la graine d'anis, l'ananas, l'orange, la groseille, avec une touche de confiserie. Ample et soulignée par une belle vivacité, la bouche déroule un fruité remarquable (pamplemousse, framboise). Beaucoup de distinction. ⌛ 2019-2021 ■ **Première Cuvée 2018 (11 à 15 €; 15000 b.)** : vin cité.

EARL LAURENCE ET GÉRAUD DE LA FARGE, Dom. de l'Ermitage, 18500 Berry-Bouy, tél. 02 48 26 87 46, info@domaine-ermitage.com V ✝ ! *r.-v.* 🏠 5

DOM. FRAISEAU-LECLERC
Cuvée du charbonnier 2017 ★

■	3200	🍾	8 à 11 €

Installée à 500 m du Ch. de Menetou-Salon, Viviane Fraiseau sait ce qu'est l'œnotourisme. Sa propriété abrite des chambres d'hôtes et un gîte installé dans une ancienne maison du XIXes. Elle conduit un vignoble de 9 ha, un tiers en pinot noir, deux tiers en sauvignon. Son fils Pierre-Émile l'a rejointe en 2018.

Un long élevage sur lies (quinze mois), mais une jeunesse préservée. Les arômes de bonne intensité expriment les fruits exotiques (fruit de la Passion, litchi) avec quelques touches de poire et de pêche confites. Sur un fond gras, la bouche laisse une agréable sensation de vivacité jusqu'en finale. À découvrir. ⌛ 2019-2021

VIVIANE FRAISEAU, 3, rue du Chat, 18510 Menetou-Salon, tél. 02 48 64 88 27, cave.fraiseau.leclerc@orange.fr V ✝ ! *sam. dim. 9h-12h 13h30-18h; lun.-ven. sur r.-v.* 🏠 2 🏠 C

RÉGIS JOUAN 2018 ★

■	4500	🍾	8 à 11 €

Après avoir travaillé vingt ans au domaine familial, Régis Jouan a créé en 2010, avec son épouse, sa propre exploitation à Sury-en-Vaux. Leurs vignes couvrent 4,5 ha. La propriété a été reprise en 2017 par leur fille Mariannick et leur gendre David Girard, par ailleurs vignerons à Menetou-Salon.

Des nuances fruitées, ainsi que des notes de fleurs et de bourgeon de cassis forment une palette élégante. De bonne ampleur, la bouche est construite sur la vivacité. Un charme sobre émane de cette cuvée qui révèle un équilibre très réussi entre maturité et fraîcheur. ⌛ 2019-2021

SCEA RÉGIS JOUAN, Maison-Sallé, Champarlan, 18300 Sury-en-Vaux, tél. 06 08 30 84 18, david.girard.champarlan@orange.fr V ✝ ! *r.-v.*

DOM. DE LOYE 2018

■	10000	🍾	8 à 11 €

Établi à Loye depuis 1970, Jean-Bernard Moindrot a transmis le flambeau à son fils Valentin en 1999, aux commandes d'un vignoble de 15 ha créé par le grand-père, vigneron et... meunier.

Les arômes de cerise, de framboise et de groseille sont de bonne intensité. Souple en attaque, la structure tannique légère laisse toute la place à l'expression gourmande des fruits rouges. Un style gouleyant. ⌛ 2020-2023

SCEV DOM. DE LOYE, lieu-dit Loye, 18220 Morogues, tél. 02 48 64 35 17, domainedeloye@orange.fr V ✝ ! *t.l.j. 8h30-12h 14h-18h*

DOM. JEAN-PAUL PICARD 2018

■	14500	🍾	8 à 11 €

Domaine transmis de père en fils depuis 1750. Jean-Paul Picard a pris la tête de l'exploitation en 1976. Aujourd'hui, c'est son fils Mickaël qui conduit plus de 14 ha de vignes essentiellement plantées sur les coteaux de la commune de Bué (Sancerrois), ainsi qu'en appellation menetou-salon.

Or pâle, un vin discret et tout en rondeur, mais sans lourdeur. Un petit caractère acidulé lui apporte du relief. ⌛ 2019-2021

EARL JEAN-PAUL PICARD ET FILS, 11, chem. de Marloup, 18300 Bué, tél. 02 48 54 16 13, jean-paul.picard18@wanadoo.fr V ✝ ! *t.l.j. sf dim. 8h-12h 13h30-18h*

♥ CAVE PRÉVOST 2018 ★★

■	50000	🍾	5 à 8 €

Le domaine (13 ha aujourd'hui) a été constitué dans l'entre-deux-guerres par l'arrière-grand-père. Quelques années avant la reconnaissance de l'AOC menetou-salon en 1959, il s'est lancé dans la vente directe. Gérard Prévost a quitté complètement la coopérative, aménagé le caveau, doublé la cuverie. Sa fille Maude et son neveu Nicolas Jabaudon ont pris sa suite en 2009.

Intense, le nez séduit d'emblée par sa gourmandise. Les notes végétales et florales nuancent élégamment les arômes fruités (poire, agrumes). Ronde et grasse sur le fond, la bouche se structure autour d'une vivacité équilibrée. La finale minérale et saline conclut en beauté ce menetou-salon. ⌛ 2019-2023 ■ **2018 ★ (5 à 8 €; 12000 b.)** : la teinte pétale de rose est animée de reflets cuivrés. Le nez de fruits rouges (fraise, cerise) agrémentés de touches citronnées et mentholées présente beaucoup de fraîcheur. Bien structuré, le palais associe la rondeur, une jolie vivacité et une touche d'amertume. Le bon retour aromatique complète son charme. ⌛ 2019-2021

GAEC PRÉVOST, 3, rte de Quantilly, 18110 Vignoux-sous-les-Aix, tél. 02 48 64 68 36, contact@cave-prevost.com V ✝ ! *t.l.j. sf dim. 8h-12h 14h-18h*

♥ LE PRIEURÉ DE SAINT-CÉOLS
Cuvée des Bénédictins 2017 ★★

■	5100	🛢	11 à 15 €

Pierre Jacolin a créé ce vignoble de toutes pièces en 1986. Il l'a développé depuis, tant en surface qu'en notoriété (12 ha aujourd'hui). Le chai est installé dans les bâtiments

d'un ancien prieuré bénédictin dépendant de l'abbaye de La Charité-sur-Loire.

Quelle belle teinte violine profond à reflets rubis! Les parfums de fruits rouges surmûris se mêlent aux nuances apportées par l'élevage (vanille, café, praline) et à de subtiles touches épicées. Au palais, les tanins veloutés s'intègrent très bien dans la texture fraîche, empreinte de notes empyreumatiques et d'arômes de griotte. Une bonne démonstration de ce que le bois peut apporter au vin pour enrichir ses qualités originelles. ⧗ 2021-2023 ■ **2018 (8 à 11 €; 65000 b.)** : vin cité.

SCEA DU MANAY, Le Prieuré de Saint- Céols, 18220 Saint-Céols, tél. 02 48 64 40 75, domaine.jacolin@gmail.com V t.l.j. 8h-19h; dim. sur r.-v.
SAS Jacolin

B DOM. JEAN TEILLER 2018 ★

■	50000		8 à 11 €

Deux générations contribuent au succès de ce domaine familial de 18 ha, chaque année en bonne place dans le Guide : Jean-Jacques et Monique Teiller, les parents, Patricia et Olivier Luneau, la fille et le gendre. Une valeur sûre.

Arômes d'agrumes, nuances lactées et touches épicées (girofle, poivre) : voilà pour la palette. Attaque ronde, presque beurrée, vivacité discrète et pointe acidulée finale. En bref, un style original et très réussi. ⧗ 2019-2022

SCEA DOM. JEAN TEILLER, 13, rue de la Gare, 18510 Menetou-Salon, tél. 02 48 64 80 71, domaine-teiller@wanadoo.fr V t.l.j. sf dim. 9h-12h 14h-18h

LA TOUR SAINT-MARTIN Honorine 2017 ★★

■	5808		15 à 20 €

Valeur sûre de l'appellation menetou-salon avec son Dom. la Tour Saint-Martin, Bertrand Minchin, aussi à l'aise en rouge qu'en blanc, est établi depuis 1987 à la tête de 17 ha de vignes sur les hauteurs de Morogues. En 2004, il s'est étendu sur l'appellation valençay avec les 15 ha du Claux Delorme, à Selles-sur-Cher, et s'y est rapidement imposé comme une belle référence.

Les notes de bois frais et de vanille se fondent dans les senteurs florales (acacia) et fruitées (agrumes) : il en résulte une sensation de fraîcheur et de finesse. En bouche, la rondeur est en parfaite harmonie avec la fine vivacité sous-jacente, la subtile amertume finale et le retour aromatique complexe. Belle association de puissance et d'élégance. ⧗ 2020-2024 ■ **Fumet 2017 (15 à 20 €; 3676 b.)** : vin cité.

SCEV LA TOUR SAINT-MARTIN, Domaines Minchin, La Tour-Saint-Martin, 18340 Crosses, tél. 02 48 25 02 95, cave@domaines-minchin.vin V t.l.j. 8h30-12h30 13h30-17h30

▶ POUILLY-FUMÉ ET POUILLY-SUR-LOIRE

Œuvre de moines bénédictins, voilà l'heureux vignoble des vins blancs secs de Pouilly-sur-Loire. La Loire s'y heurte à un promontoire calcaire qui la rejette vers le nord-ouest et qui porte le vignoble exposé sud-sud-est, planté sur des sols moins calcaires qu'à Sancerre. Le sauvignon, ou «blanc fumé», y a presque entièrement supplanté le chasselas, pourtant historiquement lié à Pouilly. Ce dernier cépage produit, sous l'appellation pouilly-sur-loire, un vin léger non dénué de charme lorsqu'il est cultivé sur sols siliceux. Le sauvignon, à l'origine de l'AOC pouilly-fumé, traduit bien les qualités enfouies en terre calcaire : une fraîcheur parfois assortie d'une certaine fermeté, une gamme d'arômes spécifiques du cépage, affinés par le terroir et les conditions de fermentation du moût. Ici, la vigne s'intègre harmonieusement aux paysages de Loire. Aux charmes des lieux-dits (les Cornets, les Loges, le calvaire de Saint-Andelain...) répond la qualité des vins.

POUILLY-FUMÉ

Superficie : 1 237 ha / Production : 60 263 hl

DOM. DE BEL AIR 2018 ★★

■	50000		5 à 8 €

Un domaine familial transmis de père en fils ou de père en fille depuis 1635 et treize générations. En 1996, Katia Mauroy, œnologue, épaulée par son frère Cédric a repris le flambeau et conduit aujourd'hui 15,8 ha de vignes.

Les marnes et les calcaires se complètent parfaitement dans cet assemblage. Mêlés aux arômes intenses de fruits exotiques (mangue, ananas) se développent des notes minérales. Harmonieuse, la bouche révèle une vivacité maîtrisée qui assure une belle persistance. Du potentiel. ⧗ 2019-2023 ■ **Cuvée Riquette 2018 ★ (8 à 11 €; 7000 b.)** : au nez, des arômes de fruits mûrs (litchi), de fleurs et d'agrumes apportent de la complexité. Rond et souple en attaque, le vin tire profit d'une acidité citronnée pour se prolonger en finale. ⧗ 2019-2021

DOM. DE BEL AIR, 6, rue Waldeck-Rousseau, 10, chem. de Bel Air, 58150 Pouilly-sur-Loire, tél. 03 86 39 02 73, mauroygauliez@gmail.com V r.-v.

DOM. DES BERTHIERS Saint-Andelain 2018 ★★

■	80000		11 à 15 €

Située au cœur du vignoble de Saint-Andelain, à 5 km du Ch. de Tracy, cette propriété ancienne a été reprise en 1996 par la maison Fournier Père et Fils. Le domaine s'appuie sur 15 ha de vignes répartis sur les coteaux de la Loire.

Ce vin s'ouvre intensément sur des arômes suaves de fruits bien mûrs (mangue, pêche, poire) et de miel, de petites notes agrumes (pamplemousse) et florales apportant un éclat de fraîcheur. Tout en rondeur et en souplesse, il laisse une sensation de gras que viennent équilibrer une belle acidité et une touche saline. ⧗ 2019-2022 ■ **Cuvée d'Ève 2017 ★ (15 à 20 €; 9000 b.)** : le nez reflète la maturité du raisin (fleur d'acacia, citron confit, ananas rôti) et l'élevage sous bois (noisette grillée, touche fumée, vanille). La bouche, souple en attaque, gagne en vivacité et en minéralité. ⧗ 2019-2022

DOM. DES BERTHIERS, 58150 Saint-Andelain, tél. 03 86 39 12 85, claude@fournier-pere-fils.fr

FRANCIS BLANCHET Silice 2018

| 24000 | 8 à 11 € |

Installé au cœur du village du Bouchot, Francis Blanchet perpétue l'ancienne (XVIIIe s.) tradition viticole familiale depuis 1984. Son domaine couvre 13,5 ha, qu'il conduit avec son fils Mathieu.

Discret au premier abord, ce pouilly-fumé né d'un sol d'argiles à silex s'ouvre sur des arômes de maturité (pêche, fruits exotiques), complétés d'une note de noisette. La bouche très ronde est agrémentée d'une agréable salinité finale. 2019-2021 **Kriotine 2018 (8 à 11 €; 7000 b.)** : vin cité.

DOM. FRANCIS BLANCHET, 33-35, rue Louis-Joseph-Gousse, 58150 Pouilly-sur-Loire, tél. 03 86 39 05 90, contact@vins-francis-blanchet.fr V r.-v.

BOUCHIÉ-CHATELLIER Premier Millsésime 2017 ★

| 10000 | 15 à 20 € |

La butte de Saint-Andelain, où sont établies la cave et une grande partie du vignoble de la famille Bouchié, constitue l'un des terroirs de prédilection de l'appellation pouilly-fumé. Ce domaine, qui couvre 23 ha, est régulièrement distingué dans le Guide.

À l'aération, les arômes de vanille, d'abricot et d'agrumes confits s'ouvrent sur un fond de fraîcheur (mandarine, chèvrefeuille). La bouche, à la fois ronde et saline, dévoile des notes exotiques persistantes. Plaisant et élégant. 2019-2022 **La Renardière 2018 (11 à 15 €; 30000 b.)** : vin cité.

BOUCHIÉ-CHATELLIER, La Renardière, 10, rue de Loire, 58150 Saint-Andelain, tél. 03 86 39 14 01, pouilly.fume.bouchie.chatellier@wanadoo.fr V r.-v.

JÉRÔME BRUNEAU 2018

| 13333 | 5 à 8 € |

Caviste dans un domaine de Sancerre pendant huit ans, Jérôme Bruneau s'est installé en 2008 sur l'exploitation viticole d'un voisin dans le village de Saint-Andelain. Il conduit aujourd'hui, avec son épouse Pascale, un vignoble de 9 ha.

Un terroir de silex et de marnes a vu naître ce pouilly-fumé aux arômes variétaux et fermentaires (agrumes, notes amyliques). Souple en attaque, la bouche garde de la fraîcheur jusqu'à la finale évocatrice de pamplemousse. 2019-2021

JÉRÔME BRUNEAU, 7, rue des Ouches, Soumard, 58150 Saint-Andelain, tél. 06 15 11 93 85, j-bruneau@orange.fr V r.-v.

A. CAÏLBOURDIN La Côte blanche 2018 ★★

| 50000 | 11 à 15 € |

À la tête de, Alain Caïlbourdin a créé ce vignoble en 1980 : 20,5 ha de vignes répartis sur plusieurs terroirs. Après des études de viticulture et d'œnologie, son fils Loïc l'a rejoint en 2010, avant de prendre la direction en 2018. Un domaine régulier en qualité.

La richesse aromatique de cette cuvée traduit la diversité des terroirs dont elle est issue : les senteurs fruitées (marmelade) et florales se nuancent de pierre à fusil et d'élégantes touches végétales. Ronde, grasse, mais équilibrée par une juste vivacité, la bouche révèle une finesse toute minérale. Du potentiel pour ce pouilly-fumé de caractère. 2020-2024 **Dom. A. Caïlbourdin Les Cris 2018 ★ (11 à 15 €; 40000 b.)** : le nez, très floral (muguet, jasmin), offre aussi des nuances d'orange et d'épices. La bouche se révèle consistante, un peu saline, avec une douceur contenue. Typé dans le millésime. 2019-2022

DOM. A. CAÏLBOURDIN, rte Nationale, Maltaverne, 58150 Tracy-sur-Loire, tél. 03 86 26 17 73, domaine-cailbourdin@wanadoo.fr V r.-v.

RENÉ CARROI 2018

| 38600 | 11 à 15 € |

Établie à Pouilly-sur-Loire, l'importante maison de négoce Saget-La Perrière a été fondée en 1976 par Jean-Louis Saget et est aujourd'hui dirigée par ses fils Arnaud et Laurent. Elle propose plusieurs marques (Guy Saget, La Perrière, René Carroi, Jean Dumont) et possède aussi en propre 250 ha de vignes et rayonne sur toute la vallée de la Loire, notamment dans son fief du Centre-Loire.

Le nez de ce 2018 apparaît vif et expressif : minéralité prononcée, arômes mentholés, légère touche poivrée. La bouche équilibrée et plaisante associe fraîcheur, soupçon d'amertume et une jolie note épicée en finale. 2019-2021

SA SAGET-LA PERRIÈRE, La Castille, BP 26, 58150 Pouilly-sur-Loire, tél. 03 86 39 57 75, accueil@sagetlaperriere.com V t.l.j. sf sam. dim. 8h-12h 13h45-17h30

DOM. JACQUES CARROY ET FILS Cuvée l'Éclat 2018 ★

| 5300 | 8 à 11 € |

Christophe et Sébastien Carroy ont pris en 2006 la suite de leur père Jacques sur ce domaine de 8 ha répartis sur différents terroirs du pouilly-fumé, dans la famille depuis six générations. Un duo complémentaire, l'un œuvrant à la vigne, l'autre au chai.

Une délicate association de notes florales (iris) et fruitées (pêche, poire) séduit d'emblée. Tendre et franche, la bouche est stimulée par une pointe de vivacité et s'achève sur des tonalités persistantes d'agrumes. 2019-2022

DOM. JACQUES CARROY ET FILS, 9, rue Joseph-Renaud, 58150 Pouilly-sur-Loire, tél. 03 86 39 17 01, carroy-jacquesetfils@sfr.fr V t.l.j. 9h-12h 14h-18h

DOM. CHAMPEAU Silex 2017 ★

| 17000 | 11 à 15 € |

Deux cousins, Franck et Guy Champeau, se sont associés pour diriger ce domaine de 20 ha qui appartient à leur famille depuis 1942. Ils sont installés au cœur du village de Saint-Andelain, près de l'église.

La palette intense et élégante de ce 2017 est marquée par le sauvignon : mangue, buis, bourgeon de cassis, pamplemousse. La bouche, tranchante en attaque, déroule une vivacité bien en rapport avec le terroir de silex jusqu'en finale 2019-2022

DOM. CHAMPEAU, 20, rue Saint-Edmond, 58150 Saint-Andelain, tél. 03 86 39 15 61, domaine.champeau@wanadoo.fr V t.l.j. sf dim. 8h30-12h 14h-18h

DOM. CHATELAIN Harmonie 2018

| 133 000 | | 8 à 11 € |

Régulièrement sélectionné dans le Guide, ce domaine de 30 ha, réparti sur six communes de l'appellation pouilly-fumé, est conduit par les Chatelain depuis 1630 et douze générations. Jean-Claude Chatelain qui continue de prodiguer ses conseils a confié les rênes de la cave à Vincent son fils et la responsabilité du vignoble à Vincent Vatan son gendre.

Cuvée principale du domaine, ce vin réunit les différents terroirs du vignoble. L'expression est puissante au nez comme en bouche : arômes de fruits à chair blanche et de pamplemousse. De structure fraîche, la bouche est de bonne longueur. 2019-2021

DOM. CHATELAIN, 24, rue du Mont-Beauvois, Les Berthiers, 58150 Saint-Andelain, tél. 03 86 39 17 46, contact@domaine-chatelain.com V t.l.j. 8h-12h 13h30-17h; sam. dim. sur r.-v.

DOM. LES CHAUMES 2018 ★

| 100 000 | | 8 à 11 € |

Fils de viticulteurs, Jean-Jacques Bardin s'est installé en 1969 à Pouilly-sur-Loire sur 1 ha de vignes achetées à son grand-père. Il conduit aujourd'hui 45 ha avec trois de ses enfants.

Fraîcheur et légèreté tout au long de la dégustation de ce 2018. Les arômes de fleurs blanches et de fruits (pêche, pomme verte, fraise) apportent de l'élégance. Dans la continuité, une touche acidulée stimule la bouche. Élégant. 2019-2022 **Terre blanche 2018 (8 à 11 €; 60 000 b.)** : vin cité.

SCEV JEAN-JACQUES BARDIN, lieu-dit Les Chaumes, 58150 Pouilly-sur-Loire, tél. 03 86 39 15 87, jean-jacquesbardin@wanadoo.fr V t.l.j. sf dim. 9h-12h30 14h-18h

BENOÎT CHAUVEAU La Charmette 2018 ★

| 90 000 | | 8 à 11 € |

Benoît Chauveau reprend en 1995 une partie du vignoble de ses parents. Deux ans plus tard, il construit sa première cave (une nouvelle est sortie de terre en 2012), complète son exploitation avec des vignes de ses grands-parents pour disposer aujourd'hui d'un domaine de 16 ha en coteaux-du-giennois et en pouilly-fumé, très régulier en qualité.

Une cuvée discrète, mais qui n'en décline pas moins une belle gamme : notes d'épices douces et de poire, puis de fleurs et de fruits à chair blanche. Elle apparaît ronde, ample, chaleureuse au palais. La vivacité finale (citron mûr) lui apporte rectitude et élégance. 2019-2022 **Dom. Chauveau Cuvée Sainte Clélie 2018 (11 à 15 €; 8 000 b.)** : vin cité.

DOM. CHAUVEAU, 11, rue du Coin-Chardon, Les Cassiers, 58150 Saint-Andelain, tél. 03 86 39 15 42, domainechauveau@gmail.com V t.l.j. 9h-12h 14h-18h; sam. dim. sur r.-v.

DOM. DE CONGY Cuvée les Galfins 2018 ★

| 14 900 | | 8 à 11 € |

Le Dom. de Congy est situé à proximité de Saint-Andelain, célèbre village vigneron. Christophe Bonnard a pris en 2002 la tête d'un vignoble de 10 ha acquis en 1951 par le grand-père maternel et développé dans les années 1990 par son père Jack.

Sur une trame florale appuyée s'ajoutent des arômes de pamplemousse et une touche minérale. L'équilibre est très réussi au palais : les dégustateurs ont retenu la finale longue et élégante (ananas, minéralité), ainsi que la belle fraîcheur pour le millésime. 2019-2022 **2018 (8 à 11 €; 14 200 b.)** : vin cité.

DOM. DE CONGY, 1, rue du Domaine, Congy, 58150 Saint-Andelain, tél. 03 86 39 14 20, c.bonnard@cerb.cernet.fr V r.-v.

DOM. SERGE DAGUENEAU ET FILLES Tradition 2018 ★

| 110 000 | | 11 à 15 € |

Ce domaine régulier en qualité, créé par l'arrière-grand-mère Léontine au début du XXe s., a été repris en 2006 par Florence et Valérie Dagueneau, les filles de Serge. Florence étant disparue prématurément, Valérie conduit seule aujourd'hui les 21 ha de vignes familiales.

Issu de marnes kimméridgiennes, ce vin libère de belles senteurs fruitées (pêche blanche, pamplemousse). Le gras et la vivacité s'équilibrent si bien qu'une sensation de plénitude et de finesse se dégage de la dégustation au palais. Une touche de minéralité et une finale persistante... La tradition a décidément du bon. 2019-2022

DOM. SERGE DAGUENEAU ET FILLES, Les Berthiers, 22, rue du Mont-Beauvois, 58150 Saint-Andelain, tél. 03 86 39 11 18, sergedagueneaufilles@wanadoo.fr V r.-v.

MARC DESCHAMPS Tradition des Loges 2018 ★★

| 21 000 | | 11 à 15 € |

Marc Deschamps a repris en 1992 l'ancien domaine de Paul Figeat, qui fut président des vignerons de Pouilly. Très régulièrement présent dans le Guide, son savoir-faire et sa connaissance du terroir ne sont plus à prouver. Le vignoble couvre 10,3 ha.

Les parfums qui se libèrent du verre dessinent une palette aromatique élégante et complexe : fruité (pêche, poire, mirabelle, orange), notes florales (cerisier) et touche épicée. Ample, très riche, suave, mais animée d'une pointe minérale, la bouche a du fond et reste remarquablement équilibrée. Un pouilly-fumé flatteur et persistant. 2019-2023 **Les Champs de Cri 2018 (11 à 15 €; 14 000 b.)** : vin cité.

DOM. MARC DESCHAMPS, Les Loges, 3, rue des Pressoirs, 58150 Pouilly-sur-Loire, tél. 03 86 69 16 43, marc@deschamps-pouilly.com V r.-v.

ANDRÉ DEZAT ET FILS 2018

| 100 000 | | 8 à 11 € |

La famille Dezat est l'une des plus anciennes familles vigneronnes du Sancerrois. Succédant en 1978 à leur père André, les frères Simon et Louis, épaulés par leurs enfants Firmin et Arnaud, ont étendu le vignoble familial sur l'aire du pouilly-fumé et conduisent aujourd'hui 43 ha de vignes.

Le premier nez, jeune et peu disert (pamplemousse), gagne en complexité après aération (épices douces, poire, fleurs blanches). Équilibrée, la bouche offre à la fois une belle vivacité et de la rondeur. La finale aromatique (cédrat, fruits secs) est de bonne longueur. ⧗ 2019-2021

SCEV ANDRÉ DEZAT ET FILS, 8, rue des Tonneliers, Chaudoux, 18300 Verdigny, tél. 02 48 79 38 82, contact@andredezat.fr t.l.j. sf dim. 9h-12h 14h-18h

CH. FAVRAY 2018

	140000		11 à 15 €

Le vignoble avait ici totalement disparu au début du XXᵉs. En 1981, Quentin David entame sa restauration. La vigne prospère à nouveau, sur 16 ha, implantée sur les coteaux calcaires qui entourent le château. 2018 voit l'arrivée du fils, Augustin, qui prendra progressivement les rênes.

Ce vin présente une palette classique à ce stade de l'évolution : les notes d'agrumes dominent, mais on décèle aussi des nuances de pêche jaune. Souple en attaque, la bouche gagne ensuite en vigueur et en plénitude. La finale persistante laisse présager un bel avenir. ⧗ 2019-2022

CH. FAVRAY, Favray, 58150 Saint-Martin-sur-Nohain, tél. 03 86 26 19 05, chateaufavray@wanadoo.fr r.-v.

DOM. DE FONTAINE 2018 ★

	25000		5 à 8 €

Un plan datant de 1868 mentionne 4 ha de vignes sur le domaine; vignes quasiment disparues avec l'épidémie du phylloxéra et replantées à partir de 1989 par Michel et Daniel Nérot. Ce dernier s'est associé en 2015 avec Claire Couet (qui a fait ses armes avec son mari Emmanuel sur le Dom. Couet). Ensemble, ils conduisent un vignoble de 9 ha en coteaux-du-giennois et pouilly-fumé.

Fraîcheur et subtilité : telles sont les qualités de ce pouilly-fumé ouvert sur la pêche de vigne, l'abricot, les agrumes et la rose. Entre rondeur et vivacité, il trouve son équilibre pour finir sur une légère amertume et une élégante touche de fruits exotiques. ⧗ 2019-2022

DOM. DE FONTAINE, Croquant, 58200 Saint-Père, tél. 03 86 28 14 80, domainedefontaine@gmail.com t.l.j. sf dim. 9h-12h 14h-18h

GILLES LANGLOIS Les Grandes Pièces 2017 ★★★

	3000		8 à 11 €

Ce domaine situé à Boisfleury, une commune de Tracy-sur-Loire, a été créé en 1908 par Charles Michot. Depuis, les générations se suivent à la tête du vignoble familial (11 ha) réparti sur les appellations pouilly-fumé et pouilly-sur-loire et conduit depuis 1988 par Gilles Langlois, l'arrière-petit-fils du fondateur.

Un beau terroir argilo-calcaire, une vinification soignée suivie d'un élevage prolongé en cuve : tel est le secret de ce pouilly-fumé. Une kyrielle de senteurs s'échappent du verre : citron confit, abricot rôti, eucalyptus, fleurs blanches. D'emblée, la bouche affirme sa minéralité crayeuse et sa vivacité, sans pour autant manquer de charnu. La finale iodée apporte un surcroît d'élégance à cette bouteille parfaitement équilibrée et épanouie, qui ne craindra pas les années. ⧗ 2019-2024

DOM. GILLES LANGLOIS, 6, rue de Breugnon, Boisfleury, 58150 Tracy-sur-Loire, tél. 03 86 26 17 18, langlois.pouilly@orange.fr t.l.j. 10h-12h 15h-18h; sam. dim. sur r.-v.

DOM. DE LA LOGE 2018 ★★

	138000		8 à 11 €

Domaine conduit par la même famille de vignerons depuis cinq générations. À la tête d'une exploitation de 21 ha, Hervé Millet et son fils David accueillent les œnophiles dans une cave aménagée au sein d'une grande bâtisse du XIXᵉs. Une valeur sûre de l'appellation pouilly-fumé.

Si les arômes floraux dominent par leur intensité, les notes fruitées (citron) et minérales (pierre à fusil) amplifient l'élégance de ce pouilly-fumé. La bouche est en harmonie : complexe, bien équilibrée, elle révèle une fraîcheur stimulante. Persistant, ce vin est promis à un bel avenir. ⧗ 2019-2023 **Silex 2018 ★ (11 à 15 €; 26000 b.)** : un nez sur la réserve, mais élégant (fleurs, fruits à chair blanche), un milieu de bouche charnu et une finale tendue pour ce vin qui demande à s'ouvrir. ⧗ 2020-2023

DOM. DE LA LOGE, Soumard, 58150 Saint-Andelain, tél. 03 86 39 05 49, contact@domaine-loge.com t.l.j. sf dim. 9h30-12h 13h30-18h

DOM. MARCHAND ET FILS Les Kérots 2018 ★

	15000		8 à 11 €

Clément Marchand a appris le métier dans différents vignobles français et étrangers. Il est revenu en 2004 sur l'exploitation située dans le secteur viticole des Loges afin de perpétuer une tradition familiale qui remonte à 1650.

De bonne intensité, le nez associe des notes légèrement briochées aux fruits bien mûrs. En revanche, la bouche laisse apparaître une trame vive appuyée, renforcée par une touche minérale en finale. Quelques mois de garde seront utiles pour harmoniser les saveurs. ⧗ 2020-2022

DOM. MARCHAND ET FILS, BP_2, Les Loges, 58150 Pouilly-sur-Loire, tél. 03 86 24 93 55, sarlmarchandetfils@gmail.com r.-v.; f. sept.

DOM. MASSON-BLONDELET Villa Paulus 2017 ★

	29000		15 à 20 €

En 1972, Michelle Blondelet reprend les vignes de ses parents, bientôt rejointe par son mari Jean-Michel Masson. Depuis 2000, ils ont laissé la place à leurs enfants Pierre (à la vinification) et Mélanie (à la commercialisation), qui cultivent leurs 21 ha de vignes «comme leur potager», sans désherbant, insecticide ou engrais chimique. Pierre bénéficie en outre de l'appui de «bénévoles» : des abeilles qu'il a réintroduites sur le vignoble.

Issue de marnes kimméridgiennes, cette cuvée dévoile toutes ses qualités après un élevage abouti. Les arômes de pamplemousse, de fruit de la Passion et de buis sont intenses dès le premier nez; ils sont agrémentés de nuances fumées et poivrées. Bien équilibrée, ample, la bouche a de la tenue grâce à une juste vivacité, renforcée par une finale sur le zeste d'agrumes. ⧗ 2019-2023

DOM. MASSON-BLONDELET, 1, rue de Paris, 58150 Pouilly-sur-Loire, tél. 03 86 30 00 34, info@masson-blondelet.com t.l.j. 9h-12h30 14h-18h

JOSEPH MELLOT Le Troncsec 2018 ★

| 80000 | | 15 à 20 € |

L'histoire de la maison Joseph Mellot débute en 1513 à Sancerre avec Pierre-Étienne Mellot, qui pose les fondations d'un petit vignoble. Catherine Corbeau-Mellot préside aujourd'hui aux destinées de cet important négoce, qui rayonne sur l'ensemble des vignobles du Centre et de la vallée de la Loire, et possède aussi plusieurs domaines pour une surface de 100 ha. Incontournable.

De délicates notes florales et fruitées se déclinent au nez comme au palais. Le soyeux de l'attaque fait place à une franche fraîcheur mentholée et acidulée en milieu de bouche. Une pointe minérale achève agréablement la dégustation. 2019-2022

VIGNOBLES JOSEPH MELLOT, rte de Ménétréol, 18300 Sancerre, tél. 02 48 78 54 54, contact@josephmellot.com t.l.j. sf sam. dim. 8h-12h 13h30-17h

MARIELLE MICHOT M 2018 ★

| 8500 | | 8 à 11 € |

Marielle Michot, issu d'une lignée vigneronne, s'est installé en 2014 sur son propre domaine : 3 ha aujourd'hui et deux cuvées en pouilly-fumé.

Discret, ce vin exprime de belles nuances exotiques, ainsi que de fines touches de fruits à chair blanche et de pierre à fusil. Par son volume, ses notes de fruits confits, sa douceur et sa finale chaleureuse, il laisse une impression gourmande. 2019-2022

MARIELLE MICHOT, 4, rue du Mont-Beauvois, Les Berthiers, 58150 Saint-Andelain, tél. 06 65 13 36 29, marielle.michot@gmail.com r.-v.

♥ **PATRICK NOËL** 2018 ★★★

| 16000 | | 11 à 15 € |

2018 Pouilly-Fumé Appellation Pouilly-Fumé Contrôlée Mis en bouteille à la propriété Patrick Noël vigneron

Patrick Noël, originaire de Chavignol, a créé ce domaine en 1988 en reprenant les vignes familiales. Ses caves, enterrées à flanc de coteaux, sont situées à Saint-Satur, là même où les moines de l'abbaye éponyme exploitaient la vigne dès le XIVᵉs. Depuis 2009, sa fille Julie est à ses côtés pour exploiter une quinzaine d'hectares répartis entre les appellations sancerre, pouilly-fumé et menetou-salon.

Un vin subtilement ciselé, fort d'une élégante sobriété. Minéralité, fleurs fraîches (tilleul, verveine), touche végétale discrète... se font écho. Gras sans être lourd, le palais offre une juste vivacité et une jolie salinité. Le long retour aromatique fruité (ananas, pêche) et épicé achève superbement la dégustation de cette cuvée issue d'un terroir siliceux. 2019-2024

EARL PATRICK NOËL, av. de Verdun, rte de Bannay, 18300 Saint-Satur, tél. 02 48 78 03 25, patricknoel-vigneron@orange.fr t.l.j. sf dim. 9h-12h 13h30-18h

DOM. PABIOT Les Champs aux Moines 2018 ★

| 4800 | | 11 à 15 € |

Le village des Loges, avec la Loire à proximité et ses caves anciennes, est au cœur de la tradition vigneronne ligérienne. C'est ici que s'est installé Dominique Pabiot en 1997, à la suite de son père Jean, à la tête de 11 ha de vignes. En 2018, le domaine s'est enrichi du prénom de la fille de Dominique, Mallorie, de retour sur ses terres après plusieurs de missions humanitaires.

Premier millésime à quatre mains et c'est une belle réussite pour les Pabiot père et fille. Intensité et complexité caractérisent cette cuvée, dont le nez épicé et minéral devient plus suave après aération. Ronde et souple en attaque, la bouche affiche plus de nervosité et une pointe d'amertume dans son développement. Un vin encore austère qui doit attendre un peu pour exprimer tout son potentiel. 2020-2024 **Dom. Dominique Pabiot Cuvée Plaisir 2018 ★ (11 à 15 €; 2700 b.)** : un nez fruité, fin et frais (menthol, agrumes), et une bouche ample et vive, un brin saline en finale. 2019-2022

DOM. DOMINIQUE ET MALLORIE PABIOT, pl. des Mariniers, Les Loges, 58150 Pouilly-sur-Loire, tél. 06 14 34 75 47, dominique-pabiot@orange.fr t.l.j. sf dim. 8h-12h 14h-18h

♥ **JEAN PABIOT ET FILS** Kiméride 2017 ★★

| 11250 | | 11 à 15 € |

"Kiméride" 2017 2017 Pouilly-Fumé Appellation Pouilly-Fumé Contrôlée Jean Pabiot et Fils

Installés dans une belle demeure au pied du village des Loges, à quelques pas de la Loire, Alain Pabiot et son fils Jérôme conduisent un domaine constitué de plus de vingt parcelles, qui tire son nom des pierres blanches calcaires appelées localement « caillottes ». Leurs pouilly-fumé, réguliers en qualité, mûrissent dans des caves souterraines plusieurs fois centenaires.

Cette cuvée issue de terroirs kimméridgiens dévoile d'emblée une remarquable complexité olfactive : les notes florales (chèvrefeuille, acacia) sont suivies de nuances miellées sur un fond crayeux et citronné. Ample et dense, la bouche se déploie en rondeur et en douceur. Sa longue finale confirme la finesse de la palette aromatique. Un pouilly-fumé de grande classe. 2019-2022

DOM. DES FINES CAILLOTTES, 9, rue de la Treille, Les Loges, 58150 Pouilly-sur-Loire, tél. 03 86 39 10 25, info@jean-pabiot.com t.l.j. 8h-12h 14h-18h; sam. dim. sur r.-v.

DOM. PETIT ET FILLE 2018 ★

| 30000 | | 8 à 11 € |

Un domaine familial fondé en 1948, conduit depuis 2009 par Aurélie Petit (troisième génération

vigneronne). Le vignoble couvre 12 ha de sauvignon et 45 ares de chasselas.

De belle intensité, assez complexe, le nez évoque la fleur d'acacia, le fruité et la minéralité (craie). En bouche, la sensation de souplesse est soulignée par une fraîcheur constante à l'arrière-plan. De la mâche, une certaine puissance, de la finesse en finale : ce vin représente bien l'appellation. ⧗ 2019-2022

DOM. PETIT ET FILLE, 3, imp. de la Tuilerie, 58150 Pouilly-sur-Loire, tél. 03 86 39 04 09, domainepetit@orange.fr V t.l.j. 8h30-12h 13h30-18h30

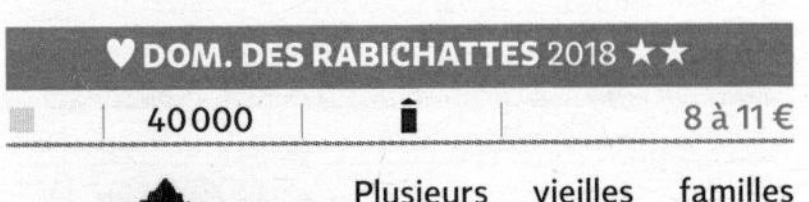

♥ DOM. DES RABICHATTES 2018 ★★

40000 | | 8 à 11 €

Plusieurs vieilles familles vigneronnes sont installées aux Loges, hameau de Pouilly-sur-Loire. Chez les Grebet, on y cultive la vigne depuis… 1620 et douze générations. Le vignoble couvre aujourd'hui 24 ha.

Cette cuvée exprime fortement le terroir de marnes kimméridgiennes dont elle provient. Les arômes sont complexes : les fruits mûrs (la poire notamment) et les nuances de fleurs blanches se mêlent à des notes de poivre et d'agrumes. La bouche fait le plein de saveurs délicates. Elle associe harmonieusement la douceur et la vivacité, rehaussée d'un trait d'amertume et surtout d'une remarquable minéralité en finale. ⧗ 2019-2023

DOM. DES RABICHATTES, 2, imp. des Rabichattes, Les Loges, 58150 Tracy-sur-Loire, tél. 03 86 39 00 11, scea.grebet@orange.fr V r.-v.

DOM. RAIMBAULT-PINEAU 2018

15000 | | 8 à 11 €

Jean-Marie Raimbault représente la dixième génération à la tête de cette exploitation de 18 ha qui, du Sancerrois, s'est étendue aux AOC coteaux-du-giennois et pouilly-fumé.

Le nez s'ouvre sur des arômes intenses (fleurs blanches, ananas, mangue) nuancés de touches grillées. La bouche est souple, assez linéaire, avec une belle salinité qui apporte de la fraîcheur et de l'équilibre. Jolie finale épicée. ⧗ 2019-2021

DOM. RAIMBAULT-PINEAU, 7, rte de Sancerre, 18300 Sury-en-Vaux, tél. 02 48 79 33 04, domaine.raimbault-pineau@outlook.fr V t.l.j. sf dim. 8h30-12h 14h-17h30; sam. sur r.-v.

DOM. DE RIAUX 2018 ★★

115000 | | 8 à 11 €

Les Jeannot, vignerons à Saint-Andelain depuis plus de deux cents ans, se sont établis sur le Dom. de Riaux en 1923. Alexis et son père Bertrand incarnent les huitième et septième générations à la tête d'un vignoble de 15,5 ha : les générations passent, mais les silex restent et le talent aussi à en juger par l'impressionnante régularité du domaine et ses nombreux coups de cœur en pouilly-fumé et pouilly-sur-loire. Incontournable.

Bien ouvert, le nez distille d'élégantes senteurs de fruits exotiques (mangue, litchi), qui s'enrichissent à l'aération de nuances de fleurs blanches, d'abricot et d'épices douces. La bouche se montre riche, suave et chaleureuse, la finale rappelant les fruits confits, la poire et la mandarine. Une très belle expression du pouilly-fumé, dans un style plus gras que sec. ⧗ 2019-2023

DOM. DE RIAUX, 58150 Saint-Andelain, tél. 03 86 39 11 37, alexis.jeannot@wanadoo.fr V *t.l.j. sf dim. 8h-13h 14h-19h*

DOM. CHRISTIAN SALMON
Clos des Criots 2018 ★★

25000 | | 11 à 15 €

Constitué par Irénée Salmon, arrière-grand-père d'Armand, aux commandes depuis 1995, ce vignoble d'une vingtaine d'hectares s'étend sur les meilleurs coteaux de la commune de Bué ainsi que sur l'aire du pouilly-fumé. Un domaine très régulier en qualité.

Riche et complexe, ce vin joue aussi sur la fraîcheur des arômes de pêche blanche, de litchi et de cassis. Gras et vivacité se marient harmonieusement au palais. Un petit côté austère dû à sa jeunesse ? Certes, mais ce pouilly-fumé a de la puissance en réserve et un beau potentiel d'évolution. ⧗ 2020-2024

DOM. CHRISTIAN SALMON, rue Saint-Vincent, 18300 Bué, tél. 02 48 54 20 54, domainechristiansalmon@wanadoo.fr V r.-v.

DOM. SEGUIN 2018 ★

106000 | | 8 à 11 €

Ce vignoble étend ses 19 ha sur les principaux terroirs de l'appellation pouilly-fumé : calcaires, marnes kimméridgiennes et silex. Créé en 1860 et transmis de père en fils depuis six générations, il est conduit depuis 2000 par Philippe Seguin, œnologue.

Avec ses notes florales et son fruité, ce 2018 évolue avec délicatesse. Au palais, il fait bonne impression par sa franchise, son équilibre, sa fraîcheur aux accents d'agrumes (pamplemousse) et son agréable minéralité finale. ⧗ 2019-2022 **3 2018 ★ (15 à 20 €; 2500 b.)** : des arômes intenses de fruits exotiques, une bouche généreuse, une finale fraîche et fruitée (poire) composent un beau style dans le millésime. ⧗ 2019-2022 **Cuvée Prestige 2018 (11 à 15 €; 14000 b.)** : vin cité.

DOM. SEGUIN, Le Bouchot, 48 ter, rue Louis-Joseph-Gousse, 58150 Pouilly-sur-Loire, tél. 03 86 39 10 75, herve.seguin@orange.fr V r.-v.

DOM. TABORDET 2018 ★★

80000 | | 8 à 11 €

Les frères Yvon et Pascal Tabordet ont repris l'exploitation familiale en 1980. La relève est assurée par leurs fils Gaël et Marius, installés à partir de 2008 sur une partie du domaine et sur la totalité depuis 2012 et le départ à la retraite d'Yvon. Leur vignoble couvre 19 ha en pouilly-fumé et en sancerre.

Ce pouilly-fumé respire la fraîcheur et la vitalité. Les arômes de fruits blancs (poire), de fleurs (aubépine) et d'épices douces composent une symphonie. Une douceur fruitée (nectarine, abricot confit) se dévoile au palais, laissant une impression de générosité. L'équilibre est assuré par une fraîcheur exotique (ananas) et une subtile amertume (pamplemousse) qui prolongent la finale. ⧗ 2019-2023

PASCAL, GAËL ET MARIUS TABORDET, 52, rue du Carroir-Perrin, 18300 Verdigny, tél. 02 48 79 34 01, contact@domaine-tabordet.fr V t.l.j. sf dim. 9h-12h 14h-18h

DOM. TINEL-BLONDELET Arrêt-Buffatte 2018 ★

| 31000 | 15 à 20 € |

À la tête du domaine familial depuis 1985, Annick Tinel-Blondelet, qui apparaît régulièrement dans le Guide pour son pouilly-fumé, a franchi le fleuve pour produire aussi du sancerre. Son domaine couvre 15 ha. Sa fille Marlène, nantie d'un mastère en vin et d'une expérience dans une autre région viticole, a rejoint sa mère fin 2016.

Un grand classique du domaine une nouvelle fois sélectionné. En 2018, il a séduit les dégustateurs grâce à des arômes de fruits bien mûrs (mangue, coing), nuancés de notes florales, à un palais généreux et charnu, soutenu par une juste vivacité, puis à une longue finale minérale et citronnée. ⧗ 2019-2023

DOM. TINEL-BLONDELET, 58, av. de la Tuilerie, La Croix-Canat, 58150 Pouilly-sur-Loire, tél. 03 86 39 13 83, contact@tinel-blondelet.fr V t.l.j. 9h-12h30 14h-18h30

POUILLY-SUR-LOIRE

Superficie : 31 ha / Production : 1 331 hl

♥ DOM. LANDRAT-GUYOLLOT
Les Binerelles Des cuvées créatives 2018 ★★

| 4000 | 8 à 11 € |

Depuis 1992, Sophie Guyollot est établie au pied de la colline de Saint-Andelain sur un vignoble de 17 ha constitué de parcelles très variées, réunies par dix générations de vignerons, et surtout de vigneronnes.

Cette bouteille provient d'un sol siliceux, l'un des terroirs de prédilection du chasselas. Le bouquet est expressif et flatteur : amande, fleurs blanches, menthe, fruits, subtile touche muscatée. La bouche, souple en attaque, propose un beau fond de fraîcheur. Des arômes de fleurs (jasmin), d'anis, de menthe et d'orange parcourent finement le palais. Un grand pouilly-sur-loire tout en délicatesse, déjà délicieux, mais qui vieillira bien. ⧗ 2019-2022

DOM. LANDRAT-GUYOLLOT, Les Berthiers, 16, rue du Mont-Beauvois, 58150 Saint-Andelain, tél. 03 86 39 11 83, contact@landrat-guyollot.com V r.-v.

GILLES LANGLOIS 2018

| 1500 | 5 à 8 € |

Ce domaine situé à Boisfleury, une commune de Tracy-sur-Loire, a été créé en 1908 par Charles Michot. Depuis, les générations se suivent à la tête du vignoble familial (11 ha) réparti sur les appellations pouilly-fumé et pouilly-sur-loire et conduit depuis 1988 par Gilles Langlois, l'arrière-petit-fils du fondateur.

Les arômes de fleurs blanches, d'écorce de citron et de légères nuances d'amande font le charme de ce vin. L'équilibre en bouche repose sur une fraîcheur structurante. Une petite amertume en finale signe la typicité. ⧗ 2019-2020

DOM. GILLES LANGLOIS, 6, rue de Breugnon, Boisfleury, 58150 Tracy-sur-Loire, tél. 03 86 26 17 18, langlois.pouilly@orange.fr V t.l.j. 10h-12h 15h-18h; sam. dim. sur r.-v.

DOM. DE RIAUX Vieilles Vignes 2018 ★

| 3300 | 5 à 8 € |

Les Jeannot, vignerons à Saint-Andelain depuis plus de deux cents ans, se sont établis sur le Dom. de Riaux en 1923. Alexis et son père Bertrand incarnent les huitième et septième générations à la tête d'un vignoble de 15,5 ha : les générations passent, mais les silex restent et le talent aussi à en juger par l'impressionnante régularité du domaine et ses nombreux coups de cœur en pouilly-fumé et pouilly-sur-loire. Incontournable.

Les parfums de noisette et de noix fraîches sont bien dans la typicité de l'appellation. Une touche lactée, des nuances florales (jasmin) et citronnées, complètent cette élégante palette. Bonne tenue au palais, de la vivacité et de jolies notes d'amande en finale. ⧗ 2019-2022

DOM. DE RIAUX, 58150 Saint-Andelain, tél. 03 86 39 11 37, alexis.jeannot@wanadoo.fr V t.l.j. sf dim. 8h-13h 14h-19h

QUINCY

Superficie : 249 ha / Production : 11 542 hl

C'est sur les bords du Cher, non loin de Bourges et près de Mehun-sur-Yèvre, lieux riches en souvenirs historiques du XVe s., que s'étendent les vignobles de Quincy et de Brinay, couvrant des plateaux de graves sablo-argileuses sur calcaires lacustres. Le seul cépage sauvignon fournit des vins légers et distingués, parmi les plus élégants de Loire dans le type frais et fruité, qui peuvent toutefois s'exprimer différemment selon la nature des sols.

DOM. DES BALLANDORS 2018

| 104 095 | 8 à 11 € |

Tous deux ingénieurs agronomes, Jean Tatin et Chantal Wilk ont créé leurs domaines au début des années 1990. La famille exploite quasiment 11 ha, partagés en trois entités : en quincy, les Ballandors et le Tremblay, en reuilly, les Demoiselles Tatin. Maroussia, la plus jeune des trois filles, ingénieur agricole, a pris la direction de cette dernière et des Ballandors en 2013, son père gardant la gestion des vignes du Tremblay.

De bonne intensité, le nez évoque les confiseries, les fleurs et les fruits. En bouche, le vin est bien tendu par la vivacité, ce qui lui assure une bonne persistance. ⧗ 2019-2021

SCEV DOM. DES BALLANDORS, Le Tremblay, 18120 Brinay, tél. 02 48 75 20 09, contact@domaines-tatin.com V t.l.j. sf sam. dim. 8h-12h 14h-18h

DOM. DU CHÊNE VERT 2018 ★

76000		8 à 11 €

Installé en 1999 sur 2,5 ha à cheval sur Reuilly et Quincy, Valéry Renaudat exploite désormais 10 ha de vignes sous deux étiquettes (Valéry Renaudat et Domaine du Chêne vert). Il s'impose comme l'une des valeurs sûres de ces appellations.

Très aromatique, ce quincy exhale des arômes de pêche blanche et de poire, nuancés d'un joli trait épicé. Ronde, grasse, chaleureuse, la bouche laisse une sensation de volume et de plénitude. Le fruité revient intensément en finale. ⏳ 2019-2021

SARL VALÉRY RENAUDAT, 3, pl. des Écoles, 36260 Reuilly, tél. 02 54 49 38 12, domaine@valeryrenaudat.fr V *t.l.j. sf dim. 8h30-12h30 13h30-18h30*

DOM. DE CHEVILLY 2018

100000		8 à 11 €

Yves Lestourgie et son frère Antoine ont créé en 1994 ce domaine sur 1,5 ha et planté eux-mêmes l'essentiel du vignoble, qui couvre aujourd'hui 12 ha en quincy et 1 ha en reuilly rosé. La cave est aménagée dans des bâtiments agricoles datant du XVIIIes. En 2009, après plusieurs expériences en France et à l'étranger, Géraldine, l'épouse d'Yves, a rejoint la propriété.

Les arômes sont exubérants, floraux (acacia) et fruités (mangue) sur un fond variétal (buis) et fermentaire (banane). Ronde en attaque, la bouche devient toute légère. ⏳ 2019-2021

GAEC DOM. DE CHEVILLY, 52, rue de Chevilly, 18120 Massay, tél. 02 48 52 80 45, domaine.de.chevilly@orange.fr V *t.l.j. 9h-12h 14h-17h; sam. dim. sur r.-v.*

DOM. DE LA COMMANDERIE 2018 ★

65000		8 à 11 €

Jean-Charles Borgnat est passé en 1983 des plateformes pétrolières à la viticulture, mettant également à profit dans cette nouvelle activité sa formation de géologue. Il travaille d'abord dans le domaine familial, puis crée ex nihilo cette exploitation en 1993 (près de 9 ha en quincy). En 2008, il acquiert un vignoble de 1,4 ha en reuilly. Son fils Étienne, après une expérience en Nouvelle-Zélande, est revenu sur l'exploitation pour reprendre le flambeau.

D'une belle expression, le nez est dominé par les arômes de fruits exotiques (fruit de la Passion, mangue) et quelques touches de cassis. Le perlant apporte un élan de fraîcheur au palais. Sobre et droit, c'est un quincy de plaisir. ⏳ 2019-2021

EARL DE LA COMMANDERIE, 6, rue des Champs-Moreaux, 18120 Cerbois, tél. 02 48 51 30 16, jcborgnat@gmail.com V *r.-v.*

DOM. DE L'ÉPINE Un Présage 2017 ★

700		8 à 11 €

La polyculture caractérise ce domaine qui a débuté par l'élevage de vaches et de chèvres avant de se lancer dans la vigne au cours des années 2000. Ce sont aujourd'hui 3 ha de sauvignon en AOC quincy.

Cette cuvée issue de marnes graveleuses a été élevée partiellement sous bois. Elle fait preuve d'harmonie dans sa palette d'agrumes confits, de vanille et de noix de coco. Une discrète minéralité et des notes beurrées viennent en appui. La bouche ferme est structurée par le boisé qui favorisera une bonne tenue dans le temps. ⏳ 2020-2022

EARL DE L'ÉPINE, lieu-dit Le Buisson-Long, 18120 Brinay, tél. 06 61 43 42 20, elodie-vilpellet@hotmail.fr V *r.-v.*

DOM. DU GRAND ROSIÈRES 2018

65000		8 à 11 €

Producteur de céréales jusqu'en 1995, Jacques Siret a diversifié son activité en achetant 1,5 ha de vignes. À sa retraite, ses enfants Vincent et Clément ont pris la relève, à la tête aujourd'hui de 7 ha entièrement consacrés au quincy.

Typé sauvignon par ses notes de cassis, ce vin développe aussi de beaux arômes de fleurs blanches et d'agrumes. Ronde avec une pointe d'amertume, équilibrée, la bouche est légère et élégante. ⏳ 2019-2021

SCEA DOM. DU GRAND ROSIÈRES, Le Grand-Rosières, 18400 Lunery, tél. 06 63 51 71 18, contact@domaines-siret.fr V *r.-v.*

DOM. DES GRANDS ORMES 2018

25000		8 à 11 €

Sur cette propriété, la tradition viticole s'était endormie pendant de longues années après les attaques du phylloxéra. Christophe Gallon l'a réveillée en 1992. Le domaine est reconnaissable à sa longère accolée à un pigeonnier du XVIIIes.

Le nez traduit la grande maturité du raisin. Les arômes fruités (abricot, mirabelle, coing) nuancés de touches florales sont ouverts. Grasse et chaleureuse, la bouche est en harmonie. Une légère vivacité finale vient rafraîchir cette cuvée solaire. ⏳ 2019-2021

SCEA DOM. DES GRANDS ORMES, Les Grands- Ormes, 18120 Brinay, tél. 02 48 51 09 06, christophegallon-quincy@orange.fr V *r.-v.*

DOM. LECOMTE 2018

50000		8 à 11 €

Bruno Lecomte s'est lancé dans la viticulture en 1995, en achetant 1,5 ha de vignes en AOC quincy. Entre-temps, son fils Nicolas l'a rejoint en 2006 sur un vignoble couvrant désormais 13 ha, dont 3 ha en châteaumeillant. Depuis janvier 2018, ce dernier est désormais seul aux commandes.

Le nez libère de petites nuances de fleurs blanches sur fond d'arômes variétaux. Vive en attaque, la bouche semble aérienne, avec une agréable fraîcheur en finale. ⏳ 2019-2021 **Vieilles Vignes 2018 (8 à 11 €; 5000 b.)** : vin cité.

NICOLAS LECOMTE, 105, rue Saint-Exupéry, 18520 Avord, tél. 02 48 69 27 14, nicolas@domaine-lecomte.com V *r.-v.*

DOM. MARDON 2018 ★

105000		8 à 11 €

Hélène Mardon, qui a repris les rênes de l'exploitation en 2002, est le dernier maillon d'une des plus

LOIRE

anciennes familles de vignerons de Quincy. Elle dirige aujourd'hui une exploitation de 16 ha.

Quelques notes florales et végétales, mais surtout des arômes de mandarine et de pamplemousse stimulent les sens. Avec du gras en attaque, un côté vif et frais, la bouche est de bonne tenue. ⧗ 2019-2021

SCEV DOM. MARDON, 40, rte de Reuilly, 18120 Quincy, tél. 02 48 51 31 60, contact@domaine-mardon.com V r.-v.

ANDRÉ PIGEAT 2018

	50000		5 à 8 €

Un domaine situé dans une ancienne propriété de Charles VII. En 2001, Philippe Pigeat, après des études en chimie, s'est converti à la vigne et au vin pour reprendre les commandes de l'exploitation (8 ha) créée par son père en 1967.

Les arômes de fruits jaunes (abricot, mirabelle) et d'agrumes (mandarine) invitent à poursuivre la dégustation. Au palais, la fraîcheur et une pointe de salinité apportent du relief à ce vin de bonne longueur. ⧗ 2019-2021

SCEV DOM. ANDRÉ PIGEAT, 18, rte de Cerbois, 18120 Quincy, tél. 06 07 13 72 03, philippe-pigeat@orange.fr V t.l.j. sf dim. 9h-12h 14h-17h30; sam. sur r.-v.

DOM. PHILIPPE PORTIER La Quincyte 2017 ★★

	8000		8 à 11 €

En 1991, Philippe Portier a relancé la culture de la vigne sur cette exploitation familiale de 21 ha dédiée essentiellement au quincy (1 ha de reuilly) et commandée par une ancienne ferme berrichonne entièrement restaurée.

Le nez est encore marqué par l'expression du cépage (buis, genêt). Mais, après aération, perce le terroir à travers des notes de pâtisserie et une touche grillée. Dans un équilibre bâti sur la douceur, la bouche solaire finit sur une élégante fraîcheur (orange). Ouvert, dans la typicité très mûre de l'appellation. ⧗ 2019-2022 **Philippe Portier 2018 ★ (8 à 11 €; 170 000 b.)** : très expressif et solaire, ce vin envahit les sens d'arômes de fruits mûrs. Le gras est bien équilibré par la fraîcheur jusqu'à la longue finale. ⧗ 2019-2021

EARL DOM. PHILIPPE PORTIER, Dom. de la Brosse, 18120 Brinay, tél. 02 48 51 04 47, philippe.portier@wanadoo.fr V t.l.j. 8h-12h 14h-18h; sam. dim. sur r.-v.; f. 10-23 août 4 B

DOM. ROUX 2018 ★★

	70000		8 à 11 €

Après sept années passées en Asie dans une activité commerciale, Albin Roux a pris en 2016 les commandes du domaine à la suite de Jean-Claude, son père, producteur à Quincy depuis 1994 et issu d'une famille de céréaliers. Le vignoble couvre aujourd'hui près de 8 ha de quincy et 3 ha de châteaumeillant.

Très expressif, le nez libère des parfums de fleurs blanches mellifères et de fruits jaunes (mirabelle, abricot) sur fond variétal (bourgeon de cassis). Le vin se découvre progressivement au palais : à la rondeur de l'attaque succède une vivacité citronnée, mais mesurée. Une petite amertume finale conclut en beauté la dégustation. ⧗ 2019-2021 **La Quincyte 2018 (11 à 15 €; 5000 b.)** : vin cité.

ALBIN ROUX, 21, chaussée de Chappe, 18000 Bourges, tél. 06 19 94 73 37, albinroux@gmail.com V r.-v. 4

JACQUES ROUZÉ 2018 ★

	90000		5 à 8 €

Figurant parmi les plus anciens vignerons de l'appellation quincy, et aussi parmi les plus réguliers, Jacques Rouzé a étendu son exploitation (19 ha) sur Reuilly et Châteaumeillant. Son fils Côme a repris le domaine en 2017.

À l'aération, les notes de fruits jaunes (pêche) succèdent aux délicats arômes de fleurs blanches. Ronde, d'un beau volume, la bouche révèle une légère amertume tonique qui allonge la finale. Un joli quincy au bon potentiel. ⧗ 2019-2021 **Vignes d'Antan 2018 ★ (8 à 11 €; 20 000 b.)** : belle expression de la minéralité; bouche très grasse qui confinerait à la lourdeur sans cette pointe de vivacité bienvenue. ⧗ 2019-2021

EARL JACQUES ROUZÉ, 2_ter, chem. des Vignes, 18120 Quincy, tél. 02 48 51 35 61, domainerouze@gmail.com V t.l.j. sf sam. dim. 9h-12h 14h-18h; f. août

DOM. ADÈLE ROUZÉ 2018

	40000		8 à 11 €

Fille de Jacques Rouzé, Adèle exploite un domaine de 5 ha, épaulée par son frère Côme, œnologue. Les cuvées qu'elle vinifie depuis 2003 s'invitent avec régularité dans ces pages.

Timide, le nez n'en est pas moins élégant, dans le registre des fleurs blanches. On retrouve ces arômes au palais, sur fond de rondeur qu'une fine amertume relève en finale. ⧗ 2019-2021

ADÈLE POLLET-ROUZÉ, La Redderie, 18380 Ivoy-le-Pré, tél. 02 48 51 35 61, adelerouze@wanadoo.fr V r.-v.

♥ DOM. DU TREMBLAY 2018 ★★

	8200		8 à 11 €

Tous deux ingénieurs agronomes, Jean Tatin et Chantal Wilk ont créé leurs domaines au début des années 1990. La famille exploite quasiment 11 ha, partagés en trois entités : en quincy, les Ballandors et le Tremblay, en reuilly, les Demoiselles Tatin.

Ce quincy de graves argilo-siliceuses impressionne par sa finesse aromatique. Les quelques notes de buis se dissipent dès l'aération pour laisser apparaître des senteurs florales prononcées, nuancées de minéralité et de fruits jaunes (pêche). Au palais, le gras et la douceur donnent une sensation de confiserie, mais une fraîcheur bien ciselée équilibre le tout. Complexe, harmonieux et gourmand. ⧗ 2019-2022

GFV DE QUINCY-REUILLY, Le Tremblay, 18120 Brinay, tél. 02 48 75 20 09, contact@domaines-tatin.com V t.l.j. sf sam. dim. 8h-12h 14h-18h B

REUILLY

Superficie : 202 ha
Production : 10 739 hl (53 % blanc)

Par ses coteaux accentués et bien ensoleillés, par ses sols remarquables, Reuilly semble prédestiné à la viticulture. L'appellation recouvre 7 communes situées dans l'Indre et le Cher, dans une région charmante traversée par les vertes vallées du Cher, de l'Arnon et du Théols. Le sauvignon produit des blancs secs et fruités, qui prennent ici une ampleur remarquable. Le pinot gris fournit localement un rosé de pressoir tendre et délicat, qui risque de disparaître, supplanté par le pinot noir dont on tire également d'excellents rosés, plus colorés, mais surtout des rouges pleins, toujours légers, au fruité affirmé.

DOM. AUJARD 2018 ★

| 26000 | 5 à 8 € |

Régulièrement sélectionné dans le Guide, et souvent aux meilleures places, Bernard Aujard installé en 1988 est une valeur sûre du vignoble du Centre. Ses fils Damien (en 2012) et David (en 2017) l'ont rejoint sur un domaine qui couvre aujourd'hui 7 ha.

Sur un fond de pamplemousse se développent de jolies senteurs fruitées (pêche, abricot) et des notes poivrées. Ronde, d'un toucher crémeux, la bouche finit sur une touche saline. Élégante, cette cuvée est en devenir. ⧗ 2020-2021 ■ **2018 (5 à 8 €; 15000 b.)** : vin cité.

SCEV AUJARD, 2, rue du Bas-Bourg, 18120 Lazenay, tél. 02 48 51 73 69, domaineaujard@wanadoo.fr V *t.l.j. 9h-12h 13h30-18h30; dim. sur r.-v.*

DOM. BEURDIN 2018

| 13330 | 5 à 8 € |

Fils d'un petit viticulteur, Henri Beurdin a créé cette exploitation en 1962 et son fils Jean-Louis lui a succédé en 2004. Le siège du domaine est installé à Preuilly dans une maison de maître datant de 1848. Le vignoble couvre 18,6 ha.

Les senteurs florales (acacia) et fruitées (pêche de vigne, nectarine, poire) forment un bouquet frais, très fin. Dotée d'une note iodée, la bouche ample et charnue révèle une vivacité mesurée avant de s'orienter vers un caractère solaire dans une finale longue et chaleureuse. ⧗ 2019-2021

SCEV DOM. HENRI BEURDIN ET FILS, 14, Le Carroir, 18120 Preuilly, tél. 02 48 51 30 78, jean-louis.beurdin@wanadoo.fr V *t.l.j. 8h-12h 13h30-18h30; sam. dim. sur r.-v.*

GÉRARD BIGONNEAU 2018 ★

| 17000 | 8 à 11 € |

En s'installant en 1990, Gérard Bigonneau a transformé cette exploitation céréalière, par ailleurs tournée vers le tourisme à la ferme, en domaine viticole. Depuis 2007, c'est sa fille Virginie, œnologue, qui conduit les 18 ha de vignes en AOC reuilly et quincy.

Rose pâle à reflets dorés, la robe est typique du pinot gris. Réservé, sur un fond anisé, le vin s'exprime avec finesse : fruits jaunes (abricot) et blancs (pêche, poire). D'une bonne concentration au palais, il persiste longuement, bien étayé par une discrète vivacité et une subtile amertume (orange sanguine). Sobriété et élégance. ⧗ 2019-2021

EARL BIGONNEAU, La Chagnat, 18120 Brinay, tél. 02 48 52 80 22, earl-bigonneau@orange.fr V *t.l.j. 9h-12h 13h30-17h30 ; sam. dim. sur r.-v.*

DOM. CHARPENTIER Saint-Vincent 2018 ★

| 52000 | 8 à 11 € |

L'un a fait ses études en Bourgogne, l'autre à Bordeaux. Représentant la troisième génération, Géraud et Jean-Baptiste Charpentier ont pris en 2012 la succession de leur père François, qui s'était investi dans le renouveau de l'AOC reuilly. À la tête d'un vignoble de 17 ha, ils ont aménagé en 2014 un nouveau chai.

Explosion de fraîcheur fruitée, ce vin laisse une sensation juteuse : fruits à chair blanche et fruits exotiques (litchi), cassis, touche épicée. La bouche franche est soutenue par une vivacité bien fondue. Une note solaire clôt la dégustation. Belle harmonie d'ensemble. ⧗ 2019-2021

EARL DU BOURDONNAT, lieu-dit Le Bourdonnat, 36260 Reuilly, tél. 06 71 90 66 43, charpentier.vins@orange.fr V *t.l.j. sf dim. 9h-12h 13h30-18h*

DOM. DU CHÊNE VERT Vieilles Vignes 2018 ★★

| 61000 | 8 à 11 € |

Installé en 1999 sur 2,5 ha à cheval sur Reuilly et Quincy, Valéry Renaudat exploite désormais 10 ha de vignes sous deux étiquettes (Valéry Renaudat et Domaine du Chêne vert). Il s'impose comme l'une des valeurs sûres de ces appellations.

Le nez intense est marqué par les arômes liés au cépage sauvignon. Les notes minérales et végétales apportent fraîcheur et élégance. L'acidité contrebalance bien l'onctuosité prononcée et la sensation d'opulence. Un reuilly qui peut encore développer ses qualités. ⧗ 2019-2021 ■ **Vieilles Vignes 2018 ★ (8 à 11 €; 22000 b.)** : ce vin évoque les fruits cuits au nez. Souple en attaque, il développe une juste fraîcheur et peut compter sur des tanins bien rangés. Bon retour fruité. ⧗ 2019-2022

SARL VALÉRY RENAUDAT, 3, pl. des Écoles, 36260 Reuilly, tél. 02 54 49 38 12, domaine@valeryrenaudat.fr V *t.l.j. sf dim. 8h30-12h30 13h30-18h30*

DOM. DE CHEVILLY La Licorne rose 2018

| 4600 | 8 à 11 € |

Yves Lestourgie et son frère Antoine ont créé en 1994 ce domaine sur 1,5 ha et planté eux-mêmes l'essentiel du vignoble, qui couvre aujourd'hui 12 ha en quincy et 1 ha en reuilly rosé. La cave est aménagée dans des bâtiments agricoles datant du XVIII^e^s. En 2009, après plusieurs expériences en France et à l'étranger, Géraldine, l'épouse d'Yves, a rejoint la propriété.

Ce gris très pâle affiche de beaux reflets dorés. Il est ouvert sur des notes fermentaires (banane, kiwi, bonbon anglais), agrémentées de touches épicées. Marquée par la douceur plutôt que par la fraîcheur, la bouche est en accord : arômes de marmelade de fruits et de confiseries (caramel). Charmant. ⧗ 2019-2021

GAEC DOM. DE CHEVILLY, 52, rue de Chevilly, 18120 Massay, tél. 02 48 52 80 45, domaine.de.chevilly@orange.fr V *t.l.j. 9h-12h 14h-17h; sam. dim. sur r.-v.*

LOIRE

MARC ET PHILIPPE DANIEL 2018 ★

| 10000 | 5 à 8 €

Née en 2001, la société de la fratrie Daniel a débuté avec 2,5 ha de vignes et une récolte vendue sur pied. Associé à Marc, son frère, et à sa sœur Anne-Sophie, Philippe Daniel a vinifié son premier millésime en 2011. Il conduit aujourd'hui un vignoble de 5,5 ha.

Intensité : telle est la sensation laissée par les arômes de fruits compotés (pêche, banane). Direct en attaque, le vin offre de la douceur au palais, avant de s'achever sur une fraîcheur rappelant les agrumes et le bonbon anglais. Un beau classique. 2019-2021 **Vieilles Vignes 2017 ★ (8 à 11 €; 1200 b.)** : après quelques notes florales, le nez est dominé par les parfums de fruits confits (abricot, coing). La bouche onctueuse présente du volume et une finale salivante, relevée de touches miellées. 2019-2020 **Gris 2018 (5 à 8 €; 9000 b.)** : vin cité.

SCEV DANIEL, Le Clos-du-Chat, av. Wilson, 36260 Reuilly, tél. 06 61 83 90 36, scev.daniel.reuilly@orange.fr V r.-v.

LES DEMOISELLES TATIN 2017 ★

| 4260 | 8 à 11 €

Tous deux ingénieurs agronomes, Jean Tatin et Chantal Wilk ont créé leurs domaines au début des années 1990. La famille exploite quasiment 11 ha, partagés en trois entités : en quincy, les Ballandors et le Tremblay, en reuilly, les Demoiselles Tatin.

La Commanderie est la première parcelle du domaine qui a été plantée en pinot noir. Au nez de fruits rouges bien mûrs (cassis, mûre) répond une bouche friande et d'un beau volume, qui restitue tout le croquant du fruit. Gourmand, ce vin a les qualités pour plaire tout au long d'un repas. 2019-2021

GFV DE QUINCY-REUILLY, Le Tremblay, 18120 Brinay, tél. 02 48 75 20 09, contact@domaines-tatin.com V *t.l.j. sf sam. dim. 8h-12h 14h-18h*

DYCKERHOFF 2018 ★

| 32000 | 8 à 11 €

C'est en Alsace que Christian Dyckerhoff a découvert le métier de vigneron, et rencontré Bénédicte, viticultrice de la région qui l'a rejoint dans le Berry. Le couple s'est installé en 2000 et conduit son domaine en appellation reuilly.

Belle palette aromatique dominée par les fruits exotiques (mangue, ananas, agrumes). La bouche est nette dès l'attaque, tout en légèreté et en rondeur. La vivacité finale (note citronnée) assure une bonne persistance. 2019-2021 **2018 (8 à 11 €; 11000 b.)** : vin cité.

EARL DU CARROIR DU GUÉ, 8, Le Carroir-du-Gué, Plou, 18290 Charost, tél. 02 48 26 20 46, contact@domaine-dyckerhoff.fr V r.-v.

CH. DE LA FERTÉ 2018 ★

| 6500 | 8 à 11 €

Attribué à l'architecte François Mansart, le château de la Ferté a été construit en 1656. Il est dans la famille Espivent de la Villeboinet depuis sept générations. Le vignoble couvre 5 ha exclusivement en reuilly.

Saumon à reflets cuivrés, ce 2018 séduit par son intensité et sa richesse : notes florales (rose, jasmin, violette) et fruitées (pêche, groseille, fraise). Très rond et souple, il affirme ce caractère gourmand au palais, tout en bénéficiant de fraîcheur pour se prolonger en finale. 2019-2021

SCEV CH. DE LA FERTÉ, Ch. de la Ferté, 36260 Reuilly, contact@chateaudelaferte.fr V r.-v.

JEAN-SYLVAIN GUILLEMAIN 2018 ★

| 5200 | 8 à 11 €

Jean-Sylvain Guillemain a créé son exploitation en 1992 en rachetant 1 ha de vignes à un viticulteur qui prenait sa retraite. Vingt ans plus tard, il a été rejoint par ses deux filles Aline et Lucie. Leur vignoble couvre près de 4 ha en appellation reuilly.

Timide au premier abord, le nez laisse ensuite s'épanouir d'agréables notes de petits fruits rouges (cassis, framboise). L'attaque est franche, puis le côté acidulé des baies rouges apporte de la fraîcheur au palais. Belle finale gourmande. 2019-2021

SARL GUILLEMAIN PÈRE ET FILLES, Palleau, 18120 Lury-sur-Arnon, tél. 02 48 52 99 01, domaineguillemain@orange.fr V r.-v.

MATTHIEU ET RENAUD MABILLOT 2018 ★

| 49000 | 8 à 11 €

Habitué du Guide, Alain Mabillot, partisan de l'enherbement et de la lutte raisonnée, conduisait ce domaine depuis 1990. En 2012, il vinifie son dernier millésime avec ses deux fils, Matthieu et Renaud, avant de les laisser officier seuls. Ces derniers ont depuis renforcé leur démarche en lutte raisonnée, en empruntant à la culture bio et biodynamique. Nouveauté au domaine depuis 2018 : la production de whisky à partir de leur propre exploitation céréalière.

Cette cuvée provient des coteaux argilo-calcaires de l'appellation. Des notes épicées s'élèvent au premier nez, puis des arômes de maturité apparaissent : mangue, litchi. Au palais, les sensations de douceur et de fraîcheur s'équilibrent : la vivacité monte progressivement jusqu'à la longue finale marquée d'une subtile amertume. Remarquable complexité qui ne pourra que se parfaire encore avec le temps. 2020-2022

EARL DOM. MABILLOT, 3, chem. de l'Orme, Villiers-les-Roses, 36260 Sainte-Lizaigne, tél. 02 54 04 02 09, contact@vins-mabillot.fr V r.-v.

♥ DOM. DE LA PAGERIE 2018 ★★★

| 30000 | 8 à 11 €

Un jeune domaine créé en 2017 par la famille Pointereau en plein cœur de Reuilly, sur 10 ha de vignes.

Une cuvée née sur la partie sablo-graveleuse de l'appellation. Intense dès l'ouverture, elle libère volontiers ses fragrances de fruits à chair blanche juteux (pêche de vigne, poire) complétées de subtiles touches minérales et végétales. Charnue et fraîche, elle a de la mâche et laisse une impression de plénitude. Un reuilly qui fait parler le terroir. ⧗ 2019-2022 ■ **2018 ★ (8 à 11 €; 17 000 b.)** : rose pâle, orné de reflets orangés bien présents, le vin se révèle suave. Aux arômes fermentaires succèdent des notes d'abricot et de fleur d'oranger. La bouche est dans la continuité. Douce et ronde de prime abord, elle se montre ensuite bien ciselée, tout en fraîcheur. ⧗ 2019-2021

⊶ SCEV DE LA PAGERIE, 16, chem. du Boulanger, 36260 Reuilly, tél. 02 54 21 94 88, contact@domainedelapagerie.fr V r.-v.

ROMAIN ET JEAN-PIERRE PONROY Les Beaumonts 2018 ★

■ | 9800 | 🍾 | 5 à 8 €

L'un des derniers domaines créés à Reuilly. C'est en 2004 que Jean-Pierre Ponroy, céréalier, convaincu par son fils Romain, commence l'aventure en louant des vignes. Depuis, le père et le fils, qui ont étendu leur domaine par leurs propres plantations (4,5 ha sur des coteaux de marne calcaire et des hautes terrasses de sables et de graves), commercialisent eux-mêmes leurs vins.

Le nez est dominé par des arômes typés de fruits rouges bien mûrs (cerise, prune) que viennent égayer des nuances florales. Légère et gourmande, la structure est composée de tanins fondus, au grain fin. Un vin gouleyant et de bonne tenue. ⧗ 2019-2021 ■ **Insolite 2018 ★ (5 à 8 €; 5000 b.)** : robe saumon pâle à reflets argentés. Nez complexe, aux notes fermentaires et aux arômes élégants de pêche blanche, de poire et de framboise. La bouche, volumineuse, est soutenue par un beau fond de fraîcheur. Belle finale sur le zeste d'orange. ⧗ 2019-2021

⊶ SCEA DOM. PONROY, 80, rue des Combattants-AFN, 36260 Reuilly, tél. 02 54 49 20 14, ponroy.jean-pierre@orange.fr V t.l.j. sf dim. 10h-18h30 ⊶ SCEA Dom. Ponroy

♥ PHILIPPE PORTIER 2018 ★★

■ | 1600 | 🍾 | 8 à 11 €

En 1991, Philippe Portier a relancé la culture de la vigne sur cette exploitation familiale de 22 ha dédiée essentiellement au quincy (1 ha de reuilly) et commandée par une ancienne berrichonne entièrement restaurée.

Pourpre à reflets noirs, la robe annonce la densité de ce vin. Les arômes sont intenses et complexes, en effet : fruits très mûrs, marmelade (cerise, cassis) et fraîcheur florale. L'extraction poussée se traduit par une chair concentrée, un gras prononcé et des tanins solides qui n'auront besoin que d'un peu de temps pour s'arrondir. ⧗ 2020-2023

⊶ SCA DOM. DES VICTOIRES, Dom. de la Brosse, 18120 Brinay, tél. 02 48 51 04 47, philippe.portier@wanadoo.fr V t.l.j. 8h-12h 14h-18h; sam. dim. sur r.-v.; f. 10-23 août 4 B

DOM. VALÉRY RENAUDAT Les Lignis 2018 ★★

■ | 20000 | 🍾 | 8 à 11 €

Installé en 1999 sur 2,5 ha à cheval sur Reuilly et Quincy, Valéry Renaudat exploite désormais 10 ha de vignes sous deux étiquettes (Valéry Renaudat et Domaine du Chêne vert). Il s'impose comme l'une des valeurs sûres de ces appellations.

Le nez est dominé par les arômes du cépage (groseille à maquereau, bourgeon de cassis) et animé de jolies notes épicées. La bouche est généreuse; le gras intense est en harmonie avec la bonne vivacité. Du fruité, de la fraîcheur, de la longueur sur une touche exotique (mangue). Une cuvée typée et élégante! ⧗ 2019-2021 ■ **Les Lignis 2018 (8 à 11 €; 14 000 b.)** : vin cité.

⊶ SARL DOM. VALÉRY RENAUDAT, 3, place des Écoles, 36260 Reuilly, tél. 02 54 49 38 12, domaine@valeryrenaudat.fr V t.l.j. sf. dim. 8h30-12h30 13h30-18h30

DOM. DE SERESNES Les Saints 2018 ★

■ | 11000 | 🍾 | 8 à 11 €

Bien connu des lecteurs du Guide, Jacques Renaudat, qui conduisait le domaine (6,5 ha) de Seresnes depuis 1972, a pris sa retraite en 2015. Son fils Gaylord a pris sa succession. Auparavant, il a travaillé trois ans pour la *winery* Forest Hill, dans l'ouest australien, puis comme caviste en Provence. La chapelle du XIIIe s. située à l'entrée de la cave – le domaine est implanté à l'emplacement d'un ancien monastère – figure toujours sur l'étiquette.

La robe rose à reflets argentés est bien typée. Le nez tout en nuances exprime la fraîcheur autour d'un beau fruité (groseille), de touches végétales et de notes de café. Au palais, rondeur et fraîcheur se marient pour apporter coulant et délicatesse. De la personnalité et du potentiel. ⧗ 2019-2021 ■ **Divin 2017 ★ (15 à 20 €; 1600 b.)** : d'un rubis profond, ce 2017 est empreint d'arômes de fruits rouges très mûrs tout au long de la dégustation. Suave en attaque, il est relevé de touches épicées et d'une petite astringence en finale. De la puissance. ⧗ 2019-2022 ■ **Les Saints 2018 (8 à 11 €; 7200 b.)** : vin cité.

⊶ GAYLORD RENAUDAT (DOM. DES SERESNES), Le Grand-Seresnes, 36260 Diou, tél. 06 75 50 49 76, gaylordrenaudat@gmail.com V r.-v.

♥ JEAN-MICHEL SORBE Pinot gris 2018 ★★

■ | 8000 | 🍾 | 8 à 11 €

Cette maison regroupe un domaine viticole (14 ha) et une activité de négoce qui connaissent le même succès. Un ensemble repris en 1999 par la famille Joseph Mellot, qui a développé un espace œnotouristique au siège de l'exploitation.

Ce magnifique rosé apparaît dans une robe œil-de-perdrix pâle à reflets cuivrés. De bonne intensité, il s'exprime avec élégance, associant richesse et

LOIRE

fraîcheur. Les senteurs fruitées (mangue, fruit de la Passion, abricot, fraise) se mêlent à la fleur d'oranger. Beaucoup de douceur en attaque, du gras en milieu de bouche, une pointe d'amertume en finale : la texture est remarquablement tissée. Un mariage gracieux de puissance et de finesse. ⧗ 2019-2021 ■ **2018 ★ (8 à 11 €; 40000 b.)** : quelques notes d'évolution (touches miellées) apparaissent dans les arômes dominants de fruits jaunes et de fruits exotiques. La bouche est onctueuse, chaleureuse, laissant en finale une impression de suavité. ⧗ 2019-2020

⊶ SARL JEAN-MICHEL SORBE, Le Buisson-Long, rte de Quincy, 18120 Brinay, tél. 02 48 51 30 17, jeanmichelsorbe@jeanmichelsorbe.com V 🚶 ▮ *t.l.j. sf dim. 9h-12h 14h-18h*

Ⓑ LUC TABORDET 2018 ★★★

■ | 19000 | 🍾 | 8 à 11 €

Fils de vigneron sancerrois et maître de chai du domaine Mardon (Quincy) de 2004 à 2011, Luc Tabordet a créé son domaine en 2011 en reprenant les vignes en reuilly du domaine Mardon, complétées par de nouvelles acquisitions. Il dispose désormais de 6 ha en sauvignon, pinot noir et pinot gris.

Très expressif et complexe, ce 2018 enchante par ses douces senteurs de fruits exotiques (mangue) et d'abricot, rafraîchies de nuances d'anis. Rond et gras, il emplit totalement le palais, mais offre aussi une délicate fraîcheur perceptible en finale. De la dentelle ! ⧗ 2019-2022

⊶ LUC TABORDET, 40, rte de Reuilly, 18120 Quincy, tél. 02 48 51 31 60, luc.tabordet@gmail.com V 🚶 ▮ *r.-v.*

DOM. DES TEMPLIERS 2018 ★

■ | 17000 | 🍾 | 5 à 8 €

Ce domaine est né en 2000 de l'association d'un viticulteur local, Franck Poirier, et d'un passionné de vin, Bernard Pousset. Le vignoble couvre 3,5 ha.

Le sol sablo-limoneux a transmis des notes minérales à la palette fruitée de ce vin. Il en résulte une impression de fraîcheur, que souligne encore une nuance végétale. Souple en attaque, la bouche est relevée d'une pointe de vivacité en finale (évocations d'agrumes). Bel équilibre, typique du millésime. ⧗ 2019-2021

⊶ SCEV DES TEMPLIERS, L'Ormeteau, 36260 Reuilly, tél. 02 54 49 23 25, poirier.f@orange.fr V 🚶 ▮ *r.-v.*

SAINT-POURÇAIN

Superficie : 695 ha
Production : 21 297 hl (71% rouge et rosé)

Le paisible et plantureux Bourbonnais (département de l'Allier) possède aussi un vignoble, sur 19 communes, au sud-ouest de Moulins. Les vignes croissent sur les coteaux de la vallée de la Sioule ou sur des plateaux calcaires, à proximité. Les blancs ont fait autrefois la réputation de Saint-Pourçain; un cépage local, le tressallier, est assemblé au chardonnay et au sauvignon, donnant une grande originalité aromatique à ces vins. Aujourd'hui, les rouges sont les plus nombreux. Fruités et charmeurs, ils proviennent de l'assemblage de gamay et de pinot noir.

DOM. DE BELLEVUE Origine 2018 ★

■ | 10000 | 🍾 | 8 à 11 €

Un domaine de référence en saint-pouçain, créé en 1922. Incarnant la quatrième génération, Jean-Louis Pétillat est aux commandes depuis 1977. Il exploite aujourd'hui 22 ha de vignes au cœur du vignoble bourbonnais, commandé par des bâtiments du XIXᵉs.

Un blanc gourmand, jaune pâle, brillant et cristallin. Issu à 60 % du chardonnay, il présente un nez sur les fruits mûrs nuancés de fleurs. Le complément d'assemblage en tressallier apporte vivacité au palais. Un caractère miellé à l'attaque, des agrumes en milieu de bouche... Une bonne persistance. ⧗ 2020-2024 ■ **Grande Réserve 2017 ★ (5 à 8 €; 20000 b.)** : une couleur grenat habille ce vin au nez intense de fruits rouges, rehaussé de discrètes notes de poivron. Souple à l'attaque, il fait preuve de structure et de persistance. Voilà un parfait exemple d'assemblage équilibré : 55 % gamay et 45 % pinot noir. ⧗ 2020-2022 ■ **Vieilles Vignes 2018 (11 à 15 €; 7000 b.)** : vin cité.

⊶ DOM. DE BELLEVUE, 03500 Meillard, tél. 04 70 42 05 56, ledomaine@saintpourcain-bellevue.fr V 🚶 ▮ *t.l.j. sf dim. 9h30-12h 14h-18h30*

DOM. DES BÉRIOLES Aurence 2018 ★

■ | 7000 | 🍾 | 8 à 11 €

Cette propriété familiale de 15 ha, installée au pied d'une petite chapelle et traversée par le chemin de Saint-Jacques-de-Compostelle, a été créée en 1989 par Odile et Olivier Teissèdre, qui livraient leurs raisins à la cave coopérative. Depuis 2011 et la création du chai, c'est leur fils Jean qui est aux commandes. La conversion bio est en cours, tournée vers la biodynamie.

Richesse aromatique garantie dans ce vin issu du chardonnay complété par 20 % de tressallier. Le nez intense se partage entre citron, pamplemousse et fruits exotiques, finement agrémenté de touches grillées et de notes florales. Suit une bouche gourmande et pleine, avec une attaque souple et une agréable vivacité en finale. ⧗ 2020-2022 ■ **Auvernat 2017 (11 à 15 €; 10000 b.)** : vin cité.

⊶ DOM. DES BÉRIOLES, pl. de l'Église, 03500 Cesset, tél. 06 21 04 37 45, domainedesberioles@gmail.com V 🚶 ▮ *t.l.j. sf dim. 9h-12h 13h30-18h30*

CÉDRIC ET BENOÎT BONVIN Cuvée bourbonnaise 2018 ★

■ | 10000 | 🍾 | 5 à 8 €

Travaillant en duo depuis 2010, les frères Bonvin sont complémentaires sur leur exploitation de 18 ha : Cédric se charge de la technique, Benoît de la vente.

Un vin de gamay (60 %) et de pinot noir (40 %), au nez discret de fruits noirs. Bien équilibré, il offre au palais des arômes de mûre soulignés par quelques épices, le tout porté par des tanins soyeux et une pointe de fraîcheur en finale. ⧗ 2020-2022

⊶ CAVE BONVIN, 11, rue Sainte-Catherine, 03500 Louchy-Montfand, cave.bonvin@gmail.com V 🚶 ▮ *t.l.j. sf dim. 9h-12h 14h-18h*

♥ CH. COURTINAT Rouge tradition 2018 ★★

■ | 13000 | | 5 à 8 €

Typiquement bourbonnais avec sa petite tour ronde et son pigeonnier, ce domaine créé à l'emplacement d'un ancien couvent du XVIe s. a abandonné l'élevage et les céréales. Habitué du Guide, Christophe Courtinat exploite aujourd'hui 13 ha de vignes.

Des vignes de quarante ans sur un terroir argilo-calcaire ont produit ce vin de gamay complété par 20 % de pinot noir. Le nez s'ouvre sur le fruit, vite rattrapé par des notes de cuir qui confèrent à la palette un côté animal. La bouche évoque durablement la cerise et le cassis. Les tanins parfaitement fondus contribuent à une sensation de souplesse, tout en assurant le potentiel de garde. ⧗ 2020-2024 ■ **Pinot noir 2017 ★ (5 à 8 €; 4000 b.)** : complété par 20 % de gamay, ce vin de pinot noir marie fruits noirs et rouges avec élégance. En bouche, la mûre et la griotte se déploient dans une chair ronde, structurée et persistante. ⧗ 2020-2022 ■ **Chardonnay 2018 (5 à 8 €; 6000 b.)** : vin cité.

CH. COURTINAT, 11, rue de Venteuil, 03500 Saulcet, tél. 04 70 45 44 84, cavecourtinat@wanadoo.fr V r.-v.

DOM. GARDIEN Harmonie du bois Jarry 2018

■ | 41200 | | 5 à 8 €

Un domaine dans la même famille depuis 1924. Installés respectivement en 1991 et 1996, les frères Olivier et Christophe Gardien (quatrième génération), formés tous les deux en Bourgogne, ont arrêté la culture des céréales pour se consacrer entièrement à la vigne, qui couvre 24 ha sur un terroir argilo-siliceux.

Une cuvée moitié gamay, moitié pinot, de couleur sombre. Portée sur les arômes de fruits noirs et les notes fumées, elle se révèle tout en légèreté, avec une pointe vive en finale. ⧗ 2020-2022

DOM. GARDIEN, 7, Chassignolles, 03210 Besson, tél. 04 70 42 80 11, contact@domainegardien.fr V *t.l.j. sf dim. 8h-12h 14h-19h*

DOM. JALLET
Les Pierres brûlées Élevé en fût de chêne 2017 ★

■ | 3500 | | 5 à 8 €

Ce domaine de 7 ha créé en 1913 par Jean-Marie Jallet est situé à deux pas du pittoresque village de Verneuil-en-Bourbonnais. Il est conduit depuis 1990 par Philippe Jallet, qui incarne la quatrième génération à la tête de la propriété.

Un vin rouge léger, couleur grenat, aux arômes surprenants d'agrumes et de fruits exotiques, nuancés de fines notes de cuir. L'attaque, résolument fruitée, introduit une bouche fraîche, soulignée par des flaveurs de mangue. ⧗ 2020-2022 ■ **F. Tardy 2018 ★ (5 à 8 €; 6000 b.)** : voici un beau rosé saumon clair, nuancé de reflets violacés. Il offre un bouquet de fruits rouges, avec des pointes de tabac. En bouche, le bonbon et la fraise s'ajoutent à la groseille et à la canneberge dans une chair enveloppante et fraîche, de belle longueur. ⧗ 2020-2021

DOM. JALLET, 30, pl. des Cailles, 03500 Saulcet, tél. 06 18 79 55 23 V *t.l.j. 8h-12h 14h-19h*

FAMILLE LAURENT Puy Réal 2018 ★★

■ | 17000 | | 8 à 11 €

La famille Laurent est établie à Saulcet depuis plusieurs siècles. En 2015, Damien – qui représente la... douzième génération de vignerons sur ces terres – a pris la suite de ses parents Jean-Pierre et Corinne à la tête d'un domaine de 33 ha habitué du Guide.

Cette cuvée assemble l'autochtone tressallier à 65 % de chardonnay. Le nez, vite ouvert, offre un remarquable bouquet d'agrumes, d'acacia et de rose. En bouche, fruits et fleurs se mêlent à la pêche et à la poire. S'y ajoutent des notes beurrées, du miel et une touche de vanille apportée par l'élevage en fût. L'attaque est vive, la finale légèrement acidulée, toute en légèreté. Une belle expression du terroir et un beau travail de vigneron. ⧗ 2020-2022 ■ **Calnite 2018 (5 à 8 €; 14000 b.)** : vin cité.

FAMILLE LAURENT, 5, rue de Montifaud, 03500 Saulcet, tél. 04 70 45 90 41, cave.laurent@wanadoo.fr V *t.l.j. sf dim. 9h-12h 14h-18h*

DOM. RAY Tradition 2018 ★

■ | 15000 | | 5 à 8 €

Cette exploitation, acquise par la famille Ray en 1929, s'est agrandie au fil des générations pour couvrir aujourd'hui près de 20 ha. En 2011, la cinquième génération, représentée par Fanny et Alexandre Pinet, la fille et le gendre de François Ray, a rejoint le domaine, très régulier en qualité. Outre le saint-pourçain, on produit ici des vins d'orange, de noix, du vinaigre balsamique et même du... limoncello!

Gourmandise et finesse assurées, avec ce gamay saumon à reflets violacés. Il libère volontiers des arômes de griotte, de groseille et de canneberge. En bouche, il reste sur le fruit (fraise) et offre un équilibre très réussi entre vivacité et rondeur. ⧗ 2020-2021 ■ **Tradition 2018 (5 à 8 €; 26000 b.)** : vin cité. ■ **Cuvée des Gaumes 2017 (8 à 11 €; 9000 b.)** : vin cité.

DOM. RAY, 8, rue Louis Neillot, 03500 Saulcet, tél. 04 70 45 35 46, guylaineray03@gmail.com V *r.-v.*

UNION DES VIGNERONS DE SAINT-POURÇAIN
La Ficelle 2018 ★

■ | 140000 | | 5 à 8 €

Créée en 1952, cette cave coopérative est la seule de l'appellation saint-pourçain. Rassemblant aujourd'hui soixante vignerons, elle vinifie les deux tiers des volumes sous la baguette de l'œnologue Sylvain Miniot.

Deux tiers de gamay et un tiers de pinot noir composent cette cuvée un brin animale. Le nez est à la fois délicatement fruité et riche en notes fumées. La bouche, très aromatique jusqu'en finale, bénéficie de tanins souples. ⧗ 2020-2022 ■ **Jean-Marc Josselin 2018 ★ (- de 5 €; 60000 b.)** : composé de deux tiers de gamay et d'un tiers de pinot noir, ce 2018 offre un nez intense : belle alliance des fruits rouges (cerise) et noirs (cassis), nuancés de notes fumées et de cuir. Le palais frais et souple laisse une agréable impression de légèreté. ⧗ 2020-2022

⊶ UNION DES VIGNERONS DE SAINT-POURÇAIN, 3, rue de la Ronde, 03500 Saint-Pourçain-sur-Sioule, tél. 04 70 45 42 82, udv@vinsaintpourcain.com V *t.l.j. 8h30-12h30 13h30-18h*

SANCERRE

Superficie : 2 830 ha
Production : 135 393 hl (79 % blanc)

Perché sur un piton rocheux, Sancerre domine la Loire et son vignoble, réputé dès le Moyen Âge. Sur 14 communes s'étend un magnifique réseau de collines parfaitement adaptées à la viticulture, bien exposées et protégées. Les sols portent des noms locaux : « terres blanches » (marnes argilo-calcaires du kimméridgien); « caillottes » et « griottes » (calcaires); « cailloux » ou « silex » (sols siliceux du Tertiaire). Deux cépages règnent à Sancerre : le sauvignon en blanc et le pinot noir en rouge. Le premier s'épanouit dans des blancs frais, jeunes et fruités, qui prennent des nuances différentes selon les types de sols; le second s'exprime dans des rosés tendres et subtils, et dans des rouges légers, parfumés et amples. Sancerre, c'est aussi un milieu humain particulièrement attachant. Il n'est pas facile, en effet, de produire un grand vin avec le sauvignon, cépage de deuxième époque de maturité, non loin de la limite nord de la culture de la vigne, à des altitudes de 200 à 300 m et sur des sols qui comptent parmi les plus pentus du pays, d'autant que les fermentations se déroulent en fin de saison dans des conditions délicates.

DOM. JEAN-JACQUES AUCHÈRE 2018 ★

■	40000		8 à 11 €

Jean-Jacques Auchère, viticulteur à Bué, s'est installé à la suite de son père en 1987. Il possède 10 ha de vignes en AOC sancerre, dont 6 ha de sauvignon, sur sol argilo-calcaire. La cave se situe au pied du célèbre cirque de La Poussie.

Dans la complexité et la finesse, le nez exprime un beau fruité, des notes florales (acacia) et minérales (craie), ainsi que des touches vanillées et muscatées. Une impression de souplesse se manifeste dès l'attaque. Une juste vivacité apporte ce qu'il faut de tenue et de longueur. Un vin bien ciselé, qui a du potentiel. ⧗ 2019-2021

⊶ JEAN-JACQUES AUCHÈRE, 18, rue de l'Abbaye, 18300 Bué, tél. 02 48 54 15 77, jeanjacques.auchere@gmail.com V *r.-v.*

DOM. SYLVAIN BAILLY Chêne Marchand 2017 ★

■	3000		15 à 20 €

Chez les Bailly, on est vigneron de père en fils depuis 1700. À la tête du domaine depuis 1991, Jacques Bailly, viticulteur à Sancerre, a réussi à se faire une place dans le vignoble de Quincy. Sonia Bailly-Fau, sa fille, l'a rejoint sur l'exploitation en 2007.

Des arômes de fruits blancs (poire, pêche) embellis de notes de mangue et d'ananas composent un nez intense. En bouche, le gras et la fraîcheur s'harmonisent très bien, jusqu'à une finale saline, un peu épicée. ⧗ 2019-2021

⊶ SAS DOM. SYLVAIN BAILLY, 71, rue de Venoize, 18300 Bué, tél. 02 48 54 02 75, domaine.sylvain.bailly@orange.fr V *t.l.j. 9h-12h 14h-17h30; sam. dim. sur r.-v.*

DOM. BAILLY-REVERDY La Mercy-Dieu 2018 ★

■	65000		11 à 15 €

Un domaine réputé créé en 1952 dans le village vigneron de Bué par Bernard Bailly et son épouse Marie-Thérèse Reverdy. Après Jean-François, leur fils, disparu en 2006, c'est leur cadet Franck, installé en 1991, qui conduit les 23 ha de vignes, épaulé depuis 2010 par son neveu Aurélien. Une valeur sûre du Sancerrois, en rouge comme en blanc.

Cet assemblage de terroirs se traduit par une belle gamme d'arômes : fruits frais, notes variétales, pointe minérale. Suave en attaque, la bouche devient onctueuse. Un beau retour de fraîcheur lui donne du relief et étire agréablement sa persistance gustative. ⧗ 2019-2022 ■ **La Mercy-Dieu 2017 ★ (11 à 15 €; 20000 b.)** : nez de fruits rouges (pruneau, griotte), de moka et de grillé. Le gras compense l'astringence en début de dégustation, les tanins ressortent en finale. À faire vieillir. ⧗ 2020-2025

⊶ SAS BAILLY-REVERDY, La Croix-Saint-Laurent, 43, rue de Venoize, 18300 Bué, tél. 02 48 54 18 38, contact@bailly-reverdy.fr V *t.l.j. 9h-12h 14h-18h; sam. dim. sur r.-v.*

DOM. JEAN-PAUL BALLAND Grande Cuvée 2017 ★★

■	22000		15 à 20 €

Issu d'une lignée de vignerons remontant au XVIIe s., Jean-Paul Balland, établi à Bué, a passé la main en 2015 à ses filles : Isabelle, œnologue, à la vinification, et Élise, au commercial. Le domaine couvre 22 ha. Un habitué du Guide, souvent aux meilleures places.

Cette Grande Cuvée est une sélection des plus vieilles parcelles, plantées sur des caillottes (sols calcaires). Les notes vanillées et torréfiées apportées par l'élevage en fût se fondent dans les arômes de fruits exotiques. Quelle concentration en bouche! Ample et charnu, bien soutenu par le boisé, le palais s'achève sur une longue finale fruitée, bien gourmande (mangue, litchi). Vin de gastronomie. ⧗ 2020-2023 ■ **2017 ★ (11 à 15 €; 10000 b.)** : les arômes de fruits noirs et d'épices prononcés participent à l'élégance de ce vin généreux, structuré par des tanins de belle maturité. ⧗ 2020-2025

⊶ SAS DOM. JEAN-PAUL BALLAND, 10, chem. de Marloup, 18300 Bué, tél. 02 48 54 07 29, balland@balland.com V *t.l.j. sf sam. dim. 8h-12h 13h30-18h*

ÉMILE BALLAND Croq' Caillote 2018 ★

■	4800		15 à 20 €

Installé en 2000, Émile Balland, ingénieur-agricole et œnologue, continue patiemment la construction de son domaine, situé dans le Loiret, qui se répartit entre coteaux-du-giennois et Sancerrois.

Arômes d'agrumes, de fruits jaunes mûrs (pêche, mirabelle) et notes florales (muguet) laissent une impression flatteuse et gourmande. Souple en attaque, le vin mise tout sur la légèreté et une agréable vivacité. Une fraîcheur citronnée apporte encore plus de tonus en finale. ⧗ 2019-2021

ÉMILE BALLAND, RN_7, 45420 Bonny-sur-Loire, tél. 03 86 39 26 51, emile.balland@orange.fr V r.-v.

DOM. LA BARBOTAINE 2018 ★

| 48000 | | 5 à 8 € |

Frédéric est le fils de Roland et le petit-fils de Louis, tous vignerons. Installé en 1994 au côté de ses parents, il a repris le flambeau en 2007. Il a poursuivi l'extension de l'exploitation familiale en replantant des parcelles et en exploitant les vignes de son beau-père qu'il conduit avec son épouse Sylvie. Le domaine couvre 17 ha.

Le nez est formé par de beaux arômes frais et typés : fruits blancs (poire), agrumes (orange, citron). La bouche semble aérienne grâce à une délicate vivacité et une touche de salinité finale. Un sancerre classique, de bonne tenue. ⧗ 2019-2021

EARL FRÉDÉRIC CHAMPAULT (LA BARBOTAINE), Dom. la Barbotaine, 3, La Barbotaine, 18300 Crézancy-en-Sancerre, tél. 02 48 79 02 32, earl.frederic.champault@orange.fr V r.-v.

MICHEL BEDU L'Agros 2017 ★

| 3000 | | 11 à 15 € |

Le domaine est implanté sur les coteaux argilo-calcaires et les terres blanches de Sury-en-Vaux. Pierre-Albin Bedu a pris la succession de son père en 2010.

Les arômes de pêche blanche et d'épices sur un fond d'agrumes (pamplemousse) ont beaucoup de délicatesse. Très grasse, la bouche enchaîne sur le fruité. Elle se développe avec ampleur et laisse persister de douces sensations. ⧗ 2019-2021

EARL MICHEL BEDU, Chézal-Girard, 18300 Sury-en-Vaux, tél. 06 84 04 16 52, pierrealbin2001@yahoo.fr V r.-v.

DOM. BIZET 2018

| 35000 | | 8 à 11 € |

Célestin Bizet plante les premiers pieds de vigne en 1900. Issu de la quatrième génération, Thibault Bizet s'est installé en 2005. Il gère un domaine de 8,5 ha au côté de sa maman Maryline.

Très floral avec une touche de buis, le nez livre aussi des nuances fruitées. Légère, la bouche laisse une sensation vive (note citronnée) persistante. ⧗ 2019-2021 ■ **2018 (8 à 11 €; 5000 b.)** : vin cité.

EARL DOM. BIZET, Chambre, 18300 Sury-en-Vaux, tél. 02 48 79 34 43, domaine.bizet@orange.fr V *t.l.j. sf dim. 9h-12h 14h-18h*

HENRI BOURGEOIS La Chapelle des Augustins 2017 ★

| 7880 | | 20 à 30 € |

À sa création par Henri Bourgeois en 1950, la propriété comptait 1,5 ha de vignes à Chavignol. Aujourd'hui, la dernière génération (Arnaud, Jean-Christophe et Lionel) est à la tête de 72 ha répartis sur 120 parcelles, sans compter les 30 ha du Clos Henri Vineyard acquis en Nouvelle-Zélande. Une valeur sûre du Sancerrois.

Des notes d'agrumes (pamplemousse) et de belles touches de fruits exotiques dominent à l'olfaction. Charnue, mais encore contenue, cette cuvée ne demande qu'à s'épanouir au fil des années. ⧗ 2021-2024 ■ **La Côte des Monts Damnés 2017 (20 à 30 €; 12870 b.)** : vin cité.

SARL HENRI BOURGEOIS, Chavignol, 18300 Sancerre, tél. 02 48 78 53 20, domaine@famillebourgeois-sancerre.com V *t.l.j. 9h30-18h30*

HUBERT BROCHARD 2018 ★

| 245000 | | 11 à 15 € |

Un domaine qui se transmet de génération en génération depuis le XVIIIes. Ce sont aujourd'hui cinq membres de la famille Brochard qui œuvrent de concert sur les 60 ha que compte le vignoble, répartis sur plus de deux cents parcelles et sept communes, dans les aires d'appellation sancerre et pouilly-fumé.

Discret mais fin, ce vin livre avec parcimonie des notes fruitées (abricot, pamplemousse) et une touche de minéralité. Il s'affirme par sa franchise au palais, sa bonne vivacité et son long retour aromatique. Beau potentiel dans la fidélité au millésime. ⧗ 2019-2021 ■ **2018 (8 à 11 €; 42000 b.)** : vin cité. ■ **2017 (11 à 15 €; 26000 b.)** : vin cité.

SAS HUBERT BROCHARD, Chavignol, 18300 Sancerre, tél. 02 48 78 20 10, domaine@hubert-brochard.fr V *t.l.j. sf dim. 9h-12h 14h-17h30*

DOM. DES BROSSES Confidence 2017 ★

| 3000 | | 11 à 15 € |

Les deux grandes caves de 22 m de long remontent aux débuts du domaine, créé en 1875, mais l'invasion phylloxérique avait fait disparaître le vignoble. Alain Girard l'a replanté à partir de 1970. Couvrant plus de 10 ha, le domaine est conduit depuis 2007 par son fils Nicolas.

La vinification et l'élevage en fût pendant un an se sont faits dans le respect de la qualité du vin. En témoigne la palette de ce vin qui affiche des notes florales et fruitées, complétées d'un léger toasté. Franche en attaque, la bouche présente un agréable fondu. La pointe d'amertume préserve la fraîcheur et soutient la finale. Potentiel de vieillissement certain. ⧗ 2020-2023 ■ **2018 (8 à 11 €; 5000 b.)** : vin cité.

SCEV ALAIN GIRARD ET FILS, Les Brosses, 18300 Veaugues, tél. 02 48 79 24 88, domainedesbrosses@yahoo.fr V *t.l.j. sf dim. 9h-12h 14h-17h30*

CARLIN-PINSON 2018 ★

| 80000 | | 8 à 11 € |

Établi dans la commune de Crézancy, Jack Pinson a débuté en 1970 en reprenant l'hectare de vignes de son grand-père et les trois vaches allaitantes. Aujourd'hui, le vignoble de 13 ha est conduit par sa fille et à son gendre, Alix et Nicolas Carlin.

Intenses, les arômes de pamplemousse, de fruit de la Passion et de bourgeon de cassis sont nuancés de jolies touches florales. Pleine et bien équilibrée, la bouche retrouve ces mêmes sensations fruitées qui lui donnent de la présence et une agréable vivacité finale. ⧗ 2019-2021

SAS JACK PINSON, 14, rte de Neuilly, 18300 Crézancy-en-Sancerre, tél. 02 48 79 00 94, jack.pinson111@orange.fr V r.-v.

DOM. DU CARROIR PERRIN 2018 ★★

	70000		8 à 11 €

Créée en 1990, une propriété de 11 ha située à 4 km de Sancerre. Son fondateur, Pierre Riffault, l'a transmise en 2006 à son fils Bertrand, qui s'attache à mettre en valeur les différents terroirs de l'appellation. La famille a restauré trois maisons anciennes pour y aménager des gîtes.

Née de terroirs calcaires et siliceux, cette cuvée se distingue par sa palette aromatique. Après la minéralité (pierre à fusil) du premier nez, elle développe de riches senteurs fruitées (poire, pêche jaune, ananas). Grasse, notablement douce au palais, elle garde cependant assez de fraîcheur pour laisser une impression d'élégance durable. ⧗ 2019-2022 ■ **2018 (8 à 11 €; 8000 b.)** : vin cité.

EARL PIERRE RIFFAULT, rue du Carroir-Perrin, Chaudoux, 18300 Verdigny, tél. 02 48 79 31 03, pierre.riffault@aliceadsl.fr V *t.l.j. sf sam. dim. 8h-12h 13h30-18h*

♥ ROGER CHAMPAULT Le Clos du Roy 2018 ★★

	16000		11 à 15 €

Laurent et Claude Champault ont pris en 1997 le relais de leur père Roger, l'une des figures de l'appellation sancerre en rouge. Établi au hameau de Champtin, ancienne seigneuriale implantée sur des lieux-dits réputés de Sancerre, le domaine a aménagé son caveau dans un colombier du XVIes. et dispose de 23 ha de vignes.

Le Clos du Roy est l'un des terroirs calcaires renommés du Sancerrois. Ouverte et distinguée, cette cuvée s'exprime avec une rare éloquence. Sur un fond d'agrumes (mandarine) se dégagent de délicates notes de fleurs blanches, de poire et d'épices douces. À la fois suave et frais en attaque, il développe un caractère charnu très gourmand. L'harmonie se réalise et une impression de «sobriété heureuse» ressort de sa dégustation. ⧗ 2019-2022 ■ **Côte de Champtin 2017 (15 à 20 €; 2600 b.)** : vin cité.

EARL ROGER CHAMPAULT ET FILS, 5, rte de Foulot, Champtin, 18300 Crézancy-en-Sancerre, tél. 02 48 79 00 03, roger.champault@orange.fr V *r.-v.*

DOM. DES CHASSEIGNES Cuvée Évidence 2017 ★★

■	n.c.		20 à 30 €

Aurore Dezat conduit depuis 2011, en viticulture très raisonnée (aucun herbicide ni insecticide), cette exploitation familiale de 9,5 ha créée par son grand-père et développée par son père Denis et son oncle Claude. En 2016, son conjoint David – qui œuvre en parallèle sur son domaine familial Anthony et David Girard – l'a rejointe.

D'un grenat profond, ce 2017 est né d'un sol d'argiles à silex. Au nez, il fait jouer en une belle harmonie les notes fruitées (compote de fraises) et les nuances boisées (vanille). Les tanins équilibrés structurent sa chair puissante et généreuse, qui exprime encore la fougue de la jeunesse. Une grande bouteille si l'on sait attendre... ⧗ 2020-2024 ■ **2018 (8 à 11 €; 58700 b.)** : vin cité. ■ **Les Chasseignes 2017 (15 à 20 €; 2600 b.)** : vin cité.

EARL DE CHASSEIGNES, Chappe, 18300 Sury-en-Vaux, tél. 06 87 25 45 71, contact@domainedeschasseignes.com V *t.l.j. 8h-12h 14h-19h; dim. sur r.-v.*

DOM. LES CHAUMES 2018 ★

	80000		8 à 11 €

Fils de viticulteurs, Jean-Jacques Bardin s'est installé en 1969 à Pouilly-sur-Loire sur 1 ha de vignes achetées à son grand-père. Il conduit aujourd'hui 45 ha avec trois de ses enfants.

Dès la première approche, le fruité s'empare du verre : évocations d'abricot et de fruits exotiques. Au palais, la vivacité donne le ton et demeure le leitmotiv de ce vin jusqu'en finale. ⧗ 2019-2021

SCEV JEAN-JACQUES BARDIN, lieu-dit Les Chaumes, 58150 Pouilly-sur-Loire, tél. 03 86 39 15 87, jean-jacquesbardin@wanadoo.fr V *t.l.j. sf dim. 9h-12h30 14h-18h*

DOM. LA CLEF DU RÉCIT 2018 ★

	50000		11 à 15 €

Après avoir acquis une solide expérience sur l'exploitation familiale du Sancerrois et dans plusieurs pays viticoles, Anthony Girard, natif de Récy, a repris en 2012 les clés de cette propriété de 10 ha. Un domaine à suivre.

Un tiers de silex et deux tiers d'argilo-calcaires. Tel est le berceau de ce vin élégant, dominé par le fruité (poire, notes exotiques). La bouche est soulignée par une acidité franche, qui confère nerf et longueur. Un sancerre aromatique et tendu. ⧗ 2019-2021 ■ **2017 (15 à 20 €; 7000 b.)** : vin cité.

SCEV ANTHONY GIRARD, Récy, 18300 Vinon, tél. 06 07 66 93 29, laclefdurecit@gmail.com V *r.-v.*

CH. DE CRÉZANCY Sur les marnes 2017 ★

	20000		11 à 15 €

Propriété fondée en 1956 par Robert Chevreau, transmise à Claude (1981) et à Jean-Marc (1984), associés en 1991 et disparus respectivement en 2014 et 2016. Le domaine, agrandi, compte plus de 14 ha. Il a été repris en 2015 par Ingrid Chevreau, veuve de Jean-Marc et par son fils Nicolas.

Un sancerre né d'un sol de marnes kimméridgiennes. Il égrène de jolies notes de fruits blancs, ainsi que des touches florales et épicées. Rond et très gras, il tire profit d'une juste vivacité pour trouver son équilibre. Du potentiel pour cette cuvée à la jeunesse bien conservée. ⧗ 2019-2021

SCEA CHEVREAU, 4, chem. de la Noue, 18300 Crézancy-en-Sancerre, tél. 02 48 79 04 77, chateaudecrezancy@orange.fr V t.l.j. sf dim. 10h-12h 15h-19h

DOM. DOMINIQUE ET JANINE CROCHET 2018 ★

	50000		8 à 11 €

En 1982, à sa création, ce domaine couvrait 2 ha; il compte aujourd'hui 11,9 ha. Depuis le décès de son époux, Janine Crochet dirige l'exploitation avec ses fils Teddy et Cyprien, arrivés respectivement en 2009 et 2016, et pratique une viticulture raisonnée à tendance bio.

Élégant dès l'abord, le bouquet a de la personnalité : agrumes (orange) et fleurs blanches sont teintées d'une petite note végétale (mousse). Ronde et souple, la bouche revient agréablement sur des nuances de pamplemousse et de pêche en finale. ⌛ 2019-2021 ■ **Cuvée Prestige 2017 ★ (15 à 20 €; 1500 b.)** : le bois s'est parfaitement marié au vin, comme en témoigne le nez (fruits très mûrs et notes torréfiées fondues). Soyeux en attaque, les tanins deviennent sévères en finale. À attendre. ⌛ 2020-2024

EARL DOM. DOMINIQUE ET JANINE CROCHET, 64, rue de Venoize, 18300 Bué, tél. 02 48 54 19 56, earlcrochetdominiqueetjanine@wanadoo.fr V r.-v.

DOM. LA CROIX SAINT-LAURENT 2018 ★

	52000		8 à 11 €

La Croix Saint-Laurent est le quartier du village de Bué où vous trouverez la cave de Sylvie et Joël Cirotte, épaulés à la vinification par leur fils Fabien depuis 2012. Leur domaine couvre 10 ha, conduit en culture toujours plus raisonnée.

De bonne intensité, c'est un nez frais (arômes de poire à point) et agréablement fleuri qui a séduit les dégustateurs. En bouche, tout est en place également : légèreté, jolies notes fruitées, minérales et salines. Bel éclat. ⌛ 2019-2021

SARL CIROTTE, 52, rue de Venoize, 18300 Bué, tél. 02 48 54 30 95, scea.cirotte@wanadoo.fr V *t.l.j. sf sam. dim. 8h-12h 14h-18h*

♥ DOM. DAULNY 2018 ★★

	5000		8 à 11 €

Étienne Daulny a pris en 1972 la tête du domaine régulier en qualité qui se transmet de père en fils depuis plusieurs générations et qui exporte aujourd'hui 85 % de sa production.

Issu de terroirs calcaires et marneux, ce rosé soutenu, nuancé de gris bleuté, décline volontiers des senteurs de pêche de vigne et de fraise, ponctuées de touches florales. Le palais est en harmonie, d'une fraîcheur délicate. Remarquable dans le millésime, voici un vin qui concilie légèreté, vivacité et élégance aromatique. ⌛ 2019-2021

ÉTIENNE DAULNY, Chaudenay, 18300 Verdigny, tél. 02 48 79 33 96, domaine-daulny@wanadoo.fr V r.-v.

DOM. DELAPORTE Les Monts Damnés 2017 ★★

	12000		20 à 30 €

Transmis de génération en génération depuis le XVIIes., conduit aujourd'hui par Jean-Yves Delaporte et son fils Matthieu, ce domaine familial de 33 ha, régulier en qualité et peu interventionniste à la vigne, est installé à Chavignol, charmant village au cœur du Sancerrois réputé pour son fromage de chèvre.

Le mariage du vin et du bois est parfaitement réussi dans cette cuvée issue d'un des plus prestigieux terroirs de Sancerre. Les arômes floraux et minéraux sont finement nuancés de café et de crème de marron. Ferme en attaque, grasse en son milieu, la bouche persiste remarquablement. Une valeur sûre. ⌛ 2020-2024 ■ **Le Cul de Beaujeu 2017 (20 à 30 €; 8000 b.)** : vin cité.

SCEV VINCENT DELAPORTE ET FILS, Chavignol, 18300 Sancerre, tél. 02 48 78 03 32, delaportevincent.sancerre@wanadoo.fr V *t.l.j. sf dim. 9h-19h*

ANDRÉ DEZAT ET FILS
Les Celliers Saint-Romble 2018 ★

	100000		8 à 11 €

La famille Dezat est l'une des plus anciennes familles vigneronnes du Sancerrois. Succédant en 1978 à leur père André, les frères Simon et Louis, épaulés par leurs enfants Firmin et Arnaud, ont étendu le vignoble familial sur l'aire du pouilly-fumé et conduisent aujourd'hui 43 ha de vignes.

Cette importante cuvée est bien représentative du style de l'appellation en 2018. Les premières notes fermentaires s'effacent au profit d'arômes de poire et d'écorce d'orange. Au palais, des sensations persistantes d'agrumes et une note saline équilibrent le côté solaire. ⌛ 2019-2021 ■ **Cuvée Prestige Élevé en fût de chêne 2017 (15 à 20 €; 8000 b.)** : vin cité.

SCEV ANDRÉ DEZAT ET FILS, 8, rue des Tonneliers, Chaudoux, 18300 Verdigny, tél. 02 48 79 38 82, contact@andredezat.fr V *t.l.j. sf dim. 9h-12h 14h-18h*

B DOM. DES EMOIS 2018 ★

	38000		15 à 20 €

Situé sur l'un des trois grands terroirs de Sancerre composé d'argilo-calcaires et de pierres (caillottes), ce domaine est dans le giron de la maison Joseph Mellot. En bio certifié depuis 2015, son vignoble couvre 6 ha à flanc de coteaux, sur le hameau d'Amigny.

Le nez discret libère des nuances fruitées, d'agrumes surtout (orange, citron). Souple en attaque, la bouche développe ensuite du charnu et de la fraîcheur pour finir sur une note saline. Un beau crescendo pour un sancerre élégant, tout en devenir. ⌛ 2019-2022

SCEA DES EMOIS, Amigny, 18300 Sancerre, tél. 02 48 78 54 54, contact@domainedesemois.com V r.-v.

LOIRE

ANTOINE DE LA FARGE 2018

| 42000 | 11 à 15 € |

Fille de Bernard Clément, vigneron qui participa à la création de l'AOC menetou-salon, Laurence Clément de la Farge. Antoine de la Farge, son fils, revient au domaine familial en 2012.

Le nez fait preuve de finesse grâce à ses arômes fruités (poire, fraise, agrumes) et floraux (seringa). La bouche, douce en attaque, se développe avec fluidité pour finir, en contraste, sur une vivacité appuyée. ⧗ 2019-2021

SAS DE LA FARGE, Dom. de l'Ermitage, 18500 Berry-Bouy, tél. 02 48 26 87 46, info@delafarge.com r.-v.

DOM. OLIVIER FOUCHER 2018 ★

| 26000 | 8 à 11 € |

Olivier Foucher a suivi un parcours professionnel classique : études de viticulture et d'œnologie, quelques années de collaboration avec ses parents et reprise en main du domaine familial à la retraite de son père en 2011. Il exploite aujourd'hui avec sa mère 9 ha de vignes.

Sols argilo-calcaires et silex entrent dans l'ADN de cette cuvée intensément marquée par les arômes de fruits jaunes (abricot) et d'agrumes (orange). La bouche, ronde dès l'attaque, se fait ensuite onctueuse, mais un soupçon de fraîcheur la relève en finale. Un vin issu de raisin bien mûr. ⧗ 2019-2021

EARL DES GUENOUX (DOM. OLIVIER FOUCHER), 6, Les Guenoux, 18240 Sainte-Gemme-en-Sancerrois, tél. 06 76 12 24 35, domainefoucher@orange.fr t.l.j. 9h-12h 14h-18h30; sam. dim. sur r.-v.

DOM. DE LA GARENNE Les Bouffants 2018

| 13000 | 11 à 15 € |

Bernard-Noël Reverdy et son épouse ont transmis en 2008 le flambeau à leur fille Fabienne et à leur gendre Benoit Godon, qui exploitent aujourd'hui un domaine de 12 ha.

Le coteau Les Bouffants se caractérise par un sol de calcaires tendres appelés «griottes» à Sancerre. Il a donné naissance à ce vin d'une bonne fraîcheur aromatique (fruits blancs, agrumes). La bouche est gourmande, marquée par des notes acidulées et une finale épicée. ⧗ 2019-2021

EARL DOM. DE LA GARENNE, 1, rue Saint-Vincent, 18300 Verdigny, tél. 02 48 79 35 79, contact@sancerrelagarenne.com t.l.j. 9h-12h 14h-18h; sam. dim. sur r.-v. f. 2-sem. en août

DOM. LA GEMIÈRE 2018 ★

| 35000 | 8 à 11 € |

Ce domaine tire son nom d'un lopin de terre où la cave fut construite (sur deux étages, ce qui permet de travailler par gravité). Depuis 1973, Daniel et Josette Millet conduisent cette exploitation d'une vingtaine d'hectares répartis sur trois terroirs (caillotis, terre rouge et terre blanche). Leurs deux fils Sébastien et Nicolas les ont rejoints en 2000.

Le nez s'ouvre progressivement, d'abord sur des arômes de fleurs blanches et d'agrumes, puis sur des nuances de fruits mûrs. Dynamisé par la vivacité en attaque, ce vin ne manque cependant pas de rondeur et de gras. Le retour sur les fruits jaunes est agréable. ⧗ 2019-2021

EARL DOM. LA GEMIÈRE, 1, La Gemière, Champtin, 18300 Crézancy-en-Sancerre, tél. 02 48 79 07 96, contact@domainelagemiere.fr t.l.j. 8h-12h 13h30-18h30

MICHEL GIRARD ET FILS Silex 2018 ★★

| 17000 | 11 à 15 € |

Ce domaine de 20 ha, propriété familiale depuis sept générations, est conduit par Michel Girard et ses fils, Philippe et Benoît.

D'une vivacité minérale au premier nez, ce vin déroule à l'aération d'intenses arômes de fruits blancs mêlés de notes variétales et beurrées qui lui donnent complexité et élégance. L'équilibre est remarquable au palais : fraîcheur ciselée, touche d'amertume prolongeant longuement les sensations. Fort potentiel d'avenir, nul doute. ⧗ 2020-2024 **2017 ★ (15 à 20 €; 2500 b.)** : les arômes de fleurs blanches se révèlent charmeurs dans ce vin, mais le boisé mérite encore de se fondre. La matière charnue et complexe saura l'intégrer à la faveur de la garde. ⧗ 2020-2023 **2018 (8 à 11 €; 100000 b.)** : vin cité.

EARL MICHEL GIRARD ET FILS, 8, rte de Saint-Satur, 18300 Verdigny, tél. 02 48 79 33 36, michelgirard.fils@wanadoo.fr t.l.j. 9h-12h 14h-18h; sam. dim. sur r.-v.

DOM. MICHEL GIRAULT La Silicieuse 2018 ★

| 13000 | 11 à 15 € |

Olivier et Anthony Girault ont repris en 2007 la suite de leur père Michel sur ce domaine de 16 ha producteur de sancerre et de pouilly-fumé.

Le sol d'argiles à silex a inspiré le nom de cette cuvée, mais ce sont les senteurs d'agrumes (orange) et de fleurs blanches qui dominent ici. Ces arômes continuent de se développer au palais (fruits exotiques), contribuant à la fraîcheur de l'ensemble jusqu'en finale. ⧗ 2019-2021 **Dom. les Beaux Regards 2018 (8 à 11 €; 45000 b.)** : vin cité.

EARL MICHEL GIRAULT, 1, chem. du Moulin, 18300 Bué, tél. 02 48 54 25 73, michel.girault5@wanadoo.fr t.l.j. 9h-12h 14h-18h

JÉRÔME GODON Vieilles Vignes 2017 ★★

| 6000 | 8 à 11 € |

Transmise de père en fils depuis dix générations, cette exploitation familiale, conduite depuis 2006 par Jérôme Godon, couvre 14 ha.

Pourpre profond, ce vin a été élevé pour partie en cuve et pour partie en fût. Au premier nez de cerise noire et d'épices succèdent des arômes de fruits mûrs. La bouche révèle du volume et de la puissance. Souple en attaque, elle laisse monter des tanins un peu sauvages en finale. Le retour aromatique est long. Le temps devra faire son œuvre pour consolider cette très belle bouteille. ⧗ 2021-2025 **Élégance 2018 ★ (8 à 11 €; 30000 b.)** : les arômes de fruits exotiques (banane, fruit de la Passion) dominent le nez sur un fond de marmelade d'agrumes et quelques touches de buis. La bouche est à la fois douce et fraîche. ⧗ 2019-2021

EARL BERNARD ET JÉRÔME GODON, Les Fouchards, 18240 Sainte-Gemme-en-Sancerrois, tél. 02 48 79 33 30, contact@vin-de-sancerre.com
V t.l.j. 8h-12h 13h30-19h

VINCENT GRALL Le Grall 2017 ★★

	3000		20 à 30 €

Après diverses expériences dans de grands domaines de Sancerre, Vincent Grall a créé en 1988 son vignoble, qu'il conduit en bio sans certification. La mise en bouteilles date de 2000. Avec ses 4 ha de vignes, il fait partie des plus petits producteurs du Sancerrois.

Fermenté et élevé en cuve de bois, ce sancerre de sol à silex exprime des arômes intenses et distingués, floraux (acacia) et fruités (orange). Bien structuré, il associe rondeur, vivacité et pointe d'amertume. Toutes ces sensations rebondissent en une finale gourmande et persistante. 2019-2022 **Le Grall 2018 (8 à 11 €; 26 000 b.)** : vin cité. **Le Manoir 2018 (11 à 15 €; 3 000 b.)** : vin cité.

VINCENT GRALL, 149, av. Nationale, 18300 Sancerre, tél. 02 48 78 00 42, vincent.grall@wanadoo.fr
V r.-v.

GUILLERAULT-FARGETTE Les Panseillots 2017 ★★

	20 000		8 à 11 €

Situé sur la commune de Crézancy-en-Sancerre, ce domaine familial de 21 ha est conduit par le tandem Gilles Guillerault et Sébastien Fargette qui ont introduit de nouvelles méthodes de travail (enherbement, travail des sols...).

Pourpre à reflets violines, la couleur est déjà séduisante. Le nez s'ouvre en beauté sur des nuances de fruits mûrs, façon confiserie. La bouche est en parfaite harmonie grâce à la rondeur des tanins mesurés et à une trame fruitée. Ce sancerre a la sobriété et le goût du naturel. 2020-2024 **Les Panseillots 2017 ★ (8 à 11 €; n.c.)** : beau nez (agrumes, abricot, pointe végétale noble). Bouche fraîche et fruitée, touches salines et minérales. De la finesse. 2019-2022

SAS GUILLERAUT-FARGETTE, 2, rue du Lavoir, Reigny, 18300 Crézancy-en-Sancerre, tél. 02 48 79 02 84, contact@guillerault-fargette.fr V t.l.j. sf dim. 9h-12h 14h-18h

RÉGIS JOUAN 2018 ★★

	5000		11 à 15 €

Après avoir travaillé vingt ans au domaine familial, Régis Jouan a créé en 2010, avec son épouse, sa propre exploitation à Sury-en-Vaux. Leurs vignes couvrent 4,5 ha. La propriété a été reprise en 2017 par leur fille Mariannick et leur gendre David Girard, par ailleurs vignerons à Menetou-Salon.

D'une belle couleur corail ambré, ce rosé issu d'un sol à silex et en majorité de pressurage direct est particulièrement pâle. Le nez est soutenu : fraise, kiwi, orange. La bouche ample et charnue ne manque certes pas de fraîcheur. De fines évocations de fruits rouges reviennent en rétro-olfaction et une note citronnée termine la dégustation comme un point d'orgue. 2019-2021 **2018 ★ (11 à 15 €; 20 000 b.)** : délicat et réservé, ce 2018 offre une fine complexité aromatique (fleurs et fruits blancs, poivre). Dans sa légèreté, il a de la finesse, du gras, une jolie acidité et aussi de la puissance à développer. 2019-2022

SCEA RÉGIS JOUAN, Maison-Sallé, Champarlan, 18300 Sury-en-Vaux, tél. 06 08 30 84 18, david.girard.champarlan@orange.fr V r.-v.

DOM. SERGE LAPORTE Millésia 2018 ★★

	60 000		11 à 15 €

Cette exploitation familiale de 12 ha se situe en plein cœur de Chavignol. Serge Laporte et son fils Guillaume disposent de plus de quarante-cinq parcelles reposant sur presque autant de terroirs et de nuances géologiques.

La palette de ce vin est une belle composition de fruits mûrs (poire), de fleurs et de touches épicées vivifiantes. L'attaque est souple, puis la fraîcheur monte en intensité jusqu'à la finale éclatante sur le fruit. L'équilibre et l'élégance. 2019-2022 **7 mars 2017 ★ (15 à 20 €; 900 b.)** : petite production, belle qualité. Arômes fondus de fruits cuits (cerise, pruneau) et de boisé (vanille, graphite). Structure fine, du gras et des tanins tapissants. 2020-2025

EARL DOM. SERGE LAPORTE, Chavignol, 18300 Sancerre, tél. 02 48 54 30 10, domaine.serge.laporte@wanadoo.fr V r.-v.

LAPORTE Les Grandmontains 2018 ★

	34 000		15 à 20 €

Située à Saint-Satur, la maison de négoce Laporte, dans le giron du groupe Henri Bourgeois, est propriétaire d'un domaine de 21 ha dédié aux appellations sancerre et pouilly-fumé. Elle est certifiée en agriculture bio depuis le millésime 2013.

Une minéralité franche et des arômes exotiques (fruit de la Passion, ananas) forment un expression élégante. Fraîche en attaque, la bouche laisse une sensation de douceur, avec une trame fruitée de bonne persistance. 2020-2022 **Le Rochoy 2018 (15 à 20 €; 60 000 b.)** : vin cité.

SAS LAPORTE, Cave de la Cresle, rte de Sury-en-Vaux, 18300 Saint-Satur, tél. 02 48 78 54 20, contact@laporte-sancerre.com V t.l.j. 8h30-12h 13h30-17h; sam. dim. sur r.-v.

FRANCINE LEMAIN-POUILLOT Cuvée Colette 2018 ★

	2000		11 à 15 €

Francine Lemain-Pouillot a repris en 2004 l'exploitation (aujourd'hui 5 ha) créée par son père, Clotaire, en 1960. Son fils Maxime la seconde.

Élaborée en hommage à la mère de Francine, fondatrice du domaine, cette cuvée respire les fruits bien mûrs (pêche, abricot), ainsi que des notes d'agrumes et de buis. La bouche est chaleureuse, certes douce, mais aussi relevée par une petite tension minérale qui l'allège. 2020-2022

SCEV LEMAIN-POUILLOT, 20, rue des Juifs, 18300 Bué, tél. 06 08 93 18 58, scevlemain@orange.fr
V r.-v.

DOM. PIERRE MARTIN 2018 ★★

7000	8 à 11 €

Après avoir travaillé quinze ans avec son père, Pierre Martin lui a succédé en 2012, appuyé par son épouse Lauriane, œnologue. Il essaie de se rapprocher de la démarche bio (pas de désherbants ni d'insecticides ou d'anti-pourriture, vinifications peu interventionnistes). L'essentiel de son vignoble (19 ha) est situé autour du village de Chavignol.

Le verre brille d'une teinte grenadine qui invite à découvrir les arômes intenses. Tout tourne autour du fruit, mais des nuances de fleurs blanches sont aussi perceptibles. Rondeur, gras et vivacité contribuent à une impression de plénitude en bouche. Concentré, d'une puissance maîtrisée, ce vin persiste longuement sur une belle fraîcheur aux accents de pamplemousse. Un rosé de maturité. 2019-2021

SCEV DOM. MARTIN ET FILS, Chavignol, 18300 Sancerre, tél. 02 48 54 24 57, domaine.martinetfils@orange.fr V r.-v.

JOSEPH MELLOT La Grande Châtelaine 2017

n.c.	20 à 30 €

L'histoire de la maison Joseph Mellot débute en 1513 à Sancerre, avec Pierre-Albert Mellot, qui pose les fondations d'un petit vignoble. Catherine Corbeau-Mellot préside aujourd'hui aux destinées de cet important négoce qui rayonne sur l'ensemble des vignobles du Centre et de la vallée de la Loire.

L'empreinte de l'élevage en fût est présent au nez comme en bouche. Mais le vin a de la puissance et, si l'on sait patienter, il finira par reprendre la place qui est la sienne : la première. Les arômes de fruits blancs frais et les notes exotiques percent discrètement. La matière est bien en place. Un style original qui a son intérêt et ses amateurs. 2021-2024

SAS JOSEPH MELLOT, rte de Ménétréol, 18300 Sancerre, tél. 02 48 78 54 54, josephmellot@josephmellot.com V *t.l.j. sf sam. dim. 8h-12h 13h30-17h* D

THIERRY MERLIN-CHERRIER 2018 ★

90000	8 à 11 €

Thierry Merlin réside à l'entrée du village vigneron de Bué. Au début des années 1980, il a créé ce domaine de 14 ha après avoir acquis de l'expérience en Bourgogne, dans des aires aussi prestigieuses que chablis et puligny-montrachet.

Intenses, les arômes fruités (pêche, poire, fruits exotiques) dominent, agrémentés de petites touches florales, végétales et minérales. On retrouve cette gourmandise au palais sur un fond frais et léger. Une pointe d'acidité stimule la finale. Du potentiel. 2019-2021 **2017 (8 à 11 €; 7000 b.)** : vin cité.

SAS THIERRY MERLIN-CHERRIER, 43, rue Saint-Vincent, 18300 Bué, tél. 02 48 54 06 31, thierry.merlin-cherrier@wanadoo.fr V r.-v.

DOM. FRANÇOIS MILLET 2018 ★★★

103000	11 à 15 €

Établis dans le village vigneron de Bué, François et Monique Millet sont depuis 1974 à la tête du domaine familial (21 ha). Ils sont désormais épaulés par leur fils Nicolas, formé dans le vignoble bourguignon.

L'origine géologique (calcaires et marnes) s'exprime dès le premier nez. Une minéralité délicate (notes de craie et d'argile) éclot dans une palette complexe et fine : notes fruitées (orange, poire, mirabelle) et florales (églantine). En bouche, le vin a du corps : se succèdent harmonieusement la souplesse de l'attaque, le gras du milieu de bouche et la vivacité de la finale persistante. Le plaisir est déjà au rendez-vous, mais il serait dommage de ne pas garder quelques bouteilles en cave. 2019-2023

SCEV FRANÇOIS ET MONIQUE MILLET, 75, rue de Venoize, 18300 Bué, tél. 02 48 54 39 09, nicolas-millet@wanadoo.fr V r.-v.

FLORIAN MOLLET Roc de l'abbaye 2017

10000	15 à 20 €

Cette ancienne propriété de l'abbaye de Saint-Satur, fondée en 1450, est dans la même famille depuis dix générations. Florian Mollet en conduit les 15 ha de vignes depuis l'année 2000.

Parmi les arômes fruités (pêche, abricot, agrumes), la minéralité du silex se distingue à l'odorat. Franche en attaque, la bouche offre beaucoup de rondeur. Une pointe acidulée (citron) et la minéralité qui réapparaît en finale lui donnent de l'allant. 2019-2021

SARL MOLLET-MAUDRY PÈRE ET FILS, 84, av. de Fontenay, 18300 Saint-Satur, norvan@closduroc.com

PIERRE MORIN 2017 ★

9000	8 à 11 €

Pierre Morin a repris l'exploitation familiale en 2013 après le départ à la retraite de son père Gérard, avec qui il œuvrait depuis 2004 sur les 9 ha de vignes du domaine.

Pourpre à reflets violets, ce vin possède les arômes intenses d'une vendange bien mûre (cerise noire). Il offre une belle progression des saveurs au palais : rondeur de l'attaque, tanins bien fondus et petite amertume finale. Le retour sur le fruité (cerise à l'eau-de-vie) est de bonne longueur. 2019-2022 **2018 (8 à 11 €; 20000 b.)** : vin cité. **Ovide 2017 (15 à 20 €; 4500 b.)** : vin cité.

EARL PIERRE MORIN, 4, rue de l'Abbaye, 18300 Bué, tél. 02 48 54 36 75, morin.perefils@orange.fr V r.-v.

PATRICK NOËL 2018

3000	11 à 15 €

Patrick Noël, originaire de Chavignol, a créé ce domaine en 1988 en reprenant les vignes familiales. Ses caves, enterrées à flanc de coteaux, sont situées à Saint-Satur, là même où les moines de l'abbaye éponyme exploitaient la vigne dès le XIVes. Depuis 2009, sa fille Julie est à ses côtés pour exploiter une quinzaine d'hectares répartis entre les appellations sancerre, pouilly-fumé et menetou-salon.

Couleur pâle, mais nez intense autour de notes amyliques dominantes, complétées de notes de fraise, de litchi et de kiwi. Cette puissance aromatique se retrouve dans un palais solaire, équilibré par une juste fraîcheur. Bien représentatif du millésime. 2019-2020

EARL PATRICK NOËL, av. de Verdun, rte de Bannay, 18300 Saint-Satur, tél. 02 48 78 03 25, patricknoel-vigneron@orange.fr V t.l.j. sf dim. 9h-12h 13h30-18h

CAVE DE LA PETITE FONTAINE 2018 ★

■	6400	🍾	8 à 11 €

Le nom de ce domaine vient de la présence d'une source qui jaillit dans la cave. Un domaine de 13 ha aujourd'hui, conduit depuis 1999 par Emmanuel Fleuriet, héritier d'une lignée de vignerons débutée en 1735.

D'une belle teinte saumonée, ce rosé est disert au nez tout en faisant preuve de finesse autour de la pêche, de la fraise et d'une pointe mentholée. Riche et solaire, il possède la fraîcheur nécessaire à sa bonne tenue. Gourmand. ⧗ 2019-2021

SCEV FLEURIET (CAVE DE LA PETITE FONTAINE), 1, rue de la Petite-Fontaine, 18300 Verdigny, tél. 02 48 79 40 49, cavelapetitefontaine@wanadoo.fr V *t.l.j. sf dim. 8h-12h 14h-19h*

♥ PAUL PRIEUR ET FILS Les Pichons 2017 ★★

■	2600	🛢	20 à 30 €

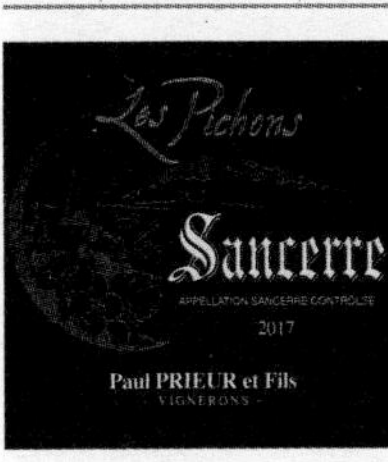

Héritier d'une longue lignée de vignerons (onze générations) établie sur les terres de Verdigny, Paul Prieur fut l'un des premiers vignerons de Sancerre à vendre sa production en bouteilles, en France et à l'étranger. Ses héritiers, aujourd'hui Philippe et son neveu Luc, exploitent un domaine d'une grande régularité, de 18,5 ha au pied de la célèbre colline des Monts Damnés. Des vignerons peu interventionnistes à la vigne comme au chai.

Le lieu-dit Les Pichons est un terroir de marnes kimméridgiennes. Cette cuvée est d'une régularité remarquable d'un millésime à l'autre. Le 2017, pourpre sombre, affiche des arômes profonds de fruits (cassis, cerise) bien mûrs, presque confiturés; le boisé est parfaitement intégré. Rond en attaque, il est structuré par des tanins serrés, au grain fin, parfaitement fondus dans la matière ample et dense. Du grand art. ⧗ 2020-2025 ■ **Monts Damnés 2017 (20 à 30 €; 9300 b.)** : vin cité. ■ **Pieuchaud Silex 2017 (20 à 30 €; 4900 b.)** : vin cité.

SCEA PAUL PRIEUR ET FILS, rte des Monts-Damnés, 18300 Verdigny, tél. 02 48 79 35 86, domaine@paulprieur.com V *t.l.j. sf dim. 9h-12h 14h-18h; sam. sur r.-v.*

DOM. RAFFAITIN-PLANCHON Terre d'argile 2017 ★★

■	2000	🛢	20 à 30 €

Un vignoble de 16 ha réparti sur 80 parcelles de calcaire et de terres blanches. Le domaine, créé en 1912, est conduit par Jean-Claude Raffaitin-Planchon depuis 1977.

L'élevage en fût a imprimé sa marque, comme en témoignent les nuances de moka, de vanille et de crème de marron. Les arômes du raisin reviennent ensuite en force : notes florales (aubépine) et fruitées (mirabelle, agrumes). La bouche est bâtie sur le même modèle. Sa structure vive porte loin les flaveurs de fruits exotiques. Un sancerre complexe et vigoureux. À conserver. ⧗ 2019-2023

JEAN-CLAUDE RAFFAITIN-PLANCHON, 28, Amigny, 18300 Sancerre, tél. 02 48 54 31 01, jean-claude-raffaitin-planchon@wanadoo.fr V *r.-v.*

NOËL ET JEAN-LUC RAIMBAULT 2018 ★

■	7000	🍾	8 à 11 €

Chambre est un hameau situé sur la route qui conduit de Sancerre à Sury-en-Vaux. C'est là que sont installés Noël, sa fille Charlotte et Jean-Luc Raimbault. Ils exploitent un domaine de 13 ha.

Ce vin fait la part belle aux notes fruitées (fraise des bois, cerise, framboise), mais on y décèle aussi des arômes floraux (pivoine) et lactés (yaourt à la mûre). De texture onctueuse en attaque, il bénéficie d'un beau grain tannique et d'une pointe de vivacité qui lui apporte du relief. Très représentatif des 2018 rouges. ⧗ 2021-2024

EARL NOËL ET JEAN-LUC RAIMBAULT, lieu-dit Chambre, 18300 Sury-en-Vaux, tél. 02 48 79 36 56, raimbault-sancerre@orange.fr V *r.-v.*

ROGER ET DIDIER RAIMBAULT Vieilles Vignes 2017 ★★

■	16000	🍾	11 à 15 €

Un domaine de 18 ha répartis sur une cinquantaine de parcelles, sur les communes de Verdigny et Sury-en-Vaux, transmis de père en fils depuis dix générations et conduit depuis 1996 par Didier Raimbault. La cave, adossée à une colline, est élevée sur trois étages, ce qui permet l'utilisation de la gravité pour un travail en douceur des raisins et des moûts.

Dès le premier nez, l'élégance se révèle à travers des notes florales et fruitées (agrumes, abricot), rehaussées de délicates touches végétales et anisées. À l'aération se dévoile une pointe de fruits confits en arrière-plan. Ronde et fraîche à la fois, la bouche révèle toute la puissance et la richesse du vin, avec en finale une fine minéralité persistante. ⧗ 2019-2023 ■ **Vieilles Vignes 2017 ★★ (11 à 15 €; 6500 b.)** : pourpre très foncé, ce vin exhale des arômes de fruits mûrs à confiturés, mêlés de notes de torréfaction. Rond et charnu, il s'appuie sur une structure de tanins serrés, encore austères en finale. Quelques années de garde lui permettront d'atteindre la parfaite harmonie. ⧗ 2021-2025

SCEA DIDIER RAIMBAULT (ROGER ET DIDIER RAIMBAULT), 25, rue du Graveron, Chaudenay, 18300 Verdigny, tél. 02 48 79 32 87, didier@raimbault-sancerre.com V *t.l.j 9h-12h 13h30-18h30; dim. sur r.-v.*

JULIEN ET CLÉMENT RAIMBAULT Camille 2017 ★

■	4500	🛢	20 à 30 €

Situé dans la commune de Sury-en-Vaux, le hameau de Maimbray possède le charme des vieux villages vignerons. C'est ici que les frères Julien et Clément Raimbault ont succédé à leur père et à leur oncle à la tête d'un domaine de 21 ha, en apportant de nouvelles

méthodes de travail (enherbement, travail des sols, bannissement des insecticides et autres produits chimiques). Ils signent des sancerre, notamment en rouge, régulièrement en vue. Une valeur sûre.

Les notes toastées et vanillées l'emportent sur les arômes de fruits rouges, sans nuire pour autant à l'élégance de la palette. Dans la droite ligne, la bouche est bien construite autour du boisé. Rondeur et gras enveloppent des tanins solides, mais soyeux. Avec une longue finale sur le fruité et le vanillé, cette cuvée est faite pour la garde. ⧗ 2021-2025 ■ **Dom. du Pré Semelé 2018 (8 à 11 €; 123 500 b.)** : vin cité.

SCEV JULIEN ET CLÉMENT RAIMBAULT, Maimbray, 18300 Sury-en-Vaux, tél. 02 48 79 33 50, rjc.raimbault@orange.fr r.-v.

DOM. PHILIPPE RAIMBAULT Apud Sariacum 2018

■ | 35 000 | | 11 à 15 €

Héritier d'une longue lignée de vignerons, Philippe Raimbault cultive la vigne sur les deux rives de la Loire : sancerre rive gauche, coteaux-du-giennois et pouilly-fumé rive droite. Le domaine couvre 16 ha.

Cette cuvée, qui porte le nom latin du village de Sury-en-Vaux, réunit de jolies notes florales (oranger, violette) et fruitées (fruit de la Passion, poire, mandarine). La bouche est ronde, chaleureuse en finale. ⧗ 2019-2021

EARL PHILIPPE RAIMBAULT, 10, rte de Maimbray, 18300 Sury-en-Vaux, tél. 02 48 79 29 54, philipperaimbault18@orange.fr r.-v.

DOM. RAIMBAULT-PINEAU 2018 ★

■ | 60 000 | | 8 à 11 €

Jean-Marie Raimbault représente la dixième génération à la tête de cette exploitation de 18 ha qui, du Sancerrois, s'est étendue aux AOC coteaux-du-giennois et pouilly-fumé.

Les arômes de fruits blancs et d'abricot s'expriment en premier, bientôt rejoints par des notes végétales puis minérales. Suave en attaque, la bouche joue entre rondeur et fraîcheur jusqu'à offrir une finale tonique. ⧗ 2019-2021

DOM. RAIMBAULT-PINEAU, 7, rte de Sancerre, 18300 Sury-en-Vaux, tél. 02 48 79 33 04, domaine.raimbault-pineau@outlook.fr *t.l.j. sf dim. 8h30-12h 14h-17h30; sam. sur r.-v.*

DOM. HIPPOLYTE REVERDY 2018 ★★

■ | 80 000 | | 8 à 11 €

Valeur sûre de l'appellation, ce domaine, habitué du Guide, était conduit par Michel Reverdy. Depuis 2018, c'est sa nièce Julie qui a pris les commandes. L'exploitation couvre aujourd'hui 14 ha : 11 ha plantés en sauvignon blanc, 3 ha en pinot noir.

De bonne intensité et de grande délicatesse, ce vin ne cesse de décliner des notes de fleurs blanches, de vanille et de pêche. Charnu, il laisse une impression de plénitude tout en gardant un relief bien dessiné grâce à une juste fraîcheur. La finale s'étire agréablement. ⧗ 2019-2022 ■ **2017 ★★ (8 à 11 €; 12 000 b.)** : les arômes expressifs sont dominés par les fruits rouges (cassis), égayés de fines touches florales et végétales. Le vin est ample au palais, bâti sur des tanins affirmés mais veloutés. La longue finale fruitée laisse une sensation suave. ⧗ 2019-2025

EARL DOM. HIPPOLYTE REVERDY, 43, rue de la Croix-Michaud, Chaudoux, 18300 Verdigny, tél. 02 48 79 36 16, domaine.hreverdy@wanadoo.fr r.-v.

DANIEL REVERDY ET FILS Anthéa 2017 ★

■ | 1600 | | 11 à 15 €

Propriété familiale implantée à Verdigny sur des marnes argilo-calcaires du kimméridgien. Depuis 2001, après s'être formé en Bourgogne, Cyrille Reverdy a rejoint son père Daniel et lancé la vente en bouteilles. Leur vignoble couvre 9,3 ha.

Ouvert, le nez propose une agréable séquence de notes florales et fruitées (pêche, agrumes). De structure équilibrée, ce sancerre reste léger et rond au palais tout en offrant une bonne persistance. ⧗ 2019-2021 ■ **2018 (5 à 8 €; 65 000 b.)** : vin cité. ■ **Le Clos de Chaudenay 2018 (8 à 11 €; 5 500 b.)** : vin cité.

EARL DANIEL REVERDY ET FILS, Chaudenay, 18300 Verdigny, tél. 02 48 79 33 29, daniel-et-fils.reverdy@wanadoo.fr *t.l.j. 9h-12h 13h30-18h*

JEAN-MARIE REVERDY ET FILS Héritage 2017 ★★

■ | 3000 | | 15 à 20 €

Perché au-dessus du village de Verdigny, ce domaine offre une belle vue sur la colline de Sancerre. Couvrant 15 ha, il est conduit depuis 1980 par Jean-Marie Reverdy, son épouse Catherine et ses fils Guillaume et Baptiste.

Vêtu d'une robe grenat soutenu, ce 2017 surprend par sa richesse aromatique. Le fruité (griotte, cassis, pruneau) évolue entre le bien mûr, le confituré et le cuit. De délicates touches épicées, mentholées, lactées et torréfiées ajoutent à sa complexité. Dense et puissante, la chair bénéficie de tanins serrés et se prolonge durablement en finale. ⧗ 2021-2025

EARL REVERDY-FERRY, 8, rte de Chaudenay, 18300 Verdigny, tél. 02 48 79 30 84, domaine@lavillaudiere.com *t.l.j. sf dim. 9h-12h 14h-18h*

JEAN REVERDY ET FILS Les Villots 2018 ★

■ | 6700 | | 8 à 11 €

Les origines de cette propriété remontent à 1650. Christophe Reverdy, fils de Jean, perpétue la tradition familiale depuis 1994 et dirige une exploitation de 12 ha. Un domaine régulier en qualité, en témoignent les différents coups de cœur obtenus depuis la création du Guide.

Assez soutenue, la robe corail reflète des nuances grenat et saumon. Le nez est vif, à dominante de groseille et de framboise, avec quelques touches amyliques et confiturées en appoint. Une nette douceur confère de la rondeur au palais, mais une agréable fraîcheur fruitée est également perceptible. ⧗ 2019-2021 ■ **La Reine Blanche 2018 (8 à 11 €; 70 000 b.)** : vin cité. ■ **Les Villots 2017 (8 à 11 €; 4 800 b.)** : vin cité.

EARL JEAN REVERDY ET FILS, rue du Carroir-Perrin, Chaudoux, 18300 Verdigny, tél. 02 48 79 31 48, jreverdy@wanadoo.fr r.-v.

BERNARD REVERDY ET FILS 2018 ★

■ | 12000 | | 8 à 11 €

L'arbre généalogique des Reverdy remontant au XVIe s. trône dans la cave. Aucun doute : ici, le sancerre est une spécialité familiale. Le domaine couvre 12 ha. Une valeur sûre.

De teinte corail léger, ce rosé présente de la délicatesse. Les arômes sont développés : fruits mûrs (pêche, abricot), nuances poivrées, lactées et fumées. En cohérence, centrée sur des flaveurs fruitées persistantes, la bouche offre du volume et de la vinosité, équilibrés par une juste fraîcheur. ⧗ 2019-2021

SCEV BERNARD REVERDY ET FILS, 11, rte des Petites-Perrières, Chaudoux, 18300 Verdigny, tél. 02 48 79 33 08, reverdybernard@orange.fr r.-v.

JEAN-MARIE REVERDY ET FILS
Caillottes 2018 ★★

■ | 9600 | | 11 à 15 €

En 2017 et après plus de quarante ans d'activité, André Robineau a transmis son exploitation (24 ha) à deux frères viticulteurs à Verdigny, Guillaume et Baptiste Reverdy.

Ce 2018 s'exprime avec autant de discrétion que de délicatesse. Aux notes florales (aubépine, acacia) succèdent des senteurs de fruits frais (abricot, orange) et une fine nuance iodée. Doté d'un gras imposant, le vin trouve son harmonie dans une vivacité mesurée en milieu de bouche, puis la douceur revient en finale, comme pour apporter une ultime touche de séduction. ⧗ 2019-2022

SCEV DOM. ANDRÉ ROBINEAU, rte de Bourges, 18300 Sancerre, tél. 02 48 54 00 92, domaine@lavillaudiere.com t.l.j. sf dim. 9h-12h 14h-18h

ALBAN ROBLIN Héritage 2017 ★

■ | 2000 | | 15 à 20 €

Issu d'une famille de vignerons depuis de nombreuses générations, Alban Roblin – installé depuis 2010 – conduit le domaine familial de 12 ha plantés principalement sur les terres blanches de la commune de Sury-en-Vaux et du hameau de Maimbray.

Un vin grenat profond à reflets acajou. De prime abord, les notes toastées (noix de coco, caramel) et une touche animale (gibier) se manifestent. Puis apparaissent des nuances fruitées, confiturées (cerise noire), florales (violette) et une fraîcheur mentholée. D'une puissance contenue, la bouche intègre bien dans le gras des tanins mûrs et denses. ⧗ 2021-2025

EARL ALBAN ROBLIN, La Rabotine, 9, rte de Maimbray, 18300 Sury-en-Vaux, tél. 02 48 79 31 15, roblin.larabotine@orange.fr t.l.j. 8h-12h 14h-19h

MATTHIAS ET ÉMILE ROBLIN Origine 2018 ★

■ | 12000 | | 11 à 15 €

Matthias Roblin a repris en 2000 ce domaine familial, dont l'origine remonte au XVIIIe s. Son frère Émile l'a rejoint six ans plus tard. Le vignoble s'étend sur 19 ha conduits « en culture raisonnée à tendance biologique ».

De bonne intensité, la robe est couleur framboise à reflets saumon. Au nez de petits fruits rouges (groseille) répond une bouche fraîche, avec en finale un fruité acidulé et une pointe d'amertume (pamplemousse) persistants. ⧗ 2019-2021

GAEC MATTHIAS ET ÉMILE ROBLIN, Maimbray, 18300 Sury-en-Vaux, tél. 02 48 79 48 85, matthias.emile.roblin@orange.fr r.-v.

♥ DOMINIQUE ROGER
Cuvée La Jouline 2018 ★★

■ | n.c. | | 20 à 30 €

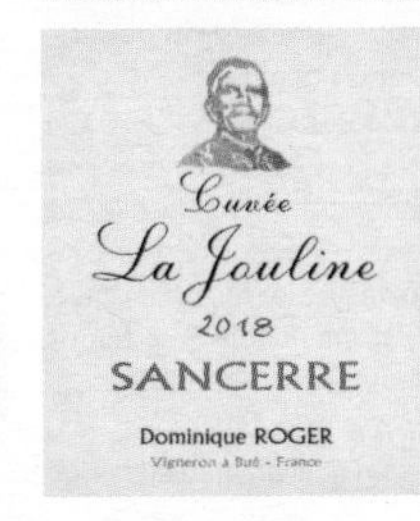

Chez les Roger, on est vigneron de père en fils depuis le XVIIe s. Installé en 1985, Dominique Roger conduit, en viticulture raisonnée, un vignoble de près de 11 ha. Sa cave est installée au cœur du village de Bué, dans une ancienne « vigneronnerie » du XIXe s. Une valeur très sûre du Sancerrois.

Pourpre violacé, ce vin séduit d'emblée par ses arômes de fruits très mûrs, voire confiturés (cerise, mûre, myrtille, cassis), soulignés de vanille et de noix de coco. Au palais, il parvient à une remarquable harmonie, le gras enveloppant des tanins soyeux, au grain fin. La finale sur les fruits noirs, le pain grillé, la muscade est chaleureuse et fondue. Un potentiel étonnant. ⧗ 2022-2027 ■ **Les Déserts 2017 ★ (15 à 20 €; 1900 b.)** : le nez est ouvert sur des notes fruitées variétales. Souple en attaque, la bouche révèle non seulement de la douceur, mais aussi de la fraîcheur en arrière-plan, grâce à des arômes de pêche jaune et de pamplemousse. Une personnalité digne d'intérêt. ⧗ 2019-2021

SCEA DOMINIQUE ROGER, 7, pl. du Carrou, 18300 Bué, tél. 02 48 54 10 65, contact@dominique-roger.fr t.l.j. 9h-12h 14h-18h30; dim. matin sur r.-v.

♥ DOM. DE LA ROSSIGNOLE
L'Essentiel 2017 ★★★

■ | 10000 | | 8 à 11 €

Le nom de la famille Cherrier est attaché au vignoble de Sancerre depuis 1848. Le domaine actuel a été créé en 1927 par le grand-père Maurice, développé par son fils Pierre et depuis 1984 par la troisième génération, François et Jean-Marie, à la tête aujourd'hui de 15 ha de vignes. Ces derniers se sont implantés en 2010 dans l'appellation menetou-salon en reprenant les 10 ha du domaine du Loriot.

Cette cuvée issue de la sélection de terroirs argilo-calcaires est régulièrement retenue dans le Guide. Elle bénéficie d'un patient élevage sur lies. Le 2017 livre une corbeille de fleurs blanches et de fruits confits (coing), nuancée d'une touche épicée. Ample et charnue, elle ne se dépare pas de sa fraîcheur et offre en finale une signature saline typée. Grande délicatesse. ⧗ 2020-2024 ■ **2018 (8 à 11 €; 64000 b.)** : vin cité.

SCEV PIERRE CHERRIER ET FILS, 26, rue de la Croix-Michaud, 18300 Verdigny, tél. 02 48 79 34 93, cherrierfreres@orange.fr V r.-v.

DOM. SALMON 2017 ★

■ | 10000 | | 15 à 20 €

Constitué par Irénée Salmon, arrière-grand-père d'Armand, aux commandes depuis 1995, ce vignoble d'une vingtaine d'hectares s'étend sur les meilleurs coteaux de la commune de Bué ainsi que sur l'aire du pouilly-fumé. Un domaine très régulier en qualité.

L'aération dissipe les premières notes fumées. Se révèle alors la complexité de la palette aromatique : notes florales (rose, violette), fruits noirs surmûris (myrtille) et nuances torréfiées (café, pain grillé). La structure tannique en impose encore, de même que la fraîcheur finale, mais la richesse de la matière est indéniable et le temps saura remédier aux élans de jeunesse. 2021-2025

DOM. CHRISTIAN SALMON, rue Saint-Vincent, 18300 Bué, tél. 02 48 54 20 54, domainechristiansalmon@wanadoo.fr V r.-v.

CAVE DES VINS DE SANCERRE
Les Marennes 2017 ★

■ | 10000 | | 11 à 15 €

Créée en 1963, la Cave des vins de Sancerre, située à l'entrée de la ville, a apporté sa large contribution au développement de l'appellation. Elle regroupe quatre-vingt-douze vignerons répartis dans douze communes différentes. Équipée en matériel performant, elle est menée par une équipe compétente.

Un long élevage de quinze mois a permis de peaufiner la palette de fruits rouges (fraise, cerise) bien mûrs, légèrement confiturés qui se décline au nez comme en bouche. Rondeur, tanins souples, fraîcheur font de ce 2017 un vin gourmand et séducteur. 2019-2023

SCA CAVE DES VINS DE SANCERRE, 682, av. de Verdun, 18300 Sancerre, tél. 02 48 54 19 24, infos@vins-sancerre.com V *t.l.j. sf dim. 8h-12h 13h30-17h30*

DAVID SAUTEREAU 2018

■ | 2600 | | 8 à 11 €

Héritier de neuf générations de vignerons, David Sautereau s'est installé en 1997 avec quelques parcelles en location. Depuis, il a planté ses propres ceps et conduit un domaine de 7,5 ha, dans les communes de Crézancy, de Bué et de Sancerre.

Sur un fond amylique intense se glissent des nuances fruitées (kiwi, pêche) et florales (rose). Tendu en attaque, le vin laisse apparaître ensuite rondeur et gras, pour finir sur une tonalité tout en fraîcheur. 2019-2020

DAVID SAUTEREAU, Les Epsailles, 18300 Crézancy-en-Sancerre, tél. 02 48 79 42 52, david.sautereau@orange.fr V *t.l.j. 8h-12h 13h30-18h; dim. sur r.-v.*

PAUL THOMAS Chavignol 2018 ★

■ | 8000 | | 11 à 15 €

Ce domaine de 9 ha a vu le jour en 1965 sous l'impulsion de Jean Denizot, alors maître-vigneron à Chavignol, qui fit connaître la propriété dans les restaurants parisiens. Il est conduit depuis 2001 par Raphaël Thomas, fils de Paul et petit-fils du fondateur.

Rose pâle à reflets corail, ce sancerre se montre intense et délicat à la fois, autour des arômes de petits fruits rouges. Il est ample et chaleureux au palais, tout en possédant une juste vivacité (touche citronnée) pour garder l'équilibre. Les notes de fraise des bois persistent agréablement. 2019-2021

SCEV PAUL THOMAS, Chavignol, 18300 Sancerre, tél. 02 48 54 28 13, contact@paulthomas-sancerre.com V *r.-v.*

DOM. MICHEL THOMAS ET FILS 2018 ★

■ | 15000 | | 8 à 11 €

Régulièrement mentionné dans le Guide, Laurent Thomas, qui a pris en 1990 la suite de son père Michel, conduit une exploitation de 17 ha. La cave est implantée à l'entrée des Égrots, petit village vigneron entre Sury-en-Vaux et Verdigny.

Une jolie teinte corail invite à découvrir ce rosé, dont les arômes de bonbon anglais, de fraise et de kiwi se révèlent avec intensité. Il ne manque pas de relief en bouche et laisse une agréable sensation de fraîcheur de type agrumes. 2019-2020 ■ **2017 (8 à 11 €; 20000 b.)** : vin cité.

SCEV DOM. MICHEL THOMAS ET FILS, Les Égrots, 18300 Sury-en-Vaux, tél. 02 48 79 35 46, thomas.mld@wanadoo.fr V *t.l.j. 9h-12h 14h-18h; sam. dim. sur r.-v.*

DOM. TINEL-BLONDELET Frétoy 2018 ★

■ | 25000 | | 15 à 20 €

À la tête du domaine familial depuis 1985, Annick Tinel-Blondelet, qui apparaît régulièrement dans le Guide pour son pouilly-fumé, a franchi le fleuve pour produire aussi du sancerre. Son domaine couvre 15 ha. Sa fille Marlène, nantie d'un mastère en vin et d'une expérience dans une autre région viticole, a rejoint sa mère fin 2016.

Aérien, ce 2018 s'ouvre sur un élégant fruité de pulpe et de zeste d'agrumes. Vif en attaque, il prend de la largeur en milieu de bouche et s'achève sur une pointe d'amertume. Frais et primesautier, il est dans la tradition du sancerre. 2019-2021

DOM. TINEL-BLONDELET, 58, av. de la Tuilerie, La Croix-Canat, 58150 Pouilly-sur-Loire, tél. 03 86 39 13 83, contact@tinel-blondelet.fr V *t.l.j. 9h-12h30 14h-18h30*

ROLAND TISSIER ET FILS 2018 ★

■ | 9000 | | 8 à 11 €

Roland Tissier s'est installé en 1971 en reprenant l'hectare de son père. Ses deux fils, Rodolphe et Florent, exploitent désormais le domaine de 11 ha tout autour du piton de Sancerre.

Groseille pâle à nuance or : la couleur correspond à ce qu'on attend d'un rosé de pressurage direct. Les arômes de fruits rouges, délicats, confèrent fraîcheur et gourmandise. La bouche s'inscrit dans la continuité, avec une agréable vivacité qui équilibre la douceur. Bonne persistance. 2019-2021

SAS ROLAND TISSIER, Le Petit-Morice, 18300 Sancerre, tél. 02 48 54 02 93, sancerretissier@wanadoo.fr V *t.l.j. sf dim. 9h30-12h 14h30-18h*

DOM. ANDRÉ VATAN
Maulin Bèle 2018

■ | 8000 | | 8 à 11 €

Situé à Verdigny, ce domaine habitué des sélections du Guide étend son vignoble sur les différents terroirs du Sancerrois. André et Arielle Vatan ont été rejoints en 2012 par leur fils Adrien sur l'exploitation. Une valeur sûre.

Le nez mêle les notes de fruits surmûris (cerise, mûre, framboise) aux nuances boisées (vanille, café, pain grillé) et épicées (poivre, réglisse). Les tanins se font d'une grande discrétion dans la texture soyeuse, marquée en finale par un caractère chaleureux. ⧗ 2020-2025

EARL ANDRÉ VATAN, rte des Petites-Perrières, 18300 Verdigny, tél. 02 48 79 33 07, avatan@wanadoo.fr V *r.-v.*

DOM. DES VIEUX PRUNIERS
Fût de chêne 2017 ★★

■ | 2500 | | 11 à 15 €

Christian Thirot-Fournier a repris l'exploitation de ses parents en 1984 et exploite avec son épouse 10 ha de vignes. Le domaine, établi au pied du coteau viticole de Bué, offre aux visiteurs une belle vue sur le vignoble de Sancerre.

De la robe grenat profond s'élèvent des arômes intenses de fruits bien mûrs (cerise, myrtille) nuancés de notes grillées et d'une subtile pointe mentholée. Concentrée et complexe, la bouche révèle des tanins denses, dont la jeunesse est encore perceptible, mais le fruité est si riche qu'il reste longuement en finale. Très gros potentiel de garde. ⧗ 2021-2027

EARL CHRISTIAN THIROT-FOURNIER, 1, chem. de Marcigoi, 18300 Bué, tél. 02 48 54 09 40, thirot.fournier-christian@wanadoo.fr V *t.l.j. sf dim. 8h-12h 14h-18h30*

IGP CALVADOS

♥ ARPENTS DU SOLEIL 2018 ★★

■ | 14800 | | 11 à 15 €

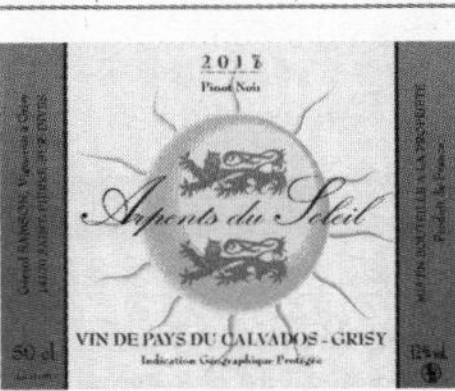

Gérard Samson est « le » vigneron du Calvados, installé depuis 1995 sur les terres argilo-calcaires de Saint-Pierre-sur-Dives, à la tête d'un petit vignoble de 6,6 ha, héritier d'une histoire viticole qui prospéra de l'époque médiévale jusqu'à la fin du XVIIIe s. Il signe des vins réguliers en qualité, notamment en blanc.

Des reflets framboise avenants brillent dans la robe soutenue. Au nez, les petits fruits rouges bien mûrs séduisent d'emblée et invitent à découvrir la bouche ronde et souple, persistante à souhait. ⧗ 2019-2021 ■ **2018 ★ (11 à 15 €; 2900 b.)** : un vin pâle tirant sur l'or qui évoque avec subtilité les fruits mûrs comme la pêche et les fleurs blanches. Souple, il garde cette ligne aromatique au palais. ⧗ 2019-2021

GÉRARD SAMSON, Grisy, 14170 Saint-Pierre-sur-Dives, tél. 02 31 40 71 82, gerard.samson979@orange.fr V *r.-v.*

IGP COTEAUX DE TANNAY

DOM. DE SARMENTOLE Chardonnay 2017 ★

■ | 13600 | | 5 à 8 €

Gérald Demuth démarre son activité dans les années 1990 sur une toute petite parcelle. Au début des années 2000, il agrandit la superficie du vignoble, qui compte aujourd'hui 8 ha. Régulièrement récompensé au Concours général agricole de Paris et aux Féminalise de Beaune, il conduit avec soin des vignes de pinot, de melon de bourgogne et de chardonnay.

Cette cuvée ronde et florale apporte un vent de fraîcheur. À l'olfaction, le nez déploie d'intenses arômes de poire, d'amande et de tilleul sur une trame minérale, (notes de pierre à fusil). Après une attaque franche, cette complexité se retrouve dans une bouche ample et généreuse, dotée d'une belle longueur. ⧗ 2020-2022 ■ **Melon 2017 ★ (5 à 8 €; 11000 b.)** : un assemblage plein de finesse, où 15 % de chardonnay complètent une base de melon de Bourgogne. Le nez s'ouvre sur les arômes de fruits blancs, auxquels se mêlent des notes toastées et briochées. La bouche, ronde, grasse, longue, est empreinte d'une fine amertume. ⧗ 2020-2021

SCEA DE SERMENTOLE, 6, rue de Bèze, 58190 Tannay, tél. 06 87 48 27 56, de-sermentole@orange.fr V *t.l.j. 10h-12h30 16h-19h; dim. 10h-12h30*

IGP CÔTES DE LA CHARITÉ

SERGE DAGUENEAU ET FILLES
Chardonnay Les Montées de Saint-Lay 2017 ★

■ | 1800 | | 8 à 11 €

Ce domaine régulier en qualité, créé par l'arrière-grand-mère Léontine au début du XXe s., a été repris en 2006 par Florence et Valérie Dagueneau, les filles de Serge. Florence étant disparue prématurément, Valérie conduit seule aujourd'hui les 21 ha de vignes familiales.

Une cuvée rare, drapée dans une robe jaune citron. À l'aération, le nez gagne en puissance : il libère des arômes de fruits blancs mêlés de notes florales. La bouche évolue vers les agrumes, offrant une belle fraîcheur sur un juste boisé. La finale acidulée est légèrement épicée. ⧗ 2020-2022 ■ **Rosé de pinot noir Les Montées de Saint-Lay 2018 (5 à 8 €; 1100 b.)** : vin cité.

DOM. SERGE DAGUENEAU ET FILLES, Les Berthiers, 22, rue du Mont-Beauvois, 58150 Saint-Andelain, tél. 03 86 39 11 18, sergedagueneaufilles@wanadoo.fr V *r.-v.*

PAULINE GILBERT Chardonnay 2018 ★

■ | 3000 | | 5 à 8 €

À la tête d'une petite propriété familiale depuis 2017, Pauline Gilbert élabore de jolies cuvées qui prennent naissance sur un terroir vallonné d'argiles et de

LOIRE

calcaire. Les vignes sont conduites dans le respect de la nature et les vendanges y sont manuelles.

Un vin flatteur aux notes d'agrumes nuancées de fleurs blanches (tilleul, jasmin, acacia). Souplesse et vivacité s'équilibrent au palais, puis la finale prend des accents amyliques (banane). ⧗ 2020-2022 ■ **Pinot noir 2018 (5 à 8 €; 4700 b.)** : vin cité.

PAULINE GILBERT, 6, rue de Véron, 58350 Chasnay, tél. 06 74 68 61 26, paulinegilbert.cave@gmail.com V r.-v.

DOM. SERGE LALOUE Chardonnay 2018 ★★

■	18000		8 à 11 €

Christine et Franck, qui ont repris le domaine (20 ha) en 2000, poursuivent l'œuvre de leur père Serge Laloue en travaillant selon le même état d'esprit, à dominante bio (enherbement, confusion sexuelle, traitements raisonnés...), sans pour autant opter pour la certification.

Ce chardonnay tout d'or vêtu offre une magnifique expression du fruit. Citron, pamplemousse et nuances de fleurs blanches composent un nez fin et élégant. La bouche généreuse et ronde bénéficie d'une juste vivacité, d'un boisé léger et d'une légère amertume. ⧗ 2020-2022

SAS SERGE LALOUE, 6, rue de la Mairie, 18300 Thauvenay, tél. 02 48 79 94 10, contact@serge-laloue.fr V *t.l.j. 8h-12h 13h30-17h30; sam. dim. sur r.-v.*

IGP PUY-DE-DÔME

♥ LES DÉTOURS DE PIERRE O'Terra 2018 ★★★

■	2000		11 à 15 €

Après dix ans d'expérience dans le Languedoc et en Provence, Pierre Deshors, ingénieur agronome et œnologue, revient en 2007 dans sa région d'origine pour reprendre cette exploitation de 7,5 ha, dont l'emblème est l'ancien château surmonté d'un campanile du village vigneron du Crest.

Un grand bravo pour cette cuvée issue du pinot noir. D'un grenat limpide, elle offre un nez riche et complexe, véritable concentré de cerise. Des notes de cuir lui confèrent un petit côté animal, avec juste ce qu'il faut d'épices pour compléter le fruit avec justesse. L'attaque est franche et chaleureuse. La rondeur de la matière et la souplesse des tanins en font un très beau vin. ⧗ 2020-2022 ■ **Gampinayot 2018 ★★ (5 à 8 €; 16000 b.)** : élaborée à partir de raisins achetés chez d'autres vignerons auvergnats, c'est une nouvelle référence du domaine. Issu à 60 % de pinot noir et à 40 % de gamay, ce vin joue sur le registre subtil des fruits rouges croquants, rehaussés par les épices. En bouche, la cerise et la groseille se déploient sur une trame tannique qui apporte une légère astringence. ⧗ 2020-2022 ■ **La Tour de Pierre Pinot Cchio 2018 ★ (5 à 8 €; 3000 b.)** : moment de convivialité assuré avec ce rosé issu du seul pinot noir. Au nez, fruits rouges et notes amyliques prennent de l'ampleur à la faveur de l'aération. La bouche fraîche et acidulée s'accompagne d'une belle minéralité. ⧗ 2020-2021

LA TOUR DE PIERRE, 10, rue Néraud, 63450 Le Crest, tél. 06 32 86 23 67, pdeshors@yahoo.fr V r.-v.

PIERRE GOIGOUX
Pinot noir Cerise sur le gâteau 2018 ★★

■	30000		5 à 8 €

Domaine situé à quelque 500 m du château de Châteaugay construit au XIVᵉ s. et coiffé d'une tour crénelée. L'exploitation créée en 1989 par Pierre Goigoux, sur 2,9 ha, compte aujourd'hui 18 ha de vignes.

Ce pinot clair et limpide s'ouvre sur un nez intensément fruité. Le pruneau et la cerise noire se disputent la première place, devant des notes de cuir qui donnent au vin un côté animal très subtil. La bouche est pleine, dotée d'une belle finale qui revient sur les épices. ⧗ 2020-2022 ■ **Le Damas noir 2017 ★ (11 à 15 €; 3100 b.)** : Pierre Goigoux ressucite le damas noir, cépage oublié et disparu avec le phyloxéra, aussi appelé la syrah d'Auvergne. Sous une robe sombre à reflets violets, les fruits noirs dominent des notes de réglisse, de cacao et de laurier. La bouche, souple et élégante, est au diapason. Un miracle digne de saint Vincent. ⧗ 2020-2022

DOM. DE LA CROIX ARPIN, 63119 Châteaugay, tél. 04 73 25 00 08, gaec.pierre.goigoux@63.sideral.fr V r.-v.

BENOÎT MONTEL
Syrah Le Sang des Volcans 2017 ★

■	1000		15 à 20 €

Après des études au lycée viticole de Beaune suivies de quatre ans de vinification à Puligny-Montrachet, Benoît Montel a créé son propre domaine en 1999. Un vignoble de 12 ha dispersés sur quatre crus, de Riom à Clermont-Ferrand.

Une robe sombre, en écho à son nom. Un nez puissant, où les fruits côtoient la vanille, la muscade et les notes torréfiées. Une bouche chaleureuse, riche et tannique, forte d'un boisé prononcé après neuf mois d'élevage en fût de chêne. Une syrah corsée et épicée comme on les aime. ⧗ 2020-2022

EARL BENOÎT MONTEL, 6, rue Henri-et-Gilberte-Goudier, 63200 Riom, tél. 06 32 00 81 05, benoit-montel@orange.fr V r.-v.

BENOÎT MONTEL À l'endroit à l'envers 2018 ★★

■	3000		8 à 11 €

Outre son domaine, Benoît Montel, valeur sûre en côtes-d'auvergne, a créé une activité de négoce pour compléter sa gamme.

Assemblage de chardonnay et de sauvignon, ce vin affiche une robe jaune pâle à reflets verts. Son nez, d'abord très minéral, évolue vers les arômes de fruits jaunes et de fruits exotiques, complétés par un soupçon d'agrumes. La bouche est douce et bien équilibrée. Assurément une bouteille plaisante et facile d'accès. ⧗ 2020-2022

SAS BENOÎT MONTEL, 6, rue Henri-et-Gilberte-Goudier, 63200 Riom, tél. 06 32 00 81 05, benoit-montel@orange.fr V r.-v.

MARC PRADIER
Pinot noir Authentique Élevé en fût de chêne 2017 ★

■	3300	🛢	5 à 8 €

Après avoir travaillé quinze ans avec son frère, Marc Pradier a repris en 2005 l'exploitation créée en 1945 par son père Jean. Aujourd'hui, il conduit seul ce domaine de 5 ha. En conversion bio depuis 2016.

Cette cuvée confidentielle joue sur le registre de la cerise confite. Le fruit accompagne des arômes de vanille et de torréfaction, obtenus après un an d'élevage en fût de chêne français. La bouche est riche, avec beaucoup de matière, le boisé puissant et la persistance aromatique au rendez-vous. ⌛ 2020-2022

⊶ MARC PRADIER, 9, rue Saint-Jean-Baptiste, 63730 Les Martres-de-Veyre, tél. 04 73 39 86 41, pradiermarc@orange.fr V 🚶 ❗ *r.-v.*

DOM. SAUVAT Pinot noir Nymphéa 2017

■	5300	🛢	8 à 11 €

Claude Sauvat a créé ce domaine petit à petit, à partir de 1977, dans la vallée des Saints. Sa fille Annie a repris le flambeau en 1987, accompagnée à la vinification de Michel Blot, son mari. Le couple est aujourd'hui à la tête d'un vignoble de 10 ha et signe des côtes-d'auvergne souvent en vue dans ces pages.

Après onze mois d'élevage en fût, ce pinot noir dégage des arômes de cerise mûre, auxquels se mêlent des notes de vanille et de pain grillé. La bouche, ronde et soyeuse, portée par des tanins fins, fait montre d'une belle persistance aromatique. Un vin réservé aux amateurs de boisé prononcé. ⌛ 2020-2022

⊶ DOM. SAUVAT, rte de Dauzat, 63340 Boudes, tél. 04 73 96 41 42, sauvat63@wanadoo.fr V 🚶 ❗ *t.l.j. sf dim. 9h-12h 14h-19h*

IGP URFÉ

Ⓑ GILLES BONNEFOY
Roussanne de Madone Vignes sur volcan 2018 ★

□	3000	🍾	15 à 20 €

Gilles Bonnefoy a créé son domaine ex nihilo à partir de 1997 : plantations de vignes de 2001 à 2016, création de la cave en 2004. Aujourd'hui, un domaine de 9,2 ha conduit en biodynamie, établi en périphérie de deux volcans : La Madone et Le Pigeonnier.

Ce monocépage s'ouvre sur un nez floral, où percent les agrumes et les fruits jaunes mûrs. Suit une bouche citronnée, minérale et acidulée, avec une finale empreinte de tonalités salines. Cette cuvée, très aromatique, se distingue par sa finesse et son élégance. ⌛ 2020-2022

⊶ LES VINS DE LA MADONE - GILLES BONNEFOY, 1581, chem. de Jobert, 42600 Champdieu, tél. 04 77 97 07 33, gilles.bonnefoy8@wanadoo.fr V 🚶 ❗ *r.-v.* 🏠 Ⓓ

DOM. DÉSORMIÈRE Chardonnay 2018 ★

□	10000		5 à 8 €

Ce domaine familial a été créé en 1974 par Michel Désormière, qui a commercialisé les premières bouteilles. Ses fils Éric et Thierry, aux commandes respectivement depuis 1996 et 2004, ont développé la production et disposent aujourd'hui de 16,5 ha de vignes, qu'ils exploitent de façon très raisonnée.

Fleurs blanches, arômes de fruits exotiques, de fruits jaunes et notes fumées composent le nez de cette cuvée bien élaborée. L'attaque est vive, avec de la fraîcheur. Le gras bien présent est rehaussé d'une note minérale. Un vin harmonieux, qui fait honneur à son cépage. ⌛ 2020-2022

⊶ DOM. DÉSORMIÈRE, Le Perron, 42370 Renaison, tél. 04 77 64 48 55, domaine.desormiere@orange.fr V 🚶 ❗ *t.l.j. sf dim. 9h-12h 14h-19h*

VINCENT GIRAUDON
Quercus Vinifié et élevé en fût de chêne 2017

□	800	🛢	11 à 15 €

Après des études de viticulture, d'œnologie et de commerce du vin, Vincent Giraudon s'installe en 2004 sur 0,5 ha de vignes en location. Aujourd'hui, son vignoble, dont une partie est plantée en aligoté depuis 2009, couvre 4 ha.

Voilà une cuvée ultra confidentielle qui sera bien difficile à dénicher. Élevé douze mois en fût de chêne français, cet aligoté se pare d'une robe jaune paille, brillante et limpide. Le boisé l'emporte à l'olfaction, suivi de notes fumées et briochées. La bouche s'inscrit dans la continuité, avec de l'amplitude et une belle minéralité. ⌛ 2020-2022

⊶ VINCENT GIRAUDON, 15, rue Robert-Barathon, 42370 Renaison, tél. 06 84 38 40 02, vincentgiraudon@free.fr V 🚶 ❗ *r.-v.*

IGP VAL DE LOIRE

Ⓑ AMPELIDÆ P.N.1328 2017 ★★

■	2000	🛢	20 à 30 €

Frédéric Brochet crée à vingt-trois ans, alors qu'il rédige sa thèse de doctorat en œnologie, son petit domaine à partir des 49 ares de vignes paternelles. C'est l'origine d'Ampelidæ, né dans la cave familiale de La Mailleterie. Aujourd'hui, son vignoble couvre 90 ha morcelés sur une trentaine de kilomètres autour de Jaunay-Marigny et répartis sur plusieurs propriétés, complétés par une activité de négoce.

Une cuvée issue du seul cépage pinot noir, planté sur un terroir argilo-calcaire. Fruit d'une sélection parcellaire, elle a bénéficié d'un élevage de onze mois en fût. Le nez exhale des arômes de cerise et les nuances grillées d'un boisé fin et discret. La bouche fraîche, souple et complexe marie avec élégance fruits rouges, cacao et café. La finesse des tanins porte une finale merveilleusement aromatique. ⌛ 2020-2022 □ **Brochet Fié gris Réserve 2017 (11 à 15 €; 8600 b.)** Ⓑ : vin cité.

⊶ SAS AMPELIDÆ, manoir de Lavauguyot, 86380 Jaunay-Marigny, tél. 05 49 88 18 18, ampelidae@ampelidae.com V 🚶 ❗ *r.-v.*

DOM. DES ATHÉNÉES
Pinot noir Ma galère bien-aimée 2017 ★★

■	1000	🍾	8 à 11 €

En 1994, le lycée viticole a repris l'ancien domaine de l'INRA. Depuis, le vignoble, implanté sur des sols

LOIRE

riches en silex, a été entièrement rénové. Sous la houlette de son directeur d'exploitation, Zachary Guiberteau, il présente souvent de belles cuvées.
Une cuvée plaisante, drapée dans une robe couleur cerise. Typique du pinot noir, le nez libère de puissants parfums de petits fruits rouges. Une attaque souple introduit une bouche ronde, aux tanins soyeux. Les flaveurs de cassis et de groseille s'expriment pleinement jusqu'en finale. ⧗ 2020-2022

LYCÉE AGRICOLE ET VITICOLE DE COSNE-SUR-LOIRE (DOM. DES ATHÉNÉES), 66, rue Jean-Monnet, BP_132, 58206 Cosne-sur-Loire, tél. 03 86 26 99 84, expl.cosne@educagri.fr V t.l.j. sf sam. dim. 8h30-12h30 13h30-17h

DOM. DES BONNES GAGNES Sauvignon 2018

	7000	- de 5 €

Exploité par les Héry de père en fils depuis 1610, ce domaine fondé par les moines de l'abbaye du Ronceray s'étend sur 38 ha. Il bénéficie d'une terre riche, argilo-calcaire, qui assure le bon développement de la vigne.
Le nez, typique du sauvignon, décline le pamplemousse, le bourgeon de cassis et des notes citronnées. La bouche à la fois ronde et acidulée possède un bel équilibre. ⧗ 2020-2021

EARL HÉRY VIGNERON, Orgigné, Saint-Saturnin-sur-Loire, 49320 Brissac-Loire-Aubance, tél. 02 41 91 22 76, hery.vigneron@orange.fr V t.l.j. sf dim. 9h-12h 14h-19h

DOM. DE LA BRETONNIÈRE Moelleux Pinot gris 2018 ★

	8000		5 à 8 €

La famille Cormerais cultive la vigne depuis 1900 et six générations sur ce domaine de 40 ha situé dans un joli petit village de vignerons en bordure de la Maine. En 2015, Bertrand Cormerais, installé en 1994, s'est associé avec Anthony Branger, salarié sur l'exploitation depuis ses quinze ans.
Une cuvée limpide et argentée, dont le nez complexe mêle les nuances florales aux agrumes, au clou de girofle et aux notes poivrées. Le litchi et la prune s'invitent dans une bouche souple, qui se distingue par sa douceur. ⧗ 2020-2024 ■ **Merlot Cabernet-sauvignon 2018 (- de 5 €; 24000 b.)** : vin cité.

GAEC CORMERAIS BRANGER, 324_bis, La Bretonnière, 44690 Maisdon-sur-Sèvre, tél. 02 40 54 83 91, cormerais.bertrand@orange.fr V t.l.j. sf dim. 8h-18h; sam. 8h-13h

LE CHAILLOU Cabernet franc 2018 ★

	20000		- de 5 €

Installée en 2007, la quatrième génération officie aujourd'hui sur ce domaine créé en 1930 sur les terrains vallonnés de Vallet, au cœur de l'aire du muscadet-sèvre-et-maine. La nature rocailleuse de ses sols schisteux explique sans doute le nom de «Chaillou». Sur 30 ha, Raphaël et Bertrand Allard produisent principalement des sèvre-et-maine et des vins de cépage en IGP.
Voici un bel exemple de fraîcheur et de fruité. Le nez discret libère à l'aération des arômes amyliques, agrémentés de notes florales. La bouche est à l'unisson, fraîche, ample, persistante. ⧗ 2020-2021

EARL ALLARD-BRANGEON, La Guertinière, 44330 Vallet, tél. 02 40 36 27 43, allard-brangeon@orange.fr V t.l.j. sf dim. 9h-19h

DOM. DE CHAINTRE Cabernet franc 2018 ★

	6500		- de 5 €

Marcel Luneau a repris en 1970 l'exploitation familiale alors en polyculture, qu'il a peu à peu spécialisée. Son fils Sylvain, ingénieur œnologue, a pris la relève en 2013; il est à la tête aujourd'hui de 60 ha de vignes, sur lesquels il produit muscadets et vins en IGP.
Sous une robe saumon apparaissent des arômes de cassis et de framboise nuancés de poivron vert. Un brin de douceur en attaque précède une fine amertume. La finale est sur la fraîcheur. ⧗ 2020-2021

EARL MARCEL LUNEAU, Chaintre, 44330 Mouzillon, tél. 02 40 36 31 16, sylvain.luneau@orange.fr V r.-v.

DOM. DE LA CHAUSSÉRIE Grolleau 2018 ★

	5000	- de 5 €

Au cœur de l'appellation muscadet-côtes-de-grand-lieu, ce domaine familial de 30 ha, conduit depuis 2000 par Kristel et Patrick Gobin, est situé dans la petite commune de Saint-Léger-les-Vignes, en bordure de l'Acheneau, sur la route de Pornic.
De couleur pâle, c'est au nez que ce 2018 joue les arlequins : les agrumes s'entrelacent avec des notes amyliques et de douces nuances florales. De la souplesse en attaque, de la gourmandise en milieu de bouche, ainsi que de la fraîcheur. Tout concourt à une impression d'harmonie jusqu'à la finale acidulée. ⧗ 2020-2021 ■ **Sauvignon 2018 (- de 5 €; 6000 b.)** : vin cité.

EARL KRISTEL ET PATRICK GOBIN, Dom. de La Chaussérie, 35, La Chaussérie, 44710 Saint-Léger-les-Vignes, tél. 02 40 32 67 81, earl.gobin@wanadoo.fr V t.l.j. sf dim. 15h-19h; sam. 9h-12h; f. sem. du 15 août

DOM. DE LA COCHE Sauvignon 2018 ★

	10000		5 à 8 €

Située dans l'extrême ouest du vignoble nantais, Sainte-Pazanne est une commune principalement tournée vers l'agriculture. Un îlot viticole demeure : celui des cousins Emmanuel et Laurent Guitteny, à la tête depuis 2000 d'un vignoble de 30 ha.
Cette cuvée pâle libère un nez expressif, qui évoque les fruits frais, les fleurs blanches et le bourgeon de cassis, rehaussés de nuances exotiques et de notes citronnées. Vient ensuite une bouche gourmande, volumineuse et grasse, dotée d'un bel équilibre et d'une finale un brin amère. ⧗ 2020-2021 ■ **Chardonnay 2018 ★ (5 à 8 €; 19000 b.)** : un blanc typique du cépage chardonnay, dont le nez intense fleure bon la pomme verte, l'aubépine et le tilleul, sur un fond de beurre frais. On distingue même une touche de laurier. Une bouche élégante suit le mouvement, offrant une belle persistance aromatique et le retour des notes grillées sur la finale. ⧗ 2020-2022

SCEA DOM. DE LA COCHE, La Coche, 44680 Sainte-Pazanne, tél. 02 40 02 44 43, contact@domainedelacoche.com V t.l.j. 10h-12h 14h-19h (dim. 17h30)

DOM. DU COLOMBIER Demi-sec Fié gris 2018 ★★

	6000	5 à 8 €

Domaine situé à la limite est du vignoble nantais, aux portes des Mauges et de l'aire du muscadet. Représentant la quatrième génération, Jean-Yves Bretaudeau conduit depuis 1996 le vignoble de 36 ha.

Ce sauvignon gris dévoile un nez très intense, gage de plaisir et de gourmandise. Des nuances florales côtoient des arômes de mangue et de buis, que l'on retrouve dans une bouche suave, ronde et acidulée. L'équilibre est parfait. Et quelle longueur ! 2020-2021 **Sauvignon gris 2018 (- de 5 €; 16000 b.)** : vin cité.

EARL JEAN-YVES BRETAUDEAU (DOM. DU COLOMBIER), 3, Le Colombier, 49230 Tillières, tél. 02 41 70 45 96, contact@lecolombier.com V r.-v.

♥ BRUNO CORMERAIS Pourpre 2017 ★★

	3000		5 à 8 €

Établi non loin de la Maine, sur les coteaux granitiques de Saint-Lumine-de-Clisson, ce domaine familial de 32 ha a été longtemps conduit par Bruno Cormerais qui a transmis en 2009 le flambeau à son fils Maxime. Pour imprimer à leurs vins leur « marque de fabrique », ces vignerons vendangent souvent plus tardivement que leurs collègues.

Une cuvée issue d'un terroir granitique, assemblage de merlot, de gamay (25 %) et d'abouriou (10 %). Élevée en cuve pendant six mois, puis en barrique durant quatorze mois, elle n'a pas été filtrée à la mise en bouteilles. La voici d'un rouge profond, brillant de reflets aubergine dans le verre. Elle évoque d'emblée les fruits noirs nuancés d'un boisé subtil. Une belle matière ample emplit le palais, soutenue par des tanins marqués, mais élégants. 2020-2022 **Merlot 2018 (- de 5 €; 5300 b.)** : vin cité.

EARL BRUNO, MARIE-FRANÇOISE ET MAXIME CORMERAIS, 41, La Chambaudière, 44190 Saint-Lumine-de-Clisson, tél. 02 40 03 85 84, b.mf.cormerais@orange.fr V *t.l.j. sf dim. 10h-12h 15h-18h*

DOM. DE LA CORMERAIS Sauvignon 2018 ★★

	3000		5 à 8 €

Une ancienne seigneurie du Moyen Âge autrefois protégée par des douves et un pont-levis. Aujourd'hui, une exploitation viticole de 40 ha acquise par les aïeux de Thierry Besnard en 1856.

Habillée d'une robe très pâle, presque blanche, cette cuvée présente un nez élégant de pamplemousse, de tilleul et de bourgeon de cassis. La bouche joue sur le même registre. Souple et pleine, elle s'étire longuement en finale. 2020-2021

THIERRY BESNARD, La Cormerais, 44690 Monnières, tél. 06 11 04 45 69, chateau.cormerais@wanadoo.fr V r.-v.

VIGNOBLE DAHERON XL 2018 ★★

	25000		- de 5 €

Implanté, entre Corcoué-sur-Logne et Rocheservière, sur un terroir de roches vertes, ce domaine est exploité par la même famille depuis la fin du XVIIIes. Il couvre aujourd'hui 65 ha, conduits depuis 2005 par Sylvie Daheron et son frère Gaël. À sa carte, du muscadet-côtes-de-grand-lieu et des vins de cépage.

Un assemblage de merlot et de cabernet-sauvignon (42 %), placé sous le signe de l'élégance. Pâle et brillant, il s'inscrit dans un registre floral et fruité (fraise et groseille). Après une attaque ample, il offre beaucoup de rondeur et de persistance. 2020-2021 **Grolleau gris 2018 ★ (- de 5 €; 6000 b.)** : la couleur œil-de-perdrix est une invitation à découvrir ce vin expressif, typique du cépage. Les arômes de fruits blancs côtoient les épices et les notes florales. S'ensuit une bouche ample et soyeuse, dans la droite ligne du nez, qui se conclut par une finale teintée d'une légère amertume. 2020-2022

EARL PIERRE DAHERON, 9, Le Parc, 44650 Corcoué-sur-Logne, tél. 02 40 05 86 11, contact@vignoble-daheron.fr V r.-v.

DOM. DE L'ESPÉRANCE Merlot 2018 ★

	6000	- de 5 €

Patrice Chesné (rejoint en 2004 par sa sœur Anne-Sophie) a repris en 1992 le vignoble familial, 33 ha à Tillières, l'une des deux communes du Maine-et-Loire en AOC muscadet-sèvre-et-maine, aux portes de l'Anjou.

Le nez puissant évoque un panier de fruits des bois (cassis, myrtille et mûre) ponctués de réglisse. La bouche, pleine et ronde, révèle un soupçon d'amertume en finale, qui disparaîtra à la faveur de la garde. 2020-2022 **Sauvignon 2018 (- de 5 €; 12000 b.)** : vin cité.

GAEC CHESNÉ, 4, L'Espérance, Tillières, 49230 Sèvremoine, tél. 02 41 70 46 09, gaecchesne@orange.fr V r.-v.

DOM. DE FLINES Chardonnay 2018 ★

	70000		- de 5 €

Originaires du Loir-et-Cher, où leurs ancêtres étaient vignerons, Chantal et Jean Motheron s'installent comme négociants en 1955, en Anjou, à Martigné-Briand. En 1968, ils constituent ce domaine (52 ha aujourd'hui) que leur fille Catherine reprend en 2006 et modernise.

Un blanc cristallin et aérien, qui s'ouvre progressivement sur les agrumes et les fleurs blanches. Les arômes se prolongent dans une bouche ample et souple. 2020-2022

EARL DOM. DE FLINES, 102, rue d'Anjou, Martigné-Briand, 49540 Terranjou, tél. 02 41 59 42 78, domaine.de.flines@wanadoo.fr V r.-v.

DOM. DES FORGES
Demi-sec Chenin Tendresse 2018 ★

	5000		5 à 8 €

La première parcelle a été acquise en 1890. Réputée pour ses vins liquoreux, la propriété, qui compte aujourd'hui 48 ha, a vu en 1996 l'installation de

Stéphane et de Séverine Branchereau, qui représentent la cinquième génération aux commandes du domaine.

De la tendresse et de la gourmandise dans ce chenin très expressif : les fruits blanc frais se marient au buis et au citron. D'attaque fraîche, le vin trouve un bel équilibre entre la rondeur et un caractère acidulé, avant de s'achever sur de douces notes miellées. ⧗ 2020-2024 ■ **Gamay Friandise 2018 ★ (- de 5 €; 6000 b.)** : un joli vin rouge, dont le nez plein de finesse demande un peu d'aération pour libérer ses arômes de fruits noirs (mûre). La bouche est dans la même veine : fruitée, souple et marquée par une fine vivacité en finale. ⧗ 2020-2024

SCEA BRANCHEREAU (DOM. DES FORGES), Le Clos-des-Forges, n°6, lieu-dit Les Barres, 49190 Saint-Aubin-de-Luigné, tél. 02 41 78 33 56, cb@domainedesforges.net V r.-v.

DOM. LE GRAND FÉ Grolleau gris 2018 ★

■ | 5000 | 🍾 | - de 5 €

À la tête de l'exploitation depuis 2003, Jean Boutin dispose de 20 ha. Une partie du vignoble entoure un ancien relais de diligence du XVIIe s. transformé en chai.

Finesse et élégance caractérisent cette cuvée au nez fruité, floral et épicé. L'attaque acidulée laisse place à une agréable rondeur, puis à une légère douceur en finale. ⧗ 2020-2022

EARL JEAN BOUTIN, 8, Le Poirier, 44310 La Limouzinière, tél. 02 40 05 83 66, jean.boutin1@bbox.fr V t.l.j. sf dim. 10h-12h30 15h-19h30 (sam. 10h-12h30)

DOM. DE LA HOUSSAIS Sauvignon 2018 ★

■ | 5000 | 🍾 | - de 5 €

Le marais de Goulaine couvre près de 2 000 ha et permet de découvrir des oiseaux migrateurs. Conduit par David et Bernard Gratas, ce domaine familial implanté à sa lisière est influencé par un microclimat favorable à la précocité des vignes. La famille y produit du muscadet-sèvre-et-maine, du gros-plant et des vins de cépages en IGP.

Robe brillante à reflets verts, nez d'agrumes et de fruits blancs, agrémentés de douces notes florales. Bouche légère, vive et teintée d'une agréable amertume finale. Tout est bien en place. ⧗ 2020-2022 ■ **Pinot gris 2018 (5 à 8 €; 6000 b.)** : vin cité.

EARL BERNARD ET DAVID GRATAS, 10, La Houssais, 44430 Le Landreau, tél. 02 40 06 46 27, domainedelahoussais@orange.fr V r.-v.

MAISON JARD Sauvignon Révélation 2018 ★

■ | 8000 | 🍾 | 5 à 8 €

Issus d'une lignée de vignerons remontant à 1830, Gabriel et Gilles Jard ont repris le château de Rosnay qui ne comptait alors que quelques hectares. Christian Jard leur a succédé en 1992, épaulé par son fils Olivier, qui gère seul depuis 2018. Après agrandissement, le vignoble couvre 90 ha, complété par une structure de négoce.

Ce sauvignon dévoile un nez complexe, dans lequel agrumes et fruits blancs se conjuguent, nuancés de fines notes florales et végétales. Suit une bouche ample, pleine de fraîcheur, avec une pointe acidulée en finale. ⧗ 2020-2024

SARL JARD, rte de Mareuil, 85320 Rosnay, tél. 02 51 30 59 06, maison.jard@wanadoo.fr V t.l.j. sf dim. 9h-12h 14h-18h

LACHETEAU Chardonnay 2018 ★

■ | 140000 | 🍾 | - de 5 €

Créée en 1990, la société de négoce Lacheteau s'est spécialisée dans la production de rosés et de vins effervescents. Elle est entrée dans le giron des Grands Chais de France en 2005.

Voilà un beau nez de chardonnay : des fleurs blanches, un soupçon de beurre et une note toastée. Viennent ensuite des nuances exotiques, qui évoluent sur une touche fumée. L'attaque est franche, acidulée. La bouche légère conclut sur les agrumes et les fruits jaunes. ⧗ 2020-2022 ■ **Marquis de Goulaine Chardonnay 2018 ★ (5 à 8 €; 100000 b.)** : couleur citron, ce 2018 présente un nez élégant, centré sur les fleurs blanches et les agrumes. Il offre de la matière et une vivacité bien domptée, avant une finale pleine de fraîcheur. ⧗ 2020-2022

SA LACHETEAU, 282, rue Lavoisier, 49700 Doué-la-Fontaine, tél. 02 40 36 66 00, contact@lacheteau.fr

LAFOLLIE P'tit Grain 2018 ★

■ | 15000 | 🍾 | 5 à 8 €

Valeur sûre de l'appellation valençay, ce domaine (50 ha) conduit par Denis Bardon depuis 1991 est situé à Meusnes, commune où l'on extrayait autrefois la pierre à fusil; son petit musée permet de découvrir cette activité importante du XVIIIe s. jusqu'au début du XIXe s.

Les fruits rouges et les notes amyliques (banane) se distinguent d'emblée dans ce vin grenat. De la gourmandise qui se prolonge en bouche tant la matière est souple et légère. Une légère amertume et des accents de poivre signent la finale. ⧗ 2020-2022 ■ **Sauvignon 2018 (5 à 8 €; 20000 b.)** : vin cité.

EARL BARDON, 243, rue Anatole-France, 41130 Meusnes, tél. 02 54 71 01 10, denisbardon@vinsbardon.com V r.-v.

LEBLANC Grolleau Le Dénigré 2017 ★★

■ | 4900 | 🛢 | 8 à 11 €

Les Leblanc sont viticulteurs de père en fils depuis le XVIIe s. Jean-Claude a repris l'exploitation familiale en 1956. Ses fils Yannick et Dominique lui ont succédé en 1984, rejoints en 2008 par Fabien, fils du premier, et en 2014 par Pierre, fils du second. Un domaine de 45 ha conduit de manière très raisonnée, régulièrement en vue pour ses liquoreux, ses coteaux-du-layon notamment.

Un vin de bon vivant, issu du seul cépage grolleau, qui a bénéficié d'un élevage de douze mois en fût de chêne français. Drapé dans une robe presque noire, il présente un nez puissant de fruits des bois bien mûrs, relevés de notes épicées. D'attaque franche, il gagne encore en complexité au palais, affichant une matière dense et persistante. ⧗ 2020-2022 ■ **Dom. des Closserons Pepper Aunis 2017 ★ (11 à 15 €; 2900 b.)** : après un an d'élevage en fût, cette cuvée née du pineau d'Aunis présente un nez épicé, d'où son nom évocateur. Vanille, cannelle et notes poivrées nuancent des arômes de mûre et de cerise noire. La bouche se révèle puissante et souple. Elle s'achève sur une finale fraîche, qui équilibre bien la richesse de la matière. ⌛ 2020-2022

EARL JEAN-CLAUDE LEBLANC ET FILS, 2, rue des Monts, Les Closserons, 49380 Faye-d'Anjou, tél. 02 41 54 30 78, contact@domaine-leblanc.fr V t.l.j. sf dim. 8h30-12h30 14h-18h

JEAN-LOUIS LHUMEAU
Chardonnay muscaté 2017 ★

| 2000 | | 8 à 11 € |

Ce domaine créé en 1963 par Joël Lhumeau, repris par son fils Jean-Louis en 1991, a vu sa surface passer de 3 ha de vignes à l'origine à 60 ha aujourd'hui. Cette expansion n'a pas été menée au détriment de la qualité, comme en témoignent de nombreuses sélections, aussi bien en AOC qu'en IGP, et plusieurs coups de cœur.

Une cuvée jaune or, aux arômes d'agrumes et de fleurs blanches, accompagnés de notes vanillées et torréfiées. La bouche vive et aromatique demeure équilibrée. Le boisé est fondu, la longueur au rendez-vous, sur le fruit. ⌛ 2020-2022

EARL JOËL ET JEAN-LOUIS LHUMEAU, 7, rue Saint-Vincent, Linières, 49700 Brigné, tél. 02 41 59 30 51, domainedeshautesouches@orange.fr V t.l.j. 9h-12h30 14h-18h; sam. dim. sur r.-v.

JOSEPH GRÉGOIRE LIEUBEAU Pinot noir 2018 ★

| 10 000 | | 5 à 8 € |

Pierre et Chantal Lieubeau dirigent depuis 1980 cette exploitation familiale créée en 1816 et implantée sur les granites de Château-Thébaud. Leur premier fils François les rejoint en 2011. En 2014, c'est au tour de Vincent, aujourd'hui responsable technique. Le vignoble couvre 75 ha et la conversion bio est engagée.

La robe framboise à reflets violacés semble être un gage de gourmandise. Promesses tenues... Le nez est un concentré de fruits des bois et de violette. La chair puissante et solidement structurée respecte l'expression d'un fruité acidulé. ⌛ 2020-2022

EARL LA FRUITIÈRE, La Croix-de-la-Bourdinière, 44690 Château-Thébaud, tél. 02 40 06 54 81, contact@lieubeau.com V t.l.j. sf dim. 10h-12h 14h-19h

DOM. DE LORIÈRE Chardonnay 2018 ★★

| 5000 | | - de 5 € |

Construit en 1640, pillé et incendié en 1793 puis confisqué par l'État, ce manoir établi sur les coteaux dominant l'Acheneau a été acquis par la famille Hervé en 1886. Depuis 1998, c'est Vincent Hervé, cinquième du nom, qui en conduit les 27 ha de vignes.

Un chardonnay remarquable de puissance aromatique. Nuancé de notes fumées, il livre des senteurs de pomme et de citron, d'ananas et de litchi, sans oublier les touches de beurre frais et de noisette. La bouche élégante et printanière bénéficie d'une fine vivacité évocatrice d'agrumes et de fruits exotiques. Longue finale. ⌛ 2020-2022 **Sauvignon 2018 (- de 5 €; 5000 b.)** : vin cité.

VINCENT HERVÉ, Ch. de Lorière, 44830 Brains, tél. 02 40 65 68 47, chateauloriere@sfr.fr V t.l.j. sf dim. 11h-12h 17h-19h; sam. 9h-12h 14h-19h

DOM. DES LOUÉTTIÈRES Merlot 2018 ★

| 1000 | - de 5 € |

Un domaine de 28 ha créé en 1986 par Dominique Peigné, installé à la limite de l'AOC sèvre-et-maine et des coteaux de la Loire.

Une cuvée au nez épicé alliant le pruneau, la cerise et la fraise. Les mêmes arômes se déploient dans la chair souple et persistante, pourvue de tanins ronds. ⌛ 2020-2022

EARL DOMINIQUE PEIGNÉ, 2, Le Martinet, Barbechat, 44450 Divatte-sur-Loire, tél. 02 40 03 64 49, peigne63@orange.fr V r.-v.

DOM. MADELEINEAU Cabernet-sauvignon 2018 ★

| 5000 | | - de 5 € |

Ce domaine familial de 30 ha créé en 1982 est bien connu des lecteurs du Guide à travers plusieurs étiquettes : le Dom. Madeleineau en IGP Val de Loire, le Dom. de l'Errière et le Dom. de la Taraudière en muscadet-sèvre-et-maine et gros-plant-du-pays-nantais.

Belle harmonie pour ce rosé qui présente un nez chaleureux et fruité, centré sur les petits fruits rouges et les agrumes. La bouche complexe révèle une légère amertume qui apporte une touche de fraîcheur. ⌛ 2020-2021 **Dom. de l'Errière Pinot gris 2018 (- de 5 €; 5000 b.)** : vin cité.

GAEC MADELEINEAU PÈRE ET FILS, 12, L'Errière, 44430 Le Landreau, tél. 02 40 06 43 94, domainemadeleineau@orange.fr V r.-v.

BERNARD MAILLARD Gamay Merlot 2018 ★

| 8000 | | - de 5 € |

Les Maillard sont vignerons depuis 1890. Héritier de cette longue lignée, Bernard s'est installé en 1989 à la tête du domaine familial et de ses 22 ha de vignes. Les vins sont vinifiés et conservés en cuves de verre souterraines ou en cuves Inox.

Le nez intense s'ouvre sur les petits fruits rouges frais, les agrumes et les notes amyliques (banane). La bouche est en accord, très aromatique, fraîche et acidulée. Une très légère amertume soutient la finale. ⌛ 2020-2021 **Sauvignon gris 2018 ★ (- de 5 €; 20 000 b.)** : une jolie cuvée de couleur pâle à reflets argentés. Le nez, discret et fruité, trouve une jolie harmonie dans des nuances exotiques dominées par l'ananas. Après une attaque douce, les arômes soulignent la bouche à la fois acidulée et ronde. ⌛ 2020-2021

EARL BERNARD MAILLARD, 32, Les Défois, 44190 Saint-Lumine-de-Clisson, tél. 06 15 35 64 78, bernard.maillard5@wanadoo.fr V r.-v.

VIGNOBLE MALIDAIN
Chardonnay Le Demi-Bœuf 2018 ★

| 15 000 | | - de 5 € |

La famille Malidain crée l'exploitation en 1954 : 5 ha de vignes, de la polyculture et un élevage bovin. Son

fils Michel prend le parti de la seule vigne en 1974. Depuis 2006, Romain, le petit-fils, a pris la main et conduit un vignoble de 45 ha. Il a été rejoint en 2018 par son frère Freddy et Christophe, leur oncle.

Cette cuvée typique du cépage offre un nez intense de fleurs blanches, puis une bouche ample, ronde et persistante. ⌛ 2020-2022 ■ **Sauvignon Le Demi-Bœuf 2018 ★ (- de 5 €; 6000 b.)** : ce vin affiche un nez complexe, mais réservé. Il gagne en intensité à la faveur de l'aération, évoluant dans des tonalités de citron et de bourgeon de cassis. Une attaque vive introduit une bouche acidulée. On fait le plein de fraîcheur. ⌛ 2020-2022

EARL VIGNOBLE MALIDAIN, 6, Le Demi- Bœuf, 44310 La Limouzinière, tél. 02 40 05 82 29, contact@vignoblemalidain.com V t.l.j. sf mer. dim. 9h-12h 14h30-18h

♥ DOM. J. MARTELLIÈRE
Moelleux Chenin Vendanges rôties 2018 ★★

■ | 1700 | | 5 à 8 €

Jean-Vivien Martellière a repris en 2004 cette exploitation familiale de 12 ha fondée en 1967 par son grand-père Jean. Il vinifie exclusivement les trois AOC de la vallée du Loir : jasnières, coteaux-du-loir et coteaux-du-vendômois, et produit aussi des IGP Val de Loire. Très régulier en qualité.

Un moelleux d'une grande finesse, or pâle à reflets verts. Il libère des arômes de poire et de coing compotés, agrémentés de notes miellées et citronnées. En bouche, tout est richesse et ampleur, avec en finale une pointe d'amertume rafraîchissante. ⌛ 2020-2021 ■ **Chardonnay 2018 ★★ (5 à 8 €; 3000 b.)** : arômes de pamplemousse et de citron confit se mêlent au jasmin et à l'acacia sur de fines notes miellées. Après une attaque franche, le vin enveloppe le palais de sa chair aromatique et riche. ⌛ 2020-2024

JEAN-VIVIEN MARTELLIÈRE (DOM. J. MARTELLIÈRE), 46, rue de Fosse, 41800 Montoire-sur-Loir, tél. 06 08 99 94 15, contact@domainemartelliere.fr V r.-v.

DOM. DE LA NOË Egiodola 2018 ★

■ | 20000 | | - de 5 €

Sur les granites de Château-Thébaud, les vignes sont généralement précoces, car les sols sont bien drainants. Ce domaine transmis de père en fils depuis 1878 est aujourd'hui conduit par les quatre frères Drouard, Pascal, Laurent, Denis et Jean-Paul, qui disposent de 79 ha.

Une cuvée issue du cépage egiodola («sang pur» en langue basque), un croisement tinta negra mole x abouriou. À l'aération, le nez dispense des arômes de framboise et de groseille. Les revoici au palais, soulignant la fraîcheur de ce joli vin d'été. ⌛ 2020-2021 ■ **Chardonnay 2018 ★ (- de 5 €; 20000 b.)** : les reflets verts de la robe traduisent la jeunesse de ce chardonnay au nez de tilleul et d'aubépine. La bouche fraîche et florale possède suffisamment d'ampleur. ⌛ 2020-2022

EARL VIGNOBLE DROUARD (DOM. DE LA NOË), 4, La Noë, 44690 Château-Thébaud, tél. 02 40 06 50 57, contact@vignobledrouard.com V t.l.j. sf dim. 8h-12h30 14h-18h

VIGNOBLE DE LA PATELIÈRE Gamay 2018 ★★

■ | 3000 | | - de 5 €

Installé en 2003 sur les 9 ha hérités de son père, Gwenaël Bricard travaille aujourd'hui 17 ha et commercialise plus de la moitié de sa production en vente directe.

Une cuvée gourmande, typique du gamay. Le nez s'ouvre sur la groseille, la fraise acidulée et le bonbon anglais, rejoints par de légères notes de banane à l'aération. Les arômes amyliques se retrouvent dans une bouche fraîche et souple, légère. Longue finale acidulée, délicatement relevée d'une touche de poivre. ⌛ 2020-2021 ■ **Pinot gris 2018 ★ (- de 5 €; 10000 b.)** : un moelleux qui fait la part belle aux nuances exotiques (ananas) et florales (chèvrefeuille). Une attaque empreinte de douceur introduit une bouche pleine et chaleureuse, heureusement équilibrée par une pointe de fraîcheur. ⌛ 2020-2022

GWENAËL BRICARD, La Patelière, Saint-Laurent-des-Autels, 49270 Orée-d'Anjou, tél. 06 61 77 01 58, gwenael.bricard@orange.fr V r.-v.

PETITEAU-GAUBERT
Pinot gris Les Closeries 2018 ★

■ | 12000 | | 5 à 8 €

La famille Petiteau-Gaubert est installée au village de La Tourlaudière depuis plus de deux siècles et demi. Situé à l'extrême ouest de Vallet, le vignoble, repris en 2015 par Romain Petiteau, couvre 21 ha sur un terroir de gabbro et de micaschiste. Un domaine bien connu des habitués du Guide.

Une nuance or rose séduit le regard. Fruits exotiques, pêche et fleur d'oranger se distinguent d'emblée comme l'annonce d'une bouche pleine et grasse. Une vivacité bienvenue apparaît, soutenant la finale poivrée. ⌛ 2020-2022

EARL PETITEAU-GAUBERT, La Tourlaudière, 174, Bonne-Fontaine, 44330 Vallet, tél. 02 40 36 24 86, vigneron@tourlaudiere.com V r.-v.

VIGNOBLE POIRON-DABIN Pinot noir 2018 ★

■ | 21067 | 5 à 8 €

En 1962, Jean Poiron épouse Thérèse Dabin. Déjà propriétaire du Ch. de l'Enclos, le couple agrandit son vignoble (acquisition du Clos du Château de la Verrie en 1970, puis du Dom. de Chantegrolle en 1990). Leurs fils Laurent et Jean-Michel achètent encore le Clos des Tabardières, ce qui porte la superficie de leur exploitation à 72 ha.

Sous une robe rubis intense apparaît un nez centré sur les fruits rouges bien mûrs, presque confiturés (framboise, fraise). D'attaque vive, la bouche se révèle bientôt souple et persiste agréablement sur la cerise noire (kirsch) et les épices. ⌛ 2020-2022 ■ **Demi-sec Sauvignon Fié gris 2018 ★ (5 à 8 €; 15600 b.)** : le nez gourmand mêle les arômes de pamplemousse, de pêche jaune, d'ananas et de fruits secs. La bouche puissante et riche bénéficie d'une pointe de fraîcheur en finale. ⌛ 2020-2021

EARL POIRON-DABIN, Chantegrolle, 44690 Château-Thébaud, tél. 02 40 06 56 42, contact@poiron-dabin.com V ♿ 🍷 *t.l.j. sf dim. 9h-12h 14h-18h*

♥ DOM. DE LA POTARDIÈRE Gamay 2018 ★★

	20000		- de 5 €

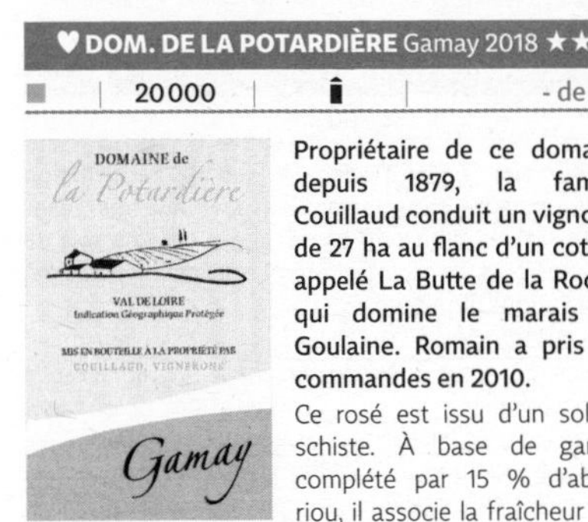

Propriétaire de ce domaine depuis 1879, la famille Couillaud conduit un vignoble de 27 ha au flanc d'un coteau appelé La Butte de la Roche, qui domine le marais de Goulaine. Romain a pris les commandes en 2010.

Ce rosé est issu d'un sol de schiste. À base de gamay complété par 15 % d'abouriou, il associe la fraîcheur des arômes de groseille et de pamplemousse à la douceur de la pêche jaune et des fruits exotiques. Acidulée, la bouche déploie un fruité remarquable qui persiste jusque dans une finale légèrement amère. ⧗ 2019-2020 ■ **Sauvignon 2018 ★★ (- de 5 €; 13000 b.)** : un très beau sauvignon, complété par 10 % de chardonnay, dont le nez s'ouvre sur les fruits à chair blanche, les notes florales et citronnées. La bouche fraîche présente un parfait équilibre, avec un soupçon de poivre en finale. ⧗ 2020-2022

EARL COUILLAUD ET FILS, La Potardière, 44430 Le Loroux-Bottereau, tél. 06 79 66 49 42, domainepotardiere@orange.fr V 🍷 *r.-v.*

DOM. DE LA RABLAIS
Pinot noir Cuvée Saint-Georges 2017 ★

■	1125		- de 5 €

La famille Simoneau exploite la vigne sur ces terres de Saint-Georges-sur-Cher depuis la fin de la Révolution française. Depuis 2013, ce sont Corine Simoneau (marketing et commercial) et Sébastien Paris (vigne et chai) qui sont aux commandes, avec à leur disposition un vignoble de 57 ha entièrement tourné vers la production de vins de cépages.

Une cuvée appréciée par le jury pour son nez typiquement pinot, ouvert sur le cassis, la cerise et la violette. Une attaque souple précède une bouche très aromatique. Les tanins fins et soyeux laissent le fruit s'exprimer jusqu'à une longue finale empreinte de fraîcheur. ⧗ 2020-2022

EARL PARIS-SIMONEAU, 21, rue des Vignes, 41400 Saint-Georges-sur-Cher, tél. 02 54 71 36 14, contact@antoinesimoneau.com V 🍷 *t.l.j. sf lun. dim. 9h-12h 14h-18h*

RÉTHORÉ DAVY Pinot gris Chapitre 2018 ★

	21000		5 à 8 €

Créé en 1959, le domaine est conduit par Martine Réthoré depuis 1991. À partir de 2003, il s'est orienté vers la production de vins de pays.

Le nez offre un concentré d'arômes de poire bien mûre nuancés de fleurs blanches. Après une attaque douce et fruitée, la bouche se révèle tendre et généreuse. Un vin fin et gourmand à la fois. ⧗ 2020-2022 ■ **Sauvignon blanc Parcelles 2018 ★ (5 à 8 €; 50000 b.)** : cette cuvée issue d'une sélection parcellaire puise son caractère dans un terroir de quartz. Le nez élégant et complexe déploie une harmonie autour des agrumes et des fruits blancs, accompagnés de nuances exotiques et d'une touche fumée. La bouche fraîche est agréablement citronnée, longue et sans aucune amertume. ⧗ 2020-2021

SCEA RÉTHORÉ DAVY, 1001, Les Vignes, 49110 Saint-Rémy-en-Mauges, tél. 02 41 30 12 58, rethore.c@wanadoo.fr V ♿ 🍷 *r.-v.*

DOM. ROBINEAU CHRISLOU Sauvignon 2018

	11900		- de 5 €

Après avoir repris l'exploitation familiale en septembre 1991, Louis Robineau s'est associé avec son épouse Christine en janvier 1992 pour créer ce domaine qui couvre aujourd'hui 21 ha sur la commune de Saint-Lambert-du-Lattay.

Pamplemousse, notes citronnées et touches florales composent un nez léger. Une petite amertume est perceptible à l'attaque comme en finale de ce vin rond. ⧗ 2020-2022

EARL LOUIS ROBINEAU, 24, rue du Bon-Repos, Saint-Lambert-du-Lattay, 49750 Val-du-Layon, tél. 02 41 78 36 04, robineauchrislou@gmail.com V ♿ 🍷 *r.-v.*

LA ROCHE BLANCHE Chardonnay 2018 ★★

	14000		- de 5 €

Le grand-père a acheté les premières parcelles en 1946. Chaque génération a agrandi le domaine. Arrivés respectivement en 1994 et en 1997, Anthony et Thierry Lechat exploitent aujourd'hui 43 ha. Établis à Vallet, ils possèdent aussi un caveau de dégustation-vente sur la côte vendéenne, à Saint-Gilles-Croix-de-Vie.

D'emblée, cette cuvée s'annonce séduisante. Voyez sa robe brillante et limpide. Puis attardez-vous sur ses arômes intenses d'agrumes et de fleurs. En bouche, tout est rond et soyeux. Le fruit prend toute sa place jusqu'à la finale soutenue par une légère amertume. ⧗ 2020-2022

EARL LECHAT ET FILS (DOM. DE LA ROCHE BLANCHE), 12, av. des Roses, 44330 Vallet, tél. 02 40 33 94 77, earl-lechat@orange.fr V ♿ 🍷 *t.l.j. 8h-12h 14h-18h*

♥ DOM. DU SILLON CÔTIER Grolleau gris 2018 ★★

	10000		- de 5 €

Aux confins ouest du vignoble nantais, les vignes du Sillon Côtier dominent la baie de Bourgneuf. Installé en 2014, Nicolas Ferré représente la cinquième génération à la tête de l'exploitation, qui compte 15,5 ha.

Un grolleau gris qui a séduit les dégustateurs par son élégance et sa puissance maîtrisée. Le nez, épicé et floral, libère aussi des parfums de fruits mûrs. Ample,

LOIRE

la bouche est un modèle d'équilibre jusque dans sa finale fruitée, portée par une pointe d'amertume. ⧗ 2020-2022

EARL DU SILLON CÔTIER, 10, chem. du Coin-Sarah, 44760 Les Moutiers-en-Retz, tél. 02 40 64 77 29, sillon-cotier@wanadoo.fr V *t.l.j. sf dim. 10h-12h30 15h30-18h30*

DOM. LA TOUR BEAUMONT
Fié gris Tardives de la Tour 2018 ★

	4000		15 à 20 €

Le donjon d'un ancien château du XIIᵉs. a donné son nom au domaine, dont les 30 ha se répartissent sur deux coteaux séparés par la rivière Clain. Une valeur sûre du Haut-Poitou. Après cinq années passées en Bourgogne, Pierre Morgeau a rejoint en 2011 son père, Gilles, sur cette exploitation familiale créée en 1860, qu'il dirige depuis 2015.

Un bel exemple de surmaturité maîtrisée. Robe intense et nez concentré de coing, de miel et de raisin de Corinthe. Bouche ronde, mais fraîche, légèrement vanillée. ⧗ 2020-2022 **Chardonnay 2018 (8 à 11 €; 13200 b.)** : vin cité.

EARL MORGEAU (LA TOUR BEAUMONT), 2, av. de Bordeaux, 86490 Beaumont-Saint-Cyr, tél. 05 49 85 50 37, contact@domainelatourbeaumont.fr V *t.l.j. sf dim. 9h30-12h 14h30-19h (18h sam. et hiver)*

DOM. DES TRAHAN Sauvignon 2018 ★★

	8000	- de 5 €

Ce domaine est situé dans le sud de l'appellation anjou, dans le département des Deux-Sèvres. Jean-Marc Trahan cultive 60 ha de vignes sur des sols de schistes plus ou moins altérés et propose toutes les appellations d'Anjou.

Une cuvée destinée aux amateurs de vins blancs bien tendus. Le nez marie élégamment les agrumes et la pêche blanche mûre avec le tilleul et des notes mentholées. Une attaque vive et fruitée, finement muscatée, introduit une bouche équilibrée, grasse sans être lourde. La finale s'étire grâce à une pointe d'acidité parfaitement dosée. ⧗ 2020-2022

SCEA LES MAGNOLIAS DES TRAHAN, 2, rue des Genêts, Cersay, 79290 Val-en-Vignes, tél. 05 49 96 80 38, domainedestrahan@wanadoo.fr V *r.-v.*

La vallée du Rhône

SUPERFICIE : 73 468 ha
PRODUCTION : 2 830 000 hl

TYPES DE VINS : rouges très majoritairement, rosés et quelques rares blancs ; vins doux naturels ; quelques effervescents (clairette-de-die).

SOUS-RÉGIONS

Vallée du Rhône septentrionale (entre Vienne et la rivière Drôme au sud de Valence) et vallée du Rhône méridionale (du sud de Montélimar à Avignon et à la Durance).

CÉPAGES PRINCIPAUX

Rouges : syrah, grenache, mourvèdre, cinsault, carignan et de nombreux autres cépages devenus très rares (counoise, vaccarèse, muscardin…).

Blancs : viognier, roussanne, marsanne, grenache blanc, clairette blanche, bourboulenc…

LA VALLÉE DU RHÔNE

La vallée du Rhône porte des vignobles parmi les plus anciens de France. En matière de vins d'appellation, c'est la deuxième région viticole après le Bordelais. Les vins rouges, majoritaires, sont souvent chaleureux, souples ou de garde. Avec Tavel, le vignoble possède la plus ancienne appellation de rosés ; il produit aussi des blancs de haute lignée comme les hermitage ou les condrieu. Enfin, les vins doux naturels montrent son appartenance à l'orbite méditerranéenne.

Le legs des Romains et des papes. C'est aux abords de Vienne que se trouve l'un des plus anciens vignobles du pays, développé par les Romains, après avoir été sans doute créé par des Phocéens de Marseille. Vers le IVᵉs. avant notre ère, la viticulture est attestée aux environs des actuels hermitage et côte-rôtie ; dans la région de Die, elle apparaît dès le début de l'ère chrétienne. À la suite des Templiers (au XIIᵉs.), le pape Jean XXII et ses successeurs d'Avignon ont développé le vignoble de Châteauneuf-du-Pape. Quant aux vins de la Côte du Rhône gardoise, ils connurent une grande vogue aux XVIIᵉ et XVIIIᵉs.; les cités de Tavel et des environs édictèrent des règles de production tout en apposant sur leurs tonneaux les lettres «CdR» (pour «Côtes-du-Rhône») – une anticipation de l'AOC.

XXᵉs.: le renouveau. Produits loin de Paris et des grands axes commerciaux, les vins du Rhône furent longtemps mésestimés, malgré la réputation des hermitage ou des côte-rôtie. La vigne était d'ailleurs concurrencée par les oliveraies et les vergers. Le côtes-du-rhône était souvent un gentil vin de comptoir, en général issu de brèves cuvaisons. Son image s'est redressée tandis que son profil s'est diversifié, du primeur au vin de garde rappelant les crus. Le vignoble, qui s'était rétracté au XIXᵉs., a regagné du terrain. La coopération, très présente dans la région avec 95 caves et cinq groupements de producteurs, participe largement à l'économie viticole de la vallée, produisant presque les deux tiers des volumes, aux côtés de quelque 1 560 caves particulières. Le négoce-éleveur, malgré le prestige de certaines maisons, est moins présent que dans d'autres vignobles (3 % des volumes).

DE L'APPELLATION RÉGIONALE AUX CRUS

Comme dans d'autres régions viticoles, il existe une hiérarchie des vins. Au sommet, les appellations communales. Côte-rôtie, condrieu, hermitage, saint-joseph, cornas… celles-ci constituent la quasi-totalité des vignobles de la partie septentrionale, beaucoup moins étendue. Au sud, le plus illustre de ces crus est châteauneuf-du-pape, mais huit villages occupent le même rang, comme Gigondas ou Tavel. À la base de la pyramide, l'appellation régionale côtes-du-rhône s'étend sur 171 communes, presque toutes situées au sud. Entre appellations communales et régionales, les côtes-du-rhônes-villages, également situés dans la partie méridionale, proviennent de 95 communes plus réputées.

Le nord et le sud. Certains experts différencient les vins de la rive gauche de la vallée, qui seraient plus capiteux, de ceux de la rive droite, plus légers. Mais on distingue surtout la vallée du Rhône septentrionale, au nord de Valence, et la vallée du Rhône méridionale, au sud de Montélimar, séparées l'une de l'autre par une zone d'environ cinquante kilomètres où la vigne est absente. Topographie, paysages, climat, sols, encépagement, culture: le nord et le sud de la vallée diffèrent nettement. Au nord de Valence, la vallée s'encaisse entre Alpes et Massif central; le climat est tempéré, avec une influence continentale; les coteaux sont souvent très pentus et les sols le plus souvent granitiques ou schisteux; les vins sont issus du seul cépage syrah pour les rouges, des cépages marsanne et roussanne pour les blancs, ou encore du viognier (condrieu, château-grillet). Au sud de Montélimar, la vallée s'élargit, on arrive en Provence ; le climat est méditerranéen, les sols sur substrat calcaire sont très variés: terrasses à galets roulés, sols rouges argilo-sableux, molasses et sables; le cépage principal est ici le grenache, mais les excès climatiques obligent les viticulteurs à utiliser plusieurs cépages pour obtenir des vins parfaitement équilibrés: en rouge, la syrah, le mourvèdre, le cinsault, le carignan… en blanc, la clairette, le bourboulenc, la roussanne.

Dans l'orbite de la vallée du Rhône D'autres vignobles sont rattachés à la vallée du Rhône. Ce sont, sur la rive droite, les AOC grignan-les-adhémar, entre Montélimar et Bollène; ventoux, entre Vaison-la-Romaine et Apt ; luberon, plus au sud, sur la rive droite de la Durance; pierrevert, dans le département des Alpes-de-Haute-Provence ; de la rive droite proviennent les côtes-du-vivarais, de part et d'autre des gorges de l'Ardèche ; les costières-de-nîmes, aux confins du Languedoc. Il faut encore citer la région de Die, dans la vallée de la Drôme, en bordure du Vercors. Plus montagneux, plus frais, le Diois, aux sols d'éboulis calcaires, est propice aux cépages blancs, comme la clairette et le muscat.

➡ LES APPELLATIONS RÉGIONALES DE LA VALLÉE DU RHÔNE

CÔTES-DU-RHÔNE

Superficie : 37 465 ha
Production : 1 205 000 hl (97 % rouge et rosé)

Définie dès 1937, l'appellation régionale côtes-du-rhône figure au nombre des plus anciennes. C'est aussi l'une des plus vastes, la seconde en superficie après Bordeaux. Elle s'étend en effet sur six départements: Rhône, Loire, Ardèche, Gard, Drôme et Vaucluse. L'essentiel de la production provient des quatre derniers, situés dans la vallée du Rhône méridionale, au sud de Montélimar, les vignobles de la partie nord fournissant presque exclusivement des vins d'AOC locales. Sur la rive droite du Rhône, les vignes couvrent les pentes de collines; sur la rive gauche, elles affectionnent des bassins à fond plat aux sols de galets mêlés d'argiles sableuses rouges.
Dans cette partie sud du vignoble, l'encépagement est bien méridional, autour du grenache (30 % minimum), de la syrah et du mourvèdre (20 % minimum) dans les rouges et rosés. Les cépages secondaires, qui sont ici légion, ne peuvent pas totaliser plus de 30 % de l'encépagement. Ce sont notamment le cinsault, le carignan et encore la counoise, le muscardin, le vaccarèse, le terret. Des cépages blancs peuvent même entrer dans la composition des rouges (5 % maximum) et des rosés (20 % maximum). Les côtes-du-rhône blancs font intervenir principalement les grenache blanc, clairette, marsanne, roussanne, bourboulenc et viognier.
À la diversité des sols, des microclimats et des cépages répond celle des vins: vins rouges de semi-garde, tanniques et généreux, à servir sur de la viande rouge, produits dans les zones les plus chaudes et sur des sols de diluvium alpin (Domazan, Estézargues, Courthézon, Orange...); vins rouges plus légers, fruités et plus nerveux, nés sur des sols eux-mêmes plus légers (Nyons, Sabran, Bourg-Saint-Andéol...); vins primeurs disponibles à partir du troisième jeudi de novembre. La chaleur estivale contribue à la rondeur des blancs et des rosés. Producteurs et œnologues cherchent aujourd'hui à extraire le maximum d'arômes et à obtenir des vins frais et délicats. On servira les blancs sur des poissons de mer, les rosés sur des salades composées ou de la charcuterie.

DOM. L'ABBÉ DÎNE 2017 ★

■ | 10 000 | 🍾 | 8 à 11 €

Nathalie Reynaud a repris en 2010 le domaine familial (18 ha), qui portait jusqu'alors ses raisins à la coopérative. En 2012, elle a acquis une petite cave et élaboré ses premiers vins. Le nom de son domaine évoque une histoire locale selon laquelle, à l'époque des papes d'Avignon, un bon abbé aimait faire ripaille dans le quartier des Bédines, lieu-dit historique où la vigneronne a ses vignes de châteauneuf-du-pape.
Un assemblage marqué par le grenache vendangé à belle maturité qui diffuse au nez ses senteurs de fruits rouges bien mûrs, un peu fumés. Ample et soyeuse à l'attaque, la bouche s'entiche de notes de cerise et de violette et affiche une structure solide et fraîche, autour de tanins puissants qui demandent à s'affiner. Du tempérament dans ce côtes-du-rhône bien composé qui mérite un peu de cave. ⌛ 2021-2024

⊶ EARL MIREILLE ET JEAN REYNAUD, 1480, chem. des Mulets, 84350 Courthézon, tél. 04 90 70 20 21, domainelabbedine@wanadoo.fr V 🚶 ! *r.-v.*

CH. LES AMOUREUSES Les Charmes 2017 ★

■ | 21 310 | 🛢🍾 | 8 à 11 €

Industriel ardéchois spécialiste des matériaux de construction, Jean-Pierre Bedel a racheté en 2011 ce domaine établi à Bourg-Saint-Andéol, sur la rive droite du Rhône. Il a construit une cave et restructuré le vignoble (80 ha), planté d'une large palette de cépages méridionaux.
Une vinification en douceur qui vise à extraire tout le fruit du grenache et de la syrah avec un bref passage en fût. Objectif atteint avec ce rouge qui fleure bon le cassis et la framboise, à peine teinté de chêne. Ronde, soyeuse, fraîche, assise sur des tanins bien croquants, la bouche concilie gourmandise et tenue et s'étire longuement en finale sur le Zan. Complet et de bonne garde. ⌛ 2021-2025

⊶ SCEA CH. LES AMOUREUSES, chem. de Vinsas, 07700 Bourg-Saint-Andéol, tél. 04 75 54 51 85, contact@lesamoureuses.wine V 🚶 ! *t.l.j. sf sam. dim. 8h30-12h 14h-16h*

ESPRIT DES ARCHES 2017

■ | 8 000 | 🍾 | 5 à 8 €

Situé au cœur du Nyonsais, ce domaine de 13 ha, dans la famille Ravoux depuis 1851, a été un précurseur, dès 1976, de la vente directe à la ferme (fruits, légumes, huile d'olive...). Daniel Ravoux, aux commandes depuis 1985, a passé le flambeau en 2018 à la sixième génération incarnée par Chloé et Rodolphe.
Grenache et syrah à parité dans ce 2017 fermé au nez, qui demande un peu d'aération pour libérer ses arômes de fruits mûrs avec une touche animale. Plus intense, la bouche restitue cette palette dans un ensemble généreux, chaleureux, adossé à des tanins francs qui ouvrent sur une finale joliment fruitée. À boire dans ses jeunes années après un passage en carafe. ⌛ 2020-2023

⊶ GAEC DU DOM. DES ARCHES, quartier Les Arches, 26110 Mirabel-aux-Baronnies, tél. 04 75 27 11 00, domainedesarches@club-internet.fr V ! *r.-v.; f. du 1er janv. au 15 mars*

LES ASSEYRAS 2017 ★

■ | 6 000 | 🍾 | 5 à 8 €

Un vignoble de 35 ha établi sur les hauteurs de Tulette, déjà planté de vignes au Moyen Âge et dans la famille Blanc depuis 1937. Depuis 1998, c'est Daniel qui est aux commandes.
Un assemblage grenache et syrah qui demande à respirer pour libérer ses belles notes fruitées et florales. Une belle première approche qui trouve un heureux prolongement dans une bouche souple, savoureuse, centrée sur la violette, les fruits confits et le poivre, nantie de tanins mûrs qui laissent en finale un léger sillon

d'amertume étirant agréablement le vin. Un côtes-du-rhône abouti, fin prêt à passer à table, que l'on pourra avantageusement aérer. ⧗ 2019-2022

EARL DES ASSEYRAS, 425, rte de Valréas, 26790 Tulette, tél. 06 98 71 17 88, asseyras@gmail.com V *t.l.j. 9h-12h 14h-19h; dim. sur r.-v.*

B AU 7ÈME CLOS Arc-en-ciel 2017 ★★

■ | 7000 | ▮ | 8 à 11 €

David Peyron a hérité de son père un vignoble qui s'étend aujourd'hui sur 19 ha certifiés bio, d'un seul tenant sur les coteaux de Visan. Rejoint par son épouse Virgine en 2016, ils fondent l'année d'après le domaine Au 7ème Clos qui signe une poignée de cuvées en AOP côtes-du-rhône et côtes-du-rhône-villages (Visan et Valréas).

Le domaine fait son entrée dans le Guide avec un côtes-du-rhône à dominante de syrah, élevé en cuve béton. La cuvée en tire sa robe profonde et violacée et le nez ses belles flagrances de petites baies noires mêlées d'épices et de violette avec une touche végétale rafraîchissante en soutien. Une fraîcheur et une intensité de fruit que l'on retrouve dans une bouche parfaitement proportionnée, plus élégante que puissante, très gourmande, harmonieuse, appuyée sur des tanins logiquement fermes, gages d'un bel avenir. Un «joli vin», retient le jury. Il profitera d'une petite garde. ⧗ 2020-2024

DAVID PEYRON, 2245, chem. de l'Obrieu, 84820 Visan, tél. 04 90 35 21 92, peyron-david@bbox.fr V *r.-v.*

DOM. DE LA BASTIDE Les Figues 2018 ★★

■ | 60000 | ▮ | 5 à 8 €

Une ancienne ferme templière, puis un couvent avant la Révolution. Le domaine a été acquis en 1988 par Bernard Boyer, disparu en 2008, qui l'a légué à son fils Vincent et qui travaillait à ses côtés depuis 1998. Le vignoble couvre 75 ha à Visan et à Suze-la-Rousse.

Un énorme figuier trône devant la ferme. La cuvée lui est dédiée. Point de notes «figuées» au nez mais de belles et puissantes senteurs de mûres et de cassis qui signent la présence majoritaire de la syrah dans l'assemblage. Tout en douceur et en rondeur, sans une once d'astringence, le palais enchante par son volume et sa plénitude entièrement mis au service d'un fruit immaculé, d'une gourmandise qui a fait le bonheur du jury. À boire sur le fruit. ⧗ 2019-2022

SCEA LA BASTIDE, 1250, chem.de la Bastide, 84820 Visan, tél. 04 90 41 98 61, vinboyer@wanadoo.fr V *r.-v.*

B LA BASTIDE SAINT-DOMINIQUE 2017 ★

■ | 30000 | ▮ | 8 à 11 €

Créé en 1979 par Gérard et Marie-Claude Bonnet, ce domaine établi à Courthézon, sur les vestiges d'une ancienne chapelle du XVIᵉs., s'étend sur 50 ha. Il est aujourd'hui géré par Éric, qui a converti le vignoble à l'agriculture biologique (certification en 2014) et complété sa propriété par une structure de négoce. Il a été rejoint par sa sœur Véronique en 2016.

Un petit air de châteauneuf-du-pape dans ce côtes-du-rhône sérieux, intensément coloré, au nez retenu et épicé mais dont la bouche fait preuve d'une carrure certaine par ses tanins affirmés, puissants et enrobés, qui marquent à ce stade le palais de leur empreinte. Du potentiel et de la patience. ⧗ 2019-2024

SCEA LA BASTIDE SAINT-DOMINIQUE, 1358, chem. Saint-Dominique, 84350 Courthézon, tél. 04 90 70 85 32, contact@bastidesaintdominique.com V *t.l.j. sf sam. dim. 8h30-12h30 13h30-17h*

CH. DU BOIS DE LA GARDE 2018 ★★

■ | 50000 | ▮ | 5 à 8 €

L'histoire vigneronne des Mousset-Barrot débute dans les années 1930 avec l'achat par Louis Mousset des châteaux des Fines Roches, Jas de Bressy (AOC châteauneuf) et du Bois de la Garde (côtes-du-rhône et côtes-du-rhône-villages). L'ensemble (125 ha) est aujourd'hui conduit par la troisième génération, Gaëlle et Amélie Mousset-Barrot.

D'un seyant rose pâle, ce 2018 déploie des arômes aussi élégants qu'intenses de fleurs blanches et d'agrumes. En bouche, il apparaît très fruité (les agrumes toujours), très frais avec son côté acidulé et très harmonieux. ⧗ 2019-2020

SCEA VIGNOBLES MOUSSET-BARROT, 1, av. du Baron-Leroy, 84230 Châteauneuf-du-Pape, tél. 04 90 83 51 73, chateaux@vmb.fr V *t.l.j. 13h30-19h30; f. en nov., janv. et fév.*

DOM. DU BOIS DES MÈGES Partage 2017 ★

■ | 5000 | ▮ | 5 à 8 €

Ghislain Guigue a quitté en 1990 son métier de caviste au Ch. Mont-Redon à Châteauneuf pour s'installer avec son épouse Magali sur un plateau de cailloutis et de galets roulés de 5 ha. Il a porté la superficie de son domaine à 12 ha aujourd'hui, répartis sur cinq communes.

Cet assemblage de grenache, syrah et carignan libère une palette généreuse centrée sur les fruits noirs confits (mûre) et la réglisse. Un caractère sudiste que l'on retrouve dans une bouche ronde et chaleureuse, ourlée de tanins soyeux qui en font un côtes-du-rhône fluide et gouleyant, à ouvrir dès à présent. ⧗ 2019-2022

EARL DOM. DU BOIS DES MÈGES, 607, rte d'Orange, Les Tappys, 84150 Violès, tél. 04 90 70 92 95, gguigue@boisdesmeges.fr V *r.-v.*

RÉSERVE DE BONPAS 2018 ★

■ | 250000 | ▮ | 5 à 8 €

Cette maison de négoce, dans le giron du groupe bourguignon Boisset, doit son nom à un monastère fortifié, donné par le pape Jean XXII aux Chartreux, en 1318. Un lieu stratégique qui veillait autrefois sur la route menant d'Avignon à Rome: un *bonus passus* en latin («bon passage»).

Ce 2018 déjà épanoui affiche dès l'olfaction sa belle maturité avec ses arômes de fruits confiturés et de kirsch. Très parfumée et chaleureuse, dans la continuité du nez, la bouche dévoile une structure à la mesure, corsée, aux tanins fermes qui cadrent parfaitement une matière douce, à la sucrosité très gourmande. Un vin bien bâti, complet, qui saura se patiner avec le temps. ⧗ 2021-2024

SAS BOISSET, chem. de Réveillac, 84510 Caumont-sur-Durance, tél. 04 90 83 58 35, info@bonpas.fr t.l.j. sf sam. dim. 10h-12h 14h-17h

LA BOUVAUDE Fruiandise 2017 ★

■ | 63543 | | 5 à 8 €

Ancien prieuré clunisien, le village de Rousset-les-Vignes, perché à 400 m d'altitude, domine la vallée du Rhône et offre une belle vue sur le mont Ventoux. Stéphane Barnaud et son épouse Fabienne y ont créé leur cave en 1992.

Une sélection des plus jeunes parcelles du domaine et une macération courte visant à extraire tout le fruit du grenache (80 %). Objectif atteint en bouche avec ce côte-du-rhône exemplaire, tendre et soyeux, qui délivre sans retenue et longuement de belles flaveurs de fruits rouges frais et de mûres, soulignées d'une discrète touche épicée. Savoureux et bien nommé. ⧗ 2020-2023

GAEC LA BOUVAUDE, La Bouvaude, 26770 Rousset-les-Vignes, tél. 04 75 27 90 32, contact@labouvaude.com V t.l.j. sf dim. 9h-12h 14h-18h30

DOM. DES BOUZONS La Félicité 2018 ★

■ | 12000 | | 8 à 11 €

Ce domaine appartient aux Serguier depuis 1632. Les premières vignes ont été plantées en 1956. Installés en 1982, Marc Serguier et son épouse Claudine, rejoints par leur fils Nicolas, conduisent aujourd'hui un vignoble de 35 ha sur les communes de Sauveterre et de Pujaut.

Clin d'œil à Félicité, l'aïeule de Marc Serguier, cette cuvée élevée en cuve et fût fait la part part belle à la syrah (80 %). Mûre, réglisse, épices: le nez est engageant. On retrouve cette déclinaison dans une bouche ronde et fraîche à l'attaque qui ouvre sur un palais solidement structuré par des tanins fermes, bien extraits, nullement agressifs. Un vin déjà agréable et qui gagnera encore en séduction avec une petite garde. ⧗ 2020-2024

EARL MAS DES BOUZONS, 194, chem. des Manjo-Rassado, 30150 Sauveterre, tél. 04 66 90 04 41, domaine.des.bouzons@wanadoo.fr V t.l.j. sf lun. dim. 9h30-12h 14h30-18h30

LAURENT BROTTE Les Brottiers 2018 ★★

■ | 70000 | | 5 à 8 €

Cette maison réputée, fondée en 1931 par Charles Brotte, pionnier de la mise en bouteilles dans la vallée du Rhône, est aujourd'hui dirigée par Laurent, petit-fils du fondateur. Elle vinifie ses propres vignes et opère des sélections parcellaires pour le compte de son négoce, dont La Fiole du Pape, en châteauneuf, est la marque phare depuis sa création en 1952.

Fruits mûrs, garrigue, épices et vanille, ces Brottiers fleurent bon le Sud et le soleil. Une belle introduction à une partition sans fausse note: riche, grasse, tonique, savoureuse par ses notes chaleureuses de fruits bien mûrs, sertie de tanins bien fermes, la bouche ne manque de rien, ni de structure, ni de gourmandise, ni de typicité. Un vin «épicurien», conclut le jury, qui donnera sa pleine mesure dans une paire d'années. Exemplaire. ⧗ 2020-2024 ■ **Père Anselme Réserve 2018, (5 à 8 €; 60000 b.)** : marque emblématique de la maison qui propose ici un vin fringant au nez avec ses senteurs exubérantes de fruits rouges, généreux et gourmand en bouche. ⧗ 2019-2021

SA BROTTE, av. Pierre-de-Luxembourg, 84230 Châteauneuf-du-Pape, tél. 04 90 83 70 07 V t.l.j. 9h-12h 14h-18h (9h-13h 14h-19h en été)

DOM. BRUSSET Laurent B. 2018 ★

■ | 70000 | | 5 à 8 €

Soixante-huit terrasses exposées plein sud composent ce vignoble de 70 ha situé sous les Dentelles de Montmirail. Créé en 1947 par André Brusset, puis dirigé par son fils Daniel, il est aujourd'hui conduit par son petit-fils Laurent. Une valeur sûre en gigondas et en cairanne.

Grenache, syrah, mourvèdre et carignan sont associés dans ce rouge friand, élevé en cuve, ouvert sur le cassis et la cerise, avec une touche originale de fruit exotique. De la bouche, on retiendra ses tanins croquants, sa belle acidité, son fruit franc et frais et sa finale un poil astringente. Un rouge fin et croquant, à ouvrir dès à présent. ⧗ 2019-2022

SA DOM. BRUSSET, 70, chem. de la Barque, 84290 Cairanne, tél. 04 90 30 82 16, contact@domainebrusset.fr V t.l.j. sf sam. dim. 9h-12h 14h-18h

LES VIGNERONS DE LA CALADE Le Monarque 2018 ★

■ | 30000 | | 5 à 8 €

Créée en 1956, cette coopérative, qui tire son nom d'une chapelle romane du XIes. surplombant Rochefort-du-Gard, réunit aujourd'hui 45 viticulteurs pour 450 ha de vignes, dont 100 ha dédiés au seul côtes-du-rhône-villages Signargues.

Grenache (70 %), syrah et cinsault pour ce rosé en robe légère, offrant au nez des nuances florales, amyliques et fruitées. La bouche est agréable, fraîche, fruitée et persistante. ⧗ 2019-2020 ■ **Les Vignerons du Castelas Les Mésanges 2018 ★ (5 à 8 €; 30000 b.)** : un blanc allègre qui tire du viognier majoritaire son nez épanoui évoquant l'abricot et le chèvrefeuille. Délicate, tendre à l'attaque, la bouche s'organise autour d'une trame de fraîcheur qui cisèle et affine un peu plus le fruit. Un blanc fringant et chantant. ⧗ 2019-2022

SCA LES VIGNERONS DU CASTELAS, 674, av. de Signargues, 30650 Rochefort-du-Gard, tél. 04 90 26 62 66, info@vignerons-castelas.fr V t.l.j.sf dim. 8h30-12h30 14h30-18h30

DOM. DES CARABINIERS 2018

■ | 90000 | | 8 à 11 €

Occupé au XIVes. par les gardes italiens à cheval des papes d'Avignon, ce domaine, dans la même famille depuis quatre générations, est conduit depuis 1974 par Christian Leperchois, à la tête de 35 ha convertis à l'agriculture biologique dès 1997 et à la biodynamie en 2009.

Souvent en vue pour ses lirac et ses tavel, le domaine soigne tout autant ses côtes-du-rhône, tel ce 2018 au nez fringant, floral et fruité. En bouche, il suit la même trame aromatique et offre une matière ronde et riche qui s'étire en longueur sur la mûre. Un vin généreux, sans mollesse, à ouvrir dès à présent. ⧗ 2019-2022

SARL BIODYNAMIC WINE, Dom. des Carabiniers, 4976, RN_580, 30150 Roquemaure, tél. 04 66 82 62 94, magali@biodynamicwine.bio V r.-v.

CAMILLE CAYRAN Le Pas de la Beaume 2018 ★

■ | 170000 | | - de 5 €

Créée en 1929, la coopérative de Cairanne est un acteur de poids dans la région: 60 adhérents pour

490 ha de vignes et deux marques, Camille Cayran pour le réseau traditionnel et Victor Delauze pour la grande distribution.

Un 2018 déjà bien en place, né du grenache, du cinsault et de la syrah. Le bouquet, intense, est centré sur les fruits noirs très mûrs et les épices. Ses tanins discrets se fondent dans une bouche souple et soyeuse qui déroule dans une longue finale de généreuses et savoureuses flaveurs de fruits en confiture. Du plaisir. ⧗ 2019-2022 ■ **Sans soufre ajouté 2018 (5 à 8 €; 120 000 b.)** : vin cité.

SCA CAVE DE CAIRANNE, 290, av. de la Libération, 84290 Cairanne, tél. 04 90 30 82 05, s.henna@cave-cairanne.fr V ■ *r.-v.*

CELLIER DES GORGES DE L'ARDÈCHE 3 Saints 2018 ★

■ | 10 000 | ■ | - de 5 €

Baptisée d'après un des sites naturels les plus remarquables du département, cette coopérative fondée en 1929 regroupe les producteurs de Saint-Martin-d'Ardèche, de Saint-Marcel-d'Ardèche et de Saint-Just-d'Ardèche pour une surface de 500 ha.

Grenache et un soupçon (5 %) de cinsault pour ce rosé pâle aux reflets dorés. Le nez plaît par son intensité florale, la bouche par sa fraîcheur acidulée aux tonalités d'agrumes et par sa longueur. ⧗ 2019-2020

SCA CELLIER DES GORGES DE L'ARDÈCHE, rte de la Gare, 07700 Saint-Marcel-d'Ardèche, tél. 04 75 04 66 83, caveau@cellier-ardeche.fr V ■ ■ *t.l.j. sf dim. 9h-12h 14h-18h*

CELLIER DES PRINCES Hérédita 2017

■ | 18 000 | ■ | 5 à 8 €

Le Cellier des Princes est l'unique coopérative à produire du châteauneuf-du-pape. Fondée en 1925, la cave regroupe aujourd'hui 190 adhérents et vinifie les vendanges de 600 ha, du châteauneuf donc, et aussi une large gamme de côtes-du-rhône, *villages*, ventoux et IGP.

Une robe rubis clair, un nez porté sur les fruits rouges mûrs, agrémentés de cuir et d'épices: le grenache signe sa présence. La bouche y ajoute de douces effluves de réglisse et de caramel qui s'épanouissent dans une bouche ronde, aux tanins soyeux, relevée par une agréable fraîcheur et une légère astringence pour conclure. Un vin bien typé, puissant, au bon potentiel de garde. ⧗ 2021-2024

SCA LE CELLIER DES PRINCES, 758, rte d'Orange, 84350 Courthézon, tél. 04 90 70 21 44, lesvignerons@cellierdesprinces.fr V ■ ■ *t.l.j. 9h-12h30 13h30-18h30*

CELLIER DES TEMPLIERS Terra Quercus 2018 ★

■ | 10 000 | ■ | 5 à 8 €

Fondée en 1967, la coopérative de Richerenches, située dans l'Enclave des papes, portion du département du Vaucluse enchâssée dans la Drôme, regroupe aujourd'hui 650 ha en côtes-du-rhône, *villages* et grignan-les-adhémar.

Un rosé très pâle aux reflets orangés, ouvert sur les fruits blancs, les agrumes et quelques notes florales, ample, rond et fruité en bouche: une belle harmonie d'ensemble. ⧗ 2019-2020 ■ **Terra Quercus 2017 ★ (5 à 8 €; 9600 b.)** : un vin qui aura su séduire le jury par sa souplesse et sa gourmandise. Un nez franc et friand de fruits rouges bien mûrs, une bouche souple et harmonieuse, appuyée sur des tanins élégants, une longueur honorable qui convie les fruits rouges en finale: un côtes-du-rhône convivial, équilibré et fédérateur. ⧗ 2019-2021 ■ **Terra Quercus 2018 ★ (5 à 8 €; 8000 b.)** : les trois grands cépages rhodaniens (roussanne, marsanne, viognier) réunis dans ce blanc d'abord discret qui déploie en bouche ses franches notes beurrées et florales, sa texture tendre et une très belle vivacité qui donne éclat et relief à l'ensemble. Un blanc abouti, frais et expressif, à ouvrir sans attendre. ⧗ 2019-2022

SCA LE CELLIER DES TEMPLIERS, 233, rte de Valréas, 84600 Richerenches, tél. 04 90 28 01 00, cellier.templiers@wanadoo.fr V ■ *t.l.j. sf dim. 9h-12h 14h30-18h30*

PIERRE CHANAU 2018 ★★

■ | 1 500 000 | ■ | - de 5 €

Établie à Castillon, près du pont du Gard, Vignobles et Compagnie (anciennement la Compagnie rhodanienne) est une maison de négoce créée en 1963, dans le giron du groupe Taillan. Elle propose des vins (marques ou cuvées de domaine) dans de nombreuses AOC de la vallée du Rhône, de la Provence et du Languedoc.

Pierre Chanau est une marque travaillée en coopération avec une enseigne de la grande distribution, d'où le volume impressionnant d'exemplaires produits: 1,5 millions de bouteilles! Et pourtant, rien de standard ni de dilué dans cette cuvée, mais du fruit (cerise, cassis) au nez comme en bouche, une touche d'épices pour la complexité, et un palais étonnant de générosité, vineux, cadré par des tanins bien présents et d'une longueur inattendue. Le jury est unanime. Garde possible pour couronner le tout! Exemplaire. ⧗ 2019-2023 ■ **Vignobles et Compagnie 2018 ★★ (8 à 11 €; 130 000 b.)** : un assemblage syrah, grenache et mourvèdre dans ce 2018 drapé d'une belle robe pourpre, généreux dès le nez avec ses senteurs profondes de fruits noirs et d'épices. Une générosité qui fait aussi le charme de la bouche: une matière cossue, d'une rondeur sensuelle, épaulée par des tanins à point, sans une once d'astringence, ouvre sur une longue finale qui convie les épices et les fruits bien mûrs. Une puissance parfaitement canalisée qui laisse le souvenir d'un vin plein, harmonieux et redoutablement gourmand. ⧗ 2019-2022

SA VIGNOBLES ET COMPAGNIE, SPECR 19, chem. Neuf, CS_80002, 30210 Castillon-du-Gard, tél. 04 66 37 49 50, nicolas.rager@vignoblescompagnie.com

M. CHAPOUTIER 2018

■ | 50 000 | ■ | 8 à 11 €

Cette vénérable (XIXe s.) et incontournable maison, mise sur orbite internationale par Michel Chapoutier à partir des années 1990, propose une large gamme issue de ses propres vignes (350 ha, en biodynamie) ou d'achats de raisin dans la plupart des appellations phares de la vallée du Rhône, et aussi en Roussillon et en Alsace.

Un 2018 grenat aux reflets violacés de jeunesse au bouquet déjà intense, sur les fruits noirs et les épices. Une introduction flatteuse qui trouve un agréable prolongement dans une bouche ample, corsée, gorgée de fruits rouges, adossée à des tanins fermes et bien extraits. Un vin complet auquel il ne manque qu'un poil de longueur en plus pour décrocher l'étoile. ⧗ 2020-2024 ■ **2018 (8 à 11 €; 15000 b.)** : vin cité.

⊶ SA M. CHAPOUTIER, 18, av. du Dr-Paul-Durand, 26600 Tain-l'Hermitage, tél. 04 75 08 28 65, chapoutier@chapoutier.com V r.-v.

Ⓑ DOM. DE LA CHARITÉ La Dame noire 2017 ★

■ | 10000 | | 11 à 15 €

La famille Coste est à la tête de deux domaines, le Dom. de la Charité et le Dom. de Javone, auxquels s'ajoute un ha en châteauneuf-du-pape acquis en 2008. Christophe Coste, exploite en tout 40 ha de vignes, conduits en bio depuis 2018.

Christophe Coste a eu la bonne idée de produire un 100 % mourvèdre, avec une touche de chêne (10 %). La dégustation débute en beauté par un bouquet ouvert et complexe où percent la griotte, le kirsch et les petites baies noires sur fond d'épices et de réglisse. Elle se poursuit sur la garrigue et les épices dans une bouche ample, riche, persistante, dotée de tanins ronds et mûrs. On la quitte avec le souvenir d'un vin harmonieux, à fort caractère et à bon potentiel. Une entrée dans le Guide remarquée. ⧗ 2021-2025

⊶ EARL VALENTIN ET COSTE, 5, chem. des Issarts, 30650 Saze, tél. 06 07 60 83 41, office@rhoneorganicwines.com r.-v.

CHARLIE ET FRED Vieilles Vignes 2018 ★

■ | 50000 | | - de 5 €

Une jeune maison de négoce biterroise créée en 2017 par Charles Faisant qui propose des cuvées dans diverses appellations du Sud-Ouest, ainsi que dans la Vallée du Rhône, à travers des vins de marques et des vins de domaines.

Syrah et grenache s'entendent comme larrons en foire, à l'image de Charlie et Fred, le nom de marque, partenaires, amis et associés dans l'affaire. Ils signent ici, comme en 2017, un côtes-du-rhône abouti, mûr, chocolaté et persistant dont la rondeur, la franchise et la plénitude auront séduit le jury. ⧗ 2020-2023 ■ **Vieilles Vignes 2018 ★ (- de 5 €; 30000 b.)** : un trio (grenache blanc, clairette et bourboulenc) élevé en cuve, sans fausse note: un nez allègre et très floral, une bouche tonique, fraîche, avec une pointe de gras. C'est un très bon classique et un excellent vin de soif. ⧗ 2019-2021

⊶ SAS GRAND TERROIR, 12, rue des Écluses, 34500 Béziers, tél. 04 67 26 79 11, contact@grandterroir-vins.fr

DOM. CLAVEL Régulus 2017

■ | 60000 | | 5 à 8 €

Les Clavel conduisent depuis plusieurs générations cette exploitation fondée en 1934 sur la rive droite du Rhône, dont la vaste superficie (80 ha) leur permet de proposer une large gamme de vins. Aujourd'hui, c'est Claire, épaulée par son père Denis, qui est aux commandes de ce domaine très régulier en qualité, souvent en vue avec ses côtes-du-rhône et ses *villages* Saint-Gervais, en bio depuis 2008.

Un domaine d'une louable régularité à travers toute sa gamme qui nous revient en bonne forme avec ce 2017 au nez ouvert et charmeur, centrée sur la cerise fraîche. En bouche, un panier de fruits rouges frais, une légèreté de bon ton et une souplesse aimable. Un vin cohérent, tout en fruit, à boire sans tarder. ⧗ 2019-2022

⊶ SCEA DOM. CLAVEL, rue du Pigeonnier, 30200 Saint-Gervais, tél. 04 66 82 78 90, claire@domaineclavel.com r.-v.

DOM. LE CLOS DES LUMIÈRES L'Éclat 2018

■ | 200000 | | - de 5 €

Installé en 1997, Gérald Serrano spécialise le domaine familial, fondé par son grand-père André en 1950 et longtemps exploité en polyculture, et le sort de la coopérative en 2004. Agrandie en 2018, la propriété couvre aujourd'hui 120 ha sur la rive droite du Rhône, dans le Gard.

L'harmonie, le fil conducteur de ce rouge issu de grenache et de syrah: une robe grenat, un nez friand de fruits rouges, une bouche agréable, déliée, parfumée, sertie de tanins fringants qui augurent d'un bel avenir. ⧗ 2021-2025 ■ **L'Éclat 2018 (- de 5 €; 130000 b.)** : vin cité.

⊶ SARL SERRANO, 14, rue des Cerisiers, 30210 Fournès, tél. 04 66 01 05 89, closdeslumieres@yahoo.fr V *t.l.j. sf dim. 9h30-12h 14h30-18h30*

DOM. LE CLOS DU BAILLY 2018 ★

■ | 30000 | | 5 à 8 €

Cette propriété établie au cœur du village de Remoulins est installée dans un vieux mas datant de 1779. Le domaine de 26 ha est conduit par Yoann Ripoche.

Un assemblage de grenache, syrah et une touche de carignan pour ce vin à forte personnalité, au nez solaire de fruits rouges vanillés. Les épices, la réglisse et le tabac étendent cette palette dans une bouche voluptueuse, riche et ronde, aux tanins assouplis et à la finale saline. Du caractère à revendre et du potentiel en cave. ⧗ 2021-2025

⊶ EARL LA COUASSE (DOM. LE CLOS DU BAILLY), 17, rue d'Avignon, 30210 Remoulins, tél. 09 87 57 93 53, info@closdubailly.com V *t.l.j. sf. sam. dim. 10h-12h 14h-17h*

Ⓑ LE CLOS DU CAILLOU
Le Bouquet des Garrigues 2018 ★

■ | 13000 | | 11 à 15 €

Dirigé par Sylvie Vacheron depuis plus de vingt ans, en duo avec Bruno Gaspard, œnologue, ce domaine conduit en bio dispose d'un vignoble de 53 ha, dont 9 ha en AOC châteauneuf-du-pape et 44 ha en AOC côtes-du-rhône (dont une partie, Le Clos, est enclavée dans l'aire d'appellation de châteauneuf).

Un millésime chahuté avec, à la clé, de petits rendements, ici de moins de 20 hl/ha, mais les efforts déployés ont porté leurs fruits. Derrière une robe pâle, un nez tonique et frais qui décline le genêt, l'abricot et les agrumes. Dans le prolongement, la bouche est un parfait compromis entre rondeur et fraîcheur et laisse le souvenir d'un blanc délicat et raffiné. ⧗ 2019-2021

⊶ EARL POUIZIN-VACHERON, Le Clos du Caillou, 1600, chem. Saint-Dominique, 84350 Courthézon, tél. 04 90 70 73 05, closducaillou@wanadoo.fr V *r.-v.*

Ⓑ CLOS DU PÈRE CLÉMENT Entr'Amis 2017

■ | 15000 | | 5 à 8 €

Situé à proximité de la chapelle Notre-Dame-des-Vignes (XVIe s.), ce domaine créé en 1978 doit son nom au grand-père de Jean-Paul Depeyre, ce dernier aux commandes depuis 2000. Le vignoble (35 ha) est en bio depuis la vendange 2015.

Dominé par le grenache, ce rouge s'affiche dans une robe limpide au ton rubis. Le nez s'éveille lentement, libérant progressivement ses touches de violette et de réglisse sur fond de fruits rouges. Souple, ronde, soulignée par une jolie fraîcheur, la bouche restitue les arômes perçus au nez dans une finale aussi légère que gourmande. Un vin facile à boire et à aimer. ⧗ 2019-2021

SCEA CLOS DU PÈRE CLÉMENT, 911, rte de Vaison-la-Romaine, 84820 Visan, tél. 04 90 41 93 68, info@clos-pere-clement.com V r.-v.

CLOS GUÉRIN Mazarin 2017 ★

■ | 11500 | | 11 à 15 €

Issus d'une lignée de vignerons, Christian et Michel Guérin abandonnent leur carrière respective pour renouer avec la vieille tradition viticole familiale. Ils acquièrent des vignes en 2011 et posent les premières pierres du Clos Guérin en 2013. Le vignoble de 10 ha, situé sur le plateau de Montfrin, en conversion biologique, a rendu son premier verdict en 2019 avec les premières mises en bouteille.

Des débuts prometteurs pour ce tout jeune domaine qui signe ici son premier millésime. Grenache et syrah fonctionnent en bonne harmonie dans ce rouge qui fleure bon la framboise et la réglisse. Texture caressante, tanins doux, saveurs étirées, fruitées et épicées, la bouche charme par son élégance, sa finesse et son harmonie. ⧗ 2020-2024

SCEA AGRISOL, Clos Guérin, 725, chem. de la Garrigue, 30490 Montfrin, tél. 04 48 06 04 81, contact@closguerin.fr V r.-v.

CLOS JEAN ALESI 2017 ★★

■ | 8000 | | 15 à 20 €

Henri de Lanzac conduit un domaine de près de 60 ha, dont 30 ha de vignes d'un seul tenant commandées par le Ch. de Ségriès (XVIIe s.), acquis en 1994. Il assure aussi la gestion du Clos de l'Hermitage (3,5 ha), propriété depuis 1995 de l'ancien coureur automobile Jean Alesi. Deux étiquettes souvent en bonne place dans le Guide.

Déjà étoilée en 2015, la cuvée qui assemble par tiers grenache, syrah et mourvèdre aura fait l'objet d'une élevage sur mesure en fût pendant dix mois. Le chêne se fond élégamment dans un nez bien sudiste, aux notes de garrigue et d'épices douces. La même sensation d'harmonie se fait jour dans une bouche ronde et charnue, étayée de tanins soyeux, qui ouvre sur une longue finale qui convoque la prunelle, le Zan et le chêne. Un rouge magistralement équilibré, élevé au cordeau, qui fera une très belle bouteille avec un peu de temps en cave. ⧗ 2021-2026

SCEA HENRI DE LANZAC, chem. de la Grange, 30126 Lirac, tél. 04 66 39 11 98, chateaudesegries@wanadoo.fr V *t.l.j. 8h-12h 13h30-17h30; sam. dim. sur r.-v.*

COLOMBES DES VIGNES Révélation 2018 ★

■ | 35000 | | 5 à 8 €

Créée en 1936, cette coopérative regroupe 300 vignerons établis dans une vingtaine de communes environnant Sainte-Cécile-des-Vignes, pour une superficie de 2 000 ha. En 2016, elle a pris le nom de Colombes des Vignes.

Né de jeunes vignes de dix ans, un rosé de saignée aux jolis reflets bleutés, ouvert sur les fruits rouges au nez comme en bouche, frais en attaque, plus chaleureux en finale. ⧗ 2019-2020

CAVE DES VIGNERONS RÉUNIS, caveau Colombes-des-Vignes, 541, rte de Valréas, 84290 Sainte-Cécile-les-Vignes, tél. 04 90 30 79 30, cave@colombesdesvignes.fr V *t.l.j. 9h-12h 14h-18h30; visites sur r.-v.*

CH. CORRENSON Réserve spéciale 2017 ★

■ | 30000 | | 5 à 8 €

Le blason du château représente un casque et une épée étrusques trouvés dans les vignes par le grand-père de Vincent Peyre. Installé depuis 2000 sur un vignoble de 70 ha, ce dernier représente la troisième génération à la tête du domaine familial, souvent en vue pour ses lirac.

Abonné au Guide, le domaine entretient sa bonne réputation avec ce rouge qui assemble grenache, syrah et carignan, brièvement élevé en fût. Au nez, des fruits rouges et noirs bien mûrs soulignés d'une touche discrètement vanillée. Une partition rejouée dans une bouche élégante, mûre, soutenue par une superbe fraîcheur qui confère à l'ensemble un bel équilibre. Un vin déjà charmeur et pour quelques années. ⧗ 2020-2025

EARL LES COSTES DE SAINT-GENIÈS, Ch. Correnson, rte de Roquemaure, 30150 Saint-Geniès-de-Comolas, tél. 04 66 50 05 28, contact@chateau-correnson.fr V *t.l.j. sf dim. 10h-12h 15h30-18h30*

Ⓑ CAVE LES COTEAUX Les Murières 2018 ★

■ | 150000 | | 5 à 8 €

Cette ancienne cave particulière a été convertie par Ferdinand Deloye en coopérative en 1897. Pionner de la viticulture visanaise, il fut le premier à commercialiser des vins sous la dénomination «côtes-du-rhône Visan». Concentration oblige, elle a intégré en 2016 Le Cercle des Vignerons du Rhône qui réunit Rhonéa, la Cave de Rasteau et celle de Sablet.

Assemblage de trois cépages emmené par le grenache, cette cuvée bio au nez aimable dispense ses notes de fruits mûrs, avec des touches de garrigue et d'épices. Vinifiée en douceur, la bouche séduit par sa rondeur, son fruité allègre mâtiné d'épices et ses tanins délicatement extraits qui donnent ce qu'il faut de tenue à l'ensemble. Une harmonie pas incompatible avec une petite garde. ⧗ 2020-2024 ■ **Cuvée des Lions 2017 ★ (5 à 8 €; 100000 b.)** : sélection parcellaire de vieilles vignes, ce rouge s'ouvre sur des arômes complexes et bien typés, fruités, lardés et fumés. La confiture de fruits noirs prend le relais dans une bouche douce, fringante, fraîche et «lumineuse». À croquer sur le fruit, sans attendre. ⧗ 2019-2021

SCA LES COTEAUX DE VISAN, chem. Peine, 84820 Visan, tél. 04 90 28 50 80, cave@coteaux-de-visan.fr V *t.l.j. sf dim. 9h-12h 14h-18h*

B LA CAVE LES COTEAUX DU RHÔNE Cuvée Fabre 2018 ★★

■ | 50000 | | 5 à 8 €

Fondée en 1926, la cave Les Coteaux du Rhône, coopérative de Sérignan-du-Comtat, propose une large gamme allant des vins en IGP aux AOC comme vacqueyras, en passant par les côtes-du-rhône et les *villages*.

Cet assemblage de quatre cépages, élevé dix mois en cuve, déploie une robe légère annonciatrice d'un nez plus fin que puissant, intéressant par sa déclinaison entre fruit, cuir et cacao. Le chocolat et le fruit mûr persistent dans un palais juteux, d'une rondeur sans à-coups, aux tanins lissés et d'une gourmandise qui aura enthousiasmé le jury. Un côtes-du-rhône bio pas loin d'être parfait, d'une séduction immédiate. ⧗ 2020-2023

SCEV LES COTEAUX DU RHÔNE, 57, chem. Derrière-le-Parc, 84830 Sérignan-du-Comtat, tél. 04 90 70 42 43, coteau.rhone@orange.fr t.l.j. sf dim. 9h-12h30 14h-19h

DOM. COULANGE Mistral 2018 ★★

■ | 56000 | | 5 à 8 €

Situé à la pointe sud de l'Ardèche, sur les coteaux dominant la rive droite du Rhône, ce vignoble de 35 ha est conduit par Christelle Coulange. Celle-ci a rejoint son père en 1996, instaurant alors avec lui les premières vinifications au domaine.

Grenache et syrah, élevés en cuve, du classique mais de l'excellent classique. La cuvée prend son envol au nez, libérant avec force un bouquet fleurant bon la mûre, les fruits rouges et les épices. Une intensité qui trouve un écho dans une bouche volumineuse, gorgée d'épices, dont la belle rondeur rebondit en douceur sur des tanins à point. Un Mistral qui décoiffe. ⧗ 2020-2025

EARL DOM. COULANGE, quartier Saint-Ferréol, 07700 Bourg-Saint-Andéol, tél. 04 75 54 56 26, contact@domaine-coulange.com r.-v.

CH. COURAC 2018 ★

■ | 250000 | | 8 à 11 €

Ce château perché sur les hauteurs de Tresques, dans le Gard, est un habitué du Guide, le plus souvent aux meilleures places. Conduit par Joséphine et Frédéric Arnaud, il se distingue tant par ses côtes-du-rhône que par ses *villages* (Laudun). Ces passionnés d'archéologie sont comblés de mettre en valeur un terroir cultivé dès l'Antiquité.

Un domaine qui empile les étoiles et qui en accroche une de plus à son palmarès avec cet assemblage dominé de peu par la syrah. De ce rouge à la robe soutenue, on retiendra le nez généreusement parfumé sur les fruits rouges et noirs, et la bouche ronde, lisse, à la structure légère, portée par des tanins soyeux. Un style délié, tout en légèreté et en parfums, à boire sur son fruit. ⧗ 2019-2021 ■ **Empreinte 2018 ★ (8 à 11 €; 80000 b.)** : un vin rouge déjà épanoui, drapé d'une robe intense, ouvert sur les fruits rouges au nez comme en bouche, gourmand, velouté, tendre et d'ores et déjà prêt à passer à table. ⧗ 2019-2022

SCEA FRÉDÉRIC ARNAUD, 1520, chem. de Courac, 30330 Tresques, tél. 04 66 82 90 51, chateaucourac@orange.fr r.-v.; f. en août

B DOM. DE CRISTIA Vieilles Vignes 2017 ★

■ | 20000 | | 11 à 15 €

Un domaine fondé en 1942 par le grand-père, agrandi et amélioré par le père, Alain Grangeon. Nouveau saut qualitatif à partir de 1999 avec la troisième génération (Baptiste, Dominique et Florent): vente en bouteilles, abaissement des rendements, sélections parcellaires, conversion progressive au bio des 58 ha. Une référence en châteauneuf, également présent en côtes-de-provence.

Un domaine qui connaît son grenache sur le bout des doigts, en témoigne ce 100 % grenache issu de vieilles vignes, élevé en cuve et fût. C'est le chêne qui l'emporte au nez avec ses notes entêtantes d'épices et de noix de coco sur fond de griotte et de kirsch. Certes sous l'emprise du bois, la bouche affiche une matière riche et ample, à la sucrosité affirmée, qui laisse filtrer en finale le fruit et les herbes aromatiques. Un vin conséquent qui a tout pour digérer un peu plus son élevage ambitieux. ⧗ 2021-2027

SCEA DOM. DE CRISTIA, 48, fg Saint-Georges, 84350 Courthézon, tél. 04 90 70 24 09, contact@cristia.com r.-v.

CH. DE LA CROIX CHABRIÈRES Alliance 2017 ★

■ | 9000 | | 5 à 8 €

Diplôme d'œnologie en poche, Patrick Daniel a racheté cette vieille propriété en 1989 qui commande actuellement un vaste vignoble de 48 ha situé pour partie sur les flancs de la colline de Barry. La production se partage entre IGP et AOC (côtes-du-rhône et grignan-les-adhémars).

Paré d'une robe rubis aux reflets tuilés, ce côtes-du-rhône offre un nez épanoui, partagé entre fruits noirs (mûre, cassis), réglisse et notes discrètement boisées et fumées. Confortable et frais à l'attaque, le palais, enveloppé de confiture de fruits, de cèdre et de vanille, se révèle ample et bien structuré par des tanins fins qui s'imposent en finale. Une cuvée fort bien élevée, complexe et savoureuse. ⧗ 2020-2023

EARL CH. DE LA CROIX CHABRIÈRES, rte de Saint-Restitut, 84500 Bollène, tél. 04 90 40 00 89, contact@chateau-croix-chabrieres.com t.l.j. 9h-12h 14h-18h30; dim. 9h-12h; groupes sur r.-v.

B DAUVERGNE RANVIER Vin gourmand 2018

■ | 150000 | | 5 à 8 €

Créée en 2004 par François Dauvergne et Jean-François Ranvier, professionnels du vin qui ont décidé d'élaborer leurs propres cuvées après avoir œuvré chez les autres, cette maison de négoce s'affirme d'année en année à travers des vins de qualité issus de sélections parcellaires. En 2013, les deux compères ont repris l'exploitation du Dom. des Muretins (tavel et lirac) et ont développé en 2014 une gamme de vins bordelais en collaboration avec Patrice Hateau.

Une base de grenache complétée par la syrah et le carignan dans ce rouge bien nommé et ouvert au nez sur les fruits rouges bien mûrs, les épices et le cuir. D'une légèreté de bon aloi, nantie de petits tanins croquants, la bouche déroule ses franches flaveurs de griotte et de poivre, relevée par une finale acidulée. Le côtes-du-rhône gouleyant par excellence. ⧗ 2019-2021

DAUVERGNE RANVIER, Ch. Saint-Maurice, RN_580, 30290 Laudun, tél. 04 66 82 96 57, contact@dauvergne-ranvier.com

DELAS Saint-Esprit 2017 ★★

■ | n.c. | | 8 à 11 €

Maison fondée en 1835, propriété depuis 1977 du Champagne Deutz (groupe Roederer). Sous la direction de Fabrice Rosset et de son directeur technique Jacques Grange, elle dispose de 30 ha en propre dans les AOC septentrionales, complétés par des achats de raisin, la gamme méridionale provenant de la partie négociant-éleveur.

Une robe violacée éclatante, un nez intense et friand, déclinant la réglisse, le fruit rouge frais et la mûre sauvage, l'entame est de très bon augure. Savoureuse, appuyée sur des tanins fins, la bouche se montre à la fois dynamique, bien bâtie et d'une rondeur très aimable: un compromis idéal pour un vin fringant et complet, à boire dans les deux ou trois ans. ⧗ 2019-2022

SA CHAMPAGNE DEUTZ (TAIN-L'HERMITAGE), 40, av. Jules-Nadi, 26600 Tain-l'Hermitage, contact@delas.com V *r.-v.*

DEMAZET
Réserve des Armoiries Tradition 2018 ★★

■ | 244 000 | | 5 à 8 €

Une structure née en 2006 de la fusion des coopératives Canteperdrix et Terres d'Avignon. L'ensemble, d'envergure, regroupe quelque 1 400 ha de vignes entre Avignon et les pieds du mont Ventoux.

Syrah, grenache, carignan et mourvèdre composent ce rouge plébiscité par le jury qui réussit le tour de force de conjuguer volume et haute qualité. Derrière un nez discret, sur le fruit rouge, une composition quasiment parfaite qui réunit toutes les qualités du côtes-du-rhône exemplaire: du fruit rouge à foison, une rondeur caressante, des tanins fins et doux, une fraîcheur parfaite. À l'arrivée, on obtient un vin de soif délicieux et très harmonieux, le tout à petit prix. Que demander de plus? ⧗ 2019-2021

DEMAZET VIGNOBLES, 457, av. Aristide-Briand, 84310 Morières-lès-Avignon, tél. 04 90 22 65 64, vignobles@demazet.com V *t.l.j. 9h-12h30 14h30-18h30*

Ⓑ DOM. JULIEN DE L'EMBISQUE
Délice de Viognier 2018 ★

■ | 25 000 | | 8 à 11 €

L'histoire vigneronne des Gaïde a débuté en 1838 à Pauillac. Elle s'est poursuivie dans le haut Var et dans la vallée du Rhône où la famille a acheté un vignoble de 4 ha en 1972. La commercialisation en bouteilles, en revanche, n'a débuté qu'en 2011, sous la conduite de Thierry Gaïde et de son fils Fabien.

Une larme de grenache blanc (2 %) à l'appui du viognier dans ce blanc au nez intensément fumé et fruité, riche en bouche, puissant même, qui délivre sans retenue et avec franchise les notes épanouies de fruits jaunes et de fruits exotiques que l'on attend de tout bon viognier. Net, gras et sans bavure. À boire sur le fruit. ⧗ 2019-2021

EARL DOM. SAINT-JULIEN, 1791, rte de l'Embisque, 84500 Bollène, tél. 06 77 50 68 56, julien.lembisque@orange.fr V

DOM. DE L'ESPIGOUETTE Vieilles Vignes 2017 ★★

■ | 40 000 | | 5 à 8 €

Le nom de cette vaste exploitation de 50 ha est hérité du terme provençal *spigo* (petit épi de blé). Bernard Latour, aux commandes depuis 1979, privilégie les petits rendements et les vieilles vignes. À l'arrivée de ses fils Émilien et Julien en 2009, il a engagé la conversion bio du vignoble et créé une nouvelle cave de stockage.

Un assemblage classiquement dominé par le grenache, très convainquant dès l'approche, avec sa robe rubis léger et son nez flagrant et original, sur le fruit rouge, les fleurs (rose et violette) avec un soupçon de fruit exotique. D'une légèreté exemplaire, la bouche enchante par son équilibre digeste, ses tanins fins et soyeux qui ouvrent sur une finale franchement fruitée et un tantinet chaleureuse nous ramènant dans le Sud. Un côtes-du-rhône harmonieux, plein et jubilatoire. ⧗ 2019-2022
■ **Latour Bel-Air 2017 (5 à 8 €; 20 000 b.)** : vin cité.

EARL DOM. DE L' ESPIGOUETTE, 1008, rte d'Orange, 84150 Violès, tél. 04 90 70 95 48, espigouette@aol.com V *t.l.j. sf lun. dim. 10h-12h 14h-18h; f. de janv. à mai*

DOM. D'EUJIES Sérine 2017

■ | 1166 | | 11 à 15 €

Une propriété de 16 ha à deux pas du pont du Gard, apporteur en coopérative jusqu'en 2016 et l'arrivée de Jérémy Sablier-Cartailler, vigneron gardois, et de Julie, originaire du Val de Loire.

Un assemblage grenache et syrah à parité et élevé en fût qui réunit tous les ingrédients d'un bon côtes-du-rhône ensoleillé: un nez porté sur la griotte et le kirsch et une bouche chaleureuse, ample et ronde à souhait, gorgée de fruits en confiture, de vanille et de poivre. ⧗ 2020-2023

JÉRÉMY SABLIER-CARTAILLER, 20, av. Paul-Blisson, 30210 Saint-Hilaire-d'Ozilhan, tél. 06 18 92 05 00, domainedeujies@gmail.com V *r.-v.*

DOM. FONTAINE DU CLOS 2018 ★

■ | 44 000 | | 5 à 8 €

Les Barnier (aujourd'hui Jean-François) sont enracinés sur leurs terres de Sarrians où ils sont vignerons et pépiniéristes viticoles. Au cœur de l'exploitation, une fontaine donne son nom à leur vaste vignoble (100 ha) planté de quelque quarante cépages.

Syrah et grenache en duo dans ce rouge qui arrive sur la pointe des pieds et monte lentement mais sûrement en puissance au cours de la dégustation. Discrets au nez, les fruits rouges s'imposent plus intensément dans une bouche dont on aime la rondeur, les tanins bien lissés, la texture soyeuse et l'équilibre irréprochable. Une élégance et une harmonie saluées par le jury. De bonne garde. ⧗ 2021-2025

EARL JEAN-FRANÇOIS BARNIER, 735, bd du Comté-d'Orange, 84260 Sarrians, tél. 04 90 65 59 39, cave@fontaineduclos.com V *t.l.j. sf dim. 9h30-12h 14h30-19h*

CH. DE FONTSÉGUGNE 2017 ★

■ | 10500 | | 5 à 8 €

Dans cette demeure de style florentin naquit en 1854 le Félibrige, mouvement initié par sept poètes, dont Frédéric Mistral, pour redonner vie à la langue provençale. Côté vigne, la surface plantée est de 18 ha et la première vinification au domaine date de 2000.

Un vin typique de son appellation, au nez ouvert, centré sur les fruits rouges et noirs et agrémenté d'une nuance épicée. Une attaque intensément fruitée précède un palais riche et rond, aux tanins affinés, qui ouvre sur une finale parfaite de fraîcheur et de longueur. Rien ne manque au tableau: savoureux et exemplaire. 2020-2024 **2018 ★ (5 à 8 €; 4000 b.)** : un trio de cépages emmené par le viognier et complété par le grenache blanc et la roussanne. C'est le premier qui l'emporte au nez comme en bouche avec ses notes d'acacia, de fruit jaune et de fruit exotique et son palais tendre et rond. 2019-2021

GAEC FONTSÉGUGNE, 976, rte de Saint-Saturnin, 84470 Châteauneuf-de-Gadagne, tél. 06 10 63 67 04, gerenjm@aol.com V t.l.j. 10h-12h 14h-18h; f. 1er janv. et 25 déc.

DOM. GARON La Part des Vivants 2017 ★★

■ | 20000 | | 5 à 8 €

Les Garon sont établis depuis la fin du XVes. sur les terres d'Ampuis. Jean-François, Carmen et leurs deux fils y exploitent un petit vignoble de 6,3 ha en côte-rôtie.

Les amateurs de syrah du Sud seront comblés avec ce côtes-du-rhône qui lui offre le premier rôle (70 %) dans l'assemblage. La robe en tire sa profondeur, et le nez ses arômes puissants et mûrs qui mêlent les petits baies noires, les épices et la confiture de fraise sur fond de chêne. Un jolie palette qui s'étend encore sur le cuir dans une bouche ample, puissante, aux tanins corsés mais bien enrobés par la barrique. Un côtes-du-rhône de haut vol, plus concentré que la moyenne, avec le potentiel de garde qui va avec. 2021-2026

SARL FAMILLE GARON, 58, rte de la Taquière, Le Goutay, 69420 Ampuis, tél. 04 74 56 14 11, vins@domainegaron.fr V r.-v.

CH. LA GENESTIÈRE 2017

■ | 8000 | | 5 à 8 €

Implanté sur le site d'une ancienne magnanerie, ce domaine fondé en 1930 par la famille Bernard est aujourd'hui dirigé par Christian Latouche. Une bastide du XVIes. commande le vaste vignoble en lirac et tavel. Après l'acquisition d'autres propriétés, les vignobles familiaux comptent aujourd'hui 200 ha sur la rive droite du Rhône.

Bien typé, chaleureux, ce bon rouge a pour lui un nez friand de fruits noirs que l'on retrouve dans une bouche expressive, toute en rondeur, ourlée de tanins discrets pris dans le fruit, avec en finale la même sensation de chaleur qu'en introduction. Franc, mûr et gourmand. 2020-2023

SCEA CH. LA GENESTIÈRE, chem. de Cravailleux, 30126 Tavel, tél. 04 66 50 07 03, contact@domaine-genestiere.com

GRAND BÉCASSIER Vieilles Vignes 2018 ★

■ | 200000 | | 5 à 8 €

Éric Philip, installé en 1995, et son fils Sylvain exploitent, essentiellement à Sabran, un vaste vignoble de 130 ha répartis entre les domaines de Rochemond et du Grand Bécassier. Ils signent des côtes-du-rhône et des *villages* souvent en vue, et aux meilleures places, dans ces pages. Autre étiquette: le Dom. Pique Bouffigue.

Fraîchement sorti des cuves, ce 2018 distille au nez des flagrances épanouies, florales et fruitées. Rond à la mise en bouche, le palais diffuse sans retenue ses flaveurs de cassis et de cerise et se resserre en finale sous l'effet de tanins logiquement fermes à ce stade, qui s'assoupliront avec un peu de bouteille. Long et équilibré. 2020-2023 ■ **Dom. de Rochemond 2018 ★ (5 à 8 €; 200000 b.)** : grenache, syrah et marselan au menu de ce rouge à la robe intense qui délivre au nez des arômes très purs de fruits rouges. Ils font aussi le charme d'une bouche franche et ronde appuyée sur de beaux tanins fermes qui donnent ce qu'il faut de relief et de croquant à l'ensemble. Une petite garde lui sera profitable. 2020-2023 **Dom. de Rochemond 2018 (8 à 11 €; 25000 b.)** : vin cité.

EARL PHILIP-LADET, 2, quartier Phililadet, 30200 Sabran, tél. 04 66 79 04 42, domaine-de-rochemond@wanadoo.fr V t.l.j. sf dim. 8h-12h 13h-17h; sam. sur r.-v.

DOM. GRAND NICOLET 2017 ★

■ | 9300 | | 5 à 8 €

Créé en 1926, le plus vieux chai rastellain élabore des vins à partir d'un vignoble planté en 1875. Jean-Pierre Bertrand, marié à une Nicolet, est depuis 1999 à la tête de ce vignoble de 30 ha, et signe des vins généreux souvent en vue dans ces pages.

Un quatuor de cépages dominé par le grenache compose cette cuvée de caractère. Lardé, fumé, épicé et fruité (fruits cuits), le nez ne laisse pas indifférent. La bouche non plus avec sa chair volumineuse, ses tanins intégrés et ses flaveurs épanouies qui convoquent aussi le romarin et la figue sèche en finale. De bien belles sensations et beaucoup de gourmandise dont on peut profiter dès à présent. 2020-2023

EARL NICOLET-LEYRAUD, 1174, rte de Violès, 84110 Rasteau, tél. 04 90 28 91 54, domainegrandnicolet@rasteau.fr V t.l.j. sf dim. 10h-18h

DOM. LES GRANDS BOIS Les 3 Sœurs 2018 ★

■ | 30000 | | 5 à 8 €

Fondé en 1929 par Albert Farjon, ce domaine de 47 ha est aujourd'hui conduit par sa petite-fille Mireille et son mari Marc Besnardeau. Leur vignoble est certifié bio depuis le millésime 2011. Côtes-du-rhône, *villages*, cairanne, rasteau, leurs vins sont régulièrement en vue dans ces pages.

Paré d'une jolie robe violacée aux reflets fuchsia, ce 2018 libère des effluves fraîches entre fruits rouges et nuances végétales. Une élégance que confirme la bouche qui enchante par sa mâche, sa texture fine et sa longueur. Le tout stimulé par une fraîcheur imparable. Du bel ouvrage. 2020-2023

SCEA DOM. LES GRANDS BOIS, 55, av. Jean-Jaurès, 84290 Sainte-Cécile-les-Vignes, tél. 04 90 30 81 86, mbesnardeau@grands-bois.com V t.l.j. sf dim. 9h-12h 13h30-18h30

LES VIGNERONS DU GRAND SUD
Marquis d'Arlandes 2018 ★

■ | 150000 | | 5 à 8 €

Une petite structure de négoce créée en 2004, spécialisée dans les vins de la vallée du Rhône, du Languedoc et de la Provence.

Derrière une robe rubis clair, un nez surprenant et solaire qui passe en revue les épices, les fruits macérés, la garrigue et la vanille. Une maturité et une complexité de fruit qui rejaillissent dans une bouche ronde, sans outrance, très friande, épanouie et d'un équilibre convainquant. Du plaisir dès à présent et du potentiel en cave. 2020-2024

LES VIGNERONS DU GRAND SUD, 32, chem. de Roquebrune, 30130 Saint-Alexandre, tél. 04 66 39 02 00, contact@vigneronsdugrandsud.fr

DOM. DES GRAVENNES Tradition 2018

■ | 13000 | | 8 à 11 €

Bernadette et Jean Bayon de Noyer ont repris en 1996 une partie de l'exploitation familiale, créant ainsi le Dom. des Gravennes. En 2014, leurs fils Luc et Rémi ont pris la relève et converti leurs 30 ha à l'agriculture biologique.

Une robe paille aux reflets verts de jeunesse, un nez très floral (fleurs blanches), une bouche ample et vive qui laisse un long sillon de fraîcheur, voilà un blanc bien construit, parfaitement équilibré, sans une once de lourdeur. 2019-2021

EARL DOM. DES GRAVENNES, 2933, rte de Baume, 26790 Suze-la-Rousse, tél. 04 75 04 84 41, contact@domainedesgravennes.com V t.l.j. sf dim. 10h-12h30 15h-19h 2

HARMONIE BY HARMAS 2017 ★

■ | 8000 | | 5 à 8 €

Représentant la quatrième génération de vignerons, Nathalie Fabre s'est installée en 2000 sur 6 ha. Elle a agrandi son vignoble (20 ha aujourd'hui), bâti la cave et le caveau avec son mari Patrick. En 2009, elle a obtenu la certification bio, puis son fils est venu la rejoindre en 2014.

Un nez qui se livre par pallier: le fruit frais et la violette, puis la réglisse, le cuir et le fruit confit. Une complexité aromatique restituée dans une bouche suave et douce, intégrant des tanins d'une belle finesse qui ouvrent sur une finale plus chaleureuse et réglissée témoignant de la maturité accomplie des raisins. L'ensemble laisse le souvenir d'un rouge épanoui et langoureux. 2020-2023

NATHALIE FABRE, quartier Bois-Lauzon, 84100 Orange, tél. 06 03 34 10 45, nathalie.fabre84@wanadoo.fr V t.l.j. 8h-12h 13h30-19h;sam. dim. sur r.-v.; f. début août

DOM. JAMET 2017

■ | 18000 | | 15 à 20 €

Corinne et Jean-Paul Jamet sont installés depuis 1976 à Ampuis, aujourd'hui rejoints par leur fils Loïc. Ils sont à la tête d'un vignoble dédié aux appellations côte-rôtie et côtes-du-rhône, ainsi qu'aux IGP des Collines rhodaniennes.

Un grand nom du Rhône nord qui met aussi son talent au service de son côtes-du-rhône. Pur syrah comme il se doit, ce vin décline les fruits rouges saupoudrés de nuances animales (cuir) et d'une touche vanillée qui vient nous rappeler l'élevage de douze mois en barrique. Déliée, ronde et soyeuse, dotée de tanins très délicatement extraits, la bouche brille par son élégance et sa grande fraîcheur. Un équilibre très septentrional. 2020-2023

GAEC JAMET, 4600, rte du Recru, Le Vallin, 69420 Ampuis, tél. 04 74 56 12 57, domainejamet@wanadoo.fr V r.-v.

ALAIN JAUME
Grand Veneur Réserve 2017 ★★

■ | 100000 | | 5 à 8 €

D'origine castelpapale, Alain Jaume et ses fils Sébastien et Christophe perpétuent une tradition viticole qui remonte à 1826. Ils conduisent en bio un vignoble de 155 ha réparti sur quatre domaines: Grand Veneur à Châteauneuf-du-Pape, Clos de Sixte à Lirac, Ch. Mazane à Vacqueyras, et le Dom. la Grangette Saint-Joseph en AOC côtes-du-rhône, le tout complété par une activité de négoce. Une valeur sûre.

Pas de bois dans ce côtes-du-rhône époustouflant mais du fruit, de la finesse et de la complexité: fruits rouges bien mûrs, violette, réglisse, touche de champignon frais, le nez enchante. La bouche suit le tempo et déploie une matière ronde, charnue et enveloppante, d'une plénitude singulière, avec des tanins croquants qui apportent ce qu'il faut de tenue. Remarquable par son harmonie et sa plénitude, la cuvée frise le coup de cœur. 2020-2025 ■ **Grand Veneur Les Champauvins 2017 ★ (8 à 11 €; 70000 b.)** B : une cuvée très souvent à l'honneur dans le Guide, issue d'une parcelle, Les Champauvins, qui jouxte châteauneuf-du-pape au nord. L'assemblage est typiquement castel-papal: grenache, syrah et mourvèdre. Au nez, de la richesse et de la maturité à travers des notes de griottes très mûres, agrémentées d'épices et d'une touche sauvage. Charpenté, concentré, capiteux, adossée à des tanins à point, le palais impressionne et évoque le prestigieux voisin. Un côtes-du-rhône de garde. 2021-2026

SARL VIGNOBLES ALAIN JAUME, 1358, rte de Châteauneuf-du-Pape, 84100 Orange, tél. 04 90 34 68 70, contact@alainjaume.com V t.l.j. sf dim. 8h-13h 14h-18h

PASCAL ET RICHARD JAUME 2017 ★

■ | 120000 | | 5 à 8 €

L'arrière-grand-père fut l'un des pionniers de l'appellation côtes-du-rhône, créée en 1937. Depuis, les générations se succèdent sur ce vaste domaine de 95 ha, les sélections dans le Guide aussi, en AOC régionale ou en vinsobres.

Grenache (85 %) et syrah composent un joli vin clair et brillant, ouvert sur le cassis et la groseille. La bouche, tout aussi fruitée, se montre ronde, soyeuse et longue. 2020-2023

FAMILLE JAUME, 24, rue Reynarde, 26110 Vinsobres, tél. 04 75 27 61 01

VIGNOBLES LARGUIER 2018

| 5000 | 5 à 8 € |

Fondé en 1968 par Joseph Larguier, ce domaine, aujourd'hui conduit par son fils Francis, s'est peu à peu agrandi pour couvrir désormais une coquette surface de 100 ha. La cave est installée à flanc de coteaux, au pied du camp romain de Laudun.

Un blanc composé à parts égales de grenache blanc et de viognier, élevé en cuve. Intense et fleurant bon les fleurs blanches et le fruit vert, le nez ouvre sur une bouche fugace, légère, vivace, sans artifice et parfaitement rafraîchissante. Un blanc «de soif». 2019-2021

SCEA LARGUIER, rue des Esquirades, 30330 Tresques, tél. 04 66 82 40 77, lilicot@hotmail.fr V *r.-v.*

LAUDUN CHUSCLAN VIGNERONS
Enfant Terrible 2018

| 240000 | - de 5 € |

Cette coopérative, créée en 1925, est l'un des acteurs importants de la vallée du Rhône méridionale. Elle regroupe près de 250 vignerons et quelque 3 000 ha. Depuis 2012, elle propose des vins issus du bio.

Une brève cuvaison et un court élevage en cuve de huit mois pour ce rouge qui joue la carte du fruit et de la légèreté. Un nez friand, sur le raisin frais, les épices et le fruit blanc, une bouche allègre, poivrée, lisse et gouleyante: l'objectif est atteint. À boire sur le fruit. 2019-2022 **Axelle 2018 (- de 5 €; 160000 b.)** : vin cité.

SCA LAUDUN CHUSCLAN VIGNERONS, 201, rte d'Orsan, 30200 Chusclan, tél. 04 66 90 11 03, contact@lc-v.com V *t.l.j. 9h-12h 14h-18h30*

DOM. DES LAURIBERT Tradition 2018 ★

| 50000 | 5 à 8 € |

Un domaine régulier en qualité, dont le vignoble de 54 ha est réparti en une trentaine de parcelles sur les terroirs de Valréas et de Visan. Créé en 1973 par Robert et Marie Sourdon, il a été sorti de la coopérative en 1997 par leur fils Laurent, qui raconte avoir pressé ses premiers raisins à cinq ans dans un presse-légumes: une vocation précoce.

Les années se suivent et se ressemblent pour cette cuvée régulièrement étoilée qui cultive l'équilibre et la fraîcheur. Le 2018 ne fait pas exception à la règle avec son nez soutenu centré sur les fruits rouges, et sa bouche ronde, portée par des tanins fins et vivifiée par une fraîcheur dynamisante. À boire sur le fruit. 2019-2021 **Fine Fleur 2018 ★ (5 à 8 €; 13000 b.)** : le duo nord rhodanien roussanne et marsanne est à l'honneur dans ce blanc élevé en cuve. Au nez, des arômes «explosifs» de fleurs blanches certes, mais aussi de poire et d'abricot. Les agrumes prennent le relais dans une bouche vivace, dynamique, avec une pointe d'amertume stimulante en conclusion. Un vin d'apéritif qui ne manque ni d'éclat ni de fraîcheur. 2019-2021

EARL DU HAUT ROUSSILLAC, 2249, chem. de Roussillac, 84820 Visan, tél. 04 90 35 26 82, lauribert@wanadoo.fr V *t.l.j. 8h30-12h 14h-18h30*

LEPLAN-VERMEERSCH RS 2018 ★

| 26000 | 5 à 8 € |

Dick Vermeersch, ancien pilote automobile flamand, a créé son vignoble en 2000 – aujourd'hui 25 ha en conversion bio. Une bonne référence de la vallée méridionale.

Un vin bien fait, assemblage classique de grenache et de syrah, fruité (griotte, fruits noirs) au nez comme en bouche, rond et équilibré autour de tanins élégants. Une simplicité de bon aloi pour un vin bien dans son appellation. 2019-2021

FAMILLE VERMEERSCH, 100, chem. du Grand-Bois, 26790 Suze-la-Rousse, tél. 06 67 47 04 39, ann@vermeersch.fr V *t.l.j. sf sam. dim. 14h-18h d'avr. à août; sur r.-v. de sept. à mars*

DOM. LA LÔYANE
Cuvée Bonheur 2018 ★★

| 30000 | 8 à 11 € |

Établi au pied du sanctuaire Notre-Dame-de-Grâce, à Rochefort-du-Gard, non loin des anciens marais asséchés par les moines au Moyen Âge, ce domaine, né en 1994 de la fusion de trois petites exploitations, fait preuve d'une grande constance dans la qualité. Il est dirigé avec talent par Jean-Pierre Dubois, son épouse Dominique et leur fils Romain.

Vinifié en douceur, le duo grenache-syrah fonctionne en parfaite harmonie dans ce rouge délié et fruité. Au nez, de franches notes de fruits frais à noyau et de fruits rouges mûrs avec une larme de vanille. En bouche, une belle sucrosité enrobe un palais rond, très soyeux de texture, lisse et gorgé de fruits avec une note chocolatée qui attise un peu plus la gourmandise de l'ensemble. Du bonheur donc. 2019-2022 **Cuvée Bonheur 2018 ★ (8 à 11 €; 15000 b.)** : une belle robe paille et limpide, un nez fin qui distille de subtiles notes florales et fruitées (mangue), une bouche tendre qui s'étire en longueur sur le fruit, ponctuée par une vivacité bienvenue en finale: aucune fausse note dans ce blanc élégant à ouvrir sans tarder. 2019-2021

GAEC DOM. LA LÔYANE, quartier la Lôyane, 369, chem. de la Font-de-Caven, 30650 Rochefort-du-Gard, tél. 06 22 67 29 43, contact@domainelaloyane.com V *t.l.j. sf lun. mar. dim. 9h-12h 14h-18h*

DOM. MABY Variations 2017 ★

| 20000 | 5 à 8 € |

Ce domaine très régulier en qualité, notamment pour ses lirac, dans les trois couleurs, et ses tavel, a été créé en 1950 par Armand Maby. En 2005, son petit-fils Richard a pris les rênes du vignoble, 64 ha situés pour l'essentiel sur les galets roulés du plateau de Vallongue; des vignes cultivées «au naturel», mais sans certification bio. Depuis 2011, l'éminent œnologue rhodanien Philippe Cambie conseille le domaine.

Quatre cépages sont associés dans cette cuvée ample et chaleureuse aux accents de myrtilles, de mûres et d'épices. On retrouve ces douces effluves confites et chaleureuses dans une bouche souple, sertie de tanins soyeux, et agrémentée d'une finale délicatement florale

RHÔNE

(violette). Un vin charmeur et convivial à ouvrir dès à présent. 2019-2021

SCEA DOM. MABY, 249, rue Saint-Vincent, 30126 Tavel, tél. 04 66 50 03 40, domaine-maby@wanadoo.fr t.l.j. 8h-12h 13h30-17h30; sam. dim. sur r.-v.

CH. MALIJAY M de Malijay 2017 ★

■	29000		8 à 11 €

Si le château de Malijay existe depuis le XIes., on y exploite la vigne depuis « seulement » le XVI[e]s. Ses élégants bâtiments remontent pour l'essentiel au XVIII[e]s. Du haut de sa tour, on peut contempler son vaste vignoble de 140 ha d'un seul tenant. En 2007, Pierre Deltin, médecin marseillais, a racheté le domaine. Le nouveau propriétaire a entrepris d'importants travaux de restructuration à la vigne et au chai.

À un nez marqué par les fruits rouges mûrs, le cuir et des notes fumées répond une bouche ronde et soyeuse, aux tanins bien travaillés, d'une fraîcheur imparable, qui déploie de très agréables saveurs d'épices douces en finale. Une harmonie parfaite et un bon potentiel en cave. 2020-2024

SCEA CH. MALIJAY, 1511, chem. des Plumes, 84150 Jonquières, tél. 04 90 70 33 44, contact@chateaumalijay.com t.l.j. sf sam. dim. 9h-12h 14h-18h

CH. DE MANISSY Oracle 2018

■	10000		8 à 11 €

À l'aube du XX[e]s., le château de Manissy datant du XVII[e]s. fut légué par la famille Lafarge, qui exploitait la pierre de Tavel, aux pères missionnaires de la Sainte-Famille. Ce sont ces derniers qui débutèrent la culture de la vigne sur ces terres pour approvisionner leur communauté et les paroisses des environs. En 2003, ils ont confié la gestion du domaine au jeune Tavelois Florian André. Conduit en bio, le vignoble couvre aujourd'hui 80 ha dans les AOC châteauneuf-du-pape, tavel, lirac et côtes-du-rhône.

Déjà à l'honneur l'année passée, cet Oracle nous revient en bonne forme dans le millésime 2018. À un nez volubile marqué par de franches notes de fruits blancs succède une bouche fugace, légère et aérienne, d'un équilibre sans fausse note. 2019-2021

EARL CH. DE MANISSY, rte de Roquemaure, 30126 Tavel, tél. 04 66 82 86 94, info@chateau-de-manissy.com t.l.j. sf dim. 10h-12h30 13h30-17h30

CH. DE MARJOLET 2018 ★

■	160000		5 à 8 €

Cette propriété de 75 ha, régulière en qualité, se répartit sur les deux villages gardois de Gaujac et de Laudun. Fondateur du domaine en 1978, Bernard Pontaud a laissé les rênes de l'exploitation à son fils Laurent en 2009.

Grenache et syrah composent cette cuvée ouverte à l'olfaction sur les fruits rouges mûrs et les épices. Le palais insiste sur les épices et séduit par sa texture soyeuse et ses tanins fermes qui apportent ce qu'il faut de tenue et de relief à l'ensemble. Un côtes-du-rhône d'un beau classicisme mais dont la structure autorise une petite garde. 2020-2024

EARL VIGNOBLES DE MARJOLET, allée des Platanes n°184, 30330 Gaujac, tél. 04 66 82 00 93, chateau.marjolet@gmail.com t.l.j. sf dim. 9h-12h 14h-18h

MAS ONCLE ERNEST
Patience et longueur de temps 2017

■	7000		8 à 11 €

Une exploitation familiale créée par Camille, l'arrière-grand-père d'Alexandre Roux, et par Ernest, son arrière-grand-oncle, « un personnage au fort caractère, célibataire endurci, qui consacra sa vie à son travail ». Le jeune vigneron, associé à son père Pierre depuis 2003, a sorti le domaine de la cave coopérative en 2007 pour produire ses propres vins et converti le vignoble à l'agriculture biologique.

Des vieilles vignes de quarante ans de grenache et syrah et un élevage en cuve et fût ont façonné ce 2017 qui fleure bon la groseille, la mûre et la vanille. Le chêne se fait tout aussi discret dans une bouche soyeuse, bien composée, qui ne manque de rien: intensité, tanins fins, fraîcheur et longueur. Une petite garde possible en perspective si on résiste au charme de sa jeunesse. 2020-2024

EARL SAINT-ANDRÉ, 325, chem. du Rat-Collet-Blanc, 84340 Entrechaux, tél. 06 64 85 02 18, mas-oncle-ernest@hotmail.fr r.-v.

GABRIEL MEFFRE Terres de Galets 2018

■	40000		8 à 11 €

Affaire de négoce-éleveur créée en 1936 par Gabriel Meffre, cette maison est devenue un acteur incontournable, propriétaire de 800 ha de vignes dans toute la vallée du Rhône, ainsi qu'en Provence. Reprise en 2009 par Éric Brousse, associé du groupe bourguignon Boisset.

Grenache, syrah, cinsault et mourvèdre composent cette cuvée expressive, bien typée, qui offre tout ce que l'on attend d'un bon côtes-du-rhône: du fruit (prune, fruits rouges) au nez comme en bouche, de la rondeur, des tanins doux et ce qu'il faut de tenue. À boire sur le fruit. 2019-2021 ■ **Saint-Vincent 2018 (8 à 11 €; 8000 b.)** : vin cité.

GMDF (MAISON GABRIEL MEFFRE), 2, rte des Princes-d'Orange, Le Village, 84190 Gigondas, tél. 04 90 12 32 43, gabriel-meffre@meffre.com t.l.j. sf lun. dim. 10h30-12h30 14h30-18h

DOM. GABRIEL MONIER
Griá Ampélos 2017 ★

■	6500		8 à 11 €

« Paysans-vignerons » depuis trois générations, les Monier ont progressivement constitué un domaine d'une trentaine d'ha (en agriculture biologique depuis 2010) situé à Tulette, en Drôme Provençale. 2017 est à marquer d'une pierre blanche: nouveau chai et premières cuvées signées par le domaine.

Une vinification en douceur et sans sulfite pour ce rouge solaire de grenache (90 %) ouvert au nez sur les fruits rouges confits, les fleurs et les épices. La bouche ne déçoit pas dans ce registre généreux: charnue, langoureuse, épaulée par des tanins bien mûrs, elle diffuse des flaveurs chaleureuses de confiture de myrtilles et de poivre. Du potentiel. ⧗ 2020-2024

CYRIL MONIER, lieu-dit Monier, 955, chem. de Visan, 26790 Tulette, tél. 06 12 10 31 46, cymonier@wanadoo.fr V r.-v.

DOM. MONTMARTEL 2017 ★

■ | 50000 | | 5 à 8 €

Domaine familial créé en 1919, c'est la cinquième génération qui est aujourd'hui aux commandes. Travaillé en agriculture biologique depuis 1991, le vignoble couvre 60 ha sur la commune de Valréas, perché à 400 m d'altitude. Damien Marres est un adepte des vinifications sans soufre.

Dominé par le grenache, ce 2017 s'ouvre sur des parfums expressifs de fruits noirs et de Zan avec quelques notes végétales rafraîchissantes. La bouche séduit par sa belle structure, ses tanins serrés, sa fraîcheur marquée, qui soutiennent une chair volumineuse. Un bel ensemble qui demande à s'assouplir en cave. ⧗ 2021-2025

SCEA MONNIER MARRES, 1915, chem. de Visan, 26790 Tulette, tél. 04 75 98 01 82, vmarres@hotmail.com V r.-v.

DOM. DE LA MORDORÉE
Dame rousse 2018 ★

■ | 20000 | | 8 à 11 €

Un domaine créé en 1986 par Francis Delorme et son fils Christophe (disparu prématurément en 2015), entrepreneurs issus d'une famille vigneronne, rejoints par Fabrice en 1999. Le vignoble couvre 50 ha (en bio certifié depuis 2013), répartis sur 38 parcelles et huit communes. Partisans des petits rendements, les Delorme déclinent les millésimes avec une aisance déconcertante, aussi bien en tavel, leur fief d'origine, et en lirac, qu'en châteauneuf-du-pape ou en «simple» côtes-du-rhône. Incontournable.

D'un rose diaphane, ce 2018 présente un nez intense de fruits rouges nuancé de notes florales. En bouche, il se révèle tout aussi fruité, frais et long. Une belle harmonie. ⧗ 2019-2020 ■ **Dame rousse 2018 (8 à 11 €; 40000 b.)** Ⓑ : vin cité.

SCA DOM. DE LA MORDORÉE, 250, chem. des Oliviers, 30126 Tavel, tél. 04 66 50 00 75, info@domaine-mordoree.com V r.-v. Ⓔ

NICOLAS PÈRE ET FILS
Essentielle 2018 ★★

■ | 50000 | | 5 à 8 €

Une jeune maison de négoce créée en 2011 par «l'artisan-négociant» François-Xavier Nicolas et dédiée aux «vins de terroir» de la vallée du Rhône méridionale.

Des dégustateurs unanimes pour saluer les charmes de ce blanc, assemblage de quatre cépages élevé six mois en cuve. Tout y est élégant et de bon goût: la robe claire aux reflets verts, le nez pur et expressif, centré sur les fleurs blanches, la bouche surtout, d'abord ample et arrondie, puis remarquable de fraîcheur et de longueur en finale. Un blanc idéalement équilibré. ⧗ 2019-2021

SARL NICOLAS VINS SÉLECTIONS, 400, rue du Portugal, 84100 Orange, tél. 06 47 33 19 21

OGIER Artesis 2018

■ | 300000 | | 8 à 11 €

Cette vénérable maison castelpapale de négoce-éleveur (1859), dans le giron du groupe Advini, propose une large gamme de vins rhodaniens, du nord et du sud. Elle possède aussi le Clos de l'Oratoire des Papes (châteauneuf) et le Dom. Notre-Dame de Cousignac (vivarais).

Derrière une robe sombre, un nez puissant, évoquant la myrtille, la mûre et les épices douces, qui trouve un écho dans une bouche tout aussi intense, concentrée, charnue, gorgée de fruits noirs et ourlée de tanins fins. Une puissance joliment canalisée qui en fait un vin à boire ou à garder quelques années. ⧗ 2020-2024

SAS OGIER, 10, av. Louis-Pasteur, 84230 Châteauneuf-du-Pape, tél. 04 90 39 32 41, boutique@ogier.fr V r.-v. ⑤

DOM. DE L'OLIVIER 2018 ★

■ | 9000 | | 5 à 8 €

Situé tout près du pont du Gard, ce domaine autrefois complanté d'oliviers a été créé par la famille Bastide en 1943. Depuis 1977, c'est Éric qui conduit le vignoble (50 ha aujourd'hui), rejoint en 2013 par son fils Robin.

Issu de cinsault et grenache à parts quasi égales, ce rosé pâle et très brillant livre des parfums intenses de fruits rouges à l'olfaction. On retrouve ces derniers en compagnie du fruit de la Passion dans une bouche ronde et longue. ⧗ 2019-2020 ■ **2018 (5 à 8 €; 28000 b.)** : vin cité.

EARL DOM. DE L' OLIVIER, Dom. de l'Olivier, 1, rue de la Clastre, 30210 Saint-Hilaire-d'Ozilhan, tél. 04 66 37 08 04, robin.bastide@yahoo.fr V *t.l.j. sf dim. 9h-12h 14h-19h*

ORTAS Les Viguiers 2018 ★

■ | 25000 | | 5 à 8 €

Fondée en 1925, cette coopérative qui regroupe plus de 650 ha de vignes et 80 adhérents est l'une des plus anciennes caves rhodaniennes et le principal producteur de l'AOC rasteau. Ortas est sa marque ombrelle. Elle a rejoint en 2015 le Cercle des Vignerons du Rhône, regroupant également les coopératives de Sablet (Cave le Gravillas) et de Visan (les Coteaux de Visan).

Une dominante (75 %) de grenache pour ce rosé pâle aux nuances orangées. Le nez présente une belle complexité: rose, fruits rouges, citron. La bouche se montre fraîche, légère, aérienne et longue. ⧗ 2019-2020 ■ **Le R du Rhône 2018 (5 à 8 €; 90000 b.)** : vin cité.

ORTAS - CAVE DE RASTEAU, rte des Princes d'Orange, 84110 Rasteau, tél. 04 90 10 90 10, vignoble@rasteau.com r.-v.

DOM. DU PARC SAINT-CHARLES Les 3 Coups 2018 ★

| 6000 | | 5 à 8 € |

Un ancien parc d'artillerie où s'entraînait, sous Louis XV, le régiment du marquis Charles de Monteynard, seigneur de Montfrin; aujourd'hui, canons et mousquets ont fait place à 85 ha de vignes commandés par un beau mas à trois corps d'origine templière et conduits par la famille Combe depuis 1984.

«Les 3 Coups» sonnent le début de la représentation, un clin d'œil au théâtre, fil conducteur des noms de cuvées produites par le domaine. Ce blanc en constitue une très bonne introduction. Vinifié à basse température, cet assemblage brille d'entrée par sa robe intense et par son nez épanoui aux francs arômes de fleurs blanches et de fruits blancs. On les retrouve de bout en bout dans un palais ample et rond, sans une once de lourdeur. Du bel ouvrage. ⌛ 2019-2021

SCEA DU PARC SAINT-CHARLES, 1972, rte de Jonquières, 30490 Montfrin, tél. 04 66 57 22 82, vinstcharles@gmail.com V t.l.j. sf dim. 10h-12h 14h-18h

DOM. PÉLAQUIÉ 2018 ★

| 160000 | | 5 à 8 € |

Saint-Victor-la-Coste s'étend sous les ruines du Castellas, le château fort médiéval des seigneurs de Sabran. Depuis 1976, Luc Pélaquié y conduit ce domaine familial vaste (98 ha) et ancien (XVIIᵉs.), dont les vins (côtes-du-rhône, *villages*, lirac et tavel) sont régulièrement en vue dans le Guide.

Une étoile l'année passée, une autre cette année, la cuvée fait preuve d'une belle constance, comme le domaine d'ailleurs. La fraîcheur, le fil conducteur de cette cuvée ouverte à l'olfaction sur le fruit et les épices qui déploie en bouche une matière tendre, bien tenue par des tanins croquants et vivifiée par une belle acidité. Un vin allègre et dynamique, d'un équilibre pas toujours facile à atteindre dans le sud du Rhône. ⌛ 2019-2023

EARL DOM. PÉLAQUIÉ, 7, rue du Vernet, 30290 Saint-Victor-la-Coste, tél. 04 66 50 06 04, contact@domaine-pelaquie.com V t.l.j. sf dim. 9h30-12h 14h-18h

DOM. DES PÈRES DE L'ÉGLISE 2017 ★

| 5600 | | 5 à 8 € |

Serge Gradassi est à la tête de ce domaine familial depuis 2002, avec sa nièce Laetitia qui l'a rejoint en 2015. Le vignoble, situé aux quatre points cardinaux de l'appellation, s'étend sur un peu plus de 19 ha.

Des vignes de 40 ans (grenache, syrah, carignan) et un élevage mixte (cuve et foudre) à l'origine de cette cuvée bien typée, au nez marqué par les notes fumées du chêne qui évoluent à l'aération sur le pain d'épices et les fruits rouges. Une complexité que l'on retrouve à la dégustation dans une bouche soyeuse, généreuse, fraîche, portée par des tanins bien maîtrisés. Fin, complet et de bonne garde. ⌛ 2021-2025

SCEA PAULETTE GRADASSI ET FILS, 2, av. Impériale, 84230 Châteauneuf-du-Pape, tél. 06 87 09 60 50, peres.de.leglise@wanadoo.fr V r.-v.

DOM. RABASSE CHARAVIN Cuvée Laurie 2017

| 10000 | | 8 à 11 € |

Vers 1880, Edmond Charavin, vigneron et chapelier, acquiert 3 ha de terres à Cairanne. Quatre générations plus tard, en 1984, Corinne Couturier prend les commandes, relayée depuis 2013 par sa fille Laure, à la tête aujourd'hui d'un vignoble de 40 ha.

Pas de bois dans cette cuvée, comme dans tous les vins de la gamme, mais du fruit rouge bien mûr, de l'écorce d'orange et de la violette. Un nez convaincant qui trouve un heureux prolongement dans une bouche chaleureuse, fièrement méditerranéenne, ourlée de tanins fondus, d'une douceur et d'une suavité très sensuelles. ⌛ 2019-2022

EARL CORINNE COUTURIER, 1030, chem. des Girard, 84290 Cairanne, tél. 04 90 30 70 05, rabasse-charavin@orange.fr V r.-v.

Ⓑ DOM. LA RÉMÉJEANNE Un air de Réméjeanne 2018 ★

| 33000 | | 5 à 8 € |

Originaire d'Alsace-Lorraine et émigrée au Maghreb, la famille Klein s'est établie en 1960 à Sabran, à la tête de 5 ha de vignes. Aujourd'hui, Rémy Klein, installé en 1988 et rejoint par son fils Olivier en 2009, cultive 35 ha en bio. Une valeur sûre en côtes-du-rhône et en *villages*.

Vendanges manuelles, levures indigènes, extractions douces, c'est le credo de ce domaine très régulièrement à l'honneur dans le Guide. Grenache et syrah à l'œuvre dans ce rouge de soif qui respire les fruits rouges et le soleil. En bouche, des tanins à peine esquissés, de la fraîcheur, beaucoup de fruit et une petite note saline du meilleur effet en finale. Une gourmandise. ⌛ 2019-2022 ■ **Les Chèvrefeuilles 2017 ★ (8 à 11 €; 25000 b.)** Ⓑ : la syrah en vedette dans cet assemblage dont on retiendra le nez friand et fruité, la bouche veloutée, parfaitement harmonieuse, d'une rondeur et d'une fraîcheur exemplaires, qui conserve jusqu'en finale tout le croquant du fruit. Un excellent ambassadeur de l'appellation. ⌛ 2019-2023

EARL OLIVIER ET RÉMY KLEIN, hameau de Cadignac, 30200 Sabran, tél. 04 66 89 44 51, contact@remejeanne.com V t.l.j. sf dim. 9h-12h 14h-18h Ⓔ

RHONÉA Légende des Toques 2018 ★

| n.c. | | 5 à 8 € |

Ce collectif regroupe plus de 200 vignerons autour d'un modèle coopératif et réunit 236 domaines sur une superficie de 2 000 ha de vignes réparties autour des Dentelles de Montmirail, dont 1 200 ha en crus gigondas, vacqueyras et beaumes-de-venise.

Ce rosé très pâle aux reflets saumonés présente un bouquet fin, net, floral et fruité. La bouche, à l'unisson du nez, se montre fraîche, souple et alerte. ⌛ 2019-2020

RHONÉA DISTRIBUTION, 258, rte de Vaison, 84190 Vacqueyras, tél. 04 90 12 41 00, c.didier@rhonea.fr V r.-v.

♥ B CH. ROCHECOLOMBE 2017 ★★

■ | 50000 | 🍾 | 5 à 8 €

Ancienne propriété de l'auteur-compositeur flamand Robert Herberigs, ce domaine ardéchois de 28 ha (en bio certifié) est conduit depuis 1998 par Roland Terrasse. Il doit son nom à la pierre «blanche comme une colombe» qui compose le château, de style Directoire. Souvent en vue pour ses côtes-du-rhône et ses *villages*.

Un coup de cœur de plus au palmarès déjà bien fourni de ce château pour cet assemblage typiquement sud rhodanien de grenache et de syrah. L'élevage en cuve a préservé toute leur pureté aromatique qui s'exprime sur des arômes très gourmands de crème de cassis, de mûre et de violette. Fidèle au nez, la bouche restitue cette plénitude de fruit, y ajoute des touches de sous-bois et de poivre et une matière riche et ronde, bien campée sur des tanins doux. Une «gourmandise», conclut un jury sous le charme. ⌛ 2020-2024 ■ **2018 ★ (5 à 8 €; 5000 b.)** Ⓑ : mi-syrah mi-grenache, ce rosé foncé aux reflets violets livre des parfums intenses mais fins de fruits rouges nuancés de notes florales. En bouche, il se révèle bien ouvert également, rond et soyeux. Un joli vin de terroir. ⌛ 2019-2020

⊶ EARL HERBERIGS-TERRASSE, chem. de Rochecolombe, 07700 Bourg-Saint-Andéol, tél. 04 75 54 50 47, rochecolombe@aol.com V 🚶 🍷 *t.l.j. 9h-12h 14h-18h; dim. sur r.-v.*

LA ROMAINE Terre Antique 2018 ★

■ | 13000 | 🍾 | 5 à 8 €

Fondée en 1924, une des premières coopératives du Vaucluse, qui regroupe aujourd'hui 180 vignerons et plus de 1 400 ha de vignes. Elle propose des côtes-du-rhône, côtes-du-rhône-villages, ventoux, ainsi que des IGP Méditerranée et Coteaux des Baronnies.

Encore un peu austère, ce 2018, mi-syrah mi-grenache, présente un nez épanoui de fruits rouges confiturés, de mûres avec une touche épicée. Une entrée en bouche souple ouvre sur un palais cossu et fermement structuré, aux tanins granuleux et à l'acidité saillante. Un côtes-du-rhône sérieux qui demande à s'attendrir avec une courte garde. ⌛ 2020-2024 ■ **2018 ★ (5 à 8 €; 7900 b.)** : très pâle, aux reflets bleutés, ce rosé propose un nez intense d'agrumes et de pêche. Fraîche, souple, fruitée, d'une belle droiture en finale, la bouche séduit tout autant. ⌛ 2019-2020 ■ **2018 (5 à 8 €; 6000 b.)** : vin cité.

⊶ SAS CAVE LA ROMAINE, 95, chem. de Saumelongue, 84110 Vaison-la-Romaine, tél. 04 90 36 55 90, adv@cave-la-romaine.com V 🚶 🍷 *t.l.j. 9h-12h30 14h-18h30; dim. 9h-12h*

DOM. ROMAN 2017 ★

■ | 7000 | 🍾 | 8 à 11 €

Après des expériences en France et dans le Nouveau Monde (Australie, Californie), Arnaud Roman a rejoint le domaine familial situé sur la commune de Jonquières, dans le Vaucluse, avec l'ambition de produire ses propres vins. C'est chose faite depuis 2015. Outre les 25 ha de vignes, le domaine possède 5 ha d'amandiers, le tout cultivé en bio.

Une entrée dans le Guide remarquée pour Arnaud Roman qui a façonné ce rouge chaleureux et résolument sudiste. Au nez, de chaudes effluves de mûres, de violette et d'épices douces montent au nez. On savoure en bouche ces mêmes notes enrichies de fruits rouges confits qui imprègnent un palais bien charnu, solaire, étayé de tanins onctueux, qui s'étire en finale sur la violette et les épices. Un vin voluptueux et harmonieux. ⌛ 2019-2022

⊶ EARL SAINT-JACQUES, 4421, rte de Vaison, D_977, 84150 Jonquières, tél. 04 90 70 63 21, contact@domaine-roman.fr V 🚶 🍷 *r.-v.* 🏠 Ⓒ

Ⓑ DOM. LA ROMANCE 2018

■ | 4240 | 🍾 | 8 à 11 €

Après des expériences dans les vignobles de France et d'Afrique du Sud, Gilles Chinieu et son épouse Claire ont repris ce domaine familial de 7 ha, cultivé en bio, sur lequel sont élaborées de petites cuvées parcellaires.

Une vinification à basse température et un court élevage en cuve, sur lies, ont préservé la fraîcheur et le fruit d'un assemblage dominé par le viognier (80 %). Des arômes fins et lumineux de fruits blancs et jaunes annoncent une bouche friande, tendre et fruitée, sans excès d'aucune sorte et de bonne longueur. Un blanc d'une netteté et d'un équilibre réussis. ⌛ 2019-2020

⊶ SARL DOM. LA ROMANCE, Ch. Saint-Roman, 30200 Bagnols-sur-Cèze, tél. 06 82 22 45 44, contact@domainelaromance.com V 🚶 🍷 *t.l.j. sf sam. dim. 17h-19h; sur r.-v. d'oct. à Pâques* 🏠 Ⓔ

LES VIGNERONS DE ROQUEMAURE
Cuvée 1737 Élevé en fût de chêne 2017 ★★

■ | 35000 | 🛢 | 5 à 8 €

C'est à Roquemaure, berceau historique des côtes-du-rhône grâce à son port fluvial, que les vignerons purent en 1737 marquer leurs tonneaux des lettres «CdR». Fondée en 1922, la petite coopérative locale – longtemps nommée Cellier Saint-Valentin – fédère aujourd'hui 60 adhérents pour 350 ha de vignes. Elle s'est tournée vers la vente en bouteilles au tournant du XXIe s.

Une touche de grenache en complément de la syrah (90 %) dans ce rouge élevé en fût pendant douze mois. Au nez, des petites notes discrètement vanillées et torréfiées apportent un soupçon de complexité à un nez centré sur les fruits rouges et noirs. Même discrétion du bois au palais qui se contente d'arrondir une texture soyeuse et de patiner un peu plus des tanins très finement extraits. On retiendra de ce rouge son harmonie parfaite, sa rondeur caressante, et la justesse d'un élevage qui se met au service du fruit. Du bel ouvrage. ⌛ 2020-2023

⊶ SCA ROCCA MAURA, 1, rue des Vignerons, 30150 Roquemaure, tél. 04 66 82 82 01, contact@roccamaura.com V 🚶 🍷 *t.l.j. sf dim. 9h-12h 14h-18h*

DOM. DE LA ROUETTE Héritage 2017 ★

■ | 3000 | | 11 à 15 €

Situé sur la rive droite du Rhône, mais aux portes d'Avignon, ce domaine fondé en 1924 se transmet depuis quatre générations. À l'origine, il livrait sa vendange au négoce. Il a débuté la vente en bouteilles en 1974. Aujourd'hui Sébastien Guigue, installé en 1998, et son frère Matthieu, arrivé en 2010, exploitent 20 ha et visent la conversion bio.

Un élevage luxueux de dix-huit mois en fût pour cette syrah (90 %) qui convoque au nez la prune, la garrigue et le camphre. Le poivre et la réglisse étirent cette palette dans une bouche consistante, à la fois charpentée et bien mûre, qui dégage une singulière sensation de rondeur et de plénitude. Un côtes-du-rhône de haut vol, concentré et de bonne garde. ⧗ 2021-2025

EARL DOM. DE LA ROUETTE, 2, Sous-le-Barri, 30650 Rochefort-du-Gard, tél. 04 90 31 79 39, infodomainedelarouette@orange.fr V t.l.j. 9h30-12h 14h30-18h30; f. dim. après-midi

Ⓑ DOM. ROUGE GARANCE Blanc de Garance 2018 ★

■ | 6000 | | 8 à 11 €

Claudie et Bertrand Cortellini, anciens coopérateurs, ont acquis en 1997, en association avec l'acteur Jean-Louis Trintignant, ce domaine de 28 ha – en bio certifié depuis 2010. Une valeur sûre.

Cinq cépages associés dans ce très beau blanc signé par un domaine qui déçoit rarement. Un nez intense, frais, et tout en fleurs (fleurs blanches, violette), ouvre sur une bouche franche, savoureuse, très longue, portée par une acidité tonifiante. Un blanc d'une vivacité et d'une pureté de fruit qui a conquis les dégustateurs. ⧗ 2019-2021

SCEA DOM. ROUGE GARANCE, 6, chem. de Massacan, 30210 Saint-Hilaire-d'Ozilhan, tél. 04 66 01 66 45, contact@rougegarance.com V t.l.j. sf dim. 9h-12h 14h-18h

DOM. SAINT-AMANT Les Clapas 2017 ★★

■ | 15000 | | 8 à 11 €

L'un des plus hauts domaines de la vallée du Rhône. Créé en 1992 par Nathalie et Jacques Wallut, chef d'entreprise à la retraite, il étage ses 13 ha de vignes en terrasses, entre 400 et 600 m d'altitude, sur le flanc du mont Saint-Amant.

Du nom d'un lieu-dit, cette cuvée tire le meilleur parti d'un assemblage équilibré entre syrah et grenache. Le nez, intense, décline les fruits noirs frais, la cerise et les épices avec une dimension de fraîcheur qui fait aussi le charme d'une bouche harmonieuse et gourmande, étayée de tanins fermes qui participent aussi à la vigueur de ce rouge à la fois mûr et dynamique. L'altitude des vignobles n'y est certainement pas pour rien. ⧗ 2020-2024

SCEA SAINT-AMANT, Saint-Amant, 84190 Suzette, tél. 04 90 62 99 25, contact@saint-amant.com V t.l.j. 9h-18h; sam. dim. sur r.-v.

DOM. SAINTE-ANNE 2018 ★★

■ | 8000 | | 8 à 11 €

Un ancien prieuré de la chartreuse de Valbonne acquis en 1965 et entièrement restructuré par Guy et Anne Steinmaier. Ces Bourguignons d'origine ont fait de ce domaine de 33 ha, désormais conduit par leur fils Jean, une référence incontournable, avec des vins d'une constance admirable.

Un blanc somptueux élevé en cuve qui assemble les trois grands cépages blancs rhodaniens (roussanne, marsanne et viognier). Le jury a apprécié la clarté de la robe et l'intensité d'un nez qui respire la fraîcheur, les agrumes et les fleurs blanches. Il a été conquis par une bouche ample, ronde, très fraîche qui diffuse sans retenue et avec beaucoup de persistance les arômes perçus au nez. Un blanc éclatant, d'une harmonie parfaite. ⧗ 2019-2021

EARL DOM. SAINTE-ANNE, Les Cellettes, 30200 Saint-Gervais, tél. 04 66 82 77 41, domaine.ste.anne@orange.fr V t.l.j. sf sam. dim. 9h-11h 14h-18h

Ⓑ CH. SAINT-ESTÈVE Tradition 2017 ★★

■ | 20000 | | 8 à 11 €

Propriété de la même famille depuis 1809, ce domaine s'étend sur 230 ha, dont 45 de vignes en bio certifié, le reste étant couvert des bois et de la garrigue du massif d'Uchaux. Marc Français est aux commandes depuis 1993.

Une belle profondeur dans ce vin, aussi bien dans la robe que dans les sensations gustatives. Au nez, du fruit en confiture et des épices douces, en bouche des saveurs généreuses, des tanins mûrs et une texture de velours. Un vin très charmeur. ⧗ 2020-2023 ■ **Tradition 2018 (8 à 11 €; 9000 b.)** Ⓑ : vin cité.

SAS CH. SAINT-ESTÈVE D'UCHAUX, 1100, rte de Sérignan, 84100 Uchaux, tél. 04 90 40 62 38, chateau.st.esteve@wanadoo.fr V t.l.j. sf sam. dim. 9h30-12h 14h30-18h

DOM. SAINT-LAURENT Aubrespin 2017 ★

■ | 10000 | | 5 à 8 €

Un mas du XVIIe s. commande cette ancienne propriété familiale qui se transmet depuis cinq générations et dont le vignoble (30 ha) est travaillé sans désherbant.

Soucieux de préserver la biodiversité du vignoble, le domaine maintient des haies d'aubépine (aubrespin en provençal) entre les parcelles. Grenache et syrah composent ce rouge puissant, intensément épicé et fumé au nez. En bouche, du cassis mûr, de l'amplitude, des tanins fins, ce qu'il faut de fraîcheur et une longue finale sur la réglisse. Complet, gourmand, bien structuré et capable d'une petite garde. ⧗ 2020-2024

EARL ROBERT-HENRI SINARD ET FILS, 1375, chem. Saint-Laurent, 84350 Courthézon, tél. 04 90 70 87 92, contact@domaine-saintlaurent.com V t.l.j. sf dim. 9h-12h30 14h-18h

DOM. SAINT-MICHEL 2018 ★

■ | 15000 | 🍾 | 5 à 8 €

Une ancienne ferme templière, puis un couvent avant la Révolution. Le domaine a été acquis en 1988 par Bernard Boyer, disparu en 2008, qui l'a légué à son fils Vincent et qui travaillait à ses côtés depuis 1998. Le vignoble couvre 75 ha (en bio certifié) à Visan et à Suze-la-Rousse.

Le nez épanoui, puissant même, diffuse de franches senteurs de griottes et de fruits noirs bien mûrs. La bouche confirme les belles dispositions du nez: matière ample et ronde, flaveurs persistantes de griottes, tanins fins et longueur plus qu'honorable. Un côtes-du-rhône qui ne manque de rien. ⧗ 2020-2023

SCEA LA PETITE VERDIÈRE, 1250, chem. de la Bastide, 84820 Visan, tél. 04 90 41 98 61, sboyer@terre-net.fr V r.-v.

♥ CH. SAINT-NABOR
Tradition 2018 ★★

■ | 10000 | 🍾 | - de 5 €

Ce domaine, dans la même famille depuis six générations, s'est développé à partir de 1970, sous l'impulsion de Gérard Castor: 7 ha à son installation, 150 ha en production aujourd'hui, sur des terroirs variés. En 2011, ses deux fils Jérémie et Raphaël ont pris le relais.

Magnifique rosé de saignée que ce 2018 à dominante de grenache, orné d'élégants reflets orangés. Au nez se dévoilent de puissants arômes de fruits rouges, d'agrumes et de bonbon anglais. La bouche, long écho à l'olfaction, séduit quant à elle par sa grande fraîcheur et sa netteté. Imparable. ⧗ 2019-2020 ■ **2018 (- de 5 €; 30000 b.)** : vin cité.

EARL VIGNOBLES SAINT-NABOR, Dom. de Saint-Nabor, rte de Barjac, 30630 Cornillon, tél. 04 66 82 24 26, vignoblesaintnabor@yahoo.fr V t.l.j. 8h-19h

HAUT DE SAINT-PANCRACE
Vieilles Vignes 2018 ★★

■ | 17290 | 🍾 | - de 5 €

Le domaine existe depuis 1868 et a vu cinq générations se succéder à la tête de ce vignoble établi sur la commune de Pont-Saint-Esprit, conduit aujourd'hui par Sébastien Ventajol.

Ce rosé de saignée fait la part belle au mourvèdre (90 %, avec le grenache en complément). Couleur soutenue, nez ouvert de fruits rouges et d'abricot, bouche riche, ronde et fruitée, équilibrée par une juste acidité: tout est en place. ⧗ 2019-2020 ■ **Dom. Ventajol 2018 ★ (5 à 8 €; 38570 b.)** : les amoureux du viognier (95 %) ne seront pas déçus avec ce blanc qui en restitue toute la plénitude: une robe soutenue aux reflets dorés, un nez exubérant, floral et exotique, une bouche ronde, emplie des mêmes parfums, soutenue par une pointe dynamisante de fraîcheur en finale. Un très bon représentant du genre. ⧗ 2019-2020

EARL VENTAJOL, 936, rte de Saint-Paulet-de-Caisson, 30130 Pont-Saint-Esprit, tél. 04 66 39 38 46, sebastien.ventajol@wanadoo.fr V t.l.j. sf dim. 9h-12h 14h-19h

DOM. SAINT-PIERRE 2017 ★★

■ | 40000 | 🛢🍾 | 5 à 8 €

Jean-Claude Fauque a introduit la mise en bouteilles en 1972 sur ce domaine familial remontant à plusieurs générations. Ses fils, Jean-François et Philippe, ont pris la relève en 1984 et conduisent un vignoble de 55 ha.

Élevé dix mois en fût, ce 2017 se dévoile lentement, libérant à l'aération ses effluves de fruits mûrs et d'épices. Remarquable d'intensité et de fraîcheur, la bouche s'appuie sur des tanins fringants qui cadrent une matière mûre et savoureuse, à la sucrosité légère, gorgée de fruits confits et de Zan jusqu'en finale. Un côtes-du-rhône à la fois gouleyant et dynamique. ⧗ 2019-2022

EARL FAUQUE, 923, rte d'Avignon, 84150 Violès, tél. 04 90 70 92 64, contact@domaine-saintpierre.fr V t.l.j. sf dim. 8h-12h 13h30-18h30

LES VIGNERONS DE SUZE-LA-ROUSSE
Manus Hominis Cuvée Originelle 2017 ★

■ | 53000 | 🍾 | 8 à 11 €

Située tout près du château de Suze-la-Rousse qui abrite l'Université du Vin, cette cave coopérative, créée en 1926, s'est lancée dans une démarche bio sur ses trois AOC: côtes-du-rhône, *villages* et grignan-lès-adhémar.

Grenache, syrah et carignan assemblés dans ce rouge «de soif», au nez fleurant bon la fraise et la confiture de cerise. Léger, tendre et agréablement coulant en bouche, on le boit sans tarder sur son fruit de jeunesse. Un modèle de côtes-du-rhône gouleyant. ⧗ 2019-2021

EURL CAVE LA SUZIENNE, av. des Côtes-du-Rhône, 26790 Suze-la-Rousse, tél. 04 75 04 48 38, contactcaveau@lasuzienne.com V t.l.j. 9h-12h 14h-18h

LES VIGNERONS DE TAVEL ET LIRAC
Acantalys 2018

■ | 20000 | 🍾 | 5 à 8 €

Créée en 1937, cette cave historique fut la première coopérative agricole à être inaugurée par un président de la République (Albert Lebrun). Actrice importante de la production taveloise (environ la moitié), elle a fusionné en 2018 avec la cave de Lirac.

Une mosaïque de six cépages et des sols argilo-calcaires ont donné naissance à ce blanc fringant qui dispense au nez des senteurs toniques de fruits verts, de fleurs blanches et de végétal frais. La bouche, tout en vivacité et en souplesse, restitue cette palette avec éclat et longueur. ⧗ 2019-2021

SCA LES VIGNERONS DE TAVEL ET LIRAC, rte de la Commanderie, 30126 Tavel, tél. 04 66 50 03 57, contact@cavetavel.com V r.-v.

♥ TERRANEA Vieilles Vignes 2018 ★★★

■ | 173333 | | - de 5 €

Un négoce créé en 2003 par Frédéric Chaulan – rejoint en 2009 par Serge Cosialls –, qui propose une gamme complète de vins de la vallée du Rhône, du nord au sud.

Le grenache et la syrah composent un rouge affriolant, portait-robot du côtes-du-rhône idéal. Une robe d'un pourpre brillant, un nez juteux, à la fois mûr et frais, centré sur les fruits rouges et noirs: l'entame est engageante. Avec sa richesse contenue, ses tanins onctueux, sa belle rondeur, l'éclat et la pureté de ses flaveurs fruitées, la bouche n'est que plaisir et volupté. Pas une seule fausse note dans cette partition qui aura fait lever le jury. À boire sur son fruit de jeunesse. ⧗ 2019-2022 ■ **Terrabio 2018 ★ (5 à 8 €; 200000 b.)** : grenache, syrah et cinsault s'entendent à merveille dans cette cuvée ouverte sur de francs arômes de fruits noirs. Le fruit s'impose aussi intensément dans une bouche ronde et charnue, aux tanins doux, qui s'attarde en finale sur le fruit noir et les épices. Un équilibre irréprochable pour un côtes-du-rhône bien typé, souple et parfumé. ⧗ 2019-2022

SAS TERRANEA, rue des Négades, ZAC du Crépon-Sud, 84420 Piolenc, tél. 04 90 34 18 47, terranea.sarl@wanadoo.fr

♥ TERRE DE GAULHEM 2017 ★★

■ | 3500 | | 5 à 8 €

Un jeune domaine créé en 2006 par Nicolas (œnologue-conseil réputé) et Magali Constantin. Situé au nord de Vaison-la-Romaine, à 280 m d'altitude, aux lieux-dits Bédaride et Crotedollier, ce petit vignoble couvre à peine plus de 2 ha.

Un assemblage de quatre cépages fermentés ensemble et élevé en cuve, sur lies fines, pendant dix mois. Derrière une robe rubis aux reflets violets de jeunesse, un nez fringant livrant sans retenue des arômes très juteux de mûre et de cassis. La framboise s'invite à son tour dans ce grand bol de fruits qui explose dans une bouche volumineuse, tout en rondeur et en parfums, soulignée de tanins fins et croquants. Un vin jubilatoire, équilibré, à croquer sans attendre. ⧗ 2019-2021 ■ **La Bédaride 2017 ★ (11 à 15 €; 3500 b.)** : le même assemblage que la cuvée précédente avec un élevage en fût pendant dix mois. Le nez en tire ses nuances vanillées intenses qui ouvrent sur une bouche bien composée, gourmande, ferme pour l'heure, organisée autour de ses tanins puissants mais fins. Un vin harmonieux et structuré, qui a l'avenir devant lui. ⧗ 2021-2024

MAGALI ET NICOLAS CONSTANTIN, 1088, chem. de Saumelongue, 84110 Vaison-la-Romaine, tél. 06 73 88 49 45, nicolas.constant1@orange.fr r.-v.

DOM. TOURBILLON
Cuvée du Grand-Père 2017 ★★

■ | 14000 | | 8 à 11 €

Si le domaine créé par les grands-parents au milieu du XXᵉs. est ancien, Benjamin Tourbillon n'a signé la première vinification à la propriété qu'en 2012. À la tête de 33 ha, il propose gigondas, châteauneuf-du-pape, appellations régionales et vins en IGP.

Grenache, syrah et une larme de mourvèdre composent ce côtes-du-rhône plébiscité par le jury, coloré et aromatique, ouvert sur le Zan et la framboise. On savoure les mêmes notes dans une bouche ample, ronde, solaire mais sans outrance, idéalement soutenue par des tanins élégants. On quitte le vin sur une longue finale chaleureuse et intensément réglissée. « Maîtrise technique et raisins de qualité », conclut sobrement le jury. ⧗ 2021-2024

SCEA DOM. TOURBILLON, 101, D_24, 84800 Lagnes, tél. 04 90 38 01 62, contact@domaine-tourbillon.com t.l.j. 10h-12h30 14h-19h

DOM. DE LA VALÉRIANE 2018 ★

■ | 10000 | | 5 à 8 €

Valérie Collomb a inspiré à ses parents Maryse et Mesmin Castan le nom de ce domaine qu'ils ont créé en 1982 sur la rive droite du Rhône. Œnologue, elle a pris en 2004, avec son mari Michel, la conduite de ce vignoble de 35 ha. Très régulier en qualité avec ses côtes-du-rhône et ses *villages*.

Un joli rosé de saignée né de syrah, grenache et cinsault. Au nez, des notes de pain d'épices viennent se mêler aux fleurs blanches et à la framboise. En bouche, la fraîcheur s'impose autour des agrumes et apporte une belle longueur. ⧗ 2019-2020

VALÉRIE COLLOMB, 82, rte d'Estézargues, 30390 Domazan, tél. 04 66 57 04 84, contact@domainevaleriane.com t.l.j. sf dim. 10h-12h 14h-19h

LES VIGNERONS DE VALLÉON
Brézème Élevé en fût de chêne 2017 ★

■ | 8000 | | 8 à 11 €

Cette cave, issue de regroupements successifs de petites unités coopératives, rassemble 200 adhérents pour 930 ha de vignes et une production annuelle de 45 000 hl.

Les amateurs de syrah connaissent peut-être ce nom, Brézème, qui désigne un vignoble situé à 17 km au sud de Valence, rattaché au Rhône septentrional et qui a la particularité de produire des rouges à partir de la seule syrah. Élevée neuf mois en fût, cette version livre au nez des notes de fruits rouges bien mûrs, de réglisse avec une note torréfiée. Le chêne enrobe une bouche élégante, souple, sertie de tanins fins, et diffuse en finale ses notes vanillées. Tout cela est de bon augure mais demande un peu de patiente. ⧗ 2021-2025

LES VIGNERONS DE VALLÉON, 1, rte de Nyons, 26770 Saint-Pantaléon-les-Vignes, tél. 04 75 53 80 08, contact@valleon.fr t.l.j. 9h-12h 14h30-18h30

PIERRE VIDAL 2018 ★

■ | 130000 | | 5 à 8 €

Pierre Vidal, installé à Châteauneuf-du-Pape avec son épouse vigneronne, a créé son négoce en 2010. Une maison déjà bien implantée grâce aux sélections parcellaires vinifiées par ce jeune œnologue formé en Bourgogne, qui s'est développée depuis 2015 vers les vins bio et les vins «vegan».

Du caractère et de la tenue dans ce rouge à dominante de grenache, au nez intriguant de feuilles écrasées et de menthol sur fond de fruits rouges. La bouche, plus élégante que puissante, restitue la complexité perçue au nez et s'appuie sur des tanins encore jeunes, un tantinet austères à ce stade, mais prometteurs. À laisser une petite année en cave. ⧗ 2020-2023

EURL PIERRE VIDAL, 631, rte de Sorgues, 84230 Châteauneuf-du-Pape, tél. 06 88 88 07 58, contact@pierrevidal.com r.-v.

♥ DOM. LE VIEUX LAVOIR 2018 ★★

■ | 20000 | | 5 à 8 €

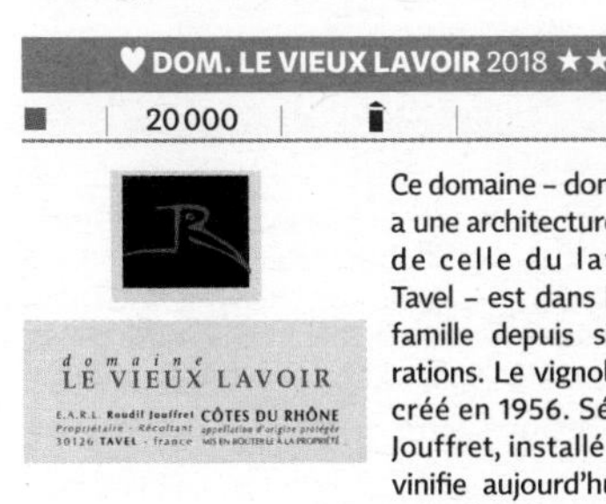

Ce domaine - dont la cave a une architecture proche de celle du lavoir de Tavel - est dans la même famille depuis six générations. Le vignoble a été créé en 1956. Sébastien Jouffret, installé en 1991, vinifie aujourd'hui la récolte de 70 ha.

Régulièrement à l'honneur avec ses cuvées à petits prix, le domaine récidive de la plus belle des manières avec ce 2018, fraîchement sorti des cuves, assemblage de quatre cépages emmené par la syrah. Ouvert sans réserve, le nez offre un grand bol de fruits noirs avec un nuance discrètement épicée. Volubile, illuminée par une belle acidité, la bouche restitue ces mêmes flaveurs, remarquable d'équilibre et soutenue par des tanins croquants qui confèrent à l'ensemble tenue et relief. D'une gourmandise redoutable, ce côtes-du-rhône n'en demeure pas moins sérieux et offre un bon potentiel en cave. ⧗ 2019-2023

EARL ROUDIL-JOUFFRET, 775, rte de la Commanderie, Le Palai-Nord, 30126 Tavel, tél. 04 66 82 85 11, roudil-jouffret@wanadoo.fr V *t.l.j. sf sam. dim. 8h-12h 14h-18h*

DOM. VALÉRIE VIGNAL 2018

■ | 60000 | | 8 à 11 €

Valérie Vignal a créé son domaine en 1995, sur les terrasses argilo-calcaires de Bagnols-sur-Cèze. A sa disposition aujourd'hui, un vignoble de 20 ha d'un seul tenant.

Le trio grenache, carignan et syrah est à l'œuvre dans ce rouge «de soif» vinifié en macération carbonique. Le nez très épicé ouvre sur une bouche friande, souple et ronde, aux tanins imperceptibles, qui dispense sans retenue ses notes de fraise et de réglisse. Un rouge facile à boire et convivial. ⧗ 2019-2021

VALÉRIE VIGNAL, 2254, RD_980, Le Haut-Castel, 30200 Bagnols-sur-Cèze, tél. 04 66 82 34 05, valerie.vignal@icloud.com V *r.-v.*

LES VIGNERONS DE VILLEDIEU-BUISSON
Cuvée des Templiers 2018 ★

■ | 80000 | | 5 à 8 €

Au nord de Vaison-la-Romaine, cette coopérative fondée en 1939 regroupe 776 ha (dont 20 % en bio certifié depuis 1985), cultivés par les vignerons de Villedieu et de Buisson.

D'un rose assez soutenu, ce 2018 à forte dominante de grenache convoque les fruits rouges et les fleurs blanches à l'olfaction. En bouche, il se révèle bien fruité, équilibré et persistant. ⧗ 2019-2020 ■ **Les Grappes d'antan 2018 ★ (5 à 8 €; 15000 b.)** Ⓑ : une robe à peinte teintée annonce un nez discret qui gagne en séduction à l'aération autour de notes florales et fruitées. Le fruit perce bien plus généreusement dans une bouche allègre, bien équilibrée, portée par une belle acidité et ponctuée par une finale stimulante sur l'amande amère. ⧗ 2019-2020 ■ **Les Grappes d'antan 2018 (5 à 8 €; 80000 b.)** Ⓑ : vin cité.

SCA CAVE LA VIGNERONNE, 165, rte de Buisson, 84110 Villedieu, tél. 04 90 28 92 37, cavevilledieu@orange.fr V *t.l.j. 8h-12h 14h-18h*

CAVE LA VINSOBRAISE 2018 ★★

■ | 20000 | | - de 5 €

Fondée en 1947, la très qualitative cave de Vinsobres vinifie aujourd'hui plus de 95 000 hl produits sur 1 800 ha de vignes (dont 10 % exploités en bio). Une valeur sûre de la vallée du Rhône méridionale.

Ce rosé met le grenache en avant (90 %, avec la syrah en appoint). La robe est pâle, le nez intensément floral, la bouche ample, fraîche, plus fruitée et très longue. Du caractère et de l'élégance. ⧗ 2019-2020

CAVE LA VINSOBRAISE, 26110 Vinsobres, tél. 04 75 27 64 22, infos@la-vinsobraise.com V *t.l.j. 8h-12h 14h-18h*

CÔTES-DU-RHÔNE-VILLAGES

Superficie : 10 240 ha
Production : 298 000 hl (98 % rouge et rosé)

À l'intérieur de l'aire des côtes-du-rhône, quelques communes ont acquis une notoriété certaine grâce à des terroirs qui produisent des vins de semi-garde dont les qualités sont unanimement reconnues. Les conditions de production de ces vins sont soumises à des critères plus restrictifs en matière notamment de délimitation, de rendement et de degré alcoolique par rapport à ceux des côtes-du-rhône. Le grenache (50% minimum), la syrah et le mourvèdre doivent représenter au moins 80% de l'encépagement. Au sein de l'aire d'appellation, 12 noms de communes historiquement reconnus peuvent figurer sur l'étiquette: Chusclan, Laudun et Saint-Gervais dans le Gard; Sablet, Séguret, Roaix, Valréas et Visan dans le Vaucluse; Rochegude, Rousset-les-Vignes, Saint-Maurice, Saint-Pantaléon-les-Vignes dans la Drôme. Ont été plus récemment reconnus Signargues, dans le Gard, Massif d'Uchaux, Plan de Dieu et Puyméras dans le Vaucluse. Gadagne (Vaucluse) s'est ajouté à la liste puis, en 2016, Sainte-Cécile, Suze-la-Rousse,

Vaison-la-Romaine et, plus récemment, Saint-Andéol. Sur le territoire de 70 autres communes du Gard, du Vaucluse et de la Drôme, dans l'aire côtes-du-rhône, une délimitation plus stricte permet de produire des côtes-du-rhône-villages sans nom de commune.

DOM. DE L'AMAUVE Séguret Laurances 2017 ★

■ | 7000 | | 8 à 11 €

Héritier de plusieurs générations de vignerons, Christian Voeux, œnologue expérimenté et attaché à plusieurs domaines rhodaniens (il a notamment dirigé le réputé Ch. la Nerthe à Châteauneuf-du-Pape), a repris en 2006 les 11,5 ha du domaine familial, qui doit son nom à la fleur de mauve, présente en grand nombre dans le vignoble. Le domaine est en conversion bio depuis 2017.

Déjà repérée l'année passée, cette cuvée qui assemble grenache (dominant) et syrah nous revient en forme en 2017. Encore sur la réserve, le nez est retenu à ce stade, avec des notes discrètes de fruits compotés et de garrigue. La bouche, bien construite, a pour elle des tanins fondants et un fruit qui aura besoin d'un peu de temps pour s'exprimer. ⧗ 2019-2022

SAS DOM. DE L' AMAUVE, 197, chem. du Jas, 84110 Séguret, tél. 06 10 71 26 72, contact@domainedelamauve.fr V *r.-v.*

DOM. D'ANDEZON Sinargues 2017

■ | 40000 | | 8 à 11 €

Située non loin du pont du Gard, cette très qualitative coopérative fondée en 1965 vinifie le fruit de 536 ha de vignes. Elle s'est constituée une solide réputation grâce à la haute qualité des domaines adhérents.

Cette excellente coopérative du Gard qui travaille au plus près du raisin (peu de soufre, pas de filtration...) signe cet assemblage (syrah, mourvèdre) très convaincant. Le nez peu intense mais agréable livre des notes de fruits rouges et noirs compotés et de chocolat que l'on retrouve dans une bouche chaleureuse, aux tanins fondus, dotée d'un fruité gourmand et d'une fraîcheur de bon aloi. ■ **La Granacha Sinargues Vieilles Vignes 2017 (8 à 11 €; 15000 b.)** : vin cité.

SCEA LES VIGNERONS D' ESTÉZARGUES, rte des Grés, 30390 Estézargues, tél. 04 66 57 03 64, caveau@vins-estezargues.com V *t.l.j. sf dim. 8h-12h 14h-18h*

LES ASSEYRAS Vieilles Vignes 2017 ★

■ | 6000 | | 8 à 11 €

Un vignoble de 35 ha établi sur les hauteurs de Tulette, déjà planté de vignes au Moyen Âge et dans la famille Blanc depuis 1937. Depuis 1998, c'est Daniel qui est aux commandes.

Des vignes de 40 ans (grenache, syrah) et un élevage mixte (cuve et fût) à l'origine de cette cuvée bien typée, au nez classique de fruits rouges et noirs mûrs, accompagnés de notes pâtissières. Franche et directe, la bouche séduit par son fruit assez juteux et gourmand, sa matière généreuse et ses tanins fins qui affermissent la finale. ⧗ 2019-2024

EARL DES ASSEYRAS, 425, rte de Valréas, 26790 Tulette, tél. 06 98 71 17 88, asseyras@gmail.com V *t.l.j. 9h-12h 14h-19h; dim. sur r.-v.*

DOMAINES ANDRÉ AUBERT Visan 2016

■ | 12000 | | - de 5 €

Les fils d'André Aubert – Claude, Yves et Alain – sont installés depuis 1981 à la tête de l'un des plus vastes ensembles viticoles rhodaniens (490 ha répartis sur plusieurs domaines), grâce auquel ils proposent une large gamme de vins de la vallée du Rhône méridionale.

Régulièrement à l'honneur avec ses cuvées à petits prix, le domaine récidive avec ce visan 2016 au nez vivant, frais et floral. Souple, parfumé (fruits rouges, réglisse), doté de tanins légers et d'une longueur honorable, c'est un vin franc, agréable et bien équilibré. ⧗ 2019-2022

GAEC AUBERT FRÈRES, 75, rte des Chênes-Verts, RN_7 Les Gresses, 26290 Donzère, tél. 04 75 51 78 53, aubertfreres@wanadoo.fr V *t.l.j. 10h-19h*

DOM. AUTRAND 2017 ★

■ | 20000 | | 5 à 8 €

Christine Aubert a repris en 2002 le domaine familial couvrant aujourd'hui 80 ha, dont la quasi-totalité est classée en vinsobres. Après l'arrivée de son fils Aurélien (quatrième génération) qui travaille depuis 2008 à ses côtés, l'exploitation s'est dotée d'une nouvelle cave.

Fruité et coulant, deux mots pour résumer ce rouge vinifié dans le souci d'exalter le fruit et la légèreté. Le nez regorge d'arômes fringants de fraises et de framboises que l'on croque dans une bouche allègre, souple, simple et agréablement parfumée. ⧗ 2019-2020

GAEC AUTRAND, quartier Les Ratiers, RD_94, rte de Nyons, 26110 Vinsobres, tél. 04 75 26 57 05, contact@domaineautrand.fr V *t.l.j. 10h-19h; f. dim. nov.-mars*

DOM. DES AUZIÈRES Roaix 2016 ★★

■ | 4200 | | 8 à 11 €

Christophe Cuer s'est installé en 2000 sur une petite colline à 300 m d'altitude où il conduit aujourd'hui un vignoble de 7 ha, en Roaix et vinsobres.

Enthousiastes, les jurés ont salué ce rouge épanoui, longuement élevé (vingt mois en cuve béton), à la robe profonde et violacée, et au nez bien ouvert, gorgé de cassis et de fruits rouges macérés. Charnue, ample, la bouche délivre cette même qualité de fruit dans un ensemble pulpeux, savoureux, parfumé, bien tenu par des tanins fins. Remarquable par son harmonie et sa plénitude, la cuvée frise le coup de cœur. ⧗ 2019-2024 ■ **Roaix Réserve 2016 ★ (11 à 15 €; 5600 b.)** : grenache et syrah à parité dans cette cuvée qui a bénéficié d'un élevage mixte, en cuve béton et fût. Bien ouvert, le nez diffuse ses arômes de fruits rouges, avec intensité et finesse. On retrouve en bouche cette même qualité de fruit, matinée d'épices, dans un ensemble riche qui ne manque ni d'harmonie ni de séduction. ⧗ 2019-2022

CHRISTOPHE CUER, Dom. des Auzières, 1792, chem. des Ouzières, 84110 Roaix, tél. 06 03 40 55 08, christophe@auzieres.fr V *t.l.j. sf dim. 9h-12h 14h-18h*

DOM. JULIETTE AVRIL
Plan de Dieu Cuvée Léandre 2017 ★

■ | 5000 | 🍾 | 5 à 8 €

Une famille implantée de longue date à Châteauneuf-du-Pape: un ancêtre fut premier consul de Châteauneuf-du-Pape au temps de la papauté d'Avignon; plus tard, Jean Avril participera à la création de l'appellation. L'histoire actuelle s'écrit avec Marie-Lucile Brun, qui a succédé à sa mère Juliette Avril en 1988, épaulée par son fils Stephan depuis 2000 à la tête d'un vignoble de 21 ha, avec la biodynamie en ligne de mire.

Plusieurs fois retenu pour ses châteauneuf-du-pape, le domaine ne néglige pas ses *villages*, dont ce plan-de-dieu convaincant, issu d'une sélection parcellaire de grenache, syrah et carignan. La robe noire ouvre sur un nez encore sur la réserve. Élégante dès l'attaque, la bouche se montre plus volubile, entre tanins fondus et fraîcheur revigorante. Une cuvée qui gagnera en expression avec un peu de garde. ⧗ 2019-2024

⊶ SCEA DOM. JULIETTE AVRIL, 8, av. Pasteur, 84230 Châteauneuf-du-Pape, tél. 06 37 58 98 21, info@julietteavril.com V ▮ r.-v.

LA BASTIDE SAINT-VINCENT
Plan de Dieu Florentin 2017 ★

■ | 3900 | 🍾 | 8 à 11 €

Installé dans une ancienne ferme rénovée aux airs de bastide, dont certains éléments datent du XVIIᵉs., Laurent Daniel, ancien responsable commercial export dans un négoce de vin, a repris en 2001 ce vignoble familial de 23 ha très morcelé, réparti dans six communes. Un habitué du Guide, d'une régularité sans faille.

Florentin, le fils du vigneron, est à l'honneur dans cet assemblage très classique, grenache et syrah. Des notes complexes de fruits noirs manifestement bien mûrs, le nez est de bon augure. La bouche ne déçoit pas dans ce registre généreux et solaire: charnue, ronde, elle diffuse des saveurs à la fois chaleureuses, gourmandes et persistantes. ⧗ 2019-2022

⊶ SCEA GUY DANIEL, 1047, rte de Vaison, 84150 Violès, tél. 04 90 70 94 13, bastide.vincent@free.fr V ▮ t.l.j. sf dim. 9h-12h 14h-19h

DOM. DU BOIS DE SAINT-JEAN
Gadagne Cuvée du Comte d'Ust et du Saint-Empire 2017 ★

■ | 10000 | 🍾 | 8 à 11 €

Établie à Jonquerettes depuis 1620, la famille Anglès se consacre à la viticulture à partir de 1910. Une tradition perpétuée avec grand talent par Vincent et son frère Xavier qui, à la tête de 48 ha de vignes, proposent des vins d'une constance remarquable.

Un des villages méconnus des Côtes du Rhône qui vaut le détour sur la foi de cette cuvée à dominante de syrah, intense en couleur mais réservée au nez avec des nuances discrètes d'épices. Jeune et puissante, la bouche offre chair, longueur et équilibre autour de tanins fermes qui augurent d'une bonne garde. ⧗ 2019-2024

⊶ EARL VINCENT ET XAVIER ANGLÈS, 126, av. de la République, 84450 Jonquerettes, tél. 04 90 22 53 22, xavier.angles@wanadoo.fr V 🚶 ▮ t.l.j. sf dim. 8h-12h 14h-19h

DOM. DU BOIS DES MÈGES
Plan de Dieu Divins galets 2017

■ | 5000 | 🍾 | 8 à 11 €

Ghislain Guigue a quitté en 1990 son métier de caviste au Ch. Mont-Redon à Châteauneuf pour s'installer avec son épouse Magali sur un plateau de cailloutis et de galets roulés de 5 ha. Il a porté la superficie de son domaine à 12 ha aujourd'hui, répartis sur cinq communes.

Des reflets violacés éclairent la robe intense de ce 2017 qui fleure bon les fruits mûrs. Souple en attaque, il laisse une impression de rondeur grâce à des tanins fins. ⧗ 2019-2022

⊶ EARL DOM. DU BOIS DES MÈGES, 607, rte d'Orange, Les Tappys, 84150 Violès, tél. 04 90 70 92 95, gguigue@boisdesmeges.fr V 🚶 ▮ r.-v.

DOM. DE BOISSAN
Sablet Cuvée Clémence 2016 ★

■ | 4000 | 🛢 | 8 à 11 €

Établi à Sablet depuis 1981, Christian Bonfils conduit un domaine de 50 ha commandé par une bâtisse du XVIIᵉs. Les vignes blanches sont en bio certifié, les rouges en lutte raisonnée.

La vigne du vigneron est à l'honneur avec cette cuvée issue de vieilles vignes (60 ans) de syrah et de grenache noir. Le long élevage en fût de la syrah marque le nez de notes vanillées sur fond de fruits noirs bien mûrs. Intense, la bouche offre volume, complexité et équilibre dans un style bien structuré, tannique mais qui soigne tout autant la rondeur du fruit. ⧗ 2019-2022

⊶ EARL CHRISTIAN BONFILS, 141, rue Saint-André, 84110 Sablet, tél. 04 90 46 93 30, c.bonfils@wanadoo.fr V 🚶 ▮ t.l.j. sf sam. dim. 8h-12h 14h-18h 🏠 E

DOM. DES BOSQUETS La Jérôme 2017 ★★

■ | 6500 | 🍾 | 11 à 15 €

Eugène Raspail, durant la seconde moitié du XIXᵉs., puis Gabriel Meffre un siècle plus tard, en 1962, contribuèrent au développement du Dom. des Bosquets où la culture de la vigne est attestée dès le XIVᵉs. En 1987, à la disparition de ce dernier, sa fille Sylvette Bréchet, épaulée par ses fils Laurent et Julien, reprit le domaine. Depuis 2010, Julien est seul maître à bord, aux commandes de 26 ha de vignes. Autre étiquette: le Dom. de la Jérôme, petite exploitation de 2,5 ha sur Séguret, vinifiée dans le chai des Bosquets.

Grenache, syrah et vieilles vignes (40 ans) au programme de ce côtes-du-rhône haut de gamme, séducteur par son nez complexe (fruits noirs, épices) et charmeur en bouche par sa plénitude et son relief. La rondeur du fruit est joliment épaulée par des tanins élégants et une fraîcheur préservée qui donne allant et croquant à l'ensemble. Déjà très harmonieuse et plaisante, la cuvée a tout ce qu'il faut pour vieillir quelques années. ⧗ 2019-2024

⊶ SCEA FAMILLE BRÉCHET (DOM. DES BOSQUETS), 2, chem. des Bosquets, 84190 Gigondas, tél. 04 90 65 80 45, secretariat@domainedesbosquets.com V 🚶 ▮ r.-v.

CH. BOUCHE Plan de Dieu La Truffière 2017 ★

■ | 9866 | | 30 à 50 €

Une ancêtre de Dominique Bouche figure parmi les membres d'une société de vignerons fondée en 1702. Le domaine a longtemps été en polyculture, et le père de l'actuel vigneron était coopérateur. C'est Dominique Bouche qui l'a équipé d'une cave en 1978. Le vignoble de 30 ha s'étend principalement sur le plateau du Plan de Dieu, aux sols argilo-calcaires riches en galets roulés. Sans héritier, le producteur a revendu son domaine en 2012 à Champ Dong Créations Industries, société franco-chinoise pratiquant le négoce des vins. Il suit toujours les vinifications.

Vinifié en grappes entières dans le but d'exalter le fruit, cet assemblage classique qui intègre une touche de carignan séduit par son nez friand et intense de baies rouges. La bouche explose de saveurs fruitées (baies rouges, fraise) dans un ensemble frais, gourmand, juteux et souple, à boire sur sa jeunesse. ⧗ 2019-2022

SARL CHAMP DONG CRÉATIONS INDUSTRIES, 148, chem. d'Avignon, 84850 Camaret-sur-Aigues, tél. 09 67 18 94 27, chateau.bouche@gmail.com V r.-v.

LA BOUVAUDE
Rousset les Vignes Classique 2017 ★

■ | 3812 | | 8 à 11 €

Ancien prieuré clunisien, le village de Rousset-les-Vignes, perché à 400 m d'altitude, domine la vallée du Rhône et offre une belle vue sur le mont Ventoux. Stéphane Barnaud et son épouse Fabienne y ont créé leur cave en 1992.

Une cuvée solaire et épanouie dont le nez épicé trahit la présence dans l'assemblage de 50 % de syrah et de mourvèdre. Riche, puissante mais harmonieuse, la bouche offre des saveurs chaudes et épicées et des tanins à point qui procurent une sensation de plénitude et de rondeur capiteuse. ⧗ 2019-2024

GAEC LA BOUVAUDE, La Bouvaude, 26770 Rousset-les-Vignes, tél. 04 75 27 90 32, contact@labouvaude.com V *t.l.j. sf dim. 9h-12h 14h-18h30*

DOM. DES BOUZONS Cuvée Beauchamp 2018 ★

■ | 10600 | | 11 à 15 €

Ce domaine appartient aux Serguier depuis 1632. Les premières vignes ont été plantées en 1956. Installés en 1982, Marc Serguier et son épouse Claudine, rejoints par leur fils Nicolas, conduisent aujourd'hui un vignoble de 35 ha sur les communes de Sauveterre et de Pujaut.

Fraîchement sortie des cuves et des fûts, ce 2018 en impose par son nez flagrant, entre fruits très mûrs, notes cacaotées et épicées. Les 80 % de grenache et l'élevage en fûts contribuent à la rondeur de la matière et au profil bien velouté des tanins. Les saveurs fruitées et réglissées se prolongent dans une bouche mûre et équilibrée, déjà agréable et parée pour bien vieillir. ⧗ 2019-2024

EARL MAS DES BOUZONS, 194, chem. des Manjo-Rassado, 30150 Sauveterre, tél. 04 66 90 04 41, domaine.des.bouzons@wanadoo.fr V *t.l.j. sf lun. dim. 9h30-12h 14h30-18h30*

BROTTE Laudun Bord Élégance 2018 ★

□ | 20000 | | 8 à 11 €

Cette maison réputée, fondée en 1931 par Charles Brotte, pionnier de la mise en bouteilles dans la vallée du Rhône, est aujourd'hui dirigée par Laurent, petit-fils du fondateur. Elle vinifie ses propres vignes et opère des sélections parcellaires pour le compte de son négoce, dont La Fiole du Pape, en châteauneuf, est la marque phare depuis sa création en 1952.

On ne compte plus les citations pour ce négociant très régulier qui signe ce blanc provenant de l'un de ses domaines, le Ch. de Bord. Assemblage de quatre cépages, il s'ouvre sur un nez tendre de fruits à noyau (pêche, abricot) et de fruits exotiques. La bouche bien sudiste, délivre ces mêmes saveurs de pêche dans un corps tendre, charnu, agréable par sa longueur et sa suavité. ⧗ 2019-2022

SA BROTTE, av. Pierre-de-Luxembourg, 84230 Châteauneuf-du-Pape, tél. 04 90 83 70 07 V *t.l.j. 9h-12h 14h-18h (9h-13h 14h-19h en été)*

DOM. BURLE Sablet 2017 ★

■ | 10000 | | 8 à 11 €

Un domaine fondé en 1961, dans la même famille depuis trois générations. Florent et Damien Burle, installés en 1995, conduisent un vignoble de 19 ha.

Assemblage de quatre cépages, cette cuvée, élevée en cuve béton, au nez très réglissé, aura séduit par sa plénitude. Vinifiée en douceur, la bouche déploie un corps onctueux servi par des tanins lissés et soyeux qui renforcent la sensation de rondeur de l'ensemble. ⧗ 2019-2022

EARL FLORENT ET DAMIEN BURLE, 306, chem. Saint-Damien, 84190 Gigondas, tél. 04 90 70 94 85, contact@domaineburle.com V *t.l.j. 8h-12h 14h-18h*

B **LA CABOTTE** Massif d'Uchaux Gabriel 2016 ★

■ | 10000 | | 15 à 20 €

Ce domaine doit son nom à un abri en pierres sèches qui résiste aux intempéries de l'été et aux rigueurs de l'hiver. Il a été acquis en 1981 par Gabriel d'Ardhuy, qui l'a confié à l'une de ses sept filles, Marie-Pierre Plumet. Cette dernière a patiemment restructuré le vignoble, refaçonné les anciennes terrasses, et conduit aujourd'hui, en biodynamie avec son mari Éric et leur fils Étienne, 35 ha de vignes d'un seul tenant au cœur du Massif d'Uchaux.

Cofermentés, syrah et grenache composent cette cuvée longuement élevée en cuves et fûts. Très profonde, la robe augure d'un nez concentré et complexe mêlant le fruit rouge mûr à des notes florales et goudronnées. Des tanins puissants encadrent une bouche riche et concentrée dont les saveurs fruitées et minérales (ardoise) parfument longuement la finale. Une cuvée de caractère et de garde. ⧗ 2020-2024 ■ **Massif d'Uchaux Garance 2017 ★ (11 à 15 €; 20000 b.)** B : le mourvèdre et la syrah épaulent le grenache (50 %) dans cette cuvée élevée dix mois en cuve. On retrouve la concentration naturelle des vins du domaine dans ce joli rouge au nez expressif de fruits rouges. Les dégustateurs ont apprécié l'attaque franche, le milieu de bouche plein, les tanins enrobés et la persistance du fruit de cette cuvée sérieuse, déjà agréable et capable de se garder. ⧗ 2019-2024

⊶ EARL MARIE-PIERRE PLUMET D'ARDHUY, Dom. la Cabotte, 8035, rte de Rochegude, 84430 Mondragon, tél. 04 90 40 60 29, domaine@cabotte.com V t.l.j. sf sam. dim. 9h-12h 14h30-18h; f. 10-31 août

CALENDAL Plan de Dieu 2017 ★

■ | 9000 | | 15 à 20 €

Un petit domaine de 4,5 ha créé en 2006, au Plan-de-Dieu, par deux éminents spécialistes des vins rhodaniens, Philippe Cambie et Gilles Ferran, amis depuis leurs études d'œnologie à Montpellier. Les deux compères signent des vins qui laissent rarement indifférents.

Les vieilles vignes (grenache et mourvèdre) et la belle maturité du raisin forgent le caractère voluptueux de cette cuvée élevée neuf mois en fûts. Tendre à l'attaque, généreuse et dotée de tanins soyeux, la bouche restitue les notes de fruits rouges mûrs matinées de notes chocolatées perçues au nez dans un ensemble charmeur et équilibré. ⧗ 2019-2022

⊶ SCA DOM. CALENDAL, 111, Combe-de-l'Eoune, 84110 Rasteau, tél. 04 90 46 14 20, domaine.escaravailles@wanadoo.fr V r.-v.

LES VIGNERONS DU CASTELAS
Signargues Vieilles Vignes 2017 ★

■ | 40000 | | 5 à 8 €

Créée en 1956, cette coopérative, qui tire son nom d'une chapelle romane du XIe s. surplombant Rochefort-du-Gard, réunit aujourd'hui 45 viticulteurs pour 450 ha de vignes, dont 100 ha dédiés au seul côtes-du-rhône-villages Signargues.

Soixante ans pour ces «vieilles vignes» de syrah, grenache et carignan qui ont conquis le jury par leur équilibre. Discrètement aromatique au nez, la cuvée déploie en bouche des saveurs plus généreuses, entre fruits rouges et épices, et une matière à la fois structurée, fraîche et gourmande. ⧗ 2019-2022

⊶ SCA LES VIGNERONS DU CASTELAS, 674, av. de Signargues, 30650 Rochefort-du-Gard, tél. 04 90 26 62 66, info@vignerons-castelas.fr V t.l.j.sf dim. 8h30-12h30 14h30-18h30

CAMILLE CAYRAN Blanc Passion 2018 ★★

□ | 13000 | | 5 à 8 €

Créée en 1929, la coopérative de Cairanne est un acteur de poids dans la région: 60 adhérents pour 490 ha de vignes et deux marques, Camille Cayran pour le réseau traditionnel et Victor Delauze pour la grande distribution.

Le bref passage en barriques n'a pas marqué le nez de ce blanc parfumé, aux franches notes de pêche, issu d'un assemblage de quatre cépages. La bouche associe à une texture ample et épanouie une belle fraîcheur qui donne éclat et allant au fruit. La finale qui s'étire en longueur sur des notes florales (fleurs blanches) et fruitées (pêche, fruit exotique) ponctue élégamment ce blanc souple et raffiné. ⧗ 2019-2022 ■ **Plan de Dieu La Bête à Bon Dieu 2018 ★ (5 à 8 €; 50000 b.)** Ⓑ : une robe violacée, un nez chaleureux, une bouche ronde qui restitue le caractère d'un grenache (60 % de l'assemblage) vendangé bien mûr: un rouge harmonieux et résolument sudiste dont les saveurs épanouies et ensoleillées (fruits rouges, cuir) ont séduit les dégustateurs. ⧗ 2019-2022

⊶ SCA CAVE DE CAIRANNE, 290, av. de la Libération, 84290 Cairanne, tél. 04 90 30 82 05, s.henna@cave-cairanne.fr V r.-v.

CELLIER VÉNÉJAN LA PORTE D'OR
Cuvée Jeanne d'Ancezune 2018

■ | 19000 | | 5 à 8 €

Cave coopérative de Vénéjan, village médiéval à découvrir, outre ses vins, pour son moulin et sa chapelle Saint-Pierre, millénaire. Fondée en 1929, elle regroupe une quarantaine de coopérateurs pour quelque 200 ha de vignes.

Clin d'œil à la Comtesse de Grignan (Jeanne d'Ancezune) qui séjournait à Vénéjean, cette cuvée possède d'autres atouts: un nez ouvert, fruité et floral, une bouche souple, allègre, fruitée et harmonieuse, dotée de tanins encore jeunes mais qui n'enlèvent rien à la gourmandise de ce rouge déjà accessible. ⧗ 2019-2022

⊶ SCA CELLIER VÉNÉJAN LA PORTE D'OR, 473, rte de Bagnols-sur-Cèze, 30200 Vénéjan, tél. 04 66 79 25 04, sca.venejan@wanadoo.fr V t.l.j. sf dim. 9h-12h 14h-18h

DOM. CHAMFORT
Séguret C'est beau là-haut 2016 ★

■ | 4000 | | 15 à 20 €

Situé au pied des Dentelles de Montmirail, ce domaine de 27 ha a été repris en 2010 par Vasco Perdigao, œnologue formé dans la vallée du Rhône septentrionale. Conseillé depuis 2018 par Philippe Cambie, le domaine privilégie une approche bio mais le pas de la conversion officielle n'a pas encore été franchi.

«Là-Haut», c'est à 450 m d'altitude avec une vue imprenable sur les Dentelles de Montmirail. Cette parcelle de 2 ha possède d'autres vertus: plantées de vieilles vignes de grenache, elle donne un rouge à la robe rubis et au nez de cerise mûre, de fleur et de vanille. Complète, la bouche restitue ces mêmes saveurs fruitées et florales dans un ensemble charnu, chaleureux et structuré par des tanins fermes. ⧗ 2020-2024 ■ **Séguret Côté inverse 2017 ★ (8 à 11 €; 5300 b.)** : le domaine place une seconde cuvée parcellaire qui associe au grenache 20 % de mourvèdre. Élevée en foudre, puissante et épicée, elle possède tout pour bien vieillir même si la maturité du fruit charme déjà à ce stade. ⧗ 2019-2024

⊶ SCEA FAMILLE PERDIGAO, 280, rte du Parandou, 84110 Sablet, tél. 04 90 46 94 75, domaine-chamfort@orange.fr V t.l.j. 9h-12h 13h30-17h30; sam. dim. sur r.-v.

LES CHEMINS DE SÈVE Pyrope 2016 ★

■ | 4000 | | 8 à 11 €

Ingénieur, Loïc Massart a exercé ses compétences plus de dix ans dans l'industrie avant de se reconvertir pour réaliser un nouveau projet de vie: créer en 2014 avec des associés un domaine viticole, géré en

famille. En conversion bio, son exploitation s'étend aujourd'hui sur 9 ha environ.

Vendanges manuelles et levures indigènes pour ce rouge qui aura convaincu le jury: une robe sombre et intense; un nez sans exubérance mais agréable aux nuances de fruits mûrs (myrtille, mûre et fruits rouges) et d'épices (poivre); une bouche concentrée, riche, dotée de beaux tanins granuleux et d'une longueur honorable. Un rhône charmeur, déjà plaisant et capable de tenir dans le temps. ⌛ 2019-2024

LOÏC MASSART, 2365, rte d'Orange, 84110 Vaison-la-Romaine, tél. 06 63 37 44 61, lescheminsdeseve@yahoo.fr r.-v.

DOM. CLAVEL Saint-Gervais Syrius 2017

■	40000		8 à 11 €

Les Clavel conduisent depuis plusieurs générations cette exploitation fondée en 1934 sur la rive droite du Rhône, dont la vaste superficie (80 ha) leur permet de proposer une large gamme de vins. Aujourd'hui, c'est Claire, épaulée par son père Denis, qui est aux commandes de ce domaine très régulier en qualité, souvent en vue avec ses côtes-du-rhône et ses *villages* Saint-Gervais, en bio depuis 2008.

Valeur sûre du Guide et très fiable à travers toute sa gamme, ce bon producteur récidive avec cette cuvée discrète au nez mais «explosive» en bouche: des saveurs ensoleillées gorgées d'épices et de réglisse, de la chaleur, des tanins fondus, une petite sécheresse de fin de bouche qui disparaîtra à table. Généreux et résolument sudiste. ⌛ 2019-2024

SCEA DOM. CLAVEL, rue du Pigeonnier, 30200 Saint-Gervais, tél. 04 66 82 78 90, claire@domaineclavel.com r.-v.

DOM. LE CLOS DES LUMIÈRES 2017 ★★

■	24000		5 à 8 €

Installé en 1997, Gérald Serrano spécialise le domaine familial, fondé par son grand-père André en 1950 et longtemps exploité en polyculture, et le sort de la coopérative en 2004. Agrandie en 2018, la propriété couvre aujourd'hui 120 ha sur la rive droite du Rhône, dans le Gard.

Une dominante de syrah (60 %), manifestement bien mûre (galets roulés), dans cet assemblage à la robe encre et au nez plus fin et complexe que puissant sur les fruits noirs et les épices. Rondeur, belle fraîcheur, tanins carrés, fruité juteux: cette cuvée de garde ne manque de rien pour affronter sereinement les années. ⌛ 2019-2026

SARL SERRANO, 14, rue des Cerisiers, 30210 Fournès, tél. 04 66 01 05 89, closdeslumieres@yahoo.fr t.l.j. sf dim. 9h30-12h 14h30-18h30

Ⓑ CLOS DU PÈRE CLÉMENT Visan Cuvée Notre Dame 2016 ★

■	17000		8 à 11 €

Situé à proximité de la chapelle Notre-Dame-des-Vignes (XVIe s.), ce domaine créé en 1978 doit son nom au grand-père de Jean-Paul Depeyre, ce dernier aux commandes depuis 2000. Le vignoble (35 ha) est en bio depuis la vendange 2015.

Puissance et gourmandise au menu de cet assemblage classiquement dominé par le grenache qui a bien profité de la plénitude du millésime. Les fruits rouges mûrs, les épices et garrigue signent la bonne maturité du cépage qui déploie en bouche sa rondeur, sa chair, sa chaleur et des tanins fermes qui donnent relief et tenue à ce rouge charmeur. ⌛ 2019-2024 ■ **Visan 2018 ★ (5 à 8 €; 9600 b.)** Ⓑ : d'un rose soutenu, très floral au nez, cet assemblage dominé par le grenache fait mouche en bouche avec son équilibre agréable, sa matière tendre et légère, ses saveurs franches de petits fruits rouges et de fleurs, et sa longueur honorable. Net et parfumé. ⌛ 2019-2020

SCEA CLOS DU PÈRE CLÉMENT, 911, rte de Vaison-la-Romaine, 84820 Visan, tél. 04 90 41 93 68, info@clos-pere-clement.com r.-v. Ⓔ

DOM. DE LA CÔTE Valréas 2018

■	70000		5 à 8 €

Le Cellier des Princes est l'unique coopérative à produire du châteauneuf-du-pape. Fondée en 1925, la cave regroupe aujourd'hui 190 adhérents et vinifie les vendanges de 600 ha, du châteauneuf donc, et aussi une large gamme de côtes-du-rhône, *villages*, ventoux et IGP.

Vinifié dans le but d'exalter le fruit (grenache, syrah), ce rouge, à la robe violacée offre ses arômes francs et efficaces de fruits rouges et de violette, et une rondeur agréablement chaleureuse non dénuée d'élégance. Gourmand et à boire sur son fruit de jeunesse. ⌛ 2019-2022 ■ **Dom. Piécaud Plan de Dieu 2018 (5 à 8 €; 18000 b.)** : vin cité.

SCA LE CELLIER DES PRINCES, 758, rte d'Orange, 84350 Courthézon, tél. 04 90 70 21 44, lesvignerons@cellierdesprinces.fr t.l.j. 9h-12h30 13h30-18h30

LES COTEAUX DU RHÔNE Sainte-Cécile Jasoun 2018 ★★

■	40000		5 à 8 €

Fondée en 1926, la cave Les Coteaux du Rhône, coopérative de Sérignan-du-Comtat, propose une large gamme allant des vins en IGP aux AOC comme vacqueyras, en passant par les côtes-du-rhône et les *villages*.

Un GSM (grenache, syrah, mourvèdre) élevé en cuve béton, complexe au nez (fruits compotés, épices, notes végétales) et dont la bouche ne manque pas d'ambition: ample à l'attaque, parfumée (notes réglissées et herbacées), solidement structurée par des tanins encore serrés, c'est une cuvée conséquente et élégante qui profitera du temps qui passe. On frise le coup de cœur. ⌛ 2020-2024 ■ **Massif d'Uchaux Arbouse 2018 ★ (5 à 8 €; 40000 b.)** : coup double pour la cave avec cet assemblage dominé par le grenache et le mourvèdre dont le nez décline le fruit surmûri, le poivre, le cacao avec des nuances fraîches (menthol, végétal). Plus souple que la précédente, la cuvée charme par sa chair ample et chaleureuse, la douceur de ses tanins et sa longueur langoureuse. ⌛ 2019-2022

SCEV LES COTEAUX DU RHÔNE, 57, chem. Derrière-le-Parc, 84830 Sérignan-du-Comtat, tél. 04 90 70 42 43, coteau.rhone@orange.fr t.l.j. sf dim. 9h-12h30 14h-19h

DOM. COULANGE Saint-Andéol 2018

■ | 23000 | | 11 à 15 €

Situé à la pointe sud de l'Ardèche, sur les coteaux dominant la rive droite du Rhône, ce vignoble de 35 ha est conduit par Christelle Coulange. Celle-ci a rejoint son père en 1996, instaurant alors avec lui les premières vinifications au domaine.

Le duo grenache-syrah en forme dans cette version colorée, au nez bien juteux (cassis, myrtille) et à la bouche charnue, souple et ronde qui offre une belle qualité de fruit. Une bonne manière de faire connaissance avec cette nouvelle dénomination (Saint-Andéol) située sur la rive droite du Rhône, née en 2018. ⌛ 2019-2022

EARL DOM. COULANGE, quartier Saint-Ferréol, 07700 Bourg-Saint-Andéol, tél. 04 75 54 56 26, contact@domaine-coulange.com V r.-v.

CH. COURAC Laudun 2018 ★★

■ | 120000 | | 8 à 11 €

Ce château perché sur les hauteurs de Tresques, dans le Gard, est un habitué du Guide, le plus souvent aux meilleures places. Conduit par Joséphine et Frédéric Arnaud, il se distingue tant par ses côtes-du-rhône que par ses *villages* (Laudun). Ces passionnés d'archéologie sont comblés de mettre en valeur un terroir cultivé dès l'Antiquité.

Une touche de counoise vient pimenter cet assemblage dominé par la syrah et le grenache. De la richesse et de la complexité au nez (fruits rouges macérés, réglisse, poivre et menthol), du volume et de la structure en bouche, avec des tanins encore rigoureux: c'est un vin puissant mais harmonieux qui demande à respirer un peu en bouteille. ⌛ 2020-2024 □ **Laudun 2018 ★★ (8 à 11 €; 21100 b.)** : pâle et retenu au nez, entre agrume, notes minérales et soupçon de vanille, cette cuvée offre l'attaque ronde des blancs du sud avec une fin de bouche enlevée, fraîche, citronnée et légèrement beurrée. ⌛ 2019-2022 ■ **Laudun Le Haut Plateau 2018 (8 à 11 €; 11000 b.)** : vin cité. ■ **Dom. Quart du Roi Laudun 2018 (8 à 11 €; 30000 b.)** : vin cité.

SCEA FRÉDÉRIC ARNAUD, 1520, chem. de Courac, 30330 Tresques, tél. 04 66 82 90 51, chateaucourac@orange.fr V r.-v.; f. en août

CH. LA COURANÇONNE Séguret 2017 ★

■ | 6500 | | 5 à 8 €

Ancienne propriété de l'évêché d'Orange, cette imposante bastide des XVIIe et XVIIIe s. vendue comme bien national en 1791 commande un vaste vignoble (100 ha). Elle est depuis janvier 2019 dans le giron de la famille Aubert.

Une robe intense, un nez généreux, fruité et épicé, une agréable souplesse de bouche, des tanins déjà civilisés, une longueur honorable: tout est de bon ton dans ce vin tendre, charmeur et ouvert. ⌛ 2019-2022

EARL CH. LA COURANÇONNE, 3618, rte de Cairanne, 84150 Violès, tél. 04 90 70 92 16, info@lacouranconne.com V *t.l.j. sf sam. dim. 9h-12h30 14h-17h30*

B DOM. DE CRÈVE CŒUR Séguret 2017 ★

■ | 4000 | | 11 à 15 €

Un jeune et petit domaine créé en 2010 par Pablo Höcht, ingénieur chimiste converti à la vigne: 5 ha de vieux ceps conduits en bio sur Séguret.

Une robe violine pour cette cuvée à dominante de grenache et de mourvèdre, au nez charmeur de fruits rouges et d'épices qui dispense ces mêmes saveurs dans une bouche ronde à l'attaque, charnue et bien structurée. Un élevage discret en barriques apporte un supplément de sucrosité sans trahir le fruit. Un rouge épanoui, moderne et séducteur. ⌛ 2019-2024

PABLO HÖCHT (DOM. DE CRÈVE CŒUR), 150, chem. Derrière-le-Château, 84110 Séguret, tél. 06 88 30 41 81, pablo-hocht@gmail.com V r.-v.

B DOM. DE LA CROIX BLANCHE Marguerite 2016 ★

■ | 2800 | | 8 à 11 €

Situé à la porte sud des Gorges de l'Ardèche, ce domaine familial d'une trentaine d'hectares est dirigé par Guillaume Archambault. On lui doit la conversion du vignoble au bio à partir de 2012. Un dizaine de cépages plantés pour autant de cuvées en Côtes du Rhône, Côtes du Rhône Villages et IGP.

Une Marguerite (aïeule de la génération actuelle) qui fleure bon le cassis et les fruits rouges bien mûrs. Intense, la bouche déploie une texture riche et capiteuse soutenue par des tanins affinés. Élégance et équilibre au menu de ce rouge déjà charmeur. ⌛ 2019-2022

EARL ARCHAMBAULT, chem. Neuf, 07700 Saint-Martin-d'Ardèche, tél. 04 75 04 65 07, contact@domainedelacroixblanche.fr V *t.l.j. sf dim. 9h-12h 15h-18h; f. janv.*

DOM. DE DIONYSOS Visan 2016 ★

■ | 3600 | | 8 à 11 €

C'est en 1720 que la famille Farjon s'installe sur les terres d'Uchaux, fuyant alors Marseille et la peste qui y sévit. Depuis, sept générations y ont cultivé la vigne. Benjamin Farjon a pris les rênes du domaine en 2011, associé à son beau-frère Michel Berger. Ensemble, ils exploitent en biodynamie un vignoble de 61 ha.

Un nez expressif entre fruits rouges et épices douces, une bouche gourmande, ronde, dotée de tanins souples qui délivre des saveurs séduisantes fruitées et épicées: un rouge joliment travaillé, suave, tendre et moderne. ⌛ 2019-2022

EARL DIONYSOS, 55, imp. de la Cave, Les Farjon, 84100 Uchaux, tél. 04 90 40 60 33, contact@domainededionysos.com V *t.l.j. sf dim. 9h-12h 14h-18h*

ROMAIN DUVERNAY Séguret 2018

■ | 60000 | | 5 à 8 €

Issu d'une lignée de négociants en vins – son arrière-grand-père Louis fonda en 1904 un commerce de vin en Haute-Savoie –, l'œnologue de renom Romain Duvernay a créé en 1998, avec son père Roland, une maison de négoce basée à Châteauneuf-du-Pape qui

RHÔNE

propose des vins de toute la Vallée et qui, depuis 2016, appartient à Newrhône Millésimes, propriété de Jean-Marc Pottiez. Romain Duvernay continue d'élaborer les vins.

80 % de grenache composent ce rouge élégant au nez réservé, entre fruits noirs et épices, mais qui brille en bouche par son équilibre: matière ample, fraîcheur préservée, tanins fins, bonne longueur sur le fruit et les épices. Habilement vinifié dans un style délicat, gourmand, à boire sur sa jeunesse. ⧗ 2019-2022

NEWRHÔNE MILLÉSIMES, ZA la Grange-Blanche, 225, rue Marcel-Valérian, 84350 Courthézon, tél. 04 90 60 20 00, newrhone@newrhone.eu

Ⓑ DOM. DES FAVARDS Plan de Dieu 2016

■ | 10 000 | | 8 à 11 €

Casimir Barbaud plante en 1922 les premières vignes d'un domaine alors encore tourné vers l'élevage des vers à soie. Son petit-fils Jean-Paul, arrivé en 1976, débute la commercialisation en bouteille et donne au domaine le surnom attribué à son grand-père: «favard», ou chanceux, celui qui a toujours la fève dans la galette des rois... En 2010, sa fille Céline, ingénieur en chimie du végétal, a abandonné son métier pour conduire les 25 ha de vignes familiales. En bio certifié depuis 2015.

Une robe concentrée pour cet assemblage de grenache et mourvèdre élevé en fûts pendant douze mois. Réservé, le nez dispense ses notes discrètes de fruit mûr, de réglisse avec des nuances de chêne. La bouche se montre fermement structurée, fraîche, avec des saveurs plus épanouies et complexes entre fruit mûr, Zan, plantes aromatiques et notes boisées marquées. Bien construite, aux tanins polis par l'élevage, elle donnera sa pleine mesure avec le temps. ⧗ 2021-2026

SCEA DU DOM. DES FAVARDS, 1349, rte d'Orange, 84150 Violès, tél. 04 90 70 94 64, domaine.des.favards@orange.fr V t.l.j. sf dim. lun. 10h-18h

Ⓑ DOM. LA FLORANE Je ne souffre plus 2018 ★★

■ | 25 000 | | 8 à 11 €

Installés en 2001 sur les terres familiales, Adrien et Françoise Fabre ont sorti le domaine de la cave coopérative pour vinifier leurs propres vins. Ils conduisent un vignoble (en bio certifié, tendance biodynamie) réparti entre les 24 ha du Dom. la Florane à Visan et les 14,5 ha du Dom. de l'Échevin à Saint-Maurice.

Syrah grenache à parité dans cette cuvée non soufrée comme son nom l'indique. Vinifiée à basse température avec une cuvaison courte, elle hume bon la violette, le cassis frais et le fruit rouge. Ample et ronde, dotée de tanins lissés, la bouche restitue ces mêmes saveurs intenses, allègres et franchement gourmandes. On frise le coup de cœur. À ouvrir sans tarder. ⧗ 2019-2022 ■ **Visan Terre pourpre 2016 ★ (11 à 15 €; 10 000 b.)** Ⓑ : changement de style avec cette seconde cuvée, essentiellement issue de vieilles vignes de grenache, née d'argiles rouges («pourpre») et d'une vinification en cuve bois tronçonique. Robe profonde, nez intense de fruit mûr, bouche puissante et charnue, tanins carrés, complexité des saveurs (fruit, réglisse, épices): vin ambitieux, déjà plaisant, mais de garde. ⧗ 2020-2026

EARL VIGNOBLES LA FLEURANE ET L'ÉCHEVIN, 199, chem. des Bourdeaux, 84820 Visan, tél. 04 90 41 90 72, contact@domainelaflorane.com V t.l.j. sf sam. dim. 8h-12h30 13h30-17h

Ⓑ DOM. FOND CROZE Cuvée Vincent de Catari 2016

■ | 26 000 | | 5 à 8 €

Un domaine fondé après la Seconde Guerre mondiale par Charles Long. Ses petits-fils, Bruno et Daniel, qui ont créé la cave en 1997, conduisent aujourd'hui un vignoble de 80 ha certifié bio. Leurs vins sont souvent en bonne place dans le Guide.

Le 2016 succède au 2015 avec les mêmes atouts: un nez très plaisant, franc, entre cassis et épices, une bouche ample, riche, dotée de tanins civilisés, longue et équilibrée. Une qualité de fruit encore une fois très convaincante pour une cuvée à boire dans ses premières années. ⧗ 2019-2022

EARL DOM. FOND CROZE, 155, rte de Cairanne, 84290 Saint-Roman-de-Malegarde, tél. 06 31 63 01 75, glong@foncroze.com V t.l.j. sf dim. 8h-12h 14h-18h

DAVID GIVAUDAN Le Loup 2018

■ | 40 000 | | 5 à 8 €

David Givaudan conduit l'unique cave particulière de la commune de Cavillargues, un domaine de 20 ha créé de toutes pièces en 2001.

Une robe pâle, un nez discret, fruité et végétal, une bouche vivace, à la matière fugace, bien équilibrée dans ce registre gouleyant. Un loup qui ne mord pas. À boire sur sa jeunesse. ⧗ 2019-2022

SCEA DOM. DE GIVAUDAN, lieu-dit Les Périgouses, 30330 Cavillargues, tél. 04 66 82 44 58, communication@davidgivaudan.com V t.l.j. 8h30-12h 14h-18h

DOM. LE GRAND DESTRÉ Plan de Dieu 2017 ★

■ | 20 000 | | 5 à 8 €

Les Grandes Serres? Une maison de négoce castelpapale fondée en 1977 à Châteauneuf-du-Pape, par Camille Serres et reprise en 2001 par Michel Picard, investisseur dans de nombreuses régions viticoles – jusqu'en Ontario. Elle propose une large gamme de vins de la vallée du Rhône méridionale (et aussi de Provence) souvent en vue dans ces pages.

Ce négociant souvent inspiré nous livre ce rouge intense, résolument sudiste, au nez juteux, entre fruits noirs et torréfaction. La bouche est au diapason: puissante, riche, chaleureuse, ferme en finale, elle restitue la maturité de fruit perçue au nez, autour de nuances très réglissées. ⧗ 2019-2024

SA LES GRANDES SERRES, 430, chem. de l'Islon-Saint-Luc, 84230 Châteauneuf-du-Pape, tél. 04 90 83 72 22, contact@grandesserres.com V t.l.j. sf dim. 10h-18h; f. de janv. à avr.

♥ B DOM. GRANDE BELLANE
Valréas 2018 ★★★

■ | 20000 | | 5 à 8 €

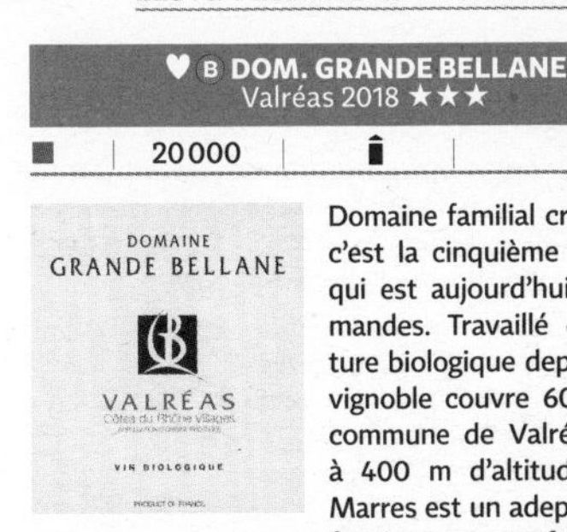

Domaine familial créé en 1919, c'est la cinquième génération qui est aujourd'hui aux commandes. Travaillé en agriculture biologique depuis 1991, le vignoble couvre 60 ha sur la commune de Valréas, perché à 400 m d'altitude. Damien Marres est un adepte des vinifications sans soufre.

Retour en fanfare dans le Guide pour ce domaine qui décroche un coup de cœur avec ce Valréas fraîchement sorti des cuves (Inox), assemblage classique de grenache et syrah. Tout y est convaincant: la robe pourpre, le nez harmonieux, bien typé, complexe (fruits mûrs, violette, réglisse et épices), la bouche voluptueuse, très en chair, puissante, aux tanins particulièrement soyeux. Une sensation de plénitude et d'harmonie qui aura emballé le jury. ⧗ 2019-2024 ■ **Valréas 2018 ★ (8 à 11 €; 10000 b.)** B : inspiration «nature» pour ce Valréas qui assemble à parts égales grenache et syrah: très parfumé (fruits noirs, épices et notes florales), dense et fermement structuré en bouche par des tanins virils, c'est puissant mais élégant. ⧗ 2020-2024

SCEA MONNIER MARRES, 1915, chem. de Visan, 26790 Tulette, tél. 04 75 98 01 82, vmarres@hotmail.com V r.-v.

LAUDUN CHUSCLAN VIGNERONS
Laudun Excellence 2018 ★★★

■ | 47000 | | 8 à 11 €

Cette coopérative, créée en 1925, est l'un des acteurs importants de la vallée du Rhône méridionale. Elle regroupe près de 250 vignerons et quelque 3 000 ha. Depuis 2012, elle propose des vins issus du bio.

Des dégustateurs conquis par ce beau blanc moderne, assemblage de quatre cépages élevé six mois en fûts neufs. Si le nez est discret et floral, la bouche déroule une jolie matière ample et généreuse, idéalement soutenue par une belle acidité. Les notes boisées accompagnent sans trahir un fruit délicat, parfumé, floral et fruité (melon) qui s'étire en longueur. ⧗ 2019-2022 ■ **Chusclan Excellence 2018 ★ (11 à 15 €; 25000 b.)** : en rouge, l'Excellence combine syrah et grenache. L'élevage en fûts marque la bouche à ce stade de notes torréfiées et cacaotées sur fond de fruits noirs. Palais intense, bien charnu, généreux en fruits noirs, en torréfaction et en épices: vin riche, bien équilibré, d'une longueur moyenne mais qui charme par son fruit et sa texture. ⧗ 2019-2024 ■ **Laudun Les Dolia 2018 ★ (8 à 11 €; 47000 b.)** : beau tir groupé pour la cave qui place une troisième cuvée, Les Dolia, plus souple que la précédente. Le jury a aimé le nez friand et la bouche fraîche et tendre, portée par une matière légère et des tanins délicatement extraits. À boire sur le fruit de jeunesse. ⧗ 2019-2022

SCA LAUDUN CHUSCLAN VIGNERONS, 201, rte d'Orsan, 30200 Chusclan, tél. 04 66 90 11 03, contact@lc-v.com V t.l.j. 9h-12h 14h-18h30

B CH. DE LIGNANE Rochegude 2016 ★

■ | 4500 | | 8 à 11 €

Situé à Suze-la-Rousse, à la limite du Vaucluse et de la Drôme, ce domaine, dans la famille Gautier depuis 1853, couvre 60 ha. Siffrein Gautier l'a repris en 2008. Son épouse Gaëlle, venue de la gestion et de la finance, s'est passionnée pour la vinification. Le vignoble est conduit en bio depuis 2009.

Mourvèdre et carignan épaulent le grenache (70 %) dans ce Rochegude délicatement vinifié, solaire mais délié, d'une fraîcheur stimulante et doté d'arômes épanouis. Bel équilibre et beaucoup de plaisir. Simplement bon. ⧗ 2019-2022

EARL DOM. DE LIGNANE, 2837, rte de Sainte-Cécile, 26790 Suze-la-Rousse, tél. 06 64 28 95 03, gaelle@lignane.com V r.-v.

DOM. LA LÔYANE 2017 ★

■ | 6000 | | 8 à 11 €

Établi au pied du sanctuaire Notre-Dame-de-Grâce, à Rochefort-du-Gard, non loin des anciens marais asséchés par les moines au Moyen Âge, ce domaine, né en 1994 de la fusion de trois petites exploitations, fait preuve d'une grande constance dans la qualité. Il est dirigé avec talent par Jean-Pierre Dubois, son épouse Dominique et leur fils Romain.

Une robe d'intensité moyenne, un nez en nuances, entre fruits rouges et notes boisées discrètes, une bouche confortable, en rondeur, d'une puissance moyenne: tout est mesuré et élégant dans ce rouge élevé en barrique qui marie harmonieusement saveurs de fruits confits et nuances de chêne. ⧗ 2019-2022

GAEC DOM. LA LÔYANE, quartier la Lôyane, 369, chem. de la Font-de-Caven, 30650 Rochefort-du-Gard, tél. 06 22 67 29 43, contact@domainelaloyane.com V t.l.j. sf lun. mar. dim. 9h-12h 14h-18h

CH. DE MALIJAY Plan de Dieu Opus de Malijay 2016 ★

■ | 7200 | | 11 à 15 €

Si le château de Malijay existe depuis le XIe s., on y exploite la vigne depuis «seulement» le XVIe s. Ses élégants bâtiments remontent pour l'essentiel au XVIIIe s. Du haut de sa tour, on peut contempler son vaste vignoble de 140 ha d'un seul tenant. En 2007, Pierre Deltin, médecin marseillais, a racheté le domaine. Le nouveau propriétaire a entrepris d'importants travaux de restructuration à la vigne et au chai.

Une cuvée née de syrah et grenache à parts égales et d'un terroir de galets roulés sur lit d'argile typique de l'appellation: une combinaison qui fait son effet au nez (fruits noirs, violette, épices) et en bouche, dans un style rond, épanoui, chaleureux, bien typé Plan de Dieu. ⧗ 2019-2022

SCEA CH. MALIJAY, 1511, chem. des Plumes, 84150 Jonquières, tél. 04 90 70 33 44, contact@chateaumalijay.com V t.l.j. sf sam. dim. 9h-12h 14h-18h

CH. DE MARJOLET
Laudun Cuvée Excellence 2017 ★★

■ | 12000 | | 8 à 11 €

Cette propriété de 75 ha, régulière en qualité, se répartit sur les deux villages gardois de Gaujac et

de Laudun. Fondateur du domaine en 1978, Bernard Pontaud a laissé les rênes de l'exploitation à son fils Laurent en 2009.

Une touche de grenache (10 %) pour épauler la syrah qui marque le nez de son empreinte par ses arômes intenses de fruits noirs et d'épices. La bouche affiche la même maturité: chaleureuse, puissante, structurée, dotée de tanins fermes à ce stade, elle s'étire en longueur sur des nuances de fruits, de café et de vanille qui nous rappellent l'élevage en barrique (dix mois). Un bel édifice pour une cuvée qui n'usurpe pas son nom. 2020-2024

EARL VIGNOBLES DE MARJOLET, allée des Platanes n°184, 30330 Gaujac, tél. 04 66 82 00 93, chateau.marjolet@gmail.com t.l.j. sf dim. 9h-12h 14h-18h

MARRENON Plan de Dieu Les Belles Échapées 2017

20000 | 8 à 11 €

Le Cellier Marrenon a été fondé en 1966 par Amédée Giniès, l'un des principaux artisans de la reconnaissance en AOC des vins du Luberon. Il regroupe neuf coopératives dans les AOC luberon et ventoux: pas moins de 1 200 adhérents et de 7 200 ha. Deux étiquettes: Marrenon et Amédée.

À un nez marqué par les fruits rouges bien mûrs et le cassis répond une bouche intense et élégante, souple, aux tanins lissés qui accentuent la sensation de rondeur de l'ensemble. Un Plan de Dieu plus élégant que puissant qui préserve une très agréable fraîcheur de fruit. 2019-2022

USCA DU LUBERON (CELLIER MARRENON), rue Amédée-Giniès, 84240 La Tour-d'Aigues, tél. 04 90 07 40 65, sabrina.fillod@marrenon.com r.-v.

DOM. MARTIN Plan de Dieu 2017

75000 | 8 à 11 €

Les frères David et Éric Martin sont installés depuis 2005 sur le domaine familial, créé en 1905 à partir de 5 ha sur le Plan de Dieu. Ils exploitent aujourd'hui 70 ha de vignes, essentiellement en gigondas et en châteauneuf-du-pape.

Toute la plénitude des vins de l'appellation dans cette cuvée classiquement dominée par le grenache: une robe carmin, un nez chaleureux confit et pâtissier, une bouche riche, voluptueuse dotée de tanins fins qui donnent ce qu'il faut de relief et de tenue à l'ensemble. Belle finale sur le fruit rouge compoté, comme il se doit à Plan de Dieu. 2019-2024

SCEA DOM. MARTIN, 439, rte de Vaison, 84850 Travaillan, tél. 04 90 37 23 20, martin@domaine-martin.com t.l.j. sf dim. 9h-12h 14h-18h

LE MAS DES FLAUZIÈRES Séguret Cuvée Julien 2016

17000 | 11 à 15 €

Jérôme Benoît a pris les rênes en 1996 de ce domaine dans sa famille depuis 1919. Commandée par un mas, autrefois propriété du Ch. d'Entrechaux, la propriété dispose d'un vignoble de 35 ha répartis sur plusieurs communes, du mont Ventoux aux Dentelles de Montmirail. Des vins réguliers en qualité.

Après une pause l'année passée, la cuvée fait son retour dans le Guide avec ce grand millésime qu'est 2016. Le long élevage en fûts (dix-huit mois) marque discrètement le nez de notes épicées et réglissées. Le corps affirmé, les tanins puissants, la structure, l'impact encore évident du chêne, tout est au diapason dans cette cuvée ambitieuse taillée pour la garde. 2020-2026

EARL LE MAS DES FLAUZIÈRES, 1131, rte de Vaison, 84340 Entrechaux, tél. 04 90 46 00 08, lemasdesflauzieres@gmail.com t.l.j. sf dim. 10h-12h 14h-18h; f. du 25 déc. au 31 janv.

CH. MAUCOIL 2018 ★★

8000 | 8 à 11 €

Un domaine aux origines anciennes – les Romains y installèrent une légion, les princes d'Orange leur archiviste –, acquis par Guy Arnaud en 1995. Sa fille Bénédicte et son mari Charles Bonnet, installés en 2009, ont engagé la conversion bio des 45 ha de vignes.

Belle unanimité du jury autour de cet assemblage grenache blanc et clairette élevé en cuve. Les dégustateurs ont apprécié le nez détendu, fruité (pamplemousse, fruit exotique) et floral, la bouche à la fois ample, enveloppée et fraîche, croquante de fruit (citron vert, touche exotique) et d'une grande clarté. 2019-2020

SCEA CH. MAUCOIL, chem. de Maucoil, 84100 Orange, tél. 04 90 34 14 86, bbonnet@maucoil.com t.l.j. sf dim. 9h-12h30 14h-16h30

DOM. DU MOULIN 2018

n.c. | 8 à 11 €

Rejoint en 2010 par son fils Charles, Denis Vinson conduit depuis 1984 un vignoble de 20 ha. Habitué du Guide (plusieurs coups de cœur à son actif), le domaine présente régulièrement de belles cuvées, en appellations régionales comme en vinsobres.

Fidèle à sa réputation, le domaine est au rendez-vous du Guide avec ce joli blanc vinifié en barriques. Le viognier (60 %) marque le nez de ses notes florales, sans exubérance, et avec une tonalité presque minérale. Sur la réserve, la bouche, bien vivace, joue la carte de la fraîcheur et soigne le fruit: notes tonifiantes d'agrumes, de poire et de fleur blanche. Un petit séjour en cave épanouira ce blanc du sud qui sait préserver la fraîcheur. 2020-2022

EARL DENIS VINSON ET FILS, Dom. du Moulin, La Maria, 26110 Vinsobres, tél. 04 75 27 65 59, denis.vinson@wanadoo.fr t.l.j. 8h-12h 13h30-19h; dim. 8h-12h

DOM. MOUN PANTAÏ Sainte-Cécile 2016 ★

8000 | 8 à 11 €

***Moun Pantaï*? «Mon rêve» en provençal, celui de Frédéric Penne qui, ayant créé sa cave de vinification en 1992 sur le domaine familial, conduit aujourd'hui 30 ha de vignes.**

Grenache, syrah et cinsault à parts égales dans ce bon rouge élevé en cuve qui respire le sud: fruits rouges et noirs bien mûrs, garrigue et épices. Des notes plus poivrées accompagnent la bouche qui brille par sa rondeur gourmande, sa souplesse et sa générosité. À boire sur sa jeunesse. ⧗ 2019-2022

SCEA MOUN PANTAÏ, 156, imp. Gaston-Quenin, 84290 Sainte-Cécile-les-Vignes, tél. 06 25 41 19 62, frederic.penne@wanadoo.fr V r.-v.

NICOLAS PÈRE ET FILS Saint-Maurice 2017 ★

■ | 50000 | | 8 à 11 €

Une jeune maison de négoce créée en 2011 par «l'artisan-négociant» François-Xavier Nicolas et dédiée aux «vins de terroir» de la vallée du Rhône méridionale.

Grenache et syrah composent ce Saint-Maurice à forte personnalité. La robe très profonde, le nez puissamment fruité, la bouche solide, corsée et structurée dessinent un rouge cossu, généreux et cohérent qui saura affronter le temps. ⧗ 2020-2024

SARL NICOLAS VINS SÉLECTIONS, 400, rue du Portugal, 84100 Orange, tél. 06 47 33 19 21

DOM. DE L'OLIVIER Les Baies de Gremoursy 2018 ★★

■ | 4000 | | 8 à 11 €

Situé tout près du pont du Gard, ce domaine autrefois complanté d'oliviers a été créé par la famille Bastide en 1943. Depuis 1977, c'est Éric qui conduit le vignoble (50 ha aujourd'hui), rejoint en 2013 par son fils Robin.

Une cofermentation de grenache, mourvèdre et syrah (d'où le nom de cuvée) à l'origine de cette cuvée qui aura convaincu le jury. Si le nez est réservé, la bouche montre la belle maturité des raisins: intensité et sucrosité à l'attaque, arômes confits de raisins secs et de poivre noir, tanins arrondis. Gourmand et voluptueux. ⧗ 2019-2024 ■ **2018 ★ (8 à 11 €; 33333 b.)** : même choix de cofermentation des cépages (grenache et syrah) dans ce vin ambitieux qui aura bénéficié d'un élevage sous bois de douze mois. Le nez encore discret livre des notes mûres de fruits rouges et noirs et de pain d'épice. Après une attaque intense, la bouche déroule une matière généreuse, gorgée d'épices, encadrée par des tanins carrés qui demandent à s'affiner. À laisser reposer en cave. ⧗ 2020-2024

EARL DOM. DE L' OLIVIER, Dom. de l'Olivier, 1, rue de la Clastre, 30210 Saint-Hilaire-d'Ozilhan, tél. 04 66 37 08 04, robin.bastide@yahoo.fr V *t.l.j. sf dim. 9h-12h 14h-19h*

B DOM. LES ONDINES Plan de Dieu Passion 2016 ★★

■ | 6000 | | 11 à 15 €

Scientifique de formation, Jérémy Onde a repris les vignes paternelles, créé sa cave et produit son propre vin à partir de 2002. Il a converti son vignoble de 57 ha à l'agriculture biologique en 2012, à partir duquel il élabore notamment des côtes-du-rhône, des *villages* et des vacqueyras.

Douze mois de foudre ont patiné cet assemblage classique de grenache et syrah. Présent au nez, le chêne se fond dans une explosion de notes florales (pivoine), fruitées (cassis) et réglissées. La bouche, plus retenue, livre une chair tendre qui se resserre en finale sous l'effet de tanins fermes et épicés. Un peu de garde assouplira ce vin charmeur et bien bâti. ⧗ 2020-2024

EARL DOM. LES ONDINES, 413, rte de la Garrigue-Sud, 84260 Sarrians, tél. 04 90 65 86 45, jeremy.ondines@wanadoo.fr V *t.l.j. sf dim. 9h-12h 13h30-17h30*

♥ ORTAS Panorama Mosaïque 2018 ★★

■ | 200000 | | 5 à 8 €

Fondée en 1925, cette coopérative qui regroupe plus de 650 ha de vignes et 80 adhérents est l'une des plus anciennes caves rhodaniennes et le principal producteur de l'AOC rasteau. Ortas est sa marque ombrelle. Elle a rejoint en 2015 le Cercle des Vignerons du Rhône, regroupant également les coopératives de Sablet (Cave le Gravillas) et de Visan (les Coteaux de Visan).

Un nez paradoxal, à la fois frais par ses notes de bourgeons de cassis et bien du sud dans ses nuances de cuir, d'épices et de fruits confits. En bouche, c'est le sud qui l'emporte: texture ronde et capiteuse, saveurs langoureuses de fruit bien mûr, tanins doux. Au final: équilibre et plaisir. ⧗ 2019-2024 ■ **Vaison la Romaine Le Cœur du Nord 2018 ★ (5 à 8 €; 30000 b.)** : de la délicatesse au nez (fruits rouges, garrigue, céréales) et du charme en bouche: une jolie cuvée, «féminine» selon le jury, tonique par son acidité, expressive et délicate par la pureté du fruit (framboise) qui se prolonge dans une finale très gourmande. Vin fin et parfumé, à boire sur sa jeunesse. ⧗ 2019-2023

ORTAS - CAVE DE RASTEAU, rte des Princes d'Orange, 84110 Rasteau, tél. 04 90 10 90 10, vignoble@rasteau.com *r.-v.*

♥ B DOM. DES PASQUIERS Plan de Dieu 2018 ★★

■ | 150000 | | 8 à 11 €

Jean-Claude et Philippe Lambert ont repris en 1998 le domaine familial, fondé en 1935 et fort d'un vignoble de 85 ha. Ils se sont lancés dans la vente en bouteilles quatre ans plus tard. La nouvelle génération est arrivée en 2013, et la conversion bio a été engagée la même année.

Un charme certain dans ce Plan de Dieu qui s'ouvre sur un nez fin et aromatique aux francs arômes de cassis. Les dégustateurs ont loué la rondeur soyeuse de la matière et les saveurs pulpeuses qui procurent une sensation singulière de plénitude et de gourmandise. ⧗ 2019-2022 ■ **Plan de Dieu Bee Famous 2018 ★ (8 à 11 €; 12000 b.)** B : deuxième cuvée et même raffinement du fruit dans cette cuvée à la robe profonde et au nez charmeur de fruits noirs. Prises dans une matière ronde et charnue, les saveurs s'affinent en bouche, autour de nuances de violette, de réglisse et de cassis. De la séduction et de l'équilibre dans ce vin soyeux et caressant. ⧗ 2019-2024

SCEA VIGNOBLES DES PASQUIERS, 10, rte d'Orange, 84110 Sablet, tél. 04 90 46 83 97, domainedespasquiers@gmail.com V t.l.j. 8h-12h 13h30-18h; sam. dim. sur r.-v. 4

♥ DOM. PÉLAQUIÉ Laudun 2018 ★★

	60000		8 à 11 €

Saint-Victor-la-Coste s'étend sous les ruines du Castellas, le château fort médiéval des seigneurs de Sabran. Depuis 1976, Luc Pélaquié y conduit ce domaine familial vaste (98 ha) et ancien (XVIIᵉs.), dont les vins (côtes-du-rhône, *villages*, lirac et tavel) sont régulièrement en vue dans le Guide.

Signature toujours très fiable, le domaine assemble six cépages dans ce blanc élevé en cuve Inox, déjà repéré l'année passée. La robe pâle et le nez délicat, frais et floral, ouvrent sur une bouche qui marie tension et volume. Les dégustateurs ont apprécié le gras de la matière affiné par une belle vivacité qui illumine et prolonge le fruit (fruits blancs). Du bel ouvrage. ⌛ 2019-2022 ■ **Laudun 2018 ★★ (5 à 8 €; 90000 b.)** : après aération, le nez monte en puissance et livre son potentiel: du fruit noir et des épices sur un fond nettement fumé. Ronde et élégante à l'attaque, la bouche déroule sa matière souple, agréable, jusqu'à une finale intensément fumée. ⌛ 2019-2022

EARL DOM. PÉLAQUIÉ, 7, rue du Vernet, 30290 Saint-Victor-la-Coste, tél. 04 66 50 06 04, contact@domaine-pelaquie.com V t.l.j. sf dim. 9h30-12h 14h-18h

DOM. DU PÈRE HUGUES
Plan de Dieu 2018 ★

	40000		5 à 8 €

L'œnologue Sylvain Jean élabore les cuvées de la maison de négoce Louis Bernard créée en 1976 à Gigondas, qui accompagne à la vigne et au chai une vingtaine de vignerons partenaires. Dans le giron du groupe Gabriel Meffre.

Assemblage GSM (grenache, syrah, mourvèdre) pour ce rouge convivial, au nez avenant entre fruits rouges et notes fumées. Souple et ronde, la bouche délivre un fruit mûr et frais, teinté d'épice et de Zan, jusqu'à une finale plus astringente qui s'attendrira avec un peu de temps en bouteille. ⌛ 2020-2023

GMDF (MAISON LOUIS BERNARD), 2, rte des Princes-d'Orange, Le Village, 84190 Gigondas, tél. 04 90 12 32 43, louis-bernard@gmdf.fr

DOM. DU PIÉ LOUBIÉ
Séguret Sagittarius 2017 ★

	5600		8 à 11 €

«Pié Loubié» signifie «Petite colline du chasseur de loup» en vieux patois provençal. Le domaine s'étend sur une dizaine d'hectares situés sur les plus hauts terroirs de Séguret, plantés de vieilles vignes (55 ans en moyenne). En culture raisonnée depuis sa reprise en 2012, le bio est désormais à l'ordre du jour.

70 % de grenache au menu de cette cuvée élevée en cuve qui séduit par son nez nuancé, entre fruits rouges, épices et touches animales. Attaque intense, structure présente mais civilisée, tanins soyeux, alcool intégré: une puissance joliment canalisée pour un vin déjà charmeur, à la fois puissant et élégant. ⌛ 2019-2024 ■ **Séguret Scorpius 2017 ★ (11 à 15 €; 4000 b.)** : une cuvée concentrée issue à 95 % du grenache, manifestement bien mûr sur la foi de ce nez solaire entre fruits rouges macérés et épices. Puissante et chaleureuse, la bouche confirme la belle maturité du raisin et offre une rondeur capiteuse et des tanins déjà adoucis. Un rouge concentré mais voluptueux, taillé pour l'automne. ⌛ 2019-2024

SCEA DOM. DU PIÉ LOUBIÉ, chem. de Mars, 84110 Séguret, tél. 06 84 54 77 41, christophe-brun@keyconsulting.fr V r.-v.

B DOM. PIQUE-BASSE Roaix L'As du Pique 2016 ★

	6500		11 à 15 €

Olivier Tropet dirige ce domaine familial d'une dizaine d'hectares situé sur la commune de Roaix, au lieu-dit «Piquebas». Cultivé en bio depuis 2009, les parcelles se répartissent sur Roaix et Rasteau. Au programme: trois couleurs et huit cuvées dont un liquoreux issu du petit manseng.

Les vieilles vignes de grenache (30 ans) forgent l'ossature de ce Roaix épanoui, complété par la syrah et une touche de mourvèdre. Le nez très mûr (fruits noirs confits) et épicé montre la belle maturité du raisin, ce que confirme la bouche qui offre une matière capiteuse, épicée et réglissée, bien épaulée par des tanins fermes. Un vin gourmand et conséquent, déjà plaisant. ⌛ 2019-2024

EARL DESPLANS, 445, rte de Buisson, 84110 Roaix, tél. 04 90 46 19 82, domaine@pique-basse.com V r.-v.

CH. LE PLAISIR Plan de Dieu 2018 ★

	20000		8 à 11 €

Cette exploitation est l'une des plus anciennes de la commune de Cairanne. Elle a été reprise en 2009 par la famille Julien qui l'a agrandie. Aujourd'hui à la tête d'un vignoble de 47 ha, elle produit des cairanne, des côtes-du-rhône, des *villages* (Plan de Dieu) et des IGP de la principauté d'Orange.

Issue de jeunes vignes (10 ans) de grenache, syrah et mourvèdre, ce Plan de Dieu s'ouvre sur une robe profonde et un nez solaire, de fruits rouges confiturés. Ronde et confortable, la bouche offre volume et souplesse. Un vin convivial et facile à aimer. ⌛ 2019-2022

SCEA DOM. LE PLAISIR, 440, rte d'Orange, 84290 Cairanne, tél. 04 90 46 84 05, domaine-le-plaisir@orange.fr V t.l.j. sf sam. dim. 9h-12h 14h-17h

MAISON PLANTEVIN Roaix 2018

	4800		5 à 8 €

BTS de «viti-œno» en poche et fort d'un stage de vinification en Nouvelle-Zélande, Laurent Plantevin a repris en 2009 le domaine familial et ses 30 ha de vignes. Certification bio acquise en 2014.

Cette cuvée de grenache et syrah, à parts égales, vinifiée en macération carbonique, présente un nez intensément fruité, entre framboise, confiserie et épices. La bouche montre une belle structure marquée par des tanins fermes mais bien intégrés dans un corps tendre. Un rouge volubile, à la finale joliment épicée. ⧗ 2019-2022 ■ **Séguret 2018 (8 à 11 €; 5000 b.)** Ⓑ : vin cité.

LAURENT PLANTEVIN, 149, chem. des Ramières, 84110 Séguret, tél. 06 30 53 17 30, laurentplantevin@hotmail.fr V t.l.j. 9h-18h ② Ⓑ

Ⓑ DOM. PHILIPPE PLANTEVIN
Visan L'Aglanié 2016 ★

■ | 5900 | | 8 à 11 €

Plantevin, un nom prédestiné pour ce vigneron à la tête depuis 1988 de ce domaine familial étendu sur 35 ha. Le vignoble, certifié bio depuis 2014, se répartit sur quatre communes, ce qui offre une jolie diversité de terroirs et d'appellations.

L'Aglanié, ou chêne en provençal, aura unanimement charmé le jury par sa plénitude: nez fruité et pâtissier, bouche charnue, suave, dotée de tanins croquants, longueur appréciable, fraîcheur préservée. Tout est de bon goût dans cette cuvée à laper sans attendre. ⧗ 2019-2022

EARL DOM. PHILIPPE PLANTEVIN, 995, chem. des Partides, 84290 Cairanne, tél. 04 90 30 71 05, philippe-plantevin@wanadoo.fr V t.l.j. 10h-12h 14h-18h

Ⓑ DOM. DE LA PRÉVOSSE Valréas 2018 ★

■ | 10000 | | 5 à 8 €

Abritée du mistral par une colline couverte de pins à laquelle est adossée la ferme provençale, cette propriété d'un âge vénérable (1584) est conduite depuis cinq générations par la famille Davin (par Henry depuis 1980, qui a converti le vignoble à l'agriculture biologique).

Un assemblage classique (grenache, syrah) pour cette cuvée colorée, au nez ouvert, chaleureux et nuancé, à l'accent floral et fruité (confiture de fruits rouges, cassis). Généreuse, la bouche séduit par sa belle structure, ses tanins serrés, sa fraîcheur bienvenue qui sert un fruit nuancé et élégant. Du charme et de l'harmonie. ⧗ 2019-2022

EARL DAVIN PÈRE ET FILS, 109, chem. de la Prévosse, 84600 Valréas, tél. 06 85 84 85 37, laprevosse@sfr.fr V r.-v.

Ⓑ DOM. LE PUY DU MAUPAS Puyméras 2017 ★

■ | 3632 | | 11 à 15 €

Agriculteur jusqu'en 1987, Christian Sauvayre s'installe en cave particulière et débute avec 20 ha de vignes à Puyméras; sa fille lui a succédé en 2019 et conduit désormais un vaste ensemble de 46 ha en bio certifié.

De la gourmandise dans ce rouge au nez franc de fruits rouges qui séduit par sa bouche allègre, souple, au fruité frais malgré l'évidente maturité du raisin. C'est charmeur, bien équilibré avec une finale persistante sur la réglisse et les épices. ⧗ 2019-2022

EARL LE PUY DU MAUPAS, 1678, rte de Nyons, 84110 Puyméras, tél. 04 90 46 47 43, domaine@puy-du-maupas.com V t.l.j. 8h-12h 14h-19h ③ Ⓔ

Ⓑ DOM. LA RÉMÉJEANNE
Les Arbousiers 2017 ★

■ | 25000 | | 8 à 11 €

Originaire d'Alsace-Lorraine et émigrée au Maghreb, la famille Klein s'est établie en 1960 à Sabran, à la tête de 5 ha de vignes. Aujourd'hui, Rémy Klein, installé en 1988 et rejoint par son fils Olivier en 2009, cultive 35 ha en bio. Une valeur sûre en côtes-du-rhône et en *villages*.

Un domaine de référence qui soigne chaque année la fraîcheur de ses rouges. C'est le cas ici avec cet assemblage syrah et grenache qui fleure bon les fruits rouges et les épices. Volume, matière, croquant du fruit, fraîcheur: la bouche est à la fois aérienne et bien méditerranéenne. ⧗ 2019-2022 ■ **Les Genévriers 2017 ★ (15 à 20 €; 6000 b.)** Ⓑ : on retrouve le bon goût du domaine dans cette seconde cuvée, élevée sous bois (demi-muids), qui fait la part belle au grenache (90 %). Aucune lourdeur dans ce nez intense qui évoque la garrigue et le fruit confit. La bouche y ajoute beaucoup d'épices, une matière intense et fraîche soutenue par des tanins fermes et croquants. Un équilibre très fringuant malgré la puissance naturelle de cette cuvée aboutie, à boire ou à garder. ⧗ 2019-2024

EARL OLIVIER ET RÉMY KLEIN, hameau de Cadignac, 30200 Sabran, tél. 04 66 89 44 51, contact@remejeanne.com V t.l.j. sf dim. 9h-12h 14h-18h Ⓔ

Ⓑ DOM. DE LA RENJARDE
Les Cassagnes de la Nerthe 2017

■ | 55000 | | 11 à 15 €

Ralph Garcin dirige tout à la fois, pour le compte de la famille Richard, le réputé Ch. la Nerthe à Châteauneuf-du-Pape et cette propriété proche d'Orange, sur le coteau sud de Sérignan-du-Comtat. Établi sur un ancien site romain, le domaine compte 47 ha de vignes cultivées en terrasses.

Les Cassagnes (forêt de chêne en occitan) est un assemblage cofermenté typiquement castel-papal (grenache, syrah, mourvèdre ou GSM). Le nez, chaud et généreux, évoque classiquement le fruit bien mûr. Chaleur, souplesse, sucrosité, tanins doux: la bouche se montre particulièrement épanouie et d'une tendresse très gourmande. ⧗ 2019-2022

SARL DOM. DE LA RENJARDE, rte d'Uchaux, 84830 Sérignan-du-Comtat, tél. 04 90 83 70 11, contact@chateaulanerthe.fr V r.-v. Ⓔ

LES VIGNERONS DE ROAIX-SÉGURET
Séguret Le Rosé 2018 ★

■ | 59000 | | 5 à 8 €

Cette cave coopérative, née en 1960 de l'union entre les vignerons de Séguret et ceux de Roaix, fédère 130 adhérents.

RHÔNE

Une dominante de cinsault et un pressurage direct ont dessiné ce rosé léger, à la robe pétale de rose et aux arômes francs de bonbon et de fruits frais. Bien équilibrée, fraîche et souple, la bouche restitue ces saveurs intenses dans un ensemble dont on retient l'équilibre et la fraîcheur préservée. ⧗ 2019-2020 ■ **Séguret Le Rouge 2018 ★ (5 à 8 €; 30000 b.)** : de l'élégance dans ce rouge franc, au nez parfumé, de fruits rouges, qui s'enrichit en bouche de notes de fruits noirs (cassis, mûre) et de réglisse. La bouche allie souplesse, tanins fins, et texture tendre pour un vin à déguster dans sa jeunesse. ⧗ 2019-2022

SCA LES VIGNERONS DE ROAIX-SÉGURET, 1865, rte de Vaison, 84110 Séguret, tél. 04 90 46 91 13, vignerons.roaix-seguret@wanadoo.fr V t.l.j. 8h-12h 14h-18h

DOM. ROC FOLASSIÈRE L'Agasse 2016

■ | 25000 | | 8 à 11 €

Cette vénérable (XIXe s.) et incontournable maison, mise sur orbite internationale par Michel Chapoutier à partir des années 1990, propose une large gamme issue de ses propres vignes (350 ha, en biodynamie) ou d'achats de raisin dans la plupart des appellations phares de la vallée du Rhône, et aussi en Roussillon et en Alsace.

Cet assemblage syrah-grenache qui a fait un bref séjour en cuve (six mois) déploie une robe profonde et un nez original, entre réglisse et plantes aromatiques sur fond de mûres. Plus souple que concentrée, la bouche charme par ses saveurs plutôt complexes et ses tanins déjà bien assouplis. ⧗ 2019-2022

SA M. CHAPOUTIER, 18, av. du Dr-Paul-Durand, 26600 Tain-l'Hermitage, tél. 04 75 08 28 65, chapoutier@chapoutier.com V r.-v.

♥ B CH. ROCHECOLOMBE
Saint-Andéol Élevé en fût de chêne 2017 ★★★

■ | 20000 | | 8 à 11 €

Ancienne propriété de l'auteur-compositeur flamand Robert Herberigs, ce domaine ardéchois de 28 ha (en bio certifié) est conduit depuis 1998 par Roland Terrasse. Il doit son nom à la pierre «blanche comme une colombe» qui compose le château, de style Directoire. Souvent en vue pour ses côtes-du-rhône et ses *villages*.

Élevé douze mois dans des fûts de 400 l, cet assemblage grenache et syrah à parité a enflammé le jury. Un nez floral et fruité (cassis) nuancé de notes vanillées, une bouche épanouie, adoucie par des tanins soyeux, des saveurs qui intègrent harmonieusement le chêne: tout est élégant et raffiné dans ce rouge complet, intense, qui fait un usage idéal du bois. Très longue finale sur les épices pour clore en beauté ce coup de cœur mérité. ⧗ 2019-2024

EARL HERBERIGS-TERRASSE, chem. de Rochecolombe, 07700 Bourg-Saint-Andéol, tél. 04 75 54 50 47, rochecolombe@aol.com V t.l.j. 9h-12h 14h-18h; dim. sur r.-v.

DOM. DE ROCHEMOND 2018 ★

■ | 40000 | 8 à 11 €

Éric Philip, installé en 1995, et son fils Sylvain exploitent, essentiellement à Sabran, un vaste vignoble de 130 ha répartis entre les domaines de Rochemond et du Grand Bécassier. Ils signent des côtes-du-rhône et des *villages* souvent en vue, et aux meilleures places, dans ces pages. Autre étiquette: le Dom. Pique Bouffigue.

À une robe soutenue répond un nez «sombre», aux nuances fruitées (fruits noirs), fumées, épicées et réglissées. Souple, la bouche reste dans la même tonalité aromatique, autour du fruit noir mâtiné de Zan et de poivre. Un rouge épicé à boire sans attendre. ⧗ 2019-2022

EARL PHILIP-LADET, 2, quartier Phililadet, 30200 Sabran, tél. 04 66 79 04 42, domaine-de-rochemond@wanadoo.fr V t.l.j..sf dim. 8h-12h 13h-17h; sam. sur r.-v.

B DOM. LA ROUBINE
Sablet La Grange des Briguières 2017 ★★

■ | 20000 | | 8 à 11 €

Éric Ughetto, installé en 1990 sur la propriété familiale, et son épouse Sophie ont quitté la coopérative en 2000 pour vinifier le fruit de leurs 16 ha de vignes conduits en bio certifié. Un domaine régulier en qualité.

Syrah, grenache et cinsault au menu de ce rouge très foncé de robe, bien ouvert au nez, entre fruits rouges et réglisse, qui développe en bouche une trame fraîche et une puissance prometteuse. Complexe mais jeune, elle mérite un peu de cave. ⧗ 2020-2024

SCEA LA ROUBINE, 613, chem. du Goujar, 84190 Gigondas, tél. 06 07 91 60 21, domaine.laroubine@laposte.net V r.-v.

DOM. SAINTE-ANNE
Notre-Dame des Cellettes 2017 ★★

■ | 14000 | | 8 à 11 €

Un ancien prieuré de la chartreuse de Valbonne acquis en 1965 et entièrement restructuré par Guy et Anne Steinmaier. Ces Bourguignons d'origine ont fait de ce domaine de 33 ha, désormais conduit par leur fils Jean, une référence incontournable, avec des vins d'une constance admirable.

Du caractère et de la puissance assumée dans cette cuvée haute en couleur au nez exubérant d'épices et de fruit mûr. Riche et concentrée, la matière est tenue en respect par des tanins à la mesure, puissants mais parfaitement enrobés. Une cuvée corsée et épicée qui n'aura pas laissé le jury indifférent. Belle garde en perspective. ⧗ 2021-2026 ■ **Saint-Gervais Les Rouvières 2016 ★★ (11 à 15 €; 5000 b.)** : un profil résolument corsé dans cette cuvée qui s'ouvre sur une robe très profonde et un nez discret aux nuances de cassis, de meringue et de vanille. La bouche livre une chair profonde, concentrée, soutenue par des tanins puissants. Solidement constitué mais équilibré, ce beau rouge à forte personnalité doit être mis en cave. ⧗ 2021-2026

EARL DOM. SAINTE-ANNE, Les Cellettes, 30200 Saint-Gervais, tél. 04 66 82 77 41, domaine.ste.anne@orange.fr V t.l.j. sf sam. dim. 9h-11h 14h-18h

DOM. SAINT-PIERRE Sablet 2018

■ | 10 000 | | 8 à 11 €

Jean-Claude Fauque a introduit la mise en bouteilles en 1972 sur ce domaine familial remontant à plusieurs générations. Ses fils, Jean-François et Philippe, ont pris la relève en 1984 et conduisent un vignoble de 55 ha.

Des reflets violacés égayent la robe sombre de ce vin au nez allègre, fruité (fruits rouges et noirs) et floral (violette). Souple et soyeuse, la bouche se montre tout aussi friande et offre des tanins fins et veloutés qui attisent encore la sensation de rondeur de ce rouge très charmeur et gourmand. 2019-2022

EARL FAUQUE, 923, rte d'Avignon, 84150 Violès, tél. 04 90 70 92 64, contact@domaine-saintpierre.fr V *t.l.j. sf dim. 8h-12h 13h30-18h30*

CH. SIGNAC Chusclan Cuvée Or 2018 ★★

■ | 8 000 | | 5 à 8 €

Établi sur la rive droite du Rhône, à quelques kilomètres de Bagnols-sur-Cèze, sous la Dent de Signac et au pied du camp de César, le château de Signac est une ancienne ferme fortifiée du XVIIIe s. Un domaine gardois de 33 ha régulièrement mentionné dans ces pages, souvent en bonne place, pour ses côtes-du-rhône-villages Chusclan. En 2015, il a été racheté par le Dom. Chanzy, implanté à Bouzeron en Bourgogne et dirigé par Jean-Baptiste Jessiaume.

On retrouve l'élégance des rouges du domaine dans ce rosé à la robe éclatante et saumonée, au nez fin et expressif, floral et fruité. La bouche associe ampleur et fraîcheur, et diffuse les mêmes qualités de fruit que l'olfaction. Un rosé complet, raffiné et friand. 2019-2020

SCA CH. SIGNAC, av. de la Roquette, 30200 Bagnols-sur-Cèze, tél. 04 66 89 58 47, info@chateau-signac.com V *t.l.j. sf dim. 9h-12h 14h-18h; sam. matin sur r.-v.* E

LES VIGNERONS DE SUZE-LA-ROUSSE Suze-la-Rousse 2018

■ | 80 000 | | 5 à 8 €

Située tout près du château de Suze-la-Rousse qui abrite l'Université du Vin, cette cave coopérative, créée en 1926, s'est lancée dans une démarche bio sur ses trois AOC: côtes-du-rhône, *villages* et grignan-lès-adhémar.

Une base de syrah, complétée par le grenache et le carignan, est à l'origine de cette cuvée qui privilégie la souplesse à la puissance. Le nez hésite entre fruits rouges, notes végétales et poivre blanc. La bouche s'organise autour de tanins fermes et d'un fruité fugace et poivré. À boire dans ses premières années. 2020-2022

EURL CAVE LA SUZIENNE, av. des Côtes-du-Rhône, 26790 Suze-la-Rousse, tél. 04 75 04 48 38, contactcaveau@lasuzienne.com V *t.l.j. 9h-12h 14h-18h*

B **TERRANEA** Valréas Lauriers du Terroir 2018

■ | 100 000 | | 5 à 8 €

Un négoce créé en 2003 par Frédéric Chaulan – rejoint en 2009 par Serge Cosialls –, qui propose une gamme complète de vins de la vallée du Rhône, du nord au sud.

En habituée du Guide, la maison a peaufiné ce joli Valréas, bien du sud, au nez complexe et intense qui associe un fruit bien mûr à un fond épicé et légèrement vanillé. La sucrosité de l'attaque signe la belle maturité du raisin. Le palais déploie ensuite une belle matière fruitée, assez fraîche, bien soutenue par des tanins déjà soyeux. Du volume et de la gourmandise dans ce rouge déjà prêt à boire. 2019-2022

SAS TERRANEA, rue des Négades, ZAC du Crépon-Sud, 84420 Piolenc, tél. 04 90 34 18 47, terranea.sarl@wanadoo.fr

B **DOM. VALAND** Plan de Dieu 2016 ★

■ | 10 000 | | 8 à 11 €

Marie-Christine Andrieu et Pascal Valadier ont quitté en 2009 la coopérative de Cairanne pour créer leur propre structure qui associe deux entités, le Dom. le Renard et le Dom. Valand. Le premier s'étend sur 25 ha en bio depuis 2018, le second sur 15 ha en agriculture biologique depuis 2010. Au programme: côtes-du-rhône, *villages*, cairanne et IGP Principauté d'Orange.

Né d'un assemblage de syrah et de grenache, ce 2016 affiche une robe sombre aux reflets violacés et offre un nez bien mûr, de fruits rouges compotés. L'attaque franche et soyeuse est relayée par un milieu de bouche consistant doté de tanins fermes puis par une finale parfumée, entre fruits rouges et notes vanillées. Un rouge moderne et séduisant. 2019-2024

EARL VALAND, 31, chem. des Muletiers, 84850 Travaillan, tél. 04 90 37 71 73, valadier17@orange.fr V *r.-v.*

VAL RHODANIA Visan Baron de Roussillac 2018 ★

■ | 50 000 | 5 à 8 €

Après dix ans dans la grande distribution et presque autant dans le négoce de vins (partie technique), Philippe Vigne, petit-fils de coopérateur, a décidé en 2011 de fonder sa propre structure, spécialisée comme son nom l'indique dans les vins de la vallée du Rhône.

Cuvée solaire, ce visan coloré et aromatique (griottes, violette) offre une bouche suave dotée de tanins souples qui tire de la syrah majoritaire des saveurs profondes, fruitées et épicées. Du charme dans ce vin qui concilie puissance et élégance. 2019-2022

SARL VAL RHODANIA, Mas de Lachaux, 44, rte d'Uchaux, 84500 Bollène, tél. 09 81 86 30 20, contact@valrhodania.fr V *t.l.j. 10h-12h30 14h30-19h*

DOM. VENTAJOL 2018 ★

■ | 15 950 | | 5 à 8 €

Le domaine existe depuis 1868 et a vu cinq générations se succéder à la tête de ce vignoble établi sur la commune de Pont-Saint-Esprit, conduit aujourd'hui par Sébastien Ventajol.

Un petit passage en carafe conseillé pour aérer le nez de ce 2018 qui livrera ensuite ses notes de framboise, de cassis et de sous-bois. On aime la souplesse conviviale de la bouche et le toucher soyeux de la texture. Un vin d'une puissance contenue et d'un équilibre sans fausse notes. 2019-2024

EARL VENTAJOL, 936, rte de Saint-Paulet-de-Caisson, 30130 Pont-Saint-Esprit, tél. 04 66 39 38 46, sebastien.ventajol@wanadoo.fr t.l.j. sf dim. 9h-12h 14h-19h

♥ B PIERRE VIDAL
Cuvée spéciale 2018 ★★

■ | 100000 | | 5 à 8 €

Pierre Vidal, installé à Châteauneuf-du-Pape avec son épouse vigneronne, a créé son négoce en 2010. Une maison déjà bien implantée grâce aux sélections parcellaires vinifiées par ce jeune œnologue formé en Bourgogne, qui s'est développée depuis 2015 vers les vins bio et les vins «vegan».

Élu vigneron de l'année du Guide 2019, Pierre Vidal est toujours en grande forme sur la foi de cette cuvée qui glane un nouveau coup de cœur. Le nez impressionne par son volume et ses nuances: baies rouges, cassis en confiture, nuances poivrées. La gourmandise perçue au nez explose en bouche: la matière riche et suave délivre ses saveurs langoureuses de fruits rouges et noirs, dans un ensemble charnu et fringuant qui «donne envie d'y revenir». Long et irrésistible, ce simple *villages* sur l'étiquette lorgne du côté des grands. ⧗ 2020-2024 ■ **Sainte-Cécile Cuvée spéciale 2018 ★★** (5 à 8 €; **50000 b.**) Ⓑ : nouveau coup d'éclat avec cette cuvée proche du coup de cœur qui déploie la plénitude de fruit habituelle des vins de ce producteur talentueux. On croque dans un fruit intensément parfumé issu du grenache à 90 %. Charnue, joliment structurée, la bouche délivre des saveurs gourmandes, longues, pâtissières et fruitées, d'une séduction évidente. Harmonieux et redoutable de gourmandise. ⧗ 2020-2024

EURL PIERRE VIDAL, 631, rte de Sorgues, 84230 Châteauneuf-du-Pape, tél. 06 88 88 07 58, contact@pierrevidal.com r.-v.

VIGNOBLES ET COMPAGNIE
Plan de Dieu Dame Guilherme 2018 ★

■ | 40000 | | 8 à 11 €

Établie à Castillon, près du pont du Gard, Vignobles et Compagnie (anciennement la Compagnie rhodanienne) est une maison de négoce créée en 1963, dans le giron du groupe Taillan. Elle propose des vins (marques ou cuvées de domaine) dans de nombreuses AOC de la vallée du Rhône, de la Provence et du Languedoc.

Un charme très sudiste dans cette cuvée à base de grenache, syrah et mourvèdre, manifestement bien mûre sur la foi de ce nez chaleureux de fruit à l'eau-de-vie. Souple, ronde, gorgée de fruits noirs et de poivre, dotée de tanins fondus, la bouche séduit par sa plénitude et sa douce chaleur. ⧗ 2019-2022

SA VIGNOBLES ET COMPAGNIE, SPECR 19, chem. Neuf, CS_80002, 30210 Castillon-du-Gard, tél. 04 66 37 49 50, nicolas.rager@vignoblescompagnie.com

LES VIGNERONS DE VILLEDIEU-BUISSON
Vaison la Romaine Les Louves 2018 ★

■ | 90000 | | 8 à 11 €

Au nord de Vaison-la-Romaine, cette coopérative fondée en 1939 regroupe 776 ha (dont 20 % en bio certifié depuis 1985), cultivés par les vignerons de Villedieu et de Buisson.

La jeune dénomination de Vaison la Romaine est dignement incarnée par ce rouge élevé en cuve qui déploie une robe soutenue et un nez prodigue en framboises, cassis et nuances vanillées. Très mûre, puissante, la bouche offre confort, chair et tenue avec une finale persistante sur le fruit mûr et la vanille. ⧗ 2019-2024 ■ **Vaison la Romaine Les Louves 2018 ★ (8 à 11 €; 50000 b.)** Ⓑ : même assemblage que la précédente mais en version bio, cette cuvée brille par sa robe sombre aux reflets bleutés et par son nez intense, frais, entre cassis et notes florales. Sur le fruit, la bouche offre gras et volume et une clarté de fruit très stimulante. Fringant et puissant, à boire ou à garder. ⧗ 2019-2024

SCA CAVE LA VIGNERONNE, 165, rte de Buisson, 84110 Villedieu, tél. 04 90 28 92 37, cavevilledieu@orange.fr t.l.j. 8h-12h 14h-18h

CAVE DE VISAN Visan Sélection 2017

■ | 80000 | | 5 à 8 €

Cette ancienne cave particulière a été convertie en 1897 en coopérative par Ferdinand Deloye. Pionnier de la viticulture visanaise, ce dernier fut le premier à commercialiser des vins sous la dénomination «côtes-du-rhône Visan». La cave a aujourd'hui créé avec la coopérative de Rasteau une union nommée Cercle des vignerons du Rhône, qui conditionne et distribue les vins des deux entités.

Fruitée et conviviale, cette jolie cuvée a pour elle des arômes plaisants, fruités et floraux, une bouche allègre, souple, des tanins croquants et une fraîcheur très digeste. Un équilibre agréable pour un vin à boire sur son fruit de jeunesse. ⧗ 2019-2020

SCA LES COTEAUX DE VISAN, chem. Peine, 84820 Visan, tél. 04 90 28 50 80, cave@coteaux-de-visan.fr t.l.j. sf dim. 9h-12h 14h-18h

➜ LA VALLÉE DU RHÔNE SEPTENTRIONALE

CÔTE-RÔTIE

Superficie : 255 ha / Production : 10 603 hl

Situé à Vienne, sur la rive droite du fleuve, c'est le plus ancien vignoble de la vallée du Rhône. Il est réparti entre les communes d'Ampuis, de Saint-Cyr-sur-Rhône et de Tupin-et-Semons. La vigne y est cultivée sur des coteaux très abrupts, presque vertigineux. On distingue la Côte blonde et la Côte brune en souvenir d'un certain seigneur de Maugiron qui aurait, par testament, partagé ses terres entre ses deux filles, l'une blonde, l'autre brune. Les vins de la Côte brune sont les plus corsés, ceux de la Côte blonde les plus fins.
Le sol est le plus schisteux de la région. Les vins sont uniquement des rouges, obtenus à partir du

Vallée du Rhône (partie septentrionale)

RHÔNE

cépage syrah, mais aussi du viognier, dans une proportion maximale de 20 %. La côte-rôtie est d'un rouge profond, et offre un bouquet délicat à dominante de framboise et d'épices, avec une touche de violette. Vin de garde d'une bonne structure tannique et très long en bouche, il a indéniablement sa place au sommet de la gamme des vins du Rhône et s'allie parfaitement aux mets convenant aux grands vins rouges.

DOM. GUY BERNARD Côte brune 2017 ★★

■ | 1500 | | 30 à 50 €

Un petit domaine dans la famille Bernard depuis plusieurs générations, qui propose des vins dans les appellations côte-rôtie et condrieu.

Un grand millésime dans le nord de la vallée du Rhône dignement illustré par cette cuvée, profonde et opaque de robe, dont le nez intense décline les fruits frais (mûre, fraise des bois), la réglisse et les nuances épicées (réglisse, cannelle) d'un élevage en barrique mesuré. La bouche déploie une matière onctueuse, ample, gorgée de cerise sauvage, de pain grillé et de notes pâtissières (sabayon, caramel), soutenue par des tanins fondants et une belle acidité. Puissant et délicat, déjà plaisant mais de belle garde, un vin complet et bien élevé. ⧗ 2022-2034

GAEC GUY BERNARD, 9, rte de Lyon, 69420 Tupin-et-Semons, tél. 04 74 59 54 04, domaineguybernard@orange.fr V r.-v.

DOM. DE BONSERINE La Sarrasine 2017 ★★★

■ | 30000 | | 30 à 50 €

En acquérant en 2006 ce domaine fondé en 1961, agrandi et modernisé dans les années 1990, Marcel Guigal a ajouté un joyau à sa couronne déjà richement décorée: un vignoble de 12 ha plantés majoritairement de « serine », variété ancienne de la syrah, qui produit du côte-rôtie et du condrieu.

Un assemblage de six terroirs dans cette cuvée exceptionnelle en 2017, et déclinée à large échelle pour l'appellation. Deux raisons donc de s'enthousiasmer pour cette syrah au nez déjà épanoui, associant les fleurs (violette, rose) et les fruits noirs à un fond finement torréfié et chocolaté. On est conquis par l'amplitude et la grâce d'une bouche ronde à souhait, intense et aérienne, ourlée de tanins fins et croquants, emplie d'un fruit suave, long et mûr. Une puissance parfaitement canalisée qui en fait un vin déjà gourmand, au potentiel évident. ⧗ 2023-2025 ■ **La Viallière 2017 ★★ (50 à 75 €; 5000 b.)** : une cuvée parcellaire dont l'intensité de robe donne le ton. Retenu mais élégant, le nez diffuse ses nuances de fruits noirs et de poivre vert sur un fond finement boisé. Douce par sa texture, dense par sa structure qui s'appuie sur des tanins de grande classe, la bouche brille aussi par la fraîcheur et la complexité de son fruit. Une harmonieux parfaite. ⧗ 2021-2031

SAS DOM. DE BONSERINE, 2, chem. de la Viallière, Verenay, 69420 Ampuis, tél. 04 74 56 14 27, bonserine@wanadoo.fr V t.l.j. sf dim. 8h30-16h30

VIGNOBLES CHIRAT La Rose brune 2017 ★

■ | 1500 | | 30 à 50 €

Les origines de ce vignoble datent de 1925, alors que l'exploitation était en polyculture. C'est en 1984 que Gilbert Chirat décide de se consacrer à la seule viticulture. Rejoint par son fils Aurélien en 2012, il gère un ensemble de 9 ha.

Intense, le nez associe fruits noirs et rouges à la vanille et aux épices d'un long séjour en foudre. Ample, bien ouverte dès l'attaque, la bouche apparaît solidement bâtie sur des tanins serrés et un boisé bien proportionné. À attendre impérativement. ⧗ 2023-2032

EARL VIGNOBLES CHIRAT, 125, rue du Piaton, 42410 Saint-Michel-sur-Rhône, tél. 04 74 56 68 92, chirat.g@free.fr V r.-v.

YVES CUILLERON Bonnivières 2016 ★

■ | 10200 | | 50 à 75 €

Une référence de la vallée nord, notamment pour ses condrieu. Établi à Chavanay, Yves Cuilleron a repris en 1987 la propriété créée en 1920 par son grand-père paternel, puis gérée par son oncle Antoine. Il a progressivement agrandi le domaine (60 ha aujourd'hui), planté à haute densité et conduit de manière très raisonnée sur la rive droite du Rhône (condrieu, côte-rôtie, saint-joseph, saint-peray et cornas) et, depuis 2012, sur la rive gauche (crozes-hermitage).

Les arômes marqués de cacao et de torréfaction témoignent de l'élevage haut de gamme (dix-huit mois de fût avec 60 % de bois neuf) de ce rouge sensuel et moderne. Juteuse et charnue à l'attaque, dotée de tanins ronds, la bouche gagne en tension et en fraîcheur et libère en finale de douces effluves de fruits mûrs, de poivre vert et de chêne. Facile d'accès mais du potentiel. ⧗ 2022-2028

SARL YVES CUILLERON, 58, RD_1086, Verlieu, 42410 Chavanay, tél. 04 74 87 02 37, cave@cuilleron.com V r.-v.

DAUVERGNE RANVIER Grand Vin 2017 ★

■ | 10000 | | 30 à 50 €

Créée en 2004 par François Dauvergne et Jean-François Ranvier, professionnels du vin qui ont décidé d'élaborer leurs propres cuvées après avoir œuvré chez les autres, cette maison de négoce s'affirme d'année en année à travers des vins de qualité issus de sélections parcellaires. En 2013, les deux compères ont repris l'exploitation du Dom. des Muretins (tavel et lirac) et ont développé en 2014 une gamme de vins bordelais en collaboration avec Patrice Hateau.

Cerise noire, cassis, figue, menthol, Zan ou poivre noir, ce 2017 ne manque pas de nez. Avec sa texture onctueuse, ses tanins fins et fermes, son élevage sur mesure, son acidité intégrée, la bouche ne déçoit pas et restitue toute la palette perçue en bouche. Grande élégance. ⧗ 2022-2028

DAUVERGNE RANVIER, Ch. Saint-Maurice, RN_580, 30290 Laudun, tél. 04 66 82 96 57, contact@dauvergne-ranvier.com

JEAN-PAUL ET LOÏC JAMET Fructus Voluptas 2017

■ | 5000 | | 30 à 50 €

Corinne et Jean-Paul Jamet sont installés depuis 1976 à Ampuis, aujourd'hui rejoints par leur fils Loïc. Très reconnus, ils sont à la tête d'un vignoble dédié aux

appellations côte-rôtie, condrieu et côtes-du-rhône, ainsi qu'aux IGP des Collines rhodaniennes.

Fin et nuancé, le nez mêle des notes de petits fruits rouges à des touches de réglisse, de badiane, de poivre et d'anis sauvage. Charmeuse, dotée de tanins soyeux et d'une belle richesse, la bouche se montre bien ouverte, déjà accessible, et met en avant ses belles notes de fruits rouges frais. Un vin souple que l'on pourra déguster sans attendre. ⧗ 2020-2025

SARL JEAN-PAUL ET LOÏC JAMET, 49600, rte de Recru, Le Vallin, 69420 Ampuis, tél. 04 74 56 12 57, domainejamet@wanadoo.fr V r.-v.

♥ LA LANDONNE 2015 ★★★

■ | n.c. | | + de 100 €

Parmi les crus d'exception de la maison Guigal, La Landonne se distingue à double titre: c'est un vrai lieu-dit cadastré, planté uniquement de syrah sur les pentes vertigineuses de la Côte blonde aux sols argilo-calcaires riches en oxyde de fer. Comme pour La Turque et La Mouline, l'élevage se prolonge quarante mois.

Certes 2015 peut faire penser au mythique 1961, quand Marcel Guigal vinifiait pour la première fois à la suite de son père, mais «la tradition, c'est nourrir les flammes, pas vénérer les cendres», philosophait Gustave Mahler... La Landonne 2015 enflammera encore longtemps le cœur (et le palais) des oenophiles qui auront la chance d'en disposer. Un monument qui s'ouvre sur des arômes complexes de fruits noirs et rouges (cassis, prune, griotte), de cuir, de cacao et de graphite. Une note de graphite qui apporte aussi beaucoup de fraîcheur à une bouche ample, massive, dense, puissante, bâtie sur des tanins au velouté extraordinaire. Et quelle finale ! Longue, intense, profonde, elle semble défier le temps... ⧗ 2025-2040

É. GUIGAL (LA LANDONNE), Ch. d'Ampuis, 69420 Ampuis, tél. 04 74 56 10 22, contact@guigal.com V r.-v.

STÉPHANE MONTEZ DU MONTEILLET
Fortis 2017 ★

■ | 15000 | | 30 à 50 €

Les origines du domaine remontent au XVIe s.; les Montez y cultivent la vigne depuis 1741. Installé en 1999 à la suite de son père Antoine, Stéphane Montez représente la neuvième génération vigneronne. Il conduit aujourd'hui un vignoble de 30 ha (cornas, côte-rôtie, condrieu, saint-joseph et IGP), établi sur les hauteurs de Chavanay à 320 m d'altitude. Une valeur sûre de la vallée septentrionale.

4 % de viognier dans cette côte-rôtie à la robe profonde dont le nez décline les fruits noirs, les épices, le végétal, le menthol et le chêne. À une attaque franche et fraîche succède un palais tendre, généreusement fruité, torréfié et chocolaté, très séduisant par sa texture douce, ses tanins fermes et sa fraîcheur dynamisante. Complet, long, gourmand et harmonieux. ⧗ 2023-2030

EARL VIGNOBLES MONTEZ, Dom. du Monteillet 7, 42410 Chavanay, tél. 04 74 87 24 57, stephanemontez@aol.com V r.-v.

LA MOULINE 2015 ★★

■ | n.c. | | + de 100 €

S'accrochant aux pentes escarpées de la Côte blonde, qui rappellent les gradins d'un amphithéâtre, La Mouline naît d'un terroir de gneiss. Parmi les «trésors» de la famille Guigal, cette côte-rôtie est celle qui possède la part la plus importante de viognier dans l'assemblage: 11 %. L'élevage y est aussi luxueux (quarante mois) que pour les autres fleurons de la maison.

D'un noir profond et dense, La Mouline 2015 affiche pour l'heure une certaine austérité due à un boisé encore très présent, mais assurément d'une grande qualité. En bouche, elle montre une grande présence tannique mais avec, comme toujours, une chair soyeuse pour l'enrober, le tout imprégné d'arômes de café et de fruits noirs mâtinés de nuances fumées. Une complexité naissante pour un grand vin en devenir. ⧗ 2025-2040

É. GUIGAL (LA MOULINE), Ch. d'Ampuis, 69420 Ampuis, tél. 04 74 56 10 22, contact@guigal.com V r.-v.

♥ DOM. PICHAT Les Grandes Places 2016 ★★

■ | 2000 | | 50 à 75 €

Après des études à Beaune, puis une expérience aux États-Unis et dans le Bordelais, sur le domaine de son épouse (Ch. Filliol), Stéphane Pichat est revenu sur ses terres donner du souffle à cette propriété ancienne, fondée par ses arrière-grands-parents. Installé en 2000, il lance la mise en bouteilles (1 000 au commencement, 15 à 20 000 aujourd'hui) et signe à partir de 5 ha en côte-rôtie et en condrieu des vins d'une qualité toujours irréprochable.

Après son coup de cœur l'année passée, Stéphane Pichat double la mise avec ce 2016 moins solaire que le 2015 mais tout aussi gracieux. Les vingt-quatre mois d'élevage n'ont pas éteint le fruit (griotte) qui se mâtine de toast, de camphre et de lard fumé dans un nez ouvert et déjà complexe. Les fruits noirs et le chocolat prennent le relais dans une bouche particulièrement intense qui aura inspiré le jury par son élégance: texture de dentelle, fraîcheur, tanins enrobés, explosivité des arômes qui persistent très longuement dans une finale épicée sur le poivre de Sichuan. De l'avenir et déjà du plaisir dans cette cuvée qui pourra être dégustée avant le 2015. ⧗ 2021-2035

SCEA DOM. PICHAT, 6, chem. de la Viallière, 69420 Ampuis, tél. 04 74 48 37 23, info@domainepichat.com V r.-v.

MAISON CHRISTOPHE PICHON Rozier 2017

■ | 3000 | | 50 à 75 €

Christophe Pichon a travaillé aux côtés de son père avant de reprendre seul, en 1991, l'exploitation établie

dans le parc du Pilat: 21 ha aujourd'hui, répartis dans les appellations condrieu – dont il est l'actuel président –, côte-rôtie, saint-joseph et cornas. Corentin, son fils, revenu sur l'exploitation après un séjour en Australie, est désormais en charge de la vinification et de l'élevage des vins.

La robe est intense et le nez charmeur, sur des notes florales, fruitées, de tabac blond et de cacao. La bouche se montre déjà bien détendue et offre un équilibre séduisant entre tanins fondus, arômes débridés et complexes de fruits noirs, de réglisse et de vanille, le tout porté par une belle fraîcheur. Tout est en place pour le futur. ⧗ 2023-2028

SARL CHRISTOPHE PICHON, 36, le Grand-Val, 42410 Chavanay, tél. 04 74 87 06 78, chrpichon@wanadoo.fr V t.l.j. sf dim. 10h-12h 14h-18h

DOM. DE PIERRE BLANCHE 2017 ★

■ | 4000 | | 30 à 50 €

Ce domaine a été créé de toutes pièces en 1989 par Michel et Xavier Mourier, qui ont défriché les terres et aménagé des terrasses avant de planter. De 1,5 ha à l'origine, le vignoble est passé à plus de 17 ha aujourd'hui, sur des coteaux exposés sud-sud-est, avec des pentes de 40 à 60 %. En complément, les Mourier pratiquent aussi une activité de négoce-éleveur.

Notes de framboise fraîche, de mûre, de violette, de camphre et de caramel, le nez ne manque pas de nuances. On les retrouve dans une bouche ample et torréfiée dont on retient la texture agréable, les tanins présents mais bien extraits et la finale fraîche qui apporte ce qu'il faut de tension. L'ensemble dessine un vin déjà fin prêt mais au potentiel certain. ⧗ 2021-2028

SAS MOURIER VINS, 53, RD_1086, 42410 Chavanay, tél. 04 74 87 04 07, contact@domainemourier.fr V t.l.j. sf dim. lun. 9h-12h 15h-18h30

DOM. DE ROSIERS Cœur de Rose 2016 ★

■ | 2400 | | 50 à 75 €

Maxime Gourdain a pris en 2013 la suite de son oncle Louis Drevon sur ce domaine de 8 ha dédié aux AOC côte-rôtie et condrieu, créé en 1976 par son grand-père André Drevon (avant cette date la récolte était vendue au négoce).

Une prise de bois manifeste dans ce beau rouge fougueux au nez puissant, lardé et fumé. Rond, velouté, le palais intègre des tanins mûrs, bien graissés, et laisse davantage s'exprimer le fruit (mûre, pêche, poivre noir) dans une finale qui brille aussi par sa fraîcheur. Beaucoup de présence, de chair et de longueur dans ce vin accompli, harmonieux et sensuel. ⧗ 2022-2030 ■ **Drevon 2016 (30 à 50 €; 15000 b.)** : vin cité.

EARL DOM. DE ROSIERS, 3, rue des Moutonnes, 69420 Ampuis, tél. 04 74 56 11 38, domainederosiers@gmail.com V r.-v.

LA TURQUE 2015 ★★★

■ | n.c. | | + de 100 €

Le fleuron des vignobles Guigal. Une parcelle impressionnante implantée dans la Côte brune, sur des sols de schistes riches en oxyde de fer. Négligée pendant des décennies, puis replantée en 1985 par Étienne Guigal, fondateur du domaine en 1946, suppléé par son fils Marcel en 1961. Des ceps de syrah associés à 7 % de viognier et un élevage luxueux de quarante mois donnent naissance à l'un des plus grands vins de la vallée du Rhône nord.

Il a tout d'un grand ce millésime 2015 de La Turque. Derrière une robe dense et profonde, se déploient des arômes de fruits noirs, d'épices et d'herbes fraîches. La bouche s'appuie sur un boisé exceptionnel de qualité, brioché, très doux, qui accompagne des tanins bien serrés mais déjà tellement soyeux... Au final, un vin corsé, puissant, aérien, délicat, d'une ampleur rare, qui tutoie la perfection. ⧗ 2025-2040

É. GUIGAL (LA TURQUE), Ch. d'Ampuis, 69420 Ampuis, tél. 04 74 56 10 22, contact@guigal.com V r.-v.

DOM. GEORGES VERNAY Maison Rouge 2016 ★

■ | 6000 | | + de 100 €

Si l'histoire débute avec Francis Vernay, c'est son fils Georges, fer de lance du renouveau de l'AOC condrieu, qui convertit la vigne familiale en trésor en créant le domaine en 1953: 1,5 ha au pied du coteau de Vernon, 18 ha aujourd'hui. Depuis 1997, sa fille Christine poursuit son œuvre, apportant sa patte aux vins rouges, tout en maintenant le condrieu comme cœur battant du domaine.

Derrière une robe profonde, un nez flagrant, aérien, qui convoque la pivoine, les fruits rouges frais et de fines notes toastées d'un élevage maîtrisé. Bouche pleine, notes croquantes de fruits des bois, tanins serrés, belle assise acide: un vin élégant, ferme à ce stade, de belle garde et bien en phase avec le millésime. ⧗ 2023-2030 ■ **Blonde du Seigneur 2016 (50 à 75 €; 20000 b.)** : vin cité.

EARL GEORGES VERNAY, 1, RN_86, 69420 Condrieu, tél. 04 74 56 81 81, contact@georges-vernay.fr V r.-v.

PIERRE VIDAL 2017 ★

■ | 25000 | | 20 à 30 €

Pierre Vidal, installé à Châteauneuf-du-Pape avec son épouse vigneronne, a créé son négoce en 2010. Une maison déjà bien implantée grâce aux sélections parcellaires vinifiées par ce jeune œnologue formé en Bourgogne, qui s'est développée depuis 2015 vers les vins bio et les vins « vegan ».

Timide au nez (fruits noirs, chêne), cette cuvée élégante prend son envol en bouche: un fruit plus expansif, entre prune, mûre et chocolat, du volume, des tanins fondus et une fraîcheur bien calibrée à l'ensemble. Un vin parfaitement équilibré et gourmand dès à présent. ⧗ 2020-2024

EURL PIERRE VIDAL, 631, rte de Sorgues, 84230 Châteauneuf-du-Pape, tél. 06 88 88 07 58, contact@pierrevidal.com r.-v.

LES VINS DE VIENNE Les Essartailles 2017 ★

■ | 11000 | | 30 à 50 €

Pour faire renaître le vignoble de Seyssuel situé en amont de Vienne, trois vignerons de renom, Yves

Cuilleron, Pierre Gaillard et François Villard, ont créé cette affaire en 1996, à l'origine de beaux vins de propriété – IGP à Seyssuel, sélections parcellaires en AOC septentrionales – et de vins de négoce de toute la vallée.

Ce vin s'habille d'une belle robe profonde aux reflets pourpre. Charmeur, le nez évoque la mûre sauvage, la mine de crayon, l'olive noire et le poivre. La bouche, harmonieuse, traversée par une belle fraîcheur, est adossée à des tanins bien en place, croquants, qui sont la promesse d'une belle évolution. ⧗ 2022-2030 ■ **Les Grandes Places 2017 ★ (50 à 75 €; 35 000 b.)** : framboise, fraise écrasée, myrtille, eucalyptus, un nez fringant et ouvert annonce une bouche souple et corpulente, qui charme par sa rondeur, ses tanins soyeux et ses saveurs fraîches qui portent la marque de l'élevage. Complet, harmonieux et de belle garde. ⧗ 2022-2030 ■ **Le Plomb 2017 ★ (30 à 50 €; 2 600 b.)** : agréable à l'œil avec sa teinte pourpre profond, ce 2017 développe un bouquet complexe qui associe les fruits (framboise, fruits noirs), le sous-bois, les épices à un fond minéral, de fusain. Tout aussi parfumée, la bouche offre une rondeur agréable soutenue par des tanins fins et fermes avant une longue finale sur la prune noire et la cerise. Du charme, de la structure et de l'avenir. ⧗ 2022-2030

SARL LES VINS DE VIENNE, 1, ZA de Jassoux, 42410 Chavanay, tél. 04 74 85 04 52, contact@lesvinsdevienne.fr V r.-v.

♥ FRANÇOIS VILLARD Le Gallet blanc 2017 ★★

■	29 000		30 à 50 €

LE GALLET BLANC

Vigneron réputé de la vallée du Rhône nord, François Villard, ancien cuisinier, s'est installé en 1989 à Saint-Michel-sur-Rhône pour créer son vignoble: 36 ha aujourd'hui dans cinq crus, complétés par une petite activité d'achat de raisin. Dans son chai cathédrale naissent de beaux vins dans les deux couleurs.

Deux étoiles et un coup de cœur de plus au palmarès de ce vigneron talentueux adepte des vinifications en grappes entières. Discret, le nez monte lentement en puissance, déployant une belle palette entre fruits (mûre, framboise, cassis), boisé discret, Zan et notes minérales. Ample, soyeuse, l'attaque ouvre sur un palais étiré, ciselé par des tanins déjà fondus et porté par la fraîcheur et la pureté de ses arômes de fruits rouges et d'épices. Une extraction tout en finesse et un juste usage de la barrique pour un rouge de grande classe, intense, allègre et déjà si gourmand. ⧗ 2022-2035

SARL FRANÇOIS VILLARD, 330, rte du Réseau-Ange, 42410 Saint-Michel-sur-Rhône, tél. 04 74 56 83 60, vinsvillard@wanadoo.fr V r.-v.

CONDRIEU

Superficie : 145 ha / Production : 5 265 hl

Le vignoble est situé à 11 km au sud de Vienne. Bien que l'aire d'appellation soit répartie sur sept communes et trois départements, sa superficie est restreinte, ce qui fait du condrieu un vin rare. D'autant plus qu'il naît exclusivement d'un cépage assez peu répandu, le viognier, qui s'exprime parfaitement sur les sols granitiques de son terroir. Le condrieu est un vin blanc riche en alcool, gras, souple, mais avec de la fraîcheur. Très parfumé, il exhale des arômes floraux – où domine la violette – et des notes d'abricot. On le servira jeune, sur toutes les préparations à base de poisson, même s'il peut vieillir cinq ans. Il existe aussi une production de vendanges tardives obtenues par tries successives (jusqu'à huit passages par récolte).

DOM. DU CHÊNE 2017 ★

□	8 600		20 à 30 €

En 1985, Marc et Dominique Rouvière ont acquis cette propriété située dans le parc régional du Pilat. Partis avec 5,5 ha en saint-joseph et en condrieu, ils exploitent aujourd'hui 26 ha, avec leurs enfants Anaïs et Julien.

Derrière sa robe jaune doré, ce 2017 dévoile des notes plus subtiles qu'exubérantes, de fleurs, de pêche banche et d'abricot avec une nuance poivrée. Douce plus que grasse, l'attaque ouvre sur un palais tendre, généreux, appuyé sur une belle fraîcheur. Un condrieu délicat et parfaitement équilibré. ⧗ 2020-2023

EARL ROUVIÈRE, 8, Le Pêcher, 42410 Chavanay, tél. 04 74 87 27 34, rouviere.marc@wanadoo.fr V r.-v.

LOUIS CHEZE Pagus Luminis 2017

□	12 000		20 à 30 €

Un domaine familial établi sur les hauteurs de Limony, repris en 1978 par Louis Cheze: 1 ha en saint-joseph à l'origine, 35 ha aujourd'hui, dans plusieurs appellations septentrionales.

Une robe dorée intense annonce un nez riche et mûr qui monte progressivement en puissance. En bouche, une texture soyeuse qui enveloppe un corps gras, riche et chaleureux, bien dans le ton du millésime, diffusant de franches flaveurs de fruit blanc et jaune, relevé en finale par une belle acidité et une pointe d'agrume. Un vin complet qui gagnera en harmonie et en expression avec un peu de cave. ⧗ 2020-2024

SARL LOUIS CHEZE, Pangon, 07340 Limony, tél. 04 75 34 02 88, contact@domainecheze.com V *t.l.j. sf dim. 8h-12h 14h-18h*

DOM. DE CORPS DE LOUP 2017

□	1444		30 à 50 €

La famille Daubrée a fait l'acquisition en 1991 de ce vieux domaine qui fut notamment la propriété de la famille Vogüé jusqu'au XVIII[e]s. Bâtiments restaurés, coteaux défrichés, vignoble replanté, les Daubrée, Lucette et Martin épaulés par leur fils aîné Tristan, n'ont pas ménagé leurs efforts pour réhabiliter l'exploitation. Le vignoble s'étend sur un peu moins de 10 ha dont neuf en AOC côte-rôtie. Quant au nom du domaine; on raconte que l'on aurait abattu ici le dernier loup de la région.

Une cuvée fermentée en cuve puis élevée neuf mois en barriques. Cela donne ce condrieu plutôt classique, au nez fin marqué par les fleurs et la vanille. Délicate au toucher, riche et puissante par sa concentration, la bouche diffuse ces mêmes notes qui portent la marque de l'élevage. Un condrieu moderne et séduisant avec un petit déficit de fraîcheur, comme d'autres en 2017, qui lui coûte l'étoile. 2020-2023

EARL DOM. DE CORPS DE LOUP, 2, rte de Lyons, 69420 Tupin-et-Semons, tél. 09 53 87 84 64, info@corpsdeloup.com V r.-v.

YVES CUILLERON Les Chaillets 2017 ★★

| 5550 | | 30 à 50 € |

Une référence de la vallée nord, notamment pour ses condrieu. Établi à Chavanay, Yves Cuilleron a repris en 1987 la propriété créée en 1920 par son grand-père paternel, puis gérée par son oncle Antoine. Il a progressivement agrandi le domaine (60 ha aujourd'hui), planté à haute densité et conduit de manière très raisonnée sur la rive droite du Rhône (condrieu, côte-rôtie, saint-joseph, saint-peray et cornas) et, depuis 2012, sur la rive gauche (crozes-hermitage).

Les Chaillets, c'est le nom local donné aux petits murets de pierre sèche qui évitent l'érosion des sols sur les pentes spectaculaires de l'appellation. Un blanc pas moins spectaculaire que ce 2017, vinifié et élevé en fût, dont le nez puissant et fin passe en revue les fleurs blanches, le fruit jaune et les notes discrètes du chêne. La bouche se montre tout aussi aromatique et enchante par sa rondeur, sa consistance, sa longueur et son équilibre à la fois gras et aérien qui fait le charme des meilleurs blancs de l'appellation. L'élevage est imperceptible. Grand vin. 2020-2024

SARL YVES CUILLERON, 58, RD_1086, Verlieu, 42410 Chavanay, tél. 04 74 87 02 37, cave@cuilleron.com V r.-v.

BENJAMIN ET DAVID DUCLAUX Les Caillets 2018

| 5000 | | 30 à 50 € |

Sur leur domaine de 6 ha, fondé par leur arrière-grand-père en 1928, les frères Duclaux ne se consacrent qu'à l'appellation côte-rôtie (deux cuvées, La Germine et Maison rouge). Depuis 2014, ils proposent aussi du condrieu. Leur vignoble est implanté au sud de l'appellation, sur un sol de gneiss, sur les coteaux pentus de Tupin et Semons.

Fraîchement tiré du fût, ce 2018 n'a pas manqué de soleil: fruit jaune cuit, pomme au four, caramel, avec les notes florales du viognier. Riche, opulente même, la bouche regorge de ces mêmes flaveurs qui emplissent généreusement le palais. Un condrieu solaire auquel il n'a manqué qu'un soupçon de fraîcheur en plus pour décrocher l'étoile. 2020-2023

GAEC DUCLAUX, 34, rte de Lyon, 69420 Tupin-et-Semons, tél. 04 74 59 56 30, contact@coterotie-duclaux.com V r.-v.

GILLES FLACHER Les Rouelles 2017 ★

| 4000 | | 30 à 50 € |

Un domaine fondé en 1806, repris en 1991 par Gilles Flacher qui a depuis porté sa superficie de 1,5 ha à 8 ha de vignes plantées en coteau, en saint-joseph et en condrieu.

Fruit blanc, fleurs blanches, toast et brioche, le nez devrait plaire aux amateurs de viognier élevé en fût (dix mois). En bouche, une lente montée en puissance des arômes, du volume et de la richesse bien sûr, une pointe de chaleur même, nous sommes en 2017, mais l'ensemble est porté par une fraîcheur préservée qui laisse le souvenir d'un blanc solaire et parfaitement harmonieux. 2020-2024

EARL FLACHER, 971, rue Principale, 07340 Charnas, tél. 06 07 64 06 00, secretariat-flacher@orange.fr V r.-v.

♥ **STÉPHANE MONTEZ DU MONTEILLET**
Chanson 2017 ★★

| 10000 | | 30 à 50 € |

Les origines du domaine remontent au XVIᵉs.; les Montez y cultivent la vigne depuis 1741. Installé en 1999 à la suite de son père Antoine, Stéphane Montez représente la neuvième génération vigneronne. Il conduit aujourd'hui un vignoble de 30 ha (cornas, côte-rôtie, condrieu, saint-joseph et IGP), établi sur les hauteurs de Chavanay à 320 m d'altitude. Une valeur sûre de la vallée septentrionale.

Du nom d'une parcelle située au cœur de l'appellation, abrupte et granitique, ce condrieu aura charmé le jury. Au nez, le jasmin et l'abricot donnent le tempo, avec des nuances toastées et beurrées en contrepoint. Fruits secs, agrumes, miel, poivre, les notes vont crescendo dans une bouche harmonieuse qui offre tout ce que l'on attend des meilleurs condrieu: de la chair, de l'amplitude, de la richesse, le tout rythmé par une belle fraîcheur et conclu par cette salinité propre à l'appellation qui laisse le souvenir d'un vin à la fois puissant et subtil, gras et aérien. Aucun bémol pour cette chanson qui tient plus du concerto. 2020-2026

EARL VIGNOBLES MONTEZ, Dom. du Monteillet 7, 42410 Chavanay, tél. 04 74 87 24 57, stephanemontez@aol.com V r.-v.

DOM. MOUTON Côte-Châtillon 2017 ★

| 3500 | | 30 à 50 € |

Issu d'une ancienne famille de vignerons, Jean-Claude Mouton a rejoint son père André en 1989 sur l'exploitation familiale. Aujourd'hui, c'est lui qui dirige ce petit domaine de 8 ha, dont les terrasses exposées plein sud sont au cœur du village de Condrieu.

La robe pâle à reflets verts tranche avec la puissance et la richesse du nez, centré sur les fleurs blanches. Dans la continuité, la bouche livre une matière ronde et grasse, chaleureuse, avec une richesse d'arômes (abricot, fleurs blanches) qui va crescendo, relayée en finale par un boisé encore en évidence. Un condrieu solaire, ample et généreux, qui profitera d'un bref séjour en cave. 2021-2024

EARL MOUTON PÈRE ET FILS, 23, montée du Rozay, 69420 Condrieu, tél. 04 74 87 82 36, contact@domaine-mouton.com V r.-v.

ANDRÉ PERRET Clos Chanson 2017 ★

| 2000 | | 30 à 50 € |

André Perret, alors biologiste, succède à son père en 1985 à la tête d'une petite vigne de 1,5 ha au lieu-dit

Verlieu, à l'époque où Georges Vernay et quelques autres font renaître le condrieu. Il l'agrandit au fil des ans par achats, locations et plantations – 13 ha de coteaux abrupts en terrasses aujourd'hui – et s'impose comme l'un des grands élaborateurs de vins blancs rhodaniens.

Un clos, ceint de murs donc, sur le lieu-dit Chanson, a donné ce viognier épanoui, au nez complexe entre aubépine, épices et caramel, agrémenté d'une touche d'agrume. Au palais, on découvre un condrieu gras à souhait, sensuel, qui libère ses belles et franches flaveurs florales et fruitées, avec chaleur, comme le veut le millésime, et longueur. ⧗ 2020-2023

SAS ANDRÉ PERRET, 17, RD_1086, Verlieu, 42410 Chavanay, tél. 04 74 87 24 74, cotnact@andreperret.com V r.-v.

DOM. VALLET Rouelle-Midi 2017

	5000		20 à 30 €

Ce domaine familial établi dans le village médiéval de Serrières a quitté la cave coopérative en 1990 pour vendre son vin en bouteille. Installé en 1998, Anthony Vallet a fait passer sa superficie de 2,9 ha à 13 ha aujourd'hui, en AOC saint-joseph et en condrieu.

Une cuvée parcellaire issue du lieu-dit Rouelle-Midi sur la commune de Limony élevée en cuve et fût. Un nez retenu pour l'heure, centré sur l'abricot, ouvre sur une bouche ronde, souple, délicatement vanillée qui séduit par son équilibre sans lourdeur et sa franche gourmandise. À ouvrir sans attendre. ⧗ 2019-2022

EARL LES COTEAUX DE SERRIÈRES, 694, La Croisette, RD_86, 07340 Serrières, tél. 04 75 34 04 64, domaine.vallet@orange.fr V t.l.j. sf mer. ven. sam. dim. 8h-12h 12h30-16h30

DOM. GEORGES VERNAY Coteau de Vernon 2017

	6000		+ de 100 €

Si l'histoire débute avec Francis Vernay, c'est son fils Georges, fer de lance du renouveau de l'AOC condrieu, qui convertit la vigne familiale en trésor en créant le domaine en 1953: 1,5 ha au pied du coteau de Vernon, 18 ha aujourd'hui. Depuis 1997, sa fille Christine poursuit son œuvre, apportant sa patte aux vins rouges, tout en maintenant le condrieu comme cœur battant du domaine.

Cette parcelle de 2,5 ha, plantée de vieilles vignes (80 ans), constitue le cœur de l'appellation et celui du domaine, l'un des plus emblématiques de Condrieu. Le nez, sur la réserve, délivre de fines notes d'abricot et de fruits à chair blanche. La même sensation de puissance contenue se manifeste dans une bouche délicate, ronde, à la fois grasse et fraîche, jamais pesante, harmonieuse et d'une longueur qui ne trompe pas. À oublier en cave. ⧗ 2021-2026

EARL GEORGES VERNAY, 1, RN_86, 69420 Condrieu, tél. 04 74 56 81 81, contact@georges-vernay.fr V r.-v.

LES VINS DE VIENNE La Chambée 2017 ★★

	8600		30 à 50 €

Pour faire renaître le vignoble de Seyssuel situé en amont de Vienne, trois vignerons de renom, Yves Cuilleron, Pierre Gaillard et François Villard, ont créé cette affaire en 1996, à l'origine de beaux vins de propriété – IGP à Seyssuel, sélections parcellaires en AOC septentrionales – et de vins de négoce de toute la vallée.

Un viognier sur granite, fermenté en levures indigènes, élevé neuf mois en fût, vinifié par trois grands noms de la vallée du Rhône nord, cela donne ce magnifique condrieu pas loin du coup de cœur. Ce qui a plu? Le nez, complexe, différent par ses nuances minérales et végétales sur fond de fruit blanc et de fruit sec; sa bouche ample, bien charnue, mais énergique grâce à sa jolie tension préservée; la finale longue et gourmande sur la brioche et les fleurs blanches. Le jury a beaucoup apprécié. On peut l'ouvrir avec bonheur ou le laisser en cave. ⧗ 2020-2025

SARL LES VINS DE VIENNE, 1, ZA de Jassoux, 42410 Chavanay, tél. 04 74 85 04 52, contact@lesvinsdevienne.fr V r.-v.

FRANÇOIS VILLARD Les Terrasses du Palat 2017 ★

	16000		30 à 50 €

Vigneron réputé de la vallée du Rhône nord, François Villard, ancien cuisinier, s'est installé en 1989 à Saint-Michel-sur-Rhône pour créer son vignoble: 36 ha aujourd'hui dans cinq crus, complétés par une petite activité d'achat de raisin. Dans son chai cathédrale naissent de beaux vins dans les deux couleurs.

Une robe claire aux reflets citron habille ce condrieu qui ne se départit pas de son élégance habituelle. Le nez, subtil et complexe, associe la violette et les agrumes à un fond vanillé et minéral. Le palais déploie une chair veloutée, imprégnée de fleurs blanches, de poivre, de pain grillé et de brioche qui s'étirent très longuement en longueur. La finale est ponctuée par des amers délicats qui donnent ce qu'il faut de relief. Très joli vin qui profitera d'un petit séjour en cave pour digérer un peu plus son élevage. ⧗ 2021-2027

SARL FRANÇOIS VILLARD, 330, rte du Réseau-Ange, 42410 Saint-Michel-sur-Rhône, tél. 04 74 56 83 60, vinsvillard@wanadoo.fr V r.-v.

SAINT-JOSEPH

Superficie : 1 160 ha
Production : 42 110 hl (92 % rouge)

Sur la rive droite du Rhône, l'appellation saint-joseph s'étend sur 26 communes de l'Ardèche et de la Loire. Ses coteaux en pente escarpée offrent de belles vues sur les Alpes, le mont Pilat et les gorges du Doux. Les vignes croissent sur des sols granitiques. La syrah engendre des vins rouges élégants, relativement légers et tendres, aux arômes subtils de framboise, de poivre et de cassis, qui se révéleront sur les volailles grillées ou sur certains fromages. Les cépages roussanne et marsanne donnent des vins blancs gras, aux parfums délicats de fleurs, de fruits et de miel. Ils rappellent les hermitage mais sont à servir assez jeunes.

LOUIS CHEZE Ro-Rée 2017 ★★

	25000		20 à 30 €

Un domaine familial établi sur les hauteurs de Limony, repris en 1978 par Louis Cheze: 1 ha en saint-joseph

à l'origine, 35 ha aujourd'hui, dans plusieurs appellations septentrionales.

Bien connu des lecteurs, le domaine nous régale avec sa cuvée Ro-Réé (qui signifie «rouvre» en patois ardéchois), un assemblage de marsanne et de roussanne élevé neuf mois en fût. Avec ses notes d'abricot, de pêche, de mangue et de vanille, le nez ne manque pas de séduction. Le fruit rebondit dans une bouche à la fois ronde et fraîche, d'un équilibre et d'une harmonie à peu près idéal. Tonique, parfumé, très gourmand, à ouvrir sans attendre. ⧗ 2019-2021 ■ **Anges 2016 (30 à 50 €; 9000 b.)** : vin cité.

SARL LOUIS CHEZE, Pangon, 07340 Limony, tél. 04 75 34 02 88, contact@domainecheze.com V t.l.j. sf dim. 8h-12h 14h-18h

VIGNOBLES CHIRAT Les Côtes 2017 ★★★

■ | 4000 | | 15 à 20 €

Les origines de ce vignoble datent de 1925, alors que l'exploitation était en polyculture. C'est en 1984 que Gilbert Chirat décide de se consacrer à la seule viticulture. Rejoint par son fils Aurélien en 2012, il gère un ensemble de 9 ha.

La roussanne en vedette devant la marsanne dans ce blanc somptueux, vinifié et élevé en barrique. Au nez, le chêne s'intègre harmonieusement mêlant ses nuances de pain grillé et de vanille à un fond centré sur les fleurs blanches. La bouche enchante par son grain délicat, son compromis réjouissant entre richesse et fraîcheur et par sa très longue finale qui invite le fenouil, la réglisse et le menthol. Élégant, complexe, fin, c'est un grand blanc de table qui saura vieillir. ⧗ 2021-2027

EARL VIGNOBLES CHIRAT, 125, rue du Piaton, 42410 Saint-Michel-sur-Rhône, tél. 04 74 56 68 92, chirat.g@free.fr V r.-v.

♥ DOM. COURBIS La Cotte Sud 2017 ★★

■ | 3000 | | 30 à 50 €

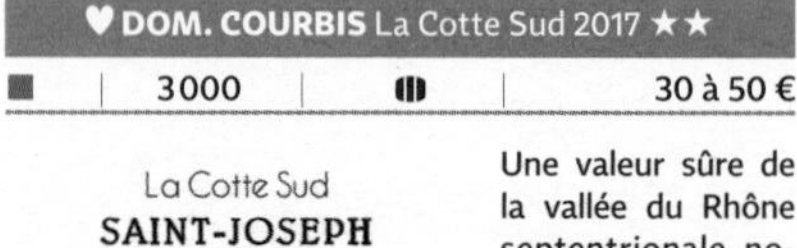

Une valeur sûre de la vallée du Rhône septentrionale, notamment dans les AOC cornas et saint-joseph. Dominique et Laurent Courbis conduisent depuis la fin des années 1980, à la suite de leur père, un domaine de 35 ha dont les origines remontent au XVIIe s. L'essentiel des vignes est perché sur des coteaux très abrupts à plus de 250 m d'altitude.

Après La Sarabotte l'année dernière, c'est au tour de La Cotte Sud de décrocher le Graal, à l'unanimité du jury. Un grand vin donc que cette syrah au nez très intense, mûr, frais, épicé et généreusement boisé. Le chêne imprime son empreinte en bouche mais tout est au diapason: la matière, les arômes solaires, riches et complexes, les tanins puissants mais enrobés, la finale très longue. Un vin impressionnant, à la puissance assumée, qui donnera de belles émotions. ⧗ 2022-2032 ■ **2017 ★ (15 à 20 €; 50000 b.)** : quatorze mois de fût pour cette syrah qui diffuse, au nez comme en bouche, ses belles épices sur fond de fruit mûr. Riche et harmonieuse, la bouche s'appuie sur des tanins parfaitement enrobés par un élevage perceptible qui accompagne et enrichit le fruit de nuances complexes. Un vin déjà ouvert, moderne mais bien typé. ⧗ 2020-2027 ■ **Les Royes 2017 ★ (20 à 30 €; n.c.)** : une étoile de plus pour les frères Courbis avec ces Royes qui donnent le ton du style de la maison: des raisins vendangés à bonne maturité et un élevage appuyé. La bouche possède tout ce qu'il faut pour l'avenir: de la rondeur, des tanins enrobés, une fraîcheur sous-jacente, des arômes persistants, épicés et torréfiés. Tout est ici aussi parfaitement harmonieux. À laisser en cave. ⧗ 2022-2030

EARL DOM. COURBIS, rte de Saint-Romain, 07130 Châteaubourg, tél. 04 75 81 81 60, contact@domaine-courbis.fr V t.l.j. sf dim. 9h-12h 14h-17h30; sam. sur r.-v.

PIERRE ET JÉRÔME COURSODON L'Olivaie 2017 ★★

■ | 8000 | | 30 à 50 €

Établis depuis quatre générations à Mauves, berceau de l'appellation saint-joseph, Pierre Coursodon, le père, et Jérôme, le fils, installé en 1999, sont à la tête de 16 ha de vignes dédiés au seul saint-joseph, essentiellement dans sa version rouge. Depuis longtemps, les vins de ce domaine entrent dans les sélections du Guide: d'une constance rare, ils sont abonnés aux étoiles et aux coups de cœur.

Les années se suivent et se ressemblent pour cette cuvée, déjà doublement étoilée l'année passée. On retrouve ce qui fait son charme: de l'intensité et de l'élégance. Au nez, cela donne un bouquet flagrant de violette, de mûre, de fruits rouges agrémenté d'une touche discrètement boisée. Ample, riche et très fraîche, appuyée sur des tanins particulièrement charmeurs, la bouche restitue avec éclat toute la palette perçue au nez. Juteux, généreux, dynamique, un grand séducteur. ⧗ 2021-2027 ■ **Le Paradis Saint-Pierre 2017 ★★ (30 à 50 €; 3000 b.)** : la marsanne est presque en solo (90 %) dans ce blanc élevé en fût, au nez d'acacia et de vanille. Puissante, charnue, chaleureuse mais sans mollesse, la bouche est taillée pour la garde. Belle longueur. ⧗ 2021-2026

EARL PIERRE COURSODON, 3, pl. du Marché, 07300 Mauves, tél. 04 75 08 18 29, pierre.coursodon@wanadoo.fr V r.-v.

DAUVERGNE RANVIER Les Racines du ciel Sélections parcellaires 2017 ★

■ | 5000 | | 20 à 30 €

Créée en 2004 par François Dauvergne et Jean-François Ranvier, professionnels du vin qui ont décidé d'élaborer leurs propres cuvées après avoir œuvré chez les autres, cette maison de négoce s'affirme d'année en année à travers des vins de qualité issus de sélections parcellaires. En 2013, les deux compères ont repris l'exploitation du Dom. des Muretins (tavel et lirac) et ont développé en 2014 une gamme de vins bordelais en collaboration avec Patrice Hateau.

Après seize mois d'élevage, ce 2017 s'ouvre sur de belles notes de fruits rouges surmûris, de garrigue et de muscade. Une maturité de fruit que l'on retrouve dans une bouche ample, arrondie par un fruit très confit et chaleureux, tapissée de tanins gras. Un rouge solaire, consistant et généreux. ⧗ 2021-2028 ■ **Vin rare 2017 (15 à 20 €; 12000 b.)** : vin cité.

DAUVERGNE RANVIER, Ch. Saint-Maurice, RN_580, 30290 Laudun, tél. 04 66 82 96 57, contact@dauvergne-ranvier.com

DELAS FRÈRES Les Challeys 2017 ★

■	n.c.		15 à 20 €

Maison fondée en 1835, propriété depuis 1977 du Champagne Deutz (groupe Roederer). Sous la direction de Fabrice Rosset et de son directeur technique Jacques Grange, elle dispose de 30 ha en propre dans les AOC septentrionales, complétés par des achats de raisin, la gamme méridionale provenant de la partie négociant-éleveur.

Un rouge brillant habille cette bouteille séduisante à l'œil, intense et fruitée (fraise, framboise, cassis) au nez, souple et gourmande en bouche. Un saint-joseph délié et «enchanteur». ⧗ 2020-2023

SA CHAMPAGNE DEUTZ (TAIN-L'HERMITAGE), 40, av. Jules-Nadi, 26600 Tain-l'Hermitage, contact@delas.com V r.-v.

GUY FARGE Vania 2017 ★

■	9000		15 à 20 €

En 2007, Guy Farge a sorti de la cave coopérative de Tain l'Hermitage – dont il fut l'administrateur – ce domaine de 21 ha acheté par son arrière-grand-père à un général normand.

Un assemblage classique (80 % de marsanne, 20 % de roussanne) et un élevage mi-cuve mi-fût pour ce blanc éclatant au nez, «explosif» même, qui livre ses belles notes de miel, d'abricot et de pêche jaune. Ronde à souhait, dotée d'une petite sucrosité, mais sans excès de richesse, la bouche enchante et laisse une belle sensation d'harmonie et de plénitude. ⧗ 2020-2023

SCEA GUY ET THOMAS FARGE, 18, chem. de la Roue, 07300 Saint-Jean-de-Muzols, tél. 04 75 06 58 49, guyfarge@orange.fr V r.-v.

DOM. FARJON 2017 ★

■	7000		11 à 15 €

Malleval, village médiéval du Parc naturel régional du Pilat, se consacre à la viticulture. Thierry Farjon, après quatre ans passés derrière le piano d'un restaurant, y a créé son domaine en 1991, autour d'une ancienne ferme en pierre.

Roussanne et marsanne, à parité, s'entendent à merveille dans ce 2017 qui brille par ses reflets dorés et séduit par son nez, qui livre après aération des senteurs d'agrume et de fruit jaune. Tout aussi plaisante, centrée sur la pêche blanche et les fruits secs, la bouche offre une matière ample et consistante ponctuée par une petite amertume stimulante et saline en finale. Beau blanc de table, harmonieux et complexe. ⧗ 2020-2023

EARL DOM. FARJON, 74, chem. de la Syrah, Morzelas, 42520 Malleval, tél. 04 74 87 16 84, domaine.farjon@orange.fr V r.-v.

PIERRE FINON Quatuor 2017 ★★★

■	5000		15 à 20 €

Pierre Finon est installé depuis 1983 sur le domaine familial établi à Charnas. Dédiée à la polyculture, l'exploitation a été progressivement orientée vers la vigne, qui couvre aujourd'hui 9 ha.

Marsanne et roussanne à égalité dans ce blanc accompli, vinifié et élevé en fût, sur lies et avec bâtonnages réguliers. Des choix qui ont porté leurs fruits. Le chêne ne fait qu'apporter un surcroît de complexité à un nez miellé et floral. Douce, suave, avec ce qu'il faut de fraîcheur en soutien, la bouche est un modèle d'équilibre et diffuse avec éclat les parfums perçus au nez. La petite amertume finale typique de la marsanne ajoute un peu de relief à l'ensemble. Un jury comblé. ⧗ 2020-2024

PIERRE FINON, 20, imp. des Vieux-Murs, Picardel, 07340 Charnas, tél. 04 75 34 08 75, domaine.finon@gmail.com V r.-v.

♥ **GILLES FLACHER** Les Reines 2017 ★★

■	12000		15 à 20 €

Un domaine fondé en 1806, repris en 1991 par Gilles Flacher qui a depuis porté sa superficie de 1,5 ha à 8 ha de vignes plantées en coteau, en saint-joseph et en condrieu.

Troisième coup de cœur en trois ans pour Gilles Flacher et le deuxième pour cette cuvée issue du terroir des Reines. Au nez, des fruits rouges bien mûrs (fraise) à foison, saupoudrés de cannelle et muscade. La bouche confirme les belles dispositions du nez: rondeur, toucher caressant, tanins soyeux, longue persistance du fruit qui s'entiche de notes boisées en finale. Un vin d'une élégance absolue qui aura charmé le jury. ⧗ 2020-2025 ■ **Terra Louis 2017 ★ (20 à 30 €; 6000 b.)** : un vin parfumé, nuancé, entre fruits mûrs, fruits frais, violette et notes boisées. En bouche, il se révèle ample, frais, intense, épaulé par un boisé fin qui arrondit et patine joliment des tanins fins. Un potentiel de garde certain. ⧗ 2022-2028 ■ **Cuvée Loess 2017 ★ (20 à 30 €; 2000 b.)** : marsanne et roussanne issues de sols de loess et élevées en fût au programme de ce blanc qui séduit par son nez fin, floral et grillé. La bouche affiche une matière ample et charnue qui diffuse ses saveurs généreuses de fruits secs et de torréfaction issues du chêne. Un peu de garde devrait les fondre davantage. ⧗ 2021-2024

EARL FLACHER, 971, rue Principale, 07340 Charnas, tél. 06 07 64 06 00, secretariat-flacher@orange.fr V r.-v.

ROLAND GRANGIER Côtes Granits 2017

■	9000		11 à 15 €

Issu d'une famille d'agriculteurs, Roland Grangier a fondé ce domaine en 2002. Il exploite aujourd'hui, avec son épouse Céline, un vignoble de 10 ha sur deux appellations, saint-joseph et condrieu.

Le nez compoté et chaleureux est encore sur la réserve. La bouche demandera aussi un peu de patience mais la maturité du fruit et la structure ferme sont de bon augure pour la suite. À laisser en cave une paire d'années. ⧗ 2021-2024

SASU ROLAND GRANGIER, 13, Chantelouve, 42410 Chavanay, tél. 04 74 56 20 14, rolandgrangier@orange.fr V r.-v.

♥ DOM. BERNARD GRIPA 2017 ★★

■ | 13000 | 🍷 | 20 à 30 €

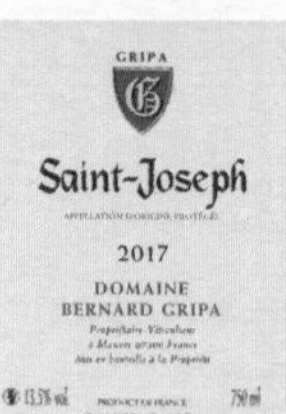

La famille Gripa arrive à Saint-Péray au XVIIᵉs., puis s'établit à Mauves vers 1850. Valeur sûre de la vallée du Rhône septentrionale, tant pour ses saint-péray que pour ses saint-joseph (en témoignent les nombreux coups de cœur obtenus dans les deux appellations), le domaine est conduit depuis 2001 par Fabrice Gripa, fils de Bernard, aujourd'hui à la tête de 17 ha de vignes.

La marsanne (70 %) et la roussanne s'associent dans ce blanc parfumé, aux flagrances de fleur d'acacia et d'agrumes. Suave et dense, délicatement enrobée par un élevage en fût qui sait rester discret, la bouche délivre ces mêmes senteurs relevées par ce qu'il faut de vivacité et ponctuées par une longue finale saline. Un blanc abouti, harmonieux qui fera mouche à table. ⧗ 2019-2023 ■ **Le Berceau 2017 ★★ (30 à 50 €; 5000 b.)** : clin d'oeil à Mauves, le berceau de l'appellation, cet excellent rouge brille par sa robe cerise et son nez délicat, retenu, qui fait la part belles aux épices. Souple en attaque et dotée d'un fruit raffiné, la bouche se montre fringante, égayée par une jolie fraîcheur et structurée par de beaux tanins serrés et tapissants. De la classe, de la tenue, de la fraîcheur: un très beau vin de garde. ⧗ 2022-2030

EARL DOM. BERNARD GRIPA, 5, av. Ozier, 07300 Mauves, tél. 04 75 08 14 96, gripa@wanadoo.fr V t.l.j. sf sam. dim. 8h30-12h 14h-17h30

JEAN-FRANÇOIS JACOUTON
Pierres d'Iserand 2017 ★

■ | 4400 | 🍷 | 20 à 30 €

Initié à la vigne par son grand-père, le jeune Jean-François Jacouton s'est installé en 2010 et cultive aujourd'hui 3,5 ha de vignes en IGP Collines rhodaniennes et Ardèche et en AOC saint-joseph.

Prolixe en fruits, en notes d'épices et de boisé, ce saint-joseph affiche une belle fraîcheur dès l'attaque. Les tanins sont bien présents, mais fins et la finale se prolonge durablement sur des notes torréfiées. ⧗ 2022-2028

JEAN-FRANÇOIS JACOUTON, 16, imp. Banc, 07610 Vion, tél. 06 88 75 81 45, jean-francois.jacouton@orange.fr V r.-v.

DOM. JOLIVET L'Instinct 2017

■ | 20000 | 🍷 | 20 à 30 €

Après plusieurs années d'expérience en France et à l'étranger, Bastien Jolivet décide en 2014 de revenir sur le domaine familial (10 ha dans le cœur historique de l'appellation saint-joseph), de s'associer avec son père Alain qui vendait ses raisins et de créer ses propres cuvées.

Une robe légère, un nez discret porté sur les fruits rouges après aération, une bouche lisse et fraîche: un saint-joseph plus élégant que puissant que l'on peut ouvrir dès à présent. ⧗ 2020-2024

EARL DOM. JOLIVET, 8, rte de Lyon, 07300 Saint-Jean-de-Muzols, tél. 06 78 39 30 33, bastien@domainejolivet.fr V r.-v.

MICHELAS-SAINT-JEMMS Sainte-Épine 2017 ★

■ | 6600 | 🍷 | 20 à 30 €

Fondée en 1972 par Robert et Yvette Michelas, cette exploitation ne compte pas moins de 53 ha répartis dans quatre appellations. Les enfants – Sylvie, Corine, Florence et Sébastien – sont désormais aux commandes. Régulièrement en vue pour ses crozes et ses cornas.

D'un rouge rubis profond, cette syrah met en avant les fruits rouges sur un fond de venaison, d'âtre de cheminée et de boisé fumé. L'attaque très élégante ouvre sur un palais plutôt fin et souple, étayée en finale par des tanins un poil accrocheurs. Un bon saint-joseph «entre tradition et modernité» conclut le jury. ⧗ 2021-2024

GAEC MICHELAS, Dom. Michelas-Saint-Jemms, 557, rte de Bellevue, 26600 Mercurol-Veaunes, tél. 04 75 07 86 71, michelas.st.jemms@orange.fr V t.l.j. sf dim. 9h-12h 14h-18h

STÉPHANE MONTEZ DU MONTEILLET
Fortior 2017 ★

■ | 5000 | 🍷 | 20 à 30 €

Les origines du domaine remontent au XVIᵉs.; les Montez y cultivent la vigne depuis 1741. Installé en 1999 à la suite de son père Antoine, Stéphane Montez représente la neuvième génération vigneronne. Il conduit aujourd'hui un vignoble de 30 ha (cornas, côte-rôtie, condrieu, saint-joseph et IGP), établi sur les hauteurs de Chavanay à 320 m d'altitude. Une valeur sûre de la vallée septentrionale.

Élevée vingt-deux mois en demi-muid, cette syrah a bien profité des grâces du millésime avec son profil mûr et frais. Le nez respire le poivre et les petites baies rouges. Ample, intense, fraîche, la bouche ne manque de rien et surtout pas d'éclat ni de relief. Les tanins sont croquants, le fruit juteux, l'ensemble très charmeur. ⧗ 2021-2025 ■ **Grand-Duc du Monteillet 2017 (20 à 30 €; 22000 b.)** : vin cité.

EARL VIGNOBLES MONTEZ, Dom. du Monteillet 7, 42410 Chavanay, tél. 04 74 87 24 57, stephanemontez@aol.com V r.-v.

DIDIER MORION Les Échets 2016 ★

■ | 3000 | 🍷 | 15 à 20 €

En 1993, lorsque Didier Morion s'installa sur l'exploitation familiale, alors en polyculture, la vigne ne représentait que 2 ha. Aujourd'hui, ce sont 10 ha dédiés à la seule vigne qu'il conduit au cœur du Parc naturel régional du Pilat.

Le 2016 succède au 2015 dans le Guide avec moins de puissance mais plus de fraîcheur, conformément aux millésimes. Ce vin se pare d'une robe rubis intense et livre ses parfums fruités (cassis, groseille) et poivrés soulignés d'une touche de vanille. Tout aussi flagrant, porté par une belle acidité, le palais offre ampleur et tenue et s'appuie sur des tanins fermes, extraits avec discernement. Un vin plein d'avenir. ⧗ 2021-2024 ■ **Cranilles 2017 ★ (15 à 20 €; 2000 b.)** : le domaine signe ce joli blanc qui met classiquement à l'honneur la marsanne (85 %), élevée ici en cuve et fût. On retient la robe pâle aux reflets verts, le nez généreux (fruit de la Passion, fleurs d'amandier, vanille) et la bouche ample, riche, mielleuse, longue qui finit fraîche. «Très joli vin», signale un dégustateur. ⧗ 2020-2023

⊶ SARL DIDIER MORION,
2, Épitaillon, 42410 Chavanay, tél. 04 74 87 26 33,
contact@domainemorion.com V r.-v.

ANDRÉ PERRET 2017 ★

■	17000	⏀	15 à 20 €

André Perret, alors biologiste, succède à son père en 1985 à la tête d'une petite vigne de 1,5 ha au lieu-dit Verlieu, à l'époque où Georges Vernay et quelques autres font renaître le condrieu. Il l'agrandit au fil des ans par achats, locations et plantations – 13 ha de coteaux abrupts en terrasses aujourd'hui – et s'impose comme l'un des grands élaborateurs de vins blancs rhodaniens.

Souvent distingué pour ses blancs, le domaine place ce rouge abouti, coloré, au nez intense sur les fruits rouges et noirs, le sous-bois et les notes torréfiées d'un élevage en barrique. L'attaque très fumée et lardée ouvre sur un palais souple, solaire, étayé par des tanins présents mais harmonieux. Une belle typicité et du potentiel en cave. ⧗ 2021-2026 ■ **2017 ★ (15 à 20 €; 3500 b.)** : miel, aubépine, noisette grillée et vanille, le nez séduit. La même complexité de saveurs s'impose dans une bouche puissante, complexe, remarquable d'équilibre qui conserve une très agréable buvabilité. Du bel ouvrage. ⧗ 2020-2024

⊶ SAS ANDRÉ PERRET, 17, RD_1086,
Verlieu, 42410 Chavanay, tél. 04 74 87 24 74,
cotnact@andreperret.com V r.-v.

MAISON CHRISTOPHE PICHON 2017 ★

■	15000	⏀	20 à 30 €

Christophe Pichon a travaillé aux côtés de son père avant de reprendre seul, en 1991, l'exploitation établie dans le parc du Pilat: 21 ha aujourd'hui, répartis dans les appellations condrieu – dont il est l'actuel président –, côte-rôtie, saint-joseph et cornas. Corentin, son fils, revenu sur l'exploitation après un séjour en Australie, est désormais en charge de la vinification et de l'élevage des vins.

Après aération, le nez dévoile de beaux arômes de fruits rouges à la fois mûrs et frais. On les retrouve dans une bouche élégante, souple, qui s'organise autour de tanins très civilisés, logiquement fermes, et d'une fraîcheur très agréable. Vinifié avec goût et tact, finement boisé, ce saint-joseph est déjà plaisant. ⧗ 2020-2025

⊶ SARL CHRISTOPHE PICHON, 36, le Grand-Val,
42410 Chavanay, tél. 04 74 87 06 78, chrpichon@
wanadoo.fr V *t.l.j. sf dim. 10h-12h 14h-18h*

DOM. DES REMIZIÈRES 2017 ★★

■	9900	⏀	15 à 20 €

Jusqu'en 1973, Alphonse Desmeure apportait sa vendange à la coopérative. Son fils Philippe développe la propriété à partir de 1977, généralise la production en bouteilles et accroît le vignoble: 36 ha aujourd'hui, disséminés sur plusieurs communes et conduits en bio non certifié avec ses enfants, Émilie et Christophe. Une référence incontournable, avec des vins d'une rare constance. Une activité de négoce a été créée en 2010 afin de diversifier la production dans d'autres appellations.

Un supplément de maturité et de richesse dans ce 2017 qui décroche une étoile de plus que le 2016 déjà probant. Le nez offre la panoplie d'une syrah bien mûre, élevée comme il faut: fruits rouges et notes florales nuancés d'épices et de chêne. Une attaque franche, une matière riche, des tanins à la mesure, bien enrobés et finement sculptés: la bouche affiche une densité de fruit et de structure très prometteuse. ⧗ 2021-2027

⊶ EARL DESMEURE,
Dom. des Remizières, 1459, av. du Vercors,
26600 Mercurol-Veaunes, tél. 04 75 07 44 28,
contact@domaineremizieres.com V r.-v.

DOM. RICHARD Les Nuelles 2017 ★★

■	4200	⏀	15 à 20 €

Installé en 1989 sur le domaine familial et succédant à deux générations de vignerons-arboriculteurs, Hervé Richard décide de se spécialiser dans la vigne. Avec sa femme Marie-Thérèse, il travaille aujourd'hui 10 ha en condrieu et en saint-joseph.

Un beau tir groupé pour ce domaine qui place trois excellents saint-joseph. Honneur au plus étoilé, Les Nuelles, du nom de la parcelle, un rouge qui impressionne d'un bout à l'autre de la dégustation. La robe très profonde est à la mesure du nez qui regorge de cerise burlat, de fruits rouges mûrs et d'épices. Une opulence et une richesse que l'on retrouve dans un palais pulpeux et juteux, cadré par des tanins puissants, pris dans le fruit, et allégé par une très belle acidité. L'élevage (vingt mois en fût) s'incline devant cette superbe matière. Grand vin de garde. ⧗ 2022-2030 ■ **Prémices 2017 ★ (11 à 15 €; 13000 b.)** : remarquables d'intensité, ces Prémices (la toute première cuvée produite par le domaine) enchantent par leur déclinaison d'épices, entre poivre, cannelle et vanille. Le cuir et la venaison étendent cette palette dans une bouche gouleyante, fraîche, complexe, d'une «rusticité» gourmande. Du caractère et du potentiel dans ce saint-joseph «à l'ancienne» qui aura séduit le jury. ⧗ 2022-2028 ■ **Charmen 2017 ★ (15 à 20 €; 5690 b.)** : un vin jeune et plein d'avenir, très épanoui au nez (agrumes, fleurs blanches, menthol), rond, ample et chaleureux en bouche qui demande à mûrir en cave. ⧗ 2021-2024

⊶ EARL CAVE RICHARD, 3, RD_1086,
Verlieu, 42410 Chavanay, tél. 04 74 87 07 75,
h.richard@42.sideral.fr V *t.l.j. sf dim. 12h-18h*

DOM. DE ROCHEVINE Cœur de Rochevine 2016 ★

■	5930	⏀	30 à 50 €

Coopérative fondée en 1960, la cave Saint-Désirat représente à elle seule environ 40 % de la production en saint-joseph. Un acteur important de l'appellation donc, qui fait rimer quantité avec qualité.

Cassis, mûre, violette, le nez offre un joli bol de fruits habilement souligné de chêne. Le fruit affiche la même intensité dans un palais harmonieux, de corpulence moyenne, bien épaulé par des tanins présents et «nobles». Un équilibre sans fausse note pour un vin gourmand dont on retiendra la belle richesse et la plénitude du fruit. ⧗ 2020-2025

SCA CAVE SAINT-DÉSIRAT, quartier Tine-Rodet n°8, 07340 Saint-Désirat, tél. 04 75 34 22 05, maisondesvins@cave-saint-desirat.fr t.l.j. 9h-12h 14h-18h30; f. le 25 déc. et le 1er janv.

CAVE DE TAIN Les Hauts de Pavières 2017 ★

■ | 100 000 | | 11 à 15 €

Créée en 1933 par Louis Gambert de Loche, la très qualitative cave coopérative de Tain-l'Hermitage rassemble 310 adhérents et vinifie à elle seule, avec plus de 1 000 ha de vignes, environ 50 % des appellations de la vallée du Rhône septentrionale. Elle possède aussi 26 ha en propre, dont 21 ha en AOC hermitage. Une valeur sûre de la région, qui s'est dotée en 2014 de structures de production flambant neuves permettant de multiplier les sélections parcellaires.

La robe brillante et violacée ouvre sur un nez franc et généreux centré sur les fruits rouges et noirs. La structure souple et la finesse des tanins laissent tout autant parler le fruit dans une bouche bien pleine, équilibrée, friande, un poil chaleureuse. ⧗ 2020-2023 ■ **Esprit de Granit Sélection parcellaire 2017 (20 à 30 €; 25 000 b.)** : vin cité. **Les Hauts de Pavières 2018 (11 à 15 €; 20 000 b.)** : vin cité.

SCA CAVE DE TAIN, 22, rte de Larnage, 26602 Tain-l'Hermitage, tél. 04 75 08 20 87, contact@cavedetain.com r.-v.

DOM. DU TUNNEL 2017

■ | 10 100 | | 20 à 30 €

Depuis son installation en 1994, Stéphane Robert, qui n'est pas issu du monde viticole, s'est imposé comme une référence dans le paysage des crus septentrionaux. Il a créé son vignoble de toutes pièces, aujourd'hui 12 ha très morcelés, avec des vignes en cornas, saint-joseph, saint-péray et condrieu. Des vignes qui longent une ancienne voie ferrée et un tunnel de 160 m, toujours visible, qui donne son nom au domaine et dans lequel ont été aménagés en 2013 une nouvelle cuverie et le chai d'élevage.

Fin et nuancé, le nez associe à un fond de fruits bien mûrs et d'épices de subtiles notes boisées. L'intégration du chêne est tout aussi réussie en bouche. Franchise, souplesse, fruit, plaisir: un saint-joseph harmonieux, très séduisant, que l'on peut ouvrir sans attendre. ⧗ 2019-2022

EARL STÉPHANE ROBERT (DOM. DU TUNNEL), 20, rue de la République, 07130 Saint-Péray, tél. 06 81 07 31 89, domaine-du-tunnel@wanadoo.fr r.-v. 5

DOM. GEORGES VERNAY Terres d'encre 2017

■ | 8 000 | | 30 à 50 €

Si l'histoire débute avec Francis Vernay, c'est son fils Georges, fer de lance du renouveau de l'AOC condrieu, qui convertit la vigne familiale en trésor en créant le domaine en 1953: 1,5 ha au pied du coteau de Vernon, 18 ha aujourd'hui. Depuis 1997, sa fille Christine poursuit son œuvre, apportant sa patte aux vins rouges, tout en maintenant le condrieu comme cœur battant du domaine.

Un syrah sur granite au menu de ce rouge flagrant et tonique au nez de fruits rouges, de fleur et de thym. Une fraîcheur et une allégresse restituées à l'attaque dans une bouche ample, évoluant sur des notes un peu sauvages et déroutantes qui auront divisé le jury. Du caractère et du potentiel. ⧗ 2021-2027

EARL GEORGES VERNAY, 1, RN_86, 69420 Condrieu, tél. 04 74 56 81 81, contact@georges-vernay.fr r.-v.

VIDAL-FLEURY 2016

■ | 34 500 | | 20 à 30 €

Le plus ancien négoce rhodanien en activité, fondé en 1781 à partir de son vignoble en côte-rôtie et très tôt réputé – Thomas Jefferson y fit un banquet mémorable en 1787. Propriété des Guigal depuis 1986, il dispose d'une cave monumentale, dont l'architecture est inspirée du site égyptien de Saqqarah.

Ce négoce réputé qui prend le temps d'élever ses vins signe un 2016 à la complexité naissante, dont le nez hésite entre cassis, framboise, violette et goudron. La bouche, parfumée, de corpulence moyenne, cadrée par des tanins fermes et tenue par une belle acidité, demande à s'épanouir et le fera après une courte garde. ⧗ 2020-2025

SASU J. VIDAL-FLEURY, 48, rte de Lyon, 69420 Tupin-et-Semons, tél. 04 74 56 10 18, contact@vidal-fleury.com r.-v.

LES VINS DE VIENNE L'Élouède 2017 ★

□ | 3 200 | | 15 à 20 €

Pour faire renaître le vignoble de Seyssuel situé en amont de Vienne, trois vignerons de renom, Yves Cuilleron, Pierre Gaillard et François Villard, ont créé cette affaire en 1996, à l'origine de beaux vins de propriété – IGP à Seyssuel, sélections parcellaires en AOC septentrionales – et de vins de négoce de toute la vallée.

La roussanne est à l'honneur (70 %) dans ce blanc élevé sur lies et en fût pendant neuf mois. Intense, entêtant même, le nez fleur bon le fruit exotique, la pêche et l'abricot. Avec sa matière tendre et ronde, la bouche fait dans la retenue et séduit par sa franche gourmandise. À boire sur le fruit. ⧗ 2019-2021 ■ **L'Arzelle 2017 (20 à 30 €; 8 500 b.)** : vin cité.

SARL LES VINS DE VIENNE, 1, ZA de Jassoux, 42410 Chavanay, tél. 04 74 85 04 52, contact@lesvinsdevienne.fr r.-v.

FRANÇOIS VILLARD Reflet 2017 ★★

■ | 17 000 | | 30 à 50 €

Vigneron réputé de la vallée du Rhône nord, François Villard, ancien cuisinier, s'est installé en 1989 à Saint-Michel-sur-Rhône pour créer son vignoble: 36 ha aujourd'hui dans cinq crus, complétés par une petite activité d'achat de raisin. Dans son chai cathédrale naissent de beaux vins dans les deux couleurs.

Vinifiée à 80 % en grappes entières, comme c'est de rigueur chez François Villard, puis élevée dix-huit mois en fût, cette syrah impressionne par sa robe sombre et son nez intensément torréfié et fruité. Le bois enrobe généreusement une matière volumineuse, grasse, ourlée de tanins serrés, le tout porté par une agréable sensation de fraîcheur. Un beau relief au service d'une belle richesse: on lui prédit un grand avenir. ⧗ 2022-2028 □ **Fruit d'Avilleran 2017 ★ (20 à 30 €; 10 000 b.)** : onze mois de fût n'ont pas éteint le fruit de cette jolie marsanne, au nez floral, minéral, fruité (fruit exotique) et légèrement miellé. Un joli gras tapisse un palais plus nettement miellé, suave, épanoui, relevé en finale par de beaux amers. Un petit déficit d'acidité lui coûte la deuxième étoile. Beau blanc de table. ⧗ 2020-2023

SARL FRANÇOIS VILLARD, 330, rte du Réseau-Ange, 42410 Saint-Michel-sur-Rhône, tél. 04 74 56 83 60, vinsvillard@wanadoo.fr V r.-v.

CROZES-HERMITAGE

Superficie : 1 495 ha
Production : 67 000 hl (92 % rouge)

Cette appellation, couvrant des terrains moins difficiles à cultiver que ceux de l'hermitage, s'étend sur 11 communes environnant Tain-l'Hermitage. C'est le plus vaste vignoble des appellations septentrionales. Les sols, plus riches que ceux de l'hermitage, donnent à partir des mêmes cépages (syrah en rouge, marsanne et roussanne en blanc) des vins moins puissants, fruités et à servir jeunes. Rouges, ils sont assez souples et aromatiques; blancs, ils sont secs, frais et floraux, légers en couleur et, comme les hermitage blancs, ils iront parfaitement sur les poissons d'eau douce.

DOM. BERNARD ANGE Rêve d'Ange 2017 ★

■ | 3500 | | 11 à 15 €

Vigneron en cave particulière depuis 1979, Bernard Ange a créé ce domaine en 1998, dont le vignoble couvre aujourd'hui 8 ha. Quelques curiosités ici: la cave est aménagée dans une ancienne carrière de pierres du XVIe s. d'où l'on extrayait la molasse, propice au vieillissement des vins en fût de chêne; les chais sont établis dans un ancien hôtel-restaurant et un kiosque orné d'une fresque des années 1920 fait office de salle de dégustation aux beaux jours.

Une robe d'un beau rubis éclatant habille ce vin intense, ouvert sur des senteurs de cerises noires et de chêne. Dotée d'une belle fraîcheur dès l'attaque, la bouche, généreuse et parfumée, repose sur des tanins fermes. Un ensemble structuré et équilibré qui ne tardera pas à s'arrondir. ⧗ 2020-2023

SCEA DOM. BERNARD ANGE, 2590, rte du Merley, Pont-de-l'Herbasse, 26260 Clérieux, tél. 04 75 71 62 42, domaine_bernardange@orange.fr V *t.l.j. sf dim. 9h-12h15 13h30-19h*

JEAN BARONNAT Les Engoulevents 2016 ★

■ | n.c. | | 11 à 15 €

Fondée en 1920 par Jean Baronnat, c'est l'une des dernières affaires familiales encore indépendantes du Beaujolais. Elle est dirigée depuis 1985 par Jean-Jacques Baronnat, petit-fils du fondateur. La maison, bien implantée dans le Beaujolais, mais aussi en Bourgogne, a étendu sa gamme de vins au sud de la France. Une habituée du Guide.

Nuances florales, épices, fruits noirs compotés, sous-bois, le nez ne manque pas de séduction. La bouche non plus avec sa texture délicate, sa chair généreuse relevée par une belle acidité qui donne éclat et fraîcheur au fruit. Un crozes stimulant et vivant, à croquer sans attendre. ⧗ 2020-2023

SAS JEAN BARONNAT, 491, rte de Lacenas, 69400 Gleizé, tél. 04 74 68 59 20, info@baronnat.com V r.-v.

DOM. BELLE Cuvée Louis Belle 2016 ★

■ | 30 000 | | 20 à 30 €

Un domaine familial établi sur les anciennes terres seigneuriales de Larnage, sorti du système coopératif en 1990 et dirigé depuis 2003 par Philippe Belle, à la tête de 25 ha de vignes répartis dans six communes et trois appellations (hermitage, crozes et saint-joseph). La certification bio a été engagée en 2014.

Une robe violacée ouvre sur un nez intense de fruits rouges très mûrs avec des nuances complexes de cuir, de goudron et une touche boisée sans outrance. Charnue, nerveuse, doté de tanins fermes, la bouche est fidèle au millésime et laisse apprécier son bouquet complexe, épicé et un peu sauvage. Vin complet, à fort caractère, qu'on laissera reposer en cave. ⧗ 2021-2025 ■ **Roche Blanche 2017 ★ (30 à 50 €; 5000 b.)** Ⓑ : premier millésime certifié bio du domaine, ce 2017 (100 % marsanne) séduit par son nez très floral agrémenté d'une touche grillée issue du chêne. Une belle nervosité anime une bouche tendre, fraîche, parfumée, ponctuée par une petite amertume stimulante en finale. Un blanc fringant, jeune, à laisser brièvement en cave. ⧗ 2020-2024

EARL LES MARSURIAUX, 510, rue de la Croix, 26600 Larnage, tél. 04 75 08 24 58, contact@domainebelle.com V r.-v.

BROTTE La Rollande 2017 ★

■ | 22 000 | | 11 à 15 €

Cette maison réputée, fondée en 1931 par Charles Brotte, pionnier de la mise en bouteilles dans la vallée du Rhône, est aujourd'hui dirigée par Laurent, petit-fils du fondateur. Elle vinifie ses propres vignes et opère des sélections parcellaires pour le compte de son négoce, dont La Fiole du Pape, en châteauneuf, est la marque phare depuis sa création en 1952.

Élevée en foudre et fût, discrète au nez avec ses touches de fruits mûrs, d'épices et de vanille, cette syrah prend son envol en bouche: matière ample, boisé fondu, tanins ronds, belle finale sur la cerise confite. Un bon représentant du millésime. ⧗ 2020-2024

SA BROTTE, av. Pierre-de-Luxembourg, 84230 Châteauneuf-du-Pape, tél. 04 90 83 70 07 V *t.l.j. 9h-12h 14h-18h (9h-13h 14h-19h en été)*

♥ Ⓑ YANN CHAVE Le Rouvre 2017 ★★

■ | 25 000 | | 20 à 30 €

Un domaine créé en 1969 par Bernard et Nicole Chave, repris en 1996, restructuré et agrandi (19,5 ha aujourd'hui, conduits en bio) par leur fils Yann. Ce dernier en a fait l'une des belles références des appellations hermitage et crozes-hermitage.

Deuxième coup de cœur en trois ans pour ce crozes à peu près idéal qui illustre tout le talent de Yann Chave. Le nez est celui d'une syrah mûre et fraîche aux accents de fruits noirs frais et juteux, de violette et d'épices. Une fraîcheur de fruit que l'on retrouve dans une bouche concentrée mais fringante, structurée par des tanins serrés et croquants, soutenue par une belle acidité qui accompagne longuement le fruit en finale. C'est délicieux, aérien, élégant, finement élevé. Gros potentiel de garde si on résiste au charme évident de sa jeunesse. ⧗ 2021-2028 ■ **2017 ★★ (15 à 20 €; 72000 b.)** Ⓑ : pas de bois dans cette cuvée qui réunit des syrah de la roche de Glun, de Mercurol et du Pont de l'Isère mais beaucoup de charme et de plaisir. Le nez s'ouvre lentement sur des notes d'épices, de réglisse et de fruits frais que l'on croque dans une bouche élégante, délicatement extraite, dotée de tanins fins et d'une pureté de fruit stimulante. Délicieux et harmonieux. ⧗ 2020-2024 ■ **2017 ★★ (20 à 30 €; 7000 b.)** Ⓑ : 34 % de roussanne épaulent la marsanne dans ce blanc élevé en cuve qui distille au nez ses fines nuances de fleurs blanches, de noisette, de miel ou d'agrume. La pêche blanche et le beurre frais étirent la palette dans une bouche qui séduit par son volume, par l'intensité et la fraîcheur de son fruit et par sa longue finale saline. Sans exubérance ni effet de manche, conformément au style du domaine, ce beau blanc soigne le fruit et l'équilibre. ⧗ 2019-2022

SCEA CHAVE PÈRE ET FILS, 1170, chem. de la Burge, 26600 Mercurol-Veaunes, tél. 04 75 07 42 11, chaveyann@yahoo.fr

DOM. DU COLOMBIER Cuvée Gaby 2017 ★

■ | 10000 | | 20 à 30 €

Fort de 17 ha de vignes, Florent Viale élabore son propre vin depuis 1991, alors que son père vendait ses vendanges à la maison Guigal. Partisan d'une viticulture naturelle, il adopte une démarche proche du bio, mais sans certification. Il signe des hermitage et des crozes très réguliers en qualité.

Derrière une robe profonde, un nez complexe, animal, épicé, réglissé et fumé. La réglisse et les épices reviennent en force dans une bouche puissante, riche, fraîche, sertie de tanins fermes. Tout cela augure d'un bel avenir. ⧗ 2021-2026 ■ **2017 (15 à 20 €; 50000 b.)** : vin cité.

SCEA VIALE (DOM. DU COLOMBIER), 175, rte des Alpes, 26600 Mercurol, tél. 04 75 07 44 07, dom.ducolombier@gmail.com V r.-v.

YVES CUILLERON Les Châssis 2016 ★★

■ | 4080 | | 20 à 30 €

Une référence de la vallée nord, notamment pour ses condrieu. Établi à Chavanay, Yves Cuilleron a repris en 1987 la propriété créée en 1920 par son grand-père paternel, puis gérée par son oncle Antoine. Il a progressivement agrandi le domaine (60 ha aujourd'hui), planté à haute densité et conduit de manière très raisonnée sur la rive droite du Rhône (condrieu, côte-rôtie, saint-joseph, saint-peray et cornas) et, depuis 2012, sur la rive gauche (crozes-hermitage).

Tout le talent d'Yves Cuilleron dans ce crozes épanoui, issu d'une parcelle (cailloux roulés sur argiles rouges), qui fleure bon les fruits noirs, les épices, le Zan, le cacao et la vanille. Intense et ronde à souhait, avec une petite sucrosité qui attise la gourmandise d'un fruit bien mûr, la bouche se révèle savoureuse, puissante, fraîche et ourlée de tanins un tantinet fermes en finale. Irrésistible et très long. ⧗ 2021-2026

SARL YVES CUILLERON, 58, RD_1086, Verlieu, 42410 Chavanay, tél. 04 74 87 02 37, cave@cuilleron.com V r.-v.

EMMANUEL DARNAUD Mise en bouche 2017 ★

■ | 40000 | | 15 à 20 €

L'histoire vigneronne d'Emmanuel Darnaud débute en 2001 avec 1,5 ha de vignes en fermage sur l'appellation crozes-hermitage. Agrandi progressivement, le domaine couvre aujourd'hui 15 ha, avec des parcelles en saint-joseph, et fait preuve d'une belle constance dans la qualité avec ses sélections parcellaires.

Cassis frais, cerise, fruits rouges, le nez offre une belle pureté de fruit. Ronde, fraîche, matinée d'épices, soutenue par de beaux tanins enrobants, la bouche enfonce le clou. Une Mise en bouche idéale et franchement gourmande. ⧗ 2019-2022 ■ **Les Trois Chênes 2017 ★ (20 à 30 €; 30000 b.)** : une étoile de plus pour cette cuvée régulièrement saluée dans le Guide. Fruits confiturés, notes animales, violette, épices, boisé discret, le nez déploie toute la panoplie d'une belle syrah élevée en fût. Cette même déclinaison d'arômes s'épanouit longuement dans une bouche ronde et suave, portée par des tanins onctueux. Très harmonieux et déjà séduisant, à boire ou à garder. ⧗ 2019-2023

EARL EMMANUEL DARNAUD, 21, rue du Stade, 26600 La Roche-de-Glun, tél. 04 75 84 81 64, domaine@edarnaud.com V r.-v.

ROMAIN DUVERNAY 2017 ★

■ | 30000 | | 11 à 15 €

Issu d'une lignée de négociants en vins – son arrière-grand-père Louis fonda en 1904 un commerce de vin en Haute-Savoie –, l'œnologue de renom Romain Duvernay a créé en 1998, avec son père Roland, une maison de négoce basée à Châteauneuf-du-Pape qui propose des vins de toute la Vallée et qui, depuis 2016, appartient à Newrhône Millésimes, propriété de Jean-Marc Pottiez. Romain Duvernay continue d'élaborer les vins.

Les fruits noirs, puis le poivre, une touche de venaison, une autre grillée: ce 2017 se livre progressivement. Bien poli par l'élevage, le palais charme par sa rondeur, sa légère sucrosité, sa mâche généreuse et ses tanins fermes, bien pris dans le fruit, gages d'une belle tenue dans le temps. ⧗ 2021-2025

NEWRHÔNE MILLÉSIMES, ZA la Grange-Blanche, 225, rue Marcel-Valérian, 84350 Courthézon, tél. 04 90 60 20 00, newrhone@newrhone.eu

♥ JEAN ESPRIT Perles Noires 2017 ★★

■ | 4836 | | 20 à 30 €

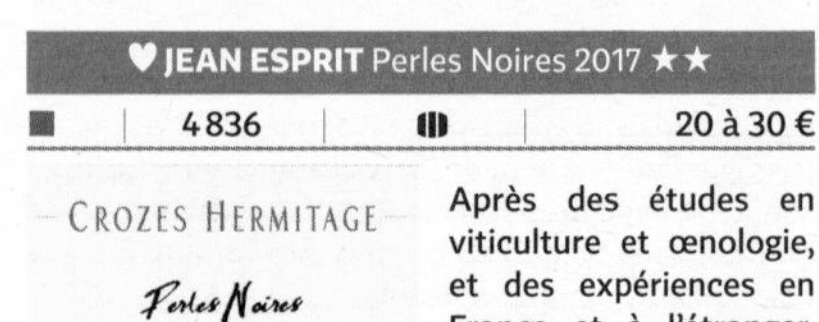

Après des études en viticulture et œnologie, et des expériences en France et à l'étranger, Jean Esprit a repris le domaine familial créé en 1909 et l'a doté d'une cave en 2017. Il exploite à Crozes-Hermitage une

quinzaine d'hectares plantés en grande partie de vieilles vignes.

Des syrah de 40 ans en moyenne, plantées sur des sols de galets roulés, sont à l'origine de ce rouge somptueux, au nez fragrant mêlant le cassis, les fruits rouges et les herbes fraîches. Puissant et rond, étayé par des tanins présents mais arrondis par l'élevage, la palais diffuse un fruit pulpeux et solaire qui se teinte d'épices et de chêne en finale. Un vin riche, épanoui, chaleureux et remarquablement équilibré. Une entrée dans le Guide sur les chapeaux de roue. ⧗ 2020-2025 ■ **Le Zouave 2017 ★ (30 à 50 €; 2865 b.)** : affichant 80 ans au compteur, cette syrah, élevée quatorze mois en fût, en impose par sa robe très profonde et son nez intense et complexe entre fruits noirs et rouges bien mûrs, épices et notes florales. Charnue, charpentée, ronde et fraîche, la bouche restitue toute la plénitude et l'intensité de fruit de ces vignes vignes. Un vin ample et déjà gourmand que l'on pourra aussi laisser en cave. ⧗ 2020-2025

EARL DOM. ESPRIT, 785, chem. des Blanches, 26600 Pont-de-l'Isère, tél. 06 79 72 01 49, jean.esprit@domaine-esprit.com V *r.-v.*

PASCAL ET RICHARD JAUME 2017 ★

■	n.c.		11 à 15 €

L'arrière-grand-père fut l'un des pionniers de l'appellation côtes-du-rhône, créée en 1937. Depuis, les générations se succèdent sur ce vaste domaine de 95 ha, les sélections dans le Guide aussi, en AOC régionale ou en vinsobres.

Fruits rouges, épices, notes toastées et vanillées, ce 2017 laisse au nez une sensation d'harmonie. Avec son attaque fraîche, ses tanins fermes et fins, sa palette ouverte sur les fruits rouges bien mûrs et le chêne, la bouche fait parfaitement écho au nez. Finement extrait, bien élevé, cet excellent crozes fait déjà mouche. ⧗ 2020-2024

FAMILLE JAUME, 24, rue Reynarde, 26110 Vinsobres, tél. 04 75 27 61 01

DOM. MELODY Étoile noire 2017 ★★

■	9000		20 à 30 €

Ce jeune domaine de 18 ha (avec le bio dans le viseur), implanté sur trois terroirs plantés de vignes âgées de cinq à soixante ans, est né en 2010 de la rencontre entre trois vignerons, Marlène Durand, Marc Romak et Denis Larivière, qui maîtrisent parfaitement leur sujet au vu de leurs cuvées très convaincantes.

Pas une mais deux étoiles pour cette cuvée au nom prédestiné. Noire ? Comme la robe, opaque, et le nez, sombre, aux accents de fruits noirs, de poivre noir avec les notes fumées d'un élevage sous bois. Concentration, douceur de la matière, tanins puissants mais enrobés: ce grand rouge juteux, encore sous le joug de son élevage, est appelé à un grand avenir. ⧗ 2021-2027 ■ **L'Exception 2017 ★★ (15 à 20 €; 4500 b.)** : le domaine est le seul à produire des blancs dans son secteur, d'où cette «Exception» qui aura enthousiasmé les dégustateurs. Un nez fin, très floral et pâtissier; une bouche franche qui offre gras, tenue et fraîcheur; une longue finale sur l'aubépine: un superbe équilibre pour ce blanc «à boire sans modération». ⧗ 2019-2023 ■ **Friandise 2017 ★ (11 à 15 €; 23000 b.)** : à un nez centré sur les fruits rouges, le cuir et les épices répond une bouche assez charnue, sans mollesse, dotée de tanins francs, un poil asséchants, et d'une finale gourmande sur les épices. ⧗ 2020-2024 ■ **Premier regard 2017 ★ (15 à 20 €; 13000 b.)** : la syrah, élevée en cuve et fût, donne ici un vin animal, toasté et fruité au nez, ample et structuré en bouche, avec un peu de rugosité dans les tanins à ce stade. Belle finale sur les épices. Complet et de bonne garde. ⧗ 2021-2026

EARL DOM. MELODY (LARIVIÈRE, M ET M), 570, chem. des Limites, 26600 Mercurol-Veaunes, tél. 04 75 08 16 51, contact@domainemelody.fr V *t.l.j. 8h30-12h 13h30-17h30; sam. dim. sur r.-v.*

DOM. MICHELAS-SAINT-JEMMS La Chasselière 2017 ★

■	25050		15 à 20 €

Fondée en 1972 par Robert et Yvette Michelas, cette exploitation ne compte pas moins de 53 ha répartis dans quatre appellations. Les enfants – Sylvie, Corine, Florence et Sébastien – sont désormais aux commandes. Régulièrement en vue pour ses crozes et ses cornas.

Au nez, des arômes francs et frais de cassis, de mûre et de cerise confite. En bouche, on est séduit par la texture veloutée, les tanins bien mûrs, les arômes ouverts, fruités et épicés, et la belle longueur de ce rouge qui a bénéficié d'un élevage soigné et discret. ⧗ 2020-2025 ■ **Signature 2017 (15 à 20 €; 18000 b.)** : vin cité.

GAEC MICHELAS, Dom. Michelas-Saint-Jemms, 557, rte de Bellevue, 26600 Mercurol-Veaunes, tél. 04 75 07 86 71, michelas.st.jemms@orange.fr V *t.l.j. sf dim. 9h-12h 14h-18h*

ÉTIENNE POCHON 2017 ★

■	n.c.		11 à 15 €

Dans la famille Pochon depuis plus de deux siècles, ce château fut la propriété de Diane de Poitiers. Outre ses attraits architecturaux, ce domaine s'est installé dans le paysage de l'appellation crozes-hermitage par la qualité régulière de ses vins. 2017 est son premier millésime certifié bio.

La roussanne (60 %) joue le premier rôle dans ce blanc flatteur, au nez ouvert de fruit jaune, de miel et de cire. La bouche, résolument sudiste, se révèle ronde et grasse, diffusant ses notes lactées et fruitées relevées par une acidité discrète. Un beau blanc de table onctueux et épanoui à boire dans ses premières années. ⧗ 2019-2022

EARL ÉTIENNE POCHON, 80, chem. des Pierres, 26600 Chanos-Curson, tél. 04 75 07 34 60, domainespochon@wanadoo.fr V *t.l.j. sf mer. sam. dim. 13h30-18h*

DOM. PRADELLE 2018 ★

■	13000		11 à 15 €

Les Pradelle cultivent la vigne à Chanos depuis le milieu du XIXᵉ s. et sept générations. Ce sont aujourd'hui Jean-Louis et son neveu Antoine qui sont aux commandes du domaine, dont le vignoble couvre 38 ha en appellations crozes-hermitage et saint-joseph.

La marsanne presque en solo (5 % de roussanne) dans ce blanc délicat, brièvement élevé en cuve (trois mois), dont le nez diffuse de subtiles senteurs d'aubépine, d'acacia et de citron vert. Le même charme opère dans une bouche légère et tonique, aux saveurs acidulées, ponctuée d'une fine amertume. Un crozes « sympa et d'apéro » conclut le jury. ⧗ 2019-2022 ■ **Courbis 2016 ★ (11 à 15 €; 3000 b.)** : d'un beau grenat lumineux, ce Courbis (le nom du propriétaire de ces vignes) décline au nez une large palette mêlant la violette, les fruits compotés, le pain d'épices et une touche vanillée issue du chêne. Déjà épanoui, d'une agréable souplesse, le palais restitue ces mêmes notes dans un ensemble harmonieux qui ne manque ni de fraîcheur ni de séduction. ⧗ 2019-2023

EARL PRADELLE, 5, rue du Riou, 26600 Chanos-Curson, tél. 04 75 07 31 00, domainepradelle@yahoo.fr V t.l.j. sf dim. 9h30-18h; f. du 1er au 15 janv.

♥ DOM. DES REMIZIÈRES
Cuvée Christophe 2017 ★★

■	19000		15 à 20 €

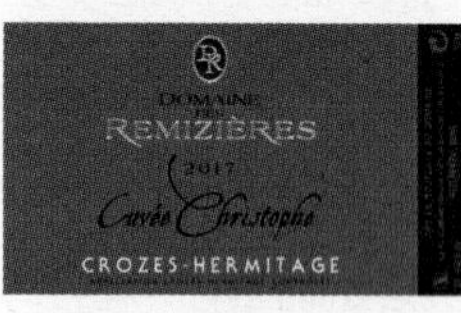

Jusqu'en 1973, Alphonse Desmeure apportait sa vendange à la coopérative. Son fils Philippe développe la propriété à partir de 1977, généralise la production en bouteilles et accroît le vignoble: 36 ha aujourd'hui, disséminés sur plusieurs communes et conduits en bio non certifié avec ses enfants, Émilie et Christophe. Une référence incontournable, avec des vins d'une rare constance. Une activité de négoce a été créée en 2010 afin de diversifier la production dans d'autres appellations.

Après Émilie l'année passée, c'est au tour de la cuvée Christophe de décrocher le coup de cœur. Au nez, un joli pas de deux entre les fruits noirs bien mûrs et les notes de chêne. L'élevage ambitieux (75 % de bois neuf) est parfaitement intégré, arrondissant la texture, patinant un peu plus des tanins fins et mûrs et apportant son nuancier épicé à un fruit généreux et frais. Structure, fraîcheur, concentration: tout est en place pour un avenir radieux. ⧗ 2021-2027 ■ **Cuvée particulière 2017 ★ (8 à 11 €; 30000 b.)** : une robe sombre annonce un nez puissant, fumé et confituré. Souple, douce et très gourmande à l'attaque, sur les fruits noirs et la vanille, la bouche se raffermit en finale sous l'effet de tanins encore serrés à ce stade. Un courte garde suffira à les détendre. ⧗ 2021-2025

EARL DESMEURE, Dom. des Remizières, 1459, av. du Vercors, 26600 Mercurol-Veaunes, tél. 04 75 07 44 28, contact@domaineremizieres.com V r.-v.

DOM. DES SEPT CHEMINS 2017 ★

■	38000		11 à 15 €

Ravagé par le phylloxéra au début du XXe s., ce domaine a été acquis dans les années 1930 par les Buffière qui ont replanté une partie du vignoble (21 ha aujourd'hui) et se sont diversifiés vers la production fruitière. Il est conduit depuis 2010 par la quatrième génération, les frères Jérôme et Rémy Buffière.

L'élevage en fût (50 %) apporte sa touche vanillée et torréfiée à un nez sudiste de fruits noirs, d'épices et de garrigue. Appuyée sur des tanins bien lissés, la bouche offre la même plénitude de fruit dans un ensemble souple, élégant et facile d'accès. On peut l'ouvrir sans attendre. ⧗ 2019-2022

GAEC BUFFIÈRE, 200, rte des Sept-Chemins, 26600 Pont-de-l'Isère, tél. 04 75 84 75 55, domainebuffiere@hotmail.fr V r.-v.

CAVE DE TAIN Grand Classique 2017

■	40000		11 à 15 €

Créée en 1933 par Louis Gambert de Loche, la très qualitative cave coopérative de Tain-l'Hermitage rassemble 310 adhérents et vinifie à elle seule, avec plus de 1 000 ha de vignes, environ 50 % des appellations de la vallée du Rhône septentrionale. Elle possède aussi 26 ha en propre, dont 21 ha en AOC hermitage. Une valeur sûre de la région, qui s'est dotée en 2014 de structures de production flambant neuves permettant de multiplier les sélections parcellaires.

Un nez franc et plaisant de confiture de fraises, de violette, avec une touche boisée; une bouche souple, fraîche, dotée de petits tanins croquants et d'une finale poivrée et réglissée: un crozes bien typé en version plus élégante que puissante. À boire sur le fruit. ⧗ 2020-2023 ■ **Les Hauts de Pavières 2017 (8 à 11 €; 200000 b.)** : vin cité. ■ **Grand Classique 2018 (11 à 15 €; 170000 b.)** : vin cité.

SCA CAVE DE TAIN, 22, rte de Larnage, 26602 Tain-l'Hermitage, tél. 04 75 08 20 87, contact@cavedetain.com V r.-v.

LES VINS DE VIENNE Les Grappiats 2017 ★

■	2000		20 à 30 €

Pour faire renaître le vignoble de Seyssuel situé en amont de Vienne, trois vignerons de renom, Yves Cuilleron, Pierre Gaillard et François Villard, ont créé cette affaire en 1996, à l'origine de beaux vins de propriété – IGP à Seyssuel, sélections parcellaires en AOC septentrionales – et de vins de négoce de toute la vallée.

Cuvée confidentielle élevée seize mois en fût, ces Grappiats affichent un robe profonde et un nez intense, torréfié, qui porte la marque du chêne. Très jeune mais bien bâti, mûr, frais, long, solidement structuré par ses tanins puissants, ce beau rouge n'a besoin que de temps. ⧗ 2022-2028 ■ **Bedad 2017 (20 à 30 €; 2500 b.)** : vin cité.

SARL LES VINS DE VIENNE, 1, ZA de Jassoux, 42410 Chavanay, tél. 04 74 85 04 52, contact@lesvinsdevienne.fr V r.-v.

FRANÇOIS VILLARD
Les Malfondières 2017 ★★

■	4500		30 à 50 €

Vigneron réputé de la vallée du Rhône nord, François Villard, ancien cuisinier, s'est installé en 1989 à Saint-Michel-sur-Rhône pour créer son vignoble: 36 ha aujourd'hui dans cinq crus, complétés par une petite activité d'achat de raisin. Dans son chai cathédrale naissent de beaux vins dans les deux couleurs.

Vinifiée en grappes entières, élevée dix-huit mois en fût, cette belle syrah n'aura pas laissé le jury indifférent. Cassis écrasé et boisé torréfié généreusement saupoudrés de poivre gris, le nez enchante. De beaux tanins serrés mais puissants cadrent une bouche moelleuse, dense, mûre et fraîche, gorgée d'épices et de fruit. Austère aujourd'hui mais promis à un bel avenir. ⧗ 2022-2030 ■ **Certitude 2017 (15 à 20 €; 37 000 b.)** : vin cité.

SARL FRANÇOIS VILLARD, 330, rte du Réseau-Ange, 42410 Saint-Michel-sur-Rhône, tél. 04 74 56 83 60, vinsvillard@wanadoo.fr V r.-v.

DOM. DE LA VILLE ROUGE
Cuvée Paul 2016 ★★

■ | 3000 | | 15 à 20 €

Un domaine familial de 20 ha en crozes-hermitage et en saint-joseph, qui vinifie ses propres vins depuis 2006, sous l'impulsion de Sébastien Girard, fils des fondateurs, installé trois ans plus tôt. En bio depuis 2012 et en biodynamie depuis 2015.

Beaucoup de violette, du fruit, des épices, une pointe de Zan: un nez bien typé Rhône nord, en version élégante. La bouche a tout pour séduire: de la chair, de la rondeur, des tanins fins, beaucoup de gourmandise dans le fruit, une longue finale florale et épicée, le tout traversé et souligné par une très belle fraîcheur. Un must dans le millésime et un modèle d'élégance et d'harmonie. ⧗ 2020-2024

EARL DOM. DE LA VILLE ROUGE, 355, rte de la Ville-Rouge, 26600 Mercurol, tél. 04 75 07 33 35, la-ville-rouge@wanadoo.fr V r.-v.

HERMITAGE

Superficie : 135 ha
Production : 4 365 hl (75 % rouge)

Le coteau de l'Hermitage, très bien exposé au sud, est situé au nord-est de Tain-l'Hermitage. La culture de la vigne y remonte au IVᵉs. av. J.-C., mais on attribue l'origine du nom de l'appellation au chevalier Gaspard de Sterimberg qui, revenant de la croisade contre les Albigeois en 1224, décida de se retirer du monde. Il édifia un ermitage, défricha et planta de la vigne.

Le massif de Tain est constitué à l'ouest d'arènes granitiques, terrain propice à la syrah (les Bessards). Plantées de roussanne et surtout de marsanne, les parties est et sud-est de l'appellation, formées de cailloutis et de lœss, ont vocation à produire des vins blancs (les Rocoules, les Murets).

L'hermitage rouge est un très grand vin de garde, tannique, extrêmement aromatique, qui demande un vieillissement de cinq à dix ans, voire de vingt ans, avant de développer un bouquet d'une richesse et d'une qualité rares. On le servira entre 16 °C et 18 °C, sur du gibier ou des viandes rouges. L'hermitage blanc est un vin très fin, peu acide, souple, gras et parfumé. Il peut être apprécié dès la première année mais atteindra son plein épanouissement après un vieillissement de cinq à dix ans. Cependant, les grandes années, en blanc comme en rouge, peuvent supporter une garde de trente ou quarante ans.

DOM. BELLE 2016

■ | 3000 | | 50 à 75 €

Un domaine familial établi sur les anciennes terres seigneuriales de Larnage, sorti du système coopératif en 1990 et dirigé depuis 2003 par Philippe Belle, à la tête de 25 ha de vignes répartis dans six communes et trois appellations (hermitage, crozes et saint-joseph). La certification bio a été engagée en 2014.

D'un rouge rubis profond, cette syrah met en avant les fruits rouges et le poivre sur un fond torréfié issu d'un long élevage de vingt-quatre mois en fût. Intense et ferme à l'attaque, le palais déploie une belle chair resserrée en finale par une belle acidité et des tanins logiquement fermes. Un peu austère à ce stade mais prometteur. ⧗ 2022-2029

EARL LES MARSURIAUX, 510, rue de la Croix, 26600 Larnage, tél. 04 75 08 24 58, contact@domainebelle.com V r.-v.

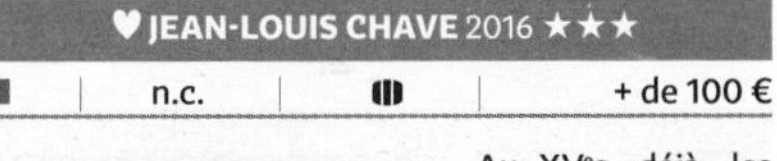

♥ JEAN-LOUIS CHAVE 2016 ★★★

■ | n.c. | | + de 100 €

Au XVᵉs. déjà, les Chave cultivaient la vigne à Mauves. Aujourd'hui, Jean-Louis, fils de Gérard Chave, dirige un domaine de 12 ha dédié à l'hermitage. La réputation de ses vins dépasse depuis longtemps les frontières de l'Europe grâce à son travail méticuleux à la vigne (cultivée en bio sans certification) comme au chai. Les vendanges sont toujours tardives pour récolter le raisin à parfaite maturité, et le travail à la cave privilégie une vinification et un élevage séparés pour chaque terroir.

Envoûtant le 2016 de Jean-Louis Chave. Au nez, des parfums gourmands de fruits confiturés «qui rappelle la joie enfantine de nos goûters» note un dégustateur, se mêlent aux épices douces d'un boisé impeccable. En bouche, le vin est tout velours, d'une douceur et d'une délicatesse inimitables, avec en soutien des tanins à la fois fermes et fins qui poussent loin la finale. On imagine le premier mouvement du concerto pour violon de Tchaïkovski, tout en légèreté et en complexité... ⧗ 2025-2040 ■ **2016 ★★★ (+ de 100 €; n.c.)** : «le domaine où se rencontrent le non mesurable, l'âme et l'esprit d'une œuvre et les conquêtes et nécessités techniques, ce domaine est toujours une sorte de terra incognita». Cette phrase du chef d'orchestre allemand Wilhelm Furtwängler pourrait s'appliquer à la découverte de ce vin d'exception. Un vin qui laisse au nez comme en bouche une impression de grande fraîcheur et de velouté, autour d'arômes de fleurs blanches et d'abricot et d'une matière à lois riche et tout en finesse. ⧗ 2023-2035

SCEA DOM. JEAN-LOUIS CHAVE, 37, av. du Saint-Joseph, 07300 Mauves, tél. 04 75 08 24 63

RHÔNE

♥ B YANN CHAVE 2017 ★★

■ | 6000 | | 75 à 100 €

Un domaine créé en 1969 par Bernard et Nicole Chave, repris en 1996, restructuré et agrandi (19,5 ha aujourd'hui, conduits en bio) par leur fils Yann. Ce dernier en a fait l'une des belles références des appellations hermitage et crozes-hermitage.

Élevée douze mois en demi-muid, la cuvée s'ouvre sur un nez d'abord timide qui libère à l'aération des notes bien mûres de fruit à noyau sur un fond délicatement épicé et vanillé. Nullement démonstrative, la bouche séduit par sa grande élégance, sa fraîcheur de fruit soutenue par des tanins aussi fins que fermes et par un élevage au cordeau. Un ensemble fringant, très abouti, qui ira loin. ⧗ 2023-2035

SCEA CHAVE PÈRE ET FILS, 1170, chem. de la Burge, 26600 Mercurol-Veaunes, tél. 04 75 07 42 11, chaveyann@yahoo.fr

DOM. PHILIPPE ET VINCENT JABOULET 2017 ★

■ | 1700 | | 30 à 50 €

Philippe Jaboulet et son fils Vincent ont décidé de poursuivre l'aventure viticole après la vente de la maison familiale Paul Jaboulet Aîné à la famille Frey. Ainsi se sont-ils installés en 2005 sur une partie du Dom. de Collonge, à la tête de 31 ha en crozes-hermitage, hermitage et cornas. Certification HVE depuis 2015.

Si le nez est retenu et sous l'emprise du chêne à ce stade, le palais déploie un corps puissant et plaisant, parfumé, aux franches notes de poire, de pomme au four, d'amande ou de caramel, relevé par ce qu'il faut de fraîcheur en finale. Un blanc épanoui et généreux. ⧗ 2020-2023

SAS PHILIPPE ET VINCENT JABOULET, 920, rte de la Négociale, 26600 Mercurol-Veaunes, tél. 04 75 07 44 32, jabouletphilippeetvincent@wanadoo.fr V r.-v.

DOM. DES REMIZIÈRES Autrement 2017 ★★

■ | 696 | | 75 à 100 €

Jusqu'en 1973, Alphonse Desmeure apportait sa vendange à la coopérative. Son fils Philippe développe la propriété à partir de 1977, généralise la production en bouteilles et accroît le vignoble: 36 ha aujourd'hui, disséminés sur plusieurs communes et conduits en bio non certifié avec ses enfants, Émilie et Christophe. Une référence incontournable, avec des vins d'une rare constance. Une activité de négoce a été créée en 2010 afin de diversifier la production dans d'autres appellations.

Un robe dense annonce un nez généreux, bien ouvert, combinant le fruit mûr, le poivre, le sous-bois et les nuances torréfiées d'un élevage en barriques. En bouche on découvre un vin puissant, chaleureux, aux notes confiturées, poivrées et mentholées, appuyé sur des tanins soyeux qui contribuent à la sensation de finesse de ce «super vin». Un jury enthousiaste donc. De garde. ⧗ 2023-2030 ■ **Cuvée Émilie 2017 ★ (30 à 50 €; 2900 b.)** : avec ses senteurs de fleurs blanches subtilement soulignées de noisette grillée, de vanille et de beurre, le nez témoigne d'un juste usage de la barrique. L'attaque fraîche et ronde ouvre sur une bouche délicate, sans exubérance, qui séduit par la finesse de son grain et son équilibre digeste. On peut le laisser reposer un peu en cave. ⧗ 2020-2023 ■ **Cuvée Émilie 2017 (30 à 50 €; 6600 b.)** : vin cité.

EARL DESMEURE, Dom. des Remizières, 1459, av. du Vercors, 26600 Mercurol-Veaunes, tél. 04 75 07 44 28, contact@domaineremizieres.com V r.-v.

♥ CAVE DE TAIN Grand Classique 2017 ★★

■ | 18000 | | 30 à 50 €

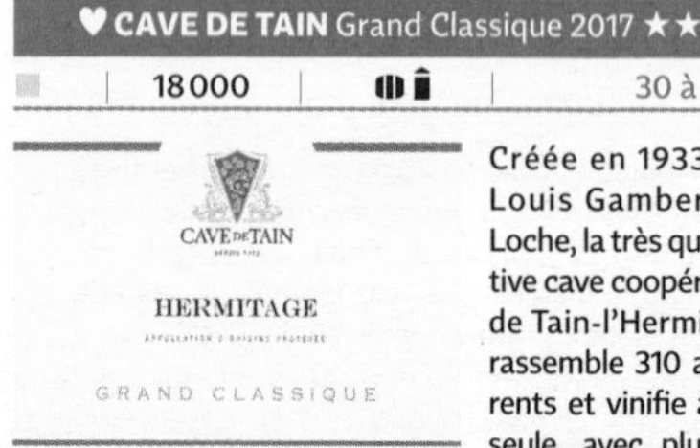

Créée en 1933 par Louis Gambert de Loche, la très qualitative cave coopérative de Tain-l'Hermitage rassemble 310 adhérents et vinifie à elle seule, avec plus de 1 000 ha de vignes, environ 50 % des appellations de la vallée du Rhône septentrionale. Elle possède aussi 26 ha en propre, dont 21 ha en AOC hermitage. Une valeur sûre de la région, qui s'est dotée en 2014 de structures de production flambant neuves permettant de multiplier les sélections parcellaires.

On ne compte plus les coups de cœur, encore moins les étoiles, obtenus par cette coopérative exemplaire. Celui-ci va à son Grand Classique, 100 % marsanne, élevé en cuve et fût. Délicat et expressif, le nez évoque l'acacia, le jasmin et le sureau, juste soulignés d'un trait de vanille. La même élégance s'impose dans une bouche tout en mesure, compromis idéal entre gras, fraîcheur, expression du fruit et justesse de l'élevage. Un blanc raffiné, plein et frais, d'un équilibre magistral. ⧗ 2021-2025 ■ **2017 ★★ (30 à 50 €; 5000 b.)** B : un peu réservé au premier nez, cet hermitage bio livre progressivement toute sa complexité: fruits noirs mûrs, cacao, poivre, torréfaction et nuances végétales. Ronde et soyeuse, l'attaque précède un milieu de bouche intensément parfumé, chaleureux, sur le fruit mûr, vite cadré par des tanins fins et une belle fraîcheur en finale. Complet, bien élevé, sans effet de manche, il a tout pour plaire et pour bien vieillir. ⧗ 2022-2030

SCA CAVE DE TAIN, 22, rte de Larnage, 26602 Tain-l'Hermitage, tél. 04 75 08 20 87, contact@cavedetain.com V r.-v.

DOM. DES TOURETTES 2017

■ | n.c. | | 50 à 75 €

Maison fondée en 1835, propriété depuis 1977 du Champagne Deutz (groupe Roederer). Sous la direction de Fabrice Rosset et de son directeur technique Jacques Grange, elle dispose de 30 ha en propre dans les AOC septentrionales, complétés par des achats de raisin, la gamme méridionale provenant de la partie négociant-éleveur.

Une touche de roussanne en appoint de la marsanne dans ce beau blanc onctueux, très bien élevé, riche et structuré qui mêle harmonieusement, au nez comme en bouche, fruit (abricot) et fût (toast). De garde. ⧗ 2021-2025

SA CHAMPAGNE DEUTZ (TAIN-L'HERMITAGE), 40, av. Jules-Nadi, 26600 Tain-l'Hermitage, contact@delas.com V *r.-v.*

CORNAS

Superficie : 115 ha / Production : 4 210 hl

En face de Valence, l'appellation s'étend sur la seule commune de Cornas. Les sols, en pente assez forte, sont composés d'arènes granitiques, maintenues en place par des murets. Issu de syrah récoltée à faibles rendements (30 hl/ha), le cornas est un vin rouge viril, charpenté, qu'il faut faire vieillir au moins trois années – mais il peut attendre parfois beaucoup plus – afin qu'il puisse exprimer ses arômes fruités et épicés sur des viandes rouges et du gibier.

DOM. DU BIGUET 2016 ★★

■ | 1000 | | 20 à 30 €

Jean-Louis et Françoise Thiers ont repris en 1981 les quelques arpents plantés et loués par les parents dans les années 1970 sur les arènes granitiques de Toulaud. Ils exploitent aujourd'hui 7 ha en saint-péray, cornas et côtes-du-rhône, tout en maintenant vivace la tradition du saint-péray effervescent.

Deux étoiles l'année passée, autant cette année, la cuvée brille par sa constance à haut niveau. Puissant, fumé, bien mûr mais allègre, le nez enchante. Ronde, riche, sans une once de lourdeur, la bouche montre le même dynamisme, portée par sa belle fraîcheur et ses tanins fins et croquants. Une harmonie saluée par tous les dégustateurs. ⧗ 2023-2030

EARL DU BIGUET (CAVE THIERS), 725, rte de Biguet, 07130 Toulaud, tél. 04 75 40 49 44, domainedubiguet.thiers@orange.fr V *r.-v.*

DOM. COURBIS La Sabarotte 2017 ★

■ | 5000 | | 30 à 50 €

Une valeur sûre de la vallée du Rhône septentrionale, notamment dans les AOC cornas et saint-joseph. Dominique et Laurent Courbis conduisent depuis la fin des années 1980, à la suite de leur père, un domaine de 35 ha dont les origines remontent au XVIIes. L'essentiel des vignes est perché sur des coteaux très abrupts à plus de 250 m d'altitude.

Noire comme il se doit à Cornas, la robe augure d'un nez riche et complexe, nuancé, gorgé de cassis, de mûre, de santal, de réglisse et de notes fumées issues du chêne. Intense et pleine à l'attaque, riche d'un fruit pulpeux, mûr et chaleureux, la bouche s'appuie sur des tanins gras parfaitement enrobés par un élevage intégré. Un cornas corsé, plein de sève, d'une grande et belle intensité. ⧗ 2023-2030 ■ **Les Eygats 2017 (30 à 50 €; 5000 b.)** : vin cité.

EARL DOM. COURBIS, rte de Saint-Romain, 07130 Châteaubourg, tél. 04 75 81 81 60, contact@domaine-courbis.fr V *t.l.j. sf dim. 9h-12h 14h-17h30; sam. sur r.-v.*

DELAS FRÈRES Chante-Perdrix 2016

■ | n.c. | | 30 à 50 €

Maison fondée en 1835, propriété depuis 1977 du Champagne Deutz (groupe Roederer). Sous la direction de Fabrice Rosset et de son directeur technique Jacques Grange, elle dispose de 30 ha en propre dans les AOC septentrionales, complétés par des achats de raisin, la gamme méridionale provenant de la partie négociant-éleveur.

Élevé quatorze mois en fût, ce cornas affiche une robe profonde et un nez intense sur les fruits noirs et le chêne. Jeune et bien construite, la bouche séduit par sa jolie matière patinée par l'élevage et ses tanins fins, fermes et prometteurs. De l'élégance. ⧗ 2022-2030

SA CHAMPAGNE DEUTZ (TAIN-L'HERMITAGE), 40, av. Jules-Nadi, 26600 Tain-l'Hermitage, contact@delas.com V *r.-v.*

JACQUES LEMENICIER 2017

■ | 15000 | | 20 à 30 €

Alors employé chez Alain Voge, Jacques Lemenicier se met à son compte en 1983 avec quelques vignes en fermage, puis achète ses premiers ceps en 1994. Parcelle par parcelle, il constitue son domaine, qui s'étend aujourd'hui sur 10 ha (dont 50 % en propriété) en cornas et en saint-péray.

Cassis, mûres, myrtilles, violette, nuances animales et de sous-bois, le nez est bien typé. La bouche témoigne d'un cornas complet, aux notes florales et animales, ample et souple à l'attaque, frais et resserré en finale autour de tanins fins et fermes. Un cornas délié qui sera vite accessible. ⧗ 2021-2025

EARL LEMENICIER, chem. des Peyrouses, 07130 Cornas, tél. 04 75 81 00 57, lemenicier@wanadoo.fr V *r.-v.; f. le 15 août*

JOHANN MICHEL Jana 2017 ★★

■ | 2400 | | 30 à 50 €

Son arrière-grand-père François Michel, l'un des fondateurs de l'AOC cornas, créa le domaine en 1939, que son père Jean-Luc remit en route en 1988 après une longue période de fermage (Dom. Courbis). Johann, installé en 1997, exploite aujourd'hui 5 ha de vignes.

Une syrah vinifiée en grappes entières et élevée quatorze mois en fûts. Si la robe est intense, le nez d'abord sur la réserve monte en puissance, libérant ses effluves de fruits bien mûrs, de réglisse et de vanille. On les retrouve avec plus d'intensité dans une bouche très soyeuse, ronde, tapissée de tanins bien arrondis par le fût. De la maîtrise et de la retenue dans l'élevage pour ce cornas dont les dégustateurs ont tous salué l'élégance. ⧗ 2022-2030 ■ **2017 (20 à 30 €; 11000 b.)** : vin cité.

JOHANN MICHEL, La Ferme de Chavaran, 115, chem. de Ploye, 07130 Saint-Péray, tél. 04 75 40 56 43, johann-michel@wanadoo.fr V *t.l.j. sf dim. 9h-12h 14h-19h*

MICHELAS-SAINT-JEMMS Terres d'Arce 2017

■ | 1200 | | 30 à 50 €

Fondée en 1972 par Robert et Yvette Michelas, cette exploitation ne compte pas moins de 53 ha répartis

dans quatre appellations. Les enfants – Sylvie, Corine, Florence et Sébastien – sont désormais aux commandes. Régulièrement en vue pour ses crozes et ses cornas.

La robe? De l'encre. Et dans le verre un cornas intense, fleurant bon les épices, les plantes sauvages et le chêne. Épais en bouche, bordé de tanins granuleux, long et encore sous le joug de l'élevage: beaucoup de caractère donc, un peu de rugosité à ce stade mais un potentiel évident. On s'arme de patience. ⌛ 2023-2030

⊶ GAEC MICHELAS, Dom. Michelas-Saint-Jemms, 557, rte de Bellevue, 26600 Mercurol-Veaunes, tél. 04 75 07 86 71, michelas.st.jemms@orange.fr V t.l.j. sf dim. 9h-12h 14h-18h

MAISON CHRISTOPHE PICHON Allégorie 2017 ★

■ | 7500 | | 30 à 50 €

Christophe Pichon a travaillé aux côtés de son père avant de reprendre seul, en 1991, l'exploitation établie dans le parc du Pilat: 21 ha aujourd'hui, répartis dans les appellations condrieu – dont il est l'actuel président –, côte-rôtie, saint-joseph et cornas. Corentin, son fils, revenu sur l'exploitation après un séjour en Australie, est désormais en charge de la vinification et de l'élevage des vins.

Derrière une robe soutenue, un nez mûr et flagrant, de violette, de fruits à noyau, teinté de fines notes fumées. Une qualité de fruit que l'on retrouve dans une bouche ronde, voluptueuse, cadrée par des tanins bien intégrés et relevée par une fraîcheur de bon aloi en finale. Harmonie et plénitude au rendez-vous de ce cornas élégant. ⌛ 2022-2028

⊶ SARL CHRISTOPHE PICHON, 36, le Grand-Val, 42410 Chavanay, tél. 04 74 87 06 78, chrpichon@wanadoo.fr V t.l.j. sf dim. 10h-12h 14h-18h

♥ LES REMIZIÈRES 2017 ★★

■ | 3300 | | 20 à 30 €

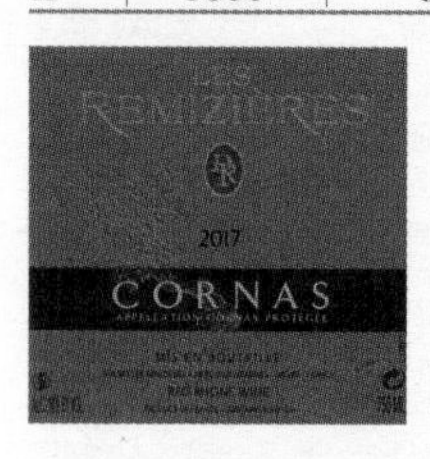

Jusqu'en 1973, Alphonse Desmeure apportait sa vendange à la coopérative. Son fils Philippe développe la propriété à partir de 1977, généralise la production en bouteilles et accroît le vignoble: 36 ha aujourd'hui, disséminés sur plusieurs communes et conduits en bio non certifié avec ses enfants, Émilie et Christophe. Une référence incontournable, avec des vins d'une rare constance. Une activité de négoce a été créée en 2010 afin de diversifier la production dans d'autres appellations.

Issu de l'activité de négoce, ce grand cornas coloré respire le fruit noir sur un fond généreusement fumé et torréfié. L'élevage se fond dans une bouche puissante, opulente, très réglissée, étayée de tanins fins et persistants qui étirent le fruit sans l'assécher jusqu'en finale, remarquable de fraîcheur minérale. Le jury est sous le charme. De longue garde. ⌛ 2023-2030

⊶ SAS LES REMIZIÈRES, 1459, av. du Vercors, 26600 Mercurol-Veaunes, tél. 04 75 07 44 28, contact@domainedesremizieres.com V r.-v.

CAVE DE TAIN Grand Classique 2017

■ | 12000 | | 20 à 30 €

Créée en 1933 par Louis Gambert de Loche, la très qualitative cave coopérative de Tain-l'Hermitage rassemble 310 adhérents et vinifie à elle seule, avec plus de 1 000 ha de vignes, environ 50 % des appellations de la vallée du Rhône septentrionale. Elle possède aussi 26 ha en propre, dont 21 ha en AOC hermitage. Une valeur sûre de la région, qui s'est dotée en 2014 de structures de production flambant neuves permettant de multiplier les sélections parcellaires.

Un cornas solaire, sur les fruits très mûrs et le chêne (cacao, torréfaction), ample, riche, très épicé (poivre, piment) en bouche, épaulé par des tanins puissants et un boisé très soutenu pour l'heure. À oublier en cave. ⌛ 2023-2030

⊶ SCA CAVE DE TAIN, 22, rte de Larnage, 26602 Tain-l'Hermitage, tél. 04 75 08 20 87, contact@cavedetain.com V r.-v.

DOM. DU TUNNEL 2017 ★

■ | 10600 | | 20 à 30 €

Depuis son installation en 1994, Stéphane Robert, qui n'est pas issu du monde viticole, s'est imposé comme une référence dans le paysage des crus septentrionaux. Il a créé son vignoble de toutes pièces, aujourd'hui 12 ha très morcelés, avec des vignes en cornas, saint-joseph, saint-péray et condrieu. Des vignes qui longent une ancienne voie ferrée et un tunnel de 160 m, toujours visible, qui donne son nom au domaine et dans lequel ont été aménagés en 2013 une nouvelle cuverie et le chai d'élevage.

Régulièrement au rendez-vous du Guide, Stéphane Robert signe ce cornas issu de vignes cinquantenaires, aux arômes épanouis (épicés, grillés, floraux) dont la bouche, ronde et veloutée à l'attaque, est appuyée sur des tanins fins, logiquement fermes mais sans aucune rugosité. La patience est de mise. ⌛ 2022-2030

⊶ EARL STÉPHANE ROBERT (DOM. DU TUNNEL), 20, rue de la République, 07130 Saint-Péray, tél. 06 81 07 31 89, domaine-du-tunnel@wanadoo.fr V r.-v. 5

LES VINS DE VIENNE Les Barcillants 2017 ★

■ | 6500 | | 30 à 50 €

Pour faire renaître le vignoble de Seyssuel situé en amont de Vienne, trois vignerons de renom, Yves Cuilleron, Pierre Gaillard et François Villard, ont créé cette affaire en 1996, à l'origine de beaux vins de propriété – IGP à Seyssuel, sélections parcellaires en AOC septentrionales – et de vins de négoce de toute la vallée.

En patois du Pilat, «Barcillant» désigne une personnalité forte et généreuse tel ce cornas, au nez de mûre, d'olive noire, de sous-bois et de chêne, à la bouche généreuse, ample, bien structurée, tannique comme il se doit, mais sans austérité et ponctuée par une bonne fraîcheur finale. Puissant et généreux effectivement, complet aussi. ⌛ 2023-2030

⊶ SARL LES VINS DE VIENNE, 1, ZA de Jassoux, 42410 Chavanay, tél. 04 74 85 04 52, contact@lesvinsdevienne.fr V r.-v.

FRANÇOIS VILLARD Jouvet 2017 ★★

■ | 7500 | | 30 à 50 €

Vigneron réputé de la vallée du Rhône nord, François Villard, ancien cuisinier, s'est installé en 1989 à Saint-Michel-sur-Rhône pour créer son vignoble: 36 ha aujourd'hui dans cinq crus, complétés par une petite activité d'achat de raisin. Dans son chai cathédrale naissent de beaux vins dans les deux couleurs.

Si le 2015 de cette cuvée avait divisé les dégustateurs du Guide, le 2017 les a mis d'accord. Ils ont aimé la robe profonde et le nez fin et fruité aux nuances d'épices, d'olive noire, de fruit à noyau. Ils ont loué la justesse de l'élevage, la trame tannique fine et serrée, la maturité du fruit et la belle fraîcheur de l'ensemble. Une harmonie parfaite et une gourmandise déjà de mise. ⧗ 2022-2030

SARL FRANÇOIS VILLARD, 330, rte du Réseau-Ange, 42410 Saint-Michel-sur-Rhône, tél. 04 74 56 83 60, vinsvillard@wanadoo.fr V r.-v.

Ⓑ **ALAIN VOGE** Les Vieilles Vignes 2016 ★

■ | 15870 | | 30 à 50 €

Alain Voge a rejoint son père sur le domaine familial en 1958. Abandon de la polyculture, replantation de coteaux abandonnés, vente directe en bouteilles, il met le vignoble sur les rails, 12 ha aujourd'hui cultivés en bio et biodynamie. Régulièrement en vue pour ses cornas et ses saint-péray.

Figure de l'appellation, le domaine a peaufiné ce cornas d'un beau classicisme, au nez élégant et solaire qui décline le fruit noir écrasé mêlé de notes boisées avec une touche animale. Le boisé ressort en bouche, serrant un peu les tanins et le corps de ce beau cornas, long, chocolaté, bien construit, bien élevé et prometteur. ⧗ 2022-2030

SARL ALAIN VOGE, 4, imp. de l'Équerre, 07130 Cornas, tél. 04 75 40 32 04, contact@alain-voge.com V *t.l.j. sf dim. 9h-18h; sam. sur r.-v.*

SAINT-PÉRAY

Superficie : 75 ha
Production : 2 170 hl (10 % effervescents)

Situé face à Valence, le vignoble de Saint-Péray est dominé par les ruines du château de Crussol. Un microclimat un peu plus froid et des sols plus riches que dans le reste de la région sont favorables à la production de vins plus acides et moins riches en alcool, issus de marsanne et de roussanne, cépages bien adaptés à l'élaboration de blanc de blancs par la méthode traditionnelle.

DOM. DU BIGUET 2017 ★

□ | 2800 | | 11 à 15 €

Jean-Louis et Françoise Thiers ont repris en 1981 les quelques arpents plantés et loués par les parents dans les années 1970 sur les arènes granitiques de Toulaud. Ils exploitent aujourd'hui 7 ha en saint-péray, cornas et côtes-du-rhône, tout en maintenant vivace la tradition du saint-péray effervescent.

Coup de cœur l'année passée, la cuvée n'a rien perdu de sa grâce en 2017. On retrouve sa palette fraîche, minérale, citronnée, florale et briochée, sa bouche ronde et vivante, légèrement miellée, portée par une fraîcheur minérale qui confère à l'ensemble un éclat particulier. ⧗ 2019-2022 □ **Terres Rouilles 2017 ★ (15 à 20 €; 1750 b.)** : une dominante de roussanne dans ce saint-péray fringant au nez puissant, mûr mais frais, qui décline le fruit exotique, l'agrume et l'acacia. Plus beurrée et briochée, la bouche enchante par sa rondeur, son ampleur qui ne cède rien jusqu'en finale et son équilibre réjouissant entre richesse et fraîcheur. Savoureux et complet. ⧗ 2019-2022

EARL DU BIGUET (CAVE THIERS), 725, rte de Biguet, 07130 Toulaud, tél. 04 75 40 49 44, domainedubiguet.thiers@orange.fr V *r.-v.*

ÉRIC ET JOËL DURAND 2017 ★★

□ | 7000 | | 15 à 20 €

Un domaine familial de 20 ha constant en qualité, établi au sud de l'appellation saint-joseph et aux portes de celle de cornas, conduit par les frères Éric et Joël Durand.

Mi-marsanne mi-roussanne, ce 2017 a fait l'objet d'un élevage mixte, en cuve et fût. Le nez frais fait preuve d'une belle complexité avec ses nuances florales et minérales intenses. La bouche, dans la continuité du nez, affiche une belle tension et déploie sa palette citronnée et florale ponctuée d'une touche d'hydrocarbure qui assoit un peu plus le profil résolument minéral de ce beau blanc. ⧗ 2019-2022

GAEC DU LAUTARET (ÉRIC ET JOËL DURAND), 2, imp. de la Fontaine, 07130 Châteaubourg, tél. 04 75 40 46 78, ej.durand@wanadoo.fr V *r.-v.*

LAURENT ET CÉLINE FAYOLLE Montis 2017 ★

□ | 3000 | | 15 à 20 €

En 2002, Laurent Fayolle et sa sœur Céline ont repris le domaine familial créé en 1870, l'un des premiers à avoir vendu son vin en bouteilles (1959). Le vignoble s'étend aujourd'hui sur près de 10 ha planté essentiellement de vieilles vignes, en hermitage, crozes et saint-péray, exploité dans l'esprit bio mais sans certification.

Des vieilles vignes de marsanne et un élevage en fût de dix mois ont forgé le caractère de ce blanc lumineux, vif, floral et minéral au nez, rond, ample et frais en bouche. Un saint-péray tout en finesse et en harmonie. ⧗ 2019-2021

SAS LAURENT ET CÉLINE FAYOLLE, 9, rue du Ruisseau, 26600 Gervans, tél. 04 75 03 33 74, contact@fayolle-filsetfille.fr V *t.l.j. sf sam. dim. 9h-12h 13h30-18h*

DOM. BERNARD GRIPA Les Figuiers 2017 ★★

□ | 13000 | | 20 à 30 €

La famille Gripa arrive à Saint-Péray au XVII[e]s., puis s'établit à Mauves vers 1850. Valeur sûre de la vallée du Rhône septentrionale, tant pour ses saint-péray que pour ses saint-joseph (en témoignent les nombreux coups de cœur obtenus dans les deux appellations), le domaine est conduit depuis 2001 par Fabrice Gripa, fils de Bernard, aujourd'hui à la tête de 17 ha de vignes.

Composé de roussanne (60 %) et de marsanne, ce 2017 affiche le caractère organoleptique du saint-péray type.

Couleur jaune-vert brillante, nez d'agrumes et d'acacia tout en subtilité, attaque fraîche, puis joli volume dans lequel s'inscrivent durablement les arômes d'abricot et de pêche miellés. ⧗ 2019-2023

EARL DOM. BERNARD GRIPA, 5, av. Ozier, 07300 Mauves, tél. 04 75 08 14 96, gripa@wanadoo.fr V t.l.j. sf sam. dim. 8h30-12h 14h-17h30

CAVE DE TAIN Fleur de Roc 2018 ★

	16000		15 à 20 €

Créée en 1933 par Louis Gambert de Loche, la très qualitative cave coopérative de Tain-l'Hermitage rassemble 310 adhérents et vinifie à elle seule, avec plus de 1 000 ha de vignes, environ 50 % des appellations de la vallée du Rhône septentrionale. Elle possède aussi 26 ha en propre, dont 21 ha en AOC hermitage. Une valeur sûre de la région, qui s'est dotée en 2014 de structures de production flambant neuves permettant de multiplier les sélections parcellaires.

Un vin raffiné, ouvert sur la poire, les agrumes et la praline, à la bouche tendre et fraîche, centrée sur la brioche, le beurre frais et les fleurs blanches, dotée d'une subtile amertume en finale. Une réussite. ⧗ 2019-2022

SCA CAVE DE TAIN, 22, rte de Larnage, 26602 Tain-l'Hermitage, tél. 04 75 08 20 87, contact@cavedetain.com V r.-v.

♥ DOM. DU TUNNEL Roussanne 2017 ★★

	10200		20 à 30 €

Depuis son installation en 1994, Stéphane Robert, qui n'est pas issu du monde viticole, s'est imposé comme une référence dans le paysage des crus septentrionaux. Il a créé son vignoble de toutes pièces, aujourd'hui 12 ha très morcelés, avec des vignes en cornas, saint-joseph, saint-péray et condrieu. Des vignes qui longent une ancienne voie ferrée et un tunnel de 160 m, toujours visible, qui donne son nom au domaine et dans lequel ont été aménagés en 2013 une nouvelle cuverie et le chai d'élevage.

Connu pour ses rouges, le domaine ne néglige aucunement ses blancs. En témoigne cette roussanne, finement élevée, qui aura fait le bonheur du jury. Le cépage libère au nez ses senteurs complexes de pêche, de poire, de miel, de fleurs ou d'agrume confit, à peine soulignées de chêne. La même qualité de fruit s'impose dans une bouche puissante, charnue et charnelle, sans une once de mollesse, impressionnante de plénitude, d'harmonie et de longueur. Un grand blanc de gastronomie. ⧗ 2019-2024

EARL STÉPHANE ROBERT (DOM. DU TUNNEL), 20, rue de la République, 07130 Saint-Péray, tél. 06 81 07 31 89, domaine-du-tunnel@wanadoo.fr V r.-v. 5

LES VINS DE VIENNE Les Bialères 2017

	6000		15 à 20 €

Pour faire renaître le vignoble de Seyssuel situé en amont de Vienne, trois vignerons de renom, Yves Cuilleron, Pierre Gaillard et François Villard, ont créé cette affaire en 1996, à l'origine de beaux vins de propriété – IGP à Seyssuel, sélections parcellaires en AOC septentrionales – et de vins de négoce de toute la vallée.

Un assemblage marsanne (80 %) et roussanne en grande forme, au nez puissant et mûr qui rappelle le coing, la poire, le miel et les fleurs blanches. Ronde et fraîche, la bouche restitue cette plénitude de fruit qui se nuance de nougat et d'amande en finale. Un blanc aromatique, très plaisant, à ouvrir sans attendre. ⧗ 2019-2021

SARL LES VINS DE VIENNE, 1, ZA de Jassoux, 42410 Chavanay, tél. 04 74 85 04 52, contact@lesvinsdevienne.fr V r.-v.

CLAIRETTE-DE-DIE

Superficie : 1 401 ha / Production : 84 272 hl

Le vignoble du Diois occupe les versants de la moyenne vallée de la Drôme, entre Luc-en-Diois et Aouste-sur-Sye. Sans doute héritière du vin doux pétillant des Voconces mentionné par Pline l'Ancien, la clairette-de-die méthode dioise ou ancestrale est un vin mousseux doux et à faible teneur en alcool, dominé par le cépage muscat (75 % minimum) et qui termine naturellement sa fermentation en bouteille, sans adjonction de liqueur de tirage. L'appellation autorise aussi l'élaboration d'effervescents à base de clairette selon la méthode traditionnelle, avec seconde fermentation en bouteille.

B ACHARD-VINCENT Tradition

	40000		8 à 11 €

Ce domaine, producteur de clairette-de-die depuis six générations, est une valeur sûre de l'appellation et un précurseur en termes d'agriculture bio, qu'il pratique depuis 1968. Installé en 2005 à la tête du vignoble (11 ha), Thomas Achard a développé la biodynamie.

Mousse fine, robe pâle et limpide, cette clairette s'annonce avec élégance. Au nez, les agrumes côtoient les fleurs blanches, la pêche et l'abricot. Des arômes que l'on retrouve dans une bouche ronde mais allègre dotée d'une belle fraîcheur. ⧗ 2019-2020

SCEA ACHARD-VINCENT, 2, rte de la Soie, 26150 Sainte-Croix, tél. 04 75 21 20 73, contact@domaine-achard-vincent.com V t.l.j. 9h-12h30 14h-18h; dim. sur r.-v. E

♥ DOM. GUIGOURET Tradition Méthode ancestrale ★★

	134000		8 à 11 €

À la fois propriété familiale et société de négoce, l'entreprise Carod s'est fortement développée depuis sa création en 1965, jusqu'à produire aujourd'hui 2 millions de cols par an. Un acteur de poids dans le Diois, acquis en 2008 par les Grands Chais de France, avec pour fleuron le Dom. Guigouret.

Déjà coup de cœur dans le passé, cette cuvée nous revient en très grande forme. Tout y est élégant: la bulle fine et furtive, le nez flagrant et gourmand sur le fruit jaune et le litchi, la bouche gracile, friande de fruit exotique et d'agrume, avec une douceur parfaitement équilibrée par une belle fraîcheur. Vin de fruit. ⧗ 2019-2020

SCEA DOM. GUIGOURET, quartier du Gap, RD_93, 26340 Vercheny, tél. 04 75 21 73 77, contact@caves-carod.com t.l.j. 9h-12h 14h-18h; dim d'avr. à sept. 10h-12h 14h-18h

JAILLANCE
Muscat Cuvée Excellence Tradition ★★

●	130 000		5 à 8 €

Cette coopérative fondée en 1950 est l'acteur principal du Diois viticole: 224 adhérents pour quelque 1 100 ha de vignes (dont 14 % cultivés en bio), soit plus de 70 % de la production locale. La cave s'est aussi développée dans le Bordelais, où elle produit du crémant-de-bordeaux.

Une cuvée bio qui illustre, comme beaucoup d'autres chez Jaillance, un savoir-faire éprouvé en matière de bulles. Une robe pâle aux reflets dorés, une mousse onctueuse, un nez joyeux, fruité et floral, une bouche délicieuse, aussi fraîche que douce et parfumée qui restitue toute la panoplie aromatique du muscat (pêche, litchi, coing, fleurs). Une clairette à peu près idéale. ⧗ 2019-2020 ● **Brut ★★ (8 à 11 €; 25 000 b.)** : deux étoiles de plus au compteur de la cave avec ce brut bio, 100 % clairette, complexe et retenu au nez sur des nuances de pierre à fusil, de fleurs, de miel et de cire. On retrouve cette complexité aromatique dans un palais bien structuré, ample et épanoui, d'un équilibre irréprochable. ⧗ 2019-2020 ● **Tradition Méthode ancestrale ★ (5 à 8 €; 150 000 b.)** : d'une robe pâle monte des senteurs de bergamote, de pivoine, d'agrume et de fruits exotiques. Fidèle au nez, la bouche enchante par sa rondeur parfumée, sa souplesse et la pureté de ses arômes. Très gourmand. ⧗ 2019-2020

SCA LA CAVE DE DIE JAILLANCE, 355, av. de la Clairette, 26150 Die, tél. 04 75 22 30 00, info@jaillance.com t.l.j. 9h-12h30 14h-19h

JASMÉE Muscat Méthode ancestrale ★★

●	234 533	5 à 8 €

À la fois propriété familiale et société de négoce, l'entreprise Carod s'est fortement développée depuis sa création en 1965, jusqu'à produire aujourd'hui 2 millions de cols par an. Un acteur de poids dans le Diois, acquis en 2008 par les Grands Chais de France, avec pour fleuron le Dom. Guigouret (40 ha).

Une robe très pâle laisse apprécier un cordon étiré de fines bulles. Sans exubérance, le nez séduit par l'élégance de ses arômes de rose, de pêche et d'abricot. Onctueuse au toucher, intense par ses flaveurs de fruit et de fleurs, la bouche laisse le souvenir d'une clairette ronde, très longue, dont la sucrosité est allégée par ce qu'il faut d'acidité. Un vin très pur et d'une gourmandise redoutable. ⧗ 2019-2020 ● **Carod Frères Tradition Méthode ancestrale ★ (5 à 8 €; 160 800 b.)** : 25 % de clairette en appoint du muscat dans ce blanc doré de robe, fin au nez, tendre et frais en bouche, porté par ses parfums de fruit exotique et sa finale citronné. Un grand séducteur. ⧗ 2019-2020

SASU CAROD, quartier du Gap, RD_93, 26340 Vercheny, tél. 04 75 21 73 77, contact@caves-carod.com t.l.j. 9h-12h 14h-18h; dim. d'avr. à sept. 10h-12h 14h-18h

UNION DES JEUNES VITICULTEURS RÉCOLTANTS
Cuvée Chambéran Tradition Méthode ancestrale

●	105 000		5 à 8 €

Fondée en 1961, l'Union des Jeunes Viticulteurs récoltants est une société coopérative (SCAEC) originale, regroupant huit vignerons du Diois qui ont mis en commun leurs vignes et leur matériel pour constituer un coquet vignoble de 63 ha aujourd'hui.

Une mousse généreuse, un nez de verveine, une bouche singulière par son aromatique de fruit mûr, de thé, d'herbe fraîche avec une amertume agréable en finale qui compense un petit manque de fraîcheur. Une interprétation originale et plaisante de l'appellation. ⧗ 2019-2020

SCA UNION DES JEUNES VITICULTEURS RÉCOLTANTS, 3000, av. de la Clairette, 26340 Vercheny, tél. 04 75 21 70 88, contact@ujvr.fr t.l.j. 9h30-12h 14h-18h30

JEAN-CLAUDE RASPAIL ET FILS
Must Grande Tradition ★★

●	13 400		11 à 15 €

Formé en Champagne, Frédéric Raspail, petit-fils de Flavien, fondateur du domaine en 1942, est revenu en 2001 sur l'exploitation familiale – 15 ha dédiés aux effervescences dioises et conduits en bio.

Une mousse persistante et une robe lumineuse ouvrent sur un nez pur, complexe, associant les fruits exotiques, le Yuzu ou le muguet. On aime la bouche tendre, voluptueuse, très aromatique, miellée mais sans un soupçon de lourdeur. Un must effectivement. ⧗ 2019-2020

EARL JEAN-CLAUDE RASPAIL, 780, rte de Die, 26340 Saillans, tél. 04 75 21 55 99, contact@raspail.com t.l.j. 9h-12h 14h-18h30; f. du 5 au 31 janv.

CRÉMANT-DE-DIE

Production : 1 993 hl

L'AOC a été reconnue en 1993. Le crémant-de-die est produit à partir du cépage clairette, selon la méthode traditionnelle qui consiste en une seconde fermentation en bouteille.

CAROD Brut

●	24 000		8 à 11 €

À la fois propriété familiale et société de négoce, l'entreprise Carod s'est fortement développée depuis sa création en 1965, jusqu'à produire aujourd'hui 2 millions de cols par an. Un acteur de poids dans le Diois, acquis en 2008 par les Grands Chais de France, avec pour fleuron le Dom. Guigouret (40 ha).

Mirabelle, brioche, fleurs blanches, le nez présente bien. Tout aussi parfumé, léger, le palais séduit par sa franche vivacité et ses amers subtils de fin de bouche. Simple mais harmonieux. ⧗ 2019-2020

SASU CAROD, quartier du Gap, RD_93, 26340 Vercheny, tél. 04 75 21 73 77, contact@caves-carod.com t.l.j. 9h-12h 14h-18h; dim. d'avr. à sept. 10h-12h 14h-18h

JEAN-CLAUDE RASPAIL ET FILS
Brut Cuvée Flavien Réserve 2014 ★

	9402		8 à 11 €

Formé en Champagne, Frédéric Raspail, petit-fils de Flavien, fondateur du domaine en 1942, est revenu en 2001 sur l'exploitation familiale – 15 ha dédiés aux effervescences dioises et conduits en bio.

35 % d'aligoté et une larme de muscat complètent la clairette dans ce 2014 rafraîchissant et complexe, minéral (pierre à fusil) et brioché au nez comme en bouche. Au palais, une sensation crémeuse, de la rondeur, une belle acidité et une touche d'amertume de bon ton en finale. Fin et épanoui, c'est un très bon ambassadeur de l'appellation. ⧗ 2019-2021

EARL JEAN-CLAUDE RASPAIL, 780, rte de Die, 26340 Saillans, tél. 04 75 21 55 99, contact@raspail.com t.l.j. 9h-12h 14h-18h30; f. du 5 au 31 janv.

LA VALLÉE DU RHÔNE MÉRIDIONALE

GRIGNAN-LES-ADHÉMAR

Superficie : 1 900 ha
Production : 36 500 hl (93 % rouge et rosé)

Longtemps appelée coteaux-du-tricastin, cette appellation est située au sud de Montélimar, dans la partie nord de la vallée du Rhône méridionale, à la limite du climat méditerranéen. Les vignes sont implantées sur des terrains caillouteux d'alluvions anciennes et sur des coteaux sableux, dans 22 communes de la rive gauche du fleuve, de La Baume-de-Transit au sud, en passant par Saint-Paul-Trois-Châteaux, jusqu'aux Granges-Gontardes, au nord. Assemblant les cépages grenache et syrah, complétés par le cinsault, le mourvèdre et le carignan, les vins rouges, largement majoritaires, sont pour la plupart à consommer jeunes.

DOMAINES ANDRÉ AUBERT Le Devoy 2017 ★

■	24000		- de 5 €

Les fils d'André Aubert – Claude, Yves et Alain – sont installés depuis 1981 à la tête de l'un des plus vastes ensembles viticoles rhodaniens (490 ha répartis sur plusieurs domaines), grâce auquel ils proposent une large gamme de vins de la vallée du Rhône méridionale.

Un assemblage dominé par la syrah qui a bien profité des chaleurs du millésime avec son nez de fruits à noyau et de pruneau et sa bouche épanouie, riche, chaleureuse, épicée, relevée en finale par une pointe discrète de fraîcheur. Bien typé et plaisant. ⧗ 2020-2024

GAEC AUBERT FRÈRES, 75, rte des Chênes-Verts, RN_7 Les Gresses, 26290 Donzère, tél. 04 75 51 78 53, aubertfreres@wanadoo.fr t.l.j. 10h-19h

CH. BIZARD Montagne de Raucoule 2017 ★

■	13000		8 à 11 €

Une propriété viticole née en 1862 sur les coteaux élevés du village d'Allan, conduite depuis 1980 par Marc et Marie Lépine, descendants directs des fondateurs. Bizard ? Le domaine porte le nom des tout premiers propriétaires des lieux, au XVI^e^s.

Syrah et grenache à parité dans cet assemblage qui a bénéficié d'un élevage partiel (syrah) en fût. Avec ses nuances vanillées sur fond de fruits noirs, le nez en porte la marque. La bouche tout autant avec ses puissantes notes d'épices vanillées qui imprègnent un palais souple, chaleureux et finement structuré. On le descend à la cave et on l'oublie une paire d'années. ⧗ 2021-2024 ■ **Serre de Courrent 2017 ★ (15 à 20 €; 9500 b.)** : une majorité de syrah cette fois, avec un élevage en fût présent mais qui n'occulte

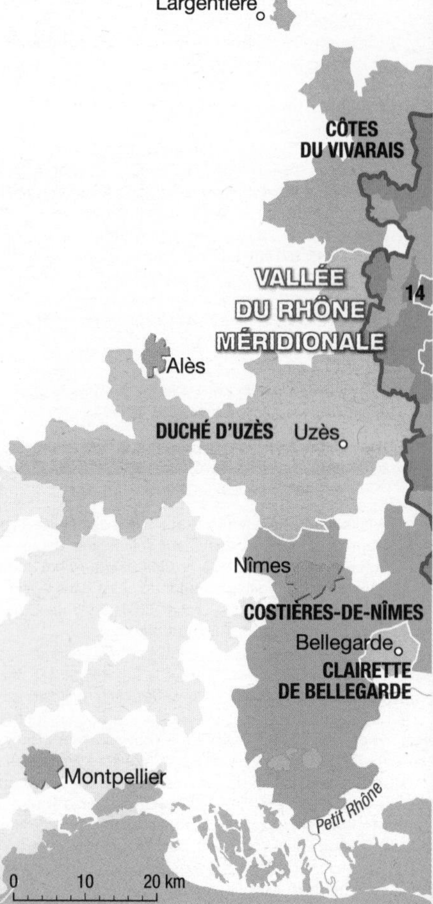

pas le fruit (fruits rouges) au nez. La bouche se révèle riche, campée sur une bonne structure tannique avec ce qu'il faut de fraîcheur et de nuances aromatiques (fruits rouges, tabac, épices). Un vin complet donc. ⧗ 2021-2024

⊶ *GFA CH. BIZARD, 460, chem. de Bizard, 26780 Allan, tél. 04 75 46 64 69, contact@chateaubizard.fr*
V 🚶 ℹ *t.l.j. 10h-13h 15h-19h; f. dim. nov.-mars*

CELLIER DES TEMPLIERS Diamant Noir 2017 ★

■ | 20000 | ℹ | 5 à 8 €

Fondée en 1967, la coopérative de Richerenches, située dans l'Enclave des papes, portion du département du Vaucluse enchâssée dans la Drôme, regroupe aujourd'hui 650 ha en côtes-du-rhône, *villages* et grignan-les-adhémar.

Syrah et grenache sont associés dans cette cuvée élevée en cuve qui affiche une robe jeune, violacée, et un nez agréable sur le fruit bien mûr. Une belle maturité qui se traduit en bouche par une souplesse et une sucrosité gourmande enveloppant un fruit mûr, suave et torréfié. Bien construit et déjà charmeur. ⧗ 2019-2023

■ **Grignandises 2018 ★ (5 à 8 €; 8000 b.)** : grenache et syrah sont associés dans ce rosé limpide, au nez de fruits rouges et d'agrumes. La bouche plaît par sa vivacité et son fruité franc, en harmonie avec l'olfaction. ⧗ 2019-2020

⊶ *SCA LE CELLIER DES TEMPLIERS, 233, rte de Valréas, 84600 Richerenches, tél. 04 90 28 01 00, cellier.templiers@wanadoo.fr*
V ℹ *t.l.j. sf dim. 9h-12h 14h30-18h30*

Vallée du Rhône (partie méridionale)

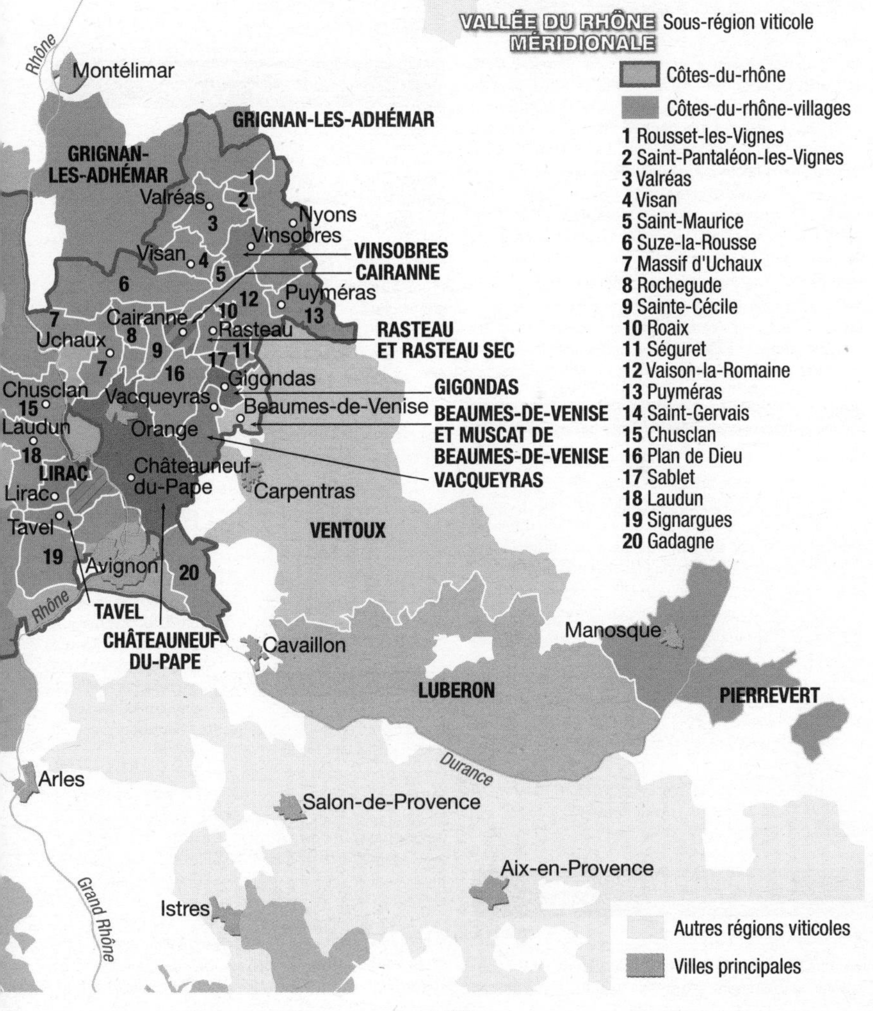

DOM. DE GRANGENEUVE Tradition 2017 ★

■ | 60000 | 🍾 | 5 à 8 €

Un vaste domaine de 80 ha, souvent en vue dans ces pages, créé de toutes pièces à partir de 1964 par les Alsaciens Odette et Henri Bour sur les vestiges d'une villa romaine. Depuis 1998, leur fils Henri et leur petite-fille Nathalie sont aux commandes.

Un domaine d'une louable régularité, chaque année au rendez-vous du Guide. Honneur cette année au Tradition, assemblage dominé par le grenache, qui livre au nez ses effluves de fruits des bois, de kirsch et de poivre. Une maturité confirmée dans une bouche suave, ronde, aux tanins doux, qui libère en finale de bien belles épices. Solaire mais harmonieux. On peut l'ouvrir sans attendre. ⌛ 2019-2023

SARL DOMAINES BOUR, 1200, rte des Esplanes, 26230 Roussas, tél. 04 75 98 50 22, domaines.bour@wanadoo.fr V t.l.j. 9h-12h30 14h-19h

DOM. GUITON Marquise 2018

■ | 45000 | 🍾 | 5 à 8 €

Bourguignon d'origine et producteur dans la Côte de Nuits, Yves Cheron s'est installé en 2004 dans la vallée du Rhône. Propriétaire du Grand Montmirail à Gigondas, il possède deux domaines en crozes-hermitage: Les Hauts de Mercurol et le Dom. Michel Poinard, dans la commune de La Roche-de-Glun.

Fraîchement sorti des cuves, ce rouge livre un bouquet plutôt appétant de fruits rouges caramélisés. Fringant en bouche, fruitée (cerise rouge) et poivrée, tonique et cadrée par des tanins encore fermes, cette Marquise sait jouer de ses charmes. À encaver brièvement. ⌛ 2020-2023

SA SEMA CAVE PASCAL, 2459, rte de Vaison, 84190 Vacqueyras, tél. 04 90 65 85 91, contact@vignoblescheron.fr V t.l.j. sf ven. sam. dim. 9h-12h 14h-18h; f. du 1er au 20 août

DOM. DE MONTINE Émotion 2017 ★★

■ | 40000 | 🛢 | 8 à 11 €

Installés dans une ancienne ferme du château de Grignan, les frères Jean-Luc et Claude Monteillet, également trufficulteurs, exploitent depuis 1987 ce domaine familial de 70 ha, très en vue pour ses grignan-les-adhémar, qui produit aussi du vinsobres et des IGP.

Mi-syrah mi-grenache, la cuvée fait aussi bien que l'année dernière. Le jury a aimé l'intensité de la robe et la richesse aromatique du nez qui hésite entre fruit compoté, épices, pruneau et torréfaction. Puissante mais vibrante, la bouche s'organise autour d'une belle acidité et de tanins croquants qui illuminent le fruit, teinté de réglisse en finale. Un équilibre parfait pour ce vin de longue garde qui n'usurpe pas son nom ⌛ 2022-2030

SARL MONTEILLET, hameau de la Grande-Tuilière, BP_5, 26230 Grignan, tél. 04 75 46 54 21, domainedemontine@wanadoo.fr V t.l.j. 9h-12h 14h-19h

Ⓑ DOM. DU SERRE DES VIGNES Mas de Merlère 2017 ★

■ | 13600 | 🍾 | 8 à 11 €

Un domaine dans la même famille depuis cinq générations, patiemment planté de vignes à partir des années 1970 par les frères Jean-Louis et Daniel Roux, rejoints en 1994 par Jérôme et Vincent, les fils respectifs. Ces derniers sortent de la coopérative en 2003 et engagent la conversion bio (certification en 2008).

Vinifié en cuve bois tronconique, cet assemblage grenache-syrah exhale des douces senteurs de fruits noirs cuits, d'épices et de caramel. Elles font aussi le charme d'une bouche suave, ensoleillée mais sans mollesse, qui séduit déjà par sa structure détendue. Du potentiel cependant. ⌛ 2021-2025 ■ **Loulys 2018 ★ (8 à 11 €; 8500 b.)** Ⓑ : l'appellation a le privilège de pouvoir produire des blancs 100 % viognier. Les Roux ne s'en privent pas et ils ont bien raison sur la foi de cette cuvée (dédiée à Louis et Maëlys, la dernière génération) réjouissante, aromatique comme il se doit (pêche, poire, abricot), volubile, ronde et fraîche en bouche avec un beau gras et des parfums à foison. Le jury apprécie. ⌛ 2019-2022

DOM. DU SERRE DES VIGNES, 505, traverse du Serre-des-Vignes, 26770 La Roche-Saint-Secret, tél. 09 65 27 30 87, info@serredesvignes.com V t.l.j. sf dim. 10h-12h 14h- 18h

LES VIGNERONS DE VALLÉON Marquise de Sévigné 2017

■ | 7900 | 🍾 | - de 5 €

Cette cave, issue de regroupements successifs de petites unités coopératives, rassemble 200 adhérents pour 930 ha de vignes et une production annuelle de 45 000 hl.

À une robe vive et violacée répond un nez ouvert, fumé et bien mûr, de fruit compoté. La palette s'élargit sur le pruneau, les épices et l'olive noire dans une bouche bien équilibrée, à la fois vive et suave, de bonne longueur. À boire sur le fruit. ⌛ 2019-2021

LES VIGNERONS DE VALLÉON, 1, rte de Nyons, 26770 Saint-Pantaléon-les-Vignes, tél. 04 75 53 80 08, contact@valleon.fr V t.l.j. 9h-12h 14h30-18h30

♥ PIERRE VIDAL Vieilles Vignes 2018 ★★

■ | 53000 | 🍾 | 5 à 8 €

Pierre Vidal, installé à Châteauneuf-du-Pape avec son épouse vigneronne, a créé son négoce en 2010. Une maison déjà bien implantée grâce aux sélections parcellaires vinifiées par ce jeune œnologue formé en Bourgogne, qui s'est développée depuis 2015 vers les vins bio et les vins «vegan».

On ne compte plus les coups de cœur glanés par Pierre Vidal. Celui-ci va à son grignan Vieilles Vignes (35 ans) composé de syrah et de grenache avec une touche de mourvèdre en appoint. Au nez, c'est la syrah qui l'emporte avec ses parfums de cassis et d'épices. On les retrouve nuancés de notes puissamment fumées dans une bouche expressive, juteuse, moderne, qui enchante par sa plénitude et son harmonie. Redoutable de gourmandise. ⌛ 2020-2024 ■ **Dom. de Bédares Vieilles Vignes 2018 ★ (5 à 8 €; 53000 b.)** : assemblage de grenache et de syrah, cette cuvée s'ouvre lentement mais sûrement sur des nuances chaudes de fruit à noyau, de caramel et d'épices. Déjà épanoui, d'une agréable souplesse de corps et de tanins, le palais restitue ces mêmes notes dans un ensemble harmonieux et fin prêt. ⧗ 2019-2021

EURL PIERRE VIDAL, 631, rte de Sorgues, 84230 Châteauneuf-du-Pape, tél. 06 88 88 07 58, contact@pierrevidal.com r.-v.

VINSOBRES

Superficie : 450 ha / Production : 15 625 hl

Appartenant autrefois à l'appellation côtes-du-rhône-villages, Vinsobres a été promu en appellation locale en 2006. Celle-ci concerne uniquement les vins rouges nés sur la commune de Vinsobres, dans la Drôme.
Les vins doivent provenir d'un assemblage d'au moins deux cépages principaux, dont le grenache, qui doit représenter 50 % minimum, la syrah et/ou le mourvèdre devant atteindre 25 % minimum.

DOM. AUTRAND VS 2017 ★★

■ | 5000 | | 8 à 11 €

Christine Aubert a repris en 2002 le domaine familial couvrant aujourd'hui 80 ha, dont la quasi-totalité est classée en vinsobres. Après l'arrivée de son fils Aurélien (quatrième génération) qui travaille depuis 2008 à ses côtés, l'exploitation s'est dotée d'une nouvelle cave.

Une splendide cuvée qui restitue tous les charmes d'une belle syrah élevée douze mois en fût. Le cépage délivre sa palette classique, entre fruits noirs et épices, agrémentée de notes subtilement vanillées et relevée d'une touche très dynamisante de menthe fraîche. La même intensité de fruit se fait jour dans un palais charmeur, concentré, doté de tanins onctueux, qui diffuse ses saveurs fraîches et mûres dans un ensemble d'une parfaite harmonie. Un rouge épanoui d'une fraîcheur remarquable. ⧗ 2021-2026

GAEC AUTRAND, quartier Les Ratiers, RD_94, rte de Nyons, 26110 Vinsobres, tél. 04 75 26 57 05, contact@domaineautrand.fr V t.l.j. 10h-19h; f. dim. nov.-mars

DOM. JAUME Référence 2017 ★

■ | 40000 | | 11 à 15 €

L'arrière-grand-père fut l'un des pionniers de l'appellation côtes-du-rhône, créée en 1937. Depuis, les générations se succèdent sur ce vaste domaine de 95 ha, les sélections dans le Guide aussi, en AOC régionale ou en vinsobres.

Né de syrah, de grenache et de mourvèdre, ce 2017 déploie un bouquet de fruits noirs sur un fond boisé, torréfié et épicé. Le chêne marque la bouche de son empreinte, diffuse ses notes fumées intenses et enrobe de beaux tanins structurants dans un palais qui ne manque pas de fraîcheur. À encaver. ⧗ 2021-2025
■ Clos des Échalas 2017 ★ (20 à 30 €; 6600 b.) : une cuvée mi-grenache mi-mourvèdre, élevée quinze mois en fût, au nez plutôt friand, sur la cerise et les fruits rouges frais. Le bois sait se montrer discret en bouche et laisse s'exprimer un joli fruit dans un corps de moyenne puissance, cadré par des tanins jeunes et encore fermes, légèrement astringents en finale. Un vin bien composé qui mérite un peu de cave. ⧗ 2021-2024

FAMILLE JAUME, 24, rue Reynarde, 26110 Vinsobres, tél. 04 75 27 61 01 E

DOM. DE MONTINE 2017 ★

■ | 20000 | | 8 à 11 €

Installés dans une ancienne ferme du château de Grignan, les frères Jean-Luc et Claude Monteillet, également trufficulteurs, exploitent depuis 1987 ce domaine familial de 70 ha, très en vue pour ses grignan-les-adhémar, qui produit aussi du vinsobres et des IGP.

Un vinsobres sur la souplesse et la retenue. À dominante de grenache (80 %), il s'ouvre sur des notes discrètes de fruits rouges et de cassis. Un fruit qui fait aussi le charme d'une bouche bien assouplie, aux tanins ronds, sans effet de manche, gourmande et d'une longueur honorable. Très agréable et à déboucher sans attendre. ⧗ 2019-2023

SARL MONTEILLET, hameau de la Grande-Tuilière, BP_5, 26230 Grignan, tél. 04 75 46 54 21, domainedemontine@wanadoo.fr V t.l.j. 9h-12h 14h-19h D

DOM. DU MOULIN Cuvée ++ 2016

■ | 8000 | | 8 à 11 €

Rejoint en 2010 par son fils Charles, Denis Vinson conduit depuis 1984 un vignoble de 20 ha. Habitué du Guide (plusieurs coups de cœur à son actif), le domaine présente régulièrement de belles cuvées, en appellations régionales comme en vinsobres.

Un assemblage grenache et syrah élevé en fût mais c'est le fruit qui s'impose au nez sur des nuances délicates de griottes. Une gourmandise que l'on retrouve dans une bouche conviviale, tendre, ronde, portée par une fraîcheur agréable, où le bois sait se faire discret. ⧗ 2020-2023

EARL DENIS VINSON ET FILS, Dom. du Moulin, La Maria, 26110 Vinsobres, tél. 04 75 27 65 59, denis.vinson@wanadoo.fr V t.l.j. 8h-12h 13h30-19h; dim. 8h-12h

B DOM. LE PUY DU MAUPAS 2017 ★

■ | 4293 | | 11 à 15 €

Agriculteur jusqu'en 1987, Christian Sauvayre s'installe en cave particulière et débute avec 20 ha de vignes à Puyméras; sa fille lui a succédé en 2019 et conduit désormais un vaste ensemble de 46 ha en bio certifié.

Pas de bois dans ce vinsobres mais des raisins vendangés bien mûrs sur la foi de ce nez puissant, solaire, sur les fruits rouges en confiture et les épices. Une générosité que confirme la bouche, ample, riche et concentrée, qui intègre de beaux tanins croquants et diffuse sans retenue ses flaveurs chaleureuses de fruits cuits. Un vin épanoui à déboucher à l'automne sur des plats de saison. ⧗ 2021-2025

EARL LE PUY DU MAUPAS, 1678, rte de Nyons, 84110 Puyméras, tél. 04 90 46 47 43, domaine@puy-du-maupas.com V t.l.j. 8h-12h 14h-19h 3 E

RHÔNE

DOM. SAINT-VINCENT 2016

■ | n.c. | | 8 à 11 €

Un domaine de 60 ha (dont 10 de vinsobres), ancienne possession du couvent de Saint-César de Nyons, repris en 2012 par la famille Lescoche.

Le grenache noir et la syrah forment un duo qui fonctionne en bonne harmonie dans ce rouge pourpre de robe, au nez généreux de fruits noirs confits. Les épices étendent cette palette dans une bouche bien proportionnée, dotée d'une petite sucrosité gourmande appuyée sur des tanins fins. La petite astringence finale apporte un surplus de relief à l'ensemble et disparaîtra à table. On peut l'ouvrir dès à présent. ⧗ 2019-2023

SCEA DU DOM. SAINT-VINCENT, RD_94, rte de Nyons, 26110 Vinsobres, tél. 04 75 27 61 10, info@dsv-vinsobres.com V *t.l.j. 10h-19h*

♥ B PIERRE VIDAL 2017 ★★

■ | 60 000 | | 8 à 11 €

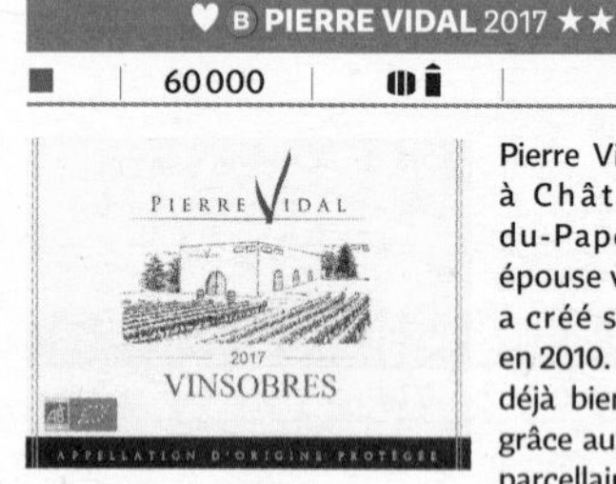

Pierre Vidal, installé à Châteauneuf-du-Pape avec son épouse vigneronne, a créé son négoce en 2010. Une maison déjà bien implantée grâce aux sélections parcellaires vinifiées par ce jeune œnologue formé en Bourgogne, qui s'est développée depuis 2015 vers les vins bio et les vins «vegan».

Et un nouveau coup de cœur pour Pierre Vidal. Celui-ci va à son vinsobres bio, assemblage très classique dominé par le grenache, élevé en fût principalement. Tout y est mûr et de bon goût: le nez, intense, qui fleure bon les fruits rouges et les épices, la bouche, grasse, généreuse, portée par des tanins à point et enrobée par un élevage qui sait rester discret. Un vin complet, savoureux, charmeur, de bonne longueur qui fera une magnifique bouteille avec un peu de garde. ⧗ 2020-2025 ■ **Réserve 2017 ★ (8 à 11 €; 60 000 b.)** B : une agréable évocation de l'appellation dans ce rouge fruité et épicé au nez comme en bouche, souple, juteux et fringant, d'une belle harmonie et d'une gourmandise immédiate. ⧗ 2020-2024

EURL PIERRE VIDAL, 631, rte de Sorgues, 84230 Châteauneuf-du-Pape, tél. 06 88 88 07 58, contact@pierrevidal.com r.-v.

♥ LA VINSOBRAISE Diamant noir 2017 ★★

■ | 60 000 | | 5 à 8 €

Fondée en 1947, la très qualitative cave de Vinsobres vinifie aujourd'hui plus de 95 000 hl produits sur 1 800 ha de vignes (dont 10 % exploités en bio). Une valeur sûre de la vallée du Rhône méridionale.

Habituée aux éloges dans le Guide, la cave décroche le coup de cœur avec ce joyau poli à partir du grenache et de la syrah, à parité. Derrière une robe rubis, un nez éclatant de fruits noirs et rouges bien mûrs. On les retrouve dans une bouche «explosive», puissante et juteuse, d'une intensité exceptionnelle. La structure est à la mesure, fringante par ses tanins mûrs et corsés, très fraîche par sa belle acidité. Un vin d'une rare plénitude, de longue garde. ⧗ 2021-2028 ■ **Sélection Vieilles Vignes 2017 ★★ (5 à 8 €; 60 000 b.)** : on retrouve l'intensité et la générosité de la cuvée précédente dans ces Vieilles Vignes de grenache et de syrah. Au nez, des arômes débridés de fruits rouges et de cassis qui font aussi le charme d'une bouche affriolante, mûre et fraîche, avec une pointe d'astringence agréable en finale. Un vin juteux, gourmand, d'une belle générosité. ⧗ 2020-2024 ■ **Émeraude 2017 ★★ (8 à 11 €; 30 000 b.)** : une cuvée qui se distingue par son élevage de douze mois en fût. Le nez le rappelle avec ses senteurs toastées et grillées sur fond de fruit mûr. Ample, dotée d'une agréable sucrosité, l'attaque ouvre sur un palais charnu, bien enrobé par l'élevage et soutenu par des tanins fermes et mûrs. Une cuvée très bien élevée, complète et de belle garde. ⧗ 2022-2028

CAVE LA VINSOBRAISE, 26110 Vinsobres, tél. 04 75 27 64 22, infos@la-vinsobraise.com V *t.l.j. 8h-12h 14h-18h*

RASTEAU SEC

Superficie : 1 300 ha / Production : 29 000 ha

L'appellation d'origine contrôlée rasteau se décline désormais en VDN (*voir section Les vins doux naturels du Rhône*) et en vin rouge sec grâce à l'accession en 2009 des côtes-du-rhône-villages Rasteau (village reconnu depuis 1966) en cru des Côtes du Rhône, le seizième du secteur, qui s'étend sur la seule commune de Rasteau.

Les conditions bioclimatiques de cette zone géographique sont particulièrement favorables au cépage grenache, qui atteint ici naturellement la complète maturité nécessaire à l'élaboration de grands vins, plus particulièrement dans les situations où prédominent les sols sableux et caillouteux. Ces mêmes conditions sont également favorables à la syrah et au mourvèdre (cépage à maturité tardive), notamment lorsqu'ils sont plantés sur des marnes sableuses ou sablo-argileuses.

Les vins, exclusivement rouges, sont riches en alcool, gras, puissants et très aromatiques. Leur structure tannique est le gage d'un excellent potentiel de garde.

DOM. DES BANQUETTES 2017

■ | 13 438 | | 11 à 15 €

Mécanicien dans les travaux publics, Patrice André rejoint son père en 1993 sur les 30 ha de l'exploitation familiale, implantée sur les coteaux de Rasteau, face aux Dentelles de Montmirail et au mont Ventoux. En 2002, il choisit de sortir de la coopérative et de vinifier ses propres vins: côtes-du-rhône et *villages* Plan de Dieu, rasteau sec et vin doux naturel.

Une robe très profonde annonce un nez puissant, sur les fruits très mûrs et la réglisse. À l'unisson du nez, la bouche en impose par sa richesse, ses tanins virils mais bien extraits et sa générosité. Un rasteau typé, fougueux, qui devra s'attendrir en cave. ⌛ 2021-2024

EARL DE LA CHEVALIÈRE, 1360, rte d'Orange, 84110 Rasteau, tél. 04 90 46 10 22, lesbanquettes@domainedesbanquettes.fr V t.l.j. 9h-18h30; f. oct.-déc.

DOM. BEAU MISTRAL Florianaëlle 2017

■ | 5000 | | 20 à 30 €

Côtes-du-rhône, *villages*, rasteau ou IGP de la principauté d'Orange, ce domaine familial très régulier en qualité étend son vignoble sur 28 ha plantés de vieux ceps, dont certains centenaires. Jean-Marc Brun est aux commandes depuis 1988.

Une cuvée souvent en vue dans le Guide qui nous revient en bonne forme dans le millésime 2017. Née de vénérables vignes (80 ans), son nez évoque les fruits rouges et la violette, le poivre et les herbes de Provence, soulignés d'une touche discrètement boisée. Des tanins bien enrobés par l'élevage, des flaveurs épanouies de fruits noirs confits, de belles épices, une fraîcheur intense: la bouche ne manque pas d'atouts. À laisser respirer en cave. ⌛ 2021-2025

EARL BEAU MISTRAL, 91, rte d'Orange, 84110 Rasteau, tél. 04 90 46 16 90, contact@domainebeaumistral.com V t.l.j. sf dim. 9h-12h 14h-18h; sam. sur r.-v.

B DOM. DE BEAURENARD Les Argiles bleues 2017 ★★

■ | 4000 | | 20 à 30 €

Depuis 1929, sept générations se sont succédé jusqu'à Daniel et Frédéric Coulon, à la tête d'un vignoble de 63 ha conduit en bio et biodynamie certifiés. Une valeur sûre de la vallée méridionale, en châteauneuf comme en rasteau (sec et doux) et en côtes-du-rhône.

Doublement étoilée en 2015 et 2016, cette cuvée ne faiblit pas en 2017. Derrière cette constance qui force l'admiration, une sélection draconienne des meilleures parcelles en coteaux et terrasses sur les argiles bleues de l'appellation. L'élevage en petits foudres nuance le nez de subtiles notes cacaotées sur fond de fruits noirs mûrs et de poivre. L'attaque fraîche et intense ouvre sur un palais parfaitement construit autour de tanins mûrs qui encadrent un corps tendre, parfumé, sur les fruits noirs et le chêne épicé. Une harmonie et une maîtrise de l'élevage saluées par tous les dégustateurs. ⌛ 2021-2025 ■ **2017 ★ (15 à 20 €; 40000 b.)** B : la fraîcheur, le maître-mot de ce rasteau inspiré, fleurant bon la violette et la framboise, dont la bouche est un délicieux compromis de souplesse, de parfums et de vivacité, souligné par ce qu'il faut de tanins croquants. Une légèreté pas incompatible avec une petite garde. Joli vin. ⌛ 2020-2023

SCEA PAUL COULON ET FILS, 10, av. Pierre-de-Luxembourg, 84230 Châteauneuf-du-Pape, tél. 04 90 83 71 79, contact@beaurenard.fr V t.l.j. 9h-12h 13h30-17h30; sam. dim. sur r.-v. pour les groupes

B DOM. CAROLINE BONNEFOY 2016 ★

■ | 21000 | | 11 à 15 €

«Vignerons bio», Gilles Phétisson et Caroline Bonnefoy, unis dans la vie, vinifient leurs domaines séparément (Lumian pour lui, Bonnefoy pour elle). En 2012, ils se sont associés à travers une activité de négoce. Un nouveau chai de vieillissement a vu le jour en 2018, adossé à la cuverie modernisée et équipée de seize nouvelles cuves béton.

40 % de syrah en complément du grenache dans ce rouge d'une belle franchise qui laisse apprécier au nez ses arômes débridés de fruit noirs et de fruits rouges frais. Sans fard et sans bois, la bouche séduit par sa rondeur, ses tanins sans dureté, et par la netteté et l'éclat de son fuit (noir) qui se prolonge longuement en finale. De la plénitude et de l'équilibre. ⌛ 2021-2024

CAROLINE BONNEFOY, rte de Montélimar, 84600 Valréas, tél. 06 87 14 21 48, domainedelumian@wanadoo.fr V t.l.j. sf dim. 9h-12h 14h-18h

B DOM. M. BOUTIN M.B 2017 ★

■ | 6500 | | 8 à 11 €

Après des études de mécanique industrielle, Mikaël Boutin rejoint le domaine familial, se prend de passion pour le vin, se forme à ce nouveau métier et s'installe en 2001 avec son oncle. En 2009, il décide de créer son propre domaine à partir de 2 ha morcelés sur huit parcelles de Rasteau et convertis au bio. Première cuvée en 2011.

Parée d'une robe rubis intense, cette cuvée déploie un nez délicat, discret, entre cerise rouge et sous-bois. Vivace à l'attaque, le palais s'assouplit, libérant un fruit confit, fumé et chaleureux, épaulé par des tanins tout aussi mûrs. Un rasteau solaire, bien typé et déjà à point. ⌛ 2020-2023

MIKAËL BOUTIN, 12, rue de la République, 84110 Rasteau, tél. 06 64 66 04 46, mikael.boutin@orange.fr V r.-v.

DOM. BRESSY-MASSON Cuvée Paul-Émile 2016

■ | 7000 | | 15 à 20 €

Un domaine familial créé en 1948 par Marius Bressy et développé par son fils Émile. Depuis 1976, sa petite-fille Marie-France Masson et son mari Thierry sont aux commandes de 32 ha de coteaux caillouteux.

Un rasteau solaire qui tire partie de vieilles vignes de 70 ans, longuement élevé en cuve. Le nez en tire ces arômes langoureux de fruits confits, de pralin et d'épices douces. Dans la continuité, la bouche offre une matière veloutée, suave, à la sucrosité affirmée, qui déploie de douces effluves de fruits en confiture et de caramel. Du soleil et du caractère mais pas de mollesse dans ce vin qui assume avec volupté ses rondeurs. À boire dès à présent. ⌛ 2019-2022

MARIE-FRANCE MASSON, Dom. Bressy-Masson, 688, chem. de Grange-Neuve, 84110 Rasteau, tél. 04 90 46 10 45, bressy-masson@rasteau.fr V t.l.j. sf dim. 9h-12h 14h-18h

DOM. BRUSSET La Bastide 2017

■ | 8000 | | 15 à 20 €

Soixante-huit terrasses exposées plein sud composent ce vignoble de 70 ha situé sous les Dentelles de Montmirail. Créé en 1947 par André Brusset, puis dirigé par son fils Daniel, il est aujourd'hui conduit par son petit-fils Laurent. Une valeur sûre en gigondas et en cairanne.

Après dix-huit mois de cuve et fût, ce rasteau se présente avec discrétion autour de notes de fruits rouges frais relevés d'épices et d'une touche toastée. Jeune et encore serrée, la bouche a pour elle-même une belle fraîcheur, des saveurs franches et dynamiques et une trame de tanins encore fermes qui augure d'un bel avenir. On le laisse en cave une paire d'années. ⧗ 2021-2025

SA DOM. BRUSSET, 70, chem. de la Barque, 84290 Cairanne, tél. 04 90 30 82 16, contact@domainebrusset.fr V t.l.j. sf sam. dim. 9h-12h 14h-18h

DOM. CHAMFORT La Planne 2016 ★★

■ | 13000 | | 11 à 15 €

Situé au pied des Dentelles de Montmirail, ce domaine de 27 ha a été repris en 2010 par Vasco Perdigao, œnologue formé dans la vallée du Rhône septentrionale. Conseillé depuis 2018 par Philippe Cambie, le domaine privilégie une approche bio mais le pas de la conversion officielle n'a pas encore été franchi.

Deux étoiles de plus au palmarès déjà bien rempli de ce domaine d'une très louable régularité. Du nom d'une parcelle, ce rasteau qui réunit le grenache et la syrah s'ouvre sur des arômes suaves et très gourmands, pâtissiers (brioche, chocolat), confiturés et floraux. Une matière suave et charnue tapisse un palais ample, d'une constance exemplaire d'un bout à l'autre de la dégustation, tenu en équilibre par des tanins gras d'une maturité accomplie, et étiré en finale sur la fraise confite. « Belle réussite », conclut le jury. ⧗ 2021-2024

SCEA FAMILLE PERDIGAO, 280, rte du Parandou, 84110 Sablet, tél. 04 90 46 94 75, domaine-chamfort@orange.fr V t.l.j. 9h-12h 13h30-17h30; sam. dim. sur r.-v.

DOM. DIDIER CHARAVIN Prestige 2017 ★★

■ | 12000 | | 8 à 11 €

Un domaine créé en 1985 par Didier Charavin, habitué du Guide pour ses côtes-du-rhône, ses *villages* et ses rasteau.

Cette cuvée Prestige, trio de grenache, syrah et mourvèdre, élevée huit mois en barrique, aura fait forte impression auprès des dégustateurs. Derrière une robe rubis foncé, des senteurs épanouies de fruits rouges et noirs et d'herbe de Provence, matinées de chêne. La bouche s'impose par sa générosité, sa texture crémeuse, ses tanins puissants mais enrobés, qui laissent s'exprimer le toast, le cuir, le cassis et le poivre dans une finale savoureuse. Voluptueux, gourmand, complet, un rasteau exemplaire. ⧗ 2021-2025 ■ **Les Parpaïouns 2017 ★ (8 à 11 €; 7000 b.)** : un nez qui se livre par pallier, libérant progressivement ses notes florales, fruitées (framboise), chocolatées et poivrées. Une bouche ronde, douce, généreuse à l'attaque, portée par une fraîcheur préservée et campée sur des tanins soyeux qui apportent un joli relief à l'ensemble. Des dégustateurs conquis par l'équilibre exemplaire de ce très bon ambassadeur de l'appellation. ⧗ 2020-2024

EARL LES BUISSERONS, 267, rte de Vaison, 84110 Rasteau, didier.charavin@orange.fr V t.l.j. sf dim. 9h-12h 14h-18h

LA CHEVALIÈRE 2017

■ | 95000 | | 8 à 11 €

Les Grandes Serres? Une maison de négoce castelpapale fondée en 1977 à Châteauneuf-du-Pape, par Camille Serres et reprise en 2001 par Michel Picard, investisseur dans de nombreuses régions viticoles – jusqu'en Ontario. Elle propose une large gamme de vins de la vallée du Rhône méridionale (et aussi de Provence) souvent en vue dans ces pages.

Une robe légère annonce un nez retenu mais plaisant sur le fruit frais avec une nuance végétale. Bien en phase avec l'olfaction, la bouche table sur sa rondeur légère, ses notes gourmandes, sa fluidité et sa fraîcheur désaltérante. Un rasteau qui séduit par sa retenue, sa différence et son élégance. À boire sur sa jeunesse. ⧗ 2019-2022

SA LES GRANDES SERRES, 430, chem. de l'Islon-Saint-Luc, 84230 Châteauneuf-du-Pape, tél. 04 90 83 72 22, contact@grandesserres.com V t.l.j. sf dim. 10h-18h; f. de janv. à avr.

B COTEAUX DES TRAVERS La Mondona 2016

■ | 3000 | | 15 à 20 €

Son grand-père cultivait la vigne en 1920. Robert Charavin conduit aujourd'hui, en bio certifié depuis 2010 et en biodynamie depuis 2013, un domaine de 14 ha régulier en qualité, qui tire son nom de ses coteaux exposés au soleil levant (« travers »).

Vieilles vignes et petits rendement au programme de cet assemblage classique qui diffuse des arômes agréables de kirsch et de garrigue, à peine soulignés de chêne. Volume et chair à l'attaque, vigueur, fraîcheur et tenue en milieu de bouche, cette cuvée bien composée, puissante, s'attendrira avec un bref séjour en cave. ⧗ 2020-2024

EARL ROBERT CHARAVIN, 15, rte de la Cave, 84110 Rasteau, tél. 04 90 46 13 69, coteaux-des-travers@rasteau.fr V t.l.j. sf dim. 10h-18h

DOM. DES ESCARAVAILLES Héritage 1924 2017 ★

■ | 8000 | | 15 à 20 €

Situé sur les hauteurs de Rasteau, ce domaine de 65 ha est très régulier en qualité. Acquis en 1953 par Jean-Louis Ferran, il a été défriché et planté par ses enfants Jean-Pierre et Daniel. Il est conduit depuis 1999 par Gilles, fils de ce dernier, rejoint aujourd'hui par Madeline, représentant la quatrième génération.

Une cuvée provenant de vieilles vignes de grenache, cultivées sur des coteaux très pentus, à 300 m d'altitude, et élevées en cuve pour conserver toute la pureté du fruit. Derrière une robe légère, un nez plus fin que puissant, singulier par sa fraîcheur mentholée. Tout aussi élégante, la bouche est un savoureux compromis entre sucrosité et fraîcheur, gourmandise et tonicité. Agréable, aérien, raffiné, le jury a apprécié. ⧗ 2020-2023

SCEA DOM. DES ESCARAVAILLES (FERRAN ET FILS), 111, combe de l'Eoune, 84110 Rasteau, tél. 04 90 46 14 20, domaine.escaravailles@wanadoo.fr V t.l.j. 9h-12h 14h-18h

DOM. DE GALUVAL Inspiration 2016 ★

■ | n.c. | | 15 à 20 €

Après de nombreuses années passées à l'étranger, Nicole et Jean-François Trontin ont pris la tête de ce domaine en 2015. Situé entre Cairanne et Rasteau, le vignoble s'étend aujourd'hui sur 50 ha.

Un nez harmonieux mêle les fruits rouges du grenache à des notes gourmandes et vanillées issues d'un élevage mesuré en fût. Charmeuse, la bouche joue joliment avec le chêne, qui arrondit la texture, assouplit les tanins, apporte ses épices douces sans trahir le fruit. De l'élégance et du savoir-faire. ⧗ 2021-2024

SARL GALUVAL, 1720, rte de Vaison, 84290 Cairanne, tél. 09 72 48 40 53, domaine@galuval.com
t.l.j. sf sam. dim. 9h-12h30 14h-17h30

DOM. DE LA GAYÈRE Le Clos d'Anaïs et Adrien 2017 ★

■ | 8600 | | 11 à 15 €

Installée en 1997, après dix ans dans le marketing pour de grandes entreprises de l'agro-alimentaire, Christèle Plantevin est revenue sur le domaine familial fondé en 1902. À la tête de 50 ha de vignes, elle représente la cinquième génération.

Christèle Plantevin a hérité de ses grands-parents, Anaïs et Adrien, les parcelles de rasteau à l'origine de ce rouge au nez lent à s'ouvrir qui diffuse, après aération, ses senteurs d'épices, de fruits rouges et de cassis. En bouche, l'attaque souple et soyeuse du grenache est relayée par les tanins puissants du mourvèdre (50 %): un duo qui fonctionne en bonne harmonie et qui gagnera en souplesse avec le temps. Une réussite. ⧗ 2021-2025

EARL DU DOM. DE LA GAYÈRE, 2015, chem. de la Gayère, 84290 Cairanne, tél. 04 90 30 83 34, plantevin.christele@wanadoo.fr
t.l.j. sf sam. dim. 9h-12h 15h-18h

DOM. LES GRANDS BOIS Marc 2017 ★

■ | 9000 | | 15 à 20 €

Fondé en 1929 par Albert Farjon, ce domaine de 47 ha est aujourd'hui conduit par sa petite-fille Mireille et son mari Marc Besnardeau. Leur vignoble est certifié bio depuis le millésime 2011. Côtes-du-rhône, *villages*, cairanne, rasteau, leurs vins sont régulièrement en vue dans ces pages.

Un trio de cépages emmené par le grenache noir dans ce 2017 à la robe profonde et éclatante, qui déploie au nez des arômes allègres, fruités (fruits rouges et noirs) et floraux. Les épices et la torréfaction issues de l'élevage sous bois étendent cette palette dans une bouche élancée, très fraîche, adossée à des tanins fermes et croquants. Une élégance et un équilibre qui en font un vin déjà friand mais qui a tout pour tenir dans le temps. ⧗ 2020-2026

SCEA DOM. LES GRANDS BOIS, 55, av. Jean-Jaurès, 84290 Sainte-Cécile-les-Vignes, tél. 04 90 30 81 86, mbesnardeau@grands-bois.com
t.l.j. sf dim. 9h-12h 13h30-18h30

ALAIN JAUME Les Valats 2017

■ | 8000 | | 11 à 15 €

D'origine castelpapale, Alain Jaume et ses fils Sébastien et Christophe perpétuent une tradition viticole qui remonte à 1826. Ils conduisent en bio un vignoble de 155 ha réparti sur quatre domaines: Grand Veneur à Châteauneuf-du-Pape, Clos de Sixte à Lirac, Ch. Mazane à Vacqueyras, et le Dom. la Grangette Saint-Joseph en AOC côtes-du-rhône, le tout complété par une activité de négoce. Une valeur sûre.

Un nez centré sur les fruits rouges et noirs bien mûrs, avec une touche florale en soutien. Une bouche fraîche à l'attaque qui ouvre sur un palais délié, doté de tanins fermes et encore vifs. Un rasteau dynamique qui se détendra après un bref séjour en cave. ⧗ 2020-2024

SARL VIGNOBLES ALAIN JAUME, 1358, rte de Châteauneuf-du-Pape, 84100 Orange, tél. 04 90 34 68 70, contact@alainjaume.com
t.l.j. sf dim. 8h-13h 14h-18h

LAVAU 2016 ★

■ | 30000 | | 11 à 15 €

Une maison de négoce fondée en 1964 par Jean-Guy Lavau, d'origine saint-émilionnaise. Ses héritiers Benoît et Frédéric proposent aujourd'hui une large gamme de vins à partir de la production de 350 vignerons de la vallée du Rhône méridionale, complétée par 180 ha de vignes en propriété.

Le grenache et la syrah à parité dans ce rouge élevé en cuve et fût. Fruits rouges compotés, cerise noire, nuances de praline et de fleurs blanches, le nez ne manque pas de séduction. Intense, délicate, ourlée de tanins fins, portée par une très belle fraîcheur et une touche minérale en finale, la bouche ne déçoit pas. Un rasteau tout en finesse. ⧗ 2020-2023 ■ **Dom. les Évigneaux 2017 ★ (11 à 15 €; 10000 b.)** : l'élevage en fût apporte des nuances vanillées et torréfiées à un fruit bien mûr, à l'accent floral. Arômes que l'on retrouve avec intensité dans une bouche soyeuse, ample, à la sucrosité affirmée à l'attaque, dotée de tanins fins et d'une franche vivacité en finale. Un vin complet qui profitera d'une petite garde. ⧗ 2020-2024

SAS LAVAU, 585, rte de Cairanne, 84150 Violès, tél. 04 90 70 98 70, info@lavau.fr
t.l.j. sf sam. dim. 10h-12h 14h-18h

DOM. LA LUMINAILLE
Luminaris 2017 ★

■ | 5500 | 11 à 15 €

Après avoir été sommelière à Paris, Julie Paolucci reprend la direction de ce domaine familial en 2014. Le vignoble, qui tire son nom de la brillance des feuilles d'olivier les nuits de pleine lune (quartier de la «lumière»), s'étend sur 12 ha.

Un assemblage équilibré de quatre cépages dans cette cuvée à la robe profonde et au nez centré sur les épices et la violette. La bouche d'abord ronde et gourmande, marquée par les fruits noirs et la réglisse, se resserre sous l'effet de tanins fermes et d'une belle acidité qui donne éclat à l'ensemble. Au final, de la tenue, du caractère et du potentiel en cave. ⧗ 2021-2025

SCEA LA LUMINAILLE, 696, chem. de la Luminaille, 84110 Rasteau, tél. 06 98 95 23 88, contact@domainelaluminaille.com
r.-v.

♥ ORTAS Tradition 2017 ★★

■ | 70 000 | 🍾 | 8 à 11 €

Fondée en 1925, cette coopérative qui regroupe plus de 650 ha de vignes et 80 adhérents est l'une des plus anciennes caves rhodaniennes et le principal producteur de l'AOC rasteau. Ortas est sa marque ombrelle. Elle a rejoint en 2015 le Cercle des Vignerons du Rhône, regroupant également les coopératives de Sablet (Cave le Gravillas) et de Visan (les Coteaux de Visan).

Un assemblage classique dominé par le grenache, élevé en cuve, pour un rasteau de haut vol, puissant, comme le veut l'appellation, et harmonieux. Au nez, un bouquet d'une rare complexité, centré sur les fruits noirs très mûrs agrémentés de fleurs sèches, de Zan, de sous-bois ou d'olive noire. L'attaque intense précède un palais intense, expressif, juteux, sur le fruit mûr et le poivre, bien cadré par de beaux tanins suaves et une acidité au cordeau qui tend le vin comme il faut. Riche, nerveux, fringant, un magnifique rasteau. ⧗ 2021-2025 ■ **La Domelière 2017** ★ (5 à 8 €; **60 000 b.**) : un nez explosif, sur les fruits noirs, les épices et les plantes aromatiques, une bouche savoureuse, ourlée de tanins crémeux, imprégnée de cassis frais et de tapenade, tendue par une superbe fraîcheur finale: un rasteau dynamique et croquant, à boire ou à garder. ⧗ 2020-2024 ■ **Les Veynes 2017** ★ (5 à 8 €; **30 000 b.**) : 40 % de syrah et de mourvèdre à l'appui du grenache dans cette cuvée joliment fruitée (fruits rouges), d'une belle souplesse de bouche, dotée de tanins soyeux et d'une franche vivacité en finale. ⧗ 2020-2023

⊸ ORTAS - CAVE DE RASTEAU, rte des Princes d'Orange, 84110 Rasteau, tél. 04 90 10 90 10, vignoble@rasteau.com 🚶 *r.-v.*

Ⓑ MAISON PLANTEVIN Les premiers pas de Nao 2017 ★★

■ | 3 900 | 🛢 | 11 à 15 €

BTS de «viti-œno» en poche et fort d'un stage de vinification en Nouvelle-Zélande, Laurent Plantevin a repris en 2009 le domaine familial et ses 30 ha de vignes. Certification bio acquise en 2014.

Clin d'œil à Nao, le fils de Laurent Plantevin, cette cuvée, vinifiée en grappes entières, associe grenache et syrah. Fruits rouges bien mûrs, pruneau, vanille et torréfaction, le nez atteste d'un usage bien pensé de la barrique. Ouverte, charmeuse par sa texture suave et ses tanins bien enrobés, la bouche s'étire en longueur sur les fruits rouges et les épices. Un vin abouti, gourmand, moderne, qui devrait plaire à beaucoup. ⧗ 2020-2023

⊸ LAURENT PLANTEVIN, 149, chem. des Ramières, 84110 Séguret, tél. 06 30 53 17 30, laurentplantevin@hotmail.fr V 🚶 ■ *t.l.j. 9h-18h* ❷ Ⓑ

LES VIGNERONS DE ROAIX-SÉGURET 2016 ★★★

■ | 17 000 | 🍾 | 8 à 11 €

Cette cave coopérative, née en 1960 de l'union entre les vignerons de Séguret et ceux de Roaix, fédère 130 adhérents.

Né de grenache (69 %), de syrah, et de mourvèdre, paré d'une robe profonde et violine, ce rasteau enchante par son nez flagrant, frais, déclinant les fruits noirs bien croquants, la violette avec une pointe de chocolat. La fraîcheur perçue au nez éclate en bouche et illumine un corps épanoui, suave, d'une gourmandise affriolante, sur des notes de fruits et de fleurs saupoudrées de poivre blanc. «Très expressif», «juteux», «gourmand et séduisant», le jury unanime décerne la mention «très bien» à ce rasteau éblouissant, à déboucher dès à présent. ⧗ 2020-2024

⊸ SCA LES VIGNERONS DE ROAIX-SÉGURET, 1865, rte de Vaison, 84110 Séguret, tél. 04 90 46 91 13, vignerons.roaix-seguret@wanadoo.fr V ■ *t.l.j. 8h-12h 14h-18h*

DOM. LA SOUMADE 2017 ★

■ | 44 000 | 🛢🍾 | 8 à 11 €

Valeur sûre de la vallée du Rhône Sud (pour ses rasteau et ses *villages* notamment), ce domaine de 30 ha a été créé en 1979 par André Roméro, épaulé depuis 1996 par son fils Frédéric et conseillé depuis 2002 par l'œnologue bordelais Stéphane Derenoncourt.

Ce 2017 revêt une robe violacée et libère de fines effluves de sirop de fruits rouges, de sous-bois et d'épices. Des notes qui l'on retrouve dans une bouche franche et aimable, souple, aux tanins bien lissés qui se referme sur le poivre. Un ensemble sans fausse note, d'une harmonie convaincante. ⧗ 2020-2024

⊸ EARL FRÉDÉRIC ROMÉRO, 1655, rte d'Orange, 84110 Rasteau, tél. 04 90 46 13 63, dom-lasoumade@hotmail.fr V 🚶 ■ *t.l.j. sf dim. 8h-12h 14h-18h* Ⓒ

TOQUE ROUGE 2017 ★★

■ | 12 000 | 🛢🍾 | 15 à 20 €

Après trente ans passés au Ch. de Pic, en côtes-de-bordeaux, François Masson Regnault est revenu sur les terres familiales du Vaucluse pour s'installer sur ce petit vignoble d'à peine 3 ha.

Sur la foi de ce 2017, François Masson Regnault tire le meilleur parti de son vignoble de poche très bien situé sur des coteaux de galets roulés de l'appellation. En témoigne ce rouge d'un rubis brillant, au nez subtil mêlant la framboise et la truffe à peine soulignées de nuances boisées. En bouche, un grand bol de fruits rouges mûrs et frais, une acidité stimulante, des tanins fins et croquants, une finale explosive: un rouge finement extrait qui laisse une sensation de puissance feutrée et d'équilibre. «Une belle personnalité», conclut le jury. ⧗ 2021-2025

⊸ SARL FLORAZUR, 16, Grande-Rue, 84110 Sablet, tél. 06 25 84 43 59, toquerouge84@gmail.com V ■ *t.l.j. 10h-12h 16h-18h*

Ⓑ PIERRE VIDAL Cuvée spéciale 2017 ★

■ | 60 000 | 🛢🍾 | 8 à 11 €

Pierre Vidal, installé à Châteauneuf-du-Pape avec son épouse vigneronne, a créé son négoce en 2010.

Une maison déjà bien implantée grâce aux sélections parcellaires vinifiées par ce jeune œnologue formé en Bourgogne, qui s'est développée depuis 2015 vers les vins bio et les vins «vegan».

Un nez sur la réserve mais une bouche volubile, puissante, ample et fraîche à l'attaque, qui déploie un chair généreuse, bien cadrée par des tanins jeunes et fermes, avant une finale sur les fruits rouges. Une belle composition à la laquelle il ne manque qu'un peu de temps en cave. ⧗ 2021-2025

EURL PIERRE VIDAL, 631, rte de Sorgues, 84230 Châteauneuf-du-Pape, tél. 06 88 88 07 58, contact@pierrevidal.com r.-v.

CAIRANNE

Superficie : 850 ha / Production : 30 200 l

Dénomination des côtes-du-rhône-villages depuis 1967. Cairanne (Haut Vaucluse) est devenu une appellation à part entière à partir du millésime 2015. Elle produit à 95 % des vins rouges à dominante de grenache, généreux et intenses. On trouve aussi des rares vin bleus.

B DOM. ALARY Tradition 2016 ★★

■	20000		8 à 11 €

La famille Alary cultive la vigne à Cairanne depuis 1692 et onze générations ! Installé en 1981, Denis Alary conduit aujourd'hui 30 ha en bio certifié depuis 2012 et signe des vins constants en qualité.

Violette, réglisse, fruits rouges mûrs, épices, une finesse de bouquet qui est de très bon augure. La suite est au diapason : une attaque ronde et soyeuse, des tanins fondus plus infusés qu'extraits, une complexité du fruit qui rebondit en finale sur la cerise rouge, le Zan et les épices. Une élégance qui a conquis le jury. ⧗ 2020-2025 ■ **Le Jean de Verde 2016 ★★ (15 à 20 €; 5000 b.)** : cette cuvée qui fait la part belle au grenache s'ouvre sur un nez de réglisse, de cassis et d'épices. La bouche, ronde et veloutée, s'adosse à des tanins bien mûrs et restitue fidèlement la palette perçue au nez. Tout est en place pour le futur. ⧗ 2021-2025

EARL DENIS ALARY, 1345, rte de Vaison, 84290 Cairanne, tél. 04 90 30 82 32, alary.denis@wanadoo.fr V t.l.j. sf dim. 9h-12h 14h-18h; hiver sur r.-v.

JULIETTE AVRIL Cuvée Mailys 2016 ★

■	12000		8 à 11 €

Une famille implantée de longue date à Châteauneuf-du-Pape: un ancêtre fut premier consul de Châteauneuf-du-Pape au temps de la papauté d'Avignon; plus tard, Jean Avril participera à la création de l'appellation. L'histoire actuelle s'écrit avec Marie-Lucile Brun, qui a succédé à sa mère Juliette Avril en 1988, épaulée par son fils Stephan depuis 2000 à la tête d'un vignoble de 21 ha, avec la biodynamie en ligne de mire.

Le nez convoque les épices, les fruits rouges, le sous-bois et la réglisse. Une déclinaison qui fait aussi le charme de la bouche qui ne manque de rien, ni de rondeur, ni de structure, ni d'avenir grâce à ses tanins fermes et fins. ⧗ 2020-2025

SCEA DOM. JULIETTE AVRIL, 8, av. Pasteur, 84230 Châteauneuf-du-Pape, tél. 06 37 58 98 21, info@julietteavril.com V r.-v.

♥ B LA BASTIDE SAINT-DOMINIQUE Les 2 Arbres 2017 ★★★

■	16000		11 à 15 €

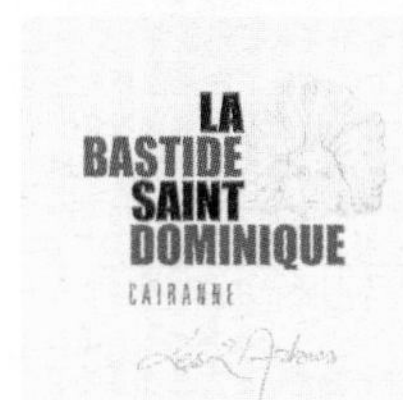

Créé en 1979 par Gérard et Marie-Claude Bonnet, ce domaine établi à Courthézon, sur les vestiges d'une ancienne chapelle du XVIe s., s'étend sur 50 ha. Il est aujourd'hui géré par Éric, qui a converti le vignoble à l'agriculture biologique (certification en 2014) et complété sa propriété par une structure de négoce. Il a été rejoint par sa sœur Véronique en 2016.

Doublement étoilé l'année dernière pour son côtes-du-rhône, le domaine décroche la lune cette année avec son cairanne qui assemble à parts égales grenache, syrah, mourvèdre et carignan. Un nez juteux, «printanier», de fruits noirs mûrs et frais, nuancé de sous-bois, une attaque franche sur les fruits noirs plus confits, des tanins doux noyés dans le fruit, un alcool intégré, une longueur poivrée des plus agréables : la bouche est simplement parfaite, harmonieuse, goûteuse, et donne une irrésistible «envie d'y revenir». ⧗ 2021-2026

SCEA LA BASTIDE SAINT-DOMINIQUE, 1358, chem. Saint-Dominique, 84350 Courthézon, tél. 04 90 70 85 32, contact@bastidesaintdominique.com V t.l.j. sf sam. dim. 8h30-12h30 13h30-17h

B DOM. A. BERTHET-RAYNE Vieilles Vignes 2017 ★★

■	15000		11 à 15 €

Un domaine familial de 26 ha (en bio) établi à Cairanne depuis cinq générations. Aux commandes, André Berthet-Rayne et son épouse Marina sont épaulés par leur fille Alexandra.

Ces vieilles vignes de 60 ans (grenache, syrah et carignan), élevées en cuve, livrent un nez franchement fruité, mêlant fruits rouges confits et fruits noirs, et dévoilent une bouche harmonieuse, ronde à souhait, gorgée des mêmes saveurs. Vin gourmand par excellence et facile d'accès. Une réussite. ⧗ 2020-2023 ■ **Castel Mireio 2016 ★★ (15 à 20 €; 12000 b.)** B : fruits en confiture, cacao et épices, ce 2016 fleure bon le sud et l'élevage bien maîtrisé (douze mois en demi-muid). La bouche est puissante, charnue, chaleureuse, appuyée sur des tanins mûrs et pris dans le fruit. Un vin opulent qui a l'avenir devant lui. ⧗ 2021-2027

EARL DOM. DES BEAUCHIÈRES (DOM. A. BERTHET-RAYNE), 235, rte de Saint-Roman, BP_9, 84290 Cairanne, tél. 04 90 30 72 75, andre.berthet-rayne@orange.fr V t.l.j. 9h-12h 14h-17h30; sam. dim. sur r.-v.

BROTTE Dom. Grosset 2017 ★★

■	33000		11 à 15 €

Cette maison réputée, fondée en 1931 par Charles Brotte, pionnier de la mise en bouteilles dans la vallée

du Rhône, est aujourd'hui dirigée par Laurent, petit-fils du fondateur. Elle vinifie ses propres vignes et opère des sélections parcellaires pour le compte de son négoce, dont La Fiole du Pape, en châteauneuf, est la marque phare depuis sa création en 1952.

Un trio de cépages emmené par le grenache noir dans ce 2017 à la robe rubis intense, qui déploie au nez un bel éventail, entre violette, cerise confite, sous-bois et réglisse. Les épices s'invitent à leur tour dans un palais qui réjouit par sa rondeur un peu capiteuse, ses tanins doux et sa finale torréfiée qui rappelle l'élevage sous bois. Puissant et maîtrisé, un cairanne accompli que l'on peut boire ou garder. ⧗ 2020-2024 ■ **Laurent Brotte Les Charmilles 2017 ★ (5 à 8 €; 75000 b.)** : fruits mûrs compotés, puis épices et sous-bois, le nez est lent à s'ouvrir. On retrouve ces notes chaleureuses dans un palais rond et structuré, bien proportionné, aux arômes persistants et giboyeux en finale. Une petite garde sera bienvenue. ⧗ 2021-2027

SA BROTTE, av. Pierre-de-Luxembourg, 84230 Châteauneuf-du-Pape, tél. 04 90 83 70 07 t.l.j. 9h-12h 14h-18h (9h-13h 14h-19h en été)

LES CHEMINS DE SÈVE Apanage 2016

■ | 4000 | | 11 à 15 €

Ingénieur, Loïc Massart a exercé ses compétences plus de dix ans dans l'industrie avant de se reconvertir pour réaliser un nouveau projet de vie: créer en 2014 avec des associés un domaine viticole, géré en famille. En conversion bio, son exploitation s'étend aujourd'hui sur 9 ha environ.

Un nez ouvert marqué par la violette, le cassis et le cuir, et une bouche ronde, cadrée par des tanins puissants composent ce cairanne sérieux que l'on attendra avec profit une paire d'années. ⧗ 2021-2027

LOÏC MASSART, 2365, rte d'Orange, 84110 Vaison-la-Romaine, tél. 06 63 37 44 61, lescheminsdeseve@yahoo.fr r.-v.

DOM. CONSTANT-DUQUESNOY 2016 ★

■ | 8590 | | 11 à 15 €

Un vignoble de 20 ha (ancien Dom. des Aussellons) acquis en 2004 par Gérard Constant, converti à la vigne après une carrière dans la finance internationale. Et désormais converti à la démarche bio (propriété en conversion).

Beaucoup de violette, de fruits noirs, une touche fumée, une autre de cuir, le nez ne manque pas de nuances. Ferme dès l'attaque, portée par une belle fraîcheur, cadrée par des tanins sérieux, la bouche affiche une belle structure. Un peu de cave devrait polir cet ensemble prometteur. ⧗ 2021-2025

SCEA DOM. CONSTANT-DUQUESNOY, rte de Nyons, 26110 Mirabel-aux-Baronnies, tél. 06 77 38 23 34, carmen@constant-duquesnoy.com

Ⓑ COTEAUX DES TRAVERS Terra Rosea 2016 ★★

■ | 11000 | | 11 à 15 €

Son grand-père cultivait la vigne en 1920. Robert Charavin conduit aujourd'hui, en bio certifié depuis 2010 et en biodynamie depuis 2013, un domaine de 14 ha régulier en qualité, qui tire son nom de ses coteaux exposés au soleil levant («travers»).

Des argiles rouges ont donné naissance à ce cairanne issu de grenache et de mourvèdre. Si la robe est peu soutenue, le nez est puissant, fruité (cassis, groseille) et épicé. La grandes maturité des raisins forge une bouche ronde, à la sucrosité affirmée, adossée à des tanins mûrs et fermes pour l'heure. La finale très chaleureuse laisse le souvenir d'un vin résolument solaire et méditerranéen. ⧗ 2021-2025

EARL ROBERT CHARAVIN, 15, rte de la Cave, 84110 Rasteau, tél. 04 90 46 13 69, coteaux-des-travers@rasteau.fr t.l.j. sf dim. 10h-18h

LA CAVE LES COTEAUX DU RHÔNE
La Bosquette 2017 ★

■ | 40000 | | 8 à 11 €

Fondée en 1926, la cave Les Coteaux du Rhône, coopérative de Sérignan-du-Comtat, propose une large gamme allant des vins en IGP aux AOC comme vacqueyras, en passant par les côtes-du-rhône et les *villages*.

Une robe sombre annonce un nez bien mûr, de fruit confit, de cassis, avec des touches d'épices et de plantes aromatiques. Avec sa rondeur, ses tanins veloutés, ses notes épanouies de fruits rouges bien mûrs, sa belle persistance, ce cairanne ne manque pas d'atouts. ⧗ 2020-2024

SCEV LES COTEAUX DU RHÔNE, 57, chem. Derrière-le-Parc, 84830 Sérignan-du-Comtat, tél. 04 90 70 42 43, coteau.rhone@orange.fr t.l.j. sf dim. 9h-12h30 14h-19h

DOM. DES ESCARAVAILLES
Le Ventabren 2016

■ | 20000 | | 8 à 11 €

Situé sur les hauteurs de Rasteau, ce domaine de 65 ha est très régulier en qualité. Acquis en 1953 par Jean-Louis Ferran, il a été défriché et planté par ses enfants Jean-Pierre et Daniel. Il est conduit depuis 1999 par Gilles, fils de ce dernier, rejoint aujourd'hui par Madeline, représentant la quatrième génération.

Un domaine très souvent à l'honneur dans ces pages, qui travaille à l'ancienne, avec labours et engrais organiques. Les grenache, syrah et carignan forment un trio convaincant, très parfumé, aux senteurs florales, fruitées, épicées et animales. Mûre mais vibrante, fidèle au millésime, la bouche s'organise autour d'une belle acidité et de tanins fermes qui confèrent à l'ensemble une austérité passagère. Finale chaleureuse. Prometteur. ⧗ 2021-2026

SCEA DOM. DES ESCARAVAILLES (FERRAN ET FILS), 111, combe de l'Eoune, 84110 Rasteau, tél. 04 90 46 14 20, domaine.escaravailles@wanadoo.fr t.l.j. 9h-12h 14h-18h

DOM. DE GALUVAL Oiseau de nuit 2016 ★

■ | 30000 | | 11 à 15 €

Après de nombreuses années passées à l'étranger, Nicole et Jean-François Trontin ont pris la tête de ce domaine en 2015. Situé entre Cairanne et Rasteau, le vignoble s'étend aujourd'hui sur 50 ha.

Élevée en cuve, cette cuvée met en avant le grenache (70 %). La robe en tire sa couleur rubis, et le nez ses arômes solaires, de fruits à l'alcool et d'épices. Certes puissante, fermement tannique, la bouche préserve une belle fraîcheur qui attise la gourmandise d'un fruit qui se teinte de fraise et de petites baies rouges en finale. Du potentiel. ⧗ 2022-2028

SARL GALUVAL, 1720, rte de Vaison, 84290 Cairanne, tél. 09 72 48 40 53, domaine@galuval.com V t.l.j. sf sam. dim. 9h-12h30 14h-17h30

DOM. DE LA GAYÈRE Galante 2016 ★★

■	7000		11 à 15 €

Installée en 1997, après dix ans dans le marketing pour de grandes entreprises de l'agro-alimentaire, Christèle Plantevin est revenue sur le domaine familial fondé en 1902. À la tête de 50 ha de vignes, elle représente la cinquième génération.

Grenache noir et mourvèdre s'entendent à merveille dans cette cuvée sombre de robe mais lumineuse au nez avec ses notes croquantes de grenadine et de cassis. On s'en délecte tout autant dans une bouche épanouie, ronde à l'attaque, chaleureuse, gorgée de fruit en confiture, resserrée en finale par des tanins bien proportionnés. Puissant, gourmand, complet, le jury succombe au charme de la Galante. ⧗ 2021-2027

EARL DU DOM. DE LA GAYÈRE, 2015, chem. de la Gayère, 84290 Cairanne, tél. 04 90 30 83 34, plantevin.christele@wanadoo.fr V *t.l.j. sf sam. dim. 9h-12h 15h-18h*

DOM. LES HAUTES CANCES
Cuvée Tradition 2017 ★

■	10000		11 à 15 €

En 1981, Anne-Marie Achiary-Astart a repris, avec son époux Jean-Marie, le domaine créé en 1902 par son arrière-grand-père à Cairanne. Ce couple de médecins à la retraite conduit, dans un esprit bio mais sans certification, un vignoble de 17 ha régulièrement en vue et en bonne place pour ses côtes-du-rhône et ses *villages*.

Vinifié avec immersion du marc pour infuser plus qu'extraire, ce joli cairanne a séduit les dégustateurs. Ils ont apprécié le nez mûr et vanillé, la bouche douce, sensuelle, sans astringence, étirée sur des arômes de fruits mûrs et de chêne. Une cuvée Tradition plutôt moderne en somme. ⧗ 2020-2025

SCEA ACHIARY-ASTART, 85, allée des Travers, 84290 Cairanne, tél. 04 90 30 76 14, contact@hautescances.com V *r.-v.*

DOM. MARTIN 2017 ★★

■	13000		8 à 11 €

Les frères David et Éric Martin sont installés depuis 2005 sur le domaine familial, créé en 1905 à partir de 5 ha sur le Plan de Dieu. Ils exploitent aujourd'hui 70 ha de vignes, essentiellement en gigondas et en châteauneuf-du-pape.

Drapé d'une robe rubis intense, cet assemblage (grenache, syrah), brièvement passé en fût, dévoile un nez friand de fruits rouges subtilement soulignés de chêne. Une harmonie que l'on retrouve dans un palais parfaitement équilibré, montant lentement en puissance et finissant par libérer un bouquet «explosif» de fruits rouges et noirs poivrés. Les dégustateurs du Guide sont conquis. ⧗ 2020-2025

SCEA DOM. MARTIN, 439, rte de Vaison, 84850 Travaillan, tél. 04 90 37 23 20, martin@domaine-martin.com V *t.l.j. sf dim. 9h-12h 14h-18h*

♥ DOM. LE RENARD L'Effrontée 2016 ★★

■	3000		15 à 20 €

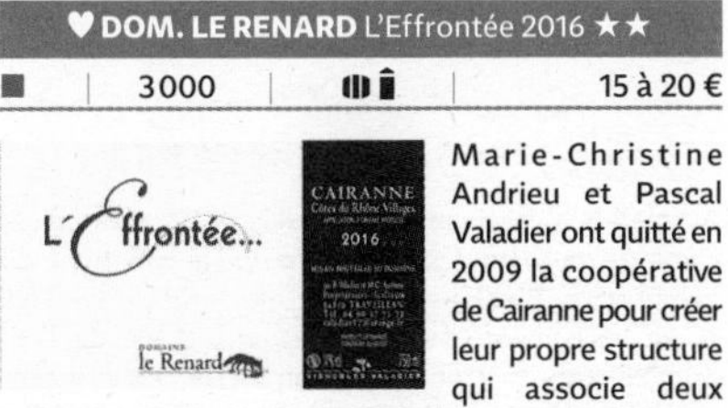

Marie-Christine Andrieu et Pascal Valadier ont quitté en 2009 la coopérative de Cairanne pour créer leur propre structure qui associe deux entités, le Dom. le Renard et le Dom. Valand. Le premier s'étend sur 25 ha en bio depuis 2018, le second sur 15 ha en agriculture biologique depuis 2010. Au programme: côtes-du-rhône, *villages*, cairanne et IGP Principauté d'Orange.

Syrah et grenache à parité avec une longue macération et un élevage partiel en fût: une combinaison gagnante. Opaque, la robe annonce un nez intense de fruit macéré, de sous-bois et de truffe souligné de chêne. La barrique se fait discrète en bouche, apportant sa patine, sa rondeur et ses nuances aromatiques à un palais charnu, long, aussi puissant qu'élégant. Laissons la parole au jury: «super équilibre», «vin remarquable», «très belle cuvée», «continuez!». Tout est dit. ⧗ 2021-2028

EARL VALAND, 31, chem. des Muletiers, 84850 Travaillan, tél. 04 90 37 71 73, valadier17@orange.fr V *r.-v.*

DOM. SAINT-ANDÉOL Excellence 2017

■	10000		11 à 15 €

Les lointaines origines du domaine, situé à l'emplacement d'un prieuré, remontent au XII[e]s. La propriété se transmet dans la même famille depuis quatre générations. Jean-Jacques Beaumet est à sa tête depuis 1988. Il exploite 37 ha sur les hauteurs de Cairanne.

Née de grenache et de syrah d'âge vénérable, cette cuvée livre un nez bien typé, entre confiture, réglisse et cuir. Un caractère que l'on retrouve dans une bouche généreuse, un peu animale, à la structure affirmée et marquée par des tanins encore austères à ce stade. Un tempérament qu'il faudra tempérer en cave. ⧗ 2021-2026

SARL BEAUMET ET FILS, 800, chem. des Hautes-Rives, 84290 Cairanne, tél. 04 90 30 81 53, cave.beaumet@orange.fr V *r.-v.* E

PIERRE VIDAL Réserve 2017 ★★

■	60000		8 à 11 €

Pierre Vidal, installé à Châteauneuf-du-Pape avec son épouse vigneronne, a créé son négoce en 2010. Une maison déjà bien implantée grâce aux sélections parcellaires vinifiées par ce jeune œnologue formé en Bourgogne, qui s'est développée depuis 2015 vers les vins bio et les vins «vegan».

Cette cuvée n'entamera pas l'excellente réputation de ce vinificateur talentueux. Capiteux, confituré, agrémenté de touches de musc, de garrigue, de poivre et de chêne vanillé, le nez enchante. Une plénitude parfaitement restituée dans un palais ample, rond, moderne, soyeux, habilement habillé par l'élevage et ourlé de tanins fins et prometteurs. ⌛ 2021-2025

EURL PIERRE VIDAL, 631, rte de Sorgues, 84230 Châteauneuf-du-Pape, tél. 06 88 88 07 58, contact@pierrevidal.com r.-v.

GIGONDAS

Superficie : 1 225 ha / Production : 32 180 hl

Au pied des étonnantes Dentelles de Montmirail, le vignoble de Gigondas ne couvre que la commune du même nom. Il est constitué d'une série de coteaux et de vallonnements. La vocation viticole de l'endroit est très ancienne, mais son réel développement ne date que du XIXes., sous l'impulsion d'Eugène Raspail. D'abord côtes-du-rhône, puis, en 1966, côtes-du-rhône-villages, Gigondas obtient ses lettres de noblesse en tant qu'appellation spécifique en 1971. Les caractéristiques du sol et le climat donnent leur caractère aux vins, le plus souvent rouges à forte teneur en alcool, puissants et charpentés, tout en présentant une palette aromatique d'une grande finesse où se mêlent épices et fruits à noyau. Bien adaptés au gibier, les gigondas mûrissent lentement et peuvent garder leurs qualités pendant de nombreuses années. Il existe également quelques vins rosés, eux aussi chaleureux.

PIERRE AMADIEU
Grand Romane Cuvée Prestige Vieilles Vignes Élevé en fût de chêne 2017 ★★

■ | 80000 | | 15 à 20 €

La maison Amadieu a été fondée en 1929 et est restée familiale: Pierre Amadieu, installé en 1989, son oncle et ses cousins. Elle opère des sélections parcellaires pour son négoce et conduit deux propriétés: Grand Romane et La Machotte en AOC gigondas, dont elle est le plus grand producteur avec 137 ha de vignes.

Cette cuvée parcellaire met à l'honneur des vieilles vignes de grenache, de mourvèdre et de syrah plantées à 400 m d'altitude. La robe en tire sa teinte rubis profond et le nez ses arômes fringants de fruits rouges à peine teintés de chêne. On les retrouve dans une bouche longue, riche, charpentée, mais sans une once de rudesse, qui laisse le souvenir d'un vin parfaitement harmonieux, complet et déjà très séduisant. ⌛ 2021-2025 ■ **Romane Machotte 2017 ★ (11 à 15 €; 100000 b.)** : une cuvée parcellaire composée de vieilles vignes de grenache et de syrah. À un nez de fruits rouges et d'épices répond une bouche élégante, souple, finement constituée autour de tanins doux et d'une fraîcheur agréable. Un gigondas convivial, facile d'accès et équilibré. ⌛ 2020-2024

SASU PIERRE AMADIEU, 201, rte des Princes-d'Orange, 84190 Gigondas, tél. 04 90 65 84 08, pierre.amadieu@pierre-amadieu.com t.l.j. 10h-12h 14h-17h30; f. sam. dim. janv.-fév.

LA BASTIDE SAINT-VINCENT 2017

■ | 18000 | | 11 à 15 €

Installé dans une ancienne ferme rénovée aux airs de bastide, dont certains éléments datent du XVIIes., Laurent Daniel, ancien responsable commercial export dans un négoce de vin, a repris en 2001 ce vignoble familial de 23 ha très morcelé, réparti dans six communes. Un habitué du Guide, d'une régularité sans faille.

Fruits rouges macérés, kirsch, garrigue, camphre et violette, le nez ne manque pas de complexité. Des nuances que l'on retrouve mêlées d'épices et de réglisse dans une bouche ronde, expressive, chaleureuse, aux tanins enrobés, de bonne longueur avec une petite austérité provisoire en finale. Un gigondas d'un beau classicisme. ⌛ 2021-2025

SCEA GUY DANIEL, 1047, rte de Vaison, 84150 Violès, tél. 04 90 70 94 13, bastide.vincent@free.fr t.l.j. sf dim. 9h-12h 14h-19h

DOM. DE BOISSAN Vieilles Vignes 2017

■ | 560000 | | 11 à 15 €

Établi à Sablet depuis 1981, Christian Bonfils conduit un domaine de 50 ha commandé par une bâtisse du XVIIes. Les vignes blanches sont en bio certifié, les rouges en lutte raisonnée.

Des vieilles vignes de 70 ans de grenache, épaulées par 20 % de syrah dans ce gigondas aussi tendre que parfumé (fruits rouges, cassis), riche et souple, d'une séduction immédiate. ⌛ 2020-2024

EARL CHRISTIAN BONFILS, 141, rue Saint-André, 84110 Sablet, tél. 04 90 46 93 30, c.bonfils@wanadoo.fr t.l.j. sf sam. dim. 8h-12h 14h-18h

♥ DOM. BRUSSET
Tradition Le Grand Montmirail 2017 ★★

■ | 60000 | | 15 à 20 €

Soixante-huit terrasses exposées plein sud composent ce vignoble de 70 ha situé sous les Dentelles de Montmirail. Créé en 1947 par André Brusset, puis dirigé par son fils Daniel, il est aujourd'hui conduit par son petit-fils Laurent. Une valeur sûre en gigondas et en cairanne.

Un coup de cœur qui nous vient tout droit des terrasses caillouteuses de l'appellation. 20 % de syrah et 20 % de mourvèdre épaulent le grenache dans cette cuvée haute en couleur et en parfums, qui décline des fragrances de fruits rouges et de fruits des bois soulignées d'une touche discrète de chêne. Riche et pulpeuse, appuyée sur des tanins fins, juste enrobés par l'élevage, la bouche restitue cette plénitude de fruit dans un ensemble abouti, d'une harmonie parfaite et d'une gourmandise déjà évidente. ⌛ 2020-2026

SA DOM. BRUSSET, 70, chem. de la Barque, 84290 Cairanne, tél. 04 90 30 82 16, contact@domainebrusset.fr t.l.j. sf sam. dim. 9h-12h 14h-18h

DOM. BURLE Les Pallieroudas 2017 ★★

■ | 7000 | | 11 à 15 €

Un domaine fondé en 1961, dans la même famille depuis trois générations. Florent et Damien Burle, installés en 1995, conduisent un vignoble de 19 ha.

Un lieu-dit, Les Pallieroudas, à l'origine de cette cuvée à fort caractère issue de vieilles vignes (60 ans) de grenache et de mourvèdre. Les fruits rouges macérés, la garrigue, le cuir et la réglisse composent un bouquet généreux et complexe. Riche, grasse même, aux saveurs mûres et confites, bâtie sur des tanins bien corsés, la bouche offre une version traditionnelle et très séduisante de l'appellation. Du potentiel en cave. ⧗ 2021-2025

EARL FLORENT ET DAMIEN BURLE, 306, chem. Saint-Damien, 84190 Gigondas, tél. 04 90 70 94 85, contact@domaineburle.com V t.l.j. 8h-12h 14h-18h

DOM. LES CHÊNES BLANCS 2016 ★★★

■ | 4400 | | 15 à 20 €

Si le vignoble est ancien (premières plantations début XXe s.), les premières mises en bouteilles au domaine datent de l'installation de Jean Roux, en 1980, à la tête aujourd'hui de 12 ha de vignes. Disparu en 2017, son fils, en charge des vinifications depuis 2004, a pris sa suite.

Clément Roux signe ici un gigondas de haut vol issu d'un assemblage de grenache, syrah et mourvèdre, vinifié en grappes entières et très longuement élevé en cuve. Une lente gestation qui a permis d'épanouir un nez diffusant des senteurs complexes de cerises, de cuir, de garrigue et de sous-bois. À une attaque intense succède un palais dense, puissant, charpenté, doté de tanins cossus et d'une intensité de fruit remarquable, aussi gourmande que longue. Une plénitude rare, saluée unanimement par un jury époustouflé ! De belle garde. ⧗ 2022-2030

EARL LES CHÊNES BLANCS, 621, chem. des Jardinières, 84190 Gigondas, tél. 06 46 38 18 64, clement.roux84@gmail.com V r.-v.

♥ LE CLOS DES CAZAUX Prestige 2016 ★★★

■ | 7000 | | 15 à 20 €

Domaine Le Clos des Cazaux Prestige 2016 GIGONDAS APPELLATION GIGONDAS CONTRÔLÉE

Des origines templières pour ce domaine dans la famille Archimbaud-Vache depuis cinq générations. Aux commandes aujourd'hui, deux frères, Frédéric à la cave et Jean-Michel à la vigne, à la tête de 20 ha en gigondas et de 25 ha en vacqueyras. Une valeur sûre.

Ce domaine de référence signe une cuvée Prestige qui n'usurpe pas son nom. Cet assemblage grenache, syrah et mourvèdre, élevé douze mois en fût, aura enthousiasmé le jury. De la robe grenat lumineux, en passant par le nez, juteux, mûr et fin, fruité et floral, nuancé de sous-bois, jusqu'à la bouche douce à l'attaque, charnue et sertie de tanins satinés, d'une pureté de fruit immaculée, tout est parfait et séduisant dans ce rouge de haut vol, taillé pour défier le temps mais d'une plénitude déjà très tentante. ⧗ 2021-2030

EARL ARCHIMBAUD-VACHE, 317, chem. du Moulin, 84190 Vacqueyras, tél. 04 90 65 85 83, closdescazaux@wanadoo.fr V t.l.j. sf sam. dim. 9h-12h 14h-18h

DAUVERGNE RANVIER Grand Vin 2017 ★★

■ | 25000 | | 15 à 20 €

Créée en 2004 par François Dauvergne et Jean-François Ranvier, professionnels du vin qui ont décidé d'élaborer leurs propres cuvées après avoir œuvré chez les autres, cette maison de négoce s'affirme d'année en année à travers des vins de qualité issus de sélections parcellaires. En 2013, les deux compères ont repris l'exploitation du Dom. des Muretins (tavel et lirac) et ont développé en 2014 une gamme de vins bordelais en collaboration avec Patrice Hateau.

Une des nombreuses cuvées très fiables, et souvent remarquables, de ce négociant dynamique qui charme dès l'entame par son nez fleurant bon les fruits rouges, le fruit à noyau, les épices et la garrigue, avec un boisé très subtil. De la rondeur, de la suavité, des tanins présents et enrobés, une belle fraîcheur en soutien, la bouche ne manque de rien et offre un gigondas d'un classicisme réjouissant, à la puissance maîtrisée. Une belle bouteille à ouvrir dès l'automne ou à garder. ⧗ 2019-2024

DAUVERGNE RANVIER, Ch. Saint-Maurice, RN_580, 30290 Laudun, tél. 04 66 82 96 57, contact@dauvergne-ranvier.com

Ⓑ DOM. FONTAVIN Combe Sauvage 2017 ★

■ | 13000 | | 15 à 20 €

Situé au nord de Courthézon, ce domaine familial de 45 ha, réparti dans huit communes et cinq appellations, est dirigé depuis 1998 par Hélène Chouvet, œnologue, qui a converti le vignoble à l'agriculture biologique.

La Combe Sauvage, un lieu-dit situé à 400 m d'altitude, un « petit paradis » pour Hélène Chouvet où circulent des sources entourées de pins, de genêts et de romarin. Il lui a inspiré ce très joli rouge, élevé en cuve béton, un assemblage qui incorpore une touche originale de clairette rose. Au nez, des notes d'épices et de pâte d'amande entourent un fond de fruit mûr. Les épices explosent (poivre, girofle, cannelle) et persistent longuement dans une bouche puissante, de bon volume, complexe et bien épaulée par des tanins fermes. De la personnalité et un beau potentiel en cave. ⧗ 2021-2029

EARL HÉLÈNE ET MICHEL CHOUVET, Dom. Fontavin, 1468, rte de la Plaine, 84350 Courthézon, tél. 04 90 70 72 14, helene-chouvet@fontavin.com V t.l.j sf dim. 9h-12h15 14h-18h15

LA FONTBOISSIÈRE 2017

■ | 60000 | | 11 à 15 €

Affaire de négoce-éleveur créée en 1936 par Gabriel Meffre, cette maison est devenue un acteur incontournable, propriétaire de 800 ha de vignes dans toute la vallée du Rhône, ainsi qu'en Provence. Reprise en 2009 par Éric Brousse, associé du groupe bourguignon Boisset.

Assemblage de grenache et de syrah provenant de parcelles situées sur et au pied du massif des Dentelles, ce rouge libère des senteurs de fruits rouges frais soulignés d'épices et d'une touche fumée. On retrouve le fruit et les épices dans une bouche ronde, charnue, souple, chaleureuse et de bonne longueur. Une bouteille que l'on pourra déboucher sans attendre. ⧗ 2019-2024

GMDF (MAISON GABRIEL MEFFRE), 2, rte des Princes-d'Orange, Le Village, 84190 Gigondas, tél. 04 90 12 32 43, gabriel-meffre@meffre.com t.l.j. sf lun. dim. 10h30-12h30 14h30-18h

DOM. DE FONT-SANE Tradition 2016

■ | 28000 | | 15 à 20 €

Véronique Cunty s'est installée en 1986 à la tête de ce domaine de 16 ha. Elle œuvre à la vinification, tandis que son mari Bernard s'occupe des vignes et son fils Romain de la partie commerciale.

Un vin coloré, carmin, au nez expressif associant la fraise écrasée, la réglisse et une note fumée évoquant l'élevage partiel en foudre. Souple à l'attaque, la bouche affiche ensuite une structure imposante marquée par des tanins encore carrés qui laissent s'exprimer le fruit en finale. Du caractère et une évocation effectivement traditionnelle de l'appellation. ⧗ 2022-2026

EARL DOM. DE FONT-SANE, 446, chem. du Grame, 84190 Gigondas, tél. 04 90 65 86 36, domaine@font-sane.com t.l.j. sf dim. 9h-12h 14h-18h

DOM. LA FOURMONE Le Secret 2016

■ | 10000 | | 15 à 20 €

Un domaine fondé en 1885, valeur sûre en gigondas et vacqueyras (avec plusieurs coups de cœur à son actif), dans la famille Combe depuis cinq générations. Aux commandes des 40 ha de vignes, Marie-Thérèse Combe et ses enfants Albin et Florentine.

La cuvée haut de gamme du domaine assemble grenache, syrah et mourvèdre, élevés en cuve et demi-muid (pour 10 %). Un choix qui préserve le fruit (fruits rouges) en version bien mûre, avec des nuances plaisantes de violette, de réglisse et d'herbe de Provence. Une palette que l'on retrouve dans une bouche élégante, souple, nantie d'une petite sucrosité gourmande et de flaveurs florales et fruitées très plaisantes. Harmonieux, équilibré, on peut le boire sans tarder. ⧗ 2019-2023

SARL FAMILLE COMBE, 526, rte de Violès, 84190 Vacqueyras, tél. 04 90 65 86 05, contact@fourmone.com t.l.j. sf dim. 9h30-18h; f. du 25 déc. au 3 janv.

DOM. LA GARRIGUE 2017 ★

■ | 10500 | | 15 à 20 €

La famille Bernard est installée à Vacqueyras depuis 1850 et six générations, sur un domaine de 80 ha plantés de vieilles vignes, souvent en vue dans ces pages pour ses gigondas et ses vacqueyras. Sa devise: «Le vin de la Garrigue, jamais ne fatigue»...

Un gigondas tout en fruit et en rondeur. Le nez livre la panoplie d'un grenache (80 % de l'assemblage) mûr, entre fruits rouges confiturés, kirsch et poivre blanc. Le clou de girofle et la cerise percent dans un palais d'une belle souplesse, bien arrondi, harmonieux et facile d'accès. Un charme indéniable dans ce rouge consensuel. ⧗ 2020-2025

SCEA A. BERNARD ET FILS, 325, chem. Nouveau-de-la-Garrigue, 84190 Vacqueyras, tél. 04 90 65 84 60, info@domaine-la-garrigue.fr t.l.j. sf dim. 8h-12h 14h-18h

DOM. DU GRAND BOURJASSOT Classique 2017 ★

■ | 12000 | | 15 à 20 €

Sorti de la «coop» de Gigondas en 1992, Pierre Varenne crée son propre domaine en mettant en commun ses vignes et celles de son épouse Marie-Claude. En 2005, leur fille Cécile a pris la relève et conduit un vignoble de 8 ha.

Un élevage en cuve a préservé tout le fruit d'un assemblage classiquement dominé par le grenache (75 %). Au nez, des notes friandes de mûre, de groseilles et de framboise. En bouche, de la légèreté, des tanins lisses, une rondeur agréable et toute la pureté de fruit perçue au nez. Un gigondas croquant, élégant, avec suffisamment de fond pour tenir quelques années. ⧗ 2020-2023 ■ **Dom. de Grand Bourjassot Cuvée Cécile 2016 ★ (15 à 20 €; 4000 b.)** : un élevage en fût de dix mois a accompagné la naissance de cette cuvée parcellaire issue de vignes cinquantenaires. Cerise, garrigue, nuances de sous-bois, intense et raffiné, le nez est de bon augure. La bouche y ajoute une belle souplesse de corps, ce qu'il faut de fraîcheur, des tanins doux et une finale gourmande qui fait écho au nez. De l'harmonie et du plaisir. ⧗ 2020-2025

GAEC DOM. DU GRAND BOURJASSOT, 537, chem. des Bosquets, 84190 Gigondas, tél. 04 90 65 88 80, grandbourjassot@free.fr r.-v.

GRANDES SERRES La Combe des Marchands 2018 ★

■ | 4000 | | 8 à 11 €

Les Grandes Serres? Une maison de négoce castelpapale fondée en 1977 à Châteauneuf-du-Pape, par Camille Serres et reprise en 2001 par Michel Picard, investisseur dans de nombreuses régions viticoles – jusqu'en Ontario. Elle propose une large gamme de vins de la vallée du Rhône méridionale (et aussi de Provence) souvent en vue dans ces pages.

Cette belle maison de négoce, qui ne néglige pas ses rosés, signe ici un assemblage classique (grenache, syrah) vinifié en pressurage direct. Si la robe offre peu de couleur, le nez regorge de fruits rouges, de bonbon, de pêche et d'agrumes. En bouche, on croque dans ces mêmes saveurs généreuses, intensément fruitées, gourmandes et fraîches. ⧗ 2019-2020

SA LES GRANDES SERRES, 430, chem. de l'Islon-Saint-Luc, 84230 Châteauneuf-du-Pape, tél. 04 90 83 72 22, contact@grandesserres.com t.l.j. sf dim. 10h-18h; f. de janv. à avr.

DOM. DU GRAPILLON D'OR 1806 2017

■ | 57000 | | 15 à 20 €

Un vieux mas du XVIIIes. abritant une étonnante collection de tire-bouchons commande ce domaine familial créé en 1806. À la tête des 20 ha de vignes depuis 1975, Bernard Chauvet, épaulé désormais par sa fille Céline.

Un élevage de douze mois en foudre n'a pas marqué le nez qui laisse s'exprimer des arômes bien ouverts, fruités (fruits rouges, cerise noire) et floraux avec une nuance d'épices douces. Vivifiée par une belle fraîcheur, soutenue par des tanins suaves et mûrs, la bouche diffuse ces mêmes senteurs mâtinées de poivre et d'une touche vanillée en finale dans un ensemble rond et tendre. Une structure tout en souplesse pour un gigondas sur le fruit. ⧗ 2020-2024

⊶ EARL BERNARD CHAUVET, 617, rte des Princes d'Orange, 84190 Gigondas, tél. 04 90 65 86 37, c.chauvet@domainedugrapillondor.com V t.l.j. sf dim. 9h-12h 14h-18h

JEAN-FRANÇOIS GRAS 2016 ★★

■ | 15 000 | | 11 à 15 €

Après dix ans dans la grande distribution et presque autant dans le négoce de vins (partie technique), Philippe Vigne, petit-fils de coopérateur, a décidé en 2011 de fonder sa propre structure, spécialisée comme son nom l'indique dans les vins de la vallée du Rhône.

Un vin dense, à la robe rubis qui laisse apparaître des reflets légèrement tuilés. Rien d'évolué au nez mais des arômes intenses de fruits rouges (cerise) et de garrigue, à peine soulignés de sous-bois. Fringante, la bouche dévoile une belle matière, fermement structurée et portée par une belle acidité. Un vin convaincant, plein d'avenir et très typé. ⧗ 2022-2030

⊶ SARL VAL RHODANIA, Mas de Lachaux, 44, rte d'Uchaux, 84500 Bollène, tél. 09 81 86 30 20, contact@valrhodania.fr V t.l.j. 10h-12h30 14h30-19h

ALAIN JAUME Terrasses de Montmirail 2017

■ | 20 000 | | 15 à 20 €

D'origine castelpapale, Alain Jaume et ses fils Sébastien et Christophe perpétuent une tradition viticole qui remonte à 1826. Ils conduisent en bio un vignoble de 155 ha réparti sur quatre domaines: Grand Veneur à Châteauneuf-du-Pape, Clos de Sixte à Lirac, Ch. Mazane à Vacqueyras, et le Dom. la Grangette Saint-Joseph en AOC côtes-du-rhône, le tout complété par une activité de négoce. Une valeur sûre.

20 % de syrah et de mourvèdre épaulent le grenache dans cette cuvée élevée en cuve et fût de chêne. Des fruits rouges et des épices au nez, une bouche franche, mûre et ronde qui laisse apprécier son fruit sans austérité et avec gourmandise: un gigondas convivial. ⧗ 2020-2025 ■ **La Grangette des Garrigues 2017 (15 à 20 €; n.c.)** : vin cité.

⊶ SARL VIGNOBLES ALAIN JAUME, 1358, rte de Châteauneuf-du-Pape, 84100 Orange, tél. 04 90 34 68 70, contact@alainjaume.com V t.l.j. sf dim. 8h-13h 14h-18h E

LE MAS DES FLAUZIÈRES La Grande Réserve 2016 ★

■ | 25 000 | | 15 à 20 €

Jérôme Benoît a pris les rênes en 1996 de ce domaine dans sa famille depuis 1919. Commandée par un mas, autrefois propriété du Ch. d'Entrechaux, la propriété dispose d'un vignoble de 35 ha répartis sur plusieurs communes, du mont Ventoux aux Dentelles de Montmirail. Des vins réguliers en qualité.

Un gigondas très bien élevé (dix-huit mois de fût) sur la foi de ce nez qui mêle harmonieusement les fruits rouges bien mûrs (cerise, framboise) aux notes fumées et cacaotées du chêne. La belle maturité du fruit transparaît dans une bouche chaleureuse, ample et suave, ourlée de tanins doux enrobés par l'élevage et portée en finale par une touche de fraîcheur qui allonge le fruit. Un vin solaire et bien bâti. ⧗ 2020-2025

⊶ EARL LE MAS DES FLAUZIÈRES, 1131, rte de Vaison, 84340 Entrechaux, tél. 04 90 46 00 08, lemasdesflauzieres@gmail.com V t.l.j. sf dim. 10h-12h 14h-18h; f. du 25 déc. au 31 janv. E

B LE DOM. MONTIRIUS La Tour 2017

■ | 20 000 | | 15 à 20 €

Dans la même famille depuis cinq générations, ce domaine de 63 ha conduit par Christine et Éric Saurel, aidés par leurs filles Justine et Manon, est en biodynamie depuis 1996. Des vacqueyras et des gigondas vinifiés et élevés sans bois, régulièrement en vue.

Pas une once de bois dans cette cuvée (grenache, mourvèdre) qui respire la garrigue, le poivre, le thym et les fruits à noyau. Une complexité aromatique que l'on retrouve dans une bouche séduisante par son relief, sa fraîcheur, ses tanins fermes donnant une dimension très dynamique à ce gigondas plein de caractère. ⧗ 2021-2025

⊶ SARL MONTIRIUS, 1536, rte de Sainte-Edwige, 84260 Sarrians, tél. 04 90 65 38 28, eric@montirius.com V r.-v.

CH. DE MONTMIRAIL La Combe Sauvage 2017 ★★

■ | 8000 | | 15 à 20 €

Situé à l'emplacement d'une ancienne station thermale connue pour ses eaux sulfureuses et magnésiennes, ce domaine de 45 ha est conduit par la famille Archimbaud depuis quatre générations. Une valeur sûre en vacqueyras et en gigondas.

Une forte minorité de mourvèdre en complément du grenache dans ce rouge abouti plébiscité par les dégustateurs. La belle robe rubis soutenu dessine des reflets violacés. Le nez est solaire, franc, sur la mûre, la framboise, les fruits à coque et le poivre. Ample dès l'attaque, fort bien structuré par des tanins puissants mais doux, pris dans le fruit, le palais restitue avec volupté les flaveurs bien mûres perçues au nez. De belle garde. ⧗ 2022-2030 ■ **Cuvée Saint-Maurice 2017 ★ (20 à 30 €; 3300 b.)** : le grenache pour les fruits rouges et la rondeur, la syrah (élevée en barrique) pour la structure et les parfums de fruits noirs, d'épices et de toast: un duo convaincant, épaulé par un peu de mourvèdre, qui aura retenu l'attention du jury par sa finesse et sa plénitude. De belle garde. ⧗ 2021-2028

⊶ SCEV ARCHIMBAUD-BOUTEILLER, 204, cours Stassart, 84190 Vacqueyras, tél. 04 90 65 86 72, archimbaud@chateau-de-montmirail.com V t.l.j. sf dim. 9h30-12h 14h-18h D

DOM. PALON 2017

■ | 10 600 | | 15 à 20 €

Issu d'une famille vigneronne depuis un siècle et fils de l'ancien président de la «coop» de Gigondas, Sébastien Palon a décidé en 2003 de créer sa propre cave. Il conduit aujourd'hui un vignoble de 15 ha.

Ce 2017 revêt une robe rubis soutenu et libère des senteurs épanouies de cerise, de fruits noirs surmûris et de garrigue relayées par des nuances fumées et animales. La cuvée déploie ensuite une jolie matière, plus friande que puissante, fraîche, ronde, animée de notes acidulées de fruits rouges et de vanille. Un gigondas souple et aromatique. ⧗ 2020-2023

SCEA PALON, 373, rte de Carpentras, 84190 Gigondas, tél. 04 90 62 24 84, contact@domainepalon.com V t.l.j. sf sam. dim. 9h-12h 14h-18h

DOM. LE PÉAGE 2017 ★

■ | 4300 | | 11 à 15 €

Ce vignoble familial de 38 ha s'étend sur deux domaines: Le Péage, l'un des premiers à mettre en bouteilles à Gigondas (1945), et la Bouscatière. Aux commandes depuis 1978, Christian Saurel, rejoint par son fils Laurent et sa fille Pauline.

Grenache, syrah et une touche de mourvèdre composent ce rouge ouvert sur les épices, la garrigue et le fruit bien mûr. L'attaque puissante ouvre sur un palais concentré, encore serré, aux tanins virils mais enrobés, qui augurent d'un bel avenir. On l'oublie en cave. ⧗ 2022-2028

EARL DOM. LE PÉAGE, 100, rte de Carpentras, 84190 Gigondas, tél. 04 90 65 95 78, domainelepeage@gmail.com V r.-v.

DOM. DU PESQUIER 2017 ★

■ | 28700 | | 15 à 20 €

Implanté au cœur de l'AOC gigondas, ce vignoble appartenait aux princes d'Orange au XVIᵉs. L'exploitation actuelle est née dans les années 1950. Aujourd'hui, Guy et Mathieu Boutière exploitent un domaine de 25 ha (dédié aux seuls vins rouges), souvent en vue pour ses vacqueyras et ses gigondas.

Élevé douze mois en foudre, cet assemblage classique séduit d'emblée par son nez complexe, nuancé, qui évoque le fruit rouge surmûri, la venaison et les plantes aromatiques sur un fond finement fumé. Charnu et puissant à l'attaque, le palais se resserre sous l'effet de tanins virils, encore astringents, avant de libérer en finale ses nuances toastées et réglissées. De garde sans aucun doute. ⧗ 2022-2027

EARL DOM. DU PESQUIER-BOUTIÈRE ET FILS, 806, chem. du Pesquier, 84190 Gigondas, tél. 04 90 65 86 16, contact@domainedupesquier.com V r.-v.

B DOM. SAINT-DAMIEN
La Louisiane Vieilles Vignes 2017 ★

■ | 10000 | | 15 à 20 €

Quatre générations ont œuvré depuis 1821 sur ce domaine familial, dont le nom évoque une ancienne chapelle aujourd'hui disparue. Joël Saurel, rejoint en 2013 par son fils Romain, conduit 40 ha de vignes, en bio certifié depuis 2012.

Un vin d'emblée jovial avec sa robe brillante et son nez friand de fruits rouges frais, saupoudrés d'épices et d'une touche de cuir. Une même gourmandise s'invite dans une bouche ronde à souhait, fraîche, juste relevée par des tanins croquants. Un gigondas éclatant de fruit. ⧗ 2019-2023

SCEA JOËL SAUREL, Dom. Saint-Damien, 50, chem. de Saint-Damien, 84190 Gigondas, tél. 04 90 70 96 42, contact@domainesaintdamien.com V t.l.j. sf dim. 10h-19h E

DOM. DE SAINT-GENS
Cuvée de l'Ancien Oratoire 2017 ★

■ | 15000 | | 15 à 20 €

Bourguignon d'origine et producteur dans la Côte de Nuits, Yves Cheron s'est installé en 2004 dans la vallée du Rhône. Propriétaire du Grand Montmirail à Gigondas, il possède deux domaines en crozes-hermitage: Les Hauts de Mercurol et le Dom. Michel Poinard, dans la commune de La Roche-de-Glun.

Une base de grenache (70 %) complétée de syrah dans ce 2017 prometteur, élevé en cuve, ouvert sur le cassis, la myrtille et les fruits rouges au nez comme en bouche, et doté d'un palais velouté, charnu, délié et très gourmand. De l'harmonie, du plaisir et du potentiel. ⧗ 2021-2025

SA SEMA CAVE PASCAL, 2459, rte de Vaison, 84190 Vacqueyras, tél. 04 90 65 85 91, contact@vignoblescheron.fr V *t.l.j. sf ven. sam. dim. 9h-12h 14h-18h; f. du 1ᵉʳ au 20 août*

DOM. DU TERME 2016 ★★

■ | 5000 | | 15 à 20 €

Situé à la frontière entre l'ancienne principauté d'Orange et le comtat Venaissin, d'où son nom, le domaine est entré dans la famille Gaudin il y a quatre générations. Depuis 1987, c'est Anne-Marie Gaudin-Riché qui est aux commandes de ce vignoble de 25 ha.

Une étiquette sombre pour un rouge lumineux construit sur le grenache (80 %). Le nez, intense, passe en revue la cerise, la garrigue, le sous-bois avec des notes rafraîchissantes de menthol et d'eucalyptus: superbe. Une entrée en bouche soyeuse, une matière ample, une sucrosité gourmande bien cadrée par des tanins fins et fermes, une finale longue et parfumée qui fait écho au nez: un gigondas de longue garde, ébouriffant d'équilibre et de dynamisme. Le jury est conquis. ⧗ 2022-2030

EARL ROLLAND GAUDIN, Dom. du Terme, 192, chem. du Terme, 84190 Gigondas, tél. 04 90 65 86 75, gaudin@domaineduterme.fr V r.-v.

DOM. DE LA TOURADE 2017 ★

■ | 4000 | | 11 à 15 €

Un domaine fondé en 1876, dans la famille Richard depuis plusieurs générations – Virginie et son époux Frédéric Haut depuis 2016. Le vignoble couvre 16 ha, et les élevages en fût ou en foudre sont ici privilégiés.

Un nez allègre, floral (violette) et fruité (fruits rouges) qui intègre harmonieusement les nuances torréfiées et vanillées d'un élevage en fût. La bouche se montre tout aussi flatteuse: une attaque ronde, une chair généreuse, des tanins jeunes et encore fermes et une finale entre fruit et chêne pour conclure. Tout est en place pour faire une belle bouteille après une courte garde. ⧗ 2021-2026

■ **Font des Aïeux 2017 ★ (15 à 20 €; 3000 b.)** : 35 % de syrah et de mourvèdre à l'appui du grenache dans ce rouge rubis de robe, au nez flagrant qui se révèle par touches successives: petites baies noires, réglisse, romarin et cacao. Une palette prolongée dans un palais juteux à l'attaque qui monte tranquillement en puissance pour déployer une structure solide, ferme, remarquable de fraîcheur. Belle finale qui convie le fruit et le Zan. Une constitution qui demandera un peu de patience. ⧗ 2022-2028

⊶ EARL ANDRÉ RICHARD, 1215, rte de Violès, 84190 Gigondas, tél. 04 90 70 91 09, latourade@hotmail.fr V 🚶 ⬛ *t.l.j. sf dim. 9h30-18h30* 🏠 E

DOM. TOURBILLON Vieilles Vignes 2016 ★★

■	16000	⦀ ▮	20 à 30 €

Si le domaine créé par les grands-parents au milieu du XXe s. est ancien, Benjamin Tourbillon n'a signé la première vinification à la propriété qu'en 2012. À la tête de 33 ha, il propose gigondas, châteauneuf-du-pape, appellations régionales et vins en IGP.

Une cuvée souvent en vue dans ces pages qui fait la part belle aux vieilles vignes de grenache (77 %), avec un passage en fût de quatorze mois. Le jury est tombé sous le charme d'un nez intense aux franches notes de cerise, de garrigue et de sous-bois. Il a loué l'attaque douce puis la rondeur un peu moelleuse d'une bouche friande de fruit et d'épices, nantie de tanins fins, d'une harmonie parfaite. Puissant et très maîtrisé, ce beau gigondas ira loin. ⧗ 2022-2030

⊶ SCEA DOM. TOURBILLON, 101, D_24, 84800 Lagnes, tél. 04 90 38 01 62, contact@domaine-tourbillon.com V ⬛ *t.l.j. 10h-12h30 14h-19h*

VACQUEYRAS

Superficie : 1 455 ha
Production : 42 325 hl (97 % rouge et rosé)

Consacré en AOC communale en 1990, le vignoble de Vacqueyras est situé dans le Vaucluse, entre Gigondas au nord et Beaumes-de-Venise au sud-est. Son territoire s'étend sur les deux communes de Vacqueyras et de Sarrians. Les vins rouges, largement majoritaires, sont élaborés à base de grenache, de syrah, de mourvèdre et de cinsault; ils sont aptes à la garde (trois à dix ans). Les quelques rosés sont issus d'un encépagement similaire. Les blancs, confidentiels, naissent des cépages clairette, grenache blanc, bourboulenc et roussanne.

B LES AMOURIERS Signature 2016 ★★

■	20000	▮	11 à 15 €

Patrick Gras et son jeune associé, Igor Chudzikiewicz, conduisent ce domaine de 29,5 ha dont les premières vignes ont été plantées en 1928. Son nom provient des mûriers («amouriers» en provençal) autrefois plantés sur ces terres. La conversion bio est engagée, et la certification prévue pour le millésime 2014.

Le domaine signe un vacqueyras de haute tenue, à la fois solaire et vibrant, bien dans la ligne du millésime. Aromatique, le nez libère des senteurs de confiture de fraise et de réglisse, signes d'une maturité accomplie. On les retrouve dans une bouche puissante, riche, mûre, gourmande et sans mollesse, épaulée par une structure à la mesure, fermement tannique, qui augure d'un avenir radieux. De garde donc mais très compatible dès à présent avec une belle côte de bœuf. ⧗ 2021-2028

⊶ SCEA DOM. DES AMOURIERS, 5801, rte le la Garrigue-de-l'Étang, 84260 Sarrians, tél. 04 90 65 83 22, domaine@amouriers.com V 🚶 ⬛ *r.-v.*

LA BASTIDE SAINT-VINCENT Pavane 2017

■	16900	▮	11 à 15 €

Installé dans une ancienne ferme rénovée aux airs de bastide, dont certains éléments datent du XVIIe s., Laurent Daniel, ancien responsable commercial export dans un négoce de vin, a repris en 2001 ce vignoble familial de 23 ha très morcelé, réparti dans six communes. Un habitué du Guide, d'une régularité sans faille.

Pavane, c'est le nom du lieu-dit qui a donné naissance à ce 2017 généreux et ouvert sur la confiture de fruits rouges, la mûre et les épices. Une entrée en bouche fraîche ouvre sur un palais charnu étayé de tanins fins et fermes qui laissent le souvenir d'un vin puissant mais vibrant, fort bien construit et plein d'avenir. ⧗ 2021-2025

⊶ SCEA GUY DANIEL, 1047, rte de Vaison, 84150 Violès, tél. 04 90 70 94 13, bastide.vincent@free.fr V ⬛ *t.l.j. sf dim. 9h-12h 14h-19h*

DOM. DU BOIS DE SAINT-JEAN La Ballade des Anglès 2017 ★★

■	7000	▮	11 à 15 €

Établie à Jonquerettes depuis 1620, la famille Anglès se consacre à la viticulture à partir de 1910. Une tradition perpétuée avec grand talent par Vincent et son frère Xavier qui, à la tête de 48 ha de vignes, proposent des vins d'une constance remarquable.

Grenache (60 %) et syrah (40 %) main dans la main pour une balade sur les terroirs calcaires au pied des Dentelles de Montmirail. Un vin sérieux et concentré qu'il faudra attendre. Pour l'heure, le nez reste discret, libérant de subtiles effluves de fruits mûrs. Une bouche ronde, puissante, aux arômes plus épanouis, épaulée par de solides tanins qui tiennent en respect ce bel édifice «cistercien» dont la longueur et la constitution sont autant de promesses pour l'avenir. ⧗ 2022-2028

⊶ EARL VINCENT ET XAVIER ANGLÈS, 126, av. de la République, 84450 Jonquerettes, tél. 04 90 22 53 22, xavier.angles@wanadoo.fr V 🚶 ⬛ *t.l.j. sf dim. 8h-12h 14h-19h*

DOM. LA BOUÏSSIÈRE 2017 ★★

■	9000	⦀ ▮	15 à 20 €

Établis au pied des Dentelles de Montmirail depuis 1990, les frères Gilles et Thierry Faravel conduisent à la suite de leur père un domaine de 18 ha en terrasses, à 300 m d'altitude, fort régulier en qualité en gigondas comme en vacqueyras.

Seize ans de présence continue dans le Guide! Une performance qui inspire le respect comme cette cuvée, assemblage classique de grenache, syrah et mourvèdre élevé en foudre et cuve. Le nez bien ouvert hésite entre les fruits bien mûrs, les épices et le cacao. Saveurs juteuses, amplitude remarquable, tanins parfaitement extraits, fermes et structurants, alcool intégré: la bouche force l'admiration et les portes de la cave. De longue garde. ⧗ 2022-2030

EARL FARAVEL, 15, rue du Portail, 84190 Gigondas, tél. 04 90 65 87 91, domaine@labouissiere.com t.l.j. sf dim. 9h-12h 14h-18h

DOM. BRUNELY 2017 ★★

■ | 112 800 | | 11 à 15 €

Offertes au XVᵉs. à Pellegrin de Brunelis par le pape Martin V, ces terres ont été acquises en 1976 par Rémi Carichon. Installé en 1986, son fils Charles conduit aujourd'hui 80 ha morcelés en une mosaïque de terroirs. Une valeur sûre de la vallée du Rhône sud.

Une cuvée bien connue des lecteurs qui nous revient au meilleur de sa forme dans le millésime 2017. Ouvert et complexe, le nez mêle la myrtille, la confiture de fruits noirs et les épices sur un fond pâtissier (caramel) très gourmand. À une attaque ronde et charnue succède un palais conséquent, parfumé, bien corseté par des tanins aussi fins que fermes laissant filtrer le fruit en finale. Déjà charmeur mais taillé pour la garde. ⧗ 2021-2027

SARL CARICHON, 1272, rte de la Brunelly, 84260 Sarrians, tél. 04 90 65 41 24, contact@domainebrunely.com t.l.j. 8h-12h 14h-18h

DOM. DE CHANTEGUT La Magnaneraie 2016 ★

■ | 4790 | | 15 à 20 €

Un domaine créé en 1959 par Rémy Marseille. Installé en 1981, son fils Pierre, pharmacien de formation, conduit aujourd'hui 68 ha de vignes, qu'il vinifie dans une ancienne magnaneraie du XVIIIᵉs.

Un duo grenache et syrah, élevé douze mois en demi-muid, au menu de ce vacqueyras épanoui et franchement fruité (cerise et prune) au nez. La vanille et la torréfaction étendent cette palette dans une bouche généreuse, expressive, moderne, bien arrondie par le chêne. De la séduction. ⧗ 2021-2026 ■ **Les Clés de la Magnaneraie 2016 (15 à 20 €; 19 350 b.)** : vin cité.

EARL DE TOURREAU, 436, bd du Comté-d'Orange, 84260 Sarrians, tél. 04 90 65 46 38, domainedechantegut@orange.fr t.l.j. 9h-12h30 15h-19h

DOM. LE CLOS DES CAZAUX Grenat Noble 2016 ★★★

■ | 8000 | | 15 à 20 €

Des origines templières pour ce domaine dans la famille Archimbaud-Vache depuis cinq générations. Aux commandes aujourd'hui, deux frères, Frédéric à la cave et Jean-Michel à la vigne, à la tête de 20 ha en gigondas et de 25 ha en vacqueyras. Une valeur sûre.

Une plénitude et une maturité de fruit qui auront subjugué le jury. Une robe rubis très sombre annonce un nez riche, concentré, qui diffuse de profondes senteurs de cerise noire et de fruits rouges confits. Une bouche époustouflante, voluptueuse, gorgée de fruits noirs et de réglisse, ourlée de tanins doux pris dans la chair et relevée par une superbe fraîcheur mentholée. Une concentration fraîche, une puissance douce, voilà une cuvée qui associe les contraires et qui donne et donnera de bien belles émotions. ⧗ 2021-2028 ■ **Cuvée Saint-Roch 2016 ★ (8 à 11 €; 20 000 b.)** : 20 % de syrah à l'appui du grenache dans ce 2016 longuement élevé en cuve, au nez intense, exhalant les fruits rouges, avec des nuances d'épices et de sous-bois. Généreux, ouvert, solaire, le palais s'entiche de notes animales et déploie de beaux tanins structurants et fermes à ce stade. Une belle évocation de vacqueyras et du potentiel en cave. ⧗ 2022-2030 ■ **Cuvée des Templiers 2017 ★ (11 à 15 €; 20 000 b.)** : des vieilles vignes (grenache et syrah) et des petits rendements ont forgé le caractère de cette cuvée qui s'ouvre lentement sur les fruits rouges et les épices à l'olfaction. Une agréable sucrosité enrobe une bouche charnue, épicée, souple, adossée à des tanins mûrs, avec une pointe d'astringence en finale qui disparaîtra à table. ⧗ 2021-2027

EARL ARCHIMBAUD-VACHE, 317, chem. du Moulin, 84190 Vacqueyras, tél. 04 90 65 85 83, closdescazaux@wanadoo.fr t.l.j. sf sam. dim. 9h-12h 14h-18h

DOM. FONTAINE DU CLOS Castillon 2016 ★★

■ | 7200 | | 15 à 20 €

Les Barnier (aujourd'hui Jean-François) sont enracinés sur leurs terres de Sarrians où ils sont vignerons et pépiniéristes viticoles. Au cœur de l'exploitation, une fontaine donne son nom à leur vaste vignoble (100 ha) planté de quelque quarante cépages.

Élevée douze mois en barrique, cette cuvée met en avant le grenache, complété par la syrah et le mourvèdre. La robe en tire sa profondeur, et le nez ses arômes torréfiés, encore sous l'emprise du chêne. La palette s'étire sur des nuances de fruits bien mûrs, de cuir et de musc dans une bouche consistante, parfaitement équilibrée, à la structure bien patinée par l'élevage. Une puissance contenue et du caractère dans ce vacqueyras complet et de bonne garde. ⧗ 2021-2025 ■ **Reflets de l'âme 2016 ★ (11 à 15 €; 20 800 b.)** : fraise, framboise, cerise, mûre, le nez offre un grand bol de fruits. Des flagrances prolongées par une bouche délicate, dotée d'une rondeur friande et d'une structure tout en souplesse qui se met au service du fruit avec une touche épicée pour conclure. Un vacqueyras «de soif». ⧗ 2019-2023 ■ **Reflets du l'âme 2018 ★ (11 à 15 €; 3000 b.)** : un trio de cépages emmené par le grenache blanc dans ce vin à la robe paille à reflets verts, qui fleure bon le fruit exotique (mangue) et la pêche jaune mûre. Le beurre frais et des nuances grillées égayent le fruit dans une bouche d'abord ronde puis bien tendue par une belle acidité. Une finale saline du meilleur effet prolonge le plaisir. Un blanc allègre, expressif et aérien. ⧗ 2019-2022

EARL JEAN-FRANÇOIS BARNIER, 735, bd du Comté-d'Orange, 84260 Sarrians, tél. 04 90 65 59 39, cave@fontaineduclos.com t.l.j. sf dim. 9h30-12h 14h30-19h

DOM. LA FOURMONE Les Ceps d'Or 2016 ★

■ | 10 000 | | 15 à 20 €

Un domaine fondé en 1885, valeur sûre en gigondas et vacqueyras (avec plusieurs coups de cœur à son actif), dans la famille Combe depuis cinq générations. Aux commandes des 40 ha de vignes, Marie-Thérèse Combe et ses enfants Albin et Florentine.

Une robe moyennement intense introduit un nez retenu, avec des touches animales et végétales sur un fond de fruit mûr. Le palais se montre plus loquace, affichant un fruit gourmand, frais, bien enrobé par une matière tendre et confortable. Du caractère et de la séduction dans ce rouge que l'on pourra avantageusement carafer. ⧗ 2021-2026

SARL FAMILLE COMBE, 526, rte de Violès, 84190 Vacqueyras, tél. 04 90 65 86 05, contact@fourmone.com t.l.j. sf dim. 9h30-18h; f. du 25 déc. au 3 janv.

B DOM. DE LA GANSE 2017 ★★

■	8000		11 à 15 €

Après avoir œuvré sur d'autres domaines, Coralie Onde a créé en 2008 ce coquet vignoble de 7 ha, converti au bio.

Grenache, syrah et mourvèdre sont réunis dans ce vin rubis soutenu aux senteurs engageantes qui se livrent par étapes: raisin frais, cassis, puis violette et fruits rouges confits. Une jolie sucrosité attendrit un palais suave, serti de tanins granuleux, qui libère de douces effluves de réglisse et d'épices étirées dans une belle finale à l'astringence stimulante. Du caractère et de la gourmandise; un vacqueyras remarquable. 2022-2027

EARL CORALIE ONDE, Dom. de la Ganse, 198, chem. de la Ganse, 84260 Sarrians, tél. 04 90 65 37 84, coralie.onde@laganse.fr t.l.j. sf dim. 9h-13h 17h-19h

GRANDES SERRES Les Hautes Vacquières 2017 ★★

■	30000		11 à 15 €

Les Grandes Serres? Une maison de négoce castelpapale fondée en 1977 à Châteauneuf-du-Pape, par Camille Serres et reprise en 2001 par Michel Picard, investisseur dans de nombreuses régions viticoles – jusqu'en Ontario. Elle propose une large gamme de vins de la vallée du Rhône méridionale (et aussi de Provence) souvent en vue dans ces pages.

Ce 2017 revêt une robe pourpre et libère des senteurs de cerises bien mûres, de cuir et de fleurs, relayées par des notes boisées. La bouche délivre une matière ample, ronde, appuyée sur des tanins fermes, finement extraits, et prolongée par une belle fraîcheur qui donne beaucoup de croquant et de légèreté au fruit (cassis). Un ensemble remarquable d'élégance et de dynamisme. 2021-2025

SA LES GRANDES SERRES, 430, chem. de l'Islon-Saint-Luc, 84230 Châteauneuf-du-Pape, tél. 04 90 83 72 22, contact@grandesserres.com t.l.j. sf dim. 10h-18h; f. de janv. à avr.

DOM. DU GRAND MONTMIRAIL 2017 ★

■	12000		11 à 15 €

Productrice dans la vallée du Rhône (Grand Montmirail, Hauts de Mercurol, Michel Poinard) et en Côte de Nuits, la famille Chéron, originaire de Bourgogne, conduit depuis 1981 cette propriété de 5,5 ha dédiée au seul gigondas. Un domaine qui doit son nom à un énorme rocher (*roucas* en provençal) décroché de la falaise des Dentelles de Montmirail et venu s'échouer au milieu du vignoble, poussé par saint Pierre, selon la légende.

Pas une once de bois dans ce vacqueyras mi-grenache mi-syrah mais du fruit à foison (fraise fraîche, cassis), du poivre et une touche mentholée qui rafraîchit un peu plus le nez. Une fraîcheur qui anime aussi une bouche puissante, charnue, tout en rondeur, bâtie sur des tanins parfaitement affinés. Un vin très civilisé, d'une gourmandise évidente. 2020-2024

SA SEMA CAVE PASCAL (DOM. DU GRAND MONTMIRAIL), 2459, rte de Vaison, 84190 Vacqueyras, tél. 04 90 65 85 91, contact@vignoblescheron.fr t.l.j. sf ven. sam. dim. 9h-12h 14h-18h; f. du 1er au 20 août

B ALAIN JAUME Grande Garrigue 2017

■	15000		11 à 15 €

D'origine castelpapale, Alain Jaume et ses fils Sébastien et Christophe perpétuent une tradition viticole qui remonte à 1826. Ils conduisent en bio un vignoble de 155 ha réparti sur quatre domaines: Grand Veneur à Châteauneuf-du-Pape, Clos de Sixte à Lirac, Ch. Mazane à Vacqueyras, et le Dom. la Grangette Saint-Joseph en AOC côtes-du-rhône, le tout complété par une activité de négoce. Une valeur sûre.

Après aération, le nez distille ses notes de fruits (confitures de fruits noirs) et de poivre avec les touches torréfiées d'un élevage (partiel) en fût. Des nuances fraîches de menthol, de noyau de cerise et de crème de cassis se font jour dans une bouche puissante, assise sur des tanins fermes et vivifiée par une belle acidité. Un rouge bien bâti qui gagnera en harmonie avec un bref séjour en cave. 2021-2025

SARL VIGNOBLES ALAIN JAUME, 1358, rte de Châteauneuf-du-Pape, 84100 Orange, tél. 04 90 34 68 70, contact@alainjaume.com t.l.j. sf dim. 8h-13h 14h-18h

B LE DOM. MONTIRIUS Le Clos 2017 ★

■	n.c.		30 à 50 €

Dans la même famille depuis cinq générations, ce domaine de 63 ha conduit par Christine et Éric Saurel, aidés par leurs filles Justine et Manon, est en biodynamie depuis 1996. Des vacqueyras et des gigondas vinifiés et élevés sans bois, régulièrement en vue.

Pas de bois («100 % non boisé» précise la contre-étiquette) – c'est la règle chez les Saurel – dans cet assemblage grenache et syrah, issu d'un vrai clos de 8,5 ha. Le nez monte lentement en puissance, libérant des flagrances de fruits rouges et noirs et d'épices douces. Savoureuse, expressive et longue, la bouche restitue cette palette avec intensité, soutenue par des tanins crayeux. Une belle évocation du Sud et de l'appellation. 2021-2026

SARL MONTIRIUS, 1536, rte de Sainte-Edwige, 84260 Sarrians, tél. 04 90 65 38 28, eric@montirius.com r.-v.

CH. DE MONTMIRAIL Cuvée de l'Ermite 2017 ★

■	7000		11 à 15 €

Situé à l'emplacement d'une ancienne station thermale connue pour ses eaux sulfureuses et magnésiennes, ce domaine de 45 ha est conduit par la famille Archimbaud depuis quatre générations. Une valeur sûre en vacqueyras et en gigondas.

Grenache et syrah à parité dans ce rouge ouvert sur le cassis et les épices douces. Franche, ronde, souple, la bouche séduit aussi par sa structure déliée, entre tanins fondus et fraîcheur dynamisante, et par sa belle longueur. Un vin allègre, friand, vinifié avec délicatesse. On peut l'ouvrir. 2020-2023

SCEV ARCHIMBAUD-BOUTEILLER, 204, cours Stassart, 84190 Vacqueyras, tél. 04 90 65 86 72, archimbaud@chateau-de-montmirail.com t.l.j. sf dim. 9h30-12h 14h-18h

DOM. LES ONDINES Passion 2016 ★★

	12000		15 à 20 €

Scientifique de formation, Jérémy Onde a repris les vignes paternelles, créé sa cave et produit son propre vin à partir de 2002. Il a converti son vignoble de 57 ha à l'agriculture biologique en 2012, à partir duquel il élabore notamment des côtes-du-rhône, des *villages* et des vacqueyras.

Un vinification à l'ancienne qui mêle les cépages (grenache, syrah et cinsault) dès la cuve. La robe aux tons noirs impressionne. Le nez n'a rien à lui envier avec ses senteurs concentrées, de cerises noires et de fruits très mûrs. Au diapason, la bouche affiche la même plénitude: puissante, riche, tannique, juteuse, avec une acidité à la mesure qui tend délicieusement l'ensemble. Une belle construction, toute jeune et appelée à un bel avenir. 2021-2028

EARL DOM. LES ONDINES, 413, rte de la Garrigue-Sud, 84260 Sarrians, tél. 04 90 65 86 45, jeremy.ondines@wanadoo.fr t.l.j. sf dim. 9h-12h 13h30-17h30

DOM. PALON 2017 ★

	n.c.		11 à 15 €

Issu d'une famille vigneronne depuis un siècle et fils de l'ancien président de la «coop» de Gigondas, Sébastien Palon a décidé en 2003 de créer sa propre cave. Il conduit aujourd'hui un vignoble de 15 ha.

Parée d'une robe grenat, cette cuvée associe le grenache et le mourvèdre à une touche de syrah. Le nez, discret, convoque le fruit mûr et le café. Les arômes s'expriment plus intensément dans une bouche parfaitement équilibrée, élégante, nantie de tanins serrés, d'une sucrosité de bon aloi et d'une fraîcheur exemplaire. L'ensemble laisse le souvenir d'un rouge harmonieux, gourmand, abouti, à boire ou à garder. 2020-2024

SCEA PALON, 373, rte de Carpentras, 84190 Gigondas, tél. 04 90 62 24 84, contact@domainepalon.com t.l.j. sf sam. dim. 9h-12h 14h-18h

DOM. DU PESQUIER 2017 ★

	4091		11 à 15 €

Implanté au cœur de l'AOC gigondas, ce vignoble appartenait aux princes d'Orange au XVI^e^s. L'exploitation actuelle est née dans les années 1950. Aujourd'hui, Guy et Mathieu Boutière exploitent un domaine de 25 ha (dédié aux seuls vins rouges), souvent en vue pour ses vacqueyras et ses gigondas.

Une forte minorité de syrah épaule le grenache dans ce 2017 élevé en cuve, au nez joliment fruité, sur la mûre et les épices. Finement extraite, plus délicate que concentrée, la cuvée flatte les papilles par ses flaveurs franches et fruitées et son équilibre sans fausse note, entre tanins discrets et fraîcheur préservée. Un vin harmonieux et prêt à boire. 2020-2023

EARL DOM. DU PESQUIER-BOUTIÈRE ET FILS, 806, chem. du Pesquier, 84190 Gigondas, tél. 04 90 65 86 16, contact@domainedupesquier.com r.-v.

CH. DES ROQUES Cuvée du Château 2017 ★

	30000		11 à 15 €

Un vignoble de 38 ha de vignes entourant un bel ensemble architectural du XVI^e^s. avec une chapelle XVI^e^s. et un château XIX^e^s. C'est le fief de la famille Seroul, établie ici depuis plusieurs générations. Au programme: des vacqueyras blancs et rouges et des IGP Vaucluse.

Le domaine signe son entrée dans le Guide de belle manière avec cette cuvée classiquement dominée par le grenache et élevée en barrique et demi-muid pendant douze mois. Si les épices douces du chêne sont bien présentes, c'est le fruit rouge frais et le cassis qui dominent à l'olfaction. Une petite sucrosité gourmande à l'entame, ce qu'il faut de rondeur en milieu de bouche, des tanins croquants, une finale qui laisse parler longuement le fruit et la réglisse: le jury salue le «bel équilibre» et la «cohérence» de ce vacqueyras déjà à point. 2020-2024

SCEA CH. DES ROQUES, 774, rte des Roques, BP 9, 84190 Vacqueyras, tél. 04 90 65 85 16, chateau.roques@orange.fr t.l.j. 8h-12h 13h30-17h30; sam. dim. sur r.-v.

DOM. SAINT-ROCH Cuvée Quentho 2017

	15000		11 à 15 €

Les Meissonnier sont enracinés depuis seize générations à Beaumes-de-Venise, d'abord comme arboriculteurs et maraîchers, puis comme viticulteurs, un parcours suivi par un grand nombre après le grand gel de 1956. La production au domaine est en revanche récente: Stéphane Meissonnier et son épouse Stéphanie ont décidé de créer leur cave en 2012 pour vinifier le fruit de leurs 45 ha de vignes.

Une cuvée dédiée à Quentin et Théo, les deux fils du couple Messonnier. Le jury a apprécié le nez ouvert, nuancé (fruité compoté, olive noire, pain d'épices), la bouche ample, généreuse et savoureuse, aux tanins fins, et la finale poivrée relevée par une amertume délicate. Un vin déjà épanoui. 2020-2023

EARL SAINT-ROCH, 167, rte d'Aubignan, 84190 Beaumes-de-Venise, tél. 04 90 65 84 37, domaine.saintroch@orange.fr t.l.j. 9h-12h30 14h-19h

DOM. DE VERQUIÈRE 2017 ★★

	12000		11 à 15 €

Un domaine fondé en 1928. En 2009, la quatrième génération – Thibaut Chamfort – s'est installée à la tête de la propriété, et l'a convertie à l'agriculture biologique. La bastide, agencée selon la coutume provençale en fer à cheval, commande un vignoble de 45 ha.

Tout est élégant et mesuré dans cet assemblage (grenache, syrah et cinsault) élevé en cuve et barrique (de 400 l): la robe, rubis pâle, le nez, subtil et frais, sur les petits fruits noirs et les épices, la bouche surtout, qui enchante par sa fraîcheur, sa texture élégante, ses tanins bien fermes et sa finale relevée par une touche mentholée. De la «dentelle» conclut le jury sous la charme de ce vacqueyras remarquable d'élégance et d'équilibre. ⧗ 2020-2024

⊶ EARL BERNARD CHAMFORT, Dom. de Verquière, 45, rue Georges-Bonnefoy, 84110 Sablet, tél. 04 90 46 90 11, chamfort@domaine-de-verquiere.com V t.l.j. sf sam. dim. 9h-12h 13h30-17h30 E

PIERRE VIDAL 2017 ★

■	50000		8 à 11 €

Pierre Vidal, installé à Châteauneuf-du-Pape avec son épouse vigneronne, a créé son négoce en 2010. Une maison déjà bien implantée grâce aux sélections parcellaires vinifiées par ce jeune œnologue formé en Bourgogne, qui s'est développée depuis 2015 vers les vins bio et les vins «vegan».

Arômes grillés, cacaotés, épicés, le nez porte la marque du chêne (dix-huit mois de fût). Les fruits noirs et la crème de pruneau s'invitent dans une bouche charnue, veloutée, bien épaulée par des tanins soyeux, longuement épicée en finale. On garde le souvenir d'un vin bien élevé au bon potentiel de garde. ⧗ 2021-2027

⊶ EURL PIERRE VIDAL, 631, rte de Sorgues, 84230 Châteauneuf-du-Pape, tél. 06 88 88 07 58, contact@pierrevidal.com r.-v.

VIEUX CLOCHER 2018 ★★

■	4500		11 à 15 €

La famille Arnoux reçut en 1717 du seigneur de Lauris une parcelle de vignes. Aujourd'hui, elle exploite 40 ha en vacqueyras, sous la conduite de Jean-François et Marc, tout en menant une activité de négociant dans plusieurs autres AOC rhodaniennes.

Le domaine signe un superbe vacqueyras blanc qui réunit le grenache blanc, la clairette et le bourboulenc avec un élevage en cuve. Parée d'une robe paille, limpide, la cuvée déploie un nez élégant, centré sur la pêche, l'abricot et les fruits exotiques, intégrant une touche fraîche de menthol. Une fraîcheur qui traverse de part en part une bouche charnue, ronde, gorgée jusqu'en finale de fruit jaune. Un blanc abouti, d'une grande finesse et d'un équilibre entre richesse et fraîcheur pas facile à atteindre dans le Sud. ⧗ 2019-2022 ■ **Dom. la Font du Chêne 2017 ★ (8 à 11 €; 46000 b.)** : marc de raisin, sous-bois, aromates, fruits un peu confiturés, l'olfaction est de bonne augure. Avec ses tanins fermes, son fruit fringant d'une belle fraîcheur, sa richesse sans mollesse, sa longue finale sur le Zan, le palais ne déçoit pas. Une petite garde l'épanouira davantage. Beau vin. ⧗ 2020-2024

⊶ SA ARNOUX ET FILS, Cave du Vieux Clocher, 238, montée de Bellevue, 84190 Vacqueyras, tél. 04 90 65 84 18, info@arnoux-vins.com V t.l.j. sf dim. 9h30-12h30 14h-19h D

BEAUMES-DE-VENISE

Superficie : 580 ha / Production : 19 880 hl

Reconnue en 2005, cette appellation concerne uniquement les vins rouges issus de quatre communes du Vaucluse limitrophes des AOC gigondas et vacqueyras: Beaumes-de-Venise, Lafare, La Roque-Alric, Suzette, sur une surface délimitée de 1 456 ha. Les vins doivent provenir d'un assemblage de cépages principaux (au moins 50 % de grenache noir et 25 % de syrah en 2015).

B DOM. CAROLINE BONNEFOY 2017 ★

■	13000		11 à 15 €

«Vignerons bio», Gilles Phétisson et Caroline Bonnefoy, unis dans la vie, vinifient leurs domaines séparément (Lumian pour lui, Bonnefoy pour elle). En 2012, ils se sont associés à travers une activité de négoce. Un nouveau chai de vieillissement a vu le jour en 2018, adossé à la cuverie modernisée et équipée de seize nouvelles cuves béton.

Dominé par le grenache, c'est un rouge résolument solaire, au nez déjà bien épanoui qui fleure bon le fruit noir confit, le sous-bois et la mousse. Tout aussi fondue, la bouche charme par sa rondeur, ses tanins assagis et sa finale fumée qui évoque le tabac, le cuir et le sous-bois, en écho à l'olfaction. ⧗ 2020-2023

⊶ CAROLINE BONNEFOY, rte de Montélimar, 84600 Valréas, tél. 06 87 14 21 48, domainedelumian@wanadoo.fr V t.l.j. sf dim. 9h-12h 14h-18h

DOM. LA BOUÏSSIÈRE 2017 ★★

■	6000		11 à 15 €

Établis au pied des Dentelles de Montmirail depuis 1990, les frères Gilles et Thierry Faravel conduisent à la suite de leur père un domaine de 18 ha en terrasses, à 300 m d'altitude, fort régulier en qualité en gigondas comme en vacqueyras.

Né de grenache (majoritaire) et de syrah, ce 2017 affiche une robe intense et pourpre et offre un nez puissant, résolument du sud avec ses touches de garrigue, de feuille sèche ou de cuir sur un fond de fruits noirs bien mûrs. Douce et soyeuse, l'attaque précède un milieu de bouche consistant construit autour de beaux tanins carrés et mûrs qui donnent assise et tenue à l'ensemble. Une petite rigueur de bon augure pour la suite mais qui n'enlève rien au charme et à la gourmandise immédiate de ce rouge accompli, solaire et structuré. ⧗ 2021-2025

⊶ EARL FARAVEL, 15, rue du Portail, 84190 Gigondas, tél. 04 90 65 87 91, domaine@labouissiere.com V t.l.j. sf dim. 9h-12h 14h-18h

DOM. DE COYEUX Sapere Aude 2016

■	10000		15 à 20 €

Un vaste domaine de 112 ha (dont 65 de vignes) créé dans les années 1970 au pied des Dentelles de Montmirail et repris en 2013 par Hugues de Feraudy.

Un assemblage grenache et syrah plutôt harmonieux au nez avec une touche boisée encore en évidence. Si le chêne reste perceptible, il n'entame pas le plaisir que procure une bouche bien promotionnée, sans excès de maturité, joliment fruitée (fruits rouges, fruits des bois) sertie de tanins souples et bien extraits. De l'harmonie donc pour ce vin à ouvrir après une courte garde. ⧗ 2020-2025

⊶ SCEA DU DOM. DE COYEUX, 167, chem. du Rocher, 84190 Beaumes-de-Venise, tél. 04 90 12 42 42, lbigazzi@domainedecoyeux.com V t.l.j. 9h-12h 14h-17h30

Ⓑ CH. LA CROIX DES PINS
Les Contreforts de Montmirail 2017 ★

■ | 10000 | 🍾 | 11 à 15 €

La chapelle intérieure et la pergola de cette bastide de style toscan rappellent qu'au XVI[e]s. le domaine appartenait à un prélat italien. En 2009, Jean-Pierre Valade, consultant international en œnologie, et Éric Petitjean ont repris l'exploitation et ses 37 ha de vignes conduits en bio (beaumes-de-venise, ventoux et gigondas).

Un rouge, assemblage classique de grenache et de syrah, qui soigne l'élégance. Épices, thym, fruits rouges frais, le nez en témoigne. Des notes de tabac et de sous-bois étirent cette palette dans une palais rond, long, d'une puissance tempérée. Déjà agréable. ⧗ 2019-2025

⊶ LATITUDE 44, Ch. la Croix des Pins, 902, chem. de la Combe, 84380 Mazan, tél. 04 90 66 37 48, contact@lacroixdespins.fr V 🚶 ▮ *t.l.j. sf dim. 9h-12h 14h-19h* 🏠 Ⓔ

DOM. DE DURBAN Vieilles Vignes 2017 ★

■ | 60000 | 🍾 | 8 à 11 €

Cette ferme fortifiée datant de 1150, adossée à un bois de pins, offre une vue panoramique sur son vaste (119 ha) et vieux (1414) vignoble. La famille Leydier y perpétue depuis 1967 une tradition viticole ancienne.

Des vieilles vignes de grenache, syrah et mourvèdre, partiellement vinifiées en grappes entières, au menu de ce beaumes gourmand, au nez de fruits mûrs (fraise, mûre) agrémenté d'une touche fumée et animale (cuir). Soyeuse par sa texture, très croquante par la vitalité de son fruit, adossée à des tanins doux, la bouche soigne le plaisir et l'élégance. On peut l'ouvrir sans attendre. ⧗ 2019-2022

⊶ SCEA LEYDIER ET FILS, Dom. de Durban, 2523, chem. de Durban, 84190 Beaumes-de-Venise, tél. 04 90 62 94 26, domaine.de.durban@wanadoo.fr V ▮ *t.l.j. sf dim. 9h-12h 14h-18h*

Ⓑ DOM. LA FERME SAINT-MARTIN
Costancia 2017 ★

■ | 4500 | 🍾 | 15 à 20 €

Un domaine familial et régulier en qualité fondé en 1964 sur les ruines d'un ancien prieuré du XII[e]s. Installés en 1980, Guy Jullien et son fils Thomas exploitent 23 ha de vignes conduits en bio depuis 1998.

Un des domaines phares de l'appellation qui n'a pas à craindre pour sa réputation avec ce rouge sensuel, mi-grenache mi-syrah, vinifié en douceur. Un fruit épanoui, mûr mais pas confit, et de belles épices tapissent une bouche veloutée, allègre, fine et succulente. ⧗ 2020-2024

⊶ EARL GUY JULLIEN, Ferme Saint-Martin, 84190 Suzette, tél. 04 90 62 96 40, contact@fermesaintmartin.com V ▮ *t.l.j. sf dim. 10h-12h 14h-18h; f. janv. et fév.* 🏠 Ⓒ

Ⓑ DOM. DES GARANCES La Rouyère 2017 ★

■ | 27000 | 🍾 | 8 à 11 €

Si le domaine se transmet depuis plusieurs générations dans la famille Brès, il ne possède sa cave de vinification que depuis 2002. Il étend son vignoble morcelé sur 16 ha, conduit en agriculture biologique certifiée.

Assemblage de grenache et de syrah, élevé en cuve, le vin déploie un nez fringant et séduisant centré sur le fruit (framboise, cassis, mûre) saupoudré d'épices et de cuir. Avec ses tanins doux, son corps riche et tendre, son équilibre sans fausse note ni excès, et sa finale franchement épicée, ce beaumes a tout pour séduire. ⧗ 2020-2024 ■ **Les Faysses 2017 ★ (15 à 20 €; 1800 b.) Ⓑ** : la syrah épaulée par un peu de grenache a façonné ce vin à la robe profonde et au nez complexe de fruits noirs et de sous-bois rehaussés de chêne. Un boisé que l'on retrouve dans une bouche ronde reposant sur des tanins encore saillants mais de belle facture. De bon augure pour la suite. ⧗ 2021-2026

⊶ SCEA LA TREILLE, La Treille, 84190 Suzette, tél. 04 90 65 07 97, domaine-des-garances@wanadoo.fr V 🚶 ▮ *t.l.j. sf dim. 9h-12h 14h-18h*

CH. REDORTIER 2016 ★

■ | 20000 | 🍾 | 11 à 15 €

Ancien fief de la principauté d'Orange, ce domaine a été créé en 1956 par Étienne et Chantal de Menthon: 35 ha de vignes sur les terrasses de Suzette, face aux Dentelles de Montmirail. Un vignoble d'un seul tenant, mais composé de deux entités distinctes: les marnes calcaires, sur un terroir perché à 500 m d'altitude, et les terres jaunes du Trias, arides et envahies par la garrigue. Depuis 2007, c'est la deuxième génération, représentée par Isabelle et Sabine, qui vinifie.

Des raisins (grenache et syrah) éraflés et assemblés avant fermentation ont donné ce rouge fringant. Un long élevage en cuve a épanoui et préservé un fruit encore en pleine jeunesse, juste souligné de notes fumées au nez. Fraîche et intense, bien équilibrée, soutenue par une belle acidité, la bouche libère de franches notes de framboise et de groseille qui se teintent de poivre en finale. Une réussite. ⧗ 2020-2024

⊶ EARL CH. REDORTIER, Château-Redortier, 84190 Suzette, tél. 04 90 62 96 43, chateau-redortier@wanadoo.fr V 🚶 ▮ *t.l.j. 9h-12h 14h-18h*

DOM. SAINT-AMANT Grangeneuve 2017 ★

■ | 12000 | 🍾 | 11 à 15 €

L'un des plus hauts domaines de la vallée du Rhône. Créé en 1992 par Nathalie et Jacques Wallut, chef d'entreprise à la retraite, il étage ses 13 ha de vignes en terrasses, entre 400 et 600 m d'altitude, sur le flanc du mont Saint-Amant.

Une excellente adresse qui profite de sa situation tout en haut de l'appellation et d'un travail de précision dans les vignes pour produire des vins souvent remarquables d'équilibre et de fraîcheur. Un peu de viognier en appoint du grenache, de la syrah et du carignan dans cette cuvée qui tire son nom d'un lieu-dit. Épices, sous-bois, fruits noirs confiturés, le nez est discret mais fin. La bouche enchante par sa mesure, ses tanins fins et fermes, son intensité aromatique allant crescendo sur des tonalités de garrigue et d'épices qui s'éternisent en finale. Une belle bouteille « qui sort du lot » selon un juré. ⧗ 2021-2026

⊶ SCEA SAINT-AMANT, Saint-Amant, 84190 Suzette, tél. 04 90 62 99 25, contact@saint-amant.com V 🚶 ▮ *t.l.j. 9h-18h; sam. dim. sur r.-v.* 🏠 Ⓔ

♥ DOM. SAINT-ROCH Cuvée des Taus 2017 ★★

■ | 12000 | 🍾 | 8 à 11 €

Domaine St Roch – CUVÉE DES TAUS – BEAUMES DE VENISE – APPELLATION D'ORIGINE PROTÉGÉE – MIS EN BOUTEILLE AU DOMAINE

Les Meissonnier sont enracinés depuis seize générations à Beaumes-de-Venise, d'abord comme arboriculteurs et maraîchers, puis comme viticulteurs, un parcours suivi par un grand nombre après le grand gel de 1956. La production au domaine est en revanche récente: Stéphane Meissonnier et son épouse Stéphanie ont décidé de créer leur cave en 2012 pour vinifier le fruit de leurs 45 ha de vignes.

Les Taus, ce sont les armoiries du village de Beaumes-de-Venise. Cette cuvée, déjà coup de cœur dans le passé, leur fait honneur. Composée de grenache et de syrah, elle diffuse au nez des senteurs profondes et chaleureuses de sous-bois et de fruit macéré avec un fond noblement animal. La même plénitude s'impose dans un palais rond et soyeux, puissant mais élégant, porté par des tanins à point et une fraîcheur sauvegardée en finale. Si on s'en régale déjà, ce beau rouge a de l'avenir. ⧗ 2020-2025

EARL SAINT-ROCH, 167, rte d'Aubignan, 84190 Beaumes-de-Venise, tél. 04 90 65 84 37, domaine.saintroch@orange.fr V *t.l.j. 9h-12h30 14h-19h*

CHÂTEAUNEUF-DU-PAPE

Superficie : 3 155 ha
Production : 83 865 hl (95 % rouge)

Le vignoble, qui garde le souvenir des papes d'Avignon, est situé sur la rive gauche du Rhône, à une quinzaine de kilomètres au nord de l'ancienne cité pontificale. L'appellation fut la première à avoir défini légalement ses conditions de production, dès 1931. Son territoire s'étend sur la quasi-totalité de la commune qui lui a donné son nom et sur certains terrains de même nature des communes limitrophes d'Orange, de Courthézon, de Bédarrides et de Sorgues. Son originalité provient de son sol, formé notamment de vastes terrasses de hauteurs différentes, recouvertes d'argile rouge mêlée à de nombreux cailloux roulés. Parmi les cépages autorisés, très divers, prédominent grenache, syrah, mourvèdre et cinsault.

Les châteauneuf-du-pape s'apprécient mieux après une garde qui varie en fonction des millésimes. Amples, corsés et charpentés, ce sont des vins au bouquet puissant et complexe, qui accompagnent avec succès les viandes rouges, le gibier et les fromages. Les rares blancs savent cacher leur puissance par la finesse de leurs arômes.

VIGNOBLE ABEILLE 2016

■ | 21000 | 🛢️🍾 | 20 à 30 €

On cultivait déjà la vigne à l'époque romaine sur le *muntem retundum* (montagne ronde). La famille Abeille-Fabre du Ch. Mont-Redon est réputée tant pour ses châteauneuf que pour ses lirac et ses côtes-du-rhône. Elle a étendu sa production par une activité de négoce. Le domaine est certifié HVE depuis 2018.

Fruits rouges cuits, épices et menthol sur fond de chêne, le bouquet est engageant. Si l'élevage se fait plus présent en bouche, la cuvée déploie une matière riche, dense et mûre, bâtie sur des tanins puissants qui augurent d'un bel avenir. À laisser en cave. ⧗ 2022-2028

SARL LES VIGNERONS DE RASTEAU ET DE TAIN-L'HERMITAGE (ABEILLE-FABRE), rte des Princes d'Orange, 84110 Rasteau, tél. 04 90 10 90 10

DOM. PAUL AUTARD
Cuvée La Côte Ronde 2016 ★★

■ | 9000 | 🛢️ | 30 à 50 €

Une statue de la Vierge à l'entrée du domaine rappelle qu'il fut une résidence du diocèse d'Avignon. Sous la colline de pins, la cave en safre abrite les barriques de vin pendant de longs mois. Paul est le prénom du fondateur, Jean-Paul celui de l'actuel propriétaire, à la tête de l'exploitation depuis ses dix-sept ans. Le vignoble couvre 25 ha, morcelés au nord de Châteauneuf, du côté de Courthézon.

Grenache et syrah sur sables et galets roulés au menu de ce rouge longuement élevé en fût. Le nez, avec sa déclinaison entre fruits noirs, vanille, orange et épices, en tire une belle complexité. Le palais déploie une chair conséquente, grasse et pleine, qui tient en respect de beaux tanins enrobés donnant relief et tenue à un ensemble jeune mais voluptueux. Une puissance joliment canalisée et un élevage maîtrisé pour un vin qui ira loin. ⧗ 2022-2032 ■ **2017 ★★ (30 à 50 €; 3000 b.)** : le 2017 de cette cuvée fait presque aussi bien que le 2015, coup de cœur dans l'édition 2018. On y retrouve ce qui fait son charme: un nez explosif, puissamment floral (fleur d'oranger), fruité, miellé et fumé; une bouche à la mesure, d'une rondeur sans mollesse, riche de vanille, de résine et d'épices rappelant son élevage en barrique; une belle finale relevée par une amertume légère et à-propos. ⧗ 2020-2024 ■ **2016 ★ (30 à 50 €; 20000 b.)** : un assemblage des plus classiques, grenache, syrah et mourvèdre, élevé quatorze mois en fût. Au nez, un boisé présent, épicé et vanillé, qui ne masque pas le fruit. En bouche, une attaque franche, des tanins bien en place, encore un peu serrés, un fruité mûr, très poivré, boisé mais sans excès, une longueur honorable. Un vin bien constitué qui bénéficiera d'un peu de temps en bouteille. ⧗ 2021-2025

SCEA JEAN-PAUL AUTARD, rte de Châteauneuf-du-Pape, 84350 Courthézon, tél. 04 90 70 73 15, jean-paul.autard@wanadoo.fr V *t.l.j. sf dim. 10h-12h30 14h-18h; sam. sur r.-v.*

DOM. LA BARROCHE 2016 ★★

■ | 30000 | 🛢️🍾 | 30 à 50 €

Un domaine transmis de génération en génération depuis le XIVᵉs. Christian Barrot et son fils Julien conduisent aujourd'hui ces vignes couvrant 15 ha, essentiellement au nord et au nord-est de l'appellation châteauneuf-du-pape.

Un domaine aujourd'hui très en vue qui tire le meilleur parti d'un vignoble âgé situé majoritairement dans le nord de l'appellation. Cette cuvée qui caractérise le mieux l'essence du domaine, selon son concepteur, assemble des vignes, grenache en tête, de 65 ans. Non filtrée, longuement élevée en foudre et demi-muid sans bois neuf, elle dévoile une robe intense et un nez juteux de fruit mûr très épicé. Pleine, stimulante, la bouche brille par la pureté de son fruit et par sa structure alerte, très fraîche, malgré la grande maturité des raisins. Un châteauneuf vibrant et de belle garde. 2021-2029

SAS JULIEN ET LAETITIA BARROT, 16, chem. du Clos, 84230 Châteauneuf-du-Pape, tél. 06 62 84 95 79, contact@domainelabarroche.com r.-v.

DOM. DE BEAURENARD 2017 ★

■	60000		30 à 50 €

Depuis 1929, sept générations se sont succédé jusqu'à Daniel et Frédéric Coulon, à la tête d'un vignoble de 63 ha conduit en bio et biodynamie certifiés. Une valeur sûre de la vallée méridionale, en châteauneuf comme en rasteau (sec et doux) et en côtes-du-rhône.

Souvent en vue dans le Guide, cette cuvée, qui assemble derrière le grenache (70 %) tous les autres cépages de l'appellation, est appelée à un bel avenir. Dense, le nez libère progressivement ses senteurs de fruits noirs mûrs, d'épices et de cuir. La bouche affiche une structure ferme, très fraîche, marquée par des tanins serrés qui tiennent provisoirement en respect un fruit concentré, mûr, long et juteux. Très prometteur. 2021-2028 ■ **Boisrenard 2017 ★ (50 à 75 €; 10000 b.)** : argiles, galets, sables, des vignes de 60 à 100 ans et tous les cépages de l'appellation forgent la personnalité affirmée de ce haut de gamme déjà encensé l'année passée. Une robe sombre, un nez intense et complexe qui décline les fruits noirs mûrs, la torréfaction, le cuir et l'eucalyptus, une bouche puissante, ample et fraîche, bien campée sur ses tanins fondus: il ne manque rien à ce vin ambitieux, si ce n'est un peu de temps pour s'assouplir et finir de digérer son élevage. 2022-2032

SCEA PAUL COULON ET FILS, 10, av. Pierre-de-Luxembourg, 84230 Châteauneuf-du-Pape, tél. 04 90 83 71 79, contact@beaurenard.fr t.l.j. 9h-12h 13h30-17h30; sam. dim. sur r.-v. pour les groupes

DOM. BERTHET-CAPEAU Élixir des Papes 2017

■	5000		20 à 30 €

Christian Berthet-Rayne a repris en 1980 une partie du domaine fondé par sa belle-famille. Sa fille Laure et son gendre Martial Capeau, arrivés en 2004, ont désormais pris la suite et conduisent un vignoble de 25 ha en bio certifié depuis 2007.

Cette sélection parcellaire issue du terroir de galets roulés de Coudoulet met à l'honneur le seul grenache. Bien mûr, il s'ouvre sur un nez solaire, intensément fruité (cassis, myrtille), agrémenté de sous-bois et d'une touche fumée. Sucrosité, douce chaleur, rondeur, souplesse, concentration, la bouche restitue toute la suavité et la plénitude du cépage en version castel-papale. Un vin bien typé à mettre brièvement en cave pour canaliser la fougue de sa jeunesse. 2021-2025

EARL BERTHET-CAPEAU, 3158, chem. des Mulets, 84350 Courthézon, tél. 04 90 70 74 14, christian.berthet-rayne@wanadoo.fr t.l.j. 8h-12h 13h30-18h; sam. dim. sur r.-v.

DOM. BOSQUET DES PAPES Cuvée Tradition 2018 ★★

■	3300		20 à 30 €

Le nom de ce domaine familial fondé en 1860 provient des Bosquets, un quartier de Châteauneuf-du-Pape où sont établis les chais. Aujourd'hui, Maurice et Nicolas Boiron exploitent 32 ha, essentiellement dans la prestigieuse appellation.

Une étiquette à l'ancienne, parcheminée, pour ce blanc élégant qui réunit le trio clairette, grenache blanc et bourboulenc. Derrière une robe limpide, aux reflets dorés, un nez plus subtil que puissant, qui diffuse de fines senteurs de fruit et de fleurs. La bouche ronde et douce, à peine soulignée de vanille (20 % de bois), d'un équilibre sans fausse note, diffuse ces mêmes flaveurs longues et élégantes. Une harmonie parfaite et aucun artifice dans ce beau blanc convivial et raffiné. 2020-2024

EARL MAURICE ET NICOLAS BOIRON, 18, rte d'Orange, BP_50, 84232 Châteauneuf-du-Pape Cedex, tél. 04 90 83 72 33, bosquet.des.papes@orange.fr t.l.j. sf sam. dim. 9h-12h 14h-18h

DOM. LA BOUTINIÈRE Grande Réserve La Crau Vieilles Vignes 2017 ★★

■	6400		30 à 50 €

Créée en 1920, cette propriété familiale de 18 ha est conduite par Frédéric Boutin, qui représente la quatrième génération. Si, comme de nombreux domaines de la vallée du Rhône méridionale, son vignoble se hiérarchise en vins de pays, appellations régionales et communales, il a la chance de mettre en valeur 11,5 ha en châteauneuf-du-pape (pour 4,5 ha en côtes-du-rhône et 2 ha en IGP).

Fruits rouges frais et fruits confits juste saupoudrés d'épices: les douze mois d'élevage en fût n'ont pas éteint le fruit de ces vieilles de vignes de grenache, syrah et mourvèdre, plus que centenaires. On retrouve avec plaisir cette dominante fruitée dans une bouche bien équilibrée, appuyée sur des tanins fondants et sur une belle acidité qui aura stimulée le jury. Un équilibre accompli pour ce «standard de l'appellation», concluent les dégustateurs. 2021-2028

EARL GILBERT BOUTIN, 17, rte de Bédarrides, 84230 Châteauneuf-du-Pape, tél. 04 90 83 51 87, info@domainelaboutiniere.fr t.l.j. 10h-13h 14h-19h

BROTTE Dom. Barville 2017 ★

■	45000		30 à 50 €

Cette maison réputée, fondée en 1931 par Charles Brotte, pionnier de la mise en bouteilles dans la vallée du Rhône, est aujourd'hui dirigée par Laurent, petit-fils du fondateur. Elle vinifie ses propres vignes et opère des sélections parcellaires pour le compte de son négoce, dont La Fiole du Pape, en châteauneuf, est la marque phare depuis sa création en 1952.

Une base de grenache noir et un appoint de syrah et de mourvèdre pour cette cuvée élevée en fût, foudre et cuve. Ouvert, le nez fleure bon le fruit mûr (pruneau, cerise), les épices, avec une nuance minérale. Concentrée, ample à l'attaque, la bouche s'appuie sur une belle trame tannique, solide mais sans austérité, avant une longue finale sur le fruit. Belle harmonie et du coffre pour défier sereinement les années. ⧗ 2021-2027 ■ **Laurent Brotte Grande Réserve Grand Vallon 2018 ★ (15 à 20 €; 10000 b.)** : quatre cépages et un élevage en cuve pour ce blanc sur le fruit qui fleure bon la pêche et les fleurs blanches. L'abricot et la poire prennent le relais dans une bouche complète, fraîche, ample, ronde, et d'une grande franchise de fruit. Allègre et gourmand, on peut l'ouvrir sans attendre. ⧗ 2020-2023 ■ **Laurent Brotte Grande Réserve Grand Vallon 2017 ★ (15 à 20 €; 10000 b.)** : d'un rouge rubis profond, cet assemblage tout ce qu'il y a de plus classique (grenache, syrah, mourvèdre), passé en cuve et fût, met en avant les fruits rouges bien mûrs. L'attaque franche et intense ouvre sur un palais concentré, presque sucré, très gourmand par ses notes de fruits confits, étayé par des tanins fermes et prolongé par une finale chaleureuse. À ouvrir dans les deux ou trois ans à venir. ⧗ 2021-2025

SA BROTTE, av. Pierre-de-Luxembourg, 84230 Châteauneuf-du-Pape, tél. 04 90 83 70 07 V t.l.j. 9h-12h 14h-18h (9h-13h 14h-19h en été)

DOM. DU CALCERNIER La Charline 2016

■ | 3862 | | 20 à 30 €

Issu d'une famille de vignerons depuis plusieurs générations, William de Courten a pris en 2015 la tête de ce domaine qui s'étend sur 4,5 ha.

Grenache, syrah, mourvèdre et cinsault, élevés en cuve et fût, sont associés dans cette cuvée, rubis de robe, dont le nez retenu diffuse une palette qui hésite entre fruits noirs et épices douces. Une attaque fraîche, un corps souple et tendre, des flaveurs gourmandes et douces de fruits mûrs, une bonne longueur: un vin déjà épanoui, agréable, que l'on peut ouvrir sans attendre. «Une réussite», commente sobrement un dégustateur. ⧗ 2020-2023

WILLIAM DE COURTEN (DOM. DU CALCERNIER), 2, rue Porte-Rouge, 84230 Châteauneuf-du-Pape, tél. 06 67 68 28 92, dewilcour@hotmail.fr V t.l.j. 10h30-18h30

CELLIER DES PRINCES 2017 ★★

■ | 100000 | | 11 à 15 €

Le Cellier des Princes est l'unique coopérative à produire du châteauneuf-du-pape. Fondée en 1925, la cave regroupe aujourd'hui 190 adhérents et vinifie les vendanges de 600 ha, du châteauneuf donc, et aussi une large gamme de côtes-du-rhône, *villages*, ventoux et IGP.

Un robe rubis, de francs arômes de fruits rouges confits, le grenache (90 %) fait son effet à l'œil comme au nez. Intense, dotée d'une sucrosité gourmande et d'une rondeur enveloppante, la bouche se montre déjà très conviviale, facile d'accès, chaleureuse mais sans excès. Un châteauneuf délicieux, sur le fruit. ⧗ 2020-2024

SCA LE CELLIER DES PRINCES, 758, rte d'Orange, 84350 Courthézon, tél. 04 90 70 21 44, lesvignerons@cellierdesprinces.fr V t.l.j. 9h-12h30 13h30-18h30

DOM. CLEF DE SAINT-THOMAS Pierre Troupel 2018 ★★

■ | 1600 | | 20 à 30 €

Philippe Kessler, fort de son expérience à la Calissanne, une référence en coteaux-d'aix, a acquis en 2006 ce domaine alors propriété de la famille Boiron depuis le début du XVIIIᵉs. À sa disparition, c'est son épouse Sophie Kessler-Matière et son directeur Christophe Barraud qui sont aux commandes de ce vignoble d'une dizaine d'hectares.

Une étiquette bleue ciel en hommage aux yeux bleus de Pierre Troupel, le grand-père de la propriétaire. Bourboulenc, clairette et grenache blanc composent cet assemblage éclatant qui n'a pas vu une once de chêne. Une belle robe pâle et limpide, un nez flagrant, subtil, diffusant des notes très pures de poire fraîche et de fruits exotiques (banane, litchi): l'entame est de très bon augure. Conforme au nez, la bouche restitue cette plénitude de fruit et se révèle tendre, remarquable de longueur et de fraîcheur. Du cousu main. ⧗ 2019-2022 ■ **Pierre Troupel 2017 (20 à 30 €; 10000 b.)** : vin cité.

SCEA DU DOM. CLEF DE SAINT-THOMAS, 9, rte de Bédarrides, 84230 Châteauneuf-du-Pape, tél. 04 90 42 63 03, commercial@chateau-calissanne.fr

CLOS SAINT-MICHEL 2017

■ | 40000 | | 20 à 30 €

L'histoire vigneronne de la famille Mousset est vieille de cinq siècles; l'installation à Châteauneuf-du-Pape date des années 1930, et sur le Clos Saint-Michel de 1957. Avec l'arrivée en 1996 de Franck et Olivier, le domaine (38 ha aujourd'hui) s'est enrichi de parcelles en côtes-du-rhône et en *villages*, sur la commune de Sérignan-du-Comtat.

Une robe rubis aux reflets violacés, un nez flagrant et chaleureux déclinant le fruit (cerises, mûres, cassis) et le sous-bois, l'entame est convaincante. La bouche ample, très aromatique, qui s'entiche de notes discrètement boisées, d'une souplesse de corps agréable, ne déçoit pas. Un châteauneuf universel, généreux, bien ouvert, à boire ou à garder quelques années. ⧗ 2020-2024

EARL VIGNOBLES GUY MOUSSET ET FILS, Le Clos Saint-Michel, 2505, rte de Châteauneuf-du-Pape, 84700 Sorgues, tél. 04 90 83 56 05, stephanie.clossaintmichel@gmail.com V t.l.j. 9h-19h

CH. CORRENSON 2017 ★

■ | 4000 | | 20 à 30 €

Le blason du château représente un casque et une épée étrusques trouvés dans les vignes par le grand-père de Vincent Peyre. Installé depuis 2000 sur un vignoble de 70 ha, ce dernier représente la troisième génération à la tête du domaine familial, souvent en vue pour ses lirac.

Les vignes centenaires de grenache (70 %), de syrah et de mourvèdre sont associées dans cette cuvée rubis au nez frais, floral et fruité. La même fraîcheur de fruit s'impose dans une bouche douce, gourmande, bien équilibrée, réglissée et tonique en finale. Un châteauneuf souple, friand, que l'on peut ouvrir sans attendre. ⧗ 2020-2024

EARL LES COSTES DE SAINT-GENIÈS, Ch. Correnson, rte de Roquemaure, 30150 Saint-Geniès-de-Comolas, tél. 04 66 50 05 28, contact@chateau-correnson.fr V t.l.j. sf dim. 10h-12h 15h30-18h30

CH. DES FINES ROCHES 2016 ★★

■ | 13000 | | 30 à 50 €

L'histoire vigneronne des Mousset-Barrot débute dans les années 1930 avec l'achat par Louis Mousset

des châteaux des Fines Roches, Jas de Bressy (AOC châteauneuf) et du Bois de la Garde (côtes-du-rhône et côtes-du-rhône-villages). L'ensemble (125 ha) est aujourd'hui conduit par la troisième génération, Gaëlle et Amélie Mousset-Barrot.

Les vieilles vignes (quatre-vingts ans) de grenache, de syrah et de mourvèdre contribuent à parité à cette cuvée aux arômes expressifs centrés sur les fruits mûrs, rouges et noirs, soulignés d'épices (poivre) et d'olive noire avec une touche animale de bon aloi. Une complexité et une intensité de fruit que l'on retrouve dans un palais certes puissant mais parfaitement harmonieux où tout semble intégré, à commencer par de beaux tanins parfaitement enrobés. Il en ressort une sensation de plénitude et de finesse qui aura convaincu le jury. ⧗ 2021-2028

SCEA VIGNOBLES MOUSSET-BARROT, 1, av. du Baron-Leroy, 84230 Châteauneuf-du-Pape, tél. 04 90 83 51 73, chateaux@vmb.fr V t.l.j. *13h30-19h30; f. en nov., janv. et fév.*

♥ B DOM. DE FONTAVIN
Trilogies 2016 ★★

■ | 25000 | | 20 à 30 €

Situé au nord de Courthézon, ce domaine familial de 45 ha, réparti dans huit communes et cinq appellations, est dirigé depuis 1998 par Hélène Chouvet, œnologue, qui a converti le vignoble à l'agriculture biologique.

Un Trilogies qui réunit trois cépages (grenache, syrah et mourvèdre) et trois terroirs de l'appellation (sables, grès et galets): une heureuse combinaison qui a fait mouche auprès du jury. Fruits rouges bien mûrs, épices, menthol: la belle maturité des raisins s'impose comme une évidence au nez. Avec sa chair onctueuse, ample, ses tanins doux et intégrés, son corps gorgé de fruit et d'épices, la bouche le confirme. Remarquable de volume et de gourmandise, on prend dès à présent beaucoup de plaisir. De longue garde également. ⧗ 2020-2030

EARL HÉLÈNE ET MICHEL CHOUVET, Dom. Fontavin, 1468, rte de la Plaine, 84350 Courthézon, tél. 04 90 70 72 14, helene-chouvet@fontavin.com V *t.l.j sf dim. 9h-12h15 14h-18h15*

CH. FORTIA Tradition 2017 ★★

■ | 26500 | | 20 à 30 €

Remontant au XVIIIe s., cette propriété de Châteauneuf-du-Pape a été rachetée en 1890 par la famille des actuels propriétaires. Elle tire sa notoriété historique du baron Pierre Le Roy de Boiseaumarié (1890-1967), qui fut l'un des artisans des appellations d'origine contrôlée dans les années 1930. Pierre Pastre, à sa tête depuis 2004, est l'époux d'une de ses descendantes, Chantal Le Roy. Le vignoble compte 32 ha.

Une étoile de plus que l'année passée pour cette cuvée qui intègre une proportion inhabituelle de mourvèdre (45 %) aux côtés du grenache (45 %) et de la syrah. Au nez, ce sont les fruits noirs et rouges, mûrs mais frais, qui l'emportent sur le chêne (dix-huit mois de fût). Les dégustateurs ont apprécié l'attaque franche et la constance d'une bouche qui ne faiblit pas d'un bout à l'autre de la dégustation: concentration, fraîcheur, expressivité du fruit, fermeté des tanins en finale. Complet, structuré, frais, fringant même, c'est un châteauneuf vibrant et expressif. ⧗ 2021-2025

SARL CH. FORTIA, rte de Bédarrides, BP_13, 84230 Châteauneuf-du-Pape, tél. 04 90 83 72 25, chateaufortia@gmail.com V *t.l.j. sf lun. dim. 9h-12h 13h-18h*

CH. DE LA GARDINE
Cuvée des Générations Marie-Léoncie 2017 ★

■ | 5000 | | 30 à 50 €

Le négociant Gaston Brunel, héritier d'une longue tradition vigneronne (XVIIe s.), acquit La Gardine en 1945. Ses fils, Patrick et Maxime, et ses petits-enfants, Marie-Odile et Philippe, continuent de mettre en valeur ce domaine réputé, fort d'une cinquantaine d'hectares. En 2007, la famille Brunel a créé une maison négoce sous le nom de Brunel de la Gardine.

Un élevage en fût pour cette cuvée 100 % roussanne mais c'est le fruit qui l'emporte au nez: fruit de la Passion, pêche blanche et citron confit. Un grand bol de fruit, souligné de pain grillé et de vanille en finale, qui fait aussi le charme d'une bouche ronde, longue, sans une once de mollesse. Un blanc explosif, équilibré et gorgé de fruit. ⧗ 2020-2023 ■ **2016 (30 à 50 €; 130000 b.)** : vin cité.

SCA CH. DE LA GARDINE (BRUNEL ET FILS), rte de Roquemaure, BP_35, 84230 Châteauneuf-du-Pape, tél. 04 90 83 73 20, chateau@gardine.com V *t.l.j. sf dim. 10h-18h*

CH. LA GENESTIÈRE 2016 ★

■ | 20600 | | 20 à 30 €

Implanté sur le site d'une ancienne magnanerie, ce domaine fondé en 1930 par la famille Bernard est aujourd'hui dirigé par Christian Latouche. Une bastide du XVIe s. commande le vaste vignoble en lirac et tavel. Après l'acquisition d'autres propriétés, les vignobles familiaux comptent aujourd'hui 200 ha sur la rive droite du Rhône.

La syrah en pôle position devant le grenache et une larme de quatre autres cépages secondaires dans cette cuvée élevée en cuve béton et barrique neuve. La vanille et la torréfaction dominent au nez mais laissent percer des nuances de fruits rouges et une autre, vivifiante, de menthol. Le chêne se fond dans une bouche ronde, aux flaveurs fruitées bien plus épanouies, à la sucrosité affirmée, adossée à des tanins soyeux et vivifiée par une sensation de fraîcheur bienvenue. Moderne, séduisant, équilibré et de belle garde. ⧗ 2021-2025

SCEA CH. LA GENESTIÈRE, chem. de Cravailleux, 30126 Tavel, tél. 04 66 50 07 03, contact@domaine-genestiere.com

B CH. GIGOGNAN Clos du Roi 2016 ★

■ | 72000 | | 20 à 30 €

Un ancien temple romain devenu prieuré, actif en termes de production de vins (et de fruits), puis un

domaine exclusivement viticole à partir de son acquisition en 1996 par Anne et Jacques Callet. Le vignoble s'étend sur 40 ha en côtes-du-rhône (en conversion bio) et sur 40 ha certifiés bio en châteauneuf-du-pape. Une propriété acquise en 2017 par la famille Hénin.

Née de vieilles vignes de grenache (70 %), de syrah et de mourvèdre, cette cuvée livre des arômes bien typés et très gourmands de fruits noirs mûrs et de Zan. Une intensité de fruit qui se prolonge dans une bouche puissante et maîtrisée, suave mais étayée de tanins fermes qui donnent relief et tenue à ce châteauneuf complet, flatteur et de belle garde. ⧗ 2021-2028 ■ **Clos du Roi 2017 ★ (30 à 50 €; 4200 b.)** Ⓑ : un châteauneuf blanc facile et bien ouvert, très printanier dans ses arômes de fruits blancs et de fleurs blanches, avec une touche d'agrume en soutien. L'élevage en fût (25 % de bois neuf) reste imperceptible et laisse joliment s'exprimer le fruit dans un palais alerte et parfumé, porté par une belle acidité. Un châteauneuf de soif à ouvrir sans attendre. ⧗ 2019-2021

SCEA CH. GIGOGNAN, 1180, chem. du Castillon, 84700 Sorgues, tél. 04 90 39 57 46, info@gigognan.fr V t.l.j. sf dim. 10h-12h30 13h30-18h

DOM. GIULIANI 2016 ★

■ | 6600 | | 20 à 30 €

Aline et Bernard Giulani, et leur fils Florian, incarnent les troisième et quatrième générations de ce domaine familial situé à Bédarrides. Implanté sur le versant sud-est de l'appellation châteauneuf-du-pape, le vignoble, âgé de cinquante ans en moyenne, s'étend sur 16 ha recouverts pour une grande partie de galets roulés.

Première mention du domaine dans le Guide et première étoile obtenue qui va à ce 2016, pâle, fin et parfumé au nez (fruits rouges mûrs), bien typé grenache. À l'unisson, les dégustateurs ont relevé l'équilibre idéal de ce châteauneuf élégant, fleurant bon les fruits rouges et le poivre, chaleureux et soyeux tant par sa texture que par ses tanins finement extraits. De l'harmonie, de la retenue et un beau potentiel de garde. ⧗ 2023-2029

EARL LE GRAND PLANTIER, 9, chem. Saint-Laurent, 84370 Bédarrides, tél. 04 90 33 14 69, domainegiuliani@orange.fr V r.-v.

DOM. DU GRAND TINEL 2017

■ | 5500 | | 20 à 30 €

À l'origine du domaine, l'union de deux anciennes familles castelpapales, les Establet et les Jeune. On y a construit une vaste « tima » (cave ou tonneau) sur trois niveaux, en rapport avec les 74 ha de vignes de la propriété actuelle, créée en 1972.

70 % de grenache blanc, 20 % de roussanne et 10 % de clairette pour rafraîchir dans cet assemblage harmonieux, ouvert sur les fleurs blanches et les fruits à chair jaune. En bouche, une attaque souple qui ouvre sur un palais ample, relevé par un trait de citron et dynamisé par une belle fraîcheur avant une longue finale florale et fruitée qui fait écho au nez. Du bel ouvrage. ⧗ 2019-2021

SAS LES VIGNOBLES ÉLIE JEUNE, Dom. du Grand Tinel, 3, rte de Bédarrides, 84230 Châteauneuf-du-Pape, tél. 04 90 83 70 28, contact@domainegrandtinel.com V t.l.j. 9h-12h 14h-18h; sam. dim. sur r.-v.

Ⓑ DOM. GRAND VENEUR Le Miocène 2017 ★

■ | 40000 | | 20 à 30 €

D'origine castelpapale, Alain Jaume et ses fils Sébastien et Christophe perpétuent une tradition viticole qui remonte à 1826. Ils conduisent en bio un vignoble de 155 ha réparti sur quatre domaines: Grand Veneur à Châteauneuf-du-Pape, Clos de Sixte à Lirac, Ch. Mazane à Vacqueyras, et le Dom. la Grangette Saint-Joseph en AOC côtes-du-rhône, le tout complété par une activité de négoce. Une valeur sûre.

Des grenaches élevés en cuve et des syrahs et mourvèdres élevés en fût composent ce châteauneuf puissant et bien mûr, comme il est de rigueur chez les Jaume. Le nez en témoigne avec ses notes chaleureuses de fruits noirs confits et d'épices douces. Rond et corsé dès l'attaque, très épicé d'un bout à l'autre de la dégustation, le palais s'appuie sur des tanins cossus, un brin fermes en finale, mais garants d'une belle évolution. On le laisse en cave de préférence ou on le carafe. ⧗ 2021-2028

SARL VIGNOBLES ALAIN JAUME, 1358, rte de Châteauneuf-du-Pape, 84100 Orange, tél. 04 90 34 68 70, contact@alainjaume.com V t.l.j. sf dim. 8h-13h 14h-18h

DOM. OLIVIER HILLAIRE 2017 ★★

■ | 30000 | | 20 à 30 €

Un domaine familial dirigé depuis 2006 par Olivier Hillaire et ses deux fils. À leur disposition, 23 ha de vignes: 7 ha en châteauneuf-du-pape, 10 ha en côtes-du-rhône et 6 ha en IGP.

Puissance, complexité, équilibre, trois mots pour résumer les impressions du jury à l'issue de la dégustation de ce presque pur grenache (90 %) issu de sables et galets roulés, habilement élevé en barriques anciennes. Derrière une robe rubis, un nez d'un beau classicisme, sur les fruits rouges bien mûrs et les épices. La bouche régale par ses notes de framboise confites très persistantes et par sa chair ample, puissante, mais sous contrôle. Une richesse contenue qui offrira de belles émotions aux plus patients. ⧗ 2022-2030 ■ **Les Terrasses 2017 ★ (30 à 50 €; 3000 b.)** : 100 % grenache cette fois. La cuvée en tire sa robe rubis, son nez encore discret, centré sur les fruits rouges confits avec une note boisée qui vient rappeler l'élevage en barrique (ancienne), sa bouche suave et souple, ourlée de tanins fondants ouvrant sur une finale joliment épicée. De l'harmonie et du potentiel en cave. ⧗ 2022-2029

SCEA DOM. OLIVIER HILLAIRE, 1, rue du Mal-Foch, 84230 Châteauneuf-du-Pape, tél. 04 90 48 03 87, domaine.olivier.hillaire@orange.fr V tlj. 9h-17h (hiver); 9h-19h (été)

♥ DOM. ALBIN JACUMIN La Bégude des Papes 2017 ★★★

■ | 30000 | | 20 à 30 €

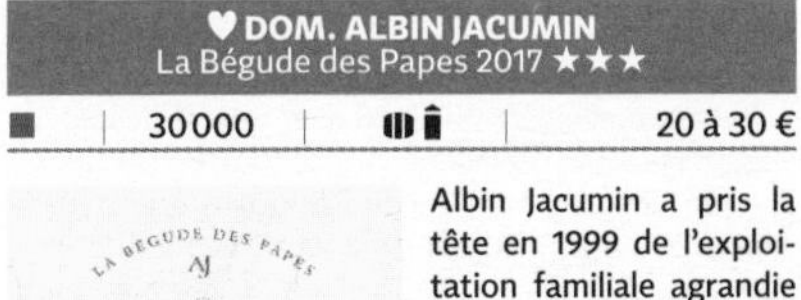

Albin Jacumin a pris la tête en 1999 de l'exploitation familiale agrandie par les générations précédentes: pas moins de 18 ha en châteauneuf-du-pape, auxquels s'ajoutent 6 ha en côtes-du-rhône et 1,4 ha d'où il tire un

RHÔNE

«vin de France». Il a aménagé une cave en 2007 et modernisé les installations.

Le domaine glane ici son premier coup de cœur et, un bonheur ne venant jamais seul, il obtient la note maximale. Derrière cette réussite, un assemblage tout ce qu'il y a de plus typique (grenache, syrah et mourvèdre) et un élevage mixte, en cuve et barrique. Ce qui a tant plu? La robe, grenat intense, le nez, bien balancé entre fruit mûr et discrètes nuances boisées, la bouche surtout, volumineuse, charnue, longue, intensément parfumée, ourlée de tanins satinés. Une puissance parfaitement canalisée qui laisse le souvenir d'un vin raffiné, harmonieux et complexe. ⧗ 2022-2030

⊶ EARL ALBIN JACUMIN, 1, chem. Mgr-Jules-Avril, BP_28, 84230 Châteauneuf-du-Pape, tél. 04 90 83 78 55, domaine.ajacumin@orange.fr V ♿ ▮ *r.-v.*

DOM. DE LA JANASSE 2017 ★★

■ | 20000 | ▮▮ | 30 à 50 €

Un habitué du Guide, souvent en bonne place pour ses châteauneuf-du-pape, ses côtes-du-rhône et ses vins de pays. Un vignoble de 90 ha éparpillés en de multiples parcelles, que conduisent Christophe Sabon et sa sœur Isabelle, enfants d'Aimé Sabon, fondateur du domaine en 1973. Un domaine complété en 2015 par l'achat du Clos Saint-Antonin et ses 15 ha de vignes sur la commune de Jonquière.

Un des domaines de référence de l'appellation qui justifie son excellente réputation avec ce 2017 qui glane une étoile de plus que le millésime précédent. L'élevage de douze mois en foudre et barrique teinte à peine le nez de nuances boisées déjà bien fondues dans un bouquet fin et frais de fruits rouges et d'épices. Une harmonie dont la bouche se fait l'écho: des tanins fins, une fraîcheur préservée, un fruit éclatant (fraise et framboise), mûr mais nullement cuit, une densité qui ne pèse pas. De l'élégance, de la grâce même. ⧗ 2021-2029

⊶ SCEA AIMÉ SABON, 27, chem. du Moulin, 84350 Courthézon, tél. 04 90 70 86 29, lajanasse@gmail.com V ▮ *t.l.j. sf sam. dim. 8h30-17h30*

LE JAS DES PAPES 2016 ★

■ | 8000 | ▮ | 20 à 30 €

Issu d'une lignée de vignerons provençaux, Michel Audibert a fait l'acquisition en 2014 du Jas des Papes situé à Courthézon. Il exploite ici, en bio (certification obtenue en 2017), une dizaine d'hectares regroupés sur le lieu-dit des Saumades dont il tire trois châteauneuf, un blanc et deux rouges.

Une larme de syrah (5 %) en appoint du grenache dans ce rouge grenat aux reflets bleutés qui fleure bon la réglisse, le sous-bois et le fruit mûr. Densité, richesse, puissance, le tout porté par une belle tension et par des tanins bien patinés: la bouche enchante et dessine un châteauneuf parfaitement équilibré avec un trait discret de chêne en conclusion qui souligne la justesse de l'élevage. ⧗ 2022-2029 ■ **2016 ★ (30 à 50 €; 1500 b.)**: la cuvée haut de gamme du domaine, vinifiée seulement les meilleures années. Les amateurs de syrah (75 % de l'assemblage) apprécieront la robe dense et foncée, le nez expressif sur le cassis et le chêne, le palais puissant, structuré par des tanins fermes mais élégants et porté par une fraîcheur de bon ton. Une belle composition qui mérite votre patience. ⧗ 2022-2029

⊶ SCEA LE JAS DES PAPES, 1931, chem. des Saintes-Vierges, 84350 Courthézon, tél. 04 90 33 02 96, info@lejasdespapes.com V ♿ ▮ *r.-v.*

LAVAU 2016

■ | 15000 | ▮▮ | 20 à 30 €

Une maison de négoce fondée en 1964 par Jean-Guy Lavau, d'origine saint-émilionnaise. Ses héritiers Benoît et Frédéric proposent aujourd'hui une large gamme de vins à partir de la production de 350 vignerons de la vallée du Rhône méridionale, complétée par 180 ha de vignes en propriété.

Grenache et syrah presque à parité, complétés par 10 % de mourvèdre, élevés en cuve et fût. Du fruit noir confit, des épices et une touche animale composent un bouquet expressif et complexe. Aucune rusticité en bouche mais de la finesse et une puissance bien maîtrisée par des tanins enrobés et structurants. Long, équilibré, laissant s'exprimer les fruits rouges et le poivre en finale, c'est un rouge complet et conséquent. ⧗ 2022-2028

⊶ SAS LAVAU, 585, rte de Cairanne, 84150 Violès, tél. 04 90 70 98 70, info@lavau.fr V ♿ ▮ *t.l.j. sf sam. dim. 10h-12h 14h-18h*

Ⓑ CH. DE MANISSY Trinité 2017 ★★

■ | 2500 | ▮ | 20 à 30 €

À l'aube du XXᵉs., le château de Manissy datant du XVIIᵉs. fut légué par la famille Lafarge, qui exploitait la pierre de Tavel, aux pères missionnaires de la Sainte-Famille. Ce sont ces derniers qui débutèrent la culture de la vigne sur ces terres pour approvisionner leur communauté et les paroisses des environs. En 2003, ils ont confié la gestion du domaine au jeune Tavelois Florian André. Conduit en bio, le vignoble couvre aujourd'hui 80 ha dans les AOC châteauneuf-du-pape, tavel, lirac et côtes-du-rhône.

Souvent en vue pour ses tavel et ses lirac, le château brille cette année avec son châteauneuf qui met à l'honneur le seul grenache et des vignes de cinquante ans. Le jury a apprécié la pureté et la belle fraîcheur de fruit d'un nez centré sur le cassis. Il a aimé l'équilibre stimulant d'une bouche fringante dont la matière ample et les tanins fins sont joliment enrobés par un élevage sur mesure. Une élégance et une fraîcheur qui en font un châteauneuf singulier. ⧗ 2021-2026

⊶ EARL CH. DE MANISSY, rte de Roquemaure, 30126 Tavel, tél. 04 66 82 86 94, info@chateau-de-manissy.com V ♿ ▮ *t.l.j. sf dim. 10h-12h30 13h30-17h30*

MAS SAINT-LOUIS
Les Arpents des Contrebandiers 2017 ★

■ | 4000 | ▮ | 30 à 50 €

Un domaine créé en 1890 par Jean-Louis Geniest, issu d'une longue lignée de tonneliers et de négociants. Le vignoble de 31 ha d'un seul tenant s'étend essentiellement au sud de l'appellation.

Garrigue, sauge et fruits mûrs, le nez évoque le Sud. Rond à l'attaque, le palais séduit par sa mâche, sa générosité et ses tanins granuleux, un peu rugueux en finale, qui laissent le souvenir d'un châteauneuf de caractère, traditionnel d'inspiration. À mettre en cave. ⧗ 2021-2025

■ **2017 ★ (30 à 50 €; 2700 b.)** : grenache blanc et roussanne en duo dans ce blanc élevé en cuve et fût de 400 l. D'une couleur jaune soutenu, le vin présente à l'olfaction des senteurs d'abricot et d'acacia que l'on retrouve dans une bouche grasse, tendre et longue à souhait. Un blanc du Sud, savoureux et sans lourdeur. ⧗ 2020-2023

MONIQUE GENIEST (MAS SAINT-LOUIS), 28, av. Baron-le-Roy, 84230 Chateauneuf-du-Pape, tél. 04 90 83 73 12, geniest-chateauneuf@orange.fr t.l.j. sf sam. dim. 9h-12h 13h-17h; f. du 24 déc. au 31 déc.

DOM. ANDRÉ MATHIEU La Centenaire 2016 ★★

■ | 6000 | | 30 à 50 €

Cette famille est enracinée depuis quatre siècles à Châteauneuf où elle conduit 26 ha de vignes. À la fin du XIXᵉs., Anselme Mathieu, félibre et ami de Mistral, fut l'un des premiers de la ville à vendre son vin en bouteille.

Des vignes plantées en 1890 et 1914, de grenache, syrah et 7 % des onze autres cépages de l'appellation. La robe en tire sa teinte opaque, et le nez sa puissance contenue qui se livre progressivement sur des nuances de fruits mûrs, de poivre, avec une touche discrète de chêne discrète. Puissant, charmeur par sa texture suave, adossé à des tanins fins, porté par une belle fraîcheur, ce centenaire est d'une jeunesse évidente. À oublier en cave. ⧗ 2022-2029 ■ **2017 ★ (20 à 30 €; 10000 b.)** : derrière une robe intense et violacée, un nez discret et nuancé, sur les fruits noirs agrémentés d'une touche d'ardoise et de chêne. Délicate plus que puissante, l'attaque ouvre sur un palais doté d'une petite sucrosité gourmande et de tanins à la mesure, finement sculptés et croquants. Une composition raffinée pour un châteauneuf tout en élégance que l'on peut ouvrir sans attendre. ⧗ 2020-2024

SCEA ANDRÉ MATHIEU, 3_bis, rte de Courthézon, 84230 Châteauneuf-du-Pape, tél. 04 90 83 72 09, contact@domaine-andre-mathieu.com r.-v.

♥ B CH. MAUCOIL
L'Esprit de Maucoil 2016 ★★

■ | 1000 | | 50 à 75 €

Un domaine aux origines anciennes – les Romains y installèrent une légion, les princes d'Orange leur archiviste –, acquis par Guy Arnaud en 1995. Sa fille Bénédicte et son mari Charles Bonnet, installés en 2009, ont converti en bio les 45 ha de vignes.

Produit dans les meilleurs millésimes uniquement, issu d'une sélection des plus vieilles vignes du domaine (70 ans), L'Esprit réunit les treize cépages de l'appellation, vinifiés ensemble, puis élevés en barriques neuves. Il en résulte un vin impressionnant, profond, de longue garde où les fruits rouges percent timidement au nez derrière un boisé bien en évidence pour l'heure. L'élevage est perceptible en bouche mais tout est à la mesure: la concentration, la structure, la fermeté des tanins, la longueur. Une harmonie absolue qui promet de bien belles émotions à celui qui sait attendre. ⧗ 2023-2033 ■ **Tradition 2016 ★★ (20 à 30 €; 40000 b.)** Ⓑ : provenant des plus «jeunes» vignes du domaine (quarante ans), le Tradition réunit le grenache noir, la syrah, le mourvèdre et le cinsault. Fruits rouges, mûre, touche animale, épices, le nez ne manque ni d'intensité ni de complexité. Des caractéristiques que l'on retrouve dans un palais puissant, savoureux, bien construit, épaulé par des tanins fermes et soutenu par une belle fraîcheur qui perce en finale. Un bel édifice à l'assise solide. Tout est en place pour l'avenir. ⧗ 2022-2028 ■ **Pivilège 2016 ★ (30 à 50 €; 5000 b.)** Ⓑ : les treize cépages de l'AOC, des petits rendements et de très vieilles vignes au menu de ce haut de gamme drapé dans une robe très soutenue. Le nez est à la mesure, riche, ouvert, fleurant bon les fruits noirs et le chêne vanillé. La bouche enchante par son volume, sa sucrosité affirmée, sa rondeur et sa longueur sur le fruit et les épices. Un vin épanoui, solaire et savoureux. ⧗ 2023-2029

SCEA CH. MAUCOIL, chem. de Maucoil, 84100 Orange, tél. 04 90 34 14 86, bbonnet@maucoil.com t.l.j. sf dim. 9h-12h30 14h-16h30

BARON DE MONTFAUCON 2017 ★★

■ | 5600 | | 30 à 50 €

Valeur sûre des côtes-du-rhône, ce domaine (60 ha) est commandé par une ancienne forteresse du XIᵉs. campée sur un promontoire rocheux, vigie sur le Rhône. Au XVIIIᵉs., les aïeux de Rodolphe de Pins (installé en 1995 après diverses expériences en France et à l'étranger) ont pris possession des lieux. Le vignoble se caractérise par des sols et un encépagement très diversifiés. Une structure de négoce, La Société des Vins du Baron de Montfaucon, a été créée en 2014.

Une cuvée issue d'une parcelle de 1,3 ha située à côté du plateau de La Crau, plantée de vignes vénérables (80 ans) de grenache (et 8 % de mourvèdre). La robe noire annonce un nez puissant, profond, centré sur le fruit très mûr. Concentration, volume, tanins fondants, arômes confits et chaleureux: les vieilles vignes font leur effet en bouche et façonnent ce rouge langoureux et solaire mais doté d'une fraîcheur impressionnante en finale. On lui prédit un grand avenir. ⧗ 2021-2031

SASU SOCIÉTÉ DES VINS DU BARON DE MONTFAUCON, 22, rue du Château, 30150 Montfaucon, tél. 04 66 50 37 19, contact@montfaucon.com t.l.j. sf sam. dim. 9h-12h 14h-18h; f. à Noël

CH. MONT-REDON 2018 ★

■ | 15000 | | 20 à 30 €

On cultivait déjà la vigne à l'époque romaine sur le *muntem retundum* (montagne ronde). La famille Abeille-Fabre est installée au Ch. Mont-Redon depuis 1923. Elle conduit aujourd'hui un vaste vignoble de 100 ha, réputé tant pour ses châteauneuf que pour ses lirac et ses côtes-du-rhône. Le domaine est certifié HVE depuis 2018.

Une robe jaune clair aux reflets argentés de jeunesse habille cet assemblage de cinq cépages brièvement élevé en cuve. Le nez d'abord discret relâche progressivement de fines senteurs de poire et de fleurs blanches.

La poire persiste dans une bouche allègre, franche et fraîche, d'une pureté de fruit qui aura séduit le jury. Vin de fruit par excellence, à déguster sur sa jeunesse. ⧗ 2019-2021

SA CH. MONT-REDON, BP_10, 84231 Châteauneuf-du-Pape, tél. 04 90 83 72 75, contact@chateaumontredon.fr V r.-v.

MOURIESSE VINUM
Tour d'Ambre 2016 ★★★

■ | 1800 | | 30 à 50 €

Complété par une structure de négoce, un domaine de poche créé en 2008 à partir de 2,5 ha de vignes sur Châteauneuf et Saint-Geniès-de-Comolas par l'œnologue-conseil Serge Mouriesse et son épouse Brigitte. La conversion bio est engagée.

«Superbe», un seul mot du jury suffit à rendre compte de ce châteauneuf d'une amplitude pas commune. Il le doit pour partie à ses très vieilles vignes de grenache noir (70 ans) vinifiées en grappes entières et longuement élevées en cuve et fût. Derrière une robe profonde, un nez retenu, pour l'heure, d'où émergent des senteurs complexes de fruits mûrs, d'épices et de graphite. Présent en bouche, le chêne est tenu en respect par une matière puissante et luxuriante, soyeuse de texture, bien cadrée par des tanins fins et fermes, qui libère en finale une jolie complexité d'arômes, élégants et chaleureux. Un châteauneuf profond, corsé, d'un équilibre magistral. ⧗ 2022-2031

SARL MOURIESSE VINUM, 18_bis, chem. du Clos, 84230 Châteauneuf-du-Pape, tél. 06 14 94 69 15, contact@mouriesse-vinum.com V r.-v.

CH. DE NALYS 2016 ★

■ | 88870 | | 50 à 75 €

L'un des plus anciens domaines de Châteauneuf-du-Pape, répertorié dès le XVIIᵉs., alors propriété de la famille Nalys. Son vénérable vignoble (52 ha) a connu une renaissance à partir des années 1950. Une valeur sûre de l'appellation, acquise en 2017 par la Maison Guigal.

Une dominante de grenache et de syrah, agrémentée d'une touche de mourvèdre, de counoise et de vaccarèse, composent ce rouge soutenu de robe, complexe au nez avec ses notes fumées et animales entourant un fond de fruits rouges. En bouche, une belle fraîcheur et des tanins fins qui soutiennent des flaveurs de fruits noirs, nuancées de chêne et d'épices. Harmonieux et retenu, on le laissera reposer en cave. ⧗ 2021-2029

SCI CH. DE NALYS, rte de Courthézon, 84230 Châteauneuf-du-Pape, tél. 04 90 83 72 52, contact@nalys.com V r.-v.

DOM. DU PÈRE CABOCHE Tradition 2017 ★

■ | 60000 | | 15 à 20 €

Autrefois, on était maréchal-ferrant et vigneron de père en fils dans la famille Boisson, surnommée «caboche», terme qui désigne les clous servant à fixer les fers des chevaux et qui a donné son nom au domaine (76 ha), aujourd'hui dirigé par Émilie Boisson. Autre étiquette: Élisabeth Chambellan.

Doublement étoilée dans le millésime précédent, la cuvée n'a rien perdu de sa séduction en 2017. Fruité (fruits rouges) et épicé, le nez se montre déjà intense et bien ouvert. Une richesse que l'on retrouve dans une bouche ronde à l'attaque, puissante, concentrée mais épanouie, sans austérité. De garde. ⧗ 2021-2028

■ **Élisabeth Chambellan Vieilles Vignes 2017 ★ (20 à 30 €; 10000 b.)** : des vignes dont les plus vieilles ont été plantées en 1906 forgent le caractère affirmé de ce rouge issu du grenache (et 5 % de tous les autres cépages de l'appellation), dédié à une aïeule de la famille. Au nez, des fruits rouges et des épices; en bouche, une attaque souple qui ouvre sur un corps plein, adossé à des tanins puissants mais fondus avant une belle et longue finale sur les épices. ⧗ 2021-2025

SCEA JEAN-PIERRE BOISSON, 5, imp. Martial-Imbart, 84230 Châteauneuf-du-Pape, tél. 04 90 83 71 44, boisson@jpboisson.com V *t.l.j. sf sam. dim. 8h30-12h 13h30-17h30*

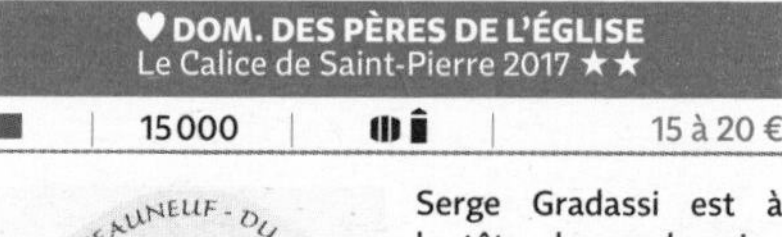

♥ DOM. DES PÈRES DE L'ÉGLISE
Le Calice de Saint-Pierre 2017 ★★

■ | 15000 | | 15 à 20 €

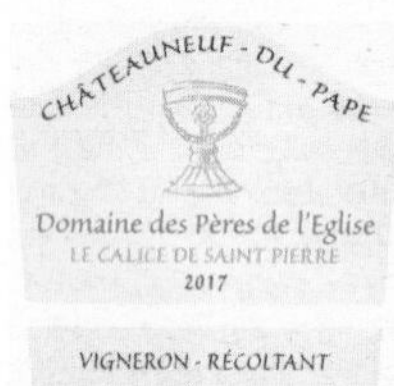

Serge Gradassi est à la tête de ce domaine familial depuis 2002, avec sa nièce Laetitia qui l'a rejoint en 2015. Le vignoble, situé aux quatre points cardinaux de l'appellation, s'étend sur un peu plus de 19 ha.

De vieux grenaches, une touche de mourvèdre et une larme de syrah composent ce beau vin prometteur. Pour l'heure, on loue sa robe profonde aux reflets violacés et son nez expressif, déjà gourmand, de framboise, de mûre et d'épices. Ample et soyeuse dès l'attaque, campée sur des tanins fins, la bouche offre volume, structure et longueur, bref, tout ce qui fait un grand châteauneuf de garde. ⧗ 2022-2028

SCEA PAULETTE GRADASSI ET FILS, 2, av. Impériale, 84230 Châteauneuf-du-Pape, tél. 06 87 09 60 50, peres.de.leglise@wanadoo.fr V r.-v.

DOM. ROGER PERRIN 2017 ★★

□ | 6000 | | 20 à 30 €

Véronique Perrin-Rolin, après vingt années comme œnologue-conseil, a repris en 2010 les rênes du domaine familial, fondé par son père Roger en 1968. Elle est depuis les vendanges 2012 épaulée par son fils Xavier à la tête d'un vignoble de 40,5 ha. Ses vins, châteauneuf-du-pape comme côtes-du-rhône, rouges comme blancs, sont souvent en bonne place dans le Guide.

Xavier et Véronique Perrin-Rolin signent en 2017 un blanc somptueux, assemblage maîtrisé de cinq cépages dominé par le grenache blanc, élevé en cuve et fût. Le jury a apprécié la brillance de la robe et le nez fin et frais qui décline les fleurs blanches et le litchi. Une fraîcheur qui illumine une bouche savoureuse, vive à l'attaque, plus souple en finale, étirée sur le fruit blanc et le fruit exotique. Sapide et parfumé, il est à ouvrir dès à présent. ⧗ 2019-2023

SCEA DOM. ROGER PERRIN, 2316, rte de Châteauneuf-du-Pape, 84100 Orange, tél. 04 90 34 25 64, dne.rogerperrin@wanadoo.fr t.l.j. 8h-12h 13h30-17h30; sam. dim. sur r.-v.

CH. SAINT-ROCH 2017 ★★

■ | 4500 | | 20 à 30 €

Sur les coteaux silico-calcaires de Roquemaure, le vignoble de Saint-Roch couvre 40 ha. Réputé pour ses lirac, il appartient depuis 1998 aux frères Brunel, également propriétaires du Ch. la Gardine à Châteauneuf-du-Pape, autre valeur sûre de la vallée du Rhône sud.

Un assemblage équilibré de grenache, syrah et mourvèdre, élevé douze mois en fût. La robe très colorée tranche avec le nez, réservé, qui laisse s'élever de discrètes notes fumées et fruitées. Bien plus volubile, d'une belle concentration, la bouche charme par sa texture de velours, ses tanins satinés, ses franches flaveurs de cassis et de mûres très persistantes en finale. Un rouge raffiné, bien élevé, que l'on peut ouvrir sans attendre ou mettre en cave. ⧗ 2020-2026

SARL CH. SAINT-ROCH (BRUNEL FRÈRES), chem. de Lirac, 30150 Roquemaure, tél. 04 66 82 82 59, brunel@chateau-saint-roch.com t.l.j. sf sam. dim. 8h-12h 14h-17h

CH. SIXTINE 2017 ★

■ | 30000 | | 30 à 50 €

La famille Diffonty est présente depuis le XVIIe s. sur les terres de Châteauneuf-du-Pape et très impliquée dans la vie locale. Elle y pratique la viticulture depuis 1800 et exploite un domaine de 22 ha, conduit aujourd'hui par Jean-Marc Diffonty.

La syrah et le mourvèdre complètent le grenache dans ce rouge qui a bien profité des chaleurs du millésime. Centré sur les fruits noirs bien mûrs et les épices, le nez annonce une bouche riche, corsée, chaleureuse, sur le poivre et les fruits confits, appuyée sur des tanins déjà bien fondus, d'une légère astringence en finale. Corsé, « masculin » selon le jury, c'est un châteauneuf bien typé, solaire, à encaver. ⧗ 2022-2029

EARL CH. SIXTINE, 10, rte de Courthézon, 84230 Châteauneuf-du-Pape, tél. 04 90 83 70 51, contact@chateau-sixtine.com t.l.j. sf sam. dim. 9h-12h 13h30-16h

LA SOUSTO 2016 ★

■ | 9000 | | 30 à 50 €

À la fin du XIXe s., un ancêtre, Théodoric Barrot, ruiné par le phylloxéra, dut laisser son vignoble de Châteauneuf-du-pape et devint boulanger à Marseille. Son fils recréa le domaine en 1930, en remettant en valeur des parcelles familiales. La propriété (10 ha en châteauneuf) est aujourd'hui exploitée par Pierre Barrot et ses nièces, qui représentent les deuxième et troisième générations.

Élevé vingt-quatre mois en fût, ce 2016 revêt une robe soutenue, aux reflets violacés, et libère des senteurs complexes, légèrement évoluées, de fruits très mûrs (pruneau, cerise à l'eau-de-vie) alliées à des nuances de chêne. Les épices et les fruits noirs étendent cette palette dans une bouche douce à l'attaque, puissante, aux tanins bien extraits, sans rudesse, d'une longueur décente. Un vin conséquent, bien structuré, avec une touche d'évolution qui donne du cachet. ⧗ 2022-2029

SCEA LA SOUSTO, 21, av. Saint-Joseph, 84230 Châteauneuf-du-Pape, tél. 04 90 83 73 81, contact@lasousto.fr r.-v.

♥ DOM. PIERRE USSEGLIO ET FILS
Cuvée de mon Aïeul 2017 ★★

■ | 4000 | | 50 à 75 €

Dans les années 1930, Francis Usseglio, salarié viticole d'origine italienne, devient métayer et vinifie sa première récolte en 1949. Son fils Pierre agrandit le domaine et le transmet en 1990 à ses fils Jean-Pierre et Thierry, aujourd'hui à la tête de 38 ha de vignes.

Châteauneuf a le rare privilège, dans le sud de la vallée du Rhône, de pouvoir vinifier des cuvées en monocépage. Le grenache ici, qui affiche plus de cent ans au compteur ! Le nez en tire ses effluves chaleureux de cerise noire confite, juste soulignées d'un trait de vanille provenant d'un élevage de douze mois en demi-muid. Ample, ronde, soyeuse, ensoleillée, la bouche restitue toute la plénitude de fruit et de texture de ces vignes exceptionnelles. Un vin aussi sensuel que généreux qui a fait le bonheur du jury. ⧗ 2021-2029

EARL PIERRE USSEGLIO ET FILS, 10, rte d'Orange, 84230 Châteauneuf-du-Pape, tél. 04 90 83 72 98, info@domainepierreusseglio.fr r.-v.

Ⓑ DOM. RAYMOND USSEGLIO ET FILS 2017 ★

■ | 30000 | | 20 à 30 €

Des achats successifs ont permis à Raymond Usseglio de porter à 33 ha la surface de ce domaine castelpapal constitué par son père Francis, venu d'Italie en 1931 pour travailler la terre. La relève est assurée depuis 1999 par son fils unique, Stéphane. Les certifications (bio et biodynamie) sont acquises.

Une cuvée dominée par le grenache (80 %), complété par les mourvèdre, syrah, cinsault et counoise, élevée dix-huit mois en fût. Après aération, le nez diffuse ses effluves de fruits noirs, de réglisse, avec une nuance presque minérale. Du gras et du volume en bouche, avec un fruit qui perce plus généreusement (cassis, fruits rouges) bien cadré par des tanins à point, et une touche iodée originale en finale: de la personnalité dans ce châteauneuf à l'équilibre irréprochable et dont l'avenir est assuré. ⧗ 2021-2028 ■ **2018 ★ (20 à 30 €; 8000 b.) Ⓑ** : quatre cépages s'associent dans ce blanc limpide aux reflets dorés, généreusement parfumé au nez (bonbon anglais, fruit exotique). Le palais déploie une matière tendre, ample et fraîche, imprégnée de fruits blancs, relevée en finale par une amertume stimulante de très bon ton. Complet, on peut le boire ou le garder. ⧗ 2020-2024

EARL LES AMANDIERS, 84, chem. Monseigneur Jules Avril, 84230 Châteauneuf-du-Pape, tél. 04 90 83 71 85, info@domaine-usseglio.fr r.-v.

CH. DE VAUDIEU 2017 ★

■ | 25900 | | 20 à 30 €

Eugène Raspail, durant la seconde moitié du XIXes., puis Gabriel Meffre un siècle plus tard, en 1962, contribuèrent au développement du Dom. des Bosquets où la culture de la vigne est attestée dès le XIVes. En 1987, à la disparition de ce dernier, sa fille Sylvette Bréchet, épaulée par ses fils Laurent et Julien, reprit le domaine. Depuis 2010, Julien est seul maître à bord, aux commandes de 26 ha de vignes. Autre étiquette: le Dom. de la Jérôme, petite exploitation de 2,5 ha sur Séguret, vinifiée dans le chai des Bosquets.

Framboise, cassis, violette, herbe sèche, nuances de cacao et de torréfaction: une complexité aromatique remarquable pour ce duo grenache-syrah élevé douze mois en fût. Déjà épanouie, tout en mesure, la bouche enchante par sa fraîcheur préservée, ses tanins discrets, d'une grande douceur, sa souplesse gourmande et sa belle clarté de fruit. Fin, harmonieux, un châteauneuf qui ne joue pas des coudes, déjà à point. ⧗ 2020-2023 ■ **2018 ★ (20 à 30 €; 9000 b.)** : les grenache blanc, clairette et roussanne associés et élevés en cuve et fût, ont donné ce joli blanc qui respire le fruit (pêche, abricot, citron) et la fraîcheur. Le même charme opère dans une bouche bien élevée qui ne manque ni de gras, ni d'ampleur, ni de fraîcheur. Un équilibre idéal en somme qui fait tout l'intérêt des bons blancs de l'appellation et de celui-ci en particulier. ⧗ 2019-2022

SARL GIACONDA FAMILLE BRÉCHET, Ch. de Vaudieu, 501, rte de Courthézon, 84230 Châteauneuf-du-Pape, tél. 04 90 83 70 31, contact@famillebrechet.fr V r.-v.

B VIA JUVENAL Cuvée n°1507 2016 ★

■ | 15600 | | 20 à 30 €

Une toute jeune structure de négoce, créée en 2018 à l'initiative de Fabrice Delorme (dix-huit ans passés au Dom. de la Mordorée) et des familles Forestier et Alban (Ch. Juvenal), avec, au programme, une gamme de vins issus de partenariats avec des vignerons du Rhône et de Provence.

Grenache, mourvèdre et une larme de counoise forgent le caractère de ce rouge au nez ouvert et complexe, entre fruits rouges, épices et notes animales. En bouche, une matière ronde, souple, déliée, des arômes qui font écho au nez, une belle fraîcheur: un châteauneuf facile d'accès et bien équilibré. ⧗ 2020-2023

SAS VIA JUVENAL, 1080, rte de Caromb, 84330 Saint-Hippolyte-le-Graveyron, tél. 04 90 28 12 57, viajuvenal@gmail.com V r.-v. 5

LIRAC

Superficie : 745 ha
Production : 19 440 hl (91 % rouge et rosé)

Située en face de Châteauneuf-du-Pape, sur la rive droite du Rhône, l'appellation regroupe les vignobles de Lirac, de Saint-Laurent-des-Arbres, de Saint-Geniès-de-Comolas et de Roquemaure, au nord de Tavel. Les vignerons de ces côtes du Rhône gardoises ont été pionniers, se regroupant dès le XVIIIes. pour défendre et valoriser leur production, déjà réputée au XVIes. Les magistrats locaux l'authentifiaient en apposant sur les fûts, au fer rouge, les lettres «C d R». Terrasses de cailloux roulés et terrains calcaires produisent des vins dans les trois couleurs: les rosés et les blancs, tout de grâce et de parfums, se boivent jeunes avec des fruits de mer; les rouges puissants et généreux accompagnent les viandes rouges.

CH. D'AQUERIA 2018 ★

■ | 20500 | | 11 à 15 €

Jean Olivier acquiert en 1919 l'ancien domaine des comtes d'Aqueria, commandé par un château du XVIIIes. et orné d'un parc à la française. Son gendre Paul de Bez restructure entièrement le vignoble: aujourd'hui, 61 ha d'un seul tenant, conduits depuis 1984 par ses petits-fils Vincent et Bruno, rejoints désormais par Raphaël, la quatrième génération. Une valeur sûre en lirac et en tavel.

Les splendides tavel d'Aqueria ne doivent pas faire oublier les très bons lirac produits par le domaine. Une version blanche, ici, qui charme par son nez entre fruit et fleur, et séduit par sa bouche tendre, ronde, remarquable de fraîcheur et d'équilibre. ⧗ 2020-2023

SCA JEAN OLIVIER, rte de Pujaut, 30126 Tavel, tél. 04 66 50 04 56, contact@aqueria.com V *t.l.j. sf sam. dim. 8h-12h 13h30-17h30*

B DOM. DU CLOS DE SIXTE 2017 ★

■ | 60000 | | 11 à 15 €

D'origine castelpapale, Alain Jaume et ses fils Sébastien et Christophe perpétuent une tradition viticole qui remonte à 1826. Ils conduisent en bio un vignoble de 155 ha réparti sur quatre domaines: Grand Veneur à Châteauneuf-du-Pape, Clos de Sixte à Lirac, Ch. Mazane à Vacqueyras, et le Dom. la Grangette Saint-Joseph en AOC côtes-du-rhône, le tout complété par une activité de négoce. Une valeur sûre.

Un très bon producteur qui nous habitue, entre autre, à des lirac solaires, charnus et généreux. Ce GSM (grenache, syrah, mourvèdre) ne fait pas exception à la règle. Le nez libère progressivement ses senteurs de fruits rouges et noirs bien mûrs, de poivre et de vanille que l'on retrouve plus intensément dans un palais onctueux, riche, cadré par des tanins déjà bien fondus. Un vin ample, généreux, déjà bien ouvert mais qui peut patienter un peu en cave. ⧗ 2020-2024

SARL VIGNOBLES ALAIN JAUME, 1358, rte de Châteauneuf-du-Pape, 84100 Orange, tél. 04 90 34 68 70, contact@alainjaume.com V *t.l.j. sf dim. 8h-13h 14h-18h* E

DOM. CORNE-LOUP 2016

■ | 20000 | | 8 à 11 €

Ce domaine fondé en 1966 tire son nom d'un ancien quartier de Tavel où, autrefois, un villageois était chargé d'alerter les habitants de l'arrivée imminente des loups. Son vignoble s'étend aujourd'hui sur 40 ha, en lirac, tavel et côtes-du-rhône, conduit depuis 2010 par Géraldine Saunier-Lafond.

Ce 2016 offre un joli nez, léger, frais, agréable, partagé entre fruits rouges et épices douces. En bouche, souplesse, gourmandise, équilibre. Un lirac friand, à ouvrir sans attendre. ⧗ 2019-2021

SCEA DOM. CORNE-LOUP, 237, rue Mireille, 30126 Tavel, tél. 04 66 50 34 37, corne-loup@wanadoo.fr
V t.l.j. sf sam. dim. 9h-12h 14h-17h

♥ CH. CORRENSON 2018 ★★

■ | 10000 | | 5 à 8 €

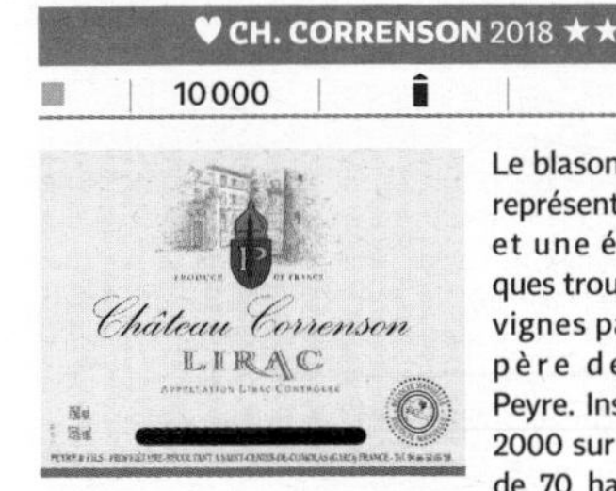

Le blason du château représente un casque et une épée étrusques trouvés dans les vignes par le grand-père de Vincent Peyre. Installé depuis 2000 sur un vignoble de 70 ha, ce dernier représente la troisième génération à la tête du domaine familial, souvent en vue pour ses lirac.

Habitué du Guide, le domaine décroche un coup de cœur avec ce rosé de caractère, assemblage de quatre cépages macérés (12 à 24 h) séparément. Le vin en tire une robe soutenue, rubis clair, et un nez franchement fruité, aux notes épanouies de groseille, de fraise et de framboise. La texture suave et la belle maturité du fruit (fruits rouges toujours) nous rappellent que nous sommes bien à Lirac, mais il n'y a rien de lourd dans cette bouche équilibrée, savoureuse, avec un trait de fruits acidulés qui dynamise la finale. ⧗ 2019-2020

EARL LES COSTES DE SAINT-GENIÈS, Ch. Correnson, rte de Roquemaure, 30150 Saint-Geniès-de-Comolas, tél. 04 66 50 05 28, contact@chateau-correnson.fr
V t.l.j. sf dim. 10h-12h 15h30-18h30

CH. LA GENESTIÈRE 2016 ★★

■ | 20600 | | 8 à 11 €

Implanté sur le site d'une ancienne magnanerie, ce domaine fondé en 1930 par la famille Bernard est aujourd'hui dirigé par Christian Latouche. Une bastide du XVIᵉs. commande le vaste vignoble en lirac et tavel. Après l'acquisition d'autres propriétés, les vignobles familiaux comptent aujourd'hui 200 ha sur la rive droite du Rhône.

Une robe d'un beau rubis limpide, moyennement soutenu, un nez retenu mais fin libérant des arômes de fruits rouges bien mûrs agrémentés de notes discrètes de chêne, une bouche large, ronde et chaleureuse, épaulée par des tanins tout aussi tendres: on retrouve dans ce beau lirac toute la plénitude d'un grenache (50 %) solaire et épanoui. ⧗ 2021-2026

SCEA CH. LA GENESTIÈRE, chem. de Cravailleux, 30126 Tavel, tél. 04 66 50 07 03, contact@domaine-genestiere.com

B DOM. LAFOND ROC-ÉPINE La Ferme romaine 2017 ★

■ | 8000 | | 15 à 20 €

Porte-drapeau des appellations tavel et lirac, aussi très en vue pour ses châteauneuf et ses côtes-du-rhône, ce domaine, dont les lointaines origines remontent à la fin du XVIIIᵉs., est conduit par Pascal Lafond depuis 1990. Son vaste vignoble en bio, certifié à partir de 2012, couvre aujourd'hui 83 ha répartis dans quatre AOC.

«La Ferme romaine»? Une parcelle plantée de vieilles vignes de grenache, syrah et mourvèdre. Cela donne ce rouge langoureux, aussi sombre de robe qu'intense au nez (fruits rouges mûrs, notes boisées), qui déploie une bouche ronde, savoureuse, d'un longueur remarquable. On le laisse respirer en cave. ⧗ 2021-2026 ■ **2017 (8 à 11 €; 40000 b.)** : vin cité. ■ **2018 (8 à 11 €; 18000 b.)** B : vin cité.

SARL LAFOND ET FILS, 336, rte des Vignobles, 30126 Tavel, tél. 04 66 50 24 59, lafond@roc-epine.com
V t.l.j. sf sam. dim. 8h-12h 13h30-17h30

DOM. LA LÔYANE Cuvée Élie 2017 ★★

■ | 8000 | | 15 à 20 €

Établi au pied du sanctuaire Notre-Dame-de-Grâce, à Rochefort-du-Gard, non loin des anciens marais asséchés par les moines au Moyen Âge, ce domaine, né en 1994 de la fusion de trois petites exploitations, fait preuve d'une grande constance dans la qualité. Il est dirigé avec talent par Jean-Pierre Dubois, son épouse Dominique et leur fils Romain.

Ce 2017 reçoit les honneurs de la critique avec cette cuvée dédiée au fils de Romain Dubois. L'élevage en demi-muid apporte sa touche torréfiée à un nez centré sur le fruit mûr et le cuir. L'attaque souple ouvre sur un palais moelleux, à la sucrosité gourmande, adossé à des tanins doux. La longue finale sur les fruits noirs et le Zan ajoute un peu plus de séduction à l'ensemble. ⧗ 2020-2026 ■ **Cuvée Marie 2016 ★★ (20 à 30 €; 2000 b.)** : une cuvée haut de gamme produite seulement dans les grands millésimes et qui met à l'honneur des grenaches centenaires. De garde assurément, elle est pour l'heure sur la réserve mais l'avenir lui appartient: matière dense et charnue, structure serrée, belle acidité, profondeur du fruit. On l'oublie une paire d'années en cave. ⧗ 2021-2027

GAEC DOM. LA LÔYANE, quartier la Lôyane, 369, chem. de la Font-de-Caven, 30650 Rochefort-du-Gard, tél. 06 22 67 29 43, contact@domainelaloyane.com
V t.l.j. sf lun. mar. dim. 9h-12h 14h-18h

♥ DOM. MABY La Fermade 2017 ★★

■ | 38000 | | 11 à 15 €

Ce domaine très régulier en qualité, notamment pour ses lirac, dans les trois couleurs, et ses tavel, a été créé en 1950 par Armand Maby. En 2005, son petit-fils Richard a pris les rênes du vignoble, 64 ha situés pour l'essentiel sur les galets roulés du plateau de Vallongue; des vignes cultivées «au naturel», mais sans certification bio. Depuis 2011, l'éminent œnologue rhodanien Philippe Cambie conseille le domaine.

Pas une once de chêne dans cette cuvée qui donne à la syrah (50 %) le premier rôle. Elle en tire sa robe profonde et son nez généreux qui décline la violette, la réglisse, le menthol et les fruits rouges. Cette même déclinaison d'arômes s'épanouit dans une bouche certes puissante mais civilisée, charnue, ample, soutenue par des tanins gras et soyeux qui laissent longuement s'exprimer le fruit en finale. Un lirac qui ne renie rien de ses origines et qui y ajoute une vraie dimension d'élégance. Déjà délicieux, et pour longtemps. ⧗ 2020-2027

SCEA DOM. MABY,
249, rue Saint-Vincent, 30126 Tavel, tél. 04 66 50 03 40, domaine-maby@wanadoo.fr t.l.j. 8h-12h 13h30-17h30; sam. dim. sur r.-v.

CH. DE MONTFAUCON
Vin de Monsieur le Baron 2017 ★

■	6000		30 à 50 €

Valeur sûre des côtes-du-rhône, ce domaine (60 ha) est commandé par une ancienne forteresse du XIe s. campée sur un promontoire rocheux, vigie sur le Rhône, fleuve qui marquait la frontière entre le royaume de France et le Saint-Empire romain germanique. Au XVIIIe s., les aïeux de Rodolphe de Pins (installé en 1995 après diverses expériences en France et à l'étranger) ont pris possession des lieux. Le vignoble se caractérise par des sols et un encépagement très diversifiés. Une structure de négoce a été créée en 2014.

Pas moins de quinze cépages co-fermentés dans ce rouge ambitieux élevé vingt-quatre mois en fût. Épice, torréfaction, le chêne donne le tempo au nez. La dominante boisée persiste en bouche sur un fond dense et structuré, puissamment tannique. Du potentiel, de longue garde. ⌛ 2022-2029 ■ **Baron Louis 2017 (15 à 20 €; 50 000 b.)** : vin cité.

EARL DOM. DE MONTFAUCON,
22, rue du Château, 30150 Montfaucon, tél. 04 66 50 37 19, contact@chateaumontfaucon.com t.l.j. sf sam. dim. 9h-12h 14h-18h; f. à Noël

CH. MONT-REDON 2016 ★

■	124 900		11 à 15 €

On cultivait déjà la vigne à l'époque romaine sur le *muntem retundum* (montagne ronde). La famille Abeille-Fabre est installée au Ch. Mont-Redon depuis 1923. Elle conduit aujourd'hui un vaste vignoble de 100 ha, réputé tant pour ses châteauneuf que pour ses lirac et ses côtes-du-rhône. Le domaine est certifié HVE depuis 2018.

Une robe limpide et soutenue, un nez riche, complexe, où percent le fruit cuit, la griotte et les épices, l'entame est de bon ton. La bouche suit la mesure: du gras et de la rondeur, des tanins fins et soyeux, un boisé délicat. «Belle maîtrise», conclut le jury. Un rouge agréable et harmonieux. ⌛ 2020-2024

SA CH. MONT-REDON, BP_10,
84231 Châteauneuf-du-Pape, tél. 04 90 83 72 75, contact@chateaumontredon.fr r.-v.

♥ B DOM. DE LA MORDORÉE
Reine des bois 2017 ★★

■	25 000		15 à 20 €

Un domaine créé en 1986 par Francis Delorme et son fils Christophe (disparu prématurément en 2015), entrepreneurs issus d'une famille vigneronne, rejoints par Fabrice en 1999. Le vignoble couvre 50 ha (en bio certifié depuis 2013), répartis sur 38 parcelles et huit communes. Partisans des petits rendements, les Delorme déclinent les millésimes avec une aisance déconcertante, aussi bien en tavel, leur fief d'origine, et en lirac, qu'en châteauneuf-du-pape ou en «simple» côtes-du-rhône. Incontournable.

On ne compte plus les coups d'éclat de ce domaine exemplaire. Contentons-nous d'en ajouter un de plus avec cette Reine bien en chair qui trône au sommet de l'appellation. Le nez encore discret, sur les épices, ne laisse pas deviner l'ampleur hors norme de la bouche. Puissante, volumineuse, chaleureuse, sertie de tanins totalement intégrés, imprégnée de fruits noirs, d'épices, de réglisse et de vanille, elle n'en oublie pas non plus d'être gourmande et conviviale. Voluptueux et irrésistible. ⌛ 2020-2027 ■ **Dame rousse 2017 ★ (11 à 15 €; 25 000 b.)** B : un ton en dessous de la Reine des bois, la Dame rousse n'en reste pas moins très fréquentable. Derrière un nez discret pointe une bouche ample et charpentée, aux tanins cossus, qui exhibe des notes bien plus épanouies de fruits noirs et de Zan. Un rouge corpulent qui peut patienter un peu en cave. ⌛ 2020-2025 ■ **Reine des bois 2018 (15 à 20 €; 15 000 b.)** B : vin cité.

SCA DOM. DE LA MORDORÉE,
250, chem. des Oliviers, 30126 Tavel, tél. 04 66 50 00 75, info@domaine-mordoree.com r.-v.

DOM. DES MURETINS 2017

■	9000		8 à 11 €

Les négociants François Dauvergne et Jean-François Ranvier ont coiffé la casquette de producteur en reprenant en 2013 cette propriété familiale de 10 ha morcelés sur onze parcelles en tavel et trois en lirac. Depuis cette date, le domaine a été entièrement restructuré et est en cours de conversion bio.

Avec ses notes complexes de fruit confituré, de camphre, de café et sa touche végétale, le nez laisse poindre un début d'évolution. Discrète à l'attaque, la bouche déploie des notes complexes d'épices, de résine et de café dans un palais agréable soutenu par des tanins fondus. ⌛ 2020-2024

SARL DES MURETINS, Dom. des Muretins,
chem. de Vacquières, 30126 Tavel, tél. 06 03 24 74 19, contact@dauvergne-ranvier.com

LUC PÉLAQUIÉ 2018 ★★

□	16 000		11 à 15 €

Saint-Victor-la-Coste s'étend sous les ruines du Castellas, le château fort médiéval des seigneurs de Sabran. Depuis 1976, Luc Pélaquié y conduit ce domaine familial vaste (98 ha) et ancien (XVIIe s.), dont les vins (côtes-du-rhône, *villages*, lirac et tavel) sont régulièrement en vue dans le Guide.

Le grenache blanc, le viognier et la marsanne sont associés pour le meilleur dans ce vin ouvert et flatteur qui hume bon la brioche et la vanille, signe d'un élevage bien senti en barrique. La bouche ronde et ample à l'attaque diffuse ces mêmes saveurs et rebondit sur une belle acidité et une légère amertume finale qui donnent éclat et relief à l'ensemble. Unanimes, les dégustateurs saluent une parfaite harmonie. ⌛ 2020-2024

EARL DOM. PÉLAQUIÉ, 7, rue du Vernet,
30290 Saint-Victor-la-Coste, tél. 04 66 50 06 04, contact@domaine-pelaquie.com t.l.j. sf dim. 9h30-12h 14h-18h

DOM. LA ROCALIÈRE Le Classique 2017 ★

■ | 10000 | | 11 à 15 €

Très régulier en qualité dans les appellations lirac et tavel, ce domaine familial a été fondé par Armand et Bernard Maby et par Jacques Borrelly. À la retraite de ce dernier, il a été repris par ses filles Séverine Lemoine (vigne et cave) et Mélanie Borrelly (administratif et commercial). Les deux sœurs conduisent aujourd'hui, en bio certifié, un vignoble de 38 ha.

Grenache, syrah et mourvèdre à parts égales dans ce rouge qui intrigue par son nez complexe, fruité, balsamique, animal avec des nuances de goudron. Du caractère semble-t-il, ce que confirme la bouche, puissante, dotée de tanins corsés, encore anguleux, au charme rustique. Un rouge fougueux et bien construit destiné à la cave. ⧗ 2021-2026 ■ **Dentelle noire 2017 ★ (15 à 20 €; 2600 b.)** Ⓑ : une sélection parcellaire de belles syrah (80 %) à l'origine de ce rouge parfumé et complexe qui décline les fruits rouges et noirs (framboise, cassis), la venaison, le goudron et la menthe fraîche. L'attaque est intense, les tanins policés, le fruit expressif, la longueur honorable sur le fruit et le cuir: un excellent lirac, à forte personnalité, «sui generis», ajoute un dégustateur. ⧗ 2021-2025

SCEA DOM. LA ROCALIÈRE, Le Palai-Nord, 30126 Tavel, tél. 04 66 50 12 60, rocaliere@wanadoo.fr V *t.l.j. 9h-12h 14h-18h*

LES VIGNERONS DE ROQUEMAURE
Cuvée Saint-Valentin 2017 ★

■ | 25000 | | 8 à 11 €

C'est à Roquemaure, berceau historique des côtes-du-rhône grâce à son port fluvial, que les vignerons purent en 1737 marquer leurs tonneaux des lettres «CdR». Fondée en 1922, la petite coopérative locale – longtemps nommée Cellier Saint-Valentin – fédère aujourd'hui 60 adhérents pour 350 ha de vignes. Elle s'est tournée vers la vente en bouteilles au tournant du XXIes.

Un assemblage syrah, grenache et mourvèdre a forgé la personnalité de ce rouge ouvert sur les épices, le cacao, la torréfaction et les fruits rouges. On retrouve dans un palais onctueux cette même qualité de fruit servie par des tanins soyeux qui dessinent un vin puissant mais harmonieux, habilement élevé en fût. ⧗ 2021-2024 ■ **2018 ★ (5 à 8 €; 10000 b.)** : une robe jaune aux reflets dorés, un nez flagrant de fruits à coque, d'épices et de pâtisserie orientale, une bouche volumineuse qui s'étire sur le beurre frais en finale: un blanc accompli, bien élevé sous bois, déjà à point. ⧗ 2019-2022

SCA ROCCA MAURA, 1, rue des Vignerons, 30150 Roquemaure, tél. 04 66 82 82 01, contact@roccamaura.com V *t.l.j. sf dim. 9h-12h 14h-18h*

CH. SAINT-ROCH 2018

■ | 20000 | | 11 à 15 €

Sur les coteaux silico-calcaires de Roquemaure, le vignoble de Saint-Roch couvre 40 ha. Réputé pour ses lirac, il appartient depuis 1998 aux frères Brunel, également propriétaires du Ch. la Gardine à Châteauneuf-du-Pape, autre valeur sûre de la vallée du Rhône sud.

Un nez joyeux, fruité et végétal; une bouche franche, aromatique sur l'abricot, bien équilibrée entre rondeur et fraîcheur: un blanc séduisant, déjà gourmand. ⧗ 2019-2022

SARL CH. SAINT-ROCH (BRUNEL FRÈRES), chem. de Lirac, 30150 Roquemaure, tél. 04 66 82 82 59, brunel@chateau-saint-roch.com V *t.l.j. sf sam. dim. 8h-12h 14h-17h*

CH. DE SÉGRIÈS 2017 ★

■ | 56000 | | 11 à 15 €

Henri de Lanzac conduit un domaine de près de 60 ha, dont 30 ha de vignes d'un seul tenant commandées par le Ch. de Ségriès (XVIIes.), acquis en 1994. Il assure aussi la gestion du Clos de l'Hermitage (3,5 ha), propriété depuis 1995 de l'ancien coureur automobile Jean Alesi. Deux étiquettes souvent en bonne place dans le Guide.

Quatre cépages dont une majorité de grenache composent ce rouge d'emblée séduisant par sa robe intense ourlée de reflets violacés. Le nez décline des notes délicates de violette, d'épices, de cassis et de mûre avec une tonalité végétale rafraîchissante. Certes mûr et chaleureux en bouche, c'est pourtant le croquant du fruit, la finesse des tanins et la fraîcheur remarquable de l'ensemble qui retiennent l'attention du jury. ⧗ 2020-2023

SCEA HENRI DE LANZAC, chem. de la Grange, 30126 Lirac, tél. 04 66 39 11 98, chateaudesegries@wanadoo.fr V *t.l.j. 8h-12h 13h30-17h30; sam. dim. sur r.-v.*

LES VIGNERONS DE TAVEL ET LIRAC
Vieilles Vignes 2018 ★

■ | 10000 | | 8 à 11 €

Créée en 1937, cette cave historique fut la première coopérative agricole à être inaugurée par un président de la République (Albert Lebrun). Actrice importante de la production taveloise (environ la moitié), elle a fusionné en 2018 avec la cave de Lirac.

Grenache, cinsault et syrah au menu de cet excellent rosé dont la robe pétale de rose dissimule un nez vineux, aux arômes francs, fruités (fraise) et floraux. Une attaque charnue et fraîche ouvre sur un palais soyeux et parfumé (baies rouges, aubépine), qui associe rondeur et fraîcheur. Un bel équilibre pour un rosé qui assume ses origines avec élégance. ⧗ 2019-2020 ■ **Arcane 2017 ★ (8 à 11 €; 5000 b.)** : cette cuvée mi-grenache mi-syrah se signale par son nez vanillé, chocolaté et toasté, marqué par les douze mois d'élevage en fût. Encore jeune, généreusement boisée dans ses arômes, la bouche n'en oublie pas d'être gourmande et possède tout ce qu'il faut pour tenir en respect le merrain: une belle matière riche et concentrée, du gras, des tanins soyeux, une longueur qui ne trompe pas. Le jury a apprécié. ⧗ 2020-2024

SCA LES VIGNERONS DE TAVEL ET LIRAC, rte de la Commanderie, 30126 Tavel, tél. 04 66 50 03 57, contact@cavetavel.com V *r.-v.*

PIERRE VIDAL 2017 ★

■ | 20000 | | 8 à 11 €

Pierre Vidal, installé à Châteauneuf-du-Pape avec son épouse vigneronne, a créé son négoce en 2010. Une maison déjà bien implantée grâce aux sélections parcellaires vinifiées par ce jeune œnologue formé en Bourgogne, qui s'est développée depuis 2015 vers les vins bio et les vins «vegan».

Des senteurs intenses et pâtissières de fruits noirs, de café et de chocolat, le nez séduit. Avec sa sucrosité discrète, sa belle rondeur, sa douce chaleur, ses tanins tendres et sa finale vanillée, la bouche enfonce le clou. Un rouge moderne qui laisse une sensation singulière d'harmonie et de plénitude. ⧗ 2020-2024

⊶ EURL PIERRE VIDAL, 631, rte de Sorgues, 84230 Châteauneuf-du-Pape, tél. 06 88 88 07 58, contact@pierrevidal.com r.-v.

TAVEL

Superficie : 945 ha / Production : 35 790 hl

Considéré par beaucoup comme le meilleur rosé de France, ce grand vin de la vallée du Rhône provient d'un vignoble situé dans le département du Gard, sur la rive droite du fleuve, à Tavel et sur quelques parcelles de la commune de Roquemaure. C'est la seule appellation rhodanienne à ne produire que du rosé. Sur des sols de sable, d'alluvions argileuses ou de cailloux roulés, grenache, cinsault, mourvèdre, syrah, accompagnés de carignan et aussi de cépages blancs donnent un vin généreux, au bouquet floral et fruité, qui accompagnera poissons en sauce, charcuterie et viandes blanches.

CH. D'AQUERIA 2018 ★

■ | 283000 | ▮ | 11 à 15 €

Jean Olivier acquiert en 1919 l'ancien domaine des comtes d'Aqueria, commandé par un château du XVIII[e]s. et orné d'un parc à la française. Son gendre Paul de Bez restructure entièrement le vignoble: aujourd'hui, 61 ha d'un seul tenant, conduits depuis 1984 par ses petits-fils Vincent et Bruno, rejoints désormais par Raphaël, la quatrième génération. Une valeur sûre en lirac et en tavel.

D'une belle intensité, ce tavel livre un bouquet soutenu de petits fruits rouges, de fraise notamment. En bouche, il se montre tout aussi expressif, ainsi que rond, suave et frais à la fois. Un équilibre abouti. ⧗ 2019-2021

⊶ SCA JEAN OLIVIER, rte de Pujaut, 30126 Tavel, tél. 04 66 50 04 56, contact@aqueria.com V ⚐ ▮ t.l.j. sf sam. dim. 8h-12h 13h30-17h30

♥ CH. LA GENESTIÈRE 2018 ★★

■ | 20600 | ▮ | 8 à 11 €

Implanté sur le site d'une ancienne magnanerie, ce domaine fondé en 1930 par la famille Bernard est aujourd'hui dirigé par Christian Latouche. Une bastide du XVI[e]s. commande le vaste vignoble en lirac et tavel. Après l'acquisition d'autres propriétés, les vignobles familiaux comptent aujourd'hui 200 ha sur la rive droite du Rhône.

Intense en couleur, orné de beaux reflets violines, ce 2018 associe intensité et finesse à l'olfaction autour d'arômes d'agrumes et de cerise. En bouche, il se révèle rond, suave, puissant, vineux, long et très volumineux. Un grand tavel de gastronomie. ⧗ 2019-2022

⊶ SCEA CH. LA GENESTIÈRE, chem. de Cravailleux, 30126 Tavel, tél. 04 66 50 07 03, contact@domaine-genestiere.com

ALAIN JAUME Le Crétacé 2018 ★

■ | n.c. | ▮ | 11 à 15 €

D'origine castelpapale, Alain Jaume et ses fils Sébastien et Christophe perpétuent une tradition viticole qui remonte à 1826. Ils conduisent en bio un vignoble de 155 ha réparti sur quatre domaines: Grand Veneur à Châteauneuf-du-Pape, Clos de Sixte à Lirac, Ch. Mazane à Vacqueyras, et le Dom. la Grangette Saint-Joseph en AOC côtes-du-rhône, le tout complété par une activité de négoce. Une valeur sûre.

D'un joli rose orangé, ce tavel s'ouvre doucement sur des notes de fruits rouges et noirs. Ample et de bonne longueur, la bouche évolue en douceur et en rondeur autour d'arômes de cassis. Un rosé bien typé. ⧗ 2019-2021

⊶ SARL VIGNOBLES ALAIN JAUME, 1358, rte de Châteauneuf-du-Pape, 84100 Orange, tél. 04 90 34 68 70, contact@alainjaume.com V ⚐ ▮ t.l.j. sf dim. 8h-13h 14h-18h

DOM. MABY La Forcadière 2018 ★★

■ | 90000 | ▮ | 8 à 11 €

Ce domaine très régulier en qualité, notamment pour ses lirac, dans les trois couleurs, et ses tavel, a été créé en 1950 par Armand Maby. En 2005, son petit-fils Richard a pris les rênes du vignoble, 64 ha situés pour l'essentiel sur les galets roulés du plateau de Vallongue; des vignes cultivées «au naturel», mais sans certification bio. Depuis 2011, l'éminent œnologue rhodanien Philippe Cambie conseille le domaine.

Coup de cœur dans sa version 2017, cette cuvée fait belle figure en 2018: robe grenadine aux reflets violets du meilleur effet, nez puissant de framboise et de fraise, bouche très suave, très ronde, très concentrée et persistante sur le fruit. Pour la table. ⧗ 2019-2022

⊶ SCEA DOM. MABY, 249, rue Saint-Vincent, 30126 Tavel, tél. 04 66 50 03 40, domaine-maby@wanadoo.fr V ⚐ ▮ t.l.j. 8h-12h 13h30-17h30; sam. dim. sur r.-v.

♥ DOM. DE LA MORDORÉE La Dame rousse 2018 ★★★

■ | 45000 | ▮ | 11 à 15 €

Un domaine créé en 1986 par Francis Delorme et son fils Christophe (disparu prématurément en 2015), entrepreneurs issus d'une famille vigneronne, rejoints par Fabrice en 1999. Le vignoble couvre 50 ha (en bio certifié depuis 2013), répartis sur 38 parcelles et huit communes. Partisans des petits rendements, les Delorme déclinent les millésimes avec une

aisance déconcertante, aussi bien en tavel, leur fief d'origine, et en lirac, qu'en châteauneuf-du-pape ou en «simple» côtes-du-rhône. Incontournable.

Ce rosé se présente avec grande élégance dans sa robe grenadine d'une belle limpidité. Au nez, le cassis, la mûre et la fraise composent une approche remarquable d'intensité. Une intensité que l'on retrouve dans une bouche ample, puissante, riche et longue, soutenue par une fraîcheur parfaitement dosée. Un grand tavel assurément, paré pour la garde. ⧗ 2019-2022

SCA DOM. DE LA MORDORÉE, 250, chem. des Oliviers, 30126 Tavel, tél. 04 66 50 00 75, info@domaine-mordoree.com
V r.-v.

DOM. DES MURETINS 2018 ★★

■	27 000		8 à 11 €

Les négociants François Dauvergne et Jean-François Ranvier ont coiffé la casquette de producteur en reprenant en 2013 cette propriété familiale de 10 ha morcelés sur onze parcelles en tavel et trois en lirac. Depuis cette date, le domaine a été entièrement restructuré et est en cours de conversion bio.

Coup de cœur sur le millésime 2017, ce tavel n'a pas à rougir de sa version 2018. La robe est élégante et bien typée, tirant vers le rouge clair. Si le nez apparaît assez discret, la bouche séduit pleinement par son côté gras et vineux, comme par ses arômes de cassis et de mûre. ⧗ 2019-2021

SARL DES MURETINS, Dom. des Muretins, chem. de Vacquières, 30126 Tavel, tél. 06 03 24 74 19, contact@dauvergne-ranvier.com

DOM. LA ROCALIÈRE Le Classique 2018

■	40 000		8 à 11 €

Très régulier en qualité dans les appellations lirac et tavel, ce domaine familial a été fondé par Armand et Bernard Maby et par Jacques Borrelly. À la retraite de ce dernier, il a été repris par ses filles Séverine Lemoine (vigne et cave) et Mélanie Borrelly (administratif et commercial). Les deux sœurs conduisent aujourd'hui, en bio certifié, un vignoble de 38 ha.

D'un rose pâle, ce tavel livre un nez plaisant de bonbon acidulé et de fruits rouges. En bouche, il révèle un profil plutôt frais et léger. ⧗ 2019-2020

SCEA DOM. LA ROCALIÈRE, Le Palai-Nord, 30126 Tavel, tél. 04 66 50 12 60, rocaliere@wanadoo.fr
V *t.l.j. 9h-12h 14h-18h*

DOM. SAINT-FERRÉOL 2018 ★★

■	10 000		11 à 15 €

Un domaine de 24 ha conduit depuis 1977 par Jean-Marie Bastide, dont l'arrière-grand-père fut l'un des fondateurs de l'appellation tavel avec le Baron Leroy.

Une robe soutenue comme il se doit habille ce rosé au nez intense de fruits à chair blanche et de fraise écrasée. Une expression aromatique prolongée avec persistance par une bouche riche et gourmande, étayée par une fine acidité bien sentie.

SCEA DSF, 59, rte de la Commanderie, 30126 Tavel, tél. 07 87 96 19 07, scea.dsf@gmail.com
V *r.-v.*

CH. DE SÉGRIÈS 2018 ★

■	40 000		11 à 15 €

Henri de Lanzac conduit un domaine de près de 60 ha, dont 30 ha de vignes d'un seul tenant commandées par le Ch. de Ségriès (XVIIe s.), acquis en 1994. Il assure aussi la gestion du Clos de l'Hermitage (3,5 ha), propriété depuis 1995 de l'ancien coureur automobile Jean Alesi. Deux étiquettes souvent en bonne place dans le Guide.

D'une belle teinte rouge clair, ce tavel livre un bouquet bien fruité, à dominante de fruits rouges. La bouche, à l'unisson, associe au gras une fine acidité aux accents salins. Harmonieux. ⧗ 2019-2021

SCEA HENRI DE LANZAC, chem. de la Grange, 30126 Lirac, tél. 04 66 39 11 98, chateaudesegries@wanadoo.fr V *t.l.j. 8h-12h 13h30-17h30; sam. dim. sur r.-v.*

LES VIGNERONS DE TAVEL ET LIRAC Les Lauzeraies 2018

■	110 000		5 à 8 €

Créée en 1937, cette cave historique fut la première coopérative agricole à être inaugurée par un président de la République (Albert Lebrun). Actrice importante de la production taveloise (environ la moitié), elle a fusionné en 2018 avec la cave de Lirac.

Ce tavel rose pâle convoque les fruits rouges, la cerise notamment, à l'olfaction. Arômes que l'on perçoit également dans une bouche équilibrée entre rondeur et vivacité. ⧗ 2019-2020

SCA LES VIGNERONS DE TAVEL ET LIRAC, rte de la Commanderie, 30126 Tavel, tél. 04 66 50 03 57, contact@cavetavel.com V *r.-v.*

DOM. LE VIEUX MOULIN My Tavel 2018 ★

■	6 000		8 à 11 €

Ce domaine – dont la cave a une architecture proche de celle du lavoir de Tavel – est dans la même famille depuis six générations. Le vignoble a été créé en 1956. Sébastien Jouffret, installé en 1991, vinifie aujourd'hui la récolte de 70 ha.

D'un rose intense aux reflets violets, ce tavel évoque la fraise mûre à l'olfaction. En bouche, une légère salinité accompagne le fruit et apporte une agréable fraîcheur et une longueur des plus honorables. ⧗ 2019-2020

EARL ROUDIL-JOUFFRET, 775, rte de la Commanderie, Le Palai-Nord, 30126 Tavel, tél. 04 66 82 85 11, roudil-jouffret@wanadoo.fr
V *t.l.j. sf sam. dim. 8h-12h 14h-18h*

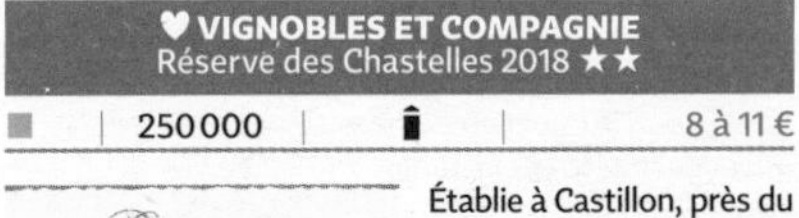

♥ VIGNOBLES ET COMPAGNIE Réserve des Chastelles 2018 ★★

■	250 000		8 à 11 €

Établie à Castillon, près du pont du Gard, Vignobles et Compagnie (anciennement la Compagnie rhodanienne) est une maison de négoce créée en 1963, dans le giron du groupe Taillan. Elle propose des

RHÔNE

vins (marques ou cuvées de domaine) dans de nombreuses AOC de la vallée du Rhône, de la Provence et du Languedoc.

Une magnifique robe rubis habille ce tavel au nez intense de cerise et de fraise. Une intensité aromatique à laquelle fait écho une bouche ronde, ample et suave, étirée dans une longue finale aux tonalités minérales et poivrées. De la complexité et de la personnalité. ⧗ 2019-2021

⊶ SA VIGNOBLES ET COMPAGNIE, SPECR 19, chem. Neuf, CS_80002, 30210 Castillon-du-Gard, tél. 04 66 37 49 50, nicolas.rager@vignoblescompagnie.com

COSTIÈRES-DE-NÎMES

Superficie : 3 950 ha
Production : 207 365 hl (92 % rouge et rosé)

Rouges, rosés ou blancs, les costières-de-nîmes naissent dans un vignoble établi sur les pentes ensoleillées de coteaux constitués de cailloux roulés – les cailloutis du Villafranchien –, dans un quadrilatère délimité par Meynes, Vauvert, Saint-Gilles et Beaucaire, au sud-est de Nîmes, et au nord de la Camargue. L'appellation s'étend sur le territoire de vingt-quatre communes. Les cépages autorisés en rouge sont le carignan, le cinsault, le grenache noir, le mourvèdre et la syrah; en blanc, ce sont la clairette, le grenache blanc, la marsanne, la roussanne et le rolle. Les rosés s'associent aux charcuteries de l'Ardèche, les blancs se marient fort bien aux coquillages et aux poissons de la Méditerranée, et les rouges, chaleureux et corsés, préfèrent les viandes grillées. Une route des vins parcourt cette région au départ de Nîmes.

Ⓑ CH. BEAUBOIS Confidence 2018 ★

■ | 5000 | ▮ | 11 à 15 €

Un domaine fondé au XIIIe s. par les moines cisterciens de l'abbaye de Franquevaux, sur le versant sud des Costières, et propriété des Boyer depuis quatre générations. Installés en 2000, Fanny et son frère François conduisent avec talent, et en bio, un vignoble de 55 ha.

Un soupçon de roussanne et de viognier à l'appui du grenache blanc dans cette cuvée dont le nez solaire, floral et fruité, monte lentement en puissance. Le palais déploie une chair ample, imprégnée de fleurs blanches, de pêche et de poire, ponctuée par une finale agréable, nette et fraîche. Harmonieux et sudiste. ⧗ 2019-2021 ■ **Élégance 2018 (8 à 11 €; 30 000 b.)** Ⓑ : vin cité.

⊶ SARL CH. BEAUBOIS, RD_6572, 30640 Franquevaux, tél. 04 66 73 30 59, chateau-beaubois@wanadoo.fr V ▮ ▮ *t.l.j. sf dim. 9h-18h* ⌂ Ⓔ

Ⓑ CH. CADENETTE 2017 ★

■ | 30000 | ▮ | 5 à 8 €

Installé depuis 1990 sur la propriété familiale, Pierre Dideron dispose d'un vignoble de 60 ha (53 ha en production) qui, tournant le dos au mistral, fait face aux plaines de la Petite Camargue. Il a entrepris en 2009 la conversion bio de son domaine, par étapes. Depuis 2015, l'ensemble de la propriété est certifié.

Une robe rubis de jeunesse habille ce vin au nez discret de cassis, d'épices et de réglisse. Le palais se montre bien plus expansif, dévoilant de séduisantes notes de fruits cuits et de poivre portées par des tanins serrés mais fins et une fraîcheur dynamisante. Harmonieux et croquant. ⧗ 2019-2022

⊶ EARL DU BOIS D'YEUSE, chem. des Canaux, 30600 Vestric-et-Candiac, tél. 04 66 88 21 76, lacadenette@orange.fr V ▮ *t.l.j. sf sam. dim. 8h-12h 14h-18h*

ROMAIN DUVERNAY 2018 ★★

■ | 25000 | ▮ | - de 5 €

Issu d'une lignée de négociants en vins – son arrière-grand-père Louis fonda en 1904 un commerce de vin en Haute-Savoie –, l'œnologue de renom Romain Duvernay a créé en 1998, avec son père Roland, une maison de négoce basée à Châteauneuf-du-Pape qui propose des vins de toute la Vallée et qui, depuis 2016, appartient à Newrhône Millésimes, propriété de Jean-Marc Pottiez. Romain Duvernay continue d'élaborer les vins.

D'une belle intensité, ce vin d'un rose soutenu dévoile un nez puissant de fruits rouges mûrs. Une attaque franche ouvre sur un palais plein de fruit, frais et long. Un costières des plus harmonieux. ⧗ 2019-2020

⊶ NEWRHÔNE MILLÉSIMES, ZA la Grange-Blanche, 225, rue Marcel-Valérian, 84350 Courthézon, tél. 04 90 60 20 00, newrhone@newrhone.eu

CH. L'ERMITAGE Sainte-Cécile 2018 ★★

■ | 15000 | ◍ | 11 à 15 €

Située sur les hauteurs du versant sud des Costières, cette propriété a été créée par des moines ermites au XIIe s. Devenue domaine viticole sous l'action d'un notable nîmois après la Révolution, elle est conduite depuis trois générations par la famille Castillon (aujourd'hui Jérôme), à la tête d'un vaste vignoble de 80 ha, en cours de conversion bio.

La roussanne et la viognier (et une touche de grenache blanc) s'associent dans ce blanc flagrant, au nez printanier de genêt et de chèvrefeuille. Tonique, acidulée, délicatement enrobée par le chêne, avec une pointe de miel et de pêche en soutien, la bouche insiste sur les fleurs blanches et fait preuve d'une harmonie remarquée par les dégustateurs. Un blanc fringant et de grande classe. ⧗ 2019-2021 ■ **Auzan 2018 ★ (5 à 8 €; 95 000 b.)** : d'un séduisant jaune brillant, ce blanc déploie une olfaction délicate et fraîche autour du jasmin, de la pêche et des agrumes. Douce et acidulée, d'un charme évident, la bouche diffuse la même finesse de fruit dans un ensemble qui conjugue à merveille fraîcheur et rondeur. ⧗ 2019-2020 ■ **Auzan 2018 (5 à 8 €; 72 000 b.)** : vin cité.

⊶ SARL VIGNOBLE CASTILLON, 1301, chem. de La Saou, 30800 Saint-Gilles, tél. 04 66 87 04 49, contact@chateau-ermitage.com V ▮ ▮ *t.l.j. sf dim. 9h-12h 13h30-17h30*

♥ DOM. D'ESPEYRAN L'Envol 2018 ★★

■ | 18000 | 🍾 | | 8 à 11 €

Un très vaste domaine de 535 ha, propriété de la famille Sabatier d'Espeyran depuis 1791. C'est aujourd'hui la neuvième génération qui est aux commandes.

Grenache (60 %) et syrah composent un rosé remarquable en tout point. La robe est d'une limpidité cristalline. Le nez, tout en finesse, convoque les fruits rouges. La bouche, au diapason du bouquet, se montre délicat, souple, frais, parfaitement équilibré. Un modèle du genre. ⧗ 2019-2020

⊶ SCEA DE LA RIBASSE ET DE L'ARGENTIÈRE, Mas d'Espeyran, 30800 Saint-Gilles, tél. 06 21 44 30 06, contact@domaine-espeyran.fr V 🚶 ▪ *r.-v.* 🏠 E

CH. FONT BARRIÈLE Les Vignes d'Héloïse 2018 ★

■ | 95000 | 🍾 | | 5 à 8 €

Un domaine de 45 ha, resté dans la même famille depuis 1857, conduit aujourd'hui par Caroline et Christian Gourjon.

Héloïse est le nom de la dernière fille de Christian Gourjon. Ce trio de syrah, grenache et marselan offre un nez franc et friand de petits fruits noirs. La petite sucrosité à l'attaque attise un peu plus la gourmandise de la bouche qui séduit aussi par ses tanins fins et sa finale pâtissière aux saveurs de tarte aux myrtilles. À boire sur le fruit. ⧗ 2019-2020 ■ **O Tempora! 2017 ★ (20 à 30 €; 6000 b.)** : une robe profonde et violacée habille cette cuvée haut de gamme, provenant de la syrah essentiellement. Encore sur la réserve, le nez offre des nuances de fruits sur un fond généreusement boisé et vanillé. Jeune et marquée par l'élevage en fûts neufs, la bouche offre tout ce qu'il faut pour vieillir avec grâce: tanins puissants, acidité et concentration. Patience. ⧗ 2021-2030

⊶ SCEA FONT BARRIÈLE, Les Armassons, 30300 Jonquières-Saint-Vincent, tél. 06 18 32 85 29, christian@chateaufontbarriele.fr V ▪ *r.-v.*

GALLICIAN Terre des Launes 2017 ★

■ | 53000 | 🛢🍾 | | 5 à 8 €

Cette cave «pilote» – l'une des premières à avoir promu l'embouteillage à la propriété avec le statut de coopérative et la première à mettre en avant la syrah dans les années 1960-70 – a été fondée en 1951. Elle regroupe aujourd'hui 60 adhérents pour quelque 1 000 ha de vignes à l'extrême sud des Costières, à la limite de la Petite Camargue.

Cœur de gamme, ce vin, assemblage de syrah, grenache et marselan, est un très digne ambassadeur de la cave. Le nez avenant, fruité, annonce une bouche légère, friande, dotée de tanins fins et d'une franchise de fruit très séduisante. Simple et bien fait, à boire sur le fruit. ⧗ 2019-2021

⊶ SCA CAVE PILOTE DE GALLICIAN, 128, av. des Costières, 30600 Gallician, tél. 04 66 73 31 65, labo@gallician.com V ▪ *t.l.j. sf dim. 8h-12h 14h-18h*

CH. GRANDE CASSAGNE 2018 ★

■ | 6000 | 🍾 | | 5 à 8 €

Un domaine ancien situé non loin de l'abbatiale de Saint-Gilles et acquis en 1887 par Hippolyte Dardé, négociant en vins à Paris. Ses lointains héritiers Benoît, installé en 1991, et son fils Paul, arrivé en 2015, sont désormais aux commandes et signent des costières-de-nîmes de qualité, en vue dans les trois couleurs. Le vignoble compte 80 ha.

Une dominante (70 %) de syrah aux côtés du grenache dans ce rosé clair et limpide, au nez fin d'épices et de petits fruits rouges. La bouche se montre bien fruitée, un brin épicée et acidulée. Un ensemble harmonieux. ⧗ 2019-2020 ■ **Hippolyte 2017 ★ (11 à 15 €; 5000 b.)** : l'élevage, évident au nez, avec ses nuances vanillées et grillées n'entame pas le plaisir que procure cette bouche suave, relevée d'épices (cannelle, Zan), tenue par des tanins fins, qui laisse s'exprimer les fruits rouges dans une finale longue et savoureuse. Bonne garde en perspective mais du plaisir dès à présent (à carafer). ⧗ 2020-2025 ■ **La Civette 2018 (5 à 8 €; 6000 b.)** : vin cité.

⊶ EARL CH. GRANDE CASSAGE, La Grande Cassagne, 30800 Saint-Gilles, tél. 06 70 33 54 74, chateaugrandecassagne@wanadoo.fr V 🚶 ▪ *t.l.j. sf dim. 9h-12h 14h-18h*

DOM. DE LOGNAC 2017 ★★

■ | 8000 | 🍾 | | 5 à 8 €

Située aux confins orientaux de l'AOC costières-de-nîmes, la petite coopérative de Meynes, créée en 1968 ne compte pas plus de sept adhérents (pour 250 ha de vignes). Elle occupe un ancien relais de diligences, puis de chasse, transformé en ferme dédiée à la polyculture et à l'élevage ovin, avant de devenir le siège de cette cave qui a replanté la vigne sur le plateau de Pazac.

Quatre cépages à parts égales et un élevage en cuve pour ce rouge convaincant dont le nez d'abord timide révèle à l'aération des notes de fruit mûr et frais agrémentées de réglisse. Texture charmeuse, tanins croquants, fraîcheur préservée, fruité expansif qui décline la fraise et la cerise, finale mentholée et réglissée: tout est élégant et de bon goût dans ce rouge harmonieux, à boire ou à garder. ⧗ 2020-2024 ■ **Cave de Pazac Le Pigeonnier 2018 (5 à 8 €; 88000 b.)** : vin cité.

⊶ SCA DES GRANDS VINS DE PAZAC, rte de Redessan, 30840 Meynes, tél. 04 66 57 59 95, cavedepazac30@gmail.com V 🚶 ▪ *t.l.j. sf dim. 8h-12h15 14h-18h*

MAS CARLOT Générations 2018 ★★

■ | 8000 | 🍾 | | 5 à 8 €

Ancienne propriété de l'amiral de Grasset, qui fut au service de Ferdinand II de Bourbon, roi de Naples, ce domaine de 70 ha, commandé par un vieux mas du XVIIIe s., a été acquis et rénové par Paul Blanc en 1986. Sa fille, Nathalie Blanc-Marès, œnologue, en a pris la direction en 1998. Une valeur sûre des costières-de-nîmes.

Une robe d'un jaune limpide à l'entame de cet assemblage typiquement rhodanien (roussanne, marsanne, viognier) dont le nez flatteur hésite entre fleur et fruit (pêche blanche, citron). Ces mêmes arômes nuancés de miel s'imposent dans une bouche savoureuse, ronde, puissante, dotée d'une fort belle finale fraîche sur le fruit acidulé. Harmonieux et séduisant. ⧗ 2019-2022 ■ **Les Enfants terribles 2017 ★★ (8 à 11 €; 7200 b.)** : un rouge remarqué par le jury qui tire sa plénitude et sa complexité de vieilles vignes de syrah et de mourvèdre plantées dans les sols chauds de galets roulés des costières. La robe sombre et le nez puissant témoignent de la belle maturité des raisins: effluves chaudes d'épices, de cardamone, de caramel et de cacao. Les fruits noirs prennent le relais dans une bouche puissante mais parfaitement équilibrée, tenue par des tanins fermes et croquants. La longue finale sur le chocolat et la torréfaction donne un supplément de gourmandise à ce rouge irrésistible dont la puissance contenue est pleine de promesses. ⧗ 2020-2025 ■ **Ch. Paul Blanc 2017 ★ (11 à 15 €; 7800 b.)** : une étoile de plus pour ce domaine en très grande forme cette année. L'élevage en barrique n'étouffe pas le fruit et apporte un peu plus de complexité à un nez porté sur la garrigue, le ciste et la résine. Une attaque suave précède un milieu de bouche consistant, charnu, croquant, qui intègre des tanins fondants et une réjouissante complexité aromatique: fruits rouges et noirs bien mûrs, plantes aromatiques sur fond d'épices douces qui témoignent d'un boisé bien ajusté. ⧗ 2020-2026

GFA DU MAS CARLOT, Mas Carlot, rte de Redessan, 30127 Bellegarde, tél. 04 66 01 11 83, mascarlot@aol.com
V t.l.j. sf sam. dim. 8h-12h 13h-17h

MAS DES BRESSADES Cuvée Tradition 2017 ★

■	50000		5 à 8 €

Du Languedoc à l'Afrique du Nord, de l'Afrique du Nord au Médoc et à la vallée du Rhône, la famille Marès cultive la vigne sans frontières depuis six générations. Cyril s'est installé en 1996 à la tête du vignoble qui compte aujourd'hui 42 ha. Ses costières-de-nîmes sont régulièrement en bonne place dans le Guide.

Des arômes intenses et chaleureux de kirsch et de cassis signalent la haute maturité du raisin. La bouche le confirme avec sa sucrosité légère, ses tanins doux et ses flaveurs ensoleillées qui emplissent généreusement le palais de chaudes effluves de fruits confits, de figue ou de chocolat noir. Puissant, épanoui et solaire mais sans mollesse. ⧗ 2020-2023 ■ **Cuvée Tradition 2018 (5 à 8 €; 40000 b.)** : vin cité. ■ **Cuvée Excellence 2017 (11 à 15 €; 16000 b.)** : vin cité.

EARL MAS DES BRESSADES, Mas du Grand-Plagnol, RD_3, 30129 Manduel, tél. 04 66 01 66 00, masdesbressades@aol.com
V r.-v.

MIRAVINE 2018

■	12000		- de 5 €

Marque de la coopérative de Vauvert (fondée en 1939), appelée aussi Costières et Garrigues, qui vinifie la production de quelque 610 ha de vignes en costières-de-nîmes.

Une robe aux reflets violets de jeunesse ouvre sur un nez franc, fruité (fruits rouges) et poivré. Fluide et parfumée, sans fausse note, la bouche séduit par son fruité mûr et friand et ses tanins doux. Agréable, gourmand et consensuel, à boire sur le fruit. ⧗ 2019-2021

SCA LES MAÎTRES VIGNERONS COSTIÈRES ET GARRIGUES, Cave coopérative de Vauvert, 152, rue de l'Ausselon, 30600 Vauvert, tél. 04 66 88 20 31, maurel.lesmaitresvignerons@gmail.com
V r.-v.

CH. DE MONTFRIN 2018 ★

■	15000		5 à 8 €

Jean-René de Fleurieu a débuté par la culture des oliviers dans les années 2000, en créant son propre moulin. En 2010, il s'est associé avec son ami Benjamin Béguin pour racheter un domaine viticole qui compte aujourd'hui 100 ha de vignes, situé non loin de ses oliviers et conduit, comme ces derniers, en agriculture biologique.

De la garrigue, des épices douces, des notes de fruits rouges et noirs bien mûrs: on est bien dans le Sud. Ces mêmes arômes imprègnent de bout en bout une bouche ronde, de bonne intensité, souple, qui finit sur le cacao. Séduisant et très rhodanien. ⧗ 2019-2022

SARL CH. DE MONTFRIN, Château de Montfrin, 30490 Montfrin, tél. 04 66 57 51 52, info@chateaudemontfrin.com
V t.l.j. sf dim. 9h-12h 14h-18h

CH. MOURGUES DU GRÈS Galets dorés 2018 ★★

□	60000		8 à 11 €

François Collard est un habitué du Guide, avec des vins souvent en très bonne place. Installé en 1994, il réalise les premières mises en bouteilles à partir des vignes familiales (65 ha en bio certifié depuis 2014) à travers deux étiquettes: Mourgues du Grès, propriété du couvent des Ursulines de Beaucaire jusqu'à la Révolution, et La Tour de Béraud, qui tire son nom d'une tour à feu du XIVᵉs. dominant la vaste plaine de Beaucaire. Jamais à courts d'idées, le couple Collard propose de découvrir toutes les facettes du domaine à travers un sentier banalisé équipé de bornes bluetooth.

Clin d'œil à la couleur des fameux galets des costières et à la robe lumineuse de ce blanc, la cuvée associe pas moins de six cépages, dont une dominante de roussanne. Complexe et intense, le nez décline le miel et la pêche blanche sur un fond puissamment floral. La bouche ronde et ample, gorgée de fleurs blanches et de fruits blancs, rebondit sur une très belle acidité qui donne éclat et relief à l'ensemble. Une combinaison idéale entre volume et fraîcheur. Du grand art. ⧗ 2019-2022 ■ **Galets rosés 2018 (8 à 11 €; 60000 b.)** : vin cité.

SARL FRANÇOIS COLLARD, 1055, chem. des Mourgues-du-Grès, 30300 Beaucaire, tél. 04 66 59 46 10, chateau@mourguesdugres.com
V t.l.j. sf dim. 9h-12h 14h-18h; sam. 10h-12h30 14h-18h — SARL François Collard

CH. D'OR ET DE GUEULES Trassegum 2017

■	15000		11 à 15 €

Le nom de ce domaine créé en 1998 par Diane de Puymorin évoque les couleurs du blason familial rayé d'or et de rouge (gueules). Le vignoble couvre 60 ha conduits en bio et la conversion à la biodynamie est en cours (10 ha déjà certifiés). Une originalité: la musicothérapie est utilisée dans les vignes. L'une des bonnes références en costières-de-nîmes qui a

en plus la bonne idée de conserver en stock de vieux millésimes.

Syrah, mourvèdre et carignan au menu de ce Trassegum («filtre d'amour» en occitan) à fort caractère dont le nez décline les fruits noirs mûrs, la garrigue, la tapenade et le menthol. Concentrée, jeune, structurée, dotée de tanins puissants et fins qui tapissent généreusement le palais et d'une belle acidité, cette cuvée offre un beau potentiel. ⧗ 2020-2027 ■ **Trassegum 2018 (8 à 11 €; 5000 b.)** Ⓑ : vin cité.

GFR CH. D' OR ET DE GUEULES, chem. de Cassagnes, rte de Generac, 30800 Saint-Gilles, tél. 04 66 87 32 86, chateaudoretdegueules@wanadoo.fr V t.l.j. sf dim. 10h-19h

♥ Ⓑ DOM. PASTOURET Cuvée Mathieu 2018 ★★

■ | 10000 | | 8 à 11 €

La famille Pastouret a créé son domaine au début du XXᵉs. Jeanne et Michel Pastouret s'y sont établis en 1981 et ont engagé en 1993 la conversion bio de leur vignoble (30 ha aujourd'hui). Leur fille Virginie a élaboré son premier millésime en 2015.

Deux étoiles et un coup de cœur de plus au palmarès déjà bien garni de ce domaine remarquable de régularité. Le 2015 de cette cuvée avait déjà décroché la lune, le 2018 est son digne successeur. Moderne, expressif, entre fruit mûr et notes épicées, le nez séduit d'emblée. Avec son toucher délicat, sa rondeur légère, ses tanins tendres, la bouche enfonce le clou et diffuse longuement ces mêmes notes gourmandes de cassis juteux et d'épices douces. Aussi charmeur qu'élégant, il est à point. ⧗ 2019-2024

EARL DOM. PASTOURET, rte de Jonquières, 30127 Bellegarde, tél. 04 66 01 62 29, contact@domaine-pastouret.com V t.l.j. sf mar. jeu. dim. 9h30-12h 14h-18h30

DOM. DU PETIT ROMAIN Vieilles Vignes 2017 ★

■ | 52200 | | 5 à 8 €

La coopérative Costières et Soleil est devenue Vignerons Propriétés Associés en 2013. Regroupant les caves de Clavisson, Générac et Saint-Hilaire d'Ozilhan, elle vinifie le produit de 150 adhérents et de 24 domaines pour un total de 3 000 ha.

Le Petit Romain? C'est le fils du propriétaires de ces «vieilles vignes» de 25 ans. Syrah (90 %) et grenache forgent le caractère de ce rouge complexe dont le nez mêle la garrigue, la cerise confite à des nuances de cannelle et de torréfaction issues de l'élevage en fût. L'attaque onctueuse sur la liqueur de cassis, le fruit frais (groseille) et la réglisse ouvre sur un palais plus ferme cadré par des tanins puissants joliment enrobés par le chêne. La longue finale grillée fait écho au nez. Du plaisir dès à présent et du potentiel en cave. ⧗ 2020-2024

SCA VIGNERONS PROPRIÉTÉS ASSOCIÉS, 9, rue Émile-Bilhau, 30510 Générac, tél. 04 66 01 79 68, contact@vigneronsproprietesassocies.fr V t.l.j. sf lun. dim. 10h-12h30 15h30-19h

DOM. DE POULVAREL 2017 ★

■ | 16000 | | 5 à 8 €

Pascal Glas et son épouse Élisabeth ont repris le domaine familial en 2004 après la fermeture de la coopérative de Sernhac. Ils exploitent aujourd'hui un vignoble de 40 ha et signent des costières-de-nîmes de belle facture, régulièrement en vue dans ces pages. Le domaine est labellisé HVE depuis 2015.

Des larmes abondantes et une teinte violacée de jeunesse annoncent un nez très solaire marqué par les fruits confits et les cerises à l'alcool. Tout aussi chaleureuse à l'attaque, la bouche en impose par sa générosité, ses flaveurs confites et sa finale épicée et mentholée qui donne une sensation de fraîcheur bienvenue. On ne peut faire plus sudiste. ⧗ 2020-2024 ■ **Les Perrottes 2017 (11 à 15 €; 16000 b.)** : vin cité.

ÉLISABETH ET PASCAL GLAS, 110, chem. de la Soubeyranne, 30210 Sernhac, tél. 04 66 01 67 46, domaine.poulvarel@wanadoo.fr V t.l.j. 10h-12h 17h-19h; dim. sur r.-v.

Ⓑ CH. SAINT-CYRGUES 2018

■ | 25000 | | 5 à 8 €

Le Ch. Saint-Cyrgues est établi à Saint-Gilles, près de Nîmes. Ancienne halte pour les pèlerins en route pour Compostelle ou Jérusalem, il est situé à l'endroit précis où se tenait jadis une église. La famille Ferraud l'a acquis en 2014, convertissant d'emblée le vignoble (29 ha) au bio.

Le Ch. Saint-Cyrgues fait son entrée dans le Guide avec un assemblage de roussanne, grenache blanc et viognier, brièvement élevé en cuve. Une belle robe limpide et brillante, un nez intense, floral et gourmand (bonbon), une bouche fraîche, légère, croquante, sur la pêche et le bonbon acidulé: ce blanc ne manque ni de fraîcheur ni de séduction. ⧗ 2019-2020

SCEA CH. SAINT-CYRGUES, rte de Montpellier, 30800 Saint-Gilles, tél. 06 76 76 08 45, chateau@saintcyrgues.com V t.l.j. sf dim. 8h-12h 14h-17h

Ⓑ TERRANEA Les Vendanges préservées 2018

■ | 133333 | | 5 à 8 €

Un négoce créé en 2003 par Frédéric Chaulan – rejoint en 2009 par Serge Cosialls –, qui propose une gamme complète de vins de la vallée du Rhône, du nord au sud.

Drapé d'une robe rubis, ce rouge vivace et léger offre de francs arômes de groseilles et de fraises des bois que l'on croque avec plaisir dans une bouche fraîche, allègre, lisse et parfaitement gourmande. Vin de soif par excellence. ⧗ 2019-2020

SAS TERRANEA, rue des Négades, ZAC du Crépon-Sud, 84420 Piolenc, tél. 04 90 34 18 47, terranea.sarl@wanadoo.fr

CH. DE VALCOMBE Les Sentiers de Septembre 2017 ★

■ | 6000 | | 11 à 15 €

Un domaine de 65 ha (dont une partie en conversion bio), l'un des plus importants de l'appellation costières-de-nîmes, propriété de la même famille depuis 1740.

RHÔNE

Basile et Nicolas Ricome, fils de Dominique, sont arrivés en 2009 à la tête de ce cru régulier en qualité.

Issue d'un assemblage dominé par la syrah, la cuvée, élevée douze mois sous bois, a profité des chaleurs du millésime: le nez puissant fleure bon le fruit mûr, l'eau-de-vie et le chêne. La réglisse et des notes plus fraîches de cassis et de groseilles s'invitent dans une bouche charpentée, solaire, qui diffuse une matière ronde, persistante sur les épices. Voluptueux et équilibré. ⧗ 2020-2027

EARL LES VIGNOBLES DOMINIQUE RICOME, Ch. de Valcombe, 48000, rte de Saint-Gilles, 30510 Générac, tél. 04 66 01 32 20, info@chateaudevalcombe.com V ⚐ ⚐ *t.l.j. 9h-12h 13h30-18h*

PIERRE VIDAL La Font des Garrigues 2018 ★

■ | 200000 | | - de 5 €

Pierre Vidal, installé à Châteauneuf-du-Pape avec son épouse vigneronne, a créé son négoce en 2010. Une maison déjà bien implantée grâce aux sélections parcellaires vinifiées par ce jeune œnologue formé en Bourgogne, qui s'est développée depuis 2015 vers les vins bio et les vins « vegan ».

Une étoile de plus pour Pierre Vidal avec ce costières qui réunit les cinq cépages rouges de l'appellation. Expansif et complexe, le nez dévoile de séduisantes notes de fruits noirs, de viennoiserie, de kirsch avec une nuance toastée. Le prélude à une bouche souple et ample, tapissée de tanins bien enrobés, qui s'étire sur le chocolat noir en finale. ⧗ 2020-2025 ■ **Cuvée spéciale 2018 ★ (5 à 8 €; 200000 b.)** Ⓑ : robe pourpre soutenu pour cet assemblage dominé par le grenache. Le nez expansif évoque les épices, muscade en tête. La bouche est remarquable par son ampleur, ses tanins ronds, sa très belle fraîcheur revigorante et sa longue finale sur les épices, le fruit mûr et le chêne. ⧗ 2019-2023

EURL PIERRE VIDAL, 631, rte de Sorgues, 84230 Châteauneuf-du-Pape, tél. 06 88 88 07 58, contact@pierrevidal.com r.-v.

DUCHÉ D'UZÈS

Située au nord de Nîmes, la dernière-née des AOC (2013) a fourni d'abord des vins de pays. Depuis 1989, les viticulteurs de l'Uzège œuvraient pour obtenir l'accession de leurs vins à l'appellation d'origine. Ils se sont fixé de nombreuses contraintes et n'ont pas ménagé les investissements sur leurs exploitations. L'appellation, fondée sur un cahier des charges strict, ne vise pas les volumes, mais un vin haut de gamme. La région viticole est située au carrefour des Cévennes, du Languedoc et de la Provence, sur la rive droite du Rhône, et elle livre des vins rouges généreux, épicés et réglissés, surtout marqués par la syrah et le grenache, des rosés puissants et aromatiques, marqués par le grenache, ainsi que des blancs intenses, aux arômes de pêche et d'abricot, issus de grenache blanc et de viognier.

DOM. DE L'AQUEDUC Le Grand Chêne 2018

□ | 7200 | | 8 à 11 €

Ce domaine gardois a porté pendant dix ans sa vendange à la coopérative voisine avant d'aménager, en 2004, un chai de vinification. Son vignoble de 33 ha lui permet de proposer une large gamme de vins en AOC (duché-d'uzès) et en IGP, dans les trois couleurs.

Le viognier est épaulé par le grenache blanc et une touche de roussanne (élevée en fûts) dans ce blanc accompli dont on apprécie la robe d'un jaune soutenu et le nez flagrant et nuancé, entre pêche, agrumes, fleurs blanches et litchi. Après une attaque tout en douceur, le palais déploie sa rondeur et sa sucrosité légère soulignées par une belle acidité qui aiguise le fruit et tonifie l'ensemble. Charmeur et bien équilibré. ⧗ 2019-2021

EARL DOM. DE L'AQUEDUC, chem. du Mas-de-France, 30700 Saint-Maximin, tél. 04 66 37 41 84, domaineaqueduc@orange.fr V ⚐ ⚐ *t.l.j. 9h-12h 14h-19h* ❷

BOURDIC Racine 2018 ★★

■ | 30000 | | - de 5 €

Créée en 1928 grâce à la volonté d'une poignée de viticulteurs, la cave coopérative Les Collines du Bourdic, dans le Gard, compte aujourd'hui une centaine d'adhérents qui cultivent 1 700 ha. À sa carte, du duché-d'uzès (AOC) et des vins en IGP.

Ce rosé issu d'une sélection parcellaire de grenache (60 %) et de syrah fait forte impression. La robe est élégante, pâle comme attendue. Le nez, intense et complexe, associe les fruits rouges, la pêche, les agrumes et le bonbon anglais. En bouche, l'équilibre est impeccable: du gras, de la fraîcheur et beaucoup d'intensité. ⧗ 2019-2020 ■ **Famille Montescaud 2018 (- de 5 €; 20000 b.)** : vin cité.

SCA LES COLLINES DU BOURDIC, chem. de Saint-Chaptes, 30190 Bourdic, tél. 04 66 81 20 82, contact@bourdic.fr V ⚐ ⚐ *t.l.j. sf dim. 9h-12h30 14h-18h*

VIGNOBLE CHABRIER 2018 ★

□ | 46000 | | 5 à 8 €

Constitué en 1925 par Louis Chabrier, ce domaine a été repris en 1988 par les petits-fils du fondateur, Christophe et Patrick, qui ont créé la même année leur cave particulière. La propriété compte aujourd'hui 65 ha de vignes éparpillées en une mosaïque de terroirs. À sa carte, du duché-d'uzès et des IGP.

Le viognier (60 %) en version fraîche et tonique, cela donne ce blanc brillant ourlé de vert, au nez intense déclinant les agrumes que l'on retrouve dans une bouche éclatante de fruit (pamplemousse et kumquat), portée par une belle acidité et une matière légère. Un viognier d'été en somme. ⧗ 2019-2020 ■ **La Garrigue d'Aureillac 2017 ★ (8 à 11 €; 25000 b.)** : le nez intense développe de franches notes de cerise confite sur fond de garrigue, de musc avec une note de moka qui signe un élevage mesuré en fûts. La bouche ample et ronde est bâtie sur des tanins encore fermes et sur une belle acidité qui donne tenue et relief au fruit, prolongé par une finale réglissée et torréfiée. Complet et paré pour bien vieillir. ⧗ 2020-2025

SCEA DOM. CHABRIER FILS, chem. du Grès, 30190 Bourdic, tél. 04 66 81 24 24, contact@chabrier.fr V ⚐ ⚐ *t.l.j. sf dim. 9h-12h 14h30-18h30*

MATHILDE CHAPOUTIER Sélection 2018 ★

■ | 4500 | 🍷 | 8 à 11 €

Directrice commerciale du groupe Chapoutier, la fille de Michel Chapoutier a créé en 2014 sa propre maison de négoce, qui sélectionne des vins du Sud, de Bordeaux et d'Espagne. Ancienne championne de tir, spécialiste de management international, la jeune femme, qui maîtrise entre autres langues le mandarin, a certainement l'ambition de porter loin la renommée des vins sudistes.

Grenache noir et cinsault sont associés dans ce rosé d'une agréable pâleur. Au nez, la pêche et les agrumes s'imposent. En bouche, le vin se révèle complexe (citron, guimauve, fruits à chair blanche), long et délicat. ⌛ 2019-2020

MATHILDE CHAPOUTIER, 18, av. du Dr-Paul-Durand, 26600 Tain-l'Hermitage, tél. 04 75 08 28 65, chapoutier@chapoutier.com t.l.j. 9h-13h 14h-19h

MAS DES VOLQUES Volcae 2017 ★

■ | 9000 | 🛢🍷 | 11 à 15 €

Dans cette propriété familiale se sont succédé quatre générations de viticulteurs coopérateurs. En 2010, avec l'aide et les conseils de l'œnologue Philippe Cambie, Nicolas Souchon a créé ce vignoble (12 ha aujourd'hui). Le domaine doit son nom aux vestiges d'un petit village de la peuplade celte des Volques Arécomiques, découverts sur les lieux.

Après douze mois de fût, cette cuvée sombre offre, après aération, ses effluves méridionales de kirsh, de réglisse et d'épices. Pleine de charme et de chair, adossée à des tanins bien travaillés, la bouche monte doucement en puissance, libérant progressivement ses notes de fruits confits, de porto et d'épices. Un vin sur la réserve mais qui va crescendo et aura tout à gagner d'un passage en carafe (et en cave). ⌛ 2021-2027

NICOLAS SOUCHON, Le Colombier, 30350 Aigremont, tél. 06 87 28 98 95, contact@masdesvolques.fr V r.-v.

DOM. REBOUL DES SAINT-PIERRE
Lou Pastre 2018 ★

■ | 12000 | 🍷 | - de 5 €

Si les Reboul possèdent cette propriété depuis 1988, le domaine viticole a été officiellement créé en 2006, sur 40 ha de vignes, dont une partie en AOP et le reste en IGP. Le logo du domaine représente deux moutons se nourrissant d'une souche en clin d'œil à l'histoire de la propriété qui possédait initialement un troupeau de moutons.

Un assemblage classique (syrah, grenache) pour ce bon rouge dont l'ambition est de donner à croquer du fruit et encore du fruit. Le nez embaume la griotte et le cassis. La bouche y ajoute un trait de Zan, de la fraîcheur, une rondeur agréable et un soupçon de gaz carbonique qui titille un peu plus le palais. Franc, fruité et croquant. ⌛ 2019-2020 ■ **Lou Pastre 2018 ★ (- de 5 €; 10400 b.)** : assemblage classique et quasi paritaire de grenache et de syrah, ce rosé pâle évoque les agrumes à l'olfaction. En bouche, il se montre bien équilibré, frais et persistant sur le fruit (citron, pêche blanche). ⌛ 2019-2020

DOM. REBOUL DE SAINT-PIERRE, hameau de Vic, CD_18, 30190 Sainte-Anastasie, tél. 06 17 22 40 45, reboul.jeanmarie@sfr.fr V t.l.j. sf dim. lun. 15h-19h

DOM. SAINT-FIRMIN Les Deux Frères 2017 ★★

■ | 19000 | 🍷 | 5 à 8 €

Un domaine familial de 45 ha situé au cœur de la cité ducale d'Uzès, créé en 1925 et conduit depuis 1990 par les frères Robert et Didier Blanc.

Garrigue, crème de cassis, cannelle et cuir, la syrah (90 %) imprime sa marque au nez. Charnu, séveux, frais, adossé à des tanins musclés mais intégrés, le palais s'enrichit de fruits compotés et de violette et se teinte de notes animales en finale. Un rouge complet, long, harmonieux, riche, typé et savoureux qui aura fait le bonheur du jury. ⌛ 2019-2022

EARL DOM. SAINT-FIRMIN, Dom. Saint-Firmin, 30700 Uzès, tél. 06 09 72 37 57, domstfirmin@gmail.com V t.l.j. sf dim. 9h-19h

LA TOUR DE GÂTIGNE 2017 ★

■ | 8500 | 🍷 | 5 à 8 €

En 1212, les Templiers élèvent une commanderie à Saint-Chaptes, sur les terres alluviales de la rive nord du Gardon. Huit cents ans après, le donjon des Templiers domine toujours les bâtiments du domaine. L'exploitation, dans la famille des actuels propriétaires depuis 1835, compte aujourd'hui 85 ha de vignes (en conversion bio), en AOC duché-d'uzès et en IGP. Jean-Michel Guibal en a pris les rênes en 1980.

Réglisse, jasmin, épices, fruits confits, fleurs d'orangers, le nez enchante. La bouche ne déçoit pas: ample, ronde, soutenue par des tanins fins et une jolie acidité qui donnent encore un peu d'éclat à un fruit gorgé d'épices. Un rouge qui aura emballé et transporté le jury... en Orient. ⌛ 2019-2022

EARL DE LA TOUR DE GÂTIGNE, rte de la Tour, D_18, 30190 Saint-Chaptes, tél. 04 66 81 26 80, domainedelatour@sfr.fr V t.l.j. sf dim. 9h-12h 14h-18h; sam. 9h-12h

VENTOUX

Superficie : 6 235 ha
Production : 226 300 hl (96 % rouge et rosé)

À la base du massif calcaire du Ventoux – le Géant du Vaucluse (1 912 m) –, des sédiments tertiaires portent ce vignoble qui s'étend sur 51 communes entre Vaison-la-Romaine au nord et Apt au sud. Le climat, plus froid que celui des côtes-du-rhône, entraîne une maturité plus tardive. Les vins rouges sont frais et élégants dans leur jeunesse; ils sont davantage charpentés dans les communes situées le plus à l'ouest (Caromb, Bédoin, Mormoiron). L'AOC produit de plus en plus des rosés à boire jeunes ainsi que des blancs.

B DOM. ALLOÏS Terre d'Aïlleuls 2017 ★★

■ | 6000 | 🛢 | 15 à 20 €

Après plusieurs expériences dans diverses régions viticoles de France et plus particulièrement en Bourgogne, François Busi a repris en 2008 le domaine familial: 6 ha à son arrivée, 30 ha aujourd'hui, conduits en agriculture biologique.

La syrah épaulée par un peu de grenache a façonné ce vin à la robe sombre et au nez juteux sur le cassis avec des nuances complexes de truffe, d'herbes de Provence, de suie et de réglisse. Adossée à des tanins fondus, la bouche associe richesse et fraîcheur et restitue toute la gamme aromatique perçue au nez. Équilibré, pulpeux, épanoui et long, ce vin aura enthousiasmé le jury. ⧗ 2020-2025 ■ **Infiniment 2018 ★ (8 à 11 €; 10000 b.)** Ⓑ : grenache blanc, roussanne et vermentino sont à l'origine de ce blanc moderne, très pimpant au nez avec ses flagrances de bonbon et de fruit blanc. Dotée d'une matière subtile et aérienne, la bouche charme par sa grande fraîcheur et ses notes tonifiantes d'agrumes, de fruit de la Passion avec une touche fumée pour conclure. ⧗ 2019-2020

FRANÇOIS BUSI, Le Boisset, 84750 Caseneuve, tél. 04 90 74 41 16, domaineallois@hotmail.fr V t.l.j. sf dim. 10h-12h30 14h30-18h30 Ⓓ

DOM. DES ANGES Archange 2017 ★

■	4500		11 à 15 €

Gabriel McGuinness, Irlandais de Kilkenny, a acquis en 1986 ce vignoble aux sols variés, situé en haut d'une colline sous la protection d'une chapelle qui donne son nom au domaine. Le domaine compte 16 ha aujourd'hui.

90 % de syrah dans ce rouge qui a fait l'objet d'un élevage associant fût et amphore. Le nez passe en revue les fleurs, les fruits noirs (mûres), le pruneau et une touche de chêne. La bouche enchante par son grain fin et soyeux, sa puissance contenue et son nuancier qui se dévoile progressivement, entre cerise noire et Zan. Du raffinement et du plaisir. ⧗ 2020-2024

SCA DOM. DES ANGES, 2342, chem. Notre-Dame-des-Anges, 84570 Mormoiron, tél. 04 90 61 88 78, contact@domainedesanges.com V t.l.j. 9h-12h 13h-17h; sam. dim. sur r.-v. Ⓔ

AURETO Maestrale 2017 ★

■	16400		15 à 20 €

Ce domaine de 36 ha créé en 2007 est rattaché au complexe hôtelier de luxe *La Coquillade*, établi au cœur du parc du Luberon, propriété des Wunderli. La vinification est confiée à l'œnologue Aurélie Julien.

Syrah et grenache en duo dans ce rouge très agréable qui soigne la maturité du fruit: nez bien ouvert sur les fruits noirs et les épices douces. L'attaque tout en souplesse ouvre sur un milieu de bouche soyeux, soutenu par des tanins lissés, qui diffuse jusqu'en finale des notes bien juteuses de cassis frais. Harmonieux et séducteur. ⧗ 2019-2022

SARL AURETO, Hameau La Coquillade, 84400 Gargas, tél. 04 90 74 54 67, info@aureto.fr V t.l.j. 10h-19h SARL Aureto

DOM. AYMARD 2018 ★★

■	12000		5 à 8 €

Autrefois dédié à la polyculture (tomates, melons, fraises, cerises), ce domaine a été créé en 1979 par Denis Aymard et ses deux fils, Michel et Jean-Marie, qui ont construit une cave. Aujourd'hui, le vignoble couvre 30 ha et seul demeure 1 ha de cerisiers. Jean-Marie Aymard a confié les vinifications à sa fille Anne-Laure en 2012.

Régulièrement en vue, le domaine récidive avec ce beau blanc, assemblage de quatre cépages. Avec ses notes de bonbon, d'agrume et de poire, le nez ne manque pas de séduction. Le même charme opère dans une bouche éclatante de fruit, sapide, nerveuse, d'un équilibre idéal entre rondeur et fraîcheur. Du grand art. ⧗ 2019-2021 ■ **Cuvée Les Galères 2017 ★ (5 à 8 €; 15000 b.)** : le grenache dominant impose sa couleur rubis et ses arômes classiquement portés sur les fruits rouges et le pruneau. La matière est ample, ronde, d'une belle constance jusqu'en finale, la palette aromatique charmeuse (crème de cassis), la fin de bouche longue et intensément parfumée. Irréprochable, facile à aimer, à boire ou à garder. ⧗ 2020-2024 ■ **2018 (5 à 8 €; 20000 b.)** : vin cité.

SCEA AYMARD, 1238, chem. de Beaumes-à-Mazan, hameau de Serres, 84200 Carpentras, tél. 04 90 60 06 35, domaine.aymard@hotmail.fr V r.-v. Ⓒ

DOM. DE LA BASTIDONNE 2018 ★

■	8000		5 à 8 €

Installé en 1990, Gérard Marreau, œnologue, représente la quatrième génération à conduire ce domaine familial de 40 ha fondé en 1903, souvent en vue pour ses ventoux et ses IGP.

Issu de grenache noir (60 %) et de syrah, ce rosé fait belle impression dans sa robe limpide et brillante. Au nez, on trouve des arômes d'abricot, de fruits exotiques, de rose et de réglisse. La bouche, à l'unisson du bouquet, offre de l'élégance et beaucoup de fraîcheur. ⧗ 2019-2020

SCEA DOM. DE LA BASTIDONNE, 206, chem. de la Bastidonne, 84220 Cabrières-d'Avignon, tél. 04 90 76 70 00, domaine.bastidonne@orange.fr V t.l.j. sf dim. 9h-12h 14h-18h Ⓔ

CAVE DE BONNIEUX Orphéa 2018 ★

■	8500		5 à 8 €

Créée en 1920, la cave de Bonnieux est la doyenne des coopératives du Vaucluse. Aujourd'hui, elle exploite quelque 550 ha de vignes au cœur du parc du Luberon, dont 70 % dans les appellations ventoux et luberon.

Une dominante de syrah (65 %) aux côtés du grenache dans ce rosé d'une belle brillance, floral, exotique et fruité au nez, frais et persistant en bouche. ⧗ 2019-2020 ■ **Terres rouges 2017 (5 à 8 €; 12540 b.)** : vin cité.

SCA CAVE DE BONNIEUX, quartier de la Gare, 84480 Bonnieux, tél. 04 90 75 80 03, caveau@cavedebonnieux.com V t.l.j. sf dim. 9h-12h30 14h-18h30

Ⓑ **DOM. LA CAMARETTE** Armonia 2018 ★

■	20000		8 à 11 €

La troisième génération des Gontier est désormais aux commandes de cette exploitation familiale née en 1960 à partir d'une pépinière viticole: Nancy depuis 2004 et sa sœur Alexandra depuis 2011. Après l'œnotourisme (gîte, chambres d'hôtes, restaurant), elles se sont attelées à la conversion bio de leurs 45 ha de vignes (certification avec le millésime 2014).

Le nez séduit d'emblée avec ses notes fraîches de bourgeon de cassis et de violette. Parfumée, ronde, juteuse, dotée d'une matière bien pleine, la bouche est au diapason et procure une sensation singulière de fraîcheur et de gourmandise. Un rouge sapide, coulant et très facile d'accès. ⌛ 2019-2021 ■ **Armonia 2018 (8 à 11 €; 12000 b.)** Ⓑ : vin cité.

⊶ *SCEA LA CAMARETTE, 439, chem. des Brunettes, 84210 Pernes-les-Fontaines, tél. 04 90 61 60 78, contact@domaine-camarette.com* V *t.l.j. sf dim. 9h-12h 14h-18h* ④ Ⓔ

DOM. CHAMP-LONG Les Essareaux 2017 ★★

■ | 6000 | | 8 à 11 €

Une propriété dans la même famille depuis le début du XIXᵉs. En 1964, Maurice Gély crée la cave de vinification; en 1994, son fils Christian la rénove; en 2004, son petit-fils Jean-Christophe rejoint le domaine, qui s'étend sur 30 ha au pied du mont Ventoux.

La robe sombre et le nez qui hésite entre les fruits noirs et le chêne signent la présence d'une syrah (90 %) élevée en fût. Bien mûre et concentrée, elle déploie en bouche une belle structure autour de tanins enrobés et décline une large palette aromatique, florale, fruitée (cassis, fruits rouges) et épicée avec les nuances subtilement grillées du chêne. Un élevage maîtrisé qui se met au service d'un vin qui brille par son harmonie et son raffinement. De belle garde assurément. ⌛ 2021-2028 ■ **Vieilles Vignes 2017 ★★ (15 à 20 €; 2500 b.)** : tout aussi aboutie, cette cuvée met à l'honneur les plus vieilles vignes de syrah (70 ans) du domaine avec un long élevage de dix-huit mois en barrique. Très dense, la robe introduit un nez profond et puissant mêlant les fruits noirs, la garrigue et les épices. La concentration du vin se manifeste par sa chair dense, riche, capiteuse, gorgée de baies noires et de réglisse, cadrée par des tanins nobles arrondis par l'élevage. Une cuvée qui sait conjuguer puissance et élégance. ⌛ 2020-2028

⊶ *EARL DOM. DE CHAMP-LONG, 1900, chem. de Champ-Long, 84340 Entrechaux, tél. 04 90 46 01 58, domaine@champlong.fr* V *t.l.j. sf dim. 9h-12h 14h-18h*

Ⓑ DOM. CHILDÉRIC Bras dessus Bras dessous 2017 ★

■ | 1000 | | 15 à 20 €

À 55 ans Étienne et Isabelle Childéric ont réalisé leur rêve: se rapprocher de la nature et devenir vignerons. En 2016, ils ont posé leurs valises à Mormoiron, à 300 m d'altitude au pied du Ventoux sud où tout était à créer, chai, matériel et clientèle. Le vignoble d'un peu moins de 5 ha est cultivé en bio avec des pratiques inspirées de la biodynamie.

Une première étoile pour ce tout jeune domaine avec cette cuvée dont le nom est une invitation «à la fête et à l'amitié». Fruits noirs, poivre et notes boisées subtiles: le nez est en tout cas une invitation au plaisir. Ce que confirme la bouche, ronde, ample, ouverte sur les épices et la vanille, dotée de tanins fins et relevée par une finale fraîche qui s'étire sur la réglisse. Un peu plus marqué en bouche, le chêne ne tardera pas à se fondre. ⌛ 2020-2024

⊶ *ÉTIENNE CHILDÉRIC, 6_B, chem. des Basses-Briguières, 84570 Mormoiron, tél. 06 88 17 42 76, etienne.childeric@icloud.com* V *r.-v.* Ⓔ

CLOS DE GARAUD Kromb 2018 ★

■ | 11000 | | 5 à 8 €

Niché à Caromb, entre le Mont Ventoux et les Dentelles de Montmirail, le Clos de Garaud a été créé en 2014 par Jérémy Sagnier, issu d'une lignée enracinée dans cette région depuis 1560. Le domaine produit à la fois des ventoux et des vins en IGP sur une superficie de 20 ha.

Clin d'œil au village de Caromb, cette cuvée assemble la syrah majoritaire aux grenache et carignan. Le nez intense fait la part belle à la réglisse et aux fruits à coque. En bouche, on découvre un ventoux élégant qui charme par sa rondeur fraîche, ses tanins fins et sa finale entre fruits noirs, Zan et moka. Souple et gourmand. ⌛ 2019-2021

⊶ *SAS DOM. CLOS DE GARAUD, 974, chem. de Serres, 84330 Caromb, tél. 06 14 63 25 76, closdegaraud@gmail.com* V *t.l.j. sf dim. 9h-12h 15h-19h*

CLOS FAYARD 2018 ★★★

■ | 7000 | | 5 à 8 €

Après ses études d'œnologie, Daniel Favetier revient en 1992 avec son épouse, sur ses terres familiales, sort de la coopérative et crée sa propre cave. Aujourd'hui, il vinifie le fruit de 20 ha.

Des reflets violines de jeunesse égayent la robe rubis de ce rouge dont le nez frais et floral enchante par sa pureté. La même élégance s'impose dans une bouche qui brille par sa souplesse, ses tanins finement extraits, sa texture soyeuse et la fraîcheur immaculée de son fruit. De la grâce, de la légèreté et beaucoup de plaisir. «Super bon», s'exclame un dégustateur! Tout est dit. ⌛ 2019-2021

⊶ *EARL DOM. LOU MAGNAN, 283, rte de Modène, 84330 Caromb, tél. 04 90 62 34 78, loumagnan@wanadoo.fr* V *r.-v.* ②

DOM. LA COLINIÈRE 2018

■ | 15000 | | - de 5 €

L'œnologue Sylvain Jean élabore les cuvées de la maison de négoce Louis Bernard créée en 1976 à Gigondas, qui accompagne à la vigne et au chai une vingtaine de vignerons partenaires. Dans le giron du groupe Gabriel Meffre.

Grenache et syrah sont associés dans ce rouge rubis au nez franc de fruits mûrs et d'épices. La bouche, en harmonie avec le bouquet, apparaît intense, puissante, fraîche, fermement structurée autour de tanins serrés et prometteurs. Un vin de caractère qui gagnera à être laissé en cave. ⌛ 2021-2026

⊶ *GMDF (MAISON LOUIS BERNARD), 2, rte des Princes-d'Orange, Le Village, 84190 Gigondas, tél. 04 90 12 32 43, louis-bernard@gmdf.fr*

LA COURTOISE Vallis Clausa 2017

■ | 10000 | | 5 à 8 €

La Cave La Courtoise a été fondée le 7 décembre 1924, à l'initiative de sept viticulteurs dont les adhérents actuels rappellent le nom: l'esprit de la coopération, aventure humaine. La cave regroupe les vignerons de Saint-Didier, Malemort, Venasque et Pernes-les-Fontaines, au sud du mont Ventoux.

Un grenache (90 %) vinifié en grappes entières, cela donne ce rouge grenat très parfumé qui fleure bon les fruits rouges confiturés. La réglisse et les épices s'invitent à leur tour dans une bouche puissante, maîtrisée, dotée de tanins fermes qui donnent relief et croquant à l'ensemble. Une puissance et une générosité qui invitent à laisser ce flacon reposer un peu en cave. ⧗ 2020-2024

SCA LA COURTOISE, 976, rte de la Courtoise, 84210 Saint-Didier, tél. 04 90 66 01 15, cave.la.courtoise@wanadoo.fr V r.-v.

DOM. LE COUSTALAS Prémices 2017 ★

■	3300		8 à 11 €

Établi depuis cinq générations sur les contreforts du Ventoux, le Dom. de Coustalas (« les grands coteaux » en occitan), conduit par les frères Jérémy et Jonathan Casado, se consacre à ses trois cultures principales, les oliviers, les truffes et la vigne. 2017 aura vu naître les premières cuvées signées par le domaine.

Premiers fruits de la terre et première cuvée mis en bouteille par le domaine, ces Prémices auront convaincu les dégustateurs. Une robe profonde, un nez intense et chaleureux, entre fruits rouges et épices, une bouche parfumée, pleine de mâche et épaulée par des tanins fermes : un rouge puissant, à fort caractère, qui doit se fondre en cave. ⧗ 2020-2025

SCEA DOM. LE COUSTALAS, 472, chem. du Coustalas, 84330 Saint-Pierre-de-Vassols, domainelecoustalas@gmail.com V r.-v.

CH. LA CROIX DES PINS Les 3 Villages 2018 ★★

□	10000		8 à 11 €

La chapelle intérieure et la pergola de cette bastide de style toscan rappellent qu'au XVIe s. le domaine appartenait à un prélat italien. En 2009, Jean-Pierre Valade, consultant international en œnologie, et Éric Petitjean ont repris l'exploitation et ses 37 ha de vignes conduits en bio (beaumes-de-venise, ventoux et gigondas).

Abonné au Guide, le domaine se signale, entre autre, par ce beau blanc élevé en cuve qui assemble à parts égales quatre cépages. Le nez très pur décline la pêche blanche et les agrumes, avec finesse et sans outrance. La même aromatique caractérise une bouche élégante, finement ciselée par une très belle acidité qui accompagne longuement le fruit. La finale saline apporte un supplément d'âme à ce blanc aérien et subtil. ⧗ 2019-2020 ■ **Les 3 Villages 2017 ★ (8 à 11 €; 25000 b.)** : des parcelles réparties sur trois communes ont donné naissance à ce ventoux fringant, au nez certes réservé mais à la bouche vivante, dotée de tanins croquants et d'arômes stimulants de petits fruits rouges et noirs. La finale mentholée renforce un peu plus la sensation de fraîcheur qui émane de ce rouge friand, à boire sur le fruit. ⧗ 2019-2022 ■ **Les 3 Villages 2018 ★ (5 à 8 €; 15000 b.)** : autour du grenache (40 %), on trouve ici de la syrah, du vermentino et du marselan. La robe est pâle et saumonée, le nez floral et fruité (cerise), la bouche suave et gourmande, avec une pointe d'acidité qui va bien en soutien. ⧗ 2019-2020

LATITUDE 44, Ch. la Croix des Pins, 902, chem. de la Combe, 84380 Mazan, tél. 04 90 66 37 48, contact@lacroixdespins.fr V t.l.j. sf dim. 9h-12h 14h-19h

DEMAZET Les 2 Bastides 2018 ★

■	44550		5 à 8 €

Une structure née en 2006 de la fusion des coopératives Canteperdrix et Terres d'Avignon. L'ensemble, d'envergure, regroupe quelque 1 400 ha de vignes entre Avignon et les pieds du mont Ventoux.

Construit sur le grenache avec la syrah et le carignan en appoint, ce vin bio dévoile un nez méridional de fruits rouges très mûrs que l'on retrouve dans une bouche assez tonique, plus fraîche que prévue dont les tanins encore mordants s'assoupliront rapidement. Bien fait et complet. ⧗ 2020-2024 ■ **Demazet Vignobles Mas des Tourterelles 2018 ★ (5 à 8 €; 23250 b.)** : syrah et grenache sont à l'honneur dans cette cuvée qui charme d'emblée avec son nez aussi intense que frais. La même sensation de fraîcheur s'impose dans une bouche friande, charnue, bien épaulée par des tanins serrés, aux francs arômes de fruits rouges bien mûrs qui se prolongent dans une finale tonique. ⧗ 2020-2023 ■ **Un été dans le Sud 2018 (5 à 8 €; 54750 b.)** : vin cité.

DEMAZET VIGNOBLES, 457, av. Aristide-Briand, 84310 Morières-lès-Avignon, tél. 04 90 22 65 64, vignobles@demazet.com V *t.l.j. 9h-12h30 14h30-18h30*

DOM. DE FENOUILLET Oversant 2018

■	19900		5 à 8 €

Vigneronne depuis le début du XXe s., la famille Soard est établie à Beaumes-de-Venise et exploite un vignoble de 30 ha en muscat, en ventoux et en IGP. En 1989, Patrick et Vincent ont pris la suite de leur père Yvon; ils ont renoué avec la vinification à la propriété et converti le domaine à l'agriculture biologique (certification en 2012).

Grenache, syrah et carignan composent un vin au nez discret, aux fines senteurs réglissées. Ronde, appuyée sur des tanins souples, la bouche se montre plus généreuse, libérant jusqu'en finale de belles notes de fruits mûrs et d'épices douces. ⧗ 2019-2021

EARL PATRICK ET VINCENT SOARD, 123, allée Saint-Roch, 84190 Beaumes-de-Venise, tél. 04 90 62 95 61, contact@domaine-fenouillet.fr V *t.l.j. sf dim. 9h-12h 14h-19h*

♥ DOM. DE FONDRÈCHE 2017 ★★

■	50000		8 à 11 €

Nanou Barthélemy et son fils Sébastien Vincenti ont acquis cette propriété en 1995, construit puis régulièrement perfectionné la cave, et recomposé le vignoble – 40 ha conduits en bio et biodynamie (sans certification) – faisant ainsi de Fondrèche l'une des références de l'AOC ventoux.

Vigneron talentueux, soignant la maturité tout autant que la fraîcheur de ses raisins, Sébastien Vincenti nous régale d'un rouge de grande classe, déjà coup de cœur dans le millésime 2013. Il ne faut pas se fier à la discrétion du nez, qui mérite une longue aération, la bouche est bien plus volubile. Pleine de jeunesse et de promesses, elle affiche une vigueur remarquable: tanins crayeux, grande fraîcheur, texture noble et concentrée, puissance des arômes encore sous le joug de l'élevage. Bref, tout est en place pour donner de belles émotions dans une paire d'années. ⧗ 2021-2025

SARL BARTHÉLEMY-VINCENTI, Dom. de Fondrèche, 2589, La Venue-de-Saint-Pierre-de-Vassols, 84380 Mazan, tél. 04 90 69 61 42, contact@fondreche.com V *t.l.j. sf sam. dim. 8h-12h 14h-18h*

DOM. DE FONT-SANE Vieilles Vignes 2018 ★

■	12000		8 à 11 €

Véronique Cunty s'est installée en 1986 à la tête de ce domaine de 16 ha. Elle œuvre à la vinification, tandis que son mari Bernard s'occupe des vignes et son fils Romain de la partie commerciale.

Beaucoup de garrigue et de fraîcheur, peut-être descendue du Ventoux, à l'entame de ce rouge séduisant issu de vieilles vignes de soixante ans. C'est pourtant la fraîcheur plus que la concentration qui l'emporte au palais; un palais tendre, rond, presque léger, prolongé par une finale délicatement fumée. Un très joli vin qui soigne l'équilibre plus que la puissance. ⧗ 2019-2022

EARL DOM. DE FONT-SANE, 446, chem. du Grame, 84190 Gigondas, tél. 04 90 65 86 36, domaine@font-sane.com V *t.l.j. sf dim. 9h-12h 14h-18h*

Ⓑ DOM. GOUREDON 2017

■	71000		5 à 8 €

La famille Arnoux reçut en 1717 du seigneur de Lauris une parcelle de vignes. Aujourd'hui, elle exploite 40 ha en vacqueyras, sous la conduite de Jean-François et Marc, tout en menant une activité de négociant dans plusieurs autres AOC rhodaniennes.

Au nez, passé une note animale, ce ventoux livre des arômes de fruits noirs mûrs et de réglisse. La bouche offre de la fraîcheur et du fruit en attaque, puis se raffermit en finale. ⧗ 2020-2023

SA ARNOUX ET FILS, Cave du Vieux Clocher, 238, montée de Bellevue, 84190 Vacqueyras, tél. 04 90 65 84 18, info@arnoux-vins.com V *t.l.j. sf dim. 9h30-12h30 14h-19h* Ⓓ

CH. GRAND SAINT-JULIEN 2018 ★★

■	4000		8 à 11 €

Les Romains cultivaient déjà la vigne ici. Établi à l'emplacement d'une villa gallo-romaine, le domaine recèle aussi les ruines du prieuré du XIIes. qui lui donne son nom. La bastide qui commande l'ensemble revêt la couleur caractéristique des falaises d'ocre de Rustrel, le Colorado provençal. Le vignoble s'étend sur quelque 40 ha.

La syrah (95 %) a trouvé sur les coteaux calcaires et le pied de pente des Monts de Vaucluse un terroir à sa mesure sur la foi de cette cuvée au nez expressif et éclatant, fin, floral et fruité (myrtilles). Habilement vinifiée, la bouche associe une matière tendre, très fine de texture, à des tanins déliés qui accompagnent et soutiennent un fruit qui conserve toute la pureté perçue au nez. Une classe folle. ⧗ 2019-2022

BERTRAND REYNAUD, Le Grand-Saint-Julien, 84400 Rustrel, tél. 06 81 70 68 93, bbreynaud@orange.fr V *r.-v.; f. en fév.* Ⓔ

DOM. LES HAUTES BRIGUIÈRES Rosé d'une nuit 2018 ★

■	16000		5 à 8 €

Sa famille cultive la vigne depuis 160 ans; François-Xavier Rimbert s'est installé en 1998 sur le domaine familial, 28 ha de vignes en terrasses à 350 m d'altitude, au pied du Ventoux.

Né de mourvèdre, de cinsault, de syrah et d'une touche de clairette, ce rosé pâle et saumoné évoque l'abricot, la mangue et la pierre à fusil. La bouche offre une belle tension et de la longueur. ⧗ 2019-2020

EARL LES HAUTES BRIGUIÈRES, 89, chem. de Canebier, 84570 Mormoiron, tél. 06 13 24 27 18, fxrimbert@orange.fr V *t.l.j. 9h-19h; hiver 9h-17h30* Ⓒ

Ⓑ DOM. DES HAUTS TRAVERSIERS L'Espuol 2018 ★

□	4000		8 à 11 €

Créé en 1994 par Didier Morel, ce domaine familial est géré par son fils Florian depuis 2013. Soucieux de l'environnement et par respect du terroir, le vignoble de 15 ha est aujourd'hui conduit en agriculture biologique.

Le bref passage en fût de la roussanne et du viognier (associés à un peu de grenache blanc) a suffi pour marquer le nez de douces nuances de pain grillé sur fond de fleurs blanches. Plus discrètes en bouche, ces notes se fondent dans une matière ample et généreuse allégée par une fraîcheur dynamisante qui confère à ce blanc un équilibre réjouissant. ⧗ 2019-2021

EARL MOREL, 2335, chem. des Traversiers, 84210 Pernes-les-Fontaines, tél. 06 50 99 70 60, contact@hauts-traversiers.com V *r.-v.* Ⓔ

Ⓑ CH. JUVENAL Les Ribes du Vallat 2017 ★★

■	55000		8 à 11 €

Établi sur le piémont sud du Graveyron, ce domaine certifié bio est depuis 2001 propriété de la famille Forestier, qui s'est associée en 2011 avec Sébastien Alban dont les terres jouxtent celles du château.

Des parcelles en coteaux (les « ribes » en provençal) bordant le fossé (le « vallat ») qui traverse le domaine ont livré ce remarquable rouge qui tire du grenache son nez épanoui, d'une franchise de fruit stimulante. La bouche restitue toute la rondeur et la souplesse du cépage et y ajoute une fraîcheur dynamisante. À l'arrivée, une irrésistible envie d'y revenir. ⧗ 2019-2022 ■ **La Terre du petit homme 2017 ★★ (11 à 15 €; 30000 b.)** Ⓑ : des vignes de 40 ans vendangées à pleine maturité ont forgé le caractère épanoui de ce rouge qui a déjà digéré ses douze mois d'élevage en barrique. Le chêne diffuse de subtiles notes vanillées qui soutiennent sans trahir le fruit (cerise, fruits rouges) et enrobe une bouche

RHÔNE

intense, dont la puissance contenue et la fraîcheur sont autant de belles promesses pour l'avenir. ⧗ 2020-2025

SCEA LE GRAVEYRON, 1080, rte de Caromb, 84330 Saint-Hippolyte-le-Graveyron, tél. 04 90 28 12 57, graveyron@gmail.com V ✝ ▪ *t.l.j. 10h-12h 14h-18h* ⌂ 5

CAVE DE LUMIÈRES Aubépine 2018 ★

■	30000	▮	5 à 8 €

Connu pour ses verreries au XIVᵉs. et pour ses faïenceries au XVIIIᵉs., le village de Goult abrite la Cave de Lumières, fondée en 1925. Étant située à la limite du Luberon et du Ventoux, la coopérative produit des vins dans les deux appellations, sur une surface totale de 511 ha.

Une robe cristalline, à peine teintée, habille ce vin dont on retient le nez intense, mêlant les fleurs blanches, le bonbon et les fruits exotiques, et la bouche ample, sans mollesse, parfumée, et qui assume joliment ses rondeurs. Bien typé et parfaitement équilibré. ⧗ 2019-2020

CA LA CAVE DE LUMIÈRES, 19, rte de Joucas, 84220 Goult, tél. 04 90 72 20 04, info@cavedelumieres.com V ▪ *t.l.j. sf dim. 9h-12h 14h-18h*

B MARTINELLE 2017 ★

■	28000	▮	11 à 15 €

Après des études en hôtellerie, Corinna Faravel se tourne vers le vin et s'installe en 2002 sur ce domaine étendu aujourd'hui sur 12,5 ha cultivés aujourd'hui en bio. En 2004, elle signe son premier millésime en ventoux et quatre ans plus tard son premier beaumes-de-venise.

Infusé plus qu'extrait, ni collé, ni filtré, ce vin, peu disert au nez, s'ouvre en bouche sur la guimauve et le fruit frais, avec un petit air de primeur. Concentrée, fraîche et sapide mais serrée en finale par des tanins fermes, la cuvée semble armée pour donner de belles émotions. À mettre en cave ou à carafer. ⧗ 2020-2024

SCEA LA MARTINELLE, La Font-Valet, 84190 Lafare, tél. 04 90 65 05 56, info@martinelle.com V ✝ ▪ *r.-v.*

B MAS ONCLE ERNEST Instant présent 2018 ★

■	15000	▮	8 à 11 €

Une exploitation familiale créée par Camille, l'arrière-grand-père d'Alexandre Roux, et par Ernest, son arrière-grand-oncle, «un personnage au fort caractère, célibataire endurci, qui consacra sa vie à son travail». Le jeune vigneron, associé à son père Pierre depuis 2003, a sorti le domaine de la cave coopérative en 2007 pour produire ses propres vins et converti le vignoble à l'agriculture biologique.

Une robe rubis, un nez pimpant de fruits rouges, une bouche ronde, facile, dotée d'une petite sucrosité qui attise encore un peu plus la gourmandise du fruit: un rouge friand, simple, à boire sans délai comme nous le suggère son auteur. ⧗ 2019-2020

EARL SAINT-ANDRÉ, 325, chem. du Rat-Collet-Blanc, 84340 Entrechaux, tél. 06 64 85 02 18, mas-oncle-ernest@hotmail.fr V ✝ ▪ *r.-v.*

♥ B CH. PESQUIÉ Terrasses 2018 ★★

■	86400	▮	8 à 11 €

Acquis en 1970 par Odette et René Bastide, ce vaste domaine de 100 ha, régulier en qualité, est conduit depuis 2003 par la troisième génération (Frédéric et Alexandre Chaudière). L'ensemble du vignoble est certifié bio et en cours de conversion à la biodynamie.

Cinsault, grenache et syrah sont assemblés pour le meilleur dans ce rosé épatant de bout en bout: robe claire et lumineuse, nez complexe et élégant de cassis, d'orange amère, d'aubépine et d'acacia, bouche tout aussi expressive, ample, fraîche, longue, encore dynamisée par de beaux amers en finale. ⧗ 2019-2021 ■ **Terrasses 2017 ★ (8 à 11 €; 266 666 b.)** : une robe rubis moyennement soutenue, un nez qui s'ouvre progressivement sur la cerise et la réglisse, une bouche franche et souple sur les fruits rouges et les épices, soutenue par des tanins tendres et relevée par une agréable fraîcheur: tout est mesuré et élégant dans ce rouge harmonieux. ⧗ 2019-2022 ■ **Terrasses 2018 ★ (8 à 11 €; 31300 b.)** : cet assemblage de quatre cépages, dont 40 % de viognier, n'a pas fait sa «malo». Le nez en tire ses notes d'agrume et de fruits verts que l'on retrouve dans une bouche vivace et tonifiante portée par une une belle acidité. Du tonus dans ce blanc d'été vivant et parfaitement désaltérant. ⧗ 2019-2020

SARL FAMILLE CHAUDIÈRE, Ch. Pesquié, 1365_bis, rte de Flassan, 84570 Mormoiron, tél. 04 90 61 94 08, contact@chateaupesquie.com V ✝ ▪ *t.l.j. sf dim. 10h-12h 14h-18h*

DOM. DE PIÉBLANC La Tuillière 2017 ★★

■	10000	▮	11 à 15 €

Situé sur les hauteurs de Caromb à 300 m d'altitude, ce domaine a été créé en 2014 par Matthieu Ponson. Le vignoble compte aujourd'hui 22 ha de vignes dont 7 ha au pied du mont Ventoux et 15 ha en beaumes-de-venise.

Assemblage de quatre cépages sur le lieu-dit La Tuilière, dominé par le grenache, ce vin, très sombre, livre progressivement son nuancier, petits fruits noirs, fruits rouges puis réglisse. Plus prompte, la bouche enchante par ses tanins soyeux et sa chair capiteuse et veloutée qui diffuse longuement des arômes de cerise burlat et d'épices douces. Charme et plénitude. ⧗ 2019-2022

SCEA DOM. DE PIÉBLANC, 401, chem. de la Tuilière, 84330 Caromb, tél. 04 90 36 07 83, info@domainedepieblanc.fr V *t.l.j. sf sam. dim. 9h-17h*

DOM. PIERRE DU COQ Les Galines 2018 ★★

■	9800	▮	5 à 8 €

Sur le lieu-dit de la Pierre du Coq, ce domaine de 20 ha s'étend sur des coteaux argilo-calcaires au pied du

Ventoux. À sa tête depuis 2009, Olivier Bessac, représentant la quatrième génération.

La gourmandise, le maître-mot de cette cuvée impeccable, classique (grenache, syrah) mais irréprochable, sans effet de manche, et dont le but est de donner un plaisir immédiat. Contrat rempli. Au nez, des arômes frais et fringants, fruités (fruits rouges) et floraux (sureau), que l'on croque avec enthousiasme dans une bouche souple, ronde, parfaitement détendue et très conviviale. Facile d'accès et savoureux. ⧗ 2019-2021

SCEA BESSAC-BORDUNE, 93, av. Jean-Henri-Fabre, 84810 Aubignan, tél. 04 90 62 61 30, bessac.gaec@orange.fr t.l.j. 9h-12h30 14h-19h

B DOM. DU PUY MARQUIS Tradition 2018 ★

■	9000		8 à 11 €

Ancien cycliste professionnel, coéquipier de Jacques Anquetil, Claude Leclercq a posé son vélo en 1980 pour créer ce domaine planté à 450 m d'altitude, face au Luberon. Le domaine couvre 25 ha, dont 11 ha de vignes, en bio depuis 2017.

Pas une once de bois dans ce rouge simple et efficace, au nez expressif de fruits rouges, qui séduit en bouche par sa franchise, sa rondeur parfumée, ses tanins doux et sa longueur honorable. À boire sans attendre. ⧗ 2019-2021

CLAUDE LECLERCQ, Dom. du Puy Marquis, 84400 Apt, tél. 04 90 74 51 87, domainedupuymarquis@yahoo.fr t.l.j. sf dim. 9h-12h30 14h-19h

LA ROMAINE 2018 ★★

■	12000		- de 5 €

Fondée en 1924, une des premières coopératives du Vaucluse, qui regroupe aujourd'hui 180 vignerons et plus de 1 400 ha de vignes. Elle propose des côtes-du-rhône, côtes-du-rhône-villages, ventoux, ainsi que des IGP Méditerranée et Coteaux des Baronnies.

Un assemblage de grenache et syrah d'une légèreté et d'un équilibre qui aura enchanté les dégustateurs. Une robe soutenue, un nez ouvert et guilleret, frais, floral et fruité, une bouche souple, fine et fraîche qui se met au service du fruit: de la gourmandise et beaucoup de plaisir. Que demander de plus à ce prix? ⧗ 2019-2021 ■ **2018 ★ (- de 5 €; 18000 b.)** : grenache (70 %) et cinsault pour ce rosé limpide et brillant, au nez élégant de fleurs blanches et de groseille. En bouche, on apprécie sa grande fraîcheur et sa longueur. ⧗ 2019-2020 ■ **2018 ★ (- de 5 €; 7900 b.)** : tout aussi convaincant, un blanc vient compléter le tableau de chasse de la cave. Il met le grenache blanc à l'honneur (80 %) dans une version ronde et tonique. Le nez décline les fleurs blanches et le fruit blanc bien mûr que l'on retrouve dans une bouche riche, ronde et bien vivace en finale. À boire sur le fruit. ⧗ 2019-2020

SAS CAVE LA ROMAINE, 95, chem. de Saumelongue, 84110 Vaison-la-Romaine, tél. 04 90 36 55 90, adv@cave-la-romaine.com t.l.j. 9h-12h30 14h-18h30; dim. 9h-12h

SAINT-MARC 2017

■	40000		5 à 8 €

Cette cave coopérative doit son nom à la proximité d'un oratoire dédié à saint Marc, patron des vignerons de Provence. Fondée en 1928, elle vinifie 1 200 ha de vignes et fédère aujourd'hui quelque trois cents familles de vignerons.

De ce rouge composé de grenache et de syrah, on retient sa robe cerise aux reflets violacés, son nez franc de cassis, de réglisse et de garrigue, et sa bouche bien proportionnée, offrant volume, parfums (fruit mûr, épices), tenue (tanins croquants) et ce qu'il faut de fraîcheur. Très digne représentant de l'appellation. ⧗ 2019-2021

SCA CAVE SAINT-MARC, 667, av. de l'Europe, BP_16, 84330 Caromb, tél. 04 90 62 40 24 t.l.j. 9h-12h 14h-18h30

B DOM. SOLENCE Bois des Amants 2018 ★

■	15000		8 à 11 €

Un petit domaine de 13,5 ha créé en 1992 au pied du Ventoux par Jean-Luc Isnard, œnologue, et par son épouse Anne-Marie, qui ont opté pour l'agriculture biologique (certifiée) dès le départ, en s'impliquant dans la défense de cette démarche.

Né de cinsault (70 %) et de grenache, un rosé clair et lumineux, expressif (rose, litchi, citron), frais, minéral et long en bouche. ⧗ 2019-2020

SCEA SOLENCE, 4040, chem. de la Lègue, 84200 Carpentras, tél. 06 65 05 24 03, domaine@solence.fr t.l.j. 9h30-12h30 14h30-18h30; f. jan.-mars

SYLLA Saint-Auspice 2018 ★★

■	7392		5 à 8 €

Apt est considérée comme la capitale du fruit confit et la production des maîtres confiseurs des lieux était déjà très appréciée au XIVᵉs. par les papes d'Avignon. La vigne y a aussi ses droits, mise en valeur notamment par la cave Sylla (Vignobles en pays d'Apt). Fondée en 1925, cette coopérative vinifie la production de 110 vignerons cultivant 1 000 ha répartis sur quatorze communes des environs, en AOC ventoux et luberon principalement.

Assemblage complexe de grenache (60 %), de cinsault, de roussanne, de clairette et de syrah, ce rosé porte beau dans sa robe très claire aux reflets or. Le nez évoque le groseille, le cassis et l'amande. En bouche, on ressent de la tension dès l'attaque, tension qui se maintient jusqu'en finale, apportant beaucoup de longueur et de peps. Énergique. ⧗ 2019-2020 ■ **Grain d'ocre 2018 ★ (5 à 8 €; 9504 b.)** : la syrah en vedette (76 %) dans ce ventoux d'un rubis éclatant, qui dispense après aération de douces effluves de fruits rouges confits. On les retrouve avec entrain dans une bouche généreuse, charnue, souple, qui offre un grand bol de fruits bien mûrs et une finale jeune et serrée qui se détendra rapidement. ⧗ 2020-2022 ■ **Bee Ô 2018 ★ (8 à 11 €; 6336 b.)** B : une cuvée bio qui s'ouvre sur des notes discrètes et fraîches de pivoine et de violette très typées syrah. La même sensation de fraîcheur traverse jusqu'en finale une bouche allègre, souple, très gourmande par sa rondeur et sa clarté de fruit. Vin de fruit, d'un équilibre irréprochable. ⧗ 2019-2022

SCA SYLLA VIGNOBLES EN PAYS D'APT, 135, av. du Viaduc, 84405 Apt Cedex, tél. 04 90 74 05 39, sylla@sylla.fr t.l.j. 9h-19h

DOM. DE TARA Hautes Pierres 2018 ★★

	4000		11 à 15 €

Valeur sûre de l'appellation ventoux, ce domaine de 11 ha est situé au milieu des vignes, au cœur du parc naturel régional du Luberon. Conduit depuis 2006 par Michèle et Patrick Folléa, il tire son nom du célèbre roman de Margaret Mitchell, *Autant en emporte le vent*.

Le domaine fait son retour dans le Guide avec ce grand blanc (roussanne, grenache blanc) vinifié et élevé en fût. Fleurs blanches, mirabelle, notes briochées, amande, miel, le nez séduit. Grasse à l'attaque, très complexe, foisonnante d'arômes, avec toute la palette perçue à l'olfaction et une touche d'évolution en sus, la bouche impressionne par sa très belle acidité qui confère à l'ensemble un équilibre singulier et remarquable. Beau vin de repas (viande blanche et poisson crémés) dont la structure pourrait l'emmener assez loin dans le temps. ⧗ 2020-2025 ■ **Terre d'ocres 2018 ★ (8 à 11 €; 8000 b.)** : tout est léger et friand dans ce rouge qui n'a pas vu de bois: la robe d'un rubis très pâle, le nez alerte et floral, la bouche souple, digeste et fraîche. Rouge « de soif » et de barbecue. ⧗ 2019-2020

SCEA DOM. DE TARA, Les Rossignols, 2005, rte de Gordes, 84220 Roussillon, tél. 04 90 05 74 87, domainedetara@orange.fr V t.l.j. 10h-19h

TERRANEA Terrabio 2018 ★

	40000		5 à 8 €

Un négoce créé en 2003 par Frédéric Chaulan – rejoint en 2009 par Serge Cosialls –, qui propose une gamme complète de vins de la vallée du Rhône, du nord au sud.

Une jolie montée en puissance pour cette cuvée bio composée de grenache et de syrah. Si le nez est timide, diffusant de discrètes notes fruitées (cassis, fruits rouges), la bouche se montre bien plus généreuse. Ronde, soutenue par des tanins fondus, elle libère un fruit mûr, croquant, très épicé avec une touche mentholée dynamisante en finale. ⧗ 2019-2021

SAS TERRANEA, rue des Négades, ZAC du Crépon-Sud, 84420 Piolenc, tél. 04 90 34 18 47, terranea.sarl@wanadoo.fr

DOM. DE LA VERRIÈRE 2018 ★

	28000		5 à 8 €

Le roi René de Provence, alors propriétaire des lieux, fit venir ici des verriers italiens en 1470. Le domaine appartient aux Maubert depuis 1969 (avec Jacques aux commandes depuis 1985) et étend ses 28 ha de vignes en coteaux sur les contreforts du Ventoux.

Très pâle et tirant vers le jaune, ce rosé de cinsault, grenache et mourvèdre livre des parfums intenses de cassis, de pamplemousse et de fleurs blanches. Arômes que l'on retrouve dans une bouche harmonieuse, offrant du gras et de la fraîcheur. ⧗ 2019-2020 ■ **Le Haut de la Jacotte 2017 ★ (8 à 11 €; 8700 b.)** : un 2017 qui restitue les charmes d'une syrah bien mûre élevée en fût: fruits noirs à foison, charbon de bois, Zan, arbouse et vanille. Puissante, aux tanins polis par un élevage mesuré, la cuvée affiche une belle rondeur et déploie en finale toute sa palette entre fruits mûrs, réglisse et torréfaction. Un vin moderne, déjà plaisant et qui saura vieillir. ⧗ 2020-2025

EARL MAUBERT ET FILS, 2673, chem. de la Verrière, 84220 Goult, tél. 04 90 72 20 88, laverriere2@wanadoo.fr V *t.l.j. sf dim. 9h-12h 14h-18h*

LUBERON

Superficie : 3 200 ha
Production : 140 000 hl (80 % rouge et rosé)

Le vignoble, AOC depuis 1988, est implanté sur 36 communes des versants nord et sud du massif calcaire du Luberon, entre les vallées de la Durance au sud et du Calavon au nord. Les vins rouges et rosés portent l'empreinte du grenache et de la syrah, cépages obligatoires, éventuellement complétés par des variétés secondaires comme le cinsault et le carignan. Le climat plus frais qu'en vallée du Rhône et les vendanges plus tardives expliquent la part relativement importante des vins blancs, qui naissent principalement des cépages grenache blanc, clairette, vermentino et roussanne.

CAVE DE BONNIEUX
Douce Chimère 2017

	9620		8 à 11 €

Créée en 1920, la cave de Bonnieux est la doyenne des coopératives du Vaucluse. Aujourd'hui, elle exploite quelque 550 ha de vignes au cœur du parc du Luberon, dont 70 % dans les appellations ventoux et luberon.

Une base de syrah et de grenache pour cette cuvée d'un beau rubis profond, au nez sans exubérance, franc et fruité (fruits rouges mûrs). Plus aromatique, la bouche libère de fraîches notes de cassis et de griotte et s'appuie sur une structure alerte dotée de tanins croquants. Allègre, fruité et bien équilibré. ⧗ 2019-2021

SCA CAVE DE BONNIEUX, quartier de la Gare, 84480 Bonnieux, tél. 04 90 75 80 03, caveau@cavedebonnieux.com V *t.l.j. sf dim. 9h-12h30 14h-18h30*

BONPAS
Grande Réserve des Challières 2018 ★

	30000		5 à 8 €

Cette maison de négoce, dans le giron du groupe bourguignon Boisset, doit son nom à un monastère fortifié, donné par le pape Jean XXII aux Chartreux, en 1318. Un lieu stratégique qui veillait autrefois sur la route menant d'Avignon à Rome: un *bonus passus* en latin (« bon passage »).

Quatre cépages composent ce blanc dont on retient d'abord les larmes épaisses qui tapissent le verre. Une promesse de richesse confirmée par un nez chaleureux, fruité (fruit jaune) et floral, et par une bouche langoureuse, grasse, ronde, qui s'étire en longueur sur le beurre, l'abricot et l'amande fraîche. Harmonieux et méridional. ⧗ 2019-2021

SAS BOISSET, chem. de Réveillac, 84510 Caumont-sur-Durance, tél. 04 90 83 58 35, info@bonpas.fr t.l.j. sf sam. dim. 10h-12h 14h-17h

B CH. LA CANORGUE 2018 ★★

■	40000	🍾	8 à 11 €

Ce domaine familial depuis cinq générations, l'une des références de l'appellation luberon, est d'une régularité sans faille. Jean-Pierre Margan, pionnier de l'agriculture biologique dans la région, a converti dès 1978 son vignoble, étendu aujourd'hui sur 40 ha. Sa fille Nathalie, installée depuis une quinzaine d'années, a désormais pris la suite. Incontournable.

Grenache (70 %), syrah et mourvèdre composent un magnifique rosé aux airs de tavel avec sa couleur très soutenue. Au nez, on perçoit de puissants arômes de fruits rouges mûrs. La bouche, ample et suave, offre la même sensation d'intensité, avec une pointe de fraîcheur bien sentie qui amène équilibre et longueur. Un rosé de caractère et de gastronomie. ⧗ 2019-2021 ■ **2017 ★ (8 à 11 €; 70000 b.)** B : une robe rubis intense, un nez explosif de fruits rouges confiturés avec une touche de chêne, une bouche savoureuse, très intense, chaleureuse et gorgée de cerise et de framboise. Voilà un rouge volubile, sudiste, «pas commun» et d'une intensité qui n'aura pas laissé le jury indifférent. ⧗ 2019-2022 ■ **2018 ★ (11 à 15 €; 40000 b.)** B : un blanc complète ce joli tir groupé. Épanoui, puissant, floral et fruité, le nez annonce une bouche riche, charnue et complexe, aux arômes débridés de fruit jaune bien mûr. Du volume, de l'harmonie et du plaisir. ⧗ 2019-2020

EARL JEAN-PIERRE ET NATHALIE MARGAN, rte du Pont-Julien, 84480 Bonnieux, tél. 04 90 75 81 01, chateaucanorgue.margan@wanadoo.fr V t.l.j. sf dim. 9h-12h 14h-18h

M. CHAPOUTIER La Ciboise 2017 ★

■	n.c.	🍾	5 à 8 €

Cette vénérable (XIXᵉs.) et incontournable maison, mise sur orbite internationale par Michel Chapoutier à partir des années 1990, propose une large gamme issue de ses propres vignes (350 ha, en biodynamie) ou d'achats de raisin dans la plupart des appellations phares de la vallée du Rhône, et aussi en Roussillon et en Alsace.

Grenache et syrah pour ce vin au nez plaisant, retenu mais friand, floral et fruité (fruits rouges). La bouche montre la même réserve mais réjouit par sa fraîcheur préservée, ses tanins souples et soyeux et ses arômes francs de cerise et de fraise. Vin de soif, à déguster sans délai. ⧗ 2019-2021

SA M. CHAPOUTIER, 18, av. du Dr-Paul-Durand, 26600 Tain-l'Hermitage, tél. 04 75 08 28 65, chapoutier@chapoutier.com V r.-v. D

B DOM. DE LA CITADELLE Les Artèmes 2017 ★★

■	25000	🛢	11 à 15 €

Yves Rousset-Rouard était producteur de cinéma dans une ancienne vie. C'était avant d'acquérir en 1990 un vieux mas entouré de 8 ha de vignes au pied de Ménerbes. Rejoint en 1995 par son fils Alexis, il exploite aujourd'hui en bio près de 50 ha, répartis en 70 parcelles, et cultive quinze cépages différents.

Artèmes est le nom du terroir d'altitude d'où provient cet assemblage classique de syrah et de grenache. Derrière une robe pourpre, un nez ouvert où dominent les fruits rouges nuancés de fines notes torréfiées et vanillées. À une attaque expressive succède un milieu de bouche consistant offrant une belle matière, de la fraîcheur et des tanins fermes mais parfaitement intégrés. La longue finale laisse apprécier la justesse de l'élevage. Un vin complet, remarquable d'équilibre et de bonne garde. ⧗ 2020-2025 ■ **L'Esprit de la Citadelle 2017 ★ (8 à 11 €; 25000 b.)** : une robe rubis, un nez riche en fruits rouges, une bouche ronde, souple, dotée de tanins légers et d'un fruité croquant: un rouge de «soif», très convaincant dans ce style. ⧗ 2019-2021

SARL VINUM NOSTRUM (DOM. DE LA CITADELLE), 601, rte de Cavaillon, 84560 Ménerbes, tél. 04 90 72 41 58, contact@domaine-citadelle.com V t.l.j. 9h-12h30 14h-19h

DAUVERGNE RANVIER Vin Gourmand 2018 ★★

■	80000	🍾	- de 5 €

Créée en 2004 par François Dauvergne et Jean-François Ranvier, professionnels du vin qui ont décidé d'élaborer leurs propres cuvées après avoir œuvré chez les autres, cette maison de négoce s'affirme d'année en année à travers des vins de qualité issus de sélections parcellaires. En 2013, les deux compères ont repris l'exploitation du Dom. des Muretins (tavel et lirac) et ont développé en 2014 une gamme de vins bordelais en collaboration avec Patrice Hateau.

Ce vin soutenu de robe se montre d'entrée jovial avec ses évocations de petits fruits rouges et de cerise noire. Intense, construite autour de tanins croquants, sans aucune dureté, la bouche séduit et déroule une matière tendre, fruitée, dynamisée par une fraîcheur préservée. ⧗ 2019-2021

DAUVERGNE RANVIER, Ch. Saint-Maurice, RN_580, 30290 Laudun, tél. 04 66 82 96 57, contact@dauvergne-ranvier.com

B CH. LES EYDINS L'Ouvière 2017 ★

■	12000	🍾	8 à 11 €

Le château porte le nom de la famille Eydins, cousins du seigneur de Toulouse, qui y vécut du XIIᵉs. à la Révolution. Propriété de la famille Seignon depuis 1907, c'est aujourd'hui Serge, installé en 1999, qui conduit le vignoble de 18 ha. Les vignes sont en culture biologique depuis 2000.

De la syrah, du grenache et du carignan pour cette cuvée qui fleure bon la cerise noire et les fruits rouges avec une touche torréfiée. Ronde à l'attaque, la bouche révèle un équilibre agréable entre tanins fermes, fraîcheur et douceur du fruit. La longue finale fruitée et fumée témoigne de la justesse de l'élevage. ⧗ 2019-2022

SERGE SEIGNON, rte du Pont-Julien, 84480 Bonnieux, tél. 04 90 75 61 58, serge.seignon@gmail.com V t.l.j. 9h-12h30 14h30-19h

B FONTENILLE 2018

■	75000	🍾	8 à 11 €

Un domaine situé sur le versant sud du Luberon, dont les origines remontent au XVᵉs. Propriété pendant trois générations de la famille Lévêque, il a été acquis en 2013 par messieurs Biousse et Foucher, qui ont converti au bio les 22 ha de vignoble.

D'un joli rose pâle, ce vin livre des parfums discrets mais fins de bonbon et de citron. En bouche, il se montre bien frais, entre minéralité et caractère acidulé. ⧗ 2019-2020

SAS VINS DE FONTENILLE, rte de Roquefraiche, 84360 Lauris, tél. 04 13 98 00 70, cave@domainedefontenille.com
t.l.j. 10h-13h 14h-19h

CH. FONTVERT Les Restanques 2017 ★

■ | 9200 | | 8 à 11 €

Propriété de la famille Monod depuis les années 1950, ce domaine est sorti de la cave coopérative en 2001. Il s'est alors doté d'une nouvelle cave et a entièrement restructuré le vignoble qui a été converti au bio et à la biodynamie. Une activité de négoce a été en outre développée en 2016 sous la marque «Pierrouret».

En vue d'abord pour ses vins rosés et blancs les dernières années, le domaine place ce rouge dominé à 60 % par la syrah. L'élevage en cuve a préservé toute l'intensité des arômes fruités et confits, juste relevés par une pointe d'épices douces. Fraîche et fringante, la bouche séduit par l'intensité de son fruit et son équilibre irréprochable. À boire sur sa jeunesse. ⧗ 2019-2021 ■ **Les Restanques 2018 (8 à 11 €; 15200 b.)** : vin cité.

SCEA DOM. DE FONTVERT, 15, chem. de Pierrouret, 84160 Lourmarin, tél. 04 90 68 35 83, info@fontvert.com t.l.j. sf dim. 9h-12h30 14h-18h30; sur r.-v. d'oct. à avr.

♥ DOM. LA GARELLE Cuvée du Solstice 2018 ★★

■ | 20000 | | 8 à 11 €

Un domaine créé en 1995 par le Néerlandais Robert Vlasman, repris et rénové (nouvelles plantations, climatisation des chais, création d'un sentier œnologique) à partir de 2008 par l'ingénieur agronome Alain Audet, à la tête aujourd'hui de 30 ha de vignes.

Ce rosé mi-syrah mi-grenache en impose dès le premier regard avec sa robe claire, limpide, ornée de jolis reflets bleutés. Le nez, intense, fleure bon la fraise. En bouche, une attaque vive précède un développement tout en fraîcheur et en longueur autour du fruit. Un vin des plus harmonieux, net et tonique. ⧗ 2019-2021 ■ **Cuvée du Solstice 2018 ★ (8 à 11 €; 7000 b.)** : à dominante de vermentino (90 %), ce blanc a été vinifié et élevé six mois en fûts. Le nez nous le rappelle avec ses arômes puissants, fumés et vanillés, qui se mêlent à un fond de fruit mûr. Également marquée par le chêne, la bouche séduit par sa rondeur beurrée et sa fraîcheur avec une légère astringence en finale. Un peu de garde devrait harmoniser l'ensemble. ⧗ 2020-2022

SCA DOM. LA GARELLE, 4803, rte de Ménerbes, 84580 Oppède, tél. 04 90 72 31 20, info@lagarelle.fr
t.l.j. sf dim. 10h-12h 15h-18h

LOUÉRION Cœur de Baies 2018

■ | 16000 | | 5 à 8 €

Fondée en 1925, la coopérative de Cucuron a fusionné en 2009 avec les caves de Lourmarin, Cadenet et Lauris pour former Louérion Terres d'Alliance, qui regroupe la production de 150 vignerons.

D'un rose fuchsia, ce vin livre des notes de bonbon anglais et de pamplemousse. On retrouve ces arômes dans une bouche vive et alerte. Un rosé sans chichi. ⧗ 2019-2020

SCA LOUÉRION TERRES D'ALLIANCE, 15, cours Saint-Victor, 84160 Cucuron, tél. 04 90 77 21 02, contact@louerion.com t.l.j. 9h (dim. 10h)-12h30 14h30-19h

DOM. DE MARIE Marie 2018

■ | 30000 | | 8 à 11 €

En 1999, la famille Sibuet acquiert une bastide du XVIIes. entourée de 8 ha de vignes, sur le versant nord du Luberon. Le vignoble s'étend désormais sur 24 ha, étagé entre 200 et 300 m d'altitude.

Un rosé pâle aux reflets saumonés, sur les fleurs blanches et les fruits rouges à l'olfaction, rond et bien équilibré en bouche. ⧗ 2019-2020

SCEA DOM. DE MARIE, quartier La Verrerie, 400, chem. des Peireilles, 84560 Ménerbes, tél. 04 90 72 54 23, contact@domainedemarie.com
t.l.j. sf sam. dim. 9h-12h 13h-17h

MARRENON Grande Toque Terroir d'Altitude 2017

■ | 80000 | | 5 à 8 €

Le Cellier Marrenon a été fondé en 1966 par Amédée Giniès, l'un des principaux artisans de la reconnaissance en AOC des vins du Luberon. Il regroupe neuf coopératives dans les AOC luberon et ventoux: pas moins de 1 200 adhérents et de 7 200 ha. Deux étiquettes: Marrenon et Amédée.

Des vignes haut perchées (300 à 500 m) ont donné naissance à ce rouge tonique dominé par la syrah. D'abord timide, le nez déploie lentement ses arômes fruités et floraux que l'on retrouve dans une bouche harmonieuse, tendre, franchement fruitée qui privilégie l'équilibre à la puissance. ⧗ 2019-2021 ■ **Amountanage 2017 (5 à 8 €; 40000 b.)** : vin cité.

USCA DU LUBERON (CELLIER MARRENON), rue Amédée-Giniès, 84240 La Tour-d'Aigues, tél. 04 90 07 40 65, sabrina.fillod@marrenon.com
r.-v.

MAS EDEM Delicato 2018 ★

■ | 4700 | | 8 à 11 €

La famille Dematté, d'origine italienne, a acquis ce domaine en 2017 et a entamé la conversion bio des 40 ha de vignes établis à 300 m d'altitude entre les villages de Goult et de Lacoste.

Puissant, le nez retient l'attention par sa complexité: fruits mûrs, garrigue, le tout généreusement saupoudré de poivre noir. Les épices se déploient encore plus intensément dans une bouche charnue, soyeuse au toucher, dont l'intensité n'aura pas laissé le jury indifférent. ⧗ 2020-2024 ■ **Delicato 2018 (8 à 11 €; 14400 b.)** : vin cité.

SAS EDEM, 145, chem. des Maquignons, 84220 Goult, tél. 04 90 72 89 34, contact@mas-edem.fr r.-v.

B LES TERRES DE MASLAURIS 2018 ★

	18000		8 à 11 €

Acquis en 2015 par Didier Théophile, le domaine a bénéficié d'une rénovation complète avec la construction d'un chai gravitaire flambant neuf, précédée, après arrachage et un repos des terres, de la replantation de près de 10 ha de jeunes vignes conduites en agriculture biologique. Il produit vins rouges, rosés et blancs vinifiés au domaine sous les conseils de Michel Tardieu.

Une dominante de cinsault pour ce rosé diaphane, ouvert sur le pamplemousse, les fruits rouges mûrs et le bonbon anglais. La bouche apparaît ample, fraîche et bien fruitée. 2019-2020 **L'Inopinée 2018 ★ (11 à 15 €; 6500 b.)** B : une belle intensité se dégage de la robe paille aux reflets verts de ce luberon blanc très engageant, au nez clairement exotique, entre mangue et fruit de la Passion. Les fruits exotiques se confirment et s'affirment dans une bouche qui brille aussi par sa texture caressante, sa rondeur jamais pesante et sa finale qui conserve ce qu'il faut de fraîcheur. Aucune faute de goût dans ce blanc harmonieux et épanoui. 2019-2020

SCEA DOM. DE MASLAURIS, quartier Les Grès, 84360 Lauris, tél. 06 79 80 03 35, aurelien.le.tellier@maslauris.fr V *t.l.j. sf sam. dim. 8h-12h 14h-18h*

SYLLA Capris d'Allys 2018 ★

	6336		8 à 11 €

Apt est considérée comme la capitale du fruit confit et la production des maîtres confiseurs des lieux était déjà très appréciée au XIVe s. par les papes d'Avignon. La vigne y a aussi ses droits, mise en valeur notamment par la cave Sylla (Vignobles en pays d'Apt). Fondée en 1925, cette coopérative vinifie la production de 110 vignerons cultivant 1 000 ha répartis sur quatorze communes des environs, en AOC ventoux et luberon principalement.

Limpide, couleur pétale de rose, ce 2018 évoque le pamplemousse mâtiné de fleurs blanches au nez. En bouche, il se révèle long, bien fruité et frais, sur une dominante citronnée. 2019-2020

SCA SYLLA VIGNOBLES EN PAYS D'APT, 135, av. du Viaduc, 84405 Apt Cedex, tél. 04 90 74 05 39, sylla@sylla.fr V *t.l.j. 9h-19h*

TERRES VALDÈZE Féroce 2017

	8000		8 à 11 €

Premier producteur de l'AOP luberon, cette cave coopérative fondée en 1924 vinifie la production de 300 vignerons et 2 700 ha de vignes répartis sur dix-huit communes du parc naturel régional du Luberon.

Les dix mois d'élevage en fûts ont apporté un petit supplément de complexité (réglisse, torréfaction) à ce nez généreusement fruité de cerise noire. Une variété aromatique que l'on retrouve dans une bouche moderne, marquée à ce stade par l'empreinte du chêne mais qui plaît par son équilibre de bon goût. Un peu de cave devrait arrondir et épanouir l'ensemble. 2020-2023

SCA TERRES VALDÈZE, 288, bd de la Libération, 84240 La Tour-d'Aigues, tél. 04 90 07 42 12, valdeze@terres-valdeze.fr V *t.l.j. sf dim. lun. 9h-12h30 15h-19h*

CH. THOURAME 2017 ★

	8500		5 à 8 €

Connu pour ses verreries au XIVe s. et pour ses faïenceries au XVIIIe s., le village de Goult abrite la Cave de Lumières, fondée en 1925. Étant située à la limite du Luberon et du Ventoux, la coopérative produit des vins dans les deux appellations, sur une surface totale de 511 ha.

Mi-grenache mi-syrah, ce rouge élevé en cuve a pour ambition de donner du fruit et du plaisir. Mission remplie: au nez comme en bouche, de la légèreté et des arômes fruités qui passent en revue la cerise, la framboise et l'écorce d'orange. Petite structure alerte, ce qu'il faut de rondeur, un équilibre digeste: simplicité et gourmandise. 2019-2021 **2018 (5 à 8 €; 11000 b.)** : vin cité.

CA LA CAVE DE LUMIÈRES, 19, rte de Joucas, 84220 Goult, tél. 04 90 72 20 04, info@cavedelumieres.com V *t.l.j. sf dim. 9h-12h 14h-18h*

DOM. DES VAUDOIS 2018 ★

	25000		- de 5 €

L'œnologue Sylvain Jean élabore les cuvées de la maison de négoce Louis Bernard créée en 1976 à Gigondas, qui accompagne à la vigne et au chai une vingtaine de vignerons partenaires. Dans le giron du groupe Gabriel Meffre.

Une rouge sans artifice, d'une franchise qui aura fait l'unanimité du jury. Du grenache, il tire la rondeur et le fruit rouge, de la syrah les épices et une petite structure tannique fine et fondante. L'ensemble est simple mais agréable, joliment équilibré et pas dénué d'élégance. Rouge universel à prix exemplaire. 2019-2021

GMDF (MAISON LOUIS BERNARD), 2, rte des Princes-d'Orange, Le Village, 84190 Gigondas, tél. 04 90 12 32 43, louis-bernard@gmdf.fr

PIERREVERT

Superficie : 360 ha
Production : 15 541 hl (90 % rouge et rosé)

Dans le département des Alpes-de-Haute-Provence, la majeure partie des vignes se trouve sur les versants de la rive droite de la Durance (Corbières, Sainte-Tulle, Pierrevert, Manosque...). Les conditions climatiques, déjà rigoureuses, cantonnent la culture de la vigne dans une dizaine de communes sur les quarante-deux que compte légalement l'aire d'appellation. Les vins rouges, rosés et blancs, d'un assez faible degré alcoolique et d'une bonne nervosité, sont appréciés par ceux qui traversent cette région touristique. Les coteaux-de-pierrevert ont été reconnus en appellation d'origine contrôlée en 1998.

B DOM. LA BLAQUE 2018 ★

	16000		5 à 8 €

Valeur sûre de l'AOC pierrevert, ce domaine a été créé en 1987 par Gilles et Laurence Delsuc, œnologues formés à Dijon. Ces derniers conduisent aujourd'hui en bio certifié un vignoble de 55 ha implanté jusqu'à 600 m d'altitude sur les contreforts du Luberon.

Quatre cépages composent cette cuvée parée d'une robe aux reflets dorés dont le nez libère lentement des arômes chaleureux de fruits à chair blanche. Une bouche en deux temps: attaque ample et charnue et finale nerveuse et vivace. Un beau contraste entre puissance et fraîcheur qui dessine à l'arrivée un blanc à la fois savoureux et dynamique. ⧗ 2019-2020

SCI CHATEAUNEUF, rte de la Bastide-des-Jourdans, 04860 Pierrevert, tél. 04 92 72 39 71, domaine.lablaque@wanadoo.fr V t.l.j. sf dim. 9h-12h 14h-18h

B CH. SAINT-JEAN LEZ DURANCE
Les Vannades 2017 ★

■ | 7900 | | 8 à 11 €

Henri d'Herbès a créé en 1754 ce domaine implanté sur des terrasses caillouteuses entre Luberon et Durance, le vignoble remontant à 1880. Son descendant Jean-Guillaume et son épouse Constance ont quitté leurs emplois respectifs (dans un groupe industriel pour lui et dans la haute couture pour elle) pour s'installer en 2013 sur la propriété familiale. Les propriétaires ont engagé d'emblée la conversion bio du domaine (38 ha), aujourd'hui acquise, adoptant en 2016 la démarche biodynamique.

Retenue l'année passée, cette cuvée décroche cette fois l'étoile. Intense au nez, avec un juste dosage entre fruit (cerise, fruits rouges) et fût (grillé, vanillé), elle laisse en bouche la même sensation d'harmonie: corps tendre, tanins souples, boisé fondu, longue finale sur les fruits noirs et la vanille. Moderne et séduisant. ⧗ 2019-2022

EARL CH. SAINT-JEAN, Lieu-dit Saint-Jean, 04100 Manosque, tél. 04 92 72 50 20, contact@chateau-saint-jean.fr V t.l.j. sf dim. 9h-12h 14h-18h 5 E

CÔTES-DU-VIVARAIS

Superficie : 439 ha
Production : 12 000 hl (95 % rouge et rosé)

À la limite nord-ouest des côtes-du-rhône méridionales, les côtes-du-vivarais chevauchent les départements de l'Ardèche et du Gard. Les vins, produits sur des terrains calcaires, sont essentiellement des rouges à base de grenache (30 % minimum), de syrah (30 % minimum), et des rosés, caractérisés par leur fraîcheur et à boire jeunes. Ce VDQS a été reconnu en AOC en 1999.

♥ CLOS DE L'ABBÉ DUBOIS
Cuvée Simone Élevé en fût de chêne 2017 ★★

■ | 3600 | | 5 à 8 €

L'abbé Dubois fut missionnaire en Inde au XVIIIe s. avant de revenir dans son village natal de Saint-Remèze. Il y fit construire une maison provençale qui commande aujourd'hui un domaine de 27 ha, propriété de Claude Dumarcher depuis 1986, rejoint en 2016 par son fils.

Simone? L'artiste qui a dessiné les étiquettes. La robe d'un beau rubis aux nuances bleutées signe la jeunesse et l'intensité de cette cuvée mi-syrah mi-grenache. Du verre s'élève un bouquet fringuant qui soigne la fraîcheur du fruit: fruits rouges et mûre relevés d'une pincée de vanille et de réglisse issue du chêne. La bouche enfonce le clou: belle matière, souplesse, tanins fins et fermes, intensité et longueur du fruit qui évolue sur le fruit mûr et le pruneau en finale. Toute la plénitude des rouges de la vallée du Rhône dans cette cuvée déjà charmeuse qui devrait combler Simone. ⧗ 2019-2023 ■ **2017 ★ (5 à 8 €; 12000 b.)** : bien typé, le nez nous fait voir du pays: fruits noirs, cuir, menthol et garrigue. Un caractère affirmé qui ne s'efface pas en bouche: longueur, intensité, maturité, le tout cadré par des tanins encore puissants qui demandent juste à se fondre. Les amateurs de vins sudistes seront comblés. ⧗ 2020-2024

CLAUDE DUMARCHER, 7, rue Jean-Antoine-Dubois, 07700 Saint-Remèze, tél. 04 75 98 98 44, claudedumarcher@orange.fr V t.l.j. sf dim. 10h-12h 15h-18h30 1 G

B LE CLOS DES SENTEURS Les Murettes 2017 ★

■ | 6000 | | 5 à 8 €

Une petite propriété familiale de 4 ha, reprise en 2003 par Françoise et Serge Coste et conduite en bio depuis 2009.

Cassis, cerise confite, tomate séchée, nuances de sous-bois: le nez ne manque pas de complexité. D'une concentration moyenne, la bouche séduit par sa rondeur, ses tanins doux et ses arômes d'évolution (pruneau, épices douces, tabac) qui font écho au nez. À boire sans attendre. ⧗ 2019-2020

SERGE COSTE, hameau de Massargues, 07150 Orgnac-l'Aven, tél. 04 75 38 51 17, sercoste@wanadoo.fr V t.l.j. 10h-12h30 15h-19h E

CROIX DES LAUZES 2018 ★★

■ | 13460 | | 5 à 8 €

Aux portes du parc régional des monts d'Ardèche, cinq caves coopératives qui représentent quelque 260 ha se sont unies sous la même bannière des Vignerons des Coteaux d'Aubenas.

Le duo syrah-grenache, grand classique de l'appellation, en pleine forme dans cette cuvée patinée par douze mois de fûts. Explosif, le nez décline les petits fruits rouges et noirs soulignés d'épices et de Zan. Rond et chaleureux, gorgé de cassis, de pruneau, de cerise noire et de poivre, le palais y ajoute une rondeur et une souplesse de corps toute aussi gourmande. Un grand charmeur. ⧗ 2020-2024

LES VIGNERONS DES COTEAUX D'AUBENAS, 240, rte de la Cave-Coopérative, 07200 Saint-Étienne-de-Fontbellon, tél. 04 75 35 17 58, caves.vivaraises@wanadoo.fr V t.l.j. sf dim. 8h30-12h 14h-18h30

MAS DE BAGNOLS Cuvée Pauline 2017 ★

■ | 5382 | | 5 à 8 €

Ce domaine de 6 ha, situé à proximité du village médiéval de Vinezac et créé par Pierre Mollier en 2000, a été repris par Louis de Moerloose. Nouvelles cuvées et orientation bio sont à l'ordre du jour.

Tout est flatteur dans cette cuvée issue principalement de la syrah (70 %): la robe jeune et bleutée, le nez friand de framboise et de violette, la bouche souple, légère, gorgée de fruit, la finale enlevée et réglissée. Rouge fringant à boire sur le fruit et sur sa jeunesse. ⧗ 2019-2021

LOUIS DE MOERLOOSE, 1357, rte d'Ales, Lieu-dit Les Côtes, 07110 Vinezac, tél. 04 75 36 51 99, masdebagnols@orange.fr V *t.l.j. sf dim. 9h-12h 14h-18h*

DOM. NOTRE-DAME DE COUSIGNAC 2018 ★

■	7500		8 à 11 €

Ce domaine, qui doit son nom à la présence de la chapelle éponyme sur ses terres, est dans la famille Pommier depuis 1780 et sept générations. La culture de la vigne y est ancienne et le vignoble (60 ha répartis sur plus de 80 parcelles) est conduit en bio. Raphaël et Rachel Pommier se sont associés en 2004 avec la maison de négoce Ogier pour la diffusion de leurs vins.

Cette cuvée, vinifiée sans ajout de soufre et élevée trois mois en cuve, soigne chaque année la fraîcheur du fruit et le croquant de la bouche. Le 2018 ne déroge pas à la règle. Les arômes franchement fruités au nez (mûre, cassis) s'enrichissent de nuances réglissées dans une bouche dont on retient la souplesse, les tanins croustillants et la belle fraîcheur. Un rouge fringant et vivant. ⧗ 2019-2021

SCEA NOTRE-DAME DE COUSIGNAC, quartier Cousignac, 07700 Bourg-Saint-Andéol, tél. 04 75 54 61 41, ndcousignac@orange.fr V *r.-v.* 2

LES TERRIERS Le Clos 2018 ★

■	16000		8 à 11 €

Créé en 1987 par la famille Roume, le Dom. des Terriers – du nom du lieu-dit où se situe l'essentiel du vignoble (16 ha) – a été vendu en 2017 à deux amis, Benjamin Levère et Cyril Chamontin, qui ont aussi développé une activité de négoce en complément.

Grenache et syrah à parité dans cette cuvée manifestement bien mûre sur la foi de ce nez solaire aux chaudes effluves de confiture de cassis et de pruneau. On les retrouve dans une bouche chaleureuse, charnue, portée par des tanins sérieux mais joliment extraits. Un vin résolument puissant taillé pour la garde. ⧗ 2021-2025

SARL LES TERRIERS, Chamont, 07120 Ruoms, tél. 04 75 93 96 82, lesterriersardeche@gmail.com V *r.-v.*

LES VINS DOUX NATURELS DE LA VALLÉE DU RHÔNE

RASTEAU

Superficie : 38 ha / Production : 1 045 hl

Tout au nord du département du Vaucluse, ce vignoble s'étale sur deux formations distinctes: des sables, marnes et galets au nord; des terrasses d'alluvions anciennes du Rhône (quaternaire), avec des galets roulés, au sud. Le grenache (90 % minimum) y fournit un vin doux naturel rouge ou doré.

COTEAUX DE TRAVERS
Ambré Labartalas Hors d'âge 2011 ★

■	800		15 à 20 €

Son grand-père cultivait la vigne en 1920. Robert Charavin conduit aujourd'hui, en bio certifié depuis 2010 et en biodynamie depuis 2013, un domaine de 14 ha régulier en qualité, qui tire son nom de ses coteaux exposés au soleil levant (« travers »).

Couleur cognac, ce rasteau offre des arômes de noix de Grenoble nuancés de caramel. En somme, il a toute la typicité attendue. Il en va de même au palais: rondeur et gras. Mais quelle est cette saveur qui nous séduit tant? Celle d'une tarte Tatin, bien sûr. ⧗ 2019-2030

EARL ROBERT CHARAVIN, 15, rte de la Cave, 84110 Rasteau, tél. 04 90 46 13 69, coteaux-des-travers@rasteau.fr V *t.l.j. sf dim. 10h-18h*

MUSCAT-DE-BEAUMES-DE-VENISE

Superficie : 490 ha / Production : 9 265 hl

Au nord de Carpentras se découpent les impressionnantes Dentelles de Montmirail. Le vignoble est implanté sur leur versant sud, dans un paysage qui doit ses couleurs à des calcaires grisâtres et à des marnes rouges. Une partie des sols est formée de sables, de marnes et de grès, une autre de terrains tourmentés datant du trias et du jurassique. Le seul cépage est le muscat à petits grains; mais dans certaines parcelles, une mutation donne des raisins roses. Mutés à l'eau-de-vie comme les autres vins doux naturels, ces vins doivent avoir au moins 110 g/l de sucre. Aromatiques, fruités et fins, ils trouvent toute leur place à l'apéritif et sur certains fromages ou desserts.

DOM. DES ENCHANTEURS
Ambre Céleste 2017 ★★

■	1700		15 à 20 €

Un domaine de poche de 3 ha, en bio certifié depuis 2014 (AOC ventoux, muscat-de-beaumes-de-venise et IGP), établi entre les Dentelles de Montmirail et le mont Ventoux. Il a été créé en 2009 par deux passionnés, Catherine Desbois-Mouchel et Bertrand Seube, œnologue.

Or pâle, cette cuvée au nom « enchanteur » livre des parfums de jasmin à peine éclos, puis laisse au palais une sensation de générosité. Une pointe fraîche bienvenue est apportée par des notes de sureau. ⧗ 2019-2022

SAS DOM. DES ENCHANTEURS, 52, chem. d'Aubignan, 84330 Saint-Hippolyte-le-Graveyron, tél. 04 90 12 69 82, bertrand@domainedesenchanteurs.fr V *r.-v.*

DOM. DE FENOUILLET Sélection ancestrale 2017

■	3600		15 à 20 €

Vigneronne depuis le début du XXᵉs., la famille Soard est établie à Beaumes-de-Venise et exploite un vignoble de 30 ha en muscat, en ventoux et en IGP. En 1989, Patrick et Vincent ont pris la suite de leur père Yvon; ils ont renoué avec la vinification à la propriété

et converti le domaine à l'agriculture biologique (certification en 2012).

De la fraîcheur pour fil conducteur. De la violette mêlée à des notes d'anis, un côté « agrumes » aussi. Le palais est à l'avenant: citronné, léger, voire aérien. S'ils se sont inspirés de leurs ancêtres, ces vignerons n'en ont pas moins su apporter une personnalité moderne à ce vin. ⧗ 2019-2022

EARL PATRICK ET VINCENT SOARD, 123, allée Saint-Roch, 84190 Beaumes-de-Venise, tél. 04 90 62 95 61, contact@domaine-fenouillet.fr t.l.j. sf dim. 9h-12h 14h-19h

LATITUDE WINE Cuvée n°44.09 2016 ★

	1500		11 à 15 €

La chapelle intérieure et la pergola de cette bastide de style toscan rappellent qu'au XVIe s. le domaine appartenait à un prélat italien. En 2009, Jean-Pierre Valade, consultant international en œnologie, et Éric Petitjean ont repris l'exploitation et ses 37 ha de vignes conduits en bio (beaumes-de-venise, ventoux et gigondas).

Une tarte meringuée au citron mettrait si bien en valeur ce vin aux notes muscatées évidentes. Des notes de zeste de cédrat et des accents floraux complètent la palette en bouche et viennent équilibrer le caractère "limoncello", c'est-à-dire la sucrosité. ⧗ 2019-2022

LATITUDE 44, Ch. la Croix des Pins, 902, chem. de la Combe, 84380 Mazan, tél. 04 90 66 37 48, contact@lacroixdespins.fr t.l.j. sf dim. 9h-12h 14h-19h

DOM. DE LA PIGEADE 2018 ★

	100000		11 à 15 €

En 1996, après leurs études de viticulture et des stages en France et aux États-Unis, Thierry et Marina Vaute ont sorti le domaine familial de la coopérative et l'ont entièrement rénové (35 ha aujourd'hui).

Le côté muscat est très présent dans ce vin d'une très bonne persistance et qui garde son équilibre, sans jamais pencher vers la lourdeur. Et un dégustateur, amateur de jazz, de conclure: un excellent standard comme « In the Mood ». ⧗ 2019-2022

EARL DOM. DE LA PIGEADE, 2439, rte de Caromb, 84190 Beaumes-de-Venise, tél. 04 90 62 90 00, contact@lapigeade.fr t.l.j. sf dim. 9h-12h 14h-18h

IGP ARDÈCHE

L'ABBÉ DUBOIS Cuvée Vitalys 2017 ★

	4000		5 à 8 €

L'abbé Dubois fut missionnaire en Inde au XVIIIe s. avant de revenir dans son village natal de Saint-Remèze. Il y fit construire une maison provençale qui commande aujourd'hui un domaine de 27 ha, propriété de Claude Dumarcher depuis 1986, rejoint en 2016 par son fils.

Un nom de cuvée qui marque l'arrivée sur le domaine du fils de Claude Vitalys. Mi-syrah mi-merlot, sans une once de bois, elle passe en revue la fraise, la framboise et le cassis. La bouche soigne tout autant l'expression du fruit dans un ensemble qui séduit par son équilibre, sa rondeur, ses petits tanins fins et mûrs. Franc et sans artifice, un excellent rouge coulant et fruité. ⧗ 2019-2021

CLAUDE DUMARCHER, 7, rue Jean-Antoine-Dubois, 07700 Saint-Remèze, tél. 04 75 98 98 44, claudedumarcher@orange.fr t.l.j. sf dim. 10h-12h 15h-18h30

TERRES DES AMOUREUSES Dandy 2017 ★

	27600		11 à 15 €

Industriel ardéchois spécialiste des matériaux de construction, Jean-Pierre Bedel a racheté en 2011 ce domaine établi à Bourg-Saint-Andéol, sur la rive droite du Rhône. Il a construit une cave et restructuré le vignoble (80 ha), planté d'une large palette de cépages méridionaux.

Née d'une heureuse rencontre entre cépages bordelais (cabernet-sauvignon) et méditerranéens (syrah, grenache, marselan), cette cuvée en impose par son nez sombre et complexe, entre fruits rouges (framboise, groseille), poivre et cacao. Intense, souple et fraîche à l'attaque, la bouche se raffermit sous l'effet de beaux tanins, denses et mûrs, très prometteurs pour la suite. Finale interminable sur le fruit et le chêne. Du charme et du potentiel. ⧗ 2020-2024 ■ **Sublim 2017 ★ (20 à 30 €; 13200 b.)** : un assemblage complexe et baroque a donné naissance à ce rouge au nez séducteur et profond de mûre, de cassis et de vanille. Très intense, la bouche conjugue puissance, matière, concentration et tire de ses tanins granuleux et d'une belle acidité sa structure affirmée et son relief. La finale juteuse nous rappelle la grande qualité de fruit (cassis) et l'élevage sur mesure de ce rouge moderne et accompli. ⧗ 2020-2026 **Pulsion 2018 ★ (11 à 15 €; 6500 b.)** : feuille de tomate, fleurs blanches, nuances végétales, fruit exotique, le nez signe la présence du sauvignon blanc (89 %). Le soleil de l'Ardèche lui confère une rondeur agréable mais c'est la fraîcheur, la vivacité et l'exubérance du fruit qui l'emportent en bouche. Un blanc vif et parfumé à boire sans délai. ⧗ 2019-2020

SCEA CH. LES AMOUREUSES, chem. de Vinsas, 07700 Bourg-Saint-Andéol, tél. 04 75 54 51 85, contact@lesamoureuses.wine t.l.j. sf sam. dim. 8h30-12h 14h-16h

DOM. LA CLAPOUZE Chardonnay 2018 ★★

	3000		5 à 8 €

Ce domaine familial situé à Vallon-Pont-d'Arc, également producteur de fruits et légumes, soigne l'accueil (gîte) et produit une gamme de vins sous l'AOC côtes-du-vivarais et en IGP Ardèche.

Le domaine signe son entrée dans le Guide de belle manière. Fringant et intense au nez, ce chardonnay, élevé en cuve, offre toute la pureté d'arômes du cépage entre notes florales et fruitées (fruits exotique, fruit frais). Tout aussi expressive, la bouche charme par son amplitude aromatique (pomme, poire, citron) et sa fraîcheur stimulante. Un blanc croquant et équilibré sans une once de lourdeur, à boire sans tarder. ⧗ 2019-2020

EARL AURIOL ET FILS, Dom. la Clapouze, 07150 Vallon-Pont-d'Arc, tél. 06 09 10 50 43, la.clapouze@wanadoo.fr t.l.j. 9h-12h30 15h-19h

LES VIGNERONS DES COTEAUX D'AUBENAS
Gris Coteaux de l'Ardèche 2018 ★

■ | 187 200 | 🍾 | - de 5 €

Aux portes du parc régional des monts d'Ardèche, cinq caves coopératives qui représentent quelque 260 ha se sont unies sous la même bannière des Vignerons des Coteaux d'Aubenas.

Grenache, caladoc et une pointe de cinsault pour ce rosé diaphane, au nez discret mais fin de fruits blancs et rouges, équilibré, long et tout aussi fruité en bouche. ⧗ 2019-2020

⊶ LES VIGNERONS DES COTEAUX D'AUBENAS, 240, rte de la Cave-Coopérative, 07200 Saint-Étienne-de-Fontbellon, tél. 04 75 35 17 58, caves.vivaraises@wanadoo.fr V t.l.j. sf dim. 8h30-12h 14h-18h30

DUPRÉ ET FILS
Gris de grenache Les Champs de Lierre 2018 ★

■ | 175 000 | 🍾 | - de 5 €

L'un des plus anciens domaines (1789) du sud de l'Ardèche, établi dans la vallée de l'Ibie, acquis par les Dupré en 1975. Les enfants, trois fils et une fille, sont désormais aux commandes d'un vaste ensemble de 100 ha. Une activité de négoce complète le domaine.

Ce joli gris s'annonce en robe claire et brillante, le nez ouvert sur des parfums frais d'agrumes. Une fraîcheur qui se prolonge dans une bouche légère et friande, pleine de peps. Un ensemble dynamique et harmonieux. ⧗ 2019-2020

⊶ SAS DUPRÉ VINS D'ARDÈCHE, Zone Artisanale Les Estrades, 07150 Vallon-Pont-d'Arc, tél. 09 66 95 85 72, dupreruoms@orange.fr

CAVE DE LABLACHÈRE Chatus 2017 ★

■ | 50 000 | 🛢 | 5 à 8 €

Fondée en 1928, cette coopérative compte aujourd'hui une quarantaine de vignerons à temps complet. Établie pour l'essentiel sur les terroirs du Trias cévenol, elle dispose de 420 ha de vignes réparties en parcelles très morcelées qui s'étagent entre 200 et 500 m d'altitude.

Ce vieux cépage ardéchois décrit par Olivier de Serre en 1600, jadis très planté, retrouve grâce auprès des producteurs locaux. Élevée en fûts, cette version en tire tout le fruit: nez séducteur de coulis de fraise, de kirsch, avec de fines nuances vanillées. Attaque ronde et fruitée, tanins astringents typiques du cépage, finale fraîche qui laisse poindre les notes de la barrique: plaisir et fermeté en bouche. Une évocation très plaisante et civilisée du cépage. ⧗ 2019-2023 ■ **Viognier 2018 ★ (5 à 8 €; 45000 b.)** : l'Ardèche et le viognier entretiennent une belle complicité. Une preuve de plus avec cette cuvée classiquement intense au nez qui diffuse les notes d'acacia et de pêche du cépage, relevées par une touche acidulée d'agrume. Conforme au nez, la bouche garde le cap: attaque très intense, texture ronde, flaveurs exubérantes florales et fruitées, finale vivace et citronnée. Amplitude et plaisir. ⧗ 2019-2020 ■ **Éclat Rosé 2018 ★ (- de 5 €; 35000 b.)** : ce pur gamay en robe saumonée livre un joli bouquet frais et franc de fruits rouges; arômes que l'on retrouve avec autant d'intensité dans une bouche équilibrée et longue. ⧗ 2019-2020

⊶ CAVE DE LABLACHÈRE, La Vignolle, 07230 Lablachère, tél. 04 75 36 65 37, cave.lablachere@wanadoo.fr V t.l.j. sf dim. 8h30-12h 14h-18h15

DOM. DE MERMÈS Colline d'Esprit 2017 ★

■ | 2000 | 🍾 | 5 à 8 €

Situé au cœur de la basse Ardèche, à Gras, à une demi-heure de Vallon-Pont-d'Arc et des célèbres gorges de l'Ardèche, ce vignoble familial créé en 1931 s'étend sur 25 ha, à 365 m d'altitude, sous la protection de la Dent de Rez. Patrice Dumarcher et Séverine Comte sont aux commandes depuis 1995.

Grenache et syrah élevés en cuve au programme de ce rouge franc et chaleureux. Cassis, mûre, fraise des bois, poivre blanc et plantes sauvages, le nez séduit. Avec son attaque intense et fraîche, son corps rond, ses tanins soyeux, ses flaveurs épanouies fruitées et épicées, sa finale chaleureuse, la bouche ne déçoit pas. Beaucoup de générosité et de plaisir, à prix modeste. ⧗ 2019-2021 ■ **Syrah 2017 (5 à 8 €; 2500 b.)** : vin cité.

⊶ GAEC DOM. DE MERMÈS, 175, chem. de Mermès, 07700 Gras, tél. 04 75 04 37 79, domainedemermes@wanadoo.fr V t.l.j. 9h-20h

Ⓑ CH. DE LA SELVE Madame de 2018 ★

■ | 2400 | 🛢 | 20 à 30 €

Le château médiéval de La Selve fut à son origine (XIIIes.) une maison forte puis un relais de chasse du duc de Joyeuse, avant de devenir un domaine viticole (40 ha aujourd'hui, en bio certifié). Benoît Chazallon est aux commandes depuis 2002, à la suite de ses parents.

Cet excellent domaine signe ce viognier ambitieux, vinifié et élevé en demi-muids. Les arômes briochées et vanillées du chêne nous le rappellent. Pleine, ronde, ample, la bouche restitue toute la chair et le fruit (pêche, fleurs) du viognier et y ajoute une remarquable fraîcheur qui donne éclat et allant à ce blanc harmonieux et savoureux. ⧗ 2019-2021

⊶ EARL CH. DE LA SELVE, Ch. de la Selve, 07120 Grospierres, tél. 04 75 93 02 55, contact@chateau-de-la-selve.fr V t.l.j. 9h-19h

LES TERRIERS 2018 ★

■ | 16 000 | 🍾 | 5 à 8 €

Créé en 1987 par la famille Roume, le Dom. des Terriers – du nom du lieu-dit où se situe l'essentiel du vignoble (16 ha) – a été vendu en 2017 à deux amis, Benjamin Levère et Cyril Chamontin, qui ont aussi développé une activité de négoce en complément.

Une robe rubis intense, un nez généreux de fruits rouges, une bouche ronde à l'attaque qui trouve dans des tanins croquants ce qu'il faut de relief, ce merlot du Sud charme par sa franchise et par la plénitude de son fruit. ⧗ 2019-2021 ■ **Chardonnay 2018 ★ (5 à 8 €; 8500 b.)** : la robe dorée, le nez qui hésite entre agrume, fruit exotique (ananas) et brioche fraîche, la bouche ronde, parfumée, la finale légèrement grillée: tout est gourmand et de bon ton dans ce chardonnay bien sudiste dans ses arômes mais qui conserve une salutaire fraîcheur. Charmeur et universel. ⧗ 2019-2020

⊶ SARL LES TERRIERS, Chamont, 07120 Ruoms, tél. 04 75 93 96 82, lesterriersardeche@gmail.com V r.-v.

VIGNERONS ARDÉCHOIS Orélie 2018 ★

■ | 150000 | | 5 à 8 €

Cette structure coopérative résulte du regroupement successif de caves ardéchoises et notamment de la fusion, en 1994, de l'Union des caves de la Cévenne ardéchoise et de l'Union des caves coopératives de l'Ardèche. Elle dispose de 6 000 ha de vignes et de douze caves de vinification, ce qui en fait le plus important producteur de vins d'Ardèche.

Une robe pétale de rose, de jolis arômes de cerise au nez comme en bouche, du corps et de la fraîcheur: un rosé bien sous tous rapports, né de cabernet-sauvignon, de grenache noir, de gamay et de syrah. ⧗ 2019-2020

USCA UNION DES VIGNERONS DES COTEAUX DE L'ARDÈCHE, 107, av. de Vallon, 07120 Ruoms, tél. 04 75 39 98 00, uvica@uvica.fr V r.-v.

IGP COLLINES RHODANIENNES

DOM. PICHAT Syrah Côtes de Verenay 2018 ★★

■ | 5000 | | 11 à 15 €

Après des études à Beaune, puis une expérience aux États-Unis et dans le Bordelais, sur le domaine de son épouse (Ch. Filliol), Stéphane Pichat est revenu sur ses terres donner du souffle à cette propriété ancienne, fondée par ses arrière-grands-parents. Installé en 2000, il lance la mise en bouteilles (1 000 au commencement, 15 à 20 000 aujourd'hui) et signe à partir de 5 ha en côte-rôtie et en condrieu des vins d'une qualité toujours irréprochable.

Une robe noire, un nez de mûre et de cerise noire qui donne une sensation de maturité accomplie, tous les signes d'une syrah vendangée à point dans cette cuvée qui aura séduit le jury. La bouche conséquente et charnue repose sur des tanins fermes mais bien extraits qui augurent d'une belle capacité de garde, ce que confirme la longue finale dominée par les épices de l'élevage. Un vin prometteur. ⧗ 2020-2024 ■ **Viognier Côtes de Verenay 2018 ★ (15 à 20 €; 2000 b.)** : limpide, sertie de reflets or, la robe est déjà un plaisir. Le nez retenu livre les notes fruitées (pêche, abricot) du viognier et les nuances toastées d'un élevage en fûts. Bien plus démonstrative, centrée sur le fruit jaune et la vanille, la bouche offre gras, rondeur et plénitude. Un viognier épanoui. ⧗ 2019-2021

SCEA DOM. PICHAT, 6, chem. de la Viallière, 69420 Ampuis, tél. 04 74 48 37 23, info@domainepichat.com V r.-v.

CAVE DE TAIN Syrah Première Note 2018 ★

■ | 370000 | | 5 à 8 €

Créée en 1933 par Louis Gambert de Loche, la très qualitative cave coopérative de Tain-l'Hermitage rassemble 310 adhérents et vinifie à elle seule, avec plus de 1 000 ha de vignes, environ 50 % des appellations de la vallée du Rhône septentrionale. Elle possède aussi 26 ha en propre, dont 21 ha en AOC hermitage. Une valeur sûre de la région, qui s'est dotée en 2014 de structures de production flambant neuves permettant de multiplier les sélections parcellaires.

Un beau rubis intense et un nez discret, entre fruits noirs, épices et nuances végétales, à l'entame de cette cuvée. Bouche légère, ronde, fraîche, dotée de tanins discrets et lissés, agréable finale épicée: simple et bien fait, une agréable introduction au cépage. ⧗ 2019-2020 ■ **Rosé de syrah Première Note 2018 ★ (5 à 8 €; 30000 b.)** : un rosé 100 % syrah à la robe légère et au nez franc de fruits rouges et d'épices, soutenu en bouche par une belle vivacité qui amène de la longueur et du tonus. Un vin dynamique et net. ⧗ 2019-2020 ■ **Viognier Première Note 2018 ★ (5 à 8 €; 15500 b.)** : un blanc vient compléter la gamme Première Note: une robe limpide, un nez friand qui embaume les fleurs blanches et le fruit blanc, une bouche légère, ronde, parfaitement équilibrée. Un viognier tendre qui offre toute la plénitude aromatique du cépage. ⧗ 2019-2020

SCA CAVE DE TAIN, 22, rte de Larnage, 26602 Tain-l'Hermitage, tél. 04 75 08 20 87, contact@cavedetain.com V r.-v.

TERRANEA Syrah Fleur primitive 2018 ★★

■ | 66666 | | 5 à 8 €

Un négoce créé en 2003 par Frédéric Chaulan – rejoint en 2009 par Serge Cosialls –, qui propose une gamme complète de vins de la vallée du Rhône, du nord au sud.

Tout le charme de la syrah dans ce rouge coloré, rubis intense, expressif au nez (cassis, fruits rouges, épices) comme en bouche. À une attaque franche et intense répond un palais charnu qui repose sur des tanins frais et fins. À l'arrivée, un rouge rond à déguster sur le fruit et dans ses premières années. ⧗ 2019-2021

SAS TERRANEA, rue des Négades, ZAC du Crépon-Sud, 84420 Piolenc, tél. 04 90 34 18 47, terranea.sarl@wanadoo.fr

LES VINS DE VIENNE Sotanum 2017 ★★

■ | 20000 | | 30 à 50 €

Pour faire renaître le vignoble de Seyssuel situé en amont de Vienne, trois vignerons de renom, Yves Cuilleron, Pierre Gaillard et François Villard, ont créé cette affaire en 1996, à l'origine de beaux vins de propriété – IGP à Seyssuel, sélections parcellaires en AOC septentrionales – et de vins de négoce de toute la vallée.

Sotanum ou «les bienfaits du breuvage» est le nom d'un cru célèbre de l'Antiquité produit dans les environs de Vienne par les Allobroges. Cette cuvée bien nommée en est le digne successeur. 100 % syrah, née sur les coteaux de micaschistes qui font face à la Côte-Rôtie, sur la rive gauche du Rhône, elle déploie un nez complexe de fruits mûrs et d'épices provenant du chêne. Racée, charnue et charmeuse, la bouche enchante par sa douce chair matinée d'épices et de Zan et par ses tanins de grande classe. Grand vin de garde qui donne déjà de belles émotions. ⧗ 2022-2032 ■ **Heluicum 2017 ★ (20 à 30 €; 26000 b.)** : plus souple que le Sotanum, Heluicum est issu des mêmes coteaux bien exposés de micaschistes de la région de Vienne. Pure syrah, son nez évoque les fruits rouges compotés, la cerise noire et les épices douces d'un élevage en fûts. Ronde, souple, dotée de tanins soyeux et déjà fondus, la bouche déroule ses saveurs chaudes de kirsch et d'épices. Plaisante, solaire, la cuvée fait dignement écho à son nom tiré d'Hélios, le dieu grec du soleil. ⧗ 2019-2024

SARL LES VINS DE VIENNE, 1, ZA de Jassoux, 42410 Chavanay, tél. 04 74 85 04 52, contact@lesvinsdevienne.fr V r.-v.

IGP COTEAUX DES BARONNIES

DOM. DU RIEU FRAIS Syrah 2017 ★★

	15000		5 à 8 €

Ce domaine de 40 ha (aujourd'hui certifié bio) a été façonné à partir de 1983 par Jean-Yves Liotaud qui a débuté sur une ancienne propriété familiale: création du vignoble, construction des chais, aménagement de la cave de vieillissement, tout était à faire. Depuis, le domaine, sur lequel œuvre également le fils de Jean-Yves, Alexandre (œnologue), est devenu l'une des références des Coteaux des Baronnies.

Une robe limpide rubis clair, un nez gourmand et parfumé, entre fruit (baies noires), fleur et végétal, une bouche très souple et friande, dotés de petits tanins croquants, voilà un exemple accompli de syrah digeste et coulante qui fera un excellent rouge d'été. 2019-2022 **Rosé de syrah 2018 ★ (5 à 8 €; 15000 b.)** : une syrah bien dans sa peau, d'une belle couleur saumoné, qui s'ouvre sur le zest de mandarine et la camomille. Une finesse des arômes à laquelle fait écho un palais très frais. On en redemande... 2019-2020 **Comme une révélation 2017 ★ (11 à 15 €; 3600 b.)** : syrah, merlot et cabernet-sauvignon composent cette cuvée à la robe profonde, presque opaque. D'emblée le nez s'affirme, libérant des arômes puissants de fruits noirs (cassis et mûre). Une touche de vanille complète cette palette dans un palais souple et frais, soutenu par des tanins soyeux et une finale finement grillée qui témoigne de la justesse de l'élevage. Un vin charmeur, complet, plaisant dès à présent. 2019-2024

EARL JEAN-YVES LIOTAUD, 120, chem. du Rieu-Frais, 26110 Sainte-Jalle, tél. 04 75 27 31 54, jean-yves.liotaud@orange.fr V *t.l.j. 9h-12h 14h-18h*

IGP MÉDITERRANÉE

ABBAYE DE LÉRINS Saint-Honorat 2017

	10000		30 à 50 €

Située dans la partie centrale de l'île Saint-Honorat depuis 1250, au large de la baie de Cannes, cette abbaye est conduite par vingt moines qui vivent sur place selon la règle de saint Benoît et du fruit de leur travail: la production de liqueur et de vin. En conversion bio, le vignoble s'étend aujourd'hui sur 8 ha, dont 5 ha dédiés au vin rouge.

Sur une île qui a tout d'un paradis, les moines de Lérins façonnent des vins haut de gamme issus d'un vignoble tenu comme un jardin. Puissante et concentrée, cette syrah longuement élevée en fûts (vingt mois) dispense ses arômes de mûre et de griotte agrémentés d'épices douces. Charnue, pleine, dotée de tanins gras et enrobés et d'une palette aromatique qui s'étire sur le poivre et la cannelle, la bouche témoigne d'une maturité accomplie et du juste usage du chêne. De garde. 2020-2027

SARL LÉRINA, Île Saint-Honorat, CS_10040, 06414 Cannes, tél. 06 86 22 33 12, commercial@abbayedelerins.com V *r.-v.*

VILLA J. AUGUSTA Vue sur mer 2018

	50000		- de 5 €

Une jeune maison de négoce créée en 2011 par «l'artisan-négociant» François-Xavier Nicolas et dédiée aux «vins de terroir» de la vallée du Rhône méridionale.

Merlot, caladoc, syrah et cabernet-sauvignon composent ce vin limpide et brillant, amylique et fruité (griotte) au nez comme en bouche, pas très long mais expressif. 2019-2020

VILLA J. AUGUSTA, 400 rue du Portugal, 84100 Orange, tél. 06 47 33 19 21

DOM. DE LA BASTIDE Coladoc-Grenache Galoupins 2018 ★

	6000		- de 5 €

Une ancienne ferme templière, puis un couvent avant la Révolution. Le domaine a été acquis en 1988 par Bernard Boyer, disparu en 2008, qui l'a légué à son fils Vincent et qui travaillait à ses côtés depuis 1998. Le vignoble couvre 75 ha à Visan et à Suze-la-Rousse.

Au nez, ce rosé très clair évoque les agrumes, le cassis, les fleurs blanches et le bonbon. En bouche, il se montre également bien fruité et élégamment floral, frais, dynamique. Un vin harmonieux et expressif. 2019-2020

SCEA LA BASTIDE, 1250, chem.de la Bastide, 84820 Visan, tél. 04 90 41 98 61, vinboyer@wanadoo.fr V *r.-v.*

BOIS DE LA GARDE 2018

	15000		5 à 8 €

L'histoire vigneronne des Mousset-Barrot débute dans les années 1930 avec l'achat par Louis Mousset des châteaux des Fines Roches, Jas de Bressy (AOC châteauneuf) et du Bois de la Garde (côtes-du-rhône et côtes-du-rhône-villages). L'ensemble (125 ha) est aujourd'hui conduit par la troisième génération, Gaëlle et Amélie Mousset-Barrot.

Cette cuvée à dominante de grenache livre un bouquet franc et gourmand de petits fruits rouges. On les retrouve avec plaisir dans une bouche soyeuse, vivace, croquante de fruit, très stimulante par sa fraicheur. 2019-2020

SCEA VIGNOBLES MOUSSET-BARROT, 1, av. du Baron-Leroy, 84230 Châteauneuf-du-Pape, tél. 04 90 83 51 73, chateaux@vmb.fr V *t.l.j. 13h30-19h30; f. en nov., janv. et fév.*

CANORGUE Cépage Viognier 2018 ★

	10000		8 à 11 €

Ce domaine familial depuis cinq générations, l'une des références de l'appellation luberon, est d'une régularité sans faille. Jean-Pierre Margan, pionnier de l'agriculture biologique dans la région, a converti dès 1978 son vignoble, étendu aujourd'hui sur 40 ha. Sa fille Nathalie, installée depuis une quinzaine d'années, a désormais pris la suite. Incontournable.

Chaque année au rendez-vous du Guide, le domaine place ce viognier, coup de cœur dans le millésime 2014. Le 2018 en est le digne successeur. Le nez comme la bouche restituent l'exubérance aromatique du cépage (notes florales, abricot, fruit blanc) soulignée ici par une touche tonifiante d'agrume. Tendre, plein, rond, le palais est gorgé des mêmes flaveurs et y ajoute une fraîcheur qui fait la différence. Un viognier très pur, d'un équilibre aérien. ⧗ 2019-2020

⊶ EARL JEAN-PIERRE ET NATHALIE MARGAN, rte du Pont-Julien, 84480 Bonnieux, tél. 04 90 75 81 01, chateaucanorgue.margan@wanadoo.fr V t.l.j. sf dim. 9h-12h 14h-18h

LA CAVE LES COTEAUX DU RHÔNE 2018

■	100 000		- de 5 €

Fondée en 1926, la cave Les Coteaux du Rhône, coopérative de Sérignan-du-Comtat, propose une large gamme allant des vins en IGP aux AOC comme vacqueyras, en passant par les côtes-du-rhône et les *villages*.

Un rosé issu de saignée et de pressurage direct. Robe limpide, nez expressif de framboise, d'agrumes et de bonbon, bouche fraîche: l'ensemble est bien construit. ⧗ 2019-2020

⊶ SCEV LES COTEAUX DU RHÔNE, 57, chem. Derrière-le-Parc, 84830 Sérignan-du-Comtat, tél. 04 90 70 42 43, coteau.rhone@orange.fr V t.l.j. sf dim. 9h-12h30 14h-19h

DOM. DE COYEUX Praemium Florae 2018 ★★

■	8000		8 à 11 €

Un vaste domaine de 112 ha (dont 65 de vignes) créé dans les années 1970 au pied des Dentelles de Montmirail et repris en 2013 par Hugues de Feraudy.

Très réputé, et de longue date, pour son muscat de beaumes-de-venise, le domaine a eu la bonne idée de vinifier en sec le muscat à petits grains avec un bref élevage en cuve qui a préservé toute sa pureté aromatique. Les douces effluves de fleurs d'oranger, de pêche et de fruit exotique persistent dans une bouche délicate, tendre par sa texture arrondie, qui laisse filtrer une agréable sensation de fraîcheur et de plénitude. À déguster sans attendre pour profiter à plein de la pureté de son fruit. ⧗ 2019-2020

⊶ SCEA DU DOM. DE COYEUX, 167, chem. du Rocher, 84190 Beaumes-de-Venise, tél. 04 90 12 42 42, lbigazzi@domainedecoyeux.com V t.l.j. 9h-12h 14h-17h30

LOUÉRION Marselan 2018

■	5000		5 à 8 €

Fondée en 1925, la coopérative de Cucuron a fusionné en 2009 avec les caves de Lourmarin, Cadenet et Lauris pour former Louérion Terres d'Alliance, qui regroupe la production de 150 vignerons.

Le marselan, né du croisement entre le cabernet-sauvignon et le grenache, fait de plus en plus d'adeptes. En voici un exemple abouti. Une robe intense, ourlée de nuances violines, habille ce rouge au nez épanoui de fruits noirs et de violette. Arômes que l'on retrouve dans une bouche souple, harmonieuse, aux tanins très doux, qui séduit d'emblée par son équilibre et sa gourmandise. ⧗ 2019-2021

⊶ SCA LOUÉRION TERRES D'ALLIANCE, 15, cours Saint-Victor, 84160 Cucuron, tél. 04 90 77 21 02, contact@louerion.com V t.l.j. 9h (dim. 10h)-12h30 14h30-19h

OPPIDUM DES CAUVINS Med in France 2018 ★

■	500 000		5 à 8 €

Établis au cœur du massif de la Trévaresse, à Rognes, et producteurs en coteaux-d'aix-en-provence (dont ils sont l'une des valeurs sûres), Rémy et Dominique Ravaute exploitent aussi le Clos de la Tuilière, un vignoble de 10 ha en Luberon, sur l'autre rive de la Durance. Leur domaine provençal doit son nom à une ancienne place forte néo-romaine.

Issu de grenache (75 %) et de cinsault, ce rosé « primesautier » libère d'agréables parfums de caramel et d'aubépine, que l'on retrouve dans une bouche fraîche et alerte. ⧗ 2019-2020

⊶ EARL DOM. L' OPPIDUM DES CAUVINS, RD_543, Les Cauvins, 13840 Rognes, tél. 04 42 50 29 40, oppidumdescauvins@wanadoo.fr t.l.j. sf dim. lun. 9h-12h 14h-18h

DOM. DES PEYRE L'Apostrophe 2018

■	6000		11 à 15 €

Patricia Alexandre, ancienne directrice du Gault et Millau, a repris deux domaines du Luberon en 2013: le Dom. Faverot, un mas provençal, dont une partie date du XVIes., transformé en magnanerie au XVIIIes., puis en domaine viticole dans les années 1920; le Dom. des Peyre, une ancienne ferme fortifiée du XVIIIes. commandant 23 ha de vignes. Elle a restructuré le vignoble, construit un chai et développe l'œnotourisme.

La rondeur du viognier associée à la fraîcheur du sauvignon, cela donne ce joli blanc, doré de robe, friand par son nez de fruit jaune, de fleurs blanches et de végétal frais, qui séduit tout autant en bouche par sa rondeur raffinée, sans une once de lourdeur. ⧗ 2019-2020

⊶ SCEA DOM. DES PEYRE, 1620, rte d'Avignon, 84440 Robion, tél. 06 08 92 87 71, palexandre@domainedespeyre.com V t.l.j. sf dim.10h-18h hiver; 10h- 19h été

LA ROMAINE Chardonnay Viognier 2018 ★

■	7980		- de 5 €

Fondée en 1924, une des premières coopératives du Vaucluse, qui regroupe aujourd'hui 180 vignerons et plus de 1 400 ha de vignes. Elle propose des côtes-du-rhône, côtes-du-rhône-villages, ventoux, ainsi que des IGP Méditerranée et Coteaux des Baronnies.

Trois mois de cuve pour ce blanc qui tire du chardonnay dominant (80 %) son nez discrètement fruité autour des agrumes. Le citron et le pamplemousse s'affirment plus intensément dans une bouche franche, souple, fraîche et arrondie par l'apport du viognier. Équilibre très estival pour ce blanc de soif. ⧗ 2019-2020

⊶ SAS CAVE LA ROMAINE, 95, chem. de Saumelongue, 84110 Vaison-la-Romaine, tél. 04 90 36 55 90, adv@cave-la-romaine.com V t.l.j. 9h-12h30 14h-18h30; dim. 9h-12h

DOM. ROUGE-BLEU Carignan Grenache Dentelle 2017 ★

■	6500		8 à 11 €

Créé en 2007 par un jeune couple franco-australien, le domaine est situé en pleine nature, sur la commune

de Sainte-Cécile-les-Vignes. Il exploite 9 ha de vieilles vignes en suivant les principes de la biodynamie et vinifient une poignée de cuvées au plus près du raisin, avec le moins d'interventions possibles.

Les Dentelles, ce sont celles de Montmirail qui surplombent le domaine. Les vieilles vignes (carignan et grenache) et les petits rendement ont façonné la robe intense et le nez expressif qui hésitent entre fruits bien mûrs (pruneau), violette et épices. Fringante, relevée par une acidité stimulante et des tanins croquants, la bouche procure une intense sensation de fraîcheur, confirmée par une belle finale florale et acidulée. Équilibre très réussi pour ce rouge à la fois alerte et résolument méridional. ⧗ 2019-2021

SARL ROUGE-BLEU, Ch. de la Bouillon, 84290 Sainte-Cécile-les-Vignes, tél. 06 15 10 52 01, contact@rouge-bleu.com V *t.l.j. sf dim. 8h-12h 14h-17h30*

B TRIENNES
Viognier Sainte Fleur 2018 ★★

■	34 000		11 à 15 €

À l'origine de ce domaine, deux Bourguignons, Jacques Seysses (Dujac) et Aubert de Villaine (Romanée-Conti), et un ami parisien, Michel Macaux. En 1989, ils découvrent, à l'est d'Aix, le Dom. du Logis de Nans et son beau terroir argilo-calcaire. Un domaine de 46 ha aujourd'hui, rebaptisé Triennes, en référence aux Triennia, bacchanales qui se déroulaient tous les trois ans sous l'empire romain, et qui évoquent le trio de vignerons.

Pêche blanche et fleurs blanches, le viognier marque de son empreinte le nez de ce joli blanc, dans un registre plus fin que puissant. La même sensation de délicatesse s'impose dans une bouche qui brille par l'élégance et la rondeur de sa texture et par la finesse et la persistance du fruit. Bien du Sud par la douce chaleur qui accompagne la finale mais remarquablement équilibré. Un blanc de classe. ⧗ 2019-2020

SAS TRIENNES, 4669 RN 560, Le Logis de Nans, 83860 Nans-les-Pins, tél. 04 94 78 91 46, marine@triennes.com V *t.l.j. sf dim. 9h-12h 13h-18h*

B PIERRE VIDAL 2018 ★

■	20 000		5 à 8 €

Pierre Vidal, installé à Châteauneuf-du-Pape avec son épouse vigneronne, a créé son négoce en 2010. Une maison déjà bien implantée grâce aux sélections parcellaires vinifiées par ce jeune œnologue formé en Bourgogne, qui s'est développée depuis 2015 vers les vins bio et les vins « vegan ».

Une cuvée syrah-grenache qui aura surpris, dérouté... et séduit le jury. Un nez très expressif décline les fruits rouges frais avec des notes étonnamment exotiques (mangue, litchi, Passion), que l'on retrouve dans une bouche charnue qui a séduit par sa rondeur gourmande. Atypique, intrigant mais séduisant. ⧗ 2019-2021 ■ **Cuvée spéciale 2018 (5 à 8 €; 20 000 b.)** B : vin cité.

EURL PIERRE VIDAL, 631, rte de Sorgues, 84230 Châteauneuf-du-Pape, tél. 06 88 88 07 58, contact@pierrevidal.com r.-v.

IGP PRINCIPAUTÉ D'ORANGE

LA CAVE LES COTEAUX DU RHÔNE
La Balade de Coline 2018 ★

■	100 000		- de 5 €

Fondée en 1926, la cave Les Coteaux du Rhône, coopérative de Sérignan-du-Comtat, propose une large gamme allant des vins en IGP aux AOC comme vacqueyras, en passant par les côtes-du-rhône et les *villages*.

Régulièrement citée, la Cave récidive avec ce rouge qui tire tout le fruit et la souplesse d'un duo grenache-syrah élevé en cuve béton. Franc et expressif, le nez offre ses arômes gourmands de fruits rouges et d'épices que l'on croque avec plaisir dans une bouche lisse et charnue, bâtie sur des tanins à peine perceptibles. La finale fraîche se teinte des notes fruitées perçues au nez. Très plaisant et à boire sur le fruit. ⧗ 2019-2021 ■ **2018** ★ **(- de 5 €; 100 000 b.)** : né de grenache et de cinsault, un rosé fuchsia tirant vers le violet, très aromatique (fruits des bois, pêche confiturée), ample et long en bouche, avec en finale de jolis amers qui donnent du tonus. ⧗ 2019-2020 ■ **La Balade de Coline 2018** ★ **(- de 5 €; 100 000 b.)** : un vin assez soutenu en couleur, fruité au nez comme en bouche (nectarine, pamplemousse, fruits rouges), suave et volumineux. Une jolie douceur rosée. ⧗ 2019-2020

SCEV LES COTEAUX DU RHÔNE, 57, chem. Derrière-le-Parc, 84830 Sérignan-du-Comtat, tél. 04 90 70 42 43, coteau.rhone@orange.fr V *t.l.j. sf dim. 9h-12h30 14h-19h*

B DOM. LE RENARD 2018 ★

■	4 500		5 à 8 €

Marie-Christine Andrieu et Pascal Valadier ont quitté en 2009 la coopérative de Cairanne pour créer leur propre structure qui associe deux entités, le Dom. le Renard et le Dom. Valand. Le premier s'étend sur 25 ha en bio depuis 2018, le second sur 15 ha en agriculture biologique depuis 2010. Au programme: côtes-du-rhône, *villages*, cairanne et IGP Principauté d'Orange.

Grenache (70 %) et syrah pour ce rosé clair et brillant, centré sur la fraise et les agrumes à l'olfaction comme en bouche, très frais et long. ⧗ 2019-2020

EARL VALAND, 31, chem. des Muletiers, 84850 Travaillan, tél. 04 90 37 71 73, valadier17@orange.fr V *r.-v.*

♥ B DOM. SAINT-COSME
Les Deux Albion 2018 ★★

■	60 000		8 à 11 €

Aménagé sur un site de vinification gallo-romain, parvenu jusqu'à nous avec ses cuves de fermentation taillées dans le rocher, ce domaine est dans la famille Barruol depuis... 1490. Dès

lors, quinze générations de vignerons se sont succédé sur cette exploitation de 38 ha conduite depuis longtemps selon les préceptes bio. Fort de ce long passé vigneron, Louis Barruol, l'actuel propriétaire, a développé en 1997 une activité de négoce.

Vigneron vedette de Gigondas, le talentueux Louis Barruol a eu la bonne idée de réhabiliter les terroirs calcaires, jadis estimés pour ses blancs, de Saint-Martin. Il en tire cet assemblage viognier, picpoul et marsanne qui a fait l'objet d'un élevage complexe associant cuves et fûts de différents contenances. Intense, le nez décline les fruits exotiques, le fruit jaune, le beurre frais et les nuances vanillées du chêne. Bien méridionale, la bouche brille par sa texture suave mais aérienne et par la justesse de l'élevage qui enrichit les flaveurs de fruits mûrs de subtiles notes boisées. Une singulière sensation d'harmonie, de plénitude et d'équilibre qui vaut à la cuvée un coup de cœur et une certaine capacité de garde. ⧗ 2019-2023

LOUIS ET CHERRY BARRUOL,
126, rte des Florêts, Saint-Cosme, 84190 Gigondas,
tél. 04 90 65 80 80, barruol@chateau-st-cosme.com
t.l.j. sf sam. dim. 9h-17h

IGP VAUCLUSE

AURETO Tramontane 2017 ★★

■ | 15334 | | 15 à 20 €

Ce domaine de 36 ha créé en 2007 est rattaché au complexe hôtelier de luxe *La Coquillade*, établi au cœur du parc du Luberon, propriété des Wunderli. La vinification est confiée à l'œnologue Aurélie Julien.

Solaire et puissant, deux mots qui résument cette cuvée forgée à partir du caladoc et de la syrah. Le nez intense offre les charmes d'un raisin vendangé à belle maturité (confiture de mûre, kirsch) avec des nuances discrètement toastées. La bouche en tire sa douce chaleur, son corps ample soutenu par des tanins fondants et sa longue finale entre épices douces et fruits confits. Un rouge structuré et épanoui. ⧗ 2019-2024 ■ **Alouette 2018 ★ (8 à 11 €; 6664 b.)** : caladoc (80 %), grenache (20 %) et cinsault composent ce rosé pâle et brillant dont le nom évoque les alouettes huppées venant nicher chaque printemps sur les collines du parc du Luberon. Au nez, l'amylique et le fruité (framboise, agrumes) font un beau duo. En bouche, on retrouve le fruit, du gras aussi et ce qu'il faut d'acidité: un vin équilibré. ⧗ 2019-2020

SARL AURETO, Hameau La Coquillade,
84400 Gargas, tél. 04 90 74 54 67, info@aureto.fr
t.l.j. 10h-19h SARL Aureto

DOM. DE LA BASTIDONNE Viognier 2018 ★

■ | 5000 | | 5 à 8 €

Installé en 1990, Gérard Marreau, œnologue, représente la quatrième génération à conduire ce domaine familial de 40 ha fondé en 1903, souvent en vue pour ses ventoux et ses IGP.

Retenu l'année dernière pour son rosé, le domaine place cette année un viognier tout ce qu'il y a de plus classique: nez volubile, exotique et floral, bouche ronde, pleine et parfumée, avec un soupçon de fraîcheur qui tient le vin en équilibre. Charmeur, typé et harmonieux. ⧗ 2019-2020

SCEA DOM. DE LA BASTIDONNE,
206, chem. de la Bastidonne, 84220 Cabrières-d'Avignon,
tél. 04 90 76 70 00, domaine.bastidonne@orange.fr
t.l.j. sf dim. 9h-12h 14h-18h

DOM. BENEDETTI Show Vin 2017 ★

■ | 8500 | | 5 à 8 €

Conduit par Christian Benedetti, ce domaine sorti de la coopérative en 1997 s'est rapidement tourné vers le bio (en 2001) pour mettre en valeur ses 26 ha de vignes. Depuis 2009, la gestion est assurée par le fils Nicolas.

Né du merlot et de la syrah, élevé dix-huit mois en cuve, ce 2017 offre un nez mûr mariant les fruits noirs et le pruneau. La bouche a tout pour séduire: intensité, volume, rondeur, gourmandise, avec une légère astringence qui relance la finale et donne ce qu'il faut de relief à ce rouge épanoui et très sudiste. ⧗ 2020-2023

SCEA LES MURIERS (DOM. BENEDETTI),
chem. Gariguette, 84850 Camaret-sur-Aigues,
tél. 06 48 03 57 56, domainebenedetti@yahoo.fr
r.-v.

LA CÉLESTIÈRE
Vin de Pays de Vaucluse 2017 ★★

■ | 23000 | | 8 à 11 €

Un domaine repris en 2008 – et rebaptisé: il s'appelait la Glacière – par Béatrice et Neil Joyce. Après d'importants travaux et notamment la création d'un chai de vinification et d'un autre de vieillissement, la Célestière propose des vins en IGP et en AOC châteauneuf-du-pape; elle bénéficie de la certification bio depuis 2013.

Une touche originale d'alicante complète cet assemblage dominé par le grenache et la syrah. Tout y est intense et confortable: le nez, floral et fruité (fruits rouges mûrs), la bouche souple dotée de tanins ronds, le fruit parfaitement croquant et la finale qui laisse un agréable sillon de fraîcheur. Un équilibre remarquable pour ce rouge d'été, convivial et alerte. ⧗ 2019-2020

LA CÉLESTIÈRE, 1956, rte de Roquemaure,
D17 quartier La Glacière, 84230 Châteauneuf-du-Pape,
tél. 04 90 25 28 92, info@lacelestiere.fr
t.l.j. sf sam. dim. 9h-12h 13h-18h

♥ CLOS DE GARAUD Léluza 2018 ★★★

■ | 7500 | | 8 à 11 €

Niché à Caromb, entre le Mont Ventoux et les Dentelles de Montmirail, le Clos de Garaud a été créé en 2014 par Jérémy Sagnier, issu d'une lignée enracinée dans cette région depuis 1560. Le domaine produit à la fois des ventoux et des vins en IGP sur une superficie de 20 ha.

Jérémy Sagnier a eu la bonne idée de s'essayer au cabernet franc, manifestement très à l'aise sous le soleil du Vaucluse. Les arômes de tabac et de sous-bois typiques du cépage s'entichent de nuances clairement sudistes de fruits rouges bien mûrs et de garrigue. Une belle maturité que confirme la bouche résolument solaire dont on retiendra la richesse, la rondeur des tanins, la longueur et l'harmonie. Les trois petits enfants du vigneron, Léya, Luce et Zadig (Léluza) n'en seront que plus flattés. De belle garde. ⧗ 2020-2025

SAS DOM. CLOS DE GARAUD, 974, chem. de Serres, 84330 Caromb, tél. 06 14 63 25 76, closdegaraud@gmail.com V t.l.j. sf dim. 9h-12h 15h-19h

DOM. FONTAINE DU CLOS
Certitude 2018

	27200		5 à 8 €

Les Barnier (aujourd'hui Jean-François) sont enracinés sur leurs terres de Sarrians où ils sont vignerons et pépiniéristes viticoles. Au cœur de l'exploitation, une fontaine donne son nom à leur vaste vignoble (100 ha) planté de quelque quarante cépages.

Syrah, muscat à petits grains et gewurztraminer, voilà un assemblage original pour ce rosé clair aux reflets orangés, ouvert sur la griotte, la framboise et le bonbon, d'un joli grain en bouche, frais et un brin amer en finale. ⧗ 2019-2020

EARL JEAN-FRANÇOIS BARNIER, 735, bd du Comté-d'Orange, 84260 Sarrians, tél. 04 90 65 59 39, cave@fontaineduclos.com V t.l.j. sf dim. 9h30-12h 14h30-19h

DOM. DE LA GARELLE
Merlot-Syrah 2018

	10000		5 à 8 €

Un domaine créé en 1995 par le Néerlandais Robert Vlasman, repris et rénové (nouvelles plantations, climatisation des chais, création d'un sentier œnologique) à partir de 2008 par l'ingénieur agronome Alain Audet, à la tête aujourd'hui de 30 ha de vignes.

Le duo merlot-syrah est à l'œuvre dans ce rosé saumoné d'une belle limpidité. Au nez, la framboise voisine avec de légères notes florales et végétales. En bouche, gras et fraîcheur s'harmonisent bien et composent un vin d'une agréable souplesse. ⧗ 2019-2020

SCA DOM. LA GARELLE, 4803, rte de Ménerbes, 84580 Oppède, tél. 04 90 72 31 20, info@lagarelle.fr V t.l.j. sf dim. 10h-12h 15h-18h

B MASLAURIS
L'Inopiné 2017 ★★

	4200		15 à 20 €

Acquis en 2015 par Didier Théophile, le domaine a bénéficié d'une rénovation complète avec la construction d'un chai gravitaire flambant neuf, précédée, après arrachage et un repos des terres, de la replantation de près de 10 ha de jeunes vignes conduites en agriculture biologique. Il produit vins rouges, rosés et blancs vinifiés au domaine sous les conseils de Michel Tardieu.

La syrah (85 %) est à l'honneur dans cette cuvée née de vignes perchées à 300 m d'altitude. Au nez, une belle intensité fruitée (fruits noirs) s'accompagne de nuances épicées et réglissées. Au diapason, la bouche restitue cette même plénitude d'arômes et y ajoute une rondeur et une ampleur très gourmandes. Long et savoureux, du bel ouvrage. ⧗ 2019-2023

SCEA DOM. DE MASLAURIS, quartier Les Grès, 84360 Lauris, tél. 06 79 80 03 35, aurelien.le.tellier@maslauris.fr V t.l.j. sf sam. dim. 8h-12h 14h-18h

DOM. DU PUY MARQUIS Syrah 2017 ★★★

	2000		11 à 15 €

Ancien cycliste professionnel, coéquipier de Jacques Anquetil, Claude Leclercq a posé son vélo en 1980 pour créer ce domaine planté à 450 m d'altitude, face au Luberon. Le domaine couvre 25 ha, dont 11 ha de vignes, en bio depuis 2017.

Le chêne apporte juste ce qu'il faut de nuances toastées à un nez gorgé de fruits rouges. Ample et large à l'attaque, la bouche déroule sa chair pulpeuse, imprégnée de fruits noirs et d'épices douces, étayée par des tanins à point, fondants. Une longue finale vient clore en beauté la dégustation de ce rouge sensuel et inspirant. ⧗ 2019-2022

CLAUDE LECLERCQ, Dom. du Puy Marquis, 84400 Apt, tél. 04 90 74 51 87, domainedupuymarquis@yahoo.fr V t.l.j. sf dim. 9h-12h30 14h-19h

CH. DE RUTH Le P'tit Ruth 2018 ★

	24000		5 à 8 €

Vincent Moreau s'est établi en 2004 à la tête du Dom. de Galuval, fort de 24 ha de terroirs variés entre Cairanne et Rasteau. Il l'a agrandi en 2010 en acquérant les vastes et anciennes terres du Ch. de Ruth, sur le terroir renommé de Sainte-Cécile-des-Vignes, où il a engagé le renouvellement des 110 ha de vignes et la rénovation des chais, et s'est entouré d'un œnologue de talent, Philippe Cambie.

Pas une once de chêne dans cette cuvée vinifiée pour exalter le fruit du grenache et du marselan. Et c'est très réussi: nez de violette et de petits fruits rouges, bouche souple, élégante et florale, tanins frais avec une pointe d'astringence qui relance la finale. Contrat rempli pour ce vin à boire sans attendre. ⧗ 2019-2021

EARL DOMAINES VINCENT MOREAU, 1909, rte d'Orange, 84290 Sainte-Cécile-les-Vignes, tél. 04 90 30 80 02, contact@chateauderuth.com V t.l.j. sf sam. dim. 8h30-12h 14h-17h

SYLLA Mourre Nègre 2018 ★

	6864		5 à 8 €

Apt est considérée comme la capitale du fruit confit et la production des maîtres confiseurs des lieux était déjà très appréciée au XIVes. par les papes d'Avignon. La vigne y a aussi ses droits, mise en valeur notamment par la cave Sylla (Vignobles en pays d'Apt). Fondée en 1925, cette coopérative vinifie la production de 110 vignerons cultivant 1 000 ha répartis sur quatorze communes des environs, en AOC ventoux et luberon principalement.

Mourre Nègre, le point culminant du massif du Luberon, a donné son nom à ce blanc composé de vermentino, sauvignon et viognier. Très expressif, le nez mêle poire, ananas et nuances minérales. Le charme continue d'agir en bouche: souple, élégante, avec cette minéralité tenace qui lui donne un supplément d'âme. Complexe et gourmand. ⧗ 2019-2022

SCA SYLLA VIGNOBLES EN PAYS D'APT, 135, av. du Viaduc, 84405 Apt Cedex, tél. 04 90 74 05 39, sylla@sylla.fr t.l.j. 9h-19h

DOM. DE LA VERRIÈRE
Viognier 2018 ★

	5450		8 à 11 €

Le roi René de Provence, alors propriétaire des lieux, fit venir ici des verriers italiens en 1470. Le domaine appartient aux Maubert depuis 1969 (avec Jacques aux commandes depuis 1985) et étend ses 28 ha de vignes en coteaux sur les contreforts du Ventoux.

Ne pas se fier à la pâleur de la robe, le nez est tel que le promet le cépage, intense et généreux, entre jasmin, fruits jaunes et fruits exotiques. La bouche est à l'avenant: riche mais sans excès, charmeuse par sa texture ronde et par l'exubérance de son fruit. Franc, généreux et très séduisant. 2019-2020

EARL MAUBERT ET FILS, 2673, chem. de la Verrière, 84220 Goult, tél. 04 90 72 20 88, laverriere2@wanadoo.fr t.l.j. sf dim. 9h-12h 14h-18h

Le Luxembourg

SUPERFICIE : 1 258 ha

PRODUCTION : 81 249 hl

TYPES DE VINS : Blancs secs et moelleux ultramajoritaires (vendanges tardives, vins de glace, vins de paille) ; vins effervescents (crémant-de-Luxembourg) ; rouges et rosés.

CÉPAGES PRINCIPAUX

Rouges : pinot noir (parfois vinifié en blanc), saint-laurent.

Blancs : auxerrois, riesling, pinot blanc, rivaner, elbling, pinot gris, gewurztraminer, chardonnay.

LES VINS DU LUXEMBOURG

Petit État prospère au cœur de l'Union européenne, situé à la charnière des mondes germanique et latin, le Grand-Duché de Luxembourg est un pays viticole à part entière. La consommation de vin par habitant y est proche de celle que l'on observe en France et en Italie. Le vignoble s'inscrit le long du cours sinueux de la Moselle, dont les coteaux portent des ceps depuis l'Antiquité. Longtemps pourvoyeur de vins ordinaires, le Grand-Duché s'est orienté depuis les années 1930 vers une politique de qualité. La production vinicole du Grand-Duché est confidentielle, à la mesure de sa modeste superficie. Essentiellement des vins blancs, vifs et aromatiques.

Dès l'Antiquité. On sait l'importance que prit le vignoble mosellan au IV^e^s., lorsque Trèves – très proche de la frontière actuelle du Grand-Duché de Luxembourg – devint résidence impériale et l'une des quatre capitales de l'Empire romain. Aujourd'hui, sur 42 km, de Schengen à Wasserbillig, les coteaux de la rive gauche de la Moselle forment un cordon continu de vignobles, autour des cantons de Remich et de Grevenmacher. Orientés au sud et au sud-est, ceux-ci bénéficient de l'effet bienfaisant des eaux du fleuve, qui estompent les courants d'air froid venant du nord et de l'est, et modèrent l'ardeur du soleil de l'été. En raison de leur latitude septentrionale (49 degrés de latitude N), ils produisent presque exclusivement des vins blancs. Près de 24 % d'entre eux proviennent du cépage rivaner (ou müller-thurgau). L'elbling, cépage typique du Luxembourg (7 % de la surface viticole), donne un vin léger et rafraîchissant. Les vins les plus recherchés proviennent des cépages auxerrois, riesling, pinot blanc, chardonnay, pinot gris, pinot noir et gewurztraminer.

Une stricte politique de qualité. Avec le millésime 2014, un nouveau système de qualité pour les vins de l'Appellation d'origine protégée-Moselle luxembourgeoise a été introduit. Seuls des vins qui respectent le rendement maximal de 100 hl/ha ont le droit d'utiliser l'indication «Appellation d'origine protégée-Moselle luxembourgeoise». Jusqu'à présent, la qualité des vins était jugée dans le verre, par une dégustation donnant des points aux vins indépendamment de leur rendement. La notion de «qualité dans le verre» est désormais remplacée par le principe d'origine. Un principe qui s'énonce ainsi : «Plus l'unité géographique est petite, plus elle fait ressortir la notion de terroir.» Et plus l'aire géographique est restreinte, plus les critères de qualité à remplir – en particulier le rendement – sont stricts.

Les vins sont produits par des viticulteurs coopérateurs (54,4 % de la production), par des vignerons indépendants (30 %) et par des négociants (15,6 %). L'Institut Viti-Vinicole à Remich est le siège d'un centre de recherches et de l'organisation officielle de la viticulture.

MOSELLE LUXEMBOURGEOISE

♥ BERNA Riesling Ahn Palmberg 2018 ★★

Gd 1er cru | 3300 | | 11 à 15 €

Les caves Berna sont établies au cœur du village d'Ahn, sous la maison des vignerons. Aujourd'hui épaulé par son fils Marc, Raymond Berna exploite un vignoble d'environ 8 ha.

La teinte jaune doré confère à ce vin une belle luminosité dans le verre et invite à découvrir le bouquet intense, tout en notes florales et épicées. Au palais, le cépage affirme sa typicité, avec une belle présence aromatique, de la rondeur et une minéralité complexe. Un vrai riesling qui saura évoluer avec le temps. ⧗ 2019-2024 ■ **Pinot blanc Vin de paille 2018 ★★ (75 à 100 €; 600 b.)** : d'un jaune d'or brillant, ce vin de paille s'annonce riche et complexe. Expressif, sur des notes confites, puissant et persistant, équilibré par une belle fraîcheur, c'est un vin prometteur qui s'épanouira encore durant les prochaines années. ⧗ 2019-2022

CAVES BERNA, 7, rue de la Résistance, 5401 Wormeldange, tél. 76 02 08, berna@pt.lu V *r.-v.*

BERNARD-MASSARD Gewürztraminer 2018 ★

Gd 1er cru | 10200 | | 8 à 11 €

Créée en 1921 par Jean Bernard-Massard, œnologue luxembourgeois formé en Champagne, cette maison de négoce appartient aujourd'hui à la famille Clasen. Elle possède notamment le domaine de Grevenmacher, le domaine Thill – Château de Schengen (12,5 ha) et le Clos des Rochers (près de 20 ha).

Ce gewürztraminer privilégie le fruité frais à l'opulence. Il s'agit d'un vin séveux, déclinant bien sûr le litchi et la rose. Sa vivacité le rend apte à de jolis accords gastronomiques avec un dessert aux fruits ou des macarons. ⧗ 2019-2024

SA CAVES BERNARD-MASSARD, 8, rue du Pont, 6773 Grevenmacher, tél. 75 05 45 1, info@bernard-massard.lu V *t.l.j. 9h-18h; f. nov.-mars*

CLOS DES ROCHERS Pinot gris Domaine et Tradition 2018 ★★

| n.c. | | 15 à 20 €

Dans la famille Clasen (par ailleurs à la tête de Bernard-Massard) depuis le XIX^e^s., ce domaine a été progressivement étendu pour couvrir aujourd'hui 16 ha de vignes réparties en quelque 35 parcelles sur les communes de Grevenmacher, Ahn et Wormeldange.

Un pinot gris qui se distingue par un nez expressif de fruits blancs et de fruits secs. L'attaque est franche, suivie d'un bel équilibre entre fraîcheur et rondeur, souligné de notes de pomme verte, de poire et d'une pointe citronnée. Un vin qui fera encore bonne impression après quelques années de vieillissement. 2019-2022

SARL DOM. CLOS DES ROCHERS, 8, rue du Pont, 6773 Grevenmacher, tél. 75 05 45 1, info@clos-des-rochers.com V *t.l.j. 9h-18h; f. nov.-mars*

DESOM Pinot gris Remich Primerberg 2018 ★★

Gd 1er cru	n.c.		8 à 11 €

En 1925, les Desom fondent une maison de négoce, les Caves Saint-Remy. La société est installée à Remich, face à la Moselle, dans une ancienne filature ayant appartenu au poète luxembourgeois Edmond de la Fontaine. La famille possède aussi un vignoble en propre de 13 ha. L'ensemble est aujourd'hui dirigé par Albert, Georges et Marc Desom.

D'une couleur jaune à reflets dorés soutenus, ce pinot gris évoque les fruits exotiques (ananas), le melon et le miel. La bouche riche et puissante ne se départ pas de son remarquable équilibre, ni de sa ligne fruitée (framboise et agrumes) persistante. Beau représentant du millésime et du cépage. 2019-2022 **Gd 1er cru Dom. Desom Pinot gris Wellenstein Foulschette 2018 ★★ (11 à 15 €; n.c.)** : ce pinot gris d'une grande maturité séduit par sa robe légèrement rosée et son nez expressif de fraise et de melon. Puissante et intense, la bouche aux notes miellées se termine sur une touche de sucrosité. Un dégustateur suggère de le servir avec un risotto au homard. 2019-2024 **Gd 1er cru Pinot gris Schengen Markusberg 2018 ★ (8 à 11 €; n.c.)** : un pinot gris déjà complexe pour son jeune âge, qui livre des parfums typés de fruits blancs et de fumé. L'attaque est franche, puis le milieu de bouche rond, sur un fruité aux accents d'abricot mûr. Une bouteille à marier à un cabillaud. 2019-2022

CAVES SAINT-REMY-DESOM, 9, rue Dicks, 5521 Remich, tél. 03 52 23 60 40, desom@pt.lu V *t.l.j. sf sam. dim. 8h-12h 13h30-17h30*

MME ALY DUHR ET FILS
Riesling Ahn Palmberg 2017 ★★

	2666		15 à 20 €

En 2011, les frères Ben et Max Duhr, petits-fils d'Aly Duhr, ont repris les rênes de ce domaine familial de 11 ha créé en 1872. Constitué au fil des générations, leur vignoble est disséminé sur les coteaux d'Ahn, Wormeldange, Machtum, Grevenmacher, Metert et Remich, si bien que ces vignerons disposent d'une grande variété de terroirs.

Le nez de miel d'acacia et de fruits exotiques évoque le botrytis. Ce riesling très gras pour le millésime est fruité et long. Sa puissance aromatique et sa rondeur le rendent séduisant, de même que cette touche de noisette grillée qui l'accompagne tout au long de la dégustation. 2019-2026 **Riesling Wormeldange Nussbaum 2017 ★★ (15 à 20 €; 3320 b.)** : le nez est intense, avec de jolies notes de mangue, de bergamote et de rose. D'une concentration aromatique propre à une vendange tardive, ce beau riesling dense et très bien équilibré est un ravissement. Il offre un remarquable exemple de ce que le cépage a pu produire dans ce millésime, quand il a été récolté à parfaite maturité. 2019-2026

DOM. MME ALY DUHR, 9, rue Aly-Duhr, 5401 Ahn, tél. 76 00 43, info@alyduhr.lu V *r.-v.*

KEYSER-KOHLL
Pinot blanc Ehnerberg Sélection du Domaine 2018 ★

	6000		8 à 11 €

Depuis le XVIIe s., la famille Kohll cultive la vigne à Ehnen. Le vignoble couvre à présent quelque 7 ha plantés notamment d'auxerrois, de pinots blanc, gris et noir, de chardonnay et de riesling. Il est conduit depuis 2002 par Esther Kohll-Reuland et par son gendre Frank Keyser qui officie au chai.

Ce pinot blanc d'un jaune profond dévoile un nez ample et riche. En bouche, la palette aromatique est nettement marquée par des notes de fruits confits. 2019-2022 **Pinot noir Sunshine 2018 ★ (8 à 11 €; 6000 b.)** : au nez dominé par les arômes de fraises et de fruits rouges répond un palais souple et rond. Un rosé avenant. 2019-2020

DOM. VITICOLE KEYSER-KOHLL BY KOHLL-REULAND, 12, Hohlgaass, 5418 Ehnen, tél. 26 74 77 72, mkohll@pt.lu V *r.-v.*

DOM. VITICOLE KOHLL-LEUCK
Pinot gris Ehnen Rousemen 2018 ★★

	4000		11 à 15 €

Un domaine familial fondé en 1900. Marie-Cécile et Raymond Kohll-Leuck ont transmis en 2011 leur vignoble de 12 ha à leur fils Luc et à son beau-frère Claude Scheuren.

D'un jaune pâle limpide, ce pinot gris séduit par son nez délicat de fleur de pêcher. En bouche, il révèle un parfait équilibre entre rondeur et fraîcheur, en égrenant des nuances de fruits jaunes compotés, puis des notes d'agrumes citronnés en finale. ⌛ 2019-2022

DOM. VITICOLE KOHLL-LEUCK, 4, op der Borreg, Ehnen, 5419 Wormeldange, tél. 352 76 02 42, domaine@kohll.lu V r.-v.

L ET R KOX Riesling Remich Primerberg 2018 ★

	1400		11 à 15 €

La famille avait vignes et cave à Remich. François Kox s'est fait vigneron, fondant le domaine et le transmettant en 1977, avec la passion du métier, à son fils Laurent Kox, marié à Rita. Le viticulteur a porté la surface du vignoble à 12 ha. Pionnier du crémant, expérimentateur (cépages oubliés ou résistants, élevages en jarres de Georgie – ce que le vigneron appelle la « rétro-innovation »), il choie le riesling et propose une gamme diversifiée (vins de glace, vins de paille, vins orange).

Jaune pâle à reflets verts comme il se doit, ce riesling offre un nez intense de fruits mûrs (pêche et poire). Il trouve un bel équilibre au palais, avec de la persistance et de la structure. Un vin gastronomique. ⌛ 2019-2022

DOMAINE VITICOLE LAURENT ET RITA KOX, 6A, rue des Prés, 5561 Remich, tél. 23 69 84 94, kox@pt.lu V r.-v.

Ⓑ DOM. VITICOLE KRIER-BISENIUS
Pinot blanc Schwebsange Kolteschberg 2018 ★

	2700		11 à 15 €

Installé à Bech-Kleinmacher, près de Remich, Jean-Paul Krier conduit en bio un petit domaine familial, dont le vignoble couvre 7 ha.

Ce pinot blanc dévoile des notes de fruits exotiques bien frais. Il fait preuve de puissance, mais ne se départ jamais de son équilibre et laisse les arômes faire ricochet en finale. Un vin idéal pour accompagner des fruits de mer et des crustacés. ⌛ 2019-2021

DOM. VITICOLE KRIER-BISENIUS, 91, rte du Vin, Bech-Kleinmacher, 5405 Schengen, tél. 23 66 92 06, krierjp@pt.lu V r.-v.

KRIER FRÈRES
Pinot gris Domaine privé de la maison 2018 ★

Gd 1er cru	4200		8 à 11 €

Fondée par Jean Krier, négociant, vigneron et tonnelier, en 1914, cette maison de négoce dispose d'un domaine en propre de 13 ha. Elle est dirigée depuis 1989 par Marc Krier, arrière-petit-fils du fondateur.

Ce pinot gris présente une palette aromatique flatteuse, composée de notes de fruits exotiques. Cette ligne se prolonge au palais, soulignant la matière puissante, riche et complexe. La finale chaleureuse témoigne d'une vendange chouchoutée par le soleil. Une belle idée serait d'associer cette bouteille à un plat thaïlandais. ⌛ 2019-2022

SA CAVES KRIER FRÈRES REMICH, 1, montée Saint-Urbain, 5501 Remich, tél. 352 23 69 60 1, caves@krierfreres.lu V r.-v.

CAVES PAUL LEGILL
Pinot gris Schengen Markusberg 2018 ★

	2700		11 à 15 €

Transmis de père en fils depuis six générations, ce domaine est conduit depuis 1990 par Paul Legill, œnologue. Le vignoble, situé à Schengen Markusberg et sur les coteaux de Schengen, s'étend sur près de 6 ha. Si l'exploitation a forgé sa réputation grâce à ses pinots blanc et gris, elle destine aujourd'hui 10 % de sa récolte annuelle à la production de crémant.

Limpide, toute jaune à reflets verts, cette cuvée se révèle prolixe en arômes : réglisse, melon, notes fumées n'en sont que quelques-uns sur la liste. La bouche laisse une impression gourmande grâce à un bon équilibre entre douceur et fraîcheur. ⌛ 2019-2021

CAVES PAUL LEGILL, 27, rte du Vin, 5445 Schengen, tél. 23 66 40 38, plegill@pt.lu V r.-v.

DOM. HENRI RUPPERT
Pinot blanc Coteaux de Schengen Barrique 2016 ★

	7000		20 à 30 €

En 1680, la famille Ruppert cultivait déjà la vigne du côté de Schengen. En 1990, Henri Ruppert, après avoir étudié à Trèves, reprend la propriété. Il porte sa superficie de 3 à 20 ha, plante notamment des pinots gris et noirs, cépages qu'il affectionne, construit un nouveau site en 2006.

Ce pinot blanc élevé douze mois en barrique atteint un bel équilibre déjà, mais il saura développer plus de complexité après un ou deux ans de garde. Pour l'heure, il dévoile d'avenantes notes florales ainsi des arômes de fruits jaunes mûrs. ⌛ 2021-2025

DOM. HENRI RUPPERT, 1, Um-Markusberg, 5445 Schengen, tél. 26 66 55 66, hruppert@pt.lu V r.-v.

DOM. SAINT-MARTIN
Pinot gris De nos rochers 2018 ★

Gd 1er cru	8000		8 à 11 €

Maison fondée en 1919 à Remich par sept associés qui ont fait creuser près d'un kilomètres de galeries dans la falaise calcaire dominant la vallée de la Moselle en vue d'élaborer des crémants. Elle a été reprise par la famille Gales en 1984, qui dispose d'un vignoble de 13 ha. Un restaurant rattaché aux caves offre une vue sur la Moselle.

S'il est discrètement floral au nez, ce pinot gris affiche un caractère plus minéral et fruité (mirabelle, abricot) au palais. La finale joue sur des nuances rafraîchissantes d'agrumes et sur une touche poivrée. Un vin harmonieux. ⌛ 2019-2020

SA CAVES SAINT MARTIN REMICH, 53, rte de Stadtbredimus, 5570 Remich, tél. 26 00 99 1, info@cavesstmartin.lu V *t.l.j. sf lun. 10h-12h 13h-17h30*

CH. DE SCHENGEN Pinot blanc 2018 ★

	6900		8 à 11 €

Situé au sud du Luxembourg, le Ch. de Schengen a eu en 1871 un hôte illustre, Victor Hugo, qui a réalisé une aquarelle représentant la tour, reproduite sur nombre d'étiquettes. Ses 14 ha de vignes en font l'un des domaines qui comptent au Grand Duché. En 1986, la propriété a été rachetée par le groupe Bernard-Massard.

Un pinot blanc avec beaucoup de corps et de structure. Vin puissant, typé, il présente des notes citronnées ainsi que des arômes de fruits jaunes bien mûrs. À déguster à l'apéritif ou bien à associer avec une cuisine méditerranéenne. ⧗ 2019-2022 **Auxerrois 2018 (8 à 11 €; 5100 b.)** : vin cité.

SARL DOM. THILL (CH. DE SCHENGEN), 8, rue du Pont, 6773 Grevenmacher, tél. 75 05 45 1, info@chateau-de-schengen.com V t.l.j. 9h-18h; f. nov-mars

SCHLINK
Pinot gris Machtum Ongkaf Arômes et Couleurs 2018 ★

	12000		11 à 15 €

René Schlink a pris en 1993 la succession de ses parents Jean et Anne Schlink-Hoffeld sur ce domaine familial créé en 1911. Son fils Jean-Marc, qui l'avait rejoint en 2008, a pris la relève en 2016.

Un vin au grand pouvoir de séduction, qui reflète à merveille le potentiel du millésime 2018. L'équilibre est des plus réussis entre douceur et fraîcheur. ⧗ 2019-2021

DOM. VITICOLE SCHLINK, 1, rue de l'Église, 6841 Machtum, tél. 75 84 68, info@caves-schlink.lu V t.l.j. sf sam. dim. 8h-12h 13h-18h

DOM. SCHUMACHER-KNEPPER
Pinot gris Wintrange Felsberg 2018 ★

Gd 1er cru	4900		11 à 15 €

Ce domaine se transmet de père en fils depuis 1714. En 1965, il s'agrandit grâce au rachat du vignoble du notaire Constant Knepper. En 2003, Frank et Martine Schumacher, représentant la huitième génération, prennent la direction de cette exploitation, qui compte aujourd'hui 9,5 ha. La propriété a considérablement investi dans les énergies renouvelables (solaire, géothermie...).

Le nez de ce vin jaune clair à reflets verts semble discret (groseille et agrumes), mais la bouche est bien intense et gourmande, misant tout sur la douceur et le fruit. ⧗ 2019-2021 **Gd 1er cru Lyra Wintrange Felsberg 2017 ★ (11 à 15 €; 2900 b.)** : ce pinot noir rubis libère un nez puissant marqué par l'empreinte de la barrique. Des arômes de cerise et autres fruits rouges s'ajoutent au boisé dans la matière structurée par des tanins harmonieux. La finale persistante est dominée par la vanille. ⧗ 2020-2024

DOM. VITICOLE SCHUMACHER-KNEPPER, 28, rte du Vin, 5495 Wintrange, tél. 23 60 45, contact@schumacher-knepper.lu V t.l.j. sf dim. 9h-12h 14h-17h30

B DOM. SUNNEN-HOFFMANN
Auxerrois Schengen Fels 2018 ★★

	830		15 à 20 €

Fondé en 1872 par Anton Sunnen, ce domaine compte environ 9 ha de vignes conduites en bio (depuis 2001) et en biodynamie. Cinq générations se sont succédé à la tête du vignoble : aujourd'hui Corinne Kox-Sunnen, son frère Yves Sunnen et leurs conjoints Henri Kox et Chantal Sunnen.

Un auxerrois séduisant et fruité (fruits mûrs et citron), dont l'équilibre et la persistance témoignent de l'excellente maturité du raisin dans ce millésime. ⧗ 2019-2020 **Pinot gris Schwebsange Kolteschbierg 2018 ★ (11 à 15 €; 4000 b.)** B : minérale et fraîche, la bouche impressionne par son élégance. On verrait bien ce vin de gastronomie accompagner une sole meunière. ⧗ 2019-2020

DOM. SUNNEN-HOFFMANN, 6, rue des Prés, 5441 Remerschen, tél. 23 66 40 07, info@caves-sunnen.lu V t.l.j. sf sam. dim. 8h-12h 13h30-17h

DOMAINES VINSMOSELLE
Pinot gris Greiveldange Dieffert 2018 ★★

Gd 1er cru	15000		8 à 11 €

Cette cave fait partie du Centre d'élaboration des crémants Poll-Fabaire. Elle compte parmi les six caves des Domaines Vinsmoselle qui rassemblent 130 collaborateurs et 300 familles de vignerons cultivant plus de 680 ha de vignes au total.

Un pinot gris très représentatif du millésime 2018. Les arômes d'une grande intensité évoquent les fruits à chair blanche mûrs comme la poire et la pêche. Une attaque franche introduit une bouche équilibrée, toute douce en finale. Un vin élégant que l'on servira volontiers sur une ballotine de canard. ⧗ 2019-2021

DOMAINES VINSMOSELLE (CAVE DE GREIVELDANGE), Cave de Greiveldange, Hamesgaass, 5427 Greiveldange, tél. 23 69 66, info@vinsmoselle.lu

♥ DOMAINES VINSMOSELLE
Gewürztraminer Machtum Göllebour 2018 ★★

Gd 1er cru	7000		8 à 11 €

Fondée en 1921, cette cave est la plus ancienne de la Moselle luxembourgeoise. Elle fait partie des Domaines Vinsmoselle qui rassemblent six caves coopératives, 130 collaborateurs et 300 familles de vignerons cultivant plus de 680 ha de vignes.

Le millésime 2018 était favorable à tous les cépages, dont le gewürztraminer. En témoigne ce vin au nez typique de rose et de litchi. Très équilibré, pas trop doux, et doté d'un punch remarquable grâce à une juste fraîcheur, il fera bel effet en compagnie de fromages persillés. ⧗ 2019-2025 **Gd 1er cru Gewürztraminer 2018 ★ (11 à 15 €; 8500 b.)** : La robe jaune paille à reflets dorés donne envie de découvrir ce vin. Celui-ci est prompt à dévoiler son bouquet exotique de rose et de litchi. Il charme par son caractère moelleux bien équilibré. Un vin typique de ce que le cépage offre d'aimable. ⧗ 2019-2025

DOMAINES VINSMOSELLE (CAVE DE GREVENMACHER), 12, rue des Caves, 6718 Grevenmacher, tél. 52 75 01 75, info@vinsmoselle.lu V t.l.j. sf dim. 9h-12h 13h-17h

DOMAINES VINSMOSELLE
Auxerrois Remerschen Kreitzberg 2018 ★

Gd 1er cru	n.c.		8 à 11 €

Créée en 1948, la cave de Remerschen est la plus méridionale de la Moselle luxembourgeoise. Sur son territoire se trouve la localité de Schengen, devenue célèbre par les Accords de Schengen signés en 1985-1990. Elle fait partie des Domaines Vinsmoselle qui rassemblent six caves coopératives, 130 collaborateurs et 300 familles de vignerons qui travaillent sur plus de 680 ha de vignes. La cave apporte aussi son concours au Centre d'élaboration des crémants Poll-Fabaire.

Le nez agréable, frais et discret, dévoile des nuances d'agrumes et de fruits jaunes. Le palais laisse persister le fruit tout en y ajoutant des arômes primaires de brioche. Une juste vivacité et une ligne minérale soutiennent agréablement la finale. ⌛ 2019-2021 **Riesling Charta Schengen Prestige 2018 ★ (15 à 20 €; n.c.)** : d'un jaune doré brillant, ce riesling dévoile des arômes exotiques et miellés évocateurs de melon. Il développe un caractère charnu au palais, toujours dans le registre exotique. Une certaine longueur ajoute à son charme gourmand. ⌛ 2019-2021

DOMAINES VINSMOSELLE (CAVE REMERSCHEN), 32, rte du Vin, 5440 Remerschen, tél. 23 66 41 65, info@vinsmoselle.lu V t.l.j. sf lun. 10h-19h

DOMAINES VINSMOSELLE
Auxerrois Stadtbredimus Primerberg 2018 ★

	20000		8 à 11 €

Cette cave fait partie du Centre d'élaboration des crémants Poll-Fabaire. Elle compte parmi les six caves des Domaines Vinsmoselle qui rassemblent 130 collaborateurs et 300 familles de vignerons cultivant plus de 680 ha de vignes au total.

La robe jaune clair légèrement doré semble en accord avec le fruité élégant d'abricot et de pêche perceptible au nez. Un vin qui montre le potentiel de ce millésime exceptionnel, avec une complexité et une élégance typique du cépage auxerrois. La finale intense est un autre de ses atouts. ⌛ 2019-2021

DOMAINES VINSMOSELLE (CAVE DE STADTBREDIMUS), Caves de Stadtbredimus, Kellereiswee, 5450 Stadtbredimus, tél. 23 69 66, info@vinsmoselle.lu

♥ DOMAINES VINSMOSELLE
Pinot gris Wormeldange Mohrberg 2018 ★★

Gd 1er cru	30000		8 à 11 €

Créée en 1930, la cave de Wormeldange est devenue en 1991 le «Centre d'élaboration des crémants Poll-Fabaire». Elle fait partie des Domaines Vinsmoselle qui rassemblent six caves coopératives, 130 collaborateurs et 300 familles de vignerons cultivant plus de 680 ha de vignes.

Limpide, de couleur jaune à reflets verts, ce pinot gris possède un nez expressif (melon, agrumes et brioche). En bouche, floral et fruité, il révèle toute sa puissance et sa richesse jusqu'à une longue finale épicée. ⌛ 2019-2022

Gd 1er cru Auxerrois Wormeldange Piertert 2018 ★ (8 à 11 €; 20000 b.) : discret de prime abord, ce vin jaune pâle ne tarde par à s'ouvrir à l'aération, révélant des senteurs fines, typiques de l'auxerrois. Le palais rond et souple fait preuve d'équilibre, relevé par la fraîcheur des arômes de pomme et de coing. ⌛ 2019-2021

DOMAINES VINSMOSELLE (CAVE DE WORMELDANGE), 115, rte du Vin, 5481 Wormeldange, tél. 76 82 11, info@vinsmoselle.lu V t.l.j. 8h-19h

CRÉMANT-DE-LUXEMBOURG

BECK Méthode traditionnelle ★★

	7360		8 à 11 €

Un domaine familial de 7,5 ha implanté à Greiveldange, village de la commune de Stadtbredimus situé dans une vallée perpendiculaire à la Moselle. Il est conduit par Tom Beck qui a pris la suite de son père en 1999, après ses études de viticulture-œnologie.

Parsemé de bulles fines, ce crémant brillant de reflets dorés présente un remarquable équilibre entre la fraîcheur florale et la douceur des fruits jaunes. Il persiste fort agréablement en finale. ⌛ 2019-2021

DOM. VITICOLE BECK-FRANK, 10, Bréil, Greiveldange, 5426 Stadtbredimus, tél. 23 69 82 92, vins.beck@pt.lu V r.-v.

BERNARD-MASSARD 2015 ★

	70000		11 à 15 €

Créée en 1921 par Jean Bernard-Massard, œnologue luxembourgeois formé en Champagne, cette maison de négoce appartient aujourd'hui à la famille Clasen. Elle possède notamment le domaine de Grevenmacher, le domaine Thill – Château de Schengen (12,5 ha) et le Clos des Rochers (près de 20 ha).

Des bulles fines et intenses montent dans le verre avec régularité. Elles semblent porter les agréables notes de fleurs blanches et de zestes de citron et d'orange. Le palais trouve un bon équilibre dans le registre de la fraîcheur fruitée. ⌛ 2019-2021

SA CAVES BERNARD-MASSARD, 8, rue du Pont, 6773 Grevenmacher, tél. 75 05 45 1, info@bernard-massard.lu V t.l.j. 9h-18h; f. nov.-mars

DOM. CLOS DES ROCHERS ★

	42000		15 à 20 €

Dans la famille Clasen (par ailleurs à la tête de Bernard-Massard) depuis le XIXe s., ce domaine a été progressivement étendu pour couvrir aujourd'hui 16 ha de vignes réparties en quelque 35 parcelles sur les communes de Grevenmacher, Ahn et Wormeldange.

Les fines bulles s'élèvent dans une robe dorée aux légers reflets argentés. Le nez séduit par sa complexité, alliant les notes de pomme verte à celles d'herbes aromatiques. Puis le palais offre une onctuosité fine et persistante. ⌛ 2019-2021

SARL DOM. CLOS DES ROCHERS, 8, rue du Pont, 6773 Grevenmacher, tél. 75 05 45 1, info@clos-des-rochers.com V t.l.j. 9h-18h; f. nov.-mars

MME ALY DUHR ET FILS ★

n.c.		11 à 15 €

En 2011, les frères Ben et Max Duhr, petits-fils d'Aly Duhr, ont repris les rênes de ce domaine familial de 11 ha créé en 1872. Constitué au fil des générations, leur vignoble est disséminé sur les coteaux d'Ahn, Wormeldange, Machtum, Grevenmacher, Metert et Remich, si bien que ces vignerons disposent d'une grande variété de terroirs.

D'une robe à reflets or pâle, animée de bulles fines et persistantes, se libèrent des arômes de pomme verte et de poire. De la fraîcheur, à n'en point douter, dans ce crémant bien équilibré. ⧗ 2019-2021

⊶ DOM. MME ALY DUHR, 9, rue Aly-Duhr, 5401 Ahn, tél. 76 00 43, info@alyduhr.lu V r.-v.

A. GLODEN ET FILS
Méthode traditionnelle ★★

13700		8 à 11 €

Conduit depuis 1998 par Claude Gloden, ce domaine viticole couvrant les coteaux de Wellenstein et de Schengen se transmet de père en fils depuis 1751. L'élaboration du crémant à la propriété est plus récente : elle remonte à 1994.

Une jolie mousse se forme sur le bord du verre, au versement de ce crémant. Il est bien tentant dès lors de découvrir les arômes : fruits secs, pomme verte et agrumes sont rendez-vous. Le palais se caractérise par une certaine douceur, avec des accents de cire et de miel. ⧗ 2019-2021

⊶ A. GLODEN ET FILS, 12, Albaach, 5471 Wellenstein, tél. 23 69 83 24, info@gloden.net V r.-v.

HÄREMILLEN
Grande Cuvée Méthode traditionnelle 2018 ★

14000		n.c.

Ce domaine fondé en 1978 par la famille Mannes-Kieffer est l'un des plus récents bordant la Moselle. Sis dans l'ancien moulin du chanoine (Häremillen) de Trèves, il est entouré de 15 ha de vignes.

Belle mousse à la couleur jaune argenté. Joli nez de fleurs, d'agrumes et de poire. Puis, harmonie et structure élégante de la matière. Tout concourt à la réussite de ce 2018. ⧗ 2019-2021

⊶ DOM. VITICOLE HÄREMILLEN, 3, op der Borreg, 5419 Ehnen, tél. 76 84 36, info@haeremillen.lu r.-v.

LEGILL Cuvée Riesling Méthode traditionnelle ★

4000		11 à 15 €

Transmis de père en fils depuis six générations, ce domaine est conduit depuis 1990 par Paul Legill, œnologue. Le vignoble, situé à Schengen Markusberg et sur les coteaux de Schengen, s'étend sur près de 6 ha. Si l'exploitation a forgé sa réputation grâce à ses pinots blanc et gris, elle destine aujourd'hui 10 % de sa récolte annuelle à la production de crémant.

Ce crémant dispense des bulles vives sur fond jaune clair à reflets verts. Ses arômes ont tout autant d'allant (fruits blancs et jaunes), de même que la bouche fraîche et bien équilibrée. ⧗ 2019-2021

⊶ CAVES PAUL LEGILL, 27, rte du Vin, 5445 Schengen, tél. 23 66 40 38, plegill@pt.lu V r.-v.

DOM. MATHES Steel ★

1600		11 à 15 €

Fondé en 1907 par Jean-Pierre Mathes, le domaine dispose de 8 ha exclusivement plantés en cépages nobles dans la commune de Wormeldange, notamment aux lieux-dits Wousselt, Mohrberg, Koeppchen.

Dans une robe de teinte saumon, les bulles entament une danse bien rythmée, qui semble annoncer le caractère dynamique de ce crémant. Celui-ci possède de la fraîcheur, en effet, soulignée par des arômes de fruits rouges, ainsi que des touches fumées et minérales. ⧗ 2019-2020

⊶ DOM. MATHES, 73, rue Principale, 5480 Wormeldange, tél. 76 93 93, info@mathes.lu V r.-v.

POLL-FABAIRE Cult ★

28000		11 à 15 €

Créée en 1930, la cave de Wormeldange est devenue en 1991 le « Centre d'élaboration des crémants Poll-Fabaire ». Elle fait partie des Domaines Vinsmoselle qui rassemblent six caves coopératives, 130 collaborateurs et 300 familles de vignerons cultivant plus de 680 ha de vignes.

La robe jaune à reflets verts s'anime d'un fin cordon de bulles persistantes. Des notes de fleurs blanches et de pêche semblent être en parfaite cohérence avec la bouche ample, qui laisse le souvenir d'une légère douceur. ⧗ 2019-2021

⊶ DOMAINES VINSMOSELLE (CAVE DE WORMELDANGE), 115, rte du Vin, 5481 Wormeldange, tél. 76 82 11, info@vinsmoselle.lu V *t.l.j. 8h-19h*

DOM. HENRI RUPPERT Cuvée Gëlle Fra 2012 ★★

2000		30 à 50 €

En 1680, la famille Ruppert cultivait déjà la vigne du côté de Schengen. En 1990, Henri Ruppert, après avoir étudié à Trèves, reprend la propriété. Il porte sa superficie de 3 à 20 ha, plante notamment des pinots gris et noirs, cépages qu'il affectionne, construit un nouveau site en 2006.

La mousse prend les jolis reflets jaune pâle de la robe. Il y a de l'élégance dans cette présentation, que soulignent encore de subtils arômes boisés. Alliant fraîcheur et rondeur, cette cuvée persiste agréablement. ⧗ 2019-2021

⊶ DOM. HENRI RUPPERT, 1, Um-Markusberg, 5445 Schengen, tél. 26 66 55 66, hruppert@pt.lu V *r.-v.*

SAINT-MARTIN ★

23700		8 à 11 €

Maison fondée en 1919 à Remich par sept associés qui ont fait creuser près d'un kilomètres de galeries dans la falaise calcaire dominant la vallée de la Moselle en vue d'élaborer des crémants. Elle a été reprise par la famille Gales en 1984, qui dispose d'un vignoble de 13 ha. Un restaurant rattaché aux caves offre une vue sur la Moselle.

Élégante par ses bulles fines et généreuses, cette cuvée l'est tout autant par son intensité aromatique : les notes fruitées se marient à celles légèrement boisées. D'une belle fraîcheur au palais, elle se distingue aussi par sa structure équilibrée. ⧗ 2019-2021

SA CAVES SAINT MARTIN REMICH, 53, rte de Stadtbredimus, 5570 Remich, tél. 26 00 99 1, info@cavesstmartin.lu V t.l.j. sf lun. 10h-12h 13h-17h30

♥ SCHUMACHER-KNEPPER
Alexandre de Musset 2016 ★★

	9730		8 à 11 €

Ce domaine se transmet de père en fils depuis 1714. En 1965, il s'agrandit grâce au rachat du vignoble du notaire Constant Knepper. En 2003, Frank et Martine Schumacher, représentant la huitième génération, prennent la direction de cette exploitation, qui compte aujourd'hui 9,5 ha. La propriété a considérablement investi dans les énergies renouvelables (solaire, géothermie...).

Finesse des bulles, reflets verts, touches de citron et de pomme, fraîcheur du palais : une cuvée qui ressemble à un paysage de Sosthène Weis, l'un des peintres paysagistes luxembourgeois les plus célèbres. ⌛ 2019-2021

DOM. VITICOLE SCHUMACHER-KNEPPER, 28, rte du Vin, 5495 Wintrange, tél. 23 60 45, contact@schumacher-knepper.lu V t.l.j. sf dim. 9h-12h 14h-17h30

INDEX

Index des appellations

INDEX DES APPELLATIONS

L'indexation ne tient pas compte de l'article défini

INDEX DES APPELLATIONS

Index des communes

INDEX DES COMMUNES

L'indexation ne tient pas compte de l'article défini

L

T

U

V

Index des producteurs

INDEX DES PRODUCTEURS

PRODUCTEURS

C

E

PRODUCTEURS

M

Index des vins

INDEX DES VINS

L'indexation ne tient pas compte de l'article défini

F

VINS

N

S

T

U

V

X

Y

Z

Notes de dégustations

Notes de dégustations

Notes de dégustations

Notes de dégustations

hachette s'engage pour l'environnement en réduisant l'empreinte carbone de ses livres. Celle de cet exemplaire est de :
1,5 kg. éq. CO_2
Rendez-vous sur www.hachette-durable.fr

Achevé d'imprimer en août 2019 en Italie
par Rotolito S.p.A.
Dépôt légal : août 2019
978-2-01-70471-31
52-4603-9 / 01

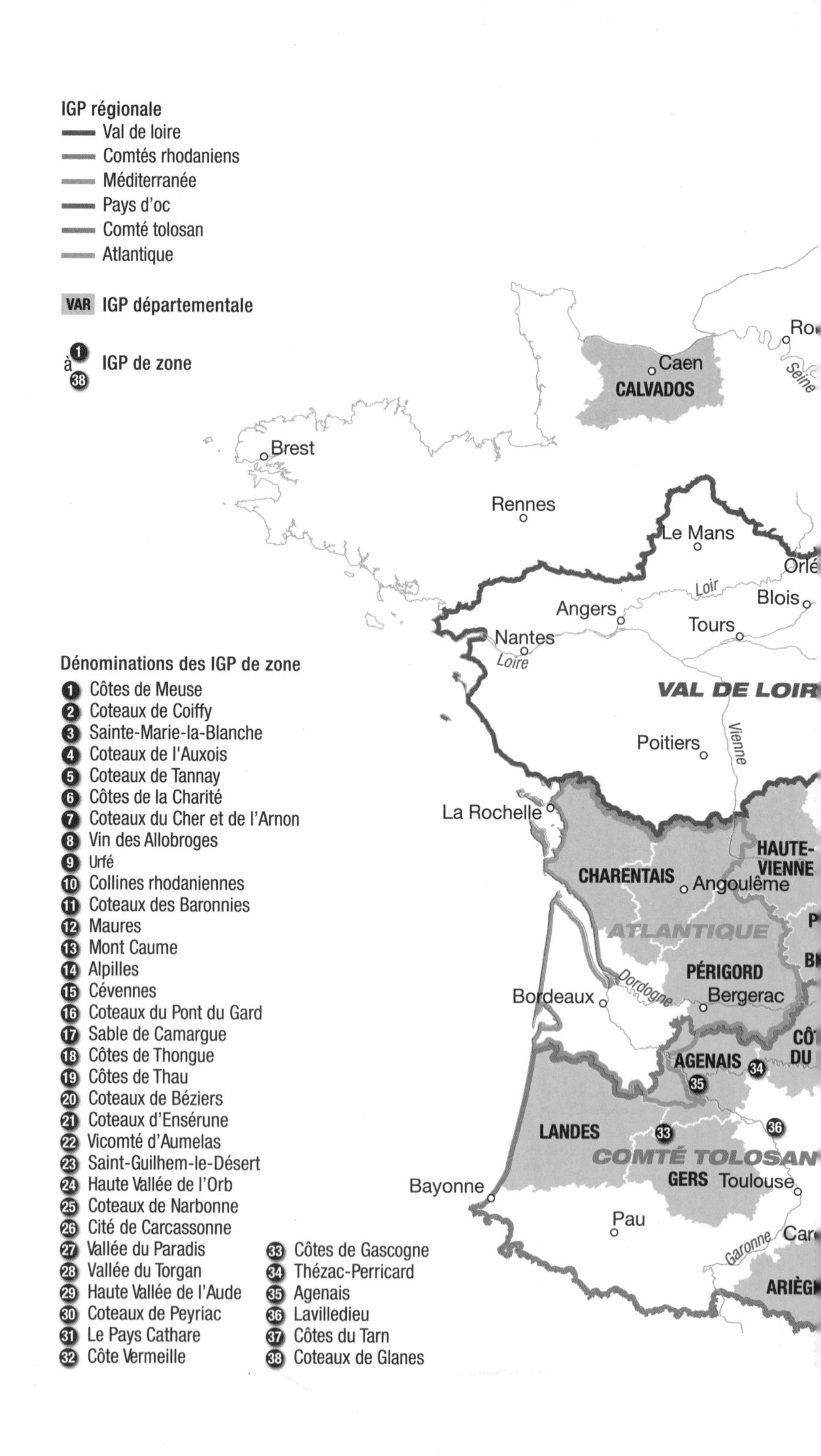
IGP régionale
Val de loire
Comtés rhodaniens
Méditerranée
Pays d'oc
Comté tolosan
Atlantique
VAR IGP départementale
1 à 38 IGP de zone
Dénominations des IGP de zone
1 Côtes de Meuse
2 Coteaux de Coiffy
3 Sainte-Marie-la-Blanche
4 Coteaux de l'Auxois
5 Coteaux de Tannay
6 Côtes de la Charité
7 Coteaux du Cher et de l'Arnon
8 Vin des Allobroges
9 Urfé
10 Collines rhodaniennes
11 Coteaux des Baronnies
12 Maures
13 Mont Caume
14 Alpilles
15 Cévennes
16 Coteaux du Pont du Gard
17 Sable de Camargue
18 Côtes de Thongue
19 Côtes de Thau
20 Coteaux de Béziers
21 Coteaux d'Ensérune
22 Vicomté d'Aumelas
23 Saint-Guilhem-le-Désert
24 Haute Vallée de l'Orb
25 Coteaux de Narbonne
26 Cité de Carcassonne
27 Vallée du Paradis
28 Vallée du Torgan
29 Haute Vallée de l'Aude
30 Coteaux de Peyriac
31 Le Pays Cathare
32 Côte Vermeille
33 Côtes de Gascogne
34 Thézac-Perricard
35 Agenais
36 Lavilledieu
37 Côtes du Tarn
38 Coteaux de Glanes
Caen
CALVADOS
Seine
Brest
Rennes
Le Mans
Loir
Blois
Angers
Tours
Nantes
Loire
VAL DE LOIR
Poitiers
Vienne
La Rochelle
HAUTE-VIENNE
CHARENTAIS
Angoulême
ATLANTIQUE
PÉRIGORD
Dordogne
Bordeaux
Bergerac
AGENAIS
LANDES
COMTÉ TOLOSAN
GERS
Toulouse
Bayonne
Pau
Garonne
ARIÈG